David Ortega Cavero

diccionario

ESPAÑOL-PORTUGUES

Contiene 90.000 artículos con todos los términos técnicos, científicos y de artes.

Se incluyen millares de sinónimos, proverbios, locuciones familiares y arcaismos.

Se dan las formas irregulares de los verbos.

Contiene un completo Compendio de Gramática Portuguesa que soluciona todas las dudas de sintaxis y pronunciación.

Lleva un apéndice de nombres patronímicos y geográficos y principales abreviaturas.

Se incluyen también los brasileñismos y las formas ortográficas autorizadas por la Academia de Ciencias de Lisboa y la Academia Brasileña de Letras.

Editorial Ramón Sopena, S.A.

PROVENZA, 95　　　　　　　　　BARCELONA

David Ortega Cavero

dicionario
ESPANHOL-PORTUGUÊS

Contém 90.000 artigos, com todos os termos técnicos, científicos e de artes.

Incluem-se milhares de sinónimos, provérbios, locuções familiares e arcaísmos.

Registam-se as formas dos verbos irregulares.

Contém um completo Compêndio de Gramática Portuguesa que soluciona todas as dúvidas de sintaxe e pronunciação.

Tem um apêndice de nomes patronímicos, geográficos e principais abreviaturas.

Incluem-se também os brasileirismos e formas ortográficas autorizadas pela Academia de Ciências de Lisboa e Academia Brasileira de Letras.

Editorial Ramón Sopena, S.A.

PROVENZA, 95   BARCELONA

© Editorial Ramón Sopena, S. A.

Depósito Legal B. 12.124-65. N.º R.º 145-65
Gráficas Ramón Sopena, S. A. (9367)
Barcelona - 1966
Impreso en España - *Printed in Spain*

Prefácio

Ante considerações de índole histórica assim como linguística, chega-se a pensar na estranha ausência no amplo Mundo de fala Luso-Espanhola, de um Dicionário de línguas tão nobres como o castelhano e o português, às quais, a literatura Universal tanto deve da sua riqueza.

As estreitas relações de toda a qualidade existentes entre Portugal e Espanha, a unidade do destino e a comunhão das suas empresas, tanto no espaço como no tempo —na Geografia e na História— exigia imperiosamente a publicação duma obra que recolhesse a vasta herança idiomática dos dois povos ibéricos. Para colmar tão anómalo vazio, coordenou-se o Dicionário que agora apresentamos ao estudioso de português e do castelhano.

Que nunca mais seja possível dizer-se, o que tanto poude entristecer Miguel de Unamuno, quando, com evidente desconsolação, escreveu:

«Mas, ainda sendo os dois países vizinhos, isolados em certo modo do resto da Europa, eu não sei que absurdo nos tem mantido separados no espiritual. Em Madrid é mais fácil encontrar um livro inglês, alemão ou italiano que um português e em Portugal, há Faculdades de Medicina que dão como texto em Histologia, obras do nosso Ramón y Cajal, mas... em francês.

Em certa ocasião, viajando um amigo por Portugal, teve de aproximar-se ao escritório do administrador do Hotel, no qual estava afixado um letreiro com recomendações aos viajantes, escrito em francês, italiano, alemão e inglês. O meu amigo, viajante infatigável, que falava alguma coisa de cada uma destas línguas, aproximou-se ao administrador e disse-lhe: *Vous parlez français, n'est-ce pas?* Ouvindo a resposta: *Não, não falo francês;* então: *Lei parla italiano?;* e o outro: *Não, não falo italiano;* em seguida: *Do you speaking English?,* e *Não, não falo inglês;* e por fim: *Sprechen sie Deutsch?,* ouvindo-se novamente: *Não, não falo alemão.* O meu amigo disse então: «*Hombre, ¿habla usted español?*». E o português a isto: «*Sí, señor, entiendo el español.*» «É boa, —disse o meu amigo— antes de continuar diga-me uma coisa; o Senhor não sabe nem francês, nem italiano, nem alemão, nem inglês e tem aí uma recomendação nessas quatro línguas, mas na única que o Senhor parece conhecer sem ser a sua, o castelhano, não aparece. Como é isso?» Em correcto castelhano, o português respondeu: «Ouça-me Senhor: Em que Hotel de Espanha, viu V. Ex.ª, recomendações ou avisos em português?» O meu amigo calou-se.»

Até agora —pelo menos em Espanha— só houve alguns tímidos e modestos esforços editoriais, mas sempre insuficientes no complexo campo de inventariar o léxico dos dois idiomas. É inútil destacar a importância que isto apresenta: mais de 270 milhões de seres têm por língua o português e o espanhol, cifra que representa o 12 % das línguas índo-europeias, sòmente superadas pela inglesa. Se numa escala mundial, houver em conta que o grupo de idiomas formado pelo castelhano (mais de 180 milhões) e o português 90 milhões) ocupa o 4.º lugar, depois do chinês (635 milhões), das línguas indostânicas (370 milhões) e da inglesa com os seus 295 milhões, revela-se evidentemente toda a força e alcance de influência que, em terreno idiomático, se pode ter com a possessão de ambas línguas. A dita importância engrandece-se perante as imensas possibilidades de crescimento demográfico que se abrem ante os Estados Unidos do Brasil, verdadeiro «continente do futuro», como tem sido classificado por penas ilustres e 4.º país do Mundo pela sua extensão, imediatamente depois da Rússia, China e Canadá.

Pelo que se refere ao alcance desta obra, teve-se em conta o valor biológico das palavras, que, como verdadeiros organismos vivos, nascem, evolucionam e morrem. Consequentemente, achou-se oportuno registrar grande número de vocábulos que se empregaram em tempos pretéritos, arcaísmos hoje quase fora de uso, mas que, ao contrário, podem ser ferramentas de inestimável valor para o tradutor ou investigador de textos antigos.

De modo análogo, figura também uma nutrida quantidade de provincialismos e regionalismos. Também não se evitou a entrada a um aspecto tão importante, como é o constituido pelos neologismos, seiva do idioma que é rejuvenescido pela sua incessante introdução. Pela mesma razão, não podia estar ausente o caudal importantíssimo dos americanismos, particularmente pelo que diz às vozes e modismos brasileiros que foram incluídos em número considerável, debaixo da abreviatura (Bras.). Ao mesmo tempo, fez-se a oportuna distinção sobre todas aquelas palavras em que a grafia e acentuação brasileira é diferente da língua portuguesa, colocando entre parênteses a vogal cujo acento ortográfico sofre variação. EXEMPLOS: **recurso**. *m*. recurso, reversão... desafo(ô)go; **coro**. *m*. co(ô)ro. Também vai entre parênteses a letra ou letras duma palavra que são omitidas no Brasil. EXEMPLOS: **rectotomía**. *f*. (cir.) re(c)totomia. **optimista**. *s*. o(p)timista.

Por outra parte, prestou-se especial atenção à interessante questão dos idiotismos e locuções familiares e populares que constituem a medula

da linguagem. Tomando atenção ao génio particular de ambos idiomas e
sempre que foi possível, deu-se a cada expressão particular duma língua
a correspondente ou similar existente na outra, repelindo por princípio
a mera tradução literal daquela. Igualmente, ao provérbio português
procurou-se o provérbio espanhol de rigor. Análogas considerações guia-
ram-nos para evitar o emprego da perífrase na versão dos vocábulos que
compõe este Dicionário.

A grande aventura do homem na luta incessante contra o meio circun-
dante, desde o logro da verticalidade até às conquistas do domínio do
átomo e da mecânica interplanetária, a directa projecção da actividade e
pensamento na sua forma —falada ou escrita— de expressão, traduz-se no
contínuo enriquecimento do caudal lexicográfico. Por isso, não podiam
faltar neste Dicionário as vozes mais recentes, que no terreno da técnica
mais moderna, vão dando fé da passagem do homem sobre a Terra.

Finalmente, seria omissão imperdoável, deixar de expresar a nossa
gratidão à Editorial Sopena, que, consequente com a linha de actuação,
não regateou qualquer esforço para que tenha sido uma realidade este
Dicionário, que temos a honra de oferecer hoje à crescente massa de seres
que nos dois hemisférios falam as formosas línguas de Camões e Cervantes.

DAVID ORTEGA CAVERO

A

A, a. *f.* primeira letra e primeira vogal do alfabeto espanhol.

a. *prep.* a, até, com, de, por, sôbre Indicativa de várias relações: de lugar, aproximação, ou afastamento; *ir a Madrid,* ir a Madrid; de tempo; *de sábado a domingo,* de sábado a domingo; de m..do; *anlar a galope,* andar a galope; de ordem e sucessão; *gota a gota,* gota a gota; *dia a dia,* dia a dia, etc. Emprega-se em numerosas locuções adverbiais; *a propósito,* ao ponto; *a lo tonto,* às tontas; *a lo más,* ao mais; *a la vista de todos,* às claras; *a través,* através; *a tontas y a locas,* às tontas; *a toda prisa,* apressadamente; *a tiempo,* a tempo; *a contrapelo,* arrepia-cabelo; *estar a punto de,* estar a ponto de, em erre de; *a gusto,* a belo prazer.

aarónico, ca. *adj.* aarónico, que diz respeito a Aarão.

¡aba! *interj.* cuidado!

aba. *m.* abá, esp..cie de manto usado pelos beduinos; tecido grosseiro de lã.

abacería. *f.* mercearia, loja, tenda.

abacero, ra. *s.* merceeiro; tendeiro.

abacial. *adj.* abacial. referente ao abade ou à abadia; abadengo.

ábaco. *m.* (arq.) ábaco, parte superior ou coroa do capitel de uma coluna; ábaco, tabuada de Pitágoras; credência. aparador; ábaco, insignia de superioridade entre os Templários; ábaco, tabuleiro onde as crianças escreviam com o dedo; ábaco, contador mecânico para ensinar os primeiros rudimentos de cálculo.

abacorar. *v. tr.* (Amér.) humilhar, abater, vexar.

abactor. *m.* abactor, ladrão de gado.

abáculo. *m.* abáculo, pequeno ábaco; pedacinho de vidro pintado embutido no mosaicos dos pavimentos.

abad. *m.* abade, padre; (fig.) homem muito gordo.

abadanamiento. *m.* curtimento da badana ou carneira.

abadanar. *v. tr.* curtir, preparar a badana.

abadejo. *m.* (zool.) abadejo bacalhau

abadengo, ga. *adj.* abadengo, abacial.

abadernar. *v. tr.* (mar.) abadernar, segurar com abadernas.

abadesa. *f.* abadessa, superiora de certas comunidades religiosas; prelada de um convento; (Bras.) abadêssa.

abadesal. *adj.* (Amér.) abacial. V. **abacial.**

abadesil. *adj.* abacial. V. **abacial.**

abadía. *f.* abadia, claustro, convento, mosteiro; paróquia; badia, rendimentos do abade; (Bras.) abadágio.

abadiado. *m.* (ant.) abadessado, abadia, dignidade de abade; território pertencente à abadia.

abadiato. *m.* abadessado. V. **abadiado.**

abajadar. *v. tr.* converter ou transformar em palha.

abajadero. *m.* baixada, declive, terreno em declive; depressão.

abajador. *m.* criado, moço de cavalariça.

abajamiento. *m.* abaixamento; depressão; diminuição; ac. e ef. de abaixar; desfalque; baixeza; abatimento; descrédito; desconto; (fig.) humilhação.

abajar. *v. tr.* e *intr.* abaixar; baixar; fazer descer; dirigir para baixo. V. **bajar.**

abajeño, ña. *adj.* (Amér.) que diz respeito à costa.

abajo. *adv.* abaixo; em baixo; em seguida; para a parte inferior; inferiormente. — *interj.* abaixo!, morra!, demita-se!; sai desse lugar!, saia!, fora!: *venirse abajo,* vir abaixo; *de arriba abajo,* de alto até baixo; *hacia abajo,* contrafundo; *moverse de arriba abajo,* descer; *calle cuesta abajo,* a estrada desce; *echar abajo,* estender, arrasar, derribar, derrocar, derrubar. desabar (aba do chapéu); *ir para abajo,* declivar; *venirse abajo un edificio,* fazer assento; *el abajo firmante,* o firmado, abaixo-assinado; *arriba y abajo,* baixo e acima; *ir de abajo a arriba,* andar de baixo para cima.

abalanzado, da. *adj.* e *p. p.* abalançado, arrojado, audaz, resoluto; contrabalançado; pesado, posto na balança; arremessado; impelido, lançado.

abalanzamiento. *m.* abalançamento, arremesso, movimento súbito, impulso.

abalanzar. *v. tr.* balancear, aferir uma balança; verificar pesos e medidas; arrojar, impelir, lançar, arremessar; dar movimento libratório à. — **abalanzarse.** *v. r.* abalançar-se, lançar-se, arrojar-se, assaltar; atrever-se; arremessar-se; afoitar--se; animar-se; aventurar-se; atirar-se; deitar-se: *abalanzarse contra alguien,* enfiar com alguém; *abalanzarse sobre,* derrocar em; *abalanzarse sobre alguien,* deitar-se a alguém.

abalar. *v. tr.* abalar; sacudir; aluir; bolir; comover. — *v. intr.* partir, marchar com pressa, fugir apressadamente; arremessar; expulsar; expelir.

abalaustrado, da. *adj.* balaustrado. V. **balaustrado.**

abalaustrar. *v. tr.* abalaustrar, ornar com balaustres; dar forma de balaustre.

abaldesador, ra. *adj. y s.* curtidor, que tem por ofício curtir peles do baldréu ou badanas.

abaldesar. *v. tr.* curtir baldréus ou badanas.

abaldonar. *v. tr.* (ant.) baldoar; envilecer; aviltar; fazer desprezível, humilhar, envilecer.

abaleadura. *f.* V. **abaleo.**

abaleamiento. *m.* V. **abaleo.**

abalear. *v. tr.* (agr.) joeirar, cirandar; abanar, limpar os cereais.

abaleo. *m.* (agr.) joeiramento; ac. e ef. de joeirar.

abalizamiento. *m.* balizamento; acção de abalizar.

abalizar. *v. tr.* abalizar; demarcar; balizar; aboiar, marcar ou assinalar com balizas.

abalsamar. *v. tr.* converter um líquido em bálsamo; preparar um bálsamo.

abaluartado, da. *adj. e p. p.* guarnecido de baluartes ou semelhante a baluarte, abaluartado.

abaluartar. *v. tr.* abaluartar, guarnecer de baluartes; dar forma de baluarte a.

aballar. *v. tr.* abalar; abaixar, abater; derrubar; (fig.) humilhar.

aballestar. *v. tr.* (mar.) içar; puxar para cima com cabos; alar.

abanación. *f.* abanação.

abanar. *v. tr.* abanar, agitar, sacudir, ventilar com abano.

abandalizar. *v. tr.* V. **abanderizar.**

abanderado. *m.* porta-bandeira; porta-estandarte; alferes; embandeirado; o que leva o pendão nas procissões.

abanderamiento. *m.* embandeiramento; acção de embandeirar ou alistar-se; embandeiramento, nacionalisação de navio; empavesamento.

abanderar. *v. tr.* abandeirar; (mar.) embandeirar, nacionalizar um navio.

abandería. *f.* bando, facção, parcialidade, reunião de partidários.

abanderizador, ra. *adj. e s.* faccioso. sedicioso, partidário; chefe de facção: *abanderizador de soldados,* alistador.

abanderizamiento. *m.* união em bando.

abanderizar. *v. tr.* abandoar, reunir em bando, reunir facciosos, levantar gente em partidos, bandear, formar grupo; alistar, abandeirar; embandeirar. — **abanderizarse.** *v. r.* abandoar-se; unir-se em bando; bandear-se.

abandonable. *adj.* abandonável.

abandonado, da. *adj. e p. p.* abandonado, desprotegido, desamparado; deserto; inculto; desvalido; (for.) dereli(c)to; frangalhão; desaproveitado; desapoderado; descauteloso; desauxiliado; deixado, desabrigado; desacoitado; engeitado; indiligente, incurioso, indolente, deixado, desidioso, indolente, deixado, descuidado, desmazelado; desmanchado; desmantelado; desfrequentado, despovoado; solitário; desprezado; desprotegido: *individuo abandonado en el vestir,* machacaz; *niño abandonado,* exposto; *quedarse abandonado,* apodrecer-se.

abandonamiento. *m.* abandono, abandonamento; engeitamento; desapoio; desvalimento; desamparo; incúria; desleixo; renúncia, desistência.

abandonar. *v. tr.* abandonar, desamparar, deixar ao abandono; não fazer caso; largar; renunciar; repudiar; descultivar; descurar; desquerer; desproteger; despovoar; (fig.) despir; desordenar; desmantelar; desleixar; abjurar; abdicar; abnegar; abrenunciar; arrimar; engeitar; demitir; desacoitar; desabrir; desabrigar; deixar; desauxiliar; desassistir; desarrimar; desapoiar; desapoderar; deitar fora; evacuar, fugir; desacompanhar; desalojar; dessocorrer; entregar. — **abandonarse.** *v. r.* entregar-se; abandonar-se, perder o ânimo; prostituir-se; desleixar--se; deixar-se; desmazelar-se, descuidar--se; despojar-se; desquitar-se: *abandonar un proyecto,* abandonar um projecto; *abandonar, dar de lado,* dar de mão; *abandonar las abejas su colmena para hacer otra,* alvorizar; *abandonarse a la desesperación,* abandonar-se ao desespero.

abandono. *m.* abandono; defecção, desamparo, abandonamento, desprote(c)ção, desistência; engeitamento; desabrigo; deixação; desauxilio; desarrimo; descautela; desacoio; (for.) derreli(c)ção; desvalimento; incultura; (mil.) evacuação; abrenunciação; incúria, incuriosidade; indiligência; desordem; desmazelo, (Bras.) desmazêlo; renúncia; cessão: *al abandono,* ao desamparo; (for.) proderrelicto.

abanicamiento. *m.* abanadela com o leque, abanão, abanação, abanadura.

abanicar. *v. tr.* abanar com o leque, abanicar. — **abanicarse.** *v. r.* abanar-se: *abanicar el arroz,* (Bras.) abanação.

abanico. *m.* leque; abano; abanico; abanador; (germ.) espada, arma branca; (mar.) cábrea, guindaste; (min.) ventilador; (fam.) prisão de Madrid: *en abanico,* em abanico, em forma de leque.

abanillo. *m.* leque; lenço de pregas que antigamente se usava para adorno; gorjeira.

abaniqueo. *m.* a(c)ção de abanicar. V. **abanicamiento.**

abaniquería. *f.* lugar onde se fazem ou vendem leques.

abaniquero, ra. *s.* lequeiro, fabricante ou vendedor de leques.

abano. *m.* abano; ventilador suspenso; ventarol; leque.

abaptista. *m.* (cir.) espécie de trepano.

abaptistón. *m.* V. **abaptista.**

abaratamiento. *m.* embaratecimento; redução do preço; barateamento.

abaratar. *v. tr.* abaratar, baratear, reduzir o preço, embaratecer. — **abaratarse.** *v. r.* abaratar-se.

abarbar. *v. intr.* V. **barbar.**

abarbechar. *v. tr.* (Amér.) V. **barbechar.**

abarbetación. *f.* (mil.) fortificação; sujeição; (mar.) acção de erguer a âncora à altura da barbeta.

abarbetar. *v. tr.* (mar.) abarbetar, erguer a âncora à altura da barbeta.

abarca. *f.* abarca, calçado rústico de couro não curtido; tamanco; calçado largo e malfeito; chanca.

abarcado, da. *adj.* calçado com abarcas; abarcado, cerrado ou fechado entre os braços.

abarcador, ra. *s.* abarcador, que abarca ou abraça.

abarcadura. *f.* abarcamento, abarcadura, a(c)ção de abarcar; monopólio.

abarcamiento. *m.* abarcamento. V. **abarcadura.**

abarcar. *v. tr.* abarcar, cingir, abranger; compreender, conter; rodear ou cercar um terreno em que se julga haver caça; apanhar, monopolizar; abraçar; incluir; (fig.) abarcar, empreender muitos negócios a um tempo: *abarcar mucho terreno*, extender-se; *abarcar todo el negocio*, abranger todo o negócio; *quien mucho abarca poco aprieta*, quem muito abarca pouco aperta.

abarcón. *m.* braçadeira de ferro dos carros.

abaritonado, da. *adj.* abaritonado.

abarloar. *v. tr.* (mar.) barlaventear; amarrar dois navios encostando-os um ao outro, atracar. — **abarloarse.** *v. r.* atracar-se.

abarquería. *f.* fábrica onde se fazem abarcas.

abarquero, ra. *s.* fabricante ou vendedor de abarcas.

abarquillado, da. *adj.* e *p. p.* enrolado em forma de canudo; franzido; encarquilhado.

abarquillador, ra. *adj.* que enrola em forma de canudo; franzidor.

abarquillamiento. *m.* a(c)ção de encurvar; enrolamento; encurvamento, encurvadura, arqueamento; enrolamento, encarquilamento.

abarquillar. *v. tr.* enrolar em forma de canudo, encanudar; encarquilhar; curvar, encurvar. — **abarquillarse.** *v. r.* encarquilhar-se; franzir-se.

abarracado, da. *adj.* diz-se do que tem forma de barraca ou choça.

abarracadura. *f.* V. **abarracamiento.**

abarracamiento. *m.* abarracamento, acto ou efeito de abarracar; lugar onde há barracas.

abarracar. *v. tr.* abarracar, formar barracas em; meter em barracas; dar forma de barraca a; (mil.) abarracar, construir em forma de barracas. — **abarracarse.** *v. r.* abarracar-se; pôr-se a coberto.

abarrado, da. *adj.* barrado; (Bras.) barrado, diz-se do escudo com barras.

abarradura. *f.* embate.

abarraganarse. *v. r.* abarregar-se; amancebar-se; amantizar-se; tomar qualquer tecido a consistência da barregana.

abarrajado, da. *adj.* (Amér.) libertino, devasso; brigão, pendenciador, abarrajado.

abarrajamiento. *m.* (Amér.) libertinagem, licenciosidade; devassidão, corrupção, depravação.

abarrajar. *v. tr.* esbarrar; atropelar; atacar, acometer, combater; (Amér.) devassar, tornar-se relaxado ou licencioso.

abarramiento. *m.* embate, encontro, choque, acometimento, percussão violenta.

abarrancadero. *m.* atoleiro, atascadeiro, lodaçal; atasqueiro; (fig.) barranco, precipício; (fig.) dificuldade, obstáculo.

abarrancadura. *f.* V. **abarrancamiento.**

abarrancamiento. *m.* a(c)ção e efeito de abarrancar ou abarrancar-se; (mar.) encalhação de um navio.

abarrancar. *v. tr.* abarrancar, embarrancar, meter em barrancos; fazer barrancos; (mar.) encalhar, varar. — **abarrancarse.** *v. r.* atolar-se, embarrancar-se; (fig.) meter-se em dificuldades; (fig.) entregar-se à crápula.

abarrar. *v. tr.* esbarrar; arrojar, arremessar; atirar com violência uma coisa.

abarrotado, da. *adj.* e *p. p.* atestado, atulhado; abarrisco; farto; completamente cheio; muito carregado; empanzinado; coberto com barrotes; diz-se das lojas onde se vendem barrotes.

abarrotamiento. *m.* atulhamento, atulho; enfartamento, enfarte; inchação.

abarrotar. *v. tr.* barrar; atravessar com barras ou barrotes; (mar.) abarrotar; atestar; entulhar, fartar, atulhar; empanturrar, empanzinar, encher muito. — **abarrotarse.** *v. r.* entulhar-se; encher-se; empanturrar-se.

abarrotero, ra. *s.* (Amér.) merceeiro, mercador, mercante, tendeiro.

abarse. *v. r.* (defec.) apartar-se.

abasia. *f.* (med.) abasia.

abásico, ca. *adj.* (med.) abásico, abático.

abastado, da. *adj.* e *p. p.* abastado, abastecido; farto, rico, abundante; recheado.

abastamiento. *m.* abastecimento; abastança; fartura; abundância.

abastanza. *f.* abastança; abundância, riqueza, abastamento; exuberância.

abastar. *v. tr.* abastar, abastecer, fornecer, prover. V. **abastecer.**

abastardar. *v. intr.* bastardear, abastardar, degenerar.

abastecedor, ra. *adj.* e *s.* abastecedor, provedor, fornecedor, bastecedor.

abastecer. *v. tr.* abastecer, prover, fornecer, abastar, aprovisionar, avitualhar, bastecer, fornir; aperceber; municiar. — **abastecerse.** *v. r.* prover-se, fornecer-se; bastecer-se. — *pres. ind. irreg.* **abastezco;** *pres. subj.* **abastezca,** etc.

abastecimiento. *m.* abastecimento, provimento, fornecimento, aprovisionamento, bastimento, abastamento, bastecimento; alimentação, provisão.

abastionar. *v. tr.* (mil.) abaluartar; guarnecer de bastiões.

abasto. *m.* abasto, abastecimento de mantimentos; provisão de vitualhas: *dar abasto,* ser suficiente, fornecer abundantemente; *no dar abasto,* não poder fornecer uma coisa.

abatanado. *m.* apisoamento dos panos.

abatanar. *v. tr.* apisoar; preparar, amaciar os panos.

abatatado, da. *adj.* (Amér.) envergonhado.

abate. *m.* eclesiástico de ordens menores; minorista.

¡ábate! *interj.* acautela-te; guarda-te; retira-te; safa-te.

abatí. *m.* (Amér.) milho.

abatible. *adj.* que se pode abater.

abatida. *f.* (mil.) entrincheiramento formado com árvores.

abatidero. *m.* canal de esgoto; escoadoiro.

abatido, da. *adj.* e *p. p.* combalido, definhado, apoucado; alquebrado; arruinado; apagado; acabado; alavercado; deprimido, depresso; desabado; encaramonado; deixado; desasado; descalavrado; descaido, derribado; consumido, esgotado, exausto; exinanido, gasto; fatigado; prostrado; acabrunhado; avelhantado, envelhecido; combalido; alterado; debilitado; demudado; desanimado; descomposto, desfeito ;ruim, vil; abominado, derrubado, macerado; mortificado; transtornado; velho; (Bras.) amunhegado: *espíritu abatido,* ânimo demisso; *parecer abatido,* fazer beiça; *ponerse abatido,* amarroar.

abatidor, ra. *adj.* depressor, depressivo, que deprime ou abate.

abatimiento. *m.* abatimento; prostração, falta de forças, fraqueza; alquebramento; arruinamento; apoucamento; abjecção; desmaio; exinanição; depressão; desalento; desânimo; desesperança; desfalecimento, esmolecimento, languidez, declinação, decadência; demissão; desabamento, derriba, deixação; consternação; acanhamento; abaixamento; (mar.) abatimento, declinação da linha do rumo.

abatir. *v. tr.* abater; derribar; cair, desabar, desmoronar, ruir, tombar; abater, aniquilar, arrasar, arruinar; deitar abaixo, demolir, derribar, derrocar, derruir, desfazer; desmanchar, desmantelar; abater, abrandar, acalmar, atenuar, enfraquecer; envilecer, humilhar; acanhar; aterrar; desmoronar, desmontar; desiludir; melancolizar; enervar; apoucar; apagar; ani-

quilar; arrombar; amarrotar; deprimir; declinar; descair; desaprumar; destronar; consternar. — **abatirse.** *v. r.* abater-se; desmoronar-se; desiludir-se; aniquilar-se; acabrunhar-se; arrasar-se, encouchar-se; envilecer-se: *abatir, echar por tierra,* aterrar; *abatir el orgullo o vanidad,* desemproar; (mar.) *abatir los mástiles,* desarvorar; *abatir árboles,* derrotar árvores; *abatir las fuerzas,* derrubar; *abatir la mirada, bajarla,* abater os olhos; *abatir o derribar murallas,* abater muralhas; *abatir la soberbia de alguien,* amainar a soberba de alguém.

abazón. *m.* fazeira; cada uma das bolsas que na boca têm várias espécies de mamíferos, para depositar os alimentos antes de os mastigarem.

abcisa. *f.* (mat.) V. **abscisa.**

abcisión. *f.* (cir.) V. **abscisión.**

abdicación. *f.* abdicação; renúncia, abandono; cessão; resignação.

abdicar. *v. tr.* abdicar; renunciar; abandonar um cargo; resignar; desistir.

abditorio. *m.* retiro, solidão, afastamento; recolhimento; apartamento; esconderijo, lugar oculto e retirado.

abdomen. *m.* (anat.) abdómen, abdome; barriga; ventre; pança; (pop.) bandulho, pandulho.

abdominal. *adj.* (ant.) abdominal.

abducción. *f.* (fisiol.) abdução.

abducir. *v. tr.* abduzir; afastar de um ponto; separar da linha média do eixo do corpo.

abductor. *adj.* e *m.* (fisiol. e anat.) abdutor.

abecé. *m.* abc, bê-á-bá; o abc d'uma ciência, etc.: *no saber el abecé,* não saber nada, não saber a quantas anda.

abecedario. *m.* abecedário, abc, alfabetário, alfabeto; bê-á-bá.

abedul. *m.* (bot.) álamo branco; vidoeiro; alisso; bétula.

abedular. *m.* plantação de álamos brancos.

abeja. *f.* (zool.) abelha: *abeja obrera,* abelha-obreira; *abeja reina,* abelha-mestra; *abeja maestra,* machiega ou madre, abelha mestra; *abeja negra del Brasil,* arapua.

abejar. *m.* colmeal.

abejareño, ña. *adj.* relativo ao colmeal.

abejarrón. *m.* (zool.) bordão, besouro; alrute.

abejaruco. *m.* (zool.) abelhuco, abelharuco; abelheiro, ave que come as abelhas; (fig.) mexeriqueiro, intrigante.

abejera. *f.* colmeal; abelheira.

abejero, ra. *s.* abelheiro; apicultor, apícola o que trata das colmeias.

abejón. *m.* (zool.) abelhão, zângão; vespa; alrute.

abejorreo. *m.* zumbido das abelhas; sussurro de vozes.

abejorro. *m.* (zool.) vespão. V. **avejarrón.**

abellacar. *v. tr.* desprezar, envilecer. — **abellacarse.** *v. r.* tornarse velhaco, envilecer-se.

abellacado, da. *adj.* e *p. p.* avelhacado, envilecido; desprezado; astuto, astucioso, avisado, sagaz.

abellotar. *v. tr.* dar forma de bolota.

abemolado. *adj.* abemolado, suave, meloso, doce.

abemolar. *v. tr.* abemolar, suavizar a voz; acidentar as notas de música com bemóis.

abencerraje. *m.* abencerragem.

aberenjenado, da. *adj.* e *p. p.* que tem cor de beringela, ou se parece com ela.

aberenjenar. *v. tr.* dar forma ou cor de beringela.

aberración. *f.* aberração, loucura; anomalia, absurdo; contra-senso; (astr.) aberração, movimento aparente das estrelas fixas; extravagância; erro; difusão dos raios luminosos.

aberrante. *adj.* aberrante, que aberra.

aberrar. *v. intr.* aberrar, desviar-se do que é verdadeiro ou bom; fazer aberração.

abertal. *adj.* diz-se da terra que se deixa lavrar fàcilmente.

abertura. *f.* abertura; fenda; greta, (Bras.) grêta; furo, aberta; boca, (Bras.) bôca, aperção; agulheiro; escavação; lumieira; buraco, fissura, fresta, frincha, furo, interstício orifício; racha, rombo, rotura; vão; encavadoiro, encavadela; fissura; forame; (fisiol.) estoma: *abertura en la pared,* fresta; *abertura acanalada,* corrume; *abertura muy estrecha,* frincha; (fig.) franqueza, sinceridade; (for.) V. **apertura.**

abesana. *f.* abesana, junta de bois de lavoura; primeiros sulcos feitos com o arado.

abestiar. *v. tr.* embrutecer, bestializar. — **abestiarse.** *v. r.* bestializar-se, embrutecer-se.

abéstola. *f.* arrelhada. V. **arrejada.**

abesugado, da. *adj.* semelhante ao besugo.

abetal. *m.* sitio povoado de abetos.

abete. *m.* (bot.) abete, abeto.

abético, ca. *adj.* relativo ou pertencente ao abeto; (quím.) abiético.

abetina. *f.* (quim.) abietina.

abetinote. *m.* abietino, resina do abeto.

abeto. *m.* (bot.) abete, abeto, pinheiro alvar: *abeto del Canadá,* abeto do Canadá; *abeto negro,* abete negro.

abetunado, da. *adj.* e *p. p.* betuminoso; semelhante ao betume; abetumado.

abetunador, ra. *adj.* que abetuma; betuminoso.

abetunar. *v. tr.* abetumar, cobrir com betume. V. **embetunar.**

abierto, ta. *adj.* e *p. p. irreg.* aberto; desembaraçado; plano, raso; aberto, amplo, dilatado, espaçoso, extenso, largo, vasto; (fig.) evidente, franco, ingénuo, (Bras.) ingênuo, sincero; descerrado, patente; compreensível; livre; franco, abordável, efusivo, explícito, conversável, convinente, claro: *lugar abierto,* lugar desabafado; *hombre de carácter abierto,* homen descoberto; *un tanto abierto,* entreaberto; *con la boca abierta,* à boca cheia; *abierto de par en par,* aberto de par em par; *mar abierto,* alta mar, mar aberto; *con los brazos abiertos,* de braços abertos; ene-

migo abierto, inimigo declarado; *estar abierto al público,* funcionar.

abiético, ca. *adj.* (quím.) abiético.

abietina. *f.* (quím.) abietina.

abietíneas. *f. pl.* (bot.) abietíneas.

abietíneo, a. *adj.* (bot.) abietíneo.

abietino. *m.* V. **abetinote.**

abigarrado, da. *adj.* e *p. p.* betado; matizado; mosqueado; (fig.) colorido no estilo.

abigarramiento. *m.* a(c)ção e efeito de betar ou matizar; combinação de cores diversas; matiz; (fig.) colorido no estilo.

abigarrar. *v. tr.* betar; matizar; mosquear; pintar sem arte; dar cores diversas a.

abigeato. *m.* (for.) abigeato, furto de gados abacto.

abigeo. *m.* abactor, ladrão de gado.

abigotado, da. *adj.* que tem bigode.

abilla. *f.* (bot.) semente de malva.

ab intestato. *adj.* (for.) abintestato, que não fez testamento.

abiogénesis. *f.* (fisiol.) abiogénese, geração espontânea.

abiología. *f.* (biol.) abiologia.

abioquímica. *f.* (quím.) abioquímica.

abiosis. *f.* (biol.) abiose.

abiótico, ca. *adj.* (biol.) abiótico.

abirritación. *f.* (med.) abirritação.

abirritar. *v. tr.* (med.) fazer diminuir a irritação.

abirritativo, va. *adj.* (med.) V. **abirritante.**

abisagrar. *v. tr.* pôr bisagras ou dobradiças; (Amér.) limpar ou engraxar botas ou sapatos.

abisal. *adj.* abismal, abissal; relativo às profundidades marítimas.

abiselación. *f.* a(c)ção e efeito de cortar em bisel.

abiselado, da. *adj.* e *p. p.* cortado em bisel.

abiselar. *v. tr.* cortar em bisel ou chanfradura; chanfrar.

abiselatura. *f.* V. **abiselación.**

Abisinia. *f.* (geog.) Abissínia.

abisinio, nia. *adj.* y *s.* etíope, abexim, natural da Abissínia; relativo à Abissínia.

abismal. *adj.* abismal, relativo ao abismo; muito profundo; abissal. — *m.* cavilha mestra de uma carruagem.

abismado, da. *adj.* abismado, admirado, arrebatado, assombrado, extasiado, maravilhado; estatelado.

abismar. *v. tr.* abismar; humilhar, confundir, abater, precipitar, lançar no abismo; (fig.) causar assombro, assombrar; guardar, esconder, ocultar, encobrir. — **abismarse.** *v. r.* abismar-se; engolfar-se; entregar-se à; mergulhar-se; concentrar-se.

abismo. *m.* abismo; (fig.) o inferno; antro; báratro; despenhadeiro; precipício; perdição; mistério; (Bras.) perambeira; oceano: *abismos de la tierra,* entranhas da terra; *estar al borde del abismo, cerca de la ruina,* estar à beira do abismo.

abita. *f.* (mar.) abita: *abitas de molinete,* abitas de molinete.

abitaque. *m.* viga, trave grossa.

abitar. *v. tr.* (mar.) abitar, enrolar, prender a amarra nas abitas; prender na abita, dar na abita.

abizcochado, da. *adj.* e *p. p.* abiscoitado.

abizcochar. *v. tr.* abiscoitar; cozer com biscoito.

abjurable. *adj.* abjurável.

abjuración. *f.* abjuração; apostasia; conversão; renúncia; retratação; detestação.

abjurador, ra. *adj.* abjurante, que abjura, abjurador.

abjurante. *adj.* e *p. a.* abjurante, abjurador.

abjurar. *v. tr.* abjurar; abandonar; renunciar a (crenças especialmente); detestar; reprovar; desdizer-se; apostatar, converter-se, renegar; trair; aberrar.

abjuratorio, ria. *adj.* abjuratório, relativo à abjuração.

ablación. *f.* (cir.) ablação, amputação, excisão, extracção; (geol.) ablação.

ablactación. *f.* (med.) ablactação, acção de desmamar.

ablactar. *v. tr.* ablactar; desmamar.

ablandado, da. *adj.* e *p. p.* abrandado, amolecido; mitigado.

ablandador, ra. *adj.* o que abranda ou amolece; amolecedor.

ablandamiento. *m.* abrandamento; amolecimento; suavizamento.

ablandar. *v. tr.* e *intr.* abrandar; amolecer; suavizar; acoçar, adormecer, atenuar, enternecer, mitigar, moderar, serenar, temperar; acalmar, amainar, aplacar, apaziguar; (fig.) mitigar; amolecer; laxar; aboborar; ablandar (um metal); aducir; afrouxar; amaciar; amolentar; (med.) emolir; enervar; enfroixecer; macear; ductilizar; demulcir; mesurar; froixar; aliviar; desencorrear. — **ablandarse.** *v. r.* abrandar-se; embrandecer-se; tornar-se brando; temperar-se.

ablandativo, va. *adj.* que abranda ou amolece; (med.) demulcente.

ablandecer. *v. tr.* embrandecer, abrandecer, abrandar; — *pres. ind. irreg.* **ablandezco;** *subj.* **ablandezca,** etc.

ablaqueación. *f.* (agr.) ablaqueação.

ablaquear. *v. tr.* (agr.) ablaquear; desprender; desenlaçar; escavar em roda as árvores.

ablaqueo. *m.* (agr.) V. **ablaqueación.**

ablativo. *m.* (gram.) ablativo.

ablator. *m.* ablator, instrumento de castração.

ablefaria. *f.* (med.) ablefaria.

abléfaro, ra. *adj.* (med.) abléfaro.

ablegación. *f.* ablegação.

ablegado. *m.* ablegado.

ablepsia. *f.* (med.) ablepsia, cegueira.

ablución. *f.* ablução, banho, lavagem; purificação religiosa.

abluente. *adj.* abluente, próprio para abluir; o que ablui.

abluir. *v. tr.* abluir, purificar lavando; lavar; absterger.

abnegación. *f.* abnegação, altruismo, desambição, desapego, desinteresse, (Bras.) des-

interêsse, desprendimento; renúncia; humildade; devoção, dedicação; deixação.

abnegado, da. *adj.* e *p. v.* abnegado, abnegador, altruista, desinteresseiro, desprendido, desapegado.

abnegar. *v. tr.* abnegar; renunciar; abster-se de; desinteressar-se de; desapegar-se. — *conj. irreg.* como *negar.*

abobado, da. *adj.* e *p. p.* abobado; caturra; bobo; mentecato; pateta, idiota.

abobamiento. *m.* acção e efeito de abobar e abobar-se; patetice; tolice; pasmo, espanto.

abobar. *v. tr.* abobar, fazer de bobo; pasmar, espantar. — *v. r.* **abobarse.** abobar-se. V. **embobar.**

abocadar. *v. tr.* tirar aos bocados com os dentes; abocanhar; morder um pouco.

abocadear. *v. tr.* abocanhar. V. **abocadar.**

abocado, da. *adj.* agradável, delicado (diz-se do vinho).

abocamiento. *m.* abocamento, acção e efeito de abocar; abocamento, entrevista, conferência, colóquio; iminência, aproximação.

abocar. *v. tr.* abocar, segurar com a boca; juntar-se; chegar à entrada de; aproximar; fazer comunicar um conduto ou vaso com outro. — **abocar-se.** *v. r.* entrevistar-se, celebrar uma conferência; (mar.) chegar à entrada dum porto, etc.

abocardar. *v. tr.* dilatar; afunilar.

abocelado, da. *adj.* e *p. p.* semelhante a um bocel; abocinado.

abocelar. *v. tr.* e *intr.* cair de bruços. V. **abocinar.**

abocetado, da. *adj.* e *p. p.* diz-se da pintura que mais parece um borrão de várias cores que coisa terminada.

abocetar. *v. tr.* pintar, desenhar, delinear sem precisão.

abocinadero. *m.* lugar resvaladiço; resvaladoiro; escorregadoiro.

abocinado, da. *adj.* de figura semelhante à da buzina; caido de bruços; diz-se do cavalo com a cabeça baixa.

abocinadura. *f.* V. **abocinamiento.**

abocinamiento. *m.* acção e efeito de abuzinar.

abocinar. *v. tr.* dar forma de buzina. — *v. intr.* cair de bruços, cair de boca; (fam.) afocinhar. — *v. r.* baixar o cavalo a sua cabeça.

abochornamiento. *m.* abafamento, asfixia, sufocação; vergonha, acanhamento; acção e efeito de tornar-se vermelho; acção de enrubescer.

abochornar. *v. tr.* abafar com calor; sufocar; asfixiar; (fig.) envergonhar, enrubescer, fazer corar de vergonha; abochornar; corar; afoguear; envermelhecer. — **abochornarse.** *v. r.* envergonhar-se, enrubescer-se; afoguear-se.

abofellado, da. *adj.* abolsado; fofo, macio (tecidos).

abofellar. *v. tr.* inchar, tumecer. V. **ahuecar.** — *v. r.* abalofar-se; (fig.) ensoberbecer-se.

abofetado, da. *adj.* (Amér.) inchado. V. abotagado.

abofeteador, ra. *adj.* e *s.* esbofeteador, que esbofeteia.

abofeteamiento. *m.* acção e efeito de bofetear; pancada com a mão no rosto; bofetada; (fig.) injúria.

abofetear. *v. tr.* esbofetear, bofetear, dar bofetões em: *abofetear a alguien,* pôr a alguém os cinco dedos na cara; insultar, injuriar, ultrajar.

abogacía. *f.* advogacia.

abogación. *f.* (prov.) V. abogacía.

abogada. *f.* advogada; padroeira; intercessora; medianeira; defensora.

abogadear. *v. intr.* fazer de advogado.

abogaderas. *f. pl.* (Amér.) esforços para convencer ou persuadir.

abogadesco, ca. *adj.* relativo ao advogado.

abogadil. *adj.* V. abogadesco.

abogado. *m.* advogado, magistrado; medianeiro, protector: *abogado defensor,* defesa, defensor; *abogado que alega casos juzgados,* aresteiro.

abogador. *m.* andador de irmandade.

abogamiento. *m.* defesa de advogado; intercessão, mediação.

abogar. *v. tr.* advogar, defender em juízo; falar; (for.) defender; mediar; patrocinar. — *v. intr.* exercer a profissão de advogado.

abolengo. *m.* avoengo; ascendência, genealogia; (for.) herança, patrimonio.

abolible. *adj.* abrogável, anulável; que se pode abolir.

abolición. *f.* abolição, abolimento, anulação, extinção, invalidação, derrogação, abrogação, rescisão.

abolicionismo. *m.* abolicionismo.

abolicionista. *adj.* e *s.* abolicionista, partidário do abolicionismo.

abolido, da. *adj.* e *p. p.* abolido, anulado, extinguido, invalidado, extinto.

abolir. *v. tr.* abolir, anular; rescindir um acto; abrogar, derrogar, apagar, extinguir; destruir; cessar; infirmar; invalidar; proscrever; revogar; pôr fora do uso; suprimir; antiquar (um costume): *abolir una ley,* extinguir uma lei.

abolorio. *m.* abolório, ascendência, os antepassados, avoengos.

abolsado, da. *adj.* e *p. p.* abolsado, que faz bolsos ou pregas.

abolsarse. *v. r.* tomar forma de bolsa.

abollado, da. *adj.* e *p. p.* amolgado; aborrecido.

abolladura. *f.* amolgadura; amassadela; amolgamento, amolgadela.

abollar. *v. tr.* amolgar; abolar; amachucar, amossar, amassar; cansar, aborrecer; aturdir, espantar, confundir; contundir; esmagar; abater; impressionar; obrigar a ceder; derrotar: *abollar una coraza u otro objeto,* falsear.

abollonadura. *f.* (bot.) a(c)ção e efeito de rebentar as plantas.

abollonar. *v. tr.* (agr.) brolhar; rebentar das plantas; (art. e of.) lavrar uma peça em relevo.

abombado, da. *adj.* e *p. p.* convexo; aturdido; estonteado, atordoado.

abombamiento. *m.* aturdimento, perturbação, atordoamento, estonteamento.

abombar. *v. tr.* abombar; aturdir, estontear, atordoar, confundir. — abombarse. *v. r.* (Amér.) embebedar-se; apodrecer-se.

abominable. *adj.* abominável, abominoso, abominando; detestável; infando; execrável, execrando.

abominación. *f.* abominação, execração; desadoração; aborrecimento; ódio; detestação, aversão.

abominar. *v. tr.* abominar, aborrecer, detestar, execrar, odiar, amaldiçoar, imprecar, arrenegar; repelir com horror.

abonable. *adj.* abonável.

abonado, da. *adj.* e *s.* abonado, assinante, acreditado; suscrito, rico; capaz; justificado; confirmado; afiançado.

abonador, ra. *adj.* e *s.* abonador; fiador; o que abona; o que afiança.

abonamiento. *m.* abonação, abono; crédito; fiança; apoio.

abonar. *v. tr.* abonar; afiançar; aprovar; (com.) descarregar; assinar; bem-feitorizar; desinteressar; pagar, acreditar; (agr.) adubar as terras, estercar, beneficiar as terras, engordar as terras; afumar; estrumar: *abonar las simientes,* alegrar as searas.

abonaré. *m.* obrigação; promessa de pagamento; acção, de dar crédito.

abondar. *v. tr.* (prov.) V. abundar.

abono. *m.* abono, abonação; garantia, fiança, caução, segurança, sinal; assinatura, suscrição; apoio; louvor; pagamento de vencimentos; (agr.) adubo que se dá às terras.

aboquillar. *v. tr.* pôr embocaduras ou bocais em instrumentos; (arq.) fazetar.

abordable. *adj.* abordável, que se pode abordar; acometível; fácil; acessível; em que se pode desembarcar.

abordador. *m.* (mar.) abordador, que aborda um navio; (fig.) o que se aproxima a alguém com familiaridade.

abordaje. *m.* (mar.) abordagem; abalroamento; abordada; abalroação; chegada.

abordar. *v. tr.* (mar.) abordar; abalroar; atracar; afrontar; empreender; chocar; deferir: *abordar un tema,* falar; (mar.) *abordar con arpeos,* aferrar; *abordar a alguien,* dar uma avançada a alguém.

abordo. *m.* abordo. V. abordaje. — *adv.* abordo.

abordonar. *v. tr.* abordoar; encostar-se a um bordão. — *v. r.* abordoar-se, apoiar-se, firmar-se.

aborigen. *adj.* aborígene, autóctone, íncola, indígena, nativo, natural; originário.

aborígena. *adj.* (Amér.) V. aborigen.

aborlonado, da. *adj.* (Amér.) raiado, riscado (tecidos).

aborrachado, da. *adj.* avermelhado, muito vermelho.

aborrajarse. *v. r.* secarem antes de tempo as messes, sem que dêm fruto.

aborrascado, da. *adj.* e *p. p.* aborrascado; perigoso, turbulento, azarento.

aborrascarse. *v. r.* aborrascar-se, entroviscar-se o tempo, tornar-se borrascoso; nublar-se, escurecer-se; acarregar-se; enfurecer-se.

aborrecedor, ra. *adj.* e *s.* aborrecedor, abominador, atormentador.

aborrecer. *v. tr.* aborrecer, odiar, detestar, sentir horror por, causar horror a; arrenegar; desgostar, enfadar, acabrunhar, entristecer; execrar, desanear, desagradar; afligir, agoniar, amargurar, amofinar, angustiar, apoquentar, atormentar, consternar, contristar, humilhar, mortificar, molestar, vexar, oprimir; importunar, incomodar, inquietar, magoar, molestar. V. **aburrir**. — *pres. indic. irreg.* **aborrezco**; *sub.* **aborrezca**: *aborrecer el estudio*, desgostar-se do estudo; *aborrecer una comida*, enfarar.

aborrecido, da. *adj.* e *p. p.* aborrecido, enfastiado, abichornado, aborrido, desamado.

aborrecimiento. *m.* aborrecimento; tédio; odio; enfado; antipatia; abominação, execração; desamor, desadoração; detestação; repugnância; rancor.

aborregarse. *v. r.* cobrir-se o céu de pequenas nuvens brancas; encarneirar.

aborricado, da. *adj.* ajumentado; embrutecido.

aborricarse. *v. r.* (fam.) embrutecer-se. V. **embrutecerse**.

aborrir. *v. tr.* (prov.) V. **aburrir**

abortado, da. *adj.* e *p. p.* abortado; frustrado, malogrado.

abortadora. *f.* abortadeira, mulher que provoca abortos.

abortadura. *f.* (ant.) V. **aborto**.

abortamiento. *m.* abortamento. V. **aborto**.

abortante. *p. a.* abortivo, que faz abortar.

abortar. *v. tr.* abortar; falhar, fracassar, produzir antes de tempo; desenprenhar; frustrar. — **abortarse**. *v. r.* abortar-se, frustrar-se, gorar, malograr-se. — *v. intr.* abortar, parir antes do tempo da gestação.

abortivo, va. *adj.* abortivo; desmanchador; (med.) ectrótico, ecbólico, amblótico. ablótico. — *m.* abortivo, substância que faz abortar.

aborto. *m.* aborto, (Bras.) abôrto, móvito; prodigio; monstrengo; desmancho; desgravidação; abortamento; amblose, ectrose; frustração: *provocar el aborto*, desgravidar.

abortón. *m.* aborto, diz-se da planta ou animal que nasceu antes de tempo; (Bras.) abôrto.

aborujar. *v. tr.* abafar; cobrir, embrulhar, envolver. V. **arrebujarse**.

abostezar. *v. intr.* V. **bostezar**.

abotagamiento. *m.* inchação, inflamação.

abotagarse. *v. r.* inchar-se; inflamar-se; abalofar-se; entumecer-se.

abotijarse. *v. r.* V. **abotagarse**.

abotonado, da. *adj.* e *p. p.* abotoado.

abotonador. *s.* abotoador, abotoadeira.

abotonadura. *f.* abotoadura. V. **botonadura**.

abotonar. *v. tr.* abotoar, fechar com botões; abrochar; pregar botões em. — *v. intr.* abotoar. lançar botões uma planta, abrolhar, rebentar.

abovedamiento. *m.* abóbada, tecto arqueado.

abovedar. *v. tr.* abobadar; alamborar; encurvar; abaular, cobrir com abóbada, dar forma de abóbada.

aboyado, da. *adj.* aboiado; (mar.) aboiado.

aboyar. *v. tr.* aboiar; boiar; (mar.) aboiar, colocar boias; aliviar.

abozalar. *v. tr.* açaimar; açamar; prender com açamo.

abozar. *v. tr.* (mar.) aboçar; abciar; boçar.

abra. *f.* (mar.) abra, abrigada, abrigo, enseada, encoradouro; ancoradoiro, baía.

abracar. *v. tr.* (Amér.) V. **abarcar**.

abracijo. *m.* (fam.) abraço.

Abraham. *n. pr.* Abrahão.

abrahonar. *v. tr.* (fam.) abraçar. V. **abrazar**.

abramante. *m.* V. **bramante**.

abranquiado, da. *adj.* e *s.* (zool.) abrânquio, privado de brânquias.

abranquio, a. *adj.* e *s.* (zool.) abrânquio, que não tem brânquias.

abraquia. *f.* (med.) abraquia, ausência de braços.

abrasado, da. *adj.* e *p. p.* abrasado, ardido, afogueado, enfogado.

abrasador, ra. *adj.* abrasador, ardente, cálido, candente, cáustico, comburente, queimante, quente, abrasante, adurente.

abrasamiento. *m.* abrasamento; inflamação, queimação, incêndio, incendimento, combustão, ardor; entusiasmo.

abrasar. *v. tr.* abrasar, pôr em brasa, esbrasear; incendiar, incinerar, inflamar, queimar, afoguear, atear, assar; enfogar; (fig.) dissipar, gastar, malbaratar; aquecer; (fig.) envergonhar; causar resentimento; devastar. — **abrasarse**. *v. r.* abrasar-se; afoguear-se, arder, conflagrar-se, incinerar-se, inflamar-se, queimar-se; entusiasmar-se; irritar-se.

abrasilado, da. *adj.* diz-se do que tem a cor do pau-brasil; semelhante ao pau-brasil.

abrasión. *f.* abrasão; (med.) irritação interna.

abrasivo, va. *adj.* abrasivo.

abrastol. *m.* (quim.) asaprol, abrastol.

abraxas. *m.* abraxas (símbolo religioso usado como amuleto no Oriente).

abrazadera. *f.* braçadeira; argola; presilha; (impr.) clave, colchete: *abrazadera de cortina*, embrace.

abrazado, da. *adj.* e *p. p.* abraçado; desposado; (fam.) preso; seguro.

abrazador, ra. *adj.* e *s.* abraçador; abarcante. — *m.* (pop.) beleguim; jogador de profissão; ferro ou pau que segura o pião da nora.

abrazamiento. *m.* abraço; abraçamento.

abrazar. *v. tr.* abraçar, apertar, cercar, fingir, circular, circundar, rodear; abarcar, alcançar; arcar; envolver; adoptar (opiniões); aceitar; compreender, conter, incluir; acolher com satisfação; (fig.) abranger, seguir, adoptar: *abrazar el catolicismo*, abraçar o catolicismo; *abrazar una opinión*, encostar-se a uma opinião. — **abrazarse.** *v. r.* abraçar-se.

abrazo. *m.* abraço; abraçamento (poes.) amplexo.

abrebocas. *m.* abreboca, instrumento para abrir a boca ao cavalo; (Bras.) abre-bôca.

ábrego. *m.* ábrego, vento sudoeste; o próprio sudoeste; o sul.

abrelatas. *m.* instrumento para abrir as vasilhas ou caixas de lata.

abrenuncio. *interj.* (fam.) abrenúncio.

abretonar. *v. tr.* (mar.) amarrar, segurando-o, um canhão ao costado dum navio.

abrevadero. *m.* tanque ou lugar onde se dá de beber ao gado; bebedeiro, bebedoiro: *llevar el ganado al abrevadero*, embeberar.

abrevador. *m.* abrevadeiro, que dá de beber aos animais; o que rega, molha ou banha alguma coisa.

abrevar. *v. tr.* dar de beber ao gado; abeberar, embeberar; regar, molhar, banhar alguma coisa.

abreviación. *f.* abreviação, abreviatura, abreviamento; resumo, sumário.

abreviador, ra. *adj.* e *s.* abreviador, abreviativo; encurtador, compendiador; expedito, diligente; (for.) redactor das bulas; resumidor.

abreviaduría. *f.* emprego ou casa do abreviador; emprêgo de redactor das bulas.

abreviamiento. *m.* abreviamento. V. **abreviación.**

abreviar. *v. tr.* abreviar, encurtar, resumir, reduzir, diminuir; restringir; acelerar; despachar; aviar; atalhar; apertar; cortar; desempachar; epilogar, epitomar. — **abreviarse.** *v. r.* abreviar-se; resumir-se.

abreviatura. *f.* abreviamento, abreviamento, abreviação; resumo; fórmula abreviada; cifra; atalho: *en abreviatura*, cifradamente.

abribonarse. *v. r.* fazer-se vadio ou velhaco; encanalhar-se; agarotar-se; tornar-se travesso ou tunante.

abridor, ra. *adj.* abridor, que abre; gravador. — *m.* gravador, abridor; enxertadeira. — *m.* (bot.) alpercheiro.

abrigada. *f.* abrigo, refúgio. V. **abrigo.**

abrigado, da. *adj.* e *p. p.* abrigado; agasalhado; coberto; resguardado — *m.* abrigo, refúgio.

abrigador, ra. *adj.* e *s.* que abriga, que agasalha, abrigador; (Amér.) encobridor.

abrigaño. *m.* abrigadoiro, abrigadouro, abrigada; sítio onde não faz vento; (agr.) esteira para cobrir os viveiros de plantas.

abrigar. *v. tr.* abrigar, resguardar, agasalhar, arroupar ;amparar, aposentar; cobrir; amalhar; recolher; proteger, defender; acoitar; acolher. — **abrigarse.** *v. r.* abrigar-se; abafar-se; agasalhar-se: *abrigarse bien*, forrar-se bem; *abrigarse en lugar seguro o de difícil acceso*, embar-

reirar-se; *abrigarse una esperanza*, afagar esperanças.

abrigo. *m.* abrigo, acolhida, acolhimento, amparo, asilo, couto, esconderijo, guarida, refúgio, resguardo, valhacouto; abrigo, casaco, agasalho; anteparo; (fig.) amparo, patrocínio, protecção, coberta, defesa, encoberta; gabão, albornoz; cobertura; abrigada, encoradouro, abrigadoiro: *tomar abrigo en un castillo, fortaleza*, etc., encurralar-se; *hacer salir del abrigo o refugio*, desacoitar; *sin abrigo*, desabrigadamente.

abril. *m.* abril; (fig.) juventude, idade da alegria e da inocência.

abrileño, ña. *adj.* aprilino, relativo ao mês de abril.

abrillantado, da. *adj.* e *p. p.* abrilhantado, polido. — *m.* polimento.

abrillantador. *m.* polidor, instrumento para polir; polidor de couro ou trapo; que abrilhanta.

abrillantar. *v. tr.* abrilhantar; polir; lustrar; fulgentear; lavrar e polir os diamantes, lapidar; brunir; ornamentar.

abrimiento. *m.* abrimento; abertura, acção de abrir: *abrimiento de boca*, bocejo, abrimento de boca.

abriolar. *v. tr.* (mar.) pôr briões nas velas.

abrir. *v. tr.* abrir; descobrir; gravar ao buril; furar; encetar; romper, cortar; desimpedir, desobstruir; desunir, descerrar; devassar; escavar; começar; fundar; dar princípio a, inaugurar; desatar; despejar; desabafar; expandir, estrear. — *v. intr.* abrir; expandir, desarrolhar; romper, começar; descerrar as pétalas; dar acesso; desabotoar-se a flor. — **abrirse.** *v. r.* abrir-se; comunicar; descobrir; desabrochar; desabrolhar-se uma flor; desencapotar-se o tempo; (mar.) largar; ter expansões, ser franco; declarar-se, revelar: *abrir el apetito*, abrir o apetite; *abrir una tienda*, abrir loja; *no abrir el pico*, não abrir bico; *en un abrir y cerrar de ojos*, num abrir e fechar de olhos; (fam.) *abrir el pico, romper el silencio*, despregar a voz; *abrir los ojos*, despregar os olhos; *abrir, estimular el apetito*, aguçar o apetite; *abrir mucho los ojos*, arremelgar; (agr.) *abrir surcos en la tierra para dar salida a las aguas*, derregar; *abrir fosos o trincheras*, desbarrancar; desaterrar.

abro. *m.* (bot.) regoliz, alcaçuz.

abroarse. *v. r.* (mar.) meter-se em uma enseada de pouco fundo.

abrocalar. *v. tr.* pôr parapeitos na boca dum poço.

abrocar. *v. tr.* tirar as brocas dos tornos.

abrocatelado, da. *adj.* feito de brocatel; abrocadado.

abrochador. *m.* abrochador; abotoador; prendedor; acolchetador.

abrochadura. *f.* abrochadura. V. **abrochamiento.**

abrochamiento. *m.* abrochadura; acção de abrochar ou abrochar-se.

abrochar. *v. tr.* abrochar; abotoar; acolchetar; apertar; ligar com broche; afivelar.

abrogable. *adj.* abrogável, derrogável, revogável.

abrogación. *f.* ab-rogação; supressão; derrogação, revogação, anulação.

abrogado, da. *adj.* e *p. p.* derrogado, revogado; anulado.

abrogar. *v. tr.* ab-rogar, abolir, anular, invalidar, suprimir, pôr em desuso, derrogar, revogar; cassar.

abrogatorio, ria. *adj.* ab-rogatório, ab-rogativo.

abrojal. *m.* lugar povoado de abrolhos.

abrojín. *m.* (zool.) búzio.

abrojo. *m.* (bot.) abrolho, (Bras.) abrôlho; (mil.) estrepe, cavalo de frisa; (fig.) contrariedade, mortificação.—*pl.* (mar.) abrolhos, baixos ou rochedos ocultos: *abrojo acuático*, abrolho marítimo; *cubrir de abrojos*, abrolhar.

abroma. *f.* (bot.) abroma.

abromado, da. *adj.* e *p. p.* (mar.) nevoado, cerrado.

abromarse. *v. r.* (mar.) apodrecer-se os navios com caruncho.

abroncar. *v. tr.* aborrecer, enfastiar; (fam.) abandonar.

abroquelado, da. *adj.* e *p. p.* abroquelado; (bot.) diz-se das folhas em forma de broquel.

abroquelar. *v. tr.* (mar.) abroquelar; bracear por sotavento; abroquelar, resguardar com broquel; proteger, defender; acautelar. — **abroquelarse.** *v. r.* abroquelar-se; acautelar-se, defender-se.

abrotoñar. *v. intr.* (bot.) brotar, rebentar, lançar folhas, flores, renovos as plantas.

abrumado, da. *adj.* e *p. p.* oprimido; vexado; incomodado; (fig.) cortado; acabrunhado: *estar abrumado por el dolor, temor*, etc., empachar; *abrumado por las penas*, cheio de aflições; *abrumado de trabajo*, assaciado.

abrumador, ra. *adj.* opressor, aborrecedor; incómodo; ímprobo.

abrumar. *v. tr.* oprimir, incomodar; sobrecarregar; (fig.) agravar, vexar; acabrunhar; (fig.) colmar; aborrecer: *abrumar con razones a alguien*, baquear; *abrumar a alguien con favores*, encher alguém de favores.

abruñeiro. *m.* (bot.) abrunheiro.

abrupción. *f.* (cir.) abrupção, fractura de osso.

abrupto, ta. *adj.* abrupto, alcantilato, aprumado, empinado, escarpado, íngreme, ladeirento; repentino; inacessível, fragoso.

abrutado, da. *adj.* e *p. p.* abrutado, asselvajado, bruto, brutal; que tem modos grosseiros.

abrutar. *v. tr.* embrutecer, abrutar, tornar grosseiro, bruto.

Absalón. *n. pr.* Absalão.

abscedarse. *v. r.* (med. e vet.) apostemar-se; sofrer dum abcesso, abceder, supurar, tornar-se em abcesso.

absceso. *m.* (med.) abcesso; apostema; abcesso.

abscisa. *f.* (geom.) abcissa.

abscisión. *f.* abcisão.

absentismo. *m.* absentismo.

absentista. *adj.* e *s.* absentista.

ábsida. *f.* V. **ábside.**

absidal. *adj.* absidal.

ábside. *f.* (arq.) ábside; capela mor. — *m* (astr.) ábside, o apogeu e o perigeu de um planeta.

absidial. *adj.* pertencente à ábside; absidal.

absidíola. *f.* absidíola, pequena ábside.

absiniato. *m.* (farm.) absintato.

absíntico, ca. *adj.* (quim.) absíntico.

absintina. *f.* (quim.) absintina.

absintio. *m.* (bot.) absíntio; losna.

absintismo. *m.* (med.) absintismo.

¡ábsit. *interj.* não o queira Deus!

absolución. *f.* absolução, absolvição, indulto, amnistia, graça, perdão; remissão, descarga, desculpa.

absoluta. *f.* asserção terminante; (mil.) licença absoluta ou ilimitada.

absolutismo. *m.* (pol.) absolutismo, autocrácia, caudilhismo, despotismo, ditadura, tirania.

absolutista. *adj.* e *s.* absolutista, tirânico, déspota, autócrata, autoritário.

absoluto, ta. *adj.* absoluto; ilimitado; independente; incondicional; despótico, tirânico, déspota, autoritário, imperioso, supremo; único; inteiro; abstracto; cabal; irrecusável; estreme.

absolutorio, ria. *adj.* absolutório, que envolve absolvição: *sentencia absolutoria*, sentença absolutória.

absolvedor. *m.* penitenciário, eclesiástico que absolve os pecados.

absolver. *v. tr.* absolver, agraciar, amnistiar, indultar, perdoar, remitir, desculpar, despenitenciar, desacoimar; abolir; descarregar; isentar do castigo; perdoar pecados; desquitar; exonerar: *absolver de un crimen*, descriminar, discriminar; (for.) *absolver de una acusación*, descarregar; *absolver de las censuras eclesiásticas*, desligar das censuras; *absolver de un juramento*, desligar do juramento.—*pres. ind.* *irr.* **absuelvo, absuelves, absuelve;** *subj.* **absuelva, absuelvas, absuelva.**

absorbencia. *f.* absorvência, faculdade de absorver, absorção.

absorber. *v. tr.* absorver, consumir, embeber, tragar, sorver, aspirar, engolir, enxugar; arrebatar, levar atrás de si; estancar; enlevar; entusiasmar; preocupar inteiramente. — **absorberse.** *v. r.* arrebatar-se, pasmar-se; extasiar-se; concentrar-se, meditar: *concentrarse en reflexiones*, absorver-se nas reflexões; *absorber por la nariz*, fungar; *absorber la humedad*, embeber, chupar; *absorber un líquido*, empapar, chupar; *absorber por vía respiratoria*, inalar; (fig.) *absorber intelectualmente*, beber.

absorbible. *adj.* absorvível, que pode ser absorvido.

absorbido, da. *adj.* e *p. p.* embebido, empapado, absorvido.

absorbimiento. *m.* absorvimento, absorção, absorvência.

absorciómetro. *m.* (quim.) absorciómetro, instrumento que serve para medir a absorção dos gases; (Bras.) absorciômetro.

absorción. *f.* absorção, absorvimento; embebição, aspiração, impregnação: *absorción de un líquido*, empapagem.

absortar. *v. tr.* e *r.* extasiar; arrebatar o ânimo; enlevar, pasmar.

absorto, ta. *adj.* absorto, abstrato, contemplativo, distraído, meditativo, pensativo, abismado, atalhado, meditabundo, arrebatado, engadanhado, alheado, estático, embebido, entregue: *absorto a lo que sucede*, alheio ao que se passa; *quedarse absorto a alguien*, embobar alguém.

abstemio, a. *adj.* abstémio; frugal, moderado, sóbrio. — *s.* abstémio, aquele que se abstém de vinho, (Bras.) abstêmio.

abstención. *f.* abstenção, abstinência, temperança, frugalidade, sobriedade; coibição; inibição; privação, isenção; renúncia.

abstencionismo. *m.* (pol.) abstencionismo.

abstencionista. *s.* (pol.) abstencionista.

abstener. *v. tr.* (poc. usad.) abster; apertar, deixar, privar; desviar. — **abstenerse.** *v. r.* abster-se, privar-se; coibir-se; deixar-se; abstrair-se; desistir; inibir; conter-se; reprimir-se, não intervir: (fig.) *abstenerse de hablar*, atabafar. — *conj. irr.* como *tener*.

absterger. *v. tr.* (med.) absterger, limpar, purificar, desobstruir, lavar uma ferida.

abstersión. *f.* (med.) abstersão, acção ou efeito de absterger; desobstrução; purificação, lavamento, lavação duma ferida.

abstinencia. *f.* abstinência, privação; sobriedade, temperança; jejum; dieta: *día de abstinencia*, dia de abstinência: *abstinencia, falta de apetito*, asicia; *abstinencia del placer carnal*, continência; *abstinencia absoluta*, inédia.

abstinente. *adj.* abstinente; moderado, continente, sóbrio; abstido; ina(c)tivo.

abstracción. *f.* abstra(c)ção; embebição, embevecimento; alheamento; distra(c)ção; hipótese.

abstracticio, cia. *adj.* abstracto, abstractivo, relativo à abstra(c)ção.

abstractivo, va. *adj.* abstractivo, que abtrai.

abstracto, ta. *adj.* abstracto; alheio; metafísico; isolado; distraído, preocupado: *número abstracto*, número abstracto; *en abstracto*, em abstracto.

abstraer. *v. tr.* abstrair, separar; embebecer, embevecer. — *v. intr.* omitir, passar em silêncio; prescindir, privar-se ou dispensar uma coisa. — **abstraerse.** *v. r.* abstrair-se; concentrar-se; alhear-se, distrair-se; engo.far-se; embeber-se: *abstraerse en alguna cosa*, embeber-se; (teol.) *abstraerse en la meditación*, contemplar;

abstraerse en honda meditación, embeber-se em funda meditação.

abstraído, da. *adj.* e *p. p.* abstraído; desatento; absorto; apartado, retirado, separado.

abstruso, sa. *adj.* abstruso, oculto; abstruso, de difícil compreensão; impenetrável; desordenado, confuso, obscuro; profundo; incoerente; repugnante à razão: *de modo abstruso*, abstrusamente.

absuelto, ta. *p. p. irr.* de *absolver*, absolto, absolvido; (for.) descarregado, indultado, amnistiado.

absurdidad. *f.* absurdidade, desvario; inconveniência, absurdeza; tolice, disparate; contra-senso; asneira.

absurdo, da. *adj.* absurdo, incrível; bestial; destrambelho; despropositado, destampatório; falso, fantástico; inepto; disparatado, tolo insensato; contraditório; (Bras. Sur) despropério. — *m.* absurdo, contrasenso, desvario, desvairo, despropósito, insensatez, disparate, absurdeza, absurdidade; tolice, asneira, inconveniência.

abuchear. *v. tr.* (fam.) silvar, sibilar, patear, assobiar, apitar, manifestar desagrado, assobiando.

abucheo. *m.* (fam.) assobio, silvo, pateada, pateadura, censura, reprovação.

abuela. *f.* avó; (fig.) mulher idosa: *madre del padrastro o de la madrastra*, avó torta; (fam.) mamã, mãe; *¡cuéntaselo a tu abuela!*, não venhas com os teus contos; contar um conto-da-carochinha; *no tener abuela*, ser vaidoso, ter presunção de si mesmo.

abuelastra. *f.* mãe de seu padrasto ou madrasta; segunda mulher do seu avô, avó torta.

abuelastro. *m.* pai de seu padrasto ou madrasta; segundo marido de sua avó, avô torto.

abuelita. *f. dim.* de *abuela*.

abuelo. *m.* avô; (fig.) homem idoso, pai do pai ou da mãe. — *pl.* avós, os antepassados; (fam.) pêlos curtos que crescem no cachaço.

abuhado, da. *adj.* inchado, inflamado, tumefacto, entumecido, túmido.

abuhardillado, da. *adj.* que tem forma de mansarda.

abulense. *adj.* e *s.* (geog.) natural de Ávila; pertencente a Ávila.

abulia. *f.* abulia, ausência da vontade; apatia, acidia; adinamia.

abúlico, ca. *adj.* abúlico, apático: *volver abúlico*, apatizar.

abultado, da. *adj.* e *p. p.* avultado; volumoso, grande, grosso.

abultamiento. *m.* acção de avultar; cúmulo; montão; aglomeração.

abultar. *v. tr.* avultar; engrossar, engordar; aumentar, avolumar, bojar; encarecer, exagerar. — *v. intr.* aumentar, acrescer, engrossar.

abundancia. *f.* abundância, fartura, avondança, chorume, chorilho, copiosidade, cópia, exuberância; afluência; abastamento, abastança; acolhida; enxurrada, enxurro; (fig.) luxo; enchimento, enchente; força; fecúndia; abundamento; riqueza, grande quantidade; opulência: *en abundancia*, em abundância; *vivir en la abundancia*, viver na abundância, chover; *abundancia de vicios*, enchente de vícios; *nadar en la abundancia*, nadar em delícias.

abundancial. *adj*. abundoso, abundante.

abundante. *adj*. abundante, copioso, farto. abastoso, abundoso, abastado, afluente, enchente, enxameado, frondoso, frustuário, frumentoso, exabundante, facultoso, cheio, luxuoso, profuso, superabundante: *muy abundante*, superabundante, exabundante.

abundar. *v. intr*. abundar, bastar, avondar, afluir, chover; encher; formiguejar; enxurrar, enxamear; estar cheio, rico; existir em grande quantidades; (Bras.) abrejar: *abundar en*, estar cheio; *abundar en extremo*, exuberar; *los extranjeros abundan en la ciudad*, os estrangeiros enchem a cidade; *abundar en la opinión de alguien*, abundar na opinião de alguém; *lo que abunda no daña*, é melhor a abundância que a escasseza.

abundoso, sa. *adj*. abundoso, abundante, abastoso, exabundante, exuberante.

abuñolado, da. *adj*. e *p. p*. que tem forma de filhó.

abuñolar. *v. tr*. frigir os ovos depois de batidos; *pres. ind. irr*. **abuñuelo, -as, -a, -an**; *subj*. **abuñuele, -es, -e, -en**.

abuñuelado, da. *adj*. V. **abuñolado**.

abuñuelar. *v. tr*. V. **abuñolar**.

abur. *interj*. V. **agur**.

aburar. *v. tr*. queimar, abrasar, incendiar.

aburelado, da. *adj*. aburelado, parecido com o burel; da cor do burel.

aburguesado, da. *adj*. e *p. p*. aburguesado, próprio de burguês; semelhante a burguês.

aburguesamiento. *m*. acção e efeito de aburguesar-se.

aburguesarse. *v. r*. aburguesar-se, adquirir hábitos ou modos de burguês.

aburrido, da. *adj*. e *p. p*. aborrido, descontento, desgostoso, enfastiado, aborrível, afadigado, atediado, desgracioso, desgostoso, estopante, enfastiado, farto, enfastioso, maçudo, maçador, serengador, árido: *conversación aburrida*, conversa aborrecida; *hombre aburrido (pelmazo)*, homem aborrecido, sensaborão; (fig.) *historia larga y aburrida*, página.

aburridor, ra. *adj*. aborrecedor, aborrível; enfadonho.

aburrimiento. *m*. aborrecimento, aborrimento; aperreamento; anojo, entorpecimento, enfastiamento, tédio, internação, enfado; maçada; maçadoira; xeringação; serrazina.

aburrir. *v. tr*. aborrecer, aborrir, enfastiar, desagradar; acabrunhar, contristar, desgostar, entristecer, importunar, incomodar, molestar, mortificar, agoniar, afligir, amargurar; afadigar, atediar, aperrear,

anojar, apurar, estomagar, estopar, fartar, seringar, enfastiar, maçar; (fam.) tentar, arriscar dinheiro; abandonar, deixar com aversão. — **aburrirse**. *v. r*. aborrecer-se, desgostar-se, enfastiar-se, anojar-se, atediar-se; (fig.) bocejar, desgostar-se; (fig.) abrir-se a boca; (Bras.) encabular.

aburujado, da. *adj*. embrulhado; enovelado; ennovelado; embaraçado.

aburujar. *v. tr*. embrulhar, enovelar; embaraçar.

aburujonar. *v. tr*. V. **aburujar**.

aburujonarse. *v. r*. fazer-se em godilhões.

abusador, ra. *adj*. abusador, que abusa, abusivo.

abusar. *v. intr*. abusar; fazer mau uso; apedrejar, demasiar, enganar, praticar demasias; usar exorbitantemente, exceder-se; (fig.) tomar o freio nos dentes: *abusar de la confianza de alguien*, abusar da confiança de alguém.

abusión. *f*. abusão, engano, abuso, superstição.

abusionero, ra. *adj*. agoireiro; supersticioso, agoureiro.

abusivo, va. *adj*. abusivo, demasiado, despótico, feito com abuso; impróprio.

abuso. *m*. abuso; engano; desordem; canalhice; abusão, desregramento; demasia; destempero, (Bras.) destempêro; excesso; erro; prevaricação; desmando; ultraje ao pudor; (for.) *abuso ilegal*, corruptela; *abuso de autoridad*, despotismo; *abuso de confianza*, abuso da confiança; *cometer abusos*, destemperar-se, desdegrar-se, praticar demasias.

abusón, na. *adj*. abusivo, abusador.

abuzarse. *v. r*. deitar-se de bruços a beber.

abyección. *f*. abjecção, abatimento, desprezo, humilhação, aviltação, degradação, indignidade, baixeza, ignominia, repugnância.

abyecto, ta. *adj*. abjecto, abatido, abominável, baixo, desprezível, detestável, execrando, execrável, ignóbil, indigno, odioso, repelente, repugnante, vil, cloacal, cloacino, desprezado: *cosa abyecta*, estrumeira.

acá. *adv*. cá, aqui; neste lugar, aquém: *de la parte de acá*, aquém, do lado de cá; *de acá para allá*, daqui e dali, de cá e lá; *ven acá*, vem cá; *de cinco años acá*, há cinco anos para cá; *de entonces acá*, de então para cá; *¿de cuándo acá?*, desde quando?

acabable. *adj*. que se pode acabar.

acabado, da. *adj*. e *p. p*. acabado, completo, enteiro, magistral, perfeito, pleno, primoroso, absoluto, luzido, lúcido; abatido; muito magro, avelhentado, acabado, consumido, destruido o gasto; concluido, terminado. — *m*. aperfeiçoamento: *bien acabado*, delicioso; bem acabado; *apurar el acabado de algo*, aprimorar alguma coisa; *dar por acabado*, apartar-se; *mal acabado*, chavasco; *acabado con gran diligencia y cuidado*, estudado; (fam.) *¿has* *acabado ya de hablar?*, já desfiaste o teu cosido?

acabador, ra. *adj.* e *s.* acabador, aquele que acaba.

acaballar. *v. tr.* acavalar, cobrir o cavalo a égua.

acaballerado, da. *adj.* e *p. p.* nobre distinto nas maneiras e acções.

acaballerar. *v. tr.* enobrecer, tornar nobre, fazer ilustre, distinguir, ilustrar, fazer com que alguém se porte como cavalheiro.

acaballonar. *v. tr.* fazer camalhões nas terras.

acabamiento. *m.* acabamento, conclusão, fim, termo, remate, terminação, ultimação, exaustação; perfeição; morte.

acabar. *v. tr.* e *intr.* acabar, aprontar, concluir, finalizar, findar; rematar, terminar, ultimar, aperfeiçoar; gastar, completar, chegar ao fim; cessar; morrer; dar cabo; apartar; consumar; cortar; exaustar; (fig.) coroar; extenuar. — **acabarse.** *v. r.* acabar-se, extinguir-se, aniquilar-se; concluir-se, apagar-se: *no acabar una cosa,* deixar alguma coisa em aberto; (fam.) *¡acabe de una vez!,* despache-se com isso!; *¡todo acabó!,* foi-se tudo por esses ares; *acabar con los enemigos uno a uno,* lutar arca por arca com alguém; *acabar una controversia,* averiguar desabrimentos; *acabar sus días,* encher os seus dias; *acabar de prisa y corriendo una cosa,* apressar uma coisa; *acabar bien algo,* aprimorar alguma coisa; *acabar con,* exterminar; (fig.) *acabar con una cosa,* extirpar uma coisa; *acabar (al hablar de la fiebre),* despedir; (fam.) *esto es el cuento de nunca acabar,* isto é um nunca acabar; *acabar satisfactoriamente,* acabar em bem.

acabestrar. *v. tr.* acostumar ao cabresto ou boi manso.

acabestrillar. *v. intr.* caçar com boi encabrestado.

acabijo. *m.* (fam.) fim, terminação, conclusão, acabamento, termo, remate.

acabildar. *v. tr.* atrair, reunir os votos de muitas pessoas; reunir muita gente.

acabóse. *m.* final violento ou trágico: *ser una cosa el acabóse,* chegar ao último extremo.

acabriolado, da. *adj.* rápido, ágil (diz-se das piruetas ou saltos).

acabronado, da. *adj.* semelhante ao bode.

acacalote. *m.* (Amér.) mergulhão.

acacia. *f.* (bot.) acácia.

acacianos. *m. pl.* (hist.) acacianos.

acacina. *f.* (quim.) acacina, goma-arábica.

acacio. *m.* (Amér.) acácia.

acacharse. *v. r.* V. **agacharse;** (Amér.) terminar-se completamente a venda duma mercadoria.

acachetear. *v. tr.* esbofetear, esmurrar.

academia. *f.* academia, ateneu; conferência; concurso; escola, colégio, faculdade, ginásio, instituto, liceu; academia, figura de gesso ou estampa para estudo; (Bras.) academia.

academicismo. *m.* modo, maneira ou método académico.

académico, ca. *adj.* e *s.* académico, academista, relativo a academia; membro de academia; (Bras.) acadêmico.

academista. *s.* academista, académico.

academizar. *v. tr.* academiar, falar ou proceder como os académicos; dar carácter académico.

acaecedero, ra. *adj.* que pode acontecer; eventual, futuro, acontecedeiro, possível, praticável.

acaecer. *v. intr.* acontecer, suceder, devir, ocorrer, dar-se, passar-se. — *subj. irr.* **acaezca, -can.**

acaecimiento. *m.* (ant.) acaecimento; acontecimento, incidente.

acafelador, ra. *s.* acafelador, que acafela.

acafeladura. *f.* acafeladura, acafelamento.

acafelar. *v. tr.* acafelar, rebocar, encobrir; tapar com argamassa.

acairelar. *v. tr.* acairelar, pôr cairel em; guarnecer de cairel.

acalabazado, da. *adj.* e *p. p.* semelhante à cabaça; (fig.) inepto, tolo, pateta, pacóvido, idiota.

acalabazarse. *v. r.* converter-se em cabaça; pôr-se como uma cabaça; (fig.) embrutecer-se, tornar-se bruto.

acalabrotar. *v. tr.* (mar.) calabrotear, fazer calabres ou calabrotes.

acalambrarse. *v. r.* contrair-se um músculo, nervo, etc.

acalcar. *v. tr.* acalcar, calcar, apertar.

acalenturarse. *v. r.* aquecer-se, começar a ter febre; tornar-se quente.

acalmar. *v. tr.* desenfurecer, desencalmar, aplacar. V. **calmar.**

acalorado, da. *adj.* e *p. p.* acalorado, efervescente, vivo, ardente, aceso, renhido, aquecido, excitado, entusiasmado.

acaloramiento. *m.* excitação, arrebatamento, ardor, efervescência, acesso de paixão violenta; agitação, aquecimento; acesso de febre; inflamação.

acalorar. *v. tr.* acalorar, aquecer, animar, excitar, inflamar, agitar, efervescer; favorecer, proteger, fomentar. — **acalorarse.** *v. r.* exaltar-se; inflamar-se, tomar calor.

acallar. *v. tr.* fazer calar; aplacar, acalmar, sossegar.

acamado, da. *adj.* e *p. p.* encamado; posto ou disposto em camadas.

acamar. *v. tr.* encamar, dispor em camada; estender no chão ou noutra superfície.

acamastronarse. *v. r.* tornar-se vadio ou mandrião.

ecambrayado, da. *adj.* acambraiado.

acampanado, da. *adj.* e *p. p.* encampanado; com figura de sineta.

acampanar. *v. tr.* dar figura de sineta.

acampar. *v. intr.* (mil.) acampar, abarracar; atendar; estabelecer em campo. — **acamparse.** *v. r.* estabelecer-se no campo; estacionar (falando-se de muita gente).

acampo. *m.* porção de pasto comum.

acampsia. *f.* (med.) acampsia, ancilose.

ácana. *m.* (bot.) ácana: *de ácana,* muito valioso ou rico.

acanalado, da. *adj.* e *p. p.* acanalado; estriado; encanado; cavado longitudinalmente: *abertura acanalada,* corrume.

acanalador. *m.* garlopa, goiva para acanalar, acanalador.

acanaladura. *f.* acção de acanalar; canal, estria, acanaladura; cavidade ou rego longitudinal; sulco.

acanalar. *v. tr.* acanalar; estriar; encanar; fazer um canal; cavar longitudinalmente.

acanastillado, da. *adj.* encanastrado, com figura de canastra.

acancerado, da. *adj.* e *p. p.* (poc. us.) teimoso, obstinado, pertinaz. — *p. p. de acancerarse.*

acancerarse. *v. r.* V. **cancerarse.**

acachar. *v. tr.* (mar.) equipar ou abastecer um navio.

acandilar. *v. tr.* dar forma de candil ou candeia.

acanelado, da. *adj.* acanelado; de cor de canela.

acanelonar. *v. tr.* (poc. us.) açoutar.

acanillado, da. *adj.* encanelado, mal tecido (diz-se dos estofos).

acanilladura. *f.* encaneladura.

acansinarse. *v. r.* V. **cansarse.**

acantalear. *v. intr.* granizar fortemente.

acantarar. *v. tr.* medir com cântaros.

acantear. *v. tr.* apedrejar, lançar pedras a alguém.

acantia. *f.* (zool.) acântia.

acantilado, da. *adj.* e *p. p.* alcantilado, alcantiloso, despenhoso, escarpado. — *m.* fundo logo no fim da praia; costa talhada a pique.

acantilar. *v. tr.* (mar.) alcantilar; pôr um navio em lugar fundo; tirar lodo para tornar um lugar mais fundo, dragar.

acanto. *m.* (bot.) acanto; (arq.) acanto; (bot.) erva gigante.

acantocarpo, pa. *adj.* (bot.) acantocárpio.

acantocefalo, la. *adj.* (zool.) acantocefalo.

acantodáctilo, la. *adj.* e *m.* (zool.) acantodáctilo.

acantofagia. *f.* (zool.) acantofagia.

acantófago, ga. *adj.* (zool.) acantófago.

acantonado, da. *adj.* e *p. p.* acantonado, aquartelado.

acantonamiento. *m.* acantonamento, lugar onde se acantonam tropas.

acantonar. *v. tr.* acantonar; encantonar, dispor ou distribuir tropas por cantões ou aldeias; aquartelar.

acantopterigio, gia. *adj.* e *m.* (zool.) acantopterígio.

acantóptero, ra. *adj.* (zool.) acantóptero.

acantosis. *f.* (pat.) acantose.

acanutado, da. *adj.* que tem forma de canudo ou tubo.

acanutillado, da. *adj.* (bot.) diz-se das folhas e cortiças que formam um canutilho.

acaparador, ra. *adj.* e *s.* açambarcador; abarcador; atravessador; que açambarca, monopolizador.

acaparadora. *adj.* e *f.* atravassadeira. V. **acaparador.**

acaparamiento. *m.* açambarcamento; abarcamento; entesoiramento; monopólio.

acaparar. *v. tr.* açambarcar; abarcar; atravessar; entesoirar; monopolizar: *acaparar las mercancias,* atravessar os géneros; *acaparar todos los negocios,* abarcar todos os negócios.

acaparrarse. *v. r.* abrigar-se debaixo de uma capa; (fig.) refugiar-se.

acaparrosado, da. *adj.* de cor da caparrosa.

acapizarse. *v. r.* (prov.) agarrar-se pelos cabelos.

acaponado, da. *adj.* castrado; (fig.) efeminado: *rostro acaponado,* cara de mulher.

acarabear. *v. intr.* (vulg.) V. **hablar.**

acaracolado, da. *adj.* que tem forma de caracol.

acaraira. *amb.* (Amér.) espécie de falcão.

acaramelado, da. *adj.* acaramelado, coberto de açúcar.

acaramelar. *v. tr.* reduzir o açúcar a caramelo; (fig.) mostrar-se muito galante e melífluo.

acarar. *v. tr.* V. **carear.**

acardenalar. *v. tr.* contundir; pisar o corpo; equimosar.

acardia. *f.* (med.) acardia.

acardiano, na. *adj.* (med.) relativo à acardia.

acareamiento. *m.* acareação, acareamento.

acarear. *v. tr.* e *intr.* acarear; (fig.) arrostar, oferecer-se cara a cara; pôr em frente; confrontar. — **acarearse.** *v. r.* convir.

acariasis. *f.* (med.) acaríase; sarna.

acariciado, da. *adj.* e *p. p.* acariciado; amimado, ameigado; beijado.

acariciador, -a. *adj.* acariciador, afagador, afagadeiro, fagueiro, ameigador, amimador, beijoqueiro.

acariciar. *v. tr.* acariciar, fazer carícias; tratar carinhosamente; acarinhar; afagar; encolar, engodar, amimar, ameigar, afagar; desejar; fazer festas a; lisonjear; (fig.) roçar, tocar de leve: *acariciar esperanzas,* afagar esperanças; *acariciar un proyecto,* encubar um proje(c)to ou intenção.

acáridos. *m. pl.* (zool.) acarídeos.

acarraladura. *f.* (Amér.) rotura pequena numa meia.

acarralar. *v. tr.* encolher um fio (tecidos).

acarrarse. *v. r.* acarrar-se; resguardar-se do sol; juntarem-se as ovelhas à sombra.

acarrascado, da. *adj.* semelhante ao carrasco.

acarrazar. *v. tr.* (prov.) V. **agarrafar.**

acarreadizo. *adj.* que se pode acarretar.

acarreador, ra. *adj.* e *s.* acarretador, portador, condutor, transportador.

acarreadura. *f.* V. **acarreo.**

acarreamiento. *m.* V. **acarreo.**

acarrear. *v. tr.* acarretar, transportar em carreta; acarrear, conduzir, transportar; (fig.) causar, ocasionar.

acarreo. *m.* acarretadura, transporte, acarreio.

acarretear. *v. tr.* V. **carretear.**

acarroñar. *v. tr.* intimidar, amedrontar.

acartonamiento. *m.* emagrecimento.

acartonarse. *v. r.* emagrecer; tornar-se seco como um cartão; avelar; apergaminhar-se; amumiar-se; amoxamar-se.

acasamatado, da. *adj.* casamatado.

acaserado, da. *p. p.* de *acaserarse.*

acaserarse. *v. r.* fincar-se em casa; afreguesar-se.

acaso. *m.* acaso; casualidade, fortuna, sorte, destino, dita, estrela, fadário, fado, fatalidade, sina, ventura, azar, adrego; (Bras.) adrêgo, eventualidade, aventura. — *avd.* por acaso, tal vez, casualmente, eventualmente, porventura; quiçá, talvez: *al acaso,* à toa, sem destino.

acastañado, da. *adj.* acastanhado, semelhante à castanha, de cor da castanha.

acastillado, da. *adj.* acastelado.

acastillaje. *m.* (mar.) castelo de popa ou proa.

acastillar. *v. tr.* acastelar, fortalecer com castelo; fortificar.

acatable. *adj.* acatável, venerável, digno de respeito, respeitável.

acataléctico, ca. *adj.* acataléctico.

acatalecto, ta. *adj.* acataléctico.

acatalepsia. *f.* (med. e filos.) acatalepsia.

acataléptico, ca. *adj.* (med. e filos.) acataléptico.

acatamiento. *m.* acatamento, deferência, respeito, reverência, veneração.

acatar. *v. tr.* acatar, respeitar, reverenciar, venerar; considerar atentamente, examinar; receiar, ter apreensão; aguardar; observar, cumprir; *acatar las leyes,* aguardar as leis.

acatarrado, da. *adj.* e *p. p.* acatarrado, encatarroado, acatarroado.

acatarrar. *v. tr.* (Amér.) humilhar, vexar, maltratar. — **acatarrarse.** *v. r.* encatarroar-se, contrair catarro; constipar-se; endefluxar-se.

acato. *m.* V. **acatamiento:** *darse acato,* dar consideração ou atenção.

acatólico, ca. *adj.* acatólico.

acaudalado, da. *adj.* e *p. p.* rico, que tem cabedal, opulento.

acaudalador, ra. *adj.* e *s.* que entesoura ou guarda dinheiro ou bens.

acaudalar. *v. tr.* adquirir; ganhar; capitalizar; entesourar; granjear.

acaudillador. *m.* caudilho, chefe, comandante, capitão.

acaudillamiento. *m.* comando de gente de guerra; acção de comandar ou dirigir.

acaudillar. *v. tr.* capitanear, comandar, acaudelar, acaudilhar, comandar, dirigir, ser caudilho de.

acautelado, da. *adj.* acautelado, advertido, avisado, precavido, prevenido.

acautelarse. *v. r.* acautelar-se, precaver-se, prevenir-se, tomar cautela com.

aceder. *v. intr.* aceder; consentir; aquiescer; aderir, anuir, assentir, condescender, concordar, consentir, conformar-se; não dizer que não; dar consentimento.

accesibilidad. *f.* acessibilidade, facilidade, na aproximação ou obtenção.

accesible. *adj.* acessivel, andadeiro, fácil, abordável, franqueável.

accesión. *f.* acessão; acrescentamento; (med.) acesso, crescimento de febre; elevação.

accésit. *m.* acéssit.

acceso. *m.* acesso, entrada; ádito; assomo; aproximação; ataque; ingresso; cópula carnal; (med.) acesso, crescimento, ataque: (mar.) *de fácil acceso,* acostável; *acceso de cólera,* assomo de cólera; *libre acceso,* entrada franca; *tener libre acceso a,* ter chave de entrada.

accesorias. *f. pl.* acessórios; dependências de um edifício.

accesorio, ria. *adj.* acessório; adiáforo; acidental; adventício, eventual, chegadiço; episódico; adicional; secundário. — *m.* dependência: *cosas accesorias,* dependências; *accesorios,* aviamentos.

accidentado, da. *adj.* e *p. p.* acidentado; acometido de um acidente; desigual, áspero; fortuito.

accidental. *adj.* acidental, aleatório, casual, contingente, eventual, fortuito, imprevisto, incerto, inesperado, inopinado, ocasional, adventício, arrubadiço, chegadiço; emergente; casualidade.

accidentalidad. *f.* qualidade de acidental.

accidentar. *v. tr.* acidentar, produzir acidente. — **accidentarse.** *v. r.* desmaiar, desfalecer, cair em síncope.

accidente. *m.* acidente; incidente; casualidade, caso fortuito; desgraça, ataque, sincope, desmaio; contingência, sucesso repentino ou casual; peripécia; desastre; (mús.) acidente; (med.) acidente, privação de sentido, doença súbita: *por accidente,* acidentalmente, por acaso.

acción. *f.* a(c)ção, a(c)to, feito, obra; (for.) auto, acção, demanda, processo, litígio, pleito, questão; (mil.) acção, batalha, combate, duelo, guerra, luta, peleja, prélio, pugna, refrega; facultade de obrar; ademan, gesto, postura; movimento; sucesso; energia; (com.) acção, título comercial ou industrial; (pint.) atitude; (poes.) argumento, assunto; acção, ascendência, influência, influxo, predomínio, preponderância, prestígio, superioridade: *acción baja,* falporrice; *acción de las obras dramáticas,* entrecho; *acción para conseguir algo,* meio; *dejar sin acción,* encadear; *acción retardada,* acção retardada; *hombre de acción,* homem de expedição; *acción bélica,* feito d'armas; *acción nominativa,* acção nominativa; *acción preferente, privilegiada,* acção preferente, privilegiada; *acción al portador,* acção ao portador; *acción de gracias,* acção de graças, agradecimento; *acción desleal,* (Bras.) falseta.

accionado, da. *adj.* gesticulação. — *p. p.* **accionado.**

accionar. *v. tr.* a(c)cionar, gesticular; (for.) accionar, demandar em juízo.

accionista. s. (com.) a(c)cionista, accionário.
acebadamiento. m. V. encebadamiento.
acebadar. v. tr. V. encebadar.
acebal. m. azevinhal.
acebeda. f. V. acebal.
acebedo. m. V. acebal.
acebino. m. (prov.) V. acebo.
acebo. m. (bot.) acevinho.
acebollado, da. adj. diz-se da madeira fendida ou rachada.
acebolladura. f. desunião das camadas de certas madeiras.
acebuchal. m. azambujal, zambujal. — adj. que pertenece ao zambujeiro.
acebuchina. f. (bot.) baga de zambujeiro.
acecido. m. (fam.) V. acezo; (Amér.) asma.
acecinador, ra. s. chacinador, o que salga as carnes.
acecinar. v. tr. chacinar; fazer fumeiro; (fig.) emagrecer. — acecinarse. v. r. emagrecer, definhar-se com a idade.
acechadera. f. lugar onde se pode espreitar ou observar.
acechador, ra. adj. e s. espreitador; observador; espião; espia; atalaiador.
acechamiento. m. V. acecho.
acechanza. f. V. asechanza.
acechar. v. tr. espreitar, observar; espiar; perscrutar; indagar; olhar com atenção; atalaiar; cocar; estar à coca.
aceche. m. V. caparrosa.
acecho. m. espreitadela; observação; perscrutação, indagação; acção de espiar.
acechón, na. adj. (fam.) V. acechador.
acechona f. espreitadela.
acedable. adj. que se pode azedar ou acidular.
acedado, da. adj. e p. p. azedado, acidulado; (fig.) irritado.
acedar. v. tr. azedar; acidular; (fig.) irritar, avinagrar. envinagrar. — acedarse. v. r. azedar; apicoar-se (vinho); irritar-se; desgostar-se.
acedera. f. (bot.) azedeira, planta cujas folhas se chamam azedas; azeda, (Bras.) azêda; azedas, (Bras.) azêdas.
acederaque. m. (bot.) azederaque, cinamomo.
acederilla. f. (bot.) azedinha.
acederón. m. (bot.) espécie de azedeira.
acedía. f. azedia, acidez, azedume; (fig.) acrimonia, (Bras.) acrimônia, aspereza de trato.
acediana. f. (Amér.). V. amaranto.
acedo, da. adj. azedo; (Bras.) azêdo, agro; envinagrado; áspero; (fig.) estridente; ríspido; acetoso; ácido.
acefalia. f. acefalia.
acefalismo. m. acefalismo.
acefalista. adj. e s. acefalita.
acéfalo, la. adj. acéfalo.
acefalobraquia. f. (terat.) acefalobraquia.
acefalobraquio, a. adj. (terat.) acefalobráquio.
acefalopodia. f. (terat.) acefalopodia.
acefalópodo, da. adj. (terat.) acefalópodo.
acefalostomia. f. (terat.) acefalostomia.

acefalotorácico, ca. adj. (terat.) acefalotorácico.
aceguero. s. lenhador clandestino.
aceitar. v. tr. azeitar, esfregar com óleo; temperar com azeite; untar com azeite.
aceite. m. azeite, óleo: aceite de olivas, azeite doce; aceite de ballena, azeite de baleia; aceite virgen, azeite virgem: aceite de pescado, azeite de peixe; aceite bruto, azeite bruto; aceite esencial o volátil, azeite volátil; aceite de carbón, mineral, azeite de carvão, mineral; aceite pesado, gas oil; aceite secante, azeite secante; aceite de hígado de bacalao, azeite-de-fígado-de-bacalhau; aceite de vitriolo, ácido sulfúrico; echar aceite al fuego, deitar azeite no fogo; (fam.) caro como aceite de Aparicio, muito caro, de subido preço.
aceitera. f. almotolia; galheta, azeiteira.
aceitería. f. elaboração de azeites; tenda de venda de azeite.
aceituna. f. (bot.) azeitona; oliva: aceituna negra, azeitona madural; aceituna podrida, azeitona gafa; aceituna manzanilla, azeitona manzanilla, azeitona pequena; aceituna zorzaleña, azeitona pequena e redonda, de que os zorzais e tordos gostam muito; (fig.) llegar a las aceitunas, chegar demasiado tarde; residuo de la aceituna, albafeira; enfermedad de las aceitunas, gafa; aceituna zapatera, azeitona sapateira.
aceitunada. f. colheita das azeitonas.
aceitunado, da. adj. azeitonado, de cor de azeitona.
aceitunero. m. azeitoneiro; tulha para guardar a azeitona; travessa para servir azeitonas; vendedor de azeitonas.
aceitunil. adj. azeitonado, que tem cor de azeitona.
acelajado, da. adj. e p. p. coberto de celagem; com nuvens muito tênues.
acelejarse. v. r. cobrir-se com celagem ou nuvens muito tênues.
aceleración. f. aceleração, aceleramento; apressuramento; pressa; diligência; rapidez; precipitação.
acelerado, da. adj. e p. p. acelerado, apressurado, apressado; alvoroçado; ativado; precipitado.
acelerador, ra. adj. acelerador. — m. (mec.) acelerador, aparelho para acelerar o motor.
aceleramiento. m. aceleramento. V. aceleración.
acelerar. v. tr. acelerar, apressar, ativar, precipitar; adiantar, anticipar; instigar; adiantar; azafamar; (fig.) abreviar; antecipar, desafreimar. — acelerarse. v. r. acelerar-se; apressar-se; facilitar-se; precipitar-se: acelerar el paso, estugar, apressar ou aligeirar o passo.
aceleratriz. adj. e f. aceleratriz.
acelerógrafo. m. (fís.) acelerógrafo.
acelga. f. (bot.) acelga, celga.
acema. f. (Amér.) V. acemita.
acémila. f. azémola.

acemilar. adj. que pertence à azémola ou a seu conductor.

acemilería. f. estribaria para as azémolas.

acemilero, ra. adj. e m. arrieiro; azemeleiro; arrocheiro.

acemilón. m. (fam.) estúpido.

acemita. f. farelo, sêmea, casca; pão de rala.

acemite. m. farelo ou sêmea muito miúdo com farinha; espécie de potagem de trigo assado meio moido.

acenafteno. m. (quim.) acenafteno.

acendrado, da. p. p. e adj. acrisolado, purificado; acendrado; (fig.) puro, sem mancha; acrisolado.

acendrador. m. afinador de metais.

acendramiento. m. afinamento de metais, afinação de metais; acendramento; (fig.) purificaçáo; acrisolamento.

acendrar. v. tr. acendrar, purificar, acrisolar, encendrar; (quím.) copelar; afinar os metais; (fig.) purificar, apurar as virtudes; limpar com cinza.

acenerar. v. tr. pôr sanefas a uma coisa, debruar, orlar.

acensuado, da. adj. e p. p. diz-se dos bens que têm imposto de censo.

acensuar. v. tr. (for.) impor censo.

acento. m. acento; inflexão da voz; tom de voz, timbre; expressão, linguagem: acento grave, acento grave; acento agudo, acento agudo; acento cincunflejo, acento circunflexo; acento tónico, acento tónico; acento español, acento espanhol; acento particular de una provincia, colonia, etc., sotaque.

acentuable. adj. que se pode acentuar.

acentuación. adj. acentuação, prosódia, acto de acentuar, modo de acentuar.

acentuar. v. tr. acentuar; salientar; dar relevo; frisar; empregar acentos; pronunciar claramente; (fig.) exprimir com vigor; marcar; caracterizar: acentuarse una enfermedad, empiorar; acentuarse la gravedad, engravescer.

aceña. f. azenha; moinho movido a água; moinho de rodízio.

aceñero. m. moleiro.

acepar. v. intr. enraizar-se. V. **encepar.**

acepción. f. acepção; sentido; distinção de pessoas; preferência; interpretação; escolha.

acepillador, ra. adj. e s. falqueador, acepilhador; o que aplaina ou escova, aplainador.

acepilladora. f. (carp.) máquina de aplainar ou aplanar.

acepilladura. f. (carp.) aplainamento, aplainação; acepilhadura; acção de aplainar; aparas, cavacos que fez o cepilho, acepilhaduras.

acepillar. v. tr. (carp.) falquear (madeira); alisar; aplainar com cepilho, desbastar madeira; acepilhar; escovar; polir, alisar com cepilho; (fig.) polir, desbastar os costumes, civilizar; aperfeiçoar: acepillar los cantos de una tabla, esquadriar uma tábua.

aceptabilidad. f. aceitabilidade, qualidade daquilo que é aceitável.

aceptable. adj. aceitável, que se pode aceitar.

aceptación. f. aceitação; aplauso; benquerença; acolhida; (com.) aceito, aceitamento: fórmula de aceptación, aceito; (for.) aceptación de herencia, adição; tener aceptación en sociedad, ter aceitação na sociedade; gozar de gran aceptación algo, ter muita aceitação uma coisa.

aceptador, ra. adj. e s. aceitador; aceitante, aquele que aceita; aceitante, pessoa que assina ou aceita numa letra de câmbio.

aceptar. v. tr. aceitar, receber, tomar, admitir; arrecadar, aprovar; estar conforme; receber com agrado; aparar; abraçar; admitir: (com.) aceptar una letra de cambio, aceitar uma letra de câmbio; aceptar una explicación, aceitar uma explicação; aceptar un reto, empreender o desafio; (for.) aceptar una herencia, adir, entrar na posse de herança; hacer aceptar, inculcar-se; aceptar las cosas tal y como son, aparar o bom ou mau de alguém.

aceptilación. f. (for. e teol.) aceptilação.

acepto, ta. adj. aceito; agradável; bem-quisto.

aceptor. m. V. **aceptador.**

acequia. f. acéquia, canal, regueiro, agueiro, açude, azenha; aqueduto.

acequiador. m. acequiador, o que abre canais ou valas.

acequiaje. m. imposto ou tributo sobre canais.

acequiar. v. intr. acequiar, canalizar, abrir valas.

acequiero. m. acequiador, o que trata dos canais ou valas.

acera. f. passeio lateral da rua; correnteza de casas.

aceración. f. (técn.) aceração.

acerado. adj. e p. p. acerado; (fig.) forte, duro, sólido, resistente; incisivo; penetrante, cáustico; (bot.) acerado.

acerar. v. tr. (técn.) acerar, dar têmpera de aço; (fig.) fortalecer; aceirar; afiar; estimular; pôr passeios laterais.

acerbidad. f. acerbidade; (fig.) rigor; aspereza; acrimonia, (Bras.) acrimônia.

acerbo, ba. adj. acerbo, acedo; cruel, duro, severo; áspero; acro; pungente; doloroso.

acerca. adv. acerca, (Bras.) acêrca; a respeito de; sobre; relativamente a; perto. V. **cerca.**

acercado, da. adj. e p. p. achegado; aproximado.

acercamiento. m. aproximação; achegamento; chegada; apropincuação.

acercar. v. tr. avançar até perto; aproximar; estreitar; chegar; arrimar; avizinhar; acercar; apropincuar. — **acercarse.** v. r. chegar cerca, aproximar-se; avizinhar-se; avançar-se; acercar-se; arremedar; bater-se; abeirar-se; chegar-se; (mar.) acercarse a la costa, acostar; acercarse mucho a la costa, cingir-se; acercarse a los cin-

cuenta años, arramalhar pelos seus 50 anos; *acercarse a alguien para conversar,* abordar alguém; *acercarse mucho a una persona,* abarbar uma pessoa.

acería. *f.* fábrica de aço.

acerico. *m.* alfineteira, almofadinha para espetar alfinetes.

acerillo. *m.* V. **acerico.**

acerino, na. *adj.* (poes.) semelhante ao aço; acerado.

acernadar. *v. tr.* cobrir uma coisa com barrela ou cinza coada; decoar com cenrada.

acero. *m.* aço; arma branca; aceiro; (fam.) intrepidez, valor, vigor; apetite: *acero de fundición,* aço fundido; *acero batido o colado,* aço macio; *acero cementado o de conversión,* aço de bolha; *acero pudelado,* aço pudelado; *temple de acero,* aceração; *templar con acero,* acerar; (fam.) *comer con buenos aceros,* comer com apetite.

acero, ra. *adj.* (zool.) ácero, diz-se dos insectos sem antenas.

aceroso, sa. *adj.* áspero, acre, picante. V. **acerbo.**

acérrimo, ma. *adj.* acérrimo, muito acre, picante; pertinaz, insistente, intransigente; fortísimo.

acerrojar. *v. tr.* acerrolhar; encarcerar; aldravar.

acertado, da. *adj.* e *p. p.* acertado; avisado; atinado; adivinhado; atingido.

acertador, ra. *adj.* e *s.* acertador; adivinhador, o que acerta.

acertajo. *m.* adivinhação. V. **acertijo.**

acertamiento. *m.* V. **acierto.**

acertar. *v. tr.* acertar; adivinhar; atinar; igualar; encontrar; suceder por acaso; achar, descobrir; pôr certo, igualar. — *v. intr.* acertar, dar no alvo; atingir; coincidir; acontecer; adivinhar casualmente; chegar repentinamente; ser bem sucedido; (agr.) enraizar-se bem de alguma tentativa; dar no vinte; matar a charada; atinar; atingir; adregar; adergar; (fig.) bolar; encarrilar; dar: *no acertar,* falhar, errar, não fazer coisa com coisa, enganar-se; (fig.) *que no acertó en su profesión, fracasado,* falhado; *acertar por conjeturas,* atinar; *acerté a estar allí,* foi bom estar ali; *la bala no acertó el blanco,* a bala não chegou ao alvo. — *pres. ind. irr.* **acierto,** -as, -a, -an; *subj.* **acierte,** -es, -e, -en.

acertijo. *m.* adivinhação; enigma; charada.

acervo. *m.* acervo, montão; magote; (for.) acervo, herança, indivisa; cúmulo; abundância.

acescencia. *f.* acescência.

acescente. *adj.* acescente, que começa a azedar-se.

acetabuliforme. *adj.* (anat.) acetabuliforme.

acetábulo. *m.* acetábulo, antigo vaso para vinagre; acetábulo medida de duas onças; (anat.) acetábulo.

acetal. *m.* (quím.) acetal.

acetamida. *f.* (quim.) acetamido.

acetanilida. *f.* (quim.) acetanilida.

acetario, ria. *adj.* e *m.* acetário, medicamento que tem por base o vinagre.

acetato. *m.* (quim.) acetato; aceto.

acético, ca. *adj.* (quim.) acético, relativo ao vinagre; ácido.

acetificación. *f.* (quim.) acetificação.

acetificar. *v. tr.* acetificar, azedar, converter em vinagre.

acetilénico, ca. *adj.* (quim.) acetilénico.

acetileno. *m.* acetilene; gás acetilene.

acetílico, ca. *adj.* acético. V. **acético.**

acetilo. *m.* (quim.) acetilo.

acetimetría. *f.* (quim.) acetimetria.

acetimétrico, ca. *adj.* (quim.) acetimétrico.

acetímetro. *m.* (quim.) acetímetro, acetómetro.

acetina. *f.* (quim.) acetine.

acetite. *m.* (quim.) acetato de cobre.

acetocelulosa. *f.* (quim.) acetocelulose.

acetol. *m.* (quim.) acetol, vinagre puro.

acetolado. *m.* (farm.) medicamento composto por maceração do vinagre.

acetolulosa. *f.* (quim.) acetolulose.

acetómetro. *m.* (quim.) acetómetro, (Bras.) acetômetro, acetímetro.

acetomiel. *m.* (farm.) acetomel, xarope de vinagre melado.

acetona. *f.* (quim.) acetona.

acetonemia. *f.* (med.) acetonemia.

acetonina. *f.* (quim.) acetonina.

acetonuria. *f.* (med.) acetonúria.

acetosa. *f.* (bot.) V. **acedera.**

acetosidad. *f.* acetosidade, agrura.

acetosilla. *f.* V. **acederilla.**

acetoso, sa. *adj.* acetoso, agro, avinagrado; ácido.

acetre. *m.* balde; caldeirinha de água benta.

acetrinarse. *v. r.* pôr-se de cor citrino ou de limão; pôr-se citrino.

acezar. *v. intr.* arquejar, respirar com dificuldade.

acezo. *m.* arquejo, acção de arquejar.

acezoso, sa. *adj* arquejante, ofegante que arqueja.

aciago, ga. *adj.* aziago; infausto; diabólico; funesto; luctuoso, lu(c)tífero.

acial. *m.* aziar, tenazes para segurar os animais pelos beiços.

acialazo. *m.* (Amér.) pancada com o aziar.

acibarar. *v. tr.* amargar, amargurar; desgostar.

acibaroso, sa. *adj.* amargoso.

acibarrar. *v. tr.* arrojar. V. **abarrar.**

aciberar. *v. tr.* moer muito fino.

acicalado, da. *adj.* e *p. p.* açacalado; brunido; pintado o rosto, enfeitado, embonecado; brunido (diz-se das armas).

acicaladura. *f.* açacaladura, brunidura; poimento; enfeito.

acicalar. *v. tr.* açacalar, polir, brunir armas; enfeitar, ornar, pintar o rosto, embelecer, embonecar, arranjar, engalanar, aparelhar, lustrar. — **acicalarse.** *v. r.* arranjar-se, aparelhar-se; apilarar; enfeitar-se.

acicate. *m.* acicate; incentivo, estímulo, impulso; espora de uma ponta; aguilhão, aguilhoada, aguilhoamento; aculco.

acicatear. *v. tr.* (Amér.) acicatar, estimular com acicate, esporear o cavalo; (fig.) excitar; impulsionar.

acíclico, ca. *adj.* acíclico, não circular; em que não há ciclo.

aciche. *f.* ferro de soldar; picadeira.

acidalio, lia. *adj.* pertencente a Vénus.

acidaque. *m.* arras dos maometanos.

acidez. *f.* acidez; azedia, azedume, azetosidade.

acidia. *f.* acídia, froixidão, tibieza espiritual, abatimento moral e físico; preguiça; indolência; desidia, desleixo, desmazelo, incuria, adeja.

acidífero, ra. *adj.* acidífero, que tem ou produz ácido; acidioso.

acidificable. *adj.* acidificável, que se pode acidificar.

acidificación. *f.* (quim.) acidificação, oxigenação, acetificação.

acidificante. *adj.* acidificante, que acidifica.

acidificar. *v. tr.* acidificar, converter em ácido, acidar, acetificar.

acidimetría. *f.* acidimetria.

acidimétrico, ca. *adj.* acidimétrico.

acidímetro. *m.* acidímetro.

acidioso, sa. *adj.* acidioso, desidioso, frouxo, negligente, desleixado, desmazelado.

ácido, da. *adj.* ácido, azedo, (Bras.) azêdo; agro; agraz, acídulo, acetoso; amargo, amargoso; travoso; travento, acre. — *m.* (quim.) ácido: *extraer los ácidos*, desadificar; *ácido nítrico*, água forte; *ácido carbónico*, ácido carbónico; *ácido muriático*, ácido muriático; *ácido acetoso*, ácido acetoso; *ácido acético*, ácido acético; *ácido arsénico*, ácido arsenioso; *ácido benzoico*, ácido benzóico; *ácido bórico*, ácido bórico; *ácido cianhídrico*, ácido cianídrico; *ácido cinámico*, ácido cinâmico; *ácido cítrico*, ácido cítrico; *ácido clorhídrico*, ácido clorídrico; *ácido clórico*, ácido clórico; *ácido láctico*, ácido lácteo; *ácido nítrico*, ácido nítrico; *ácido oxálico*, ácido oxálico; *ácido pícrico*, ácido pícrico; *ácido prúsico*, ácido prússico; ou cianídrico; *ácido silícico*, ácido silícico; *ácido sulhídrico*, ácido sulfídrico; *ácido sulfúrico*, ácido sulfúrico; *ácido sulfuroso*, ácido sulfuroso; *ácido tartárico*, ácido tartárico; *ácido úrico*, ácido úrico.

acidómetro. *m.* acidímetro, acidómetro.

acidosis. *f.* (med.) acidose.

acidular. *v. tr.* acidular; tornar acidulo; acidar.

acídulo, la. *adj.* (quím.) acídulo, azedo, agro, acetoso, ligeiramente ácido.

aciel. *m.* (Amér.) V. **acial.**

acierta. *ect.* V. **acertar.**

acierto. *m.* acerto, (Bras.) acêrto; ajuste; (fig.) discrição; juízo, prudência; acaso, casualidade, sorte; tino: *tener acierto*, atinar.

aciesia. *f.* esterilidade, acisia, impotência.

aciforme. *adj.* (bot.) acicular, aciculado, que tem forma de agulha.

acigarrado, da. *adj.* diz-se dos efeitos produzidos pelos cigarros nos fumadores.

ácigos. *adj.* e *m. pl.* (anat.) ázigos, diz-se da veia que se estende da coluna lombar até à veia cava superior.

aciguar. *v. intr.* V. **descansar, hacer alto.**

aciguatarse. *v. r.* padecer de *ciguatera*.

acijado, da. *adj.* negro, da cor da caparrosa.

acije. *m.* caparrosa. V. **aceche.**

acijoso, sa. *adj.* pertencente à caparrosa, que contem caparrosa.

acimentarse. *v. r.* estabelecer-se; fixar residência.

ácimo. *adj.* asmo, ázimo.

acimut. *m.* azimute.

acimutal. *adj.* azimutal, relativo ao azimute.

acinace. *m.* acínace.

acincelar. *v. tr.* V. **cincelar.**

acinesia. *f.* (med.) acinesia, imobilidade.

acinésico, ca. *adj.* (med.) acinésico, acinético.

acionera. *f.* (Amér.) peça de metal ou coiro da sela da cavalgadura.

acionero. *m.* fabricante de loros de estribos.

acipado, da. *adj.* apertado, unido (diz-se dos panos).

aciprés. *m.* V. **ciprés.**

acirate. *m.* marco, baliza, limite, sinal; alegrete.

acirología. *f.* acirologia.

acirón. *m.* V. **arce.**

aciscado, da. *adj.* medroso, cobarde, covarde, tímido, pusilânime.

acistia. *f.* (terat.) acistia, ausência da bexiga urinária.

acítara. *f.* parede delgada; ornamento da sela de montar, acítara.

acitrón. *m.* (Amér.) diacidrão, cidrão, doce de cidra.

acivilarse. *v. r.* (Amér.) contrair matrimonio civil.

aclamación. *f.* aclamação, aplauso, glorificação; reconhecimento de um soberano; declaração verbal e conjunto: *por aclamación*, por aclamação; *aclamación colectiva*, aclamação colectiva.

aclamador, ra. *adj.* e *s.* aclamador, o que aclama.

aclamar. *v. tr.* aclamar, aplaudir, glorificar, proclamar, vitoriar, saudar; aprovar bradando; eleger por aclamação; apelidar; alçar; aclamar (em voz alta), avozear; (ant.) reclamar; requerer; chamar os pássaros com o reclamo. — **aclamarse.** *v. r.* queixar-se, ofender-se.

aclamatorio, ria. *adj.* aclamativo.

aclaración. *f.* aclaração, aclaramento, esclarecimento; exposição, explicação, explanação, elucidação, ilustração, decifração; deslinde; desmaranho; atila.

aclarado. *m.* enxanguadura. — *adj.* e *p. p.* aclarado; depurado; deslindado; desatado.

aclarador, ra. *adj.* aclarador; explicador, esclarecedor. — *m.* espécie de pente dos teares; vasilha para refinação do azeite.

aclarar. *v. tr.* aclarar, elucidar, esclarecer, explanar, explicar, ilustrar, iluminar, decifrar; embranquecer, purificar; manifestar; deslindar; evidenciar; deixar ver; tornar claro; desembrulhar; desanuviar, desenevoar; desenegrecer; desenfuscar, desofuscar; desnublar; despejar; desobscurecer; deslindar; desvelar; (fig.) destecer; enuclear; apostilar; desembaralhar; acrisolar; (fig.) desatar. — *v. intr.* tornar-se claro; desanuviar, fazer-se claro. — **aclararse.** *v. r.* clarear; desvelar-se: (fig.) *aclarar algo*, desempatar; *aclarar una cuestión*, deslindar uma questão; *aclarar el tiempo*, destoldar-se; *comenzar a aclararse el tiempo*, entreabrir-se; *aclarar la ropa*, enxaguar; *aclarar lo ocurrido*, desenferrar; *aclararse el tiempo*, clarear-se, desembrulhar-se; *aclarar la verdad*, averiguar a verdade; *aclarar la voz*, fazer a voz clara; *aclarar algo complicado*, pôr em claro.

aclaratorio, ria. *adj.* o que aclara.

aclarecer. *v. tr.* V. **aclarar.**

aclasto, ta. *adj.* (ópt.) aclasto, que deixa passar a luz sem reflectir.

aclavelarse. *v. r.* converter-se em cravo.

acle. *m.* (bot.) árvore filipina.

acleido, da. *adj.* que não tem clavículas.

aclimatable. *adj.* que se pode aclimar.

aclimatación. *f.* aclimatação, aclimação, aclimamento, aclimatização.

aclimatar. *v. tr.* aclimatar, aclimar, aclimatizar, habituar a um clima; (fig.) conformar, habituar; educar. — **aclimatarse.** *v. r.* aclimar-se aclimatar-se, acostumar-se ao clima: *no aclimatarse a determinado lugar*, extranhar os ares dum lugar.

aclinico, ca. *adj.* diz-se do lugar onde não sofre inclinação a agulha magnética. — *m.* binóculo de teatro.

acloado, da. *adj.* estendido; alargado.

acloar. *v. tr.* chocar. — *v. intr.* V. **encloar.**
— **acloarse.** *v. r.* sentar-se com comodidade; pôr-se a galinha choca. V. **arrellanarse.**

aclorhidria. *f.* acloridria.

acluecarse. *m.* (Amér.) V. **aclocarse.**

aclla. *f.* donzela adoradora do Sol, no antigo Perú.

acmástico, ca. *adj.* (pat.) acmástico.

acmé. *m.* (pat.) acme, período em que uma doença atinge a maior intensidade.

acné. *m.* (pat.) acne, moléstia dos folículos sebáceos da pele.

aco. *m.* árvore leguminosa de Venezuela.

acobardado, da. *adj.* e *p. p.* acobardado, apoucado, amedrontado, apavorado, assustado, atemorizado, aterrado, intimidado, espavorido, apoucado.

acobardamiento. *m.* acobardamento, amedrontamento, desencorajamento. intimidação, apavoramento, atemorizamento, aterrorização, desânimo.

acobardar. *v. tr.* acobardar, amedrontar, apavorar, assustar, atemorizar, aterrar, aterrorizar, intimidar, quebrantar, espavorir, terrificar, intimar, desgostar, desalentar, desmoralizar, desanimar, desalentar, desencorajar. — **acobardarse.** *v. r.* acobardar-se, amedrontar-se, assustar-se, aca-

nhar-se, avacalhar-se, intimidar-se; (Bras.) amunhecar, apichar-se.

acobijar. *v. tr.* abrigar as cepas e vergônteas com montões de terra.

acobijo. *m.* montão de terra que se calca com o maço em redor das vides e das vergônteas.

acoceamiento. *m.* couceamento, escouceamento.

acocear. *v. tr.* escoucear, acoucear, coucear; calcar aos pés; (fig.) abater, ultrajar, desprezar.

acoclarse. *v. r.* (prov.) estar de cócoras.

acocotar. *v. tr.* V. **acogotar.**

acocharse. *v. r.* agachar-se, acaçapar-se.

acochinar. *v. tr.* (fam.) afrontar, assassinar, matar; confundir; desdenhar; (fig.) amedrontar, apavorar; (jogo de damas) não deixar avançar um peão.

acodadera. *f.* espécie de cinzel usado por canteiros.

acodado, da. *adj.* e *p. p.* encostado; mergulhada (a vide); que tem forma de cotovelo.

acodador, ra. *adj.* o que encosta os cotovelos; o que mergulha a vide; que esquadreja ou esquadra.

acodadura. *f.* acção e efeito de encostar os cotovelos; (bot.) mergulhia.

acodalamiento. *m.* (arq.) acção de pôr madeiros horizontais para sustentar os corpos laterais que formam um vão; esquadrejamento.

acodalar. *v. tr.* esquadriar; esquadrar; encostar, estirar, fortificar, suster.

acodamiento. *m.* (bot.) mergulhia.

acodar. *v. tr.* encostar os cotovelos; (bot.) mergulhar a vide; (arq.) esquadriar, esquadrar, suster, fortificar; (carp.) esquadriar a madeira: *acodar la vid*, megulhar a vide. — **acodarse.** *v. r.* apoiar-se nos cotovelos.

acoderar. *v. tr.* (mar.) segurar um navio com calabres de amarração; atravessar um navio; dar um cabo para fazer mudar o navio de posição.

acodiciar. *v. tr.* cobiçar, arder em desejo; impedir, excitar, animar, estimular, desejar. — **acodiciarse.** *v. r.* apaixonar-se.

acodillar. *v. tr.* acotovelar; dobrar em forma de cotovelo; codilhar, dar codilho ao jogo; tocar com o cotovelo: *acodillar con la carga*, não poder com a carga. — **acodillarse.** *v. r.* (Amér.) sofrer de *cinchera* um cavalo.

acodo. *m.* (bot.) mergulhia; renovo; bacelo; alporca, alporque.

acofrar. *v. tr.* (agr.) arar a terra formando leivas.

acogedor, ra. *adj.* acolhedor, albergador, hospitaleiro, agasalhador.

acoger. *v. tr.* acolher, apanhar, agasalhar, hospedar; proteger, defender, socorrer; recolher, receber; aceitar; albergar; acoitar, dar a; acoutar; hospedar. — **acogerse.** *v. r.* refugiar-se, recorrer a alguém; conformar-se com a vontade de outro; acorrer-se; albergar-se; amparar-se: *aco-*

gerse las aves domésticas en los árboles, embarrar-se; *acogerse a la Iglesia,* abraçar o estado eclesiástico; *acoger el ganado,* admitir o gado na pastagem; *acogerse a la protección de alguien,* acolher-se sob a protecção de alguém.

acogeta. *f.* acolheita; refúgio, colheita, acolhimento.

acogida. *f.* acolhida, acolhimento, recepção; asilo; protecção, defesa; afluência; refúgio; hospitalidade; aceitação: *mala acogida,* desagasalho; *buena acogida,* agasalho; *negar una acogida,* desacolher; *no tener buena acogida,* desacertar; *tener buena acogida,* ter bom acolhimento; *el discurso tuvo buena acogida,* o discurso teve eco.

acogido, da. *adj.* e *p. p.* acolhido, agasalhado; protegido. — *m.* rebanho admitido numa pastagem.

acogimiento. *m.* acolhimento. V. **acogida.**

acogollar. *v. tr.* cobrir as plantas. — **acogollarse.** *v. r.* repolhar-se.

acogombradura. *f.* V. **aporcadura.**

acogombrar. *v. tr.* (agr.) V. **aporcar.**

acogotar. *v. tr.* matar com um golpe pela nuca ou cachaço; (fig.) e (fam.) segurar e derrubar alguém.

acohombrar. *v. tr.* (agr.) V. **aporcar.**

acojinamiento. *m.* (mec.) entorpecimento do êmbolo nas máquinas de vapor.

acojinar. *v. tr.* almofadar, acolchoar. — **acojinarse.** *v. r.* (mec.) entorpecer-se o êmbolo duma máquina de vapor.

acolada. *f.* (blas.) abraço e pranchada de espada que se dá para armar alguém cavaleiro; (impr.) e (mús.) colchete, chave, sinal gráfico.

acolar. *v. tr.* (blas.) unir, combinar, entrelaçar dois campos de figuras no brasão.

acolchado. *m.* colchão; acolchoado; acolchoamento.

acolchamiento. *m.* acolchoamento, acção ou efeito de acolchoar.

acolchar. *v. tr.* acolchoar, chumaçar; forrar, encher como a um colchão; lavrar ou tecer à maneira de colcha; estofar: *deshacer lo que está acolchado,* desacolchoar.

acolchar. *v. tr.* (mar.) entrelaçar os cordões dos cabos; torcer as pontas das cordas.

acolchonar. *v. tr.* (Amér.) colchoar. V. **acolchar.**

acolitado, da. *p. p.* acolitado. — *m.* dignidade de acólito, acolitado.

acolitar. *v. tr.* acolitar; servir de acólito; ajudar, acompanhar; seguir.

acolitazgo. *m.* acolitado.

acólito. *m.* acólito, menino de coro; ajudante; o que acompanha: *servir de acólito,* acolitar.

acología. *f.* (med.) acologia, terapêutica, terapia.

acológico, ca. *adj.* (med.) terapêutico.

acollador. *m.* (mar.) colhedor.

acollar. *v. tr.* alar os colhedores; (agr.) chegar terra aos troncos das árvores.

acollarar. *v. tr.* (agr.) pôr a coleira a um animal; atrelar.

acollonamiento. *m.* acobardamento, amedrontamento; intimidação. V. **acobardamiento.**

acollonar. *v. tr.* (fam.) acobardar, amedrontar, assustar, atemorizar, intimidar. — **acollonarse.** *v. r.* acobardar-se, intimidar-se, amedrontar-se.

acombar. *v. tr.* encurvar, arquear, arquejar, curvar, dobrar.

acomedido, da. *adj.* (Amér.) servil, bajulador, subservente, humilde; oficioso, obsequioso, serviçal.

acomedirse. *v. r.* (Amér.) ser obsequioso, serviçal, oficioso.

acometedor, ra. acometedor, agressor; provocador, assaltante.

acometer. *v. tr.* acometer, agredir, assaltar, arremeter, atacar, investir, atacar; empreender; entrar; encetar; hostilizar; provocar; injuriar; invadir moralmente; combater. — **acometer.** *v. r.* embater; enviar-se; deitar-se; atracar-se; abalançar-se; encetar briga: *acometer de repente,* assaltar; *acometer una empresa difícil,* arcar com uma dificuldade.

acometible. *adj.* acometível; atacável; expugnável.

acometida. *f.* acometida, agressão, ataque; (esgr.) ataque, estocada; (med.) ataque; acesso; embate; acometimento; balançamento; arremetimento, arremetida: *acometida de ladrones,* assaltada; *acometida a una fortaleza,* assalto; *acometida de aguas,* condução de água.

acometimiento. *m.* acometimento; ataque; assaltada; agressão; acometida; ataque, carga, choque; empresa, empreendimento.

acometividad. *f.* acometividade.

acomia. *f.* (med.) acómia, calvície.

acomodable. *adj.* acomodável, acomodatício, que se pode acomodar; razoável.

acomodación. *f.* acomodação, arrumação, cómodo; adaptação.

acomodadizo, za. *adj.* acomodativo; acomodadiço, acomodatício, dúctil, transigente, complacente.

acomodado, da. *adj.* e *p. p.* acomodado; conveniente; abastado, rico; arranjado; moderado; sossegado; disposto, adaptado.

acomodador, ra. *adj.* e *s.* acomodador que acomoda: *acomodador de teatro o cine,* arrumador; *acomodador de cine y teatro,* (Bras.) vaga-lume.

acomodamiento. *m.* acomodamento, acomodação, adaptação; transacção, conciliação, ductilidade; comodidade, conveniência; acordo.

acomodar. *v. tr.* acomodar; adaptar, adequar, ajustar, apropriar, arranjar, colocar, dispor, ordenar; avir; aplicar; aptar; apropositar; albergar; anichar; ajeitar; hospedar; arrumar, pôr em ordem; adequar; tornar cómodo; empregar; dar posição a; aplicar; habituar; sossegar; aquietar; abastar, prover. — *v. intr.* adaptar, adequar, arranjar. — **acomodarse.** *v. r.* acomodar-se; alojar-se, conformar-se; adaptar-se; azar-se; avir-se;

ajeitar-se; arrapossar-se: *acomodar convenientemente*, adequar; *acomodarse al gusto de otro*, engenhar-se à condição de outrem; *acomodar los gastos a los ingresos*, aguarentar a família; *acomodarse al parecer de alguien*, contemporizar com alguém.

acomodaticio, cia. *adj.* acomodatício, fácil, dúctil, transigente, complacente, acomodadiço: *carácter acomodaticio*, caracter fácil.

acomodo. *m.* acomodo; oportuno; cargo; emprogo; acomodação; destino, conveniência, utilidade, vantagem.

acompañado, da. *adj.* e *p. p.* acompanhado; apósito; (fam.) passageiro. — *m.* (for.) adjunto, sócio.

acompañador, ra. *ad.* e *s.* acompanhador; o que acompanha: *acompañadora (señora de compañía)* acompanhadeira.

acompañamiento. *m.* acompanhamento; séquito, (Bras.) séqüito, comitiva, cortejo; (mús.) acompanhamento; acompanhamento, cortejo fúnebre, funeral.

acompañanta. *f.* acompanhadeira, mulher que acompanha.

acompañar. *v. tr.* acompanhar, comboiar, escoltar, seguir; acompanhar, fazer companhia; (mús.) acompanhar; aconchegar; associar; unir; viver com alguém; acompanhar, consolar, sentir o sofrimento dalguém: *acompañar a otra persona*, viver com alguém. — *acompañarse. v. r.* tomar como companheiro; consultar, pedir parecer com alguém.

acompasado, da. *adj.* e *p. p.* compassado, medido com compasso; (fig.) bem proporcionado ou regulado; (fam.) monótono.

acompasar. *v. tr.* compassar, medir com compasso. V. **compasar.**

acomplexionado, da. *adj.* acomplexionado, acomplecionado.

acomunarse. *v. r.* coligar-se, confederar-se, unir-se, associar-se por coligação.

acona. *f.* (Amér.) arbusto mirtáceo.

aconchabarse. *v. r.* unir-se, conchavar-se, conluiar-se para algum fim.

aconchadillo. *m.* antiga iguaria de carne.

aconchar. *v. tr.* acomodar, arranjar; conchegar; (mar.) concertar um navio, encostar um navio; arrojar o vento um navio à praia. — **aconcharse.** *v. r.* (mar.) tocar, bater no fundo; (ant.) adornar, compor, enfeitar.

acondicionado, da. *adj.* e *p. p.* condicionado, acondicionado; com os advérbios *bien* ou *mal* significa: ter boa ou má condição, índole ou génio; guardado, preservado; preparado, disposto.

acondicionamiento. *m.* acondicionamento, acondicionação; embalagem; preparação; preservação.

acondicionar. *v. tr.* condicionar, acondicionar, pôr em boa condição; guardar em sítio conveniente; reservar de deterioração; preparar, dispor; embalar; acondiçoar; apropositar. — **acondicionarse.** *v. r.* adquirir as condições precisas.

acongojador, ra. *adj.* o que angustia ou aflige, angustiador, angustioso, inquietador, inquietante; elegíaco.

acongojar. *v. tr.* afligir, angustiar, inquietar, oprimir, vexar, encaramonar, entristecer, enturvar, anciar; torturar, tornar aflitivo.

aconitato. *m.* (quim.) aconitato.

aconítico, ca. *adj.* aconítido; equissético, (Bras.) eqüissético.

aconitina. *f.* (quim.) aconitina.

acónito. *m.* (bot.) acónito, (Bras.) acônito

aconitoso, sa. *adj.* aconítico.

aconsejable. *adj.* aconselhável, que se pode aconselhar.

aconsejador, ra. *adj.* e *s.* aconselhador, mentor, o que aconselha; conselheiro.

aconsejar. *v. tr.* aconselhar, guiar, insinuar, inspirar, persuadir, sugerir, procurar, convencer; tomar conselho, avisar; admoestar; alvitrar; indicar; advertir. — **aconsejarse.** *v. r.* aconselhar-se, tomar conselho; avisar-se: *aconsejar bien*, encaminhar; *aconsejar mal*, desvairar.

aconsolar. *v. tr.* V. **consolar.**

aconsonantar. *v. tr.* e *intr.* aconsoantar, formar consoante, rimar.

acontecedero, ra. *adj.* acontecedeiro, que pode acontecer; frequente.

acontecer. *v. intr.* acontecer, dar-se, ocorrer, passar-se, suceder, realizar-se, passar a ser realidade; sobrevir; adergar; acaecer, emergir, advir, devir, aparecer; acontecer casualmente, adregar: (fam.) *acontezca lo que Dios quiera*, corram as coisas como correrem. — *sub. irr.* **acontezca.**

acontecimiento. *m.* acontecimento, sucesso, caso, evento, fa(c)to, acaecimento, incidente; anedota, acaso, eventualidade; êxito: *serie de acontecimientos grandiosos*, epopeia; *acontecimiento feliz*, alegria, êxito; *acontecimiento complicado*, (Bras.) corumbamba.

acopado, da. *adj.* e *p. p.* copado, arredondado, em forma de cúpula.

acopador. *m.* (art. e of.) ferramenta para dar forma côncava a certas peças.

acopar. *v. tr.* (agr.) copar as árvores; arredondar em forma de cúpula. — *v. intr.* copar-se as árvores; (mar.) dar forma côncava aos tabuões para a sua adaptação às peças convexas.

acopetado, da. *adj.* em forma de topete; encrespado, frisado, riçado.

acopetar. *v. tr.* formar topetes, penachos, etcétera.

acopiador, ra. *adj.* e *s.* abarcador, ajuntador, amontoador, aprovisionador.

acopiamiento. *m.* aprovisionamento, fornecimento, provimento. V. **acopio.**

acopiar. *v. tr.* aprovisionar, abarcar, amontoar, monopolizar, ajuntar, entesoirar, fazer provimento.

acópico, ca. *adj.* (med.) calmante da fadiga.

acopio. *m.* montão; aprovisionamento; monopólio; fornecimento; provimento, sortimento, sortido.

acopladura. *f.* ajuntamento, união, conexão,

ligação. V. **acoplamento;** (carp.) engasta-
mento, encasamento, entalhe, encaixe.
acoplamiento. *m.* ajuntamento; aproximação; união; (fig.) conciliação, acordo,
acomodo; associação.
acoplar. *v. tr.* (mec.) juntar, unir; jungir
os bois; (fig.) conciliar, acomodar, pôr de
acordo. — **acoplarse.** *v. r.* pôr-se de acordo, convir; (carp.) embarbar, engastar;
encasar, encaixar, entalhar.
acoquinamiento. *m.* cobardía, desalento,
amedrontamento, atemorização, intimidação.
acoquinar. *v. tr.* (fam.) acobardar, terrar,
intimidar, fremir, amedrontar, apavorar,
desencorajar, estremecer, assustar, atemorizar, aterrar, espavorir. — **acoquinarse.**
v. r. acobardar-se, amedrontar-se, intimidar-se, espavorir-se; quebrantar-se.
acorazado, da. *adj.* e *p. p.* couraçado, coiraçado, blindado. — *m.* (mar.) coiraçado;
encoiraçado, couraçado.
acorazamiento. *m.* acção e efeito de coiraçar; blindagem.
acorazar. *v. tr.* coiraçar, couraçar, blindar,
fortificar, encoiraçar.
acorazonar. *v. tr.* dar forma de coração.
acorchamiento. *m.* acção e efeito de encortiçar-se; endurecimento; (fig.) entorpecimento.
acorcharse. *v. r.* endurecer; encortiçar-se;
engelhar-se; (fig.) entorpecer-se.
acordada. *f.* (Amér.) cárcere; (for.) decisão,
estipulação, resolução, acordão, sentença;
determinação: *carta acordada,* carta de
censura expedida a um subalterno.
acordado, da. *adj.* e *p. p.* feito com acordo,
acordado, estipulado; discreto, prudente,
reflectido; avindo; convencionado; convencional. — *m.* (for.) acordão; sentença.
acordar. *v. tr.* acordar, resolver, estipular,
decretar; avençar; avir; convencionar;
convir; corresponder; contratar; assentar; (mús.) acordar; evocar, lembrar;
(mús.) acordar, afinar; conciliar, fazer
acordo. — *v. intr.* convir, acordar, fazer
acordo; conciliar, vir a acordo. — **acordarse.** *v. r.* lembrar, memorar; advertir-
-se, meter mentes, acordar-se; lembrar-se,
recordar-se; pôr-se de acordo; resolver-
-se: *acordarse de repente,* bater na testa;
acordarse vagamente, entrelembrar-se, entreconhecer-se; *acordar una decisión,* assentar uma decisão. — *conj. irr.* como
contar.
acorde. *adj.* acorde, conforme, concorde, consonante, harmónico. — *m.* (mús.) acorde,
harmonia; união.
acordelamiento. *m.* medição dum terreno
com uma corda.
acordelar. *v. tr.* medir um terreno com uma
corda; (arq.) alinhar com cordel.
acordeón. *m.* (mús.) acordeão, harmónica,
(Bras.) harmónico, sanfona; acordeón.
acordeonista. *s.* acordeonista, tocador de
acordeão.
acordonador. *m.* (art. e of.) máquina de estampilhagem das moedas.

acordonamiento. *m.* cerco, investida; encor-
doamento; estampilhagem das serrilhas
das moedas.
acordonar. *v. tr.* cercar, sitiar, rodear com
tropas; acordoar, encordoar; estampilhar
as serrilhas das moedas.
acores. *m. pl.* (med.) achores, acores, espécie de tinha.
acoria. *f.* (med.) acoria, falta de pupila.
acoria. *f.* (med.) acoria, fome canina, insaciabilidade.
acormo, ma. *adj.* (terat.) acormo.
acornar. *v. tr.* V. **acornear.**
acorneador, ra. *adj.* corneador, que dá cornadas.
acornear. *v. tr.* cornear, cornar; marrar;
dar cornadas; (fig.) maltratar alguém.
acorralado, da. *adj.* e *p. p.* encurralado;
amalhado; desconcertado; embaraçado;
perturbado.
acorralamiento. *m.* encurralamento; acção
de meter em curral; cerco ao inimigo.
acorralar. *v. tr.* encurralar; embestegar;
estreiar; encortelhar; encorrilhar, acorrilhar; aprisionar; amalhar; (fig.) embaraçar; desconcertar, perturbar; intimidar; cercar, rodear, sitiar. — **acorralarse.**
v. r. refugiar-se, esconder-se; procurar
asilo.
acorrer. *v. tr.* acorrer; socorrer; acudir.
acortadizo. *m.* retalho, pedaço, apara.
acortador, ra. *adj.* encurtador; estreitador,
redutor.
acortamiento. *m.* encurtamento, estreitamento; diminuição, redução, abreviação; em-
colhimento; atalho.
acortar. *v. tr.* encurtar, estreitar; diminuir,
abreviar, reduzir; encolher; minorar;
apertar; menoscabar; encortar; atalhar.
— **acortarse.** *v. r.* encolher-se; perturbar-
se; ficar mudo: *acortar un vestido,* fanar;
acortarse el tamaño, apanhar-se.
acorullar. *v. tr.* (mar.) levar remos; recolher os remos.
acorvar. *v. tr.* V. **encorvar.**
acorzar. *v. tr.* (prov.) V. **acortar.**
acosado, da. *adj.* e *p. p.* acossado, perseguido; apertado; (fig.) maltratado, vexado.
acosador, ra. *adj.* e *s.* acossador, perseguidor.
acosamiento. *m.* acossamento; perseguição;
acossa; (fig.) mal trato, vexação.
acosar. *v. tr.* acossar, perseguir; apertar;
ir no encalço de; dar caça a; (fig.) maltratar, molestar, vexar.
acosijar. *v. tr.* (Amér.) V. **acosar.**
acosmia. *f.* (med.) acosmia.
acosmismo. *m.* (filos.) acosmismo.
acostada. *f.* dormida; acção de pernoitar;
(pop.) deitada.
acostamiento. *m.* acostamento; paga, salário, estipêndio, soldo; acção e efeito de
deitar-se; proteção, defesa.
acostar. *v. tr.* deitar, meter na cama; (mar.)
atracar, arribar, encostar; engajar alguém
para o serviço. — **acostarse.** *v. r.* deitar-
-se; inclinar-se; conformar-se; encostar-

-se; meter-se na cama; empoleirar-se (galinhas).

acostumbrado, da. adj. e p. p. acostumado, habituado, familiarizado; frequente, (Bras.) freqüente, avezado; clássico; a(c)tuado; atreito; consueto, consuetudinário; cortido; assueto; afeito; afreguesado; antigo.

acostumbrar. v. tr. acostumar, habituar, fazer adquirir um costume; familiarizar; avezar; aclimatar, aclimar; adestrar; afazer. — v. intr. ter o costume de; usar. — **acostumbrarse.** v. r. acostumar-se; ajeitar-se; habituar-se, afazer-se; endurecer-se; amanhar-se; amoldar-se; aclimatar-se; avezar-se; familiarizar-se: *acostumbrar el caballo al freno*, arrendar o cavalo; *acostumbrar al trabajo*, endurecer; *acostumbrarse a la mar*, amarinhar-se; *acostumbrarse a determinado lugar*, aquerenciar-se; *no poder acostumbrarse a*, estranhar uma coisa.

acotación. f. cotação, coitamento, anotação. V. **acotamiento.**

acotada. f. terra dedicada para seminário ou viveiro de plantas; coitada.

acotamiento. m. demarcação; colocação de balizas ou marcos; anotação, coitamento; decoração teatral, vestidos de teatro.

acotar. v. tr. demarcar um terreno; colocar balizas ou marcos; encerrar num recinto; fixar, marcar; fechar; anotar, cotejar; (fam.) aceitar um preço, admitir; decotar as árvores; invocar o testemunho de alguém. — **acotarse.** v. r. refugiar-se, submeter-se à jurisdição de outro tribunal.

acotejar. v. tr. e f. (Amér.) V. **arreglar e acomodar.**

acotillo. m. malho, martelo de ferreiro.

acotolar. v. tr. (prov.) aniquilar, destruir, arruinar.

acoyundar. v. tr. jungir os bois; (fig. e fam.) casar.

acoyuntar. v. tr. jungir cavalos pertencentes a dois diferentes lavradores.

acracia. f. (pol.) acracia; anarquia; fraqueza.

acrania. f. (terat.) acrania, falta de crânio.

acranio, nia. adj. (terat.) acrânio.

acrasia. f. (med.) acrasia; intemperança.

ácrata. adj. e s. acrata.

acre. m. acre (medida agrária).

acre. adj. acre, áspero, agro, picante, desabrido, agre, acrimonioso, agro, acerbo, amargo, incisivo, incomplacente: *sabor acre*, ardência; *tener sabor acre*, arder, ardor.

acrecencia. f. acrescência, incremento, acrescimento, acréscimo, aumento, acrescento.

acrecentado, da. adj. e p. p. acrescentado, aumentado, incrementado, engrandecido.

acrecentador, ra. adj. e s. acrescentador, incrementador, aumentador.

acrecentamiento. m. acrescentamento, aumento, engrandecimento, incremento, ampliação, acrescento, acrescimento; agregação; desenvolvimento.

acrecentar. v. tr. acrescentar, aumentar, engrandecer, acrescer; adir, adicionar, adi-

tar, agregar, ajuntar, juntar; acompanhar; medrar; incrementar; ampliar; acrescer: *acrecentar dominios*, estender. — pres. ind. irr. **acreciento,** —as, —a, —an; subj. **acreciente.** —es, —e, —en.

acrecer. v. tr. acrescer, aumentar, engrandecer, advir; medrar, melhorar; (for.) acrescer, aumentar: *acrecer el volumen*, avolumar-se. — conj. irr. como **crecer.**

acrecimiento. m. acrescimento, acréscimo, incremento. adje(c)ção. V. **acrecentamiento.**

acreción. f. (min.) crescimento por justaposição dos minerais.

acreditado, da. adj. e p. p. acreditado, que goza de crédito, que tem crédito ou boa reputação; acreditado, reconhecido por um país junto de outro; (com.) abonado: *autor acreditado* (*celebrado*), autor autêntico.

acreditador. adj. e m. acreditador, o que acredita; fiador.

acreditar. v. tr. acreditar, creditar, abonar, afiançar; provar; creditar, levar ao crédito de; afreguezar; evidenciar; dar crédito; autorizar junto de alguém. — v. intr. acreditar, crer, ter fé. — **acreditarse.** v. r. acreditar-se, ganhar reputação: *acreditar en cuenta*, abonar em conta; *acreditar lo que no es verdad*, engolir.

acreditativo, va. adj. acreditador o que acredita.

acreedor, ra. adj. e s. credor, acredor; merecedor, meritório, digno: *acreedor exigente*, cobrador importuno.

acreencia. f. (Amér.) crédito, dívida.

acrescencia. f. acrescência. V. **acrecencia.**

acrianzado, da. adj. educado.

acrianzar. v. tr. (ant.) educar, encaminhar. V. **educar.**

acribador, ra. adj. e s. joeireiro.

acribadura. f. joeiro. — pl. limpaduras, restos do grão crivado.

acribar. v. tr. crivar; joeirar; fazer furos como num crivo. V. **acribillar.**

acribia. f. (arq.) acribia; estilo rigoroso.

acribillar. v. tr. crivar de feridas; (fig.) molestar, atormentar, importunar; fazer furos como num crivo.

acribología. f. (filol.) acribologia, precisão no estilo.

acrídico, ca. adj. (quim.) acrídico.

acridiforme. adj. acridiforme.

acridina. f. (quim.) acridina.

acridofagia. f. acridofagia.

acridófago, ga. adj. e s. acridófago.

acridogenosis. f. (bot.) acridogénese.

acrílico, ca. adj. (quim.) acrílico.

acriminable. adj. criminável.

acriminación. f. criminação, imputação, acusação.

acriminador, ra. adj. e s. criminador, acusador.

acriminar. v. tr. criminar, acriminar, incriminar, acusar, inculpar, imputar; exagerar um crime; dar uma coisa um sentido odioso.

acrimonia. f. acrimonia, (Bras.) acrimônia, acritude, aspereza, rigor, força, energia de

linguagem; azedume, acerbidade; animosidade; abespinhamento; desabrimento.
acrinia. *f.* (med.) acrinia.
acriollado, da. *adj.* e *p. p.* (Amér.) relativo a crioulo ou que imita aos crioulos; que tem costumes dos crioulos, acrioulado.
acriollarse. *v. r.* adquirir os costumes ou os usos dos crioulos.
acrisis. *f.* (med.) acrisia.
acrisolación. *f.* acrisolação, acção e efeito de acrisolar.
acrisolado, da. *adj.* e *p. p.* acrisolado, purificado, inteso, afinado, depurado.
acrisolador, ra. *adj. e. s.* acrisolador, o que acrisola; afinador.
acrisolar. *v. tr.* acrisolar, apurar no crisol; purificar; afinar; depurar; acendrar; (fig.) aperfeiçoar; apurar, aquilatar; evidenciar.
acristalar. *v. tr.* V. **vidriar.**
acristianado, da. *adj.* cristianizado; devoto, pio, bom cristão; batizado.
acristianar. *v. tr.* (fam.) cristianizar; batizar, fazer cristão.
acrítico, ca. *adj.* (med.) acrítico, que não tem crise.
acritud. *f.* acritude, acidez. V. **acrimonia.**
acroama. *m.* acroama.
acromático, ca. *adj.* acromático.
acroasis. *f.* acroase.
acroático, ca. *adj.* acroático.
acrobacia. *f.* acrobatismo, acrobacia.
acróbata. *s.* acróbata; funâmbulo, saltimbanco, equilibrista, ginasta; dançarina de cordas.
acrobático, ca. *adj.* acrobático, próprio de acróbata.
acrobatismo. *m.* acrobatismo, acrobacia; (fig.) instabilidade de opiniões.
acrobistitis. *f.* (vet.) inflamação da pele do prepúcio.
acrocárpeo, a. *adj.* (bot.) acrocarpo.
acrocefalia. *f.* (med.) acrocefalia.
acrocéfalo, la. *adj.* (med.) acrocéfalo.
acroceráunio. *adj.* acroceráunio.
acrocianosis. *f.* (med.) acrocianose.
acrodinia. *f.* (med.) acrodinia.
acrofobia. *f.* (med.) acrofobia.
acrófobo, ba. *adj.* (med.) acrófobo.
acrógeno, na. *adj.* (bot.) acrógeno, acrogénio.
acróginas. *f. pl.* (bot.) acrogénias.
acrografía. *f.* acrografia.
acroleína. *f.* (quím.) acroleína, acrol.
acrólito. *m.* (arqeol.) acrólito.
acrología. *f.* (filos.) acrologia.
acrológico, ca. *adj.* (filos.) acrológico.
acromanía. *f.* (med.) acromania, loucura completa.
acromastitis. *f.* (med.) acromastite.
acromático, ca. *adj.* acromático.
acromatina. *f.* (biol.) acromatina.
acromatismo. *m.* (fís.) acromatia, acromatismo.
acromatización. *f.* (fís.) acromatização.
acromatizar. *v. tr.* (opt.) acromatizar.
acromatolisis. *f.* (biol.) acromatolise.
acromatopsia. *f.* (med.) acromatopsia.
acromatosis. *f.* acromatose.

acromegalia. *f.* (med.) acromegalia.
acromelalgia. *f.* (pat.) acromelalgia.
acrometagénesis. *f.* (med.) acrometagénese.
acromia. *f.* (med.) acromia.
acromial. *adj.* (med.) acromial, relativo ao acrómio.
acromiano, na. *adj.* (anat.) acromial, relativo ao acrómio.
acromio. *m.* (anat.) ocrómio, (Bras.) acrômio.
acromión. *m.* (anat.) acrómio.
acropatía. *f.* (med.) acropatia.
acrópolis. *f.* acrópole, acropólio.
acropódio. *m.* (arq.) acropódio.
acrosofía. *f.* (teol.) acrosofia.
acrósporo, ra. *adj.* (bot.) acrósporo.
acróstico, ca. *adj.* e *m.* acróstico.
acrostolio. *m.* (mar.) acrostólio, acrostolo.
acrotera. *f.* (arq.) acrotera, acrótério.
acroteriasma. *f.* (cir.) acrotomia.
acroterio. *m.* (arq.) acrotério, acrotera.
acroteriosis. *f.* (med.) acroteriose.
acrotismo. *m.* (med. e filos.) acrotismo, falta de pulso; filosofia transcendente.
acruñar. *v. tr.* (vulg.) V. **abrigar, resguardar.**
acsu. *f.* saia de baeta das mulheres indias.
acta. *f.* a(c)ta, registo de sessão de corporações ou assembleias. — *pl.* resumo escrito do que se disse numa circunstância solene; certificação, relação; histórias coetâneas de vidas de santos: *levantar acta,* expedir uma certificação; *registrar actas;* registar actas; *acta notarial,* acta ou certificação notarial.
actinicidad. *f.* (fís.) actinicidade, actinismo.
actínico, ca. *adj.* (fís.) actínico.
actínidos. *m. pl.* (zool.) actinidas.
actinio. *m.* (quím.) actínio.
actinismo. *m.* (fís.) actinismo.
actinografía. *f.* (fot.) actinografia.
actinográfico, ca. *adj.* (fot.) actinográfico.
actinógrafo. *m.* (fís.) actinógrafo.
actinoideo, a. *adj.* (zool.) actinóide.
actinología. *f.* (fis. e quim.) actinologia.
actinológico, ca. *adj.* (fis. e quim.) actinológico.
actinomancia. *f.* actinomância.
actinometría. *f.* (meteor.) actinometria.
actinométrico, ca. *adj.* (meteor.) actinométrico.
actinómetro. *m.* (fis.) actinómetro.
actinomice. *m.* (bot.) actinómice, actinomicete.
actinomiceto. *m.* actinomicete, actinómice.
actinomicosis. *f.* (vet.) actinomicose.
actinomorfo, fa. *adj.* (zool. e bot.) actinomorfo.
actinoscopia. *f.* (med.) actinoscópia.
actinota. *f.* (min.) actinote, actinolite.
actinoterapia. *f.* (med.) actinoterapia.
actinoterápico, ca. *adj.* (med.) actinoterápico.
actinotropismo. *m.* (bot.) actinotropismo.
actitar. *v. tr.* (prov.) V. **tramitar.** *v. intr.* (for.) demandar, propor uma acção, intentar um processo.

actitud. *f.* actitude; norma; propósito; apostura; pose; postura; (pint.) pose, ademan; continência; significação de um propósito: *actitud amenazadora*, arreganho; actitud forzada, contorção.

activable. *adj.* que se pode activar.

activador, ra. *adj.* e *s.* que activa, o que activa, diligenciador.

activamente. *adv.* activamente, expeditamente, pela activa; (gram.) em sentido activo.

activar. *v. tr.* a(c)tivar, dar actividade a, tornar activo; diligenciar; excitar, impulsionar, desencantoar; despertar; apressar, a(c)tuar; azafamar; (fig.) estimular; fustigar; atear; apressar a execução.

actividad. *f.* a(c)tividade, diligência, pressa, prontidão, vivacidade, faculdade de operar, laboração, dinamismo; força; excercício; expedição; agência; energia; alacridade, animação; iniciativa; infatigabilidade; agilidade; a(c)tivação, a(c)tuação, a(c)tuosidade; efe(c)tividade; eficácia; emprego, (Bras.) emprêgo, fortidão: *en actividad*, em actividade; *perder la actividad*, encalmar; *disminuir la actividad*, arrefecer, entorpecer-se; *comunicar actividad*, aquentar.

activo, va. adj. a(c)tivo, diligente, eficaz, enérgico, forte, violento, pronto, expedito; ininterrupto; executivo; expeditivo, expedito; experto; desvelado; despachado, despachador, agente; agenciador, agencioso; alacre, animado; incansável; madrugador; aguçoso, agudo; apressado; infatigável, ágil; alacre; azafamado; efe(c)-tuoso; eficaz, eficiente, empreendedor; estudioso; fragueiro. — *m.* (com.) activo: *activo y pasivo*, activo e passivo; (pop.) *persona activa*, fura-vidas; arranjista; (mil.) *servicio activo*, efectividade; *hombre activo*, homem desembaraçado, ardego, eficaz, enérgico; *volverse activo*, aguçar; (gram.) *verbo activo*, verbo activo; *voz activa*, voz activa.

acto. *m.* a(c)to; a(c)ção; divisão de uma peça teatral; operação; prova; cerimónia pública e solene; feito; exame universitário, tese; realização, efectuação, disposição; cópula, coito; embrechado; decreto; função pública; (Bras.) ato: *acto continuo*, acto contínuo, em seguida, imediatamente, logo após; *pagar en el acto*, pagar sem demora; *en el acto*, de acto contínuo; *acto de los Apóstoles*, actos dos Apóstolos.

actor. *m.* a(c)tor; farçante; comediante; (for.) autor: *actor que representa el papel de enamorado*, galã; *actor ambulante*, faranduleiro; *mal actor*, (Bras.) canastrão.

actora. *f.* (for.) demandante; actriz.

actriz. *f.* a(c)triz; comediante: *actriz que hace el papel de ingenua*, ingénua.

actuación. *f.* a(c)tuçao; funcionamiento; (for.) autoação: *actuación pericial*, vistoria de peritos.

actuado, da. *adj.* e. *p. p.* a(c)tuado; exercitado, pronto, acostumado; (for.) autuado.

actual. *adj.* a(c)tual; efectivo, corrente, real,

presente: *hacer actual*, actualizar; *en el mes actual*, no mês corrente.

actualidad. *f.* a(c)tualidade; efectividade; ocasião presente; época contemporânea; oportunidade; (fig.) dia. — *pl.* actualidades, imagens que representam factos actuais: *la comidilla de la actualidad*, la questão de dia; *pasado de actualidad*, desmodado; *falta de actualidad*, desmoda.

actualismo. *m.* (filos.) actualismo.

actualización. *f.* (gal.) actualização.

actualizar. *v. tr.* (gal.) a(c)tualizar, realizar, efectuar, executar.

actuar. *v. tr.* actuar; influir; exercer acção; instruir, informar; defender uma tese; reflectir, meditar, considerar; (med.) digerir; (for.) actuar; instruir um processo; mediar; militar; agir, funcionar; exercer pressão; insistir; activar: *actuar en nombre de otro*, deputar; *actuar en vano*, derramar vãmente os passos; *actuar por experiencia*, deferir a experiência; *actuar de buena fe*, ter acções; (for.) *actuar (preparar los autos judiciales)* autoar; *manera de actuar*, andamento; *actuar sin consideración*, improvisar.

actuarial. *adj.* a(c)tuarial, relativo ao actuário: *cálculo actuarial*, cálculo actuarial.

actuario. *m.* (for.) a(c)tuário, oficial de diligências; (com.) actuário de seguros; tabelião.

actuosidad. *f.* actuosidade, diligência, actividade, viveza, energia.

acuadrillar. *v. tr.* aquadrilhar, formar, comandar uma quadrilha.

acuafortista. *s.* água-fortista.

acuantiar. *v. tr.* acontiar; avaliar, taxar; recensear.

acuarela. *f.* aguarela, aquarela; cores temperadas com água.

acuarelista. *s.* aquarelista, aguarelista.

acuario. *m.* aquário.

Acuario. *m.* (astr.) Aquário, um dos signos do Zodíaco.

acuartar. *v. tr.* pôr um cavalo extra na carruagem.

acuartelamiento. *m.* aquartelamento; abarracamento, alojamento, acantonamento.

acuartelar. *v. tr.* aquartelar, abarracar, acantonar, alojar; (mar.) atravessar as velas: *acuartelar tropas en casa particulares*, aboletar.

acuartillar. *v. intr.* dobrar excessivamente os jarretes (diz-se dos cavalos).

acuático, ca. *adj* aquático, aquátil; apaulado; aquário.

acuátil. *adj.* aquátil, que vive em água, áqueo.

acuatinta. *f.* gravura que imita o desenho a aguada; água-tinta.

acubado, da. *adj.* em forma de cuba.

acubar. *v. tr.* dar forma de cuba.

acucia. *f.* agudez, agudeza; diligência; pressa, desejo veemente.

acuciador, ra. *adj.* e *s.* aguçador; diligenciador.

acuciamiento. *m.* aguçamento, apressamento; diligência; induzimento, indução.

acuciar. v. tr. aguçar; diligenciar; apressar; induzir; incentivar.

acucioso, sa. adj. apressado, diligente; zeloso.

acuclilarse. v. r. pôr-se de cócoras; acocorar-se.

acucharado, da. adj. acolherado; em forma de colher.

acucharar. v. tr. dar a forma de colher.

acuchilladizo. m. g'adiador, esgrimidor, esgrimista, espadachim, brigão.

acuchillador, ra. s. e adj. acutilador; espadachim; o que dá golpes com faca ou espada.

acuchillamiento. m. acutilamento.

acuchillar. v. tr. acutilar; esfaquear; acuchilar; (ant.) passar ao fio da espada; recortar um estofo; dar cutiladas em;. — **acuchillarse.** v. r. bater-se à espada; esfaquear-se.

acuchillear. v. tr. (Amér.) V. **acuchillar.**

acuchuchar. v. tr. (Amér.) achatar; esmagar; espremér, apertar, comprimir violentamente.

acudidero. m. lugar de reunião.

acudimiento. m. acção e efeito de acudir; concorrência; afluência de várias pessoas a um lugar.

acudir. v. tr. acudir; socorrer; chegar; obedecer a governo (falando dos cavalos); concorrer; afluir; atender apressadamente à chamada; retorquir; acorrer.

acueducto. m. aqueducto; encanamento de águas.

ácueo, a. adj. áqueo, aquátil, aquático, aquoso.

acuerdar. v. tr. alinhar, tirar a cordel.

acuerdo. m. acordo, (Bras.) acôrdo, combinação, convenção, contrato, ajuste, convénio, (Bras.) convénio, arranhamento; recordação, lembrança; parecer, conselho, concerto, (Bras.) concêrto. concordata, contrato, convenção, ajuste, convénio, pacto, tratado; (for.) acordo, acordão; estipulação; decreto, decisão; assentamento; consentimento; menção; adesão; acomodação; avença, consonância; coalho; colusão, congruência; tino, juízo; conformidade; conciliação; ámen, (Bras.) âmen: *llegar a un acuerdo*, pactuar; *ponerse de acuerdo*, apontar-se; *acuerdo político*, coaligão política; (fam.) *estar de acuerdo*, estar pelos autos; *de mutuo acuerdo*, todos num coração; *acuerdo completo*, consubstanciação; *estar de acuerdo con alguien*, correr-se com alguém, estar corrente com alguém, avençar, fazer assento com alguém, assentir; *no estar de acuerdo*, desavir; *ponerse de acuerdo con alguien*, amassar-se com alguém, emprazar-se, acordar-se; *no estar de acuerdo*, desacompanhar; *estar de acuerdo*, dar-se bem, averiguar-se; *llegar a un acuerdo*, vir à fala; *falta de acuerdo*, desacordo; *sin acuerdo*, desacordadamente; *de común acuerdo*, acordemente, acordado; *de acuerdo*, acordadamente, de acordo; *resolver de común acuerdo*, acordar.

acuesto. m. (ant.) declive.

acuidadarse. v. r. cuidar-se, preocupar-se.

acuifero, ra. adj. aquifero.

acuilmarse. v. r. (Amér.) acobardar-se, afligir-se.

acuitamiento. m. (Amér.) aflicção, pena.

acuitar. v. tr. acuitar, afligir, apoquentar, oprimir. — **acuitarse.** v. r. afligir-se, preocupar-se, apoquentar-se.

acujera. f. espécie de armadilha ou corda com laçada para caçar animais.

ácula. f. (bot.) acula.

aculado, da. adj. e p. p. acuado, acantoado, cercado.

aculamiento. m. acocoramento, agacho; recolhimento, acantoamento.

acular. v. tr. acantoar; meter num canto; acuar; (mar.) aproximar-se o navio de um baixio, tocar num baixio; embetesgar; recuar, retroceder; cercar. — v. intr. sentar-se à vontade; viver descançado, contente do seu estado; fazer recuar um cavalo.

aculebrar. v. intr. (mar.) voltear, dar bordadas; (agr.) não crescer (falando do trigo).

aculebrinado, da. adj. parecido com uma colubrina (canhão).

aculebrinar. v. tr. dar forma de colubrina na fundição de canhões.

aculeiforme. adj. (zool.) aculeiforme, que tem forma de acúleo.

acúleo, a. adj. e m. acúleo, aguilhão.

acullá. adv. acolá, além, naquele lugar.

acullicar. v. tr. (Amér.) acobardar, amedrontar, acovardar.

acuminado, da. adj. (bot.) acuminado, terminado em ponta.

acumineo, a. adj. acuminado, terminado em ponta.

acumuchamiento. m. (Amér.) amontoamento, acumulação.

acumuchar. v. tr. (Amér.) acumular, amontoar, juntar, adir.

acumulable. adj. acumulável, que se pode acumular.

acumulación. f. acumulação, acumulamento, amontoamento, reunião; formação de cúmulos; junção de cargos e respectivos réditos; aglomeração; empilhamento; ajuntamento; acoguladura: *acumulación de riquezas*, entesoiramento.

acumulado, da. adj. e p. p. acumulado, amontoado, juntado; empilhado; enceleirado.

acumulador, ra. adj. e m. acumulador; (electr.) acumulador, bateria eléctrica.

acumular. v. tr. acumular, amontoar, juntar; imputar um crime; (for.) juntar novas peças a um processo; aglomerar; apinhorar; colmar; entulhar; (fig.) entesoirar; empilhar; acogular; encapelar. — **acumularse.** v. r. acumular-se; amassar-se; suceder-se; aglomerar-se; unir-se; conjugar-se: *acumular ahorrando*, economizar.

acumulativo, va. adj. (for.) acumulativo; que se pode acumular; redundante.

acunar. v. tr. embalar o berço.

acuñación. f. cunhagem; amoedamento, acto de cunhar moeda.

acuñado, da. *adj.* e *p. p.* cunhado, amoedado: *acuñado por un solo lado*, incuso.

acuñador, ra. *adj.* e *s.* cunhador: *acuñador de moneda*, batedor de moeda.

acuñar. *v tr.* cunhar, amoedar; meter cunhas; imprimir cunho em; bater: *acuñar moneda*, bater moeda; (fam.) e (prov.) recomendar a.guém.

acuosidad. *f.* aquosidade.

acuoso, sa. *adj.* aquoso, áqueo, aquário.

acupresión. *f.* (cir.) acupressão.

acupuntura. *f.* (cir.) acupunctura.

acurrucarse. *v. r.* agachar-se; acocorar-se; pôr-se de cócoras; acachapar-se; aninhar-se, agasalhar-se.

acusable. *adj.* acusável, que pode ou deve ser acusado.

acusación. *f.* acusação, inculpação, incriminação; increpação; arguição; imputação; notificação; denuncia; delação; censura, crítica; acusamento; denunciação; exprobação; ataque: *acusación falsa*, aleivosia; *acusación sin pruebas*, imputação; *acusación infundada*, achaque.

acusado, da. *adj.* e *p. p.* acusado, inculpado. — *s.* (for.) acusado, réu; muito pronunciado, proeminente, saliente, visível; arguido, imputado.

acusador, ra. *adj.* e *s.* acusador, delator, denunciante, malsim, indiciador, increpador, imputador, denunciador, acusa-pilatos; arguidor; acusador falso, caluniador, impostor.

acusar. *v. tr.* acusar, arguir, criminar, culpar, incriminar, inculpar; acusar, delatar, denunciar; censurar, culpar, imputar, notar, repreender, taxar; notificar, mostrar; confessar, revelar, increpar; exprobar; atacar. — acusarse. *v. r.* acusar-se, confessar-se; desenhar-se; acoimar-se; declarar-se deliqüente: *acusar recibo*, acusar a recepção de; *acusar a alguien de parcialidad*, averbar alguém de suspeito; *acusar a alguien*, dar em alguém, arrazoar alguém; *acusar de mala fe*, desvirtuar, *acusar de un delito*, indiciar.

acusativo. *m.* (gram.) acusativo. — *adj.* acusativo, acusador.

acusatorio, ria. *adj.* acusatório, arguitivo; (for.) acusatório.

acuse. *m.* acção de um jogador que acusa ou mostra o seu jogo; a acção de acusar recibo; naipe necessário para acusar; aviso; indicação: *acuse de recibo*, notificação, ou recepção de uma carta.

acusia. *m. f.* (med.) acusia.

acusica. *adj.* e *s.* (fam.) acusa-pilatos, delator, denunciante.

acusma. *f.* (pat.) acusma.

acusmático, ca. *adj.* acusmático.

acúsmato. *m.* (fís.) acúsmato.

acusmométrica. *f.* (med.) acusmometria.

acusón, na. *adj.* e *s.* (fam.) acusão; acusa-cristos.

acústica. *f.* (fís.) acústica.

acústico, ca. *adj.* acústico: *nervio acústico*, nervo acústico.

acutangulado, da. *adj.* (bot.) acutangulado.

acutangular. *adj.* (geom.) acutangu;ar.

acutángulo. *adj.* (geom.) acutângulo; (bot.) acutângulo.

acuticórneo, a. *adj.* (zool.) acuticórneo.

acutifoliado, da. *adj.* (bot.) acutifólio.

acutirrostro, tra. *adj.* (zool.) acutirrostro.

achabacanamiento. *m.* V. chabacanería.

achabacanar. *v. tr.* (fam.) desnobrecer.

achacable. *adj.* atribuível, imputável.

achacadizo, za. *adj.* astuto; fingido; imputável.

achacador, ra. *adj.* assacador.

achacar. *v. tr.* achacar, atribuir, imputar, assacar, inculpar. — *v. intr.* achacar, perder a saúde; adoecer. — achacarse. *v. r.* atribuir-se a(c)ções de outrem.

achacillarse. *v. r.* (agr.) acamar as messes.

achacoso, sa. *adj.* achacoso, adoentado, enfermo, (Bras.) enfêrmo, valetudinário, achacado, achacadiço, indisposto, enfermiço, empalamado, emplasmado, decrépito, encarangado: *persona achacosa*, emplasto; *persona enferma y achacosa*, (Bras.) coroca; *volver a uno achacoso*, encataplasmar.

achaflanador. *m.* instrumento para facetar ou biselar, chanfrador.

achaflanar. *v. tr.* biselar, facetar, chanfranar, rebaixar a borda de uma tábua ou de outra qualquer superfície plana.

achampanado, da. *adj.* semelhante ao champanha; espumoso como o champanha.

achamparse. *v. r.* (Amér.) enraizar como a *champa: achamparse con*, apanhar, furtar alguma coisa.

achanchar. *v. tr.* (Amér.) deixar sem movimento uma peça do jogo das damas.

achantarse. *v. r.* (fam.) aguentar-se; suportar, sofrer.

achaparrado, da. *adj.* e *p. p.* achaparrado, acachapado, acaçapado, definhado, atochado, atarracado, desmedrado, aparrado; (bot.) parecido com o sovereiro; (fig.) pessoa baixa e grossa, pessoa atarracada; desmedrado (árvores).

achaparrar. *v. tr.* atarracar, achaparrar. V. agachar.

achaparrarse. *v. r.* achaparrar-se, atarracar-se a árvore crescendo pouco em altura.

achaque. *m.* achaque, indisposição; enfermidade; menstruação; escusa; defeito; (for., ant.) muleta; motivo de queixa; assunto, alifafe.

acharado, da. *adj.* conturbado, envergonhado, confuso, desconcertado, turvado.

achararse. *v. r.* (vulg.) V. azorrarse.

achares. *m. pl.* (pop.) ciúmes, tormentos. V. celos.

acharolado, da. *adj.* e *p. p.* acharoado, axaroado; semelhante ao verniz.

acharolar. *v. tr.* acharoar, axaroar; envernizar.

achatado, da. *adj.* e *p. p.* achatado, plano, chão, liso.

achatamiento. *m.* achatamento; depressão; achatadura, achatadela.

achatar. *v. tr.* achatar, tornar chato; amachucar; amassar.

achicador, ra. *adj.* diminuidor. — *m.* (mar.) bartidouro; vertedouro.

achicadura. *f.* achicadura, diminuição.

achicamiento. *m.* V. **achicadura**.

achicar. *v. tr.* diminuir, encurtar; atenuar, encolher; (mar.) achicar, enxugar, esgotar a água das embarcações com o barú douro. — *v. intr.* encolher. — **achicarse.** *v. r.* aguentar-se, humilhar-se; (Bras.) apichar-se.

achicoria. *f.* (bot.) chicória; chicarola: *achicoria silvestre,* almeirão.

achicharradero. *m.* lugar muito ardente ou abrasador.

achicharramiento. *m.* acção ou efeito de queimar-se ou abrasar-se.

achicharrar. *v. tr.* tostar; crestar; torrar; molestar; frigir demasiadamente. — **achicharrarse.** *v. r.* queimar-se, abrasar-se: *achicharrarse al sol,* assoleimar.

achicharronarse. *v. r.* engelhar-se; encarquilhar-se; (Amér.) V. **achicharrarse.**

achichicle. *m.* (Amér.) estalactite.

achichinque. *m.* esbotador, operário que estanca as minas.

achiguar. *v. tr.* (Amér.) dar forma de guarda-sol.

achinar. *v. tr.* (fam.) desanimar, acobardar.

achinelado, da. *adj.* achinelado, que tem forma de chinela.

achinelar. *v. tr.* achinelar, dar forma de chinela.

achique. *m.* extracção de água dum barco, enxugação.

achiquillado, da. *adj.* acriançado. V. **aniñado.**

achiquitar. *v. tr.* (Amér.) diminuir, encurtar, reduzir.

achispado, da. *adj.* e *p. p.* avinhado, alegre, ébrio, alegrete, animado, entroviscado, embriagado: *estar un poco achispado,* estar entre as dez e as onze, ter a sua demão de verniz; *estar achispado,* ter um grão na asa; *estar ligeramente achispado,* estar entradote, envinagrado.

achispar. *v. tr.* (fam.) embriagar, empeiterar, envinagrar, embriagar ligeiramente. — **achisparse.** *v. r.* embriagar-se ligeiramente; empeitar-se, envinagrar-se: *estar achispado,* ter um grão na aza; *estar achispadillo,* estar entre as dez e as onze.

achocado, da. *adj.* e *p. p.* contuso, que sofreu choque ou pancada.

achocadura. *f.* contusão, choque, pancada.

achocar. *v. tr.* chocar, arremessar fortemente alguém contra um corpo duro; ferir com pau ou pedra; (fam.) guardar, amontoar dinheiro; achoar, moer com pancadas.

achocazo. *m.* V. **achocadura.**

achocharse. *v. r.* (fam.) tornar-se chocho ou caduco.

acholado, da. *adj.* e *p. p.* que tem a cor do cholo.

acholador, ra. *adj.* (Amér.) vergonhoso, que causa vergonha, humilhante.

acholamiento. *m.* (Amér.) humilhação, vexação, acoitamento, abatimento, inferioridade, baixeza.

acholar. *v. tr.* (Amér.) envergonhar, humilhar. abater. envilecer, aviltar.

acholo. *m.* (Amér.) V. **acholamiento.**

acholole. *m.* (Amér.) excesso de água de rega.

achololear. *v. tr.* (Amér.) escorrer-se o excesso de água da rega.

achololera. *f.* (Amér.) regueira para o excesso d'água da rega.

achollongarse. *v. r.* (Amér.) acocorar-se, pôr-se de cócoras.

achoque. *m.* (Amér.) V. **ajolote.**

achote. *m.* V. **achiote.**

achubascarse. *v. r.* despeitar-se; amotinar-se; enevar-se; enublar-se; carregar-se de nuvens a atmosfera.

achucutado, da. *adj.* e *p. p.* (Amér.) abatido, acorbadado, desalentado, desanimado, alicaído, triste; murcho; acorvajado.

achucutarse. *v. r.* desanimar-se, desalentar-se, acobardar-se, abater-se; murchar-se, tornar-se murcho.

achuchado, da. *adj.* e *p. p.* apertado; achatado; esmagado.

achuchar. *v. tr.* apertar; empuxar; (fam.) achatar, esmagar; extorquir dinheiro; incitar, açular. — *v. r.* (Amér.) contrair febres intermitentes.

achuchón. *m.* (fam.) apertão, empurrão.

achulado, da. *adj.* e *p. p.* chulo; burlesco; tornado chulo.

achulapado, da. *adj.* V. **achulado**: *manera achulapada de hablar,* pachochada.

achulaparse. *v. r.* fazer-se chulo; tornar-se vulgar.

achularse. *v. r.* V. **achulaparse.**

achunchamiento. *m.* (Amér.) fracasso, malogro, insucesso.

achunchar. *v. tr.* frustrar-se uma empresa ou pretensão.

achura. *f.* (Amér.) intestinos do gado bovino.

achurador, ra. *adj.* (Amér.) o que tira os intestinos a um animal.

achurar. *v. tr.* (Amér.) tirar os intestinos dum animal; assassinar.

adacción. *f.* obrigação, dependência ou sujecção forçadas.

adactilia. *f.* (terat.) adactilia.

adactilismo. *m.* (terat.) adactilia.

adáctilo, la. *adj.* (terat.) adáctilo, sem dedos.

adafina. *f.* certa iguaria dos antigos judeus espanhois

adagial. *adj.* adagial, relativo a adágios; proverbial.

adagio. *m.* adágio, aforismo, anexim, apotegma, axioma, brocardo, ditado, dito, máxima, paremia, pensamento, prolóquio, provérbio, rifão, sentença; (mús.) adágio.

adaguar. *v. intr.* beber o gado. — *v. tr.* dar de beber ao gado.

adala. *f.* (mar.) dala; mangueira de bomba.

Adalberto. *n. pr.* Adalberto.

adalid. *m.* adail, chefe, guerreiro; cabo de guerra, vedeta; caudilho.

adamado, da. *adj.* adamado, efeminado, mole, voluptuoso, delicado, almiscarado, amaridado, assenhorado.

adamadura. *f.* enamoramento, namoramento, namoro, paixão, amor.

adamantino, na. *adj.* adamantino; diamantino.

adamar. *v. tr.* amar apaixonadamente, namorar. — adamarse. *v. r.* efeminar-se; adamar-se, enfeitar-se; tornar-se delicado, delgado, almiscarar-se.

adamascar. *v. tr.* adamascar, dar sabor ou cor de damasco.

adamasqueria. *f.* fábrica de tecidos adamascados.

adámico, ca. *adj.* adâmico; primitivo, relativo ao primeiro homem; diz-se da terra que deixam as marés.

adamismo. *m.* (hist.) adamismo.

adamita. *adj.* e *s.* adamita.

adamita. *f.* (min.) adamita.

Adán. *n. pr.* Adão.

adán. *m.* (fig. fam.) desleixado; negligente.

adanismo. *m.* V. adamismo.

adansonia. *f.* (bot.) adansónia.

adaptabilidad. *f.* adaptabilidade, qualidade do que é adaptável.

adaptable. *adj.* adaptável, acomodadiço, ajustável, aplicativo.

adaptación. *f.* adaptação, ajustamento, aplicação, coadunação, acomodação, adequação.

adaptado, da. *adj.* e *p. p.* adaptado, acomodado, adequado, ajustado, aplicado.

adaptador, ra. *adj.* e *s.* adaptador, que adapta ou amolda.

adaptar. *v. tr.* adaptar; aplicar; ajustar, amoldar; apropriar, aptificar, aptar; acomodar, adequar; amoldurar; apropiar, ajeitar, afeiçoar; aplicar, apropositar; acertar, conjuntar. — adaptarse. *v. r.* adaptarse, acadimar; colar; coincidir; ajustar-se, amoldar-se, apropiar-se; *adoptar dos cosas, coadaptar; adaptar dos cosas entre sí, coaptar; adaptarse a los tiempos,* ajustar-se aos tempos; *adaptarse a las circunstancias,* ajeitar-se às condições, apropositar-se.

adaraja. *f.* (arq.) espera; es·pigão; dente.

adarce. *m.* adarce; crosta salina formada nos objectos molhados pelo mar.

adardear. *v. tr.* ferir com um dardo.

adarga. *f.* adarga, escudo pequeno de coiro; embraçadeira.

adargar. *v. tr.* adargar, cobrir com adarga para defesa; amparar; proteger, escudar.

adarme. *m.* adarme, peso antigo, meia oitava; calibre de bala: *por adarmes,* em pequenas quantidades, com mesquinhez.

adarvar. *v. tr.* atordoar, aturdir, confundir, desconcertar, assombrar, pasmar.

adarve. *m.* (fort.) adarve, espaço no alto do muro duma fortaleza atrás das ameias.

adatar. *v. tr.* (com.) debitar uma soma; registar.

adecenamiento. *m.* acção e efeito de contar ou juntar por dezenas.

adecenar. *v. tr.* contar ou juntar por dezenas.

ade·entar. *v. tr.* pôr em estado decente. — adecentarse. *v. r.* adereçar-se, ataviar-se, compor-se.

adecuación. *f.* adequação, adaptação, ajustamento, acomodação, apropriação.

adecuado, da. *adj.* e *p. p.* adequado, acomodado, conveniente, proporcionado, apósito, apontado, azado, apropriado, consentâneo, correspondente; arrazoado; côngruo: *ser adecuado,* convir, corresponder, bastar; *ser adecuado algo,* encaixar bem; *no ser adecuado,* desdizer; *es adecuado que,* convem que.

adecuamiento. *m.* V. adecuación.

adecuar. *v. tr.* adequar; igualar, proporcionar, acomodar, amoldar, aparelhar, ajustar, apropriar, adaptar, corresponder, convir.

adefagia. *f.* (zool.) adefagia, voracidade, apetite insaciável.

adefágico, ca. *adj.* pertencente à adefagia.

adéfago, ga. *adj.* comilão, voraz, glutão.

adefesio. *m.* despropósito; extravagância; facha; vestuário ridículo; disparate; irrisão.

adegaño, a. *adj.* adjacente; próximo, contíguo.

adehala. *f.* propina, gratificação, luvas.

adehesado. *m.* devesa, terra de pastagem. — *p. p.* transformado em devesa.

adehesamiento. *m.* transformação dum terreno em devesa; pastagem.

adehesar. *v. tr.* preparar um terreno para devesa, para pastagem.

adelantado, da. *adj.* e *p. p.* adiantado, antecipado, acelerado, avançado, avantajado; prematuro, precoce; medrado, progredido; atrevido, imprudente. — *m.* adiantado, antigo governador de província: *por adelantado,* antecipadamente; *pago adelantado,* pago antecipado; *el trabajo está muy adelantado,* a obra está em boas alturas.

adelantador, ra. *adj.* e *s.* adiantador, antecipador.

adelantamiento. *m.* adeantamento, adiantamento; avanço; melhoramento, melhoria; evolução; antecipação; progresso; abono antecipado de dinheiro; aceleração; antecipação; atrevimento; (fig.) aproveitamento escolar; aperfeiçoamento; aumento, acréscimo.

adelantar. *v. tr.* adiantar; acelerar; antecipar; (fig.) melhorar, aumentar; adiantar, abonar antecipadamente, emprestar; fazer progredir; avantajar; civilizar; aproveitar; aperfeiçoar; medrar; avançar; progredir; estender para diante; fazer com antecedência; apressar; aumentar. — *v. intr.* progredir, avançar, medrar, exceder, ultrapassar. — adelantarse. *v. r.* adiantar-se; avantajar-se; aperfeiçoar-se; avançar-se; antecipar-se; (fam.) atrever-se: *adelantar el reloj,* adiantar o relógio; *el frío se adelantó este año,* o frio antecipou-se este ano; *adelantar dinero,* pagar antecipadamente.

adelante. *adv.* adiante, para diante; de futuro, para o futuro; na frente; em primeiro lugar; no lugar imediato; sucessivamente; na página ou páginas seguintes; mais além; depois. — *interj.* acima! arriba!; alforges!; avante!: *de hoy en adelante*, de hoje em diante; *más adelante*, além; *llevar adelante*, adiantar; de *aquí en adelante*, adiante; *pasar adelante*, passar adiante; *más adelante*, acolá adiante; *en adelante*, de futuro; *de ahora en adelante*, daí por diante, para o futuro, daqui em.

adelanto. *m.* avanço, adiantamento; melhora, melhoria; medro, florescimento, progresso; desembolso antecipado de dinheiro.

adelfismo. *m.* tendência à fraternidade; união, harmonia; comunidade, confraria, congregação, irmandade.

adelfo, fa. *adj.* (bot.) adelfo, diz-se dos estames reunidos pelos seus filetes.

adelgazado, da. *adj.* e *p. p.* adelgaçado, emaciado; afilado, afusado; desgastado com o uso.

adelgazador, ra. *adj.* adelgaçador, que adelgaça.

adelgazamiento. *m.* adelgaçamento, emagrecimento, desengrossamento, emaciação.

adelgazar. *v. tr.* adelgaçar, tornar delgado, agudo; desgastar; (ant.) apoucar, diminuir; (fig.) discorrer, pensar com sutileza; afusar, definhar; emagrecer; emaciar; aguçar; aparar; aflautar; afilar; entresilhar; acanavear. — *v. intr.* fazer-se magro, desnutrir; dessecar; desengordar, desengrossar; enfraquecer; emagrecer; descarnar; desencorpar; afilar-se.

adelocéfalo, la. *adj.* adelocéfalo.

adelópodo, da. *adj.* adelópode.

ademador. *m.* o que faz escoras para as minas.

ademán. *m.* ademane, gesto, ar, postura, continência, trejeito; modo afectado: *ademanes afectados*, macaquices; *ademanes grotescos*, macacada, contorções; trejeitos.

ademar. *v. tr.* (min.) escorar uma mina.

además. *adv.* demais, além de; afinal; encima; fora; senão; por cima de: *además de esto*, ainda em cima; *además de eso*, ainda mais; *además de*, afora.

ademe. *m.* (min.) escora de madeira.

adementar. *v. tr.* enlouquecer, endoidecer, tornar louco.

ademprio. *m.* V. **adempribio.**

adenalgia. *f.* (med.) adenalgia, adenopatia.

adenia. *f.* (pat.) adenopatia.

adenitis. *f.* (med.) adenite.

adenización. *f.* (med.) adenização.

adenocele. *m.* (med.) adenocele.

adenodiástasis. *f.* (pat.) adenodiástase.

adenofaringitis. *f.* (pat.) adenofaringite.

adenofibrosis. *f.* (med.) adenofibrose.

adenoftalmia. *f.* (pat.) adenoftalmia.

adenografía. *f.* adenografia.

adenográfico, ca. *adj.* (anat.) adenográfico.

adenógrafo, fa. *s.* adenógrafo.

adenoide. *m.* (med.) adenóides. V. **adenoideo.**

adenoideo, a. *adj.* (pat.) adenóide.

adenología. *f.* (anat.) adenologia.

adenoma. *m.* (med.) adenoma.

adenopatía. *f.* (med.) adenopatia.

adenófora. *f.* (bot.) adenófora.

adenomalacia. *f.* (med.) adenomalacia.

adenoso, sa. *adj.* (anat.) adenoso, glandular.

adenotomía. *f.* (cir.) adenotomia.

adensar. *v. tr.* adensar, condensar, tornar denso; acumular.

adentelladura. *f* acção e efeito de dentar ou morder; mordedura, mordedela, dentada.

adentellar. *v. tr.* adentar, dentar, morder; (fig.) censurar, criticar, maldizer; dentear: (arq.) *adentellar una pared*, dentear uma parede, deixar pedras salientes para a continuar.

adentrar. *v. intr.* adentrar; concentrar. — **adentrarse.** *v. r.* adentrar-se, meter-se, engolfar-se; concentrar-se, entrar.

adentro. *adv.* adentro, dentro, no interior; entreportas, para dentro; interiormente. — *m. pl.* o foro interior ou grito da consciência.

adepto, ta. *adj.* adepto; partidário; sequaz, aliado, sectário.

aderezado, da. *adj.* e *p. p.* adereçado, composto, enfeitado, ornado; guisado, temperado; curtido (diz-se das peles).

aderezador, ra. *adj.* e *s.* ataviador, adornador, adereçador, aderecista, o que adereça ou enfeita; — *m.* (carp.) junteira (espécie de garlopa para aplainar os cantos das tábuas).

aderezamiento. *m.* adereçamento, acto ou efeito de adereçar; embelezamento, alindamento, aformoseamento.

aderezar. *v. tr.* adereçar, aceiar, compor, enfeitar, ornar, ataviar; acomodar; concertar, emendar; dispor; preparar; guisar, condimentar, temperar a comida, assazonar, acomodar; embelezar, aformosear, embelecer; remendar; corrigir; reparar; retocar; misturar vinhos.

aderezo. *m.* adorno de jóias; enfeite, adereço, adorno, (Bras.) adôrno; arreação; diadema; aparelho; atavio: *aderezo de las pieles*, curtidura; *aderezo de la casa*, alfaia. — *pl.* arreamento; preparo que se dá aos tecidos; preparação, disposição: *aderezo de caballo*, arreios, aparelho; *aderezo de casa*, mobilia, alfaias; *aderezo de mesa*, serviço de mesa; *aderezo de espada*, guardamão da espada.

adestrado, da. *adj.* e *p. p.* (blas.) adestrado, colocado na direita do escudo; adestrado.

adestrador, ra. *s.* adestrador; conductor, guia, o que adestra.

adestramiento. *m.* adestramento, ensino; acção de conduzir ou guiar; tornar destro; disciplinar.

adestrar. *v. tr.* adestrar; conduzir, guiar; ensinar; instruir, formar, disciplinar. V. **adiestrar.**

adeudado, da. *adj.* e *p. p.* endividado; debitado; (com.) debitado em conta.

adeudar. *v. tr.* estar obrigado a pagar; (com.) debitar em conta; debitar ou dever os direitos na alfândega; endividar; dever. — **adeudarse.** *v. r.* endividar-se; empenhar-se.

adeudo. *m.* direito de alfândega; dívida; débito em conta; aquilo que se deve.

adherencia. *f.* aderência; conexão; vínculo, parentesco; assentimento, adesão; ligação; apegamento; coalescência.

adeherente. *adj.* e *m.* aderente, anexo, conexo; coalescente; apegado; agarradiço; partidário, prosélito; requisito necessário. — *pl.* aviamentos, guarnições.

adherir. *v. intr.* aderir, estar junto; concordar; aderir a um parecer ou conformar-se com ele; coalescer; consentir, aceder, anuir. — *v. tr.* aderir, unir, juntar, ligar. — **adherirse.** *v. r.* aderir-se; aplicar-se, atar-se: *adherirse a alguien*, amarrar-se a alguém; *adherirse a la opinión de alguien*, encostar à opinião de alguém.

adhesión. *f.* adesão, ligação, união; acordo; aderência; anexão; apegamento, apego, (Bras.) apego; aprovação, dedicação; aferro; assentimento: *testimonio de adhesión*, demonstração; *adhesión ciega a una persona o cosa*, exclusivismo.

adhesividad. *f.* adesividade, qualidade de adesivo.

adhesivo, va. *adj.* adesivo, aderente, agarradiço. — *m.* (med.) adesivo, emplasto que adere à pele.

adiabático, ca. *adj.* (fís.) adiabático.

adiabatismo. *m.* (fís.) adiabatismo.

adiado, da. *adj.* e *p. p.* adiado, que se adiou; demorado, retardado.

adiafóresis. *f.* (med.) adiaforese, falta de transpiração.

adiaforético, ca. *adj.* (quím.) metílico.

adiaforia. *f.* adiafória, indiferença.

adiáforo, ra. *adj.* adiáforo; acessório, secundário.

adiamantar. *v. tr.* adiamantar; cobrir de diamantes; (fig.) converter em diamante.

adiar. *v. tr.* (ant.) adiar, fixar; demorar, procrastinar; deixar para outro dia.

adiatermanidad. *f.* (fís.) adiatermia.

adiatérmico, ca. *adj.* adiatérmico, que não transmite o calor.

adición. *f.* adição; acrescentamento, suplemento, agregação; numeração, ajuntamento, adicionação, adicionamento, adição, acrescimento, aumentação; aditamento; apêndice; achega; (mat.) adição, soma, total; conta de somar; (for.) adição, acto de adir à herança.

adicionable. *adj.* adicionável, que se pode adicionar.

adicional. *adj.* adicional, que se adiciona; que acresce; acessório, secundário.

adicionar. *v. tr.* adicionar, acrescentar, juntar, somar, anumerar, acrescer, ajuntar; prolongar, espaçar.

adicto, ta. *adj.* adicto, dedicado; apegado; amigo; entusiasta; devotado, devoto;

afeiçoado, aferrado; adjunto; inclinado, propenso a; destinado, designado: *ser adicto a*, apegar-se à.

adiestrado, da *adj.* e *p. p.* adestrado, amestrado, disciplinado, experimentado, mestre, ensinado, instruido, exercitado.

adiestramento. *m.* adestramento. exercício; treino.

adiestrar. *v. tr.* adestrar, tornar destro; ensinar, instruir, formar; exercitar; treinar; conduzir, guiar; disciplinar; industriar; mestrear; agilitar; amestrar, exercer, experimentar; educar; habilitar. — **adiestrarse.** *v. r.* adestrar-se, experimentar-se; treinar-se; exercitar-se.

adietar. *v. tr.* adietar, pôr em dieta.

adifés. *adv.* (Amér.) com intenção, intencionadamente.

adimplemento. *m.* (for.) adimplemento; preenchimento; realização; complemento.

adinamia. *f.* (med.) adinamia, debilidade. prostração de forças, enfraquecimento muscular.

adinámico, ca. *adj.* (med.) adinâmico, relativo à adinamia; prostrado, débil.

adinerado, da. *adj.* endinheirado, opulento, rico; (Bras. Nordeste) baludo.

adinerar. *v. tr.* (prov.) reduzir a dinheiro. — **adinerarse.** *v. r.* enriquecer-se, fazer-se rico, prosperar.

adintelado, da. *adj.* (arq.) alongado, diz-se do arco que degenera em linha recta.

adintelar. *v. tr.* (arq.) alongar um arco; pôr dinteis.

adiós. *interj.* adeus!; fica com Deus; Deus vá contigo! — *m.* adeus, despedida, fim: *decir adiós*, despedir-se.

adiosito. *m.* (fam.) adeusinho.

adipal. *adj.* adiposo; gordo, rico em gordura.

adipocira. *f.* ádipe, gordura.

adipoma. *f.* (med.) adipoma, lipoma.

adipolisis. *f.* (fisiol.) adipolise.

adiposidad. *f.* adiposidade; axíngia; adipose.

adiposis. *f.* (med.) adipose, gordura excesiva.

adipsia. *f.* (pat.) adipsia, aposia.

adir. *v. tr.* (for.) adir, aceitar a herança; entrar na posse de herança.

aditamento. *m.* aditamento, acréscimo, apostila; codicilo; acrescimento; suplemento.

ádito. *m.* (arq.) ádito, entrada, acesso; aproximação; (fig.) lugar reservado; segredo.

adivas. *f. pl.* (vet.) vívula.

adive. *m.* (zool.) adibe, adibo, chacal.

adivina. *f.* V. **adivinanza**; adivinha.

adivinable. *adj.* que se pode adivinhar, adivinhável.

adivinación. *f.* adivinhação, adivinha; enigma; futuração; presságio; vaticínio; prognóstico, profecia, predição do futuro: *por adivinación*, agoiradamente.

adivinado, da. *adj* e *p. p.* adivinhado, acertado, pressagiado, vaticinado, entrevisto.

adivinador, ra. *adj.* e *s.* adivinhador, adivinho, astrólogo, augure, nigromante, profeta, quiromante, vate; adivinha, cartomante, pítia, pitonisa, quiromante, acertadora.

adivinaja. *f.* (fam.) **adivinhação**, espécie de enigma.

adivinanza. *f.* adivinhação, enigma, adivinha.

adivinar. *v. tr.* adivinhar, agourar, predizer, pressagiar, profetizar, prognosticar, vaticinar, decifrar, resolver um enigma, conjeturar. entrever, acertar, agoirar, antemostrar, aventar, fadar, farejar, prever o futuro. interpretar: *adivinar charadas*, matar a charada, charadear; *adivinar los sentimientos de alguien*, ler no coração; *adivinar con la mirada*, apodar; *adivinar las intenciones de alguien*, dar na moca; *adivinar los pensamientos recónditos de alguien*, decifrar; *tratar de adivinar por medio de las cartas*, deitar cartas.

adivino, na. *s.* adivinho, astrólogo, áugure, nigromante, profeta, quiromante, vate, agoireiro, ariolo, adivinhador, adivinhão; adivinha, cartomante, pítia, pitonisa, profetisa, adivinhadeira.

adjetivación. *f.* adje(c)tivação, concordância do adjectivo com o substantivo.

adjetivado, da. *adj.* e *p. p.* adjectivado, acompanhado do adjectivo; tomado como adjectivo.

adjetival. *adj.* adjectival, relativo ao adjectivo.

adjetivar. *v. tr.* (gram.) adje(c)tivar, fazer, concordar o adjectivo com o substantivo; empregar como adjectivo; qualificar; ornar. — **adjetivarse.** *v. r.* adje(c)tivar-se; adaptar-se, aplicar-se.

adjetivo, va. *adj.* adje(c)tivo; que se acrescenta ou se junta, adjecto. — *m.* (gram.) adjectivo; atributo: *adjetivo gentilicio*, adjectivo gentilício; *adjetivo determinativo*, adjectivo determinativo.

adjudicación. *f.* adjudicação; *adjudicación en subasta*, arrematação.

adjudicado, da. *adj.* e *p. p.* adjudicado, dado por sentença: *adjudicado en pública subasta*, arrematado.

adjudicar. *v. tr.* adjudicar, dar por sentença; declarar judicialmente que uma coisa pertence a alguém; aplicar. — **adjudicarse.** *v. r.* adjudicar-se; atribuir-se; arrogar-se; apropiar-se: *adjudicar al mejor postor*, rematar a quem mais dê.

adjudicatario, ria. *s.* adjudicatário.

adjudicativo, va. *adj.* adjudicativo, adjudicatório.

adjudicatorio, ria. *adj.* adjudicatório, adjudicativo.

adjunción. *f.* (for.) adjunção; agregação.

adjuntar. *v. tr.* (barb.) ajuntar, unir; associar, agregar; anexar; acompanhar.

adjunto, ta. *adj.* adjunto, unido, anexo, incluso; apenso; (for.) agregado, adido; apósito. — *m.* assistente, assessor; coadjutor, adjutório. — *m.* (gram.) adjectivo, auxiliar; ajuntamento. — *m. pl.* juizes adjuntos. — *f.* carta adjunta.

adjurar. *v. tr.* (ant.) adjurar; conjurar, es-

conjurar; exorcismar; pedir com instância.

adjutor, ra. *adj.* e *s.* adjutor; ajudante; adjuvante, coadjutor.

adlátere. *m.* (bar.) V. **a látere.**

adminicular. *v. tr.* (for.) adminicular, ajudar com adminículos; assistir, ajudar, socorrer; subsidiar.

adminículo. *m.* adminículo, auxílio, socorro, apoio, subsídio; arrimo. — *m. pl.* adminículos, enfeites; ingredientes; ferramenta.

administrable. *adj.* que se pode administrar.

administración. *f.* administração, gerência, dire(c)ção, meneio; governo, (Bras.) govêrno; ministério; administração, casa em que se tratam assuntos de administração pública: *administración de los bienes públicos*, Economia; *administración pública*, administração pública; *administración de correos*, administração dos correios; *consejo de administración*, conselho de administração; *administración interina de una parroquia*, encomendação; *administración de los Sacramentos*, administração dos Sacramentos; *mala administración*, desgovernação.

administrador, ra. *s.* administrador, gerente, fa(c)totum, empresário, dire(c)tor, regente, governador: *buen administrador*, arrecador; *administrador de una casa o de rentas eclesiásticas*, ecónomo; *administrador del cargamento de un barco por tiempo fijo*, exercitor; *administrador de Aduanas*, administrador de alfândega.

administrar. *v. tr.* administrar, conduzir dirigir, gerir, governar, reger; administrar, dar algum medicamentos; ministrar; aplicar; conferir. — **administrarse.** *v. r.* (Amér.) receber os últimos Sacramentos: *administrar bien su hacienda*, arrecadar bem a sua fazenda; *administrar con economía*, economizar; *administrar mal*, desgovernar; *no saber administrarse*, desgovernar-se.

administrativo, va. *adj.* administrativo, relativo à administração.

administratorio, ria. *adj.* administrativo.

administro. *m.* (ant.) adjunto.

admirable. *adj.* admirável, extraordinário, assombroso, lúcido, magnífico, fabuloso, estranhável, estupendo, famoso, milagroso.

admiración. *f.* admiração, arrebatamento, assombro, espanto, pasmo, entusiasmo, assombramento, arroubo, estranhamento, estranheza, estupefacção, arroubamento; (gram.) exclamação, ponto de admiração: *llenarse de admiración*, arroubar-se; *causar admiración*, embelezar, admirar, aturdir, assombrar, entusiasmar, atordoar; *llenarse de admiración*, encher os olhos, a vista.

admirado, da. *adj.* e *p. p.* admirado, arrebatado, arroubado, assombrado, espantado, maravilhado, pasmado, surpreso, transtornado, contemplado, desqueixolado, endinheirado, absorto, estupefa(c)to; *quedarse admirado*, atordoar-se benzer-se; *dejar admirado*, embaçar, ficar admirado.

admirador, ra. s. e adj. admirador, entusiasta, devoto, apaixonado, fanático assecla; (Bras.) fã.

admirando, da. adj. admirando, que merece admiração.

admirar. v. r. admirar, apreciar, contemplar; entusiasmar abobar; estranhar; abismar; arroubar; causar admiração. — **admirarse.** v. r. admirar-se, abobar-se, ficar com a boca aberta; abismar-se; sentir espanto, admiração; ficar surpreendido, maravilhado.

admirativo, va. adj. admirativo; esclamatório; que envolve admiração; cheio de admiração.

admisibilidad. f. admissibilidade, qualidade do que é admissível ou tolerável.

admisible. adj. admissível, tolerável, assumptível; aceitável; crível: no ser admisible una cosa, não ter lugar uma coisa.

admisión. f. admissão; entrância; afiliação, ingressão, ingresso; iniciação; acolhida; agregação; autorização; entrada, recepção.

admitancia. f. (electr.) admitância.

admitido, da. adj. e p. p. admitido, aprovado, aceito, corrente, autorizado, permitido, tolerado: admitido generalmente, convencional; ser admitido en una sociedad, orden, etc., afiliar-se.

admitir. v. tr. admitir, receber; admitir, autorizar, consentir, permitir, tolerar; aceitar; concordar com; sofrer; conhecer; agregar; aprovar; incluir; meter; supor; acreditar: no admitir a un candidato, deitar um erre; no admite duda, não errar de ser; é voz constante; ser capaz de admitir, ter bojo para; admitir en el rancho, arranchar.

admonición. f. admonição, admoestação, advertência, aviso, censura, exprobração objurgatória, observação, ponderação, recriminação, repreensão, reprimenda, reproche, exortação, admoestamento.

admonitor. m. admonitor; admoestador.

admonitorio, ria. adj. admonitório, que serve de admoestar.

adnata. f. (zool.) adnata, túnica exterior do globo ocular; conjuntiva.

adnato, ta. adj. adnato; pegado; aderente; ligado.

adnotación. f. adnotação.

adoba. f. (prov.) V. **adobe.**

adobado, da. adj. e p. p. adubado; curtido (pele) atanado; temperado, condimentado; preparado. — m. (coz.) carne estufada.

adobador, ra. adj. e s. adubador, que aduba; curtidor de peles

adobadura. f. adubamento; adubo, tempero, condimento; estrume; adorna; adubação.

adobamiento. m. V. **adobadura.**

adobar. v. tr. adubar, guisar a comida; temperar, condimentar; curtir as peles, atanar; preparar; adornar; aprontar; ornar, arranjar; (fig.) corrijir, emendar, reformar, rectificar.

adobasillas. m. o que conserta cadeiras.

adobe. m. adobe, tijolo crú; adobo, ladrilho não cozido.

adobera. f. molde para fazer adobes.

adobería. f. fábrica de adobes.

adobio. m. parte dianteira do forno.

adobo. m. tempero; adubo; adubação; estrume; enfeite; adorno; calda para conservar carnes e outras coisas; concerto, reparo; materiais para curtir ou preparar os tecidos; cor postiça de que usam as mulheres.

adocenado, da. adj. e p. p. mediocre, mediano, vulgar, comum, medião; dividido em dúzias.

adocenamiento. m. venda em dúzias; (fig.) mediocridade, vulgaridade.

adocenar. v. tr. ordenar ou dividir em dúzias; confundir alguém com pessoas de pouca consideração; contar, arranjar por dúzias; desprezar.

adoctrinar. v. tr. doutrinar, adoutrinar; apostolar, edificar, educar, apascentar: adoctrinar a los fieles, apascentar os fieis.

adolecente. p. a. o que cai doente, que adoece, doente.

adolecer. v. intr. adoecer, enfermar; sofrer; achacar, tornar-se doente. — conj. irreg. como **crecer.**

adolescencia. f. adolescência; juventude, mocidade, puberdade: entrar en la adolescencia, adolescer.

adolescente. adj. e s. adolescente, jovem, mancebo, moço, (Bras.) môço, púbere, efebo.

adolescéntula. f. adolescêntula, rapazinha moça.

adolescer. v. intr. (ant.) V. **adolecer.**

adonde. adv. V. **donde;** adonde, aonde.

adondequiera. adv. a qualquer parte, onde quer que.

Adonai. m. Adonai.

adonecer. v. intr. (prov.) crescer, aumentar, ceder (tecidos).

adónico, ca. adj. (poes.) adónico, adónio.

adónio, nia. adj. (poes.) adónio, adónico.

Adonis. m. (mit.) Adónis.

adonis. m. adónis, efebo, rapaz galante e presumido, belo.

adonizarse. v. r. adonisar, enfeitar-se, mirar-se ao espelho com vaidade. — v. tr. adonisar, tornar galante, embelezar.

adopción. f. adopção; aceitação, adop`ação; arrogação; associação; perfilhação.

adoptable. adj. adoptável.

adoptación. f. (ant.) V. **adopción.**

adoptado, da. adj. e p. p. adoptado; aceitado, tomado; perfilhado.

adoptador, ra. adj. e s. adoptador, o que adopta, adoptante.

adoptar. v. r. ado(p)tar, tomar; aceitar; afiliar; perfilhar; abraçar; tomar por filho; associar ao governo: adoptar una resolución, assentar consigo, arremangar; adoptar como hijo, adoptar uma criança, arrogar; adoptar alguna forma, afectar uma forma; adoptar maneras afectadas, amaneirar-se; adoptar las maneras de al-

guien, apanhar os modos de alguém; *adoptar una opinión*, abraçar uma opinião.

adoptivo, va. *adj.* adoptivo; assumptivo.

adoquier. *adv.* a ou em qualquer parte.

adoquin. *m.* laja, pedra lavrada para empedrar; laje. — *adj.* estólido.

adoquinado. *adj.* e *p. p.* empedrado, lajeado. — *m.* empedrado, pavimento.

adoquinar. *v. tr.* empedrar com lajes, calcetar, pavimentar.

ador. *m.* tempo limitado para regar, adua.

adorable. *adj.* adorável, amadouro, amável, encantador; muito estimável, adorativo.

adoración. *f.* adoração; veneração; amor profundo; abstra(c)ção; *adoración de la Cruz*, estaurolatria; *adoración, de los demonios*, demonolatria; *con adoración*, adoràvelmente.

adorador. *adj.* e *s.* adorador; entusiasta, adorante, amante apaixonado: *adorador de la Cruz*, estaurolatra.

adorar. *v. tr.* adorar, venerar; amar apaixonadamente; prestar culto a; reverenciar, respeitar muito ; idolatrar; beijar o pé do Papa.

adoratriz. *f.* religiosa duma ordem fundada para regenerar as mulheres extraviadas.

adormecer. *v. intr.* e *tr.* adormecer, fazer sono; entorpecer; acalentar, acalmar, aplacar, sossegar; causar tédio; insensibilizar; adormecer, dormir, começar a dormir; cair no sono; imobilizar-se; cessar; interromper-se. — **adormecerse.** *v. r.* adormecer-se, entorpecer-se: *adormecer el pescado, echando al agua una substancia adecuada para poderlo coger con la mano*, embridar. — *conj. irreg.* com **mecer.**

adormecimiento. *m.* adormecimento; entorpecimento; insensibilidade; desleixo; indolência.

adormidera. *f.* (bot.) dormideira, actea.

adormilarse. *v. r.* dormitar; dormir levemente, ter um sono rápido; (fig.) descansar.

adormir. *v. tr.* V. **adormecer.**

adormitarse. *v. r.* V. **adormilarse.**

adornado, da. *adj.* e *p. p.* adornado; enfeitado; ornado; arreiado; aparatado; alindado; ataviado; decorado; engalanado; ajaezado; acortinado, embonecado; engravatado; arrebicado, louçainho: *adornado de pavés*, empavesado; *adornado como un currutaco*, arrebicado; *adornado con trabajos de incrustación*, alguergado.

adornamiento. *m.* adornamento; adorno, decoração, enfeite, ornamentação, ornato, atavio.

adornar. *v. tr.* adornar, ataviar, decorar, enfeitar, engalanar, ornamentar, ornar, embelezar; dotar; aformosear, alindar; arrear; armar; apostar; atilar; assear; aparatar; alinhar; melhorar; ajaezar; aparelhar; (fam.) endomingar; adereçar; estofar; embonecar, arrebicar; exornar; encintar; abrilhantar; agalanar; prover. — **adornarse.** *v. r.* ataviar-se, enfeitar-se, arrebicar-se; embonecar-se, adornar-se, alfaiar-se; ajustar-se, apostar-se, apare-

lhar-se, luzir-se; arranhar-se; alindar-se, assear-se; (fig.) empenachar: *adornar con cintas*, enastrar; *adornar excesivamente*, franjar; *adornar el rostro con afeites*, arrebicar; *adornar un discurso con florituras*, enfeitar um discurso; *adornar con gallardetes*, engalhardear; *adornar con pinturas o cuadros*, apainelar; (mar.) apendoar; *adornar con mosaicos o piedras pequeñas*, alguergar; *adornar con guirnaldas*, afestoar.

adornista. *s.* enfeitador, decorador, engalanador, ornamentista, pintor de adornos.

adorno. *m.* adorno, (Bras.) adôrno, enfeite, ornato, atavio, ornamento; aparato; ataviamento; aplicação; decoração; alindamento; alinho; aformoseamento, enfeitamento; alfaia, adereçamento, adereço; embelezamento; gala; arreio; arrebique; exornação; emplastramento; (Bras.) pilcha, requifife. — *pl.* arrecadas, galas, bisalho: *sin adornos*, desataviadamente; *adorno exagerado o ridículo*, arrebique; *conjunto de adornos propio de las señoras*, farfalheira; *adorno extravagante*, faceirice; *adorno con gallardetes y banderas*, apendoamento; *falta de adorno*, desenfeita: *adornos y relieves de plata y oro representando un grupo de animales*, bastiões; (taur.) *adornos*, trabalhos, com que os toireiros adornam a lide.

adosar. *v. tr.* (herald.) pôr costas com costas; apoiar, sustentar; juntar.

adquirible. *adj.* adquirível, que se pode adquirir.

adquirido, da. *adj.* e *p. p.* adquirido; contraido; mercado; adquisito.

adquiridor, ra. *s.* e *adj.* adquiridor, adquirente o que adquire.

adquirir. *v. tr.* adquirir; alcançar, conseguir, obter; receber; ganhar; granjear; colher; contrair; mercadejar, mercanciar, mercar; angariar; cobrar: *adquirir costumbres licenciosas*, desatar em acções licenciosas; *adquirir por contagio*, apanhar; *adquirir conocimientos*, prender; *adquirir una enfermedad*, arranjar uma doença; *adquirir propiedades*, afazendar-se; *adquirir sentido*, tomar conta; *adquirir ilícitamente*, abotoar-se com; *adquirir clientes*, afreguesar. — *pres. ind. irreg.* **adquiero, -es, -e, -en**; *subj.* **adquiera, -as, -a, -en.**

adquisición. *f.* adquisição, adquirimento, adquirição; merca; obtenção; preço.

adquisidor, ra. *s.* V. **adquiridor.**

adquisitividad. *f.* adquisividade, aquisividade.

adquisitivo, va. *adj.* adquisitivo, aquisitivo.

adra. *f.* turno; vez; porção.

adral. *m.* xelmas de carro.

adrar. *v. tr.* aduar; repartir as águas para rega.

adrede. *adv.* adrede, propositadamente, de propósito, acintemente; de indústria; expressadamente.

adrenalina. *f.* (med. e quim.) adrenalina.

adrián. m. joanete do pé; osso da face; calo do pé.

adriático, ca. adj. e s. (geog.) adriático: mar adriático, mar adriático.

adrizamento. m. (mar.) acção de adriçar; alvoragem.

adrizar. v. tr. (mar.) adriçar, erguer por meio de adriças.

adrogación. f. (for.) ad-rogação.

adrolla. f. embuste, mentira, logro.

adrollado, da. adj. V. entrampado.

adrollero. m. logreiro, manhoso, trapaceiro, embusteiro, mentiroso.

adscripción. f. adscrição, aditamento que está escrito, agregar; inscrever, registar; agregar alguém alguma corporação. — adscribirse. v. r. atar-se.

adsorción. f. (fís.) adsorção, adesão, penetração superficial de um gás ou líquido num sólido.

adstringir. v. tr. V. astringir.

aduana. f. aduana, alfândega; (vulg.) prostíbulo, lupanar, bordel: oficial de aduanas, oficial de alfândega; depositar en la aduana, alfandegar; depósito en la aduana, alfandegagem; impuesto aduanero, imposto aduaneiro.

aduanaje. m. alfandegagem.

aduanar. v. tr. despachar; aduanar; alfandegar; registrar na aduana.

aduanero. ca. adj. e s. aduaneiro; alfandegueiro, alfandegário, empregado de alfândega: pagar derechos adaneros, alfandegar; unión aduanera, união aduaneira; leyes aduaneras, regulamento aduaneiro.

aduar. m. aduar; acampamento moirisco; alxaima.

adúcar. m. barbilho; casulo do bicho-da--seda; antigo estofo da seda; borra de seda; cadarço.

aducción. f. (fisiol.) adução.

aducir. v. tr. aduzir; apresentar; alegar, citar; ajuntar, acrescentar, aumentar; conduzir, levar; trazer; expor; (for.) deduzir: aducir en defensa, alegar; aducir reparos, apresentar objecções; aducir razones, fundar-se.

aductivo, va. adj. (anat.) aductivo.

aductor. m. (fisiol.) aductor, músculo aductor.

adueñarse. v. r. apropriar-se.

adufe. m. pandeiro, mourisco; adufe.

adufero. m. adufeiro, o que toca adufe ou ffaz adufes.

aduja. f. (mar.) aducha, aduchas, voltas dos cabos enrolados.

adujar. v. tr. aduchar; colher e enrolar cabo e amarra.

adul. m. assessor do cádi.

adula. f. terreno que não é regado regularmente.

adulación. f. adulação, lisonja, agasalho enganoso; ciganice; mesurice; apaparicamento; blandícia, louvaninha; exalçamento, engodo, (Bras.) engôdo engraxamento; (fig.) fanfarra, engraxadela, incenso, incensação; adulação fingida, bajulice, bajulação, bajoujice.

adulador, ra. adj. e s. adulador, afadigador, cigano, cortesão, alardeador, mesureiro, blandicioso, meigo, louvaminheiro, incensador, fagueiro, exalçador, lisonjeador, afagadeiro, encomiástico, engodador, bajulador, bajoujo, baboso; (fam.) engraxador, engraxa; (Bras.) lambedor, puxa; puxa-saco: corte de aduladores, famulagem.

adular. v. tr. adular, bajular, lisonjear, cortejar, afagar, apaparicar, acariciar, louvaminhar, louvar, incensar, exaltar, encomiar, engordar; (fam.) engraxar, lisonjear servilmente, gabar por interesse próprio; (Bras.) partejar: adular a alguien, dar os amens a alguém.

adulatório, ria. adj. adulatório, que contém, adulação; lisonjeiro.

adulear. v. intr. (prov.) bradar, gritar, vozear, falar muito alto.

adulteración. f. adulteração, falsificação; corrupção; inautenticidade; impureza: adulteración del vino o de la leche, (fig.) baptismo.

adulterado, da. adj. e p. p. adulterado, falsificado, bastardo, desfigurado, alterado, inautêntico, falso, imitado, dolosamente.

adulterador, ra. adj. e s. adulterador, falsário, falsificador, o que adultera.

adulterar. v. tr. adulterar, contrafazer, falsificar; desnaturalizar, deteriorar, corromper, bastardear, desfigurar, falsar, falsear, abastardar: adulterar el vino, baptizar o vinho. — v. intr. adulterar, cometer adultério.

adulterinidad. f. adulterinidade.

adulterino, na. adj. adulterino, proveniente de adultério; bastardo; ilegítimo; falsificado, falso, fingido: hijos adulterinos, enxertos de crime, filhos adulterinos.

adulterio. m. adultério, infidelidade conjugal; falsificação; adulteração: cometer adulterio, adulterar.

adúltero, ra. adj. e s. adúltero, que violou a fé conjugal.

adulto, ta. adj. adulto, que chegou à idade madura. — s. adulto; crescido, entrado na adolescência.

adulzamiento. m. adoçamento, acção de tornar o ferro macio.

adulzar. v. tr. (tecn.) amaciar, purificar os metais; dulcificar, adiçar; (farm.) edulçorar: adulzar los metales, abrandar os metais.

adulzorar. v. tr. adulçorar.

adumbración. f. adumbração, parte não tocada pela luz no objecto iluminado; sombreação.

adumbrar. v. tr. (pint.) adumbrar, assombrear; esboçar, tornar sombrio, imitar com a sombra.

adunación. f. adunação.

adunar. v. tr. juntar; congregar; reunir; adunar, coadunar.

adunco, ca. adj. adunco; curvo, em forma de gancho.

adunia. adv. adunia, abundantemente; de toda a parte.

aduro. *adv.* (ant.) aduro, adur, dificilmente, apenas.

adustez. *f.* aridez, seca; selvajaria, aspereza, desabrimento.

adustión. *f.* (med.) adustão, cauterização com fogo; combustão.

adustivo, va. *adj.* adustivo, adurente, que queima.

adusto, ta. *adj.* triste, melancólico, desabrido, árido, intratável, adusto, queimado, ardente, esbraseado: *ser adusto*, ter o nariz arrebitada.

advenidizo, za. *adj.* adventício; estrangeiro; forasteiro; aventureiro; casual; forasteiro sem ocupação.

advenimiento. *m.* vinda; exaltação; ascenso; chegada; elevação a uma dignidade.

advenir. *v. intr.* vir, chegar; ascender; exaltar, elevar a uma dignidade.

adventajas. *f. pl.* (prov.) direito conjugal à propriedade pessoal; precípuo; o que o herdeiro não é obrigado a relacionar, quando tem co-herdeiros.

adventicio, cia. *adj.* adventício, casual; estrangeiro; chegadiço, arribadiço; estrínseco; sem ocupação: *bienes adventicios*, bens adventícios.

adventismo. *m.* (rel.) adventismo.

adventista. *adj.* e *s.* adventista.

advento. *m.* (ant.) advento, chegada, vinda; período das quatro semanas anteriores ao Natal.

adventual. *adj.* pertencente ao advento.

adveración. *f.* (ant.) certificação, certificado, documento; afirmação; certeza.

adverar. *v. tr.* (ant.) certificar, atestar, dar como certa uma coisa por meio de instrumento público.

adverbial. *adj.* adverbial, relativo a advérbio: *forma adverbial*. adverbialidade.

adverbialidad. *f.* adverbialidade.

adverbializar. *v. tr.* (gram.) adverbiar, usar adverbialmente, empregar como advérbio.

adverbio. *m.* (gram.) advérbio.

adversar. *v. tr.* (ant.) adversar, contrariar, combater.

adversario, ria. *adj.* e *s.* adversário, contendedor, contrário, antagonista, êmulo, (Bras.) êmulo, competidor, concorrente, inimigo, rival; (for.) contraditor; (Bras.) desafeto.

adversativo, va. *adj.* adversativo, oposto; adverso, contrário; (gram.) adversativo, contrário: *conjunción adversativa*, conjunção adversativa.

adversidad. *f.* adversidade, desdita, desgraça, desventura, infelicidade; infortúnio, desgraça, macaca, contratempo, contrariedade, desfortuna, infelicidade.

adverso, sa. *adj.* adverso, contrário, desfavorável, oposto, desafeiçoado, infenso, antagónico, (Bras.) antagônico, funesto; (fig.) *ser adverso a*, dar de rosto; (poes.) fronteiro, virado para.

advertencia. *f.* advertência, admoestação, conselho; atenção; consideração, reflexão, reparo; aldravada, advertimento, aviso, exortação, consideração.

advertido, da. *adj.* e *p. p.* advertido, capaz; avisado, discreto, prudente, apercebido, repreendido; perito, experimentado, sabedor; inteligente.

advertimiento. *m.* advertimento. V. **advertencia.**

advertir. *v. tr.* advertir, chamar a atenção de; notar; atentar, reparar; fazer ver; aconselhar; correger, corrigir; indicar; parar mentes; dar acôrdo de; experimentar; exortar; admoestar, repreender levemente; acautelar. — *v. intr.* dar fé, reparar: *te advierto que*, dá-te por avisado. — *pres. ind. irreg.* **advierto, —es, —e, —em**; *pret.* **advirtió. —eron**; *subjun.* **advierta, —tas, —tan; advirtamos, —áis, adviertan**; *gerun.* **advirtiendo.**

adviento. *m.* advento.

advocación. *f.* advocação, invocação, título de uma igreja, imagem ou altar.

advocatorio, ria. *adj.* advocatório, avocatório, convocatório.

adyacencia. *f.* adjacência; vizinhança; contiguidade.

adyacente. *adj.* adjacente, convinzinho; contérmino; contíguo; avizinhado; acarvado; imediato, junto.

aechadero. *m.* V. **ahechadero.**

aechador, ra. V. **ahechador.**

aechadura. *f.* V. **ahechadura.**

aechar. *v. tr.* V. **ahechar.**

aecho. *m.* V. **ahecho.**

aedo. *m.* aedo, poeta, cantos entre os gregos antigos.

aellas. *f. pl.* (ger.) chaves.

aeración. *f.* (quím. e med.) ventilação; aeroterapia; aerização, aeração.

aeremia. *f.* (med.) aeremia.

aéreo, a. *adj.* aéreo; (fig.) fantástico; extramundano; alado; imaginário; vão, sem fundamento; atmosférico; fútil; distraído: *correo aéreo*, aeroposta; *via aérea*, via aérea.

aerícola. *adj.* (bot. e zool.) aerícola.

aerífero, ra. *adj.* aerífero, que leva o ar.

aerificación. *f.* (fís.) aerificação, aerização.

aerificar. *v. tr.* (fís. e quím.) aerificar, aerizar, fazer passar ao estado gasoso.

aeriforme. *adj.* (quím.) aeriforme, semelhante ao ar.

aerívoro, ra. *adj.* (zool.) aerívoro.

aeróbata. *adj.* aeróbata, nefelibata.

aerobio. *adj.* e *m.* aeróbio, que vive no ar.

aerobiología. *f.* (biol.) aerobiologia.

aerobiológico, ca. *adj.* (biol.) aerobiológico.

aerobiólogo, ga. *s.* (biol.) aerobiólogo, aerobiologista.

aerobiosis. *f.* aerobiose.

aerobus. *m.* aerobus, avião de passageiros.

aerocisto. *m.* (bot.) aerocisto.

aerocolia. *f.* (med.) aerocolia.

aerocorreo. *m.* aeroposta.

aerodinámica. *f.* (fís.) aerodinâmica.

aerodinamicidad. *f.* (mec.) aerodinamicidade.

aerodinámico, ca. *adj.* (fís. e quím.) aerodinâmico.

aerodino. *m.* aeródino, avião de asas rotativas.
aerodoncella. *f.* V. azafata.
aeródromo. *m.* (avi.) aeródromo, campo de aviação, aeroporto.
aerofagia. *f.* (med.) aerofagia.
aerófago, ga. *adj.* e *s.* aerófago.
aerófano, na. *adj.* aerófano, diáfano.
aerofísica. *f.* (meteor.) aerofísica.
aerofitas. *adj. pl.* (bot.) aerofitas.
aerófito. *m.* (bot.) aerófito.
aerofobia. *f.* aerofobia, horror ao ar.
aerófobo, ba. *adj.* e *s.* (med.) aerófobo.
aerófono, na. *adj.* e *m.* (acúst.) aerofone.
aeróforo, ra. *adj.* aeróforo.
aerofotografía. *f.* aerofotografia.
aerófugo, ga. *adj.* aerófugo, impermeável ao ar.
aerognosia. *f.* (fis.) aerognosia.
aerografía. *f.* aerografia.
aerográfico, ca. *adj.* aerográfico.
aerógrafo, fa. *s.* aerógrafo.
aerograma. *m.* aerograma.
aeroide. *adj.* aeróide.
aerolítico, ca. *adj.* aerolítico.
aerolito. *m.* (astr. e geol.) aerólito, bólide, meteorólito.
aerología. *f.* (fís. e meteor.) aerologia.
aerológico, ca. *adj.* (fís. e meteor.) aerológico.
aerólogo, ga. *s.* aerólogo.
aeromancia. *f.* aeromancia.
aeromántico, ca. *s.* aeromante. — *adj.* aeromântico.
aeromecánica. *f.* (fís.) aeromecânica. — *adj.* aeromecânico.
aerometría. *f.* (fís.) aerometria.
aerómetro. *m.* (fís.) aerómetro, (Bras.) aerômetro; densímetro.
aeromotor. *m.* aeromotor.
aeronauta. *m.* aeronauta, aerosteiro, aviador.
aeronáutica. *f.* (fís.) aeronáutica, aviação, aerostação.
aeronave. *f.* aeronave.
aeronavegación. *f.* (avi.) aeronavegação.
aeroneurosis. *f.* (pat.) aeroneurose.
aeropatía. *f.* (med.) aeropatia.
aeropista. *f.* aeródromo, aeroporto.
aeroplano. *m.* (avi.) avião, aeronave. V. avión.
aeroposta. *f.* (fís.) aeroposta; (avi.) aeroposta.
aeropostal. *adj.* aeropostal, relativo ao correio aéreo.
aeropuerto. *m.* aeroporto, aeródromo, campo de aviação.
aeroquímico, ca. *adj.* (quím. e avi.) aeroquímico: *ataque aeroquímico*, ataque aeroquímico.
aeroscopia. *f.* (fís.) aeroscopia.
aeroscopio. *m.* (fís.) aeroscópio.
aeróscopo. *m.* (fís.) aeroscópio.
aerosfera. *f.* (meteor.) aerosfera.
aerostación. *f.* (avi.) aerostação.
aerostática. *f.* (fís.) aerostática, aerostação.
aerostático, ca. *adj.* (fís.) aerostático.
aeróstato. *m.* aeróstato.

aerotecnia. *f.* aerotecnia.
aerotécnico, ca. *adj.* aerotécnico.
aeroterapéutica. *f.* (terap.) aeroterapêutica.
aeroterapia. *f.* (med.) aeroterapia, aeroterapêutica, baroterapia.
aerotermo, ma. *adj.* (fís.) aerotérmico, aerotermo. — *m.* aerotermo.
aerovía. *f.* (avi.) via aérea.
aerozoo, a. *adj.* (hist. nat.) aerozoário.
aeta. *adj.* e *m.* diz-se de certos indígenas
afabilidad. *f.* afabilidade, afeição, agrado, amabilidades, benevolência, benignidade, bondade, carinho, civilidade, complacência, cortesia, delicadeza, fineza, meiguice, polidez, ternura, urbanidade, apacibilidade, dulçor, atenção, familiaridade, agrado, cortesania, convivência.
afabilísmo, ma. *adj.* afabilíssimo.
afable. *adj.* afável, benévolo, cortês, delicado, amável, meigo, afe(c)tuoso, meiguiceiro, benigno, ameno, pacífico, efusivo, expressivo, expansivo, atencioso, bem acondicionado: *ser afable*, conviver; *volverse afable*, amenisar-se.
afabulación. *f.* moralidade de uma fábula.
afabulador, ra. *s.* fabulista.
afamado, da. *adj.* afamado, célebre, famoso, notável, insigne, famigerado; (Bras.) arado.
afamar. *v. tr.* afamar; dar fama ou renome, tornar célebre.
afán. *m.* afã, esfôrzo, ânsia, cuidado, trabalho, enfadamento, anelo, ambição, empenho, expe(c)tação, (fig.) atocho, (Bras.) atôcho.
afanado, da. *adj.* e *p. p.* afanado; afadigado; cansado.
afanador, ra. *adj.* e *s.* afanador, o que se afadiga muito, afanoso, trabalhoso, cheio de afã.
afanar. *v. intr.* afanar; trabalhar com excesso, trabalhar com afã; afadigar; buscar, adquirir com afã. — afanarse. *v. r.* afadigar-se, cançar-se muito; fatigar-se; (fam.) furtar; roubar; azafamar; atrafegar-se, aforçurar-se, desvelar-se.
afanípero, ra. *adj.* (zool.) diz-se dos insectos que não têm asas.
afanita. *f.* V. anfibolita.
afano. *m.* (vulg.) V. robo.
afanoso, sa. *adj.* afanoso, fatigante, laborioso, trabalhoso, cheio de afã, afadigador, afatigoso, canseiroso, penoso.
afantasmado, da. *adj.* (fam.) vaidoso, fátuo; parecido com o fantasma.
afarolamiento. *m.* (Amér.) irritação, ira, excitação; zanga.
afarolarse. *v. r.* (Amér.) irritar-se, encolerizar-se, exacerbarse-se, excitar-se.
afasia. *f.* (med.) afasia, alalia, afemia, anadia, assimbolia, assilabia.
afásico, ca. *adj.* (pat.) afásico.
afatagar. *v. tr.* (Amér.) V. atafagar.
afeable. *adj.* condenável, criticável, reprovável, censurável.
afeado, da. *adj.* e *p. p.* afeiado; difamado, enfeado; desfigurado.
afeador, ra. *adj.* e *s.* afeador, o que afeia.

afeamiento. *m.* afeamento; deturpação; fealdade; difamação, maledicência; censura, reprovação, reprimenda.

afear. *v. tr.* afear, tornar feio, exagerar a gravidade de, pôr feio; enfear; estranhar; desairar; desproporcionar; desengraçar; deturpar; censurar, reprovar; difamar, caluniar: *afear a alguien algo,* descoser as orelhas a alguém

afeblecerse. *v. r.* enfraquecer-se. — *pres. ind. irreg.* afeblezco; *subj.* afeblezca, etc.

afección. *f.* afe(c)ção, afeição, afecto, amizade, amor, apego, dedicação, inclinação, paixão, ternura: (pat.) *afección secundaria,* deuteropatia; (med.) afecção, enfermidade.

afeccionado, da. *adj.* e *p. p.* (gal.) amado, afeiçoado.

afeccionarse. *v. r.* (gal.) afeiçoar-se, tomar afeição.

afectable. *adj.* afectável, impressionável.

afectación. *f.* afe(c)tação, fingimento; presunção, vaidade; cuidado extremo; derrengo; desnaturalidade; aparência; melindre; melindrabilidade; apuro; inelegância; denguice, elegantismo: *afectación en el hablar,* ênfase; *afectación de la beata,* bioquice; *afectación de lechuguino,* dandismo; *afectación en las maneras o en el comportamiento,* derretimento, derretedura; *comportarse con afectación,* alfenicar-se; *con afectación,* abalizadamente.

afectado, da. *adj.* e *p. p.* afe(c)tado, que tem afectação; presumido; pretensioso; fingido; aparentado, dissimulado, simulado; dengue, dengoso; arrebicado; farfalhudo; franduro; empolado; delambido; inelegante, amaneirado; enfático; estudado; melindroso; alfenicado; ajanotado; ataroucado; desdenhoso; estirado; (med.) enfermo; (Bras.) enfêrmo, afe(c)to: *modos afectados,* ademanes biocos; *hacer ademanes afectados,* macaquear; *gestos afectados,* mecaquices; *ser afectado,* afectar; *hacerse afectado,* alfeninar-se; *hombre afectado,* homem feito de alfenim; *estilo afectado,* estilo ambicioso; *individuo ridículo y afectado,* délico-doce; *delicadeza afectada,* dengue.

afectador, ra. *adj.* e *s.* afectador, o que afecta, afectante.

afectar. *v. tr.* afe(c)tar, aparentar, contrafazer, disfarçar, dissimular, fingir, simular; destinar a; aplicar a; unir, anexar, atingir; imitar; desejar; arrogar-se alguma qualidade; pôr gravame; impressionar. — afectarse. *v. r.* afectar-se; delamber-se; alambicar-se; abemolar-se; comover-se; impressionar-se; carecer de naturalidade: *afectar pobreza,* chorar; *afectar emoción,* causar abalo.

afectividad. *f.* afectividade; emotividade, afectuosidade.

afectivo, va. *adj.* afectivo, afectoso, que mostra afecto, sensível.

afecto, ta. *adj.* afe(c)to, afeiçoado; propenso; dedicado a, aplicado a; incumbido; pendente ou dependente de resolução supe-

rior; sujeito; devoto, devotado, amigo, afeito; adicto; inclinado. — *m.* afecto; paixão do ânimo; fraternidade, efusão; dedicação; inclinação; bemquerença, benevolência; meiguice; afeição, amizade; amor, apego, ternura; entranhas, cordialidade, devoção, estima; coração; carinho. — *pl.* coisas: *suscitar afectos,* causar abalo; *testimonio de afecto,* demonstração de amizade; *sin afecto,* desapegadamente; *perder el afecto,* desapegar-se; *tener afecto,* bem-querer; *tener mucho afecto a alguien,* ter muito apego a alguém; *inspirar afecto,* afeiçoar; *tomar afecto a,* afeiçoar-se.

afectuosidad. *f.* afe(c)tuosidade, afe(c)tividade, carinho, amor.

afectuoso, sa. *adj.* afe(c)tuoso, carinhoso, amoroso, cordial, afável; insinuante; delicado; meigo; extremoso, entranhável; amigável; meiguiceiro; dedicado; efusivo, expressivo; fraterno, fraternal.

afeitado. *m.* barbeadura; (fam.) desbarbamento; barbeação. — *adj.* e *p. p.* barbeado; enfeitado, arreiado.

afeitador. *m.* barbeiro; enfeitador.

afeitar. *v. tr.* barbear, fazer a barba; tosquiar as crinas das cavalgaduras; tosquiar as plantas; enfeitar, ornar, adornar, aformosear, arreiar, açacalar; (fam.) desbarbar; arrebicar; ataviar. — afeitarse. *v. r.* barbear-se; arrebicar-se: *afeitar a alguien,* fazer a barba a alguém; *afeitar toda la cabeza,* decalvar; *navaja de afeitar,* navalha de barba.

afeite. *m.* enfeite, compostura, ornato; cosmético; (pop.) afeite; (fig.) cor que as mulheres põem no rosto; enfeitamento; adereço, açacaladura; arrebique, arreio; fuco; atavio. — *pl.* galas, louçainha: *componer con afeites,* emplastrar; *dar afeites,* aparatar, aparelhar; *poner afeites,* enfeitar

afeligranar. *v. tr.* (Amér.) V. afiligranar.

afelio. *m.* (astr.) afélio.

afelpar. *v. tr.* aveludar, dar aparência de veludo; (mar.) rechear.

afeminación. *f.* afeminação; efeminação; pusilanimidade; moleza, blandura, molícia.

afeminado, da. *adj.* e *p. p.* efeminado, afeminado; debilitado; assenhorado; enervado; almiscarado; alfenado; alfeninado; adamado; amolecido; mimoso; inerve; amaricado; delicado, dengue; fraldiqueiro: *persona afeminada,* mãe; *maneras afeminadas,* dandismo.

afeminamiento. *m.* afeminamento, efeminamento, efeminação. V. afeminación.

afeminar. *v. tr.* efeminar, afeminar; debilitar, enfraquecer, enervar. — afeminarse. *v. r.* efeminar-se; afeminar-se; enervar-se; acobardar-se; adamar-se; amolecer; amaricar-se.

aferente. *adj.* aferente, que conduz, que leva.

aféresis. *f.* (gram.) aférese.

aferición. *f.* (ant.) aferição.

aferidor, ra. *s.* aferidor, o que afere.

aferir. *v. tr.* (ant.) aferir; conferir; cotejar, comparar.

aferrado, da. *adj.* e *p. p.* aferrado, obstinado, teimoso, birrento, cabeçudo, caprichoso, constante, contumaz, embirrante, emperrado, firme, insistente, opiniático, perseverante, persistente, pertinaz, porfiado, relutante, tenaz; abarroado: *aferrado a su opinión*, amarrado à sua opinião.

aferrador, ra. *s.* agarrador. — *m.* (fam.) esbirro, archeiro.

aferramiento. *m.* aferramento; apego, (Bras.) apêgo; encarniçamento, aferro; obstinação; teimosia, contumácia; (mar.) aferramento das velas.

aferrar. *v. tr.* aferrar, agarrar com força; prender com ferro; segurar; (mar.) ferrar as velas ou as bandeiras; segurar o navio com ferros ou âncoras. — **aferrarse.** *v. r.* insistir, teimar, obstinar-se; (fig.) encegueirar; afincar-se; agarrar-se; *aferrarse a una opinión*, aferrar-se a uma opinião; *aferrarse a una idea*, amarrar-se a uma idéia; *aferrarse a una idea sin atender a razones*, encasquetar-se; (mar.) *aferrar las velas*, ferrar as velas, desvelejar.

afervorar. *v. tr.* afervorar. — **afervorarse.** *v. r.* afervorar-se, aferventar-se. V. **afervorizar.**

afervorizar. *v. tr.* aferventar, pôr em fervura; comunicar fervor, ardor a; estimular; afervorizar.

afestonar. *v. tr.* enfestar; recortar; bordar com recorte.

Afganistán. *m.* (geog.) Afeganistão.

afgano, na. *adj.* e *s.* (geog.) afegã, afegano, afegânico.

afianzado, da. *adj.* e *p. p.* afiançado; abonado; consolidado, que pagou fiança; garantido; asseverado.

afianzador, ra. *adj.* e *s.* afiançador, o que afiança; fiador; (mec.) peça que une o carril ao prato em certos trens.

afianzamiento. *m.* fiança; abonação; consolidação; abonamento; (fig.) amarra; segurança, seguridade.

afianzar. *v. tr.* afiançar; abonar; aficionar; garantir; segurar, esteiar; ser fiador de; responsabilizar-se por; afirmar, asseverar, assegurar.

afición. *f.* afeição; inclinação; afecto, amizade, apego, dedicação; simpatia, devoção; aferramento; estima; desprendimento; propensão, tendência, afã; afinco, esforço, empenho, eficácia; gosto, desejo, apreço, estimação: *tomar afición a*, afeiçoar-se a; *perder la afición a*, desbabar-se, desinteressar-se.

aficionado, da. *p. p.* e *s.* afeiçoado; entregue; amigo; amador, amante; inclinado; enamorado.

aficionador, ra. *adj.* que se afeiçoa, afeiçoador.

aficionar. *v. tr.* causar afeição, afeiçoar; enamorar, tomar afeição a; inclinar. — **aficionarse.** *v. r.* apegar-se, apaixonar-se, afeiçoar-se, encarrapichar-se, encapri-

char-se: *aficionarse locamente a alguien*, embeiçar-se com alguém.

afielar. *v. tr.* V. **enfielar.**

afijación. *f.* (gram.) afixação.

afijo. *m.* (gram.) afixo; infixo.

afilado, da. *adj.* e *p. p.* afiado, amolado; abuçado, bicudo, agudo. — *m.* aguçadura, aguçamento.

afilador, ra. *s.* afiador, amolador, aguçador, afilador.

afilar. *v. tr.* afiar, amolar; adelgaçar; desembotar; afusar; aguçar; acuminar; dar fio a; tornar cortante. — **afilarse.** *v. r.* afiar-se, aguçar-se; apurar-se (os dentes): *afilar la lengua*, aguçar a língua; *afilar armas o herramientas*, amolar; *piedra de afilar*, aguçadeira.

afiliación. *f.* agregação a uma corporação; afiliação; perfilhação; adopção; ingresso; adoptação: *que carece de afilición política*, incolor.

afiliado, da. *adj. p. p.* e *s.* afiliado; adoptado; membro: *estar afiliado a un partido*, militar; *afiliado a la Juventud Portuguesa*, lusito.

afiliar. *v. tr.* afiliar; perfilhar; ado(p)tar; juntar; filiar; ingressar, agregar a uma corporação ou sociedade, associar. — **afiliarse.** *v. r.* afiliar-se.

afiligranado, da. *adj.* e *p. p.* filigranado, afiligranado; (fig.) fino, delicado.

afiligranar. *v. tr.* trabalhar em filigrana; embelezar, lustrar, polir.

áfilo, la. *adj.* (bot.) afilo; sem folhas.

afilón. *m.* afiador, pedaço de aço para afiar.

afilosofado, da. que vive ou pensa como filósofo; que faz vida solitária.

afillar. *v. tr.* V. **prohijar.**

afín. *adj.* afim; parente por afinidade; igual, semelhante. — *s.* parente por afinidade.

afinable. *adj.* que se pode afinar ou temperar; apurável.

afinación. *f.* afinação, acto de afinar; perfeição; afinamento; afinação de metais; (mús.) afinamento, harmonia; apuramento; purificação.

afinado, da. *adj.* e *p. p.* afinado; fino, acabado com delicadeza; bem acabado, aperfeiçoado; (mús.) afinado, ajustado, temperado; concorde; que está no devido tom.

afinador, ra. *adj.* e *s.* afinador, o que afina; afinador, chave para afinar instrumentos de música.

afinar. *v. tr.* aperfeiçoar; apurar; educar; purificar; polir; refinar; desbastar; afinar; purificar, depurar (um metal); tornar fino; temperar, harmonizar, pôr no devido tom. — **afinarse.** *v. r.* polir-se; refinar-se.

afincamiento. *m.* afincamento, afinco; aferro; pertinácia; (ant.) vexação; violência; aflição, ansiedade, angústia.

afincar. *v. intr.* comprar propriedades; afincar, insistir, perseverar, aferrar-se. — **afincarse.** *v. r.* afincar-se, aferrar-se, persistir, perseverar.

afinco. m. afinco; aferro, pertinácia.

afine. adj. V. afín.

afinidad. f. afinidade; analogia, conformidade, atracção molecular; (bot. e zool.) afinidade, relações orgânicas; afinidade, parentesco: por afinidad, por afinidade, por matrimônio.

afino. m. (quim.) força de união dos átomos; purificação de metais.

afirmación. f. afirmação, asseguração, asseveração; certificação; confirmação; consentimento; afirmativa, afirmamento; asserção; declaração, assertor; ámen, (Bras.) âmen: afirmación contraria a la verdad, contraverdade.

afirmado, da. adj. e p. p. afirmado; consolidado; assegurado. — m. pavimento; capa de seixos que serve para consolidar o leito duma estrada.

afirmador, ra. adj. e s. afirmador; asseverador, assertor.

afirmante. p. a. afirmante.

afirmar. v. tr. afirmar, assegurar, asseverar, atestar, certificar, garantir, segurar; afirmar, firmar, segurar, tornar firme; insistir, persistir; assinar; asserir, corroborar, evidenciar; fundamentar; consignar; defender; aceitar; apostar; assentar; declarar; cimentar; chavetar. — afirmarse. v. r. afirmar-se, firmar-se; inculcar-se; descansar; ancorar-se: afirmarse en la defensa de algo, entrincheirar-se; (esgr.) pôr-se em guarda.

afirmativa. f. afirmativa, declaração, afirmação.

afirmativo, va. adj. afirmativo, asseverativo, assertivo, assertório; asseverante.

afistular. v. tr. (med.) afistular. — afistularse. v. r. afistular-se, tornar-se fistulosa uma ferida.

aflaquecerse. v. r. enfraquecer-se; emagrecer.

aflato. m. aflato, sopro, bafejo, hálito.

aflautado, da, adj. aflautado; frauteado (diz-se da voz).

aflautar. v. tr. V. atiplar; aflautar.

aflechada. f. (bot.) sagitária.

aflechado, da. adj. que tem forma de frecha ou seta; (bot.) sagital.

aflicción. f. aflição; agonia; pena, sentimento, entristecimento, amargura, angústia, ansiedade, consternação, desgosto, dor, incómodo, inquietação, mágoa, opressão, padecimento, pena, pesar, sofrimento; suplício, tormento; tortura, trabalhos, transe, tribulação, tristeza, consolação, consumição, enturbação, atribulação, luto, atormentação, desolação, agrura, apoquentação, amargura, inconsolabilidade, apuro, anseio, ânsia, afogo, (Bras.) afôgo, melancolia, apertado, contristação, afligimento.

aflictivo, va. adj. aflitivo, aflito, atribulador, atribulativo, amargoso, amargo, excruciante, magoativo, afligente.

afligible. adj. que aflige, que causa aflição.

afligido, da. adj. e p. p. afligido; aflito, apoquentado, atribulado, atormentado, amargurado, aperreado, merencório, mesto,

agoniado, ancioso, amofinado, melancolico, apesarado, magoado, alanceado, cortado: estar afligido, embruscar-se.

afligimiento. m. afligimento, aflição. V. aflicción.

afligir. v. tr. afligir, atormentar, inquietar, agoniar, angustiar; assolar, desolar, devastar, causar aflição; contestar; desgastar, angustiar, amargurar, sofrer; supliciar, torturar, tribular; consternar; devorar; contristar; afleumar; entristecer; quentar; alancear; dardar; magoar; apesarar; apertar; apeçonhar; melancolizar, anciar; agastar; aqueixar, acabrunhar; agoniar; incomodar; amargar; atarracar; atenazar; atormentar; atribular. — afligirse. v. r. afligir-se, atribular-se, atristar-se, atormentar-se. amargurar-se, amargar-se; incomodar-se; agoniar-se; afreimar-se; agastar-se; angustiar-se; apoquentar-se; apaixonar-se; chorar-se; afadigar-se: afligir a una persona, alanhar alguém; afligir el corazón, cortar o coração; afligir en gran medida, (fig.) apunhalar; la noticia lo afligió, a notícia apertou-lhe o coração.

aflogístico, ca. adj. (quim e med.) aflogístico, que arde sem chama.

aflojado, da. adj. e p. p. afrouxado; desatado; relaxado.

aflojamiento. m. afrouxamento; desaperto, (Bras.) desapêrto, afroixamento; diminuição, relaxação, relaxamento; abrandamento.

aflojar. v. tr. afrouxar, alargar, retardar, moderar, relaxar; diminuir; afroixar, froixar; (fig.) entibiar; fraquear; desapertar; diminuir o movimento de; (fig.) enfraquecer, reduzir; desarrochar; desatacar; afracar; deslassar; desengonçar; desengravecer; desencravilhar; desencorrear; aluxar; arrear. — aflojarse. v. r. afrouxar-se; esvaecer-se; alargar-se: aflojar un nudo, desnodoar; aflojarse la ropa por la cintura, desbarrigar; aflojar el cinturón, afroixar o cinturão; aflojar el paso, afroixar o passo.

aflorado, da. adj. e p. p. aflorado; floreado; emerso à superfície.

afloramiento. m. afloramento; afloração; nivelamento; emergência de um filão à superfície da terra.

aflorar. v. intr. aflorar; roçar; nivelar uma superfície; emergir à superfície. — v. tr. nivelar; peneirar farinha.

afluencia. f. facúndia, abundância, cópia, afluência, corrente abundante; grande concorrência de pessoas ou coisas; acolhida; influxo: afluencia de gente, enchente.

afluente. adj. e p. a. afluente; facundo, abundante em palavras; que corre. — m. afluente de um rio.

afluir. v. tr. e intr. afluir; correr, convergir; (fig.) concorrer; derivar; abundar.

aflujo. m. (med.) afluxo; fluxo, abundante de humores.

afofar. v. tr. afofar, tornar fofo, mole. — afofarse. v. r. amolecer-se, tornar-se fofo.

afogarar. v. tr. V. asurar.

afollado, da. p. p. e m. soprado com fole; tecto de carruagem; fole, ruga, dobra, prega, franzido.

afollar. v. tr. soprar com fole; assoprar; dobrar à maneira de fole; (ant.) maltratar; (fig. ant.) corromper, estragar, viciar; (arq.) construir contra as regras da arte. — afollarse. v. tr. tornar-se oco um muro.

afondar. v. tr. afundar, deitar ao fundo, afundir, meter no fundo, escavar, aprofundar, sumergir. — v. intr. ir ao fundo, sumergir-se.

afonía. f. (med.) afonia; apsitiria.

afónico, ca. adj. (med.) afónico, (Bras.) afônico; áfono.

áfono, na. adj. (med.) áfono, afónico.

aforador. m. aforador, o que afora ou dá alguma coisa de aforamento; avaliador; alvidrador.

aforamiento. m. aforamento, aforação; emprazamento, enfiteuse.

aforar. v. tr. aforar, avaliar; aferir; (ant.) conceder foros a uma cidade, província, etcétera; conceder privilégio a; autorizar, abonar; dar por meio de foro; ocultar ou encobrir a vista do cenário ao auditório. — pres. ind. afuero, -as, -a, -an; subj. afuere, -es, -e, -en.

aforia. f. aforia, esterilidade.

aforisma. f. (vet.) aforisma, aneurisma nos animais.

aforismo. m. (filos.) aforismo, máxima, sentença.

aforista. s. aforista, aquêle que faz aforismos.

aforístico, ca. adj. aforístico, que encerra aforismo.

aforo. m. aforamento, avaliação, aforação, medida; capacidade.

aforrar. v. tr. aforrar, forrar, alforriar; chumaçar; pôr forro em, cobrir de papel, estofo, lâminas de madeira ou metal; reforçar com entretela; alforriar, dar a liberdade a um escravo; (ant.) poupar, economizar; (mar.) cobrir um cabo grosso com outro fino; (fig., fam.) comer e beber bem. — aforrarse. v. r. pôr-se muita roupa.

afortunado, da. adj. e p. p. afortunado, bem-aventurado, ditoso, feliz, venturoso, favorecido pela fortuna; faustoso, fortunado, fortunoso, boiante, aditado, bem-andante, bem-ditoso: hombre afortunado, homem de boa estreia.

afortunar. v. tr. afortunar, dar fortuna a; fazer feliz, tornar feliz.

aforzarse. v. r. esforçar-se. V. esforzarse.

afosarse. v. r. (mil.) defender-se fazendo algum fosso.

afoscarse. v. r. (mar.) carregar-se a atmosfera de vapores que tornam confusa a visão dos objectos; tornar-se fosco ou carrancudo.

afraidado, da. adj. e p. p. fradesco; parecido com o frade, próprio de frade; (impr.) màmente impresso.

afrailamiento. m. (agr.) decote, descabeçamento de árvores.

afrailar. v. tr. (gar.) decotar, descabeçar, cortar os ramos supéfluos às árvores.

afrancesado, da. adj. e p. p. afrancesado, que tem modos, aspecto ou feitio de francês: persona afrancesada, francisista.

afrancesamiento. m. adopção de modos, aspectos, ou feitios, franceses, afrancesamento.

afrancesar. v. tr. afrancesar, tornar semelhante a francês; dar modos de francês a.

afranelado, da. adj. semelhante à flanela.

afrecho. f. farelo.

afrenillar. v. tr. (mar.) atar os remos com estropo.

afrenta. f. afronta, agravo, injúria, insulto, ofensa, ultraje, vexame, desonra, impropério, empulhação; derriça, indignidade, vergonha, infamação, infâmia, afrontamento, desfeita, aviltamento, avania enxovalhamento, enxovalho, desprezo, estigma, contumelia, convício, labéu: castigar una afrenta, desafrontar-se.

afrentado, da. adj. e p. p. afrontado, agravado, injuriado, insultado, ofendido, ultrajado, vexado, desonrado, desprezado.

afrentador, ra. adj. e s. afrontador, infamador, desfeitador, injuriador.

afrentamiento. m. afrontamento. V. afrenta.

afrentar. v. tr. afrontar, agravar, injuriar, insultar, ofender, ultrajar, vexar, desonrar, desprezar, infamar, improperar, empulhar, aviltar, desfeitear, enxovalhar, estigmatizar. — afrentarse. v. r. afrontar-se, envergonhar-se.

afrentoso, sa. adj. afrontoso, contumelioso, desonroso, ignominioso, vergonhoso, denigrativo, infamante, aviltante, convicioso, incomodativo, injurioso.

afretado, da. adj. diz-se dos galões de ouro ou de prata que imitam o que os espanhois chamam fres.

afretar. v. tr. (mar.) limpar os fundos dos barcos com o lambaz.

África. f. (geog.) África.

africado, da. adj. (fonét.) fricativo.

africanismo. m. africanismo.

africanista. s. africanista, pessoa dada ao estudo das coisas de África.

africano, na. adj. e s. (geog.) africano, relativo à África; natural de África; áfrico, afro.

áfrico. m. (geog.) áfrico; vento sudoeste.

afrijolar. v. tr. (Amér.) matar com arma de fogo; dar um tiro a alguém.

afrisonado, da. adj. semelhante ao cavalo frisão.

afro, fra. adj. (geog.) afro, africano, áfrico.

afrobrasileño, na. adj. (geog.) afro-brasileiro.

afrocubano, na. adj. (geog.) afro-cubano.

afrodisia. f. (pat.) afrodisia, exagero mórbido dos desejos sexuais.

afrodísias. f. pl. afrodísias, festas gregas em honra de Vénus ou Afrodite.

Afrodita. *f.* (mit.) Afrodite, Vénus.

afronitro. *m.* afrónitro.

afrontado, da. *adj.* e *p. p.* (heral.) aplíca-se duz sem acto externo de generação.

afrontamiento. *m.* afrontamento; encaramento, enfrentamento.

afrontar. *v. tr.* afrontar, arrostar, encarar, enfrentar; confrontar; acarear; (ant.) desprezar, injuriar, ultrajar; comparar; (ant.) lançar em rosto, argir.

afrontilar. *v. tr.* (Amér.) atar animais bovinos para doma-los ou mata-los.

afta. *f.* (med.) afta.

aftoso, sa. *adj.* (med.) aftoso: *fiebre aftosa*, febre aftosa.

afuera. *adv.* fora; por fora. — *f. pl.* arredores; exterior: *por la parte de afuera*, por fora; *dejar afuera*, deitar fora; *¡afuera!*, arreda!; saia para fora!

afuetear. *v. tr.* (Amér.) açoutar, fustigar

afufa. *f.* (fam.) fuga, fugida; escapatória.

afufar. *v. intr.* e *r.* (fam.) fugir, escapar.

afufón. *m.* (fam.) efúgio, fugida, escapatória.

afusilamiento. *m.* (pop.) V. **fusilamiento.**

afusilar. *v. tr.* (pop.) V. **fusilar.**

afusión. *f.* (med.) afusão; aspersão, banho.

afusionar. *v. tr.* afusionar; deitar água de repente.

afuste. *m.* (artilh.) carreta, (Bras.) carrêta; reparo: *montar un afuste de cañón*, engradar, gradear.

afutrarse. *v. r.* (Amér.) enfeitar-se com esmero, adornar-se excessivamente.

afuyentar. *v. tr.* afugentar. V. **ahuyentar.**

agá. *m.* agá, dignidade entre os turcos.

agabachar. *v. tr.* (fam.) afrancesar, imitar os gabáceos os seus costumes, liguagem, etcétera.

agacé. *adj.* e *s.* índio paraguayo; agacé, pertencente aos índios agacés.

agachada. *f.* (fam.) ardil, treta, armadilha, artifício, astúcia, cilada, emboscada, estratagema, logro; acção de agachar ou inclinar para terra.

agachado, da. *adj.* e *p. p.* agachado; escondido, ocultado; cocarinhas; alapado, acaçapado; (Bras.) abaixado. — *adv.* de cócoras: *andar agachado*, andar a cócoras.

agachaparse. *v. r.* V. **agazaparse.**

agachar. *v. tr.* (fam.) agachar; esconder, ocultar, encobrir; recolher; alapar. — **agacharse.** *v. r.* agachar-se, abaixar-se, encolher-se para se esconder; acaçapar-se, enconchar-se. entoar-se, alapadar-se, alapar-se; acocorar-se: *agacharse en el juego de pídola*, amochar; *agachar las orejas*, agachar-se diante de alguém, humilhar-se.

agalbanado, da. *adj.* preguiçoso, indolente, vago, vadio.

agalactia. *f.* (med.) agalactia, agalactação.

agalerar. *v. tr.* (mar.) dar aos toldos inclinação conveniente para que despegem a água da chuva.

agalgado, da. *adj.* agalgado.

agalibar. *v. tr.* (mar.) esquadriar.

agalla. *f.* (bot.) galha; (zool.) brânquias,

guelras, galha; (vet.) mormo. — *pl.* (fam.) coragem, valor: *tener agallas*, ter coragem.

agallado, da. *adj.* metido em tinta de galhas; (Amér.) V. **garboso.**

agalladura. *f.* V. **galladura.**

agallato. *m.* (quim.) sal resultante da combinação do ácido gálico com uma base.

agallico. *adj.* (quim.) gálico.

agallón. *m.* *aum.* de *agalla*; conta de prata oca; conta grande de madeira que se punha nos rosários.

agallonado, da. *adj.* (arq.) com adornos de cornija em forma de meios ovos; óvulos.

agalloso, sa. *adj.* estéril.

agalludo, da. *adj.* (Amér.) cobiçoso; astuto, taimado, velhaco, matreiro, malicioso.

agamitar. *v. tr.* imitar a voz do gamo.

agamuzado, da. *adj.* e *p. p.* acamurçado, de côr de camurça, preparado como camurça.

agamuzar. *v. tr.* acamurçar, preparar como camurça.

agangrenarse. *v. r.* gangrenar-se.

ágape. *m.* ágape, banquete, bródio, comezaina, festim, jantar, pândega, patuscada, regabofe, refeição, convite.

agapetas. *f. pl.* agapetas, virgens ou viúvas que, nos primeiros tempos do Cristianismo faziam vida comum.

agarbado, da. *adj.* V. **garboso.**

agarbanzado, da. *adj.* e *p. p.* dar cor de gravanço.

agarbanzar. *v. intr.* deitar botões as árvores; brotar; rebentar.

agarbar. *v. tr.* esconder, agachar. — **agarbarse.** *v. r.* esconder-se, agachar-se.

agarbillar. *v. tr.* (agr.) formar feixes de ervas para penso do gado.

agardamarse. *v. r.* roer-se a madeira.

agareno, na. *adj.* agareno; descendente de Agar. — *s.* agareno.

agaricina. *f.* (quim.) princípio activo do agárico.

agárico. *m.* (bot.) agárico, espécie de cogumelo dos troncos das árvores velhas.

agarrada. *f.* (fam.) altercação, disputa, discussão, polémica, rixa, briga, pendência.

agarradera. *f.* cabo, punho, maniota; braçadeira; manilha. — *pl.* (fam.) poder, autoridade; valimento, protecção, amparo.

agarradero. *m.* pegadeira; asa ou cabo de qualquer coisa; (mar.) ancoradouro; (fam.) protecção, valimento.

agarrado, da. *adj.* e *p. p.* agarrado, avarento, avaro, cauila, cauira, forreta, mesquinho, poupado, somítico, sovina, tacanho, casca, cigano, miserável, estítico, forragaitas; afarrado; aferrado; apanhado, apertado; milhafre; empolgado: *este arroz está agarrado*, este arroz tem bispo; *ser muy agarrado*, ser apertado de mãos; *volverse agarrado*, assovinar-se; *agarrado con un gancho*, enganchado; *tragar algo que se tenía agarrado a la garganta*, engasgar-se.

agarrador, ra. *adj.* e *m.* agarrador, o que agarra; (fam.) alguazil, aguazil; almofadinha para apanhar o ferro de engomar; pega.

agarrafar. *v. tr.* (fam.) pegar; agarrar; apertar, prender com força, apanhar.

agarrama. *f.* V. **garrama.**

agarrar. *v. tr.* agarrar; segurar; apanhar, asir; apegar; apreender; empolgar; agafanhar, agadanhar; apezunhar, arrefanhar, farar; colher, (Bras.) colhêr, aferrar; prender; segurar com garra; (fam.) obter; (Bras.) abojar. — **agarrarse,** *v. r.* agarrar-se; aferrar-se; asir-se; *agarrarse a un clavo ardiendo,* agarrar-se a un cabelo; *agarrarse al cuello de alguien,* engalfinhar-se a alguém, empinhocar-se; *agarrar con las manos a alguien,* lançar a alguém os gadanhos; *agarrar con un gancho,* enganchar; *enganchar con un gancho vagones,* etc., engatar; *agarrar por el cuello de la chaqueta,* agazular; (fig.) *dejarse agarrar,* enviscar-se.

agarro. *m.* agarradão, agarração; apanhação, apanha, apanhamento.

agarrochador. *m.* o que agarrocha, agarrochador; (taur.) agarrochador, o que pica com garrocha.

agarrochar. *v. tr.* agarrochar; (taur.) agarrochar, ferir com garrocha; (mar.) brazear as vergas, por sotavento, voltar para sotavento.

agarrotado, da. *adj.* teso, rígido, tenso, rijo, esticado.

agarrotar. *v. tr.* apertar com arrocho; garrotar; arrochar, atar apertando com arrocho; comprimir fortemente. — **agarrotarse.** *v. r.* pôr-se tesos ou rígidos os membros do corpo.

agasajar. *v. tr.* agasalhar, dar agasalho a; recolher em casa, hospedar, abrigar, alojar; tratar com carinho; presentear; aquecer; homenagear; mimosear; afagar, aconchegar; acolher com benignidade; aninhar.

agasajo. *m.* agasalho; hospedagem; bom acolhimento; abrigo; tratamento carinhoso; presente; mimo; refresco; prote(c)ção; acolhimento; aconchego; afago.

agastria. *f.* (zool.) agastria.

agástrico, ca. *adj.* (zool.) agástrico, diz-se dos animais que não têm indícios de canal intestinal.

ágata. *f.* (min.) ágata: *ágata roja,* cornalina; *bruñidor de ágata,* dente de lobo.

agatizarse. *v. r.* agatificar-se, tornar-se em ágata; ficar o pintado por efeito do tempo muito liso e brilhante. — **agatizar.** *v. r.* agatificar.

agauchado, da. *adj.* (Amér.) agauchado, semelhante ao gaúcho.

agaucharse. *v. r.* (Amér.) agauchar-se, tomar hábitos de gaúcho.

agavillado, da. *adj.* diz-se das pessoas da ladroagem. — *p. p.* enfeixado.

agavillador. *m.* (agr.) enfeixador, que faz feixes ou molhes. engabelador.

agavilladora. *f.* (agr.) máquina enfeixadora, enfeixadora.

agavillamiento. *m.* (agr.) enfeixamento.

agavillar. *v. tr.* (agr.) enfeixar, fazer feixes ou molhes; agavelar, engave ar. — **agavillarse.** *v. r.* arrebanhar-se; (vulg.) furtar em quadrilha.

agazapada. *f.* (cac.) coelheira, toca de coelhos.

agazapar. *v. tr.* (fig., fam.) esconder; prender; assolapar. — **agazaparse.** *v. r.* encorvar-se; acachapar-se; alapadar-se; acaçapar-se, esconder-se.

agencia. *f.* agência; actividade, diligência; administração, indústria; retribuição do agente; funções de agente; estabelecimento onde se tratam negócios por conta alheia: *agencia de prensa,* agência de jornais.

agenciador, ra. *s.* agenciador, o que agência. — *adj.* agenciador, activo, laborioso, videiro.

agenciar. *v. tr.* agenciar, negociar, promover o andamento de um negócio; tratar de negócios; diligenciar; solicitar; administrar; granjear; conseguir, obter; tratar de um negócio alheio; procurar com actividade.

agenda. *f.* agenda; carteira, tabuleta ou quadro em que se nota o que se tem de fazer; livro de lembranças; ementa; apontamento; ementário.

agenesia. *f.* (med.) agenesia, impossibilidade de gerar; impotência; esterilidade.

agenésico, ca. *adj.* (med.) agenésico, relativo a agenesia.

agenosoma. *m.* (terat.) agenosoma.

agente. *m.* agente; procurador; autor; causa; fa(c)tor; alma; (mec.) instrumento, máquina: *agente de seguros,* corretor de seguros; *agente secreto,* detective, agente echadiço; *agente de negocios,* agente comissário; *agente diplomático,* encarregado de negócios; *agente comercial,* corretor; *agente de cambio y bolsa,* agente de câmbios, corretor de câmbios; *agente de aduanas,* corretor de alfândega; *practicar como agente,* agir. — *adj.* agente, que opera, que agenceia.

agerasia. *f.* (fisiol.) agerasia; velhice robusta.

agerásico, ca. *adj.* (fisiol.) agerásico.

agérato. *m.* (bot.) agérato, eupatório.

agermanarse. *v. r.* irmanar, agermanar-se, tornar-se irmão, igual; agermanar.

agestado, da. *adj.* encarado (bem ou mal).

agestarse. *v. r.* fazer determinado gesto.

agestión. *f.* agregação da matéria.

ageustia. *f.* (med.) ageustia, falta de paladar, diminuição do sentido de gosto.

agibílibus. *m.* (fam.) habilidade, destreza; astúcia; indústria.

agible. *adj.* factível. V. **hacedero.**

agigantado, da. *adj.* e *p. p.* agigantado; que tem aspecto de gigante; muito encorpado; descomunal; hercúleo, grande, colossal; *a pasos agigantados,* a passos agigantados.

agigantar. *v. tr.* (fig.) agigantar, tornar gigante; engrandecer; avolumar; exagerar. — **agigantarse.** *v. r.* agigantar-se.

ágil. adj. ágil, destro, expedito, lépido, lesto, ligeiro, leve, azado, estrenuo, (Bras.) estrênuo, gajeiro, desembaraçado, vivo, presto.

agileza. f. (prov.) V. **agilidad.**

agilibus. m. (fam.) V. **agibílibus.**

agilidad. f. agilidade, presteza, desembaraço, ligeireza, vivacidade, desempeno, destreza.

agilimógili. m. habilidade, astúcia. V. **agibílibus.**

agilitar. v. tr. agilitar, fazer ágil, alestar, facilitar.

aginar. v. intr. (fam.) afanar-se.

aginia. f. aginia, carência de mulher; aversão à mulher; (bot.) aginia.

agino. m. (fam.) afã, esfôrço.

agino, na. adj. (bot.) ágino, sem pistilo.

agio. m. (com.) ágio: usura, especulação e jogo de fundos públicos; benefício de câmbio.

agiotador. m. V. **agiotista.**

agiotaje. m. ágio, agiotagem, usura, especulação exagerada.

agiotar. v. intr. agiotar, exercer agiotagem.

agiotista. m. agiota; usurário; homem interesseiro.

agir. v. tr. (ant. for.) demandar um juízo; intentar uma acção.

agitable. adj. agitável, que se pode agitar.

agitación. f. agitação; perturbação; movimento intenso e irregular; agitamento; alvoroço, (Bras.) alvorôço; desassossego, (Bras.) desassossêgo; motim; debate, discussão; inquietação; febre; exaltação; alvoroçamento; meneamento; deturpação, conturbação; estremunhamento; excitação, enfervescência; abanão, abanadura; abanação; desinquietação; animação; estremeção; emoção; alteração: agitación popular, ebulição popular; agitación política, convulsão política; agitación de las olas del mar, embalo.

agitado, da. adj. e p. p. agitado; abalado, mexido, ansioso, efervescente; frenético; conturbado; convulso; chocalhado; despicado; desinquieto; debatido; estuante; alterado; (poes.) belicoso: mar agitado, mar encapelado ou encrespado; madria.

agitador, ra. adj. e s. agitador; mexedor, promovedor de desordens; provocatório, provocador, provocante, sublevador, amotinador; (quim.) vareta para agitar líquidos.

agitar. v. tr. agitar, aventar, controverter, debater, discutir, tratar, ventilar; sacudir; abalar; comover; suscitar; excitar, perturbar, amotinar, sublevar, provocar; mover; abanar; mexer; conturbar, convulsionar; atormentar; bolir; deturpar; alvoroçar; encrespar; emocionar; alterar; menear; chapinar (a água com pés e mãos); bochechar (líquidos) na boca; encapelar; mexelhar; exagitar. — **agitarse.** v. r. agitar-se; inquietar-se; estuar; menear-se; despertar; convulsar; estrebuchar; efervescer; mexer-se; amotinar-se; sublevar-se; excitar-se, estremecer-se:

agitarse convulsivamente, convelir-se; agitarse en la red (los peces pescados en ella), arramalhar; (fig.) agitarse las olas del mar, enfurecer-se o mar; desmandar-se; agitar el abanico, abanicar; agitar las alas, bater as asas; agitar el agua con pies y manos, chapinhar; agitar un brazo, mexer um braço; agitar el contenido de un puchero, mexer a panela; las olas agitaban la barca, as ondas atormentavam a barca.

aglactación. f. (fisiol.) aglactação.

aglifo, fa. adj. (zool.) áglifo.

aglobulia. m. (med.) aglobulia.

aglomeración. f. ag.omeração, afluência, agrupamento, ajuntamento, concorrência, multidão, tropel, turbamulta, englobamento, aperto, (Bras.) apêrto; amontoamento, montao.

aglomerado. m. aglomerado, agregação, natural de matérias minerais diversas; aglomerado, feito de pó de carvão; conjunto de cimento e pedras britadas. — adj. e p. p. aglomerado, junto, reunido.

aglomerador. m. máquina de aglomeração.

aglomerar. v. tr. aglomerar; juntar; reunir amontoar, ajuntar; reunir em massa, acumular, anovelar, englobar afluir, agrupar, concorrer.

aglosia. f. (fisiol.) aglossia; mutismo.

agloso, sa. adj. (fisio!.) aglosso.

aglosostomía. f. (terat.) aglossostomia.

aglutición. f. (med.) aglutição.

aglutinable. adj. aglutinável.

aglutinación. f aglutinação; (gram.) coalescência; coagmentação; união.

aglutinante, ta. p. a. e adj. aglutinante, aglutinativo; (gram.) coalescente. — m. (cir.) emplasto; grudante.

aglutinar. v. tr. aglutinar; coalescer; colar, unir; reunir uma palavra a outra para formar um todo; juntar; pegar; (cir.) consolidar, reunir as partes divididas; cimentar, grudar com matéria aglutinante.

aglutinativo, va. adj. aglutinativo, aglutinante.

agma. m. (gram.) agma; (cir.) fractura.

agmatina. f. (bioquim.) agmatina.

agmatología. f. (cir.) agmatologia.

agnación. f. (for.) agnação.

agnado, da. adj. (for.) agnado. — s. agnado, parente por varonia.

agnatia. f. (fisiol.) agnatia, falto do maxilar.

agnaticio, cia. adj. (for.) agnatício, relativo aos agnados.

agnato, ta. adj. (fisiol.) agnato.

agnición. f. (poes.) anição, reconhecimento de alguma pessoa; conhecimento.

agnomento. m. agnome, apelido; sobrenome; alcunha.

agnominación. f. (ret.) agnominação; paronomasia.

agnosia. f. agnosia; ignorância.

agnosticismo. m. (filos.) agnosticismo.

agnóstico, ca. adj. (filos.) agnóstico, agnosticista.

agnus o **agnusdéi.** *m.* (rel.) agnus-dei, oração da missa; antiga moeda de Espanha.

agobiador, ra. *adj.* que curva o corpo; que dobra para o chão; opressivo, opressor.

agobiar. *v. tr.* curvar, dobrar; inclinar; (fig.) agravar, consumir; oprimir, abater; sofrer; acabrunhar; espremer, apertar. — **agoviarse.** *v. r.* curvar-se, dobrar-se, abater-se, consumir-se; *agobiar a alguien*, pôr o baraço na garganta a alguém.

agobio. *m.* curvatura, inclinação; (fig.) abatimento, prostração, opressão.

agogía. *f.* (min.) canal por onde sai a água das minas.

agojía. *f.* (min.) V. **agogía.**

agolar. *v. tr.* (mar.) ferrar, carregar as velas.

agolpamiento. *m.* acumulação, amontoação, amontoamento, montão; aglomeração.

agolparse. *v. r.* juntar-se, agrupar-se de repente ou em grande multidão; concorrer em tropel.

agómetro. *m.* (electr.) agómetro, medidor da resistência eléctrica.

agonfiasis. *f.* (pat.) agonfíase.

agonfo, fa. *adj.* (pat.) agonfo, desdentado.

agonía. *f.* agonia; (fig.) aflição extrema; desejo ardente; luta com a morte; estertor; fim próximo; náuseas; ansiedade; ânsia, angústia; transe. — *pl.* (fam.) homem pessimista: *estar en la agonía*, beber a morte; *en la agonía*, no aperto da morte; *librar de la agonía*, desagoniar, desagastar.

agónico, ca. *adj.* agónico, relativo a agonia; agonizante, moribundo.

agonioso, sa. *adj.* (fam.) ansioso; apressado.

agonista. *s.* V. **luchador.**

agonistarca. *m.* agonistarca.

agonística. *f.* agonística.

agonizar. *v. tr.* causar agonia, agoniar, afligir; desgostar; incomodar, molestar; assistir ao moribundo. — *v. intr.* agonizar, estar moribundo, estertorar; ir acabando: (fam.) *no me agonices*, não me agonies, não me enfades.

agora. *adv.* agora, nesta hora, presentemente; ora.

ágora. *f.* ágora, praça pública; mercado entre os gregos; mercado, lugar de postos de venda de comestíveis, etc.

agorador, ra. *adj.* e *s.* agoureiro, agourento; adivinho. V. **agorero.**

agorafobia. *f.* (pat.) agorafobia.

agorafobo, ba. *adj.* e *s.* agoráfobo, que sufre agorafobia.

agorar. *v. tr.* agourar; predizer, prognosticar, adivinhar; agorar, antever, fazer agouro de; auspiciar, augurar, fadar.

agorero, ra. *adj.* e *s.* agoureiro; adivinho, prognosticador; fatídico; augure, agoireiro; sestro: *ser un agorero*, encalistar.

agorgojarse. *v. r.* criar gorgulho no trigo e outras sementes.

agorronar. *v. tr.* (vet.) esfregar um potro ou cordeiro que ao nascer tenha perdido a mãe, com o sangue ou secundinas de outra

égua ou ovelha, cuja cria haja nascido morta.

agorzomar. *v. tr.* (Amer.) perseguir, vexar, molestar, causar fadiga.

agostamiento. *m.* estiolamento; emurchecimento.

agostar. *v. tr.* abrasar, queimar; secar; murchar; lavrar a terra em Agosto. — *v. intr.* pastar o gado nos restolhos; exaustar, emurchecer; abrasar-se, agostar-se.

agosteño, ña. *adj.* pertencente ao mês de Agôsto.

agostero. *m.* o que ajuda a segar.

agostía. *f.* emprêgo daquele que ajuda na ceifa e tempo durante o qual serve.

agostillo. *m. dim.* de *agosto.*

agostizo, za. *adj.* nascido em Agôsto.

agosto. *m.* Agosto, oitavo mês do ano; colheita, tempo da colheita: (fam.) *hacer su agosto*, lucrar-se das circunstâncias.

agostón, na. *adj.* diz-se do porco nascido em Julho.

agotable. *adj.* esgotável.

agotado, da. *adj.* e *p. p.* esgotado, consumido; emaciado, exinanido, extenuado, exaustido; estéril; (Bras.) abafanético.

agotador, ra. *adj.* exaustivo, extenuado, extenuante, fadigoso, ímprovo, esgotador.

agotamiento. *m.* esgotamento; exsicação, exinanição, extenuação, exaustação; definhamento; fustigação; apuramento; esterilidade: *con agotamiento*, extenuadamente; (med.) *agotamiento nervioso*, enervação.

agotar. *v. tr.* esgotar; consumir; (fig.) empregar, empobrecer; fadigar, dessangrar, desvigorar, extenuar, exinanir, exaurir, exaustar; apurar; emaciar. — **agotarse.** *v. r.* acabar-se, extenuar-se, desvigorar-se, definhar, empobrecer-se: *agotarse por el trabajo*, desfazer-se em água; *agotar la paciencia*, apurar a paciência, assovinhar a paciência; *agotar los recursos*, depauperar.

agraceño, ña. *adj.* parecido com o agraço; agro, azedo, (Bras.) azêdo.

agracera. *f.* vasilha para conservar o suco do agraço. — *adj.* parreira cujo fruto não amadurece.

agracero, ra. *adj.* diz-se da parreira cujo fruto não amadurece.

agraciado, da. *adj.* e *p. p.* engraçado; agraciado, que tem graça: *de cara agraciada*, fachendaço; *cara agraciada*, cara de anjo.

agraciar. *v. tr.* dar graça, agraciar; tornar engraçado; conceder graça ou mercê; embelecer. — *v. intr.* agradar.

agracillo. *m.* (bot.) vide agracejo.

agradable. *adj.* agradável, ameno, aprazível, deleitável, deleitoso, delicioso, grato, prazenteiro, suave, benigno, amável, sabroso, encantador; bem-criado; bem-parecido. belo, galante; apetitoso; desenfastiadiço; atraente; convindo, conveniente, fruitivo; fagueiro; engraçado; macio; aprazível; aceitável; melodioso; delicado; (Bras.) gambêlo: *cara agradable*, descarregamento do rosto; (fig.) *hacer agradable algo*, emelar, engraçar; *hacerse agradable*, fazer-se agradável, engraçar-se; *agradable al oído*, bemsoante; *sitio agradable*, lugar fresco.

agradamiento. *m.* V. **agrado.**

agradar. *v. tr.* agradar; contentar; satisfazer, ser agradável a; deleitar; gostar, encantar; aprazer. — *v. intr.* agradar, ser benquisto; parecer bem; aprazer: *agradar una cosa*, apetecer uma coisa; *para agradar a Dios*, se Deus por servido. — **agradarse.** *v. r.* sentir prazer; comprazer--se; afeiçoar-se.

agradecer. *v. tr.* agradecer, mostrar gratidão, ser grato a. — *v. intr.* dar agradecimentos; render graças; mostrar gratidão; retribuir com agradecimentos: *no agradecer un favor*, estragar o benefício. — *pres. ind. irreg.* **agradezco;** *subjun.* **agradezca.**

agradecido, da. *adj.* e *p. p.* agradecido, grato, reconhecido; que se agradece; obrigado; grato.

agradecimiento. *m.* agradecimento; recompensa; gratificação.

agrado. *m.* agrado; vontade; prazer; gosto, (Bras.) gôsto, deleite, amenidade, contento, aplauso, aprazimento, afabilidade, doçura; amizade, aprovação; satisfação; *no es de mi agrado*, não assino para isso; *ver con agrado*, engraçar.

agrafia. *f.* (med.) agrafia.

agramadera. *f.* gramadeira.

agramado. *m.* gramado, acção de trilhar o linho.

agramador, ra. *adj.* e *s.* o que trilha o linho.

agramaduras. *f. pl.* desperdicios do cânhamo.

Agramante. *n. p.*: *campo de Agramante*, campo de batalha, confusão, babel, balbúrdia.

agramar. *v. tr.* gramar; trilhar o linho.

agramilar. *v. tr.* (arq.) ladrilhar; pintar imitando ladrilhos

agramiza. *f.* talo de linho depois de separado das fibras; bouceira; residuo do cânhamo depois de trilhado.

Agram. *m.* (geog.) Agram, Zagreb.

agrandamiento. *m.* engrandecimento, aumento, dilatação, alargamento, magnificação.

agrandar. *v. tr.* engrandecer, aumentar, alargar, magnificar, avolumar; propagar, amplificar, ampliar, dilatar.

agranujarse. *v. r.* tornar-se grão; tornar-se pícaro ou velhaco, converter-se em malandro.

agrario, ria. *adj.* agrário, relativo a campos, agrícola, rural, rústico.

agravación. *f.* agravação, agravamento; (med.) agravo.

agravamiento. *m.* agravamento, agravação, agravo; exacerbação.

agravar. *v. tr.* agravar; oprimir, sobrecarregar; exagerar; estreitar; aumentar; exacerbar; avivar, empiorar; engravescer. — **agravarse.** *v. r.* agravar-se; empiorar; assanhar-se; engravescer: *agra-*

varse una herida, assanhar uma ferida; *agravar un dolor*, avivar uma dor.

agravatorio, ria. *adj.* agravatório, agravativo. — *m.* (for.) mandado, carta compulsória.

agraviado, da. *adj.* e *p. p.* injurioso, ofensivo, agravado, ofendido; piorado. — *m.* (for.) agravado, parte contrária ao agravante em juízo.

agraviador, ra. *adj.* e *s.* ofensivo, insultante; agravante. — *m.* (pop.) delinquente, incorrigível.

agraviamiento. *m.* ofensa; injúria.

agraviante. *p. a.* agravante, que agrava. — *m.* (for.) agravante, que interpõe agravo contra um despacho judicial.

agraviar. *v. tr.* agravar; ofender; denigrar; faltar; dasaguisar; enxovalhar; fazer agravo a; ferir; molestar, irritar, oprimir. — **agraviarse.** *v. r.* ofender-se agravar-se: *agraviar a alguien*, errar alguém.

agravio. *m.* agravo, ofensa, injúria; apelação; dano; padecimento; enxovalho; denigração; desaguisado: *reparar un agravio*, desagravar.

agraz. *m.* agraz, uva verde; fruta verde; (fig.) amargura, desgosto, dissabor: *en agraz*, em agraço, prematuramente; *echar agraz en el ojo*, ter agraz no olho, dizer alguma coisa desagradável.

agrazada. *f.* sumo ou água de agraço.

agrazado, da. *adj.* ácido, azedo, (Bras.) azêdo, como o agraço.

agrazar. *v. tr.* vexar, molestar, desgostar; azedar, exacerbar, desagradar. — *v. intr.* saber a agraço, ter o gosto de agraço.

agredir. *v. tr.* agredir, atacar, assaltar; ir contra; insultar; ferir; chegar a vias de facto; investir (verbo defectivo) usado nas formas que tem a letra *i*.

agregable. *adj.* agregável

agregación. *f.* agregação; incorporação; anexação.

agregado. *m.* agregado; empregado adido; conjunto; reunião, montão. — *adj.* e *p. p.* agregado, adjunto, adido, anexo, adscrito.

agregar. *v. tr.* agregar, acrescentar; juntar; ajuntar; anexar; associar; mesc ar; incorporar; incluir; congregar; aditar, adicionar. — **agregarse.** *v. r.* agregar-se; arrimar-se; incorporar-se.

agremiación. *f.* agremiação, ajuntamento, reunião, associação.

agremiado, da. *adj.* e *p. p.* agremiado, associado.

agremiar. *v. tr.* formar grémio, agremiar, reunir em grémio, assembleia ou associação. — **agremiase.** *v. r.* associar-se, reunir-se em grémio.

agresión. *f.* agressão, ataque, investida; insulto, ofensa; acometimento; zarpão; embate; acometida.

agresividad. *f.* agressividade, combatividade.

agresivo, va. *adj.* agressivo, áspero, brutal, duro, ferino, hóstil, ríspido, rude, violento, contundente, ofensivo.

agresor, ra. *adj.* e *s.* agressor, provocador; invasor, atacante, atacador, arremetedor, acometedor: *agresor con navaja o cuchillo*, faquista.

agreste. *adj.* agreste, rústico, silvestre, campestre; (fig.) groseiro, áspero. indelicado; indomado, inculto, fragueiro; campesino, camponês, campónio, coceiro; desabrido.

agriar. *v. tr.* azedar, acerbar, acetificar, envinagrar; (fig.) exasperar, alterar, exacerbar. — **agriarse.** *v. r.* azedar-se, acetificar-se, avinagrar-se.

agrícola. *adj.* agrícola, agricolar: *dedicarse a trabajos agrícolas*, agricultar.

agricultor, ra. *s.* agricultor, agrónomo, cultivador, lavrador, agrícola.

agricultura. *f.* agricultura, agronomia; charrua, lavoura, cultivo da terra.

agrietado, da. *adj.* e *p. p.* gretado, falhado; dessecado.

agrietamiento. *m.* gretadura, greta.

agrietar. *v. tr.* gretar, abrir fendas ou gretas; arregoar. — **agrietarse.** *v. r.* arregoar-se; arreganhar (as frutas); encieirar (a pele): fender-se; desmanchar-se.

agrifolio. *m.* (bot.) azevinho.

agrilla. *f.* (bot.) azeda, (Bras.) azêda.

agrillo, lla. *adj.* acídulo, ácido, um pouco agro.

agrillarse. *v. r.* V. **grillarse.**

agrimensor. *m.* agrimensor, medidor das terras; abalizador.

agrimensorio, ria. *adj.* agrimensório.

agrimensura. *f.* agrimensura, medidas das terras, agrimensão.

agringarse. *v. r.* (Amér.) ter os hábitos dos «gringos».

agrio, gria. *adj.* agro, acre, ácido, azeao, (Bras.) azêdo, agraço, acetoso, envinagrado, acídulo, azedado; (fig.) estridente, austero, acrimoso, áspero, desabrido; escabroso, árduo, íngreme, muito vigoroso.

agrión. *m.* (vet.) agrião (tumor das cavalgaduras).

agro. *m.* agro, terreno cultivado, campo.

agro, a. *adj.* agro, ácido, azedo.

agrografía. *f.* agrografia.

agrográfico, ca. *adj.* agrográfico.

agrología. *f.* (agr.) agrologia.

agrológico, ca. *adj.* (agr.) agrológico.

agromanía. *f.* (pat.) agromania.

agrómano, na. *adj.* e *s.* agromaníaco.

agronometría. *f.* (agr.) agronometria.

agronométrico, ca. *adj.* (agr.) agronométrico.

agronomia. *f.* (agr.) agronomia.

agronómico, ca. *adj.* (agr.) agronómico, (Bras.) agronômico.

agrónomo, ma. *s.* agrónomo.

agror. *m.* agror, azedura, amargura, agrura.

agrostema. *f.* (bot.) agrostema.

agrostemina. *f.* (quím.) agrostemina, princípio imediato que se extrai da agrostema.

agróstide. *f.* (bot.) agróstide.

agrostídeo, a. *adj.* e *f.* (bot.) agrostídeo; agrostídea.

agruador. *m.* adivinho; augúrio.

agrumado, da. *adj.* grumado; encarapinhado.

agrumar. *v. tr.* grumar; reduzir a grumos. — **agrumarse.** *v. r.* agrumu:ar-se, agrumelar-se, engodilhar-se, coalhar-se.

agrupación. *f.* agrupamento; reunião, ajuntamento; estructura; multitude.

agrupado, da. *adj.* apinhado, apinhoado; com os advérbios *bem* ou *mal*, diz-se do cavalo que tem boa ou má garupa.

agrupamiento. *m.* agrupamento, incorporação. V. **agrupación.**

agrupar. *v. tr.* agrupar, grupar; apinhar, apinhoar, formar grupo de, reunir. — **agruparse.** *v. r.* agrupar-se; arrebanhar-se, ajuntar-se.

agrura. *f.* agrura, agror, acrimonia, (Bras.) acrimônia, mento, acerbidade.

¡agú! *interj.* (Amér.) V. **¡ajó!**

agua. *f.* água; líquido, fluxo; chuva; mar, lago, rio; pranto; urina; água, limpidez das pedras preciosas; (arq.) água, plano inclinado dos telhados; infusão. — *pl.* as urinas: *agua bendita.* água-benta; *agua de colonia*, água de cheiro; (pop.) *agua de castañas*, água de castanhas (café ordinário); *hacer aguas*, verter água; *agua de rosas*, água-de-rosas; *agua de cal*, água-de-cal; *agua muerta o estancada*, água morta; *agua viva*, água viva; *agua dulce*, água doce; *agua salada*, água salgada; *medida de agua*, anilha; *no dar ni una sed de agua*, não dar nem uma sede de água; *agua pasada no muele molino*, com águas passadas não moi o moinho; *pasar por agua*, enxaguar; *provisión de agua*, aguada; *ser como el agua y el fuego*, querer o sol na eira e a chuva no nabal; *tomar las aguas*, tomar águas; *nadar entre dos aguas*, (fig.) navegar entre duas águas; *echar agua al fuego*, (fig.) deitar água na fervura, aplacar uma contenda; *pescar en aguas turbias*, pescar nas águas turvas. — *pl.* as urinas; águas minerais; reflexos das pedras preciosas ou tecidos.

aguacal. *m.* aguaçal, charco.

aguacella. *f.* (prov.) V. **aguamiel.**

aguacero. *m.* aguaceiro; bátega de água; bategada; chuveiro; chuvaceiro, chuva grande; (fig.) contratempo, infortúnio.

aguacibera. *f.* água com que se rega uma terra semeada em sêco.

aguacil. *m.* (prov.) V. **alguacil.**

aguacha. *f.* água lamacenta.

aguachacha. *f.* (Amér.) refresco ou bebida de má qualidade.

aguachar. *v. tr.* encher de água; a:agar.

aguachar. *m.* aguaçal, charco.

aguacharnar. *v. tr.* encharcar; encher de água as terras com excesso. V. **enaguazar.**

aguachas. *f. pl.* (prov.) V. **alpechín.**

aguachento, ta. *adj* (Amér) diz-se dos frutos que têm muita água ou sumo.

aguachinangarse. *v. r.* (Amér.) imitar os mexicanos.

aguachinar. *v. tr.* (prov.) V. **enaguazar.**

aguachirle. f. água chirla; bebida muito aguada; provisão de água; lugar onde se vai buscar água; aguachirle; zurrapa; aguapé de ínfima qualidade.

aguada. f. (mar.) aguada; (pint.) aguada, aguarela.

aguadera. f. capa de oleado.

aguaderas. f. pl. cangalhas para levar água em cântaros.

aguadero. m. bebedoiro, bebedouro.

aguadija. f. aguadilha, serosidade.

aguado, da. adj. aguado; (fig.) abstémio, que não bebe vinho, destemperado.

aguador, ra. s. aguadeiro, aguador; amolador; fonteira.— m. pl. paus que atravesam a nóra.

aguaducho. m. aguaceiro; lugar onde se guardam vasilhas; lugar onde se vende água; (Amér.) V. tinajero.

aguadura. f. (vet.) aguamento: coger una aguadura un caballo, aguar-se.

aguafiestas. s. (fam.) pessoa que perturba uma diversão ou regosijo; desmancha--prazeres.

aguafortista. s. aquafortista.

aguafuerte. f. água-forte; aquaforte.

aguafuertista. s. água-fortista, gravador que se serve de água-forte.

aguagoma. f. goma-arábica dissolvida.

aguaicar. v. tr. agredir ou acometer muitas pessoas a alguém.

aguaita. f. (Amér.) cilada; engano, espreita, espreitadela.

aguaitador, ra. adj. (Amér.) espreitador

aguaitamiento. m. (Amér.) espreita, espreitadela, cilada.

aguaitar. v. tr. (Amér.) espreitar, espiar, perscrutar.

aguaite. m. (Amér.) V. aguaita.

aguajaque. m. goma amoníaca

aguajas. f. pl. (vet.) V. ajuagas.

aguaje. m. (mar.) aguagem; forte maré; movimento de águas que faz jogar o navio.

aguajoso, sa. adj. aquoso, aguado.

agualó. m. (pop.) assessor, conselheiro.

agualoja. f. (prov.) V. aloja.

agualotal. m. (Amér.) aguaçal; lugar pantanoso.

aguallevado. m. (prov.) sistema de drenagem nos canais e regueiras; processo de limpeza de regueiros ou levadas, tirando o lodo com água.

aguamala. f. (zool.) V. medusa.

aguamadre. f. água-mãe.

aguamanil. m. bacia ou jarro para lavar as mãos; agomil

aguamanos. m. água para as mãos.

aguamar. m. V. medusa.

aguamarina. f. (min.) água-marinha; variedade de berilo.

aguamelado, da. adj ensopado com hidromel.

aguamiel. f. água-mel, hidromel.

aguamiento. m. (vet.) aguamento, doença de animais domésticos.

aguanal. m. (prov.) agueira; sulco profundo aberto de trecho em trecho nos campos semeados.

aguanés, sa. adj. (Amér.) diz-se do animal vacum, cujos costilhares têm diferente cor.

aguanosidad. f. serosidade; humor húmido.

aguanoso, sa. adj. aquoso; húmido.

aguantable. adj. aguentável, sofrível, suportável, tolerável, sustentável.

aguantadero, ra. adj. V. aguantable. — m. sítio onde se aguenta.

aguantador, ra. adj. que aguenta, suporta ou tolera; aguentador.

aguantar. v. tr. aguentar; sofrer; suportar; tolerar, sustentar; padecer; aturar, pairar; aparar; aguardar; bater o pé; apanhar; amochar; deixar; sustentar na mão; resistir, opor resistência; (mar.) retesar os cabos frouxos ou pouco apertados; (taur.) estoquear o toiro resistindo à sua investida. — v. intr. apressurar-se. — aguantarse. v. r. aguentar-se; deixar-se dar: aguantar el frio, apanhar frio.

aguante. m. constância; força; tolerância; paciência; estoicidade; resignação; (mar.) aguante.

aguañón. m. mestre de obras hidráulicas.

aguapié. m. água-pé; vinho fraco.

aguar. v. tr. aguar; regar; borrifar; misturar água com outro líquido; frustar; interromper, perturbar a alegria ou gosto. — aguar-se, encher-se de água: aguar la fiesta, aguar o prazer.

aguardada. f. acção de aguardar; espera.

aguardadero. m. V. aguardo.

aguardador, ra. adj. aguardador, esperador.

aguardamiento. m. guarda, defesa, espera.

aguardar. v. tr. aguardar, esperar; atender; vigiar; cortejar; supor, confiar; estar de guarda, à espera de; diferir, dilatar, demorar, retardar, prorrogar. — v. intr. pacientar: aguardar la llegada de alguien, locar.

aguardentera. f. vasilha que contem aguardente.

aguardentería. f. loja onde se vende aguardente.

aguardiente. m. aguardente, cachaça, cana, caninha, parati, pinga: aguardiente anisado, aguardente de erva doce: aguardiente de cabeza, aguardente de cabeça; aguardiente de caña, aguardente açúcar; (Bras.) engenhoca; aguardente de cana.

aguardillado, da. adj. com figura de águas--furtadas, em forma de mansarda.

aguardo. m. aguardo, lugar onde se espera; espera na caça.

aguarrás. m. aguarrás.

aguarrón. m. aguaceiro.

aguasado, da. adj. (Amér.) bobo, ignorante, crédulo, parvo; rústico.

aguasarse. v. r. (Amér.) tornar-se bobo ou rústico.

aguarse. v. r. encher-se de água; (vet.) aguar-se (diz-se dum animal atacado de aguamento).

aguas. f. pl. (vet.) arestins.

aguasal. *f.* salmoira.

aguasol. *m.* doença de grão de bico.

aguatarse. *v. r.* (Amér.) encharcar-se, alagar-se, encher-se de água em excesso.

aguate. *m.* (pop.) qualquer licor com muita água; (Amér.) V. **ahuate**.

aguatero, ra. *s.* aguadeiro.

aguatinta. *f.* aquatinta.

aguatocha. *f.* bomba hidráulica.

aguatocho. *m.* atoleiro, lodaçal, charco, lameiro.

aguatoso, sa. *adj.* (Amér.) V. **ahuatoso**.

aguaviento. *m.* chuva com vento forte.

aguaza. *f.* humor aquoso expelido pelos animais e por algumas plantas e frutos.

aguazal. *m.* aguaçal; lugar pantanoso, charco.

aguazar. *v. tr.* encharcar. — aguazarse. *v. r.* encharcar-se. V. **encharcar**.

aguazo. *m.* pintura de aguarela sobre tela húmida.

aguazoso, sa. *adj.* V. **aguanoso**.

aguazul. *m.* V. **algazul**.

aguazur. *m.* V. **algazul**.

agudeza. *f.* agudeza, argúcia, astúcia, atilamento, finura penetração, perspicácia, sagacidade, sutileza, tino; acume; acuidade, anexim; intensidade; conceito gracioso. — *pl.* abanicos: *ser muy agudo*, vender agudez; *tener agudeza*, despontar; *agudeza de espíritu*, agudeza de espírito, fósforo.

agudizar. *v. tr.* volver agudo. — agudizarse. *v. r.* barbarismo por agravar-se, falando de enfermidades.

agudo, da. *adj.* agudo; sutil, fino, penetrante, sagaz, perspicaz; vivo; engraçado; som alto; violento; tenso; excessivo; (geom.) diz-se do ângulo menor que o recto; (métr.) diz-se do verso que termina em sílaba acentuada; (bot.) aculeado; delgado, delicado; estrídulo; estridente; aguçado; apimentado; arguto; ardiloso; abispado; claro; cortante, chirreante; aflautado, atiplado; *dicho agudo*, dito espirituoso; *vista aguda*, vista que alcança grande distância, aguda; *sonido agudo*, som aflautado; *acento agudo*, acento agudo; *ángulo agudo*, ângulo agudo; (mús.) *nota aguda*, nota aguda.

¡agüe! *interj.* (Amér.) vem!

agüela. *f.* (fam.) V. **abuela**; (pop.) V. **capa**.

agüelo. *m.* (fam.) V. **abuelo**.

agüera. *f.* rego; regueira; agueira.

agüerarse. *v. r.* (prov.) tornar-se amarelento (com o trigo).

agüero. *m.* agouro, agoiro; augúrio; preságio, vaticínio: *mal agüero*, arrelia; *de buen agüero*, auspicioso; *ave de mal agüero*, ave de mau agoiro.

aguerrido, da. *adj.* e *p. p.* aguerrido; valente; que tem modos belicosos, belicoso.

aguerrir. *v. tr.* aguerrir, acostumar à guerra; afazer às lutas, aos trabalhos.

aguijada. *f.* aguilhada; aguilhão.

aguijadera. *f.* V. **aguijada**.

aguijador, ra. *adj.* aguilhoador; feridor; estimulante, excitante.

aguijadura. *f.* aguilhoada, aguilhoamento, estímulo, excitação.

aguijar. *v. tr.* aguilhoar, estimular, excitar, impelir a, incitar, levar a; picar com aguilhão; ferir; magoar. — *v. intr.* caminhar, andar com celeridade.

aguijatorio, ria. *adj.* (for.) incitatório, diz-se da ordem que um magistrado dá a outro inferior para executar uma ordem precedente; incitante.

aguijón. *m.* aguilhão, dardo, cerrão; acúleo; incentivo; estímulo: *aguijón de la conciencia*, bicho que rói na consciência; *dar coces contra el aguijón*, (fig.) dar couces contra o aguilhão.

aguijonada. *f.* V. **aguijonazo**.

aguijonazo. *m.* aguilhoada, picada com aguilhão.

aguijoneado, da. *adj.* e *p.* aguilhoado, aculeado; estimulado, incitado.

aguijoneador, ra. *adj.* e *s.* aguilhoador; aferretoador; estimulador, incitador; impulsivo.

aguijoneadura. *f.* aguilhoamento, aguilhoadela; incitação, excitação.

aguijonear. *v. tr.* aguilhoar, picar com aguilhão, ou aguilhada; ferir; magoar; (fig.) estimular, excitar, impelir a, incitar, levar a; bater os acicates, acicatar; incentivar, incender; aferrotoar; fustigar; assovinar.

águila. *f.* (zool.) águia; ave de Júpiter; (fig.) homem perspicaz, águia: *águila real*, águia real; *águila blanca*, águia aquática; *piedra de águila*, pedra de águia, aetite; *vista de águila*, olhos de águia; (fig.) *ser un águila*, ser uma águia; *águila de mar*, xofrango.

aguilando. *m.* V. **aguinaldo**.

aguileño, ña. *adj.* aguilenho; aquilino; pertencente a águia; adunco: *nariz aguileña*, nariz adunco.

aguilita. *m.* (Amér.) agente de polícia.

aguilón. *m.* *aument.* de águia; braço 'la grua; (arq.) ângulo da parte superior triangular da fachada dum edifício entre as vertentes do telhado.

aguilonia. *f.* (prov.) V. **nueza**.

aguilucho. *m.* (zool.) aguioto, filhote da águia; águia nova; (fig.) cúmplice de ladrão.

agüinado, da. *adj.* (Amér.) amarelo (animal).

aguinaldo. *m.* consoada; presente que se faz pelo Natal; (Amér.) espécie de cipó.

agüio. *m.* (Amér.) pássaro da Costa Rica.

aguisado, da. *adj.* e *p. p.* aguisado; concertado; posto em ordem; justo, razoável. — *adv.* justamente, razoàvelmente.

aguisar. *v. tr.* aguisar, arranjar, preparar, dispor, pôr em ordem; combinar, concertar.

aguisote. *m.* (Amér. pop.) mau agouro.

agüista. *s.* aquista, banhista.

aguizgar. *v. tr.* (fig.) estimular. V. **aguijar**.

aguja. *f.* agulha; obelisco; parte superior da torre duma igreja; (bot.) folha seca de pinheiro; ofício de costureira; bússola; varinha de metal, marfim, etc.; agulha, ponteiro de relógio ou quadrante; agulha, pico de montanha; agulha, ponto de junção das espáduas em certos animais; (ictiol.) peixe-agulha; (zool.) cernelha nos animais; agulha, porção de carril, móvel em torno de um ponto fixo: *aguja de grabador*, buril; *aguja de punta de diamante*, desentupidor para o ouvido de uma peça de artilharia; *aguja de un arma de fuego*, agulha, lâmina de aço que percute o fulminante nas modernas armas de fogo; *aguja de relojes de sol*, estilo; (bot.) *aguja de pastor*, agulha de pastor; (bot.) *aguja de pastora*, agulheira; *aguja ferroviaria*, agulha de linha férrea; *aguja espartera*, agulha de enfardar; *aguja de enjalmar*, agulha de enfardar; *aguja de hacer punto*, agulha de meia; *aguja de bastear*, basteadeira; *aguja de arria*, agulha de enfardar; *buscar una aguja en un pajar*, procurar agulha em palheiro; *vivir de la aguja*, manter-se pela agulha; *entender la aguja de marear*, ser destro nos próprios negócios; *dar aguja y sacar raja*, meter agulhas por alfinetes; *alabar uno sus agujas*, louvar os próprios trabalhos.

agujada. *f.* (Amér.) (pop.) V. **agujal**.

agujadera. *f.* mulher que trabalha em bonés ou outros artigos de malha.

agujador. *m.* vulgar por alfineteiro ou agulheiro.

agujal. *m.* orifício que fica ao tirar a agulha.

agujazo. *m.* picada com uma agulha.

agujera. *f.* mulher que vende agulhas.

agujerar. *v. tr.* V. **agujerear**.

agujereador, ra. *adj.* e *s.* furador; que fura com broca ou trado.

agujereamiento. *m.* acção de furar ou esburacar.

agujerear. *v. tr.* esburacar, furar; assovelar; assovinar; furacar; lurar; (min.) perfurar; tradear; brocar, verrumar.

agujero. *m.* furo; buraco; agulheteiro, vendedor ou fabricante de agulhas; boca, (Bras.) bôca, entrada; forame; lura; agulheiro; chavelhal; fuga; alvado; barreno; batoque: *agujero de la llave*, buraco da chave; *agujero* (por donde el pez entra en la red), algirão.

agujeruelo. *m.* pequeno furo.

agujeta. *f.* agulheta; dores que se sentem pelo corpo depois de um exercício violento; atacador; agulheta, fita ou trança com pontas metálicas; gorgeta a um cocheiro, atacadores, cordões para apertar os sapatos.

agujetear. *v. tr.* coser com sovela.

agujetería. *f.* loja de agulheteiro.

agujón. *m.* agulha grossa.

agujuela. *f.* agulhinha.

aguosidad. *f.* (med.) aguadilha; aquosidade; serosidade.

aguoso, sa. *adj.* aquoso. V. **acuoso**.

¡agur! *interj.* adeus! (usada para despedir-se).

agusanamiento. *m.* verminação.

agusanarse. *v. r.* encher-se de vermes; eivar-se, bichar (as frutas); enverrugar-se.

Agustín. *n. pr.* Agostinho.

agustina. (bot.) espécie de anémona.

agustinianismo. *m.* doutrina teológica de Santo Agostinho.

agustiniano, na. *adj.* e *s.* agostiniano, agostinho.

agustino, na. *adj.* e *s.* agostinho, agostiniano.

aguzable. *adj.* que se pode aguçar.

aguzadera. *f.* aguçadeira, pedra de aguçar ou amolar.

aguzado, da. *adj.* e *p. p.* aguçado, agudo, afiado; assobrado: *aguzado por el hambre*, apertado pela fome.

aguzador, ra. *adj.* aguçador; afiador. — *m.* amolador, afiador; (fig.) imitador, instigador.

aguzadura. *f.* aguçadura, aguçamento; afiamento; amoladura, amoladela.

aguzamiento. *m.* aguçamento. V. **aguzadura**.

aguzar. *v. tr.* aguçar; avivar; estimular, imitar; adelgaçar; afiar; amolar; apontar, aparar; desembotar; incitar, tornar perspicaz; tornar activo, ligeiro, zeloso; *aguzar la vista*, aguçar a vista; *aguzar el oído*, assestar o ouvido; *aguzar las orejas*, aplicar as orelhas; *aguzar los dientes*, aguçar o apetite.

aguzia. *f.* desejo veemente; ânsia, angústia, aperto do coração.

aguziar. *v. tr.* (ant.) desejar veemente.

¡ah! *interj.* ah!; eh! (serve para mostrar alegria, admiração, amor, pena).

ahajar. *v. tr.* V. **ajar**.

ahebrado, da. *adj.* fibroso; filamentoso.

ahechaduras. *f. pl.* rabeiras; desperdícios que ficam depois de limpo o trigo ou outras sementes; debulhos; alimpaduras.

ahechar. *v. tr.* crivar, limpar com crivo o trigo ou outras sementes; passar por crivo as sementes.

aheleado, da. *adj.* e *p. p.* amargo; feito amargo.

anhelear. *v. tr.* amargar, dar fel a beber; saber amargo (fig.) desgostar, entristecer. — *v. intr.* amargar, ser amargoso, saber a fel.

ahelgado, da. *adj.* V. **helgado**.

ahembrado, da. *adj.* efeminado, afeminado. V. **afeminado**.

ahermanar. *v. tr.* adoptar como irmão.

aherrojamiento. *m.* aferrolhamento.

aherrojar. *v. tr.* aferrolhar; meter em ferros; oprimir, enferrujar; aprisionar; agrilhoar; algemar; *aherrojar al pueblo*, lançar algemas ao povo.

aherrumbrar. *v. tr.* dar o gosto ou a cor do ferro; enferrujar. — **aherrumbrarse.** *v. r.* enferrujar-se, criar ferrugem ou alforra; tornar-se ferrugento.

ahervorarse. *v. r.* afervorar-se (diz-se dos grãos viciados pelo calor).

ahí. adv. aí; nisto, nisso; nesse lugar: ahí será ello, por aí se verá; no es por ahí, não vai por aí o gato aos filhos.

ahidalgado, da. adj. afidalgado, que tem ares ou maneiras de fidalgo.

ahigadado, da. adj. valente, esforçado. intrépido.

ahijada. f. afilhada.

ahijadera. f. conjunto das crias do gado; tempo da criação do gado.

ahijadero. m. prado ou malhadal onde se acolhem as ovelhas na temporada do parto e cria dos cordeiros.

ahijado. m. afilhado; protegido.

ahijador. m. perfilhador; o que dá uma rês a criar.

ahijar. v. tr. e intr. afilhar, adoptar como filho; procrear; (bot.) afilhar, filhar, rebentar, perfilhar, lançar renovos; (fig.) atribuir ou imputar falsamente.

ahijonear. v. tr. azorragar, chicotear, flagelar.

ahilado, da. adj. e p. p. enfileirado; diz-se do vento suave e contínuo.

ahilamiento. m. acção e efeito de enfileirar.

ahilar. v. intr. enfileirar; desfalecer. — ahilarse. v. r. azedar-se, avinagrar-se; definhar-se.

ahílo. m. desmaio; chilique; debilidade, enfranquecimento; desalento.

ahincado, da. adj. e p. p. afincado; seguro; segurado; eficaz; veemente.

ahincar. v. tr. afincar; segurar; estreitar; instar com eficácia. — ahincarse. v. r. (ant.) apressurar-se.

ahinco. m. afinco; esforço; empenho; pertinácia; apego, (Bras.) apêgo; trabajar con ahinco, dar ao dedo.

ahitar. v. tr. fartar, estomagar; empachar, enfartar, saciar, encher de bebida ou comida. — ahitarse. v. r. afitar-se, enfartar-se, encher-se de bebida ou comida, empachar-se.

ahitera. f. (fam.) afito grande, indigestão de muita duração.

ahíto, ta. adj. afitado, enfartado, farto, empachado, embuchado, ateigado, abarrotado; enfrascado; (fig.) desgostado, enfadado, aborrecido, desgostoso, pesaroso. — p. p. irreg. de ahitar. — m. indigestão.

ahobachonarse. v. r. mandriar, entregar-se ao ócio; vadiar.

ahocicar. v. intr. (pop.) ceder; submeter-se numa discussão.

ahocinarse. v. r. apertar-se; estreitar-se os rios nos vales.

ahogadizo, za. adj. afogadiço; acre; amargo diz-se das frutas; (fig.) diz-se da madeira que não flutua.

ahogado, da. adj. e p. p. afogado; sufocado; (fig.) comprometido; diz-se do lugar abafado; alagado (no mar): verse ahogado, estar muito comprometido.

ahogador, ra. adj. afogador; sufocador; o que afoga; abafador. — s. afogador, colar, gargantilha.

ahogamiento. m. afogamento, sufocação, afo-gadura, asfixia, abafadura, abafamento. V. ahogo.

ahogar. v. tr. afogar; estrangular; sufocar; (fig.) apagar; extinguir; atormentar; fatigar, oprimir; abafar; impedir, não deixar crescer; acanhar; anegar; agarrotar; engasgar. — ahogarse. v. r. afogar-se, abafar-se, asfixiar-se; alagar-se abismar-se: ahogarse en un vaso de agua, afogar-se em poca água; ahogar los sentimientos naturales, despir a natureza; ahogar las penas en vino, afogar os cuidados no vinho; ahogarse en el placer, abismar-se nos divertimentos.

ahogo. m. afogo, (Bras.) afôgo, sufocação; aperto, (Bras.) apêrto; pressão; apressão, aflição; presa; asfixia; abafo, afogo, engasgo; estrangulação; indigência, miséria extrema, falta de meios económicos; (Amér.) espécie de molho ou salsa. V. ahoguío.

ahoguija. m. V. angina.

ahoguijo. m. (vet.) angina.

ahoguío. m. opressão da respiração; sufocação.

ahojar. v. intr. roer as folhas das árvores (diz-se dos animais).

ahondado, da. adj. e p. p. afundado; cavado profundamente; aprofundado; metido no fundo.

ahondamiento. m. afundamento, acção de afundar; escavação; penetração.

ahondar. v. tr. afundar; profundar; penetrar; cavar profundamente, meter no fundo, escavar, aprofundar; (fig.) examinar, penetrar. — v. intr. afundar, ir ao fundo; (fig.) profundar, entrar no fundo duma ideia. [to.

ahonde. m. a(c)ção de afundar; afundamen-

ahonguillarse. v. r. criar cogumelos.

ahora. adv. agora, presentemente, neste instante; a(c)tualmente; aquí; ora. — conjun. ainda que, bem que: desde ahora, desde agora; hasta ahora, até agora; ahora mismo, há bocadinho; agora mesmo; indagora; ¿y ahora qué?, e bem?

ahorca. f. (Amér.) prenda feita no aniversário do nascimento.

ahorcado, da. adj. p. p. e s. enforcado; colgado; morir ahorcado, morir na forca ou estrangulado; no mentar la soga en casa del ahorcado, em casa do ladrão não lembrar em baraço, não se deve falar em corda em casa de enforcado; estar a punto de ser ahorcado, correr risco de ser enforcado.

ahorcadura. f. acção de enforcar; enforcamento; estrangulação.

ahorcajadas. loc. adv. escanchado, escarranchado.

ahorcajarse. v. r. montar escarranchado.

ahorcamiento. m. enforcamento; estrangulação.

ahorcar. v. tr. enforcar; estrangular; colgar; suplicar suspendendo pelo pescoço; (fig.) renunciar, deixar. — ahorcarse. v. r. enforcar-se, estrangular-se; (fig.) agastar-se, impacientar-se: ahorcar los hábitos, enforcar os hábitos; *ahorcar en efigie*, enforcar em estátua.

ahorita. *adv.* (pop.) há bocadinho, justamente, cabalmente agora.

ahormador, ra. *s.* enformador, que enforma.

ahormar. *v. tr.* enformar; amoldar; meter em forma; (fig.) trazer à razão alguém.

ahornagamiento. *m.* acção e efeito de abrasar-se, secar-se; abafadura, abafo.

ahornagarse. *v. r.* abrasar-se; abafar-se; asfixiar-se (folhas, etc.).

ahornar. *v. tr.* enfornar, meter no forno. — **ahornarse.** *v. r.* queimar-se o pão pela parte de fora.

ahorquillar. *v. tr.* segurar com forquilhas os ramos das árvores; dar a forma de forquilha; forquilhar, forquear; enforcar, enforquilhar, aforquilhar. — **ahorquillarse.** *v. r.* aforquilhar-se; fender-se em duas partes.

ahorrado, da. *adj.* e *p. p.* livre, desembaraçado; liberto; poupado; economizado, aforrado; aproveitado: *dinero ahorrado poco a poco*, pé-de-meia.

ahorrador. *adj.* e *s.* economizador, alforriador; económico, (Bras.) econômico, aforrador; aproveitador; arrecadador.

ahorramiento. *m.* poupamento, alforria, economia; libertação, emancipação.

ahorrar. *v. tr.* alforriar; economizar, poupar, acumular poupando; administrar econômicamente; libertar, emancipar; (fig.) evitar, impedir algum trabalho ou dificuldade; aproveitar; arrecadar; aforrar; entoseirar: *ahorrar dinero*, coalhar dinheiro; *ahorrar avaramente*, amealhar: *ahorrar gastos*, apertar a bolsa ou despesas; *quiero ahorrarle este trabajo*, quero forrar vos deste trabalho.

ahorratividad. *f.* acumulação de dinheiro; tacanharia, tacanhice.

ahorrativo, va. *adj.* que alforria; que liberta; poupado, económico, (Bras.) econômico, que faz economias, economizador.

ahorro. *m.* economia; aforramento, aforro, (Bras.) afôrro, hábito de poupar. — *pl.* dinheiro acumulado: *ahorro en los gastos domésticos*, arranjo; *Caja de Ahorros*, Caixa Económica.

ahoyador. *m.* cavador, escavador; (fig., fam.) coveiro.

ahoyadura. *f.* cavadura; escavação; cava.

ahoyamiento. *m.* V. **ahoyadura.**

ahoyar. *v. tr.* cavar, escavar; (fig.) minar.

ahuatoso, sa. *adj.* espinhoso (diz-se de certas frutas ou plantas).

ahuchador, ra. *adj.* e *s.* amealhador; entesourador; económico, (Bras.) econômico, economizador.

ahuchar. *v. tr.* V. **achuchar.**

ahuchar. *v. tr.* amealhar; entesourar em mealheiro; economizar.

ahuchear. *v. tr.* (pop.) assobiar, apitar; sibilar; escarnecer, dirigir vaias a.

ahucheo. *m.* (pop.) acção de assobiar ou apitar, associada, assuada, apupada; vaia.

ahuecador, ra. *adj.* cavador, escavador, que torna oco. — *m.* ferramenta semelhante ao

formão, usado em carpintaria para tornar oca a madeira; merinaque.

ahuecamiento. *m.* escavação; acção de tornar oco; (fig.) vaidade, ostentação, presunção.

ahuecar. *v. tr.* cavar, escavar; tornar oco; (fig.) afofar; inflar. — **ahuecarse.** *v. r.* tornar-se vaidoso, envaidecer-se: *ahuecar el ala*, tomar as de Vila-Diogo.

ahuesado, da. *adj.* e *p. p.* da cor do osso; semelhante ao osso; duro ou resistente como o osso.

ahuesarse. *v. r.* (Amér.) avariar-se, tornar-se inútil; paralisar-se; estancar-se a venda de mercadorias.

ahulado. *m.* (Amér.) tecido impermeável.

ahumada. *f.* fumaça; sinal feito com fumo; almenada.

ahumadero. *m.* lugar onde se fuma.

ahumado, da. *adj.* e *p. p.* afumado; defumado; diz-se dos corpos transparentes que tem cor escura; cheio de fumo; fuliginoso. — *m.* fumagem; (pop.) ébrio.

ahumador, ra. *adj.* afumador, diz-se do que afuma. — *m.* aparato para produzir fumo usado na apicultura; defumador.

ahumadura. *f.* fumigação; afumadura; esfumação.

ahumar. *v. tr.* afumar, esfumar, defumar; fumigar; tornar escuro; mechar; enfumarar, enfumaçar. — *v. intr.* emitir fumo; (fam.) emborrachar. — **ahumarse.** *v. r.* afumar-se; encher de fumo; (pop.) emborrachar-se.

ahumear. *v. intr.* (prov.) V. **humear.**

ahunche. *m.* (Amér.) resíduo, resto.

ahurragado, da. *adj.* V. **aurragado.**

ahusado, da. *adj.* e *p. p.* afusado; aguçado como um fuso, afuselado; adelgaçado numa extremidade; fusiforme.

ahusamiento. *m.* acção e efeito de afusar; adelgaçamento em feitio de fuso.

ahusar. *v. tr.* afusar, aguçar como um fuso; dar forma de fuso; adelgaçar numa extremidade. — **ahusarse.** *v. r.* afusar-se; adelgaçar-se.

ahuyentador, ra. *adj.* afugentador, o que afugenta.

ahuyentar. *v. tr.* afugentar; pôr em fuga; repelir; desacoitar; enxotar; (fig.) vencer, dominar uma paixão. — **ahuyentarse.** *v. r.* fugir; afugentar-se; fugar-se.

aimará. *adj.* e *s.* pertencente a uma tribu índia do Lago Titicaca; povo indígena do Alto Peru do qual se supõe oriunda a dinastia dos Incas.

aimiqui. *m.* (pop.) V. **jaimiquí.**

aína. *adv.* depressa; fàcilmente; por pouco.

aínas. *adv.* V. **aína.**

aindamáis. *adv.* ainda mais; para mais.

aindiado, da. *adj.* semelhante ao índio.

airado, da. *adj.* e *p. p.* irado; colérico, furioso, alteradiço, furibundo, encolerizado; encruado, enfadado: *vida airada*, boémia; *mujer de vida airada*, messalina.

airamiento. *m.* ira, cólera, paixão, irritação; ferocidade de animais.

airar. *v. tr.* encolerizar, irritar; encruar, enfadar, enfurecer, exacerbar; endemoninhar. — **airarse.** *v. r.* encolerizar-se, irritar-se, tornar-se colérico.

aire. *m.* ar; vento, atmosfera; (fig.) contenho, aparência, atitude; graça, galhardia, figura; parecença; vidação; clima; vaidade, vácuo; andamento; andar; futilidade, frivolidade; (med.) ar, ataque de paralisia: *falta de aire*, dispneia, falta de ar; *tomar aire*, arejar; *aire y compostura de cuerpo*, continente; *llevar el aire a alguien*, fazer antecâmara; *al aire libre*, ao ar livre; a corpo descoberto; *exponer al aire*, dar-se ares; *hacer castillos en el aire*, fazer castelos no ar; *al aire*, descoberto; *aires de falsa virtud*, biocos de falsa virtude; *tener aires de algo*, ter ares de alguma coisa; *corriente de aire*, ar encanado; *aire líquido*, ar líquido; *aire comprimido*, ar comprimido; *aire frio*, friacho; *aire colado*, ar coado; *en el aire*, no ar; sem segurança; *caerse del aire*, ter demasiada facilidade para acreditar, ser muito ingénuo.

aireación. *f.* aeração, arejo, ventilação.

aireado, da. *adj.* e *p. p.* arejado; airado; desabafado; ventilado.

airear. *v. tr.* arejar, expor ao ar; arear; desabafar; ventilar; enxugar ao ar; esfriar, enfriar. — **airearse.** *v. r.* arejar-se; oxigenar-se; avelar-se: *airear alguna cosa*, pôr alguma coisa em fresco.

airecillo. *m. dim.* arzinho.

aireo. *m.* arejo, arejamento, ventilação; acção e efeito de arejar.

airi. *m.* (bot.) airi, espécie de palmeira espinhosa do Brasil.

airón. *m.* (zool.) garça real; gavião; penacho, enfeite de cabeça, airão; poço mourisco muito fundo.

airosidad. *f.* airosidade, garbo, gentileza, galhardia.

airoso, sa. *adj.* airoso; arejado; gentil; engraçado; que sai felizmente de algum negócio; loução; bizarro, bem-posto, arrogante, elegante; galhardo; galante: *salir airoso*, salir bem de algum negócio.

aislable. *adj.* isolável, que se pode isolar.

aislacionismo. *m.* isolacionismo, política de desinteresse, num país, pelas questões de outros países.

aislacionista. *s.* partidário do isolacionismo, isolacionista.

aislado, da. *adj.* e *p. p.* isolado; destacado; desacompanhado; encantoado; avulso; infrequentado, (Bras.) infreqüentado, insulado; separado; incomunicável; solitário.

aislador, ra. *adj.* isolador; insulador. — *m.* (fís.) isolador, insulador.

aislamiento. *m.* isolamento, insulamento, insulação; desterro, (Bras.) destêrro, incomunicação; abstra(c)ção; (fig.) individualismo.

aislar. *v. tr.* insolar; cercar de água, insular; tornar incomunicável, tornar solitário; separar da sociedade; (electr.) pôr um corpo em condições de não transmitir a outro electricidade que tem; isolar por meio de isoladores; (fig.) encantoar, acantoar; incomunicar. — **aislarse.** *v. r.* isolar-se; apartar-se; encasular-se; amochar-se, incomunicar-se, encantoar-se, enconchar-se, meter-se nas encolhas: *aislarse del mundo*, apartar-se do mundo, sepultar-se vivo.

¡ajá! *interj.* (fam.) que denota complacência ou aprovação.

ajabardar. *v. tr.* formar enxames de abelhas.

ajabeba. *f.* espécie de flauta mourisca.

ajacintado, da. *adj.* semelhante ao jacinto.

ajada. *f.* alhada; molho.

ajada. *f.* (Amér.) V. **ajamiento.**

ajado, da. *adj.* e *p. p.* desmerecido; injuriado; desacreditado; maltratado.

ajadura. *f.* ferrete, mancha, desonra.

ajaezar. *v. tr.* ajaezar.

¡ajajá! *interj.* V. **¡ajá!**

ajamiento. *m.* mau tratamento; injúria, descrédito; deturpação.

ajamonarse. *v. r.* (fam.) chegar à idade premenopáusica.

ajaquecarse. *v. r.* sentir-se acometido de enxaqueca.

ajaquiento, ta. *adj.* achacado, adoentado, valetudinário.

ajar. *m.* lugar plantado de alhos; alhal.

ajar. *v. tr.* injuriar; desacreditar; maltratar; deteriorar, estropear; deturpar; emurchecer; menoscabar, desflorar. — **ajarse.** *v. r.* envelhecer; desmerecer.

ajaraca. *f.* (arq.) laçada de linhas na ornamentação mourisca.

ajaracado. *m.* (arq.) desenho ou pintura na ornamentação árabe ou mudéjar.

ajarafe. *m.* (arq.) terraço, varanda; açoteia.

ajaspajas. *f. pl.* palhas-alhas; designativo vulgar das folhas secas dos alhos.

aje. *m.* achaque habitual.

ajear. *v. intr.* imitar a voz da perdiz quando do se vê acossada.

ajebe. *m.* V. **jebe.**

ajechar. *v. tr.* (Amér., pop.). V. **ahechar.**

ajecho. *m.* (Amér., pop.) V. **ahecho.**

ajedrecista. *s.* xadrezista, enxadrista.

ajedrez. *m.* xadrez; (mar.) xareta.

ajedrezado, da. *adj.* enxadrezado, axadrezado.

ajedrezar. *v. tr.* enxadrezar.

ajenar. *v. tr.* V. **enajenar.**

ajeno, na. *adj.* alheio; oposto, contrário, alienado, privado da razão; estranho, impróprio; distante; privado; isento; distraído: *ajeno a*, alheio a; *asunto ajeno al debate*, assunto alheio ao debate.

ajenuz. *m.* (bot.) nigela (planta de adorno).

ajeo. *m.* imitação do grito da perdiz quando vai acossada.

ajero, ra. *s.* alheiro; dono dum campo de alhos; que vende alhos.

ajete. *m.* alhinho; alho verde: *salsa de ajete*, alhada; molho que leva alho.

ajetrear. *v. tr.* (fam.) fadigar, cansar; fatigar, causar fadiga a. — **ajetrearse.** *v. r.* cansar-se, fatigar-se, fadigar-se.

ajetreo. *m.* fadiga, fatiga, cansaço; agitação.

aji. *m.* pimentão da Índia; molho feito com este pimentão.

ajiaceite. *m.* alhada preparada com azeite.

ajiaco. *m.* molho de pimentão; (Cuba) tumulto, escândalo.

ajicero, ra. *adj.* (Amér.) pertencente ao molho do pimentão. V. **ajiaco.** *s.* vendedor de molho de pimentão. — *m.* vasilha para o molho de pimentão.

ajicola. *f.* cola que se faz cozendo com alhos pedaços de pêle de cabrito.

ajilimoje. *m.* (fam.) espécie de molho de alho e azeite. — *pl.* (fam.) com todos seus pertences ou requisitos.

ajimojili. *m.* V. **ajilimoje.**

ajillo. *m.* alhinho; alho verde; guisado de batatas; (prov.) V. **mancha.**

ajimez. *m.* janela geminada, aximez.

ajinar. *v. tr.* (pop.) V. **repartir.**

ajironar. *v. tr.* pôr cercaduras; esfarrapar; pôr barras na roupa, de cor diferente da peça; debruar; fazer debruns.

ajitera. *m.* (Amér., pop.) V. **ahitera.**

ajizial. *m.* terra semeada de pimentos.

ajo. *m.* (bot.) alho; molho que se faz com alhos; (fig.) negócio sujo ou suspeitoso; (fig. e fam.) enfeite, adorno que usam as mulheres; *campo de ajos,* alhal; *diente de ajo,* dente de alho; *cabeza de ajo,* cabeça de alho; *ristra de ajos,* réstea de alhos; *ajo silvestre,* alho mourisco; *más vale el ajo que el pollo,* sai mais cara a mecha que o sebo; *estar en el ajo,* conhecer perfeitamente um assunto; *andar en el ajo,* tomar parte num assunto; *más tieso que un ajo,* vaidoso; presunçoso; *harto de ajos,* (fam.) grosseiro, tosco; ¡bueno está el ajo!, diz-se quando os assuntos estão embrulhados.

¡ajó! *interj.* com que se acaricia e estimula a criança para que comece a falar.

¡ajó, taita! *interj.* V. **¡ajó!**

ajobar. *v. tr.* levar às costas, carregar com alguma coisa.

ajobero, ra. *adj.* e *s.* moço; carregador, carrejão.

ajobilla. *f.* concha; molusco acéfalo.

ajobo. *m.* carga; fardo; (fig., ant.) ocupação afanosa, pesada; (fig.) moléstia; fadiga, cansaço; aborrecimento.

ajofaina. *f.* balsa de lavar; escudela.

ajonjear. *v. tr.* mimar; acariciar, amimar, dar mimo a; seduzir, enganar com manha.

ajonjeo. *m.* mimo, carícia, afago; sedução, seduzimento; engano.

ajorar. *v. tr.* levar por força gente ou gado duma parte a outra; levar adiante de si.

ajorca. *f.* bracelete; pulseira; ajorca, axorca.

ajordar. *v. intr.* levantar ou esforçar a voz até enrouquecer.

ajornalado, da. *adj.* e *p. p.* ajornalado, que trabalha a jornal.

ajornalar. *v. tr.* ajornalar, tomar alguém para trabalhar a jornal.

ajoró. *m.* (pop.) sexta-feira.

ajorrar. *v. tr.* arrastar os troncos cortados no monte até o resvaladouro. V. **remolcar.**

ajorro. *m.* arrastadura dos troncos das árvores até o resvaladouro. — *adv.* V. **arrastras.**

ajotar. *v. tr.* (Amér.) açular, incitar, estimular (cães).

ajuagas. *f. pl.* (vet.) esparavão; ajuagas.

ajuanetado, da. *adj.* ajoanetado. V. **juanetudo.**

ajuaneteado, da. *adj.* V. **ajuanetado.**

ajuar. *m.* enxoval; mobília de uso comum; alfaia; aviamentos; arreamento; arreação; adereço de casa, arranjo: *ajuar de mesa,* mensório.

ajuate. *m.* (Amér.) V. **ahuate.**

ajudiado, da *adj.* que é parecido ou semelhante em alguma coisa com os judeus, ajudengado.

ajuiciado, da. *adj.* e *p. p.* ajuizado; sensato, assisado, avisado, circunspecto, cordato, discreto, grave, judicioso, ponderado, prudente, sábio, sensato, sério, sisudo.

ajuiciar. *v. tr.* começar a ter juízo; acadimar. — *v. intr.* ser ponderado ou prudente; assentar-se; (for.) levar a juízo, ao Tribunal.

ajumado, da. *adj.* (pop.) ébrio, embriagado, bêbedo, ebrioso.

ajumarse. *v. r.* (pop.) emborrachar-se, embriagar-se.

ajuntar. *v. tr.* ajuntar; juntar; adir. V. **juntar.**

ajustable. *adj.* ajustável, adaptável.

ajustado, da. *adj.* e *p. p.* justo, ajustador; recto; aparelhado; apalavrado, falado; estreito; assentado; convencionado; acomodado; avindo: *traje muy ajustado,* vestido apertado.

ajustador. *m.* gibão, justo do corpo; anel; operário, montador; (mec.) assentador; enxamblador, ensamblador. — *adj.* ajustador; engastador.

ajustamiento. *m.* ajustamento; aparelhamento; convenção, ajuste; reconciliação; (fig.) liquidação de contas; (mec.) assentamento.

ajustar. *v. tr.* ajustar, convir; reconciliar; conceder; (fig.) liquidar uma conta; (mec.) assentar; enxamblar, ensamblar; pactuar; pactar; aparelhar; apalavrar; metodizar; amanhar; apropriar; aprazar; encavar; encasar; fingir; contratar; entoar (falando de pintura); coaptar; acomodar; avir; avençar; ageitar; aptificar; aptar; adaptar; adequar; (carp.) enxamblar; (impr.) pôr o tipógrafo as provas em forma de páginas, compor provas tipográficas. — **ajustarse.** *v. r.* ajustar-se; adaptarse; convir; avençar-se: *ajustar el trabajo de alguien,* ajustar o trabalho de alguém, engajar; *ajustar una pelea,* apartar a briga; *ajustar a un molde,* amoldar; *ajustar las cuentas,* apurar contas; *ajustarse con alguien,* aprazar-se com alguém; *ajustarse por un sueldo,* assoldadar-se; *ajustarse al pie de la letra*, atar-se à letra.

ajuste. *m.* ajuste; liquidação de contas; pacto, acordo, (Bras.) acôrdo, ajustamento; apreçamento; (carp.) enxambladura, enxamblamento, ensambladura, entalhamento, encaixe; (mec.) assentamento; encava; encasamento; estipulação, convénio, (Bras.) convénio, (impr.) composição de provas tipográficas em forma de página; *ajuste de cuentas*, apuramento de contas; (fig.) *ajuste de cuentas*, assentamento das costuras.

ajusticiado, da. *adj.* e *p. p.* justiçado, executado.

ajusticiamiento. *m.* execução; suplício de um condenado; cumprimento da pena de morte.

ajusticiar. *v. tr.* justiciar; executar a um condenado à pena de morte; castigar impondo a pena de morte.

al. *art.* contracção da preposição *a* com o artigo *el*, ao. — *pron. ant.* outrem; o resto; al-outro: *al contrario*, às avessas; *al raso*, ar livre; *al lado*, a par; *al revés*, ao arrepio; *al amanecer*, ao amanhecer; *al portador*, ao portador; *al abrigo de*, ao abrigo de; *al pie de*, ao pé de.

ala. *f.* asa; (arq.) ala de um edifício; (mil.) ala de um exército; aba de chapéu; (zool.) asa; aleta, asa do nariz, asa do avião; fileira, fila; (mar.) certa vela do navio; asa; (fig.) avião; (bot.) as duas pétalas laterais da corola; (mil.) flanco de um exército; fileira de pessoas; corpo lateral dum edifício; aba da janela ou da porta; *ala de gavia, velacho, sobremesa*, a asa de gávea, velacho, sobregata; *ala de un ejército de voluntarios*, ala de namorados; *dar alas*, dar asas; *con alas en los pies*, alípede; (fig.) *cortar las alas a alguien*, cortar as asas a alguém; *batir alas*, bater as asas; (av.) *distancia entre los extremos de las alas de un avión*, envergadura; *cortar las alas a alguien*, abaixar a proa a alguém; *alas de la mesa*, abas da mesa; *con las alas caídas*, desasado. — *pl.* (fig.) ousadia, audácia.

¡ala! *interj.* V. **¡hala!**

Alá. *m.* Alah (nome de Deus entre os mahometanos) Alá.

alabable. *adj.* louvável; meritório.

alabado, da. *adj.* e *p. p.* louvado, elogiado; gabado. — *m.* motete; bendito (motete que se canta em honra do Santíssimo Sacramento): *¡alabado sea Dios!*, louvado seja Nosso Senhor-; ainda bem!; *al alabado*, (Amér. fig. e fam.) ao amanhecer.

alabador, ra. *adj.* e *s.* afamador, elogista elogiador, elogioso, encomiador, gabador, gabão, exaltador, louvador; *persona alabadora*, gabanela.

alabamiento. *m.* louvor, elogio, gabo, exaltação.

alabancero, ra. *adj.* lisonjeiro; adulador, elogiador, louvaminheiro.

alabancia. *f.* V. **alabanza.**

alabancioso, sa. *adj.* (fam.) alabancioso; jactancioso, vaidoso, vadio.

alabandina. *f.* (min.) manganês, alabandina, alabandite.

alabanza. *f.* louvor; elogio, louvação, louvamento; abono, abonamento, abonação; gabo; apologia; aplauso; encarecimento, encómio, (Bras.) encômio; magnificação; gabação, gabamento, gabadela: *hablar con alabanzas de alguien*, afamar a alguém.

alabar. *v. tr.* louvar, elogiar; gabar; bem-dizer; bendizer; aclamar; aprovar, aplaudir; enaltecer, encomiar, encarecer; engrandecer; incessar — **alabarse.** *v. r.* alabar-se, louvar-se, gabar-se, pabular; abonar-se; envaidar-se, altivar-se: *alabar a alguien en su ausencia*, fazer boas ausências de alguém; *alabar mucho a alguien*, pôr alguém nos cornos da lua; *alabar a otro*, ir atrás de um chocalho.

alabarda. *f.* alabarda; posto de sargento: *dar un golpe de alabarda*, alabardar.

alabardazo. *m.* alabardada, golpe de alabarda.

alabardero. *m.* alabardeiro, soldado armado de alabarda; (fam.) o que aplaude nos teatros, o que forma parte de uma claque: *ser alabardero*, (teatr.) formar parte duma claque.

alabastrado, da. *adj.* parecido com o alabastro; alabastrino.

alabastrina. *f.* chapa de alabastro.

alabastrino, na. *adj.* alabastrino, que tem a cor do alabastro, alabástrico.

alabastrita. *f.* (min.) alabastrite, variedade de gesso semelhante ao alabastro.

alabastrites. *f.* (min.) V. **alabastrita.**

alabastro. *m.* (min.) alabastro, mármore branco; (fig.) alvura.

álabe. *m.* (agr.) ramo inclinado para o chão; pá de roda hidráulica; esteira posta nos lados de um carro.

alabeado, da. *adj.* e *p. p.* curvado, dobrado, empenado (madeira).

alabear. *v. tr.* curvar; dobrar; empenar a madeira; encurvar. — **alabearse.** *v. r.* empenar-se; curvar-se a madeira, torcer-se, uma porta, janela, etc.

alábega. *f.* V. **albahaca.**

alabeo. *m.* curvatura; empeno da madeira; empenamento: *alabeo de una tabla*, empena.

alabesa. *f.* V. **alavesa.**

alabiado, da. *adj.* diz-se da moeda mal cunhada.

alacate. *m.* (Amér.) cabaça.

alacayo. *m.* lacaio. V. **lacayo.**

alacena. *f.* armário construido na parede; bofeta; aparador.

alación. *f.* adejo das aves.

alaco. *m.* (Amér.) farrapo, andrajo.

alacrán. *m.* (zool.) alacrau, lacrau; escorpião; gancho que prende o freio à cabeçada do cavalo; colchete para prender botões.

alacranado, da. *adj.* mordido pelo lacrau; (fig.) corrupto, viciado.

alacre. *adj.* álacre, gaio, alegre, contente, exultante, jovial, jubiloso, ledo, satisfeito.

alacridad. *f.* alacridade. alegria, contentamento, exultação, jovialidade, júbilo, ledice, regozijo, satisfação; vivacidade.
alacha. *f.* V. **haleche.**
alachar. *v. tr.* (pop.) encontrar, achar, topar; descobrir.
alache. *m.* V. **haleche.**
alada. *f.* adejo; voo das aves, voejar.
aladar. *m.* madeixa de cabelo que pende das fontes (usa-se mais no plural).
aladear. *v. tr.* (Amér., pop.) V. **ladear.**
aladica. *f.* aluda; formiga com asas.
alado, da. *adj.* alado; aligero; ligeiro, alífero, asado; alado, que tem asas.
aladrada. *f.* sulco; rego do arado ou da charrua.
aladrar. *v. tr.* lavrar; arar; laborar a terra.
aladrería. *f.* conjunto de utensílios empregados na lavoura; carpintaria de obra grossa.
aladrero. *m.* carpinteiro de minas, de carros e arados; carpinteiro de obra grossa.
aladro. *m.* V. **arado.**
aladroque. *m.* (ictiol.) savel. V. **boquerón.**
alafía. *f.* (fam.) graça; perdão; misericórdia (só se usa com o verbo pedir).
alagadizo, za. *adj.* alagadiço; encharcadiço; atoladiço; pantanoso, lamacento.
alagado, da. *adj.* e *p. p.* alagado, empantanado; molhado em demasia.
alagar. *v. tr.* alagar, converter em lago; cobrir de água; inundar; encharcar; empantanar; anegar; molhar em demasia. — **alagarse.** *v. r.* alagar-se, empantanar-se.
alagartado, da. *adj.* alagartado, semelhante à pele do lagarto; sarapantado, que tem cores vivas como o lagarto.
alagartarse. *v. r.* (Amér.) separar as patas excessivamente (os animais).
alaguna. *f.* laguna.
alagunar. *v. tr.* (Amér.) V. **alagar.**
alajú. *m.* massa de amêndoas e nozes.
alalia. *f.* (med.) alalia, mutismo acidental.
alalimón. *m.* certo jogo de rapazes.
alamar. *m.* alamar, presilha com botão.
alambicado, da. *adj.* e *p. p.* alambicado, escasso, económico; sútil.
alambicador, ra. *adj.* (Amér.) pedante, que sutiliza; que destila no alambique.
alambicamiento. *m.* destilação no alambique; (fig.) sutileza, afectação excessiva; alambicadura.
alambicar. *v. tr.* alambicar, destilar no alambique; (fig.) apurar, examinar profundamente; arrebicar; sutilizar; requintar; (fam.) rebaixar os preços quanto é posível.
alambique. *m.* alambique, aparelho de destilação, destilador: *alambique sin serpentín*, alquitara; *por alambique, pouco a pouco*, parcamente.
alambiquería. *f.* (Amér.) destilaria de alcool.
alambiquero. *m.* destilador.
alambor. *m.* (arq.) alambor, aumento de espessura na base das construções de alvenaria; (fort.) escarpa ou declive áspero.
alamborado, da. *adj.* alamborado, convexo, alombado.

alambrada. *f.* (mil.) aramado; rede de arame grosso e farpado.
alambrado, da. *m.* rede de arame. — *p. p.* de *alambrar.*
alambrado, da. *adj.* de cor ruivo (diz-se do cavalo).
alambrar. *v. tr.* alambrar. — *v. intr.* aclarar; limpiar o céu; desanuviar.
alambre. *m.* arame, fio de metal; cobre; chocalho para os rebanhos: *alambre de espino*, arame farpado; *montador de alambres*, arameiro; *cercar con alambre*, aramar; *proteger de alambre de espino*, estrepar; *ser tan flaco como un alambre*, andar por arames.
alambrear. *v. tr.* bicar a perdiz os arames da gaiola.
alambrera. *f.* rede de arame, mosqueiro; cobertura de arame que se põe sobre os braseiros.
alambrero, ra. *s.* fabricante ou vendedor de arames.
alameda. *f.* alameda, lugar plantado de álamos; rua de árvores; choupal; avenida.
alamedero. *m.* (Amér.) guarda duma alameda.
alameo. *adj.* perecido com o álamo (diz-se de uma variedade de oliveira).
alamín. *m.* alamim, verificador do pesos e medidas e dos víveres. V. **alarife.**
alaminazgo. *m.* profissão de «alamín». V. **alamín.**
alamirré. *m.* (mús.) alamiré.
álamo. *m.* (bot.) álamo; choupo tremedor: *álamo blanco*, bétula, álamo branco; *álamo negro*, alambra, álamo negro; *álamo temblón*, álamo tremedor ou alpino.
alampar. *v. tr.* e *r.* (pop.) picar, desejar ardentemente; almejar.
alamud. *m.* ferrolho quadrado; varão de ferro.
alanceado, da. *adj.* e *p. p.* alanceado, ferido com lança; (fig.) lancinante; amargurado, torturado.
alanceador, da. *m.* alanceador, o que dá lançadas, que alanceia.
alanceamiento. *m.* acção e efeito de alancear; ferida com lança, alanceamento.
alancear. *v. tr.* alancear, dar lançadas, ferir com lança; afligir; maltratar: *alancear toros*, correr touros.
alanina. *f.* (quím.) alanina.
alano, na. *adj.* alano. — *adj.* (zool.) alão, espécie de cão.
alante. *adv.* (pop.) V. **adelante.**
alantoides. *adj.* e *s.* alantoideo.
alanzar. *v. tr.* lançar; alancear; arrojar lanças.
alaqueca. *f.* alaqueca; cornalina.
alar. *m.* aba de telhado; rede para caçar perdizes; beiral. — *pl.* (germ.) calças.
alárabe. *m.* V. **alarbe.**
alarbe. *m.* alarve, árabe, beduíno; (fig.) alarve, grosseiro, rústico, labrego.
alarde. *m.* alarde, ostentação, fanfarronada, bazófia, gabolice, ja(c)tância, orgulho, ufania, vanglória, aparato, arrotação, galardeamento, bizarria; alardo; revista de

tropas que se fazia anualmente; resenha minuciosa; visita aos presidiários feita por o juiz: *hacer alarde*, alardear, fazer e acontecer.

alardeador, ra. *adj.* e *s.* alardeador, arrotador, jactancioso, fanfarrão.

alardear. *v. intr.* alardear, basofiar, blasonar, desvanecer-se, fanfarrear, gabar-se, jactar-se, orgulhar-se, ostentar, ufanar-se, vangloriar-se, delamber-se; bizarrear; dribantear; empantufar-se, farroncear, frigir, apavonar-se, arrotar, dar-se ares: *alardear de algo*, fazer barulho com alguma coisa; *alardear de valiente sin serlo*, fanfarrear; *alardear de lujo*, luxar; *alardear de*, fazer luxo de.

alardeo. *m.* acção de alardear, alarde, alardo. V. **alarde.**

alardoso, sa. *adj.* ostentoso, jactancioso, fanfarrão.

alargable. *adj.* que se pode alongar.

alargadera. *f.* alargadeira; sarmento que não se poda; (quim.) alonga; crescença, aditamento.

alargado, da. *adj.* e *p. p.* alargado, alongado, estirado.

alargador, ra. *adj.* alargador, alongador; que dilata ou demora.

alárgama. *f.* V. **alharma.**

alargamiento. *m.* alargamento, alongamento; prolongação, delonga, prazo.

alargar. *v. tr.* alongar, estender, dilatar; delongar; alargar, tornar largo ou extenso; dilatar; prolongar, estiraçar; (fig.) ganhar tempo. — **alargarse.** *v. r.* alongar--se; extender-se; (mar.) cambiar a direcção do vento; espaçar-se.

alargas. *f. pl.* V. **largas.**

alaria. *f.* pá; chapa de ferro dos oleiros.

alarida. *f.* alarida, gritaria, clamor, vozearia; algazarra. V. **alarido.**

alarido. *m.* alarido, algazarra, berreiro, bramido, celeuma clamor, gritaria, vozeria, vozearia; grito de dor.

alarifazgo. *m.* ofício de alarife.

alarife. *m.* alarife; mestre pedreiro; arquite(c)to; mestre-de-obras. V. **albañil;** (Amér.) pessoa sagaz.

alarma. *f.* alarma, rebate; susto, apreensão, assombro, espanto, medo, pânico, pavor, receio, sobressalto, susto, temor; alvorôto, clamor, desassossego, (Bras.) desassossêgo; abalo; confusão: (mil.) alarme: *alarma bélica*, alvorôço de guerra; *dar la alarma*, alertar; *alarma contra aviones*, alarme anti-aéreo.

alarmado, da. *adj.* e *p. p.* alarmado, assustado; alvorotado, sobressaltado.

alarmador, ra. *adj.* alarmante, que alarma.

alarmar. *v. tr.* alarmar, pôr em alarme; assustar; alvorotar; comover; inquietar; (mil.) alarmar, dar alarme; atemorizar; dessassogar; desquietar. — **alarmarse.** *v. r.* alarmar-se; atemorizar-se, sobressaltar--se, assustar-se, aterrar-se; andar em papos de aranha.

alármega. *f.* V. **alharma.**

alarmista. *s.* alarmista; atemorizador, assustador.

alaroz. *m.* armação de madeira para nela se colocar uma antepara.

alastrar. *v. tr.* arrastar-se do lado ao chão fitar as orelhas o cavalo ou o touro; (mar.) lastrar, pôr lastro nos navios.

a látere. *loc. lati.* com que se designa a pessoa que acompanha constantemente ou frequentemente a outra.

alatrón. *m.* crosta de nitro que se forma na superfície da terra de onde se extrai este sal.

alavecino, na. *adj.* e *s.* V. **fatimita.**

alavense. *adj.* e *s.* (geog.) natural de ou pertencente a Álava.

alavés, sa. *adj.* e *s.* (geog.) natural de ou pertencente a Álava.

alavesa. *f.* lança curta.

alazán, na. *adj.* alazão, que tem cor de canela (falando-se do cavalo). — *m.* alazão. cavalo de cor de canela.

alazana. *f.* lagar de azeite; azenha.

alazano, na. *adj.* V. **alazán.**

alazo. *m.* golpe de asa.

alba. *f.* alva, aurora; madrugada; alvorada: alba (túnica eclesiástica): *al alba*, ao amanhecer.

albaca. *f.* V. **albahaca.**

albacara. *f.* cubelo; torre das fortificações; moitão pequeno.

albacea. *m.* testamenteiro; executor testamentário.

albaceato. *m.* (Amér.) V. **albaceazgo.**

albaceazgo. *m.* testamentaria; cargo de testamenteiro.

albacetense. *adj.* e *s.* (geog.) natural de ou pertencente a Albacete.

albaceteño, ña. *adj.* e *s.* (egog.) natural de ou pertencente a Albacete.

albada. *f.* alvorada. V. **alborada.**

albahaca. *f.* (bot.) alfavaca, manheiração; alfavaca de cobra.

albahaquero. *m.* vaso para plantas.

albahaquilla. *f. dim.* de *albahaca: albahaquilla de río*, parietária.

albainar. *v. tr.* (prov.) limpar o trigo ou outras sementes com o auxílio de crivo; crivar; joeirar. V. **ahechar.**

albaire. *m.* (germ.) ovo de galinha.

albalá. *s.* alvará; passaporte.

albalaero. *m.* V. **albalero.**

albalero. *m.* expedidor de alvarás.

albamento. *m.* alvura, branqueamento.

albanado, da. *adj.* (germ.) dormido, entregado ao sono.

albanecar. *m.* (carp.) triângulo rectângulo que formam as tesouras do telhado.

albanega. *f.* rede para caçar coelhos; rede, (Bras.) rêde, laço; rede para segurar os cabelos.

albaneguero. *m.* (germ.) jogador de dados.

albanés. *m.* (germ.) V. **albaneguero.** — *pl.* (germ.) dados.

albanés, sa. *adj.* e *s.* albanês, albano, natural de ou relativo à Albânia; língua deste país.

Albania. *f.* (geog.) Albânia.

albano, na. *adj.* e *s.* (geog.) V. albanés.
albañal. m. cano; cloaca; esgoto, (Bras.)
esgôto; agueiro.
albañalero, ra. *s.* o que constroi ou limpa
os esgotos.
albañar. *m.* V. albañal.
albañel. *m.* (Amér.) V. albañil.
albañil. *m.* pedreiro; alvanel; trolha, alvanil.
albañila. *f.* abelha obreira.
albañilería. *f.* alvenaria; trabalho de pedreiro, alvenaria; trabalho de trolha.
albaquía. *f.* restos de contas, saldos.
albar. *adj.* alvar; branco, alvacento, alveiro.
albarán. *m.* taboleta; rótulo; escritos para
alugar casa.
albarazado, da. *adj.* doente de lepra; alvacento; alvadio.
albarazado, da. *adj.* alvar, alvacento, pálido,
descorado; (Amér.) variedade de mestiço
descendente de chinês e índia.
albarazo. *m.* (med.) lepra tuberculosa; alvaraço, alvaraz; manchas brancas da pele.
albarca. *f.* V. abarca.
albarcoque. *m.* (bot.) damasco. V. albaricoque.
albarcoquero. *m.* (bot.) damasqueiro. V. albaricoquero.
albarda. *f.* albarda; casaco grosseiro; sela
grosseira de bestas de carga; (Amér.) sela
de montar de coiro.
albardado, da. *adj.* e *p. p.* albardado, diz-se
do animal que tem diferente do resto o
pêlo do lombo; lardeado com toucinho.
albardán. *m.* bufão, bobo, truão.
albardanería. *f.* truanice; chocarrice; graçola grosseira.
albardar. *v. tr.* albardar; lardear com toucinho; bardar; pôr albarda em; ajaezar
com albarda; cobrir sardinhas, miolos,
etcétera com ovos para fritura. V. enalbardar.
albardear. *v. tr.* (Amér.) vexar, aborrecer,
molestar, enfadar.
albardería. *f.* fábrica de albardas; ofício de
albardeiro.
albardero. *m.* albardeiro, que faz ou vende
albardas; (Bras.) abaldeirado.
albardilla. *f.* albardilha; terra pegada ao
arado; almofada de aguadeiro; pega; fritada de ovos batidos; lã que as ovelhas
criam no lombo quando estão fracas; toucinho para lardear.
albardillar. *v. tr.* cobrir a carne, peixes,
etcétera com ovos para fritura; lardear
com toucinho.
albardín. *m.* (bot.) esparto.
albardinero, ra. *s.* (prov.) pessoa que recolhe o esparto.
albardón. *m.* albardão, albarda grande; sela
usada pelos camponeses de Andaluzia.
albardonería. *f.* V. albardería.
albardonero, ra. *s.* V. albardero.
albarejo, ja. *adj.* e *m.* V. candeal.
albareque. *m.* rede parecida com a rede da
pesca da sardinha.
albarico. *adj.* e *m.* V. albarejo.

albaricoque. *m.* (bot.) damasco, albricoque,
abricó, alperche, alperce.
albaricoquero. *m.* (bot.) damasqueiro, albricoqueiro, albricoteiro, alpercheiro, alperceiro.
albariza. *f.* laguna salobre.
albarizo, za. *adj.* alvejante; esbranquiado,
alvacento.
albarrada. *f.* albarrada; parede de pedra;
cerca de terra; muro; (mil.) albarrada,
entrincheiramento.
albarrada. *f.* albarrada, vaso para beber;
vaso com flores para ornato de mesas.
albarrán. *m.* maioral do gado.
albarrazado, da. *adj.* doente de lepra; alvacento, alvadio.
albarsa. *f.* cêsto ou caixa em que o pescador
leva a sua roupa e os utensílios do ofício.
albayaldado. *adj.* alvaiadado, pintado de alvaiade.
albayalde. *m.* alvaiade: *pintar con albayalde,* alvaiadar.
albazano, na. *adj.* baio; cor de castanha.
albazo. *m.* (Amér.) alvorada; música ao
amanhecer.
albear. *v. tr.* e *intr.* alvejar; branquear.
albedriar. *v. intr.* (ant.) alvitrar.
albedrío. *m.* alvedrio; alvitre; influência;
faculdade; arbitrio; capricho, fantasia;
arbitragem, louvação; sentença arbitral.
albeitar. *m.* veterinário; alveitar.
albeitería. *f.* alveitaria; arte veterinária.
albeldadero. *m.* lugar destinado para espalhagar.
albellón. *m.* esgôto, cloaca. V. albollón.
albenda. *f.* colgadura de tecido com rendas.
albendera. *f.* mulher que fazia ou tecia as
colgaduras; (fig.) mulher ociosa.
albendero, ra. *adj.* (prov.) V. holgazán.
albengala. *f.* estofo de linho muito fino.
albéntola. *f.* espécie de rede de fio muito
fino para pescar.
alberca. *f.* alverca; reservatório ou tanque
de água que serve para as regas ou para
curtir o linho; esgoto; lugar pantanoso
onde se curte o linho; alberca.
albercón. *m.* aumen. de alberca.
albercoque. *m.* V. albaricoque.
albergado, da. *adj.* e *p. p.* albergado, agasalhado, hospedado.
albergador, ra. *adj.* albergador, que agasalha, agasalhador, acolhedor. — *s.* dono da
hospedaria.
albergar. *v. tr.* albergar; hospedar; agasalhar; apriscar; alojar; aposentar; acolher;
dar albergue, hospedagem, agasalho a;
conter. — *v. intr.* albergar, estar num albergue ou hospedado; hospedar-se, abrigar-se, albergar-se: *albergar pensamientos,* albergar pensamentos; *albergar en
un asilo,* asilar.
albergue. *m.* albergue, estalagem, guarida;
hospedaria, hotel, pensão, pousada; abrigo; covil, retiro dos animais; albergaria,
albergamento; madrigua, madrigueira;
coberto; aposento, aposentadoria; asilo.
alberguería. *f.* albergaria; estalagem; hospedaria; asilo.

alberquero. *m.* o que cuida dos reservatórios ou tanques de água.

Alberto. *n. pr.* Alberto.

albica. *f.* (min.) espécie de argila branca.

albicante. *adj.* esbranquiçado, albicante, alvescente.

albicórneo, a. *adj.* (zool.) albicórneo.

albificación. *f.* (quím.) albificação; branqueação.

albifloro, ra. *adj.* (bot.) albiflor, que produz flores brancas.

albigense. *adj.* e *s.* albigense: (da cidade de Albi). — *pl.* albigenses, seita político-religiosa que se difundiu ao Sul da França.

albihar. *m.* (bot.) narciso (flor); olho de boi (planta). V. **manzanilla loca.**

albin. *m.* hematite; (pint.) cor carmesim.

albina. *f.* lagoa de águas do mar nas terras baixas, albufeira.

albinia. *f.* albinismo.

albinismo. *m.* albinismo, ausência da matéria corante da pele, cabelo e olhos; (bot.) albinismo (doença das plantas).

albino, na. *adj.* e *s.* albino; indivíduo que tem albinismo; (bot.) albino.

Albino. *n. pr.* Albino.

albípedo, da. *adj.* (zool.) albípede, que tem os pés brancos.

albipenne. *adj.* (zool.) albipene.

albiricias. *f. pl.* (Amér.) V. **albricias.**

albiriji. *m.* (germ.) habilidade, artifício.

albirrostro, tra. *adj.* (zool.) albirrostro.

albis, in. *loc. adv.* in albis.

albita. *f.* (min.) alvite.

albitana. *f.* (mar.) cadaste; contracadaste; cerca de protecção às plantas de jardim, alvitana.

albo, ba. *adj.* (poes.) alvo, branco, muito branco.

alboaire. *m.* lavor que se fazia nos te(c)tos ou abóbadas, adornando-os com azulejos.

albogalla. *f.* galha, noz de galha.

albogón. *m. aum. de albogue;* espécie de gaita, albogão.

albogue. *m.* alboque, albogue, instrumento de música pastoril; pratos, instrumento de música.

alboguear. *v. intr.* (mús.) tocar alboque.

alboguero, ra. *s.* (mús.) o que toca ou faz alboques.

albohol. *m.* (bot.) campainha, trepadeira.

albollón. *m.* desaguadoiro, de tanques, currais, etc. V. **albañal.**

albóndiga. *f.* almôndega, bolo de carne picada com ovos e outros adubos.

albor. *m.* albor, alvor, brancura;! luz; adrego; madrugada; amanhecer.

alborada. *f.* alvorada; crepúsculo matutino; antemanhã; alvor; anteaurora; madrugada; amanhecer; (mil.) toque d'alvorada; música ao alvorecer; (Bras.) alvôro.

albórbola. *f.* alvoroço; algazarra.

alborear. *v. intr.* alvorecer; romper, abrir o dia; amanhecer, enclarear; desnoitar; despontar o dia.

albornoz. *m.* albornoz, gabão com capuz; tecido de lã muito forte.

alboroque. *m.* (fig.) luvas; gratificação; o que se dá além do preço de um contrato.

alborotadizo, za. *adj.* turbulento; que se alvorota por qualquer motivo, assomadiço.

alborotado, da. *adj.* e *p. p.* alvorotado; estouvado; alvoroçado; altanado; agitado, excitado, turbulento; entusiasmado, irreflectido.

alborotador, ra. *adj.* e *s.* alvorotador; alvoroçador; amotinador, sedicioso; cicateiro, clamador, estrondoso, fa(c)cioso, estrugidor desordeiro.

alborotar. *v. tr.* alvorotar, alvoroçar amotinar, sublevar; deturbar; alarmar; estrondear; atriar; estrupidar, exultar; fa(c)cionar, conturbar, estrugir. — **alborotarse.** *v. r.* alvorotar-se, alvoroçar-se; perturbar-se; amotinar-se, sublevar-se.

alborotista. *s.* (Amér.) V. **alborotador.**

alboroto. *m.* alvoroto, (Blas.) alvorôto; motim, sedição; avolvimento; alvoroçamento, alvoroço; (fig.) inferno; agitação; estrondo; estropeada, estropido, atroada; emoção; sobressalto; inquietação; estrépito; estralada; desordem; abalo; alvorizo; perturbação; alarme; entusiasmo; pressa; algazarra; animação; enredo, confusão: *alboroto popular,* arruaça; *promover alborotos,* estrepeitar.

alborotoso, sa. *adj.* (Amér.) V. **alborotador.**

alboroza. *f.* (bot.) medronho.

alborozado, da. *adj.* e *p. p.* alvoroçado, regozijado, alegre, contente; amotinado;

alborozador, ra. *adj.* alvoroçador; amotinador; alegre, contente.

alborozar. *v. tr.* alvoroçar, regozijar, causar regozijo; alegrar, alvorotar, amotinar; exultar. — **alborozarse.** *v. r.* alvoroçar-se; regozijar-se; alegrar-se.

alborozo. *m.* alvoroço, (Bras.) alvorôço, grande regozijo, alegria, exultação, hilaridade, animação; (ant.) motim. V. **alboroto.**

albricia. *f.* (Amér.) V. **albricias.**

albriciar. *v. tr.* (ant.) alviçarar, dar alviçaras; presentear; dar uma nova agradável.

albricias. *f. pl.* alvíssaras, dádiva (pôr boa nova); palavra de quem anuncia sucesso feliz. — *interj.* alvíssaras.

albufera. *f.* albufeira, lago; grande depósito de águas.

albúgina. *f.* (med.) albugo, albugem.

albugíneo, a. *adj.* (zool.) inteiramente de cor branca, albugíneo.

albuginitis. *f.* (med.) albuginite, inflamação da albugínea.

albuginoso, sa. *adj.* albuginoso, esbranquiçado.

albugo. *m.* (med.) albugo, albugem.

albuhera. *f.* albufeira. V. **albufera.**

álbum. *m.* álbum; livro destinado a deselhos, versos, lembranças, etc.

albumen. *m.* (bot.) albúmen, albume; clara de ovo; (bot.) endosperma.

albúmina. *f.* (quim.) albumina.

albuminar. *v. tr.* (quim.) albuminar; preparar com albumina os papéis ou chapas para fotografia.

albuminato. *m.* (quim.) albuminato.
albuminaturia. *f.* (med.) albumineuria.
albuminemia. *f.* (med.) albuminemia.
albuminiforme. *adj.* albuminiforme.
albuminimetría. *f.* (quim.) albuminimetria.
albuminímetro. *m.* albuminímetro.
albuminina. *f.* (quim.) albuminina.
albuminoide. *adj.* e *m.* albuminóide.
albuminoideo, a. *adj.* albuminóide.
albuminómetro. *m.* albuminímetro.
albuminosa. *f.* albuminose, peptona.
albuminosis. *f.* (med.) albuminose.
albuminoso, sa. *adj.* albuminoso.
albuminuria. *f.* (med.) albuminúria.
albuminúrico, ca. *adj.* (med.) albuminúrico.
albumosa. (quim.) albumose.
albumosuria. *f.* (med.) albumosúria.
albur. *m.* (zool.) boga; espécie de peixe; no jogo do monte, as duas primeiras cartas que tira o banqueiro; (fig.) azar, risco; contingência, acaso, andança, desfortuna: *al albur*, ao acaso, sem destino; *correr un albur*, arriscar-se, aventurar-se.
albura. *f.* alvura; brancura; claridade, limpidez; (bot.) alburno; clara do ovo.
alburente. *adj.* diz-se da madeira de tecido fofo e brando, macia.
alcabala. *f.* alcavala; tributo; imposto forçado; remuneração acidental, alcabala, direito.
alcabalatorio, a. *adj.* relativo às alcavalas, alcavalatório. — *m.* alcavaleiro.
alcabalero. *m.* alcavaleiro, arrendatário de alcavalas; exa(c)tor ou cobrador de alcavalas.
alcabota. *f.* (prov.) V. **cabezuela.**
alcabuco. *m.* brenha. V. **arcabuco.**
alcacel. *m.* alcacel, alcacer, cevada verde para dar aos animais.
alcaceña. *adj.* diz-se de uma peça de madeira de serra de 9 pés de comprimento e 432 milímetros de largura.
alcacer. *m.* alcacel, alcacer, cevada verde.
alcací. *m.* V. **alcuacil.**
alcacil. *m.* V. **alcuacil.**
alcachofa. *f.* (bot.) alcachofa, alcachofra; (arq.) alcachofa, ornato em forma de pinha; peça do regador ou do duche; (fig. Amér.) bofetada.
alcachofado, da. *adj.* alcachofrado, em forma de alcachofra. — *m.* guisado de alcachofras.
alcachofal. *m.* alcachofral, plantação de alcachofras.
alcachofera. *f.* alcachofreira.
alcadafe. *m.* alcadafe, alcadece.
alcagüete. *m.* (pop.) V. **alcahuete.**
alcahaz. *m.* viveiro de pássaros; grande gaiola.
alcahazada. *f.* gaiola cheia de pássaros.
alcahazar. *v. tr.* engaiolar; meter os pássaros na gaiola.
alcahueta. *f.* alcaiota, alcoviteira, encobridora; mexeriqueira; inculcadeira, comadre, corretora.
alcahuetar. *v. tr.* V. **alcahuetar.**
alcahuete. *m.* alcoviteiro, alcaiote, encobridor, medianeiro, echacorvos, faraute;

(fig.) mercúrio; corretor; corretor de amores.
alcahuetear. *v. tr.* alcovitar; solicitar; induzir para acto lascivo; excitar alguém para gozar; inculcar.
alcahuetería. *f.* alcovitice, alcovitária, alcoviteirice; aliciação, lenocínio, mexerico.
alcaicería. *f.* sítio onde se vende a seda crua ou em rama; alcaçaria.
alcaico, ca. *adj.* (poes.) alcaico.
alcaide. *m.* alcaide, governador de praça ou castelo; oficial de vara; encarregado de presídio, carcereiro.
alcaidesa. *f.* alcaidessa, mulher do alcaide.
alcaidía. *f.* alcaidaria, alcaidia, dignidade de alcaide; lugar onde o alcaide exerce a jurisdição; antigo direito satisfeito pela passagem do gado.
alcairía. *f.* (prov.) V. **alquería.**
alcala. *f.* cortinado de cama; mosquiteiro.
alcaldada. *f.* abuso de autoridade cometido por um alcaide; acto imprudente; abuso de autoridade.
alcalde. *m.* presidente de Câmara Municipal; alcalde; alcaide, juiz ordinário em Espanha; em algumas danças o que serve de guia; o que fica sem cartas nalguns jogos; chefe de quadrilha: *tener al padre alcalde*, (fig.) ter a protecção dalguém.
alcaldesa. *f.* alcaidessa, mulher do alcaide. V. **alcalde.**
alcaldesco, ca. *adj.* (dep.) próprio de alcaides.
alcaldía. *f.* alcaidia; alcaidaria, dignidade de alcaide; lugar onde o alcaide exerce a jurisdição.
alcalescencia. *f.* (quim.) alcalescência; fermentação alcalina.
alcalescente. *adj.* (quim.) alcalescente.
alcalescer. *v. tr.* (quim.) alcalescer, converter em álcali.
álcali. *m.* (quim.) alcali, álcali.
alcalificable. *adj.* alcalificável, que se pode calificar.
alcalificante. *adj.* (quim.) alcalificante.
alcalificar. *v. tr.* (quim.) alcalificar, produzir em propriedades alcalinas.
alcalígeno, na. *adj.* (quim.) alcalígeno, que produz álcalis.
alcalimetría. *f.* (quim.) alcalimetria.
alcalimétrico, ca. *adj.* (quim.) alcalimétrico.
alcalímetro. *m.* (quím.) alcalímetro.
alcalinidad. *f.* (quim.) alcalinidade.
alcalinismo. *m.* (med.) alcalinismo.
alcalino, na. *adj.* (quim.) alcalino. — *m.* alcalino, medicamento que contém um álcali.
alcalinofagia. *f.* (med.) alcalinofagia.
alcalino-térreo. *adj.* alcalino-terroso.
alcalizable. *adj.* alcalizável, que se pode alcalizar.
alcalización. *f.* alcalização, alcalinização.
alcalizar. *v. tr.* (quim.) alcalizar, alcalinizar.
alcaloide. *m.* (quim.) alcalóide.
alcalodeo, a. *adj.* (quim.) aplica-se aos princípios imediatos orgânicos que podem

combinar-se com os ácidos para formar sais.

alcaller. *m.* oleiro.

alcallería. *f.* conjunto de vasilhas de barro.

alcamonías. *f. pl.* diferentes géneros de sementes que de ordinário se deitam em caldos ou guisados, tais como: anis, coentros; cominhos, etc. — *m.* V. **alcahuete.**

alcance. *m.* alcance; alcançamento; acção e efeito de alcançar; perseguição; diferença no ajuste de contas, desfalque; alcance, distância a que chega um tiro; medida; (com.) descoberto, desfalque; (fig.) génio, talento, capacidade ; notícia da última hora; encalço; conseguimento; inteligência; importância capacidade; habilidade; extensão, distância; área; valor; capacidade intelectual, perspicácia; (vet.) alcance, alcançadura: *alcance del espíritu*, descortino; *dar alcance*, encalçar; *de cortos alcances*, de curtos alcances; *ir al alcance*, seguir a derrota; *poner al alcance de*, achegar; *dar alcance a alguien*, dar alcance a alguém; *ir al alcance de alguien*, ir em alcance de alguém; *hombre de pocos alcance*, homem de curtos alcances; *de gran alcance*, de grande alcance; *al alcance de todos*, ao alcance de todas as inteligências; *poner al alcance de alguien*, pôr ao alcance de alguém.

alcancía. *f.* alcanzia, mealheiro; panela cheia de alcatrão inflamado com que se atirava aos inimigos; (germ.) dono de bordel.

alcanciazo. *m.* golpe de alcanzia, alcanziada.

alcándara. *f.* vara onde se empoleira o falcão ou outra qualquer ave destinada a volataria; alcândora, poleiro para aves, alcândara.

alcandía. *f.* (bot.) sorgo.

alcandial. *m.* terreno semeado de sorgo ou trigo candial.

alcandora. *f.* fogueira que se usava para fazer sinal; espécie de camisa.

alcándora. *f.* alcândora; cabide onde os alfaiates, penduram a roupa.

alcanfor. *m.* (bot.) alcanfor, cânfora; alcáfora.

alcanforar. *v. tr.* alcanforar; canforar. — *v. r.* (Amér.) evaporar-se, desaparecer.

alcanforero. *m.* (bot.) alcanforeira, canforeira.

alcantarilla. *f.* cloaca ou cano de despêjo; desangradeiro; esgoto; sumidouro; pequena ponte sob um caminho.

alcantarillado. *m.* conjunto de alcantarilhas, encanamento para despejo de águas. — *p. p.* de *alcantarillar.*

alcantarillar. *v. tr.* fazer sanear ou pôr alcantarilhas; encanar.

alcantarillero. *m.* operário que trata de alcantarilhas; (germ.) ladrão.

alcanzable. *adj.* atingível, que se pode alcançar.

alcanzado, da. *adj.* e *p. p.* alcançado; apanhado; responsável por alcance. necessitado; alcançado em contas, endividado;

conseguido, empenhado; falto, necessitado, escasso.

alcanzador, ra. *adj.* e *s.* alcançador; conseguidor, aquele que alcança.

alcanzadura. *f.* (vet.) alcançadura, contusão da parte inferior dos membros; atroamento.

alcanzar. *v. tr.* e *intr.* alcançar; atingir, chegar, tocar; alcançar, conseguir, impetrar, lograr, obter, ser bem sucedido; compreender, entender, saber; ter a faculdade ou poder; ser suficiente; alcançar, falando duma arma de fogo; ficar alcançado; apanhar; avistar; endividar-se; desfalcar alguém os fundos que tem a seu cargo; agarrar; abraçar, abranger; (fig.) perceber; penetrar, atingir; augir; adquirir; dar; emparelhar; encalçar; conquistar; continuar; atinar; colher, (Bras.) colhêr. — **alcanzarse.** *v. r.* (vet.) alcançar-se: *alcanzar con la vista*, avistar; *alcanzar mucho terreno*, estender-se; *hasta donde alcanza la vista*, até onde a vista abrange; *alcanzar el barco*, apanhar o navio; *no puedo alcanzar esto*, eu não posso chegar a isto; *no alcanzar*, não compreender.

alcaraquiento, ta. *adj.* (Amér.) V. **alharaquiento.**

alcaraván. *m.* (zool.) alcaravão, ave pernalta, algaravão.

alcaravanero, ra. *adj.* diz-se do falcão que persegue os alcaravões.

alcaravea. *f.* (bot.) alcaravia; funcho, cominho dos prados, emprega-se como condimento.

alcaría. *f.* (prov.) V. **alquería.**

alcarracero, ra. *s.* o que faz ou vende moringues ou alcarrazas; oleiro; tábua ou estante para pôr os moringues.

alcarrán. *m.* (germ.) V. **zángano.**

alcarraza. *f.* moringa de barro branco, alcarraza.

alcarria. *f.* terreno alto e ordinàriamente raso e com pouca erva.

alcartaz. *m.* cartucho de papel; papelão de forma cónica.

alcatara. *f.* V. **alquitara.**

alcatenes. *m.* (vet.) medicamento que se entregava para curar as chagas e as úlceras dos cães e aves de cetraria.

alcatifa. *f.* alcatifa, tapete, alfombra, tapeçaria; ripado que se põe no solo antes de ladrilhar ou no tecto para formar o telhado.

alcatifado, da. *adj.* e *p. p.* alcatifado, coberto com alcatifa; semelhante à alcatifa.

alcatifar. *v. tr.* alcatifar, atapetar, cobrir com alcatifa; nivelar o solo deitando-lhe qualquer resíduos.

alcatife. *m.* (germ.) seda.

alcatifero. *m.* (germ.) ladrão de seda nas lojas.

alcatraz. *m.* (zool.) alcatraz, pelicano, gaivotão; canudo de papel. V. **alcartaz,** (bot.) planta aroidea.

alcaudón. *m.* (zool.) ave de rapina cinzenta, com asas negras matizadas de branco.

alcayata f. escápula, prego de cabeça dorada em ângulo; (mar.) nó de anzol.

alcazaba. f. alcáçova; castelo; forte; fortaleza situada dentro duma povoação.

alcázar. m. alcáçar; castelo, fortaleza; palácio real; (mar.) castelo de proa; forte; alcácer; habitação sumptuosa.

alcazuz. m. (bot.) alcaçuz, regoliz; fundujo.

alce. m. (zool.) alce, anta; corte no jogo de carta; prémio no jogo da manilha; (impr.) acção de alcear as folhas impressas.

alción. m. (zool.) alcião, maçarico, ave marítima e dos pântanos chamada «Martín Pescador»; pica-peixe.

alción. m. (Amér. pop.) V. **ación.**

alcionera. f. (Amér. pop.) V. **acionera.**

alciónico, ca. adj. alcióneo, relativo ao alcione.

alcionio. m. (zool.) alcíone, alcíona; ave fabulosa. Polipeiro.

alcionito. m. (paleont.) alcionito, polipeiro fóssil.

alcista. s. (com.) o que joga na alta de valores cotizáveis; altista.

alcoba. f. alcova; quarto de dormir; esconderijo; rede; caixa em que se move o fiel da balança. V. **jávega.**

alcocarra. f. careta; gesto, trejeito, esgar.

alcofa. f. esporta ou capacho grande; alcofa; seira.

alcohol. m. álcool; pó finíssimo preto, que usam as mulheres para enegrecer as pestanhas, o cabelo, etc. (quím.) antimónio; (fig.) vinho: *alcohol metílico*, álcool metílico; *alcohol etílico*, álcool etílico.

alcoholado, da. adj. e p. p. alcoolado; alcoolizado. — m. (med.) alcoolato.

alcoholador, ra. s. o que alcooliza.

alcoholar. v. tr. alcoolizar; alcoolificar, alcoolar; misturar com álcool; (fam.) pulverizar, reduzir um líquido a gotas muito ténues; enegrecer com álcool; (mar.) embrear, calafetar; lavar os olhos com álcool ou outro colírio.

alcoholar. v. intr. nos exercícios de canas e alcanzias, passar com ostentação na frente dos contrários.

alcoholasa. f. (bioquim.) alcoolase.

alcoholativo, va. adj. alcoolativo.

alcoholato. m. (quim.) alcoolato; elixir.

alcoholaturo. m. (med.) alcoolatura.

alcoholera. f. vasilha ou taça pequena para deitar o álcool usado como cosmético.

alcoholero, ra. adj. e s. fabricante ou vendedor de álcool.

alcohólico, ca. adj. alcóolico, relativo ao álcool; que tem álcool. — s. alcoólico; pessoa que abusa de bebidas alcoólicas.

alcoholificación. f. (quim.) alcoolificação.

alcoholificar. v. tr. (quim.) alcoolificar, alcoolizar.

alcoholimetría. f. (quim.) alcoometria.

alcoholímetro. m. (quím.) alcoómetro, (Bras.) alcôometro, alcoolímetro.

alcoholismo. f. alcoolismo, abuso de bebidas alcólicas.

alcoholización. f. (quim.) alcoolização.

alcoholizado, da. adj. e p. p. alcoolizado,

bêbedo, bebido, borracho, ébrio, embebedado, emborrachado, embriagado, encachaçado, temulento.

alcoholizar. v. tr. alcoolizar, misturar com álcool, etilizar; embriagar, emborrachar, encachaçar. — **alcoholizarse.** v. r. alcoolizar-se, embriagar-se, emborrachar-se.

alcohomel. m. (farm.) alcoomel.

alcohometría. f. alcoometria.

alcohómetro. m. alcoómetro, (Bras.) alcôometro.

alcolla. f. ampola grande de vidro. V. **cántaro.**

alconcilla. f. cor vermelha, espécie de arrebol com que se arrebicavam as mulheres.

alcor. m. colina, outeiro, eminência, encosta.

alcorán. m. alcorão; corão. V. **corán.**

alcoránico, ca. adj. alcorânico, relativo ao alcorão.

alcoranista. s. alcoranista, sectário ou doutor do Alcorão.

alcorce. m. acção e efeito de cobrir vários géneros de doces com pasta branca de açúcar e amido, alcorça, alcorea; (prov.) atalho, vereda.

alcorcí. m. jóia pequena.

alcornocal. m. (bot.) sobral; sobreiral; mata de sobros ou sobreiros; lugar plantado de alcornoques.

alcornocoso, sa. adj. abundante em sobreiros.

alcornoque. m. (bot.) sobro; (ant.) alcornoque; macheiro, sobreiro; (fig.) doido, néscio, pateta, tonto.

alcorque. m alcorque; cova à roda das plantas para regar; calçado com sola de cortiça; encaldeiração.

alcorza. f. alcorça; massa muito branca de açúcar com que se costumam cobrir doces e se fazem várias figuras; alcorce.

alcorzado, da. adj. e p. p. guarnecido com alcorce. V. **almibarado.**

alcorzar. v. tr. guarnecer com alcorça; adornar, embelecer.

alcorzar. v. tr. (prov.) encurtar; abreviar, acelerar.

alcotan. m. (zool.) açor macho, espécie de falcão

alcotana. f. alvião, espécie de picareta (ferramenta de pedreiro).

alcrebite. m. (quim.) V. **azufre.**

alcribis. m. boca de forja.

alcubilla. f. reservatório; mãe d'água; depósito d'água.

alcucear. v. intr. alcovitar; louvar despropositadamente.

alcucero, ra. adj. V. **goloso.** — s. fabricante ou vendedor de galhetas para azeite, latoeiro; funileiro.

alcuño. m. alcunha; mote; apodo, cognome, epíteto, vulgo.

alcurnia. f. família; linhagem, estirpe, ascendência; raça, descendência.

alcurniado, da. adj. nobre, ilustre, que procede de estirpe ilustre.

alcuza. f. alcuza; galheta para azeite; azeiteira; almotolia; (Amér.) V. **vinagreras.**

alcuzada. *f.* porção de azeite que pode conter uma almotolia ou alcuza.

alcuzcucero. *m.* vasilha para fazer cuscuz.

alcuzcuz. *m.* cuscuz, pasta de farinha e mel, cozida no vapor de água; é comida muito usada entre os mouros, alcuscuz.

alchub. *m.* (prov.) algibe, cisterna.

aldaba. *f.* aldrava; batente, aldraba, aldaba; tranqueta com que se fecha a cana do leme; tranqueta que segura a porta; (fig.) influência, interesse: *cerrar con aldaba*, aldravar, aferrolhar; *tener buenas aldabas*, ter influência.

aldabada. *f.* aldravada, aldrabada, pancada com a aldraba na porta; argola numa porta; (fig.) temor, sobressalto, susto repentino.

aldabazo. *m.* forte aldravada ou argolada numa porta.

aldabear. *v. intr.* aldravar, aldrabar; bater com aldrava repetidas vezes.

aldabeo. *m.* aldravada; acção de bater com aldrava, aldrabação.

aldabía. *f.* viga; trave em que se fixam os tabiques.

aldea. *f.* aldeia; (Bras.) arraial, provoado, povoação; lugar; campo.

aldeaniego, ga. *adj.* aldeão; (fig.) rústico, inculto, grosseiro

aldeano, na. *adj.* e *s.* aldeão, aldeã; rústico, grosseiro, simples.

Aldebarán. *m.* (astr.) Aldebarã (estrela de primeira grandeza, na constelação, do Touro).

aldehídico, ca. *adj.* (quim.) aldeírico.

aldehído. *m.* (quim.) aldeído.

aldehuela. *f.* aldeola; aldeota; lugarejo; pago.

aldeorrio. *m.* (depr.) aldeota, aldeorio.

aldeorro. *m.* V. **aldeorrio.**

alderredor. *adv.* V. **alrrededor.**

aldinegro, gra. *adj.* diz-se do touro castanho que tem a bragada e parte do ventre de cor negra.

aldino, na. *adj.* (imp.) aldino: *tipos aldinos*, letras aldinas.

aleación. *f.* liga de dois ou mais metais; mescla, ligação: *aleación de oro y plata*, electro.

aleanto. *m.* (bot.) árvore lactescente, cujo liber serve para fabricar papel.

alear. *v. tr.* e *intr.* ligar metais; bater asas, esvoaçar, alar, adejar, levantar voo; (fig.) cobrar forças o convalescente; almejar, adejar; anelar, suspirar; mesclar.

aleatorio, ria. *adj.* aleatório; casual, fortuito, eventual, contingente.

alebararse. *v. r.* agachar-se; deitar-se no chão; acaçapar-se; (Amér.) alarmar-se; (fig.) acobardar-se.

alebrestarse. *v. r.* V. **alebrarse.**

alebronar. *v. tr.* intimidar, assustar, amedrontar. — **alebronarse.** *v. r.* acovardar-se.

aleccionable. *adj.* que se pode leccionar ou instruir.

aleccionamiento. *m.* liccãa, acção e efeito de instruir; educação, le(c)cionação.

aleccionar. *v. tr.* le(c)cionar, instruir, ensinar, adestrar, explicar, mestrear.

alecrin. *m.* (zool.) alecrim; peixe seláceo dos mares de Portugal e das Antilhas; (bot.) alecrim, arbusto da família das labiadas; árvore verbenácea da América, semelhante ao acaju.

alectomancía. *f.* alectomancia.

alectoria. *f.* alectória, pedra que cresce no fígado dos galos já velhos

alectoromancia. *f.* alectoromancia.

aleche. *m.* V. **haleche.**

alechigar. *v. tr.* adoçar, dulcificar. — **alechigarse.** *v. r.* diz-se dum líquido que toma uma aparência leitosa.

alechugado. *m.* diz-se dum colo franzido antigo.

alechugar. *v. tr.* franzir; preguear; dobrar ou dispor alguma coisa em forma de folha de alface.

alechuguinarse. *v. r.* adoptar os vestidos e maneiras dos janotas; diz-se da pessoa que segue a moda.

aleda. *f.* cera vermelha.

aledaño, ña. *adj.* confim; extremo, termo, límite, adjacente, divisório, que serve de limite. — *m.* termo, limite, fronteira. — *pl.* arredores.

alefangina. *adj.* diz-se das pílulas purgativas em cuja composição entram aloés, noz-moscada e outras substâncias.

alefato. *m.* alfabeto hebreu.

alefriz. *m.* (mar.) alefriz, alferiz, fenda, encaixe, aberto na quilha do navio onde se fixa a primeira tábua do fêrro exterior.

alegable. *adj.* alegável, que se pode alegar.

alegación. *f.* alegação, citação; defesa judicial; contradita; asserção; (for.) arrazoamento.

alegajar. *v. tr.* (Amér.) ordenar papéis ou documentos em forma de maço.

alegamar. *v. tr.* adubar com lodo as terras para beneficia-las. — *v. r.* enlamear-se, sujar-se de lama.

aleganarse. *v. r.* V. **alegamar.**

alegar. *v. tr.* alegar, citar; apresentar como prova; defender em juízo; deduzir; arrazoar; expor, aduzir; dar como explicação, desculpar

alegato. *m.* (for.) alegação por escrito; alegado, o que se produz em defesa: (Amér.) rixa, briga, disputa, questão.

alegatorio, ria. *adj.* alegante, relativo a alegação, alegatório.

alegoría. *f.* alegoria, apólogo, fábula, parábola, emblema, metáfora.

alegórico, ca. *adj.* alegórico, fabulado, fabuloso, metafórico.

alegorismo. *m.* alegorismo.

alegorista. *m.* alegorista, que faz alegoria.

alegorización. *f.* alegorização.

alegorizador, ra. *adj.* e *s.* alegorista, aquele que faz alegorias ou explica por alegorias.

alegorizar. *v. tr.* alegorizar, expor por meio de alegorias; explicar em sentido alegórico.

alegra. *f.* (mar.) legra, grande trado para furar os madeiros destinados a tubos de bomba.

alegrador, ra. adj. alegrador, que alegra. — m. papel retorcido para pegar fogo; (mec.) ferramenta com que se prepara o lugar onde vai o trado.

alegrar. v. tr. alegrar; divertir, tomar alegre; avivar, aformosear, embelezar, ornar; avivar o lume ou a luz; enflorar; desenfadar; exultar; desmelancolizar; enfestar; consolar; entreter; desagastar; alumiar, desassombrar; embriagar um pouco, excitar; exaltar. — **alegrarse.** v. r. alegrar-se; empeiterar-se; desnoitar; desagastar-se, desarrufar-se; exultar: alegrar los ojos, alegrar os olhos.

alegre. adj. alegre, contente, prazenteiro, que dá alegria; agradável, animado, alacre; belo, formoso, pitoresco; fausto, feliz; brioso, valente; alvoroçador, alvorotador; loução; desenfadado; desenfastiadiço, desenfastidioso; faceto, (Bras.) facêto; cheio; chulista; chasqueador; exultante; entretenido; engraçado; descarregado; descambado, desagastado; galhardo; galhofeiro, gaiato, gaio; gaiteiro; afortunado; atrevido; un pouco obsceno ou impúdico; um tanto ébrio ou embriagado; vivo, vistoso: colores alegres, cores vivas; casa alegre, casa que tem luz e boas vistas; alegre; estar alegre, (fam.) estar com o bico; volver a estar alegre, desagastarse; estar muy alegre, estar de gaita.

alegreto. m. (mús.) alegreto, movimento menos vivo que o alegro.

alegría. f. alegria, contentamento, prazer, contento, alacridade; louçania; expansão; galhofa; aleluia; desafogo, (Bras.) desafôgo; consolação; gala; animação; exultação; palavras, gestos de alegria; festa; acontecimento feliz, júbilo, satisfação, divertimento, hilaridade, riso; (bot.) sésamo e seu fruto; (mar.) a abertura, luz ou vão total de uma porta. — pl. canto e dança de Andaluzia: alegría súbita, alegrão; transporte de alegría, alvoroço; la alegría de la vida, o abril da vida; alegría ruidosa, entusiasmo; excitar la alegría desopilar o fígado; expresar alegría, (Bras.), eita-pau.

alegro. m. (mús.) alegro.

alegrón. m. alegrão, grande alegría; (fam.) resplendor, brilho súbito e pouco duradouro; (Amér.) propenso a galanteios: dar un alegrón, dar um alegrão.

alejado, da. adj. e p. p. afastado, apartado; arredado, arredio, desviado: mantenerse alejado, aferrolhar-se.

alejamiento. m. apartamento, afastamento, arredamento, alongamento; desvio; acantoamento, alongação; abjunção; distância: alejamiento de un barco de su derrota, abatimento; alejamiento del trato social, enclausura.

Alejandría. f. (geog.) Alexandria.

alejandrino, na. adj. alexandrino.

Alejandro. m. n. p. Alexandro.

alejar. v. tr. afastar; apartar; acantoar; eliminar; arredar; desaproximar; desterrar; desencorporar; alongar. — **alejarse.** v. r. afastar-se, apartar-se, alongar-se,

arrancar-se: alejar de un empleo, destituir; alejar las moscas, abanar as moscas; alejar del trato social, enclaustrar; alejar de sí, banir; alejarse del asunto que se discute, descair-se; alejarse de la costa, amarar; alejarse de los negocios, aposentar-se.

Alejo. m. n. p. Aleixo.

alelado. adj. p. p. e s. insensato, estúpido, abobado; entupido, encantado.

alelamiento. m. insensatez, estupidez; (fig.) assombro, estupefacção, admiração, aparvoamento.

alelar. v. tr. ficar parvo; tornar alguém, estúpido; abobar; (fig.) encantar. — **alelarse.** v. r. abobar-se, tornar-se estúpido.

alelí. m. (bot.) aleli, goiveiro, goivo. V. **alhelí.**

aleluya. f. aleluia; alegria, canto de alegria, o tempo da Páscoa; (bot.) azeda miúda; (fig.) fam. versos familiares; espécie de doce; (fig. e fam.) pessoa ou animal muito fraco; pintura ou desenho mal feito.

alema. f. água regadia aproveitada por turmas; água de repartição; pl. (Amér.) banhos públicos nas margens dos rios.

alemán, na. adj. e s. (geog.) alemão; (pop.) boche; alemânico; natural de ou relativo a Alemanha; língua dos alemães.

alemana. f. polca, dança alemã.

alendar. v. tr. (germ.) alegrar, regozijar. V. **holgar.**

alenguamiento. m. aluguer de pastagem, arrendamento, arrendação.

alenguar. v. tr. ajustar o aluguel de alguma pastagem, arrendar.

alentada. f. respiração contínua; arrancada, esforço.

alentado, da. adj. e p. p. esforçado, alentado, forte, possante, potente, pujante, reforçado, robusto, vigoroso, desmedroso, alentoso, acoroçoado, valente, corajoso, (Amér.) são.

alentador, ra. adj. alentador, animador, animoso, alegre.

alentar. v. tr. alentar, animar, afoutar, dar alento, coragem ou esforço; alimentar, robustecer, incitar, desacobardar, desacanhar, desapavorar, encorajar, exortar, animar, acoroçoar. — v. intr. respirar. — **alentarse.** v. r. recobrar as forças, recuperar-se: alentar un deseo, apascentar um desejo. — pres. ind. irr. **aliento**, —as, —a, —an; subj. **aliente**, —es, —e, —en.

alentoso, sa. adj. alentoso, alentado, alentador, corajoso.

aleñar. v. tr. lenhar, rachar lenha.

aleonado, da. adj. aleonado; fulvo, fúlvido, fouveiro; da cor do leão; (Amér.) agitador.

aleonar. v. tr. (Amér.) agitar, sublevar, revoltar, amotinar, levantar em sedição.

alepantado, da. adj. (Amér.) abstraído, concentrado nos próprios pensamentos, ensimesmado, distraído.

alepantamiento. m. (Amér.) abstração, concentração nos próprios pensamentos.

alepín. m. alepina; estofo de Alepo.

alergia. *f.* (fisiol.) alergia.
alérgico, ca. *adj.* (fisiol.) alérgico.
alergina. *f.* (fam.) alergina.
alero. *m.* beiral do telhado; beira; guardalama; laço para perdizes; alpendre; aba.
alerón. *m.* (avia.) extremidade móvel da asa do avião.
alerta. *m.* e *f.* alerta, alarme, sinal para se estar vigilante. — *adv.* e *interj.* alerta! com vigilância; cautela, sentido: *estar alerta*, estar de aviso; abrir os olhos.
alertar. *v. tr.* alertar, vigiar, dar ou causar alerta.
alerto, ta. *adj.* vigilante; acordado; alvoroçado, alerta; ágil; cauteloso, desperto.
alesna. *f.* sovela.
alesnado, da. *adj.* que tem ponta de sovela, assovelado; pontiagudo.
alesta. *f.* variedade de grama.
aleta. *f.* asinha; ponta da asa; barbatana de peixe; alheta, aleta; pequena ala; aleta, cada uma das duas asas do nariz; (mar.) alheta; curva da popa do navio; (arq.) aleta; beiral do telhado; (avia.) extremidade móvel da asa do avião.
aletada. *f.* movimento das asas.
aletargamiento. *m.* letargo, sonolência, modorra, sono muito pesado.
aletargar. *v. tr.* cair em letargo; amodorrar, debilitar. — **aletargarse.** *v. r.* aletargar-se, cair em letargo.
aletazo. *m.* golpe de asa, asada; (Amér.) bofetada; (fig.) furto, burla, fraude.
aletear. *v. intr.* adejar, voejar, esvoaçar, bater as asas. V. **alear.** (fig.) cobrar forças.
aleteo. *m.* agitação, bater das asas; adejo.
aletología. *f.* aletologia.
aletológico, ca. *adj.* aletológico.
aleucemia. *f.* (med.) aleucemia, aleucia.
aleudar. *v. tr.* V. **leudar.**
aleurisma. *m.* aleurisma.
aleuromancia. *f.* aleuromancia, adivinhação por meio da farinha.
aleuromante. *s.* aleuromante.
aleurómetro, m. aleurómetro. (Bras.) aleurômetro.
aleurona. *f.* (quim.) aleurona.
aleuronato. *m.* aleuronato.
alevantar. *v. tr.* V. **levantar.**
aleve. *adj.* aleivoso, traidor, caluniador, desleal, falso, infiel, pérfido.
alevosa. *f.* (vet.) ránula, tumor carbunculoso que se forma debaixo da língua do gado cavalar e vacum.
alevosía. *f.* aleivosia, traição, infidelidade, deslealdade, aleive, falsidade, perfídia.
alevoso, sa. *adj.* aleivoso, desleal, falso, infiel, pérfido, traidor, caluniador; fraudulento.
alexia. *f.* (med.) alexia.
aléxico, ca. *adj.* (med.) aléxico, relativo a alexia.
alexifármaco, ca. *adj.* (farm.) alexifármaco. — *m.* (med.) alexifármaco.
alexina. *f.* (bioquim.) alexina.
alexitéreo, a. *adj.* V. **alexifármaco.**
aleya. *f.* versículo do Alcorão.
alezna. *f.* (prov.) mostarda preta.

alezo. *m.* (med.) faixa para apertar o ventre às recém-paridas.
alfa. *f.* alfa, primeira letra do alfabeto grego: *rayos alfa*, raios alfa; *alfa y omega*, começo e fim.
alfaba. *f.* alfaba, certa medida de terreno.
alfábega. *f.* (bot.) alfavaca, de-cobra. V. **albahaca.**
alfabético, ca. *adj.* alfabético, alfabetário.
alfabetismo. *m.* alfabetismo, instrução.
alfabetización. *f.* alfabetação.
alfabetizado, da. *adj.* e *p. p.* alfabetado, posto pela ordem do alfabeto.
alfabetizar. *v. tr.* alfabetar; alfabetizar, ensinar o alfabeto.
alfabeto. *m.* alfabeto, abc, abecedário: *conocer el alfabeto*, saber o abc; *colección de alfabetos*, alfabetário.
alfaguara. *f.* manancial copioso.
alfahar. *m.* lauca de barro, fabricante de olaria. V. **alfar.**
alfaharería. *f.* olaria. V. **alfarería.**
alfaharero. *m.* oleiro. V. **alfarero.**
alfajía. *f.* viga pequena; barrote; meio-fio: *alfajía de madera de arco*, fornimento.
alfajó. *m.* bolo de mel. V. **alajú.**
alfalfa. *f.* (bot) alfafa, luzerna; espécie de erva que serve para pasto; alfalfa, melga; alforja, médica.
alfalfal. *m.* alfafal; prado de luzerna, campo semeado de alfafa; luzernal.
alfalfar. *m.* V. **alfalfal.**
alfalfe. *m.* V. **alfalfa.**
alfalfez. *m.* (prov.) V. **alfalfa.**
alfama. *f.* alfama.
alfana. *f.* cavalo forte e vigoroso.
alfándega. *f.* (ant.) V. **aduana.**
alfaneque. *m.* (zool.) alfaneque, variedade de falcão; pavilhão de campanha; cortina de cama.
alfanjado, da. *adj.* alfanjado, que tem forma de alfanje.
alfanjazo. *m.* alfanjada; golpe com alfanje.
alfanje. *m.* alfange, cimitarra, sabre de folha larga e curva.
alfanjete. *m.* *dim.* de **alfanje.**
alfañique. *m.* (Amér.) V. **alfeñique.**
alfaque. *m.* (mar.) alfaque, banco de areia, baixo, baixio.
alfaqueque. *m.* alfaqueque, o que resgata cativos; (ant.) emissário.
alfaqui. *m.* alfaqui, legista e sacerdote entre os muçulmanos; faquir.
alfar. *v. intr.* empinar-se o cavalo, alfário.
alfar. *m.* olaria; argila; terra argilosa; greda, barro, oleiro. — *adj.* diz-se do cavalo que se empina.
alfaraz. *m.* alfaraz, cavalo árabe, exercitado na guerra.
alfarda. *f.* (arq.) vigas entrelaçadas nas paredes das igrejas; contribuição sôbre as águas de regar; arrebique das mulheres.
alfardar. *v. tr.* (prov.) incluir uma terra em uma corporação de regantes. — *v. intr.* estar inscrita uma terra nessa corporação.
alfardero. *m.* o que cobram direito de alfarda sobre o aproveitamento das águas.

alfardilla. *f.* esteira de palha; direito de limpeza dos canais secundários; fita; galão estreito.

alfarería. *f.* olaria; onde se faz ou vende louça de barro; cerâmica.

alfarero. *m.* oleiro; ceramista, louceiro.

alfarfa. *f.* (Amér.) V. **alfalfa.**

alfarge. *m.* moinho de azeitona; lagar de azeite; azenha.

alfargo. *m.* vara do lagar de azeite que serve para espremer a azeitona.

alfarje. *m.* moinho de azeitona; lagar de azeite; azenha; pedra de moinho; te(c)to artístico de madeira lavrada e entrelaçada.

alfarjía. *f.* viga pequena.

alfarma. *f.* (prov.) V. **alharma.**

alfarrazar. *v. tr.* estabelecer a paga do dízimo da fruta verde.

alfayate. *m.* (ant.) V. **sastre.**

alfaz. *m.* (prov.) V. **alfarfal.**

alfeiza. *f.* V. **alféizar.**

alfeizar. *v. tr.* (arq.) fazer alizares; fazer declives ou obliquidades numa parede.

alféizar. *m.* alizar, quadro de porta ou janela; parapeito, peitoril; (arq.) declive, obliquidade duma parede.

alfeñicado, da. *adj.* e *p. p.* alfeinado alfemicado; frágil, delicado; efeminado.

alfeñicarse. *v. r.* (fig. e fam.) tratar-se delicadamente; requebrar-se; alfeninar-se, afeminar-se, tornar-se frágil ou delicado.

alfeñique. *m.* alfenim, massa-branca de açúcar e óleo de amêndoas doces; (fig.) pessoa delicada, fraca, melindrosa.

alfeñique. *m.* (prov.) V. **valeriana.**

alferazgo. *m.* dignidade de alferes, (Amér.) festa religiosa custeada por um ou mais alferes.

alferecía. *f.* (med.) epilepsia; (mil.) cargo ou dignidade de alferes.

alférez. *m.* (mil.) alferes; porta-bandeira; oficial imediatamente inferior ao tenente: *alférez mayor,* alferes-mor; (Amér.) diz-se de quem paga as depesas duma festa.

alferga. *f.* dedal para coser.

alfil. *m.* alfil, bispo, peça do jogo do xadrez.

alfiler. *f.* alfinete, (Bras.) alfinête; adorno; joia; broche de senhora; (bot.) alfinete, planta dentácea. — *pl.* dinheiro que se dá às senhoras para enfeites: *alfiler de seguridad,* alfinete de segurança; *alfiler-imperdible,* alfinete de ama; *ponerse de 25 alfileres,* fazer-se dengosa; *alfiler de criandera,* alfinete de ama; *no estar uno con sus alfileres,* estar mal-humorado; *prendido con alfileres,* que não tem segurança; *alfiler para el pelo,* prego de segurar os cabelos; *alfiler de corbata,* alfinete de gravata.

alfilerazo. *m.* alfinetada, picada de alfinete, alfinetadela.

alfiletero. *m.* agulheiro, alfineteiro; alfineteira, estofo ou almofadinha em que se guardam alfinetes.

alfiñique. *m.* (Amér.) V. **alfeñique.**

alfitete. *m.* massa da flor de farinha granulada. alfitete, (fig.) prato delicado.

alfolí. *m.* celeiro; granel; armazém de sal.

alfoliero. *m.* saleiro; empregado em armazém de sal; guarda ou encarregado do celeiro, celeireiro.

alfolinero. *m.* V. **alfoliero.**

alfombra. *f.* alfombra; alcatifa; (Bras.) tapête; tapete para forrar o chão; (poes.) tapete de verdura: *alfombra de Esmirna,* tapete do Oriente. — *pl.* tapeçaria.

alfombra. *f.* (med.) sarampão.

alfombrado, da. *adj.* e *p. p.* alcatifado; (fig.) estradado; alfombrado. — *m.* tapeçaria.

alfombrar. *v. tr.* alcatifar, alfombrar; atapetar; estradar; cobrir com alcatifa.

alfombrilla. *f.* (med.) sarampão, sarampelo, erupção cutânea; pequena alcatifa, tapetinho.

alfombrista. *m.* tapeceiro; o que vende, cose ou coloca tapetes, ou alfombras.

alfondeguero. *m.* (prov.) V. **alhondiguero.**

alfóndiga. *f.* (prov.) V. **alhóndiga.**

alfonsearse. *v. r.* (germ.) chancear-se. V. **burlarse.**

alfónsigo. *m.* V. **alfóncigo.**

alfonsina. *f.* solene conferência ou dissertação sôbre medicina ou teologia; afonsina, tese na Universidade de Alcalá.

alfonsino, na. *adj.* afonsino, pertencente a algum dos Reis chamados Afonso.

alfonsismo. *m.* afonsismo.

Alfonso. *m. n. p.* Afonso.

alforfón. *m.* (bot.) trigo mourisco de que se faz pão; fagópiro.

alforín. *m.* (prov.) V. **algorín.**

alforja. *m.* alforge; enxaca; barjoleta; (fam.) provisão de viagem.

alforjar. *v. intr.* alforjar; meter no alforge.

alforjero. *m.* o que faz ou vende alforges, alforgeiro. — *adj.* alforgeiro; leigo que anda no peditório.

alforjón. *m.* V. **alforfón.**

alforjuela. *f.* pequena alforge.

alforza. *f.* prega à roda dos vestidos; aba que se arregaça; arregaço; (fig., fam.) cicatriz.

alforzar. *v. tr.* arregaçar a aba; pregar a roda dos vestidos.

alfoz. *m.* alfoz, distrito autónomo; arrabaldes, arredores duma povoação.

Alfredo. *n. p. m.* Alfredo.

alfualfa. *f.* (Amér.) V. **alfalfa.**

alga. *f.* (bot.) alga, botilhão, sargaço, seba; fuco; amansia.

algaba. *f.* bosque ou selva; charneca.

algáceo. *adj.* algáceo, relativo a algas.

algaida. *f.* duna, monte de areia; (ant.) matagal. V. **médano.**

algalia. *f.* algália; essência animal conhecida por almíscar; gato-de-algália; (cir.) algália, sonda para estracção de urinas.

algaliar. *v. tr.* almiscarar; perfumar com algália; (cir.) algaliar, sondar com algália.

algaliero, ra. *adj.* e *s.* almiscarado; diz-se do que usa de perfumes.

algamasa. *f.* (Amér.) V. **argamasa.**

algar. *m.* algar, caverna, gruta; despenhadeiro.

algarabía. *f.* algaravia; língua árabe; (fam.) algaravia, confusão de vozes; linguagem difícil de entender; algaravia; algaravia-da; fala ininteligível; planta.

algaracear. *v. intr.* (prov.) nevar pouco.

algarada. *f* gritaria, esterroada, senzala, algarada, algazarra, vozearia; grito de guerra; trabuco. V. **algarabía.**

algarazo. *m.* (prov.) V. **rujiada.**

algarero, ra. *adj.* gritador; clamador; vozeador. — *m.* corredor em terras inimigas, que faz parte duma algara.

algarismo. *m.* algarismo, número.

algarrada. *f.* acção de recolher os touros no touril; corrida de novilhos, garraiada; corrida de touros à vara larga; (ant.) máquina de guerra.

algarroba. *f.* (bot.) alfarroba, árvore e fruto; farroba. — *pl.* (Amér.) raiz do mangue, usada para pescar.

algarrobal. *m.* (bot.) alfarrobal.

algarrobera. *f.* (bot.) alfarrobeira, farrobeira.

algarrobero. *m.* V. **algarrobera** e **algarrobo.**

algarrobilla. *f.* (bot.) ervilhaca; alfarroba.

algarrobillo. *m.* (Amér.) alfarrobeira.

algarrobo. *m.* (bot.) alfarrobeira, farrobeira.

Algarve. *m.* (geog.) Algarve.

algazara. *f.* algazarra; ruído de vozes; grito de guerra dos mouros; vozearia; assuada; clamor; tumulto; barafunda; senzala; apupada, alarido, estrupício, barulho; ingresia.

álgebra. *f.* (mat.) álgebra; (med.) ortopedia, cirugia das luxações e fracturas.

algebraico, ca. *adj.* algébrico, relativo à álgebra.

algébrico. ca. *adj.* V. **algebraico.**

algebrista. *s.* (mat.) algebrista; (cir.) algebrista, o que medica fracturas de ossos.

algebrizar. *v. intr.* algebrizar.

algecería. *f.* fábrica de gesso.

algecero. *m.* fabricante de gesso.

algente. *adj.* (poes.) algente, muito frio, glacial, álgido.

algesia. *f.* (med.) algesia, grau de sensibilidade à dor.

algésico, ca. *adj.* algésico, doloroso.

algesimetría. *f.* algesimetria.

algesímetro. *m.* algesímetro, algestesiómetro.

algesiógeno, na. *adj.* algesiógeno, que provoca a dor.

algestesis. *f.* algestesia.

algia. *f.* algia, dor num órgão ou região do corpo sem lesão, anatómica apreciável.

algidez. *f.* algor, frio intenso, algidez, frialdade glacial.

álgido, da. *adj.* (med.) álgido, glacial; o que produz frio excessivo; algente, muito frio; enregelado; frígido, regelado.

algo. *pron.* algo; alguma coisa. — *adv.* um tanto, algum tanto, um pouco, algo, alguma coisa, um tanto: *algo extraordinario*, uma coisa, por aí além; *mejor algo que nada*, melhor é fazer debalde que estar debalde; *algo de*, um tanto de; *ser algo una persona*, ser pessoa ou gente nobre; ser pessoa importante; *por algo*, por alguma razão.

algodón. *m.* (bot.) algodoeiro; algodão; penugem do algodoeiro: *algodón en rama*, algodão em rama; *algodón-pólvora*, algodão-pólvora; *algodón para acolchar*, estofo; *algodón de China*, arguão; *algodón muy fino del Brasil que no puede hilarse*, paina; *géneros de algodón, tecidos de algodão; manufactura de algodón*, fiação de algodão; *paño de algodón de la India*, beirame; *tejido de algodón aterciopelado*, belbuta; *tejido de algodón*, fazenda de algodão; *fábrica de tejidos de algodón*, algodoaria. — *pl.* V. **cendales.**

algodonal. *m.* algodoal, plantação de algodoeiros.

algodonar. *v. tr.* acolchohar; estofar; encher de algodão; forrar de algodão.

algodonero, ra. *adj.* algodoeiro. — *s.* comerciante de algodão.

algodonita. *f.* (min.) arseniato de cobre argentífero.

algofilia. *f.* (pat.) algofilia, prazer, volúpia da própria dor.

algófilo, la. *adj.* e *s.* algófilo.

algofobia. *f.* (pat.) algofobia, horror mórbido à dor.

algófobo, ba. *adj.* e *s.* algófobo.

algol. *m.* algol, cabeça de Medusa.

algolagnia. *f.* algolagnia; masoquismo, sadismo.

algología. *f.* algologia, ficologia.

algológico, ca. *adj.* algológico.

algólogo, ga. *s.* algólogo, algologista.

algomanía. *f.* (med.) algomania, mania da dor.

algomaníaco, ca. *adj.* e *s.* algómano.

algónquico, ca. *adj.* (geol.) algônquico.

algor. *f.* algor, sensação intensa de frio.

algorfa. *f.* celeiro, sotão, sobrecâmara para recolher cereais.

algorín. *m.* tulha; depósito para azeitona verde nos moinhos de azeite.

algoritmia. *f.* (mat.) algoritmia.

algorítmico, ca. *adj.* (mat.) algorítmico.

algoritmo. *m.* (mat.) algoritmo, algarismo.

algorra. *f.* (Amér.) V. **alhorre.**

algorza. *f.* barda ou tapume de sarmentos ou palha nas paredes.

algoso, sa. *adj.* algoso, que tem algas.

algospasmo. *m.* (med.) algospasmo.

algostasis. *f.* (med.) algostase.

algotro, tra. *pron.* (Amér., pop.) V. **algún otro.**

alguacil. *m.* alguazil; aguazil, beleguim, meirinho; galfarro.

alguacila. *f.* mulher do alguazil.

alguacilato. *m.* alguazilado; ofício ou dignidade de alguazil; meirinhado.

alguacilazgo. *m.* alguazilado; ofício ou dignidade de alguazil; meirinhado.

alguacilesa. *f.* mulher do alguazil.

alguacilesco, ca. *adj.* própio do alguazil.

alguacilía. *f.* emprego do alguazil.

alguarín. *m.* aposento para depósito ou arrumações; caixa para recolher a farinha que cai da mó.

alguaza. *f.* charneira; dobradiça; gonzo.

alguese. *m.* (prov.) V. **agracejo.**

alguien. *pron.* alguém; alguma pessoa; (fig.) pessoa importante, pessoa de valor: *ser alguien,* ser alguém.

algún. *pron.* e *adj.* algum. V. **alguno** (usa-se sòmente antes de substantivos masculinos: *algún niño, algún juguete,* etc.). — *adv.* um tanto.

alguno, na. *adj.* e *s.* algum, alguma; alguém; um, entre dois ou mais; qualquer; certo; nem pouco, nem muito: *alguna vez,* um belo dia; alguma vez; *algunas personas,* algums; *algún lugar,* algures; *en alguna parte,* em alguma parte ou lugar; *algún tanto,* algum tanto.

alhaja. *f.* jóia; alfaia; adorno; baixela; (fam.) boa peça; (ant.) cabedal; utensílio de casas ou pessoas, (fig. e fam.) pessoa ou animal de boas qualidades.

alhajar. *v. tr.* enfeitar com jóias; ornar; alfaiar. mobilar, adornar, guarnecer com alfaias.

alhajera. *f.* (Amér.) caixa para jóias, guarda-jóias, estojo para guardar jóias.

alhajito, ta. *adj.* (Amér.) bonito, lindo.

alhama. *m.* alfama (bairro dos mouros ou dos judeus), sinagoga.

alhámega. *f.* V. **alharma.**

alhamí. *m.* poial ou banco de pedra mais baixo que os ordinários e revestido geralmente de azulejos.

alhandal. *m.* (farm.) coloquíntida.

alharaca. *f.* demonstração ruidosa de ira, queixa, admiração, alegria.

alharaco. *m.* (Amér., pop.) V. **alharaca.**

alharaquear. *v. intr.* (Amér.) alvorotar, alvoroçar.

alharaquiento, ta. *adj.* ruidoso, que causa ruido ou alvoroto; alvoraçador, alvorotador, estrondoso, estrepitoso.

alhavara. *f.* (anat.) direito sobre o pão.

alhelí. *m.* (bot.) goivo, alelí; goiveiro.

alheña. *f.* (bot.) alfena (arbusto e sua flor); aderno; alfeneiro: *hecho alheña,* moído de cansaço. V. **roya, azúmbar e tizón.**

alheñado, da. *adj.* e *p. p.* alfenado, tingido com pós de alfena; queimado (cereais).

alheñar. *v. tr.* alfenar, tingir com pós de alfena ou baga; queimar (cereais). — **alheñarse.** *v. r.* queimar-se os cereais, V **arroyarse** ou **anublarse.**

alhóndiga. *f.* terreiro do trigo; celeiro, depósito, mercado de trigos. V. **pósito.**

alhondigaje. *m.* armazenagem do trigo.

alhondiguero. *m.* encarregado do mercado ou depósito do trigo.

alhorín. *m.* (prov.) tulha, celeiro, granel de cereais.

alhorma. *f.* campo de mouros.

alhorre. *m.* humor negro; moléstia das crianças recém-nascidas; dartros; mecônio, (Bras.) mecônio.

alhumajo. *m.* caruma; pico; folhas de pinheiro.

alhurreca. *f.* esponja; escuma salgada algodão da cana, adarce, adarca.

aliabierto, ta. *adj.* de asas abertas.

aliacán. *m.* V. **icterícia.**

aliacanado, da. *adj.* V. **ictericiado.**

aliáceas. *f. pl.* (bot.) aliáceas.

aliáceo, a. *adj.* aliáceo.

aliadas. *f. pl.* (prov.) espécie de consoada ou gratificação.

aliado, da. *adj. p. p.* e *s.* aliado, que se aliou; coligado; achegado, confederado; aderente. — *m.* (Amér.) carro de praça.

aliadofilia. *f.* aliadofilia.

aliadófilo, la. *adj.* e *s.* aliadófilo.

aliadofobia. *f.* aliadofobia.

aliadófobo, ba. *adj.* e *s.* aliadófobo.

aliaga. *f.* (bot.) aliaga, giesta, tojo, junco.

aliagar. *m.* aliagar, giestal.

aliaje. *m.* (gal.) união, liga de dois ou mais metais.

aliala. *f.* (prov.) V. **aldehala.**

aliancista. *adj.* e *s.* aderente a uma aliança.

alianza. *f.* aliança, liga, coalizão, pacto, convenção, confederação, união, coaligação, aliagem; fusão; aliança, bodas, casamento, consórcio, matrimonio, nupcias; anel de casamento

aliar. *v. tr.* aliar, unir, combinar, fazer ligação de; harmonizar; unir por casamento; confederar; incorporar; coadunar; agrupar, juntar, aliançar. — **aliarse.** *v. r.* aliar-se, unir-se, coligar-se; combinar-se.

aliara. *f.* corna, chifre de boi que serve de vasilha.

alias. *adv.* aliás; de outro modo, por outro nome. — *m.* apodo, cognome, acunha, epíteto, agnome.

alibi. *m.* (gal.) alibi. V. **coartada.**

alibilidad. *f.* alibilidade.

aliblanca. *f.* (Amér.) preguiça, lentidão, negligência; variedade de pomba.

alible. *adj.* alíbil, próprio para nutrição.

alibufero. *m.* (gal.) V. **estoraque.**

álica. *f.* álica, espécie de trigo de que os antigos extraiam uma bebida fermentada semelhante à cerveja.

alicaído, da. *adj.* alicaído, desalentado, abatido; (fam.) triste, desanimado; alicaído, que tem asas pendentes; fraco; infeliz.

alicancro. *m.* (Amér.) V. **alicrejo.**

Alicante. *m.* (geog.) Alicante.

alicantina. *f.* (fam.) alicantina, velhacaria, manha, astúcia, treta, fraude.

alicantino, na. *adj.* e *s.* (geog.) natural de ou pertencente a Alicante.

alicatado. *m.* obra de azulejos, geralmente de estilo árabe. — *p. p.* de *alicatar.*

alicatar. *v. tr.* azulejar, adornar com azulejos.

alicate. *m.* (Amér.) V. **alicates.**

alicates. *m. pl.* alicate, pinça; alçaprema: *alicates cortaalambres,* corta-arame.

alicer. *m.* V. **alizar.**

aliciente. *m.* aliciente; atractivo, estímulo, anzol, sedução, aliciação. — *adj.* aliciente, atraente.

alicuanta. *adj.* (mat.) aliquanta.

alícuota. *adj.* aliquota: *parte alícuota,* parte aliquota.

alicurco, ca. *adj.* astucioso, astuto, ladino.

alicuz. *m.* fura-vidas, pessoa de grande vivacidade que de tudo procura tirar utilidade.

alidad. *f.* (mat.) alidade, régua móvel.

alienable. adj. alienável, alheável, que pode ser cedido.

alienación. f. alienação; demência; loucura, doidice: alineación da los sentidos, alheação dos sentidos.

alienado, da. adj. p. p. e s. alienado, demente, doido, insano, louco, maluco, alheado.

alienar. v. tr. alienar; vender; alhear; afastar; abalienar; ceder, transferir; desviar (fig.) alucinar.

aliende. adv. (ant.) V. **allende.**

alienígena. adj. e s. alienígena; estranho, forasteiro.

alienismo. m. alienismo, loucura.

alienista. s. alienista, médico que trata de doenças mentais.

aliento. m. alento; respiração; anélito; acoroçoamento, encorajamento, vigor do ânimo, esforço, (Bras.) esfôrço, valor, alma, sopro, (Bras.) sôpro: cobrar alientos, reanimar-se; de aliento corto, afogadiço; dar aliento, dar alento; quedarse sin aliento, esbaforir-se; sin aliento, esbaforido; infundir aliento, desacovardar.

alifafe. m. (vet.) alifafe, inchaço nas curvas dos cavalos; (fam.) alifafe, achaque habitual, enfermidade, indisposição.

alifar. v. tr. polir, alisar.

alifara. f. (prov.) patente; merenda que os artistas costumam pagar quando são admitidos em alguma oficina.

alifático, ca. adj. (quím.) pertencente ou relativo à gordura. alifático.

alífero, ra. adj. alífero, que tem asas.

aliforme. adj. aliforme, em forma de asa.

aligación. f. liga de metais; liga, ligação, união.

aligamiento. m. ligação, acção e efeito de ligar.

aligar. v tr. ligar, aligar. V. **ligar.**

aligátor. m. (zool.) aligátor. V. **caimán.**

aligerado, da. adj. e p. p. aligeirado; aliviado; apressado.

aligeramiento. m. alívio; desafogo; alijamento, alijo; (mar.) alijamento.

aligerar. v tr. aligeirar, aliviar; desengravecer, alimpar, desalijar, alijar; abreviar; facilitar; apressar, tornar ligeiro; — **aligerarse.** v. r. aligeirar-se, apressar-se: aligerar el paso, avivar o passo.

alígero, ra. adj. alígero, que tem asas; veloz.

alijador, ra. adj. e s. alijador, contrabandista; separador da semente do algodão. — m. barcaça, alijo.

alijar. v. tr. alijar; desembarcar contrabando, lançar fora da embarcação, desalijar; (mar.) aligeirar; alestar; separar a semente de algodão; fazer contrabando.

alijar. v. tr. lixar, polir com lixa.

alijar. m. charneca, terreno inculto. — pl. subúrbios duma povoação utilizados pelos habitantes.

alijarar. v. tr. dividir os terrenos incultos para os surribar.

alijarero. m. o que cultiva uma charneca.

alijariego, ga. adj. relativo a uma charneca.

alijo. m. alijamento, alijo; contrabando; separação da semente do algodão; (ff. cc.)

tender: alijo de objetos prohibidos, coitamento; embarcación de alijo, navio entrelopo; hacer un alijo de objetos prohibidos, coitar.

alilaya. f. (Amér.) escusa frívola ou fútil.

alilén. m. (quím.) alilena; carburante de hidrogénio que se extrai da essência do alho.

alilo. m. (quim.) alilo; radical hidrocarbonatado que se encontra na essência do alho.

alimaña. f. alimária; animal quadrúpede; pequeno animal selvagem, indómito e carniceiro; animal irracional, bruto.

alimañero. m. guarda de caça especialmente destinado à destruição das alimañas.

alimentación. f. alimentação, nutrição, sustento, alimento; abastecimento; géneros alimentícios: bomba de alimentación, bomba de alimentação; máquina de alimentación, máquina de alimentação.

alimentado, da. adj. e p. p. alimentado, nutrido, conservado, sustentado; (fig.) fomentado, cultivado.

alimentador, ra. adj. s. e adj. alimentador, que alimenta; alimentício; próprio para alimentar; o que sustenta, nutritivo.

alimental. adj. nutritivo. V. **nutritivo.**

alimentar. v. tr. alimentar, manter, nutrir, sustentar; (fig.) sustentar, fomentar, entreter, cultivar, alentar, conservar; prover; fornecer. — v. intr. servir de alimento, alimentar. — **alimentarse.** v. r. alimentar-se, nutrir-se, comer; alimentarse de varias esperanzas, apascentar-se de vãs esperanças; alimentar a un ave, embocar uma ave; alimentar con leche, aleitar.

alimenticio, cia. adj. alimentício; substancial, que sustenta; próprio para alimentar, alimentoso, nutritivo: géneros alimenticios, alimentação; plantas alimenticias, plantas alimentícias.

alimentista. s. alimentista; pensionista, aquele a quem se devem prestar alimentos.

alimento. m. alimento, nutrição, comida, sustento; matéria, assunto; pábulo; pasto; chucha; (fig.) estímulo, fomento, incentivo, incitamento. — pl. (for.) alimentos, alimento: alimento de las aves, cibo; pensión para alimentos, pensão alimentária; alimento llevado por las aves en el pico para sus crías, liscato.

alimón (al). adv. sorte de toureio feita por dois lidadores.

alimonarse. v. r. emurchecer-se certas árvores, tomando as suas folhas uma cor amarelenta.

alindado, da. adj. e p. p. limitado, alindado; alindado, presumido de lindo, bonito (com afectação).

alindamiento. m. alindamento, acto de alindar.

alindar. v. tr. limitar, colocar marcos; alindar, tornar lindo, aformosear; aperfeiçoar. — v. intr. confinar, estar contiguo.

alinde. m. aço dos espelhos.

alinderar. v. tr. (Amér.) demarcar, pôr limites.

alineación. *r.* alinhamento, acto de alinhar: *salir de la alineación,* avançar.

alinear. *v. tr.* alinhar pôr em linha recta; enfileirar; dispor em linhas. — **alinearse.** *v. r.* alinhar-se, enfileirar-se: *alinear un regimiento.* alinhar um regimento.

aliñado, da. *adj.* e *p. p.* alinhado, disposto; asseado; aposto, (Bras.) apôsto; assazonado, adereçado; composto, preparado.

aliñador, ra. *adj.* e *s.* alinhador; adereçador. — *s.* (Amér.) cirurgião.

aliñar. *v. tr.* adereçar; compor; alinhar; guisar, dispor, prevenir, preparar; assazoar; adornar; (Amér.) algebrista; (Amér.) consertar os ossos deslocados.

aliño. *m.* alinho, apuro, asseio, correcção, gosto, requinte, adereço, adorno, ordem; atavio, adereço, aceio. — *pl.* instrumentos agrícolas.

aliñoso, sa. *adj.* adornado; composto; cuidadoso; aplicado.

aliocéntrico, ca. *adj.* (psi.) aliocêntrico.

aliocentrismo. *m.* (psi.) alicentrismo.

alípede. *adj.* alípede, que tem asas nos pés, ligeiro.

alípedo, da. *adj.* (zool.) alípede.

alipego. *m.* (Amér.) intrometido, metediço; desconto feito ao comprador.

alipotente. *adj.* alipotente.

alipte. *m.* (hist.) alipta.

alipterio. *m.* (arqueo.) aliptério.

aliptica. *f.* (med.) alíptica.

aliquebrado, da. *adj.* e *p. p.* aliquebrado, quebrado das asas (fig. e fam.) V. **alicaído.**

aliquebrar. *v. tr.* quebrar as asas; caçar patos bravos. — **aliquebrarse.** *v. r.* desanimar-se.

alirón. *m.* (prov.) V. **alón.**

alirrojo, ja. *adj.* com as asas vermelhas.

alisado. *m.* alisamento. — *adj.* e *p. p.* alisado, alizado; igualado; amaciado, polido, brunido; (Bras.) alísio.

alisador, ra. *adj.* e *m.* alisador, aquele que alisa; aplanador; aplainador; polidor, brunidor; (Amér.) V. **lendrera.**

alisadora. *f.* máquina de alisar.

alisadura. *f.* alisadura, alisamento; polidura; cavacos de madeira; estilhaços de pedra; aplainamento. — *pl.* aparas, fitas.

alisal. *m.* (bot.) amial.

alisamiento. V. **alisadura.**

alisar. *v. tr.* tornar liso; igualar, amaciar; desgastar; polir; brunir; desamarrotar, desfranzir, desfrisar, desarrugar; explanar; alhanar, acepilhar; achanar; desencrespar; desamolgar; desencortiçar; desencarapinhar, desencarapelar; desempapar, desempolar; desanelar: *alisar el pelo,* desencaracolar; correr a mão pela testa; *alisar la madera,* aparar madeira; *alisar la barba,* acofiar.

alisios. *m. pl.* alisado (vento); alísios.

alisma. *m.* (bot.) alisma, damasónio.

alismáceas. *f. pl.* (bot.) alismáceas.

alismáceo, cea. *adj.* (bot.) alismáceo.

aliso. *m.* (bot.) amieiro.

alistado, da. *adj.* e *p. p.* alistado, conscrito, arrollado; listrado. V. **listado.**

alistador. *m.* alistador, arrolador, recrutador.

alistamiento. *m.* alistamento, recrutamento, arrolamento, conscrição; assento de praça, assentamento.

alistar. *v. tr.* alistar, arrolar, catalogar, inventariar; tomar a rol; recrutar; pôr em lista; aparelhar, dispor, prevenir; embandeirar; relacionar; empadroar. — **alistarse.** *v. r.* (mil.) alistar-se, assentar praça; assoldadar-se, encorporar-se no exército, num partido, etc.

alistar. *v. tr.* e *r.* aparelhar, dispor, prevenir, preparar.

aliteración. *f.* (ret.) aliteração, repetição das mesmas letras ou sílabas na mesma frase, paranomasia.

aliterado, da. *adj.* (ret.) aliterado.

alitúrgico, ca. *adj.* (rel.) alitúrgico.

aliviadero. *m.* desaguadouro; alavanca nos moinhos.

aliviado, da. *adj.* e *p. p.* aliviado; consolado; desagastado; desafrontado, desafogado, despenado; abrandado, suavizado.

aliviador, ra. *adj.* e *s.* aliviador, aquele que alivia; consolador, desopressor. — *m.* alavanca nos moinhos, aliviadoiro, aliviadoura; receptador de robos.

aliviar. *v. tr.* aliviar, moderar, temperar; encurtar; descarregar; suavizar, atenuar; tornar mais leve; desimpedir; distrair; consolar; entreter; desengravecer; abalsamar; desacentuar; desapertar; exonerar, isentar; desatribular; descansar; desoprimir; desopilar; desempachar; desafrontar; desafogar; minorar, suavizar; apressar; (germ.) roubar. — *v. intr.* serenar, abrandar, melhorar, descansar; (pop.) tomar às de Vila-Diogo: *aliviar el luto,* aliviar o luto; *aliviar una carga,* aligeirar; *aliviar el dolor,* entreter a dor; *aliviar el estómago,* desabafar o estômago; *aliviar de una preocupación,* despenar. — **aliviarse.** *v. r.* aliviar-se; desafogar-se; desabafar; desapertar-se, aligeirar-se.

alivio. *m.* alívio; descanso; consolação; diminuição de peso, dor etc.; descarga; aliviação; melhoria; desabafo; aplacamento; desenfado, desafogo, (Bras.) desafôgo; desopressão; desaperto, (Bras.) desapêrto; (germ.) procurador dos tribunais.

alizar. *m.* alizar; soco; roda-pé; fôrro de azulejos.

alizari. *m.* raiz da ruiva, alizari.

alizarina. *f.* (quim.) alizarina, matéria corante estraida da raiz da ruiva.

alizita. *m.* (min.) alicite.

alizo. *m.* (bot.) V. **aliso.**

aljaba. *f.* aljava; carcás.

aljabibe. *m.* (ant.) algibebe.

aljafana. *f.* V. **aljofaina.**

aljama. *f.* aljama; judiaria; alfama; mouraria; mesquita; sinagoga; reunião de mouros ou judeus.

aljamel. *m.* V. **alhamel.**

aljamía. *f.* aljamia (nome que os mouros davam à língua castelhana).

aljamiado, da. *adj.* aljamiado; que fala a aljamia; escrito em aljamia.

aljarafe. *m*. V. ajarafe.
aljaraquiento, ta. *adj*. (Amér.) V. alharaquiento.
aljarfa. *f*. aljafra; rede; bolso ou seio das redes de arrastrar.
aljarfe. *m*. V. aljarfa.
aljecería. *f*. V. yesería.
aljecero. *m*. V. yesero.
aljedrez. *m*. (Amér.) V. ajedrez.
aljerife. *m*. algerife; antiga rede grande de pescador.
aljerifero. *m*. algerifeiro.
aljez. *m*. gesso, pedra de que se faz o gesso.
aljezar. *m*. gessal.
aljezero. *m*. que trabalha em gesso.
aljezón. *m*. caliça, entulho.
aljibe. *m*. algibe; cisterna; (Amér.) poço de água; (mar.) caixa onde se tem a água nos navios; prisão dos escravos no campo.
aljibero. *m*. que trata das cisternas.
aljofaina. *f*. bacia de lavar, almofia.
aljófar. *m*. aljôfar, pérola pequena; (bot.) aljofareira; (fig.) lágrimas; orvalho.
aljofarado, da. *adj*. (poes.) aperolado; aljofarado.
aljofarar. *v. tr*. aljofarar, aljofrar cobrir com aljôfar; orvalhar; imitar pérolas.
aljofifa. *f*. esfregão; pano de lavar a casa.
aljofifar. *v. tr*. esfregar; limpar com um pano de lavar.
aljonje. *m*. visco, suco extraído da condrilha.
— *m*. V. ajonje.
aljor. *m*. V. aljez.
aljorozar. *v. tr*. (Amér.) tapar os buracos duma parede com argamassa de mistura.
aljuba. *f*. aljuba, vestido mourisco.
aljube. *m*. (ant.) aljube (prisão).
aljuma. *f*. (prov.) renovo, pimpolho, rebento.
alkermes. *m*. V. alquermes.
alma. *f*. alma; espírito; essência imaterial da vida; indivíduo; pessoa; vida; base, princípio; alma, força, movimento, energia; consciência; chefe; (fig.) viveza; colorido; coragem; índole; caudilho; animação; entusiasmo; âmago, ânimo; alma duma peça de artilharia; alma, pedaço de cabedal entre a sola e a palmilha do sapato; peça de madeira na rabeca por baixo do cavalete; habitante; condição essencial; agente, motor principal; fundamento; sentimento; generosidade; alento; interior duma corda; (mús.) alma do violino; alma, parte média duma viga de ferro, com duas partes extremas transversais; *alma de Dios*, pessoa bondosa e muito simples; *romperle el alma*, quebrar a cabeça, ferir, maltratar; *entregar el alma a Dios*, dar a alma a Deus, morrer; *los ojos son el espejo del alma*, os olhos são o espelho da alma; *caerse el alma a los pies*, cair a alma aos pés, perder o ânimo; (pop.) *alma penada*, alma penada ou condenada ao Purgatório; *en cuerpo y alma*, em corpo e alma, completamente; *en el alma*, cá dentro; *alma en pena*, fantasma, alma do outro mundo; *leer en el alma*, ler no coração; *entregarse en cuerpo y alma*, dar as entranhas; *alma de un cable eléctrico*, árvore de furo; (pop.) *alma*

de otro mundo, alma do outro mundo; *por mi alma*, pela alma que Deus me deu; *alma de cántaro*, alma de cântaro; *no hay ni un alma*, não há alma viva; (fam.) *alma de caballo*, alma de cavalo; *no tener alma*, não ter alma; *descubrir el alma a alguien*, descobrir a sua alma a alguém; *alma mía*, minha alma; *estar con el alma en un hilo*, sentir grande agitação do ânimo; *hablar uno al alma*, falar da alma; *llegar al alma*, falar à alma; *írsele a uno el alma por*, desejar ardentemente uma coisa.
almacén. *m*. armazém, depósito, entrepósito: *almacén de granos*, arrecadação; *depósito de aguas*, reservatório de água.
almacenable. *adj*. que se pode armazenar.
almacenaje. *m*. armazenagem, acção de armazenar; aquilo que se paga pelo depósito de mercadorias.
almacenamiento. *m*. armazenagem; depósito: *almacenamiento del grano*, enceleiramento; (med.) *almacenamiento de humores*, depósito de humores.
almacenar. *v. tr*. armazenar, pôr em armazém; depositar; conservar; reunir; apaiolar: *almacenar el grano*, enceleirar; *almacenar el trigo*, alojar o trigo.
almacenero. *m*. armazenista; guarda de armazém; negociante que vende por atacado.
almacenista. *s*. armazenista; dono ou empregado de armazém; negociante que vende por atacado.
almada. *f*. (Amér.) V. almohada.
almádana. *f*. marreta; maço de ferro para quebrar pedras; martelo de pedreiro.
almadaneta. *f*. pequeno martelo de pedreiro. V. almádana.
almadearse. *v. r*. V. almadiarse.
almadema. *f*. marrão. V. almádana.
almadeneta. *f*. V. almadaneta.
almadiarse. *v. r*. V. marearse.
almadiero. *m*. jangadeiro; que dirige a piroga ou jangada.
almádina. *f*. maço, martelo grande. V. almádana.
almadraba. *f*. almadrava; pesca do atum; cerco, armação para pescar o atum; lugar onde se guardam as redes e mais aparelhos de pesca; (ant.) telhal, fábrica de telhas e ladrilhos.
almadrabero. *m*. almadraveiro, pescador de atum.
almadraque. *m*. (ant.) almadraque; coxim.
almadraqueja. *f*. (ant.) almadraquexa, cabeçal; travesseiro; coxim.
almadreña. *f*. soco; tamanco; almadrenha.
almadreñero. *m*. fabricante ou vendedor de tamancos ou almadrenhas.
almaganeta. *f*. V. almádana.
Almagesto. *m*. Almagesto.
almagra. *f*. V. almagre.
almagrado, da. *adj*. e p. p. almagrado; tingido com almagre; de cor de almagre.
almagradura. *f*. acção e efeito de tingir com almagre.
almagral. *m*. almagral; terreno onde abunda o almagre ou almagro, almagreira.

almagrar. v. tr. almagrar; tingir com almagro; marcar; polir; (germ.) ferir fazendo sangue.

almagre. m. (quím.) almagre; óxido de ferro; terra avermelhada; (fig.) marca, sinal; ocre vermelho.

almaizal. m. toucado de gaze usado pelos mouros.

almaizar. m. toucado de gaze usado pelos mouros.

almajal. m. charco à beira mar.

almajara. f. terreno estercado.

almaje. m. conjunto de cabeças de gado. V. dula.

almalafa. f. almalafa, vestimenta mourisca.

almaleque. m. almaleque, manto mourisco.

almanaque. f. almanaque, calendário, folhinha.

almanaquero. m. almanaqueiro, fabricante ou vendedor de almanaques.

almancebe. m. barco para pescar no Guadalquivir.

almanta. f. (agr.) carreiro para semear; espaço ordinário entre o alinhamento das árvores.

almarada. f. almarada; punhal triangular, agudo e sem cortes; agulha grande para coser alparcates, sovela.

almarbatar. v. tr. unir duas peças de madeira. emsamblar.

almarbate. m. olivel, madeiro quadrado da asna que une uma armação.

almarbaz. m. escopro, cinzel.

almarcha. f. povoação situada em veiga ou terra baixa.

almarga. f. margueira; lugar onde se deposita a marga.

almariete. m. dim. de almario.

almarjal. m. almargeal; terreno pantanoso.

almarjo. m. V. barrilla.

almaro. m. (bot.) mangerona, barrilha, barrilheira.

almarrá. f. cilindro delgado de ferro que serve para limpar o algodão, comprimindo-o contra uma tábua.

almarraja. f. almarraxa; vaso de vidro semelhante a uma garrafa.

almarraza. f. V. almarraja.

almártaga. f. (quim.) almártaga; litargírio; cabresto; cabeçada, que se punha aos cavalos sobre o freio.

almártega. f. V. almártaga.

almártiga. f. cabeçada do cavalo.

almartigón. m. cabeçal ordinário do cavalo.

almaste. f. almécega; mástique.

almástec. m. V. almaste.

almástiga. f. almécega; mástique; resina de lentisco.

almastigado, da. adj. betumado; almecegado; que contem mástique.

almatoste. m. (Amér.) V. armatoste.

almatriche. m. (agr.) regueiro, canal.

almatroque. m. variedade de antiga rede para pescar.

almazara. f. lagar de azeite; azenha.

almazarero. m. lagareiro, azenheiro.

almazarrón. m. almagre, almagra, V. almagre.

almeja. f. (zool.) amêijoa, molusco acéfalo; criadero de almejas, viveiro de amêijoas; guisado de amêijoas, amêijoada.

almejar. m. viveiro de amêijoas.

almejía. f. almexia, vestido ou hábito que usavam as mulheres.

almelga. f. V. amelga.

almena. f. ameia; pequeno parapeito na parte superior das muralhas e castelos. caminos entre almenas, adarve.

almenado, da. adj. e p. p. ameado, guarnecido de ameias. — m. V. almenaje.

almenaje. f. conjunto de ameias.

almenar. v. tr. ameiar, amear, guarnecer de ameias.

almenar. m. (ant.) banco de ferro em que se colocavam tochas acesas.

almenara. f. almenara, sinal óptico; fogueira servindo de sinal; candeeiro.

almendra. f. (bot.) amêndoa; caroço; casulo de seda de um só bicho e da melhor qualidade; (fig.) diamante em forma de amêndoa; (fig.) peça de cristal poliédrico talhado do lustre ou candeeiro de braços; calhão, pedra lisa; (germ.) bala, projectil: almendra garrapiñada, amêndoa coberta; almendra confitada, amêndoa confeitada; almendra amarga, amêndoa amarga; almendra dulce, amêndoa doce; da Dios almendras a quien no tiene muelas, da Deus nozes a quem não tem dentes.

almendrada. f. amendoada, bolo ou doce em que entram amêndoas; bebida composta de leite de amêndoas e açúcar.

almendrado, da. adj. e p. p. amendoado, semelhante à amêndoa; preparado com amêndoa. — m. bolo de amêndoa.

almendral. m. amendoal, pomar de amendoeiras.

almendrar. v. tr. (arq.) adornar com amêndoas.

almendro. m. (bot.) amendoeira.

almendrolón. m. amêndoa com a casca verde.

almendrón. m. amêndoa grande; amendoeira da Jamaica e da Índia.

almendruco. m. amêndoa com casca verde.

almenilla. f. ameiazinha; adôrno em forma de ameia no vestuário; recorte em forma de ameias.

Almería. f. (geog.) Almeria.

almeriense. adj. e s. (geog.) natural de ou pertencente a Almeria.

almete. m. elmete; elmo; morrião; soldado que usa elmo ou morrião.

almez. m. (bot.) almez; loto; árvore celtídea de copa frondosa e flores solitárias; espécie de lodão.

almeza. f. fruto do almez, almeza.

almezo. m. V. almez.

almiar. m. palheiro descoberto, meda, monte de palha.

almiarar. v. tr. emedar; colocar a palha no palheiro descoberto.

almíbar .m. calda de açúcar; fruta em calda; fruta coberta.

almibarado, da. adj. e p. p. açucarado; doce; (fig.) suave, meloso, melífluo; meiguiceiro, mavioso.

almibarar. *v. tr.* cobrir com calda de açúcar; açucarar; (farm.) edulcorar; (fig.) adoçar, suavizar, conciliar, harmonizar.
almicantarada. *f.* (astr.) almucântara.
almicantarat. *f.* V. almicantarada.
almidón. *m.* (quím.) amido; amidão; fécula; farinha.
almidonado, da. *adj.* e *p. p.* metido em amido; gomado; (fig. e fam.) afectado, presumido; ataviado com excessivo esmôro. — *m.* engomadela; amidoado, engomadura: *planchado y almidonado*, engomagem.
almidonar. *v. tr.* engomar, meter em amido, em goma. — almidonarse. *v. r.* (fig.) compor-se, enfeitar-se (diz-se das pessoas muito presumidas nos seus adornos).
almidonería. *f.* fábrica de amido.
almifor. *m.* (germ.) cavalo.
almifora. *f.* (germ.) mula.
almiforero. *m.* (germ.) ladrão de cavalos.
almilla. *f.* almilha, camisinha, camisola, colete; cota por baixo da armadura; pedaço de carne de porco; gibão; entreforro; apertador (carp.) espiga, cravo ou prego de madeira.
almimbar. *m.* púlpito das mesquitas.
alminar. *m.* minarete das mesquitas, minar.
almiranta. *f.* mulher do almirante; (mar.) almiranta, nau, embarcação do almirante.
almirantazgo. *f.* almirantado, dignidade ou posto de almirante; corporação dos oficiais superiores da armada; jurisdição do almirante.
almirante. *m.* (mar.) almirante; oficial general da Armada; navio em que vai o almirante: *vice-almirante*, vice-almirante; *contra-almirante*, contra-almirante; *ejercer el mando de almirante*, almirantear.
almirantía. *f.* almirantia, almirantado.
almirar. *v. tr.* (Amér.) V. admirar.
almirez. *m.* almirez, almofariz; gral: *mano del almirez*, mão do almofariz.
almizcate. *m.* pátio comum entre dois prédios.
almizclar. *v. tr.* almiscarar, perfumar com almíscar.
almizcle. *m.* almíscar, almiscre; (bot.) almíscar (nome duma planta de estufa); almiscareira.
almizcleña. *f.* (bot.) almiscareira, espécie de jacinto almiscarado.
almizcleño, ña. *adj.* almiscarado, almiscrenho, almiscrento.
almizclera. *f.* almiscareiro, vidrinho para almiscar; (zool.) almiscareiro, rato almiscarado.
almizclero, ra. *adj.* que cheira a almíscar; almiscareiro. — *m.* (zool.) almiscareiro; ruminante sem cornos, parecido com o cabrito.
almo. *adj.* (poes.) almo; alimentador, criador; animador, vivificador; bom, benéfico, santo, venerável, benigno.
almocadem. *m.* almocadem; caudilho, chefe, comandante; em Marrocos, autoridade subalterna.
almocafre. *m.* almocafre, sacho de ponta usado nas minas.

almocafrar. *v. tr.* sachar.
almocárabe. *m.* (arq.) ornato de laços usado nos artesoados.
almocela. *f.* almocela; cobertor; capuz com romeira; coberta ou cortinado de cama; manta; tapete sobre o qual se ajoelhava para rezar.
almocrate. *m.* V. almohatre.
almocrí. *m.* leitor do Alcorão nas mesquitas.
almodí. *m.* V. almudí
almodonear. *v. tr.* (fig.) revolver muito um assunto; falar demasiado dele; repisar.
almófar. *m.* barrete de ferro que se levava para defender a cabeça, almofre.
almofariz. *m.* (ant.) almofariz.
almofía. *f.* almofia. V. jofaina.
almoflate. *m.* faca redonda de correeiro.
almofrej. *m.* almofreixe, malotão de viagem, almofreixe.
almofrez. *m.* (Amér.) V. almofrej.
almogama. *f.* (mar.) almogama, última caverna da nau, onde os paus são mais juntos pelo boleamento da proa.
almogávar. *m.* almogávar, guerreiro que vivia nos matos, donde assaltava terras de Moiros.
almogavarear. *v. intr.* fazer correrias em campo inimigo.
almogavaría. *f.* almogavaria, tropa, expedição, correria de almogávares.
almogavería. *f.* exercício ou profissão de almogávar; qualidade almogávar.
almohacear. *v. tr.* (Amér.) V. almohazar.
almohada. *f.* almofada; coxim; travesseiro; almadraque; alijafe; (mar.) almofada, guarnição de madeira nos pontos onde roçam os cabos para evitar que se cortem: *funda de almohada*, fronha; *consultar con la almohada*, (fig.) meditar atentamente alguma coisa; *tomar la almohada*, acto de ser reconhecida uma dama pela sua rainha.
almohadado, da. *adj.* e *p. p.* almofadado.
almohade. *adj.* e *s.* almóada; muro. — *pl.* almoades.
almohadilla. *f.* almofadinha; (arq.) almofadinha, almofada; alfineteira; *almohadilla de una silla de caballo*, galapo; almohadilla para armar los trajes, chumaço.
almohadillado, da. *adj.* e *p. p.* almofadado, que tem almofadas; feito à maneira de almofada. — *m.* almofado; (mar.) maciço de madeira que se põe no casco do navio.
almohadillar. *v. tr.* (arq.) lavrar as pedras de forma a ficarem com almofada; almofadar, cobrir, ornar com almofadas; enchumaçar; (carp.) almofadar.
almohatre. *m.* (quím.) almoxatre.
almohaza. *f.* almofaça, escôva de ferro com que se limpam bestas.
almohazador *m.* moço de cavalariça, almofaçador.
almohazar. *v. tr.* almofaçar, limpar com almofaça ou almoface.
almojábana. *f.* almojávena, espécie de torta de farinha e queijo.

almojarifazgo. *m.* almoxarifado; cargo e área da jurisdição do almoxarife; direito de portagem.

almojarife. *m.* almoxarife; cobrador de portagem, portageiro.

almojaya. *f.* pau que se mete nos agulheiros da parede e serve para suster andaimes e outros usos.

almoerifazgo. *m.* V. **almojarifazgo.**

almojerife. *m.* V. **almojarife.**

almona. *f.* lugar onde se pesca sável; (prov.) savoaria.

almondera. *f.* tela de cânhamo muito densa.

almóndiga. *f.* almôndega.

almondiguilla. *f.* V. **almóndiga.**

almoneda. *f.* almoeda, leilão; arrematação; venda em público por arrematação: *vender en almoneda,* almoedar.

almonedar. *v. tr.* almoedar, pôr em almoeda, em leilão; leiloar; vender em hasta pública.

almora. *f.* (prov.) V. **majano.**

almorabú. *m.* (prov.) V. **almoradux.**

almoraduj. *m.* (bot.) mangerona; bergamota.

almoradux. *m.* (bot.) V. **almoraduj e sándalo.**

almoravid. *adj.* e *m.* almorávida. — *pl.* almoravides.

almoronía. *f.* V. **alboronía.**

almorrana. *f.* (med.) almorreimas; hemorróidas, almorrás; (Amér.) planta de Cuba.

almorraniento, ta. *adj.* diz-se de quem tem almorreimas.

almorrón. *m.* muro pequeno de terra para separar os canteiros.

almorta. *f.* (bot.) espécie de ervilha, almorta.

almorzada. *f.* porção de grãos, sementes, que cabem no côncavo de ambas as mãos.

almorzado, da. *adj.* e *p. p.* almoçado.

almorzar. *v. tr.* e *intr.* almoçar, comer ao almoço; tomar o almoço. — *pres. ind. irr.* **almuerzo, -as, -a, -an;** *pres. subj.* **almuerce, -es, -e, -en.**

almozárabe. *m.* moçárabe.

almucia. *f.* (prov.) V. **muceta.**

almud. *m.* almude, medida para cereais; medida de capacidade para líquidos de 48 quartilhos: *medir por almudes,* almudar.

almudada. *f.* almudada, terra que leva um almude de semente.

almudejo. *m.* padrão, medida.

almudero. *m.* o que tinha a seu cargo guardar as medidas públicas de secos.

almudí. *m.* medida de 6 caízes (288 alg.) V. **alhóndiga.**

almudín. *m.* V. **almudí.**

almuecín. *m.* almuadem, mouro que, dos minaretes da mesquita, chama o povo à oração.

almuérdago. *m.* V. **muérdago.**

almuertas. *f. pl.* (prov.) antiga taxa sôbre os grãos.

almuerza. *f.* V. **almorzada.**

almuerzo. *m.* almoço, primeira refeição do dia; (fig.) o primeiro acontecimento do dia: *almuerzo-comida,* almoço ajantarado.

almuerzo. V. **almorzar.**

almunia. *f.* horto, granja.

alna. *m.* alna; antiga medida de comprimento, de três palmos.

alnado, da. *s.* enterado.

alobadado, da. *adj.* (vet.) diz-se do animal que tem tumores.

alobado, da. *adj.* diz-se do couto de caça invadido pelos lobos.

alóbroge. *adj.* e *s.* alóbroge, alóbrogo. — *pl.* povos antigos da região que hoje se chama Sabóia.

alobrógico, ca. *adj.* alobrógico, relativo aos alóbroges.

alobunado, da. *adj.* parecido com o lobo, especialmente na cor do pôlo.

alocado, da. *adj.* e *p. p.* aloucado, adoudado, desassisado; atreguado; estabanado; estroina; alvoário, estouvado; esturvinhado, estúrdio; desatinado; imprudente; arvoado; amalucado; adoidado; estrovinhado; (Bras.) Pá-virada; (Bras.) Zuruó: *llevar una vida alocada,* macavencar; *persona alocada,* estragas-albarda, estorninho.

alocar. *v. intr.* perder o siso; ter modos de louco.

alocinesia. *f.* alocinesia.

alocroario, ria. *adj.* (hist. nat.) alocroário.

alocroico, ca. *adj.* alocróico.

alocroismo. *m.* alocroismo.

alocroita. *f.* (min.) alocroita.

alocromasia. *f.* (pat.) alocramatia.

alocromático, ca. *adj.* alocromático.

alocromía. *f.* alocromia.

alocución. *f.* alocução, arenga, conferência, discurso, elogio, fala, homília, oração, panegírico, prática, prédica, prelecção, proclamação, sermão.

alodial. *adj.* (for.) alodial, propriedade livre de encargos ou de direitos senhoriais.

alodio. *m.* (for.) alódio, propriedades ou bens isentos de encargos senhoriais.

áloe. *m.* (bot.) aloés, erva babosa; suco desta planta.

aloe. *m.* V. **áloe.**

aloetato. *m.* (quim.) aloetato.

aloético, ca. *adj.* aloético, que contem aloés.

aloetina. *f.* (quim.) aloetina.

alofana. *f.* (min.) alofana, alofânio, silicilato de alumínio hidratado.

alofanato. *m.* (quim.) alofanato.

alófano, na. *adj.* alófano, que brilha de modos diversos.

alofilia. *f.* (bot.) alofilia.

alófilo. *m.* (bot.) alófilo.

alofo. *m.* (zool.) álofo.

alófora. *f.* (zool.) alóforo.

aloftalmia. *f.* (med.) aloftalmia.

aloftálmico, ca. *adj.* (med.) aloftálmico.

alogamia. *f.* alogamia, alocarpia.

alógeno, na. *adj.* alógeno, de uma outra raça.

alogia. *f.* (fil. e med.) alogia; absurdo, disparate; afasia por ausência de pensamento.

alógico, ca. *adj.* (fil.) alógico.

álogo, ga. *adj.* e *s.* alogiano, partidário da seita dos que negavam a Cristo a qualidade de Verbo Eterno.

alografía. *f.* alografia.

aloina. *f.* (farm.) aloína.

alojado, da. *p. p.* aboletado; alojado, albergado; aquartelado; agasalhado; amalhado (animais).

alojamiento. *m.* alojamento, aboletamento; (mar.) alojamento, espaçò entre as cobertas do navio; madraçal; aposentamento; acomodação; albergamento; aposento; agasalho; aposento: *alojamiento militar*, aquartelamento; boleto; aboletamento; *alojamiento completo*, cama e mesa; *dar alojamiento*. dar aposentamento.

alojar. *v. tr.* alojar, dar hospedagem; dar aboletamento; recolher; agasalhar; hospedar; arranchar; acomodar; aposentar; albergar; meter; armazenar. — **alojarse.** *v. r.* alojar-se; aposentar-se; acomodar-se: *alojar las tropas*, aquartelar, abarracar, cantonar; *alojar a alguien*, dar mesa; *alojar a los marineros en los camarotes*, amatalotar.

alomado, da. *adj.* e *p. p.* alombado (diz-se das cavalgaduras).

alomancia. *f.* alomancia.

alomántico, ca. *adj.* e *s.* alomante.

alomar. *v. tr.* (agr.) arar a terra de maneira que fique formando lombos; domar um cavalo; fazer curvo como o lombo; arquear. — *v. r.* nutrir-se o cavalo ficando apto para padrear.

alombar. *v. tr.* (prov.) V. **alomar**.

alomorfia. *f.* (zool., bot.) alomorfia.

alomórfico, ca. *adj.* alomórfico.

alomorfismo. *m.* (quim.) alomorfismo.

alomorfita. *f.* (min.) alomorfite.

alón. *m.* asa sem penas ou plumas.

alón, na. *adj.* (Amér.) de grandes asas.

alonar. *v. tr.* (germ.) sazonar, sazoar, salgar.

alondra. *f.* (orni.) calhandra.

alongadero, ra. *adj.* (ant.) alongador; alargador; dilatório.

alongado, da. *adj.* e *p. p.* prolongado, alongado, um tanto comprido; afastado, arredado.

alongamiento. *m.* alongamento; alargamento; afastamento.

alongar. *v. tr.* alongar, prolongar; estender, alargar; afastar; (ant.) demorar. — *pret. ind. irr.* **aluenga, -as, -a, -an;** *pre. sub.* **aluengue, -es, -en.**

alónimo, ma. *adj.* alónimo, diz-se de quem se serve do nome de outrem, assinando.

alonso. *adj.* diz-se do trigo de espiga grossa.

alópata. *adj.* (med.) alopata. — *s.* alopata o que exerce a alopatia.

alolalia. *f.* alolalia.

alopatía. *f.* (med.) alopatia.

alopático, ca. *adj.* alopático, alopata.

alopecia. *f.* (pat.) alopecia, queda dos cabelos.

alopiado, da. *adj.* opiado, preparado com ópio.

aloplastia. *f.* (cir.) aloplastia.

aloquecerse. *v. r.* enlouquecer.

aloquín. *m.* cercado de pedra em volta do sítio onde se branqueia a cera.

alorarse. *v. r.* (Amer.) pôr-se de cor preto devido à acção do sol ou vento.

alotropía. *f.* (quím.) alotropia.

alotrópico, ca. *adj.* (quim.) alotrópico, alótropo.

aloxana. *f.* (quim.) aloxana.

aloya. *f.* (prov.) V. **alondra**.

alpaca. *f.* (zool.) alpaca; tecido; metal branco ou liga metálica prateada.

alpacón. *m.* (Amér.) tecido mais grosso e ordinário que a alpaca.

alpañata. *f.* pedação de couro para alisar as vasilhas de barro antes de as cozer.

alparcear. *v. tr.* emparelhar animais pertencentes a diferentes proprietários.

alparcería. *f.* (prov.) bisbilhotice, mexeriquice.

alparcero, ra. *adj.* mexeriqueiro.

alpargata. *f.* alparcata, alpargata, alparca; (Bras.) Apragata, loré: *cara de alpargata*, (fam.) cara de bolacha.

alpargatar. *v. tr.* fazer alparcatas.

alpargatazo. *m.* pancada com alparcata.

alpargate. *m.* V. **alpargata**.

alpargatería. *f.* alpargataria, fábrica ou local onde se fazem ou vendem alpargatas.

alpargatero. *m.* alpargateiro, alparqueiro, fabricante ou vendedor de alpacatas.

alpargatilla. *s.* (fig. fam.) pessoa astuta, hipócrita; alparcata pequena.

alpartaz. *m.* malha do elmete nas antigas armaduras.

alpatana. *f.* utensílios de trabalho que se traspassam nos arrendamentos de terras; trastes velhos.

alpende. *m.* alpendre; casa de arrumação de instrumentos de mina e fundição.

alpenstock. *m.* (Alem.) alpenstock, bastão.

alpérsico. *m.* V. **pérsico** (árvore).

alpestre. *adj.* alpestre. V. **alpino**.

alpícola. *adj.* alpícola, que vive nos Alpes.

alpicoz. *m.* (prov.) espécie de pepino.

alpinismo. *m.* alpinismo.

alpinista. *s.* alpinista.

alpino, na. *adj.* alpino, álpico, alpestre, alpícola, relativo aos Alpes.

alpiste. *m.* (bot.) alpista, alpiste: *quedarse alpiste*, ficar se frustrado ou defraudado.

alpistela. *f.* torta de farinha, ovos e sésamo.

alpistera. *f.* V. **alpistela**.

alpistero. *m.* crivo para limpar o alpiste.

alporchón. *m.* (prov.) lugar onde são arrematadas as águas do rego.

alquería. *f.* alqueria, alcaria, granja, casa de campo para lavoura.

alquermes. *m.* alquermes; licor excitante.

alquerque. *m.* alguergue, alquerque, nos lagares, o sítio onde se colocam os cabases cheios da massa da azeitona moída.

alquez. *m.* alquiece, medida de vinho de doze cântaros.

alquezar. *m.* corte que se faz nas águas dum rio para utilizar em rego.

alquibla. *f.* austral, parte da mesquita aonde se dirigem em oração os muçulmanos.

alquicel. *m.* alquecel, alquicer; vestidura mourisca em forma de capa.

alquicer. *m.* V. **alquicel.**

alquifol. *m.* (quim.) alquifa, alquifol, sulfureto de chumbo empregado pelos oleiros nas suas obras.

alquila. *f.* peça de metal. fixa no extremo duma vara, indicadora de carro para alugar.

alquilable. *adj.* alugável.

alquiladizo, za. *adj.* que se pode alugar.

alquilado, da. *adj.* e *p. p.* alugado, alquilado; assalariado; arrendado.

alquilador, ra. *adj.* e *s.* alugador, alquilador, arrendador.

alquilamiento. *m.* alugamento, aluguer; locação.

alquilar. *v. tr.* alugar, dar ou tomar de aluguer; alquilar, arrendar. — **alquilarse.** *v. r.* alugar-se; assalariar-se, contratar-se para servir; alquilar-se: *alquilar a precio estipulado*, ajustar; (fig.) *alquilar gente*, apenar; (mar.) *alquilar una nave*, fretar.

alquilate. *f.* antiguo imposto sobre terras e frutos.

alquiler. *m.* aluguer, aluguel, acção de alugar, alugação; arrendamento. alquiler; preço da cessão temporária: *ceder en alquiler*, dar de aluguel; *tomar en alquiler*, tomar de aluguel; *precio del alquiler*, aluguel.

alquilón, na. *adj.* arrendável, alugável.

alquimia. *f.* alquimia; practicar a alquimia, alquimiar.

alquimico, ca. *adj.* alquímico, relativo à alquimia.

alquimila. *f.* (bot.) alquimila.

alquimista. *s.* alquimista.

alquinal. *m.* alquinal, touca ou véu para a cabeça usada pelas mulheres como adorno.

alquitara. *f.* alambique, alquitara: *por alquitara*, pouco a pouco, com mesquinhez, com dificuldade.

alquitarar. *v. tr.* destilar com alambique.

alquitrán. *m.* alcatrão; coltar: *alquitrán extraído de la hulla*, coltar.

alquitranado, da. *adj.* e *p. p.* alcatroado. — *m.* alcatroamento; pano alcatroado.

alquitranar. *v. tr.* alcatroar; embrear; coltarizar; encerar (tecidos).

alrededor. *adv.* ao redor; em redor; em roda; derredor; em torno; em contorno; ao derredor; cerca, sobre, pouco mais ou menos. — *m. pl.* circunvizinhança, arredores; contornos: *alrededores de una ciudad*, abas duma cidades.

alrota. *f.* pluma; filamento que se desprega do linho, estopa.

Alsacia. *f.* (geog.) Alsácia.

alsaciano, na. *adj. s.* (geog.) alsaciano; relativo à Alsácia; habitante da Alsácia.

alta. *f.* alta, dança antiga; declaração de estar curado um doente; assalto público de esgrima; (mil.) alta; (med.) alta; nota, licença para sair do hospital; (germ.) torre; janela: *dar de alta*, dar alta; *dar el alta a un enfermo*, dar por acabado.

altacoya. *f.* (germ.) V. **cigoña.**

altaico, ca. *adj.* altaico.

altana. *f.* (germ.) igreja.

altanado, da. *adj.* (germ.) casado, cônjuge.

altaneria. *f.* altanaria, altivez, empáfia, fatuidade, impostura, orgulho, soberba, sobranceria, endeusamento, esvaecimento, elação; alturas, regiões altas da atmosfera; altanaria, caça.

altanero, ra. *adj.* altaneiro, arrogante, altanado, altivo, soberbo; desumilde, desprezativo, estirado, alevantado; muito elevado, majestoso. — *m.* (germ.) ladrão.

altanos. *s. pl.* ventos da terra e do mar.

altar. *m.* altar, mesa para os sacrifícios; altar, mesa onde se diz missa; culto, veneração; ara; (prov.) banco duma mina: *altar mayor*, altar-mor, retábulo; *altar de ánimas*, altar privilegiado; *pie de altar*, pé de altar, casual; *llevar alguien al altar*, conduzir alguém ao altar.

altarejo. *m.* altarinho, altarzínho.

altarero. *m.* altareiro; altarista; o que fabrica e adorna altares.

altaricón, na. *adj.* (fam.) diz-se da pessoa muito alta e volumosa.

altavoz. *m.* (rad.) altofalante, megafone, amplificador dos sons emitidos pela telefonia sem fios.

alteína. *f.* (fam.) alteina

alterabilidad. *f.* alterabilidade, mutabilidade.

alterable. *adj.* alterável, modificavel, que pode ser alterado.

alteración. *f.* alteração; emoção; alvoroto; falsificação; degeneração; descomposição; inquietação; desordem; altercação; mudança; contestação, disputa, contenda, debate, desafio; corrupção; conturbação; derranco; deformação; demudança; mutação; desfiguração; (med.) depravação; derrancamento; perturbação, irritação: *alteración de las funciones digestivas*, embaraço gástrico.

alteradizo, za. *adj.* alteradiço.

alterado, da. *adj.* e *p. p.* alterado; falsificado; corrompido; irritado; modificado; demudado; degenerado; desfigurado; derrancado.

alterador, ra. *adj.* alterador, alterante, o que altera.

alterar. *v. tr.* alterar, modificar, mudar, transformar, variar; falsificar; causar novidade; perturbar; comover; deteriorar; corromper; conturbar; estremecer; desmudar, desordenar; desorganizar; desquiciar; impresionar; imutar; demudar; decompor; derrogar; deturbar; deformar; fremir; abalar; desfigurar; excitar; agitar, revoltar; alvorotar; tornar irado. — **alterarse.** *v. r.* perturbar-se, encolerizar-se; adulterar-se; descompor-se; alterar-se; alternar-se; enturvar-se; enturbar-se; abalar-se: (fig.) *alterar el orden*, destemperar; *alterar el valor de la moneda*, desmonetizar; *alterarse el mar*, encapelar-se.

alterativo, va. *adj.* alterativo, alterante, alterador.

altercación. *f.* altercação, contenda, contestação, debate, diferença, disputa, querela, rixa, alvoroto; altercado.

altercado. *m.* (Bras.) Saçanga. V. **altercación.**

altercador, ra. *adj.* e *s.* altercador, brigão, disputador, arengador, altercante.

altercar. *v. tr.* altercar, disputar, argumentar, discutir com vivacidade; provocar polémicas, contestar, arengar, batalhar, contender.

alterego. *m.* (lat.) alter-ego, outro eu.

alterna. *adj.* diz-se da corrente eléctrica.

alternabilidad. *f.* alternabilidade, alternação, reciprocidade.

alternable. *adj.* que se pode alternar, alternativo, que vem por sua vez.

alternación. *f.* alternação, acto ou efeito de alternar; sucessão repetida; alternativa; revezamento.

alternado, da. *adj.* e *p. p.* alternado, alterno, alterado; entremeado; que ora é, ora não é.

alternador, ra. *adj.* alternador, o que alterna. — *m.* (elec.) alternador, máquina dínamo-eléctrica.

alternancia. *f.* (electr.) alternância; (bot.) alternância; (geog.) alternância.

alternante. *p. a.* alternante, que alterna.

alternar. *v. tr.* e *intr.* alternar, revezar; variar; semear no mesmo terreno vegetais de natureza distinta; fazer variar sucessivamente; colocar em posições recíprocas; dispor em ordem alternada; sucederem as coisas umas a outras; ter convivência, conviver; trocar entre si os meios ou os extremos de uma proporção; familiarizar; entremear; entressachar: *alternar con personas de cuenta,* (germ.) ser admitido no grémio dos ladrões; (taurom.) obter um novilheiro categoria de matador.

alternativa. *f.* alternativa; opção; eleição; alternação; (fig.) encruzilhada; sucessão de duas coisas cada uma por sua vez; (taur.) alternativa; necessidade de escolha entre duas coisas; (taurom.) entrega pelo matador da muleta ao novilheiro. — *pl.* andanças, alternativas, viravoltas, vicissitudes, altibaixos.

alternativo. va. *adj.* alternativo, que vem por sua vez; que se faz com alternação; recíproco, mútuo.

alternifloro, ra. *adj.* (bot.) alterniflóreo.

alternifolio. *adj.* (bot.) alternifólio.

alternípedo, da. *adj.* (zool.) alternípede.

alternipétalo, la. *adj.* (bot.) alternipétalo.

alternisépalo, la. *adj.* (bot.) alternissépalo.

alterno, na. *adj.* alterno, revezado, alternado, alternativo; (bot.) aneiro; alterno; recíproco.

alteroso, sa. *adj.* alteroso; (mar.) diz-se do navio elevado nas obras mortas.

alteza. *f.* alteza (tratamento que se dá aos príncipes); alteza, altura, elevação; (fig.) excelência, grandeza, sublimidade; estatura.

altibajo. *m.* altibaixo; veludo, lavrado; terreno desigual, fragoso; (esgr.) golpe de espada de alto a baixo. — *pl.* altibaixos,

altos e baixos, alternativas, viravoltas, vicissitudes.

altilocuencia. *f.* altiloquência, grandiloquência, eloquência sublime, estilo muito elevado.

altilocuente. *adj.* altiloquente; empolado, pomposo, sublime, altilóquo, elevado.

altilocuo, cua. *adj.* altilóquo. V. **altilocuente.**

altillo. *m.* colina, encosta; desvão. — *adj.* alto, pouco elevado.

altimetría. *f.* (geom.) altimetria.

altímetro, tra. *adj.* altimétrico. — *m.* (geom.) altímetro.

altiplanicie. *m.* altiplano, chapada, planalto, meseta, altiplanura.

altisa. *f.* (gal.) V. **altica.**

altiscopio. *m.* (med.) altiscópio.

altísimo, ma. *adj.* altíssimo, muito alto. — *m.* (rel.) Altíssimo, Deus, Criador, Todo-Poderoso.

altisonancia. *f.* altissonância; qualidade do que é altíssono.

altitonante. *adj.* altitonante, altissonante, estrondoso.

altitud. *f.* altitude, altura, elevação; estatura; eminência; (geog. e geom.) altitude.

altivar. *v. tr.* elevar. — *v. r.* encher-se de altivez.

altivecer. *v. tr.* tomar altivez. — *pres. ind. irr.* **altivezco;** *pres. subj.* **altivezca;, —as, —a, —an.**

altivez. *f.* altivez, altiveza; orgulho, soberba; arrogância; desvanecimento, entono; chivanca, chibantaria; entonação; arreganho; assoberbamento, desdem; endeusamento; inflação; arrebito; gabarolice; empáfia; elação; aprumação, elevação; aprumo; altaneria. *comportarse con altivez,* assoberbar-se; *llenarse de altivez,* empinar-se; *perder la altivez,* desinchar-se; *tratar con altivez,* assoberbar.

altiveza. *f.* V. **altivez.**

altivo, va. *adj.* altivo, orgulhoso, soberbo, arrogante; elevado; brioso, desumilde; assoberbado; chibante; desdenhoso; estirado; ere(c)to; altanado; empoeirado; empáfo; enchouriçado; aprumado; encrispado; alevantado; altaneiro; emproado; empantufado; engomado: *ser altivo,* trazer o rei na barriga; *hombre altivo,* homem de brio revolto; *mostrarse altivo,* empertigar-se; embridar-se; *persona altiva,* empáfia; *volverse altivo,* criar bico; *ser altivo,* ter fumos; (fam.) *volverse altivo,* enchouriçar-se, entesar-se, encrespar-se.

alto, ta. *adj.* alto; eminente; caro; tardio; profundo (diz-se do mar); cimeiro; erguido, elevado excelso; levantado; ilustre, grande; soberbo; alto, que soa muito; importante; supremo; principal; vasto; excessivo; (fig.) ilustrado; (fig.) difícil, árduo; superior, excelente; profundo, sólido; avançado no tempo (dia ou noite). — *m.* alto, altura; auge, cimo, cume, culminância, fastígio, pináculo, pincaro; tope, altura; andar; colina, encosta; (mil.) *alto,* paragem; (mús.) alto, nota aguda, voz alta.— *adv.* alto: *altas horas de la noche,* de madrugada; *alta mar,* mar alto; *hablar en alto,* falar alto; *hacer un alto,* fazer alto; *desdle lo alto,* de alto; *alto en el camino,* arreto; (fig.) *hombre muy alto,* arganaz, galalau, avejão; *por alto,* em claro, superficialmente: *pasar por alto,* passar em silêncio; *poner en el lugar más alto,* encarrapitar; *poner más alto,* alçar; *alto de una moniaña,* corona.— *interj.* ¡alto!

alto. *m.* (mús.) alto; viola, violeta.

alto-comisario. *m.* alto-comissário, enviado, delegado especial do Governo.

altoparlante. *m.* (rad.) alto-falante, amplificador dos sons.

altor. *m.* altor, altura, eminência.

alto relieve. *m.* alto-relevo; (Bras.) alto-relêvo.

altozanero, ra. *adj.* (Amér.) moço de fretes, mariola.

altozano. *m.* alto, outeiro, eminência.

altramuz. *m.* (bot.) tremoço, (Bras.) tremôço; tremoceiro.

altruismo. *m.* altruismo; abnegação; filantropia, beneficência, caridade, humanidade, generosidade.

altruista. *adj.* e *s.* altruista, altruístico; caritativo; filantropo; generoso.

altura. *f.* altura, elevação; o céu; cume; excelência; cima; eminência; estatura; alteza; magnitude; superioridade; importância; profundidade; cumeada; firmamento; colina; (mar.) altura. — *pl.* Céu: *estar a la altura de las circunstancia,* estar à altura dos tempos; *altura de un líquido o gas,* coluna; *empresa de altura,* empresa de altura; *a estas alturas,* neste momento; *tener x metros de altura,* ter x metros de altura; *altura de un astro,* altura dum astro.

alúa. *f.* (bot.) V. **lúa.**

alubia. *f.* (bot.) feijão V. **judía.**

aluciar. *v. tr.* lustrar; fazer luzir.

alucinación. *f.* alucinação, ilusão, delírio; doidice; insensatez, deslumbramento, embebedamento; desvario, desvairamento, devaneio, engano, cegueira intelectual.

alucinado, da. *adj.* e *p. p.* alucinado, atordoado, aturdido, cego, delirante, desvairado, doido, estonteado, insensato, louco, perdido, desvairado, desorientado; enganoso; apaixonado; desaurido; ébrio.

alucinador, ra. *adj.* e *s.* alucinador, cegador, deslumbrador, fascinador, o que alucina; seductor, enganoso.

alucinamiento. *m.* embaçadela, embevecimento, embaração. V. **alucinación.**

alucinar. *v. tr.* e *intr.* alucinar, cegar, confundir, deslumbrar, fascinar, ofuscar, privar da razão, desvairar; apaixonar, fazer cair em ilusão; obscurecer o entendimento; iludir; alienar; enganar; deludir; devanear; alhear a razão; embebedar; atabicar; embaucar; desorientar. — **alucinarse.** *v. r.* alucinar-se, perder a razão momentâneamente; (fig.) ficar fascinado, encandear-se.

alucinatorio, ria. *adj.* alucinatório; ilusório, enganoso, falso.

alud. *m.* alude, avalancha, massa de neve que rola do cume das motanhas.

aludel. *f.* (quim.) aludel, vasos formando tubo, empregados para a condensação dos vapores mercuriais.

aludir. *v. intr.* aludir, citar, mencionar, referir, referir-se indirectamente, fazer referência: *aludir a un asunto de pasada,* aludir superficialmente; *darse por aludido,* dar-se por aludido.

alumbrado, da. *adj.* e *p. p.* alumiado; (fig., e fam.) animado, alegre, alegrete, ébrio, embriagado; aluminoso. — *m.* iluminação, alumiamento: *en un sitio alumbrado,* no claro. — *pl.* iluminados (seita herética).

alumbrador, ra. *adj.* alumbrador, o que alumia, iluminador.

alumbramiento. *m.* iluminação, alumiação, alumiamento; parto; delivramento, delivração, dequitação.

alumbranoche. *f.* (prov.) pirilampo, luze-cu.

alumbrar. *v. tr.* e *intr.* aluminar, iluminar, dar luz; dar à luz; parir; (agr.) desafogar a vide; (fig.) ilustrar; clarificar; desgravidar (dar à luz); esclarecer; instruir; acender; explicar; alegrar; inspirar; descobrir água subterrânea; acompanhar com luz a alguém; dar vista ao cego; (fam.) maltratar com pancadas. — **alumbrarse.** *v. r.* (pop.) emborrachar-se.

alumbrar. *v. tr.* misturar com alúmen; (agr.) fazer a alumia.

alumbre. *f.* (quím.) alúmen, alume, sulfato duplo de alumina e potassa, pedra-ume.

alumbrera. *f.* mina de alúmen.

alumbroso, sa. *adj.* aluminoso, alumioso, aluminífero.

alúmina. *f.* (quím.) alumina.

aluminato. *m.* (quím.) aluminato.

alumínico, ca. *adj.* (quím.) alumínico.

aluminífero, ra. *adj.* (quím.) aluminífero, aluminoso.

aluminio. *m.* (quím.) alumínio.

aluminita. *f.* (miner.) aluminita, aluminite.

aluminografia. *f.* (tecn.) aluminografia.

aluminosis. *f.* (pat.) aluminose.

aluminoso, sa. *adj.* aluminoso, aluminífero.

aluminotermia. *f.* (quím.) aluminotermia.

alumnado. *m.* neologismo por internato; conjunto ou corporação de alunos.

alumno, na. *s.* aluno, colegial, discípulo, educando, estudante, aprendiz, membro de qualquer corporação ou colégio: *alumno interno,* aluno interno; *alumno externo,* aluno externo; *alumno semiinterno,* aluno mediopensionista; *el alumno más aventajado de una clase,* decurião.

alunado, da. *adj.* aluado, influenciado pela Lua; lunático; adoidado; (vet.) diz-se do animal que tem constipação.

alunarse. *v. r.* corromper-se ou apodrecer-se o toucinho sem criar bichos.

alunífero, ra. *adj.* aluminífero, aluminoso.

alusión. *f.* alusão, menção; embuço; referência indirecta; (pop.) indirecta; alusão mordaz ou picante, bisca-biscate.

alusivo, va. *adj.* alusivo, que envolve alusão; indire(c)to; emblemático.
alustrar. *v. tr.* lustrar, dar lustre, polir.
alutáceo, a. *adj.* semelhante à pele branda e curtida.
alutación. *f.* (min.) grãos de ouro maciço.
alutrado, da. *adj.* da cor da lontra.
aluvial. *adj.* aluvial, aluviano.
aluvión. *f.* aluvião, inundação, enxurrada; cheia; (fig.) aluvião, cópia, grande quantidade ou número: *tierras de aluvión*, terras de aluvião.
alveario. *m.* (anat.) alveário, colmeia, colmeal.
álveo. *m.* álveo, leito de um rio; sulco, escavação.
alveolado, da. *adj.* alveolado, que tem alvéolos.
alveolar. *adj.* alveolar, relativo a alvéolo.
alveoliforme. *adj.* (hist. nat.) alveoliforme.
alveolitis. *f.* (pat.) alveolite.
alvéolo. *m.* (anat.) (zool. e bot.) alvéolo; pequena cavidade; casulo: *alvéolos de los dientes*, alvado ou covas dos dentes.
alvino, na. *adj.* (med.) alvino.
alza. *f.* alça de sapato; alta de preço; (mil.) alça de espingarda; (impr.) alça; (apic.) compartimento nas células das colmeias: *estar en alza*, (com.) melhorar, prosperar; *jugar al alza*, jogar na alta.
alzada. *f.* (for.) apelação; altura; elevação; povoação situada num alto; altura, elevação dum cavalo.
alzadera. *f.* maromba, contrapeso para saltos.
alzado, da. *adj.* e *p. p.* alçado; falido fraudulentamente. — *m.* (arq.) alçado, planta ortográfica; ajuste final duma contra; (impr.) alçado das folhas de um livro.— alçado, traçado, projecção vertical.
alzador, ra. *adj.* alçador, que alça. — *m.* (impr.) alçador.
alzadora. *f.* (Amér.) ama-seca, criada de meninos.
alzadura. *f.* alçadura, alçamento; elevação: *alzadura de obra*, interrupção de obra.
alzamiento. *m.* alçamento; revolta, levantamento; quebra fraudulenta; lançamento em leilão; alteamento.
alzapié. *m.* alçapé.
alzapón. *m.* aba que tapa a parte anterior das antigas calças; alçapão.
alzaprima. *f.* alçaprema, alavanca; cunha; arriel.
alzaprimar. *v. tr.* alçapremar, levantar com alavanca; apanhar com alçaprema; (fig.) avivar, comover, incitar; embravecer.
alzar. *v. tr.* alçar, levantar, elevar; tirar; levar; guardar, ocultar; cortar, partir as cartas; (arq.) edificar; (agr.) alqueivar, alqueirar; (for.) apelar; apalancar; altear; encimar; encumear; erguer; (mar.) içar; (impr.) alçar, levantar as folhas; quebrar fraudulentamente. — alzarse. *v. r.* alçar-se; conjurar-se; engarupar-se; encumear-se; alevantar-se; quebrar fraudulentamente; retirar-se do jogo com as ganâncias; ensoberbecer-se: *alzar a Dios*,

levantar a Deus na missa; *alzarse con algo*, apropiar-se do alheio; *alzar el precio*, levantar o preço.
allá. *adv.* lá (indica lugar menos circunscrito ou determinado que *allí*); além; tempo remoto ou passado; no outro mundo, no além acolá: *allá se las hayan*, lá se avenha, lá vos avinde; *más allá*, adelante, além; *de la parte de allá*, além; *el más allá*, o outro mundo.
allanado, da. *adj.* e *p. p.* aplainado; igualado; facilitado; arrasado; alhanado.
allanador, ra. *adj.* e *m.* aplainador; aplanador.
allanamiento. *m.* aplainamento; afabilidade, bonhomia; (for.) acção de entrar em casa alheia sem licença.
allanar. *v. tr.* aplainar; alhanar; igualar, aplanar; pacificar; arranjar; (fig.) vencer dificuldades; sujeitar; facilitar; arrasar, demolir; (for.) entrar à força ou por mandado da justiça em casa alheia; pacificar; explanar; achatar, achanar; alorar; nivelar; alhanar; desempenar (uma parede). — allanarse. *v. r.* sujeitar-se; igualar-se; alhanar-se; arrasar-se: *allanar el terreno para hacer una era*, enterrar, aterraplanar; *allanar dificultades*, alhanar dificuldades. — *v. tr.* convir, dar acordo, concordar, condescender.
allegadera. *f.* (agr.) rodo; utensílio agrícola usado nas eiras.
allegadizo, za. *adj.* acumulado; junto; reunido.
allegado, da. *adj.* e *p. p.* próximo; chegado. — *s.* parente chegado; aderente; parcial.
allegador, ra. *adj.* e *s.* ajuntador, apanhador. — *m.* (agr.) rastro ou anzinho de cerro para achegar a palha.
allegamiento. *m.* ajuntamento; achegamento; recolhida; união, amizade.
allegar. *v. tr.* achegar; arrimar o grão debulhado; recolher; juntar; arbitrar; entesoirar; ajuntar, agregar, acrescentar.— allegarse. *v. r.* chegar-se, aproximar-se.
allegro. *m.* (mús.) alegro.
allende. *adv.* além, além de, acolá; além disto; demais: *allende los mares*, além mar.
allí. *adv.* ali, então; naquela época, aí; acolá: *allí mismo*, aí mesmo.
allocarse. *v. r.* V. encloarse.
alludel. *m.* V. aludel.
allulla. *f.* V. hallulla.
ama. *f.* ama, dona de casa; ama, patroa; dona, senhoria, proprietária; ama, criada grave, empregada; (germ.) dona de alcouce: *ama de casa*, dona de casa; *ama de leche*, ama de leite; *criada principal*, ama-seca, paje; *ama de llaves*, ama; governanta; *ama de brazos*, ama de meninos.
amabilidad. *f.* amabilidade; delicadeza; urbanidade; cortesania; contemplação; apacibilidade; galanteio; atenção, deferência; brandura; meiguice, delicadeza.
amable. *adj.* amável; galante; amadouro; afe(c)tuoso; amavioso; atencioso; atento; efusivo; agradável; adorável; benéfico; cortês.

amacigado, da. *adj.* almecegado, de cor ama-rela ou de almácega.

amacollar. *v. intr.* formar espigas as plantas, espigar.

amachambrar. *v. tr.* (Amér. pop.) V. **machi-hembrar.** — *v. r.* (Amér.) V. **amance-barse.**

amachetear. *v. tr.* dar golpes com machete.

amachinarse. *v. r.* (Amér.) amancebar-se.

amadamado, da. *adj.* efeminado; fanchono. V. **adamado.**

amadamarse. *v. r.* (Amér.) V. **adamarse.**

amado, da. *adj.* e *p. p.* amado, que se ama; querido; estremecido; alma. — *s.* bem, indivíduo amado.

amador, ra. *s.* e *adj.* amador; amante; amoroso; admirador; devoto; o que ama; cultivador duma arte.

amadríade. *f.* V. **hamadríade** e **dríade.**

amadrigar. *v. tr.* (fig.) acolher, fazer bom acolhimento. — **amadrigarse.** *v. r.* escon-der-se; retirar-se; encovilar-se; entocar--se, encafuar-se; retirar-se da sociedade.

amadrinado, da. *adj.* e *p. p.* diz-se do cava-lo que, habituado a ir em companhia de outros, se irrita ao ficar só.

amadrinamiento. *m.* acção e efeito de em-parelhar cavalos, bois, etc.

amadrinar. *v. tr.* emparelhar cavalos, bois, etcétera; amadrinhar; acostumar a viver com uma égua; (fig.) apadrinhar; (mar.) sujeitar duas coisas, para reforçar uma delas; arrimar e segurar.

amaestrado, da. *adj.* e *p. p.* amestrado; en-sinado; adestrado, perito; industrioso, industriado.

amaestradura. *f.* artifício; astúcia; ensino; instrução.

amaestramiento. *m.* amestramento; ensino; instrução.

amaestrar. *v. tr.* amestrar; ensinar; ins-truir; executar; industriar; exercitar; adestrar; (germ.) domar.

amagamiento. *m.* (Amér.) quebrada profun-da e estreita.

amagar. *v. tr.* ameaçar; (fig.) fingir que se faz uma coisa; manifestar-se os sintomas duma enfermidade. — **amagarse.** *v. r.* (germ.) esconder-se.

amagatorio. *m.* (prov.) V. **escondite.**

amago. *m.* ameaça, sintoma de enfermidade; ameaça, acção de ameaçar; sinal, indício.

ámago. *m.* V. **hámago.**

amainado, da. *adj.* e *p. p.* amainado, acal-mado, afrouxado; arriado.

amainador. *m.* (min.) operário que recolhe as vasilhas empregadas no interior das minas.

amainar. *v. tr.* (mar.) amainar; (fig.) acal-mar; afrouxar; sossegar; (mar.) abaixar; arriar a vela da embarcação; abater; co-lher; abrandar; decrescer; amainar, per-der o vento a sua força; (min.) retirar dos poços das minas as vasilhas empregadas.

amaine. *m.* (mar.) acção e efeito de amainar as velas duma embarcação.

amaitinar. *v. tr.* espiar; espreitar; ob-servar.

amajadar. *v. tr.* amalhar, meter o gado no curral. — *v. intr.* pernoitar o gado no redil; encurralar, encorrilhar.

amalgama. *f.* (quím.) amálgama; (fig.) mis-tura de coisas várias; mesela; incorpora-ção; ajuntamento de pessoas de diferentes classes: (fig.) *amalgama literaria*, mace-dónia.

amalgamación. *f.* amalgamação.

amalgamado, da. *adj.* e *p. p.* amalgamado; mesclado, misturado.

amalgamador, ra. *adj.* e *s.* amalgamador. — *m.* amalgamador.

amalgamar. *v. tr.* (quím.) amalgamar, fazer amálgama de mercúrio com outro metal; mesclar, misturar, reunir, confundir coisas diversas; fusionar.

amalhayar. *v. tr.* (Amér.) anelar, desejar ardentemente.

Amalia. *f. n. p.* Amália.

Amaltea. *f.* (mit.) Amaltea.

amamantamiento. *m.* amamentação; aleita-ção.

amamantar. *v. tr.* amamentar, criar ao pei-to; aleitar, alactar; dar de mamar; nu-trir; alimentar.

amán. *m.* perdão ou anistia que pedem os mouros quando se submetem.

amancebado, da. *adj.* e *p. p.* amancebado; amigo, amigado, amantizado, abarregado: *hombre amancebado*, barregão.

amancebamiento. *m.* amancebamento; con-cubinato; barregania; contubérnio; ami-zade, mancebia.

amancebarse. *v. r.* amancebar-se, amassiar--se, amigar-se, amantar-se, amantizar-se, abarregar-se, contuberniar-se, juntar-se em mancebia, tomar concubina.

amancillar. *v. tr.* manchar; ofender; lasti-mar; desonrar; menoscabar; despresti-giar; infamar; denigrar.

Amanda. *f. n. p.* Amanda.

amandina. *f.* amendina; fermento das amên-doas; amendoína.

Amando. *m. n. p.* Amando.

amanear. *v. tr.* pear, prender a cavalgadura.

amanecer. *v. intr.* amanhecer, raiar a ma-nhã; romper o dia; esclarecer-se o dia; chegar ou aparecer ao romper da manhã; (fig.) principiar; manifestar-se; alvore-cer, clarear. — *pres. ind. irr.* **amanezco;** *subj.* **amanezca,** etc.

amanecida. *f.* manhãzinha, hora de ama-nhecer; alvorada; aurora, amanhecida, madrugada.

amanerado, da. *adj.* e *p. p.* afe(c)tado, pre-sumido; amaneirado, engenhoso; delam-bido; (Amér.) cortés, urbano.

amaneramiento. *m.* afectação; presunção.

amanerarse. *v. r.* amaneirar-se; empregar expressões afectadas nos escritos e nas palavras.

amanezca. *f.* (Amér.) amanhecer, aurora, al-vorada.

amanillar. *v. tr.* (prov.) algemar, prender com algemas.

amanitina. *f.* (quím.) amanitina, princípio venenoso do amanita.

amanojar. v. tr. enfeixar, reunir em feixes.

amansado, da. adj. e p. p. amansado, domado, domesticado.

amansador, ra. adj. e s. amansador; domador, domesticador, aquele que amansa.

amansamiento. m. amansamento; domesticação; amansadura, amansadela; desembravecimento; desemperramento.

amansar. v. tr. amansar, tornar manso; domesticar, domar; (fig.) aplacar, mitigar suavizar; desbravar; desembravecer; desencolerizar; desemperrar, desempedernir. — v. intr. amansar, diminuir de violência; abater, reprimir; la tormenta amansó, a tormenta amansou; amansar el orgullo de alguien, amansar o orgulho de alguém.

amantar. v. tr. (fam.) cobrir com uma manta, amantar.

amante. p. a. e s. amante, amásio, amigo, companheiro, caseira, comborça, concubina; namorado; damo, amativo, amancebado, amador, amado, galã, admirador; mulher entretenida; devoto; dulcineia, (Bras.) dulcinéia; conversado; cortesã; (Bras.) cambondo; (Bras.) osso: tener un amante, amasiar-se.

amantillar. v. tr. (mar.) amantilhar, endireitar as vergas com amantilhos.

amantillo. m. (mar.) amantilho, amante.

amanuense. m. amanuense, escrevente; secretário; copista; (pop.) manga de alpaca.

amanzanamiento. m. (Amér.) divisão dum terreno em blocos ou quarteirões.

amanzanar. v. tr. (Amér.) dividir em quarteirões um terreno.

amañado, da. adj. e p. p. amanhado; manhoso, esperto; falso, inautêntico.

amañar. v. tr. amanhar, arranjar manhosamente; dispor, preparar. — amañarse. v. r. acomodar-se, ajeitar-se com manha.

amaño. m. amanho, arranjo; alinho; preparação; lavoura, lavoira; utensílio, aparelho, ferramenta; (fig.) artifício; manha. — pl. amanhos, utensílios.

amapola. f. (bot.) papoula, papaverácea. V. ababol.

amar. v. tr. amar; estimar; apreciar; desejar; querer bem, ter amor; gostar muito de; escolher; bem-querer; enamorar. — amarse. v. r. amar-se, querer-se: amar apasionadamente, amar estremecidamente; amar demasiado a alguien, estremar-se por alguém; amarse recíprocamente, corresponder-se; amar tiernamente, meter no coração, entranhar-se em si.

amarar. v. intr. amarar, fazer-se ao mar largo; amarar, diz-se do hidroavião, ao poisar e mover-se na água.

amarañar. v. tr. emaranhar, embrulhar, confundir.

amarchantarse. v. r. (Amér.) afreguezar-se numa loja.

amargado, da. adj. e p. p. amargado, amargurado; agoniado.

amargar. v. intr. amargar, ter sabor amargo.

—v. t. tornar amargo; (fig.) desgostar, afligir.

amargo, ga. adj. amargo, que amarga; acre; (fig.) desagradável; custoso; triste; duro; aflito, desgostoso; áspero, desabrido. — m. amargor, sabor amargo; doce seco de amêndoas amargas; (farm.) composição feita com ingredientes amargos.

amargor. m. amargor, sabor amargo; (fig.) angústia, amargor, amargura; aflição, desgosto.

amargoso, sa. adj. V. amargo.

amargura. f. amargura, sabor amargo; azedume; (fig.) dissabor; angústia; aflição, pena, desgosto.

amaricado, da. adj. amaricado, afeminado, efeminado, maricas.

amariconado, da. adj. V. amaricado.

amaribídeo, dea. adj. (bot.) amaribideo.

amarilis. f. (bot.) amarílis.

amarilla. f. (fig. fam.) moeda de ouro, especialmente a onza; (vet.) enfermidade do gado lanígero.

amarillear. v. intr. amarelecer, amarelejar.

amarillecer. v. intr. amarelecer, tornar-se amarelo.

amarillento, ta. adj. amarelento, amarelado.

amarilleo. m. amarelecimento.

amarillo, lla. adj. amarelo, que tem a cor do ouro, do açafrão, etc.; (pop.) pálido; lúteo. — m. (vet.) doença dos bichos de seda: amarillo tostado, fulvo; amarillo de las mieses, lourejo, teñir de amarillo, amarelejar; cobre amarillo, arama; de color amarillo y negro, melaxanto; ponerse amarillo, amarelar-se.

amarina. f. (farm. e quim.) amarina.

amarinar. v. tr. (mar.) amarinhar. V. marinar.

amariposado, da. adj. com figura de borboleta. — f. (bot.) papilionácea.

amaritud. f. amargura. V. amargor.

amarizarse. v. r. V. copularse (diz-se do gado lanígero).

amarizo. m. lugar onde se amariza o gado.

amarra. f. (mar.) calabre, corda para prender o navio à âncora ou a um ponto fixo; (equit.) correia para impedir que os cavalos levantem a cabeça. — pl. (fig.) apoio, protecção.

amarradero. m. amarradeiro, cousa em que se amarra; amarração, amarrilho; (mar.) ancoradouro, lugar para amarrar.

amarrado, da. adj. e p. p. amarrado; arriçado; (Amér.) pouco expedito.

amarrador, ra. adj. e s. amarrador, aquele que amarra.

amarradura. f. amarradura, cabo com que se amarra a embarcação; amarração.

amarraje. m. imposto que se paga pela amarração de barcos num porto.

amarrar. v. tr. amarrar, segurar com amarra; ligar; arriçar; abarbetar; atracar. — v. intr. fundear amarrar, parar; (fam.) dedicar-se com afã ao estudo; fazer trapaças no jogo das cartas: amarrar los cabos de las vitas, abitar; reforzar las ama-

rras de una embarcación, austar; *soltar amarras*, desamarrar, desatracar.

amarrazón. *m.* (mar.) amarração; conjunto de amarras.

amarre. *m.* amarradura; (fig.) opressão; escravatura, servidão.

amarro. *m.* amarradura, cabo com que se amarra a embarcação; sujeição.

amartelado, da. *adj.* e *p. p.* namorado; atormentado.

amartelamiento. *m.* exceso de galantaria; amor; namoro; galanteio.

amartelar. *v. tr.* namorar; amar; (ant.) atormentar com ciúmes. — **amartelarse.** *v. r.* namorar-se: *estar amartelado*, estar namorado.

amartillado, da. *adj.* e *p. p.* amartelado, batido com martelo.

amartillar. *v. tr.* martelar, amartelar, bater com martelo; engatilhar uma arma; aperrar. — *v. intr.* engatilhar-se uma arma

ararulencia. *f.* ressentimento; amargura, amargor; tristeza.

amasadera. *f.* amassadeira, amassadouro, amassadura, vaso em que se amasa; mulher que amasa; amassária, lugar onde se amassa.

amasadero. *m.* amassadouro, amassadoiro; maceiro.

amasadijo. *m.* amassadura; massa; amassilho.

amasador, ra. *adj.* e *s.* amassador, aquele que amassa; argamassador; lugar onde se misturam os materiais da argamassa

amasadura. *f.* amassadura, amassadela; fornada.

amasamiento. *m.* amassamento, amaçamento. V. **amasadura.**

amasar. *v. tr.* amassar; converter em massa; misturar; amachucar; unir; preparar as coisas para determinado fim; dispor; emaçar, emassar: *amasar con los dedos*, apolegar; *máquina de amasar*, amassadeira; *trabajo de amasar*, amassária.

amasijo. *m.* amasilho, porção de farinha amassada; amassadura; (fig.) mistura de idéias que causam confusão; (fig. e fam.) convenio (geralmente para um fim mau); combinação.

amastia. *f.* (anat.) amastia.

amateur. *adj.* e *m.* (gal.) V. **aficionado**

amatista. *f.* (min.) ametista.

amatividad. *f.* amatividade, tendência, disposição para amar.

amativo, va. *adj.* amativo, propenso para o amor; inclinado a amar.

amatorio, ria. *adj.* amatório, relativo ao amor, amativo; erótico.

amaurosis. *f.* (pat.) amaurose, gota, serena.

amaurótico, ca. *adj.* amaurótico. — *s.* aquele que sofre amaurose.

amayorazgar. *v. tr.* vincular bens, instituir morgadio.

amazacotado, da. *adj.* pesado; grosseiramente composto à maneira de argamassa.

amazona. *f.* amazona; traje de amazona; (fig.) mulher aguerrida; mulherão.

amazónico, ca. *adj.* amazónico, (Bras.) amazônico, que diz respeito à amazona; relativo ao Amazonas.

amazonita. *f.* (quím. e min.) amazonite, amazonita, variedade de feldspato.

ambages. *m. pl.* ambages, rodeio de palavras; voltas, torcicolos; circunlóquios; evasivas: *sin embages, sem rodeios* ou antolhos, *hablar sin embages*, falar sem ambages ou rodeios.

ambagioso, sa. *adj.* ambagioso, que usa ambages.

ámbar. *m.* âmbar; ele(c)tro: *ámbar amarillo*, âmbar amarelo; *ámbar artificial*, ambreada; *perfumar con ámbar*, ambrear; *ámbar falso*, ambreada; *de color de ámbar*, alambreado; *ámbar gris*, âmbar virgem.

ambarar. *v. tr.* ambrear, perfumar com âmbar; dar côr de âmbar.

ambarado, da. *adj.* e *p. p.* ambreado, perfumado com âmbar; da cor de âmbar.

ambarato. *m.* (quim.) ambarato.

ambarcillo. *m.* (bot.) ambreta.

ambarilla. *f.* (bot.) ambreta, ambarilha.

ambarina. *f.* ambarina; abelmosco. V. **algalia.**

ambarino, na. *adj.* ambarino, relativo ao âmbar.

Amberes. (geog.) Antuérpia.

ambiciar. *v. tr.* V. **ambicionar.**

ambición. *f.* ambição, cobiça, cupidez, ganância, ganho, lucro; aspiração; desejo ardente; anelo; cobiça; apetite; (fig.) apetência; afe(c)tação.

ambicionado. *adj.* e *p. p.* ambicionado, desejado, apetecido, cobiçado; almejado.

ambicionar. *v. tr.* ambicionar, ter ambição de; cobiçar; desejar intensamente; apetecer; anelar.

ambicioso, sa. *adj.* ambicioso, que tem ambição; cobiçoso; apetitoso; cobiçador; desejador; mercantil; (fig.) avaro, avarento: *persona ambiciosa y sin escrúpulos*, arribista; (fig.) *hombre cruel y ambicioso*, corsário.

ambidextrismo. *m.* ambidextreza, ambidexteridade, ambidextrismo.

ambidextro, tra. *adj.* ambidextro, ambidestro.

ambientar. *v. tr.* ambientar, criar ambiente para propor uma questão.

ambiente. *adj.* ambiente, que anda ou está à roda de alguma coisa ou pessoa. — *m.* ambiente, o ar que se respira; sociedade, esfera em que se vive; meio: (fig.) *ambiente moral*, atmosfera; *estar en el propio ambiente*, estar no seu elemento.

ambigénia. *f.* (bot. e geom.) ambigénia.

ambigeno, na. *adj.* (geom. e bot.) ambígeno.

ambigüedad. *f.* ambiguidade, anfibologia, confusão, dúvida, equívoco, imprecisão, incerteza; indistinção; (fig.) assexualidade.

ambiguo. *adj.* ambíguo, anfibológico, confuso, dúbio, duvidoso, equívoco, impreciso; vário; indeterminado; perplexo, incerto; indistinto, indefinido; (fig.) anfíbio; assexual: *expresión ambigua*, um falar e dois entenderes.

ambíope. *adj.* ambíope.

ambiopía. *f.* vista dupla.

ambíparo, ra. *adj.* (bot.) ambíparo.

ambir. *m.* (Amér.) suco do tabaco.

âmbito. *m.* âmbito; circuito; circunferência; contorno; recinto; periferia; campo de acção.

ambivalencia. *f.* ambivalência.

amblador, ra. *ad.* diz-se do cavalo andador que tem passo de andadura, andador.

ambladura. *f.* andadura do cavalo entre passo e trote.

amblar. *v. intr.* caminhar a passo de andadura; mover lùbricamente o corpo; andar, movendo o pé e a mão do mesmo lado.

ambleo. *m.* tocha de cera, círio; cirial.

ambligónio. *adj.* (geom.) ambligono, obtuso.

ambliope. *adj.* e *s.* (med.) ambliope.

ambliopía. *f.* (med.) ambliopia.

ambo. *m.* duque, pontos obtidos no jogo do loto; conjunto de calças e colête da mesma fazenda.

ambón. *m.* cada um dos púlpitos que há algumas igrejas a ambos os lados do altar-mor.

ambos, bas. *adj.* ambos, os dois; as duas juntamente: *ambos a dos, ambos os dois.*

ambrosiano, na. *adj.* (rel.) ambrosiano, relativo a Santo Ambrósio; relativo à Igreja de Milão.

ambrosino, na. *adj.* ambrosino, ambrosíaco.

Ambrosio. *m. n. p.* Ambrósio.

ambucia. *f.* (Amér.) ânsia no comer; voracidade.

ambucíento. *adj.* (Amér.) voraz, ansioso no comer.

ambuesta. *f.* V. **almorzada.**

ambulancia. *f.* ambulância, hospital móvel das fôrças militares; serviço de transportes postais; (Bras.) Assistência: *ambulancia de correos*, ambulância-postal.

ambulante. *adj.* e *p. a.* ambulante, errante, nómade, passeante, peregrino, válido, vagabundo. — *m.* ambulante o que faz o serviço de transporte postal nos comboios.

ambular. *v. intr.* deambular, vagar, passear sem rumo.

ambulativo, va. *adj.* ambulativo; errante; que não tem lugar fixo; vagabundo; ambulante; que gosta de mudar de terra.

ambulatorio, ria. *adj.* ambulatório, ambulativo; ambulacrário.

amebeo. *adj.* amebeu: *versos amebeos*, versos amebeus.

amedrentado, da. *adj.* e *p. p.* amedrontado, estremecido, assustado.

amedrentador, ra. *adj.* e *s.* amedrontador, atemorizador, apavorante, apavorador.

amedrentamiento. *m.* amedrontamento, apavoramento.

amedrentar. *v. tr.* amedrontar, causar medo, assustar; atemorizar, aterrorizar, apavorar. — **amedrentarse.** *v. r.* amedrontar-se, estremecer-se, assustar-se.

ámel. *m.* chefe dum distrito, entre os árabes.

amelar. *v. intr.* fabricar as abelhas o seu mel.

amelcochar. *v. tr.* (Amér.) dar a um doce o ponto espesso de mel preparado e concentrado; (fig.) afectar complacência.

amelga. *f.* leira de terra; belga; courela; rego, sulco.

amelgado, da. *adj.* e *p. p.* (agr.) diz-se do terreno dividido por sulcos: *trigo amelgado*, trigo que não cresce com igualdade.

amelgamiento. *m.* (agr.) afolhamento.

amelgar. *v. tr.* (agr.) afolhar; embelgar; sulcar um terreno para semear; não crescer com igualdade.

Amelia. *f. n. p.* Amélia.

amelía. *f.* distrito dum *ámel.*

amelo. *m.* (bot.) amelo, amela, planta de ornamentação.

amelonado, da. *adj.* amelonado, semelhante ao melão; (germ.) muito namorado.

amelopía. *f.* (med.) amelopia, diminuição ou perda parcial da vista.

amellar. *v. tr.* V. **mellar.**

amén. *m.* e *interj.* amém, ámen; assim seja. — *m. pl.* (fam.) demasiada condescendência; aprovação ou acordo incondicional — *adv.* excepto, a mais, além de, demais: *sacristán de amén*, pessoa que se conforma cegamente com a opinião de outra; *decir amén a todo*, ir atrás de um chocalho; *en un decir amén*, num ai Jesus, num instante.

amenaza. *f.* ameaça; ameaço; biocos; intimidação; cominação.

amenazador, ra. *adj.* e *s.* ameaçador, ameaçante; minaz; arreganhador: *gesto amenazador*, arremesso.

amenazar. *v. tr.* ameaçar; intimidar; cominar; arremessar; arreganhar; assoberbar; coa(c)tar; mostrar os dentes; pairar; anunciar castigo; pôr em perigo; (fig.) fazer recear; pairar — *v. intr.* estar iminente: *amenazar lluvia*, entroviscar-se, estar de chuva; *amenazar con la mano*, arremangar; *amenazar ruina*, ameaçar ruína.

amenguamiento. *m.* diminuição; atenuação; descrecimento; (fig.) difamação, desonor, desonra, acção de menoscabar.

amenguar. *v. tr.* diminuir; minorar; mermar; empequenecer; debilitar; (fig.) difamar, desonrar, menoscabar; desacreditar alguém. — *v. intr.* mermar.

amenidad. *f.* amenidade; suavidade; delicadeza; maciez, brandura; exornação; (fig.) clemência, elegância, suavidade do discurso.

amenizador, ra. *adj.* e *s.* amenizador, que torna ameno ou aprazível.

amenizar. *v. tr.* amenizar, tornar ameno, aprazível, suave ou brando; exornar; desenfastiar.

ameno, na. *adj.* ameno, deleitoso, aprazível; suave, delicado; afável, agradável; belo; benigno; entretenido; macio; desenfastioso; delicioso; (fig.) clemente.

amenomanía. *f.* (fren.) amenomania.

amenomaníaco, ca. *adj.* e *s.* (fren.) amenomaníaco.

amenorrea. *f.* (med.) amenorreia; (pop.) falta.

amenorreico, ca. *adj.* amenorreico, relativo à amenorreia; diz-se da mulher que sofre amenorreia.

amentáceas. *f. pl.* (bot.) amentáceas.

amentáceo, cea. *adj.* (bot.) amentáceo.

amentífero, ra. *adj.* (bot.) amentífero.

amentiforme. *adj.* (bot.) amentiforme.

amentar. *v. tr.* atar com correia lanças ou flechas para as atirar.

amento. *m.* (bot.) amentilho; reunião de flores num só pedúnculo; espiga com flores unissexuais.

ameos. *m.* (bot.) ameos.

amerar. *v. tr.* V. merar; encher-se; encharcar-se de água uma terra.

América. *f.* (geog.) América.

americana. *f.* casaco; vestuário com mangas e abas; americana, espécie de carruagem.

americanismo. *m.* americanismo.

americanista. *s.* americanista.

americanizar. *v. tr.* americanizar, dar modos ou carácter de americano.

americano, na. *adj.* e *s.* (geog.) americano; relativo à América; natural da América; estadunidense, ianque, norte-americano.

amerindio. *m. pl.* (etnog.) ameríndio, índio da América.

ameritado, da. (Amér.) V. benemérito.

ameritar. *v. tr.* (Amér.) V. merecer.

amestizado, da. *adj.* amestiçado; semelhante ao mestiço em cor e em feições.

ametalado, da. *adj.* ametalado, semelhante ao metal; misturado com metal.

ametista. *f.* (min.) ametista.

ametralladora. *f.* metralhadora.

ametrallar. *v. tr.* metralhar, ferir ou atacar com tiros de metralha.

ametría. *f.* (med.) ametria, ausência de útero.

amétrico, ca. *adj.* (med.) amétrico, relativo a ametria.

ametrope. *adj.* (med.) ametrope.

ametropía. *f.* (med.) ametropia.

amezquindarse. *v. r.* (p. us.) V. entristecerse.

ami. *m.* V. ameos.

amia. *f.* (zool.) lâmia, tubarão. V. lamia.

amiantáceo, a. *adj.* amiantáceo, semelhante ao amianto.

amianto. *m.* (min.) amianto; asbesto branco.

amiba. *f.* (zool.) ameba.

amibiasis. *f.* (med.) amibiase, amibase.

amibo. *m.* ameba, amiba.

amiboideo, a. *adj.* (zool.) amibóide.

amicísimo, ma. *adj. superl.* amicíssimo, muito amigo.

amictcrio. *m.* (arqueol.) amictório.

amida. *f.* (quím.) amida.

amidáceo, a. *adj.* amidálico, que contem amido.

amidina. *f.* (quím.) amidina.

amido. *m.* (quím.) amido.

amidógeno. *m.* (quím.) amidogénio.

amidol. *m.* (quím.) amidol.

amielado, da. *adj.* amelado.

amielia. *f.* (pat.) amielial.

amiélico, ca. *adj.* (pat.) amiélico. — *m.* (terat.) amiélico, monstro com amielia.

amielotrofia. *f.* (pat.) amielotrofia.

amiga. *f.* amiga; manceba; concubina; mestra de escola de meninas; amasia, amada; (bot.) planta bulbosa do México, chamada também jasmin das índias.

amigabilidad. *f.* disposição natural para contrair amizades.

amigable. *adj.* amigável, dito ou feito com amizade; próprio de amigo; amigo; apropriado, conveniente.

amigacho. *m.* amigaço, amigalhaço, amigalhão, amigalhote, amigo que inspira pouca confiança.

amigar. *v. tr.* amigar. — amigarse. *v. r.* amigar-se, tornar-se amigo; amancebar-se; associar-se.

amígdala. *f.* (anat.) amígdala, tonsila.

amigdaláceas. *f. pl.* (bot.) amigdaláceas.

amigdaláceo, a. *adj.* (bot.) amigdaláceo, amigdáleo.

amigdálico, ca. *adj.* (quím.) amigdálico.

amigdalífero, ra. *adj.* (bot.) amigdalífero.

amigdaliforme. *adj.* amigdaliforme.

amigdalina. *f.* (quím.) amigdalina.

amigdalino, na. *adj.* (quím.) amigdalino.

amigdalitis. *f.* (pat.) amigdalite, tonsilite.

amigdaloide. *adj.* (min.) amigdalóide; diz-se das rochas de origem vulcânica que contêm corpos pequenos e brancos em forma de amêndoa.

amigdalotomía. *f.* (cir.) amigdalotomia.

amigdalótomo. *m.* (cir.) amigdalótomo.

amigo. *m.* amigo; amante; amásia; camarada, companheiro; colega; homem amancebado. — amigo, ga. *adj.* amigo, amistoso, devotado, afeiçoado; aderente; inclinado a alguma coisa; partidario; benévolo; propício, favorável; (Bras.) Cambondo; *buen amigo*, alter-ego; *amigo de circunstancias*, amigalhote; *amigo íntimo*, amigalhaço, *amigo del alma*, amigalhaço; *nacerse amigo de alguien*, acompadrar-se; *amigo de pelillo o de taza de vino*, amigo de Peniche; *mal amigo*, *amigo infiel*, *falso*, (Bras.) amigo da onça.

amigote. *m.* (pop.) amigalhote, amigalhaço.

amiláceo, a. *adj.* amiláceo, que encerra amido.

amilanado, da. *adj.* e *p. p.* covarde; receoso; fraco; assustado, amedrontado; desanimado.

amilanamiento. *m.* acção e efeito de acovardar ou acovardar-se; amedrontamento; grande medo, pavor; pusilanimidade; desanimação, desânimo.

amilanar. *v. tr.* assustar, amedrontar, estarrecer, apavorar, causar medo; desanimar. — amilanarse. *v. r.* assustar-se, aterrar-se, amedrontar-se; desanimar-se.

amilénico, ca. *adj.* (quím.) relativo ao amilénio.

amileno. *m.* (quím.) amilénio, amileno.

amílico, ca. *adj.* (quím.) amílico.

amilo. *m.* (quím.) amilo.

amiloideo, a. *adj.* (quím.) amilóide.

amilopsina. f. (quím.) amilopsina.
amilosa. f. (quím.) amilose.
amilosis. f. (pat.) enfermidade caracterizada pela infiltração de substância amilóide nos tecidos, amilose.
amillaramiento. m. repartição do imposto; rateio dos impostos; cadastro de registo das propriedades amillaradas.
amillarar. v. tr. repartir os impostos de acordo com a fortuna de cada um.
amillonado, da. adj. sujeito à contribuição de un tanto por mil; muito rico.
amimia. f. (pat.) amimia.
amín. m. amin, administrador dos fundos do Governo em Marrocos.
amina. f. amina, aminas.
amínico, ca. adj. (quím.) amínico, relativo à amina.
aminol. m. (farm.) aminol.
aminoración. f. minoração; diminuição.
aminorar. v. tr. minorar; diminuir; empequenecer; aliviar, abrandar, suavizar.
amiotrofia. f. (pat.) amiotrofia.
amiostenia. f. (pat.) amiostenia.
amir. m. emir, emir, príncipe ou caudilho árabe.
amistad. f. amizade; amor; dedicação; benevolência; mancebia; mercê, favor; agrado; afe(c)to, estima, bem-querença; amigação, amigada; afeição; conhecimento; simpatia; atracção; intimidade; (Bras.) chamego; pl. (Bras.) nossa-amizade: falsa amistad, agasalho enganoso; (fig.) beijo de Judas; amistad íntima, estreiteza; trabar amistad, travar amizade; romper una amistad, desamistar; hacer las amistades, reconciliar os que estavam desavindos.
amistar. v. tr. amistar; reconciliar; tornar amigo, amigar. — amistarse. v. r. amigar-se, tomar conhecimento com alguém.
amistoso, sa. adj. amistoso, amigável, próprio de amigo; afeiçoado; amável, favorável; cordial, afetuoso.
amitigar. v. tr. V. mitigar.
amito. m. amicto; sobreveste.
amitosis. f. amitose.
amixia. f. (pat.) amixia; (zool.) amixia.
amixorrea. f. (fisiol.) amixorreia.
amnesia. f. (med.) amnésia, perda de memória.
amnésico, ca. adj. (med.) amnésico.
amnéstico, ca. adj. amnéstico.
amnícola. adj. (hist. nat.) amnícola.
amniorrea. f. (med.) amniorreia.
amnios. f. (zool.) âmnios.
amniótico, ca. adj. (zool.) amniótico; que tem relação com o âmnio ou com as suas águas.
amnistía. f. a(m)nistia; abolição; indulto; perdão.
amnistiado, da. adj. e s. amnistiado, indultado, perdoado.
amnistiar. v. tr. a(m)nistiar, conceder amnistia; perdoar.
amo. m. amo; dono de casa; senhor; empregador; locatário, patrão; director; capataz; (Amér.) o Santíssimo: el ojo del amo

engorda al caballo, o olho do amo, engorda o cavalo; no te juegues los cuartos con tu amo, com teu amo, não jogues as peras.
amoblar. v. tr. V. amueblar. — ind. irr. amueblo, -as, a, -an; subj. amueble, -es, -e, -en.
amochar. v. tr. (prov.) investir com a cabeça.
amodita. f. amódita. V. víbora.
amodorrado, da. adj. e p. p. amodorrado; sonolento.
amodorramiento. m. modorra, (Bras.) modôrra, sonolência, madornice, amodorramento.
amodorrar. v. tr. amodorrar, causar modorra, fazer cair em modorra; tornar sonolento, produzir sonolência. — v. r. amodorrarse, amodorrar-se; adormecer; acarrar.
amodorrecer. v. tr. V. modorrar.
amodorrido, da. adj. amodorrado, sonolento.
amófilo, la. adj. (bot. e zool.) amódita, que nasce e habita em sítios arenosos.
amogotado, da. adj. (mar.) de figura de mogote, plano no cume.
amohecer. v. tr. V. enmohecer.
amohinado, da. adj. e p. p. amofinado; afligido; apoquentado.
amohinar. v. tr. amofinar, tornar mofino; afligir; apoquentar; enojar, enfadar.
amojamamiento. m. magreza; acção e efeito de secar como moxama.
amojamar. v. tr. moxamar, secar ao fumo; secar como moxama; tornar magro; salmourar. — v. r. V. acecinarse.
amojelar. v. tr. (mar.) ligar; prender fortemente o virador à amarra.
amojonador. m. demarcador, que marca os limites: amojonador de tierras, medidor de terras.
amojonamiento. m. demarcação; deimitação; afolhamento.
amojonar. v. tr. demarcar; delimitar; pôr limites; estremar; afolhar.
amoladera. f. pedra de amolar; pedra de afiar.
amolador. m. amolador; (fig.) barbeiro, o que é pouco hábil no seu ofício; (fig.) importuno; afiador; aguçador; (fig.) amolador, aporrinhador, importunador, cacete, chato, maçador, maçante, secador.
amoladura. f. amoladura, amolação; lascas que caem do rebolo; (fig.) importunação; afiação; amolação; aporrinhação, amoladela, cacetada, caceteaço, chateação; maçada, seca.
amolanchín. m. amolador ambulante.
amolar. v. tr. amolar, afiar, tornar cortante, aguçar; (fig.) aborrecer, enfadar, importunar, molestar, causticar; (fam. e mús.) tocar mal um instrumento; (fig.) aporrinhar, incomodar, cacetear, chatear, maçar, secar. — pres. ind. irr. amuelo, -as, -a, -an; subj. amuele, -es, -e, -en.
amoldable. adj. amoldável, dúctil, que se pode amoldar; modelável.
amoldado, da. adj. e p. p. amoldado, ajustado, modelado; acostumado; afeiçoado.

amoldador, ra. *adj.* moldador, que amolda; ajustador; modelador.

amoldamiento. *m.* amoldamento; ajustamento ao molde; moldagem, modelação.

amoldar. *v. tr.* amoldar, ajustar ao molde; moldar; modelar; adequar; acostumar; adaptar; ajeitar; (fig.) formar o espírito; moldar. — **amoldarse.** *v. r.* amoldar--se; assentar-se: *amoldarse a las circunstancias*, contemporizar.

amollador, ra. *adj.* que cede; que desiste.

amocante. *p. a.* que cede ou desiste.

amollar. *v. intr.* ceder; desistir; jogar uma carta inferior à que está jogada, tendo outra superior. — *v. tr.* (mar.) arrear um cabo.

amollentar. *v. tr.* amolentar, amolecer, tornar mole, abrandar; enervar; comover.

amolletado, da. *adj.* amoletado; com figura de molete; parecido com o pão molete.

amollinar. *v. intr.* (prov.) V. **molliznar.**

amomáceas. *f. pl.* (bot.) amomáceas, amómeas.

amomáceo, a. *adj.* (bot.) amomáceo.

amonado, da. *adj.* e *p. p.* embriagado, embebedado, ébrio, bêbedo.

amonarse. *v. r.* (pop.) embriagar-se, emborrachar-se; enxaropar-se.

amondongado, da. *adj.* (fam.) diz-se da pessoa gorda, bronca e de feições grosseiras; (fam.) diz-se também dalguma parte do corpo humano.

amonedación. *f.* amoedação.

amonedado. *p. p.* amoedado.

amonedar. *v. tr.* amoedar, reduzir a moeda; cunhar moeda; bater moeda.

amonestación. *f.* admoestação; repreensão; conselho, parecer; publição de banhos; advertimento; corrigenda; admonitório; aviso; exortação; galope; advertência: *amonestaciones*, banho de casamento; *correr las amonestaciones*, publicar os banhos de casamento.

amonestado, da. *adj.* e *p. p.* admoestado, repreendido; advertido: *ser amonestado*, apanhar um bico.

amonestador, ra. *adj.* e *s.* admoestador, admonitor, o que repreende.

amonestamiento. *m.* V. **amonestación.**

amonestar. *v. tr.* admoestar; repreender; advertir; correger; avisar; aconselhar; acapitular; exortar; assentar; publicar os banhos de casamento; censurar, estigmatizar; exprobar; objurgar, observar, ponderar, recriminar, reprochar, verberar.

amoniacal. *adj.* amoniacal.

amoniaco. *m.* (quím.) amoníaco: *sal amoníaco*, sal amoníaco.

amoniato. *m.* (quím.) amoniato.

amónico, ca. *adj.* (quím.) amoniacal.

amonio. *m.* (quím.) amónio, (Bras.) amônio.

amonita. *f.* (geol.) amonite, concha fóssil; (zool) amonite, molusco cefalópode, (geog.) amonita.

amonites. *m.* V. **amonita.**

amontar. *v. tr.* amontar; afugentar. — **amontarse.** *v. r.* amontar-se, fugir para as montanhas.

amontazgar. *v. tr.* V. **montazgar.**

amontonado, da. *adj.* e *p. p.* amontoado; empilhado; aglomerado; atulhado; (fig.) apinhado; encapelado; enxameado; enceleirado; (fam.) amancebado.

amontonador, ra. *adj.* e *s.* amontoador, aquele que amontoa; (agr.) amontoador, pequena charrua empregada para amontoar terra em volta de uma planta.

amontonamiento. *m.* amontoamento, acumulação, amontoado, montão, montoeira; cúmulo; (fig.) confusão; atulhamento, atulho; aglomeração; encastelamento; enceleiramento; empilhamento; (fig.) concubinagem, concubinato.

amontonar. *v. tr.* amontoar; acumular sem ordem; pôr em montão; juntar desordenadamente; apinhar; agregar; encapelar; empilhar; encastelar; aglomerar; apanhar; atulhar, entulhar; (fig.) entesoirar; enceleirar; encangalhar. — **amontonarse.** *v. r.* (fam.) amancebar-se; enfadar--se; encolerizar-se; disparatar; atafulhar--se; anovelar-se.

amor. *m.* amor, afeição, afe(c)to; paixão; entusiasmo, devoção; coração; estima; fraternidade; inclinação; bem; (bot.) espécie de narciso; (ant.) favor, graça, mercê; dedicação; esmero; carinho; cuidado, zelo; ternura, suavidade; entusiasmo, paixão: *con mil amores*, de boa vontade; *al amor de la lumbre*, perto do fogo; *amor propio*, amor próprio, egoismo; *árbol del amor*, amores de Judea; *flor de amor*, amaranto; (bot.) *amor de hortelano*, amor de hortelão; (fam.) *por amor de*, por causa de, por amor de; *por amor de Dios*, por amor de Deus, por caridade; *tener amor a la pelleja*, ter amor à pele; não arriscar a vida; *amor a la Patria*, amor à Pátria; *amor pasajero*, amoricos; (pop.) *amor poco serio*, estrugido; *mi amor*, meu bem; (fig.) *persona ciega de amor*, chorão. — *pl.* amores (quase sempre no sentido de ilícitos).

amoral. *adj.* amoral, imoral.

amoralidad. *f.* amoralidade, falta de moral, imoralidade.

amoralismo. *m.* amoralismo.

amoratado, da. *adj.* e *p. p.* amorado, que tem cor de amora; de cor arroxeada; violáceo; lívido.

amoratarse. *v. tr.* tingir-se de cor violácea.

amorcar. *v. tr.* (p. us.) V. **amurcar.**

amorcillo. *m.* amorzinho.

amordazador, ra. *adj.* e *s.* amordaçador.

amordazamiento. *m.* amordaçamento; maledicência.

amordazar. *v. tr.* amordaçar; pôr mordaça em; açamar; (fig.) impedir de falar; maldizer.

amorecer. *v. tr.* chegar o carneiro à ovelha para castigar.

amorfia. *f.* amorfia; deformidade orgânica; falta de forma.

amorfismo. *m.* V. **amorfia.**

amorfo, fa. *adj.* amorfo, que não tem forma determinada.

amorgar. *v. tr.* dar coca aos peixes para os apanhar.

amoricones. *m. pl.* (fam.) gatimanhas, amoricos, demonstrações, sinais ou acenos com que se manifesta amor a alguma pessoa.

amorillar. *v. tr.* (agr.) fixar as árvores por meio de estacas.

amorio. *m.* (fam.) amorio; amoricos; bemquerias; devaneio; estrugido.

amoriscado, da. *adj.* amouriscado, amoiriscado, semelhante aos mouros.

amoroso, sa. *adj.* amoroso, afe(c)tuoso; amável, carinhoso; brando, suave; fácil de lavrar ou cultivar; aprazível, temperado (diz-se do tempo); flexível; meigo; expressivo; madrigalesco; galã; amorável; erótico.

amorrar. *v. intr.* (fam.) inclinar a cabeça. — **amorrarse.** *v. r.* amuar-se; (mar.) afocinhar, mergulhar um navio de proa.

amorreo, a. *adj.* e *s.* amorreu, diz-se dum povo bíblico descendente de Amorreu, filho de Canaã.

amorriñarse. *v. r.* (prov.) amorrinhar-se.

amorroniado, da. *adj.* com figura de morrião.

amorronar. *v. tr.* (mar.) enrolar a bandeira e prendê-la às enxárcias, como sinal em demanda de auxílio.

amorrongarse. *v. r.* (prov.) amodorrar-se, cair em modorra (meninos).

amortajado, da. *adj.* amortalhado, envolvido em mortalha; morto.

amortajador, ra. *adj.* e *s.* amortalhador, amortalhadeira, o que amortalha.

amortajar. *v. tr.* amortalhar; envolver em mortalha; (fig.) vestir com hábito grosseiro por penitência.

amortecer. *v. tr.* amortecer, fazer ficar como morto; afroixar; abrandar; enfraquecer; desfalecer; desbotar. — **amortecerse.** *v. r.* desmaiar. V. **amortiguar.** — *pre. ind. irr.* **amortezco;** *subj.* **amortezca,** etc.

amortecido, da. *adj.* e *p. p.* amortecido; (fig.) desbotado; semimorto.

amortecimiento. *m.* amortecimento; enfraquecimento; desmaio.

amortiguación. *f.* V. **amortiguamiento.**

amortiguador, ra. *adj.* amortecedor; moderador. — *m.* (mec.) abafador.

amortiguamiento. *m.* moderação; enfraquecimento, amortecimento.

amortiguar. *v. tr.* amortecer; enfraquecer; moderar; acalmar; deixar como morto; desfalecer; afrouxar; mesurar; minorar; apagar. — **amortiguarse.** *v. r.* amornar-se; embaçar; (pint.) reduzir os efeitos de cor.

amortizable. *adj.* amortizável.

amortización. *f.* amortização; estinção de dívidas.

amortizar. *v. tr.* amortizar; extinguir dívidas; passar bens para as corporações de mão morta; pagar gradualmente; remir; suprimir empregos ou lugares; vincular bens.

amoruscos. *m. pl.* carícias; mimos.

amoscar. *v. tr.* enxotar moscas. — **amoscarse.** *v. r.* enfadar-se, ofender-se; espevitar-se.

amostazar. *v. tr.* (fam.) irritar, encolerizar; aborrecer; descabrear. — **amostazarse.** *v. r.* irritar-se, encolerizar-se, enfadar-se, agastar-se, arrufar-se.

amotinado, da. *adj.* e *s.* amotinado, sublevado, revoltado, insurre(c)to, alvorotado.

amotinador, ra. *s.* amotinador, alvorotador, alevantador, atumultuador, arruador, provocador.

amotinamiento. *m.* amotinação, motim; sublevação, revolta, insurreição, rebelião.

amotinar. *v. tr.* amotinar, alvoroçar, sublevar, revoltar; alvorotar, desordenar, fa(c)cionar, atumultuar, barulhar, conturbar, assuar; (fig.) agitar, perturbar, comover. — **amotinarse.** *v. r.* amotinar-se, sublevar-se, alvoroçar-se, alçar-se.

amover. *v. tr.* amover; afastar; desapossar; privar de emprego; remover; abortar.

amovible. *adj.* amovível, transferível, transitório, que pode ser afestado.

amovilidad. *f.* amovibilidade; transitoriedade.

ampara. *f.* (for.) embargo, sequestro.

amparado, da. *adj.* e *p. p.* apoiado, amparado, sustentado, esteado, protegido, abrigado.

amparar. *v. tr.* amparar; suster; escorar; patrocinar; proteger; defender, apoiar; aconchegar; albergar, abrigar; conservar; estear; patrocinar; segurar; (fig.) fazer subsistir; acolher; adargar: *Dios te ampare,* Deus te ajude. — **ampararse.** *v. r.* defender-se; procurar o apoio de alguém; (prov.) V. **embargar.**

amparo. *m.* amparo; esteio; auxílio; defesa; prote(c)ção; resguardo; refúgio; amparamento; abrigo; patrocínio; asilo; parapeito; aconchego; defensão; apoio; resguardo; benefício: *buscar amparo,* apegar-se; *dejar sin amparo,* desamparar; *sin amparo,* ao abandono; (germ.) advogado; medianeiro.

anpelidáceas. *f. pl.* (bot.) ampelidáceas, ampelídeas.

ampelídeo, a. *adj.* (bot.) ampelídeo, relativo ou semelhante à vinha.

ampelita. *f.* (min.) ampelite, ampelita.

ampelografía. *f.* (vit.) ampelografia, tratado das vinhas.

ampelográfico, ca. *adj.* (vit.) ampelográfico.

ampelógrafo. *m.* (vit.) ampelógrafo.

ampelología. *f.* (vit.) ampelologia.

ampeloterapia. *f.* (terap.) ampeloterapia.

amper. *m.* (fís.) ampere, ampério.

amperaje. *f.* (fís.) amperágem.

amperímetro. *m.* (fís.) amperímetro, amperómetro.

amperio. *m.* (fís.) ampério, ampere: *amperio hora,* ampério-hora.

ampiar. *v. tr.* (germ.) V. **sacramentar.**

amplectivo, va. (bot.) amplectivo.

amplexación. *f.* amplexo; abraço.

amplexicaulo, la. *adj.* (bot.) amplexicaule, abarcante.

amplexión. *f.* amplexo; abraço.

amplexo, xa. *adj.* (bot.) amplexivo.

ampliable. *adj.* ampliável, amplificável.

ampliación. *f.* ampliação, amplificação; aumento; extensão; acrescentamento; magnificação.

ampliador, ra. *adj.* ampliador, amplificador, aquele que amplia. — *m.* (fot.) ampliador, amplificador; (rad.) amplificador.

ampliar. *v. tr.* ampliar, amplificar estender; alargar; dilatar; aumentar, ampliar (fotografías); aumentar; difundir propagar; magnificar; engrandecer. — **ampliarse.** *v. r.* ampliar-se, ramificar-se; prorogar-se; desenvolver-se: *ampliar una fotografía,* ampliar ou pôr em formato maior uma fotografia; *ampliarse un plazo,* ampliar-se um prazo; *ampliar o extender los privilegios de una cosa,* ampliar os privilégios de uma coisa.

amplificación. *f.* amplificação, ampliação; magnificação; acrescentamento, engrandecimento; extensão, aumento.

amplificador, ra. *adj.* e *s.* amplificador, ampliador; acrescentador. — *m.* (rad.) amplificador.

amplificar. *v. tr.* amplificar, ampliar; dilatar; (ret.) fazer uma amplificação; desenvolver; exagerar; alargar; magnificar.

amplificativo, va. *adj.* amplificativo, ampliativo.

amplio, a. *adj.* amplo, dilatado, extenso, largo, vasto, espaçoso; desafogado; suficiente, capaz, cómodo, acomodado, proporcionado; generoso; absoluto.

amplitud. *f.* amplitude, amplidão, dilatação, extensão; (astr.) amplitude; largueza; vastidão; grandeza angular; desenvolvimento; alcance de um projéctil.

ampo. *m.* alvura, brancura; floco de neve: *ampo de la nieve,* branco como a neve.

ampolla. *f.* ampola; redoma de vidro; borbulha de água; galheta que serve na missa; frasco de colo estreito; empola, (Bras.) empôla; âmbula; bexiga; bolha, (Bras.) bôlha: *cubrirse de ampollas,* empolar.

ampollar. *v. tr.* empolar; tornar oco. — *v. intr.* borbulhar (diz-se da água). — *adj.* em forma de ampola.

ampolleta. *f.* ampulheta, pequena âmbula; (mar.) ampulheta, relógio de areia.

ampón, na. *adj.* amplo; repolhudo.

amprar. *v. tr.* pedir ou tomar de empréstimo; mutuar.

ampulosidad. *f.* afectação; ènfase; apavonação; elação; verbosidade, verborreia; redundância; excesso.

ampuloso, sa. *adj.* empolado, diz-se da linguagem ou do estilo dum escritor ou orador; empinado; enfático; abalofado; alcandorado; excessivo.

amputación. *f.* amputação, mutilação; excisão, ablação, ablacção; cortamento; decepamento; decocção.

amputado, da. *adj. p. p.* e *s.* amputado, mutilado, que sofreu amputação.

amputador, ra. *adj.* e *s.* amputador, decepador.

amputar. *v. tr.* amputar, cortar um membro; mutilar; eliminar; reduzir; decepar; excisar.

amuchar. *v. tr.* (Amér.) aumentar. V. **aumentar.** — *v. r.* (germ.) embriagar-se ligeiramente.

amueblar. *v. tr.* mobilar; alfaiar; arrear.

amuelo. *m.* amolação, fastio.

amugamiento. *m.* demarcação; delimitação. V. **amojonamiento.**

amugronador, ra. *adj.* demarcador, que marca os limites; que multiplica as vides por meio de mergulhia.

amugronar. *v. tr.* demarcar, delimitar, pôr limites: *amugronar las vides,* mergulhar a vide.

amuje. *m.* (prov.) V. **esguin.**

amujerado, da. *adj.* afeminado, efeminado; mulherengo.

amujeramiento. *m.* efeminação. V. **afeminación.**

amular. *v. intr.* ser estéril, esterilizar. — **amularse-se.** *v. r.* ficar estéril a égua depois de ser coberta pelo macho; (prov.) aborrecer-se, enfadar-se; (Amér.) tornar-se inútil para trabalhar; ficar inservível uma coisa.

amulatado, da. *adj.* amulatado, abacanado.

amuleto. *m.* amuleto, talismã; (Bras.) Mocô.

amunicionar. *v. tr.* (mil.) municiar, prover de munições; abastecer.

amura. *f.* (mar.) amura; amurada; arco.

amurada. *f.* (mar.) amurada.

amurado. *adj.* (mar.) amurado, diz-se quando um navio está a bombordo ou a estibordo para receber o vento.

amurallado, da. *adj.* e *p. p.* amuralhado, murado; amantelado.

amurallar. *v. tr.* amuralhar, cercar de muralhas, murar; fortificar; amantelar.

amurar. *v. tr.* (mar.) amurar; retesar; prender a amura; puxar ou afrouxar a amura.

amurcar. *v. tr.* marrar.

amurco. *m.* marrada, pancada que o toiro dá com as hastes.

amurriarse. *v. tr.* amofinar-se; entristecer-se.

amusco, ca. *adj.* de cor parda escura; escuro; cor de almiscar.

amusgar. *v. tr.* fitar as orelhas (diz-se dos animais); apertar as pálpebras para ver melhor. — *v. r.* (Amér.) envergonhar-se.

amusia. *f.* (pat.) amusia.

amuso. *m.* lousa de mármore sobre cuja superfície se traçava uma rosa-dos-ventos.

amustiar. *v. tr.* V. **enmustiar.**

ana. *f.* ana (medida). V. **vara.**

ana. *f.* (med.) aná, sinal de igualdade que os médicos usam nas receitas.

Ana. *f. n. p.* Ana.

anabaptismo. *m.* (rel.) anabaptismo.

anabaptista. *adj.* e *s.* (rel.) anabaptista.

anabí. *m.* V. **nabí.**

anabático, ca. *adj.* (med.) anabático.

anabiosis. *f.* (biol.) anabiose.

anabolismo. *m.* (fisiol.) anabolismo.

anabrosis. *f.* (pat.) anabrose, ulceração.

anabrótico, ca. *adj.* (pat.) anabrótico, corrosivo.

anacámptico, ca. *adj.* (fís.) anacâmptico.

anacarado, da. *adj.* nacarado; anacarado.

anacardina. f. (farm.) anacardina.
anacardiáceas. f. pl. (bot.) anacardiáceas, terebintáceas.
anacardiáceo, a. adj. (bot.) anacardiáceo.
anacardino, na. adj. anacardino.
anacatarsia. f. (pat.) anacatarcia.
anacatártico, ca. adj. (terap.) anacatártico.
anacefaleosis. f. anacefaleose; sumário; recapitulação.
anacíclico, ca. adj. (poet.) anacíclico.
anacinesia. f. (med.) anacinesia.
anaclasis. f. (cir. fís. e métr.) anáclase.
anaclástica. f. (fís.) anaclástica, dióptrica.
anaclástico, ca. adj. (fís.) anaclástico.
anacoluto. m. (gram.) anacoluto, anacolutia.
anacoreta. s. anacoreta; ermitão; solitário; eremita, eremícola; asceta.
anacorético, ca. adj. anacorético; solitário, eremítico.
anacoretismo. m. anacoretismo.
anacreôntica. f. anacreôntica.
anacreóntico, ca. adj. anacreôntico.
anacroasia. f. (pat.) anacroasia.
anacrônico, ca. adj. anacrónico, (Bras.) anacrônico, oposto à cronologia; avesso aos costumes de hoje.
anacronismo. m. anacronismo, erro de data, facto anacrónico.
anactesia. f. (fisiol.) anactesia; convalescença.
anactésico, ca. adj. anactésico.
ánade. s. (zool.) pato, ganso; marreco, cisne.
anadear. v. intr. patinhar; andar como o pato; dandinar.
anadeja. f. dim. de ánade.
anadema. f. (ant.) anadema, grinalda.
anadino, na. s. pato pequeno, patinho.
anadiplosis. f. (ret.) anadiplose.
anadón. m. patozinho; pato novo; marrequinho.
anadosis. f. (fisiol.) anádose.
anádroma, f. (med.) anádromo.
anádromo, ma. adj. (zool.) anádromo.
anaerobio, bia. adj. anaeróbio. — m. anaeróbio.
anaerobiosis. f. (hist. nat.) anaerobiose.
anaeroplástico, ca. adj. (cir.) anaeroplástico.
anaerosis. f. (pat.) anaerose.
anafe. m. fogareiro portátil.
anafia. f. (med.) anafia.
anafiláctico, ca. adj. (med.) anafiláctico.
anafilaxia. f. (med.) anafilaxia.
anafilaxis. f. (pat.) anafilaxia.
anáfisis. f. (hist. nat.) anáfise.
anafonesis. f. anafonese; grito; exercício da voz.
anáfora. f. (ret. e liturg.) anáfora.
anafórico, ca. adj. anafórico, que contém anáfora.
anafre. m. V. anafe.
anafrodisia. f. anafrodisia.
anafrodisíaco, ca. adj. anafrodisíaco, anafrodisiano.
anafrodita. adj. e s. anafrodita, o que é insensível ao amor; impotente sexual.
anagénesis. f. (fisiol.) anagénese, (Bras.) anagênese.
anagenita. f. (geol.) anagenita, anagenite.

anagiris. m. (bot.) anagíris.
anaglífico, ca. adj. anaglífico.
anáglifo. m. anáglifo, obra em relevo.
anaglíptica. f. (impr.) anagliptografia.
anagnórisis. f. V. agnición.
anagogía. f. anagogia; êxtase, arrebatamento da alma na contemplação das coisas divinas; interpretação mística da Escritura Sagrada.
anagógico, ca. adj. anagógico.
anagrama. m. anagrama.
anagramático, ca. adj. anagramático.
anagramatista. s. anagramatista.
anagramatizar. v. tr. anagramatizar, fazer anagramas.
anal. adj. anal, do ânus; (zool.) anho, cordeiro de um ano.
analcima. f. (min.) analcimo.
analectas. f. pl. analectos, analectas, antologia.
analema. m. (astr.) analema; planisfério.
analepsia. f. (pat.) analepse, analepsia.
analéptico, ca. adj. (med.) analéptico.
anales. m. pl. anais; crónica, fastos.
analfabético, ca. adj. analfabético.
analfabetismo. m. analfabetismo; falta de instrução; ignorância; apeduetismo.
analfabeto, ta. adj. e s. analfabeto; muito ignorante; iliterato, iletrado; apedeuta; desalumiado: ser un analfabeto, não saber o bê-à-bá, ou assinar de cruz.
analgesia. f. (med.) analgesia, analgia.
analgésico, ca. adj. analgésico, análgico, antiálgico, anodino, antálgico.
analgesina. f. (farm.) antipirina.
analgia. f. analgia, analgesia; insensibilidade.
análgico, ca. adj. análgico, analgésico; insensível.
análisis. m. e f. análise; exploração; decomposição; apreciação; estudo, exame: análisis cualitativo, análise qualitativa; análisis químico, análise química; análisis matemático, análise matemática; análisis gramatical, análise lógica; en último análisis. en conclusão, em última análise.
analista. s. analisador, analista, autor de anais, cronista.
analítico, ca. adj. analítico.
analizable. adj. analisável.
analizador, ra. adj. e s. analisador, analista.
analizar. v. tr. analisar, decompor, fazer análise de; adelgaçar; experimentar; examinar; desfiar: analizar minuciosamente, anatomizar.
analogía. f. analogia, parecença, semelhança, similaridade; correlação; afinidade; assemelhação.
analógico, ca. adj. analógico.
analogismo. m. (med. e log.) analogismo; comparação.
análogo, ga. adj. análogo, parecido, semelhante, similar; mesmo, cognato.
analosis. f. (med.) analose; enfraquecimento; depauperação.
analubión. f. analubião.
Anam. (geog.) Aname.

anamés, sa. *adj.* e *s.* (geog.) anamês, anamita.
anamirtina. *f.* (quim.) anamirtina.
anamirto. *m.* (bot.) anamirto.
anamita. *adj.* e *s.* (geog.) anamita, natural de ou pertencente a Aname; anamês.
anamítico, ca. *adj.* (geog.) anamítico. — *m.* anamítico, lingua do Aname.
anamnesia. *f.* (pat.) anamnesia, anamnese; recordação; reminiscência.
anamnésico, ca. *adj.* anaméstico.
anamórfico, ca. *adj.* (min.) anamórfico.
anamorfismo. *m.* (min. geol.) anamorfismo.
anamorfosis. *f.* (fís. geom. e bot.) anamorfose.
ananá (s). *m.* (bot.) ananás; anaseiro.
anandría. *f.* (med.) anandria; anafrodisia.
anandro, dra. *adj.* (bot.) anandrino, anândrio, anandro.
anapelo. *m.* (bot.) acónito.
anapéstico, ca. *adj.* anapéstico.
anapesto. *m.* (poes.) anapesto.
anaplasia. *f.* anaplasia.
anaplastia. *f.* (cir.) anaplastia.
anaplástico, ca. *adj.* (cir.) anaplástico.
anapneómetro. *m.* (fís.) anapneómetro.
anapnoico, ca. *adj.* (terap.) anapnóico.
anapnógrafo. *m.* (fís.) anapnógrafo.
anapnómetro. *m.* (fís.) anapnómetro.
anaptixis. *f.* (gram.) anaptise.
anaquel. *m.* prateleira; entrepano; armação.
anaquelería. *f.* conjunto de prateleiras.
anaranjado, da. *adj.* alaranjado.
anarquia. *f.* anarquia, desgoverno; (fig.) confusão; desordem; acracia; desconcerto, barulho.
anárquico, ca. *adj.* anárquico, acrata; confuso; desordenado.
anarquismo. *m.* anarquismo; acracia.
anarquista. *adj.* e *s.* anarquista, partidário do anarquismo; acrata.
anarquizar. *v. tr.* anarquizar, compelir à anarquia; excitar à desordem; sublevar.
anartria. *f.* (pat.) anartria.
anasarca. *f.* (med.) anasarca.
anascote. *f.* espécie de pano de lã, anascote.
anastáltico, ca. *adj.* (terap.) anastáltico, muito adstringente.
anastasia. *f.* (bot.) artemísia. V. **artemisa.**
Anastasia. *f. n. p.* Anastásia.
anastigmático, ca. *adj.* (fís.) anastigmático.
anastigmatismo. *m.* (fís.) anastigmatismo.
anastomosado, da. *adj.* (bot.) anastomosado, juntado por anastomose.
anastomosarse. *v. r.* (bot. e zool.) anastomosar-se, juntar-se por anastomose.
anastomosis. *f.* (bot. zool. e med.) anastomose.
anastomótico, ca. *adj.* anastomótico.
anástrofe. *f.* (gram.) anástrofe.
anastrofia. *f.* (med.) anastrofia.
anatema. *m.* e *f.* anátema; excomunhão; maldição; reprovação; fulminação; imprecação.
anatematismo. *m.* anatematismo, anátema.
anatematización. *f.* anatematização; excomunhão.

anatematizado, da. *adj.* e *p. p.* anatematizado, excomungado; condenado; reprovado.
anatematizador, ra. *adj.* anatematizador.
anatematizar. *v. tr.* anatemizar, excomungar, banir da comunhão dos fiéis; condenar, reprovar; fulminar; imprecar, maldizer.
anatocismo. *m.* (com.) anatocismo.
Anatolia. (geog.) Anatólia.
anatolio, lia. *adj.* e *s.* (geog.) anatólico, pertencente ou natural da Anatólia.
anatomía. *f.* anatomiatu; autópsia, dissecação, necrópsia; (fig.) analise crítica, exame minucioso; (esc. pint.) anatomia.
anatómico, ca. *adj.* anatómico, (Bras.) anatômico.
anatomismo. *m.* (med.) anatomismo.
anatomista. *adj.* e *s.* anatomista.
anatomizar. *v. tr.* anatomizar, dissecar; (fig.) estudar minuciosamente, observar com minúcia; (pint. e escul.) assinalar exactamente os músculos, os ossos, etc.
anatoxina. *f.* anatoxina.
anatresia. *f.* (cir.) anatrese, anatresia; perfuração.
anatripsia. *f.* (terap.) anatripsia; fricção.
anatríptico, ca. *adj.* anatríptico.
anatrón. *m.* (quím.) anatrón.
anatrópico, ca. *adj.* (bot.) anatrópico, anátropo.
anatropo, pa. *adj.* (bot.) anátropo, anatrópico.
anaudia. *f.* (med.) anaudia, mudez.
anavajado, da. *adj.* (ant.) anavalhado, ferido com navalha.
anazoturia. *f.* (pat.) anazotúria.
anazuria. *f.* (med.) anazotúria.
anca. *f.* anca, nádega, garupa, quadril: *de ancas grandes,* alcatreiro; *a las ancas,* na garupa; *no sufrir ancas,* não dar ancas; (fam.) ser indomável, nao ser para graças.
ancado, da. *adj.* (vet.) derreado, ancado, defeito das patas traseiras dos cavalos. — *m.* (vet.) ancado.
ancestral. *adj.* ancestral; antigo; avito, relativo aos antepassados.
anciania. *f.* anciania, velhice.
ancianidad. *f.* ancianidade; antiguidade; velhice, senectude, decrepitude.
anciano, na. *adj.* e *s.* ancião; antigo, velho, senecto, macróbio: *anciano respetable,* barbaças, barbaçane; *hombre anciano,* homem de dias.
ancile. *m.* (arqueol.) ancil.
anciloglosis. *f.* (med.) anciloglosia.
ancillo. *m.* portal, átrio.
ancla. *f.* (mar.) âncora; (germ.) mão: *echar anclas,* fundear, segurar com âncora; *levar anclas,* levantar âncora, desancorar; *uña del ancla,* bico de papagaio; *echar el ancla,* abarbetar, ancorar; *ancla de montante,* âncora de montante; *caña del ancla,* haste da âncora; *cepo del ancla,* cepo da âncora; *brazos del áncora,* braços da âncora; *estar sobre el ancla,* estar sobre a âncora; *estar a pique el ancla,* estar a âncora a pique.

ancladero. *m.* ancoradeiro, ancoradouro, fundeadoiro.

anclado, da. *adj.* e *p. p.* ancorado: *navío anclado*, navío aferrado; *estar anclado*, estar sobre âncora ou amarra.

anclaje. *m.* (mar.) ancoragem; ancoração, aferramento, amarração; despacho do porto: *derecho de anclaje*, ancoragem, direitos de ancoragem.

anclar. *v. tr.* (mar.) ancorar, lançar âncora; fundear; aportar, amarrar, aferrar.

anclote. *m.* ancorote, pequena âncora, ancoreta; (Amér.) pequeno barril.

anco. *m.* (Amér.) V. **zanco.**

ancón. *m.* enseada, baía pequena; cotovelo ou enseada na costa.

anconada. *f.* V. **ancón.**

ancóneo, a. *adj.* (anat.) ancóneo.

áncora. *f.* âncora. V. **ancla.**

ancoraje. *m.* (mar.) (ant.) ancoração. V. **anclaje.**

ancorar. *v. intr.* (mar.) ancorar. V. **anclar.**

ancorca. *f.* (pint.) ocre.

ancorería. *f.* fábrica de âncoras.

ancorero. *m.* fabricante de âncoras.

ancusina. *f.* (quim.) matéria corante extraída da ancusa ou buglossa.

ancha. *f.* (germ.) povoação grande.

anchar. *v. intr.* V. **ensancharse.**

ancheta. *f.* pacotilha; benefício, proveito num negócio; (Amér.) pechincha; simplicidade; mau negócio.

anchicorto, ta. *adj.* o que é mais largo do que comprido.

ancho, cha. *adj.* ancho, largo, amplo; extenso; devasso, extendido. — *m.* largura, anchura; (fig.) desaforo; liberdade; soltura, no sentido de licença: *a sus anchas*, còmodamente, com inteira liberdade; *ponerse a sus anchas*, pôr-se còmodamente; *estar a sus anchas*, estar com o rei em seu palácio; *ancho de hombros*, entroneado.

anchoa. *f.* (zool.) anchova; enxova, biqueirão.

anchor. *m.* V. **anchura.**

anchova. *f.* V. **anchoa.**

anchuelo, la. *adj. dim.* de *ancho.*

anchura. *f.* anchura, largura; extensão; (fig.) desafogo; liberdade; soltura, no sentido de licença; amplidão; latitude; espaço, capacidade.

anchurón. *m.* (min.) excavação de grandes dimensões numa mina.

anchuroso, sa. *adj.* muito ancho, ou espaçoso; muito largo ou amplo.

anda. *f.* (Amér.) andas; andor.

¡anda! *interj.* anda!

anda. *m.* (Bras.) andá, árvore euforbiácea.

anda assú. *m.* (bot.) anda açú, árvore euforbiácea do Brasil; dá um óleo purgativo.

andábata. *m.* andábata, gladiador.

andada. *f.* andada; pão que se põe muito delgado e chato para que ao cozer não fique duro e sem miolo; (prov.) terreno onde pasta o gado; bolacha; andada, caminhada. — *pl.* pegadas de animais; rastos; vestígios de caça: *volver a las andadas*, reincidir num vício ou mau costume.

andaderas. *f. pl.* andadeiras (para as crianças aprenderem a andar); (prov.) enfarte glandular.

andadero, ra. *adj.* andadeiro, que anda muito; bom marchador; que se anda fàcilmente.

andado, da. *adj.* e *s p. p.* andado, percorrido; (fam.) enteado, genro.—*adj.* usado, coçado trilhado (liz-se do caminho): *mes, día andado*, mês, dia passado.—*m.* (Amér.) modo de andar.

andador, ra. *adj.* andador, andadoiro. — *s.* andador; vagabundo; belenguim; ministro inferior de justiça: *buen andador*, estradeiro; *no necesitar andadores*, não precisar de andadeiras.

andadura. *f.* andadura; certo passo dos cavalos; andamento; andança; deambulação; modo de andar.

Andalucía. (geog.) Andaluzia.

andalucismo. *m.* locução ou modo de falar próprio dos andaluzes.

andalucita. *f.* (min.) andaluzita, andaluzite.

andaluz, za. *adj.* e *s.* andaluz, relativo à Andaluzia; natural da Andaluzia.

andaluzada. *f.* (fam.) exagero que, como natural, se atribui aos Andaluzes; fanfarronada, exageração.

andamento. *m.* (mús.) andamento, movimento musical.

andamiada. *f.* andaimaria, andaimada, conjunto de andaimes.

andamiaje. *m.* V. **andamiada.**

andamiar. *v. tr.* (alb. e carp.) andaimar, preparar a construção dos andaimes.

andamio. *m.* andaimo; estrado provisório; bailéu, palanque; (fam.) o calçado; (mar.) bailéu: *levantar un andamio*, andaimar.

andana. *f.* andaina; fileira; vestuário; ordem de coisas em linha; renque; enfiada.

Andana. *f.*: *llamarse Andana*, desdizer-se do que disse ou prometeu.

andanada. *f.* surriada; descarga cerrada dum navio; repreensão severa; bancadas cobertas nas praças de touros.

¡andando! *interj.* arre!

andante. *m.* (mús.) andante, trecho com andamento moderado.

andantesco, ca. *adj.* andantesco, cavaleiroso, relativo à cavalaria andante.

andantino. *m.* (mús.) andantino.

andanza. *f.* andança; acontecimento; faina, sorte, destino, sucesso; boa ou má fortuna ou andança. — *pl.* aventuras; alternativas.

andar. *m.* andadura, andamento, acção de andar, procedimento; movimento de máquina. — *interj.* bom!; está bom!

andar. *v. intr.* andar, caminhar, marchar, mover-se, trabalhar, proceder; sentir-se, mostrar-se, correr; percorrer, avançar; decorrer, passar (falando do tempo); proceder; progredir; ter seguimento; funcionar; passar, achar-se (em relação à saúde); ser transportado; frequentar; orçar; (fig.) passar a vida; comportar-se; proceder; divagar; computar-se; deambular, errar, circular, formiguejar; existir, estar, haver.—**andarse.** *v. r.* tratar de: sentir-se; *andar malo.* estar doente; *andar prudente,* ser prudente; *a más andar,* com toda a pressa; *andar tras alguna cosa,* pretender insistentemente alguma coisa; *andar bien un negocio,* andar bem um negócio; *andar mal un reloj,* andar mal um relógio; *no anduve bien estos dias,* não tenho andado bem êstes dias; *andar en coche,* andar de automóvel; *andar detrás de alguien,* (sentir desconfiança), andar de pé atrás; *andar sobre brasas,* andar sobre brasas; *andar mal con alguien,* andar de mal com alguém; *andar de la ceca a la meca,* andar numa roda-viva; *andar al revés,* andar ao arrepio; *andar sin rumbo,* andar às aranhas; *andar sin destino,* (Bras.) atá; (fig.) *andar en zigzag,* serpear, colubrejar, colear, cobrejar; *dime con quien andas y te diré quien eres,* dizeme com quem andas dir-te-ei as manhas que tens. — *subj. imper.* **anduviera,** etcétera.

andaraje. *m.* roda da nora; aparelho para pisar o chão das eiras.

andariego, ga. *adj.* andariego, andarilho, andejo, erradio, andadeiro, desvairado.

andarín. *m.* e *adj.* andarilho, andarim, andador, andejo, estradeiro, andadeiro.

andarivel. *m.* corda que serve para ajudar a passar um rio; (mar.) çabo de vai-vem; corda que serve de corrimão; cabo de uso provisório; andarivelo; cabo tendido dentro do navio em ocasião do temporal para segurança da gente; cabo de içar ou arriar mastaréus e vergas.

andas. *f. pl.* andas, padiola, liteira; andor; cadeirinha.

andel. *m.* rasto, rodeira ou sulco que deixa uma carruagem.

anden. *m.* embarcadouro; espaço em que andam os animais que fazem mover uma máquina; passeio de rua; caminho à beira de um rio; ândito, passeio, caminho estreito; armário de cozinha; prateleira; cais de estação de linha férrea; nas noras, o espaço em que giram os bois ou cavalos.

andenería. *f.* (Amér.) tabuleiros de terra dos montes andinos.

andero. *m.* cada um dos que levam aos hombros as andas; moço que leva as andas; varal de um carro.

andesina. *f.* (min.) andesina, feldspato dos Andes.

andesita. *f.* (min.) andesita.

andino, na. *adj.* (geog.) andino, andícola.

ándito. *m.* ândito, corredor ou patamar, pequeno passeio lateral.

andón, na. *adj.* andarilho, andarego, andeiro, andejo.

andorga. *f.* (fam.) ventre, barriga, barrigona, pança, bandulho, abdómen: *llenar la andorga,* encher a barriga ou bandulho.

Andorra. *f.* (geog.) Andorra.

andorra. *f.* (fam.) mulher vagabunda; mulher que gosta de passear constantemente pelas ruas.

andorrano, na. *adj. e s.* (geog.) andorrano, habitante de Andorra; relativo à Andorra.

andorrear. *v. intr.* (fam.) vaguear, andar errante, passear pelas ruas, vagabundear.

andorrero, ra. *adj.* vagabundo, vadio, erradio, caminheiro, que gosta de andar sempre na rua.

andosco, ca. *adj.* de dois anos, (falando de uma rez nova).

andrajero, ra. *adj. e s.* trapeiro, farrapeiro.

andrajo. *m.* andrajo, farrapo, roupa muito usada, trapo; argamandel; (fig.) pessoa ou coisa muito desprezível: *individuo cubierto de andrajos,* farrapão, farrapilha.

andrajosería. *f.* frandulagem; (fig.) seminudez.

andrajoso, sa. *adj.* andrajoso; esfarrapado, coberto de andrajos; (fig.) seminu; frangalheiro; chué; côdea; codegueiro, fragalho, fraca-roupa; faranduleiro, farrapilha; farrapão: *persona andrajosa,* côdeas. chernicalho.

andrino. *m.* V. **endrino.**

androceo. *m.* (bot.) androceu, conjunto dos estames.

androdínamo. *m.* (bot.) androdínamo.

androfagia. *f.* androfagia, antropofagia.

andrófago, ga. *adj. e s.* andrófago, antropófago.

androfilia. *f.* androfilia.

andrófilo, la. *adj. e s.* andrófilo.

androfobia. *f.* (pat.) androfobia.

andrófobo, ba. *adj. e s.* andrófobo.

androfonomanía. *f.* (med.) androfomania.

andróforo. *m.* (bot.) andróforo.

androgenesia. *f.* androgenesia.

androgenésico, ca. *adj.* androgenésico.

androgenia. *f.* (fisiol.) androgenia.

androgénico, ca. *adj.* (fisiol.) androgénico, (Bras.) androgênico.

andrógeno, na. *adj.* (fisiol.) androgénio.

androginia. *f.* (bot. e fisiol.) androginia; hermafroditismo.

andrógino, na. *adj.* (bot. e zool.) andrógino, hermafrodita.

androginoide. *adj. e s.* androginóide.

androide. *m.* andróide; autómato; títere; fantoche.

andrólatra. *s.* andrólatra.

androlatría. *f.* androlatria.

andrología. *f.* andrologia.

andrológico, ca. *adj.* andrológico.

andromanía. *f.* (pat.) andromania, furor uterino.

andromaníaca. *adj.* andromaníaca, andrómana.

Andrómeda. *f.* (astr.) Andrómeda (constelação).

andrómina. *f.* (fam.) mentira, endrómina, intrujice, embuste, peta.

androrropía. *f.* (biol.) androrropia.

androsemo. *m.* (bot.) androsemo.

androspora. *f.* (bot.) androspora.

androtomía. *f.* (anat.) androtomia.

andulario. *m.* V. **falduario.**

andulencia. *f.* (prov.) V. **andanza.**

andullo. *m.* tabaco em rolo; pandeiro; ourela; tecido que se põe nos moitões para evitar a roçadela.

andurrial. *m.* andurrial, lugar ermo, escabroso.

aneaje. *m.* acção e efeito de *anear*; medição às varas.

anear. *v. tr.* medir às varas; embalar no berço.

anear. *m.* lugar povoado de *aneas*.

aneblar. *v. tr.* enevoar; escurecer, sombrear, toldar.

anécdota. *f.* anedota; historieta; episódio; chiste: *contar anécdotas*, anedotizar.

anecdotario. *m.* anedotário; colectânea de anedotas.

anecdótico, ca. *adj.* anedótico, relativo a anedota; episódico.

anecdotista. *s.* anedotista.

aneciarse. *v. r.* fazer-se néscio; apatetar-se, aspacaçar-se.

anega. *f.* (bot.) aneto.

anegable. *adj.* anegável, inundável, alagável.

anegación. *f.* anegação; inundação; colubião, submersão.

anegadizo, za. alagadiço, encharcadiço.

anegado, da. *adj. e p. p.* anegado, alagado, inundado, amarado.

anegamiento. *m.* V. **anegación.**

anegar. *v. tr.* anegar, cobrir de água; mergulhar; alargar; submergir; afogar; inundar; encapelar; amurujar, empantanar; encharcar. — **anegarse.** *v. r.* incomodar; (mar.) desaparecer no horizonte do mar; perder-se, naufragar; submergir-se; amarar-se: *anegarse los ojos en lágrimas*, amarar-se os olhos de água.

anego. *m.* (Amér.) V. **anegación.**

anegociado, da. *adj.* anegociado, negocioso, cheio de negócios, ocupadíssimo, sem tempo para descançar.

anejar. *v. tr.* anexar; incorporar; juntar, ligar.

anejín. *m.* V. **anejir.**

anejir. *m.* anexim, refrão popular posto em verso e cantado.

anejo, ja. *adj.* anexo, ligado, junto; incorporado; encabeçado; antigo; adjunto; sujeito. — *m.* anexo; dependência: anexa (igreja).

aneléctrico, ca. *adj.* (fís.) aneléctrico.

anelectrodo. *m.* (electr.) aneléctrodo, anelectródio.

anélido, da. *adj.* (zool.) anelídeo, anélido.

anélidos. *m. pl.* (zool.) anélides.

anemasia. *f.* (pat.) anemasia.

anemasis. *f.* (pat.) anemasia.

anemia. *f.* (med.) anemia; exinanição, astenia, enfraquecimento.

anemiar. *v. tr.* anemiar, produzir anemia; (fig.) enfraquecer.

anémico, ca. *adj.* (med.) anémico, (Bras.) anêmico; exinanido; enfraquecido; (Bras.) desmerecido.

anemocordio. *m.* (mús.) harpa eólia.

anemofilia. *f.* (bot.) anemofilia.

anemófilo, la. *adj.* (bot.) anemófilo.

anemofobia. *f.* anemofobia.

anemófobo, ba. *adj. e s.* anemófobo.

anemógamo, ma. *adj.* (bot.) anemófilo.

anemografía. *f.* (meteor.) anemografia.

anemográfico, ca. *adj.* anemográfico.

anemógrafo. *s.* (fís.) anemógrafo.

anemología. *f.* (meteor.) anemologia.

anemomancia. *f.* anemomancia.

anemometría. *f.* (meteor.) anemometria.

anemométrico, ca. *adj.* anemométrico.

anemómetro. *m.* (fís.) anemómetro, (Bras.) anemômetro.

anemometrografía. *f.* (meteor.) anemometrografia.

anemometrógrafo. *m.* (meteor.) anemometrógrafo.

anémona. *f.* (bot.) anémona, (Bras.) anêmona: *anémona del mar*, actínea.

anémone. *f.* V. **anemona.**

anemopluviómetro. *m.* (fís.) anemopluviógrafo.

anemoscopia. *f.* (meteor.) anemoscopia.

anemoscopio. *m.* (meteor.) anemoscópio; cata-vento.

anemoterapia. *f.* (terap.) anemoterapia.

anemotropismo. *m.* anemotropismo.

anemótropo. *m.* (mec.) anemótropo.

anencefalia. *f.* (fisiol.) anencefalia.

anencéfalo. *m.* (terat.) anencéfalo.

anencéfalo, la. *adj.* (fisiol.) anencéfalo.

anepigráfico, ca. *adj.* anepígrafo.

anepigrafo, fa. *adj.* anepígrafo.

anequin (a) o **(de).** *adv.* à razão de um tanto por cabeça, e não a jornal, por cada rês que se faz tosquiar.

anerobio, bia. *adj.* (barb.) V. **anaerobio.**

aneroide. *adj. e m.* (fís.) aneróide.

anervia. *f.* (pat.) anervia.

anesia. *f.* (med.) anesia.

anestesia. *f.* (med.) anestesia; insensibilidade; anestesiação; eterismo; eterização: operar a frio.

anestesiar. *v. tr.* (terap.) anestesiar; cocainizar, eterizar, insensibilizar.

anestésico, ca. *adj.* (med.) anestésico, anestesiante. — *m.* anestésico.

anestesímetro. *m.* (med. e cir.) anestesímetro.

anestesiología. *f.* (med.) anestesiologia.

anetadura. *f.* (mar.) forro do arganéu da âncora.

aneuria. *f.* (med.) aneuria.

aneurisma. *m. e. f.* (pat.) aneurisma.

aneurismal. *adj.* (med.) aneurismal, aneurismático.

aneurismático, ca. *adj.* (med.) aneurismático, aneurismal.

aneurosis. *f.* (fisiol.) aneurose.

aneurostenia. *f.* (pat.) aneurostenia.

aneurritmia. *f.* (med.) aneurritmia, aneuritmia.

anexación. *f.* (ant.) anexação. V. **anexión.**

anexar. *v. tr.* anexar, incorporar; juntar, ligar, apensar.

anexidades. *f. pl.* anexos; dependências; anexidades.

anexión. *f.* anexação, incorporação; anexo; junção.

anexionamiento. *m.* (Amér.) V. **anexión.**

anexionar. *v. tr.* anexar, incorporar, juntar, ligar, unir, agregar, apensar.
anexionismo. *m.* (pol.) anexionismo.
anexionista. *s.* (pol.) anexionista.
anexitis. *f.* (med.) anexite.
anexo, xa. *adj.* e *s.* anexo, ligado, junto, incorporado, agregado, unido, sujeito, aposto, (Bras.) apôsto, apenso, apósito; anexo, dependência; acessório.
anfesibena. *f.* V. **anfisbena.**
anfiartrosis. *f.* (anat.) anfiartrose.
anfibólico, ca. *adj.* anfibológico.
anfibio, bia. *adj.* e *m.* (zool.) anfíbio; equívoco; indeterminado; ambíguo.
anfibiografía. *f.* (zool.) anfibiografia.
anfibiología. *f.* (zool.) anfibiologia,
anfibol. *f.* (min.) anfíbola, anfíbolo.
anfibolia. *f.* (ret.) anfibologia.
anfibolita. *f.* (geol.) anfibolite, anfibolito.
anfíbolo, la. *adj.* anfíbolo.
anfibología. *f.* (ret.) anfibología; ambiguidade, sentido ambíguo.
anfibológico, ca. *adj.* anfibológico; ambíguo, equívoco.
anfíbraco. *m.* (poes.) anfíbraco.
anfictión. *m.* (ant.) anfictião.
anfictionado. *m.* cargo de anfictião.
anfictionia. *f.* anfictionia.
anfictiónico, ca. *adj.* anfictiónico, anfictónio.
anfideo, a. *adj.* anfido.
anfidiartrosis. *f.* anfidiartrose.
anfigamo, ma. *adj.* (bot.) anfigamo.
anfigastro, tra. *adj.* (bot.) anfigastro.
anfigenas. *f. pl.* (bot.) anfigenas.
anfigénico, ca. *adj.* (min.) anfigénio.
anfígeno, na. *adj.* (quím. e min.) anfígeno; basigéneo.
anfímacro. *m.* (poet.) anfímacro.
anfioxo. *m.* (zool.) anfioxo.
anfípodos. *m. pl.* (zool.) anfípodes.
anfipróstilo. *m.* (arq.) anfiprostilo.
anfíptero. *m.* (blas.) anfíptero.
anfisarca. *m.* (bot.) anfisarca.
anfisbena. *f.* (mit. e zool.) anfisbena.
anfiscio, cia. *adj.* (geog.) Anfíscio. — *m. pl.* anfiscios.
anfisibena. *f.* V. **anfisbena.**
anfismilo. *m.* (cir.) espécie de escalpelo de dois gumes
anfiteatral. *adj.* anfiteatral, anfiteátrico.
anfiteatro. *m.* anfiteatro, coliseu, circo; palanque.
anfitrión. *m.* anfitrião; convidador.
anfitrite. *f.* anfitrite, género de vermes marinhos; (astrol.) anfitrite; (mit.) Anfitrite.
anfitropía. *f.* (bot.) anfitropia.
anfítropo, pa. *adj.* anfítropo.
anfodiplopia. *f.* (pat.) anfodiplopia.
ánfora. *f.* ânfora (medida antiga); ânfora. (vaso de duas asas); (bot.) ânfora (válvula inferior de certos frutos); (rel.) âmbula dos santos óleos.
anfóreo, a. *adj.* anforal.
anforicidad. *f.* (med.) anforicidade.
anfórico, ca. *adj.* (med.) anfórico.
anfótero, ra. *adj.* anfótero.
anfractuosidad. *f.* anfractuosidade; conca-

vidade, sinuosidade; (anat.) anfractuosidade; saliência.
anfractuoso, sa. *adj.* anfractuoso, sinuoso, tortuoso, desigual.
angaria. *f.* angária, antiga servidão.
angarillada. *f.* carga que se pode transportar por uma só vez em padiola.
angarillar. *v. tr.* colocar angarelas ou cangalhas.
angarillear. *v. tr.* (Amér.) transportar ou carregar na padiola.
angaripola. *f.* espécie de tecido grosseiro. — *pl.* adornos multicolores e de mau gosto.
ángaro. *m.* fogo que se fazia nas atalaias. V. **almenara.**
angas. empregada na expresão: *por angas o por mangas* (Amér.) por todos os modos.
angazo. *m.* instrumento para pescar marisco.
ángel. *m.* anjo; pessoa muito bondosa; mulher formosa; nome dum peixe, esqualo, pessoa muito virtuosa; criança: *ángel de la guarda,* anjo da guarda; *ángel malo,* lucifer; *ángel patudo,* diz-se de quem só tem as aparências de meiguice; *tener ángel,* ter graça, simpatia; *ángel de tinieblas,* Lucifer, diablo, anjo das trevas.
¡Ángela María! *interj.* usada para denotar que se aprova alguma coisa ou que causa estranheza o que se ouve.
angelar. *v. intr.* (Amér.) suspirar.
angélica. *f.* angélica, oração que se canta em sábado Santo para a benção do círio pascal (bot.) arcangélica, angélica: *angélica montana,* cicuta aquática: *angélica carlina,* camelêa, carlina. V. **alonjera.**
angelical. *adj.* angelical, angélico; puríssimo; formosíssimo; formoso, cândido, inocente.
angélico, ca. *adj.* angélico. V. **angelical.** — *m.* anginho; (fig.) menino, bebé, criancinha.
angelizarse. *v. r.* angelizar-se, purificar-se espiritualmente, aspirando à perfeição angélica.
angelogonía. *f.* angelogonia.
angelografía. *f.* angelografia, angelologia.
angelolatría. *f.* angelolatria.
angelología. *f.* angelologia.
angina. *f.* (med.) angina. *angina diftérica,* angina diftérica; *angina de pecho,* angina pectoris, esternalgia, estenocardia.
anginoso, sa. *adj.* anginoso.
angiocárpico, ca. *adj.* (bot.) diz-se das plantas cujo fruto está dentro duma coberta exterior.
angiocolecistitis. *f.* (pat.) angiocolecistite.
angiocolitis. *f.* (pat.) angiocolite.
angioesclerosis. *f.* (pat.) angioesclerose.
angiografía. *f.* (anat.) angiografia.
angioleucitis. *f.* (pat.) angioleucite.
angiología. *f.* (anat.) angiologia.
angioma. *m.* (pat.) angioma.
angiomatosis. *m.* (pat.) angiomatose.
angioneurosis. *f.* (pat.) angioneurose.
angioneurotomia. *f.* (cir.) angioneurotomia.
angionosis. *f.* (pat.) angionose.
angioparálisis. *f.* (pat.) angioparalisia.
angiorragia. *f.* (pat.) angiorragia.

angiorrea. *f.* (pat.) angiorreia.
angioscopia. *f.* angioscopia.
angioscopio. *m.* angioscópio.
angiosis. *f.* (pat.) angiose.
angiospermia. *f.* (bot.) angiosperma.
angiospermo, ma. *adj.* (bot.) angiosperme, angiospérmico.
angióstomo. *m.* (zool.) angióstomo.
angiotomía. *f.* (cir.) angiotomia.
angitis. *f.* (pat.) angite.
angla. *f.* promontório, cabo, ponta de terra metida no mar.
anglesita. *f.* anglesite, sulfato de chumbo.
anglicanismo. *m.* (rel.) anglicanismo.
anglicano, na. *adj.* e *s.* (rel.í anglicano, ânglico.
anglicismo. *m.* anglicismo.
anglo, gla. *adj.* anglo, inglês.
angloamericano, na. *adj.* e *s.* anglo-americano.
anglofilia. *f.* anglofilia.
anglófilo, la. *adj.* e *s.* anglófilo.
anglofobia. *f.* anglofobia.
anglófobo, ba. *adj.* e *s.* anglófobo.
angloluso, sa. *adj.* e *s.* anglo-luso.
anglomanía. *f.* anglomania.
anglómano, na. *adj.* e *s.* anglómano, anglomaníaco.
anglonormando, da. *adj.* e *s.* anglo-normando.
anglosajón, na. *adj.* e *s.* anglo-saxão, anglo-saxónio. — *m.* anglo-saxão, língua dos anglo-saxões.
angojoso, sa. *adj.* angustioso. V. **angustioso**.
angola. *f.* (Amér.) leite azedo.
Angola. (geog.) Angola.
angolés, sa. *adj.* ıe *s.* (geog.) angolense, angolano; bango, caroca.
angora. *adj.* e *m.* (zool.) angora, (Bras.) angorá, diz-se dos gatos, coelhos ou cabras procedentes de Angorá.
angorra. *f.* avental de couro próprio para operários.
angostar. *v. tr.* estreitar, apertar. — **angostarse**. *v. r.* contrair-se, encolher-se.
angosto, ta. *adj.* angusto; estreito; apertado; reduzido; limitado; angustioso; trabalhoso; triste.
angra. *f.* angra, enseada, pequena baía.
angrelado, da. *adj.* crenado, diz-se das peças de heráldica das moedas e dos adornos de arquitectura denteados.
angú. *m.* (Bras.) angú.
anguiforme. *adj.* anguiforme, que tem forma de cobra.
anguila. *f.* (ictio.) enguia; eiró; (mar.) rolos de madeira para meter uma embarcação na água, fazendo-a resvalar; chicote para os galés.
anguilazo. *m.* chicotada, lategada.
anguilera. *f.* viveiro de enguias; cesto para levar enguias.
anguilero, ra. *adj.* diz-se do cesto que serve para levar enguias.
anguiliforme. *adj.* (zool.) anguiliforme.
anguílula. *f.* (zool.) anguílula; (bot.) anguílula (doença das videiras).
anguilla. *f.* (Amér.) V. **anguila**.

anguina. *f.* (vet.) anguina; (bot.) anguina.
angula. *f.* (ictiol.) cria da enguia.
angulado, da. *adj.* angulado, anguloso; que tem ângulos.
angular. *adj.* angular: *piedra angular*, pedra angular, fradépio, frade de pedra.
angularidad. *f.* angularidade.
angulario. *m.* (top. e mat.) angulário, angulómetro.
angulema. *f.* angulema, tecido de estopa ou de cânhamo que se fabricava em Angolema. — *f. pl.* (fam.) carinhos. mimos.
Angulema. (geog.) Angolema.
anguliforme. *adj.* anguliforme.
angulinervio, via. *adj.* (bot.) angulinervo.
ángulo. *m.* (geog.) ângulo; ângulo, canto, aresta, esquina; o canto de olho; a estremidade do altar: *ángulo agudo, recto, obtuso, oblicuo, alterno, adyacente,* ângulo, agudo, recto, obtuso, oblíquo, alterno, adjacente: *ángulo facial,* ângulo facial; *ángulo formado por dos paredes,* engra; *ángulo muerto,* ângulo morto; *ángulo de refracción,* ângulo de refracção; *ángulo de incidencia,* ângulo de incidência.
angulometría. *f.* (geom.) angulometria, goniometria.
angulométrico, ca. *adj.* (geom.) angulométrico.
angulómetro. *m.* (geom.) angulómetro goniómetro.
angulosidad. *f.* angulosidade.
anguloso, sa. *adj.* anguloso, angular; esquinado.
angurria. *f.* (med.) angurria, aperto de uretra, estrangúria; (Amér.) avareza.
angurriento, ta. *adj.* (Amér.) avarento.
angustia. *f.* angústia, aflição, opressão, ansiedade; mágoa; tristeza; agonia; estreiteza, aperto do coração; afligimento; apertada; consternação; desgraça; desolação; ânsia; ansiedade; aflição; angustura; (fig.) amargor, amargura; (germ.) cárcere, cadeia. — *pl.* gales: *sentir angustia,* agastar-se.
angustiado, da. *adj.* e *p. p.* angustiado, estreito, apertado, apoucado, miserável, amargurado, aflito, ansioso, atormentado. — *m.* (germ.) preso, galeote.
angustiador, ra. *adj.* angustiador, angustioso, que causa angústia.
angustiar. *v. tr.* angustiar, causar angústia a; tornar aflitivo; torturar; apeçonhar; atribular; afligir; ansiar. — **angustiarse**. *v. r.* angustiar-se, afligir-se. agoniar-se, atormentar-se, atribular-se.
angusticlavia. *f.* angusticlave.
angusticlavo. *m.* angusticlave, angusticlávio.
angustioso, sa. *adj.* angustioso, afligidor; ansioso; angusto; encalacrado; atormentado.
angustura. *f.* V. **angostura**.
angusturina. *f.* (quím.) angusturina.
anhelación. *f.* (med.) anelação; respiração difícil; (fig.) anelo, aspiração, desejo; ansiedade; aspiração; voracidade; veemência; desejo ardente, ânsia.
anhelado, da. *adj.* e *p. p.* desejado, ardentemente; ansiado.

anhelar. *v. intr.* anelar; (fig.) anelar, desejar ardentemente; aspirar; expelir; (med.) anelar, respirar com dificuldade; ambicionar, ansiar; almejar; chorar, suspirar.

anhélito. *m.* anélito, desejo ardente; aspiração; ânsia; (med.) anélito, respiração difícil.

anhelo. *m.* anelo, desejo intenso, ânsia; anelação; almejo; anseio; empenho; ansiedade; veemência; aspiração; voracidade.

anheloso, sa. *adj.* anelante, aneloso, desejoso, ansioso; (med.) anelante, que respira com dificuldade.

anhídrido. *m.* (quím.) anídrido, anidrido.

anhídrico, ca. *adj.* (quím.) anídrico, anidro.

anhidrita. *f.* (min.) anidrite.

anhidro, dra. *adj.* (quím.) anidro, anídrico.

anhidrobiosis. *f.* (zool. e bot.) anidrobiose.

anhidrosis. *f.* (med.) anidrose.

anidar. *v. intr.* aninhar; fazer ninho; (fig.) morar, habitar. — *v. tr.* abrigar, acolher, agasalhar; esconder; receber: *andar anidando*, diz-se da mulher que está próxima do parto.

anidrosis. *f.* V. **anhidrosis.**

anieblar. *v. tr.* enevoar; escurecer; (bot.) mangrar. — **anieblarse.** *v. r.* cobrir-se de nuvens; (prov.) tornar-se tolo, entontecer.

aniego. *m.* anegação. V. **anegación.**

aneijar. *v. tr.* (prov.) V. **añejar.**

aniejo, ja. *adj.* (prov.) V. **añejo.**

anilida. *f.* (quím.) qualquer derivado da anilina.

anilina. *f.* (quím.) anilina.

anilismo. *m.* (med.) anilismo.

anilla. *f.* anilha; argola; anilho, anel. — *pl.* argolas, anilhas.

anillado, da. *adj.* e *p. p.* anelado, anelídeo.

anillamiento. *m.* anelação, aneladura, operação que como anéis de ferro ou aparelhos semelhantes, se pra(c)tica nos animais para impossibilitar a função de determinados órgãos.

anillar. *v. tr.* anilhar, pôr anilhas em; anelar.

anillo. *m.* anel; anilha; anilho; argola; círculo; axorca; (mar.) arruela; (arq.) friso. — *pl.* (pop.) grilhões; ferros: *anillo astronómico*, círculo astronómico; *anillo de los astros*, corona dos astros; *anillo de pedida*, anel do casamento; *anillo del pescador*, anel do pescador; *anillo de casado*, aliança; *anillo pastoral*, anel pastoral; *anillo de cadena*, anel de cadeia; *venir como anillo al dedo*, encaixar, a calhar.

ánima. *f.* alma; alma duma peça de artilharia. — *pl.* toque de sinos pelas almas do purgatório: *ánima de un cabo eléctrico*, árvore de furo; *ánima de un cabo*, alma de cabo; *ánimas del Purgatorio*, almas do Purgatório; *rendir el ánima*, dar a alma.

animación. *f.* animação; vivacidade; entusiasmo; viveza; afluência; alegria; aquentamento; expressão; excitação; movimento

animado, da. *adj.* e *p. p.* animado; frequentado; alentoso, alentado; alegre; divertido; um tanto ébrio: *poco animado*. (fig.) friacho; *ser animado*, beber azeite.

animador, ra. *adj.* e *s.* animador; tranquilizador, estimulante; impulsor, alentador, alegrador, amenizador; entusiasta.

animadversión. *f.* animadversão, censura, castigo, ódio, repreensão, crítica, advertência severa, mimizade; asco, antipatia, animosidade, aversão, gana, horror, quezília, rancor, repugnância! aborrecimento.

animal. *m.* animal; besta, (Bras.) bêsta, fera, alimária, bicho, ser irracional; bruto; (fig.) pessoa estúpida e grosseira; cavalo: *animal de tiro*, besta de tiro; (fam.) *hacer el animal*, bestar; *animal doméstico*, besta doméstica; *animal feroz*, besta-fera; (fam.) *pedazo de animal*, animalaço, animalão; (vulg.) *pedazo de animal*, asneirão.

animal. *adj.* animal; material, carnal; irracional; sensual; grosseiro; brutal; estúpido: *instinto animal*, instinto animal.

animalada. *f.* (fam.) grosseria, estupidez, burricada; despautério.

animalculismo. *m.* (biol.) animaculismo.

animalculista. *s.* animalculista.

animálculo. *m.* (zool.) animálculo, animal microscópico.

animalculovismo. *f.* (biol.) animalculovismo.

animalculovista. *s.* animalculovista.

animalejo. *m. dim.* animalejo, animal pequeno; (fam.) pessoa estúpida.

animalia. *f.* (ant.) animália; besta; animal; fera; alimária.

animalidad. *f.* animalidade, animalismo, atributos do animal.

animalismo. *m.* animalismo, animalidade.

animalista. *s.* animalista, artista que se dedica à pintura ou escultura de animais.

animalizable. *adj.* animalizável.

animalización. *f.* animalização, bestialização, bestificação.

animalizar. *v. tr.* (fisiol.) animalizar; (fig.) animalizar, embrutecer; bestificar, bestializar, estultificar. — **animalizarse.** *v. r.* animalizar-se, bestializar-se.

animalucho. *m.* animalucho, animal asqueroso, desagradável, animalaço, animalão.

animar. *v. tr.* animar, entusiasmar, dar vida ou movimento, vivificar, avigorar, excitar; viver, habitar, morar; dar brilho; desenvolver; alentar; encorajar; avivar; desacobardar; desassombrar; desatemorizar; desamuar; aquentar; impulsionar; (fig.) ele(c)trizar; infundir; colorir (o estilo); exortar; informar; desmelancolizar; excitar; consolar; desamodorrar; dar alento; influir; incitar; afervorar, aferventar; estimular; acorçoar; alegrar; aquecer. — **animarse.** *v. r.* animar-se, cobrar ânimos; fortalecer-se; aquecer-se; abespinhar-se; fazer-se ânimo; alegrar-se; alentar-se: *animarse con el vino*, assomar-se; resolver-se; decidir-se.

animero. *m.* andador de almas; que pede para as almas, esmoler, pedinte.

anímico, ca. *adj.* anímico, psíquico.

animismo. *m.* (filos.) animismo.

animista. *s.* (filos.) animista.
ánimo. *m.* ânimo; coragem; espírito; valor; ânimo, desígnio, intenção. vontade; pensamento; vida; índole; acoroçoamento coragem; afoiteza; alento; encorajamento; coração; estoicidade; (fam.) estômago; galhardia; destemor; resolução; (fig.) pensamento, atenção; aborrecimento; *disposición de ánimo,* bojo; *tener ánimo,* ter tenção de; *dar ánimo,* desapavorar; *perder el ánimo,* desalentar-se; *tener falta de ánimo,* (fig.) encolher-se; *tener presencia de animo,* ter pronto acordo; *cobrar ánimos,* aviventar-se; *perder los ânimos,* cair a alma aos pés. — *interj.* ânimo!, coragem!.
animosidad. *f.* animosidade, antipatia, asco, aversão, gana, horror, inimizade, ódio, quezila, rancor, repugnância, má-vontade, desavença, desinteligência; desamor; desamizade; desafeição; desunião; arrufo; esforço; arrojo, (Bras.) arrôjo, ousadia; valor; malquerença; ressentimento; acrimónia.
animoso, sa. *adj.* animoso, corajoso, valente, audaz, resoluto, brioso; generoso, esforçado, valeroso; macho; arrogante; forte; galhardo; coração, alentoso, ardido.
aniñado, da. *adj.* pueril, infantil, ameninado.
aniñarse. *v. r.* fazer-se criança; conduzir-se como criança; ameninar-se, infantilizar-se; remoçar.
anión. *m.* (electr.) aníon.
aniquilable. *adj.* aniquilável, que se pode aniquilar.
aniquilación. *f.* aniquilação, destruição, extermínio; aniquilamento; despedaçamento, devastação.
aniquilado, da. *adj.* e *p. p.* aniquilado, destruido, abatido, devastado.
aniquilador, ra. *adj.* aniquilador, destruidor, exterminador, devastador.
aniquilamiento. *m.* aniquilamento, extinção. V. **aniquilación.**
aniquilar. *v. tr.* aniquilar, reduzir a nada; destruir, abater, acabar, despedaçar, exinanir, fulminar, extinguir, exterminar, derrocar, devastar, demolir, apagar, derribar; arruinar, consumir; prostrar. — **aniquilarse.** *v. r.* aniquilar-se, consumir-se, deteriorar-se, derribar-se; humilhar-se, abater-se.
aniridia. *f.* (pat.) aniridia, aniria.
anís. *m.* (bot.) anis; aguardente de erva doce. — *pl.* confeitos de erva-doce: *llegar a los anises,* chegar à sobremesa; (fig.) chegar tarde; *anís estrellado,* anis estrelado.
anisado, da. *adj.* anisado. — *m.* anisado, anis.
anisal. *m.* plantação de anis.
anisar. *v. tr.* anisar, preparar com anis; dar sabor de anis.
anisar. *m.* terreno semeado de anis, aniseira.
anisete. *m.* aniseta, licor de anis.
anísico, ca. *adj.* (quím.) anísico.
anisidina. *f.* (quím.) anisidina.
anisina. *f.* (quím.) anisina.
anisodáctilo, la. *adj.* (zool.) anisodáctilo.

anisodonte. *adj.* (zool.) anisodonte.
anisófilo, la. *adj.* (bot.) anisófilo.
anisógino, na. *adj.* (bot.) anisógino.
anisómero, ra. *adj.* (hist. nat.) anisómero.
anisometría. *f.* (pat.) anisometria.
anisometropia. *f.* (pat.) anisometropia.
anisomorfía. *f.* (pat.) anisomorfia.
anisopétalo, la. *adj.* e *m.* (bot.) anisopétalo.
anisopia. *f.* (pat.) anisopia.
anisoptéreo, a. *adj.* (bot.) anisóptero; (zool.) anisóptero.
anisostémono, na. *adj.* (bot.) anisostémone.
aniversario, ria. *adj.* aniversário, anual. — *m.* aniversário; anos.
¡anjá! *interj.* (Amér.) muito bem!
ano. *m.* (anat.) ânus, ano; (pop.) sesso, (Bras.) sêsso; (vulg.) besbelho; (Bras.) fiofó, sundo.
anobio. *m.* anóbio, insecto coleóptero de Cuba de ö e meio a 3 milímetros de comprimento; vive nas bibliotecas, cujos livros perfura e destrói pouco a pouco.
anoche. *adv.* na noite passada; ontem à noite; na noite de ontem.
anochecedor, ra. *adj.* e *s.* que recolhe tarde. V. **trasonchador.**
anochecer. *v. intr.* anoitecer, anoutecer, cair a noite, fazer-se noite, escurecer. — *pres. ind. irr.* **anochezco,** etc.; *subjun.* **anochezca,** etcétera.
anochecer. *m.* anoitecer, o crepúsculo da tarde: *al anochecer,* luco-fusco, à boca da noite, às ave-marias, ao anoitecer.
anochecida. *f.* o anoitecer ou anoutecer; crepúsculo vespertino; boca da noite.
anodia. *f.* anodia.
anódico, ca. *adj.* (electr.) anódico, relativo ou pertencente ao ânodo.
anodinar. *v. tr.* (med.) usar anódinos, aplicar medicamentos anódinos ou antálgicos.
anodinia. *f.* (med.) anodinia.
anodino, na. *adj.* (med.) anódino; (fig.) anódino, inofensivo, insignificante, sem importância, secundário.
ánodo. *m.* (electr.) anódio, ânodo.
anodonte. *adj.* e *m.* (zool.) anodonte. — *m. pl.* (zool.) anodontes.
anodontia. *f.* (fisiol.) anodoncia, anodontia.
anofeles. *adj.* e *m.* (zool.) anófele.
anoftalmia. *f.* (fisiol.) anoftalmia.
anomalístico, ca. *adj.* (astr.) anomalístico.
anómalo, la. *adj.* anómalo, (Bras.) anômalo, anormal, irregular, estranho; monstruoso; desigual; extravagante.
anomeos. *m. pl.* (rel.) anomianos.
anomia. *f.* (med.) anomia.
anominación. *f.* (gram.) anominação. V. **annominación.**
anomocefalia. *f.* (pat.) anomocefalia.
anomocéfalo, la. *adj.* anomocéfalo.
anonadación. *f.* aniquilação, anulação, aniquilamento, extermínio, humilhação.
anonadamiento. *m.* aniquilamento. V. **anonadación.**
anonadar. *v. tr.* aniquilar, destruir, anular, exterminar; (fig.) abater, apoucar, humilhar, diminuir, apagar, extinguir. — **anona-**

darse. *v. r.* aniquilar-se, esvaecer-se, abater-se, humilhar-se.

anónfalo, la. *adj.* anônfalc.

anonimato. *m.* anonimato, anónimo, anonimia, anonimado.

anónimo, ma. *adj.* anónimo, (Bras.) anônimo; inominado, semnome, incógnito, avulso. — *m.* anónimo; segredo.

anopétalo, la. *adj.* (bot.) anopétalo.

anoploterio. *m.* (paleon.) anoplotério.

anopluro, ra. *adj.* (zool.) anopluro, diz-se dos insectos sugadores ápteros, como o piolho.— *m.* ordem destes insectos.

anopsia. *f.* (pat.) anopsia.

anorexia. *f.* (pat.) anorexia, falta de apetito; inapetência.

anorgánico, ca. *adj.* (ant.) anorgânico. V. **inorgánico.**

anoria. *f.* V. **noria.**

anormal. *adj.* anormal, irregular; extraordinário; extravagante; estranho; anómalo, (Bras.) anômalo. — *s.* anormal, tarado.

anormalidad. *f.* anormalidade, anomalia, irregularidade.

anorquidia. *f.* (med.) aniptorquidia.

anortar. *v. intr.* enublar-se o céu por soprar vento do norte.

anortita. *f.* (min.) anortite.

anortografía. *f.* (med.) anortografia.

anosfresia. *f.* (med.) anosfresia.

anosmia. *f.* (pat.) anosmia, perda do sentido do olfaco.

anostosis. *f.* (med.) anostose, anosteose.

anotación. *f.* anotação, apontamento, nota; advertência; minuta; assento, assentamento; apontamento; consignação; glosa, comentário; apostila, comento, explanação, explicação, cota, citação.

anotador, ra. *adj.* e *s.* anotador, aquele que anota; apontador; assentador.

anotar. *v. tr.* anotar, apostilar, comentar, explanar, explicar, glosar, intrepretar, assentar, consignar, apontar, tomar ou fazer nota.

anoxemia. *f.* (med.) anoxemia.

anqueador, ra. *adj.* (Amér.) diz-se do cavalo que move lùbricante o corpo ou que tem passo de andadura. V. **amblador.**

anquear. *v. intr.* (Amér.) caminhar a passo de andadura; mover lùbricante o corpo (cavalos).

anquento. *m.* (Amér.) batata afumada.

anquialmendrado, da. *adj.* que tem as ancas muito estreitas.

anquiboyuno, na. *adj.* que tem ancas de boi.

anquiderribado, da. que tem a garupa alta e em declive.

anquiloglosis. *f.* (pat.) anquiloglose.

anquiloglosótomo. *m.* (cir.) anquiloglossótomo.

anquilosamiento. *m.* V. **anquilosis.**

anquilosar. *v. tr.* ancilosar.— *v. intr.* ancilosar, endurecerem as articulações; ancilosar-se.

anquilosis. *f.* (pat.) ancilose, anquilose.

anquilóstomo. *m.* (zool.) ancilóstomo.

anquilostomiasis. *f.* (pat.) ancilostomíase.

anquimuleño, ña. *adj.* que tem as ancas e a garupa muito arredondadas.

anquirredondo, da. *adj.* que tem as ancas muito carnudas e convexas.

anquiseco, ca. *adj.* que tem as ancas descarnadas.

ánsar. *m.* (zool.) ánser, ganso, pato.

ansarería. *f.* lugar onde se criam gansos.

ansarero, ra. *s.* pateiro, que trata de gansos.

ansarino, na. *adj.* que se refere ao ganso. — *m.* ganso novo; anseríneo, anserino.

ansarón. *m.* ganso grande; filho do ganso.

anseático, ca. *adj.* hanseático.

Anselmo. *n. prop.* Anselmo.

ansia. *f.* ânsia, ansiedade, fadiga, angústia, aflição, anelo, tortura, tormento, desejo veemente, agonia, desgosto. opressão física ou moral, anseio; estertor: estuação; almejo; anseio; açodamento; afã; empenho; (germ.) tortura; água; galés.— *pl.* náuseas, prenúncios de vómito: *estar en las ansias de la muerte*, estar nas ânsias da morte: *cantar uno en el ansia*, confesar no tormento.

ansiado, da. *adj.* e *p. p.* ansiado, desejado, apetecido; aflito: nauseado; que tem ânsia.

ansiar. *v. tr.* ansiar, causar ânsia a; fazer sofrer; desejar ardentemente; oprimir; almejar; arfar; pedir apertadamente; anelar, ambicionar. — *v. intr.* ansiar, ter ânsia.

ansiático, ca. *adj.* V. **anseático.**

ansiedad. *f.* ansiedade, ânsia, angústia; incerteza aflitiva; desejo ardente; impaciência; opressão; inquietação de espirito; apertada; desassossêgo; agastamento; afã; anhelo; (med.) ansiedade, angústia, dificuldade de respiração.

ansina. *adv.* (pop.) V. **así.**

ansioso, sa. *adj.* ansioso, que tem ânsia. ansiado, aflito, agoniado, anelante; ávido, desejoso; famélico; avaro; afanado.

anta. *f.* (zool.) anta, alce; (arq.) anta, menir, pilastra; dólmen.

antagalla. *f.* (mar.) antegalha, tomadoiro onde se amarra a vela; certa manobra com as velas.

antagallar. *v. tr.* (mar.) manobrar as velas para que oponham menos resistência à força do vento, meter na antegalha.

antagónico, ca. *adj.* antagónico, (Bras.) antagônico, contrário, oposto.

antagonismo. *m.* antagonismo; incompatibilidade; rivalidade; oposição de sistemas; colisão, contrariedade.

antagonista. *s.* antagonista, contraditor, impugnador; rival, émulo, (Bras.) êmulo, contendedor, contendente, adversário.

antainar. *v. intr.* (pop.) azafamar-se; dar-se pressa para fazer alguma coisa.

antalgia. *f.* (med.) antalgia.

antálgico, ca. *adj.* antálgico, anódino, análgico.

antana (llamarse.) V. **andana.**

antanaclasis. *f.* (ret.) antanáclase.

antanagoge. *f.* (ret.) antanagoge.

antañino, na. *adj.* raquítico; enfermiço.

antañada. *f.* (poc. us.) V. **antigualla.**

antañazo. *adv.* muito tempo há.

antaño. *adv.* antanho, o ano passado; (fig.) outrora; nos tempos passados.

antapódosis. *f.* (ret.) antapódose.

antares. *f.* (astr.) antares.

antártico, ca. *adj.* (astr. e geog.) antárctico.

ante. *m.* (zool.) anta, alce; a pele deste animal.

ante. *prep.* ante, diante de, perante; (ant.) antes; ante mí, ante mim; ante todo, ante tudo; em comparação, respeito de. — *m.* (ant.) primeira refeição; (Amér.) bebida do Peru; doce de México; espécie de xarope ou bebida doce.

anteado, da. *adj.* antado, de cor de anta.

antealtar. *m.* espaço entre o altar e a teia.

anteanoche. *adv.* anteontem à noite.

anteanteayer. *adv.* há três dias.

anteanteanoche. *adv.* há três noites, trasantontem à noite.

anteayer. *adv.* anteontem, antontem.

antebrazo. *m.* (anat.) antebraço.

antecedencia. *f.* antecedência, precedência, anterioridade.

antecedente. *m.* antecedente, acção ou circunstância anterior; antecedente, primeiro termo de uma razão. — *pl.* factos anteriores, antecedência; (cir.) fonte. — *adj.* antecedente, adiantado, anterior, precedente, prévio. — *f.* (med.) anamese.

anteceder. *v. tr.* anteceder, preceder, antepassar, estar antes de, vir antes de — *v. intr.* anteceder, preceder, ser anterior.

antecesor, ra. *adj.* antecessor; ascendente; precedente, predecessor. — *s.* antecessor, predecessor. — *pl.* os antepassados, ascendentes, antecedentes, avoengos, avós, maiores, progenitores.

antecanto. *m.* antecanto, estribilho, repetido no princípio de cada estrofe.

anteclásico, ca. *adj.* anteclássico.

anteco, ca. *adj.* (geog.) anteco. — *m. pl.* antécios, antíscios.

antecoger. *v. tr.* agarrar uma pessoa ou coisa e empurrá-la para diante; colher antes do tempo; apanhar e levar a diante.

antecolumna. *f.* (arq.) antecoluna.

antecos. *m. pl.* (geog.) antecos, antécios, antíscios.

Antecristo. *m.* Anticristo.

antedata. *f.* antedata, data anterior ou falsa.

antedatar. *v. tr.* antedatar, pôr antedata em; pôr data falsa.

antedecir. *v. tr.* antedizer, prognosticar, anunciar, predizer. — *conj.* com *decir.*

antedía. *adv.* no dia anterior, na véspera; pouco antes, antedia.

antedicho, cha. *adj.* e p. p. predito; vaticinado; expresso; já dito.

ante-espolón. *m.* esporão de uma ponte.

anteferir. *v. tr.* (ant.) anteferir. V. **preferir**.

antefija. *f.* (arq.) antefixa.

antefijo. *m.* (arq.) antefixo.

antefirma. *f.* antefirma.

anteflexión. *f.* (med.) anteflexão.

antefoso. *m.* (mil.) antefosso.

antegabinete. *m.* antegabinete.

anteguardia. *f.* (ant. e mil.) anteguarda, vanguarda.

antehélice. *f.* (anat.) antélice.

antehélix. *m.* (anat.) anti-helix.

antejuicio. *m.* (for.) juízo prévio.

antelación. *f.* antelação, antecipação, anterioridade; precedência, prioridade: con *antelación*, de antemão.

antelar. *v. tr.* V. **anticipar**.

antelia. *f.* (astr.) antélio.

antelucano, na. *adj.* (ant.) antelucano, que se faz antes do romper do dia.

antellevar. *v. tr.* (Amér.) levar diante; atropelar, empurrar violentamente.

antellevón. *m.* atropelamento.

antemano, de. *adv.* de antemão, antecipadamente.

antemeridiano, na. *adj.* (geog.) antemeridiano.

antemostrar. *v. tr.* (ant.) antemostrar, predizer, prognosticar.

antemural. *m.* antemural, antemuro, barbacã, fortaleza, antemuralha; (fig.) protecção, defesa.

antemuralla. *f.* antemuralha. V. **antemural**.

antemuro. *m.* (fort.) antemuro, barbacã, antemuralha.

antena. *f.* (mar.) antena, verga, mastaréu; (fís.) antena, fio de emissão ou captação das ondas; (zool.) antena, apêndice móvel dos animais articulados: *antena de cuadro*, antena de quadro; *antena de radio*, colector de ondas; *antena receptora*, antena receptora; *antena emisora*, antena emissora; *antena direccional*, antena giratória; *antena interior*, antena interior.

antenado, da. *adj.* antenado, que tem antenas. V. **entenado**.

antenatal. *adj.* antes do nascimento.

antenífero, ra. *adj.* (zool.) antenífero, antenado.

anteniforme. *adj.* anteniforme.

antenoche. *adv.* anteontem à noite.

antenombre. *m.* antenome, prenome.

anténula. *f.* (zool.) anténula.

antenunciar. *f.* predizer; prognosticar; antedizer.

antenupcial. *adj.* antenupcial.

anteojera. *f.* caixa de óculos; antolhos de cabeçada de cavalgadura.

anteojero. *m.* oculista; fabricante ou vendedor de óculos.

anteojo. *m.* óculo de pôr no nariz; luneta; óculo de grande alcance. — *pl.* binóculos: *anteojo de larga vista*, óculo de ver ao longe, binóculo; *anteojo prismático*, binóculo prismático.

antepagar. *v. tr.* antepagar, pagar com antecedência.

antepalco. *m.* antecâmara, espaço que dá ingresso ao palco.

antepasado, da. *adj.* e p. p. antepassado, pretérito, antecessor, antecedente, anterior, ascendente, prévio. — *s. pl.* antepassados, ascendentes, antecedentes, avoengos, avós, maiores, progenitores, pais.

antepasar. *v. intr.* antepassar, preceder.

antepasto. *m.* antepasto, aperitivo.

antepecho. *m.* parapeito, resguardo; peitoril, peitoral (para resguardar as cavalgaduras); (mar.) anteparo: *antepecho de un palco,* boca da cena.

antepenúltimo, ma. *adj.* antepenúltimo.

anteponer. *v. tr.* antepor, pôr antes; preferir. — *conj.* com *poner.*

antepopa. *f.* (mar.) antepopa, parte anterior da popa.

anteposición. *f.* anteposição, acto de antepor.

anteproyecto. *m.* anteproje(c)to, esboço de projecto; preliminares de um plano.

antepuerto. *m.* (mar.) anteporto; desfiladeiro nas montanhas.

antepuesto, ta. *p. p.* anteposto. — *p. p. irreg.* de *anteponer.*

antequino. *m.* (arq.) V. **esgucio.**

antera. *f.* (bot.) antera.

antérico. *m.* (bot.) antérico, asfodelo.

anteridio. *m.* (bot.) anteridia, anterídio.

anterífero, ra. *adj.* (bot.) anterífero.

anterior. *adj.* anterior, precedente, primeiro, prévio, antecedente, adiantado; antecessor.

anterioridad. *f.* anterioridade, prioridade, antecedência, precedência, preferencia.

antero. *m.* que trabalha em peles de anta.

anterodorsal. *adj.* (anat.) ântero-dorsal.

anteroinferior. *adj.* ântero-inferior.

anteroposterior. *adj.* ântero-posterior.

anterosuperior. *adj.* ântero-superior.

anterozoide. *m.* (bot. e zool.) anterozóide.

antes. *adv.* antes; em tempo anterior; precedentemente; de preferência; arriba. — *conj.* antes, pelo contrário: *cuanto antes,* quanto antes; *antes que,* antes de; (pop.) *antes que,* antes que. ainda que; *antes de que,* não bem; *antes bien,* antes bem; *poner antes,* anteverter; *antes de la hora convenida,* antora; *antes de lugar o de tiempo,* diante, antestempo; *antes de que te cases mira lo que haces,* antes que cases vê o que fazes; *el día antes,* o dia anterior.

antesala. *f.* antessala, sala de espera; antecâmara: *hacer antesala,* fazer antessala, esperar para ser recebido.

antesis. *f.* (bot.) antese, floração.

antestatura. *f.* (fort.) antestatura, trincheira ou reparo improvisado.

antevenir. *v. intr.* preceder, vir antes. — *conj. irreg.* com *venir.*

antever. *v. tr.* antever, ver antes, prever, antessentir, futurar. — *conj. irreg.* como *ver.*

anteversión. *f.* (med.) anteversão.

antevíspera. *f.* antevéspera, dia anterior à véspera.

antevisto. *ta. p. p.* antevisto. futurado, previsto. — *p. p. irreg.* de *antever.*

antiabolicionismo. *m.* antiabolicionismo.

antiabolicionista. *adj.* e *s.* antiabolicionista.

antiabortivo, va. *adj.* antiabortivo.

antiacadémico, ca. *adj.* antiacadémico.

antiácido, da. *adj.* (quím.) antiácido.

antiaéreo, a. *adj.* antiaéreo: *cañón antiaéreo,* canhão antiaéreo.

antiafrodisíaco, ca. *adj.* antiafrodisíaco, anafrodisíaco.

antiaglutinante. *adj.* antiaglutinante.

antiálcali. *m.* (quim.) antiálcali.

antialcalino, na. *adj.* (quím.) antialcalino.

antialcohólico, ca. *adj.* antialcoólico.

antiapoplético, ca. *adj.* antiapoplético.

antiar. *m.* antiar, antiarina.

antiaris. *m.* (bot.) antiáris.

antiarina. *f.* (quím.) antiarina.

antiaristocrático, ca. *adj.* antiaristocrático.

antiartístico, ca. *adj.* antiartístico.

antiartrítico, ca. *adj.* (med.) antiartrítico.

antiasmático, ca. *adj.* (med.) antiasmático.

antibaquio. *m.* (poet.) antibáquio.

antibilioso, sa. *adj.* (med.) antibilioso.

antibiosis. *f.* (pat.) antibiose.

antibiótico, ca. *adj.* e *m.* (farm. e quím.) antibiótico.

antiblenorrágico, ca. *adj.* (terap.) antiblenorrágico.

antibrómico, ca. *adj.* antibrómico, que combate o mal cheiro.

anticanceroso, sa. *adj.* (terap.) anticanceroso.

anticanónico, ca. *adj.* anticanónico, (Bras.) anticanônico.

anticaño, ña. *adj.* (Amér.) muito velho.

anticardenal. *m.* anticardeal, cardeal nomeado por antipapa.

anticardio. *m.* (anat.) anticárdio.

anticatarral. *adj.* (med.) anticatarral.

anticátodo. *m.* (fís.) anticátodo.

anticatolicismo. *m.* anticatolicismo.

anticatólico, ca. *adj.* anticatólico, acatólico.

anticefalálgico, ca. *adj.* (terap.) anticefalálgico.

anticiclón. *m.* anticiclone.

anticipación. *f.* antecipação, avanço, antelação, adiantamento.

anticipada. *f.* (esgr.) finta, certo golpe no jogo da esgrima; simulação, disfarce.

anticipador, ra. *adj.* antecipador, que antecipa ou adianta.

anticipamiento. *m.* V. **anticipación.**

anticipar. *v. tr.* antecipar, prevenir, avançar, emprestar, adiantar, dar ou receber antes. — **anticiparse.** *v. r.* antecipar-se, adiantar-se; chegar antes da época própria; prevenir.

anticipo. *m.* antecipação, adiantamento de dinheiro; avanço; antepaga; abono: *anticipo de dinero,* dinheiro adiantado; *anticipar dinero,* pagar adiantado; *recibir un anticipo,* receber um abono.

anticívico, ca. *adj.* anticívico.

anticivismo. *m.* anticivismo.

anticlerical. *adj.* anticlerical, contrário ao clero.

anticlericalismo. *m.* anticlericalismo.

anticlimax. *m.* (gram. e ret.) anti-climax.

anticlinal. *adj.* (geog.) anticlinal, anticlíneo

anticoagulante. *adj.* e *m.* (terap.) anticoagulante.

anticohesor. *m.* (electr.) anticoesor.

anticolérico, ca. *adj.* (terap.) anticolérico.

anticolonialismo. *m.* anticolonialismo.

anticolonialista. *adj.* e *s.* anticolonialista.

anticomercial. *adj.* anticomercial.
anticomunismo. *m.* (pol.) anticomunismo.
anticomunista. *adj.* e *s.* (pol.) anticomunista.
anticoncepcionismo. *m.* anticonceicionismo.
anticonstitucional. *adj.* anticonstitucional.
anticonyugal. *adj.* anticonjugal.
antícope. *m.* (pat.) antícope.
anticoposcopio. *m.* anticoposcópio.
anticorrosivo, va. *adj.* anticorrosivo.
anticosmético, ca. *adj.* e *m.* anticosmético.
anticloro. *m.* (quim.) anticloro.
anticrepúsculo. *m.* (astr.) anticrepúsculo.
anticresis. *f.* (for.) anticrese.
anticresista. *s.* (for.) credor no contrato de anticrese.
anticrético, ca. *adj.* (for.) anticrético.
anticristianismo. *m.* anticristianismo.
anticristiano, na. *adj.* anticristão.
Anticristo. *m.* Anticristo.
anticrítico, ca. *adj.* e *s.* anticrítico.
anticuado, da. *adj.* antiquado, velho, desusado, obsoleto; fossilista, arcaico.
anticuar. *v. tr.* antiquar, tornar antigo ou desusado; abolir, derrogar. — *v. r.* tornar-se antigo, ficar fora de moda.
anticuario. *m.* antiquário, que estuda antiguidades; que colecciona ou vende objetos antigos.
anticuerpo. *m.* (med.) anticorpo.
antidáctilo. *m.* (poet.) antidáctilo.
antidemocracia. *m.* (pol.) antidemocracia.
antidemócrata. *adj.* e *s.* antidemócrata, demófobo.
antidemocrático, ca. *adj.* antidemocrático.
antideportivo, va. *adj.* antidesportista.
antideslizante. *adj.* (aut.) antideslizante.
antidetonante. *adj.* antidetonante (gasolina).
antidiabético, ca. *adj.* (med.) antidiabético.
antidiaforético, ca. *adj.* antidiaforético.
antidiarreico, ca. *adj.* (terap.) antidiarreico.
antidiftérico, ca. *adj.* (med.) antidiftérico.
antidiluviano, na. *adj.* V. antediluviano.
antidinástico, ca. *adj.* antidinástico.
antidínico, ca. *adj.* (terap.) antidínico.
antidisentérico, ca. *adj.* (terap.) antidisentérico.
antidiurético, ca. *adj.* antidiurético.
antidogmático, ca. *adj.* antidogmático.
antidogmatismo. *m.* antidogmatismo.
antidontálgico, ca. *aij.* (terap.) antiodontálgico.
antidoral. *adj.* antidoral, aplica-se regularmente à obrigaçáo natural que temos de corresponder aos benefícios recebidos.
antidotario. *m.* antidotário; livro que trata dos antídotos.
antídoto. *m.* antídoto, contraveneno; (fig.) meio preservativo; triaga.
antieconómico, ca. *adj.* antieconómico, (Bras.) antieconômico.
antiemético, ca. *adj.* (terap.) antiemético.
antiepidémico, ca. *adj.* (terap.) antiepidémico.
antiepiléptico, ca. *adj.* (med.) antiepiléptico.
antier. *adv.* (pop.) V. anteayer.
antiesclavista. *adj.* contrário à escravidão, antiescravista.

antiescorbútico, ca. *adj.* (med.) antiescorbútico.
antiescrofuloso, sa. *adj.* (med.) antiescrofuloso.
antiespañol, la. *adj.* antiespanhol, anti-ibérico.
antiespasmódico, ca. *adj.* (med.) antiespasmódico.
antiespiritualismo. *m.* antiespiritualismo.
antiestético, ca. *adj.* antiestético, antistético.
antievangélico, ca. *adj.* antievangélico.
antifármaco. *m.* (terap.) antifármaco, antídoto, contraveneno, triaga.
antifascismo. *m.* (pol.) antifascismo.
antifascista. *adj.* e *s.* (pol.) antifascista.
antifaz. *m.* anteface, antiface, máscara, caraça; antiface, véu para cobrir a cara.
antifebril. *adj.* antifebril, febrífugo, antitérmico, antipirético.
antifernales. *adj. pl.* antifernales, diz-se dos bens que o marido dá à mulher em contrato antenupcial.
antifilosófico, ca. *adj.* antifilosófico.
antifisiológico, ca. *adj.* antifisiológico.
antiflogístico, ca. *adj.* (quím.) antiflogístico.
antífona. *f.* antífona; (fig. fam.) traseiro.
antifonal. *adj.* antifonário. — *m.* antifonário.
antifonario. *m.* antifonário, livro que contém antífonas; (pop.) cu, traseiro.
antifonero, ra. *s.* antifoneiro, chantre que entoa a antífona.
antifonía. *f.* (mús.) antifonia.
antifrasis. *f.* (gram.) antífrase.
antifricción. *m.* antifricção.
antigaláctico, ca. *adj.* (med.) diz-se do que impede a secreção do leite.
antigangrenoso, sa. *adj.* (terap.) antigangrenoso.
antigás. *adj.* antigás.
antigotoso, sa. *adj.* (terap.) antigotoso, antiartrítico.
antígrafo. *m.* (paleog.) antígrafo.
antigramatical. *adj.* antigramatical.
antigripal. *adj.* (med. e quím.) antigripal.
antigualla. *f.* antigualha, antigalha; antiguidades, costumes ou coisas antigas; instituições antigas. — *pl.* móveis, adornos, etc. fora de moda.
antiguamiento. *m.* antiguidade, velhice.
antiguar. *v. tr.* antiquar; tomar antigo; abolir, derrogar. — *v. intr.* tornar-se antiquado.
antigüedad. *f.* antiguidade, antiqualha; ancianidade; velhice; prioridade. — *pl.* antiguidades, antigualhas, coisas antigas.
antiguo, gua. *adj.* antigo, antiquado, arcaico, desusado, obsoleto, velho, senecto, clássico; anoso, ancestral, ancião; antediluviano. — *adv.* antigamente, outrora. — *pl.* antigos, os homens de outro tempo: *en lo antiguo*, antigamente; *a la antigua*, à antiga.
antihéctico, ca. *adj.* (terap.) antihéctico.
antihélice. *f.* (anat.) V. antihélix.
antihelio. *m.* (meteor.) antihelio.
antihélix. *m.* (anat.) anti-hélix.
antihelmíntico, ca. *adj.* anti-helmíntico, antielmíntico, fermífugo.

antihemorrágico, ca. adj. (med.) anti-hemor-
rágico.
antihemorroidal. adj. (med.) anti-hemorroi-
dal.
antiherpético, ca. adj. (terap.) anti-herpé-
tico.
antihidrofóbico, ca. adj. (terap.) anti-hidro-
fóbico.
antihidrópico, ca. adj. (terap.) anti-hidró-
pico.
antihigiénico. ca. adj. anti-higiénico.
antihistérico, ca. adj. (med.) anti-histérico.
antiimperialismo. m. anti-imperialismo.
antiimperialista. adj. e s. anti-imperialista.
antilambda. m. (paleog.) antilambda.
antilegal. adj. antilegal, ilegal
antiliberal. adj. antiliberal.
antiliberalismo. m. antiliberalismo.
antilítico, ca. adj. (terap.) antilítico.
antilogaritmo. m. (mat.) antilogaritmo.
antilogia. f. antilogia, contradição de palavras ou ideias.
antilógico, ca. adj. antilógico, oposto à lógica.
antilogismo. m. (ret.) antilogismo.
antílope. m. (zool.) antílope, algazel.
antillano, na. adj. e s. (geog.) natural de ou
pertencente às Antilhas.
Antillas. (geog.) Antilhas.
antimagnético, ca. adj. (fís.) antimagnético.
antimasónico, ca. adj. antimaçónico.
antimefítico, ca. adj. (terap.) antimefítico.
antimelódico, ca. adj. antimelódico.
antímero. m. (med.) antímero.
antimetábola. f. (ret.) antimetábola.
antimetalepsis. f. (ret.) antimetátese, anti-
metábole, antimetalepse.
antimetátesis. f. (ret.) antimetátese, antime-
tábole, antimetalepse.
antimilitarismo. m. antimilitarismo.
antimilitarista. adj. e s. antimilitarista.
antiministerial. adj. antiministerial.
antimnesia. f. (psicol.) antimnesia.
antimonárquico, ca. adj. antimonárquico.
antimonástico, ca. adj. antimonacal.
antimonial. adj. (quím.) antimonial.
antimoniato. m. (quím.) antimoniato.
antimónico, ca. adj. (quím.) antimónico,
(Bras.) antimônico.
antimonio. m. (quím.) antimónio, (Bras.)
antimônio.
antimonioso, sa. adj. (quím.) antimonioso.
antimonita. f. (min.) antimonita, estibina.
antimoral. adj. antimoral, imoral.
antimoralismo. m. (filos.) antimoralismo.
antinacional. adj. antinacional.
antinatural. adj. antinatural. V. contranatural.
antinefrítico, ca. adj. (med.) antinefrítico.
antineurálgico, ca. adj. (med.) antinevrálgico.
antineurótico, ca. adj. (pat.) antinevrótico.
antinomia. f. antinomia, contradição entre
duas leis; oposição recíproca de duas coisas ou pessoas.
antinomianismo. m. (rel.) antinomianismo.
antinomianos. m. pl. (rel.) antinomianos.

antinómico, ca. adj. antinómico, (Bras.) antinômico; oposto; contraditório.
antinomismo. m. antinomismo.
antipalúdico, ca. adj. antipaludial, antimalá-
rico.
antipapa. m. antipapa.
antipapado. m. antipapado.
antipapazgo. m. antipapado.
antipapista. adj. e s. antipapista.
antipara. f. anteparo, resguardo, precaução; guardavento; biombo; ventarola. —
pl. antiparras, espécie de polainas; (mar.)
antepara.
antiparalelo, la. adj. (geom.) antiparalelo.
antiparalelismo. m. (geom.) antiparalelismo.
antiparasitario, ria. m. e adj. (rad.) anti-
parasitas.
antiparástasis. f. antiparástase.
antiparras. f. pl. (fam.) V. anteojos; óculo de
pôr no nariz.
antipasto. m. (ret.) antispasto, pé de verso
latino composto de quatro sílabas.
antipatía. f. antipatia, aversão, embirração,
detestação, desadoração, birra, asco, repugnância, repulsa, ódio: tener antipatía
a alguien o algo, birrar, antipatizar.
antipático, ca. adj. antipático, detestável,
embirrativo, embirrento, desagradável;
caer antipático a alguien, desengraçar.
antipatizar. v. intr. antipatizar, sentir antipatia, embirrar, birrar.
antipatriota. s. despatriota, antipatriota.
antipatriótico, ca. adj. antipatriótico, despa-
triótico, desnacional.
antipatriotismo. m. antipatriotismo.
antipedagógico, ca. adj. antipedagógico.
antiperiódico, ca. adj. antiperiódico.
antiperistáltico, ca. adj. (fisiol.) antiperistáltico.
antiperistaltismo. m. (fisiol.) antiperistase.
antiperístasis. f. antiperístase.
antiperistático, ca. adj. relativo à antiperístase.
antipestilencial. adj. (terap.) antipestilencial.
antipestoso, sa. adj. antipestilencial.
antipirético, ca. adj. (med.) antipirético, febrífugo, antitérmico.
antipirina. f. (farm.) antipirina.
antipirinismo. m. (med.) antipirismo.
antipirótico, ca. adj. (med.) antipirótico.
antiplástico, ca. adj. (art. e of.) antiplástico.
antipoca. f. (prov.) reconhecimento dum foro com escritura pública.
antipocar. v. tr. (prov.) reconhecer um foro
com escritura pública, obrigando-se à paga dos seus créditos.
antipodágrico, ca. adj. (terap.) antipodágrico.
antipodal. adj. (geog.) antipodal.
antípodas. m. pl. (geog.) antípodas; (fig.)
oposto.
antipoético, ca. adj. antipoético.
antipolítico, ca. adj. antipolítico.
antipontificado. m. V. antipapado.
antipopular. adj. antipopular, contrário ao
povo.
antiprogresista. adj. antiprogressista.

antiproteccionista. *adj.* e *s.* (econ.) antiproteccionista.

antipsórico, ca. *adj.* (med.) antipsórico, aplicável contra a sarna.

antiptosis. *f.* (gram.) antiptose, emprego de um caso por outro.

antipútrido, da. *adj.* e *m.* antipútrido, antiséptico.

antiquísimo, ma. *adj.* antiquíssimo, muito antigo.

antiquismo. *m.* V. arcaismo.

antirrábico, ca. *adj.* anti-rábico.

antirracionalista. *adj.* e *s.* (filos.) anti-racional.

antirracionalismo. *m.* (filos.) anti-racionalismo.

antirradar. *m.* (radiol.) anti-radar.

antirreglamentario, ria. *adj.* anti-regulamentar, oposto aos regulamentos.

antirreligioso, sa. *adj.* anti-religioso.

antirrepublicanismo. *m.* anti-republicanismo.

antirrepublicano, na. *adj.* e *s.* anti-republicano.

antirresis. *f.* (ant.) antírrese, contradição.

antirrético, ca. *adj.* antirrético.

antirreumático, ca. *adj.* (med.) anti-reumatismal.

antirrevolucionario, ria. *adj.* e *s.* anti-revolucionário.

antirríneas. *f. pl.* (bot.) antirrinas.

antirrino. *m.* (bot.) antirrino.

antisarnoso, sa. *adj.* (terap.) antipsórico.

antiscio, cia. *adj.* (geog.) antíscio. — *m. pl.* antiscios.

antisemita. *adj.* e *s.* anti-semita.

antisemítico, ca. *adj.* anti-semítico.

antisemitismo. *m.* anti-semitismo.

antisepsia. *f.* (med.) anti-sepsia.

antiséptico, ca. *adj.* e *m.* (med.) anti-séptico, antipútrido.

antisifilítico, ca. *adj.* (med.) anti-sifilítico.

antisigma. *f.* (gram.) anti-sigma.

antisinodal. *adj.* antisinodal.

antisocial. *adj.* anti-social.

antisocialismo. *m.* (pol.) anti-socialismo.

antisocialista. *adj.* e *s.* (pol.) anti-socialista.

antispasis. *f.* (terap.) antispase.

antistrofa. *f.* antístrofe.

antisubmarino, na. *adj.* (mar.) anti-submarino.

antisudoral. *adj.* (terap.) anti-sudoral.

antitanque. *adj.* (mil.) antitanque: *defensa antitanque*, defesa antitanque.

antiteísmo. *m.* (filos.) antiteísmo.

antiteología. *f.* antiteologia.

antiteológico, ca. *adj.* antiteológico.

antitenar. *adj.* (anat.) antitenar.

antítesis. *f.* (ret. e filos.) antítese; (fig.) oposição, contraste.

antitérmico, ca. *adj.* (fís.) antitérmico, oposto ao calor.

antitetánico, ca. *adj.* antitetânico.

antitético, ca. *adj.* antitético; (fig.) contraditório.

antitipo. *m.* antitipo; figura que representa outra; cópia de um modelo.

antitóxico, ca. *adj.* e *m.* antitóxico. antivenenoso; antídoto, contraveneno, triaga.

antitoxina. *f.* (terap.) antitoxina.

antitrago. *m.* (anat.) antítrago, saliência do pavilhão auricular.

antitrinitario, ria. *adj.* (rel.) antitrinitário, contrário ao dogma da Trindade.

antítropo. *m.* (bot.) antítropo.

antituberculoso, sa. *adj.* (terap.) antituberculoso.

antivariólico, ca. *adj.* (terap.) antivariólico.

antivarioloso, sa. *adj.* (terap.) antivariólico.

antivenenoso, sa. *adj.* antivenenoso.

antivenéreo, a. *adj.* (terap.) antivenéreo, anti-sifilítico.

antivirulento. *adj.* (terap.) antivirulento

antivivisección. *f.* antivivissecção.

antizímico, ca. *adj.* antizímico, contrário à fermentação.

antlíados. *m. pl.* (zool.) antliados.

antobranquio, quia. *adj.* (zool.) antobrânquio.

antocéfalo. *m.* (bot.) antocéfalo.

antocero. *m.* (bot.) antócera.

antocianina. *f.* (quím. e bot.) antocianina.

antófago, ga. *adj.* antófago.

antófilo, la. *adj.* (zool e bot.) antófilo.

antofobia. *f.* (pat.) antofobia.

antófobo, ba. *adj.* e *s.* (pat.) antófobo.

antóforo, ra. *adj.* e *m.* (bot. e zool.) antóforo.

antografía. *f.* antografia.

antográfico, ca. *adj.* antográfico.

antoideo, a. *adj.* semelhante a uma flor.

antojadizamente. *adj.* caprichosamente; fantàsticamente.

antojadizo, za. *adj.* antolhadiço, antojadiço, caprichoso; fantástico.

antojado, da. *adj.* e *p. p.* antojado, antolhado, apetecido, desejado veementemente; (germ.) prêso com grilhões.

antojarse. *v. r.* apetecer, desejar veementemente, antolhar-se; (fig.) ter capricho ou fantasia por.

antojo. *f.* antojo, (Bras.) antôjo, antolho, (Bras.) antôlho, entojo; capricho, juizo precipitado ou antecipado, desejo veemente; fantasia; opinião errada; desejo de mulher grávida; depravação ou perversão do apetite; aparência; figuração; imaginação; preocupação. — *pl.* lunares ou manchas na pele das pessoas atribuidos aos desejos não satisfeitos pela mãe durante o seu embaraço.

antolita. *f.* (paleont.) antólito.

antología. *f.* antologia colectânea, crestomatia, florilégio, excerto, sele(c)ta); (fig.) escolha.

antológico, ca. *adj.* pertencente à antologia.

antólogo. *m.* antologista.

antomanía. *f.* antomania, paixão pelas flores.

antomaníaco, ca. *adj.* e *s.* antomaníaco, antómano.

Antonia. *n. p.* Antónia, (Bras.) Antônia.

antoniano, na. *adj.* antoniano, antonino relativo a Santo António.

antonimia. *f.* (gram.) antonimia.

antónimo, ma. *adj.* e *m.* (gram.) antónimo.

antonino, na. *adj.* V. antoniano.

Antonio. *n. p.* António, (Bras.) Antônio.

antonomasia. *f.* (ret.) antonomásia: *por antonomasia*, antonomàsticamente.

antonomástico, ca. adj. antonomástico.
antor. m. (for.) o vendedor a quem se compra de boa fé alguma coisa furtada.
antora. f. (bot.) antoro.
antorcha. f. brandão; círio; tocha; facho, farol: antorcha de paja, facheira, (fig.) facho, a luz do génio, da razão, etc.
antorchero. m. tocheiro; lustre; castiçal.
antoría. f. acção de descobrir o autor ou primeiro vendedor da coisa furtada.
antorismo. m. (ret.) antorismo, definição.
antoxantina. f. (bot.) antoxantina.
antozoaros. m. pl. (zool.) antozoários, familia de polipeiros.
antozoos. m. pl. (zool.) V. **antozoarios.**
antraceno. m. (quím.) antracina, substância que se obtem pela destilação do alcatrão da hulha.
antracia. f. (med.) antrácia.
antrácico, ca. adj. (anat.) antrácico, antracino.
antracífero, ra. adj. antracífero.
antracina. f. (quím. e pat.) antracina.
antracita. f. (mín.) antracita; carvão fóssil.
antracítico, ca. adj. antracitoso.
antracitoso, sa. adj. antracitoso, antracífero.
antracnosis. f. antracnose.
antracoide. adj. antracóide, semelhante ao antraz.
antracómetro. m. (quím.) antracómetro.
antraconta. f. (min.) antraconite.
antracosis. f. (pat.) antracose.
ántrax. m. antraz, carbúnculo, tumor gangrenoso.
antreno. m. (zool.) antreno.
antro. m. antro, buraco, caverna, cova, covil, furna, gruta, lapa, toca, habitação miserável; abrigo de criminosos; algar; (fig.) inferno.
antróforo. m. (farm.) antróforo.
antrópico, ca. adj. relativo ao homem, humano.
antropobiología. f. (neol.) antropobiologia.
antropocéntrico, ca. adj. antropocêntrico.
antropocentrismo. m. (filos.) antropocentrismo.
antropofagia. f. antropofagia.
antropófago, ga. adj. e s. antropófago andrófago; selvagem, que come carne humana, canibal.
antropofilia. f. antropofilia.
antropofobia. f. antropofobia; misantropia.
antropófobo, ba. adj. e m. antropófobo, misantropo.
antropogénesis. f. antropogénese.
antropogenia. f. antropogenesia.
antropogénico, ca. adj. antropogenético.
antropogeografía. f. antropogeografia.
antropogeográfico, ca. adj. antropogeográfico.
antropoglossa. f. (mús.) antropoglossa.
antropografía. f. antropografia.
antropográfico, ca. adj. antropográfico.
antropoide. adj. e m. (zool.) antropóide.
antropoideo, a. adj. e m. (zool.) antropóideo.
antropólatra. s. antropólatra.
antropolatría. f. antropolatria.
antropolito. m. (paleon.) antropólito.

antropología. f. (hist. nat.) antropologia.
antropológico, ca. adj. antropológico.
antropólogo, ga. s. antropólogo, antropologista.
antropomancía. f. antropomancia.
antropómetra. m. aquele que é versado em antropometria.
antropometría. f. antropometria.
antropométrico, ca. adj. antropométrico.
antropometrismo. m. (filos.) antropometrismo.
antropomórfico, ca. adj. antropomórfico.
antropomorfismo. m. antropomorfismo.
antropomorfita. adj. e s. antropomorfista, antropormofita.
antropomorfo, fa. adj. antropomorfo, antropómórfico.
antropomorfosis. f. (mit. e biol.) antropomorfose.
antroponomía. f. antroponimia.
antropopatía. f. antropopatia.
antropopiteco, ca. adj. e m. (zool.) antropopiteco.
antropoplastia. f. antropoplástica.
antropoquímica. f. antropoquímica.
antroposcopia. f. (terap.) antroposcopia.
antroposociología. f. antroposociologia.
antroposofía. f. antroposofia.
antropoteísmo. m. antropoteismo.
antropoteísta. s. antropoteista.
antropoterapia. f. (terap.) antropoterapia.
antropoterápico, ca. adj. antropoterápico.
antropotomía. f. (cir.) antropotomia.
antropozoico, ca. adj. (geol.) antropozóico.
antruejada. f. entrudada, palhaçada.
antruejar. v. tr. entrudar, jogar o entrudo; entrujar, mistificar; divertir-se à custa de alguém.
antruejo. m. entrudo, carnaval; mistificação; divertimento à custa de alguém.
antruido. m. entrudo. V. **antruejo.**
antrustión. m. (hist.) antrustião.
anturio. m. (bot.) antúrio.
antuviada. f. (fam.) golpe ou pancada que se dá repentinamente; ataque repentino.
antuviar. v. tr. (fam.) dar de repente e primeiro que outro uma pancada ou soco.
antuvión. m. (fam.) ataque, golpe repentino: de antuvión, inopinadamente, de repente.
anual. adj. anual, ânuo; aniversário; renta anual, anualidade.
anualidad. f. anualidade; anuidade; qualidade do que é anual; prestação anual, pagamento anual.
anuario. m. anuário.
anubarrado, da. adj. anuviado, enevoado, nubloso, nublado; (bot.) murcho, amarrotado.
anublar. v. tr. anuviar, nublar, enevoar, escurecer; entrovisar. — **anublarse.** v. r. desvanecer-se; cobrir-se o tempo; encarrancar; empoeirar; entroviscar-se; (bot.) murchar-se; (fig.) encobrir-se, ocultar-se.
anublo. m. V. **añublo.**
anudador, ra. adj. e s. o que dá ou faz nós; tecedor.
anudadura. f. atadura, acção e efeito de atar, juntar ou dar um nó.
anudamiento. m. V. **anudadura.**

anudar. v. tr. atar, juntar; dar um nó; (fig.) juntar. — **anudarse.** v. r. não medrar (diz-se das pessoas e das coisas); desvanecer-se, murchar: *andar relaciones*, atar relações; *anudarse la voz*, ficar-se sem fala.

anuencia. f. anuência, consentimento; condescendência; aquiescência; assentimento; consenso, permissão; aprovação.

anuente. adj. anuente, que anui, condescendente.

anuir. v. intr. anuir, dar consentimento, consentir, condescender, assentir, aprovar.

anulabilidad. f. anulabilidade.

anulable. adj. anulável, abrogável.

anulación. f. anulação, derrogação; abolição; aniquilação; abrogação, abolimento; (fig.) desvanecimento (for.) infirmidade; invalidação, supressão, eliminação (fig.) *anulación de un contrato de arrendamiento*, encampação.

anulado, da. adj. e p. p. anulado, abolido, desfeito; invalidado; eliminado.

anulador, ra. adj. e s. anulador, anulante, anulatório, anulativo, que anula.

anular. v. tr. tornar nulo; abolir; invalidar; aniquilar, destruir; eliminar; inutilizar; cassar; nulificar; incapacitar, inabilitar; derrogar; extinguir; abrogar; desmandar; desatar; desaverbar; esvaecer; (for.) infirmar; frustrar; baldar; cancelar; tornar sem efeito; dissolver; desfazer; revogar, revocar; restituir, tirar o efeito a; fazer que deixe de vigorizar; (fig.) desautorizar: (fam.) *anular a alguien*, meter alguém num chinelo; (for.) *anular un contrato de seguro marítimo*, estornar; (for.) *anular un contrato de arrendamiento*, encampar; *anular una promesa, invitación, etc.*, desconvidar; *anular un matrimonio*, descasar; *anular de un trazo un nombre escrito*, derriscar; (econ.) *anular un encargo*, desencomendar; (for.) *anular el fallo en apelación*, desagravar; (for.) *anular el pronunciamiento*, despronunciar. — **anularse.** v. r. humilhar-se; contrabalançar-se.

anular. adj. anular, relativo ao anel; anelar, anelado: *dedo anular*, dedo anular, (pop.) seu-vizinho.

anulativo, va. adj. anulativo, anulatório, anulante, infirmativo.

ánulo. m. (arq.) ânulo.

anuloso, sa. adj. (zool. e bot.) anuloso, em forma de anel.

anunciación. f. anunciação, acto de anunciar; notícia, publicação; manifestação; revelação, preságio, anúncio; (rel.) Anunciação, festa da Anunciação.

anunciada. f. anunciada, anunciação. V. **anunciación.**

anunciado, da. adj. e p. p. anunciado, publicado, apregoado, proclamado, declarado, enunciado.

anunciador, ra. adj. e s. anunciador, anunciativo, anunciante, declarante, proclamador.

anunciar. v. tr. anunciar, apregoar, assoalhar, declarar, enunciar, espalhar, espres-

sar, noticiar, proclamar, promulgar, propagar, propalar, publicar, fazer saber, dar notícia; predizer, pressagiar; fazer conhecer por anúncio; manifestar, revelar; prevenir da presença ou chegada de; indicar; antedizer; informar; denotar; noticiar. — **anunciarse.** v. r. fazer-se conhecer ou notar; manifestar-se; prevenir da sua chegada.

anunciativo, va. adj. (gram.) anunciativo.

anuncio. m. anúncio, presságio, prognóstico; aviso; convocatória; indício; sintoma.

anuo, nua. adj. ânuo. V. **anual.**

anuresis. f. (pat.) anurese, anúria.

anuria. f. (pat.) anúria, anurese.

anuro. m. (zool.) anuro.

anverso. m. anverso; frente; face; direito; recto (duma folha de papel).

anzolado, da. adj. anzolado, em forma de anzol; que tem anzol.

anzuelo. m. anzol; (fig.) atractivo, engodo, isca, ardil, engano, laço, artifício: (fam.) *tragar el anzuelo*, engullir a pílula; *picar el anzuelo*, cair no anzol; *hacer morder el anzuelo*, fazer cair na corriola.

añada. f. decurso ou duração de um ano; talhões, fôlhas, cada uma das leiras de uma terra de lavoura.

añadido, da. adj. p. p. acrescentado; postiço. — m. postiço de cabelo.

añadidura. f. acrescentamento, aumento; contrapeso; interpolação; incremento, adição, adicionamento, adicionação: *por añadidura*, demais, além de.

añadir. v. tr. acrescentar; aumentar; adicionar; incrementar; adir, agregar; ajuntar; exagerar; amplificar; incorporar.

añafilero. m. anafileiro, o que toca o anafil.

añagaza. f. chamariz; negaça; reclamo; (fig.) engodo, artifício para atrair.

añal. adj. anual, anal. — m. anho, cordeiro; bezerro de um ano. — m. oferta por ocasião do primeiro aniversário do falecimento.

añalejo. m. calendário eclesiástico; folhinha de reza.

añañay! interj. (Amér.) muito bem!

añascar. v. tr. (fam.) aproveitar; juntar ou recolher pouco a pouco coisas miúdas; enredar, embaraçar.

añasco. m. enredo, confusão.

añejar. v. tr. antiquar, envelhecer. — **añejarse.** v. r. antiquar-se; deteriorar-se.

añejo, ja. adj. antigo, velho, ancestral, antiquado, arcaico.

añicos. m. pl. fanicos; pedaços pequenos, cigalhos: *hacer añicos*, fazer-se em pedaços; empregar todos os esforços.

añidir. v. tr. (pop.) V. **añadir.**

añil. m. (bot.) añil; índigo; anileira.

añilal. v. tr. plantação de anileiras.

añilar. v. tr. anilar, tingir de anil.

añilera. f. (bot.) indigueiro.

añilería. f. campo em que se cultiva e labora o anil.

añinero. m. o que comercia ou trabalha em pele de anhos.

añinos. *m. pl.* peles com lã dos cordeiros que não chegam a um ano; lã de cordeiro; anho, cordeiro de menos de um ano.

año. *m.* ano; anho. — *pl.* aniversário, dia de anos; anos, idade avançada (fig.) barbas: *año bisiesto*, ano bissexto; *año común*, ano comum; *año político*, ano civil; *año nuevo*, ano novo; *año económico*, ano económico; *los años verdes*, o agraço da mocidade; *no hay mal que cien años dure*, não há dia sem tarde; *de buen año*, (fam.) gordo, saudável; *entre año*, durante o ano.

año. *m.* (prov.) anho.

añojal. *m.* (agr.) pousio; descanso dado à terra.

añojo, ja. *s.* novilho ou cordeiro de um ano completo.

añoranza. *f.* saudade; soledade; nostalgia; desejo.

añorar. *v. intr.* ter saudade; desejar; arder por alguma coisa, estar muito desejoso.

añoso, sa. *adj.* anoso, que tem muitos anos; antigo; senecto, velho, carregado de anos.

añublar. *v. intr.* enublar, escurecer; cobrir; manchar; enferrujar, alforrar. V. **anublar**.

añudador, ra. *adj.* e *s.* atador, ligador. V. **anudador**.

añudadura. *m.* ligadura, acção de atar ou ligar, atadura.

añudamiento. *m.* V. **añudadura**.

añudar. *v. tr.* atar, ligar; (fig.) juntar, unir, apertar, segurar. V. **anudar**.

añusgar. *v. intr.* engasgar-se; (fig.) desgostar-se, enfadar-se, estar sufocado pela cólera.

aojador, ra. *adj.* e *s.* encantador; fascinador; que dá quebranto ou deita mau olhado.

aojadura. *f.* encanto, fascinação; bruxaria, feitiço, quebranto.

aojamiento. *m.* V. **aojadura**.

aojar. *v. tr.* encantar; fascinar; enfeitiçar; deitar mau olhado, vigiar, embruxar; dar quebranto; (fig.) destruir, danificar, perder; levantar a caça, batendo o mato.

aojo. *m.* encanto; fascinação; feitiço; mau olhado, quebranto; arejo.

Aonia. (geog.) nome antigo de Beócia.

Aónides. *f. pl.* (mit.) Aónides, nome dado às musas que habitavam os montes Aónios.

aonio, nia. *adj.* (poes.) aónio, que pertence às musas.

aoristo. *m.* (gram.) aoristo.

aorístico, ca. *adj.* (filos e gram.) aorístico.

aorta. *f.* (anat.) aorta, artéria magna.

aortalgia. *f.* (pat.) aortalgia.

aortectasis. *f.* (pat.) aortectasia, dilatação da aorta.

aorteurisma. *m.* (med.) aorteurisma.

aórtico, ca. *adj.* aórtico.

aortismo. *m.* (pat.) aortismo.

aortitis. *f.* (pat.) aortite.

aortoclasia. *f.* (med.) aortoclasia.

aortolito. *m.* (pat.) aortólico, cálculo aórtico.

aovado, da. *adj.* e *p. p.* ovado, ovóide, em forma de ovo. — *m.* (arq.) ornato ovado.

aovar. *v. tr.* e *intr.* ovar; desovar.

aovillarse. *v. r.* (fig.) encolher-se muito; fazer-se em novelo, enovelar-se.

apabilar. *v. tr.* preparar o pavio de uma vela. — **apabilarse**. *v. r.* diminuir, escurecer pouco a pouco a luz de uma vela; enfraquecer pouco a pouco até ficar extenuado.

apabullar. *v. tr.* (fam.) achatar; derrotar com argumentos; esmagar; amolgar.

apacentadero. *m.* pastagem, lugar onde pasta o gado.

apacentador, ra. *adj.* e *s.* apascentador, pastor; apascoador.

apacentamiento. *m.* apascentamento, acto ou efeito de apascentar; sustento, apascentação; apascoamento.

apacentar. *v. tr.* apascentar, trazer a pastar; pastorear; (fig.) instruir; recrear; doutrinar, ensinar; apaixonar. — *pres. ind. irr.* **apaciento**, —as, —a, —an; *subj.* **apaciente**, —es, —e, —en.

apacibilidad. *f.* aprazibilidade, agradabilidade; docilidade, suavidade, mansidão, doçura; agrado; pacificação.

apacible. *adj.* agradável; doce, suave; manso; aprazível; que tem bom génio; amável; macio; descansado; pacífico; ameno; dulcifica; formoso; pacato.

apaciguado, da. *adj.* e *p. p.* apaziguado, acalmado.

apaciguador, ra. *adj.* e *s.* apaziguador; pacificador, aquietador.

apaciguamiento. *m.* apaziguamento; pacificação; aquietação; desemperramento; sossego.

apaciguar. *v. tr.* apaziguar, pôr em paz; pacificar; aquietar, sossegar, acalmar; desarmar; dulcificar; amainar; (fig.) adormecer; desagastar; desalterar; desalojar; desencalmar; mesurar; desapoquentar; amansar; avir; desenfurecer; desemborrascar. — **apaciguarse**. *v. r.* apaziguar-se, abrandar-se, adoçar-se; desalterar-se; reconciliar-se; (fig.) deitar água na fervura.

apache. *adj.* apache, diz-se de certos índios selvagens e sanguinários que habitavam nos confins do noroeste da Nova Espanha; (fig.) bandido, salteador, gatuno que ataca para roubar; assassino; homem sanguinário.

apadrinado. *adj. p. p.* e *s.* apadrinhado, que tem padrinho; afilhado; protegido, abonado; (fig.) arrimado.

apadrinador, ra. *adj.* e *s.* apadrinhador, o que apadrinha; protetor; defensor; padrinho de desafio.

apadrinamiento. *m.* apadrinhamento, acto ou efeito de apadrinhar; proteção, defesa; patrocínio.

apadrinar. *v. tr.* apadrinhar, ser padrinho de; (fig.) proteger, defender; servir de padrinho, patrocinar.

apagable. *adj.* apagável, extinguível, delével, que se pode apagar.

apagadizo, za. *adj.* apagadiço; fàcilmente extinguível.

apagado, da. *adj.* apagado; opoucado; acanhado; amortecido; extinto; cobarde, pusilânime; pouco activo, semimorto; desaparecido; desvanecido; expungido; embaçado; desfervoroso; desluzido; (fig.) eclipsado; desmaiado (cor.); abatido; amortecido; ignorado; sumido; gasto; *de color apagado*, de cor desmaiado.

apagador, ra. *adj.* e *s.* apagador, extintor, extinguidor; abafador.

apagamiento. *m.* apagamento, extinção; desvanecimento; definhamento; deperecimento; embaciamento; declinação (cores).

apagar. *v. tr.* apagar; extinguir luz ou fogo; apagar a cal viva; fazer desaparecer a luz; aplicar; abater; humilhar; expungir, (pint.) tirar a cor, apagar o desenho; (fig.) aplacar; apagar; destruir, desvanecer, dissipar; diminuir; suavir; (fig.) delir; consumir abafar. — **apagarse.** *v. r.* apagar-se, extinguir-se; eclipsar-se; deluzir-se; emudecer; (fig.) desflorecer; declinar (cores); desaparecer: *apaga y vámonos*, (fam.) diz-se quando uma coisa tocou o seu termo ou ao ouvir ou ver alguma coisa muito escandalosa ou absurda; (mar.) *apagar la vela*, carregar a vela; *apagarse el fuego*, amortecer o lume; *apagar la cal*, extinguir a cal; *apagar las penas en vino*, alegrar-se; *apagar la lumbre*, abafar a lume; *apagar la voz de alguien*, cobrir a voz de alguém; *apagar la sed*, dessedentar; *apagarse los colores*, destingir-se as cores.

apagma. *f.* (cir.) apagma.

apagogía. *f.* (fil.) apagogia.

apagógico, ca. *adj.* relativo à apagogia.

apagón. *m.* extinção acidental e repentina dum conjunto de luzes.

apagoso, sa. *adj.* (Amér.) V. **apagadizo.**

apainelado, da. *adj.* (arq.) apainelado, que tem forma de painel. — *m.* apainelado.

apaisado, da. *adj.* oblongo, diz-se dos objectos que têm mais comprimento do que largura.

apalabrado, da. *adj.* e *p. p.* apalavrado; contratado, ajustado sob palavra.

apalabrar. *v. tr.* apalavrar, estipular, ajustar sob palavra; combinar; contratar; tratar de palavra alguma coisa. — **apalabrarse.** *v. r.* dar a sua palavra.

apalancamiento. *m.* acção e efeito de mover com alavanca. apalancamento.

apalancar. *v. tr.* mover com alavanca; levantar com alavanca, apalancar; (fig.) apoiar; sustentar, fundar.

apaleado, da. *adj.* e *p. p.* apaleado, espancado, aporreado: *ser apaleado*, apanhar pancadas.

apaleador, ra. *adj.* e *s.* apaleador, o que apaleia; que dá pauladas.

apaleamiento. *m.* apaleamento; espancamento; fustigação. bastonada, sova de pau.

apalear. *v. tr.* apalear; espancar; aventar; fustigar; bater com pau, aporrear; bater o fato com um pau; (agr.) remexer os grãos com um pau para os arejar. — **apalearse,** *v. r.* dar-se uma sova de pau: *apalear dinero*, nadar em dinheiro, em ouro.

apaleo. *m.* apaleamento, espancamento, bastonada, sova de pau.

apalmada. *adj.* palmada, diz-se da mão que apresenta a palma no escudo.

apalmado, da. *adj.* (bot.) apalmado; (herál.) apalmado.

apalpar. *v. tr.* (fam.) apalpar, palpar, tactear, tocar. V. **palpar.**

apanado, da. *adj.* (Amér.) V. **panado.**

apanaje. *m.* (ant.) apanágio, pensão ou propriedade donde se tirava a pensão que se dava a filhos segundos e viúvas nobres, em vida.

apanalado, da. *adj.* que forma células como no favo.

apanar. *v. tr.* (Amér.) V. **empanar.**

apancle. *m.* (Amér.) regueira, canal, acéquia.

apandar. *v. tr.* (fam.) empalmar; agarrar; pilhar; despojar; desvalijar. — **apandarse.** *v. r.* (fam.) ocultar-se viver retirado.

apandar. *v. intr.* V. **pandear.**

apandillar. *v. tr.* formar partidos; excitar à desordem; trapacear no jogo; deitar cartas. — **apandillarse.** *v. r.* apandilhar-se, conluiar-se para contratos dolosos; abandalhar-se; reunir-se para fazer desordem; (germ.) procurar sorte favorável; procurar encontros com gente ordinária.

apanojado, da. diz-se do talo e da flor, dispostos em forma de maçaroca.

apantanar. *v. tr.* apaular, encharcar, converter em paul, tornar pantanoso.

apantomancia. *f.* apantomancia.

apantropía. *f.* (pat.) apantropia.

apántropo, pa. *adj.* e *s.* (pat.) apantrópico, apantropo; misantropo.

apantuflado, da. *adj.* apantufado, que tem forma de pantufa.

apañado, da. *adj.* apanhado; diz-se do tecido semelhante ao pano; apanhado, colhido; (fig.) manchoso; destro; hábil; engenhoso: ¡*estamos apañados!*, estamos asseados!

apañador, ra. *adj.* e *s.* apanhador, aquele que apanha; remendador.

apañadura. *f.* apanhadura; apanhado; pequena parte que se furta nas compras, ratonice; gatunice, ladroíce; adorno na borda das colchas, cobertores, etc.

apañar. *v. tr.* colher; apanhar; agarrar com a mão; roubar; levar às escondidas; arranhar, preparar, ornar; cobrir, embrulhar para abafar; concertar; remendar; ataviar, enfeitar; furtar; (fam.) enroupar; farar; alcançar, obter; apropriar, comprar. — **apañarse.** *v. r.* submeter-se, sujeitar-se; conformar-se; ser destro: *apañar los cuartos a alguien*, empandilhar os cobres a alguém; *apañarse con*, conformar-se com; ¡*estar apañados!* estar asseados!

apaño. *m.* apanha; (fam.) remendo; geito; habilidade; indústria; (ger.) amante, amigo: *tener un apaño*, ter o seu arranjo, ter amante. V. **apañadura.**

apañuscador, ra. *adj.* (fam.) o que amarrota.

apañuscamiento. *m.* aperto, apertadela; espremedura, apertão.

apañuscar. *v. tr.* (fam.) amarrotar; enrugar, encrespar; amachucar; roubar.

aparador. m. aparador, guarda-louça, copeira; délfico; bofete; oficina dum artista; credência, (litur.) — adj. que cose peles de carneiro curtidas; aparador, o que apara; V. vasar: (Amér.) refresco, refrigério: estar de aparador, (fam.) diz-se da mulher que, já composta, está na disposição de receber visitas.

aparadura. f. (mar.) gabordo.

aparar. v. tr. aparar; (agr.) aparar. sachar; coser peças de calçado; cortar; tomar, receber; alisar; cortar as bordas de; aparelhar, dispor, preparar.

aparatarse. v. r. aparatar-se, adornar-se, ataviar-se, enfeitar-se; (Amér.) cobrir-se o céu para chover ou nevar.

aparatero, ra. adj. (Amér.) aparatoso, exagerado, que ostenta ou afecta aparato. pompa e fausto ridículos.

aparato. m. aparato, ostentação, pompa, fausto, esplendor, grandeza, luxo, magnificência, majestade, ostentação sumptuosidade; preparação, aviamento, atavio, adorno; alarde; alardeamento; bizarría; sinal; aparelho; (cir.) aparelho, apósito; (quim. e mec.) aparelho; (med.) conjunto de síntomas; aparato digestivo, aparelho digestivo; aparato bocal, aparelho bocal.

aparatoso, sa. adj. aparatoso, exagerado, luxento, ostentoso, sumptuoso, pomposo, magnificente.

aparcar. v. tr. estacionar, situar um automóvel num lugar.

aparcería. f. parçaria, sociedade agrícola.

aparcero, ra. s. parceiro; sócio agrícola.

apareamiento. m. acção ou efeito de emparelhar; emparelhamento; aparelhamento.

aparear. v. tr. emparelhar, igualar uma coisa a outra; acasalar, reunir macho e fêmea para criação; juntar com outro. — aparearse. v. r. encambrulhar-se; formar, marchar a dois de fundo.

aparecer. v. intr. e r. aparecer; apresentar-se; fazer-se ver, comparecer; revelar-se; acontecer; sair à luz; presentar-se, emergir, despertar; publicarse; mostrar-se; desenhar-se; deparar-se; achar-se, encontrar-se: hacer aparecer, evocar; comenzar a aparecer, despontar. — conj. irr. com comparecer.

aparecimiento. m. aparecimento, aparição.

aparejado, da. adj. e p. p. aparelhado; apto; disposto; idóneo; arreado; preparado; (mar.) aparelhado.

aparejador, ra. adj. e s. aparelhador; preparador; aparelhador, encarregado de certas obras, imediatamente inferior ao arquitecto; agente técnico de engenharia.

aparejamiento. m. aparelhamento, aparelho, preparo, disposição, aprestamento.

aparejar. v. tr. aparelhar; preparar; dispor; arrear; aprestar; pôr arreios em cavalgaduras; enfeitar, adereçar; apetrechar; aprontar; (mar.) aparelhar. — aparejarse. v. r. aparelhar-se, aprestar-se, preparar-se: aparejar un mástil, aparelhar um mastro.

aparejo. m. aparelho; preparo; disposição; arreio; ferramenta; aprestos bélicos, baixela; máquina para levantar pesos; aparelho; primeira camada de óleo no pano; aparelho, corda com anzóis para pescar; (mar.) aparelho, conjunto dos mastros, paus e panos; aparelhamento; (mar.) estralheria, adereço de navio, maçama. — pl. atavios; aprestamentos; armação; ferramenta, utensílios; materiais de dourador: aparejo real, aparelho real; aparejo de dos cuadernales, alanta; aparejo de pesca, galeão; aparejo de amasar, amassilho; aparejo de combés, aparelho de convés.

aparentar. v. tr. aparentar; fingir; enganar com aparências; ter ou dar aparência: dar que entender, dar a entender: aparentar creer, fingir crer.

aparente. adj. aparente; conveniente; que aparece; falso; falaz, falacioso, enganoso; fantástico, inautêntico; evidente; exterior que só existe na aparência; ostensível; superficial; visível; notável. considerável.

aparición. f. aparição, visão, aparecimento; fantasma; avantesma; emergência; presença, forma; princípio, orígem; espe(c)tro. V. aparecido.

apariencia. f. aparência, ar, aspecto, exterior, exterioridade, visos; probabilidade; forma, (Bras.) fôrma; disfarce; verosimilhança; fingimento; afiguração; face; assomo; aragem; (fig.) achada, frontaria, cor, (Bras.) côr; en apariencias, salvar as aparências; no fiarse de las apariencias, não se fiar das aparências; cambiar de apariencia, despintar-se; guardar las apariencias, salvar as aparências; apariencia marcial, arreganho; apariencia engañosa, exterioridade; obrar por las apariencias, fazer as coisas por demais; las apariencias engañan; nem tudo é o que aparenta; por las apariencias, em aparência; (fig.) dar buena apariencia a algo, acafelar; apariencia falsa, foscas, fantasmagoria; no hay que fiarse de las apariencias, por fora cordas de viola e por dentro pão bolorento; hablar según las apariencias, falar de antojo; no se debe juzgar por las apariencias, não se deve julgar dos homens como dum painel; la hipocresía tiene apariencia de virtud, a hipocrisia tem cor de virtude.

aparrar. v. tr. aparrar; aparreirar, criar parra; criar folhas, cobrir de folhas, enramar. — v. r. (Amér.) V. agacharse.

aparroquiar. v. tr. afreguesar, arranjar fregueses; fazer clientes.

aparta. f. (Amér.) gado destetado; separadouro do gado.

apartación. f. (ant.) aparta. V. repartición.

apartadizo, za. adj. apartadiço; intratável, insociável. — m. apartamento.

apartado, da. adj. e p. p. apartado, retirado; distante; longinquo; diferente; distinto; remoto; desunido; ermo, (Bras.) êrmo; enconchado; encantoado; desconvizinho; desligado; separado, afastado; solitario; distante; independente. — m. apartado. separação das reses; alínea; apartado.

subdivisão de parágrafo; caixa postal; recanto; (Amér.) operação de apartar metais; edifício dependente da casa da moeda, onde se faz esta operação: *lugar apartado*, desterro desvio, eremitério; *apartado del mundo*, extramundano; *mantenerse apartado*, arrojar de si.

apartador, ra. *adj.* e *s.* apartador; (germ.) ladrão de gado

apartamento. *m.* apartamento, compartimento, aposento: *serie de apartamentos*, fuga de casas.

apartamiento. *m.* apartamento; lugar retirado; desistência; furto; retiro; separação; afastamento; partida; ausência; solidão; sítio oculto; desvizinhança; deslocação; desencontro; incomunicação; (for.) acto judicial: *apartamiento del deber*, deslize; (mar.) *apartamiento del meridiano*, apartamento do meridiano; *apartamiento de un empleo*, destituição; (pop.) *apartamiento de ganado*, roubo de gado.

apartar. *v. tr.* apartar, separar; afastar; dissuadir; seguir a pista, perseguir um animal; separar as qualidades de lã; (for.) desistir de uma acção; separar, escolher; pôr longe; desviar; evitar; desadunar; desagregar, desajuntar; desanexar; acantoar; dissuadir, fazer desistir; incomunicar; desterrar; desunificar; demover; desaproximar; abdicar; exce(p)tuar; escomungar; arrimar; deslocar; desencaminhar; despegar; (fig.) desamarrar; desterrar; desprender; retirar; apaziguar; (Amér.) extrair o ouro contido nas barras de prata.—**apartarse.** *v. r.* apartar-se; divorciar; desviar-se; desquitar-se; isolar-se; afastar-se; separar-se; incomunicar-se; aposentar-se; arrancar-se; (for.) desistir de um recurso *apartar del mundo a alguien*, desacamar; *apartar la atención o el cuidado*, despreocupar-se; (fig.) *apartar del deber*, desencostar; *apartar del vicio*, desengolfar; *apartar del trato social*, enclausurar; *apartar del buen camino*, desgarrar; *apartarse de un hábito*, desacostumar; *apartarse del trato social*, enconchar-se, encovar-se; *apartarse de un asunto*, descair.

aparte. *adv.* aparte; separadamente; em separado, à parte; à distância, desde longe; con distinção; com omissão de ou preterição de.—*m.* (tipog.) parágrafo, espaço; (teatr.) aparte, o que um actor diz simulando falar consigo; (Amér.) separação do gado pertencente a diferentes donos: *aparte de*, afora; *poner aparte*, apartar, *llamar aparte*, chamar aparte; *hacer apartes en un discurso*, apartear.

apartidar. *v. tr.* tomar partido por alguém.

apartijo. *m.* V. **apartadijo.**

aparvadera. *f.* aparvadero.—*m.* V. **allegadera.**

apasionado, da. *adj.* apaixonado, dominado por paixão; afe(c)tado; dorido; partidário de alguém; amador; fanático; exaltado; embeiçado; ardente, ardego; abreptício, enamorado, amoroso; extremoso;

entusiasta; acérrimo; (fig.) ébrio, encendido; devoto.—*m.* (germ.) carcereiro.

apasionamiento. *m.* paixão; afeição violenta; derretura, derretimento; fanatismo; (fig.) embeiçamento; exaltação.

apasionar. *v. tr.* apaixonar; causar paixão a; exaltar; contristar; afligir; atormentar; enamorar; entusiasmar; embeiçar; (fig.) derreter.—**apasionarse.** *v. r.* apaixonar-se; agastar-se; afeiçoar-se com excesso; enamorar-se; ir aos ares, abrasar-se; ficar pelo beiço.

apastar. *v. tr.* apascentar, pascer, pastar, pastorear. V. **apacentar.**

apastillado, da. *adj.* (Amér.) de cor branca um pouco rosada.

apatia. *f.* apatia; indolência; indiferença, impassibilidade; insensibilidade; marasmo; falta de energia; letargo, torpor; prostração moral; (pop.) pachorra, demora, lentidão.

apático, ca. *adj.* apático, indiferente, indolente, insensível, impasível.

apatita. *f.* (min.) apatita, apatite.

apatizar. *v. tr.* apatizar, tornar apático.

apátrida. *adj.* e *m.* apátrida; despatriado.

apatronarse. *v. r.* (Amér.) amancebar-se a mulher; contratar-se para servir um patrão.

apatuscar. *v. tr.* construir uma parede de barro, de taipa.

apatusco. *m.* (fam.) ornato; enfeite; adorno.

apayasado, da. *adj.* e *p. p.* apalhaçado; semelhante a palhaço; ridículo.

apayasar. *v. tr.* tornar semelhante a palhaço; ridiculizar.—**apayasarse.** *v. r.* proceder como um palhaço.

apea. *f.* peia; trava.

apeadero. *m.* apeadeiro, apeadouro, apeadeira, apeadoiro; pedra ou cepo para montar a cavalo; apeadeiro, lugar de curta paragem numa linha férrea; (fam.) casa habitada com carácter interino.

apeador, ra. *adj.* que apeia.—*m.* medidor, agrimensor, abalizador.

apealar. *v. tr.* (Amér.) travar as mãos dum animal para o derribar.

apeamiento. *m.* apeamento; desmontada. V. **apeo.**

apear. *v. tr.* apear; calçar um carro; medir; delimitar; (arq.) especar; exonerar; (fig. e fam.) dissuadir; fazer descer; desmontar; (fig.) humilhar; medir um terreno; delimitar; demarcar; escorar; vencer uma dificuldade; desempregar, exonerar, destituir; privar, demitir; tirar do pedestal; demolir; desmontar.—**apearse.** *v. r.* apearse, desmontar; descer; desembarcar: *apearse de un caballo*, descavalgar; (fam.) *apearse de su burro*, descer-se da sua opinião; *apearse en marcha de un vehículo*, amorcegar; *apear el río*, passar o rio a vão; *ancla apeada*, âncora que está no fundo.

apechugar. *v. tr.* empurrar com o peito; atacar de frente; intentar com audácia; (fig.) resolver-se sem atender a coisa alguma;

apechugar con la responsabilidad, arcar com a responsabilidade.

apedazamiento. *m.* estrafego, (Bras.) estrafêgo, despedaçamento.

apedazar. *v. tr.* despedaçar, espedaçar; estrafegar; remendar, reparar.

apedreadero. *m.* lugar onde os rapazes vão jogar a pedra.

apedreado, da. *adj.* e *p. p.* apedrejado; salpicado de várias cores; pedrado; apedrado.

apedreador, ra. *adj.* e *m.* apedrejador, fundibulário.

apedreamiento. *m.* apedrejamento; lapidação; apedramento; empedramento.

apedrear. *v. tr.* apedrejar; granizar; lapidar; atirar pedras a; suplicar com pedradas; correr à pedradas; (fig.) ofender, insultar. — *v. intr.* cair pedra, granizar. — **apedrearse.** *v. r.* ficar destruido pela saraiva: *apiedrear con la honda,* fundibular.

apedreo. *m.* apedrejamento. V **apedreamiento.**

apegado, da. *adj.* e *p. p.* apegado, devotado, devoto. aferrado.

apegadura. *f.* pegadura; ligação; apegamento; contágio.

apegar. *v. tr.* pegar; colar; grudar; apegar; juntar, unir; afeiçoar, comunicar; contagiar. — **apegarse.** *v. r.* ganhar apego ou afeição; apegar-se; tornar-se contagioso.

apego. *m.* (fig.) apego, (Bras.) apêgo; afeição; afecto; bem; adesão; aferro; insistência; afinco, apegamento: *apego al dinero,* aferramento ao dinheiro.

apelable. *adj.* apelável, de que se pode apelar; remediável.

apelación. *f.* apelação; (fam.) conferência médica; (for.) apelação, recurso para tribunal superior; chamamento: *no tener apelación,* não ter apelação nem agravo.

apelado, da. *adj.* e *p. p.* apelado. — *m.* (for.) apelado, litigante contra quem se interpôs apelação; recorrido.

apelado, da. *adj.* que tem pelo de cor igual (diz-se das cavalgaduras).

apelambrar. *v. tr.* curtir as peles.

apelante. *p. a.* (for.) apelante, recorrente. — *s.* apelante, recorrente; agravante.

apelar. *v. intr.* (for.) apelar, recorrer, chamar em testemunho; invocar socorro de; buscar recurso; agravar. — *v. r.* referir-se a, recair.

apelar. *v. intr.* ter o pelo da mesma cor (cavalos, etc.).

apelativo. *adj.* (gram.) apelativo: *nombre apelativo,* nome apelativo.

apeldar. *v. intr.* (germ.) fugir, escapar-se.

apelde. *m.* (germ.) fuga, fugida, evasão; toque de sino antes de amanhecer nos conventos da ordem de S. Francisco.

apelmazado, da. *adj.* condensado, comprimido. V. **amazacotado.**

apelmazamiento. *m.* condensação, compressão; apertão.

apelmazar. *v. tr.* condensar, comprimir: (fig.) atormentar, molestar, afligir.

apelotonar. *v. tr.* e *r.* formar pelotões.

apellar. *v. tr.* adubar, curtir as peles.

apellidador, ra. *adj.* e *s.* apelidador. V. **apellidero.**

apellidamiento. *m.* apelidação, acção de apelidar; designação, nomeação.

apellidar. *v. tr.* apelidar, designar por apelido; cognominar; nomear; alcunhar; apregoar; chamar em auxílio; convocar para a guerra ou uma expedição; denominar; aclamar. — **apellidarse.** *v. r.* chamar-se, apelidar-se; qualificar-se.

apellido. *m.* apelido; sobrenome; cognome; alcunha; designação particular de certas coisas; nome de família; (ant.) apelido, chamamento às armas; clamor, grito; invocação; (for.) processo; causa solene; clamor de socorro.

apena. *adv.* V. **apenas.**

apenado, da. *adj.* e *p. p.* apesarado; atribulado, triste, desolado, desgostoso.

apenamiento. *m.* acção de apenar, de causar desgosto; (prov.) punição, multa, imposição de pena.

apenar. *v. tr.* apenar; causar pena; atribular; apiedar; apesarar; desgostar, afligir; aplicar uma pena; (prov.) apenar, punir, impor pena, multar. — **apenarse.** *v. r.* desgostar-se, afligir-se; molestar-se; apiedar-se.

apenas. *adv.* apenas, logo que; unicamente; quase não; dificilmente; somente; a custo.

apendectomía. *f.* (cir.) apendicectomia, ablação do apêndice ileocecal.

apendicalgia. *f.* (med.) apendicealgia, dor no apêndice.

apéndice. *m.* (anat.) apêndice; suplemento, apêndice no fim de uma obra; (bot.) apêndice, prolongamento das flores e das folhas; acessório; acrescentamento.

apendicectasia. *f.* (pat.) apendicectase.

apendicectomizar. *v. tr.* (cir.) fazer a apendicectomia.

apendicitis. *f.* (med.) apendicite, inflamação de apêndice ileocecal.

apendicular. *adj.* (hist. nat., zool.) apendicular, relativo ao apêndice.

apendiculario, ria. *adj.* apendicular.

apendículo. *m.* (hist. nat.) apendículo, pequeno apêndice.

apensionado, da. *adj.* apensionado. muito ocupado com serviços ou negócios.

apensionar. *v. tr.* pensionar, conceder pensão a. — **apensionarse.** *v. r.* (Amér.) tornar-se triste, afligir-se.

apeñuscar. *v. tr.* apinhar; amontoar; acumular.

apeo. *m.* demarcação de terras, acto de demarcação; (arq.) andaime para demolir um edifício.

apeonar. *v. intr.* andar em pé; correr, saltitar as aves, especialmente as perdizes.

apepinado, da. *adj* empepinado.

apepsia. *f.* (pat.) apepsia, dificuldade em digerir.

apépsico, ca. *adj.* (pat.) apépsico.

aperador. *m.* carpinteiro de carros; abegão; caseiro; feitor; rendeiro; quinteiro; capataz duma mina.

aperar. *v. tr.* construir, compor, ajeitar carros; (Amér.) apetrechar, abastecer, fornecer; aparelhar (cavalos, etc.).

apercancarse. *v. r.* (Amér.) abolorecer, criar bolor.

apercatar. *v. intr.* V. percatar.

apercepción. *f.* (filos.) apercepção.

apercibido, da. *adj.* pronto, disposto; admoestado.

apercibimiento. *m.* apercebimento; observação; percepção; preparo; disposição; aviso; ordem, admoestação; adiamento; aparelho; apresto; precaução; (for.) intimação judicial.

apercibir. *v. tr.* aperceber; dispor, aprestar, preparar; pôr em ordem; avisar, admoestar, ordenar; adiar; intimar judicialmente; perceber; notar, dar conta; conhecer; prevenir.

aperción. *f.* aperção, abertura.

aperdigar. *v. tr.* assar uma perdiz na grelha; chamuscar uma ave.

apereá. *m.* (zool.) apereá, quadrúpede roedor da Argentina, parecido com o coelho.

aperezarse. *s. v.* (Amér.) V. emperezarse.

apergaminado, da. *adj.* e *p. p.* apergaminhado, que tem aparência de pergaminho. V. acartonado.

apergaminarse. *v. r.* apergaminhar-se; encorrilhar; secar-se; murchar.

aperiantáceas. *f. pl.* (bot.) aperiantáceas.

aperiantáceo, a. *adj.* (bot.) aperiantáceo.

aperiente. *adj.* (med. e farm.) aperitivo, que desperta o apetite.

aperiódico, ca. *adj.* (mec. e electr.) aperiódico, que não tem período; diz-se do aparelho em que o órgão oscilante volta ràpidamente à posição de equilíbrio.

aperispermeo, a. *adj.* (bot.) aperispérmico.

aperistalsis. *f.* (med.) aperistalse.

aperitivo, va. *adj.* aperitivo. — *m.* aperitivo; antepasto, aperiente; aguçador.

aperitorio. *m.* (art. e of.) aperitório.

apernadura. *f.* apernamento.

apernar. *v. tr.* apernar, agarrar o cão a caça pelas pernas; prender pelas pernas.

apero. *m.* apeiria; conjunto de ferramentas para a lavoura; alfaias agrícolas; abegoaria; ferramenta para qualquer ofício; aprisco, curral, redil; arribana. — *pl.* apeiragem.

aperreado, da. *adj.* e *p. p.* aperreado, perseguido por cães; (fam.) vexado, humilhado; que tem poucos recursos; que vive com dificuldades.

aperreamiento. *m.* aperreação; aperreamento; vexação; humilhação; aborrecimento; excesso de trabalho; cansaço, fadiga.

aperrear. *v. tr.* aperrear; fazer perseguir por cães; (fam.) vexar ou humilhar muito uma pessoa; afligir; atormentar, oprimir; fatigar muito uma pessoa. — aperrearse. *v. r.* (fam.) afadigar-se; viver com dificuldades.

aperreo. *m.* (fam. e fig.) aperreamento; fa-

diga; vexação; aflição; excesso de trabalho.

apersogar. *v. tr.* prender um animal, especialmente pelo pescoço para que não fuja; atrelar.

apersonamiento. *m.* (for.) comparecência em juízo.

apersonarse. *v. r.* (for.) comparecer como parte num negócio ou em juízo; adornar-se, enfeitar-se, preparar-se. V. comparecer.

apertrechar. *v. tr.* V. pertrechar.

apertura. *f.* abertura, acção de abrir; entrada; inauguração; aperção; abrimento; *apertura del Parlamento*, abertura do Parlamento; *apertura de testamento*, abrimento de testamento; *apertura de un pozo artesiano*, furagem; *apertura de negociaciones*, iniciação de negociações; *apertura de la flor*, desabotoadura.

apesadumbrado, da. *adj.* e *p. p.* apesado; afligido; contristado; penalizado; mortificado.

apesadumbrar. *v. tr.* afligir; contristar; entristecer; causar pena. — apesadumbrarse. *v. r.* entristecer-se, afligir-se, contristar-se, estar aflito.

apesarar. *v. tr.* encaramonar, apesarar. V. apesadumbrar.

apesgamiento. *m.* opressão; abatimento; fadiga.

apesgar. *v. tr.* oprimir; abater; humilhar. — apesgarse. *v. r.* afligir-se; fadigar-se; tornar-se muito pesado ou incómodo.

apestado, da. *adj.* e *p. p.* empestado, apestado; (fig.) corrompido, viciado; aborrecido, enfastiado. — *m.* aquele que foi ferido de peste.

apestar. *v. tr.* e *intr.* apestar, empestar; dar mau cheiro; causar peste. inficionar. infe(c)tar, contrair peste; (fig.) corromper, viciar, feder, aborrecer, enfastiar.

apestoso, sa. *adj.* pestilente; fétido; infe(c)to; empestador, nauseabundo, nauseoso, nauseativo; aborrecedor, enfastiador.

apétalo, la. *adj.* (bot.) apétalo, despetalado.

apetecedor, ra. *adj.* apetecedor, apetecível, desejador, apetente.

apetecer. *v. tr.* apetecer, desejar, ambicionar; pretender; ter apetite de; apontar; demandar; anelar. — *v. intr.* causar apetite. — *pres. ind. irr.* apetezco; *subj.* apetezca, etc.

apetecible. *adj.* apetecível; apetente; apetecedor; desejável, convidativo, apetível; cobiçável.

apetencia. *f.* apetência; anelo; apetite; desejo, ambição; predilecção; necessidade, vontade de comer.

apetitivo, va. *adj.* apetitivo, que tem apetite; que desperta apetite; saboroso; sensual.

apetito. *m.* apetite; estímulo; desejo; sensualidade; ambição; predilecção; (fig.) estômago; apetência; (pop.) fornicoques; desejo imoderado; fome; o que excita o apetite. — *pl.* apetites, desejos; fornicoques: *perder el apetito*, perder o apetite; *falta de apetito*, frieza no comer; *apetito sensal,* sensualidade; *apetito carnal,* estímulo da carne; *con apetito,* desenfastiadamente; *despertar el apetito,* desenfastiar; *apetito insaciable,* abdomínia; *excitar el apetito,* apetitar; *hacer perder el apetito,* enfastiar, enfarar; *tener bueno apetito,* ter bom dente.

apetitoso, sa. *adj.* apetitoso, gostoso, saboroso; caprichoso; cobiçoso; supérfluo; desejoso; agradável; tentador, provocante; apetitivo; apimentado; desenfastiosc, desenfastadiço.

apezonado, da. *adj.* que tem forma de mamilo.

apezuñado, da. *adj.* (zool.) apezunhado.

apezuñar. *v. intr.* apezunhar; firmar as patas para fazer força; fincar; calcar, pisar.

api. *f.* (bot.) api.

apiadado, da. *adj.* apiedado, compadecido, enternecido, condoido; piedoso.

apiadador, ra. *adj.* piedoso; apiedador; compassivo; condoido; amerceador.

apiadar. *v. tr.* apiedar, compadecer; amercear; ter compaixão. — **apiadarse.** *v. r.* apiedar-se, comiserar-se, compadecer-se, condoer-se, entenrecer-se, comiserar-se, amiserar-se, acaridar-se.

apianar. *v. tr.* diminuir a intensidade da voz ou do som.

apiaradero. *m.* cômputo que o lavrador faz do número de cabeças de que se compõe cada rebanho ou vara, passando-as por sítio estreito onde possam ser contadas; conjunto de cabeças de um rebanho.

apiario, ria. *adj.* (zool.) apiário, relativo às abelhas. — *m.* apiário, colmeal.

apical. *adj.* apical, relativo a ápice; (med.) apical, relativo à ponta do coração, pulmão, etc.

apicararse. *v. r.* devassar-se; avelhacar-se; depravar-se; corromper-se; debochar-se.

ápice. *m.* ápice; cume; ápice, a parte mais pequena de uma coisa; vértice; o mais alto grau; trema; cimalha; ápice, acento ou outro qualquer sinal ortográfico; (fig.) ápice, o ponto mais difícil de um negócio; (fig.) grande dificuldade; cocoruto; minúcia, subtileza: *por un ápice,* por um ápice, por um triz; *sin ápice,* sem ápice; *en un ápice,* num ápice, num momento.

apicilar. *adj.* (bot.) apicilar; apical.

apicola. *adj.* apícola, relativo às abelhas; apicultural.

apículo. *m.* (biol.) apículo; apícula; (anat.) apículo.

apicultor, ra. *s.* apicultor, criador de abelhas, abelheiro, abelharuco.

apicultura. *f.* apicultura, criação de abelhas, arte de as criar.

apifobia. *f.* (pat.) apifobia, medo mórbido das abelhas.

apiforme. *adj.* apiforme, que tem forma de abelha.

apífugo, ga. *adj.* apífugo, que afugenta as abelhas.

apilada. *adj.* V. **castaña apilada.**

apilado, da. *adj.* empilhado; amontoado,

acumulado; (fig.) enceleirado; enxameado.

apilador, ra. *adj.* e *s.* que empilha, empilhador, amontoador.

apilamiento. *m.* empilhamento, amontoamento, acumulação; (fig.) enceleiramento.

apilar. *v. tr.* empilhar, amontoar; apinhar, encastelar; (fig.) enceleirar: *apilar la cosecha,* apanhar a colheita.

apiñado, da. *adj.* e *p. p.* apinhado, apinhoado, posto em pinha; amontoado, aglomerado; com figura de pinha; denso; acumulado.

apiñadura. *f.* amontoação, amontoamento, amontoado, a(c)ção e efeito de apinhar ou apinhar-se; apertão, apertadela; achatamento.

apiñamiento. *m.* V. **apiñadura.**

apiñar. *v. tr.* apinhar, empilhar, amontoar; ajuntar; agregar, apinhoar; empilhocar; apertar. — **apiñarse.** *v. r.* apinhar-se, agrupar-se, formar pinhas ou pinhões; encher-se, apertar-se.

apiñonado, da. *adj.* (Amér.) de cor de pinhão

apiñuscar. *v. tr.* (Amér.) apinhoar, empilhar, amontoar. V. **apeñuscar.**

apio. *m.* (bot.) ápio; ápio cavalar, salsa de cavalos; ápio de monte ou montano, espécie de cicuta.

apiol. *m.* (quím.) apiol.

apiolar. *v. tr.* pear o falcão, atar os pés à caça morta; (fam.) prender; matar.

apiparse. *v. r.* (fam.) comer e beber em excesso; empanturrar-se.

apir. *m.* (Amér.) V. **apiri.**

apirético, ca. *adj.* apirético, que não tem febre; que faz cair a febre.

apirexia. *f.* (med.) apirexia, estado do enfermo nos intervalos dos acessos febris.

apirina. *f.* (quím.) apirina.

ápiro, ra. *adj.* (min.) ápiro, que resiste ao fogo.

apisonadora. *f.* máquina de apisoar, apisoadora.

apisonamiento. *m.* acção e efeito de calcar a terra, apisoamento.

apisonar. *v. tr.* apisoar pisoar, calcar a terra; bater com pisão.

apitar. *v. tr.* apitar; assobiar; incitar os cães contra o gado.

apitonado, da. *adj.* e *p. p.* V. **quisquilloso.**

apitonamiento. *m.* acção e efeito de *apitonar;* rebentação dos chifres; paixão; ira; raiva; cólera, fúria.

apitonar. *v. intr.* romper, rebentar os chifres; quebrar o ôvo com o bico; romper os cornos dos animais; brotar as plantas; (fig. e fam.) responder com palavras ofensivas, encolerizar-se; ultrajar-se, insultar-se, injuriar-se.

apívoro, ra. *adj.* apívoro, que come abelhas.

apizarrado, da. *adj.* de cor negra azulada; semelhante à ardósia ou piçarra.

aplacable. *adj.* aplacável, que pode ser aplacado, apaciguável.

aplacación. *f.* (ant.) aplacação. V. **aplacamiento.**

aplacado, da. *adj.* e *p. p.* aplacado, apaziguado, tranquilizado, serenado, plácido, acalmado; apagado.

aplacador, ra. *adj.* e *s.* aplacador, tranquilizador, sossegador.

aplacamiento. *m.* aplacação; abrandamento; aplacamento; mitigação, pacificação; suavização.

aplacar. *v. tr.* aplacar, tornar plácido; tranquilizar; serenar; apagar; adquirir a boa disposição de; mitigar; pacificar; suavizar, abrandar; apaziguar; froixar; amansar; desembirrar, desanojar; desempedernir; (fig.) desarmar; achanar. — **aplacarse.** *v. r.* aplacar-se, tranquilizar-se, acalmar-se, adoçar-se: *aplacar la cólera*, cortar a cólera, desenfadar; *aplacar las olas*, descruzar as ondas; *aplacarse del mal humor*, desenfadar-se; *aplacarse el viento*, aquietar-se o vento.

aplacentario, ria. *adj.* (zool.) aplacentário.

aplacer. *v. tr.* aprazer; agradar, contentar, causar deleite; ser aprazível.

aplacerado, da. *adj.* (mar.) diz-se do fundo do mar plano e de pouca profundidade.

aplacible. *adj.* aprazível; agradável.

aplaciente. *p. a.* aprazente.

aplacimiento. *m.* aprazimento, agrado, contentamento, prazer, deleite.

aplanadera. *f.* maço de calceteiro; galga, cilindro para aplanar um terreno, uma calçada.

aplanado, da. *adj.* aplanado, igualado, nivelado, alhanado.

aplanador, ra. *adj.* e *s.* aplanador; aplainador.

aplanamiento. *m.* aplanamento; nivelação, igualação, aplanação; aplainamento; achatamento.

aplanar. *v. tr.* aplanar, tornar plano; nivelar; igualar; alisar; (fam.) desapontar, fazer pasmar; perder animação; assombrar, causar grande admiração. — **aplanarse.** *v. r.* destruir-se; demolir-se; desmaiar-se.

aplanático, ca. *adj.* (fís.) V. **aplanético.**

aplanchar. *v. tr.* engomar. V. **planchar.**

aplanético, ca. *adj.* (fís.) aplanético.

aplanetismo. *m.* (fís.) aplanetismo.

aplantillar. *v. tr.* trabalhar executando um desenho; cortar pedra ou madeira.

aplasia. *f.* (pat.) aplasia.

aplastado, da. *adj.* e *p. p.* achatado, esmagado; amolgado; amassado; aboleimado; chato, deprimido; apertado; confundido.

aplastamiento. *m.* esmagamento; achatamento; apertão; destroço, (Bras.) destrôço; compressão.

aplastar. *v. tr.* achatar; esmagar; amassar; arrombar; amachucar; amolgar; acachapar; abolar; estrafegar; contundir; apertar; oprimir; (fig.) deprimir, perturbar, confundir; assombrar, deixar confuso, sem saber que dizer; embaçar. — **aplastarse.** *v. r.* achatar-se, esmagar-se.

aplástico, ca. *adj.* (fisiol.) aplástico; aplástico, que não tem plasticidade.

aplaudible. *adj.* aplausível, aplaudível.

aplaudido, da. *adj.* e *p. p.* aplaudido; celebrado; gabado; famoso; apoiado: *muy aplaudido*, visado.

aplaudidor, ra. *adj.* e *s.* aplaudente; aplaudidor, o que aplaude; gabador; encomiador; louvador.

aplaudir. *v. tr.* aplaudir, dar aplauso a; louvar; elogiar; aprovar; celebrar; apoiar; encomiar; elogiar; gabar; aclamar. — *v. intr.* aplaudir, bater palmas; felicitar-se; gabar-se, regozijar-se: *aplaudir a rabiar*, aplaudir frenèticamente.

aplauso. *m.* aplauso; aclamação; elogio público; louvor; aprovação; encómio, (Bras.) encômio; gabo; gabação; aceitação; batedura das mãos.

aplazable. *adj.* que pode ser aprazado, prorrogável.

aplazado, da. *adj.* e *p. p.* aprazado; adiado; atempado; prorrogado; dilatado; convocado; citado; diferido.

aplazamiento. *m.* aprazimento; aprazamento; convocação; notificação; citação; emprazamento; delonga; demora; prorroga; adiamento, atempação.

aplazar. *v. tr.* aprazar; diferir, dilatar, prorrogar, retardar; adiar; deixar; emprazar; convocar; notificar; citar; delongar, atardar, atempar; (fig.) estender; entreter. — **aplazarse.** *v. r.* aprazar-se, diferir-se.

aplebeyar. *v. tr.* aplebear, desnobrecer. — **aplebeyarse.** *v. r.* aplebear-se, rebaixar-se; tomar modos de plebeu.

aplestia. *f.* (med.) aplestia, fome insaciável.

apleuria. *f.* (fisiol.) apleuria.

aplicable. *adj.* aplicável, aplicativo; atribuível.

aplicación. *f.* aplicação; adaptação; destino; assiduidade; aplicação, obra de passamanaria; atenção; cuidado; (for.) adjudicação; estudo; efeito; emprego, (Bras.) emprêgo; apropriação; destinação: *aplicación de fondos*, aplicação de fundos; *aplicación de un remedio*, aplicação de um remédio; *aplicación constante*, assiduidade; *aplicación de un sello*, aposição de selo.

aplicadero, ra. *adj.* aplicável. V. **aplicable.**

aplicado, da. *adj.* e *p. p.* aplicado; sobreposto; destinado; estudioso; atento; assíduo; consagrado; aproveitado; dedicado.

aplicar. *v. tr.* aplicar; adaptar; adequar; sobrepor; empregar; receitar; realizar; infligir; destinar a; (for.) adjudicar; unir; juntar; dirigir com grande atenção, apurar; encaminhar; destinar; administrar; assentar; imputar; consagrar; dar; deitar; dedicar; atribuir. — **aplicarse.** *v. r.* aplicar-se, esmerar-se, dedicar-se, consagrar-se; concentrar a atenção; exercitar-se; empregar-se; estudar; desvelar-se: *aplicar ventosas*, deitar ventosas; *aplicar una pena*, infligir uma pena; *aplicar el oído*, aplicar o ouvido; *aplicarse a hacer algo*, chegar a fazer alguma coisa; engenhar-se; *aplicarse sin reservas a una cosa*, entranhar-se.

aplicativo, va. adj. aplicativo, aplicável.

aplique. m. no teatro, traste que se emprega para completar uma decoração; (gal.) candelabro de parede.

aplomado, da. adj. e p. p. aprumado; plúmbeo, da cor do chumbo; achumbado; (fig.) mandrião, vadio; prudente, cauteloso; judicioso.

aplomar. v. tr. e intr. aprumar; pôr vertical; pôr a prumo; endireitar; (ant.) oprimir, sobrecarregar. — **aplomarse.** v. r. abater.

aplomia. f. (zool.) aplomia.

aplomo. m. gravidade; serenidade; circunspecção; aprumo; desempeno; verticalidade; (fig.) altivez: perder el aplomo, atrapalhar-se.

aplónomo, na. adj. (min.) aplónomo.

apnea. f. (pat.) apneia.

apneosfixia. f. (pat.) apneosfixia.

apneumatosis. f. (pat.) atelectasia.

apneumia. f. (fisiol.) apneumia.

apoa. f. (zool.) apoa, serpente do Brasil.

apoatropina. f. (quím.) apoatropina.

ápoca. f. (prov.) ápoca, escrito em que uma pessoa se confessa devedora a outra.

apocado da. adj. e p. p. apoucado; pusilânime; (fig.) de baixa condição; vil; débil; encolhido; infeliz, desventurado; (fig.) apagado; atadinho; falto; assustadiço; empachoso; pacato; cobarde; desditado; desluzido.

apocálbaso. f. (farm.) apocalbase.

apocalipsis. m. apocalipse, revelação divina.

apocalíptico, ca. adj. apocalíptico; (fig.) obscuro, sibilino; difícil de compreender, misterioso; terrorífico, horrível, espantoso.

apocamiento. m. apoucamento; debilidade; abatimento; pusilanimidade; vileza; encolha; cobardia, acobardamento; amedrontamento.

apocar. v. tr. apoucar; diminuir; minguar; reduzir a pouco; rebaixar; restringir; amesquinhar; desdenhar; amedrontar; assustar; (fig.) limitar, estreitar; apequenar, desengrandecer; (fig.) humilhar.— **apocarse.** v. r. apoucar-se, abater-se, acobardar-se.

apocárpeo, a. adj. (bot.) apocarpado, apocárpico.

apocárpico, ca. adj. (bot.) apocárpico, apocarpado.

apocarpo. m. (bot.) apocarpo.

apocatástasis. f. (astr., med. e filos.) apocatástase.

apocatástico, ca. adj. (astr., med. e filos.) relativo à apocatástase, apocatástico.

apócema. f. V. pócima.

apocenosis. f. (pat.) apocenose, evacuação contra a natureza.

apocináceas. f. pl. (bot.) apocináceas, paocíneas.

apocináceo, a. adj. (bot.) apocináceo.

apocinina. f. (quím.) apocinina.

apocino. m. (bot.) apócino.

apócopa. f. (gram.) V. apócope.

apocopado, da. adj. apocopado.

apocopar. v. tr. apocopar, fazer uso de apócope.

apócope. f. (gram.) apócope.

apocrenato. m. (quím.) apocrenato.

apocrénico, ca. adj. (quím.) apocrénico.

apócrifo, fa, adj. apócrifo, falso, inautêntico; adulterino; de autoridade dudivosa; echadiço; fabuloso, suposto; fingido.

apocrisia. f. (pat.) apocrisia, excremento com sintomas de crise.

apócrisis. f. (pat.) apócrisia.

apocromático, ca. adj. apocromático.

apocromatismo. m. apocromatismo.

apocrústico, ca. adj. (med) apocrústico, adstringente, apocrístico.

apodacrítico, ca. adj. (terap.) apodacrítico, que provoca as lágrimas.

apodado, da. adj. e p. p. apodado, motejado, alcunhado; escarnecido.

apodador, ra. adj. e s. apodador, motejador, alcunhador, gracejador.

apodar. v. tr apodar, epitetar, motejar, alcunhar, gracejar; dirigir apodos; zombar; escarnecer; comparar; classificar depreciativamente; cognominar.

apodemialgia. f. (pat.) apodemialgia.

apoderado, da. adj. p. p. e s. apoderado; procurador; mandatario; agente; fa(c)tor; autorizado.

apoderamiento. m. procuração, mandato; emposse, empossamento; apoderamento.

apoderar. v. tr. apoderar; dar poder ou procuração; empossar; encarregar; autorizar. — **apoderarse.** v. r. apoderar-se, tomar posse; assenhorear-se; apressar; apossar-se; apropriar-se; empossar-se; atribuir-se; agarrar-se; usurpar; ganhar; conquistar; apoderarse violentamente de algo, empolgar alguma coisa; apoderarse ilícitamente, apanhar.

apodia. f. (fisiol.) apodia.

apodíctica. f. (rect.) apodíctica.

apodíctico, ca. adj. apodíctico, evidente, demonstrado, incontestável.

apodiosis. f. (ret.) apodioxe.

apodioxis. f. (ret.) apodioxe.

apoditerio. m. (arqueol.) apoditério.

apodo. m. apodo, (Bras.) apôdo; motejo; alcunha, epíteto, agnome: apodo ofensivo, chasco; sacar apodos, dirigir apodos a.

ápodo, da. adj. (zool.) ápode.

apódosis. f. (ret.) apódose.

apodrecer. v. tr. apodrecer, tornar podre; (fig.) corromper moralmente. V. **podrecer.**

apófige. f. (arq.) apófige.

apófisis. f. (anat.) apófise.

apofonía. f. (filol.) apofonia.

apogamia. f. (bot.) apogamia.

apogeo. m. apogeu; (fig.) a maior elevação; auge; culminância; perfeição; (astr.) apogeu

apoginia. f. (bot.) apoginia.

apógrafo. m. apógrafo, cópia de um escrito original.

apolillado, da. adj. roido, traçado; carunchoso; bichoso.

apolilladura. f. orifício que a traça faz nas roupas e noutras coisas; caruncho, roedura dos vermes, da traça.

apolillar. v. tr. roer; traçar. — apolillarse.
v. r. traçar-se, encher-se de caruncho;
(fig.) corromper-se, estragar-se.

apolinarismo. m. apolinarismo. heresia dos
apolinaristas.

apolinarista. adj. e s. apolinarista, sectário
de Apolinário.

apolíneo, a. adj. apolíneo, apolínico, formoso como Apolo.

apolisina. f. (quím.) apolisina.

apolítico, ca. adj. apolítico, estranho à política.

apologética. f. (teol.) apologética.

apologético, ca. adj. apologético, relativo à apologia.

apologetizar. v. tr. apologizar, fazer a apologia de.

apología. f. apologia, defesa, elogio, apologismo; descarga; justificação, louvor, panegírico.

apológico, ca. adj. apológico, apologético, apologal.

apologista. s. apologista; panegirista.

apologizar. v. tr. apologizar, fazer a apologia de; defender.

apólogo, ga. adj. e m. apólogo; verdade moral expressa sob forma de fábula ou alegoria.

apoltronarse. v. r. apoltronar-se; acobardar-se; tornar-se preguiçoso; perder a coragem, a actividade; sentar-se em poltrona.

apomecometría. f. (top.) apomecometria, telemetria.

apomecómetro. m. (top.) apomecómetro.

apomorfina. f. (quím.) apomorfina.

aponeurectomía. f. (cir.) aponeurectomia, aponevroctomia.

aponeurología. f. (anat.) aponevrologia, aponeurologia.

aponeurosis. f. (ant.) aponevrose, aponeurose.

aponeurositis. f. (med.) aponevrosite, aponeurosite.

aponeurótico, ca. adj. (anat.) aponeurótico, aponevrótico.

aponeurótomo. m. (cir.) aponeurótomo.

aponitrosis. f. (quím. e terap.) aponitrose.

apontocar. v. tr. apontoar. suster uma coisa ou dar-lhe apoio com outra; especar.

apopar. v. tr. e intr. oferecer o navío a popa ao vento, maré, etc.

apoplejía. f. (med.) apoplexia, hemorragia cerebral; astrobolismo: acometido de apoplegía, estuporoso; apoplegía fulminante, apoplexia fulminante; apoplegía renal, apoplexia renal; apoplegía pulmonar, apoplexia pulmonar.

apoplético, ca. adj. apoplético, estuporado.

apoquecer. v. tr. (ant.) apoucar, diminuir; reduzir, aperrear.

apoquinar. v. tr. (fam.) explicar; entregar, pagar dinheiro.

aporcador, ra. adj. e s. alporcador, o que alporca.

aporcadura. f. alporque; acacelamento; acção de cobrir as hortaliças com terra.

aporcar. v. tr. (agr.) alporcar; cobrir as hortaliças com terra para que fiquem mais

brancas e tenras, abacelar; amotar; abrir valas nas fazendas para impedir a entrada dos animais.

aporeo. m. (ant. mat.) áporo, problema de difícil resolução.

aporía. f. (ret.) aporia.

aporisma. m. (cir.) aporisma, extravasação do sangue.

aporismarse. v. r. (med.) aporismar-se. V. apostemarse.

aporocéfalos. m. pl. (zool.) aporocéfalos.

aporrar. v. tr. (fam.) perturbar-se; ficar sem saber que dizer. — aporrarse. v. r. (fam.) tornar-se importuno, incómodo ou molesto.

aporratar. v. tr. V. abarrotar.

aporreado, da. p. p. e adj. aporreado; vexado; m. — (Amér.) tratante; guisado de carne de vaca; arrastado; desancado.

aporreadura. f. V. aporreo.

aporreamiento. m. sova, espancamento.

aporrear. v. tr. espancar com pau, aporrear, dar pancadas em; desancar; desasar; bater com pau; golpear, dar golpes, bater. — aporrearse. v. r. trabalhar com excesso, fadigar-se trabalhando.

aporreo. m. acção de espancar, de bater, de dar pancadas; espancamento, sova.

aporrillarse. v. r. (vet.) acurvilhar-se.

aportación. f. acção de entregar cada um a sua cota; conjunto de bens entregues; contribuição.

aportadero. m. desembarcadouro, desembarcadoiro; lugar onde se aporta.

aportar. v. intr. (mar.) aportar, entrar no porto; arribar; fundear; chegar a lugar imprevisto; desembarcar.

aportar. v. tr. (for.) levar cada um a parte que lhe corresponde à sociedade a que pertence; ocasionar; aduzir; contribuir: aportar indicios o pruebas, depor.

aporte. m. contribuição, bens entregues.

aportillar. v. tr. aportilhar, fazer portilhas em; abrir fendas em; fazer abertura em parede. — aportillarse. v. r. cair parte de um muro.

aportuguesado, da. adj. e p. p. aportuguesado, que tem forma portuguesa; que tem modos de português.

aportuguesamiento. m. aportuguesamento.

aportuguesar. v. tr. e intr. aportuguesar, lusificar. — aportuguesarse. v. r. aportuguesar-se.

aposentado, da. adj. e p. p. aposentado; hospedado.

aposentador, ra. adj. e s. aposentador, aquele que aposenta ou hospeda; que dá alojamento.

aposentaduría. f. aposentadoria, aposentamento, aposentação; hospedagem, albergaría, alojamento.

aposentamiento. m. aposentamento. aposentação; alojamento; hospedagem, quarto, habitação.

aposentar. v. tr. aposentar, hospedar; alojar, dar habitação. — aposentarse. v. r. aposentar-se, hospedar-se; instalar-se.

aposento. m. aposento, casa, moradia; agasalho; compartimento de casa; quarto;

pousada; hospedagem; alojamento; dependência; (teatr.) camarote.

aposia. *f.* (pat.) aposia.

aposición. *f.* (gram.) aposição; aposto.

aposiopesis. *f.* (ret.) aposiopese; reticência; interrupção de frase.

apositia. *f.* (pat.) apositia, aposia.

aposítico, ca. *adj.* (pat.) aposítico, que faz cessar o apetite.

apositivo, va. *adj.* (gram.) apositivo, que tem aposição.

apósito. *m.* (med.) apósito; (cir.) almofadinha; aparelho; parche ou ligadura aplicada a um ferimento; emplastro; compressa.

apostadero. *m.* lugar onde estacionam os navios de guerra; posto, posição; porto de navios de guerra; departamento marítimo.

apostado, da. *adj.* e *p. p.* apostado; competido; arriscado, disputado, rivalizado.

apostador. *m.* apostador, que aposta.

apostar. *v. tr.* apostar; competir; arriscar; fazer aposta de; sustentar; postar, colocar em posição; embelezar; adornar. — *v. intr.* rivalizar. competir. — **apostarse.** *v. r.* apostar-se, disputar; empenhar-se; aprontar-se: *apostar el doble de lo perdido,* ir para o galarim; *apostar en las carreras hípicas,* amarrar carreiras; *apostar en juegos,* apontar. — *ind. pres. irr.* **apuesto, -as, -a, -an;** *subj.* **apueste, -es, -e, -en.**

apostasía. *f.* apostasia; abjuração; arrenegação; defecção.

apostasia. *f.* (bot.) apostásia.

apóstasis. *f.* (pat. e bot.) apóstase.

apóstata. *adj.* e *s.* apóstata, arrenegador; abjurador; renegado.

apostatar. *v. intr.* apostatar, mudar de religião ou partido; descrer; arrenegar; abjurar.

apostema. *m.* (med.) apostema, abcesso; fleimão; edema, sarna, impigem; (cir.) aporismo.

apostemación. *f.* (pat.) apostemação. V. **postema.**

apostemar. *v. tr.* apostemar; corromper, estragar. — *v. intr.* criar apostema ou abcesso. — **apostemarse.** *v. r.* apostemar-se.

apostemático, ca. *adj.* (pat.) apostemático, relativo ao apostema; apostemoso.

apostemero. *m.* bisturí, escalpelo.

a posteriori. *loc. latina.* a posteriori, pelas razões que vem depois.

apostilla. *f.* apostila, anotação que interpreta, aclara ou completa um texto; comentário; recomendação à margem de um requerimento; aditamento a um diploma oficial.

apostillar. *v. tr.* apostilar; notar; explicar, comentar; fazer apostilas a. — **apostillarse.** *v. r.* encher-se de pústulas.

apóstol. *m.* apóstolo; evangelizante; missionário. — *pl.* delegados, embaixadores, núncios; (fig.) propagandista; (mar.) extremo da guia do gurupés; peça do navio que serve para amarrar os cabos.

apostolado. *m.* apostolado, missão de apóstolo; grupo de apóstolos; propagação de uma doutrina.

apostolicidad. *f.* apostolicidade.

apostólico, ca. *adj.* apostólico, relativo aos apóstolos; papal.

apostilizador, ra. *adj.* e *s.* apostolizador, o que apostola.

apostolizamiento. *m.* apostolização, apostolado.

apostolizar. *v. tr.* apostolar, apostolizar, pregar o Evangelho; difundir pregando; vulgarizar.

apostrofar. *v. tr.* apostrofar, dirigir apóstrofes a; exclamar; interpelar; colocar apóstrofo.

apóstrofe. *f.* (ret.) apóstrofe; interpelação directa e imprevista; (fig.) catilinária.

apóstrofo. *m.* (gram.) apóstrofo, sinal gráfico.

apostura. *f.* apostura; graça; gentileza; boa disposição; galhardia, garbo; atitude.

apoteca. *f.* (ant.) apoteca; despensa.

apotecia. *f.* (bot.) apoteca, apotécia, orgão reprodutor feminino dos líquenes.

apotegma. *m.* apotegma, dito, sentença, máxima; provérbio; adágio.

apotelesma. *f.* (med.) apotelesma, terminação de uma doença.

apotema. *f.* (geom.) apótema; (quím.) apótema.

apoteósico, ca. *adj.* apoteótico; muito elogioso, que contém apoteose.

apoteosis. *f.* apoteose; glorificação; deificação, endeusamento; consagração, elogio extraordinário divinização; homenagem grandiosa; cena final de certos espectáculos.

apoteótico, ca. *adj.* apoteótico. V. **apoteósico.**

apoterapia. *f.* (terap.) apoterapia.

apoteriosis. *f.* apoteriose.

apótesis. *f.* (cir.) apótese.

apótome. *m.* (mús.) apótome, intervalo entre dois tons.

apotrerar. *v. tr.* (Amér.) dar pasto aos cavalos; dividir um terreno em devesas para pasto do gado cavalar.

apoyado, da. *adj.* e *p. p.* apoiado; amparado; arrimado; estribado; atido: *apoyado en razones,* arrazoado.

apoyadura. *f.* apojadura, abundância de leite nas mamas.

apoyar. *v. tr.* apoiar; sustentar; descançar; carregar; estribar; colaborar; amparar; esteiar; fundar; autorizar; (fig.) basear; apadrinhar; encostar. — **apoyarse.** *v. r.* apoiar-se; encostar-se; amparar-se; acostar-se; arrimar-se; fundar-se; estribar-se; estear-se; fundamentar-se firmar-se: *apoyarse sobre,* encostar-se ao; *apoyarse en una opinión,* encostar-se a uma opinião; *apoyarse perezosamente en algún sitio,* amesendar-se; *apoyarse en la pared,* apegar-se à parede; *apoyar sobre algo,* descansar; *apoyar a alguien,* arcar com alguém.

apoyatura. *f.* (mús.) apogiatura, apojectura, nota pequena e de adorno.

apoyo. *m.* apoio; sustentáculo; esteio, arrimo; amparo; espeque; (fig.) apoio, auxílio, prote(c)ção; favor; aprovação, assentimento; cooperação político; encostamento; encastelamento; descanso; estribamento; cooperação política; encostamento; encastelamento; descanso; estribamento; encosto, (Bras.) encôsto; alicerce; coluna; auspicio; fulcro; fundamento; (fig.) contrapé; base; amarra; abono: *punto de apoyo*, ponto de apoio; *falta de apoyo*, desarrimo, desapoio; desamparo.

apraxia. *f.* (pat.) apraxia.

apreciabilidad. *f.* qualidade de apreciável ou estimável.

apreciable. *adj.* apreciável, digno de apreço; estimável; adorável; apreciativo; respeitável; digno; valioso.

apreciación. *f.* apreciação, consideração, estimação, estima. avaliação; julgamento; análise; conceito.

apreciado, da. *adj.* e p. p. apreciado, estimado, avaliado, apreçado, considerado; julgado.

apreciador, ra. *adj.* e s. apreciador, estimador, ajuizador; apreçador; avaliador.

apreciar. *v. tr.* apreciar, dar merecimento a; estimar; avaliar; considerar; julgar; apreçar, pôr preço; prezar; aquilatar; aferir; ajuizar; amar; (fig.) conhecer; (fig.) almoçar.

aprecio. *m.* apreço, (Bras.) aprêço, consideração; conta, estima, estimação; deferência; valor.

aprehendedor, ra. *adj.* e s. apreendedor, aquele que apreende.

aprehender. *v. tr.* apreender, fazer apreensão de; tomar; prender; empolgar; agafanhar; executar; assimilar; julgar por aparência; apresar; arrestar; capturar; deter, segurar; conceber com pouco fundamento.

aprehendido, da. *adj.* e p. p. apreendido, apresado, arrestado, prendido, empolgado.

aprehensible. *adj.* apreensível, que pode ser apreendido.

aprehensión. *f.* apreensão; compreensão, percepção; tomada; arresto, apresamento, captura; (for.) um dos quatro juízes privilegiados de Aragão.

aprehensor, ra. *adj.* e s. apreensor, aquele que apreende ou agarra; apreendedor.

aprehensorio, ria. *adj.* apreensório, que serve para apreender.

apremiado, da. *adj.* e p. p. apressado; aguentado, compelido, obrigado; apertado.

apremiador, ra. *adj.* e s. apressador; apremador; opressor, constrangedor; vexante.

apremiar. *v. tr.* apressar, apressurar, dar pressa, acelerar; aguentar; compelir, obrigar, oprimir, apertar; estreitar; (fig.) estimular; constranger; vexar; (ant.) afligir, angustiar: *el tiempo apremia*, o tempo aperta.

apremio. *m.* (for.) mandado compulsório; acção de apresar; constrangimento, aperto; compelação; sobrecarga no pagamento duma contribuição por atraso de pagamento.

aprendedor, ra. *adj.* o que tem facilidade em aprender; estudioso; estudante: *aprendedor de memória*, decorador.

aprender. *v. tr.* aprender, estudar, instruir-se; encerebrar; adquirir conhecimentos, estudando; fixar na memória; tomar experiência; ficar sabendo; (fig.) beber: *aprender de memoria*, encomendar à memória, decorar; (pop.) *aprender una cosa sin entenderla*, encordoar.

aprendiz, za. *s.* aprendiz; principiante; engatado; novato; caloiro; indivíduo que tem pouca experiência; primeiro grau da maçonaria: *ser aprendiz de zapatero*, andar à sapateiro.

aprendizaje. *m.* aprendizado, aprendizagem, tirocínio.

aprensador, ra. *adj.* e s. prensador; o que mete na prensa, prensista.

aprensadura. *f.* prensagem.

aprensar. *v. tr.* prensar; imprimir; (fig.) oprimir, angustiar, vexar.

aprensión. *f.* apreensão; escrúpulo; receio; temor, medo, afiguração, imaginação, opinião infundada: *poca apreensión*. anchura; (pop.) *tener apreensión*, empreender, ter apreensões.

aprensivo, va. *adj.* apreensivo; pusilânime; cismático, impressionado; preocupado; receoso.

apresado, da. *adj.* e p. p. apresado, agarrado; capturado, prendido, arrestado, aprisionado.

apresamiento. *m.* apresamento, captura, detenção, apreensão.

apresar. *v. tr.* apresar, tomar como presa; capturar; agarrar; apreender; agafanhar; empresar; empolgar; arrestar; capturar, deter, prender; segurar; (mar) capturar um navio.

aprestador. *m.* aprestador, aquele que apresta; preparador.

aprestamiento. *m.* aprestamento; aprestação. V. **apresto.**

aprestar. *v. tr.* aprestar, preparar; dispor; aparelhar; aprontar; aperceber; equipar. — **aprestarse.** *v. r.* aperceber-se, aprestar-se.

apresto. *m.* aprestamento, apresto, preparativo, aparelho; apreste, apresto; aparato; aparelhamento; aprestação; apercebimento. — *pl.* aprestos, preparativos, preparados: *apresto de la tela*, aparelho; *falta de apresto*, desapresto; *aprestos militares*, equipamento.

apresuración. *f.* aceleração; apressamento; açodamento; apressuramento, rapidez; precipitação; pressa; diligência.

apresurado, da. *adj.* e p. p. apressado; que tem pressa; ligeiro; precipitado; apressurado; aligeirado; açodado, aforçurado; azafamado.

apresuramiento. *m.* apressuramento, apressamento; precipitação; azáfama abelhudice; lufa-lufa. lufada; aceleramento; (pop.) mecha; darandina.

apresurar. *v. tr.* apressurar, acelerar; apressar; dar pressa; adiantar; activar; precipitar; afadigar; executar ràpidamente; fazer diligência; avançar aligeirar; açodar; aforçurar; azafamar; estugar; abreviar; despachar.—**apresurarse.** *v. r.* apresurar-se; facilitar-se; despachar-se, expedir-se; abelhar-se; atropelhar-se; açodar-se; adiantar-se; (fig.) afogar-se; afervorar-se; esbaforir-se; apressar-se; aforrar-se; mexer-se.

apretadera. *f.* apertadeira, corda, correia para apertar. — *pl.* (fig.) instâncias.

apretadero, ra. *adj.* que aperta, apertador; restrictivo; adstringente. — *m.* funda de hérnia.

apretado, da. *adj.* e *p. p.* apertado; (fig.) estreito; mesquinho; apoucado; pusilânime; em perigo; cilhado; engelhado; denso; encalacrado; basto; adscrito; cochado; estrito; estreito; atochado; atarracado; fanado; cinturado; (Bras. Norte) gacheiro. — *m.* escrito com letra muito miúda; (germ.) gibão.

apretador, ra. *adj.* e *s.* apertador, que aperta; cinta; corpete; colete; faixa das crianças de peito; espartilho; instrumento para apertar; atochador; fita para segurar o cabelo.

apretadura. *f.* aperto, (Bras.) apêrto, apertadela, apertão; compressão, pressão; aflição.

apretamiento. *m.* aperto; (fig.) avareza, mesquinharia, mesquinhez.

apretar. *v. tr.* apertar; amarrar; cingir; instar; estreitar; (fig.) perseguir, acossar; afligir, atormentar; ativar um negócio; solicitar com instância; unir muito; comprimir; restringir; constringir; entralhar; adstringir; cochar; atochar; atarracar; abreviar; resumir; atar; atacar; amarrar; acanhar. — **apretarse.** *v. r.* apertar-se; apanhar-se; estreitar-se; comprimirse: *apretar mucho*, imprensar; atarraxar; *apretar con los dedos*, apolejar; *apretar una llaga para que salga el pus*, esvurmar; *saber donde aprieta el zapato*, (fig.) saber o seu conto; *Dios aprieta pero no ahoga*, Deus dá frio conforme à roupa. — *pres. ind. irr.* **aprieto,** —**as,** —**a,** —**an;** *subj.* **apriete,** —**es,** —**en.**

apretón. *f.* apertão; grande aperto; carreira curta e violenta; (fig.) aflição, constrangimento; conflito; apertada; aperto de ventre; (pint.) sombra muito forte: *apretón de manos*, aperto de mão; (fam.) *tener un apretón*, estar num aperto.

apretujar. *v. tr.* (fam.) apertar muito; achatar; comprimir; estreitar. — **apretujarse.** *v. r.* comprimir-se, apertar-se muito, achatar-se.

apretujón. *m.* (fam.) apertão forte.

apretura. *f.* aperto, (Bras.) apêrto, apressão; apertão; lugar apertado; grande concurso de gente; estreiteza; angústia; aflição; encalacração.

aprevenir. *v. tr.* V. **prevenir.**

apriesa. *adv.* V. **aprisa.**

aprieto. *m.* aperto, (Bras.) apêrto; perigo; carestia; (fig.) situação difícil; escassez;

extremidade urgente; apuro; estreiteza; estreitamento; dificuldade; trabalho; opressão; *poner en un aprieto*, pôr num aperto; provocar uma situação embaraçosa; *estar en un aprieto*, estar numa situação embaraçosa ou em dificuldade; (Amér.) *en amarillentos aprietos*, em calças pardas.

apriorismo. *m.* apriorismo.

apriorista. *s.* apriorista.

apriorístico. *adj.* apriorístico.

aprisa. *adv.* à pressa, velozmente: *ir demasiado aprisa*, fazer-se adiantado.

aprisar. *v. tr.* (ant.) apressar. V. **apresurar.**

apriscar. *v. tr.* apriscar; amalhar; ameijoar; meter o gado no curral: *quien no arisca no aprisca*, quem não arrisca não ganha ou aprisca.

aprisco. *m.* aprisco, curral, redil, albergue, choupana; caverna; abegoaria; ovil; bardo.

aprisionado, da. *adj.* e *p. p.* aprisionado, prisioneiro, encarcerado; sujeito, submisso; prendido, apresado.

aprisionador, ra. *adj.* e *s.* aprisionador, aquele que aprisiona.

aprisionamiento. *m.* aprisionamento, encarceramento.

aprisionar. *v. tr.* aprisionar, fazer prisioneiro; encarcerar; meter em prisão; prender; apresar; capturar; encerrar; (fig.) pôr algemas; atar, amarrar.

aproar. *v. tr.* e *intr.* aproar; apontar; aproejar, emproar, dirigir com a proa; dirigir a proa; chegar, arribar; (ant.) beneficiar; ser útil.

aprobación. *f.* aprovação; beneplácito; consentimento; permissão; aquiescência; confirmação; aplauso; adesão; abono; exequatur; contento; deferimento; aprazimento; acedência; aceitação; aceitamento; anuência; apoio; agrado; abonamento; autorização; *aprobación general*, aura popular.

aprobado, da. *p. p.* e *s.* aprovado; nota de habilitação em exames; admitido; julgado apto ou habilitado.

aprobar. *v. tr.* aprovar; consentir; permitir; tolerar; julgar bom; concordar; louvar; ratificar; julgar habilitado o estudante na disciplina em que foi examinado; confirmar; autorizar; admitir; aderir; ado(p)tar; aquiescer; aplaudir; abençoar; anuir; deferir; apoiar; aceitar; subscrever, aceder; (Amér.) V. **probar.** — *conj. irreg.* com *probar.*

aprobativo, va. *adj.* aprobativo; aprovativo. V. **aprobatorio.**

aprobatorio, ria. *adj.* aprobatório, aprobativo, aprovativo, aprovador.

aproches. *m. pl.* (mil.) trincheira; trabalhos por baterias e minas até escalar uma praça cercada; aproxes, aproches.

aproctia. *f.* (fisiol.) aproctia, aproctosa.

aproctosis. *f.* (fisiol.) aproctose, aproctia.

aprontamiento. *m.* preparação; disposição; aprontação; aprontamento.

aprontar. *v. tr.* aprontar, dispor, arranjar, preparar; pôr em condições; pôr pronto;

aparelhar; concluir; aprestar; alestar; aviar.

apropiable. *adj.* apropriável, que pode ser apropriado.

apropiación. *f.* apropriação; assimilação; adaptação; aplicação; atribuição.

apropiado, da. *adj. e p. p.* apropriado, acomodado, adequado; conveniente; adaptado.

apropiador, ra. *adj. e s.* apropriador, que apropria.

apropiar. *v. tr.* apropriar; tornar próprio; acomodar; aplicar; atribuir; adaptar; dispor convenientemente; atribuir; adequar; apropositar; assumir. — **apropiarse.** *v. r.* apropriar-se; usurpar; apoderar-se; assenhorear-se; atribuir-se; aplicar-se; assimilar-se; arrogar-se.

apropincuación. *f.* apropinquação; aproximação.

apropincuarse. *v. r.* apropinquar-se; aproximar-se; acercar-se.

apropósito. *m.* a-propósito, peça teatral composta para determinada conjuntura; ocasião favorável.

aprosexia. *f.* (pat.) aprosexia.

aprosopia. *f.* (fisiol.) aprosopia.

aprovechable. *adj.* aproveitável; beneficioso; utilizável; conveniente; vantajoso.

aprovechado, da. *adj. e p. p.* aproveitado; utilizado; estudioso; poupado; aplicado; eficiente; que aproveita tudo; que de tudo sabe tirar proveito; diligente; económico.

aprovechador, ra. *adj. e s.* aproveitador; aproveitante: *individuo que se aprovecha del trabajo ajeno*, explotador.

aprovechamiento. *m.* aproveitamento; aproveitação; utilização; desfrute; desfrutação; utilidade; vantagem; adiantamento; progresso; melhoramento.

aprovechar. *v. tr. e intr.* aproveitar; ganhar; lucrar; ser útil, vantajoso; adiantar, progredir; melhorar; tirar proveito de; utilizar; servir; (fig.) agricultar; desfrutar; avantajar; empregar, fazer servir; ser útil; poupar. — **aprovecharse.** *v. r.* aproveitar-se; utilizar-se; ajudar-se; valer-se; dar proveito; servir-se; (Bras.) fila; *aprovechar una ocasión favorable*, estar à coca; servir-se da ocasião; *aprovechar la oportunidad*, abraçar a ocasião; *aprovecharle a uno lo que come*, luzir; *aprovecharse de alguien*, desfrutar alguém; *aprovecharse de algo, para conseguir un fin*, aproveitar-se de alguma coisa para chegar aos seus fins.

aprovisionador. *m.* aprovisionador, abastecedor; fornecedor.

aprovisionamiento. *m.* aprovisionamento, fornecimento, abastecimento; provisões.

aprovisionar. *v. tr.* aprovisionar, prover; abastecer, fornecer; munir de provisões. V. **abastecer.**

aproximación. *f.* aproximação; apropinquação; chegamento; aconchego; estimação; avaliação com pouca diferença; aproximação, premio da loteria ou lotaria; proximidade.

aproximado, da. *adj. e p. p.* aproximado; achegado; próximo; avaliado com pouca diferença.

aproximar. *v. tr.* aproximar; encostar; chegar; tornar próximo; pôr perto; relacionar; apressar; comparar; avizinhar; aconchegar; abicar; ajuntar; contiguar; apropinquar; acercar. — **aproximarse.** *v. r.* aproximar-se; arramalhar; avizinhar-se achegar-se; avançar-se; abeirar-se; chegar-se cingir-se; apropinquar-se; acercar-se; ter uma certa semelhança; *irse aproximando*, aventar; *aproximarse mucho*, beijar; (mar) *aproximar el navío para amarrar*, embocar.

aproximativo, va. *adj.* aproximativo, feito por aproximação.

aprudenciarse. *v. r.* (Amér.) reprimir-se, refrear-se, moderar-se.

ápside. *m.* (astr.) ápside, ápsida, apogeu e perigeu de um planeta.

apsiquia. *f.* (pat.) perda dos sentidos; apsiquia.

apsiquismo. *m.* (pat.) apsiquia, apsiquismo.

apsitiria. *f.* (med.) apsitiria.

aptar. *v. tr.* aptar, aptificar, adaptar.

apterigios. *m. pl.* (zool.) apterígios.

apterigógenos. *m. pl.* (zool.) apterigógenos.

aptérix. *m.* (zool.) aptérix.

áptero, ra. *adj.* (zool.) áptero, que não tem asas. — *m. pl.* ápteros.

áptero. *m.* (arq.) aptério, edifício grego desprovido de colunas.

apterologia. *f.* (zool.) apterologia.

apterólogo, ga. *s.* apterólogo.

aptialia. *f.* (pat.) aptialia, falta da saliva.

aptitud. *f.* aptitude; aptidão, capacidade, disposição, habilidade, idoneidade; inclinação; jeito, propensão; queda, talento vocação, destreza, facilidade, faculdade; capacidade: *tener aptitud para el negocio*, ter dedo para o negócio.

apto, ta. *adj.* apto, capaz, hábil; idóneo, (Bras.) idôneo, jeitoso; disposto; conveniente, fa(c)to, acomodado; aparelhado; apropriado; aprovado; achado: *ser apto, convir; apto para el servicio militar*, apurado.

apuchincharse. *v. r.* (Amér.) tornar-se rico.

apuesta. *f.* aposta; ajuste; desafio: *hacer una apuesta*, fazer aposta; *apuesta en el juego*, envite; *apuesta en la carrera de caballos*, amarra da carreira.

apuesto, ta. *adj.* ataviado; enfeitado; adornado; arrogante; galhardo, galã; atribuido, aplicado.

apulgarar. *v. intr.* fazer força com o polegar.

apulgararse. *v. r.* encher-se a roupa branca de manchas miudas muito semelhantes às que deixam as pulgas.

Apulia. (geog.) Apulha.

apulso. *m.* (astr.) apulso, nome dado à posição dum astro quando se acha muito próximo da Lua.

apunchar. *v. tr.* dentear, abrir dentes a um pente.

apuntación. *f.* apuntamento; nota anotação: (for.) sumário, resumo.

apuntado, da. *adj.* e *p. p.* pontiagudo; anotado; apontado; *apuntado para un cargo*, indigitado.

apuntador, ra. *adj.* e *s.* apontador; anotador; (teatr.) ponto; (pop.) empregado da polícia; (art.) apontador: *que saca punta a las herramientas*, apontador.

apuntalamiento. *m.* escoramento; especamento; apontoamento.

apuntalar. *v. tr.* escorar, especar, estear, apontoar; pôr esteios; assegurar, sustentar, afirmar: *apuntalar un muro*, amparar um muro; *apuntalar una pared*, entretelar uma parede; *apuntalar un barco con escoras*, envazar; *apuntalar las excavaciones de una mima*, entivar.

apuntamiento. *m.* apontamento; nota; anotação; (for.) sumário, resumo.

apuntar. *v. tr.* e *intr.* apontar; indicar; insinuar; aguçar; fazer ponta em qualquer instrumento; apontar o papel dum actor; tomar o ponto nas aulas; assestar; começar a aparecer; escorar; especar; apontoar a roupa; apontar, pregar ligeiramente; ementar; alvitrar; assomar; anotar; debuxar; (fig.) assoprar. — **apuntarse.** *v. r.* azedar-se o vinho; (fam.) alegrar-se, pôr-se meio ébrio: *apuntar con el dedo*, indigitar; *apuntar y no dar*, (fam.) oferecer e não dar; *apuntar con el fusil*, encarar a espingarda; *apuntar hacia*, embicar; *apuntar con la artillería*, abocar a artilharia; *apuntar en el juego de la banca*, apontar; *apuntar en el teatro*, apontar.

apunte. *m.* apontamento; nota, anotação; ponto no jogo da banca; parada no jogo; rascunho; esboço; minuta; (com.) assento; memorando. — *pl.* apontamentos, comentarios para a história; *apuntes escolares*, chichas.

apuñalado, da. *adj.* e *p. p.* apunhalado; com figura parecida com a lâmina dum punhal; do feitio de punhal.

apuñalar. *v. tr.* apunhalar, ferir com punhal; matar com punhal; (fig.) ofender gravemente com palavras; pungir, magoar muito.

apuñar. *v. tr.* (fam.) dar punhadas, dar murros, apunhar, empunhar, bater com os punhos. V. **apuñear.**

apuñear. *v. tr.* (pop.) apunhar, empunhar, bater com os punhos; esmurrar, socar, dar punhadas; maltratar de palavras.

apuñetear. *v. tr.* esmurrar, socar, dar punhadas; zurzir; maltratar de palavras. — **apuñetearse.** *v. r.* esmurrar-se, jogar o soco.

apuracion. *f.* apuração; apuramento; investigação. V. **apuro.**

apurado, da. *adj.* e *p. p.* apurado; pobre; esmerado; delicado; escolhido; bem vestido; esgotado; dificultoso; aperfeiçoado; aguçado; selecto; fino; crítico; exausto; asseado; aperfeiçoado: *pasar por un momento apurado*, estar em grande

aperto; *apurado de fondos*, apurado de dinheiro; *colocarse en situación apurada*, encalacrar-se; *situación apurada*, beco sem saída.

apuramiento. *m.* apuramento, apuração; purificação; verificação, investigação.

apurar. *v. tr.* apurar, expurgar, purgar, purificar; tornar puro; escolher, seleccionar; averiguar; aperfeiçoar; afinar metais; deixar ferver até concentrar; concluir; esgotar; estreitar; desvelar; aquilatar; despachar; afiar; limpar; examinar; consumir; exaurir; irritar, entristecer, afligir. — **apurar-se.** *v. r.* afligir-se, entristecer-se; impacientar-se; esmerar-se; (fig.) encandilar-se: *apurar un trabajo*, açacalar um trabalho; (fam.) *apurar una botella*, discutir.

apuro. *m.* apuro; escasez; aflição, extermidade; aperto; apuramento; miséria; situação angustiosa; soma de quantias apuradas; entropeço; encalacração; estreito, estreiteza, dificuldade; (pop.) envergonhadela; trabalho; privação: *estar en un gran apuro*, estar em grande aperto: *hallarse en un apuro*, ver-se nas ataqueiras; *está en un apuro*, dá-lhe a água pela barba; *pasar apuros*, estar em estreiteza; *encontrarse en apuros*, ver-se em papos de aranha; *sacar de apuros*, desencravar; *salir de apuros*, desencalhar; *no salir de apuros*, embarrancar sempre na mesma dificuldade.

apurrir. *v. tr.* dar, apresentar uma coisa a alguém.

aquejador, ra. *adj.* que fatiga; afligidor, entristecedor.

aquejar. *v. tr.* aqueixar; afligir; entristecer; estimular, animar; pôr em perigo; reduzir à extremidade. — **aquejarse.** *v. r.* apressar-se; afadigar-se.

aquejerar. *v. tr.* (germ.) enamorar, namorar, dizer galanteios; amartelar.

aquejoso, sa. *adj.* importuno; que aflige; triste, magoado; queixoso.

aquel, aquella, aquello. *pron.* e *adj.* demost. aquele, (Bras.) aquêle, aquela, aquilo. — *m.* (fam.) usa-se em lugar do que se não quer ou não se acerta em dizer, sendo sempre precedido do artigo *él* ou *un*, ou de um adjectivo; (pop.) indivíduo cujo nome não ocorre logo.

aquelarre. *m.* conciliábulo de bruxos; (fig.) confusão e ruído.

aquende. *adv.* aquém, do lado de cá, desta parte.

aquenio. *m.* (bot.) aquénio, (Bras.) aquênio.

aqueo, a. *adj.* aqueu.

aquerenciarse. *v. r.* afeiçoar-se; aquerenciar-se.

aquese, sa, so. *adj.* e *pron. dem.* esse, essa, isso.

aqueste, ta, to. *adj.* e *pron. dem.* êste, esta, isto.

áqueta. *f.* insecto V. **cigarra.**

aquí. *adv.* aqui, neste lugar; nesta ocasião; a este lugar; agora; cá; nisto: *aquí está el intríngulis*, aqui está o gato; *de aquí*

que, de aqui; *por aquí*, daqui; *por aquí
y por allá*, daqui e dali; *de aquí a tres
días*, dali a três dias; *de aquí en adelante*, dali em diante; *hasta aquí*, até
aqui; *he aquí*, eis aqui.

aquiescencia. *f.* aquiescência; consentimento; permisão; acedência; anuência;
aprovação; assenso; autorização.

aquiescer. *v. tr.* aquiescer, anuir; transigir;
autorizar; consentir.

aquietador, ra. *adj.* e *s.* aquietador, apaziguador; tranquilizador, sossegador.

aquietar. *v. tr.* aquietar, apaziguar; serenar; sossegar; tranquilizar, (Bras.) tran-
qüilizar; ficar quieto; aplacar; desamotinar; pacificar; despejar; despartir; desassustar; acomodar. — **aquietarse.** *v. r.*
aquietar-se, tranquilizar-se; aplacar-se.

aquifoliáceas. *f. pl.* (bot.) aquifoliáceas.

aquifoliáceo, a. *adj.* (bot.) aquifoliáceo.

aquifolio. *m.* (bot.) aquifólio, azevinho.

aquijotado, da. *adj.* V. **quijotesco.**

aquila. *f.* (zool.) V. **águila:** (quím.) *águila
blanca*, águia-branca.

aquilatamiento. *m.* aquilatamento, aquilata-
ção; avaliação; apreciação; determinação do quilate de; aperfeiçoação.

aquilatar. *v. tr.* aquilatar, determinar o
quilate de; avaliar; apreciar; aperfeiçoar; verificar, apurar a verdade; acrisolar.

aquileño, ña. *adj.* aquilino; recurvo; (fig.)
penetrante como os olhos da águia; que
pertence à águila; (pop.) larápio, que tem
disposições para roubo.

aquilifero, ra. *m.* aquilífero, romano que
levava a águia ou insígnia das legiões.

aquilodinia. *f.* (med.) aquilodínia.

aquilón. *m.* aquilão, vento norte, bóreas;
região septentrional.

aquilonal. *adj.* aquilónio, (Bras.) aquilônio,
aquilonar.

aquilonar. *adj.* aquilonal, aquilónio, (Bras.)
aquilônio.

aquilonario, ria. *adj.* (ant.) V. **aquilonal.**

aquilosis. *f.* (pat.) aquilose, falta de formação do quilo.

aquillado, da. *adj.* aquilhado; com forma
de quilha; que tem quilha.

aquillar. *v. tr.* dar forma de quilha.

aquimia. *f.* (med.) aquimose, falta de formação do quimo.

aquimosis. *f.* (pat.) aquimose, falta de formação do quimo.

aquiria. *f.* (med.) aquiria, falta de mão ou
de uma delas.

Aquisgrán. (geog.) Aquisgrana.

aquistar. *v. tr.* conseguir, adquirir, conquistar; alinhar.

Aquitania. (geom.) Aquitânia.

aquitánico, ca. *adj.* e *s.* (geog.) aquitânico,
natural de ou pertencente a Aquitânia.

aquitano, na. *adj.* e *s.* aquitânico. V. **aquitánico.**

aquivo, va. *adj.* V. **aqueo.**

ara. *f.* ara, altar, lugar de sacrifício; (astr.)
Ara, constelação austral; pedra de ara, pedra sagrada no altar: *amigos hasta las*

aras, amigos, amigos contas à parte; *en
aras de*, nas aras de, em honra de; *acogerse a las aras*, (fam.) buscar asilo.

árabe. *adj.* e *s.* (geog.) árabe; natural da
ou pertencente a Arábia; agareno; arábico; arábigo; arábio, mouro, beduino;
alarve; idioma dos Arabes.

arabesco. *m.* arabesco, (Bras.) arabêsco, ornato que imita folhas, flores, etc. — *adj.*
arabesco, árabe; traçar arabescos, ara-
bescar.

Arabia. (geog.) Arábia.

arábico, ca. *adj.* arábico, arábigo, árabe,
arábio, mouro.

arábigo, ga. *adj.* arábigo, arábico, árabe,
arábio, mouro.

arabina. *f.* (quím.) arabina, princípio imediato da goma-arábica.

arabio, bia. *adj.* e *s.* (geog.) arábio, árabe,
arábico, arábigo, mouro.

arabismo. *m.* arabismo, locução da língua
árabe.

arabista. *s.* arabista, conhecedor da língua
árabe.

arabización. *f.* arabização.

arabizador, ra. *adj.* e *s.* arabizante, arabista.

arabizar. *v. tr.* arabizar, dar feição árabe
a; imitar a linguagem árabe; dedicar-se
a estudos arábicos.

arable. *adj.* arável que pode ser arado ou
lavrado.

aráceas. *f. pl.* (bot.) aráceas.

aráceo, a. *adj.* (bot.) aráceo.

araceneo, a. *adj.* (zool.) aracnóideo, semelhante à aranha, aracnídeo; aracniano.

aracnidismo. *m.* aracnismo, doença produzida por picada de aranha.

arácnido, da. *adj.* (zool.) aracnídeo. — *m. pl.*
aracnídeos.

aracnitis. *m.* (med.) aracnite, inflamação da
aracnóide.

aracnofilia. *f.* aracnofília, gosto pelo estudo
das aranhas.

aracnófilo, la. *adj.* aracnófilo, que se interessa pelas aranhas.

aracnoide. *adj.* (bot. e zool.) aracnóide,
aracnóideo.

aracnoides. *f.* (anat.) aracnóide, aracnóideia.

aracnoidismo. *m.* (pat.) aracnoidismo.

aracnoiditis. *f.* (pat.) aracnoidite, aracnite.

aracnología. *f.* (zool.) aracnologia.

aracnológico, ca. *adj.* aracnológico.

aracnólogo, ga. *s.* aracnologista, aracnólogo.

aracnopsia. *f.* (pat.) aracnopsia, defeito da
visão em que o doente vê sombras como
teias de aranha.

arada. *f.* acção de arar; terra lavrada com
o arado; cultivo e labor do campo; arada,
aradura, lavoira; (ant.) aradoira, um dia
de lavoira.

arado. *m.* arado, instrumento para lavrar a
terra; charrua; aradoiro, aradouro: *arado de una sola orejera*, araveça; *dirigir
el arado*, estevar.

arador, ra. *adj.* e *s.* arador, lavrador; (zool.)
arado, oução (insecto).

aradura. *f.* (agr.) aradura, arada, lavoira;
terra lavrada num dia; lavragem, lavra
da terra.

Aragón. (geog.) Aragão.

aragonés, sa. *adj.* e *s.* aragonês, aragoês, natural de ou pertencente a Aragão.

araliáceas. *f. pl.* (bot.) araliáceas.

araliáceo, a. *adj.* (bot.) araliáceo.

arambel. *m.* tapeçarias; (fig.) andrajo, trapo, fragalho, frangalho.

arambeloso, sa. *adj.* andrajoso, esfarrapado.

arambol. *m.* (prov.) balaustrada da escada.

Aram. (geog.) Arão, nome bíblico da Síria.

arameo, a. *adj.* (geog.) aramaico, arameu, aramiano.

aramio. *m.* arâmio, terra ou jeira que se lavra num dia; campo que se deixa para alqueive.

arán. *m.* (prov.) V. **endrino.**

arana. *f.* embuste, logro, burla.

arancel. *m.* aranzel, tarifa oficial que determina os direitos a pagar em vários ramos; estiva; custas judiciais, alfandegárias; (fig.) directório, formulário.

arancelario, ria. *adj.* pertencente ou relativo a aranzel.

arancelarse. *v. r.* (Amér.) fazer-se cliente duma loja ou tenda.

arandela. *f.* arandela, açucena; peça de metal, vidro ou loiça que se põe para aparar os pingos da vela; anel de ferro que entra no eixo para evitar a fricção do cubo da roda de um carro; colar e punhos com folhos ou pregas; guarda-mão da espada ou da lança, copos da lança; candelabro, braço ou bico numa parede.

araneoso, sa. *adj.* (bot.) aranhoso, aramoso, diz-se dos pêlos longos, finos e entrecruzados, como os da teia de aranha.

aranero, ra. *adj.* embusteiro, estafador; gatuno; trampolineiro.

araniego. *adj.* e *m.* diz-se do gavião que se caça com armadilha chamada *araña*.

aranoso, sa. *adj.* embusteiro, estafador. V. **aranero.**

aranzada. *f.* medida agrária de Castela.

araña. *f.* (entom.) aranha; lustre, candeeiro de braços; rede para caçar pássaros; (mar.) peça de madeira com muitos buracos por onde passam cravos de pouca grossura, cujo fim é impedir a vela entrelaçar-se; pessoa destra, engenhosa; prostituta, rameira; (fam.) pessoa muito económica; (prov.) V. **arrebatiña;** (Amér.) espécie de carruagem ligeira; (bot.) V. **arañuela:** *tela de araña*, teia de aranha; *araña de mar*, aranha de mar; *araña de agua*, aranha de água; *araña atrapamoscas*, aranha meirinha; *agujero de la araña*, aranheiro; *araña del Brasil*, atocalto; (Bras.) aranha, nome de uma planta liliácea; (fig.) *telas de araña*, teias de aranha.

arañada. *f.* V. **arañamiento.**

arañado, da. *adj.* e *p. p.* arranhado, agatanhado.

arañador, ra. *adj.* e *s.* arranhador, o que arranha.

arañadura. *f.* V. **arañamiento.**

arañamiento. *m.* arranhadela, arranhadura; arranhação, arranhão; ferida leve.

arañar. *v. tr.* arranhar; raiar, riscar superficialmente; juntar pouco a pouco; ferir levemente com as unhas ou com a ponta dum instrumento, tocar mal um instrumento; agatanhar, agafanhar, agadanhar: *arañar dinero*, ajuntar dinheiro.

arañazo. *m.* arranhão, arranhadura, agatanhadura: *arañazo ligero*, beliscadura.

arañero, ra. *adj.* (cetr.) esquivo, arisco, diz-se do pássaro bravo, difícil de domesticar.

aráquico, ca. *adj.* (quím.) aráquico.

araquina. *f.* (quím.) araquina.

arar. *v. tr.* arar, lavrar, sulcar a terra, charruar, puxar pelo arado; (poes.) sulcar; (fig.) arranhar; (fig. mar.) navegar: *cuentos aran y cavan*, (fig. e fam.) multidão de pessoas.

aratada. *f.* (germ.) partida de mau gosto; mau comportamento; acção maliciosa.

arate. *m.* impertinência; tolice; (germ.) menstruação.

aratorio, ria. *adj.* (ant.) aratório, pertencente à lavragem.

aratoso, sa. *adj.* (prov.) molesto; fastidioso; aborrecido, aborrecedor.

aratriforme. *adj.* aratriforme, em forma de arado.

Araucania. (geog.) Araucânia.

araucanista. *s.* estudante do auracânio.

araucano, na. *adj.* e *s.* (geog.) araucano, auracânio; aborigem do Chile.

arbalestrilla. *f.* antigo instrumento de topografia.

arbelcorán. *m.* (prov.) V. **alboquerón.**

arbellón. *m.* V. **albollón.**

arbitrable. *adj.* arbitrário, arbitrativo.

arbitración. *f.* (for.) arbitramento; arbitração, arbitragem. V. **arbitramento.**

arbitrado, da. *adj.* arbitrado; julgado; avaliado; louvado.

arbitrador, ra. *adj.* e *s.* arbitrador; julgador; aquele que arbitra; árbitro, director dum combate ou competição desportiva; avaliador; louvador.

arbitraje. *m.* arbitramento, arbitragem; arbitração; julgamento feito por árbitro; louvamento, louvação; (com.) escolha de divisas cambiais por confronto de preços nas diversas praças.

arbitral. *adj.* arbitral, arbitrativo; arbitrário, relativo aos árbitros: *sentencia arbitral*, arbitramento.

arbitramento. *m.* (for.) arbitramento; sentença do árbitro; acto de arbitrar; louvação.

arbitramiento. *m.* arbitragem. V. **arbitramento.**

arbitrante. *p. a.* arbitrador, que arbitra.

arbitrar. *v. tr.* arbitrar, julgar com árbitros; determinar por arbítrio; dirigir competições desportivas; julgar; avaliar; discorrer; louvar, dar parecer; proceder livremente; raciocinar; ajuizar. — **arbitrarse.** *v. r.* arbitrar-se. V. **ingeniarse.**

arbitrariedad. *f.* arbitrariedade; capricho; (fig.) despotismo; exorbitância; injustiça; iniquidade; abuso de autoridade; procedimento contrário à lei.

arbitrario, ria. *adj.* arbitrário; procedente de arbitrio; que não tem regras; não permitido; despótico; injusto, caprichoso, arbitrativo; antojadiço; absoluto; facultativo; (for.) arbitral.

arbitrativo, va. *adj.* V. **arbitral.**

arbitratorio, ria. *adj.* arbitral.

arbitrio. *m.* arbítrio; julgamento de árbitros; opinião; meio; alvitre; resolução da vontade; eleição; expediente; arbitragem; sentença arbitral; imposto municipal; facu.dade; mercê; alvedrio; belprazer: *al arbitrio de,* a mercê de.

arbitrista. *s.* arbitrista, alvitrista; alvidrador; alvitreio.

árbitro. *m.* árbitro, juiz, julgador; alvidro; arbitrador, louvado, mediador; senhor absoluto; modelo, exemplar; árbitro, director de um combate ou competição desportiva; avaliador: *el árbitro de la moda,* o árbitro da moda; *árbitro de futbol,* árbitro de futebol.

árbol. *m.* (bot.) árvore; (mar.) mastro; (mec.) eixo de uma máquina; broca, furador; peça das máquinas de imprimir; corpo de camisa, sem mangas; instrumento para dourar metais; (mús.) eixo dos órgãos que faz com que toque ou deixe de tocar o registo desejado; (germ.) corpo humano; (quím.) cristalização rameada obtida pelo acrescentamento da amálgama de prata e mercúrio em ácido nítrico; (anat.) conjunto de ramificações de cérebro; armação de madeira para jogos artificiais; peça central duma escada de caracol; ramificação de uma família: *árbol genealógico,* árvore genealógica (mar.) *árbol mayor,* mastro grande; (mec.) *árbol de transmisión,* árvore de transmissão; *árbol de la Cruz,* árvore da Cruz; *quien a buen árbol se arrima buena sombra le cobija,* quem a boa árvore se acolhe boa sombra o cobre; *árbol santo,* árvore santa; cinamomo; *árbol de castidad,* árvore de castidade; *árbol seco,* árvore seca.

arbolado, da. *adj.* arborizado. — *m.* arvoredo, bosque, mata; (germ.) homem muito alto.

arboladura. *f.* (mar.) arvoredo, mastreação; conjunto dos mastros dum navio; manobra para elevar os guindastes.

arbolar. *v. tr.* arvorar; mastrear. — *v. r.* encabritar-se; arvorejar-se.

arbolario, ria. *adj.* e *s.* (fig. e fam.) maníaco; botarate.

arbolecer. *v. intr.* (bot.) arvorescer, arvorejar, arvorecer.

arboleda. *f.* arvoredo, alameda.

arboledo. *m.* V. **arboleda.**

arbolejo. *m.* arvoreta, arvorezinha.

arbolillo. *m.* arbúsculo; cada um dos muros que formam os costados dos altos-fornos.

arbolista. *s.* arborista, arboricultor.

arbolito. *m.* arvoreta; árvore pequena, arbúsculo.

arbollón. *m.* cano, regueiro; alverca; zanja.

arborecer. *v. intr.* arvorescer, arvorecer, fazer-se árvore, arborescer, tornar-se árvo-

re. — *pres. ind. irr.* **arborezco,** etc.; *subj.* **arborezca.**

arbóreo, a. *adj.* arbóreo, relativo a árvore.

arborescencia. *f.* arborescência, arvorescência.

arboricida. *adj.* e *s.* arboricida.

arborícola. *adj.* arborícola, que vive nas árvores.

arboricultor, ra. *s.* arboricultor, arborista.

arboricultura. *f.* arboricultura, cultura das árvores.

arboriforme. *adj.* arboriforme, arvoriforme.

arborista. *s.* arborista, arboricultor.

arborización. *f.* arborização.

arborizado, da. *adj.* e *p. p.* arborizado, plantado de árvores; (min.) arborizado, diz-se dos minerais que apresentam veios ramificados.

arborizar. *v. tr.* arborizar, arvorejar; plantar árvores.

arbotante. *m.* (arq.) arcobotante; botaréu; fuga, arreto; bimbarra; (mar.) acores.

arbuscular. *adj.* arbuscular, ramificado como uma árvore.

arbúsculo. *m.* arbúsculo, pequeno arbusto; arvoreta.

arbustivo, va. *adj.* (bot.) arbustáceo, arbústeo, arbustivo.

arbusto. *m.* arbusto, pequena árvore; arbúsculo.

arbutina. *f.* (quím.) arbutina.

árbuto. *m.* (bot.) árbuto.

arca. *f.* arca; grande caixa; cofre; baú, mala; reservatório; tesouro; (fam.) barriga; batedura de lã; (ant.) costado; pequeno forno para fabricar vidro; *arca de agua,* reservatório de água; *arca cerrada,* arca encourada; (fig.) pessoa reservada; *arcas reales,* cofres públicos; *arca del cuerpo,* cavidades por baixo das últimas costelas; *arca de Noé,* arca de Noé; *arca de la Alianza,* arca da Aliança, santa; *arca del diluvio,* arca do dilúvio; *arca del pan;* (fam.) pança, barriga.

arcabuceamiento. *m.* arcabuzamento.

arcabucear. *v. tr.* arcabuzar, matar com tiros de arcabuz; espingardear.

arcabucería. *f.* arcabuzaria, descarga de arcabuzes; tropa armada de arcabuzes; fábrica de arcabuzes.

arcabucero. *m.* arcabuzeiro, fabricante ou vendedor de arcabuzes; aquele que se arma com eles.

arcabuzete. *m.* arcabuzeta, pequeno arcabuz.

arcabuco. *m.* brenha; lugar fragoso e cheio de tojo, povoado de silvados; bosque espesso.

arcabuz. *m.* arcabuz, antiga arma de fogo.

arcabuzazo. *m.* arcabuzada, arcabuzaço.

arcada. *f.* (arq.) arcada, arcaria, série de arcos; abóbada arqueada; náusea, movimento do estômago que excita a vomitar, ânsias, angústia; (mús.) arcada, corrido do arco sôbre as cordas de um instrumento musical: *tener arcadas,* ter náuseas.

arcador. *m.* arqueador, sacudidor de lã.

arcaduz. *m.* aqueduto; alcatruz; tubos de barro para canalização; (fig.) canal, meio para chegar a.

arcaico, ca. *adj.* arcaico, antiquado; envelhecido, antigo.

arcaísmo. *m.* arcaísmo; locução arcaica: *emplear arcaismos,* arcaizar.

arcaísta. *s.* arcaísta, aquele que emprega arcaísmo.

arcaizar. *v. tr.* arcaizar, empregar formas arcaicas. — *v. intr.* arcaizar, tornar-se arcaico.

arcángel. *m.* arcanjo.

arcanita. *f.* (min.) arcanite, arcanita.

arcano. *m.* arcano, segrêdo, mistério, lugar recôndito. — *adj.* arcano, oculto, misterioso, recôndito.

arcar. *v. tr.* V. **arquear.**

arcayata. *f.* (Amér.) V. **alcayata.**

arcazón. *m.* (prov.) V. **mimbre.**

arce. *m.* bot.) bordo, (Bras.) bôrdo; ácer.

arcediana. *f.* (Amér.) V. **amaranto.**

arcedianato. *m.* arcediagado.

arcediano. *m.* arcediago.

arcedo. *m.* sítio plantado de bordos.

arcén. *m.* borda; margem; beira; margem de rio; (ant.) parapeito na boca dum poço.

arcial. *m.* (Amér.) V. **acial.**

arciche. *m.* instrumento para cortar ladrilhos.

arcífero, ra. *adj.* arcífero; (astr.) arcífero.

arcifinio, nia. *adj.* diz-se do território que tem límites naturais.

arciforme. *adj.* arciforme, que tem forma de arco.

arcilla. *f.* argila, greda, barro: *arcilla refractaria,* argila refractária; *arcilla calcinada,* argila em obra; *arcilla magra,* argila em bruto.

arcillar. *v. tr.* melhorar as terras siliciosas deitando-lhes argila.

arcilloso, sa. *adj.* argiloso, argiláceo, barrento, barroso; barral; *terreno arcilloso,* barral.

arción. *m.* (arq.) desenho de linhas enlaçadas que se usava na ornamentação arquitectónica da idade média; (Amér.) V. **ación.**

arciprestal. *adj.* arciprestal, relativo a arcipreste.

arciprestazgo. *m.* arciprestado, dignidade de arcipreste; território em que o arcipreste exerce a sua jurisdição.

arcipreste. *m.* arcipreste.

arco. *m.* arco, porção do círculo; arco, arma antiga; arco de pipa, de celha, etc. (Amér.) arco, meta de futebol; (arq.) arco, arcada, curva de abóbada; círculo; (arq.) fórnice, arco de porta em parede mestra; *arco abatido,* abaulamento; *arco iris,* arco da velha; arco-iris; *arco de una sierra,* armação duma serra; *arco triunfal,* arco de triunfo; (electr.) *arco voltaico,* arco voltaico; (fig.) *un arco de iglesia,* coisas de arco-da-velha; *arco de medio punto,* arco de volta inteira ou semicircular; *arco rebajado,* arco de geração ou de volta abatida; *arco tudor,* arco tudor; *arco angular truncado,* arco angular truncado; *bregar el arco,* apontar o arco.

arco-iris. *m.* arco-íris, arco-da-velha; arco-da-aliança.

arcón. *m.* arcaz, caixa grande; (mil.) armão de artilharia.

arcontado. *m.* arcontado, título ou cargo de arconte.

arconte. *m.* arconte.

arcoptosis. *f.* (pat.) arcoptose.

arcorrea. *f.* (pat.) arcorreia.

arcosa. *m.* (min.) arcosa; mistura de feldspato e de quartzo.

arctado. *adj.* diz-se do clérigo que tem tempo limitado para ordenar-se.

arctico, ca. *adj.* (astr. e geog.) árctico, boreal, setentrional.

arctocéfalo. *m.* (zool.) arctocéfalo.

arctopiteco. *m.* (zool.) arctopiteco.

arctos. *m.* (astr.) arctos, nome da Ursa Maior.

arcuación. *f.* (geom.) arcuação.

arcuado, da. *adj.* arcual, em forma de arco.

arcual. *adj.* arcual, em forma de arco.

arcuar. *v. tr.* arcuar, arquear.

archa. *f.* archa, arma antiga.

archero. *m.* archeiro, alabardeiro, arqueiro.

archí. *m.* sargento no exército turco.

archi. *pref.* arqui.

archibruto, ta. *adj.* arquiburro, muitíssimo burro.

archicofrade. *s.* arquiconfrade.

archicofradía. *f.* arquiconfraria, confraria principal.

archidiácono. *m.* arquidiácono, arcediago.

archidiocesano, na. *adj.* arquidiocesano, relativo a arquidiocese.

archidiócesis. *f.* arquidiocese; arcebispado.

archiducado. *m.* arquiducado, dignidade ou território de arquiduque.

archiducal. *adj.* arquiducal, pertencente a arquiduque.

archiduque. *m.* arquiduque.

archiduquesa. *f.* arquiduquesa.

archilaud. *m.* (mús.) arquilaúde.

archimandrita. *m.* arquimandrita.

archipiélago. *m.* arquipélago.

archipirata. *m.* arquipirata.

archiprior. *m.* (hist.) arquiprior, título do Grão-Mestre dos Templários.

archivador, ra. *s.* classificador, arquivador, guardador, conservador, arquivista.

archivar. *v. tr.* arquivar, recolher em arquivo; guardar; conservar; classificar.

archivero. *m.* arquivista, aquele que tem arquivo a seu cargo; classificador.

archivista. *m.* arquivista. V. **archivero.**

archivo. *m.* arquivo; cartório; depósito; (fig.) pessoa de grande memória.

archivolta. *f.* (arq.) arquivolta, contorno que acompanha o arco.

arda. *f.* (zool.) arda. V. **ardilla.**

ardalear. *v. intr.* ralear, não se desenvolverem inteiramente os cachos da videira.

árdea. *f.* (orni.) arcaravão; árdea.

ardeaidas. *f. pl.* (zool.) árdeas, designação genérica das garças.

Ardenas. (geog.) Ardenas.

ardentía. *f.* ardência, ardor; (mar.) ardentia, luz fosfórica produzida pela agitação do mar; vivacidade.

arder. v. intr. arder; inflamar-se; abrasar; estar em chama; ter grande calor; estuar; (fig.) exaltar-se, arder em amor, ira, etc.; sentir desejo veemente; brilhar; ter sabor acre; queimar; consumir-se pelo fogo; causar ardor, picar; grassar; incendiar--se, estar muito quente; *hacer arder*, incendiar; *arder de indignación*, arder em ira; chispar; *arde la casa*, a casa está a arder; *estoy ardiendo de calor*, estou a arder; *arder de fiebre*, arder em febre.

ardero, ra. adj. diz-se do cão que caça esquilos.

ardesia. f. (min.) ardésia.

ardid. m. ardil; manha, astúcia armadilha, artifício, cilada, emboscada, estratagema, insídia, logro, (Bras.) lôgro; subtileza; gamberria; maçada, falcatrua; descarte; meio; engranação; artimanha; engodo, (Bras.) engôdo; engenho; encoberta, embaimento, embaçadela; arriosca; arteirice; embuste; embruco; (fig.) anzol; corriola; endrómida, (Bras.) endrômina; encabadela: *ardid de guerra*, ardil de guerra; *ardid del luchador*, treta. — adj. (ant.) manhoso, astuto, sagaz, ardiloso, artificioso, astucioso, capcioso, caviloso, falacioso, insidioso.

ardido, da. adj. e p. p. ardido, esquentado, requentado; com sabor acre, queimado, abrasado.

árdido, da. adj. corajoso, valente, intrépido, ardido, audaz.

ardidoso, sa. adj. manhoso, astuto, ardiloso, astucioso.

ardiente. adj. ardente, que arde ou requeima; (fig.) intenso, vivo, enérgico; fervoroso; activo; abrasador; ardego; fogoso, irritável, veemente; afogueado; estuoso, estuante; efervescente; afervorado; adustível, excandescido; encendido: *cámara o capilla ardiente*, câmara ardente.

ardilla. f. (zool.) esquilo; arda; mamífero roedor.

ardimiento. m. ardimento; coragem, intrepidez, audácia; conflagração.

ardínculo. m. (vet.) inflamação vermelha, tumor do gado cavalar.

ardiendo, da. adj. ardoroso, corajoso, valente, audaz.

ardita. f. (Amér.) (pop.) esquilo.

ardite. m. ardite, antiga moeda de cobre de pouco valor: *no vale un ardite*, não vale um óbolo; *me importa un ardite*, não me importa nada.

ardor. m. ardor, calor grande; ardência; (fig.) ardor, efervescência, vivacidade, alacridade, desejo violento; empenho; encendimento; adurência; afã, paixão; esto; (fig.) incêndio; vida; irritação; energia; sabor picante; veemência; interpidez: *ardor intenso*, inflamação, incêndio.

ardorada. f. vapor ardente; chama grande.

ardoroso, sa. adj. ardente; (fig.) enérgico; intenso; vivo; fogoso, vigoroso, cheio de ardor; efervescente; picante.

arduidad. arduidade, dificuldade, arduosidade, trabalho árduo.

arduo, dua. adj. árduo, difícil, penoso, trabalhoso; custoso; arriscado, escarpado, de difícil acesso, dificultoso; íngreme, espinhoso, intrincado, improbo.

ardura. f. (prov.) alta, escassez.

área. f. área; espaço; zona; território; (geom.) área; (sist. metr.) are, medida agrária; superfície; círculo; circunscrição; (fig.) campo em que se exerce determinada a(c)tividade.

areca. f. (bot.) areca, palmeira.

arecina. f. (quím.) arecina.

arecinas. f. pl. (bot.) arecíneas.

arefacción. f. (farm.) arefa(c)ção; secura; seca; (fig.) debilidade, extenuação.

arel. m. crivo, joeira, grande.

arelar. v. tr. crivar, joeirar.

arena. f. areia; qualquer pó; (pat.) areia, gránulos calcáreos da urina; arena (nos anfiteatros, circos ou praças de toiros); saibro: (fig.) *escribir en arena*, edificar sobre areias; *arena movediza*, areia movediça; *arena de platero*, cifa; *sembrar en la arena*, (fig.) edificar sobre areia.

arenáceo, a. adj. arenáceo, arenoso.

arenación. f. (med.) arenação; areação.

arenal. m. areal; praia; areal; areeiro.

arenalejo. m. dim. de *arenal*.

arenar. v. tr. arear, cobrir ou esfregar com areia; areaçar. — **arenarse.** v. r. (mar.) encalhar, tocar em banco de areia; varar.

arenaria. f. (bot.) arenária.

arenario, ria. adj. (hist. nat.) arenário, que cresce em terrenos arenosos.

arenaza. f. granito que se costuma encontrar em contacto com as filões de galena.

arencar. v. tr. salgar e secar as sardinas como se costuma fazer com os arenques.

arenero, ra. s. areeiro; vendedor de areia; caixa para guardar areia; pequeno vaso com areia que se deitava sobre a escrita para a secar.

arenería. f. areeiro, areal, lugar donde se extrai areia.

arenga. f. arenga; discurso, alocução; altercação, aranzel; (iron.) arenga, discurso afectado e impertinente; (Amér.) disputa, veemência.

arengador, ra. adj. e s. arengador, aquele que arenga; orador, arengueiro.

arengar. v. tr. e intr. arengar, fazer arengas; discursar; (pop.) rezingar.

arenífero, ra. adj. arenífero, que contém areia.

arenilla. f. areia para secar a tinta de escrever; (zool.) doença dos falcões. — pl. salitre fino, cálculo biliar; datos marcados de um lado só.

arenillera. f. areeiro. — m. (Amér.) areeiro, pequeno vaso com areia que se deitava sobre a escrita para a secar.

arenisca. f. (min.) rocha contendo quartzo ligado por cimento silício, argiloso, calcário ou ferruginoso.

arenisco, ca. adj. arenoso, areento, areisco.

arenoso, sa. adj. arenoso, areento, areisco, arenáceo.

arenque. *m.* (ictiol.) arenque; (fam.) arenque, pessoa tisnada e magra: *arenque ahumado*, arenque de fumo; *arenque en salmuera*, arenque encanastrado; *salar arenques*, salgar e secar arenques.

arenquera. *f.* rede para pescar arenques.

arenuloso, sa. *adj.* arenuláceo.

areografía. *f.* (astr.) areografia.

areógrafo, fa. *s.* areógrafo.

aréola. *f.* (med.) aréola; (zool.) círculo pigmentado em redor da glândula mamária.

areolación. *f.* (bot.) areolação, forma que apresentam as fibras de qualquer tecido celular.

areolado, da. *adj.* areolado, areolar.

areolar. *adj.* areolar, areolado, que tem aréolas.

areolitis. *f.* (med.) areolite, inflamação da aréola.

areometría. *f.* areometria.

areométrico, ca. *adj.* (fís.) areométrico.

areómetro. *m.* (fís.) areómetro, (Bras.) areômetro, instrumento de medir a densidade dos corpos.

areonauta. *m.* ascensionista.

areopagita. *m.* areopagita, cada um dos juízes do areópago.

areópago. *m.* areópago, tribunal superior da antiga Atenas (por extens.) assembleia de magistrados, sábios, etc.

areosistilo. *adj.* (arq.) areossistilo, diz-se do edifício ou monumento com colunas nas quais se combinam os módulos do aerostilo com os do sistilo.

areóstilo. *m.* (arq.) areostilo, intercolúnio de grande largura, usado na arquite(c)tura toscana.

areotectónica. *f.* (mil.) areotectónica, arte de fortificar.

areótico, ca. *adj.* (med.) areótico.

arete. *m.* arozinho, pequeno aro; brincos das orelhas; arrecadas; elo.

arfada. *f.* (mar.) arfada, arfagem, arfadura, balanço de popa à proa.

arfar. *v. intr.* (mar.) arfar, dar baloiço, de proa à popa, balouçar; (Bras.) caturrar, balançaio.

arfil. *m.* (Amér.) V. **alfil**.

arfiler. *m.* (Amér.) V. **alfiler**.

arfueyo. *m.* (bot.) agárico.

argadijo. *m.* V. **argadillo**.

argadillo. *m.* dobadoura, dobadoira, argadilho; armação com que se forma a parte inferior do corpo dalgumas imagens; (fig.) homem inquieto, belicoso, intrometido; cesto grande de vime; (ant.) o esqueleto humano.

argado. *m.* enredo; travessura; intriga, malícia.

argallera. *f.* (carp.) serra curva, javradeira, instrumento para abrir javres ou encaixes nas extremidades para se embutirem tampos, como em cubos e tonéis.

argamandel. *m.* (pop.) argamandel, falador, homem sem credito; farrapo. V. **andrajo**.

argamandijo. *m.* (pop.) conjunto de miudezas ou apetrechos para alguma arte ou ofício; armadilha para pássaros.

argamasa. *f.* argamassa, mistura de cal, saibro e água; cimento: *argamasa de arena y barro*, areisca; *tapar o pegar con argamasa*, tapar ou unir com argamassa, argamassar; *tabla para transportar argamasa*, corcho.

argamasador. *m.* argamassador, amassador.

argamasar. *v. tr.* argamassar, fazer argamassa; unir, tapar com argamassa.

argamasón. *m.* pedaço grande de argamassa.

árgana. *f.* (mec.) argana, guindaste, grua. — *pl.* cangalhas de vime.

arganel. *m.* (astr.) arganel, arganéu.

arganeo. *m.* (mar.) arganéu, argola de âncora; anete.

argavieso. *m.* turbilhão, redemoinho; aguaceiro forte, chuva forte com vento.

argayar. *v. impe.* desprenderem-se terras e pedras.

argayo. *m.* porção de terras e pedras que se desprende deslizando pela ladeira dum monte; alude, avalancha: (prov.) *argayo de nieve*, alude.

argel. *adj.* argel, arzel, malhado de branco, diz-se do cavalo que tem malha branca no pé direito.

Argelia. (geog.) Argélia, Argel.

argelino, na. *adj.* e *s.* (geog.) argelino, natural de o pertenecente a Argel ou Argélia.

árgema. *f.* (pat.) árgema, úlcera da córnea arredondada e superficial; argemona.

argén. *m.* (blas.) cor branca ou de prata.

argentación. *f.* (quím.) argentação.

argentada. *f.* espécie de enfeite que usavam as mulheres.

argentado, da. *adj.* e *p. p.* argentado, prateado, coberto de prata: *zapato argentado*, sapato guarnecido de fofos.

argentador. *m.* argentador, o que argenta; prateador.

argentamina. *f.* (quím.) argentamina, sal de prata.

argentán. *m.* (quím.) argentão, liga de cobre, estanho e niquel.

argentar. *v. tr.* argentar, pratear, tornar branco; guarnecer alguma coisa com prata; (fig.) dar brilho semelhante ao da prata.

argentario. *m.* prateiro, argentário, ourives de prata; director da casa da moeda; (fig.) homem rico.

argénteo, a. *adj.* argênteo, feito da prata; argentino, que soa como prata; brilhante de prata, utensilios ornamentados de prata.

argentería. *f.* argentaria, guarnição de prata, bordado de prata ou de ouro; baixela de prata, utensílios ornamentados de prata.

argentero. *m.* prateiro. V. **argentario**.

argentífero, ra. *adj.* argentífero, que contém prata.

argentina. *f.* (min.) argentina; (bot.) argentina, planta rosácea de flores amarelas e corimbo.

Argentina. (geog.) Argentina.

argentinismo. *m.* costume ou modo de falar próprio dos Argentinos.

argentino, na. adj. (geog.) argentino, relativo ao Rio da Prata ou Argentina; natural da Argentina; argênteo, da prata. — m. moeda de ouro, da República Argentina. V. **argénteo.**

argentita. f. (min.) argentita, argirite.

argento. m. (poet.) argento, prata, metal precioso, designação alatinada da prata; (fig.) o mar.

argentoso sa. adj. argentoso, que tem mistura de prata.

argila. f. (min.) argila. V. **arcilla.**

argiloso, sa. adj. argiloso, argiláceo. V. **arcilloso.**

argilla. f. argila. V. **arcilla.**

argirismo. m. (med.) argirismo, intoxicação pelo emprego dos sais de prata.

argirita. f. (min.) argirite, argentite.

argirol. m. (farm.) argirol.

argirosa. f. (min.) argirite.

argo. m. (quím.) árgon, argão, corpo simples gasoso que entra na composição do ar.

argólico, ca. adj. V. **argivo.**

argolla. f. anel, argola, aro grosso de ferro; argolinha, jogo de crianças; golilha, castigo em que os condenados têm a garganta presa; aselha, arco; arriel; elo; gargantilha ou colar de mulher usado antigamente como adorno; (Amér.) barbarismo por *anillo.*

argón. m. (quím.) V. **argo.**

argonauta. m. Argonauta, chefe grego que foi a Colcos na nau Argos em demanda do velocino de oiro; (zool.) argonauta, molusco cefalópode.

argonáutico, ca. adj. argonáutico, relativo aos argonautas.

argonina. f. (quím.) argonina.

Argos. m. (mit.) Argos, Argo, personagem mitológica de cem olhos; (fig.) pessoa que vê muito, que observa bem; pessoa vigilante, perspicaz, argos.

argot. m. (fam.) gíria, calão.

argucia. f. argúcia, agudeza de espírito; argumento subtil; sofisma, subtileza; falsidade.

argucioso, sa. adj. argucioso, arguto, subtil, que usa de argúcias.

argüe. m. cabestrante; instrumento empregado para extrair o ouro.

arguellarse. v. r. (prov.) debilitar-se, enfraquecer-se.

arguello. m. debilitamento, debilitação, enfraquecimento, fraqueza, langor.

argüido, da. adj. e p. p. arguido, deduzido; descoberto, provado; disputado.

argüidor, ra. adj. arguidor, que argúi; impugnador; arguente.

argüir. v. tr. arguir, descobrir, manifestar, provar; deduzir, tirar uma consequência, fazer dedução; verberar, acusar, censurar, arguir; indicar; arrazoar; increpar. — v. intr. arguir, argumentar, disputar, impugnar a opinião alheia; apresentar argumentos contra alguma opinião. — *pres. ind.* irr. arguyo, -es, -e, -en, *subj.* **arguya, -as, -a, -an; arguyera,** etc.; *ger.* **arguyendo.**

argüitivo, va. adj. arguitivo, que argúi ou contradiz, que contem arguição.

argumentación. f. argumentação, argumento; discussão; alegação; arguição.

argumentador, ra. adj. e s. argumentador, que argumenta, arguente, arrazoador; argumentista; argumentante.

argumentar. v. intr. argumentar, usar de argumentos; arguir; discutir; tirar ilações ou consequências; arrazoar; alegar; disputar; discursar, discutir.

argumentativo, va. adj. argumentativo, que encerra argumentos; semelhante a argumento.

argumentista. s. V. **argumentador.**

argumento. m. argumento, raciocínio que de uma ou mais proposições tira uma consequência; prova; assunto; exposição resumida de uma obra; sumário que costuma pôr-se no princípio de uma obra literária; sinal, indício, prova; contexto; arrazoamento; (fig.) contrapé; (fig.) arma: *argumento falaz,* argúcia; *argumento de poco peso,* argumentilho; *argumento principal,* cavalo de batalha; *argumento de Aquiles,* raciocínio tomado como decisivo para demonstrar uma tese.

aria. f. (mús.) ária, peça de música para uma só voz.

Ariadna. m. (astr. Mit.) Ariadna.

ariano, na. adj. ariano, relativo aos Árias. — m. ariano, língua dos Árias.

aribe. m. (Amér.) menino inteligente.

aricar. v. tr. V. **arrejacar.**

aricna. f. (quím.) aricina.

aridarse. v. r. (Amér.) tornar-se árido ou estéril, esterilizar-se.

aridecer. v. tr., intr. e r. aridificar, tornar árida alguma coisa. — *conj. irr.* com **crecer.**

aridez. f. aridez, qualidade de árido; secura; esterilidade; improductividade; infecundidade; infructuosidade; maninhez; sequidade, seca.

árido, da. adj. árido, estéril, improductivo, improlífico, infecundo; infructífero, infructuoso, ingrato, maninho, sáfaro, seco, (Bras.) sêco; (fig.) pouco ameno; desagradável; fastidioso; adusto; inculto; fraco. — m. pl. secos, grãos, legumes e outros sólidos aos quais se aplicam as medidas de capacidade.

Aries. m. (astr.) Aries, Carneiro, uma das doze constelações zodiacais.

arieta. f. dim. (mús.) arieta, pequena ária.

arietario, ria. adj. arietário, relativo ou pertencente ao ariete.

ariete. m. aríete, antiga máquina de guerra que se empregava para abater muralhas; (mec.) máquina elevadora da água chamada vulgarmente carneiro.

arietino, na. adj. arietino, pertencente ao aríete; relativo ou semelhante ao carneiro.

arifarzo. m. (germ.) capote de duas abas.

arigue. m. madeira filipina que serve para a construção de edifícios.

arije. adj. diz-se duma variedade de uva vermelha e grande.

arijo, ja. *adj.* (agr.) diz-se do terreno fácil de lavrar.

arilado, da. *adj.* (bot.) arilado, que tem arilo.

arilo. *m.* (bot.) arilo, grão seco da uva; grainha, invólucro acessório de certas sementes; apêndice do funículo que cobre certas sementes.

ariloide. *m.* (bot.) órgão que apresentam certas sementes.

arillo. *m.* aro, círculo delgado de madeira, que servia de molde para as voltas que usam os eclesiásticos; arozinho; elo; brinco de orelha. V. **arete.**

arimez. *m.* (arq.) galeria, parte saliente de um edifício.

ario, ria. *adj.* ário, diz-se dum povo primitivo que habitou no centro da Asia; pertencente aos árias; árico; jafético.

ariolo. *m.* aríolo. V. **adivino.**

arioso, sa. *adj.* (mús.) arioso.

arique. *m.* tira de cortiça que se emprega para atar.

arisblanco, ca. *adj.* de arestas brancas.

arisco, ca. *adj.* arisco, esquivo, intratável, áspero; bravio; estranhão; desafável; desociável; indomável.

arisnegro, gra. *adj.* de arestas negras.

arisprieto, ta. *adj.* V. **arisnegro.**

arista. *f.* (bot.) arista, aresta, aruta, pragana da espiga do trigo; prolongamento rígido e filiforme dalgumas peças florais; granca; limpadura do trigo; (geom.) intersecção de dois planos formando ângulo biedro; linha saliente que separa as duas vertentes principais duma montanha; (pop.) pedra. — *pl.* (fort.) linhas direitas duma esplanada.

aristado, da. *adj.* arestado, que tem arestas; aristado; arestoso, aristoso.

aristarco. *m.* (fig.) aristarco, censor severo, crítico.

aristocracia. *f.* aristocracia, governo ou conjunto dos nobres; fidalguia; nobreza; superioridade; (por ext.) classe que sobressai entre as demais; as classes preeminentes.

aristócrata. *s.* aristocrata, indivíduo pertencente à aristocracia; fidalgo; nobre.

aristocrático, ca. *adj.* aristocrático, relativo à aristocracia; nobre; fidalgo, palaciano, fino, distinto.

aristocratizar. *v. tr.* aristocratizar, tornar aristocrático; dar foros de aristocracia; nobilizar. — **aristocratizarse.** *v. r.* tornar-se aristocrata; adquirir modos aristocráticos.

aristodemocracia. *f.* (pol.) aristodemocracia.

aristodemócrata. *s.* (pol.) aristodemócrata.

aristodemocrático, ca. *adj.* (pol.) aristodemocrático.

aristofánico, ca. *adj.* aristofânico, relativo ou próprio de Aristófanes; aristofanesco, aristofaniano.

aristoloquia. *f.* (bot.) aristolóquia, planta dicotiledónea medicinal; erva da bicha.

aristoloquiáceo, a. *adj.* (bot.) aristoloquiáceo. — *f. pl.* aristoloquiáceas.

aristón. *m.* (arq.) cunhal, esquina de construção feita com pedra ou ladrilho e argamassa; (mús.) sanfona, instrumento com cordas de tripas muito tensas.

aristoso, sa. *adj.* aristoso, aristado, que tem muitas arestas.

aristotélico, ca. *adj.* aristotélico, relativo a Aristóteles, ou a sua doutrina. — *s.* aristotélico, partidário da doutrina de Aristóteles.

aristotelismo. *m.* (filos.) aristotelismo, filosofia ou doutrina de Aristóteles.

aritenoide. *m.* (med.) aritenóide.

aritenoideo, a. *adj.* (med.) aritenóideo.

aritenoiditis. *f.* (med.) aritenoidite.

aritmancia. *f.* aritmancia, aritmomancia.

aritmética. *f.* aritmética, ciência dos números.

aritmético, ca. *adj.* aritmético, pertencente ou relativo à aritmética. — *s.* pessoa que tem especiais conhecimentos sobre aritmética, aritmético.

aritmetógrafo. *m.* (mat. e mec.) aritmómetro, (Bras.) aritmômetro, aritmógrafo.

aritmografía. *f.* aritmografia.

aritmógrafo. *m.* aritmógrafo, aritmómetro, (Bras.) aritmômetro.

aritmología. *f.* (mat.) aritmologia.

aritmomanía. *f.* aritmomania, mania pelo cálculo numérico.

aritmomancia. *f.* aritmomancia.

aritmomántico, ca. *adj.* aritmomântico.

aritmometría. *f.* (mat.) aritmometria.

aritmométrico, ca. *adj.* (mat.) aritmométrico.

aritmómetro. *m.* aritmómetro, (Bras.) aritmômetro, aritmógrafo, máquina de calcular.

arlequín. *m.* arlequim; saltimbanco; palhaço; farçante, farcista; bobo; truão, jogral; pessoa vestida com traje de várias côres; (fig. y fam.) homem que muda fácilmente de opinião; cata-vento; sorvete; (zool.) arlequin, espécie de rouxinol: (Amér.) *arlequín de mesa*, sobremesa de frutas várias em conserva.

arlequinada. *f.* arlequinada, acção própria de arlequim; procedimento ridículo.

arlequinesco, ca. *adj.* arlequinesco, próprio de arlequim ou relativo a ele; (fig.) ridículo.

arlota. *f.* pluma, filamento que se desprega do linho; estopa.

arma. *f.* arma, instrumento ofensivo ou defensivo; qualquer meio de agressão; (mil.) classe de tropa (artilharia, cavalaria, infantaria, etc.); (fig.) meio para conseguir alguma coisa; (taurom.) hastes, cornos; coragem. — *pl.* carreira militar; distintivo de nobreza; armadura; conjunto de armas: *arma blanca*, arma branca; *arma de fuego*, arma de fogo; (Bras.) queimante; *arma arrojadiza*, arma de arremesso; *arma defensiva*, arma que serve para defesa; (fig.) *alzarse en armas*, sublevar-se; *rendir las armas*, (mil.) entregar as armas, render-se; *rendir el arma*, (mil.) prestar a tropa as honras ao Santíssimo; *ser un arma de dos filos*, empregar argumentos que podem ser prejudiciais; *¡presenten* *armas!*, apresentar armas!; *maestro de armas*, mestre de armas; *hecho de armas*, feito de armas; (fam.) *hombre de armas tomar*, homem de faca e canhão; *¡descansen armas,!* descançar armas!; *dar armas al enemigo*, dar armas contra si; *presentar armas*, apresentar armas!

armada. *f.* (mar.) armada, esquadra duma nação, conjunto de forças navais; frota; conjunto de batedores numa caçada; (pop.) trapaça no jogo das cartas; (Amér.) armadilha, maneira de dispor o laço para o lançar; laçada; bando de gente que espantavam as feras para as fazer correr na direcção em que as esperavam os caçadores.

armadera. *f.* (mar.) qualquer dos madeiros empregados na construção do casco duma embarcação.

armadía. *f.* jangada, conjunto de tabuões unidos para se navegar pelos rios; almadia; armadilha.

armadija. *f.* V. **armadijo.**

armadijo. *m.* armadilha para caçar. V. **trampa.**

armadilla. *f.* (germ.) dinheiro que alguém dá a outro para que jogue por ele; armadilha; esquadrilha de navios pequenos armados: *barco de armadilla*, navio de estação.

armadillo. *m.* (zool.) armadilho, dasiúro, tatu, mamífero desdentado da América Meridional.

armado, da. *adj.* e *p. p.* armado, munido de armas; aparelhado. — *m.* figurante armado das procissões da Semana Santa; (zool.) peixe dos rios do Oriente da Bolívia: *a mano armada*, à mão armada.

armador, ra. *s.* armador, pessoa que arma; proprietário de navios mercantes; corsário; pirata; engajador de marinheiros para a pesca da baleia ou do bacalhau; gibão; (mec.) operário que ajusta as peças duma máquina.

armadura. *f.* armadura; conjunto de armas que vestia o guerreiro para combater; armadura; armação de edifícios, madeiramento; armadura, esqueleto dos vertebrados; armação, instalação duma máquina; preço de armação; esparrela; (fís.) armadura, lâmina metálica dos condensadores eléctricos; peça de ferro macio com que se conserva e reforça a magnetização ou pólos dum íman; (mar.) aro metálico que reforça a união de algumas coisas; pontas dos animais; invólucro que protege ou defende.

armamento. *m.* armamento acção de armar; conjunto de armas; petrechos dum navio; depósito de armas, arsenal.

armar. *v. tr.* armar, munir, prover de armas; equipar, aparelhar; cobrir com armadura; fabricar; tramar; formar; (art.) acarretar; (fig.) entretecer; preparar, dispor; assentar, instalar; inventar; armar, aprestar um navio; armar, decorar, enfeitar uma igreja, edifício, etc; pôr armadilha para caçar; estacar as plantas. —

v. intr. reunir tropas; convir, estar em relação com. — **armarse.** *v. r.* pegar em armas; preparar-se para a guerra; estar iminente: (fam.) *armarla*, trapacear no jogo; promover questões ou alvoroços; *armarse de paciencia*, armar-se de paciência; *armarse una tremolina*, armar-se uma desordem.

armario. *m.* armário, móvel de madeira para guardar objectos de uso doméstico: *armario pequeño*, almarilho; armarinho; *armario para guardar loza*, louceira; *armario para la vajilla*, copa, copeira; *armario de comedor*, aparador.

armatoste. *m.* armatoste, instrumento que usavam os besteiros para armar as bestas; almanjarra, móvel ou outro qualquer objje(c)to mais incómodo que útil; móvel tosco, pesado e mal feito; armadilha de caçador; (fig. e fam.) pessoa corpulenta que para nada serve.

armazón. *f.* armação, madeiramento dum edifício; peça sobre que se arma alguma coisa; acção e efeito de juntar entre si as peças de que se compõe um móvel. — *m.* armadura, esqueleto; (Amér.) mau usado por *anaquelería*; (mar.) armação, aparelhos náuticos; equipamento de navio; antigo arcaboiço; (carp.) frontal; (arq.) enchamel.

armella. *f.* armela, anel; prego cuja cabeça tem um aro; aro em que engata a lingueta de uma fechadura, extremidade de um ferrolho.

Armenia. (geog.) Arménia, (Bras.) Armênia.

arménico, ca. *adj.* e *s.* V. **armenio.**

armenio, nia. *adj.* e *s.* (geog.) arménio, (Bras.) armênio, arménico, (Bras.) armênico, natural de Arménia ou pertencente a este país; diz-se de certos cristãos do Oriente que conservam seu antiquíssimo rito e formam dois patriarcados, católico um, cismático outro. — *m.* arménio, lingua arménica.

armenita. *f.* (min.) armenita, pedra arménica.

armería. *f.* (bot.) armeria, género de plantas plumbagíneas.

armería. *f.* armaria, depósito de armas; arte de fabricar armas; estabelecimento onde elas se vendem; arsenal; armaria, heráldica; brasão; fábrica de armas.

armero. *m.* armeiro, fabricante ou vendedor de armas; alfageme; espingardeiro; encarregado de limpar armas à sua guarda; armeiro, cabide de armas; espécie de estante de madeira para colocar as armas: *armero mayor*, armeiro-mor.

armífero, ra. *adj.* (poet.) V. **armígero.**

armígero, ra. *adj.* (poet.) armígero, armífero, que traz armas; provido de armas. — *m.* armígero, escudeiro que tinha por ofício levar as armas do seu senhor. V. **belicoso.**

armilar. *adj.* armilar, que tem armilas; que apresenta os círculos da esfera celeste.

armilla. *f.* (arq.) astrágalo, filete que circunda o canhão junto à boca; armila, parte da base duma coluna; (astr.) armila.

armiñado, da. adj. arminhado; arminado; malhado de branco e preto (diz-se do cavalo); semelhante em brancura ao arminho.

armiño. m. (zool.) arminho; pele deste animal; (blas.) corpo de prata semeado de pequenas cruzes de sinople, dispostas em xadrez; (Bras.) arminho.

armisticio. m. armistício, suspensão de hostilidades, tréguas curtas.

armón. m. (art.) armão, jogo dianteiro nas peças de artilharia.

armonía. f. harmonia, armónia; acordo, (Bras.) acôrdo, boa convivência; (fig.) conveniente proporção e correspondência dumas coisas com outras; paz, amizade com reciprocidade; união; (mús.) arte de formar e ligar os acordes; congruência; consonância; equilíbrio; fraternidade; euritmia; (fig.) coalho: *estar en buena armonía con alguien*, estar bem com alguém; *vivir en armonía*, dar-se bem; entoação; *falta de armonía*, desarmonia.

armónica. f. (mús.) harmónica, (Bras.) harmônica, instrumento composto de foles e teclas, espécie de órgão portátil.

armónico, ca. adj. harmónico, (Bras.) harmônico; melodioso, eurítmico; entoado; (fig.) coesivo. — m. (mús.) som agudo produzido pela ressonância doutro fundamental; som muito agudo e doce, produzido nos instrumentos de corda.

armonio. m. (mús.) harmónio, (Bras.) harmônio, pequeño órgão de sala.

armonioso, sa. adj. harmonioso, sonoro, agradável ao ouvido; melodioso, melódico, mélico; belo; consonante ; acorde, acordante; eufónico, (Bras.) eufônico; entoado; (fig.) que tem harmonia.

armonista. s. harmonista; músico.

armonium. m. V. **armonio.**

armonizable. adj. harmonizável, que se pode harmonizar.

armonización. f. harmonização.

armonizado, da. adj. e p. p. harmonizado; (fig.) bem-avindo.

armonizar. v. tr. harmonizar; pôr em harmonia duas ou mais partes dum todo; (mús.) harmonizar, compor harmonias; pôr acordo; betar; acordar; assentar; (fig.) equilibrar; (pint.) entoar; (fig.) fraternizar; coeducar: *el verde le armoniza*, o verde assenta-lhe muito bem.

armoricano, na. adj. (geog.) armórico, bretão.

arnaute. adj. e s. (geog.) albanês, natural da ou pertencente a Albânia.

arnés. m. arnês, conjunto de armas; armadura completa de um guerreiro ou de cavalgaduras. — pl. jaezes, adornos de cavalos ou mulas, arreios; (fig., fam.) as coisas necessárias para alguns fins: *blasonar uno del arnés*, (fig.) dizer fanfarronadas; *quitar el arnés*, desjungir.

árnica. f. (bot.) arnica; tintura de arnica; planta composta medicinal conhecida pelo nome de espirradeira: (fam.) *pedir árnica*, implorar perdão.

arnicina. f. (quím.) arnicina.

aro. m. aro, argola; (bot.) jarro; arco; ajorca; brinco das orelhas: (fam.) *pasar por el aro*, fazer por força ou manha o que não se desejava fazer.

¡aro! interj. (Amér.) expressão com que se interrompe alguém que fala, canta ou baila.

aroideo, a. adj. (bot.) aroídea, diz-se das plantas monocotiledóneas, herbáceas e lenhosas, tuberculosas, de folhas alternas. — f. pl. aroideas, aráceas.

aroma. m. aroma, perfume; cheiro; essência odorífera, odor; fragância; eflúvio; (bot.) flor da acácia de perfume muito agradável.

aromar. v. tr. aromatizar, perfumar. V. **aromatizar.**

aromaticidad. f. aromaticidade, qualidade do que é aromático; aroma, fragância.

aromático, ca. adj. aromático, que tem aroma ou odor agradável; fragante, efluvioso, cheiroso; ambrosíaco; embriagador.

aromatización. f. aromatização; embalsamamento, acção de aromatizar.

aromatizar. v. tr. aromatizar, tornar aromático; perfumar; embalsamar; ambrear. —

aromatizarse. v. r. impregnar-se de aroma.

aromoso, sa. adj. aromático, fragante, cheiroso, embriagador.

arpa. f. (mús.) harpa: *arpa eolia*, harpa eólia.

arpado, da. adj. (poet.) diz-se das aves de canto agradável; denteado, arpado, farpado, rematado em recortes como dentes de serra.

arpadura. f. arranhadura; arranhadela; arranhão; rasgão. V. **araño.**

arpar. v. tr. arranhar, rasgar; fazer em tiras ou em pedaços alguma coisa.

arpegiar. v. intr. (mús.) arpejar, fazer arpejos, dedilhar.

arpegio. m. (mús.) arpejo, sequência das notas dum acorde, em instrumentos de corda.

arpeo. m. (mar.) arpéu; abalroa, ferro de quatro braços, sem cepo e terminando em farpa; pequeno arpão; fisga; fateixa.

arpía. f. harpia, monstro fabuloso com cabeça de mulher e corpo de abutre; (fig., fam.) pessoa ambiciosa e cruel; mulher de má condição ou muito feia e fraca; (germ.) esbirro, agente de polícia.

arpillador. m. (Amér.) o que tem por ofício cobrir fardos com serapilheira.

arpilladura. f. (Amér.) acção de cobrir fardos com serapilheira.

arpillar. v. tr. (Amér.) cobrir fardos com serapilheira.

arpillera. f. serapilheira.

arpista. s. (mús.) harpista, tocador de harpa.

arpón. m. arpão, instrumento com que se pescam os grandes peixes; enxadão, zarpão, fisga, fateixa, arpéu; ponta de seta ou flecha; catavento: *arpón de abordar*, abalroa; *pescar com arpón*, copejar; *lanzamiento de arpón*, copejadura.

arponado, da. adj. arpado, arpoado, farpado, fisgado, semelhante ao arpão.

arponar. *v. tr.* V. **arponear.**

arponcillo. *m.* anzol, pequeno arpão, arpéu.

arponear. *v. tr.* arpoar, segurar com o arpão; arremessá-lo contra, ferir com ele; cravar o arpão nos peixes, fisgar, arpar, arpear; copejar; abalroar; farpear.

arponero. *m.* arpoador, copejador, pescador encarregado de lançar o arpão; fabricante de arpões.

arqueada. *f.* (mús.) arcada, passagem do arco sobre as cordas dum instrumento; (pat.) arcada, ânsia, náuseas, movimento violento do estômago.

arqueado, da. *adj.* arcado; abaulado, arqueado, curvado.

arqueador. *m.* arqueador; (mar.) arqueador, perito que mede a capacidade das embarcações; batedor de lã.

arqueaje. *m.* arqueação, arqueio, medição da capacidade dum navio.

arqueamiento. *m.* encurvadura. V. **arqueaje.**

arquear. *v. tr.* arquear, curvar em forma de arco; arcar, dobrar, curvar; tornar flexível; corcovar; acurvar; abobadar, abaular; alombar, encurvar; sacudir a lã para a cardar; (mar.) arquear, medir a capacidade do navio; fazer a arqueação.

arquegonio. *m.* arquegónio, orgão feminino dos musgos.

arqueo. *m.* arqueação, medição da capacidade dum navio; arqueio; curva, dobra.

arqueo. *m.* (com.) verificação dos papéis e dos dinheiros que existem na caixa dum banco, escritório, etc.

arqueografía. *f.* arqueografia.

arqueógrafo, fa. *s.* arqueógrafo.

arqueolítico, ca. *adj.* (geol.) arqueolítico.

arqueología. *f.* arqueologia, estudo de coisas antigas.

arqueológico, ca. *adj.* arqueológico, (por exten.) muito antigo.

arqueólogo, ga. *s.* arqueólogo; (fig.) antiquário.

arquería. *f.* arcaria, arcada, série de arcos.

arquero. *m.* arqueiro, tesoureiro ou caixa duma tesouraria; frecheiro, soldado armado de arco e flechas; (ictiol.) género de peixes, escaminenes.

arqueta. *f.* arqueta, pequena arca.

arquetar. *v. tr.* bater a lã.

arquetipo. *m.* arquétipo, modelo, (Bras.) modêlo, exemplar; padrão, tipo primitivo; exemplo.

arquetón. *m.* arcaz, muito grande.

arquibanco. *m.* arquibancada, arquibanco, banco grande cujo assento é ao mesmo tempo tampa de arca.

arquiblasto. *m.* (biol.) arquiblasto, porção do blastoderme.

arquidiócesis. *f.* arquidiocese; arcebispado.

arquiepiscopal. *adj.* arquiepiscopal, arcebispal.

arquilar. *v. tr.* (Amér. pop.) V. **alquilar.**

arquilla. *f.* arqueta, cofrezinho, caixinha.

arquillo. *m.* (mús.) arco dos instrumentos musicais, arquete.

arquisinagogo. *m.* arqui-sinagogo, o principal da sinagoga.

arquitecto. *m.* arquite(c)to, aquele que professa a arquitectura.

arquitectónico, ca. *adj.* arquitectónico, (Bras.) arquitetônico.

arquitectura. *f.* arquitectura; contextura; plano, projecto: *arquitectura militar,* fortificação, arquitectura militar.

arquitrabe. *m.* (arq.) arquitrave, epistílio.

arquivolta. *f.* (arq.) arquivolta, contorno que acompanha o arco.

arrabá. *m.* (arq.) adorno em forma de marco rectangular, usado nas portas e janelas de estilo árabe.

arrabal. *m.* arrabalde, arrededores, alfoz, bairro contíguo às grandes povoações, subúrbios; povoação anexa a outra maior; vizinhanças, cercanias.

arrabalera. *f.* regateira.

arrabalero, ra. *adj.* arrabaleiro, arrabaldino, que vive no arrabalde. — *adj.* de maneiras grosseiras; diz-se da pessoa que pelo seu traje e modos denota pouca educação: (fam.) *contar con linderos y arrabales,* pôr os pontos nos ii.

arrabiatar. *v. tr.* (Amér.) atar um animal à cauda de outro. — *v. r.* (Amér.) submeter-se servilmente à opinião de outro.

arrabillado, da. *adj.* diz-se do trigo alforrado.

arrabio. *m.* ferro fundido.

arracada. *f.* arrecada, brinco.

arracimado, da. *adj.* e *p. p.* arracimado, que tem forma de cacho.

arracimarse. *v. r.* arracimar-se, tomar a forma de cacho.

arráez. *m.* chefe árabe; capitão de embarcação árabe; arrais, patrão ou mestre dum barco.

arraigadas. *f. pl.* (mar.) arraigadas, enfrexates, cabos que fixam os ovéns da enxárcia grande.

arraigado, da. e *p. p.* arraigado, diz-se do que é possuidor de bens de raiz; enraizado; inveterado; (fig.) fundo, entranhável.

arraigar. *v. intr.* arraigar, deitar raizes, enraizar, firmar pela raiz; entranhar; (fig.) arreigar-se um vicio ou costume; (for.) afiançar com bens de raiz ou com depósito em dinheiro. — *v. tr.* (Amér.) notificar judicialmente uma pessoa para que não saia duma povoação. — **arraigarse.** *v. r.* arraigar-se, estabelecer-se, fixar-se em determinado lugar: *arraigar una idea,* entranhar uma ideia.

arraigo. *m.* enraizamento; bens de raiz, bens imóveis; (fig.) estabilidade, garantia, solidez.

arralar. *v. intr.* ralear.

arramblar. *v. tr.* deixarem os arroios depósitos de areia nas terras por onde passam; (fig.) empurrar, arrastar com violência.

arranado, da. *adj.* em forma de rã.

arranarse. *v. r.* sentar-se no solo com as pernas entrecruzadas.

arrancada. *f.* arrancada, partida ou saída brusca, impetuosa; (mar.) arrancada, primeiro impulso do navio ao empreender a sua marcha, arranco; aumento brusco de

velocidade na marcha dum navio; arrancada, pista; (ant.) expedição militar.
arrancado, da. *adj.* e *p. p.* arrancado; avulso; (fig. am.) arruinado, pobre depois de
ter tido fortuna; (Bras.) arrancado, diz-se
da planta que mostra as raizes e da cabeça ou do membro mal cortado.
arrancamiento. *m.* arrancamento; arranco,
arrancadura, arrancada; extirpação; extracção; (med.) avulsão.
arrancar. *v. tr.* arrancar, tirar com força;
desarraigar; extorquir; separar; libertar; puxar de repente; (fig.) tirar com violência; desenraizar; (fig.) obter de alguém com muito trabalho ou astúcia;
obrigar a manifestar-se; conseguir, vencer; extirpar; expectorar; vencer; extrair;
cortar; (Bras.) Derrancar. — *v. intr.* sair
de repente; avançar impetuosamente;
(mar.) arrancar, dar a um navio maior
velocidade; provir, ter origem; (arq.)
principiar o arco ou a abóbada; puxar de
repente por um objecto; (Amér.) agonizar; lançar-se; (fam.) partir, ir-se embora: *arrancar suavemente*, beliscar; *arrancar de cuajo* o *raíz*, extirpar: *arrancar
una flor*, desflorar; *arrancar con fuerza*,
desarrancar; *arrancar las plumas*, desplumar; despenicar; *arrancar el rabo*,
derrabar; *arrancarse los pelos*, descabelar-se; *arrancar los árboles*, desarborizar;
arrancar el caballo, arrancar o cavalo;
arrancar un clavo, desencravar; *arrancar
de*, emanar, nascer de.
arranchar. *v. tr.* (mar.) passar perto da costa; (Amér.) arrebatar, tirar. — **arran-
charse.** *v. r.* arranchar-se, juntar-se em
ranchos.
arranque. *m.* arrancadura, arranco; ímpeto;
ânsia; arquejo; prontidão demasiada;
ocorrência inesperada; pujança, brio;
emanação (fam.) destampatório, despautério; fundamento; iniciação; abalançamento; (mar.) parte extrema da quilha;
(min.) alicerce; (arq.) arranco, princípio
dum arco ou abóbada; (hist. nat.) começo
dum membro ou duma parte do animal ou
vegetal; (Amér.) agonia: *de arranque*,
de arrancada.
arrapiezo. *m.* andrajo, farrapo, fragalho;
(fig.) pessoa pequena, de pouca idade ou
humilde condição; pessoa desprezível.
arrapo. *m.* farrapo. V. **arrapiezo.**
arras. *f. pl.* arras, penhor, sinal; treze moedas que nos esponsais o noivo entrega à
noiva; (for.) bens dotais assegurados pelo
noivo à noiva no caso desta lhe sobreviver; dote que entre os godos tinha muita
semelhança com esta doação; doação, contracto matrimonial.
arrasado, da. *adj.* arrasado, acetinado, que
imita o cetim pelo brilho e macieza, devastado.
arrasador, ra. *adj.* e *s.* arrasador, devastador, assolador.
arrasadura. *f.* V. **rasadura.**
arrasamiento. *m.* arrasamento, nivelamento; demolição; devastação; desmantelamento; rasoura.

arrasar. *v. tr.* arrasar, tornar raso; aplanar;
nivelar, demolir, desmantelar; deitar por
terra, derribar; rasar com a rasoira; rasourar; encher um copo até às bordas;
arruinar; estragar; humilhar; assetinar;
assolar; exterminar; destruir; derrocar;
desmoitar; forragear. — *v. intr.* desanu-
viar-se o céu: *arrasar en lágrimas*, arrasar-se em lágrimas.
arrastraculo. *m.* (mar.) vela pequena.
arrastradera. *f.* (mar.) ala, vela pequena que
se junta a outra grande para receber mais
vento; varredoura.
arrastradero. *m.* caminho no monte por onde se arrasta a madeira; lugar na praça
de touros por onde se retiram os animais
mortos.
arrastradizo, za. *adj.* arrastadiço, que se leva de rastos, trilhado, diz-se da palha ou
do feno; arrastadeiro.
arrastrado, da. *adj.* e *p. p.* arrastado; pobre; tratante, gatuno, velhaco; (fig. fam.)
desastrado e azarento; aflito pelas privações e trabalhos; vil; diz-se do jogo
em que é obrigatório servir a carta jogada.
arrastrador. *m.* e *adj.* arrastador; (mec.)
arrastador, ascensor.
arrastramiento. *m.* arrastamento, arrastadura, arrastão, arrasto.
arrastrar. *v. tr.* e *intr.* arrastar, levar alguém ou alguma coisa de rastos ou de
rojo, puxando por ela; impelir, atrair,
levar atrás de si, proceder indignamente;
andar de rojos pelo solo; atrelar; empuxar; trunfar, jogar trunfo em alguns
jogos de cartas; transportar, levar por
força; colher na pesca; mover com dificuldade. — **arrastrarse.** *v. r.* humilhar-se
vilmente; proceder indignamente: *arrastrar las palabras*, estender as palavras ao
martelo; *arrastrar a alguien a algo*, (fig.)
embarcar alguém; *arrastrarse los niños al
empezar a andar*, engatinhar.
arrastre. *m.* arrasto, acto de arrastar;
transporte de madeiras, etc. (min.) inclinação apresentada às vezes pelas paredes
dos poços; arrastro, aparelho da rede de
arrastar: *pesca de arrastre*, pesca de
arrasto.
arrate. *m.* arrátel, libra de 16 onças.
arratonado, da. *adj.* ratado, roído pelos ratos.
¡arre! *interj.* arre!; asta! expressão com que
se incitam as bestas a caminhar. — *m.*
(fam.) cavalo de brinquedo.
arrear. *v. tr.* tocar, estimular as bestas para
que andem; apressar; aparelhar; pôr
arreios; enfeitar, ataviar; adornar; (ant.)
arriar: *arrear una caballería*, encilhar
uma besta; (pop.) bater, castigar.
arrebañador, ra. *adj.* e *s.* arrebanhador, que
arrebanha.
arrebañadura. *f.* arrebanhadura. — *pl.* resíduos de várias coisas que se recolhem,
arrebanhando-os ou juntando-os.
arrebañar. *v. tr.* arrebanhar, recolher ou
apanhar alguma coisa sem deixar nada;

apanhar de um prato os resíduos de comida até este ficar sem nada.

arrebatadizo, za. adj. precipitado, irreflexivo, irreflectido, propenso a arrebatar-se;
arrebatado.

arrebatado, da. adj. e p. p. arrebatado;
precipitado, fogoso, impetuoso, veemente,
violento; (fig.) inconsiderado, irascível
colérico; inflamado do rosto; acelerado;
empolgado; entusiasmado; desenfrenado,
furente, fulminante, encolerizado, delirante; despropositado; desaba!ado; corajoso: *muerte arrebatada*, morte repentina.

arrebatador, ra. adj. e s. arrebatador, que
arrebata, arrebatante; (fig.) violento; delirante, que causa entusiasmo ou êxtase.

arrebatamiento. m. arrebatamento, furor,
cólera; arroubo; assomo, rapto, surto,
transporte, voo; incandescência; arroubamento, excitação; destempero, (Bras.)
destempêro; furor; enlevo; êxtase.

arrebatar. v. tr. arrebatar, tirar com violência; pegar nas coisas precipitadamente;
levar por força, agarrar com precipitação; falando das messes, queimarem-se
antes do tempo; (fig.) enlevar, extasiar,
maravilhar; roubar; irritar; arrancar;
(fig.) atrair alguma coisa, como o ânimo,
vista, etc.; entusiasmar; (fig.) absolver;
abduzir; frenesiar; arrepanhar; empolgar; arroubar; exaltar; — **arrebatarse.**
v. r. arrebatar-se, encolerizar-se, enfurecer-se, exaltar-se; despropositar; embeber-se; cozer-se mal e precipitadamente
uma iguaria, por excesso de fogo, queimar-
-se a comida; correr em auxílio; maravilhar-se.

arrebatiña. f. arrebatinha, rebatinha, acção
de recolher arrebatadamente uma coisa
'entre muitos que pretendiam apoderar-se
dela.

arrebato. m. arrebato, arrebate, arrebatamento; êxtase, enlevo; excitação, furor
súbito; rapto, assomo, surto, transporte,
fogosidade, impetuosidade, veemência;
arroubo; paixão, frenesí, delírio; enfurecimento; entusiasmo; escandecência:
arrebato maternal, mal da mãe; *arreba-
tos*, excessos mentais.

arrebatoso, sa. adj. arrebatado, pronto, repentino, irritado, violento, irascível, esforçado.

arrebol. m. arrebol; rosicler, arrebique ou
cor vermelha que as mulheres põem na
cara; cor avermelhada do poente, em seguida ao sol-posto.

arrebolada. f. conjunto de nuvens avermel-
lhadas pelos raios do Sol.

arrebolar. v. tr. arrebolar, tomar a cor do
arrebol. — **arrebolarse.** v. r. arrebolar-se;
apejar-se; pôr arrebique no rosto.

arrebolera. f. vaso que contém arrebol;
mulher que vendia taças ou vasos de
arrebol. V. **dondiego.**

arrebollarse. v. r. arrojar-se, despenhar-se,
precipitar-se, rebolar.

arrebozar. v. tr. (coc.) cobrir com papel para
pôr na grelha. V. **rebozar.** — v. intr. re-

unirem-se as abelhas em volta do cortiço.
— **arrebozarse.** v. r. embuçar-se.

arrebozo. m. V. **rebozo.**

arrebujar. v. tr. amarrotar, amachucar, pegar desordenadamente e de qualquer maneira alguma coisa flexível; arregaçar;
envolver; enxovalhar; cobrir, enroupar.
— **arrebujarse.** v. r. enroupar-se, conchegar ao corpo a roupa da cama; agasalhar-se bem; arroupar-se.

arreciar. v. intr. aumentar, crescer gradualmente. — **arreciarse.** v. r. cobrar forças,
fortalecer-se; (mar.) refrescar o vento.

arrecido, da. adj. frio, entorpecido pelo
frio.

arrecife. m. calçada, caminho empedrado,
estrada real; recife, banco ou baixio no
mar quase à flor de água; banco de areia;
arrecife.

arrecirse. v. r. entorpecer-se ou entumecer-
-se por excesso de frio; entesar-se, enri-
jar-se. — v. defectivo. conjuga-se como
aguerrir.

arrecoger. v. tr. (pop.) V. **recoger.**

arrecostarse. v. r. (pop.) V. **recostarse.**

arrecular. v. intr. (pop.) V. **recular.**

arrecho, cha. adj. (prov.) firme, enérgico; altivo, orgulhoso; brioso; (Amér.) luxurioso, sensual; dominado pelo apetite sexual;
animoso, esforçado, valente.

arrechucho. m. (fam.) enfermidade, indisposição, arranco. V. **arranque.**

arredilar. v. tr. meter no redil.

arredomado, da. adj. e p. p. V. **redomado.**

arredomar. v. tr. (germ.) juntar. — **arredo-
marse.** v. r. (germ.) escandalizar-se.

arredondear. v. tr. arredondar, tornar redondo; dar forma circular a. V. **redondear.**

arredramiento. m. arredamento, afastamento, separação; medo, temor.

arredrar. v. tr. arredar, afastar, separar,
apartar; retrair, retroceder, remover para
trás; amedrontar, atemorizar, estarrecer;
desviar.

arredro. adv. atrás ou para trás.

arredropelo. adv. a contrapelo, às avessas,
em sentido contrário; confusamente, em
desordem.

arregazado, da. adj. e p. p. arregaçado;
(fig.) que tem a ponta para cima, arrebitado, levantado.

arregazar. v. tr. arregaçar (a saia); arrebitar, levantar.

arreglado, da. adj. e p. p. regulado, regrado,
posto em ordem, arrumado; que tem bom
comportamento; convencionado; assente;
(fig.) ordenado; arreiado; enfeitado arrebicado; falso; acomodado; arranhado;
ajustado; metódico; ajaezado; ajeitado;
(fam.) amanhado; coordenado; módico,
económico: *mujer muy arreglada*, maia.

arreglar. v. tr. regular, pôr em ordem; determinar, ordenar; ajustar; regrar; compor, consertar, arranjar; arrebicar, enfeitar; transigir; assentar, convencionar;
corregir; aguisar; ajeitar; acomodar;
desembaralhar; ataviar; arranhar; aque-

lar; (fig.) alindar; distribuir; limpar (habitações, etc.); (mar.) tratando-se de cronómetros, determinar o seu estado absoluto e seu movimento. — **arreglarse**. *v. r.* acomodar-se, conformar-se; arreiar-se, alindar-se, assear-se; ajeitar-se; amanhar-se; (Amér.) castrar, capar: *arreglar cuentas*, ajustar contas; *arreglárselas*, dar-se um jeito, dar-se um arranjo; *arreglar algo*, engrenhar; *arreglar algo de prisa y corriendo*, improvisar; *arreglar las cuentas con alguien*, abrir contas; *arreglarse de nuevo con alguien*, desarrenegar-se; *arreglarse pretenciosamente*, embonecar-se; *saber como arreglárselas en algo*, achar entrada para uma coisa.

arreglo. *m.* regra, ordem, coordenação; convénio, (Bras.) convênio, ajuste, arranjo, conserto, (Bras.) consêrto; constituição; acordo, (Bras.) acôrdo; contrato; arranjo; arranjamento; acomodamento; (teatr.) arreglo (peças teatrais; conciliação; (fam.) mancebia, concubinagem; *con arreglo*, conforme, conformemente a; segundo; *arreglo de la cara*, arrebique; *arreglo del pelo*, engrenhamento; *llegar a un arreglo*, compor uma demanda; *decidirse a un arreglo*, vir às boas; *esto no tiene arreglo*. isto não admite ponto nem ataca.

arregostar. *v. intr.* afagar, engodar; atrair com carinhos. — **arregostarse**. *v. r.* (fam.) afeiçoar-se, ficar seduzido, acostumar-se ao prazer ou a alguma outra coisa.

arregosto. *m.* (fam.) gosto que se toma pelo costume a uma coisa.

arrejacar. *v. tr.* (agr.) gradar, passar a grade (no terreno); sachar, mondar, aricar.

arrejaco. *m.* (zool.) martinete.

arrejada. *f.* arrelhada, pá de ferro para limpar a relha do arado quando está cheio de terra.

arrejaque. *m.* fisga, aparelho em forma de garfo grande de pontas farpadas, usada na pesca; (orni.) martinete.

arrejerar. *v. tr.* (mar.) firmar o navio com duas âncoras, uma pela proa e outra pela popa.

arrellanarse. *v. r.* repotrear-se, recostar-se, refestelar-se, amesendar-se, reclinar-se numa cadeira com toda a comodidade; pôr-se à vontade; (fig.) viver satisfeito do próprio estado; (fig.) regalar-se.

arremangado, da. *adj. e p. p.* levantado ou voltado para cima, arregaçado, arremangado, arrebitado, apanhado.

arremangar. *v. tr.* arregaçar, arremangar, apanhar. — **arremangarse**. *v. r.* (fig.) e fam.) resolver-se a fazer alguma coisa, decidir-se a; tomar enèrgicamente uma resolução.

arremango. *m.* arregaçadura, arregaçada; arremango; obscenidade, dito e acção indecentes; arregaçada quantidade que pode conter-se no regaço.

arrematar. *v. tr.* (fam.) arrematar, pôr o remate, rematar, concluir, finalizar.

arremedar. *v. tr.* V. **remedar**.

arremetedero. *m.* (mil.) ponto de ataque, lugar por onde se pode acometer uma praça.

arremetedor, ra. *adj. e s.* arremetedor, que arremete, acometedor, agressor, atacante.

arremeter. *v. tr.* arremeter, acometer com ímpeto e fúria, investir; arrojar-se precipitadamente; adiantar-se impetuosamente; embater; esbarrar; atacar; agredir; assaltar; (fam.) desagradar; ofender, repugnar à vista. — *v. intr.* arrojar-se com presteza, assaltar. — **arremeterse**. *v. r.* arrojar-se, atacar-se.

arremetida. *f.* arremetida, acção de arremeter, ataque, assalto, arremetedura; agressão; esbarrada; embate; empurrão.

arremetimiento. *m.* arremetedura, arremetida. V. **arremetida**.

arremolinar. *v. tr.* amontoar, apinhar. — **arremolinarse**. *v. r.* juntar-se, amontoar-se, apinhar-se muita gente desordenadamente.

arrempujar. *v. tr.* V. **rempujar**.

arrempujón. *m.* (pop.) V. **empujón**.

arrendable. *adj.* arrendável, que se pode arrendar.

arrendación. *f.* arrendação. V. **arrendamento**.

arrendadero. *m.* argola para prender as cavalgaduras.

arrendado, da. *p. p. e adj.* arrendado, diz-se da cavalgadura acostumada à rédea, que é doce de boca; arrendado, (fig.) sujeito.

arrendador, ra. *s.* arrendatário, pessoa que dá de arrendamento alguma coisa; arrendador; alugador, que dá para alugar; o que sabe ensinar um cavalo; (germ.) receptador, o que compra coisas furtadas. V. **arrendadero**.

arrendamiento. *m.* arrendamento; contrato de renda; preço pelo qual se arrenda; alugação, alugamento.

arrendar. *v. tr.* arrendar, dar de renda, tomar de arrendamento, alugar; alquilar; sujeitar (o cavalo) à rédea; prender uma cavalgadura pelas rédeas; guarnecer com rendas; (fig.) sujeitar; arremedar. — *v. irreg.* conjuga-se como *acertar: no le arriendo la ganancia*, não lhe arrendo o ganho.

arrendatario, ria. *adj.* arrendatário, o que toma de arrendamento; alugador; rendeiro.

arrendatício, cia. *adj.* pertencente ou relativo ao arrendamento.

arreo. *m.* arreio, aparelho de bestas; rédeas, jaez; enfeite; adorno, ornato. — *pl.* arreios; acessórios. — *adv.* (fam.) arreo, arreio, sucessivamente, sem interrupção: *arreos de viaje*, equipagem.

arrepasarse. *v. r.* (fam.) vir de novo. V. **repasar**. usa-se só no jógo chamado, *arrepásate acá, compadre*.

arrepentida. *f.* arrependida, mulher convertida.

arrepentido, da. *p. p. e adj.* arrependido, arrepeso, contrito.

arrepentimiento. *m.* arrependimento, compunção, contrição, penitência, pesar, remorso, pena, atrição; (pint.) correcção, emenda na composição de desenhos e pinturas.

arrepentirse. *v. r.* arrepender-se, sentir pesar, ter pejo; bater no peito; clarificar--se, chorar-se; mudar de opinião. — *pres. ind. irreg.* **arrepiento,** —es, —e, —en; *indefinido* **arrepintió,** —tieron; *subj.* **arrepienta,** —as, —a, —an; *ger.* **arrepintiéndose.**

arrepiso, sa. *p. p. irreg.* de *arepentirse.* arrependido, arrepeso, repeso.

arrepistar. *v. tr.* remoer o trapo, já feito em pasta, para fabricar papel.

arrepisto. *m.* remoedura do trapo; refinação.

arrepollado, da. *adj.* (fam.) arrepolhado.

arrepollar. *v. intr.* (pop.) V. **repollar.**

arrepsia. *f.* arrepsia, irresolução.

arrepticio, cia. *adj.* ab-reptício, endemoninhado, energúmeno, possesso.

arrequesonarse. *v. r.* coalhar-se o leite, talhar-se.

arrequife. *m.* arrequife, chumaceiras onde gira o cilíndro para limpeza do algodão.

arrestado, da. *p. p.* e *adj.* detido, preso, prendido; arrojado, audaz, destemido, intrépido.

arrestar. *v. tr.* prender, deter; arrestar, embargar. — **arrestarse.** *v. r.* determinar--se, resolver-se, arrojar-se, atirar-se a alguma empresa.

arresto. *m.* detenção provisória; reclusão por tempo breve; aprisionamento; arrojo, audácia, galhardia, intrepidez, resolução; (fig.) embargo, arresto, penhora. — *pl.* coração.

arrezagar. *v. tr.* levantar, mover de baixo para cima, arrebitar. V. **arremangar.**

arria. *f.* récua, conjunto de bestas de carga.

arriada. *f.* arriamento; (mar.) acção de arriar uma vela ou soltar um cabo. V. **riada.**

arrial. *m.* V. **arriaz.**

arrianismo. *m.* arianismo, doutrina ou seita dos arianos.

arriano, na. *adj.* e *s.* ariano, diz-se dos sectários de Ário que atribuíam ao Filho de Deus uma espécie de divindade secundária; pertencente ao arianismo.

arriar. *v. tr.* (mar.) arriar, abaixar as velas ou bandeiras que estão içadas; afrouxar, soltar um cabo, cadeia, etc.; amainar as velas. — **arriarse.** *v. r.* inundar-se: *arriarse por un cabo,* escorregar por um cabo; *arriar la bandera* amainar a bandeira; (fig.) declarar-se vencido. V. **arrear.**

arriar. *v. tr.* inundar. — **arriarse.** *v. r.* inundar-se.

arriata. *f.* V. **arriate.**

arriate. *m.* alegrete, placa, tabuleiro ou canteiro onde se cultivam plantas de ornamentação; latada de canas; calçada, caminho, vereda, passagem.

arriaz. *m.* copos, guarda-mão da espada.

arriba. *adv.* arriba, acima, em cima, em lugar alto, ao alto, para o alto, na parte alta; adiante; precedentemente, acima, antes, em lugar anterior; em direcção para a parte mais alta. — *interj.* emprega-se para excitar alguém a que se levante ou que suba: *de arriba a bajo,* de princípio ao fim, dum extremo ao outro, duma ponta a outra, de cabo a rabo, de alto até baixo; *hacia arriba,* a cima, para cima; *más arriba,* em cima; *arriba indicado,* a cima dito; *ir de abajo arriba,* andar de baixo para cima; *volver de abajo a arriba,* voltar de baixo para arriba; *rio arriba,* água arriba; *arriba de diez,* arriba de dez; *patas arriba,* de patas arriba; (fig.) *cuesta arriba,* coisa de costa arriba, negócio de água arriba.

arribada. *f.* (mar.) arribada, arribação, guinada do navio para sotavento; chegada; aportada; (for.) acidente jurídico do comércio marítimo: *arribada a un puerto,* abordar.

arribaje. *f.* (mar.) arribada; lugar da praia onde se pode atracar. V. **arribada.**

arribar. *v. intr.* (mar.) chegar a um porto, atracar, arribar; chegar por terra a qualquer paragem; (mar.) ancorar; virar para sotavento; (fig.) melhorar, restabelecer-se, convalescer, ir recobrando a saúde; melhorar as suas finanças; chegar a ter o fim do desejado; deixar-se ir com o vento (o navio); aproar: *arribar a puerto,* aportar, abicar.

arribazón. *m.* grande afluência de peixe às costas e portos.

arribismo. *m.* arrivismo, ambição e desejo de obter o poder, celebridade, etc.

arribista. *s.* arribista; videirinho. V. **arribismo.**

arribo. *m.* chegada, arribação, arribada: *buen arribo,* boa vinda.

arricete. *m.* V. **restinga.**

arridar. *v. tr.* (mar.) içar, atar, esticar as enxárcias.

arriendo. *m.* arrendamento, arrendação, aluguel. V. **arrendamiento.**

arriería. *f.* arriaria, ofício de arrieiro; almocrevaria

arriero. *m.* arrieiro, o que trabalha com bestas de carga; almocreve; o que conduz bestas de aluguel; arrocheiro.

arriesgable. *adj.* que se pode arriscar.

arriesgado, da. *p. p.* e *adj.* arriscado, aventuroso, perigoso, aventurado, ousado, temerário, destemido, encalacrado; descabelado; delicado; imprudente.

arriesgar. *v. tr.* arriscar, pôr em risco; aventurar; sujeitar à sorte; empenhar; expor; arrostar. — **arriesgarse.** *v. r.* arriscar-se, aventurar-se, expor-se; abalançar--se; pôr-se em contingência, meter-se em perigo: *quien no se arriesga no pasa la mar,* quem não arrisca não ganha ou aprisca; *no arriesgar la pelleja,* ter amor à pele; *arriesgar la vida por nada,* fazer bom barato da vida; *arriesgarse a un desaire,* dar o corpo ao manifesto.

arrimada. *f.* carga dum forno de azogue.

arrimadero. *m.* degrau; arrimo, apoio, esteio, encosto; estrado.

arrimadillo. *m.* esteira com que se revestem as paredes das habitações; lambril, lambrim.

arrimadizo, za. *adj.* arrimadiço, que se arrima ou costuma arrimar-se por interesse; diz-se do que se pode arrimar; que está feito para se arrimar a alguma coisa.

arrimadura. *f.* arrumação, arrumadura. V. arrimo.

arrimaje. *m.* (mar.) V. **alijo.** e **lanchaje.**

arrimar. *v. tr.* arrimar, encostar, aproximar, chegar; abandonar, deixar, pôr de lado; demitir, arrumar; arrincoar. — **arrimarse** *v. r.* apoiar-se, acercar-se; juntar-se a outros; encostar-se; estribar-se; (fig.) acolher-se à protecção de alguém; (mar.) arrimar a carga: *arrimar el clavo*, encravar um cavalo; *arrimar el clavo a uno*, enganar alguém; *arrimar el ascua a su sardina*, chegar a brasa para a sua sardinha; (fig.) *arrimar el hombro*, arrimar os ombros, deitar mão ao arado, puxar pela charrua.

arrimo. *m.* arrimo, aproximação, encosto, (Bras.) encôsto; amparo, auxílio, favor, protecção; arrumação; carga, imputação, nova acusação; (arq.) parede sobre a qual não há peso; bastão, bengala, báculo; (fig.) sustento; ajuda; (germ.) mancebia.

arrinconado, da. *p. p.* e *adj.* arrincoado, apartado, distante, retirado, metido a um canto, acantoado, encantoado; (fig.) esquecido.

arrinconamiento. *m.* recolhimento, retiro; acantoamento.

arrinconar. *v. tr.* arrincorar, recolher em rincão; encurralar, arrincoar, pôr alguma coisa a um canto, acantoar, privar alguém do cargo que gozava, não fazer caso dele; separar; despedir, retirar a confiança; acorrilhar; acuar. — **arrinconarse.** *v. r.* arrincoar-se, acantoar-se; (fig. e fam.) retirar-se do trato social; (ant.) acobardar, apurar.

arriñonado, da. *adj.* reniforme, em forma de rim.

arriostramiento. *m.* colocação de pranchões ou vigamentos.

arriostrar. *v. tr.* colocar pranchões ou vigamentos.

arriscado, da. *p. p.* e *adj.* arriscado; atrevido, audaz, intrépido, resoluto; ágil, galhardo; alcantilado, íngreme, difícil de subir; estrénuo, (Bras.) estrênuo; abalançado; perigoso, aventurado.

arriscador, ra. *s.* apanhador, apanhadeira, o que recolhe a azeitona.

arriscamiento. *m.* atrevimento, coragem, audácia, resolução.

arriscar. *v. tr.* arriscar, pôr em risco; aventurar. — **arriscarse.** *v. r.* despenharem-se pelos fragueros dos montes (os animais); (fig.) ufanar-se; arriscarse; (fam.) afectar-se; adornar-se muito; (Amér.) vestir-se com luxo. V. **arriesgar.**

arritmia. *f.* (med.) arritmia, irregularidade das contracções do coração.

arrítmico, ca. *adj.* (med.) arrítmico, arritmo.

arritranco. *m.* (Amér.) V. **retranca.**

arrivismo. *m.* V. **arribismo.**

arrivista. *s.* V. **arribista,** e **advenedizo.**

arrizafa. *f.* V. **ruzafa.**

arrizar. *v. tr.* (mar.) arrizar, rizar, amarrar, meter nos rizes; amarrar as âncoras; segurar com cabos, prender com cordas.

arroba. *f.* arroba, antiga medida de capacidade; antigo peso de vinte e cinco libras: *echar por arrobas,* exagerar.

arrobadizo, za. *adj.* que finge estar em êxtase.

arrobado, da. *p. p.* e *adj.* arroubado; extasiado; arrebatado, alheado; entusiasmado, encantado, extático, extasiado, estupefa(c)to, absorto.

arrobador, ra. *adj.* que causa arroubamento.

arrobamiento. *m.* arroubamento, arroubo, arrebatamento, assomo, rapto, surto, transporte, vôo, encantamento, êxtase, encantação; elevação, estupefação; endeusamento; abstra(c)ção; arrobação, acção de pesar ou medir por arrobas.

arrobar. *v. tr.* e *intr.* encantar, arroubar, enlevar, extasiar, arrebatar, entusiasmar; arrobar, pesar ou medir por arrobas. — **arrobarse.** *v. r.* extasiar-se, arroubar-se, entusiasmar-se, arrebatar-se.

arrobero, ra. *adj.* e *s.* diz-se do que pesa uma arroba; padeiro que fornece por arrobas o pão para consumo dalguma corporação.

arrobiñar. *v. tr.* (germ.) recolher, guardar uma coisa.

arrobo. *m.* arroubo, arroubamento, êxtase, arrebatamento, encantamento, encantação. V. **arrobamiento.**

arrocabe. *m.* (arq.) frechal, adorno à maneira de friso; madeiramento no alto dos muros dum edifício.

arrocado, da. *adj.* arrocado, em forma de roca.

arrocero, ra. *adj.* e *s.* arrozeiro, pertencente ou relativo ao arroz; cultivador de arroz ou vendedor dele.

arrocinado, da. *p. p.* e *adj.* parecido com o rocim.

arrocinamiento. *m.* embrutecimento, estupidez.

arrocinar. *v. tr.* (fig. e fam.) embrutecer. — **arrocinarse.** *v. r.* (fig. fam.) embrutecer-se, apaixonar-se, enamorar-se cegamente.

arrodear. *v. intr.* V. **rodear.**

arrodelar. *v. tr.* arrodelar. — **arrodelarse.** *v. r.* arrodelar-se, proteger-se com rodela; enrodelar-se, escudar-se.

arrodeo. *m.* V. **rodeo.**

arrodilladura. *f.* ajoelhamento, ajoelhaço, genuflexão.

arrodillamiento. *m.* V. **arrodilladura.**

arrodillar. *v. tr.* ajoelhar; arrodilhar. — *v. intr.* genuflectir, ajoelhar, pôr os joelhos no chão. — **arrodillarse.** *v. r.* ajoelhar, arrodillarse.

arrodrigonar. *v. tr.* (agr.) empar, ligar as vides aos tanchões, suster as vides aos tanchões, suster as videiras com varas ou estacas, abordoar, rodrigar.

arrogación. *f.* arrogação; (for.) arrogação. adopção, filhamento.

arrogador, ra. *adj.* e *s.* arrogador, que arroga ou se arroga; perfilhador.

arrogancia. *f.* arrogância; orgulho, soberba, altivez, sobranceria, insolência; arreganho; entono, entonação; bizarria; presunção; aprumação; enfatuação; envaidecimento; (fig.) inchação, altaneria.

arrogante. *adj.* arrogante; altaneiro, soberbo; valente, brioso, galhardo, airoso; altivo, insolente; alto; engalanado; enchouriçado; fantástico; loução; bizarro; entufado; enfatuado; aprumado; altanado; altaneiro: *volverse arrogante*, entufar-se, embridar-se; *mostrarse arrogante*, entonar-se.

arrogar. *v. tr.* arrogar, tomar como próprio, assumir; (for.) perfilhar, adoptar, receber legalmente como filho. — **arrogarse.** *v. r.* arrogar-se, atribuir-se; apropriar-se, adjudicar-se; erigir-se; enfronhar-se; empossar-se.

arrojadizo, za. *adj.* arrojadiço, que fàcilmente se pode arrojar; audacioso, temerário.

arrojado, da. *p. p.* e *adj.* arrojado; resoluto, determinado, intrépido; galhardo; desgalgado; empreendedor; audaz, decidido, arremessado; despedido, lançado; valoroso, ousado; destemido, valente; impetuoso. — *m. pl.* (germ.) calções.

arrojador, ra. *adj.* e *s.* arrojador, que arroja; arremessador.

arrojamiento. *m.* arrojamento, arrojo, (Bras.) arrôjo; arremessamento, arremesso, (Bras.) arremêsso; atirada.

arrojar. *v. tr.* arrojar, levar de rojo; arremessar; lançar; arrastar; atirar com violência; deitar fora; despedir com força; expelir; derrocar; emitir; enxotar; expulsar; vomitar; resultar. — *v. intr.* exalar bom cheiro; aquecer até ao rubro; brotar. rebentar. — **arrojarse.** *v. r.* arrojar-se, precipitar-se com violência; atirar-se violentamente a uma pessoa ou coisa; (fig.) resolver-se a fazer uma coisa sem pensar nas dificuldades; arremessar-se, pousar, atrever-se; andar de rojo: *arrojar a alguien al suelo*, dar com alguém em terra; *arrojar de los altos*, desgalgar; *arrojar los dados*, correr os dados; *arrojar un dardo*, *flecha*, *etc.*, farpear, dardejar; (pop.) *arrojar al rostro*, lançar em rosto; *arrojar un guijarro al agua para que salte aquél*, fazer chapeletas; *arrojar piedras*, servir de pedradas; *arrojarse sobre*, entranhar-se; *arrojarse en brazos de la pereza*, deitar-se à boa vida; *arrojarse por la ventana*, atirar consigo.

arrojo. *m.* (fig.) arrojo, (Bras.) arrôjo, atrevimento, descaramento, descaro, ousadia; intrepidez; (fig.) desplante; destemor, denodo, (Bras.) denôdo, arremeso, (Bras.) arremêsso, arrojamento; determinação.

arrollable. *adj.* que pode ser enrolado.

arrollado, da. *p. p.* enrolado, embrulhado. — *m.* (Amér.) porco; temperado.

arrollador, ra. *adj.* enrolador, que enrola.

arrollamiento. *m.* enrolamento, acção de enrolar.

arrollar. *v. tr.* enrolar, envolver; rolar; arrebatar alguma coisa o vento ou a água, levar rolando; (fig.) confundir uma pessoa deixando-a sem poder replicar; embrulhar; derrotar o inimigo; (Amér.) embalar uma criança; (electr.) embobinar.

arromanzar. *v. tr.* arromançar, romancear; pôr em romance ou em verso.

arromar. *v. tr.* abolar, embotar; desjuizar.

arrompido, da. *p. p.* de **arromper.** — *adj.* arroteado. — *m.* terra que se arroteia para a cultivar. V. **rompido.**

arronzar. *v. tr.* (mar.) inclinar-se o navio demasiadamente para sotavento.

arropamiento. *m.* enroupamento; agasalho.

arropar. *v. tr.* arroupar, enroupar, cobrir ou abrigar com roupa; agasalhar; arrobar o vinho; abafar. — **arroparse.** *v. r.* abafar-se, enrouparse.

arrope. *m.* arrobe, (Bras.) arrôbe, xarope produzido pelo mosto da uva; (prov.) calda composta com mel; (Amér.) doce de frutas; (farm.) xarope concentrado.

arropea. *f.* peia ou trava que se põe às cavalgaduras. V. **grillete.**

arroscar. *v. tr.* (germ.) envolver, juntar.

arrosetado, da. *adj.* (bot.) arrosetado.

arrostrado, da. *p. p.* e *adj.* V. **agestado.**

arrostrar. *v. tr.* arrostar, encarar, afrontar, fazer frente aos perigos; desafiar; contrastar; defrontar: *arrostrar el peligro*, abarbar. — **arrostrarse.** *v. r.* inclinar-se, atrever-se, arrojar-se.

arroto, ta. *p. p.* de **arromper.** — *m.* (prov.) terreno lavrado próprio para cultura de cereais, arroteia, noval.

arrotura. *f.* (agr.) arroteamento, arroteia.

arroyada. *f.* vale por onde corre um curso de água; sulco ou fenda produzida na terra pela água corrente; afluência de águas a um arroio; inundação provocada por cheia; enxurrada.

arroyadero. *m.* V. **arroyada.**

arroyar. *v. tr.* arroiar, formar enxurrada; formar arroio; enxurrar; chover a cântaros. — **arroyarse.** *v. r.* alforrar-se as plantas.

arroyo. *m.* arroio, pequena corrente de água não permanente; regato; ribeiro; rego, sulco feito pela chuva; leito dum arroio; valeta, parte das ruas por onde costumam correr as águas; (por ext.) rua; (fig.) afluência de qualquer líquido; (Amér.) rio de pequena extensão, ainda que navegável por navios de tamanho regular; (Bras.) córego: *poner a uno en el arroyo*, pôr alguém no meio da rua; *salir del lodo y caer en el arroyo*, tirar-se da lama e meter-se no atoleiro.

arroyuelo. *m.* regato, pequeno arroio.

arroz. *m.* (bot.) arroz, planta gramínea e o seu fruto: *arroz con leche*, arroz doce;

agua de arroz, água-de-arroz; *arroz cocido*, bata; *arroz tostado*, avela; *fécula de arroz*, pó de arroz; *paja de arroz*, palha de arroz; *pastel de arroz*, (Bras.) afurá.

arrozal. *m.* arrozal, plantação de arroz; arrozeira.

arrufaldarse. *v. r.* (prov.) enfurecer-se, tornar-se irado ou colérico; jactar-se de valente.

arrufar. *v. tr.* (mar.) arquear, dar curvatura ao costado dum navio. — **arrufarse.** *v. r.* (Amér.) arrufar-se, entufar-se, encrespar-se.

arrufianado, da. *adj.* arrufianado, com modos de rufião.

arrufo. *m.* (mar.) V. **arrufadura.**

arruga. *f.* ruga, dobra, prega da roupa; franzido da pele, franzimento; engelha. — *pl.* (pop.) corricas: *formar o hacer arrugas un vestido*, enfolipar; *hacer arrugas*, empapuçar; *quitar las arrugas*, desencoscorar, desvincar; *lleno de arrugas*, engorovinhado.

arrugado, da. *p. p.* e *adj.* arrugado, enrugado, engelhado; amarrotado, engorovinhado; engerido; encoscorado, encorreado, encarquilhado, franzido; avelado; arrepanhado.

arrugamento. *m.* enrugamento, arrugamento, arrugadura; amarrotamento; encoscoramento; encarquilhamento.

arrugar. *v. tr.* arrugar, enrugar, engelhar; abolar; encrespar; enverrugar; empapuçar; encoscorar; encarquilhar; amarrotar; amachucar; amarfanhar; arrepanhar; estrafegar; franzir; frangir; fuxicar. — **arrugarse.** *v. r.* arrugar-se, enrugar-se; engerir-se; encorrear; encarquilhar-se; amarrotar-se; avelar; enverrugar-se; (fig.) envelhecer, apergaminhar-se; apanhar-se: *arrugarse por el frío*, engaranhar; *arrugarse la fruta*, arejar-se; *arrugarse la ropa*, enfolar.

arruinado, da. *p. p.* e *adj.* arruinado, empobrecido; destruido, desacreditado; arrebentado; decaido; estragado; desolado; desmantelado; assolado; derribado; derrocado, derrubado; derrotado; derrancado; descalavrado; desbaratado; decrépito; depenado; fundido; desgastado; belisário; arrasado: *estar arruinado*, dar as asas.

arruinador, ra. *adj.* e *s.* arruinador, que arruina; derrocador; danador; demolidor, devastador; demolitório.

arruinamiento. *m.* arruinamento, ruína, arruinação; extermínio; destruição; estrago; empobrecimento; dissipação; desmoronamento.

arruinar. *v. tr.* arruinar, causar ruína a; empobrecer; demolir, destruir; estragar; devastar; tornar pobre; desacreditar; fazer perder a saúde; (fig.) causar dano, danar; amesquinhar, aniquilar; abismar; apeçonhar; despopular; derruir; decrepitar; desaterrar; derrubar; derrocar; destroçar; desangrar; fracassar; destruir; estrompar; alargar; desolar; desmelho-

rar; desmantelar; arrombar; definhar; (fig.) degolar; (fig.) descimentar; despenhar; dessangrar; fundir; arrasar; (Bras.) miquear. — **arruinarse.** *v. r.* arruinar-se; dar em terra; deperecer; derruir; definhar; deitar-se a perder; desbaratar-se; afundar-se; ficar à pá; derrotar-se; destruir-se; fracassar; alargar-se; desmantelar-se desgraçar-se; estragar-se: *arruinar la salud*, arrasar a saúde; *arruinar a alguien*, desgraçar a alguém; *arruinar completamente a alguien*, dar de avesso com alguém; *arruinarse en gastos*, consumir-se em despesas.

arrullador, ra. *adj.* arrulhador, que arrulha; (fig.) adulador, lisonjeiro.

arrullar. *v. tr.* arrulhar, soltar arrulhos; acalentar, adormecer as crianças, embalar; sussurrar; arrulhar, cantar como as rolas e os pombos; (fig. e fam.) namorar, galantear; dizer palavras amorosas.

arrullo. *m.* arrulho, voz da rola, do pombo, etc.; arrulho, canto para adormecer crianças; murmúrio de água; carícia, meiguice, falas, ternura.

arrumaco. *m.* (fam.) mimo, mimalhice fosca, afago, carícia, festa; arrulho. — *pl.* enfeite, adorno extravagante; foscas; bichinhas; arruaços; artifício, engano; fingimento, manha.

arrumaje. *f.* (mar.) arrumação, estivação, arrumação da carga nos porões do navio.

arrumar. *v. tr.* (mar.) arrumar, estivar, colocar a carga nos porões do navio; (Amér.) pôr em rima. V. **amontonar.** — **arrumarse.** *v. r.* carregar-se o horizonte de certas nuvens a que se dá o nome de arrumação; enevoar-se o horizonte.

arrumazón. *f.* (mar.) arrumo, estiva, arrumação, estivação; conjunto de nuvens no horizonte.

arrumbada. *f.* (mar.) bateria, corredor que tinham as galeras na proa, duma e doutra banda, donde os soldados faziam fogo. — *pl.* arrombadas.

arrumbador, ra. *adj.* e *s.* que põe alguma coisa de parte ou a guarda em lugar retirado. — *m.* operário que trasfega e clarifica os vinhos.

arrumbar. *v. tr.* apartar, pôr de lado alguma coisa inútil; arrumar; confundir alguém numa conversação; trasfegar os vinhos; (mar.) determinar a direcção que segue uma costa; arrumar. — **arrumbarse.** *v. r.* (mar.) tomar o rumo, orientar-se; enjoar; despir-se.

arrunflar. *v. tr.* e *r.* enaipar, reunir muitas cartas do mesmo naipe.

arsenal. *m.* arsenal, estabelecimento marítimo fabril do Estado; depósito de petrechos de guerra; arquivo; (fig.) conjunto ou depósito de notícias, dados, etc.

arseniado, da. *adj.* (quím.) arseniado, que contém arsénico.

arseniatado, da. *adj.* (quim.) arseniatado, em que há arseniato.

arseniato. *m.* (quim.) arseniato, sal do ácido arsénico.

arsenical. *adj.* (quím.) arsenical.
arseniciasis. *f.* (pat.) arsenicismo, arseni-cíase.
arsenicismo. *m.* (pat.) arsenicismo, arseni-cíase.
arsénico. *m.* (quím.) arsénico, (Bras.) ar-sênico.
arsénico, ca. *adj.* (quím.) arsenical.
arsenicofagia. *f.* arsenicofagia.
arsenicófago, ga. *adj.* e *s.* arsenicófago.
arsenífero, ra. *adj.* arsenífero, arseniado.
arseniolita. *f.* (min.) arsenite.
arsenioso, sa. *adj.* (quím.) arsenioso.
arsenita. *f.* (min.) arsenite.
arsenito. *m.* (quím.) arsenito.
arseniuro. *m.* (quím.) arsenito.
arsenobenzol. *m.* (med. e quím.) arsenoben-zol.
artado. *adj.* V. arctado.
artal. *m.* espécie de empada.
artalejo. *m.* *dim.* de *artal.*
artalete. *m.* *dim.* de *artal.*
arte. *m.* no sing. e *f.* no pl. arte, conjunto de regras ou preceitos para bem dizer ou fazer uma coisa; método; arte, indústria; cautela; manha, astúcia, ardil; profissão, ofício, mister, emprego; modo de agir; ar-tifício; habilidade; (fig.) maldade; livro, tratado que contém os preceitos duma coisa; aparelho para pescar; habilidade, capacidade; maestria, destreza, desteri-dade. — *pl.* as artes: *bellas artes,* belas artes; *arte cisoria,* arte de trinchar a car-ne; *arte mecánica,* arte mecânica; *arte manual,* mester; *arte mayor,* arte maior; *obra de arte,* primor de arte; *arte poética,* arte poética; *artes liberales,* artes libe-rais; *de arte que,* de modo que; *arte de magia,* arte mágica, de feiticeiro.
artefacto. *m.* artefa(c)to, obra de trabalho mecânico.
artejo. *m.* falange, articulação dos dedos. V. nudillos; (zool.) cada uma das peças articuladas entre si, de que se formam os apêndices segmentários dos artrópodes.
artemisa. *f.* (bot.) artemísia, artemisa; am-brósia, altamisa: *artemisa santónica,* bar-botina.
artemisal. *m.* lugar onde abunda a artemí-sia.
artemisia. *f.* V. artemisa.
artera. *f.* instrumento de ferro com que se marca o pão antes de o meter no forno.
arteria. *f.* (anat.) artéria, vaso do aparelho circulatório.
artería. *f.* falsidade, arteirice, manha, as-túcia.
arterial. *adj.* (anat.) arterial, arterioso, per-tencente ou relativo à artéria.
arterialización. *f.* (fisiol.) arterialização.
arterializar. *v. tr.* arterializar, transformar o sangue venoso em arterial.
arterioectasia. *f.* (pat.) arteriectasia.
arteriografía. *f.* (anat. e radiog.) arteriogra-fia.
arteriola. *f.* (anat.) arteríola.
arteriologia. *f.* (anat.) arteriologia.
arteriólogo, ga. *s.* (anat.) arteriólogo.

arteriopatía. *f.* (pat.) arteriopatia.
arteriosclerosis. *f.* (pat.) arterioesclerose.
arteriosidad. *f.* (fisiol.) arterialidade.
arterioso, sa. *adj.* (anat.) arterioso, arterial.
arteriotomía. *f.* (cir.) arteriotomia.
arteritis. *f.* (pat.) arterite.
artero, ra. *adj.* astucioso, intrigante, falaz, enganoso, arteiro, manhoso, astuto, atai-mado, falacioso, malicioso.
artesa. *f.* artesa, caixa para amassar o pão, masseira, amassadeira, macea; tina; ca-noa, piroga.
artesanía. *f.* mister, profissão do mecânico, artista ou operário; trabalho do artífice ou artesano.
artesano, na. *s.* artesão, artesano, artífice, o que exerce um ofício mecânico, artista, operário.
artesilla. *f.* caixa de madeira que recebe a água dos alcatruzes nas noras; espécie de jogo; cocho de pedreiro.
artesón. *m.* (coc.) gamela grande, artesão; cocho; (arq.) artesão, tecto, parede com lavores.
artesonado, da. *adj.* artesoado, artesonado, enfeitado com artesões; apainelado. — *m.* apainelamento.
artesonar. *v. tr.* artesonar, guarnecer, enfei-tar com artesões, artesoar; forrar; apai-nelar.
artética. *f.* artética, artrite.
artético, ca. *adj.* artrítico, que padece de do-res nas articulações; artético, gotoso.
arteurisma. *f.* (pat.) aorteurisma.
ártico, ca. *adj.* (astr. e geog.) árctico, do nor-te, boreal, setentrional.
articulación. *f.* (anat.) articulação; (bot.) ar-ticulação, nós de algumas plantas; junção de duas peças ou partes duma máquina; engonço; pronunciação distinta e clara das palavras; (zool.) juntura dum osso com outro.
articulado, da. *p. p. adj.* e *s.* articulado, que tem articulações; (zool.) diz-se dos ar-trópodes e dos anelídeos, por terem o cor-po com peças articuladas; (bot.) diz-se da planta formada por duas ou mais partes móveis. — *m.* série dos artigos dum tra-tado, etc.; (for.) série de meios de prova proposta por um litigante.
articulador, ra. *adj.* (Amér.) o que fàcilmen-te encontra artigos para opor à parte con-trária; articulante. V. disputador.
articular. *v. tr.* articular, unir, enlaçar; ar-ticular, pronunciar distintamente; (Amér.) disputar, altercar; (for.) propor meios de prova ou perguntas para os litigantes; deduzir por artigos, articular factos. — articularse. *v. r.* (anat.) articular-se, jun-tar-se.
articular. *adj.* (anat.) articular, relativo ou pertencente às articulações.
articulatorio. *adj.* articulatório, articular.
articulista. *s.* articulista, pessoa que escre-ve artigos para os jornais.
artículo. *m.* artigo, parte ou parágrafo de um escrito; (gram.) artigo; artigo de jor-nal, escrito de uma forma periódica; dis-

posições numeradas dum tratado, lei, etc.; (for.) questão incidental e juízo, excepção dilatória, pergunta à testemunha; voz ou acepção definida separadamente nos dicionários; cláusula; objecto de mercadoría, (rel.) artigo, cada um dos pontos doutrinários do Credo; (zool.) articulação, união dum osso com outro; conjuntura; (gram.) artigo, cada uma das partes da oração; estudo: *artículo de fe*, artigo de fé; *artículo de fondo*, artigo de fundo, editorial; *en artículo mortis*, em artigo de morte; *artículo de comercio*, mercadoria; *artículo definido*, artigo definido. — *pl.* mercadorias, artigos.

artífice. *s.* artífice, artista, obreiro, o que executa uma obra mecânica; (fig.) autor; pessoa que tem arte para conseguir o que deseja; (fig.) industrioso, engenhoso, hábil, fértil em expedientes.

artificial. *adj.* artificial, não natural; fingido, astuto, manhoso, artificioso, falso, inautêntico: *fuegos artificiales*, fogos de vista, fogo de artifício.

artificialidad. *f.* artificialidade, artificialismo.

artificialismo. *m.* artificialismo, artificialidade.

artificiero. *m.* artífice, artilheiro que faz os aparelhos, fogos artificiais e composições exclusivas usadas na guerra.

artificio. *m.* artifício, meios com que se obtém um artefacto; produto de arte; habilidade; astúcia; fingimento, dissimulo; trabalho pirotécnico; arte, indústria, astúcia, manha, engano; artifício, máquina, motor, embaimento; deluso, estratagema; embeleco, (Bras.) embelêco, artimanha, ardil; engodo, (Bras.) engôdo; armadilha.

artificioso, sa. *adj.* artificioso, hábil, manhoso; artístico; astuto, malicioso, dissimulado, cauteloso, industrioso; enganoso, falso, delusório.

artiga. *f.* arroteia, arrota.

artigar. *v. tr.* (agr.) arrotear, desabravar o terreno.

artilugio. *m.* (fam.) mecanismo artificioso, mas de pouca importância.

artillado. *m.* artilharia dum navio ou duma praça de guerra, artilhamento. — *p. p.* e *adj.* artilhado, guarnecido de artilharia.

artillar. *v. tr.* artilhar, guarnecer com artilharia; (fig.) preparar com argumentos. — **artillarse.** *v. r.* (pop.) prover-se de armas, armar-se.

artillería. *f.* artilharia, arte de construir e usar as armas, máquinas e munições de guerra; artilharia, tropa empregada no seu serviço; (fig.) preparativo para uma agressão verbal ou discussão; qualquer meio poderoso de ataque ou defesa; fogo que as peças ou canhões despedem: *artillería de campaña*, artilharia de campanha; *artillería montada o rodada*, artilharia montada; *artillería ligera*, artilharia ligeira; *artillería naval*, artilharia naval; *artillería de sitio*, artilharia de sitio; *tren de artillería*, trem de artilharia; *pieza de*

artillería, boca de fogo; *cortina de artillería*, barragem.

artillero. *m.* artilheiro, soldado de artilharia; (Amér.) V. **astillero.**

artimaña. *f.* artimanha, artifício, ardil, astúcia; indústria; estratagema; arte; engano; engenhoca; endrómina, (Bras.) endrómina; armadilha para caçar: *tender una artimaña*, endrominar; *artimaña para deshacer una intriga*, contramina.

artimón. *m.* (mar.) artimão, artemão, vela mestra de navio, mesena: *palo de artimón*, mastro da gata, de mesena.

artiodáctilo, la. *adj.* (zool.) artiodáctilo, diz-se dos animais que têm os dedos em número par. — *m. pl.* artiodáctilos.

artiozoario. *m.* (zool.) artiozoário. — *adj.* artiozoário.

artista. *s.* artista, pessoa que professa uma arte; artífice perfeito na sua profissão; (pop.) operário; artífice; mestre. — *adj.* artista, engenhoso, manhoso.

artístico, ca. *adj.* artístico, relativo às artes; feito com arte; engenhoso, manhoso; estético.

artocarpáceo, a. *adj.* (bot.) V. **artocárpeo.**

artocárpeo, a. *adj.* (bot.) artocarpo, género de plantas urticárias, dicotiledóneas.

artocarpo. *m.* (bot.) artocarpo, planta urticácea; árvore-do-pão.

artófago, ga. *adj.* artófago.

artolas. *f. pl.* artolas, cadeirinhas colocadas de cada lado duma cavalgadura para assento de duas pessoas.

artólatra. *s.* artólatra.

artolatría. *f.* artolatria.

artolito. *m.* (min.) artolito.

artomiel. *m.* artomel.

artopta. *f.* artopta.

artos. *m.* V. **arto.**

artralgia. *f.* (med.) artralgia.

artrítico, ca. *adj.* (med.) artrítico.

artritina. *f.* (farm.) artritina.

artritis. *f.* (med.) artrite, artritismo.

artritismo. *m.* (med.) artritismo, artrite.

artrocace. *f.* (pat.) artrocace.

artrocéfalos. *m. pl.* (zool.) artrocéfalos.

artrocele. *m.* (pat.) artrocele.

artrografía. *f.* (anat.) artrografia.

artrología. *f.* (anat.) artrologia.

artropatía. *f.* (pat.) artropatia, doença nas articulações.

artropiosis. *f.* (pat.) artropiose.

atroplastia. *f.* (cir.) artroplástica.

artrópodo, da. *adj.* e *m.* (zool.) artrópode.

artrosia. *f.* (pat.) artrose.

artuña. *f.* ovelha parida cuja cria morreu.

artuñar. *v. intr.* (prov.) abortar o gado.

Arturo. *m.* (astr.) Arcturo, estrela da constelação do Boieiro na cauda da Ursa Maior — *n. p.* Arturo.

aruba. *f.* (bot.) aruba.

árula. *f.* (arqueol.) árula, ara pequena.

arundináceas. *f. pl.* (bot.) arundináceas.

arundíneo, a. *adj.* (bot.) arundíneo, pertencente ou relativo às canas; feito de cana.

aruñar. V. **arañar.**

arúspice. *m.* arúspice, sacerdote romano que fazia prognósticos, consultando as entranhas das vítimas.

aruspicina. *f.* aruspicina, aruspicismo, arte do arúspice, aruspicação.

arvejal. *m.* lugar semeado de ervilhaca, ervilhal.

arvejana. *f.* V. **arveja.**

arvejar. *m.* V. **arvejal.**

arvejera. *f.* V. **algarroba.**

arvejón. *m.* (bot.) V. **almorta.**

arvejona. *f.* V. **arveja.**

arvejote. *m.* (prov.) V. **arvejón.**

arvela. *f.* (zool.) arvéloa, alvéloa.

arvense. *adj.* (bot.) arvense, que cresce em terras cultivadas.

arvícola. *adj.* e *m.* (zool.) arvícola.

arvicultor. *s.* arvicultor.

arvicultura. *f.* arvicultura.

arzobispado. *m.* arcebispado, dignidade e residência de arcebispo.

arzobispal. *adj.* arquiepiscopal, arcebispal.

arzobispo. *m.* arcebispo, prelado que tem bispos sufragâneos; metropolita.

arzón. *m.* arção, parte anterior ou posterior da sela.

as. *m.* ás, carta de jogar ou pedra de dominó; ponto único marcado numa das faces do dado; (ant.) asse, moeda de cobre dos romanos: *as de oros*, o ânus; *ser un as*, ser o primeiro ou número um na sua espécie.

asa. *f.* asa, parte saliente de recipientes e doutros utensílios e que serve para neles se pegar; (fig.) ocasião, pretexto; (germ.) orelha; argola de certos utensílios; alças; (bot.) assa: *ser del asa*, (fam.) ser amigo íntimo de outro; (bot.) *asa dulce*, benjoim.

asa. *f.* suco que flui de diversas plantas umbelíferas. V. **acebo.**

asa. *f.* (bot.) V. **acebo.**

asabalado, da. *adj.* (Amér.) diz-se da cavalgadura que tem o pescoço comprido, a cabeça fina e pouca barriga.

asacar. *v. tr.* inventar, imaginar, criar na imaginação; idear; fingir, pretextar; imbelíferas.

asación. *f.* assadura, assamento, assação; (farm.) assacio, cozimento de alguma substância no próprio suco.

asadero, ra. *adj.* assadeiro, bom para assar.

asado, da. *p. p.* e *adj.* assado. — *m.* carne assada: (fam.) *pasarse el asado*, perder-se a oportunidade: *asado ligero*, encalidela; *mal asado*, engrolado.

asador. *m.* assador, espeto, (Bras.) espêto, haste de metal em que se enfia carne, peixe, etc., para assar; recipiente ou tabuleiro para assar; empenho para assar: *poner toda la carne en el asador*, fazer o posível para obter alguma coisa.

asadura. *f.* fressura, conjunto das entranhas do animal; fígado. — *pl.* bofes e fígado; (fam.) V. **pachorra.**

asaetear. *v. tr.* assetear, disparar setas contra alguém; ferir ou matar com setas; (fig.) desgostar, molestar.

asaetinado, da. *adj.* acetinado, macio e lustroso como cetim; liso.

asafétida. *f.* (bot.) assa-fétida.

asafia. *f.* (med.) asafia.

asalariado, da. *adj.* e *s.* assalariado, contratado por salário, assoldadado; estipendiário.

asalariar. *v. tr.* assalariar, convencionar serviços por salário, dar salário, assoldar, assoldadar, estipendiar; alugar.

asalmerar. *v. tr.* (arq.) dar à parte superior dos pegões a forma do plano inclinado, para apoio duma abóbada.

asaltador, ra. *adj.* e *s.* assaltador, que assalta, salteador, assaltante.

asaltar. *v. tr.* assaltar, investir com ímpeto; atacar com violência; dar assalto a uma praça; acometer por surpresa; avançar; surpreender; sobrevir; (fig.) ocorrer de repente alguma coisa; expugnar; arremeter; acometer: *asaltar en emboscada*, emboscar-se; *asaltar furiosamente*, desarmar com fúria.

asalto. *m.* assalto; ataque violento; investida repentina; assalto duma praça; (esgr.) assalto de armas, combate simulado entre duas pessoas à arma branca; jogo do assalto; assalto, acometimento duma doença, paixão, etc.; (Amér.) baile que, sem previo aviso, se celebra numa sociedade: *tropas de asalto*, tropas de assalto; assalto, arremetedura, arremetida, arremetimento; expugnação; assaltada; estrupada; *asalto de armas*, assalto de armas; *tomar por asalto*, tomar de assalto.

asamblea. *f.* assembleia, conjunto de pessoas convocadas para algum fim; junta, reunião; convocação; corpo político e deliberante; coadunação; congresso; assistência; ajuntamento; conselho; círculo; consistório; consílio; (mil.) conjunto de tropas para instrução e para entrar em campanha; toque para que a tropa se una e forme.

asambleista. *s.* pessoa que faz parte duma assembleia.

asañar. *v. tr.* encarniçar, assanhar. V. **ensañar.**

asaprol. *m.* (quím.) asaprol.

asar. *v. tr.* assar, cozinhar ao fogo em seco; (Amér.) soassar, assar ligeiramente, constipar a carne; (fig.) torrar, abrasar. —

asarse. *v. r.* abrasar-se, sentir muito ardor ou forte calor; (fig.) arder em paixão: *asar imperfectamente*, engrolar; *asar al carne ligeramente para que no eche a perder*, decruar; *asar muy poco*, encalir; *asar carne en las brasas*, churrasquear; *asarse vivo*, (fig.) assar-se vivo; (fam.) *asar la manteca*, assar no bico do dedo.

asarabácara. *f.* (bot.) ásaro.

asáraca. *f.* (bot.) ásaro.

asarona. *f.* (quím.) asarona.

asaselar. *v. tr.* (germ.) alegrar, regozijar.

asaselo. *m.* (germ.) alegria, regozijo.

asatinado, da. *adj.* assetinado, acetinado.

asativo, va. *adj.* (farm.) assativo, cozido no seu próprio sumo.

asaz. *adv.* assaz, bastante, muito, suficientemente. — *adj.* bastante, muito; (hoje se usa só em poesia).

asbestino, na. *adj.* asbestino, pertencente ao asbesto.

asbesto. *m.* (min.) asbesto, mineral semelhante ao amianto, mas de fibras duras e rígidas.

asca. *f.* (bot.) célula onde estão encerrados os esporangos dalguns cogumelos.

ascálafo. *m.* (zool.) escálafo.

ascalonia. *f.* (bot.) echalota, variedade de cebola. V. **chalote.**

áscar. *m.* exército (em Marrocos).

áscari. *m.* soldado de infantaria marroquina.

ascariasis. *f.* (pat.) lumbricose.

ascaricida. *adj.* ascaricida, vermífugo.

ascáride. *f.* (zool.) ascáride, verme intestinal.

ascaridiosis. *f.* (pat.) ascaridiase.

ascendencia. *f.* ascendência, série de ascendentes, progénies, (Bras.) progênie, estirpe, linha de gerações anteriores; antecedência; família; superioridade; influência.

ascender. *v. tr.* e *intr.* ascender, subir, elevar-se, ser promovido; (fig.) adiantar, subir no emprego ou na dignidade; dar ou conceder promoção; chegar; alar-se: *ascender a una posición elevada,* empinocar-se; *ascender a,* alçar. — *pres. ind. irr.* **ascendo, -es, -e, -en;** *subj.* **ascienda, -as, -a, -an.**

ascendente. *p. a.* e *s.* ascendente; predomínio, superioridade, influência; ascendente, antepassado; antecessor; estirpe; pai ou qualquer dos avós de quem descende uma pessoa; avoengo. — *pl.* maiores: *ejercer ascendiente,* influir.

ascensión. *f.* ascensão, acção de ascender; elevação a uma dignidade suprema; subida; promoção; (rel.) Ascensão; ascendimento; (astr.) ascenso: *ascensión recta,* (astr.) arco do equador celeste, medido entre o ponto vernal e a intersecção do meridiano do astro com o equador.

ascensional. *adj.* ascensional, relativo à ascensão; (astr.) pertencente ou relativo à ascensão dos astros.

ascensionista. *s.* ascensionista, pessoa que faz ascensões em balão.

ascenso. *m.* ascensão; subida; promoção dum empregado, etc. V. **subida;** (astr.) ascenso; adiantamento; promoção; medra.

ascensor. *m.* elevador, ascensor, aparelho mecânico que serve para levar pessoas ou objectos a um plano superior; funicular; machimbombo; arrastador.

ascesis. *f.* ascese.

asceta. *m.* asceta, pessoa que faz vida ascética; anacoreta; eremita.

asceterio. *m.* ascetério; mosteiro.

ascética. *f.* ascética, doutrina dos ascetas, ascetismo.

ascético, ca. *adj.* ascético, devoto, místico, contemplativo.

ascetismo. *m.* ascetismo, ascética.

ascio, cia. *adj.* e *s.* (geog.) áscio, diz-se dos habitantes da zona tórrida, onde duas ve-

zes por ano, ao meio-dia cai verticalmente o Sol.

ascítico, ca. *adj.* (med.) ascítico, hidrópico.

ascitis. *f.* (med.) ascite, hidropisia abdominal.

asclepia. *f.* (bot.) asclepia.

asclepiadeo, a. *adj.* (poes.) asclepiadeu.

asclepiadeo, a. *adj.* (bot.) asclepiáceo. — *f. pl.* asclepiáceas.

asco. *m.* asco, repugnância, nojo, náusea, desgosto, (Bras.) desgôsto; (prop.) incha, asca, inapetencia: *estar hecho un asco,* (fam.) estar muito sujo; *sentir asco, o hacer ascos,* fazer ascos de alguém; *causar asco,* entojar; *tener asco,* asquear; *hacer ascos a algo,* asquear; *¡qué asco!,* chiça! (fig.) medo: *expresión de asco,* merda!

ascomiceto, ta. *adj.* (bot.) ascomiceto. — *m. pl.* ascomicetas.

ascórbico, ca. *adj.* (quím.) ascórbico.

ascosidad. *f.* ascorosidade; podridão.

ascoso, sa. *adj.* ascoroso, asqueroso.

ascua. *f.* áscua, brasa, carvão ardente: *estar en ascuas,* (fig.) estar inquieto, sobressaltado; *ascua de oro.* (fig.) coisa que brilha muito; (fam.) *arrimar el ascua a su sardina,* chegar a brasa à sua sardinha.

aseado, da. *adj.* e *p. p.* asseado, limpo; decente; desencascado.

asear. *v. tr.* assear, limpar, enfeitar; vestir bons fatos, ataviar. — **asearse.** *v. r.* assear-se; apilandrar-se.

asechanza. *f.* filada, armadilha, traição, engano; alçapão, embuste.

asechar. *v. tr.* armar filadas; estreitar, enganar.

asecho. *m.* V. **asechanza.**

asedado, da. *p. p.* e *adj.* assedado, parecido à seda; suave, macio como a seda.

asedar. *v. tr.* assedar, tornar como seda; amaciar; mover, mudar alguma coisa de lugar.

asediador, ra. *adj.* e *s.* assediador, sitiante, que assedia; importunador.

asediar. *v. tr.* assediar, pôr assédio; sitiar, bloquear; pôr cerco; (fig.) importunar sem descanso; molestar com pretensões insistentes.

asedio. *m.* assédio, cerco, (Bras.) cêrco, sitio; (fig.) insistência impertinente junto de alguém.

aseglararse. *v. r.* secularizar-se, fazer-se secular ou leigo.

asegundar. *v. tr.* secundar, repetir, fazer pela segunda vez, assegundar, reiterar.

aseguración. *f.* asseguração, afirmação; garantía, segurança; salvo-conduto. V. **seguro.**

asegurado, da. *p. p.* e *adj.* segurado; diz-se da pessoa que contratou um seguro.

asegurador, ra. *adj.* e *s.* segurador, que segura; afirmador.

aseguramiento. *m.* asseguração; seguro; segurança; caução, afirmação; salvo-conduto.

asegurar. *v. tr.* assegurar, estabelecer, fixar sólidamente, afirmar com segurança; segurar; proporcionar segurança; certificar; livrar de cuidado ou temor; afirmar;

tranquilizar; garantir; preservar; segurar; pôr no seguro; resguardar; (com.) segurar, pôr no seguro; atribuir; asseverar; fundamentar; arrecadar; evidenciar; defender; afiançar; asir; agarrar; consolidar. — **asegurarse**. v. r. assegurar--se; apegar-se; afirmar-se; verificar.

aseidad. f. atributo de Deus, pelo qual existe por Si mesmo.

asélidos m. pl. (zool.) asélidos.

aselo m. (zool.) aselo.

asemejar. v. tr. assemelhar, tornar semelhante; imitar; julgar semelhante; parecer semelhante a; representar uma coisa como semelhante a outra. — v. intr. semelhar, ter semelhança. — **asemejarse** v. r. parecer-se, mostrar-se semelhante; assimilar-se; aparentar-se; aproximar-se.

asemia f. (pat.) assemia, assimbolia.

asendereado, a. p. p. e adj. trilhado, frequentado; (fig.) oprimido, angustiado por trabalhos ou adversidades.

asenderear. v. tr. abrir os caminhos, os trilhos; embaraçar, impedir o caminho a alguém; perseguir alguém fazendo-o sair dos caminhos centrais.

asengladura. f. (mar.) V. **singladura**.

asenso. m. assenso; assentimento; afirmação, consentimento, aprovação: dar asenso, dar crédito.

asentada. f. assentada, tempo em que está sentada uma pessoa sem interrupção: de una asentada, duma assentada, duma só vez, sem interrupção.

asentaderas. f. pl. nádegas, assento, pousadeiro, traseiro, bunda; (Bras.) fiofó.

asentadillas (a). loc. adv. montado à maneira das mulheres.

asentado, da. p. p. e adj. assentado; sentado; situado; assento; sereno, tranquilo, (Bras.) tranqüilo, sossegado; estável, permanente.

asentador. m. assentador, o que assenta; alisador, ferro usado por ferreiros para desempenar chapas e espalmar ferro. V. **asentista**.

asentamiento. m. assentamento; cordura; juízo; estabelecimento.

asentar. v. tr. assentar; fazer sentar, pôr em assento; determinar; resolver, decidir; afirmar; asseverar; assentar, tomar nota; anotar; lançar; pressupor; firmar; consolidar; estabelecer; pôr ao serviço de; fundar; dar (pancadas); assentar (lâmina navalha, etc., etc.); alisar; ajustar; convir convénios ou tratados; empadroar; encartar; registar; julgar; combinar. — v. intr. sentar, assentar, fixar; cair bem um vestido, fato, etc., adaptar-se perfeitamente; convir; recair bem; sossegar; tomar resolução. — **asentarse**. v. r. fixar--se; sentar-se; arrumar-se; assentar-se.— conj irr. como sentar.

asentimiento. m. assentimento; anuência; aprovação; assenso, consentimento; concesão; aderência; aquiescência; adesão; deferência.

asentir. v. intr. assentir, consentir; concordar; anuir; admitir como certa ou conveniente uma coisa; afirmar; estar de acordo; ser da mesma opinião; aplaudir; aprovar; aquiescer; deferir; asservir; assentir a tudo, assinar de cruz. — conj. irr. como sentir.

aseñorado, da. adj. assenhorado, que tem modos de senhor ou senhora; semelhante ao que é próprio de senhor ou senhora; elegante de bom gusto.

aseo. m. asseio; limpeza; decência; arrumação; alinho; esmêro, cuidado; adorno, enfeite; elegância; perfeição.

asépalo, la. adj. (bot.) assépalo, que não tem sépalas.

asepsia. f. (med.) assepsia, esterilização, defesa preventiva contra a infecção.

aséptico, ca. adj. (med.) asséptico, pertencente ou relativo à assepsia.

aseptizar. v. tr. (med.) assepsiar.

asequible. adj. exequível, que se pode executar, conseguir ou alcançar; auferível; fácil; conversável; (não se aplica a pessoas em cujo caso deve dizer-se accesible ou tratable).

aserción. f. asserção, afirmação; enunciação; proposição; asserto; alegação.

aserradero. m. serraria, serração.

aserrado, da. p. p. e adj. serrado; denticulado como a serra; dentado.

aserrador, ra. adj. e m. serrador, que serra; serrador, aquele que serra por ofício.

aserradura. f. serradela, corte feito com a serra; sítio por onde se faz o corte; serragem; corte que faz a serra; serradura, pó da madeira serrada. — pl. V. **aserrín**.

aserrar. v. tr. serrar, cortar com serra ou serrote; (fig. e fam.) tocar mal a rabeca. — conj. irr. como serrar.

aserrín. m. serradura, serrim, pó da madeira serrada.

aserruchar. v. tr. serrar com serrote.

asertar. v. tr. (neol.) V. **afirmar, asegurar**.

asertivo, va. adj. assertivo, afirmativo, que tem carácter de asserção.

aserto. m. asserto, afirmação, asserção, proposição afirmativa.

asertorio. adj. assertório, diz-se do juramento com que se afirma alguma coisa.

asesar. v. intr. assisar, tomar siso.

asesinado. adj. e p. p. assassinado; despachado.

asesinar. v. tr. assassinar, matar deliberadamente ou com premeditação; degolar; (pop.) despachar; chacinar, massacrar, matar, trucidar; (fig.) atraiçoar, enganar.

asesinato. m. assassínio, homicídio, assassinato, trucidamento; assassinamento; (fig.) traição, perfídia.

asesino, na. adj. e s. assassino, homicida, matador; degolador; assassinador.

asesor, ra. s. e adj. assessor, que assessora, auxilia, ajuda ou aconselha; mentor; conselheiro; adjunto; auxiliar.

asesoramiento. m. acção de aconselhar ou aconselhar-se; conselho.

asesorar. *v. tr.* assessorar, aconselhar; dar conselho. — **asesorarse.** *v. r.* tomar conselho; tomar o juiz um assessor.

asesoría. *f.* assessoria, cargo ou função de assessor; estipêndio do assessor; assessorado.

asesorial. *adj.* assessorial, assessório.

asestadura. *f.* assestadura, pontaria (diz-se da artilharia); assesto. (Bras.) assêsto.

asestar. *v. tr.* assestar, dirigir, atacar, intentar; fazer mal, dirigir todos os esforços contra; assestar, apontar, fazer pontaria; descarregar: *asestar un palo*, descarregar uma paulada.

aseveración. *f.* asseveração; afirmação; certificação; asseguração; asserto, afirmativa.

aseverado, da. *p. p.* e *adj.* asseverado, assegurado, afirmado.

aseverador, ra. *adj.* e *s.* asseverador, afirmador, assegurador.

aseverar. *v. tr.* asseverar, afirmar, assegurar, certificar, testemunhar.

aseverativo, va. *adj.* asseverativo, afirmativo, confirmativo, asseverante.

asexuado, da. *adj.* assexuado, assexual.

asexual. *adj.* assexual, assexuado, que não tem sexo.

asexualidad. *f.* assexualidade.

asexualización. *f.* (cir.) assexualização.

asfalina. *f.* (quím.) asfalina.

asfaltado, da. *p. p.* e *adj.* asfaltado, revestido de asfalto. — *m.* asfaltado, pavimento coberto de asfalto.

asfaltar. *v. tr.* asfaltar, revestir de asfalto; pavimentar com asfalto.

asfáltico, ca. *adj.* asfáltico, que contém asfalto.

asfalto. *m.* (min.) asfalto, betume escuro que se emprega em pavimentos e na composição de vernizes farmacêuticos.

asfíctico, ca. *adj.* asfíctico, asfíxico, relativo à asfixia.

asfixia. *f.* asfixia, supressão da respiração; estado de morte aparente; estrangulação.

asfixiador, ra. *adj.* asfixioso, asfixiante, que causa asfixia.

asfixiar. *v. tr.* asfixiar, causar asfixia; afogar; estrangular; sufocar. — **asfixiarse.** *v. r.* asfixiar-se; suicidar-se por asfixia; sufocar-se.

así. *adv.* assim; desta ou dessa maneira; do mesmo modo; tanto, de tal modo ou maneira; também, igualmente; desta arte, desta sorte; como *conj. comparativa* equivale a: tanto, de igual maneira, etc.: *así que*, assim que, logo que; *así como*, assim como. do mesmo modo; *así así*, de qualquer maneira, de todos os modos; ¿es *así?*, é assim?; *ni así ni así*, nem assim nem assado; ¿*cómo así?*, como assim?; *por decirlo así*, per bem dizer, para assim dizer; *así que*, assim que, em que; *así o asá*, assim ou assado; ¡*así sea!*, oxalá¡, assim seja; *así mismo*, aquemeneres.

Asia. (geog.) Ásia.

asialia. *f.* (med.) assialia, falta de secreção da saliva.

asiaticismo. *m.* asiaticismo, asiatismo.

asiático, ca. *adj.* e *s.* (geog.) asiático, natural de ou pertencente à Ásia.

asibilación. *f.* (gram.) assibilação.

asibilar. *v. tr.* (gram.) assibilar, tornar sibilante.

asicia. *f.* (pat.) asicia, anorexia, falta de apetite.

asidente. *adj.* (pat.) assidente.

asideración. *f.* (for.) assideração.

asidero. *m.* cabo, maçaneta, pegadeira, asa, pega de objectos; (fig.) ocasião, pretexto.

asido, da. *p. p.* e *adj.* pegado, agarrado, colhido, prendido, apanhado.

asiduidad. *f.* assiduidade, aplicação, pontualidade; assistência; frequência; empenho; puntualidade.

asiduo, dua. *adj.* assíduo, diligente; constante, pontual; incessante; frequente, (Bras.) freqüente; aturado; aferrado; aplicado, contínuo, continuado: *ser asiduo en el trabajo*, aturar; *persona asidua a un sitio determinado*, frequentador.

asiento. *m.* assento, cadeira, banco, objecto em que a gente se senta; sede, (Bras.) sêde; lugar onde foi fundada uma povoação; edifício, etc; domicílio, residência; assento, situação, posição; alicerce, base dum edifício; depósito dum líquido; acção de assentar material em obra; assento, pedestad, pé de vaso ou de outro objecto; assento, pé de resíduo dum licor; assento, anotação, apontamento, nota; descanso; (fig.) assento, juízo, prudência. capacidade; indigestão; ordem, regulamento; ordem das coisas; assento, nádegas, poisadeiro, traseiro; (Amér.) território e povoação onde se encontram minas; bocado, parte do freio das cavalgaduras; tapa de argamassa sobre a qual se colocam os ladrilhos quando se pavimenta; (fig.) estabilidade, permanência; acordo; registo; cordura, sensatez. — *pl.* pérolas desiguais; nádegas: *estar de asiento*, estabelecer-se; *no calentar el asiento*, não aquecer o lugar; *hombre de asiento*, homem sensato; *tomar asiento*, sentar-se; acaiderar-se; (com.) *asiento de compensación*, estorno; *asiento para descansar*, descansadeiro.

asigmático, ca. *adj.* (gram.) assigmático, que perdeu o s.

asignable. *adj.* atribuível, assinável, que se pode atribuir.

asignación. *f.* dotação, vencimento, atribuição; destinação; consignação; assinação; assinalamento, concessão; provisão; ordenado, pensão.

asignado, da. *p. p.* e *m.* assinado, papel moeda em França durante a revolução; (Amér.) parte que se paga em espécie do salário dos empregados das fazendas.

asignar. *v. tr.* atribuir, fixar o que corresponde a uma pessoa ou coisa; assinar, assinalar, fixar; destinar; designar; nomear; prover; atribuir, afectar a; delegar; indicar; destinar; **distinguir.**

asignatario, ria. s. (for.) herdeiro ou legatário.

asignatura. f. cadeira, cada uma das disciplinas que se ensinam num centro docente; programa dum curso universitário; (Bras.) Jamegão.

asilabia. f. (med.) assilabia.

asilábico, ca. adj. (gram. e med.) assilábico.

asilado, da. p. p. adj. e s. asilado, que vive recolhido no asilo; recolhido; indivíduo asilado. V. acogido.

asilamiento. m. asilamento; protecção, retiro, abrigo.

asilar. v. tr. asilar, recolher em asilo, dar asilo; albergar, abrigar; admitir gado nas devesas para pastar.

asilo. m. asilo, recolhimento para delinquentes; abrigo; protecção; estabelecimento de caridade; retiro; amparo, favor; (mar.) pôrto de refúgio ao abrigo do tempo; tranquía; alfama; albergamento; albergue; acoitamento; acolhida; acolhimento: buscar asilo, albergar; dar asilo (a delincuentes), encobrir.

asimbolia. f. (pat.) assimbolia.

asimetría. f. assimetria, falta de simetria, improporção, improporcionalidade.

asimétrico, ca. adj. assimétrico, sem simetria; improporcional, improporcionado.

asimiento. m. apanhadura, apanhamento, apanha, agarra; (fig.) adesão, afecto, apego; aplicação.

asimilable. adj. assimilável, assimilativo, que se pode assimilar.

asimilabilidad. f. (fisiol.) assimilabilidade.

asimilación. f. assimilação; semelhança; analogia; comparação; (fisiol.) assimilação.

asimilar. v. r. e intr. assimilar; apropriar, acomodar; tornar ou ser semelhante; assemelhar; comparar; animalizar; elaborar; apreender.

asimilativo, va. adj. assimilativo, que tem fôrça para tornar uma coisa semelhante a outra; relativo à assimilação.

asimismo. adv. assim mesmo; também; deste modo; do mesmo modo; ainda assim; ao mesmo tempo.

asimplado, da. adj. simplório; pateta, ingénuo; crédulo, sem malícia.

asín, asina. adv. (fam.) V. así.

asinartético, ca. adj. independente; autónomo; (poes.) diz-se do verso livre.

asincrónico, ca. adj. assíncrono, que não é síncrono.

asincronismo. m. assincronismo, falta de simultaneidade.

asíncrono, na. adj. assíncrono.

asindético, ca. adj. (ret.) assindético, que tem assíndeto.

asíndeton. m. (ret.) assíndeto, assíndeton, omissão das conjunções coordenativas.

asinergia. f. (mús. e med.) assinergia.

asintáctico, ca. adj. (gram.) assintáctico.

asíntota f. (geom.) assíntota.

asir. v. tr. asir, agarrar, segurar com a mão; pegar, solher. (Bras.) colhêr, prender, empunhar; apreender; aferrar. — v. intr.

arraigar as plantas; deitar, criar raizes as plantas. — asirse. v. r. apoderar-se de alguma coisa; agarrar-se; disputar-se, brigar; (fig.) tomar como pretexto para dizer ou fazer alguma coisa; lançar mão duma ocasião; (fig.) renhir, contender duas pessoas ou mais: asirse de una cuerda, (fig.) tomar como pretexto ou ocasião para dizer ou fazer o que se deseja. — pres. ind. irr. asgo, ases, etc.: imperf. asia, asias, etc.: pret. indef. así, asiste, etc.: pres. subj. asga, asgas, asga, asgamos, asgais, asgan; imper. ase, asid.

Asiria. (geog.) Assíria.

asirio, ria. adj. e s. (geog.) natural da ou pertencente a Assíria. m. língua assíria.

asiriología. f. Jarqeol.) assiriologia.

asiriólogo. m. assiriólogo.

asistasia. f. (bot.) assistásia.

asísmico, ca. adj. assísmico.

asistencia. f. assistência; auxílio; acorrimento; ajuda; recompensa que se ganha com a assistência pessoal; socorro; (Amér.) compartimento para receber as visitas íntimas; presença; protecção; assistência, tratamento de um doente; pensão alimentícia. — pl. alimentos, meios que se dão a alguém para seu sustento.

asistencial. adj. assistencial.

asistenta. f. mulher do corregedor (antigo assistente da cidade); criada de servir; criada secular que serve em convento de religiosas das ordens militares; criada provisória; dama de honor que assiste às pessoas reais; freira que assiste e substitui a superiora.

asistente. p. a. e m. assistente, que assiste; bispo auxiliar; corregedor; funcionário público que servia de assistente; religioso que assiste ao Geral duma ordem; impedido dum oficial; enfermeiro; ajudador; adjutor, assessor.

asistir. v. intr. assistir, estar presente; acompanhar alguém em acto público; servir inteiramente; socorrer, ajudar; favorecer; tratar dum doente; coadjuvar; ajudar. — v. intr. fazer companhia, acompanhar; estar ou achar-se presente; frequentar, morar, ter moradia em: asistir a un enfermo, assistir a um enfermo; asistir la razón, assistir a razão; asistir a un banquete, banquetear-se.

asistolia. f. (med.) assistolia.

asistólico, ca. adj. (med.) assistólico.

asitia. f. (pat.) asitia, anorexia, falta de apetite.

asma. f. (med.) asma; (vet.) pulmoeira.

asmático, ca. adj. asmático. — s. asmático, que sofre de asma; (Bras.) apiançado: respiración asmática, cirreira.

asna. f. (zool.) asna, fêmea do asno, burra. — pl. armas, armação de madeira ou ferro destinada a suportar a viga mestra; (Bras.) asna, chaveirão, manteler.

asnada. f. asnada; asneira. V. asnería.

asnado. m. (min.) esteio da mina, trave.

asnal. adj. asnal, bestial, brutal; asnal, pertencente ou relativo ao asno; asnático; asinino, asneiro; asnático, estúpido, parvo. — *pl.* meias grandes, fortes e grosseiras: *asnal vindimo,* cesto vindimo.

asneria. *f.* (fam.) asnada, manada de asnos; (fam.) asneira; bestice; bestidade; asneirada; parvoice.

asnino, na. *adj.* (fam.) asinino.

asno. *m.* (zool.) asno, burro; (fig.) asno, ignorante, parvo, tolo; rude, grosseiro; pessoa ignorante: *caer de su asno,* confessar um erro; *a asno muerto ceba al rabo,* é necedade aplicar remédio a uma coisa, uma vez passada a oportunidade.

asobarcado, da. *p. p.* e *adj.* assobarcado, arregaçado.

asobarcar. *v. tr.* assobarcar, sobraçar; arregaçar. V. **sobarcar.**

asobinarse. *v. r.* ficar uma cavalgadura estendida no solo de modo que por si não possa levantar-se; embrulhar-se uma pessoa numa queda, ficar feito numa bola.

asocarronado, da. *adj.* socarrão; astuto, dissimulado, finório, que parece socarrão.

asociable. *adj.* que pode ser associado; associável.

asociación. *f.* associação, conjunto de associados; sociedade; conexão; cole(c)tividade; (dep. port.) futebol; associação, incorporação; anexação; consórcio; cooptação; afiliação; apremiação: *asociación de ideas,* entre linha; (fig.) *asociación íntima,* coesão.

asociacionismo. *m.* associacionismo.

asociado, da. *p. p. adj.* e *s.* associado, sócio, diz-se da pessoa ligada a outra por interesses numa exploração económica; consócio; consorte; aparceirado.

asociamiento. *m.* associalização. V. **asociación.**

asociar. *v. tr.* associar, agregar alguém como auxiliar ou sócio em exploração económica; juntar uma coisa com outra; agregar; consociar; emparceirar; afiliar; consorciar; anexar; amatalotar; agregar; aliar; agermanar; agremiar; incorporar; aunar. — **asociarse.** *v. r.* associar-se, juntar-se, formar uma sociedade; frequentar; reunir-se para algum fim; coligar-se; fraternizar-se; agregar-se; aliar-se; incorporar-se.

asociativo, va. *adj.* associativo.

asolación. *f.* assolação; dessolação, devastação; astruição. V. **asolamiento.**

asolado, da. *p. p.* e *adj.* assolado; devastado; estragado; despovoado, dessolado.

asolador. *adj.* assolador, devastador, destruidor; dessolador.

asolamiento. *m.* assolação, assolamento; dessolação; devastação, destruição, ruina, extermínio; estrago; estragação.

asolanar. *v. tr.* assoleimar, prestar-se, queimar-se, secar por influência do vento (frutas, messes, etc.); estiolar, secar; tisnar; empanar.

asolapar. *v. tr.* assentar as telhas.

asolar. *v. tr.* assolar, devastar, destruir, dessolar, arrasar; pulverizar; infestar; afligir; exterminar; ermar; depopular; desaterrar; forraguear; assolhar ; despo-

voar. — **asolarse.** *v. r.* decantar-se um líquido; clarificar-se.

asolar. *v. tr.* queimar ou secar os frutos por afeito de grandes calores, secas, etc. — **asolarse.** *v. r.* secar os campos por efeito do calor.

asoldadar. *v. tr.* V. **asoldar.**

asoldar. *v. tr.* assoldadar, tomar a soldo, assoldar, assalariar. — *conj. irr.* como *soldar.*

asoleado, da. *adj.* (Amér.) torpe, tonto.

asolear. *v. tr.* assoalhar, expor ao sol; insolar; crestar. — **asolearse.** *v. r.* ficar moreno devido ao sol, expor-se ao sol, queimar-se; crestar-se; murchar; tornar-se trigueiro por efeito do sol.

asoleo. *m.* assoalhamento, assoalhadura; (mil.) operação de secar a pólvora ao sol; (vet.) doença de certos animais, caracterizada por sufocação e violentas palpitações.

asomada. *f.* assomada, acto de assomar ou manifestar-se por pouco tempo; aparição; o viso, o cume do monte, cumeada; começo de embriaguez; ponto de vista; (ant.) altura, eminência.

asomar. *v. intr.* assomar, começar a mostrar-se, aparecer, despontar. — *v. tr.* subir ao cume, aparecer em lugar alto; indicar, mostrar, designar; deixar entrever. — **asomarse.** *v. r.* mostrar-se, aparecer; (fam.) alegrar-se, começar a embriagar-se.

asombradizo, za. *adj.* assombradiço, assombrado, espantadiço. V. **espantadizo.**

asombrado, da. *p. p.* e *adj.* assombrado, estupefa(c)to atônito, (Bras.) atônito; embaçado; cortado; engandanhado; abismado, absorto; admirado; aturdido, abananado; sombrio; (fam.) *dejar asombrado,* deixar com a boca aberta.

asombrador, ra. *adj.* assombrador, que assombra; espantador, que faz sombra.

asombrar. *v. tr.* assombrar, fazer sombra; escurecer uma cor misturando-a com outra; assustar; espantar; terrorizar, aterrorizar; maravilhar; causar grande admiração; estontear; embevecer; estupificar; embaçar; entusiasmar; causar consternação; abobar; abismar; admirar; aturdir; (fig.) deslumbrar. — **asombrarse.** *v. r.* assombrar-se; maravilhar-se; deslumbrar-se; desmaiar; abalar-se; afogar-se; admirar-se; abobar-se; embevecer-se; embasbacar.

asombro. *m.* assombro, admiração excessiva; assombro, terror, susto, espanto; prodígio, maravilha; milagre; surpresa; estonteamento; estranhamento; estranheza; embevecimento; embasbacação; assombramento; aturdimento; estupor; estupefa(c)ção.

asombroso, sa. *adj.* assombroso, que causa assombro; espantoso, maravilhoso, mágico; estupendo; formidável; milagroso; admirável: *es un caso asombroso,* é coisa por maior.

asomo. *m.* assomo, indício, sinal; suspeita; presunção. — *pl.* arremessos: *ni por asomo,* de nenhum modo, nem por sombras.

asonada. *f.* assunada. reunião numerosa para conseguir violentemente qualquer fim; assuada, motim, balbúrdia, ajuntamento tumultuário; charivari; arruaça; desordem.

asonancia. *f.* assonância, conformidade ou semelhança de sons; (fig.) correspondência duma coisa com outra; (metr.) conformidade ou aproximação fonética das vogais tónicas.

asonantar. *v. tr.* (poet.) assoantar, fazer uso de palavras assoantes. — *v. intr.* ser uma palavra assonante de outra; fazer assonância.

asonar. *v. intr.* assonar, produzir assonância, ressoar; reunir gente a toque de sino. — *v. tr.* (ant.) assuar, fazer assuada.

asordamiento. *m.* (gram.) desvocalização.

asordar. *v. tr.* ensurdecer, tornar surdo alguém com ruído ou barulho de vozes.

asosegar. *v. tr.* V. **sosegar.**

asotanado, da. *adj.* e *p. p.* asotado, escavado em forma de cave.

asotanar. *v. tr.* escavar para fazer caves.

aspa. *f.* aspa, espécie de cruz feita em forma de X ou da cruz de Santo André; sarilho, instrumento para dobar a lã ou o linho; aspa de moinho; (min., Amér.) extensão duma mina; alavanca de nora; cruz de pano dos condenados pela Inquisição; insignia heráldica em forma de X. — *pl.* asas de moinho de vento.

aspadera. *f.* sarilho para fazer meadas.

aspado, da. *p. p.* e *adj.* aspado, diz-se do que se penitencia com aspas; (heràl.) aspado; colocado entre aspas.

aspador. *m.* sarilho. V. **aspadera.**

aspalto. *m.* (pint.) V. **espalto.**

aspamiento. *m.* (Amér.) V. **aspaviento.**

aspar. *v. tr.* aspar, fazer meadas em uma aspa; crucificar na aspa, aspar; (fig., fam.) mortificar, maltratar. — **asparse.** *v. r.* (fig.) queixar-se ardentemente; atormentar-se.

asparagina. *f.* (quím.) asparagina.

asparagíneas. *f. pl.* (bot.) asparagíneas.

asparagoideas. *f. pl.* (bot.) asparagíneas.

asparagolita. *f.* (min.) asparagólita.

aspárgico, ca. *adj.* (quím.) aspártico.

aspargina. *f.* (quím.) aspargina.

aspartato. *m.* (quím.) aspartato.

aspártico, ca. *adj.* (quím.) aspártico.

aspaventero, ra. *adj.* e *s.* espaventoso, aparatoso.

aspaviento. *m.* espavento. demonstração expressiva ou afectada de espanto, admiração ou sentimento; exclamação exagerada.

aspeado, da. *adj.* e *p. p.* fadigado, cansado, aborrecido.

aspeador. *m.* sarilho. V. **aspadera.**

aspear. *v. tr.* ensarilhar, enrolar os fios no sarilho para formar as meadas.

aspearse. *v. r.* V. **despearse.**

aspecto. *m.* aspecto, aparência, semblante; perspectiva dum edifício; aspecto, ponto de vista em que se considera uma questão; (astr.) aspecto, situação dos astros no zodíaco; a parte exterior das coisas;

atitude; face; exterior; conspe(c)ção; continente; contenho; apostura; (fig.) faceta, (Bras.) facêta; (iron.) facha; (fig.) fachada; frontaria; ar; barba: *aspecto extranjero*, ar estranjeiro; *en todos los aspectos*, por todos os aspectos; *aspecto risueño*, boca de riso; *de buen aspecto*, bizarro; *de buen o mal aspecto*, bem ou mal apessoado; *hombre de buen aspecto*, homen bem afigurado; *individuo de mal aspecto*, aselha; *persona de mal aspecto*, fraca figura; *al primer aspecto*, à primeira vista.

asperartería. *f.* V. **traqueartería.**

asperear. *v. tr.* ter sabor áspero.

asperete. *m.* azedume próprio dalgumas frutas; aspereza; acidez; (bot.) asperilha.

aspereza. *f.* aspereza, qualidade de áspero; amargor; rudeza; severidade; dureza no estilo; escabrosidade; desigualdade de terreno que o torna escabroso para se caminhar por ele; acidez; (mús.) discordância; (fig.) austeridade, rigidez, rigor de costumes ou de génio; severidade; acrimonia, (Bras.) acrimônia; asperidade, descortesia; desconversação; fragosidade; despeito; despego, (Bras.) despêgo; incomplacência; azedume; agrura: *aspereza al gusto*, acerbidade; *tratar con aspereza*, desamimar.

aspergear. *v. tr.* aspergir. V. **asperjar.**

asperger. *v. tr.* aspergir. V. **asperjar.**

asperges. *m.* (fam.) asperges, antífona que começa com esta palavra; aspersão da água benta; hissope: *quedarse en asperges*, ficar burlado, ou desapontado.

aspergiliforme. *adj.* (bot.) aspergiliforme, aspergilário.

aspergilo. *m.* (bot. e zool.) aspergilo.

aspergilosis. *f.* (bot.) aspergilose.

aspérgula. *f.* (bot.) amor-de-hortelão.

asperidad. *f.* asperidade, aspereza.

asperiego, ga. *adj.* acre, azedo, (Bras.) azêdo, esperiega, diz-se duma espécie de maçá ácida.

asperifoliáceas. *f. pl.* (bot.) asperifoliáceas.

asperifoliado, da. *adj.* (bot.) asperifólio.

asperilla. *f.* (bot.) V. **asperete.**

asperillo. *m.* acidez, azedume da fruta verde ou duma iguaria ou bebida; gosto acre, azêdo.

asperjar. *v. tr.* aspergir. V. **hisopear, aspergir, rociar.**

aspermatismo. *f.* (pat.) aspermatismo.

aspermia. *f.* (pat.) aspermia.

aspermo, ma. *adj.* (bot.) aspermo.

áspero. *m.* V. **aspro.**

áspero, ra. *adj.* áspero, desigual, rugoso; rijo; escabroso; fragoso; azedo, (Bras.) azêdo; acre; desagradavel ao paladar; (fig.) severo; duro; desagradável ao ouvido; (pint.) desarmónico, desagradável à vista; escabroso; rigoroso, austero, desabrido, ríspido; consistente; agra; agreste; areisco; abrupto; ingrato; inclemente; estridente; desamorável; extramontado; desabrido; encortiçado; duro; descortês, desceremonioso; fosco, (Bras.) fôsco; forte; fragueiro; despedrado; (fig.)

avinagrado, arisco; (fig.) indigesto; incomplacente; (Bras. Amazonas) ambé; (Bras.) piririca: *volver áspero*, encrespar; alcachofrar; *trato áspero*, azedia; *ser áspero*; (fig.) arranhar; (fig.) *mujer áspera*, madrasa; *áspero al gusto*, acerbo, desabrido; de genio áspero, desconversável; (fig.) *áspero en el trato*, despegado.

aspersión. *f.* aspersão; afusão; aspergimento; asperges; chapinhada, chapiçada.

aspersorio. *m.* aspersório, instrumento de metal ou madeira com que se asperge a água benta; hissope.

asperugo. *m.* (bot.) asperugo.

aspérula. *f.* (bot.) aspérula.

asperura. *f.* V. **aspereza.**

áspid. *m.* (zool.) áspide, víbora muito venenosa, áspide, cobra venenosa; (fig.) pessoa maledicente, difamador; língua viperina; (mil., ant.) colubrina.

áspide. *m.* (zool.) V. **áspid.**

aspidia. *f.* (bot.) aspídia, aspídio.

aspidieos. *m. pl.* (bot.) aspidiáceos.

aspidio. *m.* (bot.) aspídio; (zool.) aspídio.

aspidioto. *m.* aspidiota, género de crustáceos.

aspidisca. *f.* (entom.) aspidisca, género de infusórios.

aspidistra. *f.* (bot.) aspidistra.

aspidocéfalo, la. *adj.* (zool.) aspidocéfalo.

aspidosperma. *f.* (bot.) aspidosperma.

aspidospermina. *f.* (quím.) aspidospermina.

aspilla. *f.* vara que serve para se calcular em recipientes de forma conhecida, o volume da parte ocupada por um líquido.

aspillear. *v. tr.* fazer seteiras.

aspillera. *f.* seteira, pequena abertura nas muralhas pela qual se arremessavam setas contra o inimigo; fresta; (Amér.) V. **harpillera.**

aspillerado, da. *adj.* provisto de seteiras.

aspillerar. *v. tr.* prover com seteiras.

aspiración. *f.* aspiração; desejo; absorção do ar; acção da bomba aspirante; (fig.) ideal, desejo; aspiração, afecto da alma para com Deus; (gram.) aspiração; pronunciação áspera duma letra; (mús.) aspiração, pausa para respirar; exigência; ambição; inalação; anélito; anelo.

aspirador, ra. *adj.* aspirador, que aspira. — *m.* aspirador, bomba aspirante; aparelho para produzir correntes de ar.

aspirante. *p. a. adj.* e *s.* aspirante, que aspira; pessoa que obteve direito a ocupar um cargo público: *caballero militar aspirante*, aspirante a oficial; *bomba aspirante*, bomba aspirante, aspirador.

aspirar. *v. tr.* aspirar, atrair o ar aos pulmões; sorver; chupar; elevar a água em consequência do vácuo; pretender; aspirar, desejar algum emprego, dignidade, etcétera; anelar; ambicionar; (gram.) pronunciar guturalmente; (fig.) ter desejo veemente; inalar, inspirar: *aspirar a*, pretender, aspirar a; *aspirar el olor*, cheirar.

aspirativo, va. *adj.* (filiol.) aspirativo, que se pronuncia com aspiração.

aspirina. *f.* (quím. e farm.) aspirina, medicamento antipirético e analgésico.

asplenio. *m.* (bot.) asplénia, (Bras.) asplênia, género de fetos polipódios.

ásporo, ra. *adj.* (hist. nat.) ásporo, sem esporos.

asquear. *v. intr.* asquear, ter ou mostrar asco por alguma coisa; desgostar, ter fastio, nojo. — *v. tr.* desdenhar, desprezar.

asquerosidad. *f.* asquerosidade, coisa asquerosa, ascorosidade, imundícia; repugnância; sujidade, imundície; porcaria.

asqueroso, sa. *adj.* asqueroso, que causa asco; sujo; repelente, ascoso, ascarento; infe(c)to; porco; imundo; franchão; repugnante; que tem asco ou é propenso a te-lo, sórdido; manchado; desonesto; impudico.

asta. *m.* hasta, lança, arma ofensiva dos antigos romanos; haste, corno de animal, chifre; cabo de pincel ou brocha; chuço: *poner el asta o mango a un utensilio*, encabar; *verse en las astas del toro*, estar num perigo muito grande; *dejar en las astas del toro*, fugir a um perigo; *a media asta*, diz-se da bandeira meio asteada.

astácidos. *m. pl.* (zool.) astácidas, astacites.

astado. *m.* soldado da antiga milícia romana provisto com haste. — *adj.* que tem chifres ou hastes.

astasia. *f.* (pat.) astasia, dificuldade de permanecer em pé.

astaticidad. *f.* (fís.) astaticidade.

astático, ca. *adj.* (fís.) astático, que não tem equilíbrio estável.

asteísmo. *m.* (ret.) asteísmo, expressão delicada mas um tanto irónica.

astenia. *f.* (med.) astenia, debilidade, fraqueza, anemia.

asténico, ca. *adj.* (med.) asténico, (Bras.) astênico, anémico, que tem astenia.

astenología. *f.* (med.) astenologia.

astenopia. *f.* (pat.) astenopia, fraqueza da vista.

astenópico, ca. *adj.* (med.) astenópico, relativo à astenopia.

astenopiria. *f.* (pat.) astenopiria, febre, acompanhada de astenia.

asteracanta. *f.* (bot.) asteracanta.

astéreas. *f. pl.* (bot.) asteráceas.

asterídeos. *m. pl.* (zool.) asterídeos.

asterión. *m.* (anat.) astério, cruzamento das três suturas cranianas.

asterisco. *m.* asterismo; (impr.) estrela, (Bras.) estrêla.

asterismo. *m.* (astr.) asterismo.

asterita. *f.* (min.) asterite.

asternal. *adj.* (anat.) asternal: *costilla asternal*, costela asternal.

asterocario. *m.* (bot.) asterocário.

asterocarpo. *m.* (bot.) asterocarpo.

asteroide. *adj.* e *m.* (astr.) asteróide, com figura de estrela; pequeno astro, que gira no espaço.

asteroma. *f.* (bot.) asteroma, género de cogumelos.

asticino, na. *adj.* que tem os chifres muito finos.

astigmático, ca. *adj.* (pat. e fís.) astigmático.

astigmatismo. *m.* (fís. e pat.) astigmatismo.

astigmómetro. *m.* (med.) astigmómetro.

astil. *m.* hastil; cabo de madeira (de picaretas, machados, etc.) barra horizontal da balança romana; hastim; pau de uma frecha ou seta; travessão, braço de balança; pé para suster alguma coisa; (artil.) cabo de lanada.

Astilejos. *m. pl.* V. Astillejos.

astilla. *f.* estilha, estilhaço, lasca; pente de tecelão; trapaça no jogo de cartas: *sacar uno astilla,* (fig. fam.) conseguir um benefício ou lucro; *hacer astillas,* fazer em estilhas; estilhaçar, estilhar; *de tal palo tal astilla,* tão bom é Pedro como seu amo; ruim senhor cria ruim servidor; bom sangue não menta.

astillar. *v. tr.* estilhaçar, estilhar, fazer em estilhas.

astillazo. *m.* estilhaço, fragmento de pedra, madeira ou metal, projectado com violência e ruido; golpe, ferida com estilha.

Astillejos. *m. pl.* (astr.) Castor e Pólux, estrelas principais da constelação dos Gémeos.

astillero. *m.* estaleiro, estabelecimento de construção e reparação de navios; fabricante de pentes para teares; hastilheira, cabide para lanças; lugar no monte onde se corta lenha; depósito de lenha.

astillón. *m.* estilhaço.

astilloso, sa. *adj.* aplica-se aos corpos dos quais fàcilmente saltam estilhas; (min.) diz-se da fractura de certos minerais.

astínomos. *m. pl.* (hist.) astínomos.

astómato, ta. *adj.* (terat.) ástomo, que não tem boca.

astomia. *f.* (med.) astomia, privação congénita de boca.

astomo, ma. *adj.* (bot.) ástomo, diz-se dos musgos cuja cápsula não tem abertura.

astracán. *m.* astracã, tecido de lã imitando a astracã ou pele.

Astracán. (geog.) Astracã.

astracanada. *f.* (teatr.) peça teatral cómica e disparatada; (fam.) chalaça, chocarrice, bufonária.

astragalino, na. *adj.* (anat.) astragalino, relativo ou pertencente a astrágalo, astragaliano.

astrágalo. *m.* (arq.) cordão ou moldura em forma de anel no alto do fuste, astrágalo; (anat.) astrágalo, osso do tarso; (artil.) anel de adorno nos canhões; (bot.) astrágalo. V. taba.

astragalomancia. *f.* astragalomancia.

astral. *m.* (prov.) V. destral.

astral. *adj.* astral, pertencente ou relativo aos astros; sideral.

astrancia. *f.* (bot.) astrância, astrança.

astrea. *m.* (zool. paleont. e astr.) astreia.

astreñir. *v. tr.* V. astringir. — *conj. irr.* como *ceñir.*

astricción. *f.* adstrição; astringência; aperto, compresão; obrigação.

astrictivo, va. *adj.* astritivo, adstringente, adstringitivo.

astricto, ta. *p. p.* e *adj.* adstrito, contraído, apertado; obrigado.

astrífero, ra. *adj.* (poet.) astrífero que está semeado de estrelas, constelado, astrígero.

astringencia. *f.* adstringência; (med.) estipse.

astringente. *adj.* e *p. a.* adstringente, astringente; obrigatório; apoclístico; anastáltico; adstritivo, contractivo; estíptico.

astringir. *v. tr.* adstringir, apertar, contrair; estreitar; (fig.) obrigar, constranger.

astriñir. *v. tr.* V. astringir.

astro. *m.* astro, cada um dos corpos celestes que giram no firmamento; (fig.) pessoa notável; mulher formosa.

astrobolismo. *m.* (pat.) astrobolismo.

astrocario. *m.* (bot.) astrocário.

astrocarpo. *m.* (bot.) astrocarpo.

astrodinâmica. *f.* (astr.) astrodinâmica.

astrofísica. *f.* (astr.) astrofísica.

astrofísico, ca. *adj.* (astr.) astrofísico.

astrofobia. *f.* (pat.) astrofobia.

astrófobo, ba. *adj.* e *s.* astrófobo.

astroflogosis. *f.* (pat.) astroflogose.

astrofotografía. *f.* (astr. e fot.) astrofotografia.

astrofotometría. *f.* (astr.) astrofotometria.

astrognosia. *f.* (astr.) astrognosia.

astrografía. *f.* (astr.) astrografia.

astrolabio. *m.* (astr.) astrolábio; planisfério celeste; meteoroscópio.

astrólatra. *adj.* e *s.* astrólatra, pessoa que adora os astros.

astrolatria. *f.* astrolatria, culto dos astros.

astrología. *f.* astrologia.

astrológico, ca. *adj.* astrológico.

astrólogo, ga. *adj.* e *s.* astrólogo.

astromancia. *f.* astromancia, astrologia.

astromántico, ca. *adj.* e *s.* astromante.

astrometría. *f.* (astr.) astrometria.

astrométrico, ca. *adj.* (astr.) astrométrico.

astrómetro. *m.* (astr.) astrómetro.

astronáutica. *f.* astronáutica.

astronia. *f.* (bot.) astrónia.

astronio. *m.* (bot.) astrónio.

astrono. *m.* (bot.) astrónio.

astronomia. *f.* astronomia; (Amér.) arbusto com flores amoradas ou rosáceas.

astronómico, ca. *adj.* astronómico, (Bras.) astronômico.

astrónomo, ma. *s.* astrónomo, (Bras.) astrônomo.

astropatía. *f.* (pat.) astropatia.

astroquímica. *f.* (astr.) astroquímica.

astroscopia. *f.* (astr.) astroscopia.

astroscópico, ca. *adj.* (astr.) astroscópico.

astroscopio. *m.* (astr.) astroscópio.

astroso, sa. *adj.* astroso; (fig.) vil; desprezível; sujo, porco, pobre; infeliz, infausto: *mujer astrosa y sucia,* barrelona.

astrostática. *f.* astrostática.

astucia. *f.* astúcia; ardil; manha, sagacidade; arte; engano; artimanha; artificio; arteirice; estratagema; embruço, embaimento; arriosca; alicantina; agudeza;

maganeira; artice; engodo; (Bras.) loda-
ças.
astucioso, sa. adj. astuto, astucioso, manhoso, habilidoso. V. **astuto.**
asturianismo. m. asturianismo, locução ou
modo de falar peculiar dos asturianos.
asturiano, na. adj. (geog.) asturiano, pertencente ou natural das Astúrias.
Asturias. (geog.) Astúrias.
astuto, ta. adj. astuto, astucioso; manhoso;
sagaz; ladino; hábil; habilidoso; ardiloso; arguto; magano; fino; perspicaz;
apercebido; destro; corrido; ataimado;
galopim; gaiato; gabiru; estratégico; arteiro; artificioso; gajo; cigano; melro;
desperto: *hombre astuto*, macacão; *ser
muy astuto*, ser de estrela e beta, ser um
grande bicho; ser de bico revolto, saber
mais que as cobras, ser pássaro de oico
amarelo; *persona astuta en sus negocios*,
dançante; *mujer astuta*, abelha.
asueto. m. sueto, feriado escolar; dia de
sueto. — adj. asueto, acostumado: *día de
asueto*, dia defeso.
asuidad. f. (Amér.) V. **asiduidad.**
asumir. v. tr. assumir, tomar sobre si, tomar para si; (for.) avocar; constituir-se;
atribuir-se; encarregar-se de; arrogar;
adjudicar-se: *asumir la responsabilidad*,
arcar com a responsabilidade; *asumir
una cosa*, entregar-se de alguma coisa;
*asumir una función o título por sí y ante
sí*, arvorar-se; *asumo la responsabilidad
de ello*, eu tomo isso a minha conta.
asunción. f. assunção; postulação; elevação;
(rel.) Assunção.
asuncionista. adj. e s. (rel.) assuncionista,
diz-se do religioso pertencente à congregação da Assunção de Maria.
asunto. m. assunto; matéria de que se trata; tema; texto, fundo; argumento duma
obra; obje(c)to, ponto, motivo; o que representa um quadro ou uma escultura;
coisa; negócio; empresa, (Bras.) emprêsa: *asunto predilecto*, cavalo de batalha;
asunto de un escrito, conteúdo dum escrito; *emprender un asunto*, tomar um assunto; *nuestros asuntos*, as nossas coisas;
asuntos variados, coisas e loisas; *cambiar
de asunto*, virar a página; *resolver un
asunto*, arranhar um negócio; *no es ese
el asunto principal*, por este ponto não faz
o barco água.
asuramiento. m. esturramento, requeimação,
diz-se dos guisados que se requeimam por
falta de molho; seca das sementeiras.
asurar. v. tr. requeimar os guisados; esturrar, torrar, deixando quase queimado;
queimar as sementeiras o calor excessivo;
(fig.) inquietar muito. — **asurarse.** v. r.
assar-se.
asurcano, na. adj. diz-se dos trabalhos da
lavoura ou das terras contíguas, bem
como dos donos delas.
asurcar. v. tr. V. **surcar.**
asuso. adv. V. **arriba.**
asustadizo, za. adj. assustadiço, que se assusta fàcilmente; atontadiço; cobarde.

asustado, da. p. p. e adj. assustado, intimidado despavorido; arrepiado; amedrontado; estremecido; acobardado.
asustador, ra. assustador, alarmante; assus-
toso; apavorador, pavoroso, que assusta.
asustar. v. tr. assustar, causar susto; amedrontar; intimidar; despavorir; atemorizar; assombrar; alvoraçar; alarmar; meter medo; apavorar; assarapantar; arrepiar. — **asustarse.** v. r. assustar-se; alarmar-se; atemorizar-se; estremecer-se;
aterrar-se; estarrecer: *asustar a alguien*,
pôr medo a alguém; *asustarse de*, vir perdida da baralha.
asutilar. v. tr. V. **sutilizar.**
atabacado, da. adj. atabacado, da cor do tabaco.
atabal. m. (mús.) atabale, atabaque, timbale.
atabalear. v. intr. atabalar, tanger os atabales, tocar atabal ou atabales; diz-se dos
cavalos que imitan com as mãos a bulha
dos atabales.
atabalero. m. atabaleiro, timbaleiro.
atabanado, da. adj. diz-se do cavalo ou égua
de pêlo escuro com pintas brancas; malhado.
atabardillado, da. adj. escarlatiniforme, que
tem aparência de escarlatina; que participa das qualidades da escar'atina.
atabe. m. respiradoiro, pequena abertura que
se deixa nos canos, aquedutos e algerozes.
atabernado, da. adj. atabernado, diz-se do
vinho vendido por miúdo em taberna.
atabillar. v. tr. dobrar o pano, deixando-o
solto pelas ourelas, de modo que se possa
examinar.
atabladera. f. (agr.) grade de desterroar.
atablar. v. tr. (agr.) gradar, desterroar, esterroar com a grade, aplanar com a grade
a terra já semeada.
atacable. adj. atacável, acometível, expugnável.
atacadera. f. taco para atacar a pólvora nas
pedreiras; soquete.
atacado, da. p. p. e adj. atacado; (fig. e
fam.) irresoluto; miserável, avarento, mesquinho; (germ.) morto a punhaladas.
atacador, ra. adj. e s. atacador, agressor,
o que ataca ou acomete; atochador; atocho, (Bras.) atôcho; artisoquete, instrumento para calcar a pólvora e a bala
dentro da peça; (germ.) punhal; (Amér.)
V. **engallador.**
atacadura. f. atacadura.
atacamiento. m. atacadura.
atacar. v. tr. atacar, dar ataques; acometer;
carregar; atacar, socar uma arma de fogo;
botoar, atacar; prender com ataca, apertar; ajustar ao corpo qualquer peça de
vestir; apertar a carga da peça ou carga
dos agulheiros nas pedreiras; acometer,
investir, atacar; (fig.) estreitar, apertar;
refutar, contradizer; (quím.) atacar, exercer acção uma substância sobre outra;
apertar, instar com alguém; impugnar;
combater; discutir; desarmar; abarbar;
atochar; abalançar; (fig.) declamar; con-

tender: *atacar la reputación de alguien*, atacar a reputação de alguém; *atacar con navaja*, anavalhar; *atacar de frente*, enfrentar; *atacar en la sombra*, atocaiar; *el vino ataca a la cabeza*, o vinho acomete a cabeça; *atacar la reputación*, abater o crédito; *atacar a la bayoneta*, abaionetar.

atacir. *m.* (astr.) divisão do céu em 12 partes.

ataderas. *f. pl.* ligas, fitas estreitas, geralmente elásticas com que se cinge a meia à perna.

atadero. *m.* atadeiro, atadura, aquilo com que se ata; lugar em que se atou; prisão, vínculo; (fam.) *no tener atadero*, não ter arranjo; (Amér.) V. **cenojil.**

atadijo. *m.* (fam.) embrulho pequeno e mal feito; atilho; fardel.

atado, da. *p. p. e adj.* atado; diz-se da pessoa sem expediente; aprisionado. — *m.* atado, embrulho, trouxa.

atador, ra. *adj. e s.* atador, que ata; o ceifeiro que ata os molhos ou paveias, enfeixador.

atadura. *f.* atadura; aquilo com que se ata; ligadura; ligamento; (fig.) união, enlace, ligação; encadeação; faixa; atada, atamento; amarração; cópula.

atafagar. *v. tr.* atafegar, sufocar, aturdir, atordoar (especialmente com aromas fortes); afadigar; (fig. e fam.) molestar, incomodar com impertinência; aborrecer.

atafea. *f.* enfartamento, indigestão.

atafetanado, da. *adj.* semelhante ao tafetá.

atafiletado, da. *adj.* amarroquinado.

atagallar. *v. intr.* (mar.) navegar muito carregado de velas um navio; (Amér.) desejar veementemente.

ataguia. *f.* dique maciço de terra ou doutra matéria, para impedir a corrente de água, durante a construção duma obra hidráulica.

ataharre. *m.* atafal, rabicho, retranca das bestas.

atahona. *f.* V. **tahona.**

atahonero. *m.* V. **tahonero.**

atairar. *v. tr.* fazer molduras nas portas ou janelas.

ataire. *m.* moldura de portas ou janelas.

atajadero. *m.* divisão de terra, madeira ou pedra, para distribuir a água do rego; camalhão; atalhador, obstáculo que se põe nos regueiros para que a água corra para onde convém.

atajadizo. *m.* tabique, divisão num aposento; obstáculo; muro de separação; separação.

atajador, ra. *adj.* atalhador, interceptor. — *m.* (Amér.) arrieiro que guia e aloja a récua, como maioral; (mil. ant.) explorador: *atajador de ganados*, ladrão de gado.

atajamiento. *m.* atalhamento.

atajaprimo. *m.* dança popular cubana.

atajar. *v. intr.* atalhar, ir ou tomar por atalho; encurtar, abreviar; interceptar, sopresar; separar; confundir; impedir, meter o curso de alguma coisa; ir à descoberta, explorar, reconhecer; (fig.) deter; replicar, objectar interrompendo a fala de

outrem. — **atajarse.** *v. r.* envergonhar-se; atalhar-se; ficar cheio de respeito ou medo.

atajea. *f.* V. **atarjea.**

atajia. *f.* V. **atarjia.**

atajo. *m.* atalho, caminho para encurtar distâncias; vereda; parte de um rebanho; (fig.) meio expedito; (esgr.) movimento para aparar um golpe; (Amér.) conjunto de 20 a 25 éguas com um só garanhão; atravessadoiro: *por el atajo*, a corta-mato; *atajo de indeseables*, corja; *no hay atajo sin trabajo*, não há atalho sem trabalho.

atajona. *f.* tagante, espécie de látego.

atalajar. *v. tr.* arrear, aparelhar; pôr os arreios.

atalaje. *m.* arreios; (fig. fam.) enxoval, equipagem; arranjos de uma casa. V. **atelaje.**

atalantar. *v. tr.* agradar; convir. V. **atarantar.**

atalaya. *f.* atalaia, torre ou lugar de vigia; sentinela; (fig.) pessoa que vigia; (germ.) ladrão.

atalayador, ra. *adj. e s.* atalaiador, que atalaia, sentinela; (fig. e fam.) que procura inquirir e averiguar tudo o que sucede.

atalayar. *v. tr.* atalaiar, vigiar, observar; espiar; guardar; espreitar; pôr de sobre-aviso.

ataludar. *v. tr.* dar taludes.

ataluzar. *v. tr.* dar taludes.

atalvina. *f.* V. **talvina.**

atamán. *m.* chefe de cossacos.

atamiento. *m.* (fig. e fam.) atamento, pusilaminidade, acanhamento, timidez, pouco ânimo.

atanasia. *f.* (bot.) atanasia, erva-de-Santa-Maria; (impr.) carácter tipográfico, atanasia bastarda.

atanco. *m.* atoleiro. V. **atasco.**

atanor. *m.* cano, encanamento para água em tubos de barro; atanor, vaso, prato fundo.

atanquía. *f.* unguento depilatório, composto de cal viva, azeite e outros ingredientes.

atañedero, ra. *adj.* tocante, pertencente.

atañer. *v. imp.* coresponder, tocar pertencer, incumbir; atingir. — *v. tr.* (prov.) fazer parar um animal desmanado. — *conj. irr.* como *tañer*.

atapar. *v. tr.* V. **tapar.**

ataque. *m.* ataque; assalto; (med.) ataque, insulto, imposição repentina, acesso, fenómeno fisiológico, ou patológico; (fig.) disputa, contenda, pendência; altercação; assonada; abalo; abalançamento; acometida; assalto; arrancada; agressão; arremetida; arremetedura; arremesso, (Bras.) arremêsso; arremessamento: *ataque de risa*, froixo de riso; *tiene un ataque de locura*, (fig.) o vento lhe dá na corda. — *pl.* trabalhos de trincheira para expugnar uma praça.

ataquiza. *f.* (agr.) mergulhia das vides.

ataquizar. *v. tr.* (agr.) abatelar, alporcar, mergulhar as vides. V. **amugronar.**

atar. *v. tr.* atar; ligar; unir, amarrar, cingir com cordão, fita, etc.; encambulhar; encadear; (fig.) peiar, impedir o movimento, pôr obstáculo. — *v. r.* embaraçar-se; não saber como sair de um negócio ou apuro; cingir-se a uma matéria: (fam.) *no atar ni desatar,* não atar nem desatar; ficar indeciso; *atar de pies y manos a alguien,* atar de pés e mãos a alguém; *atar con una correa,* encorrear; *atar en haz,* engavelar; (mar.) *atar las bozas,* aboçar; *atar con muchas vueltas,* arreatar; *atar fuertemente,* atarracar.

ataracea. *f.* V. **taracea.**

ataracear. *v. tr.* incrustar, fazer embutidos na madeira. V. **taracear.**

atarantado, da. *p. p.* e *adj.* atarantado; picado pela tarântula; (fig.) inquieto, estonteado, atrapalhado; abananado, aturdido.

atarantamiento. *m.* ataramtamento, atarantação; ataranto; assombro.

atarantar. *v. tr.* atarantar, causar aturdimento; atordoar, perturbar, atrapalhar; estontear; desnortear; aparvalhar; apatarar. — **atarantarse.** *v. r.* (Amér.) atropelar-se, precipitar-se, desnortear; perder a presença de espírito.

ataraxia. *f.* (filos.) ataraxia, serenidade, imperturbabilidade.

atarazana. *f.* arsenal. estabelecimento marítimo onde se reparam embarcações; depósito de armas, tercena; terreiro nas cordoarias ou em qualquer lugar de trabalho, adega; (germ.) casa onde os ladrões escondem os frutos, covil.

atarazar. *v. tr.* morder, ferir com os dentes.

atardecer. *v. intr.* entardecer. V. **tardecer.** *conj. irreg.* como *agradecer.* — *m.* o entardecer, a tardinha.

atarea. *f.* tarefa. V. **tarea.**

atareado, da. *adj.* e *p. p.* atarefado; ocupado; azafamado; assopeado: *estar muy atareado,* andar num corrupio.

atarear. *v. tr.* atarefar, dar tarefa; encarregar de uma tarefa; sobrecarregar de serviço; azafamar. — **atarearse.** *v. r.* atarefar-se; dar-se pressa; aplicar-se; entregar-se muito ao trabalho; entregar-se com corpo e alma; dedicar-se.

atarjea. *f.* revestimento com tijolo dos canos para água; lajedo dos canos dum aqueduto; agoge; manilha; cano de esgoto; (Amér.) canal de alvenaria para conduzir água.

atarquinar. *v. tr.* enlodar, encher de lodo; enlamear, encher de lama.

atarragar. *v. tr.* (vet.) atarracar, preparar a ferradura para a aplicar no casco; (Amér.) cravar. — **atarragarse.** *v. r.* (Amér.) fartar-se, empanturrar-se.

atarrajar. *v. tr.* V. **aterrajar.**

atarraya. *f.* tarrafa. V. **esparavel.**

atarugamiento. *m.* tarugamento; estonteamento.

atarugar. *v. tr.* tarugar, pregar, segurar com tarugo, cavilhar; tapar buracos com tarugos ou cavilhas; batocar, pôr batoques;

(fig.) confundir, desconcertar alguém; fazer calar alguém, deixando-o sem resposta; atestar; encher; fartar; empanturrar; (germ.) estontar, estontear, entontecer. — **atarugarse.** *v. r.* perturbar-se.

atasajado, da. *p. p.* e *adj.* estiraçado, diz-se da pessoa que vai estendida sobre uma cavalgadura.

atasajar. *v. tr.* atassalhar, cortar a carne em tassalhos para a salgar.

atascadero. *m.* atascadeiro, atoleiro, lamaçal; (fig.) barranco, embaraço, impedimento, obstáculo, obstrução: *sacar del atascadero,* desatolar.

atascado, da. *p. p.* e *adj.* enfartado, empoçado; enlodilhado; entupido: *quedarse atascado,* embarrancar-se; (prov.) teimoso, obstinado.

atascamiento. *m.* atascamento, obstáculo, estorvo, impedimento; engasgamento; entupimento. V. **atasco.**

atascar. *v. tr.* calafetar, tapar com estopa as junturas das tábuas; atrapalhar, embaraçar um negócio para que ele não prossiga; obstruir um conduto; atolar; atascar; enfartar; encharcar empantanar, empoçar; (fig.) engodilhar; (fig.) deter, impedir. —

atascarse. *v. r.* obstruir-se; atascar-se, atolar-se; entupir-se; atufar-se; atolar-se; embaraçar-se; engasgar-se; atalhar-se; (fig.) interromper-se; não poder prosseguir um discurso: *atascarse un arma de fuego,* encravar uma arma de fogo; *atascarse un conducto,* entupir-se um conduto.

atasco. *m.* obstáculo, estorvo, impedimento; engasgo; embaraço; empoçoamento; obstrução dum canal ou conduto.

ataúd. *m.* ataúde, féretro, caixão funerário, esquife; tumba; certa medida antiga para grãos.

ataudado, da. *adj.* ataudado, em forma de ataúde.

ataujia. *f.* tauxia, obra de prata, ouro e outros metais, embutidos uns nos outros; inscrustação, atauxia.

ataujiado, da. *adj.* atauxiado; adamascado.

ataurique. *m.* (arq.) ornato de gesso nos edifícios mouriscos de Espanha.

ataviado. *p. p.* e *adj.* ataviado, adornado, arrebicado; ajaezado.

ataviar. *v. tr.* ataviar, adornar, ornar, embelezar; pôr atavios; enfeitar; assear; adereçar; arrabicar; engalanar; amanhar; endomingar; atilar; ajaezar. — **ataviarse.** *v. r.* ataviar-se; arrebicar-se; amanhar-se; adornar-se; adereçar-se; enfeitar-se.

atávico, ca. *adj.* atávico, ancestral, pertencente ou relativo ao atavismo.

atavío. *m.* atavio, enfeite, adorno, ornato, ataviamento; adereço; arrebique; (fig.) vestido; andubo; fuco. — *pl.* arreios; objectos para adorno.

atavismo. *m.* atavismo, semelhança com os avós; (bot. e zool.) atavismo.

ataxia. *f.* (med.) ataxia, incoordenação.

atáxico, ca. *adj.* e *s.* (med.) atáxico.

ate. *m.* ate, género de orquídeas.

atecnia. *f.* atecnia.

atediar. v. tr. atediar, entediar, causar tédio, aborrecer, enfastiar, anojar. — **atediarse.** v. r. enfadar-se, enfastiar-se.

ateísmo. m. ateísmo, falta de crença em Deus; incredulidade.

ateísta. adj. e s. ateísta, incrédulo.

ateístico, ca. adj. ateístico, relativo ao ateísmo.

atejo. m. (Amér.) embrulho.

atelaje. m. parelha que tira o carro. — arreios. V. **tiro.**

atelana. adj. e f. atelanas, diz-se das farsas populares usadas entre os antigos Romanos.

atelectasia. f. (pat.) atelectasia.

atelépodos. m. pl. (zool.) atelépodos.

atelocardia. f. (fisiol.) atelocardia.

atelocefalia. f. (fisiol.) atelocefalia.

atemorizado, da. p. p. e adj. atemorizado, assustado, amedrontado, intimidado.

atemorizador, ra. adj. e s. atemorizador, assustador, o que atemoriza.

atemorizar. v. tr. atemorizar causar temor; assustar; espavorir; espantar; intimidar; aterrar. — **atemorizar.** v. r. sentir temor, assustar-se.

atemperación. f. restabelecimento; moderação; temperança, suavização; conciliação.

atemperar. v. tr. temperar, suavizar; moderar; atemperar; restabelecer; conciliar; acomodar uma coisa com outra; (fig.) adubar.

atenacear. v. tr. atenazar, apertar com tenazes; arrancar com tenazes pedaços de carne a uma pessoa (antigo suplício); (fig.) atormentar; afligir; torturar.

Atenas. (geog.) Atenas.

atenazar. v. tr. V. **atenacear.**

atención. f. atenção, acto de atender; aplicação do entendimento; consideração; estudo, trabalho; cortesia; atenção; respeito; delicadeza, urbanidade; galantaria; deferência; atença; consideração; contemplação; contrato de compra ou venda de lã; acordo, (Bras.) acôrdo; desvelo, (Bras.) desvêlo; circunspecção; ânimo; alerta. — pl. obrigações, bondades, obséquios; ocupações, negócios; favores: en atención a, atento que, em atenção a, em consideração a; en atención a mi, por minha contemplação; tener atención, ter conta; con la atención puesta en, dependurado; falto de atención, descuidado, inaplicado; llamar la atención, chamar a atenção, advertir, dar na vista; merecer la atención, ser de ver; prestar atención a, assistir a alguém; prestar atención, atentar, assestar o ouvido; assuntar, considerar, atender; no prestar atención, estar de cor, descuidar, desatender, desatentar, inadvertir, desavisar-se.

atendedor, ra. adj. e s. pessoa que lê o original, entre tanto que o revisor lê as provas.

atendencia. f. atenção, acção de atender.

atender. v. tr. e intr. atender, prestar atenção; ter consideração por; examinar com cuidado; notar; atender, esperar, aguardar; atentar; aplicar o entendimento; escutar; considerar; olhar por alguma coisa; estar atento; acolher favoràvelmente; observar; deferir; despachar; conj. irr. como **tender.**

atendible. adj. atendível, digno de ser atendido.

ateneísta. s. sócio dum ateneu.

ateneo. m. ateneu; academia.

ateneo, a. adj. e s. (geog.) natural de ou percente a Atenas, ateniense.

atenerse. v. r. ater-se; apoiar-se; encostar-se; aderir-se a uma pessoa ou coisa, tendo-a por mais segura; (fig.) confiar: atenerse a una orden, ater-se a uma ordem; atenerse a las consecuencias, ater-se ao que será julgado, (fig.) dar de si.

ateniense. adj. e s. (geog.) ateniense, natural ou pertencente a Atenas.

atentación. f. atentado, procedimento abusivo, acto contra a lei.

atentado, da. p. p. e adj. atentado, prudente, cauteloso, circunspecto. — m. atentado, delito grave, procedimento abusivo ou ilegal; abuso de autoridade.

atentar. v. tr. atentar, executar alguma coisa contra o que estabelecem as leis; atentar, considerar; tentar, empreender; cometer um atentado; tentar, tentear, ir às apalpadelas; intentar um delito; (Amér.) tentar. — **atentarse.** v. r. ir com precaução, ir-se com tento, moderar-se; ir às apalpadelas.

atentatorio, ria. adj. atentatório, contrário às leis, costumes, etc.

atento, ta. p. p. irreg. de atender e adj. atento, cuidadoso, vigilante, atencioso, urbano, cortês, polido; aguçoso; galante; deferente; advertido; civil; considerado; educado; delicado; alerta: (fig.) atento a las palabras de alguien, dependurado; aplicado, estudioso; respeitoso.

atentón. m. (Amér.) V. **tacto.**

atenuación. f. s. atenuação, diminuição de gravidade; enfraquecimento; desvanecimento; exterminação; (ret.) figura que consiste em não expressar tudo o que se quer dar a entender.

atenuado, da. adj. atenuado; diminuido.

atenuante. p. a. e adj. atenuante, que atenua, atenuativo. — f. atenuante, circunstância que diminui a culpabilidade do criminoso; desculpa: circunstancias atenuantes, atenuação.

atenuar. v. tr. atenuar, tornar ténue; adelgaçar; (fig.) diminuir a gravidade; minorar; enfraquecer; desvanecer; degradar; aliviar; (med.) incidir: atenuar una falta, desagravar; atenuar un embuste, acafelar uma mentira.

atenuativa, va. adj. atenuativo, atenuante, atenuador.

ateo, a. adj. e s. ateu, ateísta, descrente, descrido, incrédulo.

atercianado, da. adj. e s. afectado de febre terçã.

aterciopelado, da. *adj.* avelulado, macio como veludo.

aterciopelar. *v. tr.* aveludar.

aterecerse. *v. r.* V. **aterirse.** *conj. irr.* como agradecer.

aterido, da. *p. p.* e *adj.* aterido, frio, engaranhado; enganido.

aterimiento. *m.* acção e efeito de inteiriçar--se; estremecimento, tremor; algidez.

aterirse. *v. r.* inteiriçar-se, ficar hirto com frio, entumecer-se, engadanhar.

atermal. *adj.* atermal, atérmico.

atermaneidad. *f.* (fís.) atermaneidade, atermia.

atermanidad. *f.* (fís.) atermaneidade, atermia.

atérmano, na. *adj.* (fís.) atérmano, impenetrável ao calor, atérmico.

atérmico, ca. *adj.* (fís.) atérmico, atérmano.

ateroma. *m.* (pat.) ateroma, cisto sebáceo no pescoço.

ateromatosis. *f.* (med.) ateromatose.

ateromatoso, sa. *adj.* (med.) ateromatoso.

aterrada. *f.* (mar.) aproximação dum barco à terra.

aterrado, da. *p. p.* e *adj.* aterrado, aterrorizado; aterrorado; despavorido; assombrado.

aterrador, ra. *adj.* aterrador, pavoroso, que causa terror, assustador, aterrorizador, apavorador.

aterrajar. *v. tr.* (técn.) fazer com a tarraxa as roscas dos parafusos; atarrachar, atarraxar; parafusar; abrir a rosca.

aterraje. *m.* aterragem, acto de aterrar um avião ou navio.

aterramiento. *m.* aterramento; consternação, terror.

aterrar. *v. tr.* e *intr.* aterrar, espantar, apavorar, consternar, meter medo; despavorir; aterrorizar, causar terror; derrubar deitar por terra; abater; (fig.) prostrar, abater; (mar.) chegar à terra; (min.) deitar os escombros e escórias nos terreiros; sepultar; descer em terra o avião, aterrar. — **aterrarse.** *v. r.* deixar-se abater; sucumbir; aterrorizar-se; apavorar-se; (mar.) encontrar a terra quando se vem do alto mar; aproximar de terra; aterrar--se os animais debaixo do chão.

aterrerar. *v. tr.* (min.) deitar os resíduos e escórias nos terreiros.

aterrizaje. *m.* aterragem. V. **aterraje.**

aterrizar. *v. intr.* aterrar, descer à terra (avião); (mar.) chegar a terra um navio.

aterronar. *v. tr.* fazer em torrões. — **aterronarse.** *v. r.* fazer-se em torrões.

aterrorizado, da. *p. p.* e *adj.* aterrorizado, aterrorado, assustado, aterrado.

aterrorizador, ra. *adj.* aterrorizador, que infunde terror, apavorante.

aterrorizar. *v. tr.* aterrorizar, causar terror, aterrorar, aterrar, apavorar; amedrontar, estarrecer; assustar. — **aterrorizarse.** *v. r.* encher-se de terror, assustar-se.

atesador. *m.* (mec.) que atesa ou entesa os cabos, velas, etc.

atesar. *v. tr.* atesar, entesar. — (mar.) entesar os cabos ou as velas.

atesoramiento. *m.* entesoiramento; enceleiramento, acumulação de riquezas.

atesorador. *m.* entesourador, entesoirador.

atesorar. *v. tr.* entesoirar, entesourar, acumular, juntar riquezas ou dinheiro; (fig.) reunir qualidades boas ou perfeições; enceleirar.

atestación. *f.* atestação, testemunho, certificado, certidão.

atestado, da. *p. p.* e *adj.* atestado; teimoso; cabeçudo; abarrotado; certificado, testemunhado. — *m.* atestação, declaração escrita e assinada de um facto: *atestado de gente*, enchente de gente.

atestadura. *f.* atestadura, porção de mosto com que se atestam as cubas do vinho; atestamento. V. **atestamiento.**

atestamiento. *m.* atestamento; acto de atestar ou encher, atestadura.

atestar. *v. tr.* abarrotar, encher, atestar; meter uma coisa noutra; acabar de encher com mosto as cubas de vinho; (fig., fam.) fartar; ingerir; introduzir; atacar, apertar. — **atestarse.** *v. r.* abarrotar-se, encher-se até à borda.

atestar. *v. tr.* (for.) atestar, testemunhar, certificar. V. **testificar; declarar por escrito.**

atestiguación. *f.* depoimento, testificação; testemunho.

atestiguamiento. *m.* testificação. V. **atestiguación.**

atestiguar. *v. tr.* testificar, testemunhar; depor; certificar; contestar; atestar; afirmar.

atetado, da. *p. p.* e *adj.* amamentado, que tem forma de teta.

atetar. *v. tr.* amamentar, alimentar com leite dos peitos; tetar.

atetillar. *v. tr.* (agr.) abacelar, escavar ao redor das árvores deixando alguma porção de terra encostada ao tronco.

atetosis. *f.* (pat.) atetose.

atezado, da. *p. p.* e *adj.* enegrecido; queimado pelo sol, tostado; de cor preta, denegrido, abacanado.

atezamiento. *m.* enegrecimento; cor preta.

atezar. *v. tr.* enegrecer; entesar, alisar; deixar terso, lustroso; abacanar, abacinar.

atibar. *v. tr.* (min.) entulhar uma mina.

atibiar. *v. tr.* V. **entibiar.**

atiborrar. *v. tr.* estofar, acolchoar, encher uma almofada; encher de borra, atulhar; (fig., fam.) fartar, empanturrar, atulhar; embuchar; atestar; apinhoar; (pop.) tafulhar; acevadar. — **atiborrarse.** *v. r.* encher-se, atulhar-se; abarrotar-se: *atiborrarse de comida*, encher a barriga.

aticismo. *m.* aticismo, elegância, delicadeza; pureza de estilo.

aticista. *adj.* e *s.* aticista, pessoa que usa de estilo puro e elegante.

ático, ca. *adj.* e *s.* (geog.) ático, natural de Ática ou Atenas; pertencente ou relativo ao aticismo. — *m.* (arq.) acrotério, acrotéria, elemento ornamental na parte mais elevada dos edifícios; ático, último andar dum edifício; dialecto da língua grega.

atierre. *m.* escória duma mina.

atiesar. *v. tr.* entesar, atesar; empertigar; erguer; endurecer. — **atiesarse.** *v. r.* entesar-se; engalispar-se.

atifle. *m.* trempe, utensíllo de barro usado nas fábricas de cerâmica para colocar no forno.

atigrado, da. *p. p.* e *adj.* atigrado, semelhante à pele do tigre; malhado; mosqueado, manchado como a pele do tigre.

atigrar. *v. tr.* imitar as malhas do tigre; mosquear,

atijara. *m.* mercadoria, comércio; mercê, recompensa; preço do transporte duma mercadoria.

atijarero. *m.* V. **porteador.**

atildadura. *f.* pontuação; acentução dum escrito; asseio, esmero, compostura, ornato.

atildamiento. *m.* atilamento. V. **atildadura.**

atildar. *v. tr.* pontuar, virgular, acentuar, atildar; pôr o til às letras; (fig.) censurar, notar, reparar; compor; ornar, enfeitar, embelezar. — **atildarse.** *v. r.* enfeitar-se, preparar-se.

atimia. *f.* (med.) atimia, abatimento, desânimo.

atinado, da. *adj.* atinado, que tem tino; ajuizado, reflectido; discreto; sagaz.

atinar. *v. intr.* atinar, descobrir ou encontrar pelo tino; acertar no alvo; acertar por conjecturas; conseguir; recordar; encontrar; executar com tino: *no atinar con la expresión justa,* errar uma palavra.

atincar. *m.* (quím.) bórax, tincal.

atinconar. *v. tr.* (min.) segurar, amparar, provisòriamente as paredes duma escavação.

atinente. *adj.* atinente, concernente, relativo a, pertencente a.

atingencia. *f.* (Amér.) relação duma coisa com outra; habilidade; acerto. V. **conexión** e **tino.**

atingente. *adj.* V. **atinente.**

atipia. *f.* (med.) atipia, irregularidade no aparecimiento de certas doenças periódicas.

atípico, ca. *adj.* (hist. nat. e med.) atípico.

atiplado, da. *adj.* (mús.) atiplado, diz-se de certa voz, agudo, esganiçado.

atiplar. *v. tr.* (mús.) atiplar, elevar o tom dum instrumento; passar de tom grave ao agudo.

atirantar. *v. tr.* travar, segurar uma armação; entesar, tornar tenso, estirar.

atiriciarse. *v. r.* adoecer de icterícia.

atisbadero. *m.* vigia, lugar por onde se pode espreitar.

atisbador, ra. *adj.* e *s.* espreitador, observador. — *adj.* curioso.

atisbadura. *f.* espreita, espreitada, acto de espreitar; observação.

atisbar. *v. tr.* espreitar, observar; olhar recatadamente; estar atento: (fam.) *no atisbar,* não furar paredes; *atisbar con la mirada,* deitar o olho.

atisbo. *m.* espreita; conjectura. V. **atisbadura** e **vislumbre.**

atizadero. *f.* atiçador. V. **atizador.**

atizadero. *m.* esborralhador, atiçador, tenazes para atiçar o lume.

atizador, ra. *adj.* e *m.* atiçador, que atiça; instrumento para atiçar; trabalhador nos lagares de azeite.

atizar. *v. tr.* atiçar, espertar o lume; avivar o fogo; atear; limpar o morrão, espevitar; (fig.) avivar paixões ou discórdias; incitar, estimular; provocar; (Amér.) limpar com giz: *atizar un puntapié,* dar um pontapé; ¡*atiza!,* diz-se para reprovar uma coisa desatinada.

atizonar. *v. tr.* fazer obra de alvenaria, trabalhar com pedra grosseira. — **atizonarse.** *v. r.* alforrar, melar os grãos.

atlante. *m.* (arq.) atlante, figura humana que suporta um entablamento ou cornija; gigante fabuloso; homem forte.

atlántico, ca. atlântico, relativo ao Oceano Atlântico, ou ao monte Atlas.

Atlántidas. *f.* pl. V. **Híadas.**

atlantosaurio. *m.* (paleont.) atlantosário.

atlas. *m.* (geog.) atlas, colecção de cartas geográficas em volume; (anat.) atlas, primeira vértebra do pescoço.

atleta. *m.* atleta, lutador, gladiador; (fig.) homem corpulento e forte.

atlético, ca. *adj.* atlético; esforçado; ginástico; musculoso.

atletismo. *m.* atletismo; exercícios de atleta; desporto, atlético.

atloideo, a. *adj.* e *m.* (anat.) atlóide; vértebra atlas.

atmiatría. *f.* (terap.) atmidiatria, atmiatria.

atmiadiátrica. *f.* (terap.) atmidiatria.

atmidómetro. *m.* (meteor.) atmómetro, atmidómetro, (Bras.) atmidômetro.

atmografía. *f.* atmografia.

atmología. *f.* (fís.) atmología.

atmometría. *f.* (fís.) atmometria.

atmómetro. *m.* (meteor. e fís.) atmómetro, (Bras.) atmômetro.

atmósfera. *f.* (meteor.) atmosfera; ar; céu; unidade de pressão de gases e vapores; unidade de tensão elástica dos gases; fluido gasoso que rodeia um corpo qualquer; (fig.) ambiente; ambiente moral; impressão favorável ou adversa; éter.

atmosférico, ca. *adj.* atmosférico, da atmosfera ou a ela relativo: *presión atmosférica,* pressão atmosférica; *fenómeno atmosférico,* fenómeno atmosférico.

atoaje. *m.* (mar.) atoagem, a reboque.

atoar. *v. tr.* (mar.) atoar, levar à toa a reboque; rebocar.

atocia. *f.* (pat.) atocia, esterilidade na mulher.

atocinado, da. *p. p. adj.* atoucinhado; (fam.) diz-se da pessoa muito gorda.

atocinar. *v. tr.* abrir um porco para o salgar; preparar o toucinho; (fig. e fam.) assassinar aleivosamente. — **atocinarse.** *v. r.* (fam.) zangar-se; irritar-se, encolerizar-se; apaixonar-se ardentemente.

atochada. *f.* represa pequena.

atochal. *m.* espartal. V. **espartizal.**

atochar. *m.* espartal. V. **espartizal.**

atochar. *v. tr.* atochar, apertar com tocho, encher alguma coisa com atocha ou esparto ou com qualquer outra matéria, apertando-a; meter à força; embutir; (fig.) atulhar, encher de mais. — *v. r.* (mar.) pôr-se à capa uma vela.

atochero, ra. *s.* pessoa que levava a atocha aos lugares de venda.

atolón. *m.* recife de coral ao redor duma lagoa interior.

atolondrado, da. *adj.* e *p. p.* aturdido, atoleimado, parvo, atolambado; (fig.) estouvado, imprudente; adoidado; desatentado; impremeditado; amalucado; inadvertido; estavancado; abananado; aloucado; alevantado; aparvalhado; inconsiderado; atontadiço; atontado; desaurido; estrovinhado; aparvoado.

atolondramiento. *m.* estouvamento; imprudência; arcoamento; estonteamento; atordoamento; espanto; surpresa; impremeditação; aturdimento; inconsideração; desorientação.

atolondrar. *v. tr.* aturdir, causar aturdimento ou atordoamento; atordoar; estontear; toleimar; estontar; aparvalhar, apatetar; atontar; arvoar; desorientar. — **atolondrarse.** *v. r.* atordoar-se, aturdir-se; ficar com a boca aberta.

atolladero. *m.* atoleiro; lodaçal; lamaçal; enxurdeiro; pântano, atoladela; (fig.) aviltamento; embaraço; (Bras.) atoledo. V. **atascadero:** *meterse en un atolladero,* meter-se em mau negócio.

atollar. *v. intr.* e *r.* atolar, meter em atoleiro; atolar-se; atascar-se; empantanar-se; envasar-se; embarrancar-se; meter-se em mau negócio.

atomicidad. *f.* (quím.) atomicidade.

atómico, ca. *adj.* (quím.) atómico, (Bras.) atômico: *peso atómico,* peso atómico; *energía atómica o nuclear,* energia atómica; *bomba atómica,* bomba atómica; *teoría atómica,* teoria atómica.

atomismo. *m.* (filos.) atomismo.

atomista. *s.* (filos.) atomista.

atomística. *f.* (quím.) atomística, teoria que tem o átomo por base.

atomístico, ca. *adj.* (quím.) atomístico, atómico; (filos.) atomístico, relativo ao atomismo.

atomización. *f.* (quím.) atomização.

atomizar. *v. tr.* (quím.) atomizar, reduzir a átomo.

átomo. *m.* (fís. e quím.) átomo; corpo minúsculo; parte mínima; insignificância; espaço curto; (fig.) coisa extremamente pequena: *en un átomo,* na mais pequena coisa.

atomología, *f.* (quím.) atomologia.

atomológico, ca. *adj.* (quím.) atomológico.

atomólogo, ga. *s.* (quím.) atomologista.

atona. *f.* ovelha que cria um cordeiro doutra mãe.

atonal. *adj.* (mús.) que não tem uma tonalidade bem definida.

atonalidad. *f.* (mús.) falta de tonalidade.

atondar. *v. tr.* (equit.) estimular o cavalo com as pernas, espolear, picar uma cavalgadura.

atonía. *f.* (med.) atonia, debilidade ou franqueza geral dos órgãos; inercia moral ou intelectual; adinamia.

atonicidad. *f.* atonicidade.

atónico, ca. *adj.* atónico, (Bras.) atônico, relativo à atonia; átona.

atónito, ta. *adj.* atónito, (Bras.) atônito, espantado; assombrado; perturbado; confuso, pasmado, admirado; embasbacado; encantado: *quedarse atónito,* abobar-se, afogar-se.

átono, na. *adj.* (gram.) átono, que não tem acento tónico; não acentuado; atónico, (Bras.) atônico.

atontado, da. *adj.* e *p. p.* atontado, atonteado, aturdido, esturvinhado; abobado; destontiçado; apancado; apanascado; alorpado; entupido; estonteado, emburricado; embasbacado; apatetado; atordoado; atoleimado; atolado; arvoado; (Bras.) motevo: *tener cara de atontado,* ter cara abobado.

atontamiento. *m.* atordoamento, entontecimento; vertigem; estonteamento; atordoamento; embasbacação.

atontar. *v. tr.* atontar, atontear, estontear, aturdir, entontecer; abobar; embebedar; embelecar; embabar; emburricar; estupidificar; estupidecer; embasbacar, enjuizar, embrutecer, entupir. — **atontarse.** *v. r.* atontar-se, embobar-se, abobar-se, abajoujar-se.

atoramiento. *m.* obstrução; atascamento.

atorar. *v. tr.* obstruir, entupir. — **atorarse.** *v. r.* atolar-se, atacar-se; (fig.) perturbar-se; embuchar-se engasgar-se. V. **atragantarse.**

atorar. *v. tr.* atorar, partir lenha em toros, dividir em toros. — *conj. irr.* como *contar.*

atormentado. *p. p.* e *adj.* atormentado, angustiado; aflito; arreliado; acossado; apoquentado; angustioso; apertado; aperreado; atribulado; aspado.

atormentador, ra. *adj.* e *s.* atormentador, aquele que atormenta, acossador, aperreador.

atormentar. *v. tr.* atormentar; infligir tormentos, torturar; dar tormentos; causar dor; afligir corporalmente; (fig.) atormentar, causar aflição ou enfado; mortificar; afligir; importunar, aborrecer; adormentar; agitar; agoniar; agarrochar; minar; aperrear; atribular; angustiar; acossar; aspar; infernar; consumir. — **atormentarse.** *v. r.* atormentar-se, angustiar-se, esturturar-se; aperrear-se; afligir-se.

atornasolado, da. *adj.* (Amér.) V. **tornasolado.**

atornillable *adj.* que se pode aparafusar.

atornillado, da. *adj.* e *p. p.* atarraxado, aparafusado.

atornillador. *m.* parafusador, instrumento de parafusar; atarraxador.

atornillar. *v. tr.* atarraxar, aparafusar, parafusar.

atorozonarse. *v. r.* padecer de cólicas o cavalo.

atortolar. *v. tr.* (fam.) atordoar, entontecer, estontear; perturbar; intimidar, acobardar.

atortorar. *v. tr.* (mar.) reforçar com cabos o costado danificado dum navio.

atortujar. *v. tr.* apertar, achatar, esmagar.

atorunado, da. *adj.* (Amér.) semelhante ao boi castrado depois dos três anos.

atorzonarse. *v. r.* (Amér.) V. atorozonarse.

atosigador, ra. *adj.* e *s.* envenenador, intoxicante.

atosigamiento. *m.* intoxicação, intoxicamento, envenenamento; (fig.) fadiga; pressa.

atosigar. *v. tr.* intoxicar, envenenar com tóxico, atoxicar; (fig.) fatigar a'guém, apressando-o muito.

atoxicar. *v. tr* atoxicar, intoxicar, entoxicar, envenenar.

atóxico, ca. *adj.* atóxico, que não tem veneno.

atrabancado, da. *p. p.* e *adj.* atabalhoado, feito à pressa ou depressa; (Amér.) precipitado. V. atronado.

atrabancar. *v. tr.* atabalhoar, fazer alguma coisa depressa demais sem se importar se fica bem ou mal; (prov.) atravancar, abarrotar, encher.

atrabanco. *m.* trapalhada, coisa feita à pressa; atabalhoamento.

atrabiliario, ria. *adj.* (med.) atrabiliário, pertencente ou relativo à atrabílis; atribilioso; melancólico; colérico.

atrabilioso, sa. *adj.* (med.) atrabilioso, atrabiliário.

atrabilis. *f.* (med.) atrabílis, bílis negra, causadora da melancolia.

atracadero. *m.* (mar.) atracadouro, lugar onde atracam as embarcações; abrigo para barcos pequenos.

atracado, da. *p. p.* e *adj.* atracado; (Amér.) severo, rígido; miserável, sovina.

atracador. *m.* (germ.) assalteador, salteador, ladrão.

atracar. *v. tr.* (mar.) atracar, amarrar, encostar uma embarcação; assaltar; arrimar; aproximar; (fam.) encher, fartar, empanturrar. — *v. intr.* (mar.) abordar, atracar, barbear. — atracarse. *v. r.* fartar-se, abarrotar-se, empanturrar-se; (mar.) encangalhar-se; (Amér.) surrar; tratar com severidade; zangarem-se duas ou mais pessoas; travar luta: *atracarse de comida*, encher o bandulho.

atracción. *f.* atra(c)ção; força para atrair; gravitação dos astros; (fig.) inclinação, simpatia; (fig.) magnetismo: *atracción sexual*, atracção sexual; *atracción molecular*, atracção molecular; *fuerza de atracción*, força de atracção; (fig.) *fue por la atracción de la dote*, foi ao cheiro do dote; *atracción con falsas promesas*, aliciação.

atracciómetro. *m.* (fís.) atra(c)ciómetro.

atraco. *m.* assalto, acção de atracar ou assaltar, atraco.

atracón. *m.* (fam.) acção de fartar-se ou encher-se; fartadela, empanzinamento; empanzinadela; empanturramento: *darse un atracón de estudiar*, estudar por atacado; (pop.) *darse un atracón*, entourir.

atractivo, va. *adj.* atractivo, que atrai; atraente; encantador; simpático; agradável; magnético; engajador; amável; seductor, interessante. — *m.* graça, atractivo; formosura; encanto; engodo; magia; agrado; (fig.) anzol.

atractriz. *adj. f.* (fís.) atractiva (força).

atraer. *v. tr.* atrair, fazer aproximar; puxar para si; (fig.) seduzir; encantar; persuadir; fazer aderir a; suscitar a favor de ou contra si; engolosinar; absorver; (fig.) magnetizar; convidar; engodar; encantar. — atraerse. *v. r.* atrair-se: *atraer la atención*, dar na vista, conci'iar a atenção, fazer época; *atraer irresistiblemente*, enfeitiçar; *atraer partidarios*, aliciar partidários; *atraer con halagos a alguien para engañarle*, dar cosa a alguém, engavelar, levar alguém na bebida; *atraer con dádivas o promesas*, atrelar; *atraer con falsas promesas*, embelecer, embaucar, aliciar; *atraer con golosinas*, engolosinar. — *conj. irr.* como *traer*.

atrafagar. *v. intr.* fatigar-se, atrafegar-se, cansar-se, afadigar-se, trabalhar com excesso.

atragantamiento. *m.* engasgamento.

atragantar. *v. tr.* (p. us.) engasgar, tragar com dificu'dade. — atragantarse. *v. r.* engasgar-se, não poder engolir alguma coisa que ficou atravessada na garganta; (fam.) perturbar-se, engasgar-se, embatucar; perder o fio do discurso.

atraible. *adj.* que se pode atrair.

atraicionar. *v. tr.* V. traicionar.

atraillar. *v. tr.* atrelar, atar com a trela os cães.

atramentario, ria. *adj.* (pat.) semelhante à tinta, atramentário.

atramento. *m.* cor negra, atramento.

atramparse. *v. r.* cair na armadilha; cair a aldraba de uma porta de modo que não possa abrir-se; entupir-se; obtruir-se, tapar-se; (fig.) cair num laço; embaraçar-se.

atrancar. *v. tr.* atrancar, trancar, fechar com tranca, atravancar; apalancar; empancar; entranqueirar.

atranco. *m.* atoleiro, embaraço, aperto; atrancamento: *no hay barranco sin atranco*, não há atalho sem trabalho.

atrapar. *v. tr.* (fam.) apanhar o que foge; atrapar; apanhar, pegar; agarrar na carreira; asir; farar; (pop.) arrepanhar; (fam.) conseguir alguma coisa de proveito; enganar: *atrapar por la astucia*, enviscar.

atrás. *adv.* atrás, detrás; no lado posterior; em lugar ou tempo já passado; em posição inferior à de outrem; após; anteriormente; ao passado; detrás. — *interj.* arreda!; afasta!: *hacia atrás*, às arrecidas; *para atrás*, às arrecuas; *echarse atrás*, desdizer-se; *volverse hacia atrás*, desandar; *quedarse atrás*, ficar atrás; *volverse atrás*, (fig.) voltar com a palavra atrás.

atrasado, da. *p. p.* e *adj.* atrasado; alcançado, empenhado; que ficou atrás; pouco desenvolvido; arrastado; que não está em dia; retardado; que não acompanha o progresso; que não é pontual; alcançado, empenhado, falto de dinheiro; estúpido: *persona de ideas atrasadas*, fossilista.

atrasar. *v. tr.* atrasar, retardar; suspender; pôr atrás; embaraçar; prejudicar; atrasar, fazer que retrocedam as agulhas dum relógio. — *v. intr.* marcar o relógio horas atrasadas, não marchar o relógio com a devida velocidade; atardar; demorar. — **atrasarse.** *v. r.* atrasar-se; ficar-se para trás; não pagar na época própria o devido; não acompanhar o progresso; apoucar-se; demorar-se.

atraso. *m.* atraso; atrasamento; incultura; fossilismo; demora; retardamento; decadência; desaproveitamento; (Bras.) retarde. — *pl.* rendas vencidas e ainda não recebidas; atrasados; alcanços.

atravesado, da. *p. p.* e *adj.* atravessado, vesgo, diz-se daquele cujos olhos vêm na mesma direcção; diz-se do animal cruzado ou mestiço; (fig.) ruim, de mau carácter e más intenções; maligno; travesso, (Bras.) travesso: *hombre atravesado*, homem arrenegado.

atravesador, ra. *adj.* e *s.* atravessador, que atravessa; açambarcador; monopolista. V. **acaparador.**

atravesar. *v. tr.* atravessar, pôr ao través; passar através de; cruzar, trespassar, passar de lado a lado; pôr diante; interromper; jogar trunfo ou uma carta grande para obrigar o parceiro a cobrir; (fig.) suportar, sofrer; monopolizar; deitar mau olhado; (mar.) atravessar, pôr à capa; obstar; (fam.) enfeitiçar, dar olhado ou quebranto; (fig.) interromper a conversação doutros, — *v. intr.* e *r.* ocorrer alguma coisa que altera o curso doutra; encontrar-se com alguém; ter pendência com ele; intrometer-se; opor-se; impedir; hostilizar; franquear; atrancar-se: *atravesar con la bayoneta*, abaionetar; *atravesar una calle*, abocar uma rua; *atravesar con una espada*, correr uma estocada; *atravesar de parte a parte*, enfiar. — *pres. ind. irr.* **atravieso, -as, -a, -an**; *subj.* **atraviese, -es, -e, -en.**

atrayente. *p. a.* e *adj.* atraente, que atrai; magnético; engajador.

atreguado, da. *p. p.* e *adj.* que está em tréguas com o seu inimigo. atreguado; louco maníaco; temerário. V. **lunático.**

atreguar. *v. tr.* dar ou ajustar tréguas, atreguar; entretar; (rar.) libertar, livrar.

atrepsia. *f.* (med.) atrepsia.

atresia. *f.* atresia, imperfuração ou oclusão dum orifício ou canal normal do corpo humano.

atresnalar. *v. tr.* colocar os feixes em montões.

atreudar. *v. tr.* dar em enfiteuse.

atrever. *v. tr.* atrever, infudir atrevimento, ousar. — **atreverse.** *v. r.* atrever-se, ousar; afrontar; determinar-se ao arriscado ou difícil; arriscar-se; tornar-se insolente; arrojar-se; arrostar-se; afoitar-se; desvergonhar-se; desaforar-se; animar-se; desacobardar-se; abalançar-se; (fam.) deitar os cornos de fora; pôr os corninhos ao sol; (fig.) chegar a ofender.

atrevido, da. *p. p.* e *adj.* atrevido, que se atreve; audaz; petulante; malcriado; ousado; resoluto; temerário; insolente; descomedido; audaz; animoso; arrebitado; arrostado; aventurado; afoitado; desbocado; bargante; descarado; arriscado; imprudente; desvergonhado; desaforado; abalançado; agarrotado; metediço; audacioso; empreendedor; desabusado; desacanhado; desacobardado; corajoso; arremessado; atiradiço, atirado; desmedroso; desmesurado; despregado; destravado; desassombrado; adiantado: *ser atrevido*, adiantar-se; tirar-se; *muy atrevido*, atrevidaço; *atrevidillo*, atrevidete, atrevidote: *hombre atrevido*, homem desembaraçado; *volverse atrevido*, desembaraçar-se; *niño atrevido*, (Bras.) brochote.

atrevimiento. *m.* atrevimento, insolência; ousadia; audácia; coragem; arrojo, (Bras.) arrôjo; petulância; bargantaria; afoiteza; descaramento, descaro, desavergonhamento; imprudência; demasia; desvergonha; desaforo, (Bras.) desafôro; denodo, (Bras.) denôdo; ardideza; desembaraço, desencolhimento; abelhudice; arremesso, (Bras.) arremêsso; desgarre; despeito; despejo; arreganho; desplante; abalançamento: *atrevimiento en el hablar*, deslinguamento.

atribución. *f.* atribuição; prerrogativa; direito; autoridade, competência; privilégio; faculdade, poder, jurisdição; expediente; apropriação; adjudicação; arrogação.

atribuible. *adj.* atribuível.

atribuir. *v. tr.* atribuir, conceder; conferir uma atribuição; imputar; conferir; outorgar; apropriar, aplicar a alguém; (fig.) assacar; dar; deitar; inculpar; adjudicar; arrogar. — **atribuirse.** *v. r.* atribuir-se; dar-se; apropriar-se; assumir; arrogar-se; erigir-se. — *pres. ind. irr.* **atribuyo, -es, -e, -en**; *subj.* **atribuya, -as, -a, -an**; *ger.* **atribuyendo.**

atribulación. *f.* atribulação; inquietação; tribulação. V. **tribulación.**

atribulado, da. *p. p.* e *adj.* atribulado; atormentado; aflito; magoado; angustioso; amargurado.

atribulador, ra. *adj.* e *s.* atribulador, que atribula ou causa atribulação.

atribular. *v. tr.* atribular; afligir; atormentar; maltratar; apoquentar; amargurar. — **atribularse.** *v. r.* atribular-se, afligir-se, sofrer tribulação.

atributivo, va. *adj.* atributivo; qualificativo.

atributo. *m.* atributo; qualidade; faculdade; condição; símbolo; propriedade; emblema; adjectivo; (germ.) atributo; (pint. e escult.) atributo, símbolo; (teol.) qualquer das perfeições próprias de Deus.

atrición. *f.* atrição; pesar de haver ofendido a Deus; arrependimento, contrição; (fís.) atrito; (med.) atrição, escoriação superficial; (vet.) forte contracção do nervo principal do pé do cavalo.

atricosis. *f.* (pat.) atricose, ausência de pêlos.

atril. *m.* atril, estante de coro ou de missal; estante inclinada para livros, facistol.

atrilera. *f.* coberta da estante do coro.

atrincheramiento. *m.* entrincheiramento; fortificação com trincheiras; refúgio, trincheira.

atrincherar. *v. tr.* entrincheirar, atrincheirar, guarnecer de trincheiras, fortificar com trincheiras; barricar; abarreirar; entranqueirar. — atrincherarse. *v. r.* entrincheirar-se.

atrio. *m.* átrio; entrada dum edifício, vestíbulo, pórtico; largo na frente dum edifício; (min.) cabeceira da mesa de lavar. V. zaguán.

atrípedo, da. *adj.* (zool.) atrípedo, que tem os pés de cor preta.

atriquia. *f.* (pat.) atriquia, atriquiase.

atriquiasis. *f.* (pat.) atriquia, atriquiase.

atrirrostro, tra. *adj.* (zool.) atrirrostro, que tem o bico negro.

atristar. *v. tr.* atristar, contristar. V. entristecer.

atrito, ta. *adj.* atrito, que tem atrição.

atrocidad. *f.* atrocidade, acção atroz; barbaridade; tortura; fereza; crueldade; (fam.) excesso; demasia; descabelada; dito ou feito muito nescio ou temerário, crime cruel.

atrochar. *v. intr.* atalhar, andar por atalhos.

atrofia. *f.* atrofia, falta de desenvolvimento; enfraquecimento; definhamento; decadência; (bot.) abortamento; (pat.) aplasia.

atrofiado, da. *p. p.* e *adj.* atrofiado; emagrecido; definhado; raquítico.

atrofiar. *v. tr.* atrofiar, causar atrofia; tolher; acanhar. — atrofiar-se. *v. r.* atrofiar--se, definhar-se, padecer de atrofia.

atrofodermatosis. *f.* (pat.) atrofodermatose.

atrojar. *v. tr.* V. entrojar. — atrojarse. *v. r.* (Amér.) não achar saída para determinada dificuldade; sufocar-se o cavalo por trabalhar muito quando faz demasiado calor ou está muito gordo.

atronado, da. *p. p.* e *adj.* precipitado, irreflectido; de pouco juizo; atroado, atordoado; estouvado; alcançado (diz-se do cavalo).

atronadura. *f.* fendas na madeira; (vet.) alcançadura, atroamento. V. alcanzadura.

atronamiento. *m.* atroamento, estrondo; (vet.) atroamento, doença nos cascos dos cavalos.

atronar. *v. tr.* atroar, fazer estremecer com estrondo; fazer aturdir; abalar; atroar, causar aturdimento; atordoar; tapar os ouvidos das cavalgaduras para que não se espantem; atordoar, deixar sem sentidos uma rês com uma pancada; ensurdecer com os atroamentos. — *v. intr.* atroar, retumbar.

— atronarse. *v. r.* atordoar-se; morrer na casca por efeito do trovão (diz-se das aves e dos bichos de seda). — *ind. pres. irr.* atrueno. -as, -a, -an; *subj.* atruene, -es, -e, -en.

atronerar. *v. tr.* abrir seteiras.

atropado, da. *adj.* e *p. p.* atropado, guarnecido com tropas; (agr.) amontado; diz-se das árvores e plantas que formam moita; junto, reunido, amontoado.

atropar. *v. tr.* atropar, reunir em tropa ou quadrilha; mobilizar; concentrar tropas; juntar gente sem ordem; juntar, reunir, diz-se especialmente do trigo, centeio, etc. — atroparse. *v. r.* atropar-se.

atropellado, da. *p. p.* e *adj.* atropelado; que fala ou obra com demasiada precipitação; achacoso, doentio.

atropellador, ra. *adj.* e *s.* atropelador, que atropela; violador; transgressor, infractor.

atropellamiento. *m.* atropelamento. V. atropello.

atropellar. *v. tr.* atropelar, calcar passando por cima; derrubar, enturrar; pisar; maltratar; (fig.) atropelar, desprezar; atrapalhar; ultrajar, ofender; violar a lei, infringir; transgredir, calcar aos pés, não fazer caso de leis, respeitos, etc; interromper; fatigar o cavalo; embair; abusar; baralhar. — atropellarse. *v. r.* atropelar--se, precipitar-se; apresentar-se em desordem; apressar-se, a fazer ou falar; confundir-se; encontroar-se.

atropello. *m.* atropelo, (Bras.) atropêlo, atropelamento, atropelação; atrapalhação; violação da lei; infracção; transgressão; desmando, engasgo.

atrópico, ca. *adj.* (quím.) atrópico.

atropina. *f.* (quím.) atropina, daturina.

atropismo. *m.* (med.) atropismo intoxicação pela atropina.

atroz. *adj.* atroz, cruel, desumano; enorme, grave; inaudito; infernal; (fom.) desmedido; feroz; doloroso; monstruoso.

atruhanado, da. *adj.* truanesco, com modos de truão.

attaché. *m.* V. agregado, adjunto.

atucuñar. *v. tr.* (Amér.) atestar, acabar de encher. — atucuñarse. *v. r.* (Amér.) fartar-se, empanturrar-se.

atuendo. *m.* aparato, ostentação, pompa, vaidade; asseio; (prov.) móvel velho e inútil.

atufado, da. *p. p.* e *adj.* enfadado, zangado; tufado, com tufos; arrufado; (Amér.) atordoado. V. atolondrado.

atufamiento. *m.* V. atufo.

atufar. *v. tr.* enfadar, agastar, zangar; impregnar de vapor ou faze-lo aspirar. — atufarse. *v. r.* azedar-se algum líquido;

alterar-se o vinho, avinagrar-se; encolerizarse; agastar-se; arrufar-se; (Amér.) aturdir-se; atordoar-se; ensoberbecer-se.

atufo. m. enfado, zanga; arrufo.

atún. m. (iciol.) atum, peixe acantopterígio; (fig.) e fam.) homem rude; pessoa corpulenta e ignorante: *por atún ver al duque*, de uma cajadada matar dois coelhos.

atunara. f. almadrava, lugar onde se pesca atum.

atunera. f. anzol grande para pescar atum; atuneira, embarcação usada na pesca do atum.

atunero, ra. s. pessoa que trata da pesca do atum; pescador de atum; almadraveiro; vendedor de atum.

aturar. v. tr. (prov.) fazer parar as bestas. — v. intr. (prov.) aturar, suportar, sofrer, tolerar, aguentar, durar, resistir, persistir.

aturdido, da. p. p. e *adj.* aturdido, atordoado; perturbado dissentidos; maravilhado; estouvado; atabalhoado; desaurido; arvoado; imprudente; alocador; alienado; desvariado; atarantado; desacordado; emburricado; estupefa(c)to; embasbacado; aparvalhado; atontadiço; abobado; abananado.

aturdidor, ra. adj. aturdidor, que aturde, atordoador, atordoante.

aturdimiento. m. aturdimento; perturbação dos sentidos; estonteamento; estouvamento; falta de serenidade e desembaraço; precipitação, imprudência, irreflexão; arvoamento; assombramento, assombro; embasbacamento; embasbacação; inconsideração; atroamento; atordoamento; (med.) estado morboso no qual os sons se confundem e os objectos giram em volta duma pessoa, vertigem; pasmo; (fig.) entorpecimento, torpor.

aturdir. v. tr. aturdir, causar aturdimento, atordoar; assombrar; intimidar; tornar irreflexivo; espantar; causar admiração; atarantar, atrapalhar; desassisar; desatinar; arvoar; abobar; estontar, estontear; embasbacar, embebedar; embelecar; emburricar; aparvalhar; atroar; atordoar; (fig.) embriagar. — **aturdirse.** v. r. aturdir-se; assombrar-se; atordoar-se; desmazelar-se.

aturrullamiento. m. confusão, aturdimento; perturbação; assombro; desorientação, pasmo.

aturrullar. v. tr. aturdir, confundir, perturbar; atrapalhar; desconcertar; derrear; entralhar; entrambicar; desorientar. — **aturrullarse.** v. r. aturdir-se; atrapalhar-se, embaraçar-se.

aturullar. v. tr. V. **aturrullar.**

atusador, ra. adj. e s. que apara cabelos à tesoura; cabeleireiro; o que corta o cabelo; (fig.) que se compõe e enfeita com grande apuro.

atusar. v. tr. cortar o cabelo à tesoura; aparar, tosquiar as plantas; alisar o cabelo. — **atusarse.** v. r. (fig.) enfeitar-se, comportar-se com grande apuro.

atusón. m. acção ou efeito de atusar.

atutía. f. (quím.) tutia, óxido de zinco; unguento medicinal feito com tutia.

audacia. f. audácia, ousadia, atrevimento; arrojo, intrepidez, valor; insolência; abelhudice; denodo, (Bras.) denôdo; ardimento; ardor; arrojamento; barbaridade; desplante; arrogância; *la audacia ayuda a la fortuna*, quem não arrisca, não aprisca.

audaz. adj. audaz, atrevido; audacioso, ousado, destemido; temerário; atrevido; arriscado; valoroso; insolente; abelhudo; desaganhado; abalançado; arrojado; bizarro; arrostado; aventuroso; afoitado; atiradiço; atirado; corajoso; arriscado; (Bras.) agalhudo.

audible. adj. audível, que se pode ouvir.

audibilidad. f. audibilidade.

audición. f. audição. acto de ouvir; auscultação.

audiencia. f. audiência, audição; atenção dada a quem nos fala; recepção dada por uma autoridade às pessoas que pretendem falar-lhe; sessão de um tribunal judicial; edifício ocupado pelo Tribunal de Justiça; distrito judicial em Espanha; auditório, sala da Audiência: (for.) *hacer audiencia*, ver e determinar os pleitos e causas; *dar audiencia*, dar audiência; *pedir audiencia*, pedir audiência; *conceder audiencia*, dar cópia de si.

audífono. m. (fís.) audifono; corneta acústica.

audímetro. m. (fís.) V. **audiómetro.**

audiómetro. m. (fís.) audiómetro, (Bras.) audiômetro.

audión. m. (radiot.) audião, lâmpada de três eléctrodos em T. S. F.

auditivo, va. adj. auditivo, relativo ao ouvido ou audição. — m. auscultador, peça dos telefones destinada para ouvir.

auditor. m. auditor, ouvinte; auditor, magistrado; juiz agregado; assessor da nunciatura: *auditor de la Rota*, auditor da Rota; *auditor del ejército o de la marina*, auditor do exército ou da marinha.

auditoría. f. auditoria, cargo de auditor; tribunal onde se exercem as funções do auditor.

auditorio, ria. adj. auditório, auditivo. — m. auditório, conjunto de ouvintes; assistência; audiência; circunstantes.

auge. m. auge, apogeu; elevação; aumento; o mais alto grau; força, fama, ápice; (astr.) V. **apogeo; fastigio, pináculo.**

augita. f. (min.) augite, silicato de cal e magnésia.

augitita. f. (min.) augitite.

augur. m. áugure; adivinho; aúspice, arúspice.

auguración. f. augúrio, presságio; agouro feito pelo áugure; prognóstico, vaticínio, agoiro.

auguráculo. m. (hist.) auguratório.

augural. adj. augural, auguratório; agoiral.

augurar. v. tr. augurar, agourar, vaticinar; pressagiar; adivinhar; prognosticar; (fig.) ameaçar.

augurio. *m.* augúrio, prognóstico, vaticínio. agoiro; auspício; presságio; estreia. V. **agüero.**

augusto, ta. *adj.* augusto, majestoso; magnífico, solene.

Augusto. *n. p.* Augusto.

aula. *f.* aula, sala nas universidades ou colégios; classe; sala de estudo; (ant.) palácio do soberano.

aulética. *f.* (mús.) aulética.

aulicismo. *m.* aulicismo, qualidade ou carácter de áulico.

áulico, ca. *adj.* áulico, da corte, aulicano, cortesão, palaciano: *consejero áulico,* conselheiro áulico.

aulo. *m.* (mús.) aulo, frauta.

aulodia. *f.* (mús.) aulodia, canção acompanhada de aulo.

aulladero. *m.* lugar onde se juntam e uivam os lobos.

aullador, ra. *adj.* uivador, que uiva.

aullante. *p. a. e adj.* ululante, que ulula; uivador, que uiva.

aullar. *v. intr.* uivar, dar uivos; ulular.

aullido. *m.* uivo, aulido; guincho.

aúllo. *m.* V. **aullido.**

aumentable. *adj.* aumentável, que se pode aumentar.

aumentación. *f.* aumentação, aumento; acrescentamento crescimento, acrescimento, alargamento; (ret.) gradação.

aumentada. *adj.* (mús.) aumentado, diz-se do intervalo que tem cinco tons e dois semitons.

aumentado, da. *p. p. e adj.* aumentado, acrescido; (fig.) medrado, avultado.

aumentador, ra. *adj.* aumentador, que aumenta.

aumentante. *p. a. e adj.* aumentador, que aumenta.

aumentar. *v. tr.* aumentar, tornar maior, ampliar, acrescentar; alargar; amplificar; desenvolver; estender; adiantar; aditar; avultar; ascender; ajuntar; magnificar; (fig.) medrar; melhorar; engrandecer; incrementar. — *v. intr.* crescer; progredir; avolumar; prosperar; progressar. — **aumentarse.** *v. r.* aumentar-se; ajuntar-se; avivar-se: *aumentar la fortuna,* adiantar o cabedal; *aumentar uno sus riquezas,* afazendar-se.

aumentativo, va. *adj.* aumentativo, que aumenta; (gram.) aumentativo.

aumento. *m.* aumento, acréscimo; acrescentamento; extensão; promoção de posto ou emprego; desenvolvimento comercial; melhoria, progresso; aumentação; alongamento; auge; achega; acrescência; ádito; ascendência; magnificação; medra; engrandecimento; elevação; incremento; ampliação; amplificação.

aún. *adv.* ainda, todavia, também; bem; sem embargo; não obstante. V. **todavía** e **también:** *aún así,* ainda assim; *aún cuando,* ainda quando.

aunar. *v. tr.* aunar, reunir num; unificar; unir; confederar para algum fim; incorporar. V. **unificar.**

aunque. *conj. e adv.* se bem que; ainda que; mesmo que; embora; posto que; bem que; ainda quando; ainda que mesmo.

¡aúpa! *interj.* upa!, voz com que se incita uma pessoa a levantar-se.

aupar. *v. tr.* (fam.) ajudar a subir ou a levantar-se.

aura. *f.* aura, vento brando e aprazível; aragem; sopro; brisa; (fig.) rumor; fama; favor público, aplauso; (zool.) aura, espécie de abutre: *aura popular,* aura popular; (med.) *aura epiléptica,* aura epiléptica.

auramina. *f.* (quím.) auramina.

auranciáceas. *f. pl.* (bot.) auranciáceas.

auranciáceo, a. *adj.* (bot.) auranciáceo.

aurantina. *f.* (quím.) aurantina.

aurato. *m.* (quím.) aurato.

Aurelia. *n. p.* Aurélia.

Aureliano. *n. p.* Aureliano, Aurélio.

Aurelio. *n. p.* Aurélio, Aureliano.

áureo, rea. *adj.* áureo, de oiro, doirado brilhante; da cor do oiro; (fig.) nobre, magnífico. — *m.* áureo, antiga moeda de oiro portuguesa e espanhola: *áureo número,* áureo número.

aureola. *f.* auréola, resplendor; (fig.) glória; (teol.) diadema; coroa, resplendor; (astr.) auréola, círculo luminoso em redor da Lua; (fig.) prestígio; prémio.

auréola. *f.* V. **aureola.**

aureolar. *v. tr.* aureolar, adornar com resplendor, com auréola. — *adj.* aureolar.

auricalco. *m.* (min.) auricalco.

áurico, ca. *adj.* (quím.) diz-se dos compostos de oiro.

aurícula. *f.* (zool. e bot.) aurícula.

auriculado, da. *adj.* (bot.) que tem aurículas (diz-se do limbo das folhas).

auricular. *adj.* auricular relativo ao ouvido. — *m.* auricular (diz-se do quinto dedo da mão); (rad.) auricular.

aurifabrista. *m.* (ant.) aurifabrista, aurífico.

aurífero, ra. *adj.* aurífero, aurígero que contém ou traz oiro.

aurificación. *f.* aurificação.

aurificar. *v. tr.* aurificar cobrir de oiro.

auriga. *m.* auriga cocheiro; (astr.) Ursa Menor constelação boreal.

aurígero, ra. *adj.* aurígero, aurífero.

auriginoso, sa. *adj.* (pat.) auriginoso.

auriscalpo. *m.* (med.) auriscalpo.

aurista. *s.* V. **otólogo.**

aurívoro, ra. *adj.* (poet.) aurívoro que devora oiro; (fig.) dissipador.

aurochs. *m.* V. **uro.**

aurora. *f.* aurora, claridade, precursora do nascer do Sol; alva; madrugada; (fig.) juventude; começo de épocas, sucessos, etcétera; (poet.) princípio de alguma coisa; origem; bebida composta de leite, amêndoa e canela; cor de aurora; amarela dourada; (Amér.) espécie de bebida que alguns preferem ao vinho; ave trepadora mexicana; espécie de ave de rapina: *aurora austral,* aurora austral; *aurora boreal,* aurora boreal; *despuntar la aurora,* começar a amanhecer.

Aurora. *n. p.* Aurora.

auroral. *adj.* auroral, da aurora.

aurona. *f.* (bot.) aurónia, abrótano.

aurragado, da. *adj.* diz-se da terra mal lavrada.

aurúspice. *m.* V. **arúspice.**

auscultación. *f.* (med.) auscultação, exploração.

auscultador, ra. *adj.* e *m.* auscultador, que ausculta; auscultador, estetoscópio.

auscultar. *v. tr.* (med.) auscultar, explorar; (fig.) procurar conhecer; examinar.

auscultatorio, ria. *adj.* relativo a auscultação.

ausencia. *f.* ausência; afastamento de uma coisa, animal ou pessoa; falta de comparência; tempo que dura a ausência; apartamento; retiro; inexistência; apartamento; retiro; inexistência; defecção; falta; (for.) condição legal de pessoa cujo paradeiro se ignora: *hacer buenas o malas ausencias de alguien,* fazer boas ou más ausências de alguém; *buenas o malas ausencias,* encómio ou vitupério que se faz duma pessoa ausente; *en ausencia de,* por detrás de.

ausentado, da. *p. p.* e *adj.* ausentado, ausente. V. **ausente.**

ausentar. *v. tr.* afastar. — **ausentarse.** *v. r.* ausentar-se, afastar-se; apartar-se, retirar-se, ir-se; arredar-se; partir, deixar; (Bras.) desguiar.

ausente. *adj.* e *s.* ausente, que não está presente; retirado; afastado, separado; distante; (for.) pessoa de quem se ignora se vive, ausente: *estar ausente,* achar menos.

ausentismo. *m.* V. **absentismo.**

auspiciar. *v. tr.* auspiciar, prognosticar, fazer auspícios, augurar; amparar.

auspicio. *m.* auspício, presságio; agoiro; augúrio; prognóstico; pro(c)ção, favor; fada: *bajo los auspicios de,* debaixo dos auspícios de. — *pl.* (fig.) conselho; favor; promessa. V. **aguero.**

austeridad. *f.* austeridade; rigor de disciplina; austereza; severidade, integridade; penitência; mortificação dos sentidos; incomplacência; aspereza; estreiteza; estreitamento; inflexibilidade; (fig.) estoicidade.

austero, ra. *adj.* austero, azedo, adstringente; áspero ao paladar; mortificado; severo; rígido; sério; ríspido; inexorável; apertado; frugal; estóico; estreito; fragueiro; rigoroso.

austral. *adj.* austral, pertencente ao austro; meridional.

Australia. *f.* (geog.) Austrália.

australiano, na. *adj.* e *s.* (geog.) australiano, natural de ou pertencente à Austrália.

Austria. (geog.) Áustria.

austriaco, ca. *adj.* e *s.* austríaco, natural de ou pertencente à Áustria.

austrino, na. *adj.* austrino, austral.

austro. *m.* austro, vento do Sul.

autarcia. *f.* (med.) autarcia.

autarquía. *f.* autarquia; autonomia; governo autónomo.

autárquico, ca. *adj.* autárquico, relativo à autarquia.

auténtica. *f.* autêntica, certificado ou atestado confirmativo dalguma coisa; certificado pontifício confirmativo dum milagre ou relíquia; cópia autorizada dalguma ordem. carta, etc.

autenticación. *f.* autenticação, reconhecimento, legalização.

autenticado, da. *p. p.* e *adj.* autenticado, autorizado, legalizado.

autenticar. *v. tr.* autenticar, tornar autêntico; legalizar; autorizar; reconhecer como verdadeiro; certificar.

autenticidad. *f.* autenticidade; veracidade.

auténtico, ca. *adj.* autêntico, legalizado, autorizado; certificado, verdadeiro, fidedigno; evidente, puro.

autentificar. *v. tr.* V. **autenticar.**

autentizar. *v. tr.* V. **autenticar.**

autillo. *m.* auto particular do Tribunal da Inquisição.

autista. *s.* autista, motorista. V. **automovilista.**

auto. *m.* (for.) auto, peça, de um processo judicial; auto, composição dramática; decreto, a(c)ta, acto, acção; despacho, sentença; automóvel: *auto de fe,* auto-de-fé; *estar en autos,* estar inteirado dalguma coisa; *auto acordado,* acordão de tribunal; *auto de oficio,* acto; *auto sacramental,* drama sacro. — *pl.* autos, processo.

auto. *pref.* auto, próprio de si mesmo: *autosugestión,* auto-sugestão.

auto. *m.* (pop.) V. **automóvil.**

autoanálisis. *m.* (pat.) autoanálise.

autobiografía. *f.* autobiografia.

autobiográfico, ca. *adj.* autobiográfico.

autobiógrafo. *m.* autobiógrafo.

autobombo. *m.* (pop.) aplauso ou louvor à própria pessoa.

autobús. *m.* autobus, autocarro, auto-ónibus, (Bras.) auto-ônibus; (Bras.) marinete; *pequeño autobús,* (Bras. Rio) lotação.

autocamión. *m.* autocarro, camião, carro grande para transporte de mercadorias, pessoas, etc.

autocar. *m.* autocarro, auto-ónibus, (Bras.) auto-ônibus.

autocatálisis. *f.* (quim.) autocatálise.

autocefalia. *f.* autocefalia, independência.

autocéfalo, la. *adj.* e *m.* autocéfalo; independente; bispo grego fora da jurisdição do patriarca.

autocicleta. *m.* autociclo. V. **motocicleta.**

autocinesia. *f.* (biol.) autocinesia.

autocinesis. *f.* autocinesia.

autoclave. *m.* autoclave, marmita para fazer cocções sem evaporação.

autoclínica. *f.* (med.) autoclínica.

autoclisia. *f.* (terap.) autóclise.

autocopia. *f.* autocópia, reprodução por meio de autocopista.

autocopiar. *v. tr.* autocopiar, reproduzir por meio de autocopista.

autocopista. *m.* autocopista, aparelho para fazer cópias mecânicamente.

autocracia. f. autocracia, poder absoluto dum soberano.

autócrata. adj. e s. autocrata, soberano absoluto.

autocrático, ca. adj. autocrático.

autocrítica. f auto-critica.

autoctonia. f. autoctonia.

autoctonismo. m. autoctonismo, autoctonia.

autóctono, na. adj. autoctóne, aborígene.

autodidáctica. f. autodidáctica.

autodidacto, ta. adj. e s. autodidacta, que se instrui a si mesmo.

autodidaxia. f. autodidaxia.

autodinámica. f. autodinamia.

autodinámico, ca. adj. autodinâmico.

autódromo. m. autódromo.

autoeducación. f. auto-educação.

autoestrada. f. auto-estrada. V. autopista.

autofecundación. f. (bot.) autofecundação.

autofecundante. adj. autofecundante.

autogamia. f. (biol.) fecundação na mesma célula.

autogasógeno. m. autogasógeno.

autogénesis. f. autogénese, (Bras.) autogênese.

autógeno, na. adj. autogénio. autógeno.

autogiro. av. autogiro.

autognosia. f. autognose.

autografía. f. (impr.) autografia.

autografiar. v. tr. autografar, litografar, reproduzir por autografia.

autográfico, ca. adj. impr.) autográfico.

autógrafo, fa. adj. autógrafo. — m. autógrafo.

autohemoterapia. f. auto-hemoterapia.

autoinducción. f. (electr.) auto-indução.

autoinfección. f. (pat.) auto-infecção.

autointoxicación. f. (pat.) auto-intoxicação.

autolatría. f. autolatria, culto de si mesmo.

autómata. m. autómato, (Bras.) autômato, figura que imita os movimentos dos seres animados; (fig. e fam.) pessoa que se deixa dirigir por outra; andróide.

automático, ca. adj. automático, maquinal; mecânico; (fig.) inconsciente. — m. espécie de colchete.

automatismo. m. (med.) automatismo; falta de independência; inconsciência.

automedonte. m. automedonte, auriga, cocheiro.

autómnibus. m. V. autobús.

automotor, ra, triz. adj. automotor. — m. automotor; (Bras.) litorina.

automóvil. adj. e m. automóvel, veículo que se move por si próprio.

automovilismo. m. automobilismo.

automovilista. s. automobilista.

automovilístico. adj. automobilístico.

autonomía. f. autonomia; independência; estado do que é autónomo; liberdade moral ou intelectual; soberania.

autonómico, ca. adj. autonómico, (Bras.) autonômico, independente.

autonomismo. m. (pol.) autonomismo.

autonomista. adj. e s. autonomista.

autónomo, ma. adj. autónomo, (Bras.) autônomo, independente.

autoómnibus. m. auto-ónibus, autocarro.

autopatía. f. autopatia, egoísmo exagerado.

autopiano. m. autopiano, pianola, piano mecânico.

autopista. f. auto-estrada.

autoplastia. f. (cir.) autoplastia.

autoplástico, ca. adj. autoplástico, relativo à autoplastia.

autopropulsión. f. (aviac.) autopropulsão.

autopropulsor, ra. adj. e m. (mec. e aviac.) autopropulsor.

autopsia. f. (mec.) autópsia, necropsia, necroscópia.

autópsido, da. adj. (min.) autópsido, diz-se dos minerais com aspecto metálico.

autor, ra. s. autor; criador; productor, inventor; autor, escritor, literato; director de companhia teatral; (for.) autor, o que intenta uma demanda; autor de um crime ou delito; fundador; pai, mãe; administrador (nas companhias teatrais); fabricador; agente; (fig.) artífice; efe(c)tuador.

autoría. f. autoria, condição de autor; (for.) autoria, presença do autor em juízo; direcção duma companhia de actores.

autoridad. f. autoridade; domínio; mando; crédito; pessoa de grande competência num assunto; império; faculdade, licença; cargo; fé; ostentação, fausto; aparato; controlo; influência; arbítrio; atribuição.

autoritario, ria. adj. autoritário; absoluto; despótico; dominador.

autoritarismo. m. autoritarismo; despotismo.

autorizable. adj. autorizável, que pode ser autorizado.

autorización. f. autorização; licença; permissão.

autorizado, da. p. p. e adj. autorizado, dotado de autoridade; digno de fé ou crédito; respeitável; poderoso; eminente.

autorizador, ra. adj. e s. autorizador, que autoriza.

autorizamiento. m. V. autorización.

autorizante. p. a. e adj. autorizador, que autoriza.

autorizar. v. tr. autorizar, conceder autorização; conferir autoridade; permitir; validar; apoiar; confirmar, aprovar uma coisa com autoridade; dar importância a alguém; legalizar; autorizar, ilustrar; engrandecer; realçar; justificar.

autorretrato. m. auto-retrato, retrato feito pelo próprio autor.

autorzuelo. m. mau autor.

autoscopia. f. autoscópia, auscultação ou exame de si mesmo.

autoscopio. m. (med.) autoscópio.

autosuficiencia. f. autarquia, autarcia.

autósito, ta. adj. (terat.) autósito.

autosugestión. f. autosugestão.

autoterapia. f. (terap.) autoterapia.

autotipia. f. (fot.) autotipia.

autotoxemia. f. (pat.) auto-toxemia.

autotoxina. f. (med.) auto-toxina.

autotóxico, ca. adj. (biol.) autotóxico.

autovacuna. f. autovacina.

autumnal. adj. autunal. V. otoñal.

auxanómetro. *m.* (bot.) aparelho para medir o crescimento das plantas.

ausexia. *f.* (med.) auxese; exageração; hipérbole.

auxesis. *f.* (med.) auxese.

auxiliador, ra. *adj.* e *s.* auxiliador, auxiliante; assistente.

auxiliar. *v. tr.* auxiliar, dar auxílio; ajudar; socorrer; prestar auxílio, servir de meio; proteger; dar ensejo a; ajudar a bem morrer; assistir; colaborar; coadjuvar; contribuir; apoiar; cooperar.

auxiliar. *adj.* e *m.* auxiliar, que auxilia; funcionário subalterno; professor substituto; auxiliante; ajudante; auxiliador.

auxiliaría. *f.* emprego de auxiliar.

auxiliatorio, ria. *adj.* (for.) diz-se do despacho dos tribunais superiores ordenando se cumpram as providências dos tribunais inferiores.

auxilio. *m.* auxílio, protecção, socorro, amparo, ajuda; subsídio; esmola; colaboração; coadjuvação; defensa; contribuição; apoio; achega; cooperação; aviamento; (fig.) arrimo; abrigo. — *interj.* ¡auxilio! aquí del-rei!

auxiómetro. *m.* (ópt.) auxiómetro, (Bras.) auxiômetro.

auxómetro. *m.* (ópt.) auxiómetro.

avacado, da. *adj.* avacalhado (diz-se do gado cavalar que tem muita barriga e pouca robustez).

avadar. *v. intr.* diminuírem os rios tanto, até poderem ser vadeados.

avahado, da. *p. p.* e *adj.* mal arejado; pouco ventilado; aquecido com o bafo.

avahar. *v. tr.* e *intr.* bafejar, aquecer com o bafo; exalar o bafo sobre alguma coisa; (agr.) murchar, desecar; exalar vapor.

aval. *m.* aval, garantia firmada; caução.

avalancha. *f.* (gal.) avalancha. V. **alud.**

avalar. *v. tr.* (com.) garantir por meio de aval, avalizar.

avalentado, da. *adj.* próprio do valentão; avalentado; fanfarrão.

avalentamiento. *m.* fanfarronice, alarde de valentia.

avalista. *m.* (com.) avalista, o que garante por aval.

avalorar. *v. tr.* valorizar, avaluar; avaliar; apreciar o merecimento; reconhecer a grandeza, força, etc.; orçar; computar; (fig.) incutir valor, animar, excitar.

avaluación. *f.* avaliação; acto de avaliar; valor determinado pelos avaliadores; cômputo; apreciação; apreço; estima.

avaluar. *v. tr.* avaliar, determinar a valia ou valor de; computar; estimar. V. **valuar.**

avalúo. *m.* avaliação; avaliamento; avaliança; apreciação, apreço; estima. V. **valuación.**

avance. *m.* avance, avanço; adiantamento de dinheiro; avançada; ataque; dianteira; progresso; melhoria; assalto, investida; aperfeiçoamento; (Amér.) jogo da pelota.

avante *adv.* avante, adiante, para a frente, por diante: (mar.) *de avante*, de avante; *salir o sacar avante*, levar a sua avante.

avanzada. *f.* avançada; vanguarda; guarda avançada; posto avançado; (mil.) avançada, investida, ataque, assalto.

avanzado, da. *p. p.* e *adj.* avançado, adiantado; saliente; (gal.) progressivo, muito liberal, atrevido; muito novo ou exagerado (ideias, doutrinas, etc.): *edad avanzada*, decrepitude.

avanzar. *v. tr.* e *intr.* avançar, adiantar, fazer ir para a frente; chegar alguma coisa; ir para diante, investir, acometer; progredir; sobrar, sobejar dinheiro; andar; (fig.) adiantar; (Amér.) ganhar, tomar parte em guerra; aproximar-se; (gal.) proferir palavras com arrojo ou insolência; prosseguir, continuar; exceder; aventurar, ousar. — **avanzarse.** *v. r.* adiantar-se, fazer progresso; avançar-se: *avanzar impetuosamente*, arrancar; (pop.) vomitar.

avanzo. *m.* (com.) balanço; orçamento; saldo; avanço; aumento; lucro; (ant.) alcance em contas.

avaricia. *f.* avareza; ambição; avidez; mesquinhez, estreiteza; futre; aperto; (Bras.) apêrto; excessivo desejo de acumular riqueza; cobiça, cicatería; (Bras.) agarramento.

avariciar. *v. tr.* (ant.) apetecer, desejar com avareza.

avaricioso, sa. *adj.* avarento, avaro; sôfrego; ambicioso, cobiçoso; arrepanhado.

avariento, ta. *adj.* avarento, mesquinho, cobiçoso, avaro; forreta; usurário; estreito; apertado; arrepanhado.

avariosis. *f.* (med.) sífilis, avariose.

avaro, ra. *adj.* e *s.* avaro, avarento; usurário; cobiçoso; mesquinho; forreta; ávido; egoista; económico, (Bras.) econômico; (pop.) forragaitas; argentário; (Bras.) agarramento: *ser avaro*, (fig.) encolher a mão; *volverse avaro*, assovinar-se.

ávaros. *m. pl.* (etnog.) ávaros.

avasallado, da. *p. p.* e *adj.* avassalado, submetido, subjugado; dominado; rendido.

avasallador, ra. *adj.* e *s.* avassalador, que avassala, dominador; avassalante; despótico.

avasallamiento. *m.* avassalamento, subjugação; dominação, vassalagem; conquista.

avasallar. *v. tr.* avassalar, submeter à obediência; subjugar; dominar; render; conquistar; escravizar, sujeitar; cativar; enfeudar; (fig.) encadear. — **avasallarse.** *v. r.* avassalar-se; submeter-se; render-se.

avatar. *m.* avatar, avatara; transformação, metamorfose: *los avatares de la vida*, as aventuras da vida.

ave. *m.* saudação. — *interj.* Deus te salve! eu te saúdo!

ave *f.* (zool.) ave, pássaro; ave doméstica; galinha. — *pl.* classe destes animais: *criador de aves*, aviador, criador de aves; *ave del Brasil*, forneiro; *ave insectívora*

del Brasil, bem-te-vi; *ave zonza*, alcaravão; (fig.) pessoa atoleimada, estúpida; (fig.) *ave fría*, pessoa sem coragem; pavãosinho; *ave de las nieves*, alvéloa; (fig.) pessoa simple.

avecilla. *f.* avezinha.

avecinar. *v. tr.* avizinhar. V. **avecindar.**

avecindamiento. *m.* domicílio, habitação, moradia; estabelecimento, fixação de domicílio.

avecindar. *v. tr.* avizinhar, dar moradia ou admitir alguém como morador; contiguar; fronteirar. — **avecindarse.** *v. r.* aproximar-se; estabelecer-se em uma povoação como morador; acercar-se.

avechucho. *m.* ave feia, desagradável; avejão; (fig.) homem desprezível pela sua figura ou costume; um ninguém.

avefría. *f.* (zool.) ave-fria; fradinho; (fig. e fam.) pessoa de pouco espírito e vivacidade.

avejentado, da. *p. p.* e *adj.* avelhentado envelhecido; velho prematuramente.

avejentar. *v. tr.* avelhentar, fazer envelhecer prematuramente, avelhar. — **avejentarse.** *v. r.* avelhentar-se, parecer velho sem se-lo.

avejigar. *v. tr.* empolar, formar vesículas ou empolas; amolgar; trabalhar em relevos, fazer relevos.

avellana. *f.* (bot.) avelã; fruto da aveleira.

avellanado, da. *adj.* avelado; encorreado; da cor da avelã, semelhante a avelã.

avellanador. *m.* (mec.) escariador, broca de serralheiro.

avellanal. *m.* avelanal, aveleiral.

avellanar. *m.* avelanal, aveleiral.

avellanar. *v. tr.* (mec.) escariar, alargar os buracos destinados aos parafusos, brocar, trabalhar com a broca. — **avellanar-se.** *v. r.* avelar-se, enrugar-se, encorrilhar-se como a avelã.

avellaneda. *f.* aveleiral; casca da bolota.

avellanedo. *m.* V. **avellaneda.**

avellanero. *m.* aveleiro, vendedor de avelãs.

avellano. *m.* (bot.) aveleira, avelãzeira, avelãneira.

avemaría. *f.* ave-maria, saudação angélica, oração à Virgem; conta do rosário: *al avemaría*, ao anoitecer, ao toque de ave-marias; *en un avemaría*, num instante.

¡Ave Maria Purísima! expressão de extranheza, espanto, etc.; usa-se também para cumprimentar ao entrar em uma casa.

avena. *f.* (bot.) aveia, planta e o seu grão; (poet.) V. **zampoña.**

avenáceo, a. *adj.* semelhante à aveia.

avenal. *m.* aveal, terra semeada de aveia.

avenamia. *f.* avenaína, glúten da aveia.

avenar. *v. tr.* drenar, desaguar, desalagar as terras pantanosas.

avenate. *m.* acesso de loucura.

avenenar. *v. tr.* V. **envenenar.**

avenencia. *f.* avenência, avença; acordo; ajuste; avença, conciliação, conformidade; união; convénio, transa(c)ção; pacto; convenência; convenção: *más vale mala*

avenencia que buena sentencia, mais vale má avença, que boa sentença.

avenible. *adj.* fácil de concertar-se, de avir-se ou combinar-se.

aveníceo, *adj.* pertencente ou relativo a aveia.

avenida. *f.* enchente fluvial, cheia inundação; avenida; alameda, via larga orlada de árvores; (fig.) concorrência de várias coisas.

avenido, da. *p. p.* e *adj.* conforme; concorde; avindo: *bien avenido*, bem-avindo; *mal avenido*, mal-avindo.

avenidor, ra. *adj.* e *s.* avindor, mediador, árbitro, medianeiro.

avenimiento. *m.* convenção; acordo, (Bras.) acôrdo; acontecimento; sucesso; cheia; inundação repentina.

avenir. *v. tr.* avir, concordar, ajustar as partes desavindas ou discordes, concertar. — *v. intr.* suceder, acontecer, avir; advir. — **avenirse.** *v. r.* avir-se, compor-se; entender-se; acomodar-se, pôr-se de acordo em opiniões, pretensões, etc.; harmonizar-se; conformar-se; acomodar-se; acordar-se; portar-se; arranjar-se como puder; *conj. irr.* como **venir.**

aventado, da. *p. p.* e *adj.* aventado, agitado ao vento, arejado. V. **arremangado.**

aventador, ra. *adj.* e *m.* aventador, joeirador; abanador; máquina empregada para aventar os grãos; (min.) válvula de sola das bombas; pá de limpar cereais; crivo; joeira; abano para acender o lume.

aventadura. *f.* (vet.) inchaço, tumor do gado cavalar.

aventaja. *f.* (for.) V. **adventajas.**

aventajado, da. *p. p.* e *adj.* avantajado, que leva vantagem; vantajoso, proveitoso; excelente; primoroso. — *m.* (mil.) soldado raso que recebe maior soldo por mercê especial.

aventajamiento. *m.* V. **ventaja.**

aventajar. *v. tr.* avantajar, adiantar; pôr em melhor estado; progressar, melhorar; preferir, antepor; exceder; avançar, elevar; progredir; luzir; desbancar; (fig.) eclipsar. — **aventajarse** *v. r.* avantajar-se: *aventajar a alguien*, (fig.) tirar a barra mais longe que outrem.

aventamiento. *m.* joeiramento, apaleamento.

aventar. *v. tr.* aventar; ventilar; fazer vento; expor ao ar; arejar; joeirar; padejar; abanar, agitar, sacudir; expulsar; afastar. — *v. intr.* respirar pelo nariz; farejar; chegar. — **aventarse.** *v. r.* (fam.) escapar-se, fugir; encher-se de vento algum corpo; deteriorar-se, estragar-se os comestíveis; (Amér.) nos engenhos expor o açúcar ao ar e ao sol: *aventar el trigo*, alimpar o trigo; *aventar con horca*, forcar; *aventar el grano*, apalear o grão; *aventar con bandejas los cereales*, abandejar os cereais. — *pres. ind. irr.* **aviento, -as, -a, -an;** *subj.* **aviente, -es, -e, -en.**

aventura. *f.* aventura, feito extraordinário; sucesso imprevisto; lance; proeza amorosa; perigo; evento extranho; acaso; casualidade; contingência; risco; incursão; episódio; acontecimento. — *pl.* andanças.

aventurado, da. *adj.* e *p. p.* aventurado, que se aventura ou arrisca; aventuroso; ousado.

aventurar. *v. tr.* aventurar, pôr em risco, arriscar; dizer ou fazer ao acaso; expor; comprometer; avençar; sujeitar à ventura; aventar, expor uma ideia, proposição, etc. — **aventurarse.** *v. r.* aventurar-se, arriscar-se; abalançar-se; arremessar-se: *aventurar juicios temerarios,* avançar proposições temerárias; (fig.) *aventurarse en asuntos dudosos,* deitar-se aos mares.

aventurero, ra. *adj.* e *s.* aventureiro, que busca aventuras; temerário; atiradiço; incerto; intrigante; cavaleiro andante; cavaleiro de aventura, aventureiro, explorador; aventureiro; soldado voluntário; vendedor ambulante; (Cuba) diz-se do milho, arroz, etc., que se produz fora do tempo.

aventurina. *f.* (min.) aventurina.

avergonzado, da. *p. p.* e *adj.* envergonhado, corado; coitado; corrido; encavacado; embaçado, barrado; (Bras.) encabulado.

avergonzar. *v. tr.* envergonhar, causar vergonha; confundir; erubescer; erubescer, embair; embaraçar; (Bras.) enjambrar. — **avergonzarse.** *v. f.* envergonhar-se; afrontar-se; embaçar; embaraçar-se; desprezar-se; envermelhar; correr-se; acanhar-se; corar; encavacar; apejar-se: *avergonzar públicamente a alguien,* empicotar alguém; *avergonzar a alguien,* dar chasco, chasquear alguém; meter alguém num chinelo.

avería. *f.* aviário, lugar de criação de aves; viveiro de aves. V. **averío.**

avería. *f.* avaria, prejuízo das mercadorias ou géneros; dano, prejuízo, azar, deterioração; detrimento; estrago; perda; (mar.) dano que sofre a carga dum navio: *avería gruesa,* avaria de navio ou do seu carregamento; avaria grossa: *avería simple,* avaria simples.

averiarse. *v. r.* avariar-se, diz-se geralmente das mercadorias; estragar-se; corromper-se.

averiguable. *adj.* averiguável, que se pode averiguar.

averiguación. *f.* averiguação, investigação, inquérito, informação; exploração. indagação; inculca; apuração; deslinde.

averiguador, ra. *adj.* e *s.* averiguador, que averigua, indagador; examinador; verificador; investigador, inquiridor.

averiguamiento. *m.* V. **averiguación.**

averiguar. *v. tr.* averiguar; proceder a averiguações; apurar a verdade; investigar; certificar-se; experimentar; verificar; examinar, pesquisar, inquirir. — *v. intr.* (Amér.) porfiar; explorar; devassar; deslindar; apurar. — **averiguarse.** *v. r.* (fam.) avir-se com alguém; submetê-lo com argumentos ou razões: *averiguar cuidadosamente,* basculhar: *averiguar los planes enemigos,* contraminar.

averío. *m.* conjunto de muitas aves, aviário.

averno. *m.* (poes.) averno, inferno.

averno, na. *adj.* avernal, pertencente ou relativo ao averno, infernal.

averroísmo. *m.* (filos.) averroísmo.

averroísta. *s.* e *adj.* averroísta.

averrugado, da. *adj.* enverrugado, que tem verrugas.

averrugarse. *v. r.* enverrugar-se, encher-se de verrugas.

aversión. *f.* aversão; repugnância; antipatia; ódio; oposição; inimizade; asca; animadversão; arrenego, (Bras.) arrenêgo; desamor; desamizade; desamabilidade; desafeição; desadoração, desgosto, (Bras.) desgôsto; abominação; arrelia; repulsão; embirra, embirração; asco; aborrecimento; animosidade; (pop.) incha: *tener aversión,* embirrar; detestar; *causar aversión,* entojar.

avestruz. *m.* (zool.) avestruz, (fig.) estúpido, néscio, tonto.

avetado, da. *adj.* betado, que tem betas; cheio de veias ou veios.

avezado, da. *adj.* e *p. p.* avezado, experto, mestre; aguerrido; acostumado; habituado.

avezar. *v. tr.* avezar; habituar; acostumar; afazer; familiarizar; engar. — **avezarse.** *v. r.* avezar-se, acostumar-se, habituar-se; afazer-se.

aviación. *f.* aviação; aeronáutica: *aviación militar,* aviação militar.

aviado, da. *adj.* e *p. p.* aviado, prevenido, aprestado, arranhado: (fam.) *estar aviado,* estar bem aviado, estar em situação crítica.

aviador, ra. *adj.* e *s.* aviador, diz-se da pessoa que avia ou prepara alguma coisa; preparador; capitalista que adianta fundos para explorar minas ou campos na América; verruma de calafate.

aviador, ra. *s.* aviador, tripulante dum avião.

aviamiento. *m.* aviamento, preparo; aprestos. V. **avío.**

aviar. *v. tr.* aviar, prevenir ou dispor alguma coisa para o caminho; pôr a caminho, em via; aprontar; despachar; apressar; providenciar; arranhar, compor; dispor; metodizar; preparar. — **aviar-se.** *v. r.* aviar-se, preparar-se, arranhar-se; (Amér.) emprestar dinheiro ou valores a mineiro, ganadeiro ou lavrador; financiar os trabalhos da exploração duma mina.

aviceptología. *f.* aviceptologia, arte de caçar aves com armadilhas.

avícola. *adj.* (zool.) avícola, pertencente ou relativo à avicultura. — *s.* avicultor.

avicultor, ra. *s.* avicultor, avícola, criador de aves.

avicultura. *f.* criação de aves, avicultura.

avidez. *f.* avidez, ânsia, cobiça; desejo veemente e insaciável; voracidade; sofreguidão; ansiedade; avideza; avareza; apetite.

ávido, da. *adj.* ávido, sôfrego, cobiçoso, sequioso, avaro, voraz; ansioso, desejoso;

famulento; cobiçador; sedento; cúpido; faminto.

aviejado, da. adj. envelhecido, avelhado, avelhantado.

aviejar. v. tr. envelhecer, avelhentar, avelhar. — **aviejarse.** v. r. avelhentar-se. V. **avejentar.**

avienta. f. acção de limpar o grão ao vento.

avientar. v. tr. (Amér.). V. **aventar.**

aviento. m. engaço; ancinho. V. **bieldo.**

avieso, sa. adj. avesso, (Bras.) avêsso, torto; torcido; anormal; contrário; oposto; indisciplinado; avessado; (fig.) mau, perverso; mal intencionado; estrábico, vesgo; torto dos olhos.

avigorar. v. tr. vigorar, dar vigor; (fig.) estimular, animar; avigorar. V. **vigorar.**

avilantarse. v. r. V. **insolentarse.**

avilantez. f. audácia; insolência; ardideza.

avilanteza. f. V. **avilantez.**

Ávila. (geog.) Ávila.

avilés, sa. adj. e s. (geog.) avilês, natural de ou pertencente a Ávila.

avilesino, na. adj. e s. (geog.) avilesino, natural de ou pertencente a Ávila.

aviltadamente. adv. aviltadamente, ignominiosamente.

aviltamiento. m. aviltamento; envilecimento; menospreço; menoscabo; ignomínia.

aviltar. v. tr. aviltar; envilecer, menosprezar, degradar.

avillanado, da. p. p. e adj. avilanado, tornado vilão; que parece vilão; rústico; aviltado; grosseiro: persona avillanada, próprio de vilão.

avillanamiento. m. aviltamento, aviltação, baixeza, envilecimento.

avillanar. v. tr. avilanar, aviltar; tornar vilão, envilecer, desnobrecer. — **avillanarse.** v. r. avilanar-se, aviltar-se, envilecer-se, avandalhar-se.

avinado, da. adj. avinhado. V. **borracho** ou **ébrio.**

avinagrado, da. adj. e p. p. avinagrado, envinagrado; (fig. e fam.) desavindo, irascível; acre, áspero; azedo; acetoso.

avinagrar. v. tr. avinagrar, temperar com vinagre, azedar; (fig.) irritar. — **avinagrarse.** v. r. azedar-se; (fig.) irritar-se.

avío. m. aviamento, preparo, arranho; prevenção; avio; empréstimo; que se faz ao lavrador, mineiro ou ganadeiro em América; (Amér.) conjunto dos arreios de cavalo de sela. — pl. aviamentos, aprestos, aparelhos para qualquer obra; materiais para uma obra; miudezas, utensílios necessários para alguma coisa, avios; expedientes: mozo de avío, criado para todo serviço.

avión. m. (aviac.) avião, aeroplano: avión de caza, avião de caça; avión bombardero a chorro, avião bombardeiro a jacto; avión de reacción, avião de reacção; avión de transporte, avião de transporte; avión planeador, avião planeador; avión de combate, avião de combate; avión helicóptero, avião helicóptero; avión a propulsión, avião a jacto; avión a bimotor, avião bimo-

tor; avión superfortaleza, avião superfortaleza; avión anfibio, aviao anfíbio; avión de turismo o de línea, avião de turismo.

avisado, da. p. p. e adj. avisado; prudente, sagaz; advertido; discreto; atilado; acertado; acautelado; sengo; citado; notificado; advertido: mal avisado, imprudente, mal avisado; (germ.) juiz.

avisar. v. tr. avisar, dar aviso; fazer saber; prevenir; notificar; admonestar; aconselhar; acautelar; advertir, anunciar, comunicar; (pop.) notar, observar; citar; deixar recado; denunciar, delatar; indicar; informar; convocar; aconselhar. — **avisarse.** v. r. informar-se, aconselhar-se, tomar parecer.

aviso. m. aviso; advertência; admoestação; discreção; conselho; opinião; sinal; participação; notícia; anúncio, comunicação; vigilância; cuidado; solicitude; prudência; circunspecção; atenção; discrição; denunciação; informe; despacho; convocação, convocatória; (mar.) aviso, pequeno navio de guerra para troca de comunicações ou para descobrir o inimigo; prevenção; admoestação; (germ.) rufião: de aviso, de prevenção; andar sobre aviso, andar sobre aviso, dar aviso, denunciar; aviso secreto y cauteloso, assopro; sin previo aviso, sem-tir-te-nem-guar-te.

avisón. m. atenção, expressão usada com a significação de alerta. V. **alerta.**

avispa. f. (zool.) vespa; (fig. e fam.) pessoa muito astuta: cintura de avispa, cintura de vespa.

avispado, da. p. p. e adj. (fig. e fam.) vivo, esperto, desperto, sagaz; (germ.) perspicaz, recatado, cauteloso; (Amér.) espantado; assustado.

avispar. v. tr. aguilhoar, espicaçar, esporear, chicotear (cavalos); estimular, incitar; (ant.) inquirir, examinar; (germ.) assustar, espantar; (fig. fam.) advertir, avisar. — **avisparse.** v. r. agitar-se, comover-se, inquietar-se; ser astuto.

avispero. m. vespeiro, favo fabricado pelas vespas, panal; ninho ou reunião de vespas; (fig. fam.) negócio embrulhado que ocasiona sobressaltos ou desgostos; (med.) antraz, aglomeração de furúnculos; (zool.) abelharuco.

avispón. m. vespão, vespa grande; (germ.) ladrão que anda espreitando ou reconhecendo os lugares antes de roubar.

avistar. v. tr. avistar, alcançar com a vista.

avistarse. v. r. avistar-se, encontrar-se, reunir-se.

avitaminosis. f. (med.) avitaminose.

avitelado, da. adj. parecido com a vitela, avitelado; velino, diz-se do papel semelhante ao pergaminho.

avituallador, ra. adj. e s. avitualhador, abastecedor, que fornece de mantimentos.

avituallamiento. m. avitualhamento; provisão, abastecimento de mantimentos ou vitualhas; bastimento.

avituallar. v. tr. avitualhar, prover de vitualhas; fornecer, abastecer de mantimentos; aprovisionar; abastecer.

avivado, da. *p. p.* e *adj.* avivado; renovado; (fig.) ele(c)trizado.

avivador, ra. *adj.* avivador, que aviva ou desperta; excitador, animador. — *m.* pequeno espaço deixado entre as molduras para as fazer ressaltar; cepo semelhante à plaina, com o qual os carpinteiros e entalhadores fazem essas molduras.

avivamiento. *m.* avivamento, acto de avivar; realce.

avivar. *v. tr.* avivar, excitar, animar; dar viveza; despertar; estimular; realçar; guarnecer de vivos; inflamar, aquecer; fazer nascer bichos de seda; acender, acalorar; avivar o fogo, luz, cores, etc.; inflamar; (fig.) ele(c)trizar. — *v. intr.* cobrar vida, vigor, etc. — **avivarse.** *v. r.* vivificar-se; reanimar-se; crescer; tornar-se mais claro: *avivar el fuego,* atiçar o fogo; *avivar la lumbre,* abanar o lume; *avivar el ojo,* estar alerta.

avivas. *f. pl.* (vet.) avivas. V. **adivas.**

avizor. *m.* espreitador, que espreita. — *pl.* (germ.) os olhos: *estar ojo avizor,* ter os olhos em aberto.

avizorador, ra. *adj.* e *s.* espreitador, que espreita, que vigia.

avizorar. *v. tr.* espreitar. V. **acechar.**

avo. a. *adj.* avo, fracção da unidade.

avocable. *adj.* (for.) avocável, que se pode avocar.

avocación. *f.* (for.) avocação, chamamento de causa a outro juízo; avocatura.

avocamiento. *m.* V. **avocación.**

avocar. *v. tr.* (for.) avocar, chamar a si, desviar; chamar a um tribunal superior a causa que se estava litigando noutro inferior.

avocatorio, ria. *adj.* (for.) avocatório, que encerra avocação.

avolcanado, da. *adj.* diz-se do lugar onde existem vulcões ou indícios de haverem existido.

avulsión. *f.* (cir.) avulsão, evulsão. V. **extirpación.**

avulsivo, va. *adj.* avulsivo, feito com avulsão; violento.

avuncular. *adj.* avuncular, pertencente ou relativo aos tios.

¡ax; *interj.* expressão de dor. V. **¡ay!**

axial. *adj.* V. **axil.**

axífero, ra. *adj.* (bot. e zool.) axífero, munido de eixo.

axiforme. *adj.* axiforme, em forma de eixo.

axil. *adj.* (bot. e zool.) axial, axil, pertencente ou relativo ao eixo de uma planta; axial, pertencente ao eixo.

axila. *f.* (bot.) axila, ângulo formado pela folha com o ramo ou caule onde está inserido; (anat.) axila, sovaco.

axilar. *adj.* (bot. e anat.) axilar, pertencente ou relativo à axila.

axinita. *f.* (min.) axinita.

axinomancia. *f.* axinomancia.

axioma. *m.* axioma; máxima; adágio; sentença; provérbio.

axiomático, ca. *adj.* axiomático, incontestável, evidente; intuitivo; indubitável, indis-

cutível; inconcuso; incontrastável; incontrovertível; infalível.

axiómetro. *m.* (mar.) axiómetro, (Bras.) axiômetro, aparelho para conhecer a posição da roda do leme.

axis. *m.* (anat.) áxis, segunda vértebra cervical; (zool.) áxis, espécie de veado asiático.

axungia. *f.* (med. e farm.) axúngia; gordura para untar.

¡ay! *interj.* ai!, grito aflitivo designativo de dor. — *m.* ai, suspiro, gemido, lamento, queixume: *¡ay de mí!,* pobre de mim!; proferir *ayes,* aiar.

aya. *f.* aia.

ayacuá. *m.* diabo pequeno e invisível que os índios argentinos imaginavam armado com um arco.

ayear. *v. intr.* aiar, dar ou soltar ais, lamentar-se, queixar-se.

ayecahué. *m.* (Amér.) pessoa tosca e grosseiramente vestida. — *pl.* disparates, extravagâncias.

ayer *adv.* ontem, no dia anterior àquele em que estamos; (fig.) ùltimamente, recentemente, antigamente, no passado; há pouco tempo. — *m.* tempos passados: *de ayer a hoy,* en breve tempo, de ontem para hoje; *ayer noche,* ontem à noite.

ayo, ya. *s.* ayo, pessoa encarregada de educar as crianças; preceptor; mentor.

ayuda. *f.* ajuda, coisa que serve para ajudar; auxílio, socorro; favor; (med.) ajuda, clister, seringa; entre pastores, *aguador,* o que leva a água, zagal; (equit.) os meios com que se estimula um cavalo para faze-lo obedecer; acorrimento; achega; contribuição; cooperação; assistência; colaboração; coadjuvação; arma. — *m.* ajudante, subalterno; zagal, ajudante de pastor; (mar.) cabo de reforço: *ayuda de cámara,* criado de quarto; *ayuda de costa,* ajuda de custo, socorro em dinheiro; *sin ayuda,* em si; *pasarse sin la ayuda ajena,* (fig.) nadar sem cortiça.

ayudador, ra. *adj.* e *m.* ajudador, ajudante, que ajuda; pastor que ocupa o primeiro lugar depois do maioral.

ayudante. *f.* ajudanta, auxiliar.

ayudante. *p. a.* e *adj.* ajudante, que ajuda, auxiliar, ajudador, ajuda; assistente; adjutor; adminicular.—*m.* oficial subalterno; ajudante, mestre ou professor que ajuda outro que lhe é superior; auxiliar; empregado auxiliar; acólito: *ayudante de campo,* ajudante de campo; *ayudante general,* ajudante general; *ayudante mayor,* ajudante de regimento; *ayudante del maquinista,* chegador.

ayudantía. *f.* emprego de ajudante.

ayudar. *v. tr.* ajudar, cooperar, colaborar, auxiliar, socorrer; favorecer; ministrar; influir; apoiar; aproveitar; contribuir; facilitar; assistir; coadjuvar; acolitar. — **ayudarse.** *v. r.* ajudar-se, valer-se da cooperação de outro, socorrer-se; empregar os meios para conseguir alguma coisa: *ayudar a Misa,* servir à Missa; *ayudar a al-*

guien, dar a mão a alguém; *ayudarse uno a otro*, (fig.) fazer-se as barbas um ao outro; *ayúdate, que Dios te ayudará*, ajuda--te, que Deus te ajudará; *al que madruga Dios le ayuda*, ajuda-te, que Deus te ajudará.

ayunador, ra. *adj*. e *s*. jejuador, que jejua.

ayunar. *v. intr.* jejuar, observar o jejum, abster-se de comer ou beber; privar-se; guardar o jejum ec'esiástico: (fig.) *ayunarle a uno*, temê-lo ou respeitá-lo; (fig.) *estar en ayunas*, ignorar completamente.

ayuno. *m*. jejum; abstinência; inédia: *romper el ayuno*, desjejuar.

ayuno, na. *adj*. em jejum, que está em jejum; (fig. fam.) que não sabe nada do que se fala ou não o compreende: *en ayunas*, em jejum; (fig.) sem ter notícia de alguma coisa ou sem a compreender; *quedarse en ayunas*, não compreender alguma coisa.

ayuntador, ra. *adj*. ajuntador, que ajunta. — *m*. colector.

ayuntamiento. *m*. ajuntamento; congresso; junta, reunião; cópula carnal; ajuntamento, cobrição, fornicação; consistório; Câmara Municipal, corporação composta dum presidente *(alcalde)* e vários vereadores *(concejales)* para administração dos interesses dum município.

ayuntar. *v. tr.* ajuntar, juntar, reunir; ter cópula carnal, fornicar; cobrir; machear.

ayuso. *adv*. V. **abajo.**

ayustar. *v. tr.* (mar.) ajustar, unir dois cabos ou duas peças de madeira pelas suas extremidades.

ayuste. *m*. (mar.) ajuste; costura ou união de dois cabos.

ayuya. *f*. (Amér.). V. **hallulla.**

azabachado, da. *adj*. azevichado, semelhante ao azeviche; da cor do azeviche.

azabache. *m*. azeviche; (zool.) pavizola. — *pl.* conjunto de berloques de azeviche, colar.

azabachero. *m*. o que trabalha em azeviche.

azabara. *f*. V. **zábila.**

azacán. *m*. aguadeiro. — *adj*. que se ocupa em trabalhos humildes e penosos: (fig. e fam.) *hecho un azacán*, muito aterefado.

azacanarse. *v. r.* V. **afanarse.**

azada. *f*. (agr.) enxada, utensílio de ferro para cavar a terra.

azadada. *f*. enxadada, golpe de enxada; cavadela dada com a enxada.

azadazo. *m*. V. **azadada.**

azadilla. *f*. V. **almocafre.**

azadón. *m*. (agr.) enxadão, enxada grande; alvião.

azadonada *f*. enxadada, golpe de enxado.

azadonar. *v. tr.* enxadar, cavar com o enxadão.

azadonazo. *m*. V. **azadonada.**

azadonero. *m*. cavador, trabalhador de enxada; o que faz ou vende enxadas.

azafata. *f*. açafata, criada da rainha.

azafate. *m*. açafate, cesto de vime; giga de vendedor de fruta; (Amér.) mal usado por bandeja ou bacia de lavar.

azafrán. *m*. (bot.) açafrão; açaflor: (quim.) *azafrán de marte*, óxido de ferro; *teñir de azafrán*, açafroar; (mar.) açafrão, o largo do leme junto à palheta.

azafranado, da. *p. p.* e *adj*. açafroado; da cor do açafrão; (Amér.) diz-se do que tem o cabelo avermelhado.

azafranal. *m*. (bot.) açafroal, lugar onde cresce o açafrão.

azafranar. *v. tr.* açafroar, tingir com açafrão; deitar ou misturar com açafrão.

azafranero, ra. *s*. pessoa que cultiva ou vende açafrão.

azafranina. *f*. (quim.) açafranina.

azagadero. *m*. V. **azagador.**

azagador. *m*. atalho ou vereda para passagem do gado.

azagaya. *f*. azagaia, lança ou dardo curto; zagaia.

azahar. *m*. (bot.) flor de laranjeira, de limoeiro e de cidreira.

azalá. *m*. oração, súplica, rogo entre os maometanos.

azanahoriate. *m*. cenoura cristalizada e confeitada; (fig. fam.) cortesia ou expressão muito afectada.

azanca. *f*. (min.) manancial de água subterrânea.

azar. *m*. azar, sorte, acaso, destino; casualidade, caso fortuito; desgraça imprevista; pouca sorte ao jogo; azar, buraco na mesa do bilhar para meter as bolas; desfortuna; aventura; fortuna: *tener azar de*, não ter boa opinião; *por azar*, contingentemente.

azaramiento. *m*. (pop.) V. **azoramiento.**

azarandar. *v. tr.* V. **zarandar.**

azararse. *v. r.* virar (um assunto, lance, opinião, etc.), por efeito de um caso imprevisto; alarmar-se, sobresaltar-se, azarar-se; (Amér.) ruborizar-se. V. **azorarse.**

azarbe. *m*. lugar onde se recolhem as águas sobrantes das regas.

azarbeta. *f*. conduto para as águas sobrantes das regas.

azarcón. *m*. (quim.) azarcão. V. **minio;** (pint.) azarcão, vermelhão.

azararse. *v. r.* (Amér.) V. **azararse;** irritar--se, enfadar-se.

azareo. *m*. (Amér.) irritação; enfado, enfadamento. V. **azoramiento.**

azarja. *f*. instrumento para dobar a seda crua.

azaroso, sa. *adj*. azarento, que traz azar; fatal, funesto, infeliz; precário.

azcona. *f*. ascuma, arma de arremesso usada antigamente.

azemar. *v. tr.* assentar, alisar.

azenoria. *f*. V. **azanoria.**

ázimo, ma. *adj*. ázimo, sem fermento ou levedura, que não fermentou.

azimut. *m*. (astr.) V. **acimut.**

azimutal. *adj*. (astr.) V. **acimutal.**

azoado, da. *adj*. e *p. p.* azotado, que tem azoto.

azoar. *v. tr.* (quim.) impregnar de azoto ou nitrogénio.

azoato. *m*. (quim.) nitrato, azotato.

azocar. *v. tr.* (mar.) apertar bem nós, ligaduras, etc.; (Amér.) apertar demais uma coisa.

ázoe. *m.* (quim.) azote, azoto, nitrogénio.

azofaifa. *f.* V. **azufaufa.**

azofaifo. *m.* V. **azufaifo.**

azófar. *m.* latão, liga de cobre e zinco.

azofra. *f.* prestação pessoal, serviço braçal; (prov.) correia. V. **sufra.**

azogamiento. *m.* azougamento; (fig.) celeridade, precipitação.

azogar. *v. tr.* azougar, cobrir com azougue. amalgamar; estanhar os espelhos; apagar com água (a cal); (fig.) tornar inquieto. — **azogarse** *v. r.* contrair a doença produzida pela absorção dos vapores do azougue; (fig. fam.) turbar-se, agitar-se muito.

azogue. *m.* (quim.) azougue, mercúrio; (ant.) mercado. — *pl.* cada uma das naus que antigamente levavam à América o azougue: *ser un azogue,* ser muito inquieto, um azougue.

azogue. *m.* praça, mercado duma povoação.

azoguejo. *m.* pracinha, praça pequena, pequeno mercado.

azoguería. *f.* (min.) oficina de amalgamação.

azoguero. *m.* (min.) chefe que dirige a amalgamação.

azoico, ca. *adj.* (quim.) V. **nítrico.**

azolar. *v. tr.* (carp.) aparelhar, desbastar a madeira com uma enxó. — *pres. ind. irr.* **azuelo, -as, -a, -an.**

azoleo, a. *adj.* (bot.) diz-se de certas plantas aquáticas acotiledóneas. — *f. pl.* família destas plantas.

azolvar. *v. tr.* obstruir uma conduta.

azolve. *m.* lodo, lixo que obstrui uma conduta.

azor. *m.* (zool.) açor, ave de rapina; (germ.) ladrão de presa rica.

azorada. *f.* (Amér.) V. **azoramiento.**

azorado, da. *p. p.* e *adj.* conturbado; sobressaltado; engasgado; enguedelhado; irritado.

azoramiento. *m.* sobressalto; (fig.) irritação; demudança; enturbação; engasgamento; atordoamento; entupimento.

azorar. *v. tr.* açorar; sobressaltar; espantar, inquietar, conturbar; irritar; engelhar. — **azorarse** *v. r.* conturbar-se, demudar-se; envergonhar-se; apejar-se.

azorero. *m.* (germ.) aquele que acompanha o ladrão e leva o que furta; encobridor, receptador de furtos.

azorramiento. *m.* atordoamento, peso de cabeça.

azorrarse. *v. r.* atordoar-se, amodorrar-se, ficar como adormecido; adormecer por efeito de grande incomodo de cabeça; (Amér.) V. **azorarse.**

azotable. *adj.* que merece açoites.

azotado, da. *p. p.* e *adj.* de várias cores, matizado, multicolor. — *m.* açoitado, réu castigado com açoites. V. **disciplinante;** (Amér.) mal usado por **atigrado** ou **acobreado.**

azotador, ra. *adj.* e *s.* açoutador, que açoita.

azotaina. *f.* (fam.) açoitadura, surra de açoites; apaleamento.

azotamiento. *m.* açoitamento, açoitadura.

azotar. *v. tr.* açoitar, dar açoites; chicotear, apalear; fustigar; atagantar; avergoar; (Bras.) sabugar; (fig.) bater repetida e violentamente. — **azotarse.** *v. r.* (Amér.) atirar-se, arrojar-se com prontidão: *azotar con látigo,* chicotar; *azotar con vergajo,* avergoar; *azotar las calles,* andar ociosamente na rua.

azote. *m.* açoite; instrumento de suplício; chicote, tira de couro, pendente dum cabo para castigar; açoite, golpe dado com o açoite; palmada nas nádegas; (fig.) calamidade, castigo grande; aflição; golpe. — *pl.* pena de açoites que se impunha aos delinquentes: (fig. fam.) *azotes y galeras,* comida ordinária de que raramente se varia; (fig.) *besar el azote,* receber o castigo com resignação; (fig.) *no salir uno de azotes y galeras,* não prosperar ou medrar.

azotea. *f.* açoteia, terraço em cima da casa, soteia, (Bras.) sotéia; (Amér.) casa de tijolo com tecto plano.

azotera. *m.* açoiteira, ponta da rédea com que o cavaleiro açoita o cavalo.

azotina. *f.* (fam.) açoitadura. V. **azotaina.**

azoturia. *f.* (med.) azotúria; presença excessiva de ureia.

azteca. *adj.* e *s.* (etnog.) asteque, diz-se dum antigo povo aborígene do México, asteca.

azúcar. *m.* ou *f.* açucar: *azúcar cande* ou *candi,* açúcar cristalizado em grossos cristais, açúcar candi: *azúcar de pilón o pan de azúcar,* pão de açúcar; *azúcar negro,* açúcar mascavado; *azúcar en polvo,* açúcar areado; *azúcar de fruta,* frutose: *azúcar en terrón,* açúcar de pilé; *azúcar y canela,* cor dalguns cavalos, mistura de branco e vermelho; *azúcar quebrado* o *mascabado,* açúcar mascavado; *azúcar de remolacha,* açúcar de beterraba; *azúcar de caña,* açúcar de cana doce; *azúcar terciado,* açúcar bruto; *azúcar refinado,* açúcar refinado; *azúcar en polvo,* açúcar moido; (quím.) *azúcar de plomo o de Saturno,* sal ou açúcar de Saturno, proto-acetato de chumbo; *heces del azúcar,* melaço; *ingenio de azúcar,* engenho de açúcar; *terrenos de azúcar,* açúcar em pedaços.

azucarado, da. *p. p.* e *adj.* açucarado; (fig.) afável, brando, meloso, melífluo. — *m.* enfeite que usavam as mulheres.

azucarar. *v. tr.* açúcarar, adoçar com açúcar; banhar com açúcar; (fig.) suavizar, adoçar; dulcificar; adulçorar.

azucarera. *f.* açucareiro, recipiente em que se serve o açúcar.

azucarería. *f.* estabelecimento onde se vende açúcar.

azucarero, ra. *adj.* açucareiro, pertencente ou relativo ao açúcar. — *m.* mestre de fábrica de açúcar; açucareiro, recipiente em que se serve o açúcar; ave trepadora dos países tropicais, que se alimenta de mel e sucos açucarados das plantas.

azucena. *f.* (bot.) açucena, planta e a sua flor.

azuche. *m.* ponta de ferro aplicada nas estacas empregadas nas construções hidráulicas.

azud. *m.* açude, máquina para tirar água dos rios; presa; barragem.

azuda. *f.* V. azud; (prov.) V. noria.

azuela. *f.* (carp.) enxó, instrumento para desbastar madeira; almocafre.

azufaifa. *f.* (bot.) açofeifa, jujuba.

azufaifo. *m.* (bot.) açofeifeira, jujuba, anafega.

azufeifa. *f.* V. azufaifa.

azufeifo. *m.* V. azufaifo.

azufradera. *f.* enxofradeira.

azufrado *m.* enxofra. V. azuframiento.

azufrado, da. *p. p.* e *adj.* enxofrado; parecido com a cor do enxofre; enxofrento. V. sulfuroso.

azufrador, ra. *adj.* e *s.* enxofrador, que enxofra, enxofrante; enxofradeira, instrumento para enxofrar vinhas.

azuframiento. *m.* enxofração, enxofra, enxoframento, enxofria.

azufrar. *v. tr.* enxofrar, impregnar ou cobrir de enxofre; misturar ou desinfectar com enxofre: *azufrar el vino*, mechar uma vasilha.

azufre. *m.* (quím.) enxofre; (Bras.) enxôfre.

azufrera. *f.* enxofreira, vulcão que expele gases impregnados de enxofre.

azufrín. *m.* mecha enxofrada.

azufrón. *m.* mineral piritoso.

azufroso, sa. *adj.* enxofrento, que contém enxofre; sulfuroso, sulfúreo.

azul. *adj.* azul, da cor do céu; a quinta cor do espectro solar. — *m.* azul; (fig.) o céu; anil, cerúleo: *sangre azul*, sangue azul; *azul celeste*, azul celeste, azul mais claro; *azul oscuro*, azul ferrete; *azul marino*, azul ultramarino; *azul claro*, azul claro; *azul turquesa*, azul turqui; *azul violeta*, azul lóio; *azul de Prusia*, azul Prússia.

azulado, da. *p. p.* e *adj.* azulado, azulino, que tem a cor ligeiramente azul.

azular. *v. tr.* azular, dar cor azul, anilar; pintar de azul, tingir de azul.

azulear. *v. intr.* azular, deixar de aparecer, desaparecer a pouco e pouco a cor azul; tirar a azul, estar azulado.

azulejar. *v. tr.* azulejar, revestir com azulejos.

azulejería. *f.* ofício de azulejador.

azulejero. *m.* azulejador, o que fabrica ou coloca azulejos.

azulejo, ja. *adj. dim.* de *azul*; (Amér.) azulado, azulino. — *m.* azulejo; (bot.) azulejo, árvore de Cuba; (zool.) abelharuco; variedade de peixe, azulejo.

azulejo. *m.* azulejo, ladrilho vidrado e geralmente colorido para revestir paredes.

azulenco, ca. *adj.* azulado, azulino. V. azulado.

azulete. *m.* cor azulada que se dá a certas peças de vestuário.

azulillo, lla. *adj.* azulino. — *m.* (Amér.) tintura extraída do anil.

azulino, na. *adj.* azulino, anilado, tirante a azul.

azumar. *v. tr.* tingir os cabelos.

azumbrado, da. *adj.* medido por *azumbres*; (fig. fam.) borracho, ébrio.

azur. *adj.* (blas.) azul escuro.

azurina. *f.* (quim.) azurina.

azurita. *f.* (min.) azurita. V. maiquita.

azurronarse. *v. r.* diz-se da espiga do trigo que não sai da envoltura.

azurumbarse. *v. r.* (Amér.) aturdir-se. V. atolondrarse.

azut. *m.* (prov.) V. azud.

azutero. *m.* o que cuida do açude.

azuzador, ra. *adj.* e *s.* açulador, instigador, que estimula ou irrita.

azuzamiento. *m.* açulamento (cães).

azuzar. *v. tr.* açular, incitar os cães; afilar; (fig.) estimular, irritar uma pessoa contra outra; encolerizar; excitar; inflamar.

azuzón. *m.* (fam.) mexeriqueiro; bisbilhoteiro, indivíduo intriguista.

B

B, b. *f.* segunda letra do alfabeto, e primeira consoante do alfabeto espanhol.

b. abrev. d*e* bom. — *adj.* significa segundo, falando-se de um ordinal ou objecto que faz part*e* de uma série; símbolo químico do boro.

baba. *f.* baba, saliva espessa; suco viscoso dalgumas plantas; (Amér.) anfíbio do género d*o* caimão, jacaré: (fam.) *caérsele a uno la baba*, diz-se da pessoa que tem grande prazer vendo ou ouvindo algo que lhe é muito agradável; *limpiar la baba*, desbabar.

babada. *f.* (vet.) fémur, osso da coxa do animal. V. **babilla**.

babadero. *m.* V. **babador**.

babador. *m.* babadoiro, resguardo que se aperta ao pescoço das crianças; babeiro, babador.

babaza. *f.* baba grossa e viscosa dos animais e das plantas.

babazorro, rra *adj.* e *s.* V. **alavés**; (prov.) diz-se do que não tem idade ou condições para o que diz ou pretende.

babeador. *m.* (Amér.) V. **babador**.

babear. *v. intr.* babar, molhar ou sujar com baba; (fig. fam.) galantear, contemplar extasiado a pessoa que se ama; render finezas a damas; cortejar uma mulher. — **babearse.** *v. r.* encolerizar-se; babar-se.

babel. *f.* (fig. fam.) babel, lugar de desordem e confusão; confusão, balbúrdia, desordem, grand*e* algazarra; a torre de babel.

babeo. *m.* acção de babar.

babera. *f.* babeira, peça do elmo na antiga armadura; (fig.) bobo, pateta, tonto.

babero. *m.* babadoiro, babeiro, V. **babador**.

Babia, estar en. (fig. fam.) estar distraído, estar babado. — *f.* (zool.) babia (insecto).

babieca. *m.* e *f.* baboca, pessoa parva, tola, imbécil, tolo. — *n. p.* nome do cavalo do Cid.

babieco, ca. *adj.* (Amér.) V. **babieca**.

babilonia. *f.* (fig. fam.) babilónia, (Bras.) babilônia, barulho, confusão, ruido excessivo. V. **babel**.

babilónico, ca. *adj.* babilónico, pertencente ou relativo à Babilónia; (fig.) faustoso, ostentoso.

babilonio, nia. *adj.* V. **babilónico**.

babilla. *f.* (vet.) soldra, região do membro posterior do solípede; saliência na articulação do fémur com a tíbia; articulação posterior dos quadrúpedes, equivalente ao joelho; (Amér.) humor dos tecidos; fractura dos ossos.

babismo. *m.* babismo, seita monoteísta da Pérsia.

bable. *m.* bable, dialecto dos asturianos.

babón, na. *adj.* V. **baboso**.

babonuco. *m.* (Amér.) V. **abonuco**.

babor. *m.* (mar.) bombordo, babordo, o lado esquerdo do navio.

babosa. *f.* (zool.) lesma, (Bras.) lêsma, molusco gastrópode; (fig.) pessoa suja cheia de nódoas, gordurenta; (bot.) cebola velha; (Amér.) molusco testáceo de concha redonda; adulador, pegajoso; (Cuba) enfermidade do gado vacum; (Venez.) espécie de cobra; (germ.) seda.

babosear. *v. tr.* babujar, sujar com a baba ou babugem, babar. — *v. intr.* (fig. fam.) cortejar uma mulher.

baboseo. *m.* efeito de babujar, babadura.

babosilla. *f.* (zool.) espécie de lesma pequena.

baboso, sa. *adj.* e *s.* baboso, qu*e* se baba; porco, sujo; galanteador exagerado; (fig. fam.) que não tem idade ou condiçõe*s* para o que faz ou intenta; (Amér.) bobo, tonto; criança. V. **budión**.

babosuelo, la. *adj.* e *s.* babãozinho.

babucha. *f.* chinela, babucha, sapato ligeiro e sem tacão; (Amér.) espécie de sapato de pala alta atada com um cordão.

babunuco. *m.* (Amér.) rolete ou rodilha usado para transportar mercadorias.

baby. *m.* anglicismo por *nene*.

baca. *f.* tejadilho, a parte superior dos carros para colocar as bagagens dos passageiros; (bot.) vagem; vaca, aposta ao jogo. — *pl.* (ant.) banzadas, tangido na guitarra.

bacalada. *f.* costal de bacalhau seco.

bacalao. m. (ictiol.) bacalhau, abadejo; (fig.) pessoa fraca e seca de carnes: *cortar el bacalao*, (fig. fam.) ter o comando caseiro.

bacallao. m. V. bacalao.

bacallar. m. homem rústico, campónio.

bacanal. adj. bacanal, pertencente ao deus Baco; báquico. — f. pl. bacanais, festas em honra de Baco; orgías desordenadas.

bacante. f. bacante, mulher que celebrava as festas bacanais; (fig.) mulher dissoluta e ébria.

bacará. m. bacará, jogo de cartas.

bacelar. m. (agr.) bacelada. V. parral.

bacera. f. (vet.) baceira, febre carbunculosa do gado.

bacía. f. bacia; vasilha; taça.

bacífero, ra. adj. (mec.) bacífero, que produz bagas.

baciforme. adj. (bot.) baciforme, em forma de baga.

bacilar. adj. (bot. e min.) bacilar, com forma de prisma; (microb.) bacilar, relativo ao bacilo.

bacilaria. f. bacilária.

bacilemia. f. (pat.) bacilémia.

baciliforme. adj. baciliforme, com forma de bacilo.

bacilización. m. bacilização, invasão de bacilos no organismo.

bacilo. m. (bot. e microb.) bacilo; vibrião; bactéria, micróbio.

bacilofilia. f. (med.) bacilofilia.

bacilofobia. f. bacilofobia.

baciloscopia. f. (med.) baciloscópia.

bacilosis. f. (med.) bacilose.

bacillar. m. bacelada, vinha nova. V. bacelar.

bacín. m. bacio, urinol, vaso de noite, bispote, cabungo, penico; bacia ou prato para pedir esmola, bandeja; (fig. e fam.) homem desprezível.

bacinada. f. baciada, porção de escremento; (fig. fam.) acção indigna e desprezível.

bacinero, ra. pedinte de esmolas para o culto religioso ou para obras pias, esmoler.

bacineta. f. pequena caixa, salva ou prato que serve aos pedintes para recolher esmolas.

bacinete. m. bacinete, peça de armadura, casquete de ferro por debaixo do capacete; couraceiro; (anat.) V. pelvis.

bacinica. f. bacio baixo e pequeno. V. bacineta.

bacisco. m. (min.) mineral miúdo e terra de mina, com que se faz barro e moldam tijolos para carga dos fornos de Almadén.

bacívoro, ra. adj. bacívoro, que come baga.

baconiano, na. adj. e s. baconiano, pertencente ao baconismo.

baconismo. m. (filos.) baconismo, sistema de Bacon.

bacteria. f. (microb.) bactéria; micróbio, bacilo, vibrião.

bacteriáceas. f. pl. (bot.) bacteriáceas.

bacteriáceo, cea. adj. (bot. e microb.) bacteriáceo.

bacterial. adj. bacteriano, bactérico, bacteriáceo.

bacteriano, na. adj. bacteriano, bacteriáceo bactérico.

bactericida. adj. (bot. e vet.) bactericida.

bactérico, ca. adj. (bot. e micron.) bactérico, bacteriáceo.

bacteriolisis. f. bacteriolise.

bacteriología. f. (bot. e microb.) bacteriología.

bacteriológico, ca. adj. (bot. e microb.) bacteriológico.

bacteriólogo, ga. s. bacteriólogo, bacteriologista.

bacterioscopia. f. (med.) bacterioscópia.

bacteriosis. f. (pat.) bacteriose.

bacterioterapia. f. (terap.) bacterioterapia.

bacteriuria. f. (pat.) bacteriúria.

báculo. m. báculo, bordão episcopal; cajado; (fig.) amparo, arrimo; consolo, alívio; apoio.

bachatear. v. intr. (Amér.) divertir-se, folgar, brincar.

bachatero, ra. s. (Amér.) folgazão, pessoa amiga de se divertir.

bache. m. cova, rodeira, desigualdade nos caminhos ou ruas; lugar onde se encerram as ovelhas, antes de as tosquiar; (bot.) palmeira do Amazonas; esconderijo de dinheiro ou objectos preciosos.

bachear. v. tr. consertar as covas ou rodeiras dos caminhos.

bacheo. m. conserto das covas ou rodeiras dos caminhos.

bachicha. s. (Amér.) apodo com que se designa o italiano; língua italiana. — f. pl. restos, sobras que os bebedores deixam nos copos.

bachiche. m. (Amér.) restos, sobras, que os bebedores deixam nos copos.

bachiller. s. bacharel, grau concedido ao terminar o curso de ensino secundário; (fam.) tagarela, falador impertinente, linguareiro, palrador.

bachillerada. f. tagarelice, loquacidade impertinente, bacharelada, tagarelice pretenciosa.

bachilleramiento. m. acção ou feito de graduar-se em bacharel.

bachillerar. v. tr. bacharelar, dar o grau de bacharel; (fig.) falar muito e à-toa. — bachillerarse. v. r. bacharelar-se, tomar o grau de bacharel.

bachillerato. m. bacharelato, grau de bacharel; estudos necessários para o obter, bacharelado.

bachillerear. v. intr. (fig. fam.) tagarelar, falar muito e impertinentemente ou sem fundamento; (Amér.) dar alguém repetidas vezes o tratamento de bacharel.

bachillería. f. (fam.) bacharelice, bacharelada; palavrório, loquacidade excessiva; vício de falar muito e à-toa; resposta sofística; treta; dito obsceno; picardia, velhacaria.

badajada. f. badalada, pancada de badalo; (fig. fam.) tolice, disparate, parvoice, badalada, sandice, despropósito, necedade.

badajear. *v. intr.* (fig. fam.) badalar, falar muito e disparatadamente.

badajo. *m.* badalo; (fig.) néscio, tonto.

badajocense. *adj. e s.* (geog.) badajocense, natural de ou pertencente a Badajoz.

badal. *m.* V. **acial:** *echar un badal*, pôr mordaça.

badán. *m.* tronco do corpo dos animais.

badana. *f.* badana, carneira, pele curtida de carneiro ou ovelha: *zurrar la badana*, desancar; *badana de tocino*, manta de toucinho.

badano. *m.* bedame, badame, instrumento de carpintaria, semelhante ao formão.

badea. *f.* melancia, melão de má qualidade; pepino insípido e amarelento; (fig. fam.) pessoa fraca; coisa insignificante.

badén. *m.* sulco ou rego produzido pelas correntes de água; valeta empedrada aberta nas estradas para dar passagem a um pequeno caudal de água.

baderna. *f.* (mar.) baderna, arrebém delgado para fixar os colhedores quando se aperta a enxárcia.

badil. *m.* badil, pá de ferro para remexer brasas.

badila. *f.* mexedor. V. **badil.**

badilazo. *m.* pancada dada com o badil.

badilejo. *m.* trolha, pá de pedreiro.

badina. *f.* (prov.) charco, balsa, tremedal.

badomía. *f.* desatino, disparate, absurdo, despropósito, tolice, necedade.

badulaque. *m.* badulaque, arrebique de que usavam as senhoras; badulaque, chanfana, guisado de fígado e bofes em bocados pequenos; (fig. fam.) imbécil, parvo.

badulaquear. *v. intr.* (Amér.) V. **bellaquear.**

badulaquería. *f.* (Amér.) V. **bellaquería.**

bafear. *v. intr.* (prov.) V. **vahear.**

baga. *f.* linhaça, semente do linho: *sacar la linaza de la baga*, desbagoar.

baga. *f.* (prov.) soga, corda para segurar as cargas conduzidas pelas bestas.

bagaje. *m.* bagagem, equipagem militar; cesta de carga para transporte de equipagens do Exército; bagageira, besta de carga empregada nos transportes do Exército; (fig.) bagagem, soma dos conhecimentos de alguém: *huir con armas y bagajes*, fugir com armas e bagagens, desaparecer, levando tudo.

bagajero. *m.* (mil.) bagageiro, o que conduz ou leva a bagagem.

bagar. *v. intr.* bagar, criar baga o linho.

bagarino. *m.* remador livre assalariado.

bagasa. *f.* rameira, prostituta. V. **ramera.**

bagatela. *m.* bagatela, coisa de pouco valor ou sem importância; ninharia; insignificância; frivolidade; palhada; pada; frandulagem, choldra; coisice; futilidade; coisa de menos; palhas alhas; entulho; frioleira; minúcia; nigalhice; (pop.) dez-réis — *pl.* farfalha, farfalhada; farelos, farralharias, inânias, migalhices; *reñir por una bagatela*, altercar sobre uma palha; *distraerse con bagatelas*, entreter-se com frioleiras; *ocuparse en bagatelas*, futilizar.

bagazo. *m.* bagaço, baganho; resíduo de frutos espremidos.

bagrero. *m.* (Amér.) namorador das mulheres feias.

bagual. *adj.* (Amér.) bagual, baguá, bravo, feroz, indómito (diz-se especialmente do gado cavalar e vacum). — *m.* (Chile) homemzarrão, sobre tudo de pouca inteligência.

bagualada. *f.* (Amér.) bagualada, rebanho de cavalos baguais, cavalhada; manada de gado bravo; (fig.) imbecilidade.

bagualón, na. *adj.* (Amér.) diz-se do cavalo recém domesticado.

¡bah! *interj.* bah!, denota desdém ou incredulidade.

bahía. *f.* baía; enseada; abra, pequeno golfo.

bahorrina. *f.* (fam.) imundície, conjunto de coisas nojentas, misturadas com água suja; (fig. fam.) conjunto de gente reles e sórdida.

bahuno, na. *adj.* baixo, desprezível, reles, ruim. V. **bajuno.**

bahurrero. *m.* passarinheiro, caçador de pássaros.

bailable. *adj.* bailável, dançável. — *m.* bailado (no intervalo de óperas ou outros espectáculos).

bailador, ra. *s.* bailador, aquele que baila, dançador; (germ.) ladrão.

bailar. *v. intr.* bailar, dançar; oscilar; (equit.) executar o cavalo movimentos irregulares e nervosos; (germ.) furtar, roubar; excitar as paixões. V. **retozar:** *me bailan los dientes*, abalam-me os dentes; (pop.) *bailar el pelado*, estar sem dinheiro; (fig.) *bailar en la cuerda floja*, dançar na corda; *bailar uno al son que le tocan*, (fig.) acomodar-se às circunstâncias; (fig.) *bailar al extremo de una cuerda*, ser enforcado; *bailar el agua a alguien, a personas opuestas*, jogar com pau de dois bicos.

bailarín, na. *adj. e s.* bailarino, dançarino, que baila, bailante, bailador, bailão, bailarim. — *m.* (ornit.) ave chilena denominada «ave bailarim»: *bailarín en la cuerda floja*, dançarino na corda.

baile. *m.* baile, dança; reunião de pessoas para dançar; (Bras.) arrasta-pé, sovocada; (prov.) bailio, antigo juiz em Aragão: (med.) *baile de San Vito*, dança de São Vito, coreia; *maestro de baile*, mestre de dança; (fig.) *¡bueno está el baile!*, boa vai a dança!, *baile de gente ordinaria*, (Bras.) forrobodó; *baile de poca importancia*, (Bras.) baileco; *tener el baile de San Vito*, ter bicho carpinteiro no rabo, dar ao beque; (fam.) *entrar en el baile*, entrar na dança; (iron.) *¿cómo va el baile?*, onde vai a dança?

bailete. *m.* bailete, bailado, dança figurada com representação; pantomina.

bailía. *f.* bailiado, território da jurisdição do bailio.

bailiaje. *m.* bailiado, dignidade de bailio na Ordem de S. João ou de Malta.

bailiazgo. *m.* V. **bailía.**
bailío. *m.* bailio, cavaleiro da Ordem de
S. João ou de Malta.
bailón. *m.* (germ.) ladrão velho.
bailotear. *v. intr.* bailar frequentemente e
sem graça nem formalidade; (fam.) pular.
bailoteo. *m.* bailarico, baile ridículo.
bairán. *m.* bairam, bairão, festa de páscoa
dos mahometanos.
baivel. *m.* esquadria falsa, usada pelos canteiros.
baja. *f.* baixa, diminuição de preço; abaixamento; (mil.) baixa, perda, falta de um
indivíduo; cessação definitiva e legal do
serviço militar; decrescimento; espécie
de dança em Alemanha; (astr.) descensão;
(mar. ant.) baixío; acto de baixar a um
hospital; (fig.) decadência: *en baja,* de
baixa: *en voz baja,* a meia voz; *dar de
baja,* dar baixa.
bajá. *m.* paxá, governador de província ou
chefe militar na Turquia, baxá.
bajada. *f.* baixada, declive, descida; ladeira;
terreno baixo junto de uma lomba; descente; descensão; caleira, cano para esgotar as águas do telhado.
bajalato. *m.* baxalato, dignidade do paxá ou
baxá.
bajamanero. *m.* (germ.) gatuno, ladrão.
bajamano. *m.* (germ.) sovaqueiro.
bajamar. *f.* baixamar, maré baixa; descente.
bajar. *v. intr.* baixar, descer, diminuir; perder o prestígio; ser expedido (aviso, ordem); diminuir; mermar; despontar; descer; descair; desabar. — *v. tr.* baixar, pôr
baixo ou em baixo; fazer descer; apear;
abater; diminuir; inclinar; (fig.) abaixar,
humilhar; rebaixar; desmontar; descavalgar. — **bajarse.** *v. r.* curvar-se, humilhar-se; submeter-se; apear-se; descer;
(fig.) *bajar los humos,* abaixar os fumos;
abaixar a proa a alguém; *bajar la voz,*
abaixar a cabeça; *bajar un cuadro,* descer um quadro; *bajar el tono o las cuer-
das de un instrumento,* descer o tom dum
instrumento; *bajar el precio,* baratear,
abaratar; *bajar el tono de voz,* abemolar;
bajar de una montura, desencavalgar;
bajar lo que está colgado, despendurar;
bajar al suelo, aterrar.
bajel. *m.* (mar.) baixel, navio ou outra embarcação.
bajelero. *m.* bateleiro, partrão de barco,
arrais.
bajera. *f.* suadoiro das cavalgaduras, xairel.
bajero, ra. *adj.* baixo, que está em lugar
inferior; que se usa debaixo doutra coisa.
— *f.* saia de baixo.
bajete. *m.* baixinho; (mús.) V. **barítono**
(voz entre tenor e baixo).
bajeza. *f.* baixeza, vileza, acção indigna;
abatimento; perversão de costumes; qualidade do que está baixo; inferioridade;
degradação; abjecção; infamação; infâmia; aviltação; aviltamento; asquerosidade.

bajial. *m.* (Amér.) lugar baixo que se inun-
da no inverno.
bajío. *m.* (mar.) baixio, banco de areia no
mar; rochedo sob a água; (fig.) obstáculo;
revés; encalho; encalhação.
bajista. *s.* (com.) baixista, jogador na baixa
de câmbios na Bolsa.
bajo, ja. *adj.* baixo, de pouca altura; de poco fundo; inferior; inclinado; (fig.) humilde, desprezível; vulgar, ordinário; ignóbil; (fig.) chato; arrepolhado; acaçapado; apoucado; abatido; aparrado; ínfimo; tratando-se de sons, grave; que
não se ouve de longe; falando de cores,
pouco vivo; diz-se do ouro e da prata,
quando têm liga demasiada; barato; trivial; pouco intenso; decadente. — *m.*
(mús.) a mais grave das vozes humanas
ou o instrumento que produz os sons mais
graves da escala; baixo, pessoa que tem
aquela voz; nota que serve de base a um
acorde; lugar fundo; baixo, baixio, banco de areia; encalho, encalhação. — *pl.*
andar inferior duma casa; roupa de baixo das mulheres; roupa interior; corda
grossa dos instrumentos; partes exteriores e submersas do navio; rés-do-chão;
lojas: (fig.) *altos y bajos,* altos e baixos,
alternativas; *estar muy en baja,* estar
muito em baixo, estar em decadência;
(mús.) *bajo cantante,* baixo cantante; *bajo profundo,* baixo profundo; *bajo juramento,* debaixo de juramento; *bajo cier-
tas condiciones,* debaixo de certas condições; *color bajo,* cor desmaiada; (pop.)
hombre bajo, merdilheiro; *bajo palabra
de honor,* pela alma que Deus me deu;
vender a bajo precio, baratar, vender a
desbarate; *a bajo precio,* ao desbarate,
arratadamente; *prep.* debaixo, por baixo.
bajón. *m.* (mús.) fagote, instrumento músico de sopro e palheta; (fig.) notável diminuição na fortuna ou na saúde.
bajonazo. *m.* (tauром.) estocada no peito do
touro que lhe atravessa os pulmões. V.
golletazo.
bajoncillo. *m.* (mús.) dim. de *bajón.*
bajonista. *m.* (mús.) fagotista, tocador de fagote.
bajo relieve. *m.* baixo relevo, (Bras.) baixo-
relêvo; meio-relevo.
bajoventre. *m.* (anat.) baixo-ventre. V. **hipogastrio.**
bajuelo, la. *adj.* dim. de *bajo.*
bajuno, na. *adj.* baixo, soez, grosseiro, ordinário; reles, desprezível.
bajura. *f.* baixeza, baixura, falta de elevação; aviltação, aviltamento.
bala. *f.* bala, projé(c)til das armas de fogo;
metralha; amêndoa de açúcar; fardo
apertado contendo mercadorias; atado de
dez resmas de papel; bala, bola de metal;
bala, confeito redondo; cabacinha de cera cheia de água para jogar o entrudo;
(fig.) estouvado: *granizada de balas,* chuveiro de balas. — *pl.* (tip.) almofadas com
que se tomava a tinta para a dar nas formas de tipografia: *bala explosiva,* balas

enramadas, balas encadeadas; *bala perdida*, (pop.) estouvado.

balada. *f.* balada, composição poética; (germ.) concerto, convenção. V. **balaca.**

baladí. *adj.* frívolo, fútil, pouco importante, de pouco apreço.

balador, ra. *adj.* balador, que bala.

baladrar. *v. intr.* berrar, bradar, fazer alaridos, gritar.

baladrero, ra. *adj.* gritador, alvorotador.

baladro. *m.* berro, grito, alarido; brado.

baladrón, na. *adj.* e *s.* fanfarrão, que blasona de valente; arrotador; (Amér.) mal usado por *pícaro* ou *bellaco.*

baladronada. *f.* bravata, fanfarronada, chivantaria; chivanca; gabarolice; desgarra, farinhada, fanfarraria, fanfarrada, chulice: *echar baladronadas,* dizer ou fazer bravatas.

baladronear. *v. intr.* fanfarronar, dizer ou fazer bravatas; ser fanfarrão; fanfarrear, ter fanfarronice, blasonar de valentão.

balagar. *m.* meda de palha ou feno para o gado.

bálago. *m.* colmo, cálamo, palha dos cereais; espuma suja de sabão; cana de trigo, centeio ou feno: *sacudir el bálago,* dar uma tunda.

balaguero. *m.* monte de palha de trigo ou milho por trilhar.

balaj. *m.* balache. V. **balaje.**

balaje. *m.* balache, rubi de um vermelho pálido.

balalaica. *f.* (mús.) balalaica.

balance. *m.* balanço, movimento como o da balança, balanceamento; (com.) confrontação do activo e do passivo para averiguar o capital, balanço; (fig.) vacilação; (mar.) balanceamento, movimento do navio de bombordo a estibordo, balanço; embalo; (Amér.) (vulg.) negócio, assunto; livro de contas-correntes: *balance de cuentas,* ajuste de contas; *hacer balance,* dar balanço.

balancé. *m.* variedade de dança.

balancear. *v. tr.* e *intr.* balancear, balançar, fazer oscilar; pôr em balanço; agitar; equilibrar; pesar; (fig.) duvidar, ficar perplexo ou indeciso; (mar.) galear; embalançar; (com.) dar balanço, balancear; igualar. — **balancearse.** *v. r.* (mar.) jogar o navio; estar perplexo, irresoluto; bamboar-se; arfar.

balanceo. *m.* balanço, balanceamento; movimento oscilatório; solavanco; agitação; embalo; abanadura; abalançamento.

balancero. *m.* V. **balanzario.**

balancín. *m.* balancim, balanceiro; peça mecânica que transmite movimento a outra; pequeno aparelho para cunhar moedas e medalhas, balancé; peça de veículos, a cujas pontas se prendem os tirantes do carro; maroma; (mar.) balancinas.

balandra. *f.* (mar.) balandra, embarcação de um só mastro.

balandrán. *m.* balandrão, balandrau, batina; (fig.) qualquer vestimenta comprida, larga e mal feita.

balandro. *m.* (mar.) balandra pequena; (Amér.) barco pescador.

balandrón. *adj.* (Amér.) V. **baladrón.**

balandronada. *f.* (Amér. e prov.) V. **baladronada.**

balandronear. *v. intr.* (Amér. e prov.) V. **baladronear.**

balanífero, ra. *adj.* (bot.) balanífero, que tem invólucro como glande.

balanitis. *f.* (med.) balanite.

bálano. *m.* (anat.) bálano, glande, terminal do pénis.

balano. *m.* V. **bálano.**

balanófago, ga. *adj.* (zool.) balanófago, diz-se do animal que se alimenta de bolotas.

balanóforo, ra. *adj.* (bot.) balanóforo que tem ou produz bolotas; glandífero.

balanorrea. *f.* (med.) balanorragia.

balanorragia. *f.* (med.) balanorragia.

balante. *p. a.* e *adj.* balante, que bala. — *m.* (germ.) carneiro.

balanza. *f.* balança, instrumento para pesar; (fig.) equilíbrio; ponderação; critério; justiça; (germ.) forca; (fig.) comparação, que o entendimento faz das coisas; (astr.) Libra: *poner la balanza en el fiel,* abalançar; *en balanza,* em perigo; *balanza romana,* balança romana; *balanza de precisión,* balança de precisão; *balanza automática,* balança automática; *balanza de comercio,* balança de comércio.

balanzario. *m.* juíz de balança na casa da moeda.

balanzón. *m.* tigela oval usada pelos ourives onde se limpa a prata e o ouro.

balar. *v. intr.* balar, dar balidos, balir: (fig.) *balar por,* suspirar por; desejar muito.

balarrasa. *m.* (fig. fam.) aguardente forte.

balastaje. *m.* balastragem, operação de balastrar.

balastar. *v. tr.* balastrar, cobrir de balastro.

balastera. *f.* pedreira onde se extrai o balastro.

balasto. *m.* balastro, amálgama de areia e saibro ou pedras soltas com que se cobrem as travessas das vias férreas.

balata. *f.* (mús.) balada, balata, composição poética para ser cantada ao som da música.

balate. *m.* socalco, porção de terreno plano, espécie de degrau nas encostas; bordo exterior nas acéquias.

balaustrada. *f.* balaustrada, série de balaústres.

balaustrado, da. *adj.* balaustrado, cercado ou guarnecido de balaústres; com figura de balaústre.

balaustral. *adj.* V. **balaustrado.**

balaustrar. *v. tr.* balaustrar, guarnecer de balaústres.

balaustre. *m.* (arq.) balaústre, colunela que sustenta uma travessa ou corrimão; balaúste, balaústico; (Amér.) V. **palustre.**

balaústre. *m.* V. **balaustre.**

balazo. *m.* balázio, balaço, tiro ou ferimento de balas: (Amér.) *ser un balazo,* ser muito diligente.

balboa. *m.* balboa, moeda de ouro do Panamá.

balbucear. *v. intr.* balbuciar. V. **balbucir.**

balbucencia. *f.* balbuciamento, balbuciação; balbúcie, balbuciadela.

balbuceo. *m.* gagueio, gagueira. V. **balbucencia.**

balbuciente. *adj.* e *p. a.* balbuciente, balbuciante, gago, que hesita na pronúncia.

balbucir. *v. intr.* balbuciar, proferir com hesitação; falar sem clareza; gaguejar; ler com pronunciação dificultosa ou vacilante; gaguejar; (fig.) exprimir-se sem conhecimento da matéria.

Balcanes. (geog.) Balcãs.

balcánico, ca. *adj.* (geog.) balcânico, pertencente ou relativo aos Balcãs.

balcanizar. *v. tr.* (fig.) desorganizar um país fazendo partes independentes e inimigas.

balcón. *m.* balcão, varanda, mirante, sacada.

balconaje. *m.* conjunto de sacadas ou varandas dum edifício.

balda. *f.* teleira de armário ou despensa; (ant.) bagatela, coisa de ínfimo valor.

baldado, da. *adj.* e *p. p.* entrevado, frustrado; inutilizado, baldado, vão, paralítico, atacado de paralisia.

baldadura. *f.* tolhimento, paralisia, acção de tolher-se.

baldamiento. *m.* V. **baldadura.**

baldaquín. *m.* baldaquino, baldaquím, dossel, pavilhão sustentado por colunas; pálio.

baldaquino. *m.* V. **baldaquín.**

baldar. *v. tr.* baldar, tornar inútil um membro, inutilizar, sofrer paralisia; frustrar; tolher. — **baldarse.** *v. r.* descartar-se (no jogo); entrevar-se; frustrar-se; estar baldo; (Amér.) (fig.) causar grande contrariedade. V. **descabalar.**

balde. *m.* balde, vaso de madeira ou de folha empregado nas embarcações principalmente ou em vários usos domésticos.

balde (de). *adv.* de balde, gratuitamente, de graça; sem motivo, sem causa: *de balde,* gratuitamente: *en balde,* em vão, debalde, inùtilmente: *comprar o vender algo casi de balde,* comprar ou vender por dez réis de mal coado; *estar de balde,* (fam.) estar de mais, estar sem ocupação.

baldear. *v. tr.* baldear, fazer a baldeação; regar com balde; (mar.) molhar a coberta dum navio, soalhos, etc., com baldes; (prov.) causar contrariedade.

baldeo. *m.* (mar.) baldeação; (germ.) espada, faca.

baldés. *m.* baldréu, pelica, pele de ovelha própria para luvas.

baldio, a. *adj.* baldio, inculto, maninho, (diz-se dos terrenos); inútil, estéril; vão, sem fundamento; vagabundo, vadio, sem ocupação, ocioso, desaproveitado; inculto: *argumento baldío,* argumento estéril.

baldón. *m.* baldão; ofensa; opróbrio, estigma, afronta, injúria; desonra; denigração; infamação, infâmia, aviltamento; desprestígio, desdoiro, desdoiramento; enxovalho.

baldonada. *adj.* (ant.) rameira, prostituta.

baldonamiento. *m.* baldoamento, afronta, ultraje. V. **baldón.**

baldonador, ra. *adj.* baldoador, injuriador, que ofende.

baldonar. *v. tr.* baldoar, insultar com baldões; proferir impropérios; injuriar, insultar, ofender, denigrar, desonrar; infamar, aviltar; desprestigiar, ultrajar.

baldonear. *v. tr.* V. **baldonar.**

baldoquín. *m.* (Amér.) V. **baldaquin.**

baldosa. *f.* ladrilho, baldosa, tijolo; (mús.) antigo instrumento musical.

baldosar. *m.* depósito, estância de tijolos.

baldosin. *m.* tijolo pequeno e fino para pavimentos.

baldosón. *m.* ladrilho ou tijolo de grande tamanho.

baldragas. *m.* homem molengão, sem energia, indolente.

balduque. *m.* nastro, fita estreita para atar papeis; (Amér.) V. **belduque.**

balcea. *f.* vasculho, vassouro para limpar as eiras.

baleadera. *f.* (prov.) escova. V. **abaleo.**

balear. *v. tr.* (prov.) V. **abalear;** (Amér.) V. **fusilar** ou **tirotear.**

balear. *adj.* e *s.* (geog.) baleárico, natural de ou pertencente às ilhas Baleares, balear.

baleárico, ca. *adj.* baleárico. V. **balear.**

baleario, ria. *adj.* baleárico. V. **balear.**

balénidos. *m. pl.* (ictiol.) baleias.

baleo. *m.* capacho, tapete, esteira; (prov. bot.) V. **escobilla.**

baleo. *m.* (Amér.) V. **tiroteo.**

balería. *f.* (mil.) provisão de balas de artilharia.

balerio. *m.* V. **balería.**

balero. *m.* molde para fundir balas de chumbo; (Amér.) brinquedo. V. **boliche.**

baleta. *f.* dim. de *bala;* fardinho, fardo pequeno de mercadorias, balote.

balhurria. *f.* (germ.) gente baixa.

balicero. *m.* (bot.) bengaleira.

balido. *m.* balido, grito do carneiro, cordeiro, ovelha, etc. berro.

balín. *m.* balim, zagalote, bala de menor calibre para carregar pistolas de algibeiras.

balística. *f.* (mil.) balística, ciência dos projécteis.

balitar. *v. intr.* balar, balir amiudadas vezes.

balitear. *v. intr.* V. **balitar.**

baliza. *f.* (mar.) baliza, bóia; meta; termo.

balizamiento. *m.* balizagem, balizamento. V. **abalizamiento.**

balizar. *v. tr.* balizar, limitar, demarcar; distinguir. V. **abalizar.**

balneario, ria. *adj.* balnear, pertencente ou relativo a banhos públicos. — *m.* balneário, edifício com banhos medicinais.

balneografía. *f.* (med.) balneografia, tratado dos banhos.

balneología. *f.* balneografia.

balneotecnia. *f.* balneotecnia, arte de preparar os banhos.

balneoterapia. *f.* (terap.) balneoterapia.

balneoterápico, ca. *adj.* balneoterápico.

balompédico, ca. adj. (depor.) futebolístico.

balompié. m. (dep.) futebol, jogo da bola

balón. m. bola para jogar; globo de borracha, balão; pela; fardo grande; balote, fardo de papel contendo 24 resmas.

baloncesto. m. (depor.) basquetebol.

balonmano. m. (depor.) andebol.

balota. f. bolinha, esfera que se deita nas urnas para votar.

balotada. f. (equit.) balotada, salto do cavalo.

balotar. v. intr. votar com esferas ou bolas pequenas, em certas eleições; (fig.) zombar de alguém.

balsa. f. balsa, charco, pântano; almadia; barça; alcárcova; tanque para as borras de azeite; meia pipa; dorna; jangada; balsa, (germ.) embaraço, impedimento, dificuldade: (fig.) balsa de aceite, lugar ou reunião de gente muito sossegada.

balsadera. f. balseira, lugar onde há jangada para passar o rio.

balsámico, ca. adj. balsâmico, que tem propriedades de bálsamo fragante, perfumado;

bálsamo. m. bálsamo; (farm.) medicamento composto de substâncias aromáticas; (fig.) consolo, alívio.

balsar. m. lameiro, matagal pantanoso. V. barzal.

balsear. v. tr. passar em jangadas ou balsas (os rios).

balsero. m. balseiro, jangadeiro, conductor da jangada.

balsete. m. (prov.) balsa pequena.

balso. m. (mar.) balso, cabo a que se dá um nó para içar volumes ou se estribar o homem que trabalha nos mastros, nos costados do navio, etc.; lingada.

balsopeto. m. (fam.) bolsa grande que se traz chegada ao peito; (fig. e fam.) o interior do peito.

bálteo. m. (mil.) bálteo, banda, faixa, insígnia militar usada antigamente.

báltico, ca. adj. e s. (geog.) báltico, pertencente ou relativo à região do Báltico.

Báltico. (geog.) Báltico.

balto, ta. adj. (hist.) diz-se de uma das famílias godas mais ilustres.

baltra. f. (prov.) ventre, pança.

baluarte. m. baluarte, bastião, fortificação; (fig.) defesa; protecção; amparo; antemuralha.

balumba. f. feixe, molho; grande volume de coisas, troixa, trouxa; (Amér.) assuada.

balumbo. m. trambolho, objecto de mais volume que peso.

balumoso, sa. adj. (Amér.) volumoso, de grande volume.

ballena. f. (zool.) baleia; barba de baleia que usam as mulheres nos espartilhos; gordura, azeite de baleia; (astr.) Baleia, constelação.

ballenato. m. (zool.) baleote, baleia nova e pequena; o filho da baleia, baleato.

ballener. m. (mar.) navio de remo e vela, com figura de baleia, da Idade Média.

ballenera. f. embarcação baleeira, usada para a pesca da baleia.

ballenero, ra. adj. baleeiro, pretencente ou relativo à pesca da baleia. — m. pescador de baleia: barco ballenero, barco baleeiro.

ballesta. m. (mil.) balestra, balista, besta, engenho de guerra para arrojar pedras ou pelouros e frechas; armadilha para caçar pássaros; cada uma das molas de suspensão para carros; (germ.) V. alforja.

ballestada. f. tiro de besta, peloirada, pelourada.

ballestazo. m. choque produzido por tiro de besta.

ballestear. v. tr. balestrear, atirar com balestra, balista ou besta; desembestar.

ballestera. f. balestreiro, seteira, vão ou ameia.

ballestería. f. arte de caçar javalis, veados, ursos, etc. besteria, campanhia ou quartel de besteiros.

ballestero. m. besteiro, soldado armado de besta; fabricante ou vendedor de bestas; o que tratava das escopetas ou arcabuzes das pessoas reais.

ballestilla. f. balestilha, balance pequeno; trapaça, dolo no jogo de cartas; (astr.) balestilha, instrumento para medir a altura dos astros, radiómetro; (vet.) instrumento para sangrar os animais; arte de pescar com anzol; bestilha.

ballestón. m. aumen. de ballesta; (germ.) trapaça no jogo de cartas.

ballestrinca. f. (Amér.) V. ballestrinque.

ballestrinque. m. (mar.) diz-se de certo nó.

ballet. m. (gal.) V. bailete.

bambalear. v. intr. V. bambolear. — bambalearse. v. r. (fig.) não estar firme, oscilar, balancear.

bambalina. f. bambolina, parte do cenário que une os bastidores; decoração. — pl. (fam.) barambaz.

bambanear. v. intr. V. bambonear.

bambarria. m. e f. (fam.) pessoa néscia; bambúrrio, tonto.

bambarrión. m. aument. de bambarria grande bambúrrio.

bambear. v. tr. (Amér.) derribar uma cavalgadura.

bambino. m. (Amér.) italianismo por niño.

bambión. m. (prov.) empurrão. V. empujón.

bambita. f. (Amér.) moeda de meio real.

bamboa. f. (Amér.) bambu.

bambochada. f. bambochata, quadro representativo de folguedos populares ou costumes burlescos.

bamboche. m. (fam.) pipa, pessoa muito baixa e gorda, e com o rosto avermelhado.

bambolear. v. intr. bambolear, saracotear, menear, bambalear, titubar; (fig.) vacilar; desabar, abater.

bamboleo. m. bamboleio, meneio, saracoteio, agitação.

bambolla. m. (fam.) ostentação excessiva. vaidade, grande luxo; fanfarroada. fanfarrice; vanaglória.

bambollero, ra. adj. (fam.) vaidoso, fanfarrão.

bambonear. v. intr. V. bambolear.

bamboneo. *m.* V. **bamboleo.**
bambordear. *v. tr.* (Amér.) V. **bombardear.**
bambú. *m.* (bot.) bambu.
ban. *m.* nome que antigamente recebiam os governadores na Hungría.
banago. *m.* (bot.) árvore das Filipinas
banal. *adj.* (gal.) vulgar, banal, trivial, comum.
banalidad. *f.* (gal.) vulgaridade, trivialidade, banalidade, frivolidade.
bananero. *m.* (bot.) V. **banano.**
banano. *m.* (bot.) bananeira, banana; pacobeira, pacoba; maçã. V. **plátano.**
banas. *f.* banhos, proclamas de casamento católico.
banasta. *f.* canastra; alcofa: *estar como sardina en banasta*, estar como sardinha em canastra.
banastada. *f.* canastrada.
banastero, ra. *s.* canastreiro, fabricante ou vendedor de canastras.
banca. *f.* banco, cadeira sem costas; mocho, escabelo; (mar.) canoa nas Filipinas; caixote onde as lavadeiras se colocam para lavar a roupa; banca, jogo de azar; (com.) comércio bancário; mesa ordinária, mesa de feira onde se expõe o que está à venda; mostrador num mercado; tripeça. — *pl.* conjunto de bancos ou banqueiros; (Amér.) banco, assento de madeira; (prov.) parte quadrilonga de terreno. V. **bancal:** *hacer saltar la banca*, desbancar.
bancada. *f.* bancada, banco, tabuleiro, usados nas fábricas de tecidos e onde estes são batidos; a porção de pano que é batida neste tabuleiro; monte de gelo nos mares polares; (mar.) banco onde se sentam os remadores; (min.) escalão, degrau nas galerias subterrâneas; (arq.) troço de obra.
bancal. *f.* (agr.) tabuleiro de terra para plantar legumes; leiras, coirelas para o cultivo; bancal, pano para cobrir bancos; (bot.) árvore rubiácea das Filipinas, e a sua madeira; tapete ou pano para cobrir um banco; (geol.) estratificão; dunas à beiramar; camada, leito de argila: *bancal de jardín*, alfobre; *dividir un jardín en bancales*, encanteirar.
bancalero. *m.* o que faz ou vende bancais ou panos de bancos.
bancario, ria. *adj.* bancário, pertencente ou relativo a banco ou a banqueiro.
bancarrota. *f.* bancarrota, falência, quebra fraudulenta; (fig.) desastre, falência dum sistema ou doutrina: *hacer bancarrota*, falir, alçar-se com dívidas.
bance. *m.* cravelho, pequena peça de madeira para fechar cancelas.
banco. *m.* banco, assento; mocho; escabelo; (carp.) pranchão sobre que trabalham os carpinteiros; cepo de ferrador; (mar.) banco, tábua onde se sentam os remadores; (com.) banco, estabelecimento de crédito; banco de areia, baixio, escolho; banco, cardume de peixes à superfície da água; (geol.) estrato de grande espessura; baixo muito extenso no mar; (arq.) pedes-

tal; andar habitável; (germ.) cárcere, prisão: (Bras.) *banco pinjado*, banco de pinchar; *razón de pie de banco*, razão de cabo de esquadra; *banco para estudiantes desaplicados*, coelheira; *banco de arenas movedizas*, alfaque; *banco hipotecario*, banco hipotecário; *banco de emisión*, banco de circulação; *banco de galeras*, banco de galé; (fig.) *estar en el banco de la paciencia*, estar no banco da paciência; *banco azul*, banco do Governo no Parlamento.
bancocracia. *f.* bancocracia, preponderância dos banqueiros.
banda. *f.* banda, faixa, fita, duma comenda; bando, grupo de gente armada; facção, grupo político, partido; lado, (diz-se dalgumas coisas); (blas.) faixa que atravessa o escudo; (mar.) lado de uma embarcação; (mús.) banda, corporação de músicos; chapa de ferro que guarnece a parte exterior de uma roda de carro; varanda; (cir.) ligadura; (Bras.) banda; bandada de pássaros; tabela de bilhar; alcavala; barra: (Amér.) mal usado por *franja* e *hoja* de porta ou janela: *de banda a banda*, de lado a lado; (mar.) *dar la banda*, dar à banda; *banda musical de pueblo*, (Bras.) furiosa.
bandada. *f.* bandada, grande bando de aves.
bandazo. *m.* (mar.) solavanco, grande balanço que dá uma embarcação; grande banco ou bandada.
bandeado, da. *p. p.* e *adj.* bandado, listrado, que tem listras ou bandas.
bandeador. *m.* (mar.) trave duma verruma.
bandear. *v. tr.* (Amér.) atravessar de lado a lado com um projéctil; (ant.) mover uma coisa de um lado para outro; balançar; bandear; guiar, dirigir. — **bandearse.** *v. r.* saber-se governar, saber arrumar-se na vida, governar-se, manejar-se; (prov.) V. **columpiarse:** *saber bandearse en la vida*, saber arranjar-se.
bandeja. *f.* bandeja, tabuleiro baixo para serviço de mesa: salva; abono para aventar cereais; prato de recolher as esmolas nas igrejas; (Amér.) travessa de louça em que se servem iguárias.
bandeo. *m.* (mar.) inclinação dum navio.
bandera. *f.* bandeira; estandarte, pavilhão; pendão; insígnia; (fig.) símbolo, emblema; partido, facção; (mil.) tropa que combate debaixo de uma bandeira; companhia do *tercio* espanhol; (fig.) partido; distintivo; protecção; princípios, programa dum partido; cor, (Bras.) côr: *bandera negra, de pirata*, bandeira preta do pirata; (fig.) *a banderas desplegadas*, abertamente, com toda a liberdade; *bandera roja*, bandeira vermelha, emblema dos partidos revolucionários; *bandera amarilla*, bandeira amarela, da quarentena; *bandera blanca, o de paz*, bandeira de trégua, parlamentar; *hacer señales con banderas*, assinalar com bandeiras; (fig.) *arriar banderas*, arriar bandeira, confes-

sar-se vencido; *jurar la bandera*, jurar bandeira.

bandería. *f.* sedição, tumulto, bandoria, fa(c)ção; bando, parcialidade.

banderilla. *f.* (taurom.) bandarilha; (Amér.) planta com flores vermelhas, cultivada em jardins; (impr.) papel que se cola às provas para acrescentar ou corrigir o texto; (ant.) ventarola; farpa: (fig.) *poner banderillas a alguien*, dirigir ditos picantes ou satíricos a alguém; *poner banderillas al toro*, enfeitar o toiro.

banderillear. *v. tr.* bandarilhar, espetar bandarilhas, farpear: *banderillear a un toro*, enfeitar o toiro.

banderillero. *m.* (taurom.) bandarilheiro, toureiro que bandarilha toiros.

banderín. *m.* bandeirola; depósito para recrutar soldados; cabo ou soldado que serve de guia à infantaria nos seus exercícios.

banderizo, za. *adj.* bandeiro, que pertence a um bando; faccioso; desordeiro, apaixonado, fogoso; alvorotado.

banderola. *f.* bandeirola, galhardete, bandeira pequena que se coloca nas efígies de santos; adorno que levam as lanças dos soldados de cavalaria; (mar.) galhardete.

bandidaje. *m.* banditismo, bandidismo, bandolerismo. V. **bandolerismo.**

bandido, da. *adj.* e *s.* bandido, salteador, ladrão; bandoleiro, foragido; facinoroso; *hacerse bandido*, abandidar.

bando. *m.* bando, édito, pregão público; proclamação; fa(c)ção; partido, bando; decreto; lote; bandoria; rancho: *dividir en bandos*, faccionar; *reunir en bandos*, abandoar; *seguir un bando*, abandoar-se.

bandola. *f.* (mús.) bandola, bandolim; (mar.) bandolas.

bandolera. *f.* bandoleira; mulher que vive com bandoleiros; (mil.) bandoleira, correia que prende a cartucheira; banda usada pelos soldados de guarda real.

bandolerismo. *m.* bandoleirismo, banditismo, bandidismo, vida de bandoleiro.

bandolero. *m.* bandoleiro, salteador, bandido, ladrão; foragido; facinoroso: *hacerse bandolero*, abandidar-se; dar-se à vida de bandoleiro.

bandolin. *m.* (mús.) bandolim. V. **bandola.**

bandolina. *f* bandolina. goma para pegar os cabelos; (Amér.) mal usado por bandolim.

bandolón. *m.* aument. de *bandola*; instrumento semelhante na figura à bandurra, mas do tamanho duma viola.

bandolonista. *m.* o que toca *bandolón.*

bandoneón. *m.* (mús.) bandónion, (Bras.) bandônion.

bandujo. *m.* espécie de chouriço, tripa recheada.

bandullo. *m.* (fam.) bandulho, ventre, barriga, intestinos.

bandurria. *f.* (mús.) bandurra: *tocar la bandurria*, bandurrear.

bandurrilla. *f.* (mús.) bandurrilha, bandurra pequena.

bandurrista. *m.* bandurrista, tocador de bandurra.

banjo. *m.* (Amér.) banjo, instrumento semelhante à guitarra usado pelos pretos.

bánova. *f.* (prov.) V. **colcha.**

banquear. *v. tr.* (Amér.) rebaixar um terreno.

banqueo. *m.* (Amér.) rebaixamento dum terreno.

banquera. *f.* (prov.) lugar onde se põem em fila as colmeias; pequeno colmeal.

banquero. *m.* banqueiro; cambista; banqueiro, no jogo de banca ou azar; (fig.) homem rico.

banqueta. *f.* banqueta, banco pequeno e estreito, banquinho, mocho; tripeça; (mil.) banqueta, parapeito de terra; banqueta, passeio, parte lateral mais elevada das ruas.

banquetazo. *m.* banquetaço; pancada com uma banqueta; refeição grande e pomposa, fartadela: *darse un banquetazo*, jantar de arromba.

banquete. *m.* banquete, refeição sumptuosa e festiva; festim; fartadela; ágape; convívio: *darse un banquete*, banquetear-se. V. **banco.**

banqueteador, ra. *adj.* e *s.* banqueteador, que banqueteia.

banquetear. *v. tr.* e *intr.* banquetear, dar banquetes ou andar neles. — **banquetearse.** *v. r.* banquetear-se, assistir a banquete; regalar-se; tratar-se à grande.

banquillo. *m.* banquinho; banco do réu; cadeira ou banco onde o réu se assenta no acto do julgamento; banco pequeno; estrado; banquinho; (Amér.) cada uma das peças em que descansam os eixos dos cilindros; (Equador) V. **patíbulo.**

bañadera. *f.* (mar.) batidoiro; (prov.) V. **baño.**

bañadero. *m.* charco, lagoa, lugar onde costumam banhar-se os animais monteses; enxurdeiro.

bañado, da. *p. p.* e *adj.* banhado, mádido; afogado; envolto. — *m.* urinol; (Amér.) terreno húmido e lamacento: *bañado en lágrimas*, afogado em lágrimas; *bañado en llanto*, banhado em pranto.

bañador, ra. *adj.* e *s.* banheiro, que banha; banheiro, que dá o banho; traje de banho. — *f.* banheira, tina para banho; (Amér.) mal usado por *bañista.*

bañar. *v. tr.* banhar, dar banho; molhar; derramar; colorir; inundar; impregnar; correr junto de (o rio); submergir uma coisa em líquido; humedecer, regar; (pint.) aplicar uma tinta sobre outra. — **bañarse.** *v. r.* banhar-se, tomar banho; meter-se na água; (Cuba) ter grandes capitais em empresas ou negócios; (germ.) contentar-se em admirar uma mulher formosa ao passar junto dela: (fig.) *bañarse en agua de rosas*, banhar-se com prazer.

bañera. *f.* banheira, mulher que dá o banho; banheira, banho, tina para banho.

bañero, ra. s. banheiro, dono dum estabelecimento balnear; banheiro, o que prepara o banho ou acompanha os banhistas.

bañil. m. charco em que se banham os animais. V. **bañadero.**

bañista. m. banhista; aquista; pessoa que está a banhos.

baño. m. banho, líquido para banhar ou banhar-se; banheira, tina para o banho; vasilha para lavar os pés; balneário; lugar onde há água para se banhar, pátio, prisão dos galés; banho, camada de matéria extranha para cobrir os objectos; ablução; afusão; (quim.) banho; (metal.) massa de metal fundido; (pint.) camada de tinta que se dá sobre outra; (med.) remédio que consiste em submeter o corpo à acção do ar comprimido; ordem de cavalaria em Inglaterra: *baño de inmersión,* banho de choque; *tomar un baño,* banhar-se; (fig. e fam.) *dar un baño a alguiem,* envolver alguém em razões, desancar, dar sota e ás a alguém; *baño de vapor,* banho de vapor; *baño-maría,* banho-maria; *baño de arena,* banho de areia.

bao. m. (mar.) vau, paus ou vergas que se cruzam nas gáveas; madeiros em que assenta a coberta dos navios: *baos de las cubiertas,* vaus das cobertas; *bao de los palos,* vaus dos mastros e mastaréus; *baos del sollado o entrepuente,* vau dos bailéus do porão; *baos de palos,* vaus reais.

baptista. adj. e s. (rel.) ba(p)tista.

baptisterio. m. ba(p)tistério; pia baptismal.

baque. m. baque, ruido que um corpo faz ao cair: *dar un baque,* baquear. V. **batacazo.**

baquear. v. intr. (mar.) navegar com a corrente e vento a favor.

baquelita. f. matéria resinosa artificial.

baqueta. f. baqueta de tambor, (Bras.) baquêta; vareta de espingarda; chibata; castigo de chibatadas ou varadas. — pl. baquetas, pequenas varas para tocar o tambor; maçanetas: *carrera de baquetas,* castigo usado antigamente.

baquetazo. m. trambolhão; pancada dada com a baqueta.

baqueteado, da. p. p. e adj. chibatado; (fig.) traquejado; exercitado, esperimentado, experto, diz-se da pessoa habituada a trabalhos e negócios.

baquetear. v. tr. chibatar dar o castigo de varadas; açoitar com baquetas; (fig.) causticar, incomodar, fazer trabalhar em excesso.

baqueteo. m. chibatamento; (fig.) incomodidade; trabalho excessivo; experimentação.

baquetilla. f. (arq.) pequena moldura ou bocel

baquetón. m. (arq.) bocel grande.

baquiano, na. adj. e s. sabedor, perito; prático, conhecedor de um terreno, de uma estrada, etc.; vaqueano, condutor, guia.

baquiar. v. tr. (Amér.) V. **adestrar.**

báquico, ca. adj. báquico, pertencente ou relativo a Baco; furor báquico, (fig.) pertencente à embriaguez.

baquio. m. (poet.) báquio, pé de verso grego ou latino.

bar. m. bar, loja de bebidas; cantina; botequim; dependência de hotel ou restaurante onde se servem bebidas alcoólicas.

baraca. f. dom divino atribuido em Marrocos aos xerifes ou morabitos.

barahúnda. f. barafunda, desordem, algaraviada; confusão grande, algazarra, tumulto.

baraja. f. baralho, colecção de cartas para jogar; baralha, desordem, mexericos, altercação entre várias pessoas; (Amér.) arbusto de raiz purgativa, usada para curar doenças venéreas, mal usado por *naipe,* ou *naipes: jugar con dos barajas,* (fig. e fam.) proceder com doblez.

barajador, ra. adj. e s. baralhador, o que baralha; desordeiro, faccioso; alvorotador.

barajadura. f. baralhamento, baralho, embaralhação.

barajar. v. tr. baralhar, misturar as cartas de jogar; confundir, misturar, mexer, perturbar; causar trapalhada, mesclar; atropelar; contender, altercar, renhir. — **barajarse.** v. r. confundir-se, baralhar-se, misturar-se: *barajar las cartas,* amassar as cartas.

baraje. V. **barajadura.**

barajo. m. (Amér.) baralhamento de cartas; barbarismo por *badajo.* — interj. (Amér.) caramba!

barajustar. v. intr. cabriolar (cavalos). ¡**barajuste!** interj. (Amér.) cáspite!

baranda. f. corrimão, grande, varanda; bordo das mesas de bilhar. V. **barandilla.**

barandado. m. V. **barandilla.**

barandaje. m. V. **barandilla.**

barandal. m. barras em que assentam as extremidades dos balaústres; corrimão, parapeito da balaustrada.

barandilla. f. varanda; galeria; teia na sala do tribunal; claustro, reunião dos professores de uma universidade; parapeito da balaustrada; corrimão; (Amér.) mal usado por *comulgatorio.*

barata. f. troca, câmbio; barateza, preço baixo; alborque; desordem, confusão; venda fingida. V. **mohatra;** (Amér.) venda a baixo preço. V. **barato;** (Chile) barbarismo por *blata.*

baratador, ra. adj. e s. alborcador; trapaceiro, que faz truques; mentiroso.

baratar. v. tr. baratar, trocar, cambiar; dar ou receber uma coisa por menos de seu legítimo preço; (ant.) negociar, tratar.

baratear. v. tr. e intr. baratear, baixar de preço; regatear sobre o preço; vender mais barato; pôr barato; (Bras.) afutricar.

baratería. f. barataria, engano, fraude em compras, vendas ou trocas; prevaricação; (mar.) barataria: *baratería de capitán,* perda causada ao navio ou à sua carga por culpa do capitão.

baratero, ra. adj. e s. barateiro, que vende barato; barateiro, o que cobra o barato nas casas de jogo; rixoso.

baratija. *f.* coisa miúda e de pouco valor; bagatela. — *pl.* bagatelas, frivolidades, insignificâncias, ninharias.

baratillero, ra. *adj.* e *s.* barateiro; adelo; belfurinheiro; algibebe.

baratillo. *m.* coisas de pouco preço e usadas, postas à venda; lugar em que se faz esta venda; ajuntamento de gente ordinária, loja de ninharias, adelo.

barato, ta. *adj.* barato, de preço baixo, económico, (Bras.) econômico; que custa pouco dinheiro; (fig.) fácil de conseguir. — *m.* barato, prémio que os jogadores dão ao dono da casa; liquidação a preços baratos; barateza; abundância; partido que se dá no jogo; facilidade: *de barato,* debalde, sem interesse; *dar barato,* conceder com facilidade; *por vender barato,* vender em conta; *salir barato,* ficar muito em conta; *muy barato,* (pop.) um ovo por un real; *dar de barato,* pôr a barato; *tomar por barato,* fazer bom barato da vida; *lo barato sale caro,* o barato sai caro. — *adv.* por baixo preço.

baratón, na. *adj.* e *s.* alvorcador, trocador de objectos; adelo; franco.

báratro. *m.* (poet.) báratro, inferno; voragem; precipício.

baratura. *f.* barateza, preço baixo, barateamento, modicidade de preço.

baraúnda. *f.* barafunda. V. **barahúnda.**

baraustado, da. *p. p.* e *adj.* assestado; (germ.) morto a punhaladas.

baraustador. *m.* (germ.) V. **puñal.**

baraustar. *v. tr.* assestar, apontar.

barba. *f.* barba, parte inferior do queixo; o conjunto dos pêlos no rosto do homem; (anat.) mento; o primeiro enxame que sai da colmeia; barbas dos animais. — *pl.* pêlos no focinho dalguns animais; bárbulas, que saem lateralmente do ráquis ou eixo das penas das aves; parte superior da colmeia. V. **rasura.** — *m.* actor que desempenha o papel de ancião. — *f. pl.* raizes delgadas das árvores e plantas; barbas de papel, das plumas, etc.: *poner las barbas a remojar,* (fig.) pôr as barbas de molho; precaver-se contra um perigo iminente; *barba de ballena,* barba de baleia; *barba de zamarro,* barba desalinhada; *andar uno con la barba por el suelo,* (fam.) ser muito velho; *estar con la barba sobre el hombro,* (fig.) trazer a barba sobre o hombro; *temblarle a uno la barba,* fazer barba medrosa; *tener una mujer buenas barbas,* (fam.) ser uma mulher muito formosa; (fam.) *tener uno pocas barbas,* ter poucas barbas; *Barba Azul,* Barba-azul.

barbacana. *f.* (fort.) barbacã, obra avançada de fortificação; muro baixo em redor das praças onde há igrejas; ameia; parapeito seteira.

barbacoa. *f.* (Amér.) caniçada, trançado de varas, canas, etc., que serve de cama; andaime onde se colocam os rapazes para guardarem os milharais; tablado no alto das casas que serve para guardar frutas, o grão, etc.; carne assada sobre paus de madeira verde.

barbacuá. *f.* V. **barbacoa.**

barbada. *f.* barbada, beiço inferior do cavalo; barbela de freio; (ictiol.) peixe do mesmo género do bacalhau.

barbadejo. *m.* V. **viburno.**

barbadija. *f.* (bot.) V. **viburno.**

barbado, da. *p. p.* e *adj.* barbado, que tem barba; (bot. e zool.) barbífero. — *m.* (bot.) árvore ou sarmento que se planta com raízes; (germ.) bode, macho da cabra; (fig.) o homem; (bot.) rebentão de árvore que nasce na terra: *plantar de barbado,* transplantar uma vergôntea; rebento ou sarmento que já deitou raízes.

barbaja. *f.* (agr.) barbalho, raízes finas das plantas.

barbar. *v. intr.* barbar, começar a deitar barba; ficar barbado; criar abelhas; enxamear; (agr.) deitar raízes (as plantas).

bárbara. *m.* (astr.) asteróide; (filos.) palavra mnemotécnica que empregavam os antigos retóricos para designar um dos quatro modos direitos da primeira figura do silogismo em que as premissas e a concisão são universais e afirmativas.

barbaresco, ca. *adj.* barbaresco, brutal, grosseiro.

barbárico, ca. *adj.* (poet.) barbárico, pertencente ou relativo aos povos bárbaros.

barbaridad. *f.* barbaridade, qualidade de bárbaro, barbarice; barbaria; crueldade; barbarismo; desumanidade; arrojo; temeridade; atrocidade; barbaridade, falta de civilização; disparate, desatino; dito néscio; dito ou acção brutal; algozaria, despropósito; descabelada, destrambelho.

barbarie. *f.* barbárie, rusticidade; ignorância, barbaria; grosseria; (fig.) ferocidade, crueldade, barbaridade: *tiempos de barbarie,* tempos apagados.

barbarismo. *m.* (gram.) barbarismo, estrangeirismo, solecismo; (fig.) barbaridade, dito néscio ou imprudente; (poet.) multidão de bárbaros; (fig.) crueldade: *introducir* barbarismos, abarbarizar.

barbarizar. *v. tr.* barbarizar, cometer barbarismos, adulterar uma língua com barbarismos. — *v. intr.* (fig.) dizer barbaridades.

bárbaro, ra. *adj.* e *s.* bárbaro, rude, grosseiro, brutal, desumano, feroz; arrojado, temerário; inculto; selvagem; algoz; atroz; barbaresco, barbárico; desapiedado; estrangeiro; acerbo. — *pl.* bárbaros, antigos povos do Norte que invadiram o império romano.

barbarolexia. *f.* barbarolexia, barbarismo.

barbato. *adj.* barbato, cabeludo (diz-se de um cometa).

barbear. *v. tr.* barbear, chegar, com a barba a certa altura. — *v. intr.* (fig.) ficar uma coisa quase à altura de outra; abarbar; (Amér.) (fig.) apanhar uma rês pelo focinho e por um dos cornos, e torcer-lhe o pescoço até a prostrar no chão.

barbechada. *f.* V. **barbechera.**

barbechar. *v. tr.* (agr.) barbechar, preparar o barbecho ou alqueive para a sementeira; alqueivar; dar a primeira lavra; arrotear.

barbechera. *f.* conjunto de barbechos ou barbeitos; tempo em que se fazem os barbechos, acção e efeito de barbechar; alqueive.

barbecho. m. (agr.) barbeito, barbecho, trabalho de barbechar; alqueive; primeira lavra de um terreno; terra descansada: *dejar las tierras en barbecho*, descansar as terras; (fig.) *como un barbecho*, sem reflexionar; (fig.) *firmar en barbecho*, assignar sem ler.

barbera. f. mulher do barbeiro.

barbería. f. barbearia, loja ou profissão de barbeiro.

barberil. adj. próprio de barbeiros.

barbero. m. barbeiro, indivíduo que barbeia por ofício; (ictiol.) barbeiro, peixe acantopterígio conhecido por antias; (Amér.) V. **adulador;** (prov.) rede para pescar barbos.

barberol. m. (zool.) lábio inferior de certos insectos.

barbeta. f. (fort.) barbeta, barbote, plataforma donde a artilharia dispara por cima do parapeito; (mar.) pedaço de mialhar.

barbián, na. adj. (fam.) desenvolto, simpático; valente, generoso; atrevido.

barbiblanco, ca. adj. barbibranco. V. **barbicano.**

barbicano, na. adj. (poet.) barbicano, de barba esbranquiçada ou grisalha.

barbicastaño. adj. que tem a barba acastanhada.

barbilampiño. adj. imberbe, que tem pouca barba, barbilimpo.

barbilindo. adj. bonitote, diz-se do homem pequeno e efeminado.

barbilucio. adj. V. **barbilindo.**

barbiluengo. adj. barbilongo, que tem barba comprida.

barbilla. f. (anat.) queixo; mento; barba; barbilhão, filamento ao canto da boca dalguns peixes; (arq. e carp.) corte oblíquo no extremo dum madeiro; (ornit.) barbilha. — pl. (vet.) barbetões. V. **sapillo;** (Amér.) barbiças, barbichas, homem com pouca barba; (mar.) dente de cada uma das peças do cavername.

barbillera. f. barbilho, açaimo; filaça, estopa que se põe nas cubas ou tonéis de vinho; espécie de lenço que se ata, nos cadáveres, por debaixo do mento, a fim de lhes cerrar a boca.

barbiponiente. adj. (fam.) barbipoente, barbiponente, diz-se do rapaz cuja barba começa a nascer; (fig. fam.). V. **principiante.**

barbipungente. adj. barbipoente. V. **barbiponiente.**

barbiquejo. m. (mil.) francalete, fita debaixo da barba para segurar o chapéu; (mar.) cabos grossos duma embarcação; (Amér.) espécie de pompa selvagem; lenço que se passa por debaixo do mento e se ata no cimo da cabeça; espécie de cabresto. V. **embozo.**

barbirrostro. adj. (zool.) barbirrostro.

barbirrubio, bia. adj. barbirruivo, barbiloiro, que tem a barba ruiva.

barbirrucio, cia. adj. que tem a barba grisalha ou misturada de pêlos brancos e pretos.

barbitaheño, ña. adj. que tem a barba vermelha ou ruiva.

barbiteñido, da. adj. que tem a barba tingida.

barbitieso. adj. barbiteso, que tem a barba rija.

barbo. m. (ictiol.) barbo, peixe malacopterígio.

barbón. m. barbarrão, barbaças, homem barbudo ou barbado, barboneo, barbeirão; frade leigo da Ordem da Cartuxa; (zool.) bode, macho da cabra; (prov.) barbado, sarmento com raízes, bacelo.

barboquejo. m. (mil.) francalete, correia para segurar o morrião, o barrete, o chapéu, etcétera; (Amér.). V. **agujeta.**

barbotar. v. intr. falar por entre os dentes; resmungar; rosnar, murmurar; dizer à socapa; bater a água com as mãos; enlamear-se; sujar-se; (fig.) divagar, perder o. fio do discurso. V. **mascullar.**

barbote. m. barbote, peça do capacete nas armaduras antigas; pequena barra de prata que alguns índios da Argentina usam atravessada no lábio inferior, como insígnia.

barbotina. f. (bot.) barbotina, semente de absinto.

barbudo, da. adj. barbudo, que possui muita barba; eriçado de pêlos, barbaçudo, que tem muita barba.

barbulla. f. (fam.) balbúrdia, barulho, alvoroto, ruido, confusão, desordem, vozearia.

barbullar. v. intr. (fam.) fazer balbúrdia, palrar, falar precipitadamente fazendo muito barulho.

barbullón, na. adj. (fam.) que é gárrulo, que palra, que faz balbúrdia, que fala confusa e precipitadamente; borrador, artista que pinta grosseiramente.

barbuquejo. m. V. **barbiquejo.**

barca. f. (mar.) barca, embarcação pequena e pouco funda; barca, embarcação de três mastros: *barca de pasaje*, lancha grande e plana para passar rios; jangada; (fig.) *barca de San Pedro*, barca de San Pedro; *barca goleta*, bergantím; *barca de Caronte*, barca de Caronte; (fig.) *llevar la barca a buen puerto*, levar a sua barca a bom porto, dirigir a sua barca com tento.

barcada. f. barcada, batelada, carga duma barca, numa viagem; cada viagem duma barca.

barcaje. m. barcagem, transporte de mercadorias; contrato de transporte em barco; frete do mesmo; preço que se paga pela passagem dum lado a outro dum rio.

barcal. m. espécie de dorna pequena de madeira na qual se colocam as vasilhas, para aproveitar o vinho que se derrama. V. **dornajo.**

barcarola. f. (mús.) barcarola, canção popular italiana; canção de marinheiros.

barcaza. f. barcaça, gabarra, grande barca, lanchão; embarcação para serviços auxiliares; privilégio concedido a alguns portos para a carga e a descarga.

Barcelona. (geog.) Barcelona.

barcelonés, sa. *adj.* e *s.* (geog.) barcelonês, natural de ou pertencente a Barcelona.

barceno, na. *adj.* V. **barcino.**

barcia. *f.* alimpas resultantes da peneiração dos cereais.

barcinar. *v. tr.* (prov.) conduzir as paveias do trigo para a eira; recolher feixes de palha em redes de esparto.

barcino, na. pardo, cinzento, pouco ruivo (diz-se dos animais); (Amér.) diz-se do político que muda fàcilmente de partido.

barcinonense. *adj.* (geog.). V. **barcelonés.**

barco. *m.* (mar.) barco, navio, embarcação; barranco pouco profundo: *barco costero,* barco costeiro; *barco de gran porte,* navio de alto bordo; *barco fluvial,* bateira; *barco de vela,* barco de vela, não alada; (fig.) *conducir el barco a puerto seguro,* levar a barca a bom porto; *gobernar un barco,* barquejar; *barco de línea,* barco de linha; *barco de vapor,* barco a vapor; *barco transatlántico,* barco transatlântico; *barco de guerra,* barco de guerra.

barcucho *m.* (mar.) chaveco, barco velho e sem condições marinheiras.

barda. *f.* barda, bardão, armadura de ferro para o peito de cavalo; barda, cobertura de palha, mato ou sarmentos que se põe sobre as paredes da taipa; tampa de cesto; (mar.) nuvem densa, de grande tamanho e mau aspecto.

bardado, da. *p. p.* e *adj.* bardado, coberto com barda; armado ou defendido com a barda.

bardaje. *m.* sodomita, pederasta.

bardal. *m.* barda, muro, valado coberto de barda. — *pl.* silvados: *saltabardales,* salta-paredes, traquinas, homem turbulento.

bardana. *f.* (bot.) bardana, galhete: *bardana mayor,* bardana grande, amor; *bardana menor,* bardana pequena, planta anual frequente nos lugares húmidos e margens dos rios.

bardanza (andar de). (fam.) andar de cá para lá, daqui para ali.

bardar. *v. tr.* bardar, cobrir ou cercar com bardas.

bardero. *m.* lenhador que faz ou vende bardas; condu(c)tor de bardas para os fornos.

bardiota. *adj.* e *m.* bardiota, diz-se do soldado da milícia bizantina, encarregado de guardar as pessoas do imperador e da sua família.

bardiza. *f.* (prov.) valado feito de canas.

bardo. *m.* bardo, poeta dos antigos celtas; poeta heroico ou lírico.

bardoma. *f.* (prov.) lama, lodo, sujidade, imundície.

barege. *m.* barege, linho grosseiro, empregado nos trajes da mulher.

baregina. *f.* (quim.) baregina.

baremo. *m.* livro de contas já calculadas.

barfol. *m.* tanga, pano que os pretos põem à roda do corpo.

barga. *f.* barga, choça coberta de palha.

barganal. *m.* (Amér.). V. **varganal.**

bárgano. *m.* (Amér. V. **várgano.**

bargueño. *m.* contador, espécie de armário com gavetas pequenas.

barí. *adj.* (prov.). V. **excelente.**

baricéntrico, ca. *adj.* baricêntrico, relativo ao baricentro.

baricentro. *m.* (fís. e geom.) baricentro, centro de gravidade de um corpo.

bárico, ca. *adj.* (min.) bárico, pertencente ou relativo ao bário.

bariencefalia. *f.* (pat.) bariencefalia.

barifonía. *f.* (med.) barifonia.

bariglosia. *f.* (pat.) bariglossia.

barimétrico, ca. *adj.* (fís.) barimétrico.

baril. *adj.* V. **barí.**

bario. *m.* (quím. e min.) *bário.*

barisfera. *f.* (geol.) barisfera.

barita. *f.* (quím.) barita, barite, óxido de bário.

baritel. *m.* V. **malacate.**

barítico, ca. *adj.* bárico, relativo ao bário ou barita.

baritina. *f.* (quím.) baritina, sulfato natural de bário.

barítono. *m.* (mús.) voz entre a de tenor e a de baixo; cantor que possui esta voz; barítono.

barjoleta. *adj.* e *s.* (Amér.) néscio, parvo, bobo, pateta.

barjuleta. *f.* barjuleta, barjuleda, bolsa ou mochila de coiro.

barloa. *m.* (mar.) balroa, cabo para atracar e sujeitar dois navios abalroados; arpéu com fateixa.

barloar. *v. intr.* (mar.) abalroar, balroar; atracar. V. **abazloar.**

barloas. *f. pl.* (mar.) nó dado em uma manobra.

barloventeador, ra. *adj.* (mar.) barlaventeador, diz-se do barco que barlaventeia.

barloventear. *v. intr.* (mar.) barlaventear, dirigir o navio contra o vento; bordejar; orçar, bolinar; (fig. e fam.) vagar, andar de uma parte para outra.

barlovento. *m.* (mar.) barlavento, lado do navio donde sopra o vento nas velas; (fig.) *ganar el barlovento,* ganhar o barlovento; *ganar el barlovento,* ganhar o barlavento; *de barlovento,* a barlavento; *costa de barlovento,* costa de barlavento; *costado de barlovento,* lado do barlavento (navio).

barniz. *m.* verniz; vidrado; polimento; arrebique, cosmético; tintura; banho que se dá ao barro louça e porcelana; (fig.) verniz, conhecimento superficial: *barniz del Japón.* V. **ailanto;** *barniz de doradores,* verniz para doirar; *barniz aislador,* verniz isolador.

barnizada. *f.* (Amér.) envernizadela.

barnizado. *m.* envernizadela, envernizamento. — *adj.* envernizado, charoado. V. **embarnizadura.**

barnizador, ra. *adj.* e *s.* envernizador, que enverniza.

barnizadura. *f.* envernizadela. V. **embarnizadura.**

barnizar. v. tr. envernizar, dar verniz, polir; vidrar; charoar, acharoar; banhar (quadros.)

barocéntrico, ca. adj. baricêntrico.

baroco. m. (filos.) baroco, palavra mnemónica indicativa de um silogismo.

barodinámica. f. (ing.) barodinamia.

barógrafo. m. (fís.) barógrafo, barometrógrafo.

barología. f. (fís.) barologia.

barometría. f. (fís.) barometria.

barométrico, ca. adj. (fís.) barométrico.

barómetro. m. (fís.) barómetro, (Bras.) barómetro; (fig.) barómetro, aquilo que revela a marcha de certos negócios públicos ou particulares: barómetro registrador, barómetro registador; barómetro aneroide, barómetro aneroide.

barometrografía. f. (fís.) barometrografia.

barometrógrafo. m. (fís.) barometrógrafo, barógrafo.

barón. m. barão, título de nobreza: otorgar el título de barón, baronizar.

baronesa. f. baronesa, mulher que tem baronato, esposa do barão.

baronía. f. baronia, baronato.

barosanemo. m. (fís.) barosânemo.

baroscopio. m. (fís.) baroscópio.

baroselenita. f. (min.) baroselenita, baritina.

baroterapia. f. (med.) baroterápia.

barotermógrafo. m. (fís.) barotermógrafo.

barotermómetro. m. (fís.) barotermómetro, (Bras.) barotermômetro.

baroto. m. embarcação, pequena das Filipinas.

barotropismo. m. (biol.) barotropismo.

barquear. v. tr. barquear, barquejar, andar de barco; atravesar em barco um rio ou lago.

barqueo. m. a(c)ção de barquear.

barquero, ra. s. barqueiro, pessoa que tripula o barco; remador; barceiro.

barquía. f. (mar.) embarcação de quatro remos em cada bordo.

barquichuelo. m. barquinho, barquito, batel.

barquilla. f. (mar.) barquilha, instrumento para calcular o caminho andado; barquinha, molde em forma de barco para fazer pastéis, barquinha, barco pequeno suspenso dum aeróstato.

barquilliero, ra. s. barquilheiro, fabricante ou vendedor de barquilhos.

barquillo. m. barquilho, pastel de massa folhada, delgada como uma obreia; caldeirinha para elaborar a cera.

barquin. m. fole grande de ferreiro.

barquinazo. m. (fam.) solavanco, sacudidela brusca; balanço imprevisto ou violento dum veículo ou de pessoa que este transporta.

barra. f. barra; alavanca; jogo da barra; barra, teia do tribunal; baixo de areia à entrada de um rio; barra de ferro com grilhetas para os presos (a bordo); risco; listra; (Amér.) prisão a modo de cepo; público que concorre a assistir às sessões de um tribunal; (herald.) listão que atravessa o escudo no brasão: no pararse en

barras, sem consideração; tirar uno la barra; (fig. e fam.) fazer vendas ao preço mais elevado possível; llevar a la barra a uno, (fig.) ajustar as contas bem; barra de oro o plata, ardiel; tirar la barra, desbarrar; (blas.) poner barra en el escudo, barrar; barra fija, barra fixa.

barrabás. m. (fig. fam.) pessoa perversa, desordeira; malfeitor; barrabás.

barrabasada. f. (fam.) perversão, a(c)to criminoso; travessura grave, brincadeira de mau gosto; diabrura; algozaria.

barraca. f. barraca, choça, casa humilde; choupana; vivenda rústica em Valência e Múrcia.

barracón. m. barracão; alpendre.

barrado, da. p. p. e adj. barrado, que tem barra; (blas.) diz-se do campo coberto de barras de metal e de cor.

barragana. f. barregã; concubina, mulher amancebada; (ant.) mulher legítima que não gozava dos direitos civis. V. **manceba.**

barraganada. f. barragania; a(c)ção esforçada de barregão; travessura.

barraganete. m. (mar.) peça do costado do navio, pertencente à varenga.

barrajar. v. tr. (Amér.) derrubar com força uma pessoa ou coisa.

barranca. f. barranca, barranco, cova; córrego, corgo; cortadura; enxurrada; alcantil: a trancas y a barrancas, a trancos e barrancos; hacer algo a trancas y a barrancas, atamancar.

barrancal. m. barrocal, lugar onde há muitos barrancos; barranqueira.

barranco. m. barranco, despenhadeiro escavação natural, precipício; cova; lugar cavado por enxurrada ou por outra causa; (fig.) barranco, dificuldade, embaraço, obstáculo, estorvo; ravina; algar; alcantilado; (mil.) fosso, (Bras.) fôsso: no hay barranco sin atranco, não há atalho sem trabalho.

barrancoso, sa. adj. barrancoso, cheio de barrancos; (fig.) perigoso, cheio de dificuldades.

barranquear. v. tr. conduzir por barrancos a madeira cortada nos montes.

barranquera. f. V. **barranca;** (fig.) embaraço, obstáculo, dificuldade.

barraquera. f. (prov.) V. **verraquera.**

barraquero. m. (prov.) barraqueiro, construtor de barracas.

barrear. v. tr. fechar com barras, barrar; tapar com madeiros um sítio aberto; cerrar; barricar, fazer barricadas; colocar barras; riscar, cancelar um escrito. — v. intr. resvalar a lança sobre a armadura. — **barrearse.** v. r. entrincheirar-se; embarreirar-se; chafurdar, revolver-se o javali no lodo.

barreda. f. tapume. V. **barrera.**

barredera. f. varredoira, varredoura, vassoura mecânica; máquina para varrer as ruas.

barredero, ra. adj. varredor, que arrasta tudo o que encontra. — m. varredoiro, varredouro, vassoura com que se varre o forno antes de meter o pão. — *f.* escova, rede com malhas apertadas; (mar.) varredoura (vela).

barredor. *adj.* e *s.* varredor, que varre.

barredura. *f.* varredura, a(c)ção de varrer. — *pl.* varreduras, fiscalho, cisco, lixo, resíduos.

barreminas. *m.* (mar.) draga-minas, navio para rocegar as minas imersas.

barrena. *f.* verruma; trado, broca, barrena, furador, barbequim.

barrenado, da. *p. p.* e *adj.* verrumado, brocado; (fam.) louco, tonto, pateta, lunático.

barrenar. *v. tr.* verrumar, furar com verruma; tradear, brocar; (fig.) contrariar, suscitar dificuldades; calcar as leis, os direitos, etc.; V. **conculcar.**

barrendero, ra. *s.* varredor, aquele que tem por ofício varrer; *barrendero de calles,* (Bras.) gari.

barrenear. *v. tr.* (Amér.) V. **barrenar.**

barrenero. *m.* verrumeiro, fabricante ou vendedor de verrumas; operário que abre buracos com broca; moço que leva as brocas aos mineiros.

barreno. *m.* verrumão, verruma grande e grossa, trado; furo feito com verruma, buraco; (mar.) rombo numa embarcação; agulheiro, buraco numa pedreira cheio de pólvora ou doutra matéria explosiva, barreno; (fig.) presunção, vaidade; (Amér.) teima, mania.

barreña. *f.* V. **barreño.**

barreño. *m.* alguidar. barranhão; terrina; bátega; (Amér.) baile parecido ao sapateado.

barrer. *v. tr.* varrer, limpar com vassoira; (fig.) levar, arrastar, tudo o que havia em algum lugar: (fig.) *barrer para dentro o para casa,* saber levar a água ao seu moinho; *barrer una trinchera con fuego de artilleria,* enfiar uma trincheira.

barrera. *f.* barreira, barreiro, lugar donde se extrai o barro, terreno argiloso; barreira, tapume, estacada; trincheira na praça de touros; parapeito em fortificação antiga, barreira; cancela; terreno plano e fértil; primeira fila nos teatros; louceira, armário para louça; barreira, entrada de povoação onde se pagam impostos fiscais; (fig.) obstáculo, embaraço, estorvamento, estorvo, (Bras.) estôrvo: *barrera de golpe,* cancela automática nalgumas passagens de nível; *barrera aduanera,* tarifa de alfândega.

barreta. *f.* barrinha, barreta ; tira de carneiro no interior dos sapatos para encobrir a costura; capacete; espécie de picareta pequena usada pelos trolhas; (equit.) pilares de sela; (Bras.) barreta, travessa.

barrete. *m.* barrete; capacete, morrião.

barretear. *v. tr.* reforçar, firmar alguma coisa com barras de metal ou de madeira.

barretero. *m.* (min.) mineiro, o que trabalha com barra, pica ou picareta.

barretina. *f.* barrete catalão parecido com o barrete frígio; barretina.

barriada. *f.* bairro ou parte dele; arrabalde; distrito.

barrica. *f.* barrica, pipa, tonel.

barricada. *f.* barricada, trincheira feita com barricas, pedras, traves, etc.; entrincheiramento: *levantar barricadas,* barricadar, barricar, entrincheirar.

barrida. *f.* V. **barrido.**

barrido. *m.* varredela; basculhadela, a(c)to de varrer. — *p. p.* e *adj.* varrido.

barriga. *f.* (anat.) barriga, abdómen, ventre, pança; (fig.) bojo ou parte saliente, (Bras.) bôjo; empeno; barriga, estado de prenhez.

barrigón, na. *adj.* (fam.) barrigudo, pançudo, barrigão; aguachado.

barrigudo, da. *adj.* e *s.* barrigudo, que tem grande barriga, pançudo; abdominoso; baselga.

barriguera. *f.* barrigueira, corda ou correia que passa pela barriga das bestas.

barril. *m.* barril, pequeno pipo para transportar ou conservar líquidos; talha de barro; (Amér.) nó que se faz nas rédeas como adorno.

barrila. *f.* V. **botija.**

barrilaje. *m.* conjunto de barris; vasilhame.

barrilamen. *m.* vasilhame, conjunto de barris.

barrilería. *f.* barrilada, conjunto de barris; tanoaria, ofício de tanoeiro e estabelecimento onde se fabricam barris; estabelecimento onde se vendem barris.

barrilero. *m.* tanoeiro, aquele que fabrica ou vende vasilhas de aduela.

barrilete. *m. dim.* de *barril;* barrilete, barril pequeno; (carp.) barrilete, instrumento de carpinteiro; peça cilíndrica e móvel do revolver, onde se colocam os cartuchos, tambor; (mar.) espécie de nó em forma de barril que se faz nalguns cabos; (zool.) espécie de caranguejo pequeno do mar; (mús.) peça do clarinete em forma de barril; barrilete, tambor de relógio.

barrillar. *m.* lugar plantado de barrilheiras.

barrillero, ra. *adj.* que contém ou pode produzir barrilha.

barrillo. *m.* saibro para tapar as fendas nos fornos de fundição; espinhas ou barras do rosto.

barrio. *m.* bairro, divisão principal duma cidade ou povoação; arrabalde; aldeiasinha dependente de outra povoação: *el otro barrio,* (fig. e fam.) o outro mundo, a eternidade.

barrisco(a). *m. adv.* em conjunto, sem distinção.

barrista. *m.* barrista, acrobata que trabalha em barras fixas.

barrizal. *m.* lodaçal, lamaçal, lugar cheio de barro ou lodo; barrocal, barredo, ludreiro.

barro. *m.* lama, lodo, (Bras.) lôdo; barro; vaso de terra odorífera; argila; (fig.) barro, coisa insignificante, coisa desprezível; espinhas do rosto. V. **búcaro;** (quím.) luto de barro gordurento.

barroco, ca. *adj.* barroco, diz-se de trabalho ou estilo artístico, profuso e extravagante;

baroco agongorado; (Amér.) V. **estrambótico.**

barrocho. *m.* V. **birlocho.**

barroquismo. *m.* barroquismo; extravagância, mau gosto.

barros. *m. pl.* barros, espinhas, borbulhas, grãos que nascem no rosto; (vet.) barros, tumores no gado muar e vacum.

barroso, sa. *adj.* barroso, lamacento, barrento, lodoso; sardento, diz-se do rosto cheio de espinhas. — *m.* (germ.) jarro, vasilha de barro.

barrote. *m.* barrote, trave grossa e curta; travessa; tranca de ferro; (impr.) galé.

barrueco. *m.* pérola defeituosa, irregular; barroco.

barrumbada. *f.* (fam.) fanfarronada, dito jactancioso; (fam.) despesa excessiva feita por vaidade.

barruntador, ra. *adj.* e *s.* suspeitador, que prevê, conje(c)tura ou pressente por algúm indício.

barruntamiento. *m.* suspeita, conje(c)tura, pressentimento. V. **barrunto.**

barruntar. *v. tr.* barruntar suspeitar, desconfiar; prever, conje(c)turar, anunciar, pressentir, antessentir.

barrunte. *m.* indício, notícia; espião.

barrunto. *m.* barrunto, suspeita; previsão, pressentimento; indicação, indício; antevidência; desconfiança.

bartola (a la). *adv.* sem cuidados, negligentemente; usa-se com os verbos, **echarse, tenderse** e **tumbarse**: *estar a la bartola,* estar deitado com a barriga para o ar.

bártulos. *m. pl.* oje(c)tos que se manejam; negócios; bens; passos que se dão, meios empregados nos negócios: *preparar los bártulos,* tecer os paus; *liar los bártulos,* (fam.) arranhar tudo para uma viagem ou mudança.

baruca. *f.* (fam.) dolo, fraude, engano, trapaça, logro.

barullero, ra. *adj.* e *s.* desordeiro, alvorotador.

barullo. *m.* (fam.) barulho, desordem, confusão, alvoroto, (Bras.) alvorôto, motim, tumulto; balbúrdia, barafunda, estropido, banzé, inferneira; mexedura; azáfama, atroamento assuada; barrilada; embaralhação; atroada: *armar barullo,* fazer o demónio, barulhar.

barzón. *m.* passeio ocioso e sem obje(c)tivo; anel por onde enfia a lança do arado na canga, tamoeiro.

barzonear. *v. intr.* vaguear, andar ocioso e sem destino.

basa. *f.* base, assento, fundamento, apoio; (arq.) base, plinto, soco, envasamento duma coluna ou estátua; pedestal.

basada. *f.* parte do aparelho que serve para o lançamento do barco; berço.

basalicón. *m.* V. **basilicón.**

basáltico, ca. *adj.* basáltico.

basaltiforme. *adj.* basaltiforme.

basaltina. *f.* (min.) basaltina.

basalto. *m.* (min. e geol.) basalto.

basamento. *m.* (arq.) envasamento de colu-

na, base e pedestal; fundamento, fundação.

basanita. *f.* V. **basalto.**

basar. *v. tr.* basear, apoiar sobre uma base; fundar; assentar; establecer, alicerçar; (geod.) partir de uma base ou referir-se a uma base nas operações; estribar; consistir. — **basarse.** *v. r.* fundamentar-se, basear-se, consistir, apoiar-se.

basca. *f.* vasca, náusea, ânsia; desgosto; (fig.) angústia, ansiedade, inquietação; (fig.) ímpeto de cólera. — *pl.* estuação; ânsias; por ext., fúria que sente o cão raivoso durante os ataques ou acessos: *tener bascas,* estar con ânsia, agoniar-se. V. **basquilla.**

bascosidad. *f.* imundície, sujidade; (Amér.) palavra soez.

bascoso, sa. *adj.* nauseado, que tem náuseas, ansioso; (Amér.) soez, indecente, grosseiro.

báscula. *f.* báscula, balança; (fort.) básculo, máquina para levantar a ponte levadiça.

bascular. *v. intr.* chocalhar, vasclejar.

base. *f.* base, fundamento, apoio; (arq.) base duma coluna ou estátua, pedestal, plinto; cimentação; assento, assentamento; baseamento; elemento; (fig.) abano; chave; iniciação; alicerce; cimento; estribo; (geom.) linha ou plano duma figura geométrica oposto ao vértice; (quim.) base, (topogr.) linha re(c)ta que se mede sobre o terreno e da qual se parte em operações geodésicas e topográficas: *tomar como base,* assentar-se; *caer por la base,* cair pela base; *sin base,* sem fundamento; *base naval,* base naval.

basicidad. *f.* (quím.) basicidade.

básico, ca. *adj.* básico, fundamental, essencial, elemental; (quím.) básico que serve de base.

basidiomicetos. *m. pl.* (bot.) basidiomicetes.

basidióspodos. *adj.* e *m. pl.* (bot.) basidióspodos.

basificación. *f.* (quím.) basificação.

basificar. *v. tr.* (quím.) basificar, converter em base.

basifijo, ja. *adj.* (quím.) basifixo, fixo pela base.

basífugo, ga. *adj.* (bot.) basífugo.

basígeno. *adj.* (quím.) basigéneo.

basilar. *adj.* (anat.) basilar, que serve de base; básico.

Basilea. (geog.) Basileia.

basilea. *f.* (germ.) forca.

basílica. *f.* basílica, templo, igreja principal; palácio ou casa real. — *pl.* cole(c)ção de leis formada por ordem do imperador Basílio; relicário: (ant.) *vena basílica,* uma das veias do antebraço.

basilical. *adj.* basilical, referente a basílica.

basilicario. *m.* basilicário.

basilicón. *adj.* e *m.* (farm.) basilicão, unguento supurativo.

basiliense. *adj.* e *s.* (geog.) basiliense, natural de ou pertencente a Basileia.

basilio, lia. *adj.* e *s.* basiliano, diz-se do monge da regra de S. Basílio.

Basilio. *n. p.* Basílio.

basilisco. *m.* basilisco; alfavaca; (artil.) canhão antigo; (fig.) pessoa cruel, irritável, de genio vivo: *estar hecho un basilisco,* estar muito irritado.

basinérveo, a. *adj.* (bot.) basinérveo.

basinerviado, da. *adj.* (bot.) basinérveo.

basión. *m.* (anat.) básio.

basis. *f.* (arq.) envasamento, base, fundamento.

basquear. *v. intr.* vasquejar; ter náuseas, produzir vascas; enojar.

basquilla. *f.* (vet.) pletora do gado; superabundância de sangue.

basquiña. *f.* vasquinha, saia preta com muitas pregas na cintura.

· basta. *f.* alinhavo, basta, cada um dos pontos dados no colchão para segurar o enchimento; (prov.) espécie de albardão. — *interj.* eia!, afasta!, avonda!, chega!

bastante. *p. a.* e *adj.* bastante, nem muito nem pouco; nem mais nem menos. — *adv.* suficientemente; bastantemente; bem.

bastantear. *v. intr.* (for.) reconhecer o advogado o poder conferido ao procurador, para que se admita como legítimo mandatário de quem de direito.

bastanteo. *m.* (for.) reconhecimento.

bastantero. *m.* (for.) ofício para reconhecer-se os poderes que se apresentavam eram suficientes.

bastar. *v. intr.* bastar, ser suficiente, chegar, abundar; dar; abranger; (ant.) abastecer, fornecer; pôr bastas; ser adequado. — bastarse. *v. r.* abastar-se: ¡basta!, chega!; *basta de palabras,* basta de palavras; *me basto yo,* eu me basto; *bastarse y sobrarse,* bastar-se para fazer alguma coisa.

bastarda. *f.* lima bastarda; (artil.) antiga peça de artilharia; (ant.) sela bastarda; letra bastarda.

bastardear. *v. intr.* bastardear, abastardar, degenerar da sua natureza; (fig.) afastar-se dos sãos princípio da sua orígem; afastar-se da pureza primitiva; (fig.) envilecer-se, viciar-se. — *v. intr.* corromper, viciar.

bastardía. *f.* bastardia, degeneração; indignidade, infâmia, degenerescência.

bastardilla. *f.* (mús.) bastardilha, instrumento semelhante à flauta.

bastardillo, lla. *adj. dim.* de *bastardo.* bastardillo, cursivo, grifo, itálico (diz-se da letra de imprensa que imita a letra manuscrita).

bastardo, da. *adj.* e *s.* bastardo, filho ilegítimo; bastardo, degenerado, que degenera da sua orígem ou natureza; adulterino. — *m.* boa, serpente. — *m.* (bot.) bastardo, uva preta e temporã; (impr.) bastardo, letra bastarda; (mar.) bastardo, cabo para atracar as vergas aos mastros.

baste. *m.* alinhavo; espécie de almofada sob a sela. V. basta.

bastear. *v. tr.* acolchoar, bastear, pôr bastas em.

bastera. *f.* albardeira; fabricante ou vendedor de albardas.

bastecedor. *m.* abastecedor, fornecedor. V. abastecedor.

bastecer. *v. tr.* bastecer, abastecer, fornecer; tramar, maquinar. V. abastecer.

bastecimiento. *m.* bastecimento, abastecimento, fornecimento. V. abastecimiento.

basterna. *m.* natural dum antigo povo sármata que ocupou o território onde hoje estão a Polónia e a Ucrânia. — *f. pl.* carro peculiar dos antigos, *basternas;* liteira coberta usada pelas damas romanas.

bastero, ra. *s.* albardeiro, fabricante ou vendedor de albardas.

basteza. *f.* rudeza, aspereza, rusticidade.

bastida. *f.* (mil.) bastida, máquina usada antigamente contra os castelos e praças fortes.

bastidor. *m.* bastidor, caixilho de bordador; bastidor, quadro pintado de teatro; (Amér.) colchão metálico: *entre bastidores,* (fig.) coisas íntimas segredos; por detrás dos bastidores; *bastidor de protección* (transportes), engradado; *bastidor de teatro,* corrediça.

bastilla. *f.* bainha alinhavada; (ant.) bastilha; prisão fortificada; (cost.) debrum.

bastillado, da. *adj.* (herald.) diz-se das peças do escudo cujas ameias estão para baixo.

bastillar. *v. tr.* embainhar roupa.

bastimentar. *v. tr.* abastecer, prover de abastecimentos ou provisões; aprovisionar.

bastimento. *m.* (mar.) embarcação, barco; bastecimento, bastimento, abastecimentos de provisões para uma cidade; edifício, alinhavo; acolchoado.

bastión. *m.* (mil.) bastião, baluarte, forte, fortificação.

bastionado, da. *adj.* V. abaluartado.

basto. *m.* espécie de albarda; basto, às de paus; qualquer carta do naipe de paus. — *pl.* (equit.) mantinhas, almofada debaixo da parte posterior da sela.

basto, ta. *adj.* basto, grosseiro, tosco, (Bras.) tôsco, em bruto; denso; achamboado; desafável; compacto, espesso.

bastón. *m.* bastão, bengala, bordão, báculo; insignia de mando ou autoridade; (mil.) bastão de comando; cilindro para enrolar a seda; (herald.) barras no escudo: *bastón de estoque,* bengala de estoque.

bastonazo. *m.* bengalada, bastonada, pancada com bengala, chibatada, paulada.

bastoncillo. *m.* galão estreito que serve para guarnecer; (anat.) elemento de uma das membranas da retina; bastãozinho, chibatinha.

bastonear. *v. tr.* espancar, dar com a bengala; agitar o vinho; bastonar.

bastoneo. *m.* espancamento.

bastonera. *f.* cabide para colocar bengalas e guarda-chuvas.

bastonero. *m.* bengaleiro, fabricante ou vendedor de bengalas; mestre-sala em certos bailes; ajudante do dire(c)tor do presídio.

basura. *f.* varredura, imundície, excreção, excremento; esterqueiro, esterco, lixo, esterco das cavalariças; sujidade; (Amér.) desperdícios utilizáveis do tabaco em rama: *recogida de basuras*, recolha de varreduras.

basurero. *m.* varredor, lixeiro; condu(c)tor do lixo ou esterco; montureira, lugar de recolha do lixo, lixeira, esterqueira.

bata. *f.* roupão, bata, chambre; mandrião. — *m.* índio ou mestiço de menor idade nas Filipinas.

batacazo. *m.* grande baque, queda com estrondo, choque; (fam.) batecú.

batahola. *f.* bulha, barulho, grande ruido ou confusão, lufada, estropido, estropeada, estrépito; barafunda; azáfama; assuada; atroamento.

batalla. *f.* batalha, combate, lide, peleja, luta; torneio, justa; a(c)ção; refrega; briga; discussão; controvérsia; parte da sela de montar; corpo de exército no tempo antigo; (fig.) agitação, inquietação de ânimo; (esgr.) peleja dos que lutam com espadas emboladas, assalto; (pint.) quadro duma batalha; (fig.) *caballo de batalla*, cavalo de batalha, argumento principal; *batalla naval*, batalha naval; *tregua en la batalla*, suspensão de armas; *dar batalla*, dar batalha; *presentar batalla* ,apresentar batalha; *orden de batalla*, ordem de batalha; *batalla campal*, batalha campal.

batallador, ra. *adj.* e *s.* batalhador, que batalha, lutador, batalhante. V. **esgrimidor.**

batallar. *v. intr.* batalhar, combater, pelejar, lutar, disputar; (fig.) porfiar; discutir; disputar, brigar; (esgr.) fazer um assalto; (fig.) flutuar, vacilar; contender.

batallón. *m.* (mil.) batalhão; antigamente, esquadrão de cavalaria; (mil.) guisado de batatas.

batallona. *adj.* diz-se duma questão muito discutida e a que se atribui grande importância: *cuestión batallona*, assunto de difícil solução.

batán. *m.* pisão, máquina para apisoar os panos; edifício onde funciona esta máquina; apisoador; batão, passo de dança; (Amér.). V. **tintorería.** — *pl.* certo jogo de crianças.

batanadura. *f.* pisoagem, pisoamento, apisoadura.

batanar. *v. tr.* pisoar, apisoar, atochar. V. **abatanar.**

batanear. *v. tr.* (fig. e fam.) bater, maltratar, sovar; enfortir o pano.

batanero. *m.* pisoeiro, apisoador, o que apisoa.

batata. *f.* (bot.) batata doce, originária da India; batateira; (Amér. fam.) timidez, vergonha: *confitura de batata*, batatada.

batatal. *m.* batatal, terreno plantado de batatas, batateiral.

batatar. *m.* batatal, terreno plantado de batatas, batateiral.

batatazo. *m.* (Amér.) sorte nas corridas de cavalos, quando ganha o que tinha menos probabilidades: *dar batatazo*, ganhar o cavalo que tinha menos probabilidades.

batatín. *m.* batata miúda.

Batavia. (geog.) Batávia.

batayola. *f.* (mar.) balaustrada, parapeito da

borda; caixa coberta com encerado que se constrói sobre a amurada dos navios; trincheira da borda; balaustrada.

bate. *m.* (mec.) instrumento em forma de picareta usado para meter o balastro debaixo das travessas.

batea. *f.* bandeja de madeira ou palha; tina redonda; bateia; (mar.) embarção re(c)-tangular ou quadrilonga; terrina; gamela para dar de comer aos porcos; vagão descoberto com os bordos muito baixos.

batel. *m.* (mar.) batel, bote, canoa, esquife; (germ.) quadrilha de ladrões ou rufiões.

batelejo. *m. dim.* de batel; botezinho, pequeno bote ou batel.

batelero, ra. *s.* bateleiro, pessoa que governa um batel; (orni.) bateleiro, ave de rapina.

batemar. *m.* bate-mar, quebra-mar.

bateo. *m.* V. **bautizo.**

batería. *f.* bateria, fileira de peças de artilharia; unidade tá(c)tica da arma de artilharia; fortificação com peças assestadas; a(c)ção de bater; brecha que faz a artilharia; bateria, fra(c)ção de um regimento de artilharia de campanha; trem de cozinha; (electr.) bateria, conjunto de condensadores eléctricos; (mús.) conjunto de instrumentos de percussão; (mar.) cada uma das pontes dum navio guarnecidas de peças de artilharia; (fig.) impertinência: *batería de cocina*, bateria de cozinha; *batería de acumuladores*, bateria de acumuladores; *batería de artillería naval*, andaina de artilharia; *batería de asalto*, torres ambulantes; *batería eléctrica*, bateria eléctrica, bateria de pilhas.

batero, ra. *s.* fabricante ou vendedor de batas.

batibio. *m.* (biol.) nome duma substância gelatinosa descoberta por Maeckel.

batiboleo. *m.* (Amér.) bulha, desordem.

baticola. *f.* rabicho, retranca, correia para segurar a sela à cauda das bestas.

baticolearse. *v. r.* (Amér.) roçar-se a cauda duma cavalgadura pelo uso continuado do rabicho.

batículo. *m.* (mar.) cabo grosso que segura os viradores dos mastaréus; espécie de vela carangueja.

batida. *f.* batida na caça, montaria; (mil.) batida, exploração.

batidera. *f.* espécie de enxada para misturar a areia com a cal; faca para cortar os favos ao crestar as colmeias; batedeira para fazer manteiga.

batidero. *m.* batedura, batedela, a(c)ção de bater; batedoiro, batedouro, lugar onde se batem ou sacodem os obje(c)tos; terreno desigual onde o carro roda dificilmente; (mar.) reforço de lona das velas dum navio; reforço ou defesa nos varadouros dos antigos navios.

batido, da. *p. p.* e *adj.* batido; acatassolado, ondeado, furta-cor (diz-se dos tecidos de seda); trilhado, frequentado (diz-se dos caminhos). — *m.* massa especial para biscoitos, batido; batedela, batedura, batimento; claras, gemas ou ovos batidos;

camino batido, caminho batido ou frequentado; batido a martillo, amartelado.
batidor, ra. adj. batedor, que bate. — m.
batedor, instrumento para bater; batedor,
explorador que reconhece o campo; soldado de cavalaria que precede o regimento; pente; empresador; monteiro, batedor
que levanta a caça; batedor, que precede
a cavalo as pessoas reais; (Amér.) chocolateira.
batidura. f. batedela, batedura.
batiente. p. a. e adj. batente, que bate. —
m. batente, ombreira onde bate a porta
quando se fecha; aldrava; (mar.) batente, quebra-mar, lugar onde a maré bate e
se quebra: reír a mandíbula batiente, rir
às bandeiras despregadas.
batifondo. m. (Amér.) confusão, desordem,
alvoroço.
batifora. f. tributo que paga o arrieiro por
apascentar a récua nos prados guardados.
batigrafía. f. batigrafia, batimetria.
batihoja. m. bate-folha, (Bras.) bate-fôlha;
urdume para fabricar galões finos de seda.
batilongo. m. (Amér.) bata de mulher, comprida e não cingida à cintura.
batimán. m. certo movimento de dança.
batimento. m. (pint.) V. **esbatimento.**
batimetría. f. batimetria, batigrafia.
batimétrico, ca. adj. batimétrico.
batímetro. m. batímetro.
batimiento. m. batedura, batedela, a(c)ção de
bater.
batín. m. roupão ligeiro.
bationdeo. m. ondulação, agitação causada
pelo vento.
batiportar. v. tr. (mar.) firmar a artilharia
de modo que as bocas das peças se apoiem
nas travessas superiores das portas.
batir. v. tr. bater, dar pancadas; cunhar moedas; derrotar; explorar; remexer; agitar
as asas; abater, arruinar, derrubar, deitar abaixo, demolir; sacudir, mover, agitar; revolver; (mil.) bater, canhonear;
martelar uma peça de metal, até ficar
em chapa; pentear o cabelo; reconhecer,
registar, percorrer; ajustar e acomodar as
resmas de papel; derrotar o inimigo; bater campo; mexer; maçar; arrojar ou
lançar de grande altura; deixar cair ao
solo; (Amér.) clarear a roupa depois de
ensaboada. — v. intr. soar, palpitar. — ba-
tirse. v. r. cair sobre; abater-se, desanimar-se; medir-se; engalfinhar-se, bater-
-se: batirse en duelo, encontrar-se; batir
palmas, aplaudir; batir la caza, empresar
a caça; batir huevos, bater ovos; batir las
alas, bater as asas; batir al enemigo, destroçar o inimigo; batir moneda, bater
moeda; batirse en retirada, bater em retirada; batirse a pistola, bater-se à pistola;
el hierro debe batirse cuando está caliente,
deve-se bater o ferro enquanto está quente.
batiscafo. m. (oceanog.) batiscafo, aparelho
submergível destinado a explorações sub-
marinas.
batista. f baptista, tecido de cambraia muito
fino e transparente; (Amér.) tecido de al-

godão com o revés branco; ave de rapina.
batisterio. m. (ant.) baptistério. V. **baptisterio.**
bato. m. homen tonto, rústico, pateta, parvo;
(Amér.) ave pernalta do tamanho do flamingo.
batografía. f. batografia, estudo das depressões da parte sólida da terra.
batojar. v. tr. varejar os frutos de algumas
árvores.
batología. f. (ret.) batologia.
batológico, ca. adj. (ret.) batológico.
batollar. v. tr. V. **batojar.**
batometría. f. (oceanog.) batimetria, batigrafia.
batómetro. m. (oceanog.) batímetro, batómetro.
batracio, cia. adj. (zool.) batráquio, batrá-
cio. — m. pl. batráquios.
batracoideo, a. adj. (zool.) batracóide, referente à rã.
batuda. f. batuda, exercício acrobático;
salto de trampolim.
Batuecas. n. pr. estar en las Batuecas. V.
estar en Babia.
batueco, ca. adj. e s. natural das ou pertencente às Batuecas. — m. (prov.) ovo goro.
batuque. m. (Amér.) alvoroço; barulho, algazarra; batuque: bailar el batuque, ba-
tucar.
batuquear. v. tr. (Amér.) bater, mover com
ímpeto alguma coisa. V. **batir.**
baturrillo. m. mexedura, misturada, mixórdia, salsada, moxinifada, mistura de coisas
heterógeneas, especialmente de comestíveis; (fig.) confusão, desordem.
baturro, rra. adj. e s. (geog.) natural de ou
pertencente a Aragão; rústico de Aragão.
batuta. f. (mús.) batuta; (fig.) domínio; ordem; regência de uma orquestra; chefia;
llevar uno la batuta (fam.) dirigir uma corporação ou mandar nela.
baúl. m. baú, cofre, arca, mala; (fig.) ventre, barriga, pança: llenar el baúl, (fam.)
comer muito; meter en un baúl, embaular.
baule. m. (Amér.) V. **baúl.**
baulero, ra. s. bauleiro, fabricante ou vendedor de baús.
bauprés. m. (mar.) gurupés, mastro oblíquo
situado na extremidade da proa.
bausa. f. (Amér.) ociosidade, mândria, preguiça.
bausán, na. s. manequim armado; (ant.)
pêlo muito fino. — adj. bobo, néscio, pateta, simplório.
bautismal. adj. ba(p)tismal.
bautismo. m. ba(p)tismo: fe de bautismo,
certidão de ba(p)tismo; recibir el bautismo, ba(p)tizar-se; recibir el bautismo de
fuego, receber o ba(p)tismo do fogo.
bautista. m. ba(p)tista, aquele que ba(p)tiza;
cognome de S. João.
bautisterio. m. ba(p)tistério. V. **baptisterio.**
bautizar. v. tr. ba(p)tizar, administrar o
ba(p)tismo; dar nome a uma pessoa ou
coisa; chapuzar, mergulhar em água;
(fam.) adulterar o vinho, misturando-o
com água. — **bautizarse**, v. r. ba(p)tizar-se.

bautizo. m. ba(p)tismo, ba(p)tizado, a(c)ção de ba(p)tizar; festa por ocasião do ba(p)tismo.

bauxita. f. (min.) bauxite.

bauza. f. toro de madeira em bruto.

bávara. f. carro antigo.

bávaro, ra. adj. e s. (geog.) natural da ou pertencente à Baviera.

Baviera. (geog.) Baviera.

bayadera. f. bailarina e cantora indiana, bailadeira.

bayal. adj. linho de sequeiro, diz-se duma variedade de linho. — m. alavanca dos moinhos.

bayeta. f. baeta, tecido de lã, baieta. — pl. panos mortuários que se armam à porta das igrejas: arrastrar bayetas, (fam.) cursar uma universidade.

bayo, ya. adj. baio, diz-se do cavalo de cor castanho claro. — m. borboleta do bicho-da-seda.

bayoco. m. moeda antiga de cobre; (p. us.) em Portugal uma antiga moeda de dez réis; (prov.) figo ou bêbera por amadurecer.

bayón. m. espadana; saco feito com as folhas de buri, nas Filipinas, usado para empacotamentos.

Bayona. n. pr. Baiona: arda Bayona, (fam.) expressão que significa o pouco cuidado que uma pessoa tem em gastar muito.

bayona. f. (mar.) remo mais comprido que serve de esparrela nos navíos baleeiros, espadela.

bayonesa. f. V. mayonesa ou mahonesa.

bayoneta. f. baioneta; (bot.) arbusto de Cuba com folhas pontiagudas. — pl. (fig.) bayoneta, baionetas, número de soldados: calar la bayoneta, calar a baioneta.

bayonetazo. m. baionetada, ferida feita com baioneta.

bayoque. m. V. bayoco.

bayuca. f. (fam.) baiuca, taberna.

bayunco, ca. adj. (Amér.) grosseiro, rústico.

baza. f. vaza, no jogo das cartas: meter baza, meter sua colherada; no dejar meter baza; (fam.) falar sem deixar que outro fale.

bazar. m. bazar, loja; mercado público no Oriente.

bazo, za. adj. baço; moreno tirante a amarelo; (anat.) baço.

bazofia. f. bazófia; restos de comida misturados; coisa soez e desprezível; porcaria.

bazucar. v. tr. agitar, vascolejar, chocalhar um líquido dentro de uma vasilha; revolver alguma coisa líquida; traquejar.

bazuquear. v. tr. V. bazucar.

bazuqueo. m. vascolejo, vascolejamiento, chocalho dum líquido dentro de uma vasilha.

be. f. nome da letra B.: ce por be, (fam.) com todos efes-e-erres.

be. m. bé balido do carneiro ou da ovelha.

beata. f. beata, devota; (fam.) mulher que frequenta muito as igrejas; religiosa; dissimulada. — pl. (germ.) peseta (moeda); (rel.) beguinas, beguinária.

beatería. f. beatice, beataria, devoção fingida, hipocrisia; carolice; beatério, beatismo, devocionismo; santimónia, (Bras.) santimônia; (Bras.) diz-que-diz.

beaterio. m. beatério, casa de beatas, mosteiro, recolhimento, casa de comunidade.

beatificación. f. beatificação.

beatificar. v. tr. beatificar, declarar bem-aventurado, (fig.) tornar feliz, louvar muito; tornar venerável uma coisa.

beatífico, ca. adj. (teol.) beatífico, que torna bem-aventurado, que dá a suprema felicidade; místico.

beatilla. f. beatilha, baetilha, touca de pano branco usado pelas freiras.

beatísimo, ma. adj. sup. beatíssimo; tratamento que se dá ao Papa.

beatitud. f. beatitude; bem-aventurança; suprema felicidade; tratamento dado ao Sumo Pontífice.

beato, ta. adj. e s. beato, muito devoto; beatificado, feliz, bem-aventurado; que se exercita em obras de virtudes; (fig.) que afecta virtude; pessoa beatificada pelo Papa; que traz hábito religioso sem viver em comunidade; (fam.) beato, homen que frequenta muito as igrejas, altareiro; devocionista: hacerse beato, abeatar-se.

beatón, na. adj. e s. beatorro, beatão, beateiro; (fig.) hipócrita, santanário, falso devoto.

beatuco, ca. adj. e s. V. beatón.

bebé. m. (gal.) bebé. V. rorro e muñeca (brinquedo de criança).

bebeco, ca. (Amér.) V. albino.

bebedera. f. (Amér.) a(c)ção de beber repetida e prolongadamente; bebedeira.

bebedero, ra. adj. bebível, aplica-se à água ou a outro líquido bom para beber, potável, que se pode beber. — m. bebedoiro, lugar onde os pássaros e aves domésticas bebem a água; bico saliente de algumas vasilhas.

bebedizo, za. adj. potável. — m. poção medicinal; bebida medicinal; poção confe(c)cionada com veneno; encantamento: amorios.

bebedor, ra. adj. e s. bebedor, que bebe; (fig.) bebedor, bêbedo, embriagado, ébrio, que abusa de bebidas alcoólicas; (pop.) etilizado, decilitreiro.

beber. v. intr. beber, ingerir, engolir um líquido; brindar; gastar em bebidas; abusar das bebidas alcoólicas; absorver; impregnar-se; embocar; (fam.) chupar; (fig.) enfustar; embriagar-se; (Bras.) embocar. m. beber, a(c)ção de beber; bebida, líquido que se bebe: dar de beber, abebedar, embebedar; llevar a beber, dessedentar; beber alcohol, (fam.) matar o bicho; beber mucha agua, encharcar-se em água; beber con exceso, adegar; beberse las lágrimas, beber lágrimas; beber demasiado vino, avinhar-se; beber en las tabernas, (pop.) decilitrar; beber una copa, embocar um copo; beber a la salud de alguien, beber à saude de alguém; beber en ronda, beber em ronda; beber con avidez, (pop.) embocar; (fig.) beber en buenas fuentes, beber do fino; (fig.) *beber los vientos por alguien*, beber os ares por alguém, arder por alguma pessoa.

bebible. *adj.* bebível, potável, diz-se dos líquidos agradáveis ao paladar.

bebida. *f.* bebida, líquido que se bebe; vinho, aguardente, etc.; hábito de beber muito; a(c)ção de beber; bebedura, beberagem; (prov.) tempo de descanso dos trabalhadores; *bebida alcohólica*, bebida alcoólica; *bebida confortante*. cordial: *bebida mala*, mijoca; (pop.) *bebida bautizada*, aguaceira; *darse a la bebida*, dar-se à bebida.

bebido, da. *p. p. e adj.* bebido; embriagado; etilizado; ébrio; melado; entroviscado, atordoado pelo licor: *un tanto bebido*, entrado meio grosso.

bebienda. *f.* V. **bebida.**

bebistrajo. *m.* (fam.) mistura extravagante de bebidas; poção repugnante; bebida muito desagradável.

beborrotear. *v. tr.* (fam.) bebericar, beber pouco e a miúdo; chuchurrear.

beca. *f.* lugar gratuito num colégio, bolsa de estudo; beca, veste talar preta, de seda ou pano; insígnia que alguns colegiais trazem a tiracolo. — bandas de uma capa.

becario, ria. *s.* bolseiro, estudante que beneficia duma bolsa de estudo.

becerrada. *f.* (taurom.) novilhada, garraiada; bezerrada.

becerrero. *m.* campino, guardador de toiros.

becerril. *adj.* pertencente ao bezerro ou próprio dele.

becerrillo. *m.* bezerrinho; pele de bezerro curtida.

becerro. *m.* (zool.) bezerro, cria masculina da vaca; a pele curtida de vitela ou vitelo; livro de privilégios nas igrejas e mosteiros: *becerro marino*, bezerro marinho; *becerro de oro*, bezerro de oiro; (bot.) *pie de becerro*, pé de bezerro.

becoquín. *m.* V. **bicoquín.**

becuadrado. *m.* bequadrado, propriedade no canto gregoriano.

becuadro. *m.* (mús.) bequadro.

bedar. *v. tr.* (germ.) ensinar; orar.

bedel. *m.* bedel, empregado universitário que aponta as faltas, anuncia a hora, etc.; maceiro; (ant.) bastonário.

bedelía. *f.* bedelia, funções ou duração das funções do bedel.

bedelómetro. *m.* (cir.) bedelómetro, (Bras.) bedelômetro.

bederre. *m.* (germ.) verdugo.

beduino, na. *adj. e s.* beduíno, diz-se do árabe que vive no deserto; (fig.) homem bárbaro.

bedul. *m.* (prov.) V. **abedul.**

beduro. *m.* (mús.) bequadro, bequadrado.

befa. *f.* burla, escárnio, mofa, a(c)ção de debicar; ludíbrio, zombaria; (vulg.) apepinação.

befar. *v. tr. e intr.* escarnecer, mofar, burlar; mover os beiços o cavalo para morder o freio; chufar; ludibriar.

befedad. *f.* qualidade de belfo ou zambro.

befo, fa. *adj.* belfo, que tem mais grosso o

lábio inferior; beiçudo; de lábios grossos e pendentes. — *m.* belfo, lábio dum animal; (zool.) espécie de macaco de cauda comprida.

begonia. *f.* (bot.) begónia, (Bras.) begônia.

begoniáceo, cea. *adj.* (bot.) begoniáceo. — *f. pl.* begoniáceas.

beguina. *f.* beguina. beata pertencente a certas comunidades da Bélgica.

behetría. *f.* beetría povoação cujos habitantes tinham o direito de eleger quem a administrasse; (fig.) desordem, confusão, balbúrdia, alvoroço.

bejín. *m.* (bot.) espécie de cogumelo; (fam.) impaciente, irascível; assomadiço; pessoa que se zanga por pouca coisa; impertinente, chorão (diz-se do menino).

bejina. *f.* (prov.) V. **alpechín.**

bejuquear. *v. tr.* (Amér.) verdascar, bater com pau.

beldad. *f.* beldade, formosura, mulher bela, beleza.

beldar. *v. tr.* limpiar os cereais com o ancinho. — *pres. ind. irr.* **bieldo, -as, -a, -an;** *subj.* **bielde, -es, -e -en.**

belduque. *m.* (Amér.) faca pontiaguda de grande comprimento.

beleda. *f.* (prov.) V. **acelga.**

belemnita. *f.* (geol.) belemnita. molusco fóssil.

belemnítico, ca. *adj.* (geol.) relativo a belemnita.

belemnoide. *adj.* em forma de belemnita ou a ela semelhante.

belemnoideo, a. *adj.* (geol.) V. **belemnoide.**

belén. *m.* presépio, presepe, representação do nascimento de Jesús Cristo; (fig.) balbúrdia, confusão, distúrbio.

belenense. *adj. e s.* (geog.) belenense, natural de ou pertencente a Belem.

beleño. *m.* (bot.) meimendro.

belérico. *m.* (bot.) mirobálano.

belesa. *f.* (bot.) persicária, dentelária.

belez. *m.* vasilha para vinho ou azeite; alfaias; (germ.) coisa de casa; (prov.) V. **tinaja.**

belezo. *m.* V. **belez.**

belfo, fa. *adj.* belfo. diz-se do que tem mais grosso o lábio inferior; beiço; com beiços grossos e arreganhados; (cavalos). — *m.* beiço do cavalo e doutros animais.

belga. *adj. e s.* (geog.) belga. natural de ou pertencente à Bélgica.

Bélgica. (geog.) Bélgica.

Belgrado. (geog.) Belgrado.

belicismo. *m.* belicismo, amor à guerra.

belicista. *adj. e s.* belicoso, beligerante, inclinado à guerra.

bélico, ca. *adj.* bélico, guerreiro, beligerante, aguerrido, que incita à guerra; relativo à guerra; próprio da guerra, militar.

belicosidad. *f.* belicosidade, qualidade do que é belicoso ou guerreiro.

belicoso, sa. *adj.* belicoso, guerreiro, beligerante, aguerrido, marcial; (fig.) agressivo; brigão, rixoso; alevantadiço; efervescente; desinquieto.

beligerancia. *f.* beligerância; estado de guerra.

beligerante. adj. e s. beligerante, que está em guerra; belicoso. — pl. beligerantes, povos ou nações em guerra.

belígero, ra. adj. (poét.) belígero, belicoso, que serve na guerra.

belísono, na. adj. (poét.) belíssono, que tem som guerreiro.

belitre. adj. e s. biltre, pícaro, ruim, diz-se do homem de maus costumes; velhaco; mendigo, pedinte; bêbedo.

belitrería. f. velhaquería, a(c)ção de biltre; biltraria, biltragem; infâmia.

belitrero. m. (germ.) ladrão.

belomancia. f. belomância, adivinhação por meio de flechas.

belorta. f. peça do arado. V. **vilorta.**

beluario. m. beluário; domador de animais ferozes.

belvedere. m. (arq.) belvedere, belver, belveder, mirante, terraço no alto dum edifício.

bellacada. f. velhacada, velhacaria; reunião de velhacos. V. **bellaquería.**

bellaco, ca. adj. e s. velhaco, ruim, pícaro, sagaz, astuto, arraposado, bilontra, bargante; chatim; (Bras.) zafimeiro; (pop.) gabiru; macanho; gajo; (fig.) estradeiro; diz-se da cavalgadura que tem manhas e é difícil de governar: *hacerse un bellaco,* avelhacar-se, arraposar-se.

belladona. f. (bot.) beladona; erva-midriática.

belladonina. f. (quím.) belodonina.

bellaquear. v. intr. velhaquear, velhacar; fazer velhacarias.

bellaquería. f. velhacaria, velhacada; baixeza, galezia, berganteria; macanjice; coisa-ruim.

bellerife. m. (germ.) beleguim, antigo funcionário judicial, meirinho, oficial de diligências.

belleza. f. beleza, formosura, lindeza, excelência; perfeição, graça; beleza, mulher formosa; beldade; atra(c)tivo; (fig.) elegância; astro; deidade: *belleza perfecta,* beleza sem senão; *perder la belleza,* afear-se; *instituto de belleza,* casa de beleza; (fig.) *decir bellezas,* dizer uma coisa com graça.

bellido, da. adj. belo, formoso; gracioso.

bello, lla. belo, formoso, lindo, gentil; apacível; distinto; agradável; feliz; próspero; nobre; generoso; harmónico; perfeito; excelente; de boas qualidades; bom; elevado; ameno; grande, vantajoso; vigoroso; apolíneo; (fig.) arrogante: *el bello sexo,* o belo sexo; *de bello aspecto,* estético; *hacer el bello,* (gal.) pavonear-se; — m. belo, o belo.

bellorio, ria. adj. pardusco, diz-se dos cavalos cor de rato. V. **vellorio.**

bellota. f. (bot.) bolota, glande de carvalho ou do azinheiro; botão de cravo; vasilha para bálsamos ou para outras espécies aromáticas; espécie de borla.

bellotal. m. lugar onde crescem as bolotas.

bellote. m. prego grande com cabeça redonda, cavilha.

bellotear. v. intr. comer bolotas o gado.

bellotera. f. montado, azinhal onde se engordam os porcos; tempo próprio para colher a bolota e engordar os porcos; colheita de bolotas; aquela que colhe ou vende bolotas.

bellotero, ra. s. apanhador ou vendedor de bolotas; (bot.) azinheiro, árvore que dá a bolota; azinhal.

bembo. m. lábio grosso; beiço. — adj. néscio; pateta; africano.

bemol. m. (mús.) bemol: (fam.) *tener bemoles una cosa,* ser muito grave e difícil uma coisa.

bemolado, da. adj. (mús.) bemolado, com bemóis.

bemolar. v. tr. (mús.) bemolar, pôr bemol, ou bemóis; afe(c)tar do sinal bemol.

bemolizar. v. tr. (mús.) V. **bemolar.**

benceína. f. (quím.) benzeína.

benceno. m. (quím.) benzeno, benzina.

bencidina. f. (quím.) benzidina.

bencilato. m. (quím.) benzilato.

bencílico, ca. adj. (quím.) benzílico.

bencilo. m. (quím.) benzilo.

bencina. f. (quím.) benzina, benzeno, benzol.

bendecido, da. p. p. e adj. abençoado, bento, bendito, louvado, glorificado.

bendecidor, ra. adj. abençoador, louvador, exaltador, benzedor.

bendecir. v. tr. abençoar, benzer, bendizer, consagrar, dedicar ao culto divino; bem-aventurar; louvar; engrandecer, glorificar; fazer cruzes sobre; deitar a bênção. —conj. irr. como *decir,* exce(p)to no futuro, no potencial, e na 2.ª pessoa do singular do imperativo, que é regular.

bendicera. f. (ant.) benzedeira; (pop.) enxota-diabos.

bendición. f. bênção: *bendición episcopal,* bênção episcopal; *bendición nupcial,* bênção nupcial; *echar la bendición,* deitar a bênção; *bendición de la mesa,* bênção da mesa.

benditera. f. (prov.) pia de água benta.

bendito, ta. adj. e p. p. bendito; abençoado; bento; santo; bem-aventurado; benzido. — m. bendito, oração: *es un bendito,* é um simples.

benedícite. m. benedícite, oração rezada antes das refeições.

benedicta. f. (fam.) benedita, purgante.

benedictino, na. adj. e s. beneditino, pertencente à ordem de S. Bento. — m. beneditina. licor fabricado pelos frades desta Ordem.

Benedicto. n. pr. Bento.

benefactor, ra. adj. e s. benfeitor, que faz bem; (fig.) pai. V. **bienhechor.**

beneficencia. f. beneficência, caridade, filantropia.

beneficiable. adj. beneficiável, melhorável; cultivável.

beneficiación. f. beneficiação, a(c)ção de beneficiar; melhoramento, beneficiamento.

beneficiado, da. p. p. e adj. beneficiado, que recebeu um benefício. — m. beneficiado, o que goza de um benefício eclesiástico; beneficiado, pessoa em favor de quem reverteu o produto de um benefício (espec(c)-táculo, peditório público, etc.)

beneficiador, ra. *adj.* e *s.* beneficiador, que ou aquele que faz ou concede um benefício.

beneficial. *adj.* beneficial, concernente a benefício eclesiástico.

beneficiar. *v. tr.* beneficiar, fazer benefício a; favorecer; aproveitar; melhorar; reparar, consertar; descontar letras ou valores selados; cultivar uma coisa fazendo que frutifique; prover um benefício eclesiástico; temperar o vinho com aguardente; fazer benfeitorias, bem-fazer: *beneficiar los metales*, beneficiar os metais; extrair minérios; conseguir um emprego, por serviço pecuniário; beneficiar, retirar benefícios, proveitos. — **beneficiarse.** *v. r.* beneficiar-se aproveitar-se; lucrar, avantajar.

beneficiario. *m.* (for.) beneficiário, a quem se concede benefício; que obteve benefício por via de inventário; concessionário; usufrutuário: *heredero de beneficiario*, herdeiro beneficiário.

beneficio. *m.* benefício, utilidade, proveito, bem que se faz ou recebe (for.) benefício, direito que compete por lei ou privilégio; utilidade; trabalho, cultura; melhoria, benfeitoria; benefício, proveito, utilidade; benefício, produto de uma récita teatral; benefício eclesiástico; cessão de emprego por dinheiro; (com.) cessão de créditos por menos de seu valor; favor, mercê, graça; beneficiação; lucro; ganho; vantagem; melhoramento, benfeitoria: *beneficio de inventario*, benefício de inventário; (fig.) *a beneficio de inventario*, a benefício de inventário; *beneficio de los vinos*, lotação de vinhos; *privarse de algo en beneficio de otros*, tirar da boca; *beneficio bruto*, benefício grosso; *beneficio neto*, benefício líquido.

benéfico, ca. *adj.* benéfico, beneficente, bondoso, salutar, bem-fazejo.

benemerencia. *f.* (ant.) benemerência, merecimento.

benemérito, ta. *adj.* benemérito, digno de louvor ou prémio; merecedor.

beneplácito. *m.* beneplácito; aprovação; licença; consentimento; aquiescência; aprazimento, permissão.

benevolencia. *f.* benevolência; indulgência; bondade; boa vontade; disposição favorável; benignidade; estima; afe(c)to, complacência com os inferiores; apacibilidade, agrado; bem-querer; bem-querença; simpatia; contemplação; humanidade; amizade: *ganar la benevolencia de alguien*, bem-quistar-se com alguém.

benévolo, la. *adj.* benévolo, bem disposto ou intencionado; benigno; favorável; benevolente: afe(c)tuoso, bondadoso; indulgente, amorável; benigno; afável; bem-querente: *ser más benevolente*, afrouxar a corda.

bengala. *f.* bengala; pequeno bastão feito de cana-da-índia; bastão de general; cambraia da índia. V. **luz de Bengala.**

Bengala. (geog.) Bengala.

bengalí. *adj.* e *s.* (geog.) bengali, bengalês, natural de ou pertencente a Bengala. — *m.* língua bengali; (zool.) pássaro pequeno espécie de tentilhão; (bot.) bengali, planta do Brasil.

benignidad. *f.* benignidade; amenidade; doçura; clemência; bondade; indulgência; benevolência; equidade, (Bras.) eqüidade; condescendência.

benigno, na. *adj.* benigno, benévolo, afectuoso, favorável; ameno; clemente; piedoso, aprazível, temperado, suave (tempo); pacífico; benévolo, almo; agradável; indulgente.

benjamín. *m.* (fig.) benjamim, o filho mais pequeno e querido dos pais; criança amimada; queridinho.

Benjamín. *n. pr.* Benjamim.

benjamita. *adj.* e *s.* descedente da tribo de Benjamim; pertencente ou relativo a Benjamim.

benzamida. *f.* (quím.) benzámida.

benzoato. *m.* (quím.) benzoato.

benzolina. *f.* (quím.) benzolina.

benzoilamida. *f.* (quím.) V. **benzamida.**

benzoilato. *m.* (quím.) V. **benzoato.**

benzoína. *f.* (quím.) benzoína.

benzol. *m.* (quím.) benzol, benzina e tolueno.

benzolina. *f.* (quím.) benzolina.

benzonaftol. *m.* (quím.) benzonaftol.

beocio, cia. *adj.* e *s.* beócio, natural de Beócia, ou pertencente a ela; (fig.) estúpido, pateta, tonto, néscio; beócio.

beodez. *f.* borracheira; bebedeira.

beodo, da. *adj.* e *s.* bêbedo; ébrio, borracho, embriagado, avinhado; assomado de álcool; emborrachado, alcoolizado; envernizado.

beotismo. *m.* beotice, idiotice, grosseria, torpeza.

beque. *m.* (mar.) beque, parte mais avançada da proa; talha-mar; — V. **bacín;** (fig.) privada ou latrina da marinharia.

béquico, ca. *adj.* (med.) béquico, diz-se dos remédios contra a tosse.

bérbera. *f.* V. **bérbero.**

berberecho. *m.* (zool.) amêijoa, molusco vivalde.

berberí. *adj.* e *s.* V. **bereber.**

berbería. *f.* (Amér.) V. **adelfa.**

Berbería. *f.* (geog.) Berberia.

berbérico, ca. *adj.* (quím.) berbérico.

berberidáceas. *f. pl.* (bot.) berberidáceas.

berberídeo, a. *adj.* (bot.) berberídeo, berberidáceo. — *f. pl.* berberídeas, berberidáceas.

berberina. *f.* (quím.) berberina.

berberís. *m.* (bot.) bérberis. V. **bérbero.**

berberisco, ca. *adj.* e *s.* (geog.) berberesco, barbaresco, relativo aos berberes. V. **bereber.**

berbiquí. *m.* berbequim, furador, trado, broca, verrumão.

bercería. *f.* (ant.) lugar onde se vendem berças.

bercero, ra. *s.* (ant.) V. **verdulero.**

bereber. adj. e s. berbere, natural da ou pertencente à Berberia.

berebere. adj. e s. V. **bereber.**

berengo, ga. adj. (Amér.) bobo, simplório, pateta, néscio.

berenjena. f. (bot.) beringela, planta e o seu fruto.

berenjenal. m. lugar plantado de beringelas; (fig.) enredo, negócio dificultoso: *meterse en un berenjenal*, (fig.) abarrancar.

berenjenin. m. (bot.) espécie de beringela.

bergante. m. bargante, patife, libertino, pícaro, velhaco, brejeiro, sem vergonha.

bergantín. m. (mar.) bergantim, brigue: *bergantín-goleta*, brigue escuna.

bergantinejo. m. dim. de bergantín.

berilo. m. (min.) berilo; água-marinha.

Berlín. (geog.) Berlim.

berlina. f. berlinda, carruagem de dois assentos; coupé, (Bras.) coupê, compartimento dianteiro nas diligências: (fig.) *estar en berlina*, estar na berlinda, ser alvo de críticas, estar na ordem do dia.

berlinga. f. pau que sustenta a corda na qual se estende a roupa; pau de remexer a massa fundida, nos fornos metalúrgicos.

berlingar. v. tr. remover uma massa metálica incandescente com a *berlinga*.

berma. f. (fort.) berma, relexo, sapata.

bermejear. v. intr. avermelhar, fazer-se vermelho. — v. tr. avermelhar, tornar vermelho.

bermejizo, za. adj. avermelhado, tirante a vermelho. — m. (zool.) espécie de morcego.

bermejo, ja. adj. vermelho, de cor vermelha; colorado, encarnado.

bermejón, na. adj. avermelhado, vermelho. — m. vermelhão.

bermejura. f. vermelhidão, qualidade do que é vermelho; cor vermelha.

bermellón. m. cinábrio em pó, vermelhão, mínio, zarcão.

Bermudas. (geog.) Ilhas Bermudas.

Berna. (geog.) Berna.

bernardina. f. (fam.) mentira, fanfarronada. — pl. jactâncias, fanfarronadas.

bernardo, da. adj. e s. bernardo, religioso da Ordem de Císter.

Bernardo. n. pr. Bernardo.

bernegal. m. taça de boca larga; (Amér.) calha que recolhe a água passada por um filtro.

bernés, sa. adj. e s. (geog.) bernense, natural de ou pertencente a Berna.

bernia. f. bérneo, bérnio, pano forte de lã, de que se fazem capas de agasalho; capa feita deste tecido. — s. (Amér.) V. **haragán.**

berra. f. (bot.) mastruço, agrião grande; berra, cio, brama dos animais.

berraza. f. (bot.) agrião alto e de talo grosso. V. **berrera.**

berrazal. m. V. **berrizal.**

berrear. v. intr. berrar, dar berros, berregar, mugir; (fig.) cantar desentoadamente; (germ.) descobrir, declarar ou confessar uma coisa secreta.

berrenchín. m. fedor nauseabundo que exala o javalí furioso; fartum; (fig. fam.) rabugem, rabuge das crianças, berreiro. V. **berrinche.**

berrendo, da. adj. e s. bicolor. diz-se especialmente do touro; bicho-de-sedo pardacento.

berreo. m. rabugem, berro, rabuge das crianças; paixão; ira; fúria.

berreón, na. adj. (prov.) gritador, berrador.

berrido. m. berro, bramido, mugido; (fig.) grito áspero de pessoa ou nota alta e desafinada ao cantar: *dar berridos*, berrar.

berrín. m. chorão, impertinente. V. **bejin.**

berrinche. m. rabugem, rabuge, berreiro ou cólera das crianças; cólera, despeito.

berrinchudo, da. adj. (Amér.) rabugento, que se impacienta ou rabuja com facilidade.

berrizal. m. agrial, lugar onde crescem agriões.

berro. m. (bot.) agrião, planta herbácea das crucíferas, mastruço, agrião grande: *berro de costa*, (Amér.) planta crucífera semelhante ao agrião.

berrocal. m. barrocal, sítio cheio de barrocas.

berroqueña. adj. granitóide. — f. granito, pedra compacta e dura.

berrueco. m. barroca, penedo alto; rocha granítica; barroco; terçol, pequeno tumor na íris dos olhos.

bersaca. f. (ant.) mochila de soldado.

berta. f. cabeção largo, de renda, usado pelas senhoras.

berza. f. (bot.) berça, espécie de couve, couve-galega.

berzal. m. couval, lugar plantado de couves.

berzelianita. f. (min.) berzelina.

berzelina. f. (min.) berzelina.

berzotas. m. (pop.) homen rude e tardo em entender, pateta, pacóvio, simplório.

bes. m. peso de oito onças; na antiga Roma.

besador, ra. adj. e s. beijador.

besalamano. m. carta ou escrito que contém a abreviatura B. L. M. (beija as mãos).

besamanos. m. beija-mão; cumprimento.

besamela. f. bechamel.

besana. f. (agr.) abesana, primeiro sulco ou rego que faz o arado; (prov.) V. **haza.**

besar. v. tr. beijar, dar beijos, oscular; tocar-se, estar em conta(c)to; (fig. fam.) diz-se das coisas quando tocam umas nas outras; chocar uma pessoa com outra, tropeçar. — **besarse.** v. r. beijar-se, dar-se beijos, entrebeijar-se: *besar a menudo*, beijocar.

beso. m. beijo, ósculo; beijadela; (fig.) choque, encontro das coisas umas com outras: *beso de Judas*, beijo de Judas; *dar un beso*, beijar; *beso dado a distancia*, beijoca; *beso sonoro*, beijoca, (pop.) chocho.

bestia. f. besta, (Bras.) bêsta. quadrúpede. — s. (fig.) pessoa rude, ignorante, tolo; animalão; (fig.) bestiada: *hacer el bestia*, (fam.) bestar; *bestia de carga*, besta de carga. — adj. idiota, animal, grosseiro: (zool.) *gran bestia*, gran besta, alce.

bestiaje. m. récua, fileira de bestas de carga, bestiagem, bestiame; bestaria.

bestial. adj. bestial, brutal, estúpido, grosseiro, erróneo; repugnante; irracional, abrutado; (fig.) desmesurado, grande; asnal; desumano.

bestialidad. f. bestialidade, brutalidade, estupidez; a(c)to de luxúria pra(c)ticado com animal.

bestializar. v. tr. bestializar, bestar. — bestializarse. v. r. embrutecer-se, bestializar-se, viver como as bestas.

bestiario. m. bestiário, mirmilão; gladiador nos circos romanos.

besucador, ra. adj. e s. (fam.) beijoqueiro, beijocador, que beija a miúdo.

besucar. v. tr. (fam.) beijocar. V. besuquear.

besucón, na. adj. e s. beijoqueiro beijocador. V. besucador; (fig.) V. empalagoso.

besugada. f. comida composta de besugos.

besugo. m. (ictiol.) besugo, ruivo, salmonete. — pl. (germ.) peúgas.

besuguera. f. peixeira que vende besugos; frigideira para fritar besugos.

besuguero, ra. s. peixeiro que vende besugos. — m. anzol para pescar besugos.

besuquear. v. tr. (fam.) beijocar. dar beijos a miúdo. V. besucar.

besuqueo. m. a(c)ção de beijocar; beijos muito frequentes.

beta. f. beta, nome da segunda letra do alfabeto grego.

beta. f. (mar.) quaisquer dos cabos que se empregam nos aparelhos de bordo; pedaço de corda ou guita; (prov.) corda de esparto.

bético, ca. adj. e s. (geog.) bético, natural da ou pertencente à antiga Bética.

betijo. m. pau pequeno que se põe na boca dos cabritos para não mamarem.

betlemita. adj. e s. (geog.) betlemita, natural de Belém ou pertencente a esta cidade da Terra Santa; (Amér.) diz-se do religioso da Ordem fundada na Guatemala por Betencourt.

betlemítico, ca. adj. betlemítico, pertencente a Belém ou aos betlemitas.

betol. m. (quím.) betol.

betón. m. betão, cimento.

betón. m. cera que está na entrada do cortiço; (med.) primeiro leite amarelado das recem paridas.

betuláceo, a. adj. (bot.) betuláceo. — f. pl. betuláceas.

betulina. f. (quím.) betulina.

betuminoso, sa. adj. V. bituminoso.

betún. m. betume; betume, graxa para o calçado; breu mineral; almécega; composição para unir e pegar umas coisas com outras: betún de Judea, asfalto; (Amér.) água saturada de substâncias dos nervos da folha de tabaco em rama; mistura de açúcar e clara de ovos batidos.

betunar. v. tr. V. embetunar.

betunear. v. tr. (Amér.) humedecer com betún ou tabaco em rama.

betunería. f. fábrica ou lugar onde se vende betume.

betunero. m. fabricante ou vendedor de betumes e graxas.

bey. m. bei, governador de Tunes; título honorífico; governador turco.

bezaar. m. V. bezoar.

bezante. m. (herál.) besante. peça circular figurada no brasão de armas.

bezar. m. V. bezoar.

bezo. m. beiço, lábio grosso.

bezoar. m. bezoar, concreção pétrea nas vias digestivas e urinárias.

bezoárdico, ca. adj. V. bezoárico.

bezoárico, ca. adj. bezoárico, pertencente ou relativo a bezoar.

bezudo, da. adj. beiçudo, com beiços grossos.

biangular. adj. biangular, biangulado.

biarca. m. oficial romano que tratava dos víveres.

biarticulado, da. adj. (zool.) biarticulado.

biatómico, ca. adj. (fís. e quím.) biatómico, (Bras.) biatômico.

biauricular. adj. (anat.) biauricular.

biaxífero, ra. adj. biaxífero, que tem dois eixos.

biaza. f. alforje de coiro. V. bizaza.

bibásico, ca. adj. (quím.) bibásico.

bibelot. m. (gal.) coisa preciosa. V. muñeca, figurilla, alhaja, etc.

biberón. m. biberão, bule pequeno para dar leite às crianças; madeira.

Biblia. f. Bíblia, Sagrada Escritura; Antigo e Novo Testamento.

bibliatría. f. (impr.) bibliátrica.

bibliátrica. f. (impr.) bibliátrica.

biblicista. s. biblicista, pessoa dedicada ao estudo da Bíblia.

bíblico, ca. adj. bíblico, pertencente ou relativo a Bíblia.

bibliocleptómano. f. bibliocleptomaníaco, pessoa que rouba livros.

bibliófago, ga. adj. e s. bibliófago, biblioclasta.

bibliófilo, la. s. bibliófilo.

bibliófobo, ba. adj. e s. bibliófobo.

bibliognóstica. f. bibliognosia.

bibliografía. f. bibliografia.

bibliográfico, ca. adj. bibliográfico.

bibliografo, fa. s. bibliógrafo.

bibliolito. m. (min.) bibliolito.

bibliología. f. bibliologia.

bibliólogo, ga. s. bibliólogo.

bibliomancia. f. bibliomancia.

bibliomanía. f. bibliomania.

bibliomaníaco, ca. adj. e s. bibliomaníaco, bibliómano.

bibliómano, na. adj. bibliomaníaco, bibliómano.

bibliópola. m. bibliópola, livreiro.

bibliologo, ga. s. bibliólogo.

biblioteca. f. biblioteca, livraria; cole(c)ção, estante de livros.

bibliotecario, ria. s. bibliotecário; conservador de uma biblioteca, catalogador de livros.

bibliotecnia. f. bibliotecnia.

bibliotecografía. f. bibliotecografia.

biblioteconomía. f. biblioteconomia.

biblística. f. biblística.

biborato. m. (quim.) biborato.

bical. *m.* (ictiol.) selmão macho.
bicameral. *adj.* bicameral.
bicameralismo. *m.* (pol.) bicameralismo.
bicapsular. *adj.* (bot.) bicapsular.
bicarbonado, da. *adj.* (quim.) bicarbonado.
bicarbonato. *m.* (quím.) bicarbonato: *bicarbonato sódico*, bicarbonato de sódio.
bicarburo. *m.* (quim.) bicarboneto.
bicaudal. *adj.* (bot. e anat.) bicaudado, com duas caudas ou apêndices caudais.
bicéfalo, la. *adj.* bicéfalo, que tem duas cabeças; (poét.) bicípite.
bicelular. *adj.* bicelular.
bíceps. *adj.* e *s.* (anat.) biceps, bicípite.
bicerra. *f.* (zool.) cabra montês.
bicicleta. *f.* bicicleta, velocípede: *bicicleta con motor*, autociclo.
biciclista. *m.* ciclista, velocipedista, bicicletista.
biciclo. *m.* biciclo, velocípede de duas rodas, das quais a dianteira é maior.
bicipital. *adj.* (anat.) bicipital.
bicípite. *adj.* bicípite; bicéfalo.
bicloruro. *m.* (quim.) bicloreto.
bicoca. *f.* (fam.) coisa de pouco valor, ninharia: *conseguir una bicoca*, abiscoitar.
bicolor. *adj.* bicolor, de duas cores.
bicóncavo, va. *adj.* (geom.) bicôncavo, que é côncavo dos dois lados.
biconjugado, da. *adj.* (bot.) biconjugado, dividido em dois ramos simétricos.
biconvexo, xa. *adj.* (geom.) biconvexo, que é convexo dos dois lados.
bicorne. *adj.* (poét. e bot.) bicorne, bicórneo, bicornígero.
bicornio. *m.* bicorne, bicórneo, chapéu com dois bicos.
bicos. *m. pl.* bicos, certos pontos de ouro que se punham nas gorras de veludo.
bicromía. *f.* (impr.) bicromia.
bicuadrado. *m.* biquadrado, quarta potência: *ecuación bicuadrada*, equação biquadrada.
bicuento. *m.* (arit.) trilião, milhão de milhões.
bicúspide. *adj.* (anat. e bot.) bicúspide.
bicha. *f.* (zool.) corça, fêmea do veado; (fam.) cobra, entre pessoas supersticiosas; (prov.) lagarta, inse(c)to lepidótero; (arq.) ornato com figura de animal fantástico; (Amér.) V. **bicho.**
bichar. *v. tr.* V. **bichear.**
bicharraco. *m. depr.* de *bicho*; bicharoco, bicho ascoroso.
bicharrache. *m.* tratante, traste.
biche. *adj.* (Amér.) diz-se da fruta verde e das pessoas doentias; vazio, oco. — *m.* (Amér.) panela grande.
bichear. *v. tr.* espiar, observar às escondidas; (germ.) escamotear.
bichero. *m.* (mar.) bicheiro; gancho; vara de barqueiro; croque.
bicho. *m.* bicho; sevandija; animal em geral: (fig.) pessoa intratável ou irritada; (fam.) indivíduo feio; (fig.) pessoa ridícula. — *pl.* (pop.) piolhos: *todo bicho viviente*, todo alma viva; *mal bicho*, (pop.) má rês, pessoa perversa; *matar el bicho*, (fam.) matar o bicho, tomar uma bebida

alcoólica em jejum; *criar bichos*, (Bras.) abichar.
bichofear. *v. tr.* burlar, chasquear, zombar.
bichozno. *m.* quinto neto.
bidé. *m.* bidé, móvel de toucador para lavar as partes inferiores do tronco.
bidentado, da. *adj.* (bot.) bidentado.
bidente. *adj.* (poét.) bidentado, que tem dois dentes. — *m.* gadanho com dois dentes.
bidigitado, da. *adj.* (bot.) bidigitado.
bidón. *m.* (neol.) vasilha, caixa de folha. V. **lata.**
biela. *f.* biela, haste que serve para comunicar movimentos em certos maquinismos: *biela de conexión*, biela de conexão.
bielada. *f.* cada um dos movimentos feitos com o garavanço para limpar o trigo na eira.
bielda. *f.* (agr.) espécie de forcão; forcado; esmoinhadeira, espécie de garavanço grande.
bieldada. *f.* conjunto de messes, legumes, etc. que se colhem duma vez só com o garavanço.
bieldar. *v. tr.* (agr.) aventar o trigo. V. **beldar.**
bieldo. *m.* (agr.) garavanço para limpar o trigo na eira.
bielga. *f.* (prov.) espécie de garavanço; forcão; forcado.
bielgo. *m.* V. **bieldo.**
bien. *m.* bem, todo o justo e lícito; benefício; virtude; (fam.) pessoa amada; utilidade. — *pl.* bens, fazenda, riqueza; haveres; propriedades; fortuna. — *adv.* bem, re(c)tamente, com acerto; bem, com saúde; como é conveniente; de modo agradável; muito; assim; ainda; convenientemente; bastante; certamente; seguramente; junto a alguns adje(c)tivos e advérbios, significa *muito*; acertadamente; de boa maneira. — *interj.* apoiado!; bravo!; *¿y bien?*, então?; *bien rico*, muito rico; *bienes muebles*, bens móveis; *bienes heridos*, bens onerados; *bienes sedientes*, bens de raiz; *hacer bien*, fazer bem; ser caridoso; *tener a bien*, haver por bem; *estar bien con alguien*, estar bem com alguém; *a bien*, a bem; por bons modos; *acabar bien una cosa*, acabar uma coisa em bem; *si bien que*, se bem que; *beber bien*, beber bem, muito; *bien rico*, bem ou muito rico; *encontrar bien*, aprovar; *¡muy bien!*, belo!, muito bem!; *no bien había...*, não bem; *bienes semovientes*, bens semoventes; *bienes dotales*, bens dotais.
bienal. *adj.* bienal.
bienamado, da. *adj.* bem-amado, muito querido.
bienandante. *adj.* afortunado, feliz, venturoso, bem-andante.
bienandanza. *f.* felicidade, fortuna, bem-andança.
bienaventurado, da. *adj.* e *s.* bem-aventurado; afortunado, feliz; beatificado, beato; (irón.) pessoa muito simples ou cândida.
bienaventuranza. *f.* bem-aventurança, felicidade celeste; o céu; ventura, fortuna;

prosperidade; beatitude. — *pl.* as oito virtudes evangélicas.

bienaventurar. *v. tr.* bem-aventurar, fazer feliz a alguém.

bienestar. *m.* bem-estar, conforto, (Bras.) confôrto, comodidade, conveniência; situação tranquila; (med.) autarcia.

bienfortunado, da. *adj.* bem-afortunado, ditoso, feliz, que tem boa sorte.

biengranada. *f.* (bot.) chenopódio; pimenta.

bienhablado, da. *adj.* bem-falante, que fala cortêsmente; que fala bem.

bienhaciente. *adj.* bem-fazejo, beneficente.

bienhadado, da. *adj.* bem-fadado, feliz, afortunado.

bienhechor, ra. *adj.* e *s.* benfeitor, bem-fazejo, beneficiador, beneficente; (fig.) padrinho; amparo, que pratica o bem.

bienhechuría. *f.* (Amér.) benfeitoria, melhoramento feito em propriedade.

bienintencionado, da. *adj.* bem intencionado, com boa intenção.

bienio. *m.* biénio, (Bras.) biênio.

bienllegada. *f.* boas-vindas, cumprimento de felitações pela chegada dalguém. V. **bienvenida.**

bienllegado, da. *adj.* bem-chegado, bem-vindo.

bienmandado, da. *adj.* bem-mandado, obediente, que obedece.

bienoliente. *adj.* fragante, odorífero. V. **fragante.**

bienpareciente. *adj.* bem-parecido.

bienplaciente. *adj.* prazenteiro, agradável.

bienquerencia. *f.* benquerênça, boa vontade, benevolência, aceitação, carinho.

bienquerer. *v. tr.* bem-querer, apreciar, estimar, querer bem. — *m.* bem-querer.

bienqueriente. *p. a.* bem-querente.

bienquistar. *v. tr.* benquistar, bem-quistar, conciliar, pôr de acôrdo pessoas desavindas. — **bienquistarse.** *v. r.* bem-quistar-se.

bienquisto, ta. *adj.* e *p. p. irreg.* benquisto, bem-quisto, estimado, prezado; bem-visto; com boa fama; admitido: *ser bienquisto de todo el mundo,* acreditar-se com todos.

biensonante. *adj.* bem-soante.

bienteveo. *m.* V. **candelecho;** (Amér.) bem-te-vi, pássaro inse(c)tívoro.

bienvenida. *f.* boas-vindas, expressão de contentamento pela chegada dalguém; chegada feliz.

bienvenido, da. *adj.* bem-vindo, bem-chegado; *sea bienvenido,* seja bem aparecido.

bienviviente. *p. a.* e *adj.* bem-vivente.

bienvivir. *v. intr.* viver bem, com conforto; viver honestamente; viver folgadamente.

bies. *m.* (gal.) V. **sesgo:** *cortar al bies,* enviesar.

biezo. *m.* (Amér.) V. **abedul.**

bifacial. *adj.* bifacial.

bife. *m.* (Amér.) V. **bistec.**

bífero, ra. *adj.* (bot.) bífero.

bífido, da. *adj.* bífido, bifendido.

bifilar. *adj.* (electr.) bifilar.

bifloral. *adj.* (bot.) bifloro.

bifloro, ra. *adj.* (bot.) bifloro, biflor.

bifocal. *adj.* (fís.) bifocal.

bifoliado, da. *adj.* (bot.) bifoliado, bifólio.

biforme. *adj.* biforme, que tem duas formas.

biforo, ra. *adj.* bífore.

bifosfato. *m.* (qu.m.) bifosfato.

bifronte. *adj.* (poét.) bifronte.

biftec. *m.* bife. V. **bistec.**

bifurcación. *f.* bifurcação; ponto de divisão em dois ramais; forqueadura, forcada; vértice.

bifurcar. *v. tr.* bifurcar, estabelecer bifurcação; separar em duas partes; forquilhar, forquear. — **bifurcarse.** *v. r.* bifurcar-se, dividir-se em dois ramos, ou hastes.

biga. *f.* biga, carro puxado a dois cavalos.

bigamia. *f.* bigamia, estado de bígamo.

bígamo, ma. *adj.* e *s.* bígamo.

bigarda. *f.* (prov.) V. **billalda.**

bigardeado, da. *adj.* e *p. p.* desregrado, licencioso, mal procedido.

bigardear. *v. intr.* (fam.) vadiar, levar vida desregrada.

bigardia. *f.* troça, dissimulação, fingimento, engano, trapaça, burla.

bigardo, da. *adj.* e *s.* desregrado, vicioso, dizia-se dos frades que levavam vida licenciosa; vadio, vagabundo, ocioso, de maus costumes.

bigardón, na. *adj.* e *s.* vadio, vagabundo; (prov.) diz-se do que é desmesuradamente alto em proporção à sua idade.

bigeminado, da. *adj.* (bot.) bigémeo, (Bras.) bigêmeo, bigeminado.

bigémino, na. *adj.* (bot.) bigeminado.

bigénere. *adj.* (gram.) bigénero, (Bras.) bigênero.

bigeno, na. *adj.* bífero.

bignonia. *f.* (bot.) bignónia, (Bras.) bignônia.

bignoniáceas. *f. pl.* (bot.) bignoniáceas.

bigorneta. *f.* pequena bigorna.

bigornia. *f.* bigorna, incude: (germ.) *los de la bigornia,* os fanfarrões.

bigornio. *m.* (germ.) fanfarrão, valentão.

bigorrella. *f.* pedra que serve para mergulhar a rede na água.

bigote. *m.* bigode; (impr.) linha horizontal grossa no meio e delgada nas extremidades; chamas que saem pela porta de um alto-forno: *tener bigote,* (fam.) ter firmeza de caracter; *en sus bigotes,* (fam.) à queima-roupa; *no tener malos bigotes,* (fam.) expressão para indicar que uma mulher é formosa.

bigotera. *f.* bigodeira; assento móvel em certas carruagens; compasso pequeno; biqueira de sapato; fita para adorno do pescoço; abertura na frente de um alto-forno.

bigotudo, da. *adj.* bigodado, que tem bigode farto; que tem bigodeira.

bigudí. *m.* bigudí.

bija. *f.* (bot.) uruceiro, urucu; pasta tintórea preparada com esta semente; tinta feita com zarcão com que se pintavam os índios da América. V. **achiote.**

bilabarquín. *m.* (Amér.) V. **berbiquí.**

bilabiado, da. *adj.* (bot.) bilabiado, bilabial.

bilabial. *adj.* (gram.) bilabial.

bilateral. adj. bilateral, recíproco.
bilbaíno, na. adj. e s. (geog.) bilbaíno, bilbainho, natural de ou pertencente a Bilbau.
Bilbao. (geog.) Bilbau.
bilboquete. m. (fam.) brinquedo, embocabola. V. **boliche.**
bilda. f. (prov.) V. **bielda.**
bildar. v. tr. (prov.) V. **bieldar.**
bildo. m. (prov.) V. **bieldo.**
bildurra. f. (prov.) cobardia, medo.
biliar. adj. (anat.) biliar, biliário.
biliario, ria. adj. (anat.) biliário.
bilifulvina. f. (quim.) bilifulvina.
bilifuscina. f. (fisiol. e quim.) bilifuscina.
biligénesis. f. biligénese.
bilingüe. adj. bilingue, que tem duas línguas, que fala duas línguas; escrito em dois idiomas; que fala com ambiguidade.
bilingüismo. m. bilinguísmo.
bilina. f. (bioquím.) bilina.
bilioso, sa. adj. bilioso, que tem muita bílis; (med.) bilioso, em que predomina a bílis; (fig.) alteradiço; melancólico, que tem mau génio.
bilis. f. (fisiol.) bílis; bile; (fig.) mau génio; irascibilidade; atrabílis; (fig.) melancolia.
bilítero, ra. adj. bilítero, biliteral.
biliverdina. f. (fisiol. e quím.) biliverdina.
bilma. f. (Amér.) V. **bizma.**
bilmar. v. tr. (Amér.) V. **bizmar.**
bilobulado. adj. (bot.) bilobado, que consta de dois lóbulos.
bilocación. f. (teol.) bilocação.
bilocarse. v. r. bilocar-se, estar uma pessoa em dois lugares diferentes ao mesmo tempo; (Amér.). V. **chiflarse.**
bilocular. adj. (bot.) bilocular.
bilogía. f. (lit.) bilogia.
bilongo. m. (Amér.) V. **brujería.**
biltrotear. v. intr. V. **viltrotear.**
biltrotera. f. V. **viltrotera.**
billa. f. tacada no jogo de bilhar; bola de bilhar.
billalda. f. V. **billarda** e **tala.**
billar. m. bilhar (jogo); bilhar (casa ou sala onde se joga o bilhar).
billarda. f. bilharda, jogo de rapazes.
billarista. s. bilharista, jogador de bilhar; bilhardeiro, bilhardão.
billetado, da. adj. (herá.) V. **cartelado.**
billetaje. m. bilhetada; ingressos ou entradas por venda de bilhetes.
billete. m. bilhete, escrito breve; missiva; bilhete de admissão em qualquer lugar; documento que torna o possuidor interessado numa lotaria ou rifa; nota de banco, papel-moeda, bilhete; bilhete de caminho de ferro; efeito; entrada: *billete de caridad*, bilhete de benefício; *billete de lotería*, bilhete das sortes; *billete de banco*, bilhete do banco; *billete amoroso*, bilhete amatório.
billetera. f. (Amér.) V. **billetero.**
billetero. m. bilheteira, carteira.
billón. m. (mat.) trilião, bilião; um milhão de milhões.

billonésimo, ma. adj. bilionésimo, trilionésimo.
bímano, na. adj. e s. (zool.) bímano, que tem duas mãos (diz-se do homem).
bimba. f. (fam.) chapéu alto de homem; cartola; (Amér.) pessoa de elevada estatura.
bimbre. m. (fam. e bot.) vim, vimeiro.
bimembre. adj. bimembre, que tem dois membros ou partes.
bimensual. adj. bimensual, quinzenal.
bimestral. adj. bimestral, que se repete cada bimestre; que dura um bimestre.
bimestre. adj. bimestre. V. **bimestral.** — m. bimestre, tempo de dois meses.
bimetálico, ca. adj. bimetálico, pertencente ou relativo ao bimetalismo.
bimetalismo. m. bimetalismo.
bimetalista. adj. e s. bimetalista, que defende o bimetalismo.
bimotor. m. adj. (aviac.) bimotor, avião com dois motores.
bina. f. binação; binágio; binagem.
binación. f. binação; a(c)ção de dar o segundo manho a um terreno. V. **bina.**
binadera. f. instrumento agrícola. V. **binador.**
binado, da. adj. (bot.) binado, diz-se das folhas dispostas nos ramos duas a duas.
binador. m. aquele que bina; instrumento para binar ou cavar.
binar. v. tr. binar, dar segundo amanho às terras. — v. intr. dizer duas missas no mesmo dia.
binario, ria. adj. binário, que tem dois tempos, unidades ou elementos.
binatera. f. (mar.) bolinas.
binazón. f. arrenda das terras. V. **bina.**
binocular. adj. binocular, binoculado.
binóculo. m. binóculo, óculo duplo usado pelos espectadores nos teatros.
binomial. adj. (mat.) binómico, (Bras.) binômico, relativo a binómio.
binomio. m. (mat.) binómio, (Bras.) binômio.
bínubo, ba. adj. e s. bínubo, casado segunda vez, bígamo.
binuclear. adj. binuclear, que tem dois núcleos.
binza. f. membrana interna dos ovos; película das cebolas; qualquer membrana delicada do corpo do animal ; (prov.) semente do tomate ou pimento.
biobibliografía. f. biobibliografia.
biobibliográfico, ca. adj. biobibliográfico.
biobibliógrafo, fa. s. biobibliógrafo.
biocrático, ca. adj. (terap.) biocrático.
biodinámica. f. biodinâmica, ciência das forças vitais.
bioelectricidad. f. bioelectricidade.
bioenergética. f. (fisicl.) bioenergética.
biofilia. f. biofília, instinto de conservação.
biofísica. f. biofísica.
biofísico, ca. adj. biofísico, pertencente ou relativo à biofísica.
biofobia. f. biofobia; misantropia.
biofotografía. f. (fot.) biofotografia.
biogénesis. f. (biol.) biogénese.

biogenético, ca. *adj.* biogenético, biogenésico, biogéneo.

biogenia. *f.* (biol.) biogenia, biogénese.

biogénico, ca. *adj.* (biol.) biógeno, biogenético.

biógeno, na. *adj.* (biol.) biógeno, pertencente ou relativo à biogénia.

biogeografía. *f.* (biol.) biogeografia.

biogeográfico, ca. *adj.* (biol.) biogeográfico.

biogeógrafo, fa. *s.* (biol.) biogeógrafo.

biogeoquímica. *f.* (biol. e quím.) biogeoquímica.

biognosis. *f.* (biol.) biogénese, biogenia.

biografía. *f.* biografia.

biografiado, da. *s.* biografado, pessoa de quem se fez a biografia.

biografiar. *v. tr.* biografar, fazer a biografia de

biográfico, ca. *adj.* biográfico.

biógrafo, fa. *s.* biógrafo.

biología. *f.* biologia.

biológico, ca. *adj.* biológico.

biólogo. *m.* biólogo, biologista.

biomagnetismo. *m.* biomagnetismo.

biomancía. *f.* biomancia.

biombo. *m.* biombo, anteparo, anteporta: *biombo de dos hojas,* fundinho, fundilhos.

biomecánica. *f.* biomecânica.

biomecánico, ca. *adj.* biomecânico.

biometeorología. *f.* (biol.) biometeorologia.

biometría. *f.* biometria.

biométrico, ca. *adj.* biométrico.

biómetro. *m.* biómetro; agenda.

bionosis. *f.* (med.) bionose.

bioplasma. *f.* (fisiol.) bioplasma.

biopsia. *f.* (cir.) biopsia.

bioquímica. *f.* (biol.) bioquímica.

bioquímico, ca. *adj.* (biol.) bioquímico.

bioscopia. *f.* bioscópia.

bioscopio. *m.* (fisiol.) bioscopio.

biósfera. *f.* biósfera.

biósmosis. *f.* biosmose.

biotaxia. *f.* biotaxia.

biotecnia. *f.* biotecnia.

bioterapia. *f.* bioterapia.

biótico, ca. *adj.* biótico, relativo à vida.

biotipología. *f.* biotipologia.

bioxalato. *m.* (quím.) bioxalato.

bióxido. *m.* (quím.) bióxido.

biparietal. *adj.* (anat.) biparietal.

bipartible. *adj.* bipartido.

bipartición. *f.* bipartição, bissecção.

bipartido, da. *adj.* bipartido; bisseccionado.

bipede. *adj.* V. bípedo.

bípedo, da. *adj.* e *s.* bípede, de dois pés.

bipenna. *f.* (arqueol.) bipene.

bipennífero, ra. *adj.* (arqueol.) bipenífero.

biperforado, da. *adj.* biperfurado.

bipétalo, la. *adj.* (bot.) bipétalo.

bipinatífido, da. *adj.* bipinatífido.

biplano. *m.* (av.) biplano, aeroplano com dois planos de sustentação.

bipolar. *adj.* bipolar, que tem dois pólos.

biribís. *m.* V. bisbis.

biricú. *m.* cinturão, talim, boldrié, talabarte.

birimbao. *m.* berimbau, instrumento sonoro em forma de lira.

birlador, ra. *adj.* e *s.* o que dá no vinte, ba-

tendo no bilro do jogo da bola; (germ.) estafador.

birladura. *f.* a(c)ção de dar no vinte; derrubamento; (germ.) roubo.

birlar. *v. tr.* dar no vinte; derrubar, matar com um golpe; acertar, conseguir; arrefanhar; arrebatar com engano ou intriga.

birlesca. *f.* (germ.) bando de ladrões.

birlesco. *m.* (germ.) ladrão, tratante rufião.

birlí. *m.* (impr.) margem inferior em branco dum impresso; lucro que obtém o impressor por isso.

birlibirloque. *m.* berliques, berloques, arte mágica; (fig.) tramoia oculta, manejo reservado: *por arte de birlibirloque,* por berliques-e-berloques; por arte mágica, por artes diabólicas.

birlo. *m.* (germ.) ladrão; vinte, pau do jogo da bola.

birlocha. *f.* papagaio de papel, brinquedo de crianças.

birloche. *m.* (germ.) V. birlesco; (Amér.) V. birlocho.

birlocho. *m.* carruagem muito leve, aberta na frente, de quatro assentos; vitória.

Birmania. (geog.) Birmânia.

birmano, na. *adj.* e *s.* (geog.) birmã, birmane, birmanês, natural da ou pertencente à Birmânia.

birrectángulo. *adj.* (geom.) diz-se do triângulo esférico que tem dois ângulos re(c)tos.

birrefringencia. *f.* (fís.) birrefringência.

birrefringente. *adj.* (fís.) birrefringente.

birreme. *adj.* birreme, diz-se duma antiga galera com duas ordens de remos de cada lado.

birreta. *f.* barrete cardenalício.

birrete. *m.* barrete, gorro, carapuça, boné. V. birreta.

birretina. *f.* barretina.

birria. *f.* (fam.) pessoa ridícula, grotesca, com pouco gosto. V. tirria: (Amér.) *jugar de birria,* jogar sem interesse.

bis. *adv.* bis, duas vezes. — *m.* repetição. — *interj.* bis!; outra vez!; mais!

bisabuela. *f.* bisavó, mãe do avô ou da avó.

bisabuelo. *m.* bisavô, pai do avô ou da avó.

bisagra. *f.* bisagra, gonzo, dobradiça; leme; bisegre, instrumento de sapateiro, que serve para brunir os saltos e as beiras das solas; charneira.

bisanual. *adj.* bisanual.

bisanuo, nua. *adj.* (bot.) bisanuo, bisanual.

bisar. *v. tr.* bisar, pedir a repetição, repetir.

bisarma. *f.* (prov.) bisarma, pessoa ou animal muito corpulento ou desproporcionado; obje(c)to disforme; bisarma, lança curta e de folha larga.

bisbís. *m.* certo jogo de azar em tabuleiro, dividido em casas.

bisbisar. *v. tr.* mussitar, cochichar, falar entre dentes, murmurar.

bisbiseo. *m.* murmuração, fala entre dentes, musitação.

biscuit. *m.* (gal.) obje(c)to de porcelana. V. bizcocho.

bisecar. v. tr. (geom.) bisse(c)tar, dividir em duas partes iguais.

bisección. f. (geom.) bisse(c)ção, bipartição, divisão em duas partes iguais.

bisector, triz. s. adj. (geom.) bisse(c)tor, que atravessa um espaço dividindo-o em duas partes iguais.

bisecular. adj. bissecular.

bisegmentación. f. bissegmentação.

bisegmentar. v. tr. bissegmentar, bissegmentar.

bisel. m. bisel, chanfradura, corte oblíquo do vidro dum espelho; engaste de pedra em anel.

biselado, da. adj. biselado, em forma de bisel; chanfrado.

biselador. m. o que bisela; chanfrador.

biselar. v. tr. biselar, cortar em bisel; chanfrar.

bisemanal. adj. bissemanal.

bisexual. adj. bissexual, bissexuado. V. **hermafrodita.**

bisexualidad. f. bissexualidade. V. **hermafroditismo.**

bisiesto. adj. bissexto, diz-se do ano do 366 dias: mudar uno bisiesto, (fam.) variar de conduta ou de linguagem.

bisílabo, ba. adj. bissílabo, dissílabo.

bismútico, ca. adj. (quim.) bismútico.

bismutita. f. (min.) bismutita.

bismuto. m. (quim.) bismuto.

bisnieto, ta. s. bisneto, filho do neto ou da neta.

bisojo, ja. adj. e s. zarolho, estrábico, vesgo, estrabão, torto dos olhos.

bisonte. m. (zool.) bisonte, bisão, boi selvagem das Pampas.

bisoñada. f. (fig. e fam.) bisonharia, bisonhice, acanhamento, ignorância, inexperiência.

bisoñé. m. chinó, peruca; alfarreca.

bisoñería. f. V. **bisoñada.**

bisoño, ña. adj. e s. bisonho, acanhado; inexperiente, novo em qualquer arte ou ofício; inábil; galucho; estranhão; recruta, soldado novo.

bistec. m. bife, posta de carne, batida ou picada, grelhada ou frita.

bistraer. v. tr. (prov.) dar dinheiro antecipadamente ou recebê-lo. V. **sonsacar.**

bisturí. m. (cir.) bisturi, escalpelo; lanceta, (Bras.) lancêta; instrumento para incisões na carne; estilete.

bisulco, ca. adj. bissulcado, que tem dois sulcos ou regos.

bisulfato. m. (quim.) bissulfato.

bisulfito. m. (quim.) bissulfito.

bisulfuro. m. (quim.) bissulfureto.

bisunto, ta. adj. adiposo, gordurento, sujo, besuntado, besuntão.

bisurcado, da. adj. bifurcado.

bisutería. f. bijutaria, quinquilharia.

bita. f. (mar.) abita, peça da proa do navio para fixar a amarra da âncora.

bitácora. f. (mar.) bitácula, caixa da bússola.

bitadura. f. (mar.) abitadura, porção do cabo da âncora.

bitango. adj. diz-se dum brinquedo de criança.

biter. m. biter.

bitola. f. bitola, V. **vitola.**

bitones. m. pl. (mar.) abitas de pequeno tamanho, situadas na coberta do navio.

bitongo. adj. e m. diz-se do rapaz que quer fazer-se passar por criança.

bitoque. m. batoque, rolha de pipa; (fig. Amér.) cânula da seringa.

bituminizar. v. tr. transformar em betume.

bituminoso, sa. adj. betuminoso, que tem betume.

bivalencia. f. (quim.) bivalência.

bivalente. adj. (quim.) bivalente.

bivalvo, va. adj. (zool.) bivalve, diz-se do fruto ou concha que tem duas valvas.

bivalvular. adj. V. **bivalvo.**

bixáceo, a. adj. (bot.) diz-se da árvore dicotiledónea de folhas alternas.

bixíneo, a. adj. (bot.) diz-se da árvore dicotiledónea de frutos em cápsulas.

biza. f. (ictiol.) bonito, espécie de atum.

bizantinismo. m. bizantinice, bizantinismo, corrupção por luxo ou excesso de ornamentação; afe(c)tação nas discussões; exquisitice; chinesice.

bizantino, na. adj. e s. (geog.) bizantino, natural de ou pertencente a Bizâncio; (fig.) exquisito; subtil; fútil.

bizarrear. v. intr. bizarrear, proceder bizarramente; ja(c)tar-se; bazofiar.

bizarría. f. bizarria, galhardia; graça; garridice; bravura; bazófia; valor; generosidade, esplendor; galanice.

bizarro, rra. adj. bizarro; garrido; gentil; generoso; nobre; valente; esforçado; garboso; esplêndido; galhardo; galã.

bizaza. f. alforge de couro.

bizbirindo, da. adj. muito vivo de génio, travesso, traquina, alegre.

bizcar. v. intr. vesguear, ter estrabismo, envesgar, entortar os olhos.

bizco, ca. adj. e s. estrábico, vesgo, zarolho, torto dos olhos, estrabão: volverse bizco, entreolhar-se.

bizcochada. f. biscoitada, sopa de biscoito e leite.

bizcochar. v. tr. abiscoitar, biscoitar, abiscoutar, biscoutar; recozer o pão para melhor se conservar.

bizcochera. f. biscoiteira, vasilha para conservar os biscoitos.

bizcochero, ra. adj. e s. biscoiteiro, diz-se do barril em que se leva o biscoito nas embarcações; biscoiteiro, pessoa que fabrica ou vende biscoitos.

bizcocho. m. biscoito, biscouto; bolacha; (mar.) bolacha de embarque; obra de porcelana não vidrada e que foi ao forno duas vezes; gesso feito com caliça: bizcocho averiado, massamorda; bizcocho borracho, biscoito com vinho.

bizcorneado, da. p. p. e adj. (impr.) diz-se do granel que sai torto; (Amér.). V. **bizco.**

bizma. f. (farm.) cataplasma, emplastro confortativo.

bizmar. *v. tr.* e *r.* cataplasmar, pôr cataplasmas, pôr-se cataplasmas.

bizna. *f.* (bot.) película interior que divide a noz em quatro partes.

biznaga. *f.* (bot.) bisnaga; paliteira; coisa sem valor.

biznagar. *m.* lugar cheio de bisnagas.

biznieto, ta. *s.* V. **bisnieto.**

bizquear. *v. intr.* entortar os olhos.

bizquera. *f.* (med.) estrabismo.

blanca. *f.* branca, antiga moeda, quarta parte dum maravedi; (zool.) urraca; (mús.) mínima; (vet.). V. **albarazo:** *no tener blanca* (fig.), estar sem dinheiro; *blanca morfea*; (vet.) morfeia.

blancazo, za. *adj.* esbranquiçado, alvacento.

blanco, ca. *adj.* branco, claro, alvo; (fig.) honrado, honesto; cândido; lívido; (fig.) cobarde; encanecido; alvar. — *m.* homem de raça branca; branco, espaço entre duas coisas ou dois lugares; malha branca nos cavalos; alvo, obje(c)tivo, fito; branco, substância com que se pinta de branco; intervalo, intermitência; entrea(c)to; espaço entre linhas escritas; (fig.) fim dos nossos desejos e a(c)ções: *vino blanco*, vinho branco; *ropa blanca*, roupa branca; *arma blanca*, arma branca; (fig.) *carta blanca*, carta branca, amplos poderes; *pasar la noche en blanco*, passar a noite em branco; *de punta en blanco* (fam.), de ponto em branco, com esmero; *vestido de blanco*, vestido de branco; *lección en blanco*, lição em branco, sem estudar; *dar en el blanco*, atingir o alvo; *quedarse en blanco*, (fig.) ficar em branco; *ser blanco de las iras*, estar na berlinda; *ponerse de punta en blanco* (fam.), fragatear, vestir-se com esmero; *al arma blanca*, a ferro frio; *nacer blanco*, alvejar; *no dar en el blanco*, errar no alvo; *poner los ojos en blanco*, pôr os olhos em alvo; *dar color blanco a una cosa*, albificar uma coisa; *ponerse blanco*, embranquecer; *ir de punta en blanco*, armado de ponto em branco; *en blanco*, in alvis; *blanco de España*, branco de Espanha.

blancor. *m.* V. **blancura.**

blancura. *f.* brancura, alvura, qualidade de branco; alvor: *blancura del ojo* (vet.) névoa, película branca formada no olho.

blancuzco, ca. *adj.* alvacento, alvadio, esbranquiçado, alvarinho, alvejante.

blanda. *f.* (germ.) cama, leito.

blandeador, ra. *adj.* e *s.* que amolece, que abranda; amortecedor, que amortece.

blandear. *v. tr.* e *intr.* abrandar, ceder, amolecer, afrouxar; abalar, fazer mudar de parecer; fraquear.

blandear. *v. tr.* V. **blandir.**

blandengue. *adj.* brando, suave, enervado; (fig.) abemolado (diz-se de pessoas). — *m.* (Amér.) soldado armado com lança, que defendia os limites da província de Buenos Aires.

blandenguería. *f.* blandícia, lisonja, adulação. V. **blandícia.**

blandeza. *f.* V. **blandícia.**

blandicia. *f.* blandícia, lisonja, adulação; carinho; delicadeza; suavidade.

blandiente. *adj.* oscilatório, que oscila, que balança ou balanceia.

blandir. *v. tr.* brandir; agitar uma arma antes de descarregar o golpe; (fig.) menear ameaçando; vibrar. — *v. intr.* oscilar; vibrar; mover-se com agitação de um lado para o outro; agitar-se.

blando, da. *adj.* brando; mole; macio; tenro, que cede à pressão; manso; fraco; vagaroso; suave; agradável; doce, de bom génio ou cará(c)ter; temperado; efeminado; (pop.) cobarde; meigo; afável; ameno; moderado; froixo; que tem pouca energia; pacato; amaciado; dú(c)til; dulcífico; enervado; clemente; delicado; (fig.) amanteigado; (fig.) adamado; inconsistente.

blandón. *m.* brandão, tocha de cera; tocheiro.

blanducho, cha. *adj.* (fam.) brando, embrandecido, enervado, molenga.

blandujo, ja. *adj.* (fam.) brando, embrandecido, molenga, inconsistente.

blandura. *f.* brandura, moleza; suavidade; frouxidão; doçura; emplastro; (fig.) regalo, deleite; requebro; serenidade do ar; inconsistência; du(c)tilidade; dulçor; clemência; blandície; delicadeza; afabilidade, ternura, amenidade; falta de energia ou serenidade. — *pl.* afagos; meiguices.

blanqueador, ra. *adj.* e *s.* branqueador, que branqueia, emboçador.

blanqueadura. *f.* branquedura. V. **blanqueo.**

blanqueamiento. *m.* branqueamento. V. **blanqueo.**

blanquear. *v. tr.* branquear, tornar branco; dar a cor branca; caiar; branquejar; branquear, cobrir com cal; embranquecer; limpar metais; alvejar; desenegrecer; desencardir; albificar; alvacentar; acafelar. — *v. intr.* alvorecer; branquejar; tornar-se branco; alvejar; atirar ao alvo; encanecer; mostrar uma coisa a brancura que em si tem; tirar a branco; *blanquear por medio del fuego* (metales) uma parede; *blanquear con estuco*, estucar; *blanquear con agua y yeso*, acafelar; *blanquear por medio del fuego* (metales) dealbar; *blanquear al sol la ropa*, corar a roupa.

blanquecedor. *m.* branqueador, operário que se ocupava em branquear moedas.

blanquecer. *v. tr.* branquear, limpar e tirar a cor ao ouro e aos outros metais. — *pres ind. irr.* **blanquezco, -ces,** etc.; *subj.* **blanquezca, -as,** etc.

blanquecimiento. *m.* branqueamento. V. **blanquición.**

blanquecino, na. *adj.* alvacento, alvejante, esbranquiçado, que tira a branco, alveiro, a'varinho; entrebranco.

blanqueo. *m.* branqueamento, branqueação; calação; emboço, (Bras.) embôco; encasque (parede); (quím.) dealbação; embocamento; desencardimento; coração (roupas, etc.).

blanqueta. *f.* branqueta, tecido de lã usado antigamente.

blanquete. *m.* alvaiade, cosmético de cor branca usado pelas mulheres.

blanquición. *f.* branqueamento, branqueação, a(c)ção de branquear metais.

blanquillo, a. *f. dim.* de *blanca* (moeda antiga; (prov.) planta composta de que se fazem as vassouras com que se varrem as eiras.

blanquimiento. *m.* branquimento, branqueamento, dissolução empregada para branquear panos, metais, etc.

blanquinoso, sa. *adj.* V. **blanquecino.**

blanquizal. *m.* V. **gredal.**

blanquizar. *m.* V. **gredal.**

blanquizco, ca. *adj.* esbranquiçado. V. **blanquecino.**

blao. *adj.* (herald.) blao, azul, uma das cores do escudo.

blasfemable. *adj.* V. **vituperable.**

blasfemador, ra. *adj.* e *s.* blasfemador, que blasfema; arrenegador.

blasfemar. *v. intr.* blasfemar, proferir blasfémias; ultrajar com blasfémias; (fig.) vituperar; maldizer; injuriar; arrenegar; amaldiçoar: *blasfemar como un carretero,* (fig.) chover raios e coriscos.

blasfematorio, ria. *adj.* blasfematório, que contém blasfémias, blasfemo.

blasfemia. *f.* blasfémia, (Bras.) blasfêmia, injúria contra Deus ou contra os Santos; ultraje; dito insultuoso; impropério; praga; impiedade; blasfemação.

blasfemo, ma. *adj.* e *s.* blasfemo; ultrajante; ímpio; blasfemador; insultante.

blasón. *m.* (herál.) brasão, escudo de armas; arte ou ciência dos brasões; (fig.) honra, glória; timbre; brasão: *hacer blason de,* (fig.) blasonar, tirar glória de, alardear, ja(c)tar-se.

blasonador, ra. *adj.* e *s.* blasonador, que blasona, bazofiador, ja(c)tancioso, vaidoso.

blasonar. *v. tr.* brasonar, ornar com brasão; dispor o escudo segundo as regras heráldicas, amoriar. — *v. intr.* blasonar, ja(c)-tar-se, fazer ostentação de alguma coisa com louvor próprio, alardear, mostrar com alarde, fanfar, fanfarrear; chivantear, gabar-se: *blasonar el arnes,* contar fanfarronadas.

blasonería. *f.* V. **baladronada.**

blasónico. *m.* armorial, livro de registo dos brasões. — *adj.* pertecente ao brasão.

blasonista. *s.* heraldista, pessoa que sabe arte heráldica, ou que a ensina a escrever; mestre de armaria.

blastema. *m.* (bot.) blastema.

blastocárpeo, a. *adj.* (bot.) blastocarpo.

blastodermo. *m.* (anat. e zool.) blastoderma, blastoderme.

blastogénesis. *f.* (bot.) blastogénese.

blastómero. *m.* (embr.) blastómere.

blástula. *f.* (embr.) blástula.

blata. *f.* V. **cucaracha.**

ble. *m.* V. **ple.**

bledo. *m.* (bot.) bredo; (pop.) insignificância, ninharia: *no importar un bledo.*

(fam.) ser insignificante uma coisa em si mesma.

blefárico, ca. *adj.* palpebral.

blefaritis. *f.* (pat.) blefarite, inflamação das pálpebras.

blefaroplastia. *f.* (cir.) blefaroplastia.

blefarostato. *m.* (cir.) blefaróstato.

blefarotomia. *f.* (cir.) blefarotomia.

blenda. *f.* (min.) blenda, sulfureto de zinco, esfalerite.

blenoftalmia. *f.* (pat.) blenoftalmia.

blenorragia. *f.* (pat.) blenorragia, gonorreia, (Bras.) gonorréia, blenorreia.

blenorrágico, ca. *adj.* (pat.) blenorrágico.

blenorrea. *f.* (pat.) blenorragia, blenorreia.

blesidad. *f.* blesidade. V. **ceceo.**

blinda. *f.* (fort.) blindas, peças de madeira que sustentam as faxinas dum fosso.

blindado, da. *adj.* e *p. p.* blindado, couraçado, protegido.

blindaje. *f.* blindagem, revestimento duma fortificação; (mar.) conjunto de pranchas que servem para blindar.

blindar. *v. tr.* blindar, couraçar, fortificar, revestir de chapas de aço, proteger exteriormente.

bloc. *m.* bloco. V. **bloque.**

blocao. *m.* (mil.) fortim de madeira; fortificação, forte, blocausse.

blonda. *f.* blonde, tecido de seda, renda de seda.

blondina. *f.* tecido estreito de seda.

blondo, da. *adj.* louro, loiro, diz-se das pessoas que têm os cabelos loiros.

bloque. *m.* bloco, pedaço grande de pedra bruta; coligação de partidos políticos, bloco; (Amér.) tratando-se de folhas de calendário, livros para apontamentos, etc. V. **taco.**

bloqueado, da. *p. p.* e *adj.* bloqueado, sitiado, cercado, assediado; (fig.) engarrafado.

bloqueador, ra. *adj.* e *s.* bloqueador, que bloqueia.

bloquear. *v. tr.* (mil.) bloquear, sitiar, cercar, pôr bloqueio, sitiar, assediar; (mar.) bloquear engarrafar um navio; cortar as comunicações a um porto inimigo; (impr.) substituir provisóriamente as letras que faltam nas caixas por outras quaisquer, em uma parte da composição; (com.) imobilizar um capital ou crédito.

bloqueo. *m.* bloqueio, cerco a uma praça, porto, etc. assédio, sítio; (mar.) força marítima que bloqueia; engarrafagem; (com.) imobilização de créditos, etc.: *levantar el bloqueo,* desbloquear.

bluff. *m.* (angl.) blefe, palavra ou a(c)ção destinada a intimidar.

blusa. *f.* blusa; vestimenta ligeira de trabalho; casaco com que as mulheres cobrem o tronco.

blusón. *m.* blusão, grande blusa.

boa. *f.* (zool.) boa, jibóia cobra. — *m.* boa, peliça com que as mulheres agasalham o pescoço.

boardilla. *f.* V. **buhardilla.**

boato. *m.* pompa, luxo, ostentação; vanidade; (pop.) aclamação, gritaria, vozearia; (Bras. Nordeste) falaço.

bobada. *f.* bobice. V. **bobería.**

bobalías. *m.* (fam.) bobalhão, simplório, estúpido, tolo, néscio, palerma.

bobalicón, na. *adj.* e *s.* bobalhão; palerma; individuo ridículo; (pop.) alma de cântaro; anastácio; apatetado.

bobarrón, na. *adj.* e *s.* *aum.* de *bobo.* V. **bobo.**

bobático, ca. *adj.* (fam.) diz-se das coisas feitas nèsciamente.

bobear. *v. intr.* bobear, dizer bobices; portar-se como bobo; gastar o tempo em bobagens ou futilidades.

bobería. *f* bobice, palermice, tolice. parvoíce, pachouchada, estolidez, sendeirada, bobagem; estupidez, basbaquice, dito ou a(c)ção própria de bobo.

bóbilis. *adv.:* *bóbilis bóbilis* V. *(de).* gratuitamente, em vão; de graça; (fig.) sem trabalho.

bobilio. *m.* jarro vidrado, bojudo e com assas; renda em volta do decote do vestido. — *adj.* bobozinho.

bobina. *f.* bobina; carretel; grande rolo de papel destinado à impressão de grande tiragem: *bobina de inducción,* (electr.) bobina de indução; *conjunto de bobinas,* bobinagem.

bobinado, da. *adj. p. p.* e *m.* (ele(c)tr.) bobinado, bobinagem.

bobinadora. *f.* bobinador, máquina de bobinar.

bobinar. *v. tr.* bobinar, enrolar em bobinas.

bobo, ba. *adj.* e *s.* bobo, (Bras.) bôbo, parvo, estúpido, tolo, tonto, néscio, de pouco entendimento; palerma; faceiro, estólido; boca-aberta, (Bras.) bôca-aberta, bobalhão, basbaque, estulto; (fam.) completo, farto; gracioso; franco; sincero em demasia; (Bras.) assonsado. — *s.* bobo, truão, palhaço; bofe; tufo de renda ou de pano franzido que usavam as mulheres; arlequim; (geom.) furto aparecido; (zool.) peixe dos rios de Guatemala e México; (Amér.) certo jogo de naipes. V. **mona:** *comer a la sopa boba,* comer a barba longa; comer a tripa forra; *volverse bobo,* embobar-se; à bobas, tolamente.

bobote, ta. *adj.* e *s.* (fam) *aum.* de *bobo;* grande simplório, bobalhão.

bobuno, na. *adj.* (fam.) próprio de bobo.

boca. *f.* boca, (Bras.) bôca; entrada, saída; abertura, buraco, greta; boca, moça no fio, corte ou gume dos instrumentos; lábios; pessoa que come; entrada ou saída de rua ou caminho; foz de um rio; peça de artilharia; (fig.) gosto, sabor; cratera; mossa; pinça dos caranguejos, lacraus e outros animais; aroma do vinho; maldizente; (anat.) boca: *a boca de jarro,* à queima-roupa; *boca de espuerta,* (fam.) boca grande, rasgada; (loc. adv.) *a boca,* por boca, verbalmente; (pop.) *a boca de costal,* abundantemente, copiosamente; *boca por boca,* cara a cara; *no decir esta boca es mía,* (fam.) não dizer palavra; *amargor*

de boca, amargor de boca; (fig.) desgostos; *boca de gachas* (fam.), boca de favas, pessoa que fala confusamente; (mar.) *boca de un buque,* boca dum navio; *en boca cerrada no entran moscas,* em boca cerrada não entra mosca; *de la mano a la boca, desaparece la sopa,* da mão à boca se perde a sopa; *boca muy grande,* boca-ça; *hacer a un caballo duro de boca,* desbocar; *llenar la boca,* embocar; *irse de boca,* falar sem cuidado; *mentir con toda la boca,* mentir com quantos dentes tem na boca; *decir algo con la boca chiquita,* (fam.) dizer alguma coisa pela boca pequena; *decir lo primero que se viene a la boca,* dizer o que vem à boca; *a pedir de boca,* a pedir por boca; *quedarse con la boca abierta,* ficar com cara de asno; *tapar la boca a alguien,* acaimar alguém; *meterse en la boca del lobo,* (fam.) andar nos cornos do touro; *tener la boca seca,* arder em sede, *sin decir esta boca es mía,* não abrir bico, ficar engasgado; *hacerse la boca agua,* (pop.) afiar os dentes, fazer vir água à boca; *oscuro como boca de lobo,* escuro como boca de lobo.

bocabajo. *m.* (Amér.) castigo com açoites.

bocabarra. *f.* (mar.) abertura praticada nos cabrestantes, na qual se introduzem as alavancas.

bocacalle. *f.* embocadura, entrada ou boca de rua.

bocacaz. *m.* sangradoiro, abertura para desviar a água dum rio.

bocací. *m.* bocaxim, entretela para enchumaçar; tarlatana, pano gomado; brim grosseiro para sacos.

bocachón, na. *adj.* fanfarrão, alardeador, valentão.

bocachonada. *f.* fanfarronada, bravata, fanfarronice, fanfarrice.

bocadear. *v. tr.* partir em bocados, dividir.

bocadillo. *m.* sanduiche, merenda, refeição ligeira; espécie de fita; cassa para cortinas; certo pano pouco encorpado, de qualidade inferior.

bocado. *m.* bocado, porção de alimento, que se pode meter de uma vez na boca; dentada; bocado, pedaço de qualquer coisa; bocado, parte do freio de uma cavalgadura; veneno que se dá na comida; (vet.) abreboca, instrumento de alveitar. — *pl.* frutas de conserva: *bocado exquisito,* acepipe; *ser bocado de cardenal,* ser de chupeta; *levantarse con el bocado en la boca,* levantar-se da mesa com o bocado na boca; *sacar a bocados,* abocanhar; *bocado de Adán.* (pop.) nó, pomo-de-Adão; *tomar un bocado,* comer um pouco; *no tener para un bocado,* estar sem dinheiro.

bocal. *m.* vaso de barro para tirar o vinho das dornas, bocal; presa; dique para reter a água de um rio; canal de um porto. V. **tarro.**

bocallave. *m.* espelho da fechadura por onde se introduz a chave.

bocamanga. *f.* canhão da manga, parte inferior da manga.

bocamina. *f.* (min.) boca de mina, sítio que serve de entrada nas minas.

bocana. *f.* canal duma ilha.

bocanada. *f.* bochechada, líquido que comporta um bochecho; gole, trago, sorvo; golfada; baforada de fumo; bochecho; baforada; fanfarrice: *bocanada de viento*, rabanada de vento; *bocanada de gente*, (fig.) tropel de gente.

bocarda. *f.* bacamarte de boca de sino.

bocarrena. *f.* espaço vazio, oco, revestido de cristalizações, que se encontra nas pedras.

bocarronada. *f.* bazófia, fanfarrice.

bocarte. *m.* (ictiol.) petinga, sardinha miúda.

bocarte. *m.* máquina empregada na pulverização dos minerais.

bocartear. *v. tr.* (min.) triturar os minerais com o *bocarte.*

bocateja. *f.* beiral, telhas que forman as bordas ou beiras do telhado.

bocatijera. *f.* parte do jogo dianteiro em que se encaixa a lança, nas carruagens de quatro rodas.

bocaza. *f.* bocaça, bocarra, grande boca. — *s.* (fam.) pessoa que fala mais do que aconselha a discrição.

bocazo. *m.* explosão sem efeito.

bocear. *v. intr.* (ant.) bocejar. V. **bocezar.**

bocel. *m.* (arq.) bocel, moldura lisa e convexa, de meia cana; instrumento com que se faz o bocel; (carp.) cepo: *medio bocel.* meio bocel, meia cana.

bocelar. *v. tr.* (arq.) bocelar, ornar com bocel; dar a forma de bocel.

bocellar. *f.* caldeira de cobre.

bocera. *f.* resto de comida ou bebida que fica nos beiços; boqueira, pequena ferida na comissura dos lábios.

boceto. *m.* (pint.) bosquejo, esboço, estudo.

bocezar. *v. tr.* mover lateralmente os lábios (as bestas); rumiar, ruminar.

bocezo. *m.* V. **bostezo.**

bocín. *m.* peça redonda de esparto que se põe em redor dos cubos das rodas das carruagens.

bocina. *f.* buzina, trombeta; buzina, claxon de automóvel; (mar.) buzina usada nos navios para falar de longe; pavilhão com que se reforça o som dos gramofones; (zool.) búzio; megafone; (astr.) Ursa Menor; (Amér.). V. **cerbatana.**

bocinar. *v. tr.* buzinar, tocar buzina ou usá-la para falar.

bocinazo. *m.* (autom.) a(c)ção de tocar a buzina do automóvel.

bocinero. *m.* aquele que toca buzina.

bocio. *m.* (med.) bócio, hipertrofia da glândula tiroideia; papeira, tumor situado no pescoço; estruma.

bock. *m.* palavra alemã equivalente a um copo de cerveja dum quarto de litro de capacidade.

bocón, na. *adj.* (fam.) bocudo, que tem uma boca grande. V. **bocudo;** (fig. fam.) tagarela, que fala muito, palrador; (fig.) maldizente, murmurador. — *m.* (ictiol.) espécie de sardinha do mar das Antilhas; (Amér.). V. **trabuco.**

bocoy. *m.* barrica, barril grande, barrica de açúcar.

bocudo, da. *adj.* bocudo, que tem boca grande.

bocha. *f.* bola para jogar, certo jogo de bolas; bolsa; (prov.) prega, ruga (nos vestidos).

bochado. *m.* (germ.) justiçado. V. **ajusticiado.**

boche. *m.* cova pequena ou buraco que os rapazes fazem no chão, a fim de para lá atirarem as bolas com que jogam; (germ.) algoz, verdugo, carrasco; (Amér.) folhelho que fica depois do trigo batido; (fig.) reprovação no exame; repulsa, desaire.

bochero. *m.* (germ.) ajudante do carrasco.

bochinche. *m.* alvoroto, (Bras.) alvorôto, barulho, tumulto, confusão.

bochinchero, ra. *adj.* (Amér.) turbulento, desordeiro, alvorotador, sedicioso, barulheiro, barulhento.

bochorno. *m.* bochorno, vento quente; ar abafadiço; (fig.) rubor do rosto, erubescência; enxovalho; afogueamento do rosto por ofensa ou injúria; escandescência, calor de pouca dura que vem à cabeça; vermelhidão do rosto por efeito de vergonha.

bochornoso, sa. *adj.* bochornoso, bochornal, muito quente; (fig.) vergonhoso, erubescente; abafador.

boda. *f.* boda, casamento, desposório, esponsais; boda, festa do casamento; festim em que se faz muita algazarra: *perrito de todas bodas,* papa-jantares, parasita; *bodas de diamante,* bodas de diamante; *bodas de oro,* bodas de oiro; *bodas de plata,* bodas de prata; *a bodas y a niños bautizados no vayas sin ser llamado,* à boda e a ba(p)tizado não vás sem ser convidado.

bode. *m.* (zool.) bode, cabrão, macho da cabra: *bode castrado,* chibarro.

bodega. *f.* adega, armazém; despensa dos comestíveis; colheita de vinho; bodega, taberna; (mar.) porão de navio; armazém de mercadorias nas estações do caminho de ferro: *guardar en la bodega,* adegar.

bodegón. *m.* taberna, tasca, bodega; casa de pasto ordinária; (pint.) quadro representando comestíveis.

bodegonear. *v. intr.* frequentar tabernas; andar de tasco para tasco.

bodegonero, ra. *s.* bodegueiro, tasqueiro, taberneiro, bodegão.

bodeguero, ra. *s.* adegueiro, bodegueiro.

bodigo. *m.* bodivo, pãozinho que se leva à igreja como oferenda.

bodijo. *m.* (fam.) casamento desigual; bodas sem aparato nem concorrência.

bodocazo. *m.* pancada de bodoque disparado pela besta.

bodollo. *m.* (prov.). V. **podón.**

bodón. *m.* charco que seca no Verão.

bodonal. *m.* (prov.) lamaçal, lodaçal. V. **juncar.**

bodoque. *m.* bodoque, bola de barro endurecida que se atirava com a besta, peloiro; (fig. fam.) inepto, parvo, pessoa de curto entendimento, apalermado, amalucado, apatetado.

bodoquera. *f.* bodoqueira, molde para fazer peloiros.

bodorrio. *m.* (fam.). V. **bodijo.**

bodrio. *m.* guisado mal preparado; bródio, caldo com restos de sopa, ervas, etc.; sangue de porco misturada com cebola para fazer morcelas.

boezuelo. *m. dim.* de *buey*, boizinho; figura que representa um boi e usada para a caça das perdizes.

bofe. *m.* (anat.) bofe, pulmão: *echar los bofes*, (fam.) afanar-se, afadigar-se excessivamente; bofar.

bofena. *f.* V. **bofe.**

bófeta. *f.* bofetá, bafetá, tecido de algodão muito fino e consistente.

bofetada. *f.* bofetada; (fig.) insulto; enxovalho; desaire; injúria; (Bras.) coqueirada, tabacada; (fam.) biscoito, bolacha: *llevarse las bofetadas*, levar nas bitácolas; *dar de bofetadas a alguien*, ir ao galinheiro de alguém.

bofetán. *m.* V. **bófeta.**

bofetón. *m.* bofetão, bofetada dada com força; tramóia de teatro, truque; sopapo, estoiro; (pop.) lostra; (vulg.) galheta; (pop.) bafanada.

bofo, fa. *adj.* V. **fofo.** — *m.* (Amér.) boj.

boga. *f.* (ictiol.) boga; (prov.) faca pequena de dois gumes.

boga. *f.* voga, a(c)to de vogar ou remar; (fig.) popularidade; boga, boa aceitação; (fam.) fortuna ou felicidade crescente: *estar en boga*, estar na moda, estar em voga, andar na berra.

bogada. *f.* (mar.) vogada, espaço percorrido pelo barco em cada remada; roupa branca para a barrela.

bogador, ra. *s.* vogador, remeiro, remador.

bogar. *v. intr.* (mar.) vogar, remar.

bogavante. *m.* (mar.) voga-avante, primeiro remador de cada lado da galera, lugar em que se sentava este remador; (ictiol.) crustáceo marinho, semelhante ao caranguejo.

bogio. *m.* (Amér.). V. **bohío.**

Bogotá. (geog.) Bogotá.

bogotano, na. *adj.* e *s.* (geog.) bogotano, natural de ou pertencente a Bogotá.

bohardilla. *f.* V. **buhardilla.**

Bohemia. (geog.) Boémia.

bohemia. *f.* boémia, vida de boémio; (Amér.) conjunto de boémios.

bohemio, mia. *adj.* e *s.* (geog.) boémio, natural da ou pertencente à Boémia. V. **gitano:** diz-se da pessoa de costumes livres e vida desordenada. V. **checo,** língua checa; capa que usava a guarda de archeiros.

bohena. *f.* linguiça feita de bofes de porco.

bohío. *m.* cabana feita de madeira, canas ou palha.

bohordo. *m.* baforda, espécie de lança; (bot.) pedúnculo com talo herbáceo sem folhas; espadana, junco da mesma.

boibi. *m.* (zool.) boibí, cobra do Brasil.

boicot. *m.* (neol.) boicotagem.

boicotear. *v. tr.* boicotar, boicotear.

boicoteo. *m.* (neol.) boicotagem.

boíl. *m.* V. **boyera.**

boina. *f.* boina, boné sem pala, redondo e largo.

boira. *f.* V. **niebla.**

boj. *m.* (bot.) buxo, arbusto; buxo, de sapateiro.

boj. *m.* (mar.) V. **bojeo.**

boja. *f.* (bot.) abrótano; (med.) bubão.

bojar. *v. tr.* e *intr.* (mar.) medir o perímetro de uma ilha, cabo ou parte da costa; contornar uma ilha, cabo, etc.; bojar; preparar o couro para curtir, limpar o cordovão; bojar, medir o perímetro de um terreno.

bojear. *v. tr.* e *intr.* (mar.) V. **bojar.**

bojedal. *m.* buxal, mata de buxos.

bojeo. *m.* perímetro duma ilha ou cabo.

bojiganga. *f.* antiga companhia teatral ambulante, que representava comédias nas pequenas povoações; máscara ou vestido ridículo.

bojo. *m.* (mar.) circuito em redor duma ilha.

bojote. *m.* (Amér.) pacote, embrulho.

bol. *m.* poncheira; xícara grande e sem asa. V. **ponchera.**

bol. *m.* redada, lanço de rede.

bol. *m.* V. **bolo:** *bolo arménico*, bolo-arménio.

bola. *f.* bola, esfera; bola de bilhar jogo de bolas; lance de jogo de voltarete; betume, (fam.) embuste, mentira; (germ.) feira, mercado público; rixa, tumulto; cometa grande e de forma redonda; palão; alcancia: *dejar rodar la bola*, (fig. e fam.) deixar correr o marfim, ver com indiferença que as coisas caminhem dum ou outro modo; *bola de billar*, bola de bilhar; *decir bolas*, embustear; *dar forma de bola*, arrebolar, bolear; *bola formada por el escarabajo*, maça do escaravelho; *¡dale bola!*, ora bolas! (designativa de enfado); *bola de nieve*, bola de neve; *bola de jabón*, bola de sabão; *no dar pie con bola*, equivocar-se repetidamente.

bolaco. *m.* (Amér.) estratagema, astúcia, ardil, engano.

bolada. *f.* bolada, pancada com bola, em forma de tiro; alude pequeno; (Amér.) embuste, mentira; (Amér.) guloseima oferecida a colegiais ou presos por os seus visitantes; (Amér.) oportunidade para um negócio. V. **jugarreta.**

bolado. *m.* V. **azucarillo.**

boladoras. *f. pl* (Amér.) V. **boleadoras.**

bolandista. *m.* bolandista, jesuíta, membro da Companhia de Jesús, que faz parte duma sociedade formada para publicar e depurar os textos originais das vidas dos Santos.

bolar. *adj.* bolar, diz-se duma terra argilosa também chamada bolo-arménio.

bolardo. *m.* (mar.) proiz, cabo com que se amarram embarcações à terra.

bolate. *m.* (Amér.) confusão, balbúrdia, alvoroço, desordem.

bolazo. *m.* bolada, pancada com a bola: (fig.) *de bolazo*, precipitadamente.

bolceguí. *m.* (Amér.). V. **borceguí.**

bolchaca. *f.* (fam.) (prov.) bo_so, algibeira.

bolchaco. *m.* (prov.). V. **bolchaca.**

bolchevique. *adj.* e *s.* (pol.) bolchevique, bolchevista, relativo ao bolchevismo.

bolcheviquismo. *m.* (pol.). V. **bolchevismo.**

bolchevismo. *m.* (pol.) bolchevismo, sistema comunista russo.

bolchevista. *adj.* e *s.* V. **bolchevique.**

bolchevización. *f.* (pol.) bolchevização.

bolchevizar. *v. tr.* (pol.) bolchevizar, implantar o bolchevismo.

boldina. *f.* (quím.) boldina, alcalóide extraído das folhas do boldo.

boldre. *m.* (prov.) lama, lodo.

bolea. *f.* boleia; peça de madeira da carruagem; assento de cocheiro.

boleada. *f.* (Amér.) partida de caça.

boleador. *m.* (germ.) aquele que faz cair outro.

boleadoras. *f. pl.* boleadeiras, aparelho de corda com pedras nas extremidades para caçar animais.

bolear. *v. intr.* jogar sem interesse ou por divertimento o bilhar; atirar com as bolas; (germ.) cair; (prov.) dizer muitas mentiras. — *v. tr.* arrojar; (Amér.) atirar as boleadeiras a um animal; reprovar nos exames ou concursos por meio de bolas negras; (fam.) arrojar, impelir; (fig.) atrapalhar ou enredar alguém; fazer-lhe uma má partida; bolar.

bolera. *f.* lugar onde se joga *las bochas.* V. **boliche.**

bolero, ra. *adj.* novilheiro, que faz novilhadas. V. **novillero;** (fig. e fam.) mentiroso, mendoso, mendace. — *m.* (Amér.). V. **boliche;** (Amér.). V. **boliche;** (Amér.). V. **chistera.**

bolero. *m.* bolero, dança e música espanhola; pessoa que dança com arte o *bolero;* estudante que foge do colégio.

boleta. *f.* bilhete para se poder entrar em alguma parte; bilhete, ordem para cobrar dinheiro; livrança, cédula; mortalha de papel com uma pequena porção de tabaco; (mil.) boleta, aboletamento, bilhete de alojamento; (Amér.) minuta que se dá ao notário para servir de base a uma escritura pública.

boletar. *v. tr.* fazer maços de tabaco para vender.

boletería. *f.* (Amér.) lugar onde se vendem os bilhetes de entrada em alguma parte.

boletero. *m.* indivíduo encarregado de distribuir os alojamentos aos soldados; pessoa que trata do aboletamento.

boletín. *m.* boletim, vale; periódico destinado a assuntos especiais; publicação periódica oficial; (com.) relação de preços.

boleto. *m.* (Amér.) bilhete de teatro, de trem etc.

bolichada. *f.* (fig. e fam.) lance afortunado: *de una bolichada*, duma só vez, dum só golpe (diz-se do lançamento da rede chamada chincha.

boliche. *m.* bola pequena do jogo de *bochas;* jogo de bolas; lugar onde se joga as bolas; espécie de brinquedo; emboca-bola (jogo); (pop.) casa de jogo adorno de forma torneada que remata certos móveis; forno para fundição do minério de chumbo; chincha, rede miúda para pescar; (ictiol.) cagarrinha; (Amér.) armazém muito pobre; (mar.) bolina (cabo); (Amér.) casa de jogo.

bolichero, ra. *s.* vendedor de pescado chamado *boliche;* pessoa que tem por sua conta o jogo do *boliche;* (Argentina) pessoa que trata de negócios de pequeno vulto; dono de jogo de bola.

bolicho. *m.* camaroeiro, rede para pescar o camarão.

bólido. *m.* (meteor.) bólido, bólide, aerólito, espécie de meteoro em forma de globo de fogo.

bolillo. *m.* bilro, utensílio de madeira com feitio de fuso para fazer renda; pau de jogar a bola; (vet.) osso junto ao casco do cavalo; forma para fazer voltas da gaze. — *pl.* palitos doces.

bolín. *m. dim.* de *boliche*, bola pequena; *de bolín, de bolán*, (fam.) arrebatadamente, inconsideradamente, sem reflexão.

bolina. *f.* (mar.) bolina, cabo que manobra a vela para aproveitar o vento; sonda, corda com um peso de chumbo; (mar.) castigo de açoites a bordo dos navios; rumo; (fig. e fam.) boliço, alarido, barafunda, disputa, ruído, tumulto, pendência, alvoroço: *navegar de bolina*, navegar à vela, ganhando barlavento; *echar de bolinas*, (fig.) dizer bravatas, cair no exagero; (mar.) *nudo de bolina*, nó de bolina; (mar.) *largar la bolina*, desbolinar; (mar.) *tirar de las bolinas*, bolinar; *halar la bolina*, alar à bolina.

bolineador, ra. *adj.* (mar.) bolineiro. V. **bolinero.**

bolinear. *v. intr.* (mar.) bolinar, navegar à bolina.

bolinero, ra. *adj.* bolineiro, diz-se da embarcação que navega bem à bolina; (Amér.) alvoroçador, sedicioso.

bolisa. *f.* fagulha, faísca, morrão; finta, destroços, restos. V. **pavesa.**

Bolivia. (geog.) Bolívia.

boliviano, na. *adj.* e *s.* (geog.) boliviano, natural da ou pertencente à Bolívia; moeda de prata da Bolívia.

bolo. *m.* fito, jogo de paus; bola; jogo da bola; parceiro que não faz vaza alguma no jogo de cartas; (farm.) pílula grande; caçador que não apanhou caça; (fig. e fam.) homem ignorante e inábil; almofadinha para fazer bordados; (fisiol.) bolo alimentício; (Amér.) moeda de prata cubana; faca grande usada pelos índios das Filipinas; (arq.) viga colocada em sentido vertical no centro duma armação: *bolo alimenticio*, bolo alimentar; *bolo armenio*, bolo-arménio; *juego de bolos*, choca, chincalhão; *jugar a los bolos*, jogar uma bola.

bolometría. *f.* (fís.) bolometria, medicão da intensidade calorífica d$_e$ uma fonte de calor.

bolómetro. *m.* (fís.) bolómetro, (Bras.) bolômetro.

Bolonia. (geog.) Bolonha.

bolonio. *adj.* (fam.) diz-se dos estudantes ou graduados do Colégio Espanhol de Bolonha; (fig.) bolónio, (Bras.) bolônio, simplório, ignorante, néscio, estúpido, idiota.

boloñés, sa. *adj.* e *s.* (geog.) bolonhês, natural de ou pertencente à Bolonha.

bolsa. *f.* bolsa, (Bras.) bôlsa, saquinho, saca pequena; ruga que faz um vestido; saco de esteira ou esparto pendente entre os varais e na traseira dos carros; bolsa, edifício público para a compra e venda de títulos e valores; dinheiro, capital de uma pessoa; (anat.) bolso, membrana dos testículos; bolsa, estojo; azar de bilhar; coldres; (cir.) cavidade cheia de pus, linfa, etc.; bolsa, subsídio concedido pelo Estado a estudantes. — *pl.* conjunto de túnicas concêntricas dos testículos: (bot.) *bolsa de pastor,* bolsa de pastor; *tener la bolsa bien repleta,* levar a bolsa bem provida; *tener la bolsa vacía,* ter a bolsa seca.

bolsada. *f.* (min.) filão.

bolsear. *v. intr.* (prov. e Amér.) bolsar, fazer bolsos ou foles os vestidos, tapeçarias etc.; pedir gratuitamente alguma coisa. — *v. tr.* (Amér.) tirar a alguém furtivamente o relógio ou dinheiro do bolso.

bolseo. *m.* (Amér.) a(c)ção de roubar o bolso a alguém.

bolsera. *f.* coifa, rede em que as mulheres envolviam o cabelo.

bolsería. *f.* fábrica de bolsas ou loja onde se vendem; conjunto de bolsas; ofício de bolseiro.

bolsero, ra. *s.* bolseiro, fabricante ou vendedor de bolsas; (prov.) depositário, tesoureiro, caixeiro; (Amér.) pedinchão.

bolsilla. *f.* dim. de *bolsa;* bolsinha; (germ.) bolsa usada pelos trapaceiros para esconderem as cartas do jogo.

bolsillo. *m.* algibeira, saca, bolsa; bolsinho, certa quantia de dinheiro; (Bras.) pop. acica; (fig.) dinheiro: *rascarse el bolsillo,* gastar dinheiro de má vontade; (fam.) *meterse a alguien en el bolsillo,* meter alguém no coração.

bolsín. *m.* reunião de bolsistas e o edifício onde se reunem; bolsa pequena.

bolsiquear. *v. tr.* revistar os bolsos de alguém para lhe tirar o que neles leva.

bolsista. *m.* (com.) bolsista, jogador de bolsa, bolseiro, que compra ou vende fundos públicos; especulador de bolsa.

bolso. *m.* bolso, (Bras.) bôlso, bolsa, (Bras.) bôlsa; (mar.) enfunamento das velas: *meter en el bolso,* arrecadar.

bolsón. *m.* grande bolsa; tabuão para forrar o solo do tanque nos lagares de azeite; (Amér.) homem néscio.

boluca. *f.* (Amér.) ruido, tumulto, balbúrdia.

bolladura. *f.* V. **abolladura.**

bollar. *v. tr.* selar, pôr selo de chumbo nos tecidos para se saber qual a fábrica donde saíram. V. **abollonar.**

bollería. *f.* estabelecinmento onde se fazem ou vendem bolos de farinha.

bollero, ra. *s.* fogaceiro, o que faz fogaças; o que faz bolos.

bolliciar. *v. tr.* alvorotar, amotinar, sublevar.

bollo. *m.* bolo, pão de farinha, leite e ovos; prega, ruga; bolha; requife, adorno; amolgadura; relevo e obra de metal; galo, tumor produzido por uma pancada; (Chile); porção de barro com que se forma uma telha; (pop.) enredo, confusão: (fam.) *no estar el horno para bollos,* não estar para paço.

bollón. *m.* prego de cabeça grande usado como adorno; brinco, em forma de botão; (prov.) botão, gomo floral.

bollonado, da. *adj.* adornado de pregos doirados ou prateados.

bolluelo. *m.* bolinho, pãozinho.

bomba. *f.* bomba, máquina para elevar líquidos; bomba, proje(c)til explosivo; globo de candeeiro; peça de fogo de artifício que estoira; talha soterrada para receber as águas dos moinhos de azeite; revestimento de metal que une as partes principais dum instrumento de vento; (fig.) bomba, acontecimento inesperado; desgraça imprevista; (fig. e fam.) versos improvisados pela gente do povo; (fig. Amér.) borbulha, bolha; (Amér.) moeda de prata; (Amér.) borracheira; (Amér.) chapéu; (Amér.) V. **globo aerostático.** — *interj.* expressão com que se anúncia um brinde entre amigos de confiança: *bomba de aviación,* bomba de avião; *bomba incendiaria,* bomba incendiária; *bomba atómica; bomba de higrógeno,* bomba de hidrogénio; *bomba aspirante,* bomba aspirante; *bomba impelente,* bomba premente; *bomba de incendio,* bomba de incêndio; *caja de las bombas,* (mar.) arca das bombas; *bomba dada,* bomba de a(c)ção retardada; *bomba de navío,* bomba de navio; *bomba de barril,* bomba de toneis; *dar a la bomba,* dar à bomba; *bomba de acción, bomba retardada,* bomba de acção retardada; *bomba de oxígeno,* bomba de oxigênio; (mar.) *bomba de profundidad,* bomba de profundidade; *bomba volante,* bomba voadora.

bombáceo, a. *adj.* (bot.) bombáceo.

bombacho. *adj.* diz-se do calção curto e aberto de um lado. — *m.* bombachas.

bombarda. *f.* bombarda, antiga máquina de guerra; (mar.) navio de dois mastros, com dois morteiros na proa; embarcação pequena do Mediterráneo; (mús.) antigo instrumento de sopro, registo do orgão que emite sons muito fortes e graves.

bombardear. *v. tr.* bombardear, atacar com bombas; canhonear, disparar bombas; (fig.) *arrojar bombas,* bombardear, fulminar.

bombardeo. *m.* bombardeamento; canhoneio; a(c)ção de bombardear.

bombardero, ra. *adj.* bombardeiro; diz-se da lancha armada com canhão ou obus. — *m.* bombardeiro, artilheiro; (aviac.) grande avião guarnecido de bombas.

bombardino. *m.* (mús.) bombardino.

bombardón. *m.* (mús.) instrumento de sopro semelhante ao contrabaixo.

bombeador. *m.* (Amér.) explorador, aquele que explora ou pesquisa; observador, espia.

bombear. *v. tr.* bombear, bombardear, atacar com bombarda ou projé(c)teis de artilharia; canhonear; (Amér.) explorar o campo inimigo, espiar, observar cautelosamente; despedir, expulsar; extrair água de um poço por meio da bomba; ocultar uma coisa que outro tinha guardado para si.

bombeo. *m.* convexidade, curva, abaulamento. V. **bombardeo.**

bombera. *f.* (Amér.) insipidez, insipiência.

bombero. *m.* bombeiro, o que trabalha com a bomba hidráulica; bombeiro, o que trabalha com as bombas de incêndios; canhão para disparar bombas; (Amér.) espia, explorador: *coche de bomberos,* autobomba; *cuartelillo de bomberos,* estação-de-in:êndios.

bombilla. *f.* bombilha, bomba pequena para extrair líquidos; lâmpada eléctrica; (mar.) farol usado a bordo; (Amér.) V. **cucharón;** (mil.) bola, esfera de metal que une o penacho à barretina; borrachinha da espingarda de pistão.

bombín. *m.* (Amér.) chapéu de feltro.

bombo, ba. (fam.) aturdido, espantado; estupefa(c)to, atordoado; (Amér.) V. **soso** (diz--se especialmente dos frutos). — *m.* (mús.) bombo, zabumba, tambor grande; músico que toca este instrumento; (mar.) embarcação grande de fundo chato; (fig.) elogio excessivo e ruidoso; borracha de couro contendo as bolinhas numeradas para o jogo do bi!har: *dar bombo,* (fam.) elogiar com exagero.

bombón. *m.* bombom, confeito, rebuçado; vasilha feita de um pedaço de cana; (Amér.) espécie de cangirão para trasfegar a garapa.

bombona. *f.* vasilha de vidro, de boca estreita e de muita capacidade.

bombonaje. *m.* (bot.) bombonaça, bombacácea; bombanaça; bômbax.

bombonera. *f.* caixinha para bombons.

bonachón, na. *adj.* (fam.) bonachão, bonacho; bonacheirão; bondoso sem malícia; de génio doce; crédulo e amável, faceiro, pacato.

bonaerense. *adj.* e *s.* (geog.) buenairense, portenho, natural de ou pertencente a Buenos Aires.

bonancible. *adj.* bonançoso, calmo, suave, tranquilo, sereno (diz-se do tempo e do mar); (fig.) bonançoso, favorável, próspero.

bonanza. *f.* bonança; calma; sossego; tranquilidade do espírito; tempo tranquilo e bonançoso no mar; (fig.) prosperidade; (min.) zona de minério muito rico: *bonanza de clima,* amenidade de clima.

bonanzoso, sa. *adj.* bonançoso, próspero, bondoso; amável; agradável; calmo; sossegado; propício.

bonazo, za. *adj.* (fam.) pacífico, bonacheirão, bonachão, doce, tranquilo.

bondad. *f.* bondade; benevolência, brandura; dulçor, indulgência, clemência, meiguice; mérito; faguice.

bondadoso, sa. *adj.* bondoso, benévolo, excelente, clemente, benéfico: *ser bondadoso, ser um coração lavado;* *hombre bondadoso,* (fam.) pai-da-vida.

boneta. *f.* (mar.) cutelo, bonete, vela suplementar da vela grande; (Amér.) espécie de capote usado pelas mulheres.

bonetada. *f.* (fam.) V. **bonetazo.**

bonetazo. *m.* barretada, chapelada, pancada com o barrete ou chapéu.

bonete. *m.* boné, barrete; barrete de clérigo; gorro; boião; (mil.) obra de fortificação; (zool.) segunda cavidade do estômago dos ruminantes; (fig.) clérigo secular; *bravo bonete,* estupidez; *atente bonete,* com excesso; *gran bonete,* pessoa poderosa.

bonetería. *f.* fábrica ou loja onde se vendem barretes; ofício de barreteiro.

bonetero, ra. *s.* barreteiro, fabricante ou vendedor de barretes; chapeleiro; (bot.) abrótano.

bonetillo. *m.* barretinho, coifa; (bot.) chapeleta (cogumelo).

bonhomía. *f.* (gal.) bonomia, ingenuidade, bondade.

boniatal. *m.* (Amér.) lugar plantado de batatas.

boniatillo. *m.* (Amér.) doce feito de açúcar, ovos, coco e canela.

boniato. *m.* (bot.) batata doce.

bonificación. *f.* bonificação, beneficiação, melhoramento.

bonificar. *v. tr.* bonificar, dar bónus a.

bonitera. *f.* pesca do bonito e tempo da mesma; embarcação usada na pesca do bonito.

bonito. *m.* (ictiol.) bonito, atum.

bonito, ta. *adj.* *dim.* de *bueno;* bonzinho, bonito; lindo, engraçado; formoso, belo, bom nobre; (irón.) censurável, feio; (Bras.) badejo, porreta; (germ.) V. **ferreruelo;** bem--parecido; (fam.) adónis: *ser bonita,* ter boas barbas; *cara bonita,* cara de anjo; *muy bonito,* (Bras.) bacana.

bonitura. *f.* boniteza; (Amér.) V. **lindeza, hermosura.**

bonizal. *m.* lugar semeado de painço.

bono. *m.* título de crédito, bónus, vale.

bonomía. *f.* V. **bonhomía.**

bonote. *m.* filamento extraido da casca do coco.

bonzo. *m.* bonzo, sacerdote budista.

boñiga. *f.* bosta, esterco, excremento do gado.

boñigar. *adj.* e *s.* diz-se dum lugar onde há muito esterco de gado vacum; (bot.) figo grande, mais largo que comprido.

boñigo. *m.* V. **boñiga.**

Bootes. *m.* (astr.) Bootes, Boota, Boieiro, constelação.

boque. *m.* (prov.) bode. V. **buco.**

boqueada. *f.* boqueada; bocejo, a(c)ção de abrir a boca: *dar la última boqueada*, exalar o último suspiro; morrer.

boquear. *v. tr.* pronunciar uma palavra ou expressão. — *v. intr.* boquear, bocejar, abrir a boca; (fig.) agonizar, expirar, estar expirando.

boquera. *f.* comporta de pedra para soltar as águas a fim de regar as terras; boqueirão, abertura dum canal, comporta, tapume; janela por onde se atira palha ou feno para o palheiro; (med.) afta, boqueira, pequena ferida na comissura dos lábios; (vet.) chaga na boca dos animais; (prov.) sumidoiro de águas sujas; boqueiro, abertura que se faz nas herdades fechadas para entrada do grado.

boqueriento, ta. *adj.* (Amér.) que sofre de boqueiras.

boquerón. *m.* (ictiol.) anchova, enchova, biqueirão, chacaréu; boqueirão, abertura grande.

boqueta. *s.* (Amér.) pessoa de lábio fendido.

boquete. *m.* boquete, garganta, desfiladeiro, entrada estreita; brecha; aberta: *tomar boquete*; (fam.) dar às de Vila Diogo, fugir.

boquiabierto, ta. *adj.* boquiaberto, que tem a boca aberta; embasbacado, pasmado, admirado, encantado; embaçado, estupefa(c)to: *quedarse boquiabierto*, embasbacar-se.

boquiancho, cha. *adj.* boquilargo, que tem a boca larga.

boquiangosto, ta. *adj.* boquiestreito, que tem a boca estreita.

boquiblando, da. *adj.* boquidoce, boquibrando.

boquiconejuno, na. *adj.* com boca de coelho (diz-se ao cavalo ou à égua).

boquiche. *adj.* (Amér.) parlador, falador.

boquiduro, ra. *adj.* boquiduro, (diz-se do animal que não se ressente da a(c)ção do freio)

boquilla. *f.* boquinha, boca pequena; abertura inferior das calças; sanja para o escoamento da acéquia; boquilha, fumadeira; (mús.) boquilha de instrumentos de sopro, bocal, boca, boquim; (arq.) contraforte; (carp.) encaixe; boquino, canudo para assoprar o vidro; bocal, parte superior da bainha de uma arma branca; (mil.) boca de espingarda ou de peça.— *pl.* beiras do telhado: *valiente de boquilla*, valente por dente; *de boquilla*, sem dinheiro; *boquilla de bombilla* (ele(c)tr.) porta-lâmpadas.

boquilleno, na. *adj.* boquicheio.

boquimuelle. *adj.* boquimole, diz-se do animal muito sensível, que cede ao mais leve toque do freio; (fig.) diz-se da pessoa fácil de manejar ou enganar.

boquín. *m.* espécie de baeta grosseira.

boquinatural. *adj.* boquinatural (diz-se do cavalo que não é nem brando nem duro de boca).

boquinegro, gra. *adj.* boquinegro. — *m.* caracol terrestre de Espanha, de cor amarela.

boquirrasgado, da. *adj.* boquirrasgado, de boca rasgada; boquifendido.

boquirroto, ta. *adj.* boquirroto, que fala muito, loquaz, indiscreto, palavreador. V. **boquirrasgado.**

boquirrubio, bia. *adj.* boquirroto, indiscreto, falador, que não guarda segredos; (fig. e fam.) petimetre, peralvilho; presumido.

boquiseco, ca. *adj.* boquisseco, que tem a boca seca; diz-se da cavalgadura que não morde o freio nem faz espuma.

boquisumido, da. *adj.* boquissumido. V. **boquihundido.**

boquitorcido, da. *adj.* V. **boquituerto.**

boquituerto, ta. *adj.* boquitorto, que tem a boca torta.

boracita. *f.* (quím.) boracite.

boratera. *f.* (Amér.) mina de bórax.

boratero, ra. *adj.* (Chile). pertencente ou relativo ao borato. — *m.* aquele que trabalha ou negoceia em borato.

borato. *m.* (quím.) borato.

bórax. *m.* (quím.) bórax.

borboja. *f.* (Amér.) V. **burbuja.**

borbollar. *v. intr.* borbulhar, borbotar, sair em bolhas ou borbulhas; formar cachão, fervendo.

borbollear. *v. intr.* V. **borbollar.**

borbollón. *m.* borbulhão, bolha grande, erupção de água: *a borbollones.* V. **atropelladamente.**

borbollonear. *v. intr.* V. **borbollar.**

borbónico, ca. *adj.* borbónico, (Bras.) borbônico, borboniano, relativo aos Borbons.

borbonismo. *m.* sistema borbónico.

borbor. *m.* borbotão; jorro.

borborigmo. *m.* borborigmo, borborismo, ruído produzido no ventre pelos gases intestinais.

borboritar. *v. intr.* borbulhar, borbotar. V. **borbotar.**

borborito. *m.* (prov.) V. **borbotón.**

borbotar. *v. intr.* borbotar, formar borbotões, sair em borbotões, borbulhar; jorrar com ímpeto; nascer ou ferver a água impetuosamente ou fazendo ruído; acachoar.

borbotón. *m.* borbotão, ja(c)to impetuoso de um líquido ou gás; jorro; golfada; coichão; *hablar a borbotones*, (fam.) falar apressadamente; *hervir a borbotones*, acachoar.

borceguí. *m.* borzeguim; (ant.) tortura, suplício que consistia em apertar o pé num aparelho de ferro.

borceguinería. *f.* oficina onde se fazem borzeguins e loja onde se vendem.

borceguinero, ra. *s.* borzeguineiro, fabricante ou vendedor de borzeguins, borzeguineiro.

borcellar. *m.* borda, bordo de qualquer vaso.

borda. *f.* chaça, cabana; (mar.) borda, vela maior nas galeras; borda amurada ou costado dum navio; bordada; (mar.) *borda falsa*, arrombada.

bordada. *f.* (mar.) bordada, caminho do navio numa dire(c)ção, quando vai bordejando; (fig. e fam.) passeio repetido de um lado para outro.

bordado, da. *adj.* e *p. p.* bordado; guarnecido, orlado. — *m.* bordamento, bordadura, bordado, lavor: *bordado en relieve*, estofo.

bordador, ra. *adj.* e *s.* bordador, aquele que borda.

bordadura. *f.* bordadura, bordado.

bordar. *v. tr.* bordar, fazer uma bordadura; orlar; enfeitar; (fig.) executar com arte e primorosamente; adornar, aformosear o que se diz; entremear o discurso com expressões de retórica.

borde. *m.* borda, margem, orla, beira, extremidade, ourela, bordo. — *adj.* (bot.) diz-se das plantas não enxertadas nem cultivadas; agreste, inculto; bastardo: *al borde,* à borda, por um triz; *lleno hasta los bordes,* arrasado; *borde del tejado,* beirado; *estar al borde de la muerte,* estar à beira da sepultura; *borde de una herida,* beiço; *cerca del borde,* (Bras. Sur) abeirante.

bordear. *v. intr.* bordear, beirar, costear, andar pelas bordas ou margens; (mar.) bordejar, mudado frequentemente de rumo, quando o vento é contrário; franjear.

bordo. *m.* (mar.) bordo, costado, lado, amurada do navio; bordada; (Amér.) borda, margem, beira: *a bordo,* a bordo, dentro do navio; *navío de alto bordo,* navio de alto bordo; *navío de bajo bordo,* navio de baixo bordo; *ir a bordo,* ir a bordo; *estar a bordo,* estar a bordo; (mar.) *dar bordos,* fazer um bordo; *cosa de alto bordo o copete,* (fig.) coisa de alto bordo ou copete; *rendir el bordo en,* chegar a.

bordón. *m.* bordão, cajado grosso; estribilho, verso repetido no final de copla; bordão, a corda mais grossa dos instrumentos de música; (fig.) bordão, apoio, amparo, arrimo; pessoa que serve de guia; (ant.) lança grossa dos cavaleiros. — *pl.* (mar.) acores; (impr.) palavras omitidas.

bordonear. *v. intr.* tentear a terra com o bordão ou bengala; abordoar, firmar com bordão ou cajado; abordoar, dar bordoadas; esbordoar, dar bordoadas; esbordoar, bater com o bordão ou bengala; (fig.) vaguear pedindo esmola; abordoar, tocar com o bordão.

bordonería. *f.* variação, variagem, vagabundagem, vida de vagabundo; costume ou vício de vaguear, pedindo esmola como peregrino.

bordonero, ra. *adj.* e *s.* vagabundo. V. **vagabundo.**

bordura. *f.* (heral.) bordadura, virola que rodeia o campo do escudo, orla.

boreal. *adj.* (geog.) boreal, setentrional, aquilónio, ártico.

bóreas. *m.* bóreas, aquilão, o vento norte.

borguil. *m.* (prov.) V. **almiar.**

boricado, da. *adj.* (quim.) boricado, que contém ácido bórico.

bórico. *adj.* (quim.) bórico, diz-se dos compostos derivados do boro.

borinqueño, ña. *adj.* e *s.* V. **portorriqueño.**

borla. *f.* borla; borla, barrete de doutor; (bot.) amaranto; (zool.) nome que designa

a forma das guelras de certos peixes: *tomar uno la borla,* (fig.) graduar-se em doutor ou professor.

borlilla. *f.* borlinha, pequena borla; (bot.) V. **antera.**

borlón. *m.* borla grande; tecido semelhante ao fustão, acolchoadinho.

borne. *m.* extremidade da lança; borne, peça metálica com parafuso que fixa o fio elé(c)trico que atravessa; (germ.) forca.

borne. *m.* (bot.) codeço. — *adj.* diz-se da madeira quebradiça e difícil de trabalhar.

borneadero. *m.* (mar.) borneio, extensão do círculo dado pelo navio ancorado.

borneadizo, za. *adj.* flexivel, dobradiço, fácil de curvar ou torcer.

borneadura. *f.* V. **borneo.**

bornear. *v. tr.* revolver, torcer, curvar, dobrar; empenar, dobrar, contornar; (mar.) dar volta o navio sobre as amarras, estando fundeado; (arq.) mirar, bornear, alinhar com a vista e fechando um olho; (Amér.) atirar a bola no jogo de boliche para derrubar o maior número dos paus. — **bornearse,** *v. r.* empenar-se, curvar-se a madeira; dispor as peças de arquite(c)tura antes de assentar no seu lugar.

borneo. *m.* borneio, alinhamento à vista; movimento do corpo no baile, saracoteio, balanço do corpo na dança; curvatura, flexão, empeno.

bornero, ra. *adj.* borneiro (diz-se de certa pedra negra ou da mó que dela é feita e do cereal moído com borneira). — *m.* trigo moído com a pedra borneira. — *f.* borneira, mó de moinho.

bornido. *m.* (germ.) enforcado.

bornizo. *adj.* diz-se da cortiça virgem das árvores.

boro. *m.* (quim.) boro.

borona. *f.* (bot.) pão de milho, boroa, broa; milho.

boronal. *m.* (prov.) milhal, milheiral, terreno semeado de milho.

borondanga. *f.* (Amér.) V. **morondanga.**

boronía. *f.* V. **alboronía.**

borra. *f.* borrega, (Bras.) borrêga, ovelha de menos de um ano; borra de lã; desperdício de lã no fiado; lia, fezes; cotão, felpa; crina com que se enchem as almofadas; contribuição sobre o gado; borra, sedimento das tintas e dos líquidos; bórax refinado; (fig.) borra, expressões inúteis e sem sentido: *quitar la borra al paño,* desborrar; *borra de lana,* borra de lã; *borra de seda,* borra de seda; *borra de alquitrán,* borra de alcatrão.

borrable. *adj.* que se pode safar, delével.

borrachear. *v. intr.* emborrachar-se, embebedar-se frequentemente; disparatar.

borrachera. *f.* borracheira, embriaguez, bebedeira, ebriedade, embriaguez, embebemento, bebedice; entortadura, entornadura, bicancra, berzunda, berzundela, envernizamento, envernizadela; banquete em que há excesso na comida e na bebida; deboche; (fig.) extravagância, disparate;

desconchavo; (Bras.) ema, esbórnia, porre, rasca, sapituca, tiorga.

borrachez, *f.* borracheira, embriaguez, perturbação de juízo. V. **embriaguez.**

borracho, cha. *adj.* e *s.* borracho, que se embriaga habitualmente; bêbedo, embriagado, ébrio; berrão; cheio de vinho; assomado de vinho; emborrachado, empiteirado; enfrascado, etilizado, decilitreiro, chumbado, envernizado, entroviscado, alcoolizado; (Bras.) lambamba, molhado, pinguço, triscado, trolado, troviscado: *estar borracho,* ter um grão na asa; *borracho,* privado de sentido, defunto de taberna; *estar borracho,* estar chumbado; (fig. y fam.) vivamente apaixonado; (Amér.) mal usado por *pasado, podrido* (falando de frutas).

borrador *m.* minuta, borrão; livro de apontamentos; livro borrão para lançamentos comerciais.

borradura. *f.* a(c)ção e feito de safar ou riscar um escrito; rasura, borradura; (prov.) V. **salpullido.**

borragíneo, a. *adj.* (bot.) borragíneo, diz-se das plantas dicotiledóneas, a maior parte herbáceas. — *f. pl.* borragináceas, borragíneas.

borraj. *m.* V. **atincar** e **borax.**

borraja. *f.* (bot.) borragem, planta cujas flores se empregam em farmácia.

borrajear. *v. intr.* escrevinhar, rabiscar; escrever sem assunto determinado.

borrajo. *m.* boralho; caruma; rescaldo, cinza quente. V. **rescoldo.**

borrar. *v. tr.* borrar, apagar, rasurar, riscar, aspar, derriscar, desapagar; consumir; abolir; desvanecer: *borrar lo pintado,* despintar; *borrar de una lista,* eliminar; *borrar lo que estaba escrito,* desarriscar; *borrar de la memoria,* desbaratar. — **borrarse.** *v. r.* extinguir-se; desagarrar-se.

borrasca. *f.* borrasca, tempestade, temporal; (fig.) risco, perigo; (fam.) orgia, festim; (pop.) berzunda, berzundela.

borrascoso, sa. *adj.* borrascoso, que causa borrascas; proceloso; tempestuoso; (fig.) borrascoso, arriscado, funesto; libertino, impúdico.

borrasquero, ra. *adj.* (fig. e fam.) diz-se da pessoa propensa a diversões borrascosas.

borratojo. *m.* rabisco; a(c)ção e feito de borrajear.

borrega. *f.* (zool.) borrega, (Bras.) borrêga, ovelha de um a dois anos.

borregada. *f.* borregada, rebanho de borregos.

borrego, ga. *s.* (zool.) borrego, (Bras.) borrêgo, cordeiro de um a dois anos; carneiro jovem; (fig.) pessoa simple e ignorante; animal muito manso. — *m.* (Amér.) V. **pajarota.**

borreguero, ra. *adj.* diz-se do terreno cujos pastos são melhores para borregos que para outra classe de gado. — *s.* borreguei ro, pastor de borregos.

borreguil. *adj.* pertencente ou relativo a

borrego; semelhante ao borrego; (fig.) pacífico, manso.

borreguillo. *m.* pequena nuvem isolada

borrén. *m.* borraina, estofo de tomentos nos arções da sela.

borrica. *f.* (zool.) burra, burrica, jerica, asna.

borricada. *f.* burricada, ajuntamento de burros, burrada, burrama; bestialidade; burricada, jericada, passeio de burra; (fig. e fam.) asneira, disparate, despropósito, tolice, pacovice, estupidez.

borrical. *adj.* burrical, pertencente ou relativo ao burro.

borrico, ca. *adj.* e *s.* burro, burrico, jumento, asno; burro; cavalete de pau para prender a madeira que há-de serrar-se.

borricón. *m.* (fig. e fam.) pessoa sossegada, pacífica, paciente, sofredora

borrilla. *f.* lanugem, cotão, pêlo que se tira dos panos.

borriqueño, ña. *adj.* burrical, próprio ou pertencente ao burro. — *m.* (bot.) espécie de cardo.

borriquero. *adj.* burriqueiro. — *m.* guarda, alugador ou guia de burros: *cardo borriquero,* cardo asneiro.

borriquete. *m.* burro, banco ou cavalete de carpinteiro para serrar a madeira.

borro. *m.* borro, (Bras.) bôrro, carneiro, entre um e dois anos; certo imposto sobre o gado lanígero.

borrón. *m.* borrão, nódoa de tinta; mancha; borrão, borrador, rascunho; (pint.) esboço, debuxo, bosquejo; (fig.) borrão, desonra, desprezo; imperfeição; a(c)ção indigna; (fig.) nome que, por modéstia, costumam dar os autores a seus escritos; desdouro; (prov.) pequeno monte de terra: *borrón y cuenta nueva,* locução que expressa o esquecimento às injúrias passadas.

borronear. *v. tr.* escrevinhar, rabiscar, escrever sem assunto determinado. V. **borrajear.**

borroso, sa. *adj.* borrento, impreciso, confuso, diz-se do escrito feito com mau aparo; borrado, manchado com tinta ou outro ingrediente. — *m.* voz confusa.

borrumbada. *f.* V. **barrumbada.**

boruca. *f.* bulha, algazarra.

borujo. *m.* baganho, bagaço de azeitona. V. **burujo.**

borusca. *f.* V. **seroja.**

bosadilla. *f.* vómito.

bosar. *v. intr.* desbordar, trasbordar; regurgitar; vomitar.

boscaje. *m.* boscagem, bosque pequeno; (pint.) boscagem, paisagem com árvores.

boscoso, sa. *adj.* (Amér.) abundante em bosques.

Bósforo. *m.* (geog.) Bósforo.

Bosnia. (geog.) Bósnia.

bosorola. *f.* (Amér.) fezes, sedimentos.

bosque. *m.* bosque; mata; selva; floresta; luco; arvoredo basto; (germ.) barba, queixo; capão, capoeira, matagal, mato.

bosquejador, ra. *adj.* e *s.* bosquejador, que bosqueja.

bosquejar. *v. tr.* (pint.) bosquejar, fazer o bosquejo de, esboçar; (fig.) delinear, resumir, indicar vagamente, descrever a traços largos; embrionar; (fig.)alinhar.

bosquejo. m. Bosquejo, esboço, (Bras.) esbôço; debuxo; delineação; (fig.) ideia vaga de alguma coisa; descrição sumária; rascunho; escorço.

bosquimano, na. adj. e s. (etnog.) boximano.

bosta. f. bosta, excremento do gado.

bostear. v. intr. (Amér.) bostar, expelir bosta (diz-se dos animais).

bostezador, ra. adj. e s. bocejador, que boceja frequentemente.

bostezar. v. intr. bocejar, fazer bocejo, abrir a boca, estar com a boca aberta.

bostezo. m. bocejo, abrimento de boca, a(c)ção de bocejar.

bota. f. bota, botim, botina, calçado; bota, borracha, odre pequeno para vinho; cuba pipa de madeira para líquidos; medida para líquidos equivalente a 516 litros; estar con las botas puestas, (fig.) estar disposto para fazer qualquer coisa ou para fazer uma viagem; ponerse uno las botas, (fig. e fam.) enriquecer-se, conseguir um grande proveito; bota de elástico, bota de elástico; botas de montar, botas de montar; botas de agua, botas de água; botas altas, botas joelheiras; gato con botas, (irón.) gato com botas; tener las botas puestas, (fig.) estar com botas calçadas, disposto para tudo; botas de campesino, (Bras.) aldabras.

botada. f. a(c)ção de despedir um empregado. V. **botadura.**

botada. f. porção de aduela; (mar.) a(c)ção de guindar.

botador, ra. adj. expulsor, que expulsa; gastador, pródigo. — m. instrumento para arrancar pregos, punção; croque para atracar, desencalhar ou fazer andar os barcos; (impr.) pedaço de madeira forte para apertar e afrouxar as cunhas da forma; (cir.) botição, chave de dentista.

botadura. f. (mar.) bota-fora, lançamento de um navio à água.

botafuego. m. (arti.) bota-fogo, pau com um morrão na ponta para incendiar a peça; morrão, soldado que deitava o fogo à peça; (fig. e fam.) pessoa que se irrita fàcilmente; provocador de distúrbios.

botafumeiro. m. incensário.

botagueña. f. linguiça de fressura de porco.

botalomo. m. ferro com que os encadernadores fazem a lombada dos livros.

botaló. m. (mar.) botaló.

botalón. m. (mar.) botalós, pau de surriola; (Amér.) pau comprido cravado no solo para prender cavalgaduras; estaca: botalón de foque, botalós de bujarrona; botalón de perifoque, botalós de bujarrona pequena.

botamen. m. (mar.) vasilhame dos navios; conjunto de frascos, frascaria.

botana. f. batoque, cunha nas cubas de vinho; botana, rodela para tapar a rotura dum odre; parche sobre uma chaga; cicatriz produzida por uma chaga; (Amér.)

bainha de coiro que se põe nos esporões dos galos de combate.

botánica. f. botânica.

botánico, ca. adj. e s. botânico, pertencente à botânica; botânico, pessoa versada em botânica.

botanista. s. botanista, botânico.

botanografía. f. (bot.) botanografia.

botanográfico, ca. adj. botanográfico, relativo à botanografia.

botanógrafo, fa. s. indivíduo versado em botanografia.

botanología. f. botanologia.

botanomancia. f. botanomancia.

botar. v. tr. botar, lançar, atirar, arrojar, deitar fora violentamente, arremessar, despedir, expelir; (mar.) lançar um navio à água; (mar.) marear, governar a embarcação com o leme; (fig.) arruinar, dissipar, danificar a fazenda; verter. — v. intr. pular uma bola; pular, espinotear, dar pinotes o cavalo. — **botarse.** v. r. desbotar, desmaiar (diz-se das cores); arremessar-se; botar al agua, lançar um navio à água, deitar um navio; botar la lancha, deitar a lancha fora.

botaratada. f. (fam.) extravagância, doidice, bobagem.

botarate. m. (fam.) extravagante, homem estouvado; cabeça no ar; doudo; inconsiderado, dançarino, dançante; (Amér.) gastador, pródigo.

botarel. m. (arq.) botaréu, arcobotante, arreto; contraforte de reforço de arcos e paredes; escora; pegão; saliência; muro de socalco.

botarete. m. (arq.) V. **arbotante.**

botavante. m. (mar.) croque, haste comprida de que se servem os marinheiros para se defenderem da abordagem.

botavara. m. (mar.) espicha, vara de madeira atravessada nas velas para as segurar.

bote. m. bote, golpe com arma branca, cutilada; salto que dá o cavalo; salto no jogo da pelota; pulo; (mil.) bote, golpe dado com lança, alabarda, etc.; bote, baião, frasco; (ant.) museu de curiosidades; bote de tabaco, montão de lã: estar de bote en bote, (fig. e fam.) estar completamente cheio, estar a trasbordar; de bote y voleo, sem demora, a toda pressa.

bote. m. (mar.) bote, barco pequeno sem coberta, batel, barco, pequena embarcação movida a remos.

botedad. f. embotamento; embrutecimento, estupidez.

botella. f. botelha; garrafa, vasilha de vidro, frasco; vinho ou outro líquido contido numa garrafa; garrafada; botelho, antiga medida eguivalente a 756'3 mililitros; (Amér.) sinecura: botella de Leide, botelha de Leide; botella vaciada, velho soldado.

botellazo. m. pancada com uma garrafa.

botellero. m. garrafeiro, o que fabrica, vende ou compra garrafas, botelheiro.

botellín. m. pequena garrafa.

botellita. f. pequena garrafa.

botellón. *m.* garrafão; (Amér.) V. **damajuana.**

botería. *f.* lugar de venda ou fábrica de odres ou borrachas; conjunto de barris e outras vasilhas; (Amér.) V. **zapatería.**

botero. *m.* patrão, arrais dum bote, catraeiro; borracheiro, odreiro, o que fabrica botas ou odres para vinho, azeite, etc.; (Amér.) V. **zapatero.**

botica. f. botica, farmácia; conjunto de medicamentos, boticada; medicamento, (fig.) ingrediente, droga; (ant.) loja de venda; quarto, casa mobilada; mercearia; (germ.) loja de merceeiro.

boticario. *m.* boticário, farmacêutico; (germ.) tendeiro de mercearia: *venir como pedrada en ojo de boticario*, locução popular que expressa o sentido da oportunidade, diz-se das coisas que sucedem oportunamente.

botiguero. *m.* lojista, tendeiro, vendeiro. botijeiro.

botija. *f.* botija, jarra de colo curto e apertado; (bot.) árvore silvestre de Cuba; (pop.) homem gordo e atarracado; bazulaque; (Amér.) vasilha de folha para entrega de leite; (Amér.) *botija verde*, (fig.) frase insultante; *estar hecho una botija*, (fig. e fam.) diz-se do menino quando se enfada e chora, diz-se também do homem gordo e atarracado.

botijo. *m.* moringue, vasilha de barro para água; (pop.) pessoa gorda e baixa.

botijón. *m.* garrafão de barro; jarrão; (Amér.) V. **tinaja.**

botilla. *f.* botina, botinha; borceguim; garrafa pequena; odresinho.

botiller. *m.* V. **botillero.**

botillería. *f.* botequim, casa de bebidas; café, estabelecimento de venda de bebidas geladas ou refrescos; dispensa duma casa; imposto em tempo de guerra.

botín. *m.* presa de guerra, despojo do inimigo concedidos aos soldados como prémio de conquista.

botín. *m.* botim, bota pequena de cano baixo, botina, polaina; pedaço de coiro cobrindo o pé do cavaleiro; (Amér.) V. **calcetín.**

botina. *f.* botina, pequena bota de senhora ou criança.

botinería. *f.* sapataria, fábrica e loja de calçado.

botinero, ra. *adj.* diz-se da rês vacum de pêlo claro e que tem as extremidades de cor preta. — *m.* sapateiro, fabricante ou vendedor de botins; o que guarda a presa de guerra.

botiquín. *m.* botica portátil, caixa de medicamentos; drogaria; conjunto dos medicamentos ambulantes; (Amér.) botequim, loja de bebidas.

botito. *m.* bota de elástico ou com botões.

botivoleo. *m.* golpe dado na pelota ou em outro obje(c)to no ar; lance no jogo da pelota.

boto, ta. *adj.* boto, (Bras.) bôto, rombo, embotado; que perdeu o gume; (fig.) bronco, pouco perspicaz, rude, grosseiro. — *m.* boto, odre; (prov.) tripa de vaca cheia de manteiga; pele para conter qualquer líquido; (ictiol.) boto, peixe semelhante ao atum.

botón. *m.* (bot.) botão, rebento das folhas ou ramos, gomo floral; flor cerrada e coberta pelas folhas; botão, peça para apertar ou ornar o vestuário; botão, puxador de porta ou gaveta; botão, chapinha na ponta do florete; botão de bridão; adorno em forma de pequena bota, sem pingente; na campainha elé(c)trica, peça que ao ser premida, faz com que aquela toque; (mar.) botão; (esgr.) bola pequena na ponta de florete; chamador elé(c)trico; (Amér.) censura: *botón de árbol*, arrebento; (fig.) *botón de muestra*, pano de amostra; (cir.) *botón de fuego*, pequena bola de ferro que se aplica como cautério; (bot.) *botón de oro*, botão de ouro; (mar.) *botón de cabo*, botão de cabo; *botón floral*. V. **capullo.**

botonado, da. *adj.* abotoado; que tem botões (diz-se das plantas).

botonadura. *f.* abotoadura, jogo de botões.

botonar. *v. intr.* abotoar, brotarem os botões das plantas.

botonazo. *m.* (esgr.) grande bote, golpe com florete abotoado.

botonería. *f.* botoaria, fábrica ou loja de venda de botões.

botonero, ra. *s.* botoeiro, fabricante ou vendedor de botões; botoeira, mulher que faz botões, abotoadeira; (carp.). — *f.* furo em que entra a cavilha que une duas tábuas.

botones. *m.* (fam.) paquete; rapaz, moço de recados.

botoso, sa. *adj.* embotado.

botriocéfalo. *m.* (zool.) botriocéfalo.

bou. *m.* (mar.) pesca na qual duas barcas estendem e puxam a rede, arrastando-a pelo fundo.

boudoir. *m.* (gal.) V. **camarín, saloncito.**

bouquet. *m.* (gal.) V. **buqué.**

bovaje. *m.* tributo que se pagava na Catalunha por serviços prestados pelas juntas de bois.

bóveda. *f.* abóbada, te(c)to arqueado; abóbada celeste, firmamento; carneiro, catacumba; habitação subterrânea de pedra: *bóveda craneal*, abóbada do crâneo; *bóveda del paladar*, abóbada palatina; *bóveda esquifada*, abóbada de curvatura cheia; *bóveda de arista*, abóbada de aresta; *bóveda ojival*, abóbada de ojiva.

bovedilla. *f.* abobadilha, abóbada de gesso; espaço revestido de gesso em forma de abóbada entre as vigas de um te(c)to; nicho nos cemitérios; (mar.) parte arqueada da fachada da popa dos navios; (fam.) *subirse a las bovedillas*, encolerizar-se.

bóvidos. *m. pl.* (zool.) bóvidas, bovídeos. ou relativo ao boi ou à vaca.

box. *m.* instrumento de sapateiro; (Amér.) V. **boxeo.**

boxeador. *m.* (dep.) boxador, boxeador, boxista, jogador de boxe, pugilista.

boxear. *v. tr.* (dep.) jogar boxe.

boxeo. *m.* (depor.) boxe, pugilismo, jogo de soco ou murro.

boya. *f.* (mar.) bóia, baliza; bóia, cortiça de rede. — *m.* magarete, cortador. V. **carnicero;** (pop.) algoz, verdugo: *de buena boya,* (fam.) que tem fortuna ou felicidade; *boya de salvación,* boia de salvação; *marcado con boyas,* abalizado.

boyada. *f.* boiada, manada de bois.

boyal. *adj.* bovino, pertencente ou relativo ao gado vacum.

boyante. *p. a.* e *adj.* boiante, flutuante; (fig.) afortunado, que tem fortuna ou felicidade; (mar.) diz-se do barco pouco carregado.

boyar. *v. intr.* (mar.) boiar, tornar a flutuar a embarcação depois de ter estado em seco.

boyardo. *m.* padiola de braços para transportar bacalhau.

boycot. V. **boicot.**

boyé. *m.* (Amér.) espécie de cobra.

boyera. *f.* abegoaria, curral, lugar para guardar o gado.

boyero. *m.* boieiro, condutor ou guardador de bois; (fig.) homem tosco, rústico; (astr.) boieiro (constelação setentrional); (orni.) ave de Cuba cujo canto recorda a voz do boieiro; passarinho negro da Argentina.

boyuno, na. *adj.* bovino. V. **bovino.**

boza. *f.* (mar.) boça, amarra: *sujetar con bozas,* boçar; *boza de cadena,* boça de cadeia; *boza de rizos,* boça dos rizes; *boza de mesana,* boça da mezena; *boza de combate,* boça de combate; *vuelta de boza,* volta de boça.

bozal. *m.* boçal, cabresto com açame betilho, barbilho; açaimo dos cães para que não mordam; adorno com campainhas nas cabeças dos cavalos; focinheira; (Amér.). V. **bozo.**

bozal. *adj.* boçal, diz-se do negro recém--chegado do seu país; (fig. e fam.) boçal simples, ignorante, bisonho, inexperiente, simplório, néscio, idiota; boçal principiante em qualquer ofício; (Amér.) diz-se do índio ou estrangeiro que fala muito mal o espanhol.

bozar. *v. tr.* (mar.) boçar, amarrar, suspender ferro.

bozo. *m.* buço, bigode incipiente; parte exterior da boca; cabresto simples de corda; (vet.) bico, extremidade inferior da boca do cavalo; (prov.) açaimo dos cães.

bracamarte. *m.* bracamarte, antiga espada.

braceada. *f.* braçada, movimento dos braços com esforço.

braceador, ra. *adj.* bracejador, que braceja (diz-se do cavalo).

braceaje. *m.* braceagem, fabricação de moeda e retribuição dada aos moedeiros; (mar.) profundidade do mar em determinado lugar; primagem; sondagem; número de braças assinaladas nas cartas marítimas.

bracear. *v. intr.* bracear, bracejar, mover os braços; nadar estendendo os braços; (mar.) bracear as vergas, orientar as velas; (fig.) esforçar-se, forcejar; (equit.)

dobrar o cavalo as mãos ora para um lado ora para outro.

braceo. *m.* bracejo, braceagem, bracejamento.

bracero, ra. *adj.* braceiro, que se arremessa ou faz com o braço; que se atira com o braço; que dá o braço a outra pessoa. — *s.* trabalhador, jornaleiro empregado em trabalho braçal; aquele que dá o braço a alguém como apoio; braço, o que arremessa a barra, a lança, etc. com força: *de bracero,* de braço dado.

bracil. *m.* V. **braceral.**

bracio. *m.* (germ.) braço: *bracio godo,* braço direito; *bracio ledro,* braço esquerdo.

bracmán. *m.* brâmane. V. **brahman.**

bracmánico, ca. *adj.* V. **brahmánico.**

braco, ca. *adj.* braco, diz-se do cão perdigueiro; (irón.) cão com dois narizes; (fam.) diz-se da pessoa cujo nariz é chato e arrebitado.

bráctea. *f.* (bot.) bráctea.

bracteado, da. *adj.* (bot.) bracteado, que tem brácteas.

bracteiforme. *adj.* (bot.) bracteiforme, em forma de bráctea.

bracteílla. *f.* (bot.) bractéola.

bractéola. *f.* (bot.) bractéola.

bracteolado, da. *adj.* (bot.) bracteolado.

bradicardia. *f.* (med.) bradicardia.

bradiglosia. *f.* bradiglossia.

bradipepsia. *f.* (med.) bradipepsia.

bradipéptico, ca. *adj.* que sofre de bradipepsia.

bradiuria. *f.* (med.) bradisúria.

braga. *f.* braga, coeiro, bragas, calças largas e curtas; calções; cabo para içar ou suspender volumes pesados; cábrea: *Dios da bragas a quien no tiene zancas,* dá Deus nozes a quem não tem dentes.

bragada. *f.* bragada, parte interior das coxas dum animal; (mar.) voltas de calabre que se dão ao casco de um navio para o levantar do fundo.

bragado, da. *adj.* bragado, diz-se do animal que tem as pernas de cor diferente da do resto do corpo; (fig. e fam.) diz-se das pessoas enérgicas.

bragadura. *f.* bragadura, entrepernas do homem ou do animal, verilhas no corpo humano; bragada.

braguerista. *s.* fundibulário, fundeiro, fabricante ou vendedor de bragueiros.

braguero. *m.* bragueiro, funda herniária; (mar.) bragueiro, vergueiro, cabo que sujeita o canhão à amurada; gamarra; (Amér.). V. **estomaguero.**

bragueta. *f.* braguilha, parte das bragas, calções etc., com botões para apertar, carcela; alçapão dos calções; (mar.) ajuda; (mil.) peça da armadura que protegia as partes genitais; (arq.) moldura em pilastras e ombreiras de portas.

braguetazo. *m.* (germ.) dar braguetazo, contrair matrimónio com uma mulher rica.

braguetero. *adj.* (fam.) diz-se do homem lascivo, libidinoso; diz-se do homem que casa com mulher rica.

braguillas. *m.* (fig.) menino que começa a vestir calças; (fig.) menino pequeno e incorre(c)to; homem de pequena estatura.

brahmán. *m.* brâmane, sacerdote da religião de Brama; membro da primeira das quatro castas indianas.

brahmánico, ca. *adj.* bramânico, pertencente ou relativo ao bramanismo.

brahmanismo. *m.* (rel.) bramanismo.

brama. *f.* brama, época do cio dos veados e gamos e dos animais em geral; berra; estro.

bramadera. *f.* segarrega; buzina de pastor; instrumento para espantar o gado; ronca; (Amér.) V. **bravera.**

bramadero. *m.* bramadoiro, lugar onde se reunem os animais no tempo do cio; poste ao qual amarram, na América, os animais para os ferrar, domesticar ou matar.

bramador, ra. *adj.* bramador, que brama. — *m.* (germ.) pregoeiro.

bramante. *m.* barbante, cordel, guita, baraço, fio resistente para fazer pacotes, bramante.

bramar. *v. intr.* bramar, dar bramidos, bramir, berrar; (fig.) gritar com furor, vociferar, rugir, retumbar, ribombar; (germ.) dar vozes, gritar.

bramera. *f.* (Amér.) V. **bravera.**

bramido. *m.* berro, bramido, rugido de feras; frémito, (Bras.) frêmito; (fig.) voz de pessoa encolerizada; grito de cólera; mugido; som forte, bramido do mar, vento, etc.; estrondo.

bramo. *m.* (germ.) bramido, grito; brado, grito para avisar a descoberta dalguma coisa.

bramón. *m.* (germ.) V. **soplón.**

bramona (soltar la). *v. tr.* insultar.

bramor. *m.* (prov.) bramido, clamor.

branca. *f.* (zool.) (ant.) brânquia; ponta dum corno pequeno; leva de galés. — *pl.* garras de leão, águia, etc.; ramos de árvore; grilhão.

brancada. *f.* rede varredoura, de arrastar.

brandal. *m.* (mar.) brandal, cabo que aguenta os mastaréus para as bordas.

brandís. *m.* sobretudo que se vestia sobre o fraque como abrigo.

branque. *m.* (mar.) roda, peça que forma a proa do navio.

branquia. *f.* brânquia, guelra.

branquiado, da. *adj.* que tem brânquias, branquiado.

branquial. *adj.* branquial.

branquífero, ra. *adj.* branquífero, que tem brânquias.

branza. *f.* grilheta, argola que segurava as correntes dos forçados nas galés.

braquiado, da. *adj.* (bot.) braquiado; (zool.) braquiado.

braquial. *adj.* braquial, relativo ao braço.

braquialgia. *f.* (pat.) braquialgia.

braquicefalia. *f.* braquicefália.

braquicéfalo, la. *adj.* (etnog. e zool.) braquicéfalo.

braquidáctilo, la. *adj.* (zool.) braquidátilo.

braquidiagonal. *f.* (geom.) braquidiagonal.

braquigrafía. *f.* braquigrafia.

braquigrafo, fa. *s.* braquígrafo.

braquilogía. *f.* (gram.) braquilogia.

braquimetría. *f.* braquimetria.

braquiotomía. *f.* (cir.) braquiotomia.

braquipnea. *f.* braquipneia.

braquípodo, da. *adj.* e *s.* (zool.) braquípode.

braquisílabo, ba. *adj.* (ret.) braquissílabo.

braquiuro, ra. *adj.* e *s.* (zool.) braquiúro.

brasa. *f.* brasa, carvão incandescente; ardência; inflamação; ardor; afogueamento; (germ.) ladrão; áscua: *salir de las llamas y caer en las brasas,* tirar-se da lama e meter-se no atoleiro; *estar en brasas, estar sobre brasas,* estar muito inquieto ou em dificuldade; *arrimar la brasa a su sardina,* chegar a brasa para a sua sardinha; *pasar como sobre brasas, como gato por brasas,* tratar superficialmente uma coisa.

brasca. *f.* (min.) mistura de carvão e argila para proteger as paredes dos fornos metalúrgicos.

braserillo. *m.* braseira para os pés.

brasero. *m.* braseira para aquecer um aposento; incensário; braseiro, local destinado para auto-de-fé, fogareiro; (Amér.) lareira; (germ.) furto.

Brasil. (geog.) Brasil.

brasileño, ña. *adj.* e *s.* (geog.) brasileiro, brasiliano, natural do ou pertencente ao Brasil; brasilense, brasiliense, brasílico, brasílio.

brasilero, ra. *adj.* (geog.) V. **brasileño.**

brasmología. *f.* brasmologia, tratado acerca do fluxo e refluxo do mar.

brava. *f.* (Amér.) V. **bravata;** sabrada de certa importância; (germ.) força, alavanca.

bravata. *f.* bravata, ameaça arrogante; fanfarronice, fanfarronada; bazófia; jactância; palavrada; farófia; farronca; gabarolice; bizarrice; fanfarraria; chibantaria: *echar bravatas.* proferir bravatas.

bravatear. *v. intr.* (Amér.) V. **bravear.**

bravatero. *m.* (germ.) bravatão, bravateador, fanfarrão, bravateiro, chibante, valentão.

braveador, ra. *adj.* e *s.* bravateador, bravateiro, bravatão.

bravear. *v. intr.* bravatear, proferir bravatas, fazer alarde de valente; bazofiar; ja(c)tar-se.

bravera. *f.* respiradoiro de um forno; janela.

bravero. *m.* (Amér.) bravateador, fanfarrão.

braveta. *f.* braveza, bravura, ferocidade; sanha; selvajeria; impetuosidade; dureza; aspereza; força, ímpeto dos elementos; fereza, crueldade; esforço, ânimo, valor, grosseria.

bravería. *f.* (ant.) V. **bravata.**

bravío, a. *adj.* bravio, não domesticado; silvestre; assanhado; bruto; feroz; áspero; inculto; custoso de transitar; com vegetação rasteira; feroz, indómito, (Bras.) indômito, selvagem; grosseiro, rústico; estranhado, por desbravar. — *m.* bravura (diz-se dos toiros).

bravo, va. *adj.* bravo, que manifesta bravura; intrépido; valente; destemido; bizarro; feroz; cruel; basto; esforçado; bom; excelente; fero, feroz (diz-se dos animais); embravecido; (diz-se do mar); áspero, fragoso; enojado, enfadado; inculto; valentão; magnífico, sumptuoso; de génio, áspero; bizarro; altivo; corajoso, animoso; estrenuo, (Bras.) estrênuo; (Amér.) trapaceiro, ambicioso; (Bras.) puava. — *m*. (germ.) juiz. — *interj*. muito bem! designativa de aplauso: *echárselas de bravo*, bravatear.

bravocear. *v. intr.* infundir bravura. — *v. intr.* V. **bravear**.

bravonel. *m*. fanfarrão, valentão, fanfa, chibante.

bravosia. *f*. V. **bravosidad**.

bravosidad. *f*. bravosidade, bravura; fereza; fúria; galhardia; gentileza; arrogância, fanfarrice.

bravucón, na. *adj*. (fam.) fanfarrão; valentão, bravatão, fanfalhador, fanfa, avalentado, chibante; farofeiro, farronqueiro, façanheiro.

bravuconada. *f*. fanfarronice, fanfarronada, farfalha.

bravuconería. *f*. farfalha, chibança; chibantaria, farromba, farrolice, fanfarronice.

bravura. *f*. bravura; coragem; valor; ânimo; arrojo; ferocidade; braveza (dos animais); bizarria; denodo, (Bras.) denôdo; audácia; esforço, intrepidez, valentia; gentileza, galhardia! grosseria, rusticidade; crueldade.

braza. *f*. braça, medida de comprimento; braçada; (mar.) braços: *braza de las vergas*, braços das vergas; *braza de gavia*, braços da gávea; *braza del trinquete*, braço do traquete; *braza del juanete*, braços do joanete; *braza de mesana*, braço da mezena; *braza de la cebadera*, braço da cevadeira; *braza del bauprés*, braço do gurupés.

brazada. *f*. braçada, movimento dos braços como quando se rema; (Amér.) braça, medida de comprimento.

brazado. *m*. braçado, porção que se pode abranger entre os dois braços.

brazaje. *m*. V. **braceaje**.

brazal. *m*. braçal, peça da armadura antiga; rego, vala para encanar as águas para a rega, acéquia; bracelete; asa de vaso; braçal, distintivo que se usa no braço; (mar.) cantoneira.

brazalete. *m*. bracelete, pulseira; (mar.) alheta. V. **brazal**.

brazalote. *m*. (mar.) braçalote.

brazo. *m*. (anat.) braço; braço de candeeiro, de balança; ramo de árvore; braço de rio; mãos dos quadrúpedes; (mec.) braço da alavanca; (fig.) valor, esforço, poder; (fig.) o homem, considerado como agente de trabalho; (fig.) jurisdição: *con los brazos abiertos*, (fig.) de braços abertos, com agrado; (mar.) *brazo de la bomba de achique*, embalete; *brazo de mar*, freto; braço de mar; *brazo de romana*, braço de alavanca; *ir hecho un brazo de mar*, (pop.) engravatar-se, apilandrar-se; *hecho un brazo de mar*, (pop.) pessoa desencascada;

brazos útiles, (fig.) braços úteis; *pelear a brazo partido*, pelejar braço a braço; *dar el brazo a torcer*, (fig.) dar o seu braço a torcer; *entregar al brazo secular*, entregar ao braço secular; *andar a los brazos*, (fig.) vir a braços com alguém, pelejar.

brazola. *f*. (mar.) rebordo para reforçar a entrada das escotilhas; barcolas.

brazuelo. *m*. dim. de *brazo*, bracinho; parte das patas dianteiras dos quadrúpedes.

brea. *f*. (quim.) breu; oleado para forrar fardos; pez negro extraído do alcatrão da hulha; alcatrão.

break. *m*. (angl.) break, carruagem de quatro rodas para excursões.

breadura. *f*. breadura, breagem, aplicação de uma camada de breu sobre um obje(c)to.

brear. *v. tr.* brear, cobrir de breu, embrear, alcatroar; (fig. e fam.) maltratar, molestar; zombar, chasquear.

brebaje. *m*. bebida, beberagem, poção de gosto desagradável.

brecha. *f*. brecha, abertura, fenda; racha; ferimento profundo; lacuna; rotura; aberta; (pop.) dado para jogar; (fig.) impressão que se faz no ânimo próprio ou de outrem; estrago; ofensa; dano; afronta: *estar siempre en la brecha*, não deixar um negócio, estar sempre disposto para qualquer coisa; *abrir brecha*, abrir brecha, morrer combatendo; *estar siempre en la brecha*, estar sempre na brecha, combater sem descanso; *morir en la brecha*, morrer na brecha; *batir en brecha*, bater em brecha.

brechador. *m*. (germ.) indivíduo que entra no jogo para completar o número três.

brechar. *v. intr.* (germ.) meter dado falso no jogo.

brechero. *m*. (germ.) o que mete dado falso no jogo. V. **brechador**.

brega. *f*. briga, disputa, rixa, peleja, conflito, luta, desavença, pendência; (fig.) chasco, zombaria, gracejo, motejo.

bregado, da. *adj*. (Amér.) V. **bragado**.

bregar. *v. intr.* brigar, lutar, contender; fatigar-se, trabalhar afanosamente; rixar, disputar; lutar contra as dificuldades. — *v. tr.* amassar o pão.

bren. *m*. casca de grão depois de moído, farelo. V. **salvado**.

brenca. *f*. pau que prende as comportas ou presas de água nas acéquias; (bot.) capilária.

breña. *f*. brenha, matagal, mata espessa, floresta; precipício.

breñal. *m*. lugar brenhoso, matagal.

breñar. *m*. V. **breñal**.

breñoso. *adj*. brenhoso, fragoso, cheio de brenhas.

breque. *m*. V. **breca**, espécie de capatão; (Amér.) V. **brete**.

bresca. *f*. favo de mel.

brescar. *v. tr.* crestar, tirar das colmeias favos de mel, deixando os suficientes para as abelhas se poderem manter.

bretaña. *f*. (bot.) jacinto.

Bretaña. (geog.) Bretanha.

brete. *m.* macho; calceta, grilhão ou peso que se punha nos pés dos criminosos; (fig.) calabouço, prisão, cárcere; (fig.) aperto, apuro, estreiteza; lugar cercado com tapumes onde se marca ou mata o gado: *estar en un brete*, estar em apuros, ver-se em talas; *poner en un brete*, pôr alguém em apuros.

bretón, na. *adj. s.* (geog.) bretão, natural da ou pertencente à Bretanha. — *m.* bretão, língua falada pelos bretões; (bot.) variedade de couve.

breva. *f.* (bot.) bêbera, figo lampo, temporão; bolota temporã; charuto de forma achatada; (fig.) vantagem adquirida por alguem; (germ.) onça de oiro; (Amer.) tabaco em rama próprio para mascar: *más blando que una breva*, (fam.) diz-se da pessoa que, havendo estado muito irritada, se chegou à boa razão.

breve. *adj.* breve, que dura pouco; curto, de pouca extensão; conciso; lacónico, (Bras.) lacônico; (gram.) diz-se da palavra grave; diz-se da vogal de sílaba breve, ex. guo, efémero, (Bras.) efêmero, fugaz. — *m.* breve, decreto apostólico; lembrete; (mús.) breve (nota): *en breve*, em breve, dentro de pouco; *en este breve tiempo*, neste aperto de tempo.

brevedad. *f.* brevidade; curta duração; pequena extensão; rapidez; efemeridade; exiguidade; fugacidade; aviamento.

breviario. *m.* breviário, livro de orações; epítome, compêndio; (impr.) breviário, certo tipo de letra miúda; livro de lembranças; (germ.) o que é rápido em fazer alguma coisa.

brevipenne. *adj.* (zool.) brevipene, brevipenado.

brevirrostro, tra. *adj.* (orni.) brevirrostro, brevirrostrado, que tem o bico curto.

brezal. *m.* tojal, espinhal, silvado.

brezo. *m.* (bot.) brejo, urze, planta ericácea. V. **brizo.**

briaga. *f.* corda ou maroma de esparto usada nos lagares.

brial. *m.* brial, camisola usada pelos homens de armas; vestido feminino de pano precioso.

briba. *f.* ócio, preguiça; garotice, picardia; velhacaria: *echarse a la briba*, mendigar.

bribia. *f.* (germ.) arte e modo de enganar adulando com boas palavras. expediente.

bribón, na. *adj.* e *s.* velhaco, bargante, preguiçoso, vadio, que foge ao trabalho, pícaro; falpórrias, galopim; gabiru.

bribonada. *f.* velhacaria, picardia, truanice, vileza.

bribonear. *v. intr.* levar vida de vadio, devassa, vadiar, viver licenciosamente; fazer picardias.

bribonería. *f.* ociosidade, bargantaria, mandriice, preguiça, vadiagem, vagabundagem.

bribonesco. ca. *adj.* pertencente ou relativo ao velhaco ou pícaro.

bribonzuelo. *adj.* e *s.* dim. de *bribón*, velhaquete.

bricbarca. *m.* (mar.) bergantim com dois mastros ordinários e outro mais pequeno para armar a carangueja.

brida. *f.* brida, conjunto das rédeas e o freio; brida, antigo modo de andar a cavalo. — *pl.* (cir.) filamentos membranosos que se formam nos bordos das feridas: *poner la brida*, embridar; *quitar las bridas*, desbridar; (fig.) *soltar la brida a uno*, desemcabrestar; *a toda brida*, a toda a brida, à rédea solta.

bridón. *m.* bridão, freio que consta do bocado articulado no meio; brida grande; cavalo encilhado à brida; cavaleiro que monta pelo processo de brida; (poét.) cavalo brioso e arrogante.

brigada. *f.* (mil.) brigada, unidade do exército; brigada, grau militar entre o sargento e sub-oficial; certo agregado de tropa de número variável; conjunto de cavalgaduras com os seus condutores; (mar.) cada uma das secções em que se divide a marinha; conjunto de operários para executarem um trabalho, turma, brigada.

brigadero. *m.* civil que serve no exército, como condutor de muares.

brigadier. *m.* (mil.) brigadeiro, oficial general; general de brigada, contra-almirante; militar que desempenhava antigamente as funções de sargento brigada; militar que antigamente exercia as funções de cabo na marinha; guarda-marinha.

brigadiera. *f.* mulher do brigadeiro.

brigola. *f.* (mil.) ariete, máquina para demolir as muralhas.

briján. *m.* sabichão: *saber más que Briján*, (fam.) ter muita cautela e perspicácia no modo de agir.

brilla. *f.* (prov.) V. **cachurra.**

brillador, ra. *adj.* brilhador, que brilha, brilhante, fulgurante, esplendente, lucífero, luzente, luzidio, cintilante; (fig.) celebre; excelente.

brillante. *p. a.* e *adj.* brilhante, que brilha, luzente; cintilante, fulgurante, coriscante, estrelante, luzido, faiscante; lustrino, lustroso, luzente, lúcido, fulgente, fúlgido; chispante, dardejante, reluzente, resplendente; (fig.) célebre, notável, excelente; pomposo. — *m.* brilhante, diamante lapidado.

brillantez. *f.* brilhantez, brilho; frescura; ardor; fulgência, fulgor; lucidez, luzimento.

brillantina. *f.* brilhantina, cosmético para o cabelo; percalina com lustro; pó para dar brilho e lustro, macasar.

brillar. *v. intr.* brilhar, despedir brilho; reluzir; cintilar; resplandecer; dar luz; fulgir; coriscar; arraiar; estrelar; faiscar; luzir, fulgir, fulgurar; fuzilar; (fig.) distinguir-se, notabilizar-se, mostrar-se.

brillo. *m.* brilho, fulgor; claridade; esplendor; cintilação; lustre; luzimento; (fig.) brilho, esplendor distinção; lustre, vivacidade (estilo); celebridade; glória; luzimento; colorido; fulgência; luzeiro: *sacar brillo al calzado,* engraxar; *dar brillo,* polir.

brincador, ra. *adj.* e *s.* brincador, que brinca, saltador, brincão.

brincar. *v. intr.* brincar, folgar, saltar, galhofar; dar saltos; dissimular, ocultar uma coisa; estrinchar, divertir-se à maneira das crianças.

brinco. *m.* brinco, salto, pulo; jóia pequena que usavam as mulheres nas toucas: *dar brincos,* estrichar.

brindador, ra. *adj.* e *s.* que brinda.

brindar. *v. tr.* e *intr.* brindar, fazer brindes; beber à saúde de alguém; presentear; oferecer.

brindis. *m.* brinde, saudação; oferta, presente.

brinquillo. *m.* V. **brinquiño.**

brinquiño. *m. dim.* de *brinco:* jóia pequena; doce pequeno e muito delicado; brinco pequeno para as orelhas; brinquinho: *estar hecho un brinquiño,* ir muito asseado.

brinza. *f.* (germ.) carne cozida.

brío. *m.* brio, valor, coragem; pundonor; garbo; espírito, resolução; pujança; galhardia, denodo, (Bras.) denôdo, força, bizarria, emulação, estímulo; vigor; valor: *cobrar bríos,* galhar ánimos.

brioche. *m.* (gal.) espécie de bolo doce.

briófitas. *f. pl.* (bot.) briófitas.

briol. *m.* (mar.) briol, cabo para ferrar e colher as veias

briología. *f.* (bot.) briologia.

briológico, ca. *adj.* (bot.) briológico.

briólogo, ga. *s.* briologista.

brionia. *f.* (bot.) V. **nueza.**

bríos. *m.* V. **brio.**

bríos! (¡voto a). voto a Deus!

brioso, sa. *adj.* brioso, corajoso, que tem brio; pundonoroso, generoso; altivo; animoso, valeroso; (fig.) garboso, galhardo.

briqueta. *f.* (gal.) briquete, (Bras.) briquête, bola de carvão amassada; aglomerado.

brisa. *f.* brisa, vento fresco e brando; aragem; ar; corrente de ar; viração; película de certos frutos. V. **orujo;** (Amér.) aragem impregnada de água; (Amér., fig. e fam.) apetite. — *pl.* (Amér.) ventos alísios.

brisa. *f.* V. **orujo.**

briscado, da. *p. p.* e *adj.* matizado de ouro ou de prata e cores.

briscar. *v. tr.* bordar com fio de oiro ou prata.

brisera. *f.* (Amér.) espécie de pára-brisas.

brisero. *m.* (Amér.) V. **brisera.**

brisote. *m.* brisa muito forte e com grandes chuveiros.

bristol. *m.* bristol, espécie de cartolina.

brisura. *f.* (herald.) V. **lambel.**

británico, ca. *adj.* (geog.) británico, pertencente ou relativo à Grã-Bretanha.

britano, na. *adj.* e *s.* bretão, natural da ou pertencente à antiga Bretanha.

brivias. *f. pl.* (germ.) boas palavras.

brizar. *v. tr.* embalar uma criança no berço, brizar.

brizna. *f.* fibra, filamento de legume; filete; átomo.

briznoso, sa. *adj.* fibroso, filamentoso.

brizo. *m.* berço, leito de criança que se pode balançar.

broa. *f.* espécie de bolacha ou biscoito; (mar.) enseada de pouco fundo.

brobo. *m.* (germ.) espadachim, ferrabrás.

broca. *f.* prego de sapateiro; broca, instrumento para furar; sarilho de torno de fiar; barrena, macho.

brocadillo. *m.* brocadilho, tecido de seda e ouro com figuras em relevo, inferior ao brocado.

brocado. *m.* brocado, tecido de seda, com figuras em relevo, entretecido com ouro ou prata.

brocal. *m.* parapeito na boca de um poço; (min.) bocal de poço; (herald.) brocal, guarnição de aço nos escudos; bocal, peça de metal que se coloca na bainha das armas brancas; peça que reforça a boca dos canhões; bocal, copo de madeira na boca das borrachas.

brocamantón. *m.* broche grande com pedras preciosas.

brocatel. *adj.* brocatelo, diz-se duma espécie de mármore. — *m.* brocatel, tecido semelhante ao brocado; tecido adamascado.

brócula. *f.* espécie de broca, instrumento usado em serralharia.

brocha. *f.* broxa, pincel; entre trapaceiros, dado falso: *de brocha gorda,* diz-se do mau pintor e também do pintor de paredes, portas, janelas. etc.

brochada. *f.* broxada, broxadela, pincelada larga dada com a broxa.

brochado, da. *adj.* diz-se dos tecidos de seda que têm matiz de oiro ou prata.

brochadura. *f.* jogo de colchetes para guarnecer capas ou casacos, guarnição de broches.

brochal. *m.* (arq.) tabuão atravessado entre outros dois e neles ensamblado.

brochar. *v. tr.* broxar, pintar com broxa; pintar muito mal; jogar o fito.

brochazo. *m.* V. **brochada.**

broche. *m.* broche, colchete, fecho de metal; fivela das ligas; espoleta, varinha de ferro que atravessa a canela nos teares; (Amér.) fecho de metal para livros ou pastas. — *pl.* (Amér.) abotoadura, botões de mangas de camisa.

brocheta. *f.* V. **broqueta.**

brochina. *f.* (prov.) vento subtil e frio.

brochón. *m.* broxa grande de caiador; escova grande, ou vassoura para limpar as paredes.

brollador, ra. *adj.* e *s.* borbulhante, borbulhente, borbulhoso, que borbulha.

brollar. *v. intr.* V. **borbotar.**

broma. *f.* broma, verme que rói a madeira, verrumão, espécie de caracol que rói o costado dos navios; cascalho ou aparas que se misturam com cimento para fazer caboucos ou alicerces.

broma. *f.* bulha, algazarra, descambação;

derriço; diversão, derição, brincadeira, gracejo, entretimento, chacota, zombaria, pacholice, corriola; chalaça; hilaridade; vozeria: *broma sin gracia*, frioleira; *lo dice en broma*, disse-o por chufa; *gastar una broma a alguien*, ter paço com a'guém; *broma pesada*, chufa; *gastar bromas*, fazer bexigas, fazer das suas; *no estar para bromas*, não estar para paço.

broma. *f.* guisado feito com alveia quebrada; obra de ourivesaria mal acabada.

bromado, da. *p. p. e adj.* bromado, diz-se da embarcação roida pela broma ou verrumão.

bromal. *m.* (quím.) bromal.

bromar. *v. tr.* bromar, roer como faz a broma ou verrumão.

bromato. *m.* (quím.) bromato.

bromatología. *f.* bromatologia.

bromatológico, ca. *adj.* bromatológico.

bromatólogo, ga. *s.* bromatologista.

bromatometría. *f.* (hig.) bromatometria.

bromatométrico, ca. *adj.* (hig.) bromatométrico.

bromatoterapia. *f.* (med.) bromatoterapia.

bromazo. *m.* brincadeira pesada.

bromear. *v. intr.* gracejar, chaspear, chacotear, chalaçar, caçoar; chalacear, galhofear, galantear, chufar, entreter: *sin bromear*, fora de zombaria.

bromeliáceo, a. *adj.* (bot.) bromeliáceo. — *f. pl.* (bot.) bromeliáceas.

bronhidrosis. *f.* (pat.) bromidrose, secreção de suor fétido.

brómico, ca. *adj.* (quím.) brómico, (Bras.) brômico.

bromidia. *f.* (terap.) bromídia.

bromismo. *m.* bromismo, perturbação causada pelo abuso dos brometos.

bromista. *s. e adj.* brincalhão, trocista, chacoteador. barulhento; libertino; entretenido; desfrutador; descambado; derriçador; chulista, chufista, chasqueador, galhofeiro.

bromo. *m.* (quím.) bromo.

bromoformo. *m.* (quím.) bromofórmio.

bromoquinina. *f.* (quim.) bromoquinina.

bromuro. *m.* (quim.) brometo, bromoreto.

bronca. *f.* (fam.) chalaça, brincadeira pesada; pendência ruidosa e com escândalo; briga, rixa; (germ.) polícia: *echar una bronca*, motejar alguém.

bronce *m.* bronze; (fig.) estátua ou escultura de bronze: *bronce de cañones*, bronze para canhões; *bronce fosforoso*, bronze fosfórico; *ser de bronce*, (fam.) ter um coração de bronze, ser um bronze; *gente del bronce*, (pop.) valentão, vadio, malfeitor, indivíduo pertencente à ladroagem; *duro como le bronce*, (poet.) eráceo.

bronceado, da. *p. p. e adj.* bronzeado, abronzeado, da cor do bronze. — *m.* bronzagem, bronzeamento.

bronceadura. *f.* bronzeagem, bronzeamento, bronzagem.

broncear. *v. tr.* bronzear, dar cor de bronze.

broncería. *f.* conjunto de peças de bronze. obras de bronze.

broncíneo, a. *adj.* brônzeo, brônzico, de bronze, semelhante ao bronze.

broncista. *m.* bronzista, o que trabalha em bronze, bronzeador.

bronco, ca. *adj.* bronco, rude; tosco; grosseiro; inculto, ignorante; áspero; por desbastar; desajeitado; quebradiço (metais); (mús.) desentoado; (fig.) bronco, de génio e trato áspero; obtuso; estúpido; malfeito; (Bras.) acaiçarado.

broncocele. *m.* (med.) broncocele; papeira.

broncoestenosis. *f.* (pat.) V. **broncostenosis.**

broncofonía. *f.* (pat.) broncofonia.

broncolitiasis. *f.* (pat.) broncolitiase.

broncolitis. *f.* (pat.) broncolite.

broncomicosis. *f.* (pat.) broncomicose.

bronconeumonía. *f.* (med.) broncopneumonia.

broncopatía. *f.* (pat.) broncopatia.

broncoplastia. *f.* (cir.) broncoplastia.

broncorrea. *f.* (med.) broncorreia.

broncoscopia. *f.* broncoscopia.

broncoscopio. *m.* broncoscópio.

broncostenosis. *f.* (pat.) broncostenose.

broncotomía. *f.* (cir.) broncotomia, traqueotomia.

bronquedad. *f.* bronquice, qualidade de bronco, bronquidade; aspereza; desentoação; (fig.) aspereza de génio ou de trato.

bronquial. *adj.* (anat.) bronquial.

bronquina. *f.* (fam.) pendência, rixa, disputa, briga; quimera.

bronquio. *m.* (anat.) brônquio.

bronquíolo. *m.* (anat.) bronquíolo.

bronquítico, ca. *adj.* (med.) relativo à bronquite.

bronquitis. *f.* (pat.) bronquite.

brontosaurio. *m.* (paleont.) brontosáurio.

broquel. *m.* broquel, escudo pequeno; escudo em geral; (fig.) prote(c)ção, amparo, defesa, égide, escudo; fanfarrão; (mat.) posição das velas e vergas quando se abroquelam; (Amér.) V. **brocal.**

broquelarse. *v. r.* cobrir-se com o broquel. V. **abroquelarse.**

broquelazo. *m.* pancada com broquel.

broquelero. *m.* broqueleiro, o que fazia ou usava broquéis; o que se armava de broquel; (fig.) brigão, desordeiro.

broquelillo. *m.* brinco, ornato para as orelhas das mulheres.

broqueta. *f.* instrumento em forma de agulha para enfiar avezinhas ou pedacinhos de carne para assar.

brota. *f.* rebento. brolho, broto. V. **brotadura, brote.**

brotadura. *f.* brotamento, germinação.

brótano. *m.* (bot.) abrótano. V. **abrótano.**

brotar. *v. intr.* brotar, sair do solo; aparecer; rebentar; proceder; nascer; lançar folhas, flores, renovos; manar; (fig.) sair; surgir; germinar; começar a manifestar-se alguma coisa; gerar; criar; desabrolhar; arrebentar; emergir; aguçar: *brotar flores*, deitar flores; *brotar retoños o pimpollos*, apimpolhar-se; desabotoar.

brote. *m.* gomo, pimpolho, (Bras.) pimpôlho, renovo, (Bras.) renôvo; abotoação, estolho, galho, arrebentação; desabotoamento; (prov.) bocadinho, migalha.

broza. *f.* maravalhas, restos, despojos de vegetais; desperdícios; tojal, matagal, mata; coisas inúteis que se dizem ou escrevem, futilidades; entulho; (agr.) debulho; (impr.) brossa, escova de impressor para lavar as formas. V. **bruza.**

brozador. *m.* (impr.) brossador. V. **bruzador**

brozar. *v. tr.* (impr.) brossar. V. **bruzar.**

brozno, na. *adj.* áspero, rude; estúpido; grosseiro. V **bronco.**

brozoso, sa. *adj.* cheio de destroços, ramos ou folhas.

brucero. *m.* fabricante ou vendedor de brossas, escovas, vassouras, etc.; escoveiro, vassoureiro.

bruces. a ou **de,** de bruços, de boca para baixo; *caer de bruces al suelo,* cair estatelado no chão; *caminar de bruces,* andar de bruços; *ponerse de bruces,* debruçar-se.

brucita. *f.* (min.) mineral de magnésia hidratada.

bruja. *f.* bruxa, feiticeira, mágica vidente; (fig. e fam.) mulher feia e velha; sibila; benzedeira; (zool.) coruja, ave de rapina. V. **lechuza;** (Amér.) espécie de borboleta; nas províncias orientais cubanas, pessoa que se disfarça de noite com um lenço branco em dias de festa; faquista.

brujear. *v. intr.* bruxear, enfeitiçar, bruxar. fazer bruxarias.

brujería. *f.* bruxaria, malefício, feitiçaria, sortilégio, mágia; bruxedo, feitiço; fa(c)to extraordinário que se não sabe explicar; conjunto de bruxas; (Bras.) caborje, ebó. — *pl.* (fig.) feitiços, carícias, afagos.

brujesco, ca. *adj.* relativo à bruxaria.

brujidor. *m.* alicate para cortar vidro. V. **grujidor.**

brujir. *v. tr.* cortar vidro. V. **grujir.**

brujo. *m.* bruxo, curandeiro, ocultista, feiticeiro, mago, vencedeiro, encantador, embruxador; (fig.) desavergonhado, insolente; (fig. e fam.) bruxo, sagaz, esperto.

brújula. *f.* (mar.) brússola; bússola, agulha de marear; mira, buraco ou ponto para ver melhor um obje(c)to; *perder la brújula,* perder o tino na execução dalgum negócio; (fig.) dire(c)ção, guía.

brujulear. *v. tr.* trapacear no jogo de cartas; bruxolear; (fig.) adivinhar, conje(c)turar, descobrir por indícios algum sucesso ou negócio.

brujuleo. *m.* (fig.) conje(c)tura, suposição.

brulote. *m.* (mar.) brulote; (Amér.) dito ofensivo.

bruma. *f.* bruma, nevoeiro, névoa, cerração.

brumador, ra. *adj.* V. **abrumador.**

brumal. *adj.* brumal, relativo à bruma.

brumamiento. *m.* angústia.

brumar. *v. tr.* V. **abrumar;** (prov.) cansar, abater.

brumario. *m.* Brumário, mês do nevoeiro, segundo mês do calendário republicano francês.

brumazón. *m.* bruma, brumaça, grande bruma, nevoeiro cerrado.

brumoso, sa. *adj.* brumoso, brumal, nebuloso, coberto de brumas.

bruno, na. *adj.* bruno, pardo, moreno escuro.

bruñidera. *f.* tábua para polir a cera virgem.

bruñido, da. *adj.* brunido; polido, brilhante. — *m.* brunido, brunidura, polimento.

bruñidor, ra. *adj.* brunidor, que brune. — *m.* instrumento para brunir ou polir; (sapat.) biserre: bruñidor de armas brancas, alfageme, açacalador; brunidor para dorar, dente de lobo.

bruñidura. *f.* brunidura, polimento, brunido.

bruñimiento. *m.* brunidura, polimento, brunido; alizadura: *bruñimiento de armas blancas,* açacaladura.

bruñir. *v. tr.* brunir, polir, tornar brilhante, lustrar; (fig.) brunir, pintar o rosto com arrebiques; abrilhantar; açacalar, acarejar; (pint.) estofar; (fig. e fam.) aformosear o rosto; (Amér.) aborrecer.

bruño. *m.* ameixa. V. **bruno.**

brusco, ca. *adj.* brusco, áspero e arrebatado no falar; desabrido; desagradável; inesperado; súbito; grosseiro, incivil.

brusco. *m.* (bot.) gilbardeira, murta silvestre: rebotalho, refugo das colheitas ou da vindima.

brusela. *f.* (bot.) congrossa, pervinca, erva donzela. — *pl.* buchela, pinças largas de ourives.

Bruselas. (geog.) Bruxelas.

brusita *f.* (quím.) brusite.

brusquedad. *f.* brusquidão, qualidade de brusco; grosseria, aspereza; a(c)ção ou procedimento bruscos.

brutal. *adj.* brutal; ferino; desumano; violento; selvagem, feroz, cruel; grosseiro; asnal; abrutado, bárbaro; animal, bestial, asmático. — *m.* V. **bruto.**

brutalidad. *f.* brutalidade, acção brutal; violência; bestialidade; estupidez; selvajaria; ferocidade, crueldade; impetuosidade das paixões; a(c)ção torpe e grosseira.

brutalizarse. *v. r.* (p. us.) tornar-se bruto, bestializar-se, embrutecer-se, animalizar-se, bestificar-se.

brutesco, ca. *adj.* tosco, brutesco, grosseiro; sem arte. V. **grutesco.**

bruteza. *f.* falta de polimento ou adorno; estado da matéria em bruto. V. **brutalidad.**

bruto, ta. *adj.* bruto, irracional; estúpido; rude; grosseiro; inerte; tosco; informe; néscio, incapaz; vicioso, desregrado nos seus costumes; estólido; falto de juizo; (pop.) bertoldo; (Amér.) diz-se do galo ordinário do país, em contraposição ao da raça inglesa; (Bras.) abarbarado, acaiçarado, pancada, zebróide. — *m.* bruto, animal irracional; homem grosseiro, asselvajado; (fig.) indivíduo dotado de muita força; besta, (Bras.) bêsta: *a lo bruto,* à valentona; *en bruto,* sem polir, não trabalhado.

bruza. *f.* (impr.) escova de impressor para lavar as formas; brossa, brussa, escova de limpar animais.

bruzador. *m.* (impr.) brossador, espécie de celha onde se limpam as formas.

bruzar. *v. tr.* brossar, escovar ou passar com a bróssa.

bu. *m.* (fam.) papão, ser imaginário com que se mete medo às crianças, fantasma imaginário; pessoa ou coisa que pretende causar medo.

búa *f.* buba, pequeno tumor na pele; pústula; tumor sifilítico.

buba *f.* (med.) buba, pústula, tumor sifilítico, tumorzinho cutâneo.

búbalo, la *s.* (zool.) búfalo, búbalo.

bubático, ca. *adj.* que tem bubas, bubático.

bubatoso, sa. *adj.* (med.). V. **bubático**.

bubón. *m.* (med.) bubão, tumor grande purulento, intumescência dos gânglios linfáticos; incórdio.

bubonalgia. *f.* (pat.) bubonalgia.

bubónico, ca. *adj.* bubónico, (Bras.) bubónico, bubático, que apresenta bubões.

bubonocele. *m.* (pat.) bubunocele, hérnia inguinal.

buboso, sa. *adj.* (med.) que tem bubas, bubático.

bucal. *adj.* bucal, pertencente ou relativo à boca.

bucanero. *m.* bucaneiro, corsário, pirata.

bucarda. *f.* bucárdia; molusco acéfalo marítimo; berbigão.

búcaro. *m.* argila que exala olor agradável; púcaro, vasilha feita com esta argila.

buccino. *m.* (zool.) búzio.

bucear. *v. intr.* mergulhar e conservar-se debaixo de água; averiguar, pesquisar algum assunto.

bucéfalo. *m.* bucéfalo, cavalo de batalha; (pop.) bucéfalo, homem rude e estúpido; (irón.) burro lazarento.

bucentauro. *m.* bucentauro.

buceo. *m.* mergulho; nadadura.

bucero, ra. *adj.* diz-se do cão de focinho preto.

bucle. *m.* bucle, bucre, madeixa de cabelos, anel ou caracol que se faz no cabelo; maçaroco.

buco. *m.* abertura, buraco, orifício; (zool) bode, macho da cabra.

bucólica. *f.* bucólica; poesía campestre; écloga; (fam.) alimento, comida, sustento.

bucólico, ca. *adj.* bucólico; pastoril, campestre.

bucolismo. *m.* bucolismo, poesía bucólica; vida pastoril.

buchaca. *f.* (Amér.) bolsa, bolso pequeno; cada uma das aberturas que existem nalgumas mesas de bilhar; (fam.) cárcere.

buchada. *f.* V. **bocanada**.

buche. *m.* bucho, estômago dos peixes e quadrúpedes; papo das aves; bochecho, porção de líquido que cabe na boca; (fam.) estômago de homem; ança, ventre; burrico que ainda mama; prega que faz a roupa que não assenta bem; bolso de rede; buxo, parte da armação de pesca para onde entra o peixe; (fig.) bucho, lugar imaginário em que se finge guardar os segredos; (Amér.) chapéu de copa; bócio, papeira; plebeu, ocioso, vadio.

buchear. *v. tr.* burlar, burlar-se; cantar a perdiz.

bucheo. *m.* burla; canto da perdiz.

buchería. *f.* (Amér.) acção própria de plebeu, plebeismo.

buchete. *m.* inchação do rosto, face inchada; bochecha elevada por estar cheia de ar.

buchí. *m.* (germ.) verdugo; carrasco.

buchinche. *m.* café ou taberna de aspe(c)to pobre.

buchón, na. *adj.* diz-se do pombo doméstico que enche o papo grandemente.

budare. *m.* (Amér.) prato ou travessa própios para cozer o pão de milho.

búdico, ca. *adj.* (rel.) búdico, relativo ao budismo.

budin. *m.* pudim.

budinera. *f.* molde ou forma para pudim.

budión. *m.* (ictiol.) bodião.

budismo. *m.* (rel.) budismo.

budista. *adj. e s.* budista.

buduar. V. **boudoir**, camarim de mulher.

bué. *m.* (prov.). V. **buey**.

buen. *adj. contr.* de *bueno*, bom; usa-se precedendo um substantivo ou um verbo no infinito presente: *buen tiempo*, bom tempo; *buen pasar*, bom passar; *aceptar algo de buen grado*, levar por bem.

buenaboya. *f.* V. **bagarino**.

buenadicha. *f.* boa ventura.

buenaventura. *f.* boa ventura, boa sorte; adivinhação supersticiosa das ciganas; *buena dicha*, prosperidade, felicidade.

bueno, na. bom, boa; que tem bondade, de boa qualidade; virtuoso; vantajoso; próprio; agradável; útil; sábio; nobre; seguro; garantido; gostoso; divertido; são; grande; simples, singulo; bastante. suficiente; salutar; com o verbo *ser*, em sentido irónico, estranho, particular; bonachão, bonacheirão, bondadoso; (Bras.) bacana, mantena, porreta, suruba.—*m.* homem bondoso; em exame, nota superior à aprovado. — *adv.* bom, suficientemente. — *interj.* designativa de aprobação bom: *de buena cuna*, de alto nascimento; *de buena gana*, de grado; *de buena fe*, convencido; *buen tiempo*, bom tempo; *buenas palabras*, boas palavras; *estar muy bueno*, estar bom; *trata a los buenos y serás uno de ellos*, chega-te aos bons e serás um deles; *jugar una buena a alguien*, pregá-le boa a alguém; *avenirse a las buenas*, vir às boas; *estar metido en una buena*, estar metido em boas.

buera. *f.* (prov.) empola, pústula da boca.

buey. *m.* (zool.) boi, touro castrado. — *pl.* (germ.) naipes, cartas: *buey de agua*, botão, olho de água; *ojo de buey*, clarabóia; *buey marino*, boi marinho.

bueyuno, na. *adj.* V. **boyuno**.

¡buf! *interj.* V. **¡puf!**

bufa. *f.* burla, bufa, bufonária; (Amér.) borracheira.

bufado, da. *p. p. e adj.* bufado (diz-se das bolhas resultantes de se soprar uma massa de vidro fundido); que tem bolhas.

bufador. *m.* fenda nos terrenos vulcânicos, onde sai fumo e vapor.

bufaire. *m.* (germ.). V. **delator.**

bufalino, na. *adj.* bufalino, relativo ao búfalo.

búfalo, la. *s.* (zool.) búfalo.

bufanda. *f.* cachecol, faixa para abafar a garganta e o peito.

bufar. *v. intr.* bufar, soprar o touro e outros animais; soprar enchendo as bochechas; (fig.) bufar, estar muito encolerizado, estremecer com cólera.

bufarda. *f.* buraco, respiradoiro das carvoarias.

bufeo. *m.* terra argilosa.

bufet. *m.* galicismo. Por *refresco, merienda,* convite.

bufete. *m.* bufete, estudo, secretária antiga; mesa para escrever; escritório; banca de clientela de advogado: *abrir bufete,* abrir banca de advogado.

bufia. *f.* (germ.) vasilha de vinho, borracha, bota.

bufiador. *m.* (germ.) taberneiro.

bufido. *m.* bufido, som do animal que bufa; (fig. e fam.) demonstração de enfado; (germ.) voz encolerizada.

bufo, fa. *adj.* bufo, diz-se do cómico que toca o grotesco; bufão, chocarreiro; burlesco, cómico, ridículo. — *s.* pessoa que representa o papel de gracioso na ópera italiana: *ópera bufa,* ópera cómica.

bufón. *m.* bufão, bobo, (Bras.) bôbo, jogral, truão; chocarreiro; caturra; fanfarrão; o que se ocupa em fazer rir; arlequim; facecioso; mimo: *hacer el bufón,* chocarrear, bobear.

bufón. *m.* V. **buhonero.**

bufonada. *f.* chalaça, gracejo, chocarrice; bufonária, arlequinada, caturrice, facécia, bobice; bobagem.

bufonearse. *v. r.* bufonear; burlar-se; ridiculizar-se.

bufonería. *f.* bufonaria, chocarrice. V. **bufonada.**

bufonesco, ca. *adj.* bufo, bobo, chocarreiro, cómico, ridículo.

bufonicista. *adj.* e *s.* que diz ou faz chocarrices.

bufonizar. *v. intr.* dizer chocarrices, bufonear, ridiculizar, gracejar, caturrar.

buhar. *v. tr.* (germ.) descobrir, denunciar alguma coisa, divulgar, revelar.

buharda. *f.* trapeira, janela por cima do telhado; sotão; buraco duma porta para os gatos.

buhardilla. *f.* águas-furtadas, trapeira; desvão.

buhedera. *f.* fresta, abertura, buraco; seteira.

buhedo. *m.* marnel, terreno alagadiço que seca no verão.

buhero. *m.* o que, nas caçadas, tratava dos *buhos.*

buhío. *m.* V. **bohío.**

búho. *m.* (zool.) bufo, mocho, (Bras.) môcho, bubo, pássaro-da-morte; (fig. e fam.) pessoa esquiva, insociável; (germ.) denun-

ciante, delator; (herald.) bufo, ave que se coloca no escudo.

buhonería. *f.* tenda portátil de bufarinheiro, bufarinha; géneros próprios do bufarinheiro, bufarinhas, bugigangas, quinquilharias, coisas de pequeno valor.

buhonero. *m.* bufarinheiro, vendedor ambulante de quinquilharias; vendilhão ambulante.

buido, da. *adj.* delgado, afiado, aguçado; acanalado, com estrias.

buitre. *m.* (zool.) abutre, ave de rapina.

buitrera. *f.* lugar onde se arma o laço para caçar o abutre: (fam.) *estar ya para buitrera,* diz-se da cavalgadura fraca que pouco pode viver.

buitrero, ra. *adj.* pertencente ao abutre. — *m.* abutreiro, caçador de abutres.

buitrón. *m.* massa, cesto de vime para pescar; arte de pesca; rede para caçar perdizes; armadilha de caça; forno de afinação para a prata.

bujarí. *m.* (germ.). V. **patata.**

buje. *m.* chapa, aro de ferro nos cubos das rodas dos carros; bucha.

bujeda. *f.* V. **bujedal.**

bujedal. *m.* V. **bojedal.**

bujedo. *m.* V. **bujedal.**

bujería. *f.* artigos, obje(c)tos de estanho, ferro, vidro, etc. de pouco valor.

bujero. *m.* (pop.). V. **agujero.**

bujeta. *f.* boceta, caixa de madeira; frasco de cheiro; estojo de frasco de cheiro.

bujía. *f.* bugia, vela de cera, espernacete, estearina, etc.; castiçal; unidade para medir a intensidade dum foco de luz artificial; (cir.) bugia, sonda cirúrgica; (auto.) vela.; (germ.). V. **joroba.**

bujiería. *f.* fábrica de velas de cera. V. **cerería.**

bujo. *m.* cavalete de pintor.

bula. *f.* bula; decreto pontifício; selo que os Papas e os soberanos usavam antigamente; bolha; glóbulo: *bula de la Cruzada,* bula da Cruzada; *vender bulas,* vender bulas; *tener bulas para todo,* ter bulas para tudo; *tomar una bula,* abular-se.

bulárcamo. *f.* (mar.) aposturas.

bulario. *m.* bulário, cole(c)ção de bulas.

bulbo. *m.* (bot.) bolbo.

bulbiforme. *adj.* bulbiforme.

bulbíparo, ra. *adj.* e *s.* bulbíparo.

bulboso, sa. *adj.* bulboso, bolbífero.

buldog. *m.* (zool.) buldogue.

bule. *m.* (Amér.) abóbora.

bulerías. *f. pl.* dança e canto de Andaluzia.

buleto. *m.* breve, documento pontifício.

bulevar. *m.* passeio público, rua larga com árvores.

Bulgaria. (geog.) Bulgária.

búlgaro, ra. *adj.* e *s.* búlgaro, natural da ou pertencente à Bulgária. — *m.* língua búlgara.

bulimia. *f.* (med.) bulímia, fome canina.

bulímico, ca. *adj.* (med.) bulímico, relativo à bulímia.

bulo. *m.* (pop.) mentira, embuste, fábula.

bulto. *m.* vulto, volume; fardo; pacote; elevação, produzida por um tumor; vulto, busto, imagem de escultura; tamanho; inchação; mala, maleta (diz-se de transportes ou viagens): *escurrir el bulto.* (fam.), evitar um risco ou compromisso; *a bulto*, por alto, sem examinar bem, em vulto; *cosa de bulto*, coisa de vulto; *hacer bulto*, fazer vulto; *tirar a bulto*, atirar a vulto; *ser de bulto*, ser importante uma coisa; *tomar bulto*, tomar vulto; *poner de bulto*, dizer claramente alguma coisa; *buscar el bulto*, perseguir alguém.

bululú. *m.* a(c)tor ambulante, imitador, farsante; (Amér.) alvoroto, escândalo.

bulla. *f.* bulha, confusão; desordem, barulho, reboliço, balbúrdia, gritaria, alvoroço, motim, ruido, algazarra, brincadeira, bolha, assobiada, assuada, chinfrim; (Bras.) estripulia; estralada; choldraboldra; fandango; *meter bubulla*, chinfrinar; (germ.) cãs.

bullaje. *m.* multidão, confusão de muita gente.

bullanga. *f.* alvoroto, desordem, motim, tumulto, rebuliço, chinfrim.

bullanguero, ra. *adj.* e *s.* alvoroçador, alvorotador, amotinador, desordeiro.

bullarengue. *m.* (fam.) anquinhas, ancas, postiças que usavam as mulheres para altear os quadris e dar maior roda às saias; (Amér.) coisa fingida ou postiça.

bullebulle. *s.* (fig. e fam.) bule-bule, pessoa irrequieta, buliçosa.

bullicio. *m.* bulício; confusão, barafunda; alvoroto, sedição; motim, tumulto, assobiada, assuada, azáfama, estrépito, estrombo; estropido, choldraboldra; estoiro.

bullicioso, sa. *adj.* buliçoso; inquieto; traquinas; a(c)tivo; bulhento; sedicioso, alvoroçador; estridente, achinfrinado; estrepitante; estrujidor, estrepitoso, estrondoso.

bullidor, ra. *adj.* V. **bullicioso.**

bullir. *v. intr.* ferver um líquido; bulir; borbolhar; mover-se, agitar-se (sangue, água, etc.); não parar, mexer-se, agitar-se uma pessoa com excesso; menear, mover; mover-se como dando sinais de vida; efervescer. — *v. tr.* mover, menear; mexer, agitar, conjugar-se como *mullir.*

bullón. *m.* adaga, bulhão, punhal antigo; tinta que ferve na caldeira; canto de metal para resguardar os livros.

bumerang. *m.* espécie de arma usada pelos indígenas de Austrália.

buniatal. *m.* lugar plantado de *buniatos.*

buniatillo. *m.* (Amér.) doce de *buniato.*

buniato. *m.* V. **batata,** e **boniato.**

buñega. *f.* (Amér.). V. **boñiga.**

buñelera. *f.* (Amér.). V. **buñolera.**

buñelo. *m.* (Amér.). V. **buñuelo.**

buñiga. *f.* (Amér.). V. **boñiga.**

buñoleria. *f.* lugar onde se fazem ou vendem filhós.

buñolero, ra. *adj.* fabricante ou vendedor de filhós; (taurom.) o que abre a porta do touril.

buñuelo. *m.* filhó, massa de farinha batida com ovos; belhó; (fig.) coisa mal feita ou que acabou mal.

buque. *m.* buco, cabida, espaço, capacidade; caixa acústica dum instrumento; (mar.) navio, casco de navio, buque, barco com coberta; embarcação: *buque de guerra,* navio de guerra, fragata; *buque de fondo plano,* chata; *buque mercante,* navio mercante; *buque de transporte,* navio de transporte; *buque de línea,* navio de linha; *buque de vela,* navio de vela; *buque de vapor,* navio a vapor.

buqué. *m.* (gal.). V. **ramillete;** fragância dos vinhos.

buraco. *m.* buraco, orifício, abertura, ruptura, furo. V. **agujero.**

buraquear. *v. intr.* esburacar, abrir buracos.

burbuja. *f.* borbulha; bolha, (Bras.) bôlha; bexiga; empola, (Bras.) empôla: *burbuja de aire,* bolha de ar; *formar burbujas,* formar empolas.

burbujear. *v. intr.* bolhar, borbulhar, formar bolha ou bolhas.

burbujeo. *m.* bolhão.

burbujoso, sa. *adj.* bolhoso.

burchaca. *f.* V. **burjaca.**

burche. *m.* (mil.) torre ou edifício alto que se construía para defesa; espécie de barco de remos; falúa grande.

burda. *f.* (mar.) cabo de manobra nos mastros do joanete. — *pl.* brandais.

burdégano. *m.* asneiro, mulo, macho, filho de cavalo e de burra.

burdel. *m.* bordel, prostíbulo, mancebia, lupanar, casa de prostitução, alcouce, farra — *adj.* luxurioso, lascivo, libidinoso, vicioso.

burdelero, ra. *s.* alcoviteiro; frequentador de bordel; criado de bordel.

burdinalla. *f.* (mar.) cabo delgado que sujeita a verga da sobrecevadeira.

Burdeos. (geog.) Bordéus.

burdeos. *m.* vinho de Bordéus.

burdo, da. *adj.* grosseiro, tosco, (Bras.) tôsco, desafável; ordinário, comum.

burear. *v. tr.* (Amér.) enganar. V. **burlar.**

burel. *m.* (herald.) burela, peça heráldica; (ictiol.) ruivo; (mar.) bóia de cortiça.

burelado. *adj.* (herald.) burelado, escudo que tem cinco faixas de metal e cinco de cor.

bureo. *m.* divertimento, entretenimento, entretenimento; conselho ou junta administrativa de casa real.

bureta. *f.* (quím.) bureta, pipeta conta-gotas.

burga. *f.* manancial de água termal, termas, caldas.

burgalés, sa. *adj.* e *s.* (geog.) burgalês, natural de ou pertencente a Burgos.

burgo. *m.* burgo, povoação agrupada a castelo ou mosteiro; vila; mosteiro; paço; arrabal de cidade.

burgomaestre. *m.* burgomestre.

burgrave. *m.* burgrave, antigo dignitário da Alemanha.

burgravesa. *f.* mulher do burgrave.

burgraviato. *m.* burgravado, dignidade de ou território do burgrave.

burgueño, ña. adj. pertencente ao burgo.

burgués, sa. adj. e s. burguês, indivíduo da classe média; (fig.) pessoa rica e sem ilustração.

burguesía. f. burguesia; a classe-média; mediocracia.

buriel. adj. ruivo, cor vermelha entre negro e aleonado. — m. burel, pano grosseiro de lã.

buril. m. buril, instrumento de aço para cortar e gravar em metal; cinzel; (fig.) arte de gravar, estilo apurado.

burilada. f. burilada, golpe ou traço de buril; burilada, porção de oiro ou prata para ensaiar.

burilado, da. p. p. e adj. burilado, aberto com o buril.

buriladura. f. buriladura, burilada.

burilar. v. tr. burilar, lavrar, gravar com buril.

burjaca. f. burjaca, saca das esmolas que recebem os peregrinos ou mendigos; saco, pasta em que os rapazes levam os livros para a escola.

burla. f. burla, motejo, zombaria; engano, fraude, trapaça, embuste; gracejo; escárnio; fábula, falsidade; peça, brincadeira; delusão; derriço; chufa; chasco, chasqueio; enxovalho; fajardice; macaqueação; ludíbrio; debique; farça; (Bras.) mangofa; (vulg.) apepinação; desfrute; encavadela: burla burlando, brinca, brincando, dissimuladamente; de burlas, de brincadeira.

burladero. m. (taurom.) entrada para as trincheiras nas praças de touros; espécie de ameia ou porta; lugar isolado nas ruas largas ou praças para refúgio dos peões. — adj. burlão, trapaceiro.

burlado, da. p. p. e adj. burlado, enganado iludido, logrado, deluso, encravado.

burlador, ra. adj. e s. burlador, que burla, burlão, burlista, embusteiro, defraudador, escarnecedor, trapaceiro, burlante; libertino; vaso de barro com orifícios ocultos e que molha a quem o leva à boca para beber.

burlar. v. tr. burlar, enganar por meio de burla; chasquear, zombar; ludibriar, enganar, defraudar; escarnecer; zombar; frustrar, desvanecer as ideias ou esperanças alheias; motejar; seduzir, enganar, desonrar uma donzela; eludir; empulhar; embaçar; empepinar; arremedar. — **burlarse.** v. r. burlar-se, arremedar; ludibriar; chincalhar; achincalhar-se; empandeirar; palitar; bigodear; vexigar; debicar; derriçar; chuchar-se; enzampar: burlarse de alguien, fazer dalguém o seu palito; burlarse de todo, arreganhar-se.

burlería. f. burlaria, burla, engano, enganação; conto fabuloso, anedota; irrisão, troça, zombaria, escárnio, mofa.

burlesco, ca. adj. burlesco, cómico, ridículo, irrisório, zombeteiro, festivo, jocoso, caricato, grotesco, bufo, faceto, chocarreiro: escena burlesca, palhaçada.

burlón, na. adj. burlão, burlista, zombador; gracejador; chocarreiro; brincalhão; bexigueiro; ludibriante; derriçador; chufista; macaqueador. — m. (orni.) burlão.

buró. m. secretária, carteira, papeleira, mesa para escrever. V. **escritorio.**

burocracia. f. burocracia, influência dos funcionários públicos.

burócrata. s. burocrata; empregado público.

burocrático, ca. adj. burocrático, pertencente ou relativo à burocracia.

burocratismo. m. burocratismo, burocracismo, influência abusiva da burocracia.

burra. f. (zool.) burra, jumenta asna; fêmea do burro; (fam.) mulher ignorante; (fam.) mulher muito laboriosa.

burrada. f. burricada, ajuntamento de burros; (fig.) burrada, parvoíce, necedade, asnada, asneira; (fig.) jogada feita contra as regras no jogo do burro; despautério, descabelada, destrambelho. V. **necedad.**

burrajear. v. tr. V. **borrajear.**

burral. adj. relativo a burro, asnático; brutal. V. **asnal.**

burreo. m. (fam.) debique.

burreño. m. V. **burdégano.**

burrero, ra. s. burriqueiro, asneiro, vendedor de leite de burra; burriqueiro, condutor de burra.

burriciego, ga. adj. míope, curto de visão.

burro. m. (zool.) burro, asno, jumento; burro, aparelho para segurar a madeira que se vai serrar; burro, jogo de cartas; o jogador que perde neste jogo; roda dentada do enjenho de torcer a seda; (fig. e fam.) ignorante, palerma, burro, estúpido, teimoso, estólido; homem que trabalha muito; (Amér.) escada de tesoura: hacer el burro, estatelar-se; no ver tres en un burro, não ver bóia; a burro muerto, la cebada al rabo, asno morto, cevada ao rabo.

burruchear. v. tr. afagar os animais dando-lhes palmadas.

burrumbada. f. (fam.). V. **barrumbada.**

bursal. adj. (gal.). V. **bursátil.**

bursátil. adj. (com.) pertencente ou relativo à Bolsa ou às operações da Bolsa.

bursiforme. adj. em forma de bolsa ou saco.

burujo. m. grumos, grânulos que se formam na lã, na massa de farinha, etc.; buruso, resíduo da azeitona, depois de moída; resíduos de frutas; pequeno volume de alguma matéria.

burujón. m. galo, inchaço, tumor em resultado de contusão; trouxa de roupa mal feita. V. **chichón.**

busardas. f. pl. (mar.) bocardas.

busca. f. busca, procura, pesquisa; investigação; exame; batida de caçadores; averiguação.

buscada. f. busca, procura. V. **busca.**

buscador, ra. adj. e s. buscador, buscante que busca; investigador; averiguador: buscador de oro, faiscador, faisqueiro.

buscapleitos. m. (Amér.). V. **buscapleitos.**

buscapleitos. s. (Amér.) advogado sem pleitos; pessoa pendenciadora, brigão.

buscar. *v. tr.* buscar, tratar de descobrir, de encontrar; procurar; examinar; investigar; revistar; granjear; inquirir, indagar, averiguar; demandar; afuroar; (germ.) furtar com manha; (Amér.) chamar ou perguntar por alguém; irritar, provocar; recorrer a; tratar de obter; frequentar de preferência: *buscar oro,* faiscar; *quien busca halla,* quem busca, acha; *buscarse la vida,* buscar a vida; *buscar pretextos,* buscar pretexto; *ir a buscar,* ir buscar; *mandar buscar,* mandar buscar; *buscar una aguja en un pajar,* buscar agulha em palheiro.

buscavida. *s.* fura-vidas, busca-vida, pessoa muito diligente, que procura a subsistência por todos os meios lícitos; bisbilhoteiro; videirinho; empreendedor; ferragulha.

buscavidas. *s.* (fig. e fam.) furavidas, curioso, indagador. V. **buscavida.**

busco. *m.* umbral de porta de eclusa ou comporta.

buscón, na. *adj.* e *s.* buscador, que busca ou procura; ladrão manhoso; rameira, meretriz.

busilis. *m.* (fam.) busílis, a maior dificuldade de alguma coisa: *ahí está el busilis,* aí está o busílis; *dar en el busilis,* dar no alvo; *no está aquí el busilis,* não é aí que pega o arado.

búsqueda. *f.* busca, procura. V. **busca.**

busto. *m.* busto, efígie; escultura ou pintura da cabeça e parte superior do tórax.

bustrófeda. *f.* V. **bustrófedon.**

bustrófedon. *m.* bustrofédon.

bustuario. *m.* (ant.) bustuário, gladiador que combatia junto à pira de um morto; escultor que faz bustos.

butaca. *f.* poltrona, cadeira de braços; assento de teatro. V. **luneta.**

butano. *f.* butano, hidrocarboneto de série do metano.

buten. (de). *loc. fam.* do melhor, de primeira qualidade.

butifarra. *f.* espécie de chouriço ou linguiça; pão dentro do qual se mete presunto e salada; calças ou meias muito largas; (prov.) avental de coiro empregnado pelos forjadores.

butifarrero, ra. *s.* fabricante ou vendedor de *butifarra.*

butileno. *m.* (quím.) butileno, hidrocarboneto.

butílico, ca. *adj.* (quím.) butílico.

butilo. *m.* (quím.) butilo.

butiondo, da. *adj.* hediondo, luxurioso.

butiláceo, a. *adj.* butiláceo, da natureza da manteiga.

butírico, ca. *adj.* (quim.) butírico.

butirina. *f.* (quím.) butirina.

butiro. *m.* manteiga de vaca.

butirómetro. *m.* butirómetro, (Bras.) butirômetro.

butiroso, sa. *adj.* (quím.) butiroso, butiráceo, manteigoso, amanteigado.

buto. *m.* (prov.). V. **enebro.**

butomeo, a. *adj.* (bot.) butomáceo. *f. pl.* butomáceas.

butrino. *m.* arte de pesca. V. **buitrón.**

butrón. *m.* V. **butrino.**

butuco, ca. *adj.* (Amér.). V. **rechoncho.**

buyador. *m.* (prov.) latoeiro.

buyes. *m. pl.* (germ.) naipes.

buz. *m.* buz. beijo de gratidão e respeito; a(c)to do macaco de beijar a mão e po-la logo na cabeça. V. **labio:** *hacer el buz,* fazer demonstrações de afabilidade ou lisonja.

buzamiento. *m.* (geol.) inclinação dum filão ou duma camada de terreno.

buzar. *v. intr.* inclinar-se para baixo (os filões metalíferos ou as camadas do terreno); beijar em sinal de respeito; amuar-se.

buzarda. *f.* (mar.) reforços na proa do navio.

buzcorona. *m.* engano que se fazia ao dar a beijar a mão, dando uma pancada sobre a cabeça e o queixo de quem a beijava.

buzear. *v. tr.* retirar o mergulhador o que procurava no fundo do mar; mergulhar, exercendo o ofício de mergulhador.

buzeo. *m.* mergulho. V. **buceo.**

buzo. *m.* búzio, mergulhador, brízio, homem que trabalha submergido na água; (germ.) ladrão muito destro ou que vê muito; gatuno; (mar.) espécie de embarcação antiga; (zool.) busardo, ave de rapina da família dos falcões.

buzón. *m.* tampo; rolha; (agr.) canal de esgoto; conduto por onde desaguam os tanques; abertura por onde se deitam as cartas nas caixas de correios; caixa de correio, receptáculo.

buzonera. *f.* sumidoiro num pátio.

buzonero. *m.* (Amér.) carteiro, funcionário dos correios que distribui a correspondência.

C

C, c. *f.* terceira letra do alfabeto espanhol e segunda consoante do mesmo. Tem o som de *z* quando é seguida das letras *e*, ou *i*; em os demais casos tem som forte, como de *k*: *calefacción*, *corteza*, *curtido*, etc.; símbolo de 100, na numeração romana; símbolo do carbono em química.

¡ca! *interj.* indica negação ou incredulidade; qual; que! V. **quiá.**

cabaco. *m.* cavaco. apara de madeira.

cabal. *adj.* cabal, perfeito; completo; sincero; satisfatório. justo, ajustado a peso ou medida; rigoroso, pleno, perfeito; (fig.) acabado, completo; estrito; acertado. — *adv.* cabalmente: *estar en sus cabales*, estar senhor de si; *dar una explicación cabal*, dar explicações cabais.

cabal. *m.* (ant.) bens do filho segundo.

cábala. *f.* cabala, interpretação alegórica da Biblía; ciência oculta; (fig.) maquinação, intriga, conluio, tramóia, negociação secreta; maçada; (fig.) cálculo supersticioso para adivinhar.

cabaleta. *f.* (mús.) cabaleta.

cabalgada. *f.* cavalgada, reunião de pessoas a cavalo; marcha de um troço de soldados sobre território inimigo; presas feitas numa cavalgada.

cabalgador, ra. *s.* cavaleiro, cavalgador, pessoa que cavalga.

cabalgadura. *f.* cavalgadura, animal que se monta; besta.

cabalgar. *v. intr.* cavalgar, montar a cavalo; andar a cavalo; encavalar, acavalar. — *v. tr.* cavalgar, cobrir o cavalo a sua fêmea; padrear, reproduzir-se, machear (falando do cavalo): *arte de cabalgar*, equitação.

cabalgata. *f.* cavalgata, cavalgada, reunião de pessoas a cavalo.

cabalhuste. *m.* peça da sela de montar. V. **caballete.**

cabalismo. *nt.* arte da cabala; cabala.

cabalista. *m.* cabalista, indivíduo dado a ciências ocultas, à cabala; intrigante; conspirador.

cabalístico, ca. *adj.* cabalístico, relativo à cabala, misterioso, secreto.

cabalizar. *v. intr.* praticar a arte da cabala.

caballa. *f.* (ictiol.) cavala, espécie de sarda; chicharro.

caballada. *f.* cavalhada, porção de cavalos ou de cavalos e éguas; gado cavalar; (Amér.) parvoíce.

caballaje. *m.* cavalagem, cobrição padreação; preço da padreação.

caballar. *adj.* cavalar, pertencente ou relativo ao cavalo; equídeo, (Bras.) eqüídeo, equino.

caballazo. *m.* (Amér.) encontrão entre um cavaleiro e outro, ou dado a alguém que está de pé, atirando-lhe para cima o cavalo.

caballear. *v. intr.* (fam.) andar frequentemente a cavalo.

caballerato. *m.* cavaleirato, cavaleirado, grau de cavaleiro em ordens de cavalaria.

caballerear. *v. intr.* fazer de cavaleiro.

caballeresco, ca. *adj.* cavalheiroso, cavalheiresco; delicado; nobre; distinto; brioso; bizarro; aplíca-se aos livros em que se narram as empresas nos cavaleiros andantes.

caballerete. *m. dim.* de *caballero*, cavaleiro jovem, presumido no traje e nas a(c)ções.

caballería. *f.* cavalgadura, animal que se monta; besta; cavalaria, tropa montada; cavalaria, uma das ordens militares espanholas; cavalaria, dignidade de cavaleiro; (fig.) delicadeza, generosidade, nobreza de sentimentos, distinção: *cabellería andante*, cavalaria andante; *caballería ligera*, cavalaria ligeira; *caballería pesada*, cavalaria pesada; *orden de caballería*, ordem de cavalaria.

caballeriza. *f.* cavalariça; estrebaria; cocheira; cavalhariça; número de cavalgaduras que possue uma pessoa e de criados para as tratar; equipagem.

caballerizo. *m.* cavalariço, moço de cavalariça, escudeiro; intendente das cavalariças do rei: *caballerizo mayor*, estribeiro-mor; *caballerizo del campo o del rey*, cavalariço-mor d'El-Rei.

caballero, ra. adj. cavalgador, que cavalga; cortês; delicado; fidalgo.—m. cavaleiro, homem que anda a cavalo; fidalgo, nobre, gentil-homem; militar de cavalaria; aquele que pertencia a uma Ordem militar de cavalaria; indivíduo agraciado com as ordens honoríficas; cavalheiro, homem bem educado, nobre e esforçado; baile antigo espanhol; (fort.) obra de fortificação: *caballero andante*, cavaleiro andante; *caballero en plaza*, toureador a cavalo; *caballero de industria*, cavalheiro de indústria, vigarista, galdério; *caballero de mohatra*, que parece ser cavalheiro não o sendo; *señor caballero*, termo de cortesia; *caballero de la Jarretera*, cavaleiro da Jarreteira; *caballero del Toisón de oro*, cavaleiro do Tosão de ouro; *caballero de mesnada*, cavaleiro de mesnada; *armar caballero*, armar cavaleiro; *caballero aventurero*, cavaleiro aventureiro, andante; *caballero de cuenta*, cavalheiro de conta; *caballero pardo*, cavaleiro pardo, de benfeitoria.

caballerosidad. f. cavalheirismo; nobreza de porte, pundonor; distinção; nobreza; brio; generosidade.

caballeroso, sa. adj. cavalheiroso, cavalheiresco, delicado, nobre; distinto; brioso, afidalgado; generoso.

caballerote. m. cavalheirote; (fam.) tosco e falto de elegância.

caballete. m. dim. de *caballo*; cavalete, cumeeira, asna do telhado; cavalete de pintor; potro de tortura, ecúleo; cavalete, madeiro para quebrar o linho ou cânhamo; mesa que sustenta os caixotins de imprensa:: *nariz de caballete*, nariz adunco; *caballete de serrar*, aparelho para segurar a madeira que se vai serrar.

caballista. m. o que entende de cavalos e monta bem; (prov.) ladrão de cavalos.

caballito. m. dim. de *caballo*, cavalinho, cavalito; (Amér.) fralda que se põe às crianças por baixo dos cueiros.—pl. jogo de azar; carrocel. V. **tiovivo**: *caballito de Bamba*, diz-se da pessoa ou coisa inútil; *caballito del diablo*, inse(c)to neuróptero, notável pela sua linda cor azul e rapidez de vo(ô)o.

caballo. m. (zool.) cavalo, quadrúpede equídeo; (fís.) cavalo, unidade de força; cavalo, peça do xadrez; valete no baralho de cartas espanholas; banco de pedreiro; (med.) cavalo, cancro sifilítico; cavalo, tronco ou ramo sobre que se enxerta uma planta que se quer reproduzir; (min.) massa de rocha que corta um filão.—pl. (mil.) soldados com os respe(c)tivos cavalos: *caballo de batalla*, (fig.) cavalo de batalha, argumento de valor e habitual; *a uña de caballo*, a unhas de cavalo; a *mata caballo*, a mata-cavalos; *a caballo regalado no le mires el diente*, a cavalo dado não olhes o dente; *de caballo de regalo, a rocín de molinero*, passar de cavalo para burro; *caballo de tiro*, cavalo de tiro; *reventar un caballo*, arrebentar um cavalo; *caballo de hocico blanco*, cavalo falçalvo; *caballo de andadura vacilante*, cavalo debruçado; *caballo de color blanco y rojo*, cavalo mil-flores; *caballo de ladaba*, cavalo de sela.

caballón. m. camalhão, lombo de terra entre dois regos; cavalão, cavalaço.

caballuno, na. adj. equino, equídeo, (Bras.) eqüideo, cavalar.

cabaña. f. pequena casa rústica, choupana, choça; rebanho; manada, número considerável de cabeças de gado; divisão na mesa de bilhar; comedoria, ração; (mar.) barcaça, espécie de pontão; barca de registo a entrada dos portos; *cabaña real*, manada real.

cabañal. adj. diz-se do caminho por onde passam os rebanhos. — m. povoação formada de cabanas; (prov.) cabanal, alpendre.

cabañería. f. ração dada aos pastores para uma semana.

cabañero, ra. adj. pertencente à cabana. — m. cabaneiro, pastor de grande rebanho que vive em cabana.

cabañil. adj. pertencente às cabanas dos pastores; diz-se das bestas de carga. — m. cabaneiro o que cuida da manada; condutor de cavalgaduras carregadas de cereais.

cabás. m. bolsa, pequena cesta.

cabaya. f. cabaia, manto comprido, gabão.

cabdal. adj. caudal, real (diz-se da águia).

cabe. m. pancada em cheio: *dar un cabe*, (fig. e fam.) causar um prejuizo.

cabe. prep. (poét.) cerca de, junto a.

cabeceado. m. grossura de certas letras na parte superior.

cabeceamiento. m. V. **cabeceo.**

cabecear. v. intr. cabecear, menear a cabeça; dar cabeçadas; (mar.) arfar, cabecear o navio, balancear; escabecear; pender, inclinar-se. — v. tr. lotar o vinho; debruar a roupa qualquer obje(c)to; cauterizar uma veia; negar; desaprovar, reprovar; dar maior grossura às letras na parte superior; misturar vinho velho com vinho novo.

cabeceo m. cabeceio, a(c)to de cabecear.

cabecera. f. cabeceira, lugar principal numa reunião; cabeceira de cama, de mesa, etc.; origem dum rio; cabeceira, princípio ou parte principal dalguma coisa; cabeça, povoação principal dum distrito; topo da mesa; extremidade; (impr.) vinheta no começo dum capítulo; título corrente; letra capital; exórdio; governador, comandante; cabeceira, contraforte, saliente na lombarda dos livros; cabeceira, almofada: *cabecera de la cama*, cabeceira da cama; *cabecera de la mesa*, cabeceira da mesa; *cabecera de un libro*, cabeceira dum livro; *cabecera de puente*, cabeceira-de-ponte.

cabecero. m. chefe de família, de casa; testamenteiro; (prov.) inquilino que representa o senhorio para a cobrança dum distrito. — adj. cabeçudo; teimoso.

cabeciancho, cha. adj. de cabeça larga.

cabecil. *m.* rodilha que se põe na cabeça para levar qualquer objecto.

cabecilla. *f. dim.* de *cabeza,* cabecilha, cabeça pequena; (fig. e fam.) pessoa de pouco juizo ou de mau porte. — *m.* cabecilha. caudilho, chefe de rebeldes.

cabedero, ra. *adj.* possível, que tem cabimento.

cabellado, da. *adj.* de cor castanha com reflexos.

cabelladura. *f.* cabeleira. V. **cabellera.**

cabellar. *v. intr.* cair o pêlo, cabelo; pôr cabeleira postiça.

cabellera. *f.* cabeleira, cabelos postiços, peruca, cabeleira; cabeleira, cauda, nebulosidade dos cometas; juba.

cabello. *m.* cabelo, pêlo, conjunto dos pêlos da cabeça. — *pl.* barbas das espigas de milho; nervos dos carneiros nos lados anteriores; (bot.) *cabello de Venus,* erva capilária; *por los cabellos,* pelos cabelos, contra a vontade; *poner los cabellos de punta,* pôr-se os cabelos em pé, eriçar-se os cabelos; *cabello de ángel,* doce feito com chila; *asirse uno de un cabello,* aproveitar a ocasião; *ponérsele a uno los cabellos de punta,* eriçarem-se os cabelos por algum susto; *estar pendiente de un cabello;* (fig. e fam.) estar em risco iminente; *echar cabello,* encabelar; *cabello desgreñado,* gadelha; *cabellos muy espesos,* cabelos de ébano; *cabellos ralos y cortos,* farripas; *cabello suelto,* melena; *cabello crespo o rizado,* cabelo crespo, anelado; *cabello liso,* cabelo corredio; *por un cabello,* (fig.) por um cabelo, por um triz; *no tocar la punta de un cabello a alguien,* não tocar a ponta dum cabelo a alguém; *agarrar la ocasión por los cabellos,* agarrar a ocasião pelos cabelos.

cabelludo, da. *adj.* cabeludo, que tem muito cabelo; gadelhudo, peludo: *cuero cabelludo,* coiro cabeludo.

caber. *v. intr.* caber, ter cabimento ou lugar em; poder conter-se uma coisa dentro de outra; competir, pertencer, ser compatível; vir a propósito; vir a suceder; caber; poder entrar, tocar, pertencer alguém; compreender, corresponder; ser possível ou natural. — *v. tr.* caber, ter capacidade; admitir, conter, compreender: *caber una misión a alguien,* caber uma missão a alguém; *no caber en sí de gozo,* não caber em si de contente; *no caber uno en sí,* (fig.) ter muito orgulho ou vaidade; *no cabe en el pellejo de gordo,* não cabe na pele de gordo; *cabe aquí recordar,* aqui cabe memorar. — *pres ind. irr.* **quepo, cabes,** etc.; *pret. indef.* **cupe, cupiste, cupo, cupimos, cupisteis, cupieron;** *imperf.* **cabía, cabías,** etc.; *futur.* **cabré, cabrás,** etc.; *poten.* **cabría, cabrías,** etc.; *pres. sub.* **quepa, quepas,** etc.; *imperf.* **cupiera, cupieras,** etc.; *imperat.* **cabe, cabed,** etc.; *p. p.* **cabido;** *ger.* **cabiendo.**

cabestraje. *m.* conjunto de cabrestos; correias para amarrar os bois; gorjeta dada aos vaqueiros.

cabestrar. *v. tr.* encabrestar, pôr cabrestos. — *v. intr.* caçar com boi de cabrestilho: deitar cabresto para recolher as reses soltas.

cabestrear. *v. intr.* cabrestear, deixar-se levar pelos cabrestos.

cabestrería. *f.* fábrica ou venda de cabrestos.

cabestrero, ra. *adj.* cabresteiro, que se deixa levar pelo cabresto. — *m.* cabresteiro, fabricante ou vendedor de cabrestos.

cabestrillo. *m.* cabrestilho, atadura para sustentar o braço ou a mão doente; charpa.

cabestro. *m.* cabresto, cabeçada feita de corda ou coiro atada à cabeça dum animal para o prender ou conduzir; cabresto, boi manso que serve de guia aos toiros ou vacas; choca: *poner el cabestro a los animales,* encabrestar animais.

cabete. *m.* agulheta, ponteira de metal dos atacadores.

cabeza. *f.* cabeça, parte superior do corpo; cabeça, parte oposta à ponta do prego; cabeça, princípio ou extremidade superior de uma coisa; parte superior do corte dum livro; cabeço, cume duma montanha, serra, etc.; cabeça, juizo, inteligência, tino; capacidade; (Bras.) quengo; (fig.) manancial, origem, princípio, fonte; chefe; capital, metrópole; (fig.) autor; cabeça, frente de um cortejo; cabeça, indivíduo; capítulo de livro; rês; chefe de família; capitação; (fig.) imaginação, memória; razão; copa de uma árvore; (fort.) parte de uma fortificação voltada para o inimigo. — *pl.* (Amér.) cabeça de carneiro levadas a vender pelas ruas; (pop.) chola; pai; bola: *meter la cabeza en algún sitio,* (fam.) ancorar-se; *con la cabeza descubierta,* descarapuçado; *cabeza de puente,* cabeça-de-ponte; *no tener pies ni cabeza,* (fam.) não ter pés nem cabeça; *levantar cabeza,* (fig.) levantar cabeça, melhorar de posição; *bajar uno la cabeza,* (fig. e fam.) curvar a cabeça, obedecer; *tener uno la cabeza a pájaros,* (fig. e fam.) não ter juizo; *ir uno de cabeza abajo,* (fig. e fam.) arruinar-se; *tener mala cabeza,* (fam.) ter má cabeça; *irsele a uno la cabeza,* (fig.) perturbar-se-lhe a razão; *cabeza de estudio,* cabeça de estudo; *hacer cabeza,* ser o chefe; *cabeza de burro,* cabeça de burro; *cabeza dura,* cabeça romba; *cabeza de línea,* cabeça de linha; (arq.) *cabeza del arco,* cabeça do arco; *cabeza de ganado,* cabeça de gado; *tanto por cabeza,* tanto por cabeça; *de cabeza abajo,* de cabeça abaixo; *dolor de cabeza,* dôr de cabeça; *aprender de cabeza,* aprender de cabeça; *meterse una cosa en la cabeza,* meter-se uma coisa na cabeça; *darle a uno a la cabeza,* desaprovar; *darse con la cabeza en las paredes,* dar com a cabeça pelas paredes; *subirse el vino a la cabeza,* subir o vinho à cabeça; *llevarse las manos a la cabeza,* levar as mãos à cabeça; *tener la cabeza en las nubes,* (fam.) andar com a cabeça no ar; *a la cabeza,* à cabeça.

cabezada. *f.* cabeçada, pancada com a cabeça; cabeçada, arreio de cabeça usado nos solípedes; cabeçada de cavalgadura; cômodo, elevação de terreno; (mar.) cabeçada, arfagem, balanço; cabeçada, movimento que se faz inclinando a cabeça: *cabezada de sueño*, (Bras.) cochilo; *dar cabezadas de sueño*, (Bras.) cochilar.

cabezal. *m.* cabeçal, almofada, travesseiro; (med.) chumaço de sangue; cabeça, peça dianteira de uma carruagem; rebeca, enxergão estreito.

cabezalejo. *m.* almofadinha, travesseirinha.

cabezalería. *f.* testamentaria.

cabezalero, ra. *s.* (for.) testamenteiro, cabeça-de-casal.

cabezazo. *m.* cabeçada, pancada dada com a cabeça.

cabezo. *m.* cabeço, outeiro, cume de montanha; cerro alto; cabeção, colarinho; (mar.) baixio.

cabezón, na. *adj.* cabeçudo, de cabeça grande; indurido; acabrunhado; abarrotado; teimoso, obstinado; (Amér.) cabeçudo, espirituoso. — *m.* cabeção, colarinho; rol de contribuintes; peça de ferro dentada que cinge o focinho das cavalgaduras; gola de várias peças de roupa: *traer o llevar de los cabezones*, (fig. e fam.) obrigar a fazer uma coisa contra vontade.

cabezonada. *f.* cabeçada, pancada com a cabeça, (fig. e fam.) a(c)ção de pessoa teimosa, obstinação.

cabezonería. *f.* obstinação; teimosia, teimosice, birra, pertinácia; insistência .

cabezorro. *m.* cobeçorra, cabeçudo, grande cabeça.

cabezota. *f.* cabeçorra. — *s.* (fam.) pessoa teimosa, obstinada, cabeçuda; duro de cabeça; amoucado; indurado: *ser un cabezota*, (fam.) não aconselhar-se com ninguém.

cabezudo, da *adj.* cabeçudo, que tem a cabeça grande; (fig. e fam.) teimoso, obstinado, cabeçudo; diz-se do vinho muito espirituoso. — *m.* cabeçudo, figura de anão com grande cabeça que aparece nas festas públicas juntamente com os *gigantones;* (zool.) mugem; (agr.) bacelo.

cabial. *m.* cavial, caviar, guisado de ovos de esturjão ou solho salgado.

cabida. *f.* cabida, cabimento; entrada; capacidade, espaço que tem uma coisa para conter outra; extensão superficial dum terreno; (fig.) aceitação; valimento: *tener cabida*, ter cabimento; *no tener cabida*, descaber.

cabido, da. *p. p.* e *adj.* cabido, que tem cabimento; estimado, bem visto.

cabildada. *f.* (fam.) resolução precipitada ou imprudente duma comunidade; resolução inconsiderada.

cabildear. *v. intr.* cabalar, intrigar em um cabido ou em outra corporação.

cabildeo. *m.* cabala, intriga, a(c)ção e efeito de cabalar.

cabildo. *m.* cabido, conjunto, corporação dos cónegos duma catedral; junta ou agremia-

ção de socorros mútuos; *sala de capítulo.* V. **ayuntamiento.**

cabileño, ña. *adj.* e *s.* cabildenho, pertencente à cabilda; indivíduo pertencente a uma cabilda.

cabilla. *f.* (mar.) cavilha; cavilha de ferro empregada na construção de navios: *cabilla para las abitas*, cavilha de ferro das abitas; *cabillas de argáneo*, cavilhas de argáneo; *cabillas de amura*, cavilhas da amur-ada.

cabillero. *m.* (mar.) peça com orifícios onde se metem as cavilhas.

cabillo. *m.* cabinho, (bot.) hilo, umbigo das sementes; pedúnculo; talo que sustenta o fruto.

cabimento. *m.* cabimento, capacidade; direito dos cavaleiros de S. João de Malta a uma comenda.

cabina. *f.* cabine, compartimento dum navio, camarote, compartimento: *cabina telefónica*, cabine telefónica.

cabio. *m.* (arq.) caibro, pau grosso para ligar o frechal à cumeira da construção; padieira, viga do portal ou da janela; armação do telhado; armação sobre a qual se assentam as tábuas que formam o sobrado.

cabizbajo, ja. *adj.* cabisbaixo, que traz a cabeça inclinada; cabiscaido; abatido; meditabundo; encaramonado: *andar cabizbajo*, andar triste.

cabizmordido, da. *adj.* (pop.) que tem o occípício achatado.

cabiztuerto, ta. *adj.* cabistorto; beato falso, hipócrita.

cable. *m.* cabo, corda grossa; (mar.) cabo grosso que sustenta a âncora, amarra; (mar.) medida de 120 braças.

cablear. *v. tr.* transmitir um cabograma; (mec.) retorcer em forma de espiral.

cablegrafiar. *v. tr.* transmitir um cabograma.

cablegráfico, ca. *adj.* pertencente ao cabo submarino.

cablegrama. *m.* cabograma, telegrama transmitido por cabo submarino.

cablero, ra. *adj.* diz-se dos navios encarregados de pôr os cabogramas.

cablista. *s.* ardiloso. V. **astuto.**

cabo. *m.* cabo, extremidade, fim; cabo de instrumento ou ferramenta; pacote, fardo pequeno; cabo, elevação de terra que entra pelo mar; caudilho, chefe, cabeça; parte, lugar, sítio, lado; circunstância; (fig.) fim, cabo, lugar extremo; obje(c)to, termo; ponta; fragmento, resto de uma coisa comprimida; (prov.) parágrafo ou capítulo; (mar.) cabo, corda; (mil.) cabo, posto no exército ou na marinha; amarra. — *pl.* peças soltas usadas nos vestidos, como adorno; as várias partes dum discurso; pés, cauda e melena dos cavalos, as extremidades dos animais; (fig.) pontos que se trataram em algum assunto: *cabos negros*, cabelo, sobrancelhas e olhos negros das mulheres; *dar cabo de una cosa*, (fig.) destrui-la; *llevar hasta el cabo una cosa*, (fig. e fam.) seguir com tenacidade até o fim; *atar cabos*, (fig.) reunir antecedentes para tirar uma consequência; *llevar a cabo*, pôr em a(c)ção; *torcedura de un cabo*, cocha; *cabos con nudos en los extremos*, arrochas; *de cabo a rabo*, de cabo a cabo; *al cabo de*, ao cabo de; *al cabo del año*, ao cabo do ano; *cabo de escuadra*, cabo de esquadra; *ser de cabo de escuadra*, (fam.) ser de cabo de esquadra, ser néscio; *cabo de tambores*, cabo de tambores, *cabo de fila*, cabo de fila; (mar.) *cabo de portalón*, cabo do portaló; (mar.) *cabo del timón*, cabo do leme; (mar.) *cabos de laboreo*, cabos de laborar; *cabos fijos*, (mar.) cabos fixos; *dar cabo de*, dar cabo de, destruir; *de cabo a cabo*, de cabo a cabo; *en cabo*, em cabo; *estar al cabo de la calle*, (fig. e fam.) compreender muito bem uma coisa; *estar uno al cabo*, (fig. e fam.), chegar ao cabo com alguém; *ponerse al cabo de una cosa*, chegar com tudo ao cabo; *al cabo del mundo*, até o fim do mundo; *dar cabo*, abrir caminho; *echar al cabo del trenzado*, chegar ao cabo com alguma coisa.

cabotaje. *m.* cabotagem, navegação costeira.

cabra. *f.* (zool.) cabra, fêmea do bode; chiba; cabra, antiga máquina de guerra para atirar pedras; (Amér.) batota no jogo de dados ou do dominó; carruagem ligeira de duas rodas: *cargar las cabras a alguien*, (fig. e fam.) deitar a culpa a um inocente; *pie de cabra*, pé-de-cabra; *cabra montés*, cabra montês; *cabra de almizcle*, cabra almiscareira.

cabrahigadura. *f.* caprificação, operação da polinização das flores femininas.

cabrahigar. *v. tr.* caprificar, provocar a caprificação.

cabreado, da. *adj.* cabreado; empinado; (germ.) zangado.

cabrear. *v. intr.* cabrazar, brincar aos saltos. — **cabrearse.** *v. r.* (germ.) zangar-se, descabrear.

cabreo. *m.* cartulário, livro em que as antigas igrejas e mosteiros anotavam os seus privilégios; V. **becerro**; (germ.) irritação, zanga, mau humor.

cabrera. *f.* cabreira, mulher do cabreiro; cabreira, pastora de cabras.

cabreria. *f.* cabril, curral de cabras, caminho de cabras; lugar onde se vende leite de cabra.

cabreriza. *f.* cabana de cabreiros; cabreira, mulher do cabreiro.

cabrerizo, za. *adj.* cabrum; caprino, pertencente ou relativo às cabras. — *m.* cabreiro.

cabrero, ra. *m.* cabreiro, pastor de cabras, chiveiro; (orni.) pássaro da Ilha de Cuba.

cabrestante. *m.* cabrestante, sarilho para levantar a âncora e outros pesos.

cabria. *f.* cábrea; guindaste para levantar grandes pesos, sarilho; espiga do eixo duma roda.

cabrilla. *f.* cabrinha, cabra pequena; (ictiol.) ruivo; tripé dos carpinteiros para segurar a madeira. — *pl.* manchas que aparecem nas pernas por permanecerem muito tempo próximas do fogo; (astr.) plêiades, cons-

telação chamada sete-estrelas; cabrilha; (mar.) carneirada, carneirinhos, ondas que o mar faz quando o vento começa a refrescar; jogo de crianças.

cabrillear. *v. intr.* encapelar-se o mar, formando carneiradas; fazer chapeletas ou ricochetes com pedras à superfície de água; lucilar.

cabrilleo. *m.* (mar.) carneirada das ondas; lucilação.

cabrio. *m.* (carp.) caibro, barrote, viga (armação do telhado); tábua de 3 a 6 centímetros de espessura, própria para construção.

cabrillo. *m.* queijinho de leite de cabra.

cabrio, a. *adj.* caprino, pertencente às cabras, cabrún. — *m.* cabrada, rebanho de cabras.

cabriola. *f.* salto, pulo, cabriola; (fig. Amér.) cabriola, saltos do cavalo; (fig.) V. **voltereta**: *dar cabriolas el caballo*, corcovear.

cabriolar. *v. intr.* cabriolar, dar saltos, dar pulos, dar cabriolas, pular, saltar.

cabriolé. *m.* cabriolé, carruagem de duas rodas; milorde; espécie de capote com mangas ou aberturas laterais para os braços.

cabriolear. *v. intr.* V. **cabriolar.**

cabrita. *m.* (mil.) cabrita, antiga máquina de guerra para lançar pedras; pelica, pele curtida de cabra; cabrinha de menos de um ano; chiba.

cabritero, ra. *s.* cabriteiro, vendedor de cabritos.

cabritilla. *f.* pelica, pele fina, curtida, de cabrito, cordeiro, etc.

cabrito. *m.* (zool.) cabrito, cria de cabra; chibato; chibo: *cabrito capado*, chibarro.

cabrituno, na. *adj.* cabrum, relativo a cabritos, cabras e bodes.

cabrón. *m.* (zool.) cabrão, macho da cabra, bode; (pop.) cabrão, marido atraiçoado pela mulher, cabrazana, cabrazola; cornudo, galhudo, coitado, corno, (Bras.) côrno, minotauro.

cabronada. *f.* (pop.) consentimento do marido no adultério da sua mulher; a(c)ção vil; incómodo grave.

cabruno, na. *adj.* caprino, cabrum, pertencente ou relativo à cabra.

cabruñar. *v. tr.* renovar o corte na foice ou gadanha.

cabruño. *m.* a(c)ção e efeito de *cabruñar*, renovação do corte na foice ou gadanha.

cabujón. *m.* pedra preciosa polida, mas não talhada; preguinho de cabeça chata; (zool.) especie de molusco.

cabuyera. *f.* conjunto de cordas ou cabos que sustentam a rede ou maca.

cabuyería. *f.* (mar.) conjunto de cabos menores; manobras.

cabuyero. *m.* vendedor de cabos menores.

caca. *f.* (fam.) caca, escremento das crianças; porcaria; imundície; defeito ou vício; excreção. — *interj.* ¡caca!, voz do menino para avisar que quer evacuar; *callar la caca*, ocultar alguma culpa ou vício.

cacahuatero, ra. s. o que vende amendoim.
cacahué. m. V. cacahuete.
cacahuete. m. amendoim; arachide; planta de semente oleaginosa.
cacahuey. m. V. cacahuete.
cácalo. m. (Amér.) erro, disparate, parvoice.
cacalota. f. (Amér.) V. deuda.
cacao. (bot.) cacaueiro; cacau; semente do cacaueiro; moeda dos aztecas que consistia em grãos de cacau: *no valer un cacao*, (fig. e fam.) ser de ínfimo valor; *manteca de cacao*, manteiga de cacau; *cacao de tierra*, amendoim.
cacaotal. m. cacaual, cacauzeiral.
cacaraña. f. sinais que aparecem no rosto; bexigas produzidas pela varíola.
cacarañado, da. p. p. e adj. cheio de *cacarañas*, bexigoso; picado de bexigas.
cacarañar. v. tr. (Amér.) ocasionar *cacarañas*; arranhar; beliscar.
cacaraquear. v. intr. (Amér.) V. cacarear.
cacaraqueo. m. V. cacareo.
cacareador, ra. adj. cacarejador, que cacareja; tagarela; (fig. e fam.) exagerado.
cacarear. v. intr. cacarejar, o cantar da galinha e doutros animais, gaguear; (fig.) tagarelar monòtonamente; exagerar; fanfarronear; jactar-se, parlar.
cacareo. m. cacarejo, canto da galinha e doutras aves; (fam.) fanfarronice; exageração.
cacarico. m. (Amér.) V. cangrejo.
cacarizo, za. adj. bexigoso, que apresenta sinais de bexigas, bexiguento.
cacarro. m. (prov.) galhas do roble.
cacaseno. adj. e s. estúpido, néscio, tonto palerma.
cacaste. m. (Amér.) V. cacaxtle.
cacatúa. f. (zool.) cacatua, catatua, ave semelhante ao papagaio.
cacaxtle. m. (Amér.) armação de madeira para transporte de volumes às costas.
cacaxtlero. m. (Amér.) índio que faz transporte em *cacaxtle*.
cacea. f. procedimento especial de pesca.
cacear. v. tr. remexer com caço.
caceo. m. remexida com caço.
cacereño, ña. adj. e s. (geog.) natural de ou pertencente a Cáceres.
Cáceres. (geog.) Cáceres.
cacería. f. caçada, partida de caça; animais caçados; (pint.) quadro representando uma caçada.
cacerina. f. bolsa de caçador; espécie de patrona para cartuchos e balas.
cacerola. f. caçarola; caçoila; tacho com cabo, ou com duas asas.
cacerolada. f. caçoilada, o conteúdo duma caçoila.
cacerolita. f. pequena caçarola.
caceta. f. caceta, (Bras.) cacêta, tacho dos boticários.
cacica. f. mulher do cacique, senhora com vassalos nalguma província ou povoação de índios.
cacitato. m. V. cacicazgo.
cacicazgo. m. cacicado, dignidade e jurisdição de cacique.

cacillo. m. vasilha pequena de metal.
cacimba. f. cacimba, cova à beira-mar para extrair água potável.
cacique. m. cacique, chefe entre os indígenas de várias regiões da América; (fig. e fam.) pai; pessoa que exerce excessiva influência em assuntos políticos ou administrativos. — pl. (fig.) pesoas principais duma povoação; (zool.) cacique, inse(c)to coleóptero.
caciquil. adj. cacical, pertencente ou relativo ao cacique.
caciquismo. m. caciquismo, influência política dos caciques.
caco. m. (fig.) ladrão hábil, destro; (fam.) homem cobarde; cagarola; poltrão; (Bras.) cafunje.
cacodilato. m. (quím.) cacodilato.
cacodílico, ca. adj. (quím.) cacodílico.
cacofagia. f. cacofagia, predile(c)ção pelos alimentos repugnantes.
cacófago, ga. e s. cacófago, que come coisas repugnantes.
cacofonía. f. cacofonia, cacófato.
cacofónico, ca. adj. cacofónico, (Bras.) cacofónico.
cacografía. f. cacografia, ortografia viciosa.
cacográfico, ca. adj. cacográfico.
cacología. f. cacologia, locução viciosa.
cacológico, ca. adj. cacológico.
cacólogo, ga. s. cacólogo.
cacopatía. f. cacopatia.
cacoquimia. f. (med.) cacoquimia.
cacoquimico, ca. adj. (med.) cacoquímico.
cacoquimio, mia. s. cacoquimo.
cacostomía. f. cacostomia, mau hálito.
cacotecnia. f. cacotecnia.
cacotimia. f. (med.) cacotimia.
cacotrofia. f. (pat.) cacotrofia.
cácteo, a. adj. (bot.) pertencente aos ca(c)-tos. — f. pl. cactáceas, cácteas.
cactina. f. (quím.) cactina.
cacto. m. (bot.) ca(c)to.
cacumen. m. (fig. e fam.) agudeza, perspicácia, engenho, talento; (ant.) cume, altura, elevação.
cacha. f. (Amér.) corno dos animais. V. cacho; cada uma das partes laterais da navalha, capa; cabo de caça ou da navalha; (pop.) nádega: *hasta las cachas*, sobremaneira, a mais não poder; *hacer la cacha*, (Amér.) zombar, burlar-se.
cachada. f. nica, lance do jogo do pião; (Amér.) cornada, golpe, pancada com os cornos.
cachafaz. m. (Amér.) velhaco, malandrim, atrevido.
cachafo. m. (Amér.) ponta de charuto ou cigarro.
cachagua. f. (Amér.) V. albañal.
cachalote. m. (zool.) cachalote, mamífero semelhante à baleia.
cachano. m. (fam.) o diabo: *llamar a cachano*, (fig. e fam.) pedir ou rogar inùtilmente.
cachaña. f. (Amér.) burla, caçoada, zombaria; espécie de papagaio.

cachañar. v. tr. (Amér.) caçoar, fazer zombaria.

cachañero, ra. adj. zombador, que põe a ridículo pessoas e coisas, motejador, zombeteiro.

cachar. v. tr. despedaçar, fazer pedaços uma coisa; serrar madeira no sentido da fibra; arar pelo meio dos camalhões; (Amér.) zombar, ridiculizar, motejar; conseguir, obter.

cacharpas. f. pl. (Amér.) trastes velhos, quinquilharias; bugigangas.

cacharpearse. v. r. (Amér.) adornar-se alguém com bugigangas.

cacharpero. m. (Amér.) vendedor de bugigangas, adelo, adeleiro; bufarinheiro.

cacharrazo. m. (fam. Amér.) gole ou trago de licor forte.

cacharrería. f. loja de louça ordinária; cacos, pedaços de louça.

cacharrero, ra. s. loiceiro, vendedor de loiça.

cacharro. m. vasilha ordinária; caco, pedaço de loiça quebrada; coisa sem valor; quinquilharia; (Amér.) prisão, cárcere.

cachava. f. bengala grossa e forte. V. **cayado,** jogo de crianças.

cachavazo. m. pancada dada com cachava; bengalada.

cachaza. f. (fam.) fleuma, pachorra, sangue-frio, pacholice, lentidão, despreocupação; cachaça, aguardente: tener cachaza, apachorrar-se.

cachazo. m. (Amér.) cornada. V. **cachada.**

cachazudo, da. adj. fleumático, pachorrento; pachola, madraço, apachorrado, desleixado, despreocupado. — m. (zool.) lagarta de cabeça preta e dura.

cachear. v. tr. revistar, passar revista a gente suspeitosa para lhe tirar as armas; (Amér.) V. **acornear.**

cacheo. m. revista, investigação da gente suspeitosa para lhe tirar as armas; (pop.) cornada.

cachera. f. cacheira, fato de lã tosca e de pêlo comprido; cachaporra.

cachería. f. (Amér.) loja de venda a retalho; mau gosto no vestido.

cachero, ra. adj. (Amér.) pedinchão; mentiroso.

cacheta. f. alavança. V. **gacheta.**

cachetada. f. (Amér.) V. **bofetada.**

cachete. m. soco; murro; bochecha; maçã do rosto: dar de cachetes, dar de cachetes, dar pancadas sucessivas. — pl. (mar.) bochechas de navio; punhal. V. **cachetero.**

cachetear. v. tr. V. **acachetear.**

cachetero. m. punhal pequeno; faca ponteaguda; toureiro que acaba de matar o torio com o cachete; punhal com que se acaba de matar as reses; (Amér.) peso forte.

cachetina. f. contenda a murros.

cachetudo, da. adj. bochechudo. V. **carrilludo.**

cachi. f. pref. que significa casi.

cachiboda. f. função, festim, boda.

cachicán. m. maioral de lavoura, feitor; (fig. e fam.) homem astuto, destro.

cachicuerno, na. adj. que tem cabo de corno (diz-se das navalhas ou de qualquer arma.)

cachicha. f. (Amér.) rabugem, zanga, enfado.

cachidiablo. m. (fam.) pessoa mascarada de diabo; (fam.) travesso, traquinas.

cachifa. f. (Amér.) terceira classe nos estudos de gramática.

cachifo. m. (Amér.) menorista, clérigo de ordens menores.

cachifollar. v. tr. (fam.) chasquear, zombar até deixar uma pessoa humilhada.

cachigordo, da. adj. (fam.) pequeno e gordo; bazulaque.

cachillada. f. barrigada; ninhada; (fig. e fam.) muitas crianças duma família. V. **lechigada.**

cachiporra. f. cachamorra, cachaporra, moca, maça, cacete.

cachiporrazo. m. cachamorrada, cachaporrada, mocada, cacetada, cachaporra.

cachiporrero. m. (Amér.) capelão de coro.

cachipuco, ca. adj. (Amér.) diz-se da pessoa que tem uma face mais cheia do que a outra.

cachirulo. m. vasilha para guardar aguardente; adorno feminino; (mar.) embarcação pequena de três mastros; (prov.) vasilha ordinária e pequena; (Amér.) forro de pano ou de camurça.

cachivache. m. traste velho; ferro-velho; caco; coisa desprezível; (fig. e fam.) homem ridículo e inútil. — pl. cacarecos, trastes velhos.

cachivachería. f. (Amér.) adelo, conjunto de trastes velhos e loja onde se vendem.

cachivachero, ra. adj. (Amér.) adelo, vendedor de trastes velhos, adeleiro.

cachizo. adj. diz-se dos traves que suportam coisas pesadas. — m. madeiro grosso.

cacho. m. pedaço dalguma coisa; talhada, fra(c)ção, porção; jogo de cartas; (zool.) barbo; (Amér.) corno; (bot.) saião.

cacho, cha. adj. V. **gacho.** — m. corno dos animais; cacho de bananas; (prov.) caco ou vasilha de barro; (Amér.) engano, burla; mono, artigo comercial que não se vende.

cachola. f. (mar.) reforço do gurupés (fig. e prov.) cachola, cabeça.

cachón. m. cachão, onda que bate no navio ou quebra na praia; cachão, borbulhão, borbotão; madeiro grosso; fragmento.

cachona. adj. (Amér.) V. **cachonda.**

cachondearse. v. r. (pop.) zumbar, caçoar, fazer zombaria, burlar-se: cachondearse de alguien, entrar de semana com alguém.

cachondeo. m. (pop.) zombaria, burla, caçoada.

cachondez. f. (pop.) apetite sexual, estro; luxúria; arreitamento; zombaria, burla.

cachondo, da. adj. (vulg.) cachondo, dominado por apetites sexuais; sensual, luxurioso; lúbrico; arreitado.

cachorrillo. m. pistola pequena de algibeira, pistoleta.

cachorro, rra. s. cachorro, cão de pouco tempo; filho pequeno doutros mamíferos; pistola de algibeira; (Amér.) pessoa rancorosa; pessoa respondona.

cachucha. *f.* cachucha, dança andaluza; canção e música deste baile; (mar.) bote, lancha; espécie de gorro, boné; (Amér. fam.) bofetada.

cachuchero, ra. *s.* fabricante e vendedor de bonés ou gorros; agulheiro; (germ.) ladrão de oiro.

cachucho. *m.* medida de azeite equivalente à sexta parte duma libra; espaço por onde se metia cada frecha na aljava; (zool.) cachucho, peixe das Antilhas; (germ.) oiro; (mar.) barco de remos nos rios e portos de América.

cachunde. *f.* Cachundé, grãos de certas plantas aromáticas para ter bom hálito. V. **cachú.**

cachupín. *s.* espanhol que se estabelece na América setentrional.

cachureco, ca. *adj.* (Amér.) torcido, deformado.

chachurra. *f.* (prov.) jogo de crianças e pau que serve para o mesmo.

cada. *m.* (bot.) V. **enebro.**

cada. *adj.* e *pron.* cada, qualquer de entre dois ou mais; adje(c)tivo que serve para indicar separadamente uma ou mais coisas ou pessoas em relação a outras iguais: *cada cual,* cada qual; *cada uno,* cada um; *cada dos por tres,* às duas por três; *cada vez,* cada vez; *cada vez que,* cada vez que; *cada día,* cada dia; *cada dos o tres días,* cada dois ou três dias; *a cada paso,* a cada passo; *cada vez mejor,* cada vez melhor; *cada vez peor,* cada vez pior; *cada vez más,* cada vez mais; *cada día más,* cada dia mais; *cada cual sabe donde le aprieta el zapato,* cada qual sente seu mal; *cada vez que,* cada vez que, todas as vezes que.

cadahalso. *m.* barraca de tábuas, alpendre de madeira; cadafalso; estrado.

cadalecho. *m.* cama feita de ramos de árvores.

cadalso. *m.* cadafalso, patíbulo, estrado para execução; palenque, tablado que se levanta para um a(c)to solene; estrado.

cadañego, ga. *adj.* (bot.) diz-se das plantas que dão frutos todos os anos.

cadañero, ra. *adj.* anual, que se repete todos os anos; diz-se da mulher que pare cada ano.

cadápano. *m.* (prov.) V. **níspero.**

cadarzo. *m.* cadarço, cadaço, bribilho dos casulos de seda; tecido feito de seda; nastro; (prov.) fita estreita de seda grossa; anafaia, borra de seda.

cadáver. *m.* cadáver, corpo morto; defunto; morto; despojos, (Bras.) despôjos; (fig.) ruína.

cadavérico, ca. *adj.* cadavérico, relativo a cadáver; (fig.) pálido, definhado como um cadáver; chupado; macilento.

cadaverina. *f.* (quím.) cadaverina.

cadejo. *m.* cadexo, cadoxo, cadeixo, madeixa de cabelos; meada, porção de fios de seda, lã, etc.; (Amér.) guedelha, melena; (Amér.) quadrúpede fantástico

cadena. *f.* cadeia; grilheta; prisão, cárcere, calabouço; leva de galés acorrentados; corrente, medida de agrimensor; reunião de madeiros; série de coisas ligadas consecutivamente uma a uma, cadeia; (fig.) escravidão, servidão; sucessão, série; (fig.) cativeiro; série de acontecimentos; (agr.) peça de madeira em que se assenta uma extremidade dos barrotes do sobrado; séries de montanhas, cordilheira: *punto de cadena,* ponto de cadeia; *cadena de reloj,* cadeia de relógio; *balas de cadena,* balas de cadeias; *cadena de pozo,* cadeia de poço; *cadena de agrimensor,* cadeia de agrimensor; *romper las cadenas,* (fig.) decativar.

cadencia. *f.* cadência, movimento compassado; ritmo; euritmia; harmonia das palavras; (mús.) cadência, termo de frase musical; acentuação própria, na prosa e nos versos.

cadenciado, da. *adj.* V. **cadencioso.**

cadencioso, sa. *adj.* cadencioso, cadenciado, rítmico, compassado, harmónico.

cadenear. *v. tr.* medir com a cadeia de agrimensor.

cadenero. *m.* o que mede com a cadeia de agrimensor.

cadeneta. *f.* cadeneta, espécie de renda, cadenilha; ponto de cadeia.

cadenilla. *f.* candenetilha, cadeia estreita, cadeia fina, trancelim; espiguilha.

cadente. *adj.* cadente, que ameaça ruína ou está para cair; vacilante; harmonioso.

cadera. *f.* (anat.) cadeira, anca, quadris: *de caderas escurridas,* descadeirado; *romper la cadera o espina dorsal,* alombar; *menear las caderas al andar,* descadeirar-se; (fig.) *derribar las caderas a un caballo,* derrubar o cavalo.

caderillas. *f. pl.* anquinhas, ancas postiças; elegância, garbo feminino.

caderudo, da. *adj.* ancudo de ancas salientes, cadeirudo.

cadetada. *f.* (fam.) a(c)ção irrefle(c)tida, imprópria de gente sensata.

cadete. *m.* (mil.) cadete, aspirante a oficial.

cadí. *m.* cadí, magistrado entre os Muçulmanos.

cadillar. *m.* lugar onde há muitas bardanas.

cadillo. *m.* (bot.) bardana, planta e o seu fruto; verruga, excrescência cutânea. — *pl.* cadilhos, primeiros e últimos fios do urdume; (prov.) cachorro.

cadmía. *f.* (quím.) cadmia.

cadmio. *m.* (quím.) cádmio.

caducar. *v. intr.* caducar, ir acabando; declinar; ser anulado; perder as forças, extenuar; envelhecer; tornar-se nulo; deixar de ter valor; extinguir-se um direito, instância, etc.; (fig.) arruinar-se, acabar-se alguma coisa; tontear, tresvariar. V. **chochear.**

caduceador. *m.* caduceador, rei de armas.

caduceo. *m.* caduceu, atributo de Mercúrio; símbolo do comércio.

caducidad. *f.* caducidade; decadência; velhice prematura; efemeridade; senilidade;

decrepitude, decrepidez; fugacidade; en-velhecimento.

caduco, ca. *adj.* caduco, velho; fraco; decré-pito; que prescreveu; transitório; eféme-ro, (Bras.) efêmero; fugitivo, fugaz; se-ne(c)to; decíduo; decadente, que perdeu forças; que ameaça ruína: *hombre cadu-co*, homem chocho.

caduquez. *f.* caduquice, caducidade, cadu-quez, sene(c)tude, velhice.

caedizo, za. *adj.* caidiço, que cai fàcilmente, caideiro, caduco; (bot.) dacíduo; (Amér.) que só se usa dependurado.

caedura. *f.* desperdícios nos teares; sobra; quebra.

caer. *v. intr.* cair, dar queda; ir ao chão; ir abaixo; desabar; tombar; ir dar a; dar sobre; chegar; acontecer; diminuir; en-fraquecer-se, caber, tocar em sorte, em partilha; estar situado; sobrevir; recor-dar; (Bras.) amunhecar; (fig.) morrer; pender, curvar-se, inclinar-se; desmoro-nar-se; (fig.) deixar-se surpreender, ser enganado, cair em emboscada; (fig.) reflectir, cair em si; perder a pros-peridade, valimento ou emprego; co-rresponder um acontecimento a deter-minada época; demitir-se, cair o governo; entardecer, cair da tarde; derrocar em; esbarrar; abater; decair; decaer; descambar; dar um boleo; (fig.) chover; incorrer; vir; pender. — **caerse.** *v. r.* des-moronar-se, derruir-se; fundir-se; enca-rapelar; abater-se; aluir; *caer en la tram-pa*, cair no laço; *caer en tentación*, cair em tentação; *caer en pecado*, cair em pe-cado; *caer en suerte*, cair a sorte; *caer en gracia*, cair em graça; *caer en sí*, cair em sí; *caer en la cuenta*, cair em sí; *caer por la base*, cair pela base; *caer en la cuenta de*, entrar na ideia, cair na conta, dar na conta; *dejar caer*, descair; *dejarse caer*, deitar-se; *dejarse caer por algún sitio*, dar consigo em alguma parte; *caer enfermo*, apanhar uma doença; *caer en éxtasis*, arrebatar-se de si; *caer gota a gota*, esti-lar, chorar as vides; *caer en el garlito*, cair na arriosca; *caer en la ratonera*, en-viscar-se; *caer en el vicio*, descer à de-pravação, ao vício; *caer en manos de al-guien*, dar em mãos dalguém; *caer en la red*, entralhar-se; *caer sobre*, descarregar; *caer la ventana a, (dar a)*, cair a janela sobre; *caerse de su peso*, ser evidente. — *pres. ind. irr.* **caigo, caes,** etc.; *imperf.* **caia, caías,** etc.; *pret. indef.* **caí, caíste,** **cayó,** etc.; *fut. imperf.* **caeré, caerás,** etc.; *pot.* **caería, caerías,** etc.; *subj.* **caiga, cai-gas,** etc.; *imperf.* **cayera, cayese, cayeras, cayese,** etc.; *fut. imperf.* **cayere, cayeres,** etc.; *imperat.* **cae, caed;** *p. p.* **caído;** *ger.* **cayendo.**

café. *m.* café, semente do cafèzeiro; bebida preparada com esta semente; estabeleci-mento onde se toma ou vende café: *café con leche*, café com leite.

cafearina. *f.* (quím.) cafearina.

cafeína. *f.* (quím.) cafeína.

cafeísmo. *m.* cafeísmo, intoxicação pelo café.

cafeol. *m.* (quím.) cafeona.

cafeona. *f.* (quim.) cafeona.

cafería. *f.* aldeia ou casal.

cafetal. *m.* cafeeiral, cafèzal, cafetal, cafeal.

cafetera. *f.* cafeteira, vasilha para fazer ca-fé; dona dum café; mulher que vende ca-fé em sítio público.

cafetería. *f.* loja onde se vende café.

cafetero, ra. *adj.* e *s.* pertencente ou relati-vo ao café; cafèzeiro, dono dum café; homem que vende café em sítio público, botequineiro.

cafetín. *m.* botequim.

cafeto. *m.* (bot.) cafèzeiro, arbusto que pro-duz o café; cafeeiro.

cafetucho. *m.* cafedório, café de mau pala-dar; botequim, café de má aparência.

cafiaspirina. *f.* (quím. e farm.) cafiaspirina.

cáfila. *f.* (fam.) cáfila, conjunto ou multidão de gente animais ou coisas, caravana.

cafre. *adj.* e *s.* (geog.) cafre, habitante de Cafraria; (fig.) bárbaro, rude, cruel, gros-seiro, ignorante, rústico.

Cafrería. (geog.) Cafraria.

caftán. *m.* cafetã.

cafuche. *m.* (Amér.) espécie de tabaco. V. **saíno.**

cagada. *f.* cagada, excremento, deje(c)ção; merouço; deje(c)to; (fig.) coisa mal feita; (fig. e fam.) cagada, barrada, estupidez: *a buscar la cagada del lagarto*, (fam.) man-dar à tábua.

cagadero. *m.* lugar onde se vai defecar, la-trina, cloaca, sentina, cagadeira; deje(c)tó-rio.

cagado, da. *p. p.* e *adj.* cagado; (fig. e fam.) poltrão, cagarola.

cagafierro. *m.* escória de ferro, escumalho, escumalha.

cagajón. *m.* bonico, escremento de cavalo, mula, etc.

cagalaolla. *m.* (fam.) o que vai vestido ridí-culamente de várias cores, em certas fes-tas em que há danças.

cagalar. *m.* (anat.) re(c)to, última porção do intestino.

cagalera. *f.* (fam.) diarreia, (Bras.) diarrêia, caganeira, desbarate de ventre: *tener ca-galera*, (pop.) formicar-se; (Amér.) re(c)to (intestino); árvore espinhosa que serve para fazer sebes.

cagar. *v. intr.* (vulg.) cagar; evacuar; de-fecar; dar de corpo; expelir fezes; des-travar; descomer; deje(c)tar; (fig.) eno-doar, manchar, borrar, deitar a perder.

cagarrache. *m.* moço de lagar de azeite; (zool.) espécie de tordo; chicharro (peixe).

cagarria. *f.* V. **colmenilla.**

cagarruta. *f.* (vulg.) caganita, excremento miúdo de animais em forma de pequeni-nas bolas.

cagatinta. *m.* (fam.) funcionário público; em-pregado de escritório, burócrata. V. **chu-patintas.**

cagatintas. *m.* (fam.) V. **cagatinta.**

cagatorio. *f.* (vulg.) cagadeira, sentina, la-trina, cloaca, defecatório. V. **cagadero.**

cagón, na. adj. e s. (pop.) cagão, que defeca muitas vezes; (fig.) medroso, poltrão, cobarde, cagado.

cagueta. f. (pop.) forrica; caganeira.

cagüil. m. V. cáhuil.

cahíz. m. caiz, antiga medida de capacidade para secos. V. cahizada.

cahizada. f. caizada, terreno que leva um caiz de semente.

caíble. adj. que pode cair, que cai fàcilmente.

caico. m. (Amér.) nome de certos baixios que chegam a formar ilhotas.

caíd. m. caide.

caída. f. caimento, caída, queda; quebrada; (fig.) ruína, caimento, abatimento, decadência; descaidela; descaida; fracaso; baque; declive dalguma coisa; declinação; desabamento, derrocada, derrocamento; depauperamento; (fig.) culpa dos anjos maus e do primeiro homem; (germ.) o que ganha a mulher com o seu corpo; (fig.) afronta, ultraje, insulto; (mar.) movimento de proa ao largar a vela, caimento; descaida, pilheria: dar una caída, dar um baque; caída de ojos, maneira habitual de baixar os olhos; caída de la flor, desflorecimento; caída de la hoja, desfolhadura, desfolha; caída del pelo, deflúvio dos cabelos; tener una caída, dar um boleo; a la caída de la tarde, ao inclinar o dia; à entrada da noite; sombrero de ala caída, chapéu desabado.

caído, da. p. p. e adj. caído; desfalecido, derrubado, desasado; desabado. — m. pl. juros devidos.

caifás. m. (fig.) homem cruel.

caima. adj. (Amér.) estúpido.

caimacán. m. lugar-tenente do Grão-Vizir.

caimán. m. (zool.) caimão, jacaré dos rios da América, aligator; (fig.) matreiro, astuto.

caimiento. m. caimento, queda, caída; (fig.) abatimento, prostração, ruína; desfalecimento.

caire. m. (germ.) dinheiro.

cairel. m. cairel, volta de cabelo postiço; cabeleira postiça; galão, guarnição dos vestidos, franja, froco; cairel, sujidade das unhas; (bot.) planta leguminosa de Cuba. — pl. (mar.) dormentes; (fam.) adornos.

cairelar. v. tr. cairelar, debruar com cairel; adornar, franjar, enfeitar a roupa.

cairelota. f. (germ.) camisa com colarinho e punhos bordados.

cairo. m. (Amér.) mecha tosca de algodão.

Cairo, El. (geog.) Cairo.

cairota. adj. e s. natural do ou pertencente ao Cairo.

caja. f. caixa, receptáculo; arca; estojo, (Bras) estôjo; cofre; boceta; (com.) caixa, recebedor e pagador duma casa comercial; valores contidos no cofre; livro de registo destes valores; caixa, nome de certos estabelecimentos de crédito; caixão de defuntos; ataúde; vão de escada; (impr.) caixa de tipos; tinteiro portátil; depósito de mercadorias; caixa de orgão; coronha de espingarda; caixa de guerra, tambor; recep-

táculo postal, caixa do correio; caixa de carruagem: Caja de Ahorros, Caixa Económica; Caja de Crédito, Caixa de Crédito; Caja de Depósitos, Caixa de Depósitos; caja fuerte, caixa forte; caja de resonancia, caixa de ressonância; caja de música, caixa de música; caja torácica, caixa torácica; caja de velocidades, (autom.) caixa de velocidades; (impr.) error de caja, erro de caixa; en caja, em bom estado de saúde ou disposição; echar con cajas destempladas, (fam.) despedir alguém com zanga; caja de la escalera, vão de escada; Caja Postal, Caixa Postal, de Correio; caja donde se lleva el hurón, furoeira; caja de caudales, arca do dinheiro; caja de tabaco picado, fumadeira; caja de Pandora, boceta de Pandora; caja de rapé, fungadeira; caja de coche, caixa do coche, sege; caja del órgano, caixa do orgão; libro de caja, livro da caixa; caja de polea, caixa do moitão; entrar en caja, começar a prestar o serviço militar; caja alta o baja, (impr.) caixa alta ou baixa; caja de agua, cole(c)tor das águas; caja del cuerpo, tórax, caixa torácica; no estar en caja, (fam.) não estar em bom estado de saúde ou disposição.

cajear. v. tr. fazer entalhes na madeira.

cajel. adj. diz-se de certa variedade de laranja produzida pelo enxerto de laranja doce com azeda.

cajera. f. caixa, mulher encarregada de pagamentos e recebimentos; tesoureira; (carp.) entalhe; (mar.) abertura na que se põe a roldana dos moitões.

cajería. f. caixotaria, estabelecimento onde se fazem ou vendem caixas.

cajero. m. caixeiro, fabricante de caixas; caixa, recebedor e pagador; caixa formada nos canais ou levadas, imediata à represa; tesoureiro.

cajeta. f. dim. de caja, caixinha; (prov.) mealheiro, caixa de esmolas; (Amér.) caixa de tabaco, tabaqueira; (mar.) gacheta; entalha; (pop.) peralta, peralvilho.

cajete. m. covilhete, malga; prato fundo de barro ordinário e por vidrar.

cajetilla. f. maço de cigarros; maço de tabaco picado.

cajetín. m. caixotim, cada uma das divisões da caixa tipográfica; compositor dos rótulos nas lombadas dos livros; carimbo de mão com que se apõem diversas anotações em títulos e valores; cada uma destas anotações.

cajilla. f. (bot.) célula, envoltura das semente; pequena caixa.

cajista. s. (impr.) caixista, tipógrafo, compositor de cheio.

cajita. f. caixa pequena. V. cajilla.

cajo. m. encaixe, rebordo feito pelo encadernador nas primeiras e nas últimas folhas do livro.

cajón. m. caixão; caixa grande; esquife; caixote; gaveta móvel; espaço que medeia entre as prateleiras nas estantes de livros; barraca, venda, loja pequena onde se vendem comestíveis; (Amér.) correspondência que, nos galeões, chegava de Espanha; loja de mercearia: *cajón de sastre*, (fig. e fam.) conjunto de coisas diversas e desordenadas; *ser de cajón*, ser corrente e de estilo.

cajonera. *f.* conjunto de gavetas nas sacristias.

cajonera. *f.* (Amér.) vendedora ambulante. V. **buhonera**.

cajonería. *f.* conjunto de caixas ou gavetas dum armário.

cajonga. *f.* bolo de maís.

cajonero, ra. *s.* (Amér.) tendeiro, dono duma tenda; operário que nas minas recebe as vasilhas empregadas na extra(c)ção da água.

cal. cal, óxido de cálcio: *cal viva*, cal viva ou virgem; *cal muerta*, cal apagada ou extinta, cal hidratada; *ser de cal y canto*, (fam.) ser sólido, duradoiro; *mano de cal*, demão; *de cal y canto*, (fig.) muito sólido.

cala. *f.* cala, enseada pequena; (bot.) cala, planta aquática, da família das arácidas.

cala. *f.* cala, abertura num fruto para ver se está maduro; pedaço cortado duma fruta para ser provado; (cir.) sonda; (farm.) supositório; (mar.) porão de navio; paragem longínqua da costa; (germ.) buraco.

calaba. *m.* V. **calambuco**.

calabacear. *v. tr.* (fig. e fam.) reprovar nos exames; desdenhar, negar, dar uma negativa, desprezar.

calabacera. *f.* (bot.) cabaceira, aboboreira; cabaceira, vendedora de cabaças. V. **calabaza**.

calabacero. *m.* vendedor de cabaças; (germ.) ladrão que rouba com gazua ou chave falsa.

calabacil. *adj.* diz-se duma espécie de pêra.

calabacillas. *f. pl.* brincos de orelha do feitio de cabaças; cabacinha.

calabacín. *m.* (bot.) cabaça pequena, cabacinha; (fig. e fam.) pessoa inepta.

calabacinate. *m.* guisado de abóbora.

calabacino. *m.* cabaça seca e oca empregada para líquidos.

calabaza. *f.* (bot.) cabaceira, cabaça, espécie de abóbora; chuchú; menina; (fig.) pessoa inepta e muito ignorante; (mar.) barco pesado e de más condições náuticas; (germ.) gazua, chave falsa; *calabaza vinatera*, cabaça seca empregada como vasilha para vinho ou para outros líquidos; *dar calabazas*; (fig. e fam.) apanhar um chumbo, reprovar nos exames; desdenhar, dar uma negativa a mulher aquele que a pretende; *llevar calabazas*, apanhar um chumbo.

calabazada. *f.* pancada com a cabeça: *darse de calabazadas*, (fig.) trabalhar excessivamente.

calabazar. *m.* (bot.) aboboral, cabaçal, plantação de abóboras.

calabazate. *m.* doce seco de abóbora; compota de abóbora.

calabazazo. *m.* pancada dada com cabaça; (fam.) pancada que se recebeu na cabeça.

calabobos. *m.* (fam.) chuvisco, chuva miúda e contínua; chuva de molha tolos.

calabocero. *m.* carcereiro, vigilante do calaboiço.

calabozaje. *m.* carceragem, quantia pagada pelo preso ao carcereiro.

calabozo. *m.* calaboiço, calabouço; cárcere, prisão; enxovia; aposento na prisão para incomunicabilidade; (fig.) lugar escuro; (pop.) chilindró.

calabozo. *m.* podadeira, podão; (Amér.) espécie de foice.

calabrés, sa. *adj.* e *s.* (geog.) calabrês, natural da ou pertencente à Calàbria.

Calabria. (geog.) Calábria.

calabriada. *f.* calabreada, calabreadura, mistura de vinhos, em especial branco e tinto; (fig.) mistura de coisas diversas.

calabriar. *v. tr.* calabrear, misturar vinhos; (fig.) confundir, misturar.

calabrina. *f.* choça, choupana.

calabrote. *m.* (mar.) calabre, cabo grosso, amarreta (não confundir com «calabrete», cabo de pouca espessura).

calada. *f.* caladura, penetração; demolho; vo(ô)o de ave de rapina.

caladero. *m.* lugar para deitar as redes.

caladizo, za. *adj.* V. **coladizo**.

calado. *m.* crivo, trabalho de agulha; entalhadura; entalhe feito em madeira ou metal; (mar.) calado, parte submersa dum navio; (germ.) furto que aparece. — *adj.* e *p. p.* demolhado, embebido.

calador. *m.* entalhador, o que entalha; calafetador, instrumento de calafetar; (cir.) sonda, tenta; punção para examinar o conteúdo dos sacos sem os abrir.

caladura. *f.* caladura, cala, abertura feita nos frutos.

calafate. *m.* calafate, o que calafeta embarcações. V. **carpintero de ribera**.

calafateado, da. *p. p.* e *adj.* calafetado. — *m.* arte de calafetar.

calafateador. *m.* calafate. V. **calafate**.

calafateadura. *f.* calafetagem. V. **calafateo**.

calafatear. *v. tr.* calafetar, tapar com estopa as fendas dos navios e das pipas; abetumar; estopar.

calafateo. *m.* calafetação, calafetagem. V. **calafatería**.

calafatería. *f.* calafetação, calafetagem, calafetamento.

calafatín. *m.* aprendiz de calafate.

calafetear. *v. tr.* V. **calafatear**.

calagozo. *m.* podadeira, podão. V. **calabozo**.

calahorra. *f.* casa pública com uma janela de grades por onde se distribuía o pão ao povo.

calaíta. *f.* (min.) V. **turquesa**.

calaje. *m.* (prov.) caixa, gaveta.

calaluz. *m.* (mar.) calaluz, pequena embarcação das Índias Orientais.

calamaco. *m.* calamaço, tecido lustroso de lã. V. **mezcla**.

calamar. *m.* (zool.) calamar, lula.

calambre. *m.* cãibra, contra(c)ção muscular; breca: *calambre de estómago*, gastralgia; *calambre muscular*, cãibra muscular.

calambuco. *m.* (bot.) calambuco, calamba-
que, calambuca.

calambur. *m.* trocadilhos, inversão de termos, jogo de palavras.

calamento. *m.* (bot.) calaminta.

calamento. *m.* calamento, a(c)ção de submergir as redes ou os aparelhos de pesca.

calamidad. *f.* calamidade, desgraça, desastre, infortúnio; adversidade; (fig.) açoite; incêndio, abafamento; maldição, fatalidade, aflição, opressão: *ser una calamidad*, (fam.) ser inepto para fazer algu-
mo coisa.

calamiforme. *adj.* calamídeo, que tem forma
de pena.

calamillera. *f.* V. llares.

calamina. *f.* calamina, carbonato de zinco;
zinco fundido.

calaminar. *adj.* calaminar, diz-se da pedra de
calamina.

calaminta. *f.* (bot.) calaminta. V. calamento.

calamistro. *m.* (arqueol.) calamistro, antigo
instrumento de frisar o cabelo.

calamita. *f.* (min.) calamita, pedra íman;
bússola. V. calamite.

calamitoso, sa. *adj.* calamitoso, infausto, funesto, desgraçado, desastroso, lutuoso, adverso, desditoso, infeliz: *tiempo calamitoso*, tempo estreito; *en estos tiempos cala-
mitosos*, nesta estreiteza dos tempos.

cálamo. *m.* (poét.) cálamo, espécie de flauta
antiga, pena, cano de pena; (bot.) cálamo,
caule de certas plantas: *cálamo aromático*, raiz medicinal do ácoro.

calamocano, na. *adj.* (pop.) meio embriagado; atordoado; apatetado; envelhecido. V.
chocho.

calamoco. *m.* canelão, espécie de doce; pedaço de gelo à beira do telhado. V. canelón.

calamocha. *f.* ocre amarelo de cor pouco
viva.

calamón. *m.* prego de cabeça redonda; peça
de suspensão da balança.

calamorra. *adj.* diz-se da ovelha que tem lã
no focinho. — *f.* (fig. e fam.) cachola, cabeça.

calamorrada. *f.* V. cabezada.

calamorrazo. *m.* pancada na cabeça.

calandraca. *f.* (mar.) espécie de sopa com
pedaços de biscoito; (prov.) conversação
aborrecida.

calandrado. *m.* (mec.) a(c)ção de calandrar;
calandragem, calandrado, acetinado com a
calandra.

calandrajo. *m.* (fam.) pessoa ridícula e desprezível; andrajo, farrapo; (fig.) farroupilha; (prov.) suposição, comentário, invenção.

calandrar. *v. tr.* calandrar, lustrar, ondear
ou acetinar, tecidos, papel, etc., com a
calandra.

calandria. *f.* calandra, máquina de calandrar.

calandria. *f.* (orni.) calhandra; (germ.) pregoeiro. — *s.* pessoa que se finge doente,
para ter cama ou mesa num hospital.

calántica. *f.* calântica, lenço que usavam na
cabeça as mulheres gregas e romanas.

calaña. *f.* amostra, modelo, padrão; (fig.)
cará(c)ter, índole, qualidade, estofo, estofa,
(Bras.) estôfa, natureza duma pessoa ou
coisa: *ser de la misma calaña*, (fam.) ser
da mesma farinha.

calaña. *f.* leque grosseiro de varetas de cana.

calapatillo. *m.* (entom.) inse(c)to coleóptero,
espécie de gorgulho.

calar. *v. tr.* e *intr.* calar, penetrar um líquido, impregnar; atravessar de lado a lado,
trespassar; furar; infiltrar-se; bordar, fazendo ponto de crivo; introduzir-se; (mar)
entalhar; calar, abrir entalhe em fruto
para conhecer a sua qualidade, encetar;
enterrar (o chapéu na cabeça); compreender, entender; calar (falando de baionetas
e outras armas brancas); (fig. e fam.) penetrar, compreender o segredo ou o motivo
dalguma coisa; entrar em alguma parte;
(germ.) roubar duma algibeira; (mar.)
descer, arrear, abaixar; submergir, mergulhar (redes, aparelhos, etc.); (mar.) alcançar um navio determinada profundidade, calar. — calarse. *v. r.* molhar-se
muito; enxercar-se, encharcar-se, alagar-
-se; (germ.) entrar-se em uma casa para
furtar: *calar la bayoneta*, abaionetar;
pôr a baioneta em posição de atacar o inimigo, calar baioneta; *calarse de agua*,
apanhar chuva; *calarse el sombrero hasta
los ojos*, engorrar-se; *calar un melón*, calar um melão.

calar. *adj.* calcário, que tem cal.

calasancio, cia. *adj.* V. escolapio.

cálato. *m.* (arqueol.) cesto de vimes semelhante a um cálice sem pé.

Calatrava. *m.* Calatrava, a mais antiga ordem militar de Espanha.

calatravo. va. *adj.* e *s.* calatravense (diz-se
dos cavaleiros pertencentes à Ordem militar de Calatrava).

calavera. *f.* (anat.) caveira, crânio descarnado; (fig. e fam.) a cabeça; (pop.) calaveira,
homem estouvado extravagante e de pouco
juízo; pagodista.

calaverada. *f.* (pop.) calaveirada, tolice, extravagância; imprudência, cabeçada.

calaverear. *v. intr.* (pop.) cometer impru-
dências; dar cabeçadas, ter pouco juízo e
assento.

calavernario. *m.* V. osario.

calazón. *f.* (mar.) calado dum barco ou navio.

calcado. *m.* cálcadura, a(c)ção de calcar.

calcador, ra *s.* calcador, o que calca. — *m.*
instrumento para calcar.

calcáneo. *m.* (anat.) calcâneo.

calcañal. *m.* V. calcañar.

calcañar. *m.* (anat.) calcanhar.

calcaño. *m.* V. calcañal.

calcañuelo. *m.* certa doença das colmeias.

calcar. *v. tr.* calcar, fazer pressão sobre um
obje(c)to; comprimir, calcar, pisar com o
pé; decalcar; copiar um debuxo num papel transparente posto em cima do modelo; (fig.) imitar, copiar, reproduzir exa(c)-

calcáreo

248

tamente ou servilmente; amachucar; contundir; moer.

calcáreo, rea. *adj.* calcário, que tem cal.

calcatrife. *m.* (germ.) mariola, homem de ganho; moço de recados. V. **ganapán.**

calce. *m.* calço, aro de ferro das rodas das carruagens; cunha entre dois corpos; (Amér.) parte inferior dum documento; (prov.) V. **cauce.**

calcedonia. *f.* (min.) calcedónia, (Bras.) calcedônia, espécie de ágata.

calcedonio, nia. *adj.* e *s.* (geog.) calcedónio, natural da ou pertencente à Calcedónia.

cálceo. *m.* calçado alto e fechado dos antigos romanos.

calceolaria. *f.* (bot.) calceolária.

calcés. *m.* (mar.) calcês, parte superior do mastro em que se introduz a enxárcia real: *calcés del bauprés*, calcês de gurupés.

calceta. *f.* meia do pé e da perna; ; calceta, (Bras.) calcêta, (fig.) grilheta, argola com que se prendia a perna do condenado; (prov.) espécie de morcela.

calcetería. *f.* ofício do fabricante de meias; calcetária, estabelecimento de venda de calças e meias.

calcetero, ra. *s.* fabricante de meias; meieiro. — *m.* calceiro o que faz calças; (germ.) aquele que põe a calceta.

calcetín. *m.* *dim.* de *calceta*, calceta, peúga coturno.

calceto, ta. *adj.* e *s.* diz-se do frango calçudo.

calcetón. *m.* *aum.* de *calceta*, calceta, meia grossa de pano usada antigamente por certos corpos de cavalaria.

cálcico, ca. *adj.* (quím.) cálcico.

calcicosis. *f.* (med.) calcicose.

calcídico. *m.* (arqueol.) galeria ou corredor perpendicular ao eixo dum edifício.

calcífero, ra. *adj.* calcífero, que tem cal.

calcificación. *f.* (med.) calcificação ossificação dos tecidos moles.

calcificar. *v.* *tr.* calcificar, converter em carbonato de cálcio; produzir artificialmente o carbonato de cal. — **calcificarse.** *v.* *r.* calcificar-se, tomar a consistência da cal.

calcillas. *f.* *pl.* calcinhas, calças, curtas e estreitas. — *m.* (fig. e fam.) pessoa meticulosa; homem tímido e cobarde; homem pequeno.

calcímetro. *m.* calcímetro.

calcina. *f.* argamassa. V. **hormigón.**

calcinable. *adj.* calcinável, que pode calcinar-se.

calcinación. *f.* (quím.) calcinação.

calcinado, da. *adj.* e *p.* *p.* calcinado, reduzido a cal.

calcinador, ra. *adj.* e *s.* calcinador, que calcina, calcinatório.

calcinamiento. *m.* V. **calcinación.**

calcinar. *v.* *tr.* calcinar, encaliçar, reduzir a cal viva os minerais calcários; (quím.) submeter ao calor os minerais para que se desprendam as substâncias voláteis; reduzir a cinzas; (fig.) aquecer muito; abrasar.

calcinatorio, ria. *adj.* calcinatório, que serve

para calcinar. — *m.* calcinatório, vasilha onde se calcina.

calcinero. *m.* caleiro, operário de fornos de cal. V. **calero.**

calcio. *m.* (quím.) cálcio.

calcioterapia. *f.* (terap.) calcioterápia.

calcita. *f.* (min.) calcite, carbonato de cálcio cristalizado.

calcitrapa. *f.* (bot.) calcitrapa.

calco. *m.* calco, reprodução de um desenho; decalque, cópia obtida calcando; decalco; cópia por meio da pressão sobre um papel humedecido: *calco heliográfico*, calco heliográfico.

calcofilita. *f.* (min.) calcofilite.

calcografía. *f.* calcografia; gravura em metal; oficina onde se trabalha em calcografia.

calcografiar. *f.* calcografar, gravar em metal.

calcográfico, ca. *adj.* calcográfico.

calcógrafo. *m.* calcógrafo, gravador de metais.

calcolitografía. *f.* calcolitografia.

calcomanía. *f.* decalcomania; reprodução de certos quadros calcando com a mão contra um papel, desenhos ou figuras estampadas noutro papel; papel ou cartolina que tem a figura antes de a calcar.

calcopirita. *f.* (min.) calcopirite.

calcorrear. *v.* *intr.* (germ.) calcorrear, andar a pé, caminhar muito.

calcorreo. *m.* (germ.) calcorreada, caminhada a pé.

calcorro. *m.* calcorros; sapatos; calçado com que se caminha.

calcosina. *f.* (min.) calcosina; pirite.

calcotipia. *f.* processo de gravar em relevo sobre cobre.

calculable. *adj.* calculável, que se pode calcular.

calculación. *f.* calculação, cálculo.

calculador, ra. *adj.* e *s.* calculador, que calcula. — *s.* máquina automática para calcular; calculista; (fam.) calculador, interesseiro, egoísta; prudente nos negócios.

calculado, da. *p.* *p.* e *adj.* calculado, medido, contado, computado; estimado, avaliado; meticuloso.

calcular. *v.* *tr.* calcular, fazer cálculos; computar; contar; conje(c)turar; predizer; regular; apreciar; estimar, avaliar; considerar, meditar; especular; deitar a conta; medir; (fig.) arredondar uma soma; lançar contas. — *v.* *intr.* fazer cálculos matemáticos: *calcular por encima*, assomar; *máquina de calcular*, máquina de calcular.

calculativo, va. *adj.* calculatório, que pode calcular.

calculatorio, ria. *adj.* calculatório, que é próprio de cálculo.

calculista. *adj.* e *s.* calculista, calculador, pessoa que faz cálculos; proje(c)tista.

cálculo. *m.* cálculo, a(c)ção de calcular: apreciação; avaliação; solução de problemas matemáticos; meditação; especulação; lotação; contabilidade; cifras; conta; (med.) cálculo, concreção dura que se forma na bexiga, rins, etc.; (fig.) desígnio, intenção; sagacidade, penetração, previsao: *cálculo aproximado*, anteproje(c)to; *cálculo biliar*, colélito; *cálculos renales*, cálculos renais; *cálculo cerebral*, encefalolito; *cálculo probable*, cálculo estimativo; *cálculo mental*, cálculo mental; *cálculo diferencial*, cálculo diferencial; *cálculo integral*, cálculo integral; *cálculo prudencial*, cálculo estimativo; *cálculo infinitesimal*, cálculo infinitesimal; *hacer un cálculo*, fazer uma conta.

calculoso, sa. *adj.* calculoso, relativo aos cálculos ou pedras da bexiga, fígado, etc.; que padece de cálculos.

calda. *f.* caldeação, caldeamento; fogo violento de forja, calda. — *pl.* caldas, termas, águas termais: *dar una calda*, (fam.) excitar, impelir alguém.

caldaico, ca. *adj.* (geog.) caldaico, pertencente à Caldeia.

caldaria. *adj.* diz-se da antiga lei que submetia o acusado à prova de meter um braço numa caldeira de água a ferver.

caldario. *m.* caldário, sala onde os antigos romanos tomavam os banhos de vapor; tepidário.

Caldea. (geog.) Caldeia.

caldeamiento. *m.* caldeamento, caldeação; a(c)ção e efeito de caldear ou aquecer muito.

caldear. *v. tr.* caldear; temperar; aquecer muito; pôr o ferro em brasa; abrasar; queimar.

caldeísmo. *m.* caldeísmo, locução dos caldeus.

caldeo. *m.* V. **calda.**

caldeo, a. *adj. e s.* (geog.) caldeu, natural da ou pertencente à Caldeia, hoje Curdistão. — *m.* caldeu, língua dos caldeus.

caldera. *f.* caldeira, recipiente de metal; reservatório, tanque; caixa de cobre em que se coloca a pele do timbal; (Amér.) chaleira, bule para chá; (herald.) insígnia nos brasões; (min.) parte mais baixa dum poço: *caldera de jabón*, saboaria (fábrica); *caldera de fabricación de azúcar*, caldeira dos engenhos de fazer açúcar; *caldera de cisterna*, caldeira de cisterna; (fam.) *caldera de Pedro Botero*, (fam.) caldeira de Pedro Botelho, Inferno.

calderada. *f.* caldeirada, líquido que cabe numa caldeira; caldeirada, guisado à moda dos pescadores.

calderería. *f.* caldeiraria, loja de caldeireiro; profissão de caldeireiro; arruamento de caldeireiros.

calderero. *m.* caldeireiro, fabricante ou vendedor de caldeiras; o que faz ou vende obje(c)tos de cobre ou latão.

caldereta. *f.* caldeirinha; caldeirada, guisado de peixe fresco que fazem os pescadores; espécie de guisado de carneiro; ensopado que os pastores fazem com carne de cordeiro; vaso portátil e arqueado para água benta.

calderilla. *f.* miúdos, moedas de cobre; caldeirinha; (Bras.) niquel; vaso para água

benta; (bot.) pequeno arbusto grossulariáceo.

caldero. *m.* caldeiro, caldeira de cozinhar; conteúdo desta vasilha; caldeiro, vaso de tirar água dos poços.

calderón. *m.* caldeirão, caldeira grande; sinal de milhares; sinal de parágrafo; (mús.) sinal de suspensão.

calderuela. *f.* caldeirinha; lanterna de furta-fogo, vasilha empregada para levar luz na caça nocturna.

caldo. *m.* caldo; molho; tempero da salada; caldo, líquido para cultura de micróbios; (Amér.) caldo de cana; (com. e agr.) suco vegetal (vinho, óleo, etc.): *caldo substancioso*, apisto; *caldo vegetal*, caldo de berça; *caldo de gallina*, caldo de galinha; *caldo de cultivo*, (bacter.) caldo para cultura de micróbios; *caldo de zorra*, (fig. e fam.) pessoa astuciosa e dissimulada; *revolver caldos*, (fig. e fam.) arrumar velhos assuntos para disputar; *al que no quiere caldo, taza y media*, diz-se de quem é obrigado a fazer alguma coisa contra a sua vontade em forma excessiva; *como caldo de zorra, que está frio y quema*, diz-se da pessoa dissimulada que obtem a suas intenções com astúcia; *hacer a uno el caldo gordo*, (fig. e fam.) comportar-se em forma tal que as próprias a(c)ções aproveitem a alguém.

caldoso, sa. *adj.* caldoso, que tem muita calda.

calducho. *m. despr.* caldaço, caldo aguado e insípido; caldorro, caldaça, caldoça.

cale. *m.* pancada com a mão, dada sem grande violência.

calé. *m.* (germ.) moeda de cobre: *no tener un calé*, não ter um centavo.

calecer. *v. intr.* aquecer-se, tornar-se quente, aquentar-se. — *pres. ind. irr.* **calezco;** *subj.* **calezca,** etc.

calefacción. *f.* calefa(c)ção; aquecimento; conjunto de aparelhos de aquecimento: *calefacción central,* calefa(c)ção central.

calefactor. *m.* calefa(c)tor, aparelho para aquecer; calorífico; operário que trabalha na calefa(c)ção.

calefactorio. *m.* calefa(c)tório, lugar que existia nalguns conventos para os frades se aquecerem.

caleidoscópico, ca. *adj.* caleidoscópico.

caleidoscopio. *m.* caleidoscópio.

calenda. *f.* tábua do martirológio romano onde figuram os nomes dos santos de cada dia do ano. — *pl.* Calendas, primeiro dia de cada mês entre os romanos: *las Calendas griegas,* nunca, para as Calendas gregas, tempo que não há de chegar.

calendar. *v. tr.* datar, pôr data nas escrituras, cartas ou outros instrumentos.

calendario. *m.* calendário, almanaque, folhinha, anuário, lúnario. — *adj.* calendário pertencente às Calendas: *calendario perpetuo,* calendário perpétuo; *calendario gregoriano,* calendário gregoriano.

calendarista. *s.* calendarista, o que elabora calendários.

calender. *m.* calênder, monge maometano duma ordem mendicante.

calendulina. *f.* (quím.) calendulina.

calentador, ra. *adj.* aquecedor, que aquece. — *m.* aquecedor, aparelho de aquecer, esquentador; (fig. e fam.) relógio de bolso muito grande, caldeirão: *calentador de cama,* comadre.

calentamiento. *m.* aquecimento, escandescência, aquentamento; (vet.) requentamento, enfermidade das cavalgaduras.

calentar. *v. tr.* aquecer, aquentar, acalentar; reter uma bola na mão antes de atirá-la; (fig. e fam.) açoitar, dar açoites; dar pancadas; avivar ou dar calor a alguma coisa para que se faça com mais celeridade; tomar interesse, calor em qualquer coisa; excitar; (fig.) degelar. — **calentarse.** *v. r.* estar com cio; aquecer-se; encolerizar-se, irritar-se; renhir ardentemente: *calentar en la estufa,* estufar; *calentar las orejas,* (fam.) dar uma forte repreensão. — *pres. ind. irr.* **caliento, calientas, calienta, etc.;** *subj.* **caliente, calientes, caliente,** etc.

calentito, ta. *adj.* (fig. e fam.) de fresco, recente, de agora mesmo, ainda há pouco.

calentón. *m.* (fam.) a(c)to de aquecer-se depressa. — *adj.* lugar lúbrico, luxurioso: *darse un calentón,* aquecer-se depressa e com muito lume.

calentura. *f.* (med.) febre, calentura, quentura, aquecimento; calor; agitação, inquietação; ansiedade; (Amér.) descomposição do tabaco empilhado; (bot.) planta silvestre de folhas lanceoladas.

calenturiento, ta. *adj.* febricitante, que tem ataques de febre; (Amér.) tuberculoso.

caleño, ña. *adj.* que pode dar ou produzir cal.

calepino. *m.* calepino, dicionário latino; vocabulário.

calera. *f.* caieira, forno de cal; pedreira de cal; caleira.

calera. *f.* chalupa de pesca, própria das costas de Biscaia.

calería. *f.* caieira, lugar onde se prepara ou vende a cal; depósito, venda de cal.

calero, ra. *adj.* pertencente à cal ou relativo a ela — *m.* caieiro, caleiro, operário de fornos de cal, vendedor de cal.

calés. *m.* V. **calesa.**

calesa. *f.* caleça, caleche, sege; (prov.) verme que se cria na carne ao principiar a putrefa(c)ção.

calesera. *f.* jaqueta, adornos, semelhante às usadas na Andaluzia; canção andaluza.

calesera (a la). *adv.* diz-se dos arreios e guarnições de carruagens, que imitam os das antigas caleches.

calesero. *m.* caleceiro, o que conduz caleças ou caleches.

calesín. *m.* calecinha, caleça ligeira tirada por um só cavalo.

calesinero. *m.* o que conduz ou aluga *calesines.*

caleta. *f.* (mar.) calheta, pequena enseada angra estreita; lugar de desembarque nos rios. — *m.* (germ.) ladrão que furta por

buracos; (Amér.) grémio dos descarregadores de mercadorias.

caletre. *m.* (fam.) juízo, capacidade, tino, discernimento: *persona de poco caletre,* bestunto.

cali. *m.* (quím.) V. **álcali.**

calibración. *f.* calibração, calibragem.

calibrador. *m.* calibrador, instrumento para calibrar; tubo cilíndrico de bronze pelo qual se faz girar o projé(c)til, para avaliar o seu calibre; darmadeira; luneta.

calibradura. *f.* calibração; tamanho.

calibrar. *v. tr.* calibrar, determinar o calibre das armas de fogo; dar o calibre conveniente; verificar o calibre; aferir.

calibre. *m.* calibre, diâmetro interior das bocas de fogo, tubos, etc.; capacidade de um tubo; calibre, diâmetro de um projé(c)til, volume, tamanho; (fig.) qualidade, importância: *calibre de un arma de fuego,* adarme; *ser de buen o mal calibre algo,* (fig. e fam.) ser de grande ou pequeno tamanho.

calicanto. *m.* V. **mampostería.**

calicata. *f.* (min.) exploração, sondagem, reconhecimento dum terreno.

caliciflora. *adj.* (bot.) caliciflora. — *f. pl.* calicifloras (bot.).

caliciforme. *adj.* (bot.) caliciforme.

calicillo. *m.* (bot.) V. **calículo.**

calicinal. *adj.* (bot.) calicinal.

caliculado, da. *adj.* (bot.) caliculado, que tem calículo.

calicular. *adj.* (bot.) calicular, pertencente ao calículo.

calículo. *m.* (bot.) calículo, invólucro de pequenas brácteas que forma um pequeno cálice.

caliche. *m.* caliça, fragmentos de argamassa ou de poeira proveniente de cal; (prov.) fenda numa vasilha; jogo do fito; (Amér.) salitre; nitrato de soda; terra que fica depois de extraído o salitre.

calichera. *f.* (Amér.) caleira, nitreira.

calidad. *f.* qualidade, modo de ser; qualidade, nobreza, condição elevada; importância ou gravidade dalguma coisa ou negócio: cará(c)ter, génio, índole: cláusula, condição ou requisito que se põe num contrato; lote; classe; excelência; (fig.) estofa, (Bras.) estôfa; constituição; (ant.) calor, estado do que está quente. — *pl.* qualidades morais: *de mala calidad,* desprendado: *a calidad de que,* com a condição de que; *en calidad de,* com o cará(c)ter ou com a autoridade de.

calidad. *f.* estado duma pessoa (idade, natureza, etc.); nobreza de linhagem.

calidez. *f.* (med.) quentura, ardor, febre, calor.

cálido, da. *adj.* cálido, quente; sanguíneo; fogoso; bochornal; ardente; caloroso; afe(c)tuoso; (fig.) acalorado, vivo, ardente; (pint.) diz-se do colorido em que predominam os matizes dourados ou avermelhados.

calidoscópico, ca. *adj.* caleidoscópico.

calidoscopio. *m.* (fís.) caleidoscópio.

caliente. *adj.* quente, que tem calor; (fig.) acalorado, ardente, vivo (disputas, rixas, etc.); esquendade; bochornal; afogueado; estuante, estuoso; veemente; (pint.) V.

calido: *en caliente* (fig.) no mesmo instante, inmediatamente; *sitio muy caliente* (fig.) forno.

califa. *m.* califa, chefe, soberano árabe.

califal. *adj.* pertencente ou relativo ao califado.

califato. *m.* califado, dignidade dum califa; território governado por califa; tempo que durava o governo dum califa.

calífero, ra. *adj.* calcário, que contém cal.

calificable. *adj.* qualificável, que se pode qualificar.

calificación. *f.* qualificação; juízo; apreciação; avaliação; aprovação; distinção; ilustração; classificação; (fig.) epiteto; crítica, competência; aptidão, idoneidade.

calificado, da. *p. p.* e *adj.* qualificado, diz-se da pessoa de autoridade ou mérito; diz-se da coisa com todos os requisitos necessários; classificado; considerado; importante; ilustre, eminente.

calificador, ra. *adj.* qualificador, que qualifica: *calificador del Santo Oficio*, teólogo nomeado pela Inquisição para censurar livros.

calificar. *v. tr.* qualificar, atribuir uma qualidade a uma pessoa ou coisa; aprovar; autorizar; ilustrar; distinguir, enobrecer; classificar. — **calificarse.** *v. r.* fazer provas de nobreza.

calificativo, va. *adj.* qualificativo, que exprime a qualidade do substantivo. — *m.* qualificativo, epíteto.

California. (geog.) Califórnia.

californiano, na. *adj.* e *s.* (geog.) californiano, natural da ou pertencente a Califórnia.

cáliga. *f.* cáliga, sandália usada pelos antigos soldados romanos; polaina usada pelos monges na Idade Média.

calígine. *f.* caligem, nevoeiro espesso; escuridão, trevas, névoa.

caliginidad. *f.* obscuridade, escuridão.

caliginoso, sa. *adj.* caliginoso, nebuloso, muito escuro e denso; tenebroso.

caligrafía. *f.* caligrafía, arte de escrever bem a mão.

caligrafiar. *v. tr.* caligrafar, escrever com boa letra.

caligráfico, ca. caligráfico.

calígrafo. *m.* calígrafo; o que sabe ou ensina caligrafia.

calilogia. *f.* calilogia, elegância de expressão.

calima. *f.* V. **calina.**

calima. *f.* (mar.) conjunto de rodelas de cortiça enfiada à moda de rosário e que servem de bóia.

calimbo. *m.* qualidade, marca, classe; estofa, pelagem.

calimoso, sa. *adj.* V. **calinoso.**

calimote. *m.* peça de cortiça do meio nas redes de pescar.

calina. *f.* névoa, caligem, vapor espesso e esbranquiçado que se levanta em tempo de muito calor.

calino, na. *adj.* calífero, que tem cal.

calinoso, sa. *adj.* nevoado, enevoado, coberto de névoa.

calipedia. *f.* calipedia.

calipédico, ca. *adj.* calipédico, relativo à calipedia.

calípico. *adj.* calípico, diz-se do círculo lunar equivalente a um período de 76 anos.

calisaina. *f.* (quím.) alcalóide da calisaia.

calisaya. *f.* (bot.) calisaia.

calismo. *m.* (pat.) calismo, a(c)cidentes mórbidos causados pela potassa.

calistenia. *f.* calistenia.

calitipia. *f.* (fot.) calitipia.

cáliz. *m.* cálice; vaso para a consagração do vinho na missa, cálix; (bot.) cálice, invólucro da flor que encerra os órgãos sexuais.

caliza. *f.* calcário, rocha formada de carbonato de cálcio: *caliza hidráulica*, calcário hidráulico; *caliza lenta*, calcário dolomítico.

calizo, za. *adj.* calcário, aplica-se ao terreno que tem cal.

calma. *f.* calma, calor da atmosfera; hora do dia de mais calor, calmaria; bonança; acalmação; (fig.) cessação, suspensão dalgumas coisas; (fig.) calma, tranqüilidade, (Bras.) tranqüilidade, paz, serenidade, quietação; desleixo, indolência, negligência; (med.) calma; serenidade; moderação, sobriade; *calma chicha*, grande calmaria do mar; *en calma*, diz-se do mar quando não levanta ondas; *hablar con calma*, falar com calma; *tener calma*, ser tranquilo; *tomarlo con calma*, ter paciência; pacholice; pacificação; aplacação; descanso; desagastamento; aquetação; desassombro; desemperramento; desenfado.

calmante. *p. a.* e *adj.* e *m.* calmante, que calma; medicamento que acalma; sedante, sedativo, que apazigua, sossegador; paliativo; dulcificador, dulcificante; assossegador; (med.) anodino, defervescente; apaziguador.

calmar. *v. tr.* e *intr.* calmar, acalmar, sossegar; adormecer, temperar; aplacar; acalmar, amainar; paliar; pacificar; amansar; aplacar; desafrontar; desagastar; desagravar; desamotinar; asserenar; aquietar; mesurar; desafligir; desapoquentar; desassanhar; desassombrar; amortecer, apagar; abonançar; desatribular; desemperrar; aligeirar (dores); assentar; desembirrar; desemborrascar; dulcificar, adoçar; descansar; abalsamar; (poet.) aleitar. — **calmarse.** *v. r.* calmar-se; assossegar; embrandecer-se; amansar-se; desagastar-se; desalterar-se; desassanhar-se; desencapelar (o mar.): *calmar un dolor*, acalmar uma dor.

calmo, ma. *adj.* calmo, que está em calmaria; quente; sereno; quieto; descansado; árido, inculto, descampado, pousio, diz-se da terra que está em descanso.

calmoso, sa. *adj.* calmoso, quente, abafadiço; (fam.) indolente, preguiçoso, encalmado, pachorrento; assente; froixo; desagastado; (Bras.) anhoto.

calmudo, da. *adj.* V. **calmoso.**
calnado. *m.* cadeado. V. **candado.**
caló. *m.* linguagem dos ciganos espanhóis; calão, giria.
calobiótica. *f.* calobiótica, arte de viver bem.
calocéfalo, la. *adj.* (zool.) calocéfalo.
calofilo, la. *adj.* (bot.) calofilo.
calofriarse. *v. r.* arrepiar-se, sentir calafrio.
calofrío. *m.* calafrio, arrepio, estremecimento.
calografía. *f.* V. **caligrafía.**
calología. *f.* V. **estética.**
calomel. *m.* (quím.) V. **calomelanos.**
calomelanos. *m. pl.* (quím.) calomelanos, proto-clorato de mercúrio.
calón. *m.* pau redondo para manter estendidas as redes; pértiga para medir a profundidade dum rio, canal ou porto; (min.) veio, filão de ferro, carregado de areia.
calóptero, ra. *adj.* (zool.) calóptero.
calor. *m.* (fís.) calor; (fig.) animação, veemência; entusiasmo; ardor, a(c)tividade, vivacidade, presteza; estado do que se acha quente; o mais forte ou vivo duma a(c)ção; encendimento; (fig.) fornalha, estio; estuação; boa recepção; febre: *dar calor,* acalorar; *calor sofocante,* calor abafador; *día de calor sofocante,* dia abafadiço; *calor excesivo,* bochorno; *a la hora de menos calor,* pela fresca; *calor intenso* (fig.) frágua; *sentir mucho calor,* estar a arder; *dar calor,* dar calor.
calorescencia. *f.* transformação das radiações caloríficas em luminosas.
caloría. *f.* (fís.) caloria, unidade para medir o calor: *caloría pequeña o caloría-gramo;* pequena caloria; *caloría grande o caloría kilógramo,* grande caloria.
caloriamperímetro. *m.* (ele(c)tr.) caloriamperómetro, caloriamperímetro.
caloricidad. *f.* (fisiol.) caloricidade.
calórico. *m.* calórico, agente dos fenómenos do calor; o que se transmite a distância sem conta(c)to imediato.
calorídoro. *m.* aparelho empregado em tinturaria para aproveitar o calor dos banhos.
calorífero, ra. *adj.* calorífero, que conduz ou propaga o calor, aerotermo. — *m.* calorífero, aparelho para aquecer o ambiente; fogão de sala.
calorificación. *f.* (fisiol.) calorificação.
calorífico, ca. *adj.* calorífico.
calorífugo, ga. *adj.* (mec.) calorífugo, que evita o calor; incombustível.
calorimetría. *f.* (fís.) calorimetria.
calorimétrico, ca. *adj.* (fís.) calorimétrico.
calorímetro. *m.* (fís.) calorímetro.
calorimotor. *m.* (fís.) aparelho para produzir calor por meio duma corrente elé(c)trica.
calostración. *f.* (med.) calostração.
calostro. *m.* (fisiol.) colostro, calostro.
calotipia. *f.* V. **calitipia.**
caloto. *m.* (Amér.) caloto, metal proveniente do sino duma povoação americana.
caloyo. *m.* cordeiro, cabrito recém-nascido.
calseco, ca. *adj.* endurecido com cal.
calta. *f.* calta, planta ranunculácea.
caltrizas. *f. pl.* (prov.). V. **angarillas.**

calucha. *f.* (bot.) a segunda casca interior do coco, amêndoa ou noz.
caluma. *f.* (Amér.) cada uma das gargantas da cordilheira dos Andes; posto ou lugar de índios.
calumnia. *f.* calúnia, imputação mentirosa; difamação; acusação falsa; afeamento; denigração; assacadilha; apostila de mal dizer; falsidade; aleive, aleivosia; infâmia; (fig.) atassalhadura, apedrejamento: *levantar calumnias,* levantar aleives.
calumniado, da. *p. p.* e *adj.* caluniado, difamado; denegrido.
calumniador, ra. *adj.* e *s.* caluniador, difamador; assacador; detra(c)tor; (fig.) atassalhador, apedrejador.
calumniar. *v. tr.* caluniar; difamar; fazer acusações falsas; ofender com calúnias, infamar; assacar; dedecorar; detrair; denigrar; (fig.) atassalhar; apedrejar, afear, denegrir; (for.) imputar falsamente o cometimento dum delito.
calumnioso, sa. *adj.* calunioso, denigrativo; aleivoso; difamador.
caluroso, sa. *adj.* caloroso, cheio de ardor; veemente; enérgico; entusiasta, entusiástico, cheio de animação; vivo, ardente.
calva. *f.* calva, careca; clareira, espaço de terreno sem vegetação; espécie de jogo de chinquilho.
calvar. *v. tr.* enganar alguém, burlar; acertar, fazer pau no jogo da *calva.* — *v. intr.* (fam.) ficar sem cabelo, pelar-se.
calvario. *m.* calvário, monte onde Jesus foi crucificado; peanha da cruz; elevação representando esse lugar; (fig.) calvário, sofrimentos, trabalhos, adversidades; (fam.) conjunto de dívidas numerosas, especialmente por compras a prazo; trabalhos, martírios: *llevar la cruz al calvario,* (fam.) levar a cruz ao calvário, suportar com resignação um trabalho.
calvatrueno. *m.* (fam.) calvez, calvície; (fig.) atoleimado, adoidado.
calverizo, za. *adj.* diz-se do terreno de muitas clareiras.
calvero. *m.* clareira, lugar sem árvores. V. **gredal.**
calvez. *f.* V. **calvicie.**
calvicie. *f.* calvície; alopecia; atricose.
calvijar. *m.* V. **calvero.**
calvinismo. *m.* (rel.) calvinismo.
calvinista. *adj.* e *s.* calvinista, sectário do calvinismo.
calvitar. *m.* V. **calvero.**
calvo, va. *adj.* calvo, sem cabelo; alopécico; careca; sem vegetação; escalvado; árido; descalvado; encalvecido: *medio calvo,* melado; *quedarse calvo,* encalvecer.
calza. *f.* calça, peça de vestuário; calção; ceroula. — *pl.* atilho ou fita nas pernas dalguns animais para os diferençar doutros da mesma espécie; (fam.) meias; calçadeira para ajudar a calçar os sapatos. — (germ.) grilhões, algemas: *calzas atacadas,* calçado antigo que cobria as pernas; *en calzas prietas* (fig. e fam.) em calças pardas, em apuros; *calza de arena,* taleigo

cheio de areia; *calzas bermejas*, calças encarnadas que usavam os fidalgos.

calzada. *f.* calçada, caminho empedrado, estrada romana.

calzadera. *f.* atacador para calçar a roda dum carro, atacador, cordão para sujeitar as sandálias.

calzado, da. *adj.* e *p. p.* calçado; (zool.) calçado, diz-se da ave que tem penas até às patas; animal que tem os pés de outra cor que o corpo, calçudo; calçado, diz-se dalguns religiosos que usam sapatos; (germ.) algemado, o que leva algemas. — *m.* calçado, sapato, tudo o que serve para cobrir o pé; (herald.) calçado, escudo que tem um chaveirão invertido, com a ponta para baixo; palhetas; almadrenha (sapato de madeira).

calzador. *m.* calçadeira, calçador.

calzadura. *f.* calçamento, calçadura; molhadura, gorjeta ao sapateiro, propina.

calzar. *v. tr.* calçar, cobrir o pé e algumas vezes a perna; pôr um calço; guarnecer, reforçar; poder uma arma de fogo levar uma bala de certo calibre; enfiar; prover de calçado; firmar; calçar, revestir com aço a ferramenta: *calzarse las botas*, enfiar as botas; *calzar los guantes, las espuelas*, calçar as luvas, as esporas; *calzar tantos números de zapato*, calçar tantos pontos de sapato; *calzar muchos puntos*, (fig.) calçar mais alto.

calzo. *m.* calço, pedra, cunha, pedaço de madeira ou doutra substância que se põe debaixo dum obje(c)to para o firmar; descanso do cão duma arma de fogo. V. **calce**.

calzón. *m. aum.* de *calza*, calção, calças até ao joelho; espécie de jogo de cartas; doença da cana de açúcar: *llevar calzones*, levar capote ao jogo; *ponerse una mujer los calzones*, (fig. e fam.) diz-se quando uma mulher domina o marido; *tener bien puestos los calzones*, ser muito enérgico.

calzonazos. *m.* (fig. e fam.) homem sem energia e muito condescendente.

calzonzillo. *m. pl.* ceroulas; cuecas.

calzoneras. *f. pl.* calças abertas dos lados e abotoadas.

callada. *f.* calada, silêncio profundo, cessação de ruído; dobrada, tripas de vaca: *de callada*, pela calada, ocultamente; *dar la callada por respuesta*, responder com o silêncio.

callado, da. *p. p.* e *adj.* calado; silencioso, reservado, discreto; (fig.) inexpressivo, mudo, silente, taciturno.

callamiento. *m.* calamento, silêncio.

callana. *f.* (Amér.) vasilha tosca para assar o trigo, milho, etc.; crisol para ensaiar metais; escória metalífera que se pode beneficiar; (fig. Amér.) relógio de bolso muito grande.

callandico, ito. *adv.* (fam.) caladamente, secretamente, em voz baixa, dissimuladamente.

callantar. *v. tr.* V. **acallar**.

callao. *m.* calhau, pedra de rio, seixo; (prov.) terreno plano e coberto de seixos.

callar. *v. intr.* calar, pôr em silêncio; deixar de falar; guardar silêncio; dissimular, ocultar; omitir, deixar em silêncio; cessar o ruído do vento, do mar, etc.; deixar de chorar, de gritar; emudecer; abster-se de manifestar; passar em silêncio; emouquecer; abstrair; embatucar. — *v. tr.* calar, fazer calar; ocultar; não dizer, impor silêncio. — **callarse.** *v. r.* deixar de falar; deixar de se manifestar: *hacer callar a.* silenciar, reduzir ao silêncio; *callar lo que se iba a decir*, engolir; *quien calla otorga*, quem cala consente; *al buen callar llaman sabio*, ao bom calar chamam santo; *¡cállate!*, cala a boca!, (fam.) já desfiaste o teu cosido; *callar el pico*, calar o bico.

calle. *f.* rua; caminho, via, estrada, passo; alameda; álea; avenida com árvores; povoação dependente duma outra; (germ.) liberdade; série de casas nos jogos de damas e xadrez: *pasear la calle*, (fam.) bater a estrada; *división por calles*, arruamento; *distribuir por calles*, a arruar; *llevar por la calle de la amargura* (fig. e fam.) arrastar pela rua da amargura; *la calle hace cuesta abajo*, a estrada desce; *azotar calles*, (fig. e fam.) vadiar; *echar a la calle*, despedir; *poner de patitas en la calle*, (fam.) pôr na rua; *estar al cabo de la calle*, (fam.) estar muito informado duma coisa; *echar uno por la calle del medio*, (fig. e fam.) fazer todo o possível para obter o seu fim; *echarse a la calle*, (fig.) amotinar-se; *llevarse a uno de calle*, dominar a alguém, ficar alguém com a boca aberta; *quedarse en la calle*, (fig. e fam.) ficar sem dinheiro.

callear. *v. tr.* arruar, espaçar os pés da videira ou de outras plantas.

callejear. *v. intr.* andar pelas ruas sem necessidade; vaguear, vadiar; bater a estrada.

callejeo. *m.* vagueação; a(c)ção de andar pelas ruas sem necessidade.

callejero, ra. *adj.* que gosta de andar frequentemente pelas ruas sem necessidade; vadio, vagabundo. — *m.* lista ou relação das ruas duma cidade; roteiro.

callejón. *m.* azinhaga, passagem estreita e comprida; beco, garganta, desfiladeiro; (fam.) assunto de difícil resolução: *callejón sin salida*, beco sem saída, betesga.

callejuela. *f.* rua estreita, beco, betesga; (fig.) pretexto, evasiva.

callialto, ta. *adj.* de talões altos, diz-se das cavalgaduras.

callicida. *m.* calicida, medicamento que destrói os calos.

callista. *m.* e *f.* calista, pessoa que trata dos calos, pedicuro.

callo. *m.* calo, endurecimento da pele; extremidade dos ramos da cerradura; (cir.) tecido de consolidação duma fra(c)tura; dobrada, tripas de vaca ou de carneiro; cravo, pedaço de ferradura já gasta; dureza. — *pl.* tripas de vaca, vitela ou carneiro: *echar callos*, encalecer.

callón. *m.* pedra, calhau que serve para afiar a ponta de aço das sovelas.

callonca. *adj.* engrolada, diz-se da castanha ou bolota meia assada; (fig.) mulher muito devassa.

callosidad. *f.* calosidade, dureza calosa. — *pl.* dureza dalgumas úlceras crónicas.

calloso, sa. *adj.* caloso, que tem calos, calejado. — *m.* (zool.) faixa medular branca que une os dois hemisférios cerebrais.

cama. *f.* cama leito; cama e seus a(c)cesórios; enxerga, colchão; tabuleiro de carro; lugar na enfermaria dum hospital ou sanatório; peça do arado; lugar onde se deitam os animais; camada; toca; túmulo, sepulcro; parte do melão e d outras frutas que descansa na terra; parte do freio onde enfiam as rédeas; tarimba; catre; tálamo: *cama de camarote*, beliche; *cama para el ganado*, estramento; *cama de paja ou heno*, estramento; *cama pobre*, enxerga; *cama turca*, acostamento; *cama de plumas*, cama de penas; *cama de tijera*, cama de lona; *cama de campaña*, cama de capanha; *cama nupcial*, cama de noivos; *cama abatible*, cama abatível; *cama-mesa*, cama que de dia serve de mesa; *camasillón*, cama que serve de banco; *estar en la cama*, estar na cama; *irse a la cama*, ir para a cama; *caer en cama*, cair na cama; *tirar de la cama a alguien*, tirar alguém da cama; *hacer la cama*, fazer a cama; *hacer la cama a alguien*, (fig.) fazer a cama a alguém, aplicar um castigo.

camada. *f.* ninhada, ovos ou avezinhas contidas num ninho; filhos dum só parto; camada, série de coisas numeráveis estendidas horizontalmente: (fig. e fam.) quadrilha de ladrões, cambada.

camafeo. *m.* camafeu.

camal. *m.* cabeçada, cabeçal, cabresto de cânhamo; camal, capacete ou parte da armadura que protegia o pescoço.

camáldula. *f.* camáldula, ordem monástica fundada em Camaldoli.

camaldulense. *adj.* e *s.* camaldulense, relativo à ordem da Camáldula.

camaleja. *f.* (prov.) determinada peça da grade, empregada para esterroar a terra.

camaleón. *m.* (zool.) camaleão; (fig.) adulador.

Camaleopardo. *m.* (astr.) Camaleopardo, contelação boreal na proximidade do Polo.

camama. *f.* derisão. V. **embuste, falsedad, engaño, burla.**

camamila. *f.* (bot.) camomila, macela, planta medicinal. V. **camomila.**

camanance. *m.* (Amér.) pequenina cova que se forma a cada canto da boca.

camándulo. *f.* camândula, rosário de três dezenas; camáldula; (fig. e fam.) hipocrisia, astúcia. V. **camáldula** *tener muchas camándulas*, ser muito astucioso.

camandulear. *v.* *intr.* ostentar falsa ou exagerada devoção.

camandulense. *adj.* V. **camaldulense.**

camanduleria. *f.* hipocrisia, astúcia, velhacaria.

camandulero, ra. *adj.* e *s.* (fam.) hipócrita, astuto, velhaco.

camanonca. *f.* tecido antigo para forros de vestidos.

camao. *m.* (Amér.) pomba pequena, silvestre, de cor parda.

camapé. *m.* V. **canapé.**

cámara. *f.* câmara, quarto de dormir; câmara, edifício das Cortes; celeiro; (mar.) aposento de navio; câmara, parte da arma de fogo que contém a pólvora, culatra; câmara do rei; excremento humano: assembleia; (fot.) câmara. — *pl.* disenteria, diarreia, cãibras, soltura de ventre: *cámara ardiente*, câmara ardente; *cámara obscura*, câmara escura; *cámara municipal*, câmara municipal, dos vereadores; *cámara óptica*, câmara óptica; *cámara electrónica*, câmara ele(c)trónica; *cámara cinematográfica*, câmara cinematográfica; *cámara de comercio*, câmara de comércio; *cámara apostolica*, câmara apostólica; *cámara del senado*, câmara do senado; *cámara alta*, câmara alta; *cámara baja*, câmara baixa; *médico de cámara*, médico de câmara; *cámara legislativa*, câmara legislativa; (mar.) *cámara principal*, câmara de baixo; (mar.) *cámara para el pasaje*, câmara de cima; *cámara de aire* câmara de ar; *Cámara de Diputados*, Congresso.

camarada. *s.* camarada, colega, companheiro; amigo; parceiro; condiscípulo; indivíduo do mesmo ofício.

camaradería. *f.* camaradagem, convivência amigável entre camaradas; amizade.

camaraje. *m.* aluguel do celeiro.

camaranchón. *m.* desvão, água-furtada, mansarda; (fig.) casebre.

camarera. *f.* camareira, cargo ou profissão de camararia; criada; dama que presta serviço na câmara da rainha; camareira, mulher que faz serviço em botequins de má nota: *camarera mayor*, senhora de mais autoridade entre as que servem a rainha.

camareria. *f.* camararia, cargo ou dignidade de camareiro.

camarero. *m.* camareiro, criado nobre de casa ou câmara real; dignidade da corte pontifícia; bacio de quarto; camaroeiro; camarista; criado de bordo; criado de café.

camareta. *f.* *dim.* de *cámara*, (mar.) local em que nos navios de guerra está destinado o alojamento a guardas-marinhas; (Amér.) espécie de canhão pequeno de ferro, disparado nalgumas festas de criculos.

camariento, ta. *adj.* camarento, que sofre de câmaras ou diarreia.

camarilla. *f.* *dim.* de *cámara*; pequena câmara, camarinha; camarilha, conjunto de palacianos que influem nocivamente nos negócios públicos.

camarillesco, ca. *adj.* próprio duma camarilha.

camarín. *m.* pequena capela na qual se venera alguma imagem; camarim, aposento onde se guardam as jóias duma virgem ou imagem; camarim do teatro; toucador, aposento; gabinete de trabalho; gabinete de senhora.

camarista. *m.* camarista, ministro da câmara do rei. — *f.* camarista, mulher que serve a rainha, princesa ou infantas.

camarlengado. *m.* camarlengado, cargo e dignidade de camarlengo.

camarlengato. *m.* V. **camarlengado.**

camarlengo. *m.* camarlengo, camarlingo; cardeal presidente da Câmara Apostólica e governador temporal em sede vacante.

cámaro. *m.* (zool.) camarão. V. **camaron.**

camarón. *m.* (zool.) camarão; (Amér.) propina ou gratificação.

camaronero. *m.* camaroeiro, o que pesca ou vende camarões; (Amer.) martim-pescador, pico-peixe.

camarote. *m.* (mar.) camarote, pequena câmara de navio.

camasquince. *s.* (fam.) intrometido no que não lhe diz respeito; metediço; abelhudo.

camastra. *f.* (Amér.) astúcia, dissimulação, manhosice.

camastrear. *v. intr.* (Amér.) tornar-se manhoso, dissimulado, empregar astúcia ou manha.

camastro. *m.* leito pobre, barra, tarimba, enxerga, (Bras.) enxêrga, catre, cama má.

camastrón, na. *s.* pessoa astuta, manhosa, dissimulada.

camastronería. *f.* (fam.) qualidade e conduta própria de pessoa astuta ou manhosa.

camatón. *m.* (prov.) pequeno feixe de lenha.

camaza. *f.* (Amér.) fruto do *camacero.*

camba. *f.* camba, barra do freio onde prende a rédea, peça curva das rodas dos carros; pano, nesga de vestido; chapa de rasto duma roda; peça do arado onde prende o dente; (prov.) madeira das rodas das carruagens.

cambalachar. *v. tr.* V. **cambalachear.**

cambalache. *m.* (fam.) cambalache, alborque, troca de obje(c)tos de pouco valor, barganha.

cambalachear. *v. tr.* cambalachar, alborcar, trocar, cambiar, permutar uma coisa por outra; fazer cambalachos.

cambalachero, ra. *adj.* e *s.* o que faz cambalachos ou alborques, cambalacheiro, alborocador.

cambaleo. *m.* companhia antiga de cómicos, formada de cinco homens e uma mulher que cantava.

cámbaro. *m.* (zool.) crustáceo marinho comestível.

cambera. *f.* camaroeiro, rede para apanhar camarões e outros crustáceos.

cambiable. *adj.* cambiável, trocável, permutável.

cambiada. *f.* V. **cambio;** (equit.) câmbio; (mar.) cambona, a(c)ção de mudar a posição do aparelho, do rumo, etc.

cambiadizo, za. *adj.* mudável, vário, inconstante.

cambiador, ra. *adj.* que troca; cambiador, cambista, o que troca. — *m.* cambiador, cambista; (pop.) rufião, prote(c)tor de devassidão; (Amér.). V. **guardagujas.**

cambial. *m.* (com.) cambial, letra sacada numa praça sobre outra.

cambiamiento. *m.* mutação, variedade.

cambiante. *p. a.* e *adj.* cambiante, que cambia, de furta-cores; irisado; de cor indecisa. — *m.* (fig.) pequena diferença de opinião, de apreciação; mudança gradual de cor, cambiante: *cambiante de letras,* banqueiro.

cambiar. *v. tr.* cambiar, permutar moeda ou letras de um país pelas de outro; trocar, mudar, alterar; transferir, transportar; variar; desnaturalizar; descompor, metamorfosear; alborcar; baratar; deformar; converter. — *v. intr.* mudar de cores; (fig.) variar de opiniões; desconcertar; desmudar; imutar; (mar.) mudar de um lado para outro as escotas, o vento, etcétera; mudar de rumo; alternar-se: *cambiarse la risa en llanto,* converter-se o riso em choro; (equit.) *cambiar de mano* passar de mão; *cambiar el seso,* perder o juízo; *cambiar de apariencia,* despintar-se; (fig.) *cambiar un asunto,* despintar um assunto; *cambiar de color,* alterar-se no semblante; *cambiar la esencia de algo,* desnaturar alguma coisa; *cambiar de opinión política,* apostatar; descer-se da sua opinião; *hacer cambiar de opinión,* despersuadir; *cambiar de parecer,* desamarrar-se duma opinião, degenerar de si mesmo; *cambiar de rumbo,* desvelejar, estorcer; *cambiar de fortuna* desandar a roda da fortuna; *cambiar de vida,* (fig.) despir o homem velho.

cambiazo. *m. aum.* de *cambio;* fraude, engano: *dar el cambiazo,* trocar fraudulentamente, uma coisa por outra; *dar un cambiazo,* cambiar muito uma pessoa.

cambija. *f.* reservatório de água; (arq.) prumo, esquedro.

cambil. *m.* (vet.) medicamento para combater a diarreia dos cães.

cambio. *m.* câmbio, cambiamento; trocos, dinheiro miúdo, troca de dinheiro ou letras; lucro ou prémio do cambista pela permutação de valores; cambio, ágio; (taur.) sorte de toureiro; (com.) giro de letras bancárias; (fig.) alteração mudança; compensação; deposição; metamorfose; agiotagem; desfiguração; demudança; deslocação; albergue; (fisiol.) evolução; vicissitude, variação, transformação: *letra de cambio,* letra de câmbio; *cambio del tiempo,* desigualdade do tempo; *cambio de agujas en los trenes,* agulhagem; *dar a cambio,* dar a câmbio; *libre cambio,* livre câmbio, câmbio ou comércio.

cambista. *s.* cambista, pessoa que cambia dinheiro; dono de estabelecimento em que se negoceiam papeis de crédito e se permuta moeda.

cambizar. *v. tr.* apanhar o trigo com a *cambiza.*

cambo. *m.* aposento onde se colocam os chouriços, morcelas, etc. para que se curem.

cambón. *m.* cambão. cubo da roda dos carros.

cambray. *m.* cambraia.

cambrayado, da. *adj.* acambraiado.

cambrayón. *m.* cambraieta, cambraia de qualidade inferior.

cambrillón. *m.* enfuste, enchimento que os sapateiros põem no calçado.

cambrón. *m.* (bot.) arbusto da família das ramnáceas. V. **zarza.**

cambronal. *m.* cambroal, lugar plantado de cambroeiras.

cambronera. *f.* (bot.) cambroeira.

cambroño. *m.* (bot.) piorno, giesta brava.

cambrún. *m.* (Amér.) certa classe de tecido de lã.

cambucha. *f.* (Amér.) jogo de crianças. — *m.* (prov.). V. **pina.**

cambucho. *m.* (Amér.). V. **cucurucho;** cesto dos papéis; tugúrio; capa de palha para proteção de garrafas; jogo de crianças.

cambuj. *m.* mascarilha, antiface, pequena máscara que só cobre parte do rosto; touca de criança.

cambujo, ja. *adj.* murzelo (diz-se do cavalo): (Amér.) diz-se do descendente de chinês e ameríndia ou vice-versa.

cambullón. *m.* (Amér.) cambulhada, enredo, intriga, tramóia, armadilha, cambalacho de mau género; (Amér.) confabulação desonesta para alterar a vida social e política.

camecefalia. *f.* camecefalia.

camecéfalo, la. *adj.* e *s.* camecéfalo.

camelador, ra. *adj.* sedutor, adulador, galanteador.

camelar. *v. tr.* (fam.) seduzir, enganar adulando; requebrar, galantear; embair; endrominar; embaucar; embelecar; (Amér.) ver, olhar, espreitar.

camelete. *m.* (artil.) camelete, peça grande de artilharia, usada antigamente.

camélidos. *m. pl.* (zool.) camelídeos.

camelieo, a. *adj.* (bot.) diz-se das árvores e arbustos dicotiledóneos, como a camélia, e o chá da China. - *f. pl.* cameliáceas.

camelina. *f.* (bot.) camelina, planta com propriedades medicinais.

camelista. *adj.* e *s.* embelecador, enganador, embaucador, embusteiro.

camelo. *m.* (fam.) engano, burla, troça; chasco; galanteio; mentira; (Amér.) malva vermelha e sem cheiro: *de camelo,* com engano; *dar camelo,* enganar, burlar.

camelopardal. *m.* (zool.) camelopárdale, girafa.

camelotado, da. *adj.* achamalotado, diz-se do tecido feito idênticamente ao chamalote.

camelote. *m.* chamalote, tecido forte e impermeável; (bot.) planta tropical gramínea.

camelotina. *f.* espécie de chamalote.

camelotón. *m.* estofo mais grosseiro que o chamalote.

camella. *f.* gamela, vasilha de madeira para dar de comer aos animais; terra levantada entre dois sulcos. V. **gamella.**

camella. *f.* (zool.) camela, fêmea do camelo; (agr.) camalhão.

camellería. *f.* ofício de cameleiro.

camellero, *m,* cameleiro, condutor de camelos.

camello. *m.* (zool.) camelo; (mar.) camelo, calabre grosso.

camellón. *m.* gamelão, vasilha grande para dar de beber ao gado.

camellón. *m.* (agr.) camalhão, porção de terra entre dois regos; cómodo, terra elevada que divide os alfobres das hortas.

camena. *f.* (poet.) camena, poema, composição poética. V. **musa.**

camenal. *adj.* camenal, relativo às musas.

camero, ra. *adj.* diz-se da cama grande, em contraposição à mais estreita. — *s.* pessoa que faz camas, cortinados para as mesmas; etc.; pessoa que aluga camas.

camestres. *m. pl.* (filo.) camestres.

cámica. *f.* (Amér.) te(c)to inclinado próprio de mansarda.

camilo. *adj.* e *s.* camilo, pertencente à congregação fundada por S. Camilo.

camilla. *f. dim.* de cama, camilha. cama de encosto, caminha; maca; enxugadoiro portátil de roupa; camila, braseira debaixo duma mesa com toalha pendente em volta; padiola.

camillero. *m.* maqueiro; padioleiro; (mil.) soldado condutor de feridos em maca.

caminada. *f.* caminhada, jornada; caminho que se percorre num dia.

caminador, ra. *adj.* e *s.* caminhador, que anda muito sem se fatigar; caminheiro; andador.

caminar. *v. intr.* caminhar, percorrer caminho; andar; jornadear; marchar, viajar, seguir o seu curso as coisas inanimadas. - *v. tr.* percorrer andando: *caminar en linea recta,* enfiar, endireitar; *caminar sin rumbo fijo,* deambular; caminar sin destino, (Bras.) eguar, embolén; *caminar a la ruina,* depenecer; *caminar derecho* (fig.) proceder com re(c)tidão.

caminata. *f.* (fam.) caminhada, passeio grande; estiraço; estirão; andada; pequena viagem que se faz por diversão.

caminero, ra. *adj.* caminheiro, relativo aos caminhos; trilhado (diz-se dos caminhos, estradas, etc.). - *m.* cantoneiro.

camino. *m.* caminho, estrada, via, senda; sémita, (Bras.) sêmita; derrota; corrume; viagem, jornada; expediente, recurso, meio de; modo de vida; distância: extensão percorrida; passagem, dire(c)ção; (fig.) norma de proceder, conduta; marcha; (mar.) caminho, grau de velocidade dum navio; (mar.) derrota: *camino ancho,* camino amplo: *abrirse camino,* (fig.) alar-se da pobreza; *abrir camino,* encaminhar, encarreirar, dar lugar; *abrir camino a codazos,* aco'o-velar; *abandonar el buen camino,* andar desencaminhado; *entrar en buen camino,* (fig.) endireitar-se; *ponerse en buen camino,* encarreirarse-se encarrilar-se; *tomar por el buen camino,* (fig.) enveredar; *camino de hierro,* caminho de ferro; *ir uno fue-*

ra de camino, (fig.) obrar sem método nem razão; *por el camino más corto*, a corta-mato; *salir al camino*, (fig.) assaltar; *camino cubierto*, corredor; *mostrar el camino*, encarreirar; *camino estrecho entre montes*, corca, córrego; *camino poco frecuentado*, chameca; *fuera de camino*, à desamão; *hacer volver al buen camino*, tornar alguém à estrada, estradar; *indicar el camino*, encaminhar; *perder el camino*, andar desencaminhado; *camino real*, estrada real ou nacional; *salteador de caminos*, ladrão de estrada; *camino subterráneo*, galeria; *camino tortuoso*, corcova; *camino trillado*, caminho trilhado, estrada coimbrã; *camino pavimentado*, caminho calçado; *de camino*, de caminho; *camino asendereado*, caminho comum, trilhado; *no llevar camino*, não ter fundamento uma coisa.

camión. *m.* caminhão, camião, carro grande para transportes.

camionaje. *m.* camionagem, serviço de transporte feito em camião; preço desse serviço.

camioneta. *f.* camioneta, caminheta.

camisa. *f.* camisa, peça de vestuário; envoltório, invólucro; revestimento interior; película exterior dalguns frutos, pele que larga a cobra; reboco; alva; menstruação; (Amér.) certo papel ordinário; (fort.) parte da muralha: *camisa de los condenados a muerte*, alva; *sin camisa*, descamisado; *camisa de fuerza*, camisa de forças; *en camisa*, (fig. e fam.) tratando-se da esposa, recebê-la sem dote; *no llegarle a uno la camisa al cuerpo*, (fig. e fam.) estar com muito medo; *camisa de once varas*, (fig. e fam.) camisa-de-onze-varas; *quedarse sin camisa*, (pop.) ficar sem camisa, perder tudo; *en mangas de camisa*, sem casaco; *meterse en camisa de once varas*, (fig. e fam.) meter-se em camisa-de-onze-varas; *camisa de incandescencia*, camisa de incandescência; *dejar sin camisa a alguien*, (fig.) tirar a camisa a alguém, deixa-lo na miséria; *jugarse hasta la camisa*, jogar até a camisa.

camisería. *f.* camisaria, fábrica ou estabelecimento de venda de camisas.

camisero, ra. *s.* camiseiro, fabricante ou vendedor de camisas.

camiseta. *f.* camisola, peça de vestuário interior, camisa curta; camisa de malha.

camisola. *f.* camisa fina de homem; camisola enfeitada; (med.) colete de força.

camisolín. *m.* peitilho postiço.

camisón. *m. aum.* de *camisa*; camisão, camisa de dormir; (Amér.) camisa de mulher; vestido de mulher.

camisote. *m.* camisote, cota de malha com mangas que chegavam até às mãos.

camita. *adj. e s.* camita, descendente de Cam.

camítico, ca. *adj.* camítico, pertencente ou relativo aos camitas.

camochar. *v. tr.* (Amér.) desmochar, decotar as árvores e plantas.

camodar. *v. tr.* (ger.). V. **trastrocar.**

camomila. *f.* (bot.) camomila, camomilha, macela.

camón. *m.* cama grande; trono real portátil que se coloca na capela-mor; (Amér.) V. **pina;** cada uma das peças curvas dos anéis das rodas hidráulicas; (arq.) cambota, armação de abóbada. — *pl.* calços das rodas dos carros.

camoncillo. *m.* assento de estrado, espécie de setial ou tamborete.

camorra. *f.* (fam.) disputa, pendência, rixa: *buscar camorra*, engar.

camorrear. *v. intr.* (fam.) andar em rixa, contender, disputar.

camorrero, ra. *adj. e s.* V. **camorrista.**

camorrista. *s.* pendenciador, acutilador, brigão, desordeiro, rixoso.

camotear. *v. intr.* andar vagando sem encontrar o que se procura.

campa. *adj.* campina, diz-se do terreno sem árvores que só serve para sementeira.

campa. *f.* planície arável.

cámpago. *m.* (arqueol.) campago, calçado romano.

campal. *adj.* campal, pertencente ou relativo ao campo; campestre.

campamento. *m.* acampamento; arraial; (mil.) acampamento; tropa acampada; abarracamento; bivac, bivaque.

campamiento. *m.* acampamento; ostentação.

campana. *f.* sino; campana; campainha; tudo o que tem a forma de sino; (fig.) Igreja, paróquia; (arq.) campana, ornato de dosel; (ele(c)tr.) campainha, sineta; (bot.) campana, campainha: *campana de buzo*, sino para mergulhadores; *oír campanas y no saber dónde*, (fig. e fam.) apanhar as coisas no ar, entender mal; *tocar la campana*, tanger um sino; *campana de rebato*, sino de alarma; *campana de chimenea*, escarpa da chaminé; (germ.) saia, geralmente preta.

campanada. *f.* badalada, pancada do badalo no sino; (fig.) escândalo, novidade ruidosa.

campanario. *m.* campanário, torre sineira, torre com sinos: *de campanario*, (pop.) de interesses mesquinhos.

campanear. *v. intr.* badalar, repicar os sinos; (fig.) compor, regular.

campanela. *f.* pirueta, passo de dança, movimento circular sobre um pé.

campaneo. *m.* repique de sinos; (fam.) movimento afe(c)tado do corpo, andar afe(c)tado. V. **contoneo.**

campanero. *m.* sineiro, fabricante ou fundidor de sinos; sineiro, tocador de sinos.

campaniforme. *adj.* (bot.) campaniforme, campanulado.

campanil. *m. adj.* campanil, diz-se da liga metálica para fundir os sinos; (prov.) termo ou limite dum município.

campanilla. *f.* (anat.) campainha, úvula; borbulha; campainha, sineta; (bot.) campainha, lírio convale; (mar.) balde de água: *de campanillas*, (fig. e fam.) de grande autoridade ou de circunstâncias muito relevantes: *campanilla*, (anat.) campainha da língua; *de muchas campanillas*, (pop.) de muita importância.

campanillear. *v. intr.* tocar com frequência a campainha.

campanilleo. *m.* toque continuado de campainha.

campanillero. *m.* campainheiro, campainhão, o toque da campainha.

campanología. *f.* campanologia.

campanológico, ca. *adj.* campanológico.

campanólogo ga. *s.* campanólogo, campanologista.

campante. *p. a.* e *adj.* que campa; (fam.) satisfeito, robusto, superior, ufano, denodado, intrépido, sobrepujante.

campanudo, da. *adj.* campanudo, com forma de sino; (fig.) empolado, campanudo, pomposo (estilo): enfático: farfalhudo, afe(c)tado; inchado, retumbante, bombástico.

campánula. *f.* (bot.) campânula.

campanuláceo, cea. *adj.* (bot.) campanuláceo. — *f. pl.* campanuláceas.

campanulado, da. *adj.* (bot.) campanulado; em forma de campainha.

campaña. *f.* campanha, campo raso, campina; campanha, série de a(c)tos ou esforços que se aplicam para conseguir um fim determinado; (mil.) campanha, operações militares; guerra; lida; batalha; campanha, duração de certo serviço militar, (mar.) viagem redonda: *hospital militar de campaña*, hospital de guerra; *salir a campaña*, meter-se em campanha; *abrir la campaña*, abrir a campanha; *batir o correr la campaña*, bater o campo, explorar.

campar. *v. intr.* campar, ostentar, brilhar, sobressair, ufanar-se, fazer ostentação; acampar, campar; levar vantagem; primar: *campar por sus respetos*, (fig.) comportar-se com inteira independência.

campeador. *adj.* campeador, diz-se do que sobressaía em combate; campeão; Campeador, sobrenome do Cid.

campear. *v. intr.* saírem os animais para pastar; verdejarem as sementeiras; campear, correr o campo com tropas; estar em campanha; campar, ostentar, sobressair, campear; (mil.) campear, levar o exército a combater em campo raso; bater o campo, explorar; (Amér.) campear, sair ao campo em busca de alguma pessoa, animal ou coisa.

campechana. *f.* (mar.) espécie de tabuleiro de listões de certas embarcações pequenas, exteriormente a popa; (Amér.) cacharolete (bebida); rede balouçante; mulher pública, prostituta.

campechanía. *f.* franqueza, qualidade de campichano; generosidade; liberalidade; afabilidade.

campechano, na. *adj.* (fam.) campichano, afável, lhano, franco, generoso, bem disposto; patusco. V. **dadivoso.** — *adj.* e *s.* (geog.) natural de ou pertencente a Campeche (México).

campeón. *m.* campeão, paladim, herói famoso em armas; campeão, que obtém a

primazia em campeonato; defensor, esforçado duma causa ou doutrina, paladino.

campeonato. *m.* campeonato, competição desportiva; primazia obtida nas lutas desportivas.

camperero, ra. *adj.* porqueiro, diz-se da pessoa que tem a seu cargo tratar dos porcos nos montes.

campero, ra. *adj.* campeiro, descoberto no campo e exposto a todos os ventos; ao ar livre; arejado; campino, guarda de campo, (Amér.) destro em trabalhos de campo; cerqueiro; nalgumas comunidades, o religioso encarregado dos trabalhos do campo.

campesino, na. *adj.* e *s.* camponês, campesino, campesinho, relativo ao campo; que costuma andar nele; campestre; (ant.) silvestre; natural da ou pertencente a terra de Campos; agricultor, aldeão; (Bras.) baiquara.

campestre. *adj.* campestre, arval, campesino; silvestre. — *m.* baile antigo do México.

campiña. *f.* campina, planície lavradia.

campo. *m.* campo, planície; terra lavrada; espaço, extensão; terreiro com edificação dentro duma povoação; terreno fora de povoados; carreira; assunto, matéria; ocasião; chão dum tecido; searas; semeaduras; árvores e demais culturas; arval; agra, agro; lugar escolhido para algum desafio; termo, terreno contíguo dalguma povoação, (mil.) acampamento; (herald.) campo, espaço no escudo em que se pinta a divisa; (fig.) ponto de vista; ensejo; partido: *campo de batalha*, campo de batalha; *campo santo*, campo santo, cemitério; *campo de Agramante*, (fig.) lugar de muita confusão e onde ninguém se entende; *campo de pinos*, (germ.) manceria; *dejar el campo libre*, deixar o campo aberto: *dar campo franco a los soldados*, dar campo franco aos soldados; *campo del honor*, campo de honra; *campo magnético*, campo magnético; *campo de concentración*, campo de concentração, de prisioneiros; *descubrir el campo*, descobrir o campo, explorar o campo; *hombre del campo*, homem de campo; *abandonar el campo*, (fig.) deixar o campo.

camposanto. *f.* cemitério. V. **campo santo.**

campuroso, sa. *adj.* (prov.) extenso, espaçoso, folgado.

camucha. *f.* (fam.) leito pobre.

camuesa. *f.* (bot.) maçã; camoesa, pêro camoês.

camueso. *m.* (bot.) variedade de macieira, camoesa; (fig.) néscio estúpido, palerma.

camuflaje. *m.* (neol.) camuflagem, disfarce.

camuflar. *v. tr.* (neol.) camuflar, disfarçar; esconder, ocultar.

camuliano, na. *adj.* (Amér.) diz-se das frutas quando começam a madurecer.

camungo. *m.* (Amér.) V. **chajá.**

camuñas. *f. pl.* toda a espécie de sementes, excepto trigo, cevada e centeio.

camuza. *m.* camuça. V. **gamuza.**

camuzón. *m. aum.* de *camuza.*

can. *m.* (zool.) cão. V. **perro**; cão das armas de fogo, gatilho; peçazinha de artilharia; (arq.) cabeça, extremidade de viga, modilhão. V. **canicula**.

cana. *f.* cã, cebelo branco; *peinar canas*, (fig. e fam.) ser velho; *cubrirse de canas*, embranquecer; *quitar mil canas a uno*, dar grande prazer ou satisfação a alguém; *echar una cana al aire*, (fig. e fam.) deitar uma cã fora; divertir-se.

cana. *f.* canadela medida agrária menor que o alqueire, equivalente a duas varas de comprimento.

Canaán. (geog.) Canaã.

canabíneo, nea. *adj.* (bot.) canabíneo, canabináceo. — *f. pl.* canabináceas, canabíneas.

canáceo, cea. *adj.* (bot.) canáceo. — *f. pl.* canáceas.

Canadá. (geog.) Canadá.

canadiense. *adj.* e *s.* (geog.) canadiano, natural de ou pertencente ao Canadá, canadense.

canadillo. *m.* V. **belcho**.

canal. *m.* canal, passagem natural ou artificial de águas; canal, estreito marítimo artificial; cano, rego, bebedoiro; braço de rio por onde se desviam águas para usos agrícolas; canal, conduto anatómico, vaso; (fig.) canal, meio, via, modo, intermediário; rês morta e aberta, sem tripas; faringe; estria, leito do rio; tubo; acanaladura; biqueira; desangradeiro; algibe; aruga; (arq.) telha delgada para formar o algeroz: *abrir en canal*, abrir, rasgar de cima para baixo; *canal de riego*, canal de irrigação.

canalado, da. *adj.* acanalado, com estrias ou semelhante a elas.

canalador. *m.* (carp.) garlopa.

canaladura. *f.* (arq.) acanaladura, moldura oca, estria, sulco, cavidade.

canaleja. *f. dim.* de *canal*, canalzinho, canal pequeno.

canalera. *f.* goteira; caleira, canal do telhado.

canalete. *m.* remo curto de pá larga e oval.

canaleto. *m.* moldura côncava. V. **mediacaña**.

canaliculado, da. *adj.* canaliculado.

canalículo. *m.* canalículo.

canalillo. *m.* pequeno canal; bica; acéquia.

canaliza. *f.* alverca; abertas.

canalizable. *adj.* canalizável, que se pode canalizar.

canalización. *f.* canalização, encanação, encanamento.

canalizar. *v. tr.* canalizar, abrir canais; encanar.

canalizo. *m.* (mar.) canal estreito entre ilhas ou baixios.

canalón. *m.* cano que recebe todas as águas dum telhado; pia de cozinha; algeroz; desangradeiro; biqueira.

canalla. *f.* (fig. e fam.) canalha, gente baixa e ruim, sem vergonha; infame, falpórrias; farandela, corja; bilhostre; merdeiro; fagundes; sevandija; (Bras.) zafimeiro. — *adj.* canalha, infame, macaujo; asqueroso.

canallada. *f.* canalhice, canalhada, a(c)ção

própria de canalha; barganteria, falporrice, desavergonhamento; indignidade, macangice.

canaliesco, ca. *adj.* canalhesco, próprio de canalha.

canana. *f.* canana, cartucheira de coiro.

cananeo, nea. *adj.* e *s.* cananeu, natural da ou pertencente á Cananeia ou terra de Canaã.

canapé. *m.* canapé, assento com braços e costas.

canaria. *f.* (zool.) canária, fêmea do canário.

Canarias, Islas. (geog.) Canárias, Ilhas.

canaricultor, ra. *s.* o que se dedica à criação de canários.

canaricultura. *f.* criação de canários.

canariense. *adj.* e *s.* canário, canariense, natural ou pertencente às Ilhas Canárias.

canariera. *f.* canareira, gaiola para a criação de canários.

canario, ria. *adj.* e *s.* (geog.) canário, pertencente ou natural das Ilhas Canárias. — *m.* (zool.) canário; baile antigo das Ilhas Canárias; embarcação empregada nas Ilhas Canárias e no Mediterrâneo; (fig. Amér.) pessoa que dá boa gratificação nos hotéis. —*interj.* para significar surpresa.

canasta. *f.* canastra, espécie de cesto (prov.) medida para azeitonas.

canastero, ra. *s.* canastreiro, o que faz ou vende canastras; (Amér.) vendedor ambulante de frutas, legumes; moço de padaria; ave indígena que fabrica o seu ninho em forma de canastra.

canastilla. *f.* enxoval de recém-nascido; cestinha para os obje(c)tos miúdos de uso doméstico; diversos tipos de oferta, chocolates, bolos, doces, etc.; corbelha.

canastillero, ra. *s.* cesteiro, o que faz ou vende cestas ou cestos.

canastillo. *m.* cestinho, corbelha, açafate pequeno de vimes; jorro de água.

canasto. *m.* canastro, cabaz, canastra de boca mais estreita. — *interj.* ¡canastos! com que se significa surpresa.

canastro. *m.* V. **canasto**.

canastrón. *m.* canastro de grande tamanho, canastrão.

cáncamo. *m.* cancamo, resina de certa árvore da Arábia; (mar.) cavilha de ferro com um anel; gato para engatar aparelho; vagalhão.

cancamusa. *f.* (fam.) chamariz para burlar; logro, engano, artifício, manha.

cancán. *m.* cancã, dança francesa; (prov.) incómodo, maçada; (Amér.) espécie de papagaio que não fala.

cáncana. *f.* espécie de banco pequeno empregado nas escolas para os alunos castigados.

cancanear. *v. intr.* (fam.) errar, vaguear, passear sem obje(c)tivo determinado; (Amér.) tartamudear.

cancaneo. *m.* gaguejo, tartamudez, gaguez.

cancel. *m.* biombo, guarda-vento; tribuna com vidraça donde o rei assiste aos ofícios divinos; antepara; límite extremo; rexa, grade, varão de ferro na parede dum jardim; fresta junto ao umbral da porta de entrada; reposteiro de sala; (Amér.) biombo, persiana, reposteiro.

cancela. *f.* gradil de porta; portão de ferro; cancela, cancelo, (Bras.) cancêlo. V. **cancel.**

cancelación. *f.* cancelação, cancelamento, canceladura; inutilização; abrogação; abolição; abolimento; anulação; radiação.

cancelado, da. *p. p.* e *adj.* cancelado, arquivado; arrumado; anulado; concluido; abolido; descarregado; apagado.

canceladura. *f.* V. **cancelación.**

cancelar. *v. tr.* cancelar, anular, tornar ineficaz uma inscrição em registo, um instrumento público, uma nota que tinha autoridade ou força; fechar um processo que se arquiva; anular; abolir, abrogar, derogar; desaverbar; descarregar; apagar; esquecer; cancelar um crédito, descarregar um crédito; (fig.) riscar da memória.

cancelaria. *f.* chancelaria; tribunal onde se despacham as graças apostólicas.

cancelariato. *m.* dignidade e cargo de cancelário.

cancelario. *m.* cancelário, o que nas Universidades confere os graus.

canceleria. *f.* V. **canelaria.**

cáncer. *m.* (med.) cancro, tumor maligno, carcinoma, cirro, câncer: *câncer de fumador*, epitelioma; (astr.) Câncer, constelação zodiacal.

cancerado, da. *adj.* cancerado, canceroso, da natureza do cancro; que sofre do cancro; diz-se do homem de coração e alma corrompida; corrompido, corroido, pervertido, viciado.

cancerar. *v. tr.* consumir, enfraquecer, cancerar, encancerar, destruir, converter em cancro; (fig.) mortificar, castigar, repreender. — **cancerarse.** *v. r.* cancerar-se; cancerizar, tornar-se em cancro, padecer de cancro.

cancerbero. *m.* (mit.) cérbero, cão tricéfalo que guardava a porta dos infernos; (fig.) porteiro severo e incorruptível; guardião brutal.

cancerismo. *m.* (pat.) estado canceroso.

cancerosidad. *f.* (med.) V. **cancerismo.**

canceroso, sa. *adj.* canceroso, que tem a natureza de cancro, que padece de cancro.

cancilla. *f.* cancela, portão gradeado.

canciller. *m.* chanceler, funcionário auxiliar de embaixadas e agências diplomáticas em geral.

cancillerato. *m.* dignidade e cargo de chanceler.

cancilleresco, ca. *adj.* pertencente ou relativo à chancelaria.

cancillería. *f.* chancelaria, cargo de chanceler.

canción. *f.* canção; canto, cantiga; cântico; poesia lírica; (fig.) cantiga, coisa frívola; mentira, embuste; chiste: *canciones satíricas*, chegamentos; *volver a la misma canción*, falar da mesma coisa; *canción de cuna*, cantiga de embalar.

cancionero. *m.* cancioneiro, cole(c)ção de canções e poesias.

cancioneta. *f.* cançoneta, pequena canção.

cancionista. *s.* cançonetista, o que compõe ou canta cançonetas.

cancriforme. *adj.* cancriforme, que tem forma de caranguejo.

cancro. *m.* V. **cáncer**; (bot.) úlcera na casca das árvores.

cancroide. *m.* cancróide, tumor semelhante ao cancro.

cancroideo, a. *adj.* (med.) cancróideo, com aspe(c)to de cancro.

cancha. *f.* campo destinado a jogos, cancha; (Amér.) terreno espaçoso, local ou sitio lhano e desembaraçado; cancha, hipódromo; milho ou favas torradas; (Amér.) o que cobra o dono duma casa de jogo; vereda ou caminho; (Amér.): *abrir ou dar cancha a alguien*, conceder alguma vantagem a alguém; *estar uno en su cancha*, (fig. e fam.) estar no seu elemento.

canchamina. *f.* (min.) lugar onde se deposita e escolhe o mineral.

canchaminero. *m.* aquele que trabalha na *canchamina*.

canchar. *v. tr.* (Amér.) ganhar, negociar, vender os próprios serviços.

cancharrazo. *m.* (Amér.) pancada com uma pedra; trago, gole generoso.

canchear. *v. intr.* (Amér.) procurar pretexto para descansar; eximir-se a alguma obrigação.

canchero, ra. *adj.* (Amér.) diz-se do que tem por hábito *canchear*; diz-se do que trata da cancha, pista ou campo de desportos; dono duma cancha.

canchila. *f.* (Amér.) hérnia.

cancho. *m.* cancho; penedo, penhasco grande; (prov.) casca da cebola ou do pimento; (fam. Amér.) pagamento exigido pelo mais pequeno serviço.

canchón. *m.* cancha grande; (Amér.) couto, devesa.

candado. *m.* cadeado, fechadura móvel, aloquete; brincos de orelha; (Amér.) barbicha. — *pl.* (vet.) cavidades nos pés dos cavalos.

candaliza. *f.* (mar.) palanco, palha, cabo, polé, espécie de cavernal; cada um dos cabos que fazem o serviço de bróis na carangueja.

cándalo. *m.* (prov.) rama desfolhada; maçaroca debulhada.

candalo. *m.* (prov.) espécie de pinheiro.

candallero. *m.* (Amér.) chumaceira, peça que abranda o atrito.

candamo. *m.* antigo baile rústico.

cándano. *m.* depósito deixado pelos líquidos no fundo das vasilhas.

candar. *v. tr.* fechar com chave; fechar de qualquer maneira.

cande. *adj.* cândi, diz-se do açúcar cristalizado; (prov.) V. **blanco.**

candeal. *adj.* candial(diz-se do pão feito com trigo candial; caudial; (fig.) diz-se da pessoa franca e leal.

candeda. *f.* flor do castanheiro. V. **candela.**

candela. *f.* candeia, vela de sebo ou cera; (bot.) candeia, flor do castanheiro; castiçal, utensílio para segurar as velas; (fam.) lume, fogo; luminária; luz; candela, (no cerimonial dos bispos); candeia; (fig.) inclinação do fiel da balança: *arrimar candela*, (fig. e fam.) bater, dar pauladas; *acabarse la candela*, morrer; *como unas candelas*, muito elegante ou casquilho; (mar.) *en candelas*, em posição vertical; *estar con la candela en la mano*, (fig. e fam.) estar com a candeia na mão.

candelabro. *m.* candelabro, grande castiçal; serpentina, lustre.

candelada. *f.* fogueira. V. **hoguera.**

Candelaria. *f.* Candelária, festa da Purificação da Virgem, em 2 de Fevereiro; festa das candeias.

candelecho. *m.* cabana levantada sobre estacas.

Candelera. *f.* Candelária, festa da Purificação.

candelerazo. *m.* pancada dada com um castiçal grande.

candelero. *m.* castiçal; candeio, archote para a pesca no(c)turno; candeeiro; fabricante ou vendedor de velas de cera; (mar.) balaustre; ferro a que se atam as cordas do navio; *los seis candeleros de un altar*, banqueta; *estar en candelero*, (fig. e fam.) estar em lugar importante; ter grande autoridade.

candeleta. *f.* V. **candaliza.**

candelilla. *f.* candelinha, velinha; (cir.) sonda, candelinha, algália, tenta, vela que se introduz na uretra; (bot.) flor de álamo branco; (Amér.) espécie de bainha alinhavada; costura; inse(c)to que ataca as folhas do tabaco, planta euforbiácea usada como purgante (pop.): *hacer candelillas los ojos*, fazerem os olhos candelinhas; (fam.) *muchas candelillas hacen un cirio pascual*, muitas candelinhas fazem um círio pascoal.

candencia. *f.* candência, incandescência.

candente. *adj.* candente; em brasa; incandescente; (fig.) resplandecente; brilhante.

candi. *adj.* açúcar cândi.

candial. *adj.* V. **candeal.**

candidación. *f.* a(c)ção de cristalizar-se o açúcar.

candidata. *f.* candidata, mulher aspirante a um emprego ou dignidade.

candidato. *m.* candidato, o que pretende uma dignidade, honra ou cargo; pessoa proposta para alguma dignidade ou cargo; pretendente: *presentarse como candidato*, candidatar-se.

candidatura. *f.* candidatura, aprestação, proposta para candidato; pretensão do candidato; reunião de candidatos a um emprego.

candidez. *f.* candidez, candura, inocência, alvura; singeleza; pureza; ingenuidade; simplicidade.

cándido, da. *adj.* cândido, branco, alvo; simples, sem malícia, sincero, simplório; ingénuo, (Bras.) ingênuo, puro, inocente; infantil; incauto columbino bem-aventurado; inadvertido.

candiel. *m.* manjar feito com ovos, vinho, açúcar e outro qualquer ingrediente.

candil. *m.* candil, candeeiro; candeia; ponta alta dos galhos dos veados; candeia para pescar; (fig. e fam.) bico do chapéu; bico comprido e desigual nas saias das mulheres; (Amér.) peixe rosado que brilha na escuridão; aranha, lustre para velas. — *pl.* (bot.) planta aristoloquácea: *arder en un candil*, diz-se do vinho quando tem muita graduação, diz-se da pessoa muito avisada.

candilada. *f.* (fam.) azeite derramado da candeia; nódoa de azeite.

candilazo. *m.* pancada dada com uma candeia.

candileja. *f.* vaso servindo de candeia, lamparina, disco com uma torcida ao centro. V. **lucérnula.** — *pl.* gambiarras nos palcos dos teatros.

candilejo. *m.* candil pequeno, candeia pequena; (bot.) luzerna.

candiletero, ra. *s.* pessoa ociosa e intrometida.

candilón. *m.* *aum.* de *candil: estar con el candilón*, (fig. e fam.) expressão usada nalguns hospitais para indicar que estava moribundo um doente.

candiota. *f.* barril, pipa para vinho ou licor.

candiote. *adj.* e *s.* V. **candiota.**

candiotera. *f.* adega, local onde se guardam *candiotas*; conjunto destas vasilhas.

candiotero. *m.* tanoeiro. abricante ou vendedor de *candiotas*.

candombe. *m.* candombe, espécie de batuque ou baile grosseiro entre os negros da América do Sul; casa ou lugar onde se realiza este baile.

candonga. *f.* (fam.) carícias falsas; troça, chasco, burla; mula de tiro; (mar.) vela triangular dalgumas embarcações latinas; (Amér.) faixa do ventre dos recém-nascidos; (Amér.) argolas, arrecadas.

candongo, ga. *adj.* candongueiro, adulador falso, bajulador, astuto, lisonjeiro; que foge ao trabalho; (pop.) froixo.

candonguear. *v. tr.* (fam.) enganar; caçoar, burlar, zombar. — *v. intr.* (fam.) relaxar-se, mandriar, não querer trabalhar.

candongueo. *m.* (prov.) a(c)ção e efeito de *candonguear*.

candonguero, ra. *adj.* (fam.) candongueiro, bajulador, lisonjeiro, zombeteiro. V. **candongo.**

candor. *m.* candor, candura, alvura; inocência, ingenuidade; simplicidade; pureza; infantilidade; desengano; franqueza, sinceridade.

candorga. *f.* (bot. e prov.) planta à qual se atribuem feitiçarias.

candoroso, sa. *adj.* candoroso, ingénuo, (Bras.) ingênuo, puro, que tem candor, cândido, inocente.

candray. *m.* (mar.) embarcação pequena de duas proas.

canducho, cha. *adj.* (prov.) robusto, forte.

candujo. *m.* (germ.) cadeado. V. **candado.**

caneca. *f.* botija, vasilha cilíndrica de grés destinada a bebidas espirituosas; (Amér.) vasilha ou balde de madeira; botija de barro que serve de aquecedor; medida de capacidade, equivalente a 7 galões e 19 litros; botija de barro vidrado para genebra ou cerveja.

canecillo. *m.* (arq.) cabeça duma viga e modilhão. V. **can**.

caneco. *m.* botija. V. **caneca**.

canéfora. *f.* canéfora.

caneforias. *f. pl.* (mit.) canefórias, festas em honra de Diana.

canela. *f.* (bot.) canela, casca aromática da canaleira; (fig. e fam.) coisa excelente.

canelada. *f.* (cetre.) certa comida que se dava ao falcão.

canelado, da. *adj.* canelado. V. **acanelado**.

canelar. *m.* plantação de caneleiras.

canelina. *f.* (quím.) canelina.

canelita. *f.* (geol.) espécie de rocha meteórica.

canelo, la. *adj.* de cor de canela. — *m.* (bot.) caneleira; (Amér.) árvore pertencente à família das magnoliáceas.

canelón. *m.* canelão, doce, confeito; franja grossa das dragonas; pedaço de gelo comprido e pendurado das goteiras; (fam.) nó das cordas das disciplinas; (Amér.) anel de cabelo, cacho.

caneo. *m.* (Amér.) chouána.

canequí. *m.* V. **caniquí**.

canero. *m.* (prov.) farelo grosso.

canesú. *m.* corpo de vestido de mulher, curto e sem mangas; parte superior da camisa.

canfeno. *m.* (quím.) canfeno.

cánfora. *f.* (bot.) cânfora; canforeiro.

canforado, da. *adj.* canforado, que contém cânfora.

canforar. *v. tr.* canforar. V. **alcanforar**.

canforato. *m.* (quím.) canforato.

canforero. *m.* (bot.) alcanforeiro, canforeiro, canforeira.

canfórico, ca. *adj.* (quím.) canfórico.

canforina. *f.* (quim.) canforina.

canga. *f.* (prov.) junta de quaisquer animais (excepto bois); arado para uma só cavalgadura; canga, instrumento chinês de tortura; (Amér.) mineral de ferro com argila.

cangalla. *f.* (prov.) farrapo. — *s.* (Amér.) cangalho, pessoa covarde, pusilânime; desperdícios dos minerais; cangalhas; (germ.) carreta.

cangallar. *v. tr.* (Amér.) roubar nas minas, metais ou pedras metalíferas; defraudar o fisco.

cangallero. *m.* (Amér.) ladrão de metais ou pedras metalíferas nas minas em que trabalha; o que compra *cangalla* roubada, receptor; vendedor de obje(c)tos por baixo preço (germ.) carroceiro; o que guia uma carroça.

cangallo. *m.* (fam.) cangalho, alcunha de pessoa alta ou fraca; (prov.) obje(c)to deformado; carro.

cangilón. *m.* cangirão; alcatruz; vaso que eleva a água dum poço: *cangilón de aceite*, cangirão de azeite.

cangreja. *adj. e s.* (mar.) carangueja, diz-se da verga da vela de mezena; artemão.

cangrejera. *f.* (zool.) lugar de procriação dos caranguejos.

cangrejero, ra. *s.* caranguejeiro, o que apanha ou vende caranguejos.

cangrejo. *m.* (zool.) caranguejo; ástaco; (mar.) carangueja, verga de vela grande latina: *cangrejo de mar*. V. **cámbaro**; *andar para atrás como los cangrejos*, andar para trás como o caranguejo.

cangrena. *f.* V. **gangrena**.

cangrenarse. *v. r.* V. **gangrenarse**.

cangrenoso, sa. *adj.* V. **gangrenoso**.

cangrina. *f.* (Amér.) carbúnculo. V. **carbunco**.

cangro. *m.* (Amér.) cancro, tumor ulceroso. V. **cáncer**.

cangroso, sa. *adj.* canceroso, que sofre de cancro.

canguelar. *v. intr.* (germ.) temer, sentir temor; ter medo ou pavor.

canguelo. *m.* (germ.) temor, medo, (Bras.) mêdo, cobardia.

canguis. *m.* (pop.) medo, pavor, temor, cobardia.

canguro. *m.* (zool.) canguru.

cania. *f.* (bot.) urtiga pequena.

caníbal. *adj. e s.* canibal, antropófago; (fig.) canibal, homem cruel e feroz.

canibalismo. *m.* canibalismo, antropofagia; (fig.) crueldade, ferocidade, barbaridade, selvajaria.

canicie. *f.* canície, alvura dos cabelos; (fig.) velhice.

canícula. *f.* canícula; período do ano em que são mais fortes os calores! (astr.) canícula (constelação; estação calmosa em que a estrela Sírio e o Sol estão em conjunção.

canicular. *adj.* canicular, pertencente à canícula, calmoso. — *m. pl.* dias que dura a canícula.

caniculario. *m.* pessoa que enxota os cães que entram nas igrejas, V. **perrero**.

cánidos. *m. pl.* (zool.) canídeos.

canijo, ja. *adj. e s.* (pop.) débil, enxuto, enfermiço, fraco, doentio.

canil. *m.* pão escuro para cães; (prov.) V. **colmillo**.

canilla. *f.* (anat.) tíbia, canela; canilha, haste em que se enrola o fio da lançadeira; torneira; canela, fio que entretece a teada; (Amér.) jogo de dados. — *pl.* (pop.) pernas; (pop.) *irse como una canilla*, ter diarreia; falar sem refle(c)ção; (Amér.) *tener canilla*, ter muita força ou resistência.

canillado, da. *adj.* V. **acanillado**.

canillera. *f.* caneleira, peça da armadura, grevas. V. **espinillera**; mulher que faz cavilhas.

canillero, ra. *s.* pessoa que faz cavilhas para máquinas de tecer ou coser. — *m.* buraco para meter a torneira, borneiro; (prov.) V. **sauquillo**.

canina. *f.* excremento de cão. V. **Canícula**.

caninero. *m.* o que recolhe a *canina*.

caninez. *f.* fome canina; bulimia, desejo excessivo de comer.

canino, na. *adj.* canino, relativo ao cao.— *m.* colmilho, dente incisivo: *hambre canina*, aração, fome canina.

caniquí. *m.* canequi, canequim, tecido de algodão da índia.

canistro. *m.* (arqueol.) canastrel, cesta empregada nas antigas festas públicas.

canje. *m.* troca, permuta, câmbio, substituição; troca de prisioneiros de guerra, de notas diplomáticas, etc.

canjeable. *adj.* trocável, que se pode trocar, permutável.

canjear. *v. tr.* trocar, permutar, cambiar.

canjura. *f.* (Amér.) veneno semelhante à estricnina.

cano, na. *adj.* cano, que tem cabelos brancos, encanecido, (fig.) prudente, sensato; ancião, antigo; (poét.) branco, da cor da neve ou do leite.

canoa. *f.* canoa, embarcação pequena; batel, piroga, bote pequeno; (Amér.) canal de madeira para conduzir a água; canal do telhado; espécie de gamela em que se deita de comer aos porcos; caixa oblonga em que se põe mel ou leite; manjedoira: *canoa de fondo chato*, bateira; *canoa africana*, almadia.

canoaje. *m.* desporto da canoa.

canoero, ra. *s.* canoeiro, o que dirige uma canoa; timoneiro; (Amér.) fabricante de canoas.

canofilia. *f.* cinofilia.

canófilo, la. *adj.* e *s.* cinófilo.

canofobia. *f.* cinofobia.

canófobo, ba. *adj.* e *s.* cinófobo.

canon. *m.* cânon, canone, regra, norma, decisão ou concílio, preceito; cânon, catálogo dos livros sagrados; parte da missa antes da consagração; estatuto; (mús.) espécie de fuga, composição de contraponto; (for.) foro, pensão enfitêutica; (vet.) canela. — *pl.* canones, direito canónico; (impr.) cânon, espécie de tipo.

canonesa. *f.* canonisa.

canónica. *f.* canónica, vida conventual dos cónegos.

canonical. *adj.* canonical, respeitante a cónegos.

canonicato. *m.* V. **canonjía.**

canonicidad. *f.* canonicidade, qualidade de canónico.

canónico, ca. *adj.* canónico, (Bras.) canônico, conforme ou relativo aos cânones; conforme ao direito canónico, aprovado pela Igreja.

canóniga. *f.* (fam.) sesta que se dorme antes de jantar.

canónigo. *m.* cónego, (Bras.) cônego, clérigo secular que faz parte dum cabido; deão.

canonista. *m.* canonista, versado em direito canónico.

canonizable. *adj.* canonizável.

canonización. *f.* canonização, santificação.

canonizar. *v. tr.* canonizar, inscrever no cânon dos santos; declarar santo; (fig.) elogiar, louvar em demasia; aprovar e aplaudir alguma coisa.

canonjía. *f.* canonicato, conezia.

canope. *m.* (arqueol.) vaso dos antigos túmulos do Egipto.

canoro, ra. *adj.* canoro, musical, harmónico, melodioso, sonoro, suave.

canoso, sa. *adj.* que tem muitas cãs, encanecido.

canotié. *m.* chapéu de palha de copa achatada.

cansable. *adj.* cansável, susceptível de cansar.

cansado, da. *adj.* e *p. p.* cansado, enfraquecido; fatigado; importunado; empalagoso; aborrecivel; arrastado; afanado; afadigoso, afadigado; derreado; derrotado; esbaforido, desalentado; enfastiado; aborrido; enfadado; (Bras.) abafanético, escanzurrado, pregado, pubo: *muy cansado*, (Bras.) sovado; *muy cansado*, meio morto; *cansado por el trabajo*, (fig.) alquebrado.

cansancio. *m.* cansaço; fadiga; fraqueza; esfalfamento; alquebramento; aperreamento; derreamento; derrengo; aviamento; aborrecimento; lassitude; lassidão; tédio; (Bras.) afobação, amunhecar, Sueira.

cansar. *v. tr. intr.* cansar, fatigar; importunar; gastar aquilo de que se faz uso; (fig.) molestar; aborrecer, importunar; derrear; derrotar; derrubar; alquebrar; enfadar, enfastiar; experimentar fadiga, cansar, ficar cansado. — **cansarse.** *v. r.* cansar-se, fatigar-se; desunhar-se; afadigar-se; alanhar-se; enfadar-se: *cansarse de hablar*, deitar os bofes pela boca; *cansar el espíritu*, alambicar o juízo; *cansarse en vano*, cansar-se em vão; *cansarse de esperar*, esperar muito tempo.

cansera. *f.* canseira; trabalho; fadiga; cansaço, cuidado.

cansino, na. *adj.* diz-se do animal enfraquecido por exceso de trabalho; canseiroso.

canso, sa. *adj.* fatigado. V. **cansado.**

canstadiense. *adj.* (geol.) canstadiense.

cantábile. *m.* (mús.) italianismo por *cantable.*

cantable. *adj.* cantável, que se pode cantar. *m.* canção, que se canta devagar.

cantábrico, ca. *adj.* e *s.* (geog.) cantábrico, cantábrio, cântabro, pertencente ou relativo à Cantábria.

cántabro, bra. *adj.* e *s.* cântabro. V. **cantábrico.**

cantada. *f.* (mús.) V. **cantata.**

cantador, ra. *s.* cantador, o que canta coplas populares; cantor popular; poeta que celebra um feito epico.

cantal. *m.* canto de pedra; seixo grande.

cantalear. *v. intr.* gorjear; arrulhar (pombas).

cantaleta. *f.* assoada, algazarra; ruido confuso de vozes e instrumentos; cassoada; chasco; (vulg.) apeninação; apupo; vaia; assuada; canção burlesca.

cantaletear. *v. tr.* repetir as coisas até causar fadiga; vaiar, dirigir vaias; apupar.

cantalnoso, sa. *adj.* seixoso, diz-se do terreno onde abundam os seixos.

cantante. *p. a. adj.* e *s.* cantante, que canta, cantor de profissão.

cantar. *m.* canto; canção; copla; cantiga; hino; canto, composição poética: *libro de los Cantares,* livro canónico do Antigo Testamento; *cantar de gesta,* poesía sobre feitos de personagens lendários; *ese es otro cantar* (fam.) isso é diferente.

cantar. *v. intr.* e *tr.* cantar; executar cantando; celebrar em verso; compor, recitar, celebrar; divulgar; revelar um segredo; publicar, acusar no ponto no jogo de cartas; coaxar (sapos), etc.; arensar (cisne); (fam.) desembuchar, desemprenhar; chilrar (aves): *cantar ajustado al tono,* entoar; *cantar acompañándose de un instrumento,* descantar; *cantar muy alto,* (pop.) berrar; *cantar bien,* cantar com ares; *al cantar el gallo al amanecer,* ao cantar do galo; *cantar de contrapunto,* contrapontear; *cantar estridentemente,* estridular; *cantar en falsete,* falsear; *cantar victoria* (fig.) cantar vitória; *cantar la nana,* cantar para fazer dormir; *cantar con gorgoritos,* cantar a saltos; *cantar sin ensayar,* cantar de repente; *cantar misa,* cantar a missa; *cantar la palinodia,* cantar à palinódia; *cantar de plano,* confessar de plano.

cántara. *f.* cântara, cântaro, medida de capacidade equivalente a 2 litros e 16 decilitros.

cantarada. *f.* cantarada, conteúdo dum cântaro: *pagar la cantarada,* convidar a beber.

cantarela. *f.* nome da prima (corda) do violino e da guitarra.

cantarera. *f.* cantareira poial, estrado para colocar os cântaros.

cantarería. *f.* loja onde se vendem cântaros.

cantarero. *m.* oleiro, fabricante ou vendedor de cântaros. V. **alfarero.**

cantarida. *f.* (zool.) cantárida; ampola ou chaga produzida pelas cantáridas sobre a pele; (farm.) vexixatório.

cantaridina. *f.* (farm.) cantaridina.

cantaridismo. *m.* cantaridismo, intoxicação pelas cantáridas.

cantarilla. *f.* cantarinha, vasilha de barro.

cantarín, na. *adj.* e *s.* (fam.) pessoa que canta; cantarolador, cantarino, cantor, cantante.

cántaro. *m.* cântaro, bilha; conteúdo dum cântaro; urna para eleições ou para tirar a sorte; cântara, medida para líquidos; (prov.) imposto municipal sobre o vinho, azeite, etc.; infusa; ânfora: *a cántaros,* em abundância, a cântaros; (pop.) *alma de cántaro,* alma de chicharro; *tanto va el cántaro a la fuente que al fin se rompe,* tantas vezes vai o cântaro à fonte, que lá deixa a asa; nem tanto puxar, que se quebra a corda; água mole em pedra dura, tanto dá até que a fura; *llover a cántaros,* chover por uma pá velha; chover a cântaros; *estar uno en cántaro,* ser proposto para um emprego.

cantata. *f.* cantata, canção; serenata.

cantatriz. *f.* cantora, mulher que canta por divertimento ou por ofício; (dep.) cantatriz. V. **cantarina.**

cantazo. *m.* pedrada, pancada dada com pedra.

cante. *m.* cante, canto; canto popular; canção: *cante flamenco o hondo,* cante andaluz aciganado.

canteado, da. *p. p.* e *adj.* anguloso, diz-se da pedra, ladrilhos, etc. postos e assentes de canto.

cantear. *v. tr.* lavrar os cantos duma pedra, tábua ou doutro material; pôr de canto (os tijolos).

cantel. *m.* (mar.) corda para amarrar os pipos que contêm água, para provisão de navios.

cantera. *f.* canteira, pedreira; (fig.) capacidade, engenho, talento; canto, extremidade; canteiro, porção de terreno; canteiro de jardim.

cantería. *f.* arte de cantaria; cantaria, porção de pedra lavrada; pedreira; pedra rija, esquadrada para construção; obra de cantaria.

canteiros. *m. pl.* vigas da armação do telhado.

canterito. *m.* pedaço pequeno de pão; cantinho de pão.

cantero. *m.* canteiro, o que trabalha em cantaria; courela; canteiro, tabuleiro de terra; extremidade de coisas que se quebram fàcilmente; (Amér.) canteiro, pequena área de terreno ajardinada, alegrete: *cantero de pan,* canto de pão.

cantiao. *m.* (carp.) caibro. V. **cabio.**

canticio. *m.* (pop.) cantilena, canto frequente e molesto.

cántico. *m.* cântico, hino, canto, ode, canção.

cantidad. *f.* quantidade; abundância multidão; quantia, porção, grande número; (Bras.) mundão; (poét.) quantidade, medição das sílabas; quantidade de dinheiro: *hacer buena una cantidad,* aboná-la; *cantidad continua,* quantidade contínua; medida; abastança; *gran cantidad de negocios,* azafama de negócios; *gran cantidad,* batelada, lufada, enxurrada, influxo, arregaçada; *gran cantidad de algo,* (fam.) metralha, chapeirada, chorrilho; exército, chuveiro; *en gran cantidad,* em força, por uma pá velha, às duzias, por maior, como água, em barda; *en pequeña cantidad,* por alambique.

cantiga. *f.* cantiga, composição poética destinada ao canto.

cantil. *m.* V. **acantilado.**

cantilena. *f.* cantilena, cantiga, canto suave; (fig. e fam.) estribilhos, repetição fastidiosa e importuna dalguma coisa; (fig.) narração fastidiosa.

cantillo. *m.* pedra pequena dum jogo de rapazes, canto, esquina; (prov.) esquina dum edifício. — *pl.* jogo de crianças, conhecido pelo nome das cinco pedrinhas.

cantimplora. *f.* cantimplora, espécie de bilha metálica para resfriar a água; sifão; cantil para líquidos (prov.) panela grande; bota de vinho muito grande; (Amér.) bocio; recipiente para levar pólvora, polvorinho.

cantina. *f.* socão; adega duma casa; cantina, taverna; estojo de provisões; reservatório de água numa casa; (mil.) cantina, licoreira, frasqueira; cantina, caixa em que se levam provisões para a jornada. — *pl.* estojo duplo para provisões; (Amér.) espécie de alforges para levar comida.

cantinela. *f.* V. **cantilena.**

cantinera. *f.* vivandeira, cantineira que acompanhava as tropas.

cantinero. *m.* cantineiro, encarregado ou dono de cantina.

cantiña. *f.* (fam.) cantiga, canção popular.

cantista. *adj.* e *s.* V. **cantor.**

cantizal. *m.* terreno penhascoso, lugar pedregoso.

canto. *m.* canto, cantoria; canto, arte de cantar; (poét.) canto, parte dum poema; cantico, salmo; cântico, hino, ode, canção: (mús.) parte melódica duma peça de música; *al canto del gallo*, ao cantar do galo ao amanhecer; *canto callejero*, arrepia; *canto del gallo*, galicínio; *por el canto se conoce al pájaro*, pelo dedo se conhece o gigante; *canto de iglesia*, cantilena; *canto llano*, cantochão; *canto fúnebre*, canto fúnebre; *canto triunfal*, canto festival; *canto nupcial*, canto nupcial.

canto. *m.* canto, esquina, extremidade, lado de qualquer sítio, ponta; pedra, seixo; lado oposto ao fio da faca ou do sabre; corte do livro, oposto à lombada; ângulo, pedra grande: *canto rodado*, seixo rolado; *de canto*, de lado, não de plano; *canto de una moneda*, contorno de uma moeda; *canto de rio*, adobe.

cantollanista. *s.* cantochanista, cantor de cantochão.

cantón. *m.* esquina, canto, ângulo; cantão; distrito, comarca, região; território; (herald.) canto, cantão, cada um dos quatro cantos do brasão; alfoz; acantoamento; (Amér.) parte alta isolada no meio duma planície; tecido de algodão semelhante ou que imita a casimira: canto redondo, (carp.) V. **limatón.**

cantonada. *f.* esquina dum edifício.

cantonado, da. *adj.* (herald.) cantonado, diz-se do escudo que tem alguma peça nos cantos; acantonado.

cantonal. *adj.* cantonal, distrital; cantonalista, partidário do cantonalismo.

cantonalismo. *m.* cantonalismo; (fig.) descontento político cara(c)terizado por uma grande relaxação do poder.

cantonalista. *adj.* e *s.* cantonalista. V. **cantonal.**

cantonar. *v. tr.* V. **acantonar.**

cantonear. *v. intr.* andar vagueando.

cantonearse. *v. r.* V. **contonearse.**

cantoneo. *m.* (fam.) V. **contoneo.**

cantonera. *f.* cantoneira, de livros, móveis, etc. V. **rinconera**; canto de metal; canto-

neira, meretriz, prostituta, mulher vagabunda que anda pelos cantos.

cantonero, ra. *adj.* e *m.* vadio, vagabundo. — *m.* instrumento de encadernador para dourar os cantos dos livros; quebra-esquinas, pessoa ociosa; pessoa vagabunda.

cantor, ra. *adj.* cantor, que canta, principalmente se é profissional. — (zool.) diz-se das aves pequenas, de pescoço curto e os músculos e laringe muito desenvolvidos. — *s.* (germ.) a pessoa que faz declarações quando atormentada. — *f.* (zool.) ordem das aves canoras.

cantoral. *m.* livro de coro.

cantoso, sa. *adj.* penhascoso, abundante em seixos.

canturía. *f.* cantoria, exercício de cantar; canto monótono; reunião de vozes cantantes; (mús.) modo de se cantarem as composições musicais.

canturrear. *v. intr.* (fam.) cantarolar a meia voz; cantarejar, trautear.

canturreo. *m.* cantoria, canto monótono, canção à meia voz.

canturriar. *v. intr.* V. **canturrear.**

cantusar. *v. intr.* (prov.) V. **canturrear.**

cantuta. *f.* (Amér.) cravina. V. **clavellina.**

cánula. *f.* (med.) cânula, argalia.

canular. *adj.* acanulado, que tem forma de cânula.

canutazo. *m.* V. **cañutazo.**

canute. *m.* (prov.) V. **cerbatana.**

canutería. *f.* V. **cañutería.**

canutero. *m.* V. **cañutero**; (Amér.). V. **mango de escribir.**

canutillero. *m.* V. **cañutillero.**

canutillo. *m.* V. **cañutillo.**

canuto. *m.* canudo, tubo. V. **cañuto**; (mil.) licenciamento dos soldados; agulheiro feito na terra pela locusta onde põe os seus ovos; (zool.) ave pernalta da família das escolopácidas; (Amér.) cabo da pena de escrever.

caña. *f.* (bot.) cana, talo, pé; haste do trigo milho, etc.; junco; (anat.) tíbia, rádio; (arq.) fuste de coluna; (mar.) alavanca do leme; medula dos ossos; (min.) galeria de mina; copo cilíndrico usado na Andaluzia para beber vinho; fenda ou greta na folha da espada; medida agrária; canto popular; cano da bota que cobre a perna; certa canção popular que se usou muito na Andaluzia. — *pl.* antiga justa com lanças, frágeis e sem ponta: *caña de azúcar*, cana-do-açúcar; *caña de vaca*, osso da perna da vaca; tutano; *las cañas se vuelven lanzas*, diz-se das coisas que aparecem inócuas e se tornam perigosas; *ser uno brava, buena o linda caña de pescar*, (fig. e fam.) ser muito astucioso.

cañada. *f.* canhada, planície entre duas montanhas; vale estreito; canhada; azinhada; canada; caminho para os rebanhos merinos; (prov.) medida para vinho; tributo pago pela passagem do gado; medula dos animais.

cañaduzal. *m.* plantação de cana-do-açúcar.

cañaferla. f. (bot.) V. cañaheja.
cañafístola. f. V. cañafístula.
cañafístula. f. (bot.) canafístula.
cañaheja. f. (bot.) cicuta; férula.
cañaherla. f. V. cañaheja.
cañahueca. f. (fam.) pessoa faladora, que não guarda segredos.
cañajelga. f. V. cañaheja.
cañal. m. canavial; caneiro, caniçada para pesca; regueiro; cerco de canas para pescar; conduto subterrâneo para as águas. V. cañaveral.
cañaliega. f. caniçada para pescar.
cañama. f. distribuição de determinado imposto.
cañamar. m. canhameiral, canaveira, canavês, lugar onde cresce o câneve, cânhamo ou cana.
cañamazo. m. canhamaço; talagarça para bordar; tecido grosseiro.
cañamelar. m. canavial, plantação de cana-de-açúcar.
cañameño, ña. adj. canhamiço, feito com fio de cânhamo.
cañamiza. f. canhamiça, palha do cânhamo. V. agramiza.
cáñamo. m. (bot.) cânhamo; tecido de cânhamo: cáñamo embreado, estopa.
cañamón. m. (bot.) semente do cânhamo.
cañamoncillo. m. areia muito fina, que se mistura com argamassa.
cañamonero, ra. s. vendedor de linhaça.
cañar. f. canavial. V. cañal.
cañarega. f. V. cañaheja.
cañarí. adj. diz-se daquilo que é oco como a cana.
cañariego, ga. adj. diz-se da pele dos animais que morrem por queda em barrancos; diz-se dos homens, cães e cavalgaduras que acompanham o gado.
cañarroya. f. (bot.) parietaria (erva).
cañavera. f. (bot.) carriço.
cañaveral. m. canavial, caniçal, mata de canas ou caniços; plantio de canas.
cañaverear. v. tr. V. acañaverear.
cañaverería. f. lugar onde se vendiam canas.
cañaverero. m. vendedor de canas.
cañavete. m. instrumento com que se degolam as reses.
cañazo. m. canada, pancada com uma cana; (Amér.) aguardente de cana.
cañedo. m. V. cañaveral.
cañería. f. tubagem, encanamento para águas ou gás; aquedu(c)to; desaguadeiro; agueiro; bica.
cañerla. f. V. cañaherla.
cañero. m. canalizador, o que trabalha em canalizações de água ou de gás; pescador com linha.
cañero. adj. (Amér.) que serve para os trabalhos da cana. — m. (prov.) homem que pesca com a cana, pescador; (Amér.) vendedor de cana-de-açúcar; aquele que tem uma fazenda de cana-de-açúcar e destila a aguardente; depósito de cana doce nos engenhos.
cañifla. f. braço ou perna muito enfraquecido.

cañihueco. adj. diz-se duma espécie de trigo.
cañilavado, da. adj. diz-se dos cavalos de pernas magras.
cañillero. f. V. canillera.
cáñina. f. (prov.) V. cáñama.
cañinque. adj. (Amér.) V. enclenque.
cañirla. m. V. caña.
cañista. m. e f. aquele que faz caniços.
cañivano. adj. diz-se duma espécie de trigo. V. cañihueco.
cañiza. f. espécie de tecido grosseiro; conjunto de caniços que formam um redil. — adj. diz-se da madeira cujos veios estão dispostos no sentido do comprimento.
cañizal. m. V. cañaveral.
cañizar. m. V. cañaveral.
cañizo. m. caniço, tecido de canas ou trançado de caniços; (prov.) V. cancilla; timão do arado.
caño. m. cano, canudo, tubo; bica; esgoto, cano de despejo; desaguadoiro. V. albañal; jorro, volume de água que sai dum cano; subterrâneo ou cave para conservar fresca a água, caves onde se conservam os vinhos nas adegas; galeria de mina; canudo de orgão; toca; corrente dum rio na foz; (prov.) coelheira; (mar.) canal estreito mas navegável: caño de fuelle, alcaraviz.
cañocal. adj. (mar.) diz-se da madeira que se abre ou racha fàcilmente.
cañón. m. canudo, tubo, cano (órgão, espingarda, etc.); cilindro; cano de arma de fogo; canhão de manga; cano de pena; parte dos cabelos e da barba mais chegada à raiz; canhão, peça de artilharia; canhão, peça da antiga armadura que pertencia ao braçal; cada uma das peças que compõem a embocadura do freio do cavalo; (Amér.) tronco duma árvore; caminho para o gado; (ger.) vagabundo, tunante: cañón de candelero, mecheiro; cañón de chimenea, cano de chaminé; cañón de fuelle, alcaraviz; cañón del vestido, canhão do vestido; alma del cañón, alma do canhão; estar a tiro de cañón, estar a tiro de canhão; cañón del veinticuatro, canhão de vinte e quatro; estar al pie del cañón, vigiar um trabalho, trabalhar muito; cargar un cañón solo con pólvora, afoguear uma peça; arrojar cañonazos, (fig.) fulminar; cañón aculebrinado, canhão encolumbrinado; cañón rayado, canhão com estrias; carne de cañón, (fig.) carne de canhão.
cañonear. v. tr. canhonear, atacar com tiros de canhão, bombardear, acanhonear; dar bateria, bater.
cañoneo. m. canhoneio, bombardeamento, canhonada.
cañonera. f. (mil.) canhoneira, abertura nas muralhas para disparar canhões; barraca de campanha; (mar.) porta para os serviços da artilharia; canhoneira, navio de guerra.

cañonería. f. bateria, conjunto de canhões de artilharia; conjunto de canos dum órgão.

cañonero, ra. s. (mar.) canhoneira, diz-se dos barcos ou lanchas com canhão, artilheiro.

cañucela. f. caniço, cana delgada.

cañuela. f. caninha; planta anual gramínea; (Amér.) V. cañilla.

cañutazo. m. (fig. e fam.) delação, denúncia clandestina; mexerico, intriga.

cañutería. f. conjunto dos tubos dum órgão. V. cañonería; lavor de ouro ou prata feito com canutilho.

cañutillo. m. canutilho, canudinho; fio de ouro ou prata para bordar; (Amér.) planta silvestre de flor azul celeste.

cañuto. m. canudo, nos sarmentos das vides a parte que medeia de nó a nó; cano de madeira, curto e pouco grosso; agulheiro; (germ.) denúncia, delação, sopro; (prov.) V. cañutero.

caolín. m. (min.) caulino, kaolim.

caos. m. caos, confusão; (fig.) desordem perturbação; desorganização, embrullada, embrulho.

caótico, ca. adj. caótico, pertencente ou relativo, ao aos; (fig.) desordenado; desorganizado.

capa. f. capa, capote; invólucro, cobertura; capa, camada, revestimento; (fig.) pretexto; encobridor; (pop.) noite, falta da luz do Sol; receptador de furtos; (fig.) aparência, pretexto; bens; riquezas; (mar.) capa; (zool.) paca, quadrúpede americano; cor do pêlo dum animal; (herald.) divisão do escudo; (com.) quantia que recebe o capitão do navio; (geol.) estrato, camada dos terrenos sedimentares; coroça; envelope; bérnio; (fig.) prote(c)ção: hombre de capa y espada, homem de capa e espada; romance de capa y espada, romance de capa e espada; aguantar uno su capa (fig. e fam.) defender os próprios bens ou direitos; hacer de su capa un sayo, obrar com enteira liberdade; hacer a uno la capa, (fig.) encobrir a alguém; no tener más que la capa en el hombro, não ter onde cair morto; sacar uno la capa (fig.), justificar-se muito bem numa situação difícil; salir uno de capa de rajá, melhorar de fortuna; tirar a uno de la capa (fig. e fam.) puxar alguém da capa.

capacear. v. tr. (prov.) transportar em cabazes ou alcofas.

capaceta. f. (prov.) capa de folhas largas para cobrir a fruta nos cestos.

capacete. m. capacete, armadura defensiva da cabeça.

capacidad. f. capacidade; extensão, espaço; aptidão, suficiência para alguma coisa, talento, habilidade; inteligência; ocasião, oportunidade, meio para executar alguma coisa; (fig.) pessoa de grande merecimento; (for.) aptidão legal para exercer um direito ou função; faculdade; agudeza; (fig.): alcance, envergadura: capacidad de un buque (mar.) lotação; capacidad de un coche, cochada; capacidad natural, aptitude pessoal; tener capacidad para, ser para; tener capacidad para hacer una cosa, bastar; según mi capacidad, conforme a minha capacidade; hombre de gran capacidad, homem de grande capacidade; medida de capacidad, medida de capacidade; capacidad electrostática, capacidade electrostática .

capacitado, da. p. p. e adj. capacitado, apto, habilitado, assegurado, idóneo, capaz, hábil.

capacitancia. f. (ele(c)tr.) resistência do condensador ou acumulador à corrente alterna.

capacitar. v. tr. capacitar, tornar alguém apto, habilitar alguém, facultar; fazer compreender; persuadir. — capacitarse. v. r. capacitar-se, tornar-se apto.

capacha. f. seira de esparto, seirão, cabaz; giga de palma; (zool.) coruja. V. capacho.

capachazo. m. pancada com capacho.

capachero. m. fabricante ou vendedor de seirões, alcofas e cabazes; o que transporta mercadorias em seirões ou cabazes.

capacho. m. cabaz, cesto de vime ou de canas; seira pequena para a azeitona moída; (orni.) coruja, ave no(c)turna; (fig. e fam.) religioso da Ordem de S. João de Deus; (Amér.) planta cuja raiz comestível é usada em medicina.

capada. f. (fam.) abada, conteúdo da aba duma capa.

capadocio, cia. adj. e s. (geog.) capadóceo, natural da ou pertencente à Capadócia.

capado. adj. e m. capado, castrado; eunuco.

capador. m. capador, o que tem ofício de capar, castrador. V. castrapuercas.

capadura. f. capadura, castração; cicatriz que fica da capadura; folha de tabaco de qualidade inferior empregada para picar.

capar. v. tr. capar, extrair os órgãos da reprodução; castrar; desvirilizar; (fig. e fam.) diminuir; tercear, cortar.

caparazón. m. caparação; espécie de xairel, cobertura do cavalo; seira na qual se dá de comer ás cavalgaduras, saco de esparto, cevadeira; cobertura, encerado; esqueleto torácico das aves; carcaça; carcaça coriácea dos inse(c)tos, crustáceos, etc.

caparídeo, a. adj. (bot.) caparidáceo. — f. pl. (bot.) caparidáceas.

caparina. f. (prov.) borboleta.

caparra. f. (zool.) aracnídeo, carrapata. V. garrapata; sinal, penhor do contrato; (bot.) alcaparra.

caparro. m. caparo, macaco lanudo de pêlo branco.

caparrón. m. (bot.) botão, rebento das árvores ou da gema da vide; (prov.) feijão mais pequeno e grosso que o vulgar; (prov.) feijão verde.

caparrós. m. (prov.) V. caparrosa.

caparrosa. f. (quím.) caparrosa, sulfato de ferro.

capataz. m. capataz, o que governa e vigia aos trabalhadores; pessoa a cujo cargo está a administração dos trabalhos de campo, caseiro, feitor; fiel; contramestre de fábrica; maioral; apeirador.

capataza. *f.* mulher do capataz.

capaz. *adj.* capaz, que tem capacidade; apto; digno; decente; prestário; espaçoso, amplo; idóneo, (Bras.) idóneo, suficiente; douto, erudito, inteligente; proporcionado; talentoso, instruido; agudo; desafogado; estendido; extenso; (Bras.) taco; (for.) apto legalmente: *ser capaz de admitir o soportar.* ter bojo para.

capazo. *m.* alcofa, seirão, cabaz de esparto; pancada com capa ou capote.

capción. *f.* V. **captación**; (for.) V. **captura.**

capciosidad. *f.* qualidade de capcioso.

capcioso, sa. *adj.* capcioso, ardiloso, enganoso, caviloso; arguto, falaz.

capea. *f.* lide de bezerros feita por amadores; a(c)ção de *capear.*

capeador. *m.* capeador, o que capeia, toureiro; ladrão de capas; capinha, que capeia os touros.

capear. *v. tr.* capear, fazer sortes ao touro, chamar, provocar com capa aos touros; despojar alguém da sua capa; (fig. e fam.) disfarçar, iludir com mentiras; (mar.) capear, estar à capa, aguentar um temporal, fugir ao mau tempo com manobras adequadas, andar à capa.

capeja. *f.* capa pequena e em mau estado.

capela. *f.* (astr.) capela, estrela fixa de primeira grandeza; (quím.) campânula.

capelina. *f.* (cir.). V. **capellina**; ligadura em forma de gorra para a cabeça.

capelo. *m.* capelo, chapéu de cardeal; cardinalato; certo direito que recebiam os bispos do estado e eclesiásticos; (fig.) dignidade de cardeal; insígnia de doutor, murça; (herald.) timbre do escudo dos prelados; (Amér.) redoma de cristal para resguardar do pó.

capellada. *f.* tomba, remendo que se deita nos sapatos rotos.

capellán. *m.* capelão; sacerdote que diz missa numa capela particular: *capellán de altar*, capelão que canta as missas solenes no palácio real; *capellán de coro* capelão cantor; *capellán mayor*, capelão-mor.

capellanía. *f.* capelania, cargo ou benefício de capelão.

capellar. *m.* espécie de manto à mourisca que se usou em Espanha.

capellina. *f.* capelina, elmo, ligeira armadura para a cabeça; morrião, capacete antigo; capuz; (cir.) ligadura que se põe na cabeça em forma de gorro.

capeo. *m.* sorte de capa.

capeón. *m.* garraio, novilho que se capeia.

capero. *adj.* capeiro. — *m.* V. **cuelgacapas;** (rel.) cantor revestido de capa de asperges.

caperol. *m.* (mar.) amurada do navio, parapeito que ele tem em roda.

caperucear. *v. tr.* desbarretar, tirar o chapéu para cumprimentar.

caperuza. *f.* carapuça, capuz, espécie de barrete que remata em bico.

caperuzado, da. *adj.* (herald.) V. **capirotado.**

caperuzón. *m. aum.* de *caperuza*, capuchão.

capeta. *f. dim.* de *capa*, capinha, capa curta.

capetonada. *f.* (med.) vómito delirante que ataca os europeus nos países quentes.

capialzado. *adj.* (arq.) capialçado, diz-se do sobrearco. — *m.* capialçado, curvatura duma abóbada.

capialzar. *v. tr.* (arq.) fazer capialços.

capialzo. *m.* (arq.) capialço, corte oblíquo na parte superior das portas e janelas para dar mais luz às casas.

capicúa. *m.* capicua, número que é sempre o mesmo, lido de trás para diante ou diante para trás.

capigorra. *m.* V. **capigorrón.**

capigorrista. *m.* V. **capigorrón.**

capigorrón. *m.* (fam.) capigorrão, capigorrista, ocioso, tunante, vadio; estudante seminarista que tem ordens menores es assim se mantém sem passar às maiores.

capiláceo. *adj.* (bot.) capiláceo.

capilar. *adj.* capilar, pertencente ou relativo ao cabelo; (fig.) diz-se dos tubos muito estreitos; filiforme.

capilaridad. *f.* capilaridade; (fís.) capilaridade, fenómeno de atra(c)ção e repulsão que se observam no conta(c)to dos líquidos com os sólidos.

capilarímetro. *m.* (fís.) capilarímetro.

capilaritis. *f.* (med.) capilarite.

capilarología. *f.* (fís.) capilarologia.

capilera. *f.* (bot.) avenca, capilária.

capilifoliado, da. *adj.* (bot.) capilifoliado.

capiliforme. *adj.* (bot.) capiliforme.

capilla. *f.* capuz, cobertura de pano para a cabeça; capela; corpo ou comunidade de capelães; corpo de músicos duma igreja; oratório portátil dos regimentos e doutros corpos militares; (fam.) frade religioso duma ordem; (bot.) cápsula. — *pl.* (impr.) capilhas, primeiras folhas duma obra que se dão aos impressores; pequena igreja, ermida, santuário; te(c)to do forno: *capilla ardiente*, câmara-ardente; *capilla particular*, capela privada; *capilla mayor*, capela-mor; *capilla real*, capela real; *capilla negra* (zool.) tordo; *estar en capilla* (fig.) diz-se do réu, desde que se lhe notifica a sentença de morte até à execução.

capillada. *f.* o que cabe num capuz.

capilleja. *f.* capelinha.

capiller. *m.* sacristão, o que trata duma capela.

capillero. *m.* sacristão, encarregado duma capela.

capillo. *m.* touca de criança; biqueira de sapato; capirote de falcão; bota de flor; casulo do bicho-de-seda; rede para apanhar coelhos; touca, toucado de senhora; capuz e mantilha; filtro de estofo; folha de tabaco para fazer charutos; (anat.) prepúcio; (prov.) engano, ludíbrico: *capillo de hierro*, capacete de armadura antiga; *seda de todo capillo*, seda grosseira.

capilludo, da. *adj.* pertencente à capela ou semelhante a ela; que tem ou usa capuz, capeludo.

capipardo. *m.* homem de povo; artífice; trabalhador, operário.

capirotada. *f.* caperotada, guisado de aves assadas prèviamente; (Amér. vulg.) a fossa comum do cemitério.

capirotado, da. *adj.* (herald.) diz-se de qualquer figura humana ou animal com capuz.

capirotazo. *m.* piparote, pancada com a cabeça do dedo meio ou indicador.

capirote. *m.* capuz antigo, capirote, murça, distintivo de doutor; batina de estudante; piparote; carapuço cónico que usavam os penitentes e os farricocos nas procissões: *capirote de colmena,* capacete de colmeia; *tonto de capirote,* (fam.) tonto, falto de juízo. V. **capota.**

capirote. *adj.* capirote, diz-se do toiro que tem a cabeça e pescoço da mesma cor e pintas diferentes no resto do corpo.

capirotear. *v. intr.* dar piparotes; pôr o capirote ao falcão.

capirotero. *adj.* caparoeiro, diz-se das aves de altanaria que recebem bem o caparão e começam a amansar-se.

capirucho. *m.* (fam.) V. **capirote.**

capisayo. *m.* capi-saio, vestidura antiga; veste dos bispos.

capiscol. *m.* capiscol, cantor de igreja, cabiscol; regente do coro; (germ.) galo. V. **chantre.**

capisterio. *m.* cangirão de barro; capisteiro, crivo, joeira.

capiscolía. *f.* dignidade de capiscol.

capistro. *m.* capistro, cabresto; (arq.) arnês defensivo das cabeças dos cavalos.

capitación. *f.* capitação, imposto distribuído por cabeça.

capital. *adj.* capital; principal; capital, relativo à maior pena, último, gravíssimo, mortal; capital pertencente ou relativo à cabeça; (fig.) principal, muito grande; diz-se da letra maiúscula; importante; notável. — *f.* capital, metrópole. — *m.* capital, fortuna, caudal, fazenda, património, bens, fundos duma sociedade comercial; indústria, rendimento; cabedal; valores; riqueza; numerário, dinheiro: *punto capital,* ponto capital ou essencial; fundamental; *sentencia capital,* sentença capital; *pena capital,* pena capital, de morte; *pecado capital,* pecado capital, mortal; (tip.) *letra capital,* letra capital ou maiúscula.

capitalidad. *f.* capitalidade, qualidade de ser capital duma nação, região, etc.

capitalismo. *m.* capitalismo, influência ou predomínio do capital; argentarismo.

capitalista. *adj.* e *s.* capitalista, argentário, próprio do capitalismo; (com.) pessoa rica, principalmente em dinheiro ou valores; banqueiro; que fornece capital às empresas.

capitalizable. *adj.* capitalizável.

capitalización. *f.* capitalização.

capitalizador, ra. *s.* capitalizador, o que capitaliza.

capitalizar. *v. tr.* capitalizar, acumular para formar um capital; juntar ao capital.

capitán. *m.* (mil.) capitão, posto militar; capitão, comandante duma companhia, es-

quadrão ou bateria; (mar.) capitão, comandante dum navio mercante; (fig.) caudilho, chefe; (depor.) capitão, chefe dum grupo desportista; capitão, encarregado do policiamento dum porto de mar: *capitán de navío,* capitão de-mar-e-guerra, mestre, patrão de navio; *capitán del puerto,* capitão de porto; *capitán de maestranza,* inspe(c)tor do arsenal; *capitán de fragata,* capitão-de-fragata; *capitán de caballería,* capitão de cavalaria; *capitán de infantería,* capitão de infantaria; *capitán de la guardia,* capitão da guarda; *capitán general,* capitão-general.

capitana. *f.* capitânia, nave em que ia o comandante duma esquadra; designação dessa nau; capitoa, mulher do capitão; capitoa, mulher que comanda outras.

capitanear. *v. tr.* capitanear, comandar; governar; dirigir como capitão; conduzir ou guiar gente.

capitanía. *f.* capitania, dignidade ou posto de capitão; companhia de soldados comandada por capitão; autoridade, domínio, jurisdição, circunscrição territorial, a sua sede; comando militar duma província ou distrito; imposto que se pagava por cabeça: *capitania de puerto,* capitania do porto.

capitel. *m.* (arq.) capitel, chapitéu; capitel de alambique; cabeça do fogete: *capitel asirio,* capitel assírio; *capitel dórico,* capitel dórico; *capitel jónico,* capitel jónico; *capitel corintio,* capitel coríntio; *capitel jónico-corintio,* capitel compósito; *capitel románico,* capitel românico; *capitel gótico,* capitel gótico; *capitel toscano,* capitel toscano; *capitel renacentista,* capitel da Renascença.

capitolino, na. *adj.* capitolino, pertencente ou relativo ao capitólio.

capitolio. *m.* (fig.) capitólio, edifício majestoso e elevado; Capitólio, templo romano dedicado a Júpiter; (arq.) V. **acrópolis.**

capitoné. *adj.* acolchoado. — *m.* carro próprio para transportar mobílias.

capitoso, sa. *adj.* (gal.) capitoso, embriagador; cebeçudo, teimoso.

capítula. *f.* (rel.) capítula, cada uma das lições curtas do breviário, tiradas da Escritura Sagrada.

capitulación. *f* capitulação, rendição, transa(c)ção, entre litigantes; transigência; sujeição; concerto ou pacto entre duas ou mais pessoas; convenção entre futuros esposos; escritura pública referente a estas convenções. — *pl.* cláusulas, artigos dum contrato.

capitulado, da. *adj.* capitulado, resumido, compendiado. — *m.* disposição capitular, capitulação. — *pl.* (bot.) capituladas, plantas dispostas em capítulos.

capitular. *adj.* capitular, pertencente ao cabido ou ao capítulo.

capitular. *m.* indivíduo dalguma comunidade eclesiástica ou secular; capitular, que tem voto no capítulo ou em alguma assembleia.

capitular. v. intr. capitular, entregar-se uma praça de guerra ou um corpo de tropas, render-se; capitular, contratar, pactar, pactuar, concertar, ajustar, fazer algum ajuste ou concerto; capitular, oficiar no coro; cantar as capítulas das horas canónicas; dispor, ordenar, resolver. — v. intr. acusar por capítulos; capitular, contratar; compendiar, resumir; combinar; dividir em capítulos.

capitulario. m. capitulário. livro das capítulas cantadas no coro.

capítulo. m. capítulo, junta de cónegos, religiosos, etc.; cabido; junta dos cavaleiros nas ordens militares; assembleia de autoridades municipais; repreensão grave dada a um religioso em presença da sua comunidade; (fig.) determinação, resolução; cláusula; artigo de acusação; ponto principal; assunto, matéria; (impr.) capítulo, divisão feita nos livros: *llamar a capítulo*, (fig. e fam.) chamar a capítulo, pedir-lhe contas, repreender; *ser llamado a capítulo*, ser repreendido; *ganar capítulo*, (fig. e fam.) obter o proposto; *capítulos matrimoniales*, capitulações matrimoniais.

capítulo. m. (bot.) capítulo, certa inflorescência das flores.

capizana. f. peça da armadura dos cavalos.

capnomancia. f. capnomancia, suposta adivinhação, por meio do fumo.

capnomántico, ca. adj. e s. capnomante.

capnoscopio. m. capnoscópio.

capoca. f. capoa, espécie de algodão muito fino.

capolar. v. tr. despedaçar, fazer em pedaços; (prov.) picar a carne para fazer recheio; (prov.) degolar.

capón. m. galo castrado; capão, castrado; eunuco; feixes de sarmentos; (fam.) cocorote, piparote, pancada que se dá na cabeça com o nó do dedo polegar.

capón. adj. diz-se do homem ou animal castrado.

capona. adj. (fam.) epíteto dado à chave, distintivo de camarista do rei. V. **llave capona.**

capona. f. capona, baile espanhol dançado ao som de cantigas; (mil) charlateira.

caponar. v. tr. atar as vides e ramas nas cepas para não embaraçarem os trabalhos agrícolas; (mar.) talingar. V. **capar.**

caponera. f. cevadoiro, cevadeiro, capoeira; égua que guia a récua; (fort.) capoeira, entrincheiramento abaixo do chão; cassarola para guisar capões; (fig. e fam.) lugar onde se encontra o necessário sem ter de o pagar: *estar metido en caponera*, (fig. e fam.) estar engaiolado.

caporal. m. cabeça, chefe, principal, dirigente; (mil.) cabo de esquadra; maioral; feitor; (germ.) galo (ave); (Amér.) capataz.

caporal. adj. (ant.) capital, principal.

caporalista. m. V. **caporal.**

capota. f. capota, espécie de capa sem esclavina; capinha, adorno feminino semelhante a um chapéu; coberta de alguns veículos; cabeça do cardo.

capotar. v. intr. (gal.) capotar, voltar-se com o debaixo para cima (aeroplano, automóvel).

capotazo. m. pancada com uma capota ou capote; sorte feita pelo toureiro com o capote.

capote. m. capote, capa grande; (taur.) furta-capa; (fig. e fam.) carranca, sobrecenho, demostração de enfado, amuo; capote, (no jogo); (fig.) nuvens densas sobre uma montanha: *a mi capote*, na minha opinião; *para mi capote*, (fig. e fam.) no meu modo de ver; *decir algo para su capote*, (fig. e fam.) falar consigo mesmo; *dar capote*, confundir; deixar alguém sem comer por chegar muito tarde; (Amér.) *de capote*, às escondidas.

capotear. v. tr. capear touros; (fam.) entreter alguém em qualquer matéria burlando-o ou enganando-o; (fig.) iludir habilidosamente as dificuldades ou compromissos.

capoteo. m. a(c)ção de capear os toiros; (fig.) entretimento dalguém, burlando-lhe.

capotero, ra. s. alfaiate de capotes.

capotillo. m. capotinho, capotilho; capa curta, mantelete; mantilha; esclavina curta que usavam as mulheres principalmente nas Astúrias e na Galiza; (fam.) olhar de revés; escapulário de lã-grosseira.

capotudo, da. adj. carrancudo. V. **ceñudo.**

caprario, ria. adj. caprino, caprídeo; caprum, cabrum.

capreolar. adj. (anat.) capreolar.

cáprico, ca. adj. (quím.) cápreo (ácido).

capricornio. m. (astr.) Capricórnio; (zool.) capricórnio, inse(c)to coleóptero; (fig. e fam.) capricórnio, cornudo.

capricho. m. capricho; vontade súbita e sem razão; modificação de ideias; fantasia; capricho, paixão violenta, amor passageiro; desejo forte; arbitrariedade; extravagância; (mús.) capricho, obra de arte em que o engenho quebra a observação das regras; desvario, desvairo; birra; empenho; antojo, (Bras.) antôjo; gosto estragado; alvedrio; arbítrio: *a capricho de*, a mercê de; *estar lleno de caprichos*, ter os seus dias de lua; *tener un capricho*, antojar; *llenarse de caprichos*, encaprichar-se; *a capricho*, com capricho.

caprichoso, sa. adj. caprichoso, que tem caprichos; teimoso; feito a capricho; extravagante, arbitrário; desgarrado; desaconselhado; lunático; avenado; antojadiço; apetitoso, fantasioso; fantástico; brioso; inconstante, variável, variado, irregular: *persona caprichosa*, persona de luas.

caprichudo, da. adj. caprichoso, teimoso; obstinado; fantasioso, fantástico. V. **caprichoso.**

caprificación. f. caprificação.

caprificar. v. tr. caprificar, praticar a caprificação.

caprifoliáceo, a. adj. (bot.) caprifoliáceo. — f. pl. caprifoliáceas.

capriforme. *adj.* diz-se do escremento humano que tem forma semelhante ao da cabra.

caprimúlgidos. *m. pl.* (zool.) caprimúlgidos.

caprínico, ca. *adj.* (quim.) caprídeo (ácido).

caprina. *f.* caprina.

caprino na. *adj.* (poet.) caprino, capríneo.

caprípedo da. *adj.* (zool.) caprípede, de pés de cabra.

cápsula. *f.* cápsula, pequeno cilindro que encerra a massa fulminante nas armas de percussão; (bot.) cápsula, invólucro de certas sementes; (quím.) cápsula, vaso redondo; (farm.) cápsula, glóbulo que encerra um medicamento; (zool.) membrana em forma de saco fechado das articulações: *cápsula articular,* cápsula articular; *cápsulas suprarrenales,* cápsula supra-renais.

capsulación. *f.* (farm.) capsulação.

capsulador ra. *adj.* capsulador. — *m.* capsulador, aparelho de preparar cápsulas.

capsular. *adj.* capsular, em forma de cápsula; pertencente ou relativo a cápsula.

capsular. *v. tr.* capsular, encerrar em cápsulas.

capsulitis. *f.* (pat.) capsulite.

capsulotomía. *f.* (cir.) capsulotomia.

captación. *f.* captação; conquista; atraimento, atra(c)ção; interceptação; (fig.) aproveitamento.

captador, ra. *adj.* captador, que capta.

captar. *v. tr.* captar, atrair, por captação; apanhar; interceptar; conciliar, atrair a vontade ou benevolência; ganhar as boas graças de alguém; granjear; aproveitar; conseguir; lograr a atenção, estimação, etc.; colher; conquistar; arrebatar. — **captarse.** *v. r.* captar-se, recolher as águas dum manancial.

captura. *f.* captura, prisão; apreensão; apresamento; tomadia.

capturar. *v. tr.* capturar, prender alguém; apreender alguma coisa; prender, aprisionar, apresar; depredar; (Bras. Sur) agaturrar.

capuana. *f.* (fam.) surra, açoites.

capucha. *f.* capucha, capuz de capa de senhora; cogula; (impr.) acento circunflexo.

capuchina. *f.* (bot.) capuchinha; capuchinha, lâmpada portátil com apagador em forma de capuz; religiosa capuchinha; (impr.) conjunto de dois ou mais cavaletes unidos pela parte superior.

capuchino na. *adj.* capuchinho, relativo aos religiosos descalços da Ordem S. Francisco. — *s.* religioso capuchinho, franciscano; (Amér.) diz-se da fruta muito pequena; espécie de macaco da América Central e de Peru: *llover capuchinos de bronce,* chover a cântaros.

capucho. *m.* capuz, capelo, cobertura da cabeça; (ant.) casulo do bicho-de-seda.

capuchón. *m. aum.* de *capucha;* manto com capuz, capucha; dominó curto; coca: *ponerse el capuchón,* (fig. e fam.) ingressar na prisão.

capujar. *v. tr.* (Amér.) apanhar uma coisa que vem pelo ar; antecipar-se a dizer uma coisa antes que outro.

capuleto. *m.* V. **capelete.**

capúlidos. *m. pl.* (zool.) moluscos gastrópodes.

capulín. *m.* V. **capulí.**

capullo. *m.* capulho, casulho; capulho, botão ou invólucro da flor; molho de linho atado; cápsula que encerra o algodão, casulo; cadarço; invólucro da bolota; glande, prepúcio: *capullo de flor,* flor abotoada.

capuz. *m.* capuz; vestido largo, de cauda e com capuz; certa capa ou capote que se usava por gala; coca; (fig.) manto escuro; tempo sombrio. V. **capucho.**

capuzar. *v. tr.* V. **chapuzar;** (mar.) carregar muito o navio à proa.

capuzón. *m.* (prov.) mergulho. V. **chapuzón.**

caquéctico, ca. *adj.* (med.) caqué(c)tico, relativo à caquexia.

caquexia. *f.* (med.) caquexia; (bot.) descoloração das partes verdes das plantas por falta de luz.

caqui. *m.* caqui, tecido cuja co(ô)r varia entre o amarelo ocre e o verde cinzento; co(ô)r deste tecido.

caqui. *m.* (bot.) caqui, árvore frutífera do Japão, diospireiro; dióspiro.

caquino. *m.* (Amér.) cachinada, casquinada, riso estrondoso, gargalhada.

cara. *f.* (anat.) cara, rosto, semblante; aparência; aspe(c)to; presença; fisionomia; face; cara, lado da moeda onde está a efígie; catadura; frente; frontispício, fachada ou frente dalguma coisa; superfície dalguma coisa; anverso; fácies; (fig.) barba; (fig.) atrevimento; (geom.) face; plano dum ângulo; (impr.) página: *cara a,* rumo a, para, em frente. — *adv.* rumo a, para, em frente: *cara de pascua,* (fam.) cara muito alegre, cara de páscoa. pessoa risonha; *cara de viernes,* cara triste; *cara mitad,* cara metade, esposa; *cara a cara,* cara a cara; *cara y cruz,* cara e coroa; *con mala cara,* à má cara, à força; *hacer cara,* opor-se, resistir; *cara dura,* (pop.) cara estanhada, pessoa desavergonhada; *poner buena cara,* fazer boa cara; *poner mala cara,* fazer má cara; *en la cara de,* na cara de, em presença de; *cara agraciada,* cara de anjo; *estar cara a cara,* abarbar; *cara a cara,* abarbado, barba a barba; *cara de acelga,* cara pálida; *cara de aleluya,* cara de riso; *cara de hereje,* cara muito feia; *cara de gualda,* cara muito pálida; *cara de juez,* cara severa; *cara de vinagre,* cara de poucos amigos; *cara de vaqueta,* cara má, cara de aço; *cara larga,* cara séria; *sacar la cara por alguien,* defender alguém; *guardar la cara,* ocultar-se; *lavar la cara,* louvar, adular, lisonjear; *cruzar la cara,* esbofetear.

carabalí. *adj.* diz-se de certa raça de pretos duma região africana.

carabao. *m.* certa raça de bois filipinos.

cárabe. *m.* (min.) âmbar.

carabear. *v. intr.* (prov.) descuidar-se; distrair-se.

carabela. *f.* (mar.) caravela; (gal.) cesta muito grande enpregada pelas mulheres para conduzir comestíveis.

carabelón. *m.* (mar.) caravela pequena; bergantim.

carábidos. *m. pl.* (zool.) carabídeos.

carabina. *f.* carabina, clavina, arma de fogo semelhante à espingarda; (fam.) senhora de companhia: *ser la carabina de Ambrosio,* (pop.) não prestar para nada.

carabinazo. *m.* carabinada, tiro de carabina e o seu efeito.

carabinero. *m.* (mil.) carabineiro, soldado armado de carabina; guarda de alfândega; clavineiro, soldado que persegue os contrabandistas; (zool.) espécie de crustáceo, semelhante ao lagostim mas de qualidade inferior.

cárabo. *m.* cárabo, embarcação ligeira de mouros; (zool.) cárabo, inse(c)to coleóptero.

cárabo. *m.* (orni.) V. autillo.

carabritear. *v. intr.* perseguir a fêmea (diz-se do bode).

caraca. *f.* (Amér.) bolo de milho.

caracal. *m.* caracal, espécie de lince ou gato selvagem.

caracalla. *f.* espécie de sobretudo usado pelos romanos; penteado, empregado no século XVIII.

Caracas. (geog.) Caracas.

caracas. *m.* cacau procedente da costa de Caracas; (fig. e fam., Amér.) chocolate.

caracense. *adj.* e *s.* natural de ou pertencente a Guadalajara.

caracol. *m.* (zool.) caracol, molusco gastrópode; cóclea; (arq.) escada em caracol; estrada em caracol, em zig-zag; (Amér.) espécie de camisa larga usada pelas mulheres para dormir; blusa de senhora de tecido bordado; caracol, anel de cabelo; cavidade ou labirinto do ouvido. — *pl.* ¡caracoles!, ¡caramba!

caracola. *f.* (zool.) búzio, caracol marinho de forma cónica; (prov.) caracol terrestre de concha branca; caracoleiro, planta trepadora de jardim.

caracolada. *f.* guisado de caracóis.

caracolear. *v. intr.* voltear, rodear, caracolear, dar giros o cavalo.

caracolejo. *m. dim.* de *caracol,* caracolzinho.

caracoleo. *m.* a(c)çao e efeito de *caracolear.*

caracolera. *f.* (bot.) caracoleiro, planta trepadora de jardim.

caracolero, ra. *s.* caracoleiro, que apanha ou vende caracóis.

¡caracoles! *interj.* caramba!

caracolillo. *m.* caracolzinho; (bot.) caracoleiro, espécie de feijoeiro; certa variedade de café. — *pl.* certo género de caoba; franjas, guarnição que se aplicava nos vestidos.

carácter. *m.* cará(c)ter; marca; impressão; qualidade distintiva; índole, génio; expressão, dignidade; aspe(c)to; marca; índole; resolução, firmeza; distintivo, especialidade; estilo; sinal de abreviatura nalgumas ciências; cará(c)ter, tipo de imprensa; condição; força de vontade; (fig.) bofes; cunho; individualidade moral; título; missão; elementos, traços essenciais que determinam uma coisa; símbolo; natureza; capacidade; espírito; disposição: *carácter acomodaticio,* cará(c)ter fácil; *debilidad de carácter,* descoragem; *falto de carácter,* descaracterizado; *hombre de mal carácter,* homen abafadiço; *persona sin carácter,* baraça desatada; *persona de mal carácter,* forma-torta; demónio; *carácter de una persona,* (fig.) entranha duma pessoa.

caracterismo. *m.* carácter, índole, rasgos ou circunstâncias com que se distinguem as coisas.

característica. *f.* cara(c)terística, individualidade apanágio aquilo que cara(c)teriza; (mat.) cara(c)terística; cara(c)terística, letra ou letras que precedem a desinência, dos verbos; (teatr.) a(c)triz que representa o rol de senhora velha.

característico, ca. *adj.* cara(c)terístico, que cara(c)teriza, distintivo, típico; constitutivo.

característico, ca. *s.* cara(c)terístico, a(c)tor ou a(c)triz que representam papéis de pessoas de idade.

caracterização. *f.* cara(c)terização, a(c)to de cara(c)terizar; determinação do cra(c)ter; cara(c)terização, alteração que o a(c)tor faz ao rostro para adequar ao papel que desempenha.

caracterizado, da. *adj.* cara(c)terizado, distinto pelo cará(c)ter ou posição; apto, idóneo, competente; adequado.

caracterizar. *v. tr.* cara(c)terizar, determinar o cará(c)ter; descrever, distinguir, pôr em evidência; fazer a cara(c)terização o a(c)tor; constituir em dignidade. — **caracterizarse.** *v. r.* cara(c)terizar-se, distinguir-se; pintar a cara ou vestir-se o a(c)tor conforme o tipo ou figura que há-de representar.

caracú. *m.* (Amér.) caracú, tutano, principalmente das patas dos quadrúpedes.

caracha. *m.* (med.) tinha, espécie de lepra; (Amér.) sarna.

carache. *m.* V. caracha.

carachento, ta. *adj.* (Amér.) sarnento. V. sarnoso.

caracho, cha. *adj.* de cor arroxeada.

carachoso, sa. *adj.* (Amér.) sarnento.

carachupa. *f.* (Amér.) V. zarigüeya.

carado, da. *adj.* V. encarado: *bien carado,* agradável, risonho; *mal carado,* cenhoso, carrancudo.

caradura. *f. s.* (pop.) fresco, cara-de-aço; desvergonhado; descocado; despejo; descoco, (Bras.) descôco, descaro, descaramento.

caraísmo. *m.* caraísmo, doutrina dos carítas.

caraíta. *adj.* e *s.* caraíta, indivíduo de uma seita judaica que não aceita as tradições.

caramanchel. *m.* (mar.) caramanchão, cobertura dos tejadilhos dos barcos; camarote de vento; (Amér.) merendeiro; cantina; tugúrio; cobertiço.

caramanchón. *m.* V. **camaranchón.**

¡caramba! *interj.* caramba!; cáspita!; apre! (exprime surpresa, enfado ou admiração).

carambanado, da. *adj.* gelado, feito um carambano. V. **helado.**

carámbano. *m.* carámbano; caramelo de gelo; pedaço de gelo; carambina.

carambola. *f.* carambola, embate da bola no jogo de bilhar; lance no jogo de revesilho; (bot.) caramboleiro, fruto do carambolo; (fig. e fam.) trapaça, enredo, dolo, mentira, carambola, embuste: *por carambola*, (fam.) indire(c)tamente, por rodeio.

carambolear. *v. tr.* carambolar, fazer carambolas; (fig.) intrujar; intrigar.

carambolero, ra. *s.* (Amér.) V. **carambolista.**

carambolista. *s.* caramboleiro, jogador que faz muitas carambolas ao bilhar; (fam.) caramboleiro, trapaceiro, embusteiro.

caramel. *m.* (ictiol.) variedade de sardinha mediterrânea. — *m.* caramelo.

caramelización. *f.* caramelização.

caramelizar. *v. tr.* acaramelar. V. **acaramelar.**

caramelo. *m.* caramelo, confeito de açúcar derretido; (Filipinas) V. **azucarillo.**

caramida. *f.* mineral que atrai o ferro. V. **imán.**

caramillar. *m.* chavascal, carrascal, carrasqueiral.

caramilleras. *f. pl.* (prov.) V. **llares.**

caramillo. *m.* (bot.) carrasco, carrasqueiro; (mús.) charamela pastoril; montão, coisas postas sem ordem umas sobre as outras; (fig.) enredo, embuste; caramilho; calúnia; tramóia: *armar un caramillo*, intrigar, fazer uma trapaça.

caramilloso, sa. *adj.* (fam.) delicado, susceptível. V. **quisquilloso.**

cáramo. *m.* (germ.) vinho.

caramullo. *m.* (prov.) V. **colmo.**

caramuyo. *m.* (zool.) caramujo.

caramuzal. *m.* (mar.) caramuçal, barco mercante turco com a popa muito elevada.

carángano. *m.* (Amér.) instrumento músico dos pretos americanos que faz a voz de baixo; piolho.

carantamaula. *f.* (fam.) carantonha, caraça, máscara feita de cartão, de aspe(c)to horrível; (fig. e fam.) pessoa mal encarada, apaparicamento; macaquices.

carantoña. *f.* (fam.) carantonha, velha presunçosa; mulher velha e feia, mas cheia de arrebiques. — *pl.* requebros hipócritas e interesseiros; carícias interessadas; apaparicos, apaparicamentos; afagos; macaquices, embelecos, (Bras.) embelêcos; engodo, (Bras.) engôdo, louvaminha: *hacer carantoñas*, ameigar, amimar. louvaminhar.

carantoñear. *v. tr.* fazer carantonhas; acariciar, afagar por interesse; apaparicar, embelecar, louvar.

carantoñero, ra. *adj.* e *s.* acariciador, afagador, por interesse; ameigador; louvaminheiro, animador; afadigador, meiguiceiro

caraña. *f.* caranha, caraná, resina medicinal.

carañuela. *f.* trapaça no jogo.

carapacho. *m.* carapaça, crosta, casca, concha que cobre o corpo dos crustáceos; (Amér.) guisado feito nessa concha. — *pl.* (etnog.) povo indígena do Peru. V. **caparazón.**

carapato. *m.* óleo de rícino.

¡carape! *interj.* caramba!

caraqueño, ña. *adj.* e *s.* (geog.) caraquenho, natural de ou pertencente a Caracas.

caraquilla. *f.* (zool.) molusco semelhante ao caracol, mas de pequeno tamanho.

carasol. *m.* V. **solana.**

carate. *m.* (Amér.) doença na pele dos pretos.

caratea. *f.* (Amér.) carateia, doença escrofulosa.

carátula. *f.* máscara de arame empregada na esgrima ou na cresta das colmeias; máscara de papelão. V. **careta,** caraça; (fig.) farsa, profissão de farsante; (Amér.) anteportada dum livro.

caratulado, da. *adj.* mascarado, que tem o rosto coberto com máscara.

caratulero, ra. *s.* fabricante ou vendedor de máscaras.

carava. *f.* carava, reunião dos lavradores nos dias de festa.

caravana. *f.* caravana, multidão de pessoas que atravesam os desertos; reunião de pessoas que viajam juntas; grupo excursionista.

caravanera. *f.* pousada pública onde pernoitam as caravanas; caravançará, caravansarai.

caravanero. *m.* caravaneiro, condutor, guía de caravana.

caravanseray. *m.* V. **caravanera.**

caravanserrallo. *m.* V. **caravanera.**

¡caray! *interj.* caramba!

caraza. *s.* (pop.) façoila; caraça, carão, cara grande.

carba. *f.* matagal, moita, campo cheio de urzes; lugar onde descansa ou dorme o gado.

carbalí. *adj.* V. **carabalí.**

carbámida. *f.* (quím.) carbamida, ureia.

carbinol. *m.* (quím.) álcool metílico.

carbodinamita. *f.* (quím.) matéria explosiva, derivada da nitroglicerina.

carbógeno. *m.* pó especial para preparar águas gasosas.

carbol. *m.* (quím.) fenol, substância extraída dos óleos do alcatrão de hulha; ácido fénico.

carboleína. *f.* (quím.) ácido fénico, ácido carbónico.

carbólico, ca. *adj.* (quím.) carbólico, fénico.

carbolineo. *m.* (quím.) carbonil.

carbón. *m.* carvão; brasa apagada, tição; (fig.) mancha, nódoa, desonra: *carbón de piedra*, carvão de pedra; *carbón de hulla*, carvão de hulha, coke; *carbón muy menudo*, cisco; *carbón mineral*, carvão mineral; *carbón de leña*, carvão de lenha; *carbón de canutillo*, carvão de sobro; *carbón menudo*, cisco; *carbón vegetal*, carvão vegetal; *carbón animal*, carvão animal; *dibujo al carbón*, desenho a carvão; *negro* *como un carbón,* negro como um carvão; *reducir a carbón,* encarvoar.

carbonada. *f.* carabonada, carne velhada; quantidade de carvão que se deita de cada vez na fornalha; coscorão, massa de leite. ovos e açúcar, fruta em manteiga; (Amér.) refogado composto de carne, milho verde, batatas, abóboras e arroz.

carbonado. *adj.* (quím.) carbonado. — *m.* (min.) diamante negro.

carbonar. *v. tr.* carvoejar, fazer carvão; encarvoar, encarvoiçar, mascarrar, enegrecer com carvão.

carbonatado, da. *adj.* (min.) carbonatado, a que se juntou carbonato; (quím.) carbonatado.

carbonatar. *v. tr.* (quím.) carbonatar, misturar com carbonato.

carbonato. *m.* (quím.) carbonato: *carbonato potásico,* carbonato potássico; *carbonato sódico,* carbonato sódico.

carboncillo. *m.* carvãozinho; carvão para desenho; espécie de areia de cor negra pela a(c)ção do sol; (bot.) fungão, cogumelo; (Amér.) árvore silvestre conhecida por *cabellos de ángel.*

carbonear. *v. tr.* carvoejar, fazer carvão de lenha ou vegetal; encarvoar.

carboneo. *m.* carbonização.

carbonera. *f.* carvoeira, lugar onde se guarda carvão; carvoeira, mulher que vende carvão; (mar.) nome vulgar da vela de estai maior; (Amér.) mina de hulha; parte do vagão em que vai carvão; certa planta dos jardins.

carbonería. *f.* carvoaria, lugar onde se vende carvão.

carbonero, ra. *adj.* carbonífero, pertencente ou relativo ao carvão. — *m.* carvoeiro, o que faz ou vende carvão; (mar.) embarcação carvoeira, que transporta carvão.

carbónico, ca. *adj.* (quím.) carbónico, (Bras.) carbônico.

carbónido. *m.* (quím.) substância que compreende o corpo formado de carbono, puro ou combinado; carbureto.

carbonífero, ra. *adj.* carbonífero, que produz carvão.

carbonil. *adj.* relativo ao cervão.

carbonilo. *m.* (quím.) carbonilo.

carbonilla. *f.* coque, miúdo, resíduos de carvão mineral.

carbonita. *f.* substância carbonífera das hulheiras da Virgínia central, semelhante ao coque; (quím.) substância explosiva semelhante à dinamite.

carbonización. *f.* carbonização.

carbonizar. *v. tr.* carbonizar, reduzir a carvão um corpo orgânico; encarvoar. — **carbonizarse.** *v. r.* transformarse em carvão.

carbono. *m.* carbono.

carbonoso, sa. *adj.* carvoento, que tem carvão, carbonífero.

carborundo. *m.* (quím.) carborundo.

carboxilo. *m.* (quím.) carboxilo.

carbuncal. *adj.* (med.) carbuncular, pertencente ao carbúnculo.

carbunclo. *m.* (min.) carbúnculo, rubim oriental; (med.) V. **carbunco e carbúnculo.**

carbunco. *m.* (med.) carbúnculo. V. **ántrax;** (Amér.) V. **cocuyo.**

carbuncosis. *f.* (med.) carbunculose, infe(c)ção carbunculosa.

carbuncoso, sa. *adj.* V. **carbuncal.**

carbúnculo. *m.* (min.) carbúnculo, rubim oriental.

carburación. *f.* carburação, carbonação; (mec.) carbunação, carbonação nos motores de explosão.

carburador. *m.* (mec.) carburador, carbonador. peça nos automóveis onde se efectua a carburação.

carburante. *adj.* e *s.* (quím.) carburante, carborante, que contém hidrocarbonetos.

carburar. *v. tr.* (quím.) carburar, carbonar, misturar uma substância inflamável com ar para obter uma mistura explosiva ou combustível; (pop.) funcionar, trabalhar bem.

carburina. *f.* sulfureto de carbono, empregado em tinturaria.

carburo. *m.* (quím.) carboneto, carbureto.

carcaj. *m.* carcás, estojo para transportar flechas, aljava, coldre; descanso ou bainho, estojo de metal ou coiro onde se introduz a extremidade da cruz nas procissões; (Amér.) estojo da espingarda na sela do cavalo.

carcajada. *f.* gargalhada forte; (fig.) chocalhada: *reír a carcajadas,* rir às gargalhadas.

carcamal. *m.* (fam.) apodo que se aplica às pessoas idosas e fracas. — *adj.* carunchoso; diz-se dos velhos. — *m.* rocim, cavalo fraco e mau.

carcasa. *f.* (mil.) carcaça, projé(c)til com matérias inflamáveis.

cárcava. *f.* barranco, carcação, vala; fosso que serve de defesa, cárcava; cova para enterrar os mortos; quebrada feita pelas enxurradas; barranco.

carvina. *f.* V. **cárcava.**

cárcavo. *m.* vão, concavidade em que joga a roda da água nas azenhas.

carcavón. *m.* carcavão, barranco feito pelas enxurradas.

carcavuezo. *m.* fosso profundo.

carcaza. *f.* V. **carcaj.**

cárcel. *f.* cárcere, prisão; cadeia; gastalho, instrumento de marceneiro; (Bras.) dita; (impr.) caixilho duma prensa; unidade de medida para a venda de lenha equivalente a 100 ou 160 pés cubicos; carga de lenha que podem levar dois carros; gastalho de carpinteiro, abraçadeira; (pop.) gaiola.

carcelaje. *m.* carceragem, imposto que o preso paga ao carcereiro; detenção forçada.

carcelería. *f.* detenção forçada; fiança para gozar liberdade; reunião de presos.

carcelero, ra. *s.* carcereiro, guarda da prisão; chaveiro; aljubeiro.

carcérulo, la. *adj.* (bot.) carcerular.

carcinología. *f.* carcinologia, tratado dos crustáceos.

carcinológico, ca. *adj.* carcinológico.

carcinólogo, ga. *s.* carcinologista.

carcinoma. *f.* (med.) carcinoma, cancro, tumor gangrenoso.

cárcola. *f.* cárcola, pedal dos teares.

carcinomatosis. *f.* (med.) carcinomatose.

carcinomatoso, sa. *adj.* (med.) carcinomatoso, canceroso.

carcinosis. *f.* (med.) carcinose; carcinoma.

carcoma. *f.* (zool.) carcoma, caruncho, inse(c)to coleóptero; pó da madeira carcomida; (fig.) podridão; remorso; gastador, pessoa ou coisa que vai gastando a fazenda; dissipador; bicho-de-conta; (germ.) caminho, rua.

carcomer. *v. tr.* carcomer, roer (o caruncho); roer pulverizando; (fig.) escavar; arruinar; destruir; consumir pouco a pouco alguma coisa (saúde, virtude, etc.); derruir; corroer. — **carcomerse.** *v. r.* carcomer-se, apodrecer, roer-se de carcoma, encher-se de carcoma.

carcomiento, ta. *adj.* carcomido, carunchoso; gasto; bichoso.

carcón. *m.* correia usada pelos portadores das cadeirinhas.

carda. *f.* carda; instrumento de cardar; (mar.) espécie de embarcação; (bot.) cabeça do cardo; (fig. e fam.) repreensão; admoestação, tunda; cardada, cardadura: (fig. e fam.) *dar una carda,* repreender fortemente; (fig.) *todos somos de la carda,* todos somos da mesma classe.

cardada. *f.* cardada, porção de lã que se carda duma só vez.

cardador, ra. *s.* cardador, o que carda a lã. — *m.* (zool.) miriápode de corpo cilíndrico com cheiro cara(c)terístico: *máquina cardadora,* aparelho de cardar, emborrador.

cardadura. *f.* cardadura, a(c)ção de cardar a lã; a filaça cardada.

cardar. *v. tr.* cardar, desenriçar a lã ou qualquer filaça como a carda; emborrar; desencarapinhar, pentear a lã; (fig.) repreender fortemente.

cardenal. *m.* cardeal, prelado da Igreja Romana; (orni.) cardeal, ave americana de plumagem vermelha: *cardenal de Santiago,* cada um dos sete cónegos da Igreja compostelana.

cardenal. *m.* (pat.) equimose, contusão: *pellizco de cardenal,* beliscadura.

cardenalato. *m.* cardinalato, cardinalado.

cardenalicio, cia. *adj.* cardinalício.

cardencha. *f.* (bot.) cardo-penteador, cardo--cardador; carda, instrumento para cardar.

cardenchal. *m.* cardal, lugar povoado de cardos.

cardenilla. *f.* qualidade de uva miúda, tardia e arroxeada.

cardenillo. *f.* (quím.) cardenilho, verdete; (pint.) verdete, acetato de cobre; azebre.

cárdeno, na. *adj.* cárdeno, cárdeo, cardão, azul-violáceo; diz-se do touro cujo pêlo tem mistura de preto e branco; diz-se da água de cor opalina; lívido, cardo.

cardería. *f.* cardagem, oficina onde se carda a lã; fábrica de cardar.

cardero. *m.* cardeiro, o que faz cardas, cardador.

cardiáceo, a. *adj.* cardiáceo, cordiforme, que tem forma de coração.

cardiaco, ca. *adj. e s.* cardíaco, pertencente ou relativo ao coração; o que sofre do coração.

cardialgia. *f.* (med.) cardialgia.

cardiálgico, ca. *adj.* cardiálgico.

cardias. *m.* (anat.) cárdia, boca de estômago.

cardiectasia. *f.* (pat.) cardiectasia.

cardillar. *m.* cardal, terreno onde abundam *cardillos.*

cardillo. *m.* (bot.) cardo lanceolado e comestível.

cardinal. *adj.* cardinal, cardeal, fundamental, básico, principal; (astr.) aplica-se aos signos Aries, Câncer, Libra e Capricórnio; (gram.) diz-se do adje(c)tivo numeral que exprime quantos são as pessoas ou coisas de que se trata: *punto cardinal,* ponto cardeal.

cardinas. *f. pl.* (arq.) folhas semelhantes às do cardo, empregadas como adorno no estilo ogival.

cardiocele. *f.* (pat.) cardiocele, hérnia do coração.

cardiocentesis. *f.* (cir.) cardiocentese.

cardioesclerosis. *f.* (pat.) cardiosclerose.

cardiografía. *f.* (med.) cardiografia.

cardiógrafo. *m.* cardiógrafo, aparelho que registra os movimentos do coração, cardiologista.

cardiograma. *m.* (med.) cardiograma.

cardioide. *adj.* (med. ópt. e geom.) cardióide, em forma de coração.

cardiología. *f.* cardiologia.

cardiólogo, ga. *s.* (med.) cardiologista.

cardiópata. *s.* cardiopata, o que sofre de cardiopatia.

cardiopatía. *f.* (pat.) cardiopatia.

cardiopático, ca. *adj.* cardiopático.

cardiopétalo, la. *adj.* (bot.) cardiopétalo.

cardioplejía. *f.* (pat.) cardioplegia.

cardioscopia. *f.* (med.) cardioscópia.

cardioscopio. *m.* (med.) cardioscópio.

cardítico, ca. *adj.* (med.) cardítico, relativo à cardite.

carditis. *f.* (pat.) cardite.

cardizal. *m.* (bot.) cardal, lugar onde abundam cardos e outras ervas inúteis.

cardo. *m.* (bot.) cardo: *cardo bendito,* cardo bento, cardo-santo; *cardo borriquero,* cardo asnero, acantio; *cardo mariano,* cardo-de-santa-maria; *cardo lechero,* amor de hortelão; *cardo estrellado,* cardo-estrelado; *cardo ajonjero.* V. **ajonjera;** *cardo huso,* cartamo, açafrão; *cardo silvestre,* cardo silvestre; *cardo manso,* cardo manso; *cardo asnal o cabrero,* cardo asneiro; *cardo corredor,* cardo corredor; *cardo lechero,* cardo leiteiro; *cardo de María,* cardo mariano; *más áspero que un cardo,* diz-se da pessoa de cará(c)ter austero.

carducha. *f.* carduça, carda grosseira para começar a cardadura.

cardume. m. V. **cardumen.**

cardumen. m. cardume (de peixes), banco; (Amér.) multidão, abundância de coisas; enxame, ajuntamento.

carduzador, ra. s. carduçador, aquele que carduça; (germ.) receptador, que negocia em roupa furtada.

carduzal. m. V. **cardizal.**

carduzar. v. tr. cardar. V. **cardar.**

carear. v. tr. carear, acarear; tanger o gado; confrontar, comparar, admoestar; (prov.) afugentar, espantar as galinhas ou outras aves domésticas; pascer, pastar o gado. — **carearse.** v. r. colocar-se cara a cara, encarar; reunir-se ou avistar-se com alguém para algum negócio.

carecer. v. intr. carecer, ter falta ou necessidade; falir; falhar; necessitar: carecer de, estar falto de, errar de. — pres. ind. irr. **carezco, -ces,** etc.; subj. **carezca, -as,** etc.

carel. m. (mar.) borda superior duma embarcação; borda, margem dum prato ou doutras coisas semelhantes.

carena. f. (mar.) carena, querena, conserto na quilha do navio; embonada, embono; (fig. e fam.) zombaria com que se repreende alguém; (poét.) navio.

carenador. m. consertador do casco dum navio.

carenadura. f. a(c)ção e feito de carenar.

carenaje. m. acção e efeito de querenar; calafetação do casco dum navio.

carenar. v. tr. consertar, calafetar o casco dum navio, querenar; embornar, adubar.

carencia. f. carência, falta, privação, carecimento, necessidade; inexistência; indigência; míngua; falência; ausência.

carenero. m. (mar.) estaleiro, lugar onde se constroem e reparam navios; paixão, lugar onde se querenam os barcos.

carenóstido. m. (zool.) carenóstido.

carenote. m. (mar.) pontalete, suporte empregado para suster as embarcações varadas.

careo. m. careio, acareação, acareamento; confrontação, comparação; (prov.) porção de terreno dividido para montado; pasto, erva; palestra.

carero, ra. adj. (pop.) careiro, que costuma vender caro.

carestía. f. carestia; escassez; carência, falta; carestia; encarecimento, alta de preços.

careta. f. careta, caraça, antiface, máscara, mascarilha para cobrir a cara; máscara para defesa da cara na esgrima ou limpeza de colmeias: ponerse una careta, afivelar a máscara, encaretar-se; quitar la careta, tirar a máscara; careta contra gases, máscara contra gases.

careto, ta. adj. careto, picaço, pigarço, diz-se do animal escuro com testa branca, pertencente à raça cavalar ou vacum.

carfología. f. (med.) V. **carfologia.**

carga. f. carga, carregação, carregamento; fardo; carga, tudo o que pesa sobre alguma coisa ou pessoa; peso; grande quanti-

dade; quantidade de pólvora e projé(c)teis que se metem de uma vez na arma de fogo; (ele(c)tr.) carga, acumulação de ele(c)tricidade; (mil.) ataque ao inimigo; imposto, (Bras.) impôsto, contribuição; obrigação; condição onerosa; cuidado sério, aflição; ataque, carga de cavalaria; (fig.) responsabilidade; embaraço; apanágio; (mar.) carregamento dum navio. V. **cargamento;** (vet.) espécie de cataplasma: imponer cargas, pôr encargos; carga de caballería, carga da cavalaria; (mil.) carga cerrada, carga cerrada; bestia de carga, besta de carga; navío de carga, navio de carga; dar una carga al enemigo, dar carga ao inimigo; tirar la carga, dar com a carga em terra; carga de profundidad, carga de profundidade; echarse uno con la carga, (fig. e fam.) dar com a carga em terra; llevar uno la carga, ter a responsabilidade de alguma coisa; por qué carga de agua, (fig. e fam.) por que carga de água; ser de ciento en carga, (fig. e fam.) ser uma coisa ordinária e de pouca estimação.

cargada. f. a carta mais carregada com dinheiro no jogo do monte.

cargadera. f. (mar.) carregadeira.

cargadero. m. cais para carregar ou descarregar mercadorias; (arq.) V. **dintel.**

cargadilla. f. (fam.) aumento de uma dívida, por acumulação de juros.

cargadizo, za. adj. apto, pronto para ser carregado.

cargado, da. p. p. e adj. carregado, que tem ou transporta carga; carregado (o tempo): cheio, abundante; pesado; forte, espesso, saturado (café, etc.); apinhoado, ajoujado; coberto; abastoso. — m. movimento de certa dança espanhola: cargado de años, carregado de anos; muy cargado, abarrotado; fusil cargado, espingarda atacada; cargado de sueño, carregado de sono; cargado de trampas, carregado de dívidas; cargado de espaldas, carregado das espáduas; estar cargado, (fam.) estar carregado; tener la cabeza cargada, ter a cabeça carregada; cargado de vino, carregado de vinho.

cargador. m. carregador, o que embarca mercadorias para o seu transporte; (artil.) carregador, cucharra de carregar as peças; cunhete; moço de fretes, mariola; almocreve; estivador; moço de pau e corda; (Amér.) foguete de muito estrondo; sarmento que se deixa pouco recortado na poda, para que aguente o peso do fruto; (prov.) cada um dos dois serventes que introduzem a carga nas peças de artilharia.

cargamento. m. carregamento, carregação, carga, conjunto de mercadorias que carrega uma embarcação, trasladar el cargamento de un barco, mudar a estiva.

cargante. adj. e p. a. (fam.) pesado, incómodo, (Bras.) incômodo, empalagoso, enfastioso, enfastiante, afadigoso, afadigador, incomodador, aborrecido.

cargar. *v. tr.* carregar, pôr carga em; tomar carga; carregar; embarcar mercadorias; encostar; carregar uma arma de fogo; acusar, fazer carga; (fig.) aumentar, agravar o peso de alguma coisa; sobrecarregar; impor uma carga ou obrigação; (fam.) fastidiar, incomodar, aborrecer; afadigar; estomagar; ajoujar; fretar, imputar, achacar; no jogo do monte, aumentar a parada; (pop.) maçar, cansar; (com.) debitar, lançar em conta, lançar em débito; (vet.) aplicar uma cataplasma; (mil.) carregar, avançar, atacar, acometer com ímpeto o inimigo. — *v. intr.* descansar uma coisa sobre outra. — **cargarse.** *v. r.* inclinar-se carregar-se para um lado; assumir obrigações, tomar sobre si: *cargar con bala*, embalar; *cargar delantero*, haver bebido demasiadamente; *cargar en cuenta*, pôr à conta, debitar; lançar no débito; *cargar un carro*, encarrar; *cargar la mano*, (fig.) apertar a corda; *cargar con un negocio*, tomar sobre si um negócio; *cargar hasta el tope un carro o carreta*, enfueirar; *cargarse a alguien*, (pop.) despachar alguém, acabar alguém; *cargar un navío*, carregar um navio; *cargar al enemigo*, carregar ao inimigo; *cargar de golpes*, carregar de pancadas; *cargar el estómago*, carregar o estômago; *cargar la mano en algo*, carregar a mão nalguma coisa; (mar.) *cargar las velas*, carregar as velas; *cargar con alguien*, (fig.) carregar com alguém; *cargar demasiado*, carregar, beber demasiado; *cargarse con alguien*, carregar-se com alguém, enfastiar-se de alguém.

cargareme. *m.* recibo ou documento de caixa.

cargazón. *f.* carregação, opressão, peso em alguma parte do corpo; carregamento; carregação, ajuntamento de nuvens condensadas; (Amér.) obra mecânica, tosca ou mal rematada; abundância de frutos nas árvores e noutras plantas.

cargo. *m.* carga, carregamento; carga, peso; quantidade de uva já pisada; cargo, emprego, (Bras.) emprêgo, dignidade; unidade de medida de madeiras equivalente a uma vara cúbica; (fig.) dire(c)ção, governo; obrigação, encargo; incumbência; (com.) deve; carga, acusação; encargo; defeito, deficiência: *estar a cargo de*, incumbir-se; *tener a su cargo*, correr, abarcar; *cargo de conciencia*, cargo de consciência; *hacerse cargo*, fazer-se cargo; *estar a cargo de*, estar a cargo de.

cargoso, sa. *adj.* (Amér.) carregoso, pesado, incómodo. V. **cargante** e **gravoso.**

carguío. *m.* carga, carregamento, o que compõe uma carga.

caria. *f.* (arq.) fuste de coluna.

cariacedo, da. *adj.* sombrio, tristonho; carrancudo, desagradável.

cariacontecido, da. *adj.* (pop.) melancólico, de semblante triste ou sobressaltado; com cara de caso.

cariado, da. *adj.* cariado, atacado de cárie, corrompido.

cariadura. *f.* cárie, ulceração dos ossos e dos dentes.

cariaguileño, ña. *adj.* que tem o rosto comprido e o nariz aquilino.

carialegre. *adj.* risonho, de rosto alegre, jocundo.

carialzado, da. *adj.* que tem a cara levantada.

cariampollado, da. *adj.* V. **mofletudo.**

cariampollar. *adj.* V. **mofletudo.**

cariancho, cha. *adj.* (fam.) que tem a cara larga.

cariar. *v. tr.* cariar, criar cárie, corromper-se; furar-se (o dente). — **cariarse.** *v. r.* cariar-se.

cariátide. *f.* (arq.) cariátide.

caríbal. *adj.* e *s.* V. **caníbal.**

caribe. *adj.* e *s.* caraíba; diz-se do indivíduo que dominou numa parte das Antilhas. — *m.* caraíba, língua dos caraíbas; (fig.) homem cruel feroz, desumano; canibal.

caribello. *adj.* diz-se do touro que tem a testa branca.

cariblanco, ca. *adj.* que tem o rosto branco. — *m.* (Amér.) porco montês semelhante ao javali.

caribobo. *adj.* (fam.) palerma, atoleimado, tonto.

caricato. *m.* caricato; bufo; cantor jocoso. — *adj.* caricato, ridículo; diz-se do cantor de voz de baixo, encarregado da parte graciosa nas óperas jocosas.

caricatura. *f.* caricatura, representação burlesca de pessoas ou acontecimentos; pessoa ridícula pelo aspe(c)to e modos; fantochada; desenho ridículo.

caricatural. *adj.* caricatural, relativo à caricatura.

caricaturar. *v. tr.* V. **caricaturizar.**

caricaturesco, ca. *adj.* caricato, pertencente ou relativo à caricatura, caricaturesco.

caricaturista. *s.* caricaturista, artista que faz caricaturas.

caricaturizar. *v. tr.* caricaturar, representar em caricatura.

caricia. *f.* carícia, demonstração carinhosa, mimo, manifestação de afe(c)to; carinho, afago; favor; blandícia. — *pl.* bichinhas; (germ.) coisa que custa caro.

caricioso, sa. *adj.* caricioso, carinhoso. V. **cariñoso.**

caricorto, ta. *adj.* que tem a cara curta; miúdo de feições.

caricuerdo, da. *adj.* de semblante grave; cicunspe(c)to, sério.

carichato, ta. *adj.* diz-se daquele que tem a cara achatada.

caridad. *f.* caridade, amor do próximo, benevolência; benefício; esmola; compaixão; socorro, auxílio; bodo aos pobres; bondade; beneficência; boa vontade; bem fazer; tratamento usado em certas ordens de religiosas; (Amér.) comida dos presos; generosidade: *caridad actuante*, amor efe(c)tivo; *billete de caridad*, bilhete de benefício; *tratar con caridad*, acariciar; *la caridad bien entendida empieza por uno mismo*, (fig. e fam.) a caridade bem entendida, começa por nós mesmos; *hermanas de la caridad*, irmãs da caridade.

carientismo. *f.* (ret.) figura que consiste em dissimular delicadamente a ironia.

caries. *f.* (med.) cárie, infe(c)ção dos ossos; (bot.) enfermidade que ataca a parte lenhosa das plantas.

carifruncido, da. *adj.* (fam.) carifranzido, carrancudo, de cara enrugada.

carigordo, da. *adj.* (pop.) bochechudo, que tem a cara gorda.

cariharto, ta. *adj.* que tem as faces carnudas. V. **carirredondo**.

carilampiño, ña. *adj.* (Amér.). V. **barbilampiño**.

carilargo, ga. *adj.* (fam.) carilongo, que tem a face alongada.

carilucio, cia. *adj.* (fam.) nédio, que tem lustrosa a cara.

carilla. *f. dim.* de *cara*, carinha; careta; folha ou página; moeda aragonesa; máscara para tratar de colmeias.

carilleno, na. *adj.* (fam.) bochechudo, que tem grandes bochechas.

carillo, lla. *adj.* diz-se na acepção de muito caro, amado, querido, predile(c)to. — *s.* amante, noivo.

carillón. *m.* carrilhão.

carinegro, gra. *adj.* carinegro, que tem negra a cara, moreno.

carininfo, fa. *adj.* (fam.) que tem o rosto efeminado.

cariño. *m.* carinho, amor, benevolência; afe(c)to; afago; carícia; cuidado extremo; afeição; ternura; (fig.) esmero com que se faz uma coisa carinho; simpatia; meiguice; bem-querença; estima, estimação; fraternidade; (fig.) entranhas; apego, (Bras.) apêgo, abafo; (fig.) coração, alma; efusão; adoração. — *pl.* apáparicos: *tratar con cariño*, acarinhar; *¡cariño mío!*, meu coração!; *recibir con cariño*, agasalhar.

cariñoso, sa. *adj.* carinhoso; afe(c)tuoso; amável; meigo; amoroso; efusivo; acariciativo; fagueiro; cordial; amimador; agasalhadeiro, agasalhador; afagador, afagadeiro; expressivo; fraterno.

cariñosón, na. *adj.* (fam.) beijoqueiro, muito carinhoso.

carioca. *s.* e *adj.* (geog.) carioca, natural do Rio de Janeiro; crioulo ou pessoa de cor.

cariocinesis. *f.* (biol.) cariocinese.

cariofiláceas. *f. pl.* (bot.) cariofiláceas.

cariofíleo, a. *adj.* (bot.) cariofiláceo, diz-se das plantas ou ervas dicotiledóneas.

cariofilina. *f.* (quím.) cariofilina.

cariópside. *f.* (bot.) cariopse.

carioso, sa. *adj.* carioso, cariado; relativo à cárie.

cariparejo, ja. *adj.* (fam.) diz-se da pessoa com semblante inalterável.

carirraído, da. *adj.* (fam.) descarado, imprudente, com cara de aço; desavergonhado.

carirredondo, da. *adj.* (fam.) que tem a cara redonda.

carís. *m.* caril, carrí, guisado, tempe(ê)ro dos índios.

carisea. *f.* pano ordinário, semelhante à estamenha.

cariseto. *m.* pano espesso de lã; V. **carisea**.

carisias. *f. pl.* (mit.) festas gregas no(c)turnas em honra das Graças.

carisma. *m.* (teol.) carisma, graça, dom divino.

carismático, ca. *adj.* (teol.) pertencente ou relativo à carisma.

Caristias. *f. pl.* (mit.) Carístias, antiga festa familiar romana.

carita. *f. dim.* de *cara*. V. **cara**.

caritativo, va. *adj.* caritativo, caridoso, que tem caridade, generoso; beneficente; benfazejo.

cariz. *m.* cariz, aspe(c)to de atmosfera; aparência; semblante; aspe(c)to que apresenta um negócio ou uma reunião de pessoas: *mal cariz*, mau aspe(c)to; *cariz de los negocios*, face dos negócios; *negocio de mal cariz*, negócio mal afigurado; *tomar mal cariz*, encarrancar.

carlanca *f.* coleira de puas para proteger os cães; (fig. e fam.) artifício, estratagema, manha, engano, tramóia. V. **grillete**; (Amér.) incómodo causado por pessoa maçadora; pessoa maçadora; (germ.) colarinho de camisa.

carlancón, na. *adj.* e *s.* pessoa manhosa, astuta, arteira.

carlanga. *f.* (Amér.) farrapo.

carlanía. *f.* dignidade e território de *carlán*.

carlear. *v. intr.* V. **jadear**.

carleta. *f.* carleta, lima para desbastar o ferro; (min.) espécie de ardósia.

carlinga. *f.* (mar.) carlinga; sobrequilha; (avia.) carlinga.

carlismo. *m.* (pol.) carlismo, partido ou comunhão política dos carlistas.

carlista. *adj.* e *s.* carlista, partidário de D. Carlos María Isidro de Borbõn e seus descendentes.

carlita. *f.* óculos que servem para ler.

carlovingio, gia. *adj.* carlovingio. V. **carolingio**.

carmañola. *f.* carmanhola, espécie de casaco de gola estreita; carmanchola, canção dos revolucionários franceses de 1793.

carme. *m.* (prov.) horto e jardim. V. **carmen**.

carmel. *m.* (bot.) carmel. V. **llantén**.

carmelina. *f.* carmelina, lã inferior de vicunha ou vigonho; lã de segunda escolha.

carmelita. *adj.* e *s.* carmelita, religioso da Ordem do Carmo; carmelitano.

Carmen. *m.* Ordem regular de N. S. do Carmo ou do Monte Carmelo.

Carmen. *n. p.* Carmo.

carmen. *m.* quinta de recreio em Granada.

carmen. *m.* canto, poema, carme, poesia.

carmenador. *m.* carmeador, o que carmeia; instrumento para carmear.

carmenadura. *f.* carmeadura, a(c)ção de carmear.

carmenar. *v. tr.* carmear, desfazer os nós da lã para os cardar, pentear, limpar, desembaraçar a lã; (fig. e fam.) arrepelar;

cardar, tirar a alguém dinheiro ou coisas de valor.

carmesí. *adj.* carmesim, cor vermelha carregada. — *m.* vermelho-cravo, pó de cochonilha; tecido de seda vermelha.

carmesita. *f.* (min) silicato de ferro e alúmen.

carmín. *m* carmim, substância corante extraída da cochonilha e de certos vegetais.

carminativo, va. *adj.* e *s.* (med.) carminativo, antiflatulento.

carmíneo, a. *adj.* carmíneo, que tem cor de carmim.

carminita. *f.* (min.) arseniato de ferro e chumbo.

carminoso, sa. *adj.* de cor semelhante ao carmim.

carnación. *f.* (herald.) carnação; a cor da carne.

carnacha. *f.* carne corrompida; (fig.) coisa podre, fétida.

carnada. *f.* carnada, isca de carne para caçar ou pescar, ceva.

carnadura. *f.* carnadura, compleição, natureza, musculatura, robustez, abundância de carnes. V. **encarnadura.**

carnal. *adj.* carnal, referente a carne; sensual, lascivo, luxurioso, impúdico; consanguíneo; animal; (fig.) terrenal, mundano. — *m.* tempo do ano que não é quaresma e em que a Igreja permite comer carne: *primo carnal*, primo carnal.

carnalidad. *f.* carnalidade, sensualidade, concupiscência, luxúria, lascívia.

carnalita. *f.* (min.) carnalite.

carnario. *m.* ossuário, sepulcro de família.

carnaval. *m.* carnaval, tempo que precede a quarta-feira de cinzas; festa popular que se celebra em tais dias; entrudo; (fig.) orgia; folia: *ser una cosa un carnaval*, (fig. e fam.) ser uma farsa; *diversión de carnaval*, entrudada; *observar el carnaval*, jogar o Entrudo.

carnavalada. *f.* entrudada, o que é próprio do tempo de carnaval.

carnavalesco, ca. *adj.* carnavalesco, pertencente ou relativo ao carnaval; entrudeiro, entrudesco; grotesco.

carnaza. *f.* carnaz, parte da pele do animal oposta ao pêlo, o avesso; (fam.) abundância de carnes numa pessoa; carnaça; isca. V. **carnada.**

carne. *f.* carne, tecido muscular; natureza animal; sensualidade; polpa dos frutos; concupiscência, apetite sensual; consanguinidade; matéria (em oposição ao espírito); (pop.) chicha; (Amér.) árvore silvestre comum: *uña y carne*, (fig.) unha com carne; *en carne y hueso* (fig.) em carne e osso, em pessoa; (pint.) *color de carne*, encarnação; *carne ahogadiza*, carne afogada; *carne del morro del buey*, faceira; *carne ahumada*, enxerca; *carne de carnero*, carne de carneiro; *carne de vaca*, carne de vaca; *carne de ternera*, carne de vitela; *carne de pescado*, carne de peixe; *carne en salmuera*, carne salpresa; *carne fresca*, carne verde; *carne*

ahumada, carne de fumo; *carne de cerdo cocida*, apeguilho; *carnes blancas*, carnes comestíveis de reses tenras ou aves; *en carne viva*, em carne viva; *carne sin hueso*, (fig. e fam.) ser de carne e sangue; *criar carne* (una herida) encarnar uma ferida; *metido en carnes*, chorudo; *poner toda la carne en el asador*, fazer todo o possível para obter uma coisa; *no ser carne ni pescado*, (fig.) não ser peixe nem carne; *preparar la carne como fiambre*, (Bras.) afiambrar.

carne. *f.* um dos lados do osso de carneiro ou janiz, usado no jogo do cucarne.

carnecería. *f.* V. **carnicería.**

carnecilla. *f.* pequena carnosidade formada em qualquer parte do corpo.

carnerada. *f.* carneirada, rebanho de carneiros.

carneraje. *m.* contribuição ou imposto que se paga pelos carneiros.

carnereamiento. *m* coima, pena que se paga quando os carneiros entram em pastagens alheias e causam dano.

carnerear. *v. tr.* matar o gado que tenha causado prejuízo.

carnerero. *m.* carneireiro, pastor de carneiros.

carneril. *adj.* carneiril, pertencente ou relativo ao carneiro.

carnero. *m.* (zool.) carneiro; carneiro ossário, ossuário, sepulcro de família; jazigo nalgumas igrejas; (prov.) pele de carneiro curtida; (Amér.) V. **llama:** (Amér.) pessoa sem vontade própria; (poes.) ariete: *carnero de cinco cuartos*, carneiro africano de lã comprida e cauda grossa; *carnero del cabo*, albatroz; *lanzar miradas de carnero degollado*, olhar com olhos atravessados; *no hay tales carneros*, não existe semelhante coisa; *carnero castrado*, carneiro castrado; *carnero manso*, *para guía*, carneiro de guia; *carnero de simiente*, carneiro castiço ou de semente.

carneruno, na. *adj.* acarneirado, relativo ou semelhante ao carneiro.

carnestolendas. *f. pl.* carnaval, entrudo, carnestolendas.

carnet. *m.* bilhete de identidade

carnicería. *f.* carniçaria; açougue, talho, estabelecimento onde se corta e se vende carne de reses; (fig.) carnificina, carniçaria, mortandade, matança, chacina; (Amér.) matadoiro; (fig.) destripação.

carnicero, ra. *adj.* e *s.* carniceiro, diz-se do animal que se alimenta da carne das presas que caça; aplica-se à coutada ou à devesa onde pasta o gado; (fam.) diz-se da pessoa que come muita carne; (fig.) cruel, sanguinário, inumano; pessoa que vende carne, carniceiro, marchante. — *pl.* (zool.) carnívoros.

carnicol. *m.* V. **pesuño e taba.**

carnificación. *f.* (med.) carnificação dos tecidos que tomam aparência de carne.

carnificarse. *v. r.* carnificar-se, sofrer carnificação um órgão ou tecido.

carnífice. *m.* nome do fogo entre os alquimistas; carnífice. verdugo, carrasco. — *adj.* cruel, inumano.

carnificina. *f.* carnificina, matança, estripação, mortandade.

carniforme. *adj.* carniforme, semelhante à carne.

carnina. *f.* (quím.) princípio amargo contido no extra(c)to de carne.

carniola. *f.* (min.) variedade de calcedónia.

carniseco, ca. *adj.* magro, de poucas carnes.

carnívoro, ra. *adj.* e *s.* que se alimenta de carne.

carniza. *f.* (fam.) carniça, desperdício da carne que se mata; carne morta.

carnización. *f.* (med.) carnificação.

carnosidad. *f.* carnosidade; excrescência de carne; gordura excessiva.

carnoso, sa. *adj.* carnoso, de carne, que tem muitas carnes, carnudo; diz-se do que tem muito miolo; cheio, chorudo; (bot.) diz-se dos órgãos vegetais de tecido parenquimatoso.

carnotita. *f.* (min.) carnotite.

carnudo, da. *adj.* carnudo. V. **carnoso**.

carnuza. *f.* carniça, carne em demasia que chega a produzir fastio; carne morta.

caro, ra. *adj.* caro, subido de preço; caro, amado, querido, estimado; que importa despesas e sacrifícios; alto. — *adv.* por alto preço: *hacer pagar muy caro,* levar coiro e cabelo; *ponerse caro,* encarecer.

caroca. *f.* decoração com colgaduras de ruas ou praças; (fam.) momice, carícia afe(c)tada, lisonja; caroca, patranha mais ou menos engenhosa; composição cómica para diversão do povo; carantonha.

carocha. *f.* V. **carrocha**.

carochar. *v. tr.* V. **carrochar**.

carola. *f.* carola, dança antiga; (Amér.) V. **carona**.

carolingio, gia. *adj.* e *s.* carolíngio, carlíngio.

carolino, na. *adj.* e *s.* (geog.) natural das Carolinas, ou pertencente a estas Ilhas.

caromomia. *f.* caromomia, carne dos cadáveres embalsamados.

carona. *f.* carona, suadouro de selim ou albarda; parte do lombo das cavalgaduras; (germ.) camisa; (fig.) fraco para o trabalho; namoradiço, namorador; molangueirão: (pop.) *blando de carona,* muito mandrião ou vadio; namoradiço.

caronada. *f.* (mar. mil.) caronada.

caroñoso, sa. *adj.* lazarento, cheio de mazelas, mazelento, diz-se das cavalgaduras que têm esfoladelas ou mataduras.

caroquero, ra. *adj.* e *s.* requebrador, lisonjeiro, adulador.

carosis. *f.* (med.) modorra, sonolência profunda acompanhada de insensibilidade completa.

carótida. *f.* (anat.) carótida.

carota. *s.* (pop.) cara de aço.

carozo. *m.* (prov.) baganho, caroço de azeitona para cevar os porcos. — raspa da espiga de milho; membrana que divide os cachos de algumas frutas.

carpa. *f.* (zool.) carpa, peixe malacopterígio.

carpa. *f.* cacho de uvas; (Amér.) toldo de feira; barraca, tenda de campanha.

carpancho. *m.* (prov.) cesto redondo de vime para levar à cabeça peixes, hortaliças, etc.

carpanel. *adj.* (arq.) diz-se do arco que tem várias porções de círculos tangentes, mas traçadas desde distintos centros.

carpanta. *f.* (fam.) fome violenta; carraspana, borracheira; (prov.) preguiça, indolência; (Amér.) bando de gente folgazã.

carpelo. *m.* (bot.) carpelo, peça ou peças da parte feminina da flor, pistilo.

carpera. *f.* tanque ou reservatório onde se conservam as carpas.

carpeta. *f.* tapete de mesa; pasta para guardar papeis; pasta para escrever; rótulo em maços de papeis; capa de livro ou caderno, cobertura; (prov.) sobrescrito, envelope.

carpetazo. *m.* pancada com *carpeta; dar el carpetazo,* (fig. e fam.) indeferir, dar por terminado um assunto; não dar seguimento a alguma pretensão.

carpiano, na. *adj.* carpiano, pertencente ou relativo ao carpo.

carpidor. *m.* (Amér.) mondador.

carpintear. *v. intr.* carpintejar, carpinteirar, trabalhar de carpinteiro; (fam.) fazer obra de carpinteiro por gosto.

carpintería. *f.* carpintaria, oficina ou trabalho de carpinteiro.

carpinteril. *adj.* pertencente ou relativo ao carpinteiro ou carpintaria.

carpintero. *m.* carpinteiro; (zool.) verrumão: *carpintero de blanco,* carpinteiro que faz mesas, bancos, etc., marceneiro *carpintero de prieto,* carpinteiro de carros e carroças; *carpintero de carretas,* carpinteiro de carro; *carpintero de obras de afuera,* carpinteiro de casas; *carpintero de ribera,* carpinteiro naval, de machado; *carpintero mueblista,* ebanista; *carpintero de taller,* carpinteiro de samblagem; *abeja carpintera,* himnóptero que fabrica o favo nos troncos secos das árvores.

carpir. *v. intr.* rasgar, arranhar, magoar; deixar alguém pasmado; renhir, pelejar; carpir, chorar, lamentar, lastimar; (Amér.) limpar, mondar a terra com o mondador, escardar, capinar.

carpo. *m.* (anat.) carpo; punho, pulso.

carpobálsamo. *m.* carpobálsamo.

carpofagia. *f.* carpofagia.

carpófago, ga. *adj.* e *s.* carpófago.

carpófilo, la. *adj.* carpófilo, que gosta de frutos.

carpóforo. *m.* (bot.) carpóforo.

carpogénesis. *f.* carpogénesis.

carpología. *f.* (bot.) carpologia.

carpológico, ca. *adj.* (bot.) carpológico.

carpomorfo, fa. *adj.* carpomorfo, que tem a forma de fruto.

carquerol. *m.* cada uma das peças dos teares de terciopelo, das quais pendem umas cordas fixadas nos pedais.

carquesa. *f.* forno para temperar obje(c)tos de vidro.

carraca. *f.* (mar.) carraca, embarcação grande e ronceira, antigo navio de longo curso; (depre.) barco grande e velho; por ext. qualquer artefa(c)to deteriorado ou caduco; nome do arsenal de Cadiz; lugar onde se construíam antigamente os baixéis.

carraca. *f.* matraca, instrumento usado para significar o terramoto no final das trevas na Semana Santa; matraca, brinquedo de crianças; (Amér.) mandíbula dalguns animais.

carraco, *adj.* achacoso, decrépito, velho. — *m.* (fam.) velho achacoso.

carracuca. nome empregado na expressão: *estar más perdido que carracuca,* locução com que se pondera a situação angustiosa duma pessoa.

carrada. *f.* carrada, carga dum carro. V. **carretada.**

carral. *m.* pipa para transportar vinho em carros; (prov.) homem achacoso. V. **carraco.**

carralero. *m.* tanoeiro, o que faz *carrales* (pipas ou barris).

carranchoso, sa. *adj.* (Amér.) iracundo, colérico, irascível, iroso.

carranza. *f.* cada uma das pontas de ferro da coleira da puas. V. **carlanga.**

carraña. *f.* (prov.) ira, cólera, raiva; pessoa propensa a estas paixões.

carrañón, na. *adj.* (prov.) V. **regañón.**

carrañoso, sa. *adj.* (prov.) V. **regañón.**

carrao. *m.* (Amér.) ave pernalta de bico comprido. — *pl.* (Amér.) sapatos grosseiros.

carraón. *m.* (bot.) espécie de trigo de pouca altura, semelhante ao trigo escândea; trigo durázio.

carrasca. *f.* (bot.) carrasco, carrasqueiro, espécie de carvalho; (prov.) resíduos do que se colhe com rastelo, empregados para 'encher colchões; (Amér.) instrumento músico usado pelos negros.

carrascal. *m.* carrascal, carrasqueira, moita de carrascos; lugar povoado de carrasqueiros.

carrascalejo. *m. dim.* de *carrascal.*

carrasco. *m.* carrasco, carrasqueiro; macheiro; azinheira; (Amér.) extensão grande de terreno coberto de vegetação lenhosa.

carrascón. *m. aum.* de *carrasca.*

carrascoso, sa. *adj.* carrascoso, diz-se do terreno que abunda em carrascos.

carraspante. *adj.* picante, áspero, acre; carrascão.

carraspear. *v. intr.* sentir ou padecer carraspeira ou rouquidão.

carraspeño, ña. *adj.* áspero; bronco, picante.

carraspeo. *m.* carraspeira, aspereza na garganta; rouquidão.

carraspera. *f.* carraspeira, rouquidão, aspereza na garganta dos constipados.

carrasposo, sa. *adj.* carraspudo, diz-se da pessoa que sofre de carraspeira; (Amér.) diz-se do que é áspero ao ta(c)to.

carrasquear. *v. intr.* (prov.) ranger, fazer ruído ao trincar uma substância dura.

carrasqueño, ña. *adj.* (bot.) pertencente ou relativo ao carrasqueiro; (fig. e fam.) áspero, duro.

carrasquera. *f.* V. **carrascal.**

carrejo. *m.* corredor, passagem estreita e comprida no interior duma casa, galería.

carrendera. *f.* (prov.) estrada real ou nacional. V. **carrera.**

carrendilla. *f.* (Amér.) sarta, enfiada.

carreña. *f.* ramo de videira com muitos cachos.

carrera. *f.* carreira; corrida com velocidade; percurso, passo rápido; sítio para correr; curso dos astros; estrada real ou nacional; rua; apartado do cabelo; carreira, modo de vida; vida, decurso da existência; comportamento; carreira, profissão; ordem, fieira; (mar.) rota de navios; caminho ou meio de fazer alguma coisa; série de ruas que percorre uma procissão, itinerário; (arq.) viga horizontal para aguentar outras; trilho; corrida veloz; correnteza; risca do pêlo; percurso habitual de carros; antiga rua; série de incómodos ou vexames desferidos sobre uma pessoa. — *pl.* concurso hípico; rotura pequena numa meia: (mil.) *carrera de baquetas,* castigo usado antigamente no exército; *dar carrera a alguien,* (fam.) custear os estudos a alguém; *carrera del caballo,* carreira do cavalo; *carrera de las Indias,* carreira da India; *estudiar una carrera,* tomar ou seguir uma carreira; *de carrera,* (fig.) sem reflexão; *hacer carrera,* fazer carreira, prosperar na vida.

carrerilla. *f.* certo passo de dança espanhola; rotura pequena nas meias; (mús.) escala, notas que a expressam; passo atrás.

carrerista. *s.* concorrente às corridas de cavalos; aquele que nelas aposta. — *m.* cavaleiro que vai adiante do coche que ocupam as pessoas reais, trintanário.

carrero. *m.* carreiro, o que guia; (prov.) rasto, indício deixado no caminho pela gente, animais ou carros; esteira, sulco, rastro que na água deixa a embarcação.

carreta. *f.* carreta, (Bras.) carrêta, carrao, carro comprido e estreito, carroça: *pasar por carros y carretas,* (fig. e fam.) deixar passar carros e carretas, sofrer tudo com indiferença.

carretada. *f.* carrada, carga dum carro; (fig. e fam.) grande quantidade de qualquer espécie de coisas; (Amér.) medida usada para vender e comprar cal; carriagem; (fam.) carrada, multidão de gente ou coisas: *a carretadas,* às carradas, em abundância.

carretaje. *m.* carretagem, preço de um carreto ou de vários; carriagem; ruído de carros e carretas.

carretal. *m.* pedra lavrada toscamente.

carrete. *m.* carretel, carrinho, carrete, (Bras.) carrête, pequena roda ou cilindro dentado de vários maquinismos; bobina: *tener mucho carrete,* (pop.) desenrolar o carretel, falar muito.

carretear. *v. tr.* carrear, conduzir em carreta ou carro, acarretar, carrejar, guir carro ou carreta; acarrear, puxar o animal pelo carro.

carretel. *m.* V. **carrete**; (mar.) carretel, cilindro empregado para medir a velocidade do navio, carretel de barquinha.

carretela. *f.* espécie de caleche, carro de quatro lugares de coberta desmontável; (Amér.) ónibus, diligência.

carretera. *f.* estrada, caminho público, estrada real ou nacional; estrada de carro.

carretería. *f.* carriagem, conjunto ou série de carros; profissão do carreteiro; lugar onde se fazem carros; baile popular antigo.

carreteril. *adj.* pertencente ou relativo aos carreteiros.

carretero. *m.* carreteiro, carroceiro; fabricante de carros ou carroças; carpinteiro de carros; o que conduz carros ou carretas; o que guia as cavalgaduras ou os bois que puxam carros. — *adj.* carreteiro, acarretador; diz-se do caminho acessível a carros.

carretil. *adj.* pertencente ou relativo à carreta.

carretilla. *f.* carretilha, carrinho de mão; (artil.) carrinho usado no século XVI; busca-pé, foguete; (Amér.) carro de carga tirado por três mulas. V. **carreta**: *de carretilla*, (fig. e fam.) sem reflexão, e de cor, por hábito muito depressa; *saber de carretilla*, (fam.) saber de cor e salteado.

carretillada. *f.* carga dum carrinho de mão.

carretillero. *m.* o que conduz um carrinho de mão.

carretillo. *m.* polé dos teares de galões ou fitas.

carretón. *m.* carreta, carro pequeno; carrinho de amolador; carrinho de crianças para aprenderem a andar; em Toledo, carro em que se representavam os autos sacramentais.

carretonada. *f.* carrada, carga dum carro.

carretonaje. *m.* carretagem, preço e transporte em carreta.

carretonero. *m.* carroceiro, carreteiro, o que conduz o *carretón*; (Amér.) V. **trébol**.

carric. *m.* espécie de gabão com várias esclavinas sobrepostas.

carricoche. *m.* carro coberto que tinha a caixa como a dum coche; carruagem velha e de má aparência; carro velho e mal tratado, calhambeque; (prov.) carro do lixo.

carricuba. *f.* carro-tanque, carro para regar.

carriego. *m.* cesto de vimes para pescar. V. **buitrón**; cesto de vimes para barrela das meadas de linho.

carril. *m.* sulco, rasto que deixam as rodas da carruagem; sulco, rasto deixado pelo arado; trilho; caminho muito estreito; carril, trilho de estrada de ferro; vereda: *salirse del carril*, descarrilar.

carrilada. *f.* sulco do carro. V. **carril**.

carrilera. *f.* rasto, rodeira ou sulco deixado

pelas carruagens; (Amér.) desvio duma linha férrea.

carrilete. *m.* (cir.) carrilete.

carrillada. *f.* gordura que tem o porco nas maxilas; toucinho, tromba de porco; grande bofetada. — *pl.* cabeça de boi, carneiro, etc., sem a língua nem os miolos; crânio de carneiro. — *pl.* cascos do carneiro ou de vaca.

carrillera. *f.* carrilheira, maxila inferior do porco; queixada de certos animais; cada uma das correias cobertas de escamas de metal, usadas nos capacetes, barbote; fita atadeira para chapéu de senhora.

carrillo. *m.* carrilho, face, bochecha, queixo; carrinho; (mar.) V. **motón**: *comer a dos carrillos*, (fig. e fam.) comer com voracidade; ter ao mesmo tempo vários empregos lucrativos.

carrilludo, da. *adj.* bochechudo, de bochechas grandes.

carriño. *m.* (artill) jogo dianteiro da carreta do canhão.

carriola. *f.* cama baixa com rodas; carro pequeno com três rodas para passeio das pessoas reais.

carrizada. *f.* (mar.) carriçada, fileira de pipas amarradas flutuando sobre a água.

carrizal. *m.* carriçal, mouta de carriços.

carro. *m.* carro, carruagem, veículo de duas rodas para transporte de pessoas; carro, veículo para transporte de carga, carroça; a carga de um carro; (germ.) o jogo; (astr.) constelação, Carro, Ursa Maior; (impr.) tabuleiro de ferro onde se coloca a forma que se há-de imprimir; (Amér.) árvore de fruto comestível: *carro de oro*, tecido muito fino de lã; *carro de Venus*, (bot.) carro de Vénus, acólito; *carro de heno*, carro de feno; *carro blindado*, carro blindado; *carro de asalto*, carro de assalto, tanque; *carro de riego*, carro-tanque para regar; *untar el carro*, (fig. e fam.) untar o carro, gratificar a alguém para obter o desejado; *carro triunfal*, carro triunfal; *colocar el carro antes que el buey*, pôr o carro diante dos bois; *pasar por carros y carretas*, (fig. e fam.) deixar passar carros e carretas; *parar el carro* (fam.) conter-se, moderar-se; *carro de mudanza*, andorinha, galera.

carro, rra. *adj.* apodrecido, assado, sorvado, diz-se especialmente dos frutos.

carrocería. *f.* fábrica ou venda de carruagens; (autom.) carroçaria.

carrocero. *adj.* pertencente ou relativo a carroça ou a carroçaria. — *m.* carruageiro, construtor de carruagens.

carrocín. *m.* carrocim, coche pequeno; cadeira com rodas.

carrocha. *f.* (ento.) ovos do pulgão, abelha e doutros inse(c)tos; substância seminal.

carrochar. *v. tr.* pôr ovos (diz-se do pulgão e doutros inse(c)tos).

carromatero. *m.* carroceiro, o que dirige um carromato ou uma carroça.

carromato. *m.* carromato, carro de rodas grandes e dois varais, que costuma ser coberto com toldo de canas; carro para fazer mudanças.

carrón. *m.* quantidade de ladrilhos que pode carregar um homem; (Amér.) maciço de ferro usado nos engenhos.

carronada. *f.* (artill.) caronada, canhão curto e de grosso calibre usado na artilharia marítima.

carroña. *f.* carne corrompida; carniça.

carroñar. *v. tr.* causar sarna ou infe(c)tar com ela o gado lanígero.

carroño, ña. *adj.* podre, pútrido, corrompido; (Amér.) cobarde.

carroñoso, sa. *adj.* que cheira a carne corrupta.

carroza. *f.* carroça, coche grande, ricamente adornado, coche de gala; (mar.) coberta provisória, geralmente à popa do navio.

carruaje. *m.* carruagem, carro de caixa sobre molas; nome genérico de toda a qualidade de carros e carruagens; conjunto de carros, carroças, etc., que se preparam para uma viagem.

carruajería. *f.* oficina onde se constroem as carruagens.

carruajero. *m.* cocheiro, o que guia ou conduz qualquer carruagem; (Amér.) construtor de carruagens.

carruca. *f.* (arqeol.) carruca, carroça antiga usada pelos Romanos, carrocim.

carrucar. *v. intr.* (prov.) fazer correr o pião por meio duma baraça.

carruco. *m.* carro pequeno; calhambeque, carro mau e velho; quantidade de telhas que pode carregar um homem.

carrucha. *f.* polé. V. **garrucha.**

carruchera. *f.* (prov.) rumo, dire(c)ção, linha, caminho.

carrujado, da. *adj.* e *s.* V. **encarrujado.**

carrujo. *m.* copa duma árvore.

carruna. *f.* (prov.) caminho de carro.

carrusel. *m.* V. **cabalgata.**

carta. *f.* carta, missiva, epístola; documento dimanado dos tribunais superiores; comunicação oficial entre o Governo e as antigas províncias do Ultramar; cada uma das províncias do Ultramar; carta, naipe do baralho; mapa, carta geográfica; despacho, provisão; diploma de nomeação; apontamento: *dar carta blanca a alguien,* (fig. e fam.) dar carta branca a alguém; *echar las cartas,* deitar cartas, predizer o futuro; *carta blanca,* carta branca; *carta de aviso,* carta de aviso; *carta de felicitación,* carta de parabém; *carta de pésame,* carta de pêsame; *carta de recomendación,* carta de favor, de recomendação; *carta credencial,* carta credencial; *carta de crédito,* carta de crédito; *tener carta blanca,* (fig.) ter carta branca; *a carta cabal,* inatacável; irrepreensível; *tomar cartas en algún negocio,* (fig. e fam.) intervir num negócio; *carta de oficio,* carta de ordem; *pecar por carta de más o de menos,* fazer excessivamente pouco ou excessivamente muito; *carta canta,* diz-se daquilo que há-de provar-se por meio do documento; *jugar a cartas vistas,* (fig. e fam.) jogar

com as cartas na mesa; *poner las cartas boca arriba,* (fig. e fam.) jogar com as cartas na mesa; *perder por carta de menos,* (fam.) perder antes por carta de menos.

cartabón. *m.* esquadria; esquadro para desenho; (topogr.) prisma octogonal metálico; régua de carpinteiro; (arq.) ângulo que formam as duas águas dum telhado; régua graduada, de sapateiro; (mar.) barra de cabrestante.

cartagenero, ra. *adj.* e *s.* (geog.) natural de ou pertencente a Cartagena.

cartaginense. *adj.* e *s.* V. **cartaginés.**

cartaginés, sa. *adj.* e *s.* (geog.) cartaginês, natural de ou pertencente a Cartago.

cártama. *f.* V. **cártamo.**

cartamina. *f.* (quim.) cartamina.

cartapacio. *m.* cartapácio, cartapaço; pasta escolar; conjunto de papéis e documentos avulsos contidos numa pasta.

cartazo. *m.* (fam.) carta que contém alguma repreensão ou desgosto.

carteado, da. *p. p.* e *adj.* carteado, diz-se dos jogos de cartas. — *m.* jogo de cartas em que cada um dos parceiros levanta as suas vazas.

cartear. *v. intr.* jogar com cartas falsas. — *v. r.* **cartearse,** cartear-se, corresponder-se por cartas.

cartel. *m.* cartaz, papel fixado em lugar público para fazer saber alguma coisa, edi(c)to, edital, carte; cartel, carta para desafio; cartel, convenção entre beligerantes para troca ou resgate de prisioneiros; rede para a pesca da sardinha: *tener uno cartel,* (fig. e fam.), ter a reputação sòlidamente firmada; *fijar carteles,* fixar cartazes ou carteis.

cártel. *m.* cartel, consórcio de industriais ou de comerciantes.

cartela. *f.* cartão, em que se escreve alguma coisa, cartela; (arq.) mísula, modilhão, quartela; (heral.) quartel.

cartelado, da. *adj.* (heráld.) esquartelado, diz-se do escudo dividido em quatro quartéis.

cartelera. *f.* armação para afixar anúncios públicos.

cartelero. *m.* cartazeiro, aquele que afixa anúncios em lugares públicos.

cartelón. *m.* cartaz grande.

carteo. *m.* carteio, carteamento, a(c)to de cartear-se.

que formam o a(c)tivo: *ministro sin cartera*

cárter. *m.* (mec.) cárter, peça que cobre certos maquinismos nos motores de explosão; usa-se também para conter os lubricantes; cártere.

cartera. *f.* carteira, pasta para guardar papéis; livrinho de lembranças; livrinho de apontamentos; bolsa para guardar papéis, dinheiro, etc.; (fig.) emprego de ministro; carteira de algibeira; portinhola da algibeira; (com.) valores ou efeitos comerciais que formam o a(c)tivo: *ministro sin cartera,* ministro sem pasta; *cartera para guardar billetes,* bilheteira.

cartería. *f.* emprego de carteiro; repartição dos correios.

carterista. *m.* carteirista, corta-bolsos, gatuno de carteiras.

carterización. *f.* (neol.) agrupação dos industriais do mesmo ofício para obterem uma produção remuneradora.

carterizar. *v. tr.* (neol.) agruparem-se os industriais do mesmo ofício para obterem uma produção remuneradora e combinarem com o comércio uma distribuição regularizada dos produ(c)tos fabricados.

cartero. *m.* carteiro, correio; condutor de malas postais; distribuidor de cartas.

cartesianismo. *m.* (filos.) cartesianismo.

cartesiano, na. *adj.* e *s.* (filos.) cartesiano.

carteta. *f.* carteta, antigo jogo de parar.

cartilágine. *m.* V. **cartílago.**

cartilagíneo, nea. *adj.* (zool.) cartilagíneo.

cartilaginoide. *adj.* cartilaginóideo.

cartilaginoso, sa. *adj.* cartilaginoso, cartilagíneo.

cartílago. *m.* (anat.) cartilagem. V. **ternilla**

cartilla. *f.* cartilha, cartinha; o ABC dalguma coisa; qualquer tratado breve e elemental dalgum ofício ou arte; caderno de apontamento; compêndio; diploma de investidura nas ordens santas; breviário; folhinha eclesiástica. V. **añalejo**: *no saber la cartilla,* (fig.) ser muito ignorante; *leerle a uno la cartilla,* (fig.) repreender alguém ler a cartilha a alguém; *tener otra cartilla,* (fig.) ler por outra cartilha.

cartillero, ra. *adj.* pertencente ou relativo à cartilha; diz-se das obras teatrais que se representam com muita frequência.

cartivana. *f.* charneira, tira de papel ou tela que se cola nas folhas soltas dum livro.

cartigrafía. *f.* cartografia.

cartográfico, ca. *adj.* cartográfico.

cartógrafo. *m.* cartógrafo.

cartomancia. *f.* cartomancia, adivinhação do futuro por meio de cartas.

cartomántico, ca. *adj.* e *s.* cartomântico, relativo à cartomancia; cartomante.

cartometría. *f.* cartometria.

cartométrico, ca. *adj.* cartométrico.

cartómetro. *m.* curvímetro.

cartón. *m.* cartão, papelão, papel muito encorpado; ornato que imita as folhas compridas dalguma planta; (pint.) desenho sobre cartão; (arq.) V. **ménsula**: *cartón piedra,* cartão-pedra.

cartonaje. *m.* cartonagem, obras de cartão.

cartoné. *adj.* galicismo por encartonado.

cartonería. *f.* fábrica onde se faz o cartão; estabelecimento onde ele se vende.

cartonero, ra. *adj.* relativo ao cartão. — *s.* cartonador, aquele que fabrica ou vende cartão.

cartuchera. *f.* cartucheira. V. **canana.**

cartuchería. *f.* (mil.) cartuchame, provisão de cartuchos para armas de fogo.

cartucho. *m.* cartucho, carga para armas de fogo; cartucho, cone de papel, para envolver géneros de mercearia; embrulho; envoltório cilíndrico para moedas do mesmo valor: *quemar el último cartucho,* (fig. e fam.) queimar o último cartucho, tentar o derradeiro esforço; *hacer cartuchos,* en-

cartuchar; *cartucho de monedas,* cartucho de dinheiro; *cartucho de metralla,* cartucho de metralha.

cartuja. *f.* cartuxa, ordem religiosa fundada por S. Bruno em Chartreus; mosteiro, convento, cartuxa.

cartujano, na. *adj.* e *s.* cartusiano, cartuxo. V. **cartujo.**

cartujo. *m.* cartuxo; (fam.) homem taciturno ou muito retraído; misantropo.

cartulario. *m.* cartulário, cartorário; arquivista; escrivão de número; notário.

cartulina. *f.* cartolina, papelão liso o fino; cartasana, obra de passamanaria.

cartusana. *f.* galão com as bordas ou ourelas onduladas.

carúncula. *f.* (zool.) carúncula, crista na cabeça dalgumas aves; carúncula lacrimal.

carunculado, da. *adj.* carunculado.

caruncular. *adj.* carunculoso, pertencente ou relativo à carúncula.

carvajal. *m.* V. **carvallar.**

carvajo. *m.* V. **carvallo.**

carvallar. *m.* V. **carvallero e robledal.**

carvallero. *m.* V. **robledal.**

carvallo. *m.* V. **roble.**

carvi. *m.* (fam.) semente de alcaravia, planta umbelífera herbácea.

carvifoliado, da. *adj.* (bot.) que tem folhas semelhantes à alcaravia.

cas. *f.* apócope de *casa,* termo usado hoje só por gente do povo.

cas. *m.* (bot.) árvore que cresce nas costas temperadas de Costa Rica, cujo fruto se usa para refrescos.

casa. *f.* casa, edifício, vivenda, morada; casa, família; raça; geração; descendência, ascendência, origem, linhagem; estabelecimento industrial ou mercantil; casa, estado, rendimentos, propriedades, bens; casa, conjunto de empregados ou criados duma casa; casa, compartimento, aposento; casa do jogo, das damas ou do xadrez; domicílio; habitação; lar; mansão; morada; residência; te(c)to; prédio; firma; (astr.) espaço do zodíaco que ocupa cada um dos doze signos: *casa pública,* prostíbulo; *casa consistorial,* Câmara Municipal; *casa de expósitos,* roda, casa de crianças expostas; *casa de la moneda,* Casa da Moeda; *casa de citas,* alcoice, alcouce; *casa-colmena,* (fig.) cortiço; *casa de eclesiásticos,* seminário; *casa humilde,* barraca; *casa-palacio,* casa apalaçada; *casa sucia,* cloaca; *casa de salud,* casa de saúde; *casa de misericordia,* Santa Casa; *casa de campo,* casa de campo; *casa de recreo,* casa de recreio; *casa de placer,* casa de prazer, de campo; *casa de comidas,* casa de jantar; *no hará casa con azulejos,* (fig. e fam.) expressão usada para motejar a pessoa que gasta com excesso; *no parar uno en casa,* estar a maior parte do dia fora da sua casa; *no tener uno casa ni hogar,* (fig. e fam.) não ter casa nem vida; *tener la casa como una colmena,* (fig. e fam.) ter a casa muito fornecida.

casaba. *f.* V. **alcazaba.**

casaca. *f.* casaca, casaco de traje masculino, fraque; (pop.) boda, casamento: *volver la casaca*, (fig. e fam.) volta a casaca, mudar de partido.

casación. *f.* (for.) ab-rogação, cassação, anulação, revogação.

casacón. *m.* casacão, sobretudo.

casadero, ra. *adj.* casadoiro, casadeiro, casadouro, que está em idade de poder casar, núbil: (fig.) *muchacha casadera*, franganota.

casado, da. *p. p.* e *adj.* casado, que está ligado por casamento, consorciado. — *s.* casado, cônjuge. — *m.* modo de colocar as páginas para que fiquem numeradas correlativamente: *hombre casado*, (pop.) beco sem saída.

casal. *m.* casal, casa de campo, casa de solar, (prov.) terreno para edificações.

casal. *m.* (Amér.) parelha de macho e fêmea.

casalicio. *m.* edifício, casa.

casamata. *f.* (mil.) casamata.

casamentero, ra. *adj.* e *s.* casamenteiro, que arranja casamentos ou intervém neles.

casamiento. *m.* casamento, a(c)to de casar; enlace, núpcias, matrimónio, (Bras.) matrimônio, união legítima entre homem e mulher; enlace; dote; entrada no jogo; conjúgio; ajuntamento; boda, desposório; (fig.) união.

casamuro. *m.* (mil.) baluarte, muralha sem terrapleno.

casapuerta. *f.* portal, saguão,vestíbulo.

casaquilla. *f.* casaquinha, casaca muito curta.

casaquín. *m. deprec.* de *casaca*.

casar. *v. intr.* e *r.* casar, contrair matrimónio, unir-se por casamento; combinar-se; adaptar-se; harmonizar-se; consorciar-se; conjungir; conjuntar; dar o sim; desposar-se; emparelhar-se; aviar-se; arrumar-se; — *v. tr.* autorizar o sacramento de matrimónio; (fig.) casar, dispor as coisas de forma a corresponderem entre si; ligar; combinar acertar; dar em casamento; cassar, anular: *antes de que te cases mira lo que haces*, antes te cases vê o que fazes; *no casarse uno con nadie*, ter independência de opinião; *casarse por detras de la iglesia*, ajuntar-se, amancebar-se.

casar. *m.* lugarejo, povoação pequena; casal.

casar. *v. r.* (for.) cassar, derrogar, anular uma licença concedida.

casariego, ga. *adj.* caseiro, amigo de estar em casa.

casarón. *m.* casarão, casa grande; grande edifício. V. **caserón**.

casatienda. *f.* loja em que o lojista tem e vende os seus mercadorias, habitando nela.

casba. *f.* V. **alcazaba**.

casca. *f.* casca; folhelho da uva depois de pisada; casca de carvalho para curtume; bagulho; maçapão; água-pé; mosto; vinho. V. **cáscara**.

cascabel. *m.* cascavel, guizo; (mil.) maçanete de culatra duma peça; (fig. e fam.) estouvado, pessoa de pouco juízo; (zool.) espécie de serpente venenosa, cascavel,

crótalo: *poner el cascabel al gato*, atirar-se a empresa perigosa.

cascabela. *f.* (Amér.) crótalo, serpente de cascavel .

cascabelada. *f.* festa ruidosa; (fig.) leviandade, imprudência, dito tolo, imprudente; (mús.) registro de órgão.

cascabelear. *v. tr.* (fig. e fam.) alvoroçar alguém com esperanças vãs; esturdiar; obrar com leviandade.

cascabeleo. *m.* ruído produzido pelos guizos.

cascabelero, ra. *adj.* (fig. e fam.) diz-se da pessoa de pouco senso ou imprudente. — *m.* guizos para as crianças brincarem.

cascada. *f.* cascata, queda de água: *pequeña cascada*, (Bras.) itororó.

cascadera. *s.* *f.* quebra-pinhões, tenaz para os partir.

cascado, da. *adj.* (fig. e fam.) alquebrado, quebrantado de saúde; diz-se da voz sem força, voz apagada.

cascadura. *f.* quebradura, quebra; (fig.) quebrantamento.

cascajal. *m.* V. **cascajar**.

cascajar. *m.* cascalheira, lugar onde há muito cascalho; bagaceira, lugar onde se junta o bagaço.

cascajera. *f.* V. **cascajar**.

cascajo. *m.* cascalho, fragmentos de pedra; caco, fragmento de coisas que se quebram; conjunto de frutas de casca seca; (fam.) caco, vasilha furada e inútil; traste velho de pouco valor; (mar.) navio velho e podre; viatura má e velha: *estar hecho un cascajo*, (fig. e fam.) estar decrépito.

cascajoso, sa. *adj.* cascalhoso, cascalhudo, cascalhento; quebrado.

cascamajar. *v. tr.* quebrar alguma coisa, machucando-a.

cascamiento. *m.* V. **cascadura**.

cascante. *p. a.* e *adj.* cascante, que casca; (fam.) falante, que fala muito.

cascanueces. *m.* quebra-nozes, instrumento de ferro ou madeira para partir nozes; (orni.) pássaro dentirrostro da família dos corvídeos.

cascapiñones. *m.* quebra-pinhões, aquele que tira os pinhões das pinhas ainda quentes e lhes parte a casca; tenaz para partir os pinhões; (fig. e fam.) leviano.

cascar. *v. tr.* quebrar, partir, rachar, fender; (fam.) cascar, bater em alguém, dar pancadas; machucar; (fig. e fam.) tagarelar. — **cascarse.** *v. r.* quebrar-se, partir-se, falar.

cáscara. *f.* casca, revestimento externo, cortiça das árvores; invólucro de ovos de animais; casca dos frutos; (prov.) casulo do bicho-da-seda. — *pl.* (pop.) calças, calções: *cáscara sagrada*, (farm.) cáscara-sagrada; *ser de la cáscara amarga*, (fig. e fam.) ser pessoa de ideias avançadas; ser travesso e valentão; ter ideias contrárias à Igreja; *¡cáscaras!*, expressão de surpresa e admiração.

cascarada. *f.* (germ.) alvoroto, rinha.

¡cáscaras! *interj*. oh!, que tal!

cascarear. *v. tr.* (Amér.) dar pancadas.

cascarela. f. V. **cuatrillo**; arrenagada (jogo).

cascarilla. f. cascarilha, casquinha, casca duma planta americana amarga, aromática e medicinal; casquinha, lâmina fina de metal; (bot.) cascarinha, espécie de quina; pó de casca de ovo; forma para fazer pasteis.

cascarillero, ra. s. pessoa que colhe ou vende cascarilha. — m. V. **cascarillo.**

cascarillina. f. (quím.) cascarilina.

cascarón. m. aum. de casca; casca de ovo; (arq.) espécie de abóbada sustentada por quatro colunas; (Amér.) árvore parecida com o sobreiro: salir del cascarón, sair da casca do ovo.

cascarrabias. s. (fam.) forma-torta, pessoa fàcilmente irritável.

cascarria. f. V. **cazcarria.**

cascarrón, na. adj. (fam.) cascarrão, áspero, desagradável; (mar.) ventania (diz-se dum vento forte).

cascarudo, da. adj. cascudo, que tem muita casca.

casco. m. casco, crânio; caco, fragmento dalgum obje(c)to; casca grossa de cebola; casco, copa de chapéu; casco, pipa, vasilha; casco, capacete; (mar.) casco de navio; (zool.) casco, unha de certos animais; casco, quadro dum exército, dum regimento, etc.; casco, armação do selim; (mar.) casco, embarcação filipina à vela; (herald.) casco, capacete, elmo; (fig.) cabeça, juízo: cascos huecos, (fam.) pessoa de pouco juízo; romper los cascos, (fig) importunar; ligero de cascos, (fam.) pouco ajuizado; mujer ligera de cascos, mulher arrolada, alevantada; tener los cascos a la jineta, (fam.) ter maus cascos; romperse uno los cascos, trabalhar com afinco em alguma coisa; calentarse uno los cascos, pensar com grande intensidade; ser duro de cascos, (fam.) ter o casco duro; casco y quilla de una embarcación, quilha e costado duma embarcação.

cascorvo, va. adj. V. **cazcorvo.**

cascote. m. caliça, entulho, cascalho; fragmento aproveitável de qualquer coisa arruinada.

cascotería. f. (arq.) obra feita com cascalho; montão de entulho ou caliça.

cascudo, da. adj. (zool.) cascoso, que tem cascos grossos; (mar.) alteroso.

cascué. m. espécie de esturjão do Nilo.

caseación. f. caseação.

caseato. m. (quím.) caseato.

caseico, ca. adj. (quím.) caseico, caseínico.

caseificación. f. caseificação.

caseificar. v. tr. caseificar, produzir caseina; transformar o leite em queijo.

caseiforme. adj. caseiforme.

caseína. f. (quím.) caseína.

cáseo. m. V. **cuajada.**

cáseo, a. adj. V. **caseoso.**

caseoso, sa. adj. caseoso, pertencente ou relativo ao queijo ou semelhante a ele.

casera. f. (prov.) caseira, ama, governanta dum homem só.

caseramente. adv. caseiramente, sem cerimónia, com lhaneza.

casería. f. casal, casa de campo; governo doméstico duma casa, próprio de mulheres; criação de aves, galinheiro.

caserio. m. casaria, casario, conjunto de casas.

caserna. f. (prov.) estalagem à beira dum caminho; (fort.) abóbada reforçada nas fortificações.

casero, ra. adj. caseiro, da casa, familiar; que se usa ou cria em casa; (fam.) diz-se da pessoa muito amiga de estar em casa e da que cuida muito do seu governo; simples, singelo. — s. caseiro, inquilino, arrendátario; senhorio, dono do prédio que aluga; rendeiro: estar my casera una mujer, (fam.) estar vestida caseiramene e sem adornos.

caserón. m. aum. de casa, casão, casarão.

caseta. f. casa rústica; (mar.) câmara na coberta para guardar os mapas das derrotas.

casetón. m. (arq.) adorno de artesões dos te(c)tos, abóbadas e voltas de arcos.

casi. adv. quase, cerca de, pouco menos de, com certa diferença, aproximadamente, perto, próximo, pouco mais ou menos: casi, casi, muito perto de; casi no, apenas; hace casi un mes, há quase um mês; es casi de noche, é quase noite.

casida. f. (poet.) composição poética arábica e pérsica.

casilla. f. casa pequena, casinha isolada; bilheteira (de teatro ou cinema); compartimento, separação; divisão de papel pautado; casa, divisão dos tabuleiros das damas ou do xedrez; (Amér.) armadilha para caçar pássaros; casinha, latrina, retrete; cochicho, cochicholo; sacar a uno de sus casillas, (fam.) aporrear a alguém a paciência; salirse uno de sus casillas, enfurecer-se, enraivecer.

casiller. m. criado inferior do palácio.

casillero. m. móvel classificador; ficheiro; estante, armário dividido em compartimentos ou casinhas.

casinita. f. (min.) feldspato de barita.

casino. m. casino; clube; sociedade de recreio; assembleia, associação recreativa; casino, sociedade onde se dão reuniões para dançar, jogar, ler, etc.

Casiopea. f. (astr.) Cassiopeia.

casita. f. dim. de casa, casinha; (Amér.) latrina, retrete.

casitéridos. m. pl. (min.) grupo de minerais que compreende o estanho, antimónio, zinco e cádmio.

casiterita. f. (min.) cassiterite; estanho oxidado.

casmodia. f. (med.) enfermidade que obriga a boquejar repetidas vezes por afe(c)ção espasmódica.

caso. m. caso, acontecimento, fa(c)to, sucesso, caso, circunstância; caso; casualidade, acaso; lance, ocasião, conjuntura; questão; (gram.) caso, desinência de nome e pronomes; espécie ou assunto para resolver oportunidade: caso nominativo, caso nominativo; *caso genitivo*, caso genitivo; *caso dativo*, caso dativo; *caso acusativo*, caso acusativo; *caso ablativo*, caso ablativo; *poner por caso*, pôr por exemplo; *no hacer caso de alguna cosa*, (fig.) dar com a porta nos olhos; entrar por um ouvido e sair pelo outro; desleixar; *hacer poco caso de*, menoscabar; *no hagas caso*, não te dê cuidado; *casos complicados o difíciles de explicar*, contos largos; *en otro caso*, alias; *es un caso*, (fam.) é coisa por maior; *caso oblícuo*, (gram.) caso oblíquo; *caso recto*, (gram.) caso re(c)to.

casón. *m.* casão, casarão, casa muito grande.

casorio. *m.* (fam.) casório, casamento de pouco luzimento.

caspa. *f.* caspa, crosta, carepa, escamas que se destacam do couro cabeludo; (prov.) musgo da casca dalgumas árvores; (min.) óxido que cai do cobre antes de ser fundido: *caspa de la cabeza de los niños*, (fig.) elmo; *limpiar de caspa*, descaspar.

caspera. *f.* pente para tirar caspa. V. **lendrera.**

caspete. *m.* (Amér.) V. **sancocho.**

caspia. *f.* (prov.) bagaço, resíduo de maçã.

caspicias. *f. pl.* (fam.) restos ou sobras de valor nulo; desperdícios.

¡cáspita! *interj.* cáspite!

casposo, sa. *adj.* casposo, cheio de caspa.

casquería. *f.* loja onde se vendem pinhões ou miúdos de reses.

casquero. *m.* fressureiro, mondongueiro, vendedor de miúdos de reses; lugar onde se descascam pinhões.

casquetada. *f.* V. **cacalverada.**

casquetazo. *m.* cabeçada, pancada dada com a cabeça.

casquete. *m.* casquete, peça de armadura antiga, capacete; casquete, carapuça; casquete, emplasto para tinhosos; galero; casquete de tecido, papel, coiro, etc., que se ajusta à cabeça, barrete; cabeleira postiça: (geom.) *casquete esférico*, parte da superfície da esfera; *casquete de un cañón*, coifa dum canhão.

casquiacopado, da. *adj.* (vet.) casquiacopado, diz-se do animal que tem o casco alto, redondo e oco.

casquiblando, da. *adj.* (vet.) casquibrando, diz-se do animal que tem os cascos moles.

casquiderramado, da. *adj.* (vet.) casquiderramado, diz-se do animal que tem o casco grosso.

casquijo. *m.* cascalho para fazer cimento e o pavimento dos caminhos, saibro.

casquilucio, cia. *adj.* V. **casquivano.**

casquilla. *f.* alvéolo, célula onde se criam as rainhas nas colmeias de abelhas.

casquillas. *f. pl.* pesos de balança de ourives.

casquillo. *m.* casquilho, braçadeira de metal para reforçar a extremidade duma peça de madeira, ponteira, aro de metal; cilindro oco e metálico; ferro da flecha; parte metálica do cartucho de cartão; buxa de roda de carro; (Amér.) ferradura; forro de tafilete que se usa nos chapéus.

casquimuleño, ña. *adj.* (vet.) diz-se do cavalo que tem os cascos pequenos e duros como os das mulas.

casquivano, na. *adj.* (fam.) estabanado, estabalhoado, diz-se da pessoa de pouco juízo; aloucado; coqueta (mulher).

casta. *f.* casta, raça; geração; natureza; qualidade, classe, espécie; família, linhagem; parte dos habitantes dum país que forma classe especial, sem se misturar com os demais: (fig.) *cruzar las castas*, misturar diversas famílias de animais para melhorar as castas; *de una misma casta*, da mesma casta; *de buena casta*, de boa casta; *salir la casta*, (fam.) sair à casta; *le viene de casta*, vem-lhe de casta.

castálidas. *f. pl.* as musas.

castalio, lia. *adj.* (mit.) pertencente à fonte Castalia; relativo às musas.

castaneáceas. *f. pl.* (bot.) castâneas, pertencentes à família do castanheiro.

castaña. *f.* (bot.) castanha, fruto do castanheiro; monete ou espécie de puxo de cabelo; vasilha de configuração semelhante à da castanha; (Amér.) peça que serve de chumaceira nos engenhos; barril pequeno: *castaña asada*, magusto; *castaña pilonga*, castanha pilada; *castaña apilada o maya*, castanha pilada; *castaña regoldana*, castanha bordã; *dar a uno la castaña*, enganar alguém; *dar para castañas*, (pop.) castigar.

castañal. *m.* V. **castañar.**

castañar. *m.* castanhal, castanhedo.

castañeda. *f.* V. **castañar.**

castañedo. *m.* (prov.) V. **castañar.**

castañera. *f.* V. **castañar;** assadeira, mulher que assa castanhas.

castañera, ra. *s.* castanheiro, pessoa que vende castanhas. — *m.* (zool.) ave palmípeda da família das pombas.

castañeta. *f.* castanheta, estalidos dados com o dedo grande e o polegar; castanholas. V.

castañuela: (Amér.) peixe chileno; (prov.) certo pássaro de variadas cores. V. **reyezuelo.**

castañetada. *f.* V. **castañetazo.**

castañetazo. *m.* toque de castanholas ou toque imitativo dado com os dedos; estalo das juntas dos ossos; estalido da castanha quando rebenta no lume.

castañete. *adj. dim.* de *castaño.*

castañeteado. *m.* castanheteado castanholado, som produzido pelas castanholas. — *adj.* com acompanhamento de castanholas.

castañetear. *v. tr.* e *intr.* castanholar, tocar as castanholas; bater os dentes ou joelhos: *castañetear los dientes de frío*, bater os dentes com o frio.

castaño, ña. *adj.* castanho, da cor da castanha. — *m.* (bot.) castanheira, madeira do castanheiro: *castaño regoldano*, castanheiro rebordão; *castaño de Indias*, castanheiro das Índias; *pasar de castaño oscuro*, (pop.) ser extremamente grave uma coisa.

castañola. *f.* (ictiol.) peixe grande da ordem dos acantopterígios.

castañuela. *f.* castanhola, castanholas; (bot.) planta ciperácea. — *pl.* (art. e of.) instrumento de ferro semelhante às pinças ou tenazes empregado para sujeitar os blocos de pedra: *estar como unas castañuelas*, (fig. e fam.) estar muito alegre.

castañuelo, la. *adj.* diz-se dos cavalos e éguas da cor semelhante ao castanho; de cor tirante a castanho.

castellán. *m.* castelão, governador dum castelo. V. **castellano.**

castellana. *f.* castelã, senhora dum castelo; mulher do castelão; copla de romance.

castellanía. *f.* castelania, território com leis particulares e jurisdição separada.

castellanismo. *m.* castelhanismo, locução da língua castelhana.

castellanizar. *v. tr.* castelhanizar, dar forma castelhana a um vocábulo estrangeiro.

castellano, na. *adj.* e *s.* (geog.) castelhano, natural de ou pertencente a Castela. — *m.* castelhano; língua falada em Castela, língua nacional de Espanha e da Hispano-América; moeda antiga de ouro; (prov.) vento sul; (Amér.) galinha de cor cinzenta-escura com pintas avermelhadas.

castellar. *m.* (bot.) androsemo; (ant.) castelo, fortaleza, campo onde há ou houve um castelo.

castellonense. *adj.* e *s.* (geog.) natural de ou pertencente a Castellón de la Plana.

casticidad. *f.* casticidade, qualidade de castiço; pureza.

casticismo. *m.* casticismo, casticidade, amor ao castiço (tratando-se de idioma ou costumes).

casticista. *s.* vernaculista, purista no idioma.

castidad. *f.* castidade; pureza; virgindade; honestidade; continência; incorru(p)ção: *castidad conyugal*, aquela que guardam mùtuamente os casados.

castigación. *f.* V. **castigo.**

castigadera. *f.* correia ou corda para prender o badalo do chocalho; passador que une o loro ao anel do estribo.

castigador, ra. *adj.* e *s.* castigador, que castiga; (fig.) derriçador.

castigar. *v. tr.* castigar, infligir castigo; punir, mortificar, afligir; fazer sofrer; (Bras.) enquadrar; emendar, corrigir um escrito, livro, etc.; castigar o estilo, repreender; animadvertir; apenar; arranjar; chibatar; acoimar; açoitar; empenar: *castigar a alguien*, dar o arroz a alguém; *castigar a una mujer*, (fam.) derriçar, uma mulher; *castigar los riñones*, alombar; *castigar con exceso*, desembainhar a espada de maior rigor; *castigar al toro*, (taur.) pôr ferros no toiro; *quien bien ama, bien castiga*, quem bem ama, bem castiga.

castigo. *m.* castigo, sofrimento corporal ou moral; punição; pena; admoestação; emenda; corretivo, repreensão; ensino; corre(c)ção; amoladela; açoitadura; açoitamento; exemplo; expiação; animadversão; (fig.) cilício; maldição; censura; *castigo corporal*, pena aflitiva.

Castilla. (geog.) Castela: *ancha es Castilla,* expresão com que alguém se anima ou anima outros a trabalhar livre e desembaraçadamente.

castillada. *f.* (herald.) acastelada, cruz ou outra peça do escudo carregada de castelos.

castillado, da. *adj.* (herald.) encastelado, diz-se do escudo semeado de castelos.

castillaje. *m.* V. **castillería.**

castillejo. *m. dim.* de **castillo.** castelinho, castelo pequeno, castelejo; andaime para obras de construção; carrinho pequeno para as crianças aprenderem a andar; jogo infantil.

castillería. *f.* direito de pasagem pelo território pertencente a um castelo.

castillete. *m.* castelinho, castelejo.

castillo. *m.* castelo, residência feudal fortificada; fortaleza; praça forte; palácio; bastilha; fortificação; forte; alcáçova; máquina de madeira em forma de torre usada antigamente; castelo, torre do jogo do xadrez; alvéolo da abelha nas colmeias; (herald.) figura que representa uma ou mais torres; peça principal do escudo de Espanha; (mar.) castelo, parte do convés do navio mais elevada: *hacer castillos en el aire*, (fig. e fam.) fazer castelos no ar; abrigar proje(c)tos quiméricos; *castillos de naipes*, castelos de cartas, diz-se daquilo que fàcilmente desaba; *castillo de proa*, castelo de proa; *castillo de popa*, castelo de popa; *castillo de fuegos*, fogo de vista.

castina. *f.* (quím.) castina, castinha, fundente calcário.

castizo, za. *adj.* castiço, de boa origem ou casta; puro, vernáculo, corre(c)to (falando do estilo); muito prolífico; (Amér.) filho de mestiço e de espanhola ou de espanhol e de mestiça.

casto, ta. *adj.* casto, que guarda castidade; puro; inocente; sem mescla; continente; angélico; honesto; oposto à sensualidade; limpo, virgem; delicado.

castor. *m.* (zool.) castor; pêlo deste animal; espécie de pano de lã.

Cástor. *m.* (astr.) Castor.

castóreo. *m.* (quím.) castóreo.

castra. *f.* (agr.) poda, tempo em que se fazem as operações da poda; castração, a(c)ção de castrar as árvores.

castración. *f.* castração, castramento, capadura, ablação dos órgãos da reprodução.

castradera. *f.* instrumento para crestar as colmeias.

castrado, da. *adj.* e *p. p.* castrado, capado, que sofreu a castração; infecundo; (pop.) dessexuado. — *m.* eunuco.

castrador. *m.* castrador, capador, o que castra.

castradura. *f.* V. **castración;** capadura, cicatriz que fica da castração.

castrametación. *f.* castrametação, arte de escolher, delimitar e assentar acampamentos militares.

castrar. *v. tr.* castrar, capar, extirpar os orgãos genitais, infecundar, desvirilizar; secar ou enxugar as chagas; podar; crestar, tirar o mel das colmeias; decotar, limpar, mondar, podar as árvores; (fig.) debilitar, enervar, apoucar.

castrazón. *f.* crestação, a(c)ção e efeito de crestar as colmeias; tempo dessa crestação.

castrense. *adj.* castrense, relativo ao exército ou à profissão militar.

castro. *m.* V. **castrazón.**

castro. *m.* castro, castelo de origem romana; altura onde há vestígios de fortificações antigas; (prov.) penhasco que avança da costa para o mar; espécie de jogo de rapazes.

castrón. *m.* capado, bode castrado; (Amér.) porco grande castrado.

cástula. *f.* castula, túnica que usavam as mulheres romanas.

casual. *adj.* casual, eventual, fortuito, acidental, chegadiço, adventício, que sucede por casualidade. — *m.* (for.) decisão inicial para impedir atentados; casual, emolumentos eclesiásticos.

casualidad. *f.* casualidade; eventualidade; acaso; contingência; adrego, (Bras.) adrêgo; fortuna; azar; encontro; acidente, caso fortuito; aventura: *de casualidad*, de encontro; *por casualidad*, por acaso.

casualismo. *m.* casualismo.

casualista. *s.* casualista, partidário do casualismo.

casuáridos. *m. pl.* (zool.) casuarídeos.

casuarina. *f.* (bot.) casuarina, casoarina.

casuario. *m.* (ornit.) casuar.

casuca. *f. despec.* casinha, casinhola.

casucha. *f. despec.* casinha, casinhola, cochicho, cochicholo, cochovelho, choupana, casa humilde, casa pobre.

casuísta. *adj.* e *s.* casuísta.

casuística. *f.* casuística.

casuístico, ca. *adj.* casuístico, pertencente ou relativo à casuística; diz-se das disposições legais que regem casos especiais e não têm aplicação genérica.

casulla. *f.* casula, vestimenta que o sacerdote põe sobre a alva e a estola; (Amér.) grão de arroz que conserva a casca entre os outros já descascados.

casullero. *m.* paramenteiro, vestimenteiro, o que faz casulas e mais vestimentas para o serviço divino.

cata. *f.* catamento; porção de qualquer coisa que se prova; ensaio, prova; (Amér.) coisa oculta ou fechada: *dar cata*, (fam.) catar, olhar, advertir; buscar, procurar, examinar.

catacaldos. *s.* (fam.) pessoa inconstante, volúvel, que empreende muitas coisas sem se fixar em nenhuma; intrometido.

cataclismo. *m.* cataclismo, revolução geológica; (fig.) desastre social; derrocada; terramoto; inundação; convulsão; desgraça, catástrofe.

cataclismología. *f.* cataclismologia.

cataclismológico, ca. *adj.* cataclismológico.

catacresis. *f.* (ret.) catacrese.

catacumbas. *f. pl.* catacumbas, cemitérios subterrâneos dos primitivos cristãos.

catacústica. *f.* (fís.) catacústica.

catacústico, ca. *adj.* (fís.) catacústico.

catadióptrica. *f.* (fís.) catadióptrica.

catadióptrico, ca. *adj.* (fís.) catadióptrico.

catador. *m.* provador, o que prova ou experimenta.

catadura. *f.* a(c)ção de catar; ensaio, prova; catadura, gesto, semblante, aspe(c)to, aparência: *de buena o mala catadura*, bem ou mal assombrado.

catafalco. *m.* catafalco, essa em que se coloca o féretro, túmulo adornado com magnificência.

cataforesis. *f.* cataforese.

catafracta. *f.* catafracta, antiga armadura.

catalán, na. *adj.* e *s.* (geog.) catalão, natural da ou pertencente à Catalunha. — *m.* catalão, língua falada na Catalunha.

catalanidad. *f.* qualidade ou cará(c)ter do que é catalão.

catalanismo. *m.* catalanismo, autonomia da Catalunha; catalanismo, expressão ou modismo próprio do catalão.

catalanista. *adj.* e *s.* catalanista, partidário do catalanismo.

catalanizar. *v. tr.* dar forma catalã a um vocábulo; adoptar costumes próprias do catalão.

cataláunico, ca. *adj.* cataláunico, pertencente ou relativo aos Catalaunos.

cataldo. *m.* (mar.) vela triangular de certas embarcações.

cataléctico, ca. *adj.* catalé(c)tico.

catalectos. *m. pl.* catalectos, fragmentos de obras antigas.

catalejo. *m.* binóculo, óculo de longo alcance.

catalepsia. *f.* catalepsia.

cataléptico, ca. *adj.* cataléptico, relativo à catalepsia. — *s.* atacado de catalepsia.

catalicón. *m.* (farm.) catolicão, electuário purgativo.

catalina. *adj.* e *f.* catarina, diz-se duma das rodas pequenas do relógio.

catálisis. *f.* (quím.) catálise.

catalítico, ca. *adj.* (quím.) catalítico.

catalizador. *m.* (quím.) catalisador.

catalizar. *v. tr.* (quím. e ele(c)tr.) catalisar, operar a catálise.

catalogación. *f.* catalogação, enumeração em catálogo.

catalogador, ra. *adj.* e *s.* catalogador, o que cataloga.

catalogar. *v. tr.* catalogar; apontar, registar ordenadamente manuscritos, livros, etc., formando catálogo, inscrever, enumerar em catálogo; inventariar, relacionar.

catálogo. *m.* catálogo, memória, minuta, index, índice, elenco, inventário, lista de pessoas, coisas ou acontecimentos postos em ordem; relação ordenada.

catalpa. *f.* (bot.) catalpa.

catamenia. *f.* (med.) cataménio, (Bras.) catamênio, mênstruo.

catamenial. *adj.* (med.) catamenial, referente ao cataménio ou menstruação.

catamiento. *m.* observação, advertência; exame, investigação.

catán. m. catana, alfange chinês, usado também pelos índios.
catana. f. V. **catán;** (Amér.) coisa tosca; catana, sabre usado pelos policias; papagaio verde e azul.
catanazo. m. (Amér.) pancada com uma catana ou sabre.
catanga. f. (Amér.) V. **escarabajo;** carrito puxado por um cavalo para o transporte de frutas.
catante. p. a. de catar.
cataplasma. f. (farm.) cataplasma, emplasto; (fig.) cataplasma, importuno, secante.
cataplexia. f. (pat.) cataplexia; (vet.) catalepsia dos animais.
¡cataplúm! interj. pum!, chaz!, designativa de estrondo ou deflagração.
cataptosis. f. (med.) cataptose, queda súbita do organismo por doença.
catapulta. f. catapulta, fundíbulo; algarrada, antiga máquina de guerra.
catar. v. tr. catar, provar, ensaiar; tomar o paladar a alguma coisa; ver, examinar, registrar, registar, pesquisar, buscar; estar à espreita de; crestar as colmeias; buscar, procurar, solicitar, obter; pousar, julgar; guardar, conservar; tratar dum doente; (min.) explorar; (pop.) discutir, debater, contender.
catarata. f. catarata, queda de água dum rio ou lago; catadupa, cascata, salto de água; (pat.) catarata, opacidade do cristalino ocular. — pl. nuvens grossas, chuvas excessivas: albugens: catarata negra, (med.) amaurose; tener uno cataratas, (fig. e fam.) estar ofuscado por ignorância ou paixão; quitar las cataratas a alguien, (fig. e fam.) tirar as cataratas a alguém, fazer-lhe ver a verdade.
cátaros. m. pl. cátaros, sectários que afe(c)tavam grande pureza espiritual; nome de várias seitas heréticas.
catarral. adj. catarral, pertencente ou relativo ao catarro.
catarribera. m. (cetr.) servente a cavalo na caça com falcão; (fam.) nome que antigamente recebiam os advogados, os alcaides, etc.
catarriento, ta. adj. catarrento, catarroso.
catarro. m. (med.) catarro, defluxo, fluxão nas mucosas; constipação acompanhada de expectoração; bronquite; encatarroamento.
catarroso, sa. adj. catarroso, catarrento, que anda sempre com catarro.
catarsis. f. catarse, evacuação, catarsia.
catártico, ca. adj. (med.) catártico, purgante, laxativo. — m. purgante.
catasalsas. f. (fam.) V. **catacaldos.**
catascopio. m. (arqueol.) catascópio, antigo bergantim empregado para fazer descobertas em tempo de guerra.
catástasis. f. (ret.) catástase.
catastral. adj. cadastral, pertencente ou relativo ao cadastro.
catastro. m. cadastro, censo estadístico das quintas rústicas e urbanas.

catástrofe. f. catástrofe; grande desgraça; fim desgraçado; acontecimento trágico, sucesso infausto; desatamento, convulsão; última parte do poema dramático, com o desenlace.
catastrófico, ca. adj. catastrófico, desastroso; calamitoso; dramático.
cataté. adj. e s. (Amér.) pessoa fátua, desprezível ou insignificante.
catatipia. f. (quím. e fot.) catalipia.
cataviento. m. (mar.) cata-vento; grimpa.
catavino. m. caneca, taça especial para provar o vinho; (prov.) furo na parte superior duma vasilha para provar o vinho.
cate. m. medida de peso das Filipinas, equivalente a 632 gramas e 63 centigramas.
cate. m. (prov.) pancada, bofetada; (pop.) reprovação num exame.
cateada. f. (Amér.) pesquisa, exploração de minerais; busca.
cateado, da. p. p. e adj. (fam.) diz-se do estudante reprovado em exame; gaitado.
cateador. m. (Amér.) pesquisador, buscador, explorador de minerais; martelo usado pelos mineiros.
catear. v. tr. (fam.) gaitar, suspender ou reprovar um aluno nos exames; pesquisar, buscar com diligência, procurar, descobrir; (Amér.) explorar o terreno em busca de filões; devastar a casa de alguém.
catecismo. m. catecismo, livro da doutrina cristã; catecismo, obra que contém exposição sucinta dalguma ciência ou arte.
catecú. m. V. **cato.**
catecumenado. m. catecumenato, estado ou tempo de catecúmeno.
catecuménico, ca. adj. pertencente ou relativo ao catecumenado.
catecúmeno, na. s. catecúmeno; noviço, neófito, iniciado.
cátedra. f. cátedra, cadeira, aula; classe; cadeira pontifícia; (fig.) cargo de catedrático; dignidade pontifícia ou episcopal: Cátedra de San Pedro, dignidade do Sumo Pontífice; cátedra del Espíritu Santo, púlpito; hablar en cátedra, falar com autoridade; poner cátedra, (fig. e fam.) falar afectadamente, em tom doutoral.
catedral. adj. catedral, diz-se da igreja principal da sede duma diocese. — f. catedral; sé.
catedralicio, cia. adj. catedralício, pertencente ou relativo à catedral.
catedralidad. f. catedralidade, dignidade de catedral dada a uma igreja.
catedrática. f. catedrática, mulher lente duma cadeira; (fig. e fam.) mulher do catedrático.
catedrático. m. catedrático, lente duma cadeira; certo direito que se pagava ao prelado: catedrático de prima, o que dava as lições de manhã.
catedrilla. f. cátedra servida por bacharéis que aspiravam à licenciatura.
categorema. f. (lóg.) categorema.
categoremático, ca. adj. (lóg.) categoremático, pertencente ou relativo à categorema.

categoría. f. (filos.) categoria, cada uma das classes em que se dividem as ideias ou termos; categoria, classe; ordem; natureza; cará(c)ter; jerarquia; condição social; importância; série; espécie; valor relativo; distinção; graduação: *hombre de categoría*, homem importante; de categoría, diz-se da pessoa de elevada condição social, ou da coisa importante.

categórico, ca. categórico, decisivo, definitivo, terminante, peremptório; explícito; claro; expresso; determinado; incondicional; positivo; enfático; absoluto.

categorismo. m. categorismo, sistema de categorias; qualidade do que é categórico.

catela. f. (arqueol.) pequena corrente de ouro ou prata dos antigos romanos.

catenaria. adj. e s. catenária, diz-se da curva formada por cadeia ou corda flexível.

catenular. adj. catenular, em forma de cadeia.

cateo. m. (Amér.) a(c)ção e efeito de *catear*.

catequesis. f. catequese, doutrinação; ensino.

catequismo. m. catequismo, catecismo; doutrinação.

catequista. s. catequista, o que ensina o catecismo; catequista, pessoa que catequiza; (fam.) pessoa engatadeira.

catequístico, ca. adj. catequístico, pertencente ou relativo à catequese; que tem forma de catecismo.

catequización. f. catequização, instrução religiosa; (fig.) aliciação.

catequizador, ra. s. catequista, catequizador, catequizante.

catequizar. v. tr. catequizar, fazer catequese; instruir sobre a religião cristã; educar, ensinar; procurar convencer, persuadir; doutrinar, endoutrinar (fig.) aliciar.

cateresis. f. (med.) catérese, enfraquecimento; hemorragia.

caterético, ca. adj. (med.) caterético.

caterva. f. caterva; multidão; grande número.

cateter. m. (cir.) cateter, sonda empregada na operação da cistotomia.

cateterismo. m. (cir.) cateterismo, sondagem pelo cateter.

cateterizar. v. tr. sondar com o cateter.

cateto. m. (geom.) cateto; (pop.) inculto; palurdo, pacóvio, diz-se da gente das aldeias. V. inocente.

cateto, ta. s. (pop.) aldeão, rústico, palúrdio, pacóvio.

catetómetro. m. (fís.) catetómetro, (Bras) catetômetrro.

catey. m. (Amér.) V. perico; em algumas ilhas das Antilhas, nome duma das espécies de palmeiras.

cateya. f. cateia, arma antiga, espécie de clava guarnecida de pregos.

catgut. m. (cir.) catgut.

catilinaria. adj. e s. catilinária, diz-se dos discursos de Cícero contra Catilina; (fig.) catilinária, discurso veemente dirigido contra alguém, ataque, increpação.

catimbao. m. (Amér.) figura gigantesca que toma parte na procissão de Corpo de Deus; pessoa ridiculamente vestida; palhaço; pessoa obesa e pequena.

catín. m. crisol para refinar o cobre.

catinga. f. (Amér.) catinga, cheiro desagradável dalguns animais e plantas; catinga, mau cheiro dos negros; soldado de terra.

catingoso, sa. adj. (Amér) catingoso, catinguento, que tem mau cheiro.

catingudo, da. adj. (Amér.) V. catingoso.

catino. m. (min.) espécie de fornilho para recolher os metais derretidos.

catión. m. (ele(c)tr.) catião.

catirrinos. m. pl. (zool.) subordem de macacos que vivem na Ásia e na África, catarríneos.

catite. m. espécie de chapéu de copa alta, em forma de cone truncado; torrão de açúcar refinado; bofetada leve; (Amér.) espécie de tecido de seda: *dar catite*, (fig. e fam.) dar pancada em alguém.

catitear. v. intr. (Amér.) oscilar ou mover-se a cabeça aos anciãos; (fig.) andar falho de dinheiro.

cataví. f. (Amér.) variedade de herpes.

catizumba. f. (Amér.) coroa.

cato. m. (farm.) cato, suco resinoso dos frutos verdes e do lenho duma espécie de acácia; catechu.

catódico, ca. adj. (fís.) catódico: *rayos catódicos*, raios catódicos.

cátodo. m. (fís.) cátodo, catódio.

catodonte. m. (zool.) catodonte, cachalote, mamífero cetáceo.

catolicidad. f. catolicidade.

catolicísimo, ma. adj. super. de *católico*, catolicíssimo.

catolicismo. m. catolicismo.

católico, ca. adj. e s. católico, universal; verdadeiro, certo, infalível, de fé divina; que professa a religião católica; (fig. e fam.) são, perfeito: *no estar muy católico*, (fig. e fam.) não ter boa saúde.

catolicón. m. (farm.) catolicão. V. diacatolicón.

catolizar. v. tr. e r. catolizar, converter à fé católica.

catón. m. livro composto de frases e períodos curtos e graduados para os principiantes na leitura; (fig.) catão, censor severo, inflexível.

Catón. n. p. Catão; (fig.) censor severo, catão.

catoniano, na. adj. catoniano, austero, severo, rígido, inflexível.

catonismo. m. catonismo, austeridade; rigidez de cará(c)ter.

catonizar. v. intr. censurar com rigor e aspereza, à maneira de Catão.

catóptrica. f. (fís.) catóptrica.

catóptrico, ca. adj. (fís.) catóptrico.

catoptromancia. f. catoptromancia.

catoptroscopia. f. (med.) catoptroscopia.

catoquita. f. (min.) pedra betuminosa de Córsega.

catorce. adj. num. card. catorze: *decimocuarto*, décimo quarto, catorzeno.

catorcén. *adj.* e *s.* diz-se dum rolo de madeira de sete varas de comprimento.

catorcena. *f.* catorzena, soma de catorze unidades.

catorceno, na. *adj.* catorzeno, décimo quarto.

catorro. *m.* (Amér.) encontrão, embate violento.

catorzal. *adj.* e *s.* peça de madeira de catorze pés de comprimento.

catorzavo, va. *adj.* catorze avos.

catotal. *m.* (Amér.) espécie de verdelhão.

catre. *m.* catre, leito pequeno; leito de viagem; cama tosca e pobre; cama ligeira para uma só pessoa; camilha, leito volante, cama dobradiça.

catrecillo. *m.* pequena cadeira de campo.

catricofre. *m.* caixa para guardar a cama, que tem dentro um leito.

catrín. *m.* (Amér.) V. petimetre.

catrintre. *m.* (Amér.) queijo de leite desnatado; pobre mal vestido, mendigo.

catuche. *m.* (Amér.) V. chirimoya.

catufo. *m.* (Amér.) V. cañuto e tubo.

caucáseo, a. *adj.* caucásico, pertencente à cordilheira do Cáucaso.

caucasiano, na. *adj.* caucásico. V. caucáseo.

caucásico, ca. *adj.* caucásico, diz-se da raça branca ou indo-europeia.

cauce. *m.* regueiro, abertura por onde entram as águas para regas; álveo; leito, madre dos rios e ribeiros.

caucera. *f.* (ant.) vala, canal, rego. V. cacera.

caución. *f.* caução, prevenção, precaução, garantia, cautela, segurança; (for.) caução, fiança, segurança pessoal, penhor.

caucionable. *adj.* que se pode caucionar.

caucionar. *v. tr.* caucionar, garantir com caução, afiançar, assegurar; (for.) precaver contra qualquer dano ou prejuízo, acautelar, providenciar.

caucionero. *m.* (anti.) fiador, o que dá caução.

caucha. *f.* (Amér.) espécie de cardo de folhas lanceoladas.

caucos. *m. pl.* antigo povo do nordeste da Germânia.

cauchal. *m.* cauchal, mata de árvores de caucho; seringal.

cauchera. *f.* (bot.) caucho, cachu; seringueira.

cauchero. *m.* caucheiro; seringueiro.

cauchil. *m.* (prov.) mina, poço de água corrente subterrânea.

caucho. *m.* caucho, goma elástica, cauchu; borracha; seringueira: *caucho endurecido*, vulcanite.

cauchotina. *f.* (quím.) composto de caucho que dá flexibilidade e impermeabilidade às peles.

cauda. *f.* cauda da capa consistorial; extremidade que arrasta dum vestido ou manto.

caudado, da. *adj.* (herald.) caudato.

caudal. *adj.* caudaloso, torrencial, caudal, abundante. — *m.* caudal, quantidade de água que corre; torrente; volume de água; cabedal, riqueza, bens, dinheiro; efeitos, meios; capital, fundo; faculdades; estima, consideração; abundância: *hacer caudal de*, ter em alta estimação; *indivíduo que se gasta los caudales públicos*, (pop.) devorista.

caudal. *adj.* (zool.) caudal, pertencente ou relativo à cauda.

caudalejo. *m. dim.* de *caudal*, pequeno cabedal, pequena fortuna.

caudaloso, sa. *adj.* caudaloso, com muita água, torrencial; (fig.) rico; lucrativo, proveitoso, rendoso; copioso, abundante.

caudatario. *m.* caudatário, clérigo destinado a levantar e levar a cauda das vestes talares dos prelados.

caudato, ta. *adj.* (herald.) caudato. V. caudal; (astr.) caudato (diz-se dos cometas); (bot.) caudato, alongado em forma de cauda.

caudícula. *f.* caudículo, pequeno cáudice.

caudiforme. *adj.* (bot.) caudiforme, caudiciforme.

caudillaje. *m.* caudilhamento, a(c)to de acaudilhar; comando ou governo exercido por caudilho. V. tiranía.

caudillismo. *m.* caudilhismo.

caudillo. *m.* caudilho, chefe militar; chefe de comunidade, de corpo; chefe; comandante; adail.

caudímano. *adj.* (zool.) caudímano.

caula. *f.* (Amér.) engano, ardil, treta.

caulescente. *adj.* (bot.) caulescente, que tem caule.

caulícolo. *m.* (arq.) V. caulículo.

caulículo. *m.* (arq.) caulículo, hastes que saem das folhas nos capitéis coríntios.

caulífero, ra. *adj.* (bot.) caulígero, caulescente.

cauliflora, ra. *adj.* (bot.) caulifloro.

cauliforme. *adj.* (bot.) cauliforme, com forma de caule.

caulinar. *adj.* (bot.) caulinar, relativo ao caule.

caulinario, ria. *adj.* (bot.) caulinar, relativo ao caule.

caulista. *s.* (Amér.) V. cablista.

caulo. *m.* vento de noroeste.

causa. *f.* causa, fundamento, orígem; motivo, razão; princípio; empresa ou doutrina em que se toma interesse ou partido; causa, interesse, partido; (for.) causa, litígio, pleito, processo; crime; processo criminal; agente; (fig.) pai; determinante; consideração; efeito; agente; coisa; (fig.) fonte, madre, mãe; (teol.) fontanal; motivo; (fig.) interesses; fa(c)ção; partido: *causa eficiente*, (filos.) causa determinante da existência; *causa final*, (filos.) fim com que se faz alguma coisa; *causa instrumental*, causa instrumental; *causa pública*, causa pública; *causa criminal*, causa criminal; *causa primera*, causa primeira; *causa formal*, causa formal.

causa. *f.* (fig. e fam.) (Amér.) comida ligeira, merenda; puré de papas com alface, queijo fresco, azeitona, milho verde e alhos.

causador, ra. *adj.* e *s.* causador, que causa.

causafinalista. *m.* filósofo partidário das causas finais.

causahabiente. *m.* (for.) pessoa que sucedeu num direito a outrem.

causal. *adj.* causal, que exprime causa. — *f.* causal, motivo, razão.

causalidad. *f.* causalidade, causa, origem, princípio, efeito; (filos.) lei em virtude da qual se produzem os efeitos.

causante. *p. a.* e *adj.* causante, que causa. — *m.* (for.) causante; pessoa de quem provém o direito que alguém tem: *él fué el causante de todo*, foi ele o agente de tudo.

causar. *v. tr.* causar, ser causa de; produzir; originar; motivar; acarretar; engendrar; meter; dar; (for.) demandar, mover causa ou processo; fazer; provocar; criar; induzir: *causar alegría*, alegrar; *causar asombro*, ajoviar; *causar disgustos*, dar desgostos; *causar compasión*, apiedar; *causar dolor a alguien*, afleumar; *causar dentera*, embotar os dentes.

causativo, va. *adj.* causativo, causador, causante; fa(c)titivo.

causía. *f.* chapéu de feltro e abas largas, usado antigamente.

causídica. *f.* (arq.) cruzeiro de igreja.

causídico, ca. *adj.* pertencente a causas ou pleitos, causídico. — *m.* causídico, advogado, defensor.

causón. *m.* (med.) febre forte de pouca duração.

causticar. *v. tr.* causticar, aplicar cáustico a uma coisa; comunicar causticidade.

causticidad. *f.* causticidade; (fig.) mordacidade, ironia, malícia, mordacidade, acrimónia, (Bras.) acrimónia, sátira.

cáustico, ca. *adj.* cáustico, que cauteriza; que irrita a pele, adurente, corrosivo; (fig.) cáustico, escarninho, ferino, irónico, (Bras.) irônico, mordaz, pungente, sarcástico, satírico; delgado; incisivo; delicado; acrimonioso; acerado. — *m.* medicamento irritante para uso externo; emplastro epispástico, vesicatório; cautério; mosca, cantárida.

causuelo. *m.* (Amér.) V. caucel.

cautela. *f.* cautela, precaução; prevenção; prudência; astúcia, manha, subtileza para enganar, engano, fraude; senha de penhor; alerta; apercebimento; advertência; anteparo; circunspe(c)ção, acautelamento: *con cautela*, a furta-passo; *hablar con cautela*, apalpar o terreno; *actuar con gran cautela*, ter muitos entressolhos.

cautelar. *v. tr.* acautelar, precaver, prevenir; eludir. — cautelarse. *v. r.* precaver-se, recear-se.

cauteloso, sa. *adj.* cauteloso, cauto, precavido, prevenido, prudente, cuidadoso, circunspe(c)to, astuto, armado, meticuloso, antecipado, medido.

cauterio. *m.* (cir.) cautério; (fig.) o que corrige ou atalha eficazmente algum mal; (fig.) corre(c)ção violenta; castigo forte; o que a(c)tua com lentidão devido às suas propriedades químicas; cautério, remédio cáustico; pedra infernal. V. cauterización: *cauterio actual*, cautério a(c)tual, instrumento com que se cauteriza.

cauterizar. *v. tr.* (cir.) cauterizar, aplicar cautério ou cáustico em; queimar com cautério; adurir, (fig.) corrigir por meios enérgicos; sanificar; repreender; anotar, pôr anotações em algum livro ou escrito.

cauterización. *f.* cauterização; ambustão, adustão.

cauterizador, ra. *adj.* e *s.* cauterizador, cauterizante, que cauteriza.

cautín. *m.* aparelho para soldar com estanho.

cautivado, da. *p. p.* e *adj.* cativado, embeiçado, absorto, subjugado, escravizado; (fig.) enfeitiçado.

cautivador, ra. *adj.* cativador, cativante, sedutor, subjugador, enfeitiçador, encantador.

cautivar. *v. tr.* cativar, tornar cativo; seduzir; prender; dominar; aliciar; capturar; exercer irresistível influência no ânimo; escravizar; subjugar, submeter; embeiçar; embevecer; enamorar; (fig.) encadear, enfeitiçar, encantar, conquistar; avassalhar; absorver. — *v. intr.* ficar cativo ou escravo; (fig.) cativar, sujeitar as faculdades da alma; afeiçoar-se.

cautiverio. *m.* cativeiro; privação da liberdade; prisão; escravidão, sujeição penosa, servidão, servidão, deportação; lugar onde se está cativo.

cautividad. *f.* cativdade. V. cautiverio.

cautivo, va. *adj.* e *s.* cativo, prisioneiro de guerra; escravo; preso, (Bras.) prêso; seduzido; infausto, mesquinho, mísero.

cauto, ta. *adj.* cauto, cauteloso, acautelado, prevenido; prudente; desconfiado; ardiloso; apercebido; atentado.

cava. *f.* cava, a(c)ção de cavar; terra cavada; adega da casa real; fosso, escavação à volta dum forte; cova, caverna. V. foso.

cava. *adj.* e *f.* (anat.) cava: *vena cava*, veia cava.

cavadiza. *f.* areia que se tira de uma cova. — *adj.* cavadiça, cava, diz-se da areia ou terra que se tira duma cova.

cavador. *m.* cavador, cavão, trabalhador que cava com a enxada; coveiro, o que cava a terra.

cavadura. *f.* cavadela, cavada, enxadada, cavadura.

cavadillo. *m.* (agr.) rego, regueiro entre dois tabuleiros de jardim.

caván. *m.* medida filipina de capacidade para secos.

cavar. *v. tr.* cavar, escavar, abrir a terra com a enxada; tirar da terra; abrir a cava, fossar; (fig.) minar. — *v. intr.* cavar, profundar, penetrar; (fig.) pensar profundamente, matutar, refle(c)tir: *cavar trincheras*, abrir fossos.

cavatina. *f.* (mús.) cavatina.

cavazón. *f.* cava, cavação da terra, cavada, a(c)ção de cavar.

cávea. *f.* (arqueol.) cávea, gaiola, jaula romana para pássaros; lugar do povo no teatro e circo romanos.

cavedio. *m.* (arqueol.) pátio da casa entre os antigos romanos.

caverna. *f.* caverna, cavidade subterrânea; antro; gruta; covil; concavidade profunda; (med.) caverna, cavidade anormal nos pulmões; (germ.) casa; (fig.) habitação escura; (Bras.) itaxa.

cavernícola. *adj.* cavernícola, que vive nas cavernas.

cavernidad. *f.* V. cavernosidad.

cavernosidad. *f.* cavernosidade, cavidade, concavidade, cova.

cavernoso, sa. *adj.* cavernoso, cheio de cavernas; semelhante à caverna; rouco; cavo; profundo; subterrâneo; (anat.) cavernoso.

caveto. *m.* (arq.) caveto, parte reentrante da cornija.

caví. *m.* cavi, raiz da oca do Peru.

cavia. *f.* escava, escavação, cava, escavação circular à roda duma árvore.

cavial. *m.* V. caviar.

caviar. *m.* caviar, iguaria composta de ovos salgados de esturjão.

cavicornios. *m. pl.* (zool.) cavicórnios.

cavidad. *f.* cavidade, espaço cavado ou vazio; concavidade; depressão, cova; buraco; caverna, oco, (Bras.) ôco, alvado; entresseio; anfra(c)tuosidade.

cavilación. *f.* cavilação; razão falsa; proposta; sofisma.

cavilar. *v. tr.* e *intr.* cavilar, usar de cavilação; pensar muito em alguma coisa; matutar, refle(c)tir; cismar, sofismar; enganar com sofismas.

cavilosidad. *f.* apreensão infundada; juízo muito meditado; preocupação.

caviloso, sa. *adj.* caviloso, excessivamente desconfiado, apreensivo; sofístico; capcioso; meditabundo.

cayada. *f.* V. cayado.

cayadilla. *f.* instrumento usado pelos forjadores.

cayado. *m.* cajado, bordão de pastor; báculo, bastão de bispo.

cayajabo. *m.* semente dura empregada nas Antilhas como jogo pelas crianças; mate amarelo.

cayapear. *v. tr.* (Amér.) assaltar em grupos.

cayapona. *f.* (bot.) caiapóina.

cayapos. *m. pl.* (etnog.) caiapós, antiga raça de índios do Brasil.

cayena. *f.* (bot.) aga, espécie de pimenta.

cayente. *p. a.* e *adj.* cadente, que cai.

cayeput. *m.* (bot.) V. cayeputí.

cayeputí. *m.* (bot.) caiepute.

cayetés. *m. pl.* (etnog.) caietés, povo existente na América do Sul, no tempo do seu descobrimento.

cayo. *m.* cachopo, rocha, escolho, restinga no mar.

cayota. *f.* (prov.) V. cayote.

cayote. *m.* cidra de que se faz o doce chamado *cabello de ángel;* (zool.) coiote, chacal americano.

cayuca. *f.* (Amér., pop.) pessoa que tem protuberância na cabeça.

cayuco. *m.* canoa pequena usada em Venezuela.

cayuco, ca. *adj.* (Amér.) diz-se da pessoa que tem a cabeça; muito grande ou que tem protuberâncias na cabeça.

cayuela. *f.* (prov.) rocha calcária.

caz. *m.* aberta, abertura, canal, corte para derivar o curso de água; levada, água encanada para regar ou fazer mover azenhas.

caza. *f.* caça, caçada, animais que se caçam; caça, aparelho de rocegar minas; (fig.) investigação; perseguição dos inimigos; procura; caça, montaria, arte de caçar: *caza mayor,* caça grossa; *caza menor,* caça miúda; caça de lebres, coelhos, perdizes, etc.; *espantar la caza,* (fig.) espantar a caça, proceder intempestivamente; *dar caza,* (mar.) dar caça; *andar a la caza de,* (fig. e fam.) andar a caça de; *andar uno a caza de gangas,* (fig. e fam.) andar à caça de gangas; procurar vantagens ou pechinchas com pouco trabalho ou por baixo preço; *salir de caza,* ir a caçar; *expedición de caza,* safari; *ir de caza y volver con las manos vacías,* (fam.) trazer um chivatão; *presa de caza,* embiara; *puesto de caza,* cilada; *mujer cazadotes,* mulher aventureira; *levantar la caza,* (fig.) levantar caça, suscitar ideia, que outros aproveitam.

caza. *m.* (neol.) avião de caça empregado em derrubar os aviões inimigos.

cazadero. *m.* lugar próprio para caçar.

cazador, ra. *adj.* e *s.* caçador, que caça; diz-se dos animais que perseguem e caçam outros animais; (fig. e fam.) aliciador, que alicia para o seu partido; (mil.) caçador, soldado de infantaria ligeira: *cazador mayor,* monteiro-mor; *cazador con hurón,* furoceiro; *cazador de conejos,* coelheiro; *cazador que dispara a quemarropa,* chodrista.

cazadora. *f.* V. americana.

cazadora. *f.* (Amér.) espécie de pássaro.

cazar. *v. tr.* caçar; procurar ou perseguir animais para os matar ou apanhar vivos; apanhar; colher; (fig.) captar, cativar a vontade dalguém; conseguir uma coisa difícil; surpreender; (mar.) caçar, cassar, alar as escotas das velas; andar à caça um navio: *cazar una vela,* caçar uma vela; *cazar aves,* apanhar aves; (mar.) *cazar las velas con los palanquines o con las escotas,* estingar as velas; *cazar con liga,* enviscar; *cazar al vuelo,* (fig.) compreender com rapidez uma coisa; *cazar una escota,* (mar.) caçar uma escota; *cazar en terreno vedado,* caçar em defesa ou vedado.

cazarete. *m.* caçarete, espécie de rede de pescar, caçarote.

cazasubmarino. *m.* (mar.) caça-submarino.

cazata. *f.* V. cacería.

cazatorpedero. *m.* (mar.) contratorpedeiro.

cazcalear. *v. intr.* (fam.) saracotear, andar numa roda viva, duma parte para outra, afectando diligência e sem nada fazer; mexer-se sem fazer nada de útil.

cazcarria. *f.* lama na parte inferior dos vestidos; choca, salpico de lama; monco, ranho seco pegado ao nariz.

cazcarriento, ta. *adj.* (fam.) enlameado, sujo, choquento.

cazcorvo, va. *adj.* diz-se das cavalgaduras que têm as patas curvas.

cazo. *m.* caço, frigideira, caçarola; concha para tirar líquidos, tijela para tirar água do pote; colher de cozinha: *cazo salido,* (germ.) denteira, dentola.

cazolada. *f.* caçoilada; quantidade de comida que contém uma caçarola.

cazoleja. *f. dim.* de *cazuela,* caçarola pequena.

cazolero, ra. *adj.* e *s.* (fam.) obsequioso, serviçal. V. **cominero.**

cazoleta. *f.* caçoleta, fuzil das espingardas antigas; copos da espada; espécie de perfume; copa do escudo; guardamão, punho da espada; caçoleta para perfumes.

cazoletero, ra. *adj.* e *s.* V. **cazolero.**

cazolón. *m.* caçarola grande.

cazonal. *m.* caçonais, rede para pescar cações; (fig. e fam.) negócio ou empenho muito árduo e sem saída.

cazonete. *m.* (mar.) caçonete; andorinho.

cazudo, da. *adj.* diz-se da faca cujo lombo é muito grosso.

cazuela. *f.* caçarola, frigideira com cabo; guisado feito em caçarola; lugar nos teatros reservado para mulheres; galeria, lugar nos teatros onde os assentos são comuns cujos preços são baratos; (fig. e fam.). V. **cazolada;** (impr.) componedor largo que pode conter várias linhas; (Amér.) guisado nacional chileno muito alimentício: *cazuela de cachimba,* fornilho; *cazuela carnicera,* caçarola grande onde se pode guisar muita carne.

cazuelo, la. *adj.* (fam.) tonto, néscio, parvo.

cazumbrar. *v. tr.* calafetar, tapar com estopa as juntas das cubas e tonéis.

cazumbre. *m.* cordel de estopa para tapar as juntas dos tonéis; (prov.) seiva das árvores e sumo das frutas.

cazumbrón. *m.* tanoeiro que tapa com estopa as juntas dos tonéis.

cazurría. *f.* casmurrice, qualidade de quem é casmurro ou solumbático.

cazurro, rra. *adj.* e *s.* (fam.) casmurro, carrancudo, solumbático, de poucas palavras; (ant.) grosseiro.

ce. *f.* nome da letra *c: por ce o por be,* (fig. e fam.) dum modo ou doutro; *ce por be,* (fig. e fam.) com todos os efes-e-erres, tintim por tintim, minuciosamente.

¡ce! *interj.* eh!, olá!, empregada para chamar a atenção de alguém.

cea. *f.* V. **cia** (osso).

ceaja. *m.* cabrita, cabra com menos de um ano.

ceanoto. *m.* (bot.) ceanoto.

cearina. *f.* (farm.) pomada excipiente que substitui o unguento de parafina.

ceática. *f.* (med.) V. **ciática.**

ceático, ca. *adj.* (med.) V. **ciático.**

ceba. *f.* ceva, alimentação abundante do gado.

cebada. *f.* (bot.) cevada, planta e semente: *caldo de cebada,* farro; *cebada verde en*

hierba, alcacel; *a burro muerto, la cebada al rabo,* asno morto, cevada ao rabo.

cebadal. *m.* cevadal, campo cultivado de cevada.

cebadar. *v. tr.* dar cevada às bestas.

cebadazo, za. *adj.* acevadado, pertencente à cevada.

cebadera. *f.* cevadeira, saco ou pano em que se deita cevada ao gado; mangedoira em que se dá a cevada ao gado; (mar.) cevadeira (vela do gurupés).

cebadero. *m.* cevadoiro; lugar onde se põe o engodo para atrair a caça; vendedor de cevada; cavalgadura que leva a cevada para sustento da récua; boca de forno de ladrilho; cevadeiro, encarregado de cevar os falcões ou de dar a cevada aos animais.

cebadilla. *f.* (bot.) cevadilha.

cebado, da. *p. p.* e *adj.* cevado, diz-se na América, do animal que é muito temível por ter provado carne humana.

cebador. *m.* polvorinho para escorvar as armas de fogo.

cebadura. *f.* ceva, cevadura.

cebamiento. *m.* engorda. V. **cebadura.**

cebar. *v. tr.* cevar, dar alimento; encebar, dar cebo, fazer engordar; nutrir; tornar gordo, engordar; acevadar; andeiar; (fig.) fomentar, alimentar o lume; auxiliar o primeiro movimento duma máquina; (mil.) escorvar; apoiar, estribar, segurar; largar fogo a uma peça de fogo de vistas; (fig.) engolosinar. — *v. intr.* dedicar-se, afeiçoar-se; aplicar-se com excesso; durar. — **cebarse.** *v. r.* enfrascar-se; deleitar-se em fazer o maior mal possível a quem não está em condições de se defender.

cebo. *m.* ceva, cevo, (Bras.) cêvo; isca, engodo, (Bras.) engôdo; escorva; (fig.) estímulo, incentivo.

cebolla. *f.* (bot.) cebola, bolbo; recipiente do azeite duma lâmpada: *cebolla de la ducha o regadera,* chuveiro; *cebolla albarrana,* albarrã; *cebolla escalonia,* cebola ascalonia.

cebollada. *f.* cebolada, iguaria guisada com cebolas; porção de cebola frita que se deita na comida.

cebollar. *m.* cebolal, plantação de cebolas.

cebollero, ra. *adj.* e *s.* diz-se de uma variedade de lacrau; ceboleiro, pessoa que vende cebolas.

cebolleta. *f.* cebolinha.

cebollín. *m.* (Amér.) espécie de junça.

cebollino. *m.* (bot.) cebolinho, cebolo, semente da cebola; sementeira de cebolas: *escardar cebollinos,* (fig. e fam.) não fazer nada de útil; *vete a escardar cebollinos,* vai-te ao diabo.

cebollón. *m.* cebola grande.

cebollón, na. *s.* (Amér.) solteirão.

cebolludo, da. *adj.* (bot.) ceboludo, bulboso; parecido com a cebola; (fig.) tosco, rudo, labrego, grosseiro.

cebón, na. *adj.* e *s.* cevão, diz-se do animal que está cevado ou em ceva.

cebra. *f.* (zool.) zebra, (Bras.) zêbra.

cebrado, da. *adj.* zebrado, que tem manchas escuras transversais como a zebra; zebróide.

cebratana. *f.* V. **cerbatana.**

cebruno, na. *adj.* cebruno, zebruno, da cor de veado ou lebre.

cebú. *m.* (zool.) zebo, zebu; (Amér.) espécie de macaco.

ceburro. *adj.* V. **candeal.**

ceca. *f.* casa onde se cunha moeda; em Marrocos, moeda; ceca, nome da mezquita árabe de Córdoba: *de la Ceca a la Meca,* (fig. e fam.) duma parte para outra; *ir de la Ceca a la Meca,* ir Ceca a Meca, andar de uma banda para outra, vagar inùtilmente.

cecal. *adj.* (zool.) cecal, pertencente ou relativo ao ceco.

cecear. *v. intr.* cecear, pronunciar o *s* como *c*; falar com ceceio; dizer ce! ce! para chamar a alguém.

ceceo. *m.* ceceio, ciciamento, blesidade.

ceceoso, sa. *adj.* ceceoso, que ceceia; cicioso.

cecial. *m.* pescada ou outro peixe semelhante seco e curado ao ar; peixe seco.

cecidia. *f.* (bot.) galha, cecídea, cecídia.

cecina. *f.* chacina, carne defumada, seca e salgada; (Amér.) fatia de carne magra, seca e sem sal.

cecinar. *v. tr.* salgar, defumar, curar a carne, chacinar.

cecografía. *f.* cecografia.

cecógrafo. *m.* cecógrafo, instrumento com que escrevem ou lêem os cegos.

cechero. *m.* espreitador. V. **acechador.**

ceda. *f.* V. **cerda** e **zeda.**

cedacear. *v. intr.* diminuir ou escurecer a vista.

cedacería. *f.* fábrica ou lugar onde se vendem peneiras ou crivos.

cedacero. *m.* peneireiro, criveiro, que faz ou vende peneiros.

cedacillo. *m.* (bot.) planta anual da família das gramíneas.

cedazo. *m.* peneira, peneiro, crivo; certa rede grande para pescar.

cedente. *p. a.* e *adj.* de *ceder,* cedente, que cede.

ceder. *v. tr.* ceder, transferir, trespassar; desistir de um direito; abrenunciar, dar; abandonar; (fig.) afroixar a corda; deferir, deixar; abalienar; abaixar; abdicar; abnegar; entregar; alhear; (fig.) curvar a fronte; dar de sí; bater; depositar; demitir; ajoelhar; amainar. — *v. intr.* render-se; sujeitar-se; ceder; converter--se; ceder; diminuir, abrandar (o vento, a febre, etc.); ceder, submeter-se; desaferrar-se; desemperrar-se; vir às boas; franquear; afrouxar-se; (fig.) meter-se na baralha; desengrimpar-se; não resistir; transigir; conceder; dar-se por vencido; diminuir de intensidade: *ceder en algo,* desabrir mão com alguma coisa; *ceder la casa,* dar casa; *ceder su derecho,* dimitir o seu direito; *ceder para evitar algo,* cortar por si; *ceder fácilmente en algo,* franquear-se; no ceder, fazer-se forte, emperrar-se; *no ceder nada de los propios de-*

rechos, não forar-se com ninguém; *obligar a alguien a ceder,* pôr alguém no baralho; *ceder su parte,* desaquinhoar-se; *ceder amistosamente,* fraternizar; *ceder a la fuerza,* ceder à força.

cedilla. *f.* cedilha. V. **zedilla.**

cedizo, za. *adj.* cediço, cediça; corrupto, quase podre (diz-se da carne quando começa a apodrecer).

cedo. *adv.* (prov.) cedo, logo, imediatamente, em breve.

cedoaria. *f.* (bot.) zedoária.

cedral. *m.* plantação de cedros.

cedras. *f. pl.* alforges de peles, surrões.

cedreleón. *m.* cedrelato, óleo de cedro.

cedreno. *m.* (quím.) cedreno.

cedria. *f.* cédria, goma ou resina extraída do cedro.

cédride. *m.* (bot.) fruto do cedro.

cedrino, na. *adj.* cedrino, pertencente ou relativo ao cedro.

cedro. *m.* (bot.) cedro: *cedro de la India,* cedro da Índia; *cedro del Líbano,* cedro do Líbano; *cedro de las Antillas,* cedro de Espanha.

cedróleo. *m.* (quím.) óleo essencial de cedro.

cédula. *f.* cédula, documento de identidade; bilhete de papel ou pergaminho; bilhete de loteria; documento oficial de concessão duma mercê: *cédula personal,* cédula pessoal de identidade.

cedulaje. *m.* direito ou emolumentos que se pagavam pelo despacho de cartas de mercê.

cedulario. *m.* conjunto de privilégios reais.

cedulón. *m. aum.* de cédula; anúncio édito, edital; (fig.) pasquim; cartaz.

cefalalgia. *f.* (pat.) cefalalgia, enxaqueca, dor de cabeça.

cefalálgico, ca. *adj.* (pat.) cefalálgico.

cefalanto. *m.* (bot.) cefalanto.

cefalea. *f.* (pat.) cefaleia, cefalalgia crónica, contínua ou intermitente.

cefálico, ca. *adj.* (anat.) cefálico, pertencente à cabeça; encefálico.

cefalitis. *f.* (pat.) cefalite, encefalite.

cefalodio. *m.* (bot.) flor cefalóide.

cefaloideo, a. *adj.* cefalóide, que tem forma de cabeça.

cefalópodo. *adj.* e *m.* (zool.) cefalópode.

cefalotomía. *f.* (cir.) cefalotomia.

cefalotórax. *m.* (zool.) cefalotórax.

Cefeo. *m.* (astr.) Cefeu (constelação boreal).

céfiro. *m.* zéfiro, vento suave e fresco, aragem; vento aprazível; poente.

cefo. *m.* (zool.) cefo.

cegado, da. *p. p.* e *adj.* cegado, entupido; alucinado, iludido.

cegajo. *m.* (zool.) chibo de dois anos.

cegajoso, sa. *adj.* remeloso, remelado, remelento, diz-se do que tem habitualmente os olhos cheios de humor.

cegar. *v. tr.* e *intr.* cegar, privar da vista, tirar a vista alguém; cegar, ficar cego; enceguecer; enceguerrar; (fig.) entrevar, fechar, ofuscar; entulhar; entupir, entaipar; deslumbrar, alucinar, iludir; apagar; consumir. — **cegarse.** v. r. irar-se, enfuscar-se; (fig.) perder as estribeiras. — pres. ind. irr. **ciego, -as, -a, -an;** subj. **ciegue, -es, -e, -en.**

cegarrita. adj. (fam.) peticego, míope. — s. pessoa peticega: a cegarritas, a meio cegas.

cegato, ta. adj. (fam.) míope, curto de vista.

cegatón, na. adj. (Amér.) V. **cegato.**

cegatoso, sa. adj. V. **cegajoso.**

cegesimal. adj. diz-se do sistema que tem por unidades fundamentais o centímetro o grama e o segundo.

ceguedad. f. cegueira, privação da vista, ceguidade, ceguidão; (fig.) cegueira de entendimento, alucinação, desvairamento; ignorância; ilusão; obstinação; fanatismo.

ceguera. f. cegueira, ceguidade, ablepsia; (fig.) demência; ignorância; ilusão; ira; obstinação; fanatismo; paixão violenta.

ceina. f. (quím.) substância extraída do milho.

ceisatita. f. (min.) variedade de opala.

ceja. f. (anat.) supercílio, sobrancelha, sobrolho; cílio; (fig.) saliência, borda sobressalente; vapores no cume duma montanha; cume, cimo; (mús.) braçadeira de marfim, ferro ou madeira que se fixa no braço da guitarra; (Amér.) caminho estreito, senda, vereda; parte dum bosque cortado por caminho: dar entre ceja y ceja, (fig. e fam.) dizer coisas verdadeiras, mas desagradáveis; hasta las cejas, (fig. e fam.) até ao sumo, até ao extremo; quemarse las cejas, (fig. e fam.) queimar as pestanas, estudar muito; tomar entre ceja y ceja, (fig. e fam.) olhar alguém com impressão desagradável.

cejadero. m. corrente, tirante, que liga o carro às cavalgaduras.

cejador. m. V. **cejadero.**

cejar. v. intr. recuar, retroceder, andar para trás; ciar; afrouxar, ceder, fraquear.

cejijunto, ta. adj. que tem as sobrancelhas quase unidas; (fig.) caviloso, cenhoso, carrancudo.

cejilla. f. (mús.) braçadeira da guitarra. V. **ceja.**

cejo. m. atilho de esparto; nevoeiro, de manhã.

cejudo, da. adj. sobrancelhudo, que tem sobrancelhas espessas ou carregadas.

cejuela. f. dim. de **ceja;** sobrancelha pequena; (mús.) travelha, peça da guitarra para elevar o tom das cordas.

cejunto, ta. adj. V. **cejijunto.**

cela. f. (arq.) nave, certo espaço interior nos antigos templos gregos e romanos.

celada. f. celada, armadura defensiva da cabeça, elmo; soldado a cavalo que a usava; (mil.) cilada, emboscada, traição; (fig.) cilada, engano, enganação, embaçadela, armadilha: caer en la celada, dar na cilada.

celador, ra. adj. e s. zelador, que zela; vigia, velador, vigilante, guarda; prefeito de colégio; zelador, empregado de polícia.

celaduría. f. emprego de zelador; oficina do zelador.

celaje. m. celagem, aspe(c)to do céu quando há nuvens muito ténues; cariz, clarabóia; (fig.) presságio; (mar.) conjunto de nuvens.

celajería. f. (mar.) nuvens. conjunto de nuvens, celagem; arrumação.

celandés, sa. adj. e s. (geog.) V. **zelandés**

celar. v. tr. zelar, vigiar, cuidar, ter cuidado; espreitar; observar; gravar, cinzelar; encobrir, ocultar, esconder.

celar. v. intr. zelar, ter zelo, ou ciumes.

celastríneo, a. adj. (bot.) celastráceo. — f. pl. celastráceas.

celastro. m. (bot.) celastro.

celda. f. cela, aposento dum religioso; quarto unipessoal nas penitenciárias; cubículo; câmara; alvéolo, célula, cada uma das divisões dos favos.

celdilla. f. célula, divisão do favo; célula, cavidade pequena; alvéolo da abelha na colmeia; nicho, cavidade numa parede; (anat.) célula; (bot.) célula, repartimento; separação.

celebérrimo, ma. adj. super. de célebre; celebérrimo, muito célebre.

celebración. f. celebração, acto de celebrar; aplauso, aclamação; solenização, comemoração, exaltação.

celebrado, da. p. p. e adj. celebrado, louvado, aplaudido, festejado; decantado; (fam.) gabadinho.

celebrador, ra. adj. e s. celebrador, que celebra ou aplaude alguma coisa; festejador, celebrante.

celebrante. p. a. adj. e s. celebrante, que celebra; celebrante, sacerdote que diz a missa.

celebrar. v. tr. celebrar, louvar, festejar, aplaudir, comemorar, solenizar, efeituar, exaltar; dizer missa; gabar; elogiar, aplaudir; entoar; encomiar; exaltar; decantar. — **celebrarse.** v. r. celebrar-se ter lugar, acontecer; ter execução; efe(c)tuar-se.

célebre. adj. célebre, famoso, que tem fama, celebrado, notável; ilustre; eminente, egrégio; abalizado, gabado; famoso, afamado; conspícuo, decantado; espirituoso, extravagante; excêntrico; gradável; chistoso; esquisito: hacerse célebre, fazer estrondo do mundo, ecoar, acreditar-se.

celebridad. f. celebridade, fama, glória, honra, nome, nomeada, renome, reputação; notoriedade; aplauso; memória; (gal.) pessoa célebre; notabilidade, ligeireza; prontidão, pressuramento; asa; agilidade.

celebro. m. V. **cerebro.**

celedón. m. V. **verdeceledón.**

celedonia. f. celidónia, pedra que se encontra no ventre das andorinhas.

celemín. m. celamim, medida de capacidade equivalente a 4.625 mililitros; porção de cereal contido num celamim; medida antiga castelhana equivalente a 537 metros quadrados.

celeminada. *f.* porção de grãos que cabe num celamim.

celeminear. *v. tr.* (prov.) andar dum lado para outro.

celeminero. *m.* moço que dá de comer às cavalgaduras nas pousadas.

celenterios. *m. pl.* (zool.) celenterados.

célere. *adj.* célere, rápido, veloz. — *m.* indivíduo a cavalo, nos primeiros tempos de Roma. — *f. pl.* (mit.) as horas.

celeridad. *f.* celeridade, velocidade, rapidez, presteza.

celerífero, ra. *adj.* celerífero. — *m.* celerífero.

celescopio. *m.* (fís.) celescópio.

celesta. *f.* (mús.) celesta.

celeste. *adj.* celeste, pertencente ao céu, da cor do céu; (fig.) sobrenatural, divino; excelente, etéreo, empíro.

celestial. *adj.* celestial; (fig.) perfeito; delicioso; etéreo; celeste; divino; (irón.) bobo, néscio, tonto, inepto.

celestina. *f.* (min.) celestina, variedade de sulfato de estrôncio; (orni.) certa ave canora do Tucumã; (fig.) alcoviteira, chegadeira, medianeira, alcaiota, corretora, comadre.

celestino, na. *adj. e s.* celestino, religioso da ordem dos eremitas, fundada pelo Papa Celestino V; (pop.) alcoviteiro, medianeiro: *hacer de celestino*, alcovitar.

celíaca. *f.* (med.) celíaca, diarreia.

celíaco, ca. *adj.* celíaco; (zool.) celíaco, pertencente ou relativo aos intestinos.

celibatario. *m.* (gal.) celibatário. V. **célibe.**

celibato. *m.* celibato, estado de pessoa solteira. — *s.* (pop.) célibe, solteiro.

célibe. *adj. e s.* célibe, solteiro, celibatário.

célico, ca. *adj.* (poét.) celeste, relativo ao céu; celestial, perfeito, excelente, superior; célibe.

celícola. *m.* celícola, o que habita o céu.

celidonato. *m.* (quím.) celidonato.

celidonia. *f.* (bot.) celidonia, (Bras.) celidônia, erva-andorinha; erva-das-verrugas.

celidónico, ca. *adj.* (quím.) diz-se do ácido contido na celidónia em combinação com a cal e ácidos orgânicos.

celinda. *f.* (bot.) V. **jeringuilla.**

celindrate. *m.* espécie de guisado de coentros.

celo. *m.* zelo; (Bras.) zêlo; cuidado, esmero, (Bras.) esmêro, vigilância; amor extremo à glória de Deus; cio; apetite sexual nos animais; receio, suspetita, inquietação; desvelo, (Bras.) desvêlo; devoção; anceio, ânsia, estro; infatigabilidade; abnegação, (pop.) lua; (fig.) ardência. — *pl.* ciúme, zelos; desconfianças; alfinetes; suspeitas; (Bras.) dor-de-cotovêlo: *estar en celo las perras*, andar saídas; *estar en celo, (los animales)*, estar com o cio, aluar-se: *época de celo, (de los animales)* cobrição; *celo fervoroso*, frenesi; *falta de celo*, frialdade; *celo patriótico*, civismo; *celo religioso excessivo*, fanatismo *celos exagerados*, ciumaria; *tener celos de alguien*, ter ciúme dalguém; *dar celos*, dar ciúme, enciumar; *tratar con celo excesivo*, apanicar.

celofán. *m.* celofana, papel muito transparente.

celoidina. *f.* (quím.) preparação química empregada nos papeis fotográficos.

celosia. *f.* gelosia, grade de fasquias adaptada à abertura duma janela; ralo de porta. V. **celotipia.**

celoso, sa. *adj.* zelosc, que tem zelos; que tem ciúmes, ciumento; infatigável; afervorado; cuidadoso; aguçoso; delicado; cumpridor do seu dever; (mar.) diz-se do barco que aguenta pouca vela por falta de estabilidade; receioso: *estar celoso*, (fam.) picar os alfinetes a alguém.

celotipia. *f.* zelotípia, ciumaria, ciúme, zelos.

celsitud. *f.* celsitude; excelsitude; elevação, grandeza, excelência; alteza (tratamento antigo).

celta. *adj. e s.* (geog.) celta, céltico. — *m.* céltico, idioma dos celtas.

celtibérico, ca. *adj. e s.* celtibérico, celtibero, natural da antiga Celtibéria ou pertencente a este território.

celtiberio, ria. *adj. e s.* V. **celtibérico.**

celtíbero, ra. *adj. e s.* V. **celtibérico.**

celticismo. *m.* celticismo, celtismo.

céltico, ca. *adj.* céltico, pertencente ou relativo aos celtas.

celtídeo, a. *adj.* (bot.) celtiácea. — *f. pl.* celtidáceas.

celtismo. *m.* celtismo, celticismo.

celtista. *s.* celtista.

celtohispánico, ca. *adj. e s.* diz-se dos monumentos ou restos de cultura céltica existentes na Península Hispânica.

celtohispano, na. *adj.* V. **celtohispánico.**

célula. *f.* célula, pequena cavidade, pequena cela; (biol.) célula, porção de substância viva; alvéolo; (bot. e zool.) elemento anatómico dos vegetais e animais; (pol.) célula, agrupação de pessoas pertencentes a um partido político: *célula fotoeléctrica*, célula fotoeléctrica; *célula embrionaria*, célula embrionária.

celulado, da. *adj.* celulado, celulífero, celuliforme, provido de células.

celular. *adj.* celular, pertencente ou relativo ás células; (for.) celular, cumprido em células da penitenciária.

celulario, ria. *adj.* celulífero. V. **celular.**

celulífero, ra. *adj.* celulífero, celulado, celuliforme.

celuloide. *f.* celulóide, substância transparente e elástica.

celulosa. *f.* (quím.) celulose.

celulosidad. *f.* celulosidade.

celuloso, sa. *adj.* celuloso, dividido em células; que tem células.

cellenca. *f.* rameira, prostituta, mulher pública.

cellenco, ca. *adj.* (fam.) debilitado, cansado, fraco, velho, achacoso, alquebrado, que se move com dificuldade.

cellisca. *f.* temporal de neve e chuva muito miúda, impelidas com força pelo vento.

cellisquear. *v. intr.* chover e nevar com vento forte.

cello. *m.* aro, argola para sujeitar as aduelas das pipas ou tonéis.

cementación. *f.* cementação, a(c)to de cementar; betonagem.

cementar. *v. tr.* cementar, submeter à cementação; transformar em aço a camada superficial de peças de ferro; modificar as propiedades dum metal.

cementerial. *adj.* cemiterial, pertencente ao cemitério.

cementerio. *m.* cemitério, campo-santo; fossário.

cemento. *m.* cemento, cimento betão: *cemento y piedras menudas*, formigão; *revestir de cemento*, betonar; *revestimiento de cemento*. betonagem.

cemento. *m.* (zool.) cemento, substancia cortical das raízes dos dentes.

cementoso, sa. *adj.* semelhante ou que apresenta as características do cimento.

cena. *f.* ceia, refeição que se toma à noite, jantar; a(c)ção, de cear; (rea.) a Ceia do Senhor.

cenáculo. *m.* cenáculo, sala onde Cristo fez a sua última Ceia.

cenacho. *m.* alcota, cesto de esparto ou de palma.

cenadero. *m.* sala de jantar, refeitório.

cenado, da. *adj.* jantado, ceado, diz-se de quem já jantou.

cenador. *m.* caramanchão. — *adj.* que janta ou ceia.

cenagal. *m.* ceno, atoleiro, lamaçal, lameiro, cenagal; ludreiro, enxurdeiro; (fig.) negócio de situação difícil: *sacar a uno del cenegal*, (fig.) desencharcar; *salir de lodazales y entrar en cenagales*, (fig.) tirar-se da cama e meter-se no atoleiro.

cenagoso, sa. *adj.* cenoso, lodoso, lamacento; lutulento; atoladiço; (fig.) imundo, asqueroso.

cenal. *m.* (mar.) aparelho para manobra da vela nos barcos pequenos.

cenar. *v. intr.* cear, jantar. — *v. tr.* comer ao jantar ou à ceia tal ou qual iguaria. — *m.* ceia.

cenceñada. *f.* rócio, orvalho.

cenceño, ña. *adj.* delgado, magro, esgalhado; franzino; ázimo, não levedado (pão).

cencerra. *f.* V. **cencerro.**

cencerrada. *f.* (fam.) chocalhada, som de chocalhos; corrimaça; charivari. — *cencerrada que se da a los novios que contraen segundas nupcias*, corticada.

cencerrear. *v. intr.* chocalhar, fazer bulha com chocalhos; tocar mal um instrumento de corda; ranger (falando de portas).

cencerreo. *m.* chocalhada.

cencerril. *adj.* pertencente ou relativo ao chocalho.

cencerro. *m.* chocalho: *cabra con cencerro*, cabra chocalheira; *cencerro grande*, choca; *cencerro zumbón*, chocalho grande; *en forma de cencerro*, achocalhado; *a cencerros tapados*, (fig.) secretamente, à surdina.

cencerrón. *m.* escádea, rebusco, cachos pequenos com poucas uvas, que ficam depois da vindima.

cencido, da. *adj.* diz-se da erva, devesa ou terreno que ainda não foi pisado.

cencha. *f.* travessa de madeira na qual se fixam os pés das poltronas, camas, etc.

cendal. *m.* cendal, tecido de seda; véu fino; (mar.) fusta, embarcação comprida e usualmente armada em tempo de guerra; (poét.) cendal, liga da meia. — *pl.* algodões de tintureiro.

cendalí. *adj.* pertencente ou relativo ao cendal.

céndea. *f.* agrupamento de povoações em Navarra que compõem um *ayuntamiento*.

cendolilla. *f.* rapariga de pouco juízo.

cendra. *f.* copela. copelha, massa com que se fazem copelas para separar o ouro ou a prata doutros metais.

cendrada. *f.* V. **cendra.**

cendradilla. *f.* forno para afinação de metais nobres.

cendrado, da. *adj.* cendrado; puro; limpo, V. **acendrado.**

cendrar. *v. tr.* cendrar, acendrar. V. **acendrar.**

cendrazo. *m.* parte da copela ou cadinho de fundir metais.

cenefa. *f.* sanefa; sebasto das casulas, sebastro, tira vertical do meio; grinalda; desenho de ornamentação; (poet.) margem; (mat.) tira de lona colocada no toldo para não entrar o sol.

cenestesia. *f.* cenestesia.

cenestésico, ca. *adj.* cenestésico.

cenete. *adj.* diz-se duma tribo berberesca de Zeneta. — *m. pl.* pertencentes a esta tribo.

ceni. *m.* espécie de latão muito fino.

cenia. *f.* açude, nora, engenho para elevar água e regar terrenos.

cenicero. *m.* cinzeiro, recipiente em que se deita a cinza do tabaco; lugar onde caem as cinzas nos fogões.

cenicienta. *f.* (fig.) pessoa injustamente postergada, desconsiderada ou desprezada.

ceniciento, ta. *adj.* cinzento, de cor de cinza, cinéreo.

cenicilla. *f.* V. **oídio**

cenismo. *m.* cenismo, mistura de diale(c)tos.

cenit. *m.* (astron.) zénite. (Bras.) zênite; auge, fastigio; apogeu; ápice.

cenital. *adj.* zenital; vertical.

ceniza. *f.* cinza, pó ou resíduos da combustão de certas substâncias. — *pl.* cinzas, restos mortais, relíquias: *Miércoles de Ceniza*, quarta-feira de cinza; *cenizas para la colada*, barreleiro; *ceniza para limpiar metales*, decoada; *montón de cenizas*, cinzeiro; *renacer de las cenizas*, renascer das cinzas; *reducir a cenizas*, reduzir a cinzas; *reducido a cenizas*, reduzido a cinzas; (quím.) *ceniza azul*, cinza azul.

cenizo, za. *adj.* cinzento. V. **ceniciento.** — *m.* (bot.) planta silvestre salsolácea: *ser un cenizo* (pop.) encalistrar; *quitar el cenizo*, (pop.) desenguiçar.

cenitoso, sa. *adj.* que tem cinza; cinerário; coberto de cinza; cinzento, cinéreo.

cenobial. *adj.* cenobial, cenobítico.

cenobio. *m.* cenóbio, mosteiro, convento; habitação de cenobitas.

cenobita. *s.* cenobita, religioso que vivia em comunidade; pessoa que professa a vida monástica; eremícola, eremita; (fig.) extramundano; pessoa isolada.

cenobítico, ca. *adj.* cenobítico.

cenobitismo. *m.* cenobitismo.

cenopegias. *f. pl.* cenopégias, a festa dos tabernáculos entre os Judeus.

cenotafio. *m.* cenotáfio, túmulo à memória dum morto; eça.

cenozoico, ca. *adj.* (geol.) cenozóico.

censal. *adj.* censual. V. **censual.**

censalista. *f.* V. **censualista.**

censatario. *m.* censatário, censitário, censionário, o que paga censo.

censido, da. *adj.* (for.) onerado com censo.

censo. *m.* censo, recenseamento da população; pensão anual paga ao senhorio duma terra; censo, rendimento cole(c)tável; contrato, enfiteuse; imposto, (Bras.) impôsto; aforamento; foro, (Bras.) fôro; *extinguir un censo*, amortizar um censo; *sujeto a censo*, encabeçado; *censo vitalicio*, censo vitalício; *censo enfitéutico*, censo reservativo; *censo perpetuo*, censo perpétuo; *dar o tomar a censo*, dar ou tomar a censo; *fundar un censo* (fig.), establecer uma renda, hipotecando alguns bens; *censo electoral*, censo eleitoral; *censo de por vida*, censo perpétuo.

censor. *m.* censor, aquele que censura; crítico; desaprovador, arguidor; acoimador; improvador, censor, censurador; magistrado da Roma antiga.

censoria. *f.* emprego e oficina do censor.

censorino, na. *adj.* V. **censorio**; vigiante, crítico, improvador.

censorio, ria. *adj.* censório, relativo a censor ou à censura.

censual. *adj.* censual, pertencente ou relativo ao censo.

censualista. *s.* censualista, pessoa incumbida de receber censos; aforador.

censuario. *m.* V. **censatario.**

censura. *f.* censura, a(c)to de censurar; cargo de censor; exame crítico das obras literárias e artísticas; tribuna encarregado de censurar; censura, condenação eclesiástica de certas obras; censura, ofício e dignidade de censor entre os antigos romanos; registo de censo, matrícula; rol, arrolamento; murmuração; admoestação; repreensão; reprovação; impropério; imputação; cheganço; arguição; aviso; increpação; desaplauso; desaprovação; animadversão; corre(c)ção; chega; anatema; exprovação; batibarba; (pop.) gaita bofetão; descompostura; amoladela; (Bras.) rebordosa.

censurable. *adj.* censurável, acusável, digno de censura, repreensível, condenável.

censurado, da. *p. p.* e *adj.* censurado; condenado; repreendido, criticado; estranhado; (fig.) acoimado: *censurado, por bajo cuerda*, anavalhado; *ser censurado*, apanhar um bico.

censurador, ra. *adj.* e *s.* censurador, que censura; crítico; improvador; exprovador.

censurar. *v. tr.* censurar, exercer a censura; criticar; fazer a crítica; corrigir, reprovar; condenar; repreender; exprobrar; murmurar, vituperar; registar, arrolar; improvar, improperar; imputar; anatematizar; acapitular; correger, acoimar; arguir; inculpar; increpar; estranhar; desaplaudir; desaprovar; animadvertir; estigmatizar; admoestar; advertir; arrefertar; afear; abocanhar; (fig.) descoser: *censurar a alguien*, dize-las boas a alguém, descoser a vida de alguém; *censurar por bajo cuerda*, anavalhar; *censurar la conducta de alguien*, estranhar o procedimento de alguém.

censuratorio, ria. *adj.* pertencente ou relativo à censura, censório.

censurista. *s.* censurador, o que tem propensão para censurar ou repreender os demais.

centalla. *f.* centelha, chispa que ressalta do carvão de madeira, fagulha; faísca.

centaurina. *f.* (quím.) centaurina.

centauro. *m.* (mit.) centauro; (astr.) Centauro.

centavo, va. *adj.* V. **centésimo.** — *m.* cêntimo, centavo, centésima parte dalgumas moedas.

centella. *f.* centelha; faísca, raio; cintila; (fig.) lembrança, recordação; brilho momentâneo; chispa faúlha; (fig.) exalação; corisco; (poét.) centelha, resto duma paixão; (germ.) espada, arma branca; (prov.) erva venenosa; cravagem, fungo ascomiceta: *llover rayos y centellas*, chover raios e coriscos.

centellador, ra. *adj.* cintilante, resplandecente, deslumbrante, brilhante.

centellante. *p. a.* V. **centelleante.**

centellar. *v. intr.* V. **centellear.**

centelleante. *p. a.* e *adj.* cintilante, resplandecente, brilhante, deslumbrante, estrelante, fuzilante, dardejante, fulgurante, fagulhento, faiscador, faiscante.

centellear. *v. intr.* cintilar, brilhar como centelha, faiscar; resplandecer, estrelar, fulgurar, fagulhar, luzilar, chispar, dardejar; fuzilar (olhos.).

centelleo. *m.* cintilação; fulguração.

centellero. *m.* (Amér.) V. **centillero.**

centullón. *m.* aum. de centella.

centena. *f.* (arit.) centena, conjunto de cem unidades.

centenada. *f.* centena, quantidade de cem: *a centenadas*, às centenas.

centenal. *m.* centena. V. **centenar;** centeal, campo coberto de centeio.

centenar. *m.* centena. V. **centenario:** *a centenares*, aos centos.

centenario, ria. *adj.* centenário; diz-se da pessoa que tem cem anos de idade. — *m.* tempo de cem anos, século; festa que se celebra de cem em cem anos; comemoração secular.

centenaza. *adv.* e *f.* diz-se da palha do centeio.

centenero, ra. *adj.* centenoso, centeoso, diz-se do terreno em que se dá bem o centeio; centeal; centeeira.

centenilla. f. (bot.) centenilha.

centeno. m. (bot.) centeio, planta e a sua semente.

centeno, na. adj. centésimo, centesimal.

centenoso, sa. adj. misturado com muito centeio.

centesimal. adj. centesimal.

centésimo, ma. adj. centésimo.

centi. pref. centi, partícula indicativa de que uma unidade é cem vezes menor que a unidade fundamental.

centiárea. f. centiare, medida de superfície. equivalente a um metro quadrado.

centígrado, da. adj. centígrado.

centigramo. m. centigrama.

centilitro. m. centilitro.

centiloquio. m. obra que tem cem partes, tratados ou documentos.

centímano, na. adj. s. (poét.) centímano, que tem cem mãos.

centímetro. m. centímetro, centésima parte do metro.

céntimo, ma. adj. centésimo. — m. cêntimo (moeda).

centinela. f. sentinela, soldado que está de vigía num posto; vedeta; vigía; (fig.) pessoa que vela ou vigia por alguma coisa: *centinela de vista*, sentinela à vista; *estar apostado de centinela*, estar de sentinela.

centinodia. f. (bot.) centinódia, sempre-noiva; corriola bastarda.

centípedo, da. adj. (zool.) centípedo.

centiplicado, da. adj. centuplicado, multiplicado por cem; repetido cem vezes.

centipondio. m. V. quintal.

centola. f. V. centolla.

centolla. f. (zool.) santola, centola, grande caranguejo do mar.

centollo. m. (zool.) aranha do mar, caranguejo de mar. V. centolla.

centón. m. centão, manta de retalhos; cobertura grosseira de peças de artilharia; (fig.) obra literária composta de sentenças e expressões alheias.

centonar. v. tr. amontoar em desordem; (fig.) compor obras literárias com retalhos e sentenças alheias.

centrado, da. adj. centrado, bem no centro: *centrado en la vida*, arrumado.

central. adj. central, que fica no centro; relativo ao centro; medial, médio. — f. repartição onde estão reunidos os serviços públicos: *central eléctrica*, central elé(c)trica, fábrica de ele(c)tricidade; *central de Correos y Telégrafos*, estação central de Correios e Telégrafos; *central telefónica*, estação, central de telefones.

centralidad. f. centralidade.

centralismo. m. centralismo, doutrina dos centralistas; centralização.

centralista. adj. e s. centralista, partidário da centralização dos poderes públicos.

centralización. f. centralização; sistema político em que a administração pública está nas mãos de um poder central.

centralizador, ra. adj. e s. centralizador, centralista, que centraliza; pertencente à centralização.

centralizar. v. tr. centralizar, reunir num centro comum; concentrar; fazer convergir para um centro. — centralizarse. v. r. assumir o poder central faculdades atribuídas a organismos locais.

centrar. v. tr. centrar, determinar o centro; atirar para o centro; colocar uma coisa de modo que o seu centro coincida com o de outra; encentrar.

centricidad. f. qualidade de central.

céntrico, ca. adj. central, que fica no centro.

centrífuga. f. (Amér.) centrífuga, bomba sem êmbolo empregada na fabricação do açúcar.

centrifugador, ra. adj. diz-se do aparelho que aproveita a força centrífuga. — f. sem êmbolo empregada na fabricação do açúcar.

centrífugo, ga. adj. (mec.) centrífugo; exódico.

centrípeto, ta. adj. (mec.) centrípeto.

centrista. s. (pol.) centrista, pessoa que milita num partido político equidistante da direita e da esquerda.

centro. m. (geom.) centro; meio duma linha re(c)ta; ponto que divide em duas partes iguais um arco; meio de qualquer espaço, metade; centro, lugar de reunião; vestido curto que usam as indianas e mestiças equatorianas; centro, lugar onde se tratam negócios ou fazem transa(c)ções; centro, clube; assembleia; centro, agrupamento dos principais influentes dum partido; (fig.) medula, entranha; finalidade, fim, alvo, obje(c)to, obje(c)tivo, aspiração; fundo, profundidade; ponto ou ruas mais concorridas duma povoação; (Amér.) terno de três peças; (pol.) centro, grupo político de opiniões moderadas; grupo parlamentar que se senta no centro da câmara entre a direita e a esquerda: *el centro de algo*, (pop.) embigo; *centro de gravedad*, centro de gravidade; *centro principal*. (fig.) cidadela; *centro de una cosa*, (fig.) coração; *centro de oscilación*, (fís.) centro de oscilação; *centro nervioso*, centro nervoso, o encéfalo; *centro comercial*, centro dos negócios; *estar uno en su centro*, (fig.) estar no seu centro, satisfeito em algum emprego ou lugar.

centroamericano, na. adj. e s. (geog.) centro-americano.

centrobárico, ca. adj. (mec.) centrobárico, pertencente ou relativo ao centro da gravidade.

centroeuropeo, a. adj. e s. (geog.) centro-europeu.

centunviral. adj. centunviral, relativo aos centúnviros.

centunvirato. m. centunvirato, centunvirado.

centunviro. m. centúnviro.

centuplicación. f. centuplicação.

centuplicar. v. tr. centuplicar, multiplicar por cem; (fig.) aumentar muito.

céntuplo, pla. adj. e m. (arit.) cêntuplo; cem vezes maior, centuplicado; produto de um número multiplicado por cem.

centuria. *f.* centúria, centenar, centena; número de cem anos, século; história escrita por séculos; centúria, grupo de cem homens de guerra.

centurión. *m.* centurião, centúrio, chefe duma centúria.

centurionazgo. *m.* centurionato, centuriato.

cenzalino, na. *adj.* cenzalino, pertencente ou relativo ao cenzal.

ceñido, da. *p. p.* e *adj.* (fig.) moderado, reduzido nas suas despesas, poupado, económico; (zool.) anelado como a mosca, abelha, etc.

ceñidor. *m.* cingidoiro, cingidouro, cinta, faixa; cinto, correia que cerca a cintura.

ceñidura. *f.* a(c)ção e efeito de cingir.

ceñiglo. *m.* (bot.) chenopodio. V. **cenizo.**

ceñir. *v. tr.* cingir, rodear, apertar em roda; cercar; pôr à cinta; abreviar, reduzir; circundar; estreitar; amarrar; correar. — **ceñirse.** *v. r.* abraçar-se, cingir-se, moderar-se, reduzir os gastos; adstringir-se; (mar.) bracear todo o aparelho por sotavento; (fig.) moderar-se nas despesas, palavras, etc.; cingir-se a uma ocupação ou trabalho, limitar-se: *ceñir la corona,* coroar-se; *cingir a coroa; ceñir el viento,* cingir o vento; *ceñir la espada,* cingir a espada. — *v. irreg. pres. indi.* **ciño, ciñes, ciñe, ceñimos, ceñis, ciñe;** *imperf.* **ceñía, ceñías.** etc.; *pret indef.,* **ceñí, ceñiste, ciñó, ceñimos, ceñisteis, ciñeron;** *fut.* **ceñiré, ceñirás,** etc.; *cond.* **ceñiría, ceñirías,** etc.; *pres, sub.* **ciña, ciñas, ciña, ciñamos, ciñáis, ciñan;** *imperf.* **ciñera, ciñeras,** etc., **ciñese, ciñeses,** etc. *futur.* **ciñere, ciñeres,** etc.; *imperat.* **ciñe, ceñid;** *p. p.* **ceñido;** *gerund.* **ciñendo.**

ceño. *m.* aro que cinge alguma coisa.

ceño. *m.* (vet.) cenho, doença entre o pêlo e o casco da cavalgadura.

ceño. *m.* cenho, semblante severo, demonstração de enfado, aspe(c)to carrancudo ou carregado; (fig.) aspe(c)to imponente e ameaçador de certas coisas; (poet.) cenho, aspe(c)to desagradável: *fruncir el ceño,* encarrancar; *mirar con ceño,* olhar com severidade.

ceñoso, sa. *adj.* V. **ceñudo.**

ceñoso, sa. *adj.* (vet.) cenhoso; sanhudo.

ceñudo, da. *adj.* cenhoso, carrancudo, severo, taciturno, triste.

ceófago, ga. *adj.* e *s.* que come milho, zeófago.

ceolita. *f.* zeólito.

cepa. *f.* (bot.) cepa, (Bras.) cêpa, parte do tronco que está dentro da terra; tronco da videira; (arq.) base do pilar da ponte; raiz, princípio dalgumas coisas (hastes, cauda, etc. dos animais); estípite; (fig.) família, tronco, linhagem, estirpe; (Amér.) fosso: *de buena cepa* (fig.) de boa qualidade; *cepa caballo,* (bot.) carlina, cardopinto.

cepadgo. *m.* pagamento que fazia o preso ao carcereiro que o punha no tronco.

cepeda. *f.* lugar onde abundam arbustos e plantas de cujas cepas se faz carvão, tojal.

cepejón. *m.* cepo, troço cortado duma árvore; parte mais grossa dum ramo separado do tronco de uma árvore.

cepellón. *m.* (agr.) porção de terra que protege as raízes dos vegetais que se transplantam.

cepillado. *m.* desbastamento. V. **acepilladura.**

cepilladora. *f.* máquina de aplainar ou acepilhar a madeira.

cepilladura. *f.* desbastamento da madeira. V. **acepilladura.**

cepillar. *v. tr.* acepilhar, aplainar com cepilho a madeira ou os metais; alisar, polir com cepilho, escovar; aparar madeira: *cepillar una tabla,* afagar uma tábua. V. **acepillar.**

cepillo. *m.* cepo, coluna oca que se coloca nas igrejas para receber as esmolas; (carp.) cepilho, plaina de alisar madeira; escova, (Bras.) escôva; mealheiro: *cepillo bocel,* cepillo, plaina com canais e ferros semicirculares para abrir estrias na madeira; *cepillo mecánico,* acepilhador; *cepillo para limpiar animales,* bigodeira; *cepillo para la ropa,* escova para vestidos; *cepillo para el calzado,* escova para lustrar sapatos; *cepillo para el pelo,* escova para o pêlo; *cepillo de dientes,* escova para os dentes; *cepillo de las ánimas,* cepilho do Santíssimo; *cepillo para el cabello,* escova de cabelo; *cepillo para el sombrero,* escova para o chapéu; *cepillo de uñas,* escova das unhas; *cepillo para fregar el suelo,* escova do soalho.

cepita. *f.* (min.) espécie de ágata.

cepo. *m.* cepo, pedaço dum tronco cortado; toro; galho de árvore; cepo, peça de madeira que sustenta a bigorna; cepo, tronco, instrumento para segurar o pescoço ou os pés de um criminoso; cepo, mealheiro de igreja; armadilha para caçar animais, cepo; (art.) eixo de carreta; (mar.) cepo da âncora; dobadoura; embocada, armadilha; (fig.) pesar, pena; (Amér.) antigo castigo militar: *preparar cepos,* (fig.) armar ciladas; *cepos quedos,* (fig. e fam.) expressão empregada para interromper uma conversação molesta.

cepón. *m.* cepa grande, tronco de videira muito grosso.

ceporro. *m.* cepa velha para fazer carvão; (fig.) homem rude, estúpido, estulto.

cepote. *m.* (mil.) peça de ferro da espingarda.

cera. *f.* cera, (Bras.) cêra, secreção da abelha; conjunto de velas de cera empregadas na iluminação passeio de rua. V. **acera;** cerume; (fig.) coisa branda; pessoa dócil: *cera de los oídos,* cera dos ouvidos, cerúmen; *cera blanca,* cera branca; *cera virgen,* cera amarela ou vela; *cera de dorador,* cera de dourar; *figura de cera,* imagem de cera; *no hay más cera que la que arde,* locução empregada para dizer que só se tem o que se vê; *ser una cera,* (fig. e fam.) ser de cera, ter um cará(c)ter froixo; *no quedarle cera en el oído,* (fig. e fam.) gastar tudo o que se tem; *cubrir de cera,* encerar.

ceracate. f. (min.) espécie de ágata de cor da cera.

ceráceo, a. adj. ceráceo, que tem o aspe(c)to ou consistência da cera.

ceración. m. (quím.) fundição, operação de fundir metais.

cerafolio. m. (bot.) cerefolho. V. perifollo.

cerambícido, da. adj. e m. (zool.) diz-se dos inse(c)tos coleópteros fitófagos, de corpo comprido e veloso.

cerámica. f. cerâmica, maiólica, arte de fabricar louça; olaria.

cerámico, ca. adj. cerâmico, pertencente ou relativo à cerâmica.

ceramista. s. ceramista, artista que se ocupa de cerâmica; pintor de lciça fina.

ceramita. f. (min.) ceramita, espécie de pedra preciosa; ladrilho de resistência superior à do granito.

ceramografía. f. ceramografia.

ceramográfico, ca. adj. ceramográfico.

cerasta. f. (zool.) cerasta, espécie de víbora venenosa, com duas saliências na cabeça; víbora-cornuda.

cerate. m. antiga medida de peso.

ceratias. m. (astr.) ceratias, nome dum cometa bi-caudal.

cerato. m. (farm.) cerato, ceroto.

ceratocele. m. (cir.) ceratocele.

ceratoscopio. m. (med.) ceratoscópio, instrumento para examinar a curvatura da córnea.

ceratosis. f. (med.) ceratose.

ceratotomia. f. (cir.) ceratotomia.

ceratótomo. m. (cir.) ceratótomo.

ceraunia. f. ceráunia, pedra preciosa que se julgava ter caído com o raio.

ceraunita. f. V. ceraunia.

ceraunografía. f. ceraunografia.

ceraunomancia. f. adivinhação por meio das tempestades.

ceraunómetro. m. ceraunómetro. (Bras.) ceraunômetro.

ceraunoscopia. f. ceraunoscópia, observação dos fenómenos do raio.

cerbatana. f. zarabatana; zarbacana; buzina para pessoa surdas, porta-voz, sarabatana; (mil.) colubrina antiga de pequeno calibre.

cerbero. m. V. cancerbero.

cerbillera. f. cervilheira, peça da armadura que defendia a cabeça.

cerca. adv. cerca, quase, perto, próximo, junto a, em redor de, em torno; derredor: cerca de, a par, acerca, achegadamente; cerca del agua, ao lume da água; cerca de la noche, contra a tarde; estar cerca, estar chegado; muy cerca, contíguo; seguir de cerca a alguien, ir com a barba sobre alguém; cerca de mil personas, cerca de mil pessoas; cerca de, aproximadamente, com pequena diferença, pouco menos de. — m. pl. (pint.) os obje(c)tos que estão no primeiro plano.

cerca. f. cerca, sebe, valado, terreno fechado por muro, muro; chousura; albarrada, bastida, apartamento.

cercado. m. cercado, terreno rodeado por muros, valado ou sebe; cerca; chousa, chousura, coitelho; (Amér.) divisão territorial que compreende a capital duma província e os povos que daquela dependem. — adj. e p. p. cercado, rodeado, sitiado, vedado, envolto, circulado; assediado.

cercador, ra. adj. e s. cercador, que cerca; sitiador, sitiante. — m. puxavante, instrumento de ferrador.

cercamiento. m. a(c)ção e efeito de cercar.

cercanía. f. cercania, proximidade, imediação; contorno, arredor, vizinhança, adjacência; conjunção. — pl. cercania, arredores, imediações: en las cercanias de, na aba de.

cercano, na. adj. cercano, cercão, vizinho, próximo, imediato; conjunto; chegado; avizinhado, convizinho, circunvizinho; em bastida: parentesco cercano, estreito parentesco.

cercar. v. tr. cercar, pôr cerca; sitiar; assediar; murar; rodear; perseguir por todos os lados; rodear com muro, valado ou sebe; rodear muita gente a uma pessoa ou coisa; circundar; circular, circuitar, circuir, bloquear; encurralar; circunvalar; cingir; envolver: cercar con alambres, aramar; cercar de fortificación, abarreirar: cercar la caza, emprazar a caça. — cercarse. v .r. cercar-se, rodear-se; aproximar-se.

cercén. adv. cerce, pela raiz, pela parte inferior: a cercén, inteiramente e em redondo.

cercenador, ra. adj. e s. cerceador, que cerceia.

cercenadura. f. cerceadura, cerceamento. — pl. aparas, fragmentos.

cercenamiento. m. V. cercenadura.

cercenar. v. tr. cercear, cortar cerce; aparar ou cortar em roda ou pela base; (fig.) restringir, diminuir, encurtar, aparar, coar(c)tar; (fig.) circuncidar; desarraigar, desfazer; depreciar; rapar o cabelo a um condenado.

cerceta. f. (zool.) cerceta, ave palmípeda menor que o pato, assobradeira. — pl. pontas novas do veado.

cerciorar. v. tr. certificar, afirmar, assegurar; certificar. — cerciorarse. v. r. certificar-se da verdade, comprovar, verificar.

cerco. m. cerco, (Bras.) cêrco, o que cinge ou rodeia; aro, anel de pipa, de tonel, de roda, etc.; cerco, assédio, sítio; circuito, recinto; giro ou movimento circular, circuito; círculo cabalístico dos nigromantes; auréola; (germ.) volta, rodeio; mancebia; circunscrição; circundamento; friso, bloqueio; encurralamento; contorno, (Bras.) contôrno; circunvalação: alzar el cerco, levantar o cerco; romper el cerco, desbloquear.

cercha. f. V. cimbra; (arq.) régua flexível para medir superfícies desiguais; (mar.) círculo de madeira que forma a roda do leme; (Amér., arq.) cimbre, cambota.

cerchar. v. tr. (agr.) alporcar as videiras. V. acodar.

cerchón. m. (arq.) cimbre, cambota.

cerda. *f.* cerda, (pêlo); cerdas, pêlos grossos e duros que formam a crina e a cauda do cavalo, porco, etc.; (zool.) cerda, fêmea do porco; porca; tumor carbunculoso que se forma em volta do pescoço do porco; armadilha para caçar perdizes; messe segada; molho de linho; punhado de linho por segar; (germ.) faca.

cerdamen. *m.* molho de cerdas para pincéis, escovas, etc.

cerdear. *v. intr.* manquejar os animais (diz-se especialmente dos toiros quando estão feridos de morte); desafinar as cordas dum instrumento; (fig. e fam.) trabalhar de má vontade; tergiversar, esquivar-se.

cerdito. *m. dim.* cerdo ou porco pequeno.

cerdo. *m.* (zool.) porco, cerdo, suíno chico, cochino: *cerdo de muerte,* porco bom para matar; *cerdo de vida,* farroupa, porco de menos de um ano; *cerdo capado,* farroupo; *manteca de cerdo,* banha; *piel de cerdo,* coirato; *cerdo marino,* V. **marsopa**; *echar margaritas a cerdos,* (fig. e fam.) não é mel para boca do asno; lançar pérolas a porcos; (fig. e fam.) *ser un cerdo,* ser um porco, ser uma pessoa suja; *cerdo castrado,* porco castrado; *cerdo cebado,* porco cebado.

cerdoso, sa. *adj.* cerdoso, que tem cerda; hirsuto; áspero como cerda.

cerdudo, da. *adj.* V. **cerdoso**; (fig.) diz-se do homem que tem pêlos bastos e rijos no peito.

cereal. *adj.* cereal, pertencente à deusa Ceres. — *m.* (bot.) cereal. — *m. pl.* cereais (trigo, centeio, cevada, etc.).

cerealicultor, ra. *s.* cerearicultor.

cerealicultura. *f.* cerearicultura.

cerealina. *f.* (quím.) cerealina.

cerebelitis. *f.* (pat.) cerebelite.

cerebelo. *m.* (anat.) cerebelo, parte póstero-inferior do encéfalo.

cerebeloso, sa. *adj.* cerebeloso, cerebelar.

cerebración. *f.* cerebração, a(c)tividade intelectual; constituição do cérebro.

cerebral. *adj.* cerebral, pertencente ou relativo ao cérebro.

cerebralidad. *f.* encerebração; (fig.) força intele(c)tual.

cerebrar. *v. intr.* cerebralizar, intele(c)tualizar.

cerebrastenia. *f.* (pat.) cerebrastenia.

cerebrina. *f.* (farm.) medicamento antinevrálgico, composto de intipirina, cafeína, e cocaína.

cerebrino, na. *adj.* cerebrino, cerebral.

cerebritis. *f.* (pat.) cerebrite, cerebelite.

cerebro. *m.* (anat.) cérebro; (fig.) juízo; inteligência; cabeça; espírito.

cerebroespinal. *adj.* cérebro- espinhal.

cerebrología. *f.* cerebrologia.

cerebropatía. *f.* (pat.) cerebropatia.

cerebroscopia. *f.* (med.) cerebroscópia.

cerebrosis. *f.* (pat.) cerebrose, cerebrite.

cereceda. *f.* (bot.) cerejal. V. **cereza**; (germ.) corrente que prendia os presidiários.

cerecilla. *f.* (bot.) V. **guindilla**.

cereleón. *m.* (farm.) ceroto, cerato.

ceremonia. *f.* cerimónia, (Bras.) cerimônia, forma exterior do culto religioso; formalidade; conjunto dos preceitos de cortesia; cerimónia, etiqueta, (Bras.) etiquêta; acanhamento; cortesia afe(c)tada; cumprimento; festa; aquêle; rito, ritual: *ceremonia religiosa,* cerimónia religiosa; *sin ceremonias,* sem mais aquele; *ausencia de ceremonias,* familiaridade; *enemigo de las ceremonias,* descerimonioso; *de ceremonia,* de cerimónia; *por ceremonia,* por cerimónia; *maestro de ceremonias,* mestre de cerimónias; *ceremonia indígena,* (Bras.) acangatara.

ceremonial. *adj.* cerimonial, cerimonioso, ritual. — *m.* livro que contém os preceitos que se devem observar numa solenidade, cerimonial; cerimonial, conjunto de formalidades que se devem observar em qualquer a(c)to público.

ceremoniero, ra. *adj.* cerimonioso, mesureiro, amigo de cumprimentos, polido.

cerería. *f.* fábrica ou depósito de artefa(c)tos de cera.

cerero. *m.* cerieiro, o que fabrica ou vende artefa(c)tos de cera.

Ceres. *m.* (astr.) Ceres; (mit.) *f.* Ceres.

ceresina. *adj.* ceresina, diz-se da resina extraída de certas árvores frutíferas. — *s.* ceresina.

cerevisina. *f.* levadura de cerveja.

cereza. *f.* (bot.) cereja, fruto da cerejeira; cor encarnado-escuro que têm alguns minerais: *cereza gordal, garrafal,* cereja, garrafada; *de color de cereza,* vermelho-cereja.

cerezal. *m.* (bot.) cerejal, plantação de cerejeiras.

cerezo. *m.* (bot.) cerejeira, árvore e a sua madeira.

cérido. *f.* (quím.) cerita, cerite.

cerífero, ra. *adj.* cerífero, que produz cera.

cerífica. *adj.* diz-se da pintura feita com cera de várias cores.

ceriflor. *f.* (bot.) cerinto, chupa-mel, flor-mel.

cerilla. *f.* pavio, rolo de cera; fósforo de cera; cosmético para amaciar a pele; cerúme, cera dos ouvidos. — *pl.* lumes: *cerilla de madera,* palito.

cerillera. *f.* V. **fosforera**.

cerillero. *m.* V. **fosforera**; fosforeiro, fabricante ou vendedor de fósforos.

cerillo. *m.* (Amér.) V. **cerilla**, pavio, rolo de cera; fósforo de cera; (Amér. bot.) árvore silvestre; planta dicotiledónia, de cuja casca emana um suco resinoso.

cerina. *f.* (quím.) cerina; (min.) silicato de cérico.

cerinte. *m.* (bot.) chupa-mel.

cerio. *m.* (min.) cério.

ceriolario. *m.* candelabro para velas de cera usado pelos romanos.

cerita. *f.* (min.) cerita, minério cor de cera.

cermeño. *m.* saramenheiro, saramenheira; pereira moscatel; (fig.) homem rude, néscio.

cernada. *f.* barrela, cinza coada; (vet.) cataplasma de cinzas e outros ingredientes;

(pint.) mistura de cinzas e cola para preparar a lona.

cernadero. *m.* barreleiro, pano de coar a barrela.

cernaja. *f.* franja com pequenas bolas que se coloca na cabeça dos bois para afugentar as moscas.

cerne. *m.* cerne, parte interior e mais dura do lenho da árvore.

cernedero. *m.* avental do que peneira a farinha; lugar próprio para peneirar; pano em que se deita o grão quando se criva.

cercedor. *m.* peneira; crivo.

cerneja. *f.* machinhos, crinas nas quartelas das cavalgaduras.

cernejudo, da. *adj.* que tem muitas crinas nas quartelas (diz-se das cavalgaduras).

cerner. *v. tr.* peneirar, joeirar, crivar; (fig.) descobrir, espreitar, observar, examinar; depurar os pensamentos, a(c)ções, etc. — *v. intr.* fecundar (diz-se das flores da videira, oliveira, trigo, etc.); (fig.) chuviscar, cair chuvisco. — **cernerse.** *v. r.* saracotear-se, menear-se, bambolear-se; adejar, mover as asas (as aves); ameaçar de perto algum mal. — *pres. ind. irr.* **cierno, -es, -e, -en;** *subj.* **cierna, -as, -a, -an.**

cernícalo. *m.* (orni.) francelho, tartaranha, ave de rapina; (pop.) manto de mulher; borracheira, embriaguez; (fam.) homem rude e ignorante, pessoa de curto alcance: *pillar un cernícalo,* (pop.) apanhar uma perna, uma bebedeira.

cernidillo. *m.* chuvisco, chuva miúda; (fig.) modo de andar a passos miúdos, bamboleadura.

cernido. *m.* peneirada, peneiração; farinha peneirada para fazer pão.

cernidor. *m.* (Amér.) avental. V. **cernedero.**

cernidura. *f.* V. **cernido.** — *pl.* farelo, limaduras, resíduos de farinha peneirada.

cernir. *v. tr.* peneirar, crivar. V. **cerner.**

cero. *m.* (arit.) zero; cifra; nulidade; nada, coisa nula: *ser un cero a la izquierda,* ser inútil; ser um zero; *bajo cero,* baixo zero.

ceroferario. *m.* ceroferário, acólito que leva círio ou tocha nas procissões.

cerofollo. *m.* (bot.) cerofolho. V. **perifollo.**

cerografía. *f.* cerografia.

cerógrafo. *m.* (arqueol.) cerógrafo; (art. e of.) cerógrafo, gravador que emprega o sistema cerográfico.

ceroideo. a. *adj.* ceróide, que tem o aspe(c)to da cera.

ceroleína. *f.* (quím.) ceroleína.

cerollo, lla. *adj.* serôdio, diz-se das messes que ainda se encontram verdes no tempo da ceifa.

ceromancia. *f.* ceromância.

ceromántico, ca. *adj. e s.* ceromante.

ceromático, ca. *adj.* (farm.) ceromático, diz-se dum unguento de azeite e cera.

ceromiel. *m.* (med.) ceromel.

cerón. *m.* cera ordinária; resíduos de cera.

ceronero. *m.* comprador de cera ordinária.

ceropez. m. V. **cerapez.**

ceroplástica. *f.* ceroplástica, ceroplastia, arte de fazer figuras de cera.

ceroplástico, ca. *adj.* ceroplástico.

ceroso, sa. *adj.* ceroso, céreo, de cera.

cerote. *m.* cerol, mistura de sebo, pez e cera empregada pelos sapateiros; (fig. e fam.) medo, (Bras.) mêdo, temor, cobardia.

cerotear. *v. tr.* dar cerol.

cerotina. *f.* (quím.) alcool de cerato.

cerótico, ca. *adj.* relativo ao cerato.

ceroto. *m.* (farm.) V. **cerato.**

cerquillo. *m.* cercilho, tonsura; vira do calçado.

cerquita. *adv.* muito perto, a pouca distância.

cerra. *f.* (germ.) mão.

cerracatín, na. *s.* avarento, miserável, sovina.

cerrada *f.* parte da pele da cernelha.

cerradera. *f.* V. **cerradero;** espelho de fechadura: *echar uno la cerradera,* (fig. e fam.) não querer escutar, tapar os ouvidos.

cerradero, ra. *adj.* fechado, cerrado. — *m.* parte da fechadura onde entra a lingueta; espelho, orifício no batente para o mesmo efeito.

cerradizo, za. *adj.* que se pode fechar ou cerrar.

cerrado, da. *p. p.* e *adj.* (fig.) fechado, incompreensível, taciturno, calado, oculto; cerrado, enevoado, carregado de nuvens; cerrado, que conserva a pronúncia da sua província; denso, espesso; compacto; cerrado, cavalo que fez oito anos; dissimulado, silencioso; amarrado; cicatrizado; copado; estólido; enfuscado. — *m.* V. **cercado,** horto com vala ou sebe: *cerrado de barba,* cerrado de barba; *hablar un español cerrado,* falar espanhol cerrado; *cerrado de mollera,* cerrado de moleira; *vía cerrada,* via cerrada; *carga cerrada,* carga cerrada; *a ojos cerrados,* à carga cerrada.

cerrador, ra. *adj.* e *s.* que fecha; cerradoiro; porteiro.

cerradura. *f.* fechamento; fechadura, a(c)ção de fechar; cerradura; cerca, valado; claustro; (ant.) terreno cercado: *cerradura de cajón,* fechadura de gaveta; *cerradura de cartera,* fechadura de carteira; *cerradura de seguridad,* fechadura de seguridade.

cerraja. *f.* cerrolho, fechadura.

cerrajear. *v. intr.* serralhar, trabalhar como serralheiro.

cerrajería. *f.* serralharia, ofício de serralheiro; oficina de serralheiro.

cerrajero. *m.* serralheiro.

cerrajón. *m.* cerro, outeiro alto e escarpado; colina penhascosa.

cerramiento. *m.* encerramento; cercado; (arq.) remate; tabique; separação; te(c)to dum edifício; límite de propriedade.

cerrar. *v. tr.* e *intr.* fechar, cerrar, encerrar; tapar, obstruir; apertar; acabar, terminar; saldar; limitar um terreno; fechar uma conta; proibir; encerrar, conter; ocupar o último lugar; vedar; (fig.) manter-se firme em sua opinião; (vet.) cerrar, diz-se do cavalo que fez oito anos; constringir; afivelar; saldar. — **cerrarse.** *v. r.* cerrar-se, cicatrizar-se; cerrar-se, cobrir-se de nuvens, encapotar-se; consolidar-se (feridas); constringir-se; perseverar numa opinião: *en un abrir y cerrar de ojos*, num assopro; *cerrar la boca a alguien*, cerrar a alguém a boca; *cerrar la boca*, cerrar a boca, manter silêncio; *cerrar los ojos*, cerrar os olhos, tolerar; *cerrar una cuenta*, cerrar uma conta; *cerrarse a banda*, cerrar-se à banda; *cerrarse todas las puertas*, (fig. e fam.) cerrarem-se todas as portas; *cerrar el puño*, apertar a mão; *cerrar el camino a alguien*, tomar a estrada a alguém; *cerrar bajo siete llaves*, fechar a sete chaves; *cerrar los oídos*, não querer ouvir; *cerrado con cerrojo*, fechar com o cerrolho; *cerrar una carta*, fechar uma carta; *cerrar una herida*, fechar uma ferida; *cerrar los ojos a todo*, (fig.) fechar os olhos a tudo; *cerrar los ojos al peligro*, fechar os olhos ao perigo; *cerrar los ojos*, fechar os olhos, morrer. — *pres. ind. irr.* **cierro-as**, -as, -a, -an; *subj.* **cierre**, -es, -e, -en.

cerras. *f. pl.* (prov.) frocos, franjas.

cerrazón. *f.* cerração, nevoeiro espesso, escuridão; (Amér.) contraforte duma cordilheira: *cerrazón intelectual*, incompreensão.

cerrejón. *m.* outerinho, cerro pequeno.

cerrería. *f.* (fig.) costume licencioso.

cerrero. *adj.* errante, que vagueia de cerro em cerro, livre e solto; (fig.) altivo, orgulhoso; (Amér.) inculto, brusco (pessoas); diz-se do que é amargo.

cerreta. *f.* (mar.) parte dianteira do cavername.

cerril. *adj.* serril, agreste, acidentado (diz-se do terreno áspero e escabroso); fragoso, abrupto; indómito; indomável; (fig. e fam.) montesilho, rústico, grosseiro, tosco; bravo.

cerrilla. *f.* serrilhador, máquina de serrilhar moedas.

cerrillar. *v. tr.* serrilhar, abrir serilhas nas moedas.

cerrillo. *m.* (bot.) V. **grama del Norte**; cerro pequeno, colina. — *pl.* ferros para gravar serrilhas.

cerrión. *m.* carambano, sincelo; pingo do nariz; queijo fresco. V. **canelón.**

cerro. *m.* cerro, (Bras.) cêrro, colina, outeiro; molho de linho ou cânhamo; pescoço do animal; espinhaço, lombo; dorso: *irse por los cerros de Ubeda*, (fig. e fam.) falar em alhos e responder em bugalhos; *en cerro*, em pêlo, sem selim.

cerrojazo. *m.* a(c)ção de fechar bruscamente: *dar cerrojazo*, encerrar inesperadamente as Cortes.

cerrojo. *m.* ferrolho, (Bras.) ferrôlho, lingueta de ferro; aldrava; (prov.) marca que se põe no gado com ferro candente: *cerrojo de seguridad*, ferrolho de seguridade; *correr el cerrojo*, desacumular.

cerrón. *m.* (germ.) chave, ferrolho.

cerruma. *f.* (vet.) quartela defeituosa da cavalgadura.

certa. *f.* (germ.) camisa vulgar.

certamen. *m.* desafio, duelo, contenda entre duas ou mais pessoas, peleja, certame: *certamen literario*, certame ou concurso literário.

certeneja. *f.* (Amér.) valado, paliçada; concavidade no leito dum rio; pântano pequeno, mas profundo.

certero, ra. *adj.* certeiro, bem dirigido; seguro, certo, que acerta bem; exa(c)to; certo, sabedor, bem informado.

certeza. *f.* certeza; coisa certa; estabilidade; convicção; conhecimento seguro e exa(c)to duma coisa; asseveração; evidência; *con certeza*, decerto.

certidumbre. *f.* V. **certeza.**

certificable. *adj.* certificável, que se pode certificar.

certificación. *f.* certificação; certificado, certidão; atestação, atestado.

certificado, da. *p. p.* e *adj.* registado, (carta, volume postal, etc.); certificado, dado como certo, asseverado; autêntico; assegurado; atestado. — *m.* certificado, certidão; atestação: *certificado de buena conducta*, abonação.

certificador, ra. *adj.* e *s.* certificador, que certifica ou atesta.

certificar. *v. tr.* certificar, dar como certo, assegurar, afirmar, asseverar; atestar; passar certidão; registar no correio; (for.) dar como certa uma coisa por meio de instrumento público; afiançar; autenticar; expedir certidão. — **certificarse.** *v. r.* certificar-se; adquirir a certeza, convencer-se; assegurar-se.

certificativo, va. *adj.* certificatório, certificativo.

certificatorio, ria. *adj.* certificatório, certificativo, próprio para certificar, que certifica, certificante.

certitud. *f.* certeza; evidência. V. **certeza.**

cerúleo, a. *adj.* cerúleo, de cor azul do céu; etéreo.

cerulina. *f.* (quím.) cerulina.

ceruma. *f.* (vet.) V. **cerruma.**

cerumen. *m.* cerume, cerúmen.

cerusa. *f.* (quím.) cerusa, alvaiade.

cerusita. *f.* (quím.) cerusite.

cerval. *adj.* cerval, cervino, próprio do cervo: *miedo cerval*, grande medo.

cervantino, na. *adj.* cervantino, cervantesco.

cervantismo. *m.* cervantismo.

cervantista. *adj.* e *s.* cervantista.

cervantófilo, la. *adj.* e *s.* cervantófilo.

cerveceo. *m.* fermentação da cerveja.

cervecería. *m.* cervejaria, fábrica ou estabelecimento de venda da cerveja.

cervecero, ra. *s.* cervejeiro, fabricante ou vendedor de cerveja.

cerveza. *f.* cerveja: *cerveza doble*, cerveja forte; *cerveza sencilla*, cerveja fraca.

cervical. *adj.* cervical.

cérvico, ca. *adj.* (anat.) V. **cervical.**

cervicular. *adj.* (anat.) V. **cervical.**

cérvidos. *m. pl.* (zool.) cervídeos, família de ruminantes que têm por tipo o cervo.

cervigón. *m.* V. **cerviguillo.**

cervigudo, da. adj. cachaçudo, cabeçudo, teimoso.

cerviguillo. m. cachaço, pescoço, curto e grosso.

cervino, na. adj. (zool.) cervino, pertencente ou relativo ao cervo; cerval.

cerviz. f. cerviz, nuca; cachaço: *doblar o bajar la cerviz*, humilhar-se, submeter-se à vontade doutrem; *sacudir o levantar la cerviz*, revoltar-se para obter a liberdade; *ser de dura cerviz*, ser indomável.

cervuno, na. adj. cervino, cerval.

cesación. f. cessação; fim; interrupção; descontinuidade; extinção; descanso: *cesación a divinis*, suspensão canónica dos ofícios divinos numa igreja profanada; *cesación de la lactancia*, ablactação.

cesante. p. a. e s. cessante, que cessa; em disponibilidade; funcionário cessante: *estar cesante*, estar desocupado, sem trabalho.

cesantía. f. situação do funcionário público demitido ou na disponibilidade; cessação; ordenado, soldo da ina(c)tividade.

cesar. v. intr. cessar, parar, desistir, acabar; deixar de existir; terminar; suspender; deixar; despedir; descontinuar; cortar por si; suspender-se alguma coisa: *sin cesar*, sem despegar, sem cessar; *no cesa de*, não deixa de; *cesar el trabajo*, descansar; *cesar en el empleo de algo*, desocupar.

César. m. n. pr. César; título dos Imperadores romanos.

cesaraugustano, na. adj. e s. (geog.) natural da ou pertencente a Cesaraugusta, hoje Saragoça.

cesárea. f. (cir.) operação cesariana, metrotomia.

cesáreo, a. adj. cesáreo, imperial, pertencente ou relativo aos césares.

cese. m. suspensão; nota ou ordem que suspende determinados pagamentos; demissão; cessação.

cesibilidad. f. cessibilidade, qualidade do que se pode ceder.

cesible. adj. cessível, cedível, que se pode ceder.

cesio. m. (quím.) cécio.

cesión. f. cessão, a(c)to de ceder; cedência; transferência; abandono; deferimento; renúncia; delegação; aplicação; abandonamento; (for.) cessão de bens: *cesión temporal de algo*, empréstimo; *cesión de dominio*, alheação da propriedade.

cesionario, ria. s. cessionário, pessoa a quem se faz cessão.

cesionista. s. cessionista, cedente, pessoa que cede.

cesolfaút. m. na música antiga, indicação do tom que se desenvolve segundo os preceitos do cantochão.

cesonario, ria. s. V. **cesionario**.

césped. m. céspede, relva; erva; córtex que nasce nos cortes dos sarmentos; leiva, torrão de mazão.

céspede. m. V. **césped**.

cespedera. f. prado donde se tiram céspedes.

cespitar. v. intr. titubear, vacilar; achar dificuldade para se resolver; cespitar; embicar.

cesta. f. cesta, artefa(c)to de vime para transportar obje(c)tos, frutas, etc.; cordelha; alcofa.

cesta. f. funda do jogo da pelota.

cestada. f. cestada, quantidade dum cesto ou uma cesta cheia.

cestería. f. cestaria, indústria de cesteiro; estabelecimento de venda dos cestos; grande quantidade de cestos ou cestas.

cestero, ra. s. cesteiro, fabricante ou vendedor de cestos ou cestas.

cesto. m. cesto, (Bras.) cêsto, cesto grande, cestão, cofo; barreleira; mingacho; aturá; merendeiro; (fig. e fam.): *ser un cesto*, ser ignorante, rude ou incapaz; *quien hace un cesto hace ciento*, cesteiro que faz um cesto faz um cento, o caso é ter verga e tempo, ladrãozinho, de agulheta depois sobe a balholeta; *pequeño cesto con tapa*, (Bras.) gongá.

cestonada. f. (mil.) gabionada, fortificação feita com gabiões ou cestões.

cesura. f. cesura; pausa; descanso.

ceta. f. V. **zeta**.

cetáceo, a. adj. (zool.) cetáceo. — m. pl. cetáceos.

cetario. m. cetário, lugar de criação dos cetáceos.

cético, ca. adj. diz-se dum ácido extraído do espermacete.

cetil. m. ceitil, antiga moeda portuguesa de pouco valor.

cetilato. m. cetilato, ácido esteárico.

cetileno. m. (quím.) hidrocarbonato etilénico, etileno.

cetilo. m. (quím.) cetilo, etilo.

cetina. f. cetina, espermacete.

cetis. m. ceitil, antiga moeda portuguesa equivalente à sexta parte dum maravedi de prata.

cetografía. f. cetografia.

cetográfico, ca. adj. cetográfico.

cetona. f. (quím.) acetona.

cetonia. f. V. **cetoína**.

cetra. f. cetra, antigo escudo de couro empregado pelos povos ibéricos e lusitanos.

cetrarina. f. (quím.) cetrarina.

cetre. m. (prov.) acólito, ajudante de sacristão.

cetrería. f. cetraria, falcoaria, arte de altanaria.

cetrero. m. falcoeiro, cetreiro, o que exerce a cetraria; tratador e adestrador de falcões.

cetrero. m. sacerdote que oficia revestido com capa de asperges e ceptro.

cetrino, na. adj. citrino, cítreo, cor de limão; (fig.) melancólico, triste.

cetro. m. ce(p)tro, bastão; (fig.) ceptro, reinado, domínio; vara de juiz ou de mordomo de confraria: *empuñar uno el cetro*, (fig. e fam.) começar a reinar.

zeugma. f. (gram.) V. **zeugma**.

Ceuta. (geog.) Ceuta.

ceutí. *adj.* e *s.* (geog.) ceutense, natural de ou pertencente a Ceuta. — *m.* moeda antiga de Ceuta.

cía. *f.* (anat.) ilíaco, osso dos quadris; (prov.) V. **silo.**

cía. *f.* (mar.) a(c)ção de ciar, fazer a cia-voga.

ciaboga. *f.* (mar.) cia-voga, a(c)ção de voltar a embarcação ciando dum lado e remando do outro: *hacer ciaboga*, (fig. e fam.) fazer remoinho para fugir ou para outro fim.

ciamo. *m.* (zool.) ciam₀ (crustáceo).

cianato. *m.* (quím.) cianato.

cianea. *f.* (quím.) V. **lazulita.**

cianhídrico, ca. *adj.* (quím.) cianídrico; ácido prússico.

ciánico, ca. *adj.* (quím.) ciânico.

cianina. *f.* (quím.) cianine.

cianismo. *m.* (fís.) cianismo, intensidade do azul celeste.

cianita. *f.* (min.) cianite, distenia, (Bras.) distênia.

cianocárpeo, a. *adj.* (bot.) cianocarpo, que produz frutos azulados.

cianodermia. *f.* (pat.) cianodermia.

cianodérmico, ca. *adj.* (pat.) cianodérmico, cianodermático.

cianifíceo, a. *adj.* (bot. diz-se das algas que têm uma cor verde-azulada.

cianofila. *f.* (bot.) substância corante da cor azul, princípio da clorofila.

cianógeno. *m.* (quím.) cianogénio, (Bras.) cianogênio.

cianografía. *f.* cianografia, cópia dum desenho por mei₀ do cianógrafo.

cianógrafo. *m.* cianógrafo, aparelho para obter desenhos, planos, etc., com o emprego d₀ papel ao ferroprussiato.

cianoide. *adj.* (bot.) cianóide, semelhante à centáurea.

cianómetro. *m.* (fís.) cianómetro. (Bras.) cianômetro.

cianopatía. *f.* (pat.) cianopatia.

cianosis. *f.* (pat.) cianose.

cianurato. *m.* (quím.) cianureto.

cianuria. *f.* (med.) cianúria.

cianúrico, ca. *adj.* pertencente ou relativo à cianúria.

cianuro. *m.* (quím.) cianeto, cianureto.

ciar. *v. intr.* (mar.) ciar, remar em sentido contrário para retroceder, recuar, andar para trás, retroceder; (fig.) ceder, afrouxar em uma empresa. V. **cejar.**

ciática. *f.* (pat.) ciática, dor localizada no nervo ciático.

ciática. *f.* (bot.) arbusto venenoso do Peru.

ciático, ca. *adj.* ciático.

ciatoforme. *adj.* (bot.) ciatiforme.

ciato. *m.* (arqueol.) ciate, copo antigo com asa.

ciatoideo, a. *adj.* ciatóide, ciatiforme.

cibal. *adj.* diz-se daquilo que é pertencente ou relativo à alimentação.

cibáreo, ria. *adj.* cibário.

cibéleo, a. *adj.* (poét.) pertencente ou relativo à deusa Cibeles.

Cibeles. *f.* (astr.) Cibeles, o planeta Terra.

cibera. *adj.* que serve para cevar. — *s. f.* moedura, porção de trigo que se deixa na tremonha; mantimentos; bagaço dos frutos exprimidos ou pisados.

cibernética. *f.* ciência de governar; ciência cujo obje(c)to é o estudo de control e das comunicações nas máquinas, nos seres vivos e nas comunidades, cibernética.

cibica. *f.* barra de ferro que reforça a parte superior dos eixos de madeira duma carruagem; (mar.) grampo, gato com que se prende uma peça a outra maior.

cibicón. *m. aum.* de *cibica*, reforço mais forte do que a *cibica*.

ciborio. *m.* (arqueol.) cibório, taça para beber usada antigamente.

cibucán. *m.* seira, cesto, cesta, alcofa de fibra de casca de árvores.

cica. *f.* (germ.) bolsa ou porta-moedas.

cica. *f.* (bot.) cica, espécie de palmeira.

cicadáceas. *f. pl.* (bot.) cicadáceas.

cicádeo, a. *adj.* cicadário relativo ou semelhante à cigarra.

cicadarias. *f. pl.* (zool.) cicadárias.

cicádidos. *m. pl.* (zool.) cicadários.

cicarazate. *f.* (germ.) ladrão de bolsas ou porta-moedas. V. **cicatero.**

cicatear. *v. intr.* (fam.) mesquinhar, fazer mesquinhices, ratinhar.

cicatería. *f.* mesquinharia, mesquinhez, avareza, sovinice, miséria, aperto, (Bras.) apêrto, acanhamento, futriquice, estreiteza, economia, mesquindade sovinaria.

cicatero, ra. *adj.* cicata, avaro, mesquinho, sovino, miserável, famaco, forreta, acanhado, estreito económico, (Bras.) econômico, apertado futro. — *m.* (germ.) ladrão que furta bolsas ou porta-moedas.

cicateruelo, la. *adj. dim.* de *cicatero.*

cicatricial. *adj.* cicatricial, que diz respeito a cicatriz.

cicatrícula. *f.* cicatrícula.

cicatriz. *f.* cicatriz, marca duma ferida; (fig.) estigma, impressão duradoira duma injúria ou calúnia; ressentimento.

cicatrizable. *adj.* cicatrizável.

cicatrización. *f.* cicatrização, epulose; consolidação.

cicatrizal. *adj.* cicatricial.

cicatrizar. *v. tr.* cicatrizar, promover a cicatrização; fechar uma ferida ou chaga; (fig.) consolar, aliviar, remediar. — *v. intr.* fechar-se ou secar-se uma ferida ou chaga. — **cicatrizarse** *v. tr.* cicatrizar-se, formar-se a cicatriz; (fig. Amér.) desvanecer-se.

cicatrizativo, va. *adj.* cicatrizável, cicatrizativo, que tem virtude de cicatrizar.

cicca. *f.* (bot.) arbusto comum, cujas sementes são purgativas.

cícera. *f.* espécie de grão-de-bico.

cicércula. *f.* V. **almorta.**

cícero. *m.* (impr.) cícero, tipo de imprensa; unidade de medida usada em tipografía.

cicerón. *m.* homem eloquente.

cicerone. *m.* cicerone, guia de estrangeiros ou viajantes.

ciceroniano, na. *adj.* ciceroniano, relauvo a Cícero; eloquente, elevado no estilo.

ciclamen. *m.* (bot.) ciclame, ciclamino.

ciclamina. *f.* (quím.) alcalóide extraído do ciclamino.

ciclamino. *f.* (bot.) ciclame, ciclamino.

ciclamor. *m.* (bot.) ciclamor, árvore de Judas.

ciclán. *adj.* roncolho, que tem um só testículo. — *m.* borrego cujos testículos ficaram recolhidos na cavidade abdominal.

ciclar. *v. tr.* polir ou lustrar pedras preciosas.

ciclatón. *m.* ciclatão, espécie de túnica comprida e de luxo usada na Idade Média; tecido de seda e ouro com que se faziam aquelas túnicas.

cíclico, ca. *adj.* cíclico, relativo a ciclo; (med.) método terapêutico empregado antigamente.

ciclismo. *m.* ciclismo, velocipedia, arte de andar em velocípede.

ciclista. *s.* ciclista, velocipedista, biciclista.

ciclo. *m.* ciclo, período de tempo ou certos números de anos no cujo fim se devem repetir os fenómenos astronómicos; ciclo, período cronológico, revolução; ciclo, conjunto de poemas em que se celebravam feitos heróicos; ciclo, conjunto de tradições épicas: *ciclo solar,* ciclo solar; *ciclo lunar,* ciclo lunar.

ciclobranquio, quia. *adj.* ciclobranquial.

ciclocárpeo, a. *adj.* (bot.) ciclocárpeo.

cicloidal. *adj.* cicloidal.

cicloide. *f.* (geom.) ciclóide.

cicloideo, a. *adj.* cicloidal.

ciclometría. *f.* (geom.) ciclometria.

ciclométrico, ca. *adj.* (geom.) ciclométrico.

ciclómetro. *m.* (geom.) ciclómetro.

ciclomorfosis. *f.* ciclomorfose.

ciclón. *m.* ciclone, furacão que corre em redemoinho; torvelinho de vento. V. **huracán.**

ciclonal. *adj.* ciclónico, (Bras.) ciclônico, relativo ou parecido a ciclone.

ciclónico, ca. *adj.* ciclónico, (Bras.) ciclônico, pertencente ou relativo aos ciclones.

ciclope. *m.* V. **cíclope.**

cíclope. *m.* cíclope, gigante fabuloso com um só olho na testa; (zool.) género de crustáceos.

ciclópeo, a. *adj.* ciclópeo, ciclópico, dos cíclopes ou a eles relativo; (fig.) enorme, descomunal.

ciclopia. *f.* (terat.) ciclópia.

ciclópico, ca. *adj.* V. **ciclópeo.**

ciclorama. *m.* vista pintada cilíndrica. V. **panorama.**

cicloscopio. *m.* (mec.) cicloscópio, aparelho para medir a velocidada da rotação.

ciclosis. *m.* (bot.) ciclose.

ciclóstilo. *m.* ciclostilo, aparelho para tirar cópias sucessivas.

ciclóstomas. *f. pl.* (zool.) ciclóstomos.

ciclóstomo. *m.* (zool.) ciclóstomo.

ciclotimia. *f.* (med.) ciclotimia.

ciclotomía. *f.* (cir.) ciclotomia.

ciclotómico, ca. *adj.* (med.) ciclotómico.

ciclótomo. *m.* (med.) ciclótomo.

ciclotrón. *m.* (fís.) ciclotrão.

cicoleta. *f.* (prov.) acéquia muito pequena.

cicónidas. *f. pl.* (zool.) ciconídeas, ordem de aves que têm por tipo a cegonha.

cicuta. *f.* (bot.) cicuta, planta venenosa e o veneno extraído da mesma.

cicutaria. *f.* (bot.) cicutária.

cicutina. *f.* (quím.) cicutina, alcalóide extraído da cicuta.

cid. *m.* (fig.) homem forte e valente; chefe, comandante; sobrenome de Rodrigo Díaz de Vivar.

cidra. *f.* (bot.) cidra, fruto da cidreira: *cidra confitada,* ciacibrão.

cidracayote. *m.* (Amér. bot.) chila-caiota.

cidrada. *f.* cidrada, doce feito de casca de cidra.

cidral. *m.* cidral, pomar de cidreiras.

cidrato. *m.* V. **zamboa.**

cidrera. *f.* (bot.) cidreira. V. **cidro.**

cidria. *f.* (bot.) V. **cedria,** resina do cedro.

cidro. *m.* (bot.) cedreira.

cidronela. *f.* (bot.) melissa, erva cidreira. V. **toronjil.**

ciego, ga. *adj.* cego, que não vê; (fig.) cego, alucinado, deslumbrado; ignorante; que perdeu o lume; entucido; escuro; ceco; sem olhos; compacto (queijo, pão, etc.); tapado; obstruido; sem-luz; lusco; ébrio; enfuscado; obliterado; sem conhecimento; sem reflexão. — *s.* pessoa cega, ceco, parte mais larga do intestino: *ir a ciegas* (fig.) ir entre lusco e fusco; *a ciegas,* às cegas, cegamente; *estar ciego por alguien,* (fig.) embeiçar com alguém; *en tierra de ciegos el tuerto es rey,* na terra dos cegos, quem tem um olho é rei; *ir a ciegas,* andar às apalpadelas; *quedarse ciego,* enceguecer; *palo de ciego,* (fig.) pancada de cego; *no tener uno con qué hacer cantar a un ciego,* (fig. e fam.) ser muito pobre.

cielo. *m.* céu, firmamento; atmosfera; clima, temperatura; paraíso; bem-aventurança; a Providência; céu, parte superior de uma abóbada ou galeria subterrânea; dividade; te(c)to; éter. — *pl.* (fig.) altura; carinho: *cielo de la boca,* céu da boca; *cielo raso,* te(c)to de superfície plana e lisa; *estar en el cielo,* (fig.) estar com Deus; *cielo abierto,* céu aberto; *ver el cielo abierto,* ter o céu aberto, ver uma oportunidade; *bajado del cielo,* (fig. e fam.) caído do céu, prodigioso, excelente; *estar hecho un cielo,* (fig. e fam.) estar muito adornado um lugar, estar um céu aberto; *escupir al cielo,* (fig.) fazer alguma coisa que se torna no próprio dano; *venirse el cielo abajo,* chover a cântaros.

ciempiés. *m.* (zool.) centopeia; (Bras.) lacraia; (fig. e fam.) obra incoerente, disparatada, sem nexo.

cien. *adj.* cem, apócope de *ciento;* usa-se sempre antes de substantivo: *cien años,* cem anos; *cien hombres,* cem homens; *cien por cien,* (fig.) meio por meio.

ciénaga. *f.* lameiro, lamaçal, enxurdeiro.

ciencia. *f.* ciência; conhecimento, erudição, saber, instrução; acontecimento, notícia; habilidade; maestria; perícia, perfeição: *a ciencia cierta,* com toda a certeza, sem dúvida alguma; *ciencia infusa,* ciência infusa; *ciencias naturales,* ciências naturais; *ciencias ocultas,* ciências ocultas; *ciencias exactas,* ciências exa(c)tas; *gaya ciencia,* poesia; *a ciencia y paciencia,* com a tolerância dalguém.

cienmilésimo, ma. *adj.* e *s.* centimilésimo, centésimo-milésimo.

cienmilímetro. *m.* centimilímetro, centésimo de milímetro.

cienmillonésimo, ma. *adj.* e *s.* centibilionésimo.

cienmillonésimo, ma. *adj.* e *s.* centimilionésimo.

cieno. *m.* ceno, barro, lodo dos rios ou de águas estancadas, (Bras.) lôdo.

cienoso, sa. *adj.* cenoso, lodoso, lamacento. V. **cenagoso.**

ciente. *adj.* ciente, que tem ciência; conhecedor de alguma coisa; informado.

científico, ca. *adj.* científico que possui conhecimentos científicos; cientista.

cientista. *s.* cientista, sábio.

ciento. *adj.* cento; centésimo. — *m.* cento, centena; variedade no jogo de cartas.

cierne. *m.* imaturo, em verde, antes de maduro: *en cierne,* diz-se da vide, da oliveira, do trigo e doutras plantas; *estar en cierne,* (fig. e fam.) estar em princípio, não estar ainda acabado.

¡cierra España! *interj.* antigo grito de guerra.

cierre. *m.* fechamento; fecho; encerramento temporário: *cierre metálico,* porta de ferro dum estabelecimento; *cierre de cuentas,* cerramento de contas; *cierre de cremalleras,* fechamento de cremalheiras.

cierro. *m.* fechamento; a(c)ção de fechar; (Amér.) cerca, muro, valado; sobrescrito, envelope: *cierro de cristales,* balcão envidraçado.

cierta. *f.* (germ.) morte, falecimento.

cierto, ta. *adj.* certo, verdadeiro, exa(c)to, preciso; seguro, indubitável; verdadeiro; infalível; certeiro; ajustado; fixado; algum, qualquer; indiscutível; corrente, correntio; inequívoco; inegável; indubitável, indubitado; inconcuso; constante; autêntico; incontroverso, incontestável; evidente; (germ.) trapaceiro. — *adv.* certamente, por certo, de certo; na verdade: *cosa cierta,* favas contadas; *dar por cierto,* assentar; *aquello resultó ser cierto,* achou-se ser aquilo verdade; *por cierto,* certamente, na verdade; *cierto lugar,* certo lugar; *cierto día,* certo dia; *estar cierto de,* estar certo de; *cierto hombre,* um certo homem; *ciertos son los toros,* (fig. e fam.) certos são os touros; *sí por cierto,* certo que sim; *por cierto que es así,* por certo que assim é; *lo sé de cierto,* eu sei certo; *lo cierto es que,* o certo é; *no dejar lo cierto por lo dudoso,* não deixar o certo pelo duvidoso; *al cierto,* ao certo.

cierva. *f.* (zool.) cerva, corça, fêmea do veado.

ciervo. *m.* (zool.) cervo, veado, corço: *ciervo volante,* besoiro, inse(c)to coleóptero.

cierzo. *m.* (astr.) aquilão, vento frio do Norte.

cifela. *m.* (bot.) género de cogumelos.

cifosis. *m.* (med.) cifose.

cifra. *f.* cifra, zero, algarismo sem valor absoluto; sinais convencionais duma escrita, a qual só é compreensível conhecendo a chave, cifra; abreviatura de certas palavras; cifra, compêndio, epílogo, resumo; monograma de um nome; maneira vulgar de escrever música por números, escala; emblema; (germ.) astúcia: *en cifra,* (fig.) cifrado, obscura e misteriosamente; com brevidade, resumidamente.

cifrado, da. *p. p.* e *adj.* cifrado, diz-se da escrita em cifra: *telegrama cifrado,* telegrama cifrado.

cifrar. *v. tr.* cifrar, escrever em cifra; (fig.) resumir; reduzir; compendiar; fundar; consistir; epilogar, abreviar: *cifrar en,* fundar, pôr em.

cigala. *f.* (zool.) espécie de lagostim, mas maior do que este.

cigarra. *f.* (zool.) cigarra; (germ.) bolsa de dinheiro, porta-moedas.

cigarral. *m.* pomar, horta ou vergel murado com casa de campo e fora da cidade, em Toledo.

cigarralero, ra. *s.* o que tem ou cuida dum cigarral.

cigarrera. *f.* cigarreira, mulher que faz ou vende cigarros ou charutos; cigarreira, caixa para cigarros ou charutos.

cigarrería. *f.* tabacaria, estabelecimento de venda do tabaco.

cigarrero, ra. *s.* cigarreiro, fabricante ou vendedor de cigarros ou charutos; charuteiro.

cigarrillo. *m.* cigarro; porção de tabaco embrulhado em papel; cigarrilha.

cigarrista. *m.* cigarrista, o que fuma excessivamente.

cigarro. *m.* charuto, rolo de folhas secas de tabaco para fumar: *cigarro puro,* charuto; *cigarro de papel,* cigarro.

cigarrón. *m.* aum. de *cigarra.* V. **saltamontes;** (germ.) bolsa grande.

cigodáctilo, la. *adj.* (zool.) zigodá(c)tilo artiodáctilo.

cigofíleo, a. *adj.* (bot.) zigofilácea. — *f. pl.* zigofiláceas.

cigoma. *m.* (anat.) zigoma, osso malar.

cigomático, ca. *adj.* (zool.) zigomático.

cigomorfismo. *m.* zigomorfismo.

cigomorfo, fa. *adj.* (bot.) zigomorfo.

cigoñal. *m.* cegonha, cegonho, engenho tosco de tirar água dum poço.

cigüeña. *f.* (zool.) cegonha; ferro do sino onde prende a corda para tocar; manivela; (mec.) grua: *pintar la cigüeña,* (fig. e fam.) presumir de autoridade, elegância, etc.

cigüeñal. *m.* V. **cigoñal;** (mec.) árvore da manivela.

cigüeñear. *v. intr.* fazer ruído com o bico (a cegonha).

cigüeño. *m.* (zool.) macho da cegonha.

cigüeñuela. *f.* V. **manubrio.**

cilantro. *m.* (bot.) coentro, coriandro. V. **culantro.**

ciliado, da. *adj.* cilífero, ciliado. — *m. pl.* (zool.) ciliados.

ciliar. *adj.* ciliar, pertencente ou relativo aos cílios.

cilicio. *m.* cilício; cinto áspero que se traz sobre a pele para mortificação; (fig.) mortificação, penitência; (mil.) V. **centón:** *llevar cilicios,* ciliciar.

cilífero, ra. *adj.* cilífero, ciliado, ciliforme.

cilindrada. *f.* (mec.) cilindrada, volume de gás ou vapor admitido por uma máquina de êmbolo.

cilindrado, da. *p. p.* e *adj.* cilindrado. — *m.* cilindragem, pressão exercida pelo cilindro.

cilindrar. *v. tr.* cilindrar, comprimir com o cilindro; passar o cilindro por.

cilindricidad. *f.* cilindricidade.

cilíndrico, ca. *adj.* cilíndrico, em forma de cilindro; (geom.) cilíndrico, pertencente ou relativo ao cilindro.

cilindriforme. *adj.* cilindriforme.

cilindrimetría. *f.* cilindrimetria.

cilindrímetro. *m.* cilindrómetro.

cilindrita. *f.* (min.) mineral composto de enxofre, chumbo, estanho e antimónio.

cilindro. *m.* (geom.) cilindro; (reloj.) tambor da máquina de relógio sobre o qual se enrosca a corda; (impr.) peça de máquina que faz a impressão; peça que bate e toma a tinta necessária para os rolos a passarem aos moldes; rolo de aplanar estradas, laminar metais ou lustrar tecidos; (Amér.) recipiente onde se move o êmbolo nas máquinas a vapor; árvore do tambor: *cilindro de revolución,* cilindro de revolução; *cilindro para alisar una superficie,* galga; *cilindro apisonador,* rolo de aplanar estradas; *cilindro de laminar,* cilindro de laminar metais; *cilindro de telas de seda,* frade; *cilindro compresor,* cilindro de aplanar estradas.

cilindrocefalia. *f.* (terat.) cilindrocefalia.

cilindrocéfalo. *adj.* e *s.* (terat.) cilindrocéfalo.

cilindroide. *adj.* cilindróide.

cilindroideo, a. *adj.* cilindróide.

cilindroma. *f.* (pat.) cilindroma, epitelioma.

cilindroscopio. *m.* (fís.) cilindroscópio.

cilindrosis. *f.* cilindrose.

cilio. *m.* (anat.) cílio; celha; pestana; (biol.) cílio, filamento vibrátil de certos animais e plantas.

ciliobranquial. *adj.* ciliobranquiado.

ciliola. *f.* (bot.) cilíolo.

cilosis. *f.* (med.) cilose, deformidade nos pés.

cilla. *f.* celeiro, casa para recolher cereais; dízimo, contribuição equivalente à décima parte dum rendimento.

cillerero. *m.* mordomo de convento; despenseiro.

cillería. *f.* mordomia em certos conventos.

cillerizo. *m.* V. **cillero.**

cillero. *m.* celeireiro, arrecadador dos cereais e dos frutos do dízimo; guarda ou admi-

nistrador de celeiro; celeiro; adega ou despensa.

cima. *f.* cima, cimo, cume, a parte mais alta, cumieira, o alto, topo, (Bras.) tôpo; eminência; cocoruto; altura; (fig.) fim, acabamento, complemento duma coisa; (bot.) tipo de inflorescência cujas flores limitam superiormente cada eixo: *dar cima a una cosa,* (fig. e fam.) concluir alguma coisa, dar cima a alguma coisa; *por cima,* por cima.

cimacio. *m.* (arq.) cimácio, cimalha; moldura que remata o capitel da arquitrave, o friso e a cornija.

cimarrear. *v. intr.* fazer gazeta, faltar à escola.

cimarrero, ra. *adj.* e *s.* (Amér.) gazeador, gazeteiro, estudante que falta à escola.

cimarrón, na. *adj.* (Amér.) chimarrão, calhambola, barbatão, diz-se do escravo fugitivo ou do animal doméstico que foge para o campo; diz-se da planta silvestre de cujo nome há outra cultivada; chimarrão, diz-se do mate negro e sem açúcar; (mar.) (fig.) diz-se do marinheiro indolente e pouco trabalhador.

cimba. *f.* (arqueol.) cimba, batel sem vela nem leme, usado pelos Romanos; (Amér.) trança de cabelo.

cimbalaria. *f.* (bot.) cimbalária.

cimbalero. *m.* cimbaleiro, o que toca címbalo.

cimbalillo. *m.* címbalo pequeno, sineta, campainha.

cimbalista. *m.* cimbaleiro. V. **cimbalero.**

címbalo. *m.* (mús.) cimbalo; sineta, campainha.

címbara. *f.* foice roçadeira. V. **rozón.**

cimbel. *m.* cordel que se ata à vara em que se coloca o chamariz para caçar pombas; o pássaro ou a sua figura que serve de chamariz.

cimborio. *m.* (arq.) zimbório. V. **cimborrio.**

cimborrio. *m.* (arq.) zimbório; abóbada; cúpula.

cimbra. *f.* (arq.) cimbre, cambota, armação de madeira para moldar arcos ou abóbadas; (mar.) curvatura das tábuas do casco; (Amér.) armadilha para caça: *plena cimbra,* armação que forma um semicírculo.

cimbrado. *p. p.* e *m.* arqueado, curvado; passo de dança espanhola.

cimbrar. *v. tr.* vergar, arquear, vibrar, fazer vibrar uma coisa flexível; (fig. e fam.) espancar, vergastar de modo que faça cimbrar o corpo; (arq.) colocar os cimbres numa obra; arquear, dar a forma de cimbre. — **cimbrarse.** *v. r.* dobrar-se, curvar-se.

cimbre. *m.* (arq.) galeria subterrânea.

cimbreante. *adj.* vibrante, flexível, que se dobra fàcilmente.

cimbrear. *v. tr.* arquear, vibrar. V. **cimbrar.**

cimbreno, na. *adj.* flexível, dobradiço; (fig.) diz-se da pessoa que saracoteia o corpo com facilidade.

cimbreo. *m.* flexão, curvatura, vibração.

cimbría. *f.* (arq.) cimbra, filete, guarnição. V. **filete.**

címbrico, ca. adj. címbrico, pertencente ou relativo aos Cimbros.

cimbrio, bria. adj. címbrico.

cimbro, bra. adj. e s. cimbro. — m. cimbro, língua dos Cimbros.

cimentación. f. cimentação; fundação; (fig.) consolidação.

cimentado, da. p. p. adj. e m. cimentado; afinação do oiro.

cimentador, ra. adj. e s. cimentador, que cimenta.

cimentar. v. tr. cimentar, alicerçar; afinar o oiro; fundar, construir, edificar; (fig.) assentar em certos princípios; consolidar, fundamentar, assegurar; estribar. — conjug. irreg. com **sentar.**

cimenterio. m. V. **cementerio.**

cimento. m. cimento. V. **cemento.**

cimera. f. elmo, ornato no cimo do capacete; (herald.) cimeira; (mil.) cimeira, crista.

cimerio, ria. adj. cimério, antigo povo que habitou na margem oriental do mar de Azof. — m. pl. cimérios.

cimero, ra. adj. cimeiro; sobranceiro.

cimicaria. f. V. **yezgo.**

cimiento. m. alicerce, fundação, cimento; (fig.) fundamento; fundação, princípio e raiz; estribo; base; orígem: echar los cimientos, lançar os alicerces; (fig.) fundamentar; abrir los cimientos, fazer as escavações para dar início aos alicerces; cimiento real, composição de vinagre, sal comum e pó de tijolo empregada para afinar o oiro ao fogo.

cimitarra. f. cimitarra, alfange grande, sabre com folha recurvada.

cimófana. f. cimofana, cimofânio, variedade de aluminato de glucina.

cimografía. f. (radiol.) cimografia.

cimógrafo. m. (radiol.) cimógrafo.

cimolia. f. argila.

cimorra. f. (vet.) aguamento.

cimoscopio. m. (rad.) cimoscópio.

cinabrio. m. (min.) cinabre, cinábrio; cor rubra muito viva. V. **bermellón.**

cinamato. m. (quím.) sal do ácido cinâmico.

cinámico, ca. adj. (quím.) cinâmico.

cinara. f. (prov.) cínara.

cináreas. f. pl. (bot.) cináreas.

cinaroideo, a. adj. (bot.) cináreo. — f. pl. cinaroídeas, cináreas.

cinc. m. (min.) zinco; blenda; calamina.

cinca. f. cinca, perda de cinco pontos no jogo da bola: hacer una cinca, dar cincas.

cincato. m. (quím.) cincate.

cincel. m. cinzel, instrumento cortante empregado pelos gravadores: cincel de dos filos, bico d'asno.

cincelado, da. p. p. e adj. cinzelado, esculpido. — m. cinzeladura.

cincelador. m. cinzelador; burilador; gravador.

cinceladura. f. cinzelagem, cinzelamento.

cincelar. v. tr. cinzelar, gravar com cinzel em pedras ou metais.

cinco. adj. cinco, diz-se do número cardinal formado por cuatro mais um. V. **quinto.** — m. cinco, algarismo representativo deste número; naipe que representa uma qui-

na; (Amér.) instrumento musical venezolano de cinco cordas; (Amér.) moeda de prata do valor de cinco cêntimos: esos cinco, (fam.) a mão; no tener ni cinco, não ter nem cheta; decir cuántas son cinco, (fam.) chamar a capítulo; no saber cuantas son cinco, (fam.) ser um ignorante.

cincoenrama. f. (bot.) cinco-em-rama.

cincograbado. m. zincogravura.

cincografía. f. zincografia.

cincomesino, na. adj. que tem cinco meses.

cincona. f. (bot.) cinchona.

cincotipia. f. zincografia.

cinconina. f. (quím.) cinchonina.

cincuenta. adj. cinquenta, quinquagésimo. — m. cinquenta.

cincuentavo, va. adj. e m. cinquentavo, quinquagésima parte.

cincuentena. f. cinquentena.

cincuentenario, ria. adj. cinquentenário. — m. celebração do quinquagésimo aniversário dum acontecimento; ciquentenário.

cincuenteno, na. adj. V. **quincuagésimo.**

cincuentón, na. adj. e s. cinquentão; pessoa que tem cinquenta anos.

cincha. f. cilha, tira de pano ou couro para apertar a sela ou a albarda: ir rompiendo cinchas, correr à rédea solta.

cinchadura. f. a(c)ção de cilhar.

cinchar. v. tr. cilhar, apertar com cilha; cinchar, apertar os aros de reforço; faixar.

cinchera. f. cinhadouro, cinhadoiro; (vet.) doença que sofrem os animais no lugar onde se coloca a cilha.

cincho. m. cinta; faixa larga; aro de ferro para reforçar barris, rodas, etc.; (arq.) porção de aro saliente no intradorso duma abóbada ou arcada; (Amér.) V. **cincha;** cincho, molde em que se aperta o queijo; (vet.) cenho.

cinchona. f. (bot.) cinchona.

cinchuela. f. dim. de cincha, cilha estreita.

cine. m. (fam.) cine, cinema, cinematógrafo: cine sonoro, cinema sonoro ou falado.

cineasta. s. cineasta, pessoa dedicada à cinematografia.

cine-club. m. cine-clube.

cinedrama. m. drama representado por meio do cinematógrafo.

cinefilia. f. cinefilia.

cinefilo, la. adj. e s. cinéfilo.

cinegética. f. cinegética, arte de caça.

cinegético, ca. adj. cinegético.

cinegrafía. f. cinematografia.

cinegrafiar. v. tr. cinematografar.

cineista. s. cineasta.

cinema. m. cinema, cine, cinematógrafo.

cinemascope. m. (neol.) cinemascópio.

cinemateca. f. cinemateca, lugar onde se guardam filmes cinematográficos.

cinemática. f. cinemática, teoria dos movimentos; mecânica racional.

cinemático, ca. adj. cinemático.

cinematografía. f. cinematografia.

cinematografiar. v. tr. cinematografar.

cinematográfico, ca. adj. cinematográfico.

cinematografista. s. operador de cine; dono dum cinematógrafo.

cinematógrafo. *m.* cinematógrafo, cine, cinema; animatógrafo; aparelho com que se reproduzem cenas animadas; cinestoscópio: *cámara, película, proyector de cinematógrafo,* câmara de filmar; filme, ou película, proje(c)tor ou máquina de proje(c)ção.

cinemista. *s.* cineasta.

cinemómetro. *m.* cinemómetro.

cineración. *f.* cineração. V. **incineración.**

cineraria. *f.* (bot.) cinerária.

cinerario, ria. *adj.* cinerário, relativo a cinzas; que contém restos mortais dum defunto

cinéreo, a. *adj.* cinéreo, cinzento, cinerício. V. **ceniciento.**

cinericio, cia. *adj.* cinerício, da cor da cinza. V. **cinéreo.**

cineriforme. *adj.* cineriforme, semelhante a cinza.

cinescopia. *f.* (fís.) cinescópia.

cinescopio. *m.* (fís.) cinescópio.

cinesia. *f.* cinesia.

cinestesia. *f.* cinestesia.

cineteca. *f.* cinemateca.

cinética. *f.* (quím.) cinética.

cinético, ca. *adj.* cinético.

cinetoscopio. *m.* (fís.) cinetoscópio.

cingalés, sa. *adj.* e *s.* cingalês, natural de ou pertencente a Ceilão.

cíngaro, ra. *adj.* zíngaro, cigano. V. **gitano.**

cingiberáceo, a. *adj.* (got.) zingiberáceo, gengiberáceo. — *f. pl.* zingiberáceas.

cinglar. *v. tr.* movimentar uma embarcação com um só remo colocado na popa; (metal.) forjar o ferro para o purificar, deixando-o sem escórias.

cingleta. *f.* corda pequena para puxar pelo cabo das redes.

cíngulo. *m.* cíngulo, cordão, cinto de seda ou de linho com o qual o sacerdote aperta a alva; (ant.) cingidouro.

cínico, ca. *adj.* cínico, diz-se do filósofo da escola fundada por Antístenes; cínico, impudente, impúdico, devergonhado, falacioso; (Bras.) deslambido.

cínife. *m.* (zool.) cínife, mosquito comum.

cínipe. *m.* (zool.) cínipe, cínife.

cinípidos. *m. pl.* (zool.) cinipídeos.

cinismo. *m.* (filos.) cinismo; cinismo, desvergonha; impudência, obscenidade; impudor; descaro.

cinocéfalo. *m.* (zool.) cinocéfalo.

cinódromo. *m.* cinódromo, campo, pista para corridas de cães.

cinofagia. *f.* cinofagia.

cinófago, ga. *adj.* e *s.* cinófago.

cinofilia. *f.* cinofilia.

cinófilo, la. *adj.* e *s.* cinófilo.

cinofobia. *f.* cinofobia.

cinofobo, ba. *adj.* e *s.* cinófobo.

cinoglosa. *f.* (bot.) cinoglossa, língua de cão.

cinografía. *f.* cinografia.

cinomorfo, fa. *adj.* cinomorfo.

cinorexia. *f.* (pat.) cinorexia.

cinosura. *f.* (astr.) cinosura; Sete-Estrelo.

cinosuro, ra. *adj.* (zool. e bot.) cinosuro.

cinquén. *m.* moeda antiga de Castela.

cinquena. *f.* (ant.) cinquena.

cinquino. *m.* moeda portuguesa do século XVI.

cinta. *f.* cinta, tira larga ou estreita para atar, cingir, adornar, etc.; faixa; fita; tira de papel, celulóide, etc.; fita que cerca a copa de chapéu; rede de cânhamo para pescar atuns; cinto, cinta, cintura; correia; (arq.) cinta, filete; (bot.) planta perene de adorno; (mar.) cinta, pau que guarnece exteriormente o costado do navio; (herald.) cinta, cinto, divisa, faixa; galão; funel; diadema: *cinta cinematográfica,* película cinematográfica; *cinta métrica,* cinta métrica; *adornar con cintas,* enfitar; (mar.) *cinta alta,* cinta grande ou grossa.

cintar. *v. tr.* (arq.) cintar, pôr cintas ou faixas imitadas nas construções.

cintarazo. *m.* cintaraço, pancada com o cinto; pranchada com a espada, espadeirada.

cintarear. *v. tr.* (fam.) bater com o cinto.

cinteado, da. *adj.* enfeitado, ornado, guarnecido com fitas.

cintería. *f.* fitaria, porção de fitas; casa onde se fabricam ou se vendem.

cintero, ra. *s.* cinteiro, fabricante ou vendedor de fita. — *m.* faixa, cinta que as mulheres usavam antigamente; laço para apanhar o touro; (prov.) V. **braguero.**

cinteta. *f.* rede para pescar nas costas mediterrâneas.

cintilar. *v. intr.* cintilar, brilhar como centelha; tremeluzir; fulgurar; faiscar; resplandecer.

cintillo. *m.* cinteiro, fita que guarnece a copa do chapéu; cintilho; jóia pequena de ouro ou prata, guarnecida com pedras preciosas.

cinto, ta. *p. p. irreg.* de *ceñir.* — *m.* cinto, correia, cinturão; cinto de couro; cinta, faixa, tira de pano ou seda usada para cingir e apertar a cintura; cinta, cintura, parte média do tronco; cinturão, talim da espada: *ponerse la espada al cinto,* pôr a espada no cinto.

cintra. *f.* (arq.) curvatura duma abóbada ou dum arco.

cintrado, da. *adj.* (arq.) curvado em forma de abóbada ou arco.

cintrel. *m.* (arq.) corda com a qual se determina a dire(c)ção das aduelas dum barco ou abóbada.

cintura. *f.* cintura do corpo; cinto, cintura de senhora; (arq.) parte superior da chaminé: *meter a uno en cintura,* obrigar alguém a entrar na razão.

cinturón. *m.* cinturão, cinto largo de couro que se traz à cintura para suspender as armas; (fig.) cinturão, série de coisas que circundam uma e outra; charpa, boldrié, talim da espada.

cinzava. *f.* V. **cenzaya.**

cinzolín. *adj.* e *s.* de cor de violeta arroxeada; a mesmo cor.

cionitis. *f.* (med.) cionite.

cionotomía. *f.* (cir.) cionotomia.

cipariso. *m.* (poet.) V. **ciprés.**

cipayo. *m.* sipaio, sipai, soldado indígena da Índia, ao serviço da Inglaterra.

cipe. *adj.* (Amér.) diz-se da criança definhada durante a lactação. — *m.* (Amér.) resina.

cipera. *f.* assentamento do princípio da cúpula.

ciperáceo, a. *adj.* (bot.) ciperáceo. — *f. pl.* ciperáceas.

cipéreo, a. *adj.* (bot.) ciperáceo.

cipo. *m.* (arq.) cipo, coluna truncada sem capitel que os antigos colocavam sobre os túmulos; antigo marco miliário; coluna com inscrições; tronco de família; pedra tumular.

cipolino, na. *adj.* cipolino, (variedade de mármore).

cipote. *m.* (germ.) o pénis; (Amér.) pessoa néscia ou simples.

ciprés. *m.* (bot.) cipreste.

cipresal. *m.* (bot.) ciprestal, mata de ciprestes.

cipresino, na. *adj.* pertencente ou semelhante ao cipreste.

cipridofobia. *f.* cipridofobia.

cipridología. *f.* (pat.) cipridologia.

cipridopatía. *f.* (pat.) cipridopatia.

ciprifobia. *f.* cipridofobia.

ciprínidos. *m. pl.* (zool.) ciprínidos, ciprinóides.

ciprino, na. *adj.* ciprio, cipriota. V. **chipriota.**

ciprio, pria. *adj.* e *s.* (geog.) ciprio, cipriota. V. **chipriota.**

cipriota. *adj.* e *s.* cipriota. V. **chipriota.**

cipsélidas. *f. pl.* (zool.) V. **cipsélidos.**

cipsélidos. *m. pl.* (zool.) cipsélidas, família de aves que pertence o gavião.

ciquiribaile. *m.* (germ.) ladrão, o que furta ou rouba.

ciquiricata. *f.* (fam.) adulação fingida; perfídia; ademanes, requebros.

Circasia. (geog.) Circássia.

Circe. *f.* Circe; (fig.) mulher astuta e enganadora.

circense. *adj.* circense, relativo ao circo. — *m. pl.* espe(c)táculos do circo entre os romanos.

circinado, da. *adj.* (bot.) circinado, enrolado em espiral ou sobre si mesmo.

circo. *m.* circo; palestra; anfiteatro; coliseu; cincho; círculo; recinto circular para espe(c)táculos e desportos.

circón. *m.* (quím.) zirzão.

circona. *f.* (quím.) óxido de zircónio.

circonio. *m.* (min.) zircónio, (Bras.) zircônio.

circuición. *f.* circuição, giro, revolução, movimento circular.

circuimiento. *m.* circuição. V. **circuición.**

circuir. *v. tr.* circuitar, andar à roda, rodear, cercar, girar, circular, cintar: *circuir de murallas,* contramurar.

circuito. *m.* circuito; periféria, contorno, (Bras.) contôrno; circunferência; volta; rodeio; sucessão de fenómenos periódicos; (ele(c)tr.) série ininterrupta de condutores ele(c)tricos. — *pl.* rodeios de palavras, ambages: (fís.) *corto circuito,* curto-circuito; *circuito viajero,* viagem circulatório; *circuito magnético,* circuito magnético.

circulable. *adj.* circulável, que pode ou deve circular, circulatório.

circulación. *f.* circulação, a(c)to de circular; trânsito; passagem de mão em mão; movimento em roda; giro; (zool.) movimento dum líquido orgânico num organismo: *poner en circulación,* emitir moeda; *billetes en circulación,* bilhetes circulantes; *circulación fiduciaria,* circulação fiduciária; *poner en libre circulación un artículo,* desmonopolizar uma mercadoria; *circulación de la sangre,* circulação do sangue; *poner en circulación,* divulgar, pôr em circulação.

circulador, ra. *adj.* e *s.* circulador, circulante; corriqueiro; na Roma antiga, charlatão.

circulamiento. *m.* V. **circulación.**

circular. *adj.* circular, pertencente ou relativo ao círculo; que tem forma de círculo; redondo; abocetado. — *f.* circular, carta circular: *viaje circular,* viagem circulatória.

circular. *v. intr.* andar ou mover-se em derredor; circular; ir e vir; passar dumas pessoas a outras; circuitar; correr; sair e voltar ao ponto de partida; girar; rodear; transitar; passar de mão em mão: *dar forma circular,* abocetar. — *v. tr.* pôr em circulação; renovar; propagar; rodear, guarnecer em volta.

circularidad. *f.* qualidade de circular; forma circular.

circulatorio, ria. *adj.* circulatório, pertencente ou relativo à circulação: *aparato circulatorio,* aparelho circulatório.

círculo. *m.* círculo, circuito; distrito, cincunscrição territorial; casino, clube; associação; (fig.) grémio; assembleia; circunferência; área; jurisdição; circo; (geog.) círculo; (mar.) instrumento náutico, portátil, para conhecer o rumo; (astr.) cada um dos círculos menores do globo celeste: (geog.) círculo menor que se considera no globo terrestre; arco; anel; giro; límite; corrilho; senáculo; corro: *círculo vicioso,* círculo vicioso; *círculo de adoradores,* corte de admiradores; *círculos deferentes,* (astr.) círculos diferentes; *círculos concéntricos que forman en el agua al caer un objeto,* chapeletas; *en círculo,* em derredor; *miembro de un círculo,* clubista; *círculo electoral,* círculo eleitoral; *círculo polar,* círculo polar.

circumambiente. *adj.* (fís.) circum-ambiente.

circumcirca. *adv.* *latino.* ao redor de; pouco mais ou menos, com pequena diferença.

circumpolar. *adj.* circumpolar.

circun. *pre.* circum, em roda de.

circuncidar. *v. tr.* circuncidar, cortar circularmente uma porção da pele do prepúcio; praticar a circuncisão; (fig.) cercear, tirar, moderar.

circuncisión. *f.* circuncisão; celebração da Circuncisão de Jesus.

circunciso, sa. *p. p. irreg.* de *circuncidar,* e *adj.* circunciso, circuncidado. — *m.* (fig.) mouro, judeu.

circundar. *v. tr.* circundar, cercar, rodear, circuitar, abraçar, cingir.
circunducción. *f.* (fisiol.) circundução.
circunferencia. *f.* circunferência; periferia; circuito; círculo; âmbito.
circunferencial. *adj.* circunferencial.
circunferente. *adj.* circunferente, que anda à volta, que gira.
circunferir. *v. tr.* circunscrever, limitar.
circunflejo, ja. *adj.* circunflexo, recurvado em roda: *acento circunflejo*, acento circunflexo.
circunflujo. *m.* (fís.) circunfluência.
circunfuso, sa. *adj.* circunfuso, espalhado em volta, derramado.
circunlocución. *f.* (ret.) circunlocução, circunlóquio, perífrase, rodeio de palavras.
circunloquear. *v. intr.* empregar circunlóquios na conversação; falar com rodeios de palavras.
circunloquio. *m.* circunlóquio, circunlocução, perífrase, rodeio de palavras, ambages.
circunnavegable. *adj.* circum-navegável.
circunnavegación. *f.* circum-navegação.
circunnavegador. *m.* circum-navegador.
circunnavegar. *v. tr.* circum-navegar, navegar em volta de; dar um navio a volta ao mundo; fazer uma viagem de circum-navegação.
circunscribible. *adj.* circunscritível.
circunscribir. *v. tr.* circunscrever, reduzir a certos límites alguma coisa; marcar límites, limitar; abranger; localizar; delimitar; assinalar; (geog.) traçar em redor de.
— **circunscribirse.** *v. r.* circunscrever-se; limitar-se.
circunscripción. *f.* circunscrição; divisão administrativa, militar, eleitoral ou eclesiástica dum território; área; límite da extensão duma superfície, delimitação; círculo.
circunscripto, ta. *adj.* e *p. p. irreg.* de *circunscribir*; circunscrito.
circunscrito, ta. *p. p. irreg.* de *circunscribir* e *adj.* circunscrito; limitado; localizado; circunscritivo.
circunsolar. *adj.* circunsolar, que rodeia o Sol.
circunspección. *f.* circunspe(c)ção, atenção, cordura; prudência; ponderação; cautela, aviso, atenção prudente; assento; decoro, (Bras.) decôro; mesura; madureza; método, medida; consideração; seriedade, gravidade.
circunspecto, ta. *adj.* circunspe(c)to, prudente, acautelado, sério, grave; ponderado, juizoso, discreto, decoroso, mesurado, advertido, formal, apessoado, maduro, cordato, medido, considerado, respeitador.
circunstancia. *f.* circunstância, qualidade, requisito, particularidade; acidente; caso; condição; motivo; meio; coisa; cláusula; fa(c)to; valor; importância; relação; situação; condições, oportunidade: *en circunstancias difíciles*, (pop.) frito; *circunstancia favorable*, conjuntura favorável; *circunstancia difícil*, (fig.) coisa dura; *estar en las mismas circunstancias que otro*,

(fig.) estar na mesma esteira; *obra de circunstancias*, obra de circunstância; *circunstancia agravante*, circunstância agravante; *circunstancia atenuante*, circunstância atenuante; *estar en buenas o malas circunstancias*, estar em boas ou más circunstâncias; *poesía de circunstancia*, peça de circunstância.
circunstanciado, da. *adj.* circunstanciado, pormenorizado.
circunstancial. *adj.* circunstancial, aleatório: *amistad circunstancial*, amizade de barca.
circunstanciar. *v. tr.* circunstanciar, pormenorizar.
circunstante. *adj.* e *m.* circunstante, que está à volta; diz-se dos que estão presentes, assistem ou concorrem.
circunvalación. *f.* circunvalação; (mil.) linha ou fosso aberto em redor duma praça, fortificados com trincheiras.
circunvalar. *v. tr.* circunvalar, cercar, cingir de valas, fossos ou barreiras.
circunvolar. *v. tr.* circunvoar, voar ao redor de.
circunvolución. *f.* circunvolução, movimento em volta dum centro; (anat.) circunvolução, saliência sinuosa na superfície do cerebro.
circunyacente, ia. *adj.* circum-adjacente, circunjacente.
circunyacer. *v. intr.* circunjazer.
cireneo, a. *adj.* cireneu. V. **cirenaico.**
cirial. *m.* cirial, castiçal comprido terminado em lanterna; tocheira para círio.
cirigallo, lla. *adj.* e *s.* bule-bule, pessoa que vai e vem sem nada fazer de proveitoso.
cirílico, ca. *adj.* cirílico, diz-se do alfabeto eslavo.
cirio. *m.* círio, vela grande de cera; lume; (Amér.) árvore semelhante ao pinheiro; (fig. e fam.) empecilho, pessoa que estorva: *cirio pascual*, círio pascoal.
ciropedia. *f.* ciropedia.
cirquero, ra. *s.* (Amér.) acrobata, equilibrista, funâmbulo.
cirriforme. *adj.* cirriforme, que tem a forma de cirro ou de caracol.
cirrípedo, da. *adj.* (zool.) cirrípedo. — *m. pl.* cirrípedes.
cirro. *m.* (meteor.) cirro, nuvem branca e muito alta que parece formada de filamentos cruzados.
cirro. *m.* (med.) tumor canceroso, cirro; (zool.) cirro, tentáculo labial de certos peixes.
cirrópodo. *adj.* cirrípedo. — *m. pl.* cirrípedes.
cirrosis. *f.* (med.) cirrose.
cirroso, sa. *adj.* cirroso, que tem cirros, que é da natureza dos cirros.
cirrótico, ca. *adj.* cirrótico, pertencente ou relativo à cirrose.
cirsocele. *m.* (pat.) cirsocele.
cirsoftalmía. *f.* (pat.) cirsoftalmia.
cirsónfalo. *m.* (pat.) cirsonfalo, (Bras.) cirsônfalo.
cirsotomía. *f.* (cir.) cirsotomia.
cirsotómico, ca. *adj.* (cir.) cirsotómico.

cirsótomo. m. (cir.) cirsótomo.
cirtometría. f. (med.) cirtometria.
cirtométrico, ca. adj. (med.) cirtométrico.
cirtómetro. m. (med.) cirtómetro. (Bras.) cirtômetro.
cirtosis. m. (pat.) cirtose, raquitismo.
ciruela. f. (bot.) ameixa; abrunho: ciruela de fraile, ameixa saragoçana; ciruela pasa, ameixa passada; (fig. e fam.) homem incapaz, inútil; ciruela de Génova, ameixa preta de Damasco; ciruela de yema, ameixa de Santa Catarina; ciruela zaragocí, ameixa amarela; ciruela verdal, ameixa verde; ciruela damascena, ameixa de Damasco; ciruela claudia, rainha-cláudia, caranguejeira.
ciruelo. m. (bot.) ameixieira, ameixoeira; abrunheiro; (fig. e fam.) homem néscio ou incapaz.
cirugía. f. (med.) cirurgia: cirugía plástica, cirurgia plástica.
cirujal. adj. diz-se duma espécie de oliveira.
cirujano. m. cirurgião, médico-operador; mal cirujano (pop.) magarece, alveitar; cirujano romanticista, dizia-se daquele que não sabia latim.
cis. pref. significa de cá, aquém.
cisalpino, na. adj. cisalpino, que está do lado de cá dos Alpes.
cisandino, na. adj. cisandino.
cisatlántico, ca. adj. cisatlântico.
ciscar. v. tr. (fam.) sujar, tornar sujo. —
ciscarse. v. r. ciscar, defecar, soltar-se ou evacuar-se o ventre.
cisco. m. cisco, pó de carvão, cisca; varredura; (fig. e fam.) bulício, briga, alvoroço, altercação.
ciscón. m. rescaldo com brasas; borralho.
cisión. f. cisão, incisão, corte, cesura; separação; ablação: cisión atómica, cisão atómica.
cisiparidad. f. cissiparidade, fissiparidade.
cisíparo, ra. adj. cissíparo, fissíparo.
cisípedo. adj. (zool.) que tem o pé dividido em dedos.
cisjurano, na. adj. cisjurano, daquém do Jura.
cisma. f. cisma, divisão religiosa; discórdia, desavença; dissidência.
cismar. v. tr. (prov.) criar discórdia, cindir, dividir, semear cizânia.
cismático, ca. adj. cismático, relativo a cisma; diz-se daquele que provoca discórdia ou cisma; sedicioso; (Amér.) V. melindroso e chismoso.
cismotano, na. adj. cismotano, situado aquém dos montes.
cisne. m. (zool.) cisne; (astr.) uma das principais constelações boreais da Via Láctea, Cisne; (germ.) rameira; (fig.) poeta ou músico excelente: canto del cisne, canto do cisne.
cisneo, a. adj. semelhante ao cisne.
cisoria. adj. diz-se da arte de trinchar as carnes.
cispadano, na. adj. cispadano.
cisquera. f. cisqueiro, lugar onde se deposita o cisco, lixeira.

cisquero. m. vendedor ou apanhador de cisco; saquinho cheio de pó de carvão para estresir um desenho.
cisrenano, na. adj. cisrenano.
cistalgia. f. (pat.) cistalgia.
cistálgico, ca. adj. (pat.) cistálgico.
cistectomía. f. (cir.) cistectomia.
cistel. m. ordem religiosa de Císter.
Císter. m. Cister, ordem religiosa de Císter.
cisterciense. adj. e s. cisterciense.
cistercosis. f. (pat.) cisticercose.
cisterna. f. cisterna, reservatório, das águas da chuva; poço estreito; alcárcova; algibe.
cisticerco. m. cisticerco; equinococo.
cisticercosis. f. (pat.) cisticercose.
cístico, ca. adj. (anat.) cístico.
cisticotomía. f. (cir.) cisticotomia.
cistide. f. (bot.) célula que nasce do parênquima dos cogumelos.
cistina. f. (quím.) cistina.
cistíneo, a. adj. (bot.) cistíneo. — pl. cistíneas.
cistitis. m. (pat.) cistite.
cisto. m. (bot.) esteva.
cistocarpo. m. (bot.) cistocarpo.
cistocele. f. (pat.) cistocele.
cistoide. adj. (pat. e zool.) cistóide.
cistolito. m. (bot. e pat.) cistólito.
cistoma. f. (pat.) cisto, quisto.
cistoplastia. f. (cir.) cistoplástica.
cistoscopia. f. (med.) cistoscopia.
cistoscopio. m. (cir.) cistoscópio.
cistotomía. f. (cir.) cistotomia.
cistótomo. m. (cir.) cistótomo.
cisura. f. cissura, fenda, fissura; (fig.) quebra de relações amistosas.
cita. f. entrevista, encontro, combinado; cita; citação; referência a um texto ou a uma opinião autorizada; assinação; epígrafe; apontamento; aprazamento; alegação; conferência; (for.) citação, intimação: dar una cita, emprazar-se; cita al toro, cita ao touro.
citable. adj. citável, que merece ser citado.
citación. f. citação; texto ou opinião citada; (for.) intimação judicial; aprazamento; alegação; chegamento; convocação; (fam.) citote: mandamiento de citación, (for.) citatória; citación para comparecer, (for.) emprazamento judicial; citación a la persona citada, (for.) contrafé.
citado, da. p. p. e adj. citado; antedito; emprazado; aludido; mencionado; (taurom.) citado; (for.) intimado, citado.
citador, ra. adj. e s. citador, que cita; que faz citações ou alegações; citante; convocador; aprazador.
citar. v. tr. citar, apontar, referir textos ou palavras de outrem; avisar; citar, aduzir; consignar; (for.) citar, intimar para comparecer perante a autoridade; emprazar; (taurom.) citar, provocar o touro; assinar; apontar; acudir; mencionar; convocar; apalavrar; aprazar; alegar. — citarse. v. r. emprazar-se; aprazar-se: citar judicialmente, ajuizar; citar a propósito o con un fin, (fig.) frisar, apontoar.

cítara. *f.* (mús.) cítara, espécie de lira; alaúde.

citara. *f.* tabique, parede delgada de tijolos; ala, tropas que formavam nos flancos do corpo principal.

citaredo. *m.* (ant.) citaredo, citarista.

citarilla. *f. dim.* de *cítara;* (arq.) paredinha, parede pequena que serve de divisória.

citarista. *s.* citarista, citaredo, tangedor ou tocador de cítara.

citarón. *m.* soco, (Bras.) sôco, base das paredes de alvenaria, revestido de madeira.

citatorio, ria. *adj.* citatório, relativo à citação ou que a contém.

citemia. *f.* (pat.) citemia.

citéreo, a. *adj.* (poét.) citéreo, relativo a Citera, cidade de Creta consagrada a Vénus.

citerior. *adj.* citerior, que está situado na banda de cá.

citíneas. *f. pl.* (bot.) citíneas.

citisina. *f.* (quím.) citisina.

cítiso. *m.* (bot.) V. **codeso.**

citobiología. *f.* (biol.) citobiologia.

citoblasto. *m.* (histol.) citoblasto.

citobotánica. *f.* (biol.) citobotânica.

citobotánico, ca. *adj.* (biol.) citobotânico.

citodiagnosis. *m.* citodiagnóstico, citoscopia.

citodiagnóstico. *m.* citodiagnóstico, citoscopia.

citofagia. *f.* (med.) citofagia.

citófago, ga. *adj.* e *s.* citófago.

citogenética. *f.* (biol.) citogénese.

citogenético, ca. *adj.* (biol.) citogenésico, citogenesíaco.

citografía. *f.* citografia.

citoide. *m.* citóide.

cítola. *f.* cítola, taramela do moinho.

citología. *f.* (biol.) citologia.

citológico, ca. *adj.* (biol.) citológico.

citólogo, ga. *s.* citologista.

citoma. *m.* (pat.) citoma, tumor celular.

citómetro. *m.* citómetro, aparelho para medir as células.

citopatología. *f.* (med.) citopatologia.

citoplasma. *m.* (biol.) citoplasma, parte do protoplasma que rodeia o núcleo.

citoquímica. *f.* citoquímica.

citoscopia. *f.* citoscópia, citodiagnóstico.

citosias. *f.* (pat.) citose.

citote. *m.* (farm.) citote, citação, intimação que se faz a alguém para o obrigar a que execute alguma coisa.

citoterapia. *f.* (med.) citoterapia.

citotoxina. *f.* citotoxina.

citozoología. *f.* (biol.) citozoologia.

citra. *pre. insep.* V. **cis.**

citramontano, na. *adj.* V. **cismontano.**

citrato. *m.* (quím.) citrato.

cítrico, ca. *adj.* (quím.) cítrico, pertencente ou relativo ao limão.

citricultor, ra. *s.* citricultor.

citricultura. *f.* citricultura.

citrina. *f.* (quím.) citrina, essência de limão.

citrina. *f.* (min.) citrina, pedra preciosa de cor amarela.

citrino, na. *adj.* citrino, da cor do limão.

citro. *m.* (bot.) citro, género de árvores a que pertencem a cidreira, o limoeiro, etc.

citrón. *m.* (bot.) limão, fruto do limoeiro. V. **limón.**

citrómetro. *m.* (fís.) citrómetro, aparelho para medir a densidade do suco dos limões.

citronela. *f.* (bot.) citronela.

ciudad. *f.* cidade, povoação superior a vila; conjunto de ruas e edifícios que compõem a cidade; câmara municipal ou cabido duma cidade; deputados ou procuradores em Cortes que representavam uma cidade: *ciudad jardín,* cidade-jardim; *ciudad pequeña,* cidadelha.

ciudadanía. *f.* cidadania, cidadã, qualidade e direito de ser cidadão; civismo; nacionalidade, naturalidade; foro de cidadão.

ciudadano, na. *adj.* e *s.* cidadão, natural ou habitante duma cidade; citadino; pertencente à cidade ou aos cidadãos; cidadão, o que está no gozo dos direitos civís e políticos dum Estado.

ciudadela. *f.* cidadela, fortaleza, castelo forte que defende uma praça; alcáçova; acrópole.

cívico, ca. *adj.* cívico, pertencente ao cidadão; patriótico; nacional; civil; cidadão; doméstico, pertencente ao domicílio.

civil. *adj.* civil, sociável, delicado, urbano, atento, cortês; que nao tem cará(c)ter militar nem eclesiástico, civil; polido, fino, afável, atencioso, amável; (for.) civil: *derecho civil,* direito civil; *guardia civil,* guarda civil.

civilidad. *f.* civilidade, sociabilidade, urbanidade, cortesia, delicadeza, polidez, etiqueta, amabilidade; (p. us.) miséria, mesquinhice, grossaria, vilania.

civilismo. *m.* civilismo, civismo; doutrina dos civilistas.

civilista. *adj.* e *s.* civilista, advogado especializado em direito civil.

civilizable. *adj.* civilizável.

civilización. *f.* civilização; progresso, cultura, ilustração.

civilizado, da. *p. p.* e *adj.* civilizado; culto; progressivo; educado; polido.

civilizador, ra. *adj.* e *s.* civilizador, que civiliza.

civilizar. *v. tr.* civilizar, dar civilização a, difundir a civilização; tornar civilizado; tornar delicado, cortês; educar, ilustrar, instruir, polir; (fig.) desmoitar, estonar, desemburrar, desembrutecer, desbravar, desasnar; desbastar. — **civilizarse.** *v. r.* civilizar-se; polir-se: *a medio civilizar,* semi-civilizado.

civismo. *m.* civismo, devoção pelo interesse público; dedicação pela pátria; patriotismo.

cizalla. *f.* cisalha, tesoura mecânica para cortar papel ou cartão; tesoirão, instrumento cortante para cortar lâminas de metal; cisalha, aparas de metal; (cir.) fórceps, fórcipe.

cizallar. *v. tr.* cisalhar, cortar com tesouras os metais.

cizallas. *f. pl.* V. **cizalla.**

cizaña. *f.* (bot.) cizânia; (fig.) cizânia. discórdia, inimizade: *meter cizaña,* semear cizânia, desunir.

cizañador, ra. *adj.* e *s.* que provoca a discórdia ou cizânia.

cizañar. *v. tr.* semear cizânia, provocar discórdia, inimizar.

cizañero, ra. *adj.* e *s.* pessoa que costuma meter a cizânia ou provocar discórdia.

clac. *m.* claque, chapéu alto de molas; chapéu de três bicos cujos lados se juntam, podendo levar-se debaixo do braço.

clamador, ra. *adj.* e *s.* clamador, que ou aquele que clama; vociferante.

clamante. *adj.* e *p. a.* clamante, que clama.

clamar. *v. intr.* clamar, soltar vozes altas; queixar-se em alta voz; vociferar; bradar; protestar; gritar, pedindo auxílio ou socorro; estrondear; (fig.) clamar, pedir, diz-se das coisas inanimadas que manifestam necessidade dalguma coisa. — *v. tr.* clamar, exorar; exclamar; reclamar: *clamar venganza,* clamar vingança; *clamar por algo,* clamar por alguma coisa; *esto clama al cielo,* (fam.) isto clama ou brada ao céu.

clámide. *f.* clâmide.

clamo. *m.* (germ.) dente da boca; doença, enfermidade.

clamor. *m.* clamor; brado de queixa; protesto, reclamação; grito vigoroso; dobre dos sinos pelos defuntos; clamação; estralada; arruído, alarido; algazarra; (prov.) barranco ou arroio formado pelas chuvas torrenciais.

clamoreada. *f.* grito ou brado queixoso. V. **clamor.**

clamorear. *v. tr.* clamar, pedir, rogar com instância e queixumes a fim de ser atendido. — *v. intr.* dobrar, tocar a finados.

clamoreo. *m.* clamor repetido ou continuado, gritaria; (fam.) súplica ou pedido importuno e repetido; som dos sinos quando tocam pelos defuntos; estralada.

clamoroso, sa. *adj.* clamoroso, queixoso, lastimoso; estrepitoso, dito com clamor, estrondoso.

clán. *m.* clã, tribo, família, agrupamento humano, grei.

clandestinidad. *f.* clandestinidade, segredo, qualidade do que é clandestino.

clandestino, na. clandestino, secreto, segredo, oculto, escondido; indevido; conventicular; encoberto; furtivo; diz-se do que se faz em segredo e contra as leis.

clangor. *m.* (poét.) clangor, som estridente de trombeta.

clangoroso, sa. *adj.* (med.) clangoroso.

claque. *f.* (fig. e fam.) claque, reunião de pessoas combinadas para aplaudir ou patear nos teatros.

claqué. *m.* (gal.) espécie de dança ou sapateado.

clara. *f.* clara, parte albuminosa do ovo; pano ralo por mau fabrico; parte roçada das peles; (fam.) aberta, espaço curto em que cessa de chover; clareira; albugem, albumem; esclerótica.

Clara. *n. p. f.* Clara.

claraboya. *f.* clarabóia, lumieira, lucerna, candeia, janela ou fresta por onde entra a luz num aposento.

clarar. *v. tr.* esclarecer. V. **aclarar.**

clarea. *f.* clareia, bebida feita com vinho branco, açúcar e canela; (germ.) dia.

clarear. *v. tr.* clarear, dar claridade, tornar claro, aclarar, abrir clareira; (germ.) alumiar. — *v. intr.* clarear, começar a amanhecer, despontar o dia, clarear o tempo; ir-se abrindo e dissipando o nevoeiro; fazer-se claro, aclarar-se; alvorejar; desnoitar; aleitar; descobrir. — **clarearse.** *v. r.* fazer-se transparente; ralar-se; fazer-se ralo; (fam.) descobrir alguém involuntàriamente os seus planos ou intenções; aclarar-se, descobrir-se, manifestar-se.

clarecer. *v. intr.* amanhecer. V. **amanecer.** — *conjug. irreg.* como **amanecer.**

clareo. *m.* a(c)ção de abrir uma clareira num monte.

clareza. *f.* clareza, claridade. V. **claridad.**

claridad. *f.* claridade, clareza; alvura; pureza; transparência; limpidez; brilho; esplendor; bom timbre, nitidez; clareza com que se distingue (falando-se do ouvido ou da vista); luz; resposta franca e pronta; fama, celebridade; diafaneidade; (fig.) desnudez; lume, luminosidade, lucidez, luzimento; clareza; clarividência; (fig.) expressão franca com que se diz a alguém alguma coisa desagradável: *claridad de la luna,* claridade lunar; *con claridad,* pelo claro; *dar claridad,* aclarar; *decir claridades,* falar sem rodeios.

clarificable. *adj.* que se pode purificar ou aclarar (diz-se dos líquidos).

clarificación. *f.* clarificação, purificação, depuração dos líquidos.

clarificador, ra. *adj.* e *s.* clarificador, depurador, o que purifica.

clarificar. *v. tr.* clarificar, iluminar, alumiar; aclarar, tornar claro; depurar, purificar um líquido; (quím.) defecar.

clarificativo, va. *adj.* clarificativo, que clarifica.

clarífico, ca. *adj.* V. **resplandeciente** .

clarimento. *m.* cor clara e viva de qualquer pintura.

clarín. *m.* (mús.) clarim, espécie de trombeta; registo de órgão com que se imita o som do clarim; clarim, tocador de clarim; cambraia, tecido de linho usado para lenços; charamela, charameleiro: *toque de clarín,* clarinada; *clarín de la selva,* pássaro americano; (Amér.) V. **guisante de olor.**

clarinada. *f.* (fam.) dito inoportuno ou intempestivo; clarinada.

clarinado, da. *adj.* (herald.) diz-se das figuras de animais que levam chocalhos.

clarinero. *m.* (mús.) clarim, tocador de clarim.

clarinete. *m.* (mús.) clarinete; clarinetista, clarinete, o que toca este instrumento.

clarión. *m.* giz, lápis branco de gesso e greda.

clarioncillo. *m.* lápis de pasta branca que serve para pintar a pastel.

clariosa. *f.* (germ.) água.

clarisa. *adj.* e *f.* clarissa, clarista, freira pertencente à segundo ordem de S. Francisco. fundada por Santa Clara.

clarividencia. *f.* clarividência; claridade de juízo e discernimento; perspicácia, penetração.

claro, ra. *adj.* claro, que se vê bem; luminoso, banhado de luz; iluminado; brilhante; que se percebe bem; que se evidencia, que não apresenta dúvida, certo; evidente; límpido, transparente; de cor pouco carregada; sem consistência, pouco espesso; ralo, pouco apertado; sonoro; puro, sereno; manifesto; incontestável; inteligível; sem rodeios; fino, penetrante, perspicaz, agudo; ilustre, insigne, famoso, célebre; sereno, sem nuvens; (fig.) desnudo, desnublado; achadiço; clarísono; alumiado; corrente; lúcido; iniludível, inequívoco; fácil; expressivo; explícito; desvelado; convincente; diáfano; despejado; articulado; franco, sincero, real. — *m.* claro, espaço entre palavra e palavra; clareira; tempo de interrupção; entreaberta (céu); intervalo; vácuo; (arq.) espaço entre colunas; (germ.) dia; (vet.) diz-se do cavalo que aparta os braços deitando as mãos para fora. — *adv.* claramente, de modo claro; fàcilmente; (pint.) a parte mais clara dum quadro: *claro-oscuro*, claro-escuro; *fuscalvo*; *en claro*, em claro, sem dormir; *a las claras*, às claras, sem rodeios, pùblicamente; *por lo claro*, por claro, manifestamente; *hablemos claro*, (fam.) falemos claro; *está claro*, (fam.) claro está; *poner en claro*, desemaranhar; pôr em claro; *es tan claro como el agua*, é mais claro como a água; *pasar la noche en claro*, (fam.) passar a noite em claro; *ser más claro que la luz del día*, (fam.) fazer tocar alguma coisa com o dedo; *hablar claro*, falar claro, sem rodeios; *estar claro*, ser evidente uma coisa; *cielo claro*, céu claro; *día claro*, dia claro; *voz clara*, voz clara; *juicio claro*, juízo claro; *está más claro que el sol*, (fam.) é tão claro como o sol; *de claro en claro*, manifestamente, claramente; *meter en claros* (pint.), pôr os claros num quadro; *no sacar nada en claro*, (fam.) ficar-se sem nada saber.

claror. *m.* claridade. V. **resplandor.**

claroscuro. *m.* (pint.) claro-escuro, combinação de sombras e luz; contraste dos claros com os escuros.

clase. *f.* classe, divisão natural dos seres; classe, ordem, categoria; classe, escola, estudos, sala de aulas, sala de classe; lição, curso; classe, conjunto de estudantes que frequentam a mesma aula; grupo; família; espécie; secção; lote; qualidade; estofa, (Bras.) estôfa; (fig.) abotoadura; galeria; estra(c)ção; importância naturaleza: *día sin clase*, dia de sueto; *faltar a clase*, gaiar; *no es de mi clase*, (fig.) não é da minha

abotoadura; *sin clase*, desprendado; *clases pasivas*, classes passivas. *pl.* (mil.) diz-se dos soldados sem graduação militar.

clasicismo. *m.* classicismo, estilo clássico.

clasicista. *adj.* e *s.* classicista.

clásico, ca. *adj.* clássico, diz-se do autor ou da obra considerados como modelo na literatura ou na arte; relativo à arte dos Gregos ou dos Romanos; aprovado, autorizado, inveterado, no uso; antigo. — *s.* clássico, autor de obra clássica: *obra de autor clásico*, códice; *estudiar los clásicos*, estudar os clássicos; *traducción literal de un clásico para uso de estudiantes*, pai-velho; *autores clásicos*, autores clássicos; *imitar a los clásicos*, seguir os clássicos.

clasificable. *adj.* classificável, que se pode classificar.

clasificación. *f.* classificação, processo de classificar; distribuição por classe; apreciação do mérito de alguém.

clasificado, da. *adj.* e *p. p.* classificado, que obteve classificação em concurso, exame, etcétera; importante.

clasificador, ra. *adj.* e *s.* classificador, que classifica; ficheiro, móvel onde se arquivam papéis, fichas, etc.

clasificar. *v. tr.* classificar, ordenar e distribuir por classes; qualificar; agrupar; coordenar; pôr em ordem; arranjar.

clástico, ca. *adj.* (geol.) clástico; frágil; quebradiço.

clastomanía. *f.* (med.) clastomania.

clastomaníaco, ca. *adj.* e *s.* clastomaníaco, clastómano.

clauca. *f.* (germ.) gazua, chave falsa.

claudia. *adj.* (bot.) espécie de ameixa de cor verde, doce e sumarenta conhecida por rainha-cláudia ou caranguejeira.

claudicación. *f.* claudicação, coxeadura; (fig.) falta ou cumprimento dos deveres; erro.

claudicar. *v. intr.* claudicar; coxear; ter defeito ou irregularidade; vacilar, hesitar; fraquejar; faltar ao cumprimento dos seus deveres; proceder irregularmente; errar.

claustalita. *f.* (min.) seleniato natural de chumbo.

claustra. *f.* V. **claustro.**

claustral. *adj.* claustral, pertencente ou relativo ao claustro; diz-se de certas ordens religiosas.

claustralidad. *f.* claustralidade, vida monástica.

claustrillo. *m.* claustro pequeno, salão dalgumas universidades, no qual se celebram a(c)tos académicos.

claustro. *m.* claustro, pátio interior dum convento ou outro edifício; (fig.) convento, vida monástica; claustro pleno, reunião de todos os lentes universitários.

claustrofobia. *f.* (med.) claustrofóbia.

claustrófobo, ba. *adj.* e *s.* claustrófobo.

cláusula. *f.* (for.) cláusula, disposição dum contrato, testamento, etc.; codicilo; estipulação; (gram. e ret.) período, condição, preceito, artigo; circunstância particular; preceito.

clausulado, da. adj. clausulado, proposto, contido em cláusula ou artigos. — m. conjunto de cláusulas.

clausular. v. tr. clausular, fechar um período; pôr fim ao discurso, encerrar; clausular, dividir em cláusulas; fazer ou pôr cláusulas.

clausura. f. clausura, vida conventual; clausura, recinto religioso proibido aos leigos; recinto fechado; reclusão; incomunicação, encerramento; enclausura, enclaustramento; vida de quem não sai de casa, emparedamento; a(c)to solene com que se terminam as deliberações dum congresso. tribunal, etc.; clausura; cárcere, prisão.

clausurar. v. tr. clausurar; encerrar em clausura; encerrar; (fig.) emparedar; viver retirado: *clausurar una sesión*, encerrar uma sessão.

clava. f. clava, maça; moca, pau grosso guarnecido de nós.

clavadizo, za. adj. pregueado, diz-se das portas, janelas e móveis guarnecidos com pregos de bronze ou de ferro.

clavado, da. adj. e p. p. cravado, guarnecido ou armado com pregos, cravejado; fixo; pontual, exa(c)to; certo: *venir clavada una cosa a otra*, diz-se quando uma coisa encaixa exactamente noutra; *son las cinco clavadas*, são as cinco horas exa(c)tas.

clavadura. f. (vet.) encravadura, ferida nos cascos das cavalgaduras; bigorna.

claval. adj. (anat.) juntura, diz-se de encaixe de dois ossos: *juntura claval*, juntura craval.

clavar. v. tr. cravar, pregar, firmar, segurar com pregos; enterrar, fincar; introduzir uma coisa pontiaguda, cravar; engastar pedras; cravar uma pedra preciosa, (fig.) enganar, pregar peça; fixar; pôr; (mil.) encravar uma peça. — **clavarse.** v. r. encravar-se, espetar-se; embeber-se: *clavar la vista*, encravar os olhos em algum obje(c)to; *clavar un clavo en la madera*, embeber um prego na madeira; *clavar com púas*, apuar; *clavar una herradura a un caballo*, arrimar o cravo.

clavario, ria. s. claveiro, clavario. V. **clavero.**

clavazón. f. clavação, guarnição de pregos posta nalguma coisa.

clave. m. chave; explicação dos sinais empregados para escrever em cifra; nota, explicação que se põe nalguns livros; (arq.) a última pedra com que se fecha algum arco ou abóbada; (mús.) clave. — m. V. **clavicordio:** *echar la clave*, (fig. e fam.) concluir, fechar um negócio ou discurso; *clave de una cifra*, contracifra; *clave del enigma*, chave do enigma.

clavecín. m. (mús.) clavecino, clavicórdio.

clavecinista. s. (mús.) clavecinista, clavicordista.

clavel. m. (bot.) craveiro (planta); cravo (flor).

clavellina. f. (bot.) cravina, clavelina, espécie de craveiro de flores pequenas e a sua flor; (artill.) cravelha, peça com que se obturava o ouvido dos canhões.

claveque. m. claveque, pedra semelhante ao cristal de rocha e que imita o diamante.

clavera. f. craveira, forma, molde em que se formam as cabeças de pregos; buraco por onde se introduz o cravo na ferradura; furo por onde se introduz um prego.

clavería. f. clavaria, dignidade de claveiro nas ordens militares; (Amér.) economato, repartição que, nas catedrais, trata do recebimento e distribuição das rentas do cabido.

clavero, ra. s. claveiro, clavário, chaveiro. V. **llavero.** — m. cavaleiro que guardava o castelo e convento do seu principal.

claveta. f. cavilha de madeira, chaveta, clave; (mús.) claveta.

clavete. m. preguinho; (mús.) palheta para tocar bandurra.

clavetear. v. tr. cravejar, guarnecer ou ornar com pregos; meter agulhetas em atacadores; (fig.) terminar um negócio.

clavicilindro. m. (mús.) clavicilindro.

clavicímbalo. m. V. **clavicordio.**

clavicordio. m. (mús.) clavicórdio; clavecino: *persona que toca el clavicordio*, clavicordista.

clavicornio, nia. adj. (zool.) clavicórneo. — m. pl. clavicórneos.

clavicotomía. f. (cir.) clavicotomía.

clavícula. f. (anat.) clavícula.

claviculado, da. adj. claviculado, que tem clavículas.

clavicular. adj. (anat.) clavicular.

claviforme. adj. claviforme.

clavigéridos. m. pl. clavígeros.

clavígero. m. (zool.) clavígero.

clavija. f. cavilha, peça de madeira ou metal para segurar madeiras, chapas, etc.; clavija; cravelha, peça para retesar as cordas de certos instrumentos musicais; caravelha; chaveta: *apretarle a uno las clavijas*, (fig. e fam.) apertar os cordeis; *clavija maestra*, cravija que une a lança aos varais do carro.

clavijero. m. peça de madeira onde estão colocadas as cravelhas dos clavicórdios, cravos, espinetas, pianos, etc.; teclado de piano, cravo, etc.; chavelha, cabide para pendurar a roupa; parte do timão do arado onde se coloca a clavija.

clavillo, to. m. cravinho; eixo que prende uma à outra as duas lâminas de tesoira, cravo; pregueta do diapasão que serve para dar dire(c)ção às cordas de piano; fita ou passador que prende as varas dum leque; cravinho, condimento.

claviórgano. m. (mús.) claviórgão.

clavo. m. cravo, prego; cravo, calo duro ou verruga cutânea; mecha que se põe nas chagas e feridas para não fecharem; cravo-da-índia, condimento acre e quente; (vet.) cravo, tumor na quartela das cavalgaduras; (fig.) dor aguda e penetrante; (cir.) tecido morto que se desprende do furúnculo; (fig.) angústia, pesar, mágoa: *clavo pasado*, (vet.) cravo, tumor duro nos cascos dos equídeos; *clavo baladí*, cravo de ferradura; *dar en el clavo*, (fig.) acertar no alvo; *un clavo saca a otro* *clavo*, (fig.) um mal esquece outro: *agarrarse a un clavo ardiendo*, agarrar-se a um cabelo; *clavos pequeños*, asas-de-mosca; *clavo de las tijeras*, eixo de tesouras.

claxón. *m.* (autom.) claxón, sereia de automóveis.

clemátide. *f.* (bot.) clematite; azar.

clemencia. *f.* clemência, virtude que modera o vigor de justiça; bondade; misericórdia, piedade, indulgência; brandura; amenidade; benignidade, compaixão: *tratar con clemencia*, clemenciar.

clemente. *adj.* clemente; indulgente, bondoso; compassivo; brando; misericordioso, piedoso.

Clemente. *n. p.* Clemente.

clementinas. *f. pl.* clementinas, decretais de Clemente.

clepsidra. *f.* clépsidra, relógio de água.

cleptofobia. *f.* cleptofobia.

cleptófobo, ba. *adj.* cleptófobo.

cleptomanía. *f.* cleptomania.

cleptomaníaco, ca. *adj.* e *s.* cleptomaníaco, cleptómano.

cleptómano, na. *adj.* e *s.* cleptómano, (Bras.) cleptômano, cleptomaníaco.

clerecía. *f.* clerezia, classe clerical; número de clérigos que compõem o clero; ofício de clérigo; clero: *mester de clerecía*, mister de clerezia.

clerical. *adj.* clerical, do clero ou aquele referente.

clericalismo. *m.* clericalismo, influência do clero na política; o clero.

clericato. *m.* clericato, estado ou dignidade do clero: *clericato de cámara*, cargo onorífico no Vaticano.

clericatura. *f.* clericato, estado clerical.

clerigalla. *f. despec.* de clérigo, clericalha, diz-se dos maus clérigos.

clérigo. *m.* clérigo, padre, pessoa eclesiástica, sacerdote, presbítero; na Idade Média, homem letrado e de estudos escolásticos: *clérigo de misa*, sacerdote, presbítero; *clérigo de corona*, o que só tem a primeira tonsura; *clérigo de menores*, menorista, o que só tem algumas ou todas as quatro ordens menores; *clérigo de misa y olla*, (fam.) eclesiástico de pouca autoridade e curtos estudos.

clerizonte. *m.* acólito, sacristão; clérigo mal vestido ou de maneiras incivís; pessoa que, sem estar ordenada, usa hábitos clericais.

clero. *m.* clero, classe clerical; (desp.) padralhada: *clero secular*, clero secular; *clero regular*, clero regular; *alto clero*, alto clero; *poder del clero en el Estado*, clerocracia.

clerofobia. *f.* clerofobia, ódio ao clero.

clerófobo, ba. *adj.* e *s.* clerófobo.

cleromancia. *f.* cleromancia, arte de adivinhar por meio dos dados.

cleromántico, ca. *adj.* e *s.* cleromante.

cleuasmo. *m.* (ret.) figura pela qual o que fala atribui a si próprio as más qualidades dos outros.

cliché. *m.* (gal.) cliché, (Bras.) clichê, folha estereotipada; prova negativa empregada nas fotografias.

clidotomía. *f.* (cir.) clidotomia.

clidotómico, ca. *adj.* (cir.) clidotómico.

cliente. *s.* cliente, freguês; pessoa protegida; (for.) cliente, defendido por um advogado; doente (em relação a seu médico); apaniaguado, afreguesado: *hacerse cliente*, aparroquianar-se; afreguesar-se; *adquirir clientes*, afreguesar; *dejar de ser cliente de algún sitio*, desafreguesar-se; *quitar los clientes de un establecimiento*, desafreguesar; *sin clientes*, desafreguesado.

clientela. *f.* clientela; conjunto dos clientes; freguesia; prote(c)ção, patrocínio; afreguesamento: *con buena clientela*, bem afreguesado.

clima. *f.* clima; temperatura; pais, região, zona; (geog.) clima, espaço entre dois círculos paralelos; ar; atmosfera: *clima crudo*, clima destemperado.

climaterapia. *f.* (terap.) climatoterapia.

climatérico, ca. *adj.* climatérico: *estar uno climatérico*, (fig. e fam.) estar com mau génio.

climático, ca. *adj.* pertencente ou relativo ao clima.

climatografía. *f.* climatografia.

climatología. *f.* climatologia.

climatológico, ca. *adj.* climatológico, climático.

climatoterapia. *f.* (terap.) climatoterapia.

climax. *m.* (ret.) climax, clímace, escala, graduação.

clin. *f.* crina. V. **crin.**

clinanto. *m.* (bot.) receptáculo comum das flores compostas.

clínica. *f.* (med.) clínica, parte do ensino da medicina; clínica, hospital privado; local onde o médico trata os seus doentes; aula de clínica; clientela de um médico.

clínico, ca. *adj.* (med.) clínico, médico. — *m.* clínico, médico que tem clínica.

clinocefalia. *f.* (anat.) clinocefalia.

clinocefalismo. *m.* V. **clinocefalia.**

clinocéfalo, la. *adj.* e *s.* clinocéfalo.

clinodactilia. *f.* clinodactilia.

clinodáctilo, la. *adj.* e *s.* clinodáctilo.

clinología. *f.* clinologia.

clinomanía. *f.* clinomania.

clinomaníaco, ca. *adj.* e *s.* clinomaníaco.

clinométrico, ca. *adj.* (aviac. mar. e med.) clinométrico.

clinómetro. *m.* (aviac. mar. e med.) clinómetro. (Bras.) clinômetro.

clinopodio. *m.* (bot.) clinopódio.

clinoterapia. *f.* (terap.) clinoterapia.

clípeo. *m.* (arqeol.) clípeo.

clíper. *m.* (mar.) cliper, variedade de barco de vela.

clisado. *m.* (impr.) estereotipagem, estereotipia.

clisar. *v. tr.* (impr.) estereotipar, imprimir pelo processo da estereotipia.

clisé. *m.* (imp. e fot.) cliché, (Bras.) clichê, folha estereotipada; matriz; prova negativa para reprodução fotográfica.

clisobomba. *m.* clisiobomba, aparelho para regar.

clisos. *m. pl.* (germ.) os olhos.

clister. *m.* clister, lavagem intestinal, inje(c)ção pelos ânus de água, ajuda, mezinha: *poner clisteres*, amezinhar.

clisterizar. *v. tr.* clisterizar, dar clisteres.

clitómetro. *m.* (top.) aparelho para a medição dos declives do terreno.

clitoridectomía. *f.* (cir.) clitoritomia.

clitoridismo. *m.* clitorismo.

clitoriditis. *f.* clitoriditis.

clítoris. *m.* (anat.) clítoris, clitóride.

clitorismo. *m.* (med.) clitoridismo.

clitoritis. *f.* (pat.) clitorite.

clitoritomia. *f.* (cir.) clitoritomia.

clitoromanía. *f.* (med.) clitoromania, ninfomania.

clivoso, sa. *adj.* (poét.) crivoso, diz-se do lugar em declive.

clo-clo. *m.* voz da galinha choca.

cloaca. *f.* cloaca; fossa; sentina; privada; lugar imundo; (fig.) aquilo que cheira mal; (zool.) cloaca, última parte do intestino das aves.

cloacal. *adj.* cloacal, referente à cloaca.

cloasma. *f.* (pat.) cloasma.

clocar. *v. intr.* cacarejar, cantar a galinha choca. V. cloquear.

clónico, ca. *adj.* (pat.) clónico, diz-se do espasmo em que há movimentos irregulares.

clonismo. *f.* (pat.) clonismo.

cloquear. *v. intr.* cacarejar, cantar a galinha quando está choca.

cloquear. *v. tr.* puxar o atum com o croque para o meter na almadrava.

cloqueo. *m.* cacarejo, voz da galinha choca.

cloquera. *f.* choco, estado febril das aves, na época da incubação; a(c)ção de chocar, incubação.

cloquero. *m.* o que emprega o croque.

cloración. *f.* cloragem, purificação das águas por meio do cloro.

cloral. *m.* (quím.) cloral.

clorato. *m.* (quím.) clorato.

cloremia. *f.* cloremia, clorose.

clorhidrato. *m.* (quím.) cloridrato.

clorhídrico. *adj.* e *m.* clorídrico.

clórico, ca. *adj.* (quím.) clórico.

clorita. *f.* (min.) clorite.

clorítico, ca. *adj.* (geol.) diz-se do terreno ou rocha em cuja composição se encontra a clorite.

clorito. *m.* (quím.) clorito.

cloro. *m.* (quim.) cloro.

clorofíceo, a. *adj.* (bot.) diz-se das algas de cor verde.

clorofila. *f.* (bot.) clorofila.

clorofilánico, ca. *adj.* (quím.) clorofilino.

clorofílico, ca. *adj.* clorofilino, da clorofila ou a ela relativo.

clorofilo, la. *adj.* (bot.) clorofilo, de folhas verdes ou amarelentas.

cloroformar. *v. tr.* cloroformizar, anestesiar com cloroformio.

clorofórmico, ca. *adj.* clorofórmico.

cloroformización. *f.* cloroformização.

cloroformizador. *m.* cloroformizador.

cloroformizar. *v. tr.* cloroformizar, anestesiar com cloroformio.

cloroformo. *m.* (qím.) cloroformio.

clorometría. *f.* (quim.) clorometria.

cloromicetina. *f.* (bioquím.) cloromicetina.

cloroplastidio. *m.* (bot.) cloroplastídio, cloroleucito.

clorosis. *f.* (med.) clorose, cloremia.

cloroso, sa. *adj.* (quím.) cloroso.

clorótico, ca. *adj.* (med.) clorótico, relativo à clorose. — *s.* pessoa clorótica.

clorulado, da. *adj.* (quím.) que contém cloruro.

clorurar. *v. tr.* (quím.) transformar uma substância em cloreto.

cloruro. *m.* (quim.) cloreto.

club. *m.* clube, sociedade recreativa; associação política; grémio; círculo.

clubista. *m.* clubista, sócio dum clube.

clueco, ca. *adj.* choco, (Bras.) chôco, diz-se do estado febril das aves na época da incubação; (fig. e fam.) decrépito, caduco, muito velho. — *m.* choco: *gallina clueca*, galinha choca.

cluniacense. *adj.* e *s.* cluniacense, relativo à Ordem de S. Bento ou ao Mosteiro de Cluni.

cluniense. *adj.* e *s.* natural de Clúnia ou pertencente a esta cidade, hoje Coruña del Conde.

clupeídos. *m. pl.* (zool.) clúpeos.

clusia. *f.* (bot.) clúsia.

clusiáceo, a. *adj.* (bot.) clusiáceo. — *f. pl.* clusiáceas.

cnemalgia. *f.* (med.) cnemalgia, dor nas pernas.

cnémida. *f.* (arqueol.) cnémida, cnémide.

cnidosis. *f.* (pat.) cnidose.

co. *pref.* o mesmo que com. V. con.

coacción. *f.* coa(c)ção; imposição; situação da pessoa coa(c)ta; constrangimento, força, violência empregada para obrigar alguém a executar alguma coisa.

coaccionado. *p. p.* e *adj.* coa(c)to, constrangido, forçado.

coaccionar. *v. tr.* coa(c)tar, exercer coa(c)ção; obrigar; forçar, constranger, coagir, agrilhoar.

coacervación. *f.* amontoação, amontoamento.

coacervar. *v. tr.* amontoar, juntar, coacervar.

coacreedor, ra. *s.* co-credor, credor juntamente com outro.

coactar. *v. tr.* coa(c)tar, exercer coa(c)ção, coagir, obrigar, constranger.

coactivo, va. *adj.* coa(c)tivo, que coage, constrange ou obriga.

coacusado, da. *adj.* e *s.* co-acusado, co-réu.

coacusador, ra. *adj.* e *s.* co-acusador, co-autor.

coadjutor, ra. *s.* coadjutor, adjunto dum pároco; coadjuvante, coadjuvador.

coadjutoría. *f.* coadjutoria, cargo de coadjutor, faculdade concedida por bulas apostólicas.

coadministración. *f.* coadministração.

coadministrador. *m.* coadministrador, o que governa um bispado com as faculdades e poderes do bispo proprietário.

coadministrar. v. tr. coadministrar, administrar com outrem.
coadquirir. v. tr. (for.) coadquirir, adquirir com outrem.
coadquisición. f. coaquisição, aquisição em comum; coadquirição.
coadunar. v. tr. coadunar, juntar em; adiar; harmonizar, unir, misturar, combinar, ligar; incorporar, unificar.
coadyutor. m. V. coadjutor.
coadyutorio, ria. adj. coadjutório, que ajuda ou auxilia.
coadyuvador, ra. s. e adj. coadjuvante, coadjutor, coadjuvador, que ajuda, que coopera.
coadyuvante. p. a. e adj. coadjuvante, coadjutor, que coadjuva. — s. (for.) a parte que exerce a administração, juntamente com o delegado do ministério público.
coadyuvar. v. tr. coadjuvar, ajudar, auxiliar, cooperar, colaborar; facilitar.
coagante. m. cooperador, colaborador.
coagulable. adj. coagulável, que pode coagular-se.
coagulación. f. coagulação, coalhadura, solidificação dum líquido.
coagulador, ra. adj. e m. coagulador, que coagula; coalheira; última cavidade do estômago dos rumiantes.
coagular. v. tr. coagular, coalhar, solidificar um líquido, coalhar, densar; encaramelar; encarapinhar; agrumelar; embastecer; (fig.) atulhar; obstruir; condensar. — coagularse. v. r. coalhar-se, solidificar-se; agrumelar-se.
coagulativo, va. adj. coagulante, coagulador.
coágulo. m. coágulo, coalho; coalhadura; coalho de sangue; substância que coagula.
coaguloso, sa. adj. coaguloso, que se coagula ou está coagulado.
coalescencia. f. coalescência; aglutinação.
coalescente. adj. (med.) coalescente, aderente, aglutinante.
coalición. f. coalizão, confederação, acordo, convénio, liga união, fa(c)ção, coligação; bloco, confederação.
coalicionista. m. membro duma coalizão ou partidário dela.
coalicionar. v. tr. coalizar, aliar. V. coligar.
coaligar. v. tr. coalizar, aliar. V. coligar.
coáltar. m. (angl.) breu, alcatrão.
coamante. adj. (ant.) coamante.
coapóstol. m. co-apóstol, o que apostola juntamente com outrem.
coaptación. f. (cir.) coaptação; redução de ossos deslocados.
coaptar. v. tr. (cir.) coaptar, fazer a coaptação; (ant.) adaptar, encaixar.
coarcho. m. cabo fixo por uma extremidade na almadrava e pela outra numa âncora e segura a rede do cobarcho.
coarrendador, ra. s. co-arrendador, co-arrendatário.
coarrendamiento. m. co-arrendamento.
coarrendar. v. tr. co-arrendar.
coarrendatario, ria. s. co-arrendatário.
coartación. f. coar(c)tação; restrição, limitação; (med.) coarctação, frequência de pulso; estreitamento, aperto.

coartada. f. coar(c)tada, alegação de alibi; resposta pronta e convincente; desmentido categórico: probar la coartada, provar a coarctada.
coartado, da. p. p. e adj. coarctado, diz-se do escravo que pa(c)tuava o seu resgate com o dono.
coartador, ra. adj. e s. coarctador, que coarcta.
coartar. v. tr. coar(c)tar, restringir, limitar, circunscrever, reduzir, não conceder inteiramente alguma coisa, estreitar; oprimir; sujeitar; (med.) coarctar, diminuir, estreitar.
coartotomía. f. (cir.) coarctotomia.
coasociación. f. co-associação.
coasociado, da. s. co-associado.
coasociarse. v. r. co-associar-se, associar-se juntamente com outrem.
coate, ta. adj. (Amér.) V. cuate.
coatí. m. (zool.) coati.
coautor, ra. s. coautor; colaborador; associado.
coba. f. (fam.) adulação fingida; embuste gracioso; engodo, (Bras.) engôdo; engraxadela, engraxamento; blandicia; fanfarra; incenso; louvaminha; (germ.) galinha, ave doméstica; moeda de um real: dar coba (fam.) incensar, engodar, louvaminhar, engraxar, adular; molestar, incomodar, importunar.
coba. f. en Marrocos tenda de campanha do Sultão; cúpula ou edifício terminado em cúpula; jazigo dum santón.
cobaltaje. m. (tecn.) cobaltizagem, a(c)to de cobaltizar.
cobaltamina. f. (quím.) nome genérico dos compostos cobálticos, derivados do amoníaco.
cobáltico, ca. adj. (quím.) cobáltico.
cobaltífero. adj. (min.) cobaltífero.
cobaltina. f. (min.) cobaltina, sal de cobalto.
cobaltita. f. (min.) cobaltina.
cobalto. m. (quím. e min.) cobalto: bomba de cobalto, bomba de cobalto.
cobaltoso, sa. adj. que contêm cobalto.
cobarcho. m. parte da almadrava que forma uma parede ou barreira de rede.
cobarde. adj. e s. cobarde; medroso; covarde, pusilâmine, sem coragem, fraco. poltrão, timorato, tímido; preguiçoso; deslioso; bigorrilha; apagado; fracalhão; fosco, (Bras.) fôsco, falso; desanimado; bedelho; barbalhoste; (Bras.) mofino, mucufa, mutange, penico, perrengue, pituba; fig.) diz-se da vista fraca e de pouco alcance.
cobardear. v. intr. acobardar, ter ou mostrar cobardia; fraquear; atemorizar-se.
cobardía. f. cobardia, cobardice; timidez; acanhamento; traição; baixeza; indignidade, vilania, pusilanimidade; desvalor; acobardamento; apoucamento; fraqueza; desbrio.
cobertera. f. cobertoira, cobertoura, testo, tampa, cobertura de panela, de cassarola, etcétera; (fig.) alcoviteira; (bot.) nenúfar; (cetr.) coberteira, penas da cauda do falcão.

cobertizo. *m.* coberto, telheiro, alpendre; beira do telhado; abrigada.

cobertor. *m.* cobertor, coberta da cama; colcha; tampa; cobertura; colgadura; cobricama.

cobertura. *f.* cobertura, a(c)ção dos Grandes de Espanha quando se cobriam pela primeira vez do rei. V. **cubierta**; cobertura de cama, cobertores, roupas de cama.

cobija. *f.* (arq.) telha curva da cumeeira, do algeroz; (zool.) guias, cada uma das penas superiores das asas das aves; (pop.) espécie de mantilha curta; tampa de panelas, tachos, etc.; (Amér.) manto curto. — *pl.* (Amér.) cobertores, roupas de cama

cobijador, ra. *adj.* e *s.* que cobre, que tapa, que abriga; alojador; hospedador.

cobijamiento. *m.* cobrimento, cobertura; hospedagem.

cobijar. *v. tr.* cobrir, tapar, ocultar com algum obje(c)to posto em cima; aconchegar; (fig.) hospedar, albergar, acolher. — **cobijarse.** *v. r.* abroquelar-se; pôr-se ao abrigo; anteparar-se; alojar-se; acolher-se; asilar-se; abrigar-se.

cobijo. *m.* hospedagem; abrigada; aconchego; alojamento. V. **cobijamiento.**

cobista. *s.* (fam.) engodador, engraxa, incensador, louvaminheiro, blandicioso, adulador, engraxador. V. **adulador.**

cobil. *m.* covil; esconderijo; nicho.

cobla. *f.* conjunto de músicos que tocam a *sardana.*

cobra. *f.* (agr.) soga, corda da aparelhagem de jungir os bois; certo número de cavalgaduras empregadas em parelhas para debulhar.

cobra. *f.* caça; procura da caça que caiu ferida ou morta.

cobra. *f.* (zool.) cobra, serpente venenosa dos países tropicais.

cobrable. *adj.* cobrável. V. **cobradero.**

cobrador. *m.* cobrador, o que faz cobrança, cobrancista; arrecadador; chegador; recebador; cole(c)tor.

cobranza. *f.* cobrança, cobro, (Bras.) côbro; arrecadamento; arrecadação; cobramento; a(c)ção de apanhar a caça morta: *cobranza de contribuciones,* arrecadação das contribuições; *cobranza de derechos aduaneros,* alfandegagem.

cobrar. *v. tr.* cobrar, receber a quantia que alguém deve; recuperar; ganhar; readquirir; deixar-se possuir de; adquirir; conseguir boa fama, crédito; exigir; arrecadar; cole(c)tar; (mont.) apanhar a caça ferida ou morta; recuperar, recobrar; receber uma impressão; tomar. — **cobrarse.** *v. r.* recobrar-se, voltar a si, reanimar-se, restabelecer-se; pagar-se por suas mãos; emendar-se; *cobrar ánimo,* cobrar ânimo; *cobrar cariño,* cobrar carinho; *cobrar fama,* cobrar fama; *quien presta no cobra,* quem empresta não melhora; *cobra buena fama y échate a dormir,* cobra boa fama e deita-te a dormir; *si cobra, no todo, y si todo, no tal, y si tal enemigo mortal,* (fam.) quem empresta não melhora, *cobrar*

fuerzas, cobrar forças; *cobrarse lo que le deben a uno,* embolsar-se; *cobrar aliento,* cobrar alento; *cobrar afecto,* cobrar afeição.

cobre. *m.* (quím. e min.) cobre; bateria de cozinha, quando é de cobre; (mús.) conjunto de instrumentos metálicos duma orquesta; réstea de alhos e cebolas; corda, prisão das cavalgaduras; cobre, dinheiro miúdo, moedas de cobre; (min.) auricalco: *cobre amarillo,* arame; *moneda de cobre,* cobre; *cobre en láminas,* cobre em folhas ou lâminas; *cobre fundido,* cobre fundido; *cobre quemado,* sulfato de cobre; *cobre verde,* malaquite; *batir uno el cobre,* (fig. e fam.) tratar um negócio com muito empenho e diligência; *batirse el cobre,* (fig. e fam.) trabalhar muito em negócios rendosos; disputar com muito valor e empenho; *residuos de cobre,* arcote; *de cobre,* (poet.) éreo; *dar el aspecto o recubrir de cobre,* cobrear; *no tener un cobre,* (Amér.) não ter dinheiro.

cobreado. *m.* (técn.) cobreagem, a(c)ção de cobrear.

cobreño, ña. *adj.* relativo ao cobre ou a ele semelhante.

cobrizo, za. *adj.* cobreado, da cor do cobre, acobreado; diz-se do metal ligado com cobre.

cobro. *m.* V. **cobranza:** *ponerse en cobro,* (fig.) acolher-se ou refugiar-se alguém em lugar seguro, pôr-se em cobro.

coca. *f.* (bot.) coca, planta narcótica e substância extraída desta planta.

coca. *f.* dragão de papelão que se leva nalgumas províncias da Galiza, na procissão do Corpo de Deus; cada uma das duas porções em que as mulheres dividem o cabelo; (prov.) bolo ou torta vulgar; (fam.) cabeça, parte principal do corpo; carolo, pancada na cabeça com os nós dos dedos, coque; V. **cachada,** nica de pião.

coca. *f.* (mar.) coca, espécie de fusta ou embarcação dos séculos XIII, XIV e XV.

coca. *f.* coca: *coca de Levante,* coca de Levante, fruto duma árvore da India Oriental.

cocador, ra. *adj.* e *s.* (fam.) que dá carolos, coques ou coscorrões.

cocaína. *f.* (quím.) cocaína.

cocainismo. *m.* cocainismo, intoxicação pela cocaína.

cocainización. *f.* cocainização, anestesia por meio da cocaína.

cocainizar. *v. r.* cocainizar, anestesiar por meio da cocaína.

cocainomanía. *f.* cocainomania.

cocainómano, na. *adj.* e *s.* cocainómano, (Bras.) cocainômano.

cocal. *m.* (Amér.) coqueiral, palmar, plantio de coqueiro. V. **cocotal;** plantio de cocas.

cocar. *v. tr.* (fam.) adular, animar, engraxar, louvinhar.

cocarar. *v. tr.* abastecer de cocas.

cocarda. *f.* cocar, penacho no chapéu, laço na cabeça, distintivo dum partido.

coccidiosis. *f.* (pat.) coccidiose.

coccígeo, a. *adj.* (anat.) coccígeo, relativo ao cóccix.

coccigonidia. *f.* (med.) coccigonidia.

coccigotomía. *f.* (cir.) coccigotomia.

coccíneo, a. *adj.* coccíneo, de cor escarlate.

coccón. *f.* cocção, cozimento, decocção.

cóccix. *m.* (anat.) cóccix.

coccinela. *m.* (zool.) coccinela, joaninha.

coceador, ra. *adj.* e *s.* coiceador, couceador, que dá coices.

coceadura. *f.* couceamento.

coceamiento. *m.* couceamento.

cocear. *v. tr.* escoicear, escoucear, dar ou atirar coices; desancar; (fig. e fam.) resistir, não querer, concordar ou convir nalguma coisa; calcar aos pés.

cocedero, ra. *adj.* que se pode ou é fácil de cozer. — *m.* lugar onde se coze alguma coisa, especialmento vinho.

cocedizo, za. *adj.* que pode cozer-se fàcilmente.

cocedor. *m.* o que trata da cozedura do mosto para fazer o arrobe com que se preparam os vinhos.

cocedura. *f.* cozedura, cozimento, cocção.

cocer. *v. tr.* cozer, preparar os alimentos pela a(c)ção do fogo; submeter à a(c)ção do lume; aferventar; cozinhar; digerir; examinar, meditar; (cir.) começar a supurar. — *v. intr.* ferver um líquido; fermentar, ferver sem fogo um líquido. — **cocerse.** *v. r.* consumir-se com dor; aguentar, suportar, padecer intensa e longamente; cozer-se: *cocer como un bizcocho*, abiscoitar; *cocer por encima los alimentos*, encalir; *cocer a fuego lento*, aboborar; *cocer imperfectamente*, engorolar; encruar; *cocer ligeramente la carne*, decruar; *cocer hasta la concentración*, apurar. — *conj. irreg. pres. ind.* **cuezo, -ces, -ce, -cen.** — *subj.* **cueza, -as, -a, -an.**

cocido, da. *p. p.* e *adj.* cozido, cocto, decocto. — *m.* cozido. V. **olla:** *mal cocido*, engorlado; *poco cocido*, encruado.

cociente. *m.* (mat.) quociente, resultado da divisão.

cocimiento. *m.* infusão, decocto, cocção; entre tintureiros, banho próprio para abrir os poros da lã; ardor, prurido. V. **cocimiento.**

cocina. *f.* cozinha, lugar onde se faz a comida; cozinha, arte de cozinhar; sopa ou guisado de legumes ou sementes; caldo: *cocina de boca*, a comida que se prepara no palácio para o rei; *cocina económica*, cozinha económica; *cocina eléctrica*, cozinha elé(c)trica; *cocina de gas*, cozinha de gás; *metido en la cocina*, (fam.) encoquinado; *libro de cocina*, livro de cozinha.

cocinar. *v. tr.* cozinhar, preparar a comida ao lume; condimentar, temperar, guisar. — *v. tr.* (fam.) meter-se uma pessoa em assuntos alheios; intrometer-se aonde não é chamado.

cocinero, ra. cozinheiro; (Bras.) cuca; (fam.) bicho-de-cozinha: *cocinero mayor*, mestre de cozinha; *mal cocinero*, engorlador; *haber sido cocinero antes que fraile*, ex-

pressão que significa ser garantia de acerto em quem manda fazer uma coisa.

cocinilla. *m.* (fam.) intrometido em assuntos que não são da sua incumbência, especialmente domésticos; mequetrefe.

cocinilla, ta. *f.* lamparina de álcool; fogão de aquecimento.

cóclea. *f.* (anat.) cóclea, caracol do ouvido; cóclea parafuso de alquímedes.

cocleado, da. *adj.* cocleado, em forma de caracol.

coclear. *adj.* (bot.) coclear, cocleado, disposto em espiral.

coclear. *m.* unidade de peso equivalente a meio dracma.

coclearia. *f.* (bot.) cocleária.

cocleiforme. *adj.* (hist. nat.) cocleiforme, em forma de colher.

coco. *m.* (bot.) coqueiro; coco, (Bras.) côco, fruto do coqueiro: *dulce de coco*, cocada.

coco. *m.* coco, (Bras.) côco, papão, ser imaginário com que se mete medo às crinças. — *pl.* gestos lisonjeiros: *ser uno un coco*, (fig. e fam.) ser muito feio.

cocodrilo. *m.* (zool.) crocodilo: *cocodrilo grande*, (Bras. Centro) arrua.

cocolia. *f.* (Amér.) aversão, antipatia.

cocoliche. *m.* (Amér.) geringonça, gíria falada na Argentina por estrangeiros, especialmente italiano, Italiano que fala deste modo.

cocoliste. *m.* (Amér.) qualquer doença epidémica.

cócora. *s.* (fam.) pessoa extremamente impertinente.

cocoso, sa. *adj.* bichoso, diz-se de qualquer coisa, fruta, madeira, etc., que está atacada pelo bicho.

cocota. *f.* cocote, mulher de costumes fáceis.

cocotal. *m.* (bot.) coqueiral, plantio de coqueiros.

cocote. *m.* V. **cogote.** — *f.* V. **ramera.**

cocotero. *m.* (bot.) coqueiro. V. **coco.**

cóctel o **coctel.** *m.* bebida composta com diversos licores.

cocha. *f.* pequeno reservatório para lavagem ou afinação de metais; (Amér.) pampa; laguna, charco.

cochambre. *m.* (fam.) sujidade, porcaria; coisa porca; imundície, coisa ensebada e de mau cheiro.

cochambrería. *f.* (fam.) monturo, montão de imundícies.

cochambrero, ra. *adj.* (fam.) V. **cochambroso.**

cochambroso, sa. *adj.* (fam.) sujo, porco, imundo, cheio de porcaria; pestífero.

cocharro. *m.* vaso ou taça de madeira ou de pedra, cocharro.

coche. *m.* coche, carruagem, carro: *coche de plaza o de punto*, carro de praça; *coche de línea*, carro de carreira, caminheta, camioneta; *coche de alquiler*, coche de aluguel; *coche correo*, carro da mala; *coche blindado*, carro blindado; *coche cama*, carro-dormitório; *coche de fumar*, carro dos fumantes; *coche restaurante*, carro-restaurante; *ir en el coche de S. Francisco*, (fig.

e fam.) caminhar, ir a pé; *echar coche*, ter carro; *coche fúnebre*, carro fúnebre; *coche parado*, balcão, mirante.

coche. *m.* cochino, porco, animal doméstico.

cochear. *v. intr.* governar, guiar os cavalos ou mulas de uma carruagem.

cochecillo. *m. dim.* de *coche*.

cochera. *f.* cocheira, lugar onde se recolhem carros; mulher do cocheiro.

cocheril. *adj.* (fam.) próprio dos coches e dos cocheiros, cocheiral.

cochero. *m.* cocheiro; boleeiro, auriga; automedonte; cocheiro, constelação boreal: *cochero de punto*, cocheiro dum carro de praça.

cochero, ra. *adj.* que coze fàcilmente.

cocherón. *m.* cocheira grande.

cochevira. *f.* pingue, manteiga de porco.

cochina. *f.* (zool.) cochina, porca, fêmea do porco.

cochinada. *f.* V. **cochinería.**

cochinata. *f.* (mar.) cada uma das porcas (paus) que se encontram na parte inferior da popa dum navio.

Cochinchina. (geog.) Cochinchina.

cochinchino, na. *adj.* e *s.* (geog.) cochinchino, natural da ou pertencente à Cochinchina. — *f.* espécie de galinha.

cochinear. *v. intr.* emporcalhar-se, sujar-se; meter-se em trabalhos imundos.

cochinería. *f.* (fam.) cochinada, porcaria, sujidade; a(c)ção indecorosa: baixeza, grosseria, vileza, indecência, imundície.

cochinilla. *f.* (zool.) cochenilha, cochinilha, inse(c)to hemíptero; substância corante do mesmo; crustáceo de cor cinzento-escuro; bicho-de-conta.

cochinillo. *m. dim.* leitão, bácoro muito novo que se alimenta de leite.

cochino, na. *s.* (zool.) porco, cochino; (fig. e fam.) pessoa suja, desasseada, cochino; imundo, asqueroso, ascoso; baixo, grosseiro, vil, indecoroso; pessoa mequinha, tacanha ou miserável; (Amér.) peixe, teleósteo; (Bras.) bodoso.

cochiquera. *f.* (fam.) chiqueiro. V. **cochitril.**

cochitehervite. *adv.* (fam.) com precipitação, atabalhoadamente.

cochitril. *m.* (fam.) pocilga, chiqueiro; habitação estreita e suja. V. **pocilga.**

cochizo. *m.* a parte mais rica duma mina.

cocho, cha. *p. p. irreg.* de *cocer*. — *adj.* cozido.

cochura. *f.* cocção, cozedura; amassadura, massa para cozer e fazer o pão, fornada; cozedura nos fornos de Almadén duma carga de mineral: *pasar cochura por hermosura*, não há gosto sem desgosto.

cochurero. *m.* operário que cuida do fogo dos fornos da destilação do mercúrio.

coda. *f.* (mús.) coda; repetição final duma peça de baile; coda, cauda.

codadura. *f.* (agr.) parte do mergulhão que se extende no solo onde se levanta a vide.

codal. *adj.* cubital, que mede um côvado; que tem forma de cotovelo. — *m.* cotoveleira, peça de armadura antiga que protegia o cotovelo; vela de cera de um côvado de comprimento; mergulhão da videira;

(arq.) madeiro horizontal que sustenta os corpos laterais que formam um vão.

codamina. *f.* (quím.) codamina.

codaste. *f.* (mar.) cadaste, peça da popa em que assentam as dobradiças do leme.

codazo. *m.* cotovelada, pancada com o cotovelo: *dar de codazos*, dar com o cotovelo, cotoveladas.

codear. *v. intr.* acotovelar, tocar com o cotovelo; mexer muito com o cotovelo. — *v. tr.* (Amér.) conseguir dinheiro à força de artifícios. — **codearse.** *v. r.* (fig.) dar-se ou tratar-se de igual para igual com outras pessoas; ombrear-se, equiparar-se, pôr-se em paralelo.

codeína. *f.* (quím.) codeína.

codelicuencia. *f.* co-delinquência, cumplicidade.

codelincuente. *adj.* e *s.* co-delinquente, cúmplice.

codena. *f.* grau de resistência dum tecido, consistência.

codeo. *m.* acotovelamento; (Amér.) furto praticado com manha, gatunice. V **socaliña.**

codera. *f.* (med.) sarna no cotovelo; remendo no cotovelo duma manga; (prov.) o sítio fundo do leito dum rego ou acéquia; (mar.) ostaga; cabo para reboque.

codetentar. *v. tr.* co-detentar, detentar juntamente com outrem alguma coisa.

codetentor, ra. *s.* co-detentor.

codeudor, ra. *s.* co-devedor.

codezmero. *m.* participante nos dízimos; o que os recebe conjuntamente com outrem.

códice. *m.* códice, códex; (liturg.) parte do missal que contém os ofícios concedidos a uma diocese ou corporação.

codicia. *f.* cobiça, desejo veemente de conseguir alguma coisa; ambição; avidez; ânsia; apetência.

codiciable. *adj.* cobiçável; desejável; apetecível.

codiciador, ra. *adj.* e *s.* cobiçador, cobiçoso, desejoso, ávido.

codiciar. *v. tr.* cobiçar, desejar ardentemente; ambicionar riquezas ou outras coisas, anelar.

codicilar. *adj.* codicilar, relativo ao codicilo.

codicilo. *m.* (for.) codicilo; aditamento; cláusula.

codicioso, sa. *adj.* cobiçoso, ambicioso, apetitoso; ávido, avarento; arrepanhado; (fig. e fam.) laboroso, a(c)tivo, diligente.

codificación. *f.* codificação; consolidação.

codificador, ra. *adj.* e *s.* codificador, o que codifica.

codificar. *v. tr.* codificar, reunir em código.

código. *m.* código; cole(c)ção de leis; compilação das leis ou da constituição dum país; corpo de leis; (fig.) conjunto de regras ou preceitos; (mar.) vocabulário convencional que usam os navios para comunicarem entre si ou com os semáforos: *código civil*, código civil; *código de comercio*, código comercial; *código penal*, código criminal; *código naval*, código naval.

codillera. *f.* (vet.) codilheira, tumor no codilho das cavalgaduras.

codillo. *m.* (vet.) codilho; tronco, parte do ramo que fica unida pelo nó ao tronco; codilho, perda ao jogo do voltarete; cotovelo, tubo dobrado em ângulo; estribo das selas de montar; (mar.) volta de cabo; cada uma das extremidades da quilha: *jugársela a uno de codillo,* enganar alguém; *tirar a uno al codillo,* (fig. e fam.) intentar destruir alguém.

codirección. *f.* co-dire(c)ção, co-gerência.

codirector. *m.* co-dire(c)tor, co-gerente.

codo. *m.* (anat.) cotovelo, (Bras.) cotôvelo; codilho, articulação superior dos membros dianteiros dos quadrúpedes; cotovelo, curva de 90 graus; medida linear que compreendia a distância do cotovelo à extremidade da mão; *codo geométrico,* medida equivalente a 418 milímetros; *codo perfecto o real,* côvado equivalente a 574 milímetros; *codo geométrico cúbico,* medida de capacidade equivalente a 173 decímetros cúbicos; *hablar por los codos,* (fig. e fam.) falar pelos cotovelos; *empinar el codo,* (fig. e fam.) levantar o cotovelo, beber muito; *dar de codo,* (fig. e fam.) tratar com desprezo; *comerse los codos de hambre,* estar meio morto de fome.

codón. *m.* bolsa de couro para meter a cauda do cavalo.

codonatario, ria. *s.* co-donatário.

codopié. *m.* (anat.) peito do pé.

codorniz. *f.* (zool.) codorniz.

codujo. *m.* (fam. e prov.) pessoa de estatura baixa; rapaz.

coecuación. *f.* (mat.) coequação.

coeducación. *f.* coeducação; educação em comum.

coeducar. *v. tr.* coeducar.

coeducativo, va. *adj.* coeducativo.

coeficacia. *f.* coeficiência, coeficácia.

coeficiencia. *f.* coeficiência.

coeficiente. *adj.* coeficiente. — *m.* (mat.) coeficiente, multiplicador.

coelector. *m.* co-eleitor.

coepiscopal. *adj.* coepiscopal.

coepíscopo. *m.* coepíscopo.

coercer. *v. tr.* coarctar, reprimir, refrear.

coercibilidad. *f.* coercibilidade.

coercible. *adj.* coercível, que pode ser coagido; que se pode reprimir.

coerción. *f.* (for.) coerção, a(c)to de coagir ou constranger; coa(c)ção.

coercitivo, va. *adj.* coercitivo, coercivo, que reprime; que coage.

coescencia. *f.* coessência.

coesencial. *adj.* coessencial.

coetáneo, a. *adj.* e *s.* coetâneo; contemporâneo; coevo.

coeternidad. *f.* coeternidade.

coeterno, na. *adj.* coeterno, que existe com outro desde sempre, coeternal.

coevo, va. *adj.* coevo, coetâneo, contemporâneo.

coexistencia. *f.* coexistência; contemporaneidade.

coexistente. *p. a.* e *adj.* coexistente, simultâneo.

coexistir. *v. intr.* coexistir; existir simultâneamente.

coextenderse. *v. r.* coestender-se.

coextensión. *f.* coextensão.

coextensivo, va. *adj.* coextensivo.

cofia. *f.* coifa de rede para meter o cabelo, touca; barrete de ferro que se levava debaixo do elmo.

cofiador. *m.* (for.) co-fiador.

cofín. *m.* cabaz, cesto de vime, esparto ou madeira para levar frutas ou outras coisas; cofinho.

cofino. *m.* (ant.) cofo, cofinho.

cofirmante. *s.* co-firmante.

cofosis. *f.* (med.) cofose.

cofrada. *f.* mulher confrade, irmã duma confraria.

cofrade. *s.* confrade, irmão duma confraria: *cofrade de pala,* (germ.) ajudante de ladrões.

cofradía. *f.* confraria, congregação ou irmandade que formam alguns devotos; grémio de particulares; (germ.) multidão de gente; quadrilha de ladrões; malha ou cota.

cofre. *m.* baú, arca, cofre; (impr.) cofre, parte da prensa em que encaixa a pedra; (ictiol.) género de peixes teleósteos: *cofre fuerte,* cofre forte. V. **caja de caudales.**

cofrero. *m.* fabricante ou vendedor de cofres; bauleiro, fabricante ou vendedor de baús.

cogedero, ra. *adj.* colhedor, que está em condições de se poder colher. — *m.* cabo por onde se colhe ou agarra alguma coisa.

cogedizo, za. *adj.* que fàcilmente se pode colher ou agarrar.

cogedor, ra. *adj.* colhedor, que colhe. — *m.* apanhador, utensílio, para apanhar o lixo, carvão, cinza, etc.; apanhadeira; pá.

cogedura. *f.* colhimento.

coger. *v. tr.* e *intr.* agarrar, pegar, tomar; colher, (Bras.) colhêr, recolher, juntar algumas coisas, como se diz dos frutos do campo; amontoar; agarrar; conter, ter capacidade, ocupar um certo espaço; achar, encontrar; descobrir um engano, penetrar um segredo, surpreender alguém num descuido; apanhar alguém por surpresa; descobrir; eleger, escolher; sobrevir, surpreender; alcançar, tomar; deter; apontoar; farar; asir; apanhar, provar; ser contundente; adquirir, obter; atingir; amainar; inferir, concluir; (mar.) colher, ferrar o pano: *coger con las manos en la masa,* (fam.) apanhar alguém com a boca na botija; *coger en el aire un objeto que está cayendo,* apanhar; *coger agua con un cesto,* (fig.) colher água em cesto; *antes se coge a un mentiroso que a un cojo,* pela boca morre o peixe; *coger a alguien «in fraganti»,* apanhar alguém no fa(c)to; em flagrante delito; *coger a alguien desprevenido,* dar em alguém; *coger un catarro,* apanhar uma constipação; encatarroar-se; *coger una enfermedad,* apanhar uma doença; *coger una palabra al vuelo,* (fam.) colher a alguém uma palavra; *coger un resfriado,* apanhar um ar; *coger el sentido de algo,* apanhar o sentido duma coisa; ¡te cogí!, apanhei-te!; coger velas, (mar.) colher as velas; coger por la solapa para agredir, (Bras.) abecar.

cogermano, na. s. coirmão.

cogida. f. colheita de frutas; colhida, a(c)to do touro alcançar o toureiro; apanhadura.

cogido, da. p. p. e adj. colhido. — m. prega nos vestidos, em cortinas, etc.

cogitable. adj. que se pode cogitar ou pensar.

cogitar. v. tr. e intr. cogitar, pensar muito, meditar, imaginar, refle(c)tir.

cogitativo, va. adj. cogitativo, cogitabundo, meditabundo.

cognación. f. cognação, parentesco pelo lado feminino.

cognado, da. s. cognado, parente por cognação.

cognaticio, cia. adj. cognatício, cognático.

cognático, ca. adj. (for.) cognático, cognatício.

cognación. f. cognação.

cognitivo, va. adj. cognitivo, relativo à cognição.

cognombre. m. cognome; epíteto; apelido; alcunha.

cognomento. m. cognome, sobrenome, apelido.

cognominación. f. cognominação, cognome.

cognominar. v. tr. cognominar, apelidar; alcunhar.

cognoscibilidad. f. cognoscibilidade.

cognoscible. adj. cognoscível, conhecível.

cognoscitivo, va. adj. cognoscitivo, cognitivo.

cogollo. m. (bot.) repolho; grelo, botão, renovo ou rebento das plantas; (fig.) medula; (Amér.) cigarra maior que a vulgar.

cogolludo, da. adj. repolhudo; que traja cogula como os frades.

cogorza. m. (fam.) berzunda, berzundela, embriaguez: coger una cogorza, (pop.) embebedar-se, encarraspanar-se; tener una cogorza, ter um grão na asa.

cogotazo. m. pescoçada, pescoção, cachação.

cogote. m. (anat.) cogote, região occipital; (Bras.) atua, cangote; (mil.) penacho de morrião: ser tieso de cogote, (pop.) ser de pescoço teso, altivo, presuncoso.

cogotera. f. pano que cobre a nuca, para a defender do sol ou da chuva.

cogotudo, da. adj. cachaçudo, que tem grande cogote; (fig. e fam.) diz-se da pessoa muito altiva e orgulhosa. — m. (Amér.) plebeu enriquecido.

cogujón. m. canto, ponta de colchão, almofada, etc. — pl. esmeraldas chatas em forma de amêndoa.

cogujonero, ra. adj. que tem cantos semelhantes ao ângulos ou pontas dos colchões, almofadas, etc.

cogulla. f. cogula, casula, túnica com capuz usada pelos membros dalgumas ordens monacais; escapulário de religioso.

cogullada. f. papada do corpo.

cohabitación. f. coabitação.

cohabitador, ra. s. coabitador, coabitante.

cohabitante. p. a. e s. coabitante, coabitador.

cohabitar. v. tr. coabitar, viver em comum; fazer vida marital; fornicar; conhecer uma mulher; viver em comum.

cohecha. f. (agr.) alqueive, barbecho.

cohechador, ra. adj. e s. subornador, venal.

cohechar. v. tr. subornar, corromper, peitar.

cohechar. v. tr. (agr.) barbechar, preparar uma terra com o barbecho. alqueivar.

cohecho. m. suborno, (Bras.) subôrno, a(c)ção de subornar ou seduzir com dádivas; corrupção: no hagas cohecho, ni pierdas derecho, o seu a seu dono.

cohecho. m. (agr.) barbecho, barbeito, primeira lavra dada a um terreno para o deixar de alqueive.

cohen. s. adivinho, feiticeiro. V. **alcahuete.**

coheredar. v. tr. co-herdar, herdar em comum.

coheredero, ra. s. co-herdeiro.

coherencia. f. coerência, estado das partes unidas entre si para formarem um todo; conformidade; conexão; congruência.

coherente. adj. coerente; consequente; conforme, lógico; encadeado, que tem ligação.

coherirse. v. r. coerir-se, juntar-se.

cohermano, na. s. coirmão; confrade.

cohesión. f. coesão, aderência, força de atra(c)ção; coerência; aglutinação; continuidade; (fig.) harmonia; ligação moral; união de duas coisas.

cohesivo, va. adj. coesivo, que liga, que une; (fig.) harmónico.

cohesor. m. (electr.) dete(c)tor.

cohetazo. m. estouro, resposta de foguete; explosão numa pedreira.

cohete. m. foguete; (fam.) ventosidade, flatulência: como un cohete, como um foguete.

cohetear. v. tr. (Amér.) brocar uma rocha.

cohetera. f. mulher do fogueteiro.

cohetería. f. arte de fogueteiro; oficina ou loja de fogueteiro.

cohetero. m. fogueteiro, fabricante de foguetes e doutras peças de fogo de artifício.

cohibición. f. coibição; repressão.

cohibir. v. tr. coibir, reprimir, impedir, refrear, conter, obstar. — **cohibirse.** v. r. privar-se; abster-se.

cohobación. f. (quim.) coobação.

cohobar. v. tr. (quím.) coobar, destilar repetidamente uma substância.

cohobo. m. pele de veado; (Amér.) veado.

cohombral. m. pepinal, plantação de pepinos; cogombral.

cohombro. m. (bot.) cogombro, espécie de pepino; (zool.) variedade de zoófito semelhante na forma ao pepino.

cohonestación. f. coonestação.

cohonestador, ra. adj. coonestador, que coonesta.

cohonestar. v. tr. coonestar, aparentar honestidade; paliar; (fig.) colorir; reabilitar.

cohorte. f. coorte; bando de gente armada; décima parte duma legião, entre os Romanos.

coigual. adj. (teol.) co-igual, diz-se das três pessoas da Santíssima Trindade.

coima. *f.* meretriz, prostituta, concubina.

Coimbra. (geog.) Coimbra.

coimbricense. *adj.* e *s.* (geog.) coimbrão, de Coimbra; conimbricense, pessoa natural de Coimbra.

coime. *m.* dono de casa de jogo, gariteiro; empregado dum bilhar; (germ.) dono de casa.

coimero. *m.* V. **coime.**

coincidencia. *f.* coincidência; simultaneidade; acaso; conjuntura; concorrência.

coincidente. *adj.* coincidente, que coincide; simultâneo.

coincidir. *v. intr.* coincidir, ajustar-se exa(c)tamente; acontecer ao mesmo tempo; concordar; quadrar; acertar; convinzinhar; convir; abundar: *coincidir en la misma opinión que otro,* abundar na opinião de alguém; *coincidir en las mismas ideas,* fraternizar com alguém.

coindicación. *f.* (med.) co-indicação, concorrência de sinais ou sintomas co-indicantes.

coindicado, da. *p. p.* e *adj.* (med.) co-indicado.

coindicante. *adj.* (med.) co-indicante.

coindicar. *v. tr.* (med.) co-indicar; concorrer a sinais ou sintomas co-indicantes.

coinquilino, na. *s.* co-inquilino, inquilino com outro.

coinquinar. *v. tr.* coinquinar, manchar completamente; inquinar; contaminar; sujar. — **coinquinarse.** *v. r.* manchar-se, perder a boa reputação.

cointeresado, da. *adj.* e *s.* co-interessado.

coito. *m.* coito, cópula carnal, ligação sexual, fornicação.

coitofobia. *f.* coitofobia.

coitófobo, ba. *adj.* e *s.* coitófobo.

coja. *f.* (fig. e fam.) cróia, mulher de má vida.

cojal. *m.* avental de couro dos cardadores.

cojear. *v. intr.* coxear, mancar, manquejar; (Bras.) caxingar; (fig. e fam.) faltar à re(c)tidão nalgumas ocasiões; claudicar; fraquejar; ter algum vício ou defeito; faltar à verdade.

cojera. *f.* coxeadura, manqueira; deformidade, lesão que impede andar regularmente; (fig.) claudicação; (vet.) encravadura, encravo.

cojijoso, sa. *adj.* melindroso, susceptível, que se queixa ou ofende por motivo leve.

cojín. *m.* coxim, almofadão, almadraque enchido; coxim, assento almofadado da sela; (mar.) tecido que se põe no gurupés e nas vergas e bordas para que se não roce as armaduras ou as relingas das velas.

cojinete. *m. dim.* de *cojín;* coxim pequeno; (mec.) chumaceira, peça giratória; (impr.) cada uma das peças de metal que prendem o cilindro; (fís.) almofadinha de máquina elé(c)trica.

cojo, ja. *adj.* e *s.* coxo, que coxeia; (fig.) diz-se dalgumas coisas inanimadas que coxeiam, como do banco ou da mesa que balanceiam: *quedarse coja una caballería a causa de la herradura,* encravar-se; *antes se coge a un embustero que a un cojo,* pela boca morre o peixe.

cojudo, da. *adj.* inteiro, diz-se do animal não castrado.

cojuelo, la. *adj. dim.* de *cojo;* coxinho.

cok. *m.* V. **coque.**

col. *f.* (bot.) couve, berça: *col de Milán o lombarda,* couve vermelha; *col de Bruselas,* couve de Bruxelas; *si quieres a tu marido matar, dale coles por San Juan,* (fig. e fam.) se queres teu marido matar, dá-lhe, pelo S. João, couves ao jantar.

cola. *f.* cauda, prolongamento da espinha dorsal nos quadrúpedes, cola, rabo; conjunto de penas na parte posterior das aves; apêndice, suplemento; cauda de vestido; cauda de um cometa; parte extrema da constelação Dragão: *a la cola,* (fig. e fam.) no fim, atrás; *hacer cola,* (fig. e fam.) esperar vez, esperar a sua altura, na fila onde está; *traer cola una cosa,* (fig. e fam.) ter ou trazer consequências graves uma coisa; *cola de un cometa,* barba dum cometa; *cortar la cola,* descaudar; derrabar; (carp.) *cola de milano,* abraçadeira; *cola de golondrina,* (fort.) cauda de andorinha; *piano de cola,* piano de cauda; *ponerse a la cola,* pôr em alas; *sin cola,* descaudado, derrabado; *esto trae cola,* (fam.) isso traz água no bico; *cola de león,* (bot.) cardíaca; *apearse uno por la cola,* (fig. e fam.) dizer um despropósito; *hacer bajar la cola a uno,* (fig. e fam.) humilhar ou vexar alguém; *ser uno cola,* (fig.) ser o último num exame; *ser uno arrimado a la cola,* (fig. e fam.) ser muito torpe ou tardo em compreender.

cola. *f.* (bot.) semente duma árvore equatorial, muito apreciada pelas suas qualidades tónicas, cola.

cola. *f.* cola, preparado glutinoso para fazer aderir; grude; qualquer substância que serve para colar: *pegar con cola,* encolar; *cola de pescado,* cola de peixe; *cola fuerte,* cola forte.

colaboración. *f.* colaboração; cooperação; coadjuvação.

colaboracionista. *s.* e *adj.* (neol.) colaboracionista, pessoa ou designativo da pessoa ou da nação que colabora com o inimigo contra a sua pátria.

colaboracionismo. *m.* (neol.) colaboracionismo, diz-se da colaboração com o inimigo contra a sua pátria (diz-se de pessoas ou nações).

colaborador, ra. *adj.* e *s.* colaborador, aquele que colabora; coadjutor; cooperador, cooperante; consócio.

colaborar. *v. intr.* colaborar, trabalhar em comum com outrem; colaborar, escrever para uma publicação sem pertencer ao quadro efe(c)tivo dos seus reda(c)tores; cooperar; coadjuvar.

colación. *f.* colação; (nomeação eclesiástica), colação, comparação, confrontação, conferência; cotejo; colação, consoada; a(c)to de conferir grau universitário; colação, refeição por ocasião dalgumas festas; refeição leve, colação: *traer a colación una cosa,* referir ou vir a propósito, estar a ponto, vir à colação; *hacer colación en dia de ayuno,* consoar.

colacionar. *v. tr.* colacionar, conferir; trazer à colação; colacionar, confrontar, cotejar, comparar; (for.) colacionar.

colactáneo, a. *s.* colaço, irmão de leite.

colada. *f.* colagem; côa; a(c)ção de filtrar; colada (barrela); carreiro, faixa de terreno para o trânsito de gado; passo estreito, garganta, desfiladeiro; colada de roupa; colada, espaço entre duas propriedades; clarificação, purificação dos licores; decoada: *colada de la ropa,* barrela, côa; *hacer la colada,* decoar, coar a roupa; *día de colada,* dia de barrela.

coladera. *f.* coadeira, coador, passador, vaso para coar; (Amér.) sumidoiro com buracos.

coladero. *m.* caminho estreito, carreiro; coador, filtro, peneiro.

colado, da. *p. p.* e *adj.* coado; colado: *hierro colado,* ferro coado ou fundido.

colador. *m.* coador, filtro, coadeira, peneiro, coadoiro; colador, aquele que confere um benefício eclesiástico: *hacer pasar por el colador,* coar; *colador para hacer la colada,* barreleiro.

coladora. *f.* lavadeira, a que lava, mulher que dá barrela à roupa.

coladura. *f.* coadura, coada, filtração; colagem, depuração dos vinhos; (fam.) equivocação.

colagogo, ga. *adj.* (farm.) colagogo, que faz segregar bílis.

colalgia. *f.* (pat.) colalgia.

colambre. *f.* courama. V. **corambre.**

colana. *f.* (fam.) gole, trago.

colanilla. *f.* lingueta de fechadura; fechinho, fecho.

colapsar. *v. tr.* produzir o colapso.

colapso. *m.* (med.) colapso; (fig.) queda repentina.

colapsoterapia. *f.* (med.) colapsoterapia.

colapsoterápico, ca. *adj.* (med.) colapsoterápico.

colar. *v. tr.* e *intr.* colar, conferir benefícios eclesiásticos; coar, filtrar, peneirar; fazer barrela, branquear com lixívia; depurar o vinho por meio de cola; passar por lugar estreito; (fam.) beber vinho; coar, fundir os metais; introduzir-se furtivamente; (fam.) equivocar-se; colear-se; coar-se; (mar.) afundar-se, submergir-se: *colarse en algún sitio,* enfiar-se; *manga de colar,* coador; *colar la ropa,* coar a roupa, fazer barrela; *colar el vino,* engomar, depurar o vinho por meio de cola; *no colar una cosa,* (fig. e fam.) não crer uma coisa. — *pres. ind.* **cuelo, -as, -an, an;** *subj.* **cuele, -es, -e, -en.**

colargol. *m.* (quím. e terap.) colargol.

colateral. *adj.* colateral, paralelo. — *s.* colateral, parente mas não em linha re(c)ta.

colatitud. *f.* (top. e astr.) colatitude.

colativo, va. *adj.* colativo, diz-se dos benefícios eclesiásticos; diz-se do que tem a propriedade de coar e limpar.

colcótar. *m.* (quím.) cor encarnada que se emprega em pintura, formada pelo peróxido de ferro pulverizado, colcotar.

colcrén. *m.* (angl.) pomada feita com gorduras de cetáceo, óleo de amêndoas doces e algum perfume, empregada como creme para a pele.

colcha. *f.* colcha, coberta de cama, cobertor; alifafe; cobricama.

colchadura. *f.* acolchoamento, acolchoadura.

colchar. *v. tr.* acolchoar. V. **acolchar;** (mar.) torcer as pontas das cordas.

colchero, ra. *s.* colcheiro, vendedor ou fabricante de colchas.

colchón. *m.* colchão; almadraque: *colchón de paja,* enxerga; *colchón de crin,* colchão de crina; *colchón de muelles,* colchão de molas; *colchón de pluma,* colchão de penas; *colchón de viento,* colchão de ar; *colchón sin bastas,* (fig. e fam.) pessoa obesa e mal apertada, sobretudo, tratando-se duma mulher.

colchonería. *f.* colchoaria, casa onde se fazem ou vendem colchões.

colchonero, ra. *s.* colchoeiro, vendedor ou fabricante de colchões.

colchoneta. *f.* colchão pequeno, estreito.

coleada. *f.* rabanada, pancada com a cauda; (Amér.) a(c)to de derrubar uma rès puxando-lhe pela cauda.

coleador, ra. *adj.* rabeador, diz-se do animal que dá muito ao rabo.

colear. *v. intr.* rabear, agitar frequentemente a cauda. — *v. tr.* (Amér.) puxar o toiro pela cauda e derrubá-lo: *todavía colea,* (fig. e fam.) diz-se quando um assunto não é ainda concluído.

colección. *f.* cole(c)ção, reunião de obje(c)tos, conjunto; compilação; ajuntamento; cole(c)tânea; repertório; congragação; corpo; acumulação; serie, agregação.

coleccionador, ra. *adj.* e *s.* cole(c)cionador, cole(c)cionista.

coleccionar. *v. tr.* cole(c)cionar, formar cole(c)ção, juntar, reunir; compilar; coligir; arrecadar.

coleccionismo. *f.* cole(c)cionação, afeição a cole(c)cionar.

coleccionista. *s.* cole(c)cionador, cole(c)cionista; cole(c)tor.

colecistitis. *f.* (pat.) colecistite.

colecistectomía. *f.* (cir.) colecistectomia.

colecisto. *m.* (anat.) coleciste, vesícula biliar.

colecta. *f.* cole(c)ta, contribuição; quota; peditório; recebimento de donativos; cole(c)ta, oração que precede a epístola na missa.

colectación. *f.* tributação, cole(c)ta.

colectáneo. *f.* (anat.) cole(c)tânea, cole(c)ção.

colectar. *v. tr.* cole(c)tar, tributar, lançar contribuição; recolher, arrecadar dinheiros.

colectasia. *f.* (med.) cole(c)tase.

colectício, cia. *adj.* cole(c)ticio, diz-se dum corpo de tropa formado com gente sem disciplina.

colectividad. *f.* cole(c)tividade, qualidade de cole(c)tivo; junta; sociedade; entidade; conjunto; comunidade.

colectivismo. *m.* (pol.) cole(c)tivismo, sistema da socialização dos meios da produção.

colectivista. *adj.* e *s.* cole(c)tivista, partidário do cole(c)tivismo.

colectivización. *f.* (pol.) cole(c)tivização.

colectivizar. *v. tr.* cole(c)tivizar, socializar os meios de produção.

colectivo, va. *adj.* cole(c)tivo, que compreende muitas coisas ou pessoas; que pertence a muitos; epidémico; (gram.) diz-se dum substantivo que exprime a ideia de muitas pessoas, animais ou coisas: *entusiasmo colectivo*, entusiasmo epidémico.

colectomía. *f.* (cir.) cole(c)tomia.

colector, ra. *adj.* cole(c)tor, que recolhe; que colige. — *m.* cole(c)tor, recebedor de impostos; cano cole(c)tor, conduto subterrâneo para as águas da chuva, reservatório; ajuntadoiro; (electr.) cole(c)tor aparelho que recolhe corrente eléctrica: *colector de ondas*, cole(c)tor de ondas; antena.

colecturía. *f.* cole(c)toria, recebedoria de cole(c)tas; cole(c)toria, cargo de recebedor das esmolas das missas; cole(c)toria; repartição onde se recebem rendas.

coledocitis. *f.* (pat.) coledoquite.

colédoco, ca. *adj.* colédoco. — *m.* (anat.) colédoco.

coledocostomía. *f.* (cir.) coledocostomia.

coledocotomía. *f.* (cir.) coledocotomia.

coledografía. *f.* (med.) coledografia.

coledología. *f.* (anat.) coledologia.

colega. *m.* colega, condiscípulo, companheiro; consórcio.

colegatario, ria. *s.* co-legatário.

colegiación. *f.* agremiação.

colegiado, da. *adj.* e *s.* diz-se do indivíduo pertencente a uma corporação que forma colégio ou grémio; agregado, agremiado.

colegial. *adj.* colegial, pertencente ou relativo ao colégio. — *m.* colegial, aluno pensionista de colégio; educando; estudante; (fig. e fam.) mancebo, novato, inexperiente e tímido, colegial; académico; (Amér.) pássaro que vive nas margens dos rios e lagunas.

colegial. *f.* colegial, igreja que tem colegiada.

colegiala. *f.* colegial, aluna de colégio.

colegiarse. *v. r.* reunirem-se em colégio ou grémio os indivíduos de igual profissão ou classe; agremiar-se.

colegiata. *f.* colegiada, igreja onde há uma colegiada.

colegiatura. *f.* colegiatura, qualidade de colegial.

colegio. *m.* colégio, estabelecimento de ensino, escola; corporação, conjunto de pessoas com igual categoria ou dignidade; associação; grémio; seminário; corporação; comunidade religiosa: *colegio de cardenales*, colégio de cardiais; *colegio apostólico*, colégio; *colegio electoral*, colégio

eleitoral; *colegio para alumnos externos*, externato.

colegir. *v. tr.* coligir, juntar, unir, compilar; inferir, deduzir uma coisa doutra; depreender.

colegislador, ra. *adj.* e *s.* colegislativo, colegislador, diz-se da corporação que concorre com outra para formação das leis.

colélito. *m.* (pat.) colélito, (Bras.) colêlito.

colema. *f.* (bot.) colema.

colemia. *f.* (pat.) colemia.

colendo. *adj.* colendo; respeitável. V. **festivo.**

colenquima. *f.* (bot.) colênquima.

coleo. *m.* V. **coleadura.**

coleocele. *f.* (pat.) coleocele.

coleóptero, ra. *adj.* (zool.) coleóptero. — *m. pl.* coleópteros.

coleorriza. *f.* (bot.) coleorriza.

cólera. *f.* ira, zanga, enfado, irritação, fúria, indignação; força; violência; agastamento; assanho; embravecimento, abrasamento, frenesí, enfurecimento, furor; (fig.) bilis, escandescência; *calmar la cólera*, desembravecer; *estallar de cólera*, abafar de cólera; *montar en cólera*, encanzinar-se, encabritar-se, descabelar-se, ir à serra.

cólera. *m.* (med.) cólera; bilis: *cólera morbo*, cólera-morbo.

colérico, ca. *adj.* colérico, cheio de cólera; propenso à cólera; indignado; atacado de cólera; encolerizado; iracundo, arreganhado, corajoso; arrebatado, agastadiço, agastado, furioso, furibundo; assomado; alteradiço; fulminante; dardejante; enfadadiço; (fig.) atrabiliário; bilioso; (med.) colérico. — *s.* colérico, doente atacado de cólera: *gesto colérico*, arrenego; *arrebato colérico*, desenfreamento.

coleriforme. *adj.* (med.) coleriforme.

colerina. *f.* (med.) colerina, cólera-morbo benigna.

colesterina. *f.* (med.) colesterina.

coleta. *f.* coleta, (Bras.) colêta, trança postiça de cabelo usada pelos toureiros, rabicho; melena, rabicho de cabelo; (fam.) adição, aditamento, nota ao que se lê ou escreve; censura, reparo; inconveniência: *cortarse la coleta*, (fig. e fam.) deixar o seu ofício; *traer coleta*, (fig. e fam.) trazer consequências graves.

coletazo. *m.* rabanada, pancada com a cauda.

coletilla. *f. dim.* de *coleta*, coleta pequena; adição breve a um escrito ou discurso.

coleto. *m.* colete de pele de búfalo; casaco de pele que cobre o corpo até à cintura; (fig.) demora; pouca vergonha; (fam.) o corpo do homem; o íntimo, o interior duma pessoa: *decir uno para su coleto*, dizer para consigo; *echarse al coleto*, jantar ou beber alguma coisa; (pop.) ler um livro do, princípio ao fim.

colgadero, ra. *adj.* próprio para ser pendurado ou guardado. — *m.* escápula para pendurar alguma coisa, gancho.

colgadizo, za. *adj.* pênsil, que só tem uso estando pendurado. — *m.* alpendre, telheiro, espécie de telhado encostado a um muro.

colgado, da. *p. p.* e *adj.* pendurado, pendente, suspenso, dependurado; (fig. e fam.) burlado, frustrado; contigente, incerto.

colgador. *m.* armador, o que orna os templos, casas, etc.; (impr.) estendedor para enxugar as folhas impressas.

colgadura. *f.* colgadura, estofo pendurado na parede e nas janelas; tapeçaria; cortinado; colcha, cobertor; estrágulo: *colgadura de cama,* armação, cortinado de cama.

colgajo. *m.* colgalho, penduricalho, farrapo que pende dum fato roto ou descosido; colgalho, dependura de uvas ou doutros frutos; (cir.) porção de pele sã com que se cobre uma ferida.

colgamiento. *m.* pendura, pendurada.

colgante *p. a.* e *adj.* pendente, que pende, pendurado, suspenso. — *m.* V. **pinjante;** (arq.) festão.

colgar. *v. tr.* colgar, pendurar, dependurar, pôr uma coisa pendente doutra, suspender; (fig. e fam.) enforcar; armar, pôr armação; (fig.) presentear com uma jóia aquele que faz anos; imputar, atribuir. — *v. intr.* estar uma coisa suspensa no ar; depender da vontade doutrem. — **colgarse.** *v. r.* suspender-se: *colgar los hábitos,* (fam.) lançar o hábito às ervas; *dejar colgado a alguien,* (fig.) enganar alguém — *pres. ind.* **cuelgo,** **-as, -a, -an;** *subj.* **cuelgue, -es, -e, -en.**

coliámbico, ca. *adj.* coliâmbico.

coliambo. *m.* (poet.) coliambo, verso jâmbico.

colibacilo. *m.* (zool.) colibacilo; bacilo do cólon.

colibacilosis. *f.* (pat.) colibacilose.

cólica. *f.* (med.) cólica, dor abdominal aguda.

colicano, na. *adj.* rabichão, rabão, que tem a cauda com crinas brancas.

colicitante. *adj.* e *s.* co-licitante.

cólico, ca. *adj.* (med.) cólico, relativo ao cólon. — *m.* (med.) cólica; (Bras.) ventovirado.

colicuación. *f.* coliquação; dissolução; (med.) enfraquecimento rápido, devido a excreções abundantes.

colicuar. *v. tr.* coliquar, liquefazer, fundir, derreter, diluir, dissolver. — **colicuarse.** *v. r.* fundir-se, liquefazer-se, dissolver-se.

colicuativo, va. *adj.* coliquativo, colicativo, liquefa(c)tivo, diluente; (med.) diz-se da degenerescência em que há liquefa(c)ção dos conteúdos celulares.

colicuecer. *v. tr.* V. **colicuar.**

coliche. *m.* (fam.) baile, festa familiar sem muitas formalidades.

colidir. *v. tr.* fazer ir uma coisa contra outra. — *v. intr.* embater.

colífero, ra. *adj.* (bot.) colífero, diz-se do pedúnculo de certos cogumelos.

coliflor. *f.* (bot.) couve-flor; (med.) excrecências sifilíticas semelhantes à couve-flor.

coligación. *f.* coligação, coligadura; aliança de várias pessoas, liga, confederação; trama, união, enlace.

coligado, da. *adj.* e *s.* coligado, associado, confederado, unido.

coligadura. *f.* V. **coligación.**

coligamiento. *f.* V. **coligación.**

coligancia. *f.* coligação, união muito forte.

coligarse. *v. r.* unir-se, confederar-se, aliar-se.

colilla. *f.* ponta de charuto ou cigarro; toco, beata; (Bras.) bagana: *dar una chupada a una colilla,* (pop.) chupar uma beata.

colillero, ra. *s.* o que recolhe pontas de charutos ou cigarros, beateiro.

colimación. *f.* (fís.) colimação.

colimador. *m.* (fís.) colimador.

colín. *m.* diz-se do cavalo ou égua de cauda curta. — *m.* (Amér.) colim, ave semelhante à codorniz.

colina. *f.* colina, outeiro, encosta, pequena elevação de terreno.

colina. *f.* (bot.) semente de couve. V. **colino.**

colina. *f.* (quím.) substância existente na bílis de certos animais.

colindante. *adj.* confinante, vizinho, contíguo, fronteiriço, colimitado, contérmino.

colindar. *v. intr.* co-limitar, ser vizinho ou contíguo, confinar, limitar, ser limítrofe.

colineta. *f.* doce armado em castelo.

colino. *m.* (bot.) semente de couve; alfobre de couves.

colipava. *adj.* pomba de leque.

colirio. *m.* (farm.) colírio.

coliseo. *m.* coliseu, anfiteatro romano; circo; casa de espe(c)táculos.

colisión. *f.* colisão, a(c)to de colidir; embate, choque; luta; dificuldade; indecisão; contrariedade; alternativa; encontrão; esbarrada; abalroação; (fig. e fam.) oposição e pugna de ideias; (Bras.) esbarrão.

colitigante. *adj.* e *s.* co-litigante.

colitis. *f.* (med.) colite, inflamação do cólon.

colmado, da. *p. p.* e *adj.* colmado, cumulado, abundante, copioso, acogulado.

colmado. *m.* botequim, restaurante.

colmar. *v. tr.* colmar, encher até trasbordar, cumular; amontoar; cogular; atestar; abarrotar; saturar; conceder com liberalidade, dar com abundância, saciar, fartar.

colmena. *f.* colmeia, cortiço ou enxame de abelhas; melgueira; abelheira; (fig.) colmeia, multitude; (fig.) casa bem provida: *colmena de corcho,* cortiço; *conjunto de colmenas,* cortiçada; *meter las abejas en una colmena,* encortiçar abelhas.

colmenar. *m.* colmeal, abelheira, lugar onde há colmeias; silhal.

colmenero, ra. *s.* colmeeiro, enxameador; abelharuco; abelheiro.

colmillar. *adj.* pertencente ou relativo aos colmilhos.

colmillo. *m.* colmilho, dente canino; presa; dente de elefante, de javali, etc.: *enseñar los colmillos,* (fig. e fam.) fazer-se temer ou respeitar; *tener el colmillo muy retorcido,* (fig. e fam.) ser de bico revolto; *hombre con el colmillo retorcido,* homem de muitos entresseios; *tener colmillos,* (fig.) ter perspicácia, sagacidade; *escupir por el colmillo,* (pop.) dizer bravatas, fanfarronear.

colmilludo, da. adj. colmilhudo, colmilhoso, que tem grandes colmilhos; (fig.) sagaz, astuto, difícil de enganar.
colmo. m. cúmulo, reunião de muitas coisas sobrepostas, amontoamento, amontoação; excesso, demasia, cogulo, acoguladura; remate, complemento, termo dalguma coisa; colmo, palha, geralmente de centeio; (prov.) telhado de colmo: *llegar al colmo*, chegar ao cúmulo; *a colmo*, com abundância.
colmo, ma. adj. cheio, abarrotado; diz-se do que está completo e nada mais pode comportar.
colo. m. (anat.) cólon, parte do intestino grosso.
colocación. f. colocação, situação, emprego, (Bras.) emprêgo, cargo; posição; lugar; destino; (fig.) arrumo; distribuição: *privar de la colocación*, desarrumar; *sin colocación*, desacomodado; *obtener una colocación lucrativa e inmerecida*, anichar-se.
colocar. v. tr. colocar, pôr num lugar; acomodar, situar, dispor, empregar alguém; assentar; arranjar; deitar; apostar; meter; depositar; instalar. — **colocarse.** v. r. acomodar-se, colocar-se; situar-se; empregar-se: *colocar el capital para producir interés inmediato*, empatar capital; *colocar cómodamente*, ageitar; *colocar cristales*, envidraçar; *colocar a alguien en un trabajo*, arrumar alguém; *colocarse en*, arrumar-se.
colocutor, ra. s. co-locutor.
colodión. m. (quím.) colódio.
colodra. f. tarro, vaso de madeira para recolher o leite que se vai ordenhando; caneco em que está o vinho para se vender por miúdo; tigela de madeira, escudela; (prov.) estojo de madeira que o segador leva à cinta com uma lousa para amiúde afiar a foice: *ser uno una colodra*, (fig. e fam.) beber muito vinho.
colodrillo. m. (anat.) occipício, occiput, nuca: *más vale hasta el tobillo que hasta el colodrillo*, (fam.) mais vale má avença, que boa sentença.
colofón. m. (impr.) cólofon, anotação final.
colofonia. f. (quím.) colofónia, (Bras.) colofônia, colofana, pez louro.
colofonita. f. (min.) colofonite.
coloidal. adj. (quím.) coloidal.
coloide. adj. colóide.
coloideo, a. adj. (quím.) V. **coloidal.**
Colombia. (geog.) Colômbia.
colombianismo. m. colombianismo, estilo ou modo de falar dos colombianos.
colombiano, na. adj. e s. (geog.) colombiano, natural do ou pertencente à Colômbia.
colombina. f. (quím.) colombina.
colombino, na. adj. colombiano, relativo a Cristóvão Colombo.
colombio. m. (min.) colômbio.
colombita. f. (min.) colombita.
colombo. m. (bot.) colombo, calumba.
colombofilia. f. columbofilia.
colombófilo, la. adj. e s. columbófilo. — m. pessoa que cria pombos. V. **palomero.**

colombroño. m. tocaio, homónimo.
colon. m. (anat.) cólon; (gram.) cólon.
colón. m. moeda de prata da Costa Rica equivalente a 2,50 ptas.; moeda de ouro equivalente a 5 ptas.
colonalgia. f. (pat.) colonalgia.
colonato. m. colonato, estado de colono, os colonos.
colonato. m. colonato, sistema de exploração das terras por meio de colonos; instituição de colonos.
colonia. f. colónia, (Bras.) colônia, povoação de colonos; grupo de imigrantes estabelecidos em terra estranha.
Colonia. f. (geog.) Colónia, (Bras.) Colônia.
colonia. f. água de Colónia, água de olor, perfume.
colonia. f. fita estreita de seda.
colonial. adj. colonial. — m. colonial, colonista, colonialista.
colonialismo. m. colonialismo, régime colonial.
colonialista. adj. e s. colonialista, colonial, colonista.
colonizable. adj. colonizável, que se pode colonizar.
colonización. f. colonização, a(c)ção de promover a civilização aos povos selvagens.
colonizador, ra. adj. e s. colonizador, que ou aquele que coloniza.
colonizar. v. tr. colonizar, povoar de colonos; estabelecer colónias; habitar como colono; promover a civilização dos povos selvagens. — v. intr. colonizar-se.
colono. m. colono, membro duma colónia; cultivador da terra; povoador.
coloquíntida. f. (bot.) coloquíntida.
colopatía. f. (pat.) colopatia.
coloquio. m. colóquio, conversação, palestra íntima entre duas ou mais pessoas; conversa; conferência; abocamento.
color. m. co(ô)r; coloração; co(ô)r artificial com que as mulheres pintam as faces e os lábios, arrebique; rubor das faces; aparência; tinta de pintar; pigmento; (fig.) opinião política; distintivo; disfarce; pretexto; cará(c)ter, co(ô)r local; (herald.) quaisquer das cinco co(ô)res da heráldica: *individuo de color*, indivíduo de co(ô)r, pessoa preta ou mulata; *color de cera*, (fig.) co(ô)r amarelenta; *color local*, cará(c)ter local, co(ô)r local; *decolor pálido*, descolorido; *de color muy vivo*, berrante; *de color vivo*, alegre; *que da color*, corante; *colores para pintar*, co(ô)res de pintura; *de colores variados* (*animales*), arlequíneo; *dar color*, colorir; *quitar o rebajar el color*, descorar, descolorar; *lleno de color*, colorido; *manifestación de un color*, colorização; *mano de color*, camada, aparelho, demão; *privar del color*, acromatizar; *perder el color*, empalidecer, perder a co(ô)r; *desmerecer*, desmaiar; *sin color*, incolor; *bajo de color*, descorado, desgotado; *cambiar de color*, mudar de co(ô)r; *recuperar el color*, cobrar a co(ô)r; *irse el color*, descorar; *todo es según el color del cristal con que se mira*, senão

hovesse mau gosto, que seria do amarelo; *sacar los colores a alguien*, envergonhar, causar vergonha a alguém; *so color*, sob, com co(ô)r; *color apagado*, co(ô)r triste; *color obscuro*, co(ô)r escura; *color fuerte*, co(ô)r carregada; *irse un color y venirse otro*, (fam.) fazer-se de mil co(ô)res, envergonhar-se; *quedarse sin color*, (fig.) ficar sem co(ô)r; *color quebrado*, co(ô)r triste; *distinguir uno de colores*, (fig. e fam.) saber de que co(ô)r é uma coisa; *ponerse uno de mil colores*, (fig. e fam.) fazer-se de mil co(ô)res.

coloración. *f.* coloração; (quím.) colorização.

colorado, da. *adj.* colorido, que tem co(ô)r; corado, colorado; que tem boas co(ô)res no rosto; vermelho; rosado; tostado; (fig.) envergonhado; livre, obsceno; especioso, aparente: *ponerse colorado*, afoguear-se; *poner a alguien las orejas coloradas*, (fam.) descoser as orelhas a alguém.

colorar. *v. tr.* colorar, colorir, corar, dar co(ô)r. — *v. intr.* corar, fazer-se corado ou vermelho; inflamar-se . — **colorarse.** *v. r.* colorar-se, envergonhar-se; (fig.) disfarçar.

colorativo, va. *adj.* colorante, corante, que tem a propriedade de dar co(ô)r.

colorear. *v. tr.* colorir, dar co(ô)r ou co(ô)res; (fig.) disfarçar, pretextar; coonestar; (fig.) adornar; envernizar. — *v. intr.* avermelhar, corar, fazer-se corado ou vermelho, tirar para encarnado; inflamar-se.

colorete. *m.* carmin, arrebique, vermelhão, cosmético vermelho usado pelas mulheres.

colorido. *m.* colorido, grau de intensidade das diversas co(ô)res duma pintura; (fig.) co(ô)r, pretexto; cará(c)ter peculiar das coisas.

colorido, da. *adj.* corado; (bot.) diz-se das plantas que têm outra co(ô)r que o verde.

colorífico, ca. *adj.* (fís.) colorífico, que produz co(ô)r.

colorimetría. *f.* (quím.) colorimetría; cromometria.

colorímetro. *m.* (quím.) colorímetro.

colorir. *v. tr.* colorir, dar co(ô)r, (fig.) pretextar; enfeitar; disfarçar. — *v. intr.* ter ou tomar com uma coisa naturalmente.

colorismo. *m.* colorismo, emprego e combinação das co(ô)res pelos pintores; (fig.) emprego de qualificativos vigorosos pelos escritores.

colorista. *adj.* e *s.* (pint.) colorista, pintor que sobressai no emprego e combinação das co(ô)res; (fig.) escritor que emprega qualificativos vigorosos para dar relevo ao seu estilo.

colosal. *adj.* colossal, extraordinário, boníssimo, muito grande; agigantado; enorme, vastíssimo; descomunal; formidável; imenso.

coloso. *m.* colosso, estátua enorme; (fig.) colosso, pessoa agigantada; coisa, obje(c)to de grande dimensão; o que tem grande poderio ou validade.

colostomía. *f.* (cir.) colostomia.

colostración. *f.* (part.) colostração.

colostro. *m.* colostro. V. **calostro.**

colote. *m.* (Amér.) tulha, celeiro.

colotipia. *f.* (impre.) colotipia.

colpa. *f.* copela, cadinho poroso empregado na copelação.

colquicáceo, a. *adj.* (bot.) colquíceo. — *f. pl.* colquíceas.

colquicina. *f.* (quím.) colquicina.

colúbridos. *m. pl.* (zool.) colubrídeos.

colubriforme. *adj.* colubriforme, colubreado, colubrino. — *m. pl.* (zool.) colubriformes.

coludir. *v. intr.* (for.) coludir, entender-se fraudulentamente; pa(c)tuar em dano de terceiros, fazer colusão.

columbario. *m.* (arqueol.) columbário.

columbeta. *f.* cambalhota, salto que as crianças dão a brincar.

colúmbidas. *f. pl.* (zool.) columbinas, ordem de aves a que pertence a pomba.

columbino, na. *adj.* columbino, relativo à pomba; (fig.) inocente, cândido, puro.

columbio. *m.* (min. e quím.) colômbio.

columbofilia. *f.* columbofilia.

columbófilo, la. *adj.* e *s.* columbófilo.

columbrar. *v. tr.* avistar ao longe sem distinguir bem, vislumbrar, lobrigar, divisar; descobrir; (fig.) conje(c)turar, prever, presumir, julgar por indícios; (pop.) olhar.

columbres. *m. pl.* (germ.) os olhos.

columbrete. *m.* (mar.) ilhota, ilhote, ilha pequena.

columbrón. *m.* (germ.) alcance da vista, extensão.

columela. *f.* (bot. e zool.) columela, eixo vertical dos frutos; eixo interior das conchas.

columelar. *adj.* e *s.* canino; dente canino.

columna. *f.* (arq.) coluna, pilar; (fig.) apoio, sustentáculo; coluna, divisão vertical de periódicos e livros; (mil.) coluna, secção de tropas em linha; coluna, altura dum líquido ou gás dentro de um vaso; série de obje(c)tos em linha vertical; (fig.) pessoa ou coisa que serve de amparo ou prote(c)ção, coluna; (mar.) linha ou fila de navios em que se divide uma esquadra numerosa: *columna vertebral*, coluna vertebral; *columna barométrica*, coluna barométrica; *en forma de columna*, colunar; *columnas de un puente*, encostes; *serie de columnas*, colunata, *columna dórica*, coluna dórica; *columna jónica*, coluna jónica; *columna corintia*, coluna coríntia; *columna de agua*, coluna de água, tromba marinha; *columna aislada o suelta*, coluna isolada ou solta.

columnación. *f.* (arq.) disposição, proporção e ordem das colunas.

columnario, ria. *adj.* colunário, diz-se de certas moedas espanholas cunhadas na América.

columnata. *f.* (arq.) colunata.

columníferas. *f. pl.* (bot.) coluníferas.

columnilla. *f.* (bot.) columela, eixo vertical dos frutos.

columnita. *f. dim.* de coluna, coluneta.

columpiar. *v. tr.* balançar, baloiçar; empurrar o que está na redouça ou no balançé. — **columpiarse**. *v. r.* balançar-se, bambolear-se; baloiçar.

columpio. *m.* retouça, redouça, baloiço, balancé.

coluro. *m.* (astr.) coluro.

colusión. *f.* (for.) colusão; conluio; convénio, contra(c)to fraudulento e secreto.

colusor. *m.* (for.) o que pa(c)tua em prejuízo de terceiro.

colusorio, ria. *adj.* (for.) colusório, que tem cará(c)ter de prejuízo para outrem.

colutorio. *m.* (farm.) colutório, medicamento líquido para gargarejar.

coluvie. *f.* malandragem, bando de vadios ou ladrões; (fig.) sentina; lodaçal.

colla. *f.* gorjal, peça de armadura antiga que defendia o pescoço; trela de cães; (mar.) estopa de calafetagem.

collación. *f.* V. **colación**.

collada. *f.* (mar.) continuação ou duração dos ventos no mesmo quadrante.

colladía. *f.* conjunto de *collados*.

collado. *m.* colada, garganta, desfiladeiro, passagem larga entre montanhas; outeiro, cole.

collalba. *f.* (agr.) maço de madeira para destorroar empregado pelos jardineiros.

collar. *m.* colar, colarinho, ornato feminino para o pescoço; cadeia de ouro esmaltado que usavam os cavaleiros de certas ordens, colar duma ordem; golinha, argola para os criminosos; gola; (herald.) ornamento do escudo que o circunda; (zool.) coleira, círculo de penas ou calosidades no pescoço de algumas aves, faxo de cor distinta do resto do corpo no pescoço dalguns animais; (mec.) anel que aperta qualquer peça circular: *poner un collar*, encoleirar; *collar de gargantilla*, afogador; *collar de coral*, corais; *collar de animal*, coleira.

collarejo. *m. dim.* de *collar*, colarinho.

collarín. *m. dim.* de *collar*; colarinho, cabeção dos eclesiásticos; gola estreita; rebordo no orifício da espoleta das bombas; (arq.) astrágala.

collarino. *m.* (arq.) colarinho, parte do fuste da coluna dórica e da toscana.

collazo. *m.* moço de lavoura interessado no rendimento das terras; companheiro de serviço doméstico; caseiro arrendatário de casa ou propriedade.

collazo. *m.* (ant.) colaço, irmão de leite.

colleja. *f.* (bot.) alface-de-cordeiro, planta valerianácea, rapuncio, taraxaco, plantas boas para saladas.

collejas. *f. pl.* (vet.) nervos ou pequenas glândulas que os cordeiros têm no pescoço.

collera. *f.* coleira de cavalgadura; corrente dos galerianos ou forçados das galés; (vet.) papada no boi. — *pl.* (Amér.) botões de punho.

collón. *m.* (germ.) covarde, poltrão, tímido.

collonada. *f.* (germ.) cobardice, covardia, a(c)ção própria de cobarde; poltroneria; timidez.

collonería. *f.* (ger.) cobardice. V. **collonada**.

collota. *f.* mão do almofariz.

com. *pref.* com. V. **con**.

coma. *f.* (gram.) vírgula, coma, sinal ortográfico; (med.) coma, sono profundo, perda do conhecimento, letargia, letargo. modorra, sopor, torpor, sonolência; (mús.) coma: *sin faltar una coma*, (fig. e fam.) sem faltar uma vírgula, com todos os pormenores.

comadrazgo. *m.* comadrio, parentesco espiritual entre comadres.

comadre. *f.* comadre, parteira; comadre, madrinha do baptismo; (fam.) alcoviteira; vizinha e amiga íntima: *propio de comadres*, comadresco; *riñen las comadres y dícense las verdades*, (fam.) pelejam as comadres, descobrem-se as verdades.

comadrear. *v. intr.* (fam.) mexericar; murmurar; intrigar; partejar; (fig.) alcovitar.

comadreja. *m.* (zool.) doninha; (pop.) ladrão.

comadreo. *m.* (fam.) mexeriquice; andeja, murmuração, intriga.

comadrería. *f.* (fam.) mexericos, falatórios, bisbilhotices próprias de murmuradores.

comadrero, ra. *adj.* mexeriqueiro, bisbilhoteiro, linguareiro, tagarela.

comadrón. *m.* parteiro, médico parteiro; cirurgião parteiro.

comadrona. *f.* parteira, comadre.

comalia. *f.* (vet.) hidropisia geral no gado, principalmente no lanar.

comalido, da. *adj.* combalido, enfermiço, adoentado.

comandancia. *f.* comando, cargo de comandante; comando, território ou jurisdição do comandante; comando, edifício ou quartel do comandante.

comandante. *m.* comandante, chefe; aquele que tem um comando. — *adj.* comandante, que comanda: *comandante en jefe*, comandante em chefe ou geral.

comandar. *v. tr.* (mil.) comandar, mandar, dirigir como superior uma força militar, o navio, etc.; (fig.) dominar, mandar, governar.

comandita. *f.* (com.) comandita, sociedade comandita.

comanditar. *v. tr.* (com.) comanditar, encarregar da administração ou fundos numa sociedade em comandita.

comando. *m.* (mil.) comando, dire(c)ção superior de tropas; a(c)ção de comandar; mando.

comarca. *f.* comarca, circunscrição territorial, região; país; confins; distrito.

comarcano, na. *adj.* comarcão, próximo, imediato, contíguo, confinante, circunvizinho.

comarcar. *v. intr.* e *tr.* confinar, limitar comarcar; ser comarcão; plantar as árvores em linhas re(c)tas formando alamedas.

comatoso, sa. *adj.* (med.) comatoso, relativo ao coma.

comba. *f.* curva, inflexão que tomam alguns corpos sólidos quando se curvam, empenamento; jogo popular à corda; a corda do mesmo jogo; (germ.) tumba, sepulcro, túmulo: *hacer combas*, (fam.) bambolear-se.

combada. *f.* (germ.) telha.

combadura. *f.* empenamento; dobradura, curvatura, curva, arqueamento, curvidade.

combar. *v. tr.* empenar, curvar, arquear, dobrar, encurvar; abaular. — combarse. *v. r.* empenar-se, curvar-se, dobrar-se, torcer-se (portas, janelas, etc.).

combate. *m.* combate, peleja, luta, batalha, contenda; choque; debate; duelo; estrupada; a(c)ção de guerra; (fig.) combate, luta interior, agitação do espírito: *combate naval*, batalha naval; *combate defensivo*, defesa; (mil.) *combate parcial*, encontro; *combate sangriento*, açougue; *quedar fuera de combate*, ficar fora de combate; *fuera de combate*, fora de combate; *combate reñido*, combate renhido.

combatible. *adj.* combatível, que pode ser combatido ou conquistado.

combatidor. *m.* combatedor, combatente, o que combate.

combatiente. *p. a. adj. e s.* combatente, que combate; guerreiro; soldado; contendente; militante; lutador.

combatir. *v. intr.* combater, travar combate; pelejar; lutar; contender; batalhar; militar; adversar; aguerrear; entrebater-se. — *v. tr.* acometer, arremeter, atacar, combater, impugnar; abalançar; abalroar; debelar; (fig.) contrariar, discutir, contradizer, opor-se a; agitar, inquietar, impugnar.

combatividad. *f.* combatividade.

combativo, va. *adj.* combativo; belicoso; fogoso; arrebatado, com tendência para combater; contendente.

combinable. *adj.* combinável, que se pode combinar.

combinación. *f.* combinação, reunião de muitas coisas dispostas por certa ordem; disposição, ordem das letras num dicionário; ajuste; pacto; ligação; combinação, peça de vestuário da mulher; (quim.) combinação, composto; mexedura; arranjinho; estru(c)tura; mescla: *combinación malévola*, conluio; *combinación de metales*, aliagem dos metais.

combinado, da. *p. p. e adj.* combinado, agrupado por ordem; ajustado; convencionado; aguisado; conjugado; avindo; conluíado. — *m.* combinado, resultado de uma combinação química.

combinado. *m.* (deport.) combinado, sele(c)cionado, sele(c)ção, quadro de jogadores de diversos clubes para pugnas de importância.

combinador, ra. *adj.* combinador, o que combina. — *m.* (electr.) aparelho regulador da velocidade nos automóveis.

combinar. *v. tr.* combinar, agrupar, juntar, unir, fazer combinação; dispor; calcular; unir um corpo com outro e resultar outro diverso; comparar; ordenar; pôr de acordo; convencionar, concertar, harmonizar, consorciar; amalgamar; confrontar; aprazar; aguisar; apalavrar; conspirar; contratar; coadunar; aliar. — combinarse. *v. r.* entrar em combinação; harmonizar-se; aliar-se; convir.

combinatorio, ria. *adj.* combinatório, relativo à combinação.

combleza. *f.* concubina, comborça, mulher que vive amancebada com homem casado.

comblezo. *m.* amásio, comborço, homem amancebado com mulher casada.

combo, ba. *adj.* curvo, curvado, diz-se do que está cambado, empenado. — *m.* toro de madeira ou pedra grande sobre o qual se assentam os toneis de vinho, para os preservar da humidade.

combretáceo, a. *adj.* (bot.) combretáceo. — *f. pl.* combretáceas.

comburente. *adj.* (fís.) comburente.

combustibilidad. *f.* combustibilidade.

combustible. *adj.* combustível, que pode arder, adustível, adustivo. — *m.* lenha, carvão, combustível. tudo o que pode arder ou serve para arder.

combustión. *f.* combustão; (quím.) combinação dum corpo combustível com outro comburente; combustão no corpo humano pelo abuso das bebidas alcoólicas; deflagração, adustão, adurência; efervescência; fogo.

comedero, ra. *adj.* comestível, comível, que se pode comer; comilão, glutão. — *m.* comedouro, comedoiro, sala de jantar; comedoiro, vasilha em que se dá de comer aos animais: *limpiarle a uno el comedero*, (fig. e fam.) tirar-lhe o emprego de que vive.

comedia. *f.* comédia, poema dramático, representação teatral; (fig.) comédia, farsa, fingimento; (fig.) sucesso ridículo; hipocrisia: *comedia de capa y espada*, comédia de costumes cavalheirescos; *hacer uno la comedia*, (fig. e fam.) aparentar para algum fim o que na realidade não sente; *comedia cómica*, baixa comédia; *alta comedia*, alta comédia; *comedia de costumbres*, comédia de costumes.

comediante, ta. *s.* comediante, a(c)tor de comédias; pessoa que representa em teatro; farsante, o que representa farsas ; (fig. e fam.) farsante, trapaceiro; pessoa sem sinceridade, comediante.

comediar. *v. tr.* repartir em partes iguais, dividir; (ant.) reprimir, moderar alguém.

comedido, da. *adj.* comedido, discreto, modesto, cortês, prudente, sobrio, moderado, respeitoso, parco; urbano, metódico; mesurado: *ser comedido*, atremar.

comedimiento. *m.* comedimento, moderação; modéstia; sobriedade; ponderação; prudência; cortesia, urbanidade; mesura; equanimidade.

comedio. *m.* centro, meio dum reino, lugar ou paragem; intervalo, espaço de tempo entre duas épocas.

comediógrafo. *m.* comediógrafo, autor de comédias.

comedir. *v. tr.* comedir, conter, moderar; medir, calcular, proporcionar; regular. — comedirse. *v. r.* comedir-se, moderar-se, conter-se, ser comedido; oferecer-se para alguma coisa.

comedón. *m.* espinha sebácea na pele, cravo.

comedor, ra. *adj. e s.* comilão, que come muito, glutão. — *m.* sala de jantar, casa de jantar.

comendador. *m.* comendador, aquele que tem comenda; dignatário de ordem militar ou honorífica a quem foi conferida a comenda; prelado de certas casas de religiosos; *comendador de bola* (pop.), ladrão de feira.

comendadora. *f.* comendadeira, superiora ou prelada dalgumas ordens religiosas; religiosa de certos conventos.

comendatario. *m.* comendatário, abade que tem um benefício eclesiástico.

comendaticio, cia. *adj.* comendatício, diz-se das cartas de recomendação dadas por alguns prelados.

comendatorio, ria. *adj.* comendatório, diz-se dos escritos e cartas de recomendação.

comensal. *f.* comensal, pessoa que come com outros à mesma mesa; o que come à mesa e à custa doutro, conviva, convivente, apaniaguado.

comensalía. *f.* comensalidade, companhia ou camaradagem de casa e mesa.

comentador, ra. *s.* comentador, o que comenta, explicador, expositor, apostilador; (ant.) inventor de falsidades.

comentar. *v. tr.* comentar, explicar comentando; fazer comentários, criticar, glosar, interpretar, apostilar; elucidar; anotar, ilustrar alguma obra, analisar; (ant.) inventar falsidades: *se comenta*, conta-se.

comentario. *m.* comentário, notas sobre um texto, análise; observação, explicação a propósito dum fa(c)to; crítica mordaz; apontamento histórico; elucidário; apostila; anotação, glosa; entrelinha; exégese. — *pl.* memórias ou narrações históricas em que o autor tomou parte; (fig. e fam.) comento, interpretação maliciosa das a(c)ções ou palavras doutrem: *ser objeto de comentario*, ser apontado a dedo.

comentarista. *s.* comentarista, pessoa que escreve comentários.

comento. *m.* comento, comentário, comentação; explicação; embuste, falsidade, mentira.

comenzar. *v. tr.* e *intr.* começar, principiar, abrir, iniciar, ter ou dar início; empreender; exordiar; estrear; aparecer; entrar; inaugurar; ; debutar; apontar; (fig.) amanhecer; descabeçar; meter-se a caminho; lançar os alicerces: *comenzar a manifestar-se*, desabrochar-se *comenzar a hablar*, começar a falar, despregar a voz; *comenzar a escribir*, (pop.) desencalhar a pena; *comenzar a estudiar*, entrar a estudar; *comenzar a entender*, chegar a ouvir; *comenzar alguna actividad*, empreender uma a(c)tividade, engatinhar: *volver a comenzar*, (fig.) desandar. — *pres. intr. irr.* **comienzo, -as, -a, -an**; *subj.* **comience, -es, -e, -en**

comer. *m.* comer, comida, alimento; jantar. V. **comida.**

comer. *v. intr.* comer, mastigar o alimento e engoli-lo; tomar alimento; alimentar-se; almoçar; jantar; (fam.) desfrutar, gozar alguma renda; dissipar; causar comichão; roubar no jogo; defraudar; consumir; gastar; desbaratar; roer; omitir; dar ao dente; (Bras.) badorar, mampar. —

v. tr. omitir alguma letra ou sílaba ao falar; comer as peças do parceiro nos jogos de xadrez e das damas: *comer a la sopa boba*, (fam.) comer a barba longa; *el comer y el rascar todo es empezar*, (fig.) o comer e o coçar está no principiar; *comer hasta reventar*, atafulhar-se; *comer sin masticar o vorazmente*, comer englobadamente; *comer a dos carrillos*, comer à tripa forra; *comerse las palabras*, comer as palavras; *comerse el color*, comer a co(ô)r à tinta; *comerse de envidia*, comer-se de inveja; *comerse unos a otros*, comer-se uns aos outros; *comerse una letra*, comer-se uma letra; *ser de buen comer*, (pop.) ter bom dente; *sin comerlo ni beberlo*, (pop.) sem partecipar nalguma coisa; *con su pan se lo coma*, (fam.) é do seu comer; *comerse una herencia*, comer uma herança; *comerse vivo a alguien*, (fig.) comer os olhos a alguém, extorquin-lhe muito dinheiro; *comer de gorra*, (fam.) comer à custa de alguém.

comerciable. *adj.* comerciável, mercadejável; diz-se da pessoa sociável e afável.

comercial. *adj.* comercial, mercantil, mercatório.

comercializar. *v. tr.* comercializar, fazer entrar no tráfego comercial; pôr à venda.

comerciante. *p. a. adj.* e *s.* comerciante, negociante, o que exerce comércio: *comerciante al por menor*, minorista; *comerciante al por mayor*, atacadista; *comerciante sin escrúpulos*, chatim.

comerciar. *v. tr.* comerciar, negociar; exercer o comércio, ter comércio; mercar, mercantilizar, mercadejar, mercanciar, traficar; (fig.) ter relações com alguém; ter trato; comprar, vender.

comercio. *m.* comércio, permutação, troca de valores, relações; classe dos comerciantes; conjunto dos estabelecimentos comerciais; relações ilícitas; convivência; (fig.) conveniência, trato; espécie de jogo de cartas; mercado; correspondência; mercearia; contratação: *comercio ilícito*, chapinaria; *tener comercio carnal con una mujer*, convir com uma mulher, ter encontro com mulher; *emporio del comercio*, empório comercial; *Código de Comercio*, Código de Comércio; *Cámara de Comercio*, Câmara de Comércio; *comercio de negros*, comércio de negros; *comercio exterior*, comércio exterior ou estrangeiro; *comercio interior*, comércio interior ou do país; *tratado de comercio*, tratado de comércio; *comercio al por menor*, comércio de retalho, *comercio al por mayor*, comércio de atacado, de grosso.

comestible. *adj.* comestível. — *m. pl.* víveres; mantimento, comestíveis, géneros alimentícios.

cometa. *m.* (astr.) cometa; (Bras.) arraia. — *f.* papagaio de papel com que brincam os rapazes; certo jogo de cartas; (heral.) estrela; (pop.) frecha: *cometa con cola*, cometa barbado ou com cauda ou cabeleira.

cometario, ria. *adj.* (astr.) cometário pertencente ou relativo aos cometas, cometar.

cometedor, ra. *adj.* e *s.* cometedor, perpetrador, que comete alguma a(c)ção criminosa; empreendedor.

cometer. *v. tr.* cometer, praticar; perpetrar; empreender; dar comissão; encarregar; cometer um delito; cair ou incorrer em culpas, faltas ou erros; (gram.) usar de tropos e figuras; confiar; acometer; incumbir; tentar. — cometerse. *v. r.* arriscar-se, expor-se, aventurar-se: *cometer un error,* cincar; *cometer desatinos,* dar por paus e por pedras.

cometido. *m.* cometido, empresa, (Bras.) emprêsa, comissão encargo; incumbência; dever, cometimento. — *p. p.* de *cometer.*

comezón. *f.* comichão, prurito; coceira, titilação, (fig.) desejo grande ou ardente; tentação; apetite; formicação, formigamento: *tener comezón de algo,* formigar.

comible. *adj.* comível, edível, que se pode comer.

comicial. *adj.* comicial, relativo a comícios.

comicidad. *f.* comicidade.

comicios *m. pl.* comícios; (pol.) reuniões e a(c)tos eleitorais.

cómico, ca. *adj.* e *s. cómico,* (Bras.) cômico, relativo à comédia; que faz rir; jocoso; chistoso, ridículo; descambado; cómico, farsante, a(c)tor: *cómico de la legua,* cómico ambulante, faranduleiro.

comida. *f.* comida, alimento, sustento, refeição; iguaria, jantar, segunda refeição diária; chicha; convite; (Bras.) grude; (fig.) pábulo: *buena comida,* galhofa; *gustar de las buenas comidas,* ser amigo de bons bocados; *tener buena comida,* ter boa mesa; *cambiar la comida,* (fam.) vomitar; *gran cantidad de comida,* palangana; *comida hecha, compañia deshecha,* (fig.) comida feita, companhia desfeita; *cama y comida,* cama e mesa; *comida corriente,* (fig.) palhada: *reposar la comida,* dormir a sesta; *comida abundante,* banquetaço; *servir la comida,* pôr na mesa; *llegar cuando se ha acabado la comida,* (fig.) chamar a um debaixo da mesa; *comida de cuartel,* (Bras.) xepa.

comidilla. *f.* (fig. e fam.) assunto de murmuração; inclinação especial para alguma coisa, fraco, prazer, gosto especial por alguma coisa; comida delicada, ligeira: *ser la comidilla general,* andar na boca de todos.

comido, da. *p. p.* e *adj.* comido, alimentado, satisfeito; farto; ingerido, alimentado: *lo comido por lo servido,* locução para exprimir o pouco rendimento, dum ofício; *comido y bebido,* (fam.) mantido, manteúdo.

comienzo. *m.* começo, (Bras.) comêço, princípio, origem; início, causa; (fig.) aurora; madrugada; aparecimento; berço; aparição; entrada, inauguração; incoação; encabeçamento; iniciação; abertura. — *pl.* os princípios, ensaio; as primeiras tentativas ou experiências: *en el mismo comienzo,* de primeira entrada; *al comienzo del invierno,* à boca do inverno.

comilón, na. *adj.* e *s.* comilão, glutão, que come muito; ingluvioso; galfarro; fossão; devorador; alambazado; ávido; esgaguloso; desengaçado.

comilona. *f.* (fam.) comezana, comezaina, refeição, abundante, patuscada; regabofe.

comillas. *f. pl.* aspas, sinal ortográfico.

cominear. *v. intr.* intrometer-se o homem em assunto de mulheres.

cominería. *f.* minuciosidade exagerada.

cominero. *adj.* e *m.* cominheiro, que se ocupa de minuciosidades ou bagatelas próprias de mulheres; coca-minhocas; coca-bichinchos; mequetrefe; vendedor de cominhos.

comisar. *v. tr.* declarar que uma coisa caiu em comisso; confiscar, sequestrar.

comisaria. *f.* (fam.) comissária, mulher comissário.

comisaría. *f.* comissaria, encargo, exercício de comissário, comissariaria, comissariado.

comisariato. *m.* V. comisaría.

comisario. *m.* comissário; delegado; chefe da polícia dum distrito: *comisario de entradas,* funcionário encarregado, nalguns hospitais, da aceitação e alta dos doentes; *comisario de guerra,* (mil.) chefe de administração militar; *comisario de policia,* comissário de polícia, (Bras.) pai-das-queixas.

comiscar. *v. intr.* comiscar, comer pouco, comer a miúde, petiscar, debicar, lambiscar.

comisión. *f.* comissão, incumbência, encargo; cometimento; comissão, conjunto de pessoas encarregadas de tratar um assunto; desempenho temporário dum emprego; comissão, gratificaçã₀ dada por certo serviço, percentagem que o comissionado recebe do comitente; delegação; dependência; (fig.) embaixada; procuração, poder, faculdade dada por escrito; comissão, junta; comissão; comércio, negócio de comissão: *comisión conjunta,* adjunção: *comisión de flete,* freta; *mandar en comisión,* deputar; *a comisión,* à comissão); *dar una comisión,* dar comissão; *vender a comisión,* vender por comissão.

comisionado, da. *adj.* e *s.* comissionado, comissário, encarregado dalguma comissão; enviado, delegado.

comisionar. *v. tr.* comissionar, dar comissão a; encarregar provisóriamente dum serviço; expedir como comissário ou comissionário; encarregar; delegar, enviar em comissão, delegar, deputar.

comisionista. *s.* (com.) comissionista, pessoa que vende à comissão; comissionista, encarregado dalguma comissão mercantil; agente comissário; mediador; medianeiro; encomendario.

comiso. *m.* (for.) comisso, confiscação, de géneros proibidos; artigos confiscados; pena ou multa em que incorre aquele que falta às condições dum contrato.

comisorio, ria. *adj.* (for.) comissório, diz-se da cláusula cuja inexecução importa nulidade.

comisquear. *v. tr.* V. comiscar.

comistión. *f.* V. **comistión.**

comistrajo. *m.* mexerufada, bodega, mistura irregular e extravagante de iguarias, salsada; moxinifada.

comisura. *f.* (anat.) comissura; sutura dos ossos do crânio; fenda; abertura.

comital. *adj.* V. **condal.**

comitativo. *m.* (gram.) comitativo. — *adj.* comitativo.

comité. *m.* comité, (Bras.) comitê, junta, comissão encarregada de tratar dalgum assunto.

comisural. *adj.* (anat.) pertencente ou relativo à comissura, comissural.

comitente. *p. a. adj.* e *s.* comitente, constituinte, pessoa que comete um embargo; mandante.

comitiva. *f.* comitiva, séquito, (Bras.) séqüito, acompanhamento, cortejo; enterro.

como. *adv.* como, assim, de que modo, de que maneira, de modo que, de maneira que, assim como, segundo, na forma que; como?, uma vez que; porque?; para que?; já que, pois, pois que, uma vez que; conforme; na qualidade de; tal qual; quase à semelhança de; no estado de; até que ponto; visto que, por isso que; se, dado o caso, do mesmo modo que; por que preço; logo que: *como si fuera,* para assim dizer; *como sigue,* forma que se segue; *como me lo contaron te lo cuento yo,* conto-te como me contaram; *así como,* isto é, assim como; *en cierto modo como,* de certo modo como; *como dejó de llover, me voy,* já que deixou de chover, retiro-me; *así como también,* como tambem; *sin saber cómo ni cuándo,* sem saber como nem quando; *dime cómo,* dizei-me como; *que sea como quiera,* seja como for. — *interj.* ¡como!, é lá possível!

cómo. *m.* chasque, zombaria; a maneira por que.

cómoda. *f.* cómoda, (Bras.) cômoda, móvel com gavetas para roupa.

comodable. *adj.* (for.) que pode ser emprestado.

comodante. *s.* (for.) comodante, aquele que empresta a outro gratuitamente.

comodatario. *m.* (for.) comodatário, o que contrai comodato.

comodato. *m.* (for.) comodato, empréstimo gratuito de coisa não fungível.

comodidad. *f.* comodidade, qualidade de cómodo; bem-estar; conforto, (Bras.) confôrto; oportunidade; conveniência; regalo; utilidade; vantagem; oportunidade, interesse; conveniência; facilidade; utilidade; alívio; desenfado; descanso; desassombro; acomodamento; correnteza; arranjinho; desopressão; aconchego; desafogo, (Bras.) desafôgo; desaperto, (Bras.) desapêrto; (Bras.) bem-bom. — *pl.* facilidades; mimos; agasalhos: *con comodidad,* à perna estendida; *falta de comodidad,* desconchego; *a mi comodidad,* a meu desenfado; *casa con muchas comodidades,* casa com muitos despejos.

comodín. *m.* curinga, carta que em certos jogos se pode aplicar a qualquer lance;

(fig.) aquilo que se utiliza para fins diversos, segundo a conveniência; pretexto habitual e pouco justificado; pequena cómoda com gavetas.

cómodo, da. *adj.* cómodo, conveniente, oportuno, acomodado, útil, fácil, proveitoso, proporcionado; acomodado, vantajoso; indulgente, condescendente; adequado; próprio; favorável; azado; independente: *ponerse cómodo,* desafogar-se, desencasacar-se; *poner cómodo,* aconchegar; *poner cómoda una habitación,* acomodar um quarto.

comodón, na. *adj.* comodista, que gosta de comodidades.

comodoro. *m.* (mar.) comodoro, posto imediatamente superior a capitão de mar e guerra.

comoquiera. *adv.* como quer; de qualquer maneira ou modo: *como quiera que,* como quer que; *como quiera que sea,* como quer que seja.

compactibilidad. *f.* compacidade.

compacto, ta. *adj.* compacto; denso; espesso, (Bras.) espêsso; maciço; numeroso; comprimido; sólido; firme, unido estreitamente; cheio; basto: *hacer más compacta una cosa,* densar.

compadecer. *v. tr.* compadecer, compartilhar da desgraça alheia, ter compaixão de, sentir pena; mover a compaixão; tolerar, permitir, deixar; convir, estar de acordo; consentir; sofrer; lastimar; inspirar a uma pessoa lástima ou pena. — **compadecerse.** *v. r.* compadecer-se; condoer-se; ser compatível, conciliável; apiedar-se; suportar; harmonizar-se; conformar-se, acomodar-se; comiserar-se, acaridar-se, apiedar-se, amercear-se, amiserar-se: *esas ideas no se compadecen con mi modo de pensar,* essas ideias não se compadecem com o meu modo de ver; *compadézcasen de mí,* compadeçam-se de mim. — *con irreg.* como **padecer.**

compadraje. *m.* V. **compadrazgo.**

compadrar. *v. intr.* compadrar, tornar compadre ou amigo; contrair compadrado ou compadrio; (fig.) relacionar-se intimamente; concordar, convir em ideias, costumes, etc.

compadrazgo. *m.* compadrado, compadrio, compadrice, afinidade entre compadres; aliança ou união de várias pessoas para se ajudarem mùtuamente; parentesco entre compadres; intimidades, amizade íntima.

compadre. *m.* compadre, padrinho de baptismo; o pai do neófito em relação ao padrinho; amigo íntimo, companheiro; (ant.) padrinho, prote(c)tor, bemfeitor.

compaginable. *adj.* que se pode compaginar; compatível; conciliável.

compaginación. *f.* compaginação; compatibilidade; (impr.) compaginação, formação da folha; união, conexão.

compaginador. *m.* compaginador, aquele que compagina ou que forma a folha; o que mete em página.

compaginar. *v. tr.* compaginar; ligar ìntimamente; unir; compor; ordenar coisas que têm relação ou conexão; (impr.) meter em página (composição a granel); fazer compatível ou conciliável, conciliar. — **compaginar-se.** *v. r.* compaginar-se; fazer-se compatível; conciliar-se.

companage. *m.* conduto, o que se costuma comer com pão (cebola, fiambre, queijo, etcétera); merenda; refeição fria: *estar a companage*, receber o dinheiro do custo da comida (diz-se dos trabalhadores).

compañerismo. *m.* companheirismo; lealdade entre companheiros; camaradagem; boa harmonia entre companheiros, fraternidade.

compañero, ra. *s.* companheiro; o que acompanha; camarada; parceiro; colega; sócio; consorte, esposo, esposa; irmão, sortido, que forma o par (diz-se das coisas inanimadas); acólito; confrade; graduação inferior no rito maçónico: *compañero de oficio*, companheiro no ofício; *compañero de mesa*, companheiro na mesa; *compañero de estudios*, companheiro no estudo; *compañero de guerra*, companheiro na guerra; *compañero de juego*, companheiro no jogo; *compañero en el amor*, co-amante; *ser compañero de cama*, ajuntar as camas; *ser compañero de mesa*, ajuntar as mesas; (fig.) *compañero de travesía*, meia laranja.

compañía. *f.* companhia, pessoa ou pessoas que acompanham; companhia, sociedade comercial, associação, empresa, (Bras.) emprêsa, consórcio; assembleia; assistência; conversação; envolta, (Bras.) envôlta; companhia, o pessoal artístico dum teatro; os associados duma companhia ou firma comercial (mil.) companhia; aliança, confederação; companheiro, consorte, esposo, marido ou mulher; relação, conexão: *Compañía de Jesús*, Companhia de Jesus; *compañía teatral*, companhia de teatro; *dama, señora de compañía*, dama de companhia; *ir en compañía de*, ir en companhia de; (mat.) *regla de compañía*, regra de companhia; *hacer compañía a alguien*, fazer companhia a alguém; *estar en buena compañía*, ter boa companhia; *compañía de la lengua*, farândola; *compañía de gente armada*, mesnada; *en nuestra compañía*, connosco, *en tu compañía*, contigo; *navegar en compañía*, (fig.) andar de conserva; *dejar la compañía de alguien*, desacompanhar; *malas compañías, más companhias*; *compañía telefónica*, companhia telefónica.

comparabilidad. *f.* comparabilidade.

comparable. *adj.* comparável; semelhante; parecido; igual; que se pode comparar equiparável.

comparación. *f.* comparação; paralelo; confronto; (ret.) figura pela qual o orador aproxima e compara duas ideias semelhantes; semelhança, parecido; aferição, metáfora; colação; exemplar; equiparação; meças: *comparación ridícula*, apodo; *vedir una comparación con otro*, pedir

meça; *en comparación*, a par; *grado de comparación*, (gram.) grau de comparação; *adverbio de comparación*, (gram.) advérbio de comparação; *sin comparación*, sem comparação; *en comparación*, em compação, à vista de; *no tiene comparación*, não há comparação.

comparador. *m.* (fís.) instrumento para determinar as mais pequenas diferenças existentes entre as dimensões de dois corpos; comparador.

comparar. *v. tr.* comparar, examinar duas ou mais coisas para determinar semelhanças ou diferenças; cotejar; confrontar; achar semelhante ou igual; medir; assemelhar; equiparar; emparelhar; assimilar; aferir; contrapor; acostar (preços); conjugar-se; (ant.) apodar: *comparar con el original*, colacionar.

comparativo, va. *adj.* comparativo.

comparecencia. *f.* (for.) comparecência, comparecimento: *mandato de comparecencia*, emprazamento.

comparecer. *v. intr.* (for.) comparecer, apresentar-se em juízo: mandar comparecer, emprazar. — *conj. irr.* como *parecer*.

compareciente. *adj.* e *s.* (for.) comparecente, que comparece em juízo; que está presente.

comparendo. *m.* (for.) mandado, citação, ordem ou despacho pelo qual se manda comparecer alguém.

comparición. *f.* (for.) V. **comparencia**.

comparsa. *f.* comparsaria, conjunto de comparsas de teatro; acompanhamento, séquito, comitiva; grupo carnavalesco. — *s.* comparsa, pessoa que forma parte da comparsaria teatral.

comparte. *s.* (for.) comparte, pessoa que participa com outra nalguma questão civil ou criminal; cúmplice; participante.

compartidor, ra. *s.* comparticipante, pessoa que participa com outra ou outras.

compartimiento. *m.* compartição; departamento, aposento, quarto; compartição, divisão proporcional, repartição, repartimento, distribuição proporcional; (mar.) cada uma das secções independentes do interior dum barco.

compartir. *v. tr.* compartir, partilhar, repartir, dividir em partes, compartilhar; coparticipar; aquinhoar; participar nalguma coisa com outro; ter parte: *compartir los secretos de alguien*, entrar nos segredos de alguém.

compás. *m.* compasso; regra, princípio, ordem regular, medida; (mús.) compasso; (fig.) compasso, medida de certas a(c)ções; território de um mosteiro; (esgr.) movimento do corpo quando deixa um lugar para ocupar outro; ritmo, cadência; (mar.) bússola marítima; (fig.) movimento regulado: *marcar el compás*, bater o compasso; *compás de espera*, (fig.) compasso de espera; *al compás de*, a compasso de; *ir al compás de los tiempos*, andar com o tempo; *perder el compás*, descompassar; *llevar uno el compás*, (fig.) governar ou dirigir uma orquesta; *salir uno de com-*

pás, (fig.) sair do compasso; *perder el compás,* salir do compasso.

compasado, da. *p. p.* e *adj.* compassado, regulado, moderado; cadenciado.

compasar. *v. tr.* compassar, medir a compasso; calcular; proporcionar; espacear; regular; tornar lento; cadenciar; calcular; medir, regular, (mús.) compassar, dividir em compasso.

compasible. *adj.* digno de compaixão; compassivel; sensível; compassivo.

compasillo. *m.* (mús.) compasso menor, compasso quaternário.

compasión. *f.* compaixão, sentimento de pena ou de dor; comiseração; piedade; amerceamento; indulgência; dó; pesar: *no tener compasión,* desapiedar-se; *tener compasión de,* apiedar-se de, ter compaixão de.

compasivo, va. *adj.* compassivo; compadecido; bondoso; clemente; sensível; humano; indulgente: *ser compasivo,* ter coração.

compaternidad. *f.* compaternidade, compadrio de baptismo, compadrado. V. **compadrazgo.**

compatibilidad. *f.* compatibilidade, qualidade de ser compatível; possibilidade de acumular empregos ou funções.

compatible. *adj.* compatível, conciliável, que pode existir conjuntamente com outro ou outros: *ser compatible,* acompanhar, ser compatível com; *servir a Dios y al diablo no son cosas compatibles,* servir a Deus e ao diabo não são coisas compatíveis.

compatricio, cia. *s.* compatrício, conterrâneo. V. **compatriota.**

compatriota. *s.* compatriota; conterrâneo, que tem a mesma pátria; paisano.

compatrón. *m.* V. **compatrono.**

compatronato. *m.* direito e faculdades de *compatrono.*

compatronazgo. *m.* V. **compatronato.**

compatrono, na. *s.* patrono, prote(c)tor juntamente com outro ou outros.

compelación. *f.* (for.) compelação; acusação.

compelativo, va. *adj.* compelativo.

compeler. *v. tr.* compelir, obrigar, forçar, constranger a fazer alguma coisa empurrar; coagir, exigir; estreitar.

compendiador, ra. *adj.* e *s.* compendiador, que compendia; abreviador; epitomador; encurtador.

compendiar. *v. tr.* compendiar, abreviar; compilar; resumir, sintetizar; epilogar; epitomar; cifrar; cortar; compilar.

compendio. *m.* compêndio, resumo; sumário; compêndio, livro de estudo para as escolas; epítome; epílogo, epilogação; síntese, extra(c)to; abreviatura; cifra: *en compendio,* com precisão e brevidade; *suma y compendio,* (fig.) cifra.

compendioso, sa. *adj.* compendioso, resumido, abreviado; extra(c)tado, sucinto, lacónico, (Bras.) lacônico, conciso, breve; sumário.

compendista. *m.* compendiador; autor dum compêndio.

compenetración. *f.* compenetração; convicção; assimilação, identificação.

compenetrado, da. *p. p.* e *adj.* compenetrado; convencido; persuadido.

compenetrarse. *v. r.* interpenetrar-se, penetrar as partículas duma substância entre as doutra; identificarem-se as pessoas em ideias e sentimentos; assimilar-se; embeber-se; convencer-se intimamente; compreender perfeitamente.

compensable. *adj.* compensável, que se pode compensar.

compensación. *f.* compensação; inde(m)nização proporcionada; igualdade; equilibrio; (for.) compensação; (com.) liquidação recíproca entre duas pessoas devedoras; encontro; abono; contracâmbio; arranjamento; equivalente; desconto; (fig.) contrapeso, (Bras.) contrapêso; barato: *compensación de cuentas,* encontro de contas; *en compensación,* em despique; *ley de las compensaciones,* (filos.) lei das compensações.

compensador, ra. *adj.* compensador, que compensa.—*m.* compensador, pêndulo em certos relógios.

compensar. *v. tr.* e *intr.* compensar, igualar, contrabalançar; contrapesar; indemnizar; substituir; remunerar; reparar o dano; desquitar; desinteressar; emendar; desforrar; equilibrar; encontrar (contas.) estornar; descontar-se; preencher: *compensar cuentas,* encontrar contas.

compensativo, va. *adj.* compensativo, compensatório.

compensatorio, ria. *adj.* compensatório, que envolve ou contém compensação, que iguala; compensativo.

competencia. *f.* competência, capacidade legal dum funcionário de tomar conhecimento duma coisa; faculdades duma pessoa para resolver um assunto; concorrência; aptidão, idoneidade; propriedade; direito; presunção de igualdade; rivalidade, oposição; incumbência; desafio; contrabalançar; contrapesar; inde(m)niatribuição; emulação; encarrego, (Bras.) encarrêgo; dever; (for.) conhecimento; (fig.) envergadura; alçada: *no tener competencia para nada,* não ter competência para nada; *entrar en competencia con alguien,* entrar em competência com alguém; *persona de gran competencia,* autoridade: *a competencia,* à competência.

competente. *adj.* competente, adequado, bastante, apto, idóneo, (Bras.) idôneo; suficiente; devido, proporcionado, oportuno; que lhe pertence; próprio, côngruo; conveniente; legítimo; competente, que tem jurisdição apropriada; diz-se da pessoa a quem incumbe alguma coisa; (Bras.) riscado.

competer. *v. intr.* competir, pertencer, tocar ou incumbir a alguém alguma coisa; pertencer: *eso no me compete,* isso não é da minha conta.

competición. *f.* competição; rivalidade; porfia; luta; emulação; competência; concorrência; desafio, desafiação.

competidor, ra. *adj.* e *s.* competidor; antagonista, adversário; rival, contrário; contendente; émulo, (Bras.) êmulo, emulador.

competir. *v. intr.* competir, concorrer com outrem na mesma pretensão; rivalizar; ser de direito; ser das atribuções dalguém; cumprir, igualar uma coisa a outra análoga na perfeição ou nas propriedades; emparelhar-se; antagonizar, emular; impender; caber, tocar. — *pres. ind. irr.* **compito, -es, -e, -en;** *pret.* **compitió,** etc.; *subj.* **compita,** etc.; *ger.* **compitiendo.**

compilación. *f.* compilação; coleção; reunião de textos sobre o mesmo assunto; excerto.

compilador, ra. *adj.* e *s.* compilador, que compila.

compilar. *v. tr.* compilar, coligir, reunir extra(c)tos, documentos, livros, etc.; coligir; coordenar.

compilatorio, ria. *adj.* compilatório, relativo à compilação.

compinche. *m.* (fam.) camarada, amigo.

complacedero, ra. *adj.* V. **complaciente.**

complacedor, ra. *adj.* comprazedor, que gosta de comprazer, amável, condescendente.

complacencia. *f.* complacência; benignidade; benevolência; agrado; apreciação lisongeira; prazer; satisfação; fluição; contentamento; condescendência; amabilidade; atenção; consideração; (fig.) contemplação.

complacer. *v. tr.* comprazer, aceder à vontade dalguém, dar-lhe gosto; contentar; ser servido; agradar; condescender, transigir. — **complacerse.** *v. r.* comprazer-se, deleitar-se; agradar-se, ter gosto; sentir prazer: *me complazco en,* sou servido; *no complacer a alguien,* (fig.) meter-se nas encostas; *ser complacido,* ser servido. — *pres. ind. irr.* **complazco,** etc.; *subj.* **complazca,** etc.

complacimiento. *m.* V. **complacencia.**

complejidad. *f.* complexidade; complexidão; complicação.

complejo, ja. *adj.* complexo; complicado. — *m.* psicologia, complexo; conjunto ou reunião de duas ou mais coisas.

complementar. *v. tr.* completar, dar complemento a uma coisa; tornar completo; acabar; preencher.

complemento. *m.* complemento, acrescento que concorre para a formação duma unidade natural; integridade, plenitude, remate, complemento, o que completa; perfeição; (fig.) cúmulo; (gram.) complemento (régime); (astr. e mat.) complemento; (mar.) complemento do rumo; acabamento; (fig.) corónida; suplemento: *complemento directo,* complemento dire(c)to; *complemento indirecto,* complemento indire(c)to; *complemento aritmético,* (arit.) complemento aritmético; *mitad de un complemento,* (arit.) semicomplemento; *complemento de un ángulo,* (geom.) complemento dum ângulo.

completar. *v. tr.* completar, integrar, rematar, fazer cabal uma coisa, aperfeiçoar; concluir, acabar; tornar completo; preencher, encher, colmar; consumar; (fig.) co-

roar; arredondar: *completar un par,* acasalar; *completar el número,* encher o número.

completas. *f. pl.* (rel.) completas, última parte do ofício divino.

completo, ta. *adj.* completo, preenchido; total; perfeito; cheio; pleno; satisfeito; cabal; inteiro; acabado, consumado; abalizado; absoluto; radical; intensivo; maduro: *por completo,* de meio a meio; *un artista completo,* um artista completo.

complexidad. *f.* complexidade. V. **complejidad.**

complexión. *f.* (fisiol.) compleição, constituição do corpo humano; temperamento; organização; (ret.) complexão; sinonímia, união, conjunto, encadeamento; natureza.

complexional. *adj.* compleicional, pertencente à complexão ou compleição.

complicación. *f.* complicação, concorrência, ajuntamento, concurso de coisas diversas; estrugido; embrulho; (fig.) dédalo; enredo, (Bras.) enrêdo, embaraço; dificuldade; complexidade; impedimento; (med.) superveniência de doença; (Bras.) espêto: *complicaciones burocráticas,* chinesices administrativas; *meterse en complicaciones,* emaranhar-se.

complicado, da. *p. p.* e *adj.* complicado, emaranhado, de difícil compreensão; entrelaçado; embaraçado; arreveso; embrulhado; (fig.) bicudo; fundo; semiscarúncio; composto de grande número de peças: *cosa nunca vista y complicada,* bicha de sete cabeças; *cosa complicada,* arreveso.

complicar. *v. tr.* complicar, embaraçar pela introdução de novos elementos, confundir, dificultar; tornar complexo ou confuso; misturar, unir coisas diversa; agravar; complicar, envolver, comprometer numa empresa ou negócio; emaranhar; embaraçar; arrevesar; embrulhar. — **complicarse.** *v. r.* complicar-se; agravar-se; (fig.) entroviscar-se; tornar-se difícil ou confuso: *complicar un negocio,* baralhar um negócio; *el caso se complica,* o caso embrulha-se.

cómplice. *s.* cúmplice; conivente; (fig.) acólito; conluiado, aquele que teve parte com outrem num delito.

complicidad. *f.* cumplicidade, conivência, conluio.

complot. *m.* trama, intriga, conjuração, maquinação, conspiração, cabala; proje(c)to de crime entre várias pessoas; conjura, colusão.

compluvio. *m.* (arqueol.) complúvio.

compón. *m.* (herald.) escaque, cada um dos quadrados de esmalte, alternados, que cobrem o fundo do escudo.

componado, da. *adj.* (herald.) diz-se da figura ou peça formada por quadrados alternados de esmalte.

componedor, ra. *s.* compositor, o que compõe; (impr.) componedor, instrumento tipográfico; compositor tipográfico; (for.) árbitro, medianeiro; (Amér.) V. **algebrista.**

componenda. *f.* componenda, convenção com a Cúria Romana; pacto; (pop.) emplastro.

componer. *v. tr.* compor, formar uma coisa de várias; constituir, formar; ordenar, consertar, reparar, restaurar; construir, tratar; compor, preparar com vários ingredientes o vinho e outras bebidas para os melhorar; remendar; compor, aformosear, engalanar, enfeitar, ataviar; arrebicar; coordenar; compor, fazer parte de; arranjar; compor, escrever música ou versos; (impr.) compor, dispor os cara(c)teres tipográficos; constituir; ataviar, adornar; ajustar, compor, conciliar, reconciliar, concordar, convir; moderar, temperar, corrigir, arranjar; fazer produzir; adubiar; ajeitar; amanhar; arreiar; (fig.) harmonizar; melhorar; conformar; criar, imaginar; alinhar, ajustar; aparentar. — **componerse.** *v. r.* ser formado de; constar; arranjar-se; conformar-se; concordar; compreender, ser composto de; harmonizar-se; ageitar-se, arreiar-se, alindar-se; alinhar-se; amanhar-se: *componerse el cabello*, engrenhar-se; *componer sin gusto*, ajambrar; *la novela se compuso de* 300 *páginas*, o romance deu 300 páginas; *componer un hueso fracturado*, (cir.) encanar um osso; *sabérselas componer*, industriar-se; *componerse con alguien*, avir com alguém; *componerse de*, consistir de; *componer un reloj*, compor um relógio; *componer una melodía o un poema*, compor uma melodia ou um poema; *componer el semblante*, compor o aspe(c)to, o rosto; *componerse con*, compor-se com. — *conj. irreg.* como *poner*.

componible. *adj.* componível, que se pode compor; conciliável, concordável.

comporta. *f.* vindinha, vindimo, cesto vindimo para transportar as uvas nas vindimas.

comportable. *adj.* comportável, suportável, tolerável.

comportamiento. *m.* comportamento, porte, procedimento; conduta; caminho, maneira de se comportar: *mal comportamiento*, descarrilamento.

comportar. *v. tr.* comportar, suportar, permitir, sofrer, tolerar; admitir; conter em si. — **comportarse.** *v. r.* comportar-se, proceder, haver-se; conduzir-se, portar-se: *comportarse como un lechuguino*, ajanotar-se; *comportarse correctamente*, aprumar-se; *comportarse hábilmente*, dar boa conta de si; *comportarse mal*, desconchavar-se, andar fora dos eixos, descarrilar; *comportarse locamente*, aloucar-se; *comportarse sin moderación*, descompassar-se.

comporte. *m.* porte, procedimento, modo de portar-se ou comportar-se, comportamento, conduta; maneira, forma de comportar-se; aspe(c)to.

composición. *f.* composição; ajuste, convénio, arranjo amigável, acordo; preparado; combinação; composição artística ou científica; (mús.) composição; circunspe(c)ção; composição, tema escolar; (pint.) composição, invenção, inspiração; compostura;

contexto; (impr.) reprodução ou passagem dum manuscrito para cara(c)teres tipográficos antes de entrar no prelo; organização; conciliação.

compositivo, va. *adj.* (gram.) compositivo, diz-se das preposições ou partículas que formam palavras compostas.

compositor, ra. *adj. e s.* compositor, que compõe; autor; compositor de música, mestre; (impr.) compositor, o que se emprega na composição tipográfica.

compostura. *f.* compostura, composição; arranjo; conserto, (Bras.) consêrto; mistura; porte; atitude; método; comedimento; construção; feitio; reparo; compostura, asseio, esmero, linho, arrebique, atavio; arreio; adorno, arrumação; ajuste, convénio; modéstia, circunspe(c)ção, decência, compostura, mesura; (fam.) remédio, recurso; adúbio: mistura ou preparação para falsificar um produto. — *pl.* artifícios, cosméticos; maneiras graves e comedidas; preparados.

compota. *f.* compota, doce de fruta em calda de açúcar.

compotera. *f.* compoteira, vaso para guardar a compota.

compra. *f.* compra, a(c)to de comprar; compra, coisa comprada; aquisição; (fig.) suborno, (Bras.) subôrno. — *pl.* compras, comestíveis para consumo diário duma casa; encomendas: *compra muy barata o ganga*, compra de graça, muito barata.

comprable. *adj.* comprável, que se pode comprar, compradiço, venal.

compradizo, za. *adj.* compradiço, que se deixa comprar ou subornar fàcilmente; venal.

comprado, da. *p. p. e adj.* comprado; adquirido; mercado: *comprado en pública subasta*, arrematado.

comprador, ra. *s. e adj.* comprador, que compra; comprador, criado que faz as compras.

comprar. *v. tr.* comprar, adquirir qualquer coisa por dinheiro; subornar; mercar, mercadejar, mercanciar; adquistar; peitar: *comprar a bajo precio*, arrastar; *comprar al contado*, comprar com dinheiro de contado; *comprar caro un favor*, comprar caro um favor; *comprar comida*, o *hacer la compra*, comprar de comer.

compraventa. *f.* (for.) compra e venda, contrato.

comprehensibilidad. *f.* V. **compresibilidad.**

comprehensivo, va. *adj.* compreensivo. V. **comprensivo.**

comprendedor, ra. *adj.* compreendedor, que compreende.

comprender. *v. tr.* compreender, abraçar, cingir, rodear por todas as partes uma coisa; abranger; incluir; conter, encerrar; compreender, entender, conceder, perceber; sentir; constar de, incluir; conhecer; dar na conta, cair na conta; (fig.) meter dente; achar; chegar-se à razão; envolver; cifrar; advertir-se; alcançar; ver: *no comprende el inglés*, em inglês não mete dente; *llegar a comprender*, descortinar; *comprender el sentido de algo*, apanhar o sentido duma coisa; *esta libreria comprende* 10.000 *volúmenes*, esta livraria compreende 10.000 volumes; *todo comprendido*, em total.

comprensibilidad. *f.* compreensibilidade; inteligibilidade.

comprensible. *adj.* compreensível, que se pode compreender; inteligível: *hacerse comprensible*, clarear.

comprensión. *f.* compreensão; conhecimento duma coisa; percepção; perspicácia; inteligência; concepção; realização; apreensão; assimilação: *falta de comprensión*, desinteligência.

comprensivo, va. *adj.* compreensivo, que compreende; que pode compreender; que inclui, abrange ou contém; aberto; elástico; benigno; inteligente: *hombre comprensivo*, (fig.) pai-da-vida; *ser comprensivo*, arrazoar-se.

comprenso, sa. *p. p. irr.* de *comprender.* — *adj.* compreendido.

comprensor, ra. *adj.* e *s.* compreensor, que compreende, alcança ou abraça alguma coisa; (teol.) diz-se do que goza a eterna bem-aventurança; bem-aventurado, santo.

compresa. *f.* (cir.) compressa, chumaço, que se aplica sobre uma ferida; apósito; almofadinha; chumela.

compresbítero. *m.* companheiro de outro no a(c)to de receber ordens sacras.

compresibilidad. *f.* compressibilidade.

compresible. *adj.* compressível, que se pode reduzir a menor volume.

compresímetro. *m.* (cir.) compressímetro.

compresión. *f.* compressão; pressão; redução de volume; estreitamento, aperto; opressão; coacção; (gram.) V. *sinéresis.*

compresivo, va. *adj.* compressivo; (fig.) repressivo.

compresor, ra. *adj.* e *s.* compressor, que comprime; compressor, instrumento para comprimir.

comprimible. *adj.* compressível, que pode diminuir de volume pela pressão.

comprimido, da. *p. p.* e *adj.* comprimido, que se comprimiu, compresso. — *m.* (farm.) comprimido.

comprimir. *v. tr.* comprimir, sujeitar à compressão; reduzir de volume; apertar, estreitar; (fig.) oprimir; afligir, reprimir; adstringir; (fig.) estrangular; entupir. — **comprimirse.** *v. r.* encolher-se, refrear-se, reprimir-se, conter-se.

comprobación. *f.* comprovação; corroboração; controlo; afilamento; demonstração; comparação; prova; verificação; cotejo.

comprobador, ra. *s.* comprovador, o que controla ou verifica.

comprobante. *p. a.* e *adj.* comprovante, que comprova, comprovador, comprovativo, comprovatório. — *m.* comprovante, documento comprovativo, garantia.

comprobar. *v. tr.* comprovar, concorrer para provar; corroborar; confirmar; controlar; demonstrar; verificar nas provas tipográficas as emendas apontadas nas precedentes; experimentar; cotejar; compa-

rar; apurar; contestar; amotaçar; averiguar; afilar; achar; constatar; verificar; certificar. — *adj. irr.* como *probar.*

comprobatorio, ria. *adj.* comprovatório, que comprova, comprovativo, comprovante.

comprometer. *v. tr.* comprometer, entregar à arbitragem, expor a perigo, arriscar; obrigar por compromisso; responsabilizar; sujeitar; empenhar; tornar responsável; encarabelhar; envolver; arranjar; encalacrar; encravilhar; encarregar. — **comprometerse.** *v. r.* comprometer-se, assumir a responsabilidade; obrigar-se; incriminar-se; revelar-se; envolver-se; arranjar-se; encravilhar-se; apostar-se; incorrer; encravar-se, encravilhar-se; empreender: *comprometerse a*, encarregar-se de; *comprometerse bajo juramento*, ajuramentar-se; *comprometerse de palabra*, apalavrar-se; *comprometerse a algo*, empenhar-se em razões; *comprometer a alguien en un negocio difícil*, meter alguém em boa.

comprometimiento. *m.* comprometimento; compromisso; responsabilidade, obrigação.

compromisario. *m.* compromissário, aquele que é eleito para dar o seu voto ou decisão; árbitro; juiz.

compromiso. *m.* compromisso; obrigação; ajuste; aco(ô)rdo; promessa mútua, dívida a solver em prazo determinado; concordata do falido com os seus credores; entrega; convenção, aco(ô)rdo público; dificuldade; embaraço; empenho, promessa; embrolho, embrulhada, embrulho; dever; (fig.) atamento; promessa; comprometimento; escritura vincular; engajamento: *deshacer un compromiso*, desengajar; *ir demasiado lejos en un compromiso*, empenhar-se muito; *poner en un compromiso*, pôr em dúvida o que antes era claro.

compuerta. *f.* comporta, tapume na boca dum rio, adufa, esclusa; meia porta para evitar a entrada e não impedir a luz; cortina de couro corrediça das antigas carruagens abertas; escapulário dos cavaleiros das ordens militares; porta de alçapão levadiça.

compuesto, ta. *p. p. irreg.* e *adj.* de *componer*; composto; (fig.) modesto, circunspe(c)to; elaborado; acomodado; amanhado; alinhado, arreiado, arrebicado; adornado; consertado; ordenado; recatado; sério; reconciliado; (bot.) composto, (diz-se das plantas dicotiledóneas); (gram.) composto, (diz-se do vocábulo formado por dois ou mais elementos). — *m.* complexo, agregado de várias coisas, formando um todo, composto; preparação; combinação. — *f. pl.* (bot.) compostas: *quedarse compuesta y sin novio*, (pop.) ficar-se em nada; *palabra compuesta* (gram.) palavra composta; *estar compuesto de*, constar, consistir.

compulsa. *f.* compulsação, cópia ou traslado; extra(c)to de instrumento ou escritura.

compulsación. *f.* compulsação, compulsa; exame; a(c)ção de compulsar.

compulsar. *v. tr.* compulsar, lendo; manusear livros, documentos, etc., folhear, consultar livros; constatar; apurar; cotejar; examinar; percorrer um livro em busca dum ponto determinado; (ant.) compelir; constranger.

compulsión. *f.* (for.) compulsão, a(c)to de compelir; (ant.) constrangimento; obrigação.

compulsivo, va. *adj.* compulsivo, destinado a compelir.

compunción. *f.* compunção, pesar, remordimento, contrição; sentimento que causa a dor alheia.

compungido, da. *p. p. e adj.* compungido, atribulado, pesaroso, dorido.

compungir. *v. tr.* compungir; afligir, comover, causar arrependimento, remorso; ter compunção; sentir dó. — **compungirse.** *v. r.* compungir-se, comover-se.

compungivo, va. *adj.* compungitivo, que compunge; pungente, picante.

compurgación. *f.* (for.) compurgação, refutação dos indícios acusatórios.

compurgador. *m.* (for.) compurgador.

compurgar. *v. tr.* (for.) compurgar, passar pela prova da compurgação; refutar a acusação; demonstrar o réu a sua inocência.

computable. *adj.* computável, que pode ser computado, ou calculado, calculável.

computación. *f.* computação, a(c)to de computar; cálculo orçamental, cômputo, suputação do tempo.

computar. *v. tr.* computar, contar, orçar, calcular, fazer o cômputo, avaliar; suputar o tempo; enumerar.

computista. *s.* computador, calculista; calendarista; aquele que faz cômputos.

cómputo. *m.* cômputo, cálculo, conta; contagem; enumeração; número, suputação do tempo.

comulgante. *p. a. adj. e s.* comungante, pessoa que comunga.

comulgar. *v. tr.* comungar, dar a Sagrada Comunhão. — *v. intr.* comungar, receber a Sagrada Comunhão: *hacer comulgar con ruedas de molino*, enganar alguém com histórias ridículas; *comulgar en las mismas ideas*, (fig.) comungar nas mesmas ideias.

comulgatorio. *m.* comungatório.

común. *adj.* comum, geral, público, universal; vulgar; corrente, recebido e admitido por todos; ordinário, vulgar; frequente, (Bras.) freqüente, muito sabido, ordinário, usual, trivial; baixo, de inferior qualidade; desprezível; aprosado; exotérico; corrido; (gram.) comum; destituído de distinção, ordinário, habitual; relativo a muitos; normal; feito em comunidade; insignificante. — *m.* povo (duma província, cidade, etc.); comuna, comunidade; latrina, comua, necessária, sentina; o geral, o maior número; (rel.) comum, regra geral do ofício, ordem; termo médio; a generalidade: *en común*, em comum, em sociedade, conjuntamente; *por lo común*, com(m)umente, vulgarmente;

interés común, interesse comum; *sentido común*, senso comum; *hacer causa común con*, (fam.) fazer causa comum com; *trabajar en común*, trabalhar em comum; *de común acuerdo*, de comum acordo; *el común de las gentes*, o comum dos homens; *cosa común*, coisa das dúzias; *hacer vida en común*, conturbernar-se; *el bien común*, viver em comum; *Cámara de los Comunes*, Câmara dos Comuns.

comunal. *adj.* comunal. V. **común.** — *m.* conjunto de habitantes, comunidade.

comuna (la). *f.* (hist.) comuna.

comunalista. *s.* comunalista.

comunero, ra. *adj. e s.* (pop.) agradável para com todos; comuneiro, pertencente às comunidades de Castela; co-proprietário, comuneiro, partidário das comunidades contra Carlos V. — *pl.* povos que têm comunidade de pastos.

comunicabilidad. *f.* comunicabilidade, estado do que é comunicável.

comunicable. *adj.* comunicável, que pode ou deve comunicar-se; espansivo, franco, tratável, sociável, agradável, cortês.

comunicación. *f.* comunicação; transmissão; informação; participação; aviso; passagem; trato, convivência, correspondência entre duas ou mais pessoas; união; reunião de coisas; despacho; (fig.) ameaço; conversação; expansão; (ret.) figura pela qual o orador toma o auditório por seu árbitro. — *pl.* correios, telégrafos, telefones: *comunicación diplomática*, memorandum; *vías de comunicación*, vias de comunicação.

comunicado, da. *p. p. e m.* comunicado, escrito dirigido a jornal; correspondência; aviso, informação por meio do jornal, radiodifusão ou a fixação em lugar público; (mil.) comunicado, relação de acontecimentos militares; comunicado, participado, transmitido.

comunicador, ra. *adj.* comunicador, que comunica, comunicante.

comunicar. *v. tr.* comunicar, informar, tornar conhecido, fazer saber, participar; transmitir; ligar; conferenciar, falar; corresponder-se; ter comunicação; ter relações; consultar; conversar; correr; anunciar, dar parte; frontar, expressar; imprimir; infundir; transmitir, pegar por contágio, propagar. — **comunicarse.** *v. r.* transmitir-se, propagar-se, pegar-se por contágio; estar em comunicação, comunicar-se; estar contíguo; coligar-se: *comunicarse por escrito*, corresponder-se; *comunicarse una enfermedad*, comunicar-se, transmitir-se uma doença.

comunicativo, va. *adj.* comunicativo, que se comunica fàcilmente; contagioso; afável, lhano, expansivo, efusivo, que expõe francamente; fácil, acessível ao trato dos demais; sociável, franco: *tinta comunicativa*, tinta comunicativa.

comunicatorias. *adj. pl.* diz-se das cartas que os bispos dão como documento autêntico sobre a conduta dum seu diocesano.

comunidad. *f.* comunidade, qualidade do que é comum; participação em comum; conjunto de indivíduos que vivem em comum; lugar onde vivem os mesmos; sociedade de pessoas que vivem em comum com um fim religioso; a casa onde vive uma comunidade religiosa; associação, corporação, sociedade, o Estado; comunidade, facção hostil ao governo de Castela no tempo de Carlos V. — *pl.* revoltas dos *comuneros: en comunidad* , conventualmente, em comum, colegialmente.

comunión. *f.* comunhão, participação no comum; comunhão, comunidade e crenças; comunhão, participação de bens entre esposos; acorde; harmonia; (rel.) comunhão, o Sacramento da Eucaristia; trato familiar, comunicação dumas pessoas com outras; congregação de pessoas que professam a mesma fé religiosa; partido político; denominação.

comunismo. *m.* (pol.) comunismo; bolchevismo.

comunista. *adj.* e *s.* (pol.) comunista, partidário do comunismo: *comunista ruso*, bolchevique.

con. *prep.* com, em, sobre, de. Estabelece várias relações, como: companhia, modo, instrumento, causa, oposição, etc. Anteposta ào infinito, equivale a gerúndio. Em certas locuções, equivale a *aunque*, apesar de. Exemplo: em companhia de: *fui con él de caza*, fui com ele à caça; por meio de, com o auxílio de: *cortar el pan con la navaja*, cortar o pão com a faca; apesar de: *con todo, me quedo en la mía*, com tudo isso, fico na minha. Esta preposição exprime muitas outras relações de comparação, ligação, complemento, etc.: *con que entonces*, com que então, visto isso, ao que parece; *acabar con algo*, acabar com alguma coisa; *con tal que*, com tal que; *con tanto que*, com tanto que; *con todo, a pesar de todo*, com tudo, com tudo isto; *con prudencia*, com prudência; *con facilidad*, com facilidade; *con usted*, convosco; *con tal que*, com tanto que; *con cariño*, apegadamente; *conmigo, contigo*, etc., comigo, contigo, etc.

conato. *m.* esforço, empenho na execução dalguma coisa; propensão, tendência, propósito; (for.) conato, tentativa, a(c)to e delito que se começou, sem chegar a consumar-se; zelo; proje(c)to, caso pensado.

conca. *f.* concha; (germ.) escudela para líquidos.

concadenar. *v. tr.* concatenar, ligar, relacionar, unir ou enlaçar umas espécies com outras; prender com cadeia.

concambio. *m.* V. canje.

concameración. *f.* (fís.) concameração.

concatenación. *f.* concatenação; nexo; relação; conexão; encadeamento; ligação; enlace; (ret.) clímace; gradação.

concatenar. *v. tr.* concatenar, encadear, enlaçar, entrelaçar, ligar, relacionar, prender com cadeia.

concausa. *f.* concausa, causa que concorre juntamente com outra para algum efeito.

cóncava. *f.* V. **concavidad.**

concavidad. *f.* concavidade; cavidade; forma ou disposição do que é côncavo; depressão; anfractuosidade.

cóncavo, va. *adj.* côncavo; escavado; oco.

concavoconvexo, xa. *adj.* côncavo-convexo

concebible. *adj.* concebível; compreensível, inteligível, imaginável.

concebido, da. *p. p.* e *adj.* concebido; gerado; imaginado; planeado.

concebimiento. *m.* concebimento; concepção.

concebir. *v. intr.* e *tr.* conceber, gerar; imaginar; inventar; fazer ideia; compreender; começar a sentir alguma paixão ou afe(c)to; começar a ter; ficar grávida; engenhar; debuxar; elaborar; ideiar; redigir; conceber, ficar prenhe ou pejada; entender: *hacer concebir a la mujer*, emprenhar; *concebir con poco fundamento*, apreender; *concebir esperanzas*, conceber esperanças. — *pre. ind. irr.* **concibo, -es, -e, -en;** *pret.* **concibió, -eron;** *subj.* **conciba,** etc.; *gerun.* **concibiendo.**

conceder. *v. tr.* conceder, dar, outorgar, fazer concessão de, ceder; permitir; admitir por hipótese; fazer mercê; conceder, convir em alguma coisa; aceder; deferir; anuir; assentir; entregar; adjudicar; facultar; pôr a barato: *conceder con condiciones*, dar-se a partido.

concedible. *adj.* concedível, admissível, que pode ou deve conceder-se.

concejal. *m.* conselheiro, membro dum conselho; edil; vereador, membro eleito numa câmara municipal; camarista; autoridade dum concelho.

concejalía. *f.* vereação, cargo de vereador; edilidade.

concejero, ra. *adj.* público. V. **público.**

concejil. *adj.* e *s.* concelhio, pertencente ao concelho; aplica-se à gente que era enviada à guerra por uma municipalidade; exposto, criança engeitada.

concejo. *m.* concelho, municipalidade, vereação; distrito municipal; reunião dos habitantes dum concelho.

conceller. *m.* membro ou vogal do concelho municipal na Catalunha.

concento. *m.* concento, canto harmonioso de diversas vozes.

concentrabilidad. *f.* qualidade de concentrável.

concentrable. *adj.* concentrável, que pode concentrar-se.

concentración. *f.* concentração; convergência; meditação; recolhimento; reunião num ponto; (quím.) concentração, a maior densidade dos corpos: *concentración en el estudio*, concentração no estudo; *concentración de tropas*, concentração de tropas; *concentración o centralización de los poderes públicos*, centralização dos poderes públicos.

concentrado, da. *p. p.* e *adj.* convergido a um centro; reunido; em que se operou a concentração; (fig.) absorto, preocupado, meditabundo; reservado; (quím.) concentrado.

concentramiento. *m.* V. **concentración.**

concentrar. *v. tr.* concentrar, fazer convergir para um centro, reunir num centro; centralizar; aplicar a um só obje(c)to; concentrar, tirar a um líquido a parte aquosa, condensar, tornar mais denso. — **concentrarse.** *v. r.* concentrar-se; fixar-se, reconcentrar-se; abismar-se; deter-se; amochar-se; viver isolado: *concentrar tropas*, atropar; *concentrar la atención*, aplicar- -se concentrar a atenção; *concentrar un líquido*, concentrar um líquido. V. **reconcentrar.**

concentricidad. *f.* concentricidade, qualidade do que é concêntrico.

concéntrico, ca. *adj.* concêntrico.

concepción. *f.* conceição (por excel. a da Virgem); concepção; a(c)to de conceber ou ser concebido; geração; faculdade de entender; percepção; conceito; plano; (fig.) fantasia; imaginação; compreensão; perspicácia, penetração; produção intele(c)tual.

concepcional. *adj.* (filos.) concepcional.

conceptáculo. *m.* (bot.) conceptáculo; receptáculo.

conceptear. *v. intr.* conceitear, dizer conceitos.

conceptibilidad. *adj.* conceptibilidade.

conceptible. *adj.* conceptível, concebível, imaginável.

conceptismo. *m.* (lit.) conceptismo.

conceptista. *adj. e s.* (lit.) conceptista, diz-se da pessoa que abusa do estilo conceituoso.

conceptibilidad. *f.* (filos.) faculdade de conceber.

concepto. *m.* conceito, entendimento, opinião; juízo que se faz de algum; dito espirituoso; ideia, (Bras.) idéia, do o que o espírito concebe e entende; pensamento; conta; moralidade; parte final e elucidativa de uma charada; reputação; máxima, dito sentencioso; síntese, substância; estimação; (com.) género, mercadoria; intenção, proje(c)to; significação: *formar concepto de algo*, formar conceito de alguma coisa; *falso concepto*, apreensão; *en mi concepto*, no meu conceito; *por ningún concepto*, de nenhuma maneira.

conceptual. *adj.* conceptual.

conceptualismo. *m.* (filos.) conceptualismo.

conceptualista. *adj. e s.* (filos.) conceptualista.

conceptuar. *v. tr.* conceituar, formar conceito de; formar opinião de; opiniar de, estimar; pensar; avaliar; analisar.

conceptuosidad. *f.* conceituosidade.

conceptuoso, sa. *adj.* conceituoso; sentencioso; espirituoso.

concernencia. *f.* concernência; relação.

concerniente. *p. a. e adj.* concernente, relativo, que concerne; respe(c)tivo, atinente, referente; pertencente: *concerniente a*, acerca.

concernir. *v. intr.* concernir; dizer respeito, referir-se, relacionar; tocar, pertencer, ter relação. V. **atañer.** *conj. irreg.* como *cernir.*

concertación. *f.* (ant.) contenda, pelejo, debate, diferença.

concertador. *adj. e s.* concertador, que concerta; medianeiro, conciliador; estipulador.

concertante. *p. a. e adj.* (mús.) concertante, que concerta; (mús.) peça de música para concertos; concertista.

concertar. *v. tr.* concertar, dispor em ordem; ajustar, combinar; pactuar, acordar, tratar; formar concerto, melodia; comparar; conferir; harmonizar; combinar; estipular; metodizar; apalavrar; (mús.) acordar; reconciliar, convir de preço; regular; (mús.) afinar. — *v. intr.* concordar; comparar, cotejar, concordar uma coisa com outra; (gram.) concordar duas ou mais palavras; rastejar, seguir a caça. — **concertarse.** *v. r.* preparar-se, enfeitar-se, compor-se; ajustar-se; formar concerto; harmonizar-se. — *pres. ind. irr.* **concierto, -as, -a, -an;** *subj.* **concierte, -es, e- -en.**

concertina. *f.* (mús.) concertina, espécie de acordeão.

concertista. *s.* concertista; solista; artista que toca em concertos.

concesión. *f.* concessão; permissão; autorização; privilégio; licença; favor; mercê; deferimento; indulto; (ret.) figura que consiste em concordar com o adversário nalguma coisa que se lhe podia contestar; adjudicação.

concesionario. *m.* (for.) concessionário, o que tem uma concessão; beneficiário.

conciencia. *f.* consciência; convicção íntima; sinceridade; honradez; opinião; cuidado; esmero; re(c)tidão; justiça; escrúpulo; conhecimento exa(c)to das coisas; sinceridade; (fig.) coração; apercepção; (fig.) alma: *en conciencia*, em consciência, em boa verdade; *tener plena conciencia*, ter plena consciência; *estudiar a conciencia*, estudar com consciência; *la conciencia nacional*, a consciência ou opinão nacional; *hombre de conciencia*, honrado, homem de consciência: *libertad de conciencia*, liberdade de consciência; *pesar en la conciencia*, pesar na consciência; *examen de conciencia*, exame de consciência; *descargar la conciencia*, desencarregar a consciência; *tener la conciencia muy ancha*, ter consciência larga ou elástica; *descargar uno la conciencia*, (fig.) confessar-se ao sacerdote; *tener la conciencia estrecha*, ter consciência estreita ou escrupulosa; *en conciencia no puedo hacerlo*, não posso faze-lo em consciência; *falta de conciencia*, desconsciência; *jurar con la conciencia tranquila*, jurar sem equivocação; *hacer examen de conciencia*, fazer exame de consciência; *a conciencia*, consciência, escrupulosamente; *peso en la conciencia*, encarrego na consciência; *carecer de conciencia*, não ter alma; *hacer examen de conciencia*, (fig.) meter a mão na consciência; *cargar la conciencia*, encarregar a consciência.

concienzudo, da. *adj.* consciencioso, escrupuloso, probo, re(c)to; sincero; religioso; justo; minucioso; feito com consciência: *investigación concienzuda*, estreita averiguação.

concierto. *m.* (mús.) concerto, (Bras.) concêrto, função musical; concerto, boa ordem e disposição das coisas; aco(ô)rdo, pacto; ajuste; compostura; combinação; apostura; estipulação; simetría; regularidade; enfeite; aco(ô)rdo, união; (for.) confrontação: *de concierto*, de comum acordo; de concerto; *dar un concierto*, descantar; *sin orden ni concierto*, desregrado, amontoadamente; *más vale concierto que buen pleito*, mais vale má avença que boa sentença.

conciliabilidad. *f.* qualidade de conciliável.

conciliable. *adj.* conciliável; adaptável, compatível.

conciliábulo. *m.* conciliábulo, concílio não convocado pela autoridade legítima; conventículo; (fig.) comissão para tratar duma coisa que é ilícita.

conciliación. *f.* conciliação; concordância; aco(ô)rdo de partes desavindas; conveniência ou semelhança duma coisa com outra; conformidade; favor, prote(c)ção; arranjo; acomodação, acomodamento; avença; afinidade; amizade.

conciliador, ra. *adj.* e *s.* conciliador, que concilia; pacificador; despartidor; apertinente.

conciliar. *adj.* conciliar, conciliário, relativo a concílio. — *m.* pessoa que assiste aos concílios.

conciliar. *v. tr.* conciliar, pôr de aco(ô)rdo, partes desavindas ou coisas contraditórias; harmonizar; captar; conseguir; arranjar; apaziguar; acordar; consociar; despartir; unir; aliar; combinar; chamar a si; conseguir; granjear. — **conciliarse.** *v. r.* acordar-se; congraçar-se; atrair-se; arranjar-se: *conciliar diferencias*, conciliar diferenças ou opiniões; *conciliar el sueño*, conciliar o sono.

conciliativo, va. *adj.* conciliativo, conciliante, conciliatório.

conciliatorio, ria. *adj.* conciliatório; amigável; conciliativo.

concilio. *m.* concílio, assembleia de prelados católicos; cole(c)ção de decretos dum concílio; junta, congresso para tratar dalguma coisa. — *pl.* decretos votados nos concílios: *concilio ecuménico*, concílio ecuménico.

concisión. *f.* concisão; brevidade; laconismo; síntese; resume.

conciso, sa. *adj.* conciso; breve; lacónico, (Bras.) lacônico, sucinto; estreito; assindético (diz-se do estilo); que expõe as ideias em poucas palavras: *estilo conciso*, estilo apanhado.

concitación. *f.* concitação; instigação; agitaço; provocação.

concitador, ra. *adj.* e *s.* concitador, incitador, instigador.

concitar. *v. tr.* concitar, comover; incitar, instigar; agitar; excitar inquietações ou sedições; provocar.

concitativo, va. *adj.* concitativo, que concita, que perturba ou excita.

conciudadano, na *s.* concidadão; paisano; compatriota.

conclave. *m.* conclave, lugar de reunião dos cardeais para eleger o pontífice; conclave, a mesma assembleia de cardeais; (fig.) junta ou reunião de pessoas; congresso; capítulo.

cónclave. *m.* V. **conclave.**

conclavista. *m.* conclavista, familiar ou criado que serve os cardeais no conclave.

concluido, da. *p. p.* e *adj.* concluído, acabado, finalizado; consumado; aviado; coroado; desenlaçado; despachado: *dar por concluida una cosa*, dar corte a alguma coisa.

concluir. *v. tr.* concluir, acabar, terminar, finalizar uma coisa; pôr fim a; rematar; ajustar; tirar a conclusão, deduzir; determinar a resolver sobre o que se há tratado; concluir, impedir; convencer em forma decisiva; extremar; argumentar; arguir; aprontar; coligir; cortar; depreender; despachar; derriscar; aviar; expirar; (fig.) coroar; açambarcar; encimar (aco(ô)rdos). — **concluirse.** *v. r.* concluir-se, acabar-se; extinguir-se; inferir-se; deduzir-se: *concluir un negocio*, fechar um negócio; *concluir un proceso*, fulminar um proceso; *concluir el tiempo*, atempar; *concluir un trabajo*, (fig.) fechar a abóbada; *concluir un contrato*, concluir um contrato.

conclusión. *f.* conclusão, fim, termo dalguma coisa; acabamento, epílogo duma obra; consequência, dedução; proposição final do silogismo; ilação; ajuste definitivo; conclusão, deliberação final; (for.) conclusão; epilogação; desfecho; resolução tomada sobre uma matéria, depois de a haver discutido; asserto ou proposição que se defende nas escolas; termo, consequência, conclusão; (lóg.) proposição que se pretende provar e que se deduz das premissas; estirpação; arremate; meta; consumação; indução; inferência; decisão; despedida; expiração: *en conclusión*, em suma, em conclusão; *por fim*, por despedida; *sacar en conclusión*, tirar a conclusão, derivar, coligir; *conclusión de un negocio*, aviamento dum negócio.

conclusivo, va. *adj.* conclusivo, próprio para se concluir; que contém uma conclusão.

concluso, sa. *p. p.* e *adj.* concluso; findo; ultimado.

concofrade. *m.* confrade, juntamente com outro.

concoide. *adj.* (geom.) concoidal. — *f.* (geom.) concóide.

concoideo, a. *adj.* concoidal, que tem forma de concha.

concolor. *adj.* (bot.) concolor.

concomerse. *v. r.* (fam.) encolher os ombros e as espáldas como quem se esfrega por ter comichão; (fig.) consumir-se de impaciência ou pesar. — *v. tr.* (fig.) fazer cócegas.

concomitancia. *f.* concomitância; existência simultânea de duas ou mais coisas: *por concomitancia*, por concomitância; acessòriamente.

concomitar. *v. tr.* concomitar, acompanhar uma coisa a outra ou agir juntamente com ela.

concordable. *adj.* concordável; conciliável, ajustável; acomodável; aceitável.

concordación. *f.* aco(ô)rdo, harmonia, concordância, conformidade, combinação.

concordador, ra. *adj.* concorde, que concorda, concordante, moderador. — *m.* pacificador, moderador, conciliador.

concordancia. *f.* concordância, correspondência, conformidade duma coisa com outra; aco(ô)rdo; harmonia; consonância; acordança, (gram.) conformidade ou identidade de flexões nas palavras duma frase; (mús.) harmonia. — *pl.* índice alfabético das palavras dum livro, com todas as citações dos lugares em que se encontram: *concordancia de voces contrapuestas*, (mús.) contraponto.

concordar. *v. tr.* e *intr.* concordar, pôr de aco(ô)rdo; conciliar; concertar; ajustar; pactuar; harmonizar-se; estar de aco(ô)rdo, ajustar-se uma coisa com outra, coincidir; assentir; (gram.) pôr em concordância gramatical; condizer; ter concordância: *concordar con alguien*, coadunar-se. — *pres. ind. irr.* **concuerdo, -as, -a, an;** *subj.* **concuerde, -es, -e, -en.**

concordata. *f.* concordata. V. **concordato.**

concordatario, ria. *adj.* concordatário, pertencente ou relativo à concordata.

concordativo, va. *adj.* que põe de aco(ô)rdo.

concordato. *m.* concordata, convenção entre um país católico e a Santa Sé: aco(ô)rdo entre a falido e os seus credores, pacto.

concorde. *adj.* concorde, conforme, que é da mesma opinião; condizente; harmónico; acordante.

concordia. *f.* concórdia, uniãₒ de vontades de que resulta harmonia; conformidade de pareceres; paz; ajuste ou convénio entre pessoas que contendem; pacificação; fraternidade; instrumento jurídico em que se contém o ajuste ou a convenção feita entre as partes; união, aliança, anel.

concorpóreo, a. *adj.* (tel.) concorpóreo; que participa do Corpo de Cristo pela Comunhão.

concreción. *f.* concreção; solidificação; condensação; corpo resultante da agregação dos sólidos contidos num líquido; cálculo.

concrecionar. *v. tr.* concrecionar, formar concreções em. — **concrecionarse.** *v. r.* concrecionar-se.

concrescencia. *f.* (bot.) concrescência.

concretar. *v. tr.* concretizar, reduzir ao essencial, combinar, concordar; circunscrever, limitar; determinar; formalizar. — **concretarse.** *v. r.* restringir-se, limitar-se, concretizar; tratar ou falar duma coisa só.

concreto, ta. *adj.* concreto, determinado; particular: *en concreto*, em resumo, em concreto, em conclusão.

concubina. *f.* concubina; mulher ilegítima; amásia; franhosca; cópia; mulher entretenida; amiga; barregã: *tomar concubina*, amancebar-se, amantizar-se.

concubinario. *m.* e *adj.* concubinário, que ou aquele que vive em concubinato; amancebado.

concubinato. *m.* concubinato; abarregamento; amancebamento; amigação; contubérnio; barreguice; amizade ilícita: *vivir en concubinato*, abarregar-se.

concubinismo. *m.* V. **concubinato.**

concúbito. *m.* concúbito, coito; ajuntamento carnal; cópula; coabitação.

conculcación. *f.* conculcação; infra(c)ção, vulneração.

conculcador, ra. *adj.* e *s.* conculcador, que conculca; infra(c)tor, desprezador; espezinhador; vilipendiador.

conculcar. *v. tr.* conculcar, calcar aos pés alguma coisa; espezinhar; desprezar; infringir; postergar; aviltar; atropelar; escarnecer; violar; (p. us.) oprimir.

concuñado, da. *s.* concunhado, cunhado dum cônjuge em relação ao outro.

concuño, ña. *s.* V. **concuñado.**

concupiscencia. *f.* concupiscência; volutuosidade; sensualidade; inclinação aos prazeres ilícitos; apetite sensual; cobiça.

concupiscible. *adj.* concupiscível, que pode despertar concupiscência.

concurrencia. *f.* concorrência, afluência simultânea de várias pessoas; concorrência de vários acontecimentos ao mesmo tempo; assistência; ajuda, influxo; confluência; competência; alegação de direitos comuns; conjuntura; frequência; (fig.) conspiração; afluência; coexistência; coincidência; concurso de sucessos ou circunstâncias; encontro; assistência; cooperação: *gran concurrencia*, enchente; *enorme concurrencia a un espectáculo*, enchente real; (com.) *concurrencia comercial*, rivalidade comercial.

concurrente. *p. a.* e *adj.* concorrente, que concorre. — *s.* (gal.) concorrente, pretendente, rival, competidor, contendente.

concurrir. *v. intr.* concorrer, ajuntarem-se num mesmo lugar e tempo várias pessoas; afluir; cooperar, ajudar, auxiliar; assistir; contribuir; concorrer, competir; pretender alguma coisa ao mesmo tempo que outras pessoas; contribuir, convir, concorrer; ir a concurso; estabelecer concorrência no preço, qualidade, etc.; encontrar-se; convergir; coincidir, acontecer ao mesmo tempo alguma coisa ou sucesso; tomar parte num concurso militar; acudir; congregar-se; colaborar; conspirar (várias coisas ao mesmo fim).

concursar. *v. tr.* (for.) declarar o estado de insolvência duma pessoa que tem credores; convocar credores, pôr os bens em concurso de credores. V. **concurrir,** tomar parte num concurso.

concurso. *m.* concurso, afluência de gente; a(c)to de concorrer; encontro; concurso, colaboração, ajuda, cooperação, auxílio; contribuição; grande reunião de gente no mesmo lugar; assistência; concurso, provas públicas ou documentais; (for.) reunião de credores; apresentação de documentos exigidos para admissão a um emprego; admissão de propostas para a adjudicação dum trabalho; competência; rivalidade: *concurso de acreedores*, reunião de credores; *concurso público*, concurso público.

concusión. *f.* concussão, abalo, choque, comoção violenta, peculato; extorsão feita por funcionário público em próprio proveito.

concusionario, ria. *adj.* e *s.* concussionário, que pratica concussão.

concha. *f.* concha, invólucro calcário de certos animais; concha, casca de tartaruga, de ostra, etc.; praia circular à beira-mar, enseada pequena; caixa do ponto nos teatros; dá-se este nome a vários obje(c)tos que têm a forma de colher; moeda antiga de cobre equivalente a oito maravedis; copos da espada; parte da almofada de carruagem onde o cocheiro põe os pés; (fig.) qualquer coisa natural ou artificial que apresenta a forma de concha; (mar.) enora de mastro; (herald.) venera, insígnia; peça côncava de metal empregada como puxador de gavetas; (arq.) voluta; entrada do canal auditivo; (ger.) V. **rodela.** — *pl.* (fig.) astúcia: *concha de perla*, madrepérola; *meterse uno en su concha*, (fig.) meter-se nas encolhas, retrair-se; *cubrir con conchas*, enconchar; *concha univalva*, estrombo; *tener muchas conchas*, (pop.) ser pássaro de bico amarelo; *tener más conchas que un galápago*, ter muitas conchas; ser pássaro de bico amarelo; *salir uno de su concha*, sair das conchas; (mar.) *concha del bauprés*, concha do gurupés.

conchabanza. *f.* conchego, acomodação conveniente duma pessoa nalguma parte; conchavo, conluio, cabala.

conchabar. *v. tr.* conchavar, unir, juntar, associar; contratar, ajustar um criado; misturar as diferentes qualidades de lã, em vez de as separar; tramar; conspirar; (Amér.) assalariar ou contratar alguém para serviços domésticos. — **conchabarse.** *v. r.* empandilhar-se; unirem-se duas ou mais pessoas entre si para algum fim; conluiar-se, conchavar-se, mancomunar-se, geralmente em mau sentido; repotrear-se, assentar-se còmodamente.

conchado, da. *adj.* concheado, conchudo, diz-se do animal que tem conchas, conquífero.

conchifero, ra. *adj.* (geog.) conquífero.

conchil. *m.* (zool.) certo molusco marinho gastrópode que dá púrpura; cochenilla, cochinilla ou cochonilha. — *adj.* (fig.) astuto, sagaz, dissimulado.

conchudo, da. *adj.* conchudo, concheado, conchoso, diz-se do animal coberto de conchas; (fig. e fam.) astuto, sagaz, prudente, dissimulado.

condado. *m.* condado, dignidade de conde; território da jurisdição dum conde.

condal. *adj.* condal, pertencente ao conde, ou à sua dignidade.

conde. *m.* conde, título de grandeza e dignidade; conde, pessoa que tem o título de conde; caudilho ou capitão eleito pelos ciganos para seu chefe; capataz de jornaleiros na Andaluzia: *Conde de Barcelona*, título do rei de Espanha.

condecente. *adj.* condizente, que condiz, harmonioso, ajustado, correspondente, próprio, conveniente.

condecir. *v. intr.* condizer, convir, concordar, harmonizar, quadrar, estar em proporção ou harmonia. — *conj.* como *decir*.

condecoración. *f.* condecoração; distinção honrosa; insígnia de ordem honorífica ou militar, cruz, venera; decoração; bentinho.

condecorar. *v. tr.* condecorar, distinguir com condecoração, nobilitar, realçar; medalhar; decorar; agraciar; ornar; aformosear.

condena. *f.* condenação, sentença condenatória; facto que implica delito; certidão de sentença condenatória; extensão e grau da penalidade; sentença judicial; anatema; (fig.) censura; reprovação.

condenable. *adj.* condenável; culpável; acusável; detestável, abominável; repreensível.

condenación. *f.* condenação; sentença condenatória; indício de crime; fa(c)to que implica delito; imprecação; anatematismo, anatematização; execração; danação; (fig.) censurar, reprovação; por antonomásia, a condenação eterna.

condenado, da. *p. p. adj.* e *s.* condenado; o que foi sentenciado como criminoso; (rel.) réprobo, condenado às penas eternas; (fig.) endemoninhado, nocivo, perverso: *condenado a galeras*, galeote; *condenado a la última pena*, condenado à morte, padecente.

condenar. *v. tr.* condenar, proferir sentença condenatória; castigar; condenar, reprovar; julgar mal uma coisa, censurar; vituperar; tornar incomunicável, fechar ou entaipar portas ou janelas; (fig.) rejeitar; anatematizar; desenganar; forçar, obrigar; (rel.) condenar às penas eternas; improvar, imprecar; estigmatizar; desaprovar, execrar; detestar; amaldiçoar; degregar; ablegar; (fig.) infernar. — **condenarse.** *v. r.* condenar-se; dar a conhecer a própria culpa; obrigar-se; sujeitar-se; culpar-se, incorrer na pena eterna; confessar-se culpável; (fig.) dar a alma ao diabo: *condenar en rebeldía*, encartar; *condenar al pago de costas*, condenar nas custas; *condenarse por las propias palabras*, encravar-se; *condenar al pago de una multa*, condenar a pagar multa; *condenar a muerte*, condenar à morte.

condenatorio, ria. *adj.* condenatório, que envolve condenação; (for.) diz-se do auto que contém a sentença dada contra o réu.

condensabilidad. *f.* (fís.) condensabilidade.

condensable. *adj.* condensável.

condensación. *f.* condensação; compressão.
condensado, da. *p. p.* e *adj.* condensado, que se condensou; liquefeito; (fig.) concentrado; resumido, extra(c)tado, reduzido.
condensador, ra. *adj.* condensador, que condensa. — *m.* (electr. e fís.) condensador, acumulador; condensador, aparelho para reduzir os gases a menor volume; (mec.) condensador, parte duma máquina onde o vapor se condensa; (rad.) condensador: *condensador de fuerzas* (electr.) acumulador; *condensador variable*, condensador variável; *condensador de cuarzo*, condensador de quartzo; *condensador eléctrico*, condensador elé(c)trico; *condensador de vapor*, condensador de vapor.
condensar. *v. tr.* condensar, tornar mais denso, fazer espesso, espessar; liquefazer um vapor; (fig.) condensar, reduzir a menor volume; redigir em poucas palavras, resumir, abreviar, reduzir, condensar; extremar; extra(c)tar; densar; destilar. — **condensarse.** *v. r.* condensar-se, adensar-se, tornar-se denso.
condensativo, va. *adj.* condensativo, condensante.
condesa. *f.* condessa, (Bras.) condêssa, mulher do conde; titular dum condado.
condesar. *v. tr.* poupar, economizar; reservar, guardar, pôr em depósito.
condescendencia. *f.* condescendência, complacência, transigência; deferência; anuência; aquiescência; consentimento; contemplação; indulgência; benignidade; facilidade; ductilidade; (fam.) mimo; (fig.) amén, (Bras.) âmen, equilíbrio.
condescender. *v. intr.* condescender, comprazer com alguém, ceder à sua vontade; anuir; transigir; ser comprazente, tolerar, permitir, aquiescer, ter por bem; indulgenciar; contemporizar; deferir; (fig.) ductilizar.
condestable. *m.* condestável, condestabre; aquele que antigamente exercia a primeira dignidade militar; (mar.) cabo que faz as vezes de sargento nas brigadas de artilharia.
condestabla. *f.* condestablado, dignidade ou funções de condestável .
condición. *f.* condição, classe social duma pessoa; categoria, nascimento; condição, índole, natureza, qualidade das coisas, classe, natural, génio, índole, cará(c)ter; estado, situação em que se acha uma pessoa, circunstância; distinção, categoria elevada; situação, condição, circunstância; cláusula, obrigação, condição, encargo; espécie, imposição; condição, profissão, estado; nobreza; base fundamental; fortuna; atributo; (fig.) estofa, andar; (fig.) abotoadura; especificação, estipulação; disposição: *bajo la condición de*, com apercebimento que; *condición torpe*, condição imoral; *con la condición de*, contanto que; *tener uno condición*, (fig.) ser de génio áspero e desabrido; *de mala condición*, desprendado; *poner en condiciones*, acondiçoar; *persona de condición*, pessoa de condição; *poner condiciones*, pôr con-

dições; *con condiciones*, com condições; *sin condiciones*, incondicionado, por nenhuma condição; *no es de mi condición*, não é da minha abotoadura; *condiciones de un contratro*, condições dum contrato.
condicional. *adj.* condicional, que depende de condição; que envolve condição.
condicionamiento. *m.* condicionamento; circunstâncias.
condicionar. *v. intr.* condicionar, convir uma coisa com outra; pôr condições; tornar dependente de condição; regular; na indústria têxtil, determinar as condições de certas fibras; acondicionar; convencionar; pactar, pactuar.
condignidad. *f.* condignidade.
condigno, na. *adj.* condigno, adequado, merecido, proporcional ao mérito; devido; igual ao mérito ou ao delito.
condilar. *adj.* (anat.) pertencente ou relativo ao côndilo.
cóndilo. *m.* (anat.) côndilo.
condiloideo, a. *adj.* (anat.) condilóide.
condiloma. *m.* (pat.) condiloma, tumor benigno; verruga.
condimentación. *f.* condimentação; tempero, adubo, condimento.
condimentar. *v. tr.* condimentar, temperar condimentos, adunar; (fig.) tornar picante, gracioso.
condimento. *m.* condimento, tempero, adubo, substância que realça o sabor da comida.
condiscípulo, la. *s.* condiscípulo, companheiro de escola.
condolencia. *f.* condolência, sentimento de pesar pela dor doutro; pêsame, compaixão. — *pl.* pêsame, condolência.
condolerse. *v. r.* compadecer-se, apiedar-se, condoer-se, contristar-se. *conj. irreg.* como *doler*.
condolocerse. *v. r.* V. **condolerse.**
condominio. *m.* (for.) condomínio, co-domínio.
condómino. *m.* (for.) condómino, (Bras.) condômino, co-proprietário.
condonación. *f.* perdão; eximição; desoneração; desobrigação.
condonar. *v. tr.* remir; perdoar uma pena de morte ou dívida; desonerar; desobrigar; indultar; absolver; eximir.
condonatario. *m.* (for.) condonatário.
cóndor. *m.* (zool.) condor; (Amér.) condor, moeda de oiro equivalente a 50 pesetas.
condral. *adj.* (anat.) condral, relativo às cartilagens.
condrificación. *f.* (biol.) condrificação.
condrila. *f.* (bot.) condrila.
condrina. *f.* (quím.) condrina.
condritis. *f.* (pat.) condrite.
condrografía. *f.* (anat.) condrografia.
condrográfico, ca. *adj.* (anat.) condrográfico.
condroide. *adj.* (anat.) condróide.
condroideo, a. *adj.* (anat.) condróide.
condrología. *f.* (pat.) condrologia.
condroma. *f.* (pat.) condroma, tumor cartilaginoso.

condropterigio, gia. *adj*. (zool.) condropte-
rígio. — *m*. *pl*. (zool.) condropterígios.

conducción. *f*. condução, transporte; encaminhamento; encarreiramento; ajuste de
salário ou preço; convénio; conjunto de
condutos para passagem dalgum líquido
ou fluido; transmissão, transporte; guía;
dire(c)ção, governo, (Bras.) govêrno,
orientação; rumo.

conducir. *v*. *tr*. conduzir, levar, transportar;
guiar; dirigir, governar; ajustar, convir,
concertar, salário ou preço; transmitir;
servir de condutor; encaminhar; tomar
a soldo; governar, administrar, reger;
conduzir, dirigir um trabalho; endireitar;
acaudilhar. — *v*. *intr*. convir, ser apropósito para algum fim; ir ter a; dar; ser
útil; (fig.) conduzir, arrastar; lançar, levar, encaminhar; prolongar-se até certo
ponto (diz-se dum caminho ou estrada).
— conducirse. *v*. *r*. comportar-se, conduzir-se, portar-se, proceder: *conducir el
navio a puerto seguro*, (fig.) levar a barca a bom porto; *conducir a la viva fuerzo*,
arrastar; *conducirse mal*, desgovernar-
-se. — *pres*. *ind*. *irreg*. conduzco, -ces, etc.
pret. conduje, -iste, etc. *subj*. conduzca,
-as, etc.

conducta. *f*. conduta, condução; procedimento; comportamento; dire(c)ção; guía:
récua, fileira de bestas de carga ou carros
que transportam dinheiro; governo, mando; leva de recrutas; condição; estipulação; partido médico; condução de recrutas; comportamento, modo de viver;
ajuste que se faz com o médico para que
assista aos doentes duma povoação e a
sua remuneração; comissão de recrutamento: *mala conducta*, desmancho, desconcerto. desconchavo; *buena conducta*,
boa conduta, conduta exemplar.

conductibilidad. *f*. (fís.) condutibilidade.

conductible. *adj*. condutível.

conducticio, cia. *adj*. (for.) condutício, alugado, arrendado, assoldado.

conductividad. *f*. condutibilidade, conduti-
vidade.

conductivo, va. *adj*. condutivo, que conduz
ou é próprio para conduzir.

conducto. *m*. conduto, cano ou tubo de condução; via, canal; (fig.) pessoa por meio
da qual se dirige um negócio, conduto,
meio; intermédio; órgão; medianeiro,
intermediário: *conducto auditivo*, conduto auditivo; *conducto urinario*, conduto urinário.

conductor, ra. *adj*. condutor que serve para
conduzir ou guiar. — *s*. (fís.) condutor,
diz-se dos corpos que transmitem o calor
ou a ele(c)tricidade; condutor, pessoa que
conduz um transporte; guia; chefe, caudilho, adail; meio de comunicação ou transmissão: *conductor eléctrico*, condutor
elé(c)trico; *conductor de embajadores*, introdutor de embaixadores; *conductor de
tranvía*, (Bras.) motorneiro; *hábil conductor de coche*, (Bras.) volante; *mal conductor*, (Bras.) navalha.

condueño. *s*. co-proprietário, condómino.
(Bras.) condômino.

condumio. *m*. (fam.) conduto, presigo, o
que se costuma comer com pão; diz-se da
muita abundância de frutos e comestíveis.

conduplicación. *f*. (ret.) conduplicação, repetição de palavras no princípio ou no
fim da frase; epanástrofe.

conduplicado, da. *adj*. (bot.) conduplicado,
dobrado em duas partes longitudinalmente.

condurango. *m*. (bot.) condurango.

conectador. *m*. (electr.) ficha, peça isolante,
que liga à rede qualquer aparelho elé(c)-
trico; ligação.

conectar. *v*. *tr*. (mec.) comunicar o movimento duma máquina a um aparelho dependente dela; ligar; ligar um aparelho
elé(c)trico.

conectivo, va. *adj*. cone(c)tivo, que liga, que
une as partes dum mesmo aparelho ou
sistema.

coneja. *f*. (zool.) coelha, fêmea do coelho:
ser una coneja, (fig. e fam.) parir frequentes vezes.

conejar. *m*. coelheira, recinto onde se criam
coelhos.

conejear. *v*. *intr*. (fig.) alapardar-se, agachar-se, ocultar-se com medo como os
coelhos; acobardar-se, intimidar-se; retirar, sacudir de si qualquer comprometimento.

conejera. *f*. coelheira, madrigoa, madrigueira, toca de coelhos, lura; (fig.) cova longa
e estreita; (fam.) lupanar; porão, cova ou
lugar estreito onde recolhe muita gente;
casa onde se costuma juntar muita gente
de porte duvidoso, ou de má vida, valha-
coito.

conejero, ra. coelheiro, que caça coelhos;
(diz-se do cão que serve para este fim.)—
s. pessoa que cria ou vende coelhos.

conejo. *m*. (zool.) coelho; (vulg.) a vulva;
(Amér.) peixe de cor prateada: *conejo
albar*, coelho branco; *a conejo ido, conejo
venido*, asno morto, cevada ao rabo; *piel
de conejo*, pele de coelho; *el conejo y la
perdiz tienen un mismo perejil*, (pop.) diz-
-se da iguaria que tem o mesmo condimento.

conejuno, na. *adj*. pertencente ou semelhante ao coelho. — *f*. pêlo de coelho.

conexidad. *f*. conexidade; anexidade, anexo.

conexión. *f*. conexão, ligação, união, concatenação, relação, enlace; nexo; dependência; analogia; correlação; afiliação;
acoplamento; continuidade; associação;
correspondência; encadeação; compaginação; afinidade, conjuntura. — *pl*. relações, amizades.

conexionar. *v*. *tr*. enlaçar, concatenar, ligar,
unir. V. ligar, enlazar, conectar.

conexionarse. *v*. *r*. contrair conexão; unir-
-se; contrair amizades.

conexivo, va. *adj*. conexivo; copulativo.

conexo, xa. *adj*. conexo, que tem conexão
ou nexo, ligado, unido, dependente.

confabulación. *f.* confabulação, conspiração, conluio, colusão; conversação familiar; trama.

confabulador, ra. *adj.* e *s.* confabulador, o que confabula; conspirador; conluiador; narrador de contos ou fábulas.

confabular. *v. intr.* confabular, tratar um assunto, conversar familiarmente; contar fábulas ou histórias. — confabularse. *v. r.* combinar-se para algum negócio ou proje(c)to; conspirar, tramar, conluiar, pôr-se de aco(ô)rdo, geralmente num negócio ilícito; coludir.

confección. *f.* confecção, acabamento; (gal.) confecção, vestuário de senhora; obra feita; (farm.) medicamento com certa quantidade de xarope e mel.

confeccionador, ra. *adj.* e *s.* confeccionador, aquele que confecciona.

confeccionar. *v. tr.* fazer, confeccionar, preparar, compor, fabricar, acabar, confeiçoar, (fam.) manipular, preparar um remédio, confeiçoar, confeccionar.

confederación. *f.* confederação, aliança, liga, união, pacto, coligação, coalizão; aco(ô)rdo entre partidos políticos; liga entre potências; anfictionia.

confederado, da. *p. p. adj.* e *s.* confederado, aliado, coligado.

confederar. *v. tr.* e *r.* confederar, fazer uma liga, pacto, união ou aliança; aliançar, coligar, coaligar, aunar; coligar-se, confederar-se.

confederativo, va. *adj.* confederativo, relativo a confederação.

conferencia. *f.* conferência, conversação entre duas ou mais pessoas; conferência, dissertação em público; lição diária dos alunos nalgumas universidades; conferência, reunião de governantes para tratar assuntos internacionais; reuniões de associados, médicos, etc., conferência; colóquio; entrevista; consulta entre advogados ou médicos; discurso literário ou científico; congresso; deliberação; comparação, cotejo; assembleia: *dar una conferencia*, fazer uma conferência, dar aula.

conferenciante. *s.* conferente, pessoa que fala em público, conferencista, conferenciador, conferencionista.

conferenciar. *v. intr.* conferenciar, conversar, ter conferência, discutir em conferência; falar em conferência perante um auditório; consultar (entre médicos ou advogados).

conferir. *v. tr.* conferir, dar, conceder, outorgar, entregar; conferir, examinar, verificar, tratar; administrar; comparar, confrontar, cotejar; ministrar; atribuir; adjudicar; colacionar; colar; empoleirar (alto emprego). — *v. intr.* V. conferenciar. conj. *irreg.* como *herir.*

conferva. *f.* (bot.) conferva; limo.

conferváceas. *f. pl.* (bot.) conferváceas.

confesable. *adj.* confessável, que se pode confessar.

confesar. *v. tr.* confessar; declarar em confissão; ouvir a confissão de; declarar, revelar; descobrir a alma; (fig.) desenfar-

dar; conhecer. — confesarse. *v. r.* confessar-se; declarar pecados ao confessor; declarar-se; abrir-se; acusar-se; (fig.) desabotoar-se: confieso, -as, -a, -an; *subj.* confiese. -es, -e, -en: *confesar de plano,* confessar de plano; *confesarse con alguien,* confessar-se com alguém, desencolhecer-se com alguém.

confesión. *f.* confissão, declaração, revelação do que se sabe; (for.) declaração em juizo; oração que precede a confissão dos pecados; profissão de fé; desobriga; conhecença: *hacer confesión,* ir à confissão.

confesional. *adj.* confessional.

confesionalismo. *m.* confessionalismo.

confesionario. *m.* confessionário. V. confesonario.

confesionista. *adj.* e *s.* confessionista, luterano.

confeso, sa. *p. p.* de *confesar; adj.* confesso, diz-se do judeu convertido ou converso. — *s.* donato, leigo que servia no convento de frades e usava hábito.

confesonario. *m.* confessionário, lugar onde o sacerdote ouve as confissões; confessionário, ministério do confessor.

confesor. *m.* confessor, cristão que professa pùblicamente a sua fé; confessor, padre espiritual, sacerdote que ouve de confissão; mestre de espírito: *confesor de manga larga,* (fig. e fam.) passa-culpas; confessor de manga larga.

confeti. *m.* (ital.) confeti.

confiable. *adj.* fiel, seguro, diz-se da pessoa de confiança.

confiado, da. *p. p.* e *adj.* confiado, crédulo, imprevidente; presumido, satisfeito de si mesmo; descauteloso, entregue, esperançado, atrevido, confiante; arrogante, ousado, resoluto.

confianza. *f.* confiança, esperança, que se tem numa pessoa ou coisa; segurança, convicção do próprio valor; bom conceito de pessoa estranha; crédito; atrevimento; familiaridade; ânimo para trabalhar, arrojo, ousadia, alento, vigor, confiança; presunção e vã opinião de si mesmo; firmeza; pacto, contrato secreto; confidência, segredo; atença; convivência; afoiteza. — *pl.* facilidades: *en confianza,* em confiança; *con confianza,* com confiança; *dar confianza,* dar confiança; *donde hay confianza da asco,* (fam.) a muita familiaridade é causa de menospreço; *exceso de confianza,* atrevimentos; *inspirar confianza,* confiar-se: *retirar la confianza,* desconfiar; *tener confianza en,* ter confiança em; descansar; *tener confianza ilimitada en algo o alguien,* assinar de cruz; *tener confianza en sí mismo,* estar forte de si; *no tener confianza,* não ter confiança, duvidar; *adquirir confianza,* familiarizar; *ser persona de confianza,* ser pessoa de confiança.

confianzudo, da. *adj.* diz-se da pessoa que se toma excessiva confiança; atrevido, ousado, arrogante; presumido.

confiar. *v. intr.* confiar; ter confiança; acreditar; contar. — *v. tr.* dar esperança alguém; depositar confiança, confiar; revelar, trasmitir; entregar alguma coisa sem receio; encarregar; encomendar; depor, depositar. — **confiarse.** *v. r.* confiar-se; franquear-se; desafogar-se; entregar-se; (fig.) desabotoar-se: *confiar en alguien,* confiar dalguém; *confiar a alguien sus preocupaciones,* descarregar sobre alguém os seus cuidados; *confiar en la ayuda de alguien,* estribar-se no auxílio de alguém; *confiar en alguien,* fazer estribos em alguém; descarregar em alguém, contar com alguém; andar fiado em; *confiar al cuidado de alguien,* deixar ao cuidado de alguém; *confiar en,* fundar-se, fazer fundamento; *confiar a la memoria,* encomendar à memória; *confiar en la protección de alguien,* encostar-se a alguém; *confiar las penas,* desabafar; desafogar; *confiar sin reservas en alguien,* entregar-se nos braços dalguém; *confiarse al amigo,* desafogar com o amigo; *confiarse en alguien,* alargar-se con alguém; *confío ver,* espero de ver; *confiar en Dios,* confiar em Deus.

confidencia. *f.* confidência, comunicação secreta; segredo confiado; confiança; informe; revelação secreta; notícia reservada.

confidencial. *adj.* confidencial; íntimo; secreto.

confidente, ta. *adj.* e *s.* confidente, fiel, seguro, de confiança; informador, confidente, espião; canapé de dois lugares, conversadeira.

configuración. *f.* configuração, formato, aspecto, figura; corporatura; formadura; forma, (Bras.) fôrma; contextura.

configurar. *v. tr.* configurar, dar determinada figura a uma coisa. — *v. intr.* tomar uma certa figura.

confín. *adj.* confim, confinante. V. **confinante.** — *m.* confins, fronteira, raia; límites atingido pela nossa vista; termo que divide os Estados; (fig.) confim.

confinación. *f.* V. **confinamiento.**

confinado, da. *p. p.* e *adj.* confinado, limitado; desterrado. — *m.* (for.) desterrado o que sofre a pena de desterro.

confinamiento. *m.* confinamento; (for.) desterro para lugar determinado pelas autoridades.

confinar. *v. tr.* e *intr.* confinar, limitar, ser limítrofe; ser contíguo; confrontar; limitar; circunscrever; desterrar para lugar determinado pelas autoridades.

confingir. *v. tr.* (farm.) confeiçoar, preparar medicamentos; manipular, misturar substâncias medicinais com um líquido até ficar em massa.

confinidad. *f.* confinidade, proximidade, imediação, contiguidade, convizinhança.

confirmación. *f.* confirmação; ratificação, nova prova; revalidação de coisa aprovada antes; confirmação, sacramento da Igreja; (ret.) parte principal dum discurso.

confirmador, ra. *adj.* e *s.* confirmador, que confirma.

confirmar. *v. tr.* confirmar, corroborar a verdade, certificar; assegurar; revalidar o que está aprovado; comprovar; adquirir a certeza; ratificar; sustentar; asseverar; aprovar. — (rel.) confirmar, crismar, conferir o sacramento da Confirmação: *confirmar una sentencia,* confirmar uma sentença; *la excepción confirma la regla,* a excepção confirma a regra.

confirmativo, va. *adj.* corroborante, corroborativo, asseverativo, confirmativo, confirmante.

confirmatorio, ria. *adj.* confirmatório, que contém confirmação.

confiscable. *adj.* confiscável, que se pode confiscar.

confiscación. *f.* confiscação; expropriação: : *confiscación judicial,* arresto.

confiscador, ra. *adj.* e *s.* confiscador, expropriador.

confiscar. *v. tr.* confiscar, arrestar, expropriar, embargar, apreender em proveito do fisco.

confitado, da. *p. p.* e *adj.* confeitado, coberto com banho de açúcar; confiado, esperançado.

confitar. *v. tr.* confeitar, cobrir de açúcar as frutas ou outro doce; (fig.) adoçar, suavizar.

confite. *m.* confeito, grão ou pevide coberta de açúcar em forma de bola; amêndoas marquezinhas.

confiteor. *m.* confiteor.

confitera. *f.* compoteira, caixa para guardar confeitos.

confitería. *f.* confeitaria, pastelaria, doçaria.

confitero, ra. *s.* confeiteiro, o que faz ou vende confeitos e outros doces; prato em que antigamente se serviam os doces.

confitura. *f.* doce de fruta coberto com açúcar, doce coberto.

conflación. *f.* fundição, acção de fundir.

conflagración. *f.* conflagração, incêndio grande; (fig.) perturbação violenta e repentina de povos ou nações; abrasamento; ardimento; guerra; (fig.) grande cataclismo político; veemência de um sentimento ou paixão.

conflagrar. *v. tr.* conflagrar, inflamar, incendiar, queimar alguma coisa; pôr em convulsão; agitar; excitar. — **conflagrarse.** *v. r.* incendiar-se, revolucionar-se.

conflátil. *adj.* fundível, fusível, que se pode fundir.

conflicto. *m.* conflito, embate de pessoas que lutam; choque; luta; pendência; altercação; desordem; oposição; conjuntura momento crítico; embrolho; embrulhada; situação desgraçada e de difícil saída; agitação, angústia da alma; obstáculo, dificuldade; (Bras.) arregaço, bababi, estripulia, fuzuê, mazorca, mironga, pendenga, perequê, zoeira.

confluencia. *m.* confluência, concorrência, reunião de dois rios; (anat.) confluência, anastomose.

confluente. *p. a.* e *adj.* confluente, que conflui. — *m.* V. **confluencia.**

confluir. v. intr. confluir, juntarem-se dois ou mais rios num ponto; (fig.) confluir, juntarem-se num ponto dois ou mais caminhos; correr para o mesmo ponto; afluir, concorrer a um sítio muita gente, vinda de diversas partes; convergir.

conformación. f. conformação, disposição geral dum corpo, configuração, conformidade, forma, (Bras.) fôrma, estrutura.

conformar. v. tr. conformar, ajustar, concordar uma coisa com outra; dar conformação; formar; dispor; tornar conforme; apertar; amoldar; afigurar; afeiçoar; (fig.) aclimar. — v. intr. condescender, convir, corresponder, quadrar. — conformarse. v. r. resignar-se, conformar-se, ficar conforme; conciliar, condescender; concordar; chegar-se; amanhar-se; sujeitar-se; submeter-se; contentar-se; acomodar-se; amoldar-se, chegar-se à razão; dar por bem empregado; ajustar-se: conformarse a, afazer-se a; no conformar una cosa con otra, mentir; conformarse con la propia suerte, conformar-se com sua sorte; conformar la acción a la palabra, conformar a(c)tos com palavras.

conforme. adj. conforme, semelhante, igual, idêntico; correspondente, proporcional, conforme, unido; resignado, conformado; que está nas devidas condições; condonante, acorde, acordante; assente; conveniente. — adv. conformemente; em harmonia com; que denota relações de conformidade, correspondência ou modo; em conformidade; segundo as circunstâncias; congruentemente; perfeitamente: conforme a, a medida de; no estar conforme, desconformar; conforme mi parecer, conforme meu parecer; estar conforme con, ser conforme com, estar conforme com; no conforme a derecho, (for.) improcedente.

conformidad. f. conformidade, qualidade do que é conforme; semelhança, analogia, identidade; igualdade; correspondência duma coisa com outra; concórdia, harmonia, união; aco(ô)rdo; concerto, pacto; simetria e devida proporção entre as partes que compõem um todo; adesão íntima e total de uma pessoa a outra; resignação, paciência, submissão; tolerancia e sofrimento nas adversidades, conformidade; aquiescência; afinidade; assenso; equabilidade; contentamento; consonância; conveniência; concorrência; reconciliação; unanimidade; congruência: de conformidad, de conformidade, de comum aco(ô)rdo; en conformidad, em conformidade, em harmonia; de conformidad con la ley, na conformidade da lei.

conformismo. m. (rel.) conformismo; anglicanismo; conformidade. V. conformidad.

conformista. adj. e s. conformista, anglicano.

confort. m. (angl.) V. comodidad.

confortable. adj. confortável, que conforta, alenta ou consola; cómodo: casa confortable, casa com muitos despejos.

confortación. f. confortação; consolação; confo(ô)rto.

confortador, ra. adj. e s. confortador, que conforta, confortante.

confortamiento. m. confortamento, conforto. V. confortación.

confortante. adj. confortante, que conforta, confortador; confortativo, corroborante (diz-se dos alimentos); confortativo, tónico (medicamentos). — m. pl. mitenes, luvas de malha sem dedos.

confortar. v. tr. confortar, tornar forte, dar vigor, espírito e fo(ô)rça, fortificar; dar confo(ô)rto; (fig.) consolar; animar, alentar, confortar; corroborar; desatribular; desafligir; desapaixonar.

confortativo, va. adj. confortativo, próprio para confortar. — m. confortativo, tónico, medicamento fortificante.

confracción. f. rompimento, fra(c)tura.

confraternal. adj. confraternal, recíproca entre irmãos.

confraternar. v. intr. confraternar, confraternizar, ligar como irmãos.

confraternidad. f. confraternidade, ligação fraterna; amizade comparável à que deve haver entre irmãos; relação amistosa.

confraternizar. v. intr. (Amér.) confraternizar. V. fraternizar.

confricación. f. fricção, esfregação.

confricar. v. tr. esfregar, friccionar.

confrontación. f. confrontação, a(c)to de confrontar ou acarear; cotejo duma coisa com outra; simpatia, analogia natural entre pessoas ou coisas: confrontación de testigos, acareamento, acareação, confrontação.

confrontar. v. tr. confrontar, acarear uma pessoa com outra; cotejar uma coisa com outra, comparar; pôr de frente; fazer confronto. — v. intr. confrontar, ser conforme, confrontar, ser limítrofe, confinar, limitar; quadrar, concordar; defrontar; ficar defronte. — confrontarse. v. r. estar de frente, ter semelhança; concordar.

confucianismo. m. (rel.) confucionismo.

confuciano, na. adj. e s. (rel.) confucionista.

confucionismo. m. (rel.) V. confucianismo.

confucionista. adj. e s. V. confuciano.

confulgencia. f. brilho simultâneo.

confundible. adj. confundível; incara(c)terístico, que se pode confundir.

confundido, da. adj. e p. p. confundido, posto em confusão; misturado; perturbado; embaçado, embaraçado; desorientado; demudado, descomposto; corrido; aparvalhado; atónito, (Bras.) atônito.

confundidor. adj. confundidor; barulhento; atrapalhador; desnorteador, que confunde.

confundir. v. tr. confundir, misturar coisas diversas; unir sem ordem; confundir, tomar uma coisa por outra, equivocar; baralhar, pôr em desordem; confundir, convencer; atrapalhar, embrulhar, confundir; equivocar, perturbar; entrambicar; entralhar; entremisturar; barulhar; amalgamar; alterar, errar; atalhar; assarapantar; envolver; apatetar, aparvalhar;

descompor; desconcordar; berrear; contraverter; desnortear; fusionar; desorientar; desordenar; desbaratar; desarrumar; embaralhar, embaraçar; embaçar; emaranhar; atarantar; desempilhar; embarrilar; abismar; mexer; embarbascar; atarracar; (Bras.) entrevear; (fig.) humilhar, envergonhar; embair; desconcertar; perturbar; demudar; cobrir de confusão; ferir a modéstia de; não distinguir, trocar; voltar tudo de cima para baixo; meter alguém por dentro; equivocar; impossibilitar de responder, confundir; abater. — **confundirse.** *v. r.* confundir-se, envergonhar-se, consternar-se; humilhar-se; abarar-se; confundir-se, embrulhar-se, enganar-se; não se distinguir; emaranhar-se; embaraçar-se; embarbascar-se, ser muito parecido; atrapalhar-se; atabalhoar-se; baralhar-se; enturvar-se; equivocar-se; embrulhar-se; entralhar-se; misturar-se.

confusión. *f.* confusão, falta de ordem ou de clareza; perturbação; barulho; perplexidade; vergonha; desassossego; afronta, ignomínia; multidão desordenada; embaraço, enleio produzido pelo pejo ou pela vergonha; caos; desordem, perturbação, confusão; transtorno, alteração; e(ê)rro; equivocação; vergonha, humilhação, pejo, insulto; abatimento; (germ.) calaboiço, cárcere; venda ou estalagem; (for.) reunião das qualidades de credor e devedor numa mesma pessoa; mexedura; ingresia; deturbação; encamisada; embaralhação; desarranjo; desarrumação; desatinação; desbaratamento; fula-fula; desorganização; desorientação, d e s m a z e l o, (Bras.) desmazêlo; (fig.) babel; desmancho, desnorteamento; atarantação, ataranto; atabalhoamento; estrépito; (fig.) inferneira, inferno; desconcerto, (Bras.) desconcêrto; descomposição; falta de clareza; mexida, mexorado; ambiguidade; algaravia; algaraviada; barafunda; charivari; baralha, baralhamento, barulheira, barulho; barrilada; amontoação; assarapantamento; corre-corre; estropeada, estropido; correria; balbúrdia, sarrafusca; destempero; embrolho, embrulho, embrulhada; farragem; imprecisão; engasgo; amalgama, amalgamação; indistinção; (fig.) anfibologia; alhada; barafunda; (pop.) choldraboldra, chirinola; (Bras.) entrevero, bafafá, bôlo, fuzuê, lelê, mazorca; promiscuidade: *confusión de varias cosas*, (fig.) maionesa; *confusión de gente ordinaria*, choldra; *confusión de poderes*, anarquia; *poner en confusión,* desarranjar; *sembrar la confusión,* tirar uma coisa de seus eixos; *llenarse de confusión,* ficar cheio de confusão; *en confusión*, em confusão, desordenadamente.

confuso, sa. *p. p. irreg.* de confundir. — *adj.* confuso, misturado, desordenado, revolto, informe, desconcertado, perturbado; escuro, duvidoso, confuso; difícil de distinguir; pouco perceptível, confuso; (fig.) turvado, temeroso; perplexo; envergonhado; indiscriminado; inextricável; entrecambado; inclassificável; incôndito; arrevesso, (Bras.) arrevêsso; embaraçado; desarrumado; indefinido; indelineável; atrapalhado; atarantado; atropelado; ambíguo, anfíbio; anárquico; desvairado; embrulhado; aparvalhado; indistinto; impreciso; anfibológico; (Bras.) ababelado; (fig.) bicudo; alabirintado: *lenguaje confuso,* galimatias; aravia.

confutación. *f.* confutação, refutação, impugnação; falsificação.

confutar. *v. tr.* confutar, impugnar convincentemente, refutar, rebater, contradizer, contrariar; reprimir, destruir, desfazer, desbaratar.

confutatorio, ria. *adj.* confutador, que confuta ou refuta.

congelable. *adj.* congelável, que se pode congelar.

congelación. *f.* congelação; frigorificação; solidificação por meio do frio.

congelador. *m.* congelador, frigorífero.

congelamiento. *m.* V. **congelación.**

congelar. *v. tr.* congelar, gelar um líquido; resfriar; solidificar por meio do frio; encarapinhar, encaramelar; frigorificar; (fig.) atemorizar, embargar; (com.) bloquear. — **congelarse.** *v. r.* gelar-se; encaramelar-se; encarapinhar-se.

congeminación. *f.* (fisiol.) congeminação, formação dupla e simultânea.

congénere. *adj. e s.* congénere, (Bras.) congênere, do mesmo género, da mesma origem, da própria derivação; idêntico.

congenial. *adj.* congenial, conforme à índole ou génio dalguém.

congenialidad. *f.* congenialidade; identidade de génios.

congeniar. *v. intr.* terem duas ou mais pessoas o mesmo génio, inclinação ou cará(c)ter; simpatizar; convir-se reciprocamente; harmonizar.

congénito, ta. *adj.* congénito, (Bras.) congênito, nascido com o indivíduo; gerado ao mesmo tempo; inato; apropriado.

congerie. *f.* congérie, reunião de coisas diferentes; acumulação de coisas, montão.

congestión. *f.* (med.) congestão, afluência anormal do sangue a um orgão.

congestionar. *v. tr.* congestionar, produzir congestão nalguma parte do corpo. — **congestionarse.** *v. r.* congestionar-se, acumular-se o sangue num órgão; (fig.) enrubescer; encolerizar-se.

congestivo, va. *adj.* (med.) congestivo, acumulado por congestão; que provoca a congestão.

conglobación. *f.* conglobação; acumulação; reunião e mistura de coisas imateriais.

conglobar. *v. tr.* conglobar, englobar, reunir em globo, amontoar; acumular em montão; concentrar; resumir.

conglomeración. *f.* conglomeração, conglomerado, mistura de coisas diversas.

conglomerado, da. *p. p. adj. e s.* conglomerado; aglomerado; união íntima; fusão; conglomeração; rocha formada de fragmentos de outras.

conglomerar. *v. tr.* conglomerar, reunir numa só massa. V. **aglomerar**. — **conglomerarse.** *v. r.* conglomerar, formar-se conglomerados ou conglomeração; juntar-se, unir-se, agrupar-se de maneira a ficar numa massa compacta.

conglutinación. *f.* conglutinação; aderência.

conglutinado, da. *adj. e p. p.* conglutinado, aglutinado, colado, unido.

conglutinador, ra. *adj. e s.* conglutinador, conglutinante, que conglutina.

conglutinar. *v. tr.* conglutinar, unir por meio de uma substância viscosa; colar uma coisa com outras, pegar, aglutinar. — **conglutinarse.** *v. r.* conglutinar-se, soldar-se; reunirem-se e ligarem-se entre si, pegando-se, fragmentos, glóbulos, corpúsculos, etc., por meio de substâncias viscosas.

conglutinativo, va. *adj.* conglutinativo, conglutinante, que conglutina, viscoso, pegajoso, glutinoso.

conglutinoso, sa. *adj.* conglutinoso, pegajoso, viscoso, que serve para colar.

Congo. (geog.) Congo.

congoja. *f.* desmaio, fadiga; angústia; aflição; congoxa; entristecimento; apertada; afligimento; ansiedade; agonia; enturvação, tribulação.

congojar. *v. tr.* afligir, oprimir. V. **acongojar**.

congojoso, sa. *adj.* congoxado; aflito; angustiado, aflitivo; lúgubre; lutuoso.

congoleño, ña. *adj. e s.* (geog.) congolês, natural de ou pertencente ao Congo.

congolés, sa. *adj. e s.* (geog.) congolês. V. **congoleño**.

congosto. *m.* desfiladeiro entre montanhas, congosta.

congraciador, ra. *adj. e s.* congraçador, reconciliador; adulador, louvador; pacificador.

congraciamiento. *m.* reconciliação; adulação, lisonja; conciliação, harmonia.

congraciar. *v. tr. e r.* congraçar, reconciliar, tornar amigo; conseguir ou granjear a benevolência ou a afeição de alguém; engraçar-se, congraçar-se; adular, louvar; reconciliar; apaziguar; harmonizar-se; conciliar-se.

congratulación. *f.* congratulação; felicitação.

congratulador, ra. *s.* congratulador, aquele que congratula ou se congratula.

congratular. *v. tr.* congratular, apresentar congratulações; felicitar. — **congratularse.** *v. r.* congratular-se, aplaudir-se, regozijar-se, dar-se parabens.

congratulatorio, ria. *adj.* congratulatório, que envolve congratulação.

congregación. *f.* congregação, assembleia; confraria; conjunto de religiosos duma mesma ordem; junta para tratar dum ou mais negócios; fraternidade, comunhão, irmandade; junta de prelados na curia romana.

congregacionalismo. *m.* seita dos congregacionalistas.

congregacionalista. *s.* congregacionalista, partidário da independência das igrejas locais, nos países anglosaxões.

congregacionista. *adj. e s.* congregacionista. V. **congregante**.

congregante, ta. *s.* congregante, membro duma congregação, congreganista, congregado, membro duma congregação.

congregar. *v. tr. e r.* congregar, juntar, reunir; convocar; agregar; ajuntar; coadunar; congregar, constituir como comunidade; reunir-se em congresso; congregar-se; conglutinar-se.

congresista. *s.* congressista, membro dum congresso ou assembleia.

congreso. *m.* congresso, reunião, assembleia; gabinete, junta deliberativa; câmara municipal; Cortes, Parlamento, assembleia nacional; união carnal; ajuntamento.

congrio. *m.* (istiol.) congro; safio.

congruencia. *f.* congruência, conveniência; oportunidade; congruidade; coerência; aco(ô)rdo; harmonia; propriedade; (mat.) expressão algébrica.

congruente. *adj.* congruente, conveniente, oportuno, proporcionado; (mat.) diz-se da quantidade que dividida por outra dá um resto chamado módulo.

congruidad. *f.* congruidade. V. **congruencia**.

congruismo. *m.* (teol.) congruismo.

congruista. *s.* (teol.) congruísta.

congruo, grua. *adj.* congruente, conveniente, oportuno, proporcionado, côngruo; adequado.

conhortar. *v. tr.* (ant.) animar, esforçar.

conhorte. *m.* confo(ô)rto. V. **conforte**.

conicidad. *f.* (geom.) conicidade, forma cónica.

cónico, ca. *adj.* (geom.) cónico, (Bras.) cônico, com forma de cone.

conidáceas. *f. pl.* (bot.) conídeas.

conidia. *f.* (bot.) conídia.

cónidos. *m. pl.* (zool.) conídeos.

conífero, ra. *adj.* (bot.) conífero. — *f. pl.* coníferas.

coniforme. *adj.* (geom.) coniforme, de forma cónica.

conimbricense. *adj. e s.* (geog.) conimbricense, coimbrão, natural de Coimbra ou pertencente a esta cidade.

conirrostro, tra. *adj.* (zool.) conirrostro. — *m. pl.* conirrostros.

conivalvo, va. *adj.* (zool.) conivalve, que tem concha cónica.

conjetura *f.* conje(c)tura, opinião fundada na probabilidade; suposição; hipótese; presunção; indício; argumento; futuração: *hacer conjeturas*, conje(c)turar.

conjeturable. *adj.* conje(c)turável, imaginável, presumível.

conjeturador, ra. *adj. e s.* conje(c)turador, que conje(c)tura.

conjetural. *adj.* conje(c)tural, hipotético, baseado em conje(c)turas.

conjeturar. *v. tr.* conje(c)turar, julgar por conje(c)turas; presumir; supor; prever, augurar, adivinhar, futurar; estimar; barruntar; suspeitar; antever, entrever, formar conje(c)turas.

conjuez. *m.* com-juiz.

conjugable. *adj.* conjugável, que se pode conjugar.

conjugación. *f.* conjugação; (gram.) conjugação; junção; ligação; (bot.) conjugação; comparação, confronto, cotejo.

conjugado, da. *p. p.* e *adj.* conjugado; junto; relacionado; conjugado, diz-se das linhas ou quantidades ligadas por alguma relação determinada; casado, ligado: *nervios conjugados,* (anat.) nervos conjugados.

conjugar. *v. tr.* (gram.) conjugar, expor ordenadamente todas as flexões dum verbo; (ant.) comparar, confrontar, cotejar.

conjunción. *f.* conjunção, junção, uniã₀, concurso simultâneo para um fim comum; (astrol.) aspecto de dois astros que ocupam a mesma zona celeste; (astr.) conjunção de dois ou mais astros; (gram.) conjunção; associação, união; consolidação; entroncamento; conjuntura; oportunidade.

conjuntar. *v. tr.* (ant.) conjuntar, unir, reunir, formar conjunto.

conjuntiva. *f.* (anat.) conjuntiva, adnata.

conjuntival. *adj.* (anat.) conjuntival, relativo à conjuntiva.

conjuntividad. *f.* qualidade de conjuntivo.

conjuntivitis. *f.* (pat.) conjuntivite.

conjuntivo, va. *adj.* conjuntivo, que une e junta uma coisa com outra; (gram.) conjuntivo, relativo à conjunção: *tejido conjuntivo,* (anat.) tecid₀ conjuntivo.

conjunto, ta. *adj.* conjunto; unido; ligado; contíguo; próximo; misturado, incorporad₀ com outra coisa diferente; aliado; afim, unido por parentesco ou amizade; agregado. — *m.* conjunto, agregado de várias coisas; cole(c)ção; (depor.) equipa, conjunto sele(c)cionado para uma prova desportiva; o todo; complexo, totalidade: *en conjunto,* em conjunto.

conjura. *f.* conjura, conspiração, conjuração, trama, conjuro.

conjuración. *f.* conjuração, conspiração, conjura; maquinação; trama; combinação de várias pessoas para causar dano; enredo; (ant.) conjuro, exorcismo.

conjurado, da. *adj.* e *s.* conjurado, conspirador, conjurador.

conjurador. *m.* conjurador, exorcista, conjurante.

conjuramentar. *v. tr.* tomar juramento, jurar. — conjuramentarse. *v. r.* ajuramentar-se, obrigar-se com juramento.

conjurar. *v. intr.* conjurar, ajuramentar, ligar-se por juramento; (fig.) conspirar, maquinar, tramar, conluiar; maquinar, tramar, coluiar; impedir, evitar, afastar um dano ou perigo, esconjurar, exorcizar; conjurar, pedir, rogar com instância; conjurar, fazer imprecações mágicas; desviar; adjurar; desenfeitiçar. — *v. tr.* juramentar, tomar juramento. — conjurarse. *v. r.* conjurar-se, conspirar-se, envolver-se em conjuração.

conjuro. *m.* conjuro, imprecação mágica; esconjuro; exorcismo; evocação; rogo, pedido instante.

conllevar. *v. tr.* coadjuvar, ajudar; sofrer, tolerar, aturar; ter paciência na adversidade; ajudar a suportar trabalhos.

conmemorable. *adj.* comemorável, digno de comemoração.

conmemoración. *f.* comemoração; homenagem; memória, recordação; efemérides; memento; celebração; recordação, lembrança.

conmemorar. *v. tr.* comemmorar, fazer recordar, memorar, trazer à memória; solenizar para recordar; lembrar.

conmemorativo, va. *adj.* comemorativo, que comemora.

conmensurabilidad. *f.* comensurabilidade.

conmensurable. *adj.* comensurável, que se pode medir ou avaliar-se, medível.

conmesuración. *f.* comensuração, medida, igualdade ou proporção que tem uma coisa com outra.

conmensurar. *v. tr.* comensurar, medir, proporcionar.

conmigo. *pron. pers.* comigo, em minha companhia; entre mim; a meu lado.

conminación. *f.* cominação; ameaça de pena ou castigo; prescrição penal.

conminar. *v. tr.* cominar, ameaçar; assimilar a pena, impor pena; exigir; intimidar; advertir.

conminativo, va. *adj.* cominativo, cominatório, que comina.

conminatorio, ria. *adj.* cominatório, ameaçador, cominativo.

conminuta. *adj.* (cir.) diz-se da fra(c)tura em que o osso fica fragmentado.

conmiseración. *f.* comiseração, piedade, pena, compaixão.

conmistión. *f.* mistão, mistura, união de coisas diversas.

conmisto, ta. *adj.* misto, misturado, ou junto com outra pessoa ou coisa.

conmistura. *f.* V. conmistión.

conmixtión. *f.* V. conmistión.

conmixto, ta. *adj.* V. conmisto.

conmoción. *f.* comoção, alteração; abalo físico ou moral, perturbação; motim, desordem, perturbação, alteração, tumulto, levantamento, agitação; alvoroçamento; choque; enternecimento; emoção, emotividade, impressão; estremeção, estremecimento; alarme; fremência; movimento sísmico.

conmonitorio. *m.* memorial, relação por escrito dalguns a(c)tos ou sucessos, memória.

conmoración. *f.* (ret.) V. expoliación.

conmovedor, ra. *adj.* comovedor, que comove ou enternece, comovente, emotivo, emocionante; impressionador.

conmover. *v. tr.* comover, perturbar, inquietar, alterar; enternecer, mover à compaixão; agitar, abalar; impressionar; alarmar; emocionar; apaixonar; estremecer; fremir; (fig.) embrandecer; derreter; empolgar; alvoroçar, alvorotar, convulsionar; mover; perturbar, inquietar. — conmoverse. *v. r.* comover-se, emocionar-se, abalar-se; derreter-se, embrandecer-se; estrebuchar; estremecer-se: *me conmueven tus lágrimas,* as tuas lágrimas abalam-me; *me conmueve de todo corazón,* isto chega-me às entranhas; *la escena final conmovió al público,* a cena final empolgou o público.

conmuta. *f.* (Amér.) V. **conmutación.**

conmutabilidad. *f.* comutabilidade.

conmutable. *adj.* comutável, que se pode comutar.

conmutación. *f.* comutação, a(c)ção e efeito de comutar, permutação; mudança; alteração de pena; (electr.) comutação, operação para se conseguir que nas geradoras de corrente elé(c)trica contínua, a corrente tenha sempre o mesmo sentido; (ret.) metátese: *comutación de pena,* indulto.

conmutador, ra. *adj.* comutador, que comuta. — *m.* (fís.) comutador, aparelho para inverter ou interromper correntes elé(c)tricas.

conmutar. *v. tr.* comutar, trocar, cambiar, permutar uma coisa por outra, substituir; minorar, acercear (uma pena); comutar a pena.

conmutativo, va. *adj.* comutativo.

conmutatriz. *f.* (electr.) comutador, aparelho para conseguir que, nas geradoras de corrente elé(c)trica contínua, a corrente tenha sempre o mesmo sentido.

connado, da. *adj.* (bot.) V. **connato.**

connato, ta. *adj.* (bot.) conato, inato, nascido ao mesmo tempo que outro.

connatural. *adj.* conatural, conforme a natureza, inato, ingénito, (Bras.) ingênito, congénito, (Bras.) congênito.

connaturalidad. *f.* conaturalidade.

connaturalización. *f.* aclimação, aclimatação, hábito, conaturalização.

connaturalizar. *v. tr.* conaturalizar. — **connaturalizarse.** *v. r.* conaturalizar-se; acostumar-se, aclimatar-se, habituar-se.

connivencia. *f.* conivência, cumplicidade, dissimulação ou tolerância; confabulação; indulgência; conluio; colusão.

connivente. *adj.* coniventè, cúmplice, conluiado; (bot.) diz-se das folhas ou outras partes duma planta que tendem a aproximar-se.

connotación. *f.* conotação, dependência entre duas ou mais coisas; parentesco muito afastado.

connotado. *m.* parente muito afastado.

connotar. *v. tr.* relatar, fazer a relação ou relato de; fazer relatório de; denotar; (gram.) ter uma palavra duas ideias diversas, uma principal e outra acessória.

connotativo, va. *adj.* (gram.) conotativo.

connubial. *adj.* conubial, conjugal, nupcial, matrimonial, pertencente ou relativo à conúbio.

connubio. *m.* (poet.) conúbio, matrimónio, casamento, núpcias.

connumeración. *f.* conumeração.

connumerar. *v. tr.* conumerar; contar ao mesmo tempo.

cono. *m.* (bot.) cone, fruto da família das coníferas; (geom.) cone; superfície cónica; (fís.) cone de luz.

conocedor, ra. *adj. e s.* conhecedor; experimentado, experto, experiente; (prov.) mairal das vacadas ou toiradas.

conocencia. *f.* (for.) confissão que faz o réu ou demandado.

conocer. *v. tr.* conhecer, perceber, ter ideia dalguma coisa; entender, advertir, saber; distinguir, reconhecer, averiguar; presumir ou conje(c)turar o que pode suceder; ter noção de; saber; avaliar; sentir a a(c)ção de; apreciar; aprender; estar ao fa(c)to; (fig.) alcançar; ter cópula carnal; averiguar. — **conocerse.** *v. r.* conhecer-se; descobrir-se: *conocerse mutuamente,* entreconhecer-se; *conocer de vista,* conhecer de vista; *darse a conocer,* dar-se a conhecer; *no conocer el miedo,* não conhecer a cara ao medo; *conocer a alguien por la voz,* conhecer alguém pela voz; *quien no te conozca que te compre,* (pop.) quem te não conheça que te compre; *ser más conocido que la ruda,* (pop.) ser mais conhecido que o cão ruivo; *conocer la aguja de marear,* (fig.) saber guiar a sua barca; *conocer el mundo,* (fig.) conhecer a ruta; *conocer superficialmente,* conhecer de vista; *conocer una causa,* (for.) conhecer um pleito. — *pres. ind. irr.* **conozco, -ces,** etc.; *subj.* **conozca, -as,** etc.

conocible. *adj.* conhecível, que se pode conhecer; cognoscível.

conocido, da. *p. p. e adj.* conhecido, distinto, acreditado, ilustre, famigerado, famoso; elementar; descoberto. — *s.* conhecido, pessoa com quem temos conhecimento, mas não amizade: *ser más conocido que la ruda,* (fam.) ser tão conhecido como a arruda.

conocimiento. *m.* conhecimento, entendimento, inteligência, razão natural; sentido, domínio das faculdades no homem; conhecimento de embarque, conhecimento de mercadorias embarcadas; fiança dada pelos comerciantes; conhecença; experiência; ciência; cognição; noção; informação; saber; instrução; perícia; educação; (fig.) luz; conselho; conhecido, sem ser amigo; amizade superficial; obrigação de dívida; conhecimento, recibo; reconhecimento, gratidão. — *pl.* conhecimentos, ciência, sabedoria; *conocimiento de causa,* conhecimento de causa; *con conocimiento de causa,* conscientemente; *estar privado de conocimiento,* não dar acordo de si; *adquirir conocimientos,* aprender; *poner en conocimiento de,* informar; *venir en conocimiento de alguna cosa,* tomar conhecimento dalguma coisa.

conoidal. *adj.* (geom.) conoidal, conóide.

conoide. *m.* conóide.

conoideo, a. *adj.* conoidal, conóide, que tem forma de cone.

conopeo. *m.* colgadura da cama, do altar, etc.; baldaquim, baldaquino, dossel.

conopial. *adj.* (arq.) conopial, diz-se do arco que tem partes côncavas e convexas, com dois centros em cima e dois em baixo.

conoscopio. *m.* (fís.) instrumento para observar os raios de luz convergentes.

conque. *conj.* com que, com que então; assim que, de modo que; significa consequência natural ou dedução lógica do que acaba de dizer-se. — *m.* (fam.) condição que se impõe, motivo, circunstância, pretexto.

conquense. *adj.* e *s.* (geog.) natural de Cuenca, ou relativo a esta cidade.

conquibus. *m.* V. cumquibus.

conquiforme. *adj.* conchado, conquiforme, conquilóide, em forma de concha.

conquilífero, ra. *adj.* (hist. nat.) conquífero, que tem conchas.

conquiliófago, ga. *adj.* e *s.* conquiliófago.

conquiliología. *f.* conquiliologia.

conquiliológico, ca. *adj.* conquiliológico.

conquiliólogo, ga. *s.* conquiliologista, conquilogista, naturalista, perito em conquiliologia.

conquista. *f.* conquista, a(c)to de conquistar; conquista, a coisa conquistada; o que se obtem à força de trabalho; adquisição, ganho; (pop.) namoro; namorada; incursão; debelação: *hacer conquistas*, fazer conquistas; *conquista por la fuerza de las armas*, expugnação.

conquistable. *adj.* conquistável, que se pode conquistar ou ganhar; expugnável; fácil de obter, acessível.

conquistador, ra. *adj.* e *s.* conquistador, que conquista; (pop.) namorador; debelador; avassalhador.

conquistar. *v. tr.* conquistar, submeter pela força das armas; apoderar-se; adquirir pela força; subjurar; alcançar à força de trabalho; (fig.) granjear, adquirir amizades; render os corações, as vontades; (pop.) arranjar namoro; debelar; avassalhar; conseguir, obter; expugnar; assenhorear-se.

conrear. *v. tr.* preparar ou temperar uma coisa para a aperfeiçoar; (agr.) binar, dar segundo amanho às terras.

consabidor, ra. *adj.* consabedor, que juntamento com outro sabe alguma coisa.

consagrable. *adj.* consagrável, que pode ser consagrado.

consagración. *f.* consagração; devoção, devotamento; dedicação; santificação; ba(p)tismo; apoteose.

consagrado, da. *p. p.* e *adj.* consagrado; bento; devoto; devotado; dedicado.

consagrador, ra. *adj.* e *s.* consagrador, consagrante, que consagra.

consagrar. *v. tr.* consagrar, tornar sagrado, sagrar, dedicar à divindade; votar; sacrificar; dedicar, oferecer a Deus por culto ou voto; (fig.) erigir um monumento para perpetuar a memória duma pessoa ou sucesso; inaugurar; devotar; dar; santificar; sancionar; deificar; (rel.) consagrar, fazer a cerimónia de consagração da Hóstia. — consagrarse. *v. r.* consagrar-se; dedicar-se; devotar-se; aplicar-se: *consagrar todos los cuidados a alguien*, desvelar, dedicar-se inteiramente a alguém.

consanguíneo, a. *adj.* consanguíneo, que é do mesmo sangue; cognado; cognato. — *s.*

consanguíneo, parente por consanguinidade.

consanguinidad. *f.* consanguinidade; parentesco de várias pessoas que descendem dum mesmo tronco, cognação.

consciente. *adj.* consciente; deliberado; conscio; que sabe o que faz; que sente: *estar consciente de lo que se hace*, estar senhor de si.

conscripción. *f.* (gal.) conscrição; recrutado, alistamento; recenseamento.

conscripto. *m.* (gal.) conscrito, recruta. V. quinto, recluta.

consectario, ria. *adj.* e *m.* consectário, concludente, consequente; corolário; consequência.

consecución. *f.* consecução; depreensão; obtenção; alcance, alcançamento; conseguimento.

consecuencia. *f.* consequência, conclusão; resultado, seguimento; coerência, dedução; efeito, ilação; alcance, importância; corolário; (fig.) fruto; codilho; consideração: *sacar consecuencia*, deducir; *en consecuencia*, em consequência, por consequência, em resultado, portanto; *ser consecuencia de*, depender de; *no tiene consecuencias*, não é coisa de consequência; *guardar consecuencia*, proceder com ordem e conformidade nas palavras ou nas obras.

consecuencial. *adj.* consequencial, relativo à consequência.

consecuente. *adj.* consequente, que se deduz, que segue naturalmente; que raciocina bem; coerente; decorrente. — *m.* (mat.) segunda proposição do entimema; segundo termo duma razão; (gram.) a palavra à qual se refere o pronome relativo que inicia uma oração; proposição que se deduz doutra chamada antecedente.

consecutivo, va. *adj.* consecutivo, imediato; que segue a outro; que segue depois; sucessivo; ininterrupto.

conseguimiento. *m.* conseguimento, consecução. V. consecución.

conseguir. *v. tr.* conseguir, entrar na posse de; obter; alcançar, lograr o que se pretende ou deseja; agenciar; seguir, ir em seguimento; avançar; adquirir; chupar; conquistar; experimentar; atingir; apanhar; aproveitar; conquistar; chegar; cobrar; embaçar; (fig.) codilhar; ter como consequência: *conseguir un empleo*, alcançar um emprego; *emplear todos los medios para conseguir algo*, (fig.) deitar barro à párede; *conseguir algo trabajosamente*, afanar; *conseguir algo por medio de embuste*, (pop.) engrampar; *esforzarse en conseguir algo*, andar em demanda de; *no conseguir*, ficar a apitar; *conseguir su objetivo*, fazer emprego; *conseguir lo propuesto*, dar alcance ao que se deseja, arrimar os pés à parede, dar no alvo; *conseguir la victoria sin esfuerzo*, abaratar a vitória; *nada de eso, no lo conseguirás*, não lhe porá o dente; *más se consigue con miel que con hiel*, mais apaga boa palavra que caldeira d'água. — *conj. irreg.* como *seguir.*

conseja. *f.* conto, fábula, patranha; conselha, conto popular moral; conciliábulo, conluio, reunião para fins ilícitos: *el bobo y la vulpeja ambos son de una conseja,* um áspide não mata outro áspide.

consejera. *f.* (fam.) mulher do conselheiro; conselheira.

consejero, ra. *s.* conselheiro, o que aconselha; guia; membro dum conselho; o que tem carta de conselho; magistrado ou ministro que tinha lugar nalgum dos antigos Conselhos; conselheiro o que serve de advertência para a conduta da vida; advogado; assessor; mentor; exortador; aconselhador; (com.) dire(c)tor; *consejero de Estado,* conselheiro de Estado; *mal consejero,* (fig.) desorientador; *buen consejero,* homem de bom conselho.

consejo. *m.* conselho, opinião emitida sobre o que convém fazer; parecer; ensinamento; corporação que dá parecer; conselho, assembleia de ministros, professores, etc.; conselho, nome de vários corpos consultivos; corporação consultiva; conselho, corpo administrativo e consultivo de companhias, sociedades, bancos, etc.; resolução duma pessoa; conselho, tribunal; casa, sala do conselho; aviso, parecer; determinação; exortação; advertência; auspício; admoestação; consulta: *Consejo de Ministros,* Conselho de Ministros; *Presidente del Consejo,* Chefe do Governo; *Consejo de guerra* Conselho de guerra; *Consejo de Estado,* Conselho de Estado; *consejo de administración,* conselho de administração; *consejo de familia,* conselho de família; *no admitir consejos de nadie,* não aconselhar-se com ninguém; *buen consejo,* (fam.) andadeira; *dar buenos consejos,* (fig.) encaminhar; *pedir consejo,* consultar; *seguir el consejo de alguien,* acostar-se; *seguir el consejo de los maestros,* acostar-se aos maestros; *tomar consejo,* aconselhar-se; *dar malos consejos,* (Bras.) atossicar, desencabeçar.

consenso. *m.* consenso, consentimento, anuência; parecer.

consensual. *adj.* (for.) consencial, consensual, diz-se do contrato dependente de consenso.

consentaneidad. *f.* qualidade de consentâneo, conformidade.

consentáneo, a. *adj.* consentâneo, conforme a razão; apropriado; adequado.

consentido, da. *p. p.* e *adj.* consentido, diz-se do marido que consente na infidelidade de sua mulher; aplica-se à pessoa extremamente amimada; caprichoso; amimado, mimoso; aprovado; tolerado, permitido; crédulo; malcriado.

consentidor, ra. *adj.* e *s.* consentidor, aquele que consente; paciente: *marido consentidor,* (pop.) corno, cornudo, coitadinho, coitado.

consentimiento. *m.* consentimento, cordo; anuência; permissão; tolerância; paciência; aprovação; aquiescência; licença; or-

dem; consenso, beneplácito; assentimento; assenso; aprazimento; agrado: *dar consentimiento,* consentir.

consentir. *v. tr.* consentir, permitir, tolerar; aprovar; condescender; crer, dar crédito; ser compatível; sofrer, admitir, consentir; admitir; aquiescer; assentir, deixar; contemplar; anuir; dar lugar a. — *v. intr.* dar consentimento; amimar demasiadamente as crianças e ser excessivamente indulgente com os inferiores, consentir; (for.) outorgar, obrigar-se; consentir-se. — *v. r.* rachar-se ou principiar a quebrar-se alguma coisa: *no consentir bromas ni imposiciones,* não sofrer ancas; *consentir en todo,* (fam.) não ter boca para dizer não. — *conj. irreg.* como *sentir.*

conserje. *m.* funcionário encarregado da guarda e conservação dum palácio ou estabelecimento público; chaveiro; porteiro.

conserjería. *f.* profissão e cargo de *conserje;* habitação que este ocupa.

conserva. *f.* conserva, fruta cozida conservada em calda; pimentos pepinos e outras coisas semelhantes preparadas com vinagre; (mar.) conserva, reunião de navios que navegam juntos. — *pl.* óculos com vidros de cor para conservar a vista: *navegar en conserva,* (mar.) andar em conserva.

conservabilidad. *f.* conservabilidade.

conservable. *adj.* conservável, que se pode conservar.

conservación. *f.* conservação; continuação; entretenimento; incolumidade; preservação; retenção.

conservador, ra. *adj.* e *s.* conservador, que conserva; conservantista; funcionário público encarregado do registro predial ou do registo civil; (pop.) conservador, o que se opõe a reformas políticas; conservador, empregado superior de museus ou bibliotecas; conservador, almoxarife.

conservaduría. *f.* cargo de juiz conservador; cargo de conservador nalgumas dependências públicas; conservatória; repartição do conservador.

conservar. *v. tr.* conservar, manter no estado a(c)tual; guardar bem; não perder; reter na memória; fazer durar; preservar; continuar a prática de virtudes ou costumes; conservar, entreter; alimentar, deter; (fig.) entesoirar; fazer conserva. — **conservarse.** *v. r.* conservar-se, ter cuidado em si; durar; permanecer: *conservar la esperanza,* (fig.) entreter a esperança; *conservar la ilusión,* afagar a ilusão.

conservatividad. *f.* (fren.) amor à vida; propensão a conservar-se.

conservativo, va. *adj.* conservativo, que tem a propriedade de conservar.

conservatoría. *f.* autoridade, jurisdição do juiz conservador; conservatória. — *pl.* conservatória, letras apostólicas ou indultos para a eleição de juiz conservador duma corporação religiosa; cartas expedidas pelo juiz conservador a favor dos que estavam sujeitos à sua jurisdição.

conservatorio, ria. *adj.* conservatório, que contem e conserva alguma coisa, conservativo. — *m.* conservatório, estabelecimento destinado ao ensino de música, canto e declamação.

conservería. *f.* conservaria, fábrica ou venda de conservas; arte de fazer conservas.

conservero, ra. *s.* conserveiro, fabricante ou vendedor de conservas.

considerable. *adj.* considerável; grande, quantidade, digno de consideração, importante, notável; contemplável.

consideración. *f.* consideração; estima; importância; reciocínio; obje(c)ção; refle(c)ção; razão; motivo; meditação; urbanidade, respeito; acatamento; atenção; importância autoridade; aceitação; aceitamento; deferência; deliberação; contemplação; apreço, (Bras.) apréço; apreciação; consequência; motivo, razão. — *pl.* reflexões, ponderações: *ser de consideración una cosa,* ser de importância, ser de grande monta; *tomar en consideración una cosa,* considerá-la digna de atenção; declarar uma assembleia que uma proposta merece ser discutida; *negocio de gran consideración,* negócio de grande consideração; *no prestar consideración a algo,* não dar consideração a uma coisa; *extenderse en consideraciones,* expraiar-se em considerações; *en consideración,* em consideração a; *por consideración a,* com ou em consideração a; *falta de consideración,* desapreço desconsideração; *hablar sin consideración,* ser arrevessado no falar; *sin consideración,* à toa; *por consideración a,* por contemplação.

considerado, da. *p. p.* e *adj.* considerado, que obra sem consideração ou reflexão; apreciado, bem-visto; atento; avisado; meditado; respeitado; circunspecto.

considerador, ra. *adj.* e *s.* considerativo, que considera, considerador, que refle(c)te ou medita.

considerando. *m.* (for.) considerando; razão em que se apoia uma sentença, decreto, etc.; preâmbulo.

considerar. *v. tr.* considerar, examinar atentamente; apreciar; ter em consideração; respeitar; ponderar; calcular; pensar; refle(c)tir, meditar, observar com atenção; tratar con deferência, dar importância a alguém, julgar, estimar; apreciar; reputar, julgar; ter em boa conta; cogitar; consultar; averiguar; estudar; encarar; deliberar; contrapesar; contemplar; medir; entrar em conselho. — considerarse. *v. r.* considerar-se; dar-se; crer-se; supor-se; imaginar-se: *pararse a considerar,* deter-se; *considerarse un gran artista,* dar-se por grande artista; *no considerar,* tratar de menor.

considerativo, va. *adj.* considerativo, diz-se do que considera; prudente.

consigna. *f.* (mil.) ordem, instrução dada ao comandante dum posto e transmitida à sentinela; consigna; estabelecimento de consignação de mercadorias.

consignable. *adj.* consignável, que se pode consignar.

consignación. *f.* consignação, a(c)ção de consigna; depósito de valores para pagamento de despesas obrigatórias; entrega de mercadorias que o produtor faz ao negociante; consignação, a própria mercadoria consignada; destino: *remitir mercancías en consignación,* consignar mercadorias.

consignador. *m.* (com.) consignador, consignante.

consignar. *v. tr.* consignar, confiar mercadorias a um comissário; consignar, destinar rendimento para pagar a credores em certas condições; consignar, pôr ou entregar em depósito; destinar; manifestar, expor ideias, opiniões ou sentimentos; (for.) depositar em juízo alguma importância em dinheiro; assinalar; notar; afirmar; declarar; advertir; citar, registrar; dirigir a um consignatário; entregar à comissão; consolidar.

consignatario. *m.* consignatário, depositário duma importância consignada; credor que desfruta uma propriedade até estar reembolsado; destinador; (com.) negociante a quem se enviam mercadorias; depositário de valores consignados a certas despesas; depositário de valores litigiosos.

consignativo, va. *adj.* consignativo; diz-se duma quantia que se deposita para dela se pagar uma pensão.

consigo. *pron. pers.* consigo, em sua companhia; de si para si: *no tenerlas todas consigo,* sentir temor ou suspeita, ser receioso em alguma coisa.

consiguiente. *adj.* conseguinte, que se segue, consequente; que depende e se deduz doutra coisa; resultante; consectário; eventual. — *m.* consequente, segunda proposição duma razão: *por consiguiente,* por conseguinte, portanto, por consequência.

consiliario. *m.* conselheiro. V. consejero.

consistencia. *f.* consistência; solidez; firmeza; estabilidade; duração; coerência; encorpadura; fortidão; (fig.) corpo; encasque; espessura; rijeza; (fig.) realidade: *tomar consistencia,* (fig.) tomar consistência.

consistente. *p. a.* e *adj.* consistente, que tem consistência; forte; rijo; que consiste; (fig.) constante; estável; duradoiro; encorpado; forte, duro; consolidado.

consistir. *v. intr.* consistir, estribar; fundar-se; cifrar-se; ser efeito duma causa; consistir, formar a essência ou base de alguma coisa; ser constituido, constar; depender; cifrar-se; ser formado de: *todo consiste en saber si,* tudo consiste em saber se.

consistorial. *adj.* consistorial, pertencente ou relativo ao consistório; diz-se da dignidade que se proclamar no consistório do Papa: *casa consistorial,* casa consistorial.

consistorio. *m.* consistório; assembleia de cardeais, presidida pelo Papa; consistório, lugar onde se realiza esta assembleia; consistório, conselho dos imperadores romanos; câmara municipal; reunião dos cónegos duma diocese; assembleia onde se tratam assuntos de importância; cabido secular; consistório divino; (fig.) tribunal de Deus.

consola. *f.* consola, móvel de sala, espécie de mesa em que se colocam obje(c)tos de ornato; (arq.) consola.

consolable. *adj.* consolável, que se pode consolar.

consolación. *f.* consolação; alívio; confo(ô)rto; motivo de satisfação e alegria, conso(ô)lo desenfado; esmola; lenitivo, confo(ô)rto.

consolado, da. *p. p.* e *adj.* consolado; aliviado; despenado; suavizado, dulcificado; confortado.

consolador, ra. *adj.* e *s.* consolador, que consola; alivioso, aliviador; consolativo, consolatório; fortificante.

consolar. *v. tr.* consolar, dar consolação; aliviar a aflição; suavizar, dulcificar; confortar; dar go(ô)sto; desafligir; desatribular; despenar; reanimar; dar prazer a. — **consolarse.** *v. r.* consolar-se, pôr termo aos próprios pesares: *consolar con buenas palabras*, (fam.) desafogar com boas palavras. — *conj. irreg.* como *contar.*

consolativo, va. *adj.* consolativo, consolatório, consolador.

consolatorio, ria. *adj.* consolatório, consolativo, consolador.

consolidable. *adj.* consolidável, que se pode consolidar.

consolidación. *f.* consolidação; avigoramento; cicatrização; (fig.) cimentação; (com.) capitalização, consolidação: *consolidación de la Deuda Pública,* consolidação da Dívida Pública.

consolidado. *p. p.* e *adj.* consolidado, que se tornou sólido ou firme; seguro; consistente; diz-se da dívida pública cujas inscrições produzem uma renda fixa: *deuda consolidada,* dívida fundada ou consolidada.

consolidado. *m.* renda de Estado fixa e inalterável.

consolidar. *v. tr.* consolidar, dar firmeza e solidez a uma coisa; fortalecer, tornar consistente; corroborar; tornar estável; fazer aderir; tornar permanente ou fundada a dívida pública; consubstanciar; aglutinar; endurecer; avigorar; assegurar; (fig.) cimentar; (fig.) reunir, tornar a juntar o que está quebrado; consolidar, tornar permanente um tratado, a amizade, etc.; (for.) ajuntar o usufru(c)to à propriedade; capitalizar. — **consolidarse.** *v. r.* consolidar-se; avigorar-se: *consolidar una deuda,* fundar uma dívida.

consolidativo, va. *adj.* consolidativo, consolidante.

consonancia. *f.* consonância; concordância; acordança; (mús.) consonância, harmonia; uniformidade de sons na terminação das palavras, rima, aco(ô)rdo; (fig.) relação de igualdade ou conformidade que têm algumas coisas entre si; congruência: *obrar en consonancia con,* ajustar-se com.

consonantal. *adj.* (gram.) consonantal, consonântico.

consonante. *adj.* consonante, que produz consonância, diz-se da palavra que rima com outra; (fig.) consoante (letra); conforme, ajustado; consonântico; (mús.) consonante, que faz consonância. — *m.* (poet.) consoante. — *f.* (gram.) consoante.

consonántico, ca. *adj.* (gram.) consonântico, consonantal.

consonantificación. *f.* (gram.) consonantização. V. **consonantización.**

consonantificar. *v. tr.* (gram.) consonantizar. V. **consonantizar.**

consonantismo. *m.* consonantismo.

consonantización. *f.* consonantização.

consonantizar. *v. tr.* (gram.) consonantizar.

consonar. *v. intr.* (mús) consonar, formar consonância; consoar, ser consoante; rimar; concordar; corresponder; (fig.) terem algumas coisas igualdade, conformidade ou relação entre si. — *conj. irreg.* como *sonar.*

cónsone. *adj.* V. **cónsono** e **acorde.**

cónsono, na. *adj.* cônsono; conforme, justo, consonante; (mús.) consonante, harmónico.

consorcio. *m.* consórcio; associação; união de várias empresas; companhia; participação da mesma sorte com uma pessoa ou várias; casamento, união conjugal; comunidade: *consorcio foral,* (prov.) condomínio com irmãos.

consorte. *s.* consorte, pessoa que é partícipe e companheira com outra e outros; consorte, cônjuge; pessoa que, com outra ou outras, participa dos mesmos direitos ou coisas; (for.) consorte, co-litigante. — *pl.* (for.) os que são solidàriamente responsáveis num delito.

conspícuo, cua. *adj.* conspícuo, ilustres, notável, distinto, insigne, famoso; grave; respeitável; ínclito; afamado; visível; eminente.

conspiración. *f.* conspiração; conjuração; conluio; concorrência de circunstâncias; conjura, conspirata; trama.

conspirador, ra. *s.* conspirador, o que conspira; conjurado, conspirante, conjurador.

conspirar. *v. intr.* conspirar, urdir uma conspiração; tramar contra os poderes públicos; maquinar; entrar em conluio contra alguém, conspirar; concorrer para; astuciar; conjurar; chamar em seu favor; convocar, (fig.) concorrerem várias circunstâncias para o mesmo fim: *conspirar contra alguien,* fazer corpo contra alguém, ajuramentar contra alguém.

constancia. *f.* constância, firmeza de espírito ou ânimo; perseverança; insistência; duração; paciência; certeza, exa(c)tidão; permanência; inalterabilidade; empenho; fortaleza; imutabilidade; assiduidade; resolução; estabilidade; coragem; fidelidade.

constante. *adj.* e *p. a.* constante, que consta; constante, que tem constância; incessante, inalterável, fixo; firme; persistente; incessante; unânime; formado de; consistente; assíduo; perseverante; permanente; certo, indubitável; adamantino; eterno; estável; imutável; indispensável; uniforme; evidente, claro, perene, perpétuo, ininterrupto.

constante. *f.* (mat.) constante, fa(c)tor invariável numa fórmula ou expressão algébrica.

constar. *v. intr.* constar, ser certa e manifesta uma coisa; ser notório; saber-se, ser evidente; consistir, ser formado de; estar escrito em; correr como certo; deduzir-se; consistir, ser constituído por.

constatación. *f.* (gal.) V. **comprobación.**

constatar. *v. tr.* (gal.) V. **comprobar.**

constelación. *f.* (astr.) constelação; clima, temperatura; (astrol.) aspe(c)to dos astros ao fazer-se o horóscopo.

constelado, da. *adj.* e *p. p.* constelado, (gal.) cheio de estre(ê)las; constelado; estrelado; (fig.) coberto, cheio, cravejado.

constelar. *v. tr.* (gal.) constelar V. **cubrir, llenar.**

consternación. *f.* consternação; angústia; tristeza; abatimento de ânimo; grande pesadumbre; desolação: *llenar de consternación,* atordoar.

consternado, da. *p. p.* e *adj.* consternado; abatido; prostrado; muito triste; desolado.

consternador, ra. *adj.* e *s.* consternador, desolador, que causa consternação.

consternar. *v. tr.* consternar, conturbar, desalentar, prostrar, abater o ânimo; causar consternação; afligir. — **consternarse.** *v. r.* consternar-se, sentir consternação, afligir-se.

constipación. *f.* (med.) V. **constipado:** *constipación de vientre,* prisão de ventre.

constipado. *m.* (med.) catarro, defluxo, fluxão nas mucosas; encatarroamento; (fam.) defluxeira. — *adj.* constipado; encatarroado.

constipar. *v. tr.* resfriar; constipar; prender o ventre. — **constiparse.** *v. r.* encatarroar-se, endefluxar-se; apanhar uma constipação, constipar-se.

constipativo, va. *adj.* constipativo, que produz constipação.

constitución. *f.* constituição, a(c)to de constituir ou formar; estabelecimento; organização; compleição física; Constituição, lei fundamental dum país; constituição; estatuto regulador duma corporação; essência e qualidades duma coisa; composição; ajuntamento de várias partes que constituem um todo; estatuto, lei, regulamento; fundação; (med.) eucrasia; constituição, decreto.

constitucional. *adj.* constitucional, relativo à constituição dum Estado; adicional a esta mesma lei. — *s.* indivíduo partidário da Constituição.

constitucionalidad. *f.* constitucionalidade.

constitucionalismo. *m.* (pol.) constitucionalismo.

constituidor, ra. *adj.* e *s.* constituidor, constituinte, que constitui ou estabelece.

constituir. *v. tr.* constituir, formar a essência de; estabelecer; organizar; fazer consistir; firmar; compor; ordenar; regular;

fundar; dar; convocar. — **constituirse.** *v. r.* organizar-se; assumir a qualidade ou as atribuições de; deixar-se; constituir-se; com a proposição *em,* e os substantivos *apuro, obligación, deber,* etc.: *significa* pôr, reduzir: *constituir heredero,* deixar por herdeiro; *constituirse en defensor de alguien,* constituir-se defensor de alguém.

constitutivo, va. *adj.* constitutivo, essencial; inerente; formativo. — *s.* constituinte.

constituyente. *p. a.* e *adj.* contituinte, que constitui ou estabelece. — *s.* constituinte, que constitui ou estabelece. — *s.* constituinte, pessoa que constitui outra seu procurador; membro das Co(ô)rtes Constituintes. — *pl.* Co(ô)rtes Constituintes.

constreñible. *adj.* constrangível.

constreñido, da. *p. p.* e *adj.* constrangido, forçado, obrigado pela violência; contrafeito; coa(c)to, coagido; estreito.

constreñimiento. *m.* constrangimento, fo(ô)rça, violência; coa(c)ção; afôgo; ape(ê)rto; compulsão; (med.) estrangulação.

constreñir. *adj.* constranger, obrigar à força, compelir; impedir os movimentos de; coagir; forçar, violentar; encurtar; cingir; estreitar; contrafazer; constringir; aperrear; (med.) constringir, comprimir, apertar. — *conj. irre.* como *ceñir.*

constricción. *f.* constrição; ape(ê)rto; encolhimento; restringimento das partes do corpo, estreiteza, estreitamento.

constrictivo, va. *adj.* constritivo, que produz constrição, constrangedor.

constrictor, ra. *adj.* e *s.* constritor, que constringe; (med.) diz-se do medicamento empregado para constringir: *anillo constrictor,* anel constritor, esfíncter.

constringir. *v. tr.* (ant.) constringir. V. **constreñir.**

construcción. *f.* construção, a(c)ção de construir; obra construída ou em vía de construção; estrutura; fábrica; edifício em geral, edificação; (gram.) colocação sintá(c)tica das palavras; (arq.) fabricação; organismo; (geom.) construção, traçado metódico duma figura: *materiales de construcción,* achega, materiais de construção; *en construcción,* em construção.

constructivo, va. *adj.* construtivo, que serve para construir.

constructor, ra. *adj.* e *s.* construtor, que constrói; fabricante, fabricador; edificador.

construir. *v. tr.* construir, fabricar, erigir, elevar, edificar; organizar; formar; (ant.) bastir; traduzir duma língua para outra segundo a construção natural do idioma em que se traduz; (geom.) traçar figuras geométricas; (gram.) dispor, coordenar as palavras segundo a regra e o uso da língua: *construir carreteras,* estradar; *construir una pared,* alçar uma parede; *construir terrazas,* açotear; *construir bóvedas,* abobadar.

consubstanciación. *f.* (teol.) consubstanciação.

consubstancial. *adj.* (teol.) consubstancial,

consubstancialidad. *f.* (teol.) consubstancialidade.

consuegrar. *v. intr.* consograr, aparentarem-se duas famílias pelo casamento dos filhos de ambas.

consuegro, gra. *adj.* e *s.* consogro, diz-se dos pais e mães dos noivos que são consogros entre si.

consuelo. *m.* conso(ô)lo, consolação, alívio que se dá à aflição, ao descontentamento, etc.; aliviação; desenfado; go(ô)zo, alegria; (fig.) medicina; adoçamento; apisto; lenitivo; prazer; esmola: *consuelos tardíos,* (fig.) confortos de enforcado, *gastar sin consuelo,* (fig. e fam.) gastar sem medida.

consueta. *s.* ponto de teatro, nalgumas regiões espanholas; (pro.) calendário, folhinha de reza. V. **añalejo.** — *pl.* comemorações comuns no fim das vésperas 'ou laudes.

consuetudinario, ria. *adj.* consuetudinário, costumado, baseado nos costumes, habitual; (teol.) diz-se da pessoa que habitualmente comete alguma culpa.

cónsul. *m.* cônsul; agente duma nação que vela pelos seus compatriotas no estrangeiro; cônsul, antigo magistrado romano.

consulado *m.* consulado, dignidade de cônsul; consulado, casa onde o cônsul exerce as suas funções; tempo durante o qual alguém exerce o cargo de cônsul; antigo tribunal de comércio; tribunal consular; consulado, antigo governo de França.

consular. *adj.* consular, relativo ao cônsul.

consulta. *f.* consulta; conselho sobre um negócio; exame; conselho; proposta; compulsação ou cotejo de textos; apelação; consultação; consultório; parecer, opinião que se pode ou se dá; conferência entre advogados, médicos, etc.; deliberação; parecer dos tribunais; (fig.) sessão: *hora de consulta,* hora das consultas; *estar en consulta,* estar em consultas; *consulta de médicos,* consulta de médicos.

consultable. *adj.* consultável, que se pode consultar.

consultar. *v. tr.* consultar, pedir conselho, opinião, instruções; procurar esclarecer-se; examinar; tomar conselho; conferenciar, deliberar; discorrer com outros sobre o que se há de fazer; consultar, propor; consultar, conferenciar; deliberar; consultar, dar consulta, emitir, parecer.

consultarse. *v. r.* aconselhar-se; refle(c)tir, dar-se consultas: *consultar con la almohada,* conversar com o travesseiro; *consultar un diccionario,* consultar um dicionário; *consultar al país,* (pol.) consultar o país, proceder a eleições políticas.

consultivo, va. *adj.* consultivo, que envolve conselho; consultório: *voto consultivo,* voto consultivo; *comisión consultiva,* junta consultiva.

consultor, ra. *adj.* e *s.* consultor, consultante, que dá parecer quando consultado; conselheiro.

consultorio. *m.* consultório, lugar onde se dão consultas.

consumación. *f.* consumação; complemento; acabamento; efe(c)tuação; perfeição; efe(c)tividade; estinção; fim, terminação, acabamento total, consumação; conclusão, (gal.) consumo, gasto: *la consumación de los siglos,* a consumação dos séculos.

consumado, da. *p. p.* e *adj.* consumado, perfeito, acabado; realizado; grande; completo; distinto; extremado. — *m.* caldo de substância.

consumador, ra. *adj.* e *s.* consumador, que consuma; aperfeiçoador; o que termina.

consumar. *v. tr.* consumar, completar, concluir, terminar, acabar; completar; aperfeiçoar; pra(c)ticar; efe(c)tuar, efe(c)tivar. — **consumarse.** *v. r.* consumar-se; realizar-se, verificar-se.

consumativo, va. *adj.* consumativo, que consuma ou aperfeiçoa.

consumible. *adj.* consumível, que se pode consumir.

consumición. *f.* consumição, consumpção; uso; emagrecimento profundo; devoração; desgaste; definhamento; desbaratamento. V. **consumo** e **consumición.**

consumido, da. *p. p.* e *adj.* consumido, que se gastou; ralado; abatido; debilitado; extenuado, macilento, muito magro; que costuma afligir-se com pouco; apoquentado; definhado; emaciado; desgastado.

consumidor, ra. *adj.* e *s.* consumidor, que gasta ou consome; (pop.) gastador; dissipador.

consumir. *v. tr.* consumir, fazer desaparecer pelo uso ou pelo gasto; destruir; gastar; desfazer; corroer; absolver; extinguir; gastar comestíveis ou outros géneros, consumir; comungar (o sacerdote na missa); acabar; desvigorar; aporrinhar; apurar; engolir; exaustar; mermar; despesar; devorar; empregar; depauperar; exinanir; (fig.) derreter, aniquilar; chupar; (fig. e fam.) impacientar-se, enfadar-se, afligir-se, consumir-se, mortificar; afligir. — **consumirse.** *v. r.* consumir-se, enfadar-se, afligir-se; ralar-se; definhar; apanhar-se: *consumirse de tristeza,* consumir-se de tristeza; *consumir lentamente,* corroer; *consumir riquezas,* absorver a riqueza.

consumo. *m.* consumo, gasto pelo uso; despesa; venda; extinção: *impuesto de consumo,* imposto de consumo.

consunción. *f.* consumpção, consunção; deperecimento; trofia; emaciação; descamento; desgaste; exaustação; enfraquecimento progressivo, extenuação; destruição; gasto.

consuno. (de). *adv.* juntamente, de comum aco(ô)rdo, em união.

consuntivo, va. *adj.* consumptivo, que consome.

consútil. *adj.* consútil, que tem costura.

contabescencia. *f.* (med.) contabescência.

contabescente. *adj.* (med.) contabescente.

contabilidad. *f.* contabilidade, arte de fazer contas comerciais; cálculos; computação; cifras; deve-haver: *contabilidad por par-*

tida doble, arrumação de livros por partidas dobradas.

contabilizar. *v. tr.* contabilizar, registar os movimentos das contas: *contabilizar el gasto,* assentar a despesa.

contable. *adj.* contável, que pode ser contado. — *m.* (neol.) contabilista, contador, perito em contabilidade; guarda-livros.

contactar. *v. tr.* conta(c)tar, pôr em conta(c)to; (fig.) entender-se dire(c)tamente.

contacto. *m.* conta(c)to, a(c)ção de se tocarem dois ou mais corpos; relação de proximidade ou de influência; contiguidade; encontro: *poner en contacto,* conta(c)tar, pôr em conta(c)to; *punto de contacto,* ponto de conta(c)to; *tener puntos de contacto,* convizinhar.

contadero, ra. *adj.* contável, que pode ser contado. — *m.* contador, passagem estreita para pessoas; lugar estreito escolhido pelos pastores para contarem o gado: *salir o entrar por contadero,* entrar ou sair de enfiada.

contado, da. *p. p.* e *adj.* contado, raro, escasso; estreito; assinalado; determinado; contado, calculado; atribuído; narrado, relatado, referido; pouco vulgar: *al contado,* a dinheiro, de contado; *de contado,* à vista; *habas contadas,* (pop.) favas contadas, coisa certa; *tener los dias contados,* ter os dias contados; *pago al contado,* dinheiro de contado; *contado minuciosamente,* desfiado.

contador, ra. *adj.* contador, que conta, que calcula. — *m.* contador, contabilista, liquidador duma conta; verificador das contas; contador, chefe de contadoria; contador, balcão; contador, carteira com gavetas; contador de novidades, de histórias; contador, aparelho para verificar o consumo de água, gás e ele(c)tricidade.

contaduria. *f.* contadoria, emprego de contador; contabilidade, repartição onde se verificam, recebem e pagam as contas; pagadoria; tesouraria.

contagiado, da. *p. p.* e *adj.* contagiado, infe(c)tado, inficionado, contaminado; (fig.) corrompido, viciado.

contagiar. *v. tr.* contagiar, comunicar ou pegar uma doença contagiosa; propagar por meio de contágio; apegar; transmitir uma doença epidémica; inficionar; infe(c)tar; epidemiar; contaminar; (fig.) perverter com mau exemplo; contagiar, corromper, viciar; (fam.) gafar. — **contagiarse.** *v. r.* contagiar-se; contaminar-se.

contagio. *m.* contágio, contagião, comunicação de doença, epidemia; doença contagiosa; infe(c)ção; transmissão de doença, epidemica; (fig.) contágio, corrupção: viciação; perversão, contaminação: *disipar el contagio,* descontagiar.

contagiosidad. *f.* contagiosidade.

contagioso, sa. *adj.* contagioso, que se propaga por contágio, epidémico; infe(c)cioso; infe(c)tuoso; apegadiço; epidémico, contagiante; (fig.) pernicioso; contaminador, perigoso.

contaminable. *adj.* contaminável, que se pode contaminar.

contaminación. *f.* contaminação; contágio; infe(c)ção; corrupção; mancha; impureza; inficionação; empestamento.

contaminado, da. *p. p.* e *adj.* contaminado, corrompido; viciado, impuro.

contaminador, ra. *adj.* e *s.* contaminador, que contamina; infe(c)tante; inficionador.

contaminar. *v. tr.* contaminar; contagiar, infe(c)cionar; corromper; manchar, sujar; transmitir um mal ou vício; infe(c)tar; (fig.) perverter, corromper, manchar a pureza de fé ou dos costumes; viciar; empestar; inçar; apestar; apegar; falando da lei de Deus, profana-la: *contaminar al pueblo con doctrinas falsas,* (fig.) inçar o povo de doutrinas falsas.

contar. *v. tr.* e *intr.* contar, calcular, numerar, computar, determinar o número de; ter; contar, dizer, narrar, referir; enumerar; pôr ou meter em conta; esperar; ter confiança; fazer contas; julgar; chocalhar; expressar; descrever; mencionar. — **contarse.** *v. r.* incluir-se entrar em conta: *a contar de,* desde; *contar con alguien,* confiar em alguém; contar com alguém; *contar con buenos amigos,* contar bons amigos; *contar detalladamente algo,* contar por miúdo; *contarse desde,* datar de; *contar años,* contar anos; *cuento con pasar el verano en Cataluña,* conto passar o verão na Catalunha; *contar con la amistad de alguien,* contar com amizade de alguém; *cuento con partir mañana,* conto partir à manhã. — *pres. ind. irr.* **cuento, -as, -an;** *subj.* **cuente, -es, -en.**

contario. *m.* V. **contero.**

contemperar. *v. tr.* temperar, moderar, suavizar. V. **atemperar.**

contemplación. *f.* contemplação; atenção profunda; (fig.) consideração; benevolência; condescendência, complacência; devoção; êxtase; contemplativa; meditação: *por contemplación,* por contemplação, em consideração a.

contemplador, ra. *adj.* e *s.* contemplador, que contempla.

contemplar. *v. tr.* contemplar, observar atentamente; olhar durante muito tempo; meditar; admirar com o pensamento; imaginar; dar; tratar com benevolência; examinar; comprazer; condescender; contemplar, pensar em Deus; contemporizar; favorecer. — **contemplarse.** *v. r.* contemplar-se, mirar-se com desvanecimento: *contemplar las estrellas,* (pop.) estar com a barriga para o ar.

contemplativo, va. *adj.* contemplativo, relativo à contemplação; dado à contemplação; devoto; que contempla ou medita profundamente; benevolente; que costuma condescender com outro, contemporizador; contemplador; ascético.

contemporaneidad. *f.* contemporaneidade, coetaneidade.

contemporáneo, a. *adj.* contemporâneo, coevo, coetâneo, equevo, (Bras.) eqüevo; hodierno, a(c)tual, moderno.

contemporización. *f.* contemporização; ductilidade; transigência, acomodação às circunstâncias; equilíbrio.

contemporizador, ra. *adj.* e *s.* contemporizador, que contemporiza; dúctil, transigente.

contemporizar. *v. intr.* contemporizar, transigir, acomodar-se às circunstâncias e usos do tempo; (fig.) ductilizar; (fam.) empalhar; equilibrar.— *v. tr.* entreter para ganhar tempo.

contención. *f.* contenção, esforço, rivalidade, emulação; contenda; encostamento; enfreamento; litígio; grande aplicação do espírito.

contencioso, sa. *adj.* contencioso, litigioso, amigo de disputar ou contradizer; duvidoso; incerto; controverso; em que pode haver reclamação. — *m.* (for.) o contencioso, jurisdição contenciosa; secção de uma empresa que trata de assuntos litigiosos.

contendedor. *m.* contendedor, contendor, o que contende, adversário, rival, émulo, contendente.

contender. *v. intr.* contender, lidar, combater, disputar, litigar, pelejar, batalhar, lutar; altercar, atacar; dirigir provocação, esforçar-se; (fig.) contender, debater, contestar, disputar, altercar, chocar-se; desafiar; *conj. irr.* como *pender*.

contendiente. *p. a.* e *s.* contendente, contendor, que contende, lutador, émulo, (Bras.) êmulo; adversário, antagonista.

contenedor, ra. *adj.* continente, que contém.

contenencia. *f.* pairo, paragem que por vezes as aves fazem no ar; pairo, sobretudo de aves de rapina; certo passo de dança.

contener. *v. tr.* conter, ter dentro, deter, encerrar; ter dentro de si; incluir. abranger; reter; reçrear, moderar, conter, reprimir; apertar; envolver; abraçar; cifrar; enfrear; encovar; incluir; abster; entranhar; coagir; suprimir. — **contenerse.** *v. r.* conter-se, reprimir-se; deter-se; abster-se; mesurar-se.

contenido, da. *p. p.* e *adj.* contido, moderado; contido, compreendido, encerrado; incluso. — *m.* conteúdo, o que se contém dentro duma coisa; assunto, os dizeres duma carta; inclusão.

contenta. *f.* dádiva, presente; satisfação dos desejos duma pessoa; (com.) endosso; (mar.) certificado de solvência para oficiais de marinha.

contentamiento. *m.* contentamento, satisfação; alegria; contento; aprazimento, prazer; (gal.) V. **conformidad.**

contentar. *v. tr.* contentar, satisfazer, agradar, dar gosto; contentar, condescender; (com.) endossar um crédito ou uma letra a favor doutra pessoa. — **contentarse.** *v. r.* contentar-se, satisfazer-se; ficar contente; acomodar-se; aprazer-se: *contentarse con*, pagar-se; *contentar a alguien por entero*, encher a alguém as medidas; *hombre de buen o mal contentar*, homem de bom ou mau contento.

contentivo, va. *adj.* continente, que contém; (cir.) diz-se da peça de apósito que serve para conter outras.

contento, ta. *adj.* contente; alegre; satisfeito; cheio; consoado; agradado; descarregado; conforme, resignado; contido; moderado. — *m.* alegria, satisfação, contento, contentamento; aprazimento, agrado; recibo, quitação: *no caber en sí de contento*, saltar de contente; *contento de sí*, contento de si; *contento de verte*, contente de ver-te; *a contento*, a contento, conforme os próprios desejos; *ser de buen o mal contento*, ser de bom ou mau contento.

contera. *f.* conteira; biqueira; conteira, botão de culatra dum canhão; conteira, ponteira de metal da bainha duma espada; (poet.) estribilho: *por contera*, (fig. e fam.) por remate, a final de contas, por último; *temblar la contera*, (fig.) tremer de medo.

contérmino, na. *adj.* contérmino, que confina, adjacente, comarcal, que delimita. — *m.* contérmino, fronteira.

contestabilidad. *f.* contestabilidade, qualidade do contestável.

contestable. *adj.* contestável, respondível, impugnável.

contestación. *f.* contestação, altercação ou disputa; contradição; (fig.) contraste; (for.) contestação; polémica; negação; contrariedade; debate.

contestar. *v. tr.* contestar, dar testemunho conteste; confirmar; provar com o testemunho de outrem; contradizer; negar; refutar; responder; declarar; comprovar; contestar, depor, atestar o que outros têm dito; contestar, estabelecer; concordar, convir; contestar, debater, disputar, controverter; contrastar; contender; (for.) contestar, refutar em juízo; opor-se, discutir. — *v. intr.* convir, conformar-se uma coisa com outra: *contestar capciosamente*, fazer chicana; *por contestar*, sem contestar.

conteste. *adj.* (for.) conteste, concorde em depoimento.

contexto. *m.* contexto, disposição, encadeamento; (fig.) enredo, união de coisas que se entrelaçam; contexto, série do discurso, fio duma história; contextura; contexto; tecido, tecedura.

contextura. *v. tr.* contextuar, acreditar com textos.

contextura. *f.* contextura, ligação entre as partes dum todo; trama, tecido; contexto; (fig.) estrutura, configuração corporal do homem.

conticinio. *m.* hora da noite em que tudo está em silêncio.

contienda. *f.* contenda, peleja; disputa; altercação com armas ou com razões; encontro; desafiação; arenga; debate; desavença; altercação; baralho; (fam.) desaguisado; batalha, luta; contestação; (mil.) choque; contenção; briga; (Bras.) adevão, ingriba.

contienda, etc. V. **contender.**

contignación. f. (arq.) vigamento, encadeamento de vigas, traves ou barrotes; disposição do vigamento duma casa.

contigo. pron. pers. contigo, em tua companhia, de ti para ti.

contigüidad. f. contiguidade, imediação, proximidade absoluta; vizinhança; conta(c)to; continuidade; adjacência; (fig.) série.

contiguo, gua. adj. contíguo, que se toca; junto; vizinho; imediato; próximo; adjacente; contérmino; avizinhado; adjunto; fronteiriço; circunvizinho; apegado; chegado: estar contiguo a, (fig.) adjacente.

contimás. adv. (vulg.) V. cuanto más.

continencia. f. continência, privação dos prazeres sexuais, castidade; sobriedade, temperança; moderação nas palavras e nos gestos; mesura; cortesia militar; atitude; capacidade; a(c)ção de conter; abstinência; (for.) unidade de causa; extensão; ar, modo, aspe(c)to; parecer.

continental. adj. continental, relativo aos países dum continente; metropolitano.

continente. p. a. e adj. continente, que contém alguma coisa; moderado, que sabe conter-se, que tem virtude da continência; casto.

continente. m. (geog.) continente, terra firme; (fig.) continente, ar, aspe(c)to, parecer.

contingencia. f. contingência, eventualidade, risco, incerteza, possibilidade de que uma coisa suceda ou não suceda; emergência; evento; acidente, acidência; acaso, casualidade; risco.

contingentar. v. tr. (com.) calcular a quota da importação ou exportação duma mercadoria.

contingente. adj. contingente, incerto, eventual, duvidoso, que pode ou não suceder, fortuito, emergente, acidental.

contingente. m. contingência, coisa possível; contingente, quota; porção de homens duma circunscrição territorial para o sorteio militar; classe de tropa; (com.) contingente, parte que cabe em produtos importados ou exportados.

contingible. adj. fa(c)tível, possível, eventual; contingível, fortuito.

continuación. f. continuação; prosseguimento; duração; prolongação; uso prolongado; renque; sucessão; prolongamento; série; extensão.

continuado, da. p. p. e adj. continuado; ininterrupto; contínuo; frequente, (Bras.) freqüente.

continuador, ra. adj. e s. continuador, diz-se da pessoa que prossegue uma obra começada por outra.

continuar. v. tr. continuar, não interromper; prosseguir, prolongar; aturar; progredir; continuar, frequentar; seguir. — v. intr. continuar, durar, prosseguir, seguir; não parar; avançar, permanecer. — **continuarse.** v. r. continuar-se; prolongar-se; estender-se; seguir, estar a seguir.

continuativo, va. adj. continuativo, que tende a continuar, que indica continuação.

continuidad. f. continuidade; ligação não interrompida; duração contínua; repetição incessante; contiguidade; assiduidade: solución de continuidad, solução de continuidade, interrupção.

continuo, nua. adj. contínuo, continuado; que dura sem interrupção, seguido; contínuo, assíduo, perseverante; sucessivo; ininterrupto; incessante; consecutivo; (electr.) diz-se da corrente eléctrica cujo sentido é sempre o mesmo; eterno, perene; duradoiro; perpétuo; uniforme; infinito. — m. funcionário que servia antigamente no palácio real e estava encarregado da vigilância da guarda do rei; contínuo, todo composto de partes unidas entre si; amigo íntimo: de continuo, de contínuo, continuadamente.

contonearse. v. r. bambalear-se, bambolear-se, menear-se, requebrar-se, mover o corpo com afe(c)tação, saracotear-se.

contoneo. m. bambaleadura, bamboleio, bamboleamento, saracoteio.

contorcerse. v. r. contorcer-se, sofrer ou afe(c)tar contorsões; dobrar-se; torcer-se; contrair-se. — conj. irr. como torcer.

contornado, da. p. p. e adj. contornado; (herald.) diz-se das figuras de animais que têm a cabeça para o lado esquerdo.

contornar. v. tr. contornar. V. contornear.

contornear. v. tr. contornar, dar voltas em torno de; traçar o contorno; ladear; (pint) perfilar, fazer os contornos ou perfis duma figura; (ant.) tornar, volver.

contorneo. m. contornamento; rodeio.

contorno. m. conto(ô)rno, território de que está rodeado um lugar; linha que limita exteriormente um corpo; periféria; redor; perímetro; circuito; âmbito; circunferência; (pint.) conto(ô)rno, perfil. — pl. conto(ô)rnos, subúrbios, arredores, imediações, vizinhanças: en contorno, em conto(ô)rno.

contorsión. f. contorsão, torçăo anormal dos músculos ou dos membros; posição incómoda; ademanes grotescos, gesticulação ridícula; estorcimento: hacer contorsiones, contorcer, contorcionar.

contorsionista. s. contorcionista, acrobata, contorcista.

contra. prep. contra; em oposição; contrário; em troca de; defronte, em frente. — adv. em favor de; em comparação de; contràriamente; em dire(c)ção oposta: en contra, em contraposição; contra lo que se suponía, contra o que se supunha; contra lo dispuesto por la ley, contra o disposto na lei; hablar contra el gobierno, falar contra o gove(ê)rno; luchar contra la adversidad, lutar contra a adversidade; de contra (Amér.) ademais, demais.

contra. m. contra, o que é contrário; dificuldade; defeito; inconveniente; conceito oposto ou contrário a outro; (mús.) pedal do órgão; sons de baixo profundo nalguns orgãos; (esgr.) parada que consiste num movimento circular; contra; obje(c)ção, réplica, obstáculo: el pro y el contra, o pró e o contra; hacer a uno la contra, (fam.) opor-se à pretensão dal-

guém; *llevar a uno la contra*, (fig. e fam.) contradizer alguém.
contraalmirantazgo. *m.* contra-almirantado.
contraalmirante. *m.* contra-almirante.
contraarmonía. *f.* (mús.) contra-harmonia.
contraarmónico, ca. *adj.* (mús.) contra-harmónico, (Bras.) contra-harmônico.
contraasiento. *m.* (com.) V. **contra-partida.**
contraatacante. *adj.* e *s.* contra-atacante.
contraatacar. *v. tr.* (mil.) contra-atacar, atacar depois de ter sido atacado.
contraaguía. *f.* (arq.) refo(ô)rço, empregado para evitar a infiltração das águas.
contraataque. *m.* (mil.) contra-ataque, re-a(c)ção ofensiva contra o avanço do inimigo. — *pl.* (fort.) linhas fortificadas que os sitiados opõem aos sitiadores, contra-aproches.
contrabajista. *m.* contrabaixista, contrabaixo.
contrabajo. *m.* (mús.) contrabaixo, rabecão grande; contrabaixista; contrabaixo; músico que toca o contrabaixo; (mús.) voz mais grave e profunda que o baixo ordinário; contrabaixo, pessoa que tem esta voz.
contrabajón. *m.* (mús.) contrabaixo com uma oitava mais baixa que o contrabaixo.
contrabajonista. *m.* (mús.) contrabaixo, contrabaixista.
contrabalancear. *v. tr.* contrabalançar, equilibrar pelo pe(ê)so; (fig.) compensar, contrapesar, equiponderar, (Bras.) eqüiponderar.
contrabandear. *v. intr.* contrabandear, fazer contrabando.
contrabandista. *adj.* e *s.* contrabandista, o que se emprega em contrabandear.
contrabando, da. *adj.* (herald.) contrabandado, diz-se do escudo cujo campo está coberto com barras de esmalte e de cor.
contrabando. *m.* contrabando, fraude; descaminho; desencaminhamento; comércio proibido; mercadorias introduzidas clandestinamente; (Bras.) muamba; (fig.) o que é, ou tem aparência de ilícito; coisa feita contra o uso ordinário: *contrabando de guerra*, armas, munições, víveres, etc., cujo tráfico é proibido pelos beligerantes; *comercio de contrabando*, comércio entrelopo; *embarcación de contrabando*, navio entrelopo; *de contrabando*, de contrabando.
contrabarrado, da. *adj.* (herald.) contrabarrado, com barras contrapostas.
contrabarrera. *f.* segunda trincheira nas praças de toiros.
contrabasa. *f.* (arq.) pedestal duma estátua ou coluna.
contrabatería. *f.* (artil.) contrabateria, bateria oposta a outra que se pretende desalojar.
contrabatir. *v. tr.* (artil.) contrabater, responder a um ataque de artilharia com outro.
contrabolina. *f.* (mar.) contrabolina, segunda bolina empregada em auxílio da primeira.

contrabracear. *v. intr.* (mar.) contrabracear.
contrabranque. *m.* (mar.) V. **contrarroda.**
contrabraza. *f.* (mar.) contrabraço.
contracaja. *f.* (impr.) caixa onde estão os cara(c)teres menos em uso.
contracambiar. *v. tr.* contracambiar; trocar (diz-se dos cavalos).
contracción. *f.* contra(c)ção, retraimento de órgãos, encurtamento, encolhimento; abreviatura; adstrição, adstringência; constrição; atrição; contorção, convulsão; (gram.) redução de duas vogais ou duas sílabas a uma só.
contracebadera. *f.* (mar.) V. **sobrecebadera.**
contracédula. *f.* contracédula, cédula que revoga e sustitui outra anterior.
contracifra. *f.* contracifra, chave para decifrar uma escrita enigmática.
contraclave. *f.* (arq.) contrafecho, aduela contígua ao fecho num arco ou abóbada.
contracodaste. *m.* (mar.) contracadaste.
contracorriente. *f.* contracorrente, corrente oposta a outra.
contracosta. *f.* contracosta, costa oposta a outra.
contráctil. *adj.* contrá(c)til que se contrái fàcilmente, susceptível de se contrair.
contractilidad. *f.* contra(c)tilidade.
contractivo, va. *adj.* contra(c)tivo, que determina contra(c)ção.
contracto, ta. *p. p.* e *adj.* contra(c)to, contraido, que sofreu contração.
contractual. *adj.* contratual, relativo a contrato; estipulado por contrato.
contractura. *f.* (med.) contra(c)tura.
contracuartel. *n.* (herald.) contraquartel.
contracuartelado, da. *adj.* (herald.) contraquartelado.
contracuña. *f.* (mec.) contracunho.
contracuñar. *v. tr.* contracunhar, cunhar novamente por cima de outro cunho; pôr segunda cunha.
contracurva. *f.* contracurva.
contradanza. *f.* contradança, dança de quatro ou mais pares.
contradecir. *v. tr.* contradizer, dizer o contrário, contradeclarar; desmentir; impugnar; desdizer; contraditar; contrariar; contrastar; adversar; contestar; (pop.) desnegar. — **contradecirse.** *v. r.* contradizer-se; desmentir-se; desdizer-se; colidir-se; controverter-se; contrariar-se.
contradeclarar. *v. tr.* contradeclarar, contradizer; declarar o contrário do que se tinha declarado.
contradicción. *f.* contradição; afirmação e negação que se destroem reciprocamente; oposição, contrariedade; contradição; antirrese; incoerência; oposição; obje(c)ção; desdizimento; impugnação; desmentido; (for.) contradita: *espíritu de contradicción*, espírito de contradição; *envolver contradicción*, envolver contradição; *por contradicción*, sem contradição, incontestàvelmente; *estar en contradicción*, desdizer.

contradictor, ra. *adj*. e *s*. contraditor, que ou aquele que contradiz; contrariador; desmentidor; impugnador; antagonista.

contradictoria. *f*. (log.) contraditória, proposição oposta a outra, contradita; impugnação; contestação.

contradictoriedad. *f*. qualidade de contraditório.

contradictorio, ria. *adj*. contraditório, que envolve contradição; oposto; incompatível; contraproducente; inconsequente; antinómico, (Bras.) antinômico.

contradicho, cha. *adj*. e *p. p. irreg*. de *contradecir*, contradito, contraditado, impugnado.

contradique. *m*. contradique, dique que reforça outro.

contradriza. *f*. (mar.) segunda adriça para maior segurança da verga.

contraer. *v. tr*. contrair, causar contra(c)ção; apertar, encolher; estreitar, arcar; juntar uma coisa a outra, adquirir, alcançar; celebrar; adstringir; circunscrever, restringir; aplicar a certo sentido uma proposição geral. — contraerse. *v. r*. contrair-se, encolher-se (nervos, músculos, etcétera), estreitar-se; limitar-se; encoscorar-se; constringir-se; contorcer-se; adstringir-se: *contraer matrimonio*, contrair matrimó(ô)nio; *contraer una enfermedad*, contrair uma doença; *contraer deudas*, contrair dívidas; *contraer una mala costumbre*, contrair um mau costume. — *conj. irr*. como *traer*.

contraescarpa. *f*. (mil.) contra-escarpa, talude do fosso, fronteiro à escarpa.

contraescota. *f*. (mar.) contra-escota.

contraescotín. *m*. (mar.) contra-escotim.

contraestimular. *v. tr*. (med.) contra-estimular, combater ou atenuar certos estados ou excessos de estimulação.

contraestímulo. *m*. (med.) contra-estímulo.

contrafacción. *f*. (gal.) contrafa(c)ção. V. falsificación e imitación.

contrafactor, ra. *s*. contrafa(c)tor; galicismo por *falsificador*.

contrafaja. *f*. (herald.) contrafaixa, faixa do escudo com dois esmaltes diferentes.

contrafajado, da. *adj*. (herald.) contrafaixado.

contrafigura. *f*. pessoa ou manequim muito parecida com qualquer personagem de obra teatral.

contrafija. *f*. (art. y of.) contrafixa.

contrafilo. *m*. contrafio, fio que reforça outro nas armas brancas.

contrafirma. *f*. (for.) inibição contrária a outra.

contrafirmante. *p. a*. e *adj*. que contrafirma. — *s*. parte que tem inibição contrária à firma.

contrafirmar. *v. tr*. (for.) obter a revogação da inibição que mantém a posse contestada.

contrafisura. *f*. (cir.) contra-abertura.

contraflorado, da. *adj*. (herald.) contrafloreado.

contrafoque. *m*. (mar.) vela triangular que se enverga no contra-estais.

contrafoso. *m*. contrafo(ô)sso, fo(ô)sso a par de outro; (fort.) fo(ô)sso em volta da esplanada duma praça, paralelo contra-escarpa.

contrafuero. *m*. infração, violação de fo(ô)ro ou privilégio.

contrafuerte. *m*. contraforte, fo(ô)rro que reforça a parte posterior do calçado; correia de cilha; (fort.) contraforte, forte oposto a outro; (arq.) contraforte, botaréu, para reforçar uma muralha; (geog.) contraforte, montante que se separa da dire(c)ção geral duma cordilheira.

contrahacedor, ra. *adj*. e *s*. contrafa(c)tor, que contrafaz.

contrahacer. *v. tr*. contrafazer, reproduzir imitando; imitar; falsificar, falsear; contrafazer, arremedar, imitar; disfarçar. — contrahacerse. *v. r*. fingir-se.—*conj. irreg*. como *hacer*.

contrahacimiento. *m*. (ant.) contrafeição. V. contrahechura.

contrahaz. *f*. ave(ê)sso, lado oposto ao principal nas roupas ou coisas semelhantes, invés, reverso.

contrahechizo. *m*. contrafeitiço.

contrahecho, cha. *adj*. e *p. p*. contrafeito, corcovado; aleijado; deforme.

contrahechura. *f*. contrafa(c)ção, contrafeição, imitação fraudulenta dalguma coisa; falsificação.

contrahilera. *f*. (arq.) contrafileira, fileira atrás doutra; peça de madeira que escora a armação do telhado.

contrahilo, a. *adv*. contrafio, em dire(c)ção oposta ao fio.

contrahuella. *f*. (arq.) plano vertical dos degraus das escadas.

contraindicación. *f*. (med.) contra-indicação.

contraindicante. *m*. (med.) contra-indicante; sintoma que contradiz a indicação do remédio que parecia conveniente.

contraindicar. *v. tr*. (med.) contra-indicar, indicar a inconveniência dum remédio.

contralizo. *m*. certa peça de tear.

contralmirante. *m*. contra-almirante.

contralor. *m*. vedor, veador, cargo honorífico da casa real que intervinha nas contas, gastos, etc.; aquele que intervinha na administração das contas nos regimentos de artilharia e nos hospitais militares; oficial tesoureiro.

contraloría. *f*. emprego do *contralor*; oficina do *contralor*.

contralto. *m*. (mús.) contralto, voz entre a de tiple e a de tenor. — *s*. contralto, pessoa que tem esta voz.

contraluz. *f*. contraluz.

contramaestre. *m*. contramestre, o que vigia ou dirige os operários duma fábrica; (mar.) imediato, subcomandante, oficial inferior ao capitão ou comandante.

contramallar. *v. tr*. contramalhar, fazer contramalha; fortalecer com a contramalha a re(ê)de de malhas estreitas.

contramandar. *v. tr.* contramandar, dar ordens em oposição a outras que se tinham dado; desencomendar.

contramarca. *f.* contramarca, segunda marca que se põe em fardos, animais, armas, etcétera; direito de cobrar um imposto pondo um sinal nas mercadorias que já o pagaram; este mesmo imposto; segunda marca em moedas ou medalhas anteriormente cunhadas; marca de contraste.

contramarcha. *f.* contramarcha, retrocesso, marcha inversa; (mar.) movimento sucessivo dos navios duma linha navegando em sentido contrário ao primeiro rumo; (mil.) contramarcha, mudança de frente.

contramarchar. *v. intr.* (mil.) contramarchar, fazer contramarcha, marchar em sentido contrário.

contramarea. *f.* (mar.) contramaré, maré oposta à maré ordinária.

contramesana. *f.* (mar.) contramezena, contragata.

contramina. *f.* (mil.) contramina, obra subterrânea para descobrir a mina do inimigo; (min.) contramina, galeria aberta por debaixo de duas ou mais minas para as limpar; (fig.) artimanha para desfazer uma intriga.

contraminar. *v. tr.* (mil.) contraminar, frustrar por meio de contramina, fazer contramina; (fig.) opor-se aos desígnios dalguém frustrando-os.

contranatural. *adj.* contranatural, oposto à ordem da natureza.

contranota. *f.* contranota, nota diplomática oposta a outra anterior.

contraofensiva. *f.* contra-ofensiva.

contraorden. *f.* contra-ordem, desaviso.

contraordenar. *v. tr.* contra-ordenar, dar contra-ordem; contra-mandar; revogar uma ordem.

contrapala. *f.* (herald.) contrapala, pala bipartida.

contrapalado, da. *adj.* (herald.) contrapalado, que tem barras opostas.

contrapalanquín. *m.* (mar.) cabo que substitui um dos aparelhos.

contrapar. *m.* (arq.) caibro, viga, barrote lançado de trave a trave sobre o qual assenta o madeiramento do telhado.

contrapares. *m. pl.* (arq.) madres, segunda ordem de pares no madeiramento de um edifício.

contrapartida. *f.* contrapartida; compensação; parte oposta ou complementar de outra; equivalência.

contrapás. *m.* contrapasso, passo de dança em oposição a outro que se acabou de fazer.

contrapasamiento. *m.* contrapassamento.

contrapasar. *v. intr.* bandear, passar para partido contrário; (herald.) contrapassar, diz-se de dois animais representados um sobre outro, em dire(c)ção oposta.

contrapaso. *m.* contrapasso, passo para a parte oposta aquela em que se deu antes; (mús.) segundo passo que cantam

umas vozes, quando outras cantam o primeiro.

contrapeado. *m.* (carp.) contraplacado.

contrapear. *v. tr.* (carp.) contraplacar.

contrapechar. *v. tr.* dar com os peitos do cavalo nos do contrário.

contrapelo, (a). *adj.* a contrapelo, ao revés, ao arrepio.—*m.* contrapelo, dire(c)ção contrária à inclinação natural do pêlo; arrepio-cabelo; (fig. e fam.) contra o curso ou modo natural duma coisa, violentamente.

contrapesar. *v. tr.* contrapesar, equilibrar com contrapeso; contrabalançar; (fig.) igualar, compensar; servir de contrape(ê)so; equilibrar.

contrapeso. *m.* contrape(ê)so, pe(ê)so que serve para contrabalançar outros; contrape(ê)so, pequena porção que equilibra o que se pesa com o pe(ê)so; compensação; desconto; moeda ou cisalhas que nas fábricas de moeda de refundia, pesava e cunhava de novo; equilíbrio; maroma.

contrapeste. *m.* remédio contra a peste.

contrapié. *m.* contrapé; (fig.) rasteira, sancadilha.

contrapilastra. *f.* (arq.) contrapilastra; (carp.) moldura circular duma porta ou janela que serve para impedir a entrada do ar.

contraponer. *v. tr.* contrapor, pôr em frente; opor; confrontar; comparar, cotejar uma coisa com outra contrária ou diversa.

contraposición. *f.* contraposição, confronto, disposição contrária; contraste; resistência; oposição: *en contraposición*, pelo contrário.

contrapozo. *m.* (fort.) contrapoço, fogaça ou fornilho colocado junto duma galeria de linha inimiga para provocar a sua destruição.

contrapresión. *f.* contrapressão.

contraprincipio. *m.* contraprincípio, princípio que se opõe a outro.

contraprobar. *v. tr.* contraprovar, fazer a contraprova; verificar as emendas da primeira prova tipográfica.

contraproducente. *adj.* contraproducente, que prova o contrário do que se queria demonstrar; que produz efeitos contrários: *sistema contraproducente*, dessistema.

contraproposición. *f.* contraproposta.

contrapropuesta. *f.* contraproposta.

contraproyectar. *v. tr.* contraproje(c)tar, fazer um segundo proje(c)to que anula ou modifica o primeiro.

contraproyecto. *m.* contraproje(c)to.

contraprueba. *f.* (impr.) contraprova, segunda prova tipográfica: *hacer la contraprueba*, contraprovar.

contrapuesto, ta. *adj. p. p. irreg.* de *contraponer*, contraposto; (fig.) antitético.

contrapuntante. *m.* contraponto, o que canta em contraponto, contrapontista.

contrapuntarse. *v. r.* V. **contrapuntearse.**

contrapunteado, da. *adj.* (herald. e mús.) contraponteado.

contrapuntear. *v. tr.* (mús.) contrapontear, cantar em contraponto; pôr em contraponto; instrumentar; (fig.) ofender com ditos picantes. — **contrapuntearse.** *v. r.* contrariarem-se, descomporem-se, ofenderem-se, mùtuamente com palavras aviltantes; (fig.) azedar-se o vinho.

contrapunto. *m.* (mús.) contraponto, concordância harmoniosa de vozes contrapostas.

contrapunzar. *v. tr.* rebitar, arrebitar, servindo-se do contrapunção.

contrapunzón. *m.* contrapunção, instrumento para contrapunçoar e para arrebitar; instrumento que serve de matriz aos punções dos gravadores; punção de aferidor; punção de armeiro.

contraquilla. *f.* (mar.) contraquilha.

contrariado, da. *p. p.* e *adj.* contrariado; contestado; ofendido; desgostado; descontente; desagradável; desapontado; empecido; embaraçado.

contrariador, ra. *adj.* e *s.* contrariador, o que contraria, contraditor.

contrariar. *v. tr.* contrariar, contradizer; contraditar; resistir às intenções e propósitos dos demais; obrigar a fazer o contrário do que se quer; estorvar; impedir; desagradar; impugnar; contrariar, repugnar; ofender; opor se; empatar; empecilhar; encontrar; descontentar; adversar; desapontar; desaprazer; (fig.) atravessar; assovelar; embaraçar. — **contrariarse.** *v. r.* contrariar-se; ficar contrariado; contradizer-se; opor-se; descontentar-se.

contrariedad. *f.* contrariedade, estado de coisas recìprocamente contrárias; coisa que contraria, contrariedade; discrepância; repugnância; obstáculo; dificuldade; contratempo; impugnação; incómodo; oposição; desgosto; contrafio; desprazer; desaire; colisão; contra; arrelia; descontentamento; desconformidade; desconcordância; adversidade; desapontamento; desavença; (fig.) abro(ô)lho: *causar contrariedad*, desprazer; *contrariedad pasajera*, (fam.) aguaceira; *contrariedades*, (fig.) amargos-de-boca; embates da sorte; *hecho a las contrariedades*, cortido, aguerrido; *tener contrariedades*, ter amargos de boca; *el mundo está lleno de contrariedades*, (fig.) o mundo é cheio de abrolhos.

contrario, ria. *adj.* contrário, oposto; diferente; desfavorável; prejudicial; adverso; diverso; avessado; (fig.) antipático; adversário; contraposto; antagónico, (Bras.) antagônico; desconforme; descordante; ave(ê)sso; desafeiçoado; desafe(c)to; encontrado; incompatível; êmulo, (Bras.) êmulo, emulador; desvairado; (fig.) antípoda; inconciliável. — *m.* contrário, pessoa que tem inimizade com outra; rival; antagonista; adversário; inimigo: *al contrario* ou *por el contrario*,

de contrário, pelo contrário; em contrário, no caso oposto; avessamente; às avessas, ao pospelo, ao contrário, ao revés; *parte contraria*, parte adversa; *en contrario*, contraproducente; *de modo contrario*, de contrário; *lo contrario*, contra, o contrário; *de la parte contraria*, adversamente; *producir efectos contrarios*, contraproduzir; *contrario a la razón*, atravessadiço; *ser contrario*, contrapor-se; *ser contrario a*, contrastar, (fig.) dar de rosto; *dar sentido contrario*, arrevessar; *proceder en sentido contrario*, desmentir; *llevar la contraria*, (fam.) contradizer.

contrarrampante. *adj.* (herald.) contra-rapante, diz-se dos animais rampantes, voltados um contra outro.

contrarreforma. *f.* contra-reforma.

contrarreparo. *m.* (fort.) contra-reparo, segunda trincheira em redor de uma praça de guerra.

contrarréplica. *f.* contra-réplica, resposta a uma réplica, tréplica.

contrarrestar. *v. tr.* contra-restar, decidir em contrário; fazer oposição; reenviar a péla no jo(ô)go da pelota.

contrarrevolución. *f.* contra-revolução.

contrarrevolucionario, ria. *adj.* e *s.* contra-revolucionário.

contrarrevolucionar. *v. tr.* contra-revolucionar.

contrarriel. *m.* V. **contracarril.**

contrarroda. *f.* (mar.) contra-roda.

contrarronda. *f.* (mil.) contra-ronda.

contrarrotura. *f.* (vet.) contra-rotura, emplasto para curar as roturas ou luxações.

contrasalva. *f.* (mil.) contra-salva de artilharia em resposta ao cumprimento feito de igual modo.

contraseguro. *m.* contra-seguro.

contrasellar. *v. tr.* contra-selar, pôr contra-se(ê)lo.

contrasello. *m.* contra-se(ê)lo.

contrasentido. *m.* contra-senso, afirmação contrária ao senso comum; absurdo; disparate; sem-razão; (gal.) V. **dislate** e **necedad.**

contraseña. *f.* contra-senha, senha particular que uns dão a outros para se conhecerem e entenderem; (mil.) contra-senha; *contraseña de salida*, senha de saída nos espe(c)táculos públicos.

contrastable. *adj.* contrastável, que se pode contrastar.

contrastado, da. *p. p.* e *adj.* contrastado; aferido; afilado.

contrastar. *v. tr.* contrastar, lutar contra; fazer oposição; arrostar; afrontar; ensaiar, tocar contra a pedra, conhecer os quilates de prata ou oiro; examinar; avaliar; aferir; marcar os pe(ê)sos e medidas, contrastar; afilar; (fig.) repugnar, contradizer. — *v. intr.* contrastar, fazer contraste; estar em oposição, mostrar notável diferença ou condições opostas.

contraste. *m.* contraste, oposição entre pessoas ou coisas; contrastação; contraste, luta, oposição, obstáculo; resistência; contraste, avaliador, contrastador de metais e pedras preciosas; contrastaria, estabelecimento onde se contrasta; almotacé, almotacel, antigo inspe(c)tor de pesos e medidas; pe(ê)so público da se(ê)da crua; (fig.) contenda, combate, luta entre pessoas ou coisas; (mar.) mudança repentina do vento, contraste; (germ.) perseguidor; contraposição, controlo; *en contraste,* em contraposição; *ejercer de contraste,* contrastar; *contraste de pesos y medidas,* aferição; afilamento; *hacer contraste,* contrastar.

contrata. *f.* contrata, contrato, ajuste de serviços temporários: obrigação por escrito.

contratación. *f.* contratação; estipulação; contrato, negociação; remuneração; comércio familiaridade; convenção; casa de negócio; comércio de mercadorias: *contratación a base de salario,* assalariamento.

contratar. *v. tr.* contratar, adquirir por contrato; comerciar, negociar; fazer contrato; ajustar; combinar mediante convénio um serviço; convencionar; pactuar; comunicar, conversar; estipular; apalavrar. — *v. intr.* negociar. — **contratarse.** *v. r.* contratar-se, assalariar-se, alquilar-se os próprios serviços, alugar-se; ajustar-se.

contratiempo. *m.* contratempo, acidente prejudicial e imprevisto; contrariedade; revés; desgraça; vicissitude; revesso; semsaboria; descalabro; desgraça; desaire; (Bras.) espêto; (mús.) compasso musical, contratempo. — *pl.* (equit.) movimentos desordenados do cavalo: *a contratiempo,* a contratempo; *hecho a los contratiempos,* (fam.) muito arranjado; *sufrir un contratiempo,* sofrer um cheque! *serie de contratiempos,* (fig.) aguaceiro.

contratista. *s.* contratista; empreiteiro; empresário; engajador; contratante, contratador.

contrato. *m.* contrato, ajuste, convenção; pacto, aco(ô)rdo para a execução dalguma coisa sob determinadas condições, promesa azeite; combinação; ajuste; convenção; pacto; (for.) contrato; engajamento; estipulação; arranjo; (germ.) talho, estabelecimento onde se vende carne: *borrador de un contrato,* minuta; *denunciar un contrato,* revogar um contrato; *denuncia de un contrato,* desajuste; *contrato de fletamento,* contrato de afretamento; *contrato de compraventa,* contrato de compra e venda; *contrato enfitéutico,* contrato enfitêutico; *contrato de retrovendendo,* contrato de retrovendição.

contratorpedero. *m.* (mar.) contra-torpedeiro.

contratreta. *f.* contratreta, ardil para inutilizar um engano.

contratrinchera. *f.* (mil.) contra-aproche.

contravalación. *f.* (fort.) contravalação, fosso com parapeito para evitar as surtidas dos sitiados.

contravalar. *v. tr.* (fort.) contravalar, fazer uma linha de contravalação.

contravenir. *v. tr.* contravir, infringir a lei ou regulamento; transgredir, violar; incorrer; transgredir.

contraventana. *f.* contravento, guarda-vento; porta exterior da janela.

contraventor, ra. *adj. e s.* contraventor; infra(c)tor; transgressor; *contraveniente,* que transgride.

contraviento. *m.* contravento, vento contrário; contravento, guarda-vento.

contravoluta. *f.* (arq.) voluta que duplica a principal.

contrecho, cha. *adj.* entrevado, tolhido, deformado por paralisia.

contribución. *f.* contribuição, quota que cada cidadão paga para as despesas do Estado; imposto, (Bras.) impôsto; tributo; estipêndio; coadjuvação, colaboração; gavela; contingente: *pagar las contribuciones,* contribuir; *contribución por cabeza,* encabeçamento; *contribución directa o indirecta,* contribuição dire(c)ta ou indire(c)ta.

contribuidor, ra. *adj. e s.* contribuidor, contribuinte, o que contribui.

contribuir. *v. tr.* contribuir, pagar as contribuições ou impostos; (fig.) ter parte num resultado; cooperar, ajudar, concorrer voluntàriamente, coadjuvar, colaborar; influir. — *conj. irr.* como **huir.**

contribulado, da. *adj.* atribulado, contristado, que sofre atribulação.

contributario, ria. *s.* contributário, aque(ê)le que é tributário com outrem.

contributivo, va. *adj.* contributivo, pertencente ou relativo à contribuição, contribuitivo.

contribuyente. *p. a. adj. e s.* contribuinte, que contribui; pagante, contribuidor, que paga contribuição.

contrición. *f.* contrição; dor profunda pelas ofensas feitas a Deus; arrependimento; arrepeso, pena, pesar.

contrincante. *m.* contendor, concorrente, rival, competidor, adversário, antagonista, opositor, émulo, (Bras.) êmulo, inimigo.

contristado, da. *p. p. e adj.* contristado, triste, entristecido; afligido, desolado, mortificado; magoado, desgostado.

contristar. *v. tr.* contristar, tornar triste, afligir, mortificar, desgostar; magoar; (fig.) enturvar. — **contristarse.** *v. r.* contristar-se, afligir-se, amargurar-se, entristecer-se.

contrito, ta. *adj.* contrito, arrependido, arrepeso, pesaroso.

control. *m.* (gal.) controlo; verificação; fiscalização: *control de nacimientos,* controlo de nascimentos.

controlar. *v. tr.* (gal.) controlar, exercer o controlo; verificar, fiscalizar.

controversia. *f.* controvérsia, debate, polémica, (Bras.) polêmica, impugnação de argumentos; contestação; discussão; luta; batalha; diferença.

controversista. *m.* controversista, pessoa que trata sobre pontos de controvérsia; polemista, argumentador.

controverso, sa. *p. p. irreg.* (ant.) de *controvertir.*

controvertible. *adj.* controvertível, duvidoso, discutível, contestável, contencioso.

controvertir. *v. intr.* controverter, pôr em dúvida; discutir; rebater; obje(c)tar; discutir, contestar. — *conj. irr.* como *convertir.*

contubernalidad. *f.* qualidade de contubérnio; condição ou estado de contubérnio; comunidade de vida ou de intere(ê)sse.

contubernio. *m.* contubérnio, convivência; habitação com outra pessoa; camaradagem, familiaridade; concubinato; coabitação ilícita; (fig.) aliança ou ligação vituperável.

contumacia. *f.* contumácia; obstinação, tenacidade em manter um error; teimosia extrema; recusa obstinada de comparecer em juízo; rebeldia.

contumacial. *adj.* que se faz por contumácia.

contumaz. *adj.* e *s.* contumaz, rebelde, porfiado e tenaz em manter um error; teimoso; obstinado; pertinaz; (for.) rebelde, contumaz, que não se apresenta em juízo depois de haver sido citado.

contumelia. *f.* contumélia, afronta, injúria, ofensa dita a alguém na sua presença; opróbrio; invectiva; (pop.) cumprimento, rapapé.

contundencia. *f.* contundência, qualidade do que é contundente; (fig.) rotundidade.

contundente. *adj.* contundente, que contunde, pisa ou tritura; (fig.) fortemente, agressivo; magoativo: *argumento contundente,* prova luminosa.

contundir. *v. tr.* contundir, fazer contusão moer; bater; pisar; triturar; contundir, atundir, magoar. — *v. intr.* ser contundente, contundir.

conturbación. *f.* conturbação, perturbação; agitação, inquietação; perturbação de ânimo.

conturbado, da. *p. p.* e *adj.* conturbado, perturbado, consternado, agitado, confundido.

conturbador, ra. *adj.* e *s.* conturbador, que conturba, consternador, perturbador.

conturbar. *v. tr.* conturbar, alterar, agitar, consternar, perturbar, inquietar; intranquilizar; alterar o ânimo.

conturbativo, va. *adj.* conturbativo, que conturba, conturbador.

contusión. *f.* contusão, pisadura; lesão feita com obje(c)to contundente; equimose; machacadura, mágoa, maçadura.

contusionar. *v. tr.* V. **contundir.**

contuso, sa. *adj.* e *p. p. irreg.* de *contundir,* contuso, que sofreu contusão, magoado, contundido, machucado, pisado.

convalaria. *f.* (bot.) convalária.

convalecencia: *f.* convalescença; arribada, restabelecimento da saúde; convalescença, hospital para convalescentes.

convalecer. *v. tr.* convalescer, adquirir forças, ir recuperando a saúde; (fig.) restabelecer-se, voltar alguém ao seu primitivo estado de prosperidade; (fig.) arribar. — *pres. ind. irreg.* **convalezco;** *subj.* **convalezca,** etc.

convaleciente. *p. a. adj.* e *s.* convalescente, que começa a recobrar forças.

convalidación. *f.* revalidação, confirmação.

convalidar. *v. tr.* confirmar, revalidar.

convección. *f.* (fís.) convexão, movimento particular de moléculas.

convelerse. *v. r.* (med.) convelir-se, convulsionar-se.

convencedor, ra. *adj.* e *s.* convencedor, convincente, que convence ou persuade.

convencer. *v. tr.* convencer, persuadir; provar com razões; concluir; induzir; demonstrar com razões; concluir; induzir; demonstrar; (fig.) encasquetar; deduzir persuadindo. — **convencerse.** *v. r.* persuadir--se, ficar convencido; convencer-se; desaferrar-se: *convencer a alguien que haga algo,* tirar a alguém a estrada; *convencer en contrario,* desaconselhar; despersuadir; *convencerse de lo contrario,* descapacitar-se; *convencer con razones,* convencer por meio de razões; baquear.

convencido, da. *p. p.* e *adj.* convencido, persuadido; assegurado; convicto: *no quedar convencido,* ficar em dúvida; *estar convencido de,* apostar que.

convencimiento. *m.* convencimento, convicção; asseguração; evidência.

convención. *f.* convenção, aco(ô)rdo, ajuste, ajustamento, pacto; conveniência, conformidade; assembleia dos representantes dum país, congresso; aliança; contrato; estipulação; avença.

convencional. *adj.* convencional, referente à convenção ou resultante dela; admitido geralmente; feito com certas convenções. — *m.* convencional, partidário ou membro duma convenção.

convenible. *adj.* dócil, condescendente; moderado (diz-se do preço); razoável; conveniente.

convenido, da. *p. p.* e *adj.* convenido, concordado; aparelhado; arranjado; ajustado; assentado; estipulado; convencionado; conveniente, que convém: *faltar a lo convenido,* (fam.) bigodear; *convenido de palabra,* apalavrado; *en el día convenido,* no dia aprazado.

conveniencia. *f.* conveniência, congruência, conformidade; conveniência, utilidade, proveito, lucro; vantagem; interesse; ajuste, conselho, convénio; oportunidade para uma pessoa servir numa casa; arranjo, acomodação, acomodamento; decência; alivio; bem-estar. — *pl.* bens, salario, rendimentos, haveres, rendas; praxes sociais; convenções, usos de sociedade; (gal.) por *decoro, urbanidad, matrimonío de conveniencia,* casamento de conveniência.

conveniente. *adj.* conveniente, que convém, ventajoso, oportuno, proveitoso; útil; preciso; apto; decente; conforme, concorde, proporcionado; conveniente, cómodo; adequado; apropositado, apropriado; ageitável; achado; correspondente; acomodado; congruente, côngruo; expediente; decoroso; devido; aparelhado: *es conveniente que,* convém que; *prueba poco conveniente,* meia prova; *obra conveniente,* obra bem feita; *ser conveniente para un fin,* estar na conta, convir; *ser conveniente,* ter congruência, assentar, convir; corresponder; *no ser conveniente*, desconcordar.

convenio. *m.* convénio, (Bras.) convênio; convenção política; ajuste, pacto internacional; arranjo; ajustado; assentamento; contrato; estipulação.

convenir. *v. intr.* convir, concordar, ser do mesmo parecer; trazer conveniência ou proveito; ser útil, porveitoso, decente; concordar; ser conforme; combinar mùtuamente; pactuar; condizer; conformar-se, acudir várias pessoas num mesmo local, coincidir; corresponder, pertencer; ser conveniente; ser a propósito; pertencer, convir, tocar; ter por bem; avir; contratar; ajustar; aceder; assentar; corresponder; acomodar; estipular; convencionar; assentir; decretar; quadrar, servir; importar. — **convenirse.** *v. r.* convir-se, ajustar-se; arranjar-se; estipular-se; aprazar-se; conformar-se; compor-se; concordar-se; (ant.) coabitar com mulher: *no convenir en algo*, desconformar; *convenir con alguien*, fazer coro com alguém; *convenir un negocio*, dar corte a um negócio; *eso no me conviene*, não assino para isso; *conviene que*, convém que; *convenir de palabra*, apalavrar; *convenir en el precio*, convenir-se ou ajustar-se no preço; *convenir con uno*, amassar-se com alguém. — *conj. irr.* como *venir*.

conventículo. *m.* conventículo, ajuntamento de pessoas sem publicidade; reunião clandestina para fins ilícitos; assembleia secreta de pessoas que conspiram; corrilho.

convento. *m.* convento; mosteiro; habitação de comunidade religiosa; recolhimento; comunidade religiosa; claustro; abadia; freiria; (fig.) reclusão; casa com vida recatada; internato de raparigas sob a dire(c)ção de religiosas.

conventual. *adj.* conventual. — *m.* religioso que tem residência num convento ou pertence à comunidade.

conventualidad. *f.* conventualidade, morada das pessoas religiosas; morada fixa num convento; vida monástica.

convergencia. *f.* convergência; entroncamento (diz-se dos caminhos).

convergente. *adj.* convergente, que converge: *líneas convergentes*, linhas convergentes.

convergir. *v. intr.* convergir, tenderem duas ou mais linhas a jumtarem-se num mesmo ponto; tender para o mesmo fim; concorrer; entroncar; convir, acordar, coincidir em opiniões.

conversable. *adj.* conversável, que se deixa conversar; conversativo; sociável; tratável.

conversación. *f.* conversação; a(c)to de conversar; convivência; familiaridade; palestra; concorrência ou companhia; comunicação e trato ilicito; colóquio; conversa; prática familiar; departamento; (Bras.) prosa: *conversación amorosa*, galanteio; *conversación aburrida*, maçada; *conversación banal*, palestra; *conversación habitual*, frequentação; *conversación larga y pesada*, (vulg.) maçadoria; *trabar conversación*, entabular conversação; *desviar la conversación*, desconversar; *intervenir en una conversación*, entremeter-se na conversação; *falta de conversación*, desconversação.

conversador, ra. *adj. e s.* conversador, palestrita, palestreiro, que gosta de conversar; falador.

conversar. *v. intr.* conversar, falar, cavaquear, palestrar; discorrer; conviver, habitar em companhia de outro; tratar, comunicar e ter amizade uma pessoa com outra; charlar; departir; (mil.) fazer conversão, executar uma mudança de dire(c)ção; (Bras.) papo: *conversar confidencialmente*, falar em segredo.

conversible. *adj.* conversível, convertível, transmutável.

conversión. *f.* conversão; mutação; mudança de forma ou qualidade; transformação; redução; conversão, abjuração duma religião ou credo político; (fig. e ret.) conversão; (mil.) mudança de frente duma fila, girando sobre um dos seus extremos; convertimento.

converso, sa. *p. p. irreg.* de *convertir*. — *adj.* converso, convertido; (diz-se dos mouros e judeus convertidos ao catolicismo). — *m.* converso, frade, leigo que servia num convento, donato. irmão leigo.

conversor. *adj. e m.* conversor, que transforma ou converte; (ele(c)tr.) aparelho electrogé(ê)neo que transforma uma corrente alterna em contínua. e vice-versa.

convertibilidad. *f.* convertibilidade.

convertidor. *m.* (ele(c)tr.) conversor, convertedor; aparelho electrogé(ê)neo que transforma a corrente alterna em contínua e vice-versa; aparelho para converter a fundição do ferro em aço: *convertidor Bessemer*, convertedor Bessemer.

convertir. *v. tr.* converter, operar a conversão; transformar; converter, fazer mudar de crença ou de opinião; substituir, mudar, mutar; substituir uma palavra ou proposição por outra de mesmo significação. — **convertirse.** *v. r.* converter-se; assimilar-se, abraçar novo credo religioso ou político. — *pres. ind. irre.* **convierto;** *indef.* **convirtió,** etc., *subjun.* **convierta,** etc.; *gerum.* **convirtiendo.**

convexidad. *f.* convexidade, curvatura exterior; abaulamento.

convexión. *f.* (fís.) convexão. V. **convección.**

convexo, xa. *adj.* convexo, curvo na parte exterior; abaulado; copado; bojudo.

convicción. *f.* convicção, certeza, prova evidente; evidência; convencimento; persuasão. — *pl.* crenças; opiniões arraigadas: *convicción íntima*, consciência; *fuerza de convicción*, eloquência.

convicto, ta. *adj.* e *p. p. irr.* de *convencer*; convicto, convencido; persuadido; (for.) diz-se daquele contra quem se provou o delito evidente: *reo convicto*, réu convicto; *mujer convicta de adulterio*, mulher autenticada.

convictor. *m.* pessoa que vive em seminário ou colégio sem pertencer à comunidade.

convictorio. *m.* colégio, casa de educação para os discípulos dos Jesuítas.

convidado, da. *p. p. adj.* e *s.* convidado, que recebeu convite; convidado, indivíduo a quem se faz convite; invitado; (irón.) empada; mimoseado, favorecido: *como el convidado de piedra*, (fig.) como uma estátua, mudo, quieto e grave.

convidador, ra. *adj.* e *s.* convidador, que convida; obsequiador.

convidar. *v. tr.* convidar, invitar, pedir a alguém que o acompanhe a almoçar ou a qualquer cerimónia; convocar; oferecer; (fig.) mover, incitar; induzir; provocar, desafiar, atrair. — convidarse. *v. r.* convidar-se; oferecer-se; dar-se por convidado sem o ter sido; convidar a comer, desafiar para jantar.

convincente. *adj.* convincente, que convence; evidente; eloquente, (Bras.) eloqüênte; forte; frisante; contundente; demonstrativo; argumento convicente, prova efe(c)tiva.

convite. *m.* convite, invitação; banquete, festim para o qual se está convidado; convocação; dádiva; favor; solicitação para concorrer a um a(c)to; (fig.) estímulo.

convivencia. *f.* convivência, convívio; familiaridade; concorrência; conversação; contubérnio; frequência.

conviviente. *p. a.* e *adj.* convivente, que faz convivência; que convive; contubernal. — *s.* convivente, pessoa que convive com outra.

convivir. *v. intr.* conviver, ter convivência; viver com outrem; ter intimidade; coabitar; associar.

convocable. *adj.* convocável, que pode ser convocado.

convocación. *f.* convocação, a(c)to de convocar; convite; convocatória.

convocar. *v. tr.* convocar, chamar ou convidar para reunião; constituir; citar; reunir; proclamar; aclamar; aprazer; apregoar; congregar; mandar reunir.

convocatoria. *f.* convocatória, carta ou despacho de convocação; convocação.

convocatorio, ria. *adj.* convocatório, que serve para convocar, que convoca.

convolución. *f.* convolução, a(c)to de enrolar ou de se enrolar.

convolutivo, va. *adj.* (bot.) convolutivo.

convoluto, ta. *adj.* (bot. e zool.) convoluto, enrolado em forma cilíndrica.

convolverse. *v. r.* convolver, volver sobre si; revolver-se.

convolvuláceas. *f. pl.* (bot.) convolvuláceas.

convolvuláceo, a. *adj.* (bot.) convolvuláceo.

convólvulo. *m.* (bot.) convólvulo; (zool.) convólvulo, lagarta, larva de inse(c)to muito daninha.

convoy. *m.* comboio, escolta; (mar.) conserva, conjunto de navios. V. taller, galheteiro; (fig. e fam.) acompanhamento; séquito: *navegar en convoy*, andar de conserva.

convoyar. *v. tr.* comboiar, escoltar o que se conduz; (fig.) acompanhar.

convulsar. *v. intr.* (vet.) convulsar, encolher os nervos.

convulsibilidad. *f.* convulsibilidade, qualidade de convulsível; disposição para convulsões mórbidas.

convulsible. *adj.* (pat.) convulsível, que tem propensão para convulsões.

convulsión. *f.* convulsão, contracção súbita e involuntária dos músculos; (fig.) perturbação social; cataclismo; revolução; estremeção; estrebuchamento; estertor.

convulsionar. *v. tr.* (med.) convulsionar, pôr em convulsão; (bar.) revolucionar, agitar, excitar.

convulsionario, ria. *adj.* convulsionário.

convulsivo, va. *adj.* convulsivo, pertencente ou relativo a convulsão; (bar.) revolucionário; turbulento; estertoroso.

convulso, sa. *adj.* convulso, atacado de convulsões; agitado; frenético, excitado.

conyúdice. *m.* V. conjuez.

conyugal. *adj.* conjugal, matrimonial, pertencente ou relativo aos cônjuges ou ao matrimó(ô)nio.

cónyuge. *s.* cônjuge, consorte, marido e mulher respectivamente; esposos conjuntos.

conyugicida. *s.* conjugicida.

conyugicidio. *m.* conjugicídio.

conyugio. *m.* conjúgio, matrimó(ô)nio.

conyugo. *m.* (fam.) conjungo, matrimó(ô)nio.

coña. *f.* (vulg.) graçola, troça; dito burlesco.

coñac. *m.* conhaque, aguardente fabricada em Cognac.

coño. *m.* (vulg.) cono, vulva.

coñón, ña. *adj.* e *s.* brincalhão, trocista.

coobligación. *f.* coobrigação, obrigação comum a várias pessoas.

coobligado, da. *adj.* e *p. p.* coobrigado, obrigado juntamente com outrem.

coobligar. *v. tr.* coobrigar, obrigar juntamente com outrem.

cooperación. *f.* cooperação; colaboração; solidariedade; coadjuvação; contributo, contribuição; auxílio para um fim comum.

cooperador, ra. *adj.* e *s.* cooperador; colaborador. cooperante.

cooperar. *v. tr.* cooperar, prestar cooperação, ajudar; colaborar, trabalhar juntamente com outro para um fim comum; contribuir; coagir; facilitar; coadjuvar; operar simultâneamente.

cooperario. *m.* cooperário. V. cooperador.

cooperatismo. *m.* cooperativismo, cooperatismo.

cooperativa. *f.* cooperativa.

cooperativismo. *m.* cooperativismo, cooperatismo.

cooperativo, va. *adj.* cooperativo, diz-se do que coopera; em que há cooperação.

cooperativista. *adj.* e *s.* cooperativista, partidário do cooperativismo.

coopositor, ra. *s.* co-opositor, concorrente que é opositor juntamente com outrem.

cooptar. *v. tr.* cooptar, admitir numa cooperação.

coordenadas. *f. pl.* (mat.) coordenadas, linhas que determinan um ponto no espaço ou numa superfície.

coordenado, da. adj. (mat.) coordenado; ordenado ou disposto segundo certas normas ou preceitos.

coordenador, ra. adj. e s. coordenador, que ou aquele que coordena.

coordinación. f. coordenação; acção de coordenar; disposição metódica que estabelece relação recíproca entre as coisas; arranjo; composição.

coordinado, da. p. p. e adj. coordenado. V. coordenado.

coordinador, ra. adj. e s. coordenador, que ou aquele que coordena.

coordinar. v. tr. coordenar, dispor com coordenação; organizar; arranjar; ajustar; classificar; estabelecer uma relação recíproca entre várias coisas; (fig.) encadear

coordinativo, va. adj. coordinativo, que estabelece coordinação.

copa. f. copa, copo com pé, taça, cálice; copa das árvores; copa do chapéu; braseiro em forma de copa; abóbada de forno; quarteirão, quarta parte dum quartilho; taça; prémio, troféu desportivo; cabeças da parte do freio que cabe na boca dos cavalos; (astr.) pequena constelação austral. — pl. copas, naipe de cartas; centro dum escudo: irse de copas, (fig. e fam.) dar flatulências, deixar sair gases intestinais; estar con una copa de más, estar com o bico; que bebe muchas copas de más, copista; copa de Júpiter, (bot.) girasol.

copada. f. V. cogujada.

copado, da. adj. copado, que tem copa; diz-se geralmente das árvores; enfunado.

copador. m. maço de latoeiro, para encurvar chapas.

copalina. f. (quím.) copalina.

copar. v. tr. apostar contra o banqueiro nos jogos de azar; (mil.) cortar a retirada a uma tropa inimiga, aprisionando-a; (fig.) conseguir todos os lugares numa eleição.

coparticipación. f. co-participação.

copartícipe. s. co-participante, aque(ê)le que co-participa.

coparticipar. v. tr. co-participar, compartilhar.

cope. m. copel, parte mais densa das re(ê)des de pesca.

copear. v. intr. vender bebidas ao copo; beber alguns copos de vinho ou outro líquido.

copec. m. copeque, moeda russa.

copela. f. (quim.) copela, copelha, crisol para afinar ouro e prata, cadinho usado na copelação.

copelación. f. copelação.

copelar. v. tr. (quim.) copelar, apurar ou passar pela copela; fundir.

copeo. m. venda de vinho por copos, nas tabernas.

copera. f. copeiro, aparador para copos e garrafas.

copernicano, na. adj. copernicano, relativo a Copérnico.

copero. m. copeiro, criado de mesa; copeiro, aparador para cálices: copero mayor del rey, copeiro-mor do rei.

copete. m. topete, cabelo dianteiro frisado; topete, poupa das aves; topete do cavalo; parte superior da pala dos sapatos; ornato superior da moldura dalguns espelhos, poltronas e outros móveis; cocar; tope, cume de montanha; (fig.) arrogância: de alto copete, de alta linhagem.

copetudo, da. adj. topetudo, que tem topete; (fig. e fam.) arrogante, vaidoso, presunçoso.

copia. f. cópia, traslado dos dizeres dum escrito; reprodução de retrato ou pintura; cópia; traslado; imitação, plagiato; texto musical tomado dum impresso ou manuscrito; reprodução mecânica; coisa ou pessoa semelhante a outra; cópia, abundância; grande quatidade; abastança; exuberância; (fig.) chuva; duplicata; exemplar; (for.) contrafé: copia descarada, decalco, decalque; copia exacta, (fig.) fotografia; copia legalizada de un documento, autêntica.

copiador, ra. adj. e s. copiador, aque(ê)le que copia, copista; copiador, livro onde se copia a correspondência; copiógrafo.

copiante. p. a. e s. copiador, que copia. — s. copista, pessoa que se dedica a copiar.

copiar. v. tr. copiar, fazer a cópia, reproduzir, imitar, plagiar; contrafazer; copiar, tirar cópias, transcrever, trasladar; (poet.) copiar, descrever: copiar del natural, copiar a natureza.

copilador, ra. adj. e s. V. compilador.

copilar. v. tr. copilar. V. compilar.

copiosidad. f. copiosidade, abundância; exuberância.

copioso, sa. adj. copioso, abundante, numeroso, quantioso, abundoso; exorbitante; avantajado; afluente.

copista. s. copista; amanuense, escrevente; plagiário. V. copiante.

copita. f. dim. de copa, copinho, copinha: echar copitas, chuchurrear.

copla. f. copla, estrofe, quadra para cantar: par, parelha; conjunto de duas pessoas ou coisas. — pl. (fam.) versos: copla de ciegos, (fig. e fam.) cantigas de cegos, quadras más.

coplear. v. intr. cantar coplas, fazer ou recitar coplas.

coplería. f. conjunto de coplas.

coplero, ra. s. pessoa que vende ou faz coplas, xácaras, modinhas, etc., mau poeta.

coplista. s. V. coplero.

coplón. m. aum. de copla, grande copla; (despec.) má composição poética.

copo. m. copo, estriga, rocada, porção de lã, cânhamo, linho ou algodão, pronto para ser fiada; copo, a parte mais espessa duma re(ê)de de pescar; copo, floco de neve; coágulo: copos de nieve, farfalho; poco a poco hila la vieja el copo, pouco a pouco fia a velha o copo.

copo. m. (mil.) a(c)ção de topar ou de cortar a retirada às tropas inimigas; copo, bolsa, saco de re(ê)de com que terminam algumas re(ê)des de pesca; pesca realizada com estos aprestos.

copón. m. aum. de copa, cibório, píxide, vaso sagrado onde estão guardadas as partículas cosagradas; copázio.

coposesión. f. posse juntamente com outro ou outros.

coposo, sa. adj. copado. V. **copado.**

copra. f. copra, amêndoa, miolo do coco.

copremia. f. (pat.) copremia.

coprocrasia. f. (pat.) coprocrasia.

coprofagia. f. (pat.) coprofagia.

coprófago, ga. adj. e s. (pat.) coprófago.

coprófilo. m. (zool.) coprófilo.

coprolalia. f. (pat.) coprolalia.

coprolito. m. coprólito, excremento fóssil; cálculos intestinais, concre(c)ção fecal.

copropiedad. f. co-propriedade.

copropietario, ria. adj. co-proprietário.

coprorrea. f. (pat.) coprocrasia.

coprostasia. f. (pat.) coprostasia, copróstase.

copróstasis. f. (pat.) copróstase.

cóptico, ca. adj. cóptico, relativo aos Coptos. V. **Copto.**

copto, ta. adj. copto, cristão natural do Egipto, cóptico. — s. copto. — m. copto, antiguo idioma dos egípcios. — pl. coptos, povo cristão que habitou o Egipto e a Abissínia.

coptografía. f. coptografia.

coptográfico, ca. adj. coptográfico, relativo à coptografia.

coptología. f. coptologia, coptografia.

copudo, da. adj. copado; ramalhudo, que tem muita copa (diz-se das árvores).

cópula. f. cópula, ligação duma coisa com outra; (log.) verbo que une o nome predicativo ao sujeito; cópula; cópula, união sexual, coito, fornicação, ajuntamento; (arq.) V. **cúpula;** cobrição, cópula dos animais.

copulación. f. copulação, junção, união sexual.

copular. v. tr. (ant.) copular, juntar, unir, ligar. — **copularse.** v. r. copular-se, ter cópula, fornicar, ajuntar carnalmente; cobrir (diz-se dos animais).

copulativo, va. adj. copulativo, que liga ou serve para ligar ou juntar.

coque. m. coque, combustível proveniente da destilação da hulha.

coqueluche. m. (med.) coqueluche, tosse convulça das crianças. V. **tos ferina.**

coquera. f. cabeça de pião; pequena parte oca duma pedra, carvoeira portátil.

coqueta. adj. e f. coqueta, mulher garrida, pretensiosa, namoradeira; janota, mulher loureira; (prov.) palmatoada; molete, pãozinho de certo feitio; (Bras.) piririca; chica coqueta, (Bras.) sapeca.

coquetear. v. intr. procurar agradar a muitos homens por vaidade, galantear (a mulher).

coqueteo. m. coquetismo, garridice.

coquetería. f. coquetismo, garricide; afe(c)tação para agradar; requebro; galanice, galantaria, coquetaria.

coquetismo. m. V. **coquetería.**

coquetón, na. adj. e s. (fam.) gracioso, atraente, agradável, galanteador, diz-se

da pessoa que procura agradar a outras; frescalhona.

coquificar. v. tr. reduzir a coque, destilar a hulha.

coquito. m. momice, trejeitos, esgares para fazer rir as crianças; (zool.) espécie de rola da ordem das galináceas: coquito de San Antón, coccinela.

coquizar. v. intr. reduzir-se a coque.

cora. f. divisão territorial pouco extensa, entre os árabes.

coráceo, a. adj. V. **coriáceo.**

coracero. m. (mil.) couraceiro; (fig. e fam.) charuto reles.

coracina. f. couraça pequena e leve.

coracoides. adj. (zool.) coracóide, diz-se da apófise, que existe na omoplata.

coracoideo, a. adj. (anat.) coracóideo.

coracha. f. surrão, jacá, bolsa ou saco de couro para transportar tabaco, cacau e outros géneros na América.

coraje. m. coragem, valor, ânimo, energia; intrepidez; ousadia; cólera, fúria; (fig.) perseverança; alma; coração; determinação; fortaleza; animosidade; denodo, (Bras.) denôdo; decisão; bizarria; encorajamento; (Bras.) adage. — interj. ânimo!: tener mucho coraje, ter bom estômago, infundir coraje, encorajar; falta de coraje, descoroçoamento.

corajina. f. (fam.) enfado, impaciência; indignação; arrebatamento de ira.

corajoso, sa. adj. corajoso; destemido; enfadado, zangado, irritado; ousado; animoso; bravo.

corajudo, da. adj. colérico, encolerizado, irritado; (fig.) desforçado; corajoso; altivo; destemido; irado.

coral. m. (zool.) coral. — f. (zool. Amér.) cobra-coral, serpente muito venenosa. — m. pl. colar de contas de coral: fino como un coral, fino como um coral, muito esperto.

coral. adj. e s. coral, relativo a co(ô)ro: masa coral, co(ô)ro.

coral. adj. (med.) diz-se da doença chamada gota.

coralarios. m. pl. (zool.) coraliários.

coralero, ra. s. coraleiro, pescador ou vendedor de corais.

coralífero, ra. adj. coralífero, que contém corais, coralígero.

coraliforme. adj. (bot.) coraliforme.

coralígeno, na. adj. (geol.) coralífero, que produz coral

coralináceas. f. pl. (bot.) coralináceas.

coralino, na. adj. coralino, da cor do coral ou semelhante a este.

corambre. f. courama, coirama, quantidade de couros crus curtidos: alzar corambre, alçar a courama, tirar os couros das tinas para os pôr a secar.

corambrero. m. coureiro, negociante de couros.

coramina. f. (quím.) coramina.

Corán. m. Alcorão, Corão.

coránico, ca. adj. alcorânico, relativo ou pertencente ao Alcorão. V. **alcoránico.**

coranvobis. *m.* (fam.) aspe(c)to de pessoa especialmente da nutrida que afe(c)ta gravidade.

coraza. *f.* couraça, armadura de ferro ou aço; (zool.) concha das tartarugas e dos cágados, couraça; (mar.) lindagem.

coraznada. *f.* cerne do pinheiro; guisado ou fritada de fressura.

corazón. *m.* (anat.) coração; (fig.) sensibilidade moral; consciência; coragem; valor; memória; amor; parte mais central das coisas; coração, afeição, benevolência, bondade; espírito; ânimo; interior duma árvore, dum fruto; índole, sentimento, coração, boa vontade, inclinações; (fig.) peito; pessoa que alimenta sentimentos morais e exerce facultades afe(c)tivas; generosidade; pressentimento; centro; obje(c)to com forma de coração; (bot.) córculo; âmago; (fig.) bofe; cor: *caerse el corazón a los pies*, cair o coração aos pés, sentir grande desapontamento; *de corazón*, de coração; de boa vontade; *¡corazón mío,!* meu coração!; *manos frías, corazón ardiente*, mãos frias coração quente; *tener pelos en el corazón*, (pop.) ter pêlos no coração, ter maus instintos; *meterse uno en el corazón*, (fig. e fam.) meter no coração, captar a simpatia; *romper el corazón*, arrebentar o coração; *estar enfermo del corazón*, ter agastamento do coração; *de todo corazón*, de corpo e alma; *tener uno el corazón bien puesto*, ter coração, ter cabelos no coração, ter valor; *tener uno un corazón de bronce*, ter coração de ferro, ser insensível; *en el corazón del invierno*, no coração do inverno; *el corazón de España*, (fig.) o coração de Espanha; *cubrírsele a uno el corazón*, (fig.) tornar-se muito triste; *encogérsele a uno el corazón*, tirar o ânimo; *helársele a uno el corazón*, ficar cheio de assombro; *herir el corazón sin romper el jubón*, (fig.) ofender com astúcia e dissimulação; *no caberle a uno el corazón en el pecho*, ser muito generoso.

corazonada. *f.* impulso espontâneo do coração; pressentimento; (fam.) fressura duma rês; (Bras.) palpite.

corazoncillo. *m.* (bot.) milfurada, erva-de--são-joão, hiericão; coraçãozinho.

corbachada. *f.* vergalhada, açoute dado com vergalho.

corbacho. *m.* vergalho, membro do boi, seco, com que o comitre castigava os forçados.

corbata. *f.* gravata, pequena manta, laço ou fita usada como ornato no pescoço; banda ou fitas bordadas que se atam na extremidade superior das hastes das bandeiras, estandarte, etc.; certa tacada no jogo do bilhar; o que não segue a carreira eclesiástica nem o da magistratura; insígnia de honra de certas ordens civís; ministro de capa e espada: *ponerse corbata*, engravatar-se.

corbatería. *f.* gravataria, loja onde se vendem gravatas.

corbatero, ra. *s.* gravateiro, pessoa que faz ou vende gravatas.

corbatín. *m.* gravata com o laço pronto, pescocinho, cabeçãozinho: *irse por el corbatín*, diz-se da pessoa muito magra.

corbato. *m.* refrigerador, banho frio da serpentina de un alambique.

corbeta. *f.* (mar.) corveta, embarcação de três mastros, semelhante à fragata.

corbona. *f.* c(e)sto ou canastra.

Córcega. (geog.) Córsega.

corcel. *m.* corcel, cavalo veloz que servia para torneios ou batalhas.

corcesca. *f.* partazana de ferro semelhante ao arpão.

corcino. *m.* corçozinho, corço pequeno.

corcova. *f.* corcova, corcunda, giba; alcorcova; (ant.) corcova, elevação.

corcovado, da. *p. p. adj.* e *s.* corcovado, corcunda, o que tem giba; alcatruzado, alcachinado.

corcovar. *v. tr.* corcovar, encurvar, dar forma curvada. — *v. intr.* ganhar corcova.

corcovear. *v. intr.* corcovear, curvetear, fazer curvetas o cavalo, dar saltos os animais, dar corcovas.

corcovo. *m.* corcovo, (Bras.) corçôvo, cabriola, salto do cavalo; (fig. e fam.) desigualdade, torcimento, falta de re(c)tidão; corcovo, curvatura, arqueamento.

corcusido, da. *p. p. adj. m.* (fam.) passagem, costura de pontos mal feitos; remendo; remendado.

corcusir. *v. tr.* (fam.) passajar, tapar com pontos mal feitos os buracos da roupa; remendar.

corcha. *f.* corcha, casca da árvore; cortiça preparada; vaso de colmeia; (mar.) torcedura das pontas dum cabo.

corchar. *v. tr.* (mar.) torcer as pontas dos cabos.

corche. *m.* espécie de sandália, galocha de sola de cortiça.

corchea. *f.* (mús.) colcheia, colcheta, nota musical que vale metade da semínima.

corchera. *f.* sorveteira de cortiça ou de madeira; geladeira.

corcheta. *f.* colcheta, argolinha em forma de lira na qual se engancha o colchete.

corchetada. *f.* (germ.) grande número de agentes de polícia.

corchete. *m.* colchete, (Bras.) colchête, gancho de metal que prende na colcheta; sinal ortográfico, chave; (carp.) colchete de barco de carpinteiro; (germ.) agente de polícia, meirinho, alguazil; engate; galfarro.

corchetesca. *f.* (germ.) V. **corchetada**.

corcho. *m.* corcho, casca, cortiça da árvore; rolha de cortiça; caixa de cortiça para conduzir certos géneros comestíveis; (agr.) cortiço, colmeia: *planchas de corcho para revestir paredes*, corticite.

corchotaponero, ra. *adj.* corticeiro, relativo à indústria das rolhas de cortiça.

cordado, da. *adj.* (herald.) diz-se da figura representando um instrumento músico de corda.

cordaje. *m.* (mar.) cordame, enxárcia, cordoalha, conjunto de cabos dum navio, cordagem.

cordal. *m.* peça para segurar as cordas dalguns instrumentos de música; (prov.) cordilheira pequena.

cordal. *adj.* diz-se do dente do siso, último queixal que nasce nos adultos.

cordapso. *m.* (pat.) cordapso, cólica violenta.

cordato, ta. *adj.* cordato, prudente, sensato, judicioso.

cordel. *m.* cordel, corda delgada; cordel, guita, barbante; distância de cinco passos; caminho para o gado transumano; medida agrária de Cuba; cordão, baraço; (Bras.) piola. — *pl.* (pop.) forca: *a cordel*, em linha re(c)ta; *apretar los cordeles a alguno*, obrigar alguém a falar o que não quer dizer; *literatura de cordel*, literatura de cordel, folhetos de somenos valor literário.

cordelado, da. *adj.* acordoado, trançado em forma de cordel; diz-se de certa fita de se(ê)da semelhante ao cordel.

cordelar. *v. tr.* cordear, medir com uma corda um terreno ou outro qualquer espaço. V. **acordelar.**

cordelazo. *m.* cordoada, pancada com uma corda ou cordel.

cordelejo. *m.* cordelinho, cordelzinho; (fig.) chasco, zombaria, troça, gracejo, mofa: *dar cordelejo*, chasquear, burlar-se.

cordelería. *f.* cordoaria, fábrica de cordas ou local onde se vende; ofício de cordoeiro; cordoalha; (mar.) V. **cordaje.**

cordelero, ra. *s.* cordoeiro, fabricante ou vendedor de cordas.

cordellate. *m.* burel, pano grosso.

cordera. *f.* (zool.) cordeira, filha da ovelha que não passa de um ano; (fig.) mulher dócil e humilde.

cordería. *f.* cordame, cordoalha, conjunto de cordas de várias espécies.

corderilla. *f.* cordeirinha.

corderillo. *m.* cordeirinho, cordeirito, agnelino, aninho; cordeiro, pele de cordeiro com lã.

corderina. *f.* cordeira, pele de cordeiro.

corderino, na. *adj.* pertencente ou relativo ao cordeiro.

cordero. *m.* (zool.) cordeiro, cria da ovelha; anho; pele de cordeiro com a lã; (fig.) pessoa mansa, bondosa, inocente, cordeiro; Jesús Cristo: *Divino Cordero*, o Cordeiro de Deus; *poner ojos de cordero*, (fam.) olhar com olhos amorosos.

corderuna. *f.* cordeira, pele de cordeiro.

cordia. *f.* (bot.) córdia.

cordíaco, ca. *adj.* V. **cardíaco.**

cordial. *adj.* cordial, afe(c)tuoso, sincero, verdadeiro; íntimo; fortificante, entranhável; efusivo, afe(c)tuoso, cordial, relativo ao coração. — *m.* (med.) remédio que conforta o coração, cordial.

cordialidad. *f.* cordialidade, franqueza de trato; amizade sincera; sinceridade; apacibilidade; afeição sincera; harmonia, boa inteligência, intimidade.

cordifolia. *f.* (bot.) espécie de videira silvestre.

cordifoliado, da. *adj.* (bot.) cordifoliado, cordifólio.

cordiforme. *adj.* cordiforme, em forma de coração.

cordilla. *f.* trança de tripas de carneiro, para alimento dos gatos.

cordillera. *f.* cordilheira, cadeia de montanhas: *cordillera pelada*, (Bras.) cochila.

córdoba. *f.* (Amér.) unidade monetária da Nicarágua, equivalente ao peso.

Córdoba. (geog.) Córdova.

cordobán. *f.* cordovão, couro curtido de bode ou cabra.

cordobanero. *m.* cordovaneiro, curtidor, fabricante de cordovão.

cordobés, sa. *adj.* e *s.* (geogr.) cordovês, natural ou pertencente a Córdova.

cordométrica. *f.* e *adj.* diz-se das linhas que costumam assinalar-se no pantómetro, com divisões que representam diferentes cordas dum círculo de raio conhecido.

cordómetro. *m.* (acús.) cordómetro, (Bras.) cordômetro.

cordón. *m.* cordão, corda muito delgada de matéria filiforme; fio de ouro, cordão; corda de cingir o hábito dos religiosos dalgumas ordens; série continuada de postos militares para cercar um lugar; (mar.) cordões de que se formam os cabos; (arq.) cordão, bocel. — *pl.* (mil.) agulhetas (distintivo): *cordón sanitario*, cordão sanitário; *cordón umbilical*, cordão umbilical.

cordonazo. *m.* cordoada, pancada dada com um cordão ou uma corda; cordoalha: *cordonazo de San Francisco*, entre marinheiros os temporais no Equinócio de Outono.

cordoncillo. *m.* cordãozinho; riscas estreitas e um tanto salientes de certos tecidos; serrilha das moedas.

cordonería. *f.* serigaria, conjunto de obje(c)tos que fabrica o serigueiro; ofício de serigueiro e local onde se vendem artigos de serigaria; passamanaria.

cordonero, ra. *s.* cordoeiro, serigueiro, passamaneiro; (mar.) cordoeiro, o que faz as enxárcias.

cordula. *f.* V. **cordila.**

cordura. *f.* cordura, juízo, prudência; sisudez; bom-senso; gravidade; circunspe(c)ção; senso comum; discrição; reserva; tino.

corea. *f.* coreia, dança que geralmente se acompanha com canto; (med.) baile de San Vito, dança-de-são-vito.

corear. *v. tr.* compor música para ser cantada com acompanhamento de coros; acompanhar ou embelezar com coros uma composição musical; (fig.) anuírem várias pessoas a uma opinião estranha.

coreico, corecillo. *m.* V. **corezuelo.**

coreo. *m.* coreu, pé da poesia grega ou latina composto de duas sílabas, a primeira longa e a outra breve; harmonia dos coros.

coreografía. *f.* coreografia, arte da dança; coreografia.

coreográfico, ca. *adj.* coreográfico, relativo à coreografia.

coreógrafo, fa. *s.* coreógrafo.

coreopsis. *f.* (bot.) coreopse.

corepíscopo. *m.* prelado auxiliar.

corete. *m.* círculo de couro que se aplica por debaixo da cabeça dos pregos de adorno.

coriáceo a. *adj.* coriáceo, relativo ou semelhante ao coiro; que tem a consistência do coiro, duro.

coriâmbico, ca. *adj.* coriâmbico.

coriambo. *m.* (poet.) coriambo.

coriandro. *m.* (bot.) coriandro.

coriaria. *f.* (bot.) coriaria.

coriariáceas. *f. pl.* (bot.) coriariáceas.

coriarídeas. *f. l.* (bot.) coriarídeas.

coriarina. *f.* (quím.) coriarina.

coribante. *m.* coribante, sacerdote de Cíbele.

coribantismo. *m.* (med.) espécie de delírio furioso acompanhado de contorções.

corifeo. *m.* corifeu, dire(c)tor de coros no antigo teatro; (fig.) corifeu, o que mais se distingue numa seita ou num partido; chefe de seita.

coriláceas. *f. pl.* (bot.) coriláceas.

coriláceo, a. *adj.* (bot.) coriláceo.

corimbíferas. *f. pl.* (bot.) corimbíferas.

corimbífero, ra. *adj.* (bot.) corimbífero.

corimbiforme. *adj.* (bot.) corimbiforme.

corimbo. *m.* (bot.) corimbo.

corimboideo, a. *adj.* (bot.) corimbóide, corimboso, corimbífero.

corindón. *m.* (min.) corindão, corindo.

coríntico, ca. *adj.* coríntico. V. corintio.

corintio, tia. *adj.* e *s.* (geog.) coríntio, natural de ou pertencente a Corintio; (arq.) coríntio, diz-se duma das cinco ordens arquite(c)tó(ô)nicas.

corinto. *m.* corinto, variedade de uva própria para secar; casca de videira.

corion. *m.* (anat.) corião, cório, a mais exterior das membranas cuterinas que envolve o feto.

corista. *m.* corista, religiosa, que canta no co(ô)ro. — *s.* corista, pessoa que faz parte dos coros teatrais.

corito, ta. *adj.* nu, em cueiros; desnudo; (fig.) acanhado, pusilânime, tímido; medroso. — *m.* labrego asturiano.

coriza. *f.* (med.) coriza, inflamação da mucosa nasal. V. romadizo.

corladura. *f.* verniz para doirar peças prateadas.

corlar. *v. tr.* doirar uma peça prateada; dar corladura.

corlear. *v. tr.* V. corlar.

corma. *f.* cepo, tronco com buracos onde se prende o pé a um criminoso; (fig.) impedimento, estorvo, embaraço; (ant.) algema.

cornáceas. *f. pl.* (bot.) cornáceas.

cornada. *f.* cornada, pancada com os cornos, marrada com os chifres, derrota; (esgr.) estocada da quarta forçada.

cornado. *m.* cornado, o que tem chifres; nome duma moeda antiga, de baixa lei, dos tempos de D. Sancho IV de Castela: *no*

valer un *cornado*, (fig. e fam.) não valer um cornado, ser inútil ou de pouco preço.

cornadura. *f.* cornadura, cornamenta, armação dos animais cornígeros.

cornal. *m.* cornal, correia com que se prendem os bois ao jugo, cornieira, corneira.

cornalina. *f.* (min.) cornalina, corníola.

cornalón. *adj.* cornalão, diz-se do touro com grandes chifres.

cornamenta. *f.* cornamenta, cornadura, os chifres dos animais cornígeros; madeira do ar.

cornamusa. *f.* (mús.) cornamusa, gaita de foles; espécie de trompa ou tuba retorcida.

córnea. *f.* (anat.) côrnea, alva do olho.

corneador, ra. *adj.* corneador. V. acorneador.

corneal. *adj.* (anat.) corneal, pertencente ou relativo à côrnea.

cornear. *v. tr.* cornear, dar cornadas, cornar, ferir com os chifres. V. acornear.

cornelina. *f.* (min.) V. cornalina.

córneo, a. *adj.* córneo, da natureza ou consistência do chifre; (bot.) córneo. — *f. pl.* córneas.

córner. *m.* (depor.) córner do futebol.

cornerina. *f.* (min.) V. cornalina.

cornero. *m.* codorno, pedaço ou canto de um pão.

corneta. *f.* (mús.) corneta, instrumento de sopro; corno usado pelos porqueiros como buzina; corneteiro; (mil.) espécie de clarim; soldado que segue o chefe para dar os toque de comando; (mar.) bandeira, corneta: *corneta de llaves*, corneta de chaves; *toque de corneta*, cornetada; *tocar la corneta*, cornetear; *corneta de pastor*, corna.

cornetín. *m. dim.* de *corneta*; cornetim, instrumento mais pequeno que a corneta; cornetim o que toca este instrumento.

cornezuelo. *m. dim.* de *cuerno*, corninho, cornicho, cornito; (bot.) variedade de azeitona; cravagem do centeio, parasita do centeio; intrumento cirúrgico de alveitar.

corniabierto, ta. *adj.* corniaberto, cornilargo.

cornial. *adj.* corniforme, em forma de chifre.

cornialto, ta. *adj.* cornialto.

corniapretado, da. *adj.* diz-se do toiro ou da vaca que tem os chifres muito juntos ou recolhidos.

corniculado, da. *adj.* (bot.) corniculado.

cornículo. *m.* cornículo, cornicho, corninho; insígnia em forma de corcho dos antigos romanos.

corniforme. *adj.* corniforme.

cornigacho, cha. *adj.* cornibaixo.

cornígero, ra. *adj.* cornígero, cornífero, que tem chifres.

cornija. *f.* (arq.) cornija. V. cornisa.

cornijal. *m.* ângulo, canto, esquina; manutérgio, toalha a que o sacerdote limpa as mãos, na Missa.

cornijón. *m.* (arq.) V. cornisamento; esquina de prédio.

cornil. *m.* V. cornal.

corniola. f. (min.) V. **cornalina.**

cornisa. f. (arq.) cornija, ornato que assenta sobre o friso e coroa todas as outras obras; cimalha, corónide.

cornisamiento. m. (arq.) entablamento, conjunto de molduras que coroam um edifício, cornijamento.

cornisamiento. m. V. **cornisamento.**

cornisón. m. V. **cornijón.**

corniveleto, ta. adj. cornialto.

cornizo. m. V. **cornejo.**

corno. m. V. **cornejo.**

cornucopia. f. cornucópia, corno mitológico da abundância, corno de Amalteia. — m. espelho com moldura em talhe e com braços para velas.

cornudo, da. adj. cornudo, cornuto, que tem cornos. — s. (fig. e fam.) cornudo, coitado, diz-se do marido cuja mulher faltou à fidelidade conjugal, corno, coitadinho: tras cornudo, apaleado, (pop.) depois de corno, aperreado.

cornúpeta. adj. e m. (poet. e numism.) cornúpeto, animal que está em atitude de acometer com os cornos.

cornúpeto. m. V. **cornúpeta.**

cornuto. adj. (log.) diz-se do argumento ou silogismo quando são sinónimos de dilema.

coro. m. co(ô)ro, canto de muitas vozes reunidas; as perssoas que estão no co(ô)ro; concerto de vozes e instrumentos; balção nas igrejas destinado ao canto; música para cantar em co(ô)ro; co(ô)ro dos teatros; canto das horas canónicas; uma das nove jerarquias dos anjos; (fig.) co(ô)ro, ofício divino; (poet.) versos para serem cantados em co(ô)ro; fileira de cadeiras na capela-mor; hacer coro, (fig. e fam.) fazer co(ô)ro, unir-se a outrem nas suas opiniões; de coro, de coração; en coro, em co(ô)ro, ao mesmo tempo; coro de ángeles, milicia celeste; hablar a coros, (fig. e fam.) falar alternativamente; saber de coro, conhecer de memória; aprender de coro, aprender de memória, reter de memória.

coro. m. V. **cauro.**

corografía. f. corografia.

corográficamente. adj. corogràficamente.

corográfico, ca. adj. corográfico.

corógrafo. m. corógrafo.

coroideo, a. adj. (ant.) aplica-se à coróide.

coroides. f. (anat.) coróide, membrana dos olhos.

coroiditis. f. (pat.) coroidite.

corola. f. (bot.) corola.

coroláceo, a. adj. (bot.) coroláceo.

corolario. m. corolário; consequência; dedução.

corolífero, ra. adj. (bot.) corolífero.

coroliflora. adj. (bot.) coroliflora. f. pl. (bot.) corolifloras.

coroliforme. adj. (bot.) coroliforme, corolino.

corolino, na. adj. (bot.) corolino.

corolítico. adj. (arq.) corolítico.

corona. f. coroa, ornato de cabeça, distintivo de reis, príncipes e nobres; grinalda; auréola; diadema, resplendor; círculo luminoso, coroa; coroa, o alto da cabeça; coroa, tonsura dos religiosos; coroa, variedade de moeda; coroa, reino, monarquia; coroa, fio de contas, por onde se rezam sete pai-nossos e sete dezenas de ave--marias; (fig.) honra, esplendor, pré(ê)mio, recompensa, galardão; coroa, coroamento, conclusão, remate duma obra; coroa, cume, alto; (arq.) coroa, parte mais forte e quadrada da cornija; (fort.) coroa, obra avançada; (geom.) coroa circular; (astr.) coroa, meteoro luminoso; auréola, círculo de luz à roda da cabeça dos santos, coroa, calvície nos joelhos do cavalo; coroa, parte do dente superior aos alvéolos: corona boreal, coroa boreal; corona austral, coroa austral; corona castrense, coroa de ouro que se concedia ao que primeiro entrava no campo inimigo; corona del casco, (vet.) região imediata ao casco; corona olímpica, coroa olímpica; corona obsidional, coroa que se concedia ao que levantava um cerco; corona ducal, coroa ducal; perteneciente a la corona, coronário, coronal; discurso de la corona, discurso da coroa; abdicar la corona, abdicar a coroa.

coronación. f. coroação, a(c)to de coroar um soberano; coroamento, fim duma obra ou adorno que o indica; (arq.) remate dum edifício.

coronado, da. p. p. e adj. coroado. — m. coroado, padre, tonsurado; encabeçado; encimado; concluído; (Amér.) variedade de peixe comestível.

coronador, ra. adj. e s. coroador, que coroa.

coronal. adj. (anat.) coronal, diz-se do osso frontal. — m. osso coronal ou frontal.

coronamiento. m. V. **coronamiento.**

coronamiento. m. coroamento, fim duma obra; (arq.) adorno, ornato que coroa ou termina o alto dum edifício, torre, etc, chapiteu.

coronar. v. tr. coroar, pôr uma coroa sobre a cabeça; (fig.) aperfeiçoar, completar uma obra; proceder à coroação dum monarca; ; premiar; rematar; encimar, acabar, completar; fazer dama no jogo das damas; coroar, honrar, recompensar; encher até à borda. — coronarse. v. r. deixar ver o feto a cabeça no momento do parto; coroar-se, cingir a coroa; cercar-se na parte superior.

coronaria. f. (anat.) coronária, artéria e veia particular do coração.

coronaria. f. roda dos relógios que dirige a agulha dos segundos.

coronario, ria. adj. coronário, pertencente e relativo à coroa; (bot.) em forma de coroa.

coronel. m. (impr.) régua para separar as colunas duma composição.

coronel. m. (mil.) coronel; (arq.) moldura; (herald.) coroa aberta que remata superiormente o escudo.

coronela. adj. aplicava-se à bandeira e outras coisas pertencentes ao coronel. — f. (fam.) coronela, mulher do coronel.

coronelato. m. coronelato, posto e funções de coronel.

coronelía. f. posto de coronel; (mil.) comando de regimento.

corónide. *f.* coroamento, fim duma coisa. V. coronamiento.

coroniforme. *adj.* coroniforme.

coronilla. *f.* cocuruto, parte superior e posterior da cabeça; coroa pequena; (Amér.) árvore muito apreciado pela sua madeira: *estar hasta la coronilla*, estar cansado, farto duma pretensão; *coronilla de rey*, (bot.) melilote.

coronoides. *adj.* (anat.) coronóide.

corosol. *m.* variedade de anona.

corota. *f.* (bot.) crista-de-galo.

corotos. *m.* (Amér.) trastes, utensílios.

coroza. *f.* carocha, mitra ignominiosa que se punha na cabeça por castigo; coroça, palhoça, capa de palha contra a chuva usada na Galiza.

corozo. *m.* V. corojo.

corpa. *f.* (min.) barra de metal em bruto que se tira das minas.

corpiño. *m. dim.* de *cuerpo*, corpinho, justilho, espartilho que usavam as mulheres; corpete.

corporación. *f.* corporação, corpo, comunidade; associação; conselho; corpo; entidade; assembleia: *en corporación*, em corpo.

corporal. *adj.* corporal, do corpo; material; somático; físico; corpóreo. — *m. pl.* corporal, pano de linho sobre o qual o sacerdote coloca o cálix e a Hóstia: *pena corporal*, pena aflitiva.

corporalidad. *f.* corporalidade.

corporativismo. *m.* corporativismo.

corporativista. *adj.* e *s.* corporativista, sequaz do corporativismo.

corporativo, va. *adj.* corporativo, pertencente ou relativo a corporação.

corporeidad. *f.* corporeidade, corporalidade; materialidade.

corpóreo, a. *adj.* corpóreo, que tem corpo material; material; corporiforme, corporal.

corporificación. *f.* corporificação, corporalização; corporização.

corporificar. *v. tr.* corporificar; corporalizar, corporizar; (quim.) solidificar.

corps. *m.* palavra introduzida em Espanha e usada para indicar certos servidores do rei.

corpudo, da. *adj.* corpulento, encorpado. V. corpulento.

corpulencia. *f.* corpulência; volume considerável dum corpo; obesidade; grandeza; (fig.) fachada; encorpadura; estatura.

corpulento, ta. *adj.* corpulento, que tem grande corpo; grosso; encorpado; volumoso; gordo; alto e grosso; elefantíaco; avultoso, avultado; forte, forzudo; avantajado; alambazado; membrudo; corpanzudo; machucho; abdominoso; (Bras.) panzuá: *persona corpulenta*, (fig.) fragata, corpanzil; bicharoco; *hombre feo y corpulento*, (fig.) avejão.

Corpus. *m.* (rel.) festa do Corpo de Deus, Corpus.

corpuscular. *adj.* corpuscular, relativo aos corpúsculos; que tem corpúsculos; (filo.) corpuscular.

corpusculista. *m.* corpusculista, sectário da filosofia corpuscular.

corpúsculo. *m.* corpúsculo, corpo muito pequeno, célula, molécula, átomo, elemento.

corral. *m.* curral, corte; cercados para apanhar peixes nos rios; aprisco; estância de madeiras; alfeira; cortelho, cortelha; encerra; *hacer corrales*, (fig. e fam.) fazer gazeta, faltar o estudante à aula; *en corral* (germ.) acumulado, cercado, encurralado.

corralero, ra. *adj.* e *s.* pertencente ou relativo ao curral; pessoa que tem corte ou pátio para criar galinha, porcos, etc. e para secar e amontoar esterco.

correa. *f.* correia, tira de couro soga, loro; flexibilidade, elasticidade dum corpo; (fig.) condescendência, docilidade; paciência. — *pl.* correias, disciplinas: *besar la correa*, (fig. e fam.) beijar a correia, humilhar-se, submeter-se; *correa con hebilla*, francalete; *ceñir com correas*, encorrear; *tener correa*, (pop.) ter muita paciência, ser muito forte no trabalho.

correaje. *m.* correagem, correame, conjunto de correias; encorreadura.

correar. *v. tr.* tornar a lã branda e flexível.

correazo. *m.* correada, pancada com correia; cintaraço.

corrección. *f.* corre(c)ção; emenda; re(c)tificação; castigo com o fin de ensinar; repreensão; admoestação; qualidade de quem é corre(c)to; aperfeiçoamento; pureza; corregimento; atilamento, corregimento; emenda; expurgação; aprumo; retitude; propriedade; revisão: *corrección de pruebas*, (impr.) corre(c)ção de provas; *corrección en el vestir*, apuro no vestido; *casa de corrección*, casa de corre(c)ção; *casa de corrección de mujeres*, casa de estopa; *proceder con corrección*, aprumar.

correccional. *adj.* corre(c)cional, relativo à corre(c)ção. — *m.* estabelecimento penitenciário destinado ao cumprimento das penas corre(c)cionais.

correccionalismo. *m.* corre(c)cionalismo, sistema penal pela educação.

correccionalista. *adj.* e *s.* corre(c)cionalista, sequaz do corre(c)cionalismo.

correctivo, va. *adj.* e *m.* corre(c)tivo, diz-se do medicamento que corrige; corre(c)tivo; repreensão, admoestação.

correcto. *p. p.* irreg. de **corregir**. — *adj* corre(c)to, livre de erros ou defeitos; conforme as regras; corre(c)to, diz-se da linguagem, do estilo, etc.; corre(c)to, fino, digno, inatacável; atilado, alinhado; aprumado, incensurável; próprio; esmerado; perfeito; limpo; puro; exa(c)to; emendado.

corrector, ra. *adj.* e *s.* corre(c)tor, que corrige; superior ou prelado nos conventos de franciscanos; (impr.) corre(c)tor, revisor de provas.

correctoría. *f.* corre(c)toria; corregedoria.

corredentor, ra. *adj.* e *s.* co-redentor, que coopera na redenção.

corredera. *f.* corredoiro, corredouro, sítio destinado para correr cavalos; corrediça, encaixe por onde deslizam portas e janelas de correr; corredoira, corredoura, peça que fica por baixo da mó do moinho; inse(c)to ortóptero. V. **cucaracha**; nome que se costuma dar a algumas ruas que, antigamente, eram destinadas a corridas de cavalos; carreira, trilho de máquina; (fig. e fam.) alcoviteira; (mar.) barquilha; (Amér.) diarreia.

corredizo, za. adj. corredio, corrediço, que corre, que se solta fàcilmente: *nudo corredizo*, baraço.

corredor, ra. adj. corredor, que corre muito ou com ligereza; (zool.) aplica-se às aves de grande tamanho como o avestruz, etcétera. — m. corretor, o que intervém nas compras e vendas; soldado enviado para descobrir e observar o inimigo; corredor, galeria, passadiço, (germ.) ladrão que convenciona um roubo; agente de polícia; (fig. e fam.) alcoviteira. — f. pl. (zool.) corredoras; (fig.) mexeriqueiro; *corredor de bolsa*, corretor de câmbios ou de fundos públicos; *corredor de buques*, corretor de navios; *corredor de seguros*, corretor de seguros.

corredura. f. corredura, líquido que fica aderente à medida em que se mede, com prejuízo do comprador.

corredurіа. f. corretagem, cargo de corretor; agência onde se exerce corretagem; (for.) V. **achaque**.

correería. f. correaria, fábrica ou loja onde se vendem correias, estabelecimento de correeiro.

correero, ra. s. correeiro, fabricante ou vendedor de correias.

corregencia. f. co-regência.

corregente. adj. e s. co-regente, pessoa que com outrem exerce o cargo de regente.

corregibilidad. f. corregibilidade, docilidade para a corre(c)ção.

corregible. adj. corrigível, que se pode corrigir, emendável.

corregidor, ra. adj. e s. corre(c)tor, que corrige; corregedor, magistrado com jurisdição civil e criminal; alcaide que presidia ao *ayuntamiento*.

corregidora. f. mulher do corregedor.

corregidoría. f. V. **corregimiento**.

corregimiento. m. corregedoria, cargo de corregedor; área da jurisdição do corregedor.

corregir. v. tr. corrigir, emendar, advertir, repreender, admoestar, castigar, corrigir; melhorar; censurar, reprimir; modificar, temperar; regularizar; suavizar; (fig.) diminuir, temperar, suavizar, moderar a a(c)tividade duma coisa; endireitar; alimpar; expurgar; increpar: *corregir pruebas*, (impr.) corrigir provas; *corregir entre líneas o renglones*, (impr.) entrelinhar; *corregir el periódico*, assistir à folha. —

corregirse. v. r. corrigir-se, emendar-se; aperfeiçoar-se. — conj. irr. como **regir**.

correinado. m. co-reinado.

correinante. adj. co-reinante.

correísta. m. (bar.) V. **correo**.

correjel. m. sola, couro grosso, consistente e flexível, para solaria.

correlación. f. correlação, relação mútua entre pessoas ou coisas; analogia; correspondência: *en correlación*, correlativamente; *tener correlación*, correlatar, correlacionar; *correlación entre las cosas*, conveniência.

correlacionar. v. tr. correlacionar, estabelecer relação entre. — **correlacionarse.** v. r. ter correlação.

correlativo, va. adj. correlativo, correlato; (gram.) cognato.

correligionario, ria. adj. e s. correligionário, que é do mesmo partido ou religião que outrem.

correncia. f. diarreia, fluxo de ventre; (fig. e fam.) vergonha; afluência, verbosidade.

correndilla. f. (fam.) corridinha, a(c)ção de passar correndo, um pequeno espaço; pequena corrida, corridinha.

correntía. f. diarreia; (prov.) lima, inundação artificial duma terra de lavoura.

correntío, tía. adj. correntio, corrente, fluente, que corre. V. **corriente**; (fig. e fam.) ligeiro, solto; desembaraçado.

correntón, na. adj. e s. corriqueiro, andeiro, passeador; muito dado, brincalhão e zombeteiro.

correo. m. correio, carteiro; correio, conjunto de cartas, bilhetes, telegramas, etc.; correspondência; mensageiro; estação postal; (fig.) anunciador, precursor; correio, repartição da correspondência; correio, cartas contidas na mala do correio; *correo aéreo*, aeroposta; *buzón de correos*, caixa do correio; (germ.) ladrão que vai dar aviso dalguma coisa.

correo. m. (for.) co-réu, cúmplice; responsável com outro ou outros num delito.

correoso, sa. adj. flexível, elástico; corrento; (fig.) se(ê)co, que se mastiga com dificuldade (diz-se do pão e doutros alimentos); duro.

correpción. f. corre(p)ção, a(c)to de tornar breve uma sílaba longa.

correprisa. f. (fam.) freima.

correr. v. intr. correr, andar com velocidade; correr, escorrer os fluidos; correr, decorrer, passar o tempo, as coisas; soprar o vento; correr, seguir o seu curso (rios); correr, tomar parte numa corrida; sair em forma de corrente (as lágrimas); deslizar; ir passando; divulgar-se; estar afe(c)to; ter a seu cargo; andar em busca de; fazer passar ligeiramente; correr, partir depressa a pôr alguma coisa em execução; lidar os toiros, correr; correr, ter curso; estar em uso, ser admitido ou recebido; recorrer; derivar; banhar (um rio); defluir; (fig.) envergonhar, confundir; (Bras. Sur) agaturrar; (Bras. y Bahia) abojar; (Bras.) aforar, munhecar. — v. tr. correr, seguir, perseguir; correr, confundir, envergonhar; burlar; percorrer; expulsar; lidar toiros; correr, afugentar. — **correrse.** v. r. (fam.) exceder-se; oferecer mais do devido; envergonhar-se, ficar confundido; circular, divulgar-se: *correr de la ceca a la meca*, (pop.) correr Ceca e Meca; *al correr de*, ao correr de; *el tiempo corre*, o tempo corre; *corre la noticia de que habrá guerra*, corre que vai haver guerra; *correr peligro*, correr perigo; *correr mundo*, correr mundo; *correr parejas con*, corre parelhas com, igualar; *correr con algo*, correr com alguma coisa; *correr por el campo*, descampar; *correr viento en popa*, correr vento em popa; *a todo correr*, a todo correr; *correrse de miedo*, correr-se de medo; *dejar correr*, deixar correr; *correrla*, (fam.) andar de borga ou pândega; *de prisa y corrinedo*, de corrida; *hacer las cosas de prisa y corriendo*, atropelar-se, levar uma coisa de boleo; *obrar de prisa y corriendo*, albardar.

correría. *f*. correria, incursão, saque feito por gente armada; viagem curta; corrida; corre-corre: *correrías en tierras de moros*, entradas em terras de mouros.

correspondencia. *f*. correspondência, a(c)to de corresponder; correspondência, troca de cartas, telegramas, etc.; correspondência, relação, conexão; simetria; correspondência, carta a um jornal; correspondência, comunicação entre países, localidades ou pessoas; correspondência, analogia, semelhança, proporção; correspondência, união, comércio recíproco; correlação; correspondência, correio; significado que uma palavra tem noutro idioma; relação de conformidade; correspondência, corrente atmosférica entre duas aberturas ou passagens: *tener mucha correspondencia*, manter numerosa correspondência; *en correspondencia*, em despique.

corresponder. *v. tr. e intr*. corresponder, retribuir equivalentemente, afectos, benefícios, etc.; corresponder, pertencer, ser próprio, adequado, ou simétrico; equivaler; estar em correlação; correlacionar; incumbir. — **corresponderse**. *v. r*. estar em correlação; cartear-se, comunicar-se por escrito; corresponder-se; amar-se reciprocamente: *no corresponder*, falhar; descaber; *ser correspondido*, ser correspondido, ser amado; *corresponder al amor de alguien*, corresponder ao amor de alguém; *no corresponder una cosa con otra*, despegar-se; *no corresponder al favor de alguien*, desagradecer.

correspondiente. *adj*. correspondente; adequado; oportuno; simétrico; relativo; apropriado; proporcionado; correspondente, que tem correspondência com alguém; correlacionante. — *m*. correspondente. V. **corresponsal**.

corresponsal. *s*. correspondente, (usa-se mais entre comerciantes e jornalistas); pessoa que escreve para jornais ou que os representa em determinado lugar; procurador de outrem fora da terra.

corresponsalía. *f*. ofício do correspondente; lugar onde trabalha o correspondente.

corretaje. *m*. corretagem, diligência e trabalho de corretor; salário e serviços de corretagem: *corretaje sobre el flete*, fretagem.

corretajear. *v. intr*. exercer ou trabalhar como corretor, fazer corretagens.

corretear. *v. intr*. (fam.) corrichar, corricar, andar de rua em rua ou de casa em casa; correr em várias deri(c)ções; brincar, correndo.

correteo. *m*. corridinha, a(c)ção de corrichar.

corrida. *f*. corrida, carreira, movimento rápido; corrida, corrimento, fluxão; corredura; corredela; corrinaça. — pl. (mús.) V. **playeras**: *corrida de toros*, tourada; corrida de touros; *de corrida*, com presteza; com rapidez e fàcilmente.

corrido, da. *p. p. e adj*. corrido que excede um pouco do peso ou da medida; excedido; corrido, acossado, perseguido; corrido, deixado, envergonhado; (fam.) astuto, experimentado, viajado, experto. — *m*. telheiro, alpendre ao longo das paredes dos currais; (Amér.) romance popular que contém uma história, feito ou aventura: *hablar de corrido*, falar corrente; *quedarse corrido*, envergonhar-se; *corrido de la costa*, seguidilha acompanhada com guitarra.

corriente. *p. a. e adj*. corrente, que corre; corrente, admitido, usado; predominante; vulgar; habitual; fácil; expedito; fluente; corrente, prático, versado, certo, sabido; corrente, diz-se da semana, do mês, etc. que vão decorrendo; admitido, autorizado; fluente; soito, fácil (diz-se do estilo); acostumado; correntio; desinteressante; frequente, (Bras.) freqüente, consuetudinário: *agua corriente*, água corrente; *expresión corriente*, expressão corrente; *en el corriente*, no mês corrente; *estar al corriente de algo*, estar ao corrente de um fa(c)to; *corriente y moliente*, (fam.) corrente e moente; *cuenta corriente*, conta corrente; *poner a alguien al corriente*, pôr alguém ao corrente.

corriente. *f*. corrente, correnteza; movimento da água e do ar; curso de água; sucessão; decurso; (fig.) curso que levam algumas coisas; (pop.) rio. — pl. correntes, águas dum rio caudaloso: *al corriente*, sem atraso, com exa(c)tidão; *corriente eléctrica*, corrente elé(c)trica; *corriente continua*, corrente contínua; *corriente alterna*, corente alternativa; *corriente de aire*, corrente do ar; ar encanado ou coado; *corriente de agua*, correnteza; *contra la corriente*, contra corrente, arriba; *ir contra la corriente*, (fig.) ir contra corrente; *estar al corriente*, (fam.) estar ao corrente, familiarizar-se, estar ao fa(c)to; *corriente rápida del mar*, aguagem; *seguir la corriente*, (fam.) seguir a corrente; *corriente violenta de agua*, estoque de água.

corrigendo, da. *adj*. diz-se do recluso que sofre pena nalgum estabelecimento prisional.

corrillo. *m*. corrilho, pequena roda de pessoas; conciliábulo; reunião sediciosa; conluio; mexerico; no plural toma-se em mau sentido.

corrimiento. *m*. corrimento, secreção; a(c)to de ficar corrido ou envergonhado, vexame.

vergonha; curso, movimento da água; (agr.) doença das videiras.

corro. *m.* corro, círculo, ajuntamento de pessoas que formam roda; espaço circular ou quase circular; jogo de meninas que formam um círculo: *hacer corro aparte*, (fig. e fam.) formar ou seguir outro partido: *echar en el corro*, (fig. e fam.) dizer alguma coisa pùblicamente; *escupir en corro*, (fig. e fam.) entremeter-se numa conversação.

corroboración. *f.* corroboração, confirmação; comprovação; nova prova.

corroborar. *v. tr.* corroborar, fortificar, fortalecer, vivificar, dar mais força ao fraco ou ao desmaiado; corroborar, confirmar; comprovar; consolidar; reforçar uma opinião com novos argumentos.

corroborativo, va. *adj.* corroborativo, corroborante, que corrobora ou confirma.

corroer. *v. tr.* corroer, gastar lentamente, roer, consumir, gastar, carcomer, destruir; danificar; (fig.) perverter; viciar; devorar; sentir os efeitos dum grande remorso ou mágoa. — **corroerse.** *v. r.* consumirse; depravar-se; minar. — *conj. irr.* como *roer.*

corrompedor, ra. *adj.* e *s.* corrompedor, corruptor, que corrompe.

corromper. *v. tr.* corromper, alterar o estado duma coisa que estava boa; estragar; infe(c)tar; desnaturar; tornar podre; inficionar; transformar, subornar, peitar; (fig.) seduzir uma mulher; perverter; viciar; corromper, depravar; (fam.) irritar, incomodar; conspurcar; minar; apeçonhar; decompor, desmoralizar; danar; adulterar; apodrecer; envenenar; empeçonhar; estraviar; falsificar; deturpar; corroer; desencaminhar; contagiar, contaminar; apostemar; endiabrar; devassar. — *v. intr.* cheirar mal, apestar. — **corromperse.** *v. r.* corromper-se; avariar-se; devassarse; apostemar-se; estragar-se; depravarse; decompor-se; desonestar-se apodrecer-se; decair; degenerar.

corrompible. *adj.* conspurcável, que se pode corromper ou apodrecer; corruptível, venal.

corrompido, da. *adj.* e *p. p.* corrompido; depravado; viciado; pervertido; estragado; infe(c)tado, degradado; danado; desmoralizado, contaminado; apostemado; devasso; degenerado.

corrosible. *adj.* corrosível, que pode ser corroído.

corrosión. *f.* corrosão; erosão; desgaste das rochas pelo vento.

corrosividad. *f.* corrosibilidade.

corrosivo, va. *adj.* corrosivo, que corrói; erosivo; adusivo; (med.) fagedénico.

corroyente. *p. a.* e *adj.* corrosivo, que corrói.

corrugación. *f.* contra(c)ção, encolhimento, franzimento.

corrumpente. *adj.* corrompedor, corruptor, que corrompe; (fig. e fam.) incomodativo, aborrecido, díscolo, maçador.

corrupción. *f.* corrupção; putrefa(c)ção; perversão; desmoralização; prevaricação; suborno; adulteração; sedução; alteração viciosa dum texto; corrupção, viciação; putrefa(c)ção, descomposição; corrupção peita; devassidão; estrago; corru(p)tela; deturpação; degradação; infe(c)ção; decadência; empestamento; aliciamento; envenenamento; apodrecimento; contaminação; descomosição; apeconhamento; derrancamento; (fig.) estravio, descaminho; contágio; gafeira; degeneração: *corrupción de las costumbres*, amolecimento dos costumes; *foco de corrupción*, foco de corrupção.

corruptela. *f.* corru(p)tela, corrupção, abuso; depravação. V. **corrupción.**

corruptibilidad. *f.* corru(p)tibilidade; qualidade de corruptível.

corruptible. *adj.* corru(p)tível, venal, que se pode corromper, devassável.

corruptivo, va. *adj.* corru(p)tivo, corru(p)tível.

corrupto, ta. *adj. p. p. irreg.* de *corromper*; corru(p)to, corrompido; estragado; podre; (fig.) depravado; pervertido; errado; infe(c)tado.

corruptor, ra. *adj.* e *s.* corru(p)tor, o que corrompe ou suborna; corrompedor, corrompido; infe(c)cioso, infe(c)tante; desedificativo; desencaminhador; abusador, aliciador; desmoralizador; demolidor; devassador; depravador; deletério.

corrusco. *m.* (fam.) pedaço de pão, mendrugo. V. **mendrugo.**

corsario, ria. *adj.* e *s.* corsário, diz-se do comandante dum navio armado em corso; pirata; navio armado por piratas; navio autorizado a dar caça às embarcações doutra nação em guerra; (fig.) homem patife, ambicioso, cruel.

corsé. *m.* espartilho de senhora, corpete.

corsear. *v. intr.* (mar.) corsear, andar a corso.

corselete. *m.* (herald.) corselete, antiga armadura para proteger o peito.

corsetería. *f.* fábrica ou loja de espartilhos.

corsetero, ra. *s.* espartilheiro, pessoa que faz ou vende espartilhos.

corso. *m.* (mar.) corso, excursão de navio corsário, pirataria; vida errante de pilhagem: *navío armado en corso*, navio em corso; *navegar en corso*, andar a corso; *patente de corso*, patente de corso.

corta. *f.* corta, a(c)ção de cortar árvores, corte; derrame; talho.

cortacircuitos. *m.* (electr.) corta-circuitos, fusível.

cortacorriente. *m.* comutador elé(c)trico.

cortadera. *f.* talhadeira, cortadeira, cortilha; instrumento para cortar os favos de mel; (Amér.) planta ciperácea que cresce em lugares pantanosos.

cortadillo, lla. *adj.* que não é circular (diz-se das moedas cortadas).

cortadillo. *m.* copo pequeno e cilíndrico; quantidade de líquido que ele pode conter e que serve para medida caseira; trapaça no jogo de naipes: *echar cortadillos*.

387 cortés

(fig. e fam.) beber copos de vinho; falar com afe(c)tação.

cortado. *m.* dança, cabriola que se faz na dança, com salto violento.

cortado, da. *p. p. e adj.* cortado, que se cortou; talhado; interceptado; interrompido; ajustado; acomodado; proporcionado; decotado; (fig.) confundido, envergonhado; (herald.) aplica-se às peças esmaltadas de madeira diferente em cada metade: *quedarse cortado*, ficar sem saber falar, encovar; *pluma bien cortada*, pena bem aparada; *cortado a pico*, alcantilado; *cortado en punta*, inciso; *cortado por arriba*, decotado; *cortado obliicuamente*, enviesado; *cortado (sin saber qué decir)*, entupido.

cortador, ra. *adj. e s.* cortador, que corta; cortador, o que corta a carne nos talhos; vindimador; máquina de cortar; alfaiate; açougueiro. — *pl.* dentes incisivos: *cortador de zapatería*, cortador, de sapataria.

cortadura. *f.* cortadura, golpe com instrumento cortante; incisão; cortadura, abertura ou passagem entre duas montanhas; (mil.) cortadura, abertura feita nas pontes militares; (fort.) cortadura para atalhar o passo ao inimigo; (cir.) incisura; decepamento. — *pl.* retalhos.

cortafrío. *m.* corta-frio, instrumento de serralharia; cinzel forte; corta-ferro.

cortafuego. *m.* (arq.) corta-fogo; guarda-fogo.

cortalápices. *m.* apara-lápis.

cortante. *p. a. e adj.* cortante, que corta, afiado; incisivo; incisório. — *m.* carniceiro. V. **cortador.**

cortapapel. *m.* corta-papel; face.

cortapisa. *f.* quartapisa, guarnição ou barra de tecido diferente que se punha em certas peças do vestuário das senhoras; (fig.) graça com que se diz qualquer coisa; condição, restrição com que se concede ou se possui uma coisa; galanteria no falar.

cortaplumas. *m.* canivete de aparar penas.

cortapuros. *m.* corta-charutos.

cortar. *v. tr.* cortar, talhar, dividir, separar; atravessar; aparar, para escrever, as penas de aves; cortar as cartas no jogo; talhar, impedir o passo ou a comunicação; atalhar; embaraçar; omitir; abreviar; fender um fluido ou um líquido; cortar separar ou dividir uma coisa em duas porções; recortar; interceptar; dar um golpe ou corte em; encurtar caminho cortar, talhar fato, vestidos; (fig.) cortar, interromper a conversação, suspender, atalhar; decidir ou ser árbitro num negócio; castrar colmeias; cortar, dizer mal de alguém; (mil.) dividir uma parte do exército inimigo; (cir.) excisar; cisar; circuncidar; decepar; cindir; destroncar (árvores); incisar; (fig.) afligir; fender o frio, a água, etcétera); cruzar, atravessar; eliminar; talhar sobre um molde. — **cortarse.** *v. r.* cortar-se; perturbar-se, confundir-se; cortar-se, talhar-se o leite; abrir-se o vestido pelas dobras, cortar-se; ferir-se com instrumento cortante; (fig. fam.) murmurar,

censurar quem está ausente, cortar: *cortar la parte superior de las cosas*, descabeçar; *cortar gastos*, cortar as despesas; *cortar el hilo de la conversación*, (fig.) cortar o fio da conversação; *cortar la madera a lo largo*, gálimar; *cortar los miembros*, despojar os membros; *cortar con navaja*, anavalhar; *cortar en pedazos*, atassalhar; estracinhar; *cortar el pelo a navaja*, barbear; *cortar a pico*, apicoar; *cortar las plumas para escribir*, aparar as penas; *cortar las ramas inútiles*, chapodar; *cortar de vestir*, (fam.) dizer mal de alguém por detrás, aguçar a língua, deslinguar; *cortar en trozo*, cortar em pedaços; *cortarse la coleta*, cortar a coleira, a coleta.

cortaviento. *m.* corta-vento; pára-brisas.

corte. *m.* corte, fio da espada ou de outro instrumento cortante; corte, a(c)ção de cortar; corte de árvores; ablação; corte, talhe de roupa; corte, porção de pano necessário para fazer um fato ou uma peça de vestuário, corte; oficina onde se talham peças de vestuário para a tropa; (arq.) corte, se(c)ção dum edifício; corte, talho aparo de pena; (fig.) corte, expediente para concluir ou atalhar um negócio ou disputa; incisão; gume; diminuição; supressão; fenda; interrupção.

corte. *f.* co(ô)rte, residência real; gente que rodeia o soberano, co(ô)rte; séquito, comitiva, acompanhamento do rei; estábulo do gado, curral, corte, aprisco; paço, (fig.) co(ô)rte, círculo de aduladores; galanteio, namo(ô)ro. — *pl.* Cortes, Parlamento: *hacer la corte*, fazer a co(ô)rte, namorar; rodear de cuidados com fin interesseiro; cortejar, requestar.

cortedad. *f.* curteza, pequenez, pouca extensão; estreiteza de engenho; curteza, acanhamento, falta de ânimo, timidez.

cortejador, ra. *adj. e s.* cortejador, que corteja; galanteador; adulador, louvador, amigo de cumprimentar.

cortejar. *v. tr.* cortejar, fazer a co(ô)rte, galantear, render atenções a uma senhora; fazer cortesias, cumprimentar; adular, requestar; obsequiar; cortejar, assistir, acompanhar alguém, contribuindo para o que seja do seu agrado; (Bras.) peruar: *cortejar a alguien*, fazer pé de alferes, fazer paço a alguém; *cortejar a una mujer en la calle*, arruar; *cortejar a una mujer para seducirla*, atentar em uma mulher.

cortejo. *m.* cortejo, acompanhamento, séquito, (Bras.) séqüito, cortejo galanteio, homenagem, oferecimento, presente, obséquio; bom acolhimento; procissão; cortesia, cumprimento; (fam.) pessoa que tem relações amorosas com outra: *cortejo fúnebre*, cortejo fúnebre, ente(ê)rro; *cortejo a una mujer*, (fam.) derriço.

cortés. *adj.* cortês, atencioso, civil, urbano, polido, fino, amável, afável, delicado, atento, comedido, bem educado; civilizado; atilado; civil; bem-criado; elegante; educado; mesurado; deferente; galante: *ser muy cortés*, afiambrar-se; *lo cortés no* quita *lo valiente*, a cortesia não é incompatível com a valentia.

cortesana. *f.* cortesã, favorita dum soberano; prostituta, mulher dissoluta, barregã, mulher de má vida; horizontal, heta ra, madalena, marafona, meretriz, michela, mulher dama, mulher da vida, mundana, pecadora, perdida, prostituta, rameira, rapariga, traviata, zabaneira, amásia, fúcia, franjosca.

cortesanía. *f.* cortesania, agrado, atenção, urbanidade, comedimento, civilidade, galantaria, cortesanice.

cortesano, na. *adj. e s.* cortesão, pertencente ou relativo à co(ô)rte; palatino, palaciano; cortês, que tem cortesia; galante, polido, delicado, adulador; paceiro, palacego, palaciego; áulico; cortesão, homem que faz parte da co(ô)rte dum soberano.

cortesia. *f.* cortesia, modos de homem da co(ô)rte; boa educação; polidez; cumprimento; mesura, deferência; civilidade; cortesia, dádiva, presente; galanteria, graça, mercê; urbanidade; delicadeza; mesura; atenção; educação; afabilidade; (com.) cortesia, dias de favor para efe(c)tuar um pagamento. — *pl.* saudações ao público feitas pelos lidadores de touros antes e depois da corrida: *falta de cortesía*, desmesura; *hacer una cortesía*, fazer cortesia; mesurar; *cortesía excesiva*, mesurice; *faltar a la cortesía*, descomedir-se; mesura, rapapé, reverência, salamaleque, zumbaia.

córtex. *m.* (anat. e bot.) córtex, córtice.

corteza. *f.* córtex, cortiça, córtice, parte exterior da árvore, casca, côdea; (fig.) rusticidade, falta de educação; exterioridade de alguma coisa. — *pl.* (germ.) luvas. V. **ortega:** *formarse la corteza*, encortiçar; *extracción de la corteza*, descortização.

cortezoso, sa. *adj.* cortíceo, feito de cortiça ou semelhante à cortiça.

cortezudo, da. *adj.* cortiçoso, que tem muita cortiça; (fig.) diz-se da pessoa inculta, rústica.

cortical. *adj.* cortical.

corticícola. *adj.* (bot. e zool.) corticícola.

corticina. *f.* (quím.) corticina.

corticoso, sa. *adj.* corticoso, que tem a casca muito grossa; corticento.

corticosterona. *f.* (bioquím.) corticosterona.

corticífero, ra. *adj.* (zool. e bot.) cortícífero.

corticiforme. *adj.* corticiforme.

cortijero, ra. *s.* caseiro rústico; dono de um casal.

cortijo. *m.* herdade, granja, prédio rústico; (germ.) mancebia: *alborotar el cortijo*, (fig. e fam.) alterar a ordem duma sociedade com pendências e altercações; animar os outros para que concorram a uma festividade.

cortil. *m.* V. **corral.**

cortina. *f.* cortina; dossel; (fort.) cortina, lanço de muralhas entre os flancos de dois baluartes; (fig.) véu, tudo o que serve para cobrir; o que oculta alguma coisa; estole: *cortina de correr*, corrediça; *poner cortinas*, encortinar; *correr las corti-*

nas, descortinar, correr a cortina; (fig.) deixar de falar, calar-se; *cortina de humo*, cortina de fumo; *dormir a cortinas verdes*, (fig. e fam.) dormir no campo; *detrás de la cortina*, (fig.) por trás da cortina, a ocultas. — *pl.* resíduos de vinho nos copos.

cortinaje. *m.* cortinado, conjunto ou armação de cortinas.

cortinal. *m.* cortinal, terra cultivada, cercada de paredes ou sebe.

cortinilla. *f.* cortininha, cortina pequena para vidros de janela, cortinholas de veículos, etc.

corto, ta. *adj.* curto, de pouca extensão; curto, de pouca duração, breve; escasso, defeituoso; tímido, assombradiço, falto de ânimo; curto, deficitário; curto, falto de talento, de entendimento; menor; mesquinho; fanado, faneco; minguado; pacato; encolhido, estranhão; fugaz, fugace; apoucado, envergonhado, acanhado; estranhado; engelhado; breve nas palavras, que fala pouco, acanhado, falto de expressão; (fig.) pouco atilano: *corto de carácter*, atadinho; *corto de genio*, engasgado, pusilânime; *quedarse corto un proyectil*, embacar; *corto de palabras*, curto de palavras; *corto de vista*, curto de vista; *corto de oído*, curto de ouvido; *a la corta o a la larga*, antes ou depois, mais tarde ou mais cedo; mais dia, menos dia; ao fim e ao cabo; *quedarse corto*, não saber que dizer.

corto. *m.* (ele(c)tr.) V. **cortocircuito.**

cortocircuitar. *v. tr.* (neol. e ele(c)tr.) curto-circuitar.

cortocircuito. *m.* (ele(c)tr.) curto-circuito.

corulla. *f.* (mar.) paiol das enxárcias nas galés.

corundo. *m.* V. **corindón.**

Coruña (La). (geog.) Corunha.

coruñés, sa. *adj. e s.* (geog.) corunhês, natural da ou pertencente a Corunha.

coruscación. *f.* (fís.) coriscação, corisco, fulgor súbito e breve.

coruscante. *adj.* (poet.) coruscante, que corusca; fulgurante, luminoso; fulgente; luzidio.

coruscar. *v. intr.* (poet.) coruscar, coriscar, brilhar, fulgurar; reluzir; relampaguear.

corusco, ca. *adj.* (poet.) V. **coruscante.**

corva. *f.* curva, a parte da perna por detrás do joelho; (germ.) V. **ballesta;** (vet.) tumor que se forma no jarrete das cavalgaduras; (mar.) curva.

corvado, da. *adj.* (germ.) morto.

corvadura. *f.* curvatura, lugar onde alguma coisa se curva, dobra ou torce; (ant.) corcovo, (Bras.) corcôvo; curvadura; (arq.) curvatura, parte curva dum arco ou duma abóbada, arqueamento.

corval. *adj.* (agr.) diz-se duma espécie de azeitona comprida.

corvar. *v. tr.* (ant.) acurvar. V. **encorvar.**

corvato. *m.* (zool.) corvacho, corvo pequeno.

corvaza. *f.* (vet.) inchaço nas pernas do cavalo.

corvejón. *m.* (vet.) curvejão, jarrete do cavalo; esporão, nos galos e outras aves,, saliência córnea e aguçada no tarso. V. **cuervo marino.**

corvejos. *m. pl.* (vet.) V. **corvejón.**

corveta. *f.* curveta, movimento que faz o cavalo sustentando-se nos pés e levantando as mãos.

corvetear. *v. intr.* curvetear, fazer curvetas o cavalo.

córvidos. *m. pl.* (zool.) corvídeos.

corvillo. *m.* (fam.) diz-se da Quarta-feira de Cinzas.

corvina. *f.* (ictiol.) corvina.

corvinera. *f.* corvineira, re(ê)de de emalhar empregada na pesca da corvina.

corvino, na. *adj.* corvino, pertencente ou semelhante ao corvo, corvense.

corvo, va. *adj.* curvo, arqueado, dobrado. — *m.* gancho de ferro. V. **garfio;** (zool.) V. **corvina.**

corza. *f.* (zool.) corça, designação da fêmea do cabrito-montês, do gamo e do veado.

corzo. *m.* (zool.) corço, veado, cabrito-montês.

cosa. *f.* coisa, cousa, o que existe ou pode existir, ente, obje(c)to, sucesso, acortecimento; nada (em orações negativas); assunto, matéria, elemento, qualquer obje(c)to inanimado, realidade, fa(c)to; negócio; a(c)to; causa; espécie. — *pl.* coisas, cumprimentos; raridades; bens: *cosa de*, coisa de; *cosa enorme*, almanharra; *cosa horrible*, efeitarrão; *cosa insoportable*, (fig.) coisa dura; *como quien no quiere la cosa*, pela maciota, com dissimulação, como quem não quer a coisa; *no es una gran cosa*, (fam.) não é grande coisa; *no hal tal cosa*, (fam.) não há tal coisa; *eso es otra cosa*, (fam.) isso é outra coisa; *cosa de risa*, (pop.) coisa de riso; *cosa rara*, (fam.) coisa rara; *cosa de ver*, (fam.) coisa de ver; *cosa del otro jueves*, (fig. e fam.) fa(c)to extravagante; *lección de cosas*, ensino das coisas; *¿qué tal van las cosas?*, onde vai a dazça? *las cosas de la vida*, (pop.) barca; *ver cosas raras y desagradables*, ver os meninos orfãos a cavalo; *¿qué es cosa y cosa?*, locução que costuma usar-se quando se propõem enigmas; qual é a coisa?; *cosas extraordinarias*, (fam.) coisas do arco-da-velha; *mezcla de cosas diversas*, coisas e loisas; *no vale cosa*, não é coisa de ver; *poquita cosa*, (pop.) pessoa pusilânime; *no es cosa fácil*, o molhar, não é assunto fácil; *¡cosa rara!*, coisa rara!; *no hay tal cosa*, não há tal coisa; *nuestras cosas*, as nossas coisas ou assuntos; *es la misma cosa*, é a mesma coisa; *aquí está la cosa*, aquí anda coisa encoberta; *tener sus cosas*, ter suas coisas, ser muito difícil.

cosaco, ca. *adj.* e *s.* cossaco.

cosario, ria. *adj.* e *m.* cursado, frequentado. — *m.* recoveiro, almocreve, mensajeiro, encomendeiro; caçador de profissão.

coscarse. *v. r.* (fam.) V. **concomerse.**

coscoja. *f.* (bot.) carrasqueiro, carrasco; folha seca do carrasqueiro ou da azinheira; anel em cada um dos bocados do freio;

(Amér.) nome dalgumas enfermidades do gado.

coscojal. *m.* carrascal, carrasqueiral, mata de carrasqueiros ou carrascos.

coscojar. *m.* V. **coscojal.**

coscojita. *f.* V. **coxcojita.**

coscojo. *m.* galha ou excrescência produzida no carrasqueiro pelo quermes. — *pl.* coscós, roseta de ferro que se suspende no freio do cavalo.

coscón, na. *adj.* e *s.* (fam.) socarrão, velhaco, astuto, matreiro, manhoso.

coscorrón. *m.* coscorrão, carolo, pancada na cabeça, cachação.

cosecante. *m.* (geom.) co-secante.

cosecha. *f.* colheita, frutos que se colhem; messe; tempo em que se faz a colheita; a(c)ção de colher os frutos, apanhadura apanha; (fig.) agosto; (fig.) abundância; quantidade, grande cópia: *tener algo de su propia cosecha*, ou *la cosecha de uno*, ter alguma coisa da sua própria colheita.

cosechar. *v. tr.* e *intr.* colher, fazer a colheita: *cosechar laureles*, (fig.) colher louros; *cosechar el fruto del propio trabajo*, colher os frutos do próprio trabalho.

cosechero, ra. e *s.* colheteiro, o que faz colheitas; lavrador, possuidor da colheita.

cosedera. *f.* (mar.) peça dos trincanizes.

cosedor, ra. *s.* cosedor, o que cose.

cosedura. *f.* V. **costura.**

coselete. *m.* (arm.) corselete, cossolete, cossoleto, peito de armas; soldado armado com esta couraça e com alabarda.

coselete. *m.* (zool.) corselete, parte do tórax dalguns inse(c)tos.

coseno. *m.* (trig.) co-seno.

coser. *v. tr.* coser, ligar, unir por meio de pontos dados com agulha enfiada; costurar; juntar; prender, segurar, pegar; (fig.) unir-se, encostar-se: *es coser y cantar*, (fig. e fam.) é muito fácil; *coserse la boca*, não falar palavra; *coser a puñaladas*, dar punhaladas; *coser a puntadas largas*, fuxicar, alinhavar; *coser chapuceramente*, assovinhar; (mar.) *coser la tralla*, (mar.) entralhar; *coser a pespunte*, cholear; *coser los extremos de los chicotes para que no se deshile*, falcaçar.

coserí. *f.* (gal.) V. **charla.**

cosetada. *f.* carreira, passo acelerado, corrida.

cosible. *adj.* cosível, que se pode coser.

cósico. *adj.* (mat.) aplica-se ao número que é potência exa(c)ta doutro.

cosicosa. *f.* enigma. V. **quisicosa.**

cosido, da. *p. p.* e *adj.* cosido, costurado, apontado; (fig.) muito junto. — *m.* costura, qualidade de costura, apontoado: *cosido de la cama*, lençol de cima, mantas e colcha, que se alinhavam juntos para que não se separem.

cosignatario, ria. *adj.* e *s.* co-signatário, o que assina juntamente com outro ou outros.

cosmético. *m.* preparado para aformosear a pele ou os cabelos; arrebique.

cosmetología. *f.* cosmetologia.

cósmico, ca. *adj.* cósmico, relativo ao universo.
cosmobiología. *f.* cosmobiologia.
cosmognosis. *f.* cosmognose.
cosmogonía. *f.* cosmogonia.
cosmogónico, ca. *adj.* cosmogónico, (Bras.) cosmogônico.
cosmografía. *f.* cosmografia.
cosmográfico, ca. *adj.* cosmográfico.
cosmógrafo. *m.* cosmógrafo.
cosmolabio. *m.* (astr.) cosmolábio.
cosmología. *f.* cosmologia.
cosmológico, ca. *adj.* cosmológico.
cosmólogo. *m.* cosmólogo.
cosmometría. *f.* cosmometria.
cosmométrico, ca. *adj.* cosmométrico.
cosmonomía. *f.* cosmonomia.
cosmopolita. *adj.* e *s.* cosmopolita, de todas as nações, pessoa que se considera cidadão de todo o mundo.
cosmopolitismo. *m.* cosmopolitismo.
cosmorama. *m.* (ópt.) cosmorama.
cosmos. *m.* cosmos, o universo, o mundo, conjunto das coisas criadas.
cosmocopio. *m.* (fís.) cosmocópio.
cosmosofía. *f.* cosmosofia.
coso. *m.* circo, arena, praça onde se correm touros ou se dá algum espe(c)táculo; rua principal nalgumas povoações.
cospe. *m.* desengrosso, cortes de machado que se fazem numa peça grossa de madeira para facilitar o seu desbaste.
cosquillar. *v. tr.* fazer cócegas. V. cosquillear.
cosquillas, *f. pl.* cócegas, sensação produzida por leves conta(c)tos na pele; fornicoques, frenicoques: *hacer cosquillas*, cocegar, fazer cócegas; *hacerle a uno cosquillas una cosa*, (fig. e fam.) excitar a desejo ou a curiosidade; *tener malas cosquillas*, (fig. e fam.) ser irascível, irritar-se por leve motivo; ser muito susceptível; *buscarle a uno las cosquillas*, irritar alguém.
cosquillear. *v. tr.* fazer cócegas, cocegar.
cosquilleo. *m.* prurido, formigueiro, fornicoques, cócegas.
cosquilloso, sa. *adj.* coceguento, que tem muitas cócegas, cocegante; (fig.) diz-se da pessoa melindrosa ou muito susceptível.
costa. *f.* custo, preço; valor em dinheiro; despesa; expensas. — *pl.* custas, despesas judiciais: *a toda costa*, a todo o custo, custe o que custar; *a costa de*, a expensas de, a pala; *a mi costa*, a minha expensa; *pagar las costas*, (for.) pagar as despesas judiciais.
costa. *f.* brunidor, instrumento de sapateiro.
costa. *f.* (mar.) costa, margem terrestre à beira-mar: *barajar la costa*, navegar próximo da costa e paralelamente a ela; *tocar la costa*, beber a costa; *mantenerse cerca de la costa o acercarse a ella*, acostar-se; *costa cortada a pico*, falésia; *dar en la costa*, dar à costa, naufragar junto à terra; *haber moros en la costa*, (fig. e fam.) andar moiro na costa; preparar-se uma surpresa.

costado. *m.* costado, as costas, lado do corpo humano; (mil.) costado, ala, flanco dum exército; (geneal.) costados, linha lateral de parentesco; (mar.) costado dum navio: *dar el costado*, (mar.) dar o navio o costado para disparar a artilharia; *árbol de costado*, árvore genealógico.
costal. *adj.* costal, pertencente ou relativo às costas.
costal. *m.* fardo, fardel, saco grande; madeiros que seguram a pedra e cal; maço para calcar a terra de que se faz a taipa: *el costal de los pecados*, (fig. e fam.) o corpo humano.
costalada. *f.* queda de costas ao escorregar.
costana. *f.* calçada, encosta, rua em declive, ladeira.
costanera. *f.* encosta de terreno, ladeira, declive. — *pl.* barrotes que partem da cumeeira.
costanero, ra. *adj.* declivoso, ladeirento; costeiro, que pertence à costa; montuoso; (mar.) costeira, diz-se da navegação junto à costa: *navegación costanera*, navegação costeira, de cabotagem.
costar. *v. intr.* custar, valer, importar, ter de custo; (fig.) causar cuidado, custar, dar pena, causar prejuízo, trabalho ou fadigas: *costar un ojo de la cara*, (fam.) custar os dentes da boca; *costar creer una cosa*, custar a crer alguma coisa; *me cuesta mucho trabajar*, tudo lhe custa a fazer; *cueste lo que cueste*, custe o que custe; *cuesta más el ajo que el pollo*, custa mais a mecha que o sebo; *costar mucho algo (de hacer)*, custar ameixas de conserva. — *conj. irreg.* como *contar*.
Costa Rica. (geog.) Costa Rica.
costarricense. *adj.* e *s.* (geog.) costa-riquenho, costa-riquense, natural de ou pertencente à Costa Rica.
costarriqueño, ña. *adj.* e *s.* (geog.) costa-riquenho, costa-riquense, natural de ou pertencente à Costa Rica.
coste. *m.* custo, preço. V. costa: *a coste y costas*, sem lucro, pelo custo.
costear. *v. tr.* custear, fazer as despesas necessárias com alguma coisa; (mar.) costear, navegar próximo da costa, beber a costa, barbear; revender pelo custo.
costeño, ña. *adj.* costeiro. V. costanero.
costera. *f.* lado ou costado dum fardo ou coisa semelhante; costaneira, mão de papel desigual e roto, que se põe pôr fora das resmas; encosta, ladeira, declive, costa, litoral; (mar.) tempo que dura a pesca do salmão e doutros peixes; (mil.) costaneira, ala, flanco do exército; cesto de pescador.
costero, ra. *adj.* costeiro, próximo à costa; costaneiro; ladeirento. — *m.* costaneira, primeira tábua que se tira dum tronco que se serra; (min.) muro, lateral dum alto forno.
costil. *adj.* pertencente ou relativo às costelas.
costilla. *f.* (anat.) costela; costeleta; costelinha; (fig.) esposa; aduela; (bot.) ner-

vura média dalgumas folhas; (mar.) cada uma das cavernas do navio, costa; (fig. e fam.) espáduas, ombros; (fig. e fam.) bens, riqueza: *medirle las costillas a alguien*, (fig. e fam.) dar uma sova a alguém; *se le pueden contar las costillas*, (fam.) podem-se lhe contar as costelas; *cosa de figura de costilla*, (fig. e fam.) bens, riqueza; *a costilla de*, à custa de.

costillaje. *m.* costelame. V. **costillar.**

costillar. *m.* costelame, o conjunto de costelas; (mar.) as cavernas do navio.

costiller. *m.* oficial palaciano que acompanhava o rei quando ia a capela ou saía de viagem.

costilleta. *f.* (gal.) V. **chuleta.**

costilludo, da. *adj.* (fam.) espadaúdo, de costas largas; bem constituído.

costo. *m.* custo, preço; despesa; (Amér.) trabalho, fadiga: *a costo y costas*, pelo preço do custo, sem lucros.

costoso, sa. *adj.* custoso, que custa muito, de subido preço; (fig.) custoso, dificultoso, trabalhoso; aflitivo, penoso, que traz prejuizo; árduo; magnífico; aparatoso.

costra. *f.* costra, côdea, crusta, casca, superficie endurecida: *formar costra alguna cosa*, encoscorar-se; *cubrir con costra*, encodear; *formar costra una herida*, encrostar; *costra de suciedad*, encardimento; *costras de lana en la ropa*, choca; *costra pétrea formada por sales calcáreas*, incrustação.

costra. *f.* bolacha que se dava aos forçados das galés; nos engenhos de açúcar, a porção que fica pegada à caldeira, costra.

costrada. *f.* espécie de torta coberta de açúcar, ovos, pão ralado, etc.; (prov.) tabique construído com argamassa e cal.

costroso, sa. *adj.* crostoso, que tem crosta; encrustado.

costumbre. *f.* costume, prática antiga e geral; modo de proceder habitual, hábito; ramerrão; rotina, usança, uso; moda; regra; menstruação; mênstruo ou regra das mulheres; (for.) costume, prática que tem força de lei; (fig.) senda; experiência; frequência. — *pl.* procedimentos; usanças práticas; costumes, modo de pensar, viver e governar: *la costumbre hace la ley*, o costume faz a lei; *por costumbre*, por costume; *según costumbre*, de costume; por costume; *de costumbre*, de costume; *mujer de malas costumbres*, chibarra, basculho; *tener costumbre*, acostumar.

costumbrista. *adj.* e *s.* diz-se da pessoa que em literatura cultiva a pintura dos costumes.

costura. *f.* costura, a(c)ção de coser; arte ou profissão de coser; obra de costura; (mar.) costura, juntura de duas tábuas do costado duma embarcação; (fig.) cicatriz profunda; (cir.) sutura, costura cirúrgica; (carp.) juntura: *sin costura*, inconsútil; *sentar a uno las costuras*, (fig e fam.) assentar as costuras, bater em alguém; *saber de toda costura*, (fig. e fam.) ser muito experiente, astucioso; *meter a*

uno en costura, (fig. e fam.) obrigar alguém a entrar na razão.

costurera. *f.* costureira, modista; alfaiate.

costurería. *f.* oficina de costura.

costurero. *m.* costureira, mesinha com estofo e almofada para costura; alfaiate, costureiro.

cota. *f.* cota, saio de couro ou de malha de ferro; cota dos reis de armas; (mil.) fortaleza dos mouros filipinos formada por troncos de árvores; (mont.) pele calosa que cobre os quartos dianteros do javali; cota, anotação, citação, nota, quota, quinhão, pretação.

cota. *f.* (top.) cota, diferença de nivel entre um ponto e outro tomado para comparação.

cotado, da. *adj.* armado de cota.

cotana. *f.* encarna, entalhe, encaixe em madeira; escopro, formão.

cotangente. *f.* (geom.) co-tangente.

cotanza. *f.* certa classe de tecido fino.

cotar. *v. tr.* avaliar; marcar a cota ou a diferença de nível.

cotarrera. *f.* (fig. e fam.) mulher que não pára em casa, perdendo o tempo em visitas, mulher faladeira; (germ.) prostituta, mulher baixa e comum.

cotarrero. *m.* (germ.) encarregado dum hospital. V. **hospitalero.**

cotarro. *m.* albergaria, albergue, hospital, pousada para os pobres e vagabundos; ladeira dum barranco: *andar de cotarro en cotarro*, (fig. e fam.) perder o tempo em visitas inúteis; *alborotar el cotarro*, (fig. e fam.) alterar a ordem com pendências; animar os outros para que concorram a uma festividade; *ser el amo del cotarro*, ser um mandão, diz-se da pessoa que manda muito.

cotejar. *v. tr.* cotejar, examinar, confrontar, comparar uma cousa com outra ou outras, conferir; conjugar; colacionar; equiparar.

cotejo. *m.* cotejo, confronto, confrontação, comparação; equiparação; colação.

cotidiano, na. *adj.* quotidiano, diário, habitual.

cótila. *f.* cótilo, cavidade dum osso que recebe a cabeça doutro.

cotiledón. *m.* (bot.) cotilédone, apêndice do embrião dos vegetais.

cotiledóneas. *f. pl.* (bot.) cotiledóneas.

cotiledóneo, a, *adj.* (bot.) cotiledóneo, (Bras.) cotiledôneo.

cotilla. *f.* espartilho de senhora, justilho, cotasinha.

cotilla. *f.* (fig.) mulher mexeriqueira, contilheira, assisadeira: *ser un cotilla*, (fig. e fam.) dar com a língua nos dentes.

cotillear. *v. intr.* dar com a língua nos dentes, mexericar, descoser. V. **chismosear.**

cotillero, ra. *s.* espartilheiro, fabricante ou vendedor de justilhos; (fig.) mexeriqueiro. V. **cotilla.**

cotillo. *m.* parte do martelo com que se dão os golpes.

cotillón. *m.* cotilhão.

cotiza. *f.* (herald.) cotica, banda estreita que atravessa o escudo nos brasões.

cotizable. *adj.* cotizável, quotizável.

cotización. *f.* cotização; contribuição; tributo; quotização.

cotizado, da. *adj.* (herald.) coticado, diz-se do brasão com coticas.

cotizar. *v. tr.* (com.) cotar, cotizar, assinalar por meio de cota; taxar, fixar a taxa de; proferir em voz alta, na Bolsa, o preço dos títulos ou valores com cotação.

coto. *m.* cerrado, campo cerrado, couto, terra defesa, coutada; marco divisório, baliza; contrato, convenção, pacto entre comerciantes; medida linear, de meio palmo aproximadamente; convenção para vender por preço determinado; termo, limite; reunião de muitas vilas, aldeias ou lugares que formam um feudo; (pop.) hospital, cemitério da igreja; postura, taxa: *coto redondo*, conjunto de quintas rústicas unidas ou muito próximas, pertencentes a um mesmo dono; *coto de caza*, coto para caça; *poner coto*, limitar, deter alguma coisa.

cotobelo. *m.* peça que faz parte do freio dos cavalos.

cotón. *m.* (germ.) gibão. V. **jubón**: *cotón colorado*, castigo de açoites; *cotón doble*, gibão forte com malha.

cotonada. *f.* chita de ramagens.

cotoncillo. *m.* bola de camurça numa vara pequena usada pelos pintores para apoio da mão.

cotonía. *f.* cotonia, fustão, pano de algodão.

cotorra. *f.* (zool.) periquito, ave parecida com o papagaio; (fig. e fam.) tagarela, falador, pessoa que fala muito, grulha, assisadeira.

cotorrear. *v. intr.* tagarelar, falar com excesso, caturrar.

cotorreo. *m.* (fig. e fam.) tagarelice de mulher faladora.

cotorrera. *f.* fêmea do papagaio; (fig.) tagarela, pessoa que fala muito; gaiola de caturras, de periquitos.

cotorrón, na. *adj. e s.* diz-se da pessoa velha que tem presunção de nova.

cototo. *m.* (Amér.) V. **chichón**.

costoabdominal. *adj.* (anat.) costoabdominal.

costoclavicular. *adj.* (anat.) costoclavicular.

costoescapular. *adj.* (anat.) costoscapular.

costoesternal. *adj.* (anat.) costosternal.

costotomía. *f.* (cir.) costotomia.

costótomo. *m.* (cir.) costótomo.

costotorácico, ca. *adj.* (anat.) costotorácico.

costovertebral. *adj.* (anat.) costovertebral.

cotral. *adj. e s.* V. **cutral**.

cotudo, da. *adj.* felpudo, algodoado; (med.) que tem bócio, bocioso.

cotufa. *f.* V. **chufa**; guloseima, gulodice: *pedir cotufas en el golfo*, (fig. e fam.) pedir coisas imposíveis.

coturno. *m.* coturno, antigo borzeguim; chapim: *calzar el coturno*, (fig.) usar de estilo alto e sublime, especialmente em poesia; *de alto coturno*, (fig.) de categoria elevada, de alto coturno.

cotutor, ra. *s.* co-tutor, tutor juntamente com outro.

cotutela. *f.* co-tutela.

coulomb. *m.* (fís.) coulomb, culômbio, unidade práctica de carga elé(c)trica.

covacha. *f.* covinha, cova pequena, covacho; (Amér.) cubículo, aposento debaixo da escada e que serve de habitação ao porteiro; loja de venda de produtos agrícolas; (fig.) pocilga, casilha do cão; habitação imunda.

covachuela. *f. dim.* de *covacha*; (fam.) repartição pública; qualquer das secretarias dum ministério, que tinham o nome de *covachuela*, por estarem nos sótãos do antigo palácio real; pequenas lojas que existiam nos sótãos dalgumas igrejas e outros edifícios antigos.

covachuelista. *m.* (fam.) funcionário duma *covachuela*.

covachuelo. *m.* (fam.) V. **covachuelista**.

coxal. *adj.* (zool.) coxal, pertencente ou relativo à coxa.

coxalgia. *f.* (med.) coxalgia, dor na coxa.

coxálgico, ca. *adj.* (med.) coxálgico.

coxígeo, a. *adj.* (anat.) coccígeo.

coxigodinia. *f.* (pat.) coccigodínia.

coxigotomía. *f.* (cir.) coccigotomia.

coxis. *m.* (anat.) coccis, coxa.

coxofemoral. *adj.* (anat.) coxofemoral.

coxovertebral. *adj.* (anat.) coxovertebral.

coy. *m.* (mar.) maca, cama de lona, de bordo.

coyote. *m.* (zool.) coiote, espécie de lobo mexicano.

coyotero, ra. *adj. e s.* (Amér.) diz-se do cão amestrado na caça dos coiotes; armadilha para caçar coiotes.

coyunda. *f.* soga, correia de couro com que se prendem os bois à canga; correia para atar as abarcas; (fig.) vínculo matrimonial; sujeição ou domínio.

coyuntero, ra. *adj. e s.* V. **acoyuntero**.

coyuntura. *f.* (anat.) junta, articulação dos ossos; (fig.) conjuntura, circunstância, oportunidade; estreito.

coz. *f.* coice, couce; pancada dos equídeos com as patas traseiras; pancada com o calcanhar, pernada; couce, recuo de arma de fogo; retrocesso duma corrente de água; coronha de espingarda; culatra de escopeta e doutras armas de fogo; (fig.) parte inferior ou mais grossa dum madeiro; (fig. e fam.) a(c)ção ou palavra injuriosa ou grosseira; (mar.) extremo inferior dos mastareus: *soltar una coz*, ou *tirar coces*, (fig. e fam.) responder desabridamente; dar ou tirar coices; *mandar a coces*, (fig. e fam.) mandar com aspereza; *coz que le dió Periquillo al jarro*, certo jogo de rapazes; *andar a coz y bocado*, (fig. e fam.) jogar e dar-se pancadas com o punho; *dar coces contra el aguijón*, ser muito teimoso ou obstinado.

crac. *m.* (barb.) V. **quiebra comercial**.

crambo. *m.* (bot.) crambe, planta crucífera.

cramelia. *f.* (bot.) cramélia.

cramponado, da. adj. (herald.) atravessado, diz-se das peças com o extremo em forma de gancho.

cran. m. (impr.) risca, entalhe nas letras de tipografia.

craneal. adj. (anat.) craniano, relativo ao crânio.

craneano, na. adj. (anat.) craniano, relativo ao crânio.

cráneo. m. (anat.) crânio, caixa óssea que encerra o encéfalo.

craneoclasia. f. (cir.) cranioclasia.

craneoclasis. f. (cir.) cranioclasia.

craneoclastia. f. (cir.) cranioclasia.

craneognomia. f. craniognomia.

craneografía. f. craniografia.

craneográfico, ca. adj. craniográfico.

craneógrafo. m. (anat.) craniógrafo.

craneoide. adj. (anat.) cranióide.

craneología. f. (antrop.) craniologia.

craneológico, ca. adj. craniológico.

craneólogo, ga. s. craniologista, craniólogo.

craneomancia. f. craniomancia.

craneomante. f. craniomante.

craneometría. f. craniometria.

craneométrico, ca. adj. craniométrico.

craneómetro. m. craniómetro, (Bras.) craniômetro.

craneoplastia. f. (cir.) cranioplastia.

craneoscopia. f. cranioscópia.

craneoscópico, ca. adj. cranioscópico.

craneotomía. f. (cir.) craniotomia.

craneótomo. m. (cir.) craniótomo.

craniano, na. adj. craniano.

craniectomía. f. (cir.) craniotomia.

craniotomía. f. (cir.) craniotomia.

craniótomo. m. (cir.) craniótomo.

crápula. f. embriaguez, bebedeira; crápula; deboche habitual; crápula, desregramento abje(c)to; devassidão grosseira; libertinagem, dissipação. — m. crápula, indivíduo crapuloso: *entregarse a la crápula*, atolar-se, atufar-se; *llevar vida de crápula*, bargantear.

crapulosidad. f. crápula, devassidão.

crapuloso sa. adj. crapuloso, libertino, devasso.

crascitar. v. intr. crocitar, corvejar, grasnar.

crasis. f. (gram.) V. **contracción.**

crasitud. f. crassidade, crassitude, crassidão, crasside; ignorância, estupidez; riqueza.

craso, sa. adj. crasso, grosso, espesso, gordo, denso; (fig.) grosseiro; crasso: *ignorancia crasa*, ignorância crassa; *error craso*, e(ê)rro crasso.

crásula. f. (bot.) crássula.

crasuláceo, a. adj. (bot.) crassulácea. — f. pl. crassuláceas.

cráter. m. cratera; boca; algar; (astr.) V. **copa,** constelação.

crátera. f. (arqueol.) cratera, vasilha antiga de grande tamanho.

crateriforme. adj. crateriforme.

cratícula. f. comungatório, grade por onde comungam as religiosas.

craza. f. crisol, cadinho em que se derretem os metais preciosos.

crazada. f. prata preparada para ligar.

creable. adj. criável, que se pode criar.

creación. f. criação, a(c)ção de criar; criação, o que foi criado; criação, instituição; criação, invenção, produção, obra; educação; padreação; criação, interpretação dum papel dramático difícil; mundo, tudo o que foi criado; criação; a(c)çao de instituir novos cargos ou dignidades; a(c)ção de criar ou escolher pessoas para certas dignidades ou honrarias.

creacionismo. m. (filos. e liter.) criacionismo.

creacionista. adj. e s. (filos. e liter.) criacionista, partidário do criacionismo.

creador, ra. adj. criador, que cria; inventor, instituidor, produtor, fundador.

creador, ra. s. criador, inventor, fundador, produtor, instituidor; Criador, Deus.

crear. v. tr. criar, dar existência; gerar; produzir; inventar; fabricar; fazer; fomentar; fundar; educar; estabelecer; introduzir; instituir; imaginar; compor; formar; constituir; (fig.) criar novos empregos ou dignidades; criar, amamentar.

creatina. f. (quím.) creatina.

creatinina. f. (quím.) creatinina.

crecal. m. (herald.) peça em forma de castiçal, de sete ou mais braços.

crecedero, ra. adj. acto para crescer, crescido.

crecer. v. intr. crescer; aumentar em número; grandeza ou intensidade; medrar; inchar; prosperar; subir; desenvolver-se; criar-se; adquirir aumento; aumentar a parte iluminada da Lua; aumentar o seu valor (moeda); avultar; incrementar; elevar; adolescer; altear; aumentar; encorpar; agrandar; desabrolhar; empubescer; encher; multiplicar, extender-se; prosperar. — **crecerse.** v. r. agigantar-se; aumentar-se; avivar-se; inchar-se com vaidade, autoridade, etc., tornar-se mais animoso: *crecer a ojos vista,* (fam.) crescer a palmos ou a olho; *crecerse,* crescer coração. — conj. irreg. como *agradecer.*

creces. f. pl. acréscimos, acrescentamento; aumentos de volume do trigo quando se padeja; sinais que indicam disposição de crescer; (fig.) acréscimos, vantagem, excesso nalguma coisa: *con creces,* sobejamente, amplamente.

crecida. f. crescida, aumento de água que tomam os rios e arroios; crescente, enchente, crescimento da água.

crecido, da. p. p. e adj. crescido, desenvolvido, importante; alto; adulto; descriado; medrado; elevado; (fig.) grande, numeroso; (Bras.) baita. — m. pl. crescidos, malhas com que se alargam as meias a certos pontos.

creciente. p. a. e adj. crescente, que cresce, que aumenta. — m. (herald.) crescente. — f. crescente, fermento, levedura; crescente (diz-se da Lua); crescimento do dia; crescente, enchente da maré; cheia, aguagem: *cuarto creciente,* Lua crescente, meia Lua; *creciente de la marea,* enchente da maré.

crecimiento. *m.* crescimento; aumento; desenvolvimento progressivo; alteração; aumentação; incremento; medra; acrescência; aumento do valor intrínseco da moeda; evolução.

credencia. *f.* credência, mesa junto do altar; credência, armário onde se guardavam iguarias, vidros, etc., da mesa do rei.

credencial. *adj.* credencial, que acredita. — *f.* credencial, alvará, documento ou título que habilita a exercer um cargo, credenciais: *cartas credenciales*, cartas credenciais; *dar credenciales*, acreditar.

credenciero. *m.* mestre-sala, que tinha a seu cuidado a credência do rei.

credibilidad. *f.* credibilidade; credulidade.

crediticio, cia. *adj.* creditício, relativo ao crédito público.

crédito. *m.* crédito, confiança que inspira alguém; fé; boa reputação; autoridade profissional; (com.) crédito, aquilo que, na sua escrita, no comerciante há-de haver; facilidade de adquirir dinheiro por empréstimo; crédito, autorização para fazer despesas; crença; crédito, assenso, assentimento; crédito, autoridade, poder; crédito, consideração; boa opinião; crédito, dívina a(c)tiva; carta de crédito; crédito, solvabilidade; apoio; abono; fama, reputação; influência: *dar crédito*, acreditar, crer; acreditar, dar fama; *hombre de crédito*, homem de crédito, de boa reputação; *comprar a crédito*, comprar a crédito; *votar un crédito*, votar um crédito; *carta de crédito*, carta de crédito; *dar crédito a alguien*, dar crédito a alguém; *gozar de gran crédito con alguien*, ter grande crédito para com alguém; *venta a crédito*, (Bras.) crediário.

credo. *m.* credo, oração cristã; credo, profissão de fé; credo, crença política; opinião arreigada; programa dum partido; símbolo, fórmula: *credo político*, credo político; *con el credo en la boca*, (fig. e fam.) com o credo na boca; *en un credo*, (fig. e fam.) num átimo, num abrir e fechar de olhos; *que canta el credo*, (fam.) expressão para denotar o extraordinário duma coisa.

credulidad. *f.* credulidade; ingenuidade; simplicidade.

crédulo, la. *adj.* crédulo, que crê fàcilmente; ingénuo, simples, incauto, infantil. — *s.* pessoa ingénua ou crédula: *ser un crédulo*, (fig.) crer pelos ares, beber uma coisa.

creederas. *f. pl.* (fam.) credulidade, demasiada facilidade para acreditar; pessoas ingénuas.

creedero, ra. *adj.* credível, crível, verosímil.

creedor, ra. *adj.* crédulo. V. **crédulo.**

creencia. *f.* crença; confiança; opinião adoptada com fé; firme assentimento e conformidade com alguma coisa; persuasão; doutrina; crença, religião, seita; credencial, carta de crédito; prova, degustação. — *pl.* crenças, doutrinas, opiniões religio-sas: *en contra de la crencia general*, contra a expe(c)tação de todos.

creer. *v. tr.* crer, ter como verdadeiro, dar crédito a, acreditar julgar; supor; crer, dar firme assentimento às verdades reveladas por Deus, ter fé; crer, pensar, julgar, imaginar, suspeitar, ter para si, presumir; ter uma coisa por verosímil ou provável; afigurar-se; estimar; dar crédito ou assentimento às coisas: *creer que los burros vuelan*, (pop.) emprenhar pelos ouvidos; *hacer creer lo que no es verdad*, dar a beber o que não é; *hacer creer*, encaixar; *¡ya lo creo!*, (fam.) não há dúvida!; *inducir a creer*, dar lugar a; *no creer*, duvidar; *creer que se ha hecho algo maravilloso*, julgar ter feito uma grande África; *creer que*, assentar que; *creerse las patrañas*, engolir patranhas; *contrariamente a lo que se creía*, contra as aparências; *creer a ojos cerrados*, (fam.) crer a olhos fechados; *creer fácilmente*, crer de leve; *ver y creer*, ver e crer; *hacer creer un embuste*, fazer crer enganando; *hay motivo para creer que*, é de crer que. — **creerse.** *v. r.* supor-se, crer-se.

creíble. *adj.* crível, verosímil, provável; digno de crédito.

crema. *f.* creme, nata do leite; iguaria doce; preparado cosmético para suavizar a pele; (gram.) trema, diérese: *la crema*, (fig.) galicismo por *selecto, principal*, et-cétera; *la crema de la sociedad*, a nata, a fina-flor, o escol da sociedade.

cremación. *f.* cremação; incineração, redução dos cadáveres a cinzas.

cremallera. *f.* cremalheira, gramalheira, endentação; entrós, entrosa, dentadura; régua dentada.

crematística. *f.* crematística, ciência da produção das riquezas; economía política.

crematístico, ca. *adj.* crematístico.

crematología. *f.* crematologia.

crematológico, ca. *adj.* crematológico, crematístico.

crematólogo, ga. *s.* crematologista.

crematonomía. *f.* crematonomia, crematística.

crematorio, ria. *adj.* crematório, relativo à cremação.

cremnofobia. *f.* (pat.) cremnofobia.

cremnófobo, ba. *adj.* e *s.* cremnófobo.

cremnometría. *f.* (quím.) cremnometria.

cremnométrico, ca. *adj.* (quím.) cremnométrico.

cremnómetro. *m.* (q u í m.) cremnómetro, (Bras.) cremnômetro.

cremometría. *f.* cremometria.

cremómetro. *m.* cremómetro.

crémor. *m.* (quím.) cremor tártaro, tartarato, ácido de potássio.

crena. *f.* crena, entalhe, encaixe. — *pl.* dentes arredondados dos bordos das folhas.

crenado, da. *adj.* crenado, entalhado, que tem crenas.

crencha. *f.* risca, carreiro aberto por entre os cabelos da cabeça; marrafa; crenchas, tranças do cabelo.

creofagia. *f.* creofagia, hábito de se alimentar de carne.

creófago, ga. *adj.* e *s.* creófago; carnívoro, creatófago.

creofilo, la. *adj.* e *s.* creófilo, que gosta de carne.

creogenia. *f.* creogenia.

creografía. *f.* creografia.

creolina. *f.* (quím.) creolina.

creosota. *f.* (quím.) creosoto, creosote.

creosotado. *m.* cresotagem, a(c)to de creosotar.

creosotar. *v. tr.* creosotar, impregnar de creosoto as madeiras.

crepé. *m.* (gal.) cabelo postiço. V. **añadido.**

crepitación. *f.* crepitação; (med.) crepitação, estalido que fazem os fragmentos dum osso fra(c)turado; rumor nas células pulmonares; ruído produzido por um combustível.

crepitar. *v. intr.* crepitar, dar estalidos a lenha; produzir crepitação; (med.) fazer ruído anormal o ar nos pulmões.

crepón. *m.* (prov.) rabadilha das aves.

crepuscular. *adj.* crepuscular, relativo ao crepúsculo.

crepusculino, na. *adj.* crepusculino, crepuscular.

crepúsculo. *m.* crepúsculo; (fig.) declinação, decadência, ocaso: *crepúsculo vespertino*, lusco-fusco; *crepúsculo matutino*, entremanhã.

Creso. *m.* Creso; (fig.) ricaço, pessoa muito rica.

cresol. *m.* (quím.) cresol.

crespo, pa. *adj.* crespo, (Bras.) crêspo, rugoso, de superfície áspera; eriçado; franzido; riçado; (fig.) irritado, alterado, encrespado, ameaçador; arrogante; encapelado; alterado; crespo, diz-se do estilo áspero e duro; ou artificioso, e confuso.

crespón. *m.* crespão, variedade de tecido crespo.

cresta. *f.* (zool.) crista das aves e certos répteis; crista, poupa, penacho, tufo de penas que adorna a cabeça dalgumas aves; crista, cume duma montanha; (fig.) crista, ponto elevado, cume, coroa; crista, superfície duma onda, coroada de espuma: *cresta de gallo*, (bot.) crista-de-galo; *cresta de la explanada*, (fort.) crista da esplanada, a parte mais elevada do parapeito; *alzar* ou *levantar la cresta*, (fig. e fam.) erguer a crista, ensoberbecer-se; *bajar la cresta*, (fig. e fam.) abaixar a crista, submeter-se; *dar en la cresta*, (fam.) humilhar; *picar la cresta*, (Amér.) provocar.

crestado, da. *adj.* cristado, que tem cristas.

crestería. *f.* (agr.) ornato de lavores arrendados da arquite(c)tura ogival ou gótica; (fort.) conjunto de obras de defesa; conjunto de ameias das antigas fortificações.

crestomatía. *f.* crestomatia, antoiogia, coleção de escritos sele(c)tos para ensino.

crestón. *m.* grande crista; (herald.) crista cimeira do elmo; (min.) parte superior dum filão ou duma massa de rochas.

crestudo, da. *adj.* que tem grande crista; (fig.) (despec.) vaidoso, orgulhoso, arrogante.

creta. *f.* (quím e min.) carbonato de cal misturado com areia quartzosa. V. **greda.**

cretáceo, a. *adj.* (geol.) cretáceo; cretácico que contém greda.

cretense. *adj.* e *s.* (geog.) cretense, natural de, ou pertencente a Creta.

crético, ca. *adj.* e *m.* crético; anfímacro. — V. **cretense** e **anfímacro.**

cretinismo. *m.* (med.) cretinismo, incapacidade moral, imbecilidade.

cretino, na. *adj.* e *s.* cretino, que sofre de cretinismo; pacóvio, lorpa, imbécil, idiota, estólido, palerma.

cretinoide. *adj.* cretinóide, um tanto cretino

cretinoideo, a. *adj.* cretinóide. V. **cretinoide.**

cretinoso, sa. *adj.* cretinoso, diz-se da pessoa um tanto cretina.

cretona. *f.* cretone, pano forte de linho ou algodão.

creyente. *p. a. adj.* e *s.* crente, que crê, que tem fé religiosa.

crezneja. *f.* V. **crizneta.**

cría. *f.* criação, a)c)ção de criar, cria; procreação dos animais; cria, animal de mama; (fam.) cria, menino de peito; ninhada, conjunto dos animais havidos do mesmo parto; amamentação; criação; fundação de algum estabelecimento.

criada. *f.* criada, mulher que serve por salário; fámula, (Bras.) fâmula; (fig.) pá de bater a roupa quando se lava. V. **moza;** pá das lavadeiras: *criada para todo*, criada para todo serviço; *criada de la señora*, aia; (Bras.) mucama; *criada que sirve en la cocina*, fregona; *criada sucia*, basculho.

criadera. *f.* criadeira, lugar destinado para a cria de animais.

criadero, ra. *adj.* criadoiro, criadouro, fecundo, capaz de criar.—*m.* criadoiro, criadouro, viveiro, lugar onde se criam plantas ou animais; (min.) lugar abundante nalgum mineral.

criadilla. *f.* testículo de animal, alegrias; pão que pesava a quarta parte duma libra e tinha o feitio de testículos de carneiro; (bot.) batata, tubérculo da batateira, túbera: *criadilla de mar*, espécie de pólipo de figura globosa; *criadilla de tierra*, túbera, trufa, cogumelo subterrâneo.

criado, da. *p. p.* e *adj.* criado, educado, instruído. — *s.* criado, pessoa que serve por salário; servo, fâmulo; doméstico; lacaio, serviçal, empregado, servidor, servo; (Bras.) colomim (familiar): *bien ou mal criado*, bem-criado, cortês, malcriado, grosseiro. — *adj.* criado, crescido, grande.

criador, ra. *adj.* e *s.* criador, que cria, nutre ou alimenta; inventor; fundador; que cria, fecundo; Criador, Deus; (fig.) diz-se da terra ou província a respeito das coisas que nela abundam; lavrador que explora a criação de gados; criador, que tem animais para padreação; criadeiro, ama de leite; mulher que cria.

criamiento. *m.* criação, renovação, conservação dalguma coisa, criamento.

crianza. *f.* criação (de crianças); época da lactação, urbanidade, cortesia, polidez, atenção, civilidade, educação: *buena ou mala crianza,* boa ou má educação.

criar. *v. tr.* criar, dar existência; criar, gerar, produzir; promover a procriação; amamentar, criar, dar de mamar a; alimentar para desenvolver; alimentar, nutrir; criar, motivar, originar, fundar; criar, inventar, imaginar, formar, produzir; criar, fundar, instituir; criar, multiplicar os animais, preparar vinhos; criar, educar, ensinar, dirigir; erigir; entronquecer; engendrar; (fig.) dar ocasião ou motivo para alguma coisa; (germ.) possuir, tomar. — **criarse.** *v. r.* criar-se, nascer, crescer; alimentar-se, sustentar-se: *Dios los cría y ellos se juntan,* (pop.) Deus os fez, Deus os ajuntou; *cria cuervos y te sacarán los ojos,* (pop.) cria o corvo tirar-te-há o olho, por bem-fazer mal haver; *yo me críe aquí,* aquí me nasceram os dentes; *criar a los pechos,* (fig.) criar ao peito.

criatura. *f.* criatura, todo o ser criado; pessoa; homem; indivíduo; criatura, criança recém-nascida ou de pouco tempo; feto antes de nascer; (fig.) criatura, pessoa que muito devem a outrem e que lhe é muito dedicada; animal: *ser uno una criatura,* (fig. e fam.) ter ditos ou modos de criança; ser de muito pouca idade.

criba. *f.* crivo, peneira grande, joeira: *estar una cosa como una criba,* (fig. e fam.) furado como um crivo.

cribado. *m.* crivado, crivação, crivadura.

cribador, ra. *adj.* e *s.* crivador, que criva.

cribadura. *f.* crivadura.

cribar. *v. tr.* crivar, passar pelo crivo, peneirar, joeirar, sengar.

cribas! ¡voto a. *interj.* V. ¡voto a Cristo!

cribiforme. *adj.* (anat.) cribiforme.

cribo. *m.* V. **criba**

cric. *m.* (mec.) macaco, instrumento de mecânica. V. **gato**

crica. *f.* crica, partes pudibundas da mulher; (vulg.) vulva.

crica. *f.* sanja, fosso, fenda, abertura, racha, rachadura.

cricoides *adj.* (anat.) cricóide, referente à cricóide. — *s.* cricóide.

crida. *f.* (anat.) pregão, grito público.

crimen. *m.* crime, delito grave; transgressão da lei; infra(c)ção dum dever a(c)to repreensível; pecado; assassinamento; atentado: *crimen capital,* crime capital; *crimen de lesa majestad,* crime de lesa-magestade.

criminación. *f.* criminação, imputação de crime; acusação.

criminal. *adj.* e *s.* criminal, relativo ao crime, criminoso, culpável, punível; facinoroso; foragido, criminal, que cometeu ou procurou cometer um crime: *proceso criminal,* processo criminal.

criminalidad. *f.* criminalidade.

criminalismo. *m.* sistema de criminalidade.

criminalista. *adj.* e *m.* criminalista.

criminalística. *f.* estudo da criminalidade dum país, duma classe social, etc., em determinado tempo.

criminalizable. *adj.* criminável, que se pode criminar ou considerar criminoso.

criminalizar. *v. tr.* criminalizar.

criminar. *v. tr.* criminar. V. **acriminar.**

criminología. *f.* criminologia.

criminológico, ca. *adj.* criminológico.

criminólogo. *m.* criminologista.

criminoso, sa. *adj.* criminoso, criminal, que cometeu crime, delituoso. — *s.* criminoso, delincuente, culpável, réu.

crimoterapia. *f.* (terap.) crimoterapia.

crimoterápico, ca. *adj.* (terap.) crimoterápico.

crin. *f.* crina, pêlo do pescoço e da cauda de certos animais; melena; coma, clina.

crinado, da. *adj.* (poet.) comado, que tem cabelos compridos.

crinar. *v. tr.* pentear, desenredar a crina do cavalo.

crinífero, ra. *adj.* crinífero, crinígero.

criniforme. *adj.* crinoforme.

crinocórneo, a. *adj.* crinicórneo.

crinoideo, a. *adj.* crinóide.

crinolina. *f.* crinolina; merinaque. V. **crudillo.**

crío. *m.* (fam.) criança de peito.

criocéfalo, la. *adj.* criocéfalo.

criócero. *m.* (zool.) criócero.

crióforo. *m.* (fís.) crióforo.

crioja. *f.* (germ.) carne.

criojero. *m.* (germ.) carniceiro.

criolita. *f.* (min.) criólito.

criollismo. *m.* voz ou expressão própria dos crioulos.

criollo, lla. *adj.* e *s.* crioilo, crioulo.

cripta. *f.* cripta, galeria subterrânea; catacumba; gruta; caverna; cripta, depressão na superfície das mucosas.

criptico, ca. *adj.* críptico, relativo à cripta.

criptobranquio, quia. *adj.* (zool.) criptobrânquio.

criptocefalia. *f.* (terap. e zool.) criptocefalia.

criptocéfalo, la. *adj.* (terat. e zool.) criptocéfalo.

criptogamia. *f.* (bot.) criptogamia.

criptógamo, ma. *adj.* (bot.) criptogamico.— *f. pl.* criptogâmicas.

criptografía. *f.* criptografia.

criptográficamente. *adv.* criptogràficamente.

criptográfico, ca. *adj.* criptográfico.

criptógrafo, fa. *adj.* e *s.* criptógrafo.

criptograma. *m.* criptograma.

criptología. *f.* criptologia, criptografia.

criptológico, ca. *adj.* criptológico.

criptólogo, ga. *s.* criptologista.

criptón. *m.* crípton.

criptónimo, ma. *adj.* e *s.* criptónimo, (Bras.) criptônimo; nome suposto; pseudónimo.

criptópina. *f.* (quim.) criptópina.

criptópodo, da. *adj.* (hist. nat.) criptópode.

criptorquidia. *f.* (fisiol.) criptorquidia.

cris. *m.* cris, adaga, punhal malaio.

crisálida. *f.* (zool.) crisálida, crisálide. V. **ninfa, insecto;** (fig.) coisa latente; casulo.

crisantema. *f.* (bot.) crisântemo. V. **crisantemo.**

crisantemina. *f.* (quim.) crisantemina.

crisantemo. *m.* (bot.) crisântemo, despedida--de-verão.

crisis. *f.* crise, mudança súbita numa doença; crise, momento perigoso e decisivo; crise, falta de trabalho; circunstância arriscada, crise; situação dificultuosa do governo que obriga a recompor-se ou a demitir-se: *crisis de nervios,* crise de nervos; *crisis financiera,* crise financiera; *crisis política,* crise política.

crisma. *m.* e *f.* (rel.) crisma, óleo que serve na confirmação e na administração dalguns sacramentos; extrema-unção. — *f.* (pop.) a cabeça: *romper la crisma,* (fig. e fam.) ferir alguém na cabeça.

crismal. *m.* crismal.

crismar. *v. tr.* crismar, conferir a crisma, confirmar o baptismo.

crismera. *f.* crismeira, vaso onde se guardam os óleos da crisma, âmbula.

crismón. *m.* lábaro que tem o monograma de Cristo.

crisocarpo, pa. *adj.* (bot.) crisocarpo.

crisófilo, la. *adj.* (bot.) crisófilo.

crisografía. *f.* crisografia.

crisol. *m.* crisol, cadinho em que se derretem ou purificam metais; cavidade que na parte inferior dos fornos serve para receber o metal fundido.

crisolada. *f.* porção de metal fundido, que cabe no crisol.

crisolar. *v. tr.* acrisolar, apurar no crisol, purificar. V. **acrisolar.**

crisolito. *m.* (min.) crisólito, crisólita, crisólite.

crisología. *f.* crisologia, crematística.

crisopacio. *m.* V. **crisoprasa.**

crisopeya. *f.* crisopeia, alquimia dos metais, suposta arte de fazer oiro.

crisoprasa. *f.* (min.) crisoprásio, crisópraso, variedade de ágata verde-clara.

crisoterapia. *f.* (terap.) crisoterapia.

crispadura. *f.* crispação, crispadura, crispatura. V. **crispatura.**

crispamiento. *m.* crispação, crispamento. V **crispatura.**

crispar. *v. tr.* crispar, enrugar, franzir, contrair. — **crisparse.** *v. r.* contrair-se, encrespar-se, franzir-se.

crispatura. *f.* (med.) crispatura, crispadura, crispação; contra(c)ção.

crispir. *v. tr.* crespir, sarapintar uma parede com tinta para imitar granito.

crista. *f.* (herald.) crista, cimeira do elmo.

cristal. *m.* cristal, vidro; (min.) cristal; pano fino de lã um tanto lustroso; (fig.) espelho; limpidez, transparência. — *pl.* (pop.) óculos: *cristal de roca,* cristal-de--rocha; *cristal de bacarrat,* cristal de bacará: *cristal tallado,* cristal talhado.

cristalera. *f.* cristaleira, cristaleiro, móvel envidraçado em que se guardam os vidros da mesa. V. **aparador.**

cristalería. *f.* cristalaria, estabelecimento onde se fabricam ou vendem obje(c)tos de cristal; cristalaria, conjunto de obje(c)tos de cristal.

cristalero, ra. *s.* gravador de cristais e pedras finas; cole(c)ção de cristais.

cristalinitis. *m.* (med.) cristalinite.

cristalino, na. *adj.* cristalino, transparente como o cristal; límpido; (fig.) alvo, diáfano, puro. — *m.* (anat.) cristalino.

cristalizable. *adj.* cristalizável, que se pode cristalizar.

cristalización. *f.* cristalização; coisa cristalizada.

cristalizador. *m.* cristalizador.

cristalizar. *v. tr.* cristalizar, converter em cristal; tornar cristalino. — *v. intr.* cristalizar, converter-se em cristal. — **cristalizarse.** *v. r.* cristalizar-se; encandilar-se; tomar feição clara ou precisa as ideias, desejos, etc.; envidraçar-se.

cristalofísica. *f.* cristalofísica.

cristalofobia. *f.* (med.) cristalofobia.

cristalografía. *f.* (min.) cristalografia.

cristalográfico, ca. *adj.* cristalográfico.

cristalógrafo, fa. *s.* cristalógrafo.

cristaloide. *m.* (quím.) cristalóide, substância não colóide; membrana que envolve o cristalino, cristalóide.

cristaloideo, a. *adj.* pertencente ou relativo ao cristalóide.

cristalología. *f.* cristalologia.

cristalomancia. *f.* cristalomancia.

cristalometría. *f.* cristalometria.

cristalonomia. *f.* cristalonomia.

cristalotomía. *f.* cristalotomia.

cristel. *m.* V. **clíster.**

cristianar. *v. tr.* (fam.) baptizar, administrar o baptismo. V. **bautizar.**

cristiandad. *f.* cristandade, conjunto dos povos cristãos, qualidade de cristão; observância da lei de Cristo.

cristianismo. *m.* cristianismo, religião cristã, doutrina de Cristo.

cristianizar. *v. tr.* cristianizar, tornar cristão, converter à religião de Cristo.

cristiano, na. *adj.* e *s.* cristão, pertencente ou relativo ao cristianismo; que professa a fé de Cristo; (fig. e fam.) diz-se do vinho aguado. — *m.* irmão ou próximo; (fam.) pessoa, alma vivente: *cristiano viejo,* cristão velho, puro; *cristiano nuevo,* cristão novo, judeu converso; *hablar en cristiano,* (fam.) falar em liguagem cristã.

cristícola. *adj.* e *s.* cristícola.

cristífero, ra. *adj.* cristífero.

cristino, na. *adj.* e *s.* cristino, partidário de Isabel II, contra o pretendente D. Carlos.

Cristo. *m.* Cristo, o Filho de Deus feito Homem; Cristo, Crucifixo, imagem de Cristo Crucificado, Filho do Homem, Jesús, Mártir do Calvário, Messías, Nosso Senhor, Bom Pastor, Redentor, Desejado das Nações, Salvador, Divino Mestre: *ni por un Cristo,* de nenhuma maneira, nem por um Cristo; *Orden de Cristo,* Ordem de

Cristo; *poner como a un Cristo*, (pop.) fazer alguém num Cristo; *haber la de Dios es Cristo*, produzir-se uma grande pendência; *Cristo con todos*, saudação equivalente à latina *Pax Christi; donde Cristo dió las tres voces*, (fam.) em lugar muito distante ou perdido; *¡voto a Cristo!*, expressão de ira, juramento ou ameaça.

cristofanía. *f.* (rel.) cristofania, aparição de Cristo.

cristolatría. *f.* cristolatria, adoração de Cristo.

cristología. *f.* cristologia.

cristómago, ga. *s.* cristómaco, (Bras.) cristômaco.

cristus. *m.* cruz que precede o abecedário na cartilha; primeiro livro escolar de leitura: *estar uno en el cristus*, (fig.) estar ainda nos rudimentos; *no saber uno el cristus*, (fig.) ser muito ignorante.

criterio. *m.* critério; capacidade; autoridade para criticar; raciocínio; juízo; discernimento meio de conhecer a verdade: *según el criterio de*, à luz de; *criterio sano*, bom senso.

crítica. *f.* crítica, juízo das coisas; crítica, censura; apreciação; sátira; maledicência; achincalhação; desaprovação; descalcadela; increpação; descompostura; deslinguamento; denigração; impropério; cheganço; epigrama; conjunto de opiniões expostas sobre qualquer assunto; exame.

criticador, ra. *adj.* e *s.* criticador, crítico, que critica ou censura.

criticar. *v. tr.* criticar, fazer a crítica; censurar; dizer mal de; pôr defeitos; censurar, notar, vituperar; achincalhar; acoimar; desafamar; desaprovar, estranhar; increpar; desluzir; deslouvar; desgrabar; improperar; arguir; estigmatizar; aguarentar; (fig.) alfinetar; aguçar a língua; (Bras.) ripa: *criticar a alguien*, (fam.) cortar a casaca a alguém.

criticismo. *m.* (filos.) criticismo.

criticista. *adj.* e *s.* criticista; cantista.

crítico, ca. *adj.* crítico, relativo à crítica; embaraçoso; difícil, perigoso, arriscado; relativo à crítica. — *s.* crítico, o que julga segundo as regras da crítica; (fam.) o que fala com afe(c)tação; criticador: *días críticos*, dias críticos; *crítico severo*, (fig.) aristarco; *situación crítica*, situação apurada; *quedar en situación crítica*, encaravelhar-se.

criticón. *m. adj.* (fam.) criticador, que acha defeito em tudo; deslinguado; detra(c)tor.

critiquizar. *v. tr.* (fam.) abusar excessivamente da crítica.

crizneja. *f.* trança de cabelos; corda de esparto ou de matéria semelhante.

Croacia. (geog.) Croácia.

croar. *v. intr.* coaxar, grasnar.

croata. *adj.* e *s.* (geog.) croata, natural da ou pertencente à Croácia.

crocitar. *v. intr.* crocitar, corvejar.

crocodilo. *m.* (zool.) crocodilo. V. **cocodrilo.**

croché. *m.* (gal.) croché.

cromado. *m.* (metalurg.) cromagem.

cromar. *v. tr.* (metalurg.) cromar, revestir a cromo.

cromática. *f.* (fís. e pint.) cromática.

cromático, ca. *adj.* cromático: *escala cromática*, escala cromática.

cromatina. *f.* (biol.) cromatina.

cromatismo. *m.* (fís.) cromatismo, qualidade de cromático; coloração; irisação.

cromato. *m.* (quim.) cromato.

cromatoscopia. *f.* cromatoscopia.

cromatoscópico, ca. *adj.* cromatoscópico.

cromatoscopio. *m.* (fís.) cromatoscópio.

cromatosis. *f.* (med.) cromatose, pigmentação.

crómico, ca. *adj.* crómico, (Bras.) crômico.

cromo. *m.* (min.) crómio, (Bras.) crômio; cromo, gravura a cores.

cromofilia. *f.* cromofilia.

cromofílico, ca. *adj.* e *s.* cromófilo.

cromófilo, la. *adj.* cromófilo.

cromófobo, ba. *adj.* e *s.* cromófobo.

cromóforo. *m.* (zool.) cromóforo.

cromofotografía. *f.* cromofotografia.

cromogénico, ca. *adj.* cromogéneo, (Bras.) cromogêneo.

cromógeno, na. *adj.* cromógeno, (Bras.) cromogêneo.

cromolitografía. *f.* cromolitografia; cromo, gravura ou estampa obtida por este processo.

cromolitográfico, ca. *adj.* cromolitográfico.

cromolitógrafo. *m.* cromolitógrafo.

cromoplasma. *m.* (biol.) cromatina.

cromosfera. *f.* (astr.) cromosfera.

cromoso, sa. *adj.* (quim.) diz-se de certos compostos de crómio; crómico.

cromosoma. *f.* (biol.) cromossoma.

cromoterapia. *f.* (terap.) cromoterapia.

cromoterápico, ca. *adj.* cromoterápico.

cromotipia. *f.* cromotipia, cromotipografia.

cromotipografía. *f.* cromotipografia, cromotipia.

cromotipográfico, ca. *adj.* cromotipográfico.

cromurgia. *f.* (quím.) cromurgia.

crónica. *f.* crónica, (Bras.) crônica, narração histórica por ordem cronológica; crónica, se(c)ção dum jornal destinada a determinadas notícias; crónica, história dum rei.

cronicidad. *f.* cronicidade, qualidade ou estado de doenças crónicas; qualidade de crónico.

cronicismo. *m.* (med.) cronicidade, larga duração duma doença.

crónico, ca. *adj.* crónico, (Bras.) crônico; diz-se das doenças habituais; crónico, diz-se de certos vícios inveterados; crónico, que dura há muito tempo; habitual, inveterado; permanente, inventerado; cíclico.

cronicón. *m.* cronicão, breve narração histórica e cronológica.

cronista. *s.* cronista, autor duma crónica; cargo de cronista.

crónlech. *m.* anta, monumento megalítico, dólmen.

cronografía. *f.* cronografia, cronologia.

cronográfico, ca. *adj.* cronográfico.

cronógrafo. *m.* cronógrafo, o que é versado em cronografia; cronógrafo, aparelho que regista o tempo.

cronograma. *f.* cronograma.

cronología. *f.* cronología, cronografia.

cronológico, ca. *adj.* cronológico.

cronologista. *s.* cronologista.

cronólogo, ga. *s.* cronologista, cronólogo.

cronometrador, ra. *s.* cronometrista, que regista a duração duma prova desportiva.

cronometrar. *v. tr.* cronometrar.

cronometría. *f.* cronometria.

cronométrico, ca. *adj.* cronométrico.

cronómetro. *m.* cronómetro, aparelho de medição do tempo; cronómetro, relógio de precisão, (Bras.) cronômetro.

cronoscopia. *f.* (fís.) cronoscopia.

cronoscopio. *m.* (fís.) cronoscópio, cronógrafo, cronómetro.

croqueta *f.* croquete, almôndega, bolo feito de picado de carne ou peixe, envolvido em pão ralado.

croquis. *m.* esbo(ô)ço, debuxo, desenho ligeiro; (pint.) esbo(ô)ço, bosquejo, debuxo, risco, borrão.

croscitar. *v. intr.* crocitar. V. **crascitar.**

crotálidos. *m. pl.* (zool.) crotálidas.

crótalo. *m.* (zool.) crótalo, cobra-cascavel; (mús.) crótalo.

crotón. *m.* (bot.) V. **ricino.**

crotorar. *v. intr.* dar a cegonha estalos com o bico.

croza. *f.* (ant.) báculo pastoral.

cruce. *m.* cruzamento, encruzilhada; gilvazes em forma de cruz; intercepção.

crucería. *f.* (arq.) oranto na arquite(c)tura gótica.

crucero. *m.* cruzeiro, sacristão encarregado de levar a cruz nos ente(ê)rros e procissões; cruzeiro, parte da igreja, compreendida entre a capela-mor e a nave central; cruzeiro, moeda brasileira; cruzeiro, encruzilhada de caminhos; cruzeiro, cruz grande de pedra, cruciferário; (mar.) cruzeiro, parte do mar cruzada por navios; cruzador, navio ou conjunto de navios destinados a cruzar; manobra ou a(c)to de cruzar; (astr.) cruzeiro, constelação austral.

cruceta. *f.* cruzeta, intercepção de duas séries de linhas paralelas; (mar.) cruzeta, armação provisória de vergas e antenas para suprir mastros.

crucial. *adj.* crucial, em forma de cruz; (fig.) crucial, decisivo, importante para um destino.

cruciferario. *m.* cruciferário.

crucífero, ra. *adj.* (poet.) crucífero; (bot.) crucífera, diz-se das plantas que têm a corola cruciforme. — *m.* V. **cruciferario.** *pl.* (bot.) cruciferas.

crucificado, da. *p. p. e adj.* crucificado. — *m.* O Crucificado, Jesús Cristo.

crucificador, ra. *adj. e s.* crucificador, aque(ê)le que crucifica; (fig.) torturante.

crucificar. *v. tr.* crucificar, pregar na cruz, torturar; aplicar o suplício da cruz; (fig. e fam.) crucificar, atormentar, molestar, vexar, sacrificar, prejudicar.

crucifijo. *m.* crucifixo, imagem de Cristo Crucificado.

crucifixión. *f.* crucifixão, crucificação.

crucifixor. *m.* crucificador, o que crucifixa.

cruciforme. *adj.* cruciforme, em forma de cruz.

crucígero, ra. *adj.* (poet.) crucígero, que tem ou leva a insígnia da cruz.

crudelísimo, ma. *adj.* crudelíssimo, muito cruel.

crudeza. *f.* crueza, estado ou qualidade do que é crú; (fig.) crueldade; castigo terrível; fanfarronice; encruamento; inclemência, destempero (diz-se do tempo). — *pl.* alimentos indigestos.

crudillo. *m.* entretela áspera e dura, semelhante ao pano crú.

crudívoro, ra. *adj. e s.* crudívoro, que usa alimentos crus.

crudo, da. *adj.* cru, que não está cozido ou assado; que ainda não tem preparação, cru, encruado; verde, diz-se da fruta sem madurar; que está por curtir ou corar; (fig.) áspero; cruel; bárbaro; rude, desapiedado; rigoroso; inclemente (diz-se do tempo); (fig. e fam.) fanfarrão, que alardeia de valente; (cir.) verde (diz-se do tumor que não está em condições de ser lancetado: *seda cruda, se(ê)da crua; carne cruda,* carne crua; *medio crudo,* meio cru.

cruel. *adj.* cruel, que gosta de fazer mal; desumano; (fig.) excessivo, insofrível; cruento, violento, duro; atroz; bárbaro, barbárico; severo; pungente; doloroso; sanguinário; fulminante; despiedoso; empedernido; agreste; funesto; inexorável; desnaturado; abutre; desalmado; incompassível; endemoninhado; acerbo; esviscerado; ferino; doloroso; sanguinolento: *volverse cruel,* encrude(l)ecer-se.

crueldad. *f.* crueldade, desumanidade, fereza de ânimo; impiedade; a(c)ção cruel e desumana; barbaridade, barbarie; desumanidade; rigor; algozaria; despiedade; atrocidade, encarniçamento; desamor; desalmamento; (fig.) acerbidade, endurecimento; inclemência (diz-se do tempo).

cruentación. *f.* (ant.) cruentação, derramamento de sangue.

cruentar. *v. tr.* (ant.) cruentar; ensanguentar.

cruento, ta. *adj.* cruento, ensanguentado; sanguinolento; (fig.) cruel; pungente.

crujía. *f.* coxia, passagem entre duas séries de bancos; passagem por entre as celas dum convento ou por entre as camas dum hospital; (arq.) espaço entre dois muros de suporte; galeria; enfiada; (mar.) coxia, espaço de popa à proa no meio da coberta do navio. V. **pasamano:** *pasar crujía,* (fig. e fam.) padecer trabalhos, misérias.

crujidero, ra. *adj.* rangedor, que range.

crujido. *m.* crepitação, rangido, estalido, estalo; chiado.

crujir. *v. intr.* ranger, produzir um som áspero; crepitar, bater os dentes, chiar, (janelas, rodas, etc.); (pop.) franger.

crúor. *m.* (biol.) cruor, princípio corante do sangue; glóbulos sanguíneos; coágulo sanguíneo.

cruorina. *f.* (biol.) cruorina; hemoglobina.

crup. *m.* (med.) crupe, diftéria, com formação de membranas na laringe. V. **garrotillo.**

crupal. *adj.* (med.) crupal, relativo ao crupe.

crural. *adj.* crural, pertencente ou relativo à coxa.

crurifagio. *m.* crurifrágio.

crustáceo, a. *adj.* e *m.* crustáceo, coberto de crosta ou crusta. — *m. pl.* crustáceos.

crústula. *f.* V. **cortezuela.**

cruz. *f.* cruz, duas linhas formando quatro ângulos; cruz, patíbulo, suplício antigo; imagem ou figura deste antigo suplício; cruz, representação de Jesús Cristo; símbolo da religião cristã; cruzeiro; cruz, o madeiro em que Jesús Cristo foi pregado; cruz, insígnia, condecoração; reverso com cruz, dalgumas moedas desde a Idade Média; cruz, parte onde se unem as espáduas do cavalo; (fig.) pe(ê)so, carga, trabalho, cruz; tormento; aflição; (germ.) caminho; (mar.) cruz da âncora; centro de toda a verga simétrica ou de braços iguais; (astr.) constelação próxima ao círculo polar antártico; (herald.) móvel de armaria em forma de cruz; (bot.) parte da árvore em que termina o tronco e se estendem os ramos laterais; cruz, nos livros, que indica que uma pessoa é falecida; nos dicionários latinos, posta antes dum vocábulo, significa que este pertence ao baixo latim; sinal feito de dois traços cruzados; gestos cruzados sobre o rosto ou peito, quando alguém se persigna ou se benze; parte superior do cachaço do toiro. — *pl.* os quatro paus que, em duas dire(c)ções perpendiculares entre si, se abraçam ao eixo e movem a roda da atafona: *la santa cruz*, a santa cruz, árvore da cruz; *estar uno por esta cruz de Dios*, (fig. e fam.) fazer cruzes na boca, ficar sem comer; *llevar la cruz en los pechos*, (fig.) levar a cruz nos peitos, pertencer a uma ordem militar ou civil; *quedarse uno en cruz y en cuadro*, (fig. e fam.) não ter cruzes nem cunhos; *de la cruz a la fecha*, (fam.) desde o princípio ao fim.

cruzada. *f.* cruzada, expedição militar contra os infiéis; tropa que fazia parte destas expedições; bula de cruzada; tribunal da cruzada; encruzilhada, cruzamento; cruzada, campanha em prol dalgum fim.

cruzado, da. *p. p.* e *adj.* cruzado, que tem cruz; colocado em cruz; cruzado, diz-se do que tomava a insígnia da cruz, alistando-se para alguma cruzada; encruzado; atravessado. — *s.* cruzado, animal nascido de pais de diferentes castas; cruzado, moeda antiga; cruzado, cavaleiro que ia numa cruzada; cavaleiro duma ordem militar; maneira de cruzar os dedos quando se toca guitarra; certo passo de dança; (germ.) caminho.

cruzamen. *m.* (mar.) longitude das vergas dum navio de cruz.

cruzamiento. *m.* cruzamento; encruzamento; intercepçã; a(c)ção de cruzar; cruzamento, geração de indivíduos de raças diferentes.

cruzar. *v. tr.* e *r.* cruzar, dispor em forma de cruz; atravessar; pôr a uma pessoa a cruz duma ordem; conferir uma ordem militar ou civil; cruzar, misturar as raças; percorrer em vários sentidos, cruzar, acasalar animais de raças diferentes; (mar.) navegar em cruzeiro; tomar a cruz; alistar-se numa cruzada; passarem por um ponto ou caminho duas pessoas em sentido oposto, cruzarem-se; encontrar-se; interceptar-se; pôr-se em cruz; (vet.) cruzar, caminhar o animal cruzando os braços e as pernas; suceder ao mesmo tempo; (mar.) cruzar as vergas; pôr as vergas em cruz: *cruzar a nado*, nadar além; *cruzar las piernas*, encruzar as pernas; *cruzar razas diferentes*, mestiçar; *cruzar el Rubicón*, (fig.) saltar as barreiras; *estar con las manos cruzadas*, andar de mãos nas algibeiras; *con los brazos cruzados*, (fig.) cruzar os braços; *cruzar la cara*, cruzar a cara; *cruzar las vergas*, (mar.) cruzar as vergas; *estar con los brazos cruzados*, (fig.) estar com os braços cruzados.

ctenóforos. *m. pl.* (zool.) ctenóforos.

cu. nome da letra Q.

cu. *m.* templo dos antigos mexicanos.

cuaderna. *f.* lance no jo(ô)go do gamão; moeda de oito maravedis; (mar.) caverna, união da quilha do navio com a caverna ou roda da proa e o cadaste; (prov.) quarta parte dalguma coisa: *última cuaderna de un barco*, almogama; *cuaderna maestra*, caverna mestra.

cuadernal. *m.* (mar.) cadernal, quadernal, moitão grande: *cuadernal de dos ojos*, cardenal de dois gornes.

cuadernillo. *m.* cadernilho, caderno de cinco folhas. V. **añalejo.**

cuaderno. *m.* caderno, caderneta, livro de apontamentos, de contas; caderno, conjunto de folhas de impressão; castigo que se aplicava aos colegiais por faltas leves; (fam.) baralho de cartas; (mar.) livro de quartos: *cuaderno de bitácora*, (mar.) caderno de bitácula.

cuado, da. *adj.* diz-se dum povo suevo de origem da antiga Germânia. — *s.* pertencente a este povo.

cuadra. *f.* quadra, recinto em forma de quadrado; sala espaçosa; quadra, cavalariça; dormitório, sala dum quartel, hospital ou prisão, em que dormem muitos, camarata; quarta parte duma milha; quarto de lua; quadra, o largo do navio à popa; (Amér.) quadra, quarteirão de casas. V. **grupa;** (fig.) estrumeira.

cuadrable. *adj.* (mat.) que pode elevar-se à segunda potência.

cuadrado. *f.* (mús.) breve, nota musical equivalente a dois compassos.

cuadradillo. *m.* quadradinho das camisas; vergalhão, pedaço de ferro para fazer chaves e outras obras; quadrado das meias; açúcar em quadrados; régua quadrada para riscar papel.

cuadrado, da. *p. p.* e *adj.* quadrado; perfeito; exa(c)to; cabal; conveniente. — *m.* régua quadrada; cunho perfeito; enfeite nas meias, na camisa; (mat.) quadrado dum número; (impr.) quadratim, quadrado; (mil.) quadrado; (astr.) posição ou aspe(c)to dum astro distante de outro a quarta parte do círculo; quadrante, a quarta parte de círculo; (germ.) bolsa do dinheiro; punhal: *poner a uno de cuadrado*, (fam. e fig.) descobrir as intenções dalguém.

cuadragenario, ria. *adj.* quadragenário, que tem quarenta anos.

cuadragésima. *f.* quadragésima. V. **cuaresma.**

cuadragesimal. *adj.* quadragesimal.

cuadragésimo, ma. *adj.* e *s.* quadragésimo.

cuadral. *m.* (arq.) trave colocada diagonalmente.

cuadrangular. *adj.* quadrangular, quadrangulado.

cuadrángulo, la. *adj.* e *m.* quadrângulo; quadrilátero.

cuadrantal. *adj.* (mat.) quadrantal. — *m.* quadrantal, medida para líquidos dos antigos romanos.

cuadrante. *adj.* e *m.* quadrante, que quadra. — *m.* quadrante, moeda romana de cobre; tabela que designa as missas de cada dia; (geom.) quadrante, arco de 90 graus; (astr.) quadrante; (for.) quarta parte da herança; gnómom, relógio solar; (mar.) cada uma das quatro partes em que se divide o horizonte ou a rosa-dos-ventos.

cuadrar. *v. tr.* quadrar, dar forma quadrada a uma coisa; (mat.) quadrar um número; (geom.) determinar um quadrado equivalente em superfície a uma figura dada; (pint.) V. **cuadricular.** — *v. intr.* quadrar, convir, emparelhar; agradar; conformar-se, ajustar-se uma coisa com outra. — **cuadrarse.** *v. r.* obstinar-se; (mil.) perfilar-se, pôr-se em continência um militar em sinal de subordinação ou respeito; (fig. e fam.) mostrar de repente uma pessoa desusada gravidade ou firme resistência: *nada le cuadra o le va bien*, nada lhe encaixa.

cuadrático, ca. *adj.* (mat.) quadrático.

cuadratín. *m.* (impr.) quadratim.

cuadratura. *f.* quadratura, a(c)ção de quadrar; (geom.) redução duma figura geométrica a um quadrado; (astr.) posição relativa dos astros, quadratura: *la cuadratura del círculo*, (fam.) expressão com que se indica a impossibilidade, duma coisa.

cuadricapsular. *adj.* (bot.) quadricapsular.

cuadricenal. *adj.* que se faz todos os quarenta anos.

cuadriciclo. *m.* quadriciclo, veículo de quatro rodas.

cuadrícula. *f.* quadrícula, quadrados de que

se servem os escultores e pintores para tomarem a perspe(c)tiva.

cuadriculación. *f.* a(c)ção de quadricular; quadriculado.

cuadricular. *adj.* quadricular. — *v. tr.* desenhar pela quadrícula; quadricular; dividir em quadrículas.

cuadrienal. *adj.* quadrienal.

cuadrienio. *m.* quadriénio.

cuadrífido, da. *adj.* (bot.) quadrífido, quadrifendido.

cuadrifloro, ra. *adj.* (bot.) quadriflóreo.

cuadrifolio, lia. *adj.* quadrifólio. — *m.* (arq.) quadrifólio.

cuadrifonte. *adj.* quadrifronte.

cuadriforme. *adj.* quadriforme.

cuadriga. *f.* quadriga, tiro de quatro cavalos; carro usado na antiguidade.

cuadrigemiado, da. (bot.) quadrigémino.

cuadrigémino, na. *adj.* (anat.) quadrigémino.

cuadriguero. *m.* quadrigário, condutor de quadriga.

cuadril. *m.* (anat.) quadril, osso de anca, ilharga; anca de cavalgaduras. V. **anca** e **cadera.**

cuadrilátero, ra. *adj.* e *m.* (geom.) quadrilátero, que tem quatro lados; quadrilátero, polígono, de quatro lados.

cuadriliteral. *adj.* que se compõe de quatro letras.

cuadrilítero, ra. *adj.* V. **cuadriliteral.**

cuadrilobulado, da. *adj.* (zool. e bot.) quadrilobado.

cuadrilocular. *adj.* quadrilocular, quadriloculado.

cuadrilongo, ga. *adj.* quadrilongo, que tem a forma dum paralelogramo; re(c)tangular, relativo ao re(c)tangulo. — *m.* V. **rectángulo;** (mil.) formação dum corpo de infantaria em figura de quadrilongo.

cuadrilla. *f.* quadrilha, reunião de pessoas para o desempenho dalgum ofício ou para algum fim; quadrilha, bando de ladrões ou salteadores; flotilha, esquadrilha; (fig.) chusma, multidão; quadrilha, uma das quatro partes do Conselho da Mesta; quadrilha, cavaleiros do mesmo partido, nos torneios; quadrilha, agentes da Santa Irmandade, que perseguiam os malfeitores; conjunto dos toureiros numa corrida de toiros; aquadrilhamento; (fig.) alcateia (de ladrões).

cuadrillero. *m.* quadrilheiro, chefe ou comandante duma quadrilha; guarda de polícia rural nas Filipinas; agente da Santa Irmandade; quadrilheiro, membro duma quadrilha de salteadores.

cuadrillo. *m.* dardo, espécie de seta de madeira com forma quadrangular.

cuadringentésimo, ma. *adj.* e *s.* quadringentésimo.

cuadrineto, ta. *s.* tetraneto, quarto neto, filho do trineto.

cuadrinomio. *m.* (mat.) quadrinómio, (Bras.) quadrinômio.

cuadripétalo, la. *adj.* (bot.) e *s.* quadripétalo, tetrapétalo.

cuadriplicado, da. quadruplicado.

cuadriplicar. *v. tr.* quadruplicar. V. **cuadru-plicar.**

cuadrisílabo, ba. *adj.* quadrissílabo, quadris-silábico.

cuadrivalente. *adj.* (quim.) quadrivalente.

cuadrivalvo, va. *adj.* (bot.) quadrivalve.

cuadrivio. *m.* quadrívio; encruzilhada; qua-drívio, conjunto das artes liberais.

cuadro, dra. *adj.* quadro, quadrado. V. **cua-drado.**

cuadro. *m.* painel, tela ou qualquer obra de pintura e moldurada; quadro, moldura quadrada; quadro, quadrado; caixilho de porta ou janela; canteiro de jardim; qua-dro, divisão duma peça teatral, cena; pa-norama; (mil.) quadrado, formatura em quadrado; (impr.) quadro para apertar o papel; quadro, grupo de pessoas; quadro, organização; área; tabela, lista dos mem-bros duma corporação; (astrol.) quadra-do, posição de certos astros em relação a outros; (pop.) punhal. — *pl.* dados; (despec.) quadrilha, equipa, equipe: *que-darse en cuadro,* (fig. e fam.) ficar sem família ou sem dinheiro.

cuadropea. *f.* V. **cuatropea.**

cuadrúmano, na. *adj.* e *s.* (zool.) quadrúma-no. — *m. pl.* quadrúmanos.

cuadrumano, na. *adj.* V. **cuadrúmano.**

cuadrunviro. *m.* quadrúnviro, quatórviro.

cuadrúpedal. *adj.* (zool.) quadrúpede.

cuadrúpede. *adj.* V. **cuadrúpedo.**

cuadrúpedo. *adj.* e *s.* (zool.) quadrúpede; (astr.) diz-se dos signos Aries, Touro, Leão, Sagitário e Capricórnio.

cuádrupe. *adj.* quádruple, que contém um número quatro vezes exa(c)tamente.

cuadruplicación. *f.* quadruplicação.

cuadruplicar. *v. tr.* quadruplicar, multipli-car por quatro.

cuádruplo, pla. *adj.* e *m.* quádruplo.

cuajada. *f.* coalhada, leite coalhado; requei-jão.

cuajado, da. *p. p.* e *adj.* coalhado; (fig.) imóvel e como paralisado pelo assombro; encarapinhado. — *m.* guisado de carne picada, ervas ou frutas com ovos e açúcar.

cuajadura. *f.* coalhadura, coalhamento, coa-gulação.

cuajamiento. *m.* coalhamento, coalhadura, coagulação.

cuajar. *m.* coagulador, última cavidade do estomago dos ruminantes; quarto ventrí-culo do boi.

cuajar. *v. tr.* coalhar, coagular; (fig.) encher de ornato ou de enfeites; (fam.) quadrar, gostar, agradar; encarapinhar; agrumelar; — *v. intr.* calhar, assentar bem, sair bem, ter bom efeito. — **cuajarse.** *v. r.* coalhar--se; agrumelar-se.

cuajarón. *m.* grumo, porção de sangue ou doutro líquido coalhado: *formar cuajaro-nes,* agrumelar.

cuajo. *m.* coalho, coalheira, substância do quarto estômago dos mamíferos; coalha-dura, efeito de coalhar; substância com que se coalha um líquido; coagulação, coalho, coalhamento; coalho, fressura: *de*

cuajo, de raiz, radicalmente; *tener mucho cuajo,* (fig. e fam.) ter muita paciência; *arrancar de cuajo, desenraizar,* arrancar pela raiz.

cuakerismo. *m.* V. **quaquerismo.**

cuákero, ra. *s.* V. **cuáquero.**

cual. *pron. relat.* qual, que, o qual; quem; que coisa ou que pessoa; um de entre dois ou mais; com o artigo determinado, equi-valente ao pronome *que;* por ex.; *el, la, lo, cual, los, las, cuales;* denota às vezes ideias de semelhança; emprega-se como pronome indeterminado quando designa pessoas ou coisas sem as nomear ou de-terminar: *tal y cual,* tal e qual, exa(c)ta-mente; *según lo cual,* em consequência; *por lo cual,* por consequência; *cual o cual,* tal qual; *¿cuál de los dos?,* qual dos dois? *con lo cual,* com o qual; *por lo cual,* pelo qual; *cada cual,* cada qual; *cual más cual menos,* qual mais, qual me-nos; *algunos de los cuales,* alguns dos quais; *sea cual sea el resultado,* seja qual for o resultado; *cual es el amo, tal es el criado,* (fam.) qual é o cão, tal é o dono. — *adv.* como quão, quanto.

cualesquier. *pron. indef. pl.* de *cualquier;* quaisquer.

cualesquiera. *pron. indef.* V. **cualesquier.**

cualidad. *f.* qualidade, modo de ser duma pessoa ou coisa; propriedade ou condição natural; atributo; predicado; natureza particularidade; índole, cará(c)ter; classe, espécie; disposição de ânimo.

cualificar. *v. tr.* (ant.) adjetivar. V. **calificar.**

cualitativo, va. *adj.* qualitativo, qualificati-vo, que denota qualidade.

cualque. *pron. indef.* (po. us.) algum, qual-quer. V. **cualquiera.**

cualquier. *pron. indeter.* contra(c)ção de *cualquiera;* não se emprega senão ante-posto ao nome.

cualquiera. *pron. indef.* qualquer, uma pes-soa indeterminada; um outro, seja qual for: *ser un cualquiera,* (fam.) ser pessoa vulgar e pouco importante.

cuan. *adv. cont.* de *cuanto;* quão, quanto. usa-se para encarecer o significado do ad-je(c)tivo, particípio e outras partes da ora-ção, excepto o verbo; como correlativo de *tan,* emprega-se em sentido comparativo denotando ideias de eqivalência ou igualdade.

cuando. *adv.* quando, no tempo em que; em que tempo ou época; ainda que; na ocasião em que; no ponto; depois que; leva acento ortográfico quando tem senti-do interrogativo; emprega-se também como conj. disjuntiva; equivalendo a ora, quer, umas vezes, outras vezes; usa-se às vezes com cará(c)ter de substantivo, prece-dido do artigo *el: de cuando en cuando,* de quando em quando; *de vez en cuando,* de vez em quando; *cuando más,* quando muito; *cuando menos,* ao menos, pelo me-nos; *cuando no,* em caso contrário, doutra maneira; *¿de cuándo acá?,* desde quando?; *cuando que,* aquando; *¿hasta cuándo?,* até quando?; *cuando quiera que*, quando quer que; *¿cuándo?*, quando?

cuantía. *f.* quantia, quantidade, cifra; soma de qualidades ou circunstâncias que enaltecem alguém; (for.) valor de matéria litiginosa; qualidade de pessoa, nobreza, distinção, categoria; porção de dinheiro; quantidade, soma: *de mayor cuantía*, (fig.) diz-se da pessoa ou coisa de importância; *de menor cuantía*, (fig.) de somenos, diz-se da pessoa ou coisa de pouca importância.

cuantiar. *v. tr.* taxar, avaliar, estimar, quantificar.

cuantidad. *f.* quantidade. V. **cantidad.**

cuantimás. *adv.* quanto mais; ainda mais. V. **cuanto más.**

cuantioso, sa. *adj.* quantioso, numeroso, avultado, copioso, abundante, exuberante, grande em quantidade ou número; importante; rico.

cuantitativo, va. *adj.* quantitativo, relativo à quantidade; que determina a quantidade.

cuanto, ta. *adj.* quanto, que inclui quantidade indeterminada; quanto, tanto; quando tem sentido enfático, leva acento. — *adv.* em quanto; quanto, em que grau; até que ponto; quão grande; de que modo; relativamente: que tempo: que número, que quantidade; que preço; em quanto: *cuanto antes*, antequanto; *¿cuánto?*, quanto?; *¿en cuánto tiempo?*, em quanto tempo?; *¿cuánto le costó?*, quanto custou?; *cuanto antes*, quanto antes; *cuanto más*, quanto mais; *por cuanto*, por enquanto; *en cuanto a*, quanto a, con respeito a; *por cuanto*, porquanto, visto que, pois que; *¿cuántas veces?*, quantas vezes?; *haré cuanto pueda*, farei quanto puder; *cuanto quieras*, quanto quizeras; *en cuanto a mí*, quanto em mim; *cuanto sea necesario*, quanto for necessário; *hombres en cuanto hombres*, homens em quanto homens; *en cuanto a aquello*, em quanto aquilo.

cuaquerismo. *m.* quaquerismo.

cuáquero, ra. *s.* quáquer.

cuarcita. *f.* (min.) quartzita, quartzite, quartzito.

cuarenta. *adj.* e *s.* quarenta; quadragésima: *cantar a uno las cuarenta*, (fig. e fam.), fazer a alguém uma série de recriminações, dizer as boas a alguém; *las cuarenta*, quarenta pontos em certo jogo de cartas.

cuarentavo, va. *adj.* e *s.* cada uma das quarenta partes em que se pode dividir um todo. V. **cuadragésimo.**

cuarentena. *f.* quarentena, conjunto de quarenta unidades; quarentena, período de quarenta dias, meses ou anos; quarentena, quaresma; quarentena, tempo que estão no lazareto os que vêm de lugares onde grassa doença contagiosa; (fig. e fam.) espera, quarentena; quarentena, cada uma das quarenta partes em que se divide um todo: *hacer cuarentena*, fazer quarentena; *poner en cuarentena*, duvidar, pôr de quarentena.

cuarentenal. *adj.* pertencente ao número quarenta.

cuarentón, na. *adj.* e *s.* quarentão, diz-se da pessoa que tem quarenta anos.

cuaresma. *f.* quaresma, período de quarenta dias que decorrem desde quarta-feira de cinzas até domingo de Páscoa, cole(c)ção de sermões quaresmais.

cuaresmal. *adj.* quaresmal, pertencente ou relativo à quaresma.

cuaresmario. *m.* conjunto de sermões quaresmais.

cuarta. *f.* quarta, quarta parte da unidade; palmo, quarta parte da vara; quarta, medida para líquidos, equivalente a três canadas; (mús.) quarta; quarto de círculo; (mar.) quarta, divisão dos meios ventos na rosa náutica; (astr.) quarta parte da eclíptica; (for.) quarta parte da herança que o herdeiro tinha direitos a deduzir para si; (prov.) mula de guia nos carros; (Amér.) látego, chicote para tocar as cavalgaduras; disciplina: *estocada de cuarta*, (esgr.) quarta; *estar a la cuarta pregunta*, estar à dependura.

cuartago. *m.* quartão, quartau, cavalo pequeno próprio para carregar.

cuartal. *m.* pão de quarta; que tem a quarta parte duma fogaça; cântaro, medida de capacidade para secos, equivalente a cinco litros e 6 decilitros.

cuartán. *m.* quartão, medida para azeite, equivalente a quatro litros e quinze centilitros.

cuartana. *f.* (med.) quartã, febre intermitente, febre quartã.

cuartanal. *adj.* pertencente à febre quartã.

cuartanario. *adj.* e *s.* (med.) quartanário, que sofre de febre quartã.

cuartar. *v. tr.* (agr.) lavrar pela quarta vez a terra, em que se hão-de semear cereais.

cuartazo. *m.* (Amér.) chicotada, pancada com chicote ou látego.

cuartazos. *m.* (fig. e fam.) homem excessivamente corpulento e desajeitado.

cuarteador, ra. *adj.* e *s.* que quarteia ou divide uma coisa em quatro partes. — *m.* (Amér.) V. **encuarte.**

cuarteadura. *f.* a(c)ção e efeito de quartear; divisão em quatro partes; greta, fenda, abertura, racha na parede.

cuartear. *v. tr.* quartear, partir, dividir uma coisa em quatro partes; por ext., dividir em mais ou menos partes; esquartejar, quartejar; lançar a quarta parte sobre uma coisa já arrematada; ser quarto parceiro no jogo. — **cuartearse.** — *v. r.* rachar-se, fender-se alguma coisa; (Amér.) chicotear frequentes vezes com o chicote. — *v. intr.* (taur.) fazer o toureiro um movimento em curva ao farpear um toiro, a fim de evitar a cornada.

cuartel. *m.* quartel, quarta parte; bairro duma cidade ou vila; espaço de tempo, período, quartel; (mil.) quartel, caserna, alojamento; quartel, edifício destinado ao alojamento de tropa; bom tratamento que os vencedores oferecem aos vencidos; tributo que pagavam os povos pelo alojamento dos soldados; (herald.) quartel, cada una das quatro partes em que se divide o escudo; canteiro de jardim; (mar.) quartel, tampo de escotilha; aquartelamento: *estar de quartel*, ser reformado; *cuartel de la salud*, lugar seguro; *cuartel maestre*, quartel-mestre; *cuartel general*, quartel-general; *cuartel de invierno*, cuartel de inverno; *pedir cuartel*, (fig.) pedir misericórdia, quartel; *no dar cuartel*, (fig.) não dar quartel.

cuartelada. *f.* revolta militar; reunião de oficiais num quartel para impedir uma revolta.

cuartelado, da. *adj.* e *p. p.* quartelado, esquartelado, dividido em quatro partes.

cuartelar. *v. tr.* (herald.) dividir o escudo em quatro partes; quartear.

cuartelero, ra. *adj.* (mil.) quarteleiro, pertencente ou relativo ao quartel. — *m.* (mar.) marinheiro, especialmente destinado a cuidar das equipagens; (mil.) soldado, que, em cada companhia, cuida do asseio e segurança do dormitório que ocupa.

cuartelillo. *m.* lugar onde se aloja uma se(c)ção de tropa; quartel pequeno: *cuartelillo de bomberos*, quartel de bombeiros.

cuarteo. *m.* quarteio, rápido movimento do corpo para um ou outro lado, a fim de evitar uma pancada ou choque; a(c)ção e efeito de quartear ou rachar-se; (taur.) quarteio, quarto de volta dado pelo toureiro ao farpear um boi: *al cuarteo*, (taur.) quarteando.

cuarterón, ra. *adj.* quarterão, nascido na América, filho de espanhol e mestiça ou de espanhola e mestiço. — *m.* quarta parte dalguma coisa; bandeira da janela, postigo, pequena porta dalgumas janelas, almofada de porta; quarta parte duma libra.

cuarteta. *f.* (poet.) copla, quadra, redondilha; quarteto, estância de quatro versos.

cuartete. *m.* (poet.) quarteto. V. **cuarteto.**

cuarteto. *m.* (poet.) quarteto, estância de quatro versos; (mús.) quarteto, composição musical para ser executada por quatro vozes ou instrumentos.

cuartilla. *f.* quarta parte duma arroba ou fanga; quarto de papel; quartela, parte entre o casco e a primeira junta das pernas das cavalgaduras.

cuartito. *m.* quarto pequeno; cubículo, pequeno compartimento.

cuarto, ta. *adj.* quarto, que numa série de quatro ocupa o último lugar; quarto, a quarta parte da unidade. — *m.* quarto, alojamento; habitação, aposento; quarto, moeda de cobre espanhola; (fig. e fam.) dinheiro, moeda, caudal; quarto duma hora; (mil.) quarto de sentinela; guarda, vigia; (mar.) quarto; (vet.) quarto, racha, fenda no casco duma cavalgadura; quarto, cada uma das partes em que se trincha uma ave; quarto de maçã ou de qualquer fruta; (astr.) quarto da Lua; parte superior da coxa e lateral dos quadris: *cuarto creciente*, quarto crescente; *cuarto menguante*, quarto minguante; *cuatro*

cuartos, (fig. e fam.) pouco dinheiro; *cuarto vigilante* (mil.) tempo durante o qual um soldado está de sentinela; *dar un cuarto al pregonero*, (fig. e fam.) divulgar uma coisa; *cuarto de soltero*, quarto de solteiro.

cuartodecimano, na. *adj.* diz-se dos hereges que fixavam a Páscoa na lua de Março, mesmo que não coincidisse com a Domingo.

cuartogénito, ta. *adj.* e *s.* quartogétino, nascido em quarto lugar.

cuartón. *m.* trave grossa; quartão, certa medida para líquidos, equivalente à quarta parte dum almude de vinho.

cuartucho. *m.* (despect.) habitação ou quarto acanhado e mau.

cuarzo. *m.* (min.) quartzo, quarço.

cuarzoso, sa. *adj.* quartzoso, relativo ao quartzo ou da sua natureza; que tem quartzo.

cuasi. *adv.* quase. V. **casi.**

cuasia. *f.* (bot.) quássia.

cuasicontrato. *m.* (for.) quase-contrato, compromisso voluntário sem forma rigorosa de contrato.

cuasidelito. *m.* (for.) quase-delito, dano causado sem intenção malévola.

cuasimodo. *m.* Quasimodo, domingo de Pascoela.

cuate. *adj.* e *s.* gémeo, diz-se dos irmãos dum mesmo parto; igual, semelhante.

cuatepín. *m.* (Amér.) V. **sopapo.**

cuatequil. *m.* (bot. Amér.) milho miúdo.

cuaterna. *f.* quadra no jcgo do loto; quatro números iguais na lotaria.

cuaternado, da. *adj.* (bot.) diz-se da folha que contém quatro folhinhas.

cuaternario, ria. *adj.* quaternário, composto de quatro elementos ou unidades; (geol.) quaternário: *período cuaternario*, período quaternário.

cuaternidad. *f.* quaternidade, agrupamento de quatro pessoas ou coisas.

cuaterno, na. *ad.* cuaterno.

cuatorvirato. *m.* quatuorvirado, quatuorvirato, cargo ou dignidade quatuórviro.

cuatorviro. *m.* quatuórviro, quadrúnviro.

cuatralbo, ba. *adj.* quatralvo, que tem os quatro pés brancos; diz-se do cavalo malhado de branco até aos joelhos. — *m.* chefe ou cabo de quatro galeras.

cuatratuo, tua. *adj.* quarterão. V. **cuarterón.**

cuatreño, ña. *adj.* diz-se da vitela de quatro anos.

cuatrero. *adj.* e *s.* abactor, ladrão de solípedes.

cuatriduano, na. *adj.* quatriduano, que abrange um quatríduo.

cuatrienio. *m.* quatriénio, (Bras.) quatriênio. V. **cuadrienio.**

cuatrillo. *m.* jogo de naipes entre quatro pessoas.

cuatrillón. *m.* quintilião, nome das unidades da vigésima quinta ordem no sistema da numeração.

cuatrimestre. *adj.* quadriestral, relativo a quadrimestre. — *m.* quadrimestre.

cuatrimotor. *m.* quadrimotor, avião com quatro motores.

cuatrín. *m.* quatrim, ceitil, pequena moeda antiga de pouco valor.

cuatrinca. *f.* quatrinca, quatro cartas iguais no jogo; reunião de quatro pessoas ou coisas.

cuatrisílabo, ba. *adj.* e *m.* quadrissílabo, que tem quatro sílabas. V. **cuadrisílabo.**

cuatro. *adj.* quatro, três mais um; quarto, número que se segue ao terceiro; diz-se dos dias do mês. — *m.* algarismo que representa o número quatro; naipe que tem quatro pontos; composição cantada a quatro vozes; (germ.) cavalo; asno, burro: *más de cuatro* (fig. e fam.) muitos ou número considerável de pessoas; *el cuatro de febrero,* no dia quatro de Fevereiro; *comer por cuatro,* comer por cuatro.

cuatrocentista. *adj.* e *s.* quatrocentista.

cuatrocientos, tas. *adj.* quatrocentos, quatro vezes cem; quadringentésimo. — *m.* conjunto de sinais com que se representa o número quatrocentos.

cuatrodoblar. *v. tr.* quadruplicar, tornar quatro vezes maior.

cuatropeado. *m.* (germ.) certo passo de dança.

cuatropeo. *m.* (germ.) V. **cuartago.**

cuatrotanto. *m.* (pop.) quádruplo, quantidade quadruplicada.

cuba. *f.* cuba, tonel, dorna, tina, vasilha grande de madeira para recolher líquidos; (fig. e fam.) tonel, pessoa barriguda ou que bebe muito vinho; pessoa de ventre grande: *cuba de atiestos,* recipiente que contém o mosto para atestar as cubas.

Cuba. (geog.) Cuba.

cubación. *f.* (mat.) cubação; cubação, medição da solidez dos **corpos**; espaço que ocupam os corpos.

cubaíta. *f.* (min.) quartzo.

cubaje. *m.* cubicação, cubagem, cálculo do volume dos corpos.

cubano, na. *adj.* e *s.* (geog.) cubano, natural de ou pertencente a Cuba.

cubeba. *f.* (bot.) cubeba.

cubería. *f.* tanoaria, arte ou ofício de tanoeiro; tanoaria, oficina onde este trabalha.

cubero. *m.* tanoeiro, fabricante ou vendedor de pipas, barris, dornas, tinas, etc.

cubertura. *f.* cobertura, o que serve para cobrir. V. **cobertura.**

cubeta. *f.* dim. de *cuba;* selha, tina pequena; recipiente re(c)tangular usado em operações químicas e na fotografia; barril pequeno; barril de aguadeiro; (fís.) depósito de mercúrio na parte inferior do barómetro.

cubeto. *m.* dim. de *cubo;* ancorote, barril pequeno; vasilha de madeira mais pequena que a selha.

cubicación. *f.* cubicação, cubagem.

cubicar. *v. tr.* (mat.) cubicar, cubar, elevar ao cubo; avaliar em unidades **cúbicas**; achar o volume.

cúbico, ca. *adj.* (geom.) cúbico, cubiforme.

cubiculario. *m.* cubiculário, criado de quarto dos príncipes ou grandes senhores.

cubículo. *m.* cubículo, aposento, quarto pequeno, alcova.

cubichete. *m.* (mar.) tabuado que impede a entrada da água no convés do navio; (artill.) peça de metal com que se cobriam o ouvido e a chave das peças de artilharia.

cubierta. *f.* cobertura, cobertor; coberta, colcha de cama; tudo o que serve para cobrir; tampa; capa; telhado, etc.; (mar.) coberta, pavimento do navio; (germ.) saia; coberteira; funda; (fig.) capa, pretexto; envoltura: *cubierta de un libro encuadernado,* encadernação; *cubierta para proteger a las caballerías,* enxalmo; *cubierta corrida,* (mar.) coberta corrida; *cubierta levadiza,* (mar.) coberta levadiça.

cubierto, ta. *p. p.* e *adj.* coberto; cheio; envolto; encoberto; abrigado, amantado, abafado; encadernado; constelado; enfuscado (céu), encoberto. — *m.* serviço de mesa; talher, jo(ô)go composto de colher, garfo e faca; serviço, prato ou bandeja em que se serve o pão, as bolachas ou doce nos refrescos; refeição que se vende nos restaurantes por preço determinado; lugar coberto, cobertiço, parte exterior da abóbada ou do telhado dum edifício: *estar a cubierto,* estar coberto; *ponerse a cubierto,* defender-se, acolher-se; *poner a cubierto,* pôr a coberto.

cubil. *m.* covil, caverna, antro; re(ê)go, regueira; aprisco; alfurja; algar; bestiário, encame; madrigoa, madrigueira.

cubilar. *v. intr.* pernoitar o gado ou os pastores em qualquer lugar. V. **majadear.**

cubilete. *m.* covilhete, copos de jogo; molde para pastéis; pastel de carne; copo de boca larga; fritilo, copo para jogar os dados; copo para fazer sortes de prestidigitação.

cubiletear. *v. tr.* manejar os copos do jogo; (fig.) valer-se de astúcia para conseguir um fim.

cubilote. *m.* forno cilíndrico de ferro revestido interiormente com ladrilhos refra(c)tários, onde se funde o ferro a fim de o deitar nos moldes.

cubilla. *f.* V. **carraleja.**

cubillo. *m.* cantárida, inse(c)to; vaso para conservar água fresca; camarotes à boca da cena.

cubismo. *m.* (art.) cubismo.

cubista. *adj.* e *s.* cubista, adepto de cubismo.

cubital. *adj.* (anat.) cubital, relativo ou pertencente ao cúbito; cubital, que tem um côvado de comprimento.

cúbito. *m.* (anat.) cúbito.

cubo. *m.* cubo, balde para tirar água; (geom.) cubo; (mat.) cubo, terceira potência; cubo duma roda de carro; tambor, cilindro de relógio; espécie de cala ou calha, que leva água ao rodízio do moinho; (fort.) cubo, pequena torre de fortificação; (arq.) ado(ô)rno saliente de figura cúbico nos te(c)tos de madeira.

cuboides. *adj.* e *m.* (anat.) cobóide, diz-se do osso tarso situado no bordo externo do pé.

cubrecama. *f.* cobricama, cobertor; colcha. V. **sobrecama.**

cubreplato. *m.* cobre-prato.

cubrición. *f.* cobrição, coito ou ajuntamento dos animais; cobrição, época do coito dos animais.

cubrimiento. *m.* cobrição V. **cubrición.**

cubrir. *v. tr.* cobrir, ocultar, tapar, encobrir; dissimular, disfarçar, cobrir, ocultar uma coisa; proteger, defender, tapar completa ou incompletamente uma coisa; cobrir, garantir; cobrir, fecundar, ter cópula (diz-se dos animais); (mil.) cobrir, defender um posto; impedir que seja atacado impunemente pelo inimigo; colmatar; alastrar; envolver, forrar; abarrotar; arroupar, abrigar. — *v. intr..* cubrir-se, cobrir a cabeça; vestir-se. — **cubrirse.** *v. r.* cobrir-se; pôr o chapéu, a gorra, etc.; (fig.) acautelar-se duma responsabilidade, risco ou prejuízo; estender-se; (vet.) diz-se das cavalgaduras que se tocam; envolver-se; abroquelar-se; embuscar-se: *cubrir de bofetadas a alguien,* encher a alguém a cara de bofetadas; *cubrir de césped,* arrelvar; *cubrir de losas,* alousar; *cubrir para conservar el calor,* atabafar; *cubrir enteramente,* coalhar; *cubrir el gallo a la gallina,* galar; *cubrir el rostro hasta los ojos,* embuçar; *cubrirse el cielo,* encobrir-se; *cubrirse de hojas o vegetación,* frondescer, frondejar; *cubrirse de nubes,* entrenublar-se, abafar-se de nuvens; *cubrirse de ramas,* arramar-se; *cubrirse de harapos,* entrapar-se.

cuca. *f.* V. **chufa;** (zool.) V. **cuco;** (fam.) mulher viciada no jo(ô)go. — *pl.* nozes, avelãs, amêndoas: *mala cuca,* (fig. e fam.) pessoa de mau instinto.

cucaña. *f.* cocanha, pau untado de sebo, mastro de cocanha; (fig. e fam.) cocanha, coisa fácil de obter; proveito à custa de outrem.

cucañero, ra. *adj. e s.* (fig. e am.) viveirinho, que tem manha para conseguir as coisas com pouco trabalho à custa alheia.

cucar. *v. tr.* biscar os olhos; troçar, zombar. — *v. intr.* sair a correr o gado quando picado pelos moscardos; (ant.) casoar, mofar, mangar: *cucar el ojo a alguien,* piscar o olho a alguém.

cucaracha. *f.* (zool.) barata, bicho de conta, milípedes; tabaco co(ô)r de avelã; (fam.) mulher muito morena. V. **cochinilla.**

cucarachera. *f.* barateira, armadilha para caçar baratas.

cucarachero. *adj.* diz-se de certo tabaco do Brasil. — *m.* (zool. Amér.) pássaro inse(c)tívoro, semelhante ao rouxinol.

cucarda. *f.* cocar, roseta, divisa, insígnia; roseta para enfeite de cavalos; martelo de cabeça larga para rematar certas obras de silharia. V. **escarapela.**

cucarro, rra. *adj.* diz-se dos frades secularizados; alcunha dada aos rapazes vestidos de frades.

cuclillas. (en). *adv.* de cócoras, posição de sentado ou quase sentado sobre os cal-

canhares; agachado; de cocarinhas: *ponerse en cuclillas,* acocorar-se, agachar-se.

cuclillo. *m.* (zool.) cuco; (fig.) cornudo, marido de mulher adúltera.

cuco, ca. *adj. e s.* (fig. e fam.) polido, bonito; ardiloso, sagaz, astuto, egoista. — *m.* (zool.) certa lagarta de mariposa no(c)turna; cuco. V. **cuclillo;** certo jogo de naipes. V. **malcontento;** (fam.) V. **tahur:** ¡cuco!, expresão usada no jo(ô)go do cuco: *reloj de cuco,* relógio de cuco.

cucú. *m.* canto do cuco.

cucúlidas. *f. pl.* (zool.) cucúlidas.

cucúlidos. *m. pl.* (zool.) cucúlidas.

cuculífero, ra. *adj.* cuculífero.

cuculifoliado, da. *adj.* (bot.) cuculifólio.

cuculla. *f.* cogula, vestimenta monacal com capelo e mangas; casula. V. **cogulla.**

cucúrbita. *f.* (quím.) cucúrbita, vaso de alambique, retorta.

cucurbitáceas. *f. pl.* (bot.) cucurbitáceas.

cucurbitáceo, a. *adj.* (bot.) cucurbitáceo.

cucurucho. *m.* cartucho de papel ou papelão de forma cónica.

cuchara. *f.* colher; (mil.) cucharra para meter o cartuxo numa peça; (mar.) colher de pau para esgotar os botes: *meter uno su cuchara,* (fig. e fam.) intrometer-se alguém na conversa doutros ou em assuntos alheios; meter o bedelho; *cuchara de viernes,* (Amér.) diz-se da pessoa intrometida; *media cuchara,* (fig. e fam.) pessoa de pouco entendimento; *hacer cuchara,* (fig. e fam. Amér.) dispor-se a chorar.

cucharada. *f.* colherada, colher cheia: mar que entra no navio por cima da borda: *meter uno su cuchara.* V. **cucharetear.**

cucharal. *m.* surrão, bolsa de pastor.

cucharear. *v. tr.* tirar com colher. — *v. intr.* V. **cucharetear.**

cucharero, ra. *s.* colhereiro, fabricante ou vendedor de colheres. V. **cucharetero.**

cucharetear. *v. intr.* (fam.) mexer com a colher; (fig. e fam.) intrometer-se em assuntos alheios.

cucharetero, ra. *s.* fabricante ou vendedor de colheres de pau. — *m.* utensílio para pendurar colheres; (fam.) franja que se põe na parte inferior das saias.

cucharilla, ita. *f.* dim. de *cuchara;* colherinha, colherzinha; (vet.) doença do fígado nos suínos.

cucharón. *m.* aum. de *cuchara;* colherão, colher grande, colheraça; concha para servir líquidos à mesa.

cucharros. *m. pl.* (mar.) pedaços de tábua irregular, que serve para consertar o navio.

cuché. *adj.* V. **papel cuché.**

cuchichear. *v. intr.* cochichar, falar em voz baixa ou ao ouvido.

cuchicheo. *m.* cochicho, conversação em segredo.

cuchilla. *f.* cutela, cutelo, machada, machadinha; faca de encadernador; facalhão; faca de lâmina larga com cabo; folha de qualquer arma branca de corte; (fig.)

montanha escarpada; (poet.) espada, arma branca.

cuchillada. *f.* facada, cutilada; ferida produzida por arma branca, facada; (mar.) bordada. — *pl.* aberturas que se faziam nos vestidos para que se visse outro tecido de cor diferente; (fig.) pendência, desordem, rixa, briga.

cuchillera. *f.* faqueiro, estojo para guardar facas.

cuchillería. *f.* cutelaria, oficina, loja ou arte de cuteleiro.

cuchillero. *m.* cuteleiro, fabricante ou vendedor de facas e outros instrumentos cortantes, raquero; braçadeira de metal.

cuchillo. *m.* faca; (fig.) nesga, pano de forma triangular para alargar os vestidos; terreno que fica por lavrar, onde a charrua dá volta; (pint.) espátula; (fig) força, coa(c)ção, violência; (mar.) cutelo; (poet.) aço, ferro, autoridade, poder; direito para governar, castigar e executar as leis; qualquer coisa cortada ou terminada em ângulo agudo; (pop.) barbeiro; guias das asas do falcão; (fig.) calcanheira, reforço no calcanhar das meias das senhoras: *en casa del herrero cuchillo de palo*, em casa de ferreiro pior apeiro; *pasado a cuchillo*, acutilado; *pasar a cuchillo*, acuchilar; *poner el cuchillo en el cuello de alguien*, pôr o baraço na garganta a alguém; *golpe de cuchillo*, facada; *cuchillo de trinchar*, faca de trinchar; *cuchillo de mesa*, faca de mesa; *cuchillo de postre*, faca de sobremesa; *cuchillo de monte*, faca de mato; *cuchillo de cocina*, faza de cozinha; *cuchillo de punta*, (Bras.) pernambucana.

cuchitril. *m.* pocilga. V. **cochitril**.

cucho. (a). *adv.* (prov.) maneira de levar as crianças às costas.

cuchuchear. *v. intr.* (fig. e fam.) mexericar, semear cizânia. V. **cuchichear**.

cuchufleta. *f.* (fam.) chufa, gracejo, ditério, motejo, zombaria, dito satírico; (vulg.) apepinação.

cuchufletero, ra. *adj.* trocista, diz--se da pessoa que tem por hábito zombar doutra.

cudria. *f.* corda de esparto, entrançada.

cuelga. *f.* dependura de uvas ou doutros frutos; (fam.) mimo, presente, prenda de aniversário natalício.

cuello. *m.* pescoço; colo; gargalo, parte superior da garrafa ou doutra vasilha; gola, colarinho; talo pequeno; peito do pé; manteu, antigo ado(ô)rno de pescoço; (bot.) colo, parte da planta entre o tronco e a raiz; colarete: *cuello de la matriz*, colo do útero; *cuello del fémur*, colo do fémur; *andar colgado del cuello*, andar ao colo.

cuenca. *f.* gamela, escudela, conca, tigela de madeira que costumavam trazer alguns peregrinos; órbita do olho; vale, território rodeado de alturas; bacia de um rio, lago ou mar.

cuenco. *m.* conca, vaso de barro, fundo e largo; tigela; concavidade, sítio côncavo;

alguidar; (prov.) ce(ê)sto para a barrela; terrina.

cuenda. *f.* cordão que pende e divide a meada para que esta se não emaranhe.

cuenta. *f.* conta; cálculo ou operação aritmética; conta, relação de débitos ou créditos; suputação; quantidade; conta, apreço, estima, consideração; conta, papel, onde está escrita uma conta; estudo da receita e despesa; justificação, satisfação dalguma coisa; certo número de fios que devem ter os tecidos, segundo as suas qualidades; cuidado, incumbência, obrigação, dever; cálculo, cômputo; conta de rosário; enumeração; minuta; conto, narração, informação; importância, consideração. — *pl.* contas de rosário: *cuenta corriente*, conta corrente; *a la cuenta*, segundo o que parece, ao parecer; *caer en la cuenta*, (fig. e fam.) vir a conhecer ou entender algo que se não compreenda; *en resumidas cuentas*, (fig. e fam.) abreviando, em conclusão; *darse cuenta de*, perceber, compreender, alcançar; *dar cuenta de*, (fig. e fam.) destruir, esbanjar, malgastar; *cuentas galanas*, (fam.) cálculos lisonjeiros e pouco fundamentados; *cuentas del Gran Capitán*, (fig. e fam.) contas exorbitantes, sem justificação; *cuenta sin liquidar*, (com.) conta aberta; *cargar en cuenta*, (com.) lançar no débito; *caer en la cuenta*, (fig. e fam.) dar ou cair na conta; *la cuenta está bien*, a conta está certa; *abrir una cuenta*, (com.) abrir uma conta; *a cuenta*, à conta; *dar cuenta de*, dar conta de, dar contas; *no tener en cuenta las fracciones*, desprezar fra(c)ções; *no darse cuenta*, desprecaver-se; *cuenta conforme*, conta ajustada; *cuenta pequeña*, continha; *cargar a cuenta de*, pôr à conta de; *pagar a cuenta*, pagar à conta; *saldo de cuentas*, saldo de contas; *libro de cuentas*, livro de contas; *trabajar por su cuenta*, trabalhar por sua conta; *exigir cuentas*, pedir contas; *dar cuenta de algo*, (fig.) dar conta dalguma coisa; *dar buena cuenta de*, dar boa conta de; *ser tenido en cuenta*, ser tido em conta; *no querer cuentas con alguien*, (fig. e fam.) não querer contas com alguém; *ajustemos cuentas*, vamos a contas; *no salirle bien las cuentas*, mui erradas lhe saem as contas; *hacer la cuenta sin la huéspeda*, fazer a conta sem a hóspeda; ¡*cuenta*!, cuidado!; *cuenta con pago*, conta corrente; *cuentas de perdón*, contas, rosário bento com privilégio de indulgência.

cuentacorrentista. *s.* pessoa que tem conta corrente num estabelecimento bancário.

cuentadante. *s.* pessoa que tem de dar contas de fundos alheios.

cuentagiros. *m.* (mec.) conta-voltas.

cuentagotas. *m.* conta-gotas, (Bras.) conta-gôtas.

cuentahilos. *m.* conta-fios, lente para a contagem dos fios dum tecido.

cuentakilómetros. *m.* conta-quilómetros.

cuentapasos. *m.* conta-passos, pedómetro.

cuentarrevoluciones. *m.* (mec.) conta-voltas.

cuentavueltas. *m.* (mec.) conta-voltas.

cuentecilla. *f. dim.* de *cuenta*; continha.

cuentero, ra. *adj.* e *s.* contador; charlatão, chocalheiro, mexeriqueiro.

cuentista. *adj.* e *s.* (fam.) bisbilhoteiro, enredador, mexeriqueiro, mentiroso, mendace; contilheiro; contador; contista, autor de contos.

cuento. *m.* conto, narração, fábula, história, cômputo; conto, produto de cem mil multiplicado por dez, milhão; conto, cano de lança, conteira de bainha de espada; (fam.) mexerico, intriga; conto, disputa, debate; junta da asa; conto, galimatias, explicação confusa; pé direito, esteio, suporte; número; fuxico; embuste; anedota; mentira; chocalhice; fabulação; fantasia; (fig.) encravação; chisme; (Bras.) emboança, falaço, maxambeta; *cuento largo*, (fig.) assunto de que há muito que dizer; *ése es el cuento*, (fam.) nisso consiste a dificuldade; *estar uno en el cuento*, (fig.) estar bem informado; *dejar-se de cuento* (fig e fam.), omitir os rodeios; *traer a cuento*, fazer venir a conto; *destripar el cuento*, (fig. e fam.) dizer antecipadamente o fim dum conto.

cuento. *m.* (cet.) parte exterior por onde se dobra a asa das aves.

cuentón, na. *adj.* (fam.) bisbilhoteiro. V. **cuentista.**

cuera. *f.* coura, coira, antigo gibão de coiro, usado pelos guerreiros: *cuera de ámbar*, véstia perfumada com âmbar.

cuerda. *f.* corda, fios comprimidos entrelaçados entre si; (mús.) corda, fio de tripa ou arame; (mar.) corda de navio; (geom.) corda; corda de mola de relógio; corda, extensão da voz; mecha acesa para as antigas armas de fogo; leva de galés; medida de oito varas e meia; cume aparente das montanhas; medida agrária dalgumas províncias, equivalente a uma fanga de semeadura; cada uma das quatro vozes fundamentais; baraço; amarrilho, atilho; (Bras.) piola: *andar en la cuerda floja*, (fig. e fam.) dançar na corda bamba; *cuerda floja*, corda de borlantim; *cuerda de tender la ropa*, corda para enxugar a roupa; *cuerda de la campana*, corda do sino; *tensar una cuerda*, antesar uma corda; *dar cuerda al reloj*, dar corda ao relógio; *dar cuerda a alguien*, (fig. e fam.) dar corda a alguém; *no mientes la cuerda en casa del ahorcado*, em casa de ladrão não fales em corda; *no toques esa cuerda*, (fig. e fam.) não toque nessa corda; *estar con la cuerda al cuello*, estar com a corda na garganta; *por debajo de cuerda*, (pop.) a chucha calada; *cuerda sensible*, (fig.) corda sensível; *tener la cuerda tirante*, levar as coisas, com rigor.

cuerdo, da. *adj.* cordo, cordato, que está em seu juízo; prudente, que reflexiona antes de determinar; circunspe(c)to, que tem bom senso.

cuerna. *f.* corna, chavelho de boi para conter líquidos, azeitona, toucinho, etc.; pontas de veado; corneta de caça, buzina.

cuérnago. *m.* re(ê)go para conduzir água. V. **acequia.**

cuerno. *m.* co(ô)rno, chifre, antena dos animais articulados, apêndice: corna, buzina, corneta, geralmente feita de co(ô)rno; ala dum exército ou duma e;quadra; (fig.) co(ô)rno, crescente de Lua; co(ô)rno, ponta de alguma coisa: *no valer un cuerno*, (fig. e fam.) não valer nada; *cuerno de la abundancia*, co(ô)rno da abundância ou d'Amalteia; *cuernos de los animales*, pau do ar; *cuerno de buey*, co(ô)rno de boi, chavelho; *poner en los cuernos de la luna*, (fig. e fam.) pôr nos cornos da Lua, exaltar com exagero; *cuerno de caracol*, cornicho; *poner los cuernos*, (pop.) pôr os cornos; atraiçoar ao marido, enfeitar, cornar; *romper los cuernos a alguien*, quebrar os cornos a alguém; *al buey por el cuerno y al hombre por el verbo*, pelo dedo se conhece o gigante; *verse en los cuernos del toro*, (fig. e fam.) ver-se ou deixar nos cornos do touro; *tras cuernos palos*, (fam.) depois de corno aperreado; *saber a cuerno quemado*, (fig. e fam.) fazer desagradável impressão no ânimo uma notícia, repreensão, etc.

cuero. *m.* couro, coiro; odre, pele curtida para conter vinho, azeite, etc.; (Amér.) nome de várias espécies de árvores de folhas coriáceas; (fig.) couro, odre, bêbedo: *cuero cabelludo*, coiro cabeludo; *en cueros*, desnudo; *dejar a uno en cueros*, deixar uma pessoa sem camisa; *estar hecho un cuero*, (fig. e fam.) estar bêbedo; *arte de trabajar el cuero*, coiroplastia; *quedarse en cueros*, despir-se; *entre cuero y carne*, entre couro e carne; *cueros al pelo*, couros com cabelo.

cuerpear. *v. intr.* (Amér.) V. **esquivar.**

cuerpo. *m.* corpo, porção limitada de matéria; corpo, o que ocupa lugar no espaço; tronco; sociedade; corpo, doutrina dum livro; corpo, cole(c)ção de leis; corpo, grossura, tamanho, volume; corpo, consistência dum líquido; corpo, cadáver; corpo, parte do vestido feminino, que se ajusta ao corpo; tomo; volume; espessura, solidez, consistência; cada uma das partes que podem ser independentes quando se consideram unidas a outra principal; (arq.) agregado de partes duma obra de arquitectura; (mil.) corpo de tropas; (for.) corpo de delito; (geom.) quantidade com as três dimensões; (impr.) corpo, calibre dos cara(c)teres de cada fundição; corporação: *en cuerpo y alma*, (fig. e fam.) em corpo e alma; *hacer de cuerpo*, (vulg.) dar de corpo, defecar; *a cuerpo*, em corpo; *a cuerpo de rey*, à larga, regaladamente, esplêndidamente; *cuerpo a cuerpo*, corpo a corpo; *Cuerpo de Cristo*, Corpo de Cristo; *tomar cuerpo una cosa*, aumentar, crescer alguma coisa; *volverla al cuerpo*, (fig.) responder a uma injúria com outra; *a cuerpo descubierto*, a corpo descoberto; *dar cuerpo a un tejido, papel*, etc., encorpar; *día del Santísimo Cuerpo de Cristo*, o Corpus de Deus; *cuerpo de ejército*, corpo de exército; *dar con el cuerpo a tierra*, dar com o corpo em terra; *de cuerpo mal hecho*, (Bras.) desmangolado.

cuerva. *f.* (zool.) gralha.

cuervo. *m.* (zool.) corvo; (astr.) corvo, constelação; austral *cuervo marino*, mergulhão, corvo marinho; *cría cuervos y te sacarán los ojos*, (pop.) por bem fazer mal haver, diz-se dos ingratos que pagam o bem com mal; *cuervo calvo*, corvo-marinho.

cuesco. *m.* caroço de fruta; peso que, nos lagares de azeite, comprime a viga que aparta as seiras; (fam.) ventosidade; (germ.) açoite, pancada.

cuesta. *f.* costa, encosta, ladeira, declive; cole(c)ta, peditório para fins religiosos; descida, desnivelamento; arrampadoiro; descambada: *a cuestas*, sobre as costas, sobre os hombros; (fig.) a seu cargo, sobre si; *ir cuesta abajo*, (fig.) decair de fortuna, cair em decadência: *en cuesta*, declivoso; *la calle hace cuesta abajo*, a rua desce: *no hay cuesta sin valle, ni valle sin cuesta junto a él puesta*, (pop.) não há atalho sem trabalho; *tú, que no puedes, llévame a cuestas*, (fig. e fam.) diz-se quando se pede auxílio a alguém que tem tanta ou mais necessidade do que nós; *ser llevado a cuestas*, andar de charola; *llevar a cuestas*, andar nas ancas de alguém.

cuesta. *f.* V. **cuestación.**

cuestación. *f.* cole(c)ta, peditório com fins de caridade.

cuestero. *m.* o que cole(c)ta peditórios para fins religiosos.

cuestión. *f.* questão, pergunta; questão, contenda, disputa, pendência, controversia, discussão; problema algébrico; questão, interrogatório acompanhado de tortura: conta; incidente: *cuestiones intrincadas*, danças; *cuestión batallona*, (fam.) questão muito renhida; *cuestión de tormento*, (for.) averiguação da verdade por meio do tormento; *agitarse una cuestión*, tratar qualquer contenda com demasiado calor e vivacidade; *cuestión de honor*, questão de honra; *cuestión de tiempo*, questão de tempo; *cuestión de orden*, questão de ordem; *cuestión pendiente*, questão de direito.

cuestionable. *adj.* questionável, duvidoso, problemático.

cuestionar. *v. tr.* questionar, disputar, debater, perguntar, controverter.

cuestionario. *m.* questionário, série de questões ou perguntas.

cuesto. *m.* cerro, outeiro, monte de pouca altura.

cuestor. *m.* questor, magistrado romano;

pedinte, o que pede, esmola para o próximo.

cuestuario, ria. *adj.* V. **cuestuoso.**

cuestuoso, sa. *adj.* lucrativo, que dá proveito, que dá ganho.

cuestura. *f.* questura, cargo de questor.

cueto. *m.* couto, coito, terra coutada, lugar alto e defendido; colina de forma cónica, isoloda e, geralmente penhascosa.

cueva. *f.* cova, caverna, gruta; porão; covil, algar; antro; madrigoa, madrigueira; (Bras.) itaoca: *cueva de ladrones*, (fig.) covil, casa de gente suspeita.

cuévano. *m.* cesto vindimo ou vindimeiro; alcofa.

cuevero. *m.* aque(ê)le que faz ou abre covas, cavador.

cuexca. *f.* (germ.) casa, edifício.

cuezo. *m.* cocho, tabuleiro para conduzir argamassa: *meter uno el cuezo*, (fig. e fam.) intrometer-se nalgum negócio ou conversa.

cúfico, ca. *adj.* cúfico.

cugujada. *f.* V. **cogujada.**

cugulla. *f.* V. **cogulla.**

cuida. *f.* colegial que trata doutra de menor idade.

cuidado, da. *p. p.* e *adj.* cuidado. — *m.* cuidado, solicitude, diligência, aplicação e atenção para fazer bem alguma coisa; inquietação moral, sobressalto, receio, temor; dependência ou negócio a cargo dalguém; cuidado, pena, pesar; aviso; freima; atino; ânimo; senha; alerta; consciência; estudo; afã; delicadeza; desvelo, (Bras.) desvêlo; (pop.) água-vai. — *interj.* atenção! : *estar uno de cuidado*, (fam.) estar gravemente doente; *con cuidado*, a tento; *hacer algo con todo cuidado*, acurar; *sin cuidado*, ao abandono; *tener cuidado*, tomar sentido, ter conta; *tener un cuidado exquisito*, desvelar-se; *no tener cuidado*, descuidar, desvigiar; *cuidados ajenos matan al asno*, (fig. e fam.) a pensar morreu um burro; *tener sin cuidado*, (fam.) não dar cuidado; *estar enfermo de cuidado*, estar doente de cuidado; *no tenga cuidado*, não vos dê cuidado; *me tiene sin cuidado*, (fam.) não me importa nada.

cuidador, ra. *adj.* cuidador, demasiadamente solícito e cuidadoso; pensativo, cuidadoso, atento.

cuidadoso, sa. *adj.* cuidadoso, solícito, atento, vigilante, pensativo, inquieto, desassosegado, a(c)tuoso, atencioso, delicado, arranjadeiro; desvelado, estudioso, apurado, afanado; metódico, arrecadado; esticado (no vestido).

cuidar. *v. tr.* cuidar, pôr diligência, atenção e solicitude nalguma coisa; assistir, guardar, conservar; cuidar, julgar, pensar, supor; cuidar; tratar; discorrer; desvelar; entreter; conservar; abrigar; aplicar. — **cuidarse.** *v. r.* cuidar-se, tratar-se; desvelar-se; apilarar; olhar, alguém pela sua saúde, dar-se boa vida; viver bem; *cuidarse de*, dar acordo de; *cuidar* *mucho de sí mismo*, empapelar-se; *cuidar de*, ter conta com; *no cuidar de*, desmazelar; *cuidar mucho el atavío personal*, (fig.) estivar; *cuidar especialmente de alguien*, ter alguém boceta.

cuido. *m.* cuido; cuidado; suposição, imaginação.

cuidoso, sa. *adj.* cuidoso, cuidadoso, preocupado.

cuita. *f.* aflição, pena, trabalho, desventura, pesar, desdita, infortúnio, infelicidade.

cuitado, da. *adj.* coitado, cheio de cuitas, desgostos; desventurado, pesaroso; desgraçado, pobre; (fig.) medroso, apoucado, tímido, acanhado, cobarde; pusilânime; infeliz, desditado; infausto, infortunado.

cuitamiento. *m.* pusilanimidade, apoucamento de ânimo, cobardia, timidez.

cuitar. *v. tr.* (ant.) infortunar, afligir.

cuja. *f.* saco de coiro, amarrado à sela, para segurar a conteira da lança; armação da cama; anel de ferro, preso ao estribo direito, no qual os lanceiros seguram a sua lança.

culada. *f.* cuada, bate-cu; (mar.) cuada, toque no fundo da popa dum navio.

culantrillo. *m.* (bot.) avenca, capilária: *culantrillo blanco*, arruda-dos-muros.

culantro. *m.* (bot.) coriandro, coentro. V. **cilantro.**

culata. *f.* culatra, parte inferior do cano da espingarda; culatra, coronha de espingarda; parte posterior do canhão; fundo de alguma coisa; (zool.) anca, parte posterior das cavalgaduras; (fig.) parte posterior ou mais retirada duma coisa.

culatazo. *m.* coronhada, pancada dada com coronha; coice de arma de fogo.

culcusido. *m.* (fam.) coisa mal cosida. V. **corcusido.**

culebra. *f.* (zool.) cobra, género de réptil ofídio; serpentina de alambique; cinto para trazer dinheiro em viagem; canal muito tortuoso que faz na cortiça a larva dum inse(c)to coleóptero que vive nos sobreirais; (pop.) lima de aço; (fig. e fam.) caçoada, vaia, apupada feita pelos presos ao que não paga patente quando entra na prisão; desordem provocada de repente numa reunião pacífica: *Culebra y Nube*, (astr.) Serpentário, constelação boreal; *echar sapos y culebras por la boca*, (fig. e fam.) dizer cobras e lagartos; chover raios e coriscos.

culebrazo. *m.* troça, zombaria que se faz a alguém.

culebrear. *v. intr.* serpear, serpejar, serpentear, andar como as serpentes.

culebreo. *m.* a(c)ção e efeito de serpear.

culebrera. *f.* (zool.) V. **pigargo.**

culebrina. *f.* (mil.) colubrina; falcata, falconete; áspide; meteoro elétrico e luminoso com aparência de linha ondulada.

culera. *f.* mancha produzida pela urina e fezes dos meninos; remendo, fundilho.

culero, ra. *adj.* preguiçoso, lerdo, tardo, indolente. — *m.* cueiro, pano ou baeta para enfaixar as crianças; bexiga ou bor-

bulha que nasce no uropígio dos pássaros.

culinario, ria. *adj.* culinário, pertencente ou relativo à cozinha.

culnegro, gra. *adj.* (fam.) de cu preto.

culminación. *f.* culminação, auge, apogeu; (fig.) o grau mais elevado; (astr.) culminação, zénite.

culminante. *adj.* culminante, diz-se do mais elevado dum monte ou edifício; (fig.) culminante, superior, sobresalente, principal; (astr.) diz-se do ponto mais alto a que pode chegar um astro no horizonte.

culminar. *v. intr.* culminar, chegar ao ponto mais elevado; elevar; elevar-se; (astr.) passar um astro pelo meridiano superior do observador, culminar.

culo. *m.* (anat.) cu, ânus, parte posterior ou nádegas dos racionais; ancas dos animais; traseiro; cu, fundo, extremidade posterior ou inferior dalguma coisa; (vulg.) sesso, (Bras.) sêsso, besbelho, assento; (Bras.) padaria, toba: *culo de vaso*, (fig. e fam.) pedra preciosa falsa; *culo de mal asiento*, pessoa inquieta; *que lo pague el culo del fraile*, (fig. e fam.) carregar com o que devia ser repartido por outros.

culombio. *m.* (electr.) culômbio, coulomb.

culón, na. *adj.* nadegudo, que tem nádegas muito desenvolvidas, ancudo. — *m.* (fig. e fam.) soldado inválido.

culote. *m.* (art.) parte reforçada dos proje(c)teis. — *pl.* bragas.

culpa. *f.* culpa, falta; delito; deslize; e(ê)rro; negligência; pecado, a(c)to repreensível ou criminoso; causa de um mal; dolo, fraude: *culpa ligera*, algueiro; *echar la culpa*, atribuir a falta ou delito a outrem; *tener uno la culpa de algo*, ter sido a causa.

culpabilidad. *f.* culpabilidade, estado do que é culpável.

culpabilísimo, ma. *adj.* superl. culpabilíssimo, muito culpável.

culpable. *adj.* culpável, que tem culpa; digno de censura; culposo, doloso, fraudulento; encravado; maculável; delituoso: *declararse culpable*, acusar-se.

culpación. *f.* criminação, acusação, inculpação.

culpado, da. *p. p.* e *adj.* culpado, inculpado, que cometeu culpa, que tem culpa; culposo, doloso, fraudulento.

culpar. *v. tr.* culpar, acusar, imputar, atribuir culpa, incriminar, condenar, repreender; censurar; inculpar, deitar a culpa. — **culparse.** *v. r.* culpar-se, confesar-se culpado; revelar-se culpado.

culposo, sa. *adj.* culposo; doloso; fraudulento; negligente; culpável.

cultalatiniparla. *f.* gongorismo, linguagem afe(c)tada e trabalhosa dos culteranos.

cultedad. *f.* purismo, afe(c)tação de linguagem.

culteranismo. *m.* culteranismo, estilo afe(c)tado e conceituoso; gongorismo; demasiado vigor no emprego das palavras.

culterano, na. *adj.* e *s.* culterano, gongorista; relativo ao culteranismo.

cultería. *f.* purismo. V. **cultedad.**

cultero, ra. *adj.* e *s.* (humor.) culterano, culteranista.

cultiparlar. *v. intr.* gongorizar, falar afe(c)tadamente como os culteranistas.

cultismo. *m.* V. **culteranismo.**

cultivable. *adj.* cultivável, que se pode cultivar.

cultivación. *f.* cultivação, cultura.

cultivado, da. *p. p.* e *adj.* cultivado, lavrado; amanhado; erudito, culto.

cultivador, ra. *adj.* e *s.* cultivador, que cultiva; agricultor, lavrador; cultor; arado pequeno.

cultivar. *v. tr.* cultivar, lavrar a terra; cultivar, conservar, estreitar a amizade, relações, etc.; cultivar, exercitar o engenho, o espírito; cultivar, estudar as artes ou ciências; cultivar, desenvolver, aperfeiçoar; fabricar; beneficiar, explorar; amanhar; agricultar; civilizar: *cultivar la viña*, adubar a vinha; *cultivar un terreno*, franquir, colonizar; *cultivar flores*, inflorar; *cultivar árboles*, arborizar.

cultivo. *m.* cultivo, cultura da terra, amanho; benefício; adubio, deslavra; (fig.) cultura.

culto, ta. *adj.* cultivado, diz-se do terreno e plantas cultivadas; (fig.) culto, instruído, sabedor, educado, erudito, civilizado; estonado; corre(c)to, elegante (diz-se do estilo). — *m.* culto, adoração, homenagem reverente a Deus; culto, cerimónia do homem a Deus; honra tributada nas falsas religiões a certas coisas tidas como sagradas; culto. honra; (fig.) adoração, altar; veneração, respeito; deificação; culto ao demónio, demonomancia; *culto de latria*, o que se presta a Deus em reconhocimento de Sua Grandeza; *culto de hiperdulía*, o que se presta à Virgem pela Sua dignidade de Mãe de Deus.

cultor, ra. *adj.* e *s.* cultor, adorador; cultor, cultivador.

cultriforme. *adj.* cultriforme, que tem forma de faca.

cultual. *adj.* cultual, pertencente ou relativo ao culto.

cultura. *f.* cultura, cultivo, lavoura; cultura, estudo; pureza; elegância; ornato do estilo, da linguagem; corre(c)ção; urbanidade; erudição; (fig.) luz; adiantamento; civilização.

cultural. *adj.* cultural, pertencente ou relativo à cultura.

culturar. *v. tr.* lavrar a terra, cultivar um terreno.

cumbre. *f.* cume das montanhas; cima, altura; (fig.) cúmulo, auge, apogeu; vértice; coruta; o ponto mais alto de alguma coisa.

cumbrera. *f.* cumeeira, cimeira, te(c)to duma casa, cavalete do telhado.

cuminol. *m.* (quím.) cuminol, aldeído.

cumpa. *m.* (Amér.) (vulg.) V. **compadre.**

cumpleaños. *m.* aniversário do nascimento duma pessoa, dia de anos: *ser el cumpleaños*, fazer anos.

cumplidero, ra. *adj.* diz-se dos prazos que se hão-de vencer em determinado tempo; útil, proveitoso, que importa ou convém para alguma coisa.

cumplido, da. *p. p.* e *adj.* abundante, cumprido, amplo, numeroso, completo, cheio, perfeito; longo; exa(c)to; atento; urbano, atencioso, polido, corre(c)to, cortês; exa(c)to cumprimento de seus deveres; cumprido; executado; atencioso, polido; galante; passado, expirado, finalizado. — *m.* amabilidade, cortesia; obséquio; cumprimento madrigal, elogio; saudação; (pop.) contumélia; (mil.) soldado que acabou o seu tempo: *sin cumplidos*, sem cerimónias; *tratar sin cumplidos*, tratar com familiaridade; *palabras de cumplido*, palavras de cumprimentos; *hacer cumplidos*, fazer cumprimentos; *visita de cumplido*, visita de cumprimento.

cumplidor, ra. *adj.* e *s.* cumpridor, que cumpre ou dá cumprimento; executor.

cumplimentador, ra. *adj.* e *s.* cumpridor; mesureiro, executor.

cumplimentar. *v. tr.* cumprimentar, dirigir ou fazer cumprimento; fazer elogios a; (for.) cumprir, pôr em execução; felicitar, dar parabéns, dar pêsames.

cumplimentero, ra. *adj.* e *s.* (fam.) cuprimenteiro, que cumprimenta muito, que se demasia em cumprimentos.

cumplimiento. *m.* cumprimento, cortesia; modos ou palavras cerimoniosas; cumprimento, cortesia; complemento, perfeição; obséquio; abundância, abastança, cópia, provisão; execução; elogio, madrigal; formalidade; expiração, terminação: *cumplimiento de una orden*, aviamento duma ordem; *cumplimiento de una obligación*, desempenho duma obrigação; *faltar al cumplimiento*, descumprir; *cumplimiento pascual*, desobrigar Quaresma; *por cumplimiento*, por cerimónia; *cumplimiento de un plazo*, cumprimento de tempo.

cumplir. *m.* cumprir, observar, guardar; cumprir, efe(c)tivar; efe(c)tuar, executar, realizar; cumprir, completar; cumprir, remediar, prover; fazer anos; dar a execução; acatar. — *v. intr.* cumprir, ser conveniente, útil, necessário; terminar um prazo; fazer o que se deve, cumprir; completar os anos de serviço militar; ser o momento em que termina uma obrigação. empenho ou prazo. — **cumplirse.** *v. r.* cumprir-se, realizar-se, verificar-se, efe(c)tuar-se: *por cumplir*, por mera cortesia; *cumplir con su deber*, desempenhar um dever; *no cumplir con su deber*, errar a sua obrigação; *dejar de cumplir*, descumprir; *cumplir la penitencia*, expiar; *cumplir lo prometido*, desempenhar a palavra; *no cumplir con su palabra*, ficar em falta com alguém; *cumplir con su trabajo*, acabar a sua tarefa; *cumplir la palabra dada*, cumprir a palavra; *cumplir con alguien*, cumprir com alguém; *cumplir por Pascua*, cumprir o preceito de Igreja; *cumplir años*, fazer anos.

cumquibus. *m.* (fam.) cum-quibus, dinheiro, moeda.

cumulador, ra. *adj.* que acumula. V. **acumulador.**

cumular. *v. tr.* acumular, cumular. V. **acumular.**

cumulativo, va. *adj.* cumulativo.

cúmulo. *m.* cúmulo, reunião de coisas sobrepostas, montão; (fig.) acumulação de negócios, de trabalhos, de razões, etc.; multidão, quantidade; excesso, infinidade; acervo. — *pl.* (meteor.) cúmulos, nuvens arredondadas e brancas; (astr.) conjunto de estrelas de grandeza aparentemente pequeníssima como a Via Láctea.

cuna. *f.* berço, cama para criança de peito, cuna; roda, casa onde se recebem enjeitados; roda, hospício; (fig.) pátria; berço, país natal; estirpe; linhagem; origem, começo; ponte rústica feita com cordas e tábuas; espaço compreendido entre os chifres duma rês bovina; (fig.) extra(c)ção; (mar.) V. **basada:** *de buena cuna*, bem aparentado; *de cuna humilde*, mal aparentado, almagra.

cunar. *v. tr.* embalar o berço. V. **cunear.**

cundido, da. *p. p.* e *m.* enchido, cheio; conduto que se dá às crianças para que comam o pão; azeite, vinagre e sal que se dá aos pastores.

cundir. *v. intr.* estender-se, correr; ocupar, encher; divulgar, propalar, publicar; assoalhar; propagar-se, multiplicar-se uma coisa; dar muito de si uma coisa, aumentar o seu volume; derramar-se os líquidos; produzir, render. — *v. tr.* (prov.) V. **condimentar.**

cunear. *v. intr.* embalar, mover o berço para um e outro lado. — *v. r.* (fig. e fam.) mover-se para a direita e para a esquerda, como o berço quando o embalam.

cuneiforme. *adj.* cuneiforme, que tem forma de cunha; diz-se da antiga escrita dos Assírios, Persas e Medos; (bot.) cuneiforme.

cuneo. *m.* embalo, balanço.

cunera. *f.* embaladeira, aia que embalava o berço dos infantes.

cunero, ra. *adj.* enjeitado, exposto; (fig.) diz-se do touro que se corre ou lida na praça, sem se saber a que ganadaria ele pertence; diz-se do deputado estranho ao seu distrito mas protegido pelo gove(ê)rno.

cuneta. *f.* valeta, sanga feita no meio dum fosso.

cuña. *f.* cunha; pedra de empedrar em forma de pirâmide truncada; (zool.) cada um dos três ossos do tarso; (artil.) chapuz; estucha; peça que serve para preencher um espaço vazio, entre duas partes duma construção, apertando-as; (fig.) empenho, pessoa que serve de empenho: *ser buena cuña*, (fig. e fam.) ser incómodo nalgum lugar apertado por causa da gordura; *cuña de cañón*, (artill.) cunha de canhão;

cuñas de las cabillas, (mar.) cunhas das cavilhas de pau; *tener uno buenas cuñas*, ter boa prote(c)ção dalguém; *cuña de mastelero*, (mar.) cunha de mastaréu; *meter cuña*, (fam.) semear discórdia.

cuñadia. *f.* cunhadia, cunhadio, parentesco, por afinidade.

cuñado, da. *s.* cunhado, irmão dum cônjuge em relação a outro; (fig.) amigo falso.

cuñar. *v. tr.* cunhar. V. **acuñar.**

cuño. *m.* troquel, forma, cunho, ordinàriamente de aço para a cunhagem de moedas, medalhas, etc.; marca, impressão, sinal que deixa a cunhagem; (mil.) formação triangular.

cuociente. *m.* (mat.) quociente, resultado da divisão.

cuodlibetal. *adj.* quodlibético.

cuodlibético, ca. *adj.* quodlibético.

cuodlibeto. *m.* quodlibeto; dito mordaz.

cuota. *f.* quota, cota, contingente, porção determinada ou a determinar-se.

cuotidiano, na. *adj.* V. **cotidiano.**

cupido. *m.* (fig.) cupido, homem namoradiço e galanteador; o Amor; (pop.) o moço alado.

cupitel, (tirar de). certo lance no jogo de bochas.

cuplé. *m.* (gal.) V. **canción, copla, tonadilla.**

cupletista. *f.* (gal.) V. **cancionista, tonadillera.**

cupo. *m.* capitação, quota, finta.

cupón. *m.* (com.) cupão, título de juro, que faz parte de inscrições da dívida pública, de a(c)ções ou obrigações e se corta na ocasião do pagamento.

cupresíneas. *f. pl.* (bot.) cupressíneas.

cupresino, na. *adj.* (poet.) cupressíneo.

cúprico, ca. *adj.* (quím.) cúprico, de cobre.

cuprífero, ra. *adj.* cuprífero.

cuprina. *f.* cuprine.

cuprita. *f.* (min.) cuprite.

cupromoniacal. *adj.* (quím.) cupro-amoniacal.

cuproníquel. *m.* cuproníquel.

cuproso, sa. *adj.* (quím.) cuproso.

cupróxido. *m.* (quím.) cupróxido.

cúpula. *f.* (arq.) cúpula, abóbada, zimbório; (bot.) invólucro bracteal em forma de taça de certos frutos; (mar.) torre dos canhões.

cupulado, da. *adj.* cupulado.

cupulífero, da. *adj.* (bot.) cupulífero. — *f. pl.* (bot.) cupulíferas.

cupulino. *m.* (arq.) cupulim, lanternim, que resguarda a entrada duma escadaria.

cuquear. *v. tr.* (Amér.) açular os cães. V. **azuzar.**

cuquera. *f.* (prov.) V. **gusanera.**

cuquería. *f.* picardia, velhacaria, ardil. V. **taimería.**

cura. *m.* cura, pároco, sacerdote; (fam.) sacerdote católico; padre; (despec.) padreca: *meterse cura*, aclerizar-se; *este cura*, (pop.) eu mesmo.

cura. *f.* cura, aplicação dos medicamentos para recuperar a saúde; tratamento duma doença: *encarecer uno la cura*, (fig.) exagerar o que se faz por outrem para que e(ê)ste agradeça ou recompense mais; *no tener cura*, (fig. e fam.) ser incorrigível; não ter cura.

curabilidad. *f.* curabilidade.

curable. *adj.* curável, que se pode curar.

curación. *f.* cura, restabelecimento da saúde; tratamento; (fig.) emenda.

curadero. *m.* curadouro, lugar onde se curam os panos.

curado, da. *adj.* e *p. p.* curado; curado, branqueado; curado, endurecido; curado, curtido; cicatrizado; denso.

curado. *adj.* diz-se do benefício ec'esiástico que tem obrigação de cura de almas.

curador, ra. *adj.* curador, que tem cuidado dalguma coisa, que cura. — *s.* curador, tutor, administrador de bens por encargo judicial: *curador ad bona*, (for.) pessoa nomeada pelo juiz para cuidar e administrar os bens dum incapacitado; *curador ad litem*, (for.) pessoa nomeada pelo juiz para seguir os pleitos e defender os direitos de menor, representando-o.

curador, ra. *s.* curador, pessoa que branqueia os panos.

curaduría. *f.* curadoria, curatela, cargo de curador dum menor.

curandería. *f.* curadoria, benzedura, benzedela.

curandero, ra. *s.* curandeiro, mezinheiro, médico ignorante, charlatão; benzedeiro, enxalmador, amezinhador, benzedor; (fig.) abençoador, alveítar; medicastro; (pop.) enxota-diabos.

curar. *v. tr.* curar, tratar duma doença; curar, sanar, restituir a saúde; curar, secar ao fumeiro; curar, branquear os panos; (fig.) curar, remediar um mal; curtir, preparar; (fig.) sarar, curar as doenças ou paixões da alma. — *v. intr.* curar, sarar, cuidar de, pôr cuidado; (fig.) cicatrizar. — **curarse.** *v. r.* curar-se, recobrar a saúde: *curar por ensalmo*, enxalmar; *curarse de la fiebre*, alimpar-se da febre; *curarse de ilusiones*, curar-se de ilusces.

curare. *m.* curare, veneno tóxico usado pelos índios americanos para ervar as frechas ou flechas.

curarina. *f.* (quím.) curarina.

curasao. *m.* curaçau.

curatela. *f.* curatela. V. **curaduría.**

curativa. *f.* curativo, método de curar.

curativo, va. *adj.* curativo, diz-se do que serve para curar.

curato. *m.* curato, cargo espiritual do pároco; paróquia, área que compreende, freguesia.

curazao. *m.* V. **curasao.**

curculiónido, da. *adj.* curculionídeo.

curcuncho, cha. *adj.* (Amér.) V. **jorobado.**

curcusí. *m.* (Amér.) espécie de pirilampo.

curcusilla. *f.* V. **rabadilla.**

curda. *f.* (fam.) embriaguez, berzunda, berzundela. V. **borrachera.**

Curdistán. (geog.) Curdistão.

curdo, da. *adj.* e *s.* (geog.) curdo, natural do ou pertencente ao Curdistão.

cureña. *f.* (artil.) carreta do canhão; madeira em bruto para fazer a coronha duma espingarda; pau da besta (arma antiga): *a cureña rasa*, (fort.) sem parapeito ou defesa.

cureñaje. *m.* conjunto de carretas dum exército ou dum parque de artilharia.

curesca. *f.* bo(ô)rra inútil que se tira das cardas depois de cardado o pano.

curia. *f.* cúria, tribunal dos negócios eclesiásticos; co(ô)rte do Papa; uma das divisões do antigo povo romano; cuidado, esmero.

curial. *adj.* curial, pertencente ou relativo à cúria. — *m.* oficial da chancelaria romana.

curialesco, ca. *adj.* próprio ou peculiar da cúria (costuma-se tomar em mau sentido).

curilla. *m.* (despec.) padreca.

curiosear. *v. intr.* curiosear, ser curioso, andar bisbilhotando da vida alheia; anatomizar.

curiosidad. *f.* curiosidade, desejo de saber e averiguar alguma coisa; asseio, limpeza; cuidado, esmero; coisa curiosa ou primorosa; minuciosidade; delicadeza; expe(c)tação; indiscrição.

curioso, sa. *adj.* e *s.* curioso, que tem curiosidade; que excita a curiosidade; indiscreto; singular, raro, interessante, exquisito, primoroso; curioso, asseado, limpo; que trata uma coisa com particular cuidado ou diligência, delicado; afuroador; minucioso: *persona curiosa*, (Brasil) fura-bolo; furão, fura-vidas: *no ser curioso*, (fam.) não furar paredes.

curricán. *m.* aparelho ou apresto de pescadores, com um só anzol, usado no Mediterrâneo.

currinche. *m.* jornalista novato, principiante.

curro, rra. *adj.* (fam.) elegante; gentil; galante; que veste com elegância. — *m.* (prov.) V. **pato.**

currutaco, ca. *adj.* ‹ e *s.* (fam.) casquilho, adamado, janota, peralta, chichisbéu: *conducirse como un currutaco*, embonecar-se.

cursado, da. *adj.* e *p. p.* cursado, acostumado, prático, versado.

cursar. *v. tr.* cursar, frequentar; cursar, seguir, frequentar um curso, estudar uma matéria, assistindo às explicações do professor; dar seguimento a uma solicitação, instância, expediente, etc., expedir.

curseria. *f.* V. **cursilería.**

cursi. *adj.* e *s.* (fam.) ridículo, afe(c)tado, de mau gosto; pessoa presumida ou que presume de elegante sem o ser; aperaltado, inelegante; melindroso; ajanotado: *ser un cursi*, aperaltar-se.

cursilería. *f.* a(c)to ou coisa feita com afe(c)tação; coisa de mau gosto, ridícula; inelegância; melindre.

cursivo, va. *adj.* cursivo, diz-se da letra manuscrita que se liga muito para escrever depressa.

curso. *m.* curso, dire(c)ção, carreira; curso, série, continuação; curso, marcha natural do tempo, dos negócios, etc.; curso, tratado; curso, evacuação de ventre; diarreia. V. despeño; circulação, difusão; curso, série de lições; curso, tempo determinado para seguir uma faculdade; série de informações, consultas, etc., que precede a resolução dum problema ou expediente: (astr.) movimento real ou aparente dos astros; curso, movimento das águas; traje(c)tória; comprimento dum rio; (fig.) encadeamento; (com.) valor, crédito, circulação; voga: *curso de los astros*, curso dos astros; *curso regular de una cosa*, corrume; *moneda de curso legal*, moeda corrente; *el año en curso*, ano corrente; *curso del agua*, (mar.) descente; *seguir un curso*, andar no curso; seguir um curso; *curso del tiempo*, fuga do tempo.

cursómetro. *m.* cursómetro, (Bras.) cursômetro.

cursor. *m.* cursor, sacerdote destinado a cuidar da ordem nas procissões; cursor, peça que corre ao longo de outra, em certos instrumentos; (ant.) mensageiro.

curtación. *f.* (astr.) V. **acortamiento.**

curtidero. *m.* casca de carvalho para curtume.

curtido, da. *adj.* e *p. p.* curtido; moreno, trigueiro; atanado. — *m.* coiro curtido, curtimento de couros; casca de certas árvores: *estar curtido por el sol*, estar curtido do sol.

curtidor. *m.* curtidor, o que tem por ofício curtir peles.

curtidos. *m. pl.* coiros curtidos.

curtidura. *f.* curtimento. V. **curtimiento.**

curtiduría. *f.* curtidoiro, curtidouro, lugar onde se curtem peles.

curtimbre. *f.* curtidura, curtimento; conjunto de coiros curtidos.

curtimiento. *m.* curtimento, curtidura.

curtir. *v. tr.* curtir, preparar as peles; endurecer, desecar a pele; endurecer, calejar no trabalho; queimar o sol ou o ar a cútis das pessoas; adubar peles. — **curtirse.** *v. r.* acostumar-se à vida dura e às inclemências do tempo; curtir-se, tornar-se moreno: *estar curtido en una cosa*, (fig. e fam.) estar habituado a fazer uma coisa.

curul. *adj.* curul, diz-se das cadeiras de marfim em que só alguns magistrados romanos tinham o direito de se sentar; curul, diz-se das funções dos edis.

curva. *f.* (geom.) curva, linha curva; (mar.) madeiro curvo empregado na construção; abaulamento: *curva de nivel*, (topog.) linha que resulta da intercepção do terreno com um plano horizontal; *curva del codaste*, (mar.) curva do cadaste.

curvadura. *f.* empeno, curvatura, relaxamento causado por trabalhos pesados.

curvar. *v. tr.* curvar, tornar curvo; encouchar; abaixar, corcovar, arcuar; infle(c)-

tar; alcachinar; alombar, alavercar. — **curvarse.** *v. r.* curvar-se, tornar-se curvo; encouchar-se; corcovar-se; alcorvar-se; empenar-se; derrear-se; alombar-se; (fig.) humilhar-se, submeter-se: *curvar una espada*, falsar uma espada; *curvar un palo*, entortar um pau.

curvatón. *m.* (mar.) curva pequena.

curvatura. *f.* curvatura, arqueamento, desvio da dire(c)ção re(c)ta; alombamento; encurvadura.

curvidad. *f.* curvidade, curvatura, estado duma coisa curva, arqueamento.

curvilíneo, nea. *adj.* (geom.) curvilíneo, diz-se duma figura formada por linhas curvas; que se dirige em linhas curvas.

curvímetro. *m.* curvímetro, instrumento para medir o comprimento das curvas traçadas no papel.

curvo, va. *adj.* curvo, em forma de arco, arcado; adunco; circunflexo; falcado; boleado; arciforme; corcovado; curvo, que constantemente se vai afastando da dire(c)ção re(c)ta sem formar ângulos; cercado, terreno de não grande extensão, destinado na Galiza a pasto.

cuscurrear. *v. intr.* (burl.) codear.

cusir. *v. tr.* V. **corcusir.**

cusita. *adj.* descendente de Cus, filho de Câ e neto de Noé.

cúspide. *f.* cúspide, extremidade aguda, ponto, pico, ponto culminante; (geom.) ponto onde concorrem vértices de todos os triângulos que forman as superfícies da pirâmide ou a geratriz do cone, cúspide.

custodia. *f.* a(c)ção e efeito de custodiar; custódia, pessoa ou escolta encarregada de custodiar um preso; arrecadação; depósito; custódia, obje(c)to de ouro ou prata com duas lâminas circulares de cristal, entre as quais se coloca a Hóstia consagrada, para se pôr à adoração dos fiéis: *custodia de menores anormales*, detenção; *pieza de la custodia donde se conserva la Sagrada Hostia*, (luneta), luneta; *custodia vigilada*, aferrolhamento.

custodiar. *v. tr.* custodiar, ter em custódia; guardar com cuidado e vigilância; (fig.) acolher.

custodio. *m.* custódio, o que custodia, ou que guarda ou defende; custódio, aquele que, na ordem de S. Francisco, substituia o provincial na sua ausência.

cutáneo, nea. *adj.* cutâneo, pertencente à cútis.

cúter. *m.* (mar.) cúter, navio muito ligeiro.

cutícula. *f.* V. **película;** (zool.) V. **epidermis.**

cuticular. *adj.* cuticular, pertencente ou relativo à cutícula ou à cútis.

cutidero. *m.* choque, pancada contínua duma coisa com outra.

cutio. *m.* trabalho material, cotio; exercício corpóreo ou mecânico.

cutir. *v. tr.* bater uma coisa na outra; combater, competir.

cutis. *m.* cútis, cute, túnica exterior que reveste a pele do corpo humano; derma, derme

cuto, ta. *adj.* (Amér.) manco, falto dum membro ou parte dele, ou impossibilitado de o utilizar.

cutral. *adj.* diz-se do boi cansado e velho e da vaca quando deixa de parir, destinados por isso ao matadouro.

cutre. *adj.* tacanho, mesquinho, miserável.

cuyo, ya. *pron. rel.* cujo, de quem; de que, do qual, da qual, dos quais, das quais; (fam.) galã, amante duma mulher.

¡cuz! *interj.* usa-se para chamar cães, geralmente repetida.

cuzcuz. *m.* V. **alcuzcuz; cuscús.**

cuzma. *f.* saio de lã, sem gola nem mangas, usado por ameríndios.

cuzo. *m.* (zool., prov.) cão pequeno.

czar. *m.* V. **zar;** czar.

czarevitz. *m.* V. **zarevitz;** filho do czar.

czariano, na. *adj.* V. **zariano;** czariano.

czarina. *f.* V. **zarina;** czarina.

CH

Ch, ch. f. quarta letra e terceira consoante do afabeto espanhol; apesar de ser dobrada na figura, esta letra é simples pelo som e indivisível na escrita.

cha. m. chá, nome vulgar dum arbusto da família das teáceas; infusão das folhas da planta do mesmo nome.

chabacanada. f. V. **chabacanería**.

chabacanería. f. grosseria, grossaria, indecência; falta de civilidade; dito soez; falta de sentido artístico, inelegância.

chabacano, na. adj. grosseiro, tosco, (Bras.) tôsco; sem arte, de mau gosto. — m. (Amér.) chabacano, espécie de damasco.

chacal. m. (zool.) chacal, mamífero feroz, carnívoro, que vive nas regiões temperadas da Ásia e da África.

chacanear. v. tr. (Amér.) esporear, excitar, picar com a espora.

chacarero, ra. adj. (Amér.) chacareiro, feitor de chácara, colono; diz-se daquele que trabalha no campo.

chacarrachaca. f. (fam.) ruído incómodo de disputa ou rixa.

chacina. f. chacina, carne de porco preparada para salsichas ou chouriços; carne salgada. V. **cecina**.

chacolotear. v. intr. chocalhar, fazer barulho a ferradura mal pregada.

chacoloteo. m. a(c)ção e efeito de *chacolotear*, chocalhice.

chacota. f. chacota, bulha e alegria misturadas com zombarias e gargalhadas; caçoada; achincalhação; derisão; derriço; (fam.) desfrute; (pop.) derriça: *tomar a chacota*, desfrutar; (fig.) derriçar.

chacotear. v. intr. chacotear, fazer chacota; zombar; divertir-se com algazarra; brincar; caçoar; achincalhar; chincalhar.

chacotero, ra. adj. (fam.) chacoteador, escarnecedor, zombador; derrisor.

chacra. f. (Amér.) chácara, chacra; quinta, granja; habitação campestre próxima da cidade.

chacuaco. m. (min.) forno para fundição de prata.

chacha. f. dim. de *muchacha*; V. **niñera**; (Amér.) V. **chachalaca** .

cháchara. f. (fam.) tagarelice, hábito de tagarelar; conversa frívola; corrilhos; palanfrorio; (fam.) palestra: *cháchara familiar*, conversação.

chacharear. v. intr. (fam.) tagarelar, dar à lingua; palrar.

chacharero, ra. adj. (fam.) palrador, tagarela; falador, palavreador.

chacharita. f. porco montês da Guiana.

chacharón, na. adj. (fam.) tagarela, muito falador.

chacho, cha. adj. (fam.) dim. de *muchacho*; rapaz, rapariga.

chafaldete. m. (mar.) tomadoiro, tomadouro, cabo delgado com que se ferram as macas da maruja; estingue.

chafaldita. f. (fam.) zombaria ligeira e inofensiva; gracejo, pulha, troça.

chafalditero, ra. adj. (fam.) gracejador, que diz gracejos.

chafalmejas. m. e f. (fam.) V. **pintamonas**.

chafalonia. f. obje(c)tos imprestáveis de prata ou ouro para fundir.

chafallada. f. (fam.) escola de crianças.

chafallar. v. tr. atamancar, trabalhar grosseiramente; fazer ou remendar uma coisa sem apuro nem asseio; chavascar.

chafallo. m. (fam.) remendo mal deitado, sem arte nem gosto.

chafallón, na. adj. (fam.) chamborreirão, remendão. V. **chapucero**.

chafandín. m. presumido, pessoa vaidosa e de pouco siso; melcatrefe; mequetrefe.

chafar. v. tr. esmagar o que está erguido ou levantado como as ervas ou plantas ou pêlo de certos tecidos; enrugar ou deslustrar a roupa maltratando-a; (fig. e fam.) confundir, reduzir ao silêncio; amarrotar; acachapar; abolar; (Bras.) fuxicar.

chafariz. m. chafariz, a parte elevada, nas fontes monumentais, onde está colocada a canalização por onde sai a água.

chafarote. m. chifarote, alfange curto e largo; (fig. e fam.) sabre ou espada larga ou muito comprida.

chafarrinada. f. borrão, mancha, nódoa.

chafarrinar. v. tr. borrar, manchar, enodoar.

chafarrinón. m. V. chafarrinada: echar uno un chafarrinón, (fig. e fam.) praticar uma a(c)ção indigna ou desonesta, enodoar.

chaflán. m. chanfro, chanfradura, bisel: chaflán de los edificios, entrecorta; chaflán de los batientes de puertas, meio fio.

chaflanadura. f. bisel.

chaflanar. v. tr. chanfrar, cortar as arestas. V. achaflanar.

chaguarzo. m. (bot.) chaguarço, arbusto pequeno semelhante ao tomilho, inodoro e de co(ô)r violácea.

cháhuar. adj. (Amér.) diz-se da cavalgadura de co(ô)r bajo ou castanho. V. cháguar.

chahuistle. f. (Amér.) V. roya.

chai. f. (germ.) menina, rameira.

chaima. adj. diz-se do índio pertencente a uma tribo do norte de Venezuela.

chaira. f. chifra, faca de sapateiro; ferro para assentar o fio das facas dos carniceiros e dos carpinteiros.

chaise longue. f. (gal.) V. meridiana.

chajal. m. (Amér.) criado; índio ao serviço do cura, nas paróquias.

chal. m. xaile, xal, agasalho de mulheres para resguardar os ombros e o tronco.

chalado, da. adj. e p. p. (fam.) atoleimado, falto de juízo; (fig. e fam.) enamorado, louco: estar chalado por alguien, (fam.) beber os ares por alguém; estar un poco chalado, (fam.) ter os seus dias de lua.

chaladura. f. (fig. e fam.) loucura, bolha, (Bras.) bôlha; enamoramento, namo(ô)ro.

chalala. f. (Amér.) sandália muito grosseira, usada pelos índios.

chalán, na. adj. e s. chalante, vendedor manhoso e persuasivo dedicado especialmente à compra e venda de gado; alborcador; picador, adestrador de cavalos; alfarrabista.

chalana. f. chalão, barcaça, chata, embarcação de fundo chato para transporte de mercadorias.

chalanear. v. tr. tratar os negócios com manha e destreza próprias de chalante; (Amér.) adestrar cavalos; alborcar, comprar e vender hàbilmente.

chalaneo. m. a(c)ção e efeito de chalanear, compra e venda feita com habilidade.

chalanería. f. arte e astúcia de que se servem os chalantes para comprar ou vender.

chalanesco, ca. adj. (despec.) próprio de chalante.

chalar. v. tr. endoidecer, emparvoecer; enamorar.

chalate. m. (Amér.) cavalgadura fraca.

chalaza. f. cada um dos dois filamentos que sustêm a gema do ovo no meio da clara.

chaleco. m. colete, (Bras.) colête, peça de vestuário do homem, jaleco, almilha.

chalequera. f. coleteira, mulher que faz coletes.

chalet. m. chalé, casa campestre.

chalina. f. espécie de gravata comprida; (pop.) berzunda, berzundela.

chalote. m. (bot.) charlota, echalota, chalota, espécie de alho.

chalupa. f. (mar.) chalupa, embarcação pequena de dois mastros; lancha; (Amér.) torta de milho.

chalupero. m. (mar.) dono ou patrão duma chalupa.

chama. f. (vulg.) câmbio, troca.

chamaco. m. menino, rapaz, moço.

chamada. f. V. chamarasca.

chamagoso, sa. adj. (Amér.) sujo, esfarrapado; baixo, vulgar (diz-se das coisas).

chamar. v. tr. (vulg.) trocar, permutar umas coisas por outras, entre gente vulgar.

chámara. f. V. chamarasca.

chamarasca. f. chamiço, garavetos, lenha miúda, acendalha; a chama da mesma.

chamarilear. v. tr. (fam.) permutar. V. chamar.

chamarilero, ra. s. adeleiro, adelo; belfurinheiro, belchior, pessoa que compra e vende coisas velhas.

chamarillero, ra. s. V. chamarilero e tahur.

chamarillón, na. adj. e s. mau jogador, que joga mal as cartas.

chamarra. f. chimarra, vestimenta rústica semelhante à samarra.

chamarreta. f. chimarra curta, aberta pela frente e com mangas.

chamba. f. (fam.) bambúrrio. V. chiripa.

chambelán. m. camarista do rei, fidalgo de câmara do paço real.

chambelanía. f. cargo do camarista do rei.

chamberga. f. (pro.) fita de se(ê)da muito estreita; casaca com abas viradas; regimento que se formou em Madrid para guarda de Carlos III.

chamberguilla. f. fita de se(ê)da estreita.

chambergo, ga. adj. e s. diz-se de certo regimento que se formou em Madrid, para guarda de Carlos III; diz-se daquele que pertencia a este regimento; diz-se de certas peças do seu uniforme. — m. moeda de prata de Catalunha, do século XVIII: casaca chamberga, casaca com abas viradas, à Schomberg: a la chamberga, segundo as modas parecidas com os uniformes criados por Schomberg; (Amér.) pássaro de tamanho do pardal, muito prejudicial aos arrozais.

chambilla. f. (arq.) chambrana, cerca dura de pedra na qual assenta uma grade.

chambo. m. escambo, troca de grãos e sementes por outros artigos.

chambón. m. (fam.) mau jogador, desajeitado; por exte., chamborreirão, pouco hábil em qualquer ofício; (fig. e fam.) que consegue alguma coisa por bambúrrio.

chambonada. f. (fam.) desacerto, e(ê)rro de jogador inábil; chamboíce, trabalho mal feito; (fam.) vantagem obtida por acaso.

chambra. f. chambre, roupão caseiro que as mulheres usavam sobre a camisa.

chambrana. f. (arq.) chambrana, adorno ou cercadura em redor de portas, janelas, etcétera; (Amér.) algazarra, bulício.

chamelotón. m. chamelote ordinário e grosseiro.

chamerluco. m. vestido antigo de mulher usado antigamente.

chamicado, da. *adj.* (Amér.) diz-se da pessoa taciturna e, também, da que está perturbada pela embriaguez.

chamicera. *f.* queimada, parte de monte que só tem as árvores sem casca e muito pretas devido ao fogo.

chamicero, ra. *adj.* chamiceiro, pertencente ou relativo a chamiço.

chamiza. *f.* (bot.) chamiça, espécie de junco bravo que nasce em terrenos húmidos; carqueja, caruma seca, chamiço, lenha miúda para queimar nos fornos.

chamizo. *m.* chamiço, árvore meia queimada ou chamuscada: lenha meia queimada; choupana coberta de chamiça; (fig. e fam.) tugúrio sórdido de gente má.

chamorra. *f.* (fam.) chamorra, cabeça rapada.

chamorro, rra. *adj.* e *s.* chamorro, rapado, tosquiado (especialmente da cabeça).

champa. *f.* (Amér.) raizame, raizada, o conjunto de muitas raizes.

champagne. *m.* (gal.) V. **champaña**.

champaña. *m.* champanha, champanhe.

champar. *v. tr.* (fam.) dizer frente a frente coisas desagradáveis; lançar em rostro benefícios recebidos.

champear. *v. tr.* (Amér.) tapar com tepe uma presa.

champiñón. *m.* (gal.) V. **cogumelo**.

champú. *m.* certo suco vegetal para lavar a cabeça.

champurrar. *v. tr.* (fam.) misturar licores. V. **chapurrar**.

chamuchina. *f.* (Amér.) populaça. V. **populacho**.

chamuscado, da. *p. p.* e *adj.* chamuscado; semiuso; (fig. e fam.) um tanto tocado dum vício ou paixão.

chamuscar. *v. tr.* chamuscar, queimar levemente, crestar.

chamusco. *m.* chamusco. V. **chamusquina**.

chamusquina. *f.* chamusco; rixa, disputa: *oler a chamusquina*, (fig. e fam.) cheirar a chamusco, receio de que uma disputa se torne em pendência; dizia-se das palavras ou discursos perigosos em matéria de fé.

chanada. *f.* (fam.) embuste, engano, burla, fraude.

chanca. *f.* chinelo. V. **chancla** e **zueco**.

chancadora. *f.* (Amér.) V. **trituradora**.

chancar. *v. tr.* (Amér.) V. **triturar**.

chancear. *v. intr.* chancear, dizer chanças, caçoar, zombar, troçar, gracejar; palitar; apodar; galantear; galhardear; facetear; farsantear.

chancero, ra. *adj.* e *s.* chanceiro, que diz chanças, gracejador, mofador, pachola, madroço, trocista, caçoador; derisor; (germ.) ladrão que usa de subtilezas para roubar.

chanciller. *m.* chanceler. V. **canciller**.

chancillería. *f.* certo tribunal superior de justiça: emolumentos que se pagavam ao chanceler.

chancla. *f.* sapato, velho cujo salto está muito gasto.

chancleta. *f.* chinela sem tacão; (fig.) inepto, pessoa incapaz, néscia.

chancletear. *v. intr.* andar de chinelas.

chancleteo. *m.* chinelar, ruído que se faz ao andar com as chinelas.

chanclo. *m.* galocha, calçado que se usa por cima doutro; sandália de madeira, tamanco, chinelo, alcorque.

chancro. *m.* (med.) úlcera contagiosa de origem venérea.

cháncharras máncharras. *f. pl.* (pop.) pretextos, subterfúgios para deixar de fazer alguma coisa, rodeios.

chanchería. *f.* (Amér.) salsicharia, loja onde se vende carne de porco.

chancho, cha. *adj.* e *s.* (Amér.) porco, sujo. V. **cerdo**.

chanchullero, ra. *adj.* e *s.* que se dedica a negócios ilícitos, a trapaças.

chanchullo. *m.* (fam.) negócio ilícito sujo; tramóia; trapaça.

chande. *f.* (Amér.) V. **sarna**.

chaneca. *f.* (Amér.) vulgarismo, por trança de cabelo das mulheres.

chanelar. *v. tr.* (germ.) entender, compreender.

chanfaina. *f.* chanfana, guisado de bofes ou fressura; (germ.) conjunto de rufiões; costumes rufianescos.

chanflón, na. *adj.* tosco, grosseiro, mal formado. — *m.* moeda antiga de dois quartos.

changa. *f.* (Amér.) ocupação e serviço que presta o mariola; (fig.) V. **chanza**.

changador. *m.* (Amér.) mariola, moço de fretes.

changuear. *v. intr.* (Amér.) troçar, gracejar.

changuero, ra. *adj.* (Amér.) V. **chancero**.

changüi. *m.* (fam.) burla, chasco, engano; (Amér.) certo baile de gente baixa.

chano-chano. *adv.* (fam.) pouco a pouco, lentamente.

chantado. *m.* (gal.) cerca, valado de chantas ou chantões, colocados em fila e verticalmente.

chantaje. *m.* (neol.) chantagem, a(c)ção de extorquir dinheiro ameaçando.

chantajista. *s.* (neol.) chantagista, pessoa que pratica chantagens.

chantar. *v. tr.* chantar, cravar, espetar, fincar; vestir, pôr; (fam.) dizer a alguém uma coisa, cara a cara; (gal.) pôr chantas ou chantões numa herdade.

chantillón. *m.* escantilhão. V. **escantillón**.

chanto. *m.* chantão, esteio, estaca, pedra comprida para fazer cercas.

chantre. *m.* chantre, uma das dignidades eclesiásticas que dirige o coro.

chantría. *f.* chantrado, chantria, dignidade de chantre.

chanza. *f.* adito burlesco; graçola, troça; pacholice derriça; chacarrice.

chanzaina. *f.* (germ.) subtileza, astúcia.

chanzoneta. *f.* cançoneta, composição festiva em verso, especialmente para ser cantada no Natal; (fam.) V. **chanza**.

chanzonetero. *m.* cançonetista, o que fazia cançonetas.

chapa. _f._ chapa, folha, lâmina, de metal, madeira ou outra matéria; mancha de co(ô)r vermelha que as mulheres punham nas faces; (sapat.) pedaço de pele, geralmente baldréu; roseta avermelhada. V. **chapeta;** caracol terrestre de grande tamanho, comum em Valência; (fig. e fam.) senso, juízo, seriedade.—_pl._ jo(ô)go entre duas ou mais pessoas, conhecido pelo jo(ô)go do «cara ou cruz».

chapado, da. _p. p._ e _adj._ chapado; chapeado, guarnecido de chapas: _persona chapada a la antigua_, pessoa da estofa dos antigos.

chapalear. _v. intr._ V. **chapotear** e **chacolotear.**

chapaleo. _m._ chape, ruído produzido ao chapinhar a água.

chapaleta. _f._ válvula de bomba de tirar água.

chapaleteo. _m._ rumor das águas ao baterem na margem; ruído que a chuva produz ao cair.

chapapote. _m._ piche, asfalto mais ou menos espesso, existente nas Antilhas.

chapar. _v. tr._ chapar, chapear, cobrir com chapas; (fig.) assentar, encaixar.

chaparrada. _f._ V. **chaparrón.**

chaparrear. _v. intr._ chover abundantemente.

chaparreras. _f. pl._ safões, meias calças largas, feitas de pele curtida, muito usadas no Mexico.

chaparro. _m._ (bot.) chaparreiro, sobreiro novo, macheiro, chaparro; mata de azinheiros ou carvalhos de muita rama e pouca altura; (fig.) pessoa rechonchuda.

chaparrón. _m._ aguaceiro forte, de curta duração; pancada de água; chuva grande; chuvaceiro, chuvada, chuveiro, corda de água, enxurrada, bátega de água, bategada.

chapatal. _m._ lameiro, lamaçal, lodaçal, chapinheiro.

chapeado, da. _p. p._ e _adj._ chapeado, revestido ou coberto de chapas.

chapear. _v. tr._ chapear, cobrir, adornar ou guarnecer com chapas; (Amér.) limpar a terra das ervas más que contém. — _v. intr._ V. **chacolotear;** (art. e of.) encaşquilhar.

chapecar. _v. tr._ (Amér.) entrançar, fazer tranças; fazer réstias com alhos e cebolas.

chapeo. _m._ chapéu, cobertura usada pelas pessoas na cabeça. V. **sombrero.**

chapela. _f._ (arq.) rampa, plano inclinado usado nas construções em lugar de escadas.

chapería. _f._ chaparia, ornato feito com chapas.

chaperón. _m._ parte de madeira do beiral do telhado, à qual se apoia o algeroz.

chaperonado, da. _adj._ (herald.) diz-se dos animais que figuram com carapuça. V. **capirotado.**

chapetón. _m._ (Amér.) rodela de prata com que se costuma enfeitar os arreios das montadas.

chapetón, na. _adj._ (Amér.) diz-se do europeu recém-chegado à América. V. **chape-**

tonada: _pasar el chapetón_, (fig. e fam.) passar o perigo ou o contra tempo.

chapico. _m._ (bot. Amér.) arbusto solanáceo tintório.

chapín. _m._ chapim, chinela, antigo calçado feminino; (ictiol.) peixe dos mares tropicais: _chapín de la reina_, tributo que se pagava em Castela por ocasião do casamento dos reis.

chapinazo. _m._ pancada dada com um chapim, chapinada.

chapinería. _f._ chapinaria, lugar onde se fazem ou vendem chapins; ofício de chapineiro.

chapinero. _m._ chapineiro, fabricante ou vendedor de chapins.

chapinete. _m._ armação de tábuas nos andaimes, na construção civil.

chápiro. _m._ (fam.) expressão de ira, de zanga.

chapitel. _m._ (arq.) capitel, coruchéu, remate das torres; suporte para a agulha da bússola; (germ.) cabeça.

chaple. _adj._ diz-se do buril que tem a ponta em forma de goiva e do que a tem em forma de escopro.

chapó. _m._ certo jo(ô)go de bilhar.

chapodar. _v. tr._ chapodar, chapotar, podar, cortar os ramos inúteis das árvores; (fig.) cercear.

chapodo. _m._ chapota, rama podada.

chapón. _m._ borrão grande de tinta.

chapona. _f._ V. **chambra.**

chapote. _m._ cera negra da Índia que se masca para limpar os dentes.

chapotear. _v. tr._ passar a esponja ou pano, humedecer, molhar. — _v. intr._ chapinhar; agitar a água com as mãos ou com os pés.

chapoteo. _m._ chapisco, chape, pancada na água, chapinhada.

chapucear. _v. tr._ trabalhar mal e à pressa; (fam.) fazer ou consertar qualquer coisa sem apuro nem limpeza; arranhar; chavascar.

chapucería. _f._ obra, trabalho achavascado; serviço mal feito; imperfeição em qualquer obra; embuste, mentira; chavasquice; bodegada; improvisação; porcaria (no sentido de obra achavascada; (fig. e fam.) indecência, torpeza: _hacer chapucerías_, engorolar.

chapucero, ra. _adj._ incompetente, grosseiro, tosco, (Bras.) tôsco, rústico, achavascado, atabalhoado; diz-se da pessoa que trabalha deste modo; atamancado; achamboado, aldravado, aldravão, engorlado; improvisado; atrogalhado; albardeiro. — _m._ ferreiro de obra grosseira; sucateiro, vendedor de ferro velho; remendão; (fig.) pessoa indecente: _trabajo chapucero_, obra de fancaria; _ser chapucero_, aldravar.

chapurrado. _m._ (fam.) algaravia, linguagem ininteligível.

chapurrar. _v. tr._ algaraviar, falar com dificuldade um idioma; (fam.) misturar um licor com outro.

chapurrear. *v. intr.* algaraviar, abocanhar em língua estrangeira; falar com dificuldade um idioma.

chapuz. *m.* mergulho, a(c)ção de meter a cabeça na água.

chapuz. *m.* biscate, trabalho ou obra de pouco valor; (mar.) peça de madeira para reforçar os mastros.

chapuzar. *v. tr.* mergulhar, meter a cabeça na água.

chapuzón. *m.* mergulho de cabeça.

chaqué. *m.* fraque, casaco de homem.

chaqueta. *f.* jaqueta, casaco curto para homem, gamão (jogo de dados): *chaqueta militar,* fardeta; *chaqueta mal cortada,* albarda; *tirarle de la chaqueta alguien,* dar os amens a alguém.

chaquetero, ra. *s.* (fig.) pessoa de várias cores políticas; (fig.) funâmbulo.

chaquiñán. *m.* (Amér.) atalho, vereda.

chaquira. *f.* avelório, conta de vidro, rocalha.

charabán. *m.* charabã, carruagem descoberta com duas ou mais filas de assentos, churrião.

charada. *f.* charada, enigma, problema; (prov.) labareda de pouca duração: *hacer charadas,* charadear.

charadista. *s.* charadicida, charadista, pessoa que faz charadas.

charal. *m.* (ictiol.) peixe mexicano curado ao sol e usado no comércio: *estar hecho un charal,* estar muito fraco.

charamella. *f.* (ant.) charamela. V. chirimía.

charamusca. *f.* (Amér.) faúlha, fagulha que salta do fogo de lenha; (Amér.) lenha miúda com que se fazem fogueiras no campo, garavatos, chamiço.

charanga. *f.* (mil.) charanga, banda de música militar, charamela, fanfarra.

charango. *m.* bandurra pequena de cinco cordas e sons muito agudos, usada pelos índios do Peru.

charanguero, ra. adj. tosco, grosseiro, sem arte. V. chapucero. — *m.* bufarinheiro nos portos da Andaluzia. V. buhonero; (mar.) pequena embarcação da Andaluzia para cabotagem.

charca. *f.* açude, reservatório natural ou artificial de água; charco.

charcal. *m.* lugar onde abundam os charcos.

charcas. *m. pl.* (etnog.) índios da América meridional, dependentes do império dos Incas.

charco. *m.* charco, lodaçal, atoleiro, charqueiro, charca; ludreiro, lugar onde há água estagnada: *pasar el charco,* (fig. e fam.) atravessar o mar.

charla. *f.* (fam.) charla, a(c)ção de charlar; conversação sem substância e fora de propósito; conversa à toa, frivolidade; palavreadro; paleio, conversa, andeja, falario, falatório, palestra: *charla cansina,* arengas; *charla pesada,* estopada; *charla vacía,* palra.

charlador, ra. adj. e s. charlador, palrador, tagarela, loquaz, arengueiro, galreiro, charlatão.

charladuría. *f.* loquacidade, tagarelice, charla indiscreta.

charlar. *v. intr.* (fam.) charlar, falar muito, falar à toa, palrar, dizer despropósitos; chilrar; palestrar; arengar; bisbilhotar; falar às estopinhas; bofar; charlatanear: *charlar sin ton ni son,* palhetear; *charlar sobre frivolidades,* palrar.

charlatán, na. adj. e s. charlatão, que fala muito, tagarela; falador indiscreto, palavreiro, palavreador, conversador; (pop.) dentisto; frasista; endireita; galrão, galreador, galreiro; farmacopola; charlador; charlatão, charlatanesco; embaucador; embelecador; argamandel; francelho; curandeiro, diz-se do que explora a boa fé do público: *charlatán callejero,* charlatão circunforâneo.

charlatanear. *v. intr.* charlatanear, tagarelar, galrar, imposturar.

charlatanería. *f.* charlatanaria, charlatanice, falatório, loquacidade.

charlatanesco, ca. adj. charlatanesco, próprio do charlatão.

charlatanismo. *m.* charlatanismo, charlatanaria, tagarelice.

charlatín. *m.* V. parlanchín.

charlear. *v. intr.* coaxar. V. croar.

charlotear. *v. intr.* palrar. V. charlar.

charloteo. *m.* charla, conversa à toa V. charla.

charneca. *f.* (bot.) lentisco, almecegueira.

charnecal. *m.* lentiscal, terreno onde crescem lentiscos.

charnel. *m.* (germ.) moeda de dois maravedis.

charnela. *f.* charneira, bisagra, gonzo, dobradiça; (zool.) articulação das valvas da concha dos moluscos.

charneta. *f.* (fam.) charneira. V. charnela.

charnical. *m.* lentiscal. V. charnecal.

charniegos. *m. pl.* (germ.) grilhões V. grillos.

charo. *m.* (germ.) céu.

charol. *m.* charão, verniz muito lustroso e duradoiro; coiro envernizado com charão; polimento: *darse charol,* (fig. e fam.) dar-se importância, gabar-se.

charolado, da. *p. p.* e adj. acharoado, charoado, envernizado com charão ou com substância que o imite.

charolador. *m.* V. charolista.

charolar. *v. tr.* charoar, acharoar, envernizar com charão ou com outro líquido que o imite.

charolista. *m.* acharoador, aquele que enverniza com charão; aquele que doura.

charpa. *f.* boldrié, cinto de coiro para armas de fogo; charpa, tipóia (Brasil); (med.) charpa, banda larga de pano ou suspensório em que se apoia o braço doente; banda. V. cabestrillo.

charrada. *f.* grosseria, rusticidade, a(c)ção ou dito próprio dum rústico; baile próprio dos rústicos; (fig. e fam.) obra ou ornato mal feito e de mau gosto.

charrán. adj. e s. tratante, velhaco, tunante, patife.

charranada. *f.* grosseria, tratantada, a(c)ção própria de velhaco, velhacada.

charranear. *v. intr.* velhaquear, conduzir-se como um tratante ou velhaco.

charranería. *f.* patifaria, velhacaria, qualidade de tratante; estocada.

charrasca. *f.* (fam.) espada ou sabre que se arrasta; navalha de mola.

charrasco. *m.* (fam.) espadagão. V. **charrasca.**

charrería. *f.* obra de mau gosto. V. **charrada.**

charrete. *f.* charrete, carruagem de duas rodas e de dois ou quatro assentos.

charretela. *f.* (Amér.) V. **charretera.**

charretera. *f.* (mil.) charlateira, dragona, divisa militar de ouro, prata ou outra matéria, que se prende ao ombro; jarreteira condecoração da ordem de cavalaria na Inglaterra; presilha da jarreteira; (fig. e fam.) almofada dos aguadeiros; presilha que prende o calção à perna.

charro, rra. *adj.* diz-se do aldeão de Salamanca; (fig.) charro, grosseiro, tosco, (Bras.) tôsco, bronco; (fig. e fam.) sobrecarregado de enfeites e de mau gosto.

charrúa. *m.* charrua, índio das tribos que habitavam a costa setentrional do rio da Prata.

charrúa. *f.* (amr.) rebocador, embarcação para reboque.

chartreuse. *m.* (gal.) licor fabricado a(c)tualmente pelos cartuxos de Tarragona.

chasca. *f.* chamiço, garavetos, lenha miúda; (Amér.) grenha, maranha de cabelo; cabelo desgrenhado.

chascada. *f.* (Amér.) V. **adehala.**

chascar. *v. intr.* faiscar, lançar faíscas; crepitar, estalar; dar estalidos com a língua; (fig.) engolir.

chascarrillo. *m.* (fam.) anedota ligeira, picante; historieta brejeira; conto leve, jocoso e malicioso.

chascás. *m.* (mil.) morrião usado primeiramente pelos polacos e depois pelos regimentos de lanceiros de toda a Europa.

chasco. *m.* decepção, engano, logro, burla, chasco, mistificação; zombaria; contratempo; sucesso contrário ao esperado: *dar un chasco,* desmanchar a panelinha, chasquear.

chasconear. *v. tr.* (Amér.) enredar, emaranhar.

chasis. *m.* (gal.) armação de automóvel, carruagem, etc., bastidor de máquina fotográfica.

chasponazo. *m.* sinal que deixa a bala ao passar, roçando por um corpo duro.

chasqueador, ra. *adj.* e *s.* chasqueador que chasqueia, que moteja, que zomba.

chasquear. *v. tr.* chasquear, dirigir chascos; desmandar; faltar ao prometido; lograr; dar chasco, decepcionar, embromar, emburricar, bigodear; enganar, lograr, mistificar, burlar; faltar ao prometido; dar estalos com o chicote. — *v. intr.* crepitar, estralejar a madeira, dar estalidos. — **chasquearse.** *v. r.* desiludir-se; frustrar um fa(c)to adverso às esperanças: *chas-*

quear a alguien, (fam.) deixar com um palmo de nariz.

chasquido. *m.* estalo, estalido, crepitação.

chata. *f.* (mar.) urinol, vaso com cabo o(ô)co por onde se esvazia, aparadeira; (mar.) chata, embarcação de fundo plano.

chatarra. *f.* sucata, escória metálica do ferro; ferro velho, sucata.

chatarrero, ra. *s.* sucateiro, comprador ou vendedor de ferro velho.

chatasca. *f.* (Amér.) V. **charquicán.**

chatedad. *f.* chateza, qualidade de chato, lisura.

chato, ta. *adj.* chato, desnarigado, diz-se do nariz achatado: embotado; chocho, (Bras.) chôcho; aboleimado; diz-se dalgumas coisas que, de propósito, se fazem sem relevo ou com menor elevação a que a que costumam ter as da mesma espécie. — *m.* (fig. e fam.) copo baixo e largo para vinho ou outra bebida, especialmente usado nas tabernas: *estilo chato,* estilo chocho.

chatón. *m.* pedra preciosa de grande tamanho, engastada em anel ou outra jóia.

chatonado. *m.* (germ.) V. **tachonado.**

chatre. *adj.* (Amér.) ricamente adereçado. — *m.* V. **refajo.**

chatria. *m.* chátria, membro da segunda das castas em que se dividem os sectários do bramanismo.

chauche. *m.* verniz para os soalhos.

chaucera. *f.* (Amér.) porta-moedas.

chauvinismo. *m.* (gal.) chauvinismo. V. **patriotería.**

chauvinista. *s.* (gal.) chauvinista. V. **patriotero.**

chauz. *m.* porteiro mouro, oficial de diligências dos tribunais mouros.

chaval, la. *adj.* e *s.* (pop.) rapariga, rapaz. V. **joven.**

chavalongo. *m.* (Amér.) V. **tifoidea.**

chavasca. *f.* V. **chasca.**

chaveta. *f.* prego de duas pontas, cavilha, chaveta: *perder la chaveta,* (fig. e fam.) perder o juízo, ficar louco.

chavó. *m.* (germ.) V. **chaval.**

chavo. *m.* chavo; cheta: *sin un chavo,* (fam.) depenado, sem dinheiro.

chaya. *f.* (Amér.) folguedos, brincadeiras, pilhérias e diversões próprias do carnaval.

chaza. *f.* chaça, lance no jogo da péla; sinal que se coloca no lugar onde ficou a bola; (equit.) a(c)ção de empinar-se o cavalo; (mar.) espaço que medeia entre duas portas duma bateria: *hacer chazas,* andar saltando sobre as mãos, e encostando-se aos pés (diz-se do cavalo).

chazador. *m.* marcador, no jo(ô)go da péla.

chazar. *v. tr.* marcar, no jo(ô)go da péla.

che. *f.* nome da letra ch.

checo, ca. *adj.* e *s.* (geog.) checoslovaco, checo, boémio de raça eslava natural da ou pertecente à Checoslováquia. — *m.* checo, língua checoslovaca.

Checoslovaquia. (geog.) Checoslováquia.

cheche. *m.* (Amér.) valentão. V. **jaque.**

chedita. *f.* (quím.) chedita.

cheik. *m.* (gal.) V. **jeque.**

cheira. *f.* V. **chaira.**

cheje. m. (Amér.) elo, anel duma cadeia.
chelin. m. xelim, moeda inglesa de prata.
chencha. adj. (Amér.) diz-se do preguiçoso.
chepa. f. (fam.) corcova, corcunda, giba.
chépica. f. (Amér.) V. grama.
chepo. m. (germ.) V. pecho.
cheposo, sa. adj. e s. corcovado. giboso, que tem corcunda.
cheque. m. cheque, ordem de pagamento: cheque al portador, cheque ao portador; cheque a la orden, cheque à ordem.
cherchar. v. intr. burlar, troçar, zombar.
cherif. m. xerife, título dos descendentes de Mahoma.
cherinol. m. (germ.) capitão de ladrões.
cherinola. f. (germ.) quadrilha de ladrões.
cheurón. m. (herald.) peça honrosa do escudo, cheveirão. V. cabrio.
cheurrón. m. (herald.) V. cheurón.
cheuto, ta. adj. (Amér.) leporino, diz-se do que tem o lábio partido ou deformado.
cheviot. m. (text.) cheviot.
chía. f. espécie de capuz, usado como insígnia de nobreza e autoridade.
chibalete. m. (impr.) cavalete das caixas de composição com compartimentos.
chibcha. adj. e s. chibcha, diz-se do indivíduo dum povo que habitou o elevado território de Bogotá. — m. chibcha, idioma destes indígenas.
chibera. f. (Amér.) chicote dos cocheiros.
chibuquí. m. cachimbo comprido usado pelos turcos.
chic. m. (gal.) chique, graça, elegância.
chica. f. chica, certa dança de pre(ê)tos; garrafa pequena; (Amér.) moeda de prata de três centavos; rapariga: chica coqueta. (Bras.) sapeca.
chicada. f. rebanho de cordeiros doentes; criancice.
chicana. f. (gal.) V. embuste, triquiñuela.
chicarrón, na. adj. e s. rapariga muito crescida.
chiclán. adj. (prov.) chiclã, que tem um só testículo. V. ciclán.
chicle. m. (bot., Amér.) resina medicinal utilizada como masticatório; goma de mascar; sujidade, porcaria.
chiclear. v. tr. (Amér.) mastigar chicle.
chico, ca. adj. e s. pequeno, de pouco tamanho; menino; rapaz; diz-se a pessoas adultas quando há intimidade de tratamento; emprega-se também para exprimir qualidades recomendáveis: chico, menor. — m. medida de capacidade para vinho, equivalente a 168 mililitros.
chicolear. v. intr. (fam.) galantear, dizer galanteios.
chicoleo. m. (fam.) galanteio, galantaria, requebro.
chicoria. f. ((bot.) V. achicoria.
chicoriáceo, cea. adj. (bot.) chicoreáceo, relativo à chicória. — f. pl. chicoreáceas.
chicorro. m. (pop.) rapaz muito forte.
chicorrotico, ca, yo, ya, to, ta. adj. dim. de chico. (fam.) menino, pequeno, rapazinho.
chicorrotín, na. adj. dim. de chico (fam.) V. chiquirritín.

chicotazo. m. chicotada, pancada dada com chicote.
chicote. m. chicote, látego ponta de cabo; (fam.) charuto; açoite; (mar.) extremo, remate ou ponta de corda.
chicote, ta. adj. e s. (fam.) rapagão, menino robusto e bem feito; (usa-se para denotar carinho).
chicotear. v. tr. chicotear, dar chicotadas.
chicuelo, la. adj. dim. de chico; rapazinho. — s. rapazinho.
chicura. f. (Amér.) V. guaco.
chicha. f. chicha, carne para comer, (em linguagem infantil); (Amér.) chicha, bebida alcoólica feita de milho; (fam.) coisa de pouco valor: calma chicha, calma no mar; ni chicha ni limonada, (pop.) não serve a Deus nem a Diabo; ni chicha ni bacalao, (pop.) não fazer bem nem mal.
chícaro. m. (bot.) V. guisante.
chicharra. f. (zool.) cigarra; cega-rega, brinquedo infantil que faz ruído semelhante ao canto da cigarra; (fig. e fam.) pessoa muito faladora, tagarela, cega-rega: cantar la chicharra, (fig. e fam.) fazer grande calor.
chicharrear. v. tr. queimar, torrar. V. achicharrar.
chicharrero, ra. s. fabricante ou vendedor de cega-regas. — m. (fig. e fam.) lugar quente, ardente.
chicharrón. m. torresmo, carne torrada; (fig. e fam.) pessoa muito queimada pelo sol.
chiche. m. (Amér.) obje(c)to de bijutaria; peito, mama de ama de leite. V. juguete.
chichear. v. intr. ciciar, emitir sons para mostrar desagrado. V. sisear.
chicheo. m. cício. V. siseo.
chichería. f. casa ou loja onde se vende chicha.
chichi. f. (fam., Amér.) ama de leite.
chichigua. f. ama de leite. V. nodriza.
chichimeca. adj. diz-se do indivíduo duma tribo que se estabeleceu no Tezcuco.
chichimeco, ca. adj. V. chichimeca.
chichinar. v. tr. (Amér.) queimar, chamuscar.
chichirimoche. m. (pop.) palavra equivalente, no ditado, a muito.
chichirinada. f. (pop.) palavra equivalente a nada.
chichisbear. v. tr. cortejar, galantear, chichisbear.
chichisbeo. m. chichisbéu, o que corteja uma senhora dum modo assíduo; galanteio insistente.
chichón. m. galo, inchaço na testa.
chichonera. f. gorro forrado para preservar as crianças de pancadas na cabeça.
chichota. f. equivalente a não faltar nada: sin faltar chichota, sem faltar a mínima circunstância.
chifla. f. silvo, som; apito, assobio.
chifla. f. chifra, raspadeira de encadernador e de luveiro.
chifladera. f. apito, assobio. V. chifla.
chiflado, da. adj. (pop.) louco, demente, dementado: estar chiflado, ser um pouco

ferido na asa; *estar chiflado por alguien,* estar louco por alguém; *estar chiflado por una mujer,* amartelar-se.

chifladura. *f.* silvo, apito, assobio; escárnio; perda do juízo; loucura, desatino; exaltação de ânimo produzida por um afe(c)to ou outro motivo.

chiflar. *v. intr.* apitar, assobiar. — *v. tr.* vaiar, apupar, fazer escárnio em público; (fam.) beber muito e depressa vinho e licores; (pop.) debicar. — **chiflarse.** *v. r.* (fam.) perder as facultades mentais, enlouquecer; perder o juízo por uma pessoa ou coisa.

chiflar. *v. tr.* chifrar, adelgaçar e raspar com a chifra as peles finas.

chiflato. *m.* assobio, apito. V. **silbato.**

chifle. *m.* assobio, silvo, apito; chamariz para caçar aves.

chiflido. *m.* assobiadela, som de assobio, silvo que o imita.

chiflo. *m.* apito, espécie de assobio.

chiflón. *m.* (Amér.) corrente muito leve de ar; canal por onde sai a água com força; derrocada de pedras miúdas nas minas.

chigre. *m.* (mar.) aparelho usado para mover as âncoras; (prov.) loja onde se vende sidra.

chilaba. *f.* chilaba, vestimenta com capuz usada pelos mouros.

Chile. (geog.) Chile.

chilenismo. *m.* chilenismo, vocábulo próprio dos chilenos.

chileno, na. *adj. e s.* (geog.) chileno, natural do ou pertencente a Chile.

chileño, ña. *adj.* (geog.) V. **chileno.**

chilero. *m.* (Amér.) nome depreciativo de vendedor de comestíveis.

chilindrina. *f.* (fam.) bagatela, coisa de pouca importância; anedota picante; chiste para amenizar uma conversação. V. **chafaldita.**

chilindrinero, ra. *adj.* (fam.) anedotista, que conta anedotas.

chilinguear. *v. tr.* (Amér.) vulg. por *columpiar, mecer;* balançar, baloiçar, balancear.

chilla. *f.* reclamo, chamariz, instrumento que os caçadores usam para imitar a voz da raposa, da lebre, do coelho; etc.

chilla. *f.* tábua delgada de ínfima qualidade; (Amér.) espécie de raposa de menor tamanho que a raposa europeia.

chillado. *m.* te(c)to de ripas ou sarrafos, de tijolos ou canas cobertas de cal.

chillador, ra. *adj.* chiador; guinchante, que guincha.

chillar. *v. intr.* chiar, algazarrar; guinchar, dar guinchos; imitar com a *chilla,* a voz dalguns animais de caça. V. **chirriar;** (fig. pint.) falando de co(ô)res, serem estas demasiado berrantes ou estarem mal combinadas: *chillar muy alto,* barregar; *chillar con frecuencia,* berregar.

chillera. *f.* (mar.) barra de ferro empregada na estiva das munições de artilharia.

chillería. *f.* algaraviada, algazarra, aravia-

da, chiadeira, chiada; guinchada, gritaria; berreiro; repreensão em voz alta.

chillido. *m.* chio; chiado; berro; chilido; chilro; berreiro; guincho; som agudo e inarticulado; (Bras.) estrilo.

chillón. *m.* prego que serve para tábuas de chilla: *chillón real,* prego maior do que o ordinário e que só serve para tábuas grossas.

chillón, na. *adj.* (fam.) chiado, que chia muito; que faz muito barulho; (fig.) atiplado: *criatura chillona,* berrão; *persona de voz chillona que habla a gritos,* araponga.

chimbo, ba. *adj.* diz-se duma espécie de doce americano, feito com ovos, amêndoas e calda de açúcar.

chimenea. *f.* chaminé, conduta para dar tiragem ao ar ou saída ao fumo do fogão; lareira; escorva; escavação pequena numa ruina; buraco produzido por uma derrocada: *chimenea francesa,* fogão de sala; *caerle a uno una cosa por la chimenea,* (fig. e fam.) lograr inesperadamente uma coisa e sem trabalho algum, cair-lhe do telhado.

chimpancé. *m.* (zool.) chimpanzé.

china. *f.* seixo, calhau, pedra pequena, china; jogo de crianças; porcelana, loiça fina inventada na China; tecido de se(ê)da que vem da China; (bot.) raiz medicinal duma erva do mesmo nome: *media china,* (fig. e fam.) contar as vezes que alguém bebe na taberna; *tocarle a uno la china,* (fig.) tocar-lhe a sorte, ir a pedra a quem toca; *tropezar uno en una china,* (fig. e fam.) atrapalhar-se com pouca coisa.

China. (geog.) China.

china. *s.* V. **chino;** natural de China; índia ou mestiça que na América Central e Meridional, se dedica ao serviço doméstico.

chinaca. *f.* (Amér.) gente maltrapilha.

chinama. *f.* (Amér.) choça, choupana.

chinampa. *f.* horto nas lagoas mexicanas.

chinampero, ra. *adj.* cultivador de *chinampas.*

chinapo. *m.* (Amér.) V. **obsidiana.**

chinar. *v. tr.* chinar, tapar com pedras miúdas os buracos duma parede de alvenaria; (germ.) cortar, rachar, quebrar.

chinarro. *m.* seixo grande, pedregulho.

chinateado. *m.* (metal.) camada de cascalho que se deita sobre o minério, para fazer a carga dos fornos de destilação do mercúrio de Almadén.

chinazo. *m. aum.* de china; calhau grande; pedrada, pancada dada com pedra.

chinchar. *v. tr.* vulg. por *molestar, fastidiar;* importunar; incomodar; molestar. V. **matar.**

chincharrazo. *m.* (fam.) V. **cintarazo;** pancada; espadeirada.

chincharrero. *m.* lugar abundante em percevejos; barco pequeno usado na América para pescar.

chinche. *m.* (zool.) chinche, percevejo; inse(c)to hemíptero, parasita; percevejo, tacha metálica de cabeça circular e chata que serve para prender o papel ao tabuleiro. (fig.) pessoa meçadora : *caer o morir como chinches*, (fig. e fam.) haver grande mortandade, cair como tordos.

chinchero. *m.* percevejeiro, pedaços de vime ou pequenas tiras de madeira que se colocam em redor das camas para apanhar percevejos.

chinchilla. *f.* (zool.) chinchila; chinchila, pele deste animal.

chinchorrería. *f.* (fig. e fam.) impertinência; maçada; intriga, mexerico.

chinchorrero, ra. *adj.* (fig. e fam.) mexeriqueiro, que faz mexericos; chocalheiro.

chinchorro. *m.* (mar.) chinchorro, re(ê)de de arrastar; embarcação de remos; espécie de re(ê)de de baloiço para dormir que usam os índios da Venezuela.

chinchoso, sa. *adj.* (fig. e fam.) maçador, importuno, molesto; chinchila; chinchoso, que tem chinches.

chiné. *adj.* diz-se de certos tecidos com ramagens ou de várias co(ô)res.

chinela. *f.* chinela, calçado sem tacão e que geralmente se usa dentro de casa; espécie de chapim que usavam as mulheres sobre o calçado em tempo de lama. V. **chinelazo.** — *m.* chinelada, pancada dada com chinela.

chinelazo. *m.* chinelada, pancada dada com chinela.

chinero. *m.* guarda-loiça, guarda-louça; armário para guadar loiça ou louça.

chinesco, ca. *adj.* chinês, pertencente ou relativo à China; parecido com as coisas da China; instrumento músico próprio das bandas militares: *a la chinesca*, à moda da China.

chinga. *f.* (zool., Amér.) V. **mofeta; mamífero.** V. **barato;** V. **chunga,** algazarra; V. **chispa,** bebedeira.

chingana. *f.* (Amér.) taberna em que há canto e baile.

chingar. *v. tr.* (fam.) beberricar, ou beberricar; beber com frequência vinho ou licores; (Amér.) cortar o rabo a um animal; importunar, molestar. — **chingarse.** *v. r.* embriagar-se; (Amér.) fracassar, frustrar-se alguma coisa, fracassar.

chinguear. *v. intr.* (Amér.) cobrar o barato, receber a percentagem deduzida dos ganhos do jo(ô)go e paga ao dono da tavolagem.

chinguero, ra. *adj.* (Amér.) V. **garitero.**

chinguirito. *m.* (Amér.) aguardente de cana, de baixa qualidade.

chino, na. *adj.* e *s.* (geog.) chinês, natural da China; pertencente a este país da Ásia.—*m.* chine(ê)s, idioma dos chineses; descendentes de índia e zambo ou vice-versa; (Amér.) índio descendente de negro e mulata ou vice-versa; criado; homem plebeu; qualificativo carinhoso: *engañar a uno como a un chino*, enganar um simplório.

chipé. *f.* verdade, bondade: *de chipé*, (loc. fam.) de excelente qualidade.

chipén. *f.* vida, bulício.

chipiar. *v. tr.* (Amér.) vulgarismo por *fastidiar, molestar.*

chipichipi. *m.* (Amér.) chovisco. V. **llovizna.**

chipirón. *m.* (zool.) lula, molusco abundante nas costas do Cantábrico.

Chipre. (geog.) Chipre.

chipriota. *adj.* e *s.* (geog.) cíprio, cipriota, natural de, ou pertencente a Chipre.

chiqueadores. *m. pl.* rodelas de concha de tartaruga, usadas antigamente como adorno de mulheres; rodelas de papel untadas de sebo ou outra substância, usadas contra as dores de cabeça.

chiquear. *v. tr.* (Amér.) mimar, acariciar com excesso, especialmente de palavra ou por escrito.

chiqueo. *m.* (Amér.) carícia, mimo, afago.

chiquero. *m.* chiqueiro, pocilga, curral de porcos; touril; chavascal; alfeire; cabana para recolher à noite os cabritos.

chiquichaque. *m.* serrador, homem que serra madeira; ruído da mastigação.

chiquilicuatro. *m.* (fam.) homem intrometido; melcatrefe; mequetrefe. V. **chisgarabís.**

chiquillada. *f.* criancice; garotice, a(c)ção própria de crianças; diabrura.

chiquillería. *f.* (fam.) criançada; multidão de crianças.

chiquillo, lla. *adj.* e *s.* criança, menino, rapaz, garoto. V. **chico:** *ser un chiquillo*, ter poucas barbas.

chiquirín. *m.* (Amér.) inse(c)to semelhante à cigarra.

chiquirritico, ca (llo, lla, to, ta). *adj.* (fam.) *dim.* de *chiquito.* V. **chiquirritín.**

chiquirritín, na. *adj* (fam.) *dim.* de *chiquitín;* pequenino; diz-se do menino que está ainda na infância.

chiquitín, na. *adj.* (fam.) *dim.* de *chiquito.* V. **chiquirritín.**

chiquitear. *v. tr.* (prov.) decilitrar.

chiquito, ta. *adj. dim.* de *chico;* pequeno, menino: *hacerse uno el chiquito*, (fig. e fam.) dissimular o que se sabe ou o que se pode.

chiribita. *f.* chispa, faisca. — *pl.* (fam.) lampejo, que, num breve espaço de tempo, se vê nos olhos; margarida, planta herbácea.

chiribitil. *m.* desvão; esconderijo baixo e estreito; recanto; (fam.) cubículo, quarto muito pequeno.

chirigota. *f.* (fam.) motejo, chufa. V. **cuchufleta.**

chirigotero, ra. *adj.* que moteja, motejador, chufista, trocista.

chirimbolo. *m.* (fam.) utensílio, vasilha ou coisa análoga.

chirimía. *f.* (mús.) charamela, instrumento músico, espécie de clarinete antigo. — *m.* charameleiro, o que toca charamela.

chirimoya. *f.* (bot.) fruto do *chirimoyo*, espécie de melão da América Central.

chirimoyo. *m.* (bot.) árvore amonácea da América Central, cujo fruto é a *chirimoya.*

chiringo. *m.* (Amér.) fragmento, pedaço miúdo, partícula.

chiripa. *f.* bambúrrio, acaso (no jo(ô)go do bilhar); (fig. e fam.) obter alguma coisa por casualidade favorável.

chiripear. *v. tr.* ganhar, por acaso (no jo(ô)go do bilhar); (fig. e fam.) obter alguma coisa favorável.

chiripero. *m.* aquele que no jogo do bilhar ganha, mais por acaso; o que uma ou muitas vezes obtém alguma coisa por casualidade favorável.

chirlada. *f.* (germ.) paulada, cacetada, bordoada.

chirlador, ra. *adj.* (fam.) chilreador, que dá vozes fortes e desentoadas.

chirlar. *v. intr.* (fam.) chilrar, chilrear; tagarelar; falar atabalhoadamente e fazendo muito ruído; (germ.) falar.

chirlata. *f.* casa de tavolagem de ínfima qualidade; (mar.) pedaço de madeira que serve para aumentar ou completar outro.

chirlatar. *v. tr.* (mar.) colocar pedaços de madeira para completar alguma peça.

chirle. *adj.* (fam.) insípido, insubstancial, chilro. — *m.* esterco.

chirlerín. *m.* (germ.) ladrãozinho.

chirlo. *m.* gilvaz, golpe ou cicatriz de golpe na cara; sinal ou cicatriz que deixa a ferida depois de curada, costura; (germ.) golpe, ferida.

chirlón. *m.* (germ.) tagarela, falador, palrador.

chirola. *f.* (Amér.) moeda de Bolívia e Chile.

chirona. *f.* (fam.) prisão, cárcere; (pop.) encarceramento; gaiola: *meter en chirona*, (pop.) engazofilar; (fig.) engavetar, engaiolar, (Brasil) engazupar.

chirriador, ra. *adj.* chiador, que chia; chilreador; chirreante, chilreante.

chirriar. *v. intr.* chiar, fazer chio ou chiada; chilrar, chilrear; chirrear; estridular; guinchar.

chirrido. *m.* chio, voz aguda dalguns animais; qualquer outro som agudo, desagradável; chiada, chilreada, chilro, chiadeira, guincho; estridência: *chirrido del eje de un carro*, chio; *chirrido de la lumbre*, estridor.

chirrio. *m.* chilrada, chio. V. **chirrido.**

chirrión. *m.* carro forte de duas rodas e eixo móvel que chia muito quando anda.

chirrionero. *m.* aque(ê)le que conduz o *chirrión*.

chirumbela. *f.* charamela. V. **churumbela.**

¡chis! *intej.* silêncio!; chitão!; caluda!; chuta!

chiscarra. *f.* (min.) rocha calcária que se divide fàcilmente em pequenos fragmentos.

chisco. *m.* (Amér.) vulgarismo por *chiste*, *gracia*, *donaire*.

chislama. *f.* rapariga (em calão).

chismar. *v. intr.* intrigar. V. **chismear.**

chisme. *m.* intriga, mexerico, mexeriquice, tropeço, boato, estorvo, murmuração; envoltas; chocalheirada; fuxico; bisbilhotice; conto; andeja; chocalhice; chicana;

embuste; chisme; (Bras.) diz-que diz: *serie de chismes*, mexericada; *un chisme*, um conto da Carouchinha; *ser el chisme del día*, andar na boca de todos; *venir con chismes*, vir com contos.

chismear. *v. intr.* mexericar; intrigar, bisbilhotar; chocalhar; andar com o chocalho.

chismería. *f.* a(c)ção e efeito de *chismear*; bisbilhotice; mexeriquice.

chismografía. *f.* (fam.) mexeriquice, bisbilhotice; falatórios; relação das intrigas e das murmurações que correm.

chismoso, sa. *adj.* intrigante, mexeriqueiro, que intriga, que mexerica; contilheiro; conversadeiro; adibo, adibe; bisbilhoteiro; faladeiro; chocalheiro; (Bras.) enxerido, introsca, xerêta: *persona chismosa*, (Bras.) especula; *mujer chismosa*, comadre.

chismorrear. *v. intr.* mexericar; descoser-se; (fig.) achocalhar. V. **chismear.**

chismorreo. *m.* (fam.) palanfrório; falatórios.

chismosear. *v. intr.* descoser-se. V. **chismear.**

chispa. *f.* chispa, partícula pequena que salta acesa do lume; faísca; diamante muito pequeno; chispa, gota de chuva miúda e escassa; chispa, partícula pequena de qualquer coisa; migalha; (pop.) berzundela; (fig.) chispa, penetração, inteligência; fagulha; (fam.) borracheira, bebedeira; embriaguez; (germ.) intrigas: *chispa eléctrica*, faísca elé(c)trica; *gran cantidad de chispa*, fagulharia; *echar chispas*, fuzilar; *echar chispas por los ojos*, lançar faíscas pelos olhos; *echar chispas*, lançar chispas, chispar; *un tanto chispa*, entrado; *coger una chispa*, (pop.) emborrachar-se; *echar chispas*, (fig.) estar furioso.

chispar. *v. tr.* (germ.) intrigar, mexericar.

chispazo. *m.* a(c)ção de saltar a faísca do fogo; faísca.

chispeante. *p. a.* e *adj.* faiscante, que faísca; refulgente, fagulhento; (fig.) diz-se do discurso em que abundam expressões engenhosas.

chispear. *v. intr.* chispar, faiscar; deitar chispas; chuviscar; refulgir, reluzir, luzir, cintilar, brilhar; fagulhar, fulgurar, merujar.

chispero. *m.* ferreiro de obra grossa; foguete que despede muitas faíscas; (fig. e fam.) homem do bairro de Maravilhas de Madrid assim chamado por serem muitos os ferreiros que nele habitavam antigamente.

chispo, pa. *adj.* (fam.) embriagado ligeiramente; ébrio, entrado na bebida. — *m.* (fam.) gole de vinho, trago.

chispoleto, ta. *adj.* inteligente, esperto, que é vivo.

chisporrotear. *v. intr.* (fam.) chispar repetidamente, crepitar (lenha); faiscar continuadamente.

chisporroteo. *m.* (fam.) faiscação, faiscadela; cintilação; estridor.

chisposo, sa. adj. faiscante, que despede faiscas ou faúlhas.

chistar. v. intr. fazer sinal de querer falar; assilenciar; assobiar.

chiste. m. chiste, graça, gracejo, pilhéria, piada, dito gracioso, argúcia; apodo; entretimento; chocarrice, agudeza; acontecimento alegre: dar uno en el chiste, (fig. e fam.) acertar com a dificuldade; quitar el chiste, (fig.) dessalgar; chiste subido de color, chocarrice; caer en el chiste, (fam.) dar no chiste; decir chistes, fazer bexigas, facetear; decir chistes groseros, chocarrear.

chistera. f. cestinho para pescar ou levar o peixe; espécie de cesto de que se servem os jogadores de péla; (fig. e fam.) chapéu alto, cartola.

chistoso, sa. adj. chistoso, que tem chiste; engraçado, espirituoso; entretido; desenfastiadiço, engraçado, descambado, atilado: ser chistoso, (pop.) ser um alho.

chita. f. (anat.) astrágalo; espécie de jo(ô)go do osso, semelhante ao do cucarne; jo(ô)go do fito: a la chita callando, (fam.) discretamente, sem chamar a atenção.

chitar. v. intr. V. chistar.

chiticallando. adv. (fam.) pé ante pé, silenciosamente, sem fazer barulho: a la chiticallando, à chucha calada.

chito. m. peça de madeira ou doutra matéria, sobre a qual se coloca o dinheiro no jo(ô)go chamado chito; jo(ô)go chamado chito. V. chita.

¡chitón! interj. (fam.) chitão!; caluda!; silêncio!

chivarse. v. r. (pop.) delatar alguém.

chivata. f. (prov.) cajado de pastor.

chivatazo. m. (pop.) assopro, (Bras.) assôpro, delação. V. delación.

chivatearse. v. r. (pop.) denunciar-se. V. delatar.

chivato. m. (zool.) chibo, cabrito que passa dos seis meses mas que ainda não tem um ano; (pop.) delator.

chivetero. m. curral para cabritos.

chivital. m. curral para cabritos.

chivo. m. poça, tanque onde se recolhem as borras do azeite.

chivo, va. s. (zool.) chibo, macho da cabra antes dos três anos, cabrito: barba de chivo, barba-de-bode; estar como una chiva, (pop.) estar inteiramente louco.

¡cho! interj. xó!, serve para fazer parar as cavalgaduras. V. ¡so!

choca. f. comida que se dá ao falcão.

chocador, ra. adj. e s. chocante, que choca, o que choca.

chocar. v. intr. chocar, bater com violência uma coisa na outra; encontrar-se violentamente uma coisa com outra; (fig.) bater, combater ou pelejar; provocar, zangar; chocar, causar estranheza ou enfado; chocar, irritar, provocar; chocar, ofender, desgostar; embilhar; embater; embarrar; abordar; abalroar (navios). — v. intr. chocar-se, entrechocar-se; esbarrar.

chocarrear. v. intr. chocarrear, dizer chocarrices, chalacear, gracejar.

chocarrería. f. chocarrice, chalaça grosseira; gracejo atrevido; bufonaria; truanice; farsolice: con chocarrería, chocarreiramente; decir chocarrerías, chocarrear.

chocarrero, ra. adj. e s. chocarreiro, que diz chocarrices, descambado, farçola.

choclar. v. intr. enfiar a bola pelo anel, no jo(ô)go da argola.

choclo. m. soco de madeira; chanca; (Amér.) maçaroca de milho ainda verde.

choclón. adj. e m. intrometido.

choclón. m. a(c)ção de enfiar a bola no jo(ô)go da argola.

choco. m. (zool.) (Amér.) choco, s'ba, molusco; cão de água. — adj. (Amér.) diz-se da co(ô)r vermelha escura; diz-se da pessoa muito morena; de cabelo encarapinhado; vesgo.

chocolate. m. chocolate.

chocolatera. f. chocolateira, vasilha para fazer chocolate.

chocolatería. f. chocolataria, fábrica de chocolates ou lugar onde este se prepara e se serve ao público.

chocolatero, ra. adj. e s. chocolateiro, que gosta de chocolate; chocolateiro, fabricante ou vendedor de chocolate.

chochear. v. intr. caducar por causa da idade, estar chocho emeninecer, emparvoar, envelhecer; (fig. e fam.) embeiçar-se; tresvariar.

chochera. f. chochice, qualidade do que é chocho; caducidade.

chochez. f. caducidade, envelhecimento, decrepitude, chochice, tontice; senectude: caer en la chochez, emeninecer.

chocho. m. tremoço, grão do tremoceiro; confeito de canela. V. altramuz. — pl. qualquer doce que se dá às crianças para que se cante.

chocho, cha. adj. chocho, diz-se dos velhos decrépitos; senecto, envelhecido, caduco, enfraquecido, machio.

chófer. m. (gal.) motorista, condutor de automóveis.

chofes. m. pl. bofes.

chofeta. m. rescaldeiro, braseiro pequeno, braseirinha de metal ou barro que servia para acender cigarros.

chofista. m. nome que se dava aos estudantes pobres que se sustentavam com bofes.

chola. f. (pop.) cabeça, chola.

cholla. f. (fam.) chola, cachola, cabeça; (fig.) entendimento, juízo.

chontal. adj. e s. (Amér.) diz-se duma tribo indígena de América Central, de costumes muito grosseiros; diz-se da pessoa rústica e inculta.

chopa. f. (mar.) coberto que se colocava na popa junto ao mastro da bandeira.

chopal. m. choupal. V. chopera.

chope. m. (Amér.) instrumento de lavoura para tirar da terra os bolbos e raízes; garfo de ferro para arranque das pedras, lapas, ostras, etc.

chopera. f. choupal, lugar onde crescem choupos.

chopo. *m.* (fam.) espingarda: *cargar con el chopo*, levar a espingarda.

chopo. *m.* (bot.) choupo, álamo negro.

choque. *m.* choque, encontro violento, duma coisa com outra; (fig.) contenda, disputa rixa, luta, briga, combate, conflito, oposição; arrancada; batedura; embate; empurrão; empurração, encontrão; arremetimento; arremetida; abalamento; (mar.) abordada, abalroação; (mil.) recontro, combate, peleja, que não se pode chamar batalha; (Bras.) esbarrão.

choquezuela. *f.* (anat.) rótula, osso na face anterior do joelho. V.**rótula.**

chorcha. *f.* V. **chocha;** V. **cacique.**

chordón. *m.* V. **churdón.**

chorear. *v. intr.* (Amér.) V. **refunfuñar.**

choiricera. *f.* salsicheira, máquina para fazer chouriços.

choricería. *f.* salsicharia, estabelecimento de salsicheiro; arte de salsicharia.

choricero, ra. *s.* chouriceiro, salsicheiro, fabricante ou vendedor de chouriços; (fig.) estremenho, natural de Estremadura.

chorizo. *m.* chouriço, salpicão, maromba de equilibrista.

chorlo. *m.* (min.) turmalina.

chorrada. *f.* porção de líquido que se costuma dar de graça depois de dar a medida exa(c)ta, graças.

chorreado, da. *p. p.* e *adj.* malhado, diz-se da rês que tem o pêlo com riscas verticais de co(ô)r mais escura.

chorreadura. *f.* nódoa que deixa nalguma coisa, um líquido que caiu sobre ela, molhando.

chorrear. *v. intr.* gotejar, pingar, jorrar, esguichar; cair gota a gota um líquido; diz-se dalgumas coisas que vão vindo, a pouco e pouco.

chorrel. *m.* (germ.) filho, rapazinho.

chorreo. *m.* a(c)ção e efeito de *chorrear*, gotejamento.

chorrera. *f.* lugar onde cai uma pequena porção de água; sinal que a água deixa por onde correu, parte dum rio em que a corrente tem muita velocidade; guarnição de renda de camisola; enfeite usado antigamente em trajes de gala.

chorretada. *f.* (fam.) esguicho, jacto repentino e curto dum líquido, jo(ô)rro.

chorrillo. *m.* (fig. e fam.) a(c)ção contínua de receber ou gastar uma coisa; chorrilho: *irse uno por el chorrillo*, (fig. e fam.) seguir a corrente ou costume; *sembrar a chorrillo*, (fig. e fam.) (agr.) deitar seguido o grão no sulco aberto pelo arado, semear a esmo.

chorro. *m.* chorro, jo(ô)rro, esguicho: *salir un líquido en chorros pequeños*, estornicar; *chorro de voz*, ch(ô)rro da voz; *chorros de sudor*, suor em bica; *chorro de líquido*, galão. — *adv.: a chorros*, (fig.) a jo(ô)rros, copiosamente, abundantemente.

chorrón. *m.* cânhamo assedado duas vezes.

chortal. *m.* lagoa pequena formada por um manancial pouco abundante que brota debaixo dela.

chotear. *v. intr.* retouçar, retoiçar; dar mostras de alegria; (Amér.) fazer escárnio dalguém. — **chotearse.** *v. r.* derriçar.

choteo. *m.* (Amér.) troça, mofa, escárnio; (pop.) derriça, derriço; chacota.

choto, ta. *s.* cabrito de mama; nalgumas partes, bezerro, vitelo.

chotuno, na. *adj.* diz-se dos cabritos de mama; diz-se também dos cordeiros fracos e enfermiços: *oler a chotuno*, cheirar a bedum.

choz. *f.* golpe, novidade, estranheza; usa-se com os verbos *dar* ou *hacer*. — *m.* e *adv.* (ant.): *de choz*, de repente, de surpresa, de chofre, de improviso; *dar choz*, causar espécie.

choza. *f.* choça, cabana rústica, palhoça, palhota, palhal; choupana, casa tosca e pobre, barraca, choça, habitação humilde; cochovelho; colmado; arribana; (prov.) furda; (ant.) barro; (fig.) colmo: *choza de negros*, palhota; *meterse en una choza*, enchoçar-se; *choza de madera y paja*, (Brasil) copé; *que habita en choza*, choupaneiro; *choza cubierta de rastrojos*, colmaça.

chozno, na. *s.* tetraneto, quarto neto, filho do trineto ou trineta.

chozo. *m.* choça pequena. V. **choza.**

chozpar. *v. intr.* retoiçar (os animais pequenos), como os cordeiros, cabritos etc.

chozpo. *m.* salto alegre que dá um animal quando retoiça.

chozpón, na. *adj.* que salta, que brinca muito.

chubasco *m.* aguaceiro, chuvada, chuvarada, chuvaceiro, chuveiro; enxurrada; (fig.) contrariedades ou adversidades transitórias mas que inutiliza, qualquer desígnio; (mar.) grande nuvem escura e carregada de humidade.

chubasquería. *f.* (mar.) aglomeração de nuvens no horizonte.

chubasquero. *m.* impermeável, capa ou casaco. V. **impermeable.**

chuca. *f.* um dos quatro lados dos ganizes, que tem uma cavidade.

chucero. *m.* chuceiro, soldado armado de chuço; (germ.) ladrão.

chucha. *f.* (fam.) V. **perra,** cadela; (fig. e fam.) V. **borrachera.** V. **galbana,** preguiça.

¡chucha! *interj.* para espantar ou conter a cadela.

chuchear. *v. intr.* V. **cuchichear,** cochichar; caçar as aves pequenas, iludindo-as por meios astuciosos.

chuchería. *f.* a(c)ção de **chuchear;** caça de aves pequenas por meios industriosos.

chuchería. *f.* bagatela ninharia vistosa; futilidade; petisco apetitoso; bocadinhos: *chucherías de mujeres*, bisalho.

chuchero, ra. *adj.* que caça aves pequenas. — *m.* (Amér.) bufarinheiro. V. **buhonero;** (Amér.) agulheiro, empregado que faz a agulha nos caminhos de ferro. V. **guardaagujas.**

chucho. s. cão, cachorro; (Amér.) látego, vergalho.

¡chucho! interj. usa-se para espantar ou conter o cão.

chueca. f. V. tocón, toco de árvore; (anat.) apófise de osso que encaixa noutro; (fig. e fam.) caçoada, troça, engano; (germ.) ombro.

chueco, ca. adj. cambaio, pernitorto.

chueta. s. nome que se dá nas ilhas Baleares aos que se supõe serem descendentes de judeus conversos.

chufa. f. (bot.) tubérculo da junça, empregado em refrigerantes; chufa, motejo, caçoada: echar chufas, (fam.) dizer gracejos ou chufas.

chufar. v. intr. chufar, mofar, gracejar, escarnecer, zombar.

chufería. f. lugar onde se vende orchata de chufas.

chufero, ra. s. pessoa que vende chufas.

chufeta. f. V. chofeta, rescaldeiro.

chufla. f. chasco, sarcasmo; derisão.

chufleta. f. (fam.) caçoada, sarcasmo, zombaria, motejo; V. cuchufleta.

chufletear. v. intr. (fam.) chufar, caçoar.

chufletero, ra. adj. (fam.) chuflista, caçoador, motejador.

chula. f. (bot.) fruto dum cacto. V. tuna.

chulada. f. chulada, chularia, chulice, a(c)ção indecorosa, própria de gente de baixa condição; dito ou a(c)ção graciosa; (fam.) debique.

chulapo, pa. s. gracejador, tipo do povo madrileno; fanfa; fanfarrão, facanheiro; chibante.

chule. m. pe(ê)so, duro, moeda de cinco pesetas (em calão de cigano).

chulear. v. tr. chasquear, motejar, zombar dalguém com graça: chulear a alguien, debicar.

chulería. f. chularia, certo ar ou graça nas palavras ou ademanes; chulice, conjunto ou reunião de chulos; (Bra.) farromba; chibantaria; fanfarria, fanfarrada, gabarolice.

chulesco, ca. adj. pertencente ou relativo aos chulos.

chuleta. f. costeleta, costela de carne assada; (fig. e fam.) bofetada; (pop.) chulo; fanfarrão; (Brasil) cola, cauda .

chulo, la. adj. chulo, grosseiro; gracioso, engraçado; chibante; alcoviteiro; farronqueiro; fanfarrão; fadista; chulista; corretor de amores; (Bras.) erpe, galheiro. — s. indivíduo do povo baixo de Madrid um pouco elegante e afe(c)tado no traje e nos modos. — m. ajudante de magarefe; andarilho (nas praças de touros); rufião: expresiones o modos de chulo, chulismo.

chulla. f. talhada ou fatia de toucinho ou presunto; pedaço de carne.

chamacera. f. chumaceira, peça metálica para abrandar o atrito dum eixo; (mar.) tolete, lugar onde gira o remo.

chumbera. f. (bot.) figueira-da-índia.

chumbo, ba. adj. diz-se do figo da figueira-da-índia.

chuga. f. (fam.) algazarra, barulho, bulha festiva; usa-se muito na frase: estar de chuga.

chungarse. v. r. V. chungarse.

chunguearse. v. r. (fam.) recrear-se, troçar alegremente.

chupa. f. parte do vestido que cobria o tronco do corpo.

chupada. f. a(c)ção e efeito de chupar; chupadela; chupadeira; chupadura: dar una chupada a una colilla, chupar uma beata: navio de proa chupada. navio muito chupado de proa.

chupadero, ra. adj. chupador, diz-se do que chupa. — m. biberão, chupeta que usam os meninos, chucha. V. chupador.

chupado, da. adj. e p. p. chupado; (fig.) chupado; (fig.) chupado, fraco, magro; chuchado.

chupador, ra. adj. chupador, que chupa: chuche; chupadoiro: que chupa mucho, chucharrão. — m. chupeta, biberão.

chupadura. f. a(c)ção e efeito de chupar; chupadeira; chucha; chupadura; chupadela.

chupar. v. tr. chupar, sugar; chuchar; aspirar; absorver a água ou a humidade (diz-se dos vegetais); (fig. e fam.) absorver, ir tirando ou consumindo os bens dalguém com pretextos e enganos. — chuparse. v. r. ir enfraquecendo ou emagrecendo: chupar la sangre a alguien, chupar a alguém; chuparse el dedo, ficar chuchando no dedo; no chuparse el dedo, (fig) saber quantos pães dá um alqueire.

chupasangres. m. (fam.) despeitador; (fig.) estria.

chupatintas. m. (depr.) empregado de escritório de pouca categoria; manga de alpaca.

chupativo, va. adj. chupador, que chupa; absorvente.

chupeta. f. (mar.) pequena câmara de popa na coberta principal dalguns barcos.

chupetada. f. chupadura, chupadela. V. chupada.

chupete. m. chupador, chupadela; chucha; chupeta: (fig. e fam.) ser de chupete, ser de chupeta, de primera qualidade, excelente, agradável.

chupetear. v. tr. chupar pouco e com frequência.

chupeteo. m. a(c)ção e afeito de chupar; chupadela.

chupetín. m. espécie de justilho de abas curtas.

chupetón. m. a(c)ção e efeito de chupar con fuerza; chupão, chupadela forte.

chupón, na. adj. (fig. e fam.) chupão, que chupa, chupista; que tira o dinheiro com astúcia. — m. (bot.) gomeleira, rebento inútil no tronco, que só serve para chupar a seiva

chupóptero. m. (fam.) diz-se da pessoa que tem muitos empregos.

chuquisa. f. (Amér.) rameira, meretriz.

churdón. m. (bot.) framboesa, framboeseira; xarope de framboesa.

churla. f. V. churlo.

churlo. *m.* saco de pita coberto com um de coiro, para transportar canela e outras coisas sem que percam as suas qualidades.

churre. *m.* (fam.) churume, humor untuoso dalguna coisa gordurenta, banha, pingue.

churrería. *f.* lugar onde se vendem ou fazem *churros*.

churrero, ra. *s.* fabricante ou vendedor de churros.

churretada. *f.* mancha grande; quantidade de nódoas ou manchas.

churrete. *m.* mancha que suja o rosto, as mãos ou outra parte visível do corpo.

churretoso, sa. *adj.* enodoado, manchado, cheio de manchas, churdo, churro.

churriana. *f.* rameira, meretriz.

churrías. *f. pl.* (Amér.) **V. diarrea.**

churriburri. *m.* V. **zurriburri.**

churriento, ta. *adj.* chorumento, que tem chorume, que tem banha

churrigueresco, ca. *adj.* (arq.) diz-se do estilo introduzido na arquite(c)tura espanhola por Churriguera; (fig.) de mau gosto, sobrecarregado de enfeites. V. **charro.**

churriguerista. *m.* arquite(c)to que segue nas suas obras o *churriguerismo*.

churro. *m.* espécie de massa frita, de forma alongada e muito fina; (pop.) V. **chapuza.**

churro, rra. *adj.* churro, diz-se do carneiro e da ovelha, de lã muito grossa; churra, diz-se também desta lã.

churrada. *f.* V. **cucharada.**

churrullero, ra. *adj.* e *s.* tagarela, aldrabão, farfalhador. V. **charlatán.**

churruscarse. *v. r.* tostar-se, começar a queimar-se uma coisa.

churrusco. *m.* estorrisco, bocado de pão de-masiadamente tostado ou que se começa a queimar.

churumbel. *m.* menino, rapaz.

churumbela. *f.* (mús.) caramela, antigo instrumento de sopro.

churumen. *m.* V. **chirumen.**

churumo. *m.* (pop.) chorume, suco ou substância: *poco churumo*, (fam.) emprega-se para significar que há pouca substância, entendimento, dinheiro, etc.

¡chus! *interj.* V. **¡tus!**

chuscada. *f.* chocarrice, graça pesada, facécia brejeira; palhaçada; farça; descambação.

chusco, ca. *adj.* gracioso, que tem graça, donaire, que é agradável, jocoso.— *m.* pão de munição, munício.

chusma. *f.* chusma, conjunto de galerianos; chusma, plebe, populaça, conjunto de gente baixa, multidão, vulgo; (Amér.) tratando-se índios selvagens, todos os que não são de guerra.

chutar. *v. intr.* (deport.) chutar, dar pontapé na bola, no futebol: *y vas que chutas*, (pop.) expresão empregada para dizer a alguém que já tem suficiente duma coisa.

chuzar. *v. tr.* (Amér.) picar, ferir.

chuzazo. *m.* chuçada, pancada com o chuço.

chuzo. *m.* chuço, pau armado de aguilhão; (Amér.) látego feito de vergalho ou coiro retorcido: *caer chuzos de punta*, chover a cântaros; chover raios e coriscos.

chuzón. *m.* V. **zuizón.**

chuzón, na. *adj.* e *s.* astuto, finório; gracejador, trocista; difícil de enganar.

chuzonada. *f.* chocarrice. V. **bufonada.**

chuzonería. *f.* V. **burleta.**

D

D, d. *f.* quinta letra do abecedário espanhol e quarta das suas consoantes; número romano equivalente a quinhentos; abreviatura de *don.*

dábitis. *m.* (filos.) expressão siligística.

dable. *adj.* possível, practicável, fa(c)tível, fácil.

daca. *contrac.* de *da* e *acá*, dá cá, dá-me, dá-me cá: *andar al daca y toma*, (fam.) andar em disputas, andar em dares e tomares.

Dacia. (geog.) Dácia.

da capo. *adv.* (mús.) da capo.

dacio, cia. *adj.* e *s.* (geog.) dácio, dácico, natural ou habitante da Dácia; pertencente a este país.

dación. *f.* (for.) dação, entrega: *dación en pago*, transmissão do domínio dos bens ao credor.

dacnomanía. *f.* (pat.) dacnomania.

dacriadenetis. *f.* (med.) dacriadenite.

dacrioblenorrea. *f.* (med) dacrioblenorreia.

dacriocistitis. *f.* (pat.) dacriocistite.

dacrioideo, a. *adj.* (bot.) dacrióide.

dacriolina. *f.* (quím.) dacriolina.

dacriorrea. *f.* (med.) dacriorreia.

dacriostasis. *f.* (med.) dacriotase.

dactilado, da. *adj.* da(c)tilado, da(c)tilino, da(c)tilóide, que tem forma de dedo.

dactílico, ca. *adj.* da(c)tílico, diz-se da composição escrita em versos deste género; composto de dáctilos.

dactiliología. *f.* (arqueol.) dactiliologia.

dactilión. *m.* (mús.) dacti¹ião.

dáctilo. *m.* dá(c)tilo, pé de verso grego ou latino.

dactilografía. *f.* da(c)tilografia.

dactilografiar. *v. tr.* da(c)tilografar; escrever à máquina.

dactilográfico, ca. *adj.* da(c)tilográfico.

dactilógrafo, fa. *s.* da(c)tilógrafo.

dactilograma. *m.* da(c)tilograma.

dactilología. *f.* dactilologia.

dactiloscopia. *f.* da(c)tiloscopia.

dactiloscópico, ca. *adj.* da(c)tiloscópico.

dada. *f.* (p. us.) dada, go(ô)zo, posse.

dadaísmo. *m.* (art.) dadaísmo.

dádiva. *f.* dádiva, obje(c)to que se dá; presente; donativo; mercê: *dádivas quebrantan peñas*, com presentes se vencem dificuldades; o dinheiro tudo vence.

dadivado, da. *adj.* subornado por meio de dádivas; peitado.

dadivar. *v. tr.* presentear, dadivar, fazer dádivas, brindar.

dadivosidad. *f.* generosidade, liberalidade, qualidade de dadivoso, desprendimento.

dadivoso, sa. *adj.* dadivoso, amigo de dar, pródigo, liberal, propenso a fazer dádivas; presenteador.

dado. *m.* dado, pequeno cubo de osso ou marfim empregado para jogar; peça cúbica de metal que serve de apoio ao torno ou a outras coisas, para as conservar em equilíbrio; (mil.) ferro quadrado que servia de metralha para a artilharia; (arq.) pedestal: *correr el dado*, (fig. e fam.) ter sorte.

dado, da. *p. p.* e *adj.* dado, permitido, conhecido; gratuito; datado, propenso: *dado que*, sempre que, dado que, contanto que; *dado a mentir*, dado a mentir; *dado en Madrid a 4 de mayo*, dado em Madrid aos quatro de Maio; *no nos es dado adivinar el futuro*, não nos é dado adivinar o futuro.

dador, ra. *adj.* e *s.* dador, que dá ou concede; dador, portador duma carta dum indivíduo para outro; (com.) sacador duma letra de câmbio; que outorga.

daga. *f.* adaga, punhal; fileira de ladrilhos no forno para cozer: *matar a golpes de daga*, matar às adagadas.

dagón. *m.* adaga grande.

daguerrotipar. *v. tr.* daguerreotipar, fixar as imagens por meio do daguerreótipo.

daguerrotipia. *f.* daguerreotip¹a.

daguerrotipo. *m.* daguerreótipo.

dahir. *m.* decreto do Sultão de Marrocos.

daifa. *f.* manceba, concubina.

Daimiel. *n. pr.* V. **panizo de Daimiel.**

dala. *f.* (mar.) dala, calha de tábuas que dava saída às águas do porão.

¡dale! *interj.* dá-lhe!, outra vez!, ainda: *dale que dale*, da-lhe que da-lhe.

dalia. *f.* (bot.) dália, planta e a sua flor.

Dalmacia. (geog.) Dalmácia.

dálmata. adj. e s. dálmata, natural da Dalmácia ou pertencente a esta região.

dalmática. f. dalmática, túnica dos imperadores romanos; vestimenta sagrada que se põe por cima da alva; túnica aberta pelos lados, usada antigamente pela gente de guerra.

dalmático, ca. adj. e s. (geog.) dálmata. V. **dálmata.**

daltoniano, na. adj. daltónico, (Bras.) daltônico, diz-se do que padece de daltonismo.

daltonismo. m. (med.) daltonismo.

dalla. f. V. **dalle.**

dallador. m. gadanheiro, segador de erva à gadanha.

dallar. v. tr. gadanhar, ceifar com gadanha.

dalle. m. gadanha para ceifar; foice de cabo comprido.

dama. f. V. **gamo.**

dama. f. dama, senhora de distinção; dama, namorada, mulher galanteada ou pretendida; dama de honor da rainha, princesas ou infantas; (teatr.) dama, a(c)triz que faz os principais papéis; peça do jo(ô)go do xadrez; criada grave em casa nobre; antigo baile espanhol; (irón.) manceba, meretriz; dama, pedra coroada no jo(ô)go das damas. — pl. jo(ô)go das damas; *primera, segunda dama*, dama (teatr.) primera segunda; *dama noble*, dama nobre; *soplar la dama*, soprar à dama no jo(ô)go das damas; (fig. e fam.) tirar a outro a futura noiva; *ser una mujer muy dama*, ser muito senhora, ou muito distinta.

dama. f. (metal.) lousa ou parede que fecha o crisol dum forno pela parte exterior; (zool.) gamo.

damaceno, na. adj. damasquino. V. **damasceno.**

damajuana. f. garrafão, vasilha bojuda de vidro.

dámara. f. dâmara, género de plantas resinosas e a sua resina.

damariná. f. (quím.) damarina.

damascado, da. adj. V. **adamascado.**

damasceno, na. adj. e s. damasceno, natural de Damasco; damasquino, damasceno, pertencente a Damasco.

Damasco. (geog.) Damasco.

damasco. m. damasco, tecido com desenhos lavrados que se fabricavam em Damasco; (bot.) damasqueiro; damasco, fruto do damasqueiro.

damasquinado, da. adj. damasquinado. — m. damasquinagem; atuxia, incrustação, tauxia, obra de embutidos de metais finos em aço ou ferro.

damasquinador. m. damasquinador, incrustador, o que orna con tauxia armas e outros obje(c)tos.

damasquinar. v. tr. damasquinar, tauxiar. ornar com tauxia armas e outros obje(c)tos de aço ou ferro; adamascar, incrustar, embutir.

damasquino, na. adj. damasquino, diz-se das armas brancas com lavores; (geog.) na-

tural de Damasco: *a la damasquina*, ao estilo de Damasco.

damería. f. damice, delicadeza, melindre feminino, ar desdenhoso; (fig.) reparo, escrupulosidade, afe(c)tação muiheril; timidez, pusilanimidade.

damisela. f. rapariga, alegre e bonita, com ares de senhora; (irón.) meretriz; cortesã.

damnación. f. condenação. V. **condenación.**

damnificación. f. danificação, dano.

damnificador, ra. adj. e s. danificador, que danifica.

damnificar. v. tr. danificar, causar dano; menoscabar, dagradar, avariar.

danaide. m. (zool. e bot.) danaide; (mec.) danaide, espécie de roda hidráulica.

dancaire. m. (germ.) o que joga por outro e com dinheiro dele.

danchado, da. adj. (herald.) denticulado. V. **dentado.**

dandi. m. dândi. V. **petimetre.**

dandismo. m. dandismo, qualidade de dândi; conjunto de dândis, de janotas; elegantismo.

danés, sa. adj. e s. (geog.) dânio. V. **dinamarqués.**

dantellado, da. adj. (herald.) denticulado.

dantesco, ca. adj. dantesco, próprio e característico de Dante; dantesco, dantiano. que recorda a energia grandiosa e trágica deste poeta.

dantista. m. dantiano, aquele que se dedica especialmente ao estudo de Dante e das suas obras.

Dantzig. (geog.) Dantzigue.

Danubio. (geog.) Danúbio.

danubiano, na. adj. (geog.) danubiano.

danza. f. dança; baile, ajuntamento de pessoas que dançam; (fig.) dança, desordem, pendência, rixa; negócio pouco limpo e atrapalhado: *danza de espadas*, espécie de dança com espadas nuas; *danza prima*, baile muito antigo dos asturianos e galegos; *meter a alguien en la danza*, (pop.) meter alguém na dança; *meterse en danza*, (fig.) meter-se em danças; *meterse en danza de espadas*, (fig. e fam.) imiscuir-se em pendências.

danzado, a. p. p. e adj. dançado. — m. V. **danza.**

danzador, ra. adj. e s. dançador, dançarino, que dança.

danzante, ta. adj. e s. dançante, pessoa que dança em procissões e bailes públicos; (fig.) pessoa azougada, a(c)tiva, diligente; (fig. e fam.) estouvado, pessoa ligeira de juízo, intrometida, petulante.

danzar. v. tr. dançar, bailar. — v. intr. mover-se, agitar-se, bambolear-se; (fig. e fam.) intrometer-se num negócio, andar metido em dança.

danzarín, na. s. dançarino, bailarino, pessoa que dança com agilidade, dancista, dançante, dançador; (fig. e fam.) pessoa intrometida.

dañable. adj. danoso, nocivo, prejudicial, gravoso; digno de ser condenado.

dañado, da. *adj.* danado, mau, perverso; irado; réprobo, maldito. V. **condenado.**

dañador, ra. *adj.* 'e *s.* danador, danificador; que dana.

dañar. *v. tr.* danar, danificar, causar prejuízo ou dano; causar dor ou incómodo; danificar; maltratar, estragar; derrancar; desajudar; empecer; deturpar enfezar. devastar; menoscabar; estropear; avariar; desmochar. — **dañarse.** *v. r.* danar-se; arruinarse; chiar; adoecer; enfermar. V. **condenar:** *dañar la reputación,* deitar um borrão.

dañino, na. *adj.* daninho, prejudicial; desaproveitoso; danoso, nocivo.

daño. *m.* dano, prejuízo, detrimento; deterioração; mal; padecimento; desvantagem; estrago; empecimento; menoscabo; desproveito; danificação; extorsão; inconveniente; descalavro; enfezamento; estropício; (mar.) avaria; (fig.) atropelamento; (for.) deterioração ou destruição dos bens; (fig.) aflição, dor, pena; *daños y perjuicios,* perdas e danos; *dar, tomar dinero a daño,* dar, tomar dinheiro de empréstimo; *causar daño,* danificar, daninhar; *resarcir un daño,* desagravar; *sin daño de barras,* (fig.) sem dano ou risco próprio ou de terceiros.

dañoso, sa. *adj.* danoso, nocivo, pernicioso, que causa dano, desvantajoso; desaproveitoso, daninho, pernicioso, nocivo.

dar. *v. tr.* dar, fazer doação de; fazer presente de; fazer esmola de; fazer dádiva; dar, confiar, empregar; propor, indicar; conferir, prover alguém num cargo; dar pancada; bater; ordenar; dar, aplicar; convir; dar por assentado; conceder, outorgar, dar licença; produzir; consagrar; destinar; comunicar; aplicar, prescrever, ministrar; manifestar; admitir, supor; fazer, praticar; exalar; constituir; sacrificar; atribuir; ceder; obsequiar com; franquear; realizar; emitir, soltar; determinar, causar; sujeitar; submeter, declarar, ter, tratar; dar, (nos jogos de cartas); untar, banhar alguma coisa; soltar uma coisa, desprender-se dela; causar, ocasionar, mover; (biol.) proliferar; deferir; fornecer, facilitar; assapar; assinar; depositar; deitar; irrogar, emprestar. — *v. intr.* dar, sobrevir; dar, acertar; dar, derribar; acertar, atinar; dar, estar voltado para, defrontar. (fig.) cair, incorrer; pressagiar, anunciar; produzir. — **darse.** *v. r.* dar-se, entregar-se, ceder na resistência; dar, suceder, existir, determinar alguma coisa; dedicar-se, consagrar-se: *dar de espaldas,* cair de costas; *este árbol da mucha fruta,* esta árvore dá muita fruta; *dar una bofetada,* dar uma bofetada; *dar instrucciones,* dar instruções; *darse de naja,* (vulg.) alforfilhar; *darse al placer,* meter-se em delícias; *darse a la vela,* dar-se à vela; *darse por vencido,* dar-se por vencido; agachar-se; *dárselas de noble,* aforar-se de fidalgo; *dárselas de sabio,* meter-se a sábio; *dar posesión de,* meter em posse; *dar que de-*

cir, achar que dizer; *dar en el quid,* dar com uma solução; *dar de quilla,* (mar.) dar à banda; *dar la señal,* apitar; *dar el soplo,* (pop.) denunciar, delatar; *dar un susto,* chimpar um susto; *se me da muy poco que pienses eso,* não se me dá que penses assim; *darse prisa,* dar-se pressa; *darse bien o mal en alguna parte,* dar-se bem ou mal em alguma parte; *darse por satisfecho,* dar-se por satisfeito; *darse por aludido,* dar-se por entendido; *no te dé cuidado,* não se dê cuidado; *se me da una higa.* (pop.) pouco se me dá; *darse por seguro algo,* dar-se como certa alguma coisa; *¡dale!,* dá-lhe. — *pres. ind. irreg.:* **doy, das, da, damos, dais, dan;** *indef.:* **dí diste,** etc.; *imperf.:* **daba, dabas,** etc.; *fut.:* **daré, darás,** etc.; *cond.:* **daría, darías;** *pres. subsj.:* **dé, dés,** etc.; *imperf.:* **diera, dieras;** *imperat.:* **da. dad;** *p. p.:* **dado;** *ger.:* **dando.**

daraptí. *m.* (fil.) designação de certo silogismo em que as premissas são universais afirmativas e a conclusão afirmativa particular.

dardada. *f.* dardada, pancada com dardo.

Dardanelos. (geog.) Dardanelos.

dardo. *m.* dardo, frecha, farpão; (fig.) censura, dito satírico; (zool.) V. **boga;** aguilhão ou ferrão de alguns inse(c)tos.

dares y tomares. *loc. fam.* quantias dadas e recebidas; (fig.) alterações, disputas entre duas ou mais pessoas; dares e tomares.

dársena. *f.* bacia, doca, parte resguardada dum porto, dique; caldeira dum arsenal; caldeira, fundo, parte mais resguardada dum porto.

dartos. *m.* (anat.) dartos.

dartros. *m. pl.* (pat.) dartros.

dartroso, sa. *adj.* (pat.) dartroso.

darviniano, na. *adj.* darwiniano, darwínico.

darvinismo. *m.* darwinismo.

darvinista. *s.* darwinista.

dasimetría. *f.* fís.) dasimetria.

dasimétrico, ca. *adj.* (fís.) dasimétrico.

dasímetro. *m.* (fís.) dasímetro.

dasipódidos. *m. pl.* (zool.) dasipodidas.

dasipodo, da. *adj.* (zool.) dasípodo.

dasite. *m.* (zool.) dasite.

dasiuro. *m.* (zool.) dasiúro.

dasocracia. *f.* parte da ciência que trata da ordenação dos montados, a fim de obter um maior rendimento anual.

dasocrático, ca. *adj.* pertencente ou relativo à *dasocracia.*

dasonomía. *f.* ciência que trata da criação, conservação e cultura dos montes.

dasonómico, ca. *adj.* pertencente a ou relativo à dasonomía.

data. *f.* data, época, dia, lugar em que se escreveu uma carta; quantidade, porção, data; abertura, orifício nos depósitos de água para dar saída a uma certa quantidade; (com.) deve, descargo; licença por escrito; parte, parcela, artigo duma conta: *larga data,* longa data; *estar de buena o mala data,* (pop.) estar de boa ou má data.

datar. *v. tr.* datar, pôr a data; (com.) pôr nos livros de assento as parcelas de quitação; debitar. — *v. intr.* começar a contar dalguma data; **datarse.** *v. r.* (com.) assentar nos livros as parcelas de quitação.

dataría. *f.* dataria, tribunal pontifício.

datario. *m.* datário, prelado que preside e governa a dataria.

dátil. *m.* (bot.) datil, tâmara; (zool.) molusco, bivalve semelhante ao datil na co(ó)r das conchas e na figura. — *pl.* (pop.) os dedos.

datilado, da. *adj.* datilado, da co(ó)r da tâmara madura, ou semelhante a ela.

datilera. *adj.* (bot.) datileira, diz-se da palmeira que dá frutos conhecida por tamareira.

datilero. *m.* (bot.) datileira, tamareira.

datisca. *m.* (bot.) datisca.

datísceas. *f. pl.* (bot.) datiscáceas.

datiscetina. *f.* (quím.) datiscetina.

datiscina. *f.* (quim.) datiscina.

datismo. *m.* (ret.) datismo, emprego exagerado de sinonímia.

dativo. *m.* (gram.) dativo, um dos casos da declinação; (for.) dativo.

dato. *m.* indicação, dado, antecedente, base; documento, testemunho, fundamento, pormenor; informe; indício. — *pl.* (mat.) dados, quantidades conhecidas.

datolita. *f.* (min.) datolite.

datura. *m.* (bot.) datura.

daturina. *f.* (quím.) daturina.

daturismo. *m.* daturismo.

daubreita. *f.* (min.) dauburite.

dauco. *m.* (bot.) cenoura silvestre V. **biznaga.**

daudá. *f.* (Amér.) V. **contrahierba.**

davalar. *v. intr.* (mar.) derivar. V. **devalar.**

David. *n. pr.* David.

davídico, ca. *adj.* davídico, pertenecente e relativo a David ou à sua poesia e estilo.

daza. *f.* (bot.) V. **zahína.**

D. D. T. *m.* abrev. de diclorodifeniltricloretano.

de. *f.* nome da letra **D.**

de. *prep.* de, designativa de diferentes relações como posse; movimento ou proveniência: *llegar de París,* chegar de Paris; propriedade; *la espada del capitán,* a espada do capitão; cará(c)ter ou profissão: *en su calidad de médico,* na sua qualidade de médico; estado: *en su época de soltero,* no seu tempo de solteiro; maturalidade: *este hombre es de Barcelona,* este homem é de Barcelona; separação: *lejos de mi casa,* distante de minha casa; mudança; *de pobre a millonario,* de pobre a milionário; emprego: *navaja de afeitar,* navalha de barba; situação, causa: *el trabajo de estudiar,* o trabalho de estudar; matéria: *anillo de plata,* anel de prata; conformidade; *ser de justicia,* ser de justiça; equivale a desde; *de Roma a Madrid,* de Roma a Madrid; algumas vezes emprega-se para reger infinitivos; *comenzar a hablar,* começar de falar; usa-se como pre-

fixo de vocábulos compostos; *decantar, demostrar, denegrecer, defiar.*

dea. *f.* (poet.) dea, deusa.

dealbación. *f.* (quím.) dealbação, dealbo branqueamento.

deambulación. *f.* deambulação, passeio.

deambular. *v. intr.* deambular, passear, vaguear; errar; andejar.

deambulatorio, ria. *adj.* deambulatório; (fig.) erradio, desnorteado. — *m.* (arq.) deambulatório.

deán. *m.* deão, na antiga Universidade de Alcalá, o lente mais antigo de cada Faculdade.

deanato. *m.* deado, cargo ou dignidade do deão; território eclesiástico pertencente ao deão; decanado.

deanazgo. *m.* deado. V. **deanato.**

debajo. *adv.* debaixo, sob; da parte inferior; lugar ou posto inferior, em relação a outro superior, em relação a outro superior; (fig.) em dependência, com inferioridade duma pessoa a respeito doutra: *por debajo cuerda,* à formiga, à socapa; *debajo de una mala capa se esconde un buen bebedor,* debaixo de ruim capa se esconde o bom bebedor; *quedar debajo de,* ficar debaixo de; *debajo de,* abaixo, debaixo.

debandar. *v. tr.* (ant.) debandar, desunir, separar.

debate. *m.* debate, discussão, altercação, luta, contenda, contestação, batalha. — *pl.* dares-e-tomares; debates, discussões no parlamento.

debatible. *adj.* debatidiço, que se pode debater, discutível.

debatir. *v. tr.* debater, discutir, contender, altercar, contestar; apurar, altercar, disputar; argumentar; debater, lutar, pelejar. — **debatirse.** *v. r.* debater-se; barajustar; espeluchar; forcejar; entrebater-se.

debe. *m.* (com.) deve, débito; uma das duas partes em que se dividem as contas correntes.

debelación. *f.* debelação; conquista.

debelador, ra. *adj.* e *s.* debelador, que debela ou conquista.

debelar. *v. tr.* debelar, vencer, submeter, render; abafar; conter; domar; dominar; jugular; refrear; reprimir; sobrelevar, sobrepujar; sofrear; subjugar; submeter; sufocar; superar.

deber. *m.* dever, obrigação de fazer uma coisa; incumbência; empenho; dívida, débito: *cumplir con su beber,* cumprir com o seu dever; *faltar al deber,* faltar ao dever.

deber. *v. tr.* dever, estar obrigado a fazer ou prestar alguma coisa; dever, cumprir obrigações; dever, ter obrigação de pagar uma dívida: *deber las pestañas,* (fam.) dever os cabelos da cabeça; *deber a todo bicho viviente,* (pop.) dever ao terço e ao quarto; *debe de hacer frío,* deve fazer frio; *¿qué debemos hacer?,* que devemos fazer?; *debes estar loco,* tu deves de ser louco; *debe ser así,* deve ser assim; *como debe ser,* como deve ser; *no quedar a deber nada a alguien,* não ficar devendo nada a alguém; *no se debe juzgar por las apariencias*, (pop.) não se deve julgar dos homens como dum painel; *no debe nada una cosa a otra*, não ser uma coisa inferior a outra.

debido, da. *p. p.* e *adj.* devido; decente, merecido: *como es debido*, como corresponde; *debido a*, devido a.

débil. *adj.* débil, de pouco vigor, força ou resistência; fraco; froixo; insignificante; pouco perceptível; escasso ou deficiente no físico ou no moral; efeminado; desarrazoado; melindroso; definhado; desangrado; franzino; exinanido; impotente; fracalhão; frágil; exangue; exânime; defectível; mimoso; acabado; ameninado; deixado; enfermiço, delicado; chocho, (Bras.) chôcho; desmazelado; desmaiado, inconsistente; desmedrado; franquinho; abanado; apagado; asténico, (Bras.) astênico: *hombre débil*, boleima; *moneda débil*, moeda fraca; *estar muy débil*, andar por arames; *argumentos débiles*, argumentos frios; *el punto débil de alguien*, o fraco de alguem.

debilidad. *f.* debilidade; enfraquecimento, prostração de forças; fraqueza intelectual; carência de energia ou vigor; (gal.) carinho; pusilanimidade; timidez; inconsistência; desmaio; afracamento; infirmidade; delicadeza; astenia; froixeza, froixidão; macilência; descaimento; fragilidade; impotência; exinanição; esvaecimento; debilitação: *debilidad de estómago*, desconso(ô)lo do estômago; *debilidad visual*, astenopia.

debilitación. *f.* debilitação, amolecimento; enfraquecimento, entibiamento, atenuação; depauperação; definhamento; extenuação; desnervamento, enervação.

debilitamiento. *m.* V. **debilitación.**

debilitar. *v. tr.* debilitar, diminuir a força, vigor, poder, etc.; tornar débil; enfraquecer; alquebrar; desnevar; desmaiar; afracar; descair; emurchecer; entibiar; entresilhar; embotar; desvigorar; deslassar; acanhar; derrubar; inanir; minguar; afrouxar; depauperar; fraquear; elidir; extenuar; atenuar; atonizar; efeminar; abater; desvertebrar; minar; enervar. — **debilitarse.** *v. r.* debilitar-se; embaçar; afracar; embotar-se; enervar-se; desvigorar-se; extenuar-se; deperecer; agastar-se.

debitar. *v. tr.* (com.) debitar, assentar no deve duma conta.

débito. *m.* débito, dívida; deve: *débito conyugal*, débito conjugal.

debla. *f.* canto popular de Andaluzia.

debrocar. *v. tr.* debruçar, inclinar uma vasilha ou outra coisa.

debut. *m.* (gal.) debute, estreia, apresentaço duma artista, escritor, etc.

debutar. *v. intr.* debutar, estrear-se, apresentar-se pela primeira vez ante o público.

deca. *prefijo.* empregado em palavras compostas, com a significação de dez.

Deca. *f.* (neol.) defesa contra aeronaves.

década. *f.* década, série de dez; década,

conjunto de dez homens no exército grego; década, período de dez dias; década, período de dez anos.

decadáctilo, la. *adj.* (zool.) decadáctilo.

decadencia. *f.* decadência, decaimento, abatimento, declinação, menoscabo; decadência, princípio de debilidade ou de ruína; desperecimento, atrofia; decrepidez; declinação; desvalor; abatimento; (fig.) atraso; descida; desflorecimento; degeneração.

decadentismo. *m.* decadismo, decadentismo, estilo literário dos que propendem a um refinamento exagerado no emprego das palavras; nefelibatismo.

decadentista. *adj.* e *s.* decadista, decadentista, partidário ou relativo ao decadismo.

decaedro. *m.* (geom.) decaedro.

decaer. *v. intr.* decair, diminuir; declinar; minguar, ir a menos; passar a uma situação inferior; abater-se, empobrecer; perder o vigor; estragar-se; degenerar; acalmar; descer; vir a menos; esvaecer-se; fraquear; entibiar; declinar; declivar, decrepitar; deperecer; deteriorar-se; desmedrar; arruinar-se; descambar; desflorecer; (mar.) descair, desviar do rumo.

decaginia. *f.* (bot.) decagínia.

decagonal. *adj.* (geom.) decagonal.

decágono, na. *adj.* e *m.* (geom.) decágono.

decagramo. *m.* decagrama.

decaído, da. *p. p.* e *adj.* decaído, abatido, que se acha em decadência; chocho; decadente; acabado; descaído; desflorido; desmazelado; asténico, (Bras.) astênico; embaçado de co(ô)r.

decaimiento. *m.* decaimento; descida; decadência; descaída; fro:xidão. V. **decadencia.**

decalco. *m.* decalque, decalco.

decalitro. *m.* decalitro.

decálogo. *m.* decálogo, os dez mandamentos da lei de Deus.

decámetro. *m.* decâmetro.

decampar. *v. intr.* decampar, levantar o acampamento, mudar de campo um exército.

decanato. *m.* decanado, deado, dignidade ou fun(ç)es de deão; gabinete onde trabalha o deão.

decandria. *f.* (bot.) decandria.

decandrio, dria. *adj.* (bot.) decandro.

decanía. *f.* decania, quinta ou igreja rural, propiedade dum mosteiro.

decano. *m.* decano, membro mais antigo duma comunidade, corporação ou classe; deão.

decantación. *f.* decantação, a(c)ção e afeito de decantar líquidos.

decantado, da. *adj.* que se decantou, decantado; falado; celebrado; exaltado.

decantar. *v. tr.* decantar, transvazar um líquido para ficar sem fezes; deliquar.

decantar. *v. tr.* decantar, ponderar, engrandecer, celebrar, propalar.

decapar. *v. tr.* decapar, tirar a camada de óxido que cobre um metal.

decapétalo, la. *adj.* (bot.) decapétalo.

decapitación. *f.* decapitação, degola, degolação, descabeçamento.

decapitar. *v. tr.* decapitar, cortar a cabeça, descabeçar, degolar.

decápodo, da. *adj.* (zool.) decápode. — *m. pl.* decápodes.

decárea. *f.* medida de superfície que tem dez ares.

decasílabo, ba. *adj.* e *s.* decassílabo, decassilábico.

decastilo. *m.* (arq.) decastilo.

decatlón. *m.* (deport.) decatlo.

decemnovenal. *adj.* decenovenal.

decemnovenario. *adj.* decenovenal.

decena. *f.* dezena, grupo de dez unidades; (prov.) companhia de dez pessoas.

decenal. *adj.* decenal, que sucede cada decénio, que dura um decénio.

decenar. *m.* bando, grupo de dez; turma; decúria.

decenario, ria. *adj.* decenário, pertencente ao número dez; que se divide em dezenas. — *m.* V. **decenio**; sarta, enfiada de dez contas pequenas e uma mais grossa, com uma cruz por remate.

decencia. *f.* decência; honestidade, recato, decoro, (Bras.) decôro, modéstia, asseio. alinho; (fig.) dignidade nos a(c)tos e nas palavras; compostura: *faltar a la decencia*, decotar.

decenio. *m.* decénio, (Bras.) decênio, período de dez anos.

deceno, na. *adj.* décimo, número que se segue ao nono.

decentar. *v. tr.* encetar, começar a cortar ou gastar uma coisa; encetar; (fig.) começar a perder o que estava são; começar a tirar ou gastar alguma coisa. — **decentarse.** *v. r.* ferir-se, esfolar-se, escoriar-se alguma parte do corpo por estar muito tempo deitado sobre essa parte, ulcerar-se.

decente. *adj.* decente, honesto, justo; adornado com asseio; que fica bem; apropriado; decoroso; conveniente; com limpeza, mas sem luxo; decente, de família honrada; suficiente; excessivo; de boa qualidade: honorável; honesto, bem comportado.

decenvir. *m.* decênviro. V. **decenviro**.

decenviral. *adj.* decenviral.

decenvirato. *m.* decenvirato.

decenviro. *m.* decênviro.

decepar. *v. tr.* decepar; amputar; mutilar.

decepción. *f.* decepção, malogro duma esperança, desilusão; desapontamento; surpresa desagradável, chasco, chasqueio: *sufrir una gran decepción*, (fam.) ficar com cara de asno.

decepcionar. *v. tr.* (gal.) desiludir, desapontar, chasquear, decepcionar.

deceptorio, ria. *adj.* (ant.) deceptivo, que causa decepção.

deci. *pref.* deci, décima parte.

deciárea. *f.* décima parte do are, deciárea.

decible. *adj.* dixível, expl:cável, que se pode dizer ou explicar.

decideras. *f. pl.* (fam.) eloquência, verbosidade, loquacidade.

decidero, ra. *adj.* dizível, que se pode dizer sem inconveniente.

decidido, da. *p. p.* e *adj.* decidido, resoluto, resolvido, corajoso; denodado, abalançado; acérrimo; empreendedor; definido; desassombrado; desenganado; determinado; deliberado; assente; (Bras.) tôco, tupina: *estar decidido a*, acabar consigo; *hombre decidido a todo*, (fam.) homem de faca e calhau.

decidir. *v. tr.* decidir, deliberar, determinar, resolver, julgar; cortar a dificuldade; formar juízo definitivo; assentar; averiguar; desatar; declarar; definir; desempatar; decretar; determinar. — **decidirse.** *v. r.* decidir-se, determinar-se, resolver-se; averiguar-se; declarar-se; atrever-se; deliberar-se; dar preferência a: *decidir una diferencia*, averiguar desabrimentos; *decidir un negocio*, desempatar um negócio; *no decidirse*, estar em dúvida; *decidirse por un partido*, determinar-se por um partido; *no decidirse por nada*, não atar nem desatar.

decidor, ra. *adj.* e *s.* dizedor, entretenido, que fala com graça e facilidade; gracejador.

deciduo, dua. *adj.* (bot.) decíduo.

decigramo. *m.* decigrama.

decilitro. *m.* decilitro.

décima. *f.* décima, cada uma das dez partes iguais dum todo; décima, cada uma das partes da graduação dos termómetros; moeda de cobre, fora de uso; (poet.) décima, composição de dez versos rimados.

decimacuarta. *adj.* décima quarta. V. **decimocuarta**.

decimal. *adj.* e *s.* decimal, que tem por base o número dez; pertencente ao dízimo; decimal, diz-se do sistema métrico de pesos e medidas: *reducción a decimales*, decimalização.

decimalidad. *f.* decimalidade.

decimanona. *adj.* V. **decimonona**.

decimanovena. *f.* um dos registos do orgão.

decimaoctava. *adj.* V. **decimoctava**.

decimaquinta. *adj.* V. **decimoquinta**.

decimar. *v. tr.* (ant.) decimar. V. **diezmar**.

decimaséptima. *adj.* V. **decimoséptima**.

decimasexta. *adj.* V. **decimosexta**.

decimatercera. *adj.* V. **decimotercera**.

decimatercia. *adj.* V. **decimotercia**.

decímetro. *m.* decímetro.

décimo, ma. *adj.* décimo, que segue em ordem ao nono; décimo, diz-se de cada uma das dez partes em que se divide um todo. — *m.* décimo dum bilhete de lotaria; moeda de prata da Colômbia, México e Equador; *décimo de lotería*, (Bras.) gasparinho.

decimoctavo, va. *adj.* décimo oitavo.

decimocuarto, ta. *adj.* décimo quarto.

decimonono, na. *adj.* décimo nono.

decimonoveno, na. *adj.* décimo nono. V. **decimonono**.

decimoquinto, ta. *adj.* décimo quinto.

decimoséptimo, ma. adj. décimo sétimo.
decimosexto, ta. adj. décimo sexto.
decimotercero, ra. adj. décimo terceiro. V. **decimotercio.**
decimotercio, cia. adj. décimo terceiro; trezena.
deciocheno, na. adj. décimo oitavo. V. **dieciocheno.**
decir. v. tr. dizer, exprimir por palavras, enunciar; falar; assegurar; sustentar, persuadir; nomear; chamar; apelidar, denominar, nomear; dizer, denotar, indicar; dizer, enunciar, narrar; recitar; rezar; referir; significar; celebrar; criticar; explicar; confessar; ordenar. — v. intr. dizer, conformar, corresponder, quadrar uma coisa com outra; dizer, murmurar, falar mal; alegar; condizer, ajustar. — **decirse.** v. r. dizer-se; apelidar-se; chamar-se; intitular-se; afirmar-se pùblicamente, constar; designar-se, ter-se na conta de; fazer supor que é: *el qué dirán*, aplica-se respeito à opinião pública; *decir y hacer*, dizer e fazer; *decir por decir*, dizer por dizer, falar sem fundamento; *decir la propia opinión*, dizer a sua opinião; *decir la lección*, dizer a lição; *eso no dice nada al caso*, isso não diz nada ao caso; *decir misa*, dizer misa; *le digo que se calle*, digo-lhe que se cale; *se dice que habrá guerra*, diz-se que vai haver guerra; *se decía una gran artista*, dizia-se grande artista; *dime con quien andas y te diré quien eres*, dize-me com quem andas, dir-te -ei as manhas que tens; *decir tonterías*, desarrazoar; *decir bien de*, bem-dizer de; *me dice el corazón que*, o coração me diz que; *digan lo que digan*, digam o que disserem; *decir algo con la boca chiquita*, (pop.) dizer alguma coisa pela boca pequena; *decir amén a todo*, (fam.) ir atrás dum chocalho; *por decirlo así*, por bem dizer; *como si dijéramos*, para assim dizer. — *pres. ind. irr.*: **digo**; *pret.*: **dije**, etc.; *fut.*: **diré**; *pot.*, **diría**; *subj.*: **diga**; *imperf.*: **dijera**; *imperat.*: **di**, **decid**; *ger.*: **diciendo**; p, p.: **dicho.**
decir. m. dizer, dito, máxima, sentença, conceito. — pl. dizeres, ditos satíricos, apodos, murmurações: *es un decir*, é um modo de falar; *el decir de las gentes*, o diz-se.
decisión. f. decisão; sentença, resolução, determinação; revolução; decisão, firmeza de cará(c)ter, coragem, intrepidez; (for.) decisão, sentença, resolução judicial; definição; deliberação; (fig.) desempate: *decisión de la Rota*, sentença da Sagrada Rota; *decisión favorable*, deferimento; *decisión injusta*, arbitrariedade; *decisión de un tribunal superior*, aresto; *tomar una decisión*, decidir-se.
decisivo, va. adj. decisivo, que decide ou resolve; enérgico, resoluto; decretório, definitivo.
decisorio. adj. decisório. V. **decisivo.**
decistéreo. m. decistere, decistéreo.
declamación. f. declamação, oração, discur-

so; invectiva áspera; declamação, arte de representar no teatro; modo pomposo de discursar; palavreado o(ô)co.
declamador, ra. adj. e s. declamador; orador; declamante.
declamar. v. intr. declamar, orar ou falar em público; orar par exercitar as regras da retórica; declamar, recitar com ademanes e gestos convenientes; discursar afectadamente; falar com violência contra alguém, invectivar; declamar, representar no teatro.
declamatorio, ria. adj. declamatório, enfático, exagerado.
declarable. adj. declarável, que pode ser declarado.
declaración. f. declaração, manifestação; (for.) depoimento; denúncia; explanação; atestado; atestação; declaração, confissão de amor; declaração, documento; manifesto; afirmação de un fa(c)to: *declararse a una chica*, (pop.) fazer uma declaração à rapariga; *declaración de guerra*, declaração de guerra; *declaración jurada*, declaração jurada; *declaración de bienes*, declaração de bens; *declaración del Jefe del Estado*, mensagem do Chefe do Estado.
declarado, da. p. p. e adj. declarado, patente, manifesto, evidente, acérrimo.
declarador, ra. adj. e s. declarador, declarante; explicador; declamador.
declarar. v. tr. declarar, manifestar, explicar o que está oculto ou não se entende bem; (for.) determinar, decidir; externar, exteriorizar, explanar; elucidar; enunciar; demonstrar; contestar; expressar; expor; falar; (fam.) desembuchar. — v. intr. (for.) depor; decidir, determinar. — **declararse.** v. r. declarar-se, manifestar a sua intenção; manifestar-se; abrir-se: *declarar lo que se sabe de un asunto*, desemprenhar; *declarar por escrito*, atestar; *declarar heredero*, declarar herdeiro; *declarar en juicio*, (for.) depor; *declararse a una mujer*, declarar o seu coração; *declararse una epidemia*, declarar-se uma epidemia; *declararse en favor o en contra de alguien*, declarar-se por ou contra alguém.
declarativo, va. adj. declarativo, diz-se do que declara duma maneira perceptível o que não é claro.
declaratorio, ria. adj. declaratório; (for.) declaratório, que declara judicialmente.
declinable. adj. (gram.) declinável.
declinación. f. declinação, declive, pendor, inclinação; (fig.) declinação, abatimento, decadência; (astr.) distância dum astro ao equador, latitude; (gram.) declinação; definhamento; minguante; descaimento; (fig.) degeneração; (med.) declinação, diminuição da doença; (fís.) declinação da agulha magnética: *no saber las declinaciones*, ser sumamente ignorante.
declinar. v. intr. declinar, pender, inclinar-se mais para um lado qu para outro; (fig.) definhar, decair, minguar, ir per-

dendo em saúde, inteligência, riqueza, etcétera; descer, degenerar, fugir. — *v. tr.* (gram.) declinar; galicismo por *renunciar*; (for.) declinar, alegar incompetência de fo(ô)ro; (astr.) declinar.
declinatoria. *f.* (for.) declinatória, a(c)to pelo qual se declina o fo(ô)ro.
declinatorio. *m.* declinatório, bússola com caixa re(c)tangular.
declinómetro. *m.* (fís.) declinómetro, aparelho que serve para medir a declinação magnética.
declive. *m.* declive, pendor, inclinação do terreno ou duma superfície, declívio, declividade, arrampadoiro, descida; encosta, descambada: *en declive*, enfestado.
declividad. *f.* declividade. V. **declive.**
declivio. *m.* declive. V. **declive.**
decocción. *f.* decocção.
decoloración. *f.* descoloração, descoramento; desbotadura; palidez; estiolamento (diz-se das plantas).
decolorar. *v. tr.* descolorar, descorar; desbotar; estiolar; tirar a cor. — *v. intr.* descorar, empalidecer.
decomisar. *v. tr.* confiscar. V. **comisar.**
decomiso. *m.* confisco. V. **comiso.**
decoración. *f.* decoração, coisa que decora; ornamentação, cenário; adorno, enfeite, ornato; embelezamento; condecoração.
decorado, da. *p. p.* e *adj.* decorado, ornamentado; arreiado. — *m.* decoração, decorado; aprendido de cor.
decorado. *m.* decoração, efeito de decorar, de ornamentar.
decorador. *m.* decorador, aquele que decora, ornamenta ou adorna; armador (igrejas).
decorar. *v. tr.* decorar, adornar, aformosear, embelecer, enfeitar; guarnecer com pinturas, estofos, etc.; estofar; ornar; arreiar; condecorar. V. **condecorar.**
decorar. *v. tr.* decorar, aprender de cor; recitar de memória; reter na memória; silabar. V. **silabear.**
decorativo, va. *adj.* decorativo, pertencente ou relativo à decoração; decorativo, que serve para decorar.
decoro. *m.* decoro, (Bras.) decôro, respeito de si mesmo; decência; dignidade; honestidade; vergonha; pundonor; nobreza; honra, brio, reverência a uma pessoa; circunspe(c)ção, gravidade; pureza; recato; pundonor: *guardar el decoro*, conservar a compostura devida; *con decoro*, decoramente; *faltar al decoro*, decorar.
decoroso, sa. *adj.* decoroso; pundonoroso, decente; honroso, modesto, honesto; digno.
decorticación. *f.* (cir.) decorticação.
decorticar. *v. tr.* (cir.) decorticar.
decrecencia. *f.* decrescença, decrescimento, decremento.
decrecer. *v. intr.* decrescer, minguar, diminuir, tornar-se menor, baixar; afrouxar, desengrandecer, declinar.
decrecimiento. *m.* decrescimento, diminução, decrescença; decréscimo. V. **disminución.**

decremento. *m.* decremento, diminuição, decrescimento; declinação.
decrepitación. *f.* (quím.) crepitação, crepitação; decrepitude.
decrepitar. *v. intr.* decrepitar, crepitar pela a(c)ção do fogo; (fig.) decair.
decrépito, ta. *adj.* decrépito, muito velho: caduco; arruinado; decadente.
decrepitud. *f.* decrepitude, decrepidez, extrema velhice, caducidade; envelhecimento; chochice. V. **chochez;** decrepitude, demência, tresvario de velhice.
decrescendo. *m.* (mús.) diminuição gradual da intensidade do som.
decrescente. *adj.* (bot.) decrescente.
decretación. *f.* (ant.) decretação; promulgação dum decreto.
decretal. *adj.* decretal, relativo às decretais ou decisões pontifícias. — *f.* decretal, epístola do Sumo Pontífice. — *pl.* livro onde está a recopilação de breves pontifícios.
decretalista. *m.* decretalista, jurisconsulto versado em decretais.
decretar. *v. tr.* decretar, resolver, deliberar; ordenar por meio de decreto; decidir a pessoa que tem autoridade ou facultades para alguma coisa; ordenar; decidir; (for.) decretar, sentenciar; definir; estatuir.
decretero. *m.* (for.) lista dos réus que se entregava nos tribunais aos juízes para que se fosse apontando o que se decretava acerca de cada réu; cole(c)ção de decretos.
decreto. *m.* decreto, decisão, determinação do chefe do Estado, gove(ê)rno, tribunal, juiz, etc., sobre qualquer matéria; resolução; ordenação; desígnio, vontade; edi(c)to; assento; estatuto; intenção, ordenação: *real decreto*, decreto firmado pelo chefe de Estado (em monarquia), com referendo ministerial.
decretorio. *adj.* (med.) decretório, decisivo, diz-se do dia em que uma doença faz crise.
decúbito. *m.* (med.) decúbito, posição do corpo em repouso, em plano horizontal.
decumano, na. *adj.* decumano, décimo. — *m. pl.* decumanos, soldados da décima região romana.
decumbente. *adj.* decumbente, deitado; diz-se do que está de cama por doença; inclinado.
decuplar. *adj.* decuplar, decuplicar, multiplicar por dez.
decuplicar. *v. r.* decuplicar, decuplar, multiplicar por dez.
décuplo, pla. *adj.* e *m.* décuplo, dez vezes maior, quantidade décupla.
decuria. *f.* decúria, cada uma das dez partes em que se dividia a cúria romana; decúria, esquadra de dez soldados na antiga milícia romana; grupo de alunos duma aula a cargo dum decurião.
decuriato. *m.* estudante que pertencia a uma decúria nas aulas de gramática latina; decuriado.

decurión. *m.* decurião, chefe de decúria; decurião, magistrado nas colónias ou municípios romanos; decurião, aluno duma escola incumbido de ensinar outros alunos.

decurionato. *m.* decuriado, decurianato, dignidade de decurião; corpo dos decuriões.

decurrente. *adj.* (bot.) diz-se das folhas que parecem estar aderidas ao caule; decursivo; decorrente.

decursas. *f. pl.* (for.) rendas, foros atrasados, já vencidos, de que passou o dia de pagamento.

decurso. *m.* decurso, sucessão, continuação do tempo; duração, curso; giro; (astr.) derrota: *decurso de la vida,* decurso da vida.

decusación. *f.* (bot.) disposição das folhas em forma de cruz.

decusado, da. *adj.* (bot.) decussado.

dechado. *m.* exemplar, modelo, tipo, exemplo; bordado que as meninas executam, segundo um mode(ê)lo; (fig.) mode(ê)lo de virtudes ou vicios.

dedada. *f.* dedada, porção de substância que se pode tomar com o dedo; dedada, pancada com o dedo; dedada, sinal que deixa um dedo quando toca uma coisa: *dedada de miel,* (fig.) o que se faz para dar esperança ou consolar alguém.

dedal. *m.* dedal, pequena porção de líquido; (fig.) dedal, copinho, chícara muito pequena; dedeira.

dedalera. *f.* (bot.) dedaleira, digital.

dedálico, ca. *adj.* dedálico, dedáleo, relativo a dédalo; intricado, labiríntico; artificioso.

dédalo. *m.* dédalo, labirinto, coisa intrincada; lugar confuso.

dedeo. *m.* (mús.) dedilhamento, dedilhação, agilidade de dedos ao tocar um instrumento.

dedicación. *f.* dedicação, consagração, veneração, devotação, devotamento, devoção; destinação; desvelo, (Bras.) desvêlo; adesão; dedicatória; afe(c)to extremo.

dedicado, da. *p. p.* e *adj.* dedicado, devoto; adi(c)to; devotado; consagrado; empregado, destinado; aplicado.

dedicar. *v. tr.* dedicar, consagrar, destinar uma coisa ao culto ou a um fim profano; votar, tributar; oferecer; dedicar um obje(c)to com inscrição; empregar, destinar, aplicar; consagrar; destinar; inaugurar; endereçar; devotar. — **dedicarse.** *v. r.* dedicar-se, consagrar-se. devotar-se; aplicar-se; destinar-se; deitar-se, entregar-se, empregar-se; dar-se; exercitar-se; exercer: *dedicar muchas horas al estudio,* dar muitas horas ao estudo; *dedicarse con ahinco a,* engolfar-se; *dedicarse por entero,* entranhar-se; *dedicarse de lleno a,* enfrascar-se.

dedicativo, va. *adj.* V. **dedicatorio.**

dedicatoria. *f.* dedicatória, carta ou nota dirigida à pessoa a quem se dedica uma obra; dedicação; inscrição ou palavras com que se oferece alguma coisa.

dedicatorio, ria. *adj.* que tem ou supõe dedicação.

dedición. *f.* rendição sem condições, a(c)ção e efeito de render-se.

dedignar. *v. tr.* desdenhar, depreciar, desprezar; desestimar. V. **desdeñar.**

dedil. *m.* dedeira, prote(c)ção para resguardar o dedo; (germ.) anel.

dedillo. *m. dim.* de *dedo;* dedinho: *al dedillo,* (fig. e fam.) perfeitamente; *saber al dedillo,* conhecer perfeitamente alguma coisa.

dedo. *m.* dedo; medida equivalente à 48.ª parte da vara castelhana; (anat.) dedo; (fig.) dedo, pequena quantidade: *dedo pulgar* ou *gordo,* dedo polegar; *dedo índice, mostrador* ou *saludador,* dedo índice, índex, indicador; *dedo cordial, del corazón* ou *de en medio,* dedo máximo, médio; *los dedos se le hacen huéspedes,* (pop.) até os dedos lhe parecem hóspedes; *alzar el dedo para prometer algo,* levantar o dedo para o ar; *meter a uno el dedo en la boca,* meter o dedo na boca; *contar con los dedos,* contar pelos dedos; *meter a uno los dedos por los ojos,* meter os dedos pelos olhos; *señalar a alguien con el dedo,* mostrar ao dedo; *ser señalado con el dedo,* ser apontado a dedo; *los dedos,* (pop.) gadanhos; *poner a uno los cinco dedos en la cara,* pôr a alguém os cinco dedos no rosto; *tener cinco dedos en cada mano,* pop.) ter cinco dedos no mão; *dos dedos de,* dois dedos de, pequena quantidade de; *derribar con un dedo,* (fig. e fam.) derribar com um dedo; *mamarse uno el dedo.* (fam.) fazer-se o simples; *tener dos dedos de frente,* (fam.) ter pouco entendimento; *ponerse uno el dedo en la boca,* (fig.) calar; *tener uno malos dedos para organista,* (fig. e fam.) ter maus dedos para organista.

dedolar. *v. tr.* (cir.) cortar obliquamente alguma parte do corpo. — *pres. ind. irr.* **deduelo, -as, -a, -an;** *subj.* **deduele, -es, -e, -en.**

deducción. *f.* dedução, derivação, a(c)ção de tirar uma coisa doutra ou parte dela; dedução, consequência dum raciocínio; ilação; conclusão; exposição fundamentada; dedução; subtra(c)ção; inferência; futuração; desconto; (mús.) dedução.

deducible. *adj.* deduzível, que pode ser deduzido.

deducido, da. *adj.* e *p. p.* deduzindo, derivado, inferido; diminuido, descontado; restado.

deducir. *v. tr.* deduzir, inferir; diminuir, abater, descontar, restar, subtrair; deduzir, depreender; inferir; argumentar, arguir; concluir; derivar, tirar como consequência, inferir; (for.) alegar, apresentar a parte a sua defesa ou direito, deduzir; enumerar minuciosamente.

deductivo, va. *adj.* dedutivo, que procede ou obra por dedução; deducente.

defacto. *adv.* de fa(c)to, realmente.

defalcar. *v. tr.* V. **desfalcar.**

defecación. f. defecação; expulsão dos excrementos; eje(c)ção; excremento; excreção; deje(c)to; deje(c)ção; estrabo, estrabada (animais), defecaçãc, purificação, depuração.

defecar. v. tr. defecar, tirar as fezes ou impurezas, purificar, clarificar; defecar, expelir as matérias fecais, evacuar; eje(c)tar; dar de corpo; descomer; estrabar, estravar (animais).

defecatorio, ria. adj. defecatório, que faz defecar; purgativo.

defección. f. defe(c)ção, deserção; abandono des'eal duma causa ou partido; desaparecimento; rebelião; (fig.) apostasia.

defeccionar. v. intr. (gal.) V. **desertar.**

defectibilidad. f. defe(c)tibilidade.

defectible. adj. defe(c)tível, diz-se do que pode faltar, que tem defeito.

defecto. m. defeito, imperfeição; deformidade; vício; mancha, inconveniente; erro, imperfeição em literatura; defeito, culpa; deficiência; achaque; mácula; míngua; falta; deformação; (fig.) falha, lunar, falta. — pl. (impr.) folhas perdidas, sobrecelentes: defecto de bulto, defeito de vulto ou patente; encontrar defectos en algo o en alguien, desgabar; en defecto de, em defeito de; defecto pequeño, (fig.) argueiro; hombre que encuentra defectos en todo, homem de mau contentamento.

defectuosidad. f. defe(c)tividade, defe(c)tibilidade.

defectuoso, sa. adj. defeituoso, imperfeito; falto; mendoso; incorre(c)to; incompleto; fraco; falho; defe(c)tivo; deficiente.

defedación. f. (ant.) defedação. V. **fealdad.**

defendedor, ra. adj. e s. defensor. V. **defensor.**

defender. v. tr. defender, prestar socorro ou auxílio; proteger; desculpar; amparar; livrar; manter; conservar; sustentar uma coisa contra a opinião alheia; defender; advogar, alegar em favor dalguém; defender; vedar, proibir; desculpar; cercar; preservar; falar a favor de; abrigar; defensar; entrincheirar; apologizar, apadrinhar; anteparar, antemurar; falar; arrazoar; acolher. — **defenderse.** v. r. defender-se, resistir a um ataque; rebater uma acusação; amparar-se; abroquelar--se; abrigar-se.

defendible. adj. defensível, defensável, que pode ter defesa.

defendiente. m. e p. a. defendente, que defende.

defenestración. f. defenestração.

defensa. f. defesa, defensa; contestação; sustentação de uma tese ou proposição; proibição; abrigo; anteparo; vedação; preservativo; arma; instrumento ou outra coisa com que uma pessoa se defende; amparo, socorro, auxilio; prote(c)ção; defensão; (for.) defesa, advogado defensor, bastião; entrincheiramento; arrazoamento; apadrinhamento; antemuralha; acolhida; encastelamento, barreira, defesa; defendimento; arrimo; abrigo; resistência; pro-

te(c)ção, resguardo. — m. (fut.) defesa; (mar.) defensa. — pl. defesas, dentes de alguns animais, chavelhos; (mil.) defesas, obras de fortificação: sin defensa, sem defesa; en defensa propia, em defesa própria; línea de defensa, linha da defesa; alegar defensa, alegar como descargo; aprestarse a la defensa, pôr-se em defesa.

defensión. f. defensão, defesa, amparo, resguardo, defendimento.

defensiva. f. defensiva, posição em que se coloca o que se defende: a la defensiva, defensàvelmente; estar a la defensiva, pôr-se na defensiva.

defensivo, va. adj. defensivo, próprio para defensa, que serve para defender. — m. preservativo, reparo, resguardo; defesa. — pl. (med.) compressas.

defensor, ra. adj. e s. defensor, prote(c)tor, que defende; padroeiro, paladim; apadrinhador; abrigador; defendente; (for.) advogado defensor, defesa.

defensoría. f. (for.) defesa, cargo do defensor.

defensorio. m. defensório, manifesto, escrito apologético em defesa duma pessoa ou coisa.

deferencia. f. deferência; atenção; condescendência; respeito; acatamento; consideração; contemplação; (fig.) mostras de respeito ou de cortesia; adesão ao pensamento de outrem.

deferente. adj. deferente, que defere, condescendente; (fig.) respeitoso, educado, atencioso, deferente: (astr.) círculos deferentes, círculos deferentes; (anat.) vasos deferentes, vasos deferentes.

deferido, da. adj. e p. p. deferido; (for.) deferido. V. **juramento deferido.**

deferir. v. intr. deferir, conceder, acatar; condescender com a opinião dalguém por respeito, modéstia ou cortesia; aquiescer.

defervescencia. f. defervescência.

defervescente. adj. defervescente; (med.) defervescente.

defeso, sa. adj. (ant.) defeso.

deficiencia. f. deficiência, defeito, imperfeição; (fig.) falta.

deficiente. adj. deficiente, falto, incompleto; (fig.) débil.

déficit. m. défice; déficit; o que falta para que a receita esteja em equilíbrio com a despesa.

deficitario, ria. adj. deficitário.

definible. adj. definível, que se pode definir.

definición. f. definição; a(c)ção e efeito de definir; a(c)to de definir; expresão com que se define com clareza e exactidão; decisão.

definido, da. adj. e p. p. definido; determinado: (gram.) artículo definido, artigo definido; mal definido, indeciso.

definidor, ra. adj. definidor, que define ou determina. — m. nalgumas ordens religiosas, cada um dos religiosos, que com o prelado principal, forma o definitório; definidor.

definir. *v. tr.* definir, determinar, enunciar, expor; definir, descrever; decidir, determinar, resolver uma coisa duvidosa; definir; (pint.) concluir uma coisa, trabalhando com perfeição todas as suas partes; despachar.

definitivo, va. *adj.* definitivo, que define; diz-se do que decide, resolve ou conclui; determinativo: *en definitiva*, definitivamente.

definitorio. *m.* (rel.) definitório, assembleia dos definidores dum convento.

deflación. *f.* (com.) deflação.

deflacionismo. *m.* deflacionismo.

deflacionista. *s.* (neol.) deflacionista.

deflagración. *f.* deflagração, a(c)ção e efeito de *deflagrar*; (quím.) deflagração.

deflagrador, ra. *adj.* deflagrador, que deflagra; (fís.) deflagrador, aparelho elé(c)trico para incendiar substâncias explosivas, e fazer explodir os tiros de pedreira.

deflagrar. *v. intr.* deflagrar, arder uma substância sùbitamente com chama e sem explosão.

deflector. *m.* (fís e mar.) defle(c)tor.

deflegmación. *f.* (med. e quím.) deflegmação.

deflegmar. *v. tr.* (med. e quím.) deflegmar, destilar para separar dum corpo a parte aquosa.

deflexión. *f.* deflexão; (obst.) deflexão.

deflogisticar. *v. tr.* (quím.) deflogisticar.

deflujo. *m.* (ant.) defluxo, defluvio, defluxão, defluência.

defoliación. *f.* desfolhação, queda prematura das folhas das árvores e das plantas produzida por enfermidade ou influxo atmosférico.

deformación. *f.* a(c)ção e efeito de *deformar* ou *deformarse*; deformação; desfiguração; (geol.) anamorfose: *deformación de la madera*, empeno.

deformado, da. *adj.* e *p. p.* deformado, empenado.

deformador, ra. *adj.* deformador, que deforma.

deformar. *v. tr.* deformar, desformar, empenar; estropear. — **deformarse.** *v. r.* deformar-se, empenar-se; alquebrar.

deformatorio, ria. *adj.* deformatório, diz-se do que deforma ou serve para deformar.

deforme. *adj.* deforme, disforme, desproporcionado; irregular na forma; desafeiçoado; desairado; (fig.) elefantíaco.

deformidad. *f.* deformidade, qualidade de disforme; coisa disforme; deformidade; (fig.) e(ê)rro grosseiro; informidade; deformação; defeito.

defraudación. *f.* a(c)ção e efeito de *defraudar*; defraudação; defraudamento; usurpação violenta; (p. us.) defraude.

defraudado, da. *p. p.* e *adj.* defraudado, frustrado.

defraudador, ra. *adj.* e *s.* defraudador, que defrauda; fraudador.

defraudar. *v. tr.* defraudar, embaucar; tirar o alheio com fraude; furtar; despojar; fraudar; empandilhar; engabelar; deludir;

batotar; batotear; (pop.) embarrilar; (fig.) desmandar, frustrar, turvar; embaraçar; tirar: *defraudar a alguien*, desmanchar a panelinha; mentir as esperanças a alguém; *no defraudar las esperanzas*, encher a esperança; *defraudar al fisco*, desencaminhar; *defraudar en el peso*, falsar; *que se puede defraudar*, defraudável.

defuera. *adv.* exteriormente, por fora.

defunción. *f.* defunção, falecimento, morte.

degeneración. *f.* degeneração, decaimento, decadência; degenerescência; aviltação, aviltamento; bastardia; (fig.) descida; (med.) alteração grave da estrutura duma parte do corpo.

degenerado, da. *adj.* e *p. p.* degenerado; abastardado; descaido; bastardo; abje(c)to.

degenerar. *v. intr.* degenerar, decair, desdizer; declinar, machiar, desmentir; desbotar; descaminhar, desencaminhar; (fig.) degenerar, desviar-se das qualidades da sua raça; não corresponder às virtudes dos seus maiores; abastardar, bastardear; avilanar. — **degenerarse.** *v. r.* degenerar-se, avilanar-se: *degenerar de su raza*, desdizer da sua raça; *la tragedia degeneró en farsa*, a tragédia descambou em farsa.

degenerativo, va. *adj.* degenerativo.

degenerescencia. *f.* degenerescência, degeneração.

deglabración. *f.* (med.) deglabração.

deglución. *f.* a(c)ção e efeito de deglutir deglutição; ingestão; (fisiol.) deglutição.

deglutir. *v. intr.* deglutir, engolir, ingerir.

degollación. *f.* degola, degolação, degoladura; decapitação.

degolladero. *m.* degoladoiro, degoladouro; matadouro, lugar onde matam reses; cadafalso, tablado levantado para degolar um réu; parte do pescoço por onde se degolam os animais: *llevar al degolladero*, (fig. e fam.) expor alguém a risco grave.

degollado. *m.* degolado, decotado. V. **degolladura.**

degollador, ra. *adj.* e *s.* degolador, que degola.

degolladura. *f.* degoladura, ferida, matadura no pescoço; decote em vestidos; cava, decote que fazem os asfaiates na gola de fato; junta, fenda que fica entre dois ladrilhos; (arq.) colo, parte mais delgada dos balaustres; (mar.) rasgão de uma vela.

degollamiento. *m.* degolação, decapitação. V. **degolladura.**

degollar. *v. tr.* degolar, decapitar, cortar o pescoço; decotar; (fig.) destruir, arruinar; (teatr.) representar mal; (fig. e fam.) ser ou tornar-se muito antipático; decapitar; (mar.) rasgar, cortar uma vela com faca para evitar que o navio soçobre; (arq.) derribar; demolir uma abóbada destruindo os arcos em que assenta.

degollina. *f.* (fam.) morticínio, matança, carnificina, mortandade.

degradación. *f.* degradação; destituição aviltante de um cargo, ou dignidade; baixeza; degradação, diminuição gradual de tons, luz ou sombras; humilhação; (pint.) esvaecimento, diminuição progressiva, esbatimento das co(ô)res; achincalhação; exoneração; deposição; desautorização; desautoração; erosão; desclassificação; aviltamento, envilecimento; (mil.) exautoração; degeneração.

degradado, da. p. p. e adj. degradado; aviltado; desautorado; (geom.) diz-se da perspe(c)tiva linear.

degradar. v. tr. degradar, aviltar, privar dos graus, privilégios, honras ou empregos com ignomínia; humilhar, envilecer, rebaixar; (pint.) esbater, diminuir as co(ô)res; abandalhar; exonerar; exilar; desclassificar; abastardar; aviltar; desautorar; envilecer; desonrar; (mil.) exautorar; rebaixar; danificar. — **degradarse.** v. r. degradar-se, aviltar-se, humilhar-se; envilecer-se; encalhanar-se: degradar a un eclesiástico, dessagrar, desordenar.

degresión. f. diminuição, decrescimento.

degüella. f. coima, multa pela entrada do gado em pastagens alheias.

degüello. m. degolação, degola, degoladura; parte mais estreita dum dardo ou doutra arma ou instrumento semelhante; decapitação; (mil.) toque para dar uma carga de cavalaria; enxó de braço convexo para fazer chanfros: entrar a degüello, assaltar uma povoação sem dar quartel; tirar a degüello, (fig. e fam.) preparar a ruína dalguém.

degustación. f. degustação; delibamento, delibação. V. **gustación.**

degustar. v. tr. delibar, tomar o gosto; provar; saborear; degustar.

dehesa. f. devesa, terreno destinado a pastagem; pascigo; pastagem, pasto: irse el pelo de la dehesa, (pop.) desasnar-se; quitar el pelo de la dehesa, desembrutecer, desemburrar, desasselvajar, desmoitar, desbravar.

dehesar. v. tr. preparar um terreno para devesa ou pastagem. V. **adehesar.**

dehesero. m. guarda duma devesa.

dehiscencia. f. (bot.) deiscência.

dehiscente. adj. (bot.) deiscente.

deicida. adj. e s. deicida, diz-se dos que deram a morte a Jesus Cristo.

deicidio. m. deicídio, morte dada a Jesus Cristo pelos judeus; crime dos deicidas.

deidad. f. deidade, divindade, ser ou essência divina; deidade, nume, cada um dos falsos deuses dos idólatras.

deificación. f. deificação; apoteose; endeusamento.

deificar. v. tr. deificar, divinizar por meio da participação da graça; (fig.) endeusar, louvar excessivamente; (fam.) levantar as estrelas; exaltar; sublimar.

deífico, ca. adj. deífico, divino, pertencente a Deus; que diviniza.

deiforme. adj. (poet.) deiforme.

Deípara. f. Deípara, Mãe de Deus.

deísmo. m. deísmo.

deísta. adj. e s. deísta, que professa o deísmo.

deja. f. saliência entre dois entalhes.

dejación. f. deixação. deixa; abjuração; (for.) cessão; desistência, abandono de bens; a(c)ções, etc.: hacer dejación, demitir.

dejada. f. deixação, deixa, abandono.

dejadez. f. preguiça, negligência, incúria. desleixo pouco cuidado, abandono de si mesmo ou das suas próprias coisas.

dejado, da. p. p. e adj. deixado, que não se importa, desleixado; negligente; desanimado por doença ou melancolia, indiligente, indolente, desmazelado; desmanchado; incurioso; desaproveitado; desidioso.

dejador, ra. adj. e s. o que deixa sucessão.

dejamiento. m. deixação; negligência, frouxidão, descuido; enfraquecimento de saúde, de ânimo; desapego duma coisa; renúncia, abdicação.

dejar. v. tr. deixar, soltar uma coisa, retirar-se ou apartar-se dela; abandonar, largar; desamparar; omitir; consentir, permitir, deixar, não impedir; desistir de; desviar-se de; abster-se; legar em testamento; tolerar; deferir; deixar, produzir, render; deixar, encarregar, encomendar; deixar, dispor, ordenar; deixar, ausentar-se, faltar; deixar, não molestar, não perturbar; deixar, nomear, instituir; deixar, legar; deixar, desistir, largar; não inquietar; designar; passar. V. **prestar.** — **dejarse.** v. r. deixar-se, abandonar-se, desleixar-se, esquecer-se de si mesmo; exonerar-se de; não se ocupar mais de; não resistir; prestar-se a; despojar-se de; desapegar-se: dejar a obscuras, deixar às escuras; dejar con la boca abierta, (fam.) deixar com a boca aberta; dejar en el aire, (fig.) deixar no ar; dejar a alguien con la palabra en la boca, sair ao atalho a alguém; dejar a alguien con un palmo de narices, (fam.) deixar com um palmo de nariz; dejar la compañía de alguien, desacompanhar; dejar heredero, deixar herdeiro; dejar una habitación, despejar; dejar el mundo, (fig.) deixar o século; dejar de mirar algo, despregar os olhos de alguma coisa; dejar las malas costumbres, despedir de si os maus hábitos; dejar pasar la ocasión, deixar fugir a ocasião; dejar a la suerte, arriscar; dejar solo, desacompanhar; dejar de ser, desperecer; dejar un sitio, desacampar; dejar de tener fe, descrer; dejar en el tintero, (fam.) deixar no tinteiro; dejar el trabajo, despegar da obra; dejarse convencer, deixar-se persuadir; deparse coger, deixar-se agarrar; dejarse caer, deitar-se; dejarse engañar, deixar-se enganar; dejarse llevar por las pasiones, deixar-se arrebatar das paixões; dejarse el pellejo, (pop.) deixar a pele; dejarse pegar, deixar-se dar; ¡déjame en paz!, (fam.) vai plantar batatas!; dexai-me!; ¡déjalo!, deixa-lo!! déjalo estar, deixa estar; (ameaça) dejar a obscuras, (fig.) deixar às boas noites; dejar atrás, deixar atrás; dejar recado a alguien, deixar recado a alguém; no dejar de ser cierto, não deixar de ser certo; no puede dejar *de ser*, não pode deixar de ser; *no dejar caer en saco roto*, não deixar cair no chão.

dejativo, va. *adj.* preguiçoso, desleixado, frouxo, desmaiado.

deje. *m.* vulgarismo por *dejo*. V. **dejo, paladar.**

dejo. *m.* a(c)ção e efeito de *dejar;* deixação; fim; terminação dalguma coisa; modulação, tom, sotaque; inflexão particular no fim das palavras; sabor, saibo, gosto que fica na boca depois de comer ou beber; frouxidão, preguiça; (fig.) paladar; (fig.) prazer ou desgosto que fica depois de praticada alguma a(c)ção.

del. contra(c)ção da preposição *de* e do art. *el.*

dél. (art.) contra(c)ção da preposição *de* e do pron, *él.*

delación. *f.* delação, denúncia, acusação; demunciação; assopro, (Bras.) assôpro.

delantal. *m.* avental; mandil, avental dos trabalhadores: *delantal de niño,* bibe. V. **mandil.**

delante. *adv.* diante, adiante, deante; devante; diante, na parte anterior, com prioridade de lugar ou tempo; em frente, defronte; diante de; frente a; à vista; em presença de; perante: *estar delante de,* afrentar; *ir delante de alguien,* ir aos fagotes; *ponerse delante,* defrontar-se; *tener delante de los ojos,* antolhar; *estar delante,* defrontar; *delante de,* a frente de, em az, a face de.

delantera. *f.* dianteira, a parte ou face anterior, que vai adiante, oposta à traseira; avanço; fachada; dianteira; (arq.) frontispício; primeira ordem de assentos nalguns lugares de teatro ou praças de touros, etc.; espaço de caminho que alguém tem andado adiante doutro; frente, vanguarda: *ganar la delantera,* adeantar, adiantar; *parte delantera de algo,* fronte, frontaria, frente.

delantero, ra. *adj.* dianteiro, que está ou vai adiante; deanteiro. — *m.* sota, postilhão.

delatable. *adj.* delatável, que se pode delatar; que deve ser delatado.

delatar. *v. tr.* delatar, denunciar; entregar; atraiçoar, descoser; (Bras.) caçambar. — **delatarse.** *v. r.* delatar-se.

delator, ra. *adj.* e *s.* delator, denunciante, acusador, denunciador; entregador; (pop.) acusa-pilatos.

dele. *m.* (impr.) sinal tipográfico empregado na revisão das provas, significando que há-de tirar-se uma palavra, letra ou nota.

deleble. *adj.* delével, que se pode delir ou apagar; que se pode expungir.

delectable. *adj.* ameno; deleitável.

delectación. *f.* deleitação: *delectación morosa,* deleitação morosa, deleite proibido pela alma e que se não chega a pôr em prática, ficando apenas na mente. V. **deleitación.**

delectar. *v. tr.* deleitar, produzir deleite; adoçar.

delegación. *f.* a(c)ção e efeito de *delegar;* delegação; delegacia; delegação; repartição do delegado; delegacia, cargo do delega-

do: *delegación de poderes,* deputação; *el que está investido de una delegación,* delegatório.

delegado, da. *adj.* e *s.* delegado, diz-se da pessoa em quem se delega uma faculdade ou jurisdição; enviado; delegado; deputado; (fig.) apóstolo.

delegar. *v. tr.* delegar, investir na faculdade de proceder em nome doutrem; incumbir.

delegatorio, ria. *adj.* delegatório, que delega ou encerra alguma delegação.

deleitable. *adj.* deleitável, deleitoso, que deleita; deleitante.

deleitación. *f.* deleitação; deleitamento; deleite.

deleitante. *p. a. e adj.* deleitante, que deleita, deleitoso.

deleitar. *v. tr.* deleitar, produzir deleite; deliciar. — **deleitarse.** *v. r.* deleitar-se, deliciar-se; (fig.) banhar-se.

deleite. *m.* deleite, prazer da alma; prazer sensual; deleitação; delícia; encanto, encantamento; deleitoso; amenidade.

deleitoso, sa. *adj.* deleitoso, deleitável; que causa deleite.

deletéreo, a. *adj.* deletério, nocivo à saúde, venenoso, mortífero.

deletreador, ra. *adj.* soletrador, que soletra, que deletreia ou soletra.

deletrear. *v. intr.* soletrar, deletrear, soletrear; ler, pronunciando separadamente as letras de cada sílaba, as sílabas de cada palavra e depois a palavra inteira; (fig.) adivinhar, interpretar o que é obscuro e difícil de entender.

deletreo. *m.* a(c)ção de deletrear; soletração; processo para ensinar a ler soletrando; bê-á-bá.

deleznable. *adj.* desagregável, que se desagrega ou desfaz fàcilmente, desmanchadiço; resvaladiço, escorregadio; (fig.) pouco durável, inconsistente.

délfico, ca. *adj.* délfico, pertencente a Delfos, ou ao oráculo de Apolo em Delfos.

delfín. *m.* (zool.) delfim, golfinho, género de cetáceos; (astr.) constelação boreal; (herald.) delfim, que tem a boca aberta e sem língua.

delfín. *m.* delfim, título do príncipe herdeiro do trono da França.

delfinado. *m.* região pertencente ao delfim de França.

delfinio. *m.* (bot.) delfíneo.

delgadez. *f.* delgadeza, qualidade do que ou de quem é delgado; finura; delgadeza, emaciação; (fig.) estiolamento, dessecamento; (pop.) magreira, magreza.

delgadeza. *f.* (nat.) delgadeza.

delgado, da. *adj.* delgado, fraco, magro, que tem pouca grossura; de pouco corpo, franzino; ténue, (Bras.) tênue, fino, delicado, suave; delgado, magro, enxuto; estreito; desmedrado; enfrestado; definhado; descarnado, argueireiro; (prov.) melado; (Bras.) desmerecido: *muy delgado,* estilado; *que hila muy delgado,* consciência delicada; *hilar delgado,* fiar delgado; *per-*

sona muy delgada, arenque, palito; *persona delgada*, fuinha, (prov.) magricela.

delgaducho, cha. *adj.* delgadicho; estítico; magrinho; galgaz; um tanto magro, magrote; (pop.) magrete: *persona delgaducha*, faneca, (fam.) magricela; *mujer alta y delgaducha*, galdrapa.

deliberación. *f.* a(c)ção e efeito de *deliberar;* deliberação; consulta; eleição; decisão: *someter a deliberación*, deliberar.

deliberar. *v. intr.* deliberar, considerar atentamente o pró e o contra das nossas decisões, antes de as cumprir ou realizar.— *v. tr.* resolver uma coisa com premeditação; consultar; decidir; decretar.

deliberativo, va. *adj.* deliberativo, pertencente à deliberação.

delicadez. *f.* debilidade, fraqueza, falta de vigor ou de robustez; extrema susceptibilidade, melindre excessivo; moleza; indolência; inércia; negligência. V. **escrupulosidad.**

delicadeza. *f.* delicadeza, suavidade: doçura, agrado, fineza, ternura, escrúpulo; elegância; mimo; cortesia; galantaria; delicadeza, acípipe; delgadeza; fragilidade; minudência, minuciosidade; melindre; melifluidade; aticismo: *delicadeza afectada,* melindrabilidade; dengue; *falta de delicadeza,* (fig.) francesismo, desprimor, dureza; *sin delicadeza,* indelicadamente; *delicadeza de oradores o escritores,* aticismo.

delicado, da. *adj.* e p. p. delicado, suave, meigo, terno, brando; débil, fraco, magro; frágil, delicado, enfermiço, delgado, dengoso, indisposto; abananado; atencioso; amanteigado; (fig.) francês; afidalgado; ameninado; afeminado; amável; deferente, melífluo; mimoso; azambrado; mimalho: *ser muy delicado,* afiambrar-se; *delicado de formas,* franzino; *elegante y delicado en su aspecto,* (fig.) madrigalesco; *gusto delicado,* gosto apurado; (fam.) *persona enferma y delicada,* galinha-choca.

delicia. *f.* delícia, prazer muito intenso da alma; prazer sensual muito vivo; aquilo que causa delícia; deleite; encanto, encantamento: *lugar de delicias,* (fig.) eden; empíreo; *causar delicia,* deliciar.

deliciarse. *v. r.* deleitar-se, deliciar-se.

delicioso, sa. *adj.* delicioso, capaz de causar delícia; de modo delicioso; delicioso, deleitoso, excelente, inefável; arrebatador; desenfastiadiço; fruitivo; mago: *vino delicioso,* elixir.

delictivo, va. *adj.* delituoso, pertencente ou relativo ao delito.

delictuoso, sa. *adj.* delituoso. V. **delictivo.**

deliquescencia. *f.* deliquescência, (Bras.) deliqüescência, qualidade de deliquescente.

deligación. *f.* (cir.) deligação.

deligatorio, ria. *adj.* (cir.) deligatório.

delimitación. *f.* delimitação, demarcação; devisa; galicismo por *limitación.*

delimitado, da. *adj.* e p. p. delimitado, devisado.

delimitar. *v. tr.* galicismo por *limitar,* determinar; estremar; demarcar; formalizar;

deslindar; devisar; definir; delinear; delimitar; (pop.) chinar: *delimitar fronteras,* determinar fronteiras.

delincuencia. *f.* deliquência, (Bras.) delinqüência, qualidade ou estado de delinquente.

delineación. *f.* a(c)ção e efeito de *delinear;* delineação; delineamento.

delineador, ra. *adj.* delineador, que delineia, delineativo.

delineamiento. *m.* delineamento, delineação; demarcação.

delineante. *p. a. adj.* e *m.* delineador, que delineia; desenhador de plantas arquite(c)tónicas.

delinear. *v. tr.* delinear; fazer a delineação; esboçar; traçar o plano; delimitar; (fig.) idear; dar uma ideia sucinta; explicar, descrever circustanciadamente; alinhavar.

delinquimiento. *m.* delinquência. V. **delincuencia.**

delinquir. *v. intr.* delinquir, (Bras.) delinqüir, cometer crime ou delito; violar a lei.

deliquio. *m.* delíquio, desfalecimento, desmaio; afrontamento; síncope; devaneio; (pat.) absiquia.

delirar. *v. intr.* delirar, tresvariar, estar em delírio; exaltar-se; desvariar; estar muito apaixonado; desviar-se; desistir; dizer disparates; devanear; fazer despropósitos.

delirio. *m.* delírio, desordem, desvairo; perturbação da fantasia; (fig.) despropósito, disparate; frenesí, loucura; paixão; devaneio; desvairamento; (fig.) bebedice; desacordo, (Bras.) desacôrdo; (med.) delírio, desarranjo das faculdades mentais; delírio produzido por uma febre intensa; (fig.) exaltação da alma; entusiasmo; transporte; alucinação.

delírium tremens. *m.* (med.) delírium-tremens.

delitescencia. *f.* (med.) delitescência; (quím.) delitescência.

delito. *m.* delito, culpa, crime, violação da lei; excesso; atentado; deformidade; falta; deliquência: *cuerpo del delito,* corpo de delito; *delito flagrante,* flagrande delito; *atribuir un delito,* imputar.

delta. *f.* delta, quarta letra do alfabeto grego; (geog.) delta, ilha ou terreno triangular formado por dois braços dum rio.

deltacismo. *m.* deltacismo, pronúncia viciosa dos *dd* e dos *tt.*

deltaico, ca. *adj.* deltaico; deltoidal.

deltoideo, a. *adj.* deltoidal, deltóide, deltóideo.

deltoides. *adj.* deltóide, deltoidal. — *m.* (anat.) deltóide.

deltotón. *m.* (astr.) deltoto, grupo de estrelas em forma de triângulo junto à constelação de Andrómeda.

delubro. *m.* (poet.) delubro, templo pagão.

deludir. *v. tr.* deludir, iludir; enganar; mistificar; quebrantar; burlar.

delusión. *f.* delusão, ilusão; engano; mistificação; treta.

delusorio, ria. *adj.* delusório, enganoso, ilusório.

della, llo. contra(c)ção de «*de ella*» e «*de ello*»; dela, disso: *dello con dello*, (fam.) expressão com que se significa a mistura de coisas opostas entre si.

demacración. *f.* marasmo, extenuação, princípio de consumação; emaciação, enfraquecimento progressivo, perda de carnes por falta de nutrição, por enfermidades, etc.

demacrarse. *v. r.* extenuar-se, consumir-se; emagrecer muito.

demagogia. *f.* demagogia, abuso da democracia; demagogice.

demagógico, ca. *adj.* demagógico.

demagogismo. *m.* demagogismo, demagogice.

demagogo. *s.* e *adj.* demagogo, chefe duma fa(c)ção popular; sectário da demagogia; orador revolucionário demagogista.

demanda. *f.* demanda, súplica; petição, requerimento; a(c)ção judicial, demanda; litígio; discussão; exigência; esmola para igreja ou obra pia; pessoa que anda no peditório; quadro ou imagem com que se pede esmola para igreja; interrogação, pergunta; (far.) demanda, litígio, pleito; demanda, procura, busca: *demandas y respuestas*, perguntas e respostas, debates em alguma questão; *en demanda de*, em demanda de, à cata de.

demandado, da. *p. p.* e *adj.* demandado. — *s.* (for.) demandado, pessoa contra quem se põe uma demanda.

demandante. *p. a. adj.* e *s.* demandante, que demanda; (for.) demandante, pessoa que demanda uma coisa em juízo.

demandar. *v. tr.* demandar, pedir, rogar, apetecer, desejar; exigir, perguntar; intentar demanda contra; ir à procura de; reclamar; requerer; precisar; (for.) demandar, intentar litígio judicial contra; demandar, interrogar, perguntar; (mar.) demandar, ir em busca do porto ou de algum ponto.

demarcación. *f.* demarcação; delimitação; terreno demarcado; departição; departimento; estremadela; determinação; delineação; deslinde, deslindamento; devisa.

demarcador, ra. *adj.* e *s.* demarcador, que demarca, demarcativo; delimitador; deslindador.

demarcar. *v. tr.* demarcar, delinear; assinalar, traçar os limites dum país ou terreno; estremar; distinguir; delimitar; fixar; definir, determinar; departir; deslindar; devisar; (mar.) marcar, determinar uma marcação.

demás. *adj.* demais, outro, restante. — *adv.* de mais, além disso: *por demás*, de mais, excessivamente: por mais; *por lo demás*, quanto ao mais, por outra parte, por outro lado; mesmo porque; *estar demás*, (fam.) estar de mais, ser de sobra; *por demás*, em vão inùtilmente, em demasia.

demasía. *f.* demasia, excesso, sobejo; atrevimento, insolência, descortesia, desaforo;

maldade, delito, excesso culpável, desordem, desregramento; abuso; troco; descomedimento; descompasso; desmando; exorbitância; luxo; (min.) terreno entre demarcações mineiras: *en demasía*, em demasia, com excesso.

demasiado, da. *adj.* demasiado, excessivo, que é ou tem em demasia; exorbitante; que passa dos justos limites; supérfluo; desregrado; abusivo; imoderado; excedente. — *adv.* demasiado, em demasia; demasiadamente, de mais: *ir demasiado lejos*, (fig.) demasiar-se.

demediar. *v. tr.* mear, partir, dividir ao meio ou em metades.

demencia. *f.* demência, loucura, transtorno da razão; insensatez, a(c)ção insensata; cegueira.

dementar. *v. tr.* dementar, fazer perder o juízo, enlouquecer, tornar demente, alienar. — *v. r.* enlouquecer, tornar-se louco ou demente.

demente. *adj.* e *s.* demente, alienado, louco, falto de juízo; insensato; imbecil; extravagante; desajuizado.

demérito. *m.* demérito, falta de mérito, a(c)ção pela qual se desmerece; desmerecimento.

demisión. *f.* submissão, abatimento, demissão.

demiurgo. *m.* demiurgo, deus criador, filosofia platónica; alma universal, princípio a(c)tivo do mundo.

democracia. *f.* (pol.) democracia, democratismo; (fig.) o povo; democracia, partido democrático.

demócrata. *adj.* e *s.* (pol.) democrata, partidário da democracia.

democratización. *f.* democratização.

democratizar. *v. tr.* (pol.) democratizar, tornar democratas as pessoas ou as coisas.

demofilia. *f.* demofilia, simpatia pelo povo.

demófilo, la. *adj.* demófilo, amigo do povo.

demofobia. *f.* demofobia, antidemocracia.

demografía. *f.* demografia, demologia.

demográfico, ca. *adj.* demográfico.

demógrafo. *m.* demógrafo, demografista.

demoledor. *adj.* demolidor, demolitório, arrasador; derribador.

demoler. *v. tr.* demolir, deitar por terra; derribar; destruir; arrasar; aniquilar; derrubar, desfazer; desmantelar; desmoronar; desmurar; desfortalecer; derrocar; abater; arruinar; apear; (fig.) descimentar; desmontar. — *conj. irr.* como *moler.*

demolición. *f.* demolição, destruição; desmoronamento; arruinamento; derribamento; destroço, (Bras.) destrôço; derrocamento; derrubamento; arrasamento; descimentação.

demoníaco. *adj.* demoníaco; diabólico; satânico; possesso; infernal; mefistofélico; lucifério, belzebútico.

demonio. *m.* demónio, (Bras.) demônio, diabo, lucifer, Belzebú, Satanás; espírito maligno, gé(ê)nio do mal; anjo mau, anjo caído; (pop.) chavelhudo; demo; mafarrico; (fig.) criança travessa; pessoa ruim ou turbulenta; pessoa feia ou antipática:

¡demonio!, (fam.) diabo! ; *tener el demonio dentro del cuerpo*, (fig. e fam.) ser excessivamente inquieto ou travesso; *culto al demonio*, demonomania; *creencia en el demonio*, demonismo; *echar al demonio fuera del cuerpo*, (fig.) desencastelar, desendemoninhar; *meter el demonio en el cuerpo de alguien*, endemoninhar; *darse a los demonios*, (fam.) dar-se a perros, dar-se ao diabo; *darse a cien mil pares de demonios*, (pop.) dar-se a todos os diabos; *¿qué demonios has hecho?*, que diabo tendes feito?; *como un demonio*, como um demónio; *¡vete al demonio!*, (pop.) vai-te com os demónios!

demoniomanía. *f.* V. **demonomanía.**

demonismo. *m.* demonismo.

demonista. *s.* demonista.

demonografía. *f.* demonografia.

demonólatra. *s.* demonolatra.

demonolatría. *f.* demonolatria, culto supersticioso que se presta ao diabo.

demonología. *f.* demonologia, estudo sobre a natureza e qualidades dos demónios.

demonomancia. *f.* demonomancia, arte supersticiosa de adivinhar o futuro mediante a inspiração dos demónios.

demonomanía. *f.* demonomania, estado mórbido mental das pessoas que se crêem possessas do demónio.

demonomaníaco, ca. *s.* demonómano, (Bras.) demonômano.

demonopatía. *f.* demonopatia.

demonstrable. *adj.* (ant.) demonstrável.

demontre. *m.* (fam.) demónio, diabo. — *interj.* (fam.) *¡demontre!*, diabo!

demopsicología. *f.* demopsicologia.

demora. *f.* demora, dilação; tardança; atraso; detardança; detença; delonga; entretenimento; entorpecimento; alongamento; (dro.) atempação; (for.) demora, tardança no cumprimento duma obrigação desde que é exigível; (mar.) dire(c)ção ou rumo em que se acha ou observa um obje(c)to, com relação à doutro dado ou conhecido, demora: *con demora*, alongadamente; atempadamente; *días de demora en el arribo de un navío*, dias de demora dum navio ao porto: *el que demora*, delongador; *sin demora*, in continenti; sem demora.

demorar. *v. tr.* demorar, retardar, paliar; deter; entreter; delongar; entorpecer; empalhar; atardar; meter tempo; alongar; (fig.) estender (for.) atempar. — *v. intr.* continuar-se; alongar-se; demorar-se; deter-se ou estar situado: *demorar un asunto*, deter alguém com palavras; *que no se puede demorar*, inadiável.

demostrabilidad. *f.* demonstrabilidade.

demostrable. *adj.* demonstrável, que se pode demonstrar.

demostración. *f.* a(c)ção e efeito de *demostrar*; demonstração, manifestação; assinalamento, expressão; prova duma coisa partindo de verdades universais e evidentes; argumentação: *demostración de lo que no se siente*, exterioridade; *que no ha recibido demostración*, indemostrado.

demostrador, ra. *adj.* demonstrador, que demonstra; demonstrante; demonstrativo.

demostrar. *v. tr.* demonstrar, manifestar, declarar; evidenciar; assinar; provar, servindo-se de qualquer género de demonstração; ensinar; (lóg.) demonstrar, provar com raciocínio convincente; estatuir. — **demostrarse.** *v. r.* demonstrar-se; declarar-se: *demostrarse con claridad*, evidenciar; *demostrar que se conoce o domina una cosa o asunto*, dar-se por achado; *en actitud de demostrar*, demonstrante.

demostrativo, va. *adj.* demonstrativo, diz-se do que demonstra.

demótico, ca. *adj.* demótico, diz-se dos cara(c)teres vulgares da escrita egípcia.

demudación. *f.* a(c)ção e efeito de *demudar* ou *demudarse*; demudação; demudança.

demudamiento. *m.* demudança, demudamento, demudação. V. **demudación.**

demudar. *v. tr.* demudar, desmudar, mudar, variar, alterar; disfarçar; desfigurar. — **demudarse.** *v. r.* demudar-se, alterar-se, a co(ô)r ou a expressão do rosto; mudar sùbitamente.

demulcente. *adj.* (med.) demulcente, emoliente (falando de certos medicamentos). V. **emoliente.**

denario, ria. *adj.* denário, que se refere ao número dez ou o contém. — *m.* denário, moeda romana de prata equivalente a quatro sestércios; moeda de ouro que valia cem sestércios.

dendrícola. *adj.* arborícola.

dendriforme. *adj.* arboriforme, com forma de árvore.

dendrita. *f.* (min. e biol.) dendrite, cristalização arboriforme à superfície de certas rochas; árvore fóssil.

dendrítico, ca. *adj.* dendrítico, com figura de dendrite.

dendróbatas. *f. pl.* (zool.) dendróbata.

dendrobato. *m.* (zool.) dendrobato.

dendrófilo. *m.* (zool.) dendrófilo. — *adj.* dendrófilo.

dendrografía. *f.* dendrografia, tratado descritivo das árvores.

dendrográfico, ca. *adj.* dendrográfico, pertencente ou relativo à dendrografia.

dendrógrafo, fa. *adj.* e *s.* dendrógrafo, pessoa versada na dendrografia.

dendroide. *adj.* V. **dendroideo.**

dendroideo, a. *adj.* V. **arborescente.**

dendrómetro. *m.* dendrómetro. (Bras.) dendrômetro, instrumento para medir a altura das árvores, quando em pé.

dendrolita. *f.* dendrólito.

dendrolito. *m.* dendrólito.

dendrología. *f.* (bot.) dendrologia.

dendrólogo, ga. *s.* dendrólogo.

dendrómetro. *m.* instrumento para medir a altura das árvores.

denegación. *f.* ac(ç)ão e efeito de *denegar*; denegação, contestação, recusa; desaprovação; indeferimento; desconsentimento; exclusão: *denegación del culto religioso*, desadoração.

denegado, da. adj. e p. p. denegado: *denegado un pedido o una demanda,* indeferido.

denegamiento. m. denegação.

denegar. v. tr. denegar, recusar, o que se pede ou solicita: recusar; indeferir; desaprovar; desconsentir: *denegar con un movimiento de cabeza,* abanar com a cabeça.

denegatorio, ria. adj. denegatório, que denega ou contém denegação.

denegrecer. v. tr. denegrir, enegrecer, denegrecer. V. **ennegrecer**

denegrir. v. tr. denegrir. V. **denegrecer**.

dengue. m. denguice, faceirice, melindre mulheril; cerimónia afe(c)tada, requebro; derrengo; derretedura; melindre; (fig.) amaricado; melindroso: espécie de capotilho que usam as mulheres; (med.) dengue, enfermidade febril epidémica e contagiosa, que se manifesta por dores nos membros e um exantema semelhante ao da escarlatina.

denguero, ra. adj. dengoso, presumido, melindroso, melífluo. V. **dengoso**.

denigración. f. denigração, detra(c)ção; difamação.

denigrado, da. p. p. e adj. denigrado; (fig.) denegrido.

denigrar. v. tr. denigrar, deslustrar, ofender, manchar a reputação, o cará(c)ter, os a(c)tos dalguém, denegrir; desafamar; detrair; infamar; desprestigiar; dedecorar; (fig.) enxovalhar.— **denigrarse.** v. r. desprestigiar-se.

denigrativo, va. adj. denigrativo, que denigra.

denodado, da. p. p. e adj. denodado, que tem denodo, intrépido, esforçado, ousado, impetuoso; estrénuo, (Bras.) estrênuo; ardido; empreendedor; despachado.

denominación. f. denominação, nome, título; designação; denominativo.

denominado, da. p. p. e adj. denominado, chamado; (arit.) diz-se do número complexo.

denominador, ra. adj. denominador, que denomina. — m. (arit.) denominador, número dum quebrado que indica as partes em que está dividida a unidade.

denominar. v. tr. denominar, designar, nomear, assinalar, distinguir; dar a conhecer pelo nome alguma pessoa ou coisa — **denominarse.** v. r. denominar-se.

denominativo, va. adj. denominativo, que denomina.

denostada. f. doesto, injúria atroz, agravo, afronta, insulto.

denostador, ra. adj. doestador, injuriador, que injúria, que insulta por palavra; abusador.

denostar. v. tr. doestar, injuriar, insultar, dizer injúrias, afrontar por palavras; empulhar; improperar. — *pres. ind. irr.* **denuesto, -as, -a, -an.**

denotación. f. denotação, indicação, significação.

denotar. v. tr. denotar; designar; anunciar; indicar; significar; designar; mostrar; simbolizar; anunciar.

denotativo, va. adj. denotador, que denota.

densar. v. tr. (ant.) densar, fazer denso. V. **espesar.**

densidad. f. densidade; espessura; bastura; consistência; densidão: *densidad de población,* densidade de população.

densificar. v. tr. densificar, adensar, condensar, espessar.

densimetría. f. densimetria.

densímetro. m. (fis.) densímetro, areómetro.

denso, sa. adj. denso, compacto, bastido, espesso, (Bras.) espêsso; (fig.) apertado, apinhado, unido, fechado, confuso, obscuro; basto; cerrado; negro; impenetrável.

dentado, da. adj. dentado, que tem dentes; assarilhado; adentado; denticular; (herald.) denticulado: *rueda dentada,* entrosa.

dentadura. f. dentadura, conjunto dos dentes nos homens e nos animais: *dentadura postiza,* dentadura artificial.

dental. adj. dental, dentário, pertencente ou relativo aos dentes: *letra dental,* letra dental.

dentalgia. f. (pat.) dentalgia.

dentalio. m. (zool.) dentalio, molusco marinho.

déntalo. m. (ictiol.) dentão. V. **dentón.**

dentar. v. tr. dentear, dentar, dentelar, recortar em forma de dente, formar dentes a uma coisa. — v. intr. dentar. V. **endentecer.**

dentaria. f. (bot.) dentária.

dentario, ria. adj. dental, dentário. V. **dental.**

dentejón. m. canga com que se jungem os bois ao carro.

dentelete. m. (arq.) dentelete, quadrado em cima do qual se recortam os dentículos.

dentelo. m. (arq.) dentelo, dentículo.

dentellada. f. dentada, a(c)ção de bater com os dentes uns nos outros; dentada, sinal, mossa, ferida que resulta duma mordedura; dentada, porção arrancada duma vez pelos dentes; (fig. e fam.) dentada, censura áspera, sarcasmo, dito mordaz; abocanhamento: *a dentelladas,* com os dentes, à dentada.

dentellado, da. p. p. e adj. dentado, denteado, que tem dentes ou forma de dentes; ferido às dentadas; (herald.) denteado; (bot.) denticular.

dentellar. v. intr. bater os dentes convulsivamente, como quando se sentem calafrios.

dentellear. v. tr. ferrar, dentar, mordicar, morder, cravar os dentes nalguma coisa.

dentellón. m. dentilhão, peça das fechaduras; (arq.) dentilhão, espigão, espera, parte saliente que se deixa numa parede.

dentera. f. denteira, embotamento dos dentes, sensação desagradável nos dentes; arrepio causado pelo ruído áspero de dois corpos que se rasgam ou roçam; inveja; ânsia, desejo veemente; (vet.) boca quente, enfermidade das cava'gaduras que têm a boca muito esquentada: *dar dentera*, aguçar o dente, embotar os dentes.

denticina. *f.* (med.) medicamento para facilitar a dentição das crianças.

dentición. *f.* dentição, formação, aparecimento e crescimento dos dentes; dentadura, tipo de dentes: *estar en la dentición*, dentar.

denticórneo, a. *adj.* (zool.) denticórneo.

denticulado, da. *adj.* (bot.) denticulado, que tem dentículo; recortado.

denticular. *adj.* denticular, que tem a forma de dentes; que tem recortes em forma de dentes.

dentículo. *m.* (arq.) dentículo, entalhe em forma de dentes.

dentiforme. *adj.* (hist. nat.) dentiforme.

dentífrico, ca. *adj.* dentífrico, que serve para limpar os dentes. — *m.* dentifrício.

dentígero, ra. *adj.* dentígero.

dentina. *f.* dentina, marfim dos dentes.

dentípedo, da. *adj.* (zool.) dentípode.

dentirrostro, tra. *adj.* (zool.) dentirrostro, diz-se do pássaro de bico dentado. — *m. pl.* dentirrostros.

dentista. *s.* dentista; odontólogo.

dentolabial. *adj.* (gram.) dentolabial.

dentolingual. *adj.* (gram.) dentolingual.

dentón, na. *adj.* (fam.) dentudo, que tem grandes dentes. — *m.* (ictiol.) dentão, peixe acantopterígio do Mediterrâneo.

dentrambos, bas. contra(c)ção de *de entrambos* e de *de entrambas*.

dentro. *adv.* dentro, usa-se para denotar o lugar ou parte interior dum espaço, na parte interior, interiormente: *dentro de*, dentro em, dentro de; no espaço de; *por dentro*, interiormente, por dentro; *para dentro*, para o interior, para dentro; *de dentro*, do interior, de dentro, (pop.) do fundo do coração; *dentro de dos años*, dentro de dois anos; *dentro de casa*, dentro de casa; *de puertas a dentro*, de portas a dentro; *recogerse dentro de sí*, recolher-se dentro em si; *dentro de poco*, dentro de pouco.

dentudo, da. *adj.* dentudo, que tem grandes dentes. — *m.* (zool. Amér.) dentudo, cascarra, espécie de tubarão, muito voraz e temível.

denudación. *f.* denudação, desnudação.

denudar. *v. tr.* denudar, despir, despojar, desnudar; pôr a descoberto; tornar nu, privar de vestido.

denuedo. *m.* denodo, (Bras.) denôdo, brio, esforço, (Bras.) esfôrço, ousadia, intrepidez, valor; bravura, coragem, forcejo, ardimento, resolução; desenvoltura; desembaraço.

denuesto. *m.* doesto, afronta, insulto, injúria grave, denosto, empulhação, impropério.

denuncia. *f.* denúncia; acusação; declaração; (for.) delação, acusação secreta; documento em que consta essa delação; denunciação; assopro; proclamação; pregão de casamento.

denunciable. *adj.* denunciável; delatável; que se pode denunciar.

denunciación. *f.* denunciação, denúncia; (for.) declaração. V. **denuncia**.

denunciador, ra. *adj.* e *s.* denunciador, denunciante, que denuncia, revela ou mostra; delator; indiciador; revelador.

denunciante. *p. a. adj.* e *s.* denunciante, que denuncia, denunciador, pessoa que faz uma denúncia; delator; entregador.

denunciar. *v. tr.* denunciar, avisar, noticiar; acusar em segredo; delatar; dar a conhecer; denunciar, participar a ruptura de um tratado; promulgar, publicar solenemente; participar ou declarar oficialmente o estado ilegal, inconveniente ou irregular duma coisa; (for.) denunciar, dar à autoridade parte dum delito; atraiçoar; informar; descobrir; encravilhar; entregar; declarar; frontar; anunciar, tornar público, dar a conhecer; (Bras.) caçambar: *denunciar una mina*, requerer uma mina.

denunciatorio, ria. *adj.* denunciatório, denunciativo, que contém denúncia.

denuncio. *m.* (min.) a(c)ção de requerer uma mina; declaração da existência duma mina.

deontología. *f.* deontologia.

deontológico, ca. *adj.* deontológico.

deparador, ra. *adj.* deparador, que depara.

deparar. *v. tr.* deparar; subministrar, proporcionar, conceder; pôr diante, apresentar; oferecer, deparar, achar casualmente.

departamental. *adj.* departamental, relativo a um departamento.

departamento. *m.* departamento, cada uma das partes em que se divide um território, edifício, etc.; ministério ou ramo da administração pública; distrito ou jurisdição dum capitão-general de marinha.

departimiento. *m.* (ant.) departimento, divisão, separação, demarcação.

departir. *v. intr.* departir, falar, conversar, narrar minuciosamente. — *v. tr.* ensinar, elucidar, explicar; diferençar, distinguir; discorrer, julgar; estorvar, impedir. — **departirse.** *v. r.* altercar, contender, disputar, porfiar; departir-se, separar-se, apartar-se.

depauperación. *f.* depauperação; enfraquecimento; extenuação; debilitação do organismo, inanição, exinanição; desnutrição; empobrecimento.

depauperado, da. *p. p.* e *adj.* depauperado; enfraquecido; extenuado; empobrecido.

depauperador, ra. *adj.* e *s.* depauperador, que depaupera.

depauperar. *v. tr.* depauperar, tornar pobre; fazer perder as forças; esgotar; exaurir, debilitar; extenuar; empobrecer, exinanir.

dependencia. *f.* dependência, subordinação, reconhecimento de maior poder ou autoridade; escritório dependente duma repartição superior, dependência; relação de parentesco ou amizade; negócio, agência. — *pl.* coisas acessórias doutra principal; mediatização: *casa de muchas dependencias*,

casa com muitas acomodações ou anexos.
depender. *v. intr.* depender, estar subordinado a uma pessoa ou coisa; provir; proceder, depender, resultar; depender, seguir-se necessàriamente, estar conexa ou agregada uma pessoa a outra: *depender de*, fazer fundamento, fundar-se; (fig.) arrimar-se, depender de; *hacer depender de*, mediatizar; *depender de alguien*, contar com alguém; *depender de la voluntad o capricho de alguien*, estar dependurado do parecer dalguém.
dependiente. *p. a.* e *adj.* dependente, que depende. — *s.* subordinado, empregado subalterno; inferior.
depilación. *f.* depilação, epilação.
depilador, ra. *adj.* e *s.* depilatório, que depila; substância que depila.
depilar. *v. tr.* depilar; (med.) depilar, produzir a depilação por meio de substâncias ou medicamentos depilatórios.
depilatorio, ria. *adj.* depilatório, diz-se do medicamento que faz cair o cabelo ou os pêlos; ectilótico; epilatório.
depleción. *f.* (med.) depleção.
depletivo, va. *adj.* (med.) depletivo.
deplorable. *adj.* deplorável, lamentável, infeliz, quase sem remédio; deplorável, deplorando; elegíaco; *cosa deplorable*, desgraça.
deplorar. *v. tr.* deplorar, sentir viva e profundamente um sucesso; lastimar; chorar.
— deplorarse. *v. r.* deplorar-se.
deponer. *v. tr.* depor, deixar, largar, pôr de parte; apartar de si; separar; destituir, privar alguém do seu posto ou dignidade; depor; afirmar, assegurar, declarar alguma coisa; depor; mudar, tirar uma coisa do lugar em que ela estava; testemunhar; expulsar; derribar; estender; arrimar; (fig.) apear; (for.) depor; degradar; declarar; desautorar; destituir; exonerar. — *v intr.* depor, evacuar: defecar; (for.) declarar ante uma autoridade judicial; *deponer las armas* (mil.) depor as armas, presentar as chaves; *deponer al soberano*, destronar.
depopulación. *f.* depopulação.
depopulador, ra. *adj.* depopulador, que faz estragos em campos e povoados.
deportación. *f.* deportação, exilio; desterro, (Bras.) destêrro, condenação a exilio; desnaturalização; expatriação; degredo, (Bras.) degrêdo.
deportado, da. *adj.* e *s.* deportado, exilado, repatriado, degredado.
deportar. *v. tr.* deportar, banir, exilar; desterrar para ponto determinado; degradar, degredar; expatriar.
deporte. *m.* deporte, distra(c)ção; passatempo; recreação geralmente no ar livre; desporte; *por deporte*, por desenfado; *manía por el deporte*, ludomania; *afición práctica de los deportes*, desportismo; *persona que practica los deportes*, desportista.

deportismo. *m.* desportismo; afeição aos desportos ou aos seus exercícios.
deportista. *s.* desportista, pessoa afeiçoada aos desportos ou entendida neles.
deportivo, va. *adj.* desportivo, pertenecente ou relativo aos desportos, desportivo.
deposición. *f.* deposição, exposição, declaração; destituição de emprego, cargo ou dignidade, deposição; exoneração; execração; depoimento; destituição; expulsão; desautoração; (for.) declaração feita verbalmente ante um juiz ou tribunal; deposição, evacuação de ventre; excremento: *deposición de un testigo*, (for.) assentada; *deposición del trono*, destronação; *deposición eclesiástica*, privação de ofício e benefício para sempre.
depositador, ra. *adj.* e *s.* depositador, que deposita, depositante.
depositar. *v. tr.* depositar, pôr em depósito e sob a guarda dalguém qualquer obje(c)to ou bens; depositar, entregar, confiar; colocar, encerrar, conter; depositar, sedimentar, formar sedimentos ou depósitos; depor; (fig.) confiar a alguém alguma coisa, como a fama, a opinião, etc. — *v. r.* depositar-se, assentar no fundo (falando duma substância que estava em suspensão num líquido), precipitar-se: *depositar sobre algo*, estender; *los posos del vino se depositan en el fondo*, as fezes do vinho depositaram-se no fundo.
depositaría. *f.* lugar ou casa onde se fazem depósitos; tesouraria de finanças.
depositario, ria. *adj.* depositário, pertencente ao depósito; (fig.) que contém ou encerra alguma coisa. — *s.* pessoa em quem se deposita confiança; tesoureiro; (for.) detentor.
depósito. *m.* depósito; coisa depositada; (mil.) depósito, lugar destinado aos recrutas antes de serem distribuidos pelos corpos respe(c)tivos; (for.) deposição; (fig.) arca; (mil.) depósito do material dum regimento ou companhia, arrecadação: *depósito de agua*, arca de água; alverca; *depósito de las balas y proyectiles de una batería* (mil.) cheleira; *depósito de dinero escondido* (fig.) melgueira; *depósito de herramientas empleadas para arar*, alquería; *hoyo para depósito de aguas*, galgueira; *gran depósito de mercancías*, entreposto, entreposto; *tener en depósito objetos de gran valor*, entesoirar; *poner en depósito*, depositar.
depravación. *f.* depravação, a(c)ção e efeito de *depravar* ou *depravarse*; corrupção; perversão; estrago, estragamento; deformidade; devassidão; (fig.) degeneração.
depravado, da. *adj. p. p.* e *s.* depravado, viciado, corrompido; degenerado, desprezável; (fig.) devasso: *romper las costumbres depravadas*, desencanalhar.
depravar. *v. tr.* depravar, viciar, adulterar, corromper, diz-se principalmente das coisas imateriais; inficionar, desnaturar,

desnaturalizar. — **depravarse.** *v. r.* depravar-se; degenerar-se.

deprecación. *f.* deprecação, rogo, súplica; petição; (ret.) figura de oratória que consiste em dirigir um rogo ou súplica fervorosa; (for.) deprecada.

deprecante. *p. a.* e *adj.* deprecante, que depreca: (for.) *juez deprecante,* juiz deprecante.

deprecar. *v. tr.* deprecar, rogar, pedir, suplicar com eficácia ou instância.

deprecativo, va. *adj.* deprecativo, deprecatório, pertencente à deprecação: *de modo deprecativo,* deprecativamente.

deprecatorio, ria. *adj.* deprecatório, deprecativo. V. **deprecativo.**

depreciación. *f.* depreciação, diminuição de valor ou preço; desvaliação; detrimento; descrédito; desvalor; despreço: *sujeto a depreciación,* depreciável.

depreciador, ra. *adj.* e *s.* desvalorizador, depreciador.

depreciar. *v. tr.* depreciar, diminuir ou rebaixar o valor ou preço duma coisa; desvaliar; desencarecer; desvalorizar. — **depreciarse.** *v. r.* envilecer-se; depreciar-se.

depredación. *f.* depredação, diminuição de valor ou preço.

depredador. *m.* depredador, o que pratica depredações; depredatório.

depredar. *v. tr.* depredar, roubar, saquear com violência e destroço; desvalijar.

depredatorio, ria. *adj.* depredatório, depredativo.

depresión. *f.* a(c)ção e efeito de *deprimir* ou *deprimirse;* depressão; abatimento físico ou moral; depressão, afundamento; deprimência, erosão; (fig.) abatimento; (fig.) abaixamento, abate.

depresivo, va. *adj.* depressivo, que deprime, em que há depressão, deprimente; depressor.

depresor, ra. *adj.* depressor, que deprime ou humilha; deprimente; abaixador: *músculo depresor* (anat.), abaixador, abassor, depressor.

deprimir. *v. tr.* deprimir, diminuir o volume dum corpo por meio da pressão; (fig.) deprimir, humilhar, rebaixar, negar as qualidades duma pessoa ou coisa; deprimir, abater, abaixar; desengrandecer; encouchar; amassar. — **deprimirse.** *v. r.* deprimir-se, encouchar-se; acanhar-se; aparecer baixa uma superfície ou uma linha com referência às imediatas.

depuración. *f.* depuração, depuramento; apuro; (fig.) defecação.

depurador, ra. *adj.* e *s.* depurador, depurante; depurativo.

depuramiento. *m.* depuramento, depuração.

depurar. *v. tr.* depurar, limpar, purificar; estomentar; (fit.) estonar; delimitar. — **depurarse.** *v. r.* depurar-se; expurgar-se: *depurar el idioma,* expurgar a lingua.

depurativo, va. *adj.* depurante, depurativo, depuratório; depurador; (med.) depurativo, diz-se do medicamento que purifica os humores e principalmente o sangue.

depuratorio, ria. *adj.* depuratório, depurativo, que serve para depurar ou purificar.

deque. *adv.* (fam.) depois que, logo, que.

derecera. *f.* V. **derechera.**

derecha. *f.* direita, dextra, mão direita; lado direito; direita numa assembleia ou parlamento, a parte mais moderada ou aquela que, por sua doutrina, guarda mais respeito às tradições: (mil.) *¡derecha!,* voz com que se manda o soldado volver ou olhar à direita; *el que se sirve de la mano derecha,* destrímano; *la mano derecha,* destra, dextra.

derechera. *f.* via ou caminho direito.

derechero, ra. *adj.* justo, re(c)to. — *m.* recebedor de direitos nos tribunais e mais repartições públicas.

derecho, cha. *adj.* direito, em linha re(c)ta que não é curvo nem torcido, igual; direito, que fica para o lado de mão direita, ou ao lado dela; direito, justo, íntegro, re(c)to; equitativo, legítimo; aprumado; destro, dextro; legítimo. — *adv.* V. **derechamente,** por caminho re(c)to, sem desvio. — *m.* faculdade legal de praticar ou não praticar um a(c)to; atribuição; autoridade; faculdade; direito, conjunto de leis ou de regras que regem o homem na sociedade; justiça; razão; direito; isenção; privilegio; faculdade que abraça o estudo do direito nas suas diferentes ordens. — *pl.* direitos, fo(ô)ros, tributo, imposto pago à alfândega pelas mercadorias importadas; direitos, salário, retribuição, paga, conforme tabela ou convenção: *derecho de espada,* importância que os novos oficiais pagavam ao ingressarem na Guarda Real; *a las derechas,* às direitas, como deve ser, como a honra e a razão determinam! *atribuirse un derecho,* erigir-se; *derecho divino,* direito divino; *derecho positivo,* direito positivo; *derecho internacional,* direito internacional ou das gentes; *derecho civil,* direito civil; *derecho canónico,* direito canónico; *derecho de sucesión,* direito hereditário; *derecho parlamentario,* direito parlamentário; *derecho público,* direito público; *derecho consuetudinario,* direito tradicional ou não escrito; *derecho de patronato,* direito de patronado; *derecho arancelario,* direito da alfândega; *derechos de muelle,* direito de cais; *derechos de exportación,* direitos de saída; *derecho parroquial,* direito parroquial; *conforme a derecho,* segundo o direito; *estar uno a derecho,* (for.) estar no pôr-se a direito; *hacer derecho,* (for.) dizer de direito; *doctor en derecho,* doutor em direito.

derechura. *f.* direitura, qualidade de direito. — *adv.* e *m. en derechura,* por caminho re(c)to, sem se deter, nem parar, a direia.

deriva. *f.* (mar.) deriva, desvio do rumo do navio, por efeito do vento, do mar ou da corrente: *ir a la deriva,* (mar.) ir à deriva, diz-se do navio sem governo ou doutro obje(c)to abandonado no mar ao sabor dos elementos.

derivable. *adj.* derivável, que deriva, derivante.

derivación. *f.* derivação, descendência, dedução; a(c)ção de separar alguma parte do todo ou da sua origem e princípio com desviar a água dum rio, dando-lhe outra dire(c)ção; (gram.) derivação, dedução da etimologia, origem que uma palavra tira doutra; consequência; declinação; edução; dedução.

derivada. *f.* (mat.) derivada.

derivado, da. *adj.* (gram.) derivado, deduzido.

derivar. *v. intr.* derivar, tirar a sua origem de emanar; defluir; exir; eduzir, deduzir; evoluir, (fig.) descer. — **derivarse.** *v. r.* (mar.) derivar, desviar do rumo: *que se puede derivar*, derivável; *derivar suavemente*, deslizar; *derivar un verbo de un nombre*, averbar um nome.

derivativo, va. *adj.* e *m.* (gram.) derivativo, que implica ou denota derivação; (med.) diz-se do medicamento que tem a virtude de chamar a um ponto os humores acumulados noutro mais ou menos distante.

derivo. *m.* origem, procedência; emanação.

dermalgia. *f.* (med.) dermatalgia, dermalgia, dor nervosa da pele.

dermatalgia. *f.* (med.) dermalgia, derma-al·a

dermático, ca. *adj.* dérmico, dermático.

dermatitis. *f.* (med.) dermatite, inflamação da pele.

dermatografía. *f.* dermatografia.

dermatoesqueleto. *m.* carapaça, conjunto de envolturas, crostas ou peças duras que exteriormente revestem muitos animais.

dermatoide. *adj.* dermatóide.

dermatoideo, a. *adj.* dermatóide.

dermatología. *f.* tratado das doenças da pele, dermatologia, dermologia.

dermatológico, ca. *adj.* dermatológico, pertencente à dermatologia.

dermatólogo. *m.* dermatologista, médico especialista em doenças da pele.

dermatoma. *m.* (pat.) dermatoma.

dermatopatía. *f.* (pat.) dermatopatia.

dermatoplastia. *f.* (cir.) dermatoplastia.

dermatópodos. *m. pl.* (zool.) dermatópodes.

dermatorragia. *f.* (pat.) dermatorragia.

dermatorrea. f. (pat.) dermatorreia.

dermatosis. *f.* (pat.) dermatose, doença ou afe(c)ção da pele.

dermatoterapia. *f.* (med.) dermatoterapia.

dermatotomía. *f.* dermatotomia.

dermesto. *m.* (zool.) dermesto, inse(c)to coleóptero pentâmero.

derméstidos. *m. pl.* (zool.) dermestes.

dérmico, ca. *adj.* (med.) dérmico, dermático, pertencente ou relativo à derme.

dermis. *f.* derme, camada interior e mais grossa da pele.

dermititis. *f.* (med.) V. **dermatitis.**

dermoide. *adj.* dermóide.

dermoideo, a. *adj.* dermóide.

dermología. *f.* (med.) dermologia.

dermológico, ca. *adj.* dermológico.

dermólogo, ga. *s.* V. **dermatólogo.**

dermópteros. *m. pl.* dermópteros.

derogable. *adj.* abrogável.

derogación. *f.* derrogação, anulação, abolição; diminuição, deterioração; derrogamento, abolimento; abrogação.

derogador, ra. *adj.* derrogante, derrogador, que derroga.

derogamiento. *m.* derrogamento, derrogação.

derogar. *v. tr.* derrogar, abolir, anular uma coisa estabelecida como lei ou costume; abrogar; destruir, reformar.

derogatorio, ria. *adj.* derrogatório, que derroga, que envive derrogação.

derrabar. *v. tr.* derrabar, cortar, arrancar ou tirar a cauda a um animal.

derrama. *f.* derrama, repartição proporcional dum tributo; contribuição extraordinária; derrama, efusão; ejaculação extravasação; derrama, derramamento.

derramadero. *m.* V. **vertedero.**

derramado, da. *adj.* e *p. p.* derramado, efuso; infuso; (fig.) pródigo, esbanjador; dissipador.

derramador, ra. *adj.* derramador, que derrama, que espalha.

derramamiento. *m.* a(c)ção e efeito de *derramar* ou *derramarse*; derramação, derramamento; dispersão, desunião; separação dalgum povo ou família; extravasação; derrama, derramamento; efusão; ejaculação; efusão; desbordamento; *derramamiento gota a gota*, destilação.

derramar. *v. tr.* derramar, verter, espalhar, entornar; extraverter; desparzir; esparzir; efundir; banhar; desbordar, trasbordar; ejacular; banhar; emborcar; entornar; deitar; chimpar; chover. — *v. r.* derramar-se; extravasar; descabeçar-se; devolver-se; entornar-se; dispersar-se em diversas dire(c)ções; desembocar, desaguar um rio, arroio nalguma parte; (fig.) divulgar uma notícia, publicar: *derramar agua*, deitar água; *derramar lágrimas*, deitar lágrimas, chorar.

derrame. *m.* derramamento, derrame; aclive nas terras para correr a água; (mar.) saída que toma o vento pela parte de sotavento de qualquer das velas; (med.) derrame, acumulação anormal dum líquido numa cavidade: *derrame de las aguas*, deflúvio.

derramo. *m.* V. **derrame.**

derrapaje. *m.* (neol.) derrapagem.

derrapar. *v. intr.* (neol.) derrapar.

derredor. *m.* derredor, circuito, roda; contorno. — *adv. al* ou *en derredor*, em derredor, em contorno.

derrelicto, ta. *p. p. irr.* de *derrelintuir* e *adj.* de derreli(c)to, abandonado, desamparado. — *m.* (mar.) navio ou obje(c)to abandonado no mar.

derrelinquir. *v. tr.* abandonar, desamparar.

derrenegar. *v. intr.* e *r.* (fam.) aborrecer, detestar.

derrengado, da. *p. p.* e *adj.* derrengado, estrompado, alombado; desassado; arriado; derreado; (fig.) desmembrado; descadeirado (diz-se dos animais).
derrengador, ra. *adj.* e *s.* derreador.
derrengadura. *f.* derreamento, derreeira, postração de forças, derreio, derrengo; alombamento; arriamento.
derrengar. *v. tr.* derrengar, derrear, alquebrar, extenuar; desancar; desasar; descadeirar; deslombar; derrear; alombar. — *v. r.* derrear-se, alombar-se.
derretido, da. *p. p.* e *adj.* derretido; fundido; desatado; (fig.) muito enamorado.
derretimiento. *m.* derretimento, descongelação; derretedura; (fig.) afe(c)to veemente, amor intenso; (pop.) derrete.
derretir. *v. tr.* derreter, liquidar, dissolver por meio do calor uma coisa sólida; congelada ou pastosa; descoalhar; descongelar; delir; desliquar; desatar. — **derretirse.** *v. r.* descongelar-se, delir-se, deliquar-se, descoalhar-se; degelar; fundir-se, derreter-se; (fig.) esbanjar, consumir; gastar, dissipar a fazenda ou dinheiro, os móveis; (fig.) inflamar-se de amor divino ou profano, apaixonar-se fàcilmente, derreter-se: *derretirse la nieve*, desnevar; *derretir lo helado*, degelar; *derretir los metales*, fundir; *derretir el tocino en la sarten*, estrigir.
derribado, da. *p. p.* e *adj.* derribado, diz-se do cavalo que tem ancas baixas; atropelado; desmantelado; derruido; derrubado; derrocado.
derribador. *m.* derribador, que derriba reses; derrubador; derrocador.
derribamiento. *m.* desmoronamento; derribamento; derrubamento; derrocamento; derrocada; derrube, derrubada; derriba, derrocamento, derrocada.
derribar. *v. tr.* derribar, arruinar; demolir, derrubar; derribar, derruir, lançar por terra, aterrar; abismar; desmoronar; desmantelar; apear; abater; estender; decepar; (fig.) descimentar: *derribar un árbol*, destroncar; *derribar una cerca, valla, muralla*, etc., descercar; *derribar el copete o parte superior de algo*, descoroar; *derribar con estruendo*, fracassar; *derribar un edificio*, desmontar; *derribar a un hombre*, estender um homem em terra; *derribar muros ou murallas*, desmurar; *derribar puertas*, desportilhar. — **derribarse.** *v. r.* derribar-se, abater-se: *derribarse con estruendo*, baquear-se.
derribo. *m.* derribo, a(c)ção e efeito de derribar, derribamento; entulho, conjunto de materiais que se tiram duma demolição; demolição; arruinamento; aterramento; desmantelamento; derriba; *materiales de derribo*, derribamento; *derribo con estruendo*, derrocamento.
derrocadero. *m.* alcantil, despenhadeiro; lugar penhascoso; precipício de rochedos.
derrocador, ra. *adj.* e *s.* derrocador.
derrocamiento. *m.* derrocamento, derrocada.

derrocar. *v. tr.* derrocar, despenhar, precipitar duma penha ou rocha; (fig.) humilhar, abater, aniquilar; demolir um edifício; arrasar; (fig.) destituir; desaproveitar, estender; derruir. — conjuga-se como *contar*.
derrochador, ra. *adj.* e *s.* dissipador, esbanjador, gastador, malbaratador; despendedor; delapidador; derramador; desbaratador; estroina.
derrochar. *v. tr.* dissipar, esbanjar, malbaratar, malgastar; estragar a fortuna; degastar; despender; derreter; desperdiçar; destruir; delapidar; derramar; desbaratar; estroinar; extinguir; (fig.) fumar: *derrochar dinero*, derreter dinheiro, atirar com o dinheiro à rua, não olhar as despesas, *derrochar la fortuna*, derramar a fazenda; *derrochar un patrimonio*, estragar um património; *derrochar grandes sumas*, desbaratar grossas quantias.
derroche. *m.* dissipação, esbanjamento, desbaratamento de bens; desperdício; delapidação; despesa; derramamento; desbaratamento; desgoverno, (Bras.) desgovêrno.
derronchar. *v. tr.* (ant.) combater, pelejar.
derrostrarse. *v. r.* (fig.) descompor o rostro, maltratar a face.
derrota. *f.* derrota, caminho, dire(c)ção; ruína de fortuna ou de bens; (mil.) derrota, fuga desordenada, descalavro, desbarato; destroço de tropas, desbaratamento; debelação; (mar.) derrota, rumo dos navios; caminho: *marcar la derrota*, (mar.) marcar a derrota; *separarse un barco de su derrota*, (mar.) abater, afastarse do rumo; *derrota del sol*, derrota do sol.
derrotado, da. *p. p.* e *adj.* derrotado; desbaratado; desfeito; frangalheiro; diz-se da pessoa màmente vestida: *salir derrotado*, apanhar um bigode; (fig.) prostrado; arruinado.
derrotar. *v. tr.* derrotar, arruinar, destruir, desbaratar; dissipar, destroçar (mil.) derrotar, desbaratar, destroçar, vencer o inimigo. — *v. intr.* (mar.) derivar, perder a rota, derrotar, afastar-se do rumo; bater; desencaminhar-se.
derrotero. *m.* (mar.) derroteiro, roteiro, linha assinalada na carta de marear para governo dos pilotos; livro que contém a descrição das derrotas; (fig.) derroteiro, caminho, rumo, via, meio para chegar a um fim.
derrotismo. *m.* derrotismo, pessimismo; negativismo.
derrubiar. *v. tr.* desfazer, esboroar, destruir pouco a pouco pela a(c)ção da água as margens das ribeiras, as paredes, etc.
derrubio. *m.* esboroamento; terra que cai ou se desmorona pela a(c)ção das águas.
derruir. *v. tr.* derruir, derribar, destruir, desmoronar, demolir, deitar abaixo, deitar por terra; destruir; arruinar; derrubar; desmoronar; dilapidar. — *conj. irr.* como *huir*.

derrumbadero. *m.* despenhadeiro, precipício; (fig.) precipício, risco, perigo iminente.

derrumbamiento. *m.* derrubamento, desmoronamento; desabamento, derrocada, derrocamento; despenho; destruição.

derrumbar. *v. tr.* derrumbar, precipitar, despenhar; derrocar; derribar; desabar; destruir. — **derrumbarse.** *v. r.* derrumbar--se, precipitar-se, derruir-se; despenhar--se; desmoronar-se.

derrumbe. *m.* despenhadeiro, precipício; (min.) desmoronamento. V. **derrumbadero.**

des. *prep. insep.* que denota negação ou inversão do sifinificado da palavra simples, separação ou privação.

desabarrancamiento. *m.* a(c)ção de desatolar ou de tirar de dificuldades.

desabarrancar. *v. tr.* desatolar, desatascar, tirar do lodo ou barranco; (fig.) desatolar, tirar alguém de embaraço ou de dificuldade.

desabastecer. *v. tr.* desprover, deixar de abastecer, despojar, desguarnecer.

desabastecido, da. *p. p. e adj.* desabastado, de abastecimento.

desabastecimiento. *m.* desprovimento, falta de abastecimento.

desabejar. *v. tr.* desabelhar, tirar as abelhas de colmeias ou cortiços.

desabillé. *m.* (gal.) roupão, traje de trazer por casa.

desabitar. *v. tr.* (mar.) desabitar, desfazer as abitaduras.

desabollador. *m.* instrumento para desamolgar.

desabollar. *v. tr.* desamolgar, endireitar o que está amolgado, tirar as amolgaduras nas peças de metal.

desabonarse. *v. r.* cessar alguém a sua assinatura em teatros hotéis, balneários, etc. — *v. tr.* (ant.) desabonar.

desabono. *m.* desabono, descrédito; depreciação; cessação de assinatura em teatros, hotéis. etc.

desabor. *m.* dessabor, insipidez, falta de sabor, semsaboria; (fig.) dessabor, desgosto.

desaborado, da. *p. p. e adj.* dessaborido, dessaboroso, insípido, desabrido.

desaborar. *v. tr.* dessaborar, tirar o gosto, tornar insípido; causar dissabor, descontentar, desgostar.

desabordarse. *v. r.* (mar.) desabordar, separar-se uma embarcação de outra com que estava abordada; desabalroar.

desaborido, da. *adj.* insípido, sem sabor, sem substância; chilro; enxabido; enxarondo; dessaborido, sem graça; (fig. e fam.) diz-se da pessoa de cará(c)ter indiferente ou sonsa.

desabotonar. *v. tr.* desabotoar; desapertar. — *v. intr.* desabotoar, desabrochar, abrirem-se os botões das flores.

desabozar. *v. tr.* (mar.) desabossar.

desabrido, da. *p. p. e adj.* desabrido; tempestuoso; desabrido, insípido, sem sabor; desabrido, áspero, mau, duro, severo;

descortês, desceremonioso, desamorável; descarinhoso, desagasalhoso; aze(ê)do, acre; (fig.) despegado; desgrenhado; desabrido, (falando do tempo).

desabrigado, da. *p. p. e adj.* desabrigado, desnudo; (fig.) desabrigado, desamparado, sem prote(c)ção; abandonado; desprotegido; exposto às intempéries; sem favor nem apoio.

desabrigar. *v. tr.* desabrigar, descobrir, tirar o abrigo; (fig.) abandonar, desproteger, desabrigar.

desabrigo. *m.* desabrigo, falta de abrigo, desnudez; (fig.) abandono; desabrigo, desamparo, desarrimo; desagasalho.

desabrimiento. *m.* desabrimento, insipidez, falta de sabor, dessabor; (fig.) desabrimento, aspereza, severidade, rudeza no trato, dureza de génio; desgosto, íntimo, mágoa; desabrimento, enfado, antipatia; despego, acrimonia, despeito; incomplacência.

desabrir. *v. tr.* temperar mal a comida; (fig.) desgostar, desanimar; humilhar, vexar, irritar.

desabrochamiento. *m.* desabrochamento; desabotoamento, desabotoadura.

desabrochar. *v. tr.* desabotoar, desapertar botões ou colchetes, desacolchetar. — *v. intr.* desabrochar, abrirem-se os botões das flores; abrir, descoser. — **desabrocharse.** *v. r.* desabotoar-se; (fig. e fam.) confiar um segredo, abrir-se com alguém, desabafar.

desacaloramiento. *m.* refrigeração, refrigerio.

desacalorarse. *v. r.* refrescar-se, aliviar-se do calor que o apoquenta; (fig.) aplacar-se, calmar-se.

desacatador, ra. *adj. e s.* desacatador que ou se desacata, irreverente, desrespeitador, desrespeitoso.

desacatar. *v. tr.* desacatar, afrontar, faltar ao respeito, desrespeitar; desvenerar; desatender; desobedecer; profanar; não cumprir.

desacato. *m.* desacato, desacatamento, irreverência para com as coisas sagradas; desacato, falta de acatamento para com os superiores; irreverência; escândalo; profanação; desrespeito; descomedimento; desveneração; (for.) calúnia, afronta.

desacedar. *v. tr.* desacidificar, tirar o azedume.

desaceitar. *v. tr.* desoleificar, tirar o óleo de tecidos ou doutras obras de lã.

desacentuar. *v. r.* desacentuar, tirar a acentuação a uma palavra.

desacerar. *v. tr.* tirar ou gastar o aço às ferramentas.

desacertado, da. *p. p. e adj.* desacertado; errado; despropositado; desatinado; inconveniente.

desacertar. *v. intr.* desacertar, não acertar, errar, não atingir; falhar; fazer com desacerto. — *conj. irr.* como *acertar.*

desacidificar. *v. tr.* (quím.) desacidificar, tirar a acidez a alguma coisa.

desacierto. *m.* desacerto, (Bras.) desacêrto, e(ê)rro, falta de acerto; desacerto, imprudência, irreflexão; tolice; dito ou feito desacertado, desatino, desvario, loucura, despropósito; desacordo, (Bras.) desacôrdo, desconcerto, (Bras.) desconcêrto; e(ê)rro, equivocado.

desaclimatar. *v. tr.* desaclimar, desaclimatar, desabituar do clima; colocar fora do próprio clima.

desacobardar. *v. tr.* desacobardar, alertar, dar coragem, dar ânimo, tirar a cobardia, animar; deixar a cobardia e o medo.

desacollar. *v. tr.* (prov.) escavar as vinhas, em redor, deixando uma cova em volta para a água da rega.

desacomodado, da. *p. p.* e *adj.* desacomodado, falto de meios, privado; desacomodado, sem empre(ê)go; que causa incómodo ou desconveniência; incómodo, inoportuno.

desacomodar. *v. tr.* desacomodar, privar de acomodação, deslocar; privar de empre(ê)go; tirar alguém do cómodo em que estava. — **desacomodar-se.** *v. r.* desacomodar-se, perder o seu cómodo ou empre(ê)go.

desacomodo. *m.* incómodo, incomodidade; destituição; desconchego; desconveniência; inconveniência.

desacompañamiento. *m.* desacompanhamento.

desacompañar. *v. tr.* desacompanhar, deixar ou abandonar a companhia dalguém; desassistir; desamparar.

desaconsejado, da. *p. p.* e *adj.* desaconselhado, que obra sem conselho nem prudência.

desaconsejar. *v. tr.* desaconselhar, dissuadir, persuadir alguém do contrário do que tinha resolvido; despersuadir; desadmoestar.

desacoplamiento. *m.* separação; desajuste.

desacoplar. *v. tr.* separar, desajuntar, desajustar, desimplicar.

desacordado, da. *p. p.* e *adj.* desacordado, desafinado, desentoado; descuidado; inadvertido; (pint.) diz-se da obra e do quadro em que as partes não oferecem harmonia na composição e no colorido.

desacordar. *v. tr.* desacordar, desafinar, desentoar, discordar, destoar, destemperar. — **desacordarse.** *v. r.* esquecer-se, perder a memória ou os sentidos.

desacorde. *adj.* desacorde, dissonante, discorde; discorde, discrepante; contrário, oposto; desconchavado.

desacostumbrado, da. *p. p.* e *adj.* desacostumado, desusado, que não está em uso, insólito.

desacostumbrar. *v. tr.* desacostumar, fazer perder o costume, o uso, o hábito; desabituar; desavezar, desvezar; desafazer; desusar. **desacostumbrarse.** *v. r.* desabituar-se; desavezar-se, perder o costume.

desacotar. *v. tr.* descoutar, tirar o privilégio de couto, devassar a coutada; rescindir, romper um convénio; repelir, não querer uma coisa.

desacoto. *m.* descouto.

desacreditado, da. *p. p.* e *adj.* desacreditado, que perdeu o crédito; desacreditado, mal conceituado, que não goza de boa opinião; desqualificado; desmerecido; depreciado, desvirtuado; desabonado; desautorado.

desacreditar. *v. tr.* desacreditar, fazer perder o crédito ou a reputação; difamar; depreciar; denigrar; enxovalhar; desqualificar; desprestigiar, desvalorizar; desvirtuar; menoscabar; desafamar; empanar; desconceituar; desonrar; desonestar; desautorar; infamar; (fig.) desdoirar, deslustrar, derrear; enegrecer; atassalhar. — **desacreditarse.** *v. r.* desacreditar-se, perder o crédito; enxovalhar-se; desprestigiar-se, desconceituar-se.

desacuerdo. *m.* desacordo, (Bras.) desocôrdo, discórdia; discordância, desarmonia; e(ê)rro, desacerto; esquecimento dalguma coisa; delíquio; desmaio, desacordo, perda dos sentidos; desavença; discórdia, desarmonia; desarranjo; desconformidade, desinteligência, desunião.

desacumulación. *f.* desacumulação.

desacumular. *v. tr.* desacumular, separar o que estava acumulado; desamontoar; desaglomerar.

desacuñador. *m.* (impr.) desapertador, instrumento para apertar e alargar as cunhas nas formas de composição tipográfica.

desacuñar. *v. tr.* desacunhar, tirar as cunhas; desmonetizar.

desaderezar. *v. tr.* desalinhar. V. **desaliñar.**

desadeudar. *v. tr.* desendividar, livrar alguém de dívidas, pagando-as por ele.

desadorar. *v. tr.* desadorar, deixar de adorar; menosprezar; detestar, abominar.

desadormecer. *v. tr.* desadormecer, acordar quem dorme, despertar; desadormentar, interromper o sono a alguém; desentorpecer o espírito ou um membro entorpecido. — *conj. irr.* como *adormecer.*

desadornar. *v. tr.* desadornar, tirar os adornos; desenfeitar; não pôr adornos no discurso; desguarnecer.

desadorno. *m.* desadorno, falta de ado(ô)rno; desalinho; simplicidade; desenfeite.

desadvertir. *v. tr.* inadvertir, não reparar ou refle(c)tir. — *conj. irr.* como *advertir.*

desafear. *v. tr.* desafear, tirar ou diminuir a fealdade.

desafección. *f.* desafeição, desafeiçoamento; ingratitude; desamor, má vontade; hostilidade; indiferença; desafe(c)to.

desafecto, ta. *adj.* desafe(c)to, sem afe(c)to, que não sente estima; hostil, contrário, adverso, oposto; desafeiçoado.

desafecto. *m.* desafeição, desamor, malquerença, desapego; desvio, falta de afe(c)to, indiferença.

desafeitar. *v. tr.* (ant.) desafeitar, desenfeitar os ado(ô)rnos.

desaferrado, da. *p. p.* e *adj.* desaferrado, desprendido, solto; desferido; desprendido.

desaferramiento. *m.* desaferro, a(c)to de desaferrar.

desaferrar. *v. tr.* desaferrar, desprender, soltar; desferrar; (mar.) levantar ferro, largar o navio; largar, desferir, desamarrar, desfraldar; desatar, desaferrar, aplastar; (fig.) desaferrar, dissuadir: *desa-ferrar las velas,* (mar.) desferir as velas, desfraldar as velas; *desaferrar el trapo,* (mar.) despregar o pano.

desafiadero. *m.* lugar retirado onde se realizavam os desafios.

desafiador, ra. *adj.* e *s.* desafiador, que desafía, desafiante; duelista; provocador.

desafiar. *v. tr.* desafiar, provocar para desafio; re(c)tar, provocar a combate, batalha ou peleja; contender, competir com outro; (fig.) competir, opor-se uma coisa a outra; rivalizar; romper a fé, amizade, etc.; dissolver, desfazer, rescindir; incitar, tentar, convidar; arrostar; desinquietar; excitar, estimular; duelar. — **desafiarse.** *v. r.* desafiar-se; medir-se; opor-se.

desafición. *f.* desafeição, falta de afeição, desafe(c)to.

desaficionar. *v. tr.* desafeiçoar, tirar ou perder a afeição ou amor a alguma coisa. — **desaficionarse.** *v. r.* perder a afeição alguém ou a alguma coisa.

desafilar. *v. tr.* desafiar, embotar, tirar o fio a uma arma ou ferramenta.

desafinación. *f.* desafinação, desarmonia, dissonância; desacordo, (Bras.) desacôrdo.

desafinado, da. *p. p.* e *adj.* desafinado; destemperado; desacorde; desentoado.

desafinamiento. *m.* V. **desafinación.**

desafinar. *v. intr.* (mús.) desafinar, não dar o som afinado, desentoar-se a voz, o instrumento, desacordar, destoar, falsear; destemperar. — **desafinarse.** *v. r.* (fig.) zangar-se; disparatar, intervir inoportunamente numa conversação, interromper com imprudência.

desafío. *m.* desafio, provocação; despique; duelo; luta; encontro; competição, concorrência, rivalidade; briga, pendência; aposta: *a desafío,* a desgarrada; *cartel de desafío,* cartel de desafio.

desaforado, da. *p. p.* e *adj.* desaforado, que não respeita lei alguma; (fig.) excessivo; desmedido, fora do comum; desacertado; descomedido, desmesurado; desmarcado; descomunal; desproporcionado; desacomodado; atrevido, insolente; desabalado; (for.) desaforado, que não é conforme ao fo(ô)ro; impudente, impúdico; grosseiro.

desaforar. *v. tr.* desaforar, anular foros ou privilégios; privar dos privilégios; desmarcar. — **desaforarse.** *v. r.* desaforar-se, descomedir-se, atrever-se, desmedir-se, tornar-se insolente; praticar desatinos ou desaforos, desatinar.

desaforrar. *v. tr.* desforrar, tirar o fo(ô)rro.

desafortunado, da. *adj.* e *s.* desafortunado, sem fortuna; desaventurado, infeliz, desvalido, desditado, desditoso, infortunado, desgraçado.

desafuero. *m.* desaforo, (Bras.) desafôro, a(c)to violento contra a lei, a(c)ção contra o decoro, costume, etc.: desaforo, atrevi-

mento, insolência, escândalo; infâmia; desatino; desaguisado, demasia, excesso; (for.) caso que priva do (fo(ô)ro ao que o tinha.

desagraciado, da. *p. p.* e *adj.* desengraçado, sem graça.

desagraciar. *v. tr.* tirar a graça, afear, tornar feio; desengraçar.

desagradable. *adj.* desagradável, que desagrada ou desgosta; amargo; enfadoso; enfadonho; ingrato; desabrido; desaprazível; despeitoso; incómodo; desamorável; (Bras. Sur.) abalosô: *caso inesperado y desagradable,* desapontamento; *sonido desagradable,* estridor; *desagradable al gusto,* desgostoso; *hacer desagradable,* acerbar; *persona,* ou *visita desagradable,* embrechado; *sorpresa desagradable,* (fig.) estocada; *volverse desagradable,* converter-se em desagrado; *ser desagradable,* atazanar.

desagradar. *v. intr.* desagradar, desgostar, incomodar, causar desagrado; enfadar; destoar, desgraçar; desaprazer; desprazer; descontentar; dessaber. — *v. r.* desgostar-se, incomodar-se.

desagradecer. *v. tr.* desagradecer, não agradecer, faltar com o agradecimento; mostrar-se ingrato; desconhecer.

desagradecido, da. *adj.* e *p. p.* desagradecido, que não agradece; ingrato; desconhecido; desconhecedor; (pop.) ingratão: *ser un desagradecido,* por um braço um baraço.

desagradecimiento. *m.* desagradecimento, ingratidão; desconhecimento.

desagrado. *m.* desagrado, falta de agrado; desgosto, (Bras.) desgôsto, descontentamento; enfado; enfadamento; desaprovação, desprazer, desprazimento; incomodidade; desvio: *caer en el desagrado de alguien,* cair no desagrado dalguém; *expresar el desagrado de un espectáculo,* assobiar; *acogida hecha con desagrado,* desacolhimento; *mostrar desagrado,* desaplaudir; *señal de desagrado,* desaplauso.

desagraviado, da. *adj.* e *p. p.* desforçado, desafrontado, desagravado.

desagraviador, ra. *s.* desagravador, que desagrava; despicador; desagravante.

desagraviar. *v. tr.* desagravar, reparar a ofensa, vingar alguém de agravo que lhe foi feito; desafrontar; inde(m)nizar; desultrajar; desforçar, despicar. — *v. r.* desafrontar-se; desagravar-se.

desagravio. *m.* desagravo, satisfação; reparação de injúria, da afronta recebida, desagravo; desforço; explicação; despique; desenjo(ô)o; desforçamento; desforço; dessafrontamento, desafronta.

desagregable. *adj.* desagregável.

desagregar. *v. tr.* desagregar, separar, apartar uma coisa doutra; desmembrar.

desaguadero. *m.* desaguadoiro ou desaguadouro, conduta ou canal por onde se dá saída às águas; desaguadeiro; (fig.) motivo contínuo de despesas que se empobrece.

desaguador. *m.* desaguador, desaguamento. V. **desaguadero.**

desaguar. *v. tr.* desaguar, esgotar, enxugar, livrar um terreno das águas que o cobrem ou alagam; (fig.) dissipar, consumir. — *v. intr.* lançar ou vazar as suas águas (falando-se de rios ou regatos); desembocar. — *v. r.* (fig.) vomitar, defecar: *desaguar un estanque, lago, alberca, etc.*, dessangrar; *desaguar un río en otro o en el mar*, entrar.

desaguazar. *v. tr.* tirar a água dalgum sítio; desaguar; desalagar.

desagüe. *m.* desaguamento, desaguadeiro.

desaguisado, da. *adj.* desaguisado, feito contra a lei ou a razão. — *m.* agravo, doesto, a(c)ção descomedida.

desaherrojar. *v. tr.* desagrilhoar, livrar de grilhetas, libertar; desaferrolhar; descancelar. — *v. r.* livrar-se de grilhetas.

desahijar. *v. tr.* desmamar, desfilhar; desmamar as crias. — *v. r.* (agr.) desfilhar o cortiço.

desahitarse. *v. r.* curar-se de indigestão ou embaraço de estômago.

desahogado, da. *p. p.* e *adj.* e *s.* desafogado, desabafado; descarado, petulante, desavergonhado; fresco; desafogado, largo, espaçoso, diz-se do lugar amplo, desembaraçado; diz-se da pessoa que vive com desafogo, desafogado.

desahogar. *v. tr.* desafogar, aliviar, desoprimir; desafrontar; desabafar; desengasgar, desatabafar; desfogar. — **desahogarse.** *v. r.* desafogar-se; desabafar; (fam.) descoser-se; desendividar-se; desobrigar-se; desabafar uma pessoa com outra contando-lhe os motivos dos seus desgostos: *desahogarse con alguien*, desabafar-se com alguém; *desahogarse hablando*, falar com desafogo; *desahogarse las penas o secretos con alguien*, desabotoar-se; *desahogar la ira*, desafogar a ira; *desahogar el ánimo*, desenojar.

desahogo. *m.* desafogo, (Bras.) desafôgo, alívio, folga; desopressão; frescura; desabafo; desabafamento; desenfado; expedição; expansão; (fig.) desempacho; (fig.) anchura; (fig.) efusão: *vivir con desahogo*, viver em abastança.

desahuciado, da. *adj. p. p.* e *s.* desenganado, desesperado: *desahuciado por los médicos*, desenganado dos médicos; desconfiado dos médicos.

desahuiciar. *v. tr.* desesperar, perder a esperança; desesperar duma cura, desauciar; despejar um inquilino, desalojar.

desahucio. *m.* despejo, a(c)ção, e efeito de despejar o inquilino; desalojamento.

desahumado, da. *adj.* e *p. p.* desafumado; (fig.) evaporado, diz-se do licor que perdeu a força.

desahumar. *v. tr.* desafumar, tirar o fumo dalguma coisa ou dalgum lugar.

desainado, da. *p. p.* e *adj.* (vet.) desainado.

desainadura. *f.* (vet.) desainadura, doença do gado equídeo.

desainar. *v. tr.* (vet.) desainar, desengordurar, tirar a gordura dum animal ou coisa.

desairado, da. *p. p.* e *adj.* desairado, desairoso, desengraçado; pouco elegante.

desairar. *v. tr.* desairar, desestimar uma coisa; desatender a uma pessoa; desairar, menosprezar; desprezar.

desaire. *m.* desaire, falta de garbo ou de gentileza; desaire, menosprezo, (Bras.) menosprêzo, desprezo, (Bras.) desprêzo; desar; dedignação; afronta; vergonha, cheque.

desaislarse. *v. r.* deixar o isolamento, cessar de estar isolado.

desajustar. *v. tr.* desajustar, desajuntar, desigualar, desconcertar; desnivelar. — *v. r.* desajustar-se, desavir-se, desfazer-se o ajuste que se tinha feito.

desajuste. *m.* desajuste, desunião; quebra de ajuste, pacto ou convenção.

desalabar. *v. tr.* vituperar, depreciar, deslouvar.

desalabear. *v. tr.* (carp.) aplainar, alisar; desempenar.

desalabeo. *m.* (carp.) aplainamento, desempeno.

desalar. *v. tr.* dessalar, dessalgar; desasar, tirar as asas; (fig.) andar ou correr com muita rapidez; (quim.) precipitar, separar os sais. — **desalarse.** *v. r.* desorientar-se; afanar-se.

desalentado, da. *p. p.* e *adj.* desalentado, desanimado; desconfortado; desacorçoado; depresso; desiludido; abichornado; acobardado; enfraquecido; desmoralizado.

desalentador, ra. *adj.* desconfortante, desalentador; desanimado.

desalentar. *v. tr.* desalentar, desanimar, tirar o ânimo; acobardar; desalentar, fadigar; desviar; desmaiar; desconsolar; descorçoar; desinfluir; desiludir; desconfortar; desenganar; desencorajar; desengodar; acanhar; (fig.) abismar; descair; desmoralizar; desconfiar; (fig.) fraquear. — **desalentarse.** *v. r.* desalentar-se; desarmar-se; descontentar-se; desiludir-se; desanimar-se. — *conj. irr. como* **alentar.**

desalfombrar. *v. tr.* desatapetar, tirar o tapete ou tapetes.

desalforjar. *v. tr.* desalforjar, tirar dos alforges. — **desalforjarse.** *v. r.* desapertar-se, aliviar-se da roupa.

desalhajar. *v. tr.* desmobilar, desguarnecer, tirar os móveis, as jóias, os ornatos, etc.; desalfaiar.

desaliar. *v. tr.* desaliar, separar aliados.

desaliento. *m.* desalento, desanimo, desfalecimento; desmaio, descoroçoamento, descoragem; derrotismo; desanimação; desconforto, (Bras.) desconfôrto; desengano; enfraquecimento; desencorajamento; desfalecimento.

desalineación. *f.* desalinhamento.

desalinear. *v. tr.* desalinhar, desarranjar, desordenar. — **desalinearse.** *v. r.* desordenar-se.

desaliñado, da. *adj.* e *p. p.* desalinhado, sem alinho, desordenado; desmazelado; desastrado; descuidado; desguedelhado; (fig.) desgrenhado; desmanchadão. — *volverse desaliñado,* desmazelar-se; *desaliñado en el vestir,* (fig.) desencadernado.

desaliñar. *v. tr.* desalinhar, perder ou afastar do alinhamento; desenfeitar, desordenar; desamanhar; desafeitar, (fig.) desencadernar; desguedelhar, desgrenhar. — **desaliñarse.** *v. r.* (fig.) desencadernar-se; desconcertar-se.

desaliño. *m.* desalinho, desasseio, desordem, desleixo, negligência; desarrumação; desamanho; desadorno, (Bras.) desadôrno; desatavio; descuido, desarranjo; desmazelo, (Bras.) desmazêlo; descompostura; (fig.) desmaranho: *desaliño en el vestir,* desdem, desconcerto.

desalivar. *v. intr.* salivar, cuspir, expelir saliva abundantemente. — *v. r.* cuspir-se.

desalmamiento. *m.* desalmamento, malvadez, desumanidade, perversidade.

desalmar. *v. tr.* (fig.) desalmar, tirar a força e a virtude a uma coisa; desassossegar. — *v. r.* (fig.) desejar com veemência.

desalmidonar *v. tr.* desengomar, tirar a goma que se havia aplicado às roupas.

desalojamiento *m.* desalojamento; enxotadura; desaloso; decampamento; expulsão.

desalojar. *v. tr.* desalojar, fazer sair do alojamento, pôr fora; desaposentar; desalojar, expulsar, desnichar; desencovar; desencurralar; desemboscar; (fig.) desaninhar. *v. intr.* deixar a morada ou hospedagem voluntàriamente. — *v. r.* decampar: *desalojar con violencia,* enxotar; *desalojar de casa,* desencasar; *desalojar un cuarto,* despejar.

desalojo. *m.* V. **desalojamiento.**

desalquilar. *v. tr.* desalugar, deixar ou fazer deixar, uma habitação ou coisa que se tinha alugado; mudar de casa.

desalterar. *v. tr.* sossegar, acalmar, fazer cessar a alteração de; desalterar.

desalumbrado, da. *adj.* desalumbrado, ofuscado por demasiada luz; (fig.) desatinado, que age sem acerto.

desalumbramiento. *m.* deslumbramento, cegueira, e(ê)rro, falta de tino ou acerto nas coisas.

desamable. *adj.* desamável, indigno de ser amado.

desamador, ra *adj. es.* desamador, que desama, que deixa de amar.

desmalgamar. *v. tr.* desamalgamar.

desamarrar. *v. tr.* desamarrar, soltar as amarras, desancorar. — *v. r.* (fig.) demover, desviar, apartar; (mar.) soltar da amarração, levantar ferro para se fazer à vela.

desamistarse. *v. r.* desamigar-se, inimizar-se, desamistar-se, perder a amizade.

desamoblar. *v. tr.* desmobilar. — *conj. irr.* como **contar.** V. **desamueblar.**

desmoldar. *v. tr.* deformar, perder a forma; desfigurar.

desamodorrar. *v. tr.* desamodorrar, fazer sair da modorra; animar; excitar.

desamontonar. *v. tr.* desamontoar, desfazer

um montão; desacumular; desaglomerar; desempilhar.

desamor. *m.* desamor, falta de amor; falta de afeição; desamor, inimizade, ódio; desafeição; desadoração; desprezo; desamabilidade; descarinho; desapego; desdém; indiferença.

desamorar. *v. tr.* desafeiçoar, fazer perder a afeição ou o amor.

desamoroso, sa. *adj.* desamoroso, desamorável; falto de afeição, de agrado; rude; cruel; áspero.

desamorrar. *v. tr.* (pop.) desamuar, desagastar, fazer passar o amuo, tirar o agastamento a alguém; restabelecer o bom humor.

desamortajar. *v. tr.* desamortalhar, tirar a mortalha; inumar.

desamortizable. *adj.* desamortizável, que pode ou deve desamortizar-se.

desamortización. *f.* desamortização.

desamortizador, ra. *adj. e s.* desamortizador, que desamortiza.

desamortizar. *v. tr.* desamortizar, fazer entrar no direito comum os bens de mão morta; desvincular os bens.

desamotinarse. *v. r.* desamotinar-se, aquietar-se.

desamparado, da. *p. p. e adj.* desamparado; abandonado; isolado; ermo; solitário; falto de amparo ou socorro; separado, deslocado.

desamparador, ra. *adj. e s.* desamparador, que desampara.

desamparar. *v. tr.* desamparar, deixar sem amparo ou ao abandono ausentar-se, abandonar um lugar; deixar de segurar; desmantelar; engeitar; dessocorrer; desabitar; desassistir; desapadrinhar; desproteger; desacoitar; desarrimar; desacompanhar; desabrigar; desauxiliar; (mar.) desmantelar um navio; (for.) deixar ou abandonar uma coisa, renunciando a todos os direitos.

desamparo. *m.* desamparo, abandono, falta de amparo; falta de meios; penúria; engeitamento; desolação; desvalimento, desconchego; desassistência; desagasalho; desapoio; desprote(c)ção; derrelição; falta de meios; desvalimento, desarrimo; desabrigo.

desamueblar. *v. tr.* desmobilar, desguarnecer de mobília, tirar os móveis a uma habitação ou casa; desmantelar.

desanclar. *v. tr.* (mar.) desancorar. V. **desancorar.**

desancorar. *v. tr.* (mar.) desancorar, levantar a âncora, desaferrar, levantar ferro a embarcação; desamarrar.

desandar. *v. tr.* desandar, retroceder, voltar atrás; fazer andar para trás; voltar para trás: *desandar lo andado.* (fig.) desfazer o que já é feito. — *conj. irr.* como **andar.**

desandrajado, da. *adj.* andrajoso, coberto de andrajos, esfarrapado.

desangramiento. *m.* dessangramento; perda do sangue.

desangrar. v. tr. dessangrar, tirar o sangue em grande abundância; (fig.) esgotar ou desaguar um lago, tanque, etc.; empobrecer a outrem. — desangrarse. v. r. dessangrar-se, perder muito sangue, esgotar-se em sangue; (fig.) perdê-lo todo.

desanidar. v. intr. desaninhar, tirar do ninho, sair do ninho; desencovar; (fig.) desalojar, fazer sair dalgum posto ou lugar.

desanimación. f. desanimação, falta de animação; desalento; desânimo; frieza

desanimado, da. p. p. e adj. desanimado, falto de ánimo; desalentado; desesperado; desmoralizado; desenganado; desacorçoado; desconfortado; frio; desmazelado.

desanimador, ra. adj. e s. desanimador; desalentador, que desanima.

desanimar. v. tr. desanimar, desalentar, tirar o ânimo; descoroçoar; desencorajar; esmorecer; desmoralizar; descair; acobardar; abater, acanhar; desconfortar; desconsolar; desmaiar; fraquear; fraquejar. — desanimarse. v. r. desanimar-se; chofrar; acobardar-se; arrefecer-se; desmaiar-se.

desánimo. m. desânimo, desalento; falta de ânimo; abatimento; desmoralização; afracamento; desencorajamento; desconforto; desacoroçoamento; desvalor; derrotismo; deixação; descoragem; (fig frio; desmaio; descaimento.

desanublar. v. tr. desanuviar, aclarar, limpar de nuvens; desassombrar; (fig.) tranquilizar; desofuscar.

desanudar. v. tr. desatar, desfazer nós, desnodoar; desenodoar; (fig.) aclarar, esclarecer, resolver, desfazer dúvidas ou dificuldades.

desañudadura. f. desatadura, desatamento.

desañudar. v. tr. desatar. V. desanudar.

desaojadera. f. mulher a quem supersticiosamente se atribuía a virtude de tirar o mau olhado.

desaojar. v. tr. tirar o mau olhado.

desapacibilidad. f. qualidade de desagradável; aspereza; rudeza, severidade.

desapacible. adj. desaprazível, desagradável, áspero, enfadonho; ingrato; destemperado, diz-se do clima).

desapañar. v. tr. desataviar, descompor, desalinhar. V. descomponer.

desaparear. v. tr. desemparelhar, separar duas pessoas ou coisas que estavam emparelhadas; desirmanar.

desaparecer. v. tr. desaparecer, ocultar, cessar de aparecer. — v. intr. desaparecer, deixar de ser visto ocultar-se; eclipsar-se; extinguir-se; perder-se; tirar-se repentinamente dos olhos, fugir da vista num instante; esvaecer-se; evadir-se; desvanecer-se; evaporar; fundir-se. — conj. irr. como aparecer; (Bras.) garfiar, (pop.) sorvete.

desaparecido, da p. p. e adj. desaparecido; perdido; fugitivo; avulso; desvanecido; desfeito; (fig.) evaporado.

desaparejar. v. tr. desaparelhar, tirar o aparelho a um animal, desalbardar, desarrear; (mar.) desaparelhar, desmastrar; desmantelar, desarvorar; tirar os aparelhos ao navio.

desaparición. f. desaparição, desaparecimento; defe(c)ção; desvanecimiento; (astr.) eclipse.

desaparroquiar. v. tr. separar, fazer mudar de paróquia; desafreguar, tirar os fregueses a uma loja.

desapasionar. v. tr. desapaixonar, tirar ou fazer perder a paixão que se tem a uma pessoa ou coisa; distrair.

desapegar. v. tr. desapegar, despegar, descolar.— v. r. não sentir interesse por; perder o empenho por; não sentir afeição a; perder o afe(c)to a; (fig.) apartar-se; desafeiçoar-se.

desapego. m. desapego, (Bras.) desapêgo, desinteresse, (Bras.) desinterêsse, imparcialidade, indiferença, alheamento; desprendimento; desamor; desafeição, desadoração; (fig.) desapropriação.

desapercibido, da. adj. e p. p. desapercebido, despercebido, desprevenido, desprovido do necessário, desguarnecido; desacautelado.

desapercibimiento. m. desapercebimento, desprovimento, falta do necessário ou de prevenção.

desapercibirse. t. r. desaperceber; descuidar-se, desprevenir-se, desprover-se, privar-se do necessário, desprecaver-se, desprecatar-se.

desapestar. v. tr. desempestar, desinfe(c)cionar, livrar da peste.

desapiadado, da. adj. desapiedado. V. despiadado.

desapiadarse. v. r. desapiedar-se, despiedar-se.

desapiolar. v. tr. desatar o atilho com que os caçadores ligam as pernas da caça menor e os bicos das aves, para as pendurar depois de mortas.

desaplacible. adj. V. desagradable.

desaplicación. f. inaplicação, desaplicaçãc, falta de aplicação, ociosidade.

desaplicado, da. adj. e s. desaplicado, que não se aplica, desatento, descuidado, ocioso; descurioso; inaplicado.

desaplicar. v. tr. desaplicar, tirar ou fazer perder a aplicação. — desaplicarse. v. r. desleixar-se.

desaplomar. v. tr. desaprumar. V. desplomar.

desapoderado, da. p. p. e adj. (fig.) precipitado, furioso, violento, desenfreado.

desapoderamiento. m. desapoderamento; privação de poder, de procuração, de domínio, etc. desenfreamento, liberdade excessiva.

desapoderar. v. tr. desapoderar, despojar, tirar a procuração; desapoderar, privar da posse ou do poder a alguém; desapropiar; desapossar. — desapoderarse. v. r. desapoderar-se.

desapolillar. v. tr. tirar a traça. — v. r. (fig. e fam.) sair de casa depois de bastante tempo, motivado por enfermidade ou outra qualquer causa.

desaporcar. *v. tr.* (agr.) desalporcar, cavar a terra à volta das plantas.

desaposentar. *v. tr.* desaposentar, privar de aposento aquele que o tinha; (fig.) apartar de si.

desaposesiorar. *v. tr.* desapossar, privar da posse, esbulhar, despojar; desapoderar.

desapoyar. *v. tr.* desapoiar, não apoiar, tirar o apoio, o esteio que sustem uma coisa; desencostar.

desapreciar. *v. tr.* desapreciar, depreciar, não dar o devido apreço; desconsiderar; desprezar.

desaprecio. *m.* desconsideração.

desaprender. *v. tr.* desaprender, esquecer o aprendido; dessaber.

desaprensar. *v. tr.* tirar o brilho (que um tecido adquire na prensa); deslustrar; desprender, livrar de aperto; desimprensar.

desaprensión. *f.* falta de apreensão, de escrúpulo ou receio.

desaprensivo, va. *adj.* que não tem apreensão; (fig.) elástico

desapretar. *v. tr.* desapertar, afrouxar; desarrochar; desatacar; desencravilhar; desatestar; desacolchetar .— **desapretarse.** *v. r.* desapertar-se. — *conj. irr.* como **acertar.**

desaprisionar. *v. tr.* tirar as algemas, libertar.

desaprovación. *f.* desaprovação, reprovação; desaplauso; improvação.

desaprobar. *v. tr.* desaprovar; reprovar; não concordar, com alguma coisa; improvar; exprovar; desaplaudir; descomprazer: *desaprobar a un candidato*, deitar um erre; *desaprobar algo*, desapadrinhar. — *conj. irr.* como **contar.**

desapropiación. *f.* desapropriamento, desapropriação.

desapropiamiento. *m.* desapropriação, desapropriamento .

desapropiarse. *v. r.* desapropriar-se; desapossar-se; desasir-se.

desapropio. *m.* a(c)ção e efeito de desapropriar; desapropriação

desaprovechamiento. *m.* desaproveitamento, desproveito; falta de aproveitamento, desperdício.

desprovechar. *v. tr.* desaproveitar, desperdiçar ou empregar mal uma coisa. — *v. intr.* perder o que se havia aproveitado.

desaprovechoso, sa. *adj.* desaproveitoso.

desapuntalar. *v. tr.* (arq.) desapoiar, tirar os pontaletes a um edifício.

desapuntar. *v. tr.* descoser, tirar os pontos da costura; desapontar; tirar da pontaria; fazer perder a pontaria.

desarbolar. *v. tr.* (mar.) desarvorar, desmantelar; desmastrear; aparelhar o navio; desenfurnar.

desarbolo. *m.* (mar.) desarvoramento, estado do navio desarvorado; desmantelamento.

desarenar. *v. tr.* desarear, limpar da areia, tirar a areia de; desassorear.

desareno. *m.* a(c)ção e efeito de desarenar: desassoreamento.

desarmador. *m.* desarmador, o que desarma; disparador duma arma de fogo.

desarmadura. *f.* desarmadura, desarmamento, desarmação, desarmadura. V. **desarme.**

desarmar. *v. tr.* desarmar, tirar as armas a alguém; licenciar forças militares; desarmar, reparar as peças de que se compõe uma arma, um relógio, uma máquina, etc.; desengatilhar; desmantelar, (esgr.) desarmar, fazer saltar a espada ou o florete da mão do adversário; (mar.) desaparelhar, desartilhar, tirar a artilharia e mais instrumentos bélicos a um navio; desarmar. — **desarmarse.** *v. r.* desarmar-se: *desarmar una cosa*, desmontar; *desarmar un barco*, desamarinhar; *desarmar un arma de fuego*, desengatilhar.

desarme. *m.* desarmamento, desarmação; redução ou licenciamento de tropas.

desarmonizar. *v. tr.* desarmonizar; destoar, produzir desarmonia. — *v. intr.* discordar.

desarraigar. *v. tr.* desarraigar, desenraizar, arrancar pela raiz; (fig.) extinguir, destruir uma paixão, um costume ou vício; desinçar; arrancar; decepar; desplantar; extirpar.

desarraigo. *m.* desarraigamento; extirpação, desenraizamento.

desarrancarse. *v. r.* desertar, afastarem-se dum corpo ou associação os indivíduos que o compõem; debandar, abandonar.

desarrapado, da. *adj.* desfarrapado, andrajoso, esfarrapado, coberto de farrapos.

desarrebozar. *v. tr.* desembuçar, tirar o embuço; (fig.) descobrir, evidenciar, pôr patente.

desarrebujar. *v. tr.* desenvolver, desdobrar, desembrulhar, desemaranhar, desenredar ou desfazer o que está enredado, desenroupar, tirar a roupa, despir; (fig.) explicar, pôr a claro o que estava confuso, desenredar.

desarreglado, da. *p. p.* e *adj.* desregrado, que se excede na comida, bebida ou outras coisas; desordenado, descomedido; perdulário; desmontado; desmanchão, desarrumado; desastrado; desgarrado, desgovernado; descomposto; desmantelado; desarranjado; desbaratado; *estar desarreglado*, andar fora dos eixos.

desarreglar. *v. tr.* desregrar, desordenar; tirar da regra e da boa ordem; desarranjar; desmanchar; deturbar; debochar; desamanhar; desarrumar; desconcertar; desempilhar; desigualar; desmontar. — **desarreglarse.** *v. tr.* desarranjar-se, desconcertar-se; desregrar-se.

desarreglo. *m.* desregramento, falta de regra, desordem; desconcerto, (Bras.) desconcêrto; desarranjo, desarranjamento; desatavio; excesso, incoordenação; desmancho; deboche; desarrumação; despreparo; desorganização; desalinho; desconcerto; desenfreamento; extravagância; destempero; descomposição; desmonte; desmando; *desarreglo de costumbres*, destemperança dos costumes; *desarreglo mental,* desarranjo de cabeça.

desarrendar. *v. tr.* desenfrear, aplicar-se ao cavalo que não cede ao freio ou às rédeas, não continuar com o arrendamento; desarrendar. — **desarrendarse.** *v. r.* estar sem rendeiro; desenfrear-se o cavalo. — *conj. irr.* como **arrendar.**

desarrevolver. *v. tr.* desenvolver, desembaraçar.

desarrimar. *v. r.* desarrimar, desencostar, desapoiar, tirar apoio ou arrimo; (fig.) dissuadir alguém da sua opinião; (mar.) desarrimar.

desarrimo. *m.* desarrimo, falta de arrimo ou apoio.

desarrollable. *adj.* desenrolável, desenvolvível.

desarrollado, da. *adj.* e *p. u.* estendido, desabrolhado; extenso: *vegetación poco desarrollada,* vegetação atrasada; *poco desarrollado,* enfezado.

desarrollar. *v. tr.* desenrolar, desfazer o rolo de; desembrulhar; desdobrar, estender; expor; (fig.) desenvolver; acrescentar; expandir; dar incremento, incrementar, engrandecer; medrar; estender; explicar ou desenvolver alguma teoria, educar; (mat.) efectuar as necessárias operações para mudar a forma duma expressão analítica. — **desarrollarse.** *v. r.* desenvolver-se; desabrochar; medrar; mexer-se; enxurar; desatar-se; evolucionar; desabrolhar; expandir-se; incar; empubescer; formar-se: *no desarrollarse,* atrofiar-se; *que se desarrolla exteriormente,* extracrescente; *desarrollarse las flores, plantas,* etc., desabrolhar; desenfezar.

desarrollo. *m.* desenrolamento, desenvolvimento; medra; desenvolvimento, progresso; desdobramento; engrandecimento; incremento; (fisiol.) evolução; (fig.) incubação; crescimento; formação: *persona poco desarrollada,* chernicalho.

desarropar. *v. tr.* desenroupar, despir, tirar ou apartar a roupa; desabrigar; descobrir; desguarnecer.

desarrugadura. *f.* desenrugamento, desarrugamento.

desarrugar. *v. tr.* desenrugar, alisar, esticar, tirar as rugas; desrugar; desfrisar; desencolher; desencrespar; desencortiçar; desencarquilhar; desfranzir; desvincar; desamolgar; desamarrotar; despregar; desempapar: *desarrugar el entrecejo,* desfranzir a testa.

desarrumar. *v. tr.* (mar.) desfazer a estiva, remover a carga dum navio, desempilhar; desarrumar.

desarterialización. *f.* (fisiol.) desarterialização.

desarticulación. *f.* desarticulação, a(c)to de articulação; desengonço; (cir.) deslocadura; (fisiol.) desarterialização.

desarticulador, ra. *adj.* (cir.) desarticulador, próprio para fazer a desarticulação.

desarticular. *v. tr.* desarticular, separar um ou mais ossos que estão articulados entre

si; deslocar; desengonçar; desnocar; desconjuntar.; (fig.) separar as peças duma máquina ou artefa(c)to; desconjuntar. — **desarticularse.** *v. r.* desarticular-se, sair da articulação; deslocar-se; desnocar-se.

desartillar. *v. tr.* (mil.) desartilhar, tirar a artilharia a um navio ou fortaleza.

desarzonar. *v. tr.* desmontar ou descavalgar violentamente.

desaseado, da. *p. p.* e *adj.* desasseado, sem asseio, astroso, sujo; descuidado; estroina; desatilado.

desasear. *v. tr.* desassear, sujar; tirar o asseio, a limpeza ou compostura a alguma coisa; desafeitar; encardir.

desasegurar. *v. tr.* dessegurar, tirar ou fazer perder a segurança; anular um contrato de seguros.

desasentar. *v. tr.* remover, tirar uma coisa do seu lugar. — *v. intr.* (fig.) desgostar, desagradar. — **desasentarse.** *v. r.* levantar-se do assento. — *conj. irr.* como *sentar.*

desasco. *m.* desasseio, falta de asseio, desalinho, porcaria, ascorosidade; sujidade.

desasimiento. *m.* desatamento, desatadura; (fig.) desprendimento, generosidade, desinteresse.

desasimilación. *f.* desassimilação, a(c)to de assimilar; desintegração.

desasimilar. *v. tr.* (fisiol.) desassimilar.

desasir. *v. tr.* desasir, soltar da mão; largar, desprender; desligar, abandonar; desaferrar; desagarrar; desapegar; destravar; desatracar. — *v. intr.* (fig.) desapegar-se, renunciar, desapropriar-se duma coisa, desprender-se ou cedê-la; desasir-se. *conj. irr.* como *asir.*

desasistir. *v. tr.* desacompanhar, desamparar. V. **desamparar.**

desasnar. *v. tr.* (fam.) desasnar, fazer perder a rudeza e ignorância; desemburrar; desembrutecer; arrotear: *desasnar a una persona rústica,* desbastar.

desasociable. *adj.* insociável.

desasociar. *v. tr.* desassociar, dissolver uma associação.

desasosegar. *v. tr.* desassossegar, inquietar; perturbar. — **desasosegarse.** *v. r.* desassosegar-se, inquietar-se; despacientar-se. — *conj. irr.* como *sosegar.*

desasosiego. *m.* desassossego, (Bras.) desassossêgo, falta de sossego, inquietação, perturbação; agitação; ansiedade; recelo; perturbação de ânimo; freimaço; freima.

desastrado, da. *adj.* desastrado, infausto, infeliz; desgraçado; farropilha, miserável; diz-se da pessoa desasseada; desengonçado; desastroso, desalinhado; desaprimorado; astroso; desgrenhado; (fam.) estrafalário.

desastre. *m.* desastre, acidente funesto; desgraça; revés; fatalidade; sinistro; sucesso infeliz; calamidade, infortúnio; devastação; desaventura; (mil.) derrota; (fig.) açoite.

desastroso, sa. *adj.* desastroso, desditado; funesto, que produz ruína, perda ou desgraça.

desatacar. *v. tr.* desatar, desabotoar; desatacar, tirar a carga a uma arma de fogo com o saca-trapo. — **destacarse.** *v. r.* desabotoar-se as calças, desatar-se.

desatacador. *m.* (mil.) saca-trapo.

desatador, ra. *adj.* e *s.* desatador, que desata.

desatadura. *f.* desatadura, desatamento.

desatalentado, da. *adj.* desconcertado, desatinado.

desatancar. *v. tr.* limpar, desentupir; desligar.

desatar. *v. tr.* desatar, desamarrar, desligar; desprender; desfazer um nó; soltar; desenlaçar; desenfeixar; desligar, desatacar; desjungir; deslaçar; desamarrar; (fig.) dissolver, derreter; desfazer, aclarar; diluir; desatar; resolver uma dificuldade; prorromper; rescindir. — **desatarse.** *v. r.* desatar-se; exceder-se no falar; desencadear-se, soltar-se com fúria alguma força física ou moral; proceder desordenadamente; perder a timidez; desacambar-se produzir abundantemente; expandir-se; saltar-se; desligar-se: *desatar la lengua*, desatar a língua; *desatarse de compromisos*, desatar-se de compromissos.

desatascar. *v. tr.* desatascar, desentupir, desatolar, tirar do atoleiro ou do lodação; (fig.) desembaraçar, tirar alguém de dificuldades.

desatasco. *m.* a(c)ção de desatascar ou desatolar.

desataviar. *v. tr.* desataviar, tirar os atavios, desenfeitar; desalinhar.

desatavio. *m.* desatavio, falta de atavio, desalinho; simplicidade; falta de compostura.

desate. *m.* descomedimento no falar; desordem no proceder; diarreia.

desatemorizar. *v. tr.* (ant.) desatemorizar.

desatención. *f.* desatenção, falta de atenção; desconsideração; descortesia; distra(c)ção; grosseria, falta de urbanidade; desrespeito; desveneração; desafabilidade; desprezo, (Bras.) desprêzo; descomedimento; incivilidade; inconsideração.

desatender. *v. tr.* desatender, não atender; desconsiderar; indeferir; faltar ao respeito; não fazer caso de; não prestar atenção; desprezar; não corresponder, não assistir com o que é devido; desairar; descurar; desleixar; desvigiar: *desatender los consejos de alguien*, desprezar conselhos. — *con. irr.* como *atender.*

desatendible. *adj.* que deve desatender-se.

desatentado, da. *p. p.* e *adj.* desatentado, desatento, distraído, abstra(c)to; desatinado; desadvertido; excessivo, rigoroso, desordenado.

desatentar. *v. tr.* desatinar, perder o tino; perturbar os sentidos; desatentar. *conj. irr.* como *atentar.*

desatento, ta. *adj.* desatento, falto de atenção, distraído; descortês; falto de urbanidade, incivil; indelicado; desatencioso; desgalante; desafável; desadvertido; abstra(c)to, distraído.

desatesorar. *v. tr.* desentesoirar, desentesourar, tirar ou gastar o entesourado.

desatibar. *v. tr.* (mil.) desentulhar. V. **desatorar.**

desatiento. *m.* desatenção, distra(c)ção, falta de ta(c)to; desassossego, inquietação, perturbação do ânimo ou da razão.

desatinado, da. *adj.* e *s.* desatinado, desregrado, sem tino; descabeçado; desacertado; incauto; desarrazoado; desorientado; despropositado; destemperado; desaforado; atentado; imprudente; absurdo; erróneo, (Bras.) errôneo, estavanado.

desatinar. *v. tr.* desatinar, fazer perder o tino. — *v. intr.* despropositar; dizer ou fazer desatinos; desaforar-se; destemperar; desatremar.

desatino. *m.* desatino, falta de tino; loucura; disparate; devaneio; desvario, insania, desacerto; desarrazoamento; desorientação; despropósito; destampatório; desaforo, (Bras.) desafôro; desassisso; despautério; e(ê)rro, equivocação; destempero, (Bras.) destempêro; descabelada; destrambelho.

desatolondrar. *v. tr.* desatordoar, fazer recuperar os sentidos, voltar a si. — **desatolondrarse.** *v. r.* recuperar os sentidos, tornar a si.

desatollar. *v. tr.* desatolar, tirar ou livrar do atoleiro; desembarrancar.

desatontarse. *v. r.* desatordoar-se, voltar a si do atordoamento em que estava.

desatorar. *v. tr.* (mar.) desfazer a estiva; (min.) desentulhar. V. **desarrumar.**

desatornillar. *v. tr.* desaparafusar, desatarraxar. V. **destornillar.**

desatracada. *f.* (mar.) desatracação.

desatracar. *v. tr.* (mar.) desatracar, desamarrar.

desatraer. *v. tr.* apartar, separar uma coisa doutra. — *conj. irr.* como *traer.*

desatraillar. *v. tr.* desatrelar (diz-se geralmente dos cães); soltar, desligar da trela; desajoujar.

desatrampar. *v. tr.* desobstruir, limpar, desentupir um cano ou conduto, desatravancar.

desatrancar. *v. tr.* desatrancar, tirar a tranca à porta; desatracar, desobstruir, limpar os canos, poços, etc.; desimpedir, desatranvancar, desatapulhar; desatolar.

desatufarse. *v. r.* livrar-se das exalações contidas numa habitação; (fig.) aplacar-se, sossegar-se.

desaturdir. *v. tr.* desaturdir, dissipar o aturdimento; desatordoar.

desautoridad. *f.* desautoridade, quebra de autoridade; falta de respeito ou de decoro.

desautorización. *f.* desautorização; desprestígio; descrédito; desqualificação; desautoração; exautoração.

desautorizar. *v. tr.* desautorizar, privar da autoridade, poder, crédito e consideração, desautorar; desprestigiar; desautorar; desqualificar; exautorar.

desavahamiento. *m.* arejamento.

desavahar. *v. tr.* arejar, expor ao ar, ventilar; esfriar; deixar que arrefeça; V. **orear.**

desavecindarse. *v. r.* ausentar-se dum lugar, mudar de domicílio.

desavenencia. *f.* desavença, discórdia, contrariedade, oposição; desconchavo; desconcórdia; desarmonia; desarranjo; desavença; desinteligência; desaguisado; descontentamento; desconciliação; desconcordância; embrulho; embrulhada; embrulho; indisposição; desunião, (fig.) desconcerto, (Bras.) desconcêrto: *causar desavenencia,* embrulhar; *en desavenencia,* despicado; *poner en desavenencia,* desavir; *desavenencias,* dares-e-tomares.

desavenido, da. *adj.* e *p. p.* desavindo, desconforme, discordante; desunido; indisposto.

desavenir. *v. tr.* desavir, discordar; desgraçar, desconvir; desconchavar; desconformar; desconciliar; desconcordar; desunir; desconcertar; indispor; descompor. — **desavenirse.** *v. r.* destoar-se, desirmanarse; desconchavar-se; desavir-se, desconcertar-se. — *conj. irr.* como *venir.*

desaventura. *f.* (ant.) infortúnio. V. **desventura.**

desavezar. *v. tr.* e *r.* (ant.) desavezar; desvezar.

desaviar. *v. tr.* desencaminhar, afastar do caminho certo, desviar. — *v. r.* desaviar-se.

desavío. *m.* desvio, extravio, desencaminhamento; desaviamento.

desavisado, da. *adj.* inadvertido, ignorante; desavisado; desaveso; em português a palavra «desavisado» significa: leviano, imprudente, falto de juízo, desassisado, indiscreto.

desavisar. *v. tr.* desavisar, dar aviso contrário ao que se tinha dado, contra-avisar; desprevenir; desencomendar.

desayudar. *v. tr.* desajudar, embaraçar, impedir; desauxiliar. — *v. r.* embaraçar-se.

desayunado, da. *adj.* e *p. p.* almoçado, que já tomou o pequeno almo(ô)ço.

desayunar. *v. intr.* desjejuar, quebrar o jejum.

desayunarse. *v. r.* tomar o primeiro almo(ô)ço; (fig.) ter a primeira notícia dalgum acontecimento.

desayuno. *m.* desjejum, pequeno almo(ô)ço, primeira refeição do dia; desjejua, dejejuadoiro, dejejum.

desazogar. *v. tr.* tirar o azogue; (quím.) desazotar.

desazón. *f.* desabrimento, insipidez; falta de sabor e go(ô)sto, indisposição, incomodidade; desprazer; falta de adubo nas terras que se cultivam; (fig.) mágoa, desgosto.

desazonar. *v. tr.* tirar o gosto ou sabor a um manjar; dessaborar; desabrir, amargar, amargurar; dessazonar; (fig.) desgostar, incomodar, desquietar; (fig.) infermar. — **desazonarse.** *v. r.* descompor-se; (fig.) sentir-se mal de saúde.

desbabar. *v. intr.* e *r.* desbabar, limpar a baba.

desbagar. *v. tr.* e *r.* desbagoar a linhaça.

desbancar. *v. tr.* desbancar, despejar, desembaraçar um lugar dos bancos que ele contém; diz-se mais pròpriamente falando de galeras; desbancar, ganhar todo o dinheiro da banca; (fig.) fazer perder a afeição ou amizade.

desbandada. *f.* desbandada; desabelhamento; desmanho: *adv. a la desbandada,* em desbandada, confusamente, sem ordem; *poner en desbandada,* esbandalhar, destroçar.

desbandarse. *v. r.* debandar, pôr-se em fuga desordenadamente, confusamente; desbandar-se; esbandalhar-se; desabelhar.

desbarajustar. *v. tr.* desordenar, desarranjar, transtornar; desquiciar; desorganizar; (fig.) estrampalhar.

desbarajuste. *m.* desordem, desarranjo, confusão; desorganização; desconcerto, (Bras.) desconcêrto.

desbaratado, da. *adj.* e *p. p.* desbaratado, desperdiçado; esbanjado; derrotado; desconcertado; (fig.) diz-se da pessoa de má condu(c)ta ou gove(ê)rno.

desbaratador, ra. *adj.* e *s.* desbaratador, que desbarata.

desbaratamiento. *m.* desbaratamento; desperdício, esbanjamento; dissipação; derrota, destroço, (Bras.) destrôço, em batalha; (pop.) empandeiramento.

desbaratar. *v. tr.* desbaratar, desfazer, arruinar, dissipar; (mil.) desbaratar, derrotar; desbaratar, destroçar; desvariar; desquiciar; esbaralhar, baralhar; esbanjar; destruir; descompor; (pop.) empandeirar. — **desbaratarse.** *v. r.* desbaratar-se (fig.) perder a razão, sair fora de si. V. **disparatar:** *desbaratar los proyectos o intenciones de alguién,* atravessar os desígnios dalguém; *desbaratar una intriga,* (fig.) surdir; *en un año, desbaratóse toda la riqueza,* em um ano toda a riqueza ardeu.

desbarate. *m.* desbaratamento; desconcerto, (Bras.) desconcêrto, desbarate, desbarate de ventre.

desbarato. *m.* desbarato, desbarate. V. **desbarate.**

desbarbado, da. *adj.* desbarbado, sem barba; usa-se às vezes em sentido depreciativo.

desbarbador. *m.* (agr.) desbarbador.

desbarbadura. *f.* (agr.) desbarbamento.

desbarbar. *v. tr.* desbarbar, cortar, tirar os filamentos, os pêlos ou barbas dalguma coisa especialmente as raízes muito finas das plantas; desbarbar, esbarbar; (fam.) fazer a barba. — *v. r.* desbarbar-se.

desbarbillar. *v. tr.* (agr.) desbarbar, limpar, cortar as raízes supérfluas dos troncos das cepas para lhes dar mais vigor.

desbardar. *v. tr.* tirar o tojo das paredes, dos muros.

desbarrar. *v. intr.* esbarrar, atirar a barra com toda a força até onde se possa alcançar, sem dire(c)ção a alvo; (fig.) desbarrar, desvanear, despropositar, desvariar; descarrilar; discorrer sem nexo, falar desatinadamente, errar no que se diz ou faz. — **desbarrarse.** *v. r.* desbarrar-se, escorregar, deslizar.

desbarretar. *v. tr.* desbarrar, tirar as barretas ou barras que cerram ou reforçam alguma coisa.

desbarrigar. *v. tr.* (fam.) desbarrigar, esbarrigar, rasgar o ventre; estripar; esviscerar.

desbarro. *m.* (fig.) desacerto, e(ê)rro, engano, desrazão, despropósito, desvario, descabelada, desvairo.

desbastador. *m.* desbastador, o que desbasta; desengrossador; instrumento para desbastar; (carp.) desengrossadeira, ferramenta para desbastar a madeira.

desbastadura. *f.* desbaste, desbastamento, a(c)ção ou efeito de desbastar; desengrossamento, desengrosso; desbastação.

desbastar. *v. tr.* desbastar, tornar menos basto, desengrossar cortando; afagar; acepilhar; desbastecer; (fig.) desbastar, polir, instruir o entendimento, tirar a rudeza, a ignorância, etc.; desembrutecer; desemburrar; desbastar, gastar, diminuir, debilitar. — **desbastarse.** *v. r.* desbastar-se; (fig.) desbastar-se, polir-se: *desbastar, cepillar una tabla,* afagar uma tábua; *desbastar la madera* ou *piedra,* desgalgar.

desbaste. *m.* desbaste, desbastamento, desbastação; estado de qualquer matéria que se destina a lavrar-se depois de lhe serem tiradas as partes mais bastas; desengrosso.

desbautizarse. *v. r.* (fig. e fam.) deba(p)tizar-se, irritar-se, impacientar-se muito.

desbeber. *v. intr.* (fam.) urinar. V. **orinar.**

desbecerrar. *v. tr.* desmamar os vitelos ou separá-los das mães.

desbinzar. *v. tr.* (prov.) tirar as sementes dos pimentos para os moer.

desblanquecido, da. *adj.* alvacento. V. **blanquecino.**

desblanquiñado, da. *adj.* V. **desblanquecino.**

desbloquear. *v. tr.* (com. e mil.) desbloquear.

desbloqueo. *m.* (com. e mil.) desbloqueio.

desbocado, da. *adj.* e *p. p. es.* desbocado; destravado; (art.) diz-se da peça de artilharia que tem a boca mais larga que o resto do seu diâmetro interno por ter servido muito tempo; aplica-se ao instrumento que não corta, por ter o fio torcido, dobrado ou muito gasto; (fig. e fam.) desbocado, que diz palavras indecentes ou ofensivas; deslinguado.

desbocamiento. *m.* desbocamento, deslinguamento.

desbocar. *v. tr.* desbocar, tirar ou quebrar a boca a uma coisa. — **desbocarse.** *v. r.* desbocar-se, deslinguar-se; desbocar-se, não sentir o cavalo o freio, correr, tomando-o nos dentes; (fig.) desvergonhar-se, perder a decência no falar: *desbocar el borde de una vasija,* desbeiçar.

desbonetarse. *v. r.* (fam.) desbarretar-se, descobrir-se tirando o boné.

desboquillar. *v. tr.* tirar ou quebrar a boquilha.

desbordamiento. *m.* desbordamento, trasbordamento, trasbordo.

desbordar. *v. intr.* desbordar, sair das bordas, trasbordar. — **desbordarse.** *v. r.* trasbordar-se; exaltar-se.

desbornizar. *v. tr.* tirar a primeira camada de cortiça dos sobreiros (cortiça virgem).

desboronar. *v. tr.* V. **desmoronar.**

desborrar. *v. tr.* desborrar, alimpar as borras dos panos; (prov.) V. **deschuponar.**

desbozalar. *v. tr.* desaçaimar.

desbragado, da. *adj. es.* (fam.) sem calças; (fig. depr.) descamisado, miserável.

desbraguetado. *adj.* (fam.) desabotoado, que traz a braguilha desabotoada.

desbravador. *m.* desbravador, domador de cavalos bravos.

desbravar. *v. tr.* desbravar, amansar o gado. — *v. intr.* perder parte da braveza; (fig.) desafogar o ímpeto da cólera ou da corrente; diz-se também dos licores que perderam a força. — **desbravarse.** *v. r.* desbravar-se.

desbravecer. *v. tr.* e *r.* V. **desbravar.**

desbrazarse. *v. r.* bracejar, estender muito e violentamente os braços; fazer com eles força ou movimentos violentos.

desbrevarse. *v. r.* enfraquecer, perder alguma coisa a força e a(c)tividade que tinha.

desbridado, da. *adj.* e *p. p.* desencabrestado.

desbridamiento. *m.* (cir.) incisão, corte dos tecidos fibrosos.

desbridar. *v. tr.* (cir.) fazer incisão nos tecidos fibrosos, a fim de evitar a gangrena; separar os filamentos que atravessam uma chaga e que estorvam a livre saída do pus; desbridar.

desbriznar. *v. tr.* esmiuçar, reduzir a fiapos, desfiar; tirar os filamentos à flor do azafrão.

desbroce. *m.* V. **desbrozo.**

desbrotar. *v. tr.* barbarismo por *escamondar, desbarbillar, despampanar.*

desbrozar. *v. tr.* limpar o mato; limpar os restos da poda; (agr.) alqueivar; desbalsar.

desbroze *m.* quantidade de despojos vegetais, mato, limpadura, ramada que fica do corte das árvores.

desbruar. *v. tr.* desengordurar o tecido a fim de o pôr no pisão.

desbrujar. *v. tr.* desmoronar. V. **desmoronar.**

descabal. *adj.* incompleto, não cabal; fragmentado.

descabalamiento. *m.* a(c)ção de desemparelhar ou tornar incompleto (fig.) despropósito.

descabalar. *v. tr.* desemparelhar, tornar incompleto; descasar; desigualar; desaparelhar; desemparceirar. — **descabalarse.** *v. r.* diminuir-se; deteriorar-se.

descabalgadura. *f.* desmontada, a(c)ção de descavalgar ou de desmontar.

descabalgar. *v. intr.* descavalgar, desmontar, apear, desencavalgar. — *v. tr.* (mil.) descavalgar, desmontar a artilharia.

descabellado, da. *adj.* descabelado, despenteado, desgrenhado, sem cabelo, calvo; (fig.) despropositado, desarrazoado; sem ordem nem concerto; fo(ô)ra de propósito; extravagante: *proyectos descabellados*, proje(c)tos no ar.

descabellamiento. *m.* descabelamento, despropósito.

descabellar. *v. tr.* descabelar, despentear, desgrenhar; (taur.) matar instantâneamente o touro, ferindo-o na cerviz com a ponta da espada, descabelar.

descabello. *m.* (taur.) a(c)ção de amtar instantâneamente o touro, ferindo-o na cerviz com a ponta da espada.

descabezado, da. *p. p.* e *adj.* descabeçado, sem cabeça; (fig.) falto de tino; sem chefe; desordenado, de cabeça perdida, fora de razão.

descabezador, ra. *s.* (agr.) o que descabeça ou separa o grão das espigas.

descabezamiento. *m.* descabeçamento, degolação, degola, decapitação.

descabezar. *v. tr.* descabeçar, tirar ou cortar a cabeça, decapitar; descabeçar, cortar, suprimir a parte superior de alguma coisa; despontar, aparar as pontas ou partes superiores; (fig. e fam.) descabeçar, começar a vencer uma dificuldade ou obstáculo. — *v. intr.* terminar, confinar. — **descabezarse.** *v. r.* quebrar-se a cabeça, meditando sem atinar com o que se quer; (agr.) descabeçar-se, desbagulhar-se, separar-se o grão das espigas; *descabezar un sueño*, descabeçar o sono. V. **descalabazarse.**

descabritar. *v. tr.* desmamar os cabritos.

descabullirse. *v. r.* escapulir-se; (fig.) fugir subtilmente duma dificuldade; iludir o peso ou a força dos argumentos contrários; sair-se bem duma dificuldade. V. **escabullirse.**

descaderación *f.* (vet.) derreio, derreamento.

descaderar. *v. tr.* descadeirar, desancar, derrengar, moer as costas com pancada; derrengar, derrear.

descaderado, da. *adj.* descadeirado; que tem as ancas ou quadris descaídos ou pouco salientes; derreado.

descadillador, ra. *s.* cardador. o que carda.

descadillar. *v. tr.* espinçar, cardar a lã.

descaecer. *v. intr.* descair (a pouco e pouco); declinar; ir em decadência; deperecer; (fig.) fraquear, afrouxar; desfalecer. — *conj. irr.* como *crecer*.

decaecimiento. *m.* definhamento, descaimento, fraqueza, debilidade; decadência; declinação; desalento.

descaer. *v. intr.* V. **decaer.**

descafilar. *v. tr.* tirar as desigualdades dos cantos dos tijolos ou azulejos para os ajustar.

descaído, da. *adj.* descaído, abatido, enfraquecido.

descaimiento. *m.* decaimento, decadência; fraqueza, debilidade; deperecimento.

descalabrado, da. *p. p.* e *adj.* escalavrado, descalavrado, imprudente, temerário; (fig.

e fam.) que se saiu mal duma rixa ou dum negócio.

descalabradura. *f.* escalavradura, ferida na cabeça; cicatriz desta ferida.

descalabrar. *v. tr.* escalavrar, descalavrar; (fig.) causar dano ou prejuízo; diminuir alguma coisa; danificar, enfadar, molestar. — **descalabrarse.** *v. r.* escalavrar-se, ferir-se na cabeça.

descalabro. *m.* descalavro, contratempo, infortúnio, dano, perda, ruína, prejuízo; derrota; grande desgraça.

descalcador. *m.* (mar. e carp.) instrumento de calafate, magujo.

descalcañar. *v. tr.* acalcanhar (o sapato).

descalcar. *v. tr.* (mar.) tirar as estopas velhas das juntas dum navio.

descalce. *m.* cova. V. **socava.**

descalcez. *f.* descalcez, qualidade de descalço; a ordem dos carmelitas descalços.

descalcificación. *f.* descalcificação.

descalcificador, ra. *adj.* descalcificador, que produz descalcificação.

descalcificar. *v. tr.* descalcificar, diminuir a quantidade de cálcio contido nos ossos ou no sangue.

descalificación. *f.* desqualificação, desclassificação.

descalificado, da. *p. p.* e *adj.* desqualificado, desclassificado; incapacitado; inabilitado.

descalificar. *v. tr.* desqualificar; desclassificar; inabilitar, incapacitar.

descalostrado, da. *adj.* diz-se do menino que já tomou o primeiro leite.

descalzamiento. *m.* descalçadura.

descalzar. *v. tr.* descalçar, tirar o calçado; descalçar, tirar um ou mais calços; descalçar, desempedrar uma rua, um caminho; perder a cavalgadura uma das ferraduras. — **descalzarse.** *v. r.* entrar num frade para uma ordem descalça; descalçar-se. V. **socavar.**

descalzo, za. *p. p.* e *adj.* descalço, que traz nuas as pernas ou os pés; descalçado; diz-se do frade que professa uma ordem de religiosos descalços; (fig.) falto de recursos, a pé descalço.

descamación. *f.* (med.) descamação.

descamar. *v. tr.* descamar, tirar as escamas; escamar. — **descamarse.** *v. r.* descamar-se.

descamativo, va. *adj.* (med.) descamativo, acompanhado de descamação da pele.

descambiar. *v. tr.* destrocar. V. **destrocar.**

descaminado, da. *adj.* descaminhado; desencaminhado; desacertado; desviado do bom caminho, pervertido.

descaminar. *v. tr.* desencaminhar, desviar do verdadeiro caminho, descaminhar; (fig.) desviar do bom caminho, perverter, depravar; apreender contrabando; descarrilar; extraviar.

descamino. *m.* descaminho, desencaminhamento; extravio; introdução fraudulenta, contrabando; (fig.) desatino; perversão, depravação; descaminho, desgove(ê)rno, mau procedimento.

descamisado, da. *adj.* descamisado, sem camisa; (fig.) (depr.) miserável, maltrapilho, pobre, indigente.

descampado, da. *adj.* e *m.* descampado, diz-se do campo extenso; inculto e despovoado: *en descampado*, em descampado.

descampar. *v.* **tr.** escampar. V. **escampar.**

descansadero. *m.* descansadeiro, lugar onde se descansa.

descansado, da. *p. p.* e *adj.* descansado, sossegado, tranquilo; cómodo; que está em descanso; folgado; descuidoso; vagaroso, lento; sem inquietações.

descansar. *v. tr.* e *intr.* descansar, pôr em descanso; livrar de fadigas e cuidados; tranquilizar; apoiar; repousar; (fig.) descansar, ter algum alívio nos cuidados; descansar, dormir, repousar; descansar, apoiar-se sobre alguma coisa; estar tranquilo, confiando em alguém, descansar; descansar, estar a terra de poisio ou em alqueive; apoiar, assentar sobre alguma coisa, para dar comodidade; descansar, estar enterrado, repousar no sepulcro; estribar; tomar alívio; descansar, sossegar, ajudar, auxiliar; tranquilizar-se; encostar-se; (Bras.) tunguear: *descansar en alguien*, descansar em alguém; *sin descansar*, sem descansar.

descansillo. *m.* patamar de escada.

descanso. *m.* descanso, quietude, repouso, apoio, sossego, (Bras.) sossêgo; alívio. tranquilidade, (Bras.) tranqüilidade; descargo, ina(c)ção; assento; estribamento; (teatr.) entrea(c)to; consolação; descanso, patamar de escada; (mil.) descanso, repouso no meio dum exercício, toque para descansar: *dar descanso*, descansar; *descanso eterno*, descanso eterno, morte; *¡en su lugar descanso!* (mil.) descansar armas!; *lugar de descanso*, descansadeiro; *sin descanso*, sem descanso; aturadamente; *hora de descanso*, hora do descanso; *sin descanso*, (Bras.) estirada.

descantar. *v. tr.* desempedrar, limpar de pedras um lugar.

descantillar. *v .tr.* quebrar os cantos ou arestas duma coisa; quebrar superficialmente alguma coisa; (fig.) desfalcar, diminuir, deduzir uma parte de qualquer quantidade; (fig). descantar, falar mal de alguém.

descantillón. *m.* V. **escantillón.**

descantonar. *v. tr.* V. **descantillar.**

descañonar. *v. tr.* depenar aves ;escanhoar, dar a última demão à barba que se rapa ao arrepio; (fig.) depenar algum, extorquir dinheiro astuciosamente, esfolar, tirar alguém o último real.

descaperuzar. *v. tr.* e *r.* descarapuçar, tirar a carapuça da cabeça, desbarretar.

descaperuzo. *m.* desbarretamento.

descapillar. *v. tr.* tirar o capuz.

descapirotar. *v. tr.* tirar o capirote ou capuz.

descapitalizar. *v. tr.* descapitalizar, tirar a uma provocação a qualidade de capital.

descarado, da. *p. p.* e *adj.* descarado, atrevido, desavergonhado; desaforado, impu-

dente, insolente; desmesurado; desbocado, deslinguado; deslavado; fresco; audaz; abalançado; destravado, despregado; (Bras.) xixilado.

descaramiento. *m.* descaramento. V. **descaro.**

descararse. *v. r.* descarar-se, perder a vergonha, o pejo; falar ou tratar com descortesia ou sem pudor; tornar-se descarado; desbocar-se.

descarbonatar. *v. tr.* (quím.) descarbonatar, descarbonizar, tirar o ácido carbónico.

descarbonizar. *v. tr.* (quím.) descarbonizar, descarbonatar, tirar o carbono.

descarburación. *f.* a(c)ção de descarbonizar.

descarburar. *v. tr.* descarbonizar, tirar o carbono que se contém nalguns corpos.

descarcañalar. *v. tr.* acalcanhar, dobrar o talão do sapato, cancando-o.

descarga. *f.* descarga, a(c)ção de descarregar ou tirar a carga; tiro de arma de fogo, descarga; (arq.) aliviamento do peso duma parede; (agr.) estrumeira; evacuação; (fís.) descarga, explosão de ele(c)-tricidade; (fam.) descarga, chuveiro, grande quantidade de alguma coisa; descarga, descargo, satisfação, solução da obrigação; (mar.) descarga, desembarque da carga: *descarga eléctrica*, descarga elé(c)trica; *descarga cerrada*, (mil.) descarga simultânea de várias armas; *hacer una descarga*, dar uma descarga.

descargadero. *m.* descarregadeiro, descarregadoiro, lugar onde se descarrega geralmente alguma coisa.

descargador. *m.* descarregador, aquele que descarrega; (mar.) deslastrador. V. **saca-trapos.**

descargadura. *f.* dessossamento, a(c)to de tirar parte do osso à carne que se vende.

descargamiento. *m.* descarregamento, descarga, descargo, descarrego, (Bras.) descarrêgo. V. **descarga.**

descargar. *v. tr.* descarregar, tirar a carga, aliviar o peso, desencarregar; desencher; descarregar, tirar a carga a uma arma; exonerar alguém dum cargo ou obrigação; desferir; (fig.) desalijar. — *v. intr.* desembocar (os rios), desaguar; desfazer-se uma nuvem e cair chuva ou granizo. — **descargarse.** *v. r.* descarregar-se; deixar o cargo, emprego ou posto; eximir-se duma obrigação: *descargar a alguien de todos los trabajos*, desencarregar alguém de todos seus trabalhos; *descargar la conciencia*, desencarregar a consciência; *descargar un fusil*, desengatilhar; *descargar un navío*, desafogar um navio; *descargar de peso u obligación*, exonerar; *descargar un proyectil*, assestar.

descargo. *m.* descargo, descarregamento, justificado; desobrigação; defesa; desafronta, desencarregamento; (for.) defensão: *en descargo de mi conciencia*, por descargo da minha consciência; *descargo moral*, desforra.

descargue. *m.* descarga, a(c)ção de tirar uma carga, descarregamento, descarrego, (Bras.) descarrêgo, descargo.

descarnada. *f.* descarnada, sem carne, (por antonomasia) a morte.

descarnador. *m.* (cir.) descarnador, instrumento para descarnar os dentes.

descarnadura. *f.* descarnadura, descarnamento.

descarnar. *v. tr.* descarnar, tirar, despegar a carne de cima dos ossos; (fig.) desemparelhar; desmoronar; afastar, desviar (das coisas terrenas). — **descarnarse.** *v. r.* descarnar-se.

descaro. *m.* descaro, descaramento, desvergonha, atrevimento, insolência; descoco, (Bras.) descôco; desbocamento; deslinguamento; deslavamento; desrepeito; frescata; despejo; atrevimento, audácia; desgarre, desavergonhamento; impudor; impudícia; impudência; (fig.) descalçadela, desplante; (pop.) frescura : *hablar mucho y con descaro*, descarar-se.

descarriamiento. *m.* desencaminhamento. V. **descarrío.**

descarriar. *v. tr.* descarreirar, descarrilar, descaminhar; desencaminhar, apartar do caminho, extraviar; apartar, separar do rebanho certo número de reses. — **descarriarse.** *v. r.* separar-se, afastar-se ou perder-se uma pessoa da companhia doutras ou de quem a auxiliava e protegia; (fig.) descarreirar-se, extraviar-se, desviar-se, afastar-se do justo e razoável.

descarrilamiento. *m.* descarrilamento.

descarrilar. *v. intr.* descarrilar, sair fora do carril; desencarrilar; descarrilhar; diz- se dos comboios e doutros veículos que andam sobre carris.

descarrilladura. *f.* emagrecimento.

descarrillar. *v. tr.* perder a carne das faces, consumir-se, extenuar-se; (fig.) escalavrar mùtuamente as faces com bofetões.

descarrío. *m.* desencaminhamento, descarrilhamento, extravio; (fig.) desatino, desvario.

descartamiento. *m.* exclusão.

descartar. *v. tr.* (fig.) descartar, apartar de si, desfazer-se dalguma pessoa ou coisa; eliminar; exce(p)tuar; excluir. — **descartarse.** *v. r.* descartar-se, desembaraçar-se das cartas que se julgam inúteis ou prejudiciais, para o jogo que se quer; (fig.) escusar-se uma pessoa de fazer alguma coisa.

descarte. *m.* descarte, cartas rejeitadas ou postas de parte no jo(ô)go; (fig.) escusa; justificação; exce(p)ção, inadmissão.

descasamiento. *m.* descasamento, declaração de nulidade de matrimó(ô)nio; divórcio, repúdio.

descasar. *v. tr.* descasar; separar dois esposos; declarar nulo o matrimó(ô)nio; separar duas pessoas que não estão legìtimamente casadas. — **descasarse.** *v. r.* (fig.) descacasar, desemparelhar, desirmanar.

descascar. *v. tr.* descascar, descorticar. — V. **descascarse.** *v. r.* escacar-se, quebrar-se;

fazer-se em cacos ou em pedaços; (fig.) falar muito e sem comedimento, murmurando, dizendo fanfarronadas ou bravatas.

descascarar. *v. tr.* descascar, escascar, tirar a casca; (agr.) descarolar; estornar; descoscorar. — *v. r.* levantar-se e cair a superfície ou casca dalguma coisa.

descascarador. *m.* (agr.) descarolador, estornador, descascador.

descascarillado. *m.* descasque, descascamento; descorticação; despele; descortiçamento; estonado; descascadura.

descascarilladora. *f.* (agr.) descarolador; estonador, máquina agrícola para descascar cereais.

descascarillar. *v. tr.* descascar, tirar o casquilho ou estanho ao chumbo estanhado; expurgar; despelar; descortiçar; (agr.) debulhar.

descaspar. *v. tr.* descaspar, tirar ou limpar a caspa.

descasque. *m.* descasque, a(c)ção de descascar au descortiçar os sobreiros; descascamento, descorticação; descortiçamento; excorticação, estonadura.

descastado, da. *adj.* e *p. p.* e *s.* que manifesta pouco carinho aos parentes; ingrato, indiferente; desagradecido; (por ext.,) diz-se do que não corresponde ao carinho dos parentes; desnaturado.

descastar. *v. tr.* acabar com uma casta, como a dos percevejos, das formigas, etc. — *v. r.* excluir, eliminar duma casta.

descatolización. *f.* descatolização.

descatolizar. *v. tr.* e *r.* descatolizar, desviar da religião católica.

descendencia. *f.* descendência, progénie, sucessão, família, conjunto de filhos, netos e demais gerações sucessivas, por linha re(c)ta descendente; derivação; (ant.) descensão, casta, linhagem, estirpe.

descender. *v. intr.* descer, abaixar, tender, dirigir-se para baixo; correr, fluir, manar alguma coisa líquida; descender, provir, derivar; arriar. — *v. tr.* pôr em baixo. V. **bajar.** — *conj. irr.* como *entender: hacer descender de una cabalgadura*, desmontar; *descender de un vehiculo*, apear; *descender al sepulcro*, descer ao túmulo; *hacer descender de una situación de privilegio*, desempoleirar; *descender de prisa*, desgalgar; *descender a pequeñeces*, descer a miudezas.

descendiente. *p. a.* e *adj.* e *s.* descendente; descendente, filho, neto ou qualquer pessoa que descende doutra; descendente, epígono; descente; descendido. — *pl.* descendentes.

descendimiento. *m.* descendimento, descimento, a(c)ção de descer; descenção; descida; por antonomásia, o que se fez com o sagrado Corpo de Cristo descendo-o da cruz; (pint. e escult.) composição em que se representa o descimento de Jesus Cristo da cruz.

descensión. *f.* a(c)ção de descer, descensão. V. **descenso.**

descensional. *adj.* (astr.) descensional; movimento descensional, descenso.
descenso. *m.* descensão, descenso, descida, descimento, abaixamento; declinação, descimento: *descenso del precio de algo*, embaratecimento.
descentrado, da. *adj.* descentrado, que tem o centro fora do seu lugar.
descentralismo. *m.* (pol.) descentralismo.
descentralista. *s.* (pol.) descentralista.
descentralización. *f.* descentralização.
descentralizar. *v. tr.* descentralizar, descentrar, afastar do centro; descentralizar, dividir a autoridade e as forças dum estado; deixar livre e desembaraçada a a(c)ção municipal dos povos, descentralizar.
descentrar. *v. tr.* e *r.* descentrar, tirar ou afastar do seu centro geométrico; desconcentrar.
desceñidura. *f.* desenfaixe.
desceñir. *v. tr.* e *r.* desenfaixar, descingir.
descepar. *v. tr.* descepar, desarraigar, arrancar de raiz as árvores ou as cepas; (fig.) extirpar, exterminar.
descercado, da. *adj.* e *p. p.* descercado, diz-se do lugar sem ce(ê)rca ou muro.
descercador. *m.* descercador, o que obriga o inimigo a levantar o ce(ê)rco duma praça ou fortaleza.
descercar. *v. tr.* descercar, derrubar, destruir a ce(ê)rca ou muro que cinge algum terreno; fazer levantar o ce(ê)rco ou assédio.
descerco. *m.* desce(ê)rco.
descereración. *f.* descerebração.
descerebrado, da. *adj.* e *p. p.* descerebrado.
descerebrar. *v. tr.* (ant.) descerebrar.
descerezar. *v. tr.* limpar a semente do café.
descerrajado, da. *p. p.* e *adj.* arrombado; (fig.) licencioso, de vida perversa e má índole.
descerrajadura. *f.* (fig. e fam.) disparo de uma ou mais armas de fogo.
descerrajar. *v. tr.* arrombar, forçar uma fechadura; desaferrolhar; descancelar; abrir; (fig. e fam.) disparar uma arma de fogo.
descerrar. *v. tr.* descerrar, abrir.
descerrumarse. *v. r.* (vet.) relaxar-se o cavalo nalguns dos seus músculos, resultandol-he com o tempo a claudicação.
descervigar. *v. tr.* torcer o pescoço.
descifrable. *adj.* decifrável, que se pode decifrar.
descifrador. *m.* decifrador, aquele que decifra: *descifrador de enigmas*, édipo.
desciframento. *m.* decifração, chave.
descifrar. *v. tr.* decifrar; aclarar; (fig.) interpretar palavras de sentido obscuro e intrincado: *descifrar un misterio*, devassar.
descifre. *m.* decifração.
descimbramiento. *m.* (arq.) descimbramento.
descimbrar. *v. tr.* (arq.) descimbrar, tirar os cimbres duma obra.
descimentar. *v. tr.* descimentar, tirar ou desfazer os alicerces de qualquer edifício
descinchar. *v. tr.* desencilhar, tirar ou desapertar a cilha duma cavalgadura.

descingido, da. *adj.* e *p. p.* descingido.
descingir. *v. tr.* descingir.
desclavador. *m.* despregador, instrumento que serve para tirar os pregos.
desclavar. *v. tr.* descravar, despregar, arrancar ou tirar pregos; (fig.) descravejar, desengastar as pedras preciosas. — **desclavarse.** *v. r.* despregar-se.
descoagulación. *f.* descoalho, descoagulação, descoagulamento.
descoagular. *v. tr.* descoagular, tornar líquido o que estava coagulado; descoalhar.
descobajar. *v. tr.* desengaçar, desbagoar, tirar os bagos de uva do engaço.
descobijar. *v. tr.* desabrigar, descobrir, despir alguém. V. **desabrigar.**
descocado, da. *adj.* e *p. p.* descocado; falto de senso; descarado, atrevido; impudente, impúdico; insolente; desvergonhado; fresco, desonesto.
descocarse. *v. r.* (fam.) descocar-se, desaforar-se, perder o pejo, a vergonha; fazer-se impudente; proceder com descoco.
descocedura. *f.* cocção, digestão, decomposição dos alimentos no estômago.
descocer. *v. tr.* digerir a comida. — **descocerse.** *v. r.* desgostar-se, carcomer-se. — *conj. irr.* como *cocer.*
descoco. *m.* (fam.) descoco, (Bras.) descôco, impudência, atrevimento excessivo, descaramento, desplante, pouca vergonha, audácia, disparate; descaramento, despejo, deslavamento, desrespeito, desonestidade; (pop.) frescura.
descoger. *v. tr.* desdobrar, desembrulhar, desencolher, estender, descarolar; desabrochar; desarregaçar; desfranzir; desenfestar; desfrisar.
descogollar. *v. tr.* desfolhar, tirar os rebentos inúteis das plantas.
descogotado, da. *p. p.* e *adj.* (fam.) diz-se do que tem o cachaço rapado.
descogotar. *v. tr.* desgalhar, cortar rasos os galhos ao veado.
descohesión. *f.* desunião, incoerência.
descolar. *v. tr.* derrabar, descaudar, tirar a cauda; cortar à peça de pano a ponta ou a extremidade oposta àquela em que está o se(ê)lo ou a marca da fábrica.
descolchar. *v. tr.* (mar.) descochar, desfazer as cochas dum cabo; desmanchar um cabo separando os cordões.
descolgar. *v. tr.* despendurar, tirar donde estava dependurado, descolgar; arriar, abaixar a pouco e pouco; desarmar, tirar a armação, os ornatos, desadornar. —
descolgarse. *v. r.* despenhar-se, lançar-se de grande altura, deixando-se escorregar por uma corda, declive ou por uma ribanceira; precipitar-se sobre; (fig. e fam.) aparecer inesperadamente. — *conj. irr.* como **colgar.**
descolmar. *v. tr.* rasar, igualar com rasoira a superfície duma medida atestada; (fig.) diminuir. V. **disminuir.**
descolmillar. *v. tr.* tirar ou quebrar os dentes caninos.

descoloración. *f* descoloração; deslavamento; perda da co(ô)r.

descoloramiento. *m.* descoloração, perda da co(ô)r, descoramento, palidez.

descolorar. *v. tr.* descolorar, desbotar, descolorir, amortecer a co(ô)r. — *v. intr.* descolorar, perder a co(ô)r; amortecer a co(ô)r; desmerecer a co(ô)r.

descolorido, da. *p. p.* e *adj.* descolorido, de co(ô)r pálida, desbotado, descorado, pálido, agostado; desmaiado; embaçado; deslavado; macilento.

descolorimieno. *m.* descoloração, perda da co(ô)r; descoramento, palidez.

descolorir. *v. tr.* e *r.* descolorar, descorar; despintar; descolorir; amortecer a co(ô)r.

descollamiento. *m.* V. **descuello.**

descollar. *v. tr.* e *r.* despontar, sobresair, sobrelevar, sobrepujar, exceder em altura; dominar; avantajar-se; luzir. V. **sobresalir.**

descombrar. *v. tr.* desentulhar, tirar o entulho, despejar, desobstruir, desimpedir, desembaraçar; (fig.) limpar um lugar das pedras, terra, etc., que o entulham.

descombro. *m.* desentulho, despejo, a(c)ção de desobstruir ou de limpar um lugar das pedras, terra, etc., que o entulham.

descomedido, da. *adj.* e *p. p.* descomedido, desproporcionado, fora do normal, excessivo, destampado; desconforme; descortês; desenfreado; desmesurado; destrambelhado; incontinente; desmandado; descompassado.

descomedimiento. *m.* descomedimento, falta de comedimento; soltura de linguagem; insolência; grosseria; falta de respeito, desatenção; descortesia, desrespeito; desafabilidade; desveneração; despropósito; demasia; desproporção; extremo; desordem; desenfreamento; desembaraço; desmesura; destrambelhamento; desmedida; desmando; desconcerto (nas palavras ou a(c)ções.

descomedirse. *v. r.* descomedir-se, proceder com descomedimento; praticar excessos; disparatar; faltar ao respeito; haver-se com falta de circunspe(c)ção nas palavras e nas a(c)ções; desregrar-se; desproporcionar-se; desmoderar-se; desmanchar-se; desmandar-se; descompassar-se; destemperar.

descomer. *v. tr.* (fam.) defecar, evacuar os excrementos.

descompadrar. *v. tr.* (fam.) descompadrar, desunir dois amigos. — *v. intr.* (fam.) desavirem-se os que eram amigos; indispor várias pessoas entre si.

descompaginar. *v. tr.* descompor, desordenar.

descompás. *m.* descompasso, falta de compasso, de medida, de proporção; excesso.

descompasar. *v. tr.* descompassar, executar sem medida, fazer perder o compasso; fazer uma coisa sem proporções.

descompasarse. *v. r.* descompassar-se, descomedir-se, ultrapassar os límites da razão ou as conveniências.

descompensación. *f.* descompensação, insuficiência funcional dum órgão.

descompensar. *v. tr.* descompensar, modificar a função dum órgão.

descomplacer. *v. tr.* descomprazer, desgostar.

descomponer. *v. tr.* descompor, desordenar, perturbar a orden; pôr fora do seu lugar; desordenar; desarranjar; dar uma descompostura, desconcertar; decompor, reduzir um corpo aos seus elementos componentes; (fig.) descompor, indispor os ânimos; despentear; desigualar; desmesurar; desenfleitar; desquiciar; desaparelhar; desamanhar; desintegrar, desajustar. — **descomponerse.** *v. r.* descompor-se, corromper-se, apodrecer, viciar-se; descompor-se, faltar à decência; desmanchar-se; desencaixar-se; desintegrar-se; desconcertar-se; alterar-se, perder a serenidade. — *conj. irr.* como *poner.*

descomposición. *f.* descomposição, decomposição, putrefa(c)ção, desarranjo; confusão, perturbação; desbarate, desbaratamento; descompostura; desintegração, desconcerto, (Bras.) desconcêrto.

descompostura. *f.* descompostura, desalinho, desarranjo, desatavio; desordem; falta de compostura, de decência; descaramento, desrespeito; descomposição, descortesia, indecência.

descompuesto, ta. *p. p.* e *adj.* descomposto, decomposto; (fig.) imodesto, atrevido, descortês; desonesto; desarranjado; sem resguardo no vestir; desalinhado; desconcertado; desfeito .

descomulgado, da. *p. p.* e *adj.* excomulgado; (fig.) malvado, perverso.

descomulgar. *v. tr.* excomulgar. V. **excomulgar.**

descomunal. *adj.* descomunal, enorme, extraordinário, fora do comum, excessivo, monstruoso; exce(p)cional; desconforme.

descomunión. *f.* excomunhão. V. **excomunión.**

desconceptuar. *v. tr.* desconceituar, desprestigiar; desacreditar. V. **desacreditar.**

desconcertado, da. *p. p.* e *adj.* desconcertado, desordenado; (fig.) desbaratado, sem gove(ê)rno, de má conduta ou comportamento; desarranjado; desarrumado; desconchavado.

desconcertador. *m.* desconcertador, aquele que desconcerta ou põe em desordem.

desconcertadura. *f.* desconcerto; confusão; perturbação.

desconcertar. *v. tr.* desconcertar, destruir a boa ordem ou feição; desarranjar; desmanchar; desconcertar, perverter, turbar, desfazer o concerto; desconvir; desconcordar; desconcertar, embaraçar, perturbar; (fig.) surpreender, perturbar o ânimo; não falar, não dizer as coisas com a ordem e o siso devidos; desarmonizar; alterar; transtornar; desarrumar; desquiciar; descompor; envergonhar; (fig.) deslumbrar; desorientar. — **desconcertarse.** *v. r.* desconcertar-se, desavir-se;

desconcertar-se, desmanchar-se, deslocar-se; enturbar-se; descompor-se; alterar-se; perder a serenidade; falar com descompostura. — *conj. irr.* como *acertar.*

desconcierto. *m.* desconcerto, (Bras.) desconcêrto, decomposição das partes dum corpo ou duma máquina; desconcerto; desacordo, desinteligência; desarranjo; desordem; transtorno; confusão; desconchavo; discórdia; desconcerto, falta de gove(ê)rno, de economia; fluxo de ventre, diarreia; imodéstia, falta de decência; demudança; desorientação; desbaratamento.

desconcordar. *v. tr.* (ant.) desconcordar, dessavir, separar por desacordo; discrepar; desconciliar.

desconcordia. *f.* desconcórdia, falta de concórdia, de conformidade; desconciliação; desconchavo.

desconchar. *v. tr.* tirar a uma parede ou muro parte do seu revestimento.

desconchón. *m.* queda duma pequena parte do revestimento ou da pintura duma parede.

desconectar. *v. tr.* (mar.) desligar o propulsor das máquinas de vapor, tirar o conta(c)to; (mec.) interromper o conta(c)to de duas ou mais peças duma máquina; desligar um aparelho elé(c)trico; desembraiar; desvincular.

desconexión. *f.* desvinculação, desembraiagem, desconexão, desunião.

desconfiado, da. *p. p.* e *adj.* desconfiado, que desconfia; incrédulo; assombradiço; estar de pé atrás; (Bras.) cismado, escabreado.

desconfianza. *f.* desconfiança, receio, suspeita, falta de confiança; inconfidência; barrunto.

desconfiar. *v. intr.* desconfiar, não confiar, ter pouca esperança; duvidar, barruntar: *desconfiar de todo el mundo,* estar de pé atrás com alguém.

desconformar. *v. intr.* desconformar, não estar conforme, não convir nalguma coisa. — **desconformarse.** *v. r.* discordar, discrepar, não concordar uma coisa com outra.

desconforme. *adj.* desconforme, não conforme; desconcorde; desacordado; desconchavado. V. **disconforme.**

desconformidad. *f.* desconformidade, falta de conformidade, desconcordância; desacordo, (Bras.) desacôrdo; desavença. V. **disconformidad.**

descongelación. *f.* descongelação; dege(ê)lo.

descongestión. *f.* descongestão, descongestionamento.

descongestionar. *v. tr.* descongestionar, desentumecer, livrar de congestão; dessangrar; desimpedir; (med.) descongestionar: *descongestionar el tráfico, la circulación,* desimpedir o trânsito.

descongojar. *v. tr.* desabafar; desafogar, consolar.

desconocedor, ra. *adj.* desconhecedor, que desconhece.

desconocencia. *f.* (for. ant.) ingratidão; desconhecimento.

desconocer. *v. tr.* desconhecer, não conhecer, não reconhecer, ignorar, estranhar; não recordar, não se lembrar de; dar-se por desentendido de uma coisa ou afe(c)tar que se ignora; (fig.) achar mudança ou alteração em pessoa ou coisa, desconhecer. — **desconocerse.** *v. r.* desconhecer-se: *desconocer los usos, el idioma, etc.,* estranhar os usos, a língua, etc.

desconocido, da. *p. p.* e *s.* desconhecido; ingrato, desagradecido; ignorado; não conhecido; estranho; inexplorado; apagado; incógnito, incerto.

desconocimiento. *m.* desconhecimento, ingratidão, falta de reconhecimento, desagradecimento; inconsciência.

desconóscencia. *f.* (ant.) desconhecimento.

desconsentir. *v. tr.* desconsentir, não consentir, não assentir.

desconsideración. *f.* desconsideração, desrespeito; desveneração; desapreço. (Bras.) desaprêço; despeito; desprezo, (Bras.) desprêzo; desatenção; desatinação; inconsideração.

desconsiderado, da. *adj. p. p.* e *s.* desconsiderado, não considerado; incogitado; desadvertido, atordoado; atrevido; desassisado; desatentado; desencabrestado, atabalhado; desaconselhado.

desconsiderar. *v. tr.* desconsiderar, não guardar a consideração devida; desvenerar; descortejar; desatender; desfeitear.

desconsolación. *f.* desconsolação, desconsolo, aflição; (burl.) desconsoladeza.

desconsolado, da. *adj.* e *p. p.* desconsolado, que carece de conso(ô)lo; inconsolado; (fig.) consternado, triste, melancólico, inconsolado; (fig.) desolado, desconfortado; desconsolado, diz-se do estômago fraco e debilitado que precisa alimento.

desconsolador, ra. *adj.* desconsolador, desconsolativo; desconfortante, desconfortável.

desconsolar. *v. tr.* desconsolar, privar de conso(ô)lo, afligir; desolar; desconfortar. — **desconsolarse.** *v. r.* desconsolar-se. — *conj. irr.* como **consolar.**

desconsuelo. *m.* desconso(ô)lo, angústia e aflição profunda por falta de conso(ô)lo; desconsolação; desolação; (fig.) luto; desconfo(ô)rto.

descontagiar. *v. tr.* desinfe(c)tar, purificar, tirar a causa do contágio.

descontar. *v. tr.* descontar, abater, deduzir de conta ou soma; exce(p)tuar; (fig.) tirar o mérito, diminuir no mérito ou virtudes atribuídas a alguém; (com.) descontar, receber o importe duma letra ou doutro documento não vencido, abatendo ao seu valor os juros correspondentes ao tempo que se antecipa. — **descontarse.** *v. r.* descontar-se, pagar-se: *descontar para restablecer el equilibrio,* descompensar.

descontentadizo, za. *adj.* e *s.* descontentadiço, difícil de contentar; que se descontenta com facilidade.

descontentar. *v. tr.* descontentar, desgostar,

desagradar. — **descontentarse.** *v. r.* descontentar-se, enxofrar-se.

descontento, ta. *adj. p. p.* e *m.* descontentamento, desgosto ou desagrado; desprazer; (fig.) enxofrado, enxoframento.

descontinuación. *f.* descontinuidade, descontinuação.

descontinuo, nua. *adj.* descontínuo, não contínuo. V. **discontinuo.**

descontrolar. *v. tr.* descontrolar.

desconvenible. *adj.* desconveniente, inconveniente, discordante; diz-se do que não se ajusta, não se acomoda ou não tem proporção com outra coisa.

desconveniencia. *f.* desconveniência, inconveniência, incomodidade, prejuízo; desconcordância; desconformidade.

desconvenir. *v. tr.* desconvir, não convir nas opiniões, discrepar, discordar, não concordar entre si duas pessoas ou duas coisas, desconcordar, diferir; não convir, não ser a propósito, não ser conveniente; desajustar; desconcertar; destoar; desacompanhar. — **desconvenirse.** *v. r.* desajustar--se; desconcertar-se. — *conj. irr.* como *venir.*

desconversable. *adj.* desconversável, insociável, rude de génio áspero e desabrido.

desconversar. *v. tr.* (ant.) desconversar.

desconvidar. *v. tr.* desconvidar, anular um convite; revogar ou anular o oferecido ou prometido.

descopar. *v. tr.* desmochar, desmouchar, desmoitar, as árvores.

descorazonamiento. *m.* descoroçoamento; (fig.) descoroçoamento, desânimo, desalento, desabuso, desencorajamento, desengano, desmaio, desmoralização, desconforto, (Bras.) desconfôrto.

descorazonar. *v. tr.* tirar, arrancar o coração; (fig.) descoroçoar, desalentar, desanimar, acobardar, abater o espírito, o valor; desconsolar, descoroar; desbriar; desengodar, desencorajar; desenganar; desmaiar, desmoralizar; desabusar, desconfortar, desiludir. — **descorazonarse.** *v. r.* (fig.) desenganar-se, desanimar-se.

descorchador. *m.* descascador de cortiça. V. **sacacorchos.**

descorchar. *v. tr.* descortiçar, tirar ou arrancar a cortiça ao sobreiro, escorchar, romper o cortiço para tirar o mel; desrolhar ou desarrolhar; (fig.) forçar um cofre, uma caixa ou coisa semelhante, para roubar o seu conteúdo.

descorche. *m.* descortiçamento, descasque; despela.

descordar. *v. tr.* desencordoar. V. **desencordar.**

descordar. *v. tr.* V. **descabellar** (matar o touro).

descoritar. *v. tr.* desmudar, deixar em pelota.

descornar. *v. tr.* descornar, tirar os cornos a, arrancar os cornor a um animal ou cortar, (fig.) escornar, tratar com desprezo; maltratar; (fam.) quebrar a cabeça para averiguar uma coisa, sem o conse-

guir; desmochar. — **descornarse.** *v. r.* V. **descalabazarse.** — *conj. irr.* como contar.

descoronar. *v. tr.* descoroar, tirar a coroa; nos grandes armazéns de vinhos, retirar as pipas já vazias.

descorregido, da. *adj.* incorre(c)to, que não é corre(c)to, defeituoso; não corrigido.

descorrer. *v. tr.* desandar, retroceder caminho; dobrar, enrolar o que estava corrido ou estendido (cortinas, etc.); (fig.) descobrir, manifestar. — *v. intr.* correr, escorrer um líquido.

descorrimiento. *m.* escorrimento, efeito de desprender-se e correr um líquido, esgotamento.

descortés. *adj.* descortês, falto de cortesia, grosseiro, incivil, mal criado, malcriado, indelicado, desafável, desgalante; despprimoroso, desatento, desatencioso, descomedido, incorre(c)to; (fig.) asno; (vulg.) achavascado.

descortesía. *f.* descortesia, grosseria, falta de cortesia, incivilidade, indelicadeza, a(c)ção descortês, desafabilidade, desamabilidade, desatenção, desmesura; descomedimento, inconveniência, incorre(c)ção.

descortezadora. *f.* descascadeira, descascador.

descortezadura. *f.* parte da casca que se tira a uma coisa; descascamento; a parte descascada, descascadura; descortiçadura, descortiçamento; côdea; pedaço de casca.

descortezamiento. *m.* descascamento, descortiçamento, descascadela. V. **descortezadura.**

descortezar. *v. tr.* escorchar, descascar, descodear, tirar a casca às árvores, fruta, etc.; tirar a côdea ao pão; (fig.) desbastar, polir, civilizar; descortiçar; desencortiçar; desencoscorar. — **descortezarse.** *v. r.* (fig.) magoar-se, maltratar-se.

descortezo. *m.* escorchamento, descortiçamento, descascamento.

descorticación. *f.* (cir.) descorticação.

descortinar. *v. tr.* (fort.) descortinar, destruir a cortina ou muralha, batendo-a a tiros de canhão.

descosedura. *f.* descosido, descosedura. V. **descosido.**

descoser. *v. tr.* descoser, desmanchar, desfazer uma costura; (fig.) badalar, descobrir indiscretamente o que convinha calar, revelar, descoser, divulgar. V. **ventosear.** —

descoserse. *v. r.* descoser-se, descobrir, revelar, comunicar um segre(ê)do, confessar, dizer; descoser-se; (fam.) desavir-se, descoser-se; (fam.) largar uma ventosidade: *no descoser los labios,* não dizer uma palavra.

descosido. *m.* descosido, descosedura, parte descosida numa peça de vestuário ou de qualquer outro uso: *como un descosido,* expressão empregada para significar o excesso ou afinco com que se faz uma coisa.

descosido, da. *p. p.* e *adj.* descosido, solto, despregado, que se descoseu; (fig.) falador.

indiscreto, que divulga um segre(ê)do; desordenado, falto de ordem, descomposto, desalinhado, descosido; desembaraçado; irregular: *hablar como un descosido*, falar sem moderação.

descostarse. *v. r.* separar-se, afastar-se, apartar-se.

descostillar. *v. tr.* arrancar, tirar as costelas; bater nas costelas, espancar; (fam.) romper as costelas, derrear, desancar.— **descostillarse.** *v. r.* cair violentamente de costas, em risco de quebrar as costelas.

descostrador. *m.* aparelho para escodear ou tirar a côdea.

descostrar. *v. tr.* escodear, tirar a côdea ou a crosta a alguma coisa, descrostar.

descostumbre. *f.* (ant.) descostume, desuso.

descotar. *v. tr.* despeitorar; decotar; expor o decote.

descoyuntado, da. *p. p.* e *adj.* desconjuntado, deslocado, desencaixado os ossos ou os membros; destroncado; desengonçado; desconjuntado; desconchavado; desmembrado; descosido.

descoyuntamiento. *m.* desconjuntamento, descolocação, luxação, desconjuntura; (cir.) desencaixamento; desconjunção; (fig.) languidez, moleza, grande prostração.

descoyuntar. *v. tr.* desconjuntar, deslocar, desencaixar os ossos ou os membros dos seus lugares respectivos; (fig.) molestar, enfadar, causticar, aborrecer alguém com impertinências; desconchavar; descadeirar; estroncar, destroncar; desarticular; desmembrar; desengonçar. — **descoyuntarse.** *v. r.* desconjuntar-se; desconchavar-se; desarticular-se; descolocar-se; desmembrar-se.

descrecencia. *f.* decrescimento, diminuição, míngua, decremento.

descrecer. *v. intr.* decrescer. V. **decrecer.**

descrédito. *m.* descrédito, perda da reputação, do crédito; desonra; má fama; desautorização; depreciação; desprestígio; infamação; desmerecimento; desdoiro; desqualificação; menoscabo; desconceito; desvalor; denigração; desclassificação; (fig.) deslustre, desluzimento; (com.) desabono.

descreer. *v. tr.* descrer, deixar de crer; não acreditar numa pessoa digna de fé; descrer, negar o crédito; descrer, renegar Deus.

descreído, da. *p. p.* e *adj.* descrido, incrédulo, que não tem fé; descrente; ateu.

descreimiento. *m.* descrença, falta de fé; abandono de fé.

descrestar. *v. tr.* arrancar ou cortar a crista a uma ave.

descriarse. *v. r.* definhar-se, consumir-se; estropear-se. V. **desmejorarse** e **estropearse.**

describir. *v. tr.* descrever, fazer a descrição, contar pormenorizadamente, traçar, narrar, definir com exa(c)tidão alguma coisa; (geom.) traçar linhas curvas, descrever; percorrer; (fig.) debuxar; desenhar: *descri-*

bir un carácter, desenhar um cará(c)ter; *describir con toda exactitud*, fotografar; *la bala describió una curva*, a bala descreveu uma curva.

descripción. *f.* descrição, narração, circunstanciada, exposição exa(c)ta dum fa(c)to, lugar ou paisagem; enumeração das qualidades dalguma coisa ou pessoa; relação; explicação pormenorizada; (for.) inventário, relação de bens.

descriptible. *adj.* descritível, que se pode descrever.

descriptivo, va. *adj.* descritivo que descreve, que tem por obje(c)to descrever: *geometría descriptiva*, geometria descritiva: *anatomía descriptiva*, anatomia descritiva; *música descriptiva*, música descritiva.

descripto, ta. *adj.* e *p. p* .*irr.* de **describir**, descrito. V. **descrito.**

descriptor, ra. *adj.* e *s.* descritor, que descreve .

descrismar. *v. tr.* levantar ou tirar o sacramento de Confirmação ; (fig,. e fam.) bater ou ferir na cabeça dalguém, dar uma forte cabeçada ou coquinada. — **descrismarse.** *v. r.* (fig. e fam.) perder a paciência, enfadar-se zangar-se, irritar-se.

descristianar. *v. tr.* tirar o crisma. V. **descrismar**

descristianización. *f.* descristianização.

descristianizar. *v. tr.* descristianizar, tirar a qualidade de cristão, destruir o cristianismo num povo ou num indivíduo.

descrito, ta. *p. p. irreg.* de **describir.** *adj.* descrito de que se faz descrição.

descruzar. *v. tr.* descruzar, desfazer a forma de cruz.

descuadernar. *v. tr.* desencadernar; desordenar; desconcertar; descompor, desbaratar. V. **desencuadernar.**

descuadrillarse. *v. r.* (vet.) desquadrilhar-se, derrear-se o cavalo pelos quadris.

descuajar. *v. tr.* descoalhar, descoagular; desfazer o que estava coalhado; desengrumar; (agr.) arrancar as plantas, o tojo; surribar; (fig. e fam.) descorçoar, desanimar, desesperançar.

descuaje. *m.* (agr.) V. **descuajo.**

descuajo. *m.* (agr.) destruição pela raiz de plantas e ervas daninhas.

descuartelar. *v. tr.* fazer sair a tropa do quartel. — *v. intr.* (mar.) navegar com vento largo.

descuartizamiento. *m.* esquartejamento; estrafega, estrafego, (Bras.) estrafêgo; despedaçamento.

descuartizar. *v. tr.* esquartejar, dividir um corpo em quartos; trinchar, dividir um comestível; estracinhar, estrafegar; despedaçar; (fam.) retalhar alguma coisa para a repartir.

descubierta. *f.* descoberta, descobrimento; descoberta, revelação; (mil.) descoberta, reconhecimento; empada sem a capa superior; (mar.) reconhecimento do horizonte que fazem os navios ligeiros duma esquadra: *descubierta militar*, expedição militar; *hacer una descubierta*, (mil.) descobrir.

descubierto, ta. *p. p. irreg.* de **descubrir** e *adj.* descoberto, desamparado; achado; aventado; desrebuçado; desnudo; (com.) descoberto, défice; desbarretado (diz-se da cabeça); desabafado; destampado. — *m.* exposição do Santíssimo Sacramento; (com.) descoberto, alcance. V. **déficit:** *al descubierto*, a céu aberto, sem amparo; *al descubierto*, (com.) sem garantia, sem caução; *dejar los brazos al descubierto*, arregaçar os braços; *con la cabeza descubierta*, descarapuçado; *estar descubierto*, estar descoberto; *al fin todo quedó descubierto*, tudo se descobriu por fim; *a pecho descubierto*, arca por arca, a peito descoberto, por arcas; *poner al descubierto*, dessepultar, denudar, anatomizar; enuclear (diz-se dos ossos); *ponerse al descubierto*, desvelar-se; *en terreno descubierto*, em descampado; *girar en descubierto*, (com.) emitir ordens de pagamento sem garantia nem caução.

descubridero. *m.* atalaia, outeiro, lugar alto donde se descobre muito terreno, miradouro.

descubridor, ra. *adj.* e *s.* descobridor, que descobre ou acha uma coisa oculta; que indaga e averigua; achador; (mil.) descobridor; desencantador (de coisas raras); detector; detective; explorador; diz-se de qualquer das embarcações empregadas nas descobertas; descobridor, inventor.

descubrimiento. *m.* descobrimento, descoberta; descobrimento, invenção; achado; farejo; desencerramento; desmascaramento; dete(c)ção; descobertura; descortino.

descubrir. *v. tr.* descobrir, achar o que se ignorava ou estava oculto; pôr à vista; mostrar; avistar; denunciar; descobrir, inventar; fazer uma descoberta ou descobrimento; reconhecer; descobrir, manifestar, patentear; descobrir, destapar; espiar, observar, vigiar; expor o Santíssimo Sacramento; descobrir, diz-se das terras ou mares desconhecidos; vir a ter conhecimento dalguma coisa ignorada; descerrar; desabafar; encontrar, achar, abrir; declarar; desvelar; dar; deseclipsar; desencantoar; desencovar; desembainhar; desmascarar; devassar; desabrigar; dete(c)tar; afuroar; exteriorizar; denudar; desenfardar; desencapotar (fig.) desembuçar; dessepultar, desvendar; farejar. — **descubrirse.** *v. r.* descobrir-se, tirar o chapéu; descobrir-se, dar-se a conhecer; expor-se; desagafar-se; desmascarar-se; aclarar-se; franquear-se: *descubrir una intriga*, destramar; *descubrir las malas intenciones de alguien*, descobrir o fio; *descubrir un negocio*, aventar um negócio; *descubrir lo oculto*, descortinar, desencachar; *descubrir la pólvora*, (irón.) descobrir terra; *descubrir por indicios*, indiciar; *descubrir un se-*

creto, aventar um segredo; descoser; *descubrirse el pecho*, descotar-se; *descubrir con la vista*, avistar; *descubrir desde lejos*, descobrir de longe.

descuento. *m.* desconto, abatimento, compensação duma parte da dívida, diminuição; (fig.) contrape(ê)so, dedução: *regla de descuento*, regra de desconto; *descuento de precio*, abatimento no preço; *en descuento de*, em desconto de.

descuernacabras. *m.* vento frio e rijo que sopra do Norte.

descuidado, da. *p. p.* e *adj.* descuidado, falto de cuidado, negligente, inadvertido; desalinhado, que cuida pouco do traje; preguiçoso; indolente; desprevenido; desleixado; abandonado; imprevidente; desatento, desatentoso; desgracioso; desidioso; desgrenhado; desconcertado; deslembrado; deixado, desaprimorado; desacotelado; descurioso, incurioso; desarranjado; desmazelado; desmemoriado; desmanchado; desmantelado; despreocupado; desapurado; desgovernado; inaplicado; desastrado; impróvido; (fig.) desencadernado; adormentado; estrafalário: *hombre descuidado*, homem estragado; *descuidada en el vestir*, frangalhona; descomposta; *volverse descuidado*, desleixar-se.

descuidar. *v. tr.* e *intr.* descuidar, não cuidar das coisas; perder o cuidado; descurar; desatender; desatentar; desleixar; deixar; desaplicar; desacautelar; desdenhar; desmazelar; desvigiar; desprecaver; inadvertir; desordenar; descorar; esquecer; descuidar, aliviar de cuidado, de obrigação; descuidar, ser negligente. — **descuidarse.** *v. r.* esquecer-se, ser desleixado, não ter cuidado; deixar-se; desacautelar-se; desprevenir-se; desprecaver-se; atrasar-se; (fig.) adormecer-se; (Bras.) testavilhar: *descuidar el atavío*, (fig.) desencadernar; *descuidar los asuntos*, (fig.) deleitar-se a dormir; *descuidar los deberes de padre*, desobrigar-se dos filhos; *descuidar su deber*, faltar à sua obrigação.

descuidero, ra. *adj.* e *s.* gatuno, diz-se da pessoa que aproveita um descuido para furtar.

descuido. *m.* descuido, omissão, negligência; falta de cuidado; desleixo; esquecimento; e(ê)rro; inadvertência; desalinho; descuido, a(c)ção repreensível; a(c)ção vergonhosa; relaxamento; impreca(n)ção; desatenção; impremeditação; abandonamento; abandono; desacautela; desídia; desconcerto, (Bras.) desconcêrto, desacordo, (Bras.) desacôrdo; desleixo; desleixação; deslembrança; deixação; desaplicação, desapercebimento; indiferença; indiligência; descuramento; imprudência; incúria; deslizamento; deslize; despreocupação; indolência; desmazelo, (Bras.) desmazêlo; acedia; improvidência; desatavio; desprevenção; ina(c)tividade; desavisamento; (fig.) froixeza; falta; descompostura (no traje).

descular. *v. tr.* desfundar, quebrar o fundo ou o extremo inferior dalguma coisa.

desculatar. *v. tr.* desculatrar, tirar a culatra.

descumbrado, da. *adj.* plano, chato.

desde. *prep.* desde, depois de; a partir de (tempo); a começar de; significa o ponto, no tempo ou lugar, de que procede: *desde ahora*, desde agora; *desde que*, já que, visto que; *desde la mañana a la noche*, desde a manhã até à noite; *desde el primero hasta el último*, desde o primeiro até o último; *desde luego*, desde já; naturalmente; *desde entonces*, desde então; *desde la creación del mundo*, desde a criação do mundo; *desde aquel tiempo*, desde aquele tempo.

desdecir. *v. intr.* (fig.) desdizer, desmentir; negar a autenticidade; desdizer; discrepar, degenerar alguma coisa ou pessoa da sua origem, educação ou classe; desdizer, não convir, não se conformar uma coisa com outra; decair; perder o prumo; desaprumar-se; abjurar. — **desdecirse.** *v. r.* desdizer-se, retratar-se, contradizer-se, desmentir-se; desnegar-se; desconfessar; (fig.) despegar-se; arrepender-se; voltar com a palavra atrás: *desdecirse de su raza*, desdizer-se da sua raça; *desdecirse de lo prometido*, desempenhar-se alguém da sua palavra. — *conj. irreg.* como **decir.**

desdén. *m.* desdém, indiferença, desprezo, (Bras.) desprêzo, menosprezo, (Bras.) menosprêzo, sobranceria; diligência; desalinho; desafe(c)tação; dedignação; desapreço, (Bras.) desaprêço; menoscabo: *tratar con desdén*, desdenhar, menospreçar; *al desdén*, ao desdém.

desdentado, da. *adj.* e *p. p.* desdentado, sem dentes. — *m. pl.* (zool.) desdentados.

desdentar. *v. tr.* desdentar, tirar os dentes; quebrar os dentes. — *conj. irr.* como **dentar.**

desdeñable. *adj.* desdenhável, digno de ser tratado com desdém, desprezável.

desdeñar. *v. tr.* desdenhar, mostrar ou ter desdém por; não se dignar; descuidar; motejar; tratar com desdém; desatender; desatentar; bedelhar; desprezar; menosprezar; assoberbar. — **desdeñarse.** *v. r.* desdenhar-se; dedignar-se; não se dignar.

desdeñoso, sa. *adj.* desdenhoso, que mostra desdém; altivo; esquivo; desprezador; despiciente; desdenhativo; desprezativo; emproado; assoberbado; menosprezador.

desdevanar. *v. tr.* desenovelar, desfazer o novelo. — **desdevanarse.** *v. r.* desenovelar.

desdibujado, da. *adj.* diz-se do desenho defeituoso ou coisa mal conformada; impreciso.

desdibujarse. *v. tr.* perder uma coisa a precisão dos seus conto(ô)rnos.

desdicha. *f.* desdita, desgraça, desfortuna, infortúnio; indigência, pobreza, miséria,

necessidade extrema; infelicidade; desventura.

desdichado, da. *adj.* desditado, desditoso, desgraçado, infeliz, desventurado; desventuroso; infausto; infeliz, infortunado; indigente, pobre, miserável; (fig.) simples, pateta, bonacheirão, pusilânime, de boa paz, sem malícia.

desdicho, cha. *p. p. irreg.* de **desdecir,** desdito.

desdinerar. *v. tr.* tirar a moeda a um país, empobrecendo-o; privar de dinheiro.

desdoblable. *adj.* desdobrável, que se pode dobrar.

desdoblamiento. *m.* desdobramento; (fig.) interpretação, explanação; desembrulho. V. **explanación.**

desdoblar. *v. tr.* desdobrar, estender o que estava dobrado; despregar; desenfestar; desencolher; desembrulhar; desfrisar; separar um conjunto em fra(c)ções, turmas, etc.

desdonado, da. *adj.* desengraçado; sem graça, desenxabido, insípido.

desdorar. *v. tr.* desdoirar, desdourar, tirar a doiradura; (fig.) deslustrar, denegrir, manchar a honra, a fama, a glória; mascular. — **desdorarse.** *v. tr.* desdoirar-se.

desdoro. *m.* desdoiro, desdouro, mácula, descrédito, infâmia; menoscabo; (fig.) desdoiramento; desaire; estigma; desonra; impudência; afronta; (fig.) deslustre.

deseable. *adj.* desejável, digno de ser desejado; apetecível.

deseador, ra. *adj.* e *s.* desejador, que deseja.

desear. *v. tr.* desejar, ter desejo, apetecer, cobiçar, anelar, aspirar; amar, ter desejo; demandar: *desear con ansia*, ansiar, antojar; *desear ardientemente* crescer água na boca, aguar-se, (Bras.) apiançar; *desear algo con vehemencia*, desvelar-se, ambicionar, aspirar, arrebentar; *desear tener una cosa*, arder por alguma coisa; *dejar que desear*, deixar a desejar; *desear una cosa con ardor*, estremecer-se sobre algún obje(c)to que se ama; *como se desee*, a bel prazer.

desecación. *f.* dessecação, dessecamento; exsicação; arefa(c)ção.

desecador, ra. *adj.* dessecante, dessecador. V. **desecante.**

desecadura. *f.* dessecamento.

desecamiento. *m.* dessecação, dessecamento, estado de coisa dessecada.

desecar. *v. tr.* dessecar, tornar se(ê)co, extrair a humidade; desalgar. — **desecarse.** *v. r.* dessecar-se.

desecativo, va. *adj.* dessecativo, diz-se do que tem a propriedade de dessecar; dessecante; (med.) dessecativo.

desechar. *v. tr.* desprezar, excluir, reprovar; desestimar, dar pouco apreço; renunciar, não admitir, não aceitar; expelir, atirar; afastar (temor, suspeita, mau pensamento); deixar de usar, pôr de lado; correr o ferro(ô)lho, dar-lhe o movimento para abrir ou fechar; desprezar; descartar: *comenzar a desechar una cosa*, envelhecer. — **desecharse.** *v. r.* descartar-se.

desecho. *m.* resíduo, refugo, resto, o que fica depois de escolhido o melhor dalguma coisa; (fig.) desprezo, vilipêndio; descarte; desperdício. — *pl.* alisaduras: *los desechos de la ciudad*, os despejos da cidade.

desedificación. *f.* (fig.) desedificação, desmoralização, escândalo, mau exemplo.

desedificar. *v. tr.* (fig.) dar mau exemplo, desedificar.

deselectrización. *f.* desele(c)trização.

deselectrizar. *v. tr.* desele(c)trizar, descarregar de ele(c)tricidade um corpo ele(c)trizado.

deselladura. *f.* desselamento.

desellar. *v. tr.* desselar, tirar os se(ê)los a cartas ou volumes.

desembalaje. *m.* desenfardamento, desempacotamento.

desembalar. *v. tr.* desembalar, desenfardar, desfazer os fardos; soltar ou tirar para fora aquilo que estava enfardado; desempacotar.

desembaldosar. *v. tr.* deslajear, desladrilhar.

desemballestar. *v. intr.* (cetr.) cair, lançar-se, arrojar-se o falção sobre a caça.

desembanastar. *v. tr.* desencanastrar, tirar da canastra o conteúdo; (fig.) falar muito, sem acerto; (fig. e fam.) desembainhar a espada ou outra arma. — **desembanastarse.** *v. r.* soltar-se o animal que estava encerrado; desembarcar, sair duma carruagem.

desembarazado, da. *adj.* desembaraçado, livre de embaraço, expedito; desapressado; desempachado; destro; desaforado; desafogado; diáfano; desocupado; desimpedido; franco; expedito; galhardo; desatado; aviado; (fig.) desabafado; *desembarazado en el trato*, despejado.

desembarazar. *v. tr.* desembaraçar, tirar o embaraço; livrar de impedimento, desembaraçar; evacuar; desocupar; desatravancar; descarregar; despejar; desatapulhar; desafogar; desligar; desabafar; desobstruir; desimplicar; desimpedir; descongestionar; franquear; arrancar; desembaralhar; desempachar; desencarregar; (fig.) desembargar, desalagar; (Bras). desembramar. — **desembarazarse.** *v. r.* afastar o que estorva, desembaraçar-se, livrar-se; desatar-se; desapresar-se; descarregar-se; desempachar-se; apressar-se; despachar-se; (fig.) desenferrujar-se; desasir-se; desabafar-se; despregar-se: *desembarazarse de alguien*, (pop.) empandeirar; *desembarazarse de compañías incómodas*, descartar-se; *desembarazarse de perjuicios*, desprender-se de preconceitos; *desembarazarse de una obligación*, desobrigar-se; *desembarazarse de una pasión amorosa*, desenfeitiçar-se; *desembarazarse de algún necio*, desocupar-se; *desembarazarse de obstáculos o dificultades*, desencravilhar-se; *desembarazar de lo que sofocaba o asfixiaba*, desengasgar; *desem-*

barazar lo que estaba demasiado lleno, desatestar.

desembarazo. *m.* desembaraço; desenvoltura, facilidade, agilidade, coragem; desafogo, (Bras.) desafôgo; desobstrução, desobrigado; desencarregamento; desembaraçamento; desempacho; desenfado; desimpedimento; desatravancamento; desempeço, (Bras.) desempêço; despejo: *tener mucho desembazado*, ter muito expediente.

desembarcadero. *m.* desembarcadoiro, desembarcadouro, lugar onde se desembarca.

desembarcar. *v. tr.* desembarcar, tirar duma embarcação as mercadorias, trazer para terra a sua carga. — *v. intr.* desembarcar, sair da embarcação, saltar em terra. — **desembarcarse.** *v. r.* (fig. e fam.) sair duma carruagem; (mar.) deixar uma pessoa de pertencer à dotação dum navio.

desembarco. *m.* desembarque; patamar de escada de acesso à habitação; desembarcação; abordada, abordagem: *de fácil desembarco*, acostável.

desembargar. *v. tr.* desembargar, descongelar; desembargar, tirar o impedimento ou embaraço; (for.) levantar o embargo, pôr desembargo.

desembargo. *m.* (for.) desembargo; ordem do Conselho da Fazenda, concedendo o go(ô)zo de certos réditos, até quase lavre um privilégio em forma.

desembarque. *m.* desembarque, desembarcação.

desembarrancar. *v. tr.* desencalhar, tirar a embarcação do sítio onde está encalhada, desembarrancar, desatolar. — **desembarrancarse.** *v. r.* desatolar-se.

desembaular. *v. tr.* desembaular, tirar o que está dentro dum baú; desemalar; (fig.) tirar o que está guardado numa caixa ou numa mala; (fig. e fam.) desabafar.

desembebecerse. *v. r.* recuperar ou recobrar os sentidos, voltar a si.

desembelesarse. *v. r.* desenlevar-se, sair do enlevo.

desembocadero. *m.* desembocadura, abertura de rua, caminho, etc.; desembocadura, desemboque. V. **desembocadura.**

desembocadura. *f.* desembocadura, desemboque, foz, lugar onde um rio vai desaguar; diz-se também das saídas ou termos das ruas, desembocadura.

desembocar. *v. intr.* desembocar, sair duma rua, estrada ou lugar estreito; entrar, desaguar um rio, um canal, etc., em outro no mar ou num lago, desembocar; afluir; descarregar (rios): *desembocar un río*, desaguar; *este callejón desemboca en el mercado*, estra travessa vai desembocar no mercado; *desembocar en la plaza*, ir dar à praça; *desembocar un río en el mar*, meter-se no mar.

desembojadera. *f.* mulher que tira das amoreiras os casulos do bicho-da-se(ê)da.

desembojar. *v. tr.* tirar da amoreira os casulos do dicho-da-se(ê(da.

desembolsar. *v. tr.* desembolsar, tirar o que está no bolsa; (fig.) desembolsar, pagar, entregar uma quantia qualquer; despender; expender.

desembolso. *m.* (fig.) desembolso, (Bras.) desembôlso, entrega de qualquer quantia em dinheiro; desembolso, dispêndio, gasto, custo; despesa. — expensas.

desemboque. *m.* desemboque, desembocadura. V. desembocadura.

desemborrachar. *v. tr.* desemborrachar, desembriagar, desembebedar. V. desembriagar.

desemboscar. *v. tr.* desembocar: *desemboscar las fieras*, (fig.) desencovar. — desemboscarse. *v. r.* desemboscar-se, sair do bosque ou de emboscada.

desembotar. *v. tr.* (fig.) desembotar, fazer que uma coisa deixe de estar embotada, como o entendimento. — desembotarse. *v. r.* desembotar-se.

desembozar. *v. tr.* desembuçar, tirar o embuço. — desembozarse. *v. r.* desembuçar-se.

desembozo. *m.* desembuço.

desembragar. *v. tr.* desembraiar; (mec.) desembraiar, desprender um maquinismo do eixo motor.

desembrague. *m.* desembraiagem; (mec.) desembraiagem.

desembravecer. *v. tr.* desembravecer, amansar, tornar manso, domesticar; desbravar.

desembravecimiento. *m.* desembravecimento.

desembrazar. *v. tr.* desembraçar, desenfiar alguma coisa do braço; arrojar, atirar uma arma ou outro obje(c)to com toda a força do braço.

desembriagar. *v. tr.* desembriagar, desembebedar, tirar a embriaguez. — desembriagarse. *v. r.* desembriagar-se.

desembridado, da. *adj.* e *p. p.* desembridado.

desembridar. *v. tr.* desembridar, desbridar.

desembrollar. *v. tr.* (fam.) desenredar, desembrulhar, esclarecer, aclarar; desmaranhar; desembaralhar; desempastar; (fig.) desempatar.

desembrollo. *m.* desmaranho, desembaraçamento; desembrulho.

desembrozar. *v. tr.* limpar. V. desbrozar.

desembrujar. *v. tr.* desembruxar, desfazer o bruxedo ou feitiçaria de que alguém se supõe vítima.

desembrutecer. *v. tr.* desasselvajar; desemburrar; desembrutecer.

desembuchar. *v. tr.* desembuchar, desbuchar; (fig.) desemprenhar; lançar do bucho comida, diz-se das aves; (fig.) desembuchar, dizer alguém tudo quanto sabe e vinha ocultando.

desemejable. *adj.* dessemelhante, dissemelhante, diferente, não semelhante.

desemejante. *adj.* dessemelhante, dissemelhante, diferente, não semelhante, diverso, desvariado, desconcordante, desigual.

desemejanza. *f.* dessemelhança dissemelhança; desconcordância; desconformidade; diferença.

desemejar. *v. intr.* dessemelhar, dissemelhar, diferenciar, desfigurar; desassemelhar; *v. tr.* mudar de figura, desfigurar; desemejarse. *v. r.* dessemelhar-se, diferençar-se, não se parecer.

desempacar. *v. tr.* desenfardar; desempacotar; desenfardelar; (Bras.) desatascar. — desempacarse. *v. r.* aplacar-se, desenfadar-se, (fam.) aplacar-se, mitigar-se, serenar-se, desenfadar-se.

desempachar. *v. tr.* desempachar, desembaraçar, despejar, tirar o que empacha ou enche muito o estômago. — desempacharse. *v. r.* (fig.) desembaraçar-se, perder a timidez ou acanhamento.

desempalagar. *v. tr.* desenfastiar, tirar o fastio, voltar o apetite para os alimentos; tirar o gosto desagradável; (fig.) desagastar-se, desenfadar-se, desembaraçar a roda dum moinho.

desempañar. *v. tr.* desembaciar, desempanar, limpar um espelho ou alguma coisa cristalina ou polida que está empanada ou embaciada; tirar o pano ou malhas do rosto; desenfaixar, tirar os cueiros às crianças.

desempapelar. *v. tr.* desempapelar, desembrulhar, tirar o papel que envolvia uma coisa; tirar o papel que reveste ou adorna as paredes.

desempaque. *m.* desempacotamento.

desempaquetamiento. *m.* desempaquetamento, a(c)ção de desenfardelar ou desembrulhar.

desempaquetar. *v. tr.* desempacotar, desenfardelar, desembrulhar; desenfardar; desencaixar; desemalar.

desemparejar. *v. tr.* desemparelhar, separar o que estava emparelhado; desirmanar; desemparceirar; (fig.) descasar; romper a amizade, criar inimigos.

desemparentado, da. *adj.* desaparentado, que não tem parentes.

desemparvar. *v. tr.* amontoar as paveias na eira.

desempastar. *v. tr.* desempastar, desprender o que estava empastado; desenredar; desemplastar.

desempastelar. *v. tr.* (impr.) desempastelar, pôr no respe(c)tivo caixotim os tipos empastelados.

desempatar. *v. tr.* desempatar, tirar o empate; decidir; ultimar.

desempate. *m.* desempate, a(c)to de desempatar; decisão; resolução.

desempavesar. *v. tr.* (mar.) desempavesar, tirar os paveses.

desempavonar. *v. tr.* V. despavonar.

desempedrar. *v. tr.* desempedrar, tirar ou arrancar as pedras da calçada ou pavimento; desladrilhar; descalçar; (fig.) correr desenfreadamente; frequentar muito um lugar.

desempegar. *v. tr.* tirar a camada de pez, ou doutra substância, com que está coberta alguma coisa.

desempeñar. *v. tr.* desempenhar, resgatar o que estava empenhado; livrar de dívidas, desempenhar; desempenhar, exercer, executar; cumprir, representar em cena; exercitar; desempenhar, cumprir promessa, deveres; desempenhar, livrar alguém de compromisso ou empenho; desempenhar, exercer um cargo ou emprego.— **desempeñarse.** *v. r.* desapontar-se, nas festas de touros, apear-se o toureiro para ferir o animal com a espada; desempenhar-se, pagar as próprias dívidas; desobrigar-se de compromissos: *desempeñar honrosamente un cometido,* encher bem o seu lugar; *desempeñar las funciones de,* arvorar em; *desempeñar un papel teatral,* entrar em cena; *desempeñarse de trampas,* desendevidar-se.

desempeño. *m.* desempenho; cumprimento de obrigação ou promessa, desempenho; desembaraço, desembaraçamento; satisfação; desforra; desempenho, resgate de penhor ou de dívidas; desempenho, aperfeiçoamento, acabamento duma coisa; desempenho, exercício de cargo ou empre(ê)go; desempenho, cumprimento de oferta ou compromisso; cumprimento duma obrigação; (teatr.) desempenho, interpretação, maneira de representar.

desempeorarse. *v. r.* melhorar, fortalecer-se, restabelecer-se.

desemperezar. *v. intr.* espreguiçar, deixar a preguiça.

desempernar. *v. tr.* desempernar, deixar de estar empernado, fazer que deixe de estar empernado.

desemplumar. *v. tr.* desemplumar, tirar as penas, depenar.

desempobrecer. *v. tr.* desempobrecer, tirar da pobreza ou sair da miséria.

desempolvadura. *f.* desempoamento, a(c)ção de limpar ou sacudir o pó.

desempolvar. *v. tr.* desempoar, desempoeirar, limpar do pó; (fig.) tirar preconceitos a.

desempolvadura. *f.* desempoamento, a(c)ção de tirar o pó.

desempolvorar. *v. tr.* desempoar, desempoeirar. V. **desempolvar.**

desempoñozar. *v. tr.* desempeçonhar, tirar a peçonha duma coisa; desempeçonhar, libertar alguém da peçonha; desenvenenar; (fig.) curar, mitigar uma paixão.

desempotrar. *v. tr.* desencaixar, descravar, desencravar, tirar uma coisa donde está cravada ou encaixada.

desempozar. *v. tr.* desempoçar, tirar o que está empoçado; desentulhar.

desempulgadura. *f.* desempolgadura.

desempulgar. *v. tr.* desempolgar, desarmar a besta ou trabuco.

desenalbardar. *v. tr.* desalbardar, tirar a albarda ao animal.

desenamorar. *v. tr.* desenamorar, fazer perder o amor a alguém ou a alguma coisa.

—**desenamorarse.** *v. r.* deixar de estar enamorado.

desenastar. *v. tr.* desencabar, tirar o cabo a uma arma ou ferramenta.

desencabalgar. *v. tr.* (mil.) desmontar uma peça de artilharia.

desencabestradura. *f.* desencabrestamento.

desencabestrar. *v. tr.* desencabrestar, tirar a mão ou o pé da besta enredada no cabresto.

desencadenar. *v. tr.* desencadear, tirar a cadeia, soltar o que está encadeado; desagrilhoar; (fig.) quebrar, desunir, desligar; soltar. — **desencadenarse.** *v. r.* romper o vínculo das coisas imateriais; livrar-se das cadeias; enfurecer-se, desencadear-se os elementos; entregar-se às paixões; desatar-se; desarmar-se; enfurecer-se.

desencajadura. *f.* desencaixamento, luxação; deslocação, deslocamento.

desencajamiento. *m.* desencaixamento, desencaixe.

desencajar. *v. tr.* desencaixar, tirar do encaixe, desunir; desquiciar; desencavilhar; desengastar; (med.) deslocar, luxar, desconjuntar, desmanchar. — **desencajarse.** *v. r.* desfigurar-se, descompor-se o semblante por efeito de doença ou paixão de ânimo; desengonçar-se.

desencaje. *m.* desencaixe. V. **desencajamiento.**

desencajonar. *v. tr.* desencaixotar, tirar o que está dentro dum caixote; desembalar.

desencalabrinar. *v. tr.* desatordoar, tirar o atordoamento, fazer cobrar os sentidos.

desencalcar. *v. tr.* desapertar; afrouxar.

desencalladura. *f.* desencalhe, a(c)to ou efeito de desencalhar.

desencallar. *v. tr.* (mar.) desencalhar, fazer sair uma embarcação do lugar onde estava encalhada, pôr a flutuar um navio.

desencaminar. *v. tr.* desencaminhar, descaminhar. V. **descaminar.**

desencantamiento. *m.* desencantamento. V. **desencanto.**

desencantar. *v. tr.* desencantar, quebrar o encanto; tirar a ilusão a; desalentar, desanimar.

desencantaración. *f.* tiragem de votos das urnas, escrutínio.

desencantarar. *v. tr.* tirar da urna as listas de votação; excluir duma eleição ou sorteio determinados nomes por algum motivo legítimo.

desencanto. *m.* desencanto, desencantamento, desencantação; desengano; desilusão, desânimo; desalento.

desencapar. *v. tr.* quebrar a crosta da terra, formada depois das chuvas, e que impede o nascimento dalgumas plantas.

desencapillar. *v. tr.* (mar.) desencapelar, tirar a enxárcia ou cordas que vêm caindo pelo calcês do mastro; desencapelar, desfazer o que está encapelado.

desencapotadura. *f.* desencapotamento.

desencapotar. *v. tr.* desencapotar, tirar o capote a alguém; (fig.) desencapotar, descobrir, dar a conhecer, manifestar; de-

desencaprichar **476**

sencapotar, fazer levantar a cabeça ao cavalo, quando tem por costume trazê-la baixa; **desencapotarse** *v. r.* descobrir-se o céu, aclarar-se; aplacar-se; desenfadar--se; desencrespar-se, desembrulhar-se, desencapotar-se, (o tempo).

desencaprichar. *v. tr.* dissuadir, despersuadir, tirar dum propósito, fazer mudar de opinião, desembirrar.

desencarcelar. *v. tr.* desencarcerar, tirar do cárcere, libertar.

desencarecer. *v. tr.* desencarecer, diminuir no preço, baratear. — *conj. irr.* como *crecer*.

desencargar. *v. tr.* desencarregar, livrar de encargo ou de obrigação, desobrigar; exonerar, aliviar.

desencarnar. *v. tr.* tirar aos cães a ceva das reses mortas, para perderem o costume de comer a caça; (fig.) desapegar-se, desafeiçoar-se duma coisa.

desencastillar. *v. tr.* desencastelar, expulsar dum castelo a sua guarnição; (fig.) patentear, franquear, manifestar, esclarecer o que está oculto.

desencerrar. *v. tr.* desencerrar, dar liberdade ao que estava encerrado, soltar; abrir o que estava fechado; (fig.) descobrir, manifestar, revelar, desenvolver, aclarar o que está oculto ou ignorado. — *conj. irr.* como *cerrar*.

desencintar. *v. tr.* descingir, desapertar as fitas que cingem ou ornamentam alguma coisa; tirar a faixa ou guia de pedra que forma o bordo dum passeio.

desenclaustrar. *v. tr.* desenclaustrar, tirar do claustro; fazer cessar a clausura.

desenclavar. *v. tr.* descravar, despregar; (fig.) arrancar alguém violentamente do seu lugar.

desenclavijar. *v. tr.* desencavilhar, tirar as cavilhas; tirar as travelhas dum instrumento; (fig.) desasir, desvencilhar, desencaixar, apartar.

desencoger. *v. tr.* desencolher, estender, desenrolar, esticar o que está dobrado ou enrolado. — **desencogerse.** *v. r.* desencolher-se, desembaraçar-se, perder o acanhamento.

desencogimiento. *m.* desencolhimento; (fig.) desembaraço, desenvoltura.

desencoladura. *f.* descolamento, descolagem, desgrudamento; despegamento.

desencolar. *v. tr.* desgrudar, descolar, despegar; desafixar.

desencolerizar. *v. tr.* desencolerizar, aplacar a cólera a alguém; serenar; amansar. — **desencolerizarse.** *v. r.* desencolerizar-se, aplacar-se, desagastar-se.

desenconamiento. *m.* desinflamação; abrandamento da cólera.

desenconar. *v. tr.* desinflamar, fazer cessar a inflamação duma ferida; (fig.) desafogar, desabafar a alma ou o coração; desencolerizar, desagastar, fazer cessar a cólera, moderar a má vontade ou o rancor; desabafar; **desenconarse.** *v. r.* amaciar-

-se, abrandar-se, perder a aspereza, tornar-se suave uma coisa.

desencono. *m.* desenfado; desabafo, apaziguamento, moderação do rancor, da cólera.

desencordar. *v. tr.* (mus.) desencordoar, tirar as cordas a um instrumento musical.

desencordelar. *v. tr.* desatar os cordéis com que alguma coisa está atada ou unida.

desencorvar. *v. tr.* desencurvar, endireitar, descurvar.

desencovar. *v. tr.* desencovar, desentocar.

desencrespar. *v. tr.* desencrespar, desenredar, desemaranhar, desencarquilhar; desencortiçar, desencarapinhar, desencarapelar, desencaracolar; desencoscorar.

desencuadernar. *v. tr.* desencadernar, desfazer a encadernação.

desenchufar. *v. tr.* tirar o encaixe ou a tomada elé(c)trica; tirar o que está ajustado ou ligado a um obje(c)to.

desendemoniar. *v. tr.* desendemoninhar, tirar, lançar fora do corpo os demónios.

desendiablar. *v. tr.* desendemoninhar. V. **desendemoniar.**

desendiosar. *v. tr.* (fig.) desendeusar.

desenfadaderas. *f. pl.* (fam.) recurso para sair dalgumas dificuldades ou libertar-se dalguma opresão; usa-se geralmente com o verbo *tener*.

desenfadar. *v. tr.* desenfadar, tirar o enfado, o aborrecimento; aplacar a cólera; desenojar; desencolerizar; (fig.) desendemoninhar; desenfadar, desenjoar, desenfastiar, desagastar, desarrufar. — **desenfadarse.** *v. r.* desarrufar-se, desenjoar-se; desencordoar-se; desemburrar-se (fam.) desarrenegar-se.

desenfado. *m.* desenfado, desafogo, desembaraço; decreação; distra(c)ção do ânimo; desenfado, galhardia, desempacho; desembaraço, desenfado, desenfadamento; desenfado, despejo.

desenfaldar. *v. tr.* desfraldar, desarregaçar.

desenfardar. *v. tr.* abrir ou desatar os fardos, desenfardar; desempacotar, desemalar; desenfardelar; desembrulhar.

desenfilar. *v. tr.* (mar. e mil.) pôr as tropas e navios a coberto do fogo inimigo.

desenfrailar. *v. intr.* secularizar-se, desfradar-se; (fam.) libertar-se duma opressão; andar à boa vida, não ter negócios nem ocupações durante algum tempo.

desenfrenar. *v. tr.* desenfrear, tirar o freio ao cavalo; desencabrestar .— **desenfrenarse.** *v. r.* desenfrear-se, desencabrestar-se; (fig.) exceder-se, desenfrear-se, descomedir-se; desencadear-se alguma força bruta.

desenfreno. *m.* (fig.) desenfreamento, desenfreio; devassidão; incontinência.

desenfundar. *v. tr.* tirar a cobertura, desencapar; tirar o que estava metido em saco, algibeira, estojo, etc.; *desenfundar una almohada*, desenfronhar.

desenfurecer. *v. tr.* desenfurecer, fazer perder o furor. — **desenfurecerse.** *v. r.* desenfurecer-se.

desenganchar. *v. tr.* desenganchar, desprender o que está enganchado; soltar, desengatar; desencravilhar. — **desengancharse.** *v. r.* soltar-se, desenganchar-se.

desengañado, da. *adj.* e *p. p.* desenganado; desabusado; deluso; desiludido; desiluso; (fig.) e (fam.) desprezível, mau.

desengañador, ra. *adj.* e *s.* desenganador, que desengana.

desengañar. *v. tr.* desenganar, tirar alguém do engano ou do e(ê)rro; desiludir; falar com franqueza; tirar esperanças ou ilusões; desabusar, desimpressionar; decepcionar; desengodar; desencantar; (fig.) desembarrilar. — **desengañarse.** *v. r.* desenganar-se; sair do engano; reconhecer a verdade; desiludir-se; desabusar-se: *desengañar a alguien,* tirar as teias de aranha a alguém.

desengaño. *m.* desengano, conhecimento do e(ê)rro em que se estava, desilusão, decepção; desabuso; desencantamento. — *pl* desengano, lições recebidas por uma amarga experiência; franqueza.

desengarrafar. *v. tr.* desprender, desagarrar, largar, soltar o que está pre(ê)so com os dedos encurvados em forma de garra.

desengarzar. *v. tr.* desfiar, desengranzar.

desengastar. *v. tr.* desengastar, tirar do engasto.

desengomar *v. tr.* desengomar. V. **desgomar.**

desengrasar. *v. tr.* desengordurar, tirar a gordura a alguma coisa, desengordar, desainar. — *v. intr.* (fam.) emagrecer, tornar-se magro; (fig.) variar de ocupação ou exercício para tornar menos pesado o trabalho; (agr.) desengordar as terras, empobrece-las.

desengrilletar. *v. tr.* (mar.) tirar a grilheta a uma corrente.

desengrosar. *v. tr.* desengrossar, adelgaçar; enfraquecer; desbastar. — conj. irr. como *engrosar.*

desengrudamento. *m.* desengrudamento.

desengrudar. *v. tr.* desgrudar, descolar, despegar, desunir o que estava grudado.

desenhebrar. *v. tr.* desenfiar uma agulha, desengranzar; explicar, desembrulhar, esclarecer.

desenhetrar. *v. tr.* desemaranhar ou desenredar o cabelo.

desenjaezar. *v. tr.* desaparelhar, desarrear uma cavalgadura.

desenjamar. *v. tr.* desalbardar, tirar o enxalmo a uma cavalgadura.

desenlace. *m.* desenlace, desenlaçamento; desenlace, desfecho, desenredo, (Bras.) desenrêdo, solução; deslaçamento; epílogo.

desenlazar. *v. tr.* desenlaçar, desatar os laços, desfazer e soltar o que estava atado com eles; deslaçar; (fig.) solucionar, dar solução a um assunto ou a uma dificuldade; separar, aclarar, desenredar, explicar.

desenlodar. *v. tr.* desenlamear, tirar a lama ou o lodo a uma coisa.

desenlosar. *v. tr.* deslajear, tirar as lajes, descobrir o chão que estava lajeado.

desenmarañar. *v. tr.* desemaranhar, desen-

redar; (fig.) esclarecer; decifrar, desintrincar; desencarapinhar; destecer; desatolar.

desenmascarar. *v. tr.* desmascarar, tirar a máscara; (fig.) desmascarar, descobrir a hipocrisia, dar a conhecer uma pessoa tal como é moralmente; desvendar. — **desenmascararse.** *v. r.* desmascarar-se, dar-se a conhecer.

desenmohecer. *v. tr.* limpar, tirar o mofo, o bolor; desenferrujar.

desenmudecer. *v. intr.* desemudecer, deixar de ser ou estar mudo, recobrar a fala; (fig.) desemudecer, romper o silêncio.

desenojar. *v. tr.* aplacar, acalmar, sossegar, desagastar; desenojar, desenfadar; desenfastiar. — **desenojarse.** *v. r.* desenojar-se. desapaixonar-se, desenfadar-se; desembirrar-se.

desenojo. *m.* desenfado, estado do que está desenfadado, desenojado, desarrufo.

desenraizar. *v. tr.* desenraizar. V. **desarraigar.**

desenredar. *v. tr.* desenredar, desenlear, desembaraçar; (fig.) aclarar, pôr em ordem e sem confusão coisas que estavam desordenadas; destrinçar; desatolar; desimplicar; desintrincar; desenlaçar; desempastar; desencarapelar; desembrulhar; desembaraçar; desmaranhar; (fig.) destecer. — **desenredarse.** *v. r.* (fig.) desenredar-se, sair duma dificuldade ou enredo.

desenredo. *m.* desenredo, (Bras.) desenrêdo, desembaraço, desenredo, desfeixo, solução; desmaranho; desembrulho; desfecho; destriça; (fig.) destecedura.

desenrizar. *v tr.* V. **desrizar.**

desenrollar. *v. tr.* desenrolar uma coisa enrolada, estender o que estava enrolado; desencaracolar; despregar.

desenronar. *v. tr.* desentulhar, tirar o entulho dalgum lugar.

desenroscar. *v. tr.* desroscar, desfazer as roscas; desenroscar, destorcer.

desenrudecer. *v. tr.* fazer perder a rudeza, educar; polir; afinar.

desensamblar. *v. tr.* desconjuntar, desencaixar, tirar fora das junturas, do encaixe; (fig.) descasar.

desensañar. *v. tr.* desassanhar, desencolerizar, fazer passar a ira, o agastamento.

desensartar. *v. tr.* desenfiar, tirar o fio ou linha o que nele estava enfiado.

desensebar. *v. tr.* desengordurar, desensebar, tirar o sebo; tirar a gordura a um bode vivo; (fig.) desenjoar-se, desenfastiar-se, comendo uma coisa saborosa, por cima de alguma coisa gorda ou oleosa. — *v. intr.* (fig.) distrair-se variando o trabalho; desenjoar-se, desenfastiar-se; desengordar, emagrecer. V. **deesngrasar.**

desenseñar. *v. tr.* desensinar, fazer desaprender ou esquecer um ensinamento errado por meio dum corre(c)to.

desensillar. *v. tr.* desselar, tirar a sela ao cavalo.

desentablar. *v. intr.* desentabuar, desfazer o tabuado; (fig.) desfazer algum negócio, perturbar a amizade; desordenar, descompor, alterar a ordem ou compostura dalguma coisa.

desentablillar. *v. tr.* desencravilhar.

desentalingar. *v. tr.* (mar.) destalingar, desfazer as voltas da amarra ou cabo passadas ao anete da âncora, bóia, etc.

desentarimar. *v. tr.* dessolhar, levantar o soalho.

desentenderse. *v. r.* desentender-se, dar-se por desentendido; afe(c)tar ignorância; desinteressar-se; prescindir de tomar parte nalgum negócio. ou assunto; fingir que não entende. — conj. irr. como *entender*.

desentendido, *da. p. p.* e *adj.* que não entende ou finge não entender; desentendido, ignorante: *hacerse el desentendido*, desconhecer, fingir que não se entende.

desenterrado, *da. adj.* e *p. p.* desenterrado, exumado; (pop.) pálido, cadavérico.

desenterrador. *m.* desenterrador, o que desenterra.

desenterramiento. *m.* desenterramento, a(c)to de desenterrar; exumação.

desenterrar. *v. tr.* desenterrar, dessoterrar; desencovar; desenterrar, tirar debaixo da terra, exumar; (fig.) trazer à memória o que estava esquecido e como que sepultado no silêncio.

desentoldar. *v. tr.* destoldar, tirar os toldos; (fig.) desenfeitar, desadornar, tirar o adorno ou compostura a alguma coisa. — **desentoldarse.** *v. r.* destoldar-se.

desentonación. *f.* desentoação. V. **desentono.**

desentonamiento. *m.* desentoação, destoamento. V. **desentono.**

desentonar. *v. tr.* desentonar, humilhar, deprimir alguém; desarmonizar; dessoar. — *v. intr.* (mús.) desentoar, sair do tom; desafinar, desconcordar, desacordar. — **desentonarse.** *v. r.* descomedir-se, levantar a voz, faltando ao respeito.

desentono. *m.* desentoação, desentoamento, desproporção no tom da voz, desafinação; (fig.) tom de voz alto e insolente.

desentornillar. *v. intr.* desaparafusar. V. **destornillar.**

desentorpecer. *v. tr.* desentorpecer, tirar o torpor ou o entorpecimento; reanimar; destorpecer; desencolher; desenferrujar; (pop.) desengrunhir; desembotar; (fig.) desadormecer, desadormentar. — **desentorpecerse.** *v. r.* desentorpecer-se: *desentorpecer las facultades del alma*, desembrutecer.

desentrampar. *v. tr.* (fam.) desempenhar, desendividar, livrar alguém de dívidas, pagar por ele, desobrigá-lo; desencalacrar; (fig.) desencravar. — **desentramparse.** *v. r.* desempenhar-se, livrar-se de dívidas.

desentrañar. *v. tr.* desentranhar, estripar; (fig.) averiguar, penetrar o mais dificultoso e recôndito duma matéria. — **desentrañarse.** *v. r.* (fig.) desentranhar-se, despojar-se em favor dalguém; dar tudo ou fazer tudo por alguém, despojar-se: *desentrañar al-*

go oscuro, deslindar; *desentrañar algo oscuro*, deslindar; *desentrañar algo misterioso*, desintrincar.

desentrenar. *v. tr.* destreinar.

desentristecer. *v. tr.* fazer perder a tristeza, alegrar, desentristecer. — **desentristecerse.** *v. r.* desentristecer-se, alegrar-se; (fig.) desnoitar.

desentronizar. *v. tr.* destronar. V. **destronar;** (fig.) destituir alguém da sua autoridade.

desentumecer. *v. tr.* desentorpecer, tirar o torpor ou entorpecimento a algum membro; descongestionar; desencolher; desembotar; desadormentar; (fig.) desadormecer; **desentumecerse.** *v. r.* desentumecer-se descongestionar-se.

desentumecimiento. *m.* desentorpecimento.

desentumir. *v. tr.* desentorpecer; desencolher. V. **desentumecer.**

desenvainar. *v. tr.* desembainhar, tirar da bainha uma espada ou outra arma branca; (fig.) abrir as garras o animal; (fig. e fam.) descobrir o que está oculto, pôr a descoberto; (agr.) descarolar, descascar: *desenvainar la espada*, arrancar a espada.

desenvelejar. *v. r.* (mar.) desvelar, tirar o velame ao navio.

desenvendar. *v. tr.* V. **desvendar.**

desenvoltura. *f.* (fig.) desenvoltura, desembaraço; desvergonha, desonestidade, principalmente nas mulheres; desenfado, desembaraçamento; desempacho; desencolhimento; agilidade; desafogo, (Bras.) desafôgo; denodo, (Bras.) denôdo; expediente; ardileza; galhofa; galhardia; elegância; despejo; desgarre, facilidade; dicacidade, facilidade em falar: *adquirir desenvoltura*, desatarse; *con desenvoltura*, àgilmente.

desenvolvedor, ra. *adj.* e *s.* desenvolvente, que desenvolve.

desenvolver. *v. tr.* desenvolver, tirar o invólucro, desembrulhar, estender, desenrolar; desenredar, aclarar uma dificuldade, um mistério, um negócio intrincado; expor, explicar um tema, um pensamento; perder o pejo, o acanhamento; alargar; (fig.) desdobrar. **desenvolverse.** *v. r.* desdobrar-se, desenvolver-se; desabrolhar. — conj. irr. como *mover*.

desenvolvimiento. *m.* desenvolvimento; extensão.

desenvuelto, ta. *adj.* e *p. p.* desenvolvido, crescido, aumentado; (fig.) desenvolto, que tem desenvoltura, desembaraçado; galhardo, elegante; despejado; desatado; desempachado; desacanhado; desaforado; fresco (pop.) enformado; (fig.) ágil; *poco desenvuelto*, acanhado.

desenzarzar. *v. tr.* e *r.* desembaraçar das silvas; (fig. e fam.) separar ou aplacar os que brigam.

deseo. *m.* desejo, vontade, apetite, cobiça; co(ô)r; (fig.) cócegas; apetência; eleição; mente; agonia; empenho; aspiração: *según los propios deseos*, a boca que queres; *según los deseos de*, a contento de;

tener buenos deseos, ter bons empenhos; *deseo vehemente*, cobiça, ansiadamente; (fig.) empenho, afe(c)tação; *deseo ardiente*, ânsia, almejo, anelo, anélito, ansiedade; *tener un deseo violento*, arder em desejos; *deseo vivo*, antojo, desiderato, desiderando; *tener deseos de hablar*, ter cócegas na língua; *deseo amoroso*, apetite; *a medida del propio deseo*, a medida do desejo: *deseo inmoderado*, avidez; *deseo intenso*, açodamento; *con deseo*, desejosamente.

deseoso, sa. *adj.* desejoso, que deseja, que apetece, cobiçoso dalguma coisa; cioso; anelante, ansioso, ambicioso; ansioso; (fig.) faminto, famulento; apetitoso; antojado: *pide el deseoso para el codicioso*, pede o guloso para o desejoso.

desequilibrado, da. *adj.* e *p. p.* desequilibrado, que não tem equilíbrio; desorientado; desnorteado; desgravitado; (Bras.) pecém.

desequilibrar. *v. tr.* desequilibrar, fazer perder o equilíbrio; (fig.) desnortear. — **desequilibrarse.** *v. r.* desequilibrar-se.

desequilibrio. *m.* desequilíbrio, falta de equilíbrio; devaneio; desnorteamento.

deserción. *f.* deserção; (for.) abandono da apelação feito pela parte apelante; evasão; defecção.

desertar. *v. tr.* desertar, fugir o soldado ao serviço, militar, abandonar a sua bandeira; (fig. e fam.) abandonar as reuniões que se frequentavam; ausentar-se; desmandar-se.

desértico, ca. *adj.* desértico, despovoado; desértico, diz-se do que é pertencente ou relativo ao deserto; ermo, (Bras.) êrmo; deste(ê)rro; (fig.) estépico.

desertor. *m.* desertor, evadido; desertor, soldado que deserta; (fig. e fam.) o que abandona alguma seita, partido ou sociedade.

deservicio. *m.* desservício, desserviço mau serviço; perfídia; prejuízo.

deservir. *v. tr.* desservir, fazer um desserviço a alguém; desobedecer. — *conj. irr.* como *pedir.*

desescamar. *v. tr.* tirar as escamas.

desescombrar. *v. tr.* desentulhar.

desescombro. *m.* desentulho.

deseslabonar. *v. tr.* V. **deslabonar.**

desespaldar. *v. tr.* e *r.* espaduar, deslocar a espádua.

desespañolizar. *v. tr.* tirar às pessoas ou às coisas o cará(c)ter espanhol.

desesperación. *f.* desesperação, desespero, (Bras.) desespêro, desesperança; (fig.) cólera, raiva, furor, grande impaciência; despeito; indignação: *en la desesperación más profunda*, no auge da desesperação.

desesperado, da. *p. p. adj.* e *s.* desesperado, possuído de desespero; desanimado; arrepelado; derribado da esperança; despeitado; (fig.) derradeiro.

desesperanza. *f.* desalento, desesperança. V. **desesperación.**

desesperanzar. *v. tr.* desesperançar, tirar a esperança, desesperar; exasperar; (fig.)

infernar. — **desesperanzarse.** *v. r.* desatinar-se, banzar; (fig.) arrepelar-se; danar-se.

desesperar. *v. tr. intr.* e *r.* desesperar. V. **desesperanzar.**

desestancar. *v. tr.* desestagnar, deixar livre, o que está estagnado; declarar livre, especialmente certos artigos considerados como monopólio do gove(ê)rno, tais como o tabaco, etc.

desestanco. *m.* desestagnação; desmonopolização.

desestañar. *v. tr.* e *r.* tirar a alguma coisa o estanho com que está soldada ou banhada.

desesterar. *v. tr.* desesteirar, tirar ou levantar as esteiras.

desestero. *m.* dias em que se desesteira.

desestima. *f.* desestimação. V. **desestimación.**

desestimación. *f.* desestimação; desprezo, (Bras.) desprêzo; desconsideração; menosprezo; desvalor; envilecimento.

desestimar. *v. tr.* desestimar, não estimar, despreciar, desapreciar, depreciar; menosprezar; desairar; desconsiderar.

desexcitar. *v. tr.* (electr.) tirar a força elé(c)trica.

desfacedor, ra. *adj.* que desfaz: *desfacedor de entuertos*, (fam.), reparador de injúrias.

desfachatez. *f.* (fam.) desfaçatez, descaramento, desfaçamento, cinismo; desvergonha; impudência; (pop.) frescura; (fig.) desplante.

desfajar. *v. tr.* desenfaixar, tirar a uma pessoa ou coisa a faixa com que estava cingida ou atada. — **desfajarse.** *v. r.* desfaixar-se.

desfalcador, ra. *adj.* e *s.* desfalcador, que desfalca.

desfalcar. *v. tr.* desfalcar, tirar parte de; reduzir, diminuir; defraudar, dissipar; deduzir.

desfalco. *m.* desfalque; dedução.

desfallecer. *v. tr.* desfalecer, causar desfalecimento, diminuir as forças; descair; desmaiar; estroinar. — *v. intr.* enfraquecer, desmaiar, (fig.) fraquejar, fraquear; descoroçoar, desmaiar. — *conj. irr.* como *agradecer.*

desfallecimiento. *m.* desfalecimento, fraqueza; delíquio, desmaio; fadiga; despeito; desmembramento, desmembração; inanição; deperecimento; desconsolo. (Bras.) desconsôlo, desconsolação; exaninação; (pop.) fanico; (Bras.) sapituca: *desfallecimiento moral*, desalento.

desfavorable. *adj.* desfavorável, prejudicial, contrário, adverso; desvantajoso; desdenhoso: *despacho o contestación desfavorable*, indeferimento.

desfavorecer. *v. tr.* desfavorecer, deixar de favorecer, opor-se, contrariar; desajudar; contradizer; favorecer a parte contrária. — *conj. irr.* como *agradecer.*

desfibrado, da. *adj.* e *p. p.* desfibrado.

desfibrador. *m.* desfibrador, máquina para desfibrar.

desfibrar. *v. tr.* desfibrar.

desfibrinar. *v. tr.* desfibrinar, separar a fibrina do sangue.

desfigurable. *adj.* que se pode desfigurar.

desfiguración. *f.* desfiguração; deformidade; deturpação; deformação.

desfigurado, da. *adj.* e *p. p.* deforme, falso; desfigurado; estropeado; desfeito; desafeiçoado.

desfiguramiento. *m.* desfiguramento, desfiguração. V. **desfiguración.**

desfigurar. *v. tr.* desfigurar, alterar a figura ou o aspe(c)to; desafeiçoar; desairar; demudar; contrafazer; afear; desnaturalizar (fig.) desnaturalizar, estropear, despintar; deturpar, alterar; deformar; desmudar; dessemelhar; desassemelhar. — (fig.) encobrir, obscurecer. **desfigurarse.** *v. r.* desfigurar-se, perturbar-se, desencaixar-se, despintar-se; afear-se: *desfigurar las polabras de alguien,* deturpar as palavras dalguém; *desfigurar el significado de algo,* empeçonhar.

desfiladero. *m.* desfiladeiro, passagem estreita entre montanhas, garganta; passagem estreita por onde a tropa tem que marchar, desfilando; apertada; colada.

desfilar. *v. intr.* desfilar, marchar em filas; marchar sucessivamente, suceder-se; (fam.) sairem várias pesoas; uma após outras, dalguma parte.

desfile. *m.* desfile, desfilada; desfile, a(c)to de desfilar: *desfile de trajes,* ensaio de apuro.

desflecar. *v. tr.* franjar, desfiar as barras dum tecido.

desflemar. *v. intr.* (med.) deflegmar; expe(c)torar; escarrar. — *v. tr.* (quím.) desfleumar, tirar ou separar a fleuma dum líquido espirituoso.

desflocar. *v. tr.* franjar, desfiar a barra dum tecido. V. **desflecar.** — *conj. irr.* como *contar.*

desfloración. *f.* desfloração, desfloramento: *desfloración de la virginidad,* estupro.

desfloramiento. *m.* desfloração, desfloramento; desonra; desvirgamento.

desflorar. *v. tr.* desflorar, deflorar, tirar a flor; poluir; (fig.) desonrar, desflorar, desvirgar. V. **desvirgar** (fig.) tratar superficialmente uma coisa; (germ.) descobrir; (Bras.) infelicitar.

desflorecer. *v. tr.* desflorecer, perder as flores; emurchecer; perder o frescor, o brilho; desflorir.

desflorecimiento. *m.* desflorecimento; defloração, desfloração.

desfogar. *v. tr.* desafoguear, dar saída ao fogo; (fig.) desabafar, desafogar, manifestar com veemência uma paixão. — *v. intr.* (mar.) desfazer-se em chuva ou vento uma tempestade: **desfogarse.** *v. r.* desabafar: *desfogar la cólera,* desabafar a sua cólera.

desfogue. *m.* desafogo, desabafo; a(c)ção ou efeito de desfogar ou desfogar-se.

desfondar. *v. tr.* desfundar, tirar ou quebrar o fundo a um vaso ou caixa; (agr.) lavrar profundamente a terra para torná-la mais permeável; (mar.) esburacar o fundo dum navio. — **desfondarse.** *v. r.* desfundar-se.

desfonde. *m.* a(c)ção e efeito de desfundar.

desformar. *v. tr.* deformar, desformar, desenformar; decompor. V. **deformar.**

desfortalecer. *v. tr.* desmantelar, demolir; arrasar as muralhas e fortificações, desguarnecê-las, tirar-lhes a guarnição, desfortificar; desfortalecer. — *conj. irr.* como *agradecer.*

desfortificar. *v. tr.* desfortalecer, desfortificar, tirar as fortificações.

desfosforar. *v. tr.* (quím.) tirar ou eliminar o fósforo duma matéria.

desforzarse. *v. r.* desforçar-se, desforrar-se.

desfrenar. *v. tr.* desenfrear. V. **desenfrenar.**

desfruncir. *v. tr.* despregar, desfazer as pregas. V. **desplegar.**

desfrutar. *v. tr.* desfrutar, colher o fruto da planta antes da maturação.

desgaire. *m.* desalinho afe(c)tado, desgaira; desdém: *al desgaire,* com negligência.

desgajadura. *f.* (agr.) a(c)ção de escachar ou desgalhar um ramo de árvore na sua inserção com o tronco, esgalha.

desgajar. *v. tr.* escachar, desgalhar, arrancar, separar com violência um ramo da árvore. — **desgajarse.** *v. r.* quebrar, fender, romper, despedaçar; (fig.) desprender-se, afastar-se, arrancar-se.

desgaje. *m.* a(c)ção e efeito de desgalhar, ou escachar, escachamento.

desgalgadero. *m.* penhascal em ladeira; precipício V. **despeñadero.**

desgalgar. *v. y tr.* desgalgar, despenhar. V. **despeñar.**

desgana. *f.* inapetência, fastio, falta de apetite para os alimentos; (fig.) falta de aplicação, tédio, desgosto ou repugnância por alguma coisa; (prov.) aflição, angústia, desmaio; apatia; indiferença: *con desgana,* apàticamente.

desganado, da. *adj.* e *p. p.* apático.

desganar. *v. tr.* enfastiar, causar tédio, enfado, aborrecimento. — **desganarse.** *v. r.* perder o apetite; (fig.) desgostar-se, cansar-se.

desganchar. *v. tr.* desgalhar, desramar, desfilhar, tirar ou arrancar os ramos das árvores. — **desgancharse.** *v. r.* desgalhar-se.

desgañitarse. *v. r.* (fam.) esganiçar-se, esforçar-se violentamente, gritando; enrouquecer, pôr-se rouco por gritar ou falar muito.

desgarbado, da. *adj.* desgracioso, desajeitado, desalinhado.

desgargantarse. *v. r.* esganiçar-se, enrouquecer. V. **desgañitarse.**

desgargolar. *v. tr.* debulhar, sacudir o cânhamo depois de se(ê)co para separar a linhaça; tirar dos seus encaixes uma peça de madeira.

desgaritar. *v. intr.* desgarrar, extraviar-se, perder o rumo. — **desgaritarse.** *v. r.* desgarrar-se o animal. — *v. tr.* (fig.) desistir da ideia ou tentativa que se tinha começado.

desgarrado, da. *adj.* e *p. p.* e *s.* desgarrado, dissoluto, escandaloso; descarapuçado; desbarretado; (Bras.)) amolambado.

desgarrador, ra. *adj.* e *s.* despedaçador, dilacerador, que rasga, que despedaça, que dilacera; farpante; atassalhador.

desgarradura. *f.* derriço; atassalhadura.

desgarramiento. *m.* despedaçamento, desgarrão.

desgarrar. *v. tr.* rasgar, dilacerar, farpar, farrapar, esfarrapar; despedaçar; (fig.) V. **esgarrar.** — **desgarrarse.** *v. r.* (fig.) apartar-se, separar-se, fugir da companhia doutrem.

desgarro. *m.* rompimento, ruptura, dilaceração; (fig.) arrojo, desvergonha, descaramento; fanfarronice; bravata.

desgarrón. *m.* rasgão, de vestido ou doutra coisa semelhante; farrapo, tira do vestido que se rasgou; farpa.

desgastado, da. *adj.* e *p. p.* desgastado: *desgastado por el uso o el roce*, desgasto, desgaste.

desgastamiento. *m.* desgaste, gastamento, gasto.

desgastar. *v. tr.* desgastar, consumir pelo uso, gastar a pouco e pouco; (fig.) perverter, viciar. — **desgastarse.** *v. r.* (fig.) enfraquecer, perder a força, fraquejar; adelgaçar; mermar; (fig.) corroer: *desgastar una piedra preciosa*, descravejá-la, descravá-la.

desgaste. *m.* desgaste, desgasto, desgatamento; erosão, corrosão: *que se desgasta*, edace; *fuerza que desgasta lentamente*, edacidade; *desgaste de las rocas*, degradação; *desgaste por el uso*, detri(c)ção.

desgaznatarse. *v. r.* (fam.) esganiçar-se, enrouquecer. V. **desgargantarse.**

desglobulizar. *v. intr.* desglobulizar.

desglosar. *v. tr.* suprimir as notas interpretativas a algum escrito; (for.) suprimir fo(ô)lhas de autos; separar um impresso doutros com os quais está encadernado.

desglose. *m.* a(c)ção e efeito de *desglosar;* supressão.

desgobernado, da. *adj.* desgovernado, perdulário, aplica-se à pessoa que se governa mal; desordenado; (mar.) desgovernado, sem leme ou temão.

desgobernadura. *f.* (vet.) desgovernadura, deslocação dos ossos.

desgobernar. *v. tr.* desgovernar, transtornar, destruir, perturbar a boa ordem ou a administração; deslocar, desconjuntar os ossos; (mar.) governar mal um navio.— **desgobernarse.** *v. r.* desgovernar-se, desengouçar-se; (fig.) afe(c)tar-se nos movimentos, quer andando, quer dançando. — *conj. irr.* como *acertar.*

desgobierno. *m.* desgove(ê)rno, mau gove(ê)rno, desordem, má administração; (vet.) desgove(ê)rno, desgovernadura. V. **desgobernadua;** deslocação dos ossos.

desgoznar. *v. tr.* desengonçar, tirar dos en-

gonços; desquiciar. — *v. r.* (fig.) desengonçar-se, desconjuntar-se, fazer movimentos violentos e fora do natural.

desgracia. *f.* desgraça, infelicidade, desdita, desastre; desventura, infortúnio; descalavro; acidente; funestação, desfortuna; desaventura, azar, desar; despeito; galinhaço; (fig.) barranco; desgracia, (pop.) galinha; (ant.) coita; (pop.) desinfelicidade; contraste da fortuna; desgracia, falta de graça; (Bras.) malamba: *caer uno en desgracia*, (fig. e fam.) perder o carinho e a consideração com que outrem o tratava; *por desgracia*, ainda mal; *las desgracias nunca vienen solus*, uma desgraça alcança outra, nunca uma desgraça vem só; *estado de desgracia*, aperto; *caer en desgracia*, desprivar; cair em desgraça; *caer, incurrir en la desgracia de alguien*, cair, incorrer na desgraça dalguém; *desgracia continua*, desgraceira; (pop.) macaca; *exagerar la propia desgracia*, chorar-se; *gran desgracia*, (fig.) despenhadeiro; *lamentar una desgracia*, desgraciar, desgraçar; *por desgracia*, por desgraça; *desgracia pública*, desastre; *la desgracia purifica la virtud*, a desgraça afina a virtude; *ser origen de desgracias*, trazer o diabo no ventre; *presagiar desgracias*, ter azar com; *suceder desgracias*, estar o diabo à solta.

desgraciado, da. *adj. p. p.* e *s.* desgraçado, infeliz, desditoso; desafortunado; empecadado; astroso; desventurado; desventuroso, inditoso; infausto, infortunado; minguado; desditado; desastroso, fúnebre, funesto; amesquinhado; amofinado; coitado; desastrado; desvalido; desprotegido; desaventurado; (pop.) desinfeliz; (Bras.) desgranido: *hacer a alguien desgraciado*, desgraçar; infortunar; *individuo desgraciado en los negocios*, (pop.) galinha; *ser muy desgraciado*, não ver bóia; *volver a alguien desgraciado en los negocios* (Bras.) encaiporar; *muy desgraciado*, coitadinho.

desgraciar. *v. tr.* desagradar, descontentar, desgostar; desgraçar; deitar a perder uma pessoa ou coisa ou impedir o seu desenvolvimento; estragar; desventurar; infelicitar; infortunar; funestar; desastrar; (fig.) despenhar. — **desgraciarse.** *v. r.* desgraçar-se, desavir-se, pôr-se em desacordo, discordar, indispor-se; perder o favor ou a estima dalguém; (ant.) adoecer, malograr-se.

desgraduar. *v. tr.* desgraduar, degradar; rebaixar, humilhar.

desgramar. *v. tr.* desgramar, desrelvar, escalrachar, arrancar a grama ou o escalracho dum campo.

desgranador, ra. *adj.* e *s.* (agr.) debulhador, que tira as sementes ou bagulhos, que desbagoa ou bagulha; debulhadeira; desengaçadeira; descaroçador, desengaçador.

desgranadura. *f.* (agr.) debulha.

desgranamiento. *m.* (agr.) debulha, debulho; (artil.) estrias formadas pela pólvora na alma das peças de fogo.

desgranar. *v. tr.* debulhar; desbagoar; desengaçar; esbagoar; (prov.) debagar; (agr.) debulhar, descaroçar; (artil.) peneirar a pólvora. — **desgranarse.** *v. r.* desgastar-se ou consumir-se pouco a pouco o ouvido duma peça de artilharia; soltarem-se as peças engranzadas (contas dum colar, etc.); desengranzar, desengrazar, desfiar-se; (agr.) debulhar-se, esbagoar-se, descascar: *desgranarse las espigas*, descabeçar-se; *desgranar la uva*, esbagulhar.

desgrane. *m.* debulha; debagamento; desengaço; descascamento; (agr.) descaroçamento.

desgranzar. *v. tr.* (agr.) desengrainhar; cirandar, joeirar; crivar; (pint.) triturar, moer, pisar pela primeira vez as tintas.

desgrasar. *v. tr.* desengordurar, desensebar, (as lãs ou os tecidos que daquelas se fabricam), desengraxar.

desgrase. *m.* desengorduramento.

desgravación. *f.* desgravamento.

desgravar. *v. tr.* reduzir os direitos aduaneiros ou alfandegários ou us impostos *sobre* determinados obje(c)tos, desagravar: *desgravar las hipotecas*, expurgar as hipotecas.

desgreñar. *v. tr.* desgrenhar, despentear, soltar os cabelos; estopetar; desguedelhar, descabelar, desgadelhar, desencabelar; desmelenar. — **desgreñarse.** *v. r.* descabelar-se, desgrenhar-se.

desguace. *m.* (mar.) desmantelamento, parcial ou total, dum navio; despedaçamento.

desguarnecer. *v. tr.* desguarnecer, tirar o que guarnece ou adorna alguma coisa; desarmar (uma praça forte, um castelo, etc.); tirar aquilo que è necessário para o uso de um instrumento mecânico, como o cabo a um martelo, etc.; despovoar; descobrir; desenfeitar; desornar; desaparelhar: *desguarnecer una fortaleza*, desfortalecer.

desguarnecido, da. *adj.* e *p. p.* desornado, desguarnecido; indefenso: *quedar desguarnecida una parte del cuerpo*, (esgr.) descobrir-se.

desguarnir. *v. tr.* (mar.) desguarnecer, desmantelar, tirar do cabrestante as voltas do virador, a corrente de âncora, etc.; desaparelhar um navio.

desguazar. *v. tr.* desbastar um madeiro com o machado ou a enxó; (mar.) desmantelar, despedaçar, demolir um navio, desfazê-lo total ou parcialmente.

deshabitado, da. *adj.* e *p. p.* desabitado, diz-se do edifício ou lugar que esteve habitado e já não o está; inabitado; despovoado; desabitado; devoluto; (fig.) agreste.

deshabitar. *v. tr.* desabitar, deixar ou abandonar a habitação; desabitar, despovoar,

deixar sem habitantes uma povoação ou um território, tornar despovoado.

deshabituación. *f.* desabituação, desábito, falta de hábito.

deshabituar. *v. tr.* desabituar, fazer perder o hábito; desabituar, desusar. — **deshabituarse.** *v. r.* desabituar-se.

deshacedor, ra. *adj.* e *s.* desfazedor, que desfaz; demolidor; desmanchador: *deshacedor de agravios*, vingador de agravos, reparador de afrontas, desforçador.

deshacer. *v. tr. intr* e *tr.* desfazer, romper, desmanchar, destruir o que está feito; demolir, despedaçar; desatar; desbaratar; desmoronar; devastar; desgastar, atenuar; delir; arrombar; desvanecer, esvaecer; desajustar; arruinar; (fig.) desmandar; estrampalhar (pop.); (prov.) estrambalhar; (burl.) derrear; axorar (fig.); estracinhar; abismar; desgovernar; estrinçar; desabraçar; desgastar, derrotar, romper, pôr em fuga um exército ou tropa; dividir, partir, despedaçar; delir, desfazer um líquido; (fig.) alterar, descompor, desarranjar, anular um tratado ou negócio; **deshacerse.** *v. r.* desbaratar-se, desordenar-se, dissipar-se; (fig.) afligir-se muito, consumir-se; desaparecer da vista, esvanecer-se; trabalhar com afinco; aleijar-se, maltratar-se gravemente; (fig.) enfraquecer-se, extenuar-se, desfazer-se duma coisa: *deshacer entuertos*, (fig.) desforçar; *deshacer una intriga*, destecer uma intriga; *deshacerse los hocicos*, (fam.) enfraquecer-se, extenuar-se; *deshacer un error*, desfazer um e(ê)rro *hacer y deshacer*, fazer e desfazer; *deshacerse como el humo*, (fig.) desfazer-se como o fumo; *deshacerse una cosa entre las manos* (fam.) desfazer-se uma coisa entre as mãos; *deshacerse en cumplidos*, desfazer-se em comprimentos; *deshacerse en excusas*, desfazer-se em desculpas. — *conj. irr.* como *hacer*.

desharrapado, da. *adj.* e *s.* esfarrapado, ro(ô)to, andrajoso; descamisado; (fig.) entrapado.

desharrapamiento. *m.* miséria, mesquinhez.

deshebillar. *v. tr.* desfivelar, desafivelar, desapertar, tirando a fivela; desflegmar.

deshebrar. *v. tr.* desfiar um tecido; (fig.) desfazer uma coisa em partes muito finas.

deshechizar. *v. tr.* desenfeitiçar, desfazer o feitiço ou malefício; desembruxar.

deshecho, cha. *adj.* e *p. p.* desfeito, furioso, violento, impetuoso, diz-se da tormenta ou temporal; desfeito, delido, desvastado, fundido; desfeito, destroçado, derrotado, arruinado; (fig.) empandeirado; desfeito, (pop.) estropalho; desfeito, esvaecido, desvanecido: *deshecha la bitadura* (mar.) desabitado; *deshecho de la sociedad* (vulg.) merdalha, merdeiro; *deshecho de los granos*, alimpadura.

deshelar. *v. tr.* degelar, descongelar, derreter o ge(ê)lo; descoalhar. — **deshelarse.** *v.*

r. descongelar-se. — *conj. irr.* como *acertar.*

desherbar. *v. tr.* mondar, arrancar as ervas ruins. — *conj. irr.* como *acertar.*

desheredación. *f.* deserdação, deserdamento; (dro.) arrede.

desheredamiento. *m.* V. **desheredación.**

desheredar. *v. tr.* deserdar, excluir alguém da herança que por sucessão lhe tocava; exerdar; (ant.) avendar. — *v. r.* (fig.) deserdar-se; afastar-se e diferenciar-se da sua família, por procedimento indigno.

deshermanar. *v. tr.* (fig.) desirmanar, separar o que estava irmanado, desemparelhar. — **deshermanarse.** *v. r.* desirmanar-se, faltar à amizade fraternal.

desherradura. *f.* (vet.) contusão que a cavalgadura sofre no casco por ter estado desferrada.

desherrar. *v. tr.* desalgemar, tirar as algemas ou grilhões a um preso; desferrar, tirar as ferraduras (a um cavalo, etc.); desavagar. — **desherrarse.** *v. r.* desaferrar-se. *conj. irr.* como *acertar.*

desherrumbamiento. *m.* desenferrujamento.

desherrumbrar. *v. tr.* desenferrujar, tirar a ferrugem.

deshidratación. *f.* desidratação.

deshidratar. *v. tr.* (quím.) desidratar, tirar a um corpo hidratado a água que nele se contém.

deshidrogenación. *f.* (quím.) desidrogenação.

deshidrogenar. *v. tr.* (quím.) desidrogenar.

deshielo. *m.* desge(ê)lo, dege(ê)lo, descongelação; descoalho; desnevado.

deshierba. *f.* V. **desyerba.**

deshilachado, da. *adj.* desfiado.

deshilachar. *v. tr.* desfiar, desfazer um tecido, desfiando-o.

deshiladora. *f.* desfiladora, máquina empregada nas fábricas de papel.

deshiladura. *f.* desfiadura.

deshilar. *v. tr.* desfiar um tecido, franjar; desfibrar; desfilhar o cortiço, tirar-lhe parte das abelhas para formar outro enxame; (fig.) reduzir a fios alguma coisa. — *v. intr.* V. **ahilar,** emagrecer, enfraquecer. **deshilarse.** *v. r.* desfiar-se.

deshilo. *m.* a(c)ção de desfilar o cortiço.

deshilvanar. *v. tr.* desalinhavar, desfazer o que está alinhavado, tirar os alinhavos. — **deshilvanarse.** *v. r.* desalinhavar-se.

deshincadura. *f.* arrancamento, arrancada.

deshincar. *v. tr.* e *r.* arrancar o que está fincado ou cravado.

deshinchadura. *f.* desinchação; desinflamação.

deshinchamiento. *m.* desinchação. V. **deshinchadura.**

deshinchar. *v. tr.* desinchar, tirar a inchação, desinflamar; desintumecer; desencher; (fig.) desafogar a cólera ou o aborrecimento.— **deshincharse.** *v. r.* desinchar-se, desinflamar-se, desintumecer-se; desinchar-se, deixar de estar inchado; (fig.) e (fam.) perder a vaidade.

deshipnotizar. *v. tr.* desipnotizar, tirar a hipnose.

deshipotecar. *v. tr.* desipotecar, cancelar, retirar a hipoteca.

deshoja. *f.* V. **deshojadura.**

deshojadura. *f.* desfolhadura, desfolha, desfolhamento; desfolhação; desfoliação.

deshojar. *v. tr.* desfolhar, tirar, colher as fo(ô)lhas. — **deshojarse.** *v. r.* desfolhar-se: *deshojar las vides,* desparrar.

deshoje. *m.* desfolha, desfolhadura, desfolho, desfolhamento, desfolhação; desfolha, queda das fo(ô)lhas: *deshoje de las vides,* desparra.

deshollejar. *v. tr.* esfoliar, descascar, tirar o folhelho nos frutos e às árvores.

deshollinadera. *f.* V. **deshollinador,** vassoura para limpar chaminés.

deshollinador, ra. *adj.* e *s.* vasculhador, que vasculha ou limpa (diz-se do limpa-chaminés); (fig. e fam.) que repara e olha com curiosidade, reparador, observador. — *m.* limpa-chaminés, obje(c)to para limpar as chaminés dos fogões; vassoura comprida, para limpar e espanar te(c)tos e paredes; raspadeira.

deshollinar. *v. tr.* vasculhar, limpar as chaminés, tirando-lhes a fuligem; (por ext.) limpar os te(c)tos e paredes; (fig. e fam.) observar, mirar, olhar com curiosidade e atenção, reparar.

deshonestarse. *v. r.* desonestar-se, perder nas a(c)ções, a gravidade e o deco(ô)ro devidos, pecar contra a honestidade.

deshonestidad. *f.* desonestidade; lubricidade, impudícia, dito ou a(c)ção desonesta; impureza; imundícia; impudor; indecoro; descompostura; indecência.

deshonesto, ta. *adj.* desonesto; indecoroso; indigno; indecente; impúdico, impudente; descomposto; imodesto; lascivo; (ant.) grosseiro, descortês, incivil.

deshonor. *m.* desonra; descrédito; desconsideração; ofensa grave, perda da honra ou reputação; coisa desonrosa; (fig.) deslustre; enxovalho; mácula, afronta, injúria, infâmia, ultraje.

deshonrar. *v. tr.* desonrar, tirar a honra a; difamar; exonerar; desonerar, privar de dignidade ou emprego.

deshonra. *f.* desonra, perda da honra, da reputação; descrédito; desconsideração; a(c)ção desonrosa; denigração; aviltamento; desautoração; menoscabo; estigma; mácula; enxovalho; (fig.) desclassificação; deslustre; infamação.

deshonrador, ra. *adj.* e *s.* desonrador que desonra; detractor.

deshonrar. *v. tr.* desonrar, tirar a honra; infamar; desacreditar; deslustrar; denigrar; aviltar; menoscabar; desonestar; estigmatizar; macular; injuriar, infamar, escarnecer; desprezar; degradar; enxovalhar; (pop.) desflorar, violar uma mulher, estuprar, seduzir; ludibriar; — **deshonrarse.** *v. r.* desonrar-se, desonestar-se.

deshonrible. *adj.* (fam.) desprezível e sem vergonha.

deshonroso, sa. *adj.* desonroso, afrontoso, indecoroso, indecente, denigrativo; indecoroso; aviltante, infamante; deslustroso; degradante; vergonhoso.

deshora. *f.* desoras, tempo inoportuno ou não conveniente: *a deshora*, a desoras, inoportunamente; de repente, intempestivamente.

deshornar. *v. tr.* desenfornar. V. **desenhornar.**

deshospedamiento. *m.* recusa de hospitalidade.

deshuesar. *v. tr.* desossar, tirar os ossos a um animal; descaroçar, tirar o caroço à fruta.

deshumanización. *f.* desumanização.

deshumanizar. *v. tr.* desumanizar, tornar desumano. — **deshumanizarse.** *v. r.* desumanizar-se.

deshumedecer. *v. tr.* dessecar, tirar a humidade, tornar seco. — *conj. irr.* como **crecer.**

desiderable. *adj.* desejável, digno de ser desejado ou apetecido, apetecível.

desiderátum. *m.* desiderato, aquilo que se deseja, aspiração.

desidia. *f.* desídia, indolência, negligência, inércia, indiligência; descuriosidade; incúria; mimo; froixeza, froixidão; abandonamento, abandono, negligência; preguiça; apatia; moleza.

desidioso, sa. *adj.* desidioso, preguiçoso; indolente; negligente; ocioso; inerte; descuidado; (fig.) froixo.

desierto, ta. *adj.* deserto, despovoado, inabitado, solitário, e(ê)rmo; pouco frequentado, leilões em que niguém toma parte; desamparado; descampado; devastado; desfrequentado; ermo. — *m.* deserto, país inabitado, abandonado, inculto; despovoação; descampado; deserto, ermo, ermação, mento; (fig.) eremitério; (for.) deserção da apelação pelo apelante: *predicar en el desierto*, (fig. e fam.) falar no deserto, não ser escutado ou seguido nos próprios exemplos.

designable. *adj.* que pode ser designado.

designación. *f.* designação; indicação; escolha; nome; indigitamento; eleição.

designar. *v. tr.* designar, formar desígnio ou propósito; apontar; assinalar; significar; nomear; escolher; determinar; destinar uma pessoa ou coisa para determinado fim; indicar; mostrar, significar; denominar; eleger; apresentar; indigitar; assumir.

designativo, va. *adj.* designativo, designador; que indica; característico.

designio. *m.* desígnio, pensamento ou propósito do entendimento, aceite pela vontade, intuito, ânimo; empre(ê)sa; destino; (fig.) decreto, desenho, debuxo; intento, ide(ê)ia; proje(c)to; determinação: *los designios de la Providencia*, os decretos da Providência.

desigual. *adj.* desigual, que não é igual; diferente; variável; irregular; diverso; desproporcionado; barrancoso, acidentado, que tem quebradas, ladeiras e costas; dessemelhante; desirmão, desirmanado;

(fig.) árduo, grande, dificultoso, escabroso; desconforme; assimétrico; dessimétrico, desproporcionado, desproporcional; áspero, agro; inconstante, vário (diz-se do tempo, do génio, etc.): *estar de un humor desigual*, ter dias.

desigualar. *v. tr.* desigualar, tornar desigual, estabelecer diferença entre; desigualar, desirmanar, destruir a igualdade; desproporcionar; desemparelhar; desemparceirar; desajustar. — **desigualarse.** *v. r.* avantajar-se, exceder, levar vantagem, preferir-se, adiantar-se.

desigualdad. *f.* desigualdade, qualidades de desigual; diferença; irregularidade; variabilidade; (mat.) desigualdade; aspereza, escabrosidade dum terreno; desigualdade, discrepância, diferença, disparidade; desigualdade, inconstância; injustiça; improporção; desconformidade; dessemelhança.

desilusión. *f.* desilusão, carência ou perda das ilusões; decepção; desencorajamento; desencantação, desencantamento; desengano; desabuso; desapontamento.

desilusionar. *v. tr.* desiludir, tirar a ilusão; desenganar; causar decepção; desimpressionar; desencantar; desencorajar; desengodar; desapontar; desabusar. — **desilusionarse.** *v. r.* desiludir-se; desenganar-se frustar-se; sofrer uma decepção: *desilusionar a alguien*, mentir as esperanças a alguém.

desimaginar. *v. tr.* desimaginar, tirar da imaginação, da ideia, despersuadir; dissuadir, varrer da imaginação.

desimanación. *f.* desimanação.

desimanar. *v. tr.* desimanar.

desimantación. *f.* desimanação, desmagnetização.

desimantar. *v. tr.* desimanar, fazer perder a imanização, desmagnetizar.

desimponer. *v. tr.* (impr.) desimpor, levantar as páginas duma forma e impor a, outra. — *conj. irr.* como **poner.**

desimpresionar *v. tr.* desenganar, tirar alguém do erro em que estava; desimpressionar, despreocupar, fazer desvanecer uma impressão moral a.

desinclinar. *v. tr.* desinclinar, fazer perder a inclinação, o afecto, etc., desafeiçoar; aprumar.

desincorporación. *f.* desincorporação.

desincorporar. *v. tr.* desincorporar, separar o que estava incorporado. — **desincorporarse.** *v. r.* desincorporar-se, separar-se.

desincrustar. *v. tr.* tirar a crusta; desincrustar, tirar as incrustações.

desinencia. *f.* (gram.) desinência; terminação das palavras flexivas.

desinencial. *adj.* (gram.) desinencial, relativo à desinência.

desinfartar. *v. tr.* (med.) desenfartar, resolver um enfarte.

desinfatuar. *v. tr.* desenfatuar, tirar a enfatuação.

desinfección. *f.* desinfe(c)ção; anti-sepsia.

desinfeccionar. *v. tr.* (incor.) V. **desinfectar.**

desinfectante. *p. a. adj.* e *m.* desinfe(c)tante, que desinfecta; substância que desinfecta; anti-séptico; microbicida.

desinfectar. *v. tr.* desinfe(c)tar, desinfe(c)cionar; sanear; (pop.) sair de um lugar onde se incomoda alguém. — **desinfectarse.** *v. r.* desinfectar-se, purificar-se; livrar-se da infecção: *desinfectar de parásitos,* despiolhar; *desinfectar con azufre,* enxofrar.

desinfectorio. *m.* desinfe(c)tório, lugar onde se fazem as desinfecções.

desinficionar. *v. tr.* desinfe(c)tar, desinfeccionar. V. **desinfectar.**

desinflamación. *f.* desinflamação.

desinflamar. *v. tr.* desinflamar, fazer desaparecer a inflamação. — **desinflamarse.** *v. r.* desinflamar-se.

desinflar. *v. tr.* desinchar, desfazer a inchação de; tirar dum corpo o ar ou gás que o incha; (fig.) abater o orgulho.

desinsaculación. *f.* escrutínio.

desinsacular. *v. tr.* tirar as bolas da urna ou dum saco, para uma votação.

desinsectación. *f.* destruição dos insectos ou parasitas.

desinsectar. *v. tr.* destruir os insectos ou parasitas.

desintegración. *f.* desintegração; descomposição; separação; *desintegración atómica,* desintegração atómica; *desintegración nuclear,* desintegração nuclear; *desintegración en cadena,* desintegração em cadeia.

desintegrador, ra. *adj.* e *s.* desintegrador, o que desintegra ou desfaz a integridade dum todo.

desintegrar. *v. tr.* desintegrar, decompor um todo pela separação dos elementos que o integram. — **desintegrarse.** *v. r.* desintegrar-se, desagregar-se.

desinteligencia. *f.* desinteligência, discrepância, desacordo; dissenção.

desinterés. *m.* desinter(ê)sse, desape(ê)go, desprendimento; abnegação; generosidade, altruismo; imparcialidade; indiferença, frialdade; desambição; desinteresse, pureza, integridade, probidade.

desinteresado, da. *adj.* desinteressado, que não é interesseiro, desprendido; indiferente; desapegado; desviado; desambicioso, altruista.

desinteresar. *v. tr.* desinteressar. — **desinteresarse.** *v. r.* desinteressar-se, perder alguém o interesse que tinha por uma coisa; abnegar-se.

desintestinar. *v. tr.* desintestinar, estripar, tirar os intestinos.

desinvernar. *v. intr.* desinvernar, deixarem as tropas os quartéis de inverno. — *v. tr.* desinvernar. — *conj. irr.* como **acertar.**

desistencia. *f.* desistência. V. **desistimiento.**

desistir. *v. intr.* desistir, ceder, abandonar, renunciar a um intento ou empresa; deixar; cortar por si; desaferrar-se; declinar, desistir, descer-se; (fig.) acuar; (ant.) delirar; meter-se na baralha: *hacer desistir* (fig.), desamarrar; *desistir de,* abrir

mão de; *desistir de algo,* desabrir mão com alguma coisa.

desjarretadera. *f.* cutelo para cortar os jarretes dos toiros ou das vacas.

desjarretar. *v. tr.* desjarretar, dejarretar, cortar o jarrete a.

desjarrete. *m.* acção e efeito de *desjarretar.*

desjugar. *v. tr.* e *r.* sugar, tirar o suco; exprimir.

desjuntamiento. *m.* disjunção, divisão; separação.

desjuntar. *v. tr.* desjuntar, dividir, separar, desunir; despegar. — **desjuntarse.** *v. r.* desjuntar-se, separar-se.

deslabonar. *v. tr.* deslaçar os elos duma corrente; (fig.) desunir e desfazer uma coisa. — **deslabonarse.** *v. r.* (fig.) desligar-se da companhia doutrem.

desladrillar. *v. tr.* desladrilhar, tirar os tijolos, os ladrilhos. V. **desenladrillar.**

deslamar. *v. tr.* desenlamear, tirar a lama.

deslastrar. *v. tr.* deslastrar, tirar o lastro.

deslastre. *m.* (mar.) deslastre, deslastramento.

deslavadura. *f.* deslavamento.

deslavar. *v. tr.* lavar superficialmente qualquer coisa; deslavar, fazer perder a cor, desbotar; dessubstanciar, tirar a força e vigor.

deslavazar. *v. tr.* deslavar. V. **deslavar.**

deslazamiento. *m.* deslaçamento, desenlaçamento.

deslazar. *v. tr.* deslaçar, desenlaçar.

desleal. *adj.* e *s.* desleal, que procede sem lealdade; inconfidente; infiel; aleivoso; falso; atraiçoado; atraiçoador; desleal, ingrato; (fig.) atravessado: *ser desleal,* atraiçoar, desservir, falir.

deslealtad. *f.* deslealdade, falta de lealdade; desconhecimento; infidelidade; desserviço; ingratidão; inconfidência.

deslechar. *v. tr.* deslechar, separar o leite da manteiga; (prov.) tirar ao bicho-da-seda os desperdícios das folhas.

deslechugar. *v. tr.* (agr.) mondar as videiras; desfolhar; desfilhar; podar as árvores que têm fruto quando se aproxima a maturação.

deslechuguillar. *v. tr.* V. **deslechugar.**

desleidura. *f.* diluição, dissolução. V. **desleimiento.**

desleimiento. *m.* dissolução, diluição, diluimento.

desleír. *v. tr.* dissolver, diluir, delir; fundir; (fig.) desatar. — **desleírse.** *v. r.* exprimir uma ideia ou um conceito, com excesso de palavras, de modo que resulte desmaiado e frio. — *conj. irr.* como *reír.*

deslendrar. *v. tr.* deslendear, limpar de lêndeas. — *conj. irr.* como *acertar.*

deslenguamiento. *m.* (fig. e fam.) deslinguamento, desbocamento, maledicência.

deslenguar. *v. tr.* deslinguar, tirar ou cortar a língua. — **deslenguarse.** *v. r.* (fig. e fam.) desbocar-se, desavergonhar-se.

desliar. *v. tr.* desaliar, desligar, desatar (um embrulho, etc.,) desenfeixar. — **desliarse.** *v. r.* desligar-se.

desligado, da. adj. e p. p. desatado, desligado, desconchavado; destacado; avulso; desanexo; (fig.) desatado.

desligadura. f. desligadura, desligação, desligamento; desvinculação; desatamento; desatadura.

desligar. v. tr. desligar, desamarrar, desatar, soltar as ligaduras ou amarras; desunir; desempastar desliar; desprender; desvincular; descompaginar; (fig.) desenredar uma coisa não material, destrinçar, desemparelhar; desconjugar; descometer; desimplícar. — **desligarse.** v. r. desligar-se, desprender-se, desatar-se; desatrelar-se; desobrigar-se: *desligar de una obligación*, absolver, desligar, desonerar, desobrigar; *desligarse de un voto o promesa*, absolver.

deslindador. m. deslindador, deslindamento, deslinde.

deslindamiento. m. deslindamento, deslindação, deslinde.

deslindar. v. tr. deslindar, demarcar, limitar, delimitar; descaroçar; deslindar as terras, extremar; (fig.) destrincar, aclarar.

deslinde. m. deslinde, deslindamento, deslindação.

desliñar. v. tr. limpar as impurezas do pano, antes de ir para a prensa.

deslío. m. trasfega, separação das borras do vinho novo.

desliz. m. deslize, escorregamento, deslizamento; (fig.) falta, descuido, e(é)rro, deslize; (fig.) fraqueza.

deslizable. adj. escorregadio, escorregadiço, que pode resvalar, escorregável.

deslizadero, ra. adj. e m. resvaladiço; resvaladoiro, deslizadeiro. V. **deslizadizo.**

deslizamiento. m. deslizamento, deslize, escorregamento: *deslizamiento de un coche* (neol.), derrapagem.

deslizar. v. intr. deslizar, resvalar, escorregar. — **deslizarse.** v. r. (fig.) dizer ou fazer uma coisa impensadamente; evadir-se; fraquejar, cair em falta; deslizar: *deslizarse sobre el hielo*, deslizar no caramelo; *deslizarse un coche*, derrapar.

desloar. v. tr. deslouvar, vituperar, repreender, admoestar, censurar. V. **vituperar.**

deslomadura. f. derreamento dos lombos.

deslomar. v. tr. deslombar, derrear, maltratar os lombos; deslombar, alombar, derreñgar; desancar. — **deslomarse.** v. r. derrear-se.

deslucido, da. adj. e p. p. desluzido (fig.) desluzido, diz-se de quem não tem luzimento; desluzido, deslustrado, desvidrado, deslustroso, sem brilho; eclipsado; desgracioso.

deslucimiento. m. desluzimento, falta de luzimento; deslustre; empanamento.

deslucir. v. tr. desluzir, deslustrar, ofuscar, tirar a graça, atractivo ou lustre a uma coisa; despolir; empanar; emurchecer; desbotar, desairar; desprimorar; anuviar; eclipsar; (fig.) difamar. V. **desacreditar.** — **deslucirse.** v. r. desluzir-se, deslustrar-se.

deslumbrador, ra. adj. deslumbrador, que deslumbra; deslumbroso, estelante, deslumbrante.

deslumbramiento. m. deslumbramento, ofuscação da vista pela luz repentina; (fig.) preocupação, cegueira do entendimento, alucinação.

deslumbrar. v. tr. deslumbrar, ofuscar a vista pela acção da muita luz ou luz repentina; (fig.) deslumbrar, deixar duvidoso, incerto, confuso, funestar, encantar, estontear; (fig.) faiscar, encandear, deslumbrar, entrevar; abalar. — **deslumbrarse.** v. r. deslumbrar-se: *la luz deslumbra los ojos*, a luz abala os olhos; *deslumbrar al pescado con la luz*, encandear; *deslumbrarse por acercar los ojos a la luz*, encandilar-se.

deslustrado, da. p. p. e adj. deslustrado, fo(ô)sco; eclipsado; desvidrado; empanado; embaciado.

deslustrador, ra. adj. e s. deslustrador, que deslustra.

deslustramiento. m. desbrilho. V. **deslustre.**

deslustrar. v. tr. deslustrar, tirar o lustre, empanar, despolir; desmerecer; desdoirar; funestar; embaciar; enevoar; desbotar; decorar; desprimorar; (fig.) enegrecer, denegrir; (fig.) difamar, menoscabar, denigrar, macular, desonrar. V. **deslucir.** — **deslustrarse.** v. r. desvidrar-se; desluzir-se, empanar-se.

deslustre. m. deslustre, deslustro, desdouro: desbrilho; desdoiro; despolidez; embaciamento; (fig.) descrédito.

deslustroso, sa. adj. deslustroso, indecoroso.

desmadejamiento. m. (fig.) fraqueza, abatimento, moleza.

desmadejar. v. tr. (fig.) derrear, extenuar, alquebrar, causar frouxidão no corpo, abater. — **desmadejarse.** v. r. derrear-se.

desmadrar. v. tr. desmamar, separar das mães as crias do gado para que não mamem.

desmagnetización. f. (fís.) desmagnetização.

desmagnetizar. v. tr. (fís.) desmagnetizar.

desmajolar. v. tr. arrancar certos espinhos das plantas. — *conj. irr.* como *contar.*

desmajolar. v. tr. desatar ou afrouxar os cordões dos sapatos. — *conj. irr.* como *contar.*

desmallador, ra. adj. desmalhador, que desmalha.

desmalladura. f. desmalhadura.

desmallar. v. tr. e r. desmalhar, desfazer, cortar as malhas.

desmamar. v. tr. desmamar, ablactar, desleitar, desamamentar; (pop.) desquitar, destetar. V. **destetar.**

desmamonar. v. tr. desfolhar, desfilhar, esladroar ás árvores e ás videiras, cortar-lhes os ramos novos supérfluos.

desmán. m. desmando, excesso, demasía em obras ou palavras; tropelia; desgraça, infortúnio; (zool.) mamífero insectívoro parecido com o musaranho.

desmanarse. *v. r.* desmanar-se, separar-se da manada; tresmalhar.

desmandado, da. *p. p.* e *adj.* desmandado. desregrado, que se desmandou; desobediente; desenfreado; desencabrestado.

desmandamiento. m. desmando, desmandamento; derramação.

desmandar. *v. tr.* desmandar, contramandar, dar ordem contrária à que antes se havia dado. — desmandarse. *v. r.* desmandar-se, desencabrestar-se; desenfrear-se; desmedir-se, desobedecer; (fig.) desbocar-se; exceder-se; descomedir-se; exorbitar; desordenar-se. V. desmanarse.

desmanear. *v. tr.* destravar, tirar as travas a uma cavalgadura; tirar as peias. — desmanearse. *v. r.* destravar-se.

desmangar. *v. tr.* desencabar, tirar o cabo a uma peça de ferramenta. — desmangarse. *v. r.* desencabar-se.

desmantecar. *v. tr.* desengordurar, tirar a manteiga, a gordura dalguma coisa.

desmantelado, da. *adj.* e *p. p.* desmantelado, desguarnecido, diz-se do edifício mal cuidado ou despojado de móveis; (mar.) desmantelado, desbaratado, desamparado.

desmantelamiento. m. desmantelamento, desmante(ê)lo, desbaratamento, demolição; arrasamento; destro(ô)ço; (mar.) desmantelamento, desaparelhamento; devastação.

desmantelar. *v. tr.* desmantelar, arrasar, demolir as muralhas e fortificações duma praça ou cidade; destruir; demolir; devastar; (fig.) desamparar, abandonar ou desabrigar uma casa; (mar.) desarmar e desaparelhar uma embarcação.

desmaña. *f.* acanhamento, falta de jeito e habilidade; torpeza; preguiça.

desmañado, da. *p. p.* e *adj.* desajeitado, acanhado, falto de destreza e habilidade; desmanhoso; desengraçado; desprendado, mal jeitado; desmanchadão.

desmaño. m. desmazelo, descuido, desleixo, falta de destreza e habilidade. V. desaliño.

desmarcar. *v. tr.* desmarcar; tirar as marcas.

desmarojador, ra. *adj.* e *s.* pessoa que tira o agárico.

desmarojar. *v. tr.* tirar o visco ou agárico às árvores.

desmarrido, da. *adj.* desfalecido, triste, sem forças; inanimado.

desmatar. *v. tr.* roçar, cortar o mato; arrancar o mato.

desmaterialización. *f.* desmaterialização.

desmaterializar. *v. tr.* desmaterializar, tornar imaterial. — desmaterializarse. *v. r.* desmaterializar-se, perder a suposta forma material (o espírito que se materializou).

desmayado, da. *adj.* e *p. p.* desmaiado, diz-se da cor desmaiada, desbotada; pálido; exânime, exanimado; desvanecido, esvaecido; (fig.) desbotado; froixo, quase imperceptível (falando-se de sons); (Bras.) deleriado.

desmayar. *v. tr.* desmaiar, fazer descorar, deprimir, causar desmaio. — *v. intr.* desmaiar, perder a cor, desbotar; perder os sentidos; desfalecer, esmolecer; empalidecer; perder a coragem, acobardar-se; fraquear; desacordar; esvanecer. — desmayarse. *v. r.* desmaiar, perder os sentidos; desbotar; estarrecer; esvaecer-se; amortecer-se; (fam.) enfanicar-se: *desmayarse de miedo,* enfiar de medo.

desmayo. m. desmaio, delíquio, desfalecimento, privação dos sentidos, enfraquecimento; despeito; esvaecimento; desacorçoamento; desaco(ô)rdo; desalento; desbotadura; colapso; (pat.) absíquia; (pop.) chilique, fanique.

desmazalado, da. *adj.* frouxo, caído, desmazelado, indolente; inerte; (fig.) abatido de ânimo; desanimado.

desmedido, da. *p. p.* e *adj.* desmedido, excessivo, desproporcionado, que não tem fim; falto de medida, desmesurado; desmoderado; descompassado; descomunal; desabalado; desatinado.

desmedirse. *v. r.* desmandar-se, descomedir-se; exeder-se, sair das regras ou dos límites; desmandar-se; portar-se com excesso.

desmedrar. *v. tr.* desmedrar; deteriorar; alterar. — *v. intr.* desmedrar, deteriorar-se, diminuir, decair, ir a menos; não crescer ou crescer pouco; diminuir de volume; emagrecer.

desmedro. m. desmedrança, enfezamento; detrimento; desaproveitamento.

desmedular. *v. tr.* (cir.) desmedular, tirar a medula dos ossos.

desmejora. *f.* deterioração, detrimento, descaimento, diminuição, enfraquecimento.

desmejoramiento. m. piora, deterioração, detrimento; descaimento.

desmejorar. *v. tr.* e *intr.* desmelhorar, piorar, perder a perfeição; ir perdendo a saúde; desmedrar, desmerecer; alterar para pior; enfraquecer-se.

desmelar. *v. tr.* crestar a colmeia, tirar-lhe o mel. — *conj. irr.* como *melar.*

desmelenar. *v. tr.* desgrenhar, soltar, desconcertar os cabelos, despentear, soltar os cabelos; desencabelar. — desmelenarse. *v. r.* descabelar-se.

desmembración. *f.* desmembração, desmembramento; (fig.) divisão, partilha; despedaçamento; estrafega.

desmembrador, ra. *adj.* e *s.* desmembrador, que desmembra.

desmembramiento. m. desmembramento. V. desmembración.

desmembrar. *v. tr.* desmembrar, dividir e apartar os membros do corpo; (fig.) dividir, separar uma coisa doutra; desunir; desprender; despedaçar; decepar; estracinhar. — desmembrarse. *v. r.* amputar. *v. tr.* desmembrar-se, desencorporar-se.

desmemoriado, da. *p. p.* e *adj.* desmemoriado, que perdeu a memória ou lembrança; que é fraco de memória; deslembrado; (fig.) desmiolado; (fr.) diz-se da pessoa que cai na imbecilidade e perde a consciência dos seus actos.

desmemoriarse. *v. r.* desmemoriar-se; esquecer-se, perder a lembrança, deslembrar-se.

desmenguar. *v. tr.* diminuir, minguar. V. amenguar.

desmentida. *f.* desmentido.

desmentir. *v. tr.* desmentir, contradizer, dizer a alguém que mente; sustentar ou demonstrar a falsidade dalguma coisa; contestar a verdade; falar, proceder em sentido contrário; desvanecer; ocultar, encobrir ou dissimular uma coisa para que não se conheça; desmentir, enganar, não corresponder à expectativa; denegar. — **desmentirse.** *v. r.* desmentir-se, retratar-se, faltar à palavra, contradizer-se. — *conj. irr.* como *mentir*.

desmenuzable. *adj.* friável, que se reduz a pó; que se pode esmigalhar ou esmiuçar; quebradiço.

desmenuzamiento. *m.* esfarelamento, esmigalhadura.

desmenuzar. *v. r.* esmiuçar, reduzir a partes miúdas, a pó; esmigalhar; esfarelar; (fig.) esmiuçar, examinar com miudeza, analisar pormenorizadamente.

desmeollamiento. *m.* desmiolamento.

desmeollar. *v. tr.* desmiolar, tirar o miolo ou os miolos, tirar a medula.

desmerecer. *v. tr.* desmerecer, tornar-se indigno de prémio ou favor para com alguém; depreciar; desvaliar. — *v. intr.* desmerecer, perder parte do valor. — **desmerecerse.** *v. r.* desmerecer-se, desacreditar-se.

desmerecimiento. *m.* demérito, desmerecimento; desvaliação. V. **demérito.**

desmérito. *m.* (Amér.) V. **demérito.**

desmesura. *f.* desmesura, falta de mesura, descomedimento; falta de cortesia.

desmesurado, da. *p. p. e adj.* desmesurado, excessivo, maior que o comum; descortês, insolente, atrevido; desproporcionado, exagerado; exorbitante; desmedido.

desmesurar. *v. tr.* desmesurar, desordenar, transtornar, desarranjar, perturbar.—**desmesurarse.** *v. r.* desmesurar-se, descomedir-se, perder a modéstia, exceder-se.

desmigajar. *v. tr.* esmigalhar; fragmentar, reduzir a migalhas.

desmilitarizar. *v. tr.* desmilitarizar .

desmina. *f.* (min.) estibita.

desmineralización. *f.* (med.) desmineralização.

desmigar. *v. tr.* migar, partir o pão em migalhas para migas ou sopas; desmiolar.

desmitis. *f.* (pat.) desmite.

desmocha. *f.* desmochamento. V. **desmoche.**

desmochadura. *f.* desmochamento; descarnadura, descarnamento.

desmochar. *v. tr.* desmochar, tornar mocho o boi, carneiro, etc., cortando-lhe as pontas, serrar os cornos a um animal; espontar, podar as árvores; decotar; cortar ou arrancar a parte superior dalguma coisa; desmoitar; descabeçar; (mar.) desarvorar;

(agr.) descabeçar; (fig.) eliminar, cortar parte duma obra artística ou literária.

desmoche. *m.* desmochamento, desmoche; desrama.

desmocho. *m.* conjunto das coisas cortadas no acto de desmochar.

desmodulación. *f.* (rádio.) detecção.

desmodular. *v. tr.* (rádio) detectar, revelar a presença das ondas hertzianas.

desmodulador. *m.* (rádio) detector, aparelho destinado a revelar a existência de ondas electro-magnéticas.

desmoflogosis. *f.* (pat.) desmoflogose.

desmogar. *v. intr.* cair, renovar-se a cornadura dos veados e doutros animais.

desmografía. *f.* descrição dos ligamentos, sindesmografia.

desmogue. *m.* queda da cornadura do veado.

desmoldar. *v. tr.* desmoldar.

desmoler. *v. tr.* esmoer, corromper, digerir. — conj. irr. como *mover.*

desmología. *f.* sindesmologia, sindesmografia.

desmonetización. *f.* desmonetização, desamoedação.

desmonetizar. *v. tr.* desmonetizar, tirar a qualidade de moeda, desamoedar.

desmontable. *adj.* desmontável, que se pode desmontar fàcilmente. — *m.* instrumento de ferro, espécie de alavança que serve para desmontar os aros dos pneus.

desmontadura. *f.* desmonta, desmontada; (agr.) destorroamento.

desmontaje. *m.* desmontada, desmonte.

desmontar. *v. tr.* desmontar, desmoitar, cortar o mato para cultivar; desbravar, arrotear; rebaixar um terreno; desmontar, desarmar, (uma máquina, etc.), desunir as peças duma coisa, separar; abater, apear, desfazer um edifício ou parte dele; desmontar, descer ou fazer descer duma cavalgadura, apear; (agr.) destorroar; (agr.) desbravar; desmontar, descavalgar; desmontar, desencavalgar (desmontar um canhão).—**desmontarse.** *v. r. e intr.* apear-se: *desmontar una alhaja*, desengastar; *desmontar una bicicleta*, desmanchar um velocípede; *desmontar una casa*, desarmar uma casa; *desmontar una pieza de artillería*, desmontar uma peça de artilharia; *desmontar un cañón*, desencarretar, apear o canhão.

desmonte. *m.* desmonte, (agr.) destorroamento; desmonte, fragmentos ou despojos do desmontado.

desmoñar. *v. tr. e r.* desentrançar o cabelo.

desmoralización. *f.* desmoralização; corrupção; desalento; descomposição; desacorçoamento; desconfo(ô)rto; deboche; desedificação.

desmoralizador, ra. *adj. e s.* desmoralizador, que desmoraliza; deletério; desedificativo, desedificante; desmoralizador, desedificador.

desmoralizar. *v. tr.* desmoralizar, perverter, corromper os bons costumes, tornar imoral; desmoralizar, desalentar, desacorçoar, desconfortar, desbriar; indiscipli-

nar; debochar; desedificar; desmoralizar,
avacalhar; desninhar, desaninhar; (Bras.)
abatatar, espinafrar, esculachar. — **des-
moralizarse.** v. r. desmoralizar-se, avacalhar-se; falando de tropas, desmoralizar-
-se, desordenar-se, indisciplinar-se; esbandalhar-se.
desmoronamiento. m. desmoronamento; desmantelamento; derrocada; derrubamento, derrocamento, desabamento; desmoronamento.
desmoronar. v. tr. desmoronar, desfazer a
pouco e pouco os edifícios e outras coisas;
abater, demolir, derrubar; desmantelar;
derrocar, desabar, derribar. — **desmoro-
narse.** v. r. fazer cair, irem-se destruindo
os impérios, os capitais, o crédito, etc.
baquear; desmoronar-se, derrocar-se; desmantelar-se, derruir, assapar.
desmostarse. v. r. perder o mosto a uva.
desmotadera. f. instrumento com que se tiram os nós e defeitos à lã V. **desmota-
dora.**
desmotador, ra. adj. pessoa que tem por
ofício tirar os nós e defeitos à lã; (germ.)
ladrão que deixa nua a pessoa a quem
rouba.
desmotar. v. tr. tirar os nós e defeitos à lã.
desmote. m. acção e efeito de *desmotar.*
desmovilización. f. desmobilização.
desmovilizar. v. tr. desmobilizar.
desmullir. v. tr. desfazer, descompor o que
estava acolchoado. — conj. irr. como *mullir.*
desmurador. m. (zool. prov.) gato caçador.
desmurar. v. tr. desmurar, demolir os muros duma cidade, fortaleza ou castelo;
(prov.) exterminar ou afugentar ratos.
desnacionalizarse. v. tr. desnacionalizar-se.
desnarigar. v. tr. desnarigar, cortar o nariz a.
desnatadora. f. desnatadeira, utensílio que
serve para desnatar.
desnatar. v. tr. desnatar, tirar a nata ao leite; (fig.) seleccionar, escolher o melhor.
desnate. m. desnatação.
desnaturación. f. desnaturação.
desnatural. adj. (ant.) desnatural, que não
é natural.
desnaturalizacón. f. desnaturalização; desnaturação.
desnaturalizado, da. p. p. e adj. e s. desnaturalizado, que falta aos deveres que a
natureza impõe a pais, filhos, irmãos etc.;
desnaturalizado, desagradecido, ingrato;
desnatural, desnaturado.
desnaturalizar. v. tr. desnaturalizar, tirar
a alguém os direitos de cidadão dum país,
desnaturar, privar das qualidades naturais, desfigurar; desnaturalizar, corromper; falsear, falsificar. — **desnaturalizar-
se.** v. r. desnaturalizar-se.
desnazificación. f. (pol.) desnazificação.
desnazificar. v. r. (pol.) desnazificar.
desnecesario, ria. adj. desnecessário, não
necessário, dispensável.
desnegamiento. m. contradição, negação.

desnegar. v. tr. (p. us.) contradizer, negar,
desnegar (pop.). — **desnegarse.** (p. us.)
v. r. desnegar-se, desdizer-se retratar-se,
negar o que se havia dito.
desnervar. v. tr. desnervar, enervar. V. **enervar.**
desnevar. v. intr. desnevar, derreter a neve
de, degelar. — conj. irr. como *acertar.*
desnieve. m. desnevada, degelo.
desnitrificar. v. tr. (quim.) tirar o nitrogénio que contem uma substância.
desnivel. m. desnível, desnivelamento, falta
de nível; diferença de alturas entre dois
ou mais pontos.
desnivelación. f. desnivelamento, desnível.
desnivelar. v. intr. e r. desnivelar, tirar alguma coisa do seu nível; (fig.) desajustar.
desnublado, da. adj. (poet.) desnublado.
desnucar. v. tr. desnucar, tirar do seu lugar
os ossos da nuca; (pop.) desnocar. — **des-
nucarse.** v. r. desnucar-se.
desnudador, ra. adj. e s. que torna nu, que
despe, que escalva.
desnudamiento. m. desnudamento, desnudação; despimento
desnudar. v. tr. desnudar, denudar, despir,
desvestir, pôr nu; (fig.) despojar uma coisa do que a cobre ou adorna, desadornar;
desabrigar, despojar, descompor; desenfarpelar; desaparamentar; (por ext.) desenfronhar. — **desnudar-se.** v. r. desnudar-se, despojar-se; descompor-se; despir-se; desagasalhar-se; (fig.) afastar-se,
desprender-se duma coisa: *desnudar con
la vista,* devorar com os olhos; *desnudar
a una mujer,* desalinhar uma mulher;
desnudarse, quitarse la ropa, desabafar-
-se de roupa.
desnudez. f. nudez, desnudez, qualidade de
nu.
desnudismo. m. nudismo.
desnudista. adj. e s. nudista, partidário do
nudismo.
desnudo, da. adj. nu, despido, desnudo;
desnudo, em coiro, em coiracho; desnudo,
descalvado; (fig.) descarnado; (fig.) mal
vestido; falto de recursos, pobre; falto
duma coisa não material; claro, patente
sem rebuço; (Bras.) pelado. — m. nu,
(obra artística).
desnutrición. f. (med.) desnutrição, depauperamento do organismo, motivado por
transtorno da nutrição e falta de proporção entre o que assimila e o que elimina
por desassimilação, desnutrição, exinanição.
desnutrido, da. adj. desnutrido, depauperado; exinanido.
desnutrir. v. tr. desnutrir, extenuar, exinanir. — **desnutrirse.** v. r. desnutrir-se.
desobedecer. v. tr. desobedecer, faltar à
obediência, não obedecer; desrespeitar;
indisciplinar; indocilizar. — conj. irr.
como *agradecer.*
desobediencia. f. desobediência, falta de
obediência; desrespeito; indisciplina;
desmando, desmancho; indocilidade.

desobligar. *v. tr.* descometer; exonerar; desobrigar; desonerar; desligar; desarriscar; (fig.) abater o ânimo dalguém. — **desobligarse.** *v. r.* desligar-se.

desobstrucción. *f.* desobstrução, desimpedimento; desatravancamento; desempe(ê)ço.

desobstruir. *v. tr.* desobstruir, tirar as obstruções; desembaraçar; desocupar; desatravancar; desatrancar; desempecer; desempachar; desocupar; desopilar; desatravessar; desatapulhar; desimpedir; desobstruir, franquear; (med.) desobstruir.

desocupación. *f.* desocupação, falta de ocupação; ociosidade; desocupação, desimpedimento.

desocupado, da. *p. p.* e *adj.* e *s.* desocupado, sem ocupação; ocioso; desimpedido; ina(c)tivo; desabitado; despejado; desocupado, devoluto.

desocupar. *v. tr.* desocupar, deixar de ocupar; sair, deixando vago; desembaraçar, desimpedir; despejar; esvaziar; desocupar, evacuar. — **desocuparse.** *v. r.* desocupar-se; descartar-se do negócio ou ocupação.

desodorante. *adj.* e *s.* desodorizante, que desodoriza, que destrói o mau cheiro.

desoir. *v. tr.* desatender, deixar de ouvir. — *conj. irr.* como *oír*.

desojar. *v. tr.* quebrar o olho dum utensílio, como agulha, machado, sacho, etc. — **desojarse.** *v. r.* (fig.) olhar atentamente.

desolación. *f.* desolação, ruína; assolamento; assolação; destruição; excídio; desconfo(ô)rto; devastação; estrago, estragamento; eversão; (ant.) depopulação.

desolado, da. *adj.* e *p. p.* desolado, angustiado; inconfortável; desfrequentado; amesquinhado.

desolador, ra. *adj.* desolador, que desola.

desolar. *v. tr.* desolar, assolar, derruir, devastar, destruir; ermar; afligir. **desolarse.** *v. r.* (fig.) desolar-se, angustiar-se, afligir-se em extremo.

desoldar. *v. tr.* dessoldar, tirar a soldadura. — **desoldarse.** *v. r.* dessoldar-se. — *conj. irr.* como *contar*.

desolladero. *m.* esfoladouro, lugar nos matadouros, onde se esfolam as reses.

desollado, da. *adj. p. p.* e *s.* esfolado; (fam.) descarado, sem vergonha.

desollador, ra. *adj.* e *s.* esfolador, que esfola; (fig.) esfolador, que vende caro que leva preços exorbitantes; que explora, explorador.

desolladura. *f.* esfoladura, despela; esfolamento.

desollar. *v. tr.* esfolar, tirar a pele do corpo dum animal; despelar. — **desollarse.** *v. r.* (fig.) causar dano grave na reputação ou fazenda alheia: *desollarle a uno vivo*, (fig. e fam.) esfolar alguém, fazer-lhe pagar excessivamente caro; (fig. e fam.) murmurar dalguém acerbamente. — *conj. irr.* como *contar*.

desollón. *m.* V. **desolladura.**

desonce. *m.* dedução, desconto de onças.

desonzar. *v. tr.* descontar uma ou mais onças em cada libra; (fig.) (p. us.) injuriar, infamar.

desopilación. *f.* desopilação; desobstrução.

desopilar. *v. tr.* desopilar, curar a opilação; desobstruir, aliviar; (gal.) desopilar, excitar alegria.

desopinar. *v. tr.* desacreditar, desabonar, infamar.

desopresión. *f.* desopressão; alívio, desafogo.

desoprimir. *v. tr.* desoprimir, livrar da opressão e sujeição; aliviar; emancipar, descravizar; descongestionar; (fig.) desajoujar.

desorbitarse. *v. r.* desorbitar-se, sair uma coisa da sua órbita; desmedir-se.

desorden. *m.* desordem, confusão, balbúrdia, desarranjo, desalinho, desvairamento; motim, barulho; desaguisado; demasia, excesso; (fig.) anarquia; desconchavo; desordem, desregramento; intemperança; abuso; estoiro; estragamento; embrulhada, embrolho; desconce(ê)rto; desatinação; assuada, barulhada, barrilada; desorganização; despreparo; atrapalhação; desbaratamento; descaminho; desgovernação; atabalhoamento; desmancho; deturbação; fula-fula; indisciplina; charivari; chinfrim; destempe(ê)ro; descomposição; descompasso; inferneira; desmando; desmandamento; (Bras.) bambaré, espôrro, furdunço, galho, mazorca, sangangu, sururu, tempo-quente, turumbamba: *desorden administrativo*, desgoverno: *desorden en las costumbres*, estravio; *estado de desorden*, desarrumação; *excitar al desorden*, assunar; *desorden moral*, deformidade moral; *poner en desorden*, desempilhar; *excitar al desorden*, anarquizar; provocar desorden, (Bras.) frege.

desordenado, da. *p. p.* e *adj.* desordenado, que tem desordem; desarranjado; excessivo; desregrado; imoderado; extravagante; anárquico; estrambótico; desconcertado; atrapalhado; desalinhado; desgrenhado; desatentado; barulhento, barulhoso; desarrumado; atropelado; desbaratado; inclassificável; boémio; arrombado; desgovernado; atabalhoado; desacomodado; desmanchadão, desmanchado; (Bras.) desmancha-samba, espandongado: *vida desordenada*, deboche, desgoverno, desmancho, vida mal afilada; *conducta desordenada*, destempero: *fuga desordenada*, desbandada; *llevar una vida desordenada*, desgovernar-se; *casa desordenada*, casa de ciganos, botica de cheché.

desordenar. *v. tr.* desordenar, pôr em desordem, desarranjar, tirar da ordem; amotinar; confundir; perturbar; desordenar, exautorar os eclesiásticos; descompaginar; emaranhar; desajustar, desregrar; desarrumar; desconcertar; atrapalhar; desquiciar; barulhar; desacertar; desataviar desorganizar; desmesurar; deturbar; descompor (pop.) estrampalhar. — **desordenarse.** *v. r.* sair da regra ou da ordem; exceder-se, descomedir-se; desmandar-se cometer excessos: *desordenar una cosa,* tirar uma coisa de seus eixos; *desordenar el pelo,* demelenar, despentear, desgrenhar.

desorejamiento. *m.* desorelhamento.

desorejar. *v. tr.* desorelhar, cortar as orelhas.

desorganización. *f.* desorganização; (fig.) descomposição; desordenação, desordem; dissolução; (pop.) destrambelhamento.

desorganizado, da. *p. p.* e *adj.* desorganizado, desordenado; desacomodado; (pop.) destrambelhado; desmontado.

desorganizador, ra. *adj.* e *s.* desorganizador, que desorganiza.

desorganizar. *v. tr.* desorganizar; desordenar; destruir a organização de; tirar as condições de vida a; desquiciar; destemperar; deturbar; (pop.) destrambelhar; (quim.) desorganizar, separar as partes constituintes dum corpo.

desorientación. *f.* desorientação; (fig.) falta de critério; insensatez, estonteamento; descarrilamento; desnorteação, desnorteamento.

desorientado, da. *adj.* e *p. p.* desorientado, que perdeu a sua direcção; desnorteado; desatinado; desvairado; maníaco; estonteado; erradio, errante; desviado; extraviado.

desorientador, ra. *adj.* desorientador, que desorienta desnorteador.

desorientar. *v. tr.* desorientar, fazer perder a orientação; desnortear; desconcertar; (fig.) desorientar, fazer perder o tino; estontear, aparvalhar; endoirar; despistar. — **desorientarse.** *v. r.* desorientar-se, extraviar-se; despistar-se; endoirar-se; confundir-se, ofuscar-se.

desorillar. *v. tr.* tirar as ourelas a um pano, cortinado, etc.; enxurrar; estender bem uma pele para se não enrugar.

desortijar. *v. tr.* (agr.) sachar pela primeira vez as plantas. — **desortijarse.** *v. r.* (vet.) deslocar-se a uma cavalgadura o artelho das patas traseiras.

desosada. *f.* (germ.) língua.

desosar. *v. tr.* desossar, tirar os ossos à carne. V. **deshuesar.** — *pres. ind. irr.* **deshueso, -as, -a, -an;** *subj.* **deshuese, -es, -e, en.**

desosegar. *v. tr.* desassossegar; V. **desasosegar.**

desovadero. *m.* desovadouro.

desovar. *v. intr.* desovar, pôr ovos ou ovas (falando-se especialmente de peixes).

desove. *m.* desova, desovamento; época da desova.

desovillar. *v. tr.* desenovelar, desenrolar o que está enovelado; (fig.) desenredar, achar o fio duma coisa pouco clara; esclarecer um assunto intrincado; desemaranhar.

desoxidable. *adj.* desoxidável, que pode ser desoxidado.

desoxidación. *f.* desoxidação.

desoxidar. *v. tr.* desoxidar, tirar o oxigénio a uma substância; tirar a ferrugem; de-

capar; (quim.) desoxigenar; desenferrujar.

desoxigenación. *f.* (quim.) desoxigenação.

desoxigenar. *v. tr.* (quim.) desoxigenar, desoxidar, tirar o oxigénio.

despabiladeras. *f. pl.* espevitadeiras, tesoura de espevitar as luzes.

despabilado, da. *p. p.* e *adj.* espevitado, que não tem sono, acordado; (fig.) vivo, astuto, esperto, desembaraçado.

despabilador, ra. *adj.* e *s.* espevitador, que espevita; atiçador.

despabiladura. *f.* morrão do pavio.

despabilar. *v. tr.* espevitar, tirar o morrão; (fig.) concluir uma coisa com presteza, despachar; despertar, excitar; roubar, tirar ocultamente; avivar o entendimento. — **despabilarse.** *v. r.* espevitar-se, despertar do sono, afugentar a vontade de dormir; (fig. e fam.) matar; (Amér.) marchar, ir-se embora.

despacio. *adv.* devagar, pouco a pouco, lentamente; por muito tempo. — *interj.* de vagar; alto lá; (Amer.) em voz baixa. — *m.* dilação; (prov.) calma, lentidão: *quien va despacio llega lejos,* devagar se vai ao longe; *despacio, que tengo prisa,* devagar se vai ao longe; *muy despacio,* devagarinho.

despacito. *adv.* devagarinho.

despachado, da. *p. p.* e *adj.* despachado, resolvido, que obteve despacho; expedito, desembaraçado; deferido; aviado.

despachador, ra. *adj.* e *s.* despachador que despacha muito e depressa; expedito; despachante.

despachar. *v. tr.* despachar abreviar e concluir um negócio ou outra coisa; despachar, expedir, concluir prontamente; despachar, resolver, decretar; despachar, enviar depressa um correio, um próprio, etc.; vender géneros ou mercadorias; despachar, apresentar a despacho; despachar, despedir; (fam.) despachar, matar; apressar; aviar; expedir prontamente. — *v. intr.* lavrar despachos em processos ou requerimentos. — **despacharse.** *v. r.* despachar-se, desembaraçar-se; despachar-se, aviar-se; parir (a mulher); apressar-se: *despachar al otro barrio a alguien,* (pop.) despachar alguém desta vida; *despachar el rey con sus ministros,* dar o rei despacho.

despacho. *m.* despacho; escritório; comunicação oficial; decisão; termo; telefonema; despacho, expedição; despacho, resolução, determinação; diploma, carta de nomeação para um emprego; despacho, saída, venda rápida; despacho, carta ou ofício relativo a negócios públicos; extracção; estudo; expediente; venda, loja, armazém: *despacho de la aduana,* despacho da alfândega, cumprimento para tirar mercadorias da alfândega; *despacho telegráfico,* despacho telegráfico, telegrama.

despachurramiento. *m.* pisadura; atrapalhação.

despachurrar. v. tr. (fam.) pisar, esmigalhar; embrulhar, atrapalhar; aplastar, esmagar; (fig.) não falar de modo inteligível; tapar a boca, reduzir ao silêncio.

despachurro. m. esmigalhadura, acção de esmigalhar.

despajadura. f. despalhadura.

despajar. v. tr. despalhar, tirar a palha do grão; desempalhar.

despajo. m. despalhadura. V. despajadura.

despaldar. v. tr. ferir a espádua. V. desespaldar.

despaldilladura. f. deslocamento.

despaldillar. v. tr. e r. espaduar, deslocar ou quebrar a espádua a algum animal.

despaletillar. v. tr. espaduar; (fig. e fam.) machucar com socos as espáduas.

despalillar. v. tr. tirar as veias grossas às folhas do tabaco; tirar os pedúnculos secos das passas; desengaçar, tirar o engaço das uvas; (Amér. fam.) matar alguém.

despalmador. m. doca, dique, lugar onde se espalmam as embarcações; instrumento para carenar; faca curva de ferrador para despalmar animais.

despalmadura. f. (mar.) querena, calafeto; (vet.) despalme, aparas dos cascos dos animais.

despalmar. v. tr. calafetar, espalmar, limpar e ensebar o fundo das embarcações; desrelvar, arrancar os céspedes ou a grama; (vet.) despalmar, cortar a palma do cavalo ou a parte do casco que assenta sobre a ferradura.

despalme. m. acção de despalmar um animal.

despampanador, ra. adj. (agr.) despampanador, desparrador o que tira os pâmpanos às videiras.

despampanadura. f. (agr.) desfolha, chapota.

despampanar. v. tr. (agr.) despampanar, despampar, tirar os pâmpanos ou sarmentos às videiras. V. despimpollar desfilhar, tirar os rebentos que estão em excesso nas videiras; (fig. e fam.) desconcertar, pasmar, deixar atónito. — v. intr. (fig.) desabafar, dizer com liberdade o que se sente.

despampanarse. v. r. (fam.) ferir-se gravemente em consequência de pancada ou queda.

despampanillar. v. tr. (agr.) despampanar ou despampar as videiras.

despampano. m. (agr.) desfolha, chapota. V. despampanadura.

despamplonar. v. tr. (agr.) separar os pimpolhos ou rebentos das videiras. — despamplonarse. v. r. (fig.) deslocar-se a mão.

despancar. v. tr. malhar o milho.

despancijar. v. tr. e r. (fam.) V. despanzurrar; estirpar, rasgar o ventre.

despanzurramieno. m. estripação.

despanzurrar. v. tr. (fam.) estripar, rasgar o ventre, esviscerar; alanhar (falando de peixes).

despapar. v. intr. (equit.) despapar, levar o cavalo a cabeça muito levantada.

desparar. v. intr. (equit.) despapar, erguer o cavalo demasiadamente a cabeça, ao andar.

desparecer. v. intr. V. desaparecer. desaparecer. — v. r. e tr. (p. us.) fazer desaparecer, ocultar, esconder.

desparedar. v. tr. tirar as paredes ou taipas.

desparejar. v. tr. e r. desemparelhar, desirmanar (o que estava emparelhado).

desparejo, ja. adj. V. dispar; dispar, desigual, incompleto.

desparpajar. v. tr. desfazer, desbaratar alguma coisa, (com desalinho ou desasseio); (Amér.) espalhar, espargir, derramar. — v. intr. (fam.) falar muito e sem nexo, tagarelar. — v. r. (prov.) proceder ou agir com desenvoltura.

desparpajo. m. (fam.) facúndia, sumo desembaraço no falar; desembaraço no agir; desenfado, desenfadamento, despejo; (Amér.) desordem, atrapalhação.

desparpucho. m. disparate, dito desatinado.

desparramador, ra. adj. e s. espalhador, que espalha, que esparrama.

desparramamiento. m. espalhamento.

desparramar. v. tr. esparramar, espargir, despargir. — desparramarse. v. r. desparramar-se; (fig.) esbanjar, malgastar, dissipar os bens; (Amér.) tornar mais claro um líquido; divertir-se desordenadamente.

despartidor, ra. adj. e s. despartidor, apaziguador.

despartimiento. m. separação, divisão, afastamento.

despartir. v. tr. despartir, dispartir, separar, apartar, dividir; fazer a paz entre os que brigam.

desparvar. v. tr. amontoar as paveias trilhadas.

despasar. v. tr. e r. retirar uma fita ou cordão que tinha passado por uma casa, botoeira, etc.

despatarrada. f. (fam.) certo passo em danças populares espanholas: hacer uno la despatarrado, (fig. e fam.) afectar grande dor, deitando-se no solo.

despatarrar. v. tr. (fam.) escarranchar, abrir excessivamente as pernas; encher de medo ou assombro, assombrar, assustar, espantar.

despatarrarse. v. r. cair ao chão de pernas abertas.

despatillado. m. corte ou rebaixo que se faz na extremidade duma peça de madeira.

despatillar. v. tr. desbastar, adelgaçar, rebaixar, qualquer peça de madeira para que possa entrar nos encaixes.

despaturrar. v. tr. e r. V. despatarrar.

despavesaderas. f. pl. V. despabiladeras.

despavesadura. f. atiçamento.

despavesar. v. tr. espevitar, atiçar; tirar, soprando, a cinza de cima das brasas.

despavonar. v. tr. e r. tirar a cor fosca que se deu a uma superfície de ferro ou de aço.

despavorido, da. adj. e p. p. despavorido, espavorido; arrepiado; apavorado, cheio de pavor.

despavorir. v .intr. e r. espavorir, apavorar, encher de pavor.; despavorir, atemorizar. — v. defec. conjugar-se como abolir, únicamente nas pessoas em que as desinências começam com i.

despeadura. f. despeadura, pisadura.

despeamiento. m. V. **despeadura.**

despearse. v. r. despear-se, magoar-se nos pés (o homem ou o animal) por ter caminhado muito: despearse el caballo, render, aguar o cavalo.

despectivo, va. adj. depreciativo, desprezativo, pejorativo; (gram.) aplica-se à palavra que inclui no seu significado ideia de menosprezo; desprezativo, altivo, frio.

despechar. v. tr. despeitar, causar indignação, enfurecer, desesperar. — **despecharse.** v. r. despeitar-se.

despecho. m. despeito; impaciência, desgosto, pesar; desespero; despeito, arrelia, arrufo; (vulg.) senreira; desapontamento: a despecho, a despeito de, apesar de; contra seu gosto e vontade; a despecho de que, apesar de que; con despecho, agostadamente.

despechugado, da. adj. e p. p. despeitorado, decotado.

despechugadura. f. despeitoramento.

despechugar. v. tr. cortar o peito a uma ave. — **despechugarse.** v. r. (fig. e fam.) descobrir o peito, despeitorar-se, decotar-se.

despedazador, ra. adj. e s. despedaçador, que despedaça; arrombador.

despedazamiento. m. despedaçamento; destro(ô)ço; estrafe(ê)go, estrafega; estraçalhamento; arrombamento, arrombabela.

despedazar. v. tr. despedaçar, fazer em pedaços, partir; despedaçar, demolir estracinhar; frangalhar; atassalhar; arrombar; estilhaçar; estrafegar, estrangalhar estracinhar.

despedida. f. despedida, final de certas coplas populares, em que o cantor se despede; despedida, despedimento; expulsão; destituição: despedida violenta, (fig.) defenestração.

despedimiento. m. despedimento, despedida.

despedir. v. tr. despedir, soltar, desprender, lançar, arrojar alguma coisa; expulsar; expedir, expelir, atirar; despedir; pôr ao ar; despedir, despachar; destituir; (fig.) difundir, irradiar; (fig.) desembestar; dizer adeus; exalar; desferir. — **despedirse.** v. r. despedir-se: despedir la tripulación de un buque, destripular; despedir de si. (fisiol.) excretar; despedir con fuerza, arrojar; despedir chispas, fagulhar; despedirse a la francesa, despedir-se em latim.

despedregar. v. tr. desempedrar, tirar as pedras.

despegable. adj. descolável, despegável, que se pode descolar ou despegar.

despegado, da. adj. e p. p. desapegado, despegado, descolado; (fig.) áspero, frío, descarinhoso, não afectuoso; desabrido.

despegador, ra. adj. e s. que despega, que descola.

despegadura. f. desapego, despegamento, descolamento, desencolamento, descola gem.

despegamiento. m. desap(ê)go, despegamento, descolamento.

despegar. v. tr. despegar, separar, desunir, desapegar, descolar; despegar, desasir, desgrudar; desafixar, desagarrar; desapegar. — **despegarse.** v. r. despegar-se, desasir-se; (fig.) despegar-se, apartar-se do afecto que se professa, desafeiçoar-se, tornar-se indiferente (fig.) cair mal; não calhar; não corresponder uma coisa com outra: no despegar los labios, não abrir a boca; despegar la encia del diente, descarnar; despegar el avión de tierra, descolar; sin despegar el pico, sem dizer água vai; no despegar los labios, fazer-se em copas; despegarse el casco de una bestia, (vet.) desarar.

despego. m. desp(ê)go, desap(ê)go, desinteresse; despego, descarinho, despegamento; desdém; desamor, desapego; indiferença; desvio; (fig.) despego; (fig.) frialdade, desaferro.

despegue. m. (avi.) acção e efeito de descolar um avião.

despeinar. v. tr. despentear, desgrenhar; desguedelhar; descabelar. — **despeinarse.** v. r. descabelar-se, desgrenhar-se.

despejar. v. tr. despejar, desembaraçar, desocupar, evacuar, esvaziar, descarregar; desatacar; desatafulhar; desempachar; desobstruir; desatascar; (fig.) solucionar, tornar claro; desimpedir; abrir; descampar. — **despejarse.** v. r. (mat.) separar uma incógnita; adquirir ou mostrar desembaraço; divertir-se, recrear-se; desnuviar, aclarar o dia, o tempo, etc; descer a febre dum doente; exinanir-se; desarmar-se.

despejo. m. despejo, despejamento; desembaraço; desenvoltura; desempacho; desencolhimento; desenfado; desimpedimento; talento, inteligência, entendimento claro.

despelotar. v. tr. desgrenhar, despentear, emaranhar o cabelo. — v. r. (fam.) robustecer-se, pôr-se uma pessoa roliça.

despeluzamiento. m. desgrenhamento.

despeluzar. v. tr. enguedelhar, desmelenar; desencabelar; estopetar; despentear; desgadelhar; desgrenhar. — **despeluzarse.** v. r. arrepiar-se o cabelo (devido ao medo); (Amér.) despojar alguém de tudo o que possui, depenar.

despeluznar. v. tr. desgrenhar, enguedelhar. v. r. V. **despeluzar.**

despellejar. v. tr. esfolar, pelar; despelar; (fig.) murmurar, falar mal dalguém; (agr.) descarolar.

despenador, ra. adj. e s. consolador, que livra de penas.

despenar. *v. tr.* despenar, livrar ou aliviar de penas; consolar; (fig. e fam.) pôr fim à vida do que está em transe de morte. V. **rematar.**

despender. *v. tr.* dissipar, gastar, despender; expender; (fig.) empregar, gastar uma coisa, como o tempo, a vida, etc.; despender, desperdiçar.

despenolar. *v. tr.* (mar.) partir uma verga.

despensa. *f.* despensa, casa ou compartimento onde se guardam comestíveis; despensa provisão de comestíveis ou mantimentos; emprego de despenseiro; provimento diário de mantimentos; ajuste de cevada (Amér.) compartimento nas minas onde se guardam os minerais ricos.

despensería. *f.* emprego de despenseiro; despensa.

despensero, ra. *s.* despenseiro, pessoa que tem a seu cargo a despensa; ecó(ô)nomo; chaveiro; (mar.) despenseiro, o que distribue as rações.

despeñadero, ra. *adj.* despenhoso, cortado de despenhadeiros, de acidentes perigosos, penhascoso; alcantilado; escorregadiço. — *m.* despenhadeiro, precipício, escarpado; (fig.) despenhadeiro, abismo, perigo, risco; grande desgraça; ruína; alcantil.

despeñadizo, za. *adj.* despenhoso, escarpado, alcantilado.

despeñamiento. *m.* despenho. V. **despeño.**

despeñar. *v. tr.* despenhar, precipitar, arrojar; derrubar; desgalgar; derrocar. — **despeñarse** *v. r.* (fig.) despenhar-se, entregar-se cegamente a paixões ou vícios, ir à procura da própria perdição; derrocar-se; arruinar-se.

despeño *m.* despenho, despenhamento; (fig.) ruína; diarreia, desconcerto, fluxo de ventre; queda rápida; perdição.

despeo *m.* V. **despeadura**

despepitar. *v. tr.* tirar as pevides dos frutos.

despepitarse *v. tr.* esganiçar-se, gritar, vozear muito, falar com veemência ou com ira; (fig.) proceder sem comedimento; descomedir-se, obrar precipitadamente; atrever-se: *despepitarse por alguien,* estremar-se por alguém; *despepitarse por algo,* desejar veementemente uma coisa.

despercudir. *v. tr.* esfregar, limpar ou lavar um objecto sujo de muito tempo; (Amér.) animar a uma pessoa.

desperdiciado, da. *p. p. e adj.* desperdiçado; dissipado; malbaratado; estragado; gasto sem proveito.

desperdiciador, ra. *adj. e s.* desperdiçador, que desperdiça; esbanjador.

desperdiciar. *v. tr.* desperdiçar, gastar sem proveito, esbanjar; malbaratar; desaproveitar; estragar; delapidar, empregar mal uma coisa; desgastar, desbaratar: *desperdiciar una buena ocasión,* enxotar uma boa ocasião; *no desperdiciar comba,* (pop.) são mãos de encambar enguias; *desperdiciar la suerte,* deixar fugir a ocasião; *desperdiciar el tiempo,* desperdiçar tempo.

desperdicio. *m.* desperdício, malbaratamento de valores, esbanjamento; gasto inútil; desperdício, rebotalho; refugo, resíduo do que não pode ou não se quer aproveitar; desperdício, prodigalidade; desproveito; estrago, estragamento, desaproveitamento, derrame, derramamento. — *pl.* cascalho, lascas das pedreiras; restos, migalhas; alisaduras; froixel; detrito.

desperdigamiento. *m.* separação, dispersão, desunião.

desperdigar. *v. tr.* separar, desunir, dispersar; desbaratar.

desperecerse. *v. r.* consumir-se, ralar-se, mortificar-se com o fim de conseguir uma coisa que se deseja; consumir-se, definhar-se.

desperezarse. *v. r.* espreguiçar-se, estirar os braços ou as pernas por indolência ou sono.

desperezo. *m.* espreguiçamento.

desperfecto. *m.* pequeno defeito, deterioração leve; dano; falta que desvirtua algum tanto o valor e utilidade das coisas.

desperfilar. *v. tr.* (p. us.) desperfilar tirar do alinhamento; (pint.) esfumar os contornos dos objectos dum quadro, unindo-os com o ambiente do mesmo; (mil.) alterar e dissimular os perfis das obras de fortificação. — **desperfilarse.** *v. r.* perder uma coisa a posição de perfil, desperfilar-se.

despernado, da. *p. p. e adj.* (fig.) cansado, fatigado de andar; (fig. e fam.) sem pernas.

despernancarse. *v. r.* escarranchar-se, escanchar-se. V. **esparrancarse.**

despernar. *v. tr.* cortar ou estropiar as pernas, maltratá-las. — *conj. irr.* como **acertar.**

despersonalización. *f.* despersonalização.

despertador, ra. *adj. e s.* despertador, que desperta; despertativo, que tem o encargo de despertar ou acordar. — *m.* despertador (relógio); (fig.) aviso, estímulo.

despertamiento. *m.* acordamento.

despertar. *v. tr. e intr.* despertar, acordar, tirar o sono a; (fig.) relembrar, trazer à memória uma coisa já esquecida, recordar; estimular; fazer nascer; deixar de dormir, acordar, despertar; sair de um erro; espertar, tornar-se inteligente, vivo; mover, excitar; ficar mais esperto; evocar; desadormecer; avivar; (fig.) desamodorrar: *despertar el apetito,* apetecer; *despertarse los celos,* despertar o ciúme; *despertar sospechas,* despertar suspeitas; *despertar la tentación,* despertar a tentação; *despertar la memoria,* avivar a memória; *despertarse tarde,* acordar-se tarde; *despertarse de repente,* estremunhar-se; *despertar a quien duerme,* (fig.) despertar a quem dorme. — *pres. ind. irr.* **despierto, -as, -a, -an;** *subj.* **despierte, -es, -e, -en.**

despesar. *m.* desgosto, pesar.

despestañar. *v. tr.* tirar ou arrancar as pestanas; cansar a vista olhando atentamente, olhar com atenção; (fig. Amér.) queimar as pestanas, estudar com afinco; **aplicar-**

-se; (fig.) despertar, conservar-se acordado.

despezar. *v. tr.* adelgaçar, estreitar um cano para que se possa meter noutro; (arq.) dividir as paredes, arcos ou abóbadas da silharia dum edifício, nas diferentes peças que entram na sua execução. — *conj. irr.* como **acertar.**

despezo. *m.* adelgaçamento da extremidade dum cano para o introduzir noutro; corte feito nas pedras por onde se unem umas às outras. V. **despiezo.**

despezonar. *v. tr.* tirar, arrancar o pedúnculo aos frutos, folhas, flores, etc.; (fig.) dividir, separar, desunir uma coisa doutra. — **despezonarse.** *v. r* quebrar-se o pé ou suporte a alguma coisa (frutos, flores, etc.).

despezuñarse. *v. r.* inutilizar-se a casca do animal; (Amér., fig.) caminhar muito depressa; morrer pelo desejo de conseguir alguma coisa.

despiadado, da. *adj.* despiedado, despiedoso, despiedado, inumano, cruel, ímpio, implacável; inexorável; empedernido; desalmado; incompassível. inclemente, duro.

despicar. *v. tr.* desafogar, satisfazer; vingar, desforrar, desafrontar, despicar. — **despicarse.** *v. r.* despicar-se, satisfazer-se, vingar-se, desforrarse; desafrontar-se.

despicarazar. *v. tr.* espicaçar, picar o pássaro os figos com o bico.

despicarse. *v. tr.* quebrar o bico (uma ave).

despichar. *v. tr.* transudar, despedir de si humor ou humidade, suar; (agr.) desengaçar, tirar o engaço às uvas; (Amér.) machucar, esmagar .— *v. intr.* (fam.) espichar, morrer.

despidida. *f* (agr.) desaguadoiro. V. **desaguadero.**

despierto, ta. *adj.* e *p. p. irr.* desperto, acordado; esperto; engenhoso, fino, vivo, sagaz, prudente; despejado; avispado; *persona despierta,* fura-paredes.

despiezar. *v. tr.* V. **despezar.**

despiezo *m* (arq.) corte que se faz nas pedras por onde se unem umas a outras, divisão das paredes, arcos ou abóbadas da silharia dum edifício, nas diferentes peças que entram na sua execução.

despigmentación .*f.* despigmentação.

despilaramiento. *m.* (min.) a(c)ção de tirar os pilares das minas.

despilarar. *v. tr.* (min.) tirar os pilares duma mina.

despilfarrado, da. *p. p.* e *adj.* esfarrapado, coberto de andrajos, andrajoso; pródigo, esbanjador; estragado; desperdiçado; (Amér.) ralo, dispersado.

despilfarrar. *v. tr.* esbanjar, estragar, desperdiçar, malgastar, delapidar, gastar sem conta, destruir. **despilfarrarse.** *v. r.* (fam.) gastar profusamente nalguma ocasião; alargar-se, (diz-se do que, sendo avarento, gasta às vezes pròdigamente); descomedir-se.

despilfarro. *m.* estrago de roupa ou doutras coisas por desleixo ou desasseio; desper-

dício, prodigalidade, profusão; despesa excessiva; esbanjamento, dissipação; delapidação; desarranjo, desordem, abuso; desgoverno, desordem na administração pública.

despimpollar. *v. tr.* (agr.) desfilhar, tirar à videira os rebentos ou os renovos inúteis; despampanar, chapodar (a vide).

despinces. *m. pl.* V. **despinzas.**

despinochar. *v. tr.* descamisar, desfolhar o milho.

despintar. *v. tr.* despintar, destingir; borrar, desfazer o que está pintado; (fig.) desfigurar e desvanecer um assunto; desnaturar, alterar; desmentir — *v. intr.* desdizer, degenerar; tornar-se indigno de. — **despintarse.** *v. r.* enganar-se no jogo.

despinzadera. *f.* mulher que tira com a espinça, instrumento de espinçar.

despinzador, ra. *adj.* espinçador, que espinça.

despinzar. *v. tr.* espinçar, cortar com espinça os fios ou nós da tela.

despinzas. *f. pl.* espinças, instrumento de espinçar.

despiojador. *m.* despiolhador, aparelho ou modo de proceder para limpar de parasitas as aves e outros animais domésticos

despiojar. *v. tr.* despiolhar, espiolhar, tirar os piolhos; (fig. e fam.) tirar a alguém da miséria. — **despiojarse.** v. r. despiolhar-se.

despioje. *m.* despiolhação despiolhamento.

despistar. *v. tr.* despistar, fazer perder a pista; estontear; despolarizar; extraviar, desorientar, desnortear, destrambelhar. — **despistarse** *v r.* despistar-se, extraviar-se, desorientar-se.

despiste *m.* estonteamento, destrambelhamento, desorientação.

despitorrado. *adj.* diz-se do touro de lide que tem uma ou as duas hastes partidas.

despizcar. *v. tr.* esmigalhar, fazer alguma cousa em migalhas, em bocadinhos. — **despizcarse.** *v. r.* (fig.) esmerar-se, pôr todo o cuidado nalguma coisa.

desplacer. *v. tr.* desprazer, desgostar, desagradar, penalizar; descomprazer; desaprazer. — *conj. irr* como **agradecer.**

desplacer. *m.* desprazer, descontentamento, desprazimento.

desplacible. *adj.* (ant.) desprazível.

desplanchar. *v. tr.* amarrotar (o que foi passado a ferro), amassar, encorrilhar. — **desplancharse.** *v. r.* enxovalhar-se.

desplantación. *f.* desplantação, desarraigamento. V. **desarraigo.**

desplantar. *v. tr.* desplantar, desarraigar uma planta; desaprumar, desviar da linha perpendicular. — **desplantarse.** *v. r.* (esgr. e dança) perder a posição recta.

desplante. *m.* desplante, posição irregular na esgrima e na dança; (fig.) descaro, desco(ô)co, desgarre, atrevimento, ousadia, desplante.

desplatación. *f.* V. **desplate.**

desplatar *v. tr.* despratear, tirar a prata que está ligada a outro metal.

desplate. *m.* a(c)ção e efeito de despratear; separação da prata ligada a outro metal.

desplayado, da. *adj.* e *p. p.* espraiado. —
m. (Amér.) praia que fica na maré vazante; descampado num bosque, clareira.
desplayar. *v. intr.* vazar, retirar-se o mar da
praia.
desplazamiento. *m.* (mar.) deslocação, volume de água descolocada pela embarca-
ção e a quantidade e peso deste líquido;
desalojamento; desmovimento.
desplazar. *v. tr.* (mar.) deslocar (o navio)
um certo volume de água. — **desplazarse.**
v. r. diz-se também de qualquer outro
corpo submergido num líquido.
desplegadura. *f.* despregadura, desdobra -
mento.
desplegar. *v. tr* despregar, desdobrar, desenvolver, estender o que estava dobrado ou
envolto; desenbrulhar; desencolher; de-
semedar; desenfestar; desfrisar; desencartar; desfraldar; expandir; desarregaçar; (fig.) aclarar, elucidar, exercer, pôr
em prática; (mil.) modificar a posição
das tropas. — **desplegarse.** *v. r.* despregar-
-se, desdobrar-se: *desplegar las banderas*,
desatar as bandeiras; *despregar la bandera, las velas*, desfraldar a bandeira, as velas. — *conj. irr.* como **acertar.**
despleguetear. *v. tr.* (agr.) esladroar, tirar
os renovos supérfluos aos sarmentos.
despliegue. *m.* despregadura, desdobramento, desenvolvimento, (principalmente na
estratégia militar); desembrulho.
desplomar. *v. tr.* desaprumar, fazer perder
o prumo; derrocar; derruir — **desplo-
marse.** *v. r.* perder o prumo, inclinar-se,
cair, desmoronar-se; (fig.) cair a prumo;
cair sem vida, desfalecer; arruinar-se,
perderse.
desplome. *m.* (arq.) o que sobressai da linha
de prumo; (Amér.) sistema antigo de exploração de minas, que consiste em socavar parte do filão até este cair pelo seu
próprio peso; (fig.) desaprumo, desabamento, derrocada, derrocamento.
desplomo. *m.* desaprumo, desvio da posição
vertical num edifício, numa parede, etc.
desplumadura. *f.* depenadura.
desplumar. *v. tr.* desplumar, depenar, tirar
as plumas ou as penas a uma ave .— **des-
plumarse.** *v. r.* (fig.) depenar, despojar
alguém do seu dinheiro; depenar-se.
desplume. *m.* V. **desplumadura.**
despoblación. *f.* despovoação, falta total ou
parcial da gente que povoava um lugar;
despovoação, ermamento, depopulação.
despoblado, da. *adj.* e *p. p.* despovoado,
inabitado, devastado. — *m.* despovoado, ermo ou sítio não povoado, e especialmente o que noutro tempo havia sido
habitado.
despoblar. *v. tr.* despovoar, reduzir a ermo
e a deserto o que estava povoado; (fig.)
desfilhar; depopular, despopularizar; ermar; devastar. — **despoblarse.** *v. r.* des-
povoar-se; desfilhar-se; (fig.) despojar um
lugar (do que há nele); (min.) deixar uma
mina sem o número de trabalhadores que
a lei exige. — *conj. irr.* como *contar.*

despoetizar. *v. tr.* despoetizar, tirar a alguma coisa seu carácter poético.
despojamiento. *m.* (ant.) despo(ô)jo, denudação, despojamento; (fig.) despimento.
despojar. *v. tr.* despojar, espoliar, privar
da posse dalguma coisa por fraude ou
violência; desbulhar, esbulhar; expropriar, expilar, desvestir, despir; desprover; desapossar; despovoar; desguarnecer; despojar. — **despojarse.** *v. r.* despir-
-se, deixar os vestidos, despojar-se; despojar-se, desarmar-se; (for.) tirar a alguém judicialmente a posse dos bens que
lhe não pertencem, para os entregar a
seu legítimo dono, em virtude de senteça
dada: *despojar un árbol*, desramar, desgalhar; *despojar fraudulentamente*, fraudar; *despojarse de la ropa*, desabafar-se
da roupa.
despojo. *m.* despojo, espólio, presa; despojo,
entulho, desrama, despojamento; despo-
jo, desperdício; miúdos, patas, asas, cabeça e pescoço (das aves mortas) . — *pl.*
restos mortais, cadáver; (Amér.) extracção do minério dum veio ou filão; sobras
ou resíduos; arrojos, detritos; (prov.)
colhada: *despojo de la cosa comprada de
buena fe*, (for.) evicção; *despojos de la
ciudad*, os despejos da cidade.
despolarización. *f.* (fís.) despolarização.
despolarizador, ra. *adj.* (fís.) despolarizador,
que despolariza. — *m.* (fís.) despolarizador.
despolarizar. *v. tr.* (fís.) despolarizar, destruir ou interromper o estado de polarização.
despolvar. *v. tr.* desempoar, desempoeirar,
tirar o pó.
despolvorear. *v. tr.* desempoar, espanar, tirar o pó; desapolvilhar; (fig) sacudir de
si ou desvanecer uma coisa, afastar, afugentar.
despolvoreo. *m.* desempoamento.
despopularización. *f.* despopularidade, perda
de popularidade, despopularização.
despopularizar. *v. tr.* despopularizar, tornar
impopular.
desportilladura. *f.* esquírola, lasca que se
desprende da orla dalguma coisa.
desportillar. *v. tr.* desportilhar, desbeiçar,
esborcelar, esborcinar, esbotenar, quebrar
o gargalo dum frasco ou garrafa; quebrar a borda dum vaso.
desposado, da. *adj. p. p.* e *s.* desposado, prometido em casamento, noivo, casado; enlaçado, unido; algemado, preso com algemas.
desposar. *v. tr.* desposar, celebrar esponsais, casar, unir pelo matrimó(ô)nio. — **des-
posarse.** *v. r.* casar-se, desposar-se, contrair esponsais; (fig.) enlaçar-se, unir-se
a; dar o anel; dar a sua mão.
desposeer. *v. tr.* desapossar, esbulhar da posse, espoliar; desempossar; expropriar;
expulsar; desbulhar. — **desposeerse.** *v. r.*
renunciar alguém ao que possui; desapossar-se: (for.) *desposeer judicialmente*,
evencer; *desposeer a alguien de todo*, des-

pir alguém; *desposeerse de algo*, desapoderar-se dalguma coisa.

desposeimiento. *m.* despossessão, esbulho da posse.

desposorio. *n.* desposório, contrato, promessa solene de casamento, esponsais.

déspota. *m.* déspota, tirano; soberano absoluto que governa arbitràriamente; (fig.) déspota, o que trata os seus inferiores, com dureza; pessoa que tem tendência para dominar sobre os que a rodeiam; (fig.) militarão.

despótico, ca. *adj.* despótico, absoluto, arbitrário, sem lei; tirânico; autoritário.

despotismo. *m.* despotismo, tirania; despotismo ou arbitrariedade, poder absoluto; despotismo, abuso de autoridade; governo despótico; absolutismo; autoritarismo; estratocracia.

despotricar. *v. intr.* (fam.) disparatar, despropositar, devanear, desarrazoar, dizer disparates, falar sem consideração.

despotrique. *m.* disparate, despautério, despropósito.

despreciable. *adj.* desprezível, digno de desprezo; vergonhoso, abjecto, vil, infame; ínfimo; menosprezível; desgraçado; contemptível; estuporado, desdenhável; indigno; charro; (Bras.) pangarave, rabacué: *cosa despreciable*, choldra; estropalho; *persona despreciable*, churdo, fagundes, bisgórria, echacorvos, esterco, bestiola.

despreciado, da. *adj. p. p.* desprezado, desestimado, menosprezado; arrastado; abandonado; amesquinhado; aviltado; esbanjado; desluzido.

despreciador, ra. *adj.* desprezador, que despreza; menoscabador; desgabador; despiciente; menosprezador, desdenhador.

despreciar. *v. tr.* desprezar, desestimar, menosprezar; não temer; desatender; não meter em conta; desairar; desdenhar; fazer pouco apreço ou caso; exautorar; engeitar; desatender; desprimorar; descartar; despeitar; ludibriar, desgabar; aviltar; desclassificar; deprimir; abrenunciar; menoscabar; desacreditar; desadorar; desonrar; desluzir; desmerecer; (fig.) atropelar; desvalorizar; enxovalhar. — **despreciarse.** *v. r.* desdenhar-se, não se dignar; avîltar-se; rebaixar-se; envergonhar-se; dedignar-se: *despreciarlo todo*, deixar barcos e redes; *despreciar la razón*, demitir de si a razão; *despreciar fracciones*, desprezar fracções; *quien desprecia comprar quiere*, (pop.) quem desdenha quer comprar.

despreciativo, va. *adj.* desprezativo, depreciativo, despenhoso, que revela desprezo, desprezante; ofensivo; desamorável.

desprecio. *m.* despre(ê)zo, desestimação, desdém, desaire, desconsideração; dedignação; desamor; desgabo; aviltamento; (fig.) desclassificação; descrédito; desapre(ê)ço; menospre(ê)zo; menoscabo; enxovalho: *tratar con desprecio*, assoberbar; *mirar con desprecio a alguien*, olhar

de alto para alguém; *ser objeto de desprecio*, dar-se ao desprezo; *tratar a alguien con desprecio*, (fam.) trazer alguém feito um estropalho.

desprender. *v. tr.* desprender, soltar o que estava preso, desatar, desunir; desapegar; desencavilhar; desengatar; desenganchar; desasir. — *v. intr.* exalar, emitir. — **desprenderse.** *v. r.* desprender-se, despregar-se, soltar-se, precipitar-se, cair ràpidamente; abandonar, renunciar, desistir, desfazer-se de alguma pessoa ou coisa; desprender-se, inferir-se, deduzir-se; (fig.) apartarse, desapropriar-se, privar-se do que é seu; desaferrar-se; desinteressar-se; desasir-se, desatar-se; despojar-se; (quim.) desprender-se, desenvolver-se (gas, etc.): *desprenderse de algo*, desapoderar-se dalguma coisa; *desprenderse las hojas de un árbol*, despojar das folhas uma árvore.

desprendido. da. *p. p.* e *adj.* desprendido, so(ô)lto; desinteressado, generoso, destravado; deixado; descosido.

desprendimiento. *m.* desprendimento, desapego, generosidade, abnegação, desinteresse(ê)sse; desambição; alheamento; desapropriação; desprendimento, desabamento de terras ou de pedaço dalguma coisa; (pint. e esc.) representação do descimento do Sagrado Corpo de Jesús Cristo; independência; indiferença.

despreocupación. *f.* despreocupação; desabuso; desprevenção; indiferença; descanso; frescata.

despreocupado, da. *adj.* e *p. p.* despreocupado; desprevenido; desenfadado; descuidoso, que não tem preocupação que faz alarde de não seguir as crenças, opiniões ou usos gerais; tolerante; liberal.

despreocuparse. *v. r.* despreocupar-se, livrar-se de preocupação; desentender-se, apartar duma pessoa ou coisa a atenção ou o cuidado; desabusar-se; desenganar-se.

desprestigiar. *v. tr.* desprestigiar, tirar o pretígio a; depreciar, desacreditar; desautorizar; menoscabar; desautorar; desvirtuar. — **desprestigiarse.** *v. r.* desprestigiar-se.

desprestigio. *m.* desprestígio; depreciação, descrédito; desautorização; desautoração; denigração; (fig.) desclassificeção.

desprevención. *f.* desprevenção, falta de prevenção; inprevidência; desprovimento; despercebimento.

desprevenido, da. *adj.* e *p. p.* desprevenido, descuidado; desprecatado; imprevidente; imprecatado; imprôvido; incauto: *cojer desprevenido*, apanhar desprevenido ou descuidado; (fam.) vir perdida da baralha; *cojer a alguien desprevenido*, dar em alguém; apanhar descalço a alguém.

desprevenir. *v. tr.* desaperceber, desprevenir, não prevenir; desavisar; desprecaver. — **desprevenirse.** *v. r.* desacautelar-se, desaperceber-se; desprevenir-se, desprecatar-se; desprecaver-se; inadvertir.

desproporción. *f.* desproporção, falta da proporção devida; desmedida; desigualdade; desmesura; descomunalidade; descompasso; desconformidade; deformidade; (fig.) desconveniência; desarmonia.

desproporcionado, da. *p. p.* e *adj.* desproporcionado, desmedido; desigual; desconforme, improporcional, improporcional; descomedido, exagerado; desmesurado; desatinado; desconveniente; descomunal; desarmonioso, desarmó(ô)nico, descompassado.

desproporcional. *adj.* improporcional, desproporcional, que não tem proporção.

desproporcionar. *v. tr.* desproporcionar, tirar a proporção a; tornar desconforme; proporcionar mal; descompassar.

despropositado, da. *adj.* despropositado, que não tem propósito; fora de propósito; inoportuno; disparatado; arrebatado; destampado; absurdo; impertinente, inconveniente.

despropósito. *m.* despropósito, dito ou feito inoportuno; disparate; absurdo; impertinência, inconveniência; desatino, descomedimento; desvario; despautério; destampatório; desconce(ê)rto; delírio; incoerência; devaneio: e(ê)rro: desconchavo; desarrazoamento; desvairo; descabelada; descambação: *decir despropósitos*, (fig.) desencaixar, dizer despropósitos.

desproveer. *v. tr.* desprover, despojar, privar alguém das suas provisões ou do necessário para a sua conservação; desabastecer; desprevenir: (mil.) desguarnecer. — **desproveerse.** *v. r.* desprover-se, privar-se do necessário.

desprovisto, ta. *adj.* e *p. p.* desprovisto, falto do que é necessário; (fig.) extenuado; (fig.) desguarnecido; despido; minguado; destituído; falto; desabastado; desabastecido; desapercebido; desprovido: *desprovisto de*, desservido de.

despueble. *m.* despovoamento, despovoação.

despueblo. *m.* despovoamento. V. **despueble.**

después. *adv.* depois, denota o tempo, lugar e situação; após; detrás; depós; posteriormente; seguinte, posterior, em seguida: *después de*, desde, depois de, em que; *después de todo*, assim como assím; por fim de contas; *ir después*, ir afiado; *el día después*, o dia depois.

despulgar. *v. tr.* V. **espulgar.**

despulir. *v. tr.* despolir, tirar o polimento, deslustrar.

despulpador. *m.* despolpador, aparelho para desfazer a polpa.

despulpar. *v. tr.* despolpar, extrair a polpa dalguns frutos .

despulsamiento. *m.* interrupção da pulsação.

despulsar. *v. tr.* deixar alguem sem pulsação. — **despulsarse.** *v. r.* (fig.) interessar-se vivamente por alguma coisa. V. **desvivirse.**

despumación. *f.* espuma.

despuntador. *m.* (Amér.) aparelho para separar minerais e martelo para os quebrar; despontador.

despuntadura. *f.* despontadela.

despuntar. *v. tr.* despontar, gastar, cortar ou quebrar a ponta; crestar, escarçar uma colmeia; (mar.) dobrar um cabo, uma ponta da terra; (Amér.) atravessar as nascentes dum rio ou doutro caudal de água; (prov.) comer o gado os rebentos tenros das plantas; (api.) limpar os cortiços das abelhas. — *v. intr.* começar a brotar, a nascer as plantas; surgir; assomar, despontar; despontar, manifestar engenho, dar esperanças; adiantar-se; embotar-se; manifestar agudeza ou disposição para alguma coisa: *despuntar el alba*, clarear, despontar o dia.

desque. *adv.* (poet.) desde que, logo que, assim que; usado também pelo vulgo.

desquebrajar. *v. tr.* V. **resquebrajar.**

desquejar. *v. tr.* (agr.) formar estacas ou tanchões dos renovos das plantas para transplantação.

desqueje. *m.* (agr.) tanchão para transplantar.

desquerer. *v. tr.* desquerer, deixar de amar, de querer bem.

desquiciamiento. *m.* desengonço, desencaixe; desconcerto.

desquiciar. *v. tr.* desquiciar, tirar os quícios ou gonzos, desengonçar. — **desquiciarse.** *v. r.* desquiciar-se, desengonçar-se; desengonçar-se; descompor uma coisa tirando-lhe a firmeza ou a solidez o apoio que devia ter; indispor, fazer perder a amizade ou valimento com outrem.

desquijaramiento. *m.* desqueixamento.

desquijarar. *v. tr.* desqueixar, quebrar, deslocar os queixos, estrangalhar. — **desquijararse.** *v. r.* desqueixar-se.

desquijerar. *v. tr.* descompor, desqueixar.

desquijerar. *v. tr.* serrar ou cortar um madeiro por dois lados (para tirar uma espiga), a fim de se poder ensamblar.

desquilatar. *v. tr.* baixar de quilates o ouro; (fig.) fazer perder a uma coisa o seu valor intrínseco.

desquitar. *v. tr.* desquitar, desforrar, reintegrar-se do perdido; desquietar, desforçar. — **desquitarse.** *v. r.* tomar despique, apartar-se, desquitar-se; desforçar-se ou vingar-se de um desgosto recebido: *desquitarse de algún daño o prejuicio*, desforrar-se; *desquitarse en el juego*, desforrar-se.

desquite. *m.* desquite, desforra, desquitação; despique: *tomarse el desquite*, tirar a desforra; *en desquite*, em desforra, em despique; *dar, ofrecer el desquite en el juego*, dar a desforra.

desrabar. *v. tr.* descaudar. V. **desrabotar.**

desrabotar. *v. tr.* descaudar, desrabar, derrabar, cortar a cauda especialmente às crias das ovelhas.

desramar. *v. tr.* desramar, tirar os ramos a uma árvore, desgalhar.

desrancharse. *v. r.* desranchar-se, desalojar-se, deixar o rancho; (mil.) separar-se o soldado arranchado.

desrayar. *v. tr.* (agr.) derregar, abrir regos para esgoto de terrenos lavrados.

desrazonable. *adj.* desarrazoável, fora de razão; despropositado; injusto.

desrazonar. *v. tr.* despropositar.

desreglado, da. *p. p.* e *adj.* desregrado; desvairado; desordenado.

desreglar. *v. tr.* desregrar. desordenar. V. **desarreglar.**

desrelingar. *v. tr.* (mar.) desrelingar, tirar as relingas às velas.

desriñonar. *v. tr.* derrear, deslombar: *quedar desriñonado por un trabajo*, ficar derreado por causa de uma tarefa. V. **derrengar.**

desrizar. *v. tr.* desenriçar, desemaranhar, desfazer o que está emaranhado; desencrespar, desfrisar; desencarapinhar; desencarapelar; desencaracolar (o cabelo).

desroblar. *v. tr.* desrebitar, desfazer o rebite.

desroñar. *v. tr.* (prov.) esladroar, tirar às árvores os ramos ruins ou inúteis.

destacado, da *p. p.* e *adj.* destacado; desligado, solto; destacado, que sobressai.

destacamento. *m.* (mil.) destacamento, força militar destacada.

destacar. *v. tr.* (mil.) destacar, enviar tropas em destacamento; lançar, despedir; destacar, desprender, separar. — *v. intr.* destacar, despontar; sobressair; emanar; (pint.) fazer ressaltar os objectos dum quadro; ressaltar; frisar; abalizar-se; empinar-se; desenhar-se.

destaconar. *v. tr.* romper ou gastar os tacões ou saltos dos sapatos.

destajador. *m.* malho, espécie de martelo de que se utilizam os ferreiros para forjar o ferro.

destajar. *v. tr.* taxar, ajustar e declarar antecipadamente as condições para fazer determinado trabalho; talhar, cortar o baralho no jogo de cartas; (ant.) talhar, precaver; desencaminhar, extraviar; retalhar; terminar; interromper; (Amér.) talhar, cortar.

destajero. *s.* empreitero. V. **destajista.**

destajista. *m.* empreitero, pessoa que, por conta doutrem, toma de empreitada algum trabalho.

destajo. *m.* empreitada, ajuste para a execução duma obra, cuja despesa se estabelece antecipadamente; divisão, repartimento; (fig.) tarefa, obra, empresa que alguém toma por sua conta: *a destajo*, de empreitada, por um tanto; *hablar a destajo*, vender a retalho; *trabajar a destajo*, empreitar.

destalingar. *v. tr.* (ar.) destalingar, desatar cabos talingados.

destalonar. *v. tr.* acalcanhar, dobrar, tirar ou estragar o talão do sapato; destacar o talão do sapato; destacar o talão dum recibo, documento, etc.; (vet.) rebaixar o casco das cavalgaduras.

destallar. *v. tr.* esladroar, tirar os ramos inúteis às plantas.

destapado, da. *p. p.* e *adj.* destapado, destampado; desabafado; descoberto.

destapadura. *f.* destapamento; desarrolhamento.

destapar. *v. tr.* destapar, destampar; descobrir, tirar a tampa, a rolha; desarrolhar; despejar; desatascar; desabafar; desencachar; desencapotar; desencobrir; (fig.) descobrir o que está tapado, tirando a coberta. — **destaparse.** *v. r.* destapar-se, descobrir-se; desabafar-se.

destapiado, da. *p. p.* e *adj.* desentaipado, liberto, desafrontado de taipais. — *m.* o lugar que fica depois de tiradas ou demolidas as taipas ou taipais.

destapiar. *v. tr.* desentaipar, derrubar, demolir as paredes de taipa; desemparedar.

destaponar. *v. tr.* desarrolhar, desbatocar; destampar.

destarar. *v. tr.* (com.) abater a tara dalgum peso.

destartalado, da. *adj.* destrambelhado, descomposto; desproporcionado e sem ordem.

destazar. *v. tr.* despedaçar, retalhar, cortar, esquertejar (reses mortas).

deste, ta, to. contracção de *de* e *éste, ésta, esto*, deste, desta, disto.

destechadura. *f.* destelhamento.

destechar. *v. tr.* destelhar, tirar o tecto a um edifício.

destejamiento. *m.* destelhamento, a(c)ção de destelhar.

destejar. *v. tr.* destelhar, tirar as telhas aos telhados; (fig.) deixar sem reparo, sem defesa, desguarnecer; desabrigar, desamparar.

destejer. *v. tr.* destecer, desmanchar o que estava tecido; (fig.) desbaratar o que estava disposto ou tramado; destecer, desfazer uma trama, conspiração, etc.

destellar. *v. tr.* cintilar, faiscar, lançar ou despedir raios de luz, brilhar; (ant.) esquecer, olvidar; destilar, gotejar.

destello. *m.* destelhamento; clarão, resplendor vivo e efémero; cintilação; brilho, fulgor; lucilação; distilação; (fig.) luz viva do entendimento.

destemplado, da. *p. p.* e *adj.* destemperado, imoderado, falta de temperança; desregrado; desacorde, desacordado; (pint.) discordante, sem harmonia; (mús.) dessoante, desafinado, estridente, destemperado: *de genio destemplado*, atrabilioso.

destemplador, ra. *adj.* destemperador, que destempera. — *m.* oficial que destempera aço.

destemplanza. *f.* destemperança, intemperança, excesso nas paixões, no comer, no beber, etc.; destemperança, intempérie na atmosfera; irregularidade das estações; (med.) alteração do pulso sem constituir febre; (fig.) destempero, despropósito, disparate; desordem. alteração nas palavras ou actos; falta de moderação; destêmpera dos metais.

destemplar. *v. tr.* destemperar, desarranhar, perturbar, alterar a ordem; diluir; pôr em infusão; dissolver; (mús.) destemperar, desafinar um instrumento; destemperar, tirar a têmpera; destoar; desacordar. — **destemplarse.** *v. r.* alterar-se o pulso; perder a têmpera, destemperar; (fig.) alterar-se, perder a moderação nos actos e nas palavras; enfurecer-se; desafinar-se; destemperar-se.

destemple. *m.* destempe(ê)rro, desordem; destempero, excesso; destempero, intemperança; (med.) destempero, ligeira indisposição de saúde; (mús.) destempero, desafinação; dissonância; destêmpera dos metais; (fig.) destempero, despropósito, descomedimento, disparate.

destentar. *v. tr.* despersuadir, tirar alguém da tentação. — *conj. irr.* como **tentar.**

desteñir. *v. tr.* destingir, tirar, fazer perder a tinta; apagar a co(ô)r; desbotar. — **desteñirse.** *v. r.* destingir-se. — *conj. irr.* como **teñir.**

desternillarse. *v. r.* ferir-se, cortar-se nalguma cartilagem ou tendão; (fig.) arrebentar, chorar de riso: *desternillarse de risa,* (fam.) desconjuntar-se com riso, desopilar o figado.

desterradero. *m.* (fig.) deste(ê)rro, lugar distante e isolado.

desterrado, da. *adj. p. p. e s.* desterrado, degredado, exilado; expatriado, emigrado, despatriado, banido, ablegado; deportado.

desterramiento. *m.* (ant.) desterramento. V. **destierro.**

desterrar. *v. tr.* desterrar, degredar, mandar alguém para fora da pátria ou da terra onde habita; exilar, expatriar; (fig.) afastar, afugentar; expelir; desenterrar; tirar, sacudir a terra, tirar a terra às raizes das plantas; ablegar; deportar; banir; (fig.) exterminar; encartar; emigrar; desnaturalizar; desarraigar; enxotar (tristeza, melancolia, etc.). — *pres. ind.* **destierro, -as, -a, -an;** *subj.* **destierre, -es, -e, -en.**

desterronamiento. *m.* desterroamento, esterroamento, esterroada.

desterronar. *v. tr.* desterroar, desfazer os torrões de; esterroar; tirar terra de; excavar; destorroar; descodear.

destetar. *v. tr.* destetar, desmamar, desleitar; (fig.) afastar os filhos de casa; ablactar; (pop.) desquitar. — **destetarse.** *v. r.* privar-se: *destetarse uno por una cosa,* (fig. e fam.) usar dalguma coisa desde o berço.

destete. *m.* desmama, ablactação.

desteto. *m.* conjunto de gado desmamado; lugar ou cavalariça onde se recolhem as muares recentemente desmamadas.

destez. *m.* (ant.) contratempo, infortúnio.

destiempo (a). *adv.* inoportunamente, fora de tempo, a destempo, sem oportunidade: *decir o hacer a desatiempo,* dizer ou fazer alguma coisa inoportunamente.

destiento. *m.* perturbação do ânimo, alteração, sobressalto.

destierre, *m.* a(c)ção de separar a terra dos minerais.

destierro. *m.* deste(ê)rro, expatriação voluntária ou forçada: degre(ê)do, exílio, deportação; banimento; (for.) desterro, pena correccional; lugar onde vive o desterrado; (fig.) solidão, lugar solitário, ermo; lugar distante do que se considera central; (fig.) extermínio; encartação; desnaturalização.

destilable. *adj.* destilável, que pode destilar-se.

destilación. *f.* destilação, queda de líquido, gota por gota; destilação, fluxo de humores serosos ou mucosos; (quím.) destilação; estilação: *destilación repetida,* (quím.) coobação.

destiladera. *f.* destilador, alambique, aparelho para destilar; (fig.) meio subtil para dirigir e encaminhar algum negócio ou pretensão; (Amér.) filtro para purificar a água.

destilador, ra. *adj.* destilador, que tem por ofício destilar água ou licores; diz-se do que destila. — *m.* destilador, alambique, filtro para purificar a água.

destilar. *v. tr.* destilar, condensar os vapores pelo calor; deixar cair em gotas; estilar; alambicar; chorar; destilar, filtrar. — *v. intr.* destilar, correr o líquido gota a gota, filtrar, gotejar. — **destilarse.** *v. r.* filtrar-se: *destilar repetidas veces,* coobar; *destilar las vides,* chorar as vides.

destilatorio, ria. *adj.* destilatório, que serve para a destilação. — *m.* destilatório. V. **destilería e alambique.**

destilería. *f.* destilaria, fábrica de destilação.

destinación. *f.* destino, destinação.

destinado, da. *adj. e p. p.* destinado; devotado; consagrado; aplicado; assinalado; (ant.) desatinado, sem tino.

destinar. *v. tr.* destinar, ordenar, designar, determinar, preparar para algum fim ou efeito; escolher ou nomear para algum emprego ou cargo; designar a ocupação ou emprego em que há-de servir uma pessoa; destinar, consagrar, dedicar; assinar; aplicar; empregar; dar, encaminhar; devotar; endereçar; deputar. — **destinarse.** *v. r.* dedicar-se, destinar-se.

destinatario, ria. *s.* destinatário, pessoa a quem vai dirigida ou endereçada alguma coisa.

destino. *m.* destino, acontecimento fatal ou necessário, determinado pela Providência ou pelas leis naturais, fatalidade; fado; sina; sorte; (fig.) andança; colocação; fadário, fadas; efeito; estre(ê)la; empre(ê)go; destino, destinação, aplicação; fortuna; designação; (fig.) derrota: *dar un destino,* colocar; *someterse al destino,* fadejar; *dar otro destino,* converter.

destiranizado, da. *adj.* livre, isento de tirania.

destirpar. *v. tr.* V. **extirpar.**

destitución. *f.* destituição; apeamento; deposição; derribamento; expulsão; desautoração; exoneração; destronação; desempre(ê)go; desencarregamento, descargo: *destitución ignominiosa*, degradação.

destituible. *adj.* que pode ser destituído.

destituido, da. *adj.* e *p. p.* destituído, desvalido, desamparado; descalço; desautorado; derribado; degradado; desapoderado; desempregado; desacomodado; deposto.

destituidor, ra. *adj.* e *s.* destituidor, que destitui.

destituir. *v. tr.* destituir, privar alguém dalguma coisa; separar, desligar, demitir; depor; derribar; expulsar; desnichar; desautorar; desinvestir; exonerar; derrocar; degradar; desempregar; desencartar; desacomodar; destronar; (fig.) apear.

destocar. *v. tr.* destoucar, tirar ou desfazer o toucado. — **destocarse.** *v. r.* descobrir--se, tirar o chapéu.

destorcedura. *f.* destorcimento, destorcedura.

destorcer. *v. tr.* destorcer, desfazer o torcido. — **destorcerse.** *v. r.* endireitar, arranjar, regular, pôr em ordem o que não estava conforme; (mar.) perder o rumo a embarcação; desencaminhar-se; desroscar-se, (mar.) destorcer-se. — *conj. irr.* como **mover.**

destorgar. *v. tr.* (prov.) esgalhar ou quebrar ramos dos carvalhos, quando lhes sobem os trabalhadores para os sacudir e colher as bolotas.

destornillado, da. *adj. p. p.* e *s.* desaparafusado, desatarraxado, diz-se do parafuso, que foi ou está desandado; (fig.) inconsiderado, precipitado, sem senso, estouvado.

destornillador. *m.* desandador, chave de fenda; atarraxador; chave de parafusos.

destornillamiento. *m.* desaparafusamento, desatarraxamento.

destornillar. *v. tr.* desaparafusar, desparafusar, desatarraxar, desandar os parafusos. — **destornillarse.** *v. r.* desaparafusar--se; (fig.) fazer-se estouvado, proceder, falar, inconsideradamente.

destorpar. *v. tr.* (desus.) V. **deturpar.**

destoserse. *v. r.* fingir tosse; tossir sem necessidade.

destrabar. *v. tr.* destravar, despear, tirar, soltar os travões; desasir, desprender, afastar uma coisa doutra. — **destrabarse.** *v. r.* (fig., prov.) livrar-se duma doença; despear-se.

destrabazón. *f.* destravamento.

destraillar. *v. tr.* destrelar.

destral. *m.* machado pequeno de dois gumes para cortar lenha e para outros usos.

destraleja. *f.* machadinha, machado pequeno.

destramar. *v. tr.* destramar, desfazer a trama de qualquer tecido; (fig.) desenredar, desfazer a intriga, o enredo; desurdir.

destrancar. *v. tr.* V. **desatrancar.**

destrejar. *v. intr.* (p. us.) obrar ou proceder com destreza.

destrenzar. *v. tr.* destrançar, desfazer as tranças, o cabelo; — **destrenzarse.** *v. r.* des-

trançar-se; *destrenzar los cabos;* (mar.) destorcer os cabos.

destrez. *f.* (ant.) V. **destreza.**

destreza. *f.* destreza, habilidade, arte, jeito; indústria; desteridade; equilibrismo; luzimento; maestria; estratégica; força, destreza, facilidade: *adquirir destreza*, facilitar; *falto de destreza*, desasado; *hacer algo con destreza*, engenhar.

destributar. *v. tr.* (ant.) eximir do pagamento de tributo.

destricia. *f.* (ant.) escassez, necessidade, aperto.

destrincar. *v. tr.* (mar.) estrincar, desamarrar, desfazer as voltas da estrinca; (Bras.) destrinchar.

destripado, da. *adj.* e *p. p.* estripado, esviscerado.

destripador, ra. *adj.* e *s.* estripador, que estripa.

destripamiento. *m.* estripação, desventração, estripamento.

destrijar. *v. tr.* estripar, desentranhar, tirar as tripas do ventre; (fig.) desentranhar, tirar o interior dalguma coisa; desventrar; esbarrigar; esbandulhar; destripar, esviscerar; alanhar: *destripar los peces*, abrir peixes.

destripular. *v. tr.* destripular; (mar.) destripular, desamarinhar.

destriunfar. *v. tr.* destrunfar, tirar os trunfos a quem os tem, obrigando-o a jogá-los.

destrizar. *v. tr.* esmigalhar, fazer em migalhas, em bocadinhos, fragmentar, despedaçar. — **destrizarse.** *v. r.* (fig.) consumir--se, afligir-se; ralar-se, enfadar-se.

destrocar. *v. tr.* destrocar, desfazer a troca, tornar a receber a coisa que se havia trocado. — *conj. irr.* como **contar.**

destrón. *m.* guia, moço de cego. V. **lazarillo.**

destronamiento. *m.* destronação destronização, destronamento.

destronar. *v. tr.* destronar, desentronizar, lançar fora do trono, privar do reino, depor o rei; destronar, descoroar; (fig.) tirar a uma pessoa a sua preponderância.

destroncamiento. *m.* destroncamento.

destroncar. *v. tr.* destroncar, desmembrar, cortar uma árvore pelo tronco; (fig.) cortar ou desconjuntar o corpo ou parte dele; arruinar, destruir, prejudicar. — **destroncarse.** *v. r.* cair de fadiga, esgotado pelo trabalho ou pela insónia.

destronchar. *v. tr.* (ant.) estudar ou tratar duma matéria sem a profundizar.

destroyer. *m.* contratorpedeiro, navío com aparelhagem para destruir os torpedos ou barcos torpedeiros.

destrozar. *v. tr.* destroçar, despedaçar, destruir, desbaratar; arruinar, estracinhar; estrafegar; esbagaçar. — **destrozarse.** *v. r.* (fig.) gastar muito, inconsideradamente; (mil.) derrotar o inimigo, desbaratá--lo; esbandalhar-se: *destrozar al enemigo*, descoser na carne do inimigo; *destrozar una puerta*, arrombar uma porta; *destrozar el traje*, estragar o vestido.

destrozo. *m.* destro(ô)ço, estrago: desperdício; derrota; estrafe(ê)go; destroço, desbaratamento; despedaçamento; estropício; (fig.) fachina.

destrozón, na. *adj.* e *s.* (fig.) estragador, que estraga muita roupa, muito calçado; estragadão.

destrucción. *f.* destruição, assolamento, devastação; ruína, perda total; aniquilação; desmoronamento; arrasadura; ermamento; arruinamento; assolação; derriba; desolação; desabamento; derrocada; derrocamento; estragação; estrago, estragamento; eversão; destro(ô)ço; devoração; exterminação; desbaratamento; despedaçamento; demolição; execução; exício; desaterramento; desarraigamento; extirpação; destruição, (fig.) esterilização, derrocamento, despenhamento.

destructibilidad. *f.* destrubilidade, qualidade de destrutível.

destructible. *adj.* destrutível, que se pode destruir, destruível.

destructividad. *f.* destrutibilidade, qualidade de destrutivo.

destructivo, va. *adj.* destrutivo, que destrói; destrutor, destruidor.

destructor, ra. *adj.* e *s.* destruidor, destrutor; devastador, destrutivo; arrasador; derribador; fulmíneo; arruinador: assolador; derrubador; derruidor; eversivo; eversor, exterminador; demolitório, demolidor; destroçador; (mar.) destrutor.

destrueco. *m.* destroca.

destrueque. *m.* destroca.

destruible. *adj.* destrutível, que pode ser destruído; destruível; delével.

destruido, da. *adj.* e *p. p.* devastado, arruinado; assolado; derribado; derruído; desgastado; derrocado; destroçado; (fig.) esterilizado.

destruidor, ra. *adj.* e *s.* destruidor, que destrói; destrutivo; eversor.

destruir. *v. tr.* destruir, desfazer, arruinar; demolir, aniquilar; assolar; (fig.) destruir, desfazer um enredo; empobrecer, estragar; destruir, dissipar, malbaratar, desbaratar os bens; desesperar, tirar a esperança; transtornar; fazer desaparecer; exterminar; desbaratar; devastar; escarnificar; arrasar, ermar; esbandalhar; fulminar; fracassar; derrubar, derruir; acabar; apagar; consumir; dar conta; anular; desvanecer, devorar, estrangalhar; exterminar; estrinçar; engolir; afogar; despedaçar; extirpar; estrompar; destroçar; desarraigar; (fig.) degolar; descimentar; esterilizar; acoitar; desmochar; desolhar; abismar; desgastar (pouco a pouco). — **destruirse.** *v. r.* destruir-se; aniquilar-se; desmoronar-se; abismar-se; desarraigar-se.

destusar. *v. tr.* (Amér.) V. **despinochar.**

desubstanciar. *v. tr.* desubstanciar, extenuar. V. **desustanciar.**

desucación. *f.* a(c)ção e efeito de **desucar.**

desucar. *v. tr.* (quím.) espremer o suco.

desudación. *f.* dessudação; (med.) dessudação.

desudar. *v. tr.* dessuar, deixar de suar.

desuello. *m.* esfoladura; (fig.) descaro, ousadia, desvergonha.

desuerar. *v. tr.* extrair o soro, dessorar.

desuetud. *f.* galicismo por *desuso.*

desulfuración. *f.* (quim.) dessulfuração.

desulfurar. *v. tr.* (quím.) dessulfurar.

desuncir. *v. tr.* desjungir, soltar do jugo os bois, os muares, etc.; destrelar; desapor; descangar.

desunido, da. *adj.* e *p. p.* desconjunto; desunido; desconexo; decepado; (fig.) desatado; desanexo; incomplexo; desarilhado.

desunificar. *v. tr.* (Amér.) desunificar.

desunión. *f.* desunião, disjunção, separação das partes que estavam unidas e formavam um todo ou um corpo só; (fig.) discórdia, desavenença; desunião, alteração; incomplexidade; desanexão; desconjuntamento; desconciliação; desconchavo; desconcórdia; desconexão; desligamento; desagregação: *promover desunión,* dar gosto ao diabo.

desunir. *v. tr.* desunir, separar uma coisa doutra; desacompanhar; desenfreixar; desencaixar; desencadear; descompaginar; apartar; desprender; desanexar; arrancar; desconjugar; desconjuntar; desconchavar; desatar; despegar; desajustar; desajuntar; desadunar; desunificar; desconchegar; desconformar; desligar; desachegar; (fig.) descimentar; descoser; (fig.) decepar. — **desunirse.** *v. r.* (fig.) introduzir discórdia entre pessoas que se davam bem; desunir-se; desarcarse; desconjuntar-se: *desunir a personas,* alienar; *desunir a dos personas,* descasar; *el temporal desunió las planchas del navío,* o temporal descoseu as pranchas do navio.

desuñar. *v. tr.* desunhar, tirar ou arrancar as unhas; (agr.) arrancar as raízes velhas das plantas. — **desuñarse.** *v. r.* (fig. e fam.) desunhar-se, afanar-se, ocupar-se num trabalho de mãos, difícil ou minucioso; ocupar-se teimosamente num vício, como roubar, jogar, etc.

desurcar. *v. tr.* (agr.) desfazer os sulcos.

desurdir. *v. tr.* desurdir, destecer, desfazer a trama o tecido, a urdidura; (fig.) destramar, destecer uma intriga, um enredo, etc.

desusado, da. *p. p.* e *adj.* desacostumado, desusado; infrequ(ü)entado; infrequ(ü)ente: estranhado; estranho; extraordinário.

desusar. *v. tr.* desusar, desacostumar, perder ou deixar o uso, desabituar. — **desusarse.** *v. r.* desacostumar-se.

desuso. *m.* desuso, falta de uso, de costume ou de exercício; desuso, desacostume: *caer en desuso,* antiquar-se; *desuso de una costumbre,* dessuetude.

desustanciar. *v. tr.* dessubstanciar, enfraquecer, tirar a substância, a força, a virtude dalguma coisa.

desvahar. *v. tr.* (agr.) alimpar, tirar os ramos e partes secas às plantas.

desvaído, da. adj. esgrouviado, alto e desairoso, esgrouvinhado; esvadio, diz-se da co(ô)r; pálido; empanado.

desvainadura. f. debulha, descascamento.

desvainar. v. tr. debulhar, descascar o grão, tirar as sementes das vagens.

desvaler. v. tr. desvaler, não valer, não dar amparo; não valer, perder valor; privar do valimento.

desvalido, da. adj. e s. desvalido, desamparado, desprotegido; mendigo.

desvalijador. m. desvalijador, ladrão de maletas.

desvalijamiento. m. desvalijamento; roubo (principalmente de malas de mão).

desvalijar. v. tr. desvalijar, roubar o conteúdo duma maleta; (fig.) depenar, esfolar, despojar de todo o dinheiro; despojar.

desvalijo. m. roubo de mala. V. **desvalijamiento.**

desvalimiento. m. desvalimento, desprotecção, desamparo, abandono, privação de todo o socorro.

desvalorar. v. tr. desvalorizar; (Amér.) desacreditar, desautorizar.

desvalorización. f. desvalorização desvaliação; descida: *desvalorización de la moneda*, desmonetização.

desvalorizar. v. tr. desvaliar, desvalorizar, diminuir o valor duma coisa.

desván. m. desvão, parte mais alta da casa, imediata ao telhado; *desván gatero o perdido*, o desvão que não pode ser habitado.

desvanecedor, ra. adj. e m. desvanecedor, que desvanece; degradador, aparelho usado em fotografia.

desvanecer. v. tr. desvanecer, diminuir gradual e progressivamente alguma coisa, fazendo com que desapareça ou se perda de vista; esvaecer, desvair; apagar; cicatrizar; desmaiar; evaporar; expungir; (fig.) delir, desmentir; elidir, desperfilar. — **desvanecerse.** v. r. delir-se, desprender-se dos olhos dalguém; afundar-se; desmaiar; exalar-se evaporar-se; eclipsar-se; desbotar; esvaecer-se; desvair-se; esvair-se evolar-se, desvanecer-se; fundir-se (fam.) enfanicar-se; (fig.) desflorecer-se; (pop.) fanicar: *desvanecerse el color*, destingir-se, descorar-se; *desvanecer las nubes*, desanuviar; *desvanecer una impresión moral*, desimpressionar; *desvanecer las huellas o vestígios*, apagar vestígios.

desvanecido, da. p. p. e adj. desvanecido, soberbo, vaidoso, presumido; desconcertado; desfeito; desbotado; eclipsado; desmentido; esvaecido; afumado: *esperanza desvanecida*, esperança desfeita.

desvanecimiento. m. desvanecimento, presunção; vaidade, soberba; debilidade, fraqueza, perturbação da cabeça; ou dos sentidos; delíquio; (pop.) chilique; (pop.) fanico; (fig.) desbotadura.

desvaporar. v. tr. V. **desvaporizar.**

desvaporizadero. m. evaporatório ou evaporativo, orifício por onde sai o vapor.

desvaporizar. v. tr. evaporar, converter em vapor; (fig.) dissipar, desvanecer.

desvarar. v. tr. resvalar, escorregar, deslizar. — **desvararse.** v. r. (mar.) desencalhar, pôr a flutuar o navio que estava encalhado.

desvaretar. v. tr. tirar os rebentos inúteis, especialmente às oliveiras na Andaluzia.

desvariar. v. intr. desvairar, delirar, dizer loucuras ou despropósitos; devanear; destravar; entontecer; alucinar; desvariar; desorientar; (fig.) desnortear; não dizer coisa com coisa.

desvarío. m. desvairo, desvario, delírio, extravagância; despropósito; desacerto, erro; alucinação; desvairamento; desorientação; devaneio; desnorteamento; loucura; (fig.) monstruosidades, coisa que sai fora da ordem natural; capricho, desigualdade, inconstância.

desvastar. v. tr. V. **devastar.**

desvastigar. v. tr. desbastar, podar, cortar a rama ou os braços inúteis das árvores.

desvedar. v. tr. levantar ou revogar qualquer proibição.

desvelamiento. m. desvelo. V. **desvelo.**

desvelar. v. intr. desvelar tirar o sono; descobrir; desembruçar; desencachar; desencapotar. — **desvelarse.** v. r. desvelar-se, desolhar-se; (fig.) pôr grande cuidado ou desvelo no que se deseja fazer ou conseguir.

desvelo. m. desve(ê)lo, dedicação; cuidado vigilância, ze(ê)lo.

desvenar. v. tr. dissecar as veias, separá-las da carne; tirar o mineral do veio ou filão; desfibrar as plantas; (equit.) arquear o bocal do freio dos cavalos.

desvencijar. v. tr. desenvencelhar, desvencilhar, desunir, separar, afrouxar as peças que devem estar unidas. — **desvencijarse.** v. r. desconjuntar, rebaixar-se uma parte do corpo; (fig.) afadigar-se, esforçar-se.

desvendar. v. tr. desvendar, tirar ou desatar a venda; (cir.) tirar uma ligadura. — **desvendarse.** v. r. desvendar-se; (fig.) descobrir-se; desenganar-se.

desveno. m. arco que o bocado do freio apresenta no centro, e que ordinàriamente é empregado nos cavalos de boca rija.

desventaja. f. desvantagem; inferioridade; desconveniência; desproveito; inconveniente.

desventajoso, sa. adj. desvantajoso, desfavorável, diz-se das coisas que trazem ou podem trazer desvantagem, prejuízo ou inconveniente.

desventar. v. tr. aventar, tirar ou extrair o ar dalguma parte onde está encerrado. — *conj. irr.* como **acertar.**

desventura. f. desventura, desdita, infortúnio, infelicidade, desgraça; desfortuna; despeito; desaventura, mal aventura.

desventurado, da. adj. e s. desventurado, infeliz, desaventurado; malfadado; desgraçado; desditoso; coitado, pobre de espírito; desafortunado, deplorável; avarento, miserável; desditado; desventuroso; belisário.

desvergonzado, da. *adj.* e *s.* desavergonhado, que não tem vergonha; desonesto; desaforado; desmesurado; deslinguado; fresco; desbragado; impudente; impúdico; descarado; cínico: *mujer astuta y desvergonzada*, mulher corrida; *dicho desvergonzado*, desavergonhamento.

desvergonzarse. *v. r.* desavergonhar-se, descomedir-se, faltar ao respeito; desbragar--se; desaforar-se; (fig.) desbicar-se.

desvergüenza. *f.* desvergonha, desvergonhamento; cinismo; sem vergonha; insolência; dito impúdico e cínico; desbocamento; desco(ô)co; indecoro; deslinguamento; frescura; desbragamento; impudência; impudor; desgarre; descaro, descaramento; despejo; desafo(ô)ro; desonestidade.

desvestir. *v. tr.* desvestir, despir. — **desvestirse.** *v. r.* despir-se, despojar-se. — **V. desnudarse.**

desvezar. *v. tr.* desavezar, desacostumar. — **desvezarse.** *v. r.* (agr.) (prov.) separar na mergulhia da videira, o mergulhão da cepa mãe, pela parte que com ela comunica.

desviación. *f.* desvio, separação, afastamento; (fís.) afastamento da perpendicular que se observa na queda livre ou gravitação de qualquer corpo, sendo esta perpendicular tirada desde o ponto da partida até à superfície da terra; (med.) direcção viciosa que em muitas ocasiões tomam certas partes do corpo, especialmente ossos e membros: *desviación de un viaje*, desviação; *desviación de los rayos luminosos*, inflexão; *desviación de las aguas*, adução, derivação.

desviador, ra. *adj.* desviador, que desvia; derrotador; deflector.

desviamiento. *m.* (ant.) desvio, afastamento.

desviar. *v. tr.* desviar, apartar, afastar do verdadeiro lugar ou caminho alguma coisa; desviar, inclinar, arredar; descarrilar; descarreirar, descaminhar; derivar; atalhar; demover; declinar; evitar; deslocar; defle(c)tir; entortar; infle(c)tir; (fig.) furtar; conjurar; alienar. — **desviarse.** *v. r.* dissuadir alguém do seu intento, propósito ou ideia; (esgr.) afastar a espada do adversário, formando outro ângulo; desviar-se; derivar; extraviar-se; furtar--se; deixar, declinar; (fig.) deslizar; afastar-se: *desviar la conversación*, desconversar; *desviarse de la línea del deber*, apartar-se da linha do dever; *desviar de la fe religiosa*, desedificar; *desviarse del camino*, apartar do caminho; desencaminhar; desatremar; aberrar; *desviar la vista*, desfitar, declinar os olhos, (fig.) desprender, desatentar; *desviarse del rumbo*, (mar.) derivar, decair, derrotar, desnortear; *desviar un golpe*, evitar o golpe, desviar uma pancada; *desviarse de la carretera*, deixar a estrada.

desviejar. *v. tr.* apartar do rebanho as reses velhas.

desvigorizar. *v. tr.* emurchecer, desvigorar, desvigorizar.

desvinculación. *f.* desvinculação.

desvío. *m.* desvio, afastamento; (fig.) desape(ê)go, desagrado; despegamento; desencontro; desencaminhamento; desapegamento; alienação; aberração; desapego; desvio da agulha magnética, declinação; desvio, via ou caminho que se aparta doutro principal; (Amér.) cada uma das pranchas ou tábuas que se prendem horizontalmente nos andaimes suspensos; desvio duma linha férrea.

desvirar. *v. tr.* (mar.) escarpar o cabo quando se puxa pelo cabrestante, dando-lhe voltas em sentido contrário às que estão dadas, desvirar.

desvirgación. *f.* desvirgamento, desfloração.

desvirgador. *m.* desflorador.

desvirgar. *v. tr.* desvirgar, desflorar; desonrar uma donzela, tirar-lhe a virgindade; desvirgar, desvirginar; (pop.) desonrar; (Bras.) infelicitar.

desvirilizar. *v. tr.* desvirilizar; castrar, capar; (fig.) afeminar.

desvirtuar. *v. tr.* e *r.* desvirtuar, deturpar, empeçonhar, forçar, desprestigiar; desvirtuar, tirar a virtude, força ou vigor a alguma coisa.

desvitaminizar. *v. tr.* desvitaminar.

desvitrificación. *f.* desvitrificação.

desvitrificar. *v. tr.* (quím.) desvitrificar, desvidrar, fazer perder a transparência ao vidro pela acção do calor prolongado.

desvivirse. *v. r.* morrer de amores, desejar com ânsia alguma coisa; desejar veementemente, interessar-se por uma pessoa ou coisa; desvelar-se; consumir-se com desejo.

desvocalización. *f.* (gram.) desvocalização.

desvolver. *v. r.* alterar, dar outra forma, transformar, desfigurar. — **desvolverse.** *v. r.* arar a terra. — *conj. irr.* como *mover*.

desvuelto. *p. p. irreg.* de *desvolver* e *adj.* alterado, desfigurado.

desyemar. *v. tr.* (agr.) tirar os gomos ou rebentos das plantas; desfilhar.

desyerbar. *v. tr.* mondar, escardear, arrematar terras. V. **escardar.**

desyugar. *v. tr.* desjungir. V. **desuncir;** (agr.) descangar.

deszocar. *v. tr.* luxar, torcer, maltratar o pé ou a mão. — **deszocarse.** *v. r.* (arq.) tirar o soco duma coluna.

deszulacar. *v. tr.* tirar o betume.

deszumar. *v. tr.* e *r.* tirar, espremer o suco ou sumo.

detall. *m.* (gal.) usado na frase *al detall*, a retalho, por miúdo, venda a retalho; *en detall*, por partes; (mil.) relação dos consumos e petrechos nos corpos do exército e estabelecimentos militares.

detallado, da. *adj.* e *p. p.* pormenorizado, exposto circunstanciadamente, detalhado; minucioso; estirado; (fig.) fraldoso.

detallar. *v. tr.* pormenorizar, esmiuçar, tratar, referir as coisas parte por parte, circunstanciadamente, detalhar; minudenciar; circunstanciar; desmiudar.

detalle. *m.* pormenor, relação, minuciosa, minúcia, conta ou lista circunstanciada; detalhe: *detalle cortés*, delicadeza; *con todo detalle*, com todos os efes -e-erres; *dar detalles muy precisos de algo*, contar por miúdo; *decir ou contar las cosas al detalle*, destrinçar.

detallista. *s.* pessoa que exagera os pormenores, diz-se especialmente dos pintores; retalhista, comerciante que vende a retalho; migalheiro, palavroso.

detasa. *f.* rectificação de portes pagos nos caminhos de ferro.

detección. *f.* dete(c)ção.

detectar. *v. tr.* dete(c)tar, descobrir a existência dalguma coisa.

detective. *m.* dete(c)tive, agente de polícia secreta; dete(c)tor.

detector. *m.* (fís.) dete(c)tor, aparelho fundamental da telegrafia sem fios, que revela a presença das ondas hertzianas.

detención. *f.* detenção, demora, dilação, tardança; detença; alongamento; alto; prisão provisória, aprisionamento; (fig.) embargo: *detención en su propia casa*, menagem.

detenedor, ra. *adj.* e *s.* detentor, que detem.

detener. *v. tr.* deter, impedir, prender; reter, conservar, guardar; deter, abster, fazer alto; acudir; anteparar; pôr freio; conter; demorar; engaiolar; (fig.) barrar; (fig.) empantanar. — **detenerse.** *v. r.* deter-se; encalhar; encharcar-se; demorar-se; anteparar-se; retardar-se ou ir devagar lentamente: *detener la fiebre*, atalhar a febre; *detener a alguien*, emprazar alguém; *detener al enemigo*, entreter o inimigo; *detener la marcha*, arretar; *detenerse una cosa en su curso*, arremansar-se; *detenerse en un sitio*, entreter-se. — *conj. irr.* como **tener.**

detenido, da. *adj.* e *p. p.* e *s.* detido, pre(ê)so; embaraçado; retardado, de pouca resolução; escasso; miserável; embargado; demorado.

detentación. *f.* (for.) detenção (de posse).

detentador. *m.* (for.) detentor (de posse).

detentar. *v. tr.* (for.) deter, reter alguém em seu poder o que não lhe pertence: *detentar el mando*, empunhar a bastão.

detergente. *p. a. adj.* e *s.* detergente, que deterge; abstergente; abstersivo; alimpativo. V. **detersorio.**

deterger. *v. tr.* (med.) detergir, limpar feridas ou úlceras por meio de detergente.

deterior. *adj.* (p. us.) de qualidade inferior à doutra coisa da sua espécie.

deterioración. *f.* deterioração, estrago; derrogação; dano; corrupção; detrimento; deterioramento. V. **deterioro.**

deteriorado, da. *adj.* e *p. p.* deteriorado, avariado, corru(p)to; estropeado; estrompado; envelhecido.

deteriorador, ra. *adj.* deteriorante.

deteriorar. *v. tr.* deteriorar, danificar; estragar; corromper; aniquilar; estragar; menoscabar; estropear; danar; derrancar; desportilhar; desmelhorar; desmedrar; (pop.) estrompar. — **deteriorarse.** *v. r.* deteriorar-se, envelhecer; enfezar;

desmedrar; corromper-se; afear-se, arruinar-se, (fig.) arder.

deterioro. *m.* deterioração, estrago, degradação; estropício; avaria; envelhecimento; enfezamento; desperecimento; detrimento; estragamento; deterioração, menoscabo.

determinable. *adj.* determinável, que se pode determinar.

determinación. *f.* determinação, ousadia, decisão; deliberação; assento; aco(ô)rdo; desígnio; decreto; (fig.) decocção.

determinado, da. *adj. p.* e *s.* determinado, ousado, valoroso; determinado, apostado; decidido; formal; definido; deliberado; assinalado.

determinar. *v. tr.* determinar, estabelecer, assentar, decidir, resolver o que se há-de fazer; determinar, estatuir; assentar; definir; dar; declarar; decretar; assinalar; devisar; distinguir, discernir; fixar, indicar de um modo claro e preciso o dia, hora, etc., causar, produzir, classificar. — **determinarse.** *v. r.* decidir-se, resolver-se; deliberar-se; determinar-se; (for.) sentenciar, despachar causas: *determinar un plazo*, atermar; *determinar con anticipación*, destinar; *determinar una cantidad*, lotar.

determinativo, va. *adj.* determinativo, diz-se do que determina ou resolve; determinante.

determinismo. *m.* (filos.) determinismo, sistema da filosofia escolástica segundo o qual a determinação à nossa vontade está subordinada à influência duma causa providencial; sistema que admite a influência irresistível de causas e efeitos.

detersión. *f.* detersão, limpeza, purificação, mundificação.

detersivo, va. *adj.* e *m.* detersivo, detergente, que limpa ou clarifica.

detersorio. *m.* e *adj.* detersivo, detersório, que limpa ou clarifica.

detestable. *adj.* detestável, abominável, péssimo, execrável; (fig.) diabólico; aborrecível; abominoso

detestación. *f.* detestação, ódio, repulsa, abominação; antipatia, aversão; execração.

detestar. *v. tr.* detestar, condenar, maldizer pessoas ou coisas; aborrecer, execrar, odiar; repelir, ter aversão; amaldiçoar, desamar; arrenegar; arrevessar; desadorar; aborrecer, abominar.

detinencia. *f.* detenção. V. **detención.**

detonación. *f.* detonação, estampido; grande ruído, explosão; estourada, estouro, estoiro; estoirada; (quím.) detonação, inflamação súbita.

detonador. *m.* detonador; detonante. — *adj.* detonador.

detonar. *v. tr.* e *intr.* detonar, produzir detonação; causar estrondo ou estrépito; fulminar; explodir; estourar, estoirar; (quim.) detonar, inflamar-se sùbitamente; (fig.) desentoar, destoar, desafiar, sair do tom; estrondear explodindo.

detorsión. *f.* (med.) distensão, tensão violenta e demasiada, torcedura, torção, tensão violenta dum músculo, tendão, ou nervo.

detracción. *f.* detra(c)ção, maledicência; difamação; descrédito; conversação mordaz; separação.

detractar. *v. tr.* detrair, difamar, desacreditar, abater o crédito; depreciar; desprestigiar, denigrar; (fig.) aguarentar; desonrar, deprimir.

detractor, ra. *edj.* e *s.* detra(c)tor, que detrai ou difama, difamador, maldizente, desprestigiador, aviltador; (fig.) aguarentador.

detraer. *v. tr.* subtrair; apartar, desviar; (fig.) infamar, denegrir, tirar a honra. — *conj. irr.* como **traer.**

detrás. *adv.* detrás, no lugar traseiro, oposto ao que está adiante ou em frente, depois, posteriormente; (fig.) na ausência: *por detrás*, pela retaguarda; *por detrás*; *criticar a alguien por detrás*, dizer mal de alguém por detrás; *correr detrás de alguien*, correr após de alguém.

detrición. *f.* detrição, acto de desfazer ou gastar por atrito.

detrimento. *m.* detrimento, dano, prejuízo, quebra; menoscabo; destruição leve ou parcial, perda, enfraquecimento da saúde; começo de ruína; (fig.) dano moral; desvantagem; deterioração; desproveito; danificação, extorsão; (fig.) desmedrança.

detrítico, ca. *adj.* (geol.) detrítico, composto de detritos.

detrito. *m.* detrito, resíduo proveniente da desagregação dum corpo, restos; resíduo duma substância desagregada.

detritus. *m.* V. **detrito.**

detumescencia. *f.* (med.) detumescência, desinchação.

detumescente. *adj.* (med.) detumescente.

deuda. *f.* dívida, débito, dinheiro devido, obrigação de dar ou restituir alguma coisa; obrigação contraída por quem recebe um benefício; pecado, ofensa, culpa; dever moral: *deuda común*, a morte; *deuda pública*, dívida pública; *deuda de honor*, dívida de honra; *contraer deudas*, contrair dívidas; *perdónanos nuestras deudas*, perdoai-nos as nossas dívidas; *estar en deuda*, estar alcançado; *extinguir una deuda*, amortizar uma dívida; *cargado de deudas*, endividado; *lleno de deudas*, atrasado em contas; *pagar las deudas*, desendevidar; *pago de deudas*, desencalacração; *deuda consolidada*, dívida consolidada; *deuda flotante*, dívida flutuante.

deudo, da. *s.* parente; dívido, parentesco; devido, dever, obrigação.

deudor, ra. *adj.* e *s.* devedor, que deve ou está obrigado a satisfazer uma dívida; (fig.) devedor, obrigado.

deuterio. *m.* (quim.) deutério.

deuterogamia. *f.* deuterogamia.

detuerógamo, ma. *adj.* e *s.* deuterógamo.

deuterón. *m.* (quim.) deutão.

deuteronomio. *m.* deuteronó(ô)mio, o quinto livro do Pentateuco.

deuteropatía. *f.* (pat.) deuteropatia.

deuterosis. *f.* deuterose; tradição.

deuto. *pref.* grego que significa segundo e que se emprega na nomenclatura científica; deuto.

deutón. *m.* (quím.) deutão.

deutóxido. *m.* (quim.) deutóxido.

devalar. *v. intr.* (mar.) derivar, desviar o rumo do navio.

devaluar. *v. tr.* (gal.) desvalorizar, diminuir o valor da moeda; desmonetizar, desvaliar, depreciar.

devanadera. *f.* dobadoira, dobadoura, aparelho para dobar; eixo sobre o qual giram os bastidores nos teatros; (mar.) V. **carretel.**

devanado. *m.* (electr.) fio de cobre embobinado.

devanador, ra. *adj.* dobador, que doba. — *m.* enroladouro, enroladoiro, núcleo do novelo em que se enrola o fio; embobinador.

devanagari. *m.* devanagari, forma de escrita ou caracteres sanscríticos.

devanar. *v. tr.* dobar, enovelar, reduzir a novelos o fiado; aspar. — **devanarse.** *v. r.* enovelar-se: *devanarse los sesos*, (fig.) dar tratos à imaginação, cismar, matutar muito; *devanar un hilo para formar un carrete*, embobinar um fio.

devanear. *v. intr.* devanear, fantasiar, idear, sonhar; tresvariar, delirar, desvairar; dizer ou fazer loucuras, disparatar.

devaneo. *m.* devaneio, desvairo, sonho, fantasia, ideia quimérica; meditação; esperança; delírio, desatino; distracção, passatempo vão; namorico, inclinação passageira.

devastación. *f.* devastação; ruína; assolação; destruição; assolamento; desbaratamento; abrasamento; desolação; estrago; depredação; extermínio; ermamento; depopulação.

devastador, ra. *adj.* e *s.* devastador, que devasta; assolador; talador; desolador.

devastar. *v. tr.* devastar, destruir; talar; assolar; despovoar; danificar; tornar deserto; causar grande mortandade em; desolar um pais; destruir; destroçar; afligir; despopular; depredar; exterminar, extinguir; ermar.

devengar. *v. tr.* merecer, adquirir direito a uma recompensa ou retribuição em troca de trabalhos ou serviços prestados; ganhar.

devenir. *v. intr.* sobrevir, acontecer, suceder, chegar a ser. — *conj. irr.* como **venir.**

deverbal. *adj.* (gram.) deverbal.

deverbativo, va. *adj.* (gram.) deverbal.

devisa. *f.* divisa, direito senhorial que os fidalgos tinham na herança paterna já partilhada; terra sujeita a este senhorio.

devisero. *m.* diviseiro, fidalgo possuidor de divisa ou foro.

devoción. *f.* devoção; sentimento religioso, práticas religiosas; dedicação às coisas religiosas; manifestação externa do fervor religioso; amor, veneração e fervor religiosos; devoção; dedicação; zelo; inclinação, afeição especial; devoção, costume devoto, bom costume; grande assiduidade no locutório das religiosas; (teol.) devoção, prontidão com que se está disposto a cumprir a vontade de Deus; dedicação íntima; objecto de especial veneração; afecto; piedade: *devoción exagerada*, beatice; *devoción fingida*, bigoteria;

devocionario. *m.* devocionário, livro de rezas.

devolución. *f.* devolução; restituição; transferência de direito ou de propriedade; (for.) devolução.

devolutivo, va. *adj.* (for.) devolutivo, devolutório, que determina devolução.

devolver. *v. tr.* devolver; reenviar; recambiar; restituir; transferir; recusar; conceder; corresponder a um favor ou agravo; desenvolver, explicar; vomitar. — **devolverse.** *v. r.* (for.) devolver-se ao primeiro senhorio; devolver-se; (Amér.) regressar, voltar, tornar: *devolver a la persona interesada*, desencampar; *devolver la comida*, desengolir; *estar a punto de devolver*, embrulhar-se o estômago.

devoniano, na. *adj.* (geol.) devoniano, devó(ô)nico.

devónico, ca. *adj.* (geol.) devó(ô)nico, devoniano.

devorador, ra. *adj.* e *s.* devorador, que devora ou consome; devorante; (fig.) insaciável, voraz.

devorar. *v. tr.* devorar tragar com ânsia e apressadamente; comer com sofreguidão; consumir depressa; (fig.) destruir, consumir, destruir; roer, corroer; tragar, engolir; dissipar; (fig.) atormentar; ler àvidamente; suportar em silêncio; percorrer ràpidamente; cobiçar; afligir; suportar uma afronta; sofrer a custo; consagrar atenção ávida a alguma coisa; devorar, abrasar, consumir; (Bras.) badorar: *devorar con la mirada*, devorar com os olhos; *devorar un libro*, (fig.) devorar um livro; *devorar una herencia*, (fig.) devorar uma herança; *devorar leguas*, (fig.) devorar léguas; *devorarse mutuamente*, entredevorar-se.

devotismo. *m.* devocionismo, devoção exagerada.

devoto, ta. *adj.* e *s.* devoto, que tem devoção; religioso; fanático; que inspira devoção; que é objecto de culto especial; (fig.) devoto, afeiçoado, amigo; (irón.) devoto, beato, tartufo; beguina; (fig.) entusiasta, admirador, amigo delicado; apreciador, amador; contemplativo; seráfico; ascético.

devuelto, ta. *p. p. irr.* de *devolver;* devolvido; devoluto.

dexiocardia. *f.* (med.) dexiocardia, dextrocardia.

dexteridad. *f.* destreza, dexteridade.

dextrina. *f.* (quim.) dextrina.

dextrinado, da. *adj.* (med. e cir.) que contem dextrina.

dextro. *m.* dextro, espaço de terreno em redor duma igreja no qual se gozava direito de asilo.

dextrocardia. *f.* (med.) dextrocardia.

dextrógiro, ra. *adj.* (fís.) dextrogiro.

dextrómano, na. *adj.* e *s.* destrímano.

dextroquero. *m.* (heral.) dextroquério.

dextrorso, sa. *adj.* dextroso.

dextrosa. *f.* (quim.) dextrose, glucose.

dextrosuria. *f.* (pat.) dextrosuria.

deyección. *f.* (geol.) deje(c)ção; (med.) defecação dos excrementos; os próprios excrementos; (pop.) forrica.

deyectar. *v. intr.* evacuar, eje(c)tar os excrementos.

deyector. *m.* dejector, aparelho para evitar as incrustações que se produzem nas caldeiras; saca-trapo.

dezmable. *adj.* decimável, sujeito à décima ou dízimo.

dezmatorio. *m.* dizimária, lugar onde se depositava o imposto da dízima; distrito que correspondia a cada paróquia para pagar o dízimo.

dezmeño, ña. *adj.* V. **dezmero.**

dezmería. *f.* dizimaria, território em que se cobrava a dízima.

dezmero, ra. *adj.* dizimeiro, pertencente ao dízimo. — *s.* pessoa que pagava ou recebia o dízimo. V. **diezmero.**

di. *pref.* que significa separação, através de, entre ou por entre.

di. *pref.* que significa duplicidade ou divisão por dois; oposição ou contrariedade; origem ou procedência; extensão ou dilatação.

día. *m.* dia, espaço de tempo que decorre desde o nascer ao pôr do Sol; dia, claridade, luz do Sol; espaço de 24 horas; dia do santo duma pessoa, dia onomástico; dia, existência, vida; ocasião oportuna, própria, dia que se assinala para efectuar uma coisa; (fig.) pouco tempo, pouca duração; dia, estado atmosférico: *día de año Nuevo*, o primeiro dia do ano; *el asunto del día*, a questão do dia; *felicidad de un día*, felicidade de um dia; *estar al día*, estar em dia (uma conta, um serviço, etc.); *día de la semana*, dia de semana; *día festivo*, dia santo ou santificado, dia feriado; *día de difuntos*, dia de finados; *día de Año Nuevo*, dia de Ano-Bom; *tener los días contados*, (fig.) ter os dias contados; *día de bueyes*, medida agrária equivalente a 1.257 centiares; *día de campo*, dia de campo; *día del Juicio*, dia do juízo; *día de Inocentes*, dia 28 de Dezembro; *día encapotado*, dia pardo; *el otro día*, outro dia; *día santificado*, dia santo; *día de su santo*, seu dia; *en el día señalado*, ao dia prefixo; *día tristón*, dia pesado; *todos los días*, de dia a dia; *día de verano*, dia de verão; *día de carne*, dia de carne; *día de boda*, dia de casamento; *día de gala*, dia de gala; *día de Pascua*, dia de Páscoa; *día del Corpus*, dia do Corpo de Deus; *día de Navidad*, dia do Natal; *día feliz*, dia claro; *hace buen día*, faz bom dia; *en nuestros días*, em nossos dias; *vivir al día*, viver aos dias; *días de demora*, dias de demora; *los días no pasan en balde*, não se vão os dias debalde.

diabasa. *f.* diabase, diorite. V. **diorita**.

diabetes. *f.* (med.) diabete, diabetes, estado caracterizado pelo aumento considerável de secreção urinária com glicose; sede inextinguível e enfraquecimento progressivo; (pat.) melitúria.

diabético, ca. *adj.* e *s.* (med.) diabético, pertencente ou relativo à diabetes; que sofre de diabetes.

diabetis. *f.* diabetes. V. **diabetes**.

diabeto. *m.* aparelho hidráulico, espécie de sifão.

diabetómetro. *m.* diabetó(ô)metro, aparelho para reconhecer a dosagem do açúcar na urina do diabético.

diabla. *f.* (pop.) diaba, diabo fêmea; diabrete, máquina para cardar lã, ou algodão; carruagem de duas rodas, descoberta e muito ligeira. — *adv.* (fam.): *a la diabla*, sem esmero, de qualquer maneira.

diablear. *v. intr.* (fam.) traquinar, fazer diabruras.

diablesco, ca. *adj.* diabólico. V. **diabólico**.

diablillo. *m. dim.* de *diablo*; diabinho, diabrete, demonete, demonico; aquele que se disfarça de diabo; (fig. e fam.) pessoa esperta e mexeriqueira; (Amér.) certo jogo de rapazes.

diablismo. *m.* sistema teológico que consiste em atribuir ao diabo excessiva intervenção nas acções humanas.

diablo. *m.* diabo, demo, demó(ô)nio, cada um dos anjos maus, espírito do mal; lucifer; (pop.) diacho; (prov.) mico; (pop.) mafarrico; (fig.) pessoa muito feia; pessoa astuta e mexeriqueira; pessoa de mau génio, diabo; (Bras.) anhangá. rabeca, utensílio em que se apoia o taco no jogo do bilhar quando a bola está em posição difícil; (Amér.) veículo puxado por bois para transportar troncos e madeiros; (germ.) calaboço: *diablo cojuelo*, (fig. e fam.) pessoa enredadeira e travesa; diabo coixo; *diablo encarnado*, (fig.) pessoa perversa; *diablo predicador*, pessoa que, sendo de costumes escandalosos, se mete a dar bons conselhos; diabo pregador; *¡diablos!* (expres. fam.) diabo!; *dar de comer al diablo*, dar gosto ao diabo; *¡cómo diablos!*, como diabo!; *culto al diablo*, diabolismo; *ese es el diablo*, aí é que é o diabo; *no es tan feo el diablo como lo pintan*, o diabo não é tão feio como o pintam; *¡que el diablo te lleve!*, valha-te o diabo; *llevado de la mano del diablo*, levado do diabo; *mandar al diablo a una persona*, mandar a alguém para areias gordas; *diablo marino*, (ictiol.) diabo marinho; *pobre diablo*, bisborria; bigorrilha, pobre diabo; *porción de diablos*, diabada; *más puede Dios que el diablo*, mais pode Deus que o diabo; *se organizó una de todos los diablos*, foi uma de

todos os diabos; *ser de la piel del diablo*, ser da pele do diabo; *el diablo está suelto*, diabo à solta; *tener el diablo metido en el cuerpo*, ter o diabo no corpo; *¡vete al diablo!*, diabos te levem!; vai-te com os demónios!, vai-te ao diabo!; vai-te para os mares amarelos.

diablura. *f.* diabrura, travessura extraordinária, acção temerária.

diabólico, ca. *adj.* diabólico, pertencente ou relativo ao diabo, diabrino; mefistofélico; belzebútico; infernal; luciférico, luciferino; (fig. e fam.) excessivamente mau, pernicioso: *por artes diabólicas*, por arte do diabo.

diábolo. *m.* diábolo, brinquedo de criança.

diabotano. *m.* (ant. farm.) diabotano.

diabrosis. *f.* (med.) diabrose.

diabrótico. *m.* (farm.) diabrótico.

diacatolicón. *m.* (farm.) electuário purgativo em que se faz entrar a maior parte das substâncias que compõem o catolicão.

diacitrón. *m.* diacidrão, doce de casca de cidra.

diacodión. *m.* (farm.) diacódio, xarope de cabeças de dormideiras brancas.

diacomático, ca. *adj.* (mús.) diacomático.

diaconado. *p. p.* e *m.* diaconado, diaconato. V. **diaconato**

diaconal *adj.* diaconal, pertencente ou relativo ao diácono.

diaconar. *v. intr.* fazer as funções de diácono.

diaconato. *m.* diaconato, diaconado; dignidade ou funções de diácono, diaconia.

diaconía. *f.* diaconia, distrito eclesiástico que estava ao cuidado dum diácono; casa em que vivia o diácono.

diaconisa. *f.* diaconisa, mulher que na igreja primitiva exercia funções eclesiásticas; mulher dedicada ao serviço da igreja.

diácono. *m.* diácono, eclesiástico promovido ao diaconado.

diacope. *m.* (cir.) diacope.

diacopea. *f.* (cir.) diacope.

diacrítico, ca. *adj.* (gram.) diacrítico, diz-se dos sinais ortográficos que servem para dar a uma letra algum valor especial; (med.) diz-se dos síntomas com que uma enfermidade se distingue exactamente doutra.

diactínico, ca. *adj.* (fís.) diactínico.

diacústica. *f.* (fís.) diacústica, parte da física que estuda a refracção dos sons.

diacústico, ca. *adj.* (fís.) diacústico, pertencente ou relativo à diacústica. pertencente ou relativo à diacústica.

díadas. *f. pl.* turmas de rega.

diadelfia. *f.* (bot.) diadelfia.

diadelfo, fa. *adj.* (bot.) diadelfo, diz-se dos estames duma flor, quando estão unidos formando dois feixes.

diadema. *f.* diadema, insígnia ornamental com que os soberanos cingiam a cabeça. — *m.* cada um dos arcos que fecham pela parte superior algumas coroas; coroa simples ou circular; auréola em forma de coroa; diadema, adorno feminino de ca-

beça em forma de meia coroa aberta por
detrás, (fig.) realeza, autoridade soberana:
ceñir la frente con una diadema, diademar.

diademado, da. *adj.* diademado, que tem
diadema ou enfeite semelhante a um diadema.

diademar. *v. tr.* diademar, cingir a fronte
com o diadema.

diadexia. *f.* (pat.) diadexia.

diadéxico, ca. *adj.* (pat.) diadéxico.

díado, da. *adj.* diz-se do dia indicado para
fazer alguma coisa.

diadoco. *m.* diádoco, título do príncipe herdeiro da Grécia moderna.

diafanidad. *f.* diafaneidade, qualidade ou
estado do que é diáfano.

diafanizar. *v. tr.* diafanizar, tornar ou tornar-se diáfano alguma coisa.

diáfano, na. *adj.* diáfano, diz-se do corpo
através do qual passa a luz quase na sua
totalidade; (poet.) desnublado.

diafanógeno, na. *adj.* (fís.) diafanógeno.

diafanografía. *f.* diafanografia.

diafanográfico, ca. *adj.* (fís.) diafanográfico.

diafanógrafo. *m.* diafanógrafo.

diafonómetro. *m.* (fís. e quim.) diafanó(ô)-
metro.

diafanoscopia. *f.* diafanoscopia.

diafanoscopio. *m.* (fot. e med.) diafanos-
cópio.

diáfisis. *f.* (anat.) diáfise; (hist. nat.) tabique, separação, divisão.

diaforesis. *f.* (med.) diaforese, transpiração
da pele, suor, secreção.

diaforético, ca. *adj.* (med.) diaforético, sudorífico, que faz suar, que produz suor.

diafragma. *m.* (anat. e bot.) diafragma,
músculo de grande superfície, convexo
para cima, que separa a cavidade torácica da cavidade abdominal; (fot.) diafragma, disco pequeno, com uma ou mais
aberturas, que serve para regular a quantidade de luz que se há-de deixar passar:
diafragma iris, (bot.) diafragma iris.

diafragmatitis. *f.* (pat.) diafragmite; frenite.

diagnosis. *f.* (med.) diagnose, conhecimento
duma doença, pela observação dos síntomas; (bot.) descrição abreviada duma
planta.

diagnosticar. *v. tr.* (med.) diagnosticar, determinar o carácter duma doença ou enfermidade.

diagnóstico, ca. *adj.* (med.) diagnóstico, pertencente ou relativo à diagnose. — *m.*
diagnóstico, conjunto de síntomas que servem para fixar o carácter peculiar duma
doença.

diagonal. *adj.* (geom.) diagonal, diz-se da
recta que une dois vértices não consecutivos dum polígono. — *s.* diagonal, aplica-se aos tecidos em que os fios se cruzam
obliquamente; para designar os tecidos
dessa classe.

diágrafo. *m.* diágrafo, instrumento que permite reproduzir os objectos que temos à
vista.

diagrama. *m.* diagrama, representação por
meio de linhas para demonstrar uma proposição resolver um problema ou figurar
duma maneira gráfica a lei de variação
dum fenómeno; esquema, bosquejo, delineação.

diagramático, ca. *adj.* esquemático, relativo
ao esquema.

dial. *adj.* dial, diário referente ou relativo
a um dia. — *pl.* **V. efemérides.**

diálaga. *f.* dialágio, dialáge, mineral pétreo.

dialectal. *adj.* diale(c)tal, pertencente a um
dialecto; relativo à dialéctica.

dialéctica. *f.* dialé(c)tica, ciência filosófica
que trata do raciocínio e das suas leis,
formas e modo de expressão; impulso natural do ânimo que o sustém e guia na
investigação da verdade.

dialéctico, ca. *adj.* dialéctico, pertencente ou
relativo à dialéctica; dialectal. — *m.* dialéctico, aquele que argumenta bem.

dialecto. *m.* diale(c)to, linguagem duma região; provincialismo.

dialectología. *f.* diale(c)tologia.

dialectólogo. *m.* diale(c)tólogo.

dialipétalo, la. *adj.* (bot.) dialipétalo.

dialisépalo, la. *adj.* (bot.) dialicépalo.

diálisis. *f.* (quim.) diálise.

dialítico, ca. *adj.* pertencente ou relativo à
diálise.

dializador. *m.* dialisador.

dialogal. *adj.* dialogal, dialogístico.

dialogar. *v. intr.* dialogar, falar em diálogo;
conversar. — *v. tr.* dialogar, escrever em
forma de diálogo, dialoguizar; (mús.) cantar alternadamente.

dialogismo. *m.* dialogismo, arte de dialogar;
(ret.) dialogismo.

dialogístico, ca. *adj.* dialogístico, dialogal;
escrito em diálogo.

dialoguizar. *v. intr.* dialogar. **V. dialogar.**

diálogo. *m.* diálogo; conversa entre duas ou
mais pessoas; obra literária ou científica
em forma de conversação; colóquio; fala.

dialoguista. *s.* dialoguista, pessoa que escreve diálogos.

dialtea. *f.* (farm.) dialteia, unguento preparado com a raiz da alteia.

diamagnético, ca. *adj.* (fís.) diamagnético.

diamagnetismo. *m.* (fís.) diamagnetismo.

diamantar. *v. tr.* adiamantar, dar a alguma
coisa o brilho do diamante.

diamante. *m.* diamante, pedra preciosa; diamante, agulha que se mete pelo ouvido
da peça para furar o cartuxo; diamante,
instrumento para cortar vidro; lâmpada
mineira de petróleo; (fig.) inteligência
inculta; (heral.) diamante, cor negra do
escudo: *diamante bruto*, diamante bruto;
diamante rosa, diamante rosa.

diamantífero, ra. *adj.* diamantífero.

diamantino, na. *adj.* diamantino, adiamanti-
no, adamantino, relativo ao diamante;
(fig.) duro, inquebrantável.

diamantista. *s.* diamantista, pessoa que trabalha em diamantes; negociante que os
compra e vende, joalheiro, lapidário.

diametral. *adj.* diametral; transversal.
diámetro. *m.* (geom.) diâmetro; dimensão transversal.
diamida. *f.* (quim.) diamido.
diamidofenol. *m.* ((quim.) diamidofenol.
diamina. *f.* (quim.) diamina.
diaminuria. *f.* (pat.) diaminúria.
diana. *f.* (mil.) alvorada, toque militar feito ao amanhecer: *tocar diana,* tocar alvorada.
dianche. *m.* (fam.) diacho. V. **diantre.**
diandria. *f.* (bot.) diandria.
diandro, dra. *adj.* (bot.) diandro.
diantre. *m.* (fam.) diacho, diabo. — *interj.* diacho!, diabo!
diapalma. *f.* (farm.) diapalmo, emplastro dessecativo.
diapasón. *m.* (mús.) diapasão, intervalo de cinco tons; diapasão, instrumento de aço que serve para dar a intensidade do som: tom: *diapasón normal,* diapasão normal; *diapasón de voz,* diapasão da voz.
diapédesis. *f.* (med.) diapedese.
diapente. *m.* (mús.) diapente, espaço ou intervalo duma quinta.
diapnoico, ca. *adj.* (terap.) diapnóico.
diaporesis. *f.* (ret.) diaporese.
diapositiva. *f.* (fot.) diapositivo, fotografia positiva.
diaprea. *f.* (bot.) ameixa redonda, pequena e muito gostosa.
diapreado, da. *adj.* (herald.) diz-se das peças matizadas de várias cores.
diaquenio. *m.* (bot.) diaquénio.
diaquilón. *m.* (farm.) diaquilão.
diario, ria. *adj.* diário; quotidiano, de todos os dias. — *m.* livro diário; jornal ou periódico que se publica todos os dias, diário; relação histórica do que sucedeu dia por dia; diária, despesa de cada dia; diário, soldo, salário quotidiano; (com.) diário, livro de transacções diárias; (mar.) diário náutico, livro de derrota.
diarrea. *f.* (med.) diarre(ê)ia; evacuação intestinal, fluxo de ventre, desbarate de ventre: *tener diarrea,* destemperar-se.
diartrosis. *f.* (zool.) diartrose.
diascordio. *m.* (farm.) diascórdio.
diasén. *m.* (farm.) electuário, purgante cujo principal ingrediente são as folhas de sene.
diáspero. *m.* (min.) diaspório, espécie de jaspe.
diáspora. *f.* derramamento; dispersão.
diásporo. *m.* (min.) diásporo, jaspe muito raro.
diaspro. *m.* V. **diáspero.**
diastasa. *f.* diástase.
diástilo. *adj.* (arq.) diastilo, intercolúnio de três módulos, correspondente ao triplo do diâmetro de cada coluna.
diástole. *f.* diástole, alongamento duma sílaba breve por figura poética; (anat.) diástole, fase de dilatação do coração.
diastólico, ca. *adj.* (anat.) diastólico.
diastrofia. *f.* (med.) diastrofia, deslocação, luxação dum osso, músculo, etc.
diatérmano, na. *adj.* (fís.) diatérmano.

diatermia. *f.* (med.) diatermia, curação por meio do calor de origem eléctrica.
diatérmico, ca. *adj.* diatérmico.
diatesarón. *m.* (mús.) diatessarão, intervalo duma quarta perfeita.
diatésico, ca. *adj.* (med.) diatésico, relativo à diátese.
diátesis. *f.* (med.) diátese.
diatomeáceas. *f. pl.* (bot.) diatomeáceas.
diatomeáceo, a. *adj.* (bot.) diatomeáceo.
diatomeas. *f. pl.* (bot.) diatomeáceas, espécie de algas.
diatómico, ca. *adj.* (quim. e fís.) diató(ô)mico, biatómico.
diatónico, ca. *adj.* (mús.) diató(ô)nico.
diatriba. *f.* diatribe; discurso ou escrito violento; crítica severa; injúria.
diávolo. *m.* jogo de crianças.
dibujador, ra. *adj.* e *s.* desenhista, debuxador. V. **dibujante.**
dibujante. *p. a.* e *s.* desenhista, debuxador, desenhador, debuxante.
dibujar. *v. tr.* desenhar, delinear, debuxar, traçar o perfil; (fig.) debuxar, fazer alguma coisa com perfeição; debuxar, descrever, pintar, representar uma ideia, etcétera; descrever com propriedade uma paixão, pensamento, etc. — **dibujarse.** *v. r.* desenhar-se, indicar-se, revelar-se o que estava oculto.
dibujo. *m.* desenho, arte de desenhar, de debuxar; proporção e simetria que devem guardar as partes dum objecto que se desenha; delineação, figura ou imagem que toma o nome do material com que se faz: *ser un dibujo,* (fam.) ser um debuxo; *meterse en dibujos,* (fam.) meter-se em debuxos.
diazoico, ca. *adj.* (quim.) diazóico.
dicacidad. *f.* dicacidade, mordacidade, malignidade, severidade crítica; sátira; má língua; agudeza no falar; propensão a motejar com agudeza e graça.
dicarpo, pa. *adj.* (bot.) dicarpo.
dicaz. *adj.* dicaz, satírico, mordaz, agudo, severo na crítica.
dicción. *f.* di(c)ção, palavra, vocábulo que exprime alguma ideia; dicção, maneira de falar ou escrever; dicção, maneira de pronunciar; expressão; elocução.
diccionario. *m.* dicinário; léxico; vocabulário; glosário.
diccionarista. *s.* dicionarista; lexicógrafo.
dicéfalo, la. *adj.* (bot. e terat.) dicéfalo, que tem duas cabeças.
dicelias. *f. pl.* dicélias, representações licenciosas na antiga Grécia.
diciembre. *m.* Dezembro.
diclamídeo, a. *adj.* (bot.) diclamídeo.
diclinismo. *m.* (bot.) diclínia, diclinismo.
diclino, na. *adj.* (bot.) diclíne, diz-se das flores unissexuais.
dicoreo. *m.* dicoreu.
dicotiledón. *adj.* (bot.) dicotiledóneo.
dicotiledóneo, a. *adj.* (bot.) dicotiledóneo. — *f. pl.* dicotiledóneas.

dicotomía. *f.* (hist. nat.) dicotomia., bifurcação de ramo ou pedúnculos; (lóg.) dicotomia; (astr.) dicotomia.

dicotómico, ca. *adj.* dicotómico.

dicótomo, ma. *adj.* dicótomo, dicotómico.

dicroico, ca. *adj.* (fís.) dicróico.

dicroismo, ma. *adj.* (fís.) dicroísmo.

dicromático, ca. *adj.* (fís.) dicromático.

dictado, da. *adj.* dictado. — *m.* ditado, a(c)ção de ditar para que outro escreva; título de dignidade, honra ou senhorio. — *pl.* (fig.) inspirações ou preceitos da razão ou da consciência, ditames.

dictador. *m.* ditador, magistrado supremo entre os antigos romanos; ditador, autoridade que assume um poder absoluto, pessoa autoritária; déspota.

dictadura. *f.* ditadura, dignidade e cargo de ditador; tempo da sua duração; governo despótico; despotismo; domínio absoluto; ditadura, usurpação do poder.

dictamen. *m.* ditame, opinião e juízo sobre alguma coisa; consulta; parecer; conselho (for.) consulta, parecer.

dictaminador, ra. *adj.* opinante, que emite opinião.

dictaminar. *v. tr.* opinar, emitir opinião; consultar; informar.

dictar *v. tr.* dictar, pronunciar o que outrem tem de escrever; ditar, ordenar, mandar, expedir (diz-se de leis, decretos, etcétera); (fig.) inspirar, sugerir, ditar; ditar, ordenar; (for.) dar; decretar.

dictatorial. *adj.* ditatorial; despótico; autoritário.

dictatorio, ria. *adj.* ditatorial, pertencente à dignidade de ditador.

dicterio. *m.* ditério, dito mordaz, picante; chufa, dichote, motejo.

díctico, ca. *adj.* (gram.) epidí(c)tico.

dicha. *f.* dita, felicidade, fortuna, sorte feliz, boa ventura, aventurança; (Amér.) nome vulgar de várias plantas com folhas e frutos espinhosos: *por dicha*, por sorte, por casualidade, por ventura; *no hay dicha sin dolor*, não há atalho sem trabalho; *a dicha*, por felicidade.

dicharachero, ra. *adj.* (pop.) chocarreiro, chalaceiro, entretenido, diz-se da pessoa que emprega chocarrices ou palavras menos decentes na conversação. V. **decidor**.

dicharacho. *m.* (fam.) chocarrice, chalaça, dito jocoso e ridículo, graça petulante, bufoneria, dito baixo e pouco decente.

dichero, ra. *adj.* (fam.) engraçado, faceto, que diz chistes.

dicho, cha. *adj. e p. p. irreg.* de decir; dito. — *m.* dito, palavra, máxima, sentença, expressão; dito gracioso e oportuno; palavra de casamento; (fam.) expressão insultante; (for.) depoimento de testemunha: *dicho obsceno*, pachochada; *dicho picante*, dito picante; *dicho anteriormente*, antedito; *dicho y hecho*, dito e feito; *lo dicho, dicho*, o dito, dito; o que se disse, está dito; *dicho gracioso*, dito gracioso; *dicho satírico*, dito satírico.

dichoso, sa. *adj.* ditoso, feliz, venturoso; bem-afortunado; bem-andante, próspero, venturoso, afortunado (fig. e fam.) enfadonho, molesto; próspero, fértil.

didáctica. *f.* didá(c)tica; metodologia.

didáctico, ca. *adj.* didá(c)tico; metodológico; doutrinal, próprio para instruir.

didáctilo, la. *adj.* didá(c)tilo, que tem dois dedos.

didascalia. *f.* (filol.) didascália, didascálica.

didascálico, ca. *adj.* didascálico, didáctico.

didelfo, fa. *adj.* (zool.) didelfo. — m. pl. didelfos.

didímio. *m.* (min.) dídimo, didímio (metal muito raro).

dídimo, ma. *adj.* (bot.) dídimo. — *m.* testículo.

didinamia. *f.* (bot. didinamia.

didínamo, ma. *adj.* (bot.) didínamo.

dido. *m.* (orni.) dodó.

didracma. *m.* didracma, dracma duplo, (moeda hebraica).

diecinueve. *adj.* dezanove.

diecinueveavo, va. *adj. e m.* um dezanove avos.

dieciochista. *adj.* relativo ou pertencente ao século XVIII.

dieciocho. *adj.* dezoito.

dieciochoavo, va. *adj. e m.* um dezoito avos.

dieciséis. *adj.* dezasseis.

dieciseisavo, va. *adj. e m.* um dezasseis avos.

dieciseiseno, na. *adj.* décimosexto.

diecisiete. *adj.* dezassete.

diecisieteavo, va. *adj. e m.* um dezassete avos.

diedro, dra. *adj.* (geom.) diedro.

diego. *m.* (bot.) V. **dondiego**.

dieléctrico, ca. *adj.* (fís.) dielé(c)trico; isolante.

diente. *m.* dente, peça do arado; (anat.) dente; dente, cada um dos recortes, saliências ou pontas de várias peças, órgãos ou instrumentos; defesa; dente, saliência de uma roda de engrenagem: *diente de ajo*, dente de alho; *diente de lobo*, brunidor, dente de lobo; *diente de perro*, escopro; (bot.) *diente de león*, dente de leão; *diente incisivo, canino, molar*, dente incisivo, canino, molar; *dientes del peine*, dentes do pente; *dientes de leche*, dentes de leite; *diente de sierra*, dente de serra; *diente de la rueda de molino*, dente da roda de moinho; *diente montado sobre otro*, dente da nefrestado ou cavalgado sobre outro; *dientes postizos*, dentes postiços; *diente del ancla*, dente da âncora; *diente empastado*, dente chumbado; *diente flojo o que se mueve*, dente abalado; *diente grande*, dentilhão; *diente pequeño*, dentículo; *se me mueven los dientes*, abalam-me os dentes; *mudar los dientes*, mudar os dentes; *dientes salientes*, dentuça; denteira, dentola; *pasta de dientes*, dentifrício; *caerse los dientes*, desdentar-se; *romper los dientes*, adentar; *recortado en forma de dientes*, asserilhado; *hacer rechinar los dientes*, arreganhar dentes; *con uñas* *y dientes*, (fig.) com unhas e dentes; *dar al diente*, dar ao dente, comer muito; *haberle salido a uno los dientes en alguna parte*, (fig. e fam.) nascerem os dentes num lugar; *arrancar las piedras con los dientes*, (fig.) arrancar pedras com os dentes.

dientimellado, da. adj. que tem um dente quebrado. V. **mellado**.

dientudo, da. *adj*. dentudo. V. **dentudo**.

diéresis. *f*. diérese, divisão dum ditongo; (cir.) diérese; (gram.) trema, diérese.

dierético, ca. *adj*. dierético.

diesel. *m*. (mec.) diesel, motor de combustão interna que funciona sem explosão.

diesi. *f*. (mús.) diese; sustenido.

diespirámeas. *f. pl*. (bot.) ebanáceas.

diestra. *f*. direita, dextra, mão direita ou destra.

diestro, tra. *adj*. destro, diz-se do que fica à mão direita; destro, hábil perito; experto, experiente, sagaz; ágil; industrioso, engenhoso; avisado. — *m*. destro, o que está bem exercitado no jogo das armas; toureiro; que combate a pé; cabresto: *a diestro y siniestro*, a torto e a direito, às tontas e às cegas.

dieta. *f*. (med.) dieta, regímen alimentício, abstinência de alimentos; dieta, regímen de vida; dieta, alimento que se dá nos hospitais; (fam.) privação total ou parcial de certos alimentos; *poner a dieta*, adietar; *dieta láctea*, dieta de leite.

dieta. *f*. dieta, assembleia deliberante de certos Estados confederados; (for.) caminho, dieta, jornada regularmente de dez léguas; emolumento de um empregado por um dia de caminho ou por uma diligência. — *pl*. honorários; gratificação.

dietar. *v. tr*. adietar.

dietario. *m*. livro de despesas domésticas, agenda; crónicas do Reino de Aragão.

dietética. *f*. (terap.) dietética; dietética, higiene.

dietético, ca. *adj*. dietético, relativo à dieta.

diez. *adj*. e *m*. dez; décimo; cada uma das partes em que se divide o rosário, composta de dez ave-marias e um pai-nosso; a carta de jogar marcada com dez pontos.

diezmal. *adj*. decimal, pertencente ao dízimo.

diezmar. *v. tr*. decimar, tirar de cada dez, um; pagar o dízimo à igreja; (fig.) dizimar, causar grande mortandade num país as enfermidades, a guerra, etc.; (mil.) castigar de cada dez soldados um, quando são muitos os culpados.

diezmero, ra. *s*. dizimeiro, pessoa que pagava o dízimo ou o recebia.

diezmesino, na. *adj*. que é de dez meses.

diezmilésimo, ma. *adj*. décimo milésimo.

diezmilímetro. *m*. decimilímetro.

diezmillonésimo, ma. *adj*. e *s*. décimo milionésimo.

diezmo. *m*. décimo, a décima parte dalguma coisa; direito de dez por cento que se

pagava ao rei; dízimo; contribuição que se pagava à Igreja e que consistia na décima parte dos frutos recolhidos.

difamación. *f*. difamação, calúnia; perda da boa fama; descrédito; detra(c)ção; desprestigio; falsidade; desgarbo; deslinguamento; desabono.

difamado, da. *adj*. e *p. p*. difamado; desconceituado; desonrado; (heral.) diz-se do animal representado sem cauda e das armas quebradas na ponta.

difamador, ra. *adj*. e *s*. difamador que ou aquele que difama; desabonador, desprestigiador, desacreditador, detractor; deslinguado.

difamar. *v. tr*. difamar, tirar a boa fama; desonrar; desacreditar, caluniar; desconceituar; desabonar; desafamar; desprestigiar; dedecorar, desgabar, infamar; deslinguar, estigmatizar, menosprezar; (fig.) denegrir; enxovalhar: *difamar a alguien*, pôr a boca em alguém; *difamar la reputación de alguien*, atassalhar a reputação de alguém.

difamatorio, ria. *adj*. difamatório; injurioso; difamante, desonroso, denigrativo.

difarreación. *f*. difarreação.

diferencia. *f*. diferença, diversidade, distinção, dissemelhança, disparidade; diferença, desaco(ô)rdo, oposição, controvérsia, dissensão; divergência; diferença, resto; excesso; (aritm.) diferença, resto; excesso duma quantidade sobre outra; alteração; desconformidade; desavença; inexactidão; diferença, prejuízo; embrolho; contestação; desconveniência; desarranjo; desinteligência; desigualdade; desconciliação; desconcordância; *arreglar una diferencia*, (fig.) meter o bastão; *decidir una diferencia*, averiguar desabrimentos; *tener una diferencia con alguien*, embaraçar-se com alguém, desavir; *diferencia en una cuenta*, (fig.) empeno; *hacer diferencias*, fazer diferenças; *con poca diferencia*, com curta diferença; *con la diferencia de*, com a diferença; *no hay diferencia*, não faz diferença; *hay mucha diferencia*, há muita diferença.

diferenciación. *f*. diferenciação, diferença.

diferencial. *adj*. diferencial, pertencente à diferença. — *f*. (mar.) diferencial; (mec.) diferencial.

diferenciar. *v. tr*. e *intr*. diferenciar, diferençar, distinguir, fazer distinção; diferençar, variar, mudar o uso que se faz das coisas; (mat.) achar a diferença duma quantidade variável; desconciliar, discordar; dessemelhar; desigualar; desconcordar, discordar. — **diferenciarse.** *v. r*. diferençar-se, distinguir-se, tornar-se notável um indivíduo; diferir, distinguir-se uma coisa de outra.

diferente. *adj*. diferente, diverso, distinto, desigual; variado; desavindo; desvariado; desconforme, descondizente, descordante; dessemelhante. — *pl*. diversos; vários.

diferido, da. p. p. e *adj.* diferido, dilatado, demorado, adiado; atempado.

diferir. *v. tr.* diferir, dilatar, demorar; retardar, prorrogar; entreter; adiar; deixar; meter tempo; pairar; atempar; entorpecer. — *v. intr.* distinguir-se, diferenciar-se; suspender a execução duma coisa. — *pres. ind. irr.* **difiero, -es, -e, -en;** *pret.* **difirió, -rieron;** *subj.* **difiera, -as, -a, -iramos, -ráis, -ieran.**

difícil. *adj.* difícil; custoso, trabalhoso, árduo; arriscado; exigente; pouco provável; intransitável; complicado; exigente, contrário, relutante; de génio áspero; descontentadiço; susceptível; embaraçoso; improvável; que oferece obstáculos; escuro; que não se compreende fàcilmente; delicado; indigesto; árido; melindroso; fragoso; ingrato; inextricável; arreve(ê)sso; ímprobo; (fig.) diabólico; bicudo; barrancoso; (Bras.) prêto; *difícil de comprender,* fundo; *difícil de contentar,* exigente; *cosa muy difícil,* bicho de sete cabeças; *emprender un negocio difícil,* meter-se em danças; *embarcarse en empresas difíciles,* (fig.) meter-se em barrancos; *estar en situación difícil,* estar bem aviado; *escapar de una situación difícil,* escapar de boa; *hacer difícil,* arrevessar; *hacer lo más difícil y fracasar en lo sencillo,* vir morrer à beira; *momento difícil,* encaladrela; *poner a alguien en situación difícil,* pôr alguém em termo estreito; *ser difícil,* (fig.) ter dente de coelho; *situación difícil,* atoleiro, atoladela; *tiempo difícil,* tempo estreito.

dificultad. *f.* dificuldade, embaraço; obstáculo, impedimento; obje(c)ção; situação crítica; dificuldade, dúvida; réplica; transto(ô)rno; entorpecimento; entravamento; entrepeço: inibitória: arrevesso; aspereza; estreiteza; estorvamento; empecimento; encalacração; encamisada; inconveniente; berbicacho; (Bras.) galho: *dificultad económica,* apuro económico; *la dificultad no se encuentra aquí,* não é aí que pega o arado; *gran dificultad,* bicha de sete cabeças; *lograr algo con mucha dificultad,* conseguir uma coisa por barrancos; *ofrecerse una dificultad,* apresentar-se uma dificuldade; *sacar de una dificultad,* desatascar; *vencer una dificultad,* (pop.) descalçar a bata; *causar dificultades,* (pop.) entrençar; *crear dificultades a alguien,* pôr alguém em termo estreito; *encontrar dificultades en algo,* dar em seco; *encontrar dificultades,* encontrar atritos; *estar hecho a las dificultades,* estar curtido; *librar de dificultades a alguien,* desembaraçar alguém de dificuldades; *poner dificultades,* levantar dúvidas; *rodearse de dificultades,* atolar-se; *sin dificultades,* de foz em fora; *verse rodeado de dificultades,* (fig.) prenderse com teias de aranha; *vencer las dificultades,* saltar as barreiras; *andar en dificultades,* ver-se em dificuldades.

dificultador, ra. *adj.* e *s.* dificultador, que põe ou imagina dificuldades.

dificultar. *v. tr.* dificultar, pôr dificuldades; tornar difícil uma coisa; entorpecer; entravar; embargar; empecilhar, embaraçar; impedir; complicar; estorvar.

dificultoso, sa. *adj.* dificultoso, difícil, cheio de embaraços, custoso, que oferece dificuldades; (fig. e fam.) esquisito, diz-se dum semblante ou figura estranha ou defeituosa; (Bras.) pebado.

difidación. *f.* justificativo da declaração de guerra; a própria declaração.

difidencia. *f.* difidência, desconfiança, falta de fé.

difidente. *adj.* difidente, desconfiado, que desconfia.

difilo, la. *adj.* (bot.) dífilo, que tem duas folhas.

difinir. *v. tr.* (p. us.) V. **definir.**

difluencia. *f.* difluência.

difluente. *adj.* difluente; que se derrama ou se liquefaz.

difluir. *v. intr.* difluir, correr como um líquido; difluir-se, difundir-se, espalhar-se por todas as partes.

diforme. *adj.* V. **deforme.**

difracción. *f.* (fís.) difra(c)ção.

difractar. *v. tr.* (fís.) difra(c)tar, efectuar a difracção de.

difragente. *adj.* difringente, que produz a difracção.

difteria. *f.* (pat.) difteria; (pop.) garrotilho.

diftérico, ca. *adj.* (pat.) diftérico.

difteritis. *f.* (pat.) inflamação diftérica.

difumar. *v. tr.* V. **esfumar.**

difuminar. *v. tr.* esfumar, esbater com esfuminho; adoçar as cores.

difumino. *m.* esfuminho, rolo de pelica ou papel para esfumar.

difundir. *v. tr.* difundir, espalhar, estender; divulgar; propagar; irradiar; derramar; (diz-se dos fluidos); despedir; ampliar; (fig.) apostolar. — **difundirse.** *v. r.* difundir-se; propagar-se; derramar-se.

difuntear. *v. tr.* matar violentamente.

difunto, ta. *adj.* defunto; falecido, morto; extinto. exânime; (Bras.) pop. delfino. — *s.* defunto, cadáver; *día de difuntos,* dia dos defuntos, de finados; *tener cara de difunto* (fam.) ter cara de defunto.

difusibilidad. *f.* difusibilidade.

difusible. *adj.* difusível; que se pode difundir; difusível.

difusión. *f.* difusão; distribuição, divulgação; propagação, prolixidade; derramamento dum líquido; distribuição duma substância no organismo; extensão, redundância; infiltração.

difusivo, va. *adj.* difusivo, que tem a propriedade de difundir.

difuso, sa. p. p. *irre.* de *difundir* e *adj.* difuso, difundido, espalhado; dilatado; derramado; disseminado; prolixo, que não é conciso, superabundante em palavras, verboso.

difusor. *adj.* difusor, que difunde. — *m.* aparelho para extrair o suco sacarino (electr.) difusor .

digamia. *f.* digamia, bigamia.

dígamo. *m.* dígamo, bígamo.

digamma f. digama.

digénesis. *f.* (biol.) digé(ê)nese.

digenético, ca. *adj.* (biol.) pertencente ou relativo à digénese.

digenia. *f.* (biol.) digénia.

digenismo. *m.* (biol.) digénia.

digerible. *adj.* digerível, que se pode digerir; (fig.) suportável, tolerável.

digerir. *v. tr.* digerir, fazer a digestão de; (fig.) examinar ou estudar com atenção; engolir; suportar, sofrer, levar com paciência uma desgraça ou ofensa; meditar cuidadosamente; digerir, cozer a fogo lento; digerir, coordenar: *digerir la comida*, (pop.) desgastar a comida; *conj. irr.* como **sentir.**

digestibilidad. *f.* digestibilidade.

digestible. *adj.* digestível, fácil de digerir.

digestión. *f.* (fisiol.) digestão; (quím.) infusão prolongada dum corpo do qual se pretende extrair uma substância.

digestivo, va. *adj.* digestivo, que ajuda a digestão. — *m.* conjunto dos órgãos que operam a digestão. — *m.* (cir.) medicamento para promover e suster a supuração das úlceras e feridas.

digesto. *m.* digesto, compilação das leis organizado por ordem de Justiniano; coleção das decisões do direito romano; compilação de regras ou decisões jurídicas.

digestor. *m.* digestor, aparelho para a cocção de certas substâncias.

diginia. *f.* (bot.) diginia.

digino, na. *adj.* (bot.) dígino, diz-se da planta que tem dois pistilos distintos.

digitación. *f.* digitação; dedilhação.

digitado, da. *adj.* (bot.) digitado, que tem forma de dedos; (zool.) digitado.

digital. *adj.* digital, pertencente ou relativo aos dedos. — *f.* (bot.) digital, dedaleira.

digitalina. *f.* (quím.) digitalina.

digitar. *v. tr.* (mús.) digitar.

digitifoliado, da. *adj.* (bot.) digitifoliado.

digitiforme. *adj.* digitiforme, em forma de dedo.

digitígrado, da. *adj.* (zool.) digitígrado.

dígito. *adj.* e *m.* (mat. e astr.) dígito.

diglosia. *f.* diglossia.

dignación. *f.* dignação, condescendência; mercê; compracência.

dignarse. *v. r.* dignar-se, condescender, fazer favor; haver por bem; ter a bondade de; ter a generosidade de, comprazer-se.

dignatario. *m.* dignitário, pessoa investida duma dignidade.

dignidad. *f.* dignidade; respeitabilidade; honraria; nobreza; cargo elevado; excelência, realce; gravidade de maneiras ou procedimento; eclesiástico que exerce funções elevadas; excelsitude; deco(ô)ro, formalidade, decência; elevação; nobreza de proceder; pundonor.

dignificable. *adj.* dignificável, que pode dignificar-se.

dignificación. *f.* dignificação; engrandecimento; elevação a uma dignidade.

dignificar. *v. tr.* dignificar, tornar digno; elevar a uma dignidade; engrandecer; honrar; nobilitar.

dignificarse. *v. r.* dignificar-se, tornar-se digno.

digno, na. *adj.* digno; benemérito, merecedor; digno, condigno, correspondente, proporcionado ao mérito; digno, grave, egrégio, nobre; apropriado, conforme; merecedor; honesto; credor; capaz; grande; que vale a pena; adequado; exemplar; que está à altura de; digno, que merece uma pena ou um castigo; chumbado; louvável; decoroso, decente; mérito, meritório: *ser digno de*, merecer.

digresión. *f.* digressão, desvio de rumo ou de assunto.

digresionar. *v. intr.* digressionar, fazer digressão; discorrer, divagar, devanear.

digresivo, va. *adj.* digressivo, que se afasta; que divaga.

dihueñi. *m.* V. **dihueñe.**

dije. *m.* dixe, cada uma das jóias, relicários e outros adornos femininos; berloques; (fig. e fam.) pessoa de relevantes qualidades físicas ou morais; dixe, ornamento de oiro ou pedraria; enfeite; pequeno objecto para brinquedo.

dijes. *m. pl.* V. **bravatas.**

dilaceración. *f.* dilaceração; despedaçamento; estado do que foi dilacerado.

dilacerar. *v. tr.* dilacerar, desgarrar, despedaçar as carnes; rasgar em pedaços; (fig.) causar mágoa intensa. — **dilacerarse.** *v. r.* farpar, (fig.) dilacerar, causar grande dor moral; ferir, agravar ou ofender a honra, o orgulho, etc.

dilación. *f.* dilação, detenção, demora; entretenimento; entorpecimento; detença; atrasamento; alongamento; delonga; atraso: *cumplir órdenes sin dilación*, cumprir ordens sem dilação.

dilapidación. *f.* dilapidação, delapidação; dissipação; esbanjamento; desperdício; desbarato; roubo.

dilapidador, ra. *adj.* e *s.* dilapidador que dilapida, que delapida; que dissipa; dissipador; derramador; desprendedor.

dilapidar. *v. tr.* dilapidar, delapidar, dissipar, esbanjar; destruir, demolir, estragar; alagar; exaustar; desperdiçar; desprender; absorver; arruinar, roubar.

dilatabilidad. *f.* dilatabilidade, qualidade de dilatável; propriedade que os corpos têm de aumentar de volume pelo afastamento das moléculas.

dilatable. *adj.* dilatável, que pode dilatar-se; (fig.) expansível.

dilatación. *f.* dilatação; engrandecimento; desafo(ô)go, ampliação; amplitude; extensão; expansão; (fig.) alargamento (fig.) desafogo, consolação dalguma pena ou sentimento profundo; (cir.) dilatação, acção pela qual se dilata ou alarga uma fe-

rida, uma cavidade, uma fístula; (fís.)
dilatação, aumento de volume dum corpo,
sob a acção do calor, sem alteração da natureza do corpo; incremento: *dilatación
de algún órgano*, (bot.) bolbo.

dilatado, da. *adj.* e *p. p.* dilatado, extenso,
vasto, largo, amplo; alargado; expandi-
do; extenso; amplo; estendido; duradoiro.

dilatador, ra. *adj.* e *m.* dilatador, que dilata;
instrumento para fazer dilatações.

dilatar. *v. tr.* dilatar, tornar largo, amplo;
estender; alargar; estiraçar; paliar; expandir; demorar; alongar; deter; ampliar, arrastar, diferir, prorrogar, delongar, demorar. — **dilatarse.** *v. r.* dilatar-se,
alargar-se, alongar-se, estender-se; espraiar-se com prolixidade num discurso
ou narração; (Amér.) tardar, demorar:
dilatar el ánimo, desafogar; *dilatarse am-
pliamente por*, encher; *dilatar una herida*,
alegrar.

dilatativo, va. *adj.* dilatativo, diz-se do que
tem a virtude de dilatar.

dilatoria. *f.* dilação. V. **dilación.**

dilatorio, ria. *adj.* (for.) dilatório, que serve
para dilatar ou prorrogar o termo duma
causa.

dilección. *f.* (p. us.) dile(c)ção, afeição especial, grande estima; amor esclarecido.

dilecto, ta. *adj.* dile(c)to, amado com dilec-
ção; muito querido; preferido com inteiro conhecimento das suas boas qualidades.

dilema. *m.* dilema, argumento que contém
duas proposições contrárias ou contraditórias, das quais se deixa a escolha ao adversário para o convencer igualmente,
seja qual for a proposição que ele tomar;
estreiteza; (fig.) encruzilhada; (fig.) situação embaraçosa de que não há saída
senão por um de dois modos, ambos difíceis ou penosos.

dilemático, ca. *adj.* relativo ao dilema, dilemático; que encerra dilema.

diletante. *adj.* diletante, afeiçoado às Belas-
-Artes, especialmente à música; pessoa
que exerce uma arte ou se dedica a um
assunto como amador.

diletantismo. *m.* carácter de diletante; diletantismo, afeição ou grande inclinação ou
para as Belas-Artes, especialmente à música; qualidade de quem é diletante.

diligencia. *f.* diligência, cuidado e a(c)tivida-
de em fazer uma coisa; diligência, prontidão; agilidade; pressa; usa-se mais com
verbos de movimento; apressuramento;
a(c)tivação; aviamento; infatigabilidade;
estudo; expedição; experiência; empenho;
fula; iniciativa (fig.) agência, ardência; diligência, carruagem, carro grande com
duas ou três divisões e destinado ao transporte de viajantes; (fam.) negócio, solicitude; (for.) execução ou cumprimento
dum auto, acórdão ou mandado judicial,
sua notificação, etc. diligência: diligência
para conseguir algo, meio; oficial de diligência, galfarro.

diligenciar. *v. tr.* diligenciar, procurar por
todos os meios necessários conseguir o que
se pretende; diligenciar, aligeirar, apressar; agenciar; aviar; esforçar-se por;
empregar os meios para.

diligenciero. *m.* procurador, o que toma a
seu cargo os assuntos doutrem.

diligente. *adj.* diligente, cuidadoso, exacto
e a(c)tivo; pronto, rápido; agudo; abelhudo; aguçoso acre; a(c)tuoso, assíduo; infatigável; agencioso; agenciador; apressado; estudoso; expeditivo; expedito;
executivo; despachado; despachador;
(fig.) arrecadado: *hombre muy activo y
diligente*, ardego, (prov.) ferragulha;
persona diligente y económica, formiga;
ser diligente, beber azeite.

dilogía. *f.* dialogia, diáfora; ambiguidade,
equívoco.

dilucidación. *f.* dilucidação, dilucidamento,
esclarecimento.

dilucidador, ra. *adj.* e *s.* dilucidador, que
dilucida, que esclarece.

dilucidar. *v. tr.* dilucidar, esclarecer, elucidar, esclarecer, elucidar; decifrar, explicar.

dilucidario. *m.* dilucidário, elucidário.

dilución. *f.* diluição, diluimento.

diluir. *v. tr.* e *r.* diluir, (quím.) dissolver
pela mistura dalgum líquido; desfazer
uma substância num líquido; (fig.) enfraquecer por difusão.

dilusivo, va. *adj.* diluente, dissolvente; (fig.)
ilusório.

diluvial. *adj.* (geol.) diluvial.

diluviano, na. *adj.* diluviano.

diluviar. *v. intr.* diluviar, chover abundantemente; enxurrar.

diluvio. *m.* dilúvio; (fig.) chuva muito copiosa; abundância excessiva duma coisa, dilúvio; por antonomásia, diz-se do dilúvio
universal.

diluvión. *m.* (geol.) diluvião.

dimanación. *f.* dimanação; procedência;
derivação.

dimanar. *v. intr.* dimanar, vir, correr, brotar
a água dos seus mananciais; fluir; pro-
vir; originar-se; manar, derivar-se; tirar
a sua origem, nascer, proceder de.

dimensión. *f.* dimensão, medida, comprimento, extensão ou volume duma linha,
superfície, etc.; magnitude; extensão dum
objecto, dimensão; (mús.) extensão dos
compassos; tamanho, volume.

dimensional. *adj.* dimensional.

dímero, ra. *adj.* (bot.) dímero.

dimes. *m. pl.*: *dimes y diretes*, loc. fam.,
disputas, porfías, réplicas, altercações, andares e tomares, andar num dize tu, di-
rei eu.

dimetilo. *m.* (quím.) dimetilo.

dímetro. *m.* dímetro, verso grego ou latino
de dois pés.

dimidiar. *v. tr.* (p. us.) dimidiar, dividir pelo
meio, mear.

dimidor. *m.* o que se emprega em dimidiar.

diminución. *f.* diminuição. V. **disminución.**

diminuendo. *m.* (mús.) diminuendo. V. **decrescendo.**

diminuir. *v. tr.* diminuir. V. **disminuir.**

diminutivo, va. *adj.* diminutivo, que tem a qualidade de reduzir a menos alguma coisa; (gram.) diminutivo. — *m.* (gram.) diminutivo.

diminuto, ta. *adj.* diminuto, defeituoso, falto do necessário para complemento ou perfeição; excessivamente pequeno; minguado; dificiente; breve; minuto; minúsculo; exíguo; delgado mesquinho: *ser una cosa muy diminuta.* (fam.) não caber cova de um dente.

dimisión. *f.* demissão, renúncia feita pela própria pessoa a um cargo, emprego, etc.; deposição; abrenunciação; desempre(ê)go; destituição; exoneração: *dimisión de una hipoteca,* levantamento da hipoteca.

dimisionario, ria. *adj.* e *s.* demissionário, que pediu a demissão, que se demitiu, demitente.

dimisorias. *f. pl.* dimissórias, letras dimissórias, cartas pelas quais um prelado autoriza outro a conferir ordens sacras a um diocesano seu: *dar dimisorias,* (fam.) despedir alguém afugentando-o com desagrado.

dimisorio, ria. *adj.* pertencente ou relativo às dimissórias.

dimitir. *v. tr.* demitir, deixar, largar, exonerar, renunciar um cargo, emprego, etc.; abdicar; depor; abaixar; desempregar-se; destituir; desinvestir; dar a sua demissão; abrenunciar: *dimitir de un empleo,* apear de um emprego; *hacer dimitir,* (fig.) apear; *dimitir de un puesto,* (fig.) encostar a vara, bastão, etc.

dimorfia. *f.* (biol.) dimorfia, dimorfismo.

dimorfismo. *m.* (min.) dimorfia, dimorfismo.

dimorfo, fa. *adj.* (min.) dimorfo.

din. *m.* (fam.) dinheiro, moeda corrente.

dina. *f.* (fís.) dine, dínio, unidade de força no sistema C. G. S.

dinacho. *m.* (Amér.) erva araliácea.

Dinamarca. (geog.) Dinamarca.

dinamarqués, sa. *adj.* e *s.* dinamarquês, relativo ou natural de Dinamarca. — *m.* dinamarquês. língua dinamarquesa.

dinamia. *f.* (mec.) dinamia, unidade para a medição do trabalho mecânico.

dinámica. *f.* (mec.) dinâmica.

dinámico, ca. *adj.* (mec.) dinâmico, pertencente ou relativo à dinâmica; (pop.) activo.

dinamismo. *m.* dinamismo, energia activa e propulsora; (filos) dinamismo; (pop.) actividade; destreza.

dinamista. *adj.* e *s.* dinamista, partidário do dinamismo.

dinamita. *f.* (quím.) dinamite.

dinamitar. *v. tr.* dinamitar, fazer saltar pelos ares por meio de dinamite.

dinamitazo. *m.* explosão ou tiro de dinamite.

dinamitero, ra. *adj.* e *s.* dinamitista, fabricante de dinamite; dinamiteiro, que faz uso da dinamite; (fig.) anarquista.

dínamo. *f.* (fís.) dínamo; ele(c)trogerador.

dinamoeléctrico, ca. *adj.* dinamoeléctrico, diz-se da máquina chamada dínamo.

dinamógeno, na. *adj.* dinamogénico.

dinamógrafo. *m.* (mec.) dinamógrafo.

dinamología. *f.* (fís.) dinamología.

dinamometría. *f.* (mec.) dinamometria.

dinamométrico, ca. *adj.* (mec.) dinamométrico.

dinamómetro. *m.* (mec.) dinamó(ô)metro.

dinamoscopia. *f.* (med.) dinamoscopia.

dinamoscopio. *m.* (med.) dinamoscópio.

dinar. *m.* dinar. antiga moeda árabe de oiro; dinar, moeda da Sérvia.

dinasta. *m.* dinasta, príncipe ou senhor que reinava com o consentimento ou sob a dependência doutro soberano.

dinastía. *f.* dinastia, série de príncipes soberanos pertencentes a uma família; (por ext.) série de homens ilustres na mesma família.

dinástico, ca. *adj.* dinástico, relativo à dinastia; partidário duma dinastia.

dinastismo. *m.* fidelidade e adesão a uma dinastia.

dinerada. *f.* dinheiral, dinheirão, dinheirama, dinheirada, grande quantidade de dinheiro; peso de que se servem os ensaiadores para conhecer a liga do ouro e da prata; moeda antiga que equivalia a um maravedi de prata.

dineral. *m.* dinheiral, dinheirão, dinheirada, dinheirama, muito dinheiro.

dinero. *m.* dinheiro, moeda corrente; dinheiro, moeda antiga de prata e cobre usada em Castela; (fig.) riqueza, fortuna; caudal, cabedal; moeda de prata do Peru equivalente a meia peseta; moeda de oiro de baixa lei mandada cunhar em Burgos pelo rei Alfonso X; peso de 24 gramas que se usava para pesar a prata; numerário; metal; (fam.) arame, china, milho; (Bras.) gaita, grana, pilcha, tuncum; *dinero contante y sonante,* dinheiro de contado, efectivo; *dinero para descontar,* dinheiro que se deve abonar; *dinero ahorrado para o poco,* (fam.) pé-de-meia; *ganar un montón de dinero,* ganhar uma bolada; *poco dinero,* (fig.) cheta; *sacar el dinero,* (fam.) depenar; *sin dinero* (fam.) depenado; *dinero de San Pedro,* dinheiro de São Pedro; *tener dinero,* ter dinheiro; *comprar con dinero efectivo,* comprar com dinheiro à vista; *dar dinero a interés,* dar dinheiro a juro; *poner dinero a interés,* pôr dinheiro a juro, a logro, a interesse; *dinero como escombro;* (vulg.) dinheiro como milho; *dinero modesto,* (fam.) dinheiro de sardinhas; *dinero en mano,* dinheiro de contado; *darle aire al dinero,* ser muito liberal com o próprio dinheiro; *estrujar uno el dinero,* (fig. e fam.) ser muito sovina; *por dinero baila el perro, y por pan si se lo dan,* locução popular que expressava a força do dinheiro; *pedir dinero prestado en el juego,* (Bras.) apiabar; *sin dinero,* (Bras.) pelado.

dinosaurios. *m. pl.* (paleont.) dinossauro.

dinosauro. *m.* (zool. e paleont.) dinossauro.

dinoterio. *m.* (zool. e paleont.) dinotério.
dintel. *m.* (arq.) dintel, verga superior de porta ou janela, padieira.
dintelar. *v. tr.* fazer dintéis ou padieiras.
dintorno. *m.* (arq. e pint.) dintorno, delineamento duma figura contidos no contorno.
diñar. *v. tr.* (pop.) dar, morrer: *diñarla*, (pop.) estender a perna, esticar. — *v. r.* fugir; burlar: *diñársela a uno*, burlar alguém.
diocesano, na. *adj. e s.* diocesano.
diócesi(s). *f.* diocese, distrito ou território em que exerce jurisdição espiritual um prelado.
diodo. *m.* (radiotécn.) lâmpada de dois eléctrodos.
diodón. *m.* (ictiol.) peixe, ouriço.
dionea. *f.* (bot.) dioneia; apanha-moscas.
dionisia. *f.* (min.) pedra que, segundo os antigos, podia dar à água o sabor do vinho e ser um remédio contra a embriaguez.
dionisíaco, ca. *adj.* dionisíaco, relativo a Baco ou Dionísio.
dionisias. *f. pl.* dionísias, dionisíacas, festas em honra de Dionísio ou Baco.
dioptasa. *f.* (min.) dioptase.
dioptra. *f.* alidade, régua móvel, com uma pinça nas extremidades para visar objectos cuja direcção se deseja fixar; dioptra.
dioptría. *f.* (ópt.) dioptria.
dióptrica. *f.* (ópt.) dióptrica.
dióptrico, ca. *adj.* (ópt.) dióptrico.
dioptrismo. *m.* (cir.) dioptrismo, dilatação, aplicação dum instrumento dilatador.
diorama. *m.* diorama.
dióresis. *f.* (pat.) diorese. V. **diorrosis.**
diorita. *f.* (geol.) diorite, diorito.
diorítico, ca. *adj.* (min. e geol.) diorítico.
diorrosis. *f.* (pat.) diorese, derramamento de sangue.
Dios. *m.* Deus, nome sagrado do Supremo Ser, Criador do Universo, Nosso Senhor; deus, divindade do paganismo, falsa deidade; (fig.) pessoa ou coisa que se venera acima de tudo. — *pl.* os deuses da mitologia: *a la buena de Dios*, (fam.) sem malícia; *vaya con Dios*, Deus o acompanhe, vá com Deus; *dar Dios a uno*, administrar o Sagrado Viático; *es para alabar a Dios*, é um louvar a Deus ¡é admirável!; *¡anda con Dios!* Deus te acompanhe; *¡válgame Dios¡*, valhame Deus!; *vivir a la buena de Dios*, (fam.) andar arrastado; *Dios mediante*, Deus mediante; *Dios dirá*, (fam.) amanhecerá, far-nos há Deus mercê; *por amor de Dios*, por amor de Deus; *¡Dios me asista!*, Deus seja comigo!; *¡Dios te ampare!*, Deus te ajude!; *para agradar a Dios*, se Deus por servido; *Dios bendiga esta casa*, Deus esteja nesta casa; *dejado de la mano de Dios*, (fam.) deixado da mão de Deus; *Dios está en los cielos*, Deus está no céu; *Dios os guarde*, Deus vos guarde; *¡voto a Dios!*, expressão de juramento; *plegue a Dios*, praza a Deus; *Dios lo haga*, Deus o faça; *pongo a Dios por testigo*, Deus me é testemunha; *Dios lo oiga*, Deus o

ouça; *bien lo sabe Dios*, (fig.) Deus sabe que; *a Dios*, a Deus; expressão para despedir alguém; *entregarse en las manos de Dios*, entregar-se nas mãos de Deus; *Dios me asista*, assim me ajude Deus; *para Dios no hay nada imposible*, a Deus nada é impossível; *más puede Dios que el diablo*, mais pode Deus que o diabo; *el hombre propone y Dios dispone*, o homem põe e Deus dispõe ; *Dios aprieta pero no ahoga*, Deus dá frio conforme a roupa; *lo que Dios da, llevarse ha*, o diabo o dá, o diabo o leva; *llamar Dios a uno*, ir-se para Deus; *Dios delante*, (fam.) assim me ajude Deus; *sea lo que Dios quiera*, Deus haja, ou que Deus haja, a Deus e á ventura.
diosa. *f.* deusa, falsa deidade feminina; (poét.) dea, de(é)ia; (fig.) mulher adorável, extremamente formosa.
dioscóreo, a. *adj.* (bot.) dioscórea, diz-se das plantas monocotiledóneas com flores dióicas, muito pequenas e frutos capsulares. —*f. pl.* (bot.) dioscoreáceas.
diosear. *v. intr.* (ant.) atribuir-se a divindade, endeusar-se.
diosma. *f.* (bot. e Amér.) diosma.
diospiro. *m.* (bot.) dióspiro.
diostilo. *m.* (arq.) diostilo.
dipétalo, la. *adj.* (bot.) dipétalo.
diplasiasmo. *m.* diplasiasmo.
diplejia. *f.* (pat.) diplegia.
diplocéfalo, la. *adj.* (terat.) diplocéfalo.
diplodoco. *m.* (zool. e palent.) diplodoco.
diploe. *m.* (anat.) díploe, tecido esponjoso que forma os ossos do crânio.
diplofonía. *f.* diplofonia.
diplogastria. *f.* (terat.) diplogastria.
diplogénesis. *f.* (terat.) diplogénese.
diploma. *m.* diploma, despacho, bula; privilégio; diploma, título, credencial; alvará.
diplomacia. *f.* diplomacia, ciência das relações internacionais; serviço dos Estados nas suas relações internacionais; diplomacia, carreira diplomática; diplomacia, corporação dos diplomáticos; (fig. e fam.) diplomacia, cortesia aparente e interessada; habilidades; astúcia.
diplomado, da. *adj. e s.* diz-se da pessoa que obteve um título ou diploma académico; diplomado. V. **titulado** e **graduado.**
diplomática. *f.* diplomática, arte de conhecer os diplomas autênticos; diplomática, ciência das relações internacionais.
diplomático, ca. *adj. e s.* diplomático, relativo ao diploma; pertencente à diplomacia; diplomático, membro do corpo diplomático; (fig.) diplomático, reservado, circunspecto, sagaz, dissimulado, discreto, grave, cortês, elegante.
diplón. *m.* (quím.) deutão. V. **deutón.**
diplopía. *f.* (med.) diplopia.
diplóptero, ra. *adj.* (zool.) diplóptero.
diplostémono, na. *adj.* (bot.) diplóstemo, diplostêmone.
dipneo, a. *adj.* (zool.) dipneu, dipneusta.
dipnoo, a. *adj.* dipneu, dipnóico.
dípodo, da. *adj.* (zool.) dípode, bípede.

dipodia. *f.* dipodia.

diprósopo, pa. *adj.* (zool.) diprósopo.

dipsáceo, a. *adj.* (bot.) dipsácea. — *f. pl.* dipsáceas.

dipsético, ca. *adj.* (med.) dipsético, que produz sede.

dipsomanía. *f.* dipsomania.

dipsomaníaco, ca. *adj.* e *s.* dipsomaníaco.

dipsómano, na. *adj.* e *s.* dipsomaníaco, que tem dipsomania.

díptero, ra. *adj.* (arq.e esc. e zool.) díptero, diz-se do edifício que tem duas ordens de colunas e da estátua com duas asas. — *m. pl.* (zool.) dípteros.

dipterocárpeo, a. *adj.* (bot.) dipterocarpo, diz-se duma espécie de árvores dicotiledóneas, resinosas com folhas alternas ou opostas na base dos ramos. — *f. pl.* dipterocarpáceas.

díptica. *f.* dípticos, registos monásticos que tinham os nomes dos bispos e benfeitores por quem se devia rezar; catálogo ou série de nomes de pessoas, geralmente dos bispos duma diocese, etc.

díptico. *m.* díptico, painel pintado, quadro ou baixo-relevo formando com dois tabuleiros que se fecham, por meio de dobradiças, como as capas dum livro.

diptongación. *f.* (gram.) ditongação.

diptongar. *v. tr.* (gram.) ditongar, transformar ou transformar-se em ditongo; converter em ditongo.

diptongo. *m.* (gram.) ditongo, união de duas vogais numa só emissão de voz.

diputación. *f.* diputação; conjunto dos deputados; edifício onde se reúnem os deputados provinciais; exercício do cargo de deputado; duração deste cargo; missão de que se encarrega um deputado.

diputado, da. *s.* deputado, pessoa nomeada por um corpo para o representar; deputado, cada uma das pessoas nomeadas directamente pelos eleitores para formar o Congresso que, com o Senado, formam as Cortes; deputado, aquele que é comissionado para tratar de negócios de outrem; deputado, enviado: *diputado a cortes*, deputado às cortes; *elegir diputado*, deputar; *conjunto de diputados*, deputação.

diputador, ra. *adj.* e *s.* que deputa.

diputar. *v. tr.* deputar, destinar, designar, delegar, enviar; eleger, escolher por meio de votação; conceituar; deputar, delegar, mandar em comissão, mandar em deputação; encarregar duma missão; incumbir.

dique. *m.* dique, construção destinada a represar águas correntes; reservatório com comporta; represa; doca; açúde; açudada; eclusa; (geol.) lava que se introduziu na fenda duma rocha e aí endureceu.

dirección. *f.* dire(c)ção, caminho ou rumo que um corpo segue no seu movimento, orientação; direcção, administração; conjunto dos directores dum estabelecimento, sociedade, exploração, etc.; direcção, cargo de director; banda ou lado para que está voltada uma pessoa ou coisa ou para onde alguém caminha; escopo; fim; linha recta, direitura; direcção; endireito; endere(ê)ço; endereçamento; destino; encarreiramento; encaminhamento; controlo: *que va en dirección contraria*, desencontrado; *en dirección a*, ao endireito; ao correr de; *escribir la dirección*, endereçar; *dar mala dirección a un negocio*, enviesar; *privar de jefatura o dirección*, decapitar; *dirección de un proyectil*, assesto; *dirección del polo inversa a la normal*, arrepio; *tomar otra dirección*, desirar; *dirección recta*, enfilamento; *tomar una dirección*, enveredar; *poner la dirección de algo o de alguien*, etiquetar; *calle de dirección única*, rua duma só direcção; *calle de dos direcciones*, rua de duas direcções.

direccional. *adj.* pertencente ou relativo à direcção.

directiva. *f.* conjunto de indicações, linha de procedimento a seguir, dire(c)tiva, directriz. V. **directriz.**

directivo, va. *adj.* dire(c)tivo, que dirige, que tem a faculdade e virtude de dirigir.

directo, ta. *adj.* direito, recto, que está em linha recta dire(c)to, diz-se do que vai duma parte a outra sem deter-se nos pontos intermédios; que não tem rodeios ou circunlóquios; claro, franco; aplica-se ao que se encaminha directamente a um objectivo.

director, ra. *adj.* dire(c)tor, que dirige; (geom.) directriz linha. — *s.* director, pessoa que dirige ou administra; mentor; guia; presidente; director, o que preside a certas sociedades, corporações, etc.; o que só, ou acompanhado, tem a seu cargo a direcção duma companhia, director; chefe; administrador; empresário; mestre: *director de música*, mestre de capela; maestro; *director espiritual*, director espiritual.

directoral. *adj.* directorial, relativo ao director.

directorio, ria. *adj.* dire(c)torio, diz-se do que é próprio para dirigir. — *m.* directório, comissão directora; conselho encarregado da gerência e negócios políticos.

directriz. *f.* (geom.) dire(c)triz (linha).

dirigente. *p. a.* de *dirigir*. — *s.* chefe, guía.

dirigibilidad. *f.* dirigibilidade.

dirigible. *adj.* dirigível, que pode ser dirigido. — *m.* (av.) dirigível, balão ou aeronave que se pode dirigir.

dirigir. *v. tr.* dirigir, guiar, levar, conduzir directamente uma coisa a um lugar determinado; enviar, remeter; endereçar; dirigir; dar impulso ou movimento; governar, reger; ensinar; ilustrar; encaminhar; dirigir, endereçar, sobrescritar; dirigir, consagrar, dedicar, oferecer; administrar, superintender em; enviar; dirigir, endereçar; volver; indicar os meios de conseguir uma coisa; enveredar; chefiar; aderecar; menear; controlar; endireitar; endereçar; encarreirar; agenciar; apresentar; (fig.) entoar. — **dirigirse.** *v. r.* dirigir-se, encaminhar-se, tender a; diri-

gir-se; dirigir-se, dirigir a palavra;
deitar-se; chegar-se; destinar-se; demandar; endereçar-se: *dirigir la vista,
telescopio, etc.*, assestar; *dirigir las tropas*, acaudilhar; *dirigir los pasos*, encaminhar; *dirigir negocios, empresas, etc.*,
entoar; *dirigir un navio contra el viento*,
barlaventear; *dirigir un barco*, barquear;
dirigir un cañón hacia, aboçar; *dirigirse
hacia*, embicar-se; *dirigirse a alguien*,
abalroar alguém, dirigir-se a alguém
dirigir una casa, dirigir uma casa; *dirigir
la vista, la atención, etc.*, dirigir a vista, a
atenção, etc.

dirimible. *adj.* dirimível, que se pode dirimir.

dirimir. *v. tr.* dirimir, anular, desfazer,
dissolver; obstar de modo absoluto; decidir terminantemente; extinguir; dirimir,
ajustar, acabar uma controvérsia; argumentar: *dirimir un pleito*, dirimir um
pleito.

dis. *pref.* que indica negação ou contrariedade, separação, diminuição, etc.

disanto. *m.* dia santo, dia de festa religiosa.

disartria. *f.* (med.) disartria.

disbasia. *f.* disbasia.

disbulia. *f.* disbulia, decrescimento patológico da vontade.

disbúlico, ca. *adj.* disbúlico, relativo a disbulia, que padece disbúlia.

discantar. *v. tr.* cantar, descantar; compor
versos ; (fig.) glosar, comentar.

discar. *v. intr.* (neol.) discar, marcar um número no disco do telefone automático.

disceptación. *f.* (p. us.) disceptação, controvérsia, disputa.

disceptar. *v. intr.* (p. us.) disceptar, disputar, discutir, debater algum ponto de doutrina.

discernible. *adj.* discernível, que se pode
discernir.

discernidor, ra. *adj.* e *s.* discernente, que
discerne.

discernimiento. *m.* discernimiento, faculdade
de discernir; critério; juízo; distinção;
apreciação; escolha.

discernir. *v. tr.* discernir, ver ou conhecer
distintamente; distinguir; diferenciar;
discriminar; avaliar; determinar; decidir; apreciar; medir; (for.) nomear juridicamente a tutela dum menor ou outro
cargo: *discernir el bien del mal*, estremar
o bem do mal. — *conj. irr.* como *cernir*.

discífero, ra. *adj.* (bot.) discífero.

discifloro, ra. *adj.* (bot.) discifloro.

disciforme. *adj.* (bot.) disciforme.

disciplina. *f.* disciplina, instrução, educação; doutrina; autoridade; boa ordem e
respeito; obediência; disciplina, observância das leis, ordens, etc.; disciplina,
ordem, regra, método de vida; disciplina,
instrumento para castigar; disciplina, flagelação; (mil.) disciplina, subordinação;
(fig.) enfreamento. — *pl.* correias para
açoutar, disciplinas: *disciplina eclesiástica*, disciplina da Igreja.

disciplinable. *adj.* disciplinável, capaz de ser
disciplinado.

disciplinado, da. *adj.* e *p. p.* disciplinado,
que observa a disciplina; (fig.) jáspeo,
diz-se das flores quando são matizadas de
várias cores.

disciplinante. *p. a.* e *s.* disciplinante, que se
disciplina; penitente que se disciplinava
e rezava as estações durante a Semana
Santa: *disciplinante de luz*, (pop.) criminoso exposto no pelourinho; *disciplinante
de penca*, criminoso açoutado pelo algoz.

disciplinar. *v. tr.* disciplinar, instruir, uma
profissão; disciplinar, açoitar, flagelar;
fazer guardar a disciplina, disciplinar;
(mil.) disciplinar; corrigir; fazer obedecer; castigar com disciplinas. — **discipli-
narse.** *v. r.* flagelar-se; penitenciar-se.

disciplinazo. *m.* açoite dado com umas disciplinas.

discipulado, da. *adj.* discipulado, respeitante aos discípulos. — *m.* discipulado, o
tempo em que alguém é discípulo; conjunto de discípulos; doutrina, ensino, educação.

discipular. *adj.* pertencente ou relativo aos
discípulos, discipular.

discípulo, la. *s.* discípulo, o que recebe instrução de alguém; aluno; aquele que
aprende; discípulo, o que segue a opinião
duma escola; discípulo, sectário; educando; estudante; (rel.) discípulo de Jesús
Cristo.

disco. *m.* disco, peça circular e chata;
(dep.) disco; disco, placa vibratória de
fonógrafo; disco, poste de sinalização;
(astr.) disco, superfície aparente dos astros; (bot.) parte da folha compreendida
dentro dos seus bordos; (fig. e fam.) disco, tema de conversação muito repetida:
disco de señales, (ferr.) disco de sinalização.

discóbolo. *m.* (depor.) discóbolo.

discóforo, ra. *adj.* discóforo, que tem disco.

discoidal. *adj.* discóide, que tem forma de
disco.

discoideo, a. *adj.* discóide, que tem forma de
disco.

díscolo, la. *adj.* díscolo, áspero no trato, insociável, desordeiro, indócil, perturbador,
rebelde, travesso, incorrigível; desrespeitador, desrespeitoso, indisciplinado, mal
humorado.

discoloro, ra. *adj.* (bot.) diz-se das folhas cujas faces são de cor diferente.

disconformidad. *f.* desconformidade, falta de
conformidade, oposição, desunião, contrariedade; improcedência; desconveniência.

discontar. *v. tr.* (prov.) V. **narrar.**

discontinuación. *f.* descontinuação.

discontinuar. *v. tr.* descontinuar, não continuar, interromper.

discontinuidad. *f.* descontinuidade, falta de
continuidade; inconexão, incoerência.

discordancia. *f.* discordância, falta de acordo; divergência; contradição; disparidade; desafinação; discrepância; incompatibilidade; desafinação; discrepância; incompatibilidade; alteração; desencontro;

desconveniência; desvairo; desarmonia; desconformidade.

discordante. *p. a. e adj.* discordante, discrepante, desconcordante, desconforme, desconveniente, destemperado, mal avindo; desarmó(ô)nico; destoante, desconsoante.

discordar. *v. intr.* discordar, não concordar, discrepar, divergir; desafinar; não estar em proporção; ser incompatível; destoar; estar em desarmonia; desconcertar; desconciliar; desconcordar; desdizer; desconvir; desavir.

discorde. *adj.* discorde, que discorda, destoante, divergente; incompatível, desavinda; (mús.) dissonante, desarmó(ô)nico, desafinado; oposto; incongruente.

discordia. *f.* discórdia; desinteligência; desarmonia; desavença; desordem; luta; oposição; diversidade e contrariedade de opiniões; embrulho, embrulhada, embrolho; desaco(ô)rdo; desunião; desconciliação; desconce(ê)rto (fig.) descomposição, inferno: *sembrar discordia*, desunir, descompor semear cizânia.

discoteca. *f.* discoteca, colecção de discos fonográficos.

discrasia. *f.* (med.) discrasia, má constituição física; caquexia; perturbação na crase sanguínea.

discrásico, ca. *adj.* (med.) discrásico.

discreción. *f.* discrição, sensatez e tacto no falar e no agir; discrição, dom de expressar-se com agudeza e oportunidade; expressão discreta; reserva, circunspecção; prudência; segre(ê)do; equanimidade; consideração; cordura, discernimento, juízo recto; modéstia; tino; atilamento; (fig.) chumbo: *conducirse con discreción*, (fig.) levar a barco a bom porto; *a discreción*, à discrição, à vontade, à livre escolha, abundantemente, quanto se queira; *entregarse a discreción*, (mil.) render-se incondicionalmente; *comer a discreción*, comer à discrição.

discrecional. *adj.* discricionário; livre, discricional, ilimitado, deixado à discrição, livre de condições.

discrepancia. *f.* discrepância, diversidade de opiniões; divergência; disparidade; dissentimento pessoal em opiniões ou conduta; desigualdade, desproporção, diferença; desconcordância; desencontro; desinteligência; desconveniência.

discrepar. *v. intr.* discrepar, ser diverso, diferenciar-se, ser desigual; discrepar; ser discrepante, divergir, discordar, dissentir não concordar, ser desconforme ou contrário, desconcordar; antipatizar; desconcertar; desconformar.

discretear. *v. intr.* discretear, falar ou discorrer com discrição; ostentar, afectar discrição no falar.

discreteo. *m.* acção e efeito de discretear, ostentação de discrição no falar.

discreto, ta. *adj.* discreto, dotado de discrição; circunspecto; modesto; reservado; ajuizado; aproposit2do; considerado; maduro; avisado; atinado; aconselhado;

acautelado; asissado; (med.) diz-se de certas erupções. — *s.* discreto, cargo nas comunidades religiosas; (for.) tratamento curial dalguns magistrados.

discretorio. *m.* reunião de discretos, nalgumas comunidades religiosas; lugar onde se reúnem.

discrimen. *m.* (p. us.) discrime, risco, perigo; diferença, diversidade.

discriminador, ra. *adj. e s.* discriminador que ou aquele que discrimina.

discromático, ca. *adj.* (med.) discromático.

discromatismo. *m.* (med.) discromatismo, alteração das cores.

discromía. *f.* (pat.) discromia.

disculpa. *f.* desculpa, pretexto, escusa, alegação atenuante ou justificante de culpa; desculpa, evasiva, subterfúgio; exculpação; defesa; efúgio; evasiva; descargo.

disculpabilidad. *f.* excusação, qualidade de desculpável.

disculpadamente. *adv.* desculpadamente.

disculpar. *v. tr. e r.* desculpar, atenuar ou livrar de culpa; descarregar; alegar atenuante ou justificante de culpa; (fig.) defender; paliar; (fam.) não fazer caso de, perdoar; justificar; exonerar da culpa.

dicurridero. *m.* (prov.) V. **álveo.**

discurrir. *v. intr.* discorrer, excogitar, inventar; discorrer, deduzir, inferir, conje(c)turar, tirar consequências; discorrer, reflexionar, pensar, imaginar, meditar, arrazoar; andar, caminhar, percorrer; descorrer, transcorrer; escorrer um líquido; difundir-se; (fig.) falar sobre um assunto com alguma extensão, discursar; observar, examinar. — *v. tr.* inventar; conje(c)turar, inferir: *discurrir confusamente*, galimatizar.

discurs(e)ar. *v. intr.* discursar, discorrer sobre determinada matéria; fazer discursos; discutir; explicar.

discursero, ra. *s.* (Amér.) V. **discursista.**

discursible. *adj.* capaz de discursar ou de discorrer.

discursista. *s.* pessoa que essencialmente faz discursos por cavilação, discursista, discursador.

discursivo, va. *adj.* discursivo, que discorre; dado a discorrer, meditabundo, reflexivo.

discurso. *m.* discurso, oração; fala, oratória; arrazoado; uso de razão; raciocínio; discernimento; reflexão; elóquio; sermão, prática; alocução; decurso, espaço de tempo; curso, marcha, carreira; (Bras.) falação, gosmado; *hacer un discurso*, fazer uma fala; *interrumpir un discurso*, cortar a palavra; *discurso pomposo*, declamação; palavreado oco; *discurso aburrido*, (fam.) aranzel; *discurso confuso*, anfiguri; *discurso insubstancial*, palavreado oco.

discusión. *f.* discussão; exame; debate; polé(ê)mica, contenda; altercação; controvérsia; apuramento; luta; batalha; agitação; demanda; (prov.) atexto; (Brasil) dúvida, bafafá, arranca-rabo; *discusión literaria o científica*, palestra; *vencer en una discusión*, encravar; *discusión violen-*

ta, estoiro, estoirada; *vencer en una discusión*, amartelar, (fig.) amarrotar; *huir de una discusión*, encorvar-se; *ventilar una discusión*, altercar-se; *de la discusión sale la luz*, da discussão sai a luz; *discusión violenta*, (Bras.) arregaço.

discutible. *adj.* discutível. que se pode ou se deve discutir; contestável; contendível; controvertível; contrariável.

discutidor, ra. *adj.* e *s.* discutidor, que discute, amigo de discutir; palestrista; palestreiro; altercador.

discutir. *v. tr.* e *intr.* discutir, examinar atenta e particularmente uma matéria, ventilar, debater o ponto, a matéria, a questão; contender, alegar razões contra o parecer doutro; aporfiar; amartelar; averiguar; desconsentir;. lutar; desaprovar; argumentar; desacordar; arrazoar; desconformar; deliberar; (prov.) atextar; (prov.) chiscar: *discutir un problema*, agitar uma questão; *discutir sobre asuntos literarios o científicos*, palestrar; *discutir acaloradamente*, batalhar; *discutir una cuestión*, apurar; *discutir sin razón*, descarrilar.

disecable. *adj.* dissecável, que se pode dissecar.

disecación. *f.* dissecação, anatomia; dissecção. V. **disección.**

disecador. *m.* dissector. V. **disector.**

disecar. *v. tr.* dissecar, fazer a dissecção ou anatomia dum corpo, anatomizar; dividir ou separar as diferentes partes dum animal, ou ainda mesmo duma planta, para conhecer a sua estrutura; preparar os animais mortos para que conservem a aparência de quando estavam vivos; preparar uma planta para que se conserve e possa ser estudada.

disección. *f.* dissecação, dissecção; anatomia; (fig.) análise minuciosa.

disecea. *f.* (med.) surdez, enfraquecimento ou perda da audição.

disector. *m.* dissector, o que disseca ou faz dissecações.

diseminación. *f.* disseminação; derramação; dispersão; propagação; vulgarização; divulgação.

diseminar. *v. tr.* disseminar, semear, difundir, espalhar; desarranjar; (fig.) difundir, propagar, vulgarizar. — **diseminarse.** *v. r.* difundir-se, propagar-se, espalhar-se.

disensión. *f.* dissensão, oposição; contradição; desinteligência; cizânia; desarranjo; (fig.) contenda, altercação, rixa, luta; desavença.

disenso. *m.* dissentimento, desacordo. V. **disentimiento.**

disentería. *f.* disenteria, doença infecciosa com ulcerações intestinais; diarreia dolorosa e sanguínea.

disentérico, ca. *adj.* disentérico, pertencente ou relativo à disenteria.

disentimiento. *m.* dissensão, dissentimento; improvação; embrulho; desconsentimento; desconveniência desaco(ô)rdo (fig.) desencontro.

disentir. *v. intr.* dissentir, não concordar, sentir diversamente, discrepar, divergir, discordar; desconcertar; desconvir; desacordar; desconcordar; entrechocar-se; desencontrar-se.

diseñador. *m.* desenhador, o que desenha; debuxador.

diseñar. *v. tr.* desenhar, fazer um desenho; debuxar; (fig.) fazer ressair, dar relevo a; traçar; descrever.

diseño. *m.* desenho, debuxo, bosquejo, esboço; estudo: *diseño que sirve de modelo*, padrão.

disépalo, la. *adj.* (bot.) dissépalo, diz-se da flor que tem duas sépalas.

disertación. *f.* dissertação; exposição escrita ou oral, dum ponto doutrinário; estudo; memória.

disertar. *v. intr.* dissertar, fazer uma dissertação sobre alguma matéria; discorrer.

diserto, ta. *adj.* diserto, que fala com facilidade e com abundância de argumentos, eloquente, facundo.

disestesia. *f.* (med.) disestesia, enfraquecimento ou abolição das sensações que se observa especialmente no histerismo.

disfagia. *f.* (med.) disfagia, dificulade na deglutição.

disfágico, ca. *adj.* pertencente ou relativo à disfagia.

disfamación. *f.* V. **difamación.**

disfamador, ra. *adj.* V. **difamador.**

disfamar *v. tr.* V. **difamar.**

disfamatorio, ria. adj. V. **difamatorio.**

disfasia. *f.* (med.) difasia, anomalia na fala ocasionada por uma lesão do cérebro.

disfavor. *m.* desfavor, falta de favor, de graça, de valimento; malquerença, desprezo, menosprezo, descrédito, desdém; desaire, desatenção, desgraça.

disforme. *adj.* disforme, desproporcionado, desconforme; feio, horroroso, monstruoso; extraordinàriamente grande e irregular; deforme; contrafeito; defeituoso.

disformidad. *f.* disformidade, qualidade de disforme, deformidade. V. **deformidad.**

disfraz. *m.* disfarce, aquilo que serve para disfarçar; traje de máscara, fantasia carnavalesca; (fig.) simulação, fingimento; disimulação, artifício (fig.) contrafa(c)ção: arreme(ê)do, encoberta paliação; fosca, fosquinha; fuco; estudo; (fig.) mimetismo; fig. contra-sinal: *sin disfraz*, pelo claro.

disfrazar. *v. tr.* disfarçar, encobrir, vestir de modo que se não veja ou não conheça; mascarar; fantasiar. — *v. r.* (fig.) simular, fingir; encobrir, disfarçar; envolver, enfronhar; assolapar descara(c)terizar; corar; colorir; contrafazer, contrafazer-se; empanar; mentir; embuçar; (fig.) desmentir; (fig.) encarvoar; abetumar; (fig.) envernizar; encorujar-se; fantasiar-se; embuçar-se, embiocar-se; encapotar-se.

disfrutable. *adj.* desfrutável.

disfrutador, ra. *adj.* e *s.* desfrutador, que desfruta.

disfrutar. *v. tr.* e *intr.* desfrutar, lograr, ter o uso e a posse dalguma coisa; desfrutar, gozar de comodidade ou saúde; aproveitar-se do favor, protecção ou amizade dalguém; desfruir; desfrutar: explorar: *disfrutar de*, (fig.) assaborar; *disfrutar del cariño familiar*, gozar o abafo em família; *disfrutar la persona con la que se habla*, palhetear.

disfrute. *m.* desfrute, desfruto; desfrutação; gozo.

disfumar. *v. tr.* esfumar. V. **esfumar.**

disfumino. *m.* esfuminho. V. **esfumino.**

disgregable. *adj.* desagregável.

disgregación. *f.* desagregação; desmoronamento; desvanecimento.

disgregador, ra. *adj.* e *s.* desagregante, que desagrega; desmoronadiço.

disgregar. *v. tr.* desagregar, separar, desunir; desvanecer; desintegrar; desmembrar; esvaecer; desmoronar. — **disgregarse.** *v. r.* desintegrar-se; desagregar-se; produzir a desagregação.

disgregativo, va. *adj.* desagregante, que desagrega.

disgresión. *f.* episódio; (fig.) excursão: *hacer disgresiones*, (fig.) excusar; *hacer una disgresión*, episodiar.

disgustado, da. *adj.* e *p. p.* desgostoso, aborrecido, pesaroso; amargado; descontente; desconsolado; atediado; arreliado; dessatisfeito; despeitado; enfadado; aze(ê)do; desagradado; magoado; chofrudo; enfastiado; (fig.) desgostoso: *andar disgustado*, (pop.) embuchar.

disgustar. *v. tr.* desgostar, fazer perder o gosto; desgostar; aborrecer, enfadar; desprazer; amargar; descontentar; atediar; desgraçar; incomodar; dessazonar; desaprazer; amofinar; contristar; anojar; agastar; magoar; chofrar; arreliar; descomprazer; enfastiar; enfadar; (fig.) exasperar. — **disgustarse.** *v. r.* desgostar-se; incomodar-se; desagradar-se; abespinhar-se; descontentar-se; anojar-se; contrariar-se; agrimar-se: *disgustar con pequeñeces*, assovelar; *disgustar a alguien*, alterar.

disgusto. *m.* desgo(ô)sto, dissabor, insipidez, mau gosto dos alimentos; ânsia; desprazer; exasperação; descontentamento; desconsolação; consumição; aversão; arrelia; incomodidade; dessatisfação; pesar; agastamento; aborrecimento; melancolia; mágoa; desaguisado; desagrado; asco; asca; arrenagação; enfastiamento; enfado; enfadamento; (fig.) amargura; contrafio; contrariedade; contristação; agrura; amofinação; anojo; sensaboria; sensabor; fadário; amargos da boca: *con disgusto*, aborridamente; *causar disgusto*, desgostar; *acojer con disgusto una cosa*, embrulhar-se o estômago; *tener disgusto* (fig.) sentir; *dar disgustos graves a alguien*, dar água pela barba a alguém; *a disgusto*, a desgosto.

disgustoso, sa. *adj.* desgostoso, que tem mau gosto, desaborido, desagradável ao pala-

dar; (fig.) desgostoso, desagradável, enfadonho, que causa desgosto; penalizado; descontento; enfastiado. V. **desabrido.**

disidencia. *f.* dissidência, grave desaco(ô)rdo de opinião.

disidir. *v. intr.* dissidiar, disunir, separar-se da comum doutrina, crença ou conduta, tornar-se dissidente.

disílabo, ba. *adj.* e *m.* dissílabo, bissílabo. V. **bisílabo.**

disimetría. *f.* V. **asimetría.**

disimétrico, ca. *adj.* V. **asimétrico.**

disímil. *adj.* dissímil, dissemelhante, diferente.

disimilación. *f.* dissimilação, fenómeno fonético oposto à assimilação.

disimilar. *v. tr.* dissimilar, tornar diferentes sons iguais ou semelhantes.

disimilitud. *f.* dissimilitude, dissemelhança.

disimulable. *adj.* dissimulável, que se pode dissimular ou desculpar.

disimulación. *f.* dissimulação; acto de dissimular; carácter de quem dissimula; (fig.) estudo; fábula. V. **disimulo.**

disimulado, da. *p. p. adj.* e *s.* dissimulado, que por hábito ou carácter dissimula ou não dá a entender o que sente; fingido; encobertado; indire(c)to; embuçado; inconfessado; (fig.) envolto; (fig.) corado; (prov.) ressentido, aborrecido com alguém; (Bras.) zanho: *persona disimulada*, melúria.

disimulador, ra. *adj.* e *s.* dissimulador, que dissimula; atabafador; encobridor.

disimular. *v. tr.* dissimular, encobrir com astúcia a intenção; ocultar, encobrir alguma coisa que se sente e sofre; afe(c)tar; cobrir; tolerar uma desordem afectando ignorá-la; disfarçar; dispensar, permitir; paliar; afogar; mentir; acafelar; (fig.) desfigurar; (fig.) embuçar, acobertar; (fig.) desmentir, enfronhar; (fig.) atabafar. — *v. r.* acobertar-se, embuçar-se: *disimular con fines inconfesables* (fig.) afivelar.

disimulo. *m.* dissimulação, arte com que se oculta o que se sente; o que se suspeita ou se sabe; indulgência, tolerância; paliação; fosca, fosquinha; arcas encoiradas; encoberta; farisaísmo; embuço; duplicidade; falsidade; (fig.) estudo; encobrimento; (fig.) coberta: *con disimulo*, (fig.) abafadamente, encobertamente; *tener un gran disimulo*, ter grande bojo.

disipable. *adj.* dissipável, capaz ou fácil de dissipar-se.

disipación. *f.* dissipação, conduta duma pessoa entregue completamente a diversões; pagodice; desgove(ê)rno; desbarate; desbaratamento; estrago, estragamento, estragação; derramamento; frascaria; desperdício; esbanjamento; desvanecimento; desregramento; devassidão.

disipador, ra. *adj.* e *s.* dissipador, que desbarata, que dissipa, que esbanja; alagador; alagadeira; estroina; esbanjador; consumidor; desgastador; estragador; estragadão; delapidador; improvidente; galdeiro; desperdiçador; despendedor; desgovernador; desbaratador.

disipar. *v. tr.* dissipar, desvanecer as partes que, por aglomeração formam um corpo; desperdiçar, malgastar; (fig.) aniquilar; apagar; alagar; consumir; devorar; estroinar; desvaecer; esbanjar; esbandalhar; destruir; deteriorar; derrotar; expelir; desgastar; abrasar; delapidar; extinguir; exaustar; evaporar; desperdiçar; desgovernar; desbaratar; (fig.) desaguar; (fig.) fundir; (fig.) estornar; (fig.) destecer; (pop.) enforcar. — **disiparse.** *v. r.* desvanecer-se, derreter-se; esvaecer-se; exalar-se; dissipar-se; evaporar-se; desbaratar-se: *disiparse la niebla,* desnevoar; *disipar los bienes,* fumar; *disipar el dinero,* extinguir haveres; enforcar o dinheiro, despender; *disipar las esperanzas,* desvanecer as esperanças; *disipar la salud,* estragar a sua saúde.

dislacerar. *v. tr.* incorr. V. **dilacerar.**

dislalia. *f.* (med.) dislalia, dificuldade na articulação das palavras.

dislate. *m.* dislate, disparate; incoerência; desarrazoamento; desapropósito; desatino; despautério; tolice.

dislocación. *f.* deslocação; deslocadura; deslocamento; estrocamento; luxação; estorcegão; estortegada; desconjunção; desconjuntamento; desconjuntura; desengonço; (cir.) desencaixamento; desarticulação; desmancha, desmancho; desarticulação.

dislocador, ra. *adj.* deslocador, que desloca

dislocadura. *f.* V. **dislocación.**

dislocar. *v. tr.* deslocar, tirar alguma coisa do seu lugar; desconchavar; convelir; desmanchar; desarticular; desengonçar; luxar; estorcegar; estortegar; mexer; desconjuntar; desviar; (fig. ant.) deslaçar. — *v. r.* desconcertar-se; deslocar-se; desmanchar-se; desarticular-se; desengonçar-se; desconjuntar-se: *dislocar los huesos,* desencaixar; *dislocar un brazo,* desmanchar um braço; *dislocar un hueso,* desconcertar; *dislocar un pie,* desconcertar um pé; *dislocarse un miembro,* desgovernar-se.

disloque. *m.* (fam.) cúmulo, coisa excelente, supra-sumo.

dismembración. *f.* desmembração V. **desmembración.**

dismenorrea. *f.* (med.) dismenorreia.

disminución. *f.* disminuição, quebra, menoscabo, abatimento físico ou moral; apoucamento; desmedrança; atenuação; entibiamento; minoração, míngua; descida; descrescimento, decrescença; declinação; encurtamento; abaixamento; infirmidade; depressão; depreciação; (arq.) decrescimento progressivo do diâmetro duma coluna; (vet.) certa enfermidade que sofrem as cavalgaduras nos cascos.

disminuir. *v. tr.* diminuir, reduzir a menos alguma coisa, em extensão, intensidade ou número; (fig.) diminuir; abater, rebaixar, minguar; diminuir, minorar, ali-

viar; desengrandecer; entibiar; empequenecer; decimar; menoscabar, minorar; descer; atenuar; encolher; desavolumar; declinar; abaixar; apoucar; amainar; corrigir; consumir-se; abater; abrandar; desencorpar; desmedrar; estreitar; *disminuir la fuerza,* afrouxar, debilitar; *disminuir de intensidad,* esvaecer-se; *disminuir el precio o valor de algo,* depreciar.

dismnesia. *f.* (med.) dismnésia, enfraquecimento da memória.

disnea. *f.* (med.) dispneia, dificuldade na respiração, asma.

disneico, ca. *adj.* (med.) dispneico, disneico, asmático.

disociabilidad. *f.* dissociabilidade.

disociable. *adj.* dissociável; fácil de dissociar.

disociación. *f.* dissociação, desagregação, desunião, separação.

disociar. *v. tr.* dissociar, desagregar, separar uma coisa de outra; dissolver; descompor quìmicamente; desunir. — **disociarse.** *v. r.* desagregar-se; desunir-se.

disodia. *f.* (med.) disodia, enfraquecimento da vista.

disolubilidad. *f.* dissolubilidade, solubilidade.

disoluble. *adj.* dissolúvel, solúvel, que se pode dissolver.

disolución. *f.* dissolução, acto de dissolver; dissolução, líquido que assimilou uma substância; desagregação dum corpo sólido; dissolução, extinção de contrato ou sociedade; (fig.) relaxação da vida e costumes, dissolução, devassidão; ruína; rompimento dos laços existentes entre várias pessoas; estragamento; desorganização; extinção; decomposição; desassociação.

disolutivo, va. *adj.* dissolutivo, dissolvente.

disoluto, ta. *adj.* dissoluto, licencioso, libertino, devasso; entregue aos vícios, corrupto; desregrado; estragado; frascario; pagodista, pagodeiro; desbragado; meco; desencabrestado; desmanchado: *costumbres disolutas,* deboche; *vida disoluta,* barganteria; *mujer disoluta,* magana, galdéria, cortesã.

disolvente. *p. a. adj. e m.* dissolvente, que ou o que dissolve; (fig.) corruptor; desorganizador.

disolver. *v. tr.* dissolver, diluir; desfazer; desagregar; desligar; anular; desunir; separar; desfazer, destruir, aniquilar; (p. us.) resolver, dar solução; dissolver, desatar, desfazer um laço ou vínculo; desassociar; derreter; desorganizar; descoalhar; desengrumar; desunificar; desondensar, desconcentrar. — **disolverse.** *v. r.* dissolver-se, deliquar-se, fundir-se, derreter-se; decompor-se; desfazer-se; dissipar-se. — *pres. ind. irr.* disuelvo, -es, -e, -en; *subj.* disuelva, -as, -a, -an.

disón. *m.* (mús.) dissonância, som desagradável.

disonancia. *f.* dissonância, som desagradável; (fig.) dissonância, desproporção, incoerência; (mús.) dissonância, desafinação; desconce(ê)rto; desarmonia; desafinação; desconcordância.

disonante. *p. a.* e *adj.* dissonante, que produz dissonância; (fig.) dissonante, que não é regular ou discrepa daquilo com que deveria ser conforme; discordante; desarmonioso; inarmo(ô)nico; desconsoante; desafinado.

disonar. *v. intr.* dissonar, produzir dissonância; faltar à consonância e harmonia; discordar, desconcordar; ser contrário; desentoar; não condizer; (fig.) discordar, discrepar, dissentir. desconcordar; dissonar, repugnar, ser contrário; destoar; separar. — *conj. irr.* como *sonar.*

disono, na. *adj.* dissonante; discordante.

disorexia. *f.* (med.) V. **inapetencia.**

disosmia. *f.* disosmia, enfraquecimento do olfacto.

dispar. *adj.* díspar, desigual, diferente; dissemelhante.

disparadero. *m.* disparador, gatilho; (fig.) despenhadeiro: *poner a alguien en el disparadero,* (fig. e fam.) moer a paciência a alguém.

disparador. *m.* atirador, disparador, o que dispara uma arma; peça com que se desarma a besta; escapo do relógio; (mar.) aparelho que serve para desprender a âncora; gatilho, disparador: *poner a alguien en el disparador,* provocar, excitar alguém, moer a paciência a alguém.

disparar. *v. tr.* disparar, soltar o tiro, descarregar uma arma de fogo; arremessar, arrojar ou despedir com violência uma coisa; lançar; disparar, partir ou correr sem direcção e precipitadamente; despedir; desengatilhar; assestar. — *v. intr.* disparatar; perder a paciência. — **dispararse.** *v. r.* disparar-se; (fig.) arremesar-se; atirar-se; lançar-se com ímpeto; disparar-se, arrebatar-se (diz-se do cavalo); desbandar, deitar a correr: *disparar un arma de fuego,* descarregar, atirar.

disparatado, da. *p. p.* e *adj.* disparatado; contrário à razão; absurdo; despropositado; desarrazoado; disparatado, imprudente; (fam.) excessivo, desmedido, desmesurado; inepto; desconchavado; descomedido; desbaratado; descabelado; estólido.

disparatador, ra. *adj.* e *s.* disparatado, que disparata.

disparatar. *v. intr.* disparatar, despropositar, dizer ou fazer disparates; despropositar; desvairar; desconcertar; asnear; devanear; descomedir-se; destrambelhar; desencaixar; desatinar; desarrazoar; desassisar; destemperar; descarrilar; (fig.) delirar, estar com a lua, ter macaquinhos no sótão.

disparate. *m.* disparate, despropósito, dito ou a(c)ção desarrazoada; tolice; disparate; imprudência; absurdo; desatino; sem-razão; extravagância; desvario; contra-senso; (fig.) delírio, desconce(ê)rto, desconchavo; devaneio; destrambelhamento; bestice, bestidade, destampatória; desca-

belada; desatinação; barbaridade; desarrazoamento; despautério; absurdidade; desassio; destempe(ê)ro; descabelada; incoerência; (fig.) despenhadeiro, destrambelho; bernardice; dislate; (fam.) excesso, demasia.

disparatorio. *m.* chorrilho de parvoíces, de disparates; discurso, conversação ou escrita cheia de disparates.

disparidad. *f.* disparidade, dissemelhança, desigualdade, diferença entre dois objectos comparáveis; falta de acordo, divergência.

disparo. *m.* descarga, disparo, arremesso, tiro; atirada; detonação; (fig.) disparate, absurdidade.

dispendio. *m.* dispêndio, despesa excessiva, esbanjamento; consumo; desembo(ô)lso.

dispendioso, sa. *adj.* dispendioso, custoso, muito caro; (fig.) mãos rotas, mãos largas.

dispensa. *f.* dispensa, privilégio, isenção graciosa do estabelecido pelas leis gerais; instrumento escrito que contém a dispensa; indulto; exclusiva; isenção; aliviação.

dispensable. *adj.* dispensável, que se pode dispensar; que se pode escusar.

dispensador, ra. *adj.* e *s.* dispensador, que dispensa; que franqueia ou distribui; distribuidor, repartidor.

dispensar. *v. tr.* dispensar, dar, conceder, outorgar, distribuir; eximir duma obrigação; absolver de falta leve; desculpar; descarregar; aliviar; perdoar; desobrigar; prescindir de, não carecer de; dispensar, distribuir, repartir; (fam.) dispensar, permitir, tolerar.

dispensario. *m.* dispensário, estabelecimento benéfico, consultório; dispensatório.

dispepsia. *f.* (méd.) dispepsia, digestão difícil e dolorosa.

dispéptico, ca. *adj.* (med.) dispéptico, relativo a dispépsia; que sofre de dispepsia.

dispermo, ma. *adj.* (bot.) dispermo.

dispersar. *v. tr.* dispersar, separar e disseminar o que estava reunido; impelir para diferentes partes; pôr em desbandada, dissipar; desbaratar; afugentar; desarranjar; esbandalhar; debandar; (mil.) dispersar, desbaratar, destroçar o inimigo; dispor uma força em ordem de guerrilha aberta. — **dispersarse.** *v. r.* dispersar-se; desmandar-se; esbandalhar-se; espalhar-se.

dispersión. *f.* dispersão; debandada; desbarato; disseminação; dissipação; desarranjo; derramamento; derramação; (fís.) dispersão, alargamento de feixe luminoso.

disperso, sa. *adj.* disperso, que está disperso; desarranjado; (mil.) diz-se do militar aposentado ou reformado; disperso, dividido, separado, em debandada; espalhado; disseminado; destroçado.

displicencia. *f.* displicência, estado de quem se acha descontente; desprazer, desgosto; desagrado; tédio, aborrecimento.

displicente *adj.* displicente, que causa displicência; desagradável molesto; descontente, desgostoso; desabrido, de mau humor.

dispondeo. *m.* dispondeu, pé da poesia grega e latina, que consta de dois espondeus, ou seja de quatro sílabas longas.

disponedor, ra. *adj.* e *s.* disponente, que dispõe, coloca e ordena as coisas.

disponer. *v. tr.* e *intr.* dispor, pôr por ordem, arrumar, coordenar; deliberar, determinar; preparar, prevenir; usar livremente, alienar bens; aquelar, arranjar; acondicionar azar; decidir; metodizar; alinhavar; desfrutar; construir; determinar; (fig.) engatilhar; (fig.) arruinar; coordenar; aguisar; aperceber; aprestar; colocar; aprontar. — **disponerse.** *v. r.* azar-se: *disponer las tropas*, arregimentar; *disponer de una cosa*, sou servido; *el hombre propone y Dios dispone*, o homem põe e Deus dispõe.

disponibilidad. *f.* disponibilidade, qualidade de disponível, quantidade disponível. — *m. pl.* disponibilidade, estado dos funcionários públicos que se encontram sem emprego temporàriamente; (mil.) situação do oficial, quando às ordens do ministério da Guerra aguarda a sua entrada no respectivo quadro.

disponible. *adj.* disponível, diz-se de tudo aquilo de que se pode dispor livremente.

disposición. *f.* disposição; tendência, inclinação, vocação; deliberação, mandato; (arq.) distribuição de todas as partes do edifício; arranjo, distribuição, arranjamento; estatuto; medida; decretação; decreto; coordenação; apercebimento; aprestamento; colocação; estrutura; facilidade; formação: *disposición de la tropa*, (mil.) formatura; *tener disposición hacia el mal*, propender para a parte do arrocho; *tener a disposición*, ter debaixo de mão; *en disposición de*, em acto; *buena disposición*, arrumação; arrumo; *con buena disposición*, bem-humorado; *poner a disposición*, facilitar; *disposición natural*, aptidão; *disposición de ánimo*, bojo, atitude; *tener disposición para*, ser para.

dispositivo, va. *adj.* e *m.* dispositivo, que dispõe ou prepara.

dispuesto, ta. *adj.* e *p. p. irr.* de *disponer.* disposto, que se dispôs (p. us.) bem proporcionado, galante; hábil, atinado, esperto; bem ou mal disposto de saúde; com boa disposição, animado; com má disposição, desanimado; disposto, armado; expedito; expeditivo; apto; apostado; entrechado; aguisado; aviado; arranjado; inclinado; (fig.) aparelhado: *estar dispuesto*, facilitar-se; *poco dispuesto, a*, desdenhoso; *bien dispuesto*, benévolo, (fig.) fagueiro; *mal dispuesto*, semiscarúnfio: *mujer dispuesta para la casa*, arrumadeira.

disputa. *f.* disputa, questão, contenda de palavras, altercação; disputa, incidente; derriça; contestação; luta; arenga; debate;

controvérsia; alteração, altercação, contenção; contenda; encontro; demanda; (fig.) ataque; (fig.) batalha; (ant.) departição: *sin disputa*, sem dúvida, sem discussão; indubitàvelmente.

disputable. *adj.* disputável, que se pode disputar ou é duvidoso ou problemático.

disputador, ra. *adj.* e *s.* disputante, que disputa; que tem o costume de disputar.

disputar. *v. tr.* debater; disputar, altercar; contender, contestar; lutar; dar e tomar; barulhar-se, batalhar; arengar; encontrar-se; demandar; (p. us.) decertar; contrastar; aporfiar; altercar; (fig.) contender; porfiar, lutar com outro para alcançar, defender ou conseguir alguma coisa.

disquisición. *f.* disquisição; investigação; exame rigoroso que se faz dalguma coisa, considerando cada uma das suas partes.

disrupción. *f.* (electr.) disrupção, salto de uma faísca entre dois corpos carregados de electricidade.

disruptivo, va. *adj.* que produz disrupção.

disruptor, ra. *adj.* que produz disrupção. — aparelho que produz disrupção.

distancia. *f.* distância, espaço ou intervalo de lugar ou tempo; (fig.) grande diferença; dissemelhança notável entre pessoas e coisas que se comparam; afastamento, desafecto entre pessoas; alongamento: *a distancia*, longe, afastadamente; *que se vé a distancia*, devassado; *a poca distancia*, achegadamente; *a igual distancia*, equidistante; *distancia grande*, (Bras.) estirado.

distanciado, da. *adj.* e *p. p.* distanciado; galicismo por *rezagado*; distanciado, que se distanciou; afastado, espaçado, separado. V. **rezagado.**

distanciar. *v. tr.* distanciar, separar, afastar; pôr a distância; desviar-se, ficar distante; afastar-se.

distar. *v. intr.* distar, distanciar, estar distante; (fig.) diferenciar-se uma coisa doutra; divergir.

distena. *f.* (min.) cianite.

distender. *v. tr.* (med.) distender, causar uma torção violenta nos tecidos, membranas, etc.; estender; dilatar, desenvolver. — **distenderse.** *v. r.* relaxar-se, perder a tensão; estirar, retesar. — *conj. irr.* como *entender.*

distensión. *f.* distensão, torção violenta; elongação.

dístico. *m.* (poet.) dístico, composição poética que consta apenas de dois versos, com os quais se expressa um conceito cabal.

dístico, ca. *adj.* (bot.) dístico, diz-se das folhas, flores, espigas e demás partes das plantas que estão dispostas em duas séries opostas ao longo dum eixo comum, disticado.

distinción. *f.* distinção; sinal ou qualidade por que uma coisa se diferência doutra; prerrogativa, preferência, honra, distinção; boa ordem, clareza, precisão das coisas, método, ordem; urbanidade, educação apurada, elegância de maneiras; nobreza de porte; elegância, distinção. consideração; aristocracia conspicuidade; galardão; deferência, estremadela; distinção; aceitação; demarcação; apartamento; *persona de distinción*, pessoa notável.

distingo. *m.* distingo, usa-se nas argumentações escolásticas para qualificar a proposição que tem dois sentidos, num dos quais se concede e no outro se nega; reparo, limitação, restrição. V. **reparo**.

distinguible. *adj.* distinguível, que se pode distinguir.

distinguido, da. *p. p. adj.* distinguido, distinto, ilustre; nobre esclarecido; estirado; eminente; elegante; egrégio; exímio; aristocrático; benemérito; (fig.) emérito; (fig.) aristócrata; (fig.) senhorial; conspícuo; conhecido; (Amér.) distinto, diz-se do estudante que obteve em exame, nota de distinção: *tener maneras distinguidas*, faceirar; *darse aires de persona distinguida*, envernizar-se.

distinguir. *v. tr.* distinguir, conhecer a diferença que há entre umas coisas e outras; perceber, divisar, ver claramente; (fig.) tratar com distinção; tratar alguém com preferência a outras pessoas; conhecer; determinar; extremar; denominar; destrinçar; dessemelhar; avistar; galardoar; desigualar; desiguar; distinguir, decorar; demarcar; abalizar; aclarar; estremar; enxergar. — **distinguirse.** *v. r.* estrenar-se, destacar; desigualar-se; despontar; extremar-se; abalizar-se: *no distinguir entre lo bueno y lo malo*, medir tudo pela mesma bitola.

distintivo, va. *adj.* distintivo, próprio para distinguir; diz-se da qualidade que distingue e caracteriza esencialmente uma coisa. — *m.* distintivo, emblema, insígnia, sinal, galão.

distinto, ta. *adj.* distinto, que difere doutra coisa, que se não confunde, diferente, diverso; que não é parecido; que tem diferentes qualidades; inteligível, perceptível, claro, sem confusão; incofundível, extremado, apartado; explícito; avulso; dessemelhante; devisado; desvariado; (bot.) desadunado.

distocia. *f.* (cir.) distocia, parto laborioso ou difícil.

distócico, ca. *adj.* (cir.) distócico, distocíaco, pertencente ou relativo à distocia.

dístomo, ma. *adj.* (zool.) dístomo, que tem duas bocas.

distómono, na. *adj.* (bot.) distómono.

distorsión. *f.* distorção; contorção.

distracción. *f.* distra(c)ção, distraimento, falta de atenção; entretenimento, recreação; expansão; (pop.) entretem; desregramento nos costumes; (fig.) evagação; inadvertência; abstracção do espírito; desenfado; e(ê)rro; desatenção: *por distracción*, por desenfado.

distraer. *v. tr.* distrair, desencaminhar. — **distraerse.** *v. r.* desenfastiar; distrair-se, entreter-se, divertir, distrair; tratando-se de fundos, malgasta-los; desviar a atenção, descuidar, inadvertir, desatentar; descuidar-se; desenjoar-se: *distraerse mucho cuando se trabaja*, descuidar-se muito no trabalho; *distraer el ánimo*, despaixonar.

distraído, da. *adj.* e *p. p. irr.* de *distraer* e *s.* distraído, diz-se de pessoa que dá pouca atenção ao que faz ou ao que se diz; dissoluto; licencioso; aluado; entretido; estranho, desenfadado; descurioso; alheado; alheio; desatento; entretenido; (fig.) ausente: *espíritu distraído*, espírito abstracto; *hallarse muy distraído*, estar a pensar na morte da bezerra; *estar muy distraído*, andar na lua; *hombre distraído*, (fam.) despachante; *ser un sabio distraído*, andar nos ares, andar com a cabeça no ar; *persona distraída*, cabeça de coco; *estar distraído*, estar de cor.

distraimiento. *m.* V. **distracción**.

distribución. *f.* distribuição; divisão entre muitos; enumeração e divisão bem ordenada das principais qualidades dum assunto; distribuição, classificação, estrutura; arrecadação; derrama; adjudicação; aquinhoamento: *distribución de los contingentes militares*, detalhe; *distribución proporcional de un foro de aguas*, destrinça; *distribución de premios*, distribuição de prémios.

distribuidor, ra. *adj.* e *s.* distribuidor, aquinhoador; entregador. — *f.* (agr.) máquina agrícola para espalhar o adubo; *distribuidor de periódicos*, entregador de jornais, ardina.

distribuir. *v. tr.* distribuir, dividir, repartir por vários, dar a cada um a sua oportuna colocação o destino conveniente; classificar; entregar; adjudicar; arrogar; departir; aquinhoar; destinar; aplicar. — *v. r.* fazer a distribuição das letras de uma forma que saiu da prensa. — *distribuir proporcionalmente*, destrinçar; *distribuir los contingentes militares*, detalhar; classificar, pôr em ordem; dispensar; espalhar em diferentes sentidos. — *conj. irr.* como *huir*.

distributivo, va. *adj.* distributivo, que distribui; equitativo.

distributor, ra. *adj.* e *s.* latinismo por *distribuidor*. V. **distribuidor**.

distrito. *m.* distrito, divisão territorial que abrange certo espaço sujeito a um termo ou jurisdição; distrito; circunscrição; alfoz; círculo: *distrito administrativo marítimo*, *militar*, etc., departamento.

disturbar. *v. tr.* disturbar, perturbar, causar distúrbio, causar perturbação.

disturbio. *m.* distúrbio, motim, algazarra, desordem, confusão, tumulto, perturbação ruidosa; agitação; traquinice.

disuadir. *v. tr.* dissuadir, despersuadir, fazer mudar de parecer; desviar; desconvencer; demover; desimaginar, desaconselhar; desencasquetar; desencabeçar; apartar; desacorçoar; (fig.) desaferrar, desarmar;: *disuadir a alguien*, desimaginar alguém; desviar alguém; *disuadir de una resolución*, demover duma resolução.

disuasión. *f.* dissuasão, despersuasão.

disuasivo, va. *adj.* dissuasivo, que dissuade ou pode dissuadir; dissuasório.

disuelto, ta. *adj.* e *p. p. irr.* de *disolver*, dissolvido, desfeito; destemperado: *azúcar disuelta*, açúcar desfeito.

disuria. *f.* (med.) disúria, emissão difícil, dolorosa e incompleta da urina.

disúrico, ca. *adj.* (med.) disúrico, relativo à disúria.

disyunción. *f.* disjunção, separação, divisão, desunião; (ret.) figura que consiste em dar a cada parte do discurso um sentido completo em si mesmo, sem dependência das que se lhe seguem.

disyunta. *f.* (mús.) disjunto, mutuação de tom, passagem dum modo a outro.

disyuntiva. *f.* disjuntiva, alternativa entre duas coisas, por uma das quais há que optar.

disyuntor. *m.* disjuntor, interruptor automático para quando a corrente ultrapassa um certo valor.

ditaína. *f.* ditaína, alcalóide febrífugo, extraido da casca do *ditá*, e usado em medicina.

diteísmo. *m.* disteísmo, sistema de religião que admite dois deuses.

diteista. *s.* e *adj.* diteísta, diz-se do partidário do diteísmo.

ditirámbico, ca. *adj.* ditirâmbico, pertencente ou relativo ao ditirambo.

ditirambo. *m.* ditirambo, hino, que os Gregos cantavam em honra de Dionísio (Baco) ou do vinho; ditirambo, ode em estâncias livres, inspirada num arrebatado entusiasmo; (fig.) ditirambo, louvor exagerado, encómio excessivo.

dítono. *m.* (mús.) dítono, intervalo que consta de dois tons.

diuresis. *f.* (med.) diurese, secreção copiosa de urina.

diurético, ca. *adj.* e *m.* (med.) diurético.

diurno, na. *adj.* diurno, pertencente ao dia; (bot. e zool.) aplica-se aos animais que buscam o alimento durante o dia e às plantas que só de dia têm as suas flores abertas. — *m.* diurnal, livro de orações que contém as horas canónicas do dia eclesiástico, com excepção das matinas.

diuturnidad. *f.* diuturnidade, duração longa, largo espaço de tempo; eternidade.

diuturno, na. *adj.* diuturno, que dura ou subsiste muito tempo.

diva. *f.* (poét.) deusa, diva. V. **diosa.**

divagación. *f.* divagação; (fig.) acto de se desviar do assunto que se estava tratando; (fig.) excursão; (fig.) evagação.

divagador, ra. *adj.* e *s.* divagador, que divaga.

divagar. *v. intr.* divagar, andar ao acaso, sem rumo; devanear; extravagar; (fig.) excursar; afastar-se do assunto, sair fora da questão, desviar-se do seu assunto; sair do corro; falar ou escrever sem concerto, nem propósito; destroçar a narração.

diván. *m.* divã, supremo conselho do Sultão da Turquia; divã, sala onde funciona este conselho; divã, espécie de sofá sem encosto; florilégio de poesias orientais, divã.

divalencia. *f.* (quím.) V. **bivalencia.**

divalente. *adj.* (quim.) V. **bivalente.**

divergencia. *f.* divergência; desconcordância; desunião; desconvivência; desaco(ô)rdo; desconformidade; desarmonia; desarranjo; posição de linhas, raios ou superfícies que, partindo dum ponto, se afastam; (fig.) divergência, diversidade de opiniões ou pareceres; (fig.) desencontro.

divergir. *v. intr.* ir-se afastando ou desviando progressivamente, umas das outras, duas ou mais linhas ou superfícies; discordar, discrepar, desconcordar; desconformar; (fig.) destoar; desviar-se; desencontrar-se.

diversidad. *f.* diversidade, variedade, diferença, dessemelhança; abundância, cópia, concurso de várias coisas diferentes.

diversificación. *f.* diversificação.

diversificar. *v. tr.* e *r.* diversificar, variar, formar de diversos modos.

diversiforme. *adj.* diversiforme, de forma inconstante, com diversidade de formas.

diversión. *f.* diversão, recreio, passatempo, distra(c)ção; desporte; expansão; pagodice; desporto; entretenimento; (pop.) entretem; (mil.) operação ou manobra que tem por fim desviar a atenção do inimigo do ponto que se pretende ocupar: *amigo de diversiones*, funçanista; *diversión campestre*, frescate; *para mi diversión*, ao meu desenfado; *diversión propia de estudiantes*, estudantada.

diversivo, va. *adj.* e *m.* (med.) diversivo, derivativo, revulsivo.

diverso, sa. *adj.* diverso, diferente que não é o mesmo que outro de distinta natureza, número e figura dissemelhante, desigual, apartado; desvairado; (ant.) apicholado. — *pl.* vários, muitos.

divertido, da. *adj.* e *p. p.* divertido, que diverte; alegre, festivo, bem humorado, divertido; face(ê)to; aprazível; engraçado; desenfadadiço; desenfastioso; chasqueador; despopilante; galhofeiro; entretenido; (fig.) descarregado; alegre, animado pela acção das bebidas alcoólicas; alheio; desatento; entretido, recreado: dito divertido, bisca.

divertimiento. *m.* diversão, divertimento; distracção momentânea da atenção; (Bras.) jiquipanga. V. **diversión.**

divertir. *v. tr.* divertir, recrear, entreter, alegrar; distrair, afastar, desviar; desenfadar; embebecer; (fig.) desenfastiar; desenojar. — **divertirse.** *v. r.* frangalhotear, pagodear, desenfadar-se; entreter-se; (med.) fazer promover a diversão, chamar a outro ponto os humores; (mil.) chamar a atenção do inimigo para uma ou mais partes a fim de o dividir: *divertirse a costa de alguien*, meter alguém os pés nas algibeiras; fazer galhofa de; *divertirse en Carnaval*, entrudar; *¡que se divierta!*, par bem os seja!

dividendo. *m.* (arit.) dividendo, número que se há-de dividir; (com.) lucros de uma empresa, que se há-de dividir pelos societários ou accionista.

dividero, ra. *adj.* divisível, que se pode dividir.

dividido, da. *adj.* e *p. p.* dividido, desmembrado; (bot.) forquilhoso: *dividido en dos partes*, bipartido; *dividido en partes*, aparcelado.

dividir. *v. tr.* dividir, partir, separar um todo em duas ou mais partes; aquinhoar; repartir; desunir, pôr em discórdia, desavir; fra(c)cionar; derramar; desachegar, (fig.) desmembrar; (fig.) desfiar; apartar; cindir; classificar; cortar. — **dividirse.** *v. r.* dividir-se; estremar-se; bifurcar-se; distribuir, repartir, dar a cada um a sua parte; desunir pôr em discórdia os ânimos e vontades; separar-se da conpanhia, amizade ou confiança dalguém: *dividir la autoridad estatal*, descentralizar; *dividir en hojas*, exfoliar; *dividir en mitades*, demear; *dividir en partes*, desdobrar, aparcelar, atroçoar, amealhar.

dividuo, dua. *adj.* (for.) divisível, divíduo, que se pode dividir.

divieso. *m.* (med.) tumor, furúnculo.

divinal. *adj.* (poét.) divinal, divino. V. **divino.**

divinativo, va. *adj.* divinatório. V. **divinatorio.**

divinatorio, ria. *adj.* divinatório, pertencente ou relativo à adivinhação.

divinidad. *f.* divindade, essência, natureza divina, Deus; objecto de idolatria; (fig.) deusa, deidade, mulher formosíssima.

divinización. *f.* divinização; endeusamento; deificação; (fig.) apoteose.

divinizar. *v. tr.* divinizar, fazer divino, reconhecer por divino, considerar como Deus; deificar, endeusar; apoteosar; (fig.) constelar; (fig.) santificar, sagrar alguma coisa; (fig.) exaltar, louvar desmedidamente.

divino, na. *adj.* divino, pertencente a Deus; pertencente aos falsos deuses, deífico; empíreo; (fig.) endeusado; (fig.) admirável, maravilhoso, extraordinàriamente primoroso.

divisa. *f.* divisa, sinal exterior que alguém usa como distintivo; cinta ou faixa de várias cores com que se distinguem na lide os touros de cada manada a que pertencem; estalão monetária; (prov.) marco, série de marcos divisórios; (herald.), divisa, faixa que tem a terça parte de sua largura normal; divisa, lema, emblema, sentença ou frase que se põe no escudo; (for.) divisa, (ant.) bens herdados de pais e divididos pelos filhos; divisa, empre(ê)-sa; *divisa militar*, bicha.

divisado, da. *adj.* e *p. p.* divisado, apercebido, entrevisto.

divisar. *v. tr.* divisar, perceber, entrever; ver confusamente; aperceber ;enxergar; (herald.) adicionar ao brasão alguma peça que o faça distinguir doutros: *divisar en el horizonte*, aperceber no horizonte; *divisar a lo lejos*, descobrir de longe.

divisibilidad. *f.* divisibilidade, qualidade de divisível; (fís.) propriedade de que a matéria tem de poder ser dividida e subdividida em porções pequeníssimas.

divisible. *adj.* divisível, que pode dividir-se; (alg. e arit.) divisível, diz-se dum número em relação a outro pelo qual se divide exactamente sem deixar resto.

división. *f.* divisão; (fig.) desunião, discórdia, apartamento, divisa, desmembração; (mat.) divisão, operação de dividir; (mil.) divisão, parte dum corpo de exército, composto de brigadas de várias armas com serviços auxiliares; divisão, (pop.) extremadela; aquinhoamento; repartição; classificação; fragmentação; fra(c)ção, fra(c)cionamento, repartimento: *división de opiniones*, (fig.) cisma; *división territorial*, departamento; *división en fracciones*, desdobramento.

divisionario, ria. *adj.* divisionário; diz-se da moeda que tem legalmente um valor convencional, superior ao efectivo, como o de cobre. V. **divisional.**

divisivo, va. *adj.* divisor, diz-se do que serve para dividir.

divisor, ra. *adj.* e *s.* (arit. e alg.) divisor, número pelo qual se divide outro maior, chamado dividendo. V. **submúltiplo.**

divisorio, ria. *adj.* divisório, diz-se do que serve para dividir ou separar, divisória; (geog. e geod.) divisória, aplica-se à linha que pode considerar-se em qualquer terreno e desde a qual as águas correntes seguem com direcções opostas. — *f.* divisória, diz-se da linha que assinala os limites entre partes, grandes ou pequenas, da superfície do globo terrestre: *línea divisoria*, divisa.

divo, va. *adj.* e *s.* divo; (poét.) divo, divino; cantante de ópera ou zarzuela.

divorciador, ra. *s.* e *adj.* diz-se do que separa ou divorcia; o que decreta o divórcio.

divorciar. *v. tr.* divorciar, descasar pronunciando sentença; desquitar. — **divorciarse.** *v. r.* desquitar-se, apartar-se, apartar os que deviam estar juntos; (fig.) separar desunir-se por sentença de divórcio; romper os nós morais.

divorcio. *m.* divórcio, dissolução legal, do casamento em vida dos cônjuges; separação, desunião, desavença, desinteligência; descasamento, apartamento, apartamento de casados.

divulgable. *adj.* divulgável, que se pode divulgar, devassável.

divulgación. *f.* divulgação, difusão; devassamento; emissão; (fig.) assoalhadura; assoalhamento; (fig.) eco: *divulgación de una doctrina o sistema*, evangelização, expansionismo; *divulgación de un secreto,* dessegredo.

divulgado, da. *adj.* e *p. p.* descoberto, derramado; (fig.) chocalhado, assoalhado; apregoado.

divulgador, ra. *adj.* e *s.* divulgador, que divulga; boateiro; derramador; devassador; apregoador; ecoador; (fig.) assoalhador.

divulgar. *v. tr.* divulgar, propalar, tornar público; devassar; estender; descobrir; expandir; palear; derramar; (fig.) achocalhar; (fig.) assoalhar, aventar, (pop.) descoser, apregoar, pôr em circulação. — **divulgarse.** *v. r.* expandir-se, ecoar, correr, devassar-se: *divulgar una noticia,* deitar voz, (pop.) empurrar, estender-se a nova; *divulgar los defectos de alguién,* descobrir os podres a alguém; *divulgar secretos,* descobrir segredos.

divulsión. *f.* divulsão, acto de separar com violência, acto de rasgar com força.

diyambo. *m.* dijambo, diiambo, pé de poesia grega e latina, composto de dois jambos.

diz. *apócope* de *dice* ou *dícese,* diz, dizem, diz-se.

dizque. *m.* dito, murmuração, reparo.

do. *m.* (mús) dó, primeira nota da moderna escala musical, que substituiu a antiga nota *ut.*

do. *adv.* V. **donde;** (poét.) onde, aonde.

dobla. *f.* dobra, antiga moeda de ouro do valor de dez pesetas aproximadamente; (fam.) dobra, a(c)ção de dobrar, duplicação; coisa que envolve, enrolando-se; (Amér. min.) benefício concedido a alguém pelo dono da mina para que tire durante um dia todo o minério que possa; (fig. e fam.) participação que um estranho tira numa refeição ou num benefício qualquer, sem que para isso tenha contribuído com alguma coisa.

dobladillar. *v. tr.* preguear, arranjar as pregas; franzir, dobrar, bainhar, embainhar.

dobladillo. *m.* dobra, prega, franzido, bainha; linha forte que se emprega para fazer meias; debrum; macheado: *hacer un dobladillo,* bainhar, embainhar.

doblado, da. *adj.* dobrado, duplicado, amarratado; inflexo; enrolado, voltado sobre si.

doblador. *m.* dobrador, o que dobra; (Amér.) folha de milho, em que se envolve o tabaco para fazer cigarros.

dobladura. *f.* dobra, curvatura; duplicatura; dobradura, prega, pregatura, vinco; sinal ou marca que fica por onde se fez a dobra ou o franzido.

doblamiento. *m.* dobrez, dobradura, dobramento. V. **dobladura.**

doblar. *v. tr.* dobrar, multiplicar por dois; tornar duas vezes maior, duplicar. V. **endoblar;** voltar ou virar (um objecto) de modo que uma ou mais partes dele fiquem sobrepostas a outra ou outras; fazer ceder, obrigar; dobrar, encurvar; entortar; arcar; infle(c)tir; forrar; acurvar; (Bras.) ababadar. — **doblarse.** *v. r.* encurvar-se, dobrar-se; (fig.) inclinar, induzir alguém a

que pense ou faça o contrário do seu primeiro intento; dobrar, virar, passar por diante; tratando-se de assuntos de Bolsa, prorrogar uma operação a prazo; tornar-se desigual o terreno: *doblar un cabo o punta,* (mar.) despontar; *doblar en círculo las vides,* (agr.) envidilhar; *doblar al revés,* envessar; *doblar en pliegues o tablas,* franzir; *doblar un paño a lo largo,* enfestar; *doblar las hojas de un ilbro como señal,* amarrotar; *doblar el dolor a uno,* (pop.) encangar; *doblar bajo el peso,* acurvar; *doblar (cuchillos),* danar; *doblar el espinazo reverenciosamente,* encapuchar-se, acurvar-se, descer-se da soberba; *doblarse un árbol por el peso de los frutos,* averdugar; *doblarse por una enfermedad o vejez,* alcatruzar-se.

doble. *adj.* e *s.* doble, duplo, dobro, dobrado; no jogo de dominó, diz-se da ficha que tem igual número de pontos ou não tem nenhum; duplo, dúplice, duplicado; simulado, fingido, nada sincero; (fig.) dúplice, farisaico; dobre de sinos pelos defuntos; (Amér.) medida de capacidade equivalente a dois litros; (germ.) o condenado a morte pelo tribunal; o que ajuda a enganar alguém; (prov.) dobrada, iguaria feita com miúdos (vísceras) de rês. — *adv.* dobradamente, em duplicado, em dobro: *doble fondo,* fundo falso; *doble sentido,* (fig.) anfobologia.

doblegable. *adj.* dobrável, flexível, dobradiço, fácil de dobrar.

doblegadizo, za. *adj.* dobradiço, que fàcilmente se dobra.

doblegar. *v. tr.* dobrar, torcer, encurvar; amolecer, abrandar; (fig.) persuadir. — **doblegarse.** *v. r.* humilhar-se, submeter-se.

doblete. *adj.* entrefino, entre duplo e simples. — *m.* doblete, pedra falsa; lance do jogo do bilhar.

doblez. *m.* dobra, prega franzido; vinco, marca ou sinal que fica na parte por onde se dobrou ou franziu; (fig.) dissimulação, fingimento, hipocrisia, falsidade; (fig.) francesia; deslisura; duplicidade; embele(ê)co; macho; (fig.) elasticidade; (fig.) ambidextreza; doblez.

doblilla. *f.* moeda antiga de ouro.

doblonada. *f.* dinheiral, dinheirão, dinheirama.

doce. *adj.* doze, diz-se do número cardinal, formado de dez e mais dois ou de duas vezes seis. V. **duodécimo.** — *m.* doze, (aplicado aos dias do mês).

docena. *f.* dúzia, conjunto de doze coisas; peso de doze libras que se usou em Navarra; (fig. e fam.) intrometer-se alguém numa conversação, sendo de desigual categoria das pessoas que falam: *por docenas,* às dúzias; *no tener uno en docena,* (fig.) não ser igual ou parecido com eles.

docenal. *adj.* que se vende por dúzias.

docenario, ria. *adj.* doudenário, que consta de 12 unidades ou elementos constitutivos.

doceno, na. *adj.* dozeno (desus.) duodécimo, que segue imediatamente em ordem ao

undécimo. — *m*. pano dozeno, tecido que
tem mil e duzentos fios de urdidura.

docente. *adj*. docente, que ensina, pertencente ou relativo ao ensino.

doceta. *adj*. pertencente ao gnosticismo.

docético, a. *adj*. pertencente ou relativo ao
gnosticismo.

docetismo. *m*. gnosticismo. V. **gnosticismo**.

dócil. *adj*. dócil, submisso, suave, aprazível;
obediente, fácil de trabalhar ou executar;
diz-se do metal, pedra ou madeira que se
deixa lavrar fàcilmente; dúctil; maleável:
dulcífico; (fig.) macio; (fig.) a(c)tuável:
dócil al freno (caballo), arrendado; *mujer muy dócil*, cordeirinha; *persona dócil*,
(fig.) cordeiro; *poco dócil*, (Bras.) arúa.

docilidad. *f*. docilidades, qualidade de dócil;
ductilidade; dulçor; obediência; submissão.

docilitar. *v. tr*. docilizar, tornar dócil, flexível, tratável.

docimasia. *f*. docimásia, arte de ensaiar os
minerais, para determinar os metais que
neles se contêm e em que proporções.

docimástica. *f*. docimásia. V. **docimasia**.

docimástico, ca. *adj*. docimástico, pertencente ou relativo à docimásia.

dock (palavra inglesa) *m*. doca, dique; depósito comercial de mercadorias.

doctitud. *f*. qualidade de douto; instrução,
erudição.

docto, ta. *adj*. douto, muito instruído; sábio;
erudito; cientista.

doctor, ra. *s*. doutor, que recebeu o grau de
doutor; pessoa que ensina uma ciência ou
arte; doutor, professor duma Universidade; doutor, título que a Igreja dá a alguns
Santos; doutor, médico. — *f*. (fam.) dou-
to(ô)ra, mulher que se mete a falar em
tudo; aquela que blasona de sábia; mulher do médico ou do doutor; doutora.

doctorado. *p. p*. e *adj*. doutorado. — *m*. doutorado, grau e dignidade de doutor; (fig.)
conhecimento completo sobre alguma matéria; magistério.

doctoral. *adj*. doutoral, pertencente ou relativo ao doutor ou doutorado; diz-se do
doutor em direito canónico.

doctoramiento. *m*. doutoramento, acto de
doutorar ou doutorar-se.

doctorando. *m*. doutorando, o que está próximo a receber o grau de doutor.

doctorar. *v. tr*. doutorar, conferir o grau de
doutor. — **doctorarse**. *v. r*. doutorar-se,
receber o grau de doutor.

doctrina. *f*. doutrina, conjunto de princípios
duma religião, dum sistema político, etc.;
erudição; norma; disciplina; instrução;
modo de pensar; catequese religiosa; ciência, saber; (Amér.) povoação de índios re-
cém-convertidos, quando nela ainda não
havia igreja paroquial; concurso de povo
que segue o pregador até ao lugar da
prédica; (fig.) palavra; lume: audição.

doctrinable. *adj*. doutrinável, que se pode
doutrinar.

doctrinador, ra. *adj*. e *s*. doutrinador, que
doutrina e ensina.

doctrinal. *adj*. doutrinal, pertencente ou relativo à doutrina. — *m*. livro que contém
regras e preceitos.

doctrinar. *v. tr*. doutrinar, instruir em uma
doutrina; ensinar; catequizar, dar instrução, educar; industriar; (fig.) evangelizar.

doctrinario, ria. *adj*. doutrinário, que encerra doutrina. — *s*. doutrinário; doutrineiro.

doctrinarismo. *m*. doutrinarismo.

doctrinero. *m*. doutrinador, doutrineiro; o
que explica a doutrina cristã; (Amér.) pároco regular encarregado dum curato de
índios.

doctrino. *m*. órfão que dá entrada num colégio para ser educado. — *adj*. apoucado
de ideais, acanhado, falto de desembaraço (diz-se das pessoas).

documentación. *f*. documentação, acto de documentar; conjunto de documentos.

documentado, da. *adj*. e *p .p*. documentado,
comprovado por documentos; fundado em
documentos.

documental. *adj*. documental relativo à documentação, baseado em documentos.

documentar. *v. tr*. documentar, instruir,
provar com documentos; documentar,
acompanhar alguma coisa com documentos; ensinar, catequizar, doutrinar; explicar; industriar; fundamentar.

documento. *m*. documento, declaração escrita que serve de exemplo ou prova; testemunho; prova; confirmação; (fig.) qualquer coisa que serve de prova; padrão;
declaração; aviso ou conselho para o desviar de praticar o mal: *documento anejo*,
apenso; *documentos desglosados*, papeis
avulsos.

dodecaédrico, ca. *adj*. (geom.) dodecaédrico.

dodecaedro. *m*. (geom.) dodecaedro.

dodecagínia. *f*. (bot.) dodecagínia.

dodecágino, na. *adj*. (bot.) dodecágino.

dodecágono, na. *adj*. e *m*. (geom.) dodecágono.

dodecandria. *f*. (bot.) dodecandria.

dodecasílabo, ba. *adj*. e *m*. dodecassílabo.

dodrante. *m*. dodrante, as três quartas partes
duma herança entre os romanos; conjun-
to das nove partes das doze que tinha o
asse romano.

doga. *f*. (prov.) aduela de pipa; mancha. V.
duela.

dogal. *m*. corda para prender as cavalgaduras pelo pescoço; baraço; laço; corda
com que se enforcavam os criminosos;
(pop.) gravata: *estar con el dogal al cuello*. (fig.) achar-se em grande apuro, sem
saber como sair dele.

dogaresa. *f*. dogesa, mulher do doge.

dogma. *m*. dogma, verdade revelada por
Deus; dogma, ponto fundamental de doutrina; dogma, princípio certo e inegável;
proposição irrefutável.

dogmática. *f*. (teol.) dogmática.

dogmático, ca. *adj*. e *m*. dogmático, relativo
ao dogma; (fig.) sentencioso; imperativo;
autoritário; (fig.) amartelado.

dogmatismo. *m*. dogmatismo; (fig.) afirmação autoritária.

dogmatista. *s.* dogmatista, pessoa sectária do dogmatismo; (fig.) pessoa autoritária nas suas ideias.

dogmatizador, ra. *s.* dogmatizador, dogmatizante.

dogmatizar. *v. tr.* dogmatizar, proclamar como dogma; ensinar como certo; não admitir contradição; estabelecer dogmas; (fig.) não admitir que se discutan as próprias afirmações.

dogo, ga. *adj.* e *s.* dogue, casta de cão; cão de guarda.

dogre. *m.* (mar.) dogre, barco holandês destinado à pesca no mar do Norte.

dolador. *m.* aplainador, alisador de madeira ou pedra, tanoeiro, artífice que se dedica àqueles trabalhos.

doladura. *f.* aparas da aduela, tiradas com a enxó de tanoeiro, acepilhadura de madeira ou metal.

dolames. *m. pl.* (vet.) achaques ou doenças ocultas das cavalgaduras; (pop.) enfermidades.

dolar. *v. tr.* desbastar, aplainar, alisar, lavrar madeira ou pedra com a *doladera*. — *conj. irr.* como *contar*.

dólar *m.* dólar, moeda dos Estados Unidos. —*pl.* dólares.

dolce farniente. (ital.) *m.* indolência, doce ociosidade.

dolencia. *f.* doença, indisposição, mal, enfermidade, achaque, padecimento; fraude; desonra, infamia: *en dolencias*, endoenças (dia da semana santa); *dolencia pasajera*, incómodo; *dolencia sin importancia* (pop.) macacoa.

doler. *v. intr.* e *r.* doer ,padecer, sofrer dor; doer, causar pena ou sentimento; doer, repugnar fazer qualquer coisa; doer-se, arrepender-se; condoer-se, ter pena, ter compaixão; sentir-se penalizado, magoado; doer-se, queixar-se da dor que se sente; ressentir-se física ou moralmente: *ahí le duele*, (fig. e fam.) expressão usada para indicar que se acertou com o motivo de desgosto ou preocupação ou com o *quid* do assunto. — *pres. ind. irr.* **duelo, -es, -e, -en;** *subj.* **duela, -as, -a, -an.**

dolerita. *f.* (geol.) dolerite.

dolico. *m.* (bot.) dólico.

dolicocefalia *f.* dolicocefalia.

dolicocefalismo. *m.* dolicocefalia.

dolicocéfalo, la. *adj.* dolicocéfalo.

doliente. *p. a. adj.* e *s,* dolente, enfermo, que revela dor; doente; dolorido, dorido, aflito; dorido, parente do defunto que recebe pêsames.

dolmán. *m.* dólman.

dolmen. *m.* dólmen, anta, monumento megalítico em forma de mesa.

dolménico, ca. *adj.* dolmé(ê)nico, pertencente ou relativo aos dólmenes

dolo. *m.* dolo, fraude; embuste, engano; traição; fulheira; fraudação; embaçadela; artimanha, má fé, simulação; dolo, estratagema; (for.) dolo, intenção criminosa.

dolobre. *m.* picão, pico para lavrar pedra.

dolomía. *f.* (min.) dolomia, dolomite; (geol.) dolomia, dolomite.

dolomita. *f.* (min. e geol.) dolomite, dolomia.

dolomítico, ca. *adj.* (geol.) dolomítico.

dolor. *m.* dor, sensação aguda dalguma parte do corpo; mágoa, pena; pesar, arrependimento, dor, pesar; dor, angústia, sentimento; padecimento; afligimento, desgo(ô)sto, descontentamento; (fig.) amargor, amargura, axe (crianças): *dolor de cabeza*, afrontamento, dor de cabeça, enxaqueca; *sentir dolor en lo más hondo*, sentir a dor no ámago; *estar postrado de dolor*, amagar-se; *no hay dicha sin dolor*, (fig. e fam.) não há atalho sem trabalho; *causar un gran dolor*, (fig.) apunhalar: *sentir un dolor muy vivo*, (fig.) ver estrela ao meio-dia! *dolores de vientre*, dor de barriga; — *pl.* endoenças.

dolora. *f.* breve composição poética que encerra um pensamento filosófico (nome inventado pelo poeta Campoamor).

dolorido, da. *adj.* dolorido, dorido, que padece ou sente dor; magoado, aflito, desconsolado, cheio de dor e angústia, desolado; angustiado, sentido. — *s.* (prov.) dorido, parente do defunto que recebe os pêsames.

Dolorosa. *f.* Dolorosa, imagem de Nossa Senhora das Dores.

doloso, sa. *adj.* doloso, enganoso, fraudulento; pérfido; traiçoeiro.

dom. *m.* dom, título que se dá a alguns frades cartuxos e beneditinos.

doma. *f.* doma, domação, amansamento de animais; enfreamento, domadura de potros; (fig.) acção de reprimir ou refrear as paixões, os apetites, etc.

domable. *adj.* domável, que se pode domar.

domador, ra. *s.* domador, o que doma; o que exibe feras domadas; enfreador, desbravador; amansador.

domadura. *f.* amansamento, domação.

domar. *v. tr.* domar, domesticar, amansar ou vencer a resistência; dominar; refrear; sujeitar, reprimir, enfrear; moderar; desembravecer, desbravar: *domar un caballo*, adestrar um cavalo.

dombo. *m.* V. **domo.**

domellar. *v. tr* V. **domeñar.**

domeñable. *adj.* domável, domesticável, sujeitável.

domeñar. *v. tr.* dominar, sujeitar, tiranizar, submeter, render; conter, reprimir; subjugar pela força.

domesticable. *adj.* domesticável, que se pode domesticar.

domesticación. *f.* domesticação, domação, doma; desembravecimento.

domesticador, ra. *s.* domesticador, domador.

domesticar. *v. tr.* domesticar, domar, amansar, acostumar à vista e companhia do homem ou animal feroz; docilizar; tornar culto, civilizar, tornar tratável uma pessoa; moderar a asperoza do carácter; tornar manso; enfrear, refrear. — **domesticarse.** *v. r.* amansar-se; sujeitar-se.

domesticidad. *f.* domesticidade, qualidade de doméstico; domesticidade, estado de criado; domesticidade, afabilidade, familiaridade. suavidade de tratamento.

doméstico, ca. *adj.* e *s.* doméstico, pertencente ou relativo à casa; criado; fá(â)mulo; o que serve por soldada; caseiro, familiar; diz-se do animal criado em casa: *servicio doméstico*, famulagem, famulado.

domestiquez (a). *f.* mansidão dum animal, natural ou adquirida.

domiciliado, da. *adj.* e *p. p.* domiciliado, estabelecido num domicílio; alojado; estabelecido, residente.

domiciliar. *v. tr.* domiciliar, dar domicílio a; domiciliar, fazer fixar domicílio; estabelecer domicílio; (Amér.) escrever num envelope a direcção. — **domiciliarse.** *v. r.* domiciliar-se, fixar o seu domicílio; habitar.

domiciliario, ria. *adj.* domiciliário, relativo ao domicílio. — *m.* o que tem domicílio num lugar, domiciliário, domiciliado.

domicilio. *m.* domicílio, morada fixa e permanente, casa, habitação de residência; (for.) domicílio residência legal: *a domicilio*, no próprio, domicílio do interessado.

dominación. *f.* dominação; senhorio, império que tem sobre um território o que exerce a soberania; (mil.) monte, colina ou lugar alto que domina uma praça; dominação, poder, domínio; (teol.) dominações, um dos nove coros de anjos.

dominador, ra. *adj.* e *s.* dominador, que domina ou propende a dominar; avassalhador; debelador; assoberbador; altivo; arrogante, orgulhoso.

dominante. *p. a.* e *adj.* dominante, que domina, que governa; diz-se da pessoa que quer avassalar outras; que sobressai ou prevalece; principal; predominante; altivo, arrogante, orgulhoso; influente. — *f.* (mús.) dominante, quinta nota da escala de qualquer tom.

dominar. *v. tr.* dominar, ter domínio sobre coisas ou pessoas; sujeitar, conter, reprimir; ser senhor de; ter influência sobre; (fig.) subjugar, refrear, reprimir, suspeitar; conhecer a fundo uma ciência ou arte, dominar; avassalar; enfeudar; debelar; assoberbar; abater; conquistar; controlar. — *v. intr.* dominar, sobressair, ser ou estar mais elevado; ficar superior ou sobranceiro, ser mais alto, coroar. — **dominarse.** *v. r.* dominar-se, reprimir-se. refrear-se. vencer-se, subjugar-se, ser senhor de si, conter-se; resignar-se: *dominar a alguién*, (fig.) trazer pelo beiço; *dominar una cosa*, ter a chave de alguma coisa; *dejarse dominar*, avassalar-se; *dominar a placer*, (fig.) magnetizar; *dominar las pasiones*, debelar as paixões; *el castillo domina el valle*, o castelo domina o vale.

domingo. *m.* domingo, primeiro dia da semana: *hacer domingo*, fazer festa ou feriado; *salir con un domingo siete*, (fig. e fam.) dizer ou fazer um despropósito; *domingo de Pascua*, domingo de Páscoa; *domingo de Ramos*, domingo de Ramos; *domingo de Lázaro o de Pasión*, domingo

de Lázaro; *domingo de Pentecostés*, domingo do Espírito Santo.

dominguerismo. *m.* costume domingueiro.

dominguero, ra. *adj.* (fam.) domingueiro, que só é para usar aos domingos e dias de festa; festivo, garrido.

dominguillo. *m.* teimoso, brinquedo infantil; frade, boneco. — *pl.* calças muito largas e franzidas: *traer a uno como a un dominguillo*, (fig. e fam.) mandar alguém fazer muitas coisas em diversas partes e com urgência; *es un dominguillo*, (fig. e fam.) é um tolo.

dominica. *f.* dominga, domingo; textos e lições da escritura sagrada que no ofício divino correspondem a cada domingo.

dominical. *adj.* dominical, relativo ao domingo, ou à dominga; dominical, diz-se do direito pago ao senhor dum feudo pelos feudatários; (for.) pertencente ao direito de domínio sobre as coisas. — *f.* cada um dos actos académicos que se verificavam aos domingos nas Universidades; dominical, veu com que as mulheres cobrem a cabeça para receberem a comunhão.

dominicano, na. *adj.* e *s.* (geog.) dominicano, natural da ou pertencente à República de S. Domingos. V. **dominico.**

dominico, ca *adj.* e *s.* dominíco, dominicano, religioso da ordem de S. Domingos.

dominio. *m.* domínio, posse; domínio, superioridade sobre as pessoas ou coisas; domínio, terra ou estado que um soberano tem sob o seu domínio; propriedade; espaço ocupado; autoridade; possessão; pertença, esfera de acção; (fig.) império; poder; conhecimento; influência; controlo; dependência; (fig.) batuta. — *pl.* dependências; (fig.) arrogância; altivez, soberba: *ser del dominio público*, (fig. e fam) andar na boca de todos; *dominio de sí mismo*, senhorio de si.

dominó. *m.* dominó (jogo); dominó, (disfarce de carnaval); capa de coro para os cónegos.

domo. *m.* (arq.) cúpula, zimbório, domo.

don. *m.* dádiva, mercê, dom, presente; dom, qualquer dos bens naturais ou sobrenaturais que possuímos e que recebemos de Deus; graça especial ou habilidade para fazer uma coisa; qualidade, dotes; dom, aptidão, vocação.

don. *m.* dom, título honorífico que se antepõe ao nome.

donación. *f.* (for.) doação, liberalidade duma pessoa que transmite uma coisa a favor doutra, cessão gratuita.

donadío. *m.* donadio, donativo, herança que provem de doações reais.

donado, da. *p. p.* e *adj.* doado. — *s.* donato, leigo que serve num convento; nalgumas comarcas aragonesas, pessoa que fica incorporada numa família, mediante certo contrato tradicional.

donador, ra. *adj.* e *s.* doador, que faz doação; doador, pessoa que faz um presente; uma dádiva, etc.

donaire. *m.* donaire, garbo; gentileza; elegância; aspecto fisionómico; graças; chiste ou dito agudo; galhardia; gentileza: desembaraço e agilidade para andar, dançar, etc.; gentileza; donaire, anquinhas; atractivo; (pop.) gajé; (fam.) chiste; ária; galantaria.

donairoso, sa. *adj.* donairoso, que tem donaire; gentil; garboso; airoso, elegante; engraçado; galhardo.

donar. *v. tr.* doar, fazer doação de; transmitir gratuitamente; presentear.

donatario. *m.* donatário, pessoa a quem se faz a doação.

donatismo. *m.* donatismo, heresia de Donato.

donatista. *adj.* donatista, partidário das doutrinas de Donato.

donativo. *m.* donativo, dom, dádiva, presente; oferta; óbolo; esmola; dádiva voluntária: *donativo con miras interesadas*, bataria.

doncel. *m.* donzel, moço nobre ainda não armado cavaleiro; donzel, mancebo virgem; pajem que passava à milícia depois de servir ao rei, (bot.) V. **ajenjo.** — *adj.* suave, doce (vinho, etc.).

doncella. *f.* donzela, mulher virgem; donzela, criada, doméstica, aia, criada grave; (zool.) donzela, caboz, espécie de peixe; (pro. e Amér.) V. **panadizo.**

doncellería. *f.* (fam.) donzelice, V. **doncellez**

doncellez. *m.* donzelice, estado de virgindade.

dónde. *adv.* onde, no qual lugar, lugar em que, no que, nos que, aonde, para onde; donde, de que lugar; adonde, aonde: *por dónde*, pelo qual lugar; *¿dónde?*, onde?; *dónde no*, pelo contrário; *¿por dónde?*, por que razão, causa ou motivo; *por dónde*, por onde; *¿hacia dónde?*, para onde?; *¿de dónde?*, de onde?; *en dónde*, onde; *¿de dónde vienes?*, de onde vens?; *¿de dónde es Vd.?*, de onde sois?; *¿por dónde tengo que creerlo?*, por que razão tenho que acreditá-lo?.

dondequiera. *adv.* onde quer, em qualquer parte, em qualquer lugar que seja, aonde quer que seja.

donillero. *m.* trapaceiro, batoteiro.

donjuanear. *v. intr.* comportar-se como D. João Tenório.

donjuanesco, ca *adj.* dom joanesco, próprio de D. João Tenório; donjuanesco.

donjuanismo. *m.* dom joanismo, conjunto de caracteres e qualidades próprias de D. João Tenório.

donosidad. *f.* graça, donaire, garbo, elegância; chiste.

donoso, sa. *adj.* donairoso, donoso, que tem donaire; engraçado; galante; chistoso; usa-se também em sentido irónico, anteposto ao substantivo: *donosa respuesta*, donosa resposta.

donostiarra. *adj.* e *s.* (geog.) donostiarra, natural ou pertencente a S. Sebastião (Guipúscoa).

donosura. *f.* donaire, graça, garbo, chiste; gentileza, galanice, elegância.

doña *f.* dona, título e tratamento que precede os nomes próprios das senhoras (actualmente aplica-se só às senhoras casadas e viúvas).

doquier, doquiera. *adv.* V. **dondequiera:** *por doquier*, em todo o descoberto.

dorada. *f.* (ictiol.) dourada, peixe marinho comestível; (Amér.) espécie de mosca venenosa.

doradilla. *f.* (ictiol.) V. **dorada;** (bot.) espécie de feto, usado como erva medicinal.

doradillo, lla. *adj.* (Amér.) douradilho (diz-se do cavalo de cor avermelhada). — *m.* fio delgado de latão.

dorado, da. *p. p.* e *adj.* dourado, da cor do ouro; dourado, coberto com uma camada de ouro; (fig.) dourado, esplendoroso, feliz; (Amér.).

dorador. *m.* dourador, o que doura.

doradura. *f.* douramento, douradura, dourado.

dorar. *v. tr.* dourar, doirar, cobrir com ouro a superfície duma coisa; (fig.) doirar, disfarçar, encobrir, dar aparência agradável; torrar ligeiramente, tostar; (pint.) estofar; (poet.) dourar, alumiar, iluminar (diz-se do Sol); (fig.) paliar, suavizar. — *v. r.* tomar cor doirada: *dorar la píldora*, doirar a pílula.

dórico, ca. *adj.* (arq.) dórico; (hist.) dórico, pertencente ou relativo aos Dórios. — *s.* dórico, natural de Dórida. — *m.* dório, (dialecto dos Dórios): *orden dórico*, ordem dórica.

dorio, ria. *adj.* e *s.* dórico, natural da Dórida ou pertencente a este país.

dormida. *f.* dormida, estado por que passa quatro vezes o bicho-da-seda; dormida, lugar onde as reses e as aves silvestres, costuman passar a noite; toca; dormida, acção de dormir; lugar onde se pernoita, pousada; empernamento (com uma mulher).

dormidero, ra. *adj.* adormecedor, diz-se do que faz dormir, soporífero, sonífero, soporífico, narcótico. — *m.* dormitório, lugar onde se dorme; estábulo, lugar onde pernoita o gado.

dormido, da. *p. p.* e *adj.* dormido; (Amér.) entre os antigos mineiros do Peru, aplicava-se ao mineral cujos veios estavam ainda por explorar: *dormido como un tronco*, envolto em sono.

dormidor, ra. *adj.* e *s.* dorminhoco. V. **dormilón.**

dormilón, na. *adj.* (fam.) dorminhoco, dormidor, pessoa que dorme muito ou que gosta de dormir, dormilão. — *m.* (ictiol.) pássaro da costa chilena.

dormilona. *f.* brinco com um brilhante ou uma pérola; cadeirão, estofado para dormir a sesta; (Amér). V. **sensitiva, estragón** e **dragón.**

dormir. *v. intr.* dormir, entregar-se ao sono; repousar; descansar; conservar-se imóvel; pernoitar; (fig.) descuidar-se em um negócio; deitar; (fig.) estar sereno; ser descuidado; estar latente; (germ.)

chonar. — **dormirse**. *v. r*. sossegar-se, apaziguar-se o que estava inquieto ou alterado; tranquilizar-se; rodopiar com muita rapidez (o pião), dando a impressão de estar imóvel; adormecer: *sin dormir*, em claro; *dormir como un lirón* ou *a pierna suelta*, acarrar; *dormir con una mujer* (vulg.) empernar; *hacer dormir un asunto*, dormir sobre o assunto, adiar a decisão para outro dia; *dormir la siesta*, dormir a sesta; *dormir sobre un asunto*, (fig.) dormir sobre o caso; *dormir el sueño eterno*, dormir o sono eterno; *dormir profundamente*, dormir a sono solto; *dormir mal*, dormir mal; *dormir a pierna suelta*, dormir de perna estendida; *dormir como un tronco* (fam.) dormir como pedra em poço; *dormir con los ojos abiertos*, (fig.) dormir com os olhos abertos; *dormirse de pie*, dormir em pé; *dormir al aire libre*, dormir ao relento; *dormir en el suelo.*, dormir no chão nu; *no dormir en casa*, não dormir na sua cama; *dormir con alguien*, dormir com alguém; *no dormir*, (fig.) não dormir; *dormir mucho*, dormir a manhã na cama; *dormir tranquilo*, dormir sobre seguro; *dormir el sueño de los justos* (fig.) dormir o sono do esquecimento. — *pres. ind. irr.* **duermo, -es, -e, -en;** *pret*. **durmió, -eron;** *subj*. **duerma, -as, -a, -an;** *gerun*. **durmiendo;** *p. p*. **dormido.**
dormitar. *v. intr.* dormitar, dormir levemente, descansar; (Bras.) cochilar, tora.
dormitivo, va. *adj*. e *m*. (med.) dormitivo, soporífero, adormecedor, que adormece, soporífico, narcótico.
dormitorio. *m*. dormitório, quarto para dormir, alcova.
dorsal. *adj*. dorsal, pertencente ao dorso ou às costas.
dorso. *m*. (anat.) dorso; revés, lombo, costas dalguma coisa, envés, enve(ê)sso; (Bras.) cacunda.
dos. *adj*. dois, dous, um mais um; segundo. — *m*. dois, algarismo, que representa o número dois; dois, carta de jogar que tem dois pontos, duque: *en un dos por tres*, (fig. e fam.) num instante; *a dos voces*, a duo; *multiplicar por dos*, duplicar; *los dos*, ambos; *dos veces*, duas vezes; *dos y dos*, dois e dois; *¿cuál de los dos?* qual dos dois?; *cualquiera de los dos*, qualquer dos dois; *uno de los dos*, um dos dois; *a dos por tres*, às duas por três.
dosalbo, ba. *adj*. diz-se da cavalgadura que tem dois pés brancos.
dosañal. *adj*. bienal, que dura dois anos; que se faz de dois em dois anos.
doscientos, tas. *adj. pl.* duzentos, duas vezes cem; ducentésimo. — *m*. conjunto de algarismos do número duzentos.
dosel. *m*. dossel, baldaquino, sobrecéu; reposteiro, alcatifa; pálio; ramada formando abóbada: *dosel del cielo*, abóbada celeste.
doselera. *f*. sanefa do dossel.
dosificable. *adj*. dosável, doseável, dosificável.

dosificación. *f*. (fam. e med.) dosagem, determinação da base dum medicamento, doseamento.
dosificar. *v. tr*. (farm. e med.) dosar, dosear, dosificar, misturar nas proporções devidas; distribuir em doses aos poucos.
dosillo. *m*. Jogo de cartas que se joga entre duas pessoas.
dosimetría. *f*. dosimetria.
dosimétrico, ca. *adj*. dosimétrico.
dosis. *f*. dose, quantidade fixa duma substância que entra na composição dum medicamento ou numa combinação química; quantidade ou porção de qualquer coisa: *tener una gran dosis de vanidad*, ter uma grande dose de vaidade.
dosista. *s*. (germ.) carteirista, ladrão de carteiras ou relógios.
dotación. *f*. dotação; tripulação dum navio; pessoal, conjunto de empregados dum estabelecimento; dotação, consignação de rendimento; (mil.) guarnição, munições para uma praça forte.
dotador, ra. *adj*. e *s*. dotador, que dota.
dotal. *adj*. dotal, relativo a dote.
dotar. *v. tr*. dotar, dar dote a; dar em doação; dotar, fazer uma dotação, destinar uma renda perpétua para manutenção dum estabelecimento ou fundação de obra pia; dotar, beneficiar com algum dom natural; dotar, constituir dote à mulher que vai contrair matrimónio ou professar; (fig.) dotar, adornar; dotar, prover; (mar.) municiar, guarnecer um navio; equipar, abastecer.
dote. *s*. dote, bens de mulher que casa ou professa; dote, bens esclusivos da mulher casada; dons, prendas, talentos, qualidades estimáveis; dote, merecimento, prenda, boa qualidade física e moral; número de tantos que toma cada jogador no começo do jogo.
dovela. *f*. (arq.) aduela, pedra arqueada para construir uma abóbada.
dovelaje. *m*. (arq.) conjunto de aduelas.
dovelar. *v. tr*. lavrar a pedra em forma de aduela.
dozavado, da. *adj*. dodecágono, que tem doze lados, partes ou faces.
dozavo, va. *adj*. e *s*. duodécimo; décimo segundo.
dracina. *f*. (quím.) dracina.
draconiano, na. *adj*. draconiano, pertencente ou relativo a Draco; (fig.) muito severo, muito rigoroso.
dracontíasis. *f*. (pat.) dracontíase.
dracúnculo. *m*. (zool.) e (bot.) dracúnculo.
dracunculosis *f*. (pat.) dracunculose.
draga. *f*. draga, máquina para limpar os portos, rios, etc.; barco que conduz esta máquina.
dragado. *m*. dragagem.
dragaje. *m*. (gal.) V. **dragado.**
dragaminas. *m*. (mar.) draga-minas.
dragante. *m*. (herald.) dragonete, figura que representa a cabeça dum dragão com a boca aberta; (mar.) peça do pau traquete no qual está assentado o gurupés.

dragar. v. tr. dragar, limpar com draga os portos de mar, rios etc., rocegar.

dragón. m. (zool. e bot.) dragão, animal fabuloso; espécie de lagarto das Filipinas; planta perene escrofulariácea; (mil.) dragão, coiraceiro; (vet.) dragão, catarata no cavalo; (astr.) Dragão, constelação do hemisfério boreal; chaminé dos fornos de reverbero.

dragona f. fêmea do dragão; (mil.) dragona, espécie de charlateira; (Amér.) fiador da espada; capa para homem.

dragonear. v. intr. (Amér.) exercer um cargo sem ter títulos; fazer alarde de; galantear ou requestar uma mulher.

dragonete. m. (herald.) cabeça de dragão dragonete. V. **dragante.**

dragonites. f. pedra fabulosa que diziam estar na cabeça dos dragões.

dragontea. f. (bot.) dagronte(é)ia.

dragontino, na. adj. dragontino, pertencente ou relativo ao dragão.

drama. m. drama, peça de teatro; género dramático; (fig.) sucesso capaz de interessar e mover na vida real; desgraça; cena pungente.

dramática. f. dramática, dramaturgia.

dramático, ca. adj. dramático, relativo ao drama; (fig.) dramático, comovente; teatral; interessante.

dramatismo. m. dramatismo, qualidade de dramático.

dramatizable. adj. dramatizável, que se pode dramatizar.

dramatización. f. dramatização.

dramatizar. v. tr. dramatizar, dar forma e condições dramáticas; tornar dramático ou comovente.

dramaturgia. f. dramaturgia, dramatologia.

dramaturgo. m. dramaturgo, autor de obras dramáticas.

dramón. m. (fam.) dramalhão, drama de pouco merecimento.

drao. m. (mec.) espécie de martinete para bater ferro ou aço.

drástico, ca. adj. drástico, violento, que tem propriedades energicas (med.) drástico, diz-se dos purgantes.

drenaje. m. drainagem, drenagem; escoamento por meio de fossas, valas ou tubos.

drenar. v. tr. (gal.) drenar, drainar, proceder à drainagem; gaivar; (agr.) derregar.

drepanóforo, ra. adj. V. **falcado.**

dría. f. V. **dríada.**

dríada, dríade. f. (mit.) dríade, antiga divindade silvestre, ninfa dos bosques.

driblaje. m. (neol desporto) driblagem, V. **regate.**

driblar. v. tr. (neol. e desport.) driblar, conduzir a bola no jogo enganando os adversários.

dril. m. dril, cotim, tecido branco de linho inglês.

driza. f. (mar.) adriça, corda ou cabo para içar as vergas, velas etc.

drizar. v. tr. (mar.) adriçar, içar as vergas, velas, bandeiras, etc.

droga. f. droga; (fig.) ardil, fraude, mentira, embuste; coisa que desagrada ou molesta; (fam.) medicamento; (farm.) droga; (prov.) drogaria.

drogar. v. tr. droguear; propinar drogas.

drogman m. dragomano, intérprete. V. **dragoman.**

droguería. f. drogaria, comércio de drogas; loja onde se vendem drogas; (prov.) mercearia.

droguero, ra. s. droguista, vendedor de drogas; (prov.) merceeiro. V. **abacero;** (Amér.) caloteiro, pessoa que contrai dívidas e não as paga.

droguista. s. droguista. V. **droguero;** (fig) pessoa ambusteira, trapaceiro.

dromedario. m. (zool.) dromedário.

dromo. m. dromo, avenida ladeada de árvores em frente aos templos gregos.

dromógrafo. m. dromógrafo, aparelho para registar a velocidade de andamento.

dromomanía. f. dromomania, impulsão à fuga.

dromomaníaco, ca. adj. e s. dromomaníaco, que padece de dromomania.

dromómetro. m. dromó(ô)metro, aparelho que mede as distâncias percorridas.

dromoscopio. m. (fís. e mar.) dromoscópio.

dromoterapia. f. (terap.) dromoterapia.

dropacismo. m. certo unguento depilatorio.

drope m. (fam.) homem desprezível.

drosera. f. (bot.) drósera.

droseráceo, a. adj. (bot.) droseráceo. — f. pl. drosráceas.

drosometría. f. (fís.) drosometria.

drosómetro. m. (fís.) drosó(ô)metro, aparelho para medir o orvalho.

druida. m. (rel.) druida, antigo sacerdote dos Celtas e Germanos.

druídico, ca adj. druídico, pertencente ou relativo aos druidas e à sua religião.

druidismo. m. (rel.) druidismo.

drupa. f. (bot.) drupa, nome comum aos frutos que só têm um caroço.

drupáceo, a. adj. (bot.) drupáceo.

drupéola. f. (bot.) drupéola, pequena drupa.

drupeolado, da. adj. (bot.) drupeolado, semelhante à drupa.

drupífero, ra adj. (bot.) drupífero, que possui drupa.

drusa. f. (min.) drusa, aglomerado de cristais que cobre uma pedra; (bot.) drusa, planta umbelífera.

drusiforme. adj. (min.) drusiforme, que tem forma de drusa.

druso, sa. adj. e m. druso, habitante das cercanias do Líbano; pertencente ou relativo aos Drusos.

dúa. f. servidão pessoal em obras de fortificação; turnos de operários que se empregam em certos trabalhos de minas; (prov.) V. **dula.**

dual adj. e m. (gram.) dual, diz-se do número que têm certas línguas para significar o conjunto de dois.

dualidad. f. dualidade, carácter daquilo que é duplo; (quim.) faculdade de certos corpos de cristalizar em duas figuras geométricas diferentes.

dualismo. *m.* (rel. e filos.) dualismo; (quím.) dualismo.

dualista. *adj.* e *s.* dualista, partidário do dualismo.

dualístico, ca. adj. dualístico, pertencente ou relativo ao dualismo.

duba. *f.* sebe, muro de taipa, cerca feita de terra.

dubetina. *f.* belbutina.

dubio. *m* (for.) dúbio, duvidoso, ambíguo, questionável; dubiedade.

dubitable. adj. dubitável, de que se pode duvidar, duvidoso.

dubitación. *f.* dúvida. V. **duda.** (ret.) dubitação.

dubitativo, va. adj. dubitativo, que exprime dúvida.

dublé. *m.* V. **similor.**

ducado. *m.* ducado título ou dignidade de duque; ducado, domínio dum duque; estado governado por um duque; ducado, (variedade de moeda).

ducal. adj. ducal, pertencente ou relativo ao duque.

ducas. *f. pl.* (germ.) galés (pena).

ducatón. *m.* (numism.) ducatão.

ducentésimo, ma. adj. e *s.* ducentésimo.

dúcil. *m.* (prov.) espiche da cuba.

dúctil. adj. dúctil, flexível, maleável, elástico; (fig.) dócil, educado, condescendente; elástico; contemporizador.

ductilidad. *f.* ductilidade, qualidade de dúctil, flexibilidade; (fig.) docilidade, condescendência de carácter; maleabilidade.

ductivo, va. adj. conducente. V. **conducente**

ducto. *m.* (bot.) ducto; canal.

ducha. *f.* ducha, duche, jorro de água projectado sobre o corpo; chuveiro; afusão, banho de chuva; (agr.) porção de terreno que cada trabalhador tem de ceifar; lista, risco nos tecidos.

duchar. *v. tr.* duchar, aplicar duchas ou duches a.

ducho, cha. adj. prático, perito, acostumado, experimentado, hábil, experiente, experto, mestre.

duda. *f.* dúvida, incerteza; suspeita; receio, obje(c)ção, dificuldade; escrúpulo; hesitação; dificuldade em acreditar ce(p)ticismo; desconfiança; embaraço; descrença; indecisão; temor, irresolução: *sin duda*, sem dúvida; certamente; *tener dudas de*, ter dúvidas a respeito de; *suscitar dudas*, levantar dúvidas.

dudable. adj. duvidável, de que se pode duvidar, incerto, problemático.

dudar. *v. tr.* e *intr.* duvidar, estar na dúvida, na incerteza; pôr dúvidas a; ter dúvidas de; desconfiar, hesitar, ser céptico; não acreditar, não admitir; não ter confiança em; controverter; duvidar; receiar, temer; pairar; embilhar; embasbacar.

dudoso, sa. adj. duvidoso, que oferece dúvida; que tem dúvida; ambíguo; incerto; hesitante; arriscado; problemático; receoso; suspeito; equívoco; controvertí-

vel; dessegurado; indecidido; desaveriguado; dúbio; contestado, contestável; indeciso; (fig.) incolor; errante; contingente, aleatório; anfíbio; (Bras.) ababelado: *noticias dudosas*, notícias avulsas; *ser dudoso algo*, não cheirar bem.

duela. *f.* aduela (de barris, tonéis, etc.).

duelaje. *m.* V. **dolaje.**

duelista. *m.* duelista, o que se preza de saber e observar as leis do duelo; duelista, o que fàcilmente desafia outros; desafiador, espadachim.

duelo. *m.* dó, lástima, pena, aflição, sentimento; dor; nojo; anojamento, luto; sentimento ou pesar pela morte dalguém; séquito dum enterro; brio, pundonor; fadiga, trabalho: *duelos y quebrantos*, fritada de ovos e gorduras; *sin duelo*, copiosamente.

duelo. *m.* duelo, luto entre duas pessoas depois de repto; desafio, encontro, peleja: *desafiar en duelo*, duelar.

duende. *m.* duende, ser imaginário que de noite fazia travessuras, espírito sobrenatural, trasgo; duende, diabrete, pessoa buliçosa; (pop.) patrulha, ronda; V. **restaño.** — *pl.* (prov.) cardos secos e espinhosos.

duendo, da. adj. manso, doméstico, domesticado (diz-se especialmente dos pombos).

dueña. *f.* dona. senhora, proprietária; dona, senhora principal, casada ou viúva; dona viúva que superintende as criadas duma casa; religiosa que vive em comunidade; (ant.) mulher que não é virgem: *cual digan dueñas*, (fig. e fam.) expressão empregada para indicar as críticas feitas alguém.

dueñesco, ca. adj. (fam.) pertencente às donas.

dueño. *m.* dono, proprietário; amo, em relação ao criado, senhor: *ser dueño de sí mismo*, ser senhor de si; *dueño absoluto*, árbitro; *hacerse dueño de algo*, apoderar-se dalguma coisa; *dueño del argamandijo*, (fig. e fam.) o que tem o mando dalguma coisa; *ser uno muy dueño de* (fam.) ter liberdade de.

duerno. *m.* (impr.) duerno, duas folhas de papel de impressão metidas uma na outra.

duetista. *s.* (mús.) duetista, pessoa que canta em dueto.

dueto. *m.* (mús.) dueto.

dugo. *m.* (Amér.) ajuda.

dula. *f.* adua, cada uma das porções de terra que, por turnos, recebem a rega; adua, rebanho de gado pertencente a todos os habitantes duma povoação.

dulce. adj. doce, adocicado, açucarado; doce, agradável, atraente, brando, suave, ameigado, aprazível, grato; flexível, maleável, dúctil (metais); melífluo, meloso; melodioso; deleitoso; dulcífico, dúlcido; macio; (poét.) méleo; confortável; (pint.) que tem colorido agradável, doce, suave, brando; (Bras.) gambêlo. — *m.* doce, manjar, confeição culinária em que entra o açúcar como elemento principal; (Bras.)

açúcar: *dulce de harina*, alcamonia; *cosa muy dulce*, (fig.) melaço; *dulces*, bocadinhos.

dulcedumbre. *f.* doçura, dulçor, suavidade.

dulcera. *f.* compoteira, doceira, vaso para guardar doce.

dulceria. *f.* doçaria, confeitaria. V. **confitería.**

dulcero, ra. *adj.* e *s.* guloso, que gosta de doce; doceiro, confeiteiro. V. **confitero.**

dulceza. *f.* (ant.) doçura. V. **dulzura.**

dulcificación. *f.* dulcificação; (farm.) edulcoração; adoçamento, abrandamento.

dulcificar. *v. tr.* dulcificar, tornar doce, adoçar; edulcorar; (fig.) adoçar, abrandar, suavizar, mitigar, temperar alguma coisa áspera ou incómoda; amansar; desemperrar.

dulcinea. *f.* (fig. e fam.) dulcineia, namorada, mulher amada; (fig. e fam.) aspiração, ideal.

dulcísimo, ma. *adj. superl* .dulcíssimo, muito doce.

dulcísono, na. *adj.* (poét.) dulcíssono, melodioso, harmonioso, de som agradável.

dulero. *m.* adueiro, pastor, guarda das pastagens comunais.

dulia. *f.* dulia, culto prestado aos anjos e santos.

dulzaina. *f.* (mús.) doçaina, espécie de flauta, dulçaína.

dulzaina. *f.* (fam.) quantidade de doce de má qualidade, doçaina.

dulzainero. *m.* tocador de doçaina.

dulzaino, na. *adj.* (fam.) dulcíssimo, demasiado doce, excessivamente adoçado.

dulzarrón, na. *adj.* (fam.) de sabor desagradável por demasiadamente doce, empachoso, empalagoso.

dulzón, na *adj.* (fam.) melaço, dulcífico. V. **dulzarrón.**

dulzor. *m.* doçura, dulçor. V. **dulzura.**

dulzorar. *v. tr.* (p. us.) dulcificar, tornar doce, adoçar; edulcorar.

dulzura. *f.* doçura, dulçor, qualidade de doce; (fig.) suavidade, deleite, doçura, delicadeza, melifluidade; brandura, maciez; mel; clemência; amenidade; benignidade; afabilidade, bondade; docilidade; *dulzura del clima*, amenidade do clima.

dulzurar. *v. tr.* (ant.) adoçar, dulcificar, suavizar. V. **dulzorar.**

Duma. *f.* Duma, assembleia legislativa da Rússia.

dunas. *f. pl.* (geol.) dunas, medas ou montes de areia produzidos pelos ventos, medão.

dundo, da. *adj.* (Amér.) tonto, tolo.

duneta. *f.* (mar.) duneta. V. **toldilla.**

dúo. *m.* (mús.) duo, dueto; *a dúo*, a duo.

duodecágono, na *adj.* e *m.* V. **dodecágono.**

duodecasílabo, ba. *adj.* e *s.* V. **dodecasílabo.**

duodécima. *f.* (mús.) duodécima.

duodecimal. *adj.* (aritm.) duodecimal.

duodécimo, ma. *adj.* e *s.* duodécimo.

duodécuplo, pla. *adj.* e *m.* duodécuplo.

duodenal. *adj.* (anat.) duodenal.

duodenario, ria. adj. duodenário, que dura doze dias.

duodenitis. *f.* (pat.) duodenite, inflamação no duodeno.

duodeno, na. *adj.* duodécimo. — *m.* (anat.) duodeno.

duodemoscopia. *f.* (med.) duodemoscopia.

duomesino, na. *adj.* de dois meses; bimestre- pertencente a este tempo.

dupla. *f.* extraordinário dado nos refeitórios dos colégios por ocasião de festas.

dúplica. *f.* (for.) tréplica feita por escrito em resposta à réplica; contraréplica.

duplicación. *f.* duplicação; duplicidade.

duplicado, da. *p. p.* e *adj.* duplicado, dobrado, repetido. — *m.* duplicado, reprodução, cópia; duplicata; traslado.

duplicador, ra. *adj.* e *m.* duplicador, que duplica; duplicador, aparelho para tirar várias cópias dum documento.

duplicadura. *f.* (anat.) duplicatura, duplicação.

duplicar. *v. tr.* duplicar, repetir, multiplicar por dois, dobrar; (for.) treplicar, responder a uma réplica; duplicar, dizer ou fazer duas vezes a mesma coisa; (fig.) tornar maior; fortificar.

duplicata. *f.* duplicata, duplicado; cópia; traslado.

duplicativo, va. *adj.* duplicativo, que duplica.

dúplice. *adj.* duplo; (fig.) que tem doblez, refalsado.

duplicidad. *f.* duplicidade, dobrez, falsidade, má fé, reserva, simulação, velhacaria.

duplo, pla. *adj.* duplo, que contêm um número duas vezes exactamente; dobrado. — *m.* duplo, o do(ô)bro.

duque. *m.* duque, título de nobreza; duque, soberano dum ducado; (fam.) dobra que as mulheres faziam na mantilha, deixando a cara descoberta; (ant.) duque, chefe de um exército: *gran duque*, grão duque; *duque de alba*, (mar.) ancoradouros, que facilitam as manobras de amarração e desamarração dos navios.

duquesa. *f.* duquesa, mulher do duque; duquesa, senhora com título de nobreza correspondente ao de duque; duquesa, senhora dum ducado; duquesa, assento para duas pessoas.

dura. *f.* (pop.) duração. V. **duración.**

durabilidad. *f.* durabilidade, qualidade de durável; duração.

durable. *adj.* durável; duradouro; estável.

duración. *f.* duração; durabilidade; continuidade, continuação; constância; dura; decurso; (fig.) extensão: *de corta duración*, fugitivo.

duradero, ra. *adj.* duradouro, duradoiro, durável, estável, consistente, sempiterno; indefectível: extenso; estendido.

duraluminio. *m.* duralumínio.

duramadre. *f.* (anat.) V. **duramáter.**

duramáter. *f.* (anat.) dura-máter, membrana que envolve o encéfalo e a espinal-medula.

duramen. *m.* (bot.) durame, durâmen, cerne, parte mais seca do tronco e ramos grossos duma árvore.

durante. *prep.* durante, enquanto dura ou durou, no espaço de, no tempo de, no decurso de; em; entre: *durante algún tiempo*, entretanto.

durar. *v. intr.* durar, continuar sentado; ter a duração de; não se gastar; resistir; persistir; viver; conservar-se no mesmo estado; permanecer, prolongar-se; subsistir; demorar-se; estender-se; aturar; datar: *hacer durar indefinidamente*, eternar, eternizar; *durar hasta época determinada*, chegar; *durar las guerras*, correr as guerras.

dureza. *f.* durez, dureza; rijeza; consistência; fortaleza; calosidade, solidez; (fig.) dureza, insensibilidade, aspereza de génio, indocilidade, pertinácia; falta de suavidade ou delicadeza; vigor; (med.) tumor, calosidade formada nos corpos, rijeza; (min.) resistência que opõe um mineral a ser riscado por outro; acção dura, cruel; rigor; despego; inclemência; endurecimento.

durillo, lla. *adj.* dim. de *duro*, durinho, durito, pouco duro. — *m.* (bot.) alfena, alfeneiro; V. **doblilla.**

durina. *f.* (vet.) enfermidade contagiosa das cavalgaduras.

durindaina. *f.* durindana, espada; (pop.) a Justiça.

durmiente *m.* (arq.) dormente, trave que pousa sobre outra; (f. c.) chulipa. — *pl.* dormentes; (f. c.) dormentes, madeiros em que assentam os trilhos das estradas férreas, travessas da via férrea. — *p. a* e *adj.* dormente, dorminte, que dorme.

duro, ra. *adj.* duro, que não quebra; rijo; sólido; consistente, resistente; coagulado; difícil de penetrar; (fig.) forte, que resiste a fadiga; violento; cruel, insensível, desumano, intratável, implacável, severo, rigoroso, violento; áspero, desagradável ao ouvido; árduo, difícil, penoso, molesto; enérgico, forte; teimoso, obstinado, duro, pertinaz; agro; desapiedado; descarinhoso, descaridoso; inclemente, incompassivo, incomplacente, inexorável; adamantino; indigesto; incansável; duro, avarento; miserável; sovina. — *m.* duro, moeda espanhola. — *pl.* (pop.) sapatos; (pop.) açoutes; (Amér.) borracho, ébrio.

dux. *m.* doge, título do supremo magistrado nas antigas repúblicas de Veneza e Génova.

E

E, e. *f.* sexta letra do alfabeto espanhol e a segunda das suas vogais; abrev. de Este, rumo de E.

e. *conj.* e; usa-se em lugar de *y*, para evitar o hiato, antes das palavras que comecem por *i*, ou *hi*: padre e hijo, pai e fîlho; pobre e desditado.

e. *prep. insep.* indica origem ou procedência como em *emanar*; extensão ou dilatação como em *efundir*.

¡ea! *interj.* eia!; ena!, emprega-se para animar, excitar ou estimular.

easonense. *adj.* e *s.* (geog.) donostiarra, natural de S. Sebastião.

ebanista. *m.* ebanista, marceneiro que trabalha em ébano e noutras madeiras; entalhador; ensamblador.

ebanistería. *f.* marcenaria, oficina de marceneiro; arte ebanista; conjunto de móveis e outras obras de marcenaria.

ebanizar. *v. tr.* ebanizar, dar aparência de ébano, a.

ébano. *m.* (bot.) ébano (árvore); ébano, (madeira muito negra desta árvore): *ébano vivo*, (fig.) diz-se dos negros do tempo da escravatura: *cabellos de ébano*, cabelos de ébano, muito pretos.

ebionita. *adj.* e *s.* ebionita, herege dos primeiros séculos do cristianismo.

ebonita. *f.* ebonite, ebanite, cauchu preto e vulcanizado.

eboraria. *f.* eborária, arte de esculpir o marfim.

eborario, ria. *adj.* eborário, relativo à talha em marfim.

ebrancado, da. *adj.* (herald.) sem ramos (diz-se da árvore assim representada no escudo.)

ebriedad. *f.* ebriedade. V. **embriaguez.**

ebrio, ebria. *adj.* e *s.* ébrio, embriagado, bêbado, bêbedo, alcoolizado; (fig.) cego, apaixonado; sedento; exaltado: *un tanto ebrio*, (fam.) entradote.

ebrioso, sa. *adj.* ebrioso, beberrão, que se embriaga fàcilmente.

ebullición. *f.* (fís.) ebulição, acto de ferver, efervescência, fervura; (med.) ebulição, erupção passageira; (vet.) alteração do sangue nos animais; (fig.) ebulição, exaltação, agitação popular; agitação moral; efervescência: *estar en ebullición un proyecto*, estar no choco alguma coisa.

ebullómetro. *m.* (fís.) abulió(ô)metro, ebulioscópio.

ebulloscopia. *f.* (fís. e quím.) ebulioscopia.

ebulloscopio. *m.* (fís.) ebulioscópio, ebuliómetro.

eburina. *f.* (ind.) eburina, composto de marfim e ossos em pó.

eburnación. *f.* (med.) eburnação, aumento considerável dos ossos.

ebúrneo, a *adj.* ebúrneo, ebóreo, de marfim ou parecido a ele; elefantino; amarfinado; (med.) eburneo.

eburnitis. *f.* eburnite, endurecimento anormal do esmalte dentário.

ecbólico, ca. *adj.* (med.) ecbólico.

Eccehomo. *m.* Ecce Homo, Imagem de Jesus tal como o apresentou Pilatos ao povo; (fig.) pessoa de aspecto lastimoso.

ecdermoptosis. *f.* (pat.) ecdermoptose.

ecfonema. *m.* ecfonema.

écfora. *f.* (arq.) écfora, saliência numa peça arquitectónica.

ecfráctico, ca. adj. (terap.) ecfráctico, aperitivo.

eclampsia. *f.* (med.) eclampse, eclampsia

eclámpsico, ca. *adj.* (med.) V. **eclámptico.**

eclámptico, ca. *adj.* (med.) eclâmptico, relativo à eclampsia.

eclécticamente. *adv.* eclècticamente.

eclecticismo. *m.* (filos.) ecle(c)tismo.

ecléctico, ca. *adj.* (filos.) eclé(c)tico, relativo ao eclectismo. — *s.* ecléctico, sectário do eclectismo.

eclesiarca. *m.* (Dro. Can.) eclesiarca.

Eclesiastés. *m.* Eclesiastes, livro canónico, do Antigo Testamento, composto por Salomão.

eclesiástico, ca. *adj.* e *m.* eclesiástico, relativo à Igreja ou ao clero; eclesiástico, sacerdote, padre, clérigo; título dum livro moral do Antigo Testamento.

eclesiastizar. *v. tr.* V. **espiritualizar**

eclímetro. *m.* (topog.) eclímetro, eclinómetro.

eclipsable. *adj.* eclipsável que se pode eclipsar e escurecer.

eclipsado, da. *p. p.* e *adj.* eclipsado, que se eclipsou; (fig.) encoberto; apagado; deslustrado.

eclipsar. *v. tr.* (astr.) eclipsar; interceptar a luz; (fig.) escurecer, perder o brilho; apoucar; afrouxar; vencer; ofuscar. — **eclipsarse.** *v. r.* eclipsar-se; (fig.) eclipsar-se, ausentar-se, desaparecer, evadir-se, esconder-se, ocultar-se.

eclipse. *m.* (astr.) eclipse; (fig.) desaparecimento, ausência, evasão; obscurecimento: *eclipse total, parcial,* eclipse total, parcial.

eclipsis. *f.* (gram.) elipse. V. **elipsis.**

eclíptica. *f.* (astr.) eclíptica.

eclíptico, ca. *adj.* (astr.) eclíptico.

écloga. *f.* écloga. V. **égloga.**

eclógico, ca. *adj.* eclogal, eglogal, relativo à égloga.

eclosión. *f.* (gal.) eclosão. V. **brote, nacimiento, aparición.**

eclosionar. *v. intr.* (gal.) eclodir, aparecer, surgir; rebentar. V. **brotar, aparecer.**

ecmofobia. *f.* ecmofobia, horror a tudo quanto possa picar.

eco. *m.* eco, repetição dum som; eco, composição poética em que se repete a última palavra; lugar onde se produz o eco; (mús.) eco, repetição da última nota; (fig.) eco, o que imita outro servilmente; eco, memória de coisa passada; eco, bom acolhimento na opinião pública; cavidade no casco dum cavalo; divulgação de palavras atribuídas a uma pessoa; impresão; fama.

ecoico, ca. *adj.* ecóico, relativo ao eco; diz-se dos versos latinos em que se encontram sons idênticos nas sílabas finais; diz-se da poesia castelhana chamada eco.

ecolalia. *f.* (med.) ecolalia, repetição automática das palavras.

ecología. *f.* (biol.) ecologia.

ecólogo, ga. *s.* ecólogo.

ecomanía. *f.* (pat.) ecomania.

ecometría. *f.* (arp.) ecometria.

ecométrico, ca *adj.* (arq.) ecométrico.

ecómetro. *m.* (fís., mar. e arq.) ecó(ô)metro.

econdrosis. *f.* (med.) osteossarcoma, certas protuberâncias ósseas ao nível das articulações.

economato. *m.* economato, cargo de ecónomo; economato, repartição do ecónomo; armazém.

econometría. *f.* (econ.) econometria.

econométrico, ca. *adj.* (econ.) econométrico, relativo à econometria.

economía. *f.* economia, administração dos bens; parcimónia no gastar, conjunto de leis que presidem a produção e distribuição da riqueza; boa distribuição do tempo e doutras coisas imateriais; escassez, miséria; economia, boa ordem; aforramento; afo(ô)rro; arranjo; (pint.) boa disposição das partes dum quadro; moderação; frugalidade — *pl.* economias, dinheiro acumulado e posto de reserva; pé-de-meia.

económico, ca. *adj.* econó(ô)mico relativo à economia; que gasta com parcimónia, poupado; barato, que custa pouco; diz-se do ano de gerência administrativa, arranjado; frugal; aproveitado; (fig.) arrecadado, arrecadador; sovina, miserável; parco; mesquinho.

economista. *s.* economista, pessoa que se ocupa de questões económicas. — *adj.* economista.

economizar. *v. tr.* economizar, proceder com economia; economizar, administrar com economia, poupar; despender com parcimónia; acumular poupando, forrar; aproveitar; ajuntar; arrecadar; guardar para o futuro; (fig.) evitar, escusar um trabalho, risco, etc.: *economizar con sordidez,* assovinar, arrepenhar; *economizar tiempo,* poupar tempo.

ecónomo. *adj.* coadjutor. — *m.* ecó(ô)nomo, administrador dos bens da Igreja; curador, administrador, dum pródigo ou alienado; substituto dum cargo eclesiástico.

ecotado, da. *adj.* (herald.) decotado, destroncado, diz-se dos troncos ou ramos de árvores, quando aparecem despojados dos ramos.

ecpiético, ca. *adj.* (med.) ecpiético.

ectasia. *f.* (med.) ectasia, dilatação dum órgão.

ectásico, ca. *adj.* (med.) ectásico.

éctasis. *f.* (gram.) éctase.

ectilótico, ca *adj.* ectilótico, depilatório.

ectima. *f.* (med.) éctima, erupção pustulosa.

ectimosis. *f.* (med.) éctima. V. **ectima.**

ectipo. *m.* (técn.) éctipo, reprodução de medalha; cunho.

ectipografía. *f.* (técn.) ectipografia.

ectlipsis. *f.* (poet.) ectlipse.

ectoblasto. *m.* (anat.) ectoderme.

ectodermo. *m.* (anat.) ectoderme; (biol.) exoderma, epiblasto.

ectópago, ga. *adj.* e *s.* (med.) ectópago.

ectoparásito. *m.* ectoparasita.

ectopia. *f.* (cir.) ectopia.

ectoplasma. *m.* (biol. e ocult.) ectoplasma.

ectozoario. *m.* (med.) ectozoário.

ectozoo. *m.* (med.) ectozoário.

ectrodactilia. *f.* ectrodactilia.

ectropión. *m.* (med.) ectrópio.

ectrosis. *f.* (med.) ectrose.

ectrótico, ca. *adj.* (med.) ectrótico, abortivo.

ecuable. *adj.* (mec.) equável; uniforme, igual, equitativo.

ecuación. *f.* (mat.) equação, igualdade com uma ou mais incógnitas; (astr.) equação.

ecuador. *m.* equador, círculo máximo na esfera celeste; (geom.) paralelo de maior raio numa superfície.

Ecuador. (geog.) Equador.

ecuánime. *adj.* equânime, equânimo; imparcial; equ(ü)itativo; recto; sereno de espírito.

ecuanimidad. *f.* equinimidade, igualdade de ânimo na adversidade e na prosperidade; imparcialidade; rectidão; serenidade de espírito; equabilidade, equ(ü)idade; (fig.) equilíbrio.

ecuator. *m.* V. **ecuador**

ecuatorial. *adj.* equatorial, relativo ao equador. — *m.* (astr.) equatorial, instrumento para observar os astros.

ecuatorianismo. *m.* vocábulo próprio da linguagem do Equador.

ecuatoriano, na. *adj.* e *s.* (geog.) equatoriano, natural ou pertencente ao Equador.

ecuestre. *adj.* equ(ü)estre, pertencente ou relativo à equitação (pint. e escult.) equestre, diz-se da figura que representa alguém a cavalo.

ecúleo. *m.* (ant.) ecúleo.

ecumenicidad. *f.* ecumenicidade.

ecuménico, ca. *adj.* ecumé(ê)nico, universal, geral, de toda a terra; ecuménico, diz-se dos concílios a que assistiram todos os bispos católicos.

ecuo, cua. *adj.* diz-se do indivíduo dum antigo povo do Lácio. — *m. pl.* Pertencente ao Lácio.

ecuóreo, a. *adj.* (poét.) equóreo, que pertence ou se refere ao mar alto.

eczema. *m.* (med.) eczema, dermatose aguda ou crónica, com várias lesões, das quais são constantes as vesículas cheias dum líquido seroso e transparente.

eczematoideo, a. *adj.* eczematiforme.

eczematoso, sa. *adj.* eczematoso, próprio, relativo ou semelhante ao eczema.

echada. *f.* acção e efeito de *echarse;* lanço; espaço que ocupa um corpo humano deitado no chão; (Amér.) fanfarronice, mentira.

echadero. *m.* lugar a propósito para alguém se deitar a dormir ou a descansar.

echadillo, lla. *adj.* e *s.* (fam.) enjeitado, menino exposto.

echadizo, za. *adj.* e *s.* emissário dissimulado, encarregado de observar, de investigar e descobrir alguma coisa ou para espalhar algum boato; notícia divulgada com arte ou dissimulação; que se rejeita por inútil; escombros, refugo, que se deita fora e se amontoa em qualquer lugar; echadiço. — V. **expósito**

echado, da. *p. p. adj.* e *m.* deitado; decumbente; despedido; *echado hacia abajo,* (diz-se da aba do chapéu), derrubado.

echador, ra. *adj.* e *s.* lançador, que lança ou arroja; moço de café, que deita café ou leite nas chávenas.

echadura. *f.* acção de deitar as galinhas chocas sobre os ovos.

echamiento. *m.* lançamento, arremesso, expulsão; enxotadura.

echar. *v. tr.* e *intr.* deitar, arrojar, atirar, lançar, arremessar com força; despedir de si uma coisa; fazer que uma coisa caia em lugar determinado; lançar fora; expulsar alguém duma parte, fazer sair; desalojar; demitir; depor dalguém emprego ou dignidade; brotar; rebentar, deitar raízes, folhas, flores, etc.; deitar o macho à fêmea para procriar; (fam.) com as palavras, *un trago, un bocado, etc.,*

comer, beber; deitar, inclinar, recostar, empreender; deitar, aparecer com uma coisa pela primeira vez; distribuir, dar, repartir; nascer a uma pessoa ou a um irracional qualquer complemento do seu corpo; pôr, aplicar; impor, lançar; atribuir uma acção a determinado fim; apostar, competir com alguém; entregar um assunto ao acaso; jogar; supor, conjecturar (preço, idade, etc.); pronunciar, dizer; publicar, avisar; prevenir; seguir, abraçar; desacoitar; despedir; ablegar; expelir. — **echarse.** *v. r.* deitar-se, encostar-se; arrojar-se; atirar-se; acamar-se; lançar-se para uma pessoa ou coisa; advertir, notar a falta dalguém; ter sentimento, saudade, etc.; notar, reparar; (fig. e fam.) iludir, faltar a um compromisso; desdizer-se: *echarla de,* presumir de; *echarlo todo a rodar,* desbaratar um negócio; *echar de menos a una persona,* notar a falta dalguém; *echar a perder,* deitar a perder, malograr um negócio; *echar una mano,* deitar uma mão, abjurar; *echarse a dormir,* (fig.) deitar-se a dormir.

echarpe. *f.* (gal.) xaile, xale.

echón. *adj.* e *s.* (Amér.) fanfarrão, petulante.

echona. *f.* (agr.) (Amér.) foice para segar.

edad. *f.* idade, tempo decorrido desde o nascimento dum ser, até uma determinada época da sua vida; duração das coisas materiais; idade, cada um dos períodos em que se considera dividida a vida; idade, conjunto dalguns séculos; espaço de tempo considerável, durante o qual têm lugar factos memoráveis, período; idade, barbas: *edad muy avanzada,* decrepitude, decrépito; *de la misma edad,* equevo; *hombre de edad media,* homem meiante; *edad madura,* (fig.) estio; *Edad Media,* meia-idade.

edecán. *m.* (mil.) ajudante de campo; (fig. fam. e irón.) auxiliar, acompanhante.

edema. (med.) edema, infiltração de serosidade no tecido conjuntivo difuso ou num órgão; inchaço, tumefa(c)ção da pele produzida por essa infiltração.

edematizar. *v. tr.* e *r.* edemaciar, pôr edematoso.

edematoso, sa. *adj.* (med.) edematoso, edemático, pertencente ou relativo ao edema; que tem edema.

Edén. *m.* Edén, paraíso terreal; edén, lugar muito ameno e delicioso; lugar aprazível.

edeniano, na. *adj.* edé(ê)nico.

edénico, ca. *adj.* ede(ê)nico, pertencente ou relativo ao edén: *vida edénica,* edenismo.

edeoblenorrea. *f.* (med.) edeoblenorragia.

edeografía. *f* (anat.) edeografia.

edeográfico, ca. *adj.* (anat.) edeográfico, pertencente ou relativo a edeografia.

edeología. *f.* (anat.) edeologia.

edeológico, ca. *adj.* pertencente ou relativo à edeologia.

edeoscopia. *f.* (med.) edeoscopia.

edición. *f.* edição, impressão duma obra para sua publicação; conjunto dos exemplares duma obra impressa na mesma ocasião; edição, editação; editoração; edição, obra já impressa.

edictal. *adj.* edital, edicto; edital, referente aos edictos.

edictar. *v. tr.* (gal.) ditar. V. **dictar.**

edicto. *m.* edi(c)to, lei, ordem, decreto; édito, ordem judicial publicada por anúncios ou editais; edicto, alvará; convocatória.

edículo. *m.* edícula, pequena casa; nicho.

edificación. *f.* edificação, edificamento; construções, conjunto de edifícios; (gal.) exemplaridade; (fig.) aperfeiçoamento, sentimentos piedosos.

edificador, ra. *adj.* e *s.* edificador, que edifica ou manda construir, fabricador; edificante. V. **edificativo.**

edificante. *p. a.* e *adj.* edificante, que edifica ou incita à virtude, moralizador, edificativo; edificador; que produz elevação moral; instrutivo.

edificar. *v. tr.* edificar, construir, (falando-se de edifícios), erigir, fundar, alevantar; alçar; fabricar; (ant.) bastir; elevar; (fig.) edificar, difundir noutros sentimentos de piedade e de virtude; moralizar, dar bons exemplos: *edificar en la arena,* edificar na areia.

edificativo, va. *adj.* edificativo; (fig.) edificativo, diz-se do que edifica ou incita a virtude, edificante, exemplar.

edificatorio, ria. *adj.* edificante, que edifica.

edificio. *m.* edifício, qualquer construção considerável e destinada ou para habitação ou para usos análogos, como casa, templo, etc.; edifício, fábrica, edificação.

edil. *m.* edil, magistrado romano a cujo cargo estavam as obras públicas; vereador, membro duma câmara municipal.

edila. *f.* vereadora, mulher que exerce funções de vereador.

edilicio, cia *adj.* edilício, edílico, pertencente ou relativo ao edil.

edilidad. *f.* edilidade.

editar. *v. tr.* editar, publicar por meio de imprensa ou por qualquer meio de reprodução gráfica uma obra, periódico, folheto; editorar.

editor, ra. *s.* editor: *casa editora,* editorial.

editorial. *adj.* editorial. — *m.* editorial, artigo de fundo. — *f.* editorial, empresa editora.

edomita. *adj.* V. **idumeo.**

edredón. *m.* edredão, cobertura contendo penugem fina de aves; penas de certas aves.

educable. *adj.* educável, que se pode educar.

educación. *f.* educação; conhecimento, instrução, ensino, criação; desbastamento; (pop.) desasnamento; cortesia, urbanidade; delicadeza, polidez: *mala educación,* má criação.

educacionista. *s.* educador; pedagogo; educacionista.

educado, da. *p. p.* e *adj.* educado; civilizado; cortês; polido: *bien educado,* bem-criado; *mal educado,* mal criado.

educador, ra. *adj.* e *s.* educador; educacionista; pedagogo; civilizador; (fig.) arroteador; (pop.) desasnador.

educando, da. *adj.* e *s.* educando, colegial, aluno.

educar. *v. tr.* educar, dirigir, encaminhar, doutrinar, criar, ensinar, instruir; desenvolver as faculdades físicas ou morais; aperfeiçoar, afinar os sentidos; domesticar; adestrar; formar; (fig.) desbastar; (pop.) desasnar; civilizar; (fig.) desaranhar. — **educarse.** *v. r.* educar-se, instruir-se, formar-se.

educativo, va. *adj.* educativo; educacional; instrutivo

educción. *f.* edução, dedução.

educir. *v. tr.* eduzir, deduzir, derivar, extrair, tirar.

edulcoración. *f.* (farm.) edulcoração.

edulcorante. *adj.* e *s.* edulcorante; adoçante.

edulcorar. *v. tr.* (quím. e farm.) edulcorar, adoçar; dulcificar; dulçorar.

édulo, la. *adj.* édulo; comestível.

efe. *f.* nome da letra F.

efebo. *m.* efebo, mancebo, adolescente, púbere.

efectismo. *m.* afã, ânsia em produzir um grande efeito no público.

efectista. *adj.* e *s.* que tende a produzir no público um efeito momentâneo.

efectividad. *f.* efectividade; a(c)tualidade; actividade; (mil.) efe(c)tividade, exercício do posto ou do cargo.

efectivo, va. *adj.* efe(c)tivo, real, verdadeiro actual; (mil.) efectivo, em serviço; permanente; que existe; que produz efeito; contante (diz-se do dinheiro); diz-se do emprego em contraposição ao de supranumerário. — *m.* dinheiro efectivo; (mil.) efectivo, número de indivíduos que compõem o exército ou regimento, etc.: *hacer efectivo,* efeituar, efectivar.

efecto. *m.* efeito, resultado, consequência; realização; fim; aplicação; dano, prejuízo; artigo de comércio; documentos mercantis; efeito da bola de bilhar; efeito, impressão causada; efeito, execução; eficiência; influência; (fig.) fruto. — *pl.* bens móveis, letras comerciais, notas provisórias, mercadorias, efeitos, títulos de renda do Estado: *hacer efecto,* dar o resultado esperado: *en efecto,* efectivamente, com efeito; *al efecto de,* para efeito; *efecto extraordinario,* efeitarão; *llevar a efecto,* efeituar; *sin efecto,* frustrâneo, sem efeito; *quedar sin efecto,* dar em droga; *sufrir efecto,* armar ao efeito; *tener efecto,* ter execução; *al efecto de,* para efeito.

efectuación. *f.* efe(c)tuação, efe(c)tivação.

efectuar. *v. tr.* efe(c)tuar, levar a efeito, executar, pôr em obra, dar à execução, efe(c)tivar, efeituar; pôr em práctica; realizar. — **efectuarse.** *v. r.* cumprir-se, fazer-

-se efectiva uma coisa, efeituar-se, acontecer, realizar-se, verificar-se.

efedra. *f.* (bot.) efedra.

efedrina. *f.* (quím.) efedrina.

efélide. *f.* (med.) efélide, sarda.

efémera. *adj.* efémera (febre).

efemérides. *f. pl.* efemérides, livros que contêm os factos de cada dia; efemérides, sucessos notáveis ocorridos em diferentes épocas; (astr.) efemérides, tábuas astronómicas; (mar.) efemérides náuticas.

efeméridos. *m. pl.* (zool.) efémeros.

eferente. *adj.* (fisiol.) eferente, que leva, que conduz.

efervescencia. *f.* efervescência, ebulição espumosa; (fig.) efervescência, agitação, emoção viva, ardor, paixão; incandescência; fervura.

efervescente. *adj.* efervescente; (fig.) agitado, buliçoso; irascível; exaltado.

éfeta. *m.* éfeta, antigo magistrado de Atenas. Atenas.

efetá. *f.* obstinação; teima.

efialtes. *f.* pesadelo, opressão. V. **pesadilla.**

eficacia. *f.* eficácia, virtude, a(c)tividade, força duma causa para produzir um efeito, eficiência; energia; afinco; actividade.

eficaz. *adj.* aficaz, a(c)tivo, fervoroso, que produz o efeito desejado; que produz muito; eficiente, útil, efe(c)tivo; (rel.) eficaz, graça ou virtude divina.

eficiencia. *f.* eficiência, acção, actividade, força ou virtude para produzir um efeito; eficácia.

eficiente. *adj* eficiente, eficaz, útil.

efigie. *f.* efígie, imagem, reprentação duma pessoa, figura, retrato; (fig.) personificação, representação viva de coisa ideal.

efímero, ra. *adj.* efémero, que dura um só dia; passageiro, fugaz, de curta duração, transitório; diz-se da febre que dura um dia; evanescente.

efiorecerse. *v. r.* (quím.) efiorecer-se, começar a florescer.

eflorescencia. *f.* (med.) eflorescência; (quím.) eflorescência, transformação dos sais em matéria pulverulenta.

eflorescente. *adj.* (quím.) eflorescente.

efluencia. *f.* efluência; irradiação; emanação; eflúvio.

efluente. *adj.* efluente, que irradia ou emana.

efluvio. *m.* eflúvio, efluência, exalação, emanação, irradiação do imaterial; fragância, aroma.

efluxión. *f.* (med.) efluxão.

éforo. *m.* éforo.

efracción. *f.* (gal.) efra(c)ção. V. **fractura.**

efugio. *m.* efúgio, escapatória, subterfúgio, evasão, saída, desculpa, fugida; (fig.) descarte.

efundir. *v. tr.* efundir, derramar, verter um líquido, entornar; (fig.) falar, dizer alguma coisa.

efusión. *f.* efusão, derramamento dum líquido; (fig.) expansão e intensidade nos afectos; entornadura; desafogo; descobrimento.

efusivo, va. *adj.* efusivo, que sente ou manifesta efusão, expansivo, afectuoso.

efuso, sa. *p. p. irreg.* de *efundir* e *adj.* efuso.

egeo, a. *adj.* (geog.) egeu, relativo ao Mar Egeu.

egida, égida. *f.* égide, pele da cabra Amalteia; égide, escudo, arma defensiva; (fig.) protecção, defesa, amparo.

egipciaco, ca. *adj.* egípcio. V. **egipcio.**

egipcio, cia. *adj.* e *s.* egípcio, natural de ou pertencente ao Egipto. — *m.* egípcio, idioma do Egipto.

Egipto. (geog.) Egi(p)to.

egiptologia. *f.* egiptologia.

egiptológico, ca. *adj.* egiptológico.

egiptólogo, ga *s.* egiptólogo.

égira. *f.* hégira. V. **hégira.**

eglantina. *f.* (bot.) eglantine.

égloga. *f.* égloga, écloga, pastoral, poesia bucólica.

eglogista. *s.* ecloguista.

egocéntrico, ca. *adj.* egocêntrico.

egocentrismo. *m.* egocentrismo; subjectivismo.

egofagia. *f.* egofagia.

egófago, ga. *s.* egófago.

egofonía. *f* (med.) egofonia.

egoísmo. *m.* egoísmo; descaridade; ingratidão; amor-próprio; interesse; (fig.) individualismo.

egoísta. *adj.* e *s.* egoísta; comodista; interessado; descaridoso, descaritativo; conveniencioso; (fam.) abelhão; futrica.

ególatra. *adj.* ególatra, egoista.

egolatría. *f.* egolatria, adoração, culto de si mesmo, egotismo, egoismo.

egotismo. *m.* egotismo; subjectivismo.

egotista. *adj.* e *s.* egotista.

egregio. *adj.* egrégio, insigne, ilustre, distinto, nobre, excelente, famoso, admirável.

egresar. *v. intr.* (Amér.) sair dum estabelecimento de ensino depois de acabar os estudos.

egresión. *f.* egressão, acto de sair, de afastar, saída repentina e forçada.

egreso. *m.* egressão, egresso, saída; (Amér.) afastamento.

¡eh! *interj.* eh! (emprega-se para chamar, perguntar, desprezar, advertir ou repreender).

eidógrafo. *m.* eidógrafo.

eje. *m.* eixo; (anat.) áxis; (fig.) ideia fundamental; tema principal; apoio principal dum negócio; (geom.) eixo, diâmetro principal: ¡*eje!*, grito para enxotar os cães; *partir a uno por el eje*, (fig. e fam.) fazer um prejuízo a alguém.

ejecución. *f.* execução; (for.) execução, penhora; (mús.) execução, agilidade, facilidade em cantar ou tocar; realização; cumprimento duma coisa; aplicação; efe(c)tuação, efeito.

ejecutable. *adj.* executável; (for.) diz-se dum devedor que pode ser demandado judicialmente.

ejecutante. *p. a. adj.* e *s.* executante, que executa; (for.) executante, que faz execução judicial.

ejecutar. *v. tr.* executar, realizar, pôr em prática; levar a efeito, efeituar, efectivar; executar, justiçar, executar a pena de morte, supliciar em cumprimento da lei; executar, desempenhar, representar uma composição artística; (for.) executar, fazer penhora, reclamar uma dívida judicialmente; (Bras.) aforar.

ejecutivo, va. executivo, que executa; executivo; peremptório; activo, diligente. — *m.* (for.) mandado executivo.

ejecutor, ra. *adj. e s.* executor, que executa ou cumpre alguma coisa; (for.) executor, que faz uma penhora; executor da justiça, algoz, carrasco; executor testamentário; executor; efeituador.

ejecutoria. *f.* título de nobreza; (fig.) acção que enobrece; (for.) executória, sentença.

ejecutoría. *f.* executoria, ofício de executor.

ejecutorial. *adj.* (for.) executorial.

ejecutoriar. *v. tr.* dar firmeza a uma sentença judicial; (fig.) provar com factos reiterados, comprovar terminantemente a certeza duma coisa.

ejecutorio, ria. *adj.* (for.) executório, firme, invariável, executivo.

ejemplar. *adj.* exemplar; magistral, que serve de exemplo, representativo. — *m.* exemplar, mode(ê)lo, cópia; exemplar, indivíduo duma espécie; exemplar, original, protótipo, que serve de modelo; exemplo; caso que serve como lição; (fig.) espelho, modelo, exemplo: *sin ejemplar,* sem igual, sem exemplo, como nunca se viu.

ejemplaridad. *f.* exemplaridade; (fig.) edificação.

ejemplarizar. *v. tr.* (Amér.) dar exemplo, edificar.

ejemplificación. *f.* exemplificação; explicação.

ejemplificar. *v. tr.* exemplificar, demonstrar ou autorizar com exemplos o que se diz, elucidar com exemplos, exemplificar, apresentar como exemplo; (fig.) edificar, excitar à virtude.

ejemplo. *m.* exemplo, modelo; exemplo, a(c)ção que se propõe para ser imitada, conduta exemplar; exemplo, sucesso, que serve de norma; exemplo, facto ou texto citado para comprovar, ilustrar ou autorizar uma asserção, demonstração; (ant.) exemplar, cópia.

ejercer. *v. tr.* exercer, fazer as funções, preencher os deveres dum cargo ou ofício; desempenhar; exercer, praticar uma virtude ou acto religioso; efe(c)tivar; industriar; exercitar; executar; efe(c)tuar; ministrar; cultivar; praticar; *ejercer un cargo,* desempenhar um cargo.

ejercicio. *m.* exercicio, a(c)ção de exercitar; exercício, ofício, ministério; profissão; exercício, actividade para conservar a saúde; exercício, prova dum concurso; exercício, tempo durante o qual está em vigor uma lei; função; funcionamento; desporte; ano económico; (mil.) exercício, evolução para adestramento da tropa; (mús.) estudo: *estar en ejercicio,* funcionar.

ejercitación. *f.* exercitação, exercício, prática.

ejercitador, ra. *adj. e s.* exercitador, que exerce um ministério ou ofício.

ejercitante. *p. a. adj. e s.* exercitante, que exercita; pessoa que faz os exercicios de concursos, ou os exercícios espirituais.

ejercitar. *v. tr.* exercitar, dedicar-se ao exercício duma profissão, arte, etc., exercer, praticar; exercitar, ensinar, instruir; industriar; (mil.) exercitar, instruir a tropa. — **ejercitarse.** *v. r.* exercitar-se, aplicar-se, adestrar-se, habilitar-se, experimentar-se.

ejército. *m.* exército, força militar dum país; exército, tropas juntas em campanha; (fig.) colectividade numerosa organizada para a realização dum fim; (pop.) cárcere.

ejido. *m.* logradoiro, logradouro, terreno sem dono à entrada dum povoado, comum para todos os seus habitantes.

ejión. *m.* (arq.) madeiro que serve de apoio às travessas horizontais do andaime.

ejote. *m.* (Amér.) vagem de feijão verde, quando está tenra e comestível; (fig.) pontada grande.

el. *art.* o; artigo definido género masculino e número singular; emprega-se também em lugar de *la,* antes dos nomes femininos começando por *a* longo, como: *el alma,* a alma.

él. *pron. m.* sing. ele.

elaborable. *adj.* elaborável, que se pode elaborar.

elaboración. *f.* elaboração; (fig.) incubação; fabricação; (fisiol.) elaboração, assimilação.

elaborado, da. *adj. e p. p.* elaborado, preparado, bem trabalhado.

elaborar. *v. tr.* elaborar, preparar um produto por meio dum trabalho adequado; trabalhar com primor; (fisiol.) elaborar, produzir, fazer por via de elaboração; elaborar, aperfeiçoar; fabricar.

elación. *f.* elação, presunção, soberba, altivez; elevação, grandeza de espírito; redundância de estilo e linguagem.

elaiómetro. *m.* elaió(ô)metro. V. **eleómetro.**

elástica. *f.* camisola de malha.— *pl.* (Amér.) suspensórios.

elasticidad. *f.* (fís.) elasticidade, qualidade de elástico; flexibilidade; elastério; (fig.) ausência de escrúpulos, dobrez; elasticidade, facilidade em acomodar-se a vários usos e ideias; ductilidade.

elasticina. *f.* (quim. e biol.) elasticina.

elástico, ca. *adj.* elástico; dúctil; flexível; (fig.) elástico, acomodatício; volúvel; pouco escrupuloso. — *m.* tecido que tem elasticidade; camisola de malha. — *pl.* suspensórios: *goma elástica,* borracha. V. **elástica.**

elastina. *f.* (quim. e biol.) elasticina.

elaterita. *f.* (min.) elaterite.

elaterometría. *f.* (fís.) elaterometría.

elaterómetro. *m.* (fís.) elateró(ô)metro.

elatina. *f.* (bot.) elatina, pimenteira aquática.

elayómetro. *m.* oleómetro.

elche. *m.* elche, renegado da religião cristã, apóstata.

ele. *f.* nome da letra L.

eleatismo. *m.* (filos.) eleatismo.

eleborastro. *m.* (bot.) espécie de heléboro.

eléboro. *m.* (bot.) heléboro, herva besteira e medicinal: *elébor blanco*. V. **vedegambre.**

elección *f.* eleição; escolha; preferência; deliberação; nomeação por votação para algum cargo, comissão, etc.; eleição, arbítrio, liberdade de acção; apuramento; designação: *por elección*, electivamente.

electividad. *f.* (fisiol.) ele(c)tividade.

electivo, va. *adj.* ele(c)tivo, que se faz ou dá por eleição.

electo, ta. *p. p. irreg.* de *elegir; adj.* eleito. — *s.* eleito, nomeado para uma dignidade ou cargo.

elector, ra. *adj.* e *s.* eleitor, que elege; eleitor, príncipe alemão que nomeava ou elegia o imperador.

electorado. *m.* eleitorado; eleitorado, estado soberano da antiga Alemanha, com voto para a eleição do imperador.

electoral. *adj.* eleitoral: *cuerpo electoral*, eleitorado.

electorero. *m.* eleiçoeiro, o que se ocupa de eleições com aprazimento.

electricidad. *f.* (fís) ele(c)tricidade: *electricidad negativa, positiva*, electricidade negativa, positiva.

electricismo. *m.* (fís.) ele(c)tricismo.

electricista. *s.* e *adj.* ele(c)tricista.

eléctrico, ca. *adj.* (fís.) elé(c)trico; (fig.) rápido.

electrificación. *f.* ele(c)trificação.

electrificar. *v. tr.* ele(c)trificar.

electriz. *f.* ele(c)triz, esposa dum príncipe eleitor.

electrizable. *adj.* ele(c)trizável.

electrización. *f.* ele(c)trização.

electrizador, ra. *adj.* e *s.* ele(c)trizador, que electriza.

electrizante. *p. a.* e *adj.* ele(c)trizante, que electriza.

electrizar. *v. tr.* (fís.) ele(c)trizar; carregar de electricidade; electrificar; (fig.) exaltar, inflamar os ânimos, entusiasmar; impressionar vivamente.

electro. *m.* ele(c)tro, âmbar amarelo; liga de oiro e prata cuja cor é como a do âmbar; (bot.) electro, planta da família das compostas; (zool.) electro, insecto lepidóptero.

electroacústica. *f.* (fís.) ele(c)tracústica.

electroacústico, ca. *adj.* (fís.) ele(c)tracústico.

electrobalística. *f.* (técn. e fís.) ele(c)trobalística.

electrobiología. *f.* ele(c)trobiologia.

electrocardiograma. *m.* (med.) ele(c)trocardiograma.

electrocauterio. *m.* (med.) ele(c)trocautério.

electrocución. *f.* ele(c)trocução, ele(c)trocussão.

electrocultura. *f.* (agr.) ele(c)trocultura.

electrocutar. *v. tr.* ele(c)trocutar.

electrocutor, ra. *adj.* ele(c)trocutor.

electrochoque. *m.* (terap.) ele(c)trochoque.

electrodiagnóstico. *m.* (med.) ele(c)trodiagnóstico.

electrodinámica. *f.* (fís.) ele(c)trodinâmica.

electrodinámico, ca. *adj.* (fís.) ele(c)trodinâmico.

electrodinamismo. *m.* (fís.) ele(c)trodinamismo.

electrodinamómetro. *m.* (fís.) ele(c)trodinamómetro.

electrodo. *m.* (fís.) eléctrodo, ele(c)tródio.

electrofisiología. *f.* (fisiol.) ele(c)trofisiologia.

electrofisiológico, ca. *adj.* ele(c)trofisiológico.

electrófono. *m.* (fís.) ele(c)trofone.

electróforo. *m.* (fís.) ele(c)tróforo.

electrogalvánico, ca. *adj.* (fís.) ele(c)trogalvânico.

electrogalvanismo. *m.* (fís.) ele(c)trogalvanismo.

electrogenerador. *m.* (fís.) ele(c)trogerador, dínamo.

electrógeno, na. *adj.* (fís.) ele(c)trogéneo, electrógeno. *m.* gerador eléctrico.

electrografía. *f.* (fís.) ele(c)trografia.

electrógrafo. *m.* (fís.) ele(c)trógrafo.

electroimán. *m.* (fís.) ele(c)troiman, ele(c)troímã, ele(c)tromagnete.

electrólisis. *f.* (quim.) ele(c)trólise, ele(c)trolisação.

electrolítico, ca. *adj.* (quim.) ele(c)trolítico.

electrólito. *m.* (quim.) ele(c)trólito.

electrolizador, ra. *adj.* (med.) ele(c)trolisador. — *m.* ele(c)trolisador.

electrolizable. *adj.* (quím.) ele(c)trolisável.

electrolización. *f.* (quim.) ele(c)trolisação, ele(c)trólise.

electrolizar. *v. tr.* (quim.) ele(c)trolisar, fazer ele(c)trólise.

electrología. *f.* (fís.) ele(c)trologia.

electromagnético, ca. *adj.* (fís.) ele(c)tromagnético.

electromagnetismo. *m.* (fís.) ele(c)tromagnetismo.

electromecánica. *f.* (mec. e electr.) ele(c)tromecânica.

electromecánico, ca. *adj.* ele(c)tromecânico.

electrometalurgia. *f.* (técn.) ele(c)trometalurgia.

electrometría. *f.* (fís.) ele(c)trometria.

electrométrico, ca. *adj.* ele(c)trométrico.

electrómetro. *m.* (fís.) ele(c)trómetro.

electromotor, ra. *adj.* (fís.) ele(c)tromotor. — *m.* ele(c)tromotor.

electromotriz. *adj.* ele(c)tromotriz.

electromóvil. *m.* ele(c)tromóvel.

electrón. *m.* (fís. e quim.) elé(c)tron, ele(c)trão, ele(c)trónio.

electronegativo, va. *adj.* (fís.) ele(c)tronegativo.

electrónica. *f.* (técn.) ele(c)tró(ô)nica.

electrónico, ca. *adj.* ele(c)trónico.

electropositivo, va. *adj.* (fís.) ele(c)tropositivo.

electropuntura. *f.* (terap.) ele(c)tropunctura.
electroquímica. *f.* (quim.) ele(c)troquímica.
electroquímico, ca. *adj.* (quim.) ele(c)troquímico.
electroscopia. *f.* (fís.) ele(c)troscopia.
electroscopio. *m.* (fís.) ele(c)troscópio.
electrosemáforo. *m.* (fís.) ele(c)trossemáforo.
electrostática. *f.* (fís.) ele(c)trostática.
electrostático, ca. *adj.* ele(c)trostático.
electrotecnia. *f.* (fís.) ele(c)trotecnia.
electrotécnico, ca. *adj.* e *s.* ele(c)trotécnico.
electroterapéutica. *f.* (terap.) V. **electroterapia**
electroterapia. *f.* (terap.) ele(c)troterapia.
electroterápico, ca. *adj.* ele(c)troterápico.
electrotermia. *f.* (fís. e med.) ele(c)trotermia.
electrotérmico, ca. *adj.* ele(c)trotérmico.
electrotipia. *f.* (impr.) ele(c)trotipia; galvanotipia.
electrotípico, ca. *adj.* relativo ou pertencente à ele(c)trotipia.
electrotipo. *m.* (impr.) ele(c)trótipo.
electrotropismo. *m.* ele(c)trotropismo, ele(c)trotropia.
electrovital. *adj.* (fisiol.) ele(c)trovital.
electrovitalismo. *m.* (biol.) ele(c)trovitalismo.
electuario. *m.* (farm.) ele(c)tuário.
elefancía. *f.* (med.) elefantíase.
elefancíaco, ca. *adj.* (med.) elefântico, elefantino, elefantíaco.
elefanta. *f.* (zool.) elefanta.
elefantario. *m.* (ant.) elefantário.
elefante. *m.* (zool.) elefante: *elefante blanco,* (fig. Amér.) coisa que custa muito a manter e que nenhuma utilidade produz; (pop.) arranca-pinheiros.
elefantíasis. *f.* (med.) elefantíase.
elefantino, na. *adj.* elefântico, elefantino.
elefantófago, ga. *adj.* e *s.* elefantófago.
elefantoideo, a. *adj.* elefantóide.
elefantón. *m.* (Amér.) elefantíase.
elegancia. *f.* elegância; (fig.) distinção, delicadeza, gentileza, garbo, nobreza de maneiras, airosidade, distinção; dandismo; faceirice; aprimoramento, apuro; bizarria, galhardia; louçania; chiquismo, chic: *elegancia afectada,* elegantismo; *vestir con elegancia,* faceirar.
elegante. *adj.* e *s.* elegante, dotado de graça, nobreza e simplicidade; airoso, bem proporcionado; de bom gosto; que veste à moda, elegante, polido; escolhido, selecto (diz-se das palavras); elegante, esbelto, gentil, airoso; atilado; aprimorado; distinto; cinzelado; delicado; apurado; bem-po(ô)sto; bizarro; galã; loução; chique, chic; (fig.) senhorial; apilarado; ático (diz-se do estilo); (pop.) estoirandinho; (Bras.) frajola: *ir muy elegante,* andar muito apurado; *persona muy elegante,* (fig.) maio, chicante.
elegantismo. *m.* elegantismo, elegância excessiva; dandismo.
elegantizar. *v. tr.* elegantizar, tornar elegante; apurar os costumes.
elegia. *f.* (poét.) elegia; (fig.) lamentação, queixume.
elegíaco, ca. *adj.* (poét.) elegíaco; (fig.) lastimador, triste, lamentoso.

elegiámbico, ca. *adj.* (poét.) elegiambo.
elegibilidad. *f.* elegibilidade.
elegible. *adj.* elegível.
elegido, da. *p. p.* e *adj.* eleito, escolhido, nomeado por meio de votos. — *m.* eleito, predestinado. — *pl.* os predestinados para a glória eterna.
elegir. *v. tr.* eleger, escolher, preferir uma pessoa ou coisa; nomear por eleição para um cargo ou dignidade; optar por; apelidar; desapertar; declarar; assinalar, designar: *elegir diputados,* deputar; *elegir por votación,* nomear por meio de votos. — *pres. ind. irr.* elijo, -ges, -e, -en; *pret.* eligió, -gieron; *subj.* elija, -as, etc.; *ger.* eligiendo
élego, ga. *adj.* V. **elegíaco.**
elemental. *adj.* elementar, elemental; rudimentar; simples; fundamental; primordial; óbvio, evidente, claro, elementar, essencial, principal; elementar, que contém os elementos duma ciência ou arte.
elementarse. *v. r.* (Amér.) admirar-se, pasmar-se.
elemento. *m.* elemento, princípio físico ou químico; fundamento, parte integrante duma coisa; essência, base; matéria prima; (fig.) informação; matéria. — *pl.* elementos, pares que compõem uma pilha voltaica; rudimentos, noções primárias; elementos, condições de clima, de estação, de atmosfera, etc.; meios, recursos; (Amér. fig. e fam.) baboca, tolo, simplório e pusilânime: *estar en su elemento* (fig. e fam.) estar no seu elemento.
elemí. *m.* (quim.) elemi, resina empregada como verniz.
elemina. *f.* (quím.) elemicina.
elenco. *m.* elenco, catálogo, lista, índice; (Amér.) pessoal duma companhía de teatro ou circo.
eleocerato. *m.* (farm.) eleoceróleo.
eleófago, ga. *adj.* (zool.) eleófago.
eleólico, ca. *adj* (farm.) eleóleo, eleótico.
eleometría. *f.* (fís.) eleometria.
eleómetro. *m.* (fís.) eleó(ô)metro.
eleomiel. *m.* (farm.) eleomel.
eleosácaro. *m.* (farm.) eleosácaro.
elequeme. *m.* (Amér.) V. **búcare.**
eleusino, na. *adj.* (geog.) eleusino, pertencente ou relativo a Elêusis.
eleuteroginia. *f.* (bot.) eleuteroginia.
elevación. *f.* elevação, acção de elevar; alto; altura; ascensão; lugar sobranceiro; eminência; elevação (parte da missa); (fig.) elevação, nobreza de alma; elevação; êxtase, suspensão dos sentidos; elevação, exaltação a algum emprego ou dignidade; altivez, orgulho; elevação, movimento da alma para Deus; arroubamento, arroubo, alheamento; ascensão a um posto ou dignidade; aumento; (fig.) alta posição social; grandeza de alma; sublimidade; (geom.) elevação, projecção sobre um plano vertical; (arq.) representação da fachada dum edifício, alçado; inflexão; entronização; alteamento, alteação; auge; acessão.

elevado, da. *adj.* e *p. p.* elevado; (fig.) sublime, nobre, excelso; exaltado; cimeiro; altivo, alteroso, empoleirado; eminente; belo; etéreo; alto; empolado: *en posición elevada*, (fig.) alterosamente.

elevador, ra. elevador, que eleva. — *m.* ascensor; (anat.) elator; (cir.) elevatório, instrumento para levantar os ossos deprimidos.

elevamiento. *m.* elevação, ascensão. V. **elevación.**

elevar. *v. tr.* elevar, levantar, alçar uma coisa; fazer subir; pôr mais alto; edificar; aumentar; exaltar, apregoar; magnificar; (fig.) entronizar, entronar; erigir; erguer; engrandecer; (mat.) elevar; (fig.) colocar alguém num posto honorífico, exaltar, conferir emprego ou dignidade, melhorar a sua condição social ou política. — *v. r.* elevar-se, enlevar-se; extasiar-se, transportar-se, arrebatar-se, encolerizar-se, ficar fora de si; encumer-se; elevar-se; deselevar-se, descanecer-se; encher-se de soberba; engrandecer-se; ascender; altear-se; encarrapitar-se; emergir; engarupar-se; avantajar; erguer-se: *elevar el precio*, encarecer o preço; *elevar interinamente a un empleo*, arvorar.

elevatorio, ria. *adj.* elevatório.

Elfo. *m.* (mit.) Elfo, génio ou deidade.

elicito, ta. elícito.

elidir. *v. tr.* elidir, suprimir, debilitar, frustrar. desvanecer; (gram.) elidir, suprimir a vogal com que acaba uma palavra.

elijable. *adj.* (farm.) extractável, que se pode extrair.

elijación. *f.* extracção da substância por cocção.

elijan. *m.* certo lance do jogo do monte e da banca.

elijar. *v. tr.* (farb.) extractar, cozer os simples para extrair a sua substância.

eliminación. *f.* eliminação, exclusão, anulasão, anulação, desalojamento, expulsão; elisão; inadmissão; excreção; (p. us.) deturbação: *eliminación de obstáculos o dificultades*, (fig.) aplainamento.

eliminador, ra. *adj.* e *s.* eliminador, eliminatório; exclusivo.

eliminar. *v. tr.* eliminar, tirar, separar uma coisa, prescindir dela; excluir; suprimir, fazer desaparecer, eliminar; exce(p)tuar; expulsar; expungir; expelir; deturpar; anular; cortar; desalojar; elidir; (med.) eliminar, expelir uma substância nociva ao organismo; (mat.) eliminar; (fig.) aspar: *eliminar del mapa a una nación*, aspar uma nação do mapa.

eliminatorio, ria. *adj.* eliminatório.

elipse. *f.* (med.) elipse.

elipsis. *f.* (gram.) elipse.

elipsógrafo. *m.* (geom.) elipsógrafo.

elipsoidal. *adj.* (geom.) elipsoidal, que tem a forma de elipse.

elipsoide. *m.* (geom.) elipsóide.

elipsología. *f.* (geom.) elipsologia.

elipsosperme, ma. *adj.* (bot.) elipsospermo.

elipticidad. *f.* (geom.) elipticidade.

elíptico, ca. *adj.* (geom. e gram.) elíptico.

elíseo, a. *adj.* elíseo, pertencente aos Campos Elísios.

elisio, sia. *adj.* V. **elíseo.**

elisión. *f.* (gram.) elisão, supressão na escrita ou na pronúncia da vogal final.

élite. *f.* (gal.) élite.

élitro. *m.* (zool.) élitro.

elitrorragia. *f.* (med.) elitrorragia.

elitrorrea. *f.* (med.) elitrorreia.

elixir ou **elixir.** *m.* elixir; (fig.) elixir, medicamento ou remédio maravilhoso; bebida dotada de virtudes mágicas; vinho puro e precioso.

elocución. *f.* elocução, fala, palavra; estilo; forma de exprimir por meio da palavra, elocução; (ret.) parte da retórica que ensina as regras do estilo.

elocuencia. *f.* eloqu(ü)ência, faculdade de falar ou escrever de modo eficaz para deleitar e persuadir; eloquência, arte de bem falar; um dos géneros de elocução; (fig.) aquilo que impressiona ou comove: *hacer uso de toda su elocuencia*, estender as velas do discurso.

elocuente. *adj.* eloquente, expressivo, facundo, afluente, magníloquo; bem-falante; abundante de palavra: *hombre elocuente* (fig.) cícero.

elogiable. *adj.* louvável, aplaudível, que pode ser elogiado, encomiástico.

elogiador, ra. *adj.* e *s.* elogiador, que elogia; exaltador, apologista, encomiasta, encomiador, louvador, louvaminheiro, elogista, gabão.

elogiar. *v. tr.* elogiar, louvar, gabar, exaltar, aplaudir, apologizar, encomiar, enaltecer, aclamar, bem-dizer; (fig.) encarecer, incensar, pôr nas estrelas; adular.

elogio. *m.* elogio, louvor; elogio, discurso em louvor dalguém, louvação, gabamento, gabação, gabadela, gabo; abono, apologia; engrandecimento; encó(ô)mio; (fig.) incensação, fanfarra.

elogioso, sa. *adj.* elogioso, laudatório, encomiástico, elogiador, gabador, apologético, apoteótico, lisonjeiro.

elongación. *f.* (astr.) elongação; (med.) luxação da articulação.

los elotes, (Amér.) V. **pagar el pato.**

elucidación. *f.* elucidação, explicação, esclarecimento.

elucidar. *v. tr.* elucidar, dilucidar, esclarecer; explicar, fazer ver ou conhecer; ilustrar; tornar claro.

elucidario. *m.* elucidário; comentário.

elucubración. *f.* lucubração. V. **lucubración.**

elucubrar. *v. tr.* V. **lucubrar.**

eludible. *adj.* iludível, que pode ser iludido, evitável.

eludir. *v. tr.* iludir, evitar com artifício, esquivar; iludir, sofismar; iludir, evitar com destreza; deludir; evadir; descartar; (Bras.) tapear.

eludórico, ca. *adj.* (pint.) eludórico.

elzevir. *m.* elzevir.

elzeviriano, na. *adj.* elzeviriano.

elzevirio. *m.* elzevir (nome dado aos livros elzevirianos dos séculos XVI e XVII).

ella. *pron. fem. sing.* ela: *ahí es ella,* aí é que são elas.

elle. *f.* nome da letra ll.

ello. *pron. neutr. sing.* ele; isto, isso, aquilo.

ellos, ellas. *pron. pers. pl.* eles, elas.

emaciación. *f.* (med.) emaciação, emagrecimento extremo.

emanación. *f.* emanação; emissão; exalação; derivação; procedência; eflúvio; efluência; (quím.) emanação; (fig.) manifestação, proveniência.

emanante. *p. a.* e *adj.* emanante, que emana.

emanantismo. *m.* (filos). emanantismo (doutrina panteísta).

emanar. *v. intr.* emanar, evolar-se, provir, proceder, trazer origem e princípio uma coisa doutra; derivar-se; exalar; efluir; desagregar-se; sair de; nascer; brotar; desprender-se.

emancipación. *f.* emancipação independência; libertação; alforria.

emancipador, ra. *adj.* e *s.* emancipador; libertador, emancipatório.

emancipar. *v. tr.* emancipar, livrar do poder paternal ou da tutela; libertar, livrar da escravidão; tornar independente; (pop.) desmamar. — **emanciparse.** *v. r.* emancipar-se, libertar-se, sair da sujeição em que estava; forrar-se.

emasculación. *f.* emasculação, castração, capadura.

emascular. *v. tr.* (cir.) emascular, castrar, capar.

embabiamiento. *m.* (pop.) embevecimento, apatetamento, distracção.

embabiecar. *v. tr.* (pop.) enganar, lograr, burlar, embaçar, confundir.

embabucar. *v. tr.* V. **embaucar.**

embachar. *v. tr.* meter o gado lanígero no estábulo para lhe provocar a transpiração antes de ser tosquiado.

embadurnar. *v. tr.* enlambuzar, besuntar, manchar, enlamear, sujar; dar uma demão de pintura; borrar, pintar mal.

embaidor, ra. *adj.* e *s.* embaidor, enganador, embusteiro, embelecador, embaucador.

embaimiento. *m.* embaimento, engano, embuste, ilusão causada por coisas aparentes; sedução; impostura; logro.

embair. *v. tr. def.* embair, fazer crer o que não é, enganar iludir, confundir, embaçar, embaciar; seduzir. — *v. r.* (prov.) entreter-se numa ocupação ou diversão. Conjuga-se ùnicamente nas pessoas cujas desinências principiam por *i*.

embajada. *f.* embaixada, cargo ou missão de embaixador; residência do embaixador; conjunto das pessoas da comitiva do embaixador; missão ou mensagem para tratar um assunto importante; (fig.) comissão; mensagem; proposta ou exigência impertinente: *enviar una embajada,* mandar embaixada.

embajador. *m.* embaixador; (fig.) emissário, mensageiro, apóstolo.

embajadora. *f.* embaixatriz, encarregada duma embaixada ou mulher do embaixador; (fig.) emissária, mensageira.

embalador. *m.* embalador, enfardador, empacotador, enfardelador, encaixotador.

embaladura. *f.* (Amér.) V. **embalaje.**

embalaje. *m.* embalagem, enfardamento, empacotamento, encaixotamento; embalagem, cobertura, caixa onde se acondicionam os objectos que é necessário transportar; custo deste empacotamento.

embalamiento. *m.* (Amér.) V. **embalaje.**

embalar. *v. tr.* empacotar, encaixotar, enfardar, fazer fardos; empacar; acondicionar. — *v. intr.* dar golpes com o remo na superfície da água, para assustar os peixes e fazê-los precipitar nas redes; (Amér.) embalar, meter bala num canhão sem carga de pólvora.

embaldosado, da. *p. p.* e *adj.* lajeado, ladrilhado. — *m.* lajeado, pavimento coberto de lajes ou ladrilhos; operação de lajear ou ladrilhar.

embaldosamiento. *m.* lajeamento. V. **embaldosado.**

embaldosar. *v. tr.* lajear, ladrilhar, pavimentar com ladrilhos ou lajes.

embalsadero. *m.* charco, lago, poça funda de águas estagnadas, lugar pantanoso.

embalsamador, a. *adj.* e *s.* embalsamador, que embalsama, embalsamante.

embalsamamiento. *m.* embalsamamento, embalsamação.

embalsamar. *v. tr.* embalsamar; preparar cadáveres para resistir à corrupção; perfumar, aromatizar; empalhar (animais).

embalsamiento. *m.* embalsamento.

embalsar. *v. tr.* embalsar, meter em balsa; estagnar. V. **rebalsar.**

embalse. *m.* estagnação; represa artificial onde se juntam as águas dum rio.

embalumar. *v. tr.* avolumar, carregar ou ocupar um lugar com coisas de muito volume e embaraçosas; carregar uma cavalgadura desigualmente. — *v. r.* (fig.) meter-se em negócios difíceis.

emballenador, ra. *s.* espartilheiro, pessoa que faz espartilhos com barbas de baleia.

emballenar. *v. tr.* espartilhar, armar com barbas de baleia.

emballestado, da. *p. p.* e *adj.* (vet.) emballhestado, diz-se do solípede que se inclina para diante, por defeito dos membros. — *m.* esta enfermidade.

emballestarse. *v. r.* estar pronto para disparar a besta; contrair um solípede a enfermidade do embalhestado.

embanastar. *v. tr.* encanastrar, meter numa canastra; (fig.) encurralar, atulhar, meter muita gente num pequeno recinto.

embancarse. *v. r.* (Amér.) colar-se a escória às paredes do forno da fundição; entupir-se um rio, lago, etc., devido às terras de aluvião; (mar.) encalhar uma embarcação num banco de areia.

embanderamiento. *m.* embandeiramento.

embanderar. *v. tr.* embandeirar, adornar com bandeiras.

embanquetar. *v. tr.* (Amér.) fazer os passeios laterais das ruas.

embarazada. *adj.* e *f.* embaraçada, mulher grávida, pejada, prenha.

embarazado, da. *p. p.* e *adj.* embaraçado; estorvado; enredado; tolhido, difícil, desconcertado; envolto, atalhado; encangalhado; empachado, embarrilado; engasgado; encalacrado; encalhado; (fig.) atado.

embarazador, ra. *adj.* embaraçador, que embaraça.

embarazar. *v. tr.* embaraçar, impedir, estorvar, retardar uma coisa, obstruir, complicar, dificultar; entralhar, entrambicar, atrapalhar, entupir; enterrar; atrasar; desarranjar; envolver; atalhar; encangalhar; deter; entravar; entorpecer; engaranhar; embarrancar; embrulhar; empecer, empecilhar; embarbascar; engodilhar; embarrilar; gravidar, tornar grávida a uma mulher. — **embarazarse.** *v. r.* tornar-se grávida; achar-se impedido com um embaraço; embaraçar-se, embrulhar-se, envolver-se; atar-se; engasgalhar-se, engasgar-se; embarrancar-se; entralhar-se; atrapalhar-se.

embarazo. *m.* embaraço, esto(ô)rvo, impedimento, obstáculo, dificuldade; perturbação; hesitação; enleio; atrapalhação; entropeço; entupimento; atarantação; atravanco; ape(ê)rto; embrulho; enbargamento; atalho; constrangimento; inconveniente; atoleiro; embrechada; entravamento; entrave; incomodidade; entorpecimento; engasgo; empacho; empecilho, empe(ê)co; encalacração; (fig.) barreira, barbicacho, barbilho; gravidez, gestação, prenhez; (pop.) barriga; embaraço, perplexidade, apuro; *estar muy avanzado el embarazo*, (vulg.) ter a barriga a boca.

embarazoso, sa. *adj.* embaraçoso; dificultoso, que estorva; desairoso; incó(ô)modo; (fig.) delicado; molesto.

embarbar. *v. tr.* (taur.) pegar no touro pelas hastes.

embarbascarse. *v. r.* enredar-se o arado nas raízes fortes das plantas; confundir-se, embaraçar-se, enredar-se num negócio.

embarbecer. *v. intr.* barbar, começar a ter barba.

embarbillar. *v. tr.* (carp.) ensamblar num madeiro a extremidade inclinada dum outro, embutir.

embarcación. *f.* embarcação, qualquer género de navio; embarcação, embarque; navegação, tempo de viagem.

embarcadero. *m.* cais, embarcadoiro, ponte, lugar destinado para embarque; cais, lugar nas estações de caminho de ferro para o tráfego de marcadorias.

embarcador, ra. *s.* carregador, o que embarca mercadorias; embarcador, o que embarca.

embarcar. *v. tr.* embarcar, carregar, meter a bordo dum barco; despachar por caminho de ferro uma mercadoria; (fig.) embarcar, meter alguém num negócio. — **embarcarse.** *v. r.* embarcar-se para uma viagem ou excursão; meter-se numa empresa ou negócio.

embarco. *m.* embarque, acto de embarcar pessoas.

embargable. *adj.* (for.) embargável, que pode ser embargado.

embargador, ra. *adj.* e *s.* embargador, embargante, que embarga ou sequestra.

embargar. *v. tr.* embargar, impedir, deter, estorvar, embaraçar; (fig.) suspender, paralisar, arrebatar, enlevar o espírito; (for.) embargar, sequ(ü)estrar, reter bens; penhorar; dificultar, tolher; reprimir.

embargo. *m.* indigestão, empanzinamento do estômago, empanturramento, empacho; (for.) embargo, sequ(ü)estro, retenção de bens; penhora; (com.) embargo, retenção judicial de navio num porto; (fig.) embargo, embaraço, impedimento, obstáculo, estorvo: *sin embargo*, sem embargo, não obstante, contudo, todavía, a pesar, embora.

embarnecimiento. *m.* engrossamento; engorda, nutrição.

embarnizadura. *f.* envernizamento, envernizadela.

embarnizar. *v. intr.* envernizar. V. **barnizar.**

embarque. *m.* embarque, acto de embarcar géneros, mantimentos, etc.; embarcação, embarcamento.

embarrado, da. *p. p.* e *adj.* embarrado, coberto com barro, rebocado. — *m.* reboco; embarramento.

embarrador, ra. *adj.* embarrador, que embarra; rebocador; (fig.) enredador, embusteiro, intrigante.

embarradura. *f.* rebocadura, reboco, embarramento.

embarrancar. *v. intr.* (mar.) embarrancar, encalhar o navio no lodo; atascar-se, atolar-se; (fig.) atascar-se numa dificuldade. — **embarrancarse.** *v. r.* atascar-se num barranco; atolar-se num atoleiro; (fig.) embarrancar-se, não poder sair dum negócio.

embarrar. *v. tr.* embarrar, cobrir com barro, barrar, rebocar; (ant.) barrar, sujar com barro; (agr.) embarrar as colmeias; introduzir o extremo duma barra entre um objecto firme e outro que se quer mover; (mil.) atar uma prolonga a uma peça de artilharia; trancar, tolher o passo ao inimigo; (prov.) caiar as paredes; (Amér.) envolver alguém num assunto pouco sério. — **embarrarse.** *v. r.* refugiar-se as perdizes nas árvores quando perseguidas.

embarrerarse. *v. r.* abarreirar-se, entrincheirar-se.

embarrilador. *m.* embarrilador, o encarregado de embarrilar.

embarrilar. *v. tr.* embarrilar, meter em barril, embarricar.

embarrotar. *v. tr.* abarrotar, firmar com barrotes.

embarullador, ra. *adj.* e *s.* baralhador, desordenador, trapalhão.

embarullar. *v. tr.* confundir, misturar sem ordem coisas diversas, desordenar, atrapalhar, baralhar; (fig.) fazer as coisas sem ordem nem cuidado; desconcertar; (pop.) embarrilar.

embasamiento. *m.* (arq.) envasamento, base que sustenta um edifício.

embastar. *v. tr.* embastar, segurar com bastes, acolchoar; alinhavar; albardar, pôr a albarda numa cavalgadura.

embaste. *m.* alinhavo, costura de pontos grandes e largos.

embastecer. *v. intr.* engrossar, tornar grosso, nutrir, engordar. — **embastecerse.** *v. r.* achamboar-se, achavascar-se, tornar-se tosco e pesado.

embate. *m.* embate, rajada, choque, golpe do mar; embate, ataque violento, acometimento impetuoso; (fig.) desastre.

embaucador, ra. *adj.* e *s.* embaucador, enganador, embaidor, aliciador; seductor; falso, pérfido; embromador, farsante, embelecador; embusteiro, engodador; charlatão.

embaucamiento. *m.* embaucamento, embaimento, engano, logro; decepção.

embaucar. *v. tr.* embaucar, embair, enganar, iludir, seduzir; aliciar; engarapar; embelecar; engordar; farfantear; (fig.) encandear, embalar; (pop.) encalacrar, engranzar.

embaular. *v. tr.* embaular, guardar dentro dum baú; (fig. e fam.) comer muito, fartar-se.

embausamiento. *m.* admiração, estupefacção, pasmo, abstracção, enleio, êxtase, arrebatamento.

embazador. *m.* o que tinge de pardacento, fosco; embaçador; embaciador, que embacia ou escurece.

embazadura. *f.* escuro, cor fosca ou parda; assombro, pasmo, admiração, embaçamento, embaçadela.

embazamiento. *m.* embaçadela, logro, burla, engano, encavacadela.

embazar. *v. tr.* embaçar, embaciar, tornar baço; tingir de cor baça ou parda; deter, embaraçar; (fig.) suspender, pasmar, deixar admirado; embasbacar. — *v. intr.* (fig.) suspender, ficar sem acção, estacar, parar. — *v. r.* maçar-se, cansar-se duma coisa, enfastiar-se, fartar-se.

embarazarse. *v. r.* fazer vasas no jogo das cartas.

embebecer. *v. tr.* embevecer, entreter, divertir, encantar. — **embebecerse.** *v. r.* encantar-se, enlevar-se, extasiar-se, embevecer-se.

embebecimiento. *m.* embevecimento, admiração, pasmo, enlevo, êxtase.

embebedor, ra. *adj.* e *s.* embevedor, que embeve.

embeber. *v. tr.* empapar, absorver, abeberar; demolhar; chupar; extasiar; impregnar; embeber, encaixar, meter uma coisa dentro doutra; (rig.) incorporar, agregar uma coisa noutra, incluir. — *v. intr.* encolher-se, apertar-se. — **embeberse,** *v. r.* embeber-se, absorver-se, empapar-se, abeberar-se, extasiar-se, impregnar-se.

embebimiento. *m.* embebição.

embecadura. *f.* (arq.) cada um dos triângulos ou espaços que deixa um quadrado inscrito num círculo.

embelecador, ra. *adj.* e *s.* embelecador, que embeleca; embusteiro; embaidor.

embelecar. *v. tr.* embelecar; embaucar, embevecer, embair; enganar com artifícios a falsas aparências, iludir.

embeleco. *m.* embele(ê)co, embaimento, engano, embaçadela, embuste; (fig. e fam.) pessoa ou coisa fútil, molesta ou enfadonha; apaparicamento; engo(ô)do; enganação; embromação; macaquices; ciganice.

embeleñar. *v. tr.* encantar, embelecar. V. **embelesar.**

embelequero, ra. *adj.* (Amér.) afeiçoado a embelecos ou coisas fúteis, frívolo.

embelesador, ra. *s.* charlatão; encantador.

embelesamiento. *m.* embelezamento, alienação; êxtase; embevecimento; (fig.) embargamento. V. **embeleso.**

embelesar. *v. tr.* embelezar, embelecer, embair; encantar, arrebatar os sentidos, cativar; arrobar, extasiar, embebecer, embruxar, aliciar. — **embelesarse.** *v. r.* embelezar-se, extasiar-se, embevecer-se.

embeleso. *m.* embelezamento, embelezo, aformoseamento; coisa que enleva, arrebata, extasia; embaimento; êxtase; encantação; encantamento; (Amér.) planta plumbagínea.

embellaquecerse. *v. r.* velhaquear-se, envilecer-se, tornar-se velhaco. — *conj. irreg.* como *agradecer.*

embellecer. *v. tr.* embelezar, aformosear; embelecer; agraciar; adereçar; abrilhantar; alfaiar; ajaezar; engraçar; exornar; embelecer, ataviar, atilar; desafear; decorar; alindar; adornar; enfeitar; enganar, melhorar. — **embellecerse.** *v. r.* ataviar-se, enfeitar-se, alinhar-se; alfaiar-se.

embellecimiento. *m.* embelezamento, aformoseamento, alindamento; exornação; enfeitamento; enfeite.

embermejar, embermejecer. *v. tr.* avermelhar, envermelhar, tornar vermelho; tingir de vermelho, avermelhar. — *v. intr.* e *r.* vermelhear, vermelhejar.

emberrenchinarse, emberrinchinarse. *v. r.* (fam.) zangar-se muito, abespinhar-se; encolerizar-se (diz-se geralmente das crianças); (pop.) emonar-se; (pop.) encatramonar-se.

embestida. *f.* investida, assalto; acometida; embate; ataque; arremetedura; arremetida; arremetimento; abalançamento; acometimento; (fig. e fam.) interrupção inoportuna: *embestida de un barco con otro,* abordagem

embestidor, ra. *adj.* e *s.* acometedor, que acomete, que investe; (fig. e fam.) pedinchão, aquele que importuna com pedidos principalmente de dinheiro.

embestidura. *f.* investida. V. **embestida.**

embestir. *v. tr.* investir, acometer com ímpeto; avançar; arremeter; acometer; (fig. e fam.) pedinchar, pedir esmola ou dinheiro com importunação: *embestir im-*

petuosamente, (pop.) desarrancar, abalroar. — *conj. irreg.* como *pedir*.

embetunar. *v. tr.* embetumar, betumar, cobrir com betume; alcatroar; engraixar.

embicadura. *f.* (mar.) embicadura.

embicar. *v. tr.* (Amér.) abicar, fazer tocar uma embarcação na praia ou cais; (mar.) embicar, pôr uma verga em direcção inclinada emsinal de luto.

embijado, da. *p. p.* e *adj.* avermelhado; (Amér.) díspar, formado de peças desiguais, desigual.

embijar. *v. tr.* avermelhar, tingir ou pintar com vermelhão ou com urucu. — *v. r.* (Amér.) sujar, manchar, enlamear.

embije. *m.* tintura com vermelhão.

embizcar. *v. intr.* e *r.* envesgar-se, tornar-se vesgo.

emblandecer. *v. tr.* embrandecer, abrandar, tornar, brando, amolecer; macerar. — *v. r.* (fig.) enternecer-se, tornar-se terno, mover-se à piedade. — *conj. irreg.* como *agradecer*.

emblanquecer. *v. tr.* embranquecer, branquear, alvejar. — **emblanquecerse.** *v. r.* tornar-se branco. — *conj. irreg.* como *crecer*.

emblema. *m.* emblema, insígnia, símbolo; cifra; divisa; alegoria; atributo.

emblemático, ca. *adj.* emblemático; simbólico; alegórico.

emblematizar. *v. tr.* emblemar, representar, mostrar, ou designar uma coisa por meio de emblema; simbolizar.

emblematologia. *f.* emblematologia.

embobamiento. *m.* embevecimento, êxtase, enlevo, arrebatamento, admiração, pasmo.

embobar. *v. tr.* embevecer, distrair, entreter, cativar, enlevar, causar admiração, estupefacção; encantar. — **embovarse.** *v. r.* extasiar-se, ficar suspenso, enlevar-se; embasbacar.

embobecer. *v. tr.* entontecer, atoleimar, tornar alguém estúpido, embobar, apatetar, tornar imbécil. — *conj. irr.* como *crecer*.

embobinador, ra. *s.* embobinador, que embobina.

embobinadora. *f.* (cinematog. e rad.) embobinadora, máquina para enrolar o filme.

embobinar. *v. tr.* (rad. e electr.) embobinar, pôr em bobina; enrolar a película do filme.

embocadero. *m.* embocadura, entrada dum rio ou canal; embocamento; foz.

embocadura. *f.* embocadura, acção de embocar; boca de cena teatral; embocadura, parte do instrumento músico, boquilha; embocadura, foz dum rio; embocadura, parte do freio dos animais; embocadura, gosto, sabor do vinho: *tomar la embocadura*, começar a tocar, (fig. e fam.) vencer as primeiras dificuldades.

embocar. *v. tr.* embocar, meter na boca; entrar por uma parte estreita; embocar, enfrear o cavalo; (fig.) fazer acreditar a alguém o que não é verdade, mistificar; (fam.) devorar, comer muito e depressa; atirar, dirigir alguém algo desagradável;

entrar na foz dum rio; começar uma tarefa ou negócio. V. **espetar.**

embocinado, da. *adj.* abuzinado. V. **abocinado.**

embodarse. *v. r.* casar-se e fazer a despesa da boda.

embodegar. *v. tr.* adegar, guardar na adega.

embolado, da. *adj.* e *p. p.* embolado. — *m.* (taurom.) embolação; (fig.) no teatro, papel curto e desluzido; (taurom.) touro embolado; (fig. e fam.) artifício enganoso.

embolar. *v. tr.* embolar, pôr bolas de madeira nas pontas dos chifres dos touros; dar o último preparo para dourar; engraxar o calçado.

embolia. *f.* (med.) embolia.

embolismador, ra. *adj.* e *s.* enredador, mexeriqueiro, que intriga.

embolismal. *adj.* embolismal, diz-se do ano lunar igualado ao solar, embolísmico. intercalar.

embolismar. *v. tr.* (fig. e fam.) enredar, mexericar, intrigar; (Amér.) incitar, alvoroçar.

embolismático, ca. *adj.* confuso, ininteligível.

embolismo. *m.* embolismo; (fig.) confusão, dificuldade num negócio; mistura e confusão de muitas coisas; embuste; ardil, enredo; mexerico, intriga.

émbolo. *m.* (mec.) êmbolo, pistão de bomba; mergulhador.

embolsar. *v. tr.* embolsar, guardar na bolsa; cobrar, embolsar. — **embolsarse.** *v. r.* embolsar-se, pagar-se por suas próprias mãos.

embolso. *m.* embo(ô)lso; pagamento.

embonar. *v. tr.* embonar, reparar, melhorar ou tornar boa qualquer coisa, bonificar, bemfeitorizar; (mar.) embonar, forrar exteriormente de tábuas um navio; (Amér.) acomodar, ajustar, ir bem, vir a calhar; ensamblar.

embono. *m.* (mar.) embono, forro de tábuas dum navio; acréscimo ao costado do navio para aguentar melhor o velame; entretela, contraforte de vestido.

emboñigar. *v. tr.* embostar, untar com bosta, excremento de gado vacum, embostelar; sujar, encher de bostelas.

emboque. *m.* emboque, passagem da bola pelo arco, ou doutra coisa por uma parte estreita; passagem por um lugar estreito; (fig. e fam.) engano, decepção, trapaça; (Amér.). V. **boliche** (brinquedo).

emboquillado. *m.* (mec.) admissão da turbina.

emboquillar. *v. tr.* colocar boquilhas aos cigarros de papel; preparar a entrada duma galeria ou dum túnel.

embornal. *m.* (náut.) embornal. V. **imbornal.**

emborrachador, ra. *adj.* embriagador, que embriaga, ebriático, ebriativo.

emborrachamiento. *m.* (fam.) embriaguez, bebedeira; estonteamento; intoxicação.

emborrachar. *v. tr.* emborrachar, embriagar, embebedar, tornar borracho; embriagar, estontear, atontar, perturbar, adormecer; inebriar; empeteirar; etilizar; chicarar a

alguém; alcoolizar; (pop.) enfrascar. —
emborracharse. *v. r.* emborrachar-se, embebedar-se, embriagar-se, empiteirar-se;
chicarar-se; encarraspanar-se, encarras-
car-se; chumbar, alcoolizar-se; (burl.)
tocar a gaita; (pop.) envernizar-se, enxaropar-se, tocar o copofone.

emborrada. *f.* (art. e of.) emborradura, emborrada.

emborrador, ra. *adj.* (art. e of.) emborrador;
cardador.

emborradura. *f.* (art. e of.) emborradura,
emborrada.

emborrar. *v. tr.* (art. e ofi.) estofar, encher
de lã uma coisa, emborrar; cardar a lã
pela segunda vez; (fig.) comer muito e
depressa, devorar, rechear o estômago.

emborrascar. *v. tr.* emborrascar, alterar irritar, produzir contendas ou borrascas, excitar. — **emborrascarse.** *v. r.* tornar-se borrascoso (o tempo).

emborricarse. *v. r.* (fam.) entontecer-se,
aturdir-se, atrapalhar-se, atordoar-se, embrutecer-se, tornar-se estúpido; (fam.)
enamorar-se perdidamente.

emborrizar. *v. tr.* emborrar dar a primeira
carda à lã; cobrir com calda, açucarar.

emborronador, ra. *adj.* borrador.

emborronar. *v. tr.* borrar, lançar borrões
num papel, rabiscar; (fig.) escrever depressa e descuidadamente.

emborrullarse. *v. tr.* (fam.) disputar, altercar
em voz alta e fazendo alvoroço.

emboscada. *f.* emboscada; cilada, surpresa,
ocultação, ardil, traição, enganação, embaçadela: *tender una emboscada,* emboscar.

emboscadura. *f.* emboscada, cilada; lugar da
emboscada.

emboscar. *v. tr.* emboscar, pôr de emboscada, esconder; (mil.) ocultarem-se alguns
soldados para uma operação militar. —
emboscarse. *v. r.* emboscar-se, ocultar-se
entre a ramagem, meter-se num bosque;
armar cilada.

embosquecer. *v. intr.* arvorejar, converter-se
em bosque um terreno.

embotado, da. *p. p.* e *adj.* embotado, tornado
bo(ô)to (diz-se do fio de corte); (fig.) apático; obtuso, rude, torpe.

embotador, ra. *adj.* e *s.* embotador, que em-
bota.

embotadura. *f.* embotadura, perda do fio nos
instrumentos cortantes; embotamento;
perda da sensibilidade ou da energia.

embotamiento. *m.* embotamento, embotadura, perda da sensibilidade ou da energia;
insensibilidade, apatia, entorpecimento,
torpor, torpeza; enervamento.

embotar. *v. tr.* embotar, tornar boto; engrossar os fios e as pontas das armas ou instrumentos cortantes; metear tabaco num
bote; (fig.) tornar insensível, enervar, embotar, enfraquecer, debilitar, ter o olfacto embotado; desjuizar; entorpecer; desafiar, desaguçar (ferramentas). — **embotar-
se.** *v. r.* embotar-se, perder o gume, perder a energia; tornar-se insensível, en-

torpecer-se; (fam.) calçar as botas, cal-
çar-se.

embotar. *v. tr.* colocar alguma coisa num
bote.

embotellado, da. *p. p.* e *adj.* embotelhado,
engarrafado; (fig.) engatilhado (diz-se do
discurso ou poesia que se traz já preparado).

embotellador, ra. *s.* engarrafador, o que engarrafa. — *f.* engarrafadeira, mulher que
engarrafa ou máquina que serve para engarrafar.

embotellamiento. *m.* engarrafamento, engarrafamento; embotijamento.

embotellar. *v. tr.* embotelhar, meter em bo-
telhas, engarrafar; (fig.) bloquear navios
inimigos, impedindo a sua saída do porto,
engarrafar; imobilizar um negócio.

embotijar. *v. tr.* embotijar, meter em botijas; colocar muitas botijas juntas para
formar pavimento. — **embotijarse.** *v. r.*
(fig. e fam.) inchar-se, encolerizar-se, irritar-se, indignar-se; amofinar-se; melindrar-se; chispar; amuar-se; encavacar.

embovedar. *v. tr.* abobadar. V. **abovedar.**

embozado, da. *adj.* *p. p.* e *s.* embuçado;
(fig.) disfarçado, oculto; (fig.) indire(c)to.

embozalar. *v. tr.* pôr embuço. V. **embozar.**

embozar. *v. tr.* embuçar, cobrir o rosto com
o embuço; açaimar; (fig.) disfarçar, ocultar uma coisa para que não se entenda
fàcilmente; pôr o bocal às cavalgaduras
ou aos cães; (prov.) obstruir um conduto.
conter, refrear, reprimir. — **embozarse.**
v. r. embuçar-se.

embozo. *m.* embuço; dobra das cobertas na
parte que toca o rosto; embuço, modo de
cobrir parte do rosto; (fig.) dissimulação,
disfarce; embuço, ambiguidade no falar.

embragar. *v. tr.* (mec.) engrenar; embraiar;
atar, amarrar uma fardo, uma pedra, etc.;
(Bras.) debrear.

embrague. *m.* embraçadura; (mec.) em-
braiagem.

embravar. *v. tr.* V. **embravecer.**

embravecer. *v. tr.* embravecer, enfurecer,
irritar, embravear; (fig.) robustecerem-se
as plantas, reverdecer. — **embravecerse.**
v. r. embravecer-se enfurecer-se; desmandar-se. — *conj. irr.* como *crecer.*

embravecimiento. *m.* embravecimento, furor,
irritação, cólera, fúria.

embrazadura. *f.* embraçadura, braçadeira,
embraçamento.

embrazar. *v. tr.* embraçar o escudo com o
braço esquerdo.

embreadura. *f.* embreadura, breadura.

embrear. *v. tr.* embrear, brear, cobrir de
breu, alcatroar.

embregarse. *v. r.* meter-se em questões e
rixas.

embreñarse. *v. r.* embrenhar-se, meter-se
entre brenhas.

embriagado, da. *p. p.* e *adj.* embriagado,
ébrio, emborrachado, empiteirado; enfrascado, bêbedo; (pop.) chumbado; (fig.)
inebriado; extasiado.

embriagador, ra. *adj.* embriagador, que embriaga; inebriante; ebriativo; encantador.

embriagar. *v. tr.* embriagar, embebedar, emborrachar; atordoar; (fig.) enlevar, entusiasmar, encantar, transportar, inebriar, extasiar, maravilhar, entusiasmar; exaltar; (pop.) enfrascar. — **embriagarse.** *v. r.* embriagar-se, emborrachar-se, embebedar-se, avinhar-se, alcoolizar-se; (pop.) entortar-se.

embriaguez. *f.* embriaguez, bebedeira, ebriedade, bebedice, embebedamento; (fig.) enlevo; êxtase; entusiasmo; encanto.

embrilar. *v. tr.* (prog.) convidar a jantar.

embridar. *v. tr.* embridar, pôr brida às cavalgaduras; levantar a cabeça (cavalos); (fig.) governar, refrear.

embriogenético, ca. *adj.* embriogénico.

embriogenia. *f.* (biol.) embriogenia.

embriogénico, ca. *adj.* (fisiol.) embriogé(ê)-nico.

embriogenista. *s.* embriogenista.

embriografía. *f.* (fisiol.) embriografia.

embriográfico, ca. *adj.* embriográfico.

embriógrafo, fa. *s.* embriogenista, embriógrafo.

embriología. *f.* (fisio.) embriologia.

embriológico, ca. *adj.* embriológico.

embriólogo, ga. *s.* embriólogo, embriologista.

embrión. *m.* (biol.) embrião, germen, rudimento dum corpo organizado; (bot.) embrião, gérmen da planta, córculo; (fig.) embrião, origem, princípio; estado imperfeito, coisa confusa.

embrionado, da. *adj.* (bot.) embrionado, que tem embriões.

embrionario, ria. *adj.* embrionário; rudimentar; (fig.) confuso.

embrionífero, ra. *adj.* embrionífero.

embriotomía. *f.* (cir.) embriotomia.

embriótomo, m. (cir.) embriótomo.

embriulco. *m.* (icr.) embriulco.

embrocación. *f.* (farm.) emborcação; cataplasma. V. **cataplasma.**

embrocar. *v. tr.* emborcar, pôr de boca para baixo uma vasilha ou um prato; dobar, enrolar no bilro a seda para bordar; (prov.) deixar cair alguma coisa; pregar as solas dos sapatos (enquanto estão nas formas); (taur.) colher o touro o lidador entre as hastes.

embrochalar. *v. tr.* (arq.) suster por meio duma trave as vigas que não se podem meter na parede.

embrolla. *f.* (fam.) embrulhada, enredo, confusão. V. **embrollo.**

embrollado, da. *p. p.* e *adj.* engasgalhado, engaranhado; assarapantado; inextricável; embrulhado; empeçado (diz-se do estilo); *assunto embrollado,* galimatias.

embrollador, ra. *adj.* e *s.* embrulhador, que embrulha; chicaneiro.

embrollar. *v. tr.* embrulhar, confundir as coisas; enrêdar, emaranhar, engaranhar; assarapantar; desnortear; complicar; desordenar; chicanar; embaraçar; desconcordar; derrear; descompor; enterrar;

atarantar; atrapalhar; entrambicar; entralhar; baralhar; (fig.) mexer; (prov.) agodelhar; (fig.) anovelar; embrulhar, enrolar, envolver em papel, pano, etc.; perturbar, tornar confuso; envolver, enfardar, empacotar; agasalhar; (fig.) fazer embrulhada; misturar, complicar, perturbar. — **embrollarse.** *v. r.* complicar-se, embaraçar-se; atar-se; emaranhar-se; embarbascar-se; envolver-se; toldar-se; causar náuseas.

embrollo. *m.* embrulhada, imbróglio, enre(ê)-do, confusão; mentira, embute; situação embaraçosa, trapalhada; encamisada; embromação; engasgo; bisbilhotice; desordem; chicana; mexonada; mexide; embaraço; embrulho; atarantação, entropeço; engasgamento; (pop.) encrenca; (fig.) dédalo; (fig.) meiada; embrulho, pacote; trouxa: *no sé como salir de este embrollo,* não sei como sair desta alhada.

embrollón, na. *adj.* (fam.) embrulhador, que faz embrulhadas; enredador, trapalhão. trapaceiro; mexedor ; aranha.

embromador, ra. *adj.* e *s.* embromador, que engana; gracejador; caçoador; enganador.

embromar. *v. tr.* embromar, gracejar; caçoar, traçar; enganar, iludir com trapaças; (Amér.) parar, fazer perder tempo. — *v. intr.* e *r.* (Amér.) prejudicar, ocasionar um dano moral ou material, embromar: *embromar durante el Carnaval,* entrudar.

embroquelarse. *v. r.* acautelar-se. V. **abroquelarse.**

embrujamiento. *m.* enfeitiçamento, bruxaria; sortilégio; feitiço.

embrujar. *v. tr.* embruxar; enfeitiçar; encantar; amentar; (fig.) magnetizar; fazer bruxarias contra.

embrutar. *v. tr.* embrutecer, embrutar.

embrutecedor, ra. *adj.* e *s.* embrutecedor, que embrutece.

embrutecer. *v. tr.* embrutecer, tornar bruto ou brutal; embrutar; aparvalhar; estupidificar; emburrar; atontar; tontear; animalizar; barbarizar; desjuizar; bestificar, bestializar; abajoujar; emparvoar; emparvorecer; (fig.) entupir; apalermar. — **embrutecerse.** *v. r.* tornar-se bruto, brutal ou estúpido; embrutecer-se; atoleimar-se; atontar-se; entupir-se; bestializar-se; emparvoar; emparvoecer; abajoujar-se. — *conj. irreg.* como *crecer.*

embrutecimiento. *m.* embrutecimento, degradação da inteligência; estupidez; estado do que embrutece; bestificação.

embuviar. *v. tr.* (germ.) V. **embuchar.**

embuchado, da. *adj.* e *p. p.* embuchado, que tem o estômago cheio de mais, farto; sofocado com a comida; (fig.) zangado; que não pode desabafar; embatucado. — *m.* enchido, espécie de chouriço, salpicão, salsicha; (fig. e fam.) moeda que se oculta entre outras de menos valor, quando se aposta no jogo; negócio ou assunto revestido de falsa aparência; zanga dessimulada, amuo; chapelada, introdução fraudulenta de votos numa urna eleitoral; (Amér.) doença das aves por haverem comido em excesso.

embuchar. *v. tr.* embuchar, meter no bucho, encher o estômago; fartar, engolir; (fam.) tragar, gualdir. — *v. intr.* sentir opressão pos excesso de comida; não poder dizer o que pensa; amuar; sufocar-se; não poder ou não querer desabafar; (pop.) andar amuado, desgostoso.

embudado, da. *adj.* atordoado com embude; (fig.) amuado; (prov.) embuchado.

embudador, ra. *s.* envasilhador, aquele que envasilha com o auxílio de funil.

embudar. *v. tr.* envasilhar, encher uma vasilha com o auxílio de funil; (fig.) fazer enredos ou intrigas; enganar; lançar embude aos peixes para os atordoar. — *v. intr.* (fig.) embatucar, ficar imóvel por efeito dum susto; (prov.) amuar, embezerrar; embatucar.

embudista. *adj.* (fig.) enredador, embrulhador, que faz enredos, intrigante.

embudo. *m.* funil, utensílio com forma de pirâmide invertida e que serve para passar líquidos dum vaso para outro, embude; embude, farsa, infundíbulo: *entonelar con embudo echar un líquido por el embudo*, enfunilar.

embullador, ra. *adj.* e *s.* animador, que anima, que alegra.

embullar. *v. tr.* animar alguém a que tome parte num folguedo. — *v. intr.* (Amér.) fazer ruído, alvoroçar, fazer barulho.

embullo. *m.* troça, pândega, folguedo, barulho.

emburujar. *v. tr.* (fam.) desordenar, enredar, enovelar; fazer com que se formem grumos na massa, grumar. — *v. r.* (fig.) misturar confusamente umas coisas com outras, amontoar; (Amér.) confundir, baralhar, embrulhar; (Amér.) arroupar-se, enroupar-se, agasalhar bem o corpo.

embuste. *m.* embuste, mentira artificiosa; ardil, logro, enre(ê)do; embustaria; embustice; embromação; embele(ê)co. (fam.) batata; (fig.) barrela; (pop.) engranzamento; embuste, mendacidade; fajardice; cilada; aldravice; (fig.) encravação; (pop.) galga; (Bras.) pabulagem; mexerico; conto; engano; blague. — *pl.* bijutaria barata: *soltar, decir embustes*, enfiar patranhas; *tragarse el embuste*, engolir a pílula; *urdir embustes*, pregar palas; *venir con embustes*, vir com contos.

embustear. *v. intr.* embustear, usar constantemente de embustes, lograr; enganar com embuste, embustear, mentir.

embustería. *f.* (fam.) embuste, embustice, artifício para enganar; embustaria; embustice; enganação.

embustero, ra. *adj.* e *s.* embusteiro, que usa de embustes; mentiroso, trapaceiro; embaucador; embelecador; enganador; mendace; mendoso; falaicoso; falaz; falcatrueiro; falsário, falso, farçante; farsante; cigano; enxacoco; galdeiro; char-

latão; inexa(c)to; embaidor; embalador, fulheiro; enganoso; (Brasil) embromador; (pop.) engazupador; (pop.) gabiru; (pop.) engranzador, engrampador; (Bras.) tramista.

embutidera. *f.* embutideira, utensílio para rebitar pregos.

embutido, da. *adj.* e *p. p.* embutido, incrustado, encastoado; adamassado; encaixado; encaixilhado; (carp.) encabeçado, encabeirado. — *m.* incrustação, embutidura, obra embutida; embutido, tauxia; obra de marchataria, de entalho, de mosaico; embutido, chouriço, enchido. V. **embuchado:** *embutidos de taracea*, embrechado.

embutidor. *m.* (art. e ofos.) embutidor, incrustador; embutidor, aquele que faz embutidos.

embutidora. *f.* máquina própria para embutir.

embutir. *v. tr.* embutir, marchetar, meter a força, tauxiar; (fig.) incluir; colocar uma coisa dentro doutra; introduzir, encher; (fig.) impingir, engolir; embutir, embrechar; embeber; atochar; encravar; encastoar; meter; incrustar; engastar; encaixar; encaixilhar. — **embutirse.** *v. r.* comer muito, embutir, engolir: *embutir un clavo en la madera*, embeber um prego na madeira.

eme. *f.* nome da letra M.

emelga. V. **amelga.**

emenagogo. *m.* emenagogo, medicamento que serve para provocar ou restabelecer o catamenio. — *adj.* emenagogo.

emergencia. *f.* emergência, artigo; aparecimento, ocorrência, acidente que sobrevém; estado daquilo que emerge; (fig.) ocorrência, conjuntura.

emerger. *v. tr.* emergir, sair donde estava mergulhado. — *v. intr.* erguer-se acima da água; subir, elevar-se; patentear-se; (fig.) acontecer, ocorrer, resultar, advir.

emérito, ta. *adj.* emérito, que se retirou dum serviço por falta de saúde ou por ter atingido o limite da idade, reformado, aposentado, jubilado.

emersión. *f.* (astr.) emersão, reaparição dum astro depois de ter sido eclipsado pela sombra ou pela interposição doutro.

emeticidad. *f.* (med. e quim.) emeticidade.

emético, ca. *adj.* (med.) emético, que provoca o vómito, vomitivo. — *m.* (quim.) tartarato de potássio e de antimónio.

emetina. *f.* (quim.) emetina.

emetizar. *v. tr.* emetizar, pôr emético em.

emetología. *f.* (med.) emetologia.

emetológico, ca. *adj.* (med.) emetológico.

emetólogo, ga. *s.* emetólogo.

emétrope. *adj.* emétrope.

emetropía. *f.* emetropia.

emigración. *f.* emigração; êxodo; emigração, conjunto de habitantes dum país que trasladam o seu domicílio para outro.

emigrante. *p. a. adj.* e *s.* emigrante, que emigra; emigrador.

emigrar. *v. intr.* emigrar, migrar, mudar de pais; (fig.) homiziar-se; mudar de clima (falando-se de certos animais).

emigratorio, ria. *adj.* emigratório.

eminencia. *f.* eminência, altura ou elevação de terreno; superioridade, saliência; sublimidade; excelência; sublimidade; excelência; eminência, título ou tratamento que se dá aos cardeais.

eminencial. *adj.* (filos.) eminencial.

eminente. *adj.* eminente, alto, elevado; eminente, que sobressai entre os da sua classe; eminente, excelente, superior em mérito; excelso; exímio; conspícuo, considerável.

eminentísimo, ma. *adj. superl.* eminentíssimo (tratamento dos cardeais e do Grão--Mestre da ordem de S. João).

emir. *m.* emir, príncipe ou caudilho árabe.

emirato. *m.* emirado.

emisario, ria. *s.* emissário, mensageiro; (fig.) espião. — *m.* (p. us.) desaguadorio.

emisión. *f.* emissão, acção de emitir, de lançar em circulação; (gram.) emissão de voz; conjunto de títulos de comércio ou bancários, postos em circulação; emanação; ejaculação.

emisivo, va. *adj.* emissivo.

emisor, ra. *adj.* emissor, que emite. — *m.* (fís.) emissor. — *f.* (rad.) emissora.

emitir. *v. tr.* emitir, mandar para fora; lançar de si; produzir, arrojar; emitir, distribuir, pôr em circulação papel moeda, fundos públicos, etc.; (fig.) emitir, dar, manifestar, tornar público; ejacular; desprender; dardejar; exalar; exclamar; expelir; expedir; exprimir, enunciar; fazer emissão; irradiar; produzir sons.

emoción. *f.* emoção, agitação do ânimo, comoção, abalo moral; alvoro(ô)ço, agitação; emotividade; estremecimento; abalamento; expe(c)tação; motim, desordem.

emocionable. *adj.* emocionável, emocionante, emotivo.

emocional. *adj.* emocional, impressionável.

emocionar. *v. tr.* emocionar, causar emoção, comover o ânimo; abalar; impressionar; agitar; (fig.) embrandecer. — **emocionarse.** *v. r.* emocionar-se, sentir emoção, impressionar-se.

emoliente. *adj.* e *m.* (med.) emoliente, que amolece ou abranda; demulcente, adoçante, laxante.

emolir. *v. tr.* (p. us.) (med.) abrandar, amolecer. V. **ablandar.**

emolumento. *m.* emolumento, lucro eventual retribuição, ganho, proveito, gratificação. — *pl.* lucros eventuais.

emotividad. *f.* emotividade, emoção.

emotivo, va. *adj.* emotivo; comovente, emocionante, emocionável.

empacador, ra. *adj.* empacotador, que empacota. — *f.* empacotadeira, empacotadora, máquina para empacotar.

empacamiento. *m.* empacamento, empacotamento.

empacar. *v. tr.* empacotar, empacar, enfardar, encaixotar, enfardelar.

empacarse. *v. r.* emperrar-se, obstinar-se; (fig.) perturbar-se, confundir-se, retrair--se; (Amér.) emperrar (a cavalgadura); tornar-se manhoso o cavalo. V. **emperrar-se e obstinarse.**

empachar. *v. tr.* estorvar, embaraçar, empachar; empachar, fartar, sobrecarregar o estômago; disfarçar, encobrir; estomagar; enzampar; empanturrar; obstruir; perturbar. — **empacharse.** *v. r.* empachar--se; envergonhar-se, turvar-se; atrapalhar--se, perturbarse; etulhar-se; (pop.) entourir.

empacho. *m.* empacho, indigestão, empanturramento; estorvo, embaraço, dificuldade; apoucamento; vergonha, perturbação; obstrução; pejo; empecilho; timidez.

empadrarse. *v. r.* afeiçoar-se intensamente o filho pelo seu pai ou seus pais.

empadronador. *m.* recenseador, o que recenseia.

empadronamiento. *m.* recenseamento, censo; alistamento; matriz.

empadronar. *v. tr.* recensear, empadroar; alistar. — **empadronarse.** *v. r.* alistar-se, recensear-se; incluir-se; assenhorear-se.

empajada. *f.* palhada, mistura de palha e farelo para as cavalgaduras.

empajado, da. *p. p.* empalhado, coberto com palha. — *m.* empalheção, empalhamento.

empajar. *v. tr.* empalhar, cobrir ou encher com palha; (Amér.) telhar com palha; misturar com palha. — **empajarse.** *v. r.* (Amér.) fartar-se, encher-se de coisas sem substância.

empajolar. *v. tr.* emechar, mechar, defumar com mecha as vasilhas do vinho.

empalagamiento. *m.* fastio, repugnância, tédio; fartura, saciedade; enjoo (sobretudo de coisas doces).

empalagar. *v. tr.* enjoar, enfastiar-se duma iguaria (sobretudo se é doce); enfastiar, repugnar; (fig.) fastidiar, cansar, enfadar.

empalago. *m.* fastio. V. **empalagamiento.**

empalagoso, sa. *adj.* enjoativo, diz-se do manjar que causa enjoo; fastiento, repugnante; empachoso; meloso; (fig.) empalagoso, fastidioso, maçador, enfadonho; importuno; impertinente; rabujento.

empalamiento. *m.* empalação.

empalar. *v. tr.* empalar, aplicar a empalação, espetar uma estaca pelo ânus e fazê-la sair pela garganta. — *v. r.* (Amér.) obstinar-se, teimar; entorpecer-se.

empaliada. *f.* (prov.) colgaduras que se penduram nas janelas em dias de festa.

empalidecer. *v. intr.* V. **palidecer.**

empalizada. *f.* paliçada. V. **estacada.**

empalizar. *v. intr.* estacar, rodear com paliçadas ou estacadas.

empalmadura. *f.* entroncamento. V. **empalme.**

empalmar. *v. tr.* juntar, ligar pelos extremos duas coisas; enlaçar uma coisa com outra, unir, travar; (fig.) ligar, combinar planos, ideias, etc.; (carp.) emalhetar. — *v. intr.* unir-se, combinar-se um comboio com outro ou uma linha de caminho de ferro com outra; seguir, suceder sem interrupção. — *v. r.* levar a navalha oculta na palma da mão para acometer de improviso.

empalme. *m.* junção; entroncamento de via férrea; (electr.) acoplamento; ligação.

empalomado. *m.* barragem para represar as águas dum rio.

empalomadura. *f.* (mar.) acção de amarrar as relingas à vela, palombadura.

empalomar. *v. tr.* (mar.) relingar, ligar fortemente as relingas às velas, palombar.

empalletado. *m.* (mar.) reparo feito com a roupa e camas da tripulação para preservar da fuzilaria inimiga a gente da coberta.

empampirolado, da. *adj.* (fam.) jactancioso, presunçoso; empavesado.

empanación. *f.* V. **impanación.**

empanada. *f.* empada, empanada, pastel de carne, peixe, etc.; (fig.) fraude, engano.

empanadilla *f. dim.* empanadilha, pastel pequeno de carne ou peixe.

empanar. *v. tr.* panar, passar pão ralado numa iguaria; fazer empadas; (agr.) semear trigo. — **empanarse.** *v. r.* sufocarem--se as sementeiras por haver-se deitado semente demasiada.

empandar. *v. tr.* torcer, dobrar uma coisa, especialmente pelo meio; curvar.

empandillar. *v. tr.* (fam.) empandilhar, juntar algumas cartas de jogo para fazer alguma trapaça; amarrar.

empantanar. *v. tr.* empantanar, alagar, encher de água um terreno, deixando-o transformado num pântano; meter num pântano; (fig.) deter, embaraçar ou impedir o curso dum negócio; (fig.) deter o andamento duma coisa, impedir, estorvar. — **empantanarse.** *v. r.* empantanar--se; embarrancar-se, deter-se.

empañadura. *f.* enfaixe, envoltura das crianças, cueiros, desbotadura; (mar.) antegalha.

empañar. *v. tr.* enfaixar, envolver as crianças em faixas ou cueiros; empanar, embaciar, enodoar, tirar o brilho ou diafaneidade; (fig.) deslustrar, manchar a honra, a glória, o mérito, etc., empanar, denegrir, escurecer; desbotar; envidraçar; (fig.) eclipsar.

empapamiento. *m.* empapagem; demolha; embebição.

empapar. *v. tr.* empapar, embeber num líquido; empapar, encharcar, absorver uma coisa algum líquido; aborborar; demolhar; pôr na água; molhar.—**empaparse.** *v. r.* empapar-se, embeber-se; (fig.) possuir-se dum sentimento; empanturrar--se, fartar-se, empanzinar-se; abeberar--se; apanhar chuva.

empapelador, ra. *s.* forrador, pessoa que forra com papel.

empapelar. *v. tr.* empapelar, envolver em papel, embrulhar; forrar, cobrir com papel, uma superfície; (fig. e fam.) instaurar um processo crime.

empapirotar. *v. tr.* (fam.) adornar, enfeitar alguém. V. **emperejilar.**

empapujar. *v. tr.* (pop.) emparturrar, enfartar.

empapuzar. *v. tr.* V. **empapujar.**

empaque. *m.* empacotamento, embalagem; enfardamento; material para empacotamento.

empaque. *m.* (fam.) catadura, semblante, aspecto duma pessoa; seriedade, gravidade afectada; (Amér.) descaro, desfaçatez.

empaquetado, da. *p. p.* empacotado, enfardado. — *m.* (mec.) acção de encher com matérias diversas (algodão, cânhamo, etc.) certas peças duma máquina para impedirem-se a saída dalgum fluido.

empaquetador, ra. *s.* empacotador, que empacota ou enfarda; enfaixador.

empaquetadura. *f.* V. **empaquetamiento** e **empaquetado.**

empaquetamiento. *m.* empacotagem, empacotamento, embalagem.

empaquetar. *v. tr.* empacotar, enfardar, enfardelar; (fig.) atulhar, acomodar um número excessivo de pessoas. — **empaquetarse.** *v. r.* encantoar-se, acurralar-se.

empara. *f.* (for.) embargo; sequestro. V. **emparamento.**

emparamentar. *v. tr.* paramentar, adornar com paramentos.

emparamento. *m.* (for.) embargo; sequestro.

emparar. *v. tr.* (for.) embargar; sequestrar.

emparchar. *v. tr.* emplastrar, pôr parches ou emplastros.

emparedado, da. *p. p.* e *adj.* emparedado, recluso por castigo, penitência ou própria vontade; encerrado entre paredes. — *m.* sanduíche de presunto, tira de fiambre metida entre dois pedaços de pão.

emparedamiento. *m.* emparedamento; casa onde vivian recolhidos os emparedados; clausura.

emparedar. *v. tr.* emparedar, encerrar entre paredes; enclausurar; encelar. — **emparedarse.** *v. r.* isolar-se, apartar-se, retirar--se para uma clausura; ocultar uma coisa entre paredes.

emparejador, ra. *adj.* e *s.* emparelhador que emparelha.

emparejadura. *f.* emparelhamento.

emparejamiento. *m.* emparelhamento.

emparejar. *v. tr.* e *intr.* emparelhar, formar uma parelha; pôr uma coisa ao nível doutra; nivelar; pôr a par, igualar, juntar uma coisa com outra, emparelhar, unir, igualar; ir a par; ser uma coisa igual a outra; ajuntar, unir; amatalotar; encarceirar; acasalar; acompanhar; (agr.) igualar a terra, nivelando-a.

emparentar. *v. intr.* aparentar, contrair parentesco, emparentar. — *conj. irr.* como *acertar.*

emparrado. *m.* parreira, parreiral; latada, armação que sustém o parreiral, caramanchel.

emparrar. *v. tr.* emparreirar, fazer parreiras, latadas ou caniçada.

emparrillado. *m.* travejamento; estacaria; travessas, dormentes, conjunto de barras cruzadas que servem para dar base firme aos cimentos em terrenos frouxos.

emparrillar. *v. tr.* grelhar, assar na grelha.

emparvar. *v. tr.* enfeixar, engavelar o trigo, pô-lo em paveias.

empasmo. *m.* empasma, pó aromático para enxugar o suor.

empastación. *f.* empastamento, empaste; empastação.

empastada *f.* (Amér.) V. **pasto.**

empastador, ra. *adj.* e *s.* empastador, que empasta; (pint.) diz-se do pintor que é bom colorista. — *m.* pincel para empastar; encadernador.

empastamiento. *m.* empastamento; engurgitamento; emaçamento.

empastar. *v. tr.* empastar, cobrir com pasta alguma coisa; (pint.) empastar, dar bastante tinta; encadernar em pasta, empastar, cartonar; (Amér.) padecer meteorismo o animal por haver comido o pasto em más condições. — **empastarse.** *v. r.* (Amér.) encher-se de ervas daninhas uma sementeira.

empaste. *m.* empaste, empastamento; pasta para obturar o dente cariado; (pint.) empastamento, união perfeita das cores; (Amér.) meteorismo do gado ovino.

empastelamiento. *m.* (impr.) empastelamento, amontoamento confuso dos caracteres tipográficos.

empastelar. *v. tr.* (fig. e fam.) transigir num negócio amigàvelmente para se poupar a trabalhos; (impr.) empastelar, amontoar confusamente caracteres tipográficos.

empatadera. *f.* (fam.) empate; impedimento; oposição.

empatar. *v. tr.* empatar, causar empate a; igualar; ficar indecisa a vitória numa votação, num jogo, etc.; suspender e embaraçar o curso duma resolução; interromper o fio dum discurso, atalhar; (Amér.) juntar uma coisa a outra.

empate. *m.* empate, acção de empatar; igualdade de votos ou pontos.

empavesada. *f.* pavesada, resguardo, defesa feita com paveses para cobrir a tropa; (mar.) empavesada, faixa de lona que serve para adornar as bordas dos navios.

empavesado, da. *p. p.* e *adj.* pavesado, guarnecido de paveses, empavesado; embandeirado. — *m.* soldado que levava arma defensiva; (mar.) empavesado, apendoamento, empavesamento.

empavesar. *v. tr.* empavesar, formar pavesadas ou paveses; rodear as obras dum monumento com tapume, a fim de ficar oculto até à sua inauguração; (mar.) empavesar, embandeirar, engalanar um navio com pavilhões, apendoar, engalhardetar, engalhardear, abandeirar.

empavonar. *v. tr.* empavonar; (Amér.) ensebar, engordurar. V. **pavonar.**

empavorecer. *v. intr.* apavorar. V. **atemorizarse.**

empecatado, da. *adj.* desarranjador; incorrigível, extremamente traquina; desastrado, azarento; malévolo, mal intencionado.

empecedero, ra. *adj.* empecível, empecivo, que serve de empecilho, de obstáculo ou oposição, embaraçoso.

empecedor, ra. *adj.* estorvador; embaraçador, empecivo.

empecer. *v. tr.* empecer, danificar, prejudicar. — *v. intr.* impedir, estorvar, obstar: *esto no empece,* isto não embarga. — *conj. irr.* como *crecer.*

empecible. *adj.* empecível, empecivo, prejudicável, danificável.

empecimiento. *m.* empecimento, empecilho, estorvo, obstáculo, impedimento.

empecinamiento. *m.* teimosia, obstinação, pertinácia.

empecinar. *v. tr.* empesgar, empezar, untar com pez. — **empecinarse.** *v. r.* amarrar-se.

empecinarse. *v. r.* obstinar-se, encapricharse, aferrar-se. V. **obstinarse.**

empedernido, da. *adj.* (fig.) insensível, endurecido, empedernido.

empedernir. *v. tr.* empedernir; endurecer muito; emperrar, empedernecer. — **empedernirse.** *v. r.* (fig.) tornar-se insensível, duro de coração, obstinar-se, empedernir-se. — conjuga-se ùnicamente nas pessoas cuja desinência principia com *i.*

empedrado, da. *adj.* e *p. p.* empedrado; V. **rodado** (diz-se do cavalo). — *m.* empedrado, lajeado, calçada, pavimento calcetado, empedradura, empedramento; (fig.) diz-se do céu, quando se cobre de nuvens pequenas, tocadas umas à outras.

empedrador. *m.* empedrador, o que empedra, calceteiro.

empedradura. *f.* empedradura, empedramento, camada de pedras.

empedramiento. *m.* empedramento, empedradura.

empedrar. *v. tr.* empedrar; calçar, lajear, calcetar; (fig.) encher de desigualdades uma superfície, atravacar; apedrar.

empega. *f.* pez piche ou outra matéria disposta para pegar; marca feita com pez no gado lanígero.

empegadura. *f.* untura com pez, empesgadura; banho de pez dado a barris e outras vasilhas.

empegar. *v. tr.* empesgar, untar com pez; marcar com pez o gado lanar.

empego. *m.* empesgadura, marca a pez no gado lanar.

empeguntar. *v. tr.* empesgar o gado, para o marcar.

empeine. *m.* (anat.) púbis, baixo ventre; peito do pé, parte superior do pé; impigem, moléstia cutânea; empenha, parte superior do calçado.

empeinoso, sa. *adj.* dartroso, impetiginoso; que tem impigens.

empelar. *v. intr.* criar pêlo; assemelharem-se muito no pêlo dois ou mais cavalos; (prov.) cortar ou queimar um matagal para lavrar a terra.

empelazgarse. v. r. (fam.) meter-se em brigas ou pendências.

empelechar. v. tr. cobrir de mármore uma superfície.

empeltre. m. enxerto em escudete; (prov.) oliveira enxertada muito frutífera.

empella. f. pala do sapato.

empellar. v. tr. empurrar, dar empurrões, impelir; impulsar.

empellejar. v. tr. cobrir ou forrar com peles.

empeller. v. tr. empurrar. V. empellar.

empellicar. v. tr. empelicar, cobrir ou forrar com peles.

empellita. f. (Amér.) torresmo de porco.

empellón. m. empurrão, encontrão, choque, impulso violento, impulsão: a empellones, aos empurrões, bruscamente.

empenachar. v. tr. empenachar, ornar com penachos.

empenta. f. fulcro, apoio para suster alguma coisa.

empeñar. v. tr. empenhar, dar ou deixar em penhor uma coisa; precisar, obrigar; empenhar, interessar alguém, torna-lo medianeiro; empenhar, começar ou travar uma discussão ou combate; endividar; empenhorar, apenhorar. — empeñarse. v. r. empenhar-se, endividar-se; empenhar-se, interessar-se, interceder, insistir firmemente, travar-se luta; empenhar-se. contrair obrigação; empenhar-se, engajar-se, dar a sua palavra; apostar-se; embirrar; (fig.) estuchar.

empeño. m. empenho; constância, tenacidade em obter uma coisa, firmeza; desejo veemente, intere(ê)sse; enpenho, obrigação de pagar em que se constituio o que empenha; mediação; recomendação; ardor; empenho, patrono, protector, protecção; (taur.) acção de apear-se o toureador para combater a pé o touro; (fig.) estucha; afinco; encarecimento; emperramento; atocho.

empeoramiento. m. piora; degeneração; deterioração.

empeorar. v. tr. empiorar, piorar, tornar pior; engravescer; bastardear; deteriorar; desmedrar. — v. intr. pôr-se pior, piorar; desmelhorar-se, agravar-se; atrasar-se.

empequeñecer. v. tr. minorar, minguar, diminuir, empequenecer, empequenitar; apoucar, acanhar, fazer decrescer; apequenar, encolher; desengrandecer; desencurpar; menoscabar. — conj. irr. como crecer.

empequeñecimiento. m. apoucamento.

emperador. m. imperator.

emperatriz. f. imperatriz.

emperchado. m. cerca formada por madeiras verdes.

emperchar. v. tr. pendurar numa vara. — empercharse. v. r. prender-se, cair a caça na vara.

emperdigar. v. tr. V. perdigar.

emperejilar. v. tr. (fam.) adornar uma pessoa com profusão e esmero, embonecar;

ajaezar. — emperejilarse. v. r. enfeitar-se com grande apuro, empenachar-se.

emperezar. v. intr. preguiçar. deixar-se dominar pela preguiça, mandriar. — v. tr. (fig.) adiar, espaçar, demorar, transferir, retardar, dilatar o movimento ou a expedição duma coisa.

empergaminar. v. tr. cobrir ou forrar com pergaminho.

emperifollado, da. p. p. e adj. adornado, enfeitado com profusão, embonecado.

emperifollar. v. tr. adornar, enfeitar, embonecar. V. emperejilar.

emperlar. v. tr. emperlar, adornar com pérolas.

empernar. v. tr. parafusar, segurar alguma coisa com pernos; encavilhar; atarraxar.

empero. conj. mas; porém, todavia, contudo, não obstante.

emperrada. f. renegada, jogo de cartas.

emperramiento. m. emperramento, teimosia, obstinação, emperro.

emperrarse. v. r. (fam.) teimar, obstinar-se em não ceder, emperrar-se, embezerrar, encasmurrar; encaprichar-se; encasquetar-se (numa opinião).

empertigar. v. tr. (Amér.) atar o jugo à lança do carro.

empesador. m. molho de vimes para alisar a trama, espécie de espanador usado pelos tecelões.

empetráceas. f. pl. (bot.) empetráceas.

empetro. m. (bot.) empetro.

empezar. v. tr. e intr. começar, dar princípio a alguma coisa; principiar; encetar; iniciar; inaugurar; empreender; abrir; acometer; ter princípio uma coisa: empezar a, chegar, desatar em. — pres. ind. irr. empiezo, -as, -a, -an; subj. empiece, -es, -e, -en.

empicarse. v. r. afeiçoar-se demasiadamente.

empicotadura. f. empicotamento, prisão no pelourinho.

empiece. m. (fam.) começo, início. V. comienzo.

empiema. m. (med.) empiema.

empiemático, ca. adj. (med.) empiemático.

empiezo. m. (Amér.) começo, início. V. comienzo.

empilar. v. tr. empilhar, amontoar. V. apilar.

empina. f. (bot. e prov.) erva mais crescida num campo.

empinada (irse a la). f. empinar-se o cavalo. V. encabritarse.

empinadura. f. empinamento.

empinamiento. m. empinamento; empino; levantamento; inclinação de vasilhas para beber; acto de reerguer-se sobre a ponta dos pés.

empinar. v. tr. pôr a pino, erguer; inclinar bastante o copo para beber; alçar, levantar; (fig. e fam.) empinar, embocar, entornar, beber muito; encabritar. — empinarse. v. r. empinar-se, empertigar-se, pôr-se em pontas de pés; empinar-se um quadrúpede, encabritar-se; empinar-se, elevar-se; (fig.) diz-se das plantas, torres, montanhas, etc., que alcançam grande altura: *empinar el codo*, (pop.) chupar.

empingorotar. *v. tr.* (fam.) levantar uma coisa pondo-a sobre outra.

empino. *m.* (p. us.) empino, elevação proeminência; (arq.) vértice da abóbada.

empiñonado. *m.* pinhoada, pasta de pinhões.

empipada. *f.* (Amér.) fartação, fartadela, empanzinadela, empacho.

empipar. *v. tr.* empipar, pôr o vinho nas pipas.

empiparse. *v. r.* (Amér.) fartar-se, empanzinar-se.

empíreo, a. *adj.* empíreo; divino, celestial, supremo. — *m.* empíreo, céu.

empireuma. *m.* (quím.) empireuma.

empireumático, ca. *adj.* (quím.) empireumático.

empírico, ca. *adj.* empírico; prático; experimentado. — *m.* empírico, empirista; (fig.) empírico, curandeiro, charlatão.

empirismo. *m.* (filos. e med.) empirismo; (fig) rotina, prática; empirismo; experiência.

empitimarse. *v. r.* (pop.) V. **emborracharse e amonarse.**

empitonar. *v. tr.* (taur.) colher com as hastes o touro ao toureiro.

empizarrado, da. *p. p. e adj.* enlousado, coberto de ardósias. — *m.* tecto dum edifício feito com ardósias.

empizarrar. *v. tr.* enlousar, cobrir com ardósias o tecto dum edifício.

emplantillar. *v. tr.* entulhar, encher com entulho os alicerces duma parede.

emplastadura. *f.* emplastamento, emplastramento, emplastagem, emplastação.

emplastamiento. *m.* V. **emplastadura.**

emplastar. *v. tr.* emplastrar, emplastar, pôr emplastros; (fig.) enfeitar, compor com enfeites postiços, adereçar; arrebicar; deter, estorvar, embaraçar ou prejudicar um negócio. — **emplastarse.** *v. r.* lambuzar-se, enchafurdar-se, emporscalhar-se, enlamear-se.

emplastecer. *v. tr.* (pint.) emplastrar, revestir, encher e igualar com o aparelho as desigualdades duma superfície. — *conj. irr.* como *crecer.*

emplástico, ca. *adj.* emplástico; glutinoso, pegajoso como o emplastro.

emplasto. *m.* (farm.) emplastro, emplasto, emplastação, unguento; plástico e adesivo; (fig. e fam.) remendo, conserto mal feito; pessoa cheia de achaques; (fig. e fam. Amér.) qualquer coisa sobreposta a outra, como emenda, apósito, parche: *estar hecho un emplasto*, (fam.) não servir para nada.

emplástrico, ca. *adj.* (Amér.) emplástrico; (med.) supurativo, dissolutivo. V. **emplástico.**

emplazador. *m.* emprazador, aquele que empraza; aprazador.

emplazado, da. *p. p. e adj.* emprazado; aprazado; citado para comparecer.

emplazamiento. *m.* emprazamento, lugar, aprazamento; (for.) emprazamento; aforamento.

emplazar. *v. tr.* emprazar, citar alguém em determinado tempo e lugar; aprazar, apontar; (for.) emprazar, intimar alguém para comparecer em juízo; marcar prazo a; ceder por contrato de enfiteuse; emprazar, reconhecer o terreno para uma caçada; dar aviso ou ordem para que alguém se justifique, faça declarações ou pratique certos actos; empatar, fazer estorvo. — **emplazarse.** *v. r.* colocar-se o touro no centro da praça.

emplazar. *v. tr.* (gal.) V. **colocar.**

empleado, da *p. p. adj. e s.* empregado, ocupado; empregado, pessoa que desempenha um emprego; fa(c)tor, expedidor; a(c)tuário; amanuense; funcionário; empregado, aplicado; merecido: *dar por bien empleado*, dar por bem empregado.

emplear. *v. tr.* empregar, ocupar, colocar; empregar, dar emprego, uso, ocupação a; nomear para um emprego; fazer uso de; empregar, dar emprego, aplicar; ocupar, gastar; utilizar; preguear; acostumar; acomodar; destinar; meter; consumir, dedicar. — **emplearse.** *v. r.* empregar-se; acomodar-se; gastar dinheiro; dedicar-se; entrar: *emplearse a fondo*, envidar; *emplear todos los esfuerzos para conseguir algo*, mexer céu e terra; *emplear mal*, desaproveitar, desperdiçar.

empleita. *f.* V. **pleita**, empreita, tira de esparto.

empleitero, ra. *s.* esparteiro, o que faz ou vende obras de esparto.

emplenta. *f.* pedaço de taipa que se faz duma vez.

empleo. *m.* empre(ê)go, ocupação, ofício, cargo; destinação, destino; ministério; encargo; aplicação; colocação; acomodamento; (fig.) arrumo; (ant.) meneio, função; (p. us.) namorico, namoro; (germ.) furto.

empleomanía. *f.* ânsia com que se procura um emprego público, empregomania.

emplomador. *m.* chumbador, aquele que chumba.

emplomadura. *f.* chumbagem.

emplomar. *v. tr.* chumbar, prender ou soldar alguma coisa com chumbo; pôr selos de chumbo.

emplumar. *v. tr.* emplumar, empenar; pôr plumas ou penas a alguma coisa; (Amér.) dar a alguém gato por lebre, enganá-lo num negócio; (Amér.) enviar alguém a lugar de castigo; surrar, dar surras em, bater, açoitar. — *v. intr.* V. **emplumecer.** (Amér.) surrar, bater as asas, fugir; dar às de vila-diogo. — *v. r.* vangloriar-se.

emplumecer. *v. intr.* emplumar, criar penas, empenar, emplumescer, empenar-se. — *conj. irr.* como *crecer.*

empobrecedor, ra. *adj.* empobrecedor, que empobrece.

empobrecer. *v. tr.* empobrecer, tornar pobre; esgotar; depauperar. — *v. intr.* tornar-se pobre; cair na pobreza; decair, esgotar depauperar; perder a fertilidade; dessangrar, desangrar; derrotar; (fig.) exaurir; (Bras.) miquear. — **empobrecerse.** *v. r.* tornar-se pobre: *empobrecer las tierras,* desfrutar; *empobrecer el organismo,* desnutrir. — *conj. irr.* como *crecer.*

empobrecimiento. *m.* empobrecimento; depauperação; decadência; desnutrição.

empodrecer. *v. tr.* V. **pudrir.**

empoltronecerse. *v. r.* V. **apoltronarse.**

empolvadura. *f.* empoadela, empoamento.

empolvar. *v. tr.* empoar, cobrir de pó; empolvorizar; empoeirar; polvilhar; sujar com pó. — **empolvarse.** *v. r.* (Amér. e fig.) desacostumar-se; destreinar-se; perder a prática.

empolvoramiento. *m.* empoamento, polvilhação; empoadela.

empolvorar. *v. tr.* V. **empolvar.**

empolvorizar. *v. tr.* empoar, empolvorizar. V. **empolvar.**

empolladura. *f.* criação das abelhas; empolha; cho(ô)co.

empollar. *v. tr. intr.* e *r.* empolhar, chocar (ovos); incubar; produzir novo enxame, diz-se das abelhas; (fig. e fam.) meditar ou estudar um assunto mais demoradamente do que seria preciso, matutar; (prov.) criar borbulhas.

empollón, na. *adj.* e *s.* martelão, diz-se em geral, depreciativamente, do estudante que estuda muito as suas liçes; (Bras.) cu-de-ferro.

emponzoñador, ra. *adj.* e *s.* envenenador, que dá ou compõe veneno; peçonhento, daninho, que causa dano ou produz graves prejuízos.

emponzoñamiento. *m.* envenenamento, empeçonhamento, apeçonhamento.

emponzoñar. *v. tr.* empeçonhar, empeçonhentar; envenenar; apeçonhar; (fig.) estragar, danificar, corromper. — **emponzoñarse.** *v. r.* derrancar.

empopada. *f.* (mar.) navegação dum navio com vento rijo pela popa.

empopar. *v. intr.* (mar.) ter mais calado de popa; voltar a popa ao vento ou à maré.

emporcar. *v. tr.* sujar, emporcalhar; embodegar; enxovalhar; encardir; besuntar; luchar. — **emporcarse.** *v. r.* emboldregar-se.

emporético, ca. *adj.* emporético, que serve para filtrar líquidos.

emporio. *m.* empório, centro comercial internacional, lugar onde concorre para o comércio gente de vários países; empório, entrepósito, metrópole.

empotramiento. *m.* encravado, encravamento, encrava, encravação.

empotrar. *v. tr.* encravar, cravar, fixar uma coisa na parede ou no chão; meter; pregar com cravos; engastar; enganar, comprometer, encravelhar; en cerrar as abelhas.

empozamiento. *m.* empoçamento.

empotrerar. *v. tr.* (Amér.) meter o gado na devesa.

empozar. *v. tr.* empoçar, meter ou deitar num poço. — *v. r.* pôr o cânhamo ou o linho em poças de água para a sua maceração; empoçar, formar poça ou atoleiro; (fig.) ficar sem curso qualquer negócio, qualquer expediente.

empradizar. *v. tr.* e *r.* converter em prado um terreno.

emprendedor, ra. *adj.* e *s.* empreendedor, que empreende resolutamente quaisquer acções difíceis; empreendedor, arrostado; (fig.) furador; activo, arrojado.

emprender. *v. tr.* empreender; começar uma obra, empresa, negócio, etc.; (fam.) acometer alguém para o importunar com pedidos, ou zangar-se com ele, para brigar; empreender, acometer, abalançar, agenciar; arrostar; atentar; encarregar-se: *emprender un negocio,* abraçar um negócio; *emprender un negocio o empresa arriesgada,* deitar-se aos mares.

empreñar. *v. tr.* emprenhar, tornar prenhe; fazer conceber; (pop.) embaraçar. — *v. r.* emprenhar-se, ficar prenhe, engravidar, conceber.

empresa. *f.* empre(ê)sa, acção dificultosa que valorosamente se começa; intento ou desígnio de fazer alguma coisa; sociedade mercantil ou industrial; empresa, entidade; empresa, acometida, empenho, empreendimento; obra ou desígnio levado a efeito.

empresario, ria. *s.* empresário, aquele que dirige uma empresa, especialmente teatro ou casa de diversões; empresário, contratista.

empréstito. *m.* empréstimo, acto de emprestar; coisa emprestada.

emprima. *f.* V. **primicia.**

emprimación. *f.* V. **primación;** imprimação, imprimadura.

emprimar. *v. tr.* desengrossar; passar a lã uma segunda carda; (fig. e fam.) abusar da ingenuidade ou inexperiência dalguém para que pague algo indevidamente ou para divertir-se à sua custa; (pint.) V. **imprimar.**

empringar. *v. tr.* V. **pringar;** embeber, besuntar, untar.

emprostocifosis. *f.* (pat.) emprostocifose.

emprostotonía. *f.* (med.) emprostótono.

emprostotonos. *m.* (med.) emprostótono.

empsicosis. *f.* (filos.) empsicose.

empuchar. *v. tr.* lixiviar as meadas, branquear.

empujada. *f.* (Amér.) V. **empujón.**

empujador, ra. *adj.* e *s.* empurrador, que empurra.

empujar. *v. tr.* empurrar; impelir, empuxar; atochar; (fig.) incitar; desacomodar; intrigar, empurrar, fazer pressão; arremeter; esbarrar; encaixar; (pop.) impingir: *empujar hacia adentro,* atravar; *empujar a codazos,* acotovelar.

empuje. *m.* empurrão, empuxão, empurro; (fig.) brio, arranco, resolução para acometer uma empresa; força ou valimento eficaz para empurrar; pressão, impulsão, impulso; (fig.) eficácia; (arq.) empuxo.

empujón. *m.* empurrão, empuxão; encontrão; arrojão; arremetedura; esbarrada; embate; empurração.

empulgadura. *f.* empolgadura, acção de armar a besta.

empulgar. *v. tr.* empolgar, armar a besta.

empulguera. *f.* empolgadeira, empolgueira. — *pl.* instrumento que servia para dar tormento, apertando os dedos polegares.

empuñadura. *f.* empunhadura, guarnição, punho da espada; (fig.) começo ou princípio dum dicurso ou conto; prelúdio; (Amér.) punho de bengala ou de guarda-chuva.

empuñar. *v. tr.* empunhar, segurar ou pegar pelo punho; espada, bengala, etc.; pegar numa coisa abrangendo-a com a mão, agarrar, deitar a mão, asir; (fig.) obter, conseguir um emprego ou um lugar; (Bras.) palmear.

empuñidura. *f.* (mar.) empunidura, cabo com que se amarram as velas.

empuñir. *p. tr.* (mar.) empunir.

empurpurar. *v. tr.* cobrir ou vestir de púrpura; dar a cor de púrpura; empurpurecer.

emulación. *f.* emulação, estímulo, rivalidade; competência; brio, contenção, desafio.

emulador, ra. *adj. e s.* emulador, émulo, emulativo; rival, antagonista, competidor; concorrente; adversário; invejoso

emular. *v. tr.* emular; rivalizar; competir; imitar as acções de outrem, procurando excedê-lo; antagonizar; disputar; pôr-se a par de.

emulgente. *adj.* (anat.) emulgente (diz-se das artérias e as veias que conduzem o sangue aos rins).

émulo, la. *adj. e s.* é(ê)mulo, antagonista, competidor, rival; contrário; cioso; invejoso; concorrente.

emulsina. *f.* (quím.) emulsina.

emulsión. *f.* (farm.) emulsão.

emulsionar. *v. tr.* emulsionar, converter um líquido em emulsão.

emulsivo, va. *adj.* (farm.) emulsivo, emulsionante.

emulsor. *m.* emulsor, aparelho para misturar gorduras e outras substâncias.

emunción. *f.* (med.) emundação, excreção dos humores supérfluos.

emundación. *f.* emundação.

emuntorio. *m.* (med.) emunctório. — *pl.* glândulas situadas nas axilas, virilhas e por detrás das orelhas.

en. *prep.* em (indica em que lugar, tempo ou modo se determinam as acções dos verbos a que se referem); em, logo que, depois que, assim que, sobre; indicativa de lugar onde: *estar en casa*, estar em casa; de tempo: *Dios hizo el mundo en 6 días*, Deus fez o mundo em 6 dias; de modo: *escribir en prosa*, escrever em prosa; de estado: *ropa en harapos*, roupa em farrapos; de valor: *tasado en*, avaliado em; de fim; *armar en corso*, armar

em corso; de divisão: *comedia en tres actos*, comédia em três actos; seguida dum infinitivo, significa *por: le conocí en el andar*, conheci-lo pelo andar; com um gerundio, equivale a logo que, depois que: *en poniendo el artista las manos en la obra*, pondo o artista, as mãos na obra.

enaceitarse. *v. r.* enrançar-se, tornar-se rançoso.

enacerar. *v. tr.* acerar, tornar uma coisa como de aço; (fig.) endurecer, vigorizar.

enagua. *f.* anágua, enágua, combinação, saia de baixo usada pelas mulheres.

enaguachar. *v. tr.* encharcar, alagar, encher de água em excesso, ensopar; sentir peso no estômago por haver bebido muita água: *enaguachar el estómago*, encharcar-se em água.

enaguar. *v. tr.* V. **enaguachar.**

enaguas. *f. pl.* anáguas. V. **enagua.**

enajenable. *adj.* alienável, alheável.

enajenación. *f.* alienação, loucura; alienação; cessão de bens; admiração, êxtase, arroubamento, enlevo, frenesí; alheação; (fig.) distracção; desunião, esfriamento de amizade ou de relações: *enajenación mental*, alienação mental.

enajenador, ra. *adj. e s.* alienador, que aliena, alheador.

enajenamiento. *m.* alienação. V. **enajenación.**

enajenante. *p. a. e adj.* alienador, que aliena.

enajenar. *v. tr.* alienar, passar, entregar a outrem o domínio dalguma coisa; alhear, enalhear; (fig.) arrebatar, alienar, desorientar, perturbar a razão, alucinar; endoidecer; estupeficar; desalhear, alhear; encantar, extasiar; embriagar; afastar. — **enajenarse.** *v. r.* privar-se dalguma coisa; afastar-se, retrair-se; embeleçar-se, embebedar-se.

enálage. *f.* (gram.) enálage.

enalbar. *v. tr.* aquecer o ferro até ao rubro branco, encandecer.

enalbardar. *v. tr.* albardar, colocar a albarda; (coc.) albardar, cobrir com farinha e ovos certas comidas, para as fritar.

enalmagrar. *v. tr.* tingir com almagro.

enaltecedor, ra. *adj. e s.* enaltecedor, exaltador, louvador, encomiador.

enaltecer. *v. tr.* enaltecer, exaltar, exalçar, elogiar, louvar; gabar; alçar; (fig.) engrandecer, entronar, entronizar; abrilhantar. — *conj. irr. como crecer.*

enaltecimiento. *m.* enaltecimento; elogio glorificação.

enamarillecer. *v. tr. e intr.* amarelecer, amarelejar. — *conj. irr. como crecer.*

enamoradizo, za. *adj.* namoradiço, namoradeiro, propenso a enamorar-se.

enamorado, da. *p. p. adj. e s.* enamorado, namorado, que tem amor; enamoradiço; (fig.) enfeitiçado; amador; amartelado; amante; apaixonado; embeiçado; (pop.) conversado; encantado; (Bras.) influído, pirata: *quedar enamorado de*, engatar; *perdidamente enamorado*, desperdiçado.

enamorador, ra. adj. e s. namorador, namoradeiro, namoradiço; (fig.) derriçador; (pop.) conquistador; (Bras.) azeiteiro.

enamoramiento. m. enamoramento, namoramento, namoro, paixão; amor, galanteio; (fig.) corte; (pop.) conquista, derretimento, derriço; (Bras.) chamego.

enamorar. v. tr. enamorar, namorar; apaixonar; encantar, enfeitiçar, cativar; inspirar amor; namorar, fazer a corte; galantear, dizer galanteios; embeiçar; (fig.) arrebatar; (pop.) conversar, derriçar, conquistar, arrastar a asa. — **enamorarse.** v. r. enamorar-se, apaixonar-se, amoricar-se; agradar-se; encaprichar-se; afeiçoar-se a alguém ou a alguma coisa: enamorarse locamente, amartelar-se, entranhar-se de amor.

enamoricarse. v. r. (fam.) namoricar-se, enamorar-se levemente, namoriscar-se.

enanchar. v. tr. (p. us. V. ensanchar.

enangostar. v. tr. V. angostar.

enanismo. m. (anat. e pat.) deficiência do crescimento; pequenez.

enano, na. adj. e s. enano, enão, anão, diminuto, pequeno, pessoa de extraordinária pequenez

enantema. f. (pat.) enantema.

enántico, ca. adj. (quím.) enântico.

enantina. f. (quím.) enantina.

enantiopatía. f. (med.) enantiopatia.

enanzar. v. intr. (prov.) adiantar, avançar.

enarbolado, da. p. p. e adj. arvorado. — m. conjunto de peças de madeira ensambladas que constituem a armação duma torre ou abóbada.

enarbolar. v. tr. arvorar, levantar ao alto uma bandeira, enarvorar, içar, hastear; erigir. — **enarbolarse.** v. r. zangar-se, enfurecer-se; encabritar-se ou empinar-se o cavalo.

enarcar. v. tr. arquear, curvar, pôr em arco; arcar, arquear, pôr arcos nos toneis. — **enarcarse.** v. r. encolher-se, apequenar-se; (fig.) encabritar-se o cavalo.

enardecedor, ra. adj. e s. excitador, exacerbador.

enardecer. v. tr. excitar, avivar, acender, exacerbar, atiçar uma discussão, paixão, etc.; afoitar; entusiasmar; alentar; afervorar; inflamar. — **enardecerse.** v. r. encher-se de cólera, excitar-se; inflamar-se, congestionar-se uma parte do corpo; afoitar-se; acalorar-se. — conj. irr. como crecer.

enardecimiento. m. excitação, avivamento, ardor, paixão; efervescência; (med.) efervescência, calor excessivo; abespinhamento; encendimento; derretimento; frenesi; inflamação.

enarenar. v. tr. arear, deitar areia ou cobrir com ela; (min.) misturar a areia fina com lamas argentíferas. — **enarenarse.** v. r. (mar.) encalhar, varar as embarcações.

enarmonar. v. tr. levantar, erguer, alçar, pôr em pé uma coisa. — **enarmonarse.** v. r. empinar-se o cavalo.

enarmonía. f. (mús.) enarmonia.

enarmónico, ca. adj. (mús.) inarmónico, enarmó(ö)nico.

enartrosis. f. (med.) enartrose.

enastado, da. adj. e p. p. encabado; cornífero, cornuto, que tem cornos.

enastar. v. tr. encabar, pôr cabo a uma arma ou ferramenta.

enastilar. v. tr. V. enastar.

encabado, da. adj. (heráld.) encravado.

encabalgamiento. m. carreta de artilharia, reparo; armação de madeiros cruzados que serve de apoio a uma coisa. V. cureña.

encabalgar. v. intr. encavalgar, cavalgar, montar; sobrepor; descansar, apoiar-se uma coisa sobre outra. — v. tr. prover de cavalos, encavalgar, remontar; montar uma peça de artilharia.

encaballado, da. p. p. e adj. acavalado. — m. empastelamento das linhas duma composição.

encaballar. v. tr. sobrepor, colocar uma peça sobre a extremidade doutra; (impr.) empastelarem-se as linhas duma composição no lugar doutras.

encabar. v. tr. (Amér.) encabar. V. enastar.

encabellecerse. v. r. encabelar, criar cabelo. — conj. irr. como crecer.

encabestradura. f. (vet.) encabrestadura, chaga nas quartelas das cavalgaduras.

encabestramiento. m. encabrestamento, acção de pôr cabresto aos animais.

encabestrar. v. tr. encabrestar, pôr cabresto aos animais; encabrestar, conduzir os toiros com a ajuda de bois mansos, chamados cabrestos; (fig.) subjugar, seduzir, atrair alguém, sujeitar. — **encabestrarse.** v. r. encabrestar-se, embaraçar-se a besta no cabresto.

encabezamiento. m. encabeçamento; recenseamento para impor contribuições; ajuste da quota que cada um deve pagar, importo, taxa por cabeça; cabeçalho de documentos.

encabezar. v. tr. encabeçar, registar, fazer as matrículas devidas; empadrear, arrolar, decensear, registar os contribuintes, alistar, encabeçar; encabeçar, iniciar uma subscrição ou lista; lotar o vinho; pôr encabeçamento ou começo em um livro ou escrito; (Amér.) acaudilhar, acaudelar, capitanear, comandar como cabeça principal; unir duas coisas pelo topo — **encabezarse.** v. r. encabeçar-se abrigar-se voluntàriamente a um tributo, convir e ajustar em certa quantia; dar-se por contente de sofrer um certo prejuízo, a fim de evitar um maior; (fig.) combinar amigàvelmente.

encabillar. v. tr. (mar.) encavilhar.

encabrahigar. v. tr. (agr.) V. cabrahigar.

encabriar. v. tr. (agr.) encaibrar, pôr os caibros para assentar o telhado.

encabritarse. v. r. encabritar-se, empinar-se, erguer-se o cavalo; levantar sùbitamente a parte dianteira dos automóveis, aeroplanos, etc.

encabullar. v. tr. (Amér.) V. encabuyar.

encabuyar. *v. tr.* ligar, atar com pita; forrar uma coisa com pita.

encachado, da. *p. p.* e *adj.* empedrado. — *m.* revestimento de pedra ou cimento, feito num canal, conduto, etc., para fortalecer o álveo; empedrado feito de seixos.

encachar. *v. tr.* empedrar, fazer um revestimento de pedra ou cimento num canal, conduto, etc., para fortalecer o leito duma corrente de água, encabar, pôr as capas nos cabos das facas, navalha, etc., encapar; (Amér.) agachar a cabeça o animal vacum para acometer.

encadenación. *f.* V. encadenamiento.

encadenado, da. *p. p.* e *adj.* encadeado (verso); encadeado, atado com cadeia. — *m.* (arq.) cadeia, corrente; (min.) série de pontaletes ligados entre si numa galeria ou escavação.

encadenadura. *f.* V. encadenamiento.

encadenamiento. *m.* encadeamento; união, conexão, concatenação, ligação; agrilhoamento; acorrentamento; encadeamento, encadeação, ordem, série de coisas, sucessão.

encadenar. *v. tr.* encadear, prender ou sujeitar com cadeia; acorrentar; (fig.) travar, ligar, unir ideias, argumentos, etc.; encadear, tirar a acção, o movimento, etc., prender, segurar; encadear; sujeitar, cativar, oprimir, agrilhoar, subjugar, seduzir.

encajadas. *adj. pl.* (heráld.) encaixadas, diz-se das peças que formam encaixe.

encajador. *adj.* e *s.* entalhador, embutidor, encaixador, o que embute. — *m.* embutidor, instrumento para embutir.

encajadura. *f.* encaixe, acção de encaixar uma coisa noutra; encaixe, cavidade; encabadela.

encajar. *v. tr.* encaixar, entalhar, embutir, meter uma coisa noutra; encaixar, juntar, unir, adaptar; aplicar, ajustar; encaixar, fechar, encerrar; (fig. e fam.) atirar, dar; encaixar, fazer ou dizer alguma coisa inoportuna; fazer ouvir, causando enfado ou incómodo; fazer, tomar ou receber, causando engano ou prejuízo; encaixar, enganar, impingir uma coisa por outra; (mec.) engrenar; (carp.) embarbar, machear; disparar uma arma de fogo. — encajarse. *v. r.* encaixar-se, meter-se num lugar estreito; (fig.) vestir uma peça de roupa.

encaje. *m.* encaixe, acção de encaixar uma coisa noutra; cavidade ou lugar onde se mete uma peça; junta, ligação; juntura, união, encaixe; espécie de renda de vários desenhos; obra de embutido ou marchetaria; acerto de número que se conta com o valor da carta tirada à sorte no jogo das pintas; encabadela; encasamento. — *pl.* (Bras.) enxeridos; (herald.) encaixadas, partes triangulares do brasão: *hacer encaje*, bilrar.

encajera. *f.* bilreira, rendeira, mulher que trabalha em rendas.

encajero, ra. *s.* rendeiro, pessoa que faz ou vende rendas.

encajetillar. *v. tr.* empacotar tabaco.

encajonado, da. *p. p.* e *adj.* encaixotado. — *m.* (arq.) taipa ou tabique, tapume de terra; reforçado por tijolos; dique. V. ataguia.

encajonamiento. *m.* encaixotamento, encaixe; embalagem.

encajonar. *v. tr.* encaixotar, meter em caixote, meter em sítio apertado ou estreito; estreitar o leito dum rio; construir os alicerces em valas abertas; (arq.) reforçar um muro com pilares; (agr.) encaixotar, meter as plantas em caixotes cheios de terra. — encajonarse. *v. r.* encaixar-se.

encalabozar. *v. tr.* (fam.) encarcerar, enclausurar, meter alguém em calabouço ou cárcere.

encalabrinamiento. *m.* atordoamento.

encalabrinar. *v. tr.* atordoar, entontecer, perturbar a cabeça, estontear com um vapor que suba à cabeça; excitar, irritar. — encalabrinarse. *v. r.* (fam.) teimar, obstinar-se, embirrar, tomar uma mania; empenhar-se em alguma coisa.

encalada. *f.* peça de metal dos arreios do cavalo.

encalador, ra. *adj.* caiador, caieiro, que branqueia com cal. — *m.* curtidouro, curtidoiro, tina com cal para tirar o pêlo das peles.

encaladura. *f.* caiação, caiadura, caiadela; lixívia feita às sementes para as limpar.

encalamiento. *m.* emboço. V. encaladura.

encalar. *v. tr.* caiar, branquear com cal; meter em cal ou polvilhar com ela; encaixar, meter, introduzir; emboçar paredes; macerar, curtir as peles.

encalcar. *v. tr.* (prov.) V. recalcar.

encalmadura. *f.* (vet.) assoleamento.

encalmarse. *v. r.* assolear-se a cavalgadura; acalmar-se, abrandar, sossegar (tempo).

encalostrarse. *v. r.* contrair o recém-nascido a doença proveniente da ingestão do colostro.

encalvecer. *v. intr.* encalvecer, ficar calvo, perder o cabelo, decalvar. — *conj. irr.* como *crecer*.

encalladero. *m.* encalhe, encalho, lugar onde o navio encalha.

encalladura. *f.* (mar.) encalhe, encalhação, encalhamento.

encallar. *v. intr.* encalhar, dar em seco o navio, ficando sem movimento; (fig.) achar impedimento, embaraçar-se. — encallarse. *v. r.* encruar, endurecerem os alimentos por interrupção do cozimento; (prov.) V. encallecer.

encallecer. *v. intr.* encalecer, criar calos, calejar; calejar, tornar insensível; calejar, costumar-se ao trabalho, ao vício. — encallecerse. *v. r.* (fig.) endurecer-se, tornar-se insensível, acostumar-se aos trabalhos ou aos vícios. — *conj. irr.* como *crecer*.

encallejonar. *v. tr.* encantoar, meter uma coisa em lugar estreito; encurralar, enfiar num beco ou num corredor comprido.

encamación. *f.* (min.) escoramento, acção de escorar, segurar com espeques ou escoras.

encamar. *v. tr.* acamar, estender ou deitar uma coisa no solo; (min.) cobrir camadas ou rechear buracos com ramagens. — **encamarse.** *v. r.* acamar, encamar, meter-se na cama por doença; acaçapar-se, deitar-se a caça nos sítios que procura para seu descanso; (agr.) acamar-se, inclinar-se quase até ao chão (as searas).

encamarar. *v. tr.* enceleirar, recolher os cereais ou frutas no celeiro.

encambijar. *v. tr.* armazenar água nos reservatórios e distribuí-la por meio de caixas.

encambrar. *v. tr.* enceleirar. V. **encamarar.**

encaminadura. *f.* V. **encaminamiento.**

encaminamiento. *m.* encaminhamento; encarreiramento.

encaminar. *v. tr.* encaminhar, pôr a caminho, mostar o caminho, dirigir para um ponto determinado; dirigir a intenção a um fim; encarreirar, enveredar, encarrilar; derivar; estradar; aplicar; (fig.) entoar.— **encaminarse.** *v. r.* encaminhar-se; deitar-se; endereçar-se.

encamisar. *v. tr.* encamisar, vestir a camisa; (fig.) encobrir, disfarçar. — **encamisarse.** *v. r.* (mil.) encamisar-se, disfarçarem-se os soldados para uma encamisada.

encamonado, da. *adj.* (arq.) diz-se da armação duma abóbada.

encampanar. *v. tr.* (Amér.) elevar, encumear, pôr no cume; (Amér.) deixar alguém dependurado ou nas hastes do toiro. — **encampanarse.** *v. r.* (germ.) fanfarronar, alardear, blasonar de valentão; (taur.) levantar o touro a cabeça, como a desafiar.

encanalar. *v. tr.* encanar, canalizar.

encanalizar. *v. tr.* encanar, canalizar.

encanallar. *v. tr.* acanalhar, envilecer, aviltar. — **encanallarse.** *v. r.* acanalhar-se, envilecer-se, avelhacar-se.

encanarse. *v. r.* sufocar-se pela força do pranto ou do riso; (prov.) entreter-se demasiadamente a falar.

encanastar. *v. tr.* encanastrar, meter em canastra.

encancerarse. *v. r.* cancerar-se. V. **cancerarse.**

encandecer. *v. tr.* encandecer, incandescer, pôr em brasa. — *conj. irr.* como *crecer.*

encandelar. *v. intr.* (agr.) florescer como o castanheiro, formando panículas.

encandelillar. *v. tr.* (Amér.) alinhavar um tecido na orla para que não desfie; deslumbrar, encandear.

encandiladera. *f.* (fam.) alcoviteira. V. **encandiladora.**

encandilado, da. *p. p.* e *adj.* encandeado, deslumbrado; (fam.) erguido, levantado.

encandilador, ra. *adj.* e *s.* deslumbrador, ofuscador. V. **deslumbrador.** — *f.* alcoviteira. V **alcahueta.**

encandilar. *v. tr.* encandear, deslumbrar, ofuscar; (fig.) deslumbrar, alucinar com aparências ou falsas razões, enganar; (fam.) avivar o lume. — **encandilarse.** *v. r.* acenderem-se, inflamarem-se os olhos pela paixão ou desejo.

encanecer. *v. intr.* encanecer, criar cãs; (fig.) mofar, criar mofo; envelhecer, encanecer; encanecer, adquirir experiência; agrisalhar.

encanijamiento. *m.* definhamento, debilitação, debilitamento.

encanijar. *v. tr.* definhar, tornar-se fraco e enfermiço, debilitar. — **encanijarse.** *v. r.* definhar-se uma criança; (fig.) debilitar-se, definhar-se.

encanillar. *v. tr.* encanelar, dobar em canela.

encantación. *f.* encantamento, encantação, encanto.

encantado, da. *p. p.* e *adj.* encantado; (fig. e fam.) distraído ou embasbacado constantemente; diz-se do edifício grande e devoluto; encantado, enamorado, embriagado; entusiasmado; enlevado; enlevado.

encantador, ra. *adj.* e *s.* encantador, que encanta ou faz encantamentos; (fig.) encantador, que exerce muito viva e grata impressão na alma ou nos sentidos; delicioso; aprazível; angelical; amavioso; amável; atraente; formoso; mágico; estupendo; arrebatador; encantador, enfeitiçador; embriagador; embruxador; (fig.) atractivo, magnetizante; mago.

encantamento. *m.* V. **encantamiento.**

encantamiento. *m.* encantamento; arroubo; magia; encantação; encanto; conjuro.

encantar. *v. tr.* encantar seduzir, obrar maravilhas por meio de palavras mágicas e exercendo poder sobre coisas e pessoas; embruxar; (fig.) cativar a atenção dalguém; (germ.) entreter com razões aparentes e ilusórias; encantar, embeiçar; amentar; entusiasmar; arrebatar; enfeitiçar; enamorar; (fig.) embriagar; (fig.) magnetizar; (fig.) encandear; (pop.) emburricar; (fig.) atrair. — **encantarse.** *v. r.* deliciar-se, maravilhar-se, sentir grande prazer.

encantarar. *v. tr.* meter alguma coisa dentro dum cântaro ou duma urna, caixa, etc.

encante. *m.* (p. us.) leilão, venda em hasta pública; lugar onde se fazem leilões.

encantis. *m.* (med.) encantis.

encanto. *m.* encanto. V. **encantamiento;** (fig.) encanto, coisa que enleva, arrebata; encanto, delícia; embelezo; agrado; amavio; arroubo; entusiasmo; magnetismo; magia; encantação; encantamento; (fig.) mágica: *deshacer el encanto,* desencantar.

encanutar. *v. tr.* encanudar, dar a forma de canudo a alguma coisa. — *v. r.* meter alguma coisa num canudo. V. **emboquillar.**

encañada. *f.* desfiladeiro, garganta passagem entre dois montes. V. **cañada.**

encañado, da. p. p. de *encañar*, e *adj.* dirigido por um cano; água encanada. — *m.* encanamento, aqueduto para condução de águas; caniçada grande de canas nos jardins.

encañador, ra. s. pessoa que encaneia; que doba a seda; em português usa-se somente como substantivo feminino; dobadeira, mulher que doba.

encañar. v. tr. encanar, encaniçar; conduzir a água por canais; drainar; drenar; encaniçar, fazer caniçadas; empelhar lenha para carvoejar ou fazer carvão; cobrir ou cercar de canas ou de caniçado; defender com caniço. — **encañarse.** v. r. pasmar-se; dobar a seda ou a lã.

encañizada. f. caniçada, armação de canas para pescar; latada ou sebe, feita de canas ou caniços; carga do carro com caniças.

encañonar. v. tr. encanar, dirigirse ou encaminhar uma coisa para que entre por um canal, canalizar; entre caçadores, fixar, precisar a pontaria à peça; entre encadernadores, encaixar uma folha dentro doutra; encanelar, dobar em canelas. — v. intr. empenar, criar penas a aves; criar cana.

encañutar. v. tr. (ant.) encanudar. — **encañutarse.** v. r. encastelar-se: *encañutarse un caballo*, encastelar-se o cavalo.

encapachadura. f. conjunto de seiras em que se mete a azeitona que se espreme por uma vez na prensa.

encapachar. v. tr. enseirar, meter alguma coisa em seiras ou cabazes (especialmente azeitona); (prov.) empar, operação que se faz às vinhas, atando os sarmentos às cepas, para resguardar do sol os racimos.

encapar. v. tr. encapar, meter ou pôr a capa; encapotar, revestir, encobrir. — **encaparse.** v. r. (prov.) não poder nascer alguma planta, por haver-se formado uma crosta dura na terra.

encapazar. v. tr. enseirar. V. **encapachar.**

encaperuzar. v. tr. encapuzar, cobrir com capuz; encarapuçar.

encapillar. f. (mar.) encapelar, introduzir no calces a enxárcia, alça, etc.; montar enganchar uma coisa na outra; varrar a coberta uma onda do mar; (cetr.) cobrir com caparão a cabeça das aves de rapina; (min.) formar numa galeria um alargamento para daí partir outra. — **encapillarse.** v. r. (fig.) enfiar-se roupa pela cabeça.

encapirotado, da. adj. encarapuçado.

encapirotar. v. tr. encarapuçar, pôr o caparão na cabeça das aves de altanaria.

encapotadura. f. cenho, aspecto severo, rosto carrancudo.

encapotamiento. m. cenho. V. **encapotadura.**

encapotar. v. tr. encapotar, cobrir com capote; (fig.) encapotar, encobrir, ocultar; franzir o rosto, carregar o sobrolho. — **encapotarse.** v. r. carregar-se o sobrolho; carrregar-se, toldar-se, encobrir-se o céu de nuvens, anuviar; encapotar-se, abai-

xar-se muito a cabeça, o cavalo; (Amér.) ficar triste uma ave.

encapricharse. v. r. encaprichar-se, teimar, sustentar um capricho, obstinar-se; afeiçoar-se.

encapuchar. v. tr. encapuzar, encapuchar, cobrir ou tapar com capuz ou capelo.

encapullado, da. adj. fechado como a flor em botão.

encapuzar. v. tr. encapuzar, encapuchar, cobrir com capuz.

encaracolar. v. tr. encaracolar, dar forma de caracol; encrespar.

encaramar. v. tr. encarrapitar, empoleirar, levantar; elogiar, elevar às nuvens; adular, encarecer em extremo; levantar uma pessoa ou coisa de modo anormal e dificultoso; (fig.) e fam.) colocar em postos altos e honoríficos. — **encaramarse.** v. r. trepar alto; (fig.) chegar a um posto eminente.

encaramiento. m. encaramento, defrontação.

encarar. v. intr. encarar, olhar de frente; pôr-se cara a cara com alguém; arrostar; afrontar. — v. tr. apontar, dirigir a pontaria, pôr a arma à cara; afrontar, fazer face; afitar.

encarcelación. f. encarcelamento; prisão; reclusão, detenção; aprisionamento; aferrolhamento; (fam.) engaiolamento.

encarcelado, da. p. p. e s. encarcerado, detido, pre(ê)so; (fam.) engaiolado.

encarcelador, ra. adj. e s. carcereiro, que encarcera.

encarcelamiento. m. encarceramento. V. **encarcelación.**

encarcelar. v. tr. encarcerar, meter no cárcere; prender; enclausurar, deter, encerrar; (fam.) engaiolar, engazofilar; arrestar; aprisionar; apriscar; aferrolhar; (carp.) apertar duas tábuas depois de as colar com o gastalho; segurar com gesso ou cal uma peça de madeira ou ferro.

encarecer. v. tr. encarecer, aumentar o preço duma coisa; tornar caro; (fig.) ponderar, encarecer, exagerar, louvar muito, exaltar; elogiar, encomiar; recomendar com empenho. — *conj. irr.* como *crecer.*

encarecimiento. m. encarecimento, instância, empenho; louvor, exagero; carestia; recomendação: *con encarecimiento*, com encarecimento.

encargado, da. p. p. e adj. encarregado, que recebeu um encargo. — s. encarregado, gerente, dire(c)tor; fiscal dos operários numa obra; factotum: *encargado de negocios*, encarregado de negócios.

encargar. v. tr. encomendar, encarregar, incumbir, dar encargo a; encomendar; recomendar, aconselhar, prevenir. — **encargarse.** v. r. encarregar-se, tomar a seu cargo; tomar posse, assumir; incumbir-se; responsabilizar-se.

encargo. m. encargo, incumbência; obrigação; encargo, cargo, emprego; enviamento; encomenda; encomendação; mensagem; (fig.) embaixada: *como hecho de encargo*, (fam.) como de encomenda.

encariñar. *v. tr.* afeiçoar, despertar carinho. — **encariñarse.** *v. r.* afeiçoar-se, enamorar-se.

encarnación. *f.* incarnação, acto de haver tomado carne humana o Verbo Divino; encarnação, festa do Mistério do mesmo nome; (med. e vet.) fungosidade; (pint.) encarnação; cor de carne; (fig.) personificação, representação duma doutrina, ideia, etcétera.

encarnado, da. *adj.* e *p. p.* encarnado, de cor de carne; corado. — *m.* a cor de carne dado às imagens.

encarnadura. *f.* carnadura, ferida, ferimento, contusão.

encarnamiento. *m.* encarnação, efeito de cicatrizar uma ferida.

encarnar. *v. intr.* encarnar, incarnar, converter-se em carne, humanar-se (diz-se da Incarnação do Filho de Deus); encarnar, criar carne quando vai sarando uma ferida; introduzir-se na carne uma arma branca; (fig.) impressionar fortemente; (mont.) encarniçar, encarnar o cão. — *v. tr.* (fig.) encarnar, personificar, representar; (pint.) encarnar, dar cor de carne. — **encarnarse.** *v. r.* encarnar-se, encorporar-se, unir-se; encarniçar-se; (fig.) misturar-se; entranhar-se.

encarnecer. *v. intr.* engordar, encarnar, criar carne, encorpar. — *conj. irr.* como *crecer.*

encarnizamiento. *m.* encarniçamento; (fig.) crueldade; fúria; desesperação; encarniçamento; obstinação, tenacidade.

encarnizar. *v. tr.* encarniçar, deitar carniça aos cães para que se tornem ferozes; encarniçar, enfurecer, irritar, tornar bravo, enfurecer-se, encrudelecer; açular. — **encarnizarse.** *v. r.* encarniçar-se, lançar-se sobre a presa; encarniçar-se, perseguir cruelmente; cevarem-se com ânsia na carne os animais esfomeados; baterem-se com furor as tropas inimigas.

encaro. *m.* encaro, acção de encarar; pontaria, acção de apontar uma arma; carabina, espingarda curta; parte da coronha em que se apoia a face.

encarpetar. *v. tr.* emassar papeis.

encarrilar. *v. tr.* encarrilar, encarrilhar, dirigir, encaminhar, carrilar, colocar sobre os carris.—**encarrilarse.** *v. r.* encarrilar-se, sair do seu lugar um cadernal ou moitão.

encarroñar. *v. tr.* infeccionar, tornar infecto, apodrecer.

encarrujarse. *v. r.* encaracolar-se, anelar-se, retorcer-se, revirar-se. — *v. tr.* (Amér.) encaracolar, frisar, ondear, riçar.

encartación. *f.* encarte; recenseamento, arrolamento; reconhecimento de vassalagem; lugar ou povo que pagava o tributo de vassalagem; territórios com privilégios reais ou isenções especiais.

encartado, da. *p. p. adj.* e *s.* banido, proscrito; natural das Encartações (Biscaia) ou pertencente às mesmas.

encartamiento. *m.* encartamento, encartação (ant.) condenação à revelia, proscrição, sentença condenatória de proscrição.

encartar. *v. tr.* encartar, proscrever, banir, condenar à revelia; citar em juízo; admitir alguém numa companhia ou negócio; incluir, recensear, arrolar; encartar (no jogo de cartas); (fig.) vir a propósito, ser ocasião propícia, apresentar-se boa conjuntura.

encarte. *m.* encarte, acto de encartar ou encartar-se (no jogo de cartas).

encartonador. *m.* encadernador, que cartona, que encaderna em cartão.

encartonar. *v. tr.* cartonar, encadernar em cartão; pôr cartões ou resguardar com cartões; empastar.

encasamento, encasamiento. *m.* (arq.) caixotão, adorno de faixas e molduras numa parede ou abóbada.

encasar. *v. tr.* (cir.) encaixar um osso que havia saído do seu lugar; encasar.

encascabelar. *v. tr.* pôr guisos, enfeitar com guisos.

encascotar. *v. tr.* encher as fendas das paredes com cascalho e argamassa; rechear com entulho.

encasillable. *adj.* classificável, enquadrável.

encasillado, da. *adj.* e *p. p.* enquadrado, classificado por classes ou em colunas. — *m.* conjunto de casinhas; lista de candidatos apoiados pelo governo; (Amér.) enxadrezado.

encasillar. *v. tr.* enquadrar, classificar, distribuir em classes ou em colunas; indicar o governo a um candidato adepto ao distrito por onde será apresentado a deputado.

encasquetar. *v. tr.* encasquetar, pôr o chapéu na cabeça, calcando-o muito. — **encasquetarse.** *v. r.* (fig.) meter na cabeça, fazer acreditar a alguém; encasquetar-se, encabeçar-se. V. **encajar.**

encasquillador. *m.* (Amér.) V. **herrador.**

encasquillar. *v. tr.* ferrar cavalgaduras. — **encasquillarse.** *v. r.* encravar-se (uma arma de fogo); (fig. e fam. Amér.) acobardar-se.

encastar. *v. tr.* melhorar uma raça ou casta de animais. — *v. intr.* cruzar, castiçar, fazer casta, procriar.

encastillado, da. *adj.* e *p. p.* encastelado; (fig.) altivo, soberbo; contumaz; encastelado, sobreposto, acastelado, metido em castelo.

encastillador, ra. *adj.* encastelador, que encastela.

encastillamiento. *m.* encastelamento.

encastillar. *v. tr.* encastelar, acástelar; encastelar, fortificar com castelos; empilhar, dispor em pilha, amontoar. V. **apilar;** fazer uma armação para a construção duma obra; fazerem as abelhas cela para abelha-mestra. — **encastillarse.** *v. r.* encastelar-se, encerrar-se em castelo para se defender; (fig.) perseverar com tenacidade, obstinar-se.

encastrar. *v. tr.* (mec.) endentar, engrenar ou engranzar, fazer entrar os dentes duma peça entre os dentes doutra.

encastre. *m.* acção e efeito de endentar.

encatusar. *v. tr.* V. engatusar.

encauchado, da. *p. p.* e *adj.* impermeabilizado com caucho, diz-se do tecido. — *m.* impermeável.

encauchar. *v. tr.* cauchuchar, revestir de caucho, impermeabilizar.

encausar. *v. tr.* processar, instaurar processo a alguém, procedendo contra ele judicialmente.

encauste. *m.* V. encausto.

encáustico, ca. *adj.* (pint.) encáustico, relativo à pintura feita com o encausto. — *m.* encausto, espécie de tinta preparada com cera e aguarrás.

encausto. *m.* encausto, tinta de cor de púrpura de que se serviam os últimos imperadores romanos; (pint.) encáustica, pintura em cera; camada de cera sobre que se pintava; encausto, espécie de tinta preparada com cera e aguarrás.

encauzamiento. *m.* canalização; encarreiramento, encaminhamente, encanamento.

encauzar. *v. tr.* canalizar, dar direcção por acéquia ou rego a uma corrente; (fig.) encaminhar, dirigir por bom caminho, orientar, encarreirar, encarrilar: *encauzar el agua,* encanar.

encebar. *v. tr.* dar aos cavalos cevada em excesso, adoecer a cavalgadura por excesso de cevada.

encebollado, da. *adj.* e *p. p.* cebolada. — *m.* cebolada, guisado de carne, com bastante cebola.

encebollar. *v. tr.* pôr muita cebola num guisado.

encefalalgia. *f.* (pat.) encefalalgia.

encefalálgico, ca. *adj.* encefalálgico.

encefálico, ca. *adj.* encefálico.

encefalina. *f.* (quim.) encefalina.

encefalitis. *f.* (med.) encefalite, inflamação. do encéfalo.

encéfalo. *m.* (anat.) encéfalo, parte do sistema nervoso contido dentro do crânio.

encefalocele. *m.* (pat.) encefalocele, hérnia cerebral.

encefalocélico, ca. *adj.* encefalocélico.

encefalografía. *f.* encefalografia, método de exploração radiológica do encéfalo.

encefalógrafo. *m.* encefalógrafo, aparelho para obter encefalografias.

encefaloide. *adj.* (pat.) encefalóide.

encefaloideo, a. *adj.* encefalóide.

encefalolito. *f.* (pat.) encefalólito.

encefalología. *f.* (pat.) encefalologia.

encefalólogo, ga. *s.* encefalólogo.

encefalopatía. *f.* (pat.) encefalopatia.

encefalopático, ca. *adj.* encefalopático.

encefalorragia. *f.* encefalorragia.

encefalorrágico, ca. *adj.* encefalorrágico.

encefalorraquídeo, a. *adj.* encefalorraquídeo.

encefalotomia. *f.* (cir.) encefalotomia.

encefalotómico, ca. *adj.* encefalotómico.

encefalótomo. *m.* instrumento próprio para fazer encefalotomia.

encelado, da. *adj.* e *p. p.* zeloso; (fam.) diz-se da pessoa muito apaixonada; aluado (diz-se dos animais).

encelajarse. *v. imp.* enevoar-se, cobrir-se o céu de nuvens ténues e de variegados matizes.

encelamiento. *m.* ciúme, zelo.

encelar. *v. tr.* provocar ciúmes, enciumar. — *v. r.* ter ciúmes duma pessoa, enciumar-se; estar com cio (um animal).

enceldamiento. *m.* enclaustramento, clausura, enclaustragem.

enceldar. *v. tr.* e *r.* encelar, meter em cela, meter em clausura, enclaustrar.

encellar. *v. tr.* cinchar, apertar o cincho, dar formato ao queijo.

encenagado, da. *adj.* e *p. p.* enlameado, sujo de lama; (fig.) viciado, devasso; enlameado, atolado.

encenagamiento. *m.* enlameadura.

encenegarse. *v. r.* enlamear-se; meter-se na lama; envasar-se; envolver-se; alargar-se; (fig.) aviltar-se, entregar-se aos vícios.

encendedor, ra. *adj.* e *s.* acendedor, que acende; ateador; acendalha.

encender. *v. tr.* encender, acender, atear, fazer que alguma coisa arda; pegar fogo, incendiar, incender, atear, avivar, inflamar; (fig.) inflamar, estimular, atiçar; acalorar; excitar; causar ardor, queimar; incitar, estimular. — encenderse. *v. r.* castigar, bater; (fig. e fam.) obter grande vantagem (no jogo); (fig.) ruborizar-se, em virtude de cólera ou ira; inflamar-se; derreter-se; acender-se; arder: *encenderse el rostro,* envermelhar-se. — *conj. irr.; pres. ind.* enciendo, -es, -e, -en; *subj* encienda, -as, -a, -an.

encendido, da. *adj.* e *p. p.* acendido, aceso, inflamado; afogueado, ruborizado; encarniçado; incendido, acendido.

encendimiento. *m.* acendimento, acto de acender; (fig.) ardor, alteração veemente; viveza, vivacidade duma paixão; frenesi.

encendrar. *v. tr.* (p. us.) V. acendrar; depurar pela a(c)ção do fogo.

encenizar. *v. tr.* encinzar, cobrir de cinza; sujar com cinza; (fig.) enfadar: *encenizar a alguien en los negocios,* (Bras.) encaiporar.

encentadura. *f.* encetadura, encetamento.

encentamiento. *m.* encetadura, encetamento.

encentar. *v. tr.* encetar, começar a gastar ou a cortar; principiar; tirar parte de uma coisa que estava inteira; estrear. — encentarse. *v. r.* V. decentarse; ulcerar-se o doente. — *conj. irr.* como *acertar.*

encentrar. *v. tr.* centrar. V. centrar.

encepadura. *f.* a(c)ção e efeito de *encepar.*

encepar. *v. tr.* encepar, atormentar, pôr no cepo; (artil.) encoronhar, pôr coronhas nas armas de fogo; (mar.) pôr cepos nas âncoras. — *v. intr.* (agr.) enraizar. — enceparse. *v. r.* (mar.) enredar-se o cabo no cepo da âncora quando fundeada.

encepe. *m.* (agr.) enraizamento.

encerado, da. *adj.* e *p. p.* encerado, de cor da cera. — *m.* encerado, tecido impermeabilizado com cera ou outra matéria; oleado; quadro preto das escolas; polido com cera.

encerador. *m.* encerador, aquele que encera soalhos.

enceradura. *f.* enceradura, enceramento.

enceramiento. *m.* enceradura, enceramento; enceração.

encerar. *v. tr.* encerar, untar com cera alguma coisa; dar cor de cera; alcatroar. — *v. intr.* madurar, amadurecer, tomarem cor de cera ou amarelejarem as searas.

encerradero. *m.* curral, lugar onde se recolhem os rebanhos, estábulo, potreiro.

encerrado, da. *adj.* e *p. p.* encerrado; encarcerado; engaiolado; encastelado; enclaustrado; emparedado.

encerrador, ra. *adj.* e *s.* encerrador, que encerra; o que por seu ofício encerra o gado nos matadouros.

encerradura. *f.* encerradura, encerramento.

encerramiento. *m.* encerradura, encerramento.

encerrar. *v. tr.* encerrar, fechar alguém ou alguma coisa em lugar donde não possa sair; encovar; encarcerar; encerrar; encorrilhar; encortelhar; engaiolar; encafuar; encaixar; (fig.) incluir, conter, meter; clausurar; rematar, pôr límite a; condensar; reunir; clausurar; abarcar; abraçar; cingir; meter dentro; encerrar, conter, ocultar. — **encerrarse.** *v. r.* encerrar-se; (fig.) retirar-se do mundo, enclaustrar-se, enclausurar-se; engaiolar-se; encaixar-se: *encerrar bajo rejas*, meter em ferros; *encerrarse en sí mismo*, encantoar-se. — *conj. irr.* como *cerrar.*

encerrona. *f.* (fam.) retiro voluntário, encerro; situação preparada para obrigar uma pessoa a fazer uma coisa contra a sua vontade; (taur.) lide de touros feita com carácter privado; encerro, embaçadela; engano; enganação.

encespedar. *v. tr.* arrelvar, revestir de céspedes.

encestar. *v. tr.* encanastrar, meter em cesto ou canastra.

encetadura *f.* encetadura, encetamento, começo duma coisa.

encetar. *v. tr.* V. **encentrar,** encetar.

encía. *f.* (anat.) gengiva, tecido avermelhado que guarnece a dentadura; (pop.) engívas.

encíclica. *f.* encíclica, carta que o Sumo Pontífice dirige a todos os bispos.

encíclico, ca. *adj.* encíclico, circular.

enciclopedia. *f.* enciclopédia, conjunto de todos os conhecimentos humanos; obra que trata de todas as ciências e artes; V. **enciclopedismo.**

enciclopédico, ca. *adj.* enciclopédico, pertencente à enciclopédia.

enciclopedismo. *m.* enciclopedismo, sistema dos enciclopedistas.

enciclopedista. *adj.* e *s.* enciclopedista, que professa o enciclopedismo; enciclopedista, nome dado aos autores da Enciclopédia do século XVIII, publicada em França; enciclopedista, autor ou autora duma enciclopédia.

encienso. *m.* (bot.) absintio.

encierra. *f.* (Amér.) V. **encierro.**

encierro. *m.* encerramento, ence(ê)rro; clausura, recolhimento; enclausura, encarceramento; prisão muito estreita; acto de trazer os toiros para os encerrar no touril ou toiril. V. **toril.**

encima. *adv.* em cima, sobre; mais alto,, em lugar superior, com respeito; usa-se também em sentido figurado; descansando ou apoiando-se na parte superior duma coisa; demais, além disso, ainda por cima; apesar dela; contra a sua vontade; acima: *puesto encima de*, encimado; *por encima de*, por cima de, ainda em cima; *quedar encima*, ficar de cima.

encimar. *v. tr.* encimar, pôr no alto uma coica, sobrepor; coroar, rematar; encumear. — *v. r.* elevar-se, levantar-se uma coisa a maior altura, que outra do mesmo género.

encimero, ra. *adj.* encimado, cimeiro, que está ou se põe em cima, sobreposto. — *m.* (herald.) remate sobre o escudo.

encina. *f.* (bot.) azinheira, azinheiro, carvalho, árvore que produz a bolota; madeira desta árvore.

encinal, encinar. *m.* azinhal, lugar povoado de azinheiras.

encino. V. **encina.**

encinta. *adj.* V. **embarazada,** embaraçada, grávida, emprenhada.

encintado. *p. p. adj.* e *m.* encintado, enfitado; encintado, guia, faixa de pedra que nas ruas, forma a beira do passeio.

encintar. *v. tr.* encintar, enfitar, ornar ou enfeitar com fitas; pôr ou colocar guias num passeio; laçar (bezerros).

encismar. *v. tr.* causar cisma ou discórdia.

enciso. *m.* terreno onde as ovelhas vão pastar depois de terem parido.

encisto. *m.* tumor enquistado.

encizañador, ra. *adj.* e *s.* V. **cizañador,** que provoca cizânia; descasa-casados.

encizañar. *v. tr.* V. **cizañar;** semear cizânia ou discórdia; enzonar; indispor.

enclaustramiento. *m.* enclaustramento; enclausura.

enclaustrar. *v. tr.* enclaustrar, encerrar num claustro, enclausurar; (fig.) esconder em lugar oculto, encerrar; clausurar. — **enclaustrarse.** *v. r.* enclaustrar-se; clausurar-se; encelar-se.

enclavación. *f.* cravação, cravadura.

enclavado, da. *p. p. adj.* e *s.* encravado, diz-se do sítio encerrado dentro da área doutro; diz-se do objecto encravado noutro; seguro com cravos; encaixado; (fig.) em entalação; parado; (pop.) encalacrado.

enclavadura. *f.* encravamento; encravo; cravos de ferradura; ferimento produzido pelos cravos de ferradura; malhete, entalhe, encaixe que une duas peças de madeira, (vet.) V. **clavadura;** encravadura, encravo.

enclavar. *v. tr.* cravar, pregar, encravar; ferrar uma cavalgadura; (fig.) trespassar, atravessar de lado a lado; (fig. e fam.) enganar alguém; encravar, segurar com prego ou cravo; pregar, espetar; ferir ou magoar com os cravos (o pé da besta) embutir, engastar, embeber; (fig.) embair encravilhar, comprometer; vencer na discussão.

enclave. *m.* encravação, encrava, encravamento.

enclavijar. *v. tr.* enclavinhar, juntar, travar uma coisa com outra; entrelaçar; pôr cravelhas a um instrumento; (germ.) cerrar, apertar.

enclenque. *adj.* e *s.* adoentado, falto de saúde; definhado, enfermiço.

enclisis. *f.* (gram.) ênclise, emprego de enclíticas.

enclítico, ca. adj. (gram.) enclítico, diz-se da palavra que se liga à precedente, formando com ela uma só.

encoclar. *v. itnr.* chocar, incubar.

encloquecer. *v. intr.* V. **enclocar,** chocar (as aves) *conj. irr.* como *agradecer* e *crecer.*

encobertado, da. *adj.* e *p. p.* (fam.) acobertado, tapado com coberta, ou cobertor.

encobijar. *v. tr.* V. **cobijar;** cobrir.

encobrar. *v. tr.* pôr cobro, pôr termo, salvar; (Amér.) prender a extremidade do laço, num tronco, numa pedra, etc. para segurar melhor o animal enlaçado.

encobrar. *v. tr.* revestir com uma capa de cobre.

encoclar. *v. intr.* V. **enclocar,** chocar (as aves). — *conj. irr.* como *contar.*

encofrado. *p. p.* e *m.* armação ou revestimento de madeira que se emprega em construções (cornijas) e em fortificações e minas para sustentar ou fixar as terra.

encofrar. *v. tr.* colocar armações ou revestimentos de madeira para sustentar as terras nas galerias das fortificações e das minas ou ainda para formar as cornijas das construções.

encoger. *v. tr.* encolher, contrair, diminuir em extensão; apertar; acachapar; acanhar; adstringir; alcachinar; alavercar; engoiar, desvolumar; encouchar; tornar mais curto; encurtar; reduzir; refrear. — *v. intr.* diminuir, refrear. — **encogerse.** *v. r.* contrair-se, encolher-se; acaçapar-se; acanhar-se; entoar-se; alcachinar-se; alavercar-se; alapar-se; decrescer; enconchar-se; (fig.) engelhar-se; humilhar-se; acanhar-se, esconder-se; retrair-se; restringir as despesas; resignar-se; ser tímido, não ter resolução: *encogerse de hombros,* encolher os ombros; *encogerse de frío,* engerir-se, engaranhar; *encogerse el tejido,* embeber; *que puede encogerse,* contraível.

encogido, da. *adj.* e *p. p.* e *s.* (fig.) encolhido, apoucado, tímido, pacato, acaçapado; acanhado, cobarde; (pop.) engoiado; (fig.) engelhado; alapado; contraido; acachinado; enconchado: *encogido de frío,* engerido, engaranhado; *encogido de frío,* (Bras.) engurujado.

encogimiento. *m.* encolhimento, encurtamento; (fig.) acanhamento; constrição; empacho; encolha; timidez; retraimento.

encolado, da. *adj.* e *p. p.* colado, encolado; (Amér.) janota, elegante. — *m.* colagem, clarificação dos vinhos turvos, mediante uma solução de gelatina.

encoladura. *f.* encolamento, colação, grudadura; aplicação duma ou várias demãos de cola para pintar em seguida.

encolamiento. *m.* V. **encoladura.**

encolar. *v. tr.* encolar, colar, grudar, pegar com cola; aglutinar; empastar; atirar (uma coisa) aonde não seja fàcilmente recuperável; preparar, cobrir com cola; pôr cola em. — **encolarse.** *v. r.* clarificar vinhos; dar mãos de cola; aglutinar-se.

encolerizado, da. *adj.* e *p. p.* encruado, encolerizado, embravecido; apaixonado; arrebitado; (fig.) encabritado; (fig.) azedado; *estar encolerizado,* arder em ira.

encolerizar. *v. tr.* encolerizar, irar, irritar; encarniçar; embravecer; frenesiar; enfurecer; encabritar; excitar; indignar; exacerbar; (fig.) encruar; (fig.) endemoninhar; (fig.) quedar; (fig.) inflamar; exasperar. — **encolerizarse.** *v. r.* encolerizar-se, avinagra-se; atirar com tudo ao ar; embuziar-se; afrontar-se; assomar-se; deitar espuma pela boca; deitar raios; apaixonar-se; descompor-se; desabrir-se; aquecer-se; (fig.) encabritar-se; (pop.) derrancar; (Bras.) macucar: *montar en cólera, encolerizarse,* encolerizar-se; abrasar-se em cólera.

encomendable. *adj.* encomendável.

encomendado, da. *p. p.* e *adj.* encomendado. — *m.* dependente do comendador, nas ordens militares.

encomendamiento. *m.* encomenda, encargo, encarre(ê)go, encomendação.

encomendar. *v. tr.* encomendar, encarregar, incumbir, recomendar, confiar; dar comenda, fazer comendador; louvar; encomendar, pedir a Deus; incumbir. — *v. intr.* obter uma comenda. — **encomendarse.** *v. r.* encomendar-se, entregar-se, confiar-se ao amparo dalguém; recomendar-se, fazer os seus cumprimentos; mandar recado. — *pres. ind. irr.* **encomiendo, -as, -an;** subj. **encomiende, -es, -e, -en,** etc.

encomendero. *m.* encomendeiro, encoveiro, o que leva encargos de outrem; o que, por concessão real, tinha índios encomendados; (Amér.) indivíduo que fornece carne a uma cidade; merceeiro.

encomiar. *v. tr.* encomiar, louvar, encarecer, elogiar, gabar, exaltar, enaltecer, altibar; (fig.) engrandecer.

encomiasta. *adj.* encomiasta, panegirista, elogiador, encomiástico.

encomiástico, ca. adj. encomiástico, laudatório, encomiador, gabador, elogioso, enaltecedor.

encomienda. *f.* encargo, encomenda; comenda, dignidade de comendador; comenda, dignidade dalguns cavaleiros das ordens militares; certa renda vitalícia sobre um lugar ou herdade; comenda, insígnia de comendador; recomendação, elogio; amparo, patrocínio; (Amér.) encomenda pos-

tal. — *pl.* recados, cumprimentos, recomendações.

encomio. *m.* encó(ô)mio, louvor, grande elogio, gabação, enaltecimento, engrandecimento.

enconamiento. *m.* inflamação duma ferida ou
chaga; (fig.) rancor, animadversão. V. **encono.**

enconar. *v. tr.* inflamar, uma ferida ou chaga; (fig.) exasperar, irritar; malquistar,
inimizar; carregar a consciência com alguma má acção; (Amér.) furtar.

enconfitar. *v. tr.* confeitar. V. **confitar.**

encono. *m.* animosidade, resentimento, rancor, animadversão, ódio, má vontade; inflamação.

enconoso, sa. *adj.* (fig.) rancoroso, nocivo,
prejudicial, odiento, propenso ao rancor;
malévolo, vingativo, que tem má vontade.

enconrear. *v. tr.* preparar, temperar. V. **conrear.**

encontradizo, za. *adj.* encontradiço, que se
encontra com outra coisa ou pessoa: *hacerse el encontradizo,* fazer-se encontrado.

encontrado, da. *p. p.* e *adj.* encontrado, achado; colocado em frente; oposto, antitético.
contrário.

encontrar. *v. tr.* encontrar; achar, topar;
chegar onde está alguém; deparar; acertar. — *v. intr.* ir de encontro a, tropeçar;
encontrar-se com alguém. — *v. r.* opor-se,
inimizar-se; achar, estar; opinar diferen-
temente, discordarem uns dos outros; encontrar-se, conformar-se.

encontrón. *m.* encontrão, choque, empurrão,
embate, encontrão, empurração; (pop.)
atração.

encontronazo. *m.* V. **encontrón.**

encopetado, da. *p. p.* e *adj.* presumido afectado, presunçoso; impostor, vão; (fig.) de
alta linhagem. — *m.* o cateto vertical dos
ângulos que forman as duas águas dum
telhado.

encopetar. *v. tr.* encarrapitar, formar topete ou carrapito; cogular, fazer cogulo;
elevar em ponta; terminar em cone. —
v. r. (fig.) envaidecer-se presumir demasiadamente.

encorajar. *v. tr.* encorajar, dar valor, ânimo, coragem. — *v. r.* encolerizar-se, animar-se.

encorajinar. *v. tr.* desacobardar, animar. —
v. r. (fam.) encolerizar-se, arrebatar-se;
(Amér.) malograr-se um negócio.

encorar. *v. tr.* encourar, encoirar, revestir
com pele alguma coisa. — *v. intr.* criar
peles, as chagas, cicatrizar. — *ind. pres.*
irr. **encuero, -as, -a, -an;** *subj.* **encuere,
-es, -e, -en.**

encorazar. *v. tr.* cobrir com couraça.

encorchadura. *f.* (apr.) encorticamento, acção de meter as abelhas no cortiço.

encorchar. *v. tr.* encortiçar, cevar os enxames das abelhas para que entrem nas colmeias; rolhar, arrolhar, pôr rolhas nas
garrafas.

encorchetar. *v. tr.* acolchetar, pôr colchetes;
prender com eles a roupa ou outra coisa;
gatear, aplicar grampos de ferro às pedras para as prender.

encordadura. *f.* (mús.) encordoação.

encordamiento. *m.* (med.) encordoação.

encordar. *v. tr.* encordoar, colocar cordas
num instrumento músico, dobrar, tocar os
sinos a defunto. — *v. intr. conj. in.* como
acordar.

encordelar. *v. tr.* encordoar, ligar, atar com
cordéis, prover de cordéis; forrar com
cordel em espiral.

encordonar. *v. tr.* encordoar, pôr cordões a
alguma coisa.

encorecer. *v. tr.* V. **encorar;** cicatrizar uma
ferida ou uma chaga. — *v. intr. conj. irr.*
como *crecer.*

encoriación. *f.* cicatrização, acção e efeito de
cicatrizar uma ferida ou uma chaga.

encornación. *f.* (pop.) enfeitamento.

encornado, da. *adj.* e *p. p.* cornudo, que tem
cornos. — com os *adv.* bien ou mal, significa que tem boa ou má cornadura.

encornadura. *f.* cornadura, forma ou disposição dos cornos, dum animal. V. **cornamenta.**

encornudar. *v. tr.* (fig.) cornear, fazer cornudo alguém; (pop.) enfeitar. — *v. intr.*
deitar ou criar os cornos.

encorralar. *v. tr.* encurralar, meter o gado
no curral; encortelhar; encorrilhar; en-
corricar.

encorrear. *v. tr.* encorrear, ligar com correia, apertar e prender uma coisa com
correias.

encorsetar. *v. tr.* espartilhar, apertar com espartilho. — *v. r.* cingir-se, apertar-se com
espartilho.

encortinar. *v. tr.* encortinar, adornar com
cortinas.

encorvada. *f.* encorvadura, encurvamento;
arqueamento, curvatura.

encorvado, da. *adj.* e *p. p.* corcovado; alcachinado; abaulado; acurvado; (fig.) alcatruzado.

encorvadura. *f.* encurvadura, encurvamento.

encorvamiento. *m.* encurvamento.

encorvar. *v. tr.* encurvar, tornar curvo,
curvar; alcachinar; abaular; acurvar; al-
catruzar; tornar curvo; dar forma de arco, arquear; (fig.) humilhar. — *v. r.* ar-
car-se; encurvar-se; covar-se; alcachinar-se; acaçapar-se; (fig.) inclinar-se,
afeiçoar-se mais a uma parte; (equit.) encaracolar-se, baixar a cabeça o cavalo
arqueando o lombo e jogando de garupa.

encostarse. *v. r.* (mar.) acostar, aproximar-
-se da costa um navio; dar à costa, naufragar um navio.

encostillado. *m.* (min.) conjunto de esteios
duma mina.

encostradura. *f.* crosta, côdea dum pastel folhado; (arq.) revestimento ou guarnição
feita com placas de pedra trabalhada ou
de mármore polido.

encostrar. *v. tr.* encodear, cobrir com crosta ou côdea.

encovadura. *f.* acção de encovar; enceramento, ocultação.

encovar. *v. tr.* encovar, meter numa cova ou num buraco; (fig.) guardar, conter, encerrar. — *v. r.* encerrar, ocultar-se. — *pres. ind. irr.* **encuevo.** -as, -a, -an; *subj.* encueve, es, -e, -en.

encrasar. *v. tr.* condensar um líquido; adubar, fertilizar as terras.

encrespado, da. *p. p.* e *adj.* encrespado. — *m.* V. **encrespadura.**

encrespador, ra. *adj.* encrespador, que encrespa. — *m.* frisador, ferro, de encrespar ou frisar.

encrespadura. *f.* encrespadura, encrespamento, encoscoramento.

encrespamiento. *m.* encrespadura, encoscoramento.

encrespar. *v. tr.* encrespar, tornar crespo, anelar, enrugar, riçar; encapelar, encarapinhar; eriçar; arripiar o cabelo, a plumagem por efeito duma impressão forte; enfurecer, irritar. — *v. r.* levantar-se o mar; (fig.) enredar-se, dificultar-se um negócio; arrufar-se; engrifar-se; encarapinhar-se; empolar, encarneirar (o mar); encoscorar-se.

encrestado, da. *p. p.* e *adj.* encristado; (fig.) altivo, ensoberbecido, soberbo.

encrestarse. *v. r.* encristar-se, levantar a crista as aves.

encrinita. *f.* encrinite.

encrucijada. *f.* encruzilhada, sítio onde se cruzam caminhos, encruzamento; dédalo; beco; entroncamento; (fig.) armadilha, cilada.

encrudecer. *v. tr.* encruar, encruecer, enrijar o que se está a cozer; (fig.) exasperar, irritar, encruecer. — *conj. irr.* como *crecer.*

encrulecer. *v. tr.* encrudelecer, instigar a obrar com crueldade, encrudelescer; despiedar; acerbar; embrutecer; desumanizar; empedernecer; empedernir; encruar; — *v. r.* tornar-se cruel, encrudelecer-se. encruar-se, encarniçar-se, empedernir-se. — *conj. irr.* como *crecer.*

encuadernable. *adj.* encadernável.

encuadernación. *f.* encadernação; capa dum livro encadernado; oficina de encadernador.

encuadernador, ra. *s.* encadernador; pessoa que encaderna.

encuadernar. *v. tr.* encadernar; (fig.) conciliar, estabelecer a concórdia.

encuadrar. *v. tr.* enquadrar, encerrar, incluir, limitar; (fig.) emoldurar, encaixilhar, encaixar (prov.) meter o gado na cavalariça.

encuartar. *v. tr.* calcular, sobre o preço comum o aumento do valor das peças de madeira, quando excedem as dimensões ajustadas; (Amér.) enredar-se a cavalgadura no cabresto; (prov.) travar as patas das cabras para que não saltem. — *v. r.* (Amér. fig.) enredar-se num negócio; não achar saída.

encubar. *v. tr.* encubar, envasilhar, recolher o vinho em cubas; meter os réus de certos delitos numa cuba, juntamente com um galo, víbora, cão, etc. e arrojá-lo à água; (min.) reforçar as paredes dum poço de mina.

encubertar. *v. tr.* encobertar, acobertar, tapar com panos ou sedas, cobrir, encobrir ocultar. — *v. r.* acobertar-se para se resguardar ou para defesa.

encubierta. *f.* encoberta; fraude, ocultação dolosa; dolo; encoberta, cilada.

encubridizo, za. *adj.* encobridiço, que se pode encobrir fàcilmente.

encubridor, ra. *adj.* e *s.* encobridor, que encobre; acoitador; atabafador; encobrideira, chegadeira.

encubrimiento. *m.* encobrimento; (for.) participação nas responsabilidades dum delito; receptação; (fig.) sepultamento.

encubrir. *v. tr.* encobrir, ocultar uma coisa ou não a manifestar; (for.) tornar-se responsável pelo encobrimento dum delito; dissimular, ocultar, tapar; paliar; eclipsar; (fig.) abafar, encapar; atabafar.

encuentro. *m.* encontro; choque, embate; empurrão, topada; contradição, contrariedade, oposição; encontro, pendência, rixa, duelo; acometimento; (mil.) combate, choque, batalha, recontro, escaramuça; (arq.) ângulo formado por duas soleiras; (anat.) axila, sovaco. — *pl.* encontros, parte das asas, nas aves, donde nascem as penas maiores; encontros, pontas das espáduas nos cuadrúpedes; madeiros que sustentam os teares; (impr.) claros na composição, para depois se imprimir neles letras com tinta de cor diferente.

encuesta. *f.* indagação, informação, pesquisa, averiguação.

encuevar. *v. tr.* encovar. V. **encovar.**

encuitarse. *v. r.* afligir-se, contristar-se, entristecer-se.

enculatar. *v. tr.* pôr tecto sobreposto à colmeia.

encumbrado, da. *adj.* e *p. p.* elevado, alto; sublime; eminente; (fam.) empoleirado.

encumbramiento. *m.* elevação, altura; (fig.) exaltação, engrandecimento.

encumbrar. *v. tr.* encumear, pôr no cume, elevar, levantar, alterar; (fig.) exaltar, elevar, engrandecer; subir, passar o cume, galgar; empinocar; encimar; encarrapitar; (fam.) empoleirar. — *v. intr.* encumear-se. — *v. r.* ensorbecer-se, envaidecer-se; subir a muita altura; empinocar-se; (fam.) empoleirar-se.

encunar. *v. tr.* pôr a criança no berço; (taur.) atingir o touro o toureiro pegando-o entre os cornos.

encurdarse. *v. r.* (pop.) V. **emborracharse.**

enchancletar. *v. tr.* achinelar, calçar chinelas; trazer os sapatos à maneira de chinelas.

enchapado, da. *p. p.* e *adj.* chapeado. — *m.* chaparia, trabalho feito com chapas.

enchapar. *v. tr.* chapar, chapear, cobrir com chapas.

enchapinado, da. *adj.* levantado e armado sobre abóbada.

encharcada. *f.* charco, pântano.

encharcamiento. *m.* encharcamento; empapagem; anegação.

encharcar. *v. tr.* encharcar, cobrir de água um terreno, alagar, inundar; encher de água o estômago; empapar; empantanar; embalsar; apaular, anegar. — *v. r.* encharcar-se, empantanar-se, enlamear-se; (fig.) entregar-se à má vida.

enchilar. *v. tr.* (Amér.) apimentar, temperar, condimentar com pimentão; (fig.) encolerizar, incomodar, irritar; pregar uma partida, lograr ou ser logrado.

enchinar. *v. tr.* calcetar com seixos; empedrar com cascalho; (Amér.) encaracolar, formar caracóis no cabelo.

enchinarrar. *v. tr.* calcetar com seixos grandes.

enchiquerar. *v. tr.* meter ou fechar o touro no touril; (fig. e fam.) encarceirar.

enchironar. *v. tr.* (fam.) encarcerar, meter alguém no cárcere; encerrar.

enchuecar. *v. tr.* (fam. Amér.) torcer, encurvar, entortar. — *v. r.* encurvar-se.

enchufamiento. *m.* V. **enchufe.**

enchufar. *v. tr.* ajustar a boca dum cano com outro. — *v. intr.* (fig.) combinar, juntar um negócio ou ocupação com outra; ajustar as partes salientes duma peça com outra; pôr na tomada, ligar; (fam.) anichar; (Bras.) empistolar.

enchufe. *m.* boca (de cano ou tubo); ligação; parte dum cano ou tubo que penetra noutra; encaixe; tomada eléctrica; (fig.) sinecura; (Bras.) pistolão.

enchufista. *s.* pessoa que tem muitas ocupações ou negócios.

enchuletar. *v. tr.* (carp.) tapar um buraco com um torno de madeira.

enchute. *m.* (Amér.) V. **boliche.**

ende, por. *adv.* portanto, por conseguinte, por ende.

endeble. *adj.* débil, de insuficiente resistência; defectível; fraco; frágil; (fig.) de escasso valor.

endeblez. *f.* debilidade, fraqueza; qualidade de débil.

endeblucho, cha. *adj.* (fam.) palavra com que se encarece ou moteja o que é débil e, em especial, o que tem falta de vigor físico.

endécada. *f.* período de onze anos.

endecágono, na. *adj.* e *m.* (geom.) hendecágono, diz-se do polígono de onze ângulos e onze lados.

endecasílabo, ba. *adj.* e *m.* (gram.) hendecasílabo, diz-se do verso de onze sílabas; verso que tem os acentos na quarta e sétima sílaba.

endecha. *f.* endecha, canção triste de tom lamentoso e sentimental. — *m. pl.* endechas.

endechadera. *f.* V. **plañidera;** carpideira, pranteadeira.

endechar. *v. tr.* endechar, cantar endechas, e, mais especialmente em louvor dos de-funtos. — *v. r.* afligir-se, lamentar-se, carpir-se.

endehesar. *v. tr.* meter o gado na devesa ou pastagem.

endejas. *f. pl.* espigões, dentes. V. **adarajas.**

endemia. *f. f.* (med.) endemia.

endemicidad. *f.* (pat.) endemecidade.

endémico, ca. *adj.* endé(ê)mico, diz-se de factos e sucessos que se repetem com frequência num país; frequ(ü)ente; (med.) endémico, que tem carácter de endemia.

endemiología. *f.* (med.) endemiologia.

endemoniado, da. *adj.* e *p. p.* endemoninhado, possuido do demónio. — *s.* (fam.) sumamente perverso, endiabrado, demoníaco, energúmeno.

endemoniar. *v. tr.* e *r.* endemoninhar, introduzir os demónios no corpo duma pessoa; (fig. e fam.) encolerizar, irritar; endiabrar.

endenantes. *adv.* antes, em tempo anterior; (Amér.) há pouco (tempo), ainda.

endentado, da. *adj.* e *p. p.* endentado; (herald.) diz-se das peças que tem dentes muito miúdos e triangulares; denticulado; denteado; (bot.) dentado.

endentadura. *f.* endentação.

endentamiento. *m.* endentação; engrenagem.

endentar. *v. tr.* endentar, engranzar, engrenar; dentear; (mec.) entrosar, engargantar; dentar; dentar (uma roda). *conj. irr.* como *acertar.*

endentecer. *v. intr.* endentecer, começar a ter dentes; dentar. *conj. irr.* como *agradecer.*

endeñado, da. *adj.* (prov.) inflamado, danado.

enderezado, da. *adj.* e *p. p.* endireitado; dirigido; favorável, a propósito; arrebitado; empinado, empertigado.

enderezador, ra. *adj.* e *s.* que dirige, que governa bem ou endireita o que não estava bem feito; alçador: *enderezador de entuertos,* alçador de forças.

enderezamiento. *m.* direcção, rectificação, correcção, destorcimento; empinadela; endereçamento.

enderezar. *v. tr.* endireitar, pôr direito o que está torto; endereçar, dirigir, remeter; empinar; empertigar; arrebitar; erguer; desamarrotar; desencurvar, pôr direito, ou vertical o que está inclinado ou deitado; adereçar; destorcer; descurvar; aprumar; encaminhar; (fig.) dirigir, governar direito, bem; emendar, corrigir, castigar. — *v. intr.* encaminhar-se para uma paragem ou a alguém. — *v. r.* dirigir-se, encaminhar-se; aprumar-se; engravitar-se; desencostar-se; endireitar-se.

enderezo. *m.* V. **enderezamiento.**

endérmico, ca. *adj.* (pat.) endérmico.

endeudado, da. *adj.* e *p. p.* empenhado, endividado, encalacrado.

endeudarse. *v. r.* endividar-se; contrair dívidas; reconhecer-se obrigado, grato; encravilhar-se.

endiablada. *f.* mascarada festiva e barulhenta em que muitos se mascaravam de diabos.

endiablado, da. adj. e p. p. endiabrado, diabólico, muito mau, endemoninhado; energúmeno; infernal; (fig.) disforme, muito feio, desproporcionado.

endiablar. v. tr. endemoninhar, endiabrar; (fig. e fam.) corromper, perverter. — v. r. irritar-se, enfurecer-se; encolerizar-se.

endíadis. f. (ret.) hendíadis, figura pela qual se expressa, sem necessidade, uma só coisa com duas palavras.

endilgar. v. tr. (fam.) encaminhar, dirigir, acomodar, facilitar; endossar, enfiar, impingir (algo desagradável e impertinente).

endino, na. adj. (fam.) indigno, perverso.

endiosamiento. m. endeusamento, deificação; desvanecimento; altivez extremada; suspensão ou abstracção dos sentidos; (fig.) orgulho, altivez.

endiosar. v. tr. e r. endeusar, deificar, divinizar (fig.); extasiar, enlevar; erguer-se altivamente, com entono; ensoberbecer-se; suspender-se, extasiar-se, endeusar-se.

enditarse. v. r. (Amér.) endividar-se.

endoblar. v. tr. fazer que duas ovelhas amamentem ao mesmo tempo um cordeiro.

endoble. m. (min.) periodo duplo de trabalho do pessoal mineiro.

endocardiaco, ca. adj. (med.) endocardiaco.

endocardio. m. (anat.) endocárdio, membrana que reveste o interior do coração.

endocarditis. f. (med.) endocardite; inflamação aguda ou crónica do endocárdio.

endocarpio. m. (bot.) endocarpo, endocárpio, membrana que envolve a semente no interior do fruto.

endocráneo. m. (anat.) endocrânio.

endocrino, na. adj. (anat.) endocrínico, endócrino.

endocrinología. f. (fisiol. e med.) endocrinologia.

endodermis. f. (biol. e bot.) endoderma, endoderme.

endodermo. m. (biol.) endoderme, endoderma.

endoesqueleto. m. endoesqueleto.

endofito, ta. adj. (bot.) nome de cogumelos parasitas que crescem no interior dos tecidos vegetais.

endogénesis. f. endogénese, nascimento de células no interior doutras.

endógeno, na. (bot. e hist. nat.) endógeno, endogénico.

endolinfa. f. endolinfa, líquido que enche a parte interior do ouvido.

endolinfático, ca. adj. (anat.) endolinfático.

endometritis. f. (pat.) endometrite.

endomingado, da. adj. e p. p. endomingado, domingueiro. V. **dominguero.**

endomingarse. v. r. endomingar-se, vestir-se com roupa de festa.

endonefritis. f. (pat.) endonefrite.

endoparásito. m. endoparasita, parasita que vive no interior dos órgãos doutro animal.

endoplasma. m. (biol.) endoplasma.

endopleura. f. (bot.) endopleura.

endorsar. v. tr. V. **endosar;** endossar.

endorse. m. V. **endoso;** endosso ou endosse.

endosable. adj. endossável, que se pode endossar.

endosante. p. a. adj. e s. endossante, que endossa; endossador.

endosar. v. tr. (com.) endossar, ceder ou transferir a favor de outro um documento de crédito; (fig.); passar a outrem, carga, responsabilidade ou trabalho não agradável.: endosar el encargo a otro, devolver o encargo a outrem.

endosatario, ria. s. endossatário, endossado.

endoscopia. f. (med.) endoscopia.

endoscopio. m. (med.) endoscópio.

endose. m. V. **endoso.**

endoselar. v. tr. formar dossel.

endosmómetro. m. (fis.) endosmó(ô)metro.

endosmosis. f. (fís.) endosmose, corrente de fora para dentro entre dois líquidos de densidades diferentes.

endosmótico, ca. adj. (fís.) endosmótico.

endoso. m. endo(ô)sso, acção de endossar um documento de crédito; declaração escrita no reverso deste documento; endossamento.

endospérmeo, a. adj. (bot.) endospérmico.

endospermo. m. (bot.) albume, substância que envolve e alimenta o embrião dalgumas sementes; endosperma.

endostoma. m. endóstoma.

endotelial. adj. (anat.) endotelial.

endotelio. m. (anat.) endotélio.

endotérmico, ca. adj. (quím.) endotérmico.

endrogarse. v. r. (Amér.) endividar-se.

endulzadura. f. adoçamento, dulcificação, edulcoração, edulcorante.

endulzar. v. tr. adoçar, tornar doce; açucarar; dulcificar; amelaçar, melar (farm.); edulcorar; (farm.) arrobar; (fig.) suavizar, tornar mais leve um trabalho, abrandar; desacerbar; demulcir; melifluentar; adocicar. — v. r. (pint. p. us.) suavizar as tintas e contornos, adoçar.

endurador, ra. adj. e s. sovina, pouco inclinado a gastar nem a dar; avarento, mesquinho.

endurar. v. tr. endurar, endurecer. — v. r. tolerar, sofrer, diferir ou dilatar; economizar, diminuir às depesas.

endurecer. v. tr. endurecer, endurar, empedernir; encruar, empedernecer; (fig.) empedrar, exasperar; (fig.) encordoar; emperrar; (fig.) robustecer; tornar forte. — v. r. endurecer, empedernir-se; endurecer-se, encascar, encarniçar-se: endurecer la fruta, apedrar; endurecer un tumor (vet.) empotrar; endurecer como el hierro, aferrenhar.

endurecimiento. m. endurecimento, dureza, qualidade de duro; endurramento, encasque; encordoação; encruamento; induração; apedreamento (diz-se das frutas).

ene. f. nome da letra N. e do sinal potencial indeterminado em álgebra. — adj. quantidade indeterminada: ser de ene (una cosa) ser forçosa ou infalível (uma coisa); ene de palo, forca.

enea. f. (bot.) planta tifácea. V. **anea.**

eneagonal. *adj.* (geom.) eneagonal.
eneágono. *m.* (geom.) eneágono.
eneal. *m.* lugar onde abunda a *enea*.
eneandria. *f.* (bot.) eneandria.
eneandro, dra. *adj.* (bot.) eneandro.
eneasílabo, ba. *adj.* (gram.) eneassílabo, composto de nove sílabas. — *s.* eneassílabo.
enechado, da. *adj.* e *s.* V. expósito.
enejar. *v. tr.* colocar o eixo no carro; pôr uma coisa no eixo.
eneldo. *m.* (bot.) endrão, endro, aneto.
enema. *m.* (med.) enema, medicamento que se aplicava sobre as feridas sangrentas.— *f.* clister.
enemiga. *f.* inimizade, ódio, má vontade, oposição; desinteligência; animosidade; desamor; desamizade; desadoração; animadversão; desafeição; (vulg.) senreira; (fig.) encarniçamento.
enemigamente. *adv.* com inimizade.
enemigo, ga. *adj.* e *s.* contrário, oposto; infesto; antagonista; adverso; inimigo; desafe(c)to; adversário; desafeiçoado; contendedor, exército contrário na guerra; diabo, demónio; (Bras.) desafeto.
enemistad. *f.* inimizade, aversão ou ódio entre dois ou mais pessoas; desinteligência; desunião; animosidade; indisposição; desamor; desamizade; desconcórdia; desconchavo; (fig.) desconce(ê)rto; descontentamento; desavença.
enemistar. *v. tr.* inimizar, tornar inimigo, malquistar, indispor; inimistar; desunir; despicar; desamizar; desconcordar; desconciliar; desconchavar; desconcertar; descompor; descompadrar; (fig.) entroviscar. — *v. r.* desavir-se, desamistar-se; desconchavar-se; desconcertar-se; despicar-se.
éneo, a. *adj.* (poét.) é(ê)neo, feito de bronze, semelhante ao bronze na dureza; relativo ao bronze.
energética. *f.* (fís.) energética.
energético, ca. *adj.* (fís.) energético.
energía. *f.* energia, eficácia, poder, virtude para trabalhar; força de vontade, vigor; fo(ô)rça, potência; energia, animosidade, alma, a(c)ção, acrimó(ô)nia; a(c)tividade; a(c)tuação; fortaleza; fortidão; energia, elasticidade, (fig.) elastério; envergadura; (fig.) energia, firmeza, força de carácter; energia, vigor veemência; (fis.) energia, faculdade que possui um corpo de produzir trabalho: *falta de energía*, inactividade, apatia; *falto de energía*, frierão, adinâmico; encolhido; *perder la energía*, enervar-se, entorpecer-se, entibiar-se.
enérgico, ca. *adj.* enérgico, que tem energia, ou relativo a ela; enérgico, eficaz, forte; eficiente; (fig.) barbiteso; enérgico, incisivo, expresivo; a(c)tivo: *mostrarse enérgico con alguien*, entesar-se com alguém.
energúmeno, na. *s.* energúmeno, furioso, pessoa possuida do demónio; (fig.) furioso, alvorotado, pessoa apaixonada que se exprime por brados e gestos violentos.
enerizar. *v. tr.* V. erizar.

enero. *m.* Janeiro, o primeiro mês do ano civil.
enervación. *f.* enervação, enervamento, abatimento moral ou físico; (med.) esgotamento da energia nervosa; afracamento; afrouxamento.
enervador, ra. *adj.* enervador, que enerva.
enervamiento. *m.* V. enervación.
enervante. *p. a.* e *adj.* enervante, que enerva.
enervar. *v. tr.* enervar, debilitar, tirar as forças; (fig.) debitar ou enfraquecer a força das razões ou argumentos; entibiar; derrubar, entorpecer, desnervar; afrouxar; (fig.) embotar; amolecer. — *v. r.* enervar-se, aletargar-se; alanguidar-se; embotar-se; elanguescer; (fig.) estiar.
enerve. *m.* e *adj.* (ant.) fraco, débil, efeminado.
enfadadizo, za. enfadadiço, fácil de enfadar; rabugento; impaciente.
enfadamiento. *m.* enfadamento, enfado. V. enfado.
enfadar. *v. tr.* enfadar, causar enfado; incomodar; aborrecer; chofrar; desgostar; exacerbar; dessazonar; incomodar; estomagar; embespinhar; arrufar; encolerizar; indignar; agastar; descontentar; embudar; enfurecer; arrenegar; arreliar; (fig.) infernar; (fig.) atormentar; atordoar; (fig.) avinagrar; (Brasil) atucanar. — *v. r.* arrufar-se; enxofiar-se; encatramcnar-se; indispor-se; abespinhar-se; apaixonar-se; indignar-se; apostemar-se; agastar-se; ir aos ares; ir à serra; emburrar; embuziar; embravecer, despeitar-se; arrenegar-se; arreliar-se; assomar-se; atediar-se; (pop.) embezerrar; (fig.) estoirar; (fig.) encordoar: *enfadarse con alguien*, indispor-se; desabrir-se com alguém; *enfadarse con facilidad*, não aguentar muito pano.
enfado. *m.* enfado, impressão desagradável e incómoda que se sofre no ânimo; agastamento; afã; trabalho; despeito; consumição; incomodidade; arrufo; indignação; arrojo; enfadamento; arrenegação; arrelia; (fam.) encavacação; (fig.) encordoação.
enfadoso, sa. *adj.* incó(ô)modo; indigesto; desconsolado; enfadonho; enfadoso; empalagoso; arreliento.
enfajinada. *f.* arte de construir fortificações com molhos muito apertados. V. fajinada.
enfalcade. *m.* (Amér.) aparelho de madeira colocado nos fundos dos moinhos.
enfaldador. *m.* alfinete grande para segurar a saia.
enfaldar. *v. tr.* recolher ou apanhar as saias ou fraldas. — *v. r.* cortar os ramos baixos das árvores.
enfaldo. *m.* saia recolhida ou apanhada para não arrastar; bolsa ou regaço que as mesmas fazem depois de recolhidas ou apanhadas.
enfangar. *v. tr.* enlamear, sujar. — *v. r.* meter-se em negócios sujos; envilecer-se; enxudrar-se; envasar-se; (fig.) entregar-se excessivamente aos prazeres sensuais.

enfardar. *v. tr.* enfardar, empacotar; enfardelar; acostalar; empacar; embalar.

enfardelador. *m.* enfardador. o que enfarda; empacotador, embalador .

enfardeladura. *f.* enfardamento; empacamento; enfardelagem; empacotagem; embalagem.

enfardelar. *v. tr.* enfardelar, enfardar, encostalar, empacar. V. **enfardar.**

énfasis. *m.* ênfase, força de expressão ou entoação çom que se quer realçar a importância do que se diz ou do que se faz. — *m.* (ret.) figura que consiste em dar a entender mais do que realmente se expressa.

enfático, ca. *adj.* enfático, declamatório, empolado.

enfatuado, da. *adj.* e *p. p.* e *s.* enfatuado.

enfatuar. *v. tr.* enfatuar. — *v. r.* (fig.) atoleimar-se; tornar-se fátuo, soberbo, vaidoso.

enfebrecer. *v. intr.* enfebrecer; ter febre, criar febre; passar a estado febril.

enfermar. *v. intr.* enfermar, adoecer; contrair uma doença; achacar. — *v. tr.* causar doença; (fig.) debilitar.

enfermedad. *f.* padecimento; adoecimento; afe(c)ção; enfermidade; alteração da saúde; abalamento; achaque; (fig.) paixão ou alteração moral ou espiritual; (Bras.) dodói. — (fig.) anormalidade prejudicial ao funcionamento duma instituição, colectividade, etc.

enfermería. *f.* enfermaria; casa ou sala destinada a enfermos; conjunto de doentes de determinado lugar, ou tempo, ou duma mesma doença.

enfermero, ra. *s.* enfermeiro, pessoa que trata dos enfermos; indivíduo que dispensa cuidados e carinhos a doentes.

enfermizo, za. *adj.* enfermiço, que tem pouca saúde; que adoece com frequência; doentio; capaz de ocasionar doença; achacado; estragado; definchado; achacadiço; achacoso; (Bras.) aíva, atempado.

enfermo, ma. *adj.* e *s.* enfe(ê)rmo, doente; paciente; indisposto; adoentado; egro; atreito a moléstias; imperfeito, anormal; (Bras.) chourém, dodói: *estar enfermo,* padecer; *caer enfermo,* adoentar, enfermar; *persona enferma y delicada* (pop.), galinha-choca; *persona enferma y achacosa* (Bras.) coroca; *ser un buen enfermo,* guardar a boca; *estar enfermo del corazón,* ter agastamento do coração; *sentirse enfermo,* estar con ánsia.

enfermucho, cha. *adj.* enfermiço, que tem pouca saúde; propenso a ficar doente.

enfervorizar. *v. tr.* afervorar, infundir bom ânimo ou fervor, alentar, animar, estimular; pôr em fervura. — *v. r.* afervorar-se.

enfeudación. *f.* enfeudação.

enfeudar. *v. tr.* enfeudar, dar em feudo, avassalar.

enfielar. *v. tr.* pôr uma balança no fiel.

enfierecerse. *v. r.* (p. us.) enfurecer-se, pôr-se furioso, tornar-se furioso. — *conj. irr.* como *crecer.*

enfilado, da. *p. p.* e *adj.* (herald.) enfiada, diz-se das peças anulares nas lanças, bandas, etc., enfiada, enfileiramento; enfileirado.

enfilar. *v. tr.* enfiar, introduzir em orifício, atravessar, engranzar; enfileirar; vir na mesma direcção duma outra coisa. V. **ensartar;** enfileirar, pôr em fila, pôr em ordem, alinhar; (mil.) colocar-se a artilharia no flanco dum posto, para o bater com fogo directo.

enfisema. *m.* (med.) enfisema, infiltração de ar no tecido celular.

enfisematoso, sa. *adj.* (pat.) enfisemático.

enfistolarse. *v. r.* enfistular-se, passar uma chaga ao estado de fístula.

enfiteusis. *f.* enfiteuse, cessão do domínio útil dum imóvel, mediante o pagamento dum foro; aforamento; foragem.

enfiteuta. *s.* enfiteuta, pessoa que tem o domínio útil dum prédio, por enfiteuse; foreiro.

enfitéutico, ca. *adj.* enfitéutico, relativo à enfiteuse.

enflacar. *v. intr.* emagrecer, enfraquecer, pôr-se fraco. V. **enflaquecer.**

enflaquecer. *v. tr.* enfraquecer, pôr alguém fraco; emagrecer, afracar; afrouxar; (fig.) extenuar; desmedrar; debilitar; engoiar; infirmar; minguar; decrepitar. — *v. intr.* pôr-se fraco, adelgaçar; descarnar-se; desengrossar; consumir; elanguescer; enfroixecer; emaciar; (fig.) enfermar; (fig.) chupar; (fam.) acanavear. — *v. r.* desmaiar, perder o ânimo; adelgaçar-se; perder as forças; enervar-se. — *conj. irr.* como *crecer.*

enflaquecimiento. *m.* emagrecimento; enfraquecimento; depressão; desengrossamento; (fig.) anémia, debilidade; debilitação; debilitamento; decadência; atrofia; magreza; (fig.) desmedrança; extenuação; definhamento; fraqueza.

enflautador, ra. *adj.* e *s.* (fam.) que incha ou que sopra. V. **alcahuete;** alcoviteiro.

enflautar. *v. tr.* inchar, inflar, soprar; (fig. e fam.) V. **alcahuetar;** alcovitar; (Amér.) encaixar, encasquetar algo, inoportuno e incómodo.

enflechado, da. *adj.* armado com a flecha para atirar, diz-se do arco.

enflorar. *v. tr.* enflorar, florear, ornar com flores; fazer nascer flores em; tornar florido.

enfocar. *v. tr.* enfocar, focar, focalizar; (fig.) focar, distinguir e compreender os pontos essenciais dum problema.

enfoque. *m.* a(c)ção de enfocar ou focar.

enfosado. *m.* V. **encebadamiento;** doença das cavalgaduras.

enfoscado, da. *adj.* e *p. p.* rebocado. — *m.* rebocadura, reboco, operação de tapar os buracos duma parede ou muro; capa de argamassa com que está revestido um muro ou parede.

enfoscar. *v. tr.* rebocar, revestir um muro com argamassa; tapar os furos duma parede depois de feita. — *v. r.* pôr-se car-

rancudo, enervar-se; absorver-se num negócio; (prov.) anuviar-se, cobrir-se o céu
de nuvens.

enfotarse. *v. r.* (prov.) afoitar-se, confiar excessivamente; enfadar-se.

enfranquecer. *v. tr.* franquear, tornar franco ou livre. — *conj. irr.* como *crecer.*

enfrascamiento. *m.* enfrascamento.

enfrascar. *v. tr.* enfrascar, deitar um líquido
em frascos. — *v. r.* enfrascar-se, meter-se
por brenhas; (fig.) enfrascar-se; concentrar-se, aplicar-se; concentrar a atenção,
ocupar-se excessivamente dum negócio;
absorver-se, embeber-se; mergulhar-se;
engolfar-se.

enfrenamiento. *m.* enfreamento.

enfrenar. *v. tr.* enfrenar, enfrear; pôr o
freio ao cavalo; contê-lo e guiá-lo com
o freio; conter, frenar; sujeitar; (fig.)
refrear, reprimir, dominar. — *v. r.* (fig.)
dominar-se, reprimir-se.

enfrentar. *v. tr.* enfrentar, defrontar; afrentar; pôr frente a frente. — *v. r.* e *intr.*
afrontar, fazer frente, opor; medir-se;
encornar.

enfrente. *adv.* em frente, na parte oposta;
defronte, contra; diante; adiante.

enfriadera. *f.* esfriador, esfriadouro, esfriadoiro, vaso destinado a esfriar alguma
coisa.

enfriadero. *m.* esfriadoiro, lugar onde se põe
a esfriar alguma coisa.

enfriador, ra. *adj.* e *s.* esfriador, que esfria.
V. **esfriadero.**

enfriamiento. *m.* esfriamento, entibiamento;
friagem, frialdade.

enfriar. *v. tr.* esfriar, enfriar, tornar frio. —
v. intr. e *r.* arrefecer, deixar esfriar; desafoguear; desaquecer; arrefecer-se; entibiar-se.

enfrontar. *v. tr.* enfrentar, encarar, defrontar; chegar à frente duma coisa; afrontar,
fazer frente a. — *v. intr* afrontar.

enfroscarse. *v. r.* V. **enfrascarse.**

enfullar. *v. tr.* (fam.) batotar, fazer batota
ao jogo; batotear.

enfundadura. *f.* revestimento.

enfundar. *v. tr.* embrulhar, envolver uma
coisa noutra; meter em estojo; encapar;
enfronhar; encher, revestir; (fig.) tornar
versado, dissimular. — *v. r.* consagrar-se
ao estado de.

enfuñarse. *v. r.* (Amér.) enfadar-se, zangar-
-se V. **enfurruñarse.**

enfurecer. *v. tr.* enfurecer, irritar alguém ou
pô-lo furioso, enraivecer; debacar, encolerizar; endiabrar; danar; embravecer; enfurecer, enfuriar; exacerbar;
(fig.) inflamar; (fig.) endemoninhar. — *v.
r.* enfurecer-se; entrar-se de raiva; debacar; dar-se a perros; dar-se ao diabo;
exceder-se; encarniçar-se; encrudelecer-
se; encolerizar-se (fig.) alterar-se, encapelar-se; aborrascar-se; desenfrear-se; ir
aos arames; embravecer; arrebatar-se;
(fig.) estoirar-se; (fig.) encrespar-se, encabritar-se. — *conj. irr.* como *crecer.*

enfurecimiento. *m.* exasperação, fúria, enfurecimento; exacerbação; irritação.

enfurruñamiento. *m.* enfado; encavacação;
(pop.) encavacadela.

enfurruñarse. *v. r.* (fam.) enfadar-se; zangar-se, encolerizar-se; (prov.) enfuscar;
escurecer (o céu); emburrar; amarroar;
enchouriçar-se; entoar-se; arrufar-se;
melindrar-se; (fam.) encavacar; (pop.)
encatramonar-se; (pop.) embezerrar-se.

enfurruscarse. *v. r.* V. **cnfurruñarse.**

enfurtido, da. *adj.* e *p. p.* pisoado, pisoamento.

enfurtir. *v. tr.* enfortir, pisoar, dar fortaleza
aos panos ou tecidos de lã.

engace. *m.* V. **engarce;** fio de metal com
que se engranza; (fig.) dependência e conexão dumas coisas com outras.

engaitador, ra. *adj.* (fam.) embelecador; enganador; embaucador.

engaitar. *v. tr.* (fam.) enganar com promessa
deslumbrantes; seduzir, iludir; embaucar;
embelecar; enganar-se.

engalabernar. *v. tr.* (Amér.) V. **embarbillar.**

engalanar. *v. tr.* engalanar, pôr galas em;
ataviar, ornamentar; enfeitar; aformosear; exornar. — *v. r.* ataviar-se, adornar-
-se: *engalanar un barco con banderas y
gallardetes, empavesar:* engalanar, pôr galas em; enfeitar de galões.

engalgar. *v. tr.* fazer que a caça seja perse-
guida pelo galgo; travar ou calçar a roda
dum carro; (mar.) firmar na cruz duma
âncora ou cabo duma ancoreta, para segurar o navio contra as tormentas ou correntes muito fortes.

engallador. *m.* rédea; bridão, correia que
obriga o cavalo a erguer a cabeça.

engalladura. *f.* V. **galladura,** galadura.

engallarse. *v. r.* engalispar-se; engalar-se;
(fig.) empantufar-se; entesar-se; pôr-se
direito e arrogante. — *v. r.* (equit.) levantar a cabeça (cavalo) obrigado pelo bridão.

enganchador, ra. *adj.* engatador, que engata, que engancha.

enganchamiento. *m.* V. **enganche;** enganchamento, engatamento.

enganchar. *v. tr.* enganchar, agarrar alguma
coisa com gancho ou dependurá-la nele;
aferrar; engatar; engranzar; alistar;
prender com gancho; enlaçar. — *v. r.* e
intr. atrelar as cavalgaduras às carruagens;
(taur.) diz-se do toiro quando mete as hastes pelo fato do toureiro; (fig. e fam.)
atrair com boas maneiras, cativar, seduzir; (mil.) recrutar (oferecendo dinheiro);
(mil.) alistar-se como soldado, sentar praça; agarrar-se.

enganche. *m.* enganchamento, engate; (fig.)
engajamento; (mil.) alistamento.

engañadizo, za. *adj.* enganadiço, fácil de
enganar.

engañador, ra. *adj.* e *s.* enganador, que
engana; embele(c)ador; defraudador; artificioso; embalador; embaidor, embusteiro; falaz; falacioso; falsário, farsante;
ilusório; mentiroso; embaucador; (Bras.)

embromador; (fig.) sedutor, que engana ou seduz com promessas falazes.

engañadura. *f.* (mar.) costura que se faz na ponta da corda dum ovém.

engañamundo, engañamundos. *m.* enganador. V. **engañador.**

engañante. *p. a.* de **engañar**; enganoso, que engana.

engañapastores. *m.* (orni.) V. **chotacabras.**

engañar. *v. tr.* enganar, dar à mentira aparência de verdade; induzir outrem a crer e ter por certo o que o não é; iludir, causar ilusão; entreter, distrair; endrominar; embaucar; mentir; embelecer; burlar; atraiçoar; engodar; chasquear; desvairar; defraudar; fazer cair em erro; embromar; fraudar; encampar; embabaçar; embair; empepinar; falir; falcatruar; falsificar; ludibriar; farçantear; apanhar; deludir; fazer cair na corriola; adregar; equivocar; abusar; (fig.) encravar; (fig.) evadir; (pop.) engrampar; engranzar; enzampar, encalacrar; (pop.) embarrilar, encabar; (fam.) bifar, bigodear; (Bras.) tapear. — **engañarse.** *v. r.* cerrar os olhos à verdade por ser mais agradável o erro; equivocar-se, enganar--se; errar numa apreciação; (fig.) errar; desacertar; *engañar a alguien*, furtar as águas a alguém, tomar alguém com gaita, encaixar as barbas a alguém, meter a pala a alguém; *engañar con buenas palabras*, dar palha a, dar mel pelos beiços; *dejarse engañar*, (pop.) ir no embrulho; *engañar con promesas falsas o vanas*, embalar, engordar; *dejarse engañar como un chino*, deixar-se apanhar como un pato; *ser difícil de engañar*, ser mau de enganar.

engañifa. *f.* (fam.) engano artificioso com aparência de utilidade; fraude com armadilha; ciganice.

engañifla. *f.* (prov. e Amér.) V. **engañifa.**

engaño. *m.* engano, falta de verdade no que se diz, faz, pensa ou discorre; falsidade; embele(ê)co; ciganagem; ciganaria; decepção; enganação; estratagema; defraudação; chasco; abusão; batota; fraude, fraudação; fraudulência; artimanha, arteirice; artifício; embaçadela; embromação; embustice; embuste; falsificação; falsidade; falseamento; astúcia; farsa; desapontamento; fulheira; e(ê)rro; mentira; (fig.) encravação; (fig.) barrela; (fig.) boiz; (pop.) encabadela; (pop.) empandeiramento; (fig.) anzol; (Bras.) ébia.

engañoso, sa. *adj.* enganoso, mentiroso; mentido; deceptivo; falaz; arguto; fraudador; fraudatório; fraudulento; artificioso; falsário; falacioso; falso; delusório; (prov.) mentiroso, que diz mentiras; traiçoeiro, astuto, em que há engano.

engarabatar. *v. tr.* (fam.) enganchar, agarrar com gancho. — *v. r.* encurvar-se; pôr--se alguma coisa em forma de gancho.

engarabitar. *v. intr.* encarrapitar, trepar, subir ao alto. — *v. r.* V. **engarabatarse;** encurvar-se.

engaratusar. *v. tr.* V. **engatusar.**

engarbado, da. *adj.* enganchado, diz-se da árvore que, ao ser abaixada, fica presa por outra.

engarbarse. *v. r.* empoleirar-se na parte mais alta duma árvore ou doutra coisa, diz-se das aves.

engarbullar. *v. tr.* (fam.) confundir, enredar, misturar uma coisa com outras.

engarce. *m.* engranzamento, engrenagem; metal em que se engranza alguma coisa; encadeamento de coisas, conexão.

engargantadura. *f.* V. **engargante.**

engargantar. *v. tr.* engargantar, meter uma coisa pela garganta; endentar; meter muito o pé no estribo, engargantarse. — *v. r.* emperrar-se a bala no cano da espingarda em vez de descer à culatra. — V. **engranar.**

engargante. *m.* V. **engranaje; engrenagem;** engranzamento; endentação.

engargolado, da. *adj.* e *p. p.* encaixado. — *m.* ranhura pela qual desliza uma porta; (carp.) encaixe, ensamblamento, ensambladura, entalhe.

engargolar. *v. tr.* encaixar, ensamblar, entalhar, ajustar peças entalhadas.

engaritar. *v. tr.* fortificar ou adornar com guaritas um edifício ou fortaleza; (fam.) enganar com astúcia, embaucar, embair.

engarnio. *m.* (fam.) coisa ou pessoa que não vale nada, que é inútil. V. **plepa.**

engarrafador, ra. *adj.* engarrafador, agarrador, que agarra, que segura.

engarrafar. *v. tr.* engarrafar. *v. tr.* (fam.) segurar, agarrar fortemente; engarrafar, enfrascar, meter em garrafa, acondicionar em garrafa.

engarrar. *v. tr.* agarrar, segurar. V. **agarrar.**

engarriar. *v. tr.* encarrapitar, trepar. — *v. r.* pôr-se em sítio elevado; alcandorar--se.

engarro. *m.* agarração.

engarrotar. *v. tr.* V. **agarrotar;** (prov. e Amér.) entorpecer (de frio).

engarzador, ra. *adj.* e *s.* engranzador, que engranza, que agarra.

engarzadura. *f.* V. **engarce; engranzamento,** engrenagem.

engarzar. *v. tr.* engranzar, encadear; engrenar; riçar os cabelos. V. **engastar;** (Amér.) enredar (semeando discórdias e disensões).

engastador, ra. *adj.* e *s.* engastador, que engasta.

engastadura. *f.* V. **engaste.**

engastar. *v. tr.* engastar, encastoar, embutir em metal, encaixar, marchetar; encravar.

engaste. *m.* engaste, aro ou guarnição que segura a pedraria nas jóias; engaste, encava.

engatado, da. *adj.* e *p. p.* engazupado, enganado; habituado a furtar como o gato.

engatar. *v. tr.* (fam.) enganar bajulando.

engatillado, da. *p. p.* e *adj.* aplica-se ao animal de pescoço grosso e levantado. — *m.* certo processo de união de duas chapas metálicas; (arq.) obra de madeira cujas peças estão ligadas com gatos ou engates de ferro; engatado.

engatillar. v. tr. engatar, gatear, prender ou ligar com grampos ou gatos duas chapas metálicas; (arq.) gatear, prender com gatos de ferro; engatilhar.

engatusador, ra. adj. e s. (fam.) bajulador, que bajula, que lisonjeia; engodador.

engatusamiento. m. bajulamento, bajulação, sedução, adulação; enganação; embaçadela; engano.

engatusar. v. tr. (fam.) bajular, adular, seduzir; enganar; (fig.) encandear; lisonjear.

engaviar. v. tr. e r. subir ao alto, trepar.

engavillar. v. tr. V. **agavillar**; engavelar, enfeixar.

engazador, ra. adj. e s. V. **engarzador**.

engazamiento. m. V. **engarce**; engranzamento, engrenagem.

engendrable. adj. engendrável, que se pode engendrar.

engendrador, ra. adj. engendrador, que engendra, cria ou produz.

engendramiento. m. engendração, engendramento.

engendrar. v. tr. e r. engendrar, gerar, procriar; (fig.) causar, ocasionar, formar; dar a existência; produzir, inventar, engenhar.

engendro. m. V. **feto**; feto; criatura que nasce informe, aborto, monstro; (fig.) plano, desígnio ou obra intelectual mal concebidos; embrião.

engeridor. m. ingeridor, o que ingere; enxertadeira.

engerir. v. tr. (Amér.) V. **engurruñarse.**— conj. irr. como **herir.**

engerirse. v. r. engerir-se, encolher-se; enrugarse; cobrir-se com mantas ou cobertores.

engibacaire. m. (germ.) rufião.

engibador. m. (germ.) rufião.

engibar. v. tr. corcovar, tornar corcunda; tornar corcovado. — v. r. (germ.) guardar e receber.

englandado, da. ou **englantado, da.** adj. (herald.) glandado, diz-se do carvalho carregado de bolota.

englobar. v. tr. englobar, incluir ou considerar reunidas várias partes ou coisas numa só; englobar, dar forma de globo a; juntar; incorporar.

engolado, da. adj. que tem gola; (herald.) aplica-se às peças cujos extremos entram em bocas de leões, serpentes, etc.; farfalhudo.

engolfar. v. intr. engolfar, entrar um navio muito dentro do mar; empregar. — v. r. (fig.) embeber-se, absorver-se num negócio, numa leitura, num pensamento; engolfar-se; (fig.) mergulhar.

engolillarse. v. r. (Amér.) endividar-se.

engolondrinar. v. tr. V. **engreir**; (fam.) envaidecer. — v. r. V. **enamoriscarse**; namoriscar-se.

engolosinador, ra. adj. engodador.

engolosinar. v. tr. engolosinar, engulosinar, estimular, excitar o desejo; tornar guloso, estimular o apetite a. — v. r. afeiçoar-se a uma coisa.

engollamiento. m. V. **engreimiento**; (fig.) presunção, envaidecimento.

engolletado, da. adj. e p. p. (fam.) presumido, vaidoso.

engolletarse. v. r. (fam.) envaidecer-se, enfatuar-se; tornar-se vaidoso.

engomado, da. adj. e p. p. engomado; (Amér.) enfeitado, arrumado; (fig.) empertigado, teso, solene; engomado, passado por goma e corrido a ferro quente.

engomadura. f. engomadura, engomadela; primeiro reboco que as abelhas dão às colmeias.

engomar. v. tr. engomar, pôr em goma; untar com goma; (fig.) clarificar com cola de peixe (o vinho); (fig.) engrossar, avolumar; ensoberbecer.

engorar. v. tr. V. **enhuerar**; gorar. — v. intr. e r. — conj. irr. como **contar**.

engorda. f. (Amér.) V. **engorde**.

engordadero. m. montado, lugar em que se engordam porcos; tempo e alimento que são precisos para engordarem.

engordador, ra. adj. e s. engordador, que faz engordar; emagrecedor.

engordar. v. tr. engordar, cevar, tornar gordo; encorpar; apolentar; arredondar; acevadar; atafulhar; fornir; entronquecer; agrandar; (fig.) anafar. — v. intr. pôr-se gordo; (fig. e fam.) enriquecer, tornar-se rico; prosperar à custa alheia.

engorde. m. engorda, a(c)ção e efeito de engordar ou cevar o gado; ceva.

engorgoritear. v. tr. (fam. e prov.) V. **engaritar**; enganar com astúcia; galantear, enamorar, namorar. — v. r. enganar-se; enamorar-se.

engorrar. v. tr. (prov.) demorar, deter; (Amér.) maçar, aborrecer. — v. r. enganchar-se, ficar preso num gancho; espetar-se na carne um espinho de modo a não se poder tirar fàcilmente.

engorro. m. embaraço, impedimento, incómodo, estorvo; dificuldade; perturbação.

engorroso, sa. adj. embaraçoso, dificultoso, molesto, enfadoso, incó(ô)modo.

engoznar. v. tr. engonçar, fixar engonços; colocar dobradiças; segurar com engonços.

engranaje. m. (mec.) engrenagem, endentação; entrosagem; conjunto dos dentes duma máquina; e das peças que engrenam; (fig.) encadeamento de ideias, factos, etc.

engranar. v. tr .endentar, engargantar; (mec.) engrenar; entrosar; (fig.) enlaçar, encadear. V. **endentar**.

engrandar. v. tr. V. **agrandar**.

engrandecer. v. tr. engrandecer, magnificar, avolumar; avantajar; elevar; exaltar; exagerar; (fig.) alçar; aumentar; louvar, exagerar; elevar a uma dignidade superior. — v. r. engrandecer-se; agigantar-se;

tornar-se maior; elevar-se, crescer em honras.

engrandecimiento. *m.* engrandecimento, dilatação, aumento; ponderação, exageração; acção de elevar alguém a dignidade superior, engrandecimento; engrandecimento, medra; magnificação; enaltecimento; extensão; engrandecimento, amplificação; glorificação.

engranerar. *v. tr.* (agr.) enceleirar os cereais.

engranujarse. *v. r.* encher-se de espinhas (a pele); tornar-se vadio; aperavilhar-se.

engrapar. *v. tr.* engrampar, segurar com grampos as pedras ou outras coisas; gatear; lograr embaçar; atrair com embustes.

engrasación. *f.* engraixamento, engorduramento; lubrificação; besuntadela.

engrasadero. *m.* lugar onde se azeitam as lãs.

engrasador, ra. *adj.* e *s.* engraixador, engraxador.

engrasar. *v. tr.* axungiar; engordurar; engraxar; lubrificar; lubricar; besuntar; dar substância ou gordura nalguma coisa; ensebar; untar com gordura. — *v. r.* engordurar-se.

engrase. *m.* V. **engrasación**; engorduramento, lubrificação; engraxadela; engraxamento; matéria lubrificante, graxa.

engravar. *v. tr.* areiar, deitar areia ou cobrir com ela; pôr cascalho.

engravecer. *v. tr.* engravecer, tornar grave ou pesada uma coisa. — *v. r.* tornar-se grave, engravescer-se; agravar-se. — *conj. irr.* como **crecer**.

engredar. *v. tr.* untar com greda.

engreimiento. *m.* endeusamento; esvaecimento; inflação; desvanecimento; elevação; elação; apavonação; envaidecimento; vaidade, orgulho; presunção.

engreír. *v. tr.* envaidar, erguer; endeusar; (fig.) inflar; (fig.) entronar; entronizar; (Amér.) afeiçoar, acarinhar. — *v. r.* endeusar-se; entonar-se; inchar-se; elevar-se; apelintrar-se; envaidar-se.

engrescar. *v. tr.* incitar, atiçar, meter à desordem ou à rixa; incitar, meter outrem em folguedos, brincadeiras ou numa diversão.

engrifar. *v. tr.* engrifar, encrespar, riçar. — *v. r.* engrifar-se; empinar-se (o cavalo).

engrillar. *v. tr.* agrilhetar, colocar grilhetas, agrilhoar, algemar, prender com algemas; (Amér.) encapotar-se (o cavalo).

engrillarse. *v. r.* grelar, deitarem grelos as batatas.

engrilletador. *m.* (mar.) elo, que serve para unir dois troços de corrente.

engrilletar. *v. tr.* (mar.) elar, unir com elos dois troços de corrente.

engringarse. *v. r.* seguir costumes estrangeiros.

engrosamiento. *m.* engrossamento; aumento em número.

engrosar. *v. tr.* engrossar, tornar grosso; (fig.) tornar mais numerosa uma colectivi-

dade; tornar espesso; aumentar em número. — *v. intr.* engrossar, engordar; encorpar; embastecer. — *pres. ind. irr.* **engrueseo, -as, -a, -an,.** — *subj.* **engruese, -es, -e, -en.**

engrudador, ra. *s.* grudador, pessoa que gruda; utensílio para grudar.

engrudamiento. *m.* grudamento, grudadura.

engrudar. *v. tr.* grudar, colar com grude, dar grude. — *v. r.* tomar a consistência do grude.

engrudo. *m.* grude, cola; macinha.

engruesar. *v. intr.* engrossar. V. **engrosar**.

engrumecerse. *v. r.* engrumecer-se, engrumai-se, grumar-se, grumecer-se, coalhar-se em grumos. — *conj. irr.* como **crecer**.

enguachinar. *v. tr.* alagar, encharcar. V. **enaguachar**.

enguadar. *v. tr.* (Amér.) adular, lisonjear, seduzir. V. **engatusar**.

engualdrapar. *v. tr.* pôr a gualdrapa a uma cavalgadura; abafar; arreiar.

enguantar. *v. tr.* enluvar, calçar luvas. — *v. r.* enluvar-se.

enguatar. *v. tr.* entretelar com algodão.

enguedejado, da. *adj.* enguedelhado, esguedelhado; (fam.) que cuida demasiadamente da sua cabeleira; guedelhudo.

enguichado, da. *adj.* (herald.) diz-se das trombetas, cornetas e trompas de caça, pendentes de cordões.

enguijarrado, da. *p. p.* e *adj.* empedrado. — *m.* empedrado de seixos.

enguijarrar. *v. tr.* empedrar com seixos.

enguillar. *v. tr.* (mar.) forrar um cabo com outros mais delgados.

enguillotarse. *v. r.* (fam.) absorver-se, engolfar-se numa coisa. V. **enfrascarse**.

enguirnaldar. *v. tr.* engrinaldar, ornar com grinaldas.

enguizgar. *v. tr.* incitar, excitar, estimular.

engullidor, ra. *adj.* e *s.* engolidor, que engole; voraz.

engullir. *v. tr.* engolir, tragar a comida precipitadamente e sem a mastigar; comer com voracidade; deglutir; ingurgitar; ingerir, embuchar; devorar.

engurrio. *m.* tristeza, melancolia.

engurruñar. *v. tr.* encolher, enrugar. — *v. r.* (fam.) entristecer-se (falando das aves).

engurruñido, da. *adj.* encolhido, encorilhado.

enhacinar. *v. tr.* enfeixar. V. **hacinar**.

enharinar. *v. tr.* enfarinhar, cobrir com farinha; emoleirar.

enhastiar. *v. tr.* enfastiar, causar fastio ou enfado.

enhastillar. *v. tr.* colocar as setas na aljava ou no carcás.

enhatijar. *v. tr.* tapar as bocas das colmeias para as mudar de lugar.

enhebillar. *v. tr.* afivelar, prender as correias nas fivelas.

enhebrar. *v. tr.* enfiar uma agulha; (fig. e fam.) engranzar, enfiar, dizer seguidamente muitas sentenças, rifões, etc.

enherbolar. *v. tr.* ervar, envenenar uma coisa.

enhestador. *m.* erector, o que erige; levantador, o que levanta.

enhestadura. *f.* erecção, levantamento.

enhestamiento. *m.* erecção, levantamento.

enhestar. *v. tr.* erigir, levantar, pôr no alto erguer, pôr direito; levantar, ajuntar gente para a guerra. — *pres. ind. irr.* **enhiesto, -as, -a, -an.** — *subj.* **enhieste, -es, -e, -en.**

enhiesto, ta. *adj.* e *p. p.* erecto, erguido, levantado, direito.

enhilar. *v. tr.* enfiar, introduzir num orifício; enfiar uma agulha; ordenar, dirigir, guiar com ordem uma coisa, pôr em fila. — *v. intr.* e *r.* encaminhar-se, dirigir-se a um fim.

enhorabuena. *f.* felicitação, parabem, congratulação. — *adv.* em boa hora; felizmente; com muito prazer; alvíçaras.

enhoramala. *adv.* em má hora (emprega-se para indicar desaprovação ou desgosto).

enhornar. *v. tr.* enfornar, meter no forno.

enhorquetar. *v. tr.* (Amér.) pôr às carranchas.

enhuecar. *v. tr.* ocar. V. **ahuecar.**

enhuerar. *v. tr.* tornar goro. — *v. intr.* gorar.

enigma. *m.* enigma, descrição obscura duma coisa para ser decifrada; dito ou coisa difícil de definir ou compreender; enigma, sucesso misterioso; mistério, adivinha, adivinhação; charada; incógnita; arcano; (pop.) chirinola.

enigmático, ca. *adj.* enigmático, obscuro; misterioso; incógnito; incompreensível; (fig.) sibilino.

enigmatista. *s.* enigmatista, enigmista.

enigmatizar. *v. tr.* enigmar, converter em enigma. — *v. intr.* enigmar, falar por meio de enigmas.

enjabonado, da. *p. p.* e *adj.* ensaboado. — *m.* ensaboadela de roupa.

enjabonadura. *f.* ensaboadela. V. **jabonadura.**

enjabonar. *v. tr.* ensaboar; (fig. e fam.) adular, lisonjear. V. **jabonar.**

enjaezar. *v. tr.* ajaezar, arrear, enfeitar as cavalgaduras; (fig. e pop.) ajaezar, adornar, vestir.

enjaguadura. *f.* bochecho. V. **enjuagadura.**

enjaguar. *v. tr.* bochechar. V. **enjuagar.**

enjagüe. *m.* adjudicação que se fazia na venda, em leilão, dum navio, para satisfação dos créditos. V. **enjuague.**

enjalbegado, da. *p. p.* e *adj.* caiado. — *m.* caiação. V. **enjalbegadura.**

enjalbegador, ra. *adj.* e *s.* caiador, que caia.

enjalbegadura. *f.* caiação, caiadela, caiadura.

enjabelgar. *v. tr.* caiar, branquear as paredes; (fig.) caiar, pintar o rosto.

enjalbiego. *m.* (prov.) V. **enjalbegadura.**

enjalma. *f.* enxalmo, espécie de albarda.

enjalmar. *v. tr.* enxalmar, cobrir com enxalmo; fazer enxalmos.

enjalmero. *m.* enxalmeiro, aquele que faz ou vende enxalmos.

enjambradera. *f.* alvéolo onde a abelha--mestra põe os ovos; abelha-mestra; abe-

lha agitada e ruidosa que está para sair da colmeia e ir enxamear noutra parte.

enjambradero. *m.* colmeal, lugar onde os colmeeiros enxameiam as colmeias.

enjambrador, ra. *s.* colmeeiro.

enjambrar. *v. tr.* enxamear; tirar um enxame da colmeia; meter as abelhas na colmeia. — *v. intr.* enxamear, formar um enxame novo; separar-se da colmeia alguma porção de abelhas com a sua rainha; (fig.) multiplicar ou produzir em abundância.

enjambrazón. *m.* enxameamento, enxameação.

enjambre. *m.* enxame; (fig.) multidão de pessoas ou coisas; (zool. e Amér.) espécie de peixe acantopterigio.

enjaquimar. *v. tr.* pôr a xácoma às bestas; (fam.) arranjar, compor.

enjarciadura. *f.* (mar.) conjunto de enxárcias dum navio.

enjarciar. *v. tr.* (mar.) enxarciar, guarnecer de enxárcias, acordoar.

enjardinar. *v. tr.* ajardinar, transformar em jardim; arejar, meter o falcão num prado.

enjaretado, da. *p. p.* e *adj.* xaretado. — *m.* (mar.) conjunto de xaretas; espécie de gelosia, tabuleiro de listões em forma de grade.

enjaretar. *v. tr.* xaretar; xaretar, meter uma fita ou cordão por uma xareta ou bainha; (fig. e fam.) combinar, dispor, ordenar um negócio; fazer ou dizer alguma coisa atrapalhadamente; (Amér. e fam.) intercalar, incluir. — *v. r.* (fig. e fam.) introduzir-se, intrometer-se.

enjarje. *m.* (arq.) denticulo.

enjaular. *v. tr.* enjaular, engaiolar; (fig. e fam.) encarcerar, meter no cárcere.

enjergar. *v. tr.* (fam.) principiar, ordenar, dirigir um assunto ou negócio.

enjertación. *f.* enxertadura, enxerto.

enjertal. *m.* lugar plantado com árvores frutíferas enxertadas.

enjertar. *v. tr.* enxertar. V. **injertar.**

enjerto, ta. *p. p. irr.* de *enjertar* e *adj.* enxertado. — *m.* enxe(ê)rto, planta enxertada; (fig.) mistura dalgumas coisas diversas.

enjimelgar. *v. tr.* (mar.) arranhar um mastro ou verga.

enjorguinarse. *v. r.* tornar-se bruxo ou feiticeiro.

enjoyado, da. *p. p.* e *adj.* enjoiado, que tem ou possui muitas jóias.

enjoyar. *v. tr.* enjoiar, adornar com jóias; (fig.) adereçar, adornar, enfeitar; aformosear; enriquecer; engastar pedras preciosas numa jóia.

enjoyelado, da. *adj.* diz-se da prata ou oiro convertido em jóias; enfeitado com pequenas jóias.

enjoyelador, ra. *adj.* e *s.* engastador. V. **engastador.**

enjoyelar. *v. tr.* engastar pedras preciosas. V. **engastar.**

enjuagadura. *f.* enxaguadura, enxaguadela, enxugo; líquido com que se enxaguou uma coisa.

enjuagar. *v. tr.* bochechar, enxaguar a boca e a dentadura; enxaguar, lavar em segunda água; enxugar.

enjuagatorio. *m.* enxaguadura. V. **enjuague.**

enjuague. *m.* enxaguadura; enxugo; água ou líquido para lavar a boca; copo para bochechar; (fig. e fam.) negócio sujo, desonesto; ostentação, vaidade.

enjugadero. *m.* enxugador, aparelho para enxugar a roupa; enxugadouro.

enjugador, ra. *adj. e s.* enxugador, que enxuga. — *m.* enxugadouro, enxugadoiro; aparelho para enxugar objectos molhados.

enjugar. *v. tr.* enxugar, secar, esgotar; limpar; tirar a humidade; (fig.)) enxugar o suor as lágrimas, etc.; cancelar, extinguir uma dívida ou déficit. — *v. intr.* enxugar, secar, perder a humidade. — *v. r.* emagrecer, perder parte da gordura.

enjuiciable. *adj.* processável, que se pode processar.

enjuiciamiento. *m.* julgamento, juízo; (for.) instrução dum processo.

enjuiciar. *v. tr.* ajuizar, julgar; (for.) instruir um processo; julgar, sentenciar uma causa; processar, formar, instaurar processo.

enjullo. *m.* V. **enjulio.**

enjuncar. *v. tr.* juncar, cobrir de juncos; (mar.) amarrar com juncos uma vela.

enjunciar. *v. tr.* cobrir de junça as ruas.

enjundia. *f.* enxúndia; banha, unto, e gordura dum animal; (fig.) o mais substancioso e importante duma coisa não material; força, vigor energia.

enjundioso, sa. *adj.* enxundioso; gorduroso; untuoso.

enjunque. *m.* (mar.) lastro muito pesado do fundo da embarcação; colocação das suas peças.

enjuta. *f.* (arq.) triângulo ou espaço que deixa num quadrado o círculo nele inscrito.

enjutar. *v. tr.* (arq.) enxugar, secar a cal ou outra coisa.

enjutez. *f.* secura, sequidão, falta de humidade.

enjuto, ta. *p. p. irr.* de **enjutar** e *adj.* enxuto, se(ê)co; delgado, magro, de poucas carnes; desecado, fraco. — *m. pl.* ramos, garavetos para acender o lume; bucha, petiscos leves que excitam a vontade de beber.

enlabiador, ra. *adj. e s.* enganador, sedutor, que tem lábia.

enlabiar. *v. tr.* seduzir, enganar com promessas, bajular. V. **engatusar.**

enlabio. *m.* engano, ocasionado por palavras enganosas.

enlace. *m.* enlaçadura, enlaçamento, enlace; união, conexão; ligação, entroncamento de comboios; (fig.) parentesco, casamento, desposório, cópula; encadeação; coligação; coerência.

enlaciar. *v. tr.* relaxar, enfraquecer, fatigar, afrouxar, pôr lassa uma coisa.

enladrillado, da. *p. p. e adj.* ladrilhado, entijolado. — *m.* pavimento de tijolos ou ladrilhos, ladrilhado.

enladrillador, ra. *adj. e s.* ladrilhador, assoalhador. V. **solador.**

enladrilladura. *f.* entijolamento, pavimento ladrilhado, ladrilhado.

enladrillar. *v. tr.* entijolar, ladrilhar, cobrir o pavimento de tijolos ou ladrilhos, atijolar.

enlagunar. *v. tr* .alagar, converter um terreno em laguna.

enlamar. *v. tr.* enlamear, enlodar, cobrir com lama.

enlanado, da. *adj.* lanudo, lanoso, cheio ou coberto de lã.

enlanchar. *v. tr.* (prov.) V. **enlosar.**

enlardar. *v. tr.* lardear, untar com toucinho ou manteiga o que se está assando.

enlatar. *v. tr.* (Amér. e prov.) telhar, fazer armação com ripas de madeira para se colocarem as telhas; enlatar, meter dentro de latas.

enlazable. *adj.* enlaçável, que pode enlaçar-se.

enlazado, da. *p. p. e adj.* enlaçado; entrelaçado. — *m.* (arq.) enlaçado, adorno que substitui os balaustres.

enlazador, ra. *adj. e s.* enlaçador, que enlaça.

enlazadura. *f.* enlaçadura, enlaçamento, enlace.

enlazamiento. *m.* enlaçamento, enlaçadura, enlace.

enlazar. *v. tr.* enlaçar, laçar, prender ou unir com laços; enlear, ligar, atar umas coisas com outras; apanhar animais a laço; engranzar, enclavinhar; encadear; entretecer. — *v. r.* (fig.) casar, contrair matrimónio; unirem-se as famílias por meio de casamento.

enlegajar. *v. tr.* emaçar, reunir papéis em maços.

enlegamar. *v. tr.* adubar com lodo. V. **entarquinar.**

enleijar. *v. tr.* lixiviar, pôr em lixívia; (quím.) dissolver em água uma substância alcalina.

enlenzar. *v. tr.* segurar, firmar, pôr tiras de pano para reforçar alguma coisa nas partes em que há risco de se partirem.

enlerdar. *v. tr.* retardar, entorpecer. V. **entorpecer.**

enligar. *v. tr.* enviscar, envisgar, untar ou prender com visco. — *v. r.* enviscar-se, enredar-se o pássaro no visco.

enlistonado, da. *p. p. e adj.* ripado, gradeado com ripas ou sarrafos. — *m.* conjunto de ripas; obra feita com fasquias ou sarrafos.

enlistonar. *v. tr.* ripar, gradear com ripas.

enlizar. *v. tr.* enliçar, pôr ou acrescentar liços ao tear.

enlobreguecer. *v. tr.* escurecer, tornar lôbrego.

enlodadura. *f.* enlameadura.

enlodamiento. *m.* enlameadura.

enlodar. *v. tr.* enlodar, enlamear, sujar com lama; (fig.) manchar, aviltar, infamar; barrar juntas ou fendas com argila; (min.)

tapar com argila as fendas dum buraco feito numa rocha; (Bras.) entijucar.

enlodazar. v. tr. V. **enlodar.**

enloquecedor, ra. adj. enlouquecedor, que faz enlouquecer; endoidecedor; embriagador.

enloquecer. v. tr. enlouquecer, fazer perder o juízo, endoidecer, tirar o uso da razão; desvairar; desmiolar. — v. intr. tornar-se louco, enlouquecer, dar em louco, perder a razão, endoidecer; (agr.) deixarem as árvores de dar fruto ou darem-no com irregularidade. — conj. irr. como **crecer.**

enloquecimiento. m. enlouquecimento, loucura, endoidecimento; embriaguez.

enlosado, da. p. p. e adj. enlousado, lajeado. — m. lajeado, lajedo, pavimento coberto de lousas lajes.

enlosador. m. lajeador, o que assenta lajes, alosador.

enlosar. v. tr. enlousar, lajear, cobrir o solo com lajes ou lousas.

enlozanarse. v. r. remoçar-se, rejuvenescer, tornar-se loução e robusto; reverdecer.

enlucido, da. p. p. e adj. estucado, que se estucou; rebocado, revestido de estuque. — m. mão de gesso dada nas paredes, acafeladura.

enlucidor. m. estucador, caiador, acafelador.

enlucimiento. m. engessadura, caiação, estuque.

enlucir. v. tr. engessar, estucar, dar uma mão de gesso, caiar; emboçar; acafelar; limpar, brunir, polir, tornar brilhante uma superfície. — conj. irr. como **lucir.**

enlustrecer. v. tr. lustrar, dar lustre a, polir, pôr limpo e lustroso. — conj. irr. como **crecer.**

enlutar. v. tr. enlutar, cobrir de luto; (fig.) escurecer, privar de luz. — v. r. entristecer-se, afligir-se.

enllantar. v. tr. colocar os aros nas rodas de um carro.

enllenar. v. tr. (pop.) encher. V. **llenar.**

enllentecer. v. tr. amolecer, abrandar. — conj. irr. como **crecer**

enllocar. v. intr. chocar. V. **encloar.**

enmadejar. v. tr. (Amér.) emadeixar, dispor em madeixa.

enmaderación f. V. **enmaderamiento.**

enmaderado, da. p. p. e adj. emadeirado, madeirado. — m. madeiramento. V. **maderaje** e **enmaderamiento.**

enmaderamiento. m. emadeiramento, madeiramento, obra feita de madeira ou coberta com ela; escoramento das escavações. V. **entibación.**

enmaderar. v. tr. madeirar, cobrir ou guarnecer com madeira.

enmadrarse. v. r. afeiçoar-se excessivamente o filho à mãe.

enmagrecer. v. tr. emagrecer, tornar magro. — v. intr. emagrecer, perder a gordura, desengordar, descarnar-se. — conj. irre. como **crecer.**

enmalecer. v. tr. estragar, danificar, corromper, deitar a perder. — conj. irr. como **crecer.**

enmalecerse. v. r. cobrir-se de maleza um campo de sementeira. — conj. irr. como **crecer.**

enmangar. v. tr. encabar um instrumento, pôr-lhe um cabo.

enmantar. v. tr. emantar, cobrir com manta. — v. r. (fig.) estar triste ou melancólico (aves).

enmarañamiento. m. emaranhamento; embrechada; (fig.) confusão.

enmarañar. v. tr. emaranhar, enredar, revolver; emaranhar, atrapalhar, confundir, enredar um assunto, embrulhar, engodilhar. — v. r. toldar-se, anuviar-se o céu.

enmararse. v. r. (mar.) amarar-se, entrar o navio no mar alto, fazer-se ao mar largo.

enmarcar. v. tr. encaixilhar, emoldar, emoldurar.

enmarchitable. adj. marcescível.

enmarchitar. v. tr. enfraquecer, enervar, empalidecer

enmaridar. v. intr. maridar, casar-se a mulher.

enmarillecerse. v. r. amarelecer, tornar-se amarelo, empalidecer. — conj. irr. como **crecer.**

enmaromar. v. tr. prender, atar, ligar com maroma (especialmente touros e animais ferozes).

enmascarado, da. p. p. e adj. mascarado. — s. mascarado, máscara, pessoa disfarçada com máscara.

enmascaramiento. m. dissimulação; disfarce.

enmascarar. v. tr. emascarar, mascarar, cobrir o rostro com máscara; (fig.) encobrir; disfarçar; paliar; encarvoar. — v. r. emascarar-se, cobrir-se com máscara.

enmasillar. v. tr. betumar, segurar com betume os vidros nos caixilhos; tapar com betume as fendas e buracos da madeira.

enmechar. v. tr. (carp.) mechar, encaixar tábuas por meio de mecha.

enmelar. v. tr. emelar, melar; untar ou cobrir com mel; fazerem mel as abelhas; (fig.) adoçar, tornar agradável ao paladar; suavizar.

enmendable. adj. emendável, que pode emendar-se, susceptível de emenda.

enmendación. f. emenda, correcção, rectificação.

enmendador, ra. adj. e s. emendador, que emenda ou corrige.

enmendadura. f. emenda, correcção. V. **enmienda.**

enmendar. v. tr. emendar, corrigir, tirar defeitos; reparar; remediar, ressarcir os danos; (for.) emendar, revogar uma sentença, um despacho; (mar.) variar o rumo; expiar; inde(m)nizar. — v. r. emendar-se, corrigir-se, aperfeiçoar-se.

enmienda. f. emenda, corre(c)ção; reparação, indemnização; proposta de variante, edição ou substituição dum projecto de lei documento, etc.; compensação; expurgação; expiação. — pl. (agr.) substâncias misturadas nas terras para as tornar mais produtivas.

enmielar. *v. tr.* (Amér.) melar. V. **enmelar.**

enmohecer. *v. tr.* e *intr.* abolorecer, criar bolor, mofar, criar mofo, cobrir-se de bolor; (fig.) inutilizar-se, cair em desuso; oxidar, enferrujar. — *conj. irr.* como *crecer.*

enmohecimiento. *m.* abolorecimento; bolor; enferrujamento.

enmollecer. *v. tr.* abrandar, amolecer; (fig.) acalmar, apaziguar. V. **ablandar.** — *conj. irr.* como *crecer.*

enmonarse. *v. r.* (Amér.) embriagar-se, embebedar-se. V. **emborracharse.**

enmondar. *v. tr.* tirar os nós ou barbotes aos panos. V. **desliñar.**

enmordazar. *v. tr.* amordaçar. V. **amordazar.**

enmostar. *v. tr.* emostar, manchar ou empapar com mosto.

enmotar. *v. tr.* (mil.) acastelar, encastelar, guarnecer de castelos.

enmudecer. *v. tr.* emudecer, fazer calar. — *v. intr.* emudecer, ficar mudo, calar, perder a fala; (fig.) guardar silêncio, calar-se. — *conj. irr.* como *crecer.*

enmudecimiento. *m.* emudecimento.

enmuescar. *v. tr.* (carp.) cravar, encaixar.

enmugrar. *v. tr.* (Amér.) V. **enmugrecer.**

enmugrecer. *v. tr.* engordurar, sujar, emporcalhar. — *conj. irr.* como *crecer.*

enmurar. *v. tr.* murar, cercar de muros.

enneciarse. *v. r.* tornar-se néscio.

ennegrecer. *v. tr.* enegrecer, denegrir; fazer negro; (fig.) escurecer; enfuscar; enfarruscar; encarvoar, encarvoejar; ofuscar; toldar; afumar. — *v. r.* denegrir-se; (fig.) anuviar-se.

ennegrecimiento. *m.* enegrecimento.

ennoblecedor, ra. *adj.* e *s.* enobrecedor que enobrece.

ennoblecer. *v. tr.* enobrecer, fazer nobre, nobilitar; (fig.) ilustrar, dignificar e dar esplendor; adornar, realçar, elevar, enaltecer; aristocratizar, afidalgar; engrandecer. — *conj. irr.* como *crecer.*

ennoblecimiento. *m.* enobrecimento; (fig.) glória, ilustração, esplendor; afidalgamento.

ennudecer. *v. intr.* atrofiar-se, deixar de medrar, deter o crescimento (árvores, plantas, etc.). — *conj. irr.* como *crecer.*

enodio. *m.* (zool.) veado de três a cinco anos de idade.

enófilo, la. *adj.* enófilo, amigo de vinho.

enofobia. *f.* (fisiol.) enofobia, aversão ao vinho.

enófobo. *adj.* enófobo; absté(ê)mio.

enóforo. *m.* enóforo.

enoftalmia. *f.* (pat.) enoftalmia.

enoftálmico, ca. *adj.* enoftálmico.

enografía. *f.* enografia.

enográfico, ca. *adj.* enográfico.

enógrafo. *m.* enógrafo.

enojadizo, za. *adj.* enojadiço, que se enoja fàcilmente.

enojar. *v. tr.* enojar, causar nojo, agastar; enjoar; enfadar; desgostar; incomodar, causar aborrecimento; aborrecer; ofender, enfurecer; encolerizar, indignar, exasperar; atediar; excitar; desgraçar. — *v. r.* encolerizar-se, enfadar-se, enfurecer-se, enojar-se; levantar-se o mar, vento, etc.

enojo. *m.* eno(ô)jo, nojo, enfado, zanga, agastamento, descontentamento; enojo, ofensa, injúria, agravo; cólera, ira; incómodo, pesar, trabalho; indignação; paixão.

enojón, na. *adj.* (Amér.) V. **enojadizo.**

enojoso, sa. *adj.* enojadiço, aborrecido, molesto, enfadonho, enfadoso, anojoso, desprezível, desagradável; ofensivo.

enol. *m.* (farm.) enol.

enólico, ca. *adj.* (farm.) enólico.

enolina. *f.* (quim.) enolina.

enología. *f.* enologia.

enológico, ca. *adj.* enológico.

enólogo, ga. *s.* enologista, enólogo.

enomancia. *f.* enomancia.

enomanía. *f.* enomania.

enomel. *m.* enomel.

enometría. *f.* (enol.) enometria.

enométrico, ca. *adj.* (enol.) enométrico.

enómetro. *m.* enó(ô)metro.

enorgullecer. *v. tr.* orgulhar, encher de orgulho, ensoberbecer; empolar; (fig.) enfunar; inchar. — *v. r.* ensoberbecer-se; empanturrar-se; embridar-se; encrespar-se. — *conj. irr.* como *crecer.*

enorgullecimiento. *m.* orgulho, ensoberbecimento.

enorme. *adj.* enorme, extraordinário, desmedido, excessivo; perverso, torpe; grave; desmarcado; ingente; atroz, enorme; extremado; colossal; descomunal, exorbitante; agigantado; incomensurável; formidável; incalculável; inaudito; façanhoso, fabuloso; desabalado.

enormidad. *f.* enormidade; tamanho desmedido; excesso de grandeza; desmesura; despautério; exorbitância; (fig.) excesso de maldade; despropósito; desatino; enormidade, gravidade, atrocidade; atentado monstruoso; grande disparate.

enostosis. *f.* (med.) enostose, enosteose.

enotecnia. *f.* enotecnia.

enotécnico, ca. *adj.* enotécnico.

enoteráceas. *f. pl.* (bot.) enoteráceas.

enotermo. *m.* (enol.) enotermo.

enquiciar. *v. tr.* engonçar; pôr nos gonzos; colocar em ordem.

enquillotrar. *v. tr.* envaidecer. — *v. r.* (fam.) enamorar-se.

enquimosis. *f.* (m. d.) enquimose.

enquiridión. *m.* enquirídio, manual, livro portátil.

enquistado, da. *p. p.* e *adj.* enquistado; (fig.) embutido, encaixado.

enquistamiento. *m.* enquistamento.

enquistarse. *v. r.* (med.) enquistar-se, formar-se um quisto.

enrabiar. *v. tr.* enraivecer, enfurecer; exacerbar, encolerizar.

enraizar. *v. intr.* enraizar, criar raízes, arraigar.

enramada. *f.* enramada, ramada, cobertura de ramos; adorno feito com ramos; ramagem, conjunto de ramos entrelaçados; (poet.) ramagem, arvoredo, boscagem, espessura.

enramado, da. *p. p.* e *adj.* entrelaçado; enramado. — *m.* (mar.) armação das cavernas principais dum navio.

enramar. *v. tr.* enramar, enlaçar e entrelaçar vários ramos; (mar.) armar e unir o cavername dum navio. — *v. intr.* deitarem ramos (as árvores); aparrar.

enrame. *m.* enramamento.

enramilletar. *v. tr.* enramalhetar, adornar com ramalhetes.

enranciar. *v. tr.* enrançar, tornar rançoso, rançar. — *v. r.* enrançar-se, fazer-se ranço.

enrarecer. *v. tr.* enrarecer, tornar raro, rarear, escassear; rarefazer, tornar menos denso; dilatar. — *conj. irr.* como *crecer*.

enrarecimiento. *m.* rarefacção.

enrasado, da. *p. p.* e *adj.* rasado, nivelado, alisado. — *m.* cascalho, apertado para encher os cantos duma abóbada.

enrasamiento. *m.* nivelamento. V. **enrase.**

enrasar. *v. tr.* rasar, nivelar, igualar, arrasar; (arq.) alisar; igualar; (fís.) coincidir dois elementos dum aparelho a mesma altura ou nível; galgar.

enrase. *m.* nivelamento, alisamento.

enrasillar. *v. tr.* (arq.) nivelar, igualar as fasquias.

enrastrar. *v. tr.* (prov.) enfiar os casulos dos bichos-da-seda destinados para semente.

enratonarse. *v. r.* (fam.) V. **ratonarse.**

enrayado, da. *p. p.* e *adj.* enraiado. — *m.* (arq.) madeiramento horizontal de barrotes, travessas, vigas ou traves para segurar uma armação.

enrayar. *v. tr.* enraiar, pôr os raios nas rodas das carruagens; travar, calçar uma roda por um dos seus raios.

enredadera. *adj.* (bot.) trepadeira. — *f.* trepadeira, planta com ramos trepadores.

enredador, ra. *adj.* e *s.* enredador, que enreda; (fig. e fam.) embusteiro, mexeriqueiro, intrigante; trapaceiro, mentiroso; mequetrefe, bisbilhoteiro; chicaneiro; desinquieto, traquinas, travesso.

enredar. *v. tr.* enredar, apanhar na rede; enredar, armar a rede para caçar; enlaçar, entrelaçar; emaranhar uma coisa com outra; (fig.) intrigar; confundir; comprometer; levantar discórdia ou cizânia; embaraçar; embrulhar; embromar; desconcertar, desconcordar; envolver; baralhar; mexericar, bisbilhotar, chicanar. — *v. intr.* travessear, fazer travessuras. — *v. r.* embaraçar-se; sobrevirem dificuldades para um negócio; enleiar-se, enredar-se; desavir-se; embarbascar-se; (fam.) amancebar-se.

enredijo. *m.* (fam.) enre(ê)do, intriga.

enredo. *m.* enredo, entrelaçamento, embaraço dumas coisas com outras; (fig.) travessura, diabrura, traquinada; **engano, mentira,**

enredo; enredo, disposição ou encadeamento dos incidentes num drama ou numa novela; complicação, dificuldade, confusão; enre(ê)do, artifício, intriga, maquinação, ardil; mexerico, tramóia; situação complicada e misteriosa; trabalho só para entreter, encamisada; embrulhada; embromação; fábula; farsa; desconce(ê)rto; bisbilhotice; chicana; (fig.) maionesa; entrecho (nas obras literárias): *estar metido en un enredo*, estar metido em boas; *urdir un enredo*, entrechar. — *pl.* envoltas, baralhas, mexidos.

enredoso, sa. *adj.* enredoso, cheio de enredos e dificuldades; (Amér.) trapaceiro, enredador.

enrehojar. *v. tr.* revolver a cera para ficar branca.

enrejado, da. *p. p.* e *adj.* gradeado. — *m.* gradeamento; caniçada, grade de canas ou varas; obra tecida à mão em forma de rede; balaustrada; grade de ferro nas portas e janelas; (pop.) rede, coifa de mulher; (germ.) o preso, o encarcerado.

enrejadura. *f.* (vet.) ferida nos pés dos animais feita pela relha do arado.

enrejalar. *v. tr.* gradear. V. **enrejar.**

enrejar. *v. tr.* gradear, cercar com grade, engradar; colocar em pilhas cruzadas, tábuas, tijolos, etc. de modo a ficarem espaços livres; (agr.) fixar a relha no arado; (vet.) ferir com a relha do arado os pés dos bois ou cavalos; (fam.) encarcerar, prender; (Amér.) bater a roupa.

enrevesado, da. *adj.* arrevesado, obscuro, difícil.

enriamiento. *m.* curtimento, do linho, cânhamo ou esparto.

enriar. *v. tr.* curtir, pôr a macerar em água o linho, cânhamo ou esparto, dando-lhe o curtimento.

enrielar. *v. tr.* barrar, fazer barras ou lingotes de metal fundidos; fazer trilhos ou carris; deitar os metais na lingoteira para fazer os lingotes; (fig. Amér.) encarrilhar.

enripiado. *m.* entulho dum vão.

enripiar. *v. tr.* entulhar, tapar um vão com entulho.

enrique. *n. pr.* Henrique.

enriquecedor, ra. *adj.* enriquecedor, que enriquece.

enriquecer. *v. tr.* enriquecer, fazer rico alguém, dar riqueza; (fig.) enriquecer, adornar, engrandecer; enriquecer, aumentar, melhorar. — *v. intr.* enriquecer, prosperar um país, uma empresa, etc. — *v. r.* enriquecer-se, tornar-se rico; melhorar-se; lucrar-se: *enriquecerse a costa ajena*, (fig.) engordar. — *conj. irr.* como *crecer*.

enriquecimiento. *m.* enriquecimento; prosperidade; engrandecimento.

enriscado, da. *p. p.* e *adj.* escarpado, alcantilado, fragoso, enrocado, penhascoso.

enriscamiento. *m.* refúgio entre penhascos ou escarpas.

enriscar. *v. tr.* (fig.) elevar, levantar. — *v. r.* refugiar-se entre penhascos, esconder-se.

enristar. v. tr. enristar, pôr a lança en riste para ferir o inimigo; preparar-se para
acometer; (fig.) alcançar o alvo, conseguir
os próprios fins, vencer as dificuldades dum
negócio.

enristrar. v. tr. enrestiar, pôr em réstias a-
lhos ou cebolas.

enristre. m. enriste da lança.

enrizamiento. m. enriçamento.

enrizar. v. tr. enriçar, riçar. V. rizar.

enrobustecer. v. intr. robustecer, fortalecer.
V. robustecer.

enrocar. v. tr. enrocar, pôr na roca a estriga
que se há-de fiar. — pres. ind. irr. enrueco,
-as, -a, -an; subj. enrueque, -es, -e, -en.

enrocar. v. tr. rocar, fazer roque no jogo do
xadrez.

enrodar. v. tr. rodar, aplicar el suplício da
roda aos delinquentes, depois de se lhe
haver quebrado os ossos das pernas, dos
braços e da coluna vertebral. — v. intr.
conj. como contar.

enrodelado, da. adj. enrodelado, armado com
rodela.

enrodrigar. v. tr. (agr.) enrodrigar, empar;
tanchar, suster, estacar as vides, as árvores novas pondo-lhes estacas. V. rodrigar.

enrodrigonar. v. tr. V. enrodrigar e rodrigar.

enrojar. v. tr. V. enrojecer, encandecer. —
v. r. aquecer o forno.

enrojecer. v. tr. encandecer, fazer rubra ou
candente uma coisa; avermelhar, envermelhar, empurpurecer; mudar de cor;
abacinar. — v. r. (fig.) envergonhar, corar,
enrubescer.

enrojecimiento. m. encandecimento, aver-
melhecimento; ruborização.

enrolamiento. m. (gal.) alistamento.

enrolar. v. tr. (gal.) alistar.

enrollado, da. adj. e p. p. enrolado, empedrado. — m. rodeio.

enrollar. v. tr. enrolar, pôr em forma de
rolo; dobrar fazendo rolo ou espiral; encaracolar; arrolar; envolver; calcetar
com rolos, empedrar; embobinar. — v. r.
encaracolar-se; mover-se em rolos, encapelar-se.

enromar. v. tr. embotar, engrossar o gume;
tornar romba qualquer coisa; desjuizar.
— v. r. embotar-se.

enronquecer. v. tr. enrouquecer, tornar rouco alguém. — v. r. enrouquecer-se. — conj.
irr. como agradecer.

enronquecimiento. m. V. ronquera, enrou-
quecimento, rouquidão.

enroñar. v. tr. comunicar, contagiar a ronha
(sarna dos cavalos e das ovelhas); tornar
ronhoso; enferrujar um objecto de ferro.
— v. r.

enroque. m. roque, lance do jogo do xadrez.

enroscadura. f. enroscamento, rosca, encarquilhamento.

enroscar. v. tr. enroscar, enrolar à maneira
de rosca; encaracolar; encarquilhar, torcer, retorcer. — v. r. encarquilhar-se; encaracolar-se; torcer-se, retorcer-se.

enrostrar. v. tr. lançar em rosto, censurar.
V. reprochar.

enrubescer. v. tr. (ant.) envermelhar. — v. r.
empurpurecer.

enrubiar. v. tr. aloirar, alourar; tornar loiro. — v. r. tornar-se loiro.

enrubio. m. ingrediente com que se aloira.

enrudecer. v. tr. enrudecer, tornar rude;
embrutecer. — v. r. tornar-se rude, grosseiro; achamboar-se. — conj. irr. como
agradecer.

enruinecer. v. intr. tornar-se ruim; aviltar-
-se; envilecer-se. — conj. irr. como agradecer.

enrunar. v. tr. V. enronar; (prov.) entulhar
uma acéquia; sujar com lodo ou com outra
coisa.

ensabanada. f. V. encamisada, encamisada.

ensabanado, da. adj. e p. p. coberto ou envolvido em lençóis; (taur.) diz-se do touro
que tem escuras ou pretas a cabeça e as
extremidades, e branco o resto do corpo.
— m. mão de gesso nas paredes para preparo.

ensabanar. v. tr. cobrir ou envolver com lençóis; dar uma mão de gesso.

ensacador, ra. adj. e s. ensacador, que en-
saca.

ensacar. v. tr. ensacar, meter em saco; guardar, enfardelar.

ensaimada. f. bolo maiorquino em espiral.

ensalada. f. salada, ensalada; (fig.) mistura
confusa de coisas, salsada, mixórdia, enredo; mistura pouco harmónica de cores;
composição poética na qual se incluem
poesias já conhecidas; (Amér.) refresco
de limão, hortelã e ananás: ensalada de
palos, (pop.) descarga de pau.

ensaladera. f. saladeira, travessa onde é servida a salada.

ensaladilla. f. dim. de ensalada; acepipe,
iguaria fria semelhante à salada russa; salada de frutas; bocados de diversos doces; (fig.) conjunto de pedras preciosas de
diversas cores; conjunto de diversas coisas miúdas.

ensalivar. v. tr. salivar, encher de saliva.

ensalmador, ra. s. ensalmador, curandeiro,
pessoa que curava com ensalmos; o que
tratava das fracturas dos ossos.

ensalmar. v. tr. ensalmar, tratar com ensalmos, exconjurar; curar fracturas dos ossos
com ensalmos.

ensalmo. m. ensalmo, oração para curar malefícios, bruxaria, bruxedo: por ensalmo,
de modo desconhecido ou com extraordinária rapidez.

ensalobrarse. v. r. corromper-se, tornar-se
salobra à àgua.

ensalzador, ra. adj. e s. elogiador, exaltador,
exalçador, enaltecedor, louvador.

ensalzamiento. m. elogio, exaltação, elevação, engrandecimento; louvor, enaltecimento; exalçamento; jactância, vaidade,
vanglória; deificação; magnificação.

ensalzar. v. tr. elogiar, exalçar, exaltar, louvar; engrandecer; celebrar; magnificar;

gabar; deificar; encumear, encomiar; (fig.) entronar, entronizar; pabular.

ensambenitar. *v. r.* ensambenitar, pôr o sambenito aos condenados pela Inquisição.

ensamblado, da. *p. p.* e *adj.* ensamblado, en talhado, encabeirado. — *m.* ensamblagem, ensamblamento; ensambladura.

ensamblador. *m.* ensamblador, entalhador, marceneiro, engastador; samblador.

ensambladura. *f.* ensambladura, ensamblagem, ensamblamento, encasamento; encaixe, encastalho.

ensamblaje. *m.* V. **ensambladura.**

ensamblar. *v. tr.* ensamblar, samblar, unir peças de madeira, embutir, machear, encasar, encaixar; encabeirar, encabar; emalhetar, embarbar.

ensamble. *m.* V. **ensambladura.**

ensancha. *f.* ensancha, dilatação, alargamento: *dar ensanchas,* (fam.) dar largas ou folga um negócio; ser de fácil arranjo.

ensanchador, ra. *adj.* e *s.* dilatador, alargador. — *m.* utensílio para alargar; encospias (do calçado).

ensanchamiento. *m.* alargamento, dilatação, expansão.

ensanchar. *v. tr.* ensanchar, alargar com as ensanchas, ampliar, dilatar, estender; devassar; expandir; estirar. — *v. r.* (fig.) inchar-se, desvanecer-se, afectar gravidade; desafogar, expandir o coração, fazer--se rogado; devassar-se.

ensanche. *m.* ensancha, porção de pano deixado a mais na costura do vestido para se poder alargar; alargamento, dilatação; expansão; terrenos para edificações nos arrabaldes duma povoação.

ensandecer. *v. tr.* ensandecer, enlouquecer, cair em demência, tornar-se estúpido. — *conj. irr.* como *crecer.*

ensangostar. *v. tr.* V. **angostar.**

ensangrentamiento. *m.* a(c)ção e efeito de ensanguentar.

ensangrentado, da. *p. p.* e *adj.* ensanguentado, coberto ou manchado de sangue.

ensangrentar. *v. tr.* ensanguentar, tingir ou manchar com sangue; macular; enodoar, ensanguinhar. — *v. r.* (fig.) esquentar-se, irritar-se, inflamar-se.

ensañamiento. *m.* assanhamento, assanho; ferocidade, crueldade.

ensañar. *v. tr.* assanhar, irritar, enfurecer, ensanhar. — *v. r.* deleitar-se em fazer o maior mal possível a quem não está em condições de se defender; ser muito cruel.

ensarmentar. *v. tr.* mergulhar. V. **amugronar.**

ensarnecer. *v. intr.* ensarnecer, contrair a sarna, encher-se de sarna. — *conj. irr.* como *crecer.*

ensartadura. *f.* encambulhada, enfiada de pérolas, contas, etc.; encadeação.

ensartamiento. *m.* V. **ensartadura.**

ensartar. *v. tr.* ensartar, enfiar contas, pérolas, etc.; enfiar uma agulha; atravessar; trespassar; introduzir; encambulhar; engranzar; enfileirar; (fig.) enfiar, dizer se-

guidamente coisas sem conexão. — *v. r.* encerrar-se num lugar estreito.

ensarte. *m.* encambulhada. V. **ensartadura.**

ensayador. *m.* ensaiador, o que ensaia (especialmente metais preciosos).

ensayalarse. *v. r.* revestir-se com saial.

ensayar. *v. tr.* ensaiar, examinar, provar; ensaiar, exercitar, instruir, adestrar; ensaiar, preparar, repetir um trecho de música, uma peça de teatro antes de ser realizada em público; ensaiar, examinar o ouro e a prata; examinar o peso e valor intrínseco das moedas; ensaiar, intentar, procurar; ensaiar, experimentar. — *v. r.* ensaiar-se, exercitar-se; preparar-se, adestrar-se.

ensaye. *m.* ensaio, prova. V. **ensayo.**

ensayista. *s.* ensaísta, o que escreve ensaios literários.

ensayo. *m.* ensaio, dissertação breve; ensaio, exame, prova; ensaio musical ou dramático; exame de metais; análise da moeda para conhecer a sua lei; experiência; treinamento, ensaio; experimento; acometimento; encetadura; amostra.

ensebadura. *f.* engorduramento, ensebamento.

ensebamiento. *m.* V. **ensebadura.**

ensebar. *v. tr.* ensebar, untar com sebo, engordurar, enodoar; engraxar.

enseguida. *adv.* V. **en seguida.**

enselvado, da. *p. p.* e *adj.* emboscado; selvoso.

enselvar. *v. tr.* emboscar. V. **emboscar.**

ensenada. *f.* enseada, abrigada, abrigo, abra, angra, anco, pequena baía.

ensenado, da. *adj.* disposto em forma de seio; sinuoso.

ensenar. *v. tr.* colocar ou meter no seio alguma coisa, guardar no seio; (mar.) entrar o navio na enseada.

enseña. *f.* insígnia, bandeira, divisa.

enseñable. *adj.* ensinável, fácil de ensinar.

enseñado, da. *p. p.* e *adj.* ensinado, educado, instruído, acostumado, douto, adestrado, amestrado; iniciado.

enseñador, ra. *adj.* e *s.* ensinador, que ensina, mestre, professor.

enseñamiento. *m.* ensino, ensinamento. V. **enseñanza.**

enseñanza. *f.* ensinança, ensino, ensinamento; instrução, lição; educação; doutrina, preceito; lição, escarmento, experiência; adestramento; magistério; (pop.) desasnamento; desbastação.

enseñar. *v. tr.* ensinar, instruir sobre; doutrinar; educar; mostrar, ensinar, apontar; ensinar, demonstrar; adestrar; ensinar, escarmentar, castigar; dar advertência, exemplo ou escarmento; indicar, informar; expor; deixar ver involuntàriamente uma coisa; encaminhar; educar; explicar; amostrar; (pop.) desembaraçar; descobrir; iniciar; industriar; (fig.) evangelizar, apostolar. — *v. r.* acostumar-se, habituar-se.

enseñoramiento. *m.* assenhoreamento.

enseñorear. v. tr. assenhorear, enfeudar; empossar. — v. r. assenhorear-se, conquistar; apoderar-se, apossar-se, empossar-se; fazer-se senhor.

enserar. v. tr. enseirar, cobrir com seiras.

enseres. m. pl. móveis, utensílios duma casa ou para o exercício duma profissão; alfaias, bens, efeitos, trastes; fazendas, mercadorias.

ensiforme. adj. (anat. e zool.) ensiforme, em forma de espada.

ensilar. v. tr. ensilar; guardar os cereais nos silos.

ensilvecerse. v. r. converter-se em selva um campo que dantes já havia sido cultivado. — conj. irr. como crecer.

ensillado, da. p. p. e adj. selado, diz-se da cavalgadura que tem o dorso curvado ou afundado.

ensilladura. f. seladura; seladouro, seladoiro, parte do animal onde se coloca a sela.

ensillamiento. m. seladura, acção de selar, encilhamento.

ensillar. v. tr. selar, pôr a sela na cavalgadura, encilhar; entronizar, dar posse, instalar: no dejarse ensillar, (fig.) não se deixar dominar.

ensimismamiento. m. ensimesmamento, abstração, êxtase.

ensimismarse. v. r. ensimesmar-se, abstrair-se, concentrar-se, extasiar-se; (Amér.) envaidecer-se, ensoberbecer-se.

ensoberbecer. v. tr. ensoberbecer, exitar soberba em alguém; engrandecer. — v. r. ensoberbecer-se, ensoberbar-se, tornar-se orgulhoso; (fig.) agitar-se, encapelar-se, embravecer-se o mar; (fig.) inflar-se; empolar; empanturrar-se; empertigar-se; encristar-se; altivar-se; empoleirar-se, empantufar-se. — conj. irr. como crecer.

ensoberbecimiento. m. ensoberbecimento, inflação; endeusamento; envaidecimento.

ensobinarse. v. r. (prov.) ficar um animal deitado de costas sem poder levantar-se. V. acurrucarse.

ensogar. v. tr. ensogar, atar com soga; empalhar, revestir com soga ou corda de esparto.

ensolerar. v. tr. pôr o fundo ou a soleira nos cortiços.

ensolver. v. tr. incluir, fechar dentro doutra coisa; contrair, sincopar; (med.) dissipar, resolver.

ensombrecer. v. tr. escurecer, ensombrar, sombrear, cobrir de sombras. — v. r. (fig.) entristecer-se, tornar-se melancólico. — conj. irr. como crecer.

ensombreado, da. adj. (fam.) enchapelado, diz-se do que leva o chapéu na cabeça.

ensoñación. f. a(c)ção de sonhar, ilusão, fantasia; devaneio; fantasmagoria; (fig.) teia de aranha.

ensoñador. m. sonhador, o que tem sonhos ou ilusões.

ensopar. v. tr. ensopar, embeber num líquido; ensopar, molhar pão em caldo, empapar, ficar ou pôr numa sopa; impregnar; afogar; (Amér.) empapar.

ensordar. v. tr. ensurdecer. V. ensordecer.

ensordecedor, ra. adj. ensurdecedor, que ensurdece.

ensordecer. v. tr. ensurdecer, tornar surdo; causar surdez. — v. intr. ensurdecer, ficar-se surdo, ensurdecer-se; calar, não responder. — conj. irr. como crecer.

ensordecimiento. m. ensurdecimento.

ensortijamiento. m. encrespadura, encrespamento, frisagem; anéis do cabelo.

ensortijado, da. p. p. e adj. encrespado, frisado; anelado; provisto de anéis.

ensortijar. v. tr. encrespar, anelar, frisar, retorcer; açaimar: ensortijar las manos, entrelaçar as mãos; encher as mãos de anéis.

ensotarse. v. r. amoitar-se, embrenhar-se, meter-se num souto.

ensucador, ra. adj. e s. sujador, que suja.

ensuciamiento. m. emporcalhamento.

ensuciar. v. tr. sujar, emporcalhar, manchar; (fig.) sujar, deslustrar, denegrir, manchar a reputação; contaminar; entortar ou deitar a perder um negócio; embodegar, embodalhar, desassear; abandalhar; macular; enxovalhar. — v. intr. (fam.) defecar. — v. r. sujar-se, satisfazer as suas necessidades corporais; enxovalhar-se; (fig. e fam.) sujar-se, deixar-se subornar.

ensueño. m. sonho, coisa que se sonha; ilusão, fantasia, ficção.

ensullo. m. V. enjullo.

entabicar. v. tr. V. tabicar.

entablación. f. entabuamento; registo, quadro, tabela, afixada nas igrejas, contendo as suas memórias, fundações, etc.

entablado, da. p. p. e adj. entabuado. — m. tabuado, soalho, sobrado; (equit.) cavalo duro de boca.

entabladura. f. entabuamento, acção do entabuar ou cobrir com tábuas.

entablamento. m. (arq.) entablamento, cornija; empena. V. cornisamento.

entablar. v. tr. entabuar, assobradar, guarnecer ou cobrir de tábuas; assoalhar. V. entablillar; entabular, dispor as tábulas no jogo das damas e gamão, a fim de se começar uma partida; dispor, preparar; empreender, começar. — v. r. resistir o cavalo a virar em determinada direcção; fixar-se o vento em certa direcção; (Amér.) fixar-se, estabelecer-se.

entable. m. V. entabladura; entabuamento, disposição do jogo das damas, xadrez, etc.

entablerarse. v. r. embarreirar-se (diz-se quando os touros se colam contra a barreira).

entablillar. v. tr. (cir.) encanar, entalar um osso em talas.

entado. adj. (herald.) inserido (diz-se do escudo quando os extremos entram uns nos outros).

entalamadura. f. tolda, toldo dos carros; toldo encerado.

entalegado, da. p. p. e adj. entaleigado, metido em taleigo. — m. (prov.) ensacado; diz-se da pessoa que concorre com outra a correr e saltar, metida num saco até à cintura).

entalegar. *v. tr.* entaleigar, meter, guardar alguma coisa em taleigos; entesourar, economizar dinheiro.

entalingadura. *f.* (mar.) talingadura.

entalingar. *v. tr.* (mar.) talingar, entalingar, fixar a amarra ao arganéu.

entallable. *adj.* talhável, próprio para ser entalhado ou esculpido.

entallado, da. *p. p.* e *adj.* entalhado, gravado em madeira, esculpido. — *m.* entalho, ornato, obra de talha.

entallador. *m.* entalhador, gravador em madeira; escultor.

entalladura. *f.* entalhadura, entalhamento, entalhe, entalho; gravura; talho, talhe, corte, chanfradura feita numa peça de madeira para a unir com outra; incisão, corte nos pinheiros para extracção da resina.

entallamiento. *m.* V. **entalladura.**

entallar. *v. tr.* entalhar, esculpir ou gravar em madeira, pedra, bronze, etc.; entalhar de meio relevo; talhar, formar o talhe numa peça de madeira para a ensamblar noutra; resinar, fazer incisões no tronco dos pinheiros para resinagem. — *v. intr.* assentar, cair bem, ajustar-se, ficar bem ao corpo, o fato.

entalle. *m.* obra de talha.

entallecer. *v. intr.* entalecer, grelar, criar talo; entronchar; despontar. — *conj. irr.* como *crecer.*

entallo. *m.* entalhe, entalho, entalhadura, obra de talha.

entamar. *v. tr.* cobrir ou encher de borra ou cotão; (prov.) começar, encetar. V. **encentar.**

entapar. *v. tr.* (Amér.) encadernar, empastar ou forrar um livro.

entapetado, da. *adj.* atapetado, entapetado, coberto com tapete.

entapiar. *v. tr.* entaipar, enterrar uma pessoa até à cabeça (antigo suplício).

entapizada. *f.* (fig.) tapete, alfombra, alcatifa. V. **alfombra.**

entapizar. *v. tr.* atapetar, alcatifar, tapizar, cobrir com tapetes ou tapizes; (fig.) cobrir ou revestir uma superfície com qualquer coisa.

entapujar. *v. tr.* (fam.) tapar, cobrir, encobrir; (fig.) ocultar a verdade; andar com rebuços.

entarascar. *v. tr.* (fam.) enfeitar, adornar com excesso uma pessoa.

entarimado, da. *adj.* e *p. p.* sobradado, soalhado. — *m.* soalho, tabuado-solho, forro de tábuas; (mar.) bailéu.

entarimador. *m.* soalhador, o que sobrada.

entarimar. *v. tr.* sobradar, entabuar, soalhar, forrar com tábuas; assobradar, assoalhar.

entarquinamiento. *m.* adubação com lodo; acção de adubar as terras com lodo; aterro, saneamento dum terreno pantanoso.

entarquinar. *v. tr.* adubar as terras com lodo ou vasa; sujar, manchar, aterrar e sanear um terreno pantanoso ou uma lagoa.

entarugado, da. *p. p.* pavimentado com tacos de madeira. — *m.* parquete, pavimento de tacos de madeira.

entarugar. *v. tr.* pavimentar com tacos de madeira.

éntasis. *f.* (arq.) êntase, parte do fuste dalgumas colunas.

ente. *m.* ente, ser, o que existe; (fam.) sujeito ridículo; indivíduo, pessoa, entidade; coisa, objecto.

entecado, da. *p. p.* e *adj.* obstinado; achacado; enfermiço, fraco.

entecarse. *v. r.* (prov. e Amér.) obstinar-se, teimar; (fam.) achacar-se.

enteco, ca. *adj.* enfermiço, fraco, débil, desmedrado; doente; (fig.) acanhado, apoucado, tímido.

entechar. *v. tr.* (Amér.) V. **techar.**

entejar. *v. tr.* (Amér.) telhar, cobrir com telhas.

entelar. *v. tr.* (prov.) V. **meteorizar.**

entelequia. *f.* (filos.) enteléquia.

entelerido, da. *adj.* entanguido, tolhido, transido de frio ou pavor; (Amér.) enfermiço, fraco.

entena. *f.* (mar.) antena, verga curva e comprida na qual se fixam as velas.

entenado, da. *s.* enteado.

entendederas. *f. pl.* (fam.) entendimento, faculdade de compreender: *tener malas entendederas,* (fam.) ter pouco entendimento.

entendedor, ra. *adj.* e *s.* entendedor, que entende: *a buen entendedor, pocas palabras bastan,* a bom entendedor, meia palavra basta.

entender. *v. tr.* e *intr.* entender, ter ideia clara de, compreender; entender, saber com perfeição uma coisa ou ter noções duma ciência ou arte; deduzir, inferir, discorrer; julgar; interpretar; conhecer, penetrar; ter intenção, mostrar vontade de fazer uma coisa; entender, ouvir, perceber; cuidar, tratar; ser perito; (for.) tomar conhecimento como autoridade; implicar com; crer, pensar, julgar, entender; entender, querer, ter em vista; achar; (fig.) alcançar. — *v. r.* conhecer-se, compreender-se a si mesmo; ajustar-se; pôr-se de acordo, entender-se: *dar a entender,* dar que entender; fazer pensar, dar a entender, insinuar. — *conj. irr.* como *tender.*

entendido, da. *p. p.* e *adj.* entendido, sábio, perito, douto, destro, erudito, experimentado, experto, conhecedor, hábil: *no darse por entendido,* (fam.) não se dar por achado, fazer ouvidos de mercador.

entendimiento. *m.* entendimento; interpretação; talento, capacidade; alma; razão humana; mente, conhecimento; compreensão, capacidade; inteligência: *de corto entendimiento,* de curtos alcances.

entenebrecer. *v. tr.* entenebrecer, escurecer, entrevar; (fig.) eclipsar. — *conj. irr.* como *crecer.*

entente. (palavra francesa). *f.* inteligência, trato secreto, convénio, pacto, concerto.

enteo. *m.* (prov.) desejo, antolho. V. **antojo.**

entera. *f.* (prov.) V. **díntel.**

enteradenografía. *f.* (med.) enteradenografia.

enterado, da. *p. p.* e *adj.* inteirado, informado; ciente; achado; (Amér.) orgulhoso, envaidecido: *no darse por enterado*, não se dar por achado; *estar muy bien enterado*, (fig.) beber do fino; *quedar enterado*, ficar ciente.

enteralgia. *f.* (pat.) enteralgia.

enterar. *v. tr.* inteirar, informar, instruir; (Amér.) completar; integrar uma importância; pagar, entregar dinheiro; concluir. — *v. r.* inteirar-se, informar-se.

entercarse. *v. r.* obstinar-se, teimar.

enterciar. *v. tr.* (Amér.) terçar, dividir em três partes uma mercadoria.

enteremia. *f.* (pat.) enteremia.

entereza. *f.* inteireza, integridade, perfeição, plenitude; (fig.) fortaleza, constância, firmeza de ânimo; rectidão; inteireza, severidade, rigor, disciplina; vigor; orgulho, vaidade.

entérico, ca. *adj.* (med.) entérico, relativo aos intestinos.

enterísimo, ma. *adj. superl.* inteiríssimo.

enteritis. *f.* (pat.) enterite.

enterizo, za. *adj.* inteiriço, duma só peça.

enternecedor, ra. *adj.* enternecedor, que enternece; emocionante; comovente.

enternecer. *v. tr.* enternecer, tornar terno; mover à piedade; comover, sensibilizar; enternecer, amolecer, abrandar, tornar tenro, mole, brando; emocionar; apiedar; (fig.) derreter; desempedernir, desempedrar. — *v. r.* enternecer-se, comover-se, emocionar-se; embrandecer-se; compadecer-se; sensibilizar-se. — *conj. irr.* como *crecer.*

enternecimiento. *m.* enternecimento; ternura; compaixão; emoção; comoção; (fig.) derretedura.

entero, ra. *adj.* inteiro, inta(c)to; cabal, sem falta alguma; diz-se do animal não castrado; (fig. e fam.) diz-se do que tem firmeza de ânimo; (fig.) inteiro; íntegro, justo, re(c)to; forte, robusto, vigoroso, são; inteiro, virgen, sem mácula; inflexível; enérgico. — *m.* (mat.) inteiro: *por entero*, em cheio.

enterocele. *m.* (pat.) enterocele, hérnia intestinal.

enteroclisia. *f.* (terp.) enteróclise.

enterocolitis. *f.* (med.) enterocolite.

enterodimia. *f.* (pat.) enterodimia.

enteroflogia. *f.* (pat.) enteroflogia.

enteroflogosis. *f.* (pat.) enteroflogia.

enterografía. *f.* (anat.) enterografia.

enterología. *f.* (anat.) enterologia.

enteropatía. *f.* (pat.) enteropatia.

enterorragia. *f.* (pat.) enterorragia.

enterorrea. *f.* (pat.) enterorragia.

enteroscopia. *f.* enteroscopia.

enterosis. *f.* (pat.) enterose.

enteroso, sa. *adj.* (Amér.) inteiro, inteiriço.

enterotomia. *f.* (cir.) enterotomia.

enterótomo. *m.* (cor.) enterótomo.

enterozoo. *m.* (zool.) enterozoário.

enterradero. *m.* lugar onde se enterra os animais; enterradoiro.

enterrador. *m.* V. **sepulturero;** enterrador, coveiro; (taur.) toureiro que ajuda o espada para acelerar a morte do touro; (germ.) ladrão que rouba nos enterros.

enterramiento. *m.* V. **entierro;** enterro; (pop.) encaixotamento; enterramento; enterradela; enterração; V. **sepulcro.**

enterrar. *v. tr.* enterrar, por debaixo da terra; sepultar; meter debaixo do chão; enterrar, dar sepultura a um cadáver; clavar, encovar; esquecer; relegar para o esquecimento; esconder, ocultar; (Amér.) espetar, cravar. — *v. r.* (fig.) retirar-se do mundo; aterrar-se, enterrar-se, acravar-se.

enterratorio. *m.* (Amér.) V. **cementerio.**

enterriar. *v. tr.* (prov.) odiar, ter rancor.

entesamiento. *m.* entesadura.

entesar. *v. tr.* entesar, esticar, enrijar; retesar. — *conj. irr.* como *acertar.*

entestado, da. *adj.* V. **testarudo;** teimoso, cabeçudo.

entestecer. *v. tr.* apertar, enrijar, endurecer. — *v. r.* apertar-se. — *conj. irr.* como *agradecer.*

entibación. *f.* (min.) escoramento.

entibador. *m.* entivador; o que escora, sustém ou ampara com esteio.

entibar. *v. tr.* (min.) escorar, segurar com escoras, especar, firmar as escavações; (prov.) represar as águas dum rio para aumentar o nível; aguentar, resistir com uma ferramenta por um lado, entretanto que martelam pelo lado oposto.

entibiadero. *m.* lugar destinado a amornar alguma coisa.

entibiar. *v. tr.* entibiar, tornar tíbio, amornar; dar um grau de calor moderado; desmaiar; arrefecer; (fig.) enfriar. — *v. r.* (fig.) moderar, temperar as paixões ou o fervor; entibiar-se, amornar-se; afrouxar-se; (fig.) estiar.

entibo. *m.* (fig.) fundamento, apoio; (prov.) caudal de águas represadas; (arq.) V. **estribo;** (min.) espeque, esteio, pontalete, escora.

entidad. *f.* (filos.) entidade; essência ou forma duma coisa; ente ou ser; valor, importância duma coisa; colectividade considerada como unidade; individualidade; (fig.) pessoa importante; indivíduo.

entierro. *m.* ente(ê)rro, sepultura, enterramento; sepulcro, túmulo; préstito fúnebre; (fig.) conto do vigário.

entiesar. *v. tr.* V. **atiesar;** entesar, esticar, retesar.

entigrecerse. *v. r.* (fig.) enfurecer-se, zangar-se, irritar-se. — *conj. irr.* como *crecer.*

entilar. *v. tr.* (Amér.) V. **tiznar;** sujar, tisnar, enegrecer.

entimema. *f.* (filos.) entimema, silogismo com duas proposições.

entimemático, ca. *adj.* entimemático, pertencente ao entimema.

entinar. *v. tr.* pôr na tina.

entintador. *m.* o que atinta.

entintar. *v. tr.* atintar, tintar ou tingir com tinta; (fig.) tingir, dar cor; (pint.) colorir uma gravura.

entisar. *v. tr.* (Amér.) revestir uma vasilha com uma rede.

entitativo, va. *adj.* exclusivo da entidade.

entiznar. *v. tr.* tisnar. V. **tiznar.**

entófito. *m.* (biol.) entófito.

entoftalmia. *f.* (pat.) entoftalmia.

entoladora. *f.* pessoa que passa dum tule para outro as fiores ou desenhos duma renda.

entolar. *v. tr.* passar um desenho dum tule para outro.

entoldado, da. *p. p. adj.* toldado. — *m.* toldado, conjunto de toldos para dar sombra.

entoldamiento. *m.* toldamento.

entoldar. *v. tr.* toldar, cobrir com toldos; cobrir as paredes com tapetes, panos, etc. — *v. r.* anuviar-se o céu; desvanecer-se, ensoberbecer-se, envaidecer-se; (fig.) carregar, franzir o sobrolho.

entómico, ca. *adj.* (zool.) entó(ô)mico.

entomizar. *v. tr.* colocar serapilheira ou esparto nas paredes para colar o gesso.

entomófago, ga. *adj.* (zool.) entomófago.

entomófilo, la. *adj.* (bot.) entomófilo.

entomología. *f.* (zool.) entomologia.

entomológico, ca. *adj.* entomológico.

entomologista. *s.* entomologista, entomólogo.

entomólogo, ga. *s.* entomólogo, entomologista.

entomostráceos. *m. pl.* (zool.) entomostráceos.

entomozoarios. *m. pl.* (zool.) entomozoários.

entonación. *f.* entonação, tom; (fig.) arrogância; presunção.

entonadera. *f.* alavanca de mover os foles do órgão.

entonado, da. *p. p.* e *adj.* entoado, cantado; (fig.) estirado; fantasioso, fantástico; tonificado.

entonador, ra. *adj.* e *s.* entoador, que entoa; pessoa que move os foles do órgão.

entonamiento. *m.* entonação, entoamento. V. **entonación.**

entonar. *v. tr.* entoar, cantar, ajustar ao tom; dar determinado tom à voz; dar aos foles do órgão para que toque; (med.) tonificar; (fig.) dar tom, fortificar, fortalecer; (pint.) harmonizar as cores; (fig.) celebrar; (fot.) entoar, submeter à operação da viragem. — *v. r.* (fig.) desvanecer-se, envaidecer-se; entonar-se; emproar-se, ensoberbecer-se.

entonatorio, ria. *adj.* entonatório.

entonces. *adv.* então, naquele tempo ou ocasião; nesse caso; sendo assim: *en aquel entonces*, naquele tempo; *desde entonces*, desde então; *hasta entonces*, até então; *para entonces*, para então.

entonelar. *v. tr.* envasilhar em tonéis; enfunilar.

entongar. *v. tr.* amontoar, empilhar.

entono. *m.* entoação, entono; (fig.) arrogância, presunção; fantasia; aprumo; endeusamento.

entontar. *v. tr.* (Amér.) V. **entontecer.**

entontecer. *v. tr.* entontecer, tornar tonto; estontear; embasbacar; emburricar; estupificar; entorpecer; embrutecer; azamboar; estupidecer, estupidificar; estultificar; desjuizar; dementar; apatetar; abobar; abajoujar. — *v. intr.* tornar-se tonto, desvairar. — *conj. irr.* como *crecer.*

entontecimiento. *m.* entontecimento; bestificação; arvoamento; estultificação.

entoñar. *v. tr.* (prov.) enterrar, sepultar.

entorchado. *m.* galão, cordão de ouro ou prata; bordado de ouro ou prata para fardas de generais, ministros, etc.

entorchar. *v. tr.* fazer tochas com velas retorcidas; cobrir um fio ou corda enrolando-lhe um outro de metal.

entorilar. *v. tr.* encurralar, meter o touro no curral.

entornar. *v. tr.* voltar, fazer girar uma porta para a fechar; diz-se dos olhos quando não fecham completamente; inclinar, ladear, transtornar; (Amér.) entrecerrar (janelas ou portas).

entornillar. *v. tr.* fazer ou dispor uma coisa em forma de parafuso.

entorno. *m.* (prov.) V. **dobladillo.**

entorpecedor, ra. *adj.* entorpecedor, que entorpece, ou embaraça.

entorpecer. *v. tr.* entorpecer, tornar torpe; entorpecer, tirar o movimento; causar torpor a; paralisar; (fig.) perturbar, turvar o entendimento; retardar, dificultar; embrutecer, desjuizar; entumecer; embaraçar; (fig.) embotar; enferrujar. — *conj. irr.* como *crecer.*

entorpecimiento. *m.* entorpecimento; esto(ô)rvo, estorvamento; adormecimento; embaraço; entumecência; estupefacção; torpor; embrutecimento.

entortadura. *f.* entortamento, entortadura.

entortar. *v. tr.* entortar, pôr tortoe o que estava direito; tirar um olho a alguém. — *conj. irr.* como *contar.*

entosigar. *v. tr.* entoxicar, envenenar.

entozoario. *m.* (zool.) entozoário.

entozoico, ca. *adj.* entozóico.

entozoogénesis. *f.* (biol.) entozoogénese.

entozoología. *f.* (hist. nat.) entozoologia.

entrabar. *v. tr.* (prov.) V. **trabar.**

entrada. *f.* entrada, lugar por onde se entra; entrada, acção de entrar; introdução; início; ingresso; admissão; entrada, bilhete para entrar em alguma parte; entrada, espaço, abertura para introduzir um objecto; entrada, primeiro prato substancial da comida; entrada, princípio, começo; entrada, porção de dinheiro com que se entra para o bolo, no jogo ou em alguma empresa ou sociedade; entrada, direito de entrar em alguma parte; (fig.) arbítrio, faculdade para fazer alguma coisa; concorrência nos teatros e noutros lugares públicos; amizade, favor ou familiaridade numa casa ou com alguma pessoa; entrada, ângulo que o cabelo forma na testa; entrada, dinheiro que entra numa caixa; ingresso; embocadura duma rua; acolhimento, acesso; importação; cabida; ocasião. — *pl.* entradas, producto dum espectáculo ou função pública; entrada, cobrança de fundos; entradas, carta branca, liberdade de fazer alguma coisa: *platos de entrada*, entrada de mesa.

entramado, da. *p. p.* de *entramar.* — *m.* (arq.) vigamento para formar tabiques, frontais, etc.; vigamento que assenta em asnas.

entramar. *v. tr.* (arq.) fazer um frontal para levantar uma parede enchendo os vãos com tijolo e argamassa; (prov.) provocar uma pendência, questão, ou pleito.

entrambos, bas. *adj. pl.* ambos, os dois.

entrampar. *v. tr.* apanhar, colher, fazer cair no laço um animal; (fig.) enganar, lograr, fazer cair no laço; (fam.) confundir, embaraçar, enredar, atrapalhar um assunto; contrair dívidas. — *v. r.* endividar-se, empenhar-se.

entrante. *p. a.* e *adj.* entrante, que entra; (mat.) reentrante; (fam.) pessoas que frequentam assiduamente uma casa.

entraña. *f.* entranha, víscera do abdómen ou tórax. — *pl.* (fam.) entranhas, o mais profundo e escondido, o interior; o mais íntimo e essencial duma coisa ou ossunto; (fig.) afeição, ternura, vontade; índole, carácter duma pessoa; sentimento; profundidade: *no tener entrañas*, ser muito cruel.

entrañable. *adj.* entranhável, íntimo, muito afectuoso, cordial; bem-amado; (fig.) profundo, arraigado.

entrañadura. *f.* (mar.) engaio.

entrañar. *v. intr.* entranhar, introduzir nas entranhas ou até ao íntimo do coração; meter no interior; entranhar-se, penetrar, conter, levar dentro de si. — *v. r.* dedicar-se de todo o coração a alguém, unir--se.

entrapajar. *v. tr.* entrapar, cobrir com trapos; entrapar uma ferida. — *v. r.* empoeirar-se, encher-se de pó.

entrapar. *v. tr.* empoar, polvilhar o cabelo; encher o cabelo de cosmético; enfeitar, dar elegância; (agr.) adubar a raiz das cepas com trapos velhos. — *v. r.* encher-se de pó e sujidade um pano ou cabelo; embotar-se com pó o fio de qualquer ferramenta.

entrapazar. *v. intr.* trapacear. V. **trapacear.**

entrar. *v. tr.* e *intr.* entrar, introduzir, meter uma coisa em outra; dar entrada; ir ou passar de fora para dentro; introduzir-se em qualquer parte; entrar, começar; entrar, acometer, arremeter; encaixar; desaguar, desembocar um rio noutro ou no mar; penetrar; ser admitido; (mil.) entrar, invadir, ocupar por força; entrar, ser contado no número; entrar, chegar; entrar, levar, empregar-se, ser necessário certo número ou porção de coisas para um fim determinado; (fig.) começar a formar parte duma corporação; abraçar uma carreira ou profissão; dedicar-se a elas; começar ou ter princípio as estações ou qualquer parte do ano; (mús.) começar a cantar ou a dançar no momento preci-

so; dedicar-se, consagrar-se; embeber-se; (fig.) compartilhar; envolver-se; decifrar; participar.

entre. *prep.* entre. no meio; dentro de; no interior; entre, no decurso; no intervalo; em número de; dentro de.

entreabrir. *v. tr.* entreabrir, abrir um pouco; descerrar. — *v. intr.* entreabrir, desabrochar. — *v. r.* entreabrir-se.

entreacto. *m.* entrea(c)to, intervalo, intermédio; entreacto, recitação, música que se executa nesse intervalo; charuto pequeno.

entreancho, cha. *adj.* entre largo e estreito.

entrebarrera. *f.* espaço entre a trincheira e as grades nas praças de touros.

entrecalle. *f.* (arq.) separação ou vão entre duas molduras.

entrecanal. *f.* (arq.) entrecana, espaço, entre as estrias ou meias canas duma coluna.

entrecano, na. *adj.* grisalho (cabelo ou barba); meio encanecido, o que tem o cabelo grisalho.

entrecasco. *m.* (bot.) entrecasca. V. **entrecorteza.**

entrecava. *f.* entrecava, escavação ligeira.

entrecavar. *v. tr.* entrecavar, cavar ligeiramente, cavar pouco fundo.

entrecejo. *m.* espaço interciliar, entre as sobrancelhas; (fig.) cenho, sobrecenho; demonstração de aborrecimento: *fruncir el entrecejo*, arrugar-se.

entrecinta. *f.* (arq.) madeiro que se coloca paralelamente no tirante, na armação do telhado; (mar.) alcacha, alcaixa.

entreclaro, ra. *adj.* entreclaro, um pouco claro diz-se do que tem uma claridade duvidosa e pouco manifesta.

entrecojedura. *f.* a(c)ção e efeito de agarrar com firmeza.

entrecojer. *v. tr.* pegar, agarrar com firmeza; cercar, rodear; colher aquí e alí; (fig.) estreitar, apertar com argumentos ou ameaças; (fam.) prender alguém entre muita gente.

entrecomar. *v. tr.* aspar, colocar entre vírgulas.

entrecoro. *m.* entrecoro, espaço entre o coro e o altar-mor.

entrecortado, da. *p. p.* e *adj.* entrecortado, diz-se da voz ou do som que se emite com intermitência.

entrecortadura. *f.* cortadura pelo meio, corte não acabado; intersecção.

entrecortar. *v. tr.* entrecortar, cortar uma coisa sem acabar de a dividir.

entrecorte. *m.* (arq.) entrecorte.

entrecorteza. *f.* defeito das madeiras, córtex que ficou no seu interior; entrecasca.

entrecote. *m.* entrecosto. V. **solomillo.**

entrecriarse. *v. r.* criar-se, produzir-se umas plantas entre outras.

entrecruzar. *v. tr.* entrecruzar, cruzar uma coisa com outra, entrelaçar. — *v. r.* entrecruzar-se, cruzar-se recìprocamente.

entrecubiertas. *f. pl.* (mar.) entrecobertas, entreponte, espaço entre as cobertas do navio.

entrecuesto. *m.* entrecosto, costela do animal; (prov.) V. **estorbo** e **solomillo**.

entrechocar. *v. tr.* entrechocar, chocarem duas coisas, uma contra a outra. — *v. r.* entrechocar-se.

entrechoque. *m.* entrechoque; colisão.

entredecir. *v. tr.* interdizer, pôr ou ficar interdito. — *conj. irr.* como *decir*.

entredicho, cha. *p. p.* e *adj.* interdito. — *m.* interdição, proibição; interdicto, censura eclesiástica; dificuldade, objecção, contradição.

entredós. *m.* entremeio, renda ou tira bordada entre duas peças lisas; armário pequeno que se coloca entre as duas sacadas duma sala; (arq.) tecto de abóbada; (impr.) certo corpo tipográfico de pequeno tamanho.

entrefilete. *m.* (gal.) notícia curta num jornal.

entreforro. *m.* entreforro, entretela; entrecasca.

entrega. *f.* entrega, a(c)ção de entregar, entrega, cada um dos fascículos ou tomos duma obra publicada por partes; entrega, restituição; entrega. traição; rendição; dedicação; adjudicação; facilitação; desvelo; devotamento; devotação; consignação (mercadorias); (arq.) parte dum silhar, coluna ou madeiro que se introduz na parede: *hacer entrega*, fazer entrega; *con entrega absoluta*, dedicadamente; *entrega íntima a algo o alguien* devoção.

entregado, da. *p. p.* e *adj.* entregue; (arq.) diz-se da coluna encaixada na parede; devotado; devoto; dedicado.

entregador, ra. *adj.* e *s.* entregador, traidor.

entregamiento. *m.* entrega.

entregar. *v. tr.* entregar, pôr em poder doutro; entregar, restituir; dar; pagar; confiar; atraiçoar, denunciar; (arq.) inserir, encaixar parte dum corpo em outro; adjudicar; depositar; depor; devotar; facilitar; (prov.) consumir, desgostar alguém. — *v. r.* entregar-se, render-se; abandonar-se, deixar-se dominar; declarar-se vencido ou sem forças para continuar um trabalho; senhorear-se, apossar-se; entregar-se, dar-se, dedicar-se; tomar entrega ou conta; desvelar-se; abandonar-se: *entregarse algo sin demora*, aprontar.

estrehoja. *f.* (bot.) entrefo(ô)lha.

entrejuntar. *v. tr.* (carp.) encaixar, juntar e ligar as almofadas, as tábuas duma porta, janela, etc; ensamblar.

entrelazamiento. *m.* entrelaçamento; entretecedura; entrançadura.

entrelazar. *v. tr.* entrelaçar, enlaçar, entretecer uma coisa com outra; entrançar.

entrelínea. *f.* entrelinha. — *pl.* (fig.) entrelinhas, sentido implícito; (impr.) entrelinhas.

entrelinear. *v. tr.* entrelinhar, pôr entrelinhas em; intervalar; espacejar.

entreliño. *m.* espaço de terra por plantar, entre os pés da videira ou das oliveiras.

entrelistado, da. *adj.* listrado, com riscas ou listas de diferentes cores.

entrelucir. *v. intr.* entreluzir, transluzir, deixar-se ver uma coisa por entre outras.

entremediar. *v. tr.* entremear, intercalar; alternar; intervalar.

entremedias. *adv.* entretanto; no meio de; entrementes; no tempo intermédio, entre duas coisas, entre dois lugares.

entremés. *m.* entremez, peça num só acto. — *pl.* acepipes, aperitivos, antepastos.

entremesear. *v. tr.* representar num entremez; (fig.) chalacear, zombar, misturar ditos jocosos numa conversa ou discurso.

entremesil. *adj.* relativo ao entremez.

entremesista. *s.* entremezista, o que compõe ou representa entremezes.

entremeter. *v. tr.* intrometer, meter de permeio; dobrar os cueiros da criança; mediar. — *v. r.* intrometer-se, meter-se onde não o chamam; intrometer-se no meio ou entre outros; envolver-se.

entremetido, da. *p. p.* e *adj.* e *s.* intrometido, metediço, abelhudo; intrigante, diz-se do que tem o costume de meter-se onde não é chamado; (Bras.) palpite.

entremetimiento. *m.* entremetimento, intromissão, intrometimento.

entremezcladura. *f.* mistura duma coisa com outra.

entremezclar. *v. tr.* misturar, mesclar uma coisa com outra sem as confudir; entrelaçar; entretecer; entremisturar.

entremiche. *m.* (mar.) espaço vazio no cavername entre as cortelas; peça de madeira com que se preenchem estes espaços.

entremiso. *m.* V. **expremijo**.

entremodillón. *m.* (arq.) entremodilhão.

entremorir. *v. intr.* amortecer, estar a apagar-se ou a acabar-se uma coisa. — *conj. irr.* como *morir*.

entrenador, ra. *s.* adestrador, pessoa que treina, preparador.

entrenamiento. *m.* (gal.) preparação, treino, ensaio, adestramento.

entrenar. *v. tr.* treinar, adestrar, preparar, ensaiar; habituar.

entrenzado. *m.* entrançado, entrançadura. — *p. p.* entrançado.

entrenzar. *v. tr.* entrançar, trançar; encambar; entretecer.

entreoír. *v. tr.* entreouvir, ouvir confusamente. — *conj. irr.* como *oír*.

entreordinario, ria. *adj.* que não é muito ordinário.

entrepalmadura. *f.* (vet.) gavarro, unheiro, doença nos cascos das cavalgaduras.

entrepanes. *m. pl.* terras incultas ou por semear, entre outras semeadas.

entrepaño. *m.* (arq.) entrepano, parte da parede compreendida entre duas colunas; (carp.) prateleira, divisão de armário ou estante, almofada; almofada, peça de madeira de relevo e figura regularmente quadrada, no centro duma porta.

entreparecerse. *v. r.* divisar-se uma coisa, transluzir-se; lobrigar-se. — *conj. irr.* como *agradecer*.

entrepaso. *m.* entrepasso, andadura do cavalo, semelhante ao furta-passo.

entrepechuga. *f.* titela, parte carnuda ao lado do peito das aves.

entrepeines. *m. pl.* lã grosseira que fica nos pentes, depois de separado o fio mais fino.

entrepelado, da. *adj.* e *p. p.* diz-se do pêlo do gado cavalar que, sendo de cor escura, apresenta pêlos brancos misturados; (Amér.) diz-se do cavalo com pêlo de três cores: preto, branco e vermelho.

entrepelar. *v. intr.* e *r.* estar misturada uma cor (de pêlo) com outra diferente.

entrepernar. *v. tr.* entrelaçar, enlaçar, cruzar as pernas com as doutra pessoa; entrepernar. — *conj. irr.* como *acertar*.

entrepiernas. *f. pl.* entrepernas, parte interior das coxas; fundilhos, peças cosidas nos calções ou calças na parte correspondente ao interior das coxas, reforço (usa-se no singular); (Amér.) tanga, traje de banho.

entrepilastras. *f. pl.* (arq.) estrepilastras, espaço entre duas pilastras.

entrepiso. *m.* (min.) espaço entre os andares duma mina.

entrepretado, da. *adj.* (vet.) esforçado, diz-se da cavalgadura magoada dos peitos ou das patas dianteiras.

entreponer. *v. tr.* (ant.) entrepor, pôr entre, interpor.

entrepuente. *m.* (mar.) entreponte, entrecoberta. V. **entrecubierta.**

entrepunzadura. *f.* dor e latejo intermitente, que causa um tumor.

entrepunzar. *v. tr.* fazer doer com pouca força e intermitentemente.

entrerraído, da. *adj.* consumido ou gasto por partes.

entrerrenglonadura. *f.* entrelinha, entrelinhado, o escrito nas entrelinhas.

entrerrenglonar. *v. tr.* (impr.) entrelinhar, intercalar.

entrés. *m.* certo lance do jogo do monte.

entresaca. *f.* (agr.) desbaste.

entresacadura. *f.* desbaste.

entresacar. *v. tr.* tirar umas coisas de entre outras; (agr.) desbastar (um monte, um arvoredo), abrir uma clareira; ralear o cabelo; torná-lo menos espesso; desfilhar; entressachar; tirar entremeadamente; (agr.) decotar.

entresijo. *m.* V. **mesenterio;** mesentério; (fig.) coisa oculta, escondida; (fig.) entranha.

entresuela. *f.* (sap.) entressola.

entresuelo. *m.* sobreloja, pavimento, dum prédio entre a loja e o primeiro andar; quarto situado mais dum metro acima do nível da rua; entresso(ô)lho.

entresurco. *m.* (agr.) espaço que fica entre dois sulcos.

entretalho, entretalladura. *f.* entretalhadura, entretalho; baixo-relevo, meia talha.

entretallar. *v. tr.* (art. e of.) entretalhar, entalhar baixos-relevos; gravar, esculpir; recortar; (fig.) deter, estorvar a passagem. — *v. r.* encaixarem-se uma coisas noutras.

— *v. intr.* fazer entretalho em; reduzir a entretalhos.

entretanto. *adv.* entretanto; no tempo intermédio; ao mesmo tempo; sempre; entre; ementes, entrementes; em tanto; com tudo, isso: *entretanto que*, em quanto, ementes.

entretejedor, ra. *adj.* entretecedor, que entretece.

entretejedura. *f.* entretecedura, entretecimento, ligação entre dois tecidos; entrelaçamento.

entretejer. *v. tr.* entretecer, entrelaçar; enastrar; entrançar; tecer entremeando; entremear; construir com laços; inserir num tecido; (fig.) armar, urdir, intercalar.

entretejimiento. *m.* entretecedura, entre tecimento.

entretela. *f.* entretela, tecido forte que se mete entre o forro e o pano de fora, reforço. — *f. pl.* (fig. e fam.) o íntimo do coração; (por ext.) contraforte de muralhas.

entretelar. *v. tr.* entretelar, pôr entretela nalgum artigo de vestuário; (Amér.) tirar a marca ou calcadura, que fica nos papéis impressos.

entretenedor, ra. *adj.* e *s.* que entretém.

entretener. *v. tr.* entreter, divertir, demorar, manter, distrair; paliar, embevecer; embobar; desenfastiar; (fig.) embalar; (fam.) empalhar; entreter, demorar, iludir, deter; conservar; manter; suavizar; aliviar. — *v. r.* entreter-se, distrair-se; ocupar-se; demorar-se num lugar; manter-se; desenfadar-se.

entretenida. *f.* mulher amancebada, mulher entretenida, cocote: *dar a uno con la entretenida*, entreter alguém com promessas e disculpas para não fazer o que ele pede. V. **querida.**

entretenido, da. *adj.* e *p. p.* divertido, alegre, chistoso, bem humorado; aprazível; descarregado; desenfastioso; desenfadadiço; belo; entretido; (herald.) diz-se de duas coisas que se sustém uma à outra, como duas chaves enlaçadas pelos anéis.

entretenimiento. *m.* entretenimento, distra(c)ção, divertimento; deporte; desenfado; (pop.) entretém; brincadeira; passatempo; delonga; entretenimento, manutenção duma pessoa.

entretiempo. *m.* meia estação, o tempo da Primavera e do Outono.

entreuntar. *v. tr.* untar ligeiramente, ao de leve; superficialmente.

entrevar. *v. tr.* (germ.) entender, conhecer.

entrevenarse. *v. r.* introduzir-se pelas veias algum humor ou líquido.

entreventana. *f.* espaço de parede entre duas janelas .

entrever. *v. tr.* entrever, ver confusamente; conjecturar; suspeitar, adivinhar; pressentir; entrever, aventar; avistar; enxergar; (fig.) bispar.

entreverado, da. *p. p.* e *adj.* entressachado, entremeado, misturado; entreveado (diz-se falando-se do toucinho).

entreverar. v. tr. entressachar, introduzir uma coisa entre outra, misturar; entremear; mesclar; entressemear; (Amér.) misturar (falando-se de corpos militares de partido diferente, que se confundem no furor do combate).

entrevía. f. entrevia, espaço livre que fica entre dois carris.

entrevista. f. entrevista, encontro de algumas pessoas em lugar determinado; entrevista, conferência de duas ou mais pessoas em lugar prèviamente combinado; colóquio; entre fala; (fig.) abocamento; estofo entre o forro e a peça transparente ou a golpeada do vestuário: *concertar una entrevista*, emprazar-se; *tener una entrevista*, entrever-se.

entrevistarse. v. r. entrevistar-se, ter uma entrevista com uma pessoa, conferenciar com alguém; avistar-se.

entrevuelta. f. (agr.) sulco estreito que se faz junto ao primeiro para que este se conserve. direito.

entripado, da. adj. e m. entripado, que está incomodado das tripas; (fig. e fam.) zanga, rancor dissimulado.

entriparse. v. r. (Amér.) enfadar-se, zangar-se.

entristecedor, ra. adj. entristecedor, que entristece; desconsolativo; desconsolador; desolador; magoativo.

entristecer. v. tr. entristecer, causar tristeza, melancolizar; desalegrar; funestar; contristar; tornar triste; desconsolar; amargar; desolar; atristar, consternar; encaramonar; (fig.) enturbar; (fig.) enevoar; anuviar, enturvar. — v. r. tornar-se triste, entristecer-se; afligir-se, ficar triste e melancólico; cobrir-se o coração; desalegrar-se; descontentar-se; desconsolar-se; atristar-se; enturvar-se; (fig.) anuviar-se. — *conj. irr.* como *crecer.*

entristecimiento. m. entristecimento, (fig.) enturvação; tristeza.

entrometer. v. tr. V. **entremeter**; entremeter. — v. r. entremeter-se.

entrometido, da. adj. entremetido, intrometido. — s. V. **entremetido.**

entrometimiento. m. mediação, intrometimento, entremetimento. V. **entremetimiento.**

entronar. v. tr. entronar, entronizar; pôr no trono; (fig.) exaltar, elevar muito. — v. r. sentar-se no trono.

entroncamiento. m. entroncamento; estação de caminho de ferro onde se cruzam ou se bifurcam linhas; entroncamento, ligação de parentesco.

entroncar. v. tr. entroncar, afirmar o parentesco duma pessoa com o tronco ou linhagem doutra; (Amér.) aparelhar ou parear dois cavalos do mesmo pêlo. — v. intr. entroncar, ter parentesco com pessoa de linhagem; ligar-se por parentesco; (Amér.) entroncar fazer junção de duas ou mais linhas férreas. — v. r. entroncar-se.

entronerar. v. tr. enventanar, introduzir a bola na ventanilha, no jogo do bilhar.

entronización. f. entronização; exaltação; entronizamento.

entronizar. v. tr. entronizar, colocar no trono, entronar; (fig.) encadeirar; (fig.) exaltar. louvar. — v. r. entronizar-se; (fig.) envaidecer-se.

entronque. m. entroncamento (genealógico), relação de parentesco entre pessoas que têm um tronco comum.

entropia. f. entropia.

entropión. m. (cir.) entrópio, entrópion.

entruchada. f. (fam.) conluio, tramóia, armadilha, intrujice, engodo.

entruchado, da. adj. e p. p. engodado, enganado, intrujado. V. **entruchada**, conluio, tramóia, logro.

entruchar. v. tr. (fam.) engodar, atrair alguém com engano, intrujar; (germ.) entender. V. **entreverar.**

entruchón, na. adj. e s. (fam.) intrujão, trapaceiro, espertalhão.

entruejo. m. V. **antruejo**, entrudo, carnaval.

entrujar. v. tr. guardar a azeitona no lagar; enceleirar; (fig. e fam.) embolsar.

entubar. v. tr. tubular, fazer a tubulação, colocar tubos nalguma coisa.

entuerto. m. torto, agravo, injúria; ofensa. — *pl.* cólicas, dor do ventre da parturiente, pouco depois do parto.

entullecer. v. tr. (fig.) entorpecer, tolher, afrouxar, suspender, deter o movimento duma coisa. — v. intr. e r. tolher-se, entrevar-se. — *conj. irr.* como *agradecer.*

entumecencia. f. entumecência. V. **entumecimiento.**

entumecer. v. tr. impedir, entorpecer, embaraçar; entumecer, encapelar; inchar. — v. r. (fig.) intumescer-se, inchar-se, alterar-se; abalofar-se; (med.) excrescer; (fig.) levantar-se, engrossar-se (diz-se do mar e dos rios caudalosos.) — *conj. irr.* como *crecer.*

entumecimiento. m. entumecimento, entumecência; intumescimento.

entumirse. v. r. entumecer; entorpecer-se um membro ou músculo.

entunicar. v. tr. rebocar a parede para em seguida fazer a pintura a fresco.

entupir. v. tr. entupir, enfartar; tapar, obstruir. — v. r. comprimir, apertar uma coisa.

enturbiamiento. m. turvamento, turvação.

enturbiar. v. tr. enturvar, tornar turvo, turvar; foscar. — v. r. enturvar-se; (fig.) perturbar a ordem.

entusiasmado, da. adj. e p. p. embriagado, arrebatado, animado; alacre; alvoroçado; encantado; entusiasmado; (fig.) empolgado; (fig.) ele(c)trizado; (Bras.) influído.

entusiasmar. v. tr. entusiasmar, inudir entusiasmo; animar; alvoroçar; enfrenesiar; afoguear; aquecer; arrebatar; alvorotar; acender; (fig.) ele(c)trizar; influir; (fig.) influenciar; (fig.) galvanizar, embriagar, magnetizar; incendiar; (fig.) encender. — v. r. entusiasmar-se; animar-se;

ele(c)trizar-se; enfrenesiar-se; embriagar--se; exaltar-se; afoguear-se; influir-se; (fig.) abrasar-se; (fig.) influenciar.

entusiasmo. *m.* entusiasmo, arrebatamento; inspiração divina dos profetas; entusiasmo, inspiração fogosa e arrebatada do escritor ou do artista; entusiasmo, adesão fervorosa que move a favorecer uma causa ou empenho; entusiasmo, paixão; alacridade; aplauso; fanatismo; alvoro(ô)to; abrasamento; alvoroçamento; animação; entusiasmo, embriaguez; furor; afo(ô)go; alma; influência; embelezo; (fig.) bebedice; (poet.) estro; (fig.) encendimento; delírio.

entusiasta. *s.* e *adj.* entusiasta, que sente entusiasmo; propenso a entusiasmar-se; expansivo; exaltado; fanático; devoto; apaixonado; delirante.

entusiástico, ca. *adj.* entusiástico; entusiasta; (fig.) fanático; afogueado; embriagado.

enucleación. *f.* (cir.) enucleação.

enuclear. *v. tr.* (cir.) enuclear.

énula. *f.* (bot.) é(ê)nula.

enumerable. *adj.* enumerável.

enumeración. *f.* enumeração; cômputo, conta numeral das coisas; (ret.) enumeração, exposição; descrição.

enumerador, ra. *adj.* enumerador, que numera.

enumerar. *v. tr.* enumerar; enunciar; expor; contar por partes, narrar minuciosamente, especificar; descrever.

enumerativo, va. *adj.* enumerativo.

enunciación. *f.* enunciação, expressão; enunciado.

enunciado, da. *p. p.* enunciado. — *m.* enunciado, enunciação; expressão, definição.

enunciar. *v. tr.* enunciar, expor singelamente uma ideia; declarar; expressar; enumerar; formular; definir; exprimir, declarar.

enunciativo, va. *adj.* enunciativo, o que enuncia.

enuresia. *f.* (pat.) enurese, enurésia.

enuresis. *f.* (pat.) enurese, enurésia.

envainador, ra. *adj.* envaginante, invaginante, que forma bainha.

envainar. *v. tr.* embainhar, meter na bainha a espada; meter uma coisa noutra; abainhar; invaginar, envaginar.

envalentonamiento. *m.* valentia súbita; alento; ânimo.

envalentonar. *v. tr.* infundir valor, alentar, dar coragem; infundir valentia, encorajar; desatemorizar; desassombrar. — *v. r.* cobrar ânimo, gabar-se de valente, animar-se.

envalijar. *v. tr.* emalar, meter em mala.

envanecer. *v. tr.* envaidecer, envaidar, inspirar vaidade; endeusar; (fig.) inchar; entronizar; entufar; enfunar. — *v. r.* desvanecer-se, envaidecer-se; engramponar-se; (fig.) entufar-se; encrespar-se; endeusar-se; enfatuar-se. — *conj. irr.* como *agradecer*.

envanecimiento. *m.* desvanecimento, vaidade; presunção; soberba; (fig.) entroniza-

ção; endeusamento; enfatuação; apavonação.

envaramiento. *m.* entorpecimento; entumecência.

envarar. *v. tr.* entorpecer, entrevar, impedir os movimentos dum membro. — *v. r.* entorpecer-se; engalispar-se.

envaronar. *v. intr.* encorpar, tomar corpo, crescer com robustez até chegar à idade varonil, fazer-se homem.

envasador, ra. *adj.* envasilhador. — *m.* funil grande.

envasamiento. *m.* envasilhamento.

envasar. *v. tr.* envasilhar, envasar, deitar um líquido numa vasilha; embarricar; ensacar, meter, guardar em sacos o trigo, etc.; (fig.) embeber; encaixar; (fam.) emborcar, escorropichar, beber em exceso; introduzir no corpo dalguém a espada ou outra arma pontiaguda. — *v. r.* encravar--se, ferir-se a si próprio.

envase. *m.* envasilhamento; vasilha; vaso para transportar certos géneros; invólucro, envoltório de artigos de comércio; envasadura.

envedijarse. *v. r.* envencilhar-se, embaraçar--se a lã ou o cabelo; (fig. e fam.) engalfinhar-se, enredar-se ou envolver-se em questões ou desordens.

envegarse. *v. r.* empantanar-se, tornar-se pantanoso, alagar-se um terreno.

envejecer. *v. tr.* envelhecer, avelhentar, fazer velho. — *v. intr.* envelhecer, fazer-se velha uma pessoa ou coisa; (fig.) encanecer; durar, permanecer por muito tempo. — *conj. irr.* como *crecer*.

envejecido, da. *p. p.* e *adj.* envelhecido, encanecido; (fig.) acostumado; experimentado; experiente, prático.

envejecimiento. *m.* envelhecimento; decrepidez.

envenenador, ra. *adj.* e *s.* envenenador, que envenena.

envenenamiento. *m.* envenenamento; intoxicação.

envenenar. *v. tr.* envenenar, ministrar veneno, empeçonhar; (fig.) criminar; interpretar em mau sentido as palavras ou a(c)ções dalguém; deturpar; empeçonhar, prejudicar; intoxicar; atoxicar; perverter. — *v. r.* envenenar-se, tomar veneno, intoxicar-se.

enverar. *v. intr.* amadurecer, começarem as uvas e outros frutos a tomar cor de madureza.

enverdecer. *v. intr.* enverdecer, verdejar, verdecer o campo, as plantas. — *conj. irr.* como *crecer*.

envergadura. *f.* (mar.) envergadura, largura das velas; envergamento; (zool.) largura das asas duma ave; galicismo por *fuerza*, *energía*, *vigor*.

envergar. *v. tr.* (mar.) envergar, colocar as velas nas vergas, mastros ou estais.

envergue. *m.* (mar.) envergue, cada um dos cabos delgados que passam pelos ilhós das velas.

enverjado. *m.* gradaria, grade, gradil.

envero. *m.* cor que tomam as uvas e outros frutos quando começam a amadurecer; uva que tem esta cor.

envés. *m.* invés, ave(ê)sso, enve(ê)sso; revés; (fam.) costas duma pessoa; as nádegas, as espáduas: *sin envés ni derecho,* sem direito nem avesso.

envesado, da. *adj.* envessado, virado do avesso, que mostra o invés.

envesar. *v. tr.* (ger.) açoutar, azorragar. V. **azotar.**

envestidura. *f.* V. **investidura.**

envestir. *v. tr.* V. **investir.**

enviada. *f.* enviamento; (mar.) enviada, lancha ou falúa de pesca; comissão, mensagem.

enviadizo, za. *adj.* diz-se do que se envia ou costuma enviar regularmente.

enviado, da. *p. p. e adj.* enviado. — *m.* enviado; mensageiro; ministro de graduação inferior ao embaixador; comissário, mensageiro; portador; núncio; legado.

enviajado, da. *adj.* (arq.) oblíquo, enviesado, torto.

enviar. *v. tr.* enviar, mandar um recado, dirigir, remeter alguma coisa, encaminhar; enviar, afastar, banir; despedir; despachar; expedir; deputar; encaminhar; destacar forças militares; embarcar (caminho de ferro).

enviciamiento. *m.* viciação, viciamento, corrupção, corrompimento, depravação.

enviciar. *v. tr.* viciar, corromper depravar. — *v. intr.* vicejar, criar muito viço a planta, produzir muita folha e poucos frutos. — *v. r.* viciar-se, afeiçoar-se, dedicar-se com excesso a uma coisa.

envidada. *f.* invite.

envidador, ra. *adj. e s.* convidador, que faz invite.

envidar. *v. tr.* convidar, fazer invite, parar mais ao jogo e provocar o parceiro a que aceite a parada; (fig.) oferecer por cerimónia.

envidia. *f.* inveja, invídia, tristeza ou pesar do bem alheio; emulação, desejo honesto; rivalidade, ciúme; (fig.) alfinete: *morirse de envidia,* arrebentar de inveja; *sentir envidia,* enciumar-se.

envidiable. *adj.* invejável, que se pode invejar.

envidiar. *v. tr.* invejar, ter inveja, sentir o bem alheio; desejar, cobiçar, apetecer o lícito.

envidioso, sa. *adj. e s.* invejoso; cobiçoso; cioso, ciumento; emulador.

envido. *m.* invite, no jogo do monte, consistente em dobrar a parada.

enviejar. *v. tr.* envelhecer. V. **envejecer.**

envigado, da. *p. p. e adj.* travejado. — *m.* travejamento, conjunto das traves, vigamento dum edifício.

envigar. *v. tr.* travejar, colocar as vigas dum edifício.

envigorizar. *v. tr.* vigorizar, envigorar, fortalecer. V. **vigorizar.**

envigotar. *v. tr.* (mar.) envigotar, pôr vigotas em.

envilecedor, ra. *adj.* aviltador, envilecedor, desonroso, degradante.

envilecer. *v. tr.* aviltar, envilecer, tornar desprezível, abjecto, abater, desnobrecer, degradar, menoscabar, abaixar. — *v. r.* envilecer-se, aviltar-se, tornar-se vil, perder a estima, a consideração; arrastar-se, enxovalhar-se; encanalhar-se; avilanar-se. — *conj. irr.* como *crecer.*

envilecimiento. *m.* aviltamento, envilecimento, degradação; abjecção, baixeza.

envinagrar. *v. tr.* avinagrar, temperar com vinagre.

envinar. *v. tr.* avinhar, misturar água no vinho.

envío. *m.* envio, enviamento; remessa; expedição; despacho; endereçamento; enviatura.

envirar. *v. tr.* (agr.) firmar, juntar com cavilhas as paredes do cortiço para formar a colmeia.

envirotado, da. *adj.* (fig.) diz-se da pessoa pomposa e vaidosa em excesso.

enviscamiento. *m.* enviscamento, enviscação.

enviscar. *v. tr.* enviscar, untar com visco as plantas para caçar pássaros; açular, atiçar; (fig.) irritar os ânimos, agastar. — *v. r.* enviscar-se, ficar pegado no visco.

envite. *m.* invite, aposta ao jogo; (fig.) oferecimento duma coisa, oferta; convite; empurrão: *al primer envite,* no começo.

enviudar. *v. tr.* enviuvar, ficar viúvo ou viúva.

envoltijo. *m.* V. **envoltura;** invólucro, coisa que envolve outra.

envoltorio. *m.* envoltório, embrulho; V. **lío:** defeito do pano por mistura de lã doutra espécie.

envoltura. *f.* envoltura, conjunto de cueiros, mantilhas, etc., com que se envolvem os recém-nascidos; envolvedoiro; ligadura. *pl.* capa exterior (natural ou artificial) que cobre uma coisa; envoltura, envoltório.

envolvedero. *m.* envolvedor, embrulhador, envoltório. V. **envolvedor.**

envolvedor, ra. *s.* envolvedor, embrulhador, pessoa que se dedica a embrulhar mercadorias; pano em que se envolve alguma coisa; envoltório, qualquer coisa que serve para envolver; (fig.) intrigante.

envolver. *v. tr.* envolver, cobrir uma coisa parcial ou totalmente; pôr os cueiros às crianças; embrulhar, enrolar; (fig.) confundir, convencer; (mil.) envolver, cercar o inimigo; envolver, faixar; circundar; (fig.) encravar; abranger; complicar, enredar; ocultar, dissimular; incluir, comprometer; implicar; misturar; confundir, intrigar. — *v. r.* V. **amancebarse;** amancebar-se, envolver-se; embrulhar-se, ocultar-se; cobrir-se; velar-se. — *conj. irr.* como *volver.*

envolvimiento. *m.* embrulhamento, embrulhadura; envolvimento. V. **envolvedero.**

envuelto, ta. *p. p. irr.* de *envolver* e *adj.* envolvido, envolto; incurso; embebido; coberto; (fig.) amantado; envolvido, misturado, turvo. — *m.* torta de milho em forma de rolo e guisada. — *f. pl.* envoltura de recém-nascidos, cueiros, faixas.

enyerbar. *v. tr.* (Amér.) enfeitiçar, enamorar-se muito, apaixonar-se. — *v. r.* (Amér.) arrelvar-se; cobrir-se de erva um terreno; envenenar-se.

enyesado, da. *p. p. adj.* e *m.* engessado, operação de deitar gesso aos vinhos; acafeladura, engessadura.

enyesador. *m.* engessador, que engessa.

enyesadura. *f.* engessadura.

enyesar. *v. tr.* engessar, cobrir ou tapar com gesso; acafelar; branquear, com gesso, adubar com gesso.

enyugar. *v. tr.* jungir, ligar por meio de jugo.

enzainarse. *v. r.* olhar de esguelha, de través, de soslaio, traiçoeiramente; (fig.) tornar-se traidor ou falso.

enzalamar. *v. tr.* (fam.) açular, acirrar, atiçar. V. **azuzar.**

enzarzar. *v. tr.* ensilvar, pôr sarças ou silvas ou cobrir com elas algo; (fig.) enredar, semear discórdias e dissensões; ensilvar, vedar com silvas. — *v. r.* enredar-se nas sarças ou silvas; (fig.) meter-se em negócios árduos e difíceis; brigar, lutar, contender.

enzima. *f.* (quím.) enzima, fermento solúvel diástase.

enzolvar. *v. tr.* (Amér.) V. **azolvar,** obstruir uma conduta. — *v. r.* obstruir-se uma conduta.

enzoico, ca. *adj.* (geol.) enzóico.

enzootia. *f.* (vet.) enzootia.

enzoótico, ca. *adj.* (vet.) enzoótico.

enzunchar. *v. tr.* reforçar com arcos de ferro ou braçadeiras.

enzurdecer. *v. intr.* tornar-se canhoto, esquerdo. — *conj. irr.* como *crecer.*

enzurizar. *v. tr.* intrigar, enredar, semear discórdia; inimizar com enredos. V. **encizañar.**

enzurronar. *v. tr.* meter no surrão; (fig. e fam.) incluir, meter uma coisa dentro doutra.

eñe. *f.* nome da letra Ñ.

eoceno, na. (geol.) *adj.* eoceno, eocé(ê)nico, diz-se do terreno que forma a base ou o começo do terreno terciário. — *m.* pertencente a este terreno.

eólico, ca. *adj.* eólico, pertencente à Eólia.— eólico, dialecto grego da Eólia.

eolio, lia. *adj.* (geog.) natural ou pertencente à Eólia. — *s.* pertencente ou relativo a este país; pertencente ou relativo a Eolo, deus dos ventos.

eolípila. *f.* (fís.) eolípile.

eolítico, ca. *adj.* (geol.) eolítico.

eólito. *m.* eólito, nome dado às pedras talhadas dos tempos pliocenos.

eón. *m.* no gnosticismo, cada uma das inteligências eternas, emanadas da divindade suprema.

eosina. *f.* (quím.) eosina, matéria corante derivada da fluorosceína.

¡epa! *interj.* eia!, ânimo! V. **¡hola!;** emprega-se para excitar ou animar; (Amér.) V. **¡upa!**

epácride. *f.* (bot.) epácrida.

epacrídeas. *f. pl.* (bot.) epacrídeas.

epacta. *f.* epacta.

epactilla. *f.* calendário eclesiástico. V. **añalejo.**

epagoge. *f.* (filor.) epagoge, indução.

epagogo. *m.* epagogo.

epanadiplosis. *f.* (ret.) epanadiplose.

epanáfora. *f.* (ret.) epanáfora. V. **anáfora.**

epanalepsis. *f.* (ret.) epanalepse.

epanástrofe. *f.* (ret.) epanástrofe.

epanortosis. *f.* (ret.) epanortose.

epatar. *v. tr.* (gal.) V. **maravillar, asombrar,** espantar.

epaté. *adj.* (gal.) estupefacto, admirado.

epazote. *m.* (Amér.) V. **pazote.**

epecha. *m.* (prov.) V. **reyezuelo** (pássaro).

epéntesis. *f.* (gram.) epêntese.

epentético, ca. *adj.* (gram.) epentético.

eperlano. *m.* (ictiol.) eperlano.

epexégesis. *f.* (gram.) epexegese.

epiblasto. *m.* (biol.) epiblasto.

épica. *f.* poesia épica, epopeia.

epicáliza. *m.* (bot.) epicalícia.

épicamente. *adv.* èpicamente.

epicarpio. *m.* (bot.) epicarpo.

epicaulo, la. *adj.* (bot.) epicaule.

epicauma. *m.* (cir.) epicauma.

epicedio. *m.* epicédio, poema fúnebre; epicédio, discurso em memória dalguém.

epiceno, na. *adj.* (gram.) epiceno.

epicentro. *m.* (geol. e sismol.) epicentro.

epiceyo. *m.* V. **epicedio.**

epicíclico, ca. *adj.* (astr.) epicíclico.

epiciclo. *m.* (astr. epiciclo.

epicicloidal. *adj.* (geog.) epicicloidal.

epicicloide. *f.* (geom.) epicicloide.

épico, ca. *adj.* épico; (fig.) heroico, maravilhoso; epope(é)ico.

epicóndilo. *m.* (anat.) epicôndilo.

epicraneal. *adj.* (anat.) epicraniano.

epicráneo, a. *adj.* e *m.* (anat.) epicrânio; epicraniano.

epicrasis. *f.* (terap.) epicrase.

epicrisis. *f.* (med.) epicrise.

epicureísmo. *m.* (filos.) epicurismo; (fig.) egoísmo refinado que procura o prazer isento de toda a dor.

epicúreo, a. *adj.* epicurista; epicureu. — *s.* pertencente ou sequaz de Epicuro; (fig.) libertino, sensual, voluptuoso.

epidemia. *f.* epidémia; infe(c)ção; contágio; bicha.

epidemiado, da. *adj.* (Amér.) epidemiado, atacado de epidémia; empestado, apestado ou infestado.

epidemial. *adj.* epidémico. V. **epidémico.**

epidemicidad. *f.* epidemicidade.

epidémico, ca. *adj.* epidé(ê)mico, contagiante contagioso.

epidemiología. *f.* epidemiologia.

epidemiológico, ca. *adj.* epidemiológico.

epidemiólogo, ga. *s.* epidemiologista.

epidendro, dra. *adj.* e *m.* (bot.) epidendro.

epidérmico, ca. *adj.* epidérmico.

epidermis. *f.* epiderme.
epidermoideo, a. *adj.* epidermóide.
epidíctico, ca. *adj.* (gram.) epidí(c)tico demonstrativo.
epidídimo. *m.* (anat.) epidídimo.
epifanía. *f.* Epifania, festividade chamada adoração dos reis magos; manifestação, aparição.
epifenómeno. *m.* (med.) epifenó(ô)meno.
epifilia. *f.* (bot.) epifília.
epifilo, la. *adj.* (bot.) epifilo.
epifitia. *f.* (bot.) epifitia.
epifíto, ta. *adj.* (bot.) epifito.
epifonema. *f.* (ret.) epifonema.
epifora. *f.* (pat.) epífora.
epifragma. *f.* (bot.) epifragma.
epifrasis. *f.* (ret.) epifrase.
epigastralgia. *f.* (pat.) epigastralgia.
epigástrico, ca. *adj.* (anat.) epigástrico.
epigastrio. *m.* (anat.) epigastro.
epigénesis. *f.* (fisiol.) epigenesia.
epigenia. *f.* (geol. e min.) epigenia.
epígeno, na. *adj.* (geol.) epígeno.
epigeo, a *adj.* (bot.) epígeo.
epigino, na. *adj.* (bot.) epígino.
epiglosis. *m.* (zool.) epiglossa.
epiglótico, ca. *adj.* (anat.) epiglótico.
epiglotis. *f.* (zool.) epiglote.
epiglotitis. *f.* (pat.) epiglotite.
epígono. *m.* epígono.
epigrafe. *m.* epígrafe; inscrição; título, rótulo.
epigrafía. *f.* epigrafia.
epigráfico, ca. *adj.* epigráfico.
epigrafista. *f.* epigrafista.
epigrama. *m.* epigrama, inscrição; epigrama, composição poética breve; (fig.) pensamento mordaz ou satírico.
epigramatario, ria. *adj.* epigramático. — *m.* epigramatista; colecção de epigramas.
epigramático, ca. *adj.* epigramático. — *m.* epigramatista.
epigramatizar. *v. intr.* epigramatizar.
epilación. *f.* epilação, depilação.
epilatorio, ria. *adj.* e *m.* epilatório, depilatório.
epilepsia. *f.* (pat.) epilepsia; gota coral.
epiléptico, ca. *adj.* e *s.* (pat.) epilé(p)tico.
epileptiforme. *adj.* (pat.) epile(p)tiforme.
epileptoideo, a. *adj.* (pat.) epile(p)tóide.
epilogación. *f.* epilogação, epílogo.
epilogal. *adj.* epilogado, resumido, compendiado.
epilogar. *v. tr.* epilogar, resumir, recapitular, compendiar.
epilogismo. *m.* (astr.) cálculo ou cômputo.
epílogo. *m.* epílogo, epilogação, recapitulação, remate; (fig.) conjunto ou compêndio; última parte dalgumas obras dramáticas; (ret.) V. **peroración.**
epimone. *f.* (ret.) repetição duma palavra ou expressão para dar ênfase ao que se diz.
epinicio. *m.* epinício, hino de triunfo.
epipétalo, la. *adj.* (bot.) epipétalo.
epiploitis. *f.* (pat.) epiploite.
epiplón. *m.* (anat.) epiploon.
epiquerema. *m.* (lóg.) epiquirema.

epiqueya. *f.* epiqueia, interpretação moderada da lei.
epirota. *adj.* e *s.* epirota, natural do Epiro.
epirótico, ca. *adj.* epirótico, pertencente ao Epiro.
episcopado. *m.* episcopado, bispado, dignidade de bispo.
episcopal. *adj.* episcopal, pertencente ou relativo ao bispo. — *m.* livro das cerimónias e ofícios próprios dos bispos.
episcopalismo. *m.* sistema ou doutrina dos canonistas favoráveis ao poderio episcopal.
episcopologio. *m.* episcopológio.
episódico, ca. *adj.* episódico; (fig.) acessório; secundário.
episodio. *m.* episódio; cena acessoria; facto; lance.
epispasis. *f.* (pat.) epíspase.
epispasmo. *m.* (med.) epispasmo.
epispástico, ca. *adj.* e *m.* epispástico. V. **vesicante.**
epispermático, ca. *adj.* (bot.) epispermático.
epispermo. *m.* (bot.) episperma.
epistación. *f.* (farm.) epistação.
epistamíneo, a. *adj.* (bot.) epistaminado.
epistaxis. *f.* (med.) epistaxe.
epístola. *f.* epístola, carta, missiva familiar; (litur.) epístola; (poét.) epístola.
epistolar. *adj.* epistolar.
epistolario. *m.* epistolário, epistoleiro.
epistolero. *m.* padre encarregado de cantar as epístolas nas missas solenes.
epistolio. *m.* epistolário.
epístrofa. *f.* (ret.) epístrofe.
epístrofe. *f.* (ret.) epístrofe.
epistilo. *m.* (arq.) epistilio.
epistolografía. *f.* epistolografia.
epistológrafo, fa. *adj.* e *s.* epistológrafo.
epitafio. *m.* epitáfio, inscrição tumular.
epitalámico, ca. *adj.* epitalâmico.
epitalamio. *m.* epitalâmio.
epítasis. *f.* (poét.) epítase.
epitelial. *adj.* (anat.) epitelial.
epitelio. *m.* (anat.) epitélio.
epitelioma. *m.* epitelioma
epiteliomatosis. *f.* (pat.) epiteliomatose.
epiteliomatoso, sa. *adj.* epiteliomatoso.
epítema. *f.* (med.) epítema.
epítesis. *f.* (cir. e gram.) epítese.
epitetismo. *m.* (ret.) epitetismo.
epíteto. *m.* (gram.) epíteto; atributo ou acessório; cognome, alcunha.
epítima. *f.* (med.) epítema; (fig.) consolo, alívio.
epitimar. *v. tr.* (med.) aplicar epítemas em qualquer parte do corpo.
epítimo. *m.* (bot.) epítimo.
epitomador, ra. *adj.* e *s.* epitomador, que faz ou compõe epítomes.
epitomar. *v. tr.* epitomar, resumir, reduzir a epítome.
epítome. *m.* epítome, compêndio, resumo duma obra extensa; (ret.) figura empregada quando repetimos as primeiras palavras para melhor clareza.
epítrito. *m.* (poét.) epítrito.

epítrope. *f.* (ret.) epítrope. V. concesión e permisión.

epizoario. *m.* e *adj.* epizoário.

epizoico, ca. *adj.* (geol. e zool.) epizóico.

epizootia. *f.* (vet.) epizootia.

epizoótico, ca. *adj.* (vet.) epizoótico.

época. *f.* época, era, ponto histórico; época, período de tempo caracterizado por um acontecimento notável; estação; quadra; data; temporada: *hacer época*, deixar lembrança duradoura, fazer época.

époda. *f.* épodo. *m.* épodo.

eponimia. *f.* (histo.) eponimia.

epónimo, ma. *adj.* epó(ô)nimo, que dá o nome a um povo, período, etc.

epopeya. *f.* epope(é)ia, poema grandioso sobre assunto heróico; (fig.) conjunto de factos gloriosos.

épsilon. *f.* épsilon, épsilo.

epsomita. *f.* (min.) epsomita.

epulón. *m.* glutão, comilão, amigo de comer bons bocados.

épulis. *m.* (pat.) epúlida, epúlide.

epulosis. *f.* (med.) epulose.

epulótico, ca. *adj.* (med.) epulótico, encarnativo.

epuración. *f.* (art. y of.) apuração, apuro.

equiángulo, la. *adj.* (geom.) equ(ü)iângulo.

equidad. *f.* equ(ü)idade, re(c)tidão, igualdade; justiça; moderação no preço das coisas, equidade; barateza; sentimento do dever.

equidiferencia. *f.* (mat.) equ(ü)idiferença.

equidiferente. *adj.* equ(ü)idiferente.

equidistancia. *f.* equ(ü)idistância.

equidistante. *p. a.* e *adj.* equ(ü)idistante.

equidistar. *v. intr.* equ(ü)idistar, distar igualmente.

equidna. *m.* (zool.) equidna.

equilátero, ra. *adj.* (geom.) equilátero.

equilibración. *f.* equilibração.

equilibrado, da. *p. p.* e *adj.* equilibrado, que está em equilíbrio; (fig.) prudente, sensato, ponderado, equânime.

equilibrar. *v. tr.* equilibrar, pôr em equilíbrio; (fig.) compensar; harmonizar; contrabalançar; contrapesar.

equilibre. *adj.* (p. us.) equilibrado, diz-se do que está em equilíbrio.

equilibrio. *m.* equilíbrio, justa medida; proporção devida; equilibrio; (fís.) equilíbrio; (fig.) equilíbrio, igualdade de força, peso, importância; harmonia; contrape(ê)so. *pl.* (fig.) actos de contemporização: *conservar el equilibrio*, equilibrar; (fig.) aguentar.

equilibrismo. *m.* equilibrismo, arte de equilibrista.

equilibrista. *adj. s.* equilibrista; ginasta que faz equilíbrios.

equimosarse. *v. r.* (neol.) equimosar-se.

equimosis. *m.* (pat.) equimose; contusão.

equimótico, ca. *adj.* equimótico.

equimúltiplos. *adj. pl.* equimúltiplos.

equino. *m.* (zool.) ouriço marinho ou de mar; (arq.) equ(ü)ino, moldura principal do capitel dórico.

equino, na. *adj.* (zool.) equino, relativo ao cavalo ou à égua.

equinoccial. *adj.* equinocial, pertencente ao equinócio. — *f.* linha equinocial

equinoccio. *m.* (astr.) equinócio.

equinococo. *m.* (zool.) equinococo, larva da ténia.

equinodermo, ma. *adj.* e *m.* (zool.) equinoderme.

equinoftalmia. *f.* (pat.) equinoftalmia.

equipaje. *m.* bagagem, conjunto de coisas que se levam nas viagens; (p. us.) conjunto de roupas, etc.; (mar.) equipagem. — *m.* equipação, tripulação.

equipal. *m.* (Amér.) cadeirinha de viagem.

equipamiento. *m.* (mar.) equipamento.

equipar. *v. tr.* equipar, prover, aprestar; (mar.) equipar, aparelhar um navio; fretar; aprestar; apetrechar.

equiparable. *adj.* equiparável, que se pode equiparar.

equiparación. *f.* equiparação, comparação duma pessoa ou coisa com outra.

equiparar. *v. tr.* equiparar, igualar, tornar igual comparando.

equipedo, da. *adj.* (zool.) equípede.

equipétalo, la. *adj.* (bot.) equ(ü)ipétalo.

equipo. *m.* equipamento; equipagem, petrechos; enxoval, alfaias; efeitos; o que constituia equipagem para uma jornada; equipa, equipe, grupo de operários organizado para certos serviços; (depor.) equipa, conjunto de jogadores; apresto; aprestamento.

equipolado, da. *adj.* (herald.) equipolado, equipolente, enxadrezado.

equipolencia. *f.* (log.) equ(ü)ipolência, equivalência.

equipolente. *adj.* (lóg.) equ(ü)ipolente, equivalente.

equiponderancia. *f.* (fís.) equ(ü)iponderância, equ(ü)ipendência, igualdade de peso.

equiponderante. *adj.* equ(ü)iponderante, equ(ü)ipendente.

equiponderar. *v. tr.* equ(ü)iponderar, contrabalançar, equilibrar. — *v. intr.* equiponderar, pesar igualmente; compensar-se.

equipotencial. *adj.* equ(ü)ipotencial.

equis. *f.* Xis, nome da letra X; (mat.) xis, incógnita nos cálculos, quantia ou coisa desconhecida; (Amér.) víbora de pequeno tamanho, cujo veneno é quase sempre mortal: *estar hecha una equis* (fam.) andar aos ss, estar embriagado.

equisetáceo, a. *adj.* (bot.) equisetáceo. — *f. pl.* equ(ü)issetáceas.

equisético, ca. *adj.* (quím.) equ(ü)issético.

equiseto. *m.* (bot.) equ(ü)isseto.

equisonancia. *f.* (neol.) equ(ü)issonância.

equisonante. *adj.* (neol.) equ(ü)issonante.

equísono, na. *adj.* equ(ü)issonante.

equitación. *f.* equitação, arte de montar a cavalo; picaria; a(c)ção de montar a cavalo.

equitativo, va. *adj.* equ(ü)itativo, justo, re(c)to; devido, équo.

equivalencia. *f.* equivalência, qualidade do que é equivalente; igualdade no valor, potência e eficácia; (geom.) igualdade; (lóg.) equipotência.

equivalente. *adj.* e *p. a.* equivalente, que equivale; (geom.) equivalente. — *m.* (quím.) equivalente.

equivaler. *v. intr.* equivaler, ser do mesmo valor ou força; (geom.) equivaler, serem iguais as áreas de duas figuras diferentes; compensar; corresponder. — *conj. irr.* como *valer.*

equivalvo, va. *adj.* (zool.) equ(ü)ivalve.

equivocación. *f.* equivocação; e(ê)rro, engano, equívoco; trocadilho; falência; errata; inexa(c)tidão; defeito; deficiência; deslize; desatino; descuido, desace(ê)rto; alucinação.

equivocado, da. *p. p.* e *adj.* equivocado; falso; mendaz; enganado; inexa(c)to.

equivocar. *v. tr.* equivocar, induzir em engano ou erro. — *v. intr.* usar de equívocos, falando ou escrevendo; confundir; enganar; (fig.) alucinar. — *v. r.* equivocar-se, enganar-se; confundir-se uma coisa com outra; cincar: *equivocarse de medio a medio,* enganar-se redondamente.

equívoco, ca. *adj.* equívoco, que pode entender-se em vários sentidos; que tem duplo sentido; inevidente; indeterminado; ambíguo; anfíbio; duvidoso, dúvio. — *m.* equívoco palavra com dois ou mais significados; confusão, engano, trocadilho; sentido ambíguo; ambiguidade; anfilologia: *palabras equivocas,* meias palavras; *postura equívoca,* posição falsa.

equivoquista. *s.* equivoquista, trocadilhista, pessoa que gosta de equívocos.

era. *f.* era, época, termo fixo para contar os anos; era, certo espaço de tempo; período; era, início de uma nova ordem de coisas; época notável.

era. *f.* (agr.) eira, área, terreiro onde se debulha o trigo; canteiro de terra; (min.) lugar chão onde se trituram e moem os minerais.

eradicativo, va. *adj.* (med.) eradicativo.

eraje. *m.* (prov.) mel virgem.

eral. *m.* novilho de dois anos

erantemo. *m.* (bot.) erântemo

erar. *v. tr.* fazer canteiros ou alfobres para flores ou para hortaliças.

erario. *m.* erário, tesouro público; edifício onde se guardam os capitais do tesouro; erário público, casa dos contos.

erasmiano, na. *adj.* e *s.* (filos.) erásmico, partidário de Erasmo.

erbedo. *m.* (prov.) V. **madroño** (árvore).

erbio. *m.* érbio, metal que se encontra nalguns minerais da Suécia, ítrio.

ere. *f.* nome da letra R. no seu som suave.

erebo. *m.* Érebo, o inferno no paganismo.

erección. *f.* ere(c)ção, levantamento; edificação; inauguração; fundação; instituição; tensão de certos tecidos.

eréctil. *adj.* eré(c)til, susceptível de erecção.

erectilidad. *f.* ere(c)tilidade.

erecto, ta. *adj.* ere(c)to, aprumado; empertigado; levantado; rígido, teso.

erector, ra. *adj.* e *s.* ere(c)tor, que causa erecção; (anat.) elator; erector, fundador, creador, instituidor.

eremita. *m.* ermitão, eremitão, ermitã, eremíta.

eremítico, ca. *adj.* eremítico, respeitante ao eremitão.

eremitorio. *m.* eremitério, lugar onde há uma ou mais ermidas; casa de ermitão.

erepsina. *f.* (bioquím.) erepsina.

eretísmico, ca. *adj.* eretísmico.

eretismo. *m.* (med.) eretismo.

erg. V. **ergio.**

ergio. *m.* (fís.) erg, ergo, unidade de trabalho.

ergo. *conj. latín.* portanto, logo, pois, por consequência.

ergofobia. *f.* ergofobia.

ergogénesis. *f.* (biol.) ergogénese.

ergógrafo. *m.* (med.) ergógrafo.

ergómetro. *m.* (med.) ergó(ô)metro.

ergotear. *v. intr.* arguir, questionar, argumentar como se fazia nas escolas.

ergotina. *f.* (quím.) ergotina.

ergotismo. *m.* (med.) ergotismo; envenenamento pela ergotina.

ergotismo. *m.* (filos.) ergotismo, hábito de argumentar por silogismo.

ergotista. *adj.* e *s.* ergotista, disputador, que contesta ou discute com silogismos.

ergotizante. *p. a.* e *adj.* disputador. V. **ergotista.**

ergotizar *v. tr.* e *intr.* ergotizar, abusar da argumentação silogística.

erguimiento. *m.* erguida, levantamento, erecção; altivez, arrogância.

erguir. *v. tr.* erguer, levantar, alçar; endireitar, tornar erecto; elevar. — *v. r.* (fig.) envaidecer-se, ensoberbecer-se; erguer-se, levantar-se; entonar-se, pôr-se em pé. — *pres., ind. irr.* **irgo** ou **yergo, -gues, -e, -en;** *pret.* **irguió, ⁻ieron;** *subj.* **irga** ou **yerga,** etc.; *ger.* **irguiendo;** *p. p.* **erguido.**

ería. *f.* terreno de lavoura dividido em parcelas.

erial. *adj.* ermo, baldio, agreste, deserto, despovoado. — *m.* baldio, lugar agreste, terra inculta; chavascal, chavasqueira, chameca.

eriazo, za. *adj.* V. **erial.**

erica. *f.* (bot.) erica.

ericáceo, a. *adj.* (bot.) ericácea. — *f. pl.* ericáceas.

erídano. *m.* (astr.) erídano, constelação do hemisfério austral, abaixo da Baleia.

erigir. *v. tr.* erigir, fundar, instituir ou levantar, elevar; erguer; erigir, estabelecer; criar, fundar, instituir. — *v. r.* elevar-se, constituir-se em; erigir-se; atribuir-se um direito ou qualidade que se não possui.

erina. *f.* (cir.) erina, pinça para manter separados os tecidos.

erio, a. *adj.* baldio. V. **erial.**

erináceo, a. *adj.* (zool.) erináceo. — *m. pl.* erináceos.

erinosis. *f.* (bot.) erinose, doença das videiras.

eriófilo, la. *adj.* (bot.) eriófilo.

erísimo. *m.* (bot.) erísimo; rinchão.

erisipela. *f.* (pat.) erisipela.
erisipelar. *v. tr.* erisipelar, causar erisipela.
erisipelatoso, sa. *adj.* erisipelatoso.
erisipeloso, sa. *adj.* erisipeloso, erisipelatoso.
erístico, ca. *adj.* erístico, diz-se da escola socrática de Mégara.
eritema. *f.* (med.) eritema
eritemático, ca. *adj.* (med.) eritemático.
eritematoso, sa. *adj.* (med.) eritematoso.
eritremia. *f.* (med.) eritremia.
eritreo, a. *adj.* e *s.* (geog.) eritreu.
eritrina *f.* (quím.) eritrina; (bot.) eritrina.
eritrocito. *m.* (fisiol.) eritrócito, glóbulo vermelho do sangue.
eritrodermia. *f.* (pat.) eritrodermia.
eritrodérmico, ca. *adj.* (pat.) eritroderme.
eritrófilo, la. *adj.* (med.) eritrófilo.
eritrofobia. *f.* (med.) eritrofóbia.
eritroideo, a. adj. eritróide.
eritropsia. *f.* (pat.) eritropsia.
eritropsina. *f.* (bioquím.) eritropsina.
eritrosa. *f.* (quím.) eritrose.
eritrosina. *f.* (quím.) eritrosina.
eritroxíleo, a. *adj.* (bot.) eritroxiláceo. — *f. pl.* eritroxiláceas.
erizado, da. adj. eriçado, encrespado; arrepiado.
erizamiento. *m.* arrepiadura, arrepiamento.
erizar. *v. tr.* arrepiar, eriçar, levantar, fazer rígida uma coisa; encrespar, ouriçar. *v. r.* (fig.) rodear uma coisa de dificuldades, obstáculos, etc.; encrespar-se, engrifar-se; arrepiar-se; (p. us.) inquietar-se.
erizo. *m.* (zool.) equ(ü)ino, erício; ouriço-cacheiro; ouriço-do-mar ou marinho; (bot.) ouriço, envoltório exterior da castanha; (fort.) ouriço conjunto de pontas de ferro que se fixam nos bordos dos muros e dalgumas paredes para impedir que alguém lhes possa subir; (fig. e fam.) pessoas de carácter áspero, ouriço.
ermita. *f.* ermida, capela, geralmente em sítio ermo e descampado; ermida, pequena igreja rústica.
ermitaño, ña. *s.* asceta, eremícola, eremita, ermitão, eremitã, ermitã, pessoa que vive numa ermida ou cuida dela. — *m.* anacoreta, o que vive na solidão; (zool.) eremita-bernardo, crustáceo marinho.
ermitorio. *m.* V. **eremitorio.**
erogación. *f.* distribuição de bens.
erogar. *v. tr.* distribuir bens, dádivas ou riquezas.
erosión. *f.* erosão, corrosão.
erosivo, va. *adj.* erosivo.
erotema. *f.* (ret.) erotema.
erotemático, ca. *adj.* (ret.) erotemático.
erótico, ca. *adj.* lúbrico, erótico; amatório, amorífero; pertencente ou relativo ao amor; sensual.
erotismo. *m.* erotismo.
erotomanía. *f.* erotomania
erotomaníaco, ca. *adj.* (pat.) erotomaníaco, erotó(ô)mano.
erotómano, na. *adj.* (pat.) erotómano, erotomaníaco.
erpetografía. *f.* erpetografia.
erpetógrafo, fa. *adj.* erpetógrafo.

erpetología. *f.* erpetologia.
erpetólogo, ga. *adj.* erpetologista, erpetólogo.
errabundo, da. *adj.* errabundo, errante, vagabundo, vagamundo; extraviado; corseiro; (fig.) deambulatório.
errada. *f.* certo lance do jogo do bilhar; equivocação.
erradicación. *f.* erradicação, a(c)ção de erradicar.
erradicar. *v. tr.* erradicar, desarraigar; derraigar; arrancar pela raiz ou com raiz.
erradizo, za. *adj.* errático, que anda errante; vagabundo, vagamundo; errabundo, erradio.
errado, da. *adj.* e *p. p.* errado, erró(ô)neo, desarrazoado; mendoso.
erráneo, a. *adj.* erradio. V. **errante.**
errante. *p. a.* e *adj.* errante, errático; errabundo; andante; corseiro; ambulativo; extraviado; erradio; nó(ô)mada.
errar. *v. tr.* errar, enganar não acertar; faltar, não cumprir o que se deve; desacertar; alucinar; (fig.) desencanar; (fig.) cincar; equivocar. — *v. intr.* vaguear, vagar, errar, andejar. — *v. r.* equivocar-se, enganar-se; desorientar-se.
errata. *f.* errata, lista dos erros cometidos na impressão duma obra; errata, cada um desses erros; e(ê)rro, equivocação.
errático, ca. *adj.* errático, vagabundo; (med.) errante, que passa duma parte para outra.
errátil. *adj.* errante, incerto, variável, errabundo.
erre. *f.* erre, nome da letra R, com som forte: *erre que erre*; (fam.) amarrado a uma opinião, porfiadamente, teimosamente, obstinadamente.
errino, na. *adj.* (med.) errino.
errona. *f.* (Amér.) falha, termo usado no jogo quando o jogador não acerta.
erróneo, a. *adj.* erró(ô)neo, inexa(c)to, que contém erro, falso: *tomar decisiones erróneas,* tomar sestros.
error. *m.* e(ê)rro, error, opinião falsa, juízo errado; error, deslize; errada; equivocação; errata; engano; inexactidão; desatino; desace(ê)rto; desatinação; mentira; enganação; extravio; (Bras.) ébia, mancada: *cometer un error,* enganar-se; *error de cálculo,* empeno.
erubescencia. *f.* erubescência, rubor, vergonha.
erubescente. *adj.* erubescente, que se põe vermelho devido a rubor.
eructación. *f.* eructação. V. **eructo.**
eructar. *v. intr.* arrotar, eructar, expelir com ruido pela boca os gases do estômago; (fig. e fam. p. us.) jactar-se vãmente.
eructo. *m.* eructação, arro(ô)to.
erudición. *f.* erudição, eruditismo, instrução vasta e variada; ciência, saber.
erudito, ta. *adj.* e *s.* erudito, que tem vasto saber; consulto: *hombre erudito,* homem de fundo.
eruginoso, sa. *adj.* eruginoso, que está oxidado, enferrujado, ferrugento.

erupción. *f.* erupção, saída repentina e violenta; efervescência; (med.) erupção, eflorescência.

eruptivo, va. eruptivo, pertencente a erupção.

erutación. V. **eructación.**

erutar. *v.* V. **eructar.**

eruto. *m.* V. **eructo.**

ervato. *m.* V. **servato;** planta.

ervilla. *f.* (bot.) V. **arveja;** ervilhaca, alfarroba.

es. *prep. insep.* es, significa movimento para fora com em: *estirar;* privação como em: *esperezarse.* Às vezes é sòmente partícula expletiva como em: *escarmenar,* forma diferente de *carmenar.*

esbarar. *v. intr.* V. **resbalar.**

¡espate! *interj.* (germ.) está quieto!

esbeltez. *f.* esbeltez, esbelteza, airosidade; estatura airosa dos corpos e das figuras; elegância.

esbelteza. *f.* V. **esbeltez.**

esbelto, ta. *adj.* esbelto, airoso, elegante; delgado: *mujer esbelta y graciosa* (fig.), sílfide; *mujer esbelta,* (Bras.) pedaço.

esbirro. *m.* esbirro, beleguim; aguazil, agente de polícia.

esblencar. *v. tr.* tirar os estames da flor do açafrão.

esbozar. *v. tr.* esboçar, delinear, bosquejar; arregrar; (fig.) adumbrar; (fig.) debuxar; alinhavar.

esbozo. *m.* esbo(ô)ço, primeiro del ineamento duma obra de desenho ou pintura, bosquejo; embrião; alinhavo; anteproje(c)to, delineação; modelação inicial duma escultura; (fig.) ensaio, resumo.

esbronce. *m.* (prov.) movimento violento.

escaba. *f.* (prov.) desperdícios do linho.

escabechar. *v. tr.* escabechar, pôr em escabeche; (fig.) tingir as cãs. — *v. r.* (fam.) reprovar em exame; matar à mão armada.

escabeche. *m.* escabeche, conserva de vinagre e temperos para peixe ou carne; (fig.) líquido para tingir as cãs; (fig.) disfarce; ornato para dissimular defeito; (pop.) barulho, zaragata, vozearia.

escabechina. *f.* (fam.) abundância de reprovações num exame.

escabel. *m.* escabe(ê)lo, banco pequeno para os pés, banquinho; estrado; (fig.) pessoa ou circunstância de que alguém se aproveita para medrar, degrau: *servir de escabel a alguien,* servir de degrau a alguém.

escabioso, sa. *adj.* escabioso, pertencente ou relativo à sarna.

escabro. *m.* (vet.) gafeira, ronha, morrinha, doença na pele das ovelhas; (bot.) doença que ataca o córtex das árvores e das vides.

escabrosearse. *v. r.* escabrosear-se, fazer-se escabroso.

escabrosidad. *f.* escabrosidade, aspereza, fragosidade; desigualdade; agrura; (fig.) dificuldade, complicação.

escabroso, sa. *adj.* escabroso, áspero pedregoso; acidentado; azamboado; fragal; fragoso; agro (diz-se do terreno); rude; (fig.) difícil; (fig.) escabroso, imoral, perigoso; melindroso.

escabuchar. *v. tr.* V. **escardar** (prov.) escabulhar, tirar as castanhas dos ouriços; mondar, escardear.

escabuche. *f.* espécie de sacho pequeno.

escabullar. *v. tr.* (prov.) escabulhar, descascar, escabichar. — *v. r.* (Amér.) V. **escabullirse.**

escabullimiento. *m.* fugida, escapada, escapadela; escape.

escabullir. *v. intr.* escapar, fugir dum perigo. — *v. r.* escapar-se, safar-se; evadir-se; bispar-se; escapulir-se; (fig.) sair da companhia dalguém sem ser notado. — *conj. irr.* como *mullir.*

escacado, da. *adj.* (herald.) V. **escaqueado;** exadrezado.

escachar. *v. tr.* escachar, esmagar, quebrar. V. **cachar.**

escacharrar. *v. tr.* escacar, quebrar, (fig.) estragar uma coisa. — *v. r.* partir-se em cacos.

escachifollar. *v. tr.* V. **cachifollar;** chasquear, zombar.

escafandra. *f.* escafandro. *m.* escafandro, aparelho impermeável que reveste os mergulhadores e lhes permite trabalhar debaixo de água.

escafilar. *v. tr.* V. **descafilar;** tirar as desigualdades dos cantos dos tijolos em azulejos.

escafoideo, a. *adj.* escafóide.

escafoides. *adj.* (anat.) escafóide, diz-se dum osso do carpo. — *m.* osso da parte interna do carpo.

escajo. *m.* (bot.) V. **escalio;** terra de baldio que antes havia sido aproveitada.

escala. *f.* escala, escada de mão; escala, sucessão ordenada de coisas diferentes mas da mesma espécie; linha recta dividida em partes iguais que representam proporcionalmente determinadas unidades da medida, escala; escala, gama; clímax; (mús.)cifra, escala, série de notas musicais; (fig.) proporção em que se desenvolve um plano ou uma ideia; (mar.) escala, paragem ou porto, onde tocam ordinàriamente as embarcações; (fís.) escala, graduação; registo de serviço.

escalable. *adj.* que se pode escalar.

escalaborne. *m.* troço de madeira, já preparado, para fazer a caixa da espingarda.

escalabrar. *v. tr.* V. **descalabrar;** escalavrar.

escalada. *f.* (mil.) escalamento, escalada.

escalador, ra. *adj.* e *s.* escalador, que escala. — *m.* (germ.) ladrão que furta com escala.

escalafón. *m.* lista dos indivíduos duma corporação, classificados segundo o seu grau, antiguidade, etc.; quadro.

escalamiento. *m.* escalamento; assalto a uma praça ou fortaleza por meio de escadas.

escálamo. *m.* V. **tolete**; tolete, cavilha de madeira ou de ferro, fixa na borda dos barcos para se apoiar os remos.

escalar. *m.* (prov.) passagem estreita para trepar por uma montanha.

escalar. *v. tr.* escalar, entrar numa praça ou noutro lugar servindo-se de escadas de mão; subir, trepar por uma encosta ou a uma altura, escalar; (por ext.) entrar sub-repticiamente num local fechado, telhado, etc.; levantar as comportas das azenhas para dar saída à água; (prov.) abrir sulcos no terreno; (fig.) subir, nem sempre por bons caminhos, a elevadas dignidades; assaltar (subindo por escadas); saquear, assolar.

escalar. *v. tr.* escalar, estripar peixe ou outro animal para salgar a sua carne.

escaldado, da. *p. p.* e *adj.* escaldado; (fig. e fam.) escarmentado, receoso; aplica-se à mulher desonesta. — *f.* (prov.) refeição de batatas e berças.

escaldadura. *f.* escaldadura, queimadura; (fig.) ferimento, castigo, repreensão.

escaldar. *v. tr.* escaldar, meter em água a ferver; escandecer, abrasar; pôr em brasa alguma coisa. — *v. r.* inflamar-se a pele; queimar-se.

escaldo. *m.* escaldo, cada um dos antigos poetas escandinavos autores de cantos heróicos e de sagas.

escaleno. *adj.* (geom.) escaleno.

escalentamiento. *m.* (vet.) esquentação, doença inflamatória que ataca os pés e mãos dos animais.

escalera. *f.* escada, série de degraus para subir e descer; escadote; escaleira; jogo, armação de carro; escada, aquilo que serve para que alguém suba ou se eleve.

escalerilla. *f.* escadinha, sequência de três cartas no jogo.

escaleta. *f.* espécie de macaco para levantar carruagens.

escalfado, da. *adj.* e *p. p.* escalfado; sarabulhenta, diz-se da parede que não está bem lisa e faz proeminências em consequência da cal ou do gesso não estarem no ponto ou mistura devida: *huevos escalfados*, ovos afogados.

escalfador. *m.* escalfador, vaso onde se conserva água quente para serviço da mesa; escalfeta para aquecer a comida.

escalfar. *v. tr.* escalfar, aquecer no escalfador; escalfar, passar por água quente ovos sem casca; afogar; esquentar. — *v. intr.* diminuir no peso.

escalfecerse. *v. r.* (prov.) abolorar-se, criar bolor qualquer substância alimentícia. — *conj. irr.* como *agradecer*.

escalfeta. *f.* escalfeta, braseira pequena.

escalibar. *v. tr.* (prov.) remexer as cinzas para avivar o fogo; (fig.) deitar lenha ao fogo; avivar uma discussão.

escalinata. *f.* escalinata, escada exterior dum só lanço; lanços de escadas, escadaria.

escalio. *m.* terra de baldio e desaproveitada, que antes havia sido de cultura.

escalmo. *m.* V. **escálamo**; tolete, cunha para calçar máquinas.

escalo. *m.* escalamento; trabalho de sapa para entrar ou sair dum lugar fechado.

escalofriado, da. *adj.* calofriado, escalofriado, que sofre calofrios ou escalafrios.

escalofriante. *p. a.* e *adj.* arrepiante.

escalofrío. *m.* calofrio, escalafrio; resfriamento; arrepiadura; arrepiamento; estremecimento; estremeção; (Bras.) ginge.

escalón. *m.* V. **peldaño**; degrau; (fig.) escalão, grau, categoria a que se ascende em dignidade. — *m.* e *adv.* diz-se do que está cortado ou feito com desigualdade.

escalona. *f.* (bot.) V. **chalote** e **escaloña**.

escalonar. *v. tr.* escalonar, dispor em escalões; dar forma de escada a.

escaloña. *f.* (bot.) echalota, chalota. V. **chalote**.

escalope. *m.* (gal.) fatia de carne geralmente de vitela. V. **loncha**.

escalpelo. *m.* (cir.) bisturí, escalpe(ê)lo, instrumento cirúrgico que serve para dissecar.

escalplo. *m.* cutelo de curtidor, faca com que raspam o coiro.

escama. *f.* cada uma das pequenas lâminas que recobrem o corpo dalguns peixes e répteis; (fig.) o que tem figura de escama; (fig.) receio, desconfiança, suspeita.

escamada. *f.* bordado trabalhado em figura de escamas.

escamadura. *f.* escamadura, escamação.

escamar. *v. tr.* escamar, tirar as escamas aos peixes; bordar em forma de peixes; (fig. e fam.) escamar, fazer que alguém fique desconfiado ou receoso; descamar. — *v. r.* (pop.) zangar-se, irritar-se.

escamel. *m.* escamel, banco sobre o qual os espadeiros pulem as espadas.

escamoche. *m.* derrama, corte de lenha.

escamochear. *v. intr.* enxamear, fazer enxames.

escamocho. *m.* escamoucho, sobras, sobejos de comida; (prov.) enxame pequeno (o segundo da colmeia); (fig. prov.) pessoa enfermiça, débil, fraca; desculpa, pretexto injustificado.

escamón, na. *adj.* receoso, desconfiado.

escamonda. *f.* V. **escamondo**; poda.

escamondadura. *f.* ramalhada, conjunto de ramos, folhas e mais partes de que se cortam das árvores, para as limpar ou desbastar.

escamondar. *v. tr.* escamondar, limpar as árvores cortando-lhes os ramos inúteis; (fig.) tirar a alguma coisa o supérfluo e prejudicial, desbastar.

escamondo. *m.* poda, acção de desbastar ou desramar.

escamonea. *f.* (bot.) escamó(ô)nea, planta medicinal muito purgativa.

escamoneado, da. *adj.* escamoneado, que tem as qualidades da escamónea.

escamonearse. *v. r.* (fam.) V. **escamarse**; tornar-se desconfiado.

escamoso, sa. *adj.* escamoso, que tem escamas.

escamotar. *v. tr.* V. **escamotear;** escamotear, empalmar.

escamoteador, ra. *adj.* e *s.* escamoteador, que escamoteia; empalmador; berliques.

escamotear. *v. tr.* escamotear, escamotar, esconder sùbitamente qualquer corpo na palma da mão, como fazem os pelotiqueiros; (fig.) escamotear, furtar com habilidade e agilidade; (fig.) empalmar; fazer desaparecer de modo ilusório e caprichoso; furtar com destreza. — *v. intr.* ser prestímano, fazer sortes de prestidigitação.

escamoteo. *m.* escamoteação; empalmação (fig.) furto hábil e subtil; artes de berliques-e-berloques.

escampada. *f.* (fam.) aberta, espaço curto de tempo em que cessa de chover.

escampado, da. *adj.* V. **descampado;** descampado, descoberto; desabrigado.

escampar. *v. tr.* escampar, despejar; desembaraçar algúm sítio ou espaço; *v. intr.* desanuviar; cessar de chover; (fig.) diminuir o empenho ou aplicação que se tinha em qualquer coisa; aclarar-se (o céu).

escampavía. *f.* (mar.) barco, explorador, embarcação ligeira que serve para explorar; barco que persegue o contrabando.

escampilla. *m.* (prov.) V. **toña;** tala.

escampo. *m.* escampo, a(c)ção de escampar; descampado.

escamudo, da. *adj.* V. **escamoso;** escamoso.

escamujar. *v. tr.* chapotear, chapodar podar parte dos ramos das árvores, especialmente das oliveiras.

escancia. *f.* distribuição do vinho.

escanciador, ra. *adj.* e *s.* escanção, aquele que nos banquetes deita vinho nos copos.

escanciano. *m.* V. **escanciador;** escanção.

escanciar. *v. tr.* escançar, escancear; servir o vinho, deitá-lo no vaso, copo ou taça; desengarrafar.—*v. intr.* beber vinho.

escanda. *f.* escândea, espécie de trigo durázio; farro.

escandalera. *f.* (fam.) escândalo, algazarra, grande gritaria; estralada; assuada; (pop.) choldraboldra.

escandalizador, ra. e *s.* escandalizador, que escandaliza; estrondoso.

escandalizar. *v. tr.* escandalizar, melindrar, maltratar; algazarrar; desedificar; alvoroçar; atroar; chinfrinar; estrugir; estrondear; estrupidar; ofender; causar escândalo a; fazer escândalo; proceder mal. — *v. r.* zangar-se, ofender-se; melindrar-se; (pop.) estomagar-se.

escándalo. *m.* escândalo, alvoro(ô)to, tumulto; escândalo, mau exemplo, desvergonha; (fig.) assombro, admiração; espanto, estupefacção; algazarra, desafo(ô)ro, farfalhada; alteração; estralada; atroamento, atroada; assuada; chinfrim; açougada; chiada, estourada; choldraboldra: *armar un escándalo,* fazer algazarra; chinfrinar.

escandalosa. *f.* (mar.) vela pequena: *echar la escandalosa,* (fig. e fam.) empregar frases duras numa luta.

escandaloso, sa. *adj.* e *s.* escandaloso; ruidoso; estrepitante; fragoroso; atroador; estrepitoso; vergonhoso; indecoroso.

escandallar. *v. tr.* (mar.) sondar o fundo do mar.

escandallo. *m.* (mar.) sonda, parte terminal da mesma; (fig.) investigação, prova, ensaio, exame; preço tabelado.

escandelar. *m.* (mar.) V. **escandalar.**

escandia. *f.* escândea, trigo durázio.

Escandinavia. (geog.) Escandinávia.

escandinavo, va. *adj.* e *s.* (geog.) escandinavo, natural da ou pertencente à Escandinávia.

escandir. *v. tr.* escandir, medir o verso.

escansión. *f.* escansão, medida dos versos.

escantillar. *v. tr.* (arq.) tomar uma medida a partir duma linha fixa; (prov.) escantilhar, quebrar as arestas.

escantillón. *m.* escantilhão, medida ou padrão com que se regulam distâncias; esquadria das madeiras; escantilhão, pedaço cortado dalguma coisa.

escaña. *f.* (bot.) escândea. V. **escanda.**

escañero. *m.* criado que cuida dos bancos e assentos nos Conselhos.

escaño. *m.* escanho, escano, assento de espaldar.

escañuelo. *m.* escabelo, estrado pequeno para pôr os pés.

escapada. *f.* escapada, escapadela, fugida precipitada ou oculta; escorregadela: *en una escapada,* a toda a velocidade, num instante.

escapamiento. *m.* V. **escapada.**

escapar. *v. tr.* e *intr.* escapar, salvar, fugir, livrar-se de perigo; subtrair-se a; dizer-se ou fazer-se irreflectidamente; omitir, esquecer; salvar-se; passar despercebido; não estar ao alcance de; sair dum perigo; sair alguém depressa e ocultamente; evadir; não ser envolvido ou atacado; sair da memória; (Bras.) garfiar. — *v. r.* escapar-se; evadir-se; sair um gás ou líquido por um orifício; (fam.) dar às trancas.

escaparate. *m.* escaparate, montra, vitrina de casa comercial, armário envidraçado; cantoneira.

escapatoria. *f.* escapatória, escapadela, escapatório, subterfúgio, desculpa, pretexto, ardil; escusa; efúgio; evasão; fuga; fugida.

escape. *m.* escape, fuga, acção de escapar, evasão; fuga apressada; escape, espaço de tempo em que os gases são expelidos para o ar; escape de relógio ou de outra máquina; válvula, tubo de escape da saída dos gases nos motores de explosão; efúgio, subterfúgio; (prov.) líquido ou gás que se escapa: *a escape,* a toda pressa; *a todo escape,* à desfilada.

escapo. *m.* escapo, fuste da coluna; (bot.) V. **bohordo.**

escápula. *f.* (anat.) escápula, omoplata.

escapular. *adj.* (anat.) escapular, referente à omoplata.

escapular. *v. tr.* (mar.) dobrar um cabo, baixio ou lugar perigoso.

escapulario. *m.* escapulário; prática devota em honra da Virgem do Carmo; (fig.) paciência.

escaque. *m.* escaque; (heráld.) escaque, divisão do escudo. — *pl.* jogo do xadrez.

escaqueado, da. *adj.* escaqueado, xadrezado, axadrezado, diz-se da obra feita com escaques.

escaquear. *v. tr.* (heráld.) escaquear, enxadrezar.

escara. *f.* (cir.) escara, crosta de ferida.

escarabajear. *v. intr.* escaravelhar, andar, mexer-se de certo modo parecido com os movimentos do escaravelho; (fig.) rabiscar, garatujar, escrever mal; (fig. e fam.) inquietar, desgostar.

escarabajeo. *m.* rabisco, garatuja.

escarabajo. *m.* (zool.) escaravelho, escarabeu; (fig.) pessoa pequena e de má figura; (fig.) defeito de tecidos, por não estarem direitos os fios da urdidura. — *pl.* garatujas, rabiscos, gatafunhos.

escarabajuelo. *m.* (zool.) insecto coleóptero parasita das videiras.

escaramucear. *v. intr.* escaramuçar. V. escaramuzar.

escaramujo. *m.* (bot.) roseira brava; (zool.) caramujo, espécie de caracol marinho. V. percebe.

escaramuza. *f.* escaramuça, rixa, pendência; disputa, contenda; conflito; debate; estrupada; (mil.) contenda entre soldados; (fig.) contenda de pouca importância.

escaramuzador. *m.* escaramuçador.

escaramuzar. *v. intr.* escaramuçar, disputar, renhir, contender; (mil.) escaramuçar, combater em escaramuças.

escarapela. *f.* tope, divisa em forma de laço ou rosa; insígnia, emblema; escarapela, briga, disputa, especialmente entre mulheres; lance no jogo das cartas.

escarapelar. *v. intr.* escarapelar, brigar, renhir, disputar, travar questões, arranhar, agarrar pelos cabelos, agatanhar; (Amér.) descascar, tirar a uma parede parte do seu revestimento.

escarbador, ra. *adj.* escarvador, que escarva. — *m.* escarvador, instrumento para escarvar.

escarbadura. *f.* escarva, escarvadura.

escarbar. *v. tr.* escarvar, esgaravatar, revolver a terra superficialmente, atiçar o lume; corroer; palitar, esgaravatar, limpar os dentes ou os ouvidos; (fig.) esgaravatar; (fig.) inquirir com curiosidade.

escarbo. *m.* escarvadura, escarva.

escarcela. *f.* escarcela, bolsa de coiro que se prendre à cintura; mochila de caçador feita de rede; espécie de coifa de mulher; escarcela, parte de armadura desde a cinta até ao joelho.

escarceo. *m.* escarcéu, agitação das ondas, bailadeiras; (fig.) rodeio, divagação. — *pl.* (equit.) curvetas e voltas do cavalo.

escarcina. *f.* escarcina, alfange dos persas.

escarcha. *f.* escarcha, orvalho da noite, neve, geada; escarcha, lavor de ouro ou prata sobre um tecido.

escarchada. *f.* erva de folhas largas, cobertas de vesículas com água.

escarchado, da. *p. p.* e *adj.* escarchado, coberto de escarcha. — *m.* escarcha, fio de ouro ou prata, tecido em seda.

escarchar. *v. tr.* escarchar, cobrir com flocos de neve; escarchar, fazer cristalizar o açúcar que se deixa e o aguardente de anis. — *v. intr.* congelar-se o orvalho da noite, fazer-se escarcha.

escarche. *m.* V. escarcha.

escarda. *f.* monda, época própria para este trabalho; escardilho, sacho pequeno com que se tiram as ervas ruins.

escardadera. *f.* mondadora; mulher que monda. V. escardadora; almocafre, escardilho, sacho pequeno. V. almocafre.

escardador, ra. *s.* mondador das sementeiras. V. almocafre.

escardadura. *f.* monda, a(c)ção de escardear.

escardar. *v. tr.* escardar, mondar, arrancar ou cortar cardos e ervas daninhas; mondar, roçar, sachar, capinar; (fig.) joeirar, expurgar, separar o bom do mau.

escardillar. *v. tr.* escardear, mondar. V. escardar.

escardillo. *m.* escardilho, sacho pequeno, enxadinha; flor do cardo, seca; luz que reflecte um corpo brilhante na sombra: *me lo ha dicho el escardillo,* (fam.) meu dedo mínimo mo disse.

escariador. *m.* escareador, ferramenta de aço que serve para alargar e fazer cilíndrico um tubo de metal.

escarjar. *v. tr.* escarear, alargar um orifício ou o interior de qualquer tubo por meio do escareador.

escarificación. *f.* escarificação; (agr.) a(c)ção de escarificar o terreno; (cir.) a(c)ção de escarificar ou sarjar.

escarificador. *m.* (agr.) escarificador, instrumento empregado para cortar verticalmente a terra e as raízes; (cir.) escarificador, instrumento para escarificar ou aquele que escarifica.

escarificar. *v. tr.* (agr.) escarificar, lavrar a terra com o escarificador; (cir.) escarificar, sarjar, produzir escarificações.

escarioso, sa. *adj.* (bot.) escarioso, diz-se dos órgãos dos vegetais que têm cor de folhas secas.

escarizar. *v. tr.* (cir.) tirar a escara ou crosta que está ao redor das chagas.

escarlador. *m.* instrumento em forma de navalha, usado pelos fabricantes de pentes.

escarlata. *f.* escarlate, escarlata, cor vermelha muito viva; escarlate, tecido desta cor; grã, lã, tinta de escarlate. V. escarlatina; (prov.) V. murajes.

escarlatina. *f.* (med.) escarlatina, febre eruptiva; sarampo; escarlatim, tecido de lã escarlate.

escarlatinoso, sa. *adj.* (med.) escarlatinoso.

escarmenar. *v. tr.* carmear. V. carmenar; (min.) escolher o mineral entre o entulho;

(fig.) castigar, aperrear; surripiar a pouco e pouco.

escarmentar. *v. tr.* escarmentar, corrigir com rigor, castigar. — *v. intr.* tornar experiente, experimentar; escarmentar-se, instruir-se pela experiência, aprender à sua custa. —*conj. irr.* como *mentar.*

escarmiento. *m.* escarmento, experiência, desengano; correcção, castigo, exemplo; lição; desengano; repreensão: *que te sirva de escarmiento,* assoa-te a esse guardanapo.

escarnecedor, ra. *adj.* e *s.* escarnecedor, que escarnece, zombador, derisor; ludibrioso; chasqueador.

escarnecer. *v. tr.* escarnecer, zombar, troçar; mofar; injuriar; ludibriar; bigodear; apodar; chufar; desonrar. — *conj. irr.* como *crecer.*

escarnecimiento. *m.* escarnecimento, escárnio, derisão. V. **escarnio.**

escarnio. *m.* escárnio, menosprezo, zombaria; escarnecimento, derisão, alrotaria, ludíbrio; galhofa; chufa; desonra; apupada; (fig.) enxovalho; (Bras.) mangofa.

escaro. *m.* (ictiol.) escaro.

escaro, ra. *adj.* que tem os pés e os tornozelos tortos.

escarola. *f.* escarola, variedade de chicória; endiva; (fig.) folho encanudado que se usava à roda do pescoço.

escarolar. *v. tr.* franzir, preguear, riçar. V. **alechugar;** (prob.) escarolar, deixar bem limpa uma coisa.

escarótico, ca. *adj.* (cir.) caterético.

escarpado, da. *p. p.* e *adj.* escarpado, que tem escarpa, íngreme; alcantiloso, alcantilado; declivoso; despenhoso; árduo; abrupto.

escarpa. *f.* escarpa, declive áspero do terreno, ladeira íngreme, talude; alambor; (fot.) escarpa, plano inclinado da muralha; (arq.) escarpe.

escarpadura. *f.* V. **escarpe;** declive, escarpamento; corte inclinado do terreno.

escarpar. *v. tr.* escarpar, dar escarpa ao terreno, cortar a pique, quase a prumo, obliquamente; alamborar; talhar em escarpe; tornar muito íngreme; (carp.) grosar.

escarpe. *m.* V. **escarpa;** alcantilado, ingremidade; alcantil; declive.

escarpelo. *m.* V. **escalpelo;** escalpelo; grosa, lima para desbastar madeira.

escarpia. *f.* escápula, prego de cabeça dobrada em ângulo. — *pl.* (germ.) as orelhas.

escarpiador. *m.* escápula de ferro em forma de forquilha, para segurar canos às paredes.

escarpidor. *m.* pente de dentes compridos, grossos e ralos, que serve para desembaraçar o cabelo.

escarpín. *m.* escarpim, espécie de calçado só duma sola e uma costura; pé de meia que se calçava por baixo das meias; espécie de chinela.

escartivana. *f.* V. **cartivana.**

escarza. *f.* (vet.) escarça, ferida feita com uma pedra ou coisa semelhante nas patas das bestas.

escarzano. *adj.* (arq.) diz-se do arco ou abóbada cuja curva é menor que o semicírculo do mesmo raio.

escarzar. *v. tr.* dobrar, arquear um pau até formar arco; escarçar, tirar a cera das colmeias; (prov.) furtar o mel das colmeias ou os ovos dum ninho; arrancar a uma árvore a casca que está seca. — *v. r.* (vet.) encastelar-se.

escarzo. *m.* escarço, favo sujo; cresta, operação e época de escarçar ou crestar as colmeias; escarço, desperdício da seda; (bot.) fungão, vegetal parasita que se encontra nos troncos das árvores.

escasear. *v. tr.* escassear, rarear. — *v. intr.* faltar, encassear; minguar; falecer.

escasero, ra. *adj.* e *s.* (fam.) escasso, que escasseia.

escasez. *f.* escassez, escasseza, qualidade do que é escasso; escassez, falta dum artigo ou género; falta dalguma coisa; pobreza ou falta do necessário para viver; escassez, apuro mesquindade, mesquinharia; deficiência; defeito; míngua; economia; estreitamento; estreiteza, exiguidade; esterilidade; falta; ape(ê)rto: *año de escasez,* ano estéril; *escasez de noticias,* esterilidade de novas.

escaso, sa. *adj.* escasso, não abundante; raro; limitado; mesquinho, nada liberal nem dadivoso; demasiadamente económico; desremediado; bem pouco; mesquinho; deficitário; deficiente; defeituoso; estreito; exíguo; apanascado; falto; famaco, faneco; (fig.) árido; (fig.) magro; (fig.) débil; (fig.) angustia.

escatimar. *v. tr.* escatimar, dar com escassez; amealhar; regatear; defraudar, mesquinhar, enganar; (p. us.) viciar, adulterar (o sentido das palavras); escatimar, cercar, encurtar, minguar; diminuir, examinar, averiguar, investigar.

escatimoso, sa. *adj.* malicioso, astuto; fino; mesquinho, miserável .

escatófago, ga. *adj.* (zool.) escatófago, diz-se dos animais que se alimentam de excrementos.

escatófilo, la. *adj.* (zool.) escatófilo, diz-se de certos insectos cujas larvas vivem entre excrementos.

escatología. *f.* escatologia, doutrina das coisas que deverão acontecer no fim do mundo. Escatologia, tratado sobre excrementos.

escaupil. *m.* saiote acolchoado que usavam os antigos mexicanos para se defenderem das flechas; (Amér.) bornal de caçador

escavanar. *v. tr.* (agr.) esterroar, desfazer os torrões e tirar as ervas daninhas.

escayola. *f.* escaiola, preparação de gesso e cal para cobrir as paredes, estuque.

escaza. *f.* (prov.) caço, colher grande para

escena. *f.* cena, palco, parte do teatro onde os actores representam; divisão de acto (em peça teatral); (fig.) arte de declamação; teatro, literatura dramática; sucesso ou manifestação da vida real, digno de atenção; (fig.) painel; cena, espectáculo; cena, choupana, barraca feita de ramos.

escenario. *m.* palco, cenário; (fig.) conjunto de circunstâncias que se consideram em torno duma pessoa ou sucesso.

escénico, ca. *adj.* cé(ê)nico, teatral, pertencente ou relativo à cena.

escenificación. *f.* (teatr.) encenação, acto de encenar.

escenificar. *v. tr.* encenar, pôr em cena, fazer representar.

escenografía. *f.* cenografia, arte de desenhar os objectos em perspectiva; cenografia, arte de pintar decorações cénicas.

escenográfico. *adj.* cenográfico, pertencente ou relativo à cenografia.

escenógrafo. *m.* e *adj.* cenógrafo, que cultiva a cenografia.

escenopegia. *f.* cenopégia, festa dos Tabernáculos entre os Judeus comemorativa da sua travessia do deserto.

escepticismo. *m.* ce(p)ticismo, doutrina filosófica; incredulidade; dúvida; indiferença; descrença.

escéptico, ca. *adj.* e *s.* cé(p)tico, que professa o cepticismo; (fig.) céptico, que não crê em determinadas coisas; incrédulo; indiferente; descrente; duvidador; sectário do cepticismo.

esciagrafía. *f.* esciagrafia.

esciagráfico, ca. *adj.* esciagráfico.

esciente. *adj.* ciente, sabedor, que sabe.

escila. *f.* (bot.) espécie de cebola albarrã.

escintilar. *v. tr.* V. **centellear**; cintilar.

escindir. v. tr. cindir.

escióptico, ca. *adj.* scióptico.

escirro. *m.* (med.) cirro, tumor duro que se produz nas glândulas.

escirrosidad. *f.* cirrosidade, qualidade do que é cirroso.

escirroso, sa. *adj.* cirroso, pertencente ou relativo ao cirro.

escisión. *f.* cisão, dissidência, rompimento, divergência.

esclarea. *f.* (bot.) V. **amaro**; planta.

esclarecedor, ra. *adj.* e *s.* esclarecedor, que esclarece; deslindador, que explica, explicador.

esclarecer. *v. tr.* esclarecer, iluminar, pôr clara e evidente alguma coisa; elucidar; (fig.) enobrecer, tornar famoso alguém; iluminar, ilustrar; develar; desmaranhar; aclarar; desofuscar; desobscurecer; informar; desmascarar; desassombrar; desatolar; alumiar; explicar; desembrulhar; desembaralhar; (fig.) destecer; (fig.) deslindar; (fig.) enuclear, desenevoar, desenlaçar, iluminar o entendimento ou pôr claro. — *v. intr.* amanhecer: *esclarecer un punto oscuro,* dar no alvo. — *conj. irr.* como *crecer.*

esclarecido, da. *adj.* esclarecido, claro, ilustre, insigne; egrégio; desanuviado.

esclarecimiento. *m.* esclarecimento; desmascaramento; desembrulho; elucidação; deslinde; demaranho; explicação; destecedura.

esclava. *f.* ancila, pulseira em forma de aro, escrava.

esclavina. *f.* esclavina, murça ou romeira de peregrinos.

esclavista. *adj.* e *s.* esclavagista, partidário da escravatura.

esclavitud. *f.* escravatura, estado de escravo, escravidão; (fig.) congregação em que várias pessoas se exercitam em actos de devoção; servidão, sujeição; aperreamento.

esclavizar. *v. tr.* escravizar, tornar escravo a alguém; (fig.) subjugar, tiranizar; enfeudar; encadear.

esclavo, va. *adj.* e *s.* escravo; cativo; escravo, o que acha alistado como irmão nalguma cofraria; (fig.) submetido rigorosa ou fortemente; (Bras.) (pop.) vimbude: *ser esclavo de alguien,* ser o arre-burrinho de alguém; *gobierno de los esclavos,* dulocracia; *esclavo* (en la India portuguesa), abunhado.

esclavón, na. *s.* (geog.) esclavão, esclavo, esclavo, natural de ou pertencente a Esclavónia.

esclavonía. *f.* (Amér.) congregação em que várias pessoas se exercitam em actos de devoção.

esclavonio, nia. *adj.* e *s.* V. **eslavonio**.

escleral. *adj.* escleral, esclerótico.

escleriasis. *f.* (med.) escleriase.

escleritis. *f.* (med.) esclerite .

esclerodermia. *f.* (med.) escleroderme, esclerdia.

esclerodermos. *m. pl.* (zool.) esclerodermos.

escleroftalmía. *f.* (pat.) escleroftalmia.

escleroma. *m.* (med.) escleroma, tumor duro.

esclerosis. *f.* (med.) esclerose.

escleroso, sa. *adj.* pertencente à esclerose, que tem esclerose.

esclerótica. *f.* (anat.) esclerótica; albugínia.

esclerotitis. *f.* (pat.) esclerotite.

esclerotomía. *f.* (cir.) esclerotomía.

esclusa. *f.* eclusa, esclusa, represa, comporta, dique.

escoba. *f.* vassoura, vassoira; basculho; (bot.) palma, planta de que se fazem vassouras.

escobada. *f.* vassoirada, vassourada; varredela; basculhadela.

escobadera. *f.* varredeira, mulher que varre com vassoura.

escobajar. *v. tr.* (agr.) desengaçar as uvas.

escobajo. *m.* escovalho, vassoura velha e deteriorada pelo uso; (agr.) engaço de uvas.

escobar. *v. tr.* varrer, vassourar, vassoirar, varrer com vassoura.

escobar. *m.* lugar onde nasce com abundância a palma de que se fazem vassouras.

escobazar. *v. tr.* aspergir, borrifar com vassoura ou ramos molhados.

escobazo. *m.* vassourada, pancada dada com vassoura; vassoirada, varredela.

escobén. *m.* (mar.) escovém, abertura por onde passa a amarra do navio.

escobera. *f.* giesta, retama; vassoureira, mulher que faz ou vende vassouras.

escobero. *m.* vassoureiro, fabricante ou vendedor de vassouras.

escobeta. f. vassourinha, vassoura pequena; (Amér.) vassoura pequena feita de raízes duma planta que serve para pasto; tufo. de pêlo no papo dos perus velhos.

escobilla. f. escova, cartabuxa, escova de arame ou crina; escovilha, resíduo metálico na laboração do ouro ou da prata; escovinha para vários usos; varredura de oficina de ourives; cabeça de cardo para cardar a seda: escobilla de ambar, ambreta.

escobillado, da. p. p. e adj. escovilhado, cartabuxado, limpo com cartabuxa; (Amér.) m. espécie de sapateado.

escobillar. v. tr. escovilhar, cartabuxar, limpar com cartabuxa; (Amér.) sapatear em movimentos rápidos ao dançar.

escobilleo. m. (Amér.) V. escobillado.

escobillón. m. escovilhão, grande escova para limpar as bocas dos canhões.

escobina. f. serradura, serrim, pó produzido pelo trado ou verruma; limalha de qualquer metal.

escobo. m. mata espessa ou cerrada, matagal, brenha.

escobón. m. vasculho, espécie de vassoura empregada em serviços de limpeza; vassouro, vassoiro de cabo muito curto; varredouro, vassoura de forno.

escocedura. f. ardência, queimadela; comichão.

escocer. v. intr. arder, sentir ardor, prurido ou sensação incómoda como de queimadura; (fig.) pungir, amargar, sentir no ânimo uma impressão desagradável. — v. r. doer-se, picar-se, resentir-se, magoar-se; inflamar-se algumas partes do corpo. — conj. irr. como cocer.

escocés, sa. adj. e s. (geog.) escocês, natural da ou pertencente à Escócia. — m. dialecto céltico falado na Escócia; tecido de riscas cruzadas.

Escocia. (geog.) Escócia.

escocia. f. escócia, qualidade de bacalhau; (arq.) tróquilo, moldura côncava na base duma coluna.

escocimiento. m. ardor, sensação dolorosa. V escozor.

escoda. f. escoda, martelo dentado de canteiro.

escodadero. m. (mont.) lugar onde os veados e gamos esfregam as pontas quando estão secas, para fazerem cair uma espécie de pele que elas criam.

escodar. v. tr. escodar, alisar, lavrar, picar a pedra com a escoda; (mont.) sacudir a cornadura os animais que a têm, para a descascar; escodar, alisar a parte exterior da pele para curtir; (prov.) V. desrabotar.

escofia. f. V. cofia.

escofiar. v. tr. adornar, colocar a coifa na cabeça.

escofieta. f. coifa, rede usada pelas mulheres; toucado que antigamente usavam as mulheres; (Amér.) gorro de crianças.

escofina. f. grosa, lima para desbastar ou raspar a madeira ou a sola.

escofinar. v. tr. grosar, desbastar com a grosa ou lima.

escofión. m. coifa de renda e rede de fio de oiro, chamada antigamente garavim, toucado.

escogedor, ra. adj. e s. escolhedor, que escolhe; selector; separador.

escoger. v. tr. escolher, fazer escolha, eleição, selecção duma ou mais coisas ou pessoas entre muitas; preferir; separar; marcar; eleger; optar; joeirar.

escogida. f. (Amér.) escolha, separação das diversas classes de tabaco; escolha, local onde essa separação se faz.

escogido, da. p. p. e adj. escolhido, seleccionado; separado, sele(c)to; apurado; eleito.

escogiente. p. a. e adj. escolhedor, que escolhe.

escogimiento. m. escolhimento, escolha, eleição; sele(c)ção; opção; preferência; apuramento.

escolanía. f. conjunto de rapazes educados para o serviço do culto.

escolano. m. cada um dos rapazes que, nalguns mosteiros, se educavam para o serviço do culto.

escolapio, pia. adj. e s. esculápio, pertencente à ordem das Escolas Pias; esculápio, clérigo destas escolas; estudante que recebe ensino nas Escolas Pias.

escolar. adj. escolar, pertencente ao estudante ou à escola. — m. escolar, estudante que frequenta uma escola; educando, colegial, aluno.

escolar. v. intr. passar por um sítio estreito. — conj. irr. como colar.

escolaridad. f. escolaridade, período de estudos escolares; duração de um curso.

escolástica. f. escolástica.

escolasticismo. m. (filos.) escolasticismo, escolástica.

escolástico, ca. adj. e s. escolástico, pertencente ao escolasticismo.

escoleta. f. (Amér.) filarmónica, banda musical de amadores.

escoliador. m. escoliador, escoliasta, comentador, anotador.

escoliar. v. tr. escoliar. tirar ou formar escólios a uma obra ou escrito, anotar, comentar.

escoliasta. m. escoliador. V. escoliador.

escolimado, da. adj. (fam.) enfermiço, achacoso, raquítico, cachetico, enfesado, débil, delicado.

escolimoso, sa. adj. (fam.) pouco contente, irritadiço, insofrido, áspero, intratável.

escolio. m. escólio, comentário, nota para explicar um texto, anotação, interpretação, glosa.

escoliosis. f. (med.) escoliose.

escoliótico, ca. adj. pertencente ou relativo à escoliose.

escolta. f. escolta, troço de tropas ou embarcação destinada a escoltar; escolta, acompanhamento em sinal de reverência; (fig.) acompanhamento.

escoltar. v. tr. escoltar, comboiar, guardar; acompanhar para guardar ou proteger.

escollar. *v. intr.* (mar.) dar em escolho ou baixio uma embarcação.

escollera. *f.* dique, muralha de cais, molhe.

escollo. *m.* escolho, rochedo à flor de água, recife; perigo, risco; escolho, obstáculo, dificuldade.

escombrar. *v. tr.* desentulhar, desembaraçar de escombros ou estorvos, desimpedir; (fig.) limpar, desembaraçar.

escombrera. *f.* entulheira, conjunto de escombros ou entulhos; lugar onde se despejam os entulhos.

escombro. *m.* entulho, terra, caliça pedregulhos, restos dalguma obra de alvenaria, ruínas de edifícios, etc.; escombro; derribamento; (zool.) espécie de sardinha ou cavala. V. caballa.

escomendrijo. *m.* criatura ruim e vil.

esconce. *m.* esconso, canto, ângulo que uma coisa ou uma casa forma, tornando-se oblíqua ou inclinada; saliência.

escondedero. *m.* esconderijo, escondedoiro, lugar para esconder uma coisa, entrefo-(ô)lho.

esconder. *v. tr.* esconder, encobrir, ocultar, tapar; disfarçar; (fig.) pôr em recato; esconder, dissimular; esconder, conter em si; encovar; emboscar; enterrar; cobrir.
— *v. r.* esconder-se, ocultar-se, subtrair-se às vistas alheias; encobrir-se; acolher-se; incomunicar-se; emboscar-se; encapotar--se; anichar-se; desaparecer; (Bras.) amoitar-se.

escondido, da. *p. p.* e *adj.* escondido, oculto; desaparecido; alapado; emboscado; furtivo; encoberto; (fig.) sepulto, anichado; arrencadal; (Bras.) socado. — *m.* (p. us.) esconderijo; (Amér.) esconde-esconde, jogo das escondidas: *en escondido*, *adv.* escondidamente, ocultamente.

escondimiento. *m.* escondimento, encobrimento, ocultação, escondedura.

escondite. *m.* esconderijo; encoberta; encobridoiro; esconde-esconde, escondidas, certo jogo de crianças: *jugar al escondite*, fazer coco.

escondrijo. *m.* esconderijo, lugar oculto e retirado; escondedouro, escaninho; madrigoa, madrigueira; abalada; encoberta; cóio; recanto; (Bras.) enfusca, mofumbal.

esconzado, da. adj. esconso, esguelhado, oblíquo; inclinado; que tem ângulos ou recantos, anguloso.

esconzar. *v. tr.* esconsar, tornar esconsa uma coisa.

escopeta. *f.* escopeta; espingarda curta; *escopeta de viento*, espingarda de vento; *escopeta negra*, caçador profissional.

escopetar. *v. tr.* (min.) cavar e tirar a terra das minas de ouro.

escopetazo. *m.* escopetada, descarga de escopeta; ferida feita com este tiro; (fig.) notícia ou facto súbito e desagradável, bomba.

escopetear. *v. tr.* escopetear, disparar a escopeta contra; dar tiros com a escopeta; (fig. e fam.) altercar, disputar acaloradamente, vaiar-se, insultar-se; cumprimentar-se, felicitarem-se duas ou mais pessoas.

escopeteo. *m.* tiroteio, a(c)ção de escopetear.

escopetería. *f.* escopetaria, troço de gente armada de escopetas; escopetaria, descarga de escopetas.

escopetero. *m.* escopeteiro, soldado armado de escopeta; espingardeiro, fabricante ou vendedor de espingardas ou escopetas.

escopetilla. *f.* espingarda ou escopeta pequena; canudo pequeno, carregado de pólvora, com que se atacava uma espécie de bomba.

escopladura. *f.* entalho. V. escopleadura.

escopleadura. *f.* entalho, corte ou concavidade feita na madeira com escopro.

escoplear. *v. tr.* entalhar, trabalhar a madeira com escopro; amocegar.

escoplo. *m.* (carp.) escopro, instrumento para lavrar madeiras; formão; cinzel: *escoplo de cantería*, cinzel, escopro para lavrar pedra.

escora. *f.* (mar.) escora, pontaletes ou paus que servem de apoio ao navio em construção; inclinação dum navio ao ceder ao esforço das velas.

escorar. *v. tr.* (mar.) escorar, pôr ou suster com escoras, especar. — *v. intr.* inclinar-se um navio pela força do vento; chegar a maré ao seu nível mais baixo. — *v. r.* (fig.) escorar-se, estribar-se, firmar-se, apoiar-se; (Amér.) esconder-se num canto ou esconso.

escorbútico, ca. *adj.* escorbútico, relativo ao escorbuto.

escorbuto. *m.* (med.) escorbuto, escorbútio.

escorchar. *v. tr.* esfolar, escorchar. V. desollar.

escordio. *m.* (bot.) escórdio.

escoria. *f.* escória, escuma, fezes, restos; lava, escumante dos vulcões; (fig.) escória, coisa vil e desprezível; ralé; escória; esterco; (vulg). merdalha; enxurro.

escorial. *m.* escorial, escoiral, lugar onde se deitam as escórias das fábricas metalúrgicas; montão de escórias.

escoriar. *v. tr.* escoriar, esfolar. V. excoriar.

escorificar. *v. tr.* escorificar, separar as escórias; escorificar, reduzir a escórias.

escorificación. *f.* escorificação.

escoriforme. *adj.* que tem aspecto de escória.

escorpio. *m.* (astr.) Escorpião. V. escorpión..

escorpión. *m.* (zool.) alacrau, lacrau, escorpião; (ictiol.) escorpião, peixe do género escorpena; escorpião, dardo, arma de arremesso; escorpião, antigo instrumento de tortura romano; escorpião, antiga catapulta para arremessar pedras; (astr.) Escorpião; escorpiões, açoutes com pontas de ferro: *lengua de escorpión*, língua viperina.

escorrozo. *m.* (fam.) diversão, festa. V. remilgo.

escorzado, da. *p. p.* e *adj.* escorçado. — *m.* (pint). escorço.

escorzar. *v. tr.* (pint.) escorçar, fazer o escorço de.

escorzo. *m.* (pint.) esco(ô)rço, perspectiva, resumo.

escorzón. *m.* V. escuerzo.

escorzonera. *f.* (bot.) escorcioneira.

escosa. *adj.* diz-se da fêmea de qualquer animal doméstico que deixa de dar leite. — *f.* desvio das águas dum rio num trecho curto.

escosar. *v. intr.* deixar a fêmea dum animal doméstico de dar leite.

escoscar. *v. tr.* descaspar. V. **descaspar;** descascar as nozes e amêndoas. — *v. r.* V. **coscarse.**

escota. *f.* (mar.) escota, cabo para governar as velas do navio; (arq.) estria, meia cana; (agr.) espécie de enxadão.

escotado, da. *p. p.* e *adj.* decotado, que tem decote. — *m.* decote, talhadura. V. **escotadura.**

escotadura. *f.* decote dum vestuário; chanfradura, cava, talho; alçapão de teatro; escote, quinhão; (mil.) cava na couraça, debaixo dos braços para estes poderem mover à vontade.

escotar. *v. tr.* decotar, chanfrar, cortar, talhar parte de qualquer peça de vestuário para ficar na medida que se quer; chanfrar; derivar, tirar, trazer uma veia de água de um lago, rio ou ribeira, abrindo-lhe um canal ou derivação.

escotar. *v. tr.* cotizar, pagar cada um a parte que lhe toca.

escote. *m.* decote. V. **escotadura;** decote. parte do busto que fica descoberto por estar decotado o vestuário; chanfradura, entalhe; adorno bordado ou de rendas nas camisas de mulher; escote, quinhão, quota, parte da despesa feita em comum.

escotera. *f.* (mar.) escoteira.

escotero, ra. *adj.* e *s.* escoteiro, diz-se do que viaja à ligeira e sem bagagem; (mar.) diz-se do navio ou embarcação que navega sem ir acompanhada.

escotilla. *f.* (mar.) escotilha; alçapão; meia-laranja; lumieira; *escotilla mayor,* escotilha grande; *escotilla de proa,* escotilha de proa; *escotilla de popa,* escotilha de popa.

escotillón. *m.* escotilhão, alçapão feito no solo por onde só cabe um homem; alçapão de cena teatral.

escotín. *m.* (mar.) escota das gáveas, joanetes e doutras velas menores; estingue.

escotismo. *m.* (filos.) escotismo.

escotista. *adj.* e *s.* (filos.) escotista.

escotoma. *f.* (med.) escotoma.

escozor. *m.* ardor, ardência, sensação dolorosa como a produzida pelas queimaduras; (fig.) inquietação, pena, remorso, desgosto íntimo, receio.

escriba. *m.* escriba, doutor e intérprete da lei entre os Hebreus.

escribanía. *f.* escrivania, cargo de escrivão público; cartório; escritório do escrivão; escrevaninho, escrevaninha, secretário, papeleira, mesa e utensílios para escrever.

escribanil. *adj.* pertencente ou relativo ao escrivão.

escribano. *m.* escrivão, tabelião, notário; secretário, pessoa que escreve bem e depresa, amanuense; (zool. Amér.) escrivão, ave pernalta: *escribano del agua* (zool.), espécie de aranha das águas.

escribidor, ra. *s.* (fam.) escrevedor, mau escritor.

escribiente. *s.* escrevente, amanuense, copista; escritor, autor.

escribir. *v. tr.* escrever, traçar letras; escrever, compor, redigir obras literárias ou científicas: escrever, fazer cartas ou correspondência; traçar notas musicais; enviar carta ou escrito a alguém. — *v. r.* inscrever-se, arrolar-se, alistar-se.

escriño. *m.* cesta de palha para recolher o farelo dos cereais; escrínio, guarda-jóias, pequeno cofre para guardar papéis e objectos de valor e estimação.

escrita. *f.* (ictiol.) espécie de raia.

escritilla. *f.* testículo de carneiro.

escrito, ta. *p. p. irreg.* de *escribir* e *adj.* escrito; diz-se do que tem manchas ou raias semelhantes a letras. — *m.* escrito, carta, documento, composição; (for.) requerimento, petição; memória; estudo; epístola.

escritor, ra. *s.* escritor, pessoa que escreve; autor de obras escritas ou impressas; secretário, amanuense.

escritorio. *m.* escrivaninha, escrevaninha; secretária (móvel); escritório, casa ou compartimento onde se faz o expediente e trata de negócios; gabinete do trabalho; escrínio, guarda-jóias, cofre pequeno para guardar jóias; loja ou armazém onde se vendem, em Toledo, fazendas e géneros por grosso; móvel ou prateleira para ornato.

escritorzuelo. *s.* (despec.) mau autor.

escritura. *f.* arte de escrever; escritura, escrita; instrumento público, assinado por testemunhas; a Sagrada Escritura ou Bíblia; escritura, acto notariado.

escriturar. *v. tr.* (for.) escriturar, registar, garantir e assegurar por escritura pública e legal um contrato ou obrigação.

escriturario, ria. *adj.* (for.) que consta por escritura pública. — *m.* aquele que explica e ensina a Sagrada Escritura.

escrófula. *f.* (med.) escrófula; alporca; estruma.

escrofularia. *f.* (bot.) escrofulária, erva-das-escaldadelas.

escrofulariáceo, a. *adj.* (bot.) escrofulariáceo. — *f. pl.* escrofulariáceas.

escrofularina. *f.* (quim.) escrofularina.

escrofulismo. *m.* (med.) escrofulose, escrofulismo.

escrofulosis. *f.* (med.) escrofulose.

escrofuloso, sa. *adj.* e *s.* (med.) escrofuloso, estrumoso, alporquento.

escrotal. *adj.* (anat.) escrotal.

escrotitis. *f.* (med.) escrotite.

escroto. *m.* (anat.) escroto.

escrupulizar. *v. intr.* escrupulizar, ter ou fazer escrúpulo.

escrúpulo. *m.* escrúpulo, cuidado minucioso; escrúpulo, hesitação de obrar com receio de errar; susceptibilidade nímia, remorso repugnância; delicadeza de carácter; dúvida, inquietação; pedrinha que entra no sapato e magoa o pé; (astr.) minuto; (farm.) peso antigo equivalente a mil cento e noventa e oito miligramas.

escrupulosidad. *f.* escrupulosidade; susceptibilidade; rigurosidade; rectidão; exa(c)tidão; minuciosidade; integridade; particularidade.

escrupuloso, sa. *adj.* escrupuloso; hesitante; cuidadoso; exacto; recto, severo, minucioso, íntegro, meticuloso; delicado; consciencioso; melindroso; atilado.

escrutador, ra. *adj.* e *s.* escrutador, esquadrinhador, investigador, que sonda ou examina com exactidão; escrutinador, o que conta os votos duma eleição; indagador; explorador.

escrutar. *v. tr.* escrutar, esquadrinhar, investigar, examinar cuidadosamente, explorar; escrutinar, contar os votos duma eleição; indagar: *escrutar con la mirada*, deitar o olho.

escrutinio. *m.* escrutínio, indagação, investigação; escrutínio, apuramento dos votos duma eleição; exame.

escrutiñador, ra. *s.* escrutinador, escrutador, indagador, examinador duma coisa fazendo escrutínio dela, censor.

escuadra. *f.* esquadro, instrumento para medir ângulos e tirar linhas perpendiculares; esquadra, certo número de soldados; esquadra, conjunto de navios de guerra; cabo de esquadra; esquadro, instrumento com que se firmam os ensamblamentos; (fig.) quadrilha, turma, bando de gente; (carp.) desempenos.

escuadrar. *v. tr.* esquadrar, esquadriar, dispor ou cortar em ângulo recto, esquadrejar; facear; (carp.) desempenar; falquear.

escuadreo. *m.* medição, cálculo duma superfície em unidades quadradas.

escuadría. *f.* esquadria, medição duma peça talhada em ângulos rectos.

escuadrilla. *f.* esquadrilha, esquadra de pequenos navios; esquadra de aviões.

escuadro. *m.* (ictiol.) espécie de raia. V. **escrita.**

escuadrón. *m.* (mil.) esquadrão, secção dum regimento de cavalaria; (prov.) espécie de arado.

escuadronista. *m.* (mil.) oficial perito na táctica e manobras da cavalaria.

escualidez. *f.* esqualidez, delgadeza; exinanição; asquerosidade, sordidez.

escuálido, da. *adj.* e *s.* esquálido, sujo; asqueroso; sórdido; macilento, fraco; lívido desalinhado; exinanido.

escualo. *m.* (ictiol.) esqualo.

escualor. *m.* esqualidez. V. **escualidez.**

escucha. *f.* escuta, acto de escutar; escuta, sentinela avançada, esculca; escuta, janela por onde o rei escutava secretamente o que se passava em conselho; criada que dorme perto de quarto de sua ama; escuta, espia; (fort.) galerias pequenas e subterrâneas; madre-escuta, irmã que nos conventos acompanha ao locutório as freiras que recebem visitas.

escuchador, ra. *adj.* e *s.* escutador, que escuta; escuta.

escuchar. *v. tr.* escutar, prestar atenção ao que se ouve; dar ouvidos, atender a um aviso, conselho ou sugestão; aplicar o ouvido; perceber; (med.) auscultar. — *v. r.* falar ou recitar com pausas afectadas.

escuchimizado, da. *adj.* e *s.* magro e débil.

escucho. *m.* cochicho, acto de cochichar, de falar ao ouvido ou em segredo.

escudar. *v. tr.* escudar, cobrir, amparar, defender com o escudo; (fig.) defender proteger alguém, amparar; adargar. — *v. r.* (fig.) escudar-se valer-se dalgum meio para livrar-se dum perigo.

escuderaje. *m.* emprego, cargo, serviço de escudeiro, escudeirice.

escuderear. *v. tr.* escudeirar, servir de escudeiro.

escudería. *f.* emprego, cargo, serviço de escudeiro.

escuderil. *adj.* escudeirático, pertencente ou relativo ao escudeiro.

escuderilmente. *adv.* escudeiràticamente.

escudero, ra. *adj.* escudeirático. V. **escuderil.** — *m.* escudeiro, pajem que levava o escudo do cavaleiro. V. **hidalgo;** escudeiro, criado que servia, acompanhando-a, a uma senhora; escudeiro, criado de pé, moço que servia para fazer recados na casa real; aio; estribeiro.

escudete. *m.* escudete, escudo pequeno; chapa exterior das fechaduras; pedacinho de pano para reforçar as costuras; (bot.) golfão; (agr.) dano causado às azeitonas pela chuva.

escudilla. *f.* escudela, tigela de madeira para comida; gamela.

escudillador, ra. *adj.* e *s.* que distribui caldo ou comida em escudelas ou pratos.

escudillar. *v. tr.* escudelar, distribuir comida em escudelas ou pratos; (fig.) dispor e ordenar como se fosse o único dono; arranjar as coisas à vontade.

escudillero. *m.* prateleira para colocar a baixela.

escudillo. *m.* escudinho, escudo pequeno; escudilho, antiga moeda de oiro. V. **doblila.**

escudo. *m.* escudo, arma defensiva; escudo, moeda; defesas do canhão; escudo, unidade monetária portuguesa; escudo, chapa que guarnece o buraco duma fechadura, escudete, espelho da fechadura; (herald.) escudo, brasão de armas; (fís.) fogo fátuo; (cir.) compressa da sangria; (fig.) escudo, amparo, defesa, prote(c)ção, égida; emblema.

escudriñable. *adj.* esquadrinhável, investigável.

escudriñador, ra. *adj.* e *s.* esquadrinhador, investigador, pesquisador.

escudriñamiento. *m.* esquadrinhadura, esquadrinhamento, investigação, exame cuidadoso, indagação.

escudriñar. *v. tr.* esquadrinhar, pesquisar, inquirir, averiguar; examinar cuidadosamente, investigar; afuroar; desmiudar; apurar.

escuela. *f.* escola, estabelecimento de ensino; escola, conjunto de professores e alunos; escola, ensino, doutrina, estudos escolares; escola, método de ensinar; escola, doutrina, opinião, sistema de um autor ou filósofo; escola, estilo, método de um autor ou compositor; (fig.) escola, disciplina, experiência, prática; escola, colégio.

escuero. *m.* (bot.) variedade de espinheiro.

escuerzo. *m.* (zool.) V. **sapo**; (fig. e fam.) pessoa magra e enfezada.

escueto, ta. adj. desembaraçado; descoberto; livre; simples, conciso, despido sem enfeites; desadornado.

escuintle. *m.* (Amér.) cão vadio.

esculcar. *v. tr.* espiar, averiguar com diligência e cuidado; (prov.) (Amér.) revistar para procurar alguma coisa escondida.

esculpidor. *m.* escultor, aquele que se dedica a esculpir, cinzelador.

esculpir. *v. tr.* esculpir, fazer lavores em pedra ou madeira; cinzelar; entretalhar. V. **grabar**; gravar.

escultor, ra. *s.* escultor, artista que esculpe; estatuário, cinzelador; (fig.) cinzel.

escultórico, ca. adj. V. **escultural**; escultórico, escultural.

escultura. *f.* estátua, escultura, arte de esculpir, estatuária obra feita por escultor; (fig.) cinzel.

escultural. adj. escultural, escultórico, pertencente e relativo à escultura; que tem formas modelares.

esculturar. *v. tr.* V. **esculpir**; esculturar, fazer escultura, lavrar uma escultura.

escullador. *m.* púcaro, vaso de folha de Flandres para tirar o azeite nos lagares.

escullir. *v. tr.* (prov.) escorregar, cair. — *v. r.* V. **escabullirse**; escapulir-se, escapar-se. — *conj. irr.* como **mullir**.

escuna. *f.* (naut.) V. **goleta**; goleta, pequena escuna.

escupetina. *f.* V. **escupitina**; cuspe, cuspo.

escupidera. *f.* cuspideira, escarradeira, escarrador; (prov. e Amér.) bacio, urinol.

escupidero. *m.* cuspidoiro, cuspidouro lugar onde se cospe; (fig.) situação da pessoa exposta a ser escarnecida, insultada.

escupidor, ra. adj. e *s.* cuspidor, que cospe com muita frequência.

escupidura. *f.* cuspe, cuspo, escarro, escarradura; escarradela.

escupir. *v. tr. e intr.* cuspir, lançar fora o cuspeou a saliva; escarrar. — expelir pela boca; (fig.) aparecer depois da febre, uma erupção na pele; lançar fora de sí com desprezo; despedir ou atirar com violencia, lançar; (fig.) fazer escárnio de alguém, escarnecer; expe(c)torar; (fig.) proferir com violência.

escupitajo. *m.* (fam.) **escupitina.** *f.* (fam.); V. **escupidura**; cuspe, cuspo, escarro, escarradura, expe(c)toração.

escupo. *m.* esputo, saliva, cuspe, escarro.

escurana. *f.* (Amér.) obscuridade, escuridão.

escurar. *v. tr.* limpar os panos antes de os amaciar.

escurra. *m.* escurra, truão, bufão, bobo.

escurreplatos. *m.* prateleira de cozinha para pôr a louça a escorrer.

escurribanda. *f.* (fam.) escapatória, saída; (fam.) desconcerto; fluxão dum humor.

escurridero. *m.* conduto por onde escorrem as águas duma galeria duma mina.

escurridizo, za. adj. escorregadiço, escorregadio, diz-se do que escorrega ou desliza fàcilmente (fig.) que tem tendência para o mal ou para o vício; que resvala fàcilmente.

escurrido, da. adj. e *p. p.* escorrido, estreito de ancas; diz-se da mulher que traz a saia muito estreita e justa; esgotado, escoado; (fam.) que gastou tudo, que ficou sem real.

escurridor. *m.* coador, passador, (de buracos grandes). V. **escurreplatos**; prateleira.

escurriduras. *f. pl.* escorralhas, escorreduras, restos de líquidos que ficam no fundo das vasilhas; desperdícios.

escurrimbres. *f. pl.* (fam.) V. **escurriduras**.

escurrimiento. *m.* escorrimento; escorripichadela; (fam.) escorregadela; escorregadura.

escurrir. *v. tr.* escorrer escorripichar, gotejar, pingar; escorrer, fazer correr um líquido, secar, enxugar. — *v. intr.* destilar, correr gota a gota; escorregar, deslizar; correr uma coisa por cima de outra. — *v. r.* escapar, sair fugindo; escorregar, oferecer, dar mais do que o devido; escorregar, dizer mais do que se deve; exceder; evadir-se; (fam.) deslizar.

escusalí. *m.* V. **excusalí**, avental pequeno.

escuteliforme. adj. em forma de escudo.

esdrujulizar. *v. tr.* esdruxulizar, dar acentuação esdrúxula a uma palavra.

esdrújulo, la. adj. (gram.) esdrúxulo.

ese. *f.* nome da letra S; elo de corrente em forma de esse; cambalear: *andar haciendo eses*, cambalear, andar aos esses por estar embriagado.

ese, *m.* esa. *f.* **esos, esas.** adj. *pron.* esse, essa, isso, esses, essas; formas do pron. dem; nos três géneros, masc. fem. e neutro, nos números sing. e pl.; tem o valor de adjectivos quando vão acompanhados de substantivos; *esa niña*; quando se empregam como substantivos, são acentuados: *ése llegará*; umas vezes, *eso* equivale ao mesmo: *eso mismo*; — *adv.* assim mesmo, igualmente; de maneira alguma, de modo algum.

esecilla. *f.* V. **alacrán**; peça do freio dos cavalos.

esencia. *f.* essência, ser, natureza íntima das coisas; o permanente e invariável nelas, substâncias; constituição; (quim.) essência, substância fina e volátil, extraída de certos vegetais; V. **gasolina;** princípio fundamental da composição dos corpos; (fi.) o mais puro duma coisa; extra(c)to; (fig.) miolo; (fig.) eixo (fig.) medula, fundo; essência, entidade; essência; definição; *quinta esencia,* quinto elemento que a filosofia antiga considerava na composição do universo.

esencial. *adj.* essencial, pertencente ou relativo à essência; imprescindível; fundamental; indispensável .

esfacelación. *f.* (med.) esfacelo.

esfacelado, da. *adj.* (bot.) esfacelado.

esfacelarse. *v. r.* (med.) esfacelar-se; gangrenar-se; corromper-se (um tecido).

esfacelo. *m.* (med.) esfacelo, parte do tecido grangrenado que se desprende.

esfalerita. *f.* (min.) esfalerite.

esfenoidal. *adj.* esfenoidal, pertencente ou relativo ao osso esfenóide.

esfenoides. *m.* (anat). esfenóide, diz-se dum osso impar e irregular, encravado na base do crânio.

esfera. *f.* (geom.) esfera, sólido cuja superfície tem todos os pontos equidistantes do centro; meio; bola; (poét.) esfera, céu que rodeia a terra; (fig.) esfera, classe ou condição duma pessoa; meio em que uma pessoa exerce a sua influência ou actividade; qualquer corpo perfeitamente redondo; (astr.) órbita percorrida por um astro; (fís.) espaço ou área da actividade dum corpo.

esferal. *adj.* V. **esférico;** esférico.

esfericidad. *f.* (geom.) esfericidade, estado ou qualidade do que é esférico.

esférico, ca. *adj.* esférico, pertencente à esfera ou que tem a sua forma; (fam.) barrigudo, obeso; redondo.

esferilla. *f.* dim. de *esfera.*

esferoidal. *adj.* (geom.) esferoidal, pertencente ao esferóide ou que tem a sua forma.

esferoide. *f.* (geom.) esferóide, corpo quase esférico, semelhante a uma esfera.

esferómetro. *m.* esferó(ô)metro.

esfígmico, ca. *adj.* relativo ao pulso.

esfigmografía. *f.* (med.) esfigmografia.

esfigmográfico, ca. *adj.* esfigmográfico.

esfigmógrafo. *m.* (med.) esfigmógrafo, aparelho para registar a forma das pulsações.

esfigmómetro. *m.* (med.) esfigmómetro.

esfinge. *f.* esfinge, animal fabuloso com cabeça, cola e peito de mulher, e corpo e pés de leão; (fig.) mistério, enigma; pessoa impenetrável; (entom.) variedade de borboletas nocturnas.

esfínter. *m.* (anat.) esfíncter, músculo circular; anel constritor.

esfogar. *v. tr.* (pop.) V. **desfogar.**

esfolar. *v. tr.* (pop.) V. **desollar.**

esforzado, da. *adj.* e *p. p.* esforçado, valente. animoso, corajoso; estré(ê)nuo; paladínico; galhardo; atlético; forte; denodado; (fig.) desforçado; arrojado; ardido; acoroçoado; Achilles: *guerrero esforzado,* forte espada.

esforzador, ra. *adj.* e *s.* esforçador, que esforça.

esforzar. *v. tr.* esforçar, dar ou comunicar força ou vigor; animar, infundir ânimo; esforçar, fortalecer; acoroçoar; lutar; contender; esforçar, tornar forte; encorajar; dar coragem; animar, reforçar; *v. r.* animar-se, deitar-se; engenhar-se; forçar-se; empenharse-se; apurar-se; afervorar-se; (fig.) forcejar; fazer esforços; ter coragem: *esforzarse con todas las potencias,* estirar a barra; *esforzarse para conseguir algo,* industriar-se; *esforzarse por conseguir algo,* deitar os bofes.

esfuerzo. *m.* esfo(ô)rço, emprego da força física; energia; actividade, vigor, ânimo; galhardia; arranco; forcejo; luta; deno(ô)do; coragem, diligência; zelo: *sin esfuerzo,* com facilidade, sem custo; *emplear todos los esfuerzos,* assestar toda artilharia; *hacer un gran esfuerzo,* (pop.) furricar-se; *redoblar los esfuerzos,* apertar a corda.

esfumación. *f.* esfumação.

esfumar. *v. tr.* (pint.) V. **esfuminar;** esfumar, esbater, atenuar a cor; desvaecer, desvanecer. desperfilar. — *v. r.* extinguir-se; (fig.) dissipar-se, desvanecer-se, esfumar-se.

esfuminar. *v. tr.* (pint.) esfumar, esbater com esfuminho.

esfumino. *m.* (pint.) esfuminho, rolo de pelica ou papel para esfumar.

esgarrar. *v. tr.* e *intr.* V. **desgarrar;** escarrar, expelir escarros.

esgrafiado, da. *p. p.* e *adj.* esgrafiado. — *m.* esgrafito.

esgrafiar. *v. tr.* esgrafiar, pintar ou desenhar a esgrafito.

esgrima. *f.* esgrima, arte de jogar armas brancas, com o florete, a espada e outras: *profesor de esgrima,* mestre d'armas.

esgrimidor. *m.* esgrimidor, esgrimista, o que esgrime ou sabe esgrimir.

esgrimidura. *f.* esgrimidura, acção de esgrimir.

esgrimir. *v. tr.* esgrimir, jogar, manejar armas brancas; (fig.) usar dalguma coisa como arma para conseguir um fim, esgrimir.

esgrimista. *s.* (Amér.) V. **esgrimidor.**

esguardamillar. *v. tr.* (fam.) descompor, desbaratar.

esguazable. *adj.* vadeável, esguazável.

esguazar. *v. tr.* esguazar, vadear, passar a vau.

esguazo. *m.* esguazo, vau.

esgucio. *m.* (arq.) moldura côncava cujo perfil é quarta parte dum círculo.

esguila. *f.* (prov.) camarão. V. **ardilla.**

esguilar. *v. intr.* trepar a uma árvore.

esguín. *m.* esguim, salmão muito pequeno e tenro.

esguince. *m.* (med.) entorse, distensão violenta duma articulação; movimento feito com o corpo, de esguelha, para evitar uma pancada ou queda; gesto de desgosto ou desdém.

esguízaro, ra. *adj.* e *s.* V. suizo; esguíçaro, suiço.

eslabón. *m.* anel de cadeia; fuzil de pederneira; (zool.) espécie de escorpião; (vet.) eslabão, tumor duro nos joelhos das cavalgaduras.

eslabonador, ra. *adj.* encadeador, que junta os anéis uns aos outros para formar uma cadeia.

eslabonamiento. *m.* encadeamento.

eslabonar. *v. tr.* encadear, acorrentar, ligar os anéis de cadeia; (fig.) enlaçar umas coisas com outras; encadear, unir as partes dum discurso.

eslavismo. *m.* eslavismo; panslavismo.

eslavo, va. *adj.* e *s.* (geog.) eslavo. — eslavo, língua eslava.

eslavófilo, la. *adj.* e *s.* eslavófilo.

eslinga. *f.* (mar.) eslinga; estribo; alça.

eslingar. *v. tr.* (mar.) abraçar como as eslingas, eslingar.

eslora. *f.* (mar.) comprimento do navio tomado pelo convés. — *pl.* madeiros endentados nos vaus para reforçar o assento das cobertas.

eslovaco, ca. *adj.* e *s.* (geog.) eslovaco, pertencente ou relativo à Eslováquia.

Eslovaquia. (geog.) Eslováquia.

Eslovenia. (geog.) Eslovénia.

esloveno, na. *adj.* e *s.* (geog.) esloveno, pertencente ou relativo à Eslovénia.

esmaltador, ra. *s.* esmaltador, pessoa que faz obras de esmalte.

esmaltar. *v. tr.* esmaltar, cobrir com esmalte; esmaltar, abrilhantar, realçar; matizar, aformosear, ilustrar.

esmalte. *m.* esmalte; (fig.) esmalte, brilho, esplendor, adorno, ornato; (heráld.) metal ou cor conhecida na arte heráldica, esmalte; (anat.) esmaltes dos dentes.

esmaltín. *m.* esmalte de cor azul para pintar.

esmaltina. *f.* esmaltina, cobalto arsenical.

esmético, ca. *adj.* detersivo, detergente.

esmectita. *f.* (quim.) esmectite.

esmegma. *m.* (fisiol.) esmegma.

esmerado, da. *p. p.* e *adj.* esmerado, feito com esme(ê)ro; esmerado, que se esmera; corre(c)to; aplicado; aprimorado; apurado; minucioso; perfeito; primoroso.

esmerador. *m.* esmerilhador, polidor, operário que pule pedras ou metais .

esmeralda. *f.* (min.) esmeralda; (zool. Amér.) espécie de enguia: *esmeralda oriental.* V. corindón.

esmerar. *v. tr.* esmerar, polir, limpar, lustrar; cinzelar; aperfeiçoar, apurar. — *v. r.* esmerar-se, esforçar-se por fazer as coisas com perfeição; estremar-se, aperfeicoar-se, obrar com acerto; aprimorar-se; (fig.) desolhar-se.

esmeril. *m.* esmeril, pedra que serve para polir.

esmerilador. *m.* esmerilhador, polidor, operário que pule pedras ou metais.

esmeriladora. *f.* esmeriladeira.

esmerilar. *v. tr.* esmerilhar, esmerilar, polir com o esmeril.

esmerilazo. *m.* canhonaço, tiro de esmeril.

esmero. *m.* esme(ê)ro, grande cuidado em fazer as coisas com perfeição, diligência; esmero, alinho, limpeza, asseio, atilamento; extremo; aprimoramento; desvelo; aplicação; (fig.) afinação; primor; correcção.

esmiláceo, a. *adj.* (bot.) esmiláceo. — *f. pl.* esmiliáceas.

esmirnio. *m.* (bot.) esmírnio, salsa-de-cavalo, cagudes.

esmirriado, da. *adj.* mirriado, fraco. V. desmirriado.

esmoladera. *f.* rebolo, amoladeira, pedra de amolar.

esmuciarse. *v. r.* escorregar-se, escapulir-se, soltar-se das mãos ou doutra parte alguma coisa.

esnob. *adj.* snobe, que tem snobismo.

esnobismo. *m.* snobismo, admiração exagerada por tudo o que está em moda.

esnón. *m.* (mar.) espécie de bergantim.

eso. *pron. dem. neut.* esse, isso; *eso mismo,* isso mesmo; *por eso,* por isso; *¿qué tengo que ver con eso?,* que tenho eu lá como isso?

esofágico, ca. *adj.* (anat.) esofágico.

esofagismo. *m.* (pat.) esofagismo.

esofagitis. *f.* (pat.) esofagite.

esófago. *m.* (anat.) esó(ô)fago.

esofagoscopia. *f.* (med.) esofagoscópia.

esofagostomía. *f.* esofagostomia.

esofagotomía. *f.* (cir.) esofagotomia.

esofagótomo. *m.* esofagótomo.

esópico, ca. *adj.* esópico, pertencente ou relativo a Esopo.

esotérico, ca. *adj.* esotérico; oculto, reservado.

esoterismo. *m.* (filos.) esoterismo.

esotro, tra. *pron. dem.* essoutro, essoutra.

espabiladeras. *f. pl.* espaviladeira. V. despabiladeras.

espabilar. *v. tr.* espavilar, avivar. V. despabilar.

espaciador, ra. *adj.* e *s.* alongador; espacejador.

espaciar. *v. tr.* espaçar, pôr espaço entre as coisas; espacejar; difundir, divulgar; espalhar, espargir; dilatar; (impr.) espacejar; alongar, estender; entrelinhar. — *v. r.* divertir-se, recrear-se, distrair-se; espraiar-se.

espacio. *m.* espaço, extensão indefinida; firmamento; espaço, capacidade, extensão; espaço, intervalo de tempo; demora, lentidão, dilação; espaço, distância; (impr.) espaço; recreio, divertimento; (poét.) espaço, a amplidão, a imensidade; (mús.) espaço, intervalo na pauta musical; *espacio intermedio,* entremeio; *espacio en un escrito,* mela; *grande espacio de tiempo,* (Bras.) tempão.

espaciosidad. *f.* espaço, largura, amplidão, capacidade.

espacioso, sa. *adj.* espaçoso, largo, amplo, dilatado; lento, vagaroso, pausado; extenso; aberto; estendido; desabafado.

esparruchar. *v. tr.* V. despachurrar.

espada. *f.* espada, arma branca; espada; pessoa hábil no seu manejo; espadilha, ás de espadas; (ictiol.) peixe-espada; (taur.) espada, toureiro que mata com a espada. — *pl.* espadas, naipe do jogo de cartas: *entre la espada y la pared*, em transe difícil, entre a espada e a parede; (fig.) diz-se dum processo ou meio que, empregado, pode produzir ao mesmo tempo dois efeitos contrários; *entregar la espada* (fig.) render-se; *echar su cuarto a espadas* (pop.) dizer a própria opinião; *primer espada* (pop.) diz-se da pessoa muito importante na sua profissão; *espada de Damocles*, espada de Damocles, ameaça persistente dum perigo; (burl.) durindana; *espada de hoja ondulala*, colubrina; *estar entre la espada y la pared*, estar entre a cruz e a água ou entre o martelo e a bigorna; *poner a alguien entre la espada y la pared*, (fig.) pôr o baraço na garganta a alguém.

espadachín. *m.* espadachim, brigão, duelista; que afecta valentia; acutilador, fanfarrão.

espadador, ra. *s.* espadelador, pessoa que espadela; tasquinhador, tasquinha.

espadaña. *f.* (bot.) espadana; (arq.) campanário piramidal para se suspenderem os sinos.

espadañada. *f.* espadanada, golfada de sangue pela boca; (fig.) abundância, cópia.

espadañal. *m.* espadanal, lugar húmido onde crescem espadanas.

espadañar. *v. tr.* abrir a ave, em leque, as penas da cauda.

espadar. *v. tr.* espadelar, espadar, estomentar, tosar o linho.

espadarte. *m.* (ictiol.) espadarte.

espaderia. *f.* fábrica ou oficina de espadeiro, lugar onde se fabricam ou vendem espadas.

espadero. *m.* espadeiro, fabricante ou vendedor de espadas; alfageme.

espádice. *m.* (bot.) espadice.

espadilla. *f.* espadinha, espadim; espadela, palheta de espadelar o linho; espadela, remo que substitui o leme em embarcações pequenas; rebeca, no jogo do bilhar; espadilha, ás de espadas das cartas de jogar; insígnia da Ordem de Santiago; agulha grande de marfim ou metal; (bot.) espadana.

espadillado, da. *p. p.* e *adj.* espadelado. — *m.* espadelada, acção de espadelar.

espadillar. *v. tr.* espadelar, estomentar. V **espadar.**

espadín. *m.* espadim, faim; (istiol.) espadilha, petinga, espécie de sardinha.

espadón. *m.* espadão; (fig. e fam.) personagem de elevada jerarquia militar; fanfarrão.

espadón. *m.* eunuco, capado, castrado.

espadrapo. *m.* V. **esparadrapo.**

espagírica. *f.* espagíria, espagírica, designação antiga da Química; arte de depurar os metais.

espagírico, ca. adj. espagírico.

espahí. *m.* soldado da cavalaria turca; soldado da cavalaria francesa da Argélia.

espalar. *v. tr.* apartar com pás a neve do chão.

espalda. *f.* (anat.) espalda, costas, ombro, espádua; (Bras.) — *pl.* costas; avesso, invés, costas, parte posterior duma coisa; (fig.) gente, e, particularmente, corpo armado que vai detrás dalguém para protegê-lo, guarda-costas.

espaldar. *m.* espaldar, costas da cadeira; latada para plantas trepadoiras; espaldar, peça da armadura que cobria o ombro; (zool.) costas, parte superior da couraça dos répteis. — *pl.* colgaduras, tapiçarias que se colocavam nas paredes para formar frisos, espaldares.

espaldarazo. *m.* espadeira, pancada dada com a espada; espaldeirada, pancada dada nas costas.

espaldarcete. *m.* espaldar, peça da armadura antiga que só cobria a parte superior das costas.

espaldarón. *m.* espaldar, espaldeira do corselete, peça da armadura antiga que cobria e defendia as costas.

espaldear. *v. tr.* (mar.) espaldear, investir o mar com ímpeto contra a popa das embarcações.

espalder. *m.* espaldeiro, remador que ia de costas na popa das galés.

espaldera. *f.* (agr.) espaldeira, renque de árvores junto duma parede.

espaldilla. *f. dim.* de *espalda*. V. **omoplato**; omoplata; quartos traseiros do gibão; decúbito, quarto dianteiro dalgumas reses; (zool.) pá.

espalditendido, da. adj. (fam.) espernegado, estendido, deitado de costas, de barriga para o ar.

espaldón. *m.* encinho; (mil.) espaldão, espécie de trincheira.

espaldonarse. *v. r.* (mil.) cobrir-se do fogo inimigo, ao abrigo dum obstáculo natural.

espaldudo, da. adj. espadaúdo, de espáduas largas.

espalera. *f.* espaldeira, latada; renque de árvores junto duma parede.

espalmador. *m.* V. **despalmador**, doca, dique.

espalmadura. *f.* aparas dos cascos dos animais.

espalmar. *v. tr.* V. **despalmar**; desrelvar; (mar.) calafetar, espalmar; (vet.) despalmar.

espalto. *m.* (pint.) cor escura e transparente, para veladuras.

espantable. adj. V. **espantoso**; espantoso, espantável.

espantada. *f.* fuga repentina dum animal; desistência súbita ocasionada pelo medo; arrancada: *dar una espantada*, fugir de arrancada.

espantadizo, za. adj. espantadiço, que se espanta fàcilmente; arisco; aragano; assustadiço; assombrado, assombradiço.

espantado, da. *p. p.* e adj. espantadiço, assombrado; azabumbado; asarapantado; estarrecido; ató(ô)nito; despavorido; alvoroçado; aterrorado; (Bras.) afuazado; (Bras. Sur) abagualado.

espantador, ra. adj. espantador; alvoroçador (Amér.) V. **espantadizo**; espantadiço, diz-se do cavalo.

espantajo. *m.* espantalho, boneco para afugentar as aves; (fig.) qualquer coisa que infunde medo sem prejudicar; (fig. e fam.) pessoa desprezível e incómoda; coca.

espantamoscas. *m.* V. mosquero; mosqueiro, espécie de rede que se põe ao cavalo.

espantapájaros. *m.* espantalho, boneco para afugentar as aves; bate-bate.

espantar. *v. tr.* espantar, causar espanto, assustar, amedrontar, fazer fugir dalguma parte alguém ou algum animal; espantar; aterrar, aterrorar; atemorizar; aturdir; apavorar; alvoroçar; despavorir; azabumbar; exterrecer; estarrecer; fugar, afugentar; assustar; estranhar. — *v. r.* espantar-se; admirar-se; maravilhar-se; assombrar-se; assustar-se

espanto. *m.* espanto, pavor, terror; assombro, consternação; ameaça para infundir medo; doença causada pelo espanto; fantasma, aparição; aterramento; desaco(ô)rdo; alvoro(ô)ço; assarapantamento; estranheza; assombro; assombramento.

espantoso, sa. *adj.* espantoso; espantável; que causa espanto; maravilhoso; assombroso; pasmoso; estupendo; inaudito; estranho; formidável.

español, la. *adj.* e *s.* (geog.) espanhol; natural da Espanha; pertencente a esta nação. — *m.* espanhol, língua espanhola.

españolada. *f.* espanholada, a(c)ção ou dito próprio de espanhóis.

españolado, da. *adj.* espanholado, estrangeiro que tem aspecto espanhol, tirante a espanhol.

españolar. *v. tr.* e *r.* V. españolizar; espanholizar, espanholar.

españolería. *f.* V. españolada; espanholada.

españoleta. *f.* espanholeta, baile antigo espanhol; gal. por *falleba.*

españolismo. *m.* espanholismo, amor, apego às coisas de Espanha; V. hispanismo; espanholismo; locução própria da língua espanhola.

españolización. *f.* espanholização.

españolizar. *v. tr.* V. castellanizar; castelhanizar. *v. r.* espanholizar-se, espanholar-se, imitar os costumes espanhóis.

esparadrapo. *m.* esparadrapo, emplasto que se coloca sobre feridas.

esparavel. *m.* esparavel, tarrafa, rede de pescar; talocha; trolha, tábua ou pá com a cal e a areia de que se vai servindo.

esparciata. *adj.* e *s.* V. espartano.

esparcido, da. *adj.* e *p. p.* (fig.) festivo, franco, no trato, alegre; divertido; derramado.

esparcidor, ra. *adj.* e *s.* espargidor, que esparge; alastrador.

esparcidora. *f.* (bot.) alastradeira.

esparcimiento. *m.* espargimento, expansão; franqueza no trato, alegria; entretenimento; derramação; alastramento; (pop.) entretém.

esparcir. *v. tr.* espargir, derramar, espalhar; separar; achocalhar; desparzir; alastrar; (fig.) desanojar; (fig.) divulgar, publicar; difundir uma notícia. — *v. r.*

divertir, desafogar; divertir-se; distrair-se.

esparragado. *m.* esparregado, guisado feito com espargos.

esparragador, ra. *s.* espargador, pessoa que cuida dos espargos.

esparragamiento. *m.* a(c)ção e efeito de *esparragar.*

esparragar. *v. tr.* esparger, apanhar espargos ou cuidar deles.

espárrago. *mb.* (bot.) espargo, planta liliácea comestível; estaca de toldo ou de barraca; madeira que se usa em andaimes: *vete a freír espárragos* (fam.) vá plantar batatas, vá à fava.

esparragón. *m.* esparragão, tecido de seda, que se usava nos forros dos vestidos.

esparraguera. *f.* prato de forma adequada onde se servem espargos; (agr.) espargueira, esparragueira, terreno ou horta onde se cultivam espargos; (bot.) espargo, planta.

esparraguero, ro. *s.* V. esparragador; pessoa que vende espargos.

esparraguina. *f* fosfato de cal cristalizado de cor verde.

esparrancado, da. *p. p.* e *adj.* escanchado, diz-se de quem anda com as pernas muito abertas.

esparrancarse. *v. r.* (fam.) escanchar-se, andar como as pernas escanchadas ou muito abertas.

espartal. *m.* (agr.) V. espartizal; espartal.

espartano, na. *adj.* e *s.* (geog.) espartano, natural ou pertencente a Esparta.

esparteína. *f.* (med.) esparteína, alcalóide líquido extraído do esparto.

esparteña. *f.* espartenha, alpercatas feitas com esparto; V. algorga e alpargata; alpercata, sandália.

espartereño, ña. *s.* V. espartero.

espartería. *f.* esparteria, oficina ou loja onde se fazem ou vendem obras de esparto; ofício de esparteiro.

espartero, ra. *s.* esparteiro, que faz ou vende esparto: *trabajo de espartero,* empreitada.

espartilla. *f.* pequeno rolo de esparto ou de esteira, que serve de brossa para limpar cavalgaduras.

espartizal. *m.* (agr.) espartal, campo onde se cria o esparto.

esparto. *m.* (bot.) esparto, planta graminea com cujos caules se fabricam esteiras, capachos, cordas, pasta para papel, *hacer trabajos de esparto,* empreitar.

esparvar. *v. tr.* V. emparvar; engavelar, enfeixar o trigo.

esparvel. *m.* (zool.) V. gavilán, e esparvel; ave de rapina; (prov.) esparavel, tarrafa, rede para pescar; (prov. fam.) pessoa alta e fraca.

espasmático, ca. *adj.* relativo ao espasmo.

espasmo. *m.* V. pasmo; esfriamento que causa defluxo, nos dos ossos; espasmo, doença pela contracção involuntária dos músculos; (fig.) êxtase, delíquio.

espasmódico, ca. *adj.* (med.) espasmódico; pertencente ou relativo ao espasmo: *que cae en espasmos*, (med.) extático; *tener espasmos*, fremir.

espástico, ca. *adj.* (pat.) espasmódico.

espata. *f.* (bot.) espata, invólucro membranoso, que protege a espiga dalgumas plantas.

espato. *m.* espato, nome de vários minerais de estrutura lamelosa; carbonato de cal cristalizado.

espátula. *f.* espátula, espécie de faca pequena de madeira, metal ou marfim para abrir livros, empalmar e amolecer preparações farmacêuticas; mexedos; (zool.) género de aves pernaltas, colhereiro: *espátula de pintura*, colhedeira; *espátula de albañil, para pintar y estucar*, colherim.

espatulado, da. *adj.* de forma de espátula.

espatular. *adj.* (zool.) espatular.

espatulomancía. *f.* adivinhação pelos ossos dos animais.

espaviento. *m.* V. **aspaviento;** espavento.

espavilar. *v. tr.* V. **despavilar.**

espavorido, da. *adj.* V. **despavorido;** espavorido, apavorado.

espavorizarse. *v. r.* despejar-se, espargir-se. V. **despejarse.**

especería. *f.* V. **especiería;** especiaria; qualquer droga aromática com que se adubam iguarias.

especie. *f.* espécie, substância, condimento, especiaria.

especial. *adj.* especial, singular, particular; especial, adequado a algúm efeito; destinado a um fim; especial, peculiar, particular; exclusivo a uma pessoa ou coisa; superior, distinto; individual, estranho. — *loc. adv.* em especial, particularmente: *favor especial*, benção.

especialidad. *f.* especialidade, particularidade, singularidade; especialidade, ramo da ciência ou da arte a que se consagra uma pessoa; coisa superior, distinta; (farm.) medicamento que tem o nome do inventor.

especialista. *s.* e *adj.* especialista, diz-se da pessoa que se dedica com particularidade a certo estudo ou arte.

especialización. *f.* especialização; mensão especial.

especializarse. *v. r.* especializar-se, cultivar com especialidade um ramo determinado da ciência ou arte.

especie. *f.* espécie, conjunto de coisas semelhantes; classe; lote; imagem, ideia dalgum objecto que se representa na alma; caso, sucesso, assunto, negócio; qualidade, condição, espécie; tema, notícia; espécie, condimento; pretexto, aparência, cor; (hist. nat.) conjunto de indivíduos da mesma natureza e caracteres idênticos; (mús.) cada uma das vozes na composição; (aritm.) quantidade da mesma natureza; (teol.) aparência do pão e do vinho depois da transubstanciação.

especieria. *f.* especiaria conjunto de espécies; comércio de especiarias.

especiero, ra. *s.* especieiro, especieira, pessoa que vende especiarias; armário pequeno para guardar espécies.

especificación. *f.* especificação; expressão; individuação; descrição circunstanciada; pormenorização.

especificado, da. *adj.* especificado, que se especificou; pormenorizado; individualizado.

especificar. *v. tr.* especificar, indicar a espécie, especializar; explicar, declarar, descrever com individualidade; determinar; individualizar; enumerar; particularizar.

especificativo, va. *adj.* especificativo, que especifica; determinativo.

específico, ca. *adj.* específico; especial; exclusivo; expresso. — *m.* (med.) específico, medicamento especial; remédio para determinada doença.

espécimen. *m.* espécime, espécimen, modelo, amostra, exemplar, exemplo.

especioso, sa. *adj.* especioso, de boa aparência, formoso; perfeito, lindo; (fig.) ilusório, enganador; delicado.

especiota. *f.* (fam.) boato, notícia exagerada; argumento ridículo ou estranhável.

espectacular. *adj.* pertencente ou relativo ao espectáculo; estranho, escandaloso; estrondoso; formoso, grandioso, pomposo; ostentoso.

espectáculo. *m.* espe(c)táculo, função ou diversão pública; espectáculo, perspectiva, o que se oferece à vista ou à contemplação; a(c)ção que causa escândalo ou estranheza; contemplação; representação teatral; cena; (pop.) escândalo.

espectador, ra. *adj.* e *s.* espe(c)tador; testemunha ocular; observador; circunstante.

espectral. *adj.* (fís.) espe(c)tral, pertencente ou relativo ao espectro solar; espectral, que tem carácter de fantasma.

espectro. *m.* espe(c)tro, imagem, sombra fantástica; (fís.) espectro; (fig.) espectro, pessoa macilenta e cadavérica; aparição: *espectro solar*, espectro solar.

espectrografía. *f.* espe(c)trografía, espectroscopia.

espectrógrafo. *m.* (fís.) espe(c)trógrafo.

espectrología. *f.* (fís.) espe(c)trología.

espectrometría. *f.* (fís.) espe(c)trometria.

espectrométrico, ca. *adj.* (fís.) espe(c)trométrico.

espectrómetro. *m.* (fís.) espe(c)tró(ô)metro.

espectroscopia. *f.* (fís.) espe(c)troscopia.

espectroscópico, ca. (fís.) espe(c)troscópico.

espectroscopio. *m.* espe(c)troscopio.

especulación. *f.* especulação, exploração; investigação teórica; exame; estudo; empreendimento comercial, ágio, operação comercial para obter lucro, negócio; especulação, vida contemplativa, meditativa.

especulador, ra. *adj.* e *s.* especulador; agiota; arranjista; mercantil; interesseiro; teórico.

especular. *v. tr.* especular, observar, indagar, considerar atentamente, examinar com curiosidade; (fig.) meditar, contemplar, reflexionar. — *v. intr.* especular, comerciar, traficar; procurar proveito fora do tráfego mercantil; negociar; estudar ,meditar; explorar; agiotar.

especular. *adj.* diáfano, transparente.

especulativa. *f.* especulativa, faculdade da alma para especular alguma coisa.

especulativo, va. *adj.* especulativo, teórico; interesseiro; contemplativo.

espéculo. *m.* (cir.) espéculo.

espejar· *v. tr.* V. despejar.

espejear. *v. intr.* reluzir, esplender, resplandecer, espelhar.

espejo. m. miragem. V. espejismo.

espejería. *f.* espelharia, loja onde se vendem espelhos.

espejero. *m.* espelheiro, fabricante ou vendedor de espelhos.

espejismo. *m.* miragem, ilusão de óptica; (fig.) ilusão.

espejo. *m.* espelho, superfície brilhante que reflecta a luz; (fig.) modelo, exemplo.

espejuela. *f.* (equit.) arco do bocado (parte do freio).

espejuelo. *m.* espelhinho, pequeno espelho; espelhim, gesso branco de aparência lustrosa; folha de talco; instrumento com espelho para caçar codornizes ou calhandras; borra dos favos de mel; doce seco, abóbora coberta; excrescência córnea nas pernas das cavalgaduras. — *pl.* óculos.

espeleología. *f.* espeleologia.

espeleológico, ca. *adj.* espeleológico.

espeleólogo, ga. *s.* espeleologista, espeleólogo.

espelunca. *f.* espelunca, gruta, caverna, concavidade tenebrosa.

espeluzar. *v. tr.* esguedelhar. V. despeluzar.

espeluzamiento. *m.* desgrenhamento. V. despeluzamiento.

espeluznante. *p. a.* e *adj.* arripiante, que faz eriçar o cabelo, horrível, terrível.

espeluznar. *v. tr.* arripiar, eriçar o cabelo. — *v. r.* assustar-se, amedrontar-se, horrorizar-se, arripiar-se.

espeluzno. *m.* (fam.) escalafrio, calafrio, estremecimento.

espeque. *m.* espeque, escora, apoio; (mil.) espécie de alavanca; forção; bimbarra.

espera. *f.* espera, aviamento, demora, dilação; calma, faculdade de saber-se conter; lugar onde se espera a caça, espera; (artil.) espera, antiga peça de pouco alcance; (carp.) espera, espigão, espiga que serve para encontrar ou impedir o movimento doutro: *a la espera*, a-la-mira; *en contra de lo que se espera*, contra as aparências; *sala de espera*, antecâmara.

esperantista. *s.* esperantista.

esperanto. *m.* esperanto.

esperanza. *f.* esperança, confiança em obter o que se pretende; esperança, uma das virtudes teologais; expectação; expectativa; atença; futuridade: *esperanza frustrada*, (fig.) fumo; *esperanza vana*, (fig.) sentinela perdida; *sin esperanza*, derrivado da esperança, desauciado; *última esperanza*, (fig.) âncora sagrada; *hacer concebir esperanzas*, entreter, auspicar; *frustrarse las esperanzas*, ficar chuchando no dedo; *perder las esperanzas*, (fig.) ficar aquém d'água.

esperanzador, ra. *adj.* esperançoso, prometedor, animador, auspicioso.

esperanzar. *v. tr.* esperançar, dar esperança; animar. — *v. intr.* ter esperança; confiar.

esperar. *v. tr.* e *intr.* esperar, ter esperança; esperar, crer que há-de suceder alguma coisa; esperar, estar à espera, contar com, aguardar; esperar, ser iminente ou estar imediata alguma coisa; manter-se em espectativa; dar tempo a: *hambre y esperar hacen rabiar*, a boca não admite fiador; *cuando menos se esperaba*, (fam.) no melhor da festa; *sin esperar a más*, sem mais esperar.

esperezarse. *v. r.* V. *desperezarse*, espreguiçar-se.

esperezo. *m.* espreguiçamento.

esperma. *f.* esperma, sé(ê)men, licor seminal; (Bras.) porra: *esperma de ballena*, espermacete.

espermacetí. *m.* (quím.) espermacete.

espermático, ca. *adj.* espermático, seminal.

espermatina. *f.* (fisiol.) espermatina.

espermatocele. *m.* (pat.) espermatocele.

espermatófago, ga. *adj.* (zool.) espermatófago.

espermatofitas. *f. pl.* espermatófitas.

espermatografía. *f.* (bot.) espermatografia.

espermatográfico, ca. *adj.* (bot.) espermatográfico.

espermatología. *f.* espermatologia.

espermatológico, ca. *adj.* espermatológico.

espermatorrea. *f.* (pat.) espermatorre(ê)ia.

espermatosis. *f.* (pat.) espermatose.

espermatozoario. *m.* (fisiol.) espermatozoário.

espermatozoide. *m.* (fisiol.) espermatozóide.

espermatozoo. *m.* (zool.) V. zoospermo; filamento espermático.

espernancarse. *v. r.* escarranchar-se. V. esparrancarse.

esperón. *m.* (mar.) esporão, beque, remate da proa dum navio. V. espolón.

esperonte. *m.* (fort.) esporão, contraforte.

esperpento. *m.* (fam.) espantalho, pessoa notável pela sua fealdade; desatino; absurdo.

espertar. *v. tr.* (pop.) V. despertar.

espesar. *v. tr.* espessar, tornar espesso, condensar, apertar; coagular; densar; engrossar. — *v. r.* espessar-se, juntar-se, unir-se, apartarem-se umas coisas com outras, cerrar-se; tornar-se basto.

espesar. *m.* parte do monte mais povoada de árvores.

espesativo, va. *adj.* diz-se do que é próprio para espessar ou condensar.

espeso, sa. *adj.* espe(ê)sso, denso, cerrado; corpulento, maciço; espesso, amiudado, continuado, repetido; basto, bastidão; frondente, frondoso (folhas); (fig.) engordurado, sujo; (Amér.) maçador, impertinente, importuno.

espesor. *m.* espessura, grossura dum sólido; densidade ou condensação dum fluido; consistência; solidez; imundícia, porcaria; (poét.) espessura, mata espessa, bosque cerrado.

espesura. *f.* espessura, qualidade de espesso; copagem; densidade, densidão; frondosidade, fragosidade; (fig.) cabeleira muito espessa; mata cerrada; desasseio, imundície, porcaria.

espetar. *v. tr.* espetar, atravessar, enfiar no espeto, cravar, atravessar; (fig. e fam.) pespegar, impingir.— *v. r.* ensoberbecer--se, afectando gravidade, inchar-se; (fig. e fam.) encaixar-se, assegurar-se, afiançar-se.

espetera. *f.* cabide para pendurar carne; (fig.) e (vulg.) V. **pechos de mujer;** bateria de cozinha.

espetón. *m.* espeto, utensílio de ferro para assar; ferro para atiçar o fogo; alfinete grande; (ictiol.) V. **aguja;** (prov.) pendão grande que se leva nas procissões; espetada, golpe com o espeto.

espía. *s.* espião, espia, pessoa que observa o que se passa; (fig.) sentinela; espreitador; agente secreto; espiador, esculca.

espiar. *v. tr.* espiar, espionar, espreitar, cocar, estar a coca; indagar como espião.

espibia. *f.* (vet.) torcedura lateral do pescoço duma besta.

espibio, espibión. *m.* (vet.) V. **espibia.**

espica. *f.* (Cir.) venda, ligadura.

espiciforme. *adj.* (bot.) espiciforme, que tem a forma de espiga.

espich. *m.* (do inglês) espiche, fala, discurso, peroração.

espichar. *v. tr.* V. **pinchar;** picar. — *v. intr.* (fam.) espichar, morrer.— *v. r.* (Amér.) enfraquecer, emagrecer.

espiche. *m.* espicho, arma ou instrumento pontiagudo, furador; espicho, pau aguçado para tapar um buraco, numa vasilha.

espichón. *m.* ferida feita com o espicho, ou com uma arma pontiaguda.

espiga. *f.* (bot.) espiga, parte das gramíneas que contém o grão; espia, espigão, parte duma peça que entra no furo doutra; prego pequeno e sem cabeça; espoleta das bombas ou granadas; parte superior da espada; parte mais estreita duma escada em espiral; uma das velas da galera; badalo de sino (prov.) prenda oferecida pelos convidados à noiva no dia do casamento; (Amér.) chavelha, peça de pau que se mete no cabeçalho do carro junto à cangas, mata--boi; flores dispostas em forma de espiga ao longo duma haste; a aresta de um monte de um muro; película levantada junto à raiz das unhas; (pop.) contratempo, prejuízo; maçada; logro; (fig.) entalação: *espiga de mastelero,* mecha; *espiga de maiz,* (bot.) maçaroca.

espigadera. *f.* V. **espigadora,** espigueira, respigadeira.

espigadilla. *f.* V. **cebadilla;** cevadilha, planta melantácea.

espigado, da. *adj.* e *p. p.* espigado, diz-se da arvore nova de tronco muito elevado; espigoso, em forma de espiga; (fig.) alto, crescido de corpo. (pop.) logrado, prejudicado.

espigador, ra. *s.* respigador, respigadeira, pessoa que respiga.

espigar. *v. tr.* respigar, apanhar as espigas depois da ceifa; (fig.) compilar, coligir, apanhar aqui e ali; (mar.) enfiar masta-

réus na pega; (carp.) espigar, fazer a espiga nas madeiras que hão-de entrar noutras. — *v. intr.* (fig.) desenvolver-se. (agr.) espigar. — *v. r.* crescerem demasiadamente algumas hortaliças, espigar; crescer muito uma pessoa, espigar; (prov.) dar uma oferenda à noiva no dia do casamento.

espigo. *m.* espiga, parte duma peça que entra no furo doutra; (prov.) bico de metal de que é provido o pião e sobre o qual este gira.

espigón. *m.* espigão; aguilhão; ferrão, espigão; ponta de instrumento, pua; cumeeira, espigão; espiga, maçaroca de milho; espigão, construção obliqua para desviar uma corrente; espiga áspera; ferrão, espiga das unhas.

espiguear. *v. intr.* (Amér.) mover o cavalo a cauda sacudindo-a de cima para baixo.

espigueo. *m.* acção de respigar, despiga; tempo ou época de respigar.

espiguilla. *f.* espiguilha, renda estreita e dentada; espigueta, cada uma das espigas pequenas que formam na principal nalgumas plantas; flor do álamo.

espin. *m.* (zool.) V. **puerco espín;** porco-espinho; (mil.) formação da antiga milícia, semelhante ao quadrado.

espina. *f.* espinho, substância delgada e aguda num lenho; qualquer pico vegetal; espinho, pua agugada e pequena; espinha, parte dura e pontiaguda que têm os peixes; espinha, muro no circo romano; (fig.) escrúpulo, receio, suspeita, espinho; escrúpulo; pesar íntimo e constante; nome de certas borbulhas do rosto; (artil.) peça de ferro em cujo cabo de madeira uns anilhos se ligam a cadeia de suspensão; coluna vertebral; osso de peixe.

espinaca. *f.* (bot.) espinafre; (Bras.) armolão.

espinadura. *f.* picada, ferida produzida por espinhos.

espinal. *adj.* espinal, espinhal, pertencente à espinha ou ao espinhaço.

espinar. *m.* espinhal, mata de espinheiros; (fig.) dificuldade, embaraço, enredo.

espinar. *v. tr.* espinhar, picar ou ferir com espinhos; envolver as árvores com espinhos a fim de as proteger; (fig.) ferir e ofender com palavras picantes, magoar. — *v. r.* (pop.) agastar-se, irritar-se, susceptibilizar-se.

espinazo. *m.* espinhaço, espinha dorsal; coluna vertebral; conjunto das vértebras que no tronco dos mamíferos vão desde a nuca até ao cóccix e nas aves até ao uropígio; fecho de uma abóbada, de um arco; espinhaço; dorso, costas; serrania: *doblar el espinazo,* humilhar-se servilmente.

espinel. *m.* espinhel, linha para pescar, com anzóis dispostos em espinha.

espinela. *f.* (min.) espinel, espinela, rubim pouco cintilante; (poét.) V. **décima;** décima, combinação métrica.

espíneo, a. *adj.* espíneo, que tem espinhos, que é feito de espinhas ou pertencente a elas.

espinera. *f.* (bot.) V. **espino;** espinheiro.

620

espinescente. *adj.* (bot.) coberto de espinhas, espinhoso.

espineta. *f.* (mús.) espineta, antigo instrumento musical.

espingarda. *f.* espingardão, peça antiga de artilharia de pequenas dimensões, arcabuz; escopeta muito comprida, usada pelos mouros; mulher alta e magra.

espingardada. *f.* espingardada, tiro de espingarda; ferida por tiro de espingarda.

espingardería. *f.* espingardaria, conjunto de espingardas; espingardaria, troço de gente armada de espingardas.

espingardero. *m.* espingardeiro, soldado armado de espingarda.

espinífero, ra. *adj.* espinhoso, que tem espinhas.

espinilla. *f.* dim. de espina; tibia, o mais grosso dos dois ossos da perna; borbulha da pele.

espinillera. *f.* caneleira, peça de armadura antiga que cobria a tíbia; caneleira, peça que cobre a tíbia dos operários ou dos jogadores.

espinochar. *v. tr.* desfolhar o milho.

espinoso, sa. *adj.* espinhoso, que tem espinhos; (fig.) árduo, difícil, intrincado, delicado, tormentoso; assunto espinhoso, coisa de costa arriba.

espinudo, da. *adj.* (Amér.) V. **espinoso.**

espínula. *f.* espinho pequeno.

espinuloso, sa. *adj.* espinhoso.

espiocha. *f.* espécie de alvião ou picareta;

espión. *m.* V. **espía;** espião, pessoa que espia.

espionaje. *m.* espionagem, acção de espiar; ofício de espião; conjunto de indivíduos que espionam.

espionar. *v. tr.* V. **espiar;** espiar.

espira. *f.* (arq.) espira, base duma coluna; (germ.) espira, cada uma das voltas da espiral; (hist. nat.) espira, conjunto das voltas que apresentam algumas conchas univalves.

espiración. *f.* espiração, exalação.

espirador, ra. *adj.* espirante, que espira; (zool.) diz-se dos músculos que servem para a espiração.

espiral. *adj.* espiral, pertencente à espira; que tem forma de espira ou de caracol. — *f.* (geom.) curva não fechada que se afasta cada vez mais do seu ponto de partida, fazendo certo número de revoluções em volta desse ponto; linha curva que dá volta em forma de caracol; mola de aço no centro do volante dum relógio; circunvolução.

espiramento. *m.* sopro, bafo; (rel.) Espírito Santo; (for.) espiração, termo, fim de prazo.

espirar. *v. tr.* espirar, exalar bom ou mau cheiro; infundir espírito; animar; (teol.) produzir o Pai e o Filho, por meio do Seu amor recíproco, o Espírito Santo; soprar. — *v. intr.* respirar, estar vivo; alentar, tomar alento; expelir o ar aspirando; (poét.) bafejar, soprar docemente o zéfiro.

espirativo, va. *adj.* (teol.) espirativo, que pode espirar ou que tem esta propriedade.

espirilo. *m.* espirilo, bactéria filamentosa.

espiritado, da. *adj.* endemoninhado; (fam.) diz-se da pessoa magríssima; arreptício.

espiritar. *v. tr.* V. **endemoniar;** espiritar, endemoninhar; (fig. e fam.) comover, agitar, espiritar; (fig.) tornar endiabrado, inquieto, travesso. — *v. r.* tornar-se travesso, inquieto.

espiritismo. *m.* espiritismo, doutrina dos que supõem estar em comunicação com os espíritos dos mortos.

espiritista. *s.* espiritista, pessoa que segue a doutrina do espiritismo; espírita.

espiritoso, sa. *adj.* espirituoso, vivo, animoso; que contém muito espírito e é fácil de exalar-se; que tem graça; atilado.

espíritu. *m.* espírito, ser imaterial dotado de razão; alma racional; dom sobrenatural; virtude, ciência mística; vigor natural e virtude que alenta e fortifica o corpo; alento vital; inteligência, pessoa inteligente; mente; fantasia; aptidão para; tendência própria e característica; cará(c)ter; sentido, significado; espírito, fantasma; destemor; duendes, demónio; capacidade, sentimento; imaginação; sentido, hábito; parte volátil dum líquido, álcool.

espiritual. *adj.* espiritual, pertencente ou relativo ao espírito; ascético, místico, devoto, incorpóreo: *postración espiritual* abatimento de espírito.

espiritualidad. *f.* espiritualidade, natureza e condição de espiritual; (teol.) todo o que tem por objecto a vida espiritual; misticismo.

espiritualismo. *m.* espiritualismo, doutrina filosófica que admite a existência de Deus como base das suas afirmações; tendência da alma a viver de uma vida espiritual.

espiritualista. *adj.* e *s.* espiritualista, pessoa que segue o espiritualismo.

espiritualización. *f.* espiritualização; interpretação em sentido espiritual.

espiritualizar. *v. tr.* espiritualizar, converter em espírito; considerar como espiritual o que é corpóreo; (fig.) subtilizar, emagrecer, atenuar, reduzir; dar um espírito, uma alma a; (ant.) destilar; (fam.) animar, excitar; interpretar alegoricamente. — *v. r.* despir-se das paixões carnais; embriagar-se; angelizar-se.

espirituosidad. *f.* espirituosidade, de modo espirituoso, com graça; força espirituosa dum líquido.

espirituoso, sa. *adj.* V. **espiritoso;** espirituoso; forte, (diz-se do vinho).

espirometría. *f.* (med. e fisiol.) espirometria.

espirométrico, ca. *adj.* espirométrico.

espirómetro. *m.* anapnógrafo.

espiroqueta. *f.* (bacter.) espiroqueta.

espita. *f.* torneira (de pipa ou tonel); medida dum palmo; (fig. e fam.) pessoa que bebe muito vinho, beberrão.

espitar. *v. tr.* embatocar, pôr batoque em; batocar, colocar uma torneira numa vasilha.

espito. *m.* estendedor, pau comprido usado nas fábricas de papel, para dependurar ou secar o papel.

esplácnico, ca. *adj.* (anat.) pertencente ou relativo às vísceras ou entranhas.

esplacnografía. *f.* esplacnografia.

esplacnográfico, a. *cadj.* esplacnográfico.

esplacnología. *f.* (anat.) esplacnologia.

esplacnológico, ca. *adj.* esplacnológico.

esplendente. *adj.* e *p. a.* esplendente, que esplende, resplendente.

esplender. *v. intr.* (poét.) V. **resplandecer;** esplender, resplender, brilhar.

esplendidez. *f.* esplendidez, esplendideza, que é esplêndido, esplendor, esplendidez, desprendimento; luzimento, magnificência; magnanimidade.

espléndido, da. *adj.* esplêndido, liberal, ostentoso; esplêndido, que brilha intensamente; magnificente, admirável; brilhante, luzente; (fig.) luxuoso; grande; magnífico; esplêndido, formoso; deslumbrante; lúcido; suculento; lustroso; luxuoso; aparatoso.

esplendor. *m.* esplendor, fulgor; (fig.) nobreza, lustre; esplendor, auréola; efulgência; magnificência; lume; lustradela; luz; luzimento; fulgência; fulgor; deslumbramento; (fig.) aparato; cintilação; (fig.) lustre, luxo; luzeiro: dar esplendor, abrilhantar; época de máximo esplendor, período áureo.

esplendoroso, sa. *adj.* esplendoroso, deslumbrante; magnificente.

esplénico, ca. *adj.* esplé(ê)nico, pertencente ou relativo ao baço. — *m.* esplénico.

esplenio. *m.* (anat.) esplé(ê)nio.

esplenectomía. *f.* (cir.) esplenectomia.

esplenitis. *f.* (pat.) esplenite.

esplenocele. *m.* (pat.) esplenocele.

esplenografía. *f.* (med.) esplenografia.

esplenología. *f.* (med.) esplenologia.

esplenoncia. *f.* (pat.) esplenoncia.

esplenopatía. *f.* (pat.) esplenopatia.

esplenotomía. *f.* (cir.) esplenotomia.

esplicaderas. *f. pl.* (form.) forma de expresão, maneira duma pessoa se expressar V. **explicaderas.**

espliego. *m.* (bot.) alfazema.

esplín. *m.* hipocondría, humor melancólico.

esplique. *m.* armadilha para apanhar pássaros; (prog.) facilidade de palavra.

espolada. *f.* esporada, picada com espora: *espolada de vino.* (fig. e fam.) trago de vinho.

espolazo. *m.* esporada, V. **espolada.**

espoleadura. *f.* ferida feita com a espora; (fig.) estimulação, estímulo.

espolear. *v. tr.* esporear, esporar, picar com a espora; dar asas; (fig.) avivar, estimular, incitar, excitar, incentivar, fustigar, acicatar; aguilhoar.

espolín. *m.* esporim, espora pequena; espora fixa no tacão da bota; (bot.) espécie de planta gramínea.

espolín. *m.* espolim, lançadeira para fazer flores em tecidos; brocado de seda.

espolinar. *v. tr.* espolinar, tecer com espolim.

espolio. *m.* espólio, conjunto dos bens da mitra que ficam ao morrerem os prelados.

espolique. *m.* moço que caminha a pé diante do cavalo em que vai o seu amo.

espolista. *m.* rendeiro do espólio dalgum prelado falecido.

espolón. *m.* esporão dalguns machos galináceos; (arq.) esporão, contraforte, muralha, dique marginal; (mar.) esporão, beque de navio; encosta de monte, contraforte de montanha ou serra; (vet.) proeminência córnea que têm as cavalgaduras nos travadoiros; arma ofensiva e defensiva na proa dalguns navios; (fig.) frieira no calcanhar; (prov.) passeio: *espolón del tajamar,* esporão do talhamar.

espolonada. *f.* carga de cavalaria.

espolonazo. *m.* picada ou choque com o esporão.

espolvorear. *v. tr.* polvilhar, empoeirar; sacudir ou limpar o pó; espalhar pó.

espolvorizar. *v. tr.* polvilhar, empoar, cobrir de pó, espalhar, deitar pó.

espondaico, ca. *adj.* espondaico.

espondeo. *m.* espondeu, pé da poesia grega e latina.

espóndil. *m.* (anat.) espôndilo, vértebra.

espondilitis. *m.* (pat.) espondilite.

espóndilo. *m.* espôndilo, vértebra.

espongiarios. *m. pl.* (zool.) espongiários.

espongiforme. *adj.* (bot.) espongiforme, esponjóide.

espongiola. *f.* (bot.) espongíolo.

esponja. *f.* esponja; (fig.) o que com astúcia absorve e dissipa em proveito próprio os bens ou fazenda alheia; beberrão: *tirar la esponja,* (fig.) render-se.

esponjado. *m.* espécie de caramelo. V. **azucarillo.**

esponjadura. *f.* defeito na alma do canhão por estar mal fundido.

esponjar. *v. tr.* tornar oco ou poroso um corpo. — *v. r.* (fig.) envaidecer-se, empolar-se; inchar-se, entumecer-se; (fam.) adquirir um aspecto loução que indica saúde e bem-estar.

esponjera. *f.* esponjeira, vaso para colocar a esponja.

esponjosidad. *f.* esponjosidade, porosidade.

esponjoso, sa. *adj.* esponjoso, poroso, fungoso, absorvente.

esponsales. *m. pl.* esponsais, desposório, promessas de casamento; escrituras, convenções antenupciais.

esponsalicio, cia. *adj.* esponsalício, nupcial.

espontanearse. *v. r.* declarar-se, manifestar a outro voluntariamente os seus sentimentos ou opiniões.

espontaneidad. *f.* espontaneidade; facilidade; naturalidade; moto próprio; ingenuidade.

espontáneo, a. *adj.* espontâneo; voluntário; natural, que se desenvolve sem cultura; de moto próprio; que se produziu sem concurso sexual; ingé(ê)nuo; (filos.) elícito: *generación espontánea*, geração espontânea.

espora. *f.* (bot.) esporo, corpúsculo reprodutor das plantas criptogâmicas.

esporadicidad. *f.* esporadicidade.

esporádico, ca. *adj.* esporádico; ocasional; isolado; casual.

esporangio. *m.* (bot.) esporango.

esporgar. *v. int.* (prov.) V. **cerner**.

esporidio. *m.* (bot.) esporo de segunda geração.

esporífero, ra. *adj.* (bot.) esporífero, que tem esporas; que lança esporos.

esporo. *m.* (bot.) esporo, V. **espora**.

esporocarpio. *m.* (bot.) esporocárpio.

esporozoario. *m.* (zool.) esporozoário, protozoário parasita.

esportada. *f.* conteúdo duma esporta ou alcofa.

esportear. *v. tr.* colocar ou levar coisas em esportas ou alcofas; fretejar.

esportilla. *f.* esportela, pequena esporta; (prov.) abano pequeno de esparto.

esportillero. *m.* moço que leva a esporta; fretejador.

esportillo. *m.* pequena alcofa de esparto.

esportonada. *f.* quantidade que leva uma alcofa.

espórulo. *m.* (bot.) espórulo, pequeno esporo.

esposa. *f.* esposa, mulher casada, noiva; cônjuge, senhora; (pop.) cara metade; (pop.) madama.

esposado, da. *p. p.* e *adj.* algemado; desposado, recém-casado. V. **desposado**.

esposar. *v. tr.* algemar, prender com algemas; maniatar; agrilhoar.

esposas. *f. pl.* algemas, ferros para prender os braços pelos pulsos.

esposayas. *f. pl.* (ant.) esponsalias.

esposo, sa. *s.* espo(ô)so, cônjuge; pessoa que contraiu esponsais; noivo, recém-casado; marido, mulher.

espuela. *f.* espora; (fig.) aviso, estímulo, incentivo; acicate; (Amér.) esporão das aves; forquilha; (Bras.) butuca: *espuela de caballero* (bot.) espora, erva ranunculácea.

espuerta. *f.* esporta, alcofa, seira de esparto: *a espuertas*, abundantemente.

espulgadero. *m.* espulgadoiro, lugar onde se espulgam os mendigos.

espulgador, ra. *adj.* e *s.* espulgador, que espulga.

espulgar. *v. tr.* espulgar, catar, tirar as pulgas ou piolhos; (fig.) espiolhar, indagar, examinar minuciosamente, investigar.

espulgo. *m.* despiolhamento.

espuma. *f.* espuma, escuma; espuma, baba, saliva que sai da boca dum animal cansado; parte do suco e das impurezas que sobrenadam ao cozer certas substâncias; (fig. e fam.) nata, a flor, o mais estimado: *espuma de mar* (min.) magnesita; *espuma del mar*, escuma do mar; *espuma de plata*, escuma de prata; *echar espuma por la boca*, (fig.) lançar escuma pela boca com ira; *crecer como la espuma*. (fam.) medrar ràpidamente uma pessoa.

espumadera. *f.* espumadeira, instrumento para tirar a espuma, escumadeira.

espumador, ra. *adj.* e *s.* espumante, pessoa que espuma.

espumaje. *m.* espumarada, abundância de espuma, efervescência.

espumajear. *v. intr.* espumejar, escumar, lançar espuma; fumegar.

espumajo. *m.* espumarada. V. **espumarajo**.

espumajoso, sa. *adj.* espumoso, escumoso, que tem ou faz muita espuma.

espumar. *v. tr.* espumar, escumar, tirar a escuma de. — *v. intr.* escumar, deitar espuma; (fig.) crescer ràpidamente.

espumarajo. *m.* espumarada, espuma, baba, saliva abundante: *echar espumarajos de rabia*, fumar de raiva.

espúmeo, a. *adj.* espumoso, V. **espumoso**.

espumero. *m.* salina, marinha, lugar onde se junta água salgada para lhe tirar o sal.

espumillón. *m.* tecido de seda dupla, semelhante ao crespão.

espumosidad. *f.* espumosidade; espuma.

espumoso, sa. *adj.* espumoso, que tem ou faz muita espuma; que se converte em espuma, escumoso.

espundia. *f.* (vet.) úlcera nas cavalgaduras.

espurcicia. *f.* espurcícia, imundície, porcaria.

espúreo, a. *adj.* V. **espúrio**.

espúrio, ria. *adj.* espúrio, bastardo; (fig.) falso, adulterado, ilegítimo; contrafeito; degenerado.

espurrear. *v. tr.* borrifar com a boca.

espurriar. *v. tr.* V. **espurrear**.

esputar. *v. tr.* esputar, expe(c)torar. V. **expectorar**.

esputo. *m.* esputo, saliva, cuspo, escarro; expe(c)toração.

esquebrajar. *v. tr.* fender, rachar, gretar. V. **resquebrajar**.

esquejar. *v. tr.* (agr.) plantar estacas.

esqueje. *m.* (agr.) galho, estaca, pimpolho que se planta para criar raízes.

esquela. *f.* bilhete, carta breve; carta de convite, participação, etc. em papel impresso; epístola.

esqueletado, da. *adj.* muito magro ou fraco; exausto.

esquelético, ca. *adj.* esquelético, muito fraco, extremadamente magro.

esqueleto. *m.* (anat.) esqueleto; (fig.) esqueleto, pessoa muito magra e cadavérica; (fig.) armação sobre a qual se arma alguma coisa; (Amér.) modelo ou padrão impresso com linhas em branco para preencher; bosquejo, plano duma obra literária.

esquema. *m.* esquema; resumo, programa; anteproje(c)to; plano, esqueleto.

esquemático, ca. *adj.* esquemático, pertencente ao esquema.

esquematismo. *m.* esquematismo.

esquematizar. *v. tr.* esquematizar, representar em forma esquemática.

esquena. *f.* espinhaço, diz-se da espinha dorsal dos peixes.

esquenanto. *m.* (bot.) esquenanto.

esquí. *m.* (dep.) esqui.

esquiador, ra. *s.* (depor.) esquiador.

esquiar. *v.intr.* (deport.) deslizar-se nos esquis sobre a neve.

esquiciar. *v. tr.* esboçar, bosquejar, esquematizar.

esquicio. *m.* esboço, bosquejo.

esquifada. *f.* batelada, carga que leva ou pode levar o esquife; (germ.) bando de ladrões.

esquifar. *v. tr.* (mar.) esquipar, equipar, aparelhar, prover de apetrechos e tripulantes uma embarcação.

esquifazón. *m.* (mar.) esquipação, conjunto de remos e remeiros com que se armavam as embarcações.

esquife. *m.* (mar.) esquife, bote, chalupa do navio, batel; (arq.) superfície de abóbada em forma cilíndrica; espécie de caixão grande para transportar cadáveres; ataúde; catre; féretro, tumba.

esquila. *f.* chocalho pequeno, sino pequeno, sineta; tosquia do gado; choca, sineta, tosquiação.

esquilable. *adj.* que se pode tosquiar.

esquilador. *adj.* e *s.* tosquiador, que tosquia o gado; máquina tosquiadora.

esquilar. *v. tr.* tosquiar, cortar a lã, o pêlo ao gado, aos animais deslanar; cortar, aparar as extremidades da rama de plantas; (fig.) despojar, espoliar. — *v. intr.* (prov.) trepar às árvores, aos mastros de cocanha, etc.

esquileo. *m.* tosquia, tosa; tempo da tosquia; casa destinada para tosquiar o gado lanar.

esquilimoso, sa. *adj.* (fam.) muito melindroso, delicado.

esquilmar. *v. tr.* colher o fruto (das fazendas, herdades, etc.) empobrecerem (as plantas) a terra; (fig.) exaurir esgotar uma riqueza; (agr.) colher, fazer a colheita.

esquilmo. *m.* colheita, fruto que se tira da terra, do gado, etc.; indícios de fruto que apresentam as oliveiras; (Amér.) engaço da uva; (gal.) restos de vegetais, mato cortado que se põe no chão dos estábulos.

esquilón. *m.* sineta, espécie de sino, chocalho grande.

esquimal. *adj.* e *s.* esquimó, natural do pais situado junto às baías de Hudson e de Baffin.

esquina. *f.* esquina, canto exterior, ângulo que formam duas superfícies; esquina (de ruas), esquina, enga, ângulo: *las cuatro esquinas*, jogo dos quatro cantinhos, certo jogo de crianças.

esquinado, da. *adj.* esquinado, anguloso, diz-se da pessoa de trato difícil; esquinado, oblíquo; (pop.) um tanto embriagado; esquinado, arestado, arestoso, angulado, facetado.

esquinadura. *f.* forma angular; qualidade de esquinado.

esquinancia. *f.* V. **angina.**

esquinante, to. *m.* (bot.) esquenanto, planta gramínea.

esquinar. *v. tr.* esquinar, fazer esquinas; cortar em ângulo; facetar; pôr obliquamente. — *v. intr.* pôr de esquina alguma coisa; esquadrar um madeiro; (fig.) indispor. — *v. r.* embriagar-se um pouco.

esquinazo. *m.* (fam.) esquina: *dar esquinazo*, fugir ao encontro com alguém, abandoná-lo; (Amér.) V. **serenata.**

esquinco. *m.* V. **estinco.**

esquinela. *f.* peça de armadura antiga.

esquinencia. *f.* V. **angina.**

esquinudo, da. *adj.* esquinado, anguloso, que tem esquinas.

esquinzador. *m.* lugar onde se junta o trapo que se há-de retalhar, nas fábricas de papel.

esquinzar. *v. tr.* V. **desguinzar;** detalhar, cortar o trapo nas fábricas de papel.

esquirla. *f.* esquirola, lasca de osso, lâmina ou fragmento de objecto duro.

esquirol. *m.* (prov.) V. **ardilla;** esquilo, arda; operário que substitui um grevista, antigrevista.

esquisto. *m.* (min.) xisto, ardósia.

esquistoso, sa. *adj.* xistoso, de estrutura laminar.

esquiste. *m.* (Amér.) V. **raseta.**

esquivar. *v. tr.* esquivar, evitar, recusar; eludir; fugir; estranhar; evadir; furtar; tratar com desdém. — *v. inter.* eximir-se, desculpar-se. — *v. r.* retrair-se, retirar-se; escusar-se: *esquivar a alguien,* meter-se nas encospías.

esquivez. *f.* esquivança, esquivez, esquiveza, despego, aspereza, desagrado; desdém; furtadela; insociabilidade.

esquivo, va. *adj.* esquivo, esquivoso, áspero, intratável; arisco; que trata com esquivança; desprezativo; arredio; furtado; estranhão; desdenhoso; (fig.) arisco; indócil; árido; difícil: *niño esquivo,* criança estranha.

esquizado, da. *adj.* manchado, diz-se do mármore que tem veios de cores diferentes.

esquizofrenia. *f.* (med.) esquizofrénia.

esquizofrénico, ca. *adj.* e *s.* esquizofré(ê)-nico.

esquizoideo, a. *adj.* esquizóide.

esquizomiceto. *m.* (bacter.) esquizomiceto.

estabilidad. *f.* estabilidade, firmeza, segurança; permanência, duração; consistência; equilíbrio; assento.

estabilización. *f.* estabilização.

estabilizador, ra. *adj.* estabilizador, que estabiliza. — *m.* mecanismo que se põe num avião, navio, etc, para aumentar a sua estabilidade.

estabilizar. *v. tr.* estabilizar, dar estabilidade.

estable. *adj.* estável, constante, firme, duradouro; permanente; consistente; sólido consolidado.

establear. *v. tr.* e *r.* acostumar uma rês ao estábulo.

establecedor. *adj.* e *s.* estabelecedor, que estabelece; constituidor; fundador.

establecer. *v. tr.* estabelecer, fundar, instituir; ordenar, mandar, decretar; contestar; estatuir; fundar; erigir, edificar;

formar; assentar; inaugurar; decidir, decretar; formalizar; (fig.) cimentar. — *v. r.* V. **avecindarse.** fixar morada, residência; estabelecer-se, abrir um estabelecimento comercial e industrial; arraigar-se, basear-se: *establecer los principios de algo* (fig.) cimentar; *establecer un comercio,* assentar comércio.

establecimiento. *m.* lei, ordenança, estatuto; estabelecimento, fundação, instituição; coisa fundada ou estabelecida; lugar onde habitualmente se exerce uma indústria ou profissão; estabelecimento, baseamento; acomodamento, estatuto; fundação, ere(c)ção; inauguração; (fig.) cimento; constituição.

establero. *m.* moço de estrebaria ou de estábulo, aquele que cuida o estábulo.

establo. *m.* estábulo, curral, alpendre, onde se abriga o gado. (Amér.) cocheira, estabelecimento de carros de aluguer; estrebaria; corte; aprisco.

estabulación. *f.* estabulação, criação e engorda de animais em estábulo.

estabular. *v. tr.* estabular, criar e manter o gado em estábulo.

estaca. *f.* estaca, pau aguçado que se crava na terra, parede ou noutro lugar, estaca, ramo, haste de planta que se mete na terra para criar raízes; prego de ferro que serve para pregar ripas; varapau, pau grosso; (Amér.) pertença duma mina que se concede aos peticionários mediante certos trâmites; (Amér.) V. **espolón.**

estacada. *f.* estacaria, estacada, qualquer obra feita de estacas cravadas na terra; série de estacas; liça, campo para justas e torneios; fueirada; barricada; barreira; paliçada; cavalo de frisa; tranqueira, lugar cerrado por estacas; curral bardo; lugar fechado para justas: *dejar a uno en la estacada,* abandonar alguém num perigo ou mau negócio.

estacado, da. *p. p. e adj.* estacado. — *m.* liça, campo de torneio.

estacadura. *f.* conjunto dos paus que seguram a caixa e as varas do carro.

estacar. *v. tr.* estacar, estaquear, fixar na terra uma estaca; firmar; marcar no terreno uma linha com estacas, demarcar; fazer parar. — *v. intr.* parar sùbitamente; hesitar, ficar perplexo; (Amér.) firmar, cravar com estaca. — *v. r.* imobilizar-se ficar imóvel; estacar; (Amér.) espetar--se uma lasca.

estacazo. *m.* pancada dada com varapau; (fig.) desalento; fueirada.

estación. *f.* estação, cada um dos quatro períodos em que se divide o ano; estação, temporada; estação, visita que se faz às igrejas; estação, dezena de padre--nossos e ave-marias; estação de caminho de ferro, fluvial, marítima; (astr.) paragem aparente dos planetas nas suas órbitas; estação, lugar que cada espécie vegetal prefere, termo de biogeografia; posto policial; período, tempo apropriado.

estacional. *adj.* estacional, próprio de qualquer das estações do ano.

estacionamiento. *m.* estacionamento, paragem, demora.

estacionar. *v. tr.* estacionar, situar num lugar, assentar; parar; acampar. — *v. r.* ficar-se estacionário, demorar-se; não progredir.

estacionario, ria. *adj.* estacionário, imóvel, que não progride; parado; (astr.) diz-se do planeta que está como parado. — *m.* livreiro que tinha um posto ou loja de venda de livros; aquele que dava os livros na biblioteca da universidade de Salamanca.

estacha. *f.* corda do arpão, empregada na pesca das baleias; (mar.) amarra, corda de amarração, cabo que se atira dum navio a outro.

estada. *f.* estada, estadia, permanência num lugar, demora, parada, detença.

estadero. *m.* demarcador nomeado pelo rei para delimitar terras sujeitas a impostos.

estadía. *f.* estadia, estância, estada, demora; tempo que permanece o modelo ante o artista; (mar e com.) estadia.

estadio. *m.* estádio, campo de desportos; estádio, carreira para exercitar os cavalos; estádio, medida itinerária de 125 passos geométricos; (med.) estado, período, grau duma enfermidade.

estadista. *m.* estadista, homem de Estado; estadístico, versado em estadística.

estadística. *f.* estatística: *estadística demográfica,* estatística demográfica.

estadístico, ca. *adj.* estatístico.

estadillo. *m.* conta, pequeno resumo ou quadro sinóptico.

estadizo, za. *adj.* estagnado, estacionário, que está muito tempo sem ser mexido, arejado ou renovado.

estado. *m.* estado, situação, modo em que uma pessoa se acha; estado, classe, jerarquia, ordem, qualidade, condição; estado, modo de ser, de estar, de vida, condição; estado, governo, corpo político duma nação; estado, nação constituída; estado, resumo, mapa, quadro sinóptico; medida de superfície de 49 pés quadrados; estado, séquito, cortejo, acompanhamento: *estado interesante,* (pop.) gravidez, estado interessante; *tomar estado,* mudar de estado, casar-se; *mujer de estado honesto,* mulher solteira, solteirona.

estafa. *f.* estafa, lo(ô)gro, burla, roubo com astúcia, fraude, alicantina, trapaça, velhacaria; defraudação, fulheira, amoladela; parte que o ladrão dá ao receptador.

estafa. *f.* estribeira da sela de montar.

estafador, ra. *s.* burlista, vigarista, larápio, alicantineiro, gatuno, cavalheiro de indústria, defraudador; avançador, maçador, caloteiro, velhaco; esbanjador.

estafar. *v. tr.* burlar, vigarizar, roubar com astúcia, gatunar, estafar, surripiar, defraudar, encalamoucar; falcatruar, causar estafa; (fig.) empalmar; (pop.) encalacrar.

estafermo. *m.* estafermo, boneco giratório dos antigos torneios; espantalho; coirão; (fig.) estafermo, enxalmo, pessoa inútil;

palerma, basbaque, pessoa ridícula ou embasbaca; empecilho; pessoa feia e desaieitada.

estafeta. *f.* estafe(ê)ta, correio a cavalo; recoveiro; estação de correios, correio diplomático; correio, casa de correio.

estafetero. *m.* estafeteiro, estafeta, carteiro, empregado de correio; distribuidor de cartas.

estafetil. *adj.* pertencente a estafeta.

estafilino, na. *adj.* (zool). estafilino.

estafilococia. *f.* (med.) estafilococia.

estafilocócico, ca. *adj.* estafilocócico.

estafilococo. *m.* (bacter). estafilococo.

estafiloma. *m.* (cir.) estafiloma.

estafisagria. *f.* (bot.) estafisagria.

estagirita. *adj.* e *s.* estagirita, natural da ou pertencente a Estagira.

estajero. *m.* empreiteiro. V. **destajista.**

estajista. *m.* empreiteiro. V. **destajista.**

estajo. *m.* empreitada. V. **destajo.**

estala. *f.* estábulo, estala, cavalariça, estrebaria; escala, porto onde pára um navio.

estalación. *f.* categorias em que se dividem os indivíduos duma comunidade.

estalactita. *f.* (min.) estalactite.

estalactítico, ca. *adj.* pertencente ou relativo à estalactite.

estalagmita. *f.* estalagmite, estalactite invertida que se forma no solo.

estalagmítico, ca. *adj.* pertencente ou relativo à estalagmite.

estallar. *v. intr.* estalar, fender-se, rebentar de repente uma coisa com ruido, estourar; estralar, estoirar; fulminar; eclodir; ir aos ares; arregoar; sobrevir, ocorrer violentamente uma coisa; (fig.) sentir uma paixão repentina e violenta; explodir; expluir; desatar; detonar; arrebentar; (bot.) abrir; (fig.) abafar; estalar, dar estalos, crepitar; rachar-se, partir-se, ter muita fome, ou sede.

estallido. *m.* estalido; estoiro, estouro; explosão; estourada; detonação; arrebentamento; arrebentão; crepitação; estridor.

estallo. *m.* estalido, estalo. V. **estallido.**

estambrado. *p. p.* e *adj.* e *m.* estambrado; (prov.) estambrado, espécie de tecido de estambre.

estambrar. *v. tr.* estambrar, torcer a lã e fazer estambre.

estambre. *m.* estambre, fio de lã, fio de tecedura; fio da urdidura; estame; lã ou seda torcida; V. **urdimbre;** (bot.) órgão sexual masculino das plantas fanerogâmicas; *estambre esterol,* (bot.) inantéreo.

estamento. *m.* cada um dos quatro estados que concorriam às cortes da Coroa de Aragão; modo de estar ou permanecer; cortes; congresso.

estameña. *f.* estamenha, tecido grosseiro de lã.

estaminado, da. *adj.* reduzido; (bot.) diz-se das flores que têm só estames.

estaminario, ria. *adj.* (bot.) estaminário.

estaminal. *adj.* relativo a estames, estaminal.

estamíneo, a. *adj.* estaminal, estamináceo, estaminoso, que é de estambre.

estaminífero, ra. *adj.* (bot.) estaminífero, estaminado, que tem estames.

estaminodio. *m.* (bot.) estaminódio, estame desprovido de antera.

estaminoso, sa. *adj.* estaminoso, com estames muito salientes.

estampa. *f.* estampa, efígie, figura impressa; impressão, imprensa; desenho, imagem; vestígio; (fig.) figura total duma pessoa ou animal; (fig.) coisa perfeita.

estampación. *f.* estampagem, impressão; processo industrial para imprimir desenhos em tecido, etc.; acto ou efeito de estampar.

estampado. *adj.* e *s.* estampado, diz-se dos tecidos em que se estampam desenhos; impresso; publicado.

estampador. *m.* estampador, o que estampa.

estampar. *v. tr.* estampar, imprimir, gravar; desenhar; marcar, fazer que deixe vestígio; (fig.) gravar (na memória, no coração, etc.); estampar; impresar. — *v. r.* imprimir-se, patentear-se; mostrar-se: *estampar la firma,* assinar-se.

estampería. *f.* estamparia, oficina em que se estampam tecidos; loja de estampas.

estampero. *m.* estampeiro, o que faz ou vende estampas; estampador.

estampía. *f.* de repente, com rapidez; usa-se só na frase: *salir, partir de estampía,* fazer uma coisa de repente.

estampida. *f.* V. **estampido;** (Amér.) carreira rápida e impetuosa; fuga precipitada; (prov.) pontalete, escora, espeque para firmar um poste ou uma parede.

estampido. *m.* estampido, detonação, ruído forte e seco; explosão; estrondo; estoiro; estrépito; estouro.

estampilla. *f.* dim. de *estampa;* estampilha; estampinha; pequena estampa; estampilha, selo postal ou forense; selo que contém uma assinatura; selo, espécie de carimbo para certos documentos; (Amér.) selo de correio ou fiscal; chapa para estampar; selo de franquia postal.

estampillado, da. *adj.* e *p. p.* estampilhado.— *m.* estampilhagem, operação de estampilhar.

estampillar. *c. tr.* estampilhar, pôr estampilha em; carimbar títulos da dívida pública; franquiar; marcar; (pop.) dar uma bofetada; imprimir com estampilha.

estancación. *f.* estancamento; embalsamento; estancação.

estancado, da. *p. p.* e *adj.* improgressivo; estofo; encardiço; empoçado; (fig.) encalhado: *agua estancada,* água choca.

estancamiento. *m.* estancamento; embalsamento; encalhação. V. **estancación.**

estancar. *v. tr.* estancar, deter, vedar, impedir a corrente dum líquido; estancar, monopolizar, embargar, impedir a venda ou curso livre de determinadas mercadorias; deter o curso dum assunto; suspender a marcha dum negócio; estagnar, esgotar; pôr fim a; exaurir; (fig.) fatigar; açambar. — *v. intr.* deixar de correr, esgotar-se; encharcar; empantar; embalsar. —

v. r. encalhar; encharcar-se (fig.) paralisar-se; velar-se, esgotar-se; arremansar--se; empantanar-se; empoçar.

estancia. *f.* estância, mansão, habitação, morada; aposento, quarto onde se habita ordinàriamente; estância, assento; recinto, paragem, estação; varadoiro de navios; armazém de madeiras ou materiais de construção; (ant.) pequeno baluarte; porto baia, ancoradoiro; (poet.) estrofe, V. **estrofa.** (Amér.) estância rural, fazenda destinada ao cultivo e principalmente à criação do gado; (Amér.) casa de campo, quinta, granja.

estanco, ca. *adj.* (mar.) estanco, estanque, diz-se do navio ou embarcação que está em bom estado, que não faz ou toma água. — *m.* estanco, tabacaria, charutaria, lugar onde se vendem géneros monopolizados especialmente tabaco, selos ou fósforos; (fig.) depósito, arquivo; (Amér.) V. **aguardentería.**

estandarte. *m.* estandarte, insígnia militar ou religiosa; bandeira; auriflama; (fig.) partido, facção; pétala superior das plantas papilionáceas; (fig.) divisa; norma, partido.

estangurria. *f.* (med.) estrangúria; angúrria; micção dolorosa gotejante.

estannato. *m.* (quim.) estanato.

estánnico, ca. *adj.* estânico.

estannífero, ra. *adj.* estanífero.

estannoso, sa. *adj.* (quím.) diz-se das combinações estânicas pouco oxigenadas.

estanque. *m.* tanque, reservatório de água; lago artificial; almácega; enxuto, extinto; estancamento; estagnado.

estanquero. *m.* aquele que cuida de tanques.

estanquero, ra. *s.* estanqueiro, monopolizador, pessoa que tem a seu cargo a venda pública do tabaco e doutros artigos monopolizados.

estanquidad. *f.* qualidade de estanco.

estanquillero, ra. *s.* V. **estanquero.**

estanquillo. *m.* dim. de **estanco**; estanco pequeno, estanque, lugar onde se vendem artigos estancados ou monopolizados; taberna onde se vendem licores e aguardentes; tenda.

estantal. *m.* (arq.) esteio, escora, estribo de parede.

estantalar. *v. tr.* escorar, especar; pôr escoras a; suster; amparar.

estante. *m. adj.* e *p. a.* de *estar*, estante, que está presente ou permanente num lugar, que reside; estante, armário com prateleiras para livros; entrepano, estante, peça de madeira em que se colocam os livros para se lerem; (herald.) diz-se do animal que no escudo se representa firme nos pés.

estantería. *f.* conjunto de estantes ou prateleiras; armação.

estantigua. *f.* procissão de fantasmas; (fig.) fantasma, espectro; pessoa alta, magra e mal vestida.

estantío, a. *adj.* estancado, parado, estagnado, que não tem curso, que não corre; pausado, frouxo e sem vigor.

estañador. *m.* picheleiro, estanhador, aquele que estanha ou solda a estanho.

estañadura. *f.* estanhadura, estanhagem; soldadura.

estañar. *v. tr.* estanhar, soldar, cobrir ou soldar com estanho uma peça ou vasilha doutro metal; aplicar amálgama de estanho; cobrir com uma camada de estanho e chumbo ou só de estanho.

estañero. *m.* picheleiro, estanhador, aquele que trabalha em obras de estanho ou as vende.

estaño. *m.* (quim.) estanho, metal dúctil, brilhante.

estaquero. *m.* cada um dos buracos ou cavidades que se fazem nas escadas para se colocar o corrimão e nos carros para se colocarem os varais; (zool.) gamo dum ano.

estaquilla, ita. *f.* cavilha pequena ou espiga de madeira para segurar os tacões do calçado; cavilha, pequeno prego de ferro; prego grande de ferro, cravo; (Amér.) estaca da xelma do carro.

estaquillador. *m.* cravador, sovela grossa e curta dos sapateiros.

estaquillar. *v. tr.* segurar com cavilhas ou tornos de madeira; (agr.) plantar por estacas.

estar. *v. intr.* estar, existir, achar-se numa parte; ser presente, permanecer; assistir; consistir, residir; condizer; ser apropriado; manter-se em certa posição; seguir uma profissão; passar de saúde; sentir--se; consentir em; ser favorável; julgar; entender que; (fig.) andar. — *v. r.* estar--se; achar-se; assentar, cair bem; (falando-se de peças de vestuário); deter-se nalguma parte, parar num lugar; com certos verbos reflexivos, denota aproximação ao que estes significam: *estar muriendose*, achar-se em artigo de morte: *estar de pie*, estar em pé; *estar por alguien*, estar por alguém; ser favorável a alguém; *no estar*, faltar; *estar en celo*, andar saída (diz-se das cadelas); *estar a la cuarta pregunta*, (fam.) ver-se em apuros; *estar muy preocupado*, andar sobre brasas; *estar con la mosca en la oreja*, andar com a pedra no sapato; *estar enfermo*, estar ou andar doente; *estar en el orden del día*, (fig.) estar na berlina; *estar ojo avizor*, estar com o olho aberto; *estar em peligro*, estar arriscado; *estarse quieto*, agachar--se. — *conj. irr.* **estoy, estás,** etc.; pret. **estuve,** etc.; *subj.* **esté,** etc.; *pret.* **estuviera,** etcétera.

estarcido. *m.* estresido, desenho feito com pontinhos e pó de carvão.

estarcir. *v. tr.* estresir, passar dum papel para outro (um desenho), deitando-lhe pó de carvão e picando-o nos contornos.

estasis. *f.* (med.) estancamento de sangue ou doutro líquido numa parte do corpo.

estatal. *adj.* estadual, pertencente ou relativo ao estado, estatal.

estática. *f.* (fís.) estática, parte da Mecânica que estuda as leis do equilíbrio; estática, conjunto destas leis.

estático, ca. adj. (fís.) estático, pertencente ou relativo à estática; estático, imóvel, firme; (fig.) estático, diz-se do que fica parado de assombro ou de emoção; estático, que está em repoiso.

estatismo. m. estatismo, tendência que defende a preeminência do Estado; imobilidade, do estático.

estator. m. (fís.) e (electr.) parte fixa da máquina nos motores de corrente polifásica.

estatoscopio. m. estatoscópio.

estatospermo, ma. adj. (bot.) de semente recta.

estatua. f. estátua, figura inteira de homem ou animal, em pleno relevo; (fig.) pessoa de formas admiráveis; pessoa fria, sem actividade, sem a(c)ção; indecisa.

estatuar. v. tr. adornar com estátuas.

estatuaria. f. estatuária, arte de fazer estátuas, escultura.

estatuario, ria. adj. estatuário, pertencente à estatuária; adequado para uma estátua. — m. estatuário, escultor.

estatuderato. m. estatuderato, dignidade a cargo de estatuder.

estatuilla. f. dim. de estátua, estatueta.

estatuir. v. tr. estatuir, estabelecer, ordenar, determinar, decretar; demonstrar, assentar como verdade uma doutrina ou um facto; estatuir, erigir, fundar; formular como norma; regulamentar; preceituar.

estatura. f. estatura, altura duma pessoa desde os pés até à cabeça; altura ou grandeza dum ser anímado; corporatura: *persona de gran estatura*, colosso; *de buena o mala estatura*, bem ou mal apessoada; *de elevada estatura*, apessoado; *de pequeña estatura*, (Bras.) piquira.

estatuario, ria. adj. estatuário, estipulado pelos estatutos, referente a eles, estatutivo.

estatuto. m. estatuto, regra que tem força de lei; (por, ext.) qualquer regulamento ou lei eficaz para obrigar, como contrato, disposição testamentária, etc.; (for.) estatuto jurídico; estatuto, lei, constituição ou regulamento dum Estado, de uma associação ou duma companhia; decreto, lei.

estay. m. (mar.) estai, cada um dos cabos fixos que seguram a mastreação: *estay de galope*, estai de galope; *gaza de estay*, garganta do estai.

este. m. leste, oriente, este, levante; vento que vem da parte do oriente; nascente.

este, esta, esto, estos, estas. adj. este, esta, estes, estas; designa a coisa ou pessoa que está próxima de quem fala: *este libro*, este livro.

éste, ésta, ésto, éstos, éstas. pron. este, esta, isto, estes, estas; os pronomes demonstrativos levam acento; excepto *esto*, (isto) do género neutro; os adjectivos demonstrativos não levam acento; *esta*, designa a cidade em que está uma pessoa: *llegué muy bien y estaré en ésta hasta mañana*, cheguei bem aqui (nesta cidade) estarei até amanhã; *esto es*, isto é, quer dizer.

estearato. m. (quim.) sal do ácido esteárico, estearato.

esteárico, ca. adj. esteárico, relativo à estearina.

estearina. f. (quim.) estearina; ácido esteárico que serve para fabricação de velas.

esteatita. f. (min.) esteatite, também recebe o nome de sabão de alfaiate.

esteatitis. f. (pat.) esteatite.

esteatocele. f. (pat.) esteatocela.

esteatoma. f. (pat.) esteatoma, esteatocela.

esteba. f. pau grosso para arrumar as sacas de lã nos porões dos navios.

estebar. v. tr. acomodar na caldeira e apertar nela o pano para ser tingido.

estebar. m. local povoado de estebas.

estecados. m. pl. (bot.) alfazema árabe.

estefanote. m. (Amér.) planta de jardim com formosas flores brancas.

esteganografía. f. esteganografia, arte de escrever em cifras ou em caracteres especiais.

esteganográfico, ca. adj. esteganográfico.

esteganógrafo. m. esteganógrafo, pessoa que sabe esteganografia.

estela. f. esteira, sulco ou rasto escumoso, deixado pelos barcos na água quando navegam; sulco que alguns corpos luminosos deixam no ar, rasto; estela, sulco, vestígio; (fig.) norma, exemplo, rumo.

estela. f. (arq.) estela, monólito, marco, monumento comemorativo.

estelar. adj. sidério, sideral, estelar; das estrelas ou a elas referente.

estelífero, ra. adj. (poet.) estrelado, estelífero, cheio de estrelas.

esteliforme. adj. que tem forma de estrela.

estelión. m. (zool.) lagarto; estelião.

estelionato. m. (for.) estelionato, fraude de quem cede, vende ou hipoteca uma coisa ocultando que esta já estava vendida ou hipotecada a outrem.

estemple. m. (min.) escora de madeira. V. **ademe.**

estenia. f. (med.) estenia.

estenio. m. (fís.) unidade de força no sistema M. T. S.; esteno.

estenocardia. f. (med.) estenocardia.

estenocefalia. f. (pat.) estenocefalia.

estenocéfalo, la. adj. estenocéfalo.

estenografia. f. estenografia, abreviatura.

estenografiar. v. tr. estenografar.

estenográfico, ca. adj. estenográfico.

estenógrafo, fa. s. estenógrafo.

estenometría. f. estenometria.

estenométrico, ca. adj. estenométrico.

estenómetro. m. estenómetro.

estenosis. f. (med.) estenose.

estentóreo, a. adj. estentóreo, estentórico, muito forte, ruidoso, aplica-se à voz.

estepa. f. estepe, nome dado às planícies incultas da Rússia e da América, (bot.) esteva, planta da família das cistáceas.

estepar. m. esteval, lugar povoado de estevas, esteveira.

estepario, ria. adj. estépico, próprio das estepes; estéril.

estepero, ra. *adj.* que produz estevas. — *m.* lugar onde se recolhem estevas. — *s.* pessoa que vende estevas.

estepilla. *f.* (bot.) planta cistácea.

éster. *m.* (quim.) éter salino.

estera. *f.* esteira, tecido de junco ou esparto com que se cobre o sobrado.

esteral. *m.* (Amér.) esteiro, terreno pantanoso, intransitável e cheio de plantas aquáticas. V. **estero.**

esterar. *v. tr.* esteirar, cobrir com esteiras. — *v. intr.* (fig. e fam.) agasalhar-se com vestidos de inverno.

estercoladura. *f.* estercada, estercadura.

estercolamiento. *m.* V. **estercoladura.**

estercolar. *v. tr.* estercar, estrumar, (agr.) adubar, afumar. — *v. intr.* defecar (as bestas).

estercolar. *m.* esterqueiro, esterqueira, estrumeira, lugar imundo.

estercolero. *m.* estrumeiro, moço que recolhe o esterco; esterqueiro, estrumeira; alfurja; estercador.

estercolizo, za, estercoráceo, a. *adj.* estercoral; estercorário; semelhante ao esterco, que tem as suas qualidades.

estercoral. *adj.* estercoral, estercorário.

estercorario, ria. *adj.* (bot.) estercorário.

estéreo. *m.* estere, medida de volume para madeiras.

estereóbato. *m.* (arq.) estereóbata.

estereocromía. *f.* (quim.) estereocromia.

estereodinámica. *f.* (fis.) estereodinâmica.

estereodonto. *m.* (odont.) estereodonte.

estereofonía. *f.* (fis.) estereofonia.

estereofónico, ca. *adj.* estereofó(ô)nico.

estereografía. *f.* (geom.) estereografia.

estereográfico, ca. *adj.* estereográfico.

estereógrafo. *m.* estereógrafo.

estereometría. *f.* estereometria.

estereométrico, ca. *adj.* estereométrico.

estereómetro. *m.* estereó(ô)metro.

estereoscópico, ca. *adj.* estereoscópico.

estereoscopio. *m.* (ópt.) estereoscópio.

estereostática. *f.* (fís. e mec.) estereostática.

estereotipa. *f.* V. **estereotipia.**

estereotipador. *m.* estereotipador, que estereotipa.

estereotipar. *v. tr.* (impr.) estereotipar, imprimir pelo processo da estereotipia.

estereotipia. *f.* (impr.) estereotipia, arte de converter em formas fixas o que primeiro se compõe em tipos móveis; oficina onde se estereotipa; estereotipagem.

estereotípico, ca. *adj.* estereotípico.

estereotipo. *m.* (impr.) estereótipo.

estereotomía. *f.* estereotomia.

esterería. *f.* esteiraria, fábrica de esteiras ou loja onde se vendem.

esterero. *m.* esteireiro, o que faz ou vende esteiras.

esterigma. *m.* (bot.) esterigma.

estéril. *adj.* estéril, árido, infecundo, improdutivo, infrutífero; inútil; cho(ô)cho; improlífico; desafruitado; desaproveitado; incultivável; infértil; improdutível; infrutuoso; impotente; fraco (diz-se da terra); chavasqueiro (aplica-se à terra); (fig.)

avaro; ingrato; eunuco; (pop.) machorra, (diz-se da fêmea do animal); *quedar estéril,* (Bras. Sur) amachorrar.

estéril. *m.* (min.) porção de terra entre os filões.

esterilidad. *f.* esterilidade; infecundidade; aridez; escassez; improdutividade; infertilidade; (fisiol.) agenesia; infrutuosidade; impotência; improdução; (pat.) aspermia; esterilidade, falta de colheita.

esterilización. *f.* esterilização.

esterilizador, ra. *adj.* esterilizador.

esterilizar. *v. tr.* esterilizar, tornar infecundo; destruir os fermentos duma substância; (fig.) tornar inútil; infecundar; infertilizar; amaninhar.

esterilla. *f.* esteira pequena; palhinha para espaldares, assentos, etc.; galão ou fita de ouro e prata.

esterlín. *m.* V. **bocací.**

esterlina. *adj.* esterlina, relativo à libra inglesa.

esternal. *adj.* (anat.) esternal.

esternalgia. *f.* (pat.) esternalgia.

esternoclidomastoideo, a. *adj.* (anat.) esternoclidomastóideo.

esternomaxilar. *adj.* (anat. e zool.) esternomaxilar.

esternón. *m.* (anat.) esterno.

estero. *m.* a(c)ção de esteirar; temporada em que se esteira; (mar.) esteiro, estuário, braço de mar ou rio; (Amér.) aguaçal, charco; terreno baixo e pantanoso; riacho, arroio.

esterquero. *m.* esterqueira, esterquilínio.

esterquilinio. *m.* esterquilínio, esterqueira.

estertor. *m.* (med.) estertor, ruído da respiração de moribundo; (fig.) agonia.

estertoroso, sa. *adj.* estertoroso, que está com estertor.

estesia. *f.* (fisol.) estese, estesia.

estesiología. *f.* (anat.) estesiologia.

esteta. *s.* esteta, pessoa que cultiva a estética; (fam.) sodomita.

estética. *f.* estética.

estético, ca. *adj.* estético, pertencente ou relativo à estética; estético, artístico. belo.

estetografía. *f.* estetografia.

estetógrafo. *m.* (med.) estetógrafo.

estetometría. *f.* (med.) estetometria.

estetómetro. *m.* (med.) estetó(ô)metro.

estetoscopia. *f.* (med.) estetoscopia.

estetoscopio. *m.* (med.) estetoscópio.

estetoscopo. *m.* (med.) estetoscópio.

esteva. *f.* esteva, estevão, rabiça do arado; aravela.

estevado, da. *adj.* cambaio, zambro, que tem as pernas tortas.

estevón. *m.* esteva. V. **esteva.**

estezado, da. *p. p.* e *adj.* curtido em seco. — *m.* V. **correal.**

estezar. *v. tr.* curtir as peles em seco.

estiaje. *m.* estiagem, nível mínimo das águas por motivo da seca; espaço de tempo que dura este nível; estiada.

estiba. *f.* (mar.) estiva, colocação ordenada da carga do navio; arrumo; estivação;

estivagem; atacador para a carga das peças de artilharia.

estibador. *m.* alastrador, estivador, arrumador; carregador de navio.

estibar. *v. tr.* (mar.) colocar ordenadamente todos os pesos do navio; estivar; arrumar; estivar, apertar materiais ou coisas soltas para que ocupem o menor espaço possível; apertar, estivar.

estibia. *f.* V. **espibia.**

estibina. *f.* (min.) estibina.

estibio. *m.* antimónio, estíbio.

estiércol. *m.* este(ê)rco estrume; excremento; excreção.

estigio, gia. *adj.* estígio, infernal; relativo a Estige, rio ou lagoa do inferno mitológico.

estigma. *f.* estigma, marca, sinal no corpo; marca feita com ferro candente; (fig.) estigma, desdoiro, afrenta, má fama; (bot.) estigma; (med.) lesão orgânica ou funcional por doença constitucional ou hereditària; (teol.) estigma, marca sobrenatural impressa no corpo dalguns santos; (fig.) sinal infamante, labéu; cicatriz, ferre(ê)te.

estigmático, ca. *adj.* (bot.) estigmático.

estigmatización. *f.* acção e efeito de estigmatizar; formação de estigmas na pele do corpo.

estigmatizador, ra. *adj. e s.* que estigmatiza.

estigmatizar. *v. tr.* estigmatizar, marcar com ferro candente; (teol.) estigmatizar, imprimir milagrosamente a uma pessoa as chagas de Jesus Cristo; (fig.) afrontar, infamar; verberar; assinalar com estigma; (fig.) censurar, condenar.

estilar. *v. intr. e r.* usar, costumar, estilar-se; estar na moda. — *v. tr.* fazer uma escritura conforme o formulário correspondente.

estilbita. *f.* (min.) estilbita.

estilete. *m.* estilete, instrumento de aço delgado e pontiagudo; espécie de pequeno punhal, de lâmina muito estreita; (med.) estilete, instrumento cirúrgico para sondagem.

estilicidio. *m.* estilicídio, destilação gota a gota.

estiliforme. *adj.* estiliforme, semelhante ao estilete.

estilista. *s.* estilista, escritor que se distingue pela elegância do seu estilo.

estilístico, ca. *adj.* estilístico, relativo à estilística.

estilística. *f.* estilística, estudo do estilo.

estilita. *adj. e s.* estilita, anacoreta, que formava a sua cela sobre pórticos ou colunas em ruínas.

estilizar. *v. tr.* estilizar; dar estilo; dar uma figura artística, uma forma decorativa, um estilo decorativo.

estilo. *m.* estilo, ponteiro ou pequeno instrumento com que os antigos escreviam en tabuas enceradas; estilo, feição particular, especial; carácter duma produção artística; modo, maneira, fo(ô)rma, estilo, hábito, prática; praxe, costume; estilo,

maneira especial de escrever ou falar; estilo, forma; fórmula; fala; etique(ê)ta; (ret.) elocução; (bot.) estilete; (for.) fórmula de procedimento jurídico; (mar.) pua sobre a qual está montada a agulha magnética: *de buen estilo*, estilado; *cuidado del estilo*, estilismo; *estilo elevado*, magniloquência.

estilóbato. *m.* (arq.) estilóbato, estilóbata.

estilográfico, ca. *adj.* estilográfico, relativo à caneta de tinta permanente.

estilógrafo. *m.* estilógrafo.

estiloideo, a. *adj.* (bot.) estilóide.

estilometría. *f.* (arq.) estilometria.

estilómetro. *m.* (arq.) estilo(ô)metro.

estilospora. *f.* (bot.) estilospora.

estima. *f.* estima, consideração, apre(ê)ço; apreciação; estimação; (mar.) estima, apreciação dum navio pelas suas derrotas e distâncias percorridas em cada uma delas; estima; afeição, amizade; opinião favorável; abonação.

estimabilidad. *f.* estimação, qualidade de estimável.

estimable. *adj.* estimável, digno de apreço e estima.

estimación. *f.* estimação, estima, apreço; abonamento; (com.) cálculo, avaliação: *estimación propia*, amor-próprio; *tener en mucha estimación*, ter em grande estimação, apreciar muito.

estimado, da. *adj. e p. p.* estimado, considerado; apreciado; bem-visto; avaliado; (for.) diz-se dos bens dotais cuja propriedade se transmite ao marido.

estimador. ra. *adj. e s.* estimador, que estima.

estimar. *v. tr.* estimar, avaliar, apreciar; julgar, crer, achar; estimar, fazer estimação, dar apreço; considerar, medir; aquilatar; ajuizar; arbitrar; amar; (fig.) almotaçar.
v. r. ter-se em grande apreço: *estimarse el uno al otro*, entrequerer-se; *no estimar en nada*, estimar em nada.

estimativa. *f.* estimativa, juízo, arbitrio, parecer; instinto dos animais.

estimatorio, ria. *adj.* estimatório relativo à estimação; (for.) que põe ou fixa o preço dalguma coisa.

estimulador, ra. *adj.* estimulador, que estimula.

estimulante. *p. a. adj. e s.* estimulante, que estimula; incitativo; impulsivo; impulsor; incitação; incitante; estimulante; estimuloso; aguilhoador; aguçador; apressador; incentivo; despertador; a(c)tivante; aperiente; (fig.) agudo; (med.) excitante.

estimular. *v. tr.* estimular, aguilhoar; irritar, picar, pungir; excitar; (fig.) estimular, incitar; apimentar; agulhar; desatemorizar; aquentar; apressar; avivar; atiçar; incentivar; assovinar; dar asas; assovelar; afoitar; acender; acoroçoar; acicatar; bater os acicates; despertar; encorajar; aferrotoar; afervorar; impulsar, impulsionar; fustigar; (fig.) alcaparrar, aguçar; (fig.) encender; (fig.) coçar, agarrochar; beliscar; (fig.) acerar, empuxar: *estimular el apetito*, desafiar o apetite.

estímulo. m. (fig.) estímulo, incentivo, incitamento, impulso; excitação; aguilhão; açulamento; encorajamento; emulação; (fig.) asa; (fig.) alor, aguilhoada, aquentamento, acúleo, acicate, fustigação, ansa.

estimuloso, sa. adj. (bot.) estimuloso.

estío. m. verão, estio, estação calmosa que, nos nossos climas, vem depois da primavera.

estiomenar. v. tr. (med.) estiomenar, corroer, carcomer.

estiómeno. m. (med.) estiómeno, gangrena; corrosivo.

estipendiar. v. tr. estipendiar, dar estipêndio, assalariar, assoldadar; pagar soldo a.

estipendiario. m. estipendiário, o que recebe estipêndio, assalariado.

estipendio. m. estipêndio, salário, remuneração, soldo, paga; acostamento: *estipendio para sufragar misas de difuntos*, amenta; *estipendio de corredor*, corretagem.

estipitado, da. adj. (bot.) que tem estípite.

estipo. m. (bot.) estipe.

estipite. m. (arq.) estípite, coluna em forma de pirâmide invertida; (bot.) estipe, espique, caule lenhoso de certas plantas.

estipsis. f. (med.) estípse, adstringência.

estipticar. v. tr. (med.) adstringir, apertar os tecidos.

estipticidad. f. (med.) estipticidade, qualidade de adstringente, adstringência, estiticidade.

estípula. f. (bot.) estípula.

estipulación. f. estipulação, convénio verbal; pacto, ajuste; (for.) cláusula; contrato.

estipulado, da. adj. e p. p. estipulado, ajustado; (bot.) estipulado, que tem estípula.

estipular. v. tr. (for.) estipular, fazer contrato verbal; estipular, concertar, convir, acordar, pactuar, pactar; convencionar; ajustar; estabelecer por meio de ajuste. — adj. (bot.) estipular, que tem estípulas, estipulado, estipuloso.

estipulifero, ra. adj. (bot.) estipulado.

estique. m. cinzel dentado para modelar barro.

estiquirín. m. (Amér.) V. **buho**.

estira. f. raspador, instrumento de surrador.

estirable. adj. que se pode estirar.

estiracáceo, a. adj. (bot.) estiracácea, diz-se das plantas dicotiledóneas que tem por tipo o estoraque. — f. pl. estiracáceas.

estirado, da. adj. e p. p. estirado, esticado; estatelado; entesado; (fig.) engomado; (fig.) apavonado (fig.) distinto, soberbo, esticado, que afecta gravidade ou esmero no traje; empolado, orgulhoso; agarrado; demasiadamente económico, avaro; estirado, extenso; prolixo, enfadonho.

estirador, ra. adj. e s. estirador, que estira; tábua ou mesa sobre que se assenta ou se estira o papel que se desenha ou se pinta; estirador.

estirajar. v. tr. estiraçar. V. **estirar**.

estiraje. m. estirado, esticado.

estirajón. m. arrepelão. V. **estirón**.

estiralevitas. m. engraxa; (pop.) engraxador.

estiramiento. m. esticamento, estirão, estiramento; (Amér.) orgulho, arrogância; estiramento, alongação.

estirar. v. tr. estirar, estender, esticar; retesar; desarrugar; desanelar; estiraçar; entesar; alongar; tornar longo, comprido; estender puxando; alargar, dilatar; (fig.) exercer os límites de; forçar, violentar. — v. r. brunir ligeiramente a roupa branca; falando de dinheiro, gastá-lo devagar com parcimónia, esticá-lo; esperguiçar-se; estirar-se; (Amér.) matar de um tiro: *estirar la pata*, esticar a canela ou pernil; (fig.) estender a perna; *estirar la levita a alguien*, (pop.) engraxar; (vulg.) acariciar; *estirar el cuello*, adiantar a cabeça.

estirazar. v. tr. V. **estirar**; estiraçar, estirar, esticar.

estirio, ria. adj. e s. natural de ou pertencente à Estíria.

estirón. m. esticão, puxão, estirada, estiraço, estiramento; (pop.) caminho longo, caminhada: *dar un estirón*, crescer muito em pouco tempo.

estirpe. f. estirpe, raiz ou tronco duma família; ou linhagem; árvore genealógica; (fig.) raça, ascendência; árvore de geração, família; descendência; (bot.) raiz, parte da planta que se desenvolve debaixo da terra.

estítico, ca. adj. V. **estíptico**; estítico.

estitiquez. f. (Amér.) V. **estiptiquez**; estiticidade; (fig.) mesquinhez, ridicularia.

estivación. f. estivação; (bot.) estivação, prefloração. V. **prefloración**; (mar.) estivação, estivagem, estiva.

estivada. f. arroteia, noval, terreno inculto que se prepara para ser semeado.

estival, vo, va. adj. estival, estivo, pertencente ao verão ou estio.

estivo, va. adj. estivo, estival, pertencente ao estio ou verão.

esto. pron. dem. neutr. isto.

estocada. f. estoqueadura, estocada, golpe com estoque, ponta da espada ou florete; ferida feita com o estoque.

estocafís. V. **pejepalo**.

estocar. v. tr. (ant.) estocar.

estofa. f. (p. us.) estofo, tecido de lavores, geralmente de seda (fig.) esto(ô)fa, esto(ô)fo, pano de lã, seda, etc.; (fig.) estofo qualidade, classe, laia.

estofado, da. adj. e p. p. estofado, alinhado, enfeitado. — m. (coc.) estufado, guisado; (pint.) acção de pintar a têmpera sobre ouro brunido; estufagem.

estofador, ra. s. estofador, pessoa que estofa.

estofar. v. tr. estofar, acolchoar, chumaçar; (pint.) pintar sobre dourado; branquear as esculturas para as dourar mais tarde; guarnecer ou preparar com estofo; estofar, acolchoar, dar corpo ao tecido, chumaçar.

estofar. v. tr. estufar, guisar a fogo lento em vaso fechado; aquecer artificialmente.

estofo. m. acção e efeito de estofar uma pintura, madeira, etc.

estoicismo. *m.* estoicismo, doutrina ou seita dos estóicos; (fig.) estoicismo, domínio sobre a própria sensibiliadade; inalterabilidade, estoicidade; (fig.) firmeza, austeridade; constância no infortúnio; austeridade na virtude.

estoico, ca. *s.* estóico, pertencente ao estoicismo; estóico, diz-se do filósofo que segue a doutrina do estoicismo; (fig.) estóico, forte perante a desgraça; inalterável, austero, impassível.

estola. *f.* (rel.) estola, ornamento sagrado; estola, vestimenta usada pelos gregos e romanos; estola, banda comprida de pele, usada pelas senhoras para agasalharem o pescoço.

estolidez. *f.* estolidez, qualidade de estólido, estupidez, parvoíce.

estólido, da. *adj.* estólido, estouvado; tolo, estúpido, parvo; palerma, estulto, mentecapto; disparatado, néscio.

estolón. *m.* (bot.) estolho, rebento dos caules rasteiros como o do morangueiro.

estoma. *m.* (bot.) estoma, respiráculo dos vegetais.

estomacal. *adj.* estomacal, pertencente ao estômago; que aproveita ao estômago, digestivo.

estomagar. *v. tr. e intr.* estomagar, tornar indigesto, fartar; (fig. e fam.) enfastiar, enfadar; (pop.) agastar, indignar, escandalizar. — *v. r.* ofender-se, zangar-se.

estómago. *m.* (anat.) estômago, víscera oca situada a seguir ao esófago; (fig.) interesse material, sórdido; ânimo, disposição, bojo, paciência; estômago, barriga; *primer estómago de los animales,* inglúvias.

estomaguero. *m.* baeta que se põe às crianças sobre o ventre.

estomáquico, ca. *adj.* (ant. e med.) estomáquico. V. **estomacal.**

estomatalgia. *f.* (pat.) estomatalgia.

estomatical. *adj.* estomacal.

estomático, ca. *adj.* pertencente ou relativo à boca.

estomaticón. *m.* emplastro que se põe sobre o estômago.

estomatitis. *f.* (med.) estomatite.

estomatologia. *f.* (pat. e med.) estomatologia.

estomatológico, ca. *adj.* estomatológico.

estomatólogo. *m.* (med.) estomatologista.

estomatopatía. *f.* (pat.) estomatopatia.

estomatoscopia. *f.* (med.) estomatoscopia.

estomatoscopio. *m.* (med.) estomatoscópio.

estomatosis. *f.* (pat.) estomatose.

estomatotomia. *f.* (pat.) estomatotomia.

estonces. *adv.* (pop.) V. **entonces.**

estonio, nia. *adj. e s.* (geog.) estó(ô)nio, natural da Estónia; pertencente ou relativo à Estónia. — *m.* língua uralo-altaica, vernácula na Estónia, estónio.

estopa. *f.* esto(ô)pa, a parte grossa do linho que fica no sedeiro; tecido fabricado de estopa; (mar.) estopa, os fios de carrete já desfeitos usados para calafetar as costuras do navio.

estopada. *f.* estopada, porção de estopa; (fam.) coisa que enfada, maçada.

estopar. *v. tr.* encher de estopa; (mar.) calafetar com estopa.

estopeño, ña. *adj.* feito de estopa, pertencente à estopa.

estoperol. *m.* (mar.) prego estopar, cravo curto; mecha feita de filaça.

estoperol. *m.* (Amér.) tacha grande doirada ou prateada. V. **perol.**

estopilla. *f.* estopinha, a parte mais fina do linho antes de fiado; pano ordinário de algodão.

estopín. *m.* (artil.) estopim, porção de fios inflamáveis que se introduziam no canhão para se lhes chegar o fogo.

estopón. *m.* estopa grossa que serve para serrapilheiras e outros usos.

estopor. *m.* (mar.) aparelho para prender a corrente da âncora.

estoposo, sa. *adj.* estopento, pertencente à estopa; (fig.) estopento; que tem filamentos como a estopa, fibroso, filamentoso como a estopa.

estoque. *m.* estoque, arma branca com a qual se pode ferir de ponta; estoque, espada de folha muito estreita; (prov.) garrocha; rojão; (bot.) estoque, espécie de espadana, planta irídea: *funda de estoque,* bengala d'estoque; *estoque real,* estoque real; *golpe de estoque,* estoqueadura.

estoqueador. *m.* estoqueador, o que estoqueia, diz-se principalmente dos toureiros que matam os toiros a estoque.

estoquear. *v. tr.* estoquear, ferir com a ponta da espada ou estoque, estocar.

estor. *m.* (neol.) estore, cortina móvel para janelas, carruagens, etc.

estora. *f.* (mar.) ramo inclinado para o chão.

estoraque. *m.* (bot.) estíraca, estoraque, árvore balsâmica; bálsamo extraído da mesma árvore; resina desta planta ou arbusto.

estorbador, ra. *adj. e s.* estorvador, que estorva; embaraçoso; entravador; embaraçador; embargante.

estorbar. *v. tr.* estorvar, dificultar, embaraçar, impedir; atravancar; contra-arrestar; deter; desajudar; desaviar; (fig.) incomodar, molestar; empecer, empecilhar; emprazar; inibir; contrariar; (fig.) atar; encalhar; entorpecer; embargar; empeçar; enzampar; tolher a liberdade de movimentos: *estorbar un negocio a alguien,* empurrar um negócio a alguém.

estorbo. *m.* esto(ô)rvo, embaraço, dificuldade; atalho; atravanco; atravancamento; desaviamento; entorpecimento; encamisada; estorvilho; estorvamento; empacho; empeno; empe(ê)ço; empecilho; contrariedade; (fig.) barbilho, barranco; (ant.) contraste; impedimento, oposição: *librar de estorbos a alguien,* desembaraçar alguém de dificuldades.

estorboso, sa. *adj.* embaraçoso.

estornija. *f.* anilha de ferro no eixo dum veículo.

estornudar. *v. intr.* espirrar, dar espirros; (fig.) crepitar; esguichar.

estornudo. *m.* espirro; expiração violenta e estrepitosa; esternutação.

estornutatorio. *m.* esternutatório, que produz ou provoca espirros; errino.

estotro, estotra. *pron. demo.* contracção de este, esta ou esto, e outro ou outra; estoutro, estoutra.

estovaína. *f.* (quim.) estovaína, empregado como anestésico.

estovar. *v. tr.* V. rehogar.

estrábico, ca. *adj.* estrábico, que tem estrabismo, que é vesgo.

estrabismo. *m.* (med.) estrabismo, estrabosidade; deformidade de quem é vesgo.

estrabómetro. *m.* (med.) estrabó(ô)metro.

estrabosidad. *f.* (med., ant.) estrabosidade.

estrabotomía. *f.* (cir.) estrabotomia.

estracilla. *f.* farrapo, trapo, pedaço pequeno de tecido; espécie de papel ordinário para embrulho.

estrada. *f.* estrada, caminho; (prov.) prateleira pendente de duas cordas; (prov.) caminho entre duas sebes; (germ.) lugar onde se sentam as mulheres; estrada, caminho moral, norma de procedimento; (fig.) norma; rotina, meio.

estradivario. *m.* (mús.) estradivário, violino fabricado por Estradivário.

estrado. *m.* estrado, conjunto de móveis e alfaias que enfeitavam as salas de visitas; sala de visitas; sobrado um pouco levantado acima do chão ou pavimento para nele se colocar um altar, trono, etc.; supedâneo, palenque.

estrafalario, ria. *adj. e s.* estrafalário, extravagante, desalinhado, no andar ou no vestir; estrambótico, ridículo.

estragado, da. *adj. e p. p.* degenerado, esbanjado, derrancado; estragado; cho(ô)co.

estragador, ra. *adj.* estragador, que estraga.

estragamiento. *m.* estragação, estragamento; desregramento, corrupção; ruína; (fig.) definhamento, dissipação; enfraquecimento físico.

estragar. *v. tr.* estragar, causar estrago; viciar, corromper; depravar, deteriorar; desbaratar; envenenar; infestar; arruinar; estrompar; destragar; desmelhorar; avariar; empobrecer; arrasar; (fig.) desmochar; (fig.) desperdiçar; dissipar; tornar vicioso. — *v. r.* derrancar, degenerar, decair, corromper-se, viciar-se, arruinar-se: *estragar las costumbres*, debochar.

estrago. *m.* estrago, deterioração, dano, ruína; estrago, estragamento; depredação; desbaratamento; deterioração; estragação; desolação; extermínio; destruição; dano, danificação, danação; (fig.) decadência; (pop.) bandoria; (fig.) dissipação, definhamento.

estrambote. *m.* estrambote, estramboto; (poet.) estrambote, versos adicionais, especialmente ao soneto.

estrambótico, ca. *adj.* (fam.) excêntrico, estrambótico; estrambólico; extravagante, irregular e sem ordem; (pop.) esquisito; ridículo, raro.

estramonio. *m.* (bot.) estramó(ô)nio, planta cujas folhas depois de secas se usam como medicamento; figueira-do-inferno.

estramonina. *f.* (quim.) estramonina.

estrangol. *m.* (vet.) compressão feita pelo freio na língua das cavalgaduras.

estrangul. *m.* (mús.) palhe(ê)ta de certos instrumentos de sopro.

estrangulación. *f.* estrangulação, estrangulamento; (med.) constrição; aperto, estreitamento.

estrangulador, ra. *adj. e s.* estrangulador, que estrangula.

estrangulamiento. *m.* estrangulamento, estrangulação; enforcamento.

estrangular. *v. tr.* estrangular, sufocar, afogar, apertar em volta, matar apertando o pescoço, esganar; (fig.) apertar muito, comprimir; esmagar; impedir; abafar; enforcar; agarrotar; engascar; (cir.) interceptar a comunicação duma parte do corpo por meio de pressão ou ligadura.

estranguria. *f.* (med.) estrangúria.

estrapada. *f.* (mil.) estrapada.

estraperlear. *v. tr.* (neol.) atravessar, vender clandestinamente e com preço indevido; chatinar.

estraperlista. *s.* (neol.) atravessador; vendedor clandestino que vende com preço indevido.

estraperlo. *m.* (neol.) chatinaria, preço indevido pelo qual se obtêm ilícitamente artigos ou serviços sujeitos a tabela: *de estraperlo*, clandestinamente e com preço indevido.

estratagema. *f.* estratagema, ardil de guerra; astúcia; subterfúgio; fingimento; manha, engano, artifício; artimanha, arteirice, artice; (fig.) estratégia.

estratega. *s.* estrategista, pessoa versada em estratégia.

estrategia. *f.* (mil.) estratégia; estratégica; (fig.) arte para dirigir um assunto; (Amér.) V. estratagema.

estratégico, ca. *adj. e s.* (mil.) estratégico, estrategista.

estratego. *m.* estratego, estrategista.

estratificación. *f.* (min.) e (geol.) estratificação; laminação.

estratificado, da. *adj. e p. p.* estratificado, disposto em estratos ou camadas.

estratificar. *v. tr.* (geol.) estratificar, formar estratos; dispor em estratos ou camadas.

estratiforme. *adj.* estratiforme.

estratigrafía. *f.* (geol.) estratigrafia.

estratigráfico, ca. *adj.* (geol.) estratigráfico.

estrato. *m.* (geol.) estrato, camada; (meteor.) estrato, espécie de nuvens.

estratocracia. *f.* estratocracia, militarismo, poder militar.

estratografía. *f.* estratografia.

estratosfera. *f.* (meteor.) estratosfera.

estratosférico, ca. *adj.* (meteor.) estratosférico.

estrave. *m.* (mar.) roda da proa dum navio.

estraza. *f.* trapo, farrapo, frangalho: *papel de estraza*, papel de embrulho.

estrechadura. *f.* estreitamento. V. estrechamiento.

estrechamiento. *m.* estreitamento; aperto; (fig.) redução; encolhimento; contracção.

estrechar. *v. tr.* estreitar, apertar, diminuir, reduzir; restringir; abraçar com força; (fig.) tornar mais estreito, rigoroso, apertado; tornar mais íntimo; estreitar, frustrar, constranger; dificultar; limitar; abreviar; encolher; acanhar; abranger; afunilar; contrair; atar; astringir (diz-se dos tecidos orgânicos. — *v. r.* estreitar-se, apertar-se, reduzir-se; limitar-se nas despesas, restringir-se; cingir-se; limitar-se; unir-se; apertar-se para dar lugar; estreitar-se, dar maior intimidade à amizade.

estrechez. *f.* estreiteza, qualidade de estreito; pouco espaço; (fig.) amizade íntima, intimidade; recolhimento; estreiteza, ape(ê)rto; austeridade; escassez do necessário, penúria; rigor; dificultades; apuros; (med.) estreiteza, aperto, diminuição da capacidade de certos canais do corpo; economia.

estrecho. *m.* (geog.) estreito, braço de mar apertado entre duas terras; estreito, desfiladeiro, passagem entre duas montanhas; (fig.) aperto, necessidade.

estrecho, cha. *adj.* estreito, apertado, que tem pouca largura; estreito, escasso; miserável; estreito, rígido, austero, apoucado; acanhado; delgado; justo; conciso; íntimo; limitado; rigoroso; mau; calamitoso; contraído; apertado (diz-se do vestuário; gaiola; diz-se duma habitação): *de mentalidad estrecha,* apanhado de coração.

estrechón. *m.* (mar.) embate das velas. V. socollada.

estrechura. *f.* estreiteza, estreitura, qualidade do que é estreito; terreno estreito; aperto; (fig.) recolhimento; perigo; estreiteza, intimidade, familiaridade. — *pl.* dificuldades, apuros.

estregadera. *f.* brossa, escova de pêlos duros e espessos.

estregadero. *m.* lugar onde os animais costumam esfregar-se ou coçar-se; lavadoiro, tanque onde se lava a roupa.

estregadura. *f.* esfregamento, esfregadura, esfrega, esfregação.

estregamiento. *m.* esfregadura, esfregamento. V. estregadura.

estregar. *v. tr.* esfregar, roçar uma coisa por outra, esfregar, friccionar. — *conj. irr.* como *fregar.*

estregón. *m.* roçadura, esfrega forte, esfregação forte.

estrella. *f.* (astr.) estre(ê)la; estrela, mancha branca na testa dos cavalos; espécie de tecido; musgo; (fig.) estrela, destino, sorte, fado, signo; estrela, pessoa que sobressai na sua profissão; (fort.) forte de campanha que tem a forma duma estrela; (Amér. fam.) duro, moeda de prata de cinco pesetas; (prov.) V. lámpsana.

estrellada. *f.* (bot.) V. amelo.

estrelladera. *f.* estreladeira, espécie de escumadeira plana.

estrelladero. *m.* streladeira, sertã com divisões para fritar ovos.

estrellado, da. *p. p.* e *adj.* estrelado, coberto, recamado de estrelas; estrelado, em forma de estrela; estrelado, diz-se da cavalgadura que tem uma malha branca na cabeça em forma de estrela; diz-se dos ovos fritos; astrífero, estelífero.

estrellamar. *f.* (ictiol.) estrela-do-mar, zoófito em forma duma estrela de cinco pontas; (bot.) tanchagem (planta medicinal).

estrellar. *v. adj.* estrelar, pertencente às estrelas.

estrellar. *v. tr.* estrelar, encher de estrelas; estrelar, cobrir de estrelas; esmagar, espedaçar, estilhaçar, atirar violentamente uma coisa, fazendo-a em pedaços; estrelar, frigir ovos sem os bater; dar forma de estrela a. — *v. r.* machucar-se; (mar.) dar num baixo; (fig.) disputar-se: *estrellarse uno con otro,* (fig.) opor-se abertamente.

estrellera. *f.* (mar.) V. aparejo real.

estrellería. *f.* V. astrología.

estrellero, ra. *adj.* diz-se do cavalo ou égua que levanta muito a cabeça; estreleiro.

estrellita. *f.* estrelinha.

estrellón. *m.* estrelão; fortuna extraordinária; estrelão, fogo de artifício em forma de estrela grande. — *pl.* (mil.) cavalos de frisa.

estremecedor, ra. *adj.* estremecedor, que estremece; horrível; vibrador; terrível.

estremecer. *v. tr.* estremecer, comover, abalar, sacudir, fazer tremer; causar tremor; estremecer, sobressaltar; fremir; (fig.) assustar, meter medo; tremer. — *v. r.* estremecer-se, tremer; (fig.) abalar-se; assustar-se; sobressaltar-se. — *conj. irr.* como *crecer.*

estremecimiento. *m.* estremecimento, emoção; estremeção; abalamento, abalo; agitação; arrepio (pelo frio); fremência: (Bras. Sur) abaloso.

estrena. *f.* dádiva, presente, oferta, benefício recebido; (p. us.) estreia, primeiro uso duma coisa.

estrenar. *v. tr.* estrear, usar pela primeira vez; estrear, representar um espectáculo público pela primeira vez, debutar; inaugurar. — *v. r.* estrear-se, fazer alguma coisa pela primeira vez: *estrenar un vestido,* deitar um vestido novo.

estreno. *m.* estreio, debute; inauguração; começo; primeiro uso duma coisa; primeira representação dum espectáculo público.

estrenque. *m.* (mar.) estrinque, corda grossa de esparto; (prov.) corrente usada para desatolar carros.

estrenuidad. *f.* fortaleza, esforço, energia, coragem; valor; agilidade.

estrenuo, nua. *adj.* estré(ê)nuo, forte, ágil, esforçado, corajoso, enérgico; denodado; activo.

estreñido, da. *p.* e *adj.* obstipado, que padece de prisão de ventre, constipado de ventre;

(fig.) apertado, avarento, mesquinho; miserável; (Bras.) vento-virado.

estreñimiento. *m.* obstrucção, obstipação, prisão; entupimento; arctação.

estreñir. *v. tr.* constipar, obstipar o ventre; produzir obstipação em. — *v. r.* acobardar-se, desanimar-se; restringir-se, limitar-se. — *conj. irr.* como *ceñir.*

estrepada. *f.* puxão que se dá a um cabo; (mar.) arrancada, aumento brusco da velocidade duma embarcação. V. **arrancada.**

estrépito. *m.* estrépito, estrondo, fragor, grande ruído; (fig.) ostentação na realização dalguma coisa; grande luxo, magnificência; estoirada; estropido; (fig.) brado; fama; pompa.

estrepitoso, sa. *adj.* estrepitoso, estrondoso, fragoroso, atroador, estrepitante, estrugidor; (fig.) espectaculoso, magnificente; muito afamado.

estreptococia. *f.* (med.) estreptocócia.

estreptococo. *m.* (bacteriol.) estreptococo.

estreptomicina. *f.* (med.) estreptomicina.

estría. *f.* (arq.) estria, meia-cana da coluna; sulco; rego; (med.) estria; estria, rego interior num cano de espingarda ou numa peça de artilharia; acanaladura.

estriación. *f.* estriamento, série de estrias.

estriadora. *f.* aparelho de fazer estrias, filetes ou canaladuras.

estriadura. *f.* estriamento, acto de estriar; formação de sulcos ou canaladuras.

estriar. *v. tr.* (arq.) estriar, pôr estrias; estriar, canelar; sulcar. — *v. r.* acanelar-se, formar sulcos ou canais; sair acanelada uma coisa; raiar-se.

estribación. *f.* (geog.) estribo duma cordilheira.

estribadero. *m.* apoio, sustentáculo, parte onde uma coisa se apoia.

estribar. *v. intr.* estribar, firmar, assentar, apoiar, fundamentar, escorar; cifrar-se consistir em.—*v. r.* fundamentar-se, estribar-se, fundar-se, escorar-se, apoiar-se, suster-se.

estribera. *f.* estribeira, estribo de montar a gineta; estribo de carruagem; (prov.) pedais do tear.

estribería. *f.* oficina onde se fazem estribos; estrebaria; (prov.) lugar onde se guardam os arreios, estrebaria.

estriberón. *m.* degraus, ressaltos colocados no chão, numa passagem difícil, para servirem de apoio aos pés dos traseuntes.

estribillo. *m.* estribilho, palavra que se repete a cada passo; (poet.) estribilho; bordão. V. **bordón.**

estribo. *m.* estribo, peça em que o cavaleiro apoia os pés quando vai montado; estribo, degrau de carruagem; estribo, anel na extremidade da besta; (fig.) apoio, fundamento; (arq.) estribo; (anat.) estribo, osso do ouvido; (germ.) criado; (mar.) estribo.

estribor. *m.* (mar.) estibordo, direita dum navio, cisbordo.

estricnina. *f.* (quim.) estricnina.

estricninismo. *m.* (pat.) V. **estricnismo.**

estricnismo. *m.* (pat.) estricnismo.

estricno. *m.* (bot.) estricno.

estricote. *m.* estricote, vida licenciosa: *al estricote,* às voltas; confusamente. V. **al retortero.**

estricto, ta. *adj.* estrito, exa(c)to, preciso, rigoroso, severo; apertado, devido, restrito, justo.

estridencia. *f.* estridência, estridor, desarmonia; inconsonância.

estridente. *adj.* estridente, agudo; estridoroso, inarmó(ô)nico; inconsoante; sibilante; áspero; penetrante; (med.) estriduloso.

estridor. *m.* estridor, estrondo, silvo; som agudo ou desagradável, estridência.

estridulación. *f.* estridulação.

estridulante. *adj.* estridulante, estridente.

estridular. *v. intr.* estridular, fazer estridulação.

estriduloso, sa. *adj.* (med.) estrídulo, estriduloso, sibilante.

estriga. *f.* estriga, porção de linho que se põe de cada vez na roca; rocada.

estrige. *f.* (zool.) coruja. V. **lechuza.**

estrinque. *m.* (mar.) maroma grossa de esparto. V. **estrenque.**

estro. *m.* estro, inspiração, engenho poético, veia; (vet.) período de cio dos mamíferos; estro, parasita do gado. V. **rezno.**

estróbilo. *m.* (bot.) estróbilo.

estrobo. *m.* (mar.) estropo, cabo unido pelos extremos, andorinho dos estribos.

estroboscopia. *f.* (fís.) estroboscopia.

estroboscopio. *m.* (fís.) estroboscopio.

estrofa. *f.* estrofe, estância na poesia grega; copla; primeira parte do canto lírico.

estrofantina. *f.* (quim.) estrofantina.

estrofanto. *m.* (bot.) estrofanto.

estrófico, ca. *adj.* estrófico, pertencente à estrofe; dividido em estrofes.

estroma. *f.* (anat.) estroma, trama dum tecido.

estromanía. *j.* (pat.) estromania.

estromaníaco, ca. *adj e s.* estromaníaco, ninfomaníaco.

estromático, ca. *f.* pertencente ou relativo à estroma.

estrombo. *m.* (zool.) estrombo, concha univalve.

estronciana. *f.* (quim.) estronciana.

estroncianita. *f.* (min.) estroncianite.

estroncio. *m.* (quim.) estrôncio.

estropajear. *v. tr.* limpar a seco as paredes.

estropajeo. *m.* limpeza a seco das paredes.

estropajo. *m.* esfregão de esparto; estropalho, esfregão, rodilha; (fig.) coisa vil, desprezível como un trapo; pessoa sem préstimo; refugo, esfregão; (bot.) planta cucurbitácea, cujo fruto se usa como escova.

estropajoso, sa. *adj.* (fig. e fam.) entaramelado, que tem má pronúncia, gago; esfarrapado, andrajoso; diz-se das coisas fibrosas e ásperas.

estropeado, da. *p. p. e adj.* estropiado; estragado; deteriorado; estrompado; envelhecido; aleijado; depravado, corru(p)to; (fig.) furado.

estropeamiento. m. estropeação. V. estropeo.

estropear. v. tr. estropiar, aleijar; deformar; estragar, deteriorar; aleijar, quebrar um membro, mutilar; desfigurar; invalidar; executar mal (tocando ou cantando); argamassar, misturar cal e areia para fazer argamassa; deturpar; danar; desmelhorar; desmanchar; depravar; desastrar; corromper; estroncar; (fig.) abafar (negócios). — v. r. deteriorar-se; avariar-se; degenerar; desmanchar-se; desajustar-se; (fig.) envelhecer.

estropeo. m. estropiamento; aleijão; estropeação; deformação; dano; deterioração; estrago.

estropicio. m. (fam.) estropício, malefício destroço, dano não premeditado.

estructura. f. estructura, composição e organização dum edifício; (fig.) estrutura, distribuição e ordem com que está composta uma obra; edifício; estrutura, fábrica; contextura.

estructural. adj. estrutural, relativo à estrutura.

estruturar. v. tr. estruturar, distribuir, ordenar as partes duma obra ou dum corpo.

estruendo. m. estrondo, estampido; (fig.) confusão, bulício; pompa, aparato; tumulto; estrondo, celebridade, fama; ostentação; fragor, explosão, atroada, arrebentão; (Bras.) pipôco.

estruendoso, sa. adj. estrondoso, estrepitoso, ruidoso, estentóreo; atroador; estrepitoso; estrepitante, fragoroso; (fig.) pomposo, espectaculoso.

estrujador, ra. adj. e s. espremedor, que espreme.

estrujadura. f. espremedura, apertão; compressão.

estrujamiento. m. V. estrujadura.

estrujar. v. tr. espremer, tirar o sumo; espremer, apertar, comprimir violentamente, esmagar; macerar; chupar; sugar; (fig. e fam.) esgotar, tirar todo o proveito possível; fazer mesquinharias.

estrujón. m. espremedura, apertão; esmagadura da uva por meio do pé; acção de espremer pela primeira vez a azeitona.

estruma. f. (pat.) estruma, escrófula.

estrumoso, sa. adj. (med.) estrumoso, escrofuloso.

estrumpido. da. p. p. de estrumpir. — m. (prov.) estrupido, estampido.

estrumpir. v. intr. (prov.) estalar, fazer explosão; fazer ruído.

estrupar. v. tr. V. estuprar.

estuación. f. estuação, fluxo do mar.

estuante. adj. estuante, ardente, demasiado quente, febril; agitado.

estuario. m. estuário, esteiro dum rio.

estucado da. p. p. adj. e m. estucado; estuque, revestimento de estuco, acafeladura.

estucador. m. estucador, que estuca. V. estuquista.

estucar. v. tr. estucar, revestir de estuque, trabalhar em estuque, acafelar.

estuco. m. estuque, estucagem, mistura de cal fina, mármore em pó, gesso, areia e água com cola.

estuche. m. esto(ô)jo, boceta; funda; caixa com divisões adequadas aos objetos que lá se guardam; espécie de pente pequeno; (fam.) pessoa astuta e hábil; (bot.) estojo, cavidade que contém a medula das plantas; trunfos no jogo do voltarete: estuche de cirugía, estojo de cirurgião; ser un estuche, (fam.) ser pessoa muito hábil em tudo: estuche de cigarros, charuteira.

estuchista. m. estoijeiro, fabricante de estojos.

estudiado, da. p. p. e adj. estudado; (gal.) afectado, aparente, fingido.

estudiador, ra. adj. (fam.) estudioso que estuda muito.

estudiante. p. a. e adj. estudante, que estuda. — s. estudante; educando; escolar; discípulo; aluno; colegial; estudiante de seminario, (pop.) formigão; estudiante de bachillerato, (pop.) bicho; estudiante aplicado, (Bras.) cu-de-ferro.

estudiantil. adj. estudantil, estudantesco.

estudiantina. f. estudantina, grupo de estudantes que cantam ou tocam pelas ruas.

estudiantino, na. adj. (fam.) escolar, diz-se do referente aos estudantes.

estudiar. v. tr. estudar; estudar, aprender; estudar, frequentar as escolas, ou cursos universitários; estudar, examinar, meditar, pensar, observar; decorar, fixar na memória; ajudar a estudar; ensaiar uma peça de teatro; (pint.) copiar, do natural, desenhar; (gal.) preparar simulando ou afectando, simular; planear; amadurar; explorar; lucubrar: estudiar sin levantar cabeza, (fam.) estudar por atacado.

estudio. m. estudo, acto de estudar; estudo, casa, aula onde se estuda; sala ou gabinete de trabalho; estudo, casa onde os escultores e pintores têm os seus modelos; estudo, modelo de desenho; (fig.) estudo, aplicação. diligência; habilidade, estudo, dissimulação, artifício, fingimento, disfarce; cuidado, atenção, estudo, fim, intento, objecto; (mús. e pint.) estudo, ensaio, esboço; (mús.) composição musical; preparação; exame, análise. — pl. estudos, cursos literários ou científicos; estúdios cinematográficos.

estudiosidad. f. estudiosidades, inclinação ao estudo.

estudioso, sa. adj. estudioso, diligente, aplicado ao estudo, aproveitado; apreciador, cultor: hombre estudioso, (fam.) estudantaço.

estufa. f. estufa, fogão, aquecedor, braseiro; estufa, invernadoiro para plantas; estufa, enxugador; estufa (aparelho de desinfecção); estufa, armário para conservar os objectos quentes; espécie de carruagem fechada, de dois assentos e com vidros; (fig.) estufa, quarto aquecido.

estufador. m. estufadeira, tacho para estufar a carne.

estufar											636

estufar. *v. tr.* (ant.) estufar, aquecer um quarto; estufar (carnes).
estufero. *m.* estufeiro, que faz estufas. V. estufista.
estufilla. *f.* regalo, agasalho de pele para as mãos; braseira para aquecer os pés; manguito.
estufista. *s.* estufeiro, vendedor ou fabricante de estufas.
estulticia. *f.* estultícia, necedade, tolice, imbecilidade, estupidez.
estulto, ta. *adj.* estulto, néscio, imbecil; insensato, tolo, inepto, estouvado.
estuosidad. *f.* (med.) estuação, calor intenso febril.
estuoso, sa. *adj.* estuoso, estuante, ardente, febril, fervente.
estupefacción. *f.* estupefa(c)ção, asombro, pasmo, estupor, embascamento, aturdimento, entorpecimento; (med.) adormecimento duma parte do corpo.
estupefaciente. *adj.* estupefaciente, estupefa(c)tivo, que produz estupefacção. — *m.* estupefaciente, narcótico, alcalóide que produz estupefacção.
estupefactivo, va. *adj.* estupefactivo, que causa pasmo, assombro ou estupefacção, estupefaciente.
estupefacto, ta. *adj.* estupefa(c)to, ató(õ)nito, pasmado, assombrado, boquiaberto, embasbacado, esbasbacado, desqueixolado, encantado; entorpecido, que não tem sensibilidade.
estupendo, da. *adj.* estupendo, admirável, pasmoso, assombroso, mágico, exce(p)cional, milagroso, luzido, extraordinário, espantoso, monstruoso: ¡estupendo!, apoiado!; ¡eso es estupendo!, isso é galinda!
estupidez. *f.* estupidez, tolice, imbecilidade; palermice, embotadura, estultícia, bestidade, bestice, bestialidade; boçalidade; bobice, embrutecimento, estouvadice; asneira, desengenho, estonteamento, entontecimento, incoerência, estultilóquio; (med.) estupidez, imbecilidade.
estúpido, da. *adj.* e *s.* estúpido, falto de inteligência, bruto, estólido, imbecil; grosseiro, muito desagradável; fastidioso; palerma; apalermado; estupidarrão, aboleimado; bo(ô)bo; atoleimado, asinino, asinário, estólido; atontado; apanascado, aparvalhado, alorpado, alonso, desengenhoso, basbaque; pacóvio; pábulo; minguado; incoerente; (fig.) asno, animal; beócio; demente; alcançadiço; (pop.) anastásico, bernardo, chochinha, luminárias, madeiro: *dicho estúpido*, bernardice; *hombre estúpido*, batorelha, fungão; *ser un estúpido*, ter estrela na testa! *volverse un estúpido*, atontar-se, empavoar.
estupor. *m.* (med.) estupor, diminuição ou suspensão das faculdades intelectuais; (fig.) assombro, pasmo, estupefa(c)ção.
estuporoso, sa. *adj.* (med.) estuporado, hemiplégico.
estuprador. *m.* estuprador, desonrador, desflorador, violador.
estuprar. *v. tr.* estuprar, desflorar; violar; desonrar.

estupro. *m.* estupro, atentado contra o pudor duma mulher, desfloramento forçado de virgem; desfloração, violação, coito forçado.
estuque. *m.* estuque. V. estuco.
estuquería. *f.* arte de estucar; obra de estuque.
estuquista. *m.* estucador, que faz obras de estuque, acafelador.
esturado, da. *p. p.* e *adj.* esturrado; (fig.) queimado.
esturar. *v. tr.* esturrar, estorricar, torrar, queimar.
esturdecer. *v. tr.* (prov.) atordoar. V. aturdir. — *conj. irr.* como *crecer*.
esturgar. *v. tr.* aperfeiçoar, as obras de olaria.
esvarar. *v. intr.* escorregar, resvalar.
esvarón. *m.* escorregão, escorregadela.
esviaje. *m.* (arq.) obliquidade da superfície dum muro ou do eixo duma abóbada.
eta. *f.* eta, sétima letra do alfabeto grego.
etalaje. *m.* (gal.) cuba dos altos fornos.
etal. *m.* (quím.) etal.
etálico, ca. (quim.) etálico.
etamine. *m.* (gal.) espécie de tecido muito fino.
etapa. *f.* (mil.) etapa, ração de comida em campanha ou marcha; etapa, paragem das tropas em marcha; etapa, período, época no desenvolvimento duma a(c)ção; estádio; jornada.
etcétera. *f.* etc. (ed-cétera); e outras coisas mais; e o resto.
éter. *m.* (quim.) éter; (poét.) éter, céu, abobada celeste; as regiões superiores da atmosfera: *éter sulfúrico*, éter sulfúrico.
etéreo, a. *adj.* etéreo, relativo ao éter; (fig.) puro, sublime, seráfico, incorpóreo; relativo ao céu.
eterificación. *f.* (quím.) eterificação.
eterificar. *v. tr.* (quim.) eterificar, converter em éter.
eterismo. *m.* (med.) eterismo, intoxicação produzida pelo éter.
eterización. *f.* (med.) eterização.
eterizador. *m.* (med.) eterizador, instrumento para eterizar.
eterizar. *v. tr.* (mad.) eterizar, insensibilizar pelo éter; (quím.) misturar com éter.
eternal. *adj.* eternal, eterno.
eternidad. *f.* eternidade; vida eterna; duração ou tempo muito longo; grande demora; eviternidade; sempiternidade.
eternizable. *adj.* eternizável, digno de eternizar-se.
eternizar. *v. tr.* eternizar, tornar eterno, prolongar, fazer durar por longo tempo; perpetuar; demorar. — *v. r.* eternizar-se, tornar-se para sempre celebre; prolongar-se.
eterno, na. *adj.* eterno, eternal, inacabável, inconsumptível; indestrutível, sempiterno, eviterno; (fig.) inalterável; afamado; imortalizado: *El Eterno*, O Eterno.
eterolado. *m.* (farm.) eteróleo.
eterolato. *m.* (quim.) eterolato.
eterolaturo. *m.* (quim.) eterolatura.
eteromanía. *f.* (pat.) eteromania.

eterómano, na. *adj.* e *s.* eteró(ô)mano.
etesio. *adj.* e *s.* etésios (ventos mediterrâneos).
ética. *f.* (filos.) ética; moral; ciência moral.
ético, ca. *adj.* e *s.* ético, pertencente à ética. — *m.* moralista.
ético, ca. *adj.* (med.) héctico; tísico; tuberculoso.
etilamina. *f.* (quim.) etilamina.
etileno. *m.* (quim.) etileno.
etílico, ca. *adj.* (quim.) etílico.
etilo. *m.* (quim.) etilo.
étimo. *m.* (ant.) étimo, etimologia.
etimologia. *f.* (gram.) etimologia; derivação das palavras.
etimológico. *adj.* etimológico.
etimologista. *m.* etimologista, etimólogo.
etimologizante. *p. a.* e *adj.* etimologizante, que etimologiza.
etimologizar. *v. tr.* etimologizar, determinar a etimologia duma palavra; tratar de etimologia.
etimólogo, ga. *s.* etimólogo, etimologista.
etiologia. *f.* (filos. e med.) etiologia.
etiológico, ca. *adj.* etiológico.
etíope. *adj.* e *s.* (geog.) etíope, natural da ou pertencente à Etiópia.
Etiopía. (geog.) Etiópia.
etiópico, ca. *adj.* etiópico, pertencente à Etiópia.
etiopio, pia. *adj.* etíope.
etiqueta. *f.* etique(ê)ta, cerimó(ô)nia, cerimonial; etiqueta, rótulo, marca, regra, letreiro; rótulo (em malas ou volumes despachados); formalismo; formalidade; civilidade. V. **marbete.**
etiquetar. *v. tr.* etiquetar, pôr etiquetas, rotular.
etiquetero, ra. *adj.* cumprimenteiro, cumprimentadeiro, que faz muita cerimónia.
etiquez. *f.* (med.) hecticidade. V. **hetiquez.**
etites. *f.* (min.) etite, pedra-d'águia.
etmoidal. *adj.* (anat.) etmoidal, relativo ao etmóide, etmóideo.
etmoidectomía. *f.* (cir.) etmoidectomia.
etmoideo, a. *adj.* etmóideo.
etmoides. *adj.* e *m.* (anat.) etmóide; etmoidal.
etmoiditis. *f.* (pat.) etmoidite.
etnarca. *m.* etnarca.
etnarquía. *f.* etnarquia.
etneo, a. *adj.* (geog.) etnense, etneu, pertencente ou relativo ao Etna.
étnico, ca. *adj.* étnico, pagão, idólatra; étnico, gentílico, pertencente ou relativo a uma nação ou raça.
etnobiología. *f.* (biol.) etnobiologia.
etnodicea. *f.* (neol.) etnodice(ê)ia, direito das gentes.
etnogenia. *f.* (etnog.) etnogenia.
etnografía. *f.* etnografia.
etnográfico, ca. *adj.* etnográfico.
etnógrafo, fa. *s.* etnógrafo.
etnología. *f.* etnologia.
etnológico, ca. *adj.* etnológico.
etnologista. *s.* etnologista, etnólogo.
etnólogo. *s.* etnólogo, etnologista.
etnonimia. *f.* etnonímia.

etocracia. *f.* (pol.) etocracia.
etócrata. *adj.* e *s.* etócrata partidário da etocracia.
etocrático, ca. *adj.* etocrático, relativo à etocracia.
etogénesis. *f.* etogenia.
etografía. *f.* etografia.
etográfico, ca. *adj.* etográfico.
etolio lia. *adj.* e *s.* (geog.) etólio, etólico, natural da ou pertencente à Etólia.
etolo, la. *adj* e *s.* V. **etolio.**
etología. *f.* etologia.
etológico, ca. *adj.* etológico.
etólogo, ga. *s.* etólogo.
etopeya. *f.* (ret.) etope(é)ia.
etrioscopia. *f.* (fis.) etrioscopia.
etrioscopio. *m.* (fís.) etrioscópio.
Etruria. (geog.) Etrúria.
etrusco, ca. *adj.* e *s.* etrusco, natural da ou pertencente à Etruria. — *m.* etrusco, língua que falaram os etruscos.
etusa. *f.* (bot.) espécie de cicuta. V. **cicuta menor.**
eubiótica. *f.* eubiótica, arte de bem viver.
euboico, ca. *adj.* e *s.* (geog.) eubóico. V. **eubeo.**
eubolia. *f.* eubolia.
eucalipto. *m.* (bot.) eucalipto.
eucaliptol. *m.* (quim.) eucaliptol.
Eucaristía. *f.* Eucaristia; a Hóstia Consagrada; Pão Angélico.
eucarístico, ca. *adj.* eucarístico: *pan eucarístico*, Corpo de Cristo.
eucinesia. *f.* (fisiol.) eucinesia.
euclasa. *f.* (min.) êuclase, esmeralda prismática do Brasil.
euclídeo, a. *adj.* euclidiano.
euclidiano, na. *adj.* euclidiano.
eucologio. *m.* (liturg.) eucológio.
eucrasia. *f.* (med.) eucrasia, bom temperamento.
eucrático, ca. *adj.* (med.) eucrásico, diz-se do bom temperamento e compleição duma pessoa.
eucromático, ca. *adj.* eucromático, eucromo.
eudiapnestia. *f.* (med.) eudiapneustia.
eudinamia. *f.* eudinamia.
eudiometría. *f.* (fís.) eudiometria.
eudiométrico, ca. *adj.* (fís.) eudiométrico.
eudiómetro. *m.* (fís.) eudió(ô)metro.
euemia. *f.* (med.) euemia, evemia.
eufagia. *f.* eufagia.
eufemismo. *m.* (ret.) eufemismo.
eufonía. *f.* eufonia, som agradável.
eufónico, ca. *adj.* eufó(ô)nico; melodioso; suave.
euforbiáceas. *f. pl.* (bot.) euforbiáceas.
euforbiáceo, a. *adj.* (bot.) euforbiáceo.
eufórbico, ca. *adj.* (quim.) euforbico.
euforbina. *f.* (quim) euforbina.
euforbio. *m.* (bot.) euforbio; goma-resina.
euforia. *f.* (med.) euforia; sensação de bem--estar.
eufórico, ca. *adj.* eufórico, relativo à euforia; que tem euforia.
eufótida. *f.* (min.) eufotite, rocha de dialágio e feldspato.
eufrasia. *f.* (bot.) eufrásia.

eufuismo. *m.* eufuísmo, estilo afectado análogo ao gongorismo, que se usou na Inglaterra.

eufuista. *adj.* e *s.* eufuísta, pessoa que empregava o eufuísmo.

eufuístico, ca. *adj.* eufuístico, pertencente ou relativo ao eufuísmo.

eugenesia. *f.* euge(ê)nia, eugénica, eugenesia.

eugenésico, ca. *adj.* eugé(ê)nico, eugenésico.

eugenia. *f.* (biol.) euge(é)nia, eugénica.

eugénico, ca. *adj.* (biol.) eugé(ê)nico, relativo à eugenia.

eugenismo. *m.* (biol.) eugenismo.

eugenista. *s.* eugenista, sectário das doutrinas eugénicas.

eugrafo. *m.* (ópt.) êugrafo.

eumeno. *m.* (zool.) êumeno.

eunuco. *m.* eunuco. — *adj.* estéril, inútil, semíviro.

eunuquismo. *m.* eunuquismo.

eupatorina. *f.* (quim.) eupatorina.

eupatorio. *m.* (bot.) eupatório.

eupepsia. *f.* (fisiol) eupepsia.

eupéptico, ca. *adj.* eupéptico.

euplasia. *f.* (biol.) euplasia.

euplástico, ca. *adj.* (biol). euplástico.

eupnea. *f.* (med.) eupneia.

euquimo. *m.* (bot.) euquimo.

euquinina. *f.* (quim.) euquinina.

eurasiático, ca. *adj.* e *s.* (geog.) euro-asiático.

¡eureka! *interj.* heureca!, achei!; descobri!; eureca!

euricéfalo, la. *adj.* euricéfalo.

eurignato, ta. *adj.* (antropol.) eurignato.

euritmia. *f.* euritmia, boa disposição nas diversas artes duma obra de arte.

eurítmico, ca. *adj.* eurítmico.

euro. *m.* (poét.) euro, o vento de leste.

Europa. (geog.) Europa.

europeismo. *m.* europeísmo.

europeización. *f.* europeização.

europeizar. *v. tr.* europeizar, tornar europeu, dar feição europeia.

europeo, a. *adj.* e *s.* (geog.) europeu, natural da ou pertencente à Europa.

eúscaro, ra. *adj.* e *s.* (geog.) euscaro, euscalduno, vascongado, vasconço, primitivo ibero.

eúsquero, ra. *adj.* e *s.* (geog.) V. **eúscaro.**

eusemia. *f.* (med.) eussemia.

Eustaquio. *n. p.* Eustáquio: *trompa de Eustaquio,* trompa de Eustáquio.

eústilo. *adj.* e *m.* (arq.) eustilo.

eutanasia. *f.* (med.) eutanasia.

eutaxia. *f.* (med.) eutaxia.

eutimia. *f.* eutimia, tranquilidade de espírito.

eutiquianismo. *m.* (rel.) doutrina herética de Eutiques, doutrina eutiquiana.

eutiquiano, na. *adj.* e *s.* (rel.) eutiquiano.

eutocia. *f.* (fisiol.) eutócia, parto normal.

eutócico, ca. *adj.* (fisio.) eutócico.

eutrapelia. *f.* eutrapelia, moderação em diversões; recreio inocente.

eutrapélico, ca. *adj.* eutrapélico, eutrápelo; chistoso, gracioso.

eutrofia. *f.* (med.) eutrofia, boa nutrição.

eutropelia. *f.* V. **eutrapelia.**

eutropélico, ca. *adj.* V. **eutrapélico.**

Eva. *n. pr.* Eva.

evacuación. *f.* evacuação, despejo; expulsão de matérias fecais; saída; eje(c)ção; (mil.) evacuação, retirada duma praça ou lugar fortificado; ejaculação; descarga; esvaziamento; excreção; excremento.

evacuado, da. *p. p.* e *adj.* evacuado, despejado; livre; esvaziado; desempachado.

evacuante, ta. *p. a.* e *adj.* evacuante; (med.) evacuativo, evacuante, evacuatório.

evacuar. *v. tr.* evacuar, despejar, deixar livre; (med.) evacuar, detergir; expelir matérias fecais, purgar; deixar livre, evacuar; (fisiol.) evacuar, despejar o ventre; esvaziar; desempenhar um encargo; (mil.) evacuar, abandonar uma praça ou lugar fortificado; (fam.) terminar um negócio; (pop.) defecar, dar de corpo; (fisiol.) excretar.

evacuativo, va. *adj.* e *m.* (med.) evacuativo, evacuatório, evacuante.

evacuatorio, ria. *adj.* evacuatório, evacuante, que faz evacuar. — *m.* sentina, retrete pública.

evadir. *v. tr.* evadir, escapar; desviar; evitar; iludir com arte ou astúcia uma dificuldade; (fig.) sofismar. — *v. r.* evadir-se, escapar-se, fugir, bispar-se; (fig.) sumir-se, desaparecer.

evagación. *f.* evagação, divagação, distracção da imaginação.

evaluación. *f.* valorização, avaliação. V. **valuación.**

evaluador, ra. *adj.* e *s.* avaliador, que avalia; árbitro.

evaluar. *v. tr.* valorizar, avaliar, apreciar o valor das coisas, medir, estimar. V. **valorar.**

evanescente. *adj.* evanescente, efémero.

evangeliario. *m.* evangeliário.

evangélico, ca. *adj.* evangélico.

evangelio. *m.* evangelho, doutrina de Cristo; evangelho, cada um dos quatro livros em que está narrada a vida de Jesus Cristo; (fig.) religião cristã; (fig. e fam.) verdade indiscutível: *decir el evangelio,* (fig. e fam.) dizer alguma coisa digna de toda a confiança, dizer a verdade; *predicar el evangelio,* pregar o Evangelho.

evangelismo. *m.* (neol.) evangelismo.

evangelista. *m.* evangelista; (Amér.) V. **memorialista.**

evangelistero. *m.* evangelista, sacerdote que canta o evangelho nas missas solenes.

evangelizable. *adj.* que se pode evangelizar.

evangelización. *f.* evangelização.

evangelizador, ra. *adj.* e *s.* evangelizador, evangelizante.

evangelizar. *v. tr.* evangelizar, pregar ou divulgar o Evangelho; ensinar, doutrinar, missionar.

evania. *f.* (zool.) eva(â)nia.

evaporable. *adj.* evaporável, que se pode evaporar.

evaporación. *f.* evaporação; desvanecimento, esvaecimento.

evaporado, da. *p. p.* e *adj.* evaporado; aventado; esvaecido; dissipado.

evaporar. *v. tr.* evaporar, converter em vapor; (fig.) dissipar, desvanecer; vaporizar; (fig.) fazer desaparecer; exalar. — *v. r.* evaporar-se, converter-se em vapor; desaparecer, dissipar-se, desvanecer-se, extinguir-se.

evaporatorio, ria. *adj.* e *m.* evaporatório, evaporativo.

evaporización. *f.* evaporação.

evaporizar. *v. tr.* vaporizar, evaporar. V. **vaporizar.**

evaporómetro. *m.* (fís.) evaporímetro; evaporó(ô)metro.

evasión. *f.* evasão, fuga; saída; evasiva, efúgio.

evasiva. *f.* evasiva, subterfúgio, escapatória, pretexto, desculpa; efúgio; descarte; (fig.) entrincheiramento. — *pl.* ambages.

evasivo, va. *adj.* evasivo; argucioso; ambagioso, que serve para iludir.

evasor, ra. *adj.* que se evade, que foge, fugidiço.

evección. *f.* (astr.) evecção.

evemerismo. *m.* (filos.) evemerismo.

evento. *m.* evento, acontecimento; sucesso; eventualidade, contingência; acaecimento: *a todo evento*, em todo o caso.

eventración. *f.* (pat.) eventração.

eventual. *adj.* eventual, casual, fortuito; contingente; variável; diz-se dos emolumentos anexos a um emprego, fora da sua dotação; acessório.

eventualidad. *f.* eventualidade, acontecimento incerto; contingência; possibilidade; acaso.

eversión. *f.* eversão, destruição, ruína, desolação; reviramento de dentro para fora; desmoronamento.

eversor, sa. *s.* eversor, eversivo, destruidor, subversor.

evicción. *f.* (for.) evicção; reivindicação.

evidencia. *f.* evidência, certeza manifesta; noção clara; (fig.) desnudez; indiscutibilidade; luz; depoimento; claridade, clareza: *poner en evidencia,* desvelar, desvendar; *ponerse en evidencia,* evidenciar-se; *en evidencia,* em ridículo, em situação desairosa.

evidenciar. *v. tr.* evidenciar, tornar evidente, mostrar, provar; palear; pôr em luz; demonstrar; constatar; patentear. — *v. r.* evidenciar-se, pôr-se em evidência; patentear-se; sobressair, mostrar-se claramente.

evidente. *adj.* evidente, patente, claro, manifesto; expresso; indubitável; axiomático; inequívoco; inegável; incontestável; inconcuso, desvelado; indiscutível; franco, aberto, declarado; aparente; demonstrativo; apodíctico; convincente; (fig.) luminoso; paladim: *ser evidente,* dar nos olhos; *prueba evidente,* prova luminosa.

evisceración. *f.* (cir.) evisceração, eventração.

eviscerar. *v. tr.* (cir.) eviscerar, estripar.

evitable. *adj.* evitável, que se pode ou deve evitar.

evitación. *f.* evitação, evitamento; desculpa; escusa, evasiva.

evitar. *v. tr.* evitar, atalhar, impedir, precaver; poupar; desviar; fugir alguma coisa. *v. intr.* evitar, escusar-se; eludir. — *v. r.* esquivar-se; eximir-se; desviar-se: *evitar a alguien,* desviar-se de alguém.

eviterno, na. *adj.* eviterno, eterno, que não tem fim.

evo. *m.* (teol.) evo, eternidade; (poet.) duração de tempo sem fim; eviternidade; evo, duração, idade dilatada.

evocable. *adj.* evocável, que se pode evocar.

evocación. *f.* evocação, invocação, recordação, lembrança; menção.

evocador, ra. *adj.* evocador, evocativo, evocatório; evocante.

evocar. *v. tr.* evocar, invocar, chamar ou apostrofar os espíritos; conjurar; evocar, chamar em auxílio; (fig.) evocar, trazer à lembrança; chamar à memória; esconjurar; reproduzir na imaginação.

¡evohé! *interj.* evoé!, grito em honra de Baco.

evolución. *f.* evolução, desenvolvimento; (fig.) mudança de conduta ou atitude; (mil.) evolução, movimento das tropas ou dos navios; evolução, transformação progressiva das espécies.

evolucionar. *v. intr.* evolucionar, executar evolução; fazer evoluções, passar por transformações sucessivas; (mil.) evolucionar, fazer exercícios a tropa ou os navios; mudar de conduta ou atitude.

evolucionario, ria. *adj.* (biol.) evolucionário; (mil.) evolucionário.

evolucionismo. *m.* (filos. e biol.) evolucionismo, doutrina fundada na evolução das espécies, darwinismo.

evolucionista. *adj.* e *s.* evolucionista; darwinista, darwiniano.

evoluta. *f.* (geom.) evoluta, curva plana.

evolutivo, va. *adj.* evolutivo, evolucionário.

evolvente. *f.* (geom.) evolvente, curva derivada da evoluta.

evónimo. *m.* (bot.) evónimo.

evulsión. *f.* (med.) evulsão, avulsão, extracção.

evulsivo, va. *adj.* (med.) evulsivo, próprio para arrancar.

ex. *prep.* ex. Indica geralmente movimento, para fora de: *excéntrico, extemporáneo;* encarecimento: *exclamar;* negação ou privação: *ex comunión;* antes de um nome ou adjectivo exprime o que foi uma pessoa ou coisa: *ex diputado, ex monárquico.*

ex abrupto. *adv.* ex-abrupto, abruptamente, repentinamente, arrebatadamente. — *m.* saída de tom.

exacción. *f.* exa(c)ção; cobrança injusta e violenta, arrecadação de impostos; contribuição, imposto, tributo; exigência; (fig.) exacção, rigor; (ant.) exacção, exactidão; pontualidade.

exacerbación. *f.* exarcerbação; excitação; (med.) agravamento duma doença; aumento de intensidade duma doença ou dum sofrimento.

exacerbamiento. *m.* exacerbação. V. **exacerbación.**

exacerbar. *v. tr.* exacerbar, tornar acerbo, irritar; agravar uma doença, uma paixão, um sofrimento; exacerbar, excitar; (fig.) ele(c)trizar; (fig.) exasperar, encruar, acerar, encender, incendiar. — *v. r.* avivar-se, exacerbar-se; exaltar-se; incomodar-se.

exactitud. *f.* exa(c)tidão, pontualidade perfeição, observância rigoroso; atilamento; exa(c)ção; probidade, honradez; exactidão, mesmeidade; formalidade; identidade; (fig.) desve(ê)lo: *con toda exactitud,* com todos os ff e rr.

exacto, ta. *adj.* exa(c)to, perfeito, corre(c)to, conforme à regra ou à verdade; rigoroso, exacto, pontual; devido; apontado; atilado; definido; apurado; mesmo; formal; estrito; idêntico; frisante; acurado; (fig.) arrecadado; verdadeiro, pontual; certo, perfeito, fiel; que não há erro ou falta; (Bras.) escritinho.

exactor. *m.* exa(c)tor, cobrador de tributos, impostos e emolumentos.

exageración. *f.* exageração, exage(ê)ro; engrandecimento; encarecimento; exorbitância; extremo; amplificação; ampliação; (ret.) auxese; (fig.) euforia; hipébole.

exagerado, da. *adj. s.* e *p. p.* exagerado, afectado, excessivo; encarecido; desmoderado; extremado; fabuloso; extremo; extremoso; farfalhoso; farfalhudo; demasiado; amaneirado; descomunal; desatinado; declamatório; acrescentado; desproporcionado: *cuenta exagerada,* conta de capitão.

exagerador, ra. *adj.* e *s.* exagerador, que exagera; extremoso; encarecedor; exagerativo.

exagerar. *v. tr.* exagerar, dar proporções excessivas a uma coisa, encarecer em demasia; avultar; agravar; (fig.) agigantar; amplificar; ampliar; extremar; exorbitar; desregrar-se; encarecer; engrandecer; aparentar mais do que se sente; exaltar excessivamente; falar com excesso; afectar. — *v. intr.* ser exagerado; desorbitar-se; *exagerar un relato,* quem conta um conto, acrescenta-lhe um ponto; *exagerar la propia desgracia,* chorar-se; *exagerar el incidente,* afear o incidente.

exagerativo, va. *adj.* exagerativo, em que há exagero, exagerador.

exaltación. *f.* exaltação, excitação; glorificação; glória resultante duma acção brilhantesca; entusiasmo; excitação; incandescência; frenesi; fúria; furor; arrebatamento; desvairamento; enaltecimento; efervescência; entronização; (med.) exalçamento; fanatismo; (fig.) bebedice; (fig.) ebulição; sobreexcitação de espirito; louvor entusiástico; sublimação de substância; (Bras.) ataraú: *exaltación violenta de una pasión,* (fig.) eretismo; *exaltación del espíritu,* delírio.

exaltado, da *adj.* e *p. p.* exaltado, que se exalta; (fig.) exagerado; assomado; desinquieto; desvairado; empinado; energú-

meno; ele(c)trizado; exalçado; aceso; fanático; apaixonado; decantado; alcandorado; frenético; (fig.) incandescente, esturrado, ébrio, efervescente; ardente; fàcilmente irritável; elevado, levantado, sublimado; irritado.

exaltamiento. *m.* exaltação, exaltamento.

exaltar. *v. tr.* exaltar, engrandecer, sublimar; exaltar, realçar o mérito dalguém; entusiasmar; encumear; magnificar; extremar; exultar; afamar; desvairar; empoleimar; enaltecer; exaltar, exalçar; bendizer; bem-dizer; erguer; apaixonar; pôr nos cornos da Lua; decantar; (fig.) entronar, entronizar; (fig.) ele(c)trizar; (fig.) engrandecer, tornar alto, glorificar, celebrar; elevar ao mais alto grau; entusiasmar, excitar, irritar; excitar. — *v. r.* deixar-se arrebatar por uma paixão; irritar-se, inflamar-se, ele(c)trizar-se, exaltar-se, exacerbar-se; delirar; enturrar; elevar-se; (fig.) incandescer, efervescer; engrandecer-se: *exaltar a alguien,* levantar às estrelas a alguém; *exaltar las virtudes de alguien,* alçar as virtudes de alguém.

examen. *m.* exame, análise, revista; exame, observação ou investigação curiosa e atenta; exame, apuramento; averiguação; consulta; deliberação; controlo; aferição; consideração; a(c)to; prova a que se submete um candidato para se verificar se está ou não habilitado a exercer um cargo; interrogatório; inspe(c)ção: *examen severo,* apuração; *examen minucioso* (fig.) anatomia.

examinador, ra. *s.* examinador, pessoa que examina; investigador, interrogador.

examinando, da. *s.* examinando, pessoa que está para ser examinada.

examinar. *v. tr.* examinar, interrogar, sondar, observar, pesquisar, ver; averiguar, considerar, verificar; inquirir, investigar; examinar, provar a idoneidade ou as habilitações de alguém; investigar; examinar, observar atentamente; deslindar; consultar, deliberar; controlar, contrastar, contrapesar; estudar. — *v. r.* examinar-se, fazer exame de consciência; observar-se com atenção: *examinar a fondo,* afundar; apurar; *examinar minuciosamente,* alambicar; *examinar un problema por los cuatro costados,* afundar uma questão.

exangüe. *adj.* exangue, sem sangue; exausto, débil, esvaído, sem forças; enfraquecido; (fig.) morto; pálido.

exania. *f.* (med.) exania.

exaninación. *f.* exanimação, perda das funções vitais; morte aparente; desfalecimento; síncope.

exánime. *adj.* exânime, sem sinais de vida; (fig.) desfalecido, desmaiado; morto; inanimado; semimorto; sem alento.

exantema. *m.* (med.) exantema.

exantemático, ca. *adj.* (med.) exantemático.

exantemoso, sa. *adj.* exantematoso.

exarca. *m.* exarco, exarca.

exarcado. *m.* exarquia, exarcado, dignidade de exarco ou território governado por este.

exarco. *m.* V. exarca.

exartrema. *m.* (med.) exartrema, exartrose.

exartrosis. *f.* (med.) exartrose, exartrema, luxação.

exasperación. *f.* exasperação, exacerbação; irritação; agravação.

exasperado, da. *p. p.* e *adj.* exasperado, exacerbado, irritado, encolerizado; (fig.) encruado.

exasperador, ra. *adj.* exasperador, que irrita ou exacerba.

exasperar. *v. tr.* exasperar, exacerbar, irritar, encolerizar; excitar; enfurecer, acirrar; (fig.) encruar. — *v. r.* exasperar-se, encolerizar-se, abespinhar-se.

excandecencia. *f.* irritação grande; frenesi; excandescência, grande calor.

excandecer. *v. tr.* encolerizar, irritar; causar ira. — *conj. irr.* como *crecer.*

excarcelable. *adj.* excarcerável, que pode ser excarcerado ou liberto.

excarcelación. *f.* excarceração, liberação.

excarcelar. *v. tr.* excarcerar, desencarcerar, livrar da prisão; libertar, tirar do cárcere; soltar.

ex cáthedra. *adv.* ex-cátedra, (fig. e fam.) doutoralmente, com pedantismo.

excava. *f.* escavação; desaterro.

excavación. *f.* escavação; álveo; desaterro, desaterramento; (mil.) fo(ô)sso: *hacer excavaciones,* escavar, fazer escavações.

excavador, ra. *adj.* escavador, que escava. — *f.* escavadora, máquina para escavar.

excavar. *v. tr.* escavar, formar uma cavidade em; tirar terra de; cavar em roda; (agr.) escavar, cavar em torno das vinhas, desaterrar; (fig.) minar.

excedencia. *f.* excedência, qualidade de excedente.

excedente. *p. a. adj.* e *s.* excedente, que sobeja; sobrante, sobejo; excedente, funcionário que, temporàriamente, deixa de exercer o seu cargo; (mil.) adido, supranumerário; excesso; sobejo, sobras.

exceder. *v. tr.* e *intr.* exceder, ultrapassar, avantajar-se, sobrepujar; ir além de; superar; sobejar; anteceder; demasiar; avançar; avantajar; (fig.) eclipsar; desmarcar. — *v. r.* exceder-se, esmerar-se; adiantar-se; descompassar-se; demasiar-se; desordenar-se; destemperar-se; desmandar-se; exorbitar-se; desmedir-se; desmoderar-se; desregrar-se; dizer ou praticar inconveniências; enfurecer-se: *excederse en las órdenes recibidas,* estender a comissão.

excelencia. *f.* excelência, primazia; superioridade; perfeição; magnitude; (fig.) beleza; excelência, tratamento de respeito; *por excelencia,* no mais alto grau, por excelência.

excelente. *adj.* excelente, magnífico, muito bom; distinto; perfeito; exímio; excelso; avantajado; estremado; inapreciável; eminente; conspícuo; delicioso; admirá-

vel; (Bras.) bacana. — *m.* moeda de ouro dos Reis Católicos.

excelentísimo, ma. *adj.* (superl.) excelentíssimo, muito excelente.

excelsitud. *f.* excelsitude; sublimidade; excelência; magnificência.

excelso, sa. *adj.* excelso, muito elevado, alto; eminente, sublime; (fig.) excelso, egrégio, magno; magnífico, ilustre, magnificente.

excentricidad. *f.* excentricidade; originalidade; rareza, extravagância de carácter; singularidade; excentricidade, dito ou acto raro ou extravagante; estroinice, americanice; (pop.) madureza; (geom. e astr.) excentricidade.

excéntrico, ca. *adj.* excêntrico, extravagante, singular, original, esquisito, raro, estranho, lunático; fantástico; macavenco; (geom.) excêntrico. — *f.* (mec.) excêntrico, peça que gira em volta dum ponto que não é o seu centro normal: *llevar una vida excéntrica,* macavencar.

excepción. *f.* exce(p)ção; desvio da regra geral; afastamento do normal, privilégio; restrição; (fig.) excepção, pessoa cujos actos ou ideias se afastam do procedimento vulgar; (for.) excepção, o que se alega para tornar ineficaz uma acção prejudicial; anomalia.

excepcional. *adj.* exce(p)cional; extraordinário, excêntrico; anormal; fora do usual.

excepcionar. *v. tr.* (for.) exce(p)cionar, pôr excepção a; (p. us.) exceptuar.

exceptivo, va. *adj.* exce(p)tivo, excepcional, que exceptua; exclusivo.

excepto. *adv.* exce(p)to, salvo, menos, fora, afora, fora de, à excepção de, senão.

exceptuación. *f.* exceptuação; exce(p)ção; inadmissão; restrição da regra; exclusão. V. excepción.

exceptuar. *v. tr.* exce(p)tuar, excluir, subtrair à regra; isentar, tornar isento; franquear; (for.) exce(p)cionar; eximir.

excerpta. *f.* excerto, colecção, recopilação.

excerta. *f.* V. excerpta.

excesivo, va. *adj.* excessivo, demasiado, desmedido, descomedido, exagerado; extraordinário; desatinado, desatentado; abusivo; desmarcado; desabalado; descomunal; descompassado; exuberante; extremoso, extremo; desordenado; ímprobo; fabuloso; exorbitante; desmoderado; incrível; perfeito.

exceso. *m.* excesso, parte que sobra; excesso, crime, delito, falta, desmando; demasia, sobra; troco; excesso, falta de moderação; cúmulo; desmando, desregramento, descomedimento, descompasso; excesso, diferença avantajada duma coisa sobre outra; excesso, intemperança; altercação; disputa; exuberância; extremo; destempe(ê)ro; exorbitância, desmedida; incontinência; excedente. — *pl.* desregramentos, violências, crueldades.

excidio. *m.* (ant.) excídio, destruição; mortandade.

excipiente. *m.* (farm.) excipiente.

excisión. *f.* (cir.) excisão, ablação, amputação.

excitabilidad. *f.* excitabilidade; irritabilidade.

excitable. *adj.* excitável, irritável, que pode ser excitado fàcilmente; impressionável; exaltado.

excitación. *f.* excitação, exaltação; irritação; alvoroçamento; animação; aquentamento; agitação; paixão; assanho, assanhamento; impressionabilidade; provocação; incitação; exacerbação; abespinhamento; exasperação; açoramento; arreitamento (erótica); afrodísia (sexual); (med.) eretismo (do sistema nervoso): *con gran excitación,* agitadamente.

excitador, ra. *adj.* excitador, que produz excitação, excitante; incitador; atiçador; (fig.) incendiário. — *m.* (fís.) excitador, oscilador.

excitante. *p. a.* e *adj.* excitante, que excita; convidativo; afrodisíaco; estimulante. — *m.* excitante; estímulo.

excitar. *v. tr.* excitar, estimular, mover, despertar. provocar, incitar, animar, activar; avivar; aquentar; abalar; activar, irritar, provocar; desamodorrar; apimentar; alvoroçar; desafiar; afervorar, aferventar, acalorar, apaixonar; convulsionar; agitar; atiçar; exaltar; assanhar; impressionar; incentivar; exacerbar; encarniçar; acicatar; (fig.) aguçar; convidar; aferrotoar; beliscar; assoprar; galvanizar; empuxar; inflamar. — *v. r.* excitar-se; abespinhar-se; abalar-se; acalorar-se; alterar-se; desquiciar-se.

excitativo, va. *adj.* e *s.* excitativo, excitante.

exclamación. *f.* exclamação; interjeição; clamor, clamação; grito de surpresa, admiração, raiva, etc.; exclamação, sinal gráfico.

exclamar. *v. intr.* exclamar; gritar; bradar; clamar; vociferar; soltar exclamações.

exclamativo, va. *adj.* exclamativo, exclamatório.

exclamatorio, ria. *adj.* exclamatório, exclamativo; admirativo.

exclaustración. *f.* exclaustração.

exclaustrado, da. *p. p. adj.* e *s.* exclaustrado, religioso que abandonou o claustro, secularizado.

exclaustrar. *v. tr.* permitir ou ordenar a um religioso que abandone o claustro; secularizar.

excluíble. *adj.* excluível.

excluidor, ra. *adj.* que exclui; exceptuador.

excluir. *v. tr.* excluir, pôr fora, deixar de incluir, exce(p)tuar, dispensar de alguma regra; excluir, expulsar, demitir; eliminar; omitir; banir; exceptuar; elidir; desclassificar; (mil.) desalojar; rejeitar, recusar.

exclusión. *f.* exclusão, exclusiva, omissão; eliminação; desclassificação; desalojamento; exce(p)ção; reprovação.

exclusiva. *f.* exclusiva, exclusão, privilégio, exclusividade para fazer uma coisa proibida aos outros.

exclusive. *adv.* exclusive, exclusivamente.

exclusividad. *f.* exclusividade, exclusivismo.

exclusivismo. *m.* exclusivismo, exclusividade; monopólio.

exclusivista. *adj.* e *s.* exclusivista, relativo ou partidário do exclusivismo.

exclusivo, va. *adj.* exclusivo, que exclui, privativo; pessoal; único, só, restrito, absoluto. — *m.* exclusivo, monopólio, privilégio.

excogitable. *adj.* excogitável, que se pode excogitar ou discorrer.

excogitar. *v. tr.* excogitar, discorrer, pensar, meditar, investigar, inventar, imaginar.

excomulgado, da. *p. p. adj.* e *s.* excomungado; pessoa excomungada; (fig. e fam.) indigno; endiabrado; amaldiçoado; anatematizado.

excomulgador. *m.* excomungador, o que excomunga.

excomulgar. *v. tr.* excomungar, expulsar da Igreja Católica; exorcizar, exorcismar; anatematizar; amaldiçoar; desba(p)tizar; (fig. e fam.) declarar uma pessoa fora do trato com outra; tratar com rigor e enfado.

excomunión. *f.* excomunhão; anatematização; fulminação; exorcização.

excoriación. *f.* escoriação, ferida superficial.

excoriar. *v. tr.* escoriar, esfolar, ferir superficialmente, tirar a pele.

excrecencia. *f.* excrescência, saliência anormal nos animais e plantas, carnosidade, calosidade na superfície dum corpo orgânico.

excreción. *f.* excreção, eliminação de substâncias segregadas, evacuação de excrementos. — *pl.* (fisiol.) excretos.

excremental. *adj.* excrementício. V. **excrementicio.**

excrementar. *v. tr.* excretar, expelir, substâncias excrementícias, evacuar os excrementos, deje(c)tar; defecar.

excrementicio, cia. *adj.* excrementício, pertencente ou relativo ao excremento; estercoral.

excremento. *m.* excremento, fezes fecais; excreção; deje(c)to; defecação; (vul.) merda; (fig.) objecto vil; (Bras.) troçulho.

excrementoso, sa. *adj.* excrementoso, excrementicio.

excrescencia. *f.* V. **excrecencia.**

excreta. *f.* (biol.) excreta.

excretar. *v. tr.* excretar, expelir do corpo, evacuar; deje(c)tar; (vulg.) defecar; (fisiol.) excretar.

excreto, ta. *adj.* excreto, que se excreta, que saiu pelos canais excretórios, excretado. — *m.* excreto, produto da excreção.

excretor, ra. *adj.* excretor, (anat.) excretório.

excretorio, ria. *adj.* excretório, excretor.

excrex. *m.* (for. e prov.) doação entre marido e mulher.

exculpación. *f.* exculpação, desculpa, escusa.

exculpar. *v. tr.* desculpar, escusar; paliar; dispensar, admitir desculpas; perdoar.

excursión. *f.* excursão, passeio de recreio ou instrução ou de exercício físico; (fig.) divagação, digressão; correria em território inimigo, incursão.

excursionismo. m. excursionismo, exercício e prática de excursões como desporto ou com fim científico ou artístico.

excursionar. v. intr. excursionar, fazer excursões.

excursionista. s. excursionista, pessoa que faz excursões.

excusa. f. escusa, desculpa; desfeita; desafronta; coar(c)tada; evasão; defesa; eximição; escusa, descarga, descargo; (fig.) achaque, descarte; (for.) defensão: dar una excusa, apegar; pedir excusas, desculpar-se; dar o aceptar excusas de una afrenta, desforçar.

excusabaraja. f. cesto de vimes com tampa.

excusable. adj. escusável, que admite escusa; que se pode omitir; desculpável.

excusación. f. V. excusa.

excusado, da. adj. e p. p. escusado, desnecessário; dispensável; supérfluo, inútil; isento, que está livre de pagar tributos; reservado do uso comum. — m. comua, latrina, retrete, sentina, privada; deje(c)tório, cloaca.

excusador, ra. adj. e m. escusador, que escusa; aquele que exime ou escusa outro dum trabalho.

excusalí. m. avental pequeno.

excusar. v. tr. escusar, desculpar, eximir; alegar razões para isentar alguém da culpa que lhe é imputada; evitar que suceda uma coisa prejudicial; recusar fazer uma coisa; evitar; desculpar; descarregar; (fig.) descartar. — v. r. eximir do pagamento de tributos; não ter necessidade de; eximir-se, negar-se desobrigar-se com razões, escusar-se.

excusión. f. (for.) excussão, acto de excutir; execução judicial.

excuso. m. escusa.

exdermoptosis. f. (pat.) exdermoptose.

exea. m. (mil.) explorador.

execrabilidad. f. qualidade de execrável.

execrable. adj. execrável detestável; digno de execração; execrando; abominável, sacrílego; abominoso.

execración. f. execração, ódio, horror; aversão profunda, detestação; abominação; (teol.) perda da qualidade de consagrado.

execrador, ra. adj. e s. execrador, que execra; amaldiçoador; abominador; execratório; aborrecedor.

execrando, da. adj. execrando, execrável, que deve ser execrado.

execrar. v. tr. execrar, amaldiçoar; vituperar, reprovar severamente; aborrecer, detestar; imprecar; aborrecer; abominar; desejar mal, odiar, detestar.

execrativo, va. adj. execrador, que execra.

execratorio, ria. adj. execratório, que serve para execrar.

exedra. f. (arq.) êxedra, construção descoberta, com assentos fixos; êxedra, sala com assentos e destinada a recepções e reuniões.

exégesis. f. exegese, explicação e interpretação dos livros da Sagrada Escritura.

exegeta. m. exegeta; explicador; pessoa que se dedica à exegese.

exegético, ca. adj. (teol. e for.) exegético, que pertence ou se refere à exegese.

exencefalia. f. (terat.) exencefalia.

exencéfalo. m. (terat.) exencéfalo.

exención. f. isenção, independência de carácter; emancipação; desobriga, quitação, desarrisca; desoneração; imunidade; franquia; franqueza; incolumidade; eximição.

exencionar. v. tr. V. exentar.

exentar. v. tr. isentar, eximir; desobrigar; desonerar; franquear: exentar, dar la libertad, alforriar.

exento, ta. adj. e p. p. irr. de eximir; eximido, isento; livre, desembaraçado dalguma coisa; exprobado; emancipado; desobrigado; imune; franco; despido; incólume; inde(m)ne; desaforado.

exequátur. m. autorização que um governo dá a um funcionário estrangeiro para exercer o seu cargo nesse país.

exequial. adj. (Amér.) exequial, pertencente ou relativo a exéquias.

exequias. f. pl. exéquias, honras fúnebres; inférias; cortejo fúnebre; cerimónias fúnebres.

exequible. adj. exequ(ü)ível, que se pode executar.

exergo. m. (num.) exergo, espaço duma moeda ou medalha onde se grava uma data ou uma legenda.

exéresis. f. (cir.) exérese.

exerto, ta. adj. (bot.) excluso.

exfetación. f. (pat.) exfetação.

exfoliación. f. (pat.) exfoliação; (med.) exfoliação, separação da epiderme em forma de escamas.

exfoliador, ra. adj. (Amér.) diz-se de certos cadernos ou blocos de papel, cujas folhas se podem desprender fàcilmente.

exfoliar. v. tr. e r. esfoliar, dividir, separar uma coisa em porções laminares ou placas; (bot.) separar por esfoliação a casca de. — v. r (pat.) esfoliar-se.

exfoliativo, va. adj. esfoliativo.

exhalación. f. exalação; qualquer emanação, cheiro, etc.; exalação, emanação imperceptível à vista duma substância sólida ou líquida; exalação, cheiro, emissão de aroma; vapor, bafo; eflúvio; miasma; luz rápida, meteórica produzida por substâncias gasosas; raio, centelha.

exhalador, ra. adj. exalante, que exala.

exhalar. v. tr. exalar, emitir, lançar de si (emanações odoríferas ou fétidas); emanar; expirar; expelir; (fig.) soltar ar expirado ou suspirado; proferir queixumes; exalar, deitar. — v. r. evaporar-se, evolar-se; ansiar, desejar ardentemente; correr velozmente, voar.

exhausto, ta. adj. exausto, sem forças, esgotado; inanido; alquebrado; (fig.) acabado, extinto; privado, empobrecido.

exhaustor. m. o que deixa exausto, esgotador.

exheredación. f. exerdação; deserdação; deserdamento.

exheredar. *v. tr.* exerdar, deserdar.

exhibición. *f.* exibição; exposição; (fig.) ostentação.

exhibicionismo. *m.* exibicionismo, mania ou gosto de ostentação, preocupação de se mostrar.

exhibicionista. *s.* exibicionista, pessoa que tem a mania de exibicionismo.

exhibir. *v. tr.* exibir, manifestar, mostrar em público; apresentar; descortinar; descobrir, expor; tornar patente; (fig.) fazer estendal de; pôr à vista (for.) apresentar provas. — *v. r.* expor-se; dar-se; exibir-se; assoalhar-se: *exhibir como prueba,* alegar.

exhibitorio, ria. *adj.* exibitório.

exhortación. *f.* exortação; admoestação; advertência; prática, sermão familiar ou breve; discurso, palavras com que se exorta; conselho.

exhortador, ra. *s.* exortador, que exorta; conselheiro.

exhortar. *v. tr.* exortar, procurar convencer por meio de palavras; persuadir, induzir; incitar; excitar; animar, aconselhar, advertir.

exhortativo, va. *adj.* exortativo, exortatório.

exhortatorio, ria. *adj.* exortatório, pertencente à exortação; exortativo.

exhorto. *m.* (for.) precatória; deprecada: *carta de exhorto,* (for.) carta deprecatória.

exhumación. *f.* exumação, acto de exumar; inumação.

exhumador, ra. *adj.* e *s.* que exuma.

exhumar. *v. tr.* exumar, desenterrar; (fig.) exumar, tirar do esquecimento; dessepultar; (fig.) descobrir por meio de investigações.

exicación. *f.* exicação.

exicial. *adj.* (ant.) exicial.

exigencia. *f.* exigência, pretensão caprichosa ou desmedida; exacção; exigência, urgência, necessidade urgente e imperiosa; (fam.) pedido importuno; reclamação; instância; acto de exigir.

exigible. *adj.* exigível, que pode ou deve exigir-se.

exigidero, ra. *adj.* exigível.

exigir. *v. tr.* exigir, reclamar com direito fundado alguma coisa; (fig.) carecer de, precisar, exigir; exigir, (fig.) pedir imperiosamente; demandar; arrecadar; exigir, necessitar, reclamar, intimar: *tener derecho a exigir algo,* ter a(c)ção contra alguém, *según exija el caso,* segundo a exigência do caso.

exigüidad. *f.* exiguidade, qualidade de exíguo; pequenez, modicidade; insuficiência, parcimónia; insignificância.

exiguo, gua. *adj.* exíguo, insuficiente, escasso; diminuto, pequeno; mesquinho; menor; limitado.

exilado, da. *adj.* e *s.* exilado, degredado; expatriado; banido; êxule, êxul, deportado; emigrado.

exilar. *v. tr.* exilar, degradar, expatriar; deportar.

exilio. *m.* exílio; banimento; deste(ê)rro; expatriação; degredo; deportação: *enviar al exilio,* degredar, desterrar; *ir al exilio,* emigrar.

eximio, mia. *adj.* exímio, insigne, eminente, muito ilustre, excelente; excelso; incomparável; magistral; magnate; estré(ê)nuo; distinto.

eximir. *v. tr.* eximir, isentar de trabalhos, cuidados, culpas, etc.; desimplicar; indultar; franquear; desonerar; desobrigar; desligar; declinar; absolver; dispensar. *v. r.* escusar-se, esquivar-se; (fig.) escapar; absolver-se; desobrigar-se: *eximir de una obligación,* desendevidar; *eximir de un juramento,* desligar do juramento; *eximirse de un deber,* desempenhar-se de um dever; *eximirse de una obligación,* descarregar-se.

exinanición. *f.* exinanição, prostração extrema, esgotamento; exaustação; exaurição; impotência.

existencia. *f.* existência, vida do homem; acto de existir; vida; realidade; maneira de viver. — *pl.* mercadorias, géneros, valores existentes.

existencialismo. *m.* (filos.) existencialismo.

existencialista. *s.* existencialista.

existente. *p. a.* e *adj.* existente, efectivo, a(c)tual; que existe, que vive, presente.

existimación. *f.* estimação, julgamento, apreciação.

existimar. *v. tr.* estimar, julgar, apreciar; formar opinião sobre uma coisa, tê-la por certa, ainda que não seja.

existimativo, va. *adj.* V. **putativo.**

existir. *v. intr.* existir, subsistir, ter existência; ter vida, viver, existir; datar; aparecer; andar; ser; durar, estar, haver; exibir-se.

éxito. *m.* êxito, fim, acabamento; resultado, sucesso final; fortuna; ace(ê)rto; evento; (fig.) fruto; efeito; resultado; solução: *tener éxito,* acertar, ir avante; *buen éxito,* conseguimento; *con éxito,* acertadamente.

ex libris. *m.* ex-libris.

exocardiaco, ca. *adj.* (med.) exocardíaco.

exocarditis. *f.* (pat.) exocardite.

exoceto. *m.* (zool.) exoceto.

exocolitis. *f.* (pat.) exocolite.

exodermo. *m.* (biol.) exoderme, ectoderme.

éxodo. *m.* êxodo (segundo livro do Pentateuco); êxodo, farsa do teatro romano; fecho das tragédias gregas; (fig.) êxodo, emigração dum povo; saída; partida.

exoftalmía. *f.* (pat.) exoftalmia.

exoftálmico, ca. *adj.* (pat.) exoftálmico.

exoftalmo, ma. *adj.* e *s.* exoftalmo.

exogamia. *f.* (biol.) exogamia.

exógamo. *m.* exógamo.

exógeno, na. *adj.* (bot. e geol.) exógeno, exogíneo, exógino.

exometria. *f.* (pat.) exometria.

exoneración. *f.* exoneração; demissão, destituição; desobrigação; imunidade; emancipação; desencarregamento; deposição; desautoração; exculpação.

exonerar. *v. tr.* exonerar, aliviar de peso ou de obrigação; desobrigar; demitir; destituir; desencarregar; desonerar; emancipar; desempregar; desclassificar, desautorar.

exonfalia. *f.* (pat.) exonfalia.

exorable. *adj.* exorável, compassivo, que se deixa vencer por rogos ou súplicas.

exorar. *v. tr.* exorar, pedir com instância, implorar; invocar.

exorbitância. *f.* exorbitância, excesso notável ou exagerado; arbitrariedade.

exorbitante. *adj.* exorbitante, excessivo; extravagante; desmarcado; extraordinário, fora do comum.

exorcismo. *m.* exorcismo, esconjuro contra o espírito maligno; demonifúgio.

exorcista. *s* exorcista, pessoa que exorcisma, conjurador, demonífugo.

exorcistado. *m.* exorcistado (terceira das quatro ordens menores da Igreja Católica).

exorcizar. *v. tr.* exorcizar, exorcismar, esconjurar, desdemoninhar, desembruxar, desenfeitiçar; desencastelar; exorcismar; amentar (animais).

exordio. *m.* exórdio, preâmbulo, prefácio, introdução; antelóquio; (fig.) princípio; orígem.

exornación. *f.* exornação, adorno, ornato, ornamento, enfeite; (ret.) exornação do discurso.

exornar. *v. tr.* exornar, adornar, ornar, ornamentar, enfeitar, engalanar, ataviar, estofar; aformosear.

exosepsia. *f.* (med.) exosepse.

exosmómetro. *m.* (fís.) exosmómetro.

exósmosis. *f.* (fís.) exosmose.

exosmótico, ca. *adj.* (fís.) exosmótico.

exosporo. *m.* (bot.) esporo assexuado.

exostoma. *f.* (bot.) exostoma.

exóstosis. *f.* (pat.) exostose, tumor ósseo.

exotérico, ca. *adj.* exotérico, comum, vulgar, trivial.

exotérmico, ca. *adj.* (quím.) exotérmico.

exoticidad. *f.* exotismo; estrangeirismo.

exótico, ca. *adj.* exótico, estrangeiro, peregrino; (fig.) exquisito; extravagante.

exotismo. *m.* exotismo, estrangeirice.

expandir. *v. tr.* expandir, estender, dilatar.

expansibilidad. *f.* (fís.) expansibilidade.

expansible. *adj.* (fís.) expansível, dilatável.

expansión. *f.* (fís.) expansão; (fig.) expansão, franqueza, alegria, difusão de entusiasmo, amizade, etc., recreio, descanso; expansão, efusão, ternura; expansão, dilatação, difusão, alargamento, desenvolvimento; desbordamento; desabafo; desafo(ô)go.

expansionarse. *v. r.* expandir-se, desabafar. V. **desahogarse.**

expansionismo. *m.* (pol. e neol.) expansionismo, divulgação duma ideia ou doutrina.

expansionista. *adj. e s.* (pol.) expansionista, partidário do expansionismo.

expansividad. *f.* qualidade de expansivo, expansibilidade.

expansivo, va. *adj.* expansivo, que tende a expandir-se, expansível; (fig.) expansivo, comunicativo, franco, entusiasta, afável, efusivo.

expatriación. *f.* expatriação, deste(ê)rro, exilio; desnaturalização; emigração; deportação.

expatriado, da. *p. p., adj. e s.* expatriado, desterrado, exilado, deportado, emigrado, despatriado.

expatriar. *v. tr.* expatriar, expulsar da pátria, exilar, deportar, desterrar, desnaturalizar. — *v. r.* expatriar-se, exilar-se, emigrar; abandonar a sua pátria.

expectable. *adj.* expe(c)tável; provável, digno da consideração ou estima pública.

expectación. *f.* expe(c)tação; expe(c)tativa; atença, espera; esperança; (litur.) Expectação, festa em honra da Virgem.

expectativa. *f.* expe(c)tativa, expe(c)tação, espera; esperança; (for.) esperança fundada em supostos direitos ou probabilidades; possibilidades de conseguir um direito, emprego, etc., expectativa; probabilidade.

expectativas. *adj. pl.* diz-se dos despachos reais ou bulas pontifícias que contêm uma graça.

expectoración. *f.* expe(c)toração; escarro; expectoração, as matérias expectoradas, deflegmação.

expectorante. *adj. e s.* (med.) expe(c)torante, que provoca ou facilita a expectoração.

expectorar. *v. tr.* expe(c)torar, escarrar, expelir secreções dos órgaos respiratórios; deflegmar.

expedición. *f.* expedição; remessa; despacho; desembaraço; excursão; expedição; empresa de guerra, corpo expedicionário; expedito; incursão, enviamento; despacho pontifício; expedição, caminhada, correria.

expedicionario, ria. *adj. e s.* expedicionário, relativo a uma expedição, aquele que faz parte duma expedição.

expedicionero. *m.* expedicioneiro, oficial do Vaticano que se ocupa da expedição das bulas, breves, etc.

expedidor, ra. *adj. e s.* expedidor, pessoa que expede, despachante.

expediente. *m.* expediente, meio de conseguir um negócio; expediente, desembaraço, facilidade, actividade; iniciativa; expediente, motivo, pretexto, razão; expediente, papéis relativos a um assunto; expediente, curso ordinário dos negócios ou causas; apelação; efúgio; arbitrio; aviamento; despacho,: *abuso de expedientes legales*, chicana; *cubrir el expediente,* (fam.) fingir o cumprimento duma obrigação.

expedienteo. *m.* tendência exagerada para complicar os processos nos tribunais; os trâmites dos expedientes.

expedir. *v. tr.* expedir, enviar, despachar, fazer marchar ou partir; remeter; resolver; despedir; emitir; promulgar. — *conj. irr.* como *pedir.*

expeditivo, va. *adj.* expeditivo, expedito, activo, desembaraçado, fácil, diligente: *hombre expeditivo*, homem de expedição.

expedito, ta. *adj.* expedito, activo, diligente, desembaraçado; alerta; claro; corrente, fácil; despachado.

expeler. *v. tr.* expelir, expulsar, pôr fora alguém ou alguma coisa; lançar fora; atirar com força; expulsar; arrojar; afastar; arremessar.

expendedor, ra. *adj.* e *s.* despendedor, gastador; vendedor, despachante de algum género pùblicamente, comissionista; (for.) moedeiro falso; receptador de furtos.

expendeduría. *f.* tabacaria, loja onde se vendem tabacos e outros artigos a retalho.

expender. *v. tr.* expender, gastar, fazer despensas; vender a retalho; vender coisas de conta alheia; (for.) passar moeda falsa, vender secretamente objectos furtados.

expendición. *f.* expensão, gasto.

expensar. *v. tr.* (Amér.) pagar as despesas ou gastos dum negócio.

expensas. *f. pl.* despesas, gastos, custas, expensas: *a expensas de*, à custas de, por conta de, a cargo de.

experiencia. *f.* experiência, conhecimento das coisas pelo seu uso prático; experiência, ensaio; tentativa; experimentação; experimento; madureza; prática; observação; conhecimento; empirismo; (fig.) desengano.

experimentación. *f.* experimentação, experiência, método de investigação, ensaio de aplicação.

experimentado, da. *p. p.* e *adj.* experimentado, que tem experiência; versado; experiente; experto; (fig.) encanecido; aguerrido; (pop.) encartado; (Bras.) escolado.

experimentador, ra. *adj.* e *s.* experimentador; ensaiador.

experimental. *adj.* experimental, prático, empírico.

experimentar. *v. tr.* experimentar, submeter a experiência, ensaiar, provar e examinar; notar, conhecer por observação, conhecer por observação própria, praticar; (fig.) sofrer, sentir, padecer; analisar; tentar; experimentar, achar; encontrar, notar, disfrutar alegria; encetar.

experimento. *m.* experimento, experimentação, experiência, ensaio, prova.

experto, ta. *adj.* experto, experimentado; perito; sabedor, douto; (Bras.) bargado, baquara. — *m.* experto, perito.

expiación. *f.* expiação, penitência; (fig.) purificação.

expiar. *v. tr.* expiar, reparar, satisfazer a culpa; expiar, sofrer a penalidade imposta pelo tribunal; (fig.) sofrer as consequências de desacertos; purificar; remir uma culpa ou crime por penitência.

expiativa, va. *adj.* expiatório, que serve para expiação.

expiatorio, ria. *adj.* expiatório, que se faz por expiação ou que a produz.

expilación. *f.* (for.) expilação, espoliação.

expilar. *v. tr.* (p. us.) roubar, despojar.

expiración. *f.* expiração; termo dum período convencionado; expulsão pelos pulmões dos gases não absorvidos.

expirar. *v. intr.* e *tr.* expirar, morrer, deixar sair o espírito, a alma; (fig.) terminar, findar, finalizar, expirar; arrancar; expirar, dar a alma a Deus; depor a vida; apagar-se, expirar; exalar, bafejar; soltar o último alento; extinguir-se, apagar-se, deixar de se ouvir; perder a força, a a(c)ção.

expiratorio, ria. *adj.* expiratório.

explanación. *f.* explanação, exposição; nivelamento; a(c)ção de nivelar ou igualar um terreno; (fig.) explicação dalguma coisa que tem sentido obscuro.

explanada. *f.* esplanada, terreno plano e descoberto; (fort.) esplanada; planura, chapada; planalto; (fort.) esplanada, a parte mais alta ou elevada duma muralha, sobre a qual se levantam as ameias; pavimento duma bateria, esplanada.

explanar. *v. tr.* nivelar, dar ao terreno o nivelamento ou o declive que se deseja; (fig.) explanar, explicar; explanar tornar plano, claro, fácil; narrar minuciosamente; fazer exposição verbal.

explayar. *v. tr.* espraiar, alargar, estender. — *v. r.* (fig.) difundir-se, propagar-se, franquear-se, expandir-se; divertir-se; desabafar; confiar a alguém algum segredo; espraiar-se, tratar em detalho.

expletivo, va. *adj.* expletivo, que serve para preencher ou completar; epentético; que serve apenas para enfeite de frase.

explicable. *adj.* explicável, que se pode explicar; decifrável; definível.

explicación. *f.* explicação, a(c)ção de tornar inteligível ou claro; averiguação da causa; a própria causa; desagravo; desafronta; satisfação que se dá a alguma pessoa; explicação; exposição; extensão; chave; deslinde; elucidação; decifração; desdobramento; depoimento; declaração; aclaração explanação; (ret.) metáfrase; definição; explicação, desenvolvimento para fazer compreender; razão das coisas; tradução oral; esclarecimento duma injúria, desagravo: *explicación gramatical*, exegese.

explicador, ra. *adj.* e *s.* explicador, que explica, que comenta; declarador, explanador; enunciador.

explicar. *v. tr.* explicar, aclarar, ensinar, explanar, expor qualquer matéria de maneira inteligível; justificar; fazer compreender; le(c)cionar; traduzir oralmente, tornar inteligível; interpretar; explanar; exprimir, declarar; justificar; falar com clareza; contar; definir; narrar; elucidar; alumiar; anotar; declarar; descifrar; departir; descrever; aclarar; explicar; expor; (fig.) desdobrar. — *v. r.* explicar-se, chegar a compreender a razão dalguma coisa; exprimir-se; declarar-se: *explicar algo con todo detalle*, (fam.) estender o guardanapo a alguém; *¡explíquese!*, declarai-vos!

explicativo, va. adj. explicativo, que serve para explicar uma coisa; exemplificativo; definitivo; elucidativo; explanatório.

explícito, ta. adj. explícito, claro, expresso; determinado; formal; manifesto.

explorable. adj. explorável, reconhecível, que pode ser explorado.

exploración. f. exploração; pesquisa; reconhecimento, investigação; incursão; batida; especulação; empresa.

explorador, ra. adj. e s. explorador, batedor; escoteiro, adueiro; atalhador.

explorar. v. tr. explorar, reconhecer, investigar, registar; minar; indagar; estudar, pesquisar; sondar (uma ferida, etc.); fazer produzir; (fig.) abusar de boa-fé dalguém; (med.) reconhecer o estado dum órgão, etc.; tratar de descobrir, observar; especular; cultivar; desfrutar.

exploratorio, ria. adj. exploratório, que serve para explorar.

explosión. f. explosão, comoção violenta, acompanhada de detonação; (fig.) manifestação violenta de certos efeitos; (fig.) manifestação súbita; detonação; estoiro: *explosión eléctrica*, descarga; *hacer explosión*, detonar, fulminar, ir aos ares.

explosivo, va. adj. explosivo, que faz ou pode fazer explosão; (gram.) explosiva; (quim.) explosivo. — s. explosivo.

explosor. m. (fís.) deflagrador.

explotable. adj. explorável, que se pode explorar, aproveitável.

explotación. f. exploração, aproveitamento; conjunto de elementos dedicados a uma indústria; empre(ê)sa.

explotador, ra. adj. e s. explorador, que explora; (fig.) chupista.

explotar. v. tr. explorar, extrair das minas a riqueza que nelas se contêm; (fig.) obter utilidades num negócio ou indústria em proveito próprio; especular; roubar ardilosamente; explodir; rebentar; abusar da boa fé dalguém em proveito próprio; (Bras.) pipocar.

expoliación. f. espoliação, esbulho; depredação; expilação; (ret.) espoliação.

expoliador, ra. adj. e s. espoliador, que espolia ou favorece a espoliação.

expoliar. v. tr. espoliar, esbulhar, extorquir, despojar com violência ou iniquidade; depredar, desbulhar; expilar; desafrontar, expropriar; (fig.) incender, defraudar.

expolición. f. (ret.) expolição, tantologia, repetição duma ideia ou pensamento por formas diferentes.

exponencial. adj. (mat.) exponencial, que tem um expoente algébrico.

exponente. adj. p. a. e s. exponente, que expõe, expoente; enunciador; expositor; expositivo; (mat.) expoente; (gram.) expoente, som ou letra que caracteriza uma flexão.

exponer. v. tr. expor, pôr à vista; explicar, narrar; expor, deixar abandonada uma criança recém-nascida num lugar público; expor, voltar para um certo lado; sujeitar a a(c)ção de; referir, explicar, desenvol-

ver; patentear; expor o Santíssimo Sacramento. — v. tr. exibir, enumerar, enunciar; exteriorizar; expender; expressar; exprimir; empenhar; arriscar; apresentar; amostrar declarar; dar; explicar; (fig.) aventar. — v. r. arremessar-se; exibir-se; enunciar-se; exponer-se; *exponer al sol*, assoalhar-se, desassombrar; *exponerse a un peligro*, abarbar com algum perigo, arriscar-se; *exponer al Santísimo*, descobrir os podres a alguém; *exponer bien un problema*, apresentar bem a questão.

exportable. adj. exportável, que se pode exportar.

exportación. f. (com.) exportação; conjunto de mercadorias que se exportam; remessa de produtos nacionais para o estrangeiro.

exportador, ra. adj. e s. exportador, que exporta.

exportar. v. tr. exportar, enviar géneros do próprio país para outro.

exposición. f. exposição, representação que se faz por escrito; exibição; declaração; exposição, espaço de tempo em que se expõe à luz uma placa fotográfica; exposição, exibição; memória; explicação; enunciado; depoimento declaração; exposição, conjunto de produtos ou artes que se expõem; lugar onde se expõem; orientação; modo de dizer ou explicar; *exposición de cosas*, (fig.) estender; *exposición de pintura*, galeria de pintura.

expositivo, va. adj. expositivo, que expõe ou interpreta; relativo à exposição.

expósito, ta. adj. e s. exposto, diz-se do indivíduo abandonado em criança, enjeitado; filho das ervas.

expositor, ra. adj. e s. expositor, que expõe; que interpreta; declarador; expoente; expositor, aquele que concorre a uma exposição.

exprés. m. empresa de transportes.

exprés. adj. expresso (aplica-se aos comboios).

expresar. v. tr. expressar, exprimir; manifestar por palavras o que uma pessoa quer dar a entender; expressar, dar a conhecer; designar; emitir; falar; apresentar; explicar; enunciar. — v. r. expressar-se, exprimir-se, enunciar-se.

expresión. f. expressão, palavra, locução; acto ou efeito de exprimir, gesto; vivacidade, animação com que se manifestam os sentimentos; cará(c)ter, personificação; significação; (álg.) expressão, representação algébrica do valor duma quantidade; (farm.) suco espremido; emblema; frase; elocução; enumeração; acento; estilo; manifestação dum sentimento; *expresión ambigua*, um falar e dois entenderes; *expresión de un cuadro*, alma de pintura.

expresionismo. m. expressionismo.

expresivo, va. adj. expressivo, eloqu(üê)ente, falante, efusivo; explícito; que tem expressão; significativo.

expreso, sa. adj. e p. p. irr. de **expresar**; expresso, explícito; formal: *tren expreso*, comboio expresso, expresso mensageiro enviado directamente.

exprimidera. *f.* e *m.* espremedor, instrumento que se usa para tirar o suco.

exprimidero. *m.* aparelho para exprimir.

exprimidor, ra. *adj.* exprimidor, que exprime.

exprimir. *v. tr.* espremer, extrair o sumo ou líquido; apertar; (fig.) tirar todo o partido ou utilidade duma coisa; expressar, manifestar, exprimir; entralhar; apertar; contundir; macerar; (farm.) embostelar.— *v. r.* manifestar-se; expressar-se.

ex profeso. *adv.* V. **adrede.**

expropiación. *f.* expropriação; coisa expropriada; desapropriamento; expropriação, privação da propriedade.

expropiador, ra. *adj.* e *s.* desapropriador; expropriador.

expropiar. *v. tr.* expropriar, desbulhar, desapropriar, desapossar; expropriar; adquirir por expropriação; privar de.

expuesto, ta. *adj.* e *p. p. irr.* de *exponer,* exposto, perigoso; foreiro; descoberto; assoalhado; enjeitado; que está à mostra; patente; à vista.

expugnable. adj. expugnável, que se pode expugnar; acometível.

expugnación. *f.* expugnador, a(c)ção e efeito de expugnar.

expugnador, ra. *adj.* e *s.* expugnador, que expugna.

expugnar. *v. tr.* (mil.) expugnar, conquistar à força de armas, tomar de assalto.

expuición. *f.* expuição.

expulsar. *v. tr.* banir, enxotar; excluir; exteriorizar; exterminar; afugentar; arravessar; eje(c)tar; arremessar; eliciar, eliminar; expedir; correr; ablegar; excomungar; (p. us.) deturbar; desportilhar; desterrar.

expulsión. *f.* expulsão, saída forçada; (esgr.) certo lance no jogo da espada; espulsão, exclusão, banimento; enxotadura; enxotamento; extermínio; eje(c)ção; eliciação; eliminação; (p. us.) deturbação; exílio; (med.) acto de expelir; excreção, evacuação.

expulsivo, va. *adj. s.* expulsivo, que faz expulsar; expultriz; expulsório.

expurgación. *f.* expurgação; expurgo; desencardimento; emundação; (med.) limpeza duma ferida, evacuação; (fig.) correcção.

expurgar. *v. tr.* expurgar, limpar uma coisa, purificar; (fig.) corrigir um livro ou impresso por ordem de autoridade; depurar; luir; emundar; (med.) fazer purgar bem; corrigir, limpar de erro; descascar, esbrugar; purificarse, polir-se: *expurgar un libro,* expurgar um livro.

expurgatorio, ria. *adj.* expurgatório, que expurga ou limpa. — *m.* lista de livros proibidos pela cúria romana até serem expurgados.

expurgo. *m.* expurgo, expurgação.

exquisitez. *f.* aprimoramento; bizantinice; (fig.) elegância; (fig.) chinesice; (fig.) barroco.

exquisito, ta. *adj.* delicado, excelente, delicioso, muito agradável; semiscarúnfio; macavenco; bizantino; desenfantiadiço; exótico; elegante; mimoso; estranho; estrambótico; (irón.) afe(c)tado; (fig.) alambicado; (pop.) maduro: *ser exquisito,* ser de chupeta.

éxtasi. *m.* V. **éxtasis.**

extasiado, da. *adj.* e *p. p.* extasiado; (fig.) embriagado, empolgado, absorto; alheado; arroubado: *quedarse extasiado,* ficar absorto.

extasiarse. *v. r.* extasiar-se, enlevar-se; embebecer-se; endeusar-se; (fig.) embriagar-se; elevar-se; embevecer-se; arroubar-se; cair em êxtase; manifestar enlevo, admiração profunda; ficar estático; maravilhar-se.

éxtasis. *m.* êxtase, arrebatamento; arroubo; enle(ê)vo causado por uma grande admiração; contemplação, intima de coisas sobrenaturais; (med.) paralisação do sangue ou diminuição da sua marcha no corpo; êxtase; endeusamento; embevecimento; arrebatamento; elevação, abstra(c)ção; arroubamento; embelezo: *caer en éxtasis,* arrebatar-se de si; embevecer-se.

extático, ca. adj. extático, posto em êxtase; arroubado, enlevado; maravilhado; ina(c)tivo; arrebatado.

extemporal. *adj.* V. **extemporáneo.**

extemporaneidad. *f.* extemporaneidade; inoportunidade.

extemporáneo, a. *adj.* extemporâneo, impróprio do tempo; inoportuno, inconveniente; desfrisante; improcedente; improvisado.

extender. *v. tr.* estender alargar, alongar, dilatar; espargir; espalhar; derramar; desdobrar, desenvolver; tornar mais amplo; esticar; abranger; desenfestar; ampliar; expandir; despregar; estiraçar; aumentar; espalhar; propagar; redigir um auto, uma escritura, etc.; (fig.) estender, dilatar, alongar, ampliar. — *v. r.* estender-se, acupar uma porção de terreno, abranger; (fig.) propagar-se, ir-se difundindo, propagar-se; alcançar, chegar; (fig. e fam.) empolar-se; despregar-se; expandir-se; alongar-se.

extensibilidad. . extensibilidade.

extensible. adj. extensível, estendível, extensivo.

extensión. *f.* extensão, ampliação; aumento; (geom.) extensão, capacidade para ocupar uma parte do espaço; extensão, medida do espaço ocupado por um corpo; (fisiol.) extensão dum membro ou músculo; (gram.) aplicação extensiva do sentido duma palavra ou frase; expansão; amplitude, magnitude; comprimento; (fig.) ampliação, dilatação; alcance; vastidão; envergadura; *en toda la extensión de la palabra,* em toda a extensão da palavra.

extensivo, va. adj. extensivo, extensível.

extenso, sa. *p. p. irreg.* de *extender* e *adj.* extenso; comprido; vasto; demorado; duradoiro; largo, espaçoso, amplo; (mús.) extenso; (fig.) enciclopédico; copioso, magno: *por extensión,* por extenso, por inteiro, sem abreviações.

extensor, ra. *adj.* extensor, que estende, que serve para estender; (anat.) estensor, (músculo). — *m.* (anat.) extensor; extensor, aparelho de ginástica.

extenuación. *f.* extenuação, prostração, debilidade; enfranquecimento; derreamento; derrengo; deperecimento; emaciação; enervação; depauperação; exinanição; exaustação; (fig.) desmedraça; (ret.) atenuação.

extenuar. *v. tr.* extenuar, enfraquecer; debilitar, inanir, fadigar; definhar, devigorar; enervar; apoucar, apouquentar; derrubar, depauperar; estazar (animais); dejarretar. — *v. r.* extenuar-se, fadigar-se; derrear-se; derrengar-se; desvigorar-se; debilitar-se; gastar-se.

extenuativo, va. *adj.* extenuativo, extenuante, debilitante.

exterior. *adj.* exterior, externo; estranho; de fora; relativo a nações estrangeiras; forâneo; estrínseco; aparente. — *m.* exterior, aparência, aspecto; feições, jeitos, maneiras; (fig.) frontaria; (pint. e escul.) conto(ô)rno; exterior, país estrangeiro.

exterioridad. *f.* exterioridade, coisa externa; exterior, aparência, porte duma pessoa; demonstração do afecto ou do ânimo; exterioridade, honras de pura cerimónia, ostentação; (fig.) frontaria; aparência enganosa; hipocrisia.

exteriorización. *f.* exteriorização; exposição; externação; exibição.

exteriorizar. *v. tr.* exteriorizar, manifestar, dar a conhecer; expor, exibir, externar.

exterminable. *adj.* exterminável.

exterminación. *f.* exterminação; destruição completa; morticínio; extermínio; desolação, aniquilação.

exterminador, ra. *adj. e s.* exterminador, que extermina; aniquilador; destruidor; (ant.) agrimensor.

exterminar. *v. tr.* exterminar, eliminar; desolar, devastar pelas armas; deitar para fora dos limites; desterrar; arruinar, destruir; desterrar; arruinar, destruir totalmente, aniquilar, acabar com; extirpar; extinguir.

exterminio. *m.* extermínio, destruição, exterminação, aniquilamento; extirpação, extinção; desolação, ruína total, extermínio, expulsão para fora dos límites, expulsão, desterro; degredo.

externado. *m.* externato, estabelecimento de ensino onde se recebem alunos externos.

externar. *v. tr.* exteriorizar, manifestar, externar, dar a conhecer.

externo, na. *adj. e s.* externo, do exterior, de fora; extrínseco; aparente; externo, diz-se do aluno que só permanece na escola nas horas de aula.

exterritorialidad. *f.* exterritorialidade.

ex testamento. *adv.* (for.) pelo testamento.

extina. *f.* (bot.) extine.

extinción. *f.* extinção, supressão; destruição; extermínio; apagamento; cessação; aca-

bamento; abolição; dissolução; aniquilamento; destruição, fim, termo.

extinguible. *adj.* extinguível.

extinguir. *v. tr.* extinguir, acabar, dissipar: apagar; abolir; destruir; suprimir, extirpar; exterminar; exaustar; enterrar; consumir. — *v. r.* extinguir-se, apagar-se; esquecer; morrer; evaporar-se; desaparecer; emudecer: *extinguirse poco a poco,* desfolhar-se; *extinguirse una enfermedad,* debelar uma doença; *extinguir una deuda,* amortizar uma dívida.

extintivo, va. *adj.* extintor, que causa extinção; extinguidor; (for.) prescrevente.

extinto, ta. *p. p. irreg.* de *extinguir, s. e adj.* extinto; morto, extinto, defunto; apagado; abolido.

extintor. *m.* extintor, aparelho para extinguir o fogo.

extirpable. *adj.* extirpável.

extirpación. *f.* extirpação; arrancamento; exterminação; desarraigamento; ablação, abscisão; enucleação; epilação (do pelo); evulsão.

extirpador, ra. *adj. e s.* extirpador, que extirpa. — *m.* (agr.) extirpador, instrumento para arrancar ervas e raízes.

extirpar. *v. tr.* extirpar, arrancar pela raíz; desarraigar; exterminar; extrair; extirpar, destruir; desplantar; cortar; decepar; (cir.) enuclear (tumores); (fig.) extinguir. — *v. r.* extirpar-se, desarraigar-se: extirpar algo, cortar uma coisa pela raíz.

extorcar. *v. tr.* extorquir, arrancar, roubar, tirar à forca; obter violentamente.

extorsión. *f.* extorsão, a(c)ção de extorquir; exacção violenta; usurpação; concussão; (fig.) dano, prejuízo; descomodidade, incomodidade.

extorsionar. *v. tr.* usurpar, arrebatar, extorquir; causar extorsão ou dano.

extra. *prep.* fora de, como em *extraordinario, extramuros, etc.;* em estilo familiar, se-emprega isoladamente com a significação de *además;* além de, a mais de, fora de. — *adj.* (fam.) extraordinário, óptimo. — *m.* (fam.) gratificação num salário.

extracción. *f.* extra(c)ção; na lotaria, a(c)ção de tirar alguns números com os seus respectivos prémios, extracção; orígem, linhagem, nascimento; (mat.) extracção (da raíz dum número; extranhamento; arranque, arrancamento; (med.) evulsão; extorsão.

extraconyugal. *adj.* extraconjugal.

extracorta. *adj.* (rad.) diz-se das ondas ultracurtas.

extracorriente. *f.* (electr.) excesso de corrente.

extracta. *f.* (for.) (prov.) extracto, cópia fiel duma escritura pública.

extractador, ra. *adj. e s.* extractor, extractador que extracta.

extractar. *v. tr.* extra(c)tar, resumir a extracto; abreviar, compendiar, resumir; obter uma substância por extracção.

extractivo, va. *adj.* extra(c)tivo.

extracto. *m.* extra(c)to, resumo; extracto, substância extraída de outra; fragmento,

trecho extraído duma obra; cópia; extracção da lotaria; (for.) extracto, traslado,
cópia autêntica; minuta: *extracto de Saturno*, dissolução do acetato de chumbo;
extracto tebaico, extracto de ópio.

extractor, ra. *adj.* e *s.* extra(c)tor, pessoa
que serve para extrair; aspirador.

extradición. *f.* extradição, entrega dum criminoso a um governo estrangeiro.

extradós. *m.* (arq.) extradorso, superfície externa duma abóbada ou arcada.

extraer. *v. tr.* extrair, extractar; tirar para
fora; colher, sugar; copiar; (mat.) tratando-se de raízes, determinar ou achar
a raíz duma quantidade; (quím.) extrair,
separar alguma das partes de que se compõem os corpos; extrair, arrancar, fazer
o extracto de; reduzir, arrancar; macerar;
(Bras.) sambacar. — *conj. irr.* como *traer.*

extrafino, na. *adj.* extrafino.

extrajudicial. *adj.* extrajudiciário; (for.)
extrajudicial, feito sem formalidades judiciais.

extralegal. *adj.* (for.) extralegal.

extralimitación. *f.* excesso, exorbitância;
a(c)ção de exceder as faculdades ou poderes.

extralimitarse. *v. r.* (fig.) exceder-se no uso
de faculdades ou atribuições.

extramundano, na. *adj.* extramondano, extramundano, que está fora dos limites do
mundo.

extramural. *adj.* extramural, fora dos muros
ou muralhas.

extramuros. *adj.* extramuros.

extranjería. *f.* estrangeirice; qualidade e
condição do estrangeiro residente num
país.

extranjerismo. *m.* exotismo, estrangeirice,
estrangeirismo, afeição demasiada às
coisas estrangeiras, emprego de termos
estrangeiros, estrangeirismo.

extranjerizar. *v. tr.* e *r.* estrangeirar, introduzir costumes estrangeiros; dar feição
estrangeira a.

extranjero, ra. *adj.* e *s.* estrangeiro, natural duma nação com respeito aos naturais
de outra; pessoa que não é do país em
que está; estrangeiro, exterior, externo;
estranhado; estranho; forasteiro; exótico;
alheio; adventício: *el extranjero*, (pop.)
estranja, exterior; *del extranjero*, de fora;
vivir en el extranjero, viver em terra
alheia.

extranjía. *f.* qualidade de estrangeiro, estrangeirice.

extranumerario, ria. *adj.* extranumerário,
extranumeral.

extrañación. *f.* V. **extrañamiento.**

extrañamiento. *m.* estranhamento; deportação; desnaturalização; deste(ê)rro.

extrañar. *v. tr.* desterrar, deportar, exilar;
estranhar, desnaturalizar, expulsar da pátria; (p. us.) afastar; estranhar, admirar;
achar estranho, diferente.—*v. tr.* estranhar,
achar novo ou pouco familiar; esquivar-se,
negar-se a fazer alguma coisa; (Amér. e
prov.) ter saudades dalguém ou dalguma

coisa; emigrar, estranhar-se: *no es de
extrañar*, não admira.

extrañez. *f.* V. **extrañeza.**

extrañeza. *f.* estranheza, admiração, impressão produzida pelo que é estranho, pasmo;
estranhamento; animália; esquivança.

extraño, ña. *adj.* e *s.* estranho, de nação, família ou profissão diferente; extravagan-
te, esquisito, raro, singular, exce(p)cional,
barroco. inconcebível, estrambótico, inaudito. impróprio; inexplicável; exótico;
anó(ô)malo; desconhecido; (fig.) estrafalário; estranho; alheio, forâneo, estranhado, estrangeiro, desnatural; exterior:
cosa extraña, coisa de arromba.

extraoficial. *adj.* extra-oficial, oficioso, não
oficial, particular.

extraordinario, ria. *adj.* extraordinário, fora
da ordem ou regra natural; descabelado,
desconforme, desmarcado; inacreditável;
extré(ê)nuo; fantástico; incomparável; colosal; descomunal; macavenco; exce(p)-
cional; milagroso; excessivo; estupendo;
inconcebível; inconfundível; incrível, des-
mesurável; inaudito; mágico; magno; fabuloso. — *m.* extraordinário, correio fora
do ordinário; extraordinário, prato que
se acrescenta à refeição quotidiana; extraordinário, edição extraordinária dum jornal.

extraparlamentario. *adj.* extra-parlamentar.

extrarradio. *m.* circunscrição administrativa
que se prolonga para fora do raio duma
cidade.

extrarreglamentario. *a d j.* extra - regulamentar.

extratémpora. *f.* dispensa para receber ordens sacras fora dos tempos determinados
pela Igreja.

extraterritorial. *adj.* extraterritorial, que está
fora dum território.

estraterritorialidad. *f.* extraterritorialidade.

extrauterino, na. *adj.* (med.) extrauterino.

extravagancia. *f.* extravagância, excentricidade esquisitice; singularidade, capricho;
estroinice; destempe(ê)ro; desvairamento;
desvairo; exotismo; fantastiquice; desatino; loucura; (fig.) frascaria; aberração;
capricho, disparate; estroinice: *cometer
extravagancias*, fazer loucuras.

extravagante. *adj.* e *s.* extravagante, extraordinário, esquisito; singular, raro; que está
fora de uso; extravagante, barroco, excêntrico; incompreensível; estrambótico; estranho; estroina; estúrdio; exorbitante;
desvairado; exótico; fanático; fantástico;
desaustinado; louco; (fig.) delirante; extravagante, que extravaga; afastado da
razão; esbanjador; pessoa que tem uma
vida irregular; dissipador, perdulário:
persona extravagante, (pop.) estragas-albardas; *hombre extravagante*, homem das
arábias.

extravasación. *f.* extravasamento, extravasação.

extravasarse. *v. r.* extravasar-se, trasbordar;
extraverter; derramar-se.

extravenar. *v. tr.* extravenar, extravasar o sangue, fazer sair o sangue das veias; (fig.) desviar, tirar do seu lugar.

extraversión. *f.* extroversão; (anat.) deslocação dalgum órgão.

extraviado, da. *p. p.* e *adj.* extraviado, desnorteado, extramontado; desmandado; desgarrado; desviado; desorientado; desencaminhado; perdido.

extraviar. *v. tr.* extraviar, desencaminhar; desnortear; desorientar; descarrilar; aberrar; (fig.) despolarizar; desviar, fazer desaparecer, perverter; (fig.) iludir. — *v. r.* extraviar-se, não estar uma coisa no seu lugar; (fig.) desviar-se do bom caminho; perder-se; desaparecer, desencaminhar-se; desgarrar-se; desorientar-se; (fig.) desencanar.

extravío. *m.* extravío, (fig.) desregramento; perversão moral; (fam.) incómodo, prejuízo; desnorteamento; desvio; desencaminhamento; descaminho; aberração; desorientação.

extrema. *f.* V. **extremaunción.**

extremado, da. *p. p.* e *adj.* extremado, extremo, minucioso; desmoderado; extraordinário, distinto; selecto, apropriado.

extremamente. *adv.* extremamente, muitíssimo, excessivamente.

extremar. *v. tr.* extremar, levar uma coisa ao extremo; apartar; no gado, separar as crias das suas mães; (prov.) fazer a limpeza nas habitações. — *v. r.* empregar-se com todo o esmero na execução dum trabalho; extremar-se, desvelar-se; assinalar-se, distinguir-se; apurar-se.

extremaunción. *f.* (rel.) extrema-unção.

extremeño, ña. *adj.* e *s.* (geog.) estremenho, natural ou pertencente à Estremadura; aquele que habita nos extremos duma região.

extremidad. *f.* extremidade, parte extrema dalguma coisa; (fig.) extremidade, límite, último grau a que uma coisa pode chegar; extremidade, ponta; extremidade, fim, límite; orla; os pés e as mãos; (fig.) carácter do que é extremo ou excessivo.

extremismo. *m.* (neol.) extremismo.

extremista. *adj.* e *s.* extremista; extremado.

extremo, ma. *adj.* extremo, último; excessivo, muito, sumo; extremado; formidável; afastado, distante; que está no fim; extremidade; consumado. — *m.* primeira ou última parte duma coisa; o extremo, o oposto, o contrário; último ponto a que se pode chegar. — *pl.* manifestações exageradas e veementes: *de extremo a extremo,* de ponta a ponta; *extrema necesidad,* apertada necessidade; *llevar las cosas a*

extremos desagradables, pôr-se às maiores; *evitar los extremos,* fugir dos extremos; *el último extremo,* o último bocejo; em extremo; *caer en el extremo,* dar em extremos.

extremoso, sa. *adj.* extremoso, desvelado, que é muito expressivo; extremado.

extrínseco, ca. *adj.* extrínseco, externo, não essencial, exterior, que é fictício ou convencional.

extrofia. *f.* (terap.) extroversão.

extroversión. *f.* (terap.) extroversão.

exuberancia. *f.* exuberância, abundância excessiva, superabundância; enchente; grande abundância; vigor; intensidade.

exuberante. *p. a.* e *adj.* exuberante, superabundante, copioso, excessivo; repleto; cheio, pletórico; muito vigoroso; deslumbrante.

exuberar. *v. intr.* (ant.) exuberar, ter em excesso; superabundar, ser excessivo. — *v. tr.* manifestar com excessos.

exudación. *f.* exsudação, transpiração; destilação; acção e efeito de exsudar.

exudado, da. *p. p.* e *adj.* exsudado, destilado; transpirado. — *m.* (med.) produto da exsudação.

exudar. *v. tr.* exsudar, exsuar, expelir em forma de gotas ou suor; destilar; correr abundantemente.

exulceración. *f.* (pat.) exulceração; ulceração incipiente e ligeira que não passa da superfície cutânea; ferimento leve; princípio de úlcera; (fig.) sofrimento moral.

exulcerar. *v. tr.* e *r.* (med.) exulcerar, ulcerar superficialmente; (fig.) desgostar, magoar ferir moralmente.

exulcerativo, va. *adj.* exulcerante, exulcerativo.

exultación. *f.* exultação, demonstrações de alegria, júbilo, regozijo, etc.; alvoroço.

exultar. *v. intr.* exultar; manifestar uma alegria intensa; regozijar-se, alvoroçar-se.

exutorio. *m.* (med.) exutório; (fig.) meio de dar saída a uma coisa que incomoda.

exvoto. *m.* ex-voto, objecto, quadro ou imagem que se coloca em capela ou igreja para comemorar um voto, uma promessa feita em ocasião de perigo ou doença.

eyaculación. *f.* ejaculação.

eyacular. *v. tr.* ejacular, lançar de si com força; expelir, enxorcar.

eyaculatorio, ria. *adj.* ejaculatório.

eyección. *f.* eje(c)ção.

eyector. *m.* (mec.) eje(c)tor, saca-trapo.

ezquerdar. *v. intr.* esquerdear, levar (uma arma) no lado esquerdo; desviar-se para a esquerda, voltar, tirar para o lado esquerdo.

F

F, f. sétima letra do alfabeto espanhol e quinta das suas consoantes, *efe*.

fa. *m.* (mús.) fá, quarta nota da escala musical; sinal que a representa.

fabagela. *f.* (bot.) fabagela.

fabla. *f.* (ant.) fala, imitação do espanhol antigo nalgumas composições literárias; concerto, confabulação.

fabo. *m.* (prov.) faia, árvore.

fabordón. *m.* (mús.) fabordão, contraponto em cantochão usado principalmente para música religiosa.

fábrica. *f.* fábrica, lugar onde se fabrica; edifício; qualquer construção feita com pedra, tijolos ou argamassa; fábrica, rendimento de igreja; invenção, artifício de algo não material; edifício, edificação; estrutura, ornamentação; manufa(c)tura, estabelecimento onde se fabrica; pessoal desse estabelecimento; fábrica, trabalho de execução de um objecto; maquinismo; a gente ou material necessário para uma obra ou empresa; (fig.) causa, origem; a índole e estrutura de qualquer coisa.

fabricación. *f.* fabricação, fabrico, fábrica; indústria; acto, efeito ou processo de fabricar; objecto fabricado, indústria; elaboração.

fabricador, ra. *adj.* e *s.* (fig.) fabricador, que inventa ou dispõe uma coisa não material, aquele que fabrica; inventor, produtor; forjador; industrial, urdidor; elaborador.

fabricante. *p. a. adj.* e *s.* fabricante, que fabrica; fabricante, dono duma fábrica; aquele que arranja, organiza ou inventa; fabricador: *fabricante de armas blancas*, alfageme.

fabricar. *v. tr.* fabricar, elaborar, produzir mecânicamente; construir; (fig.) fabricar, imaginar, urdir, inventar; (fig.) causar; manufa(c)turar, armar, cultivar; formar; edificar; (fig.) forjar: *fabricar, causar su propia desdicha*, fabricar a sua própria desdita.

fabril. *adj.* pertencente ou relativo à fábrica ou seus operários, fabril.

fábula. *f.* boato, rumor, mexerico; fábula, ficção, mentira, conto; fantasia; fábula,

narração alegórica que encerra uma lição moral; mitologia, qualquer das ficções da mitologia; objecto de murmuração; conto imoral; fabulação; andrómina; pequena narrativa; narração de coisas imaginárias; ficção, mentira.

fabulador, fabulista. *m.* fabulador, fabulista, pessoa que compõe ou escreve fábulas; pessoa que escreve sobre mitologia (fig.) mentiroso, patranheiro, trapaceiro; autor de fábulas, apólogos, etc.

fabular. *v. tr.* (ant.) fabular, escrever ou contar fábulas; inventar, mentir, fazer história fabulosa, sem critério.

fabulario. *m.* fabulário, conjunto de fábulas, fabulário.

fabulizar. *v. tr.* (ant.) fabular.

fabuloso, sa. *adj.* fabuloso, falso, de pura invenção; (fig.) incrível, excessivo; apócrifo; inventado, obscuro; extraordinário, fabuloso, grandioso, admirável; mitológico.

faca. *f.* faca curva, facão, qualquer faca de grandes dimensões; punhal, instrumento cortante usado pelos caçadores.

facción. *f.* fa(c)ção, bando sedicioso, partido; feição, parte do rosto; acto de serviço militar, como sentinela, etc., patrulha, etcétera; parcialidade política.

faccionar. *v. tr.* dividir em bandos ou facções, amotinar, sublevar; afeiçoar, formar, dar feição.

faccionario, ria. *adj.* fa(c)cionário, partidário, membro duma facção.

facecia. *f.* facécia, chiste, dito galante.

facciosos, sa. *adj.* faccioso, sectário, partidário apaixonado duma facção; rebelde armado; sedicioso, perturbador da ordem pública; parcial.

facera. *f.* passeio da rua; fiada de casas a cada lado da rua.

facero, ra. *adj.* pertencente ao compáscuo; fronteiro; habitante, soldado da fronteira.

faceta. *f.* face(ê)ta, face, superfície, cada uma das faces que formam um poliedro; aspecto: *las facetas de una esmeralda*, (fig.)

cada um dos aspectos que se podem considerar num assunto.

facetada. *f.* (Amér.) chiste sem graça.

facetar. *v. tr.* facetar, lapidar.

facetear. *v. tr.* V. **facetar.**

faceto, ta. *adj.* (Amér.) V. **chistoso.**

facial. *adj.* facial, pertencente ao rosto.

facies. *f.* fácies; fisionomia.

fácil. *adj.* fácil; simples; claro; inteligível; aberto a um sentimento; franco; dado; condescendente; dócil; acessível; correcto; tratável; fácil, indiscreto, imprudente; fácil, inconstante, liviano, volúvel; precipitado, fácil, que reflecte pouco; provável; desembaraçado; elementar; expeditivo; familiar; espontâneo, pronto; complacente, acomodatício; sem estorvos, agradável.

facilidad. *f.* facilidade; ligeireza; condescendência demasiada; oportunidade para fazer alguma coisa; disposição para aprender, conceber ou produzir; aptidão; espontaneidade; rapidez de execução; destreza; correnteza; desembaraço; expedição; alívio.

facilitación. *f.* facilitação.

facilitar. *v. tr.* facilitar, tornar fácil; facilitar, auxiliar, coadjuvar; proporcionar, entregar; pôr à disposição de; fornecer; agilitar; desengravecer; desimplicar, desimpedir; favorecer.

facilitón, na. *adj. e s.* (fam.) que acha tudo fácil; fantarelo.

facinerosos, sa. *adj. e s.* facinoroso, delinquente habitual; foragido; façanheiro, façanhudo; celerado; cruel, perverso; facínora.

facistol. *m.* facistol; (Amér.) vaidoso, envaidecido; facistol, faldistório, cadeira rasa de bispo.

facoide. *adj.* facóide.

facoideo, a. *adj.* facóide, que tem a forma de lentilha.

facsímil. *m.* fac-símile, reprodução exacta dum escrito, desenho, etc.

factaje. *m.* facturação.

factible. *adj.* fa(c)tível, que se pode fazer; possível.

factício, cia. *adj.* fa(c)ticio, artificial; (fig.) fictício, falso.

factitivo, va. *adj.* (gram.) fa(c)titivo, causativo.

factor. *m.* fa(c)tor, aquele que faz ou executa uma coisa; (com.) procurador, que trata de negócios em nome e por conta do seu constituinte; factor, empregado ferroviário; encarregado da recepção e expedição de mercadorias; feitor, administrador, capataz; (mat.) factor; (mil.) fornecedor de víveres; agente.

factoraje. *m.* emprego e oficina do factor. V. **factoría.**

factoría. *f.* feitoria, oficina, cargo ou ofício de factor ferroviário; estabelecimento comercial, principalmente o situado em país colonial.

factorial. *f.* (mat.) fa(c)torial.

factótum. *m.* (fam.) fa(c)tótum, factoto; mordomo; administrador; (fam.) pessoa intrometida que se presta a todo o género de serviços.

factura. *f.* fa(c)tura, conta, relação de mercadorias, vendidas e respectivos preços; (pint. e escul.) V. **ejecución.**

facturación. *f.* facturação; expedição.

facturador. *m.* expedidor, empregado que factura mercadorias.

facturar. *v. tr.* fa(c)turar, mencionar, em factura as mercadorias; facturar, registrar nas estações ferroviárias, mercadorias ou bagagens para serem remetidas aos seus destinos; expedir.

fácula. *f.* (astr.) fácula.

facultad. *f.* faculdade, poder de fazer; capacidade; aptidão; faculdade, potência física ou moral; propriedade, qualidade; ciência que se ensina numa escola superior; corporação dos professores dessa ciência; faculdade, permissão; faculdade, ciência, arte; (med.) faculdade, força, resistência; atributo; autoridade. — *pl.* faculdades, bens, riquezas; disposições, meios.

facultar. *v. tr.* facultar, conceder faculdade ou licença para fazer uma coisa; autorizar; facilitar; facultar, proporcionar faculdades a alguém; deixar; encarregar; permitir; conceder.

facultativo, va. *adj. e s.* facultativo, que se pode fazer ou deixar de fazer; pertencente a uma faculdade; arbitrário; facultativo, médico; técnico.

facultoso, sa. *adj.* facultoso; opulento, rico.

facundia. *f.* facúndia, eloqu(ü)ência, facilidade no falar; facúndia, abundância; verbosidade.

facundo, da. *adj.* facundo, eloqu(ü)ênte; verboso; falador.

facha. *f.* (fam.) cara, aspecto, figura; figura ridícula, feia; (ant.) facha, facho, tocha brandão; facha, mochada; (mar.) capa, a(c)ção de parar uma embarcação, manobrando as velas.

fachada. *f.* fachada, aspecto exterior dum edifício, navio, etc.; frontaria; frontispício de livro; (fig. e fam.) presença, semblante; fachada, corpulência: *fachada principal*, frontaria; (impr.) V. **portada.**

fachado, da. *adj.* (fam.) diz-se da pessoa que tem boa ou má figura ou aspecto.

fachear. *v. intr.* (mar.) pôr-se ou estar à capa, parar uma embarcação com manobra das velas.

fachenda. *f.* (fam.) vaidade, jactância; presunção. — *m.* (fam.) vaidoso, jactancioso.

fachendear. *v. intr.* (fam.) jactar-se, envaidecer-se; ostentar riquezas; fanfar, fanfarrear, farantear, chibantear.

fachendista, dón, na, doso, sa. *adj. e s.* (fam.) vaidoso, jactancioso; galreador; valente por dente.

fachoso, sa. *adj.* (fam.) de má figura, de figura ridícula; (Amér.) jactancioso, ostentoso.

fada. f. fada, maga, feiticeira; (bot.) variedade de maçã.

fadar. v. tr. fadar. V. **hadar.**

fadiga. f. laudémio, prestação enfitêutica.

fado. m. fado, canção popular portuguesa; antigamente era também dançada.

faena. f. faina, tarefa, lide, trabalho corporal; (fig.) trabalho mental; (mar.) faina; (Amér.) trabalho extraordinário numa fazenda; (fam.) má a(c)ção. — pl. trabalhos domesticos.

faetón. m. faetonte, fáeton, pequena carruagem de quatro rodas e dois assentos.

fagedenia. f. (pat.) bulimia; úlcera maligna.

fagedénico, ca. adj. (pat.) fagedé(ê)nico, corrosivo.

fagedenismo. m. (pat.) fagedenismo.

fagedeno. m. (pat.) úlcera corrosiva.

fagedenoma. f. (pat.) úlcera fagedénica.

fagediano, na. adj. (pat.) fagedénico.

fagícola. adj. (hist. nat.) fagícola, que vive nas faias.

fagina. f. (agr.) faxina, meda, conjunto de feixes na eira; faxina, lenha miúda para queimar; (mil.) faina, trabalho nos quarteis; toque para esses trabalhos, toque de retirada; faxina, feixes de ramos para formar trincheira. V. **fajina.**

fagocito. m. (biol.) fagócito.

fagocitosis. f. (biol.) fagocitose.

fagot (e). m. (mús.) fagote; instrumento de sopro e palheta; fagote, o que toca este instrumento.

fagotista. m. fagotista, pessoa que toca o fagote.

faisán. m. (zool.) faisão.

faisana. f. (zool.) fêmea do faisão.

faisanería. f. capoeira onde se alojam faisões.

faisanero, ra. s. pessoa dedicada à criação ou venda de faisões.

faja. f. faixa, espécie de cinto ou banda com que se cinge o corpo; cinta; tira ou faixa mais comprida que larga; (herald.) faixa; (mil.) faixa, cinto, banda. — pl. (germ.) açoites: faja de papel, cinta de papel; faja de azulejos, friso; faja de tierra, faixa de terra; faja de rizos, (mar.) banda de rizes.

fajado, da. p. p. e adj. enfaixado, ligado com faixa, faixado; (pop.) açoitado. — m. (min.) madeiro ou tábua que se emprega para formar soalhos nas minas.

fajadura. f. enfaixamento. V. **fajamiento.** — m. (mar.) tira de lona alcatroada para forrar cabos.

fajamiento. m. enfaixamento.

fajar. v. tr. enfaixar, colocar uma faixa, cingir com faixa; envolver uma criança em faixa, faixar; (pop.) açoutar; (Amér.) bater nalguém.

fajardo. m. espécie de pastel folhado, contendo carne.

fajeado, da. adj. faixado, que tem faixa.

fajero. m. faixeiro, faixa de malha para crianças de peito.

fajilla. f. dim. de faja; (Amér.) cinta, envoltório que se põe aos impressos.

fajín. m. dim. de faja; (mil.) faixa própria de generais ou de certos funcionários.

fajina. f. faxina, lenha miúda para o lume; meda, conjunto de feixes de cereais na eira; (prov.) horta, cercado, terreno murado; faina, trabalho; (Amér.) trabalho extraordinário numa fazenda; (mil.) toque de retirada ou de rancho; feixe de ramos que servem como trincheira; (prov.) prestação pessoal.

fajinada. f. (mil.) conjunto de molhos muito apertados.

fajo. m. feixe, atado, molho, braçado; (prov.) unidade de peso para lenhas. — pl. fraldas, cueiros, enxoval de criança.

fajol. m. (bot.) V. **alforfón.**

fajón. m. aum. de faja, faixa grande.

falacia. f. falácia, engano, mentira; arteirice; delusão; maganeira; (pop.) conto; fraude; sofisma; falácia, aleivosia, perfídia.

falange. f. falange, corpo de infantaria dos gregos; corpo de tropas; (anat.) falange (osso dos dedos); (fig.) falange, multidão; conjunto numeroso de pessoas unidas para o mesmo fim, legião.

falangeta. f. (anat.) falangeta, falange terminal, terceira falange.

falangiano, na. adj. (anat.) falangeano, falangeal, relativo à falange.

falangina. f. (anat.) falanginha, segunda falange dos dedos.

falansterio. m. falanstério, alojamento colectivo para muitas pessoas; mosteiro de monges.

falansteriano. m. habitante de um falanstério, falansteriano.

falárica. f. falárica, dardo que tinha na ponta estopa inflamável.

fálaris. f. (zool.) ave pernalta negra.

falaz. adj. falaz que tem o vício da falácia; fraudador, falso; mentiroso; fraudatário, fraudulento; delusório; frustralório; enganoso; falacioso; ardiloso; aplica-se a todo a pessoa que lisonjeia e adula com falsas aparências.

falbalá. m. falbalá, fo(ô)lho, tira de fazenda pregueada com que se guarnece a parte inferior dos vestidos.

falca. f. falca, defeito numa tábua ou madeiro; (mar.) tábua colocada no bordo da embarcação, para não entrar água.

falcaceadura. f. (mar.) acção e efeito de falcaçar, falcaça.

falcacear. v. tr. falcaçar, fazer botões com o fio de vela nos chicotes dos cabos para que estes se não desfiem.

falcado, da. p. p. e adj. falcado, falcato; falcular, falcato, que forma uma curvatura semelhante à foice; falciforme.

falcar. v. tr. (prov.) segurar com cunhas, cunhar.

falcario. m. soldado romano armado com uma foice.

falce. f. fouce, faca curva; foice.

falcidia. f. lei falcídia.

falcífero, ra. adj. falcífero, que traz foice.

falcifoliado, da. adj. (bot.) falcifoliado.

falciforme. *adj.* falciforme, que tem forma de foice.

falcirrostro, tra. *adj.* falcirrostro, diz-se das aves com bico em forma de foice.

falcón. *m.* falcão, antiga peça de artilharia.

falconete. *m.* (art.) falconete, falcata, colubrina, antiga peça de artilharia.

falcónido, da. *adj.* falconídeo, aves rapaces que tem por tipo o falcão. — *pl.* falconídeas, família destas aves.

falda. *f.* fralda, parte inferior da camisa, saia, etc.; cauda do vestido; alcatra, parte da carne dos animais por detrás do lombo; regaço; ala do chapéu; fralda ou falda da montanha; pano de linho ou algodão em que se envolvem as crianças; (por ext.) saia branca de trazer por baixo do vestido; (fig.) vestes; aba, sopé, raiz, cueiro, aba, sopé da montanha ou serra: *cuestión de faldas*, questão de saias ou de mulheres.

faldamenta, faldamento. *f.* e *m.* cauda do vestido; (fam.) fralda comprida e sem gosto; (mil.) faldão, fraldão, parte da armadura antiga dos soldados; fraldamento.

faldar. *m.* fraldão, parte inferior da armadura antiga dos soldados que pendia do extremo inferior do peito.

faldear. *v. tr.* fraldear, fraldejar, caminhar pela fralda duma montanha.

faldellín. *m.* fraldelim, fralda curta que chega aos joelhos; saia interior aberta adiante; enágua, saiote; brial.

faldeo. *m.* (Amér.) encosta, ladeira dum monte onde há planaltos.

faldero, ra. *adj.* e *s.* fraldiqueiro; fraldeiro; pertencente ou relativo às fraldas; efeminado, afeiçoado a estar entre mulheres; modista que faz fraldas; fraldisqueiro; mulherengo: *perro faldero*, cão fraldeiro.

faldeta. *f.* dim. de *falda*; fraldinha, fraldazinha.

faldicorto, ta. *adj.* fraldicurto, que tem as fraldas curtas.

faldillas. *f. pl.* dim. de *falda*; fraldilhas, parte inferior em certos vestidos.

faldinegro, gra. *adj.* (Amér.) aplica-se ao gado vacum que é vermelho por cima e negro por baixo.

faldistorio. *m.* faldistório, cadeira episcopal, sem espaldar, ao lado do altar-mor.

faldón. *m.* aum. de *falda*; fraldão, fralda, saia grande; parte inferior dalguma roupa; pedra que se coloca em cima doutra para fazer peso; (arq.) vertente dum telhado; fralda; parta da antiga armadura dos soldados que pendia do extremo inferior do peito: *agarrarse a los faldones, de alguno,* acolher-se à protecção de alguém.

faldriquera. *f.* V. **faltriquera.**

faldudo, da. *adj.* fraldoso, que tem muita fralda ou saia; (germ.) broquel.

faldulario. *m.* **faldumenta.** *f.* roupa muito comprida que roja pelo chão.

falena. *f.* (zool.) falena, espécie de borboleta nocturna.

falencia. *f.* falência, falimento; falha, engano, erro ao afirmar alguma coisa; (Amér.) falência, cessação de pagamentos, quebra dum comerciante; insolvência; falha, omissão; carência.

falerno. *m.* falerno, vinho da Campânia.

faleucio, faleuco. *adj.* falécio, certo verso da poesia grega.

falibilidad. *f.* falibilidade; qualidade de falível; que é susceptível de engano ou erro; falibilidade, e(ê)rro.

falible. *adj.* falível, que pode enganar-se ou enganar; defectível; que pode haver erro; que pode enganar; que pode falhar.

fálico, ca. *adj.* fálico, relativo ou pertencente ao falo.

falisco. *m.* falisco, certo verso da poesia latina.

falo. *m.* (anat.) falo, membro viril.

falopio. *m.* (anat.) *trompa de Falopio,* trompa de Falópio.

falsaarmadura. *f.* V. **contraarmadura.**

falsabraga. *f.* (fort.) falsa-braga, bacã.

falsada. *f.* voo rápido. V. **calada.**

falsario, ria. *adj.* e *s.* falsário, falsificador; perjuro, que perjura ou jura falso.

falsarregla. *f.* falsa-régua; (prov.) V. **falsilla.**

falsarrienda. *f.* (equit.) falsa-rédea.

falseador, ra. *adj.* falsário, que falseia ou falsifica, falsificador; falsário, que jura falso; que diz falsidades; adulterador.

falseamiento. *m.* falsificação; inautenticidade; falseamento.

falsear. *v. tr.* falsear, falsificar, deturpar, adulterar; romper ou penetrar a armadura; (arq.) desviar ligeiramente um corte da direcção perpendicular. — *v. intr.* falsear, enfraquecer, tornar vão, perder uma coisa a sua resistência; falsear, desafinar, destoar; deixar um vazio nas selas para não ferir o cavalo; desfigurar; enganar; degenerar: *falsear los hechos,* desfigurar os factos.

falsedad. *f.* falsidade, falta de verdade ou autenticidade; engano, mentira, calúnia; hipocrisia; falsidade, aleivosia, doblez; infidelidade; duplicidade; deslealdade; inexa(c)tidão; (fig.) fábula; farisaísmo; mendacidade; fanchotada; (pop.) francesia.

falseo. *m.* falseamento; ligeiro desvio dum corte da direcção perpendicular.

falseta. *f.* (mús.) na música popular de guitarra, frase melódica ou floreio.

falsete. *m.* rolha de cortiça para pipa; porta pequena e duma só folha; (mús.) falsete: *cantar en falsete,* falsetear; falsear.

falsía. *f.* falsidade, deslealdade; falsia.

falsificable. *adj.* falsificável.

falsificación. *f.* falsificação; alteração; contrafacção; embaçadela; adulteração; enganação; fraude; falsidade; (for.) delito de falsificação de documentos, moeda, etc.

falsificado, da. *p. p.* e *adj.* falsificado; adulterado; imitado fraudulentamente.

falsificador, ra. *adj.* e *s.* falsificador, contrafa(c)tor, falsário; adulterador; corrompedor.

falsificar. *v. tr.* falsificar, contrafazer; adulterar; corromper; imitar ou alterar fraudulentamente; dar como verdadeiro o falso; abastardar; bastardear.

falsilla. *f.* pauta, papel com traços paralelos que se põe debaixo doutro para que sirva de guia.

falsinerveo, a. (bot.) *adj.* falsinérveo.

falso, sa. *adj.* falso, enganoso, fingido, simulado; contrário à verdade; falso, enganador, falso, enganoso, dissimulado, traidor; falso, manhoso; diz-se dos animais; falso, volúvel, inconstante; falso, roubado no peso ou na medida; falso, que imita o verdadeiro; falso, que segue mau caminho; hipócrita; imitado; errado; falso, falsificado, adulterado; simulado; desleal; suposto, aparente; avelhacado; (fig.) estudado; aleivoso; inautêntico; mendaz; falacioso; inexa(c)to; erró(ô)neo; apócrifo; artificial; falaz; (fig.) dúplice; atravessado; francês; bifronte; macanjo (diz-se das moedas) echadiço (notícias, etc.) *m.* contraforte da costura dos vestidos; (germ.) carrasco, algoz; (prov. e Amér.) cobarde, pusilânime; enfraquecido, débil; fralda, roda do vestido; (Amér.) falso testemunho.

falta. *f.* falta, defeito, privação duma coisa; culpa leve, negligência; pecado; falha do dinheiro; (fisiol.) amenorreia; (depor.) no jogo da pelota, queda desta fora dos limites assinalados; (for.) infracção da lei, com sanção leve; ausência, falta; imperfeição; leviandade; e(ê)rro; desaparecimento por morte; desmancho; deficiência; desace(ê)rto; defeito.

faltante. *p. a.* e *adj.* faltoso, que falta.

faltar. *v. intr.* faltar, não existir uma coisa que devia haver; falhar, faltar; acabar, faltar; faltar, deixar de assistir a outrem; faltar, deixar de concorrer, de aparecer; faltar, não cumprir o seu dever; faltar, falecer, morrer; faltar, não saber aproveitar-se da ocasião; faltar, cair em falta; deixar de ter a a consideração devida; faltar, falhar, não produzir o efeito desejado; faltar, ser preciso para completar uma coisa ou um número; achar menos; minguar.

falte. *m.* (Amér.) bufarinheiro.

falto, ta. *adj.* e *p. p.* falto, defeituoso ou necessitado dalguma coisa, falho; escasso; desabastecido; incompleto; inexistente; deficitário; deficiente; minguado; desprovido; destituído; desservido.

faltón, na. *adj.* (fam.) que falta com frequência ao seu dever ou às suas obrigações; (Amér.) que falta ao respeito.

faltoso, sa. *adj.* (fam.) falto de juízo; faltoso, que falta muito; pouco assíduo.

faltriquera. *f.* faldriqueira, algibeira interior; bo(ô)lso postiço que usam as mulheres; camarote nos antigos teatros. V. **cubillo.**

falúa. *f.* (mar.) falua, embarcação pequena.

faluchero. *m.* (mar.) falueiro, o que dirige uma falua.

falucho. *m.* (mar.) falucho, embarcação ligeira de vela e remos; (Amér.) chapéu de bicos e copa encanudada.

falla. *f.* falta, defeito, falha; (geol.) falha, quebra, fenda nos terrenos.

falla. *f.* capuz usado antigamente pelas mulheres para adorno e abrigo; (prov.) fogueira que acendem nas ruas a 19 de Março.

fallada. *f.* trunfada, no jogo das cartas.

fallado. *m.* (prov.) V. **desván.**

fallado, da. *p. p.* e *adj.* frustrado, falhado; arrebentado: *tiro fallado,* tiro avesso.

fallador, ra. *s.* pessoa que trunfa no jogo.

fallanca. *f.* escoadoiro, escoadouro, cano ou tubo que se coloca nas janelas ou varandas para escoamento das águas.

fallar. *v. tr.* (for.) decidir, determinar um litígio ou processo, sentenciar; despachar o juiz.

fallar. *v. tr.* cortar, trunfar no jogo de cartas, por falta do naipe respectivo.—*v. intr.* falhar, faltar; frustrar-se uma coisa ou sair falhada; perder uma coisa a sua resistência.

falleba. *f.* tranqueta, fecho de ferro das portas ou janelas; tranca de ferro.

fallecedero, ra. *adj.* falível, que pode faltar ou falecer.

fallecer. *v. intr.* falecer, morrer; falecer, acabar, faltar; carecer, necessitar. — *conj. irr.* como *crecer.*

falleciente. *p. a.* e *adj.* que falece.

fallecido, da. *p. p. adj.* e *s.* falecido, morto, defunto, extinto; desaparecido.

fallecimiento. *m.* falecimento, morte; falha, óbito, decesso; defunção; (fig.) desaparecimento.

fallero, ra. *adj.* (Amér.) faltoso, que falta às suas obrigações. — *s.* aquele que toma parte nas *fallas* de Valência.

fallido, da. *p. p.* e *adj.* falido; frustrado, sem efeito; (com.) falido, quebrado, sem crédito; (herald.) falido.

fallir. *v. intr.* falecer, faltar; (Amér. e com.) falir, quebrar.

fallo. *m.* (for.) sentença definitiva do juiz; decisão; falha; falha, falta de cartas dum naipe; (fig.) desengano do doente da gravidade do seu mal; (fig. e fam.) julgamento decisivo acerca duma pessoa ou coisa; louvação: *sin fallo,* sem falha. — *adj.* falho, baldo dum naipe; (prov.) desfalecido, falto de forças; (Amér.) diz-se do cereal cuja espiga não chegou a desenvolver-se completamente.

fama. *f.* fama, reputação, celebridade, renome; glória; conspicuidade; memória; (fig.) eco; auréola, aura; estrondo; cheiro; opinião pública, voz geral; crédito; notoriedade.

famélico, ca. *adj.* faminto, famélico, famelgo, famulento, esfomeado.

familia. *f.* família, gente que vive numa casa governada por um chefe; família, geração, raça; família, pessoas do mesmo sangue; linhagem; descendência; estirpe; família, os criados duma casa; família, parentes imediatos; (hist. nat.) família, agrupação de géneros naturais; prole, progénie, os filhos, família; (fam.) conjunto de indivíduos ou grupo numeroso de pessoas; família, conjunto de vocábulos da mesma raíz; clã.

familiar. *adj.* familiar, pertencente à família; familiar, habitual, comum, frequente; familiar, que familiariza; familiar, diz-se do estilo natural; familiar, que tem familiaridade; despretencioso, fácil; simples, desafectado; íntimo; doméstico, caseiro. — *m.* familiar, o que tem amizade com alguém; familiar, criado, familiar, cargo eclesiástico dependente dum prelado; familiar, confrade de congregação religiosa; familiar, do Santo Ofício; carruagem ou outro qualquer veículo com muitos assentos, familiar: *hacerse familiar*, fazer-se familiar.

familiaridad. *f.* familiaridade, intimidade, franqueza, confiança; convivência; intimidade; ausência de cerimónias, simplicidade; convívio; conhecimento; — *pl.* facilidades; atrevimentos, modos, palavras, gestos destituídos de cerimónia.

familiarizar. *v. tr.* familiarizar, tornar familiar, tornar comum, ordinário, habituar; vulgarizar; introduzir na familiaridade.— *v. r.* familiarizar-se; relacionar-se; acostumar-se, adaptar-se; alhanar-se; (fig.) acompadrar-se; estar ao corrente: *familiarizarse con alguien*, facilitar-se com alguém.

familiatura. *f.* familiatura, cargo de familiar da inquisição; cargo de familiar num colégio.

familisterio. *m.* familistério.

famoso. *adj.* famoso, célebre, notável; (fam.) bom, perfeito, excelente na sua espécie; notável, que chama a atenção; conspícuo, egrégio; memorável; afamado; estrondoso; ilustre; grande, extraordinário no seu género: *hacerse famoso*, afamar-se.

fámula. *f.* (fam.) fâmula, criada, serva.

famular. *adj.* famulatório, pertencente ou relativo aos fâmulos ou criados.

famulato ou **famulicio.** *m.* famulato, criadagem, ocupação de criado ou servente; conjunto de criados duma casa.

fámulo. *m.* fâmulo, servente da comunidade dum colégio; (fam.) fâmulo, servidor.

fanal. *m.* fanal, farol grande, facho, guia; fanal, redoma de vidro; chaminé de candeeiro; (pop.) olho.

fanático, ca. *adj. e s.* fanático; entusiasmado; preocupado; apaixonado, partidário duma religião ou opinião com zelo excessivo; apreciador apaixonado; exaltado; cego; entusiasta.

fanatismo. *m.* fanatismo, devocionismo; paixão; exclusivismo; excessivo zelo religioso; faccionismo; partidário; adesão cega a um sistema ou doutrina; paixão política exagerada.

fanatizador, ra. *adj e s.* fanatizador, que fanatiza.

fanatizar. *v. tr.* fanatizar, provocar ou sugerir o fanatismo; inspirar uma paixão excessiva; inspirar extrema admiração.

fandango. *m.* fandango, canção e dança espanhola e portuguesa; (fig. e fam.) bulício, algazarra: *bailar o tocar fandangos*, afandangar, fandanguear.

fandanguear. *v. intr.* afandangar, fandanguear. V. **jaranear.**

fandanguero, ra. *adj. e s.* fandangueiro, que dança o fandango; que gosta das festas populares.

fandanguillo. *m.* espécie de fandango.

fandulario. *m.* V. **faldulario.**

fané. *adj.* (gal.) murcho, seco; estropiado. V. **ajado.**

faneca. *f.* (ictiol.) faneca.

fanega. *f.* fa(â)nega, fanga, medida de capacidade de 55'5 litros; quantidade que cabe nesta medida: *fanega de tierra*, fanga de terra (400 estádios quadrados).

fanegada. *f.* fanega de terra, medida agrária equivalente a 64 ares e 596 miliares: *a fanegadas*, com muita abundância.

fanerogamia. *f.* (bot. e zool.) fanerogamia.

fanerógamo, ma. *adj.* (bot.) fanerogâmico.— *f. pl.* (bot.) fanerogâmicas.

fanfarrear. *v. intr.* fanfarronar, fanfarrear. V. **fanfarronear.**

fanfarria. *f.* (fam.) fanfarronice, fanfarrice; bravata, jactância; fanfarrada; chibantaria; — *m.* (prov. V. **fanfarrón**

fanfarrón, na. *adj. e s.* fanfarrão, impostor, alardeador, farfante; farfantão, façanheiro, farfalhador, galreador, galrejador; chulo, chulista; blasonador; bazofiador; fantarelo; chibante; farronqueiro; dunga; arrostador; (fig.) frigideira; gabarola, gabolas.

fanfarronada. *f.* fanfarronada, bravata, dito ou feito de fanfarrão; alardeamento; farelice; farfalha; farfantonada; chulice; fanfarraria; gabarolice; gabo; chibantice, chibança, chibantarias; arrotação: farromba; fanfarria. — *pl.* abafas.

fanfarronear. *v. intr.* fanfarronar, fanfarrear, blasonar de valentão; bazofiar; alabar-se; gabar-se; chibantear; empantufar-se; farfalhar (pop.) farelar; (Bras.) gargantear.

fanfarronería. *f.* fanfarrice, fanfaria, fanfarronada; chibantismo, chibança; arrogância fictícia; jactância.

fanfarronesca. *f.* fanfarrice, porte, conduta dos fanfarrões.

fanfurriña. *f.* (fam.) amuo, desgosto leve e passageiro.

fangal. *m.* lameiro, lamaçal, lodaçal, ludreiro, atoladeiro, enxurdeiro.

fangar. *m.* V. **fangal.**

fango. *m.* lama, lo(ô)do; (fig.) vilipêndio, degradação, lama, lodo: *caer en el fango*, (fig.) atufarse.

fangoso, sa. *adj.* lamacento, lodoso, lutulento, atoladiço.

fangosidad. *f.* qualidade de lamacento.

fantascopio. *m.* V. **fantasmatoscopio.**

fantaseador, ra. *adj.* e *s.* fantasiador, que fantasia; devaneador; fantasioso; vão, caprichoso.

fantasear. *v. intr.* fantasiar, deixar correr a fantasia ou a imaginação, inventar; ostentar vangloriar-se; fantasiar, delirar, desvairar; imaginar algo fantástico; idear, planear; entregar-se à fantasia; devanear.

fantasía. *f.* fantasia, imaginação, faculdade imaginativa, fantasia, ficção, conto, novela; concepção, ide(é)ia, fantasia; pensamento elevado; (fam.) orgulho, presunção, vaidade; devaneio; anto(ô)jo; embuste; imagem fantástica; capricho da imaginação; coisa imaginária; desejo extravagante, capricho; mús.) fantasia, variação musical. — *pl.* enfiada de pérolas.

fantasioso, sa. *adj.* (fam.) envaidecido, presunçoso, fantasioso, imaginativo, fantástico.

fantasma. *m.* fantasma, visão quimérica; fantasma, alma do outro mundo; pessoa disfarçada para assustar a gente simples; (fam.) fantasma, espantalho; duende; aparecido; alma penada; aparição; (fig.) pessoa presunçosa.

fantasmagoría. *f.* fantasmagoria; (fig.) falsa aparência, ilusão dos sentidos; (fig.) quimera, ilusão, utopia.

fantasmagórico, ca. *adj.* fantasmagórico, pertencente ou relativo a fantasmagoria; (fig.) fantástico, quimérico, ilusório, utópico.

fantasmal. *adj.* fantasmal, referente a fantasma.

fantasmascopio. *m.* (fís.) fantasmáscopo, fantascópio.

fantasmatoscopio. *m.* (fís.) fantasmáscopo, fantascópio.

fantasmón, na. *adj.* (fam.) presunçoso, vaidoso; orgulhoso.

fantástico, ca. *adj.* fantástico, fingido, quimérico, imaginário; aparente; jactancioso, caprichoso; blasonador; extraordinário, incrível; inventado; presunçoso, orgulhoso; falso; descabelado, estrambótico; fabuloso.

fantochada. *f.* (fig.) fantochada, a(c)ção própria de fantoche; (fig.) exibição ridícula, caricata.

fantoche. *m.* fantoche; títere; (fig.) bonifrate; palhaço; (Bras.) briguela.

fañado, da. *adj.* diz-se do animal que tem um ano.

fañoso, sa. *adj.* (Amér.) V. **gangoso.**

faquí. *m.* V. **alfaquí.**

faquín. *m.* carregador, mariola, moço de fretes, homen de ganho.

faquir. *m.* faquir, asceta muçulmano que vive de esmolas.

faquirismo. *m.* (filos.) faquirismo.

fara. *f.* (zool.) espécie de serpente africana.

farad. *m.* (fís.) fárade, farádio.

farádico, ca. *adj.* (fís. e terap.) farádico, relativo à faradização.

faradio. *m.* (fís.) farádio, fárade.

faradismo. *m.* (terap.) faradismo, faradização.

faradización. *f.* (terap.) faradização, faradismo.

faradizar. *v. tr.* (terap.) faradizar.

faralá. *f.* rufo, enfeite feito de pregas usado nos vestidos; (fam.) adorno excessivo e de mau gosto.

farallón. *m.* (geog.) farelhão, ilhota escarpada, rochedo no mar, pequeno promontório.

faramalla. *f.* faramalha, palestra, conversa artificiosa para enganar alguén; enredo, trapaça; bagatela, ninharia. — *s.* enredador, trapaceiro.

faramallero, ra. *adj.* e *s.* faramalheiro, enredador, trapaceiro.

faramallón, na. (fam.) enredador, faramalheiro. V. **faramallero** e **rachendoso.**

farándula. *f.* farândola, profissão de comediante; farândola, embuste, enredo, trapaça; farandolagem, companhia de cómicos ambulantes; (fig. e fam.) V. **faramalla.**

farandulear. *v. intr.* jactar-se, vangloriar-se. V. **farolear.**

farandulero, ra. *s.* e *adj.* actor de comédias; (fig. e fam.) falador, trapaceiro.

farandúlico, ca. *adj.* pertencente à farândola.

farón. *m.* faraó, jogo de cartas semelhante ao monte; faraó, soberano do antigo Egipto; nome dum baile antigo.

faraónico, ca. *adj.* faraó(ô)nico.

faraute. *m.* faraute, mensageiro, arauto; intrometido, que quer mandar e fazer tudo; medianeiro entre pessoas que se não entendem, intérprete, guia; rei de armas de segunda classe; o principal na direcção duma coisa; actor que recitava o prólogo ou loa; (pop.) criado de meretriz.

farda. *f.* tributo, contribuição. V. **alfarda;** trouxa de roupa; fardo, embrulho; entalhe numa tábua para nela encaixar noutra.

fardacho. *m.* (zool.) V. **lagarto.**

fardaje. *m.* V. **farderia.**

fardar. *v. tr.* prover, abastecer (especialmente de roupa).

fardel. *m.* fardel, saco, taleiga, bolsa para provisões de jornada; (fig. e fam.) pessoa desalinhada.

farderia. *f.* fardelagem, conjunto de fardos, fardagem.

fardo. *m.* fardo, pacote, fardel, saco, taleiga, grande trouxa apertada de modo que possa ser transportada; embrulho.

farfalá. *m.* V. **faralá.**

farfallón, na. *adj.* e *s.* (fam.) farfalhão; que fala sem tino. V. **chapucero.**

farfante, farfantón. *m.* (prop.) farfante, fanfarrão, valentão, jactancioso; falador.

farfantonada, farfantonería. *f.* (fam.) fanfarronice, fanfarrice, farfalhada, farfantonada, bravata.

fárfara. *f.* (bot.) farfária.

fárfara. *f.* fárfara, película interior da casca do ovo: *en fárfara,* sem casca; (fig.) não acabado, em embrião.

farfolla. *f.* maçaroca das espigas do milho; (fig.) coisa de muita aparência e pouca utilidade.

farfulla. *f.* (fam.) balbúcio, balbúcie, gago; farfalha, farfalhada, confusão. — *f.* balbuciante, gago, tartamudo; gagueira; (pop.) boca de favas.

farfullador, ra. *adj.* e *s.* (fam.) balbuciante, balbuciente, farfalhador; aldravão, que balbucia por falar atrapalhadamente, farfalhento.

farfullar. *v. tr.* (fam.) balbuciar; gaguejar por falar depressa e atrapalhadamente; gaguear; (fig. e fam.) confundir-se, atrapalhar-se.

farfullero, ra. *adj.* e *s.* (fam.) balbuciador; tartamudo; trapalhão. V. **farfullador.**

fargallón, na. *adj.* e *s.* (fam.) que faz as coisas atrapalhadamente, descuidado, desalinhado; farrapão, trapalhão.

farigola. *f.* (bot.) tomilho.

farillón. *m.* V. **farallón.**

farináceo, a. *adj.* farináceo.

faringe. *f.* (anat.) faringe.

faringectomía. *f.* (cir.) faringectomia, faringotomia..

faríngeo, a. *adj.* (anat.) faríngeo, faríngico.

faringitis. *f.* (pat.) faringite.

faringografía. *f.* (anat) faringografia.

faringolaringitis. *f.* (pat.) faringolaringite.

faringología. *f.* (anat.) faringologia.

faringoscopia. *f.* (med.) faringoscopia.

faringoscopio. *m.* (med.) faringoscópio.

faringotomía. *f.* (cir.) faringotomia, faringectomía.

farinoso, ca. *adj.* farináceo.

farisaico, ca. *adj.* farisaico; (fig.) hipócrita; fingido; falso.

farisaísmo. *m.* farisaísmo, seita dos fariseus; (fig.) hipocrisia.

fariseísmo. *m.* farisaísmo; (fig.) hipocrisia, falsidade.

fariseo, a. fariseu, seita de judeus; (fig.) fariseu, hipócrita. falso, traidor; farsante; devocionista (fam.) indivíduo de má índole.

farmacéutico, ca. *adj.* e *s.* farmacêutico, relativo à farmácia; farmacêutico; boticário.

farmacia. *f.* farmácia, arte de preparar medicamentos; farmácia, botica; farmácia, colecção de medicamentos: *más vale gastar en plaza que en farmacia,* (fam.) vão-se os aneis e fiquem os dedos.

fármaco. *m.* (p. us.) V. **medicamentos.**

farmacodinamia. *f.* (terap.) farmacodinamia.

farmacodinâmico, ca. *adj.* farmacodinâmico.

farmacognosia. *f.* (farm.) farmacognosia, farmacografia.

farmacografía. *f.* (farm.) farmacografia, farmacognosia.

farmacología. *f.* (farm.) farmacologia.

farmacológico, ca. *adj.* farmacológico.

farmacopea. *f.* farmacope(é)ia.

farmacopola. *f.* farmacopola; (burl.) farmacêutico. V. **farmacéutico.**

farmacopólico, ca. *adj.* farmacêutico.

farmacotecnia. *f.* farmacotecnia.

farmacotécnica. *f.* farmacotecnia.

farmacotécnico, ca. *adj.* farmacotécnico.

farnaca. *f.* (prov.) V. **letrato.**

faro. *m.* (mar.) farol; (fig.) aquilo que dá luz num assunto; lanterna; o que serve de guia à inteligência ou conduta; norte, rumo.

farol. *m.* lanterna, espécie de lampião, farol; (fig.) vaidade, jactância; jogada em falso; (taur.) certo lance no toureio; fanal; facho.

farola. *f.* lanterna grande; candeeiro.

farolazo. *m.* pancada dada com uma lanterna; (Amér.) trago de licor. — *pl.* (fig.) barulho, briga com vias de facto.

farolear. *v. intr.* (fam.) jactar-se vangloriar-se, bazofiar; fingir muito que fazer; chibantear, fanfarrear; (pop.) farelar.

faroleo *m.* ostentação, jactância, farófia; fanfarria.

farolería. *f.* estabelecimento onde se fabricam ou vendem lanternas; (fig.) farófia, a(c)ção própria de pessoa jactanciosa.

farolero, ra. *adj.* (fig. e fam.) vão, ostentador, jactancioso, faroleiro, fanfarrão. — *m.* faroleiro, fabricante ou vendedor de faróis; faroleiro, encarregado dum farol: *meterse a farolero,* (pop.) meter-se em camisa de-onze-varas.

farota. *f.* (fam.) mulher descarada.

faroton, na. *adj.* e *s.* (fam.) pessoa descarada.

farpa. *f.* farpa, ponta de estandarte; rasgão, estilha; farpa, ponta redonda.

farpado, da. *adj.* farpado, cortado em farpas, farpón. *m.* farpão. V. **arpón.**

farra. *f.* (ictiol.) farra, espécie de salmão.

farra. *f.* (Amér.) farra, pândega, folia.

farraca. *f.* (prov.) V. **faltriquera.**

fárrago. *m.* farragem, mistura, miscelânea de coisas mal ordenadas; confusão.

farragoso, sa. *adj.* que tem farragem ou farrão.

farraguista. *s.* sabichão, pessoa que tem a cabeça cheia de ideias confusas; pedante.

farrear. *v. intr.* (Amér.) farrear, foliar, andar na pândega, fazer folia.

farro. *m.* farro, cevada meia moída depois de tirada a casca; escândea.

farruco, ca. *adj.* e *s.* diz-se dos galegos ou asturianos recém-saídos das suas terras; (fig.) valente, destemido.

farruto, ta. *adj.* (Amér.) V. **canijo.**

farsa. *f.* farsa, nome que se dava às comédias; farsa, peça teatral burlesca; companhia de comediantes; (deprec.) dramalhão; (fig.) trapaça, burla, enredo para enganar; ilusão, mentira, embaçadela; embromação; arreme(ê)do.

farsálico, ca. *adj.* farsálico, pertencente ou relativo à Farsália.

farsanta. *f.* farsanta, actriz que representava farsas.

farsante. *m.* e *adj.* farsante, actor que representa farsas, comediante, cómico; (fig.) farsante, hipócrita, impostor, embaucador, mentiroso, embaidor, embaucador, embelecador; embromador.

farsear. *v. intr.* (Amér.) troçar, zombar. V. **bromear.**

farseto. *m.* gibão acolchoado que se vestia por baixo da armadura.

farsista. *s.* autor de farsas.

fas (por, ou por nefas). *adv.* (fam.) por fás ou por nefas, justa ou injustamente; por uma coisa ou por outra; em qualquer forma; a bem ou mal; com razão ou sem ela.

fascal. *m.* (prov.) fascal, conjunto de medas ou feixes de trigo; corda de esparto.

fasces. *f. pl.* fasces, feixe de varas, com uma secure no meio, insígnia dos cônsules romanos.

fascia. *f.* (anat.) fáscia.

fasciado, da. *adj.* (bot.) fasciculado.

fascial. *adj.* (anat.) pertencente ou relativo a uma fáscia.

fasciculado, da. *adj.* (bot.) fasciculado.

fascicular. *adj.* (bot.) fascicular.

fascículo. *m.* fascículo, caderno, folheto; (bot.) fascículo.

fascinación. fascinação; encantamento; alucinação; quebranto; feitiço; mau olhado; magia; deslumbramento; (fig.) engano, alucinação, ilusão dos sentidos; atracção irresistível.

fascinador, ra. *adj.* fascinador, que fascina, encantador, fascinante; mágico; alucinador; deslumbrador, deslumbrante; embruxador.

fascinar. *v. tr.* fascinar, dominar; dar mau olhado; (fig.) alucinar, enganar, deslumbrar, encantar; atrair irresistivelmente; seduzir; subjugar; encandear.

fascio. *m.* (pol.) fascio, fascismo, partido político nacionalista italiano.

fasciola. *f.* (zool.) fascíola, verme dos canais biliares do fígado.

fasciolaria. *f.* (zool. e paleont.) fasciolária, concha univalve fusiforme.

fascitis. *f.* (pat.) fascite, inflamação duma fáscia.

fase. *f.* (astr. e electr.) fase: cíclo: fase, secção duma instalação electrica; (fig.) fase; etapa, alternativa, mudança; aspecto dum fenómeno; metamorfose.

faseoláceas. *f. pl.* (bot.) faseoláceas.

faseoláceo, a. *adj.* (bot.) faseolar.

faséolo. *m.* (bot.) faséolo.

fasiánidas. *f. pl.* (zool.) fasiânidas.

fasionable. *adj.* (angl.) elegante, distinto, da moda. — *m.* pisa-flores, indivíduo adamado.

fásoles. *m. pl.* faséolo, denominação científica do feijão.

fastial. *m.* (arq.) fastígio.

fastidiado, da. *p. p.* e *adj.* enfastiado; aborrecido; enfadado; afadigado; atediado; farto; acabrunhado; desagrado.

fastidiar. *v. tr.* enfastiar, causar fastio; afadigar; desagradar; atediar; amofinar; enfadar; fartar, estomagar; (fig.) enfastiar, enfadar, molestar, incomodar; acabrunhar; chatear; (fam.) aborrecer; (Bras.) azangar. — *v. r.* aborrecer-se; sofrer perda ou dano: *esto me fastidia*, aborrece-me isso.

fastidio. *m.* fastio, repugnância que causa uma coisa, náusea, desgo(ô)sto, aversão; enfado, aborrecimento; tédio; enfado, canchatear; (fam.) aborrecer; (Bras.) azangar.

— *v. r.* aborrecer-se; sofrer perda ou dano: *esto me fastidia*, aborrece-me isso.

fastidioso, sa. fastiento, fastidioso, enfadonho, importuno; enfastioso, afadigoso; afadigador; enfastiante; empalagoso; enfadoso; aborrível; incomodante, inco(ô)modo; maçador.

fastigio. *m.* fastígio, cume, cimo alto; (fig.) sublimidade, elevação; (arq.) frontão, fastígio.

fasto, ta. *adj.* fasto, diz-se do dia não feriado na antiga Roma; diz-se do dia, ano, etc., venturoso. — *m.* luxo, fausto, pompa, fasto, magnificência.

fastos. *m. pl.* fastos, tábuas cronológicas dos romanos; (fig.) fastos, anais ou série de sucessos por ordem dos tempos.

fastuoso, sa. *adj.* fastuoso, ostentoso, luxuoso, magnífico, luxento; magnificente, esplêndido, ostentoso.

fatal. *adj.* fatal, pertencente ao fado; inevitável, inexorável; inelutável; forçoso; funesto; desgraçado, infeliz, desastroso; decisivo; mortal; destruidor; (for.) diz-se do prazo improrrogável, fatal.

fatalidad. *f.* fatalidade, destino que regula os acontecimentos, destino inevitável; fatalidade, desgraça, infelicidade; desdita; desfortuna, desastre, desgraça; desventura; adversidade persistente.

fatalismo. *m.* fatalismo.

fatalista. *adj.* e *s.* fatalista, pertencente ao fatalismo; partidário da doutrina do fatalismo.

fatídico, ca. *adj.* fatídico, fatal, que prediz o futuro; sinestro; trágico; desgraçado.

fatiga. *f.* fadiga, cansaço, agitação; fadiga, debilidade; respiração difícil; ânsia; aperreamento; afã; abalo; descomodidade; incomodidade; trabalho árduo. V. **náusea.**

fatigación. *f.* (p. us.) fadiga. V. **fatiga.**

fatigador, ra. *adj.* fatigador, fatigante; fatigado, agitado; trabalhoso.

fatigar. *v. tr.* fatigar, afadigar, causar fadiga; molestar, vexar; cansar; enfastiar, importunar; derrubar, derrotar; aplastar, alquebrar; aperrear; afrontar (pelo calor); (pop.) furtar; (fig.) afatigar, cansar o espírito. — *v. r.* afadigar-se, afanar; cansar-se; trabalhar muito.

fatigoso, sa. *adj.* fatigoso, fatigante, afadigoso; ímprobo; afanoso.

fatimí, ou fatimita. *adj.* e *s.* fatimita, indivíduo pertencente a uma dinastia descendente de Fátima, filha de Maomet.

fatuidad. *f.* fatuidade qualidade de quem é fátuo; falto de razão ou entendimento; vaidade ridícula, fatuidade; fantasia; enfatuação; inflação; fatuidade, presunção; desconchavo, disparate.

fatuo, tua. *adj.* fátuo, falto de entendimento, ou de razão; presumido, nécio, ridículo, fátuo, estouvado; fantasioso; inflado, farfalhudo; apelintrado; mentecapto; fátuo, que manifesta uma alta opinião de si, próprio; pretensioso, que só dura um instante: *fuego fatuo*, fogo fátuo.

faucal. *adj.* faucal, relativo à fauce.

fauces. *f. pl.* fauces, parte superior e inferior da goela, junto à raíz da lingua, garganta; (pop.) engolideiras.

fauna. *f.* conjunto dos animais próprios duma região; tratado que os descreve.

fauno. *m.* (mit.) Fauno, divindade campestre.

fausto. *m.* fausto, luxo, ostentação, magnificência.

fausto, ta. *adj.* feliz, ditoso, venturoso, afortunado; fausto, próspero.

fautor, ra. *s.* V. **culpable;** fautor, o que favorece e ajuda outrem.

fautoría. *f.* fautoria, acto de favorecer, promover ou auxiliar; favor; protecção, patrocínio.

favila. *f.* (poet.) favila, cinza do fogo apagado.

Favonio. *m.* Favónio, vento brando do poente; zéfiro, vento.

favor. *m.* favor, ajuda, socorro que se concede a alguém; benefício, honra; graça; mercê; auspício; cortesia; adjutório; abonamento; amparo; agasalho; (fig.) arrimo; crédito, valimento; (fam.) carta; favor, prote(c)ção, benevolência; fineza.

favorable. *adj.* favorável, que favorece; propício, favorável, benévolo; abençoado; encomiástico; conveniente, benigno, benévolo; aceitável.

favorecedor, ra. *adj. e s.* favorecedor, que favorece; prote(c)tor, fautor; (fig.) padrinho.

favorecer. *v. tr.* favorecer, ajudar, amparar, socorrer alguém, auxiliar; favorecer, apoiar um intento, empresa ou opinião; favorecer, prestar ou fazer favores a alguém; obsequiar; apaniguar; aproveitar; amparar; ajudar; agasalhar; agraciar; apadrinhar. — *conj. irr.* como *crecer.*

favoritismo. *m.* favoritismo, protecção com parcialidade.

favorito, ta. *adj. e s.* favorito, que é estimado com preferência, preferido; mimoso; amigo; (fig.) apaniguado: *ser el favorito de alguien,* ser o belis d'alguém; *favorita de un rey,* cortesã.

faya. *f.* certo tecido grosso de seda; (prov.) penhasco, penha grande.

fayanca. *f.* posição que o corpo fica sem apoio: *de fayanca,* sem apoio, sem cuidado.

faz. *f.* rosto, cara, face; lado, parte exterior dalguma coisa; face; aspecto, ponto de vista de uma questão, dum negócio, etc.; anverso das moedas, cara; face, (fig.) aparência; lado dum estofo oposto ao anverso.

fe. *f.* fé, a primeira das três virtudes teologais; crédito, confiança, fé; segurança, afirmação, certeza; certidão, certificado, documento que atesta a verdade duma coisa; fé, fidelidade à promessa ou compromisso; fé, crença nas verdades da religião.

fealdad. *f.* fealdade, qualidade de feio; (fig.) indignidade, acção indigna, desonestidade;

(fig.) afeamento; deformidade, deformação; (fig.) torpeza; desdouro.

febeo, a. *adj.* (pét.) febeu, pertencente a Febo ou Sol.

feblaje. *m.* diferença de peso na cunhagem das moedas.

feble. *adj.* débil, fraco; adínamo; diz-se das moedas e ligas sem o peso de lei.

Febo. *m.* (poét.) Febo ou Sol.

febrera. *f.* V. **cacera.**

febrero. *m.* Fevereiro, segundo mês do ano: *en febrero busca la sombra el perro,* (pop.) expresão empregada para denotar que neste mês já aquece bastante o sol.

febricitante. *adj.* (med.) febricitante.

febrífugo, ga. *adj. e s.* (med.) fabrífugo, que afugenta a febre: antitérmico, antifebril.

febril. *adj.* (med.) febril, pertencente à febre; (fig.) ardoroso, desassossegado, exaltado, violento; estuante; febril, que tem febre.

fecal. *adj.* (med.) fecal, relativo às fezes, excrementício; fecal, estercoral; excrementos humanos, matérias fecais.

fécula. *f.* (quim.) fécula, substância fabrinácea de tubérculos e raízes; amido de batata; dos cereais; sedimento.

feculencia. *f.* feculência, estado dum líquido que deposita sedimentos; qualidade do que é feculento.

feculento, ta. *adj.* feculento, que contém fécula, fezes ou sedimentos, feculoso.

fecundable. *adj.* fecundável, susceptível de fecundação.

fecundación. *f.* fecundação, acção de fecundar; fertilização.

fecundador, ra. *adj.* fecundador, que fecunda, fertilizante.

fecundar. *v. tr.* fecundar, tornar fecundo; tornar produtiva uma coisa; desenvolver, fertilizar; impregnar; emprenhar; cobrir; conceber, gerar.

fecundativo, va. *adj.* fecundativo, que tem a virtude de fecundar.

fecundidad. *f.* fecundidade, virtude ou qualidade do que é fecundo; virtude e faculdade de produzir; abundância, fertilidade; reprodução numerosa, fecundidade; fecundez, fecúndia.

fecundización. *f.* fecundização, a(c)ção de fecundizar, fecundação.

fecundizador, ra. *adj. e s.* fecundizador, que fecundiza, fertilizante.

fecundizante. *p. a.* de *fecundizar;* fecundizante, que fecundiza.

fecundizar. *v. tr.* fecundizar, fecundar, fertilizar, impregnar.

fecundo, da. *adj.* fecundo, capaz de produzir, de reproduzir; fértil, abundante, copioso; produtivo; criador.

fecha. *f.* data, indicação de tempo; cada um dos dias que decorrem desde um dia determinado, data, tempo ou momento actual.

fechador. *m.* datador, carimbo para marcar a data: *fechador de goma,* datador de goma.

fechar. *v. tr.* datar, pôr data em.

fecho, cha. *adj.* e *p. p. irreg.* de *facer*; feito, datado, usa-se em certos documentos oficiais de Espanha.

fechoría. *f.* acção geralmente má, reprovável, malfeitoria.

fedegar. *v. tr.* (prov.) V. **amasar**; amassar.

federación. *f.* federação; confederação: *federación política,* sociedade, associação, união, aliança.

federal. *adj.* e *s.* federal; relativo à federação.

federalismo. *m.* federalismo.

federalista. *adj.* e *s.* federalista, partidário do federalismo.

federar. *v. tr.* federar, confederar, reunir em federação.

federativo, va. *adj.* federativo, pertencente à federação ou confederação; federativo, federal.

fehaciente. *adj.* (for.) que faz fé em juízo.

felandrio. *m.* (bot.) nome duma planta umbelífera.

feldespático, ca. *adj.* (min.) feldspático, que tem feldspato; pertencente ou relativo ao feldspato.

feldespato. *m.* (min.) feldspato.

felequera. *m.* (prov.) feto, rebento.

felibre. *m.* poeta provençal moderno.

felice. *adj.* (poét.) V. **feliz.**

felicidad. *f.* felicidade, estado de ânimo de quem é feliz; satisfação; ventura; bem-estar; bem-andança; bem-aventurança; beatitude; acontecimento próspero; ventura, dita, alegria, contentamento; boa fortuna; bom êxito, sorte.

felicitación. *f.* felicitação; acção de felicitar; congratulação; parabéns, emboras; ave.

felicitar. *v. tr.* felicitar, dirigir parabéns, cumprimentos; cumprimentar; tornar feliz. — *v. r.* congratular-se, aplaudir-se: *felicitar el día de Año Nuevo,* dar os bons anos; deprecar boas estreias.

feligrés, sa. *s.* freguês, paroquiano, pessoa que pertence a determinada paróquia.

feligresía. *f.* freguesia, conjunto de fregueses duma paróquia; paróquia, freguesia que tem um pároco.

felino, na. *adj.* felino, pertencente ou relativo ao gato; que parece de gato; felino, diz-se dos animais que pertencem à família zoológica de que é tipo o gato; (fig.) gracioso, flexível; um tanto fingido, hipócrita.

feliz. *adj.* feliz, que tem ou goza felicidade; ditoso, afortunado, feliz, consoado, belo; bem-afortunado; bem-andante; bendito; fortunoso; beato; (fig.) boiante; feliz, oportuno, acertado; abençoado; contente, satisfeito; próspero; bem-afortunado, bem-aventurado: *feliz del todo,* contente como um alho; *día feliz,* dia claro, um dia cheio.

felón, na. *adj.* traidor, que comete felonia, pérfido, desleal, falso.

felonía. *f.* felonia, traição, deslealdade; duplicidade; desserviço; perfidia; crueldade.

felpa. *f.* tecido que tem pêlo numa das faces; (fig. e fam.) sova; repreensão áspera, forte; estoirada; (pop.) aquecedela, apaleamento.

felposo, sa. *adj.* felposo, felpudo, coberto de felpa.

felpudo, da. *adj.* felpudo. — *m.* capacho, esteira felpuda.

felús. *m.* dinheiro, moeda de cobre de pouco valor em Marrocos.

femenil. *adj.* feminil, femíneo, pertencente ou relativo à mulher.

femenino, na. *adj.* feminino, próprio de mulheres; feminino, diz-se do ser dotado de órgãos susceptíveis de fecundação; (fig.) débil, fraco, pouco resistente; feminino, próprio de mulher, próprio de fêmea; (gram.) feminino, diz-se do género gramatical a que pertencem os seres femininos: *sexo femenino,* sexo feminino.

fementido, da. *adj.* fementido, falto de fé e de palavra; enganoso, falso, desleal, infiel; magano.

femera. *f.* (prov.) esterqueira, estrumeira.

feminidad. *f.* feminidade, femineidade, qualidade de feminino ou feminil; feminilidade, carácter próprio de mulher; (for.) qualidade que têm certos bens de pertencerem à mulher.

feminela. *f.* (artil.) feminela, cilindro do soquete com que se calca a bala e a pólvora dentro da peça de artilharia.

femíneo, a. *adj.* V. **femenino.**

feminidad. *f.* feminidade; carácter do ser feminino.

feminismo. *m.* feminismo.

feminista. *s.* e *adj.* feminista, relativo ao feminino; partidário da doutrina feminista.

feminización. *f.* feminização, acto ou efeito de feminizar.

feminizar. *v. tr.* feminizar, efeminar; dar a uma palavra flexão feminina. — *v. r.* assumir caracteres de fêmea.

femoral. *adj.* (anat.) femoral, pertencente ou relativo ao fémur.

fémur. *m.* (anat.) fé(ê)mur, osso da coxa.

fenacetina. *f.* fenacetina.

fenda. *f.* fenda, frincha ou racha na madeira; abertura longa e estreita; greta, fisga: *tapar fendas,* (mar.) tapar fendas.

fendi. *m.* V. **efendi.**

fendiente. *m.* V. **hendiente.**

fenecer. *v. tr.* fenecer, pôr fim a uma coisa; concluí-la, findá-la. — *v. intr.* morrer, falecer; desperecer; acabar-se, terminar-se, ter fim uma coisa; findar, extinguir-se. — *conj. irr.* como *crecer.*

fenecimiento. *m.* fenecimento, morte; acabamento; termo; fim; extinção.

fenicado, da. *adj.* (quim.) fenicado, que tem ácido fénico.

fenice. *adj.* e *s.* V. **fenicio.**

fenicio, cia. *adj.* e *s.* fenício, natural da Fenícia; pertencente a este pais da antiga Ásia.

fenílico, ca. *adj.* (quim.) fenílico.

fenilo. *m.* (quim.) fenilo.

fénix. *m.* (mit.) Fénix, ave fabulosa da Mitologia; (fig.) fénix, pessoa ou coisa rara, única na sua espécie; (bot.) fénix, variedade de palmeira.

fenogreco. *m.* (bot.) alforvas.

fenol. *m.* (quim.) fenol.

fenomenal. *adj.* formidável, fenomenal, relativo ao fenómeno (fam.) tremendo, extraordinário, surpreendente, muito grande; (fig.) espantoso, enorme.

fenomenalismo. *m.* (filos.) fenomenalismo.

fenomenalista. *s.* partidário do fenomenalismo.

fenoménico, ca. *adj.* pertencente ou relativo ao fenómeno.

fenómeno. *m.* fenó(ô)meno; fenómeno, coisa extraordinária, surpreendente; (fig.) fenómeno, pessoa ou animal que tem alguma coisa extraordinária ou surpreendente; maravilha, milagre.

feo, a. *adj.* feio que carece de beleza, de formosura; (fig.) disforme, horroroso, que causa horror ou aversão; semiscarúnfio; diabo; desengraçado; desagradável; desafeiçoado; medúseo; franchão; (pop.) estuporado; (fig.) bode, azambrado; deforme, inestético; amazilhado; (Bras.) escroto: *mujer fea*, (Bras.) urucaca: *mujer viejo y fea* (Bras.) coroca. — V. **desaire;** (fig. e fam.) deixar ou colocar mar alguém, desairar.

feracidad. *f.* feracidade, fertilidade dos campos, fecundidade.

feral. *adj.* cruel, sangrento, feral; lúgubre, fúnebre.

feraz. *adj.* feraz, fértil, que produz muito, fecundo, copioso; abundante.

ferecracio. *adj.* e *s.* ferecrácio, diz-se dum verso da poesia grega.

féretro. *m.* féretro, caixão em que se levam os defuntos a enterrar; ataúde, tumba.

feria. *f.* féria, feira, dia semanal excepto sábado e domingo; descanso e suspensão do trabalho; folga, féria; féria, mercado de maior importância que o vulgar; lugar público onde se realiza uma exposição, feira; feira de gado; (fig.) trato, convénio; (Amér.) dinheiro miúdo, troco; (Amér.) gorjeta, gratificação; espórtula.— *pl.* dádivas, presentes (por ocasião de feira); féria, jornal ou salário de operário. — *f. pl.* dias em que se suspendem os trabalhos oficiais; folga, descanso.

feriado, da. *p. p.* e *adj.* feriado, diz-se do dia em que estão fechados os tribunais; consagrado ao reposo por prescripção civil ou religiosa.

ferial. *adj.* ferial, feiral, pertencente ou relativo à feira ou aos dias da semana. — *f.* féria, feira, mercado.

feriante. *adj.* feirante, pessoa que vende ou compra na feira.

feriar. *v. tr.* feirar, comprar na feira; vender comprar ou permutar na feira; mercar, mercadejar; dar férias, presentear, ofertar. — *v. intr.* suspender o trabalho durante um ou vários dias; não trabalhar; ter férias, estar em férias.

ferino, na. *adj.* ferino, relativo à fera ou próprio de fera; feroz, cruel, ferino; sanguinário: *tos ferina*, coqueluche, tosse convulsa.

fermata. *f.* (mús.) V. **calderón.**

fermentable. *adj.* fermentável, susceptível de fermentação.

fermentación. *f.* fermentação, efervescência; (fig.) agitação, efervescência moral: *fermentación ácida*, fermentação acética.

fermentado, da. *adj.* e *p. p.* fermentado, ardido; cho(ô)co, abafado; (Bras.) pubo: *vino fermentado*, vinho afabado.

fermentador, ra. *adj.* fermentante, fermentáceo, que fermenta.

fermentar. *v. intr.* e *tr.* fermentar, transformar-se um corpo orgânico pela acção de outro que posto com ele, não se modifica; chocar; causar fermentação em; (fig.) agitar, fomentar, excitar; promover; estar em fermentação; descompor-se, azedar.

fermentativo, va. *adj.* fermentativo, que faz fermentar; que produz a fermentação.

fermentescibilidad. *f.* fermentescibilidade, qualidade do que é fermentescível.

fermentescible. *adj.* fermentescível, fermentável, susceptível de fermentação.

fermento. *m.* corpo orgânico que faz fermentar; massa de farinha que fermentou e se emprega para levedar o pão; levedura; (fig.) causa latente, gérmen, origem.

ferocidad. *f.* ferocidade; encarniçamento; ferocidade, fereza, crueldade; atrocidade, expressão ou dito insensato; ferocidade, desumanidade; índole feroz; (fig.) arrogância ameaçadora; cólera (diz-se dos animais); (Bras.) brabeza.

feróstico, ca. *adj.* (fam.) irritável; feio; carrancudo.

feroz. *adj.* feroz, bravio, que procede com ferocidade e dureza, cruel; desumano; beluíno; bárbaro; (fig.) encarniçado; desapiedado; desalmado; perverso, impetuoso; feroce; violento; arrogante.

ferra. *f.* (ictiol.) farra, espécie de salmão.

ferrada. *f.* ferrada, maça ou clava guarnecida de ferro. V. **herradura.**

ferrado, da. *adj.* e *p. p.* ferrado, férreo, de ferro.

ferrar. *v. tr.* ferrar, guarnecer com ferro; pôr ferraduras em; marcar com ferro quente; (fig. e fam.) marcar. — *conj. irr.* como *acertar.*

ferrato. *m.* (quim.) ferrato.

ferreña. *adj.* e *f.* diz-se da noz rija e pequena.

férreo, a. *adj.* férreo, feito de ferro; que contém ferro; duro, tenaz, ferrenho; (fig.) inflexível, duro, cruel.

ferrería. *f.* ferraria, oficina onde se trabalha o ferro, forja, frágua; que fabrica frigideiras e objectos análogos; fábrica de ferragens; loja de ferreiro; arruamento de ferreiros; grande porção de ferro; lugar onde há minas de ferro.

ferreruelo. *m.* ferragoulo, antigo capote de mangas curtas.

ferrete. *m.* ferre(ê)te, sulfato de cobre; ferrete, instrumento de ferro para marcar.

ferretear. *v. tr.* V. **ferrar;** ferrar, lavrar em ferro.

ferretería. *f.* ferrajaria, loja de ferragens; conjunto de objectos de ferro, que se vendem nas ferrajarias; fábrica, indústria de ferragens.

ferretero, ra. *s.* ferrageiro, negociante de ferragens, ferragista.

férrico, ca. *adj.* (quim.) férrico, relativo ao ferro, ou aos seus compostos; diz-se de certos sais de ferro; que contêm ferro.

ferrificarse. *v. r.* (min.) formar ferro, adquirir consistência de ferro.

ferrizo, za. *adj.* (p. us.) férreo, de ferro.

ferro. *m.* (mar.) âncora.

ferrocarril. *m.* caminho de ferro, ferrovia, via férrea; comboio. — *pl.* caminhos de ferro.

ferrón. *m.* ferreiro, o que trabalha numa ferraria.

ferroprusiato. *m.* (quim.) ferro-prussiato.

ferroso, sa. *adj.* (quim.) ferroso.

ferrotipo. *m.* ferrotipo.

ferrovía. *f.* ferrovia, caminho de ferro.

ferrovial. *adj.* ferrovial, ferroviário.

ferroviario, ria. *adj.* ferroviário, ferrovial. — *m.* ferroviário, empregado dos caminhos de ferro.

ferrugiento, ta. *adj.* de ferro, férreo, ferruginoso, ferrugíneo.

ferrugíneo, a. *adj.* ferrugíneo, ferruginoso.

ferruginosidad. *f.* ferruginosidade.

ferruginoso, sa. *adj.* ferruginoso, ferrugento, ferrugíneo.

fértil. *adj.* fértil, fecundo, abundante, frumentoso, frutuoso, frutuário, produtivo, rico.

fertilidad. *f.* fertilidade, fecundidade; riqueza; abundância; opulência.

fertilizable. *adj.* fertilizável, que pode ser fertilizado.

fertilización. *f.* fertilização; fecundação.

fertilizador, ra. *adj.* fertilizador, que fertiliza, fertilizante.

fertilizar. *v. intr.* fertilizar, tornar fértil, fecundizar a terra; fecundar.

férula. *f.* (bot.) canafrecha, férula. V. **cañaheja;** férula, palmatória para castigar as crianças; (cir.) tala flexível e resistente empregada no tratamento das fracturas; (fig.) autoridade severa: *estar bajo la férula de otro,* (fig.) estar sujeito à autoridade doutrem.

feruláceo, a. *adj.* (bot.) feruláceo.

fervencia. *f.* V. **hervencia.**

férvido, da. *adj.* ardente, fervente, férvido, abrasador; (fig.) apaixonado; fervoroso; impaciente.

ferviente. *adj.* V. **fervoroso.**

fervor. *m.* fervor, calor intenso, ardência, ardor; fervura, ebulição; veemência, zelo intenso, grande dedicação; diligência, ardor, actividade, grande eficácia; efusão.

fervorar. *v. tr.* V. **enfervorizar.**

fervorizar. *v. tr.* afervorar, incitar, estimular. V. **enfervorizar.**

fervoroso, sa. *adj.* fervoroso, que tem fervor; activo, eficaz, diligente; veemente; dedicado; zeloso.

fescenino. *adj. e s.* fescenino, diz-se dos versos obscenos, que se cantavam nas bodas na antiga Roma; licencioso.

festejador, ra. *adj. e s.* festejador, que festeja; galanteador; cortejador.

festejante. *p. a. e adj.* festejador, que festeja.

festejar. *v. tr.* festejar, fazer festa ou festas em honra dalguém; homenagear; galantear, requebrar, cortejar; acariciar; solenizar; celebrar; saudar; aplaudir; (Amér.) açoitar, bater. — *v. r.* divertir-se, recrear-se.

festejo. *m.* festejo, festividade, carícias, galanteio. — *pl.* festas públicas.

festero, ra. *adj.* festeiro. — *m.* festeiro, organizador de festas. V. **fiestero.**

festín. *m.* festim, festejo particular com baile, música, banquete. etc.; pequena festa; banquete esplêndido; convite; convídio; ágape; bodo: *dar un festín,* banquetear; *festín de vista,* (fam.) barriga aventureira.

festinación. *f.* celeridade, pressa, velocidade.

festival. *m.* festival; festa pública.

festividad. *f.* festividade, festa, solenidade; agudeza, graça no modo de dizer; festividade, festa da Igreja; (fig.) regozijo; função.

festivo, va. *adj.* festivo, chistoso, agradável, jovial; alegre, contente; solene, digno de celebrar-se; divertido, desopilante; entretido; galante; (fig.) descarregado: *día festivo,* dia de festa, de sueto, feriado.

festón. *m.* festão, adorno composto de flores, frutos ou folhas; grinalda; bordado para guarnições; (arq.) festão.

festonar. *v. tr.* festoar; engrinaldar, ornar com festões; debruar.

festonear. *v. tr.* V. **festonar.**

fetal. *adj.* fetal, pertencente ou relativo ao feto.

feticida. *adj. e s.* feticida, pessoa que voluntàriamente causa a morte dum feto.

feticidio. *m.* feticídio, morte dada violentamente a um feto; aborto provocado.

fetiche. *m.* feitiço, fetiche, manipanso.

fetichismo. *m.* feiticismo, fetichismo; (fig.) idolatria, veneração excessiva; subserviência.

fetichista. *adj. e s.* feiticista; fetichista; pessoa que professa o feiticismo.

fetidez. *f.* fetidez, fedor; empestamento; putrefacção; cheiro desagradável.

fétido, da. *adj.* fétido, fedorento; que exala cheiro desagradável; mefítico; empestador.

feto. *m.* feto; embrião.

fetor. *m.* fedor. V. **hedor.**

fetua. *f.* decisão que dá o mufti a uma questão jurídica.

feúco, ca, cho, cha. *adj.* (fam.) feião, feiar-rão, diz-se da pessoa muito feia.
feudal. *adj.* feudal; medieval, pertencente ao feudo.
feudalidad. *f.* feudalidade, feudalismo.
feudalismo. *m.* feudalismo, sistema ou instituição feudal.
feudalista. *adj.* e *s.* feudalista.
feudatario, ria. *adj.* e *s.* feudatário; vassalo, obrigado a pagar feudo; dono de um feudo; beneficiário.
feudista. *m.* (for.) feudista.
feudo. *m.* feudo, domínio, tributo ou contrato feudal; feudo, direito ou dignidade feudal; (fig.) respeito, vassalagem; homenagem; dar em feudo, enfeudar.
fez. *m.* fe(ê)z, gorro de feltro usado pelos turcos e mouros.
fiable. *adj.* fiável, que se pode fiar; diz-se da pessoa que tem crédito.
fiacre. *m.* (gal.) fiacre, carruagem duma só bancada.
fiado, da. *adj.* e *p. p.* fiado, vendido a crédito, sem pagar; que tem fé ou confiança: *dar fiado*, vender a crédito; *comprar al fiado*, comprar a crédito.
fiador, ra. *s.* fiador, pessoa que fia ou abona outra; caução, abonação. — *m.* fiador, cordão de alguns objectos para que não caiam ou se perdam; alamar; ferrolho; correia do freio; fiador, descanso da espingarda; fiador, cordão dos copos da espada; (fam.) nádegas das crianças; assegurador; afiançador; (Amér.) V. **barbo-quejo**; *salir fiador*, responsabilizar-se no favor doutro, abonar outrem.
fiadora. *f.* mulher que vende fiado, ao domicílio, roupas e jóias.
fiambrar. *v. tr.* afiambrar, preparar comida como fiambre.
fiambre. *adj.* e *m.* fiambre, preparado para se comer frio; fiambre, carne preparada para se comer fria; cousa fiada, emprestada; (pop.) extinto, morto: *noticia fiambre*, (fam.) fora do tempo.
fiambrera. *f.* fiambreiro, caixa para guardar fiambres ou carnes frias; marmita; porta-comidas.
fiambrería. *f.* loja ou tenda onde se vende ou prepara fiambre.
fiambrero, ra. *s.* fabricante ou vendedor de fiambres.
fianza. *f.* fiança, obrigação do fiador, caução, abonação, penhor; garantia; depósito; segurança: *dar fianza*, dar fiança, caucionar uma obrigação; *bajo fianza*, com fiança.
fiar. *v. tr.* fiar, ser fiador, afiançar, abonar; vender a crédito, fiar; confiar, ter confiança, fiar; fiar; afiançar, assegurar; emprestar. — *v. intr.* entregar sob confiança; confiar, ter confiança. — *v. r.* fiar-se; ter confiança em alguém; acreditar; (Amér.) pedir fiado.
fiasco. *m.* fiasco, mau êxito, resultado desfavorável.
fíat. *m.* consentimento, autorização.
fibra. *f.* fibra, filamento, nervo; raízes pequenas das plantas; (fig.) vigor, força,

energia, robustez, energia do carácter; constituição, temperamento duma pessoa; rijeza: *tocar la fibra sensible de alguien*, (fam.) tocar na fibra de alguém.
fibrila. *f.* (bot.) fibrila, radícula.
fibrilado, da. *adj.* fibrilar, disposto em pequenas fibras.
fibrilar. *adj.* (anat. e fisiol.) fibrilar.
fibriloso, sa. *adj.* (hist. nat.) fibriloso.
fibrina. *f.* (quim.) fibrina.
fibrinemia. *f.* (pat.) fibrinemia.
fibrinoso, sa. *adj.* (quim.) fibrinoso.
fibrocartilaginoso, sa. *adj.* (anat.) fibrocartilaginoso.
fibrocartílago. *m.* (anat.) fibrocartilagem.
fibrocélula. *f.* (anat.) fibrocélula.
fibrocelular. *adj.* (anat.) fibrocelular.
fibrocemento. *m.* (constr.) fibrocimento.
fibroideo, a. *adj.* (anat.) fibróide.
fibrolita. *f.* (min.) fibrólito.
fibroma. *m.* (pat.) fibroma, tumor fibroso.
fibroso, sa. *adj.* fibroso, que tem muitas fibras; formado por um conjunto de filamentos.
fibrovascular. *adj.* fibrovascular.
fíbula. *f.* fíbula; fivela.
ficción. *f.* ficção; invenção fabulosa ou engenhosa; fábula; simulação; imaginação, coisas imaginárias; fingimento; invenção poética; fantasia; arreme(ê)do; aldravice.
ficcioso, sa. *adj.* (Amér.) ficto, que finge o que não é; falso.
fice. *m.* (ictiol.) peixe marinho acantopterígio, comestível.
ficiforme. *adj.* ficiforme, que tem forma de figo.
ficoideo, a. *adj.* (bot.) ficóideo. — *f. pl.* ficóideas.
ficología. *f.* (bot.) ficologia.
ficológico, ca. *adj.* (bot.) ficológico.
ficologista. *s.* ficologista.
ficólogo, ga. *s.* ficologista.
ficomicetos. *m. pl.* (bot.) ficomicetes.
ficticio, cia. *adj.* fictício, fingido, imaginário, fabuloso, simulado; aparente; ilusório; artificial, falso, inautêntico.
ficha. *f.* ficha, tento para o jogo; pedra do jogo do dominó; ficha, verbete com indicações para consulta posterior: *ficha antropométrica*, ficha policial de identificação.
fichero. *m.* ficheiro, caixa, gaveta, móvel ou pasta onde se arrumam fichas.
fichú. *m.* (gal.) lenço que usam as mulheres ao pescoço por adorno ou abrigo.
fidecomiso. *m.* V. **fideicomiso.**
fidedigno, na. *adj.* fidedigno, digno de fé ou de crédito; afiançado; autêntico.
fideero, ra. *s.* fabricante de fidéus ou macarrões.
fideicomisario, ria. *adj.* e *s.* (for.) fideicomisário, pessoa encarregada de um fideicomisso; pertencente ao fideicomisso.
fideicomiso. *m.* (for.) fideicomisso; (pol.) fideicomisso, régime de administração fiduciária.
fidelidad. *f.* fidelidade, lealdade; exa(c)tidão, veracidade, firmeza; probidade; afeição

constante; fidelidade, firmeza, constância; pontualidade.

fidelísimo, ma. *adj. super.* fidelíssimo, muito fiel; fidelíssimo, diz-se do título concedido pelo Papa aos reis de Portugal.

fideo. *m.* macarrão, aletria. — *pl.* fidéus, massa em fios; (fig. e fam.) pessoa muito magra.

fiducial. *f.* linha fiducial.

fiduciario, ria. *adj.* (for.) fiduciário, fideicomissário. — *s.* fiduciário, que depende do crédito e confiança que mereça: *moneda fiduciaria*, moeda fiduciária.

fiebre. *f.* febre; (fig.) exaltação; grande perturbação de espírito; força, energia.

fiel. *adj.* fiel, leal, probo; verídico, exa(c)to; verdadeiro; constante, firme; sincero; fiel, assíduo, exacto; adepto; probo, honrado; perseverante; seguro. — *m.* fiel, fiscal; hastil, ponteiro da balança; cravo, eixo em torno do qual se movem as lâminas das tesouras; fiel, aferidor de pesos e medidas; fiel, recebedor, cobrador, encarregado dum depósito; cristão que vive no grémio da Igreja Católica Romana: *fiel de romana*, funcionário que assiste no matadouro à pesagem da carne.

fielato. *m.* cargo de fiel; posto fiscal na entrada das povoações; (fig.) barreira.

fielazgo. *m.* V. **fielato.**

fieldad. *f.* ofício de fiel; segurança.

fieltro. *m.* fe(è)ltro, espécie de estofo de lã ou pêlo produzido por empastamento, prensados, aglutinados; chapéu, capote, alcatifa ou tapete feito de feltro.

fiera. *f.* (zool.) fera, bicho; animal bravio e carniceiro; (fig.) besta feroz, pessoa cruel ou de mau carácter e violenta; pessoa bárbara, cruel: *como una fiera*, como um demónio; *domador de fieras*, beluário.

fiereza. *f.* fereza, ferocidade, crueldade, desumanidade; atrocidade; barbaria; (fig.) deformidade que causa desagrado à vista; braveza das feras, ferocidade; (fig.) crueldade, vigor, viveza.

fiero, ra. *adj.* fero, duro, agreste; intratável; feto; grande, excessivo; (fig.) horroroso; terrível; indomável; bárbaro; beluíno; atroz; ardente; galicismo por *orgulloso*; fero, feroz; selvagem, bravio, inculto; indómito; violento, áspero; carrancudo; sadio, vigoroso.

fierro. *m.* V. **hierro.**

fiesta. *f.* festa, alegria, diversão; (fam.) troça, gracejo, brincadeira; solenidade celebrada pela Igreja; comemoração; festa, regozijo popular; festa; festa, carícia, afago; festa, função, convite; divertimento; (Bras.) fuzuê, gafieira, jiquipanga, sovacada.—*pl.* festas que se gozam por ocasião do Natal ou doutras solenidades religiosas ou civis; foscas.

fiestero, ra. *adj.* festeiro, amigo de festas.

fifiriche. *adj.* (Amér.) V. **enclenque.** — *m.* (Amér.) V. **petimetre.**

figana. *f.* (Amér.) ave galinácea.

fígaro. *m.* fígaro, barbeiro; jaqueta curta e ajustada geralmente sem botões (semelhante à que usam os toureiros).

figle. *m.* (mús.) figle, instrumento músico de sopro, contrabaixo; pessoa que o toca.

figón. *m.* tasca, taberna, baiuca, bodega; besteza.

figonero. *m.* tasqueiro, taberneiro, dono de tasco ou taberna.

figueral. *m.* V. **higueral.**

figulino, na. *adj.* figulino, feito de barro cozido; (fig.) dócil, maleável.

figura. *m.* figura, fo(ô)rma exterior dum corpo; cara, rosto; estátua, pintura que representa o corpo humano; figura, coisa que representa outra; carta de jogo que tem figura; figura, nota musical; figura, evolução na dança; (geom.) figura, espaço terminado por linhas ou superfícies; (gram.) figura, forma de elocução em que se não guardam à risca as leis da sintaxe regular; figura, aparência; fase; formadura; formação; contenho; efígie; estátua; forma; (fig.) metáfora; aspecto, impressão; estatura, imagem, símbolo; vulto; desenho que ilustra um texto; forma de expressão; (ret.) modificações do emprego e do sentido das palavras. — *pl.* objectos que se colocam no campo do escudo: *genio y figura hasta la sepultura*, o que o berço dá, só a cova o leva; *mala figura*, estenderete.

figurable. *adj.* figurável, que se pode figurar.

figuración. *f.* figuração, figura, anto(ô)jo; acto de figurar.

figurado, da. *adj.* e *p. p.* figurado, cheio de figuras retóricas; em que há figura ou alegoria, figurado; diz-se da palavra ou frase de sentido figurado; afigurativo; imitado, representado, figurado; que se apresenta, que se anuncia; imaginado, suposto; (ret.) metafórico.

figurante, ta. *s.* figurante, comparsa de teatro, figurante; (fig.) pessoa que faz um papel meramente decorativo.

figurar. *v. tr.* figurar, formar a figura duma coisa; figurar, simbolizar, aparentar, supor, fingir; afeiçoar; representar alegoricamente; representar pela pintura, escultura ou pelo desenho. — *v. intr.* ter importância; tomar parte num conjunto, figurar. — *v. r.* imaginar-se, fantasiar-se, entrefigurar-se, antojar-se; antolhar-se; afigurar-se; assemelhar-se, parecer.

figurativo, va. *adj.* figurativo, que figura, representativo, simbólico.

figurería. *f.* condição de figurante; careta ou gesto ridículo; ademane afectado.

figurero, ra. *adj.* e *s.* (fam.) que costuma fazer caretas ou momices; careteiro o que faz caretas ou momices.

figurilla. *f.* dim. de *figura*; figurinha, figurilha. — *s.* (fam.) figurilha, pessoa pequena e ridícula.

figurín. *m.* figurino; desenho ou modelo pequeno que mostra o traje da moda; (fig.) janota; elegante; magazim.

figurón. *m.* aum .de *figura;* figurão; (fig. e fam.) figurão, pessoa vaidosa que aparenta mais do que é; (fam.) pessoa importante; (depr.) pessoa pouco recomendável; (fig.) medalhão; (fig.) milorde.

fija. *f.* (desus.) fixa, parte duma dobradiça que se embute na madeira, bisagra, gonzo; pá comprida e estreita.

fijación. *f.* fixação, acção de fixar; (quim.) fixação, estado de repouso das matérias depois de agitadas; determinação.

fijado, da. *v. p.* e *adj.* fixado; (heráld.) pontiagudo, diz-se das partes do escudo rematadas em ponta para baixo; aprazado; designado; afixo: *en el día fijado,* no dia aprazado.

fijador, ra. *adj.* e *s.* fixador, que fixa; (fot. e pint.) fixador, líquido que serve para fixar; operário que põe a argamassa entre as pedras e repara as juntas.

fijante. *adj.* fixante, que fixa; (artil.) fixante, diz-se do fogo que se lança duma trincheira para outra e utilizando geralmente os morteiros.

fijar. *v. tr.* fixar, pregar, cravar, segurar um corpo noutro; pegar com cola, grude, etc.; firmar; tornar fixa e estável uma coisa; firmar, assentar definitivamente, meter; determinar, prescrever com precisão; decidir; devisar; arraizar; definir; aprazar; designar; imprimir; afixar; assinalar; atermar; espetar; não esquecer. — *v. r.* estabelecer-se, agarrar-se; sentar-se; apoiar-se, tornar-se estável.

fijeza. *f.* fixidez, firmeza de opinião; segurança; indelebilidade; persistência; continuidade; estado das coisas que não variam; fixidade; (fig.) atenção: *falta de fijeza,* infixidez; *mirar con fijeza,* arrasar a vista.

fijo, ja. *adj.* e *p. p. irr.* de *fijar;* fixo, firme, seguro, assegurado; fixo, permanente, inalterável; incomutável; indelével; definido; definitivo; inequívoco; apegado; consistente; determinado! (astr.) inerrante; sem movimento nem alteração; pregado; (quim.) corpo que se não volatiliza; que não se move; constante: *ojos fijos en,* olhos dependurados; *idea fija,* ideia fixa.

fil. *m.* V. **fiel de romana;** jogo de rapazes.

fila. *f.* fila, ordem, disposição em linha, fileira, enfiada; enfiamento; alinhamento; (mil.) fila, linha que os soldados formam, ala (dum exército); (fig. e fam.)antipatia, ódio: *en fila,* de enfiada; *abrir filas,* abrir claros; *fila de casas,* andaime de casas, correnteza; *poner en fila,* enfiar-se; *estar en filas,* estar nas fileiras do exército.

filacteria. *f.* filactera, filactério.

filadiz. *f.* seda tirada dum casulo roto.

filamento. *m.* filamento, corpo filiforme; (bot.) filamento, cílio, aresta.

filamentoso, sa. *adj.* filamentoso, que tem filamentos; estopento.

filandria. *f.* filândria, verme intestinal parasita das aves.

filantropía. *f.* filantropia, amor à humanidade; magnanimidade; beneficência; altruismo.

filantrópico, ca. *adj.* filantrópico, beneficente; relativo à filantropia.

filántropo. *m.* benfeitor, beneficente, altruista; filantropo, aquele que tem amor à humanidade.

filar. *v. tr.* (germ.) ver, olhar; (mar.) descer progressivamente uma corda ou cabo que está a trabalhar; (mar.) aproar (a embarcação) ao vento.

filaria. *f.* filária.

filariasis. *f.* (med.) filariase, filariose.

filarmonía. *f.* filarmonia, paixão pela música.

filarmónico, ca. *adj.* filarmó(ô)nico, que é amigo da harmonia, da música; que gosta da música, dos concertos; diz-se de certas sociedades de amadores da música.

filática. *f.* (mar.) filática, filaça, filamentos de que se fazem os cabos e enxárcias.

filatelia. *f.* filatelia.

filatélico, ca. *adj.* filatélico, relativo à filatelia.

filatelista. *s.* filatelista, pessoa que se dedica à filatelia, coleccionador de selos postais; amador filatélico.

filatería. *f.* palavreado, loquacidade, lábia para embaucar; palanfrório; verbosidade; eloquência superabundante.

filatero, ra. *adj.* e *s.* palrador, embaucador, verboso.

filatura. *f.* V. **hilandería;** fiação, fábrica ou lugar onde se fia ou tece qualquer matéria textil; arte de fiar ou tecer.

fileno, na. *adj.* (fam.) delicado, afeminado; diminuto.

filera. *f.* espécie de aparelho de pesca formado por várias filas de redes.

filete. *m.* file(ê)te, guarnição estreita de moldura; fio delgado; filete, listão, ornato; filete, ourela. V. **solomillo;** acém, carne do lombo; corda de dois cabos; (equit.) bridão, freio dos cavalos; (anat.) ramificação ténue dos versos; (impr.) filete, linha de ornato tipográfico; filete, friso; debrum.

filetear. *v. tr.* filetar, filetear, ornar com filetes; abainhar.

filetón. *m.* filete grande, espécie de canutilho, com que se formam flores nos bordados.

filfa. *f.* (fam.) mentira, boato, notícia falsa; blague; melindre.

filia. *f.* sufixo que designa, amor, simpatia, amizade.

filiación. *f.* filiação, designação do pais dalguém; filiação, descendência de pais a filhos; dependência; origem, conexão, filiação; identificação pessoal; (mil.) filiação, alistamento; assentamento de praça; filiação, adopção com filho; conexão, encadeamento; derivação.

filial. *adj.* filial, relativo ao filho; filial, diz-se do estabelecimento que depende doutro. — *f.* filial, estabelecimento sucursal.

filiar. *v. tr.* filiar, adoptar como filho, entroncar; filiar, tomar afiliação a alguém.—

v. r. agremiar-se, filiar-se; inscrever-se nos assentos militares. V. **afiliarse.**

filibote. *m.* (mar.) palhabote.

filibusterismo. *m.* partido dos flibusteiros do Ultramar. V. **filibustero.**

filibustero. *m.* flibusteiro, pirata que infestava o mar das Antilhas no século XVII; flibusteiro; (fig.) cavalheiro de indústria, aventureiro; flibusteiro, o que trabalhava pela emancipação das províncias ultramarinas espanholas.

filicida. *adj.* e *s.* filicida, que mata seu próprio filho.

filicidio. *m.* filicídio, acto de matar o próprio filho.

filicífero, ra. *adj.* (geol. e min.) filicífero.

filiforme. *adj.* filiforme, que tem aparência de fio; (med.) filiforme; débil, fraco (diz-se do pulso).

filigrana. *f.* filigrana, obra em forma de renda; filigrana, letras ou figuras que se debuxam nos moldes para se fabricar o papel; (fig.) coisa delicada e polida, filigrana; (bot., Amér.) arbusto silvestre com folhas aromáticas.

fililí. *m.* (fam.) delicadeza, subtileza, primor dalguma coisa.

filipense. *adj.* e *s.* (geog.) filipense, natural de ou pertencente a Filipos (Macedónia); filipense, sacerdote da congregação, de S. Filipe de Néri.

filípica. *f.* filípica, discurso violento; sátira mordaz, invectiva, censura acre, increpação.

filipichín. *m.* tecido de lã estampado.

Filipinas. (geog.) Ilhas Filipinas.

filipino, na. *adj.* e *s.* (geog.) natural das Ilhas Filipinas ou pertencente a essas Ilhas.

filis. *f.* habilidade, graça, delicadeza em dizer as coisas, singeleza.

filisteo, a. *adj.* e *s.* filisteu, filistino, natural da Filisteia ou pertencente a esta antiga nação; diz-se das coisas ou pessoas vulgares. — *m.* (fig.) homenzarrão, homem alto e corpulento, agigantado.

filistrín. *m.* (Amér.) pisa-verdes, janota.

film. *m.* (neol.) filme, película cinematográfica.

filmación. *f.* (neol.) filmagem, operação de filmar.

filmar. *v. tr.* (neol.) filmar, reduzir a filme; projectar por meio do cinematógrafo.

filmología. *f.* filmologia.

filmológico, ca. *adj.* filmológico.

filmólogo, ga. *s.* filmologista.

filo. *m.* fio, corte, gume; agudeza; acume; linha ou ponto de separação que divide uma coisa em duas partes iguais: *dar un filo,* dar um fio, afiar, amolar; (fig.) avivar, incitar; *darse un filo a la lengua,* (fig.) murmurar de pessoa ausente; *con el filo,* de corte; *sin filo,* desafiado, embotado; *embotar los filos,* (fig.) embotar os fios; *herir por los mismos filos,* (fig.) ferir pelos mesmos fios.

filodio. *m.* (bot.) filódio, filode.

filodendro. *m.* (bot.) filodendro.

filodermo, ma. *adj.* (bot.) filodérmico.

filófago, ga. *adj.* e *s.* filófago, que se alimenta de folhas.

filogénesis. *f.* (hist. nat.) filogenia.

filogenia. *f.* (hist. nat.) filogenia.

filogenitura. *f.* (frenol.) filogenitura.

filoideo, a. *adj.* (bot.) filóide.

filología. *f.* filologia, linguística.

filológica. *f.* filologia. V. **filología.**

filológico, ca. *adj.* filológico.

filologo, ga. *s.* filólogo, filologista, lingu(ü)ista.

filomanía. *f.* (bot.) superabundância de folhas num vegetal.

filomatía. *f.* filomatia, amor às ciências.

filomático, ca. *adj.* filomático, amigo das ciências.

filomela. *f.* (poét.) filomela. V. **ruiseñor.**

filomena. *f.* V. **filomela.**

filón. *m.* (min.) filão, veio metálico nos minerais; (fig.) fonte, veio, donde se esperava tirar grandes proveitos; beta.

filoneísmo. *m.* filoneísmo, amor às inovações.

filonio. *m.* (farm.) filó(ô)nio, electuário de mel, ópio e ingredientes aromáticos e calmantes.

filopos. *m. pl.* (mont.) barreiras de panos e cordas para encaminhar a caça ao lugar da emboscada; cilada para apanhar caça.

filosa. *f.* (bot.) certa planta cistínea.

filoso, sa. *adj.* (Amér.) afiado, que tem fio. — *f.* (germ.) espada.

filosofador, ra. *adj.* e *s.* filósofo, filosofante, que filosofa.

filosofal. *adj.* filosofal, concernente à filosofia: *piedra filosofal,* pedra filosofal; (fig.) coisa difícil de descobrir.

filosofar. *v. intr.* filosofar, raciocinar sobre assunto filosófico; (fam.) meditar, pensar, discorrer.

filosofastro. *m.* (deprec.) filosofastro, filosofante, pretenso filósofo.

filosofía. *f.* filosofia; (fig.) fortaleza ou serenidade de ânimo para suportar as vicissitudes da vida: *llevar algo con filosofía,* (fam.) suportar uma coisa com filosofia.

filosófico, ca. *adj.* filosófico; racional.

filosofismo. *m.* filosofismo, falsa, filosofia; abuso desta ciência.

filósofo, fa. *adj.* e *s.* filósofo, o que estuda, professa ou sabe filosofia; filosófico; homem virtuoso que vive retirado; sábio.

filotaxia. *f.* (bot.) estudo da disposição das folhas nos vegetais.

filotecnia. *f.* filotecnia, amor às artes.

filoxantina. *f.* (quim.) filoxantina.

filoxera. *f.* (zool.) filoxera, insecto que ataca as videiras; (fam.) bebedeira.

filtrable. *adj.* que se pode filtrar ou purificar (diz-se dos líquidos).

filtración. *f.* filtração, filtramento, acção de filtrar.

filtrador. *m.* filtrador, o que filtra; filtrador, filtro, aparelho para filtrar.

filtrar. *v. tr.* filtrar, fazer passar um líquido por um filtro; coar, passar por filtro; purificar. — *v. intr.* penetrar um líquido através doutro corpo. — *v. r.* coar-se;

(fig.) escoar-se, desaparecer furtivamente (falando de dinheiro).

filtro. *m.* filtro, coador de líquidos; amavios, elixir, filtro amatório, beberagem para despertar amor; encantamento: *filtro de color*, (fot.) filtro de cor.

fílula. *f.* (bot.) fílula, cicatriz deixada no caule pela folha que caiu.

filustre. *m.* (fam.) elegância; delicadeza.

filloas. *f. pl.* filhós, bolo de farinha e ovos.

filloga. *f.* (prov.) morcela, doce feito com sangue de porco, arroz, canela e açúcar.

fillós. *m. pl.* V. **filloas.**

fimbria. *f.* fímbria, franja de adorno, orla.

fimbriado, da. *adj.* (bot.) fimbrado, fimbriado.

fimícola. *adj.* (zool.) fimícola.

fimo. *m.* adubo. V. **estiércol.**

fimosis. *f.* (med.) fimose; (pop.) fábrica-coberta.

fin. *s.* fim, te(ê)rmo, conclusão, remate, final, cabo; fim, intenção, alvo, plano; fim, motivo, causa; limite dum espaço; fim, extremidade, extremo; destino, destinação; meta; cima; efeito; direcção; período; morte.

finado, da. *p. p.* e *adj.* finado. — *m.* defunto, morto, pessoa falecida, extinta.

final. *adj.* final, relativo ao fim; último; definitivo; derradeiro; extremo. — *m.* final, remate duma coisa, fim, termo; conclusão, desfecho. — *f.* (mús.) coda.

finalidad. *f.* finalidade; fim; obje(c)tivo.

finalista. *s.* finalista, partidário do finalismo; finalista, diz-se da pessoa que chegou ao final duma competição literário, desportiva, etc.

finalizar. *v. tr.* finalizar, concluir uma obra, terminar; rematar, acabar, ultimar. — *v. intr.* extinguir-se, acabar-se uma coisa, concluir-se.

finamiento. *m.* falecimento, finamento. V. **fallecimiento.**

financiar. *v. tr.* (neol.) financiar.

financiero, ra. *adj.* financeiro, pertencente às finanças públicas. — *m.* financista, financeiro.

finanzas. *f. pl.* (gal.) negócios, banca, assuntos económicos, finanças, tesouro público.

finar. *v. intr.* finar, falecer, morrer. — *v. r.* desejar com ânsia uma coisa, consumir-sé por alguma coisa.

finca. *f.* propriedade imóvel, rústica ou urbana, herdade.

fincabilidad. *f.* capital em propriedades, em imóveis.

fincar. *v. intr.* adquirir imóveis.

fincharse. *v. r.* (fam.) envaidecer-se, encher-se de vaidade, empolar-se.

finés, sa. *adj.* e *s.* (geog.) finês, finlandês, pertencente ou natural de Finlândia. — *m.* finês (idioma).

fineza. *f.* fineza, delicadeza, primor; fineza, carinho, galanteio; perfeição; amabilidade; fineza, qualidade do que é bom, pureza; fineza, dádiva, presente de carinho; deferência; delicadeza; favor.

fingido, da. *p. p.* e *adj.* fingido, que finge; (fig.) adulterino; inautêntico; farsante; apócrifo; forjado; artificioso; artificial; (fig.) dúplice; afe(c)tado; falaz; falacioso; estudado; aparente; fantástico; falso; enganoso; farisaico; (fig.) francês; (fig.) fariseu; (fam.) beguino.

fingidor, ra. *adj.* e *s.* fingidor, que finge.

fingimento. *m.* fingimento, simulação com que se intenta fazer que uma coisa pareça diversa do que é; estratagema; farsa; contrafa(c)ção; duplicidade; afe(c)tação; artifício; arte, farisaísmo.

fingir. *v. tr.* fingir, dar a entender que não é certo, simular; aparentar; fabular; mentir; farsantear; fantasiar; improvisar; (fig.) forjar; afe(c)tar; simular; arremedar; inventar. — *v. r.* contrafazer-se; desfigurar-se: *finge sentimientos que no tiene,* afecta sentimentos que não tem.

finible. *adj.* findável, que se pode acabar; que há-de ter fim.

finibusterre. *m.* (germ.) termo, fim; força.

finiquitar. *v. tr.* terminar, liquidar, saldar uma conta; (fig. e fam.) concluir, acabar, rematar.

finiqueto. *m.* remate, saldo duma conta; ajuste, liquidação.

finir. *v. intr.* (Amér.) finalizar, acabar.

finítimo, ma. *adj.* finítimo, vizinho, confinante.

finito, ta. *adj.* finito, que tem fim, limite; transitório; contingente.

finlandés, sa. *adj.* e *s.* (geog.) finlandês, natural de Finlândia; pertencente ou relativo a este país. — *m.* idioma finlandês.

Finlandia. (geog.) Finlândia.

fino, na. *adj.* fino, delicado, de boa qualidade no seu género; fino, delgado, subtil, elegante, cortesão, cortês; delicado; bem educado, deferente, afinado; urbano; amoroso, constante; fino, astuto, sagaz, destro; apurado, fino, escolhido (tratando-se de metais); (mar.) diz-se do navio que corta a água com facilidade; (fig.) cigano; macio; mimoso; delgado; (pop.) gajo; (prov.) sengo; puro; afilado: *pasarse de fino,* fazer cortesia rasgada.

finquero. *m.* fazendeiro, dono de propriedades rústicas na Guiné espanhola.

finta. *f.* finta, gesto para nalgum assalto ou combate engana o adversário pelas proprias intenções; simulação, disfarce, demonstração; ataque falso.

finura. *f.* finura, primor, delicadeza; urbanidade, cortesia; acuidade; elegância; melifluidade; delicadeza; (fig.) aze(ê)bre; subtileza; agudeza de espírito; astúcia, malícia: *finura de oído,* ouvido fino.

fiñana. *f.* variedade de trigo.

fío. *f.* (Amér.) pequeno pássaro insectívoro.

fiordo. *m.* fiorde.

fique. *m.* (Amér.) fibra de piteira.

firma. *f.* firma, assinatura; acto de assinar os documentos ou cartas de expediente; casa comercial, firma; (fig. e fam.) avivar as brasas duma braseira; gravura com o nome duma pessoa.

firmal. *m.* jóia em forma de broche.
firmamento. *m.* firmamento, abóbada celeste; céu.
firmante. *p. a.* e *adj.* e *s.* assinador, assinante.
firmar. *v. tr.* firmar, assinar, autenticar; ajustar alguém para um serviço, firmar. — *v. r.* firmar-se; assinar-se; apoiar-se.
firme. *adj.* firme, estável, forte; (fig.) inteiro; constante, que não se deixa dominar, indomável, enérgico; inconcusso; incomutável; decidido; duro; consistente; estável; inflexível; maciço; (fig.) estribado; inabalável; infra(c)to; assentado; assente; assegurado. — *m.* firme, terreno sólido sobre que se pode alicerçar; capa de seixos que serve para consolidar o leito duma estrada: *firme de carácter*, indobrável; *poco firme en el andar*, atartamelado.
firmeza, *f.* firmeza, estabilidade, estado do que não se move nem vacila; (fig.) inteireza, energia; fortaleza; dureza; inflexibilidade; estoicidade; força moral, solidez; consistência; estribamento; constância, coragem; (fig.) persistência; perseverância: *firmeza de principios*, firmeza moral.
firmón. *adj.* diz-se do que, por interesse assina escritos ou trabalhos doutrem.
firuletes. *m. pl.* (Amér.) V. **arrequives**
fiscal. *adj.* (for.) relativo ao fisco, ou ao cargo de fiscal. — *m.* delegado do ministério público, promotor; fiscal, encarregado de fiscalizar; (Amér.) secular encarregado duma capela rural e auxiliar do respectivo pároco; fiscal dum tribunal militar.
fiscalía, *f.* fiscalização, cargo, exercício do fiscal; repartição do fiscal, legacia.
fiscalizable. *adj.* fiscalizável, que se pode ou se deve fiscalizar.
fiscalización. *f.* fiscalização, controlo; indagação, ingerência.
fiscalizador, ra. *adj.* e *s.* fiscalizador, que fiscaliza, fiscal.
fiscalizar. *v. tr.* fiscalizar, exercer o cargo de fiscal; vigiar; fiscalizar, indagar, examinar, verificar; submeter a atenta vigilância: inspeccionar; examinar, sindicar, censurar.
fisco. *m.* fisco, erário, tesouro público; (Amér.) moeda de cobre; parte da administração pública encarregada da cobrança dos impostos; casa dos contos.
fisga, *f.* fisga, arpão para pescar; troça, caçoada, zombaria (com dissimulação); (taur.) bandarilha, farpa que se crava no cachaço dos toiros.
fisgador, ra. *adj.* e *s.* arpoador, que usa arpão; indagador, aquele que fisga, fisgador
fisgar. *v. tr.* fisgar, pescar com fisga. — *v. intr.* troçar, caçoar, zombar (dissimuladamente); bisbilhotar; (fig.) perceber imediatamente.
fisgón, na. *adj.* e *s.* trocista, bisbilhoteiro; metediço.
fisgonear. *v. tr.* bisbilhotar por costume.
fisgoneo. *m.* bilbilhotice.

física. *f.* física; ciência que estuda as propriedades dos corpos, as leis que regulam os fenómenos que neles se dão sem alterar a sua natureza; (ant.) medicina.
físico, *adj.* e *m.* físico, pertencente à física ou à natureza corpórea; (Amér.) delicado, melindroso. V. **melindroso**. — *m.* físico, aquele que se dedica ao estudo da física; (prov.) médico; físico, o conjunto das qualidades externas do homem; fisionomia; natural; material; (ant.) cirurgião, médico.
fisicoquímica. *f.* físico-química.
fisicoquímico, ca. *adj.* físico-químico.
fisicoterapia. *f.* fisicoterapia.
fisiocracia. *f.* fisiocracia.
fisiócrata. *s.* fisiocrata.
fisiogenia. *f.* fisiogenia.
fiisiognomía. *f.* fisiognomia.
fisiognómico, ca. *adj.* fisiognómico.
fisiognomista. *s.* fisionomista.
fisiognomonía. *f.* (fisiol.) fisiognomonia.
fisiognomónico, ca. *adj.* fisiognomónico.
fisiografía. *f.* (geol.) fisiografia.
fisiográfico, ca. *adj.* fisiográfico.
fisiógrafo, fa. *s.* fisiógrafo.
fisiología. *f.* fisiologia.
fisiológicamente. *adv.* fisiològicamente.
fisiológico. *adj.* fisiológico.
fisiólogo, ga. *s.* fisiólogo, fisiologista.
fisionomía. *f.* V. **fisonomía**.
fisiopatología. *f.* fisiopatologia.
fisioquímico, ca. *adj.* fisioquímico.
fisioterapia. *f.* (med.) fisioterapia, fisiopatia.
fiisioterápico, ca. *adj.* fisioterápico.
fiisiparidad. *f.* (embriol.) fissiparídade.
fisíparo, ra. *adj.* (embriol.) fissíparo.
fisipedo, da. *adj.* (zool.) fissípede. — *m.* V. **busulco**.
fisipénnidos. *m. pl.* (zool.) fissipene.
fisirrostro, tra. *adj.* e *m.* (zool.) fissirrostro.
fisonomía. *f.* fisionomia, conjunto das feições do rosto; facias; (fig.) aspecto exterior das coisas; cara; aparência.
fisonómico, ca. *adj.* fisionó(ô)mico, pertencente à fisionomia.
fisonomista. *adj.* e *s.* fisionomista, que estuda a fisionomia; fisionomista, que tem facilidade natural para recordar e distinguir as pessoas pela sua fisionomia.
fisónomo. *adj.* e *s.* V. **fisonomista**.
fístula. *f.* fístula; úlcera; (poét.) fístula, flauta pastoril.
fistulación. *f.* fistulação.
fistular. *adj.* fistular, pertencente à fístula.
fistular. *v. tr.* V. **afistolar**.
fistuloso, sa. *adj.* fistuloso, fistulado; ulcerado; tubular.
fisura. *f.* (cir.) fissura, fenda, fractura nos ossos; fissura, úlcera na mucosa do ânus; (min.) fenda que corta várias capas minerais na sua espessura; ulceração; aberta; desconjuntamento; incisura, incisão, gre(ê)ta.
fisuración. *f.* (pat.) fissuração.
fitobiología. *f.* (bot.) fitobiologia.
fitobiológico, ca. *adj.* fitobiológico.
fitoclorina. *f.* (quim.) fitoclorina.

fitofagia. f. fitofagia, alimentação com vegetais.

fitófago, ga. adj. e s. fitófago que se alimenta de vegetais.

fitogenia. f. (hist. nat.) fitogénia.

fitógeno, na. adj. (hist. pat.) fitogé(ê)neo.

fitogeografía. f. fitogeografia.

fitografía. f. (bot.) fitografia.

fitográfico, ca. adj. (bot.) fitográfico.

fitógrafo, fa. s. fitógrafo.

fitoideo, a. adj. (bot.) fitóide.

fitolaca. f. (bot.) fitolaca.

fitolacáceo, a. adj. (bot.) fitolacáceo. — f. pl. (bot.) fiitolacáceas.

fitolita. f. (paleont.) fitólito.

fitología. f. (bot.) fitologia; botânica.

fitológico, ca. adj. (bot.) fitológico.

fitologista. s. fitólogo, botânico.

fitólogo, ga. s. fitólogo, botânico.

fitonímia. f. (bot.) fitonímia.

fitoparásito. m. (hist. nat.) fitoparasita.

fitopatología. f. (bot.) fitopatologia.

fitoquímica. f. fitoquímica.

fitotaxia. f. (bot.) fitotaxia.

fitotecnia. f. (bot.) fitotecnia.

fitotomía. f. (bot.) fitotomia, anatomia vegetal.

fitotómico, ca. adj. e s. (bot.) fitotó(ô)mico.

fitozoarios. m. pl. (zool.) fitozoários.

fizar. v. tr. (prov.) picar, ferrar, produzir uma picadura ou mordedura.

flabelación. f. flabelação; agitação dó ar com leque.

flabelado, da. adj. (bot.) flabelado, em forma de leque.

flabelicornio. adj. (zool.) flabelado, que tem as asas em forma de leque.

flabelífero, ra. adj. que conduz o flabelo em certas cerimónias, flabelífero.

flabelifoliado, da. adj. (bot.) flabelifoliado.

flabeliforme. adj. flabeliforme, flabelado.

flabelo. m. flabelo, leque, ventarola de cabo comprido usado em certas cerimónias.

flaccidez. f. flacidez; relaxação; languidez; brandura; moleza; froxidão.

flácido, da. adj. flacido, fraco, débil, frouxo, mole, sem consistência; macilento; brando, sem elastério, murcho; relaxado.

flaco, ca. adj. fraco, magro, de poucas carnes; débil, que tem pouca força, frouxo; fraco, lânguido, definhado, consumido, desmedrado; cho(ô)cho; amenidado; chupado; delicado; descarnado, descadeirado, enfraquecido, desnalgado; (Bras.) amunhegado, desmerecido, leco, perrengue, xendengue. — m. defeito moral, fraco, afeição predominante, lado por onde uma pessoa oferece menos resistência.

flacucho, cha. adj. magrito, magrizela, de poças carnes.

flacura. f. magreza, qualidade de magro, fraqueza.

flagelación. f. flagelação; (fig.) tormento; aflição; fustigação.

flagelador, ra. adj. e s. flagelador, flagelante, chicoteador, açoutador.

flagelante. p. a. e adj. flagelante, que flagela. — s. herege duma seita italiana cujo

erro consistia em preferir à confissão sacramental, a penitência dos açoites, flagelante.

flagelar. v. tr. flagelar; fustigar, açoitar, chicotar; (fig.) atormentar, castigar, torturar; incomodar; afligir; vituperar.

flagelífero, ra. adj. (bot.) flagelífero.

flageliforme. adj. (hist. nat.) flageliforme.

flagelo. m. flagelo, azorrague, instrumento para açoitar, chicote; (fig.) castigo; calamidade; praga; tormento.

flagrancia. f. flagrância, qualidade de flagrante.

flagrante. p. a. e adj. flagrante, que se está executando actualmente; manifesto, evidente; (poet.) flagrante, ardente, resplandecente, brilhante, acalorado; en flagrante, em flagrante, na própria ocasião em que se pratica um acto.

flagrar. v. intr. (poét.) flagrar, arder, resplandecer, inflamar-se como fogo ou chama.

flama. f. flama; chama; reflexo ou reverberação da chama; (mil.) penacho. V. llama.

flamante. adj. flamante, lúcido, chamejante, brilhante, resplandecente; flamante, no(ô)vo, acabado de fazer ou de estrear; (herald.) flamante, ondeado, em forma de chama.

flameante. adj. brilhante, resplandecente, flamante, que arroja chamas, resplendente.

flamear. v. intr. flamejar, lançar chamas, flamear; (fig.) ondear, drapejar ao vento; (med.) queimar um líquido inflamável em superfície ou vasilhas que se querem esterilizar; brilhar, resplandecer; arder.

flamen. m. antigo sacerdote romano destinado ao culto de determinada deidade.

flamenco, ca. adj. e s. (geog.) flamengo, natural de ou pertencente à Flandres. — m. flamengo (idioma); flamengo, diz-se do andaluz aciganado; (pop.) fanfarrão, fanfa, façanheiro, chibante; diz-se das mulheres robustas e de boas cores. — m. (zool.) flamengo, flamingo; (prov. e Amér.) espécie de faca ou navalha; (Amér.) magro.

flamenquería. f. chularia, chulice. V. chulería.

flamenquismo. m. afeição aos costumes flamengos ou chulescos.

flámeo, a. adj. flâmeo, flamejante, que tem condição da chama. — m. flâmeo, véu de noivas; véu que as senhoras velavam o rosto.

flamero. m. candelabro que lança grande chama.

flamígero, ra. adj. flamígero, flamífero, que produz chamas.

flamula. f. flâmula, galhardete; bandeirinha estreita e muito comprida.

flan. m. pudim feito com ovos, leite e açúcar.

flanco. m. flanco, parte lateral dum corpo; costado, lado dum navio ou corpo de tropas, flanco; costado, lado dum animal; (fort.) parte entre a cortina e o baluarte; (herald.) costado do brasão, lado do escudo.

flanear. *v. intr.* passear, caminhar, flanar, vaguear, errar, andar ao acaso, passear ociosamente.

flanero. *m.* molde ou forma para pudim.

flanqueado, da. *p. p.* e *adj.* flanqueado, defendido pelos flancos.

flanqueador, ra. *adj.* flanqueador, que flanqueia.

flanqueante. *p. a.* de flanquear.

flanquear. *v. tr.* flanquear, estar colocado ao flanco ou lado duma coisa; (mil.) flanquear, atacar ou defender de flanco; ladear; (fig.) acompanhar.

flaón. *m.* (gal.) torta de nata; pudim.

flaqueo. *m.* flanqueio, a(c)ção dum exército que bate o inimigo pelos seus flancos.

flaquear. *v. intr.* fraquear, fraquejar, enfraquecer, debilitar-se, ir perdendo as forças; amaçar ruína ou queda; (fig.) fraquear, perder a coragem, decair de espírito, desanimar; claudicar.

flaquera. *f.* V. **flojera**. (fam.) fraqueza, debilidade.

flaqueza. *f.* fraqueza, debilidade; (fig.) emagrecimento; falta de vigor, fraqueza; fragilidade (especialmente da carne); descaimento, esvaecimento, afracamento; enervação; acidia; fraqueira, fraqueza; (fig.) enfermidade; (fig.) estrolamento; extenuação; magreza; a parte fraca de qualquer pessoa; tendência, fraco; tendência para ceder às paixões; (Bras.) manemolência.

flato. *m.* flato, flatulência, ar ou gases em dose anormal no tubo digestivo, ventosidade; aerocolia; (Amér.) melancolia, tristeza.

flatoso, sa. *adj.* flatoso, flatuloso; que tem flatulência; flatuoso; sujeito a flatuosidade.

flatulencia. *f.* flatuosidade, flatulência, ventosidade, flato.

flatulento, ta. *adj.* flatulento, que causa ou padece flatos.

flatuoso, sa. *adj.* V. **flatoso**.

flauta. *f.* (mús.) flauta, instrumento músico de sopro. — *m.* aquele que toca a flauta; (poet.) flauta: *flauta de Pan,* flauta de Pão.

flautado, a. *adj.* aflautado, semelhante à flauta. — aflautado, um dos registos do órgão cujo som imita a das flautas.

flauteado, da. *adj.* flauteado, de som semelhante ao da flauta; frauteado.

flautear. *v. intr.* tocar a flauta; frautear, frautar, flautear.

flautero. *m.* flautista, o que fabrica flautas.

flautillo. *m.* V. **caramillo**.

flautín. *m.* (mús.) flautim, instrumento que se assemelha à flauta mas mais pequeno.

flautista. *s.* flautista, flauteiro, tocador de flauta; tocador ou fabricante de flautas.

flautos. *m. pl.* V. **pitos**.

flavina. *f.* (quim.) flavina.

flavo, va. *adj.* flavo, louro, da cor do mel fulvo.

flébil. *adj.* flébil, digno de ser chorado, lacrimoso; plangente; (poét.) lamentável, triste; choroso.

flebítico, ca. *adj.* flébico, relativo às veias.

flebitis. *f.* (med.) flebite.

flebografía. *f.* flebografia.

flebográfico, ca. *adj.* flebográfico.

flebógrafo, fa. *s.* flebógrafo.

flebología. *f.* (med.) flebologia.

flebológico, ca. *adj.* flebológico.

flebólogo, ga. *s.* flebólogo.

fleborragia. *f.* fleborragia, hemorragia.

flebotomía. *f.* flebotomia.

flebotomiano. *m.* V. **sangrador**.

flebótomo. *m.* (Amér.) flebótomo.

flecadura. *f.* frocadura.

fleco. *m.* froco, franja, série de fios ou flocos pendentes; madeixa de cabelo; (fig.) orla de tecido desfiada pelo uso; felpa de lã ou seda cortada em bocadinhos para adornos de vestidos ou vestuário.

flecha. *f.* frecha, flecha, seta; haste de madeira com uma ponta de ferro que se desfere com o arco ou a besta.

flechador. *m.* frecheiro, o que dispara frechas; archeiro.

flechar. *v. tr.* frechar, ferir con frechas ou flechas; magoar; (fig. e fam.) amor repentino; (fig.) satirizar.

flechazo. *m.* frechado, acção de disparar a flecha, frecha; golpe ou ferida de frecha; (fig. e fam.) amor repentino, frechada.

flechero. *m.* frecheiro, o que atira frechas; fabricante de frechas, frecheiro.

flegmasia. *f.* (med.) flegmasia.

flegmásico, ca. *adj.* flegmásico.

flegmático, ca. *adj.* fleumático.

flegmonoso, sa. *adj.* (med.) fleimoso, que tem carácter de fleimão.

fleja ou **flejar.** *m.* V. **fresno**.

fleje. *m.* aro de ferro empregado para segurar aduelas ou caixas de mercadorias; mola.

flema. *f.* fleuma, um dos quatro humores da medicina antiga; escarro, mucosidade pegajosa que se expele pela boca; (fig.) flema, serenidade, indiferença, pacholice, pachorra, paciência; demora, lentidão; produto aquoso obtido das substâncias orgânicas por meio do calor; (fig.) impassibilidade, fleima, frieza de ânimo; bonacheirice.

flemático, ca. *adj.* fleumático, relativo a fleuma; (fig.) pachorrento, indiferente, apachorrado; madraço, inexcitável, amolencado; (pop.) pachola.

fleme. *f.* (vet.) flebótomo.

flemón. *m.* flegmão, fleimão, freimão (med.) fruncho; (vet.) infusura.

flemonoso, sa. *adj.* fleimoso, pertencente ou relativo ao fleimão.

flemoso, sa. *adj.* fleimoso.

flemudo, da. *adj.* e *s.* fleumático, calmo, pachorrento, impassível.

flequillo. *m. dim.* de *fleco.* madeixa de cabelos que cai sobre a testa das mulheres.

fleta. *f.* (Amér.) açoites com que se castiga uma criança.

fletador. *m.* (com.) fretador, aquele que freta, afretador.

fletamento. *m.* (com.) fretamento, fretagem, contrato mercantil em que se estipula o frete; (Amér.) aquele que freta ou aluga uma embarcação para conduzir pessoas ou mercadorias, fretador.

fletante. *p. a.* de *fletar* e *m.* arrendatário.

fletar. *v. tr.* fretar, alugar uma embarcação ou parte dela; tomar ou ceder o frete, afretar, ajustar por frete; carregar, equipar. — *v. r.* (Amér.) alugar uma cavalgadura, carro, etc.; (fig.) soltar, praticar, diz-se de acções ou palavras inconvenientes; (Amér.) frotar esfregar; largar-se, ir depressa, ir a uma reunião sem ser convidado, colar-se.

flete. *m.* frete, preço estipulado pelo aluguer duma embarcação, carruagem, etc, carga dum navio; afretamento; (com.) fretagem; fretamento; (Amér.) cavalo ligeiro; frete, carregamento, o que se paga pelo transporte dalguma coisa; coisa transportada; recado: *carta de flete*, (mar.) carta de fretamento.

fletero, ra. *adj.* (Amér.) embarcação ou carruagem que freta ou aluga alguém para transportar pessoas ou mercadorias.

flexibilidad. *f.* flexibilidade, elasticidade, ductilidade, qualidade de flexível; (fig.) docilidade, submissão; aptidão para estudos e trabalhos de natureza diversa.

flexible. *adj.* flexível, dúctil, elástico; amaciado; que tem disposição para dobrar-se fàcilmente, maleável; (fig.) meduloso; que se adapta a coisas diversas; (fig.) complacente, submisso; pescoço de cisne. — *m.* (electr.) fio condutor eléctrico.

flexión. *f.* flexão, curvatura, flexura; (gram.) flexão, variação dos nomes, pronomes, verbos, etc.

flexional. *adj.* (gram.) flexional, que se refere a flexão.

flexor, ra. *adj.* flexor, que dobra ou faz dobrar. — *m.* (anat.) músculo que faz dobrar.

flexuoso, sa. *adj.* (bot.) flexuoso, sinuoso, torto.

flictena. *f.* (med.) flictena, empola: *flictena en la córnea*, (cir.) epicauma.

flirtear. *v. tr.* galantear, namoriscar, gostar muito de praticar o *flirt*.

flirteo. *m.* V. **coqueteo;** garridice.

flocadura. *f.* frocadura, guarnição de franjas; remate, cercadura de frocos ou cadilhos.

flóculo. *m.* (anat.) pequeno lóbulo na parte inferior do cerebelo; (astr.) nome de certas partes umas brilhantes e outras escuras na atmosfera solar.

flogístico, ca. *adj.* (quím.) flogístico.

flogisto. *m.* (quim.) flogisto, flogístico, princípio imaginado pelos antigos químicos para explicar a combustão.

flogósico, ca. *adj.* flogósico.

flogosis. *f.* (med.) flogose, flogmasia.

flojear. *v. intr.* fraquejar, fraquear, agir com preguiça; afrouxar; perder as forças, ceder, desmaiar, desfalecer.

flojedad. *f.* debilidade, fraqueza; (fig.) preguiça, moleza, frouxidão, froxidão, froxi-

dade; negligência, descuido, inércia; inacção, arrefecimento.

flojel. *m.* felpa, pelugem dos panos; cotão dos panos; froixel, frouxel de ave, penugem.

flojera. *f.* V. **flojedad.**

flojo, ja. *adj.* froixo, frouxo, mal atado, pouco apertado; froixo, fraco; que não tem muita actividade, ou vigor, débil, deixado; devasso; indolente; madraço, madraceiro; desamazelado; desmaiado; inerve, inerte; fraco; (fig.) amanteigado; (fig.) friacho; mole, brando; lânguido, indolente. *tener un tornillo flojo*, ter aduela de menos; *vino flojo*, vinho fraco.

flojudo, da. *adj. dim.* de *flojo;* fraquinho.

floqueado, da. *adj.* franjado, guarnecido de frocos.

flor. *f.* flor, conjunto dos órgãos de reprodução dalgumas plantas; flor, escol, a nata, o que há de mais distinto dum grupo ou série; flor, virgindade; o aveludado dos frutos; flor, pequeno cogumelo ou micrófito, que se cria e desenvolve à superfície do vinho; galanteio, V. **piropo;** certo jogo de naipes; (fig.) flor, a parte externa do coiro, oposta ao carnal; batota no jogo; (fig.) flor, a parte mais fina e melhor duma substância; o escol, elite.

flora. *f.* flora, conjunto de plantas duma região, dum país.

floración. *f.* (bot.) floração, abotoação, florescência; tempo em que se efectua a floração.

florada. *f.* tempo duma floração.

floral. *adj.* (bot.) floral, pertencente ou relativo à flor.

florales. *adj. pl.* florálias, antigas festas e jogos em Roma na Primavera, em honra da deusa Flora; jogos florais, certames poéticos e literários.

floraina. *f.* embacadela; enganação.

florar. *v. intr.* florescer, dar flor uma planta, enflorar.

flordelisar. *v. tr.* (herald.) ornar com flor-de-lis.

floreado, da. *adj.* diz-se do pão feito com flor da farinha.

floreal. *m.* floreal, oitavo mês do calendário republicano francês.

florear. *v. tr.* florescer, florejar, fazer produzir flores. — *v. intr.* florear, brandir com destreza a ponta da espada; (mús.) florear, tocar cordas de guitarra com três dedos; galantear, requebrar.

florecer. *v. intr.* florescer, deitar flor; (bot.) abrir, inflorar; enflorar, enflorescer. — *v. tr.* (fig.) prosperar, crescer em riqueza ou reputação enflorar. — *v. r.* mofar, criar mofo ou bolor; expandir-se, abrir-se; medrar. — *conj. irr.* como *crecer*.

florecimiento. *m.* florescimento; acto de florescer; (fig.) tempo de progresso.

floreo. *m.* (fig.) conversa vã e de passatempo, cavaco; (esgr.) floreio; floreado, certo movimento na dança espanhola; (mús.) a(c)ção de florear na guitarra, floreado.

florero, ra. adj. e s. (fig.) galanteador, lisonjeiro; floreira, florista, pessoa que vende flores; (pint.) quadro em que se representam flores; (germ.) trapaceiro (ao jogo).

florescencia. f. florescência; abotoação, acto de florescer; época em que as plantas florescem; inflorescência; (fig.) pujança, brilho, esplendor.

floresta. f. floresta, terreno ameno, e frondoso povoado de árvores; mata espessa e grande; bosque; conjunto de coisas agradáveis e belas.

florestero. m. guarda florestal.

floreta. f. floreta, ornato que imita uma flor; floreado, movimento com os pés na dança espanhola (passo de dança).

florete. m. florete, espécie de estoque comprido, próprio para esgrima; jogo de esgrima com florete; espécie de tecido de algodão: *golpe de florete*, (esgr.) destaque; *quitar el botón al florete*, desembolar.

floretear. v. tr. floretear, ornar com flores. — v. intr. floretear, esgrimir.

floretista. m. floretista, jogador de florete; esgrimista.

floricultor, ra. adj. e s. floricultor, o que se dedica à floricultura.

floricultura. f. floricultura, arte de cultivar flores; cultura das flores.

floricundio. m. (Amér.) V. **floripondio**.

florideo, a. adj. (bot.) diz-se de certas algas de cor vermelho ou violáceo.

floridez. f. abundância de flores; florido (diz-se do estilo).

florido, da. adj. florido, adornado de flores; que está em flor; (fig.) florido, elegante gracioso; escolhido, selecto; diz-se do estilo muito ornado de galas retóricas; (germ.) rico, opulento.

florífero, ra. florígero, ra. adj. florífero, florígero, que produz flores.

florilegio. m. florilégio, (fig.) suma de poesias, recopilação, antologia; colecção, antologia; colecção de flores, florilégio.

florlisar. v. tr. V. **flordelisar**.

florín. m. florim, moeda de ouro ou prata antiga usada em vários países.

florista. s. florista, fabricante de flores artificiais; florista, pessoa que vende flores.

florón. m. aum. de *flor*; (arq.) florão, ornato circular no centro dum tecto, abóbada, etc.; (herald.) adorno em forma de flor que se põe nalgumas coroas; (fig.) feito que dá honra; cada uma das pequenas flores, cuja reunião forma uma flor composta.

flosculoso, sa. adj. (bot.) flosculoso, composto de flósculos.

flota. f. (mar.) frota, esquadra de navios, armada; frota, comboio de navios; grande número de navios de guerra reunidos para navegar juntos; frota, conjunto de embarcações do comércio; (Amér.) fanfarronada; bravata; (Amér. fig.) multidão.

flotabilidad. f. qualidades de flutuável.

flotable. adj. flutuável, navegável; capaz de flutuar ou boiar; flutuável, diz-se dos rios que transportam madeiras e outras coisas

ainda que não seja navegável; em que se pode flutuar ou navegar; susceptível de navegar ou flutuar.

flotación. f. flutuação; *línea de flotación*, (mar.) linha d'água.

flotador, ra. adj. e m. flutuador, que flutua; aparelho ou instrumento que flutua, flutuador; corpo leve que flutua num líquido; órgão que faz flutuar.

flotadura. f. flutuação.

flotamiento. m. V. **flotadura**.

flotante. p. a. e adj. flutuante, que flutua; que bóia, que sobrenada; boiante; que flutua num fluído: *deuda flotante* (com.) dívida flutuante; *isla flotante*, ilha errática.

flotar. v. intr. flutuar, boiar; pairar, ondear no ar; orçar; sustentar-se à superfície dum líquido ou em equilíbrio num gás; vogar sobre as ondas, sobreaguar; (fig.) estar indeciso, vacilar; ondular, agitar-se ao sopro do vento: *hacer flotar*, fazer flutuar.

flote. m. flutuação: *a flote*, (fig.) com recurso ou habilidade para sair de apuros a nado; boiando; *poner a flote un barco*, desencalhar, pôr a flutuar um barco.

flotilla. f. frotinha, flotilha, frota composta de barcos pequenos.

fluctuación. f. flutuação; (fig.) dúvida, indecisão; alteração; (fig.) hesitação, irresolução; (fig.) variação alternada; oscilação; (fig.) variações nos papéis de crédito, flutuação: *fluctuación de precios*, alternação dos preços.

fluctuante. p. a. e adj. flutuante, que flutua; que voga ou ondula sobre as águas; (fig.) indeciso; esvoaçante; ondulante; (fig.) duvidoso, irresoluto; vacilante.

fluctuar. v. intr. flutuar, oscilar; ondular sobre as águas; (fig.) estar em risco de perder-se alguma coisa; esvoaçar; (fig.) duvidar, boiar; (fig.) hesitar, oscilar, estar indeciso, orçar; agitar-se, revolver-se, vacilar.

fluctuoso, sa. adj. flutuoso, flutuante, que flutua; agitado de movimentos violentos.

fluencia. f. lugar donde mana um líquido.

fluente. p. a. e adj. fluente, que flui, corrente, defluente; que corre fàcilmente; (fig.) natural, espontâneo, fácil; fluido, abundante.

fluidez. f. fluidez, qualidade de fluido; (fig.) espontaneidade: *fluidez de palabra*, afluência; *hablar con fluidez*, falar corrente.

fluido, da. adj. e m. fluido, etéreo; fluido, designação genérica dos líquidos e gases; fluente, diz-se do estilo fácil, espontâneo, natural corrente; desatado; (fig.) froixo, flácido; *fluido invisible*, eflúvio; *fluido cósmico*, (fís. e quim.) éter.

fluir. v. intr. fluir, correr um líquido; (fig.) derivar; defluir; proceder; manar; brotar: *fluir en arroyada*, enxurrar.

flujo. m. fluxo, preia-mar, enchente, vazante das águas do mar; floixo; defluência; influxo; corrente; corrimento; afluxo;

(fig.) grande abundância; (med.) evacuação de líquidos, corrimento de humores.

flúor. *m.* (quim.) flúor.

fluorescencia. *f.* fluorescência, iluminação especial que apresentam certas substâncias expostas à a(c)ção dos raios químicos; (fís.) propriedade que têm certos corpos de modificar a cor da luz que reflectem.

fluorescente. *adj.* fluorescente, que tem fluorescência.

fluorhidrico, ca. *adj.* (quim.) fluorídrico.

fluórico, ca. *adj.* (fís.) que contém fluor; (ant.) fluorídrico.

fluorina, fluorita. *f.* (min.) fluorina, fluorite.

fluoróscopo. *m.* fluoroscópio.

fluoruro. *m.* (quim.) fluoreto.

fluvial. *adj.* fluvial, referente aos rios; que vive nos rios.

fluviómetro. *m.* fluvió(ô)metro.

flux. *m.* flux, em certos jogos, ter um jogador todas as cartas dum mesmo naipe; (Amér.) traje: *hacer flux*, ter um jogador todas cartas dum mesmo naipe. V. **terno.**

fluxión. *f.* fluxão, acumulação mórbida de humores em certos órgãos; defluxeira, defluxo; defluência: *fluxión abundante*, (med.) defluvio, defluxão.

¡fo! *interj.* fó!, exprime, asco, nojo.

fobia. *f.* fobia; aversão a alguma coisa.

foca. *f.* (zool.) foca mamífero dos mares frios ou temperados, abundantes nas regiões polares: *cazar focas*, caçar focas.

focal. *adj.* (geom. e fís.) focal, relativo ao pertencente ao foco das lentes, dos espelhos, das elipses.

foceifiza. *f.* mosaico muçulmano.

focino. *m.* aguilhada para dirigir o elefante.

foco. *m.* (fís.) foco, ponto para onde convergem os raios luminosos reflectidos ou refractados; (geom.) foco, ponto onde se reúnem os raios vectores duma curva ou donde partem; (astr.) foco; (geom.) foco, ponto onde se encontram várias linhas; ponto de convergência; ponto de irradiação; centro; sede principal; centro: *foco de infección*, (med.) foco, sede duma enfermidade purulenta; *poner fuera de foco*, (ópt.) desfocar; *foco de rebelión*, foco de rebelião; *foco fijo*, foco fixo.

fóculo. *m.* lareira pequena; cavidade da ara pagã sobre a qual ardia o fogo para os sacrifícios.

fodolí. *adj.* palrador, intrometido.

fofo, fa. *adj.* fo(ô)fo, macio, mole; que cede fácilmente ao tacto, à pressão; brando; esponjoso; abalofado; flácido; elástico; (Brasil) empalamado.

fogaje. *m.* fogal, antigo tributo; (prov.) fogo, casa; (Amér.) fogagem, erupção da pele; (Amér.) bochorno, vento quente, abafadiço, calor; labareda, chamarada.

fogarada. *f.* labareda, chamarada; grande chama; língua de fogo.

fogarata. *f.* (fam.) V. **fogata.**

fogarear. *v. tr.* (prov.) foguear, queimar, produzir chama, afoguear; fazer lume, aque-

cer, acender. — *v. r.* estiolar-se, definhar-se (as plantas), abochornar-se.

fogaril. *m.* fogaréu, utensílio onde se acende o fogo para iluminar, ou servir de sinal; (prov.) lareira; fogueira, fogacho.

fogarizar. *v. tr.* fazer fogueiras.

fogata. *f.* fogo que levanta chama; fogacho, fogueira; mina carregada com pólvora para fazer saltar pedras; labareda rápida; chama súbita e de pouca duração; fogueira.

fogón. *m.* fogão, lugar onde se faz lume para cozinhar, fornalha; lareira; espécie de caixa de ferro com fornalha e chaminé; (art.) fogão, ouvido das armas de fogo; nas máquinas de vapor lugar onde está o combustível; (Amér.) fogacho, fogueira; *fogón de cocina*, lareira, lar; *fogón de herrero*, frágua, frágoa.

fogonazo. *m.* fogacho, chama produzida pela pólvora quando se acende; clarão; labareda rápida.

fogonero. *m.* fogueiro, o que cuida das fornalhas; chegador; fornalheiro; aquele que tem a seu cargo alimentar o fogo nas máquinas, etc.

fogosidad. *f.* fogosidade, qualidade do que é fogoso; veemência, impetuosidade, violência, ardência.

fogoso, sa. *adj.* (fig.) fogoso, ardente, irrequieto; que tem fogo, calor; ardente, esbraseado; caloroso; impetuoso; fragueiro; ardego; (fig.) incandescente; (fig.) violento, irascível; arrebatado; impetuoso; (Bras.) arrupanado.

fogueación. *f.* numeração de fogos ou casas.

foguear. *v. tr.* limpar com fogo uma arma; (mil.) acostumar as tropas e os cavalos ao fogo da pólvora; (fig.) habituar alguém às fatigas dum trabalho ou ocupação; (vet.) cauterizar, foguear, queimar, afoguear.

fogueo. *m.* acção e efeito de *foguear*; exercício militar em que se disparam as armas só com pólvora, para se acostumar; (fig.) disputa, contenda de palavras, discussão animada.

foleto, ta. *adj.* aloucado, falto de senso, atordoado.

folgo. *m.* escalfeta, agasalho forrado de peles para aquecer os pés.

folia. *f.* antiga dança portuguesa muito veloz; passo de dança com castanholas; (fig.) música ligeira de gosto popular; (prov.) ninharia, coisa insignificante. — *pl.* folias, dança alegre com castanholas.

foliáceo, a. *adj.* (bot.) foliáceo, semelhante ou relativo a folhas; formado de folhas; formado com folhas; da forma das folhas.

foliación. *f.* numeração das páginas dum livro; (bot.) folheação, acto de se revestir de folhas as plantas; frondescência; aparecimento das folhas na planta; época do aparecimento das folhas; folheatura.

foliar. *v. tr.* numerar as folhas dum livro ou registro; foliar. — *adj.* relativo a folhas: *foliar un libro*, afolhar.

foliatura. *f.* V. **foliación.**

foliculado, da. adj. que tem folhas, em forma de folha; folhoso.

folicular. adj. folicular, em forma de folículo.

foliculario. m. foliculário, folhetista, panfletista; escritor de folhetos; periodiqueiro; jornalista reles.

folículo. m. (bot.) folículo; (zool.) glândula simples na espessura da pele ou das mucosas.

folio. m. fólio, folha de livro, de caderno, etcétera; (bot.) erva mercurial euforbiácea.

foliolo. m. (bot.) foliolo, folha pequena que faz parte duma folha composta.

folklore. m. folclore, conjunto de canções, danças, crenças ou tradições populares duma região, povo, etc.

folklórico, ca. adj. folclórico, pertencente ou relativo ao folclore.

folklorista. s. folclorista, pessoa conhecedora do folclore.

folla. f. lance de torneio em confusão; gente em confusão, tropel; mixórdia; mistura de coisas; diversão teatral; (fam.) espada.

follada. f. empada de massa folhada; massa estendida para fazer pastéis, empadas, etc.

follado, da. adj. e p. p. de follar; afolado; (prov.) parte mais larga das mangas e peitilho da camisa. — pl. espécie de calças largas usadas antigamente.

follaje. m. folhagem, conjunto das folhas das plantas; frondes; frondosidade; ramaria dos arvoredos; (fig.) enfeite de mau gosto; palanfrório, palavrório, palavras supérfluas, palavreado, superfluidade nos adornos e nos discursos; adorno em forma de folhas: abundante en follaje, frondoso, frondejante.

follar. v. tr. afolar, soprar com o fole; talar, destruir. — v. r. expelir ventosidades sem ruído.

follar. v. tr. folhar, compor em forma de folhas.

follero, follete. m. foleiro, que faz ou vende foles.

folletín. m. dim. de folleto; folhetim, secção literária dum periódico.

folletinesco, ca. adj. folhetinesco, pertencente ou relativo ao folhetim.

folletinista. s. folhetinista, autor de folhetins.

folletista. s. folhetista, aquele que escreve folhetos.

folleto. m. folheto, obra impressa que só tem cem páginas; folheto; impresso.

folletón. m. V. folletín.

follón, na. adj. froixo, frouxo, mole, indolente, preguiçoso. — s. cobarde, canalha; vil, jactancioso, fátuo. — m. ventosidade que não estoura. — pl. (Amér.) saias, vestuário de mulher; foguete.

fomentador, ra. adj. e s. fomentador, que fomenta; impulsor; incitante.

fomentar. v. tr. fomentar, dar calor que vivifique ou vigorize; incitar, excitar, animar; fomentar, dar impulso, promover; desenvolver; favorecer; (Amér.) fomentar, organizar; alentar, encorajar; impulsionar; (med.) fomentar, aplicar uma fomentação; (fig.) estercar; alimentar; atiçar.

fomento. m. fomento, calor, abrigo e reparo que se dá a uma coisa; (fig.) auxílio, protecção; fomento, progresso; estímulo; desenvolvimento; favor; apoio; incitamento; pábulo; (fig.) alimento; impulso; (med.) fomentação.

fonación. f. fonação, produção da voz.

fonascia. f. (mús.) fonáscia.

fonascio. m. (mús.) fonasco.

fonastenia. f. fonastenia.

fonatorio, ria. adj. relativo à fonoção.

fonautógrafo. m. fonautógrafo.

fonda. f. hospedaria, estalagem; (Amér.) tenda onde se vende aguardente; taberna.

fondable. adj. fundeiro, diz-se do lugar onde podem fundear os barcos.

fondado, da. adj. fundado, com fundo seguro (diz-se das pipas e barris); (fam.) (Amér.) rico, endinheirado.

fondeadero. m. (mar.) ancoradouro, fundeadouro, fundeadoiro.

fondeado, da. p. p. e adj. fundeado; (Amér.) rico, adinheirado.

fondear. v. tr. sondar, proceder a sondagens marítimas; revistar ou inspeccionar um navio; (fig.) examinar com cuidado e sagacidade, analizar, sondar, perscrutar, profundar; (mar.) afastar a carga do navio até descobrir o fundo; tirar do fundo da água; fundear, ancorar, deitar ferro ou âncora. — v. intr. fundear, dar fundo. — v. r. (Amér.) enriquecer, adquirir fundos.

fondeo. m. acção de desarrumar a carga dum navio para lhe verificar o fundo; ancoração; revistà dum navio, inspecção.

fondero, ra. s. (Amér.) hospedeiro. V. fondista.

fondillón. m. resto de vinho que fica no fundo duma pipa; vinho velho de Alicante.

fondillos. m. pl. fundilhos, parte posterior das calças.

fondista. s. hospedeiro, estalajadeiro, pessoa que tem uma hospedaria ou pousada.

fondo. m. fundo, profundidade, parte interior duma coisa; fundo, parte mais afastada da boca ou da superfície, profundidade; fundo, campo em que se tecem ou pintam os adornos, bordados, desenhos, etcétera; fundo, o principal, a substância duma coisa; fundo, extensão interior dum edifício; fundo, superfície sólida sobre a qual está a água do mar, dum rio, etc.; fundo, espessura dos diamantes; (mil.) fundo, espaço em que se formam as fileiras; fundo, bens, riquezas, dinheiro; fundo, colecção de livros ou impressos duma biblioteca; (fig.) índole. — pl. fundos, haveres duma pessoa ou comunidade; (fig.) essência, fundamento.

fondón. m. grande profundidade, fundão. V. fondillón. — adj. muito grosso.

fonébol. m. V. fundíbulo.

fonema. m. (gram.) fonema, qualquer som articulado.

fonendoscopia. *f.* (med.) fonendoscopia.
fonendoscopio. *m.* (med.) fonendoscópio.
fonética. *f.* fonética. V. **fonología.**
fonético, ca. *adj.* fonético.
fonetismo. *m.* conjunto de caracteres fonéticos duma língua, fonetismo.
fonetista. *s.* fonetista, foneticista.
fónico, ca. *adj.* fó(ô)nico, pertencente à voz ou ao som.
fonil. *m.* funil, utensílio para transvasar líquidos nas pipas.
fonje. *adj.* (p. us.) mole, brando, esponjoso.
fonocámptica. *f.* (fís.) fonocâmptica.
fonofobia. *f.* fonofobia.
fonogénico, ca. *adj.* fonogé(ê)nico, cuja voz é bem reproduzida pelo fonógrafo.
fonografía. *f.* (fís.) fonografia.
fonográfico, ca. *adj.* fonográfico.
fonógrafo. *m.* (fís.) fonógrafo; gramofone.
fonograma. *m.* som gravado, disco, placa, filme em que o som está gravado; fonema; cada uma das letras do alfabeto.
fonolita. *f.* (min.) fonólito.
fonología. *f.* fonologia, fonética.
fonológico, ca. *adj.* fonológico, fonético.
fonólogo, ga. *s.* fonólogo, foneticista, fonetista.
fonomanía. *f.* (pat.) fonomania.
fonometría. *f.* (fís.) fonometria.
fonométrico, ca. *adj.* fonométrico.
fonómetro. *m.* (fís.) fonó(ô)metro.
fonospasmia. *f.* (med.) fonospasmo.
fonospasmo. *m.* (med.) fonospasmo.
fonotipia. *f.* fonotipia.
fonotipo. *m.* fonotipo.
fonsadera. *f.* fossadeira, tributo que se pagava para fazer face às despesas de guerra.
fonsado. *m.* V. **fonsadera;** (fort.) fossado, escavação dum fosso.
fontal. *adj.* fontal, relativo a fonte; (fig. p. us.) primeiro e principal.
fontana. *f.* (poet.) e (prov.) fonte, fontana. V. **fuente.**
fontanal. *adj.* fontanário, pertencente a fonte. — *m.* V. **fontanar;** lugar onde abundam mananciais.
fontanar. *m.* manancial. V. **manantial.**
fontanela. *f.* (anat.) fontanela; (cir.) fontanela, instrumento para abrir fontes; fonte, úlcera artificial.
fontanería. *f.* encanamento, arte de encanar as águas; encanamento, conjunto de canos condutores das águas; canalização de águas.
fontanero, ra. *adj.* fontanário, fontal. — *m.* canalizador, o que trabalha na canalização das águas.
fontezuela. *f.* fontinha, fontezinha, fontainha.
fontículo. *m.* (cir.) fonte, úlcera artificial, fontículo.
forajido, da. *adj.* e *s.* foragido, fugão, que anda fugido à justiça; delinquente; criminoso; fugitivo; homiziado.
foral. *adj.* foral, pertencente e relativo ao foro, foreiro; (for.) forense; foraleiro. —

m. (gal.) terra ou herdade dada em foro ou enfiteuse.
foramen. *m.* forame, forâmen, abertura, cova, buraco; olho, buraco da pedra do moinho; (anat.) forame.
foraminado, da. *adj.* (hist. nat.) foraminoso; esburacado.
foraminífero, ra. *adj.* (zool.) foraminífero. — *m. pl.* foraminíferos.
foráneo, a. *adj.* forâneo, forasteiro; de fora; estranho, alheio; estrangeiro.
forastero, ra. *adj.* e *s.* forasteiro, que vem de fora do lugar; peregrino; estrangeiro; forâneo; (fig.) estranho; adventício, faranduleiro.
forcaz. *adj.* diz-se do carro de dois varais.
forcej(e)ar. *v. intr.* forcejar, empregar força para vencer uma resistência; resistir, fazer oposição, contradizer tenazmente.
forcej(e)o. *m.* forcejo; (fig.) resistência, oposição, esforço, luta; diligência; empenho.
forcejón. *m.* esforço violento.
forcejudo, da. *adj.* forçoso, fornido, que tem ou faz muita força, forçante.
fórceps. *m.* (cir.) fórceps, fórcipe.
forcina. *f.* (cir.) fórfex.
forcipresión. *f.* (cir.) forcipressão.
forchina. *f.* arma de ferro semelhante a uma forquilha.
forense. *adj.* forense, pertencente ou relativo ao foro: *médico forense,* médico forense.
forense. *adj.* (p. us.) V. **forastero.**
forero, ra. *adj.* foreiro, pertencente ou conforme ao foro. — *m.* foreiro, dono duma terra dada em foro; foreiro, o que paga foro.
forestal. *adj.* florestal, relativo aos bosques.
forfícula. *f.* (ento.) forfícula. V. **cortapicos.**
forficúlidos. *m. pl.* (zool.) forficúlidas.
fórfolas. *f. pl.* caspa grossa que se cria no couro cabeludo.
forja. *f.* forja, oficina de ferreiro, frágua, ferraria; forja de ourives; forjamento, forjadura; argamassa: *forja catalana,* aparelho usado antigamente para a fabricação do ferro.
forjable. *adj.* que pode ser forjado.
forjado, da. *p. p.* e *adj.* forjado. — *m.* (arq.) vigamento próprio para formar frontais. V. **entramado.**
forjador, ra. *adj.* e *s.* forjador, que forja.
forjadura. *f.* forjadura, forjamento, acto de forjar.
forjar. *v. tr.* forjar, dar forma ao ferro ou a outro metal com o martelo; fabricar e formar; rebocar toscamente com gesso ou argamassa; (fig.) forjar, inventar, fingir, maquinar.
forlón. *m.* carruagem antiga de quatro assentos.
forma. *f.* fo(ô)rma, figura, feitio, configuração exterior; forma, fórmula; forma, molde; modo de expressar em obra de arte; forma, maneira de proceder; forma, configuração das letras; (rel.) forma, pão, hóstia para consagrar; forma, palavras sacramentais; (impr.) forma, molde para imprimir; (arq.) V. **formero;** método, or-

dem; regularidade; prática, cerimó(ô)nia; modo, maneira; meio; modelo, norma; estilo. — *pl.* formas, os contornos do corpo: *de forma que,* de maneira que, de forma que; *dar forma,* formalizar, formar; *de esta forma,* assim; *en forma,* em forma, devidamente.

formable. *adj.* que se pode formar.

formación. *f.* formação, constituição; conformação, forma, figura; (mil.) formação, formatura; (geol.) conjunto de rochas ou massas minerais análogas; instituição; disposição: *entrar en formación,* (mil.) formar; *salirse de la formación,* (mil.) sair da forma.

formador, ra. *adj.* e *s.* formador, que forma ou põe em ordem.

formaje. *m.* formaria. V. **encella;** cincho, molde para fazer queijos; (pop.) queijo.

formal. *adj.* formal, pertencente à forma; formal, expresso, preciso, positivo; formal, sério; grave; evidente, genuíno, textual; verdadeiro; formulário; próprio; maduro; específico.

formaldehído. *m.* (quim.) formaldeído.

formaleta. *f.* (prov. e Amér.) V. **cimbra.**

formalete. *m.* (arq.) arco de meio ponto.

formalidad. *f.* formalidade, exactidão, pontualidade; seriedade, formalidade, compostura; preceito, fórmula; cerimó(ô)nia, etiqueta; atenção; formalidade, modo de executar um acto público; formalidade, gravidade, seriedade; circunspecção; afe(c)tação; compostura. — *pl.* formalidades. fórmulas, cláusulas: *falta de formalidad,* informidade; *formalidades burocráticas,* chinesices administrativas; *con formalidad,* por formalidade.

formalina. *f.* (quim.) formalina.

formalismo. *m.* formalismo, rigorosa observância nas formas externas.

formalista. *adj.* e *s.* formalista, amigo de formalidades.

formalización. *f.* formalização, realização segundo as fórmulas.

formalizar. *v. tr.* formalizar, dar a última forma a uma coisa, proceder conforme às formalidades; concretizar, precisar, formalizar; dar forma. — *v. r.* formalizar-se, pôr-se sério, ofender-se, tomar a sério.

formar. *v. tr.* formar, dar forma; ordenar; construir; instruir; estabelecer; produzir, fazer, fabricar, criar; formar, ajuntar, encorporar; formar, inventar, idear; (mil.) pôr em ordem, formar; afigurar; elaborar; conceber; formar, ter a forma de, assemelhar-se; amoldar; fundar. — *v. intr.* (mil.) formar, entrar na forma, em linha; dobrar com trancinha. — *v. r.* formar-se, desenvolver-se física ou moralmente; educar-se, instruir-se; tomar forma: *formar parte de una secta, partido,* etcétera, embandeirar; *formarse de,* consistir.

formativo, va. *adj.* formativo, que dá forma, constitutivo; formal.

formato. *m.* forma, formato, tamanho dum livro; feitio, dimensão.

formatriz. *adj.* V. **formadora.**

formeno. *m.* (quim.) formena.

formero. *m.* (arq.) arco em que descansa uma abóbada semicircular. V. **cimbra.**

formiato. *m.* (quim.) formiato.

formicación. *f.* formicação; prurido.

formicante. *adj.* (med.) formicante.

formícidos. *m. pl.* (zool.) formícidas.

formicívoro, ra. *adj.* formicívoro.

fórmico. *m.* (quim.) fórmico, metânico.

formicular. *adj.* (zool.) formicular; relativo ou semelhante a formigas.

formidable. *adj.* formidável, tremendo, temível; que infunde assombro; formidável, excessivamente grande, descomunal; terrível; pavoroso; espantoso, que infunde respeito; formidando.

formillón. *m.* formilhão.

formol. *m.* (quim.) formol.

formón. *m.* (carp.) formão, utensílio de ferro usado em carpintaria para abrir cavidades na madeira; utensílio de ferro com que se cortam as hóstias: *formón circular,* meia-cana.

fórmula. *f.* fórmula, maneira estabelecida para explicar qualquer coisa; receita de médico; fórmula, formalidade, fo(ô)rma; (mat.) resultado dum cálculo algébrico; receita; praxe; regra; norma; (fam.) fórmula, cumprimentos do estilo; (rel.) fórmula, sagrada fórmula, formulário, profissão de fé.

formulación. *f.* formulação, acto ou efeito de *formular.*

formular. *adj.* formular, pertencente ou relativo à fórmula; que tem qualidades de fórmula.

formular. *v. tr.* formular, reduzir a fórmula; pôr em fórmula; receitar; expor com precisão; estabelecer uma fórmula; enunciar; expor com clareza; resolver por meio de fórmula; formular, expressar; exprimir.

formulario. *m.* formulário; conjunto ou colecção de fórmulas; livro de orações; receitário.

formulismo. *m.* formulismo, excessivo uso de fórmulas; ciência de formular.

formulista. *s.* e *adj.* formulista, partidário do formulismo.

fornáceo, a. *adj.* (poet.) pertencente ou semelhante ao forno.

fornecer. *v. tr.* (p. us.) prover, abastecer, fornecer; ministrar; prestar o necessário a; guarnecer; facilitar; proporcionar. — *conj. irr.* como *agradecer.*

fornecimiento. *m.* fornecimento; provisão; fornecida.

fornelo. *m.* braseira manual de ferro.

fornicación. *f.* fornicação: *estado de fornicación,* amancebamento.

fornicador, ra. *adj.* e *s.* fornicador, que fornica.

fornicar. *v. tr.* e *intr.* fornicar; ter cópula carnal fora do matrimónio.

fornicario, ria. *adj.* e *s.* fornicário pertente à fornicação; fornicário, que tem o vício de fornicar.

fornicio. *m.* fornicação. V. **fornicación.**

fornido, da. *adj.* fornido, robusto, forte; membrudo; gordo; (ant.) fornido, adornado, revestido; barreiro.

fornitura. *f.* provisão, abastecimento; (mil.) correame e cartuxeira que usam os soldados, equipamento. — *pl.* (impr.) letras que se fundem para completar uma colecção de tipos.

foro. *m.* fo(ô)ro, fórum; praça pública na antiga Roma; Tribunal judicial; jurisdição; cúria e tudo quanto se refere à justiça, ou ao exercício da advocacia e à prática dos tribunais; fundo de cenário; foro, quantia de ou pensão que o enfiteuta paga anualmente ao senhorio directo; foro, aforamento. — *pl.* foros, direitos, privilégios.

foronomía. *f.* foronomia.

foronómico, ca. *adj.* pertencente ou relativo a foronomia.

forraje. *m.* (Amér.) forragem, erva para alimentação do gado; acção de forragear; (fig. e fam.) forragem, amontoado de coisas de pouco valor.

forrajeador. *m.* forrageador, soldado que forrageia, que vai buscar pasto; forrageiro.

forrajear. *v. intr.* forragear, ceifar e colher forragem; (mil.) sairem os soldados a buscar pasto para os cavalos; forrejar.

forrajero, ra. *adj.* forraginoso, que se emprega para forragem.

forrar. *v. tr.* forrar, pôr forro a alguma coisa; forrar, cobrir de papel, estofo, etc.; revestir interiormente com um tecido; pôr forro em, enchumaçar; juntar pecúlio; poupar. — *v. r.* (Amér.) fartar-se; poupar-se.

forro. *m.* fo(ô)rro, abrigo, resguardo; com que se reveste qualquer coisa pela parte exterior ou interior; capa de livro; forro, cobertura exterior; forro; tecido com que se cobre o assento de sofás, cadeiras, etc.; revestimento dum tecto, duma parede, etcétera; revestimento exterior do fundo dos navios; forro, chumaço; entretela.

fortachón, na. *adj.* (fam.) rijo, robusto, muito forte.

fortalecedor, ra. *s.* fortalecedor, que fortalece.

fortalecer. *v. tr.* fortalecer, tornar forte, robustecer, fortificar; aviventar; avigorar; envigorar; endurecer; acerar; arrijar; assegurar; desenfezar; consolidar; (fig.) convalescer; (mil.) fortalecer, fortificar uma praça; fortalecer, dar ânimo; dar coragem a; encorajar. — *v. r.* fortalecer-se, arrobustar-se; consolidar-se; adquirir forças.

fortalecimiento. *m.* fortalecimento, avigoramento, aviventamento; corroboração; fortificação.

fortaleza. *f.* fortaleza, fo(ô)rça, vigor; fortaleza, uma das quatro virtudes cardeais; defensa natural dum lugar ou posto; fortaleza, consistência; fortaleza, cidadela, alcácer, fortificação; bastilha; inexpugnabilidade; fortaleza, energia, encorpadura,

força; forte; estoicidade; menagem; alcáçova; (fig.) estoicismo; (Amér.) fedor, mau cheiro; jogo de rapazes. — *pl.* defeito de témpera nas armas brancas: *flanco de una fortaleza o bastión,* (mil.) ala; *adquirir fortaleza,* tomar consistência; *fortaleza defensiva,* antemural.

¡forte! *interj.* voz de mando; (mús.) forte.

fortepiano. *m.* (mús.) V. **piano.**

fortificable. *adj.* que pode ser fortificado.

fortificación. *f.* fortificação; fortaleza; baluarte; castelo; bastilha; forte; fortalecimento; fortificação, arte de fortificar: *fortificación artillada,* bateria; *fortificación exterior,* antemural.

fortificador, ra. *adj.* fortificador, que fortifica; fortalecedor; fortificante.

fortificante. *p. a.* e *adj.* fortificante, que fortifica; auxiliante. — *m.* fortificante, tó(ô)nico.

fortificar. *v. tr.* fortificar, tornar forte; dar força; robustecer; fortificar, guarnecer de fortes, construir fortificações; fortalecer; assegurar; abarreirar, abaluartar; corroborar; envigorar; endurecer; blindar; acastelar; amantelar; entrincheirar; confortar.

fortín. *m.* fortim, forte pequeno; fortim, obra de defesa.

fortísimo, ma. *adj. super.* fortíssimo.

fortitud. *f.* força, firmeza de carácter.

fortuito, ta. *adj.* fortuito, acidental, casual, inopinado; contingente; eventual: *caso fortuito,* aventura, acontecimento fortuito.

fortuna. *f.* fortuna, sorte, ventura; sucesso imprevisto; dita, felicidade; fatalidade; êxito; destino; fado; risco; condição; sorte favorável; adversidade, infortúnio; acaso, azar; casualidade; tempestade. — *pl.* haveres, riqueza, fortuna, meios; (fig.) estre(ê)la.

fortunado, da. *adj.* afortunado; feliz; fortunoso, venturoso.

fortunón. *m.* aum. de *fortuna;* fortunão.

forúnculo. *m.* (pat.) furúnculo. V. **furúnculo.**

forzado, da. *p. p.* e *adj.* forçado, ocupado ou retido por força; forçado, afectado, fingido, simulado, não espontâneo; que não é natural; contrafeito; constrangido; coagido, coa(c)to; amanelrado. — *m.* forçado, galeote, condenado a servir nas galés: *sonrisa forzada,* sorriso contrafeito; *tener aspecto forzado,* ter um ar contrafeito.

forzador. *m.* forçador; deflorador; que violenta uma mulher.

forzal. *m.* espaço que há entre as duas ordens de dentes dum pente ou parte maciça donde eles saem.

forzamiento. *m.* forçamento, acção de forçar ou fazer força; violação; defloramento.

forzar. *v. tr.* forçar, fazer força ou violência para conseguir um fim; forçar, entrar à força; forçar, violentar, violar uma mulher, deflorar; forçar; tomar ou ocupar por força; obrigar, constranger; coagir; coa(c)tar; (fig.) abusar; estreitar; (mar.) forçar, largar todo o pano: *forzar a una doncella,* estuprar.

forzosa. *f.* forçada, lance no jogo das damas : *la forzosa*, (fam.) necessidade que obriga alguém a fazer o que não quer ; *hacer la forzosa*, (fam.) obrigar alguém a fazer o que não quer.

forzoso, sa. *adj.* forçoso, violento, necessário, inevitável, iniludível, imprescindível ; inexorável, indeclinável, indispensável ; inevitável, inelutável.

forzudo, da. *adj.* forçudo, forte, forçoso, robusto ; vigoroso ; fornido.

fosa. *f.* fossa, sepultura, cova, cavidade ; (anat.) *m. pl.* fossas nasais ; (prov.) tinta ou granja plantada de árvores de fruto.

fosado. *m.* fosso ; fossado, antigo tributo de guerra.

fosal. *m.* cemitério. V. **cementerio.**

fosar. *v. tr.* fossar, abrir fossas, fazer um fosso. — *m.* (ant.) fossário, cemitério.

fosca. *f.* bosque, selva emaranhada. V. **calina.**

foscarral. *m.* (prov.) V. **maleza.**

fosco, ca. *adj.* fo(ô)sco ; escuro. V. **hosco;** embaciado.

foseta. *f.* (zool.) fosseta.

fosfatado, da. *adj.* fosfatado, que tem fosfato.

fosfático, ca. *adj.* (quim.) fosfático.

fosfatina. *f.* (quim.) fosfatina.

fosfato. *m.* (quim.) fosfato.

fosfatometría. *f.* fosfatometria.

fosfatómetro. *m.* fosfatómetro.

fosfaturia. *f.* (pat.) fosfatúria.

fosfena. *f.* (fisiol.) fosfena, fosfeno.

fosfeno. *m.* (fisiol.) fosfeno, fosfena.

fosfina. *f.* (quim.) fosfina.

fosfito. *m.* (quim.) fosfito.

fosfología. *f.* fosfologia.

fosforar. *v. tr.* (quim.) fosforar, combinar com fósforo.

fosforecer. *v. intr.* fosforescer, emitir brilho fosforescente, fosforejar. — *conj. irr.* como *crecer.*

fosforera. *f.* fosforeira, caixa para fósforos.

fosforero, ra. *s.* fosforeiro, fabricante ou vendedor de fósforos.

fosforescencia. *f.* fosforescência.

fosforescente. *p. a.* e *adj.* fosforescente ; luminoso, brilhante.

fosforescer. *v. intr.* fosforescer, emitir brilho fosforescente, fosforear. — *conj. irr.* como *crecer.*

fosfórico, ca. *adj.* fosfórico, fosfóreo.

fosforismo. *f.* (med.) fosforismo.

fosforita. *f.* (min.) fosforita, fosfato natural de cal.

fosforización. *f.* (fisiol.) fosforização.

fósforo. *m.* (quim.) fósforo ; palito ou pavio fosfórico, fósforo ; (pop.) fósforo, inteligência, agudeza de espírito ; mecha ; fulminante (das espingardas de criança) : *fósforos de madera*, lumes prontos.

fosforoscopio. *m.* (fís.) fosforoscópio.

fosforoso, sa. *adj.* fosforoso.

fosfuro. *m.* (quim.) fosforeto.

fosgeno. *m.* (quim.) fosgeno.

fósil. *adj.* fóssil, petrificado ; (fig. e fam.) antiquado, velho. — *m.* fóssil ; (fig.) indivíduo retrógrado, coisa antiquada.

fosilífero, ra. *adj.* (geol.) fossilífero.

fosilización. *f.* (geol.) fossilização.

fosilizarse. *v. r.* fossilizar-se, tornar-se fóssil ; (fig.) fazer-se retrógrado.

foso. *m.* fo(ô)sso, cova, escavação profunda ; barranco ; vala, valeta ; fossado ; (teatr.) cavidade no cenário ; (fig.) fosso, aquilo que separa duas coisas ; porão do palco, alçapão no teatro.

fósula. *f.* (anat.) fóssula.

fotiniano, na. *adj.* fotiniano, partidário da heresia de Fotino.

foto. *f.* foto. V. **fotografía.**

foto. *f.* (fís.) foto, unidade de iluminação que vale 10.000 *lux.*

fotocalco. *m.* fotocalco.

fotocartografía. *f.* fotocartografia.

fotocerámica. *f.* fotocerâmica.

fotocincografía. *f.* fotozincografia.

fotocolografía. *f.* fotocolografia.

fotocopia. *f.* fotocópia.

fotocromático, ca. *adj.* (fís. e quim.) fotocró(ô)mico.

fotocromía. *f.* (técn.) fotocromia.

fotoelectricidad. *f.* fotoelectricidade.

fotoeléctrico, ca. *adj.* fotoeléctrico.

fotofobia. *f.* (med.) fotofobia.

fotófobo, ba. *adj.* e *s.* fotófobo.

fotófono. *m.* (fís.) fotofónio.

fotogénico, ca. *adj.* fotogé(ê)nico.

fotógeno, na. *adj.* (fís. e quim.) fotogé(ê)nio. — *m.* (biol.) fotogénio.

fotograbado. *m.* fotogravura, arte de gravar pranchas pela acção química da luz ; fotogravura, lâmina gravada por este processo.

fotograbador. *m.* fotogravador.

fotograbar. *v. tr.* fotogravar, gravar por meio da fotografia.

fotografía. *f.* fotografia ; (fig.) cópia fiel, reprodução exacta ; fotografia, oficina fotográfica ; (pop.) foto.

fotografiar. *v. tr.* fotografar, exercer a arte de fotografia ; (fig.) descrever exactamente.

fotográfico, ca. *adj.* fotográfico.

fotógrafo. *m.* fotógrafo ; *fotógrafo ambulante*, (Bras.) lambe-lambe.

fotolitografía. *f.* fotolitografia.

fotolitografiar. *v. tr.* fotolitografar.

fotolitográfico, ca. *adj.* fotolitográfico.

fotología. *f.* (fís.) fotologia.

fotomagnético, ca. *adj.* (fís.) fotomagnético.

fotomagnetismo. *m.* (fís.) fotomagnetismo.

fotomecánica. *f.* (técn.) fotomecânica.

fotometrar. *v. tr.* aplicar o fotómetro.

fotometría. *f.* fotometria.

fotométrico, ca. *adj.* fotométrico.

fotómetro. *m.* (fís.) fotó(ô)metro.

fotomicrografía. *f.* fotomicrografia.

fotomicrográfico, ca. *adj.* fotomicrográfico.

fotominiatura. *f.* (técn.) fotominiatura.

fotón. *m.* (fís.) fóton, fotão.

fotopsia. *f.* (pat.) fotopsia.

fotoquímica. *f.* (quim.) fotoquímica.

fotoquímico, ca. *adj.* e *s.* fotoquímico.
fotorrelieve. *m.* fotorrelevo.
fotoscultura. *f.* (fís.) fotoscultura.
fotosfera. *f.* (astr.) fotosfera.
fotosíntesis. *f.* (quim.) fotossíntese.
fototactismo. *m.* fototactismo.
fototaxia. *f.* fototaxia.
fototelefonia. *f.* fototelefonia.
fototelegrafia. *f.* fototelegrafia.
fototerapia. *f.* (terap.) fototerapia.
fototerápico, ca. *adj.* fototerápico.
fototipia. *f.* fototipia. V. **fototipografía.**
fototípico, ca. *adj.* fototípico.
fototipo. *m.* fototipo.
fototipografía. *f.* fototipografia.
fototipográfico, ca. *adj.* fototipográfico.
fototropismo. *m.* fototropismo.
fótula. *f.* (zool.) barata, voadora da índia.
fotuto. *m.* (Amér.) trompa, búzio. V. **bocina.**
foveolado, da. *adj.* (bot.) que tem pequenas fossas ou depressões.
fovila. *f.* (bot.) fovila.
foxino. *m.* (ictiol.) variedade de peixes fisóstomos, cuja carne é comestível.
foya. *f.* (prov.) fornada de carvão.
foyer. *m.* (gal.) foyer.
frac. *m.* fraque, casaco curto.
fracasado, da. *p. p.* e *adj.* fracassado; aguado; arrebentado; frustrado; (fig.) abortivo; falhado; diz-se da pessoa desconceituada pelos fracassos sofridos.
fracasar. *v. tr.* (desus.) fracassar, destroçar; ser mal sucedido; ficar aquem de; abortar; frustrar errar; ir ao ar; quebrar com estrépito. — *v. intr.* quebrar-se, despedaçar-se; frustrar-se; falhar; ter desenlace desastroso; (fig.) ter mau êxito: *hacer fracasar*, fazer abortar; *hacer lo más difícil y fracasar en lo sencillo*, vir morrer à beira.
fracaso. *m.* fracasso, ruína, queda; (fig.) sucesso lastimoso; infortúnio; frustração; estenderete; (fig.) abo(ô)rto; baque; ruína, desastre: *fracaso completo*, desastre, mau êxito.
fracción. *f.* fra(c)ção, divisão dalguma coisa; cada uma das partes dum todo em relação a ele; porção, parte, fragmento, fra(c)cionamento; (arit.) fracção, acto de quebrar ou dividir uma coisa; expressão que designa uma ou mais partes iguais dum todo; quebrado; bocado.
fraccionable. *adj.* que se pode fraccionar, fraccionável.
fraccionamiento. *m.* fra(c)cionamento.
fraccionar. *v. tr.* fra(c)cionar, dividir, partir; desdobrar; desmembrar; fragmentar; emparcelar; dividir em fracções. — *v. r.* fraccionar-se, desmembrar-se.
fraccionario, ria. *adj.* (arit. e alg.) fra(c)cionário.
fractura. *f.* fra(c)tura, quebradura, ruptura; efra(c)ção; arrombada; arrombadela; (cir.) apagma; fractura, ruptura dum osso ou de uma cartilagem; quebra: *fractura total*, (cir.) abrupção; *fractura conminuta*, fractura conminuta.

fracturar. *v. tr.* fra(c)turar, partir (um osso); quebrar com esforço; fazer uma fractura. *v. r.* fracturar-se.
fradar. *v. tr.* podar uma árvore deixando-a quase só com o tronco.
fraga. *f.* fraga, brenha, penhasco; madeira inútil que é necessário desbastar; fragosidade; rocha escarpada; pedregulho.
fraga. *f.* V. **frambueso;** framboeseiro.
fragancia. *f.* fragrância; aroma suave, delicioso perfume; (fig.) renome e fama das virtudes duma pessoa; cheiro suave.
fragante. *adj.* fragrante, odorífero; cheiroso, cheirante; aromático: *en fragante*, em flagránte. V. **flagrante.**
fragaria. *f.* (bot.) fragaria.
fragata. *f.* (mar.) navio de três mastros, fragata; barcaça forte especialmente destinada a serviço de descargas no Tejo: *fragata ligera*, corveta; (ictiol.) fragata, ave palmípede que habita nos mares tropicais.
frágil. *adj.* frágil, quebradiço, que com facilidade se faz em pedaços; frágil, diz-se da pessoa que cai fàcilmente nalgum pecado; frágil, caduco; frangível; elástico; inconsistente; fugáceo; acro; fugaz; fraco; (fig.) instabilidade; (fig.) fraco; sujeito a erro; de pouca dura; ténue; (Bras.) popuca: *frágil de salud*, saúde frágil; *objetos frágiles*, coisas quebradiças.
fragilidad. *f.* fragilidade, qualidade de frágil; inconsistência; fragilidade, delicadeza, fraqueza; disposição a praticar o mal; disposição para se quebrar; instabilidade; facilidade em sucumbir às tentações; fragilidade humana; (fig.) deslize, argila, a fragilidade do homem.
frágino. *m.* (prov.) V. **fresno.**
fragmentación. *f.* fragmentação, fra(c)cionamento.
fragmentar. *v. tr.* fragmentar, reduzir a fragmentos; desmembrar, atroçoar, fra(c)cionar; dividir em fracções; subdividir; esmigalhar.
fragmentario, ria. *adj.* fragmentário, pertencente ou relativo ao fragmento; fragmentado, dividido em fragmentos; fragmentário, incompleto, não acabado.
fragmento. *m.* fragmento, parte, porção pequena dalguma coisa; framento, fragmentação; bocado; biscato; extra(c)to; fra(c)ção; detalhe; o que resta duma obra antiga; trecho, extraído dum livro, duma obra musical, etc.; excerto duma obra literária; migalha, fra(c)ção.
fragor. *m.* fragor, ruído, estrondo; estoiro, estridor, estrépito, estrompido.
fragoroso, sa. *adj.* fragoroso, ruidoso, estridente; estrondoso, estrepitoso, estrepitante; que produz fragor.
fragosidad. *f.* fragosidade, aspereza, espessura dos montes; caminho cheio de asperezas, de brenhas, fragura; escabrosidade.
fragoso, sa. *adj.* fragoso, áspero, escabroso, de acesso difícil; ruidoso, estrepitoso, árduo; fragoroso.

fragua. *f.* frágua, forja em que se caldeiam os metais para os forjar; forja de ferreiro; fornilho; fornalha de ferreiro; (fig.) ardor, calor intenso; oficial de frágua, ferreiro; frágua de laminar, frágua laminadora.

fraguado. *m.* fraguado, forjado.

fraguador. *adj.* e *s.* forjador, que forja; (fig.) que forja, que discorre alguma coisa; forjador de enredos.

fraguar. *v. tr.* fraguar, forjar, dar forma ao ferro; (fig.) forjar, inventar, urdir, preparar em segredo. V. **forjar**.

fragura. *f.* V. **fragosidad**.

fraile. *m.* frade, religioso de certas ordens; freire; eclesiástico; (pop.) fradepio; prega da saia do vestido; frade (marco de pedra); (impr.) espaço em branco no meio duma impressão: *dicho de fraile*, freirice; *hacerse fraile*, fradar-se, meter-se frade, freirar; *multitud de frailes*, fradaria; *fraile de las órdenes mendicantes*, beguino.

frailear. *v. tr.* (agr.) podar as árvores deixando só o tronco.

frailengo, ga. *adj.* V. **frailesco**.

fraileño, ña. *adj.* V. **frailesco**.

frailería. *f.* (fam.) fradaria, conjunto de frades; espírito fradesco; classe de frades.

frailero, ra. *adj.* fradesco, próprio dos frades; fradeiro; freral; (fam.) fraideiro, afeiçoado a frades; fraideiro, de espírito monacal.

frailesco, ca. *adj.* fradesco, pertencente ou relativo aos frades.

frailería. *f.* estado de clérigo regular; freiria.

frailote. *m.* aum. de *fraile*, fradalhão.

frailuco. *m.* fradépito, frade desprezível; (ant.) fratacho.

frailuno, na. *adj.* (fam. despr.) fradesco, próprio de frade; freiral, fradeiro.

frambesía. *f.* (pat.) erupção na pele produzida por uma enfermidade contagiosa nos países cálidos.

frambuesa. *f.* (bot.) framboesa, fruto do framboesseiro.

frambueso. *m.* (bot.) framboesseiro.

frámea. *f.* frâmea, lança dos antigos germanos.

francachela. *f.* (fam.) pândega, patuscada, comezaina; banquetaço; (pop.) patuscada, franciscanada: *ser amigo de francachelas*, pagodear; *vivir en francachela*, (pop.) fragatear.

francalete. *m.* francalete; correia afivelada.

francés, sa. *adj.* e *s.* (geog.) francês, pertencente ou relativo a França língua francesa.

francesada. *f.* invasão francesa de 1808; francesada, dito ou acto próprio de francês, francesia.

franciscano, na. *adj.* e *s.* franciscano, religioso da ordem de S. Francisco ou pertencente a esta Ordem; semelhante na cor ao hábito dos religiosos franciscanos.

francmasón, na. *s.* franco-mação, mação.

francmasoneria. *f.* franco-maçonaria, maçonaria.

francmasónico, ca. *adj.* franco-maçó(ô)nico, maçó(ô)nico.

franco, ca. *adj.* franco, liberal, dadivoso; generoso; desembaraçado; desimpedido, livre de obstáculos, sem impedimento; franco; livre, isento, que não paga, franco; aberto, franco, sincero, simples, leal; espontâneo; franco, relativo aos Francos; franco, livre, (diz-se dos portos); expressivo, expansivo; despejado; despretencioso; privilegiado; ingé(ê)nuo; (fig.) acessível, aberto; declarado; (pop.) descosido; cordial; claro; descoberto; desafe(c)tado; (Bras.) desempombado. — *m.* franco (unidade monetária). — *pl.* francos (povos da Germania inferior): *ser franco*, não ser de arcas encouradas; *hombre franco*, homem desabafado; *franco de porte*, franco de porte; *puerto franco*, porto franco.

francófilo, la. *adj.* e *s.* francófilo.

francofobia. *f.* francofobia.

francófobo, ba. *adj.* e *s.* francófobo.

francolino, na. *adj.* (Amér.) V. **reculo**.

francote, ta. *adj.* aum. de *franco*, sincero, aberto, franco, que procede com sinceridade.

francotirador. *m.* franco-atirador; guerrilheiro.

franchute, ta. *s.* deprec. de francês.

franela. *f.* flanela, tecido fino de lã.

frange. *m.* (herald.) esquarteladura, brasão franchado.

frangente. *p. a.* e *adj.* frangente. — *m.* acontecimento fortuito e infeliz.

frangible. *adj.* frágil, frangível, quebradiço, capaz de quebrar-se ou partir-se.

frangibilidad. *f.* frangibilidade, fragilidade.

frangir. *v. tr.* frangir, franger, quebrar, partir ou dividir uma coisa em vários pedaços; desmembrar; quebrar.

frangle. *m.* (herald.) faixa estreita.

frangollar. *v. tr.* (fig. e fam.) atrapalhar, atabalhoar, fazer alguma coisa depressa e mal, chavascar; quebrar o grão do trigo.

frangote. *m.* fardo de tamanho diferente dos regulares.

frángula. *f.* (bot.) árvore de madeira flexível, que dá um carvão muito leve, frángula.

frangulina. *f.* (quim.) frangulina.

franja. *f.* franja, guarnição, tecida para adorno, galão, banda.

franjar, franjear. *v. tr.* franjar, guarnecer com franjas.

franqueable. *adj.* franqueável, que se pode franquear; acessível.

franquear. *v. tr.* franquear, libertar, exceptuar alguém duma contribuição, dispensar, isentar; conceder generosamente; franquear, patentar; franquear, desembaraçar, desimpedir; franquear, abrir caminho; tirar os impedimentos; franquiar, selar a correspondência postal, estampilhar; alforriar, dar carta de alforria, libertar, resgatar; dar liberdade ao escravo; patentear. — *v. r.* franquear-se, pôr-se a embarcação em franquia, em livre prática; prestar-se aos desejos de alguém; franquear-se, descobrir o seu íntimo, abrir-se; oferecer-se, pôr-se à disposição de: *franquear* *la entrada*, dar entrada; *franquearse con alguien*, declarar o seu coração, desabotoar-se; *franquear la correspondencia*, franquiar a correspondência.

franqueniáceo, *a. adj.* (bot.) franqueniácea (plantas dicotiledóneas). — *f. pl.* franqueniáceas.

franqueo. *m.* franquia de carta; alforria, resgate de escravos.

franqueza. *f.* franqueza, isenção, privilégio, imunidade, regalia; liberalidade, generosidade; (fig.) sinceridade, lealdade, lisura; sem-cerimónia; desabafo; cordialidade; desafo(ôgo; desafe(c)tação; familiaridade; (fig.) expansão; ingenuidade: *hablar con franqueza*, falar claro, falar com o coração nas mãos, mostrar os bofes.

franquía. *f.* (mar.) situação na qual um navio tem passagem franca, franquia; livre prática, *estar en rìanquía*, (fig. e fam.) ser livre, não ter compromisso.

franquicia. *f.* franquia, isenção de direitos alfandegários ou de correio; franquia, imunidade; privilégio; liberdade: *franquicia de correos*, franquia do porte postal.

frasca. *f.* folharada, folhas secas, lenha miúda; frasco, vaso; (Amér.) festa, animação. V. **bulla**.

frasco. *m.* frasco, vaso de boca estreita para líquidos em especial; frasco, polvorinho, recipiente da pólvora para a caça; conteúdo dum frasco; (Amér.) medida para líquidos equivalente a 21 litros e 37 centilitros.

frase. *f.* frase; proposição, período; locução; (mús.) frase musical; estilo de escrever; palavra: *hacer frases*, (fig.) fazer frases, falar dum modo pretensioso: *frase hecha*, provérbio.

frasear. *v. tr.* frasear, formar frases, adornar com frases, dispor as frases; (mús.) frasear, acentuar rìtmicamente as frases.

fraseología. *f.* fraseologia, construção da frase; fraseologia, verbosidade, discurso empolado e vazio de ideias.

fraseológico, ca. *adj.* fraseológico.

frasqueta. *f.* (impre.) frasqueta, quadro de ferro para segurar a folha de papel que se há-de tirar do prelo.

fratás. *m.* (arq.) talocha, esparavel.

fraterna. *f.* fraterna, correcção ou repreensão forte, censura amigável.

fraternal. *adj.* fraternal, próprio de irmãos, fraterno; (fig.) afectuoso, benévolo.

fraternidad. *f.* fraternidade, união, harmonia; amor ao próximo.

fraternización. *f.* fraternização; boa camaradagem.

fraternizar. *v. intr.* fraternizar, unir-se com amizade estrita; simpatizar; harmonizar; comungar nas mesmas ideias; fazer aliança, associar-se, fazer causa comum.

fraterno, na. *adj.* fraterno, fraternal, de irmão; (fig.) amigável, afectuoso, íntimo.

fratricida. *adj. e s.* fratricida, assassino de irmão. — *adj.* fratricida, diz-se das guerras civis.

fratricidio. *m.* fratricídio, assassínio de irmão; (fig.) guerra civil.

fraude. *m.* fraude, dolo, burla, engano, fraudulência, astúcia; ma-fé; dolo; logração; candonga; falsificação; fulheira; embaçadela; descaminho; embrechada; aldravice; defraudação; contrabando; falsidade; maganeira; artimanha.

fraudulencia. *f.* fraudulência, fraude, fraudação. V. **fraude.**

fraudulento, ta. *adj.* fraudulento, doloso, enganoso, falaz, falsificador; enganador, feito com má-fé; impostor: *quiebra fraudulenta*, quebra fraudulenta.

fraustina. *f.* cabeça de pau para forma de toucados de mulher.

fraxíneas. *f. pl.* (bot.) fraxíneas.

fraxíneo, a. *adj.* (bot.) fraxíneo.

fraxinela. *f.* (bot.) fraxinela. dictamo.

fraxinina. *f.* (quim.) fraxinina.

fray. *m.* contr. de *fraile*, frei, freire; frei, forma de tratamento em certas ordens religiosas.

frazada. *f.* cobertor felpudo.

frazadero. *m.* fabricante de cobertores felpudos.

frecuencia. *f.* frequ(ü)ência, repetição, amiúde dum acto ou sucesso; assiduidade; (electr.) frequência.

frecuentación. *f.* frequ(ü)entação; concorrência de pessoas; trato; conversação habitual.

frecuentado, da. *p. p. e adj.* frequentado; concorrido; conhecido; acompanhado; batido: *poco frecuentado*, desfrequentado.

frecuentador, ra. *adj. e s.* frequ(ü)entador.

frecuentar. *v. tr.* frequ(ü)entar, repetir amiudadas vezes; tratar com frequência; visitar repetidas vezes; viver na intimidade; (ant.) conversar; acoitar; frequentar, repetir, reiterar: *frecuentar mucho a alguien*, (fam.) meter-se de gorra com alguém; *dejar de frecuentar*, desfrequentar.

frecuentativo, va. *adj.* (gram.) frequ(ü)entativo.

frecuente. *adj.* frequ(ü)ente, que sucede muitas vezes; que se repete amiúde; continuado; assíduo; incansável; vulgar; repetido, reiterado; corrente; acostumado; amiudado; familiar.

fregadero. *m.* pia, poial, banca de cozinha onde se esfregam as vasilhas; esfregador, instrumento para esfregar.

fregado, da. *p. p. e adj.* esfregado. — *m.* esfregação, esfregadura; (fig.) e fam.) negócio sujo e pouco decente; (Amér.) enfadonho, importuno; teimoso, obstinado; velhaco, perverso.

fregador. *m.* pia, poial; esfregão; estropalho. V. **fregadero.**

fregadura. *f.* esfregadura. V. **fregado.**

fregajo. *m.* esfregão, estropalho. V. **estropajo.**

fregamiento. *m.* fricção. V. **fricación.**

fregar. *v. tr.* esfregar, friccionar, roçar; esfregar, limpar e lavar com o esfregão ou estropalho, água e sabão; besuntar; (fig. e fam. Amér.) incomodar, maçar, molestar. — *conj. irr. pres.* **friego, -as, -a, -an;** *subj.* **friegue, -es, e-, -en.**

fregatriz. *f.* (deprec.) fregona, criada de cozinha que também esfrega.

fregona. *f.* fregona, criada de cozinha que esfrega.

fregonil. *adj.* (fam.) próprio de fregona; pertencente à criada de cozinha

fregotear. *v. tr.* (fam.) esfregar mal e depressa.

fregoteo. *m.* (fam.) acção e efeito de esfregar mal.

freidera. *f.* frigideira.

freidor, ra. *s.* (prov.) frigideiro, pessoa que frita peixe para vender.

freidura. *f.* fritura, fritada.

freiduría. *f.* estabelecimento de fritura, lugar onde se frita peixe para vender.

freila. *f.* religiosa dalguma ordem militar, freira.

freile. *m.* freire, cavaleiro professo dalguma ordem militar; freire, sacerdote da mesma ordem.

freir. *v. tr.* fritar, frigir, assar em manteiga, ou azeite na frigideira; (fig. e fam.) enganar propositadamente: *al freír de los huevos*, (fig. e fam.) na ocasião própria; *freírsela a uno*, (fig. e fam.) enganar alguém; *freír a preguntas*, (fam.)) importunar com perguntas. — *conj. irr.* como *reir*.

freira. *f.* freira de ordem militar. V. **freila.**

freire. *m.* cavaleiro professo. V. **freile.**

freiría. *f.* assembleia de freires.

fréjol. *f.* feijão. V. **judía.**

frémito. *m.* V. **bramido;** (med.) fré(ê)mito.

frenaje. *m.* frenação, acto ou efeito de frenar.

frenamiento. *m.* frenação.

frenar. *v. tr.* e *intr.* frenar, apertar os freios; enfrenar, enfrear; moderar ou parar o movimento com o travão, refrear; (fig.) moderar, reprimir; (Bras.) brecar, frear.

frenazo. *m.* frenação: *dar un frenazo*, apertar os freios.

frenería. *f.* fábrica ou loja de freios.

frenero. *m.* freeiro, o que vende ou faz freios.

frenesí. *m.* frenesi, frenesim, delírio furioso; acção disparatada; frenesi, furor, entusiasmo, fúria, loucura; delírio; (fig.) arrebatamento; excesso numa paixão; (med.) frenesi, inflamação das membranas do cérebro; impaciência; amor ou zelo fervoroso; (Bras.) ginge.

frenético, ca. *adj.* frenético, convulso, agitado; energúmeno; furibundo; furioso; louco; atacado de frenesi; rabugento; exaltado; impaciente.

frénico. *adj.* (anat. e pat.) fré(ê)nico, relativo ao diafragma.

frenillar. *v. tr.* (mar.) V. **afrenillar.**

frenillo. *m.* (anat.) freio, membrana que prende a língua na parte inferior; freio, açaimo; barbilho: *no tener frenillo en la lengua*, não ter freio na língua.

frenítico, ca. *adj.* (pat.) frenítico.

frenitis. *f.* (pat.) frenite.

freno. *m.* freio, instrumento que serve para guiar ou prender o cavalo; sujeição; aparelho para moderar ou suspender o movimento de uma locomotiva, dum automóvel, etc.; (fig.) aquilo que reprime ou retem; travão, obstáculo, sujeição; o que sujeita ou modera as paixões: *freno de caballería*, bocal; freio; *correr sin freno*, largar o freio; *acostumbrar al caballo al freno*, arrendar, *obedecer al freno* enfrear; *no dejarse poner el freno los caballos*, (Brasil) mesquinhar.

frenología. *f.* frenología, frenologismo.

frenológico, ca. *adj.* frenológico.

frenologista. *m.* frenólogo.

frenólogo. *m.* frenologista.

frenópata. *m.* (pat.) frenópata.

frenopatía. *f.* frenopatia.

frenopático, ca. *adj.* frenopático.

frenopatología. *f.* (pat.) frenopatologia.

frenopatológico, ca. *adj.* frenopatológico.

frenoplejía. *f.* (pat.) frenoplejia.

frental. *adj.* V. **frontal.**

frente. *f.* e *m.* (anat.) fronte, parte superior da cara, testa; frente, frontaria, fachada de edifício; (mil.) frente dum exército ou corpo de tropa; frente, anverso das moedas e medalhas; (for.) cada uma das faces do pano de muralha; (fig.) semblante, rosto. — *adv.* defronte, frente: *arrugar la frente*, (fig. e fam) mostrar ira ou medo no semblante; *de frente*, resolutamente, com ímpeto e actividade; *¡de frente!*, (mil.) frente!

frentero. *m.* testeira, gorro para recém-nascidos.

frentón, na. *adj.* V. **frontudo.**

freo. *m.* (mar.) canal, braço de mar.

fres. *m.* (prov.) V. **franja.**

fresa. *f.* (bot.) morangueiro, planta rosácea; morango, fruto desta planta; fragaria; biró; fresa, máquina de desbaste de metais.

fresada. *f.* certa iguaria feita de manteiga, farinha e leite.

fresado. *m.* acção de lavrar metais, ou fazer buracos no metal.

fresal. *m.* morangal, terreno onde se cultivam morangos.

fresar. *v. tr.* franjar, frisar, ornar com franjas ou frisos; brocar, trabalhar com a broca, fresar; (prov.) misturar a farinha com a água antes da amassadura.

fresca. *f.* fresca, fresco, frescura; ar fresco, aragem, frescor; fresquidão; as primeiras horas da manhã ou as últimas da tarde no verão; (fam.) verdade desagradável; (pop.) novidade, notícia.

frescachón, na. *adj.* frescalhão, muito robusto e sadio; frescalhote; (fig.) fresco; frescalhona, belo, gordo; bastante fresco; bem conservado em relação à idade; (pop.) abrejeirado: *mujer frescachona*, moça choruda, mulher fresca.

frescal. *adj.* frescal, diz-se do peixe conservado em sal, quase fresco, que não está corrupto; salgado, fresco.

frescales. s. (fam.) pessoa atrevida, desvergonhada; (fig.) burro frontinho: *cara de frescales*, cara deslavada.

fresco, ca. adj. fresco, que tem frescura, frescal, frescor; deslavado; loução; aprilino; ligeiramente frio; viçoso, verdejante; que tem o viço fresco, molhado, húmido; (pop.) licencioso, livre; que chegou há pouco; (pint.) fresco, quadro pintado por este processo: *viento fresco*, (mar.) vento fresco; *agua fresca*, água fresca; *estar o quedar uno fresco*, (fig. e fam.) estar ou ficar mal um negócio ou pretensão; *dejar a uno fresco*, deixar fresco, deslavar; *al fresco*, à fresca; ao fresco; *poner una cosa al fresco*, pôr alguma coisa em fresco; *pintura al fresco*, (pint.) pintura a fresco, *queso fresco*, queijo frescal; *bastante fresco*, frescalhão. — m. frescura, frio moderado, aragem fresca, ar um pouco frio: *tomar el fresco*, gozar a fresca; *a la fresca*, pela fresca; *noticias frescas*, novas frescas.

frescor. m. V. **fresco** e **frescura**; frescura, frescor, fresco, louçania, fresquidão.

frescote, ta. adj. aum. de *fresco*; frescalhote, um tanto fresco; (fig. e fam.) diz-se da pessoa roliça, de cutis limpa e cor sadia.

frescura. f. frescura, fresquidão; vigor da vegetação; fresca; louçania; frescor; deslavamento; amenidade e fertilidade dum lugar; (fig.) chulice, descomedimento da linguagem; (fig.) descuido, negligência; serenidade; tranquilidade de espírito, desembaraço, indiferência, sangue frio; frescura, viço; limpeza; demasiada liberdade no falar e no escrever.

fresnal. adj. (bot.) fraxíneo, freixal, freixial, pertencente ou relativo ao freixe.

fresneda. f. frexial, lugar onde crescem freixos.

fresnillo. m. (bot.) fraxinela.

fresón. m. (bot.) morango grande.

fresquedal. m. terreno húmido que mantém o seu verdor na época do estiolamento.

fresquera. f. guarda-comidas que se coloca em lugar ventilado para conservar frescos os alimentos.

fresquero. s. pessoa que negoceia em peixe fresco.

fresquilla. f. (bot.) espécie de pêssego.

fresquillo. adj. dim. de *fresco*; fresquinho.

fresquista. m. pintor que pinta a fresco.

frey. m. contr. de *fraile*; tratamento usado entre os religiosos das ordens militares; nas outras ordens diz-se *fray*, frei.

frez. f. esterco, excremento dalguns animais.

freza. f. desova, ovas dos peixes; sinal ou cova que fazem os animais escarvando ou fossando; excremento dalguns animais.

frezada. f. cobertor, felpudo. V. **frazada.**

frezar. v. intr. estercar, estrumar falando do excremento; dos animais; roer, comer a folha, diz-se dos bichos-da-seda; desovar, ovar, diz-se dos peixes; escarvar, fossar a a terra um animal.

friabilidad. f. friabilidade, inconsistência, qualidade do que é friável.

friable. adj. (fís.) friável; friável, que se esboroa fàcilmente, que se pode partir; que pode reduzir-se a pó.

frialdad. f. frialdade, falta de calor, frigidez, entibiamento; friez, frieza, frialdade; frio, friúra; (fig.) frouxidade, negligência, indiferença, pouco interesse, frialdade; (fig.) arrefecimento; (fig.) desvio, desanimação; desagasalho; tolice, dito fora de propósito; disparate; insensibilidade; frialdade atmosférica, friagem.

friático, ca. adj. friorento, néscio, sem graça; friorento, muito sensível ao frio.

frica. f. (Amér.) V. **zurra.**

fricación. f. fricção.

fricandó. m. fricandó, carne ou peixe lardeado e estufado.

fricar. v. tr. V. **restregar.**

fricasé. m. fricasé, guisado de carne.

fricativo, va. adj. (gram.) fricativa, diz-se de certas letras e sons.

fricción. f. fricção, esfrega, atrito; (cir.) anatripsia; esfregação.

friccionar. v. tr. friccionar, dar fricções, esfregar, dar fomentações em; maçar.

friega. f. fricção; (pat.) frieira, esfrega, acção de friccionar alguma parte do corpo; (Amér.) maçada, incómodo; (Amér.) tunda, surra, sova.

friera. f. frieira.

frigerativo, va. adj. refrigerante, refrigerativo. V. **refrigerativo.**

frigidez. f. frigidez, frialdade; frieza; (fig.) indiferença; anafrodisia.

frigidísimo, ma. adj. superl. de *frío*.

frígido, da. adj. frio, frígido, álgido; (fig.) indiferente; (med.) frígido.

frigio, gia. adj. e s. frígio, natural de Frígia, natural ou pertencente a este país da antiga Ásia.

frigoría. f. (fís.) frigoria, unidade calorífica.

frigorífero, ra. adj. frigorífero, frigorífico.

frigorífico, ca. adj. frigorífico, que produz ou conserva o frio, aparelho para produzir o frio, para manter frescas as substâncias alimentícias.

frigorizar. v. tr. frigorificar, gelar, congelar.

frigoterapia. f. (terap.) frigoterapia.

fríjol. m. (bot.) feijão.

frimario. m. frimário, terceiro mês do calendário republicano.

frío, a. adj. e m. frio, privado de calor; que perdeu o calor; aplica-se aos corpos de temperatura inferior à temperatura do ambiente; frígido, álgido; arrefecido, gélido; inerte; (fig.) frio, indiferente, desfervoroso, descarinhoso; cortante, frio; frio, lânguido, sem graça; ineficaz; desengraçado; assustado; insensível; fleumático, reservado: *coger ou tomar frío*, tornar-se frio, colher frio; *aire frío*, friagem; *Dios da el frío según la ropa*, Deus dá frío conforme a roupa; *matar a sangre fría*, matar alguém a sangue frio; *en frío*, a frio; *acogida fría*, frieza; *muy frío*, algente; *encogido de frío*, (Bras.) engurujado.

friolento, ta. *adj.* friorento, friolento, muito sensível ao frio.

friolera. *f.* frioleira, bagatela, coisa de pouca importância; migalhice; palhas altas; futilidade; chirinola; frivolidade; (fig.) farófia.

friolero, ra. *adj.* V. **friolento.**

frión, na. *adj.* aum. de *frío;* frio sem graça, desengraçado.

frisa. *f.* frisa, tecido grosseiro de lã; (Amér.) pêlo dalguns tecidos; (fort.) paliçada oblíqua, estacada; (mar.) arandela de couro, de pano, etc. para ajustar bem duas peças: *caballo de frisa,* (fort.) cavalo de frisa.

frisado. *p. p.* de *frisar;* frisado, encaracolado. — *m.* tecido de seda cujo pêlo se frisava formando borlinhas.

frisador, ra. *adj.* e *s.* frisador, homem ou máquina que frisa.

frisadura. *f.* frisagem, acção ou efeito de frisar.

frisar. *v. tr.* frisar, levantar os pêlos dalguns tecidos, esfregar; (mar.) ajustar bem duas peças com arandelas de couro, pano, borracha, etc. — *v. intr.* congeniar, concordar, vir a propósito; (fig.) frisar, quadrar, ter semelhança; confrontar; (fig.) chegar--se, aproximar-se, acercar-se.

Frisia. (geog.) Frísia.

frisio, a. *adj.* e *s.* (geog.) natural ou pertencente à Frísia. — *m.* dialecto da Frísia, frisão.

friso. *m.* (arq.) friso, espaço entre a cornija e arquitrave; friso, banda ou tira pintada na parede. faixa, filete; frisagem; filete, ornato disposto em friso; barra; cercadura, filete.

frisol. *m.* (bot.) feijão.

frisón, na. *adj.* e *s.* (geog.) frisão, natural da Frísia; pertencente ou relativo a esta província de Holanda; frisão, língua germânica falada pelos frisões; frisão, cavalo, forte, robusto.

frisuelo. *m.* espécie de massa frita, filhó.

frisuelo. *m.* feijão.

frita. *f.* frita, mistura de areina e soda com que se faz o vidro.

fritada. *f.* fritada, conjunto de coisas fritas; fritada, frito; fritalhada.

fritanga. *f.* fritada, abundante em gordura; fritalhada, fritada malfeita mas abundante.

fritar. *v. tr.* fritar, frigir; (min.) fritar; calcinar.

fritilaria. *f.* (bot.) fritilária.

frito, ta. *p. p. irr.* de *freír;* e *m.* frito; fritada, frito, fritura: *estar uno frito,* estar impaciente.

fritura. *f.* fritada, fritura, frito. V. **fritada.**

frivolidad. *f.* frivolidade; futilidade; vaidade; inutilidade; frioleira; ninharia.

frívolo, la. *adj.* frívolo, vão, fútil; ligeiro, volúvel, leviano; inútil; inconsequente; insignificante.

fronda. *f.* (cir.) ligadura, espécie de bandagem.

fronda. *f.* (bot. fronde, folha de árvore ou erva; folhagem de fetos; frondosidade. — *pl.* folhagem, ramagem.

fronde. *m.* (bot.) fronde, parte foliácea dos fetos.

frondescencia. *f.* frondescência.

frondescente. *adj.* frondescente, frondente.

frondícola. *adj.* (bot.) frondícola.

frondífero, ra. *adj.* (bot.) frondífero.

frondio, dia. *adj.* (prov.) V. **displicente.** (Amér.) sujo.

frondosidad. *f.* frondosidade; ramagem densa; copagem.

frondoso, sa. *adj.* frondoso, copado, espe(ê)-sso, abundante em folhas e ramas; denso; frôndio. luxuriante.

frontal. *adj.* (anat.) frontal, relativo à frente. — *m.* (anat.) frontal, osso da parte anterior do crânio; frontal, tela ou ornato que reveste a frente do altar, frontaleira; (arq.) V. **carrera:** *hueso frontal,* (anat.) osso coronal.

frontalera. *f.* frontaleira, tela que reveste a frente do altar; festeira, correia da cabeçada do cavalo; lugar onde se guardam as frontaleiras do altar; arcaz.

frontera. *f.* fronteira, limite dum estado; raia; fachada; frotispício, frontaria; extrema: *frontera natural, artificial,* fronteira natural, artificial.

fronterizo, za. *adj.* fronteiriço, que vive na fronteira, raiano; limítrofe; fronteiro, que está em frente.

frontero, ra. *adj.* fronteiro, que está defronte; fronteiriço. — *m.* fronteiro, chefe militar da fronteira. V. **frentero.** — *adv.* em frente.

frontil. *m.* forro acolchoado, do jugo ou canga dos bois.

frontino, na. *adj.* frontino, diz-se da cavalgadura que tem malha branca na testa.

frontirrostros. *m. pl.* (zool.) frontirrostros.

frontis. *m.* fachada, frontispício dum edifício, fachada, frente.

frontispicio. *m.* frontispício, fachada dum edifício, livro, etc.; (fig. e fam.) cara, rosto; (fig. e fam.) cara, rosto, semblante.

frontón. *m.* frontão (no jogo da pelota); frontão, parte escarpada duma encosta; (arq.) frontão, remate de fachada com três molduras em triângulo, frontispício.

frontudo, da. *adj.* testudo, que tem muita fronte (diz-se dos animais).

frotación. *f.* esfregação, esfregamento, fricção.

frotador, a. *adj.* e *s.* esfregador, que esfrega ou fricciona; esfregador, que serve para esfregar.

frotadura. *f.* esfregação, esfregadura. V. **frotación.**

frotamiento. *m.* esfregação, esfregadura, fricção.

frotar. *v. tr.* esfregar, friccionar, roçar.

frote. *m.* esfregação, esfregadura, fricção.

fructidor. *m.* frutidor, duodécimo mês do calendário republicano francês.

fructífero, ra. *adj.* frutífero, que produz fruto; (fig.) lucrativo; útil, proveitoso; produtivo.

fructificable. *adj.* frutificável, que pode frutificar.

frutificación. *f.* frutificação, acção de frutificar; produção de frutos.

fructificador, ra. *adj.* frutificador, frutificativo, frutífero.

fructificar. *v. intr.* frutificar, produzir fruto; (fig.) dar resultado; ser proveitoso ou útil; dar proveito; frutar.

fructiforme. *adj.* (bot.) frutiforme.

fructívoro, va. *adj.* (zoll.) frutívoro.

fructuario, ria. *adj.* frutuário, que consiste em frutos. V. **usufructuario.**

fructuoso, sa. *adj.* frutuoso, proveitoso, útil, fértil, frutífero; abundante; lucrativo.

frugal. *adj.* frugal, moderado, sóbrio; parco, simples, modesto: *ser frugal en*, ser avaro de.

frugalidad. *f.* frugalidade, sobriedade; temperança na comida e bebida; modestia; moderação.

frugífero, ra. *adj.* (poet.) frugífero, frutífero, frutígero.

fruición. *f.* fruição, gozo, posse; complacência, prazer.

fruir. *v. intr.* fruir, gozar, desfrutar; estar na posse de.

fruitivo, va. *adj.* fruitivo, que frui goza ou desfruta.

frumentáceo, a. *adj.* (bot.) frumentáceo, frumental, frumentário, frumentoso.

frumentación. *f.* frumentação.

frumental. *adj.* frumental, frumentáceo.

frumentario, ria. *adj.* frumentário, frumentáceo, frumentício.

frumenticio, cia. *adj.* (bot.) frumentício, frumentário.

frumento. *m.* (poet.) frumento, trigo.

frunce. *m.* franzido, série de pregas que se fazem num tecido; enguelha.

fruncido, da. *p. p.* e *adj.* franzido, enrugado, arrugado, engelhado; abolsado. — *m.* franzimento.

fruncidor, ra. *adj.* e *s.* franzidor, que franze, que faz pregas.

fruncimiento. *m.* franzimento, acção de franzir; arrugamento, arrugadura; (fig.) fingimento, embuste, mentira.

fruncir. *v. tr.* franzir, enrugar (a testa), as sobrecancelhas, etc.); engelhar; arrugar; franzir, preguear um tecido com pregas pequenas; (fig.) estreitar e encolher uma coisa, reduzindo-a a menor extensão, contrair; (p .us.) encobrir a verdade. — *v. r.* afectar modéstia, recolhimento ou compostura.

fruslera. *f.* limalha de latão.

frusleria. *f.* bagatela, ninharia, futilidade; frioleira ; asneira, disparate, tolice; palhada, palha; chirinola; frivolidade; futilidade; coisca; migalhice: *perder el tiempo en fruslerías*, perder o tempo em bagatelas.

fruslero, ra. *adj.* fútil, frívolo, vão. — *m.* pau de amassar pão.

frusto, ta. *adj.* (arqueol.) frusto.

frustación. *f.* frustração, malo(ô)gro; imperfeição; esvaecimento; desaviamento; desilusão; (fig.) abo(ô)rto, abortamento.

frustráneo, a. *adj.* frustrâneo, frustrado, inútil, que não produz o efeito desejado.

frustrar. *v. tr.* frustrar, iludir a expectativa; fazer malograr; baldar; inutilizar; defraudar; deixar sem efeito; falir; furar; abortar; aguar; falsar; desiludir; desacertar; desacoroçoar; (fig.) desarmar; desvanecer, esvaecer; desmanchar. — *v. r.* frustrar-se, malograr-se; não dar resultado; ficar sem efeito; não suceder aquilo que se esperava; desaviar-se.

frustratorio, ria. *adj.* frustratório; ilusório; falaz; dilatório.

fruta. *f.* fruta, fruto comestível que dão as plantas; (fig.) e fam.) produto ou consequência duma coisa; fruto, resultado: *fruta nueva*, (fig.) novidade.

frutaje. *m.* pintura representando flores e frutos.

frutal. *adj.* (bot.) frutífero, que dá frutos.

frutar. *v. intr.* frutificar, frutar, dar fruto, produzir.

frutecer. *v. intr.* (poét.) frutificar, frutear, começar a frutificação. — *conj.* como c1ecer.

frutería. *f.* frutaria, loja onde se vende fruta.

frutero, ra. *adj.* e *s.* fruteiro, que serve para levar ou conter fruta; fruteiro, vendedor de fruta.

frutescencia. *f.* (bot.) frutescência.

frutescente. *p. a.* e *adj.* (bot.) frutescente, arvorescente.

frútice. *m.* (bot.) frútice.

fruticoso, sa. *adj.* (bot.) fruticoso, frutescente.

fruticuloso, sa. *adj.* (bot.) fruticuloso.

fruticultor, ra. *s.* fruticultor.

fruticultura. *f.* fruticultura, cultura de árvores frutíferas.

fruto. *m.* fruto, produto da terra; produto das plantas; lucro, resultado, produto; consequência; proveito, vantagem, utilidade; (fig.) filho; fruto, produção do engenho ou do trabalho humano. — *pl.* produções da terra, frutos.

ftallato. *m.* (quim.) ftalato.

ftaldehído. *m.* (quim.) ftaldeido.

ftaleina. *f.* (quim.) ftaleína.

ftálico, ca. *adj.* (quim.) ftálico.

ftártico, ca. *adj.* ftártico; deletério.

ftiríasis. *f.* (med.) ftiriase.

fú. *m.* bufido do gato. — *inter.* fu (designa nojo ou desprezo). *ni fú ni fa*, (pop.) nem bom, nem mau, indiferente; *hacer fú como el gato*, sair fugindo.

fucáceo, a. *adj.* (bot.) fucáceo. — *f. pl.* (bot.) fucáceas.

fúcar. *m.* (fig.) ricaço, homem muito rico.

fucilar. *v. intr.* (poét.) relampejar, fuzilar, fulgurar, lucilar.

fucilazo. *m.* fuzilada, relâmpagos longínquos de noite.

fuco. *m.* (prov.) alga de cor azeitonada.

fucsia. *f.* (bot.) fúcsia.

fucsina. *f.* fucsina.

fuego. *m.* fogo, lume, matéria acesa ou em chama; fogo, lumaréu, fogueira que se faz de noite para dar sinais; fogo, o que está em combustão; fogo, incêndio, abrasamento; fogo, efeito de disparar as armas de fogo; lume, labareda; chaminé, lareira, lar; residência duma família, fogo; ardor, exaltação, paixão; (vet.) cauterização; (fís. e quim.) fogo, calórico; ardor, fervor, violência; entusiasmo; imaginação viva; excitação.

fuellar. *m.* lâminas de cores com que se enfeitam as velas.

fuelle. *m.* fole; bolsa de couro de gaita galega; fole, prega, ruga no vestido; fole, cobertura de couro duma carruagem; conjunto de nuvens que deixam ver sobre as montanhas; (fig. e fam.) espião, pessoa soprona; (prov.) pia de pedra dos moinhos de azeite.

fuellero. *m.* foleiro, que dá aos foles; foleiro, que faz foles.

fuentada. *f.* (fam.) quantidade de comida que cabe numa travessa.

fuente. *m.* fonte, manancial de água que brota da terra; fonte, bica de água encanada, chafariz; prato grande; pia baptismal; nascente; travessa para servir a comida; (fig.) origem, fundamento, fonte dalguma coisa; (med.) fonte, fontículo; (cir.) exutório; (vet.) fonte: *de buena fuente,* (pop.) de ciência certa; *tantas veces va el cántaro a la fuente que al fin se rompe,* tantas vezes vai o cântaro à fonte até que se quebra.

fuera. *adv.* fora, na parte exterior; além de; de fora, exteriormente; no estrangeiro: *estar fuera,* (fam.) estar fora, não estar em casa; *echar fuera,* deitar fora; *de fuera,* de fora, do lado exterior, do estrangeiro; *quedar fuera,* ficar de fora, excluído; *por fuera,* por fora; *por dentro y por fuera,* por dentro e por fora, a fundo; *fuera de,* fora de, excepto; *fuera de sí,* fora de si, desvairado; *fuera de,* além de; a mais de; *poner a uno fuera de sí,* desalhear; *fuera de lo habitual,* desacostumadamente; *fuera de horas,* a destempo, fora de horas; *fuera de la ley,* (for.) extralegal; *fuera de lugar,* deslocado; *si no fuera por,* senão quanto; *fuera de razón,* fora de razão; *fuera de peligro,* fora de perigo; *tener gente de fuera,* (fam.) ter gente de fora.— *interj.* fora!, arreda, saia para fora, abaixo, afasta.

fuerista. *s.* partidário e defensor dos foros; pessoa muito entendida em matéria de foros.

fuero. *m.* foro, lei municipal; jurisdição, poder, compilação de leis; direito, privilégio; (fig. e fam.) presunção, arrogância; foro, juízo.— *pl.* direitos, privilégios.— *loc. adv.:* a *fuero,* segundo os costumes; *contrafuero,* (for.) desaforado; *fuero interior,* foro íntimo de cada um; *fueros de nobleza,* os foros de nobreza.

fuerte. *adj.* forte que tem força, resistência; corpulento, enérgico; fornido, robusto, valente; possante; forte, enérgico, animoso, valente; forte, duro, forçoso, membrudo, empeinado; duro; áspero, fragoso; (mil. e fort.) diz-se do lugar resguardado com obras de defesa para resistir aos

ataques do inimigo, forte, fortaleza, lugar fortificado; forte, resistente, teimoso; eficaz, forte, (med.) agudo; (fig.) barbiteso; forte, maciço; incansável; barreiro; encorpado; (fig.) furioso; (fig.) adamantino; forte, atlético, macho; forte, excessivo; aceirado; estré(ê)nuo forte, alentoso, alentado, valente, forte; que excede ao peso da lei; violento; estranhável, audacioso; forte, vigoroso; forte, eficaz, que tem força para persuadir; forte, versado numa ciência ou arte; (Amér.) fétido, hediondo; (Bras.) agalhudo, mãe, mucudo, quiba, suruba, turuna. — *m.* forte, fortaleza, fortificação, castelo, recinto fortificado; (fig.) forte, o lado ou feição por onde uma pessoa ou coisa oferece mais resistência; (prov.) certo jogo de rapazes; forte, consistente; elevado.

fuerza. *f.* fo(ô)rça, vigor, robustez e capacidade; força, virtude e eficácia; força, parte mais forte duma coisa; força, violência, constrangimento; força, império, poder; força, poder, energia, vigor, solidez, eficácia; força, troço de militares, destacamento; praça murada e fortificada; força, ânimo, coragem, valor; força, resistência contraforte dum pano; (mec.) força, agente dum movimento; ímpeto; autoridade, poder, influência; habilidade, destreza; coacção.

fuetazo. *m.* (Amér.) galicismo por *latigazo,* lategada.

fuete. *m.* (Amér.) galicismo por *látigo;* látego.

fufo. *m.* V. **fu.**

fufu. *m.* (Amér.) banana frita em inhame.

fuga. *f.* fuga, fugida precipitada; fuga, saída de gás ou líquido por uma abertura produzido acidentalmente; (mús.) fuga; fuga, orifício por onde o fole toma o vento; orifício dos aparelhos de destilação; (fig.) subterfúgio: *poner en fuga,* pôr em fuga, fazer fugir.

fugacidad. *f.* fugacidade, qualidade do que é fugaz; brevidade; fuga; rapidez.

fugada. *f.* rajada, lufada, pé de vento.

fugado, da. *p. p.* e *adj.* (mús.) diz-se da parte musical que tem o carácter de fuga.

fugarse. *v. r.* escapar-se, fugir; safar-se; afugentar-se; passar ràpidamente; soltar-se; ir-se afastando; esquivar-se.

fugaz. *adj.* fugaz, que foge com velocidade; fugace; que desaparece rápido; (fig.) fugaz, de pouca duração; transitório, veloz; efe(ê)mero.

fugitivo, va. *adj.* e *s.* fugitivo, que se esconde, que foge; que passa muito à pressa; fugitivo; pessoa que está em fuga.

fuguillas. *m.* homem impaciente, de génio vivo.

fuina. *f.* V. **garduña.**

ful. *adj.* (pop.) falso, falido, diz-se em gíria.

fula. *f.* fula, preparação de feltro para chapéus.

fulano, na. *s.* fulano, palavra que serve para suprimir o nome duma pessoa que se não quer nomear; designação vaga de pessoa incerte ou imaginária; (despr.) micho: *fulano y zutano*, fulano e sicrano; *un fulano*, um micho.

fular. *m.* tecido de seda muito fino, espécie de tafetá.

fulcro. *m.* fulcro, apoio da alavanca; sustentáculo; (fig.) ponto de apoio.

fulero, ra. *adj.* V. **chapucero**; atamancado; atabalhoado, pouco útil; (prov.) pessoa falsa, embusteira; (Bras.) erpe.

fulgencia. *f.* fulgência, fulgor, brilho.

fulgente. *p. a.* e *adj.* fulgente, resplandecente; fúlgido, luminoso; brilhante, luzente; que tem fulgor.

fúlgido, da. *adj.* fúlgido, fulgente, que tem fulgor; brilhante.

fulgir. *v. intr.* fulgir, resplandecer, brilhar, cintilar, fulgurar. — *v. tr.* fazer brilhar. V. **fulgurar.**

fulgor. *m.* fulgor, esplendor, lucilação, fuzilação, fulguração, fulgência; brilho, resplandor; luzeiro.

fulguración. *f.* fulguração, cintilação, coruscação, fulgurância; (med.) acidente causado pelo raio; (fig.) clarão rápido, fulgor, brilho.

fulgurante. *p. a.* e *adj.* fulgurante, cintilante, coriscante; fuzilante, luminoso; (fig.) chispeante; (med.) fulgurante; (fig.) coruscante.

fulgurar. *v. intr.* fulgurar, brilhar, resplandecer, fulgir; chispar, cintilar, coriscar; luzir; (metor.) fulgurar, despedir raios de luz; (fig.) sobressair; (fig.) realçar.

fulgurecer. *v. intr.* V. **fulgurar.**

fulgurita. *f.* (min.) fulgurita.

fulgurómetro. *m.* (fís.) fulguró(ô)metro.

fulguroso, sa. *adj.* fulguroso, fulgurante, que fulgura.

fuliginosidad. *f.* fuliginosidade.

fuliginoso, sa. *adj.* fuliginoso, que tem fuligem; denegrido, escurecido; tisnado; que tem a cor da fuligem.

fulmar. *m.* (orni.) fulmar.

fulminación. *f.* fulminação, exalação, fuzilação; acção de fulminar.

fulminado, da. *adj.* e *p. p.* fulminado, fuzilado; (fig.) excomungado; ferido pelo raio; tocado de doença que postra imediatamente.

fulminador, ra. *adj.* e *s.* fulminador, que fulmina; fulminante, fulminatório.

fulminante. *p. a.* e *adj.* fulminante, que fulmina, aplica-se às enfermidades muito graves e repentinas; diz-se das matérias que estalam com explosão; (quim.) que produz uma detonação; (fig.) indignado, arrebatado; pequeno explosivo para brinquedo de crianças.

fulminar. *v. tr.* fulminar, despedir raios; despedir (excomungar); aniquilar, apostrofar; (fig.) fulminar, lançar balas e bombas; fulminar, impor penas; ferir, matar (por meio de raios); matar instantâneamente; cominar, apostrofar; (fig.) formular com violência; censurar; aniquilar. — *v. intr.* despedir raios.

fulminato. *f.* (quim.) fulminato.

fulminatriz. *adj.* fulminadora, diz-se duma legião que lutava com muito valor no tempo de Marco Aurélio.

fulmíneo, a. *adj.* fulmíneo, fulminoso, que tem as propriedades do raio.

fulmínico. *adj.* (quim.) fulmínico.

fulminífero, ra. *adj.* fulminífero.

fulminoso, sa. *adj.* fulminoso, fulmíneo.

fulleresco, ca. *adj.* próprio de trapaceiros.

fullería. *f.* fulharia, fulheira, trapaça no jogo; (fig.) astúcia com que se pretende enganar; andrómina; empalmação; engano.

fullero, ra. *adj.* e *s.* fulheiro, trapaceiro; (fig.) precipitado, atabalhoado; agadanhador; empalmador; homem de muitos barretes.

fullona. *f.* (fam.) pendência, rixa, barulho, contenda.

fumable. *adj.* fumável, que se pode fumar.

fumada. *f.* fumaça, fumada, porção de fumo que se toma duma vez fumando um cigarro; fumadela.

fumadero. *m.* fumadouro, local destinado aos fumistas; fumatório.

fumador, ra. *adj.* e *s.* fumador, que costuma fumar, fumeante, fumegante; fumista; (pop.) fumão; (Bras.) pitador.

fumar. *v. tr.* fumar, chupar, fazer fumo; aspirar ou expelir o fumo do tabaco, ópio, etcétera; (fig. e fam.) gastar, consumir indevidamente; deixar de atender a uma obrigação; cabular, gazear; (Amér.) vencer alguém, dominá-lo: *fumar cigarrillos*, cigarrar; *fumar rapé*, fungar.

fumarada. *f.* fumarada, fumaraça, fumaça; fumaçada; cachimbada, porção de tabaco que cabe num cachimbo.

fumarina. *f.* (quim.) fumarina.

fumarola. *f.* (geol.) fumarola, vaporação vulcânica.

fumífero, ra. *adj.* (poét.) fumífero, fúmido, fumífico, fumoso, fúmeo, que lança ou despede fumo.

fumífugo, ga. *adj.* fumífugo, que afasta o fumo.

fumigación. *f.* fumigação, acção de fumigar; defumadura, defumação; afumadura.

fumigador, ra. *s.* fumigador, pessoa que fumiga; aparelho para fumigar.

fumigar. *v. tr.* fumigar, desinfectar por meio do fumo; gás, etc.; enfumigar; defumar; mechar; afumar; enfumarar; expor ao fumo, fazer fumo.

fumigatorio, ria. *adj.* fumigatório. — *m.* perfumador para queimar perfumes.

fumista. *m.* consertador de cozinhas, chaminés, fogões, estufas, etc.; pessoa que vende estufas ou fogões.

fumistería. *f.* loja ou oficina de *fumista*.

fumívoro, ra. *adj.* fumívoro, que aspira o fumo; diz-se do aparelho que aspira o fumo.

fumosidad. *f.* fumosidade, fuligem; qualidade do que é fumoso.

fumoso, sa. *adj.* fumoso, fúmeo, fúmido; que abunda em fumo.

funambulesco, ca. adj. funambulesco, acrobático.

funámbulo, la. s. funâmbulo, equilibrista.

función. f. função, exercício dum órgão; função, acção e exercício dum cargo, faculdade, ofício, etc.; função, festa, sessão teatral ou cinematográfica; solenidade, cerimó(ô)nia pública; (mat.) função; (mil.) função, acção de guerra; empre(ê)go, cargo.

funcional. adj. funcional.

funcionalismo. m. funcionalismo.

funcionamiento. m. funcionamento, acção de funcionar, movimento; trabalho; exercício.

funcionar. v. intr. funcionar, exercer funções; executar movimentos, mover-se bem e com regularidade; estar em exercício; trabalhar; estar aberto ao público; andar (diz-se dos relógios): hacer funcionar, pôr a andar.

funcionario, ria. s. funcionário, pessoa que exerce funções de cargo público, empregado público; funcionario público, (Bras.) pop. barnabé.

funda. f. capa, coberta, bolsa, invólucro, estojo; fronha (de almofada): funda de colchón, enxergão.

fundación. f. fundação, princípio, alicerce, origem dalguma coisa; ere(c)ção; cimentação; inauguração; instituição.

fundado, da. p. p. e adj. fundado; instituído, estabelecido; apoiado com razões; consolidado; construído; criado.

fundador, ra. adj. e s. fundador, que funda; chefe; autor; ere(c)tor; edificador; criador; instituidor; (fig.) pai.

fundamental. adj. fundamental, essencial, principal, básico; necessário; elementar.

fundamentar. v. tr. fundamentar, alicerçar, cimentar; (fig.) estabelecer, assegurar, tornar firme, firmar; documentar; provar. — v. r. apoiar-se, fundar-se; estribar-se.

fundamento. m. fundamento, alicerce, base dum edifício, cimentação; fundamento, motivo, razão; fundamento, fundo, trança, textura, contextura (dos tecidos); fundamento, causa, motivo, pretexto; (fig.) fundamento, base, princípio, raiz, origem duma coisa; esteio, prova, assento, elemento; apoio; estribamento; iniciação; chave, alma: sin fundamento, desarrazoado; dar fundamento, fundamentar.

fundar. v. tr. fundar, edificar materialmente; fundar, erigir, edificar, construir, instituir, firmar; fundar, estabelecer, criar; (fig.) apoiar com razões ou com discursos; afundar, profundar; assentar, estribar; estatuir; inaugurar; basear. — v. r. estribar-se; apoiar-se; aduzir razões; fundar-se; basear-se.

fundente. adj. e m. (quim.) fundente.

fundible. adj. fundível; fusível.

fundibulario. m. fundibulário.

fundición. f. fundição; fundição, fábrica onde se fundem metais; (impr.) fundição, conjunto de caracteres tipográficos para compor uma obra; fusão; derretimento.

fundidor. m. fundidor, aquele que funde.

fundir. v. tr. fundir, derreter e liquefazer metais; fundir, dar forma em moldes ao metal em fusão; (fig.) fundir, desfazer uma coisa para a fazer melhor; fusionar; incorporar muitas coisas numa só; dissipar, gastar. — v. r. (fig.) fundirem-se, unirem-se ideias, interesses, etc.; extinguir-se; descongelar-se; derreter-se; (fig. e fam. Amér.) arruinar-se, afundar-se; liquefazer-se: fundir un patrimonio, derreter-se um património.

fundo. m. (for.) herdade, propriedade rústica.

fúnebre. adj. fúnebre, relativo aos defuntos; (fig.) triste, lúgubre, lutuoso; cinerário; sepulcral; macabro; muito triste, funesto: honras fúnebres, exéquias; pompas fúnebres, pompas fúnebres.

funeral. adj. funeral, pertencente a enterro ou exéquias, fúnebre, funéreo. — m. funeral, exéquias, honras fúnebres, ente(ê)rro; acompanhamento fúnebre.

funerala (a la). adv. (mil.) em funeral; diz-se das armas dos militares.

funeraria. f. agência funerária. — m. armador, cangalheiro.

funerario, ria. adj. funerário; fúnebre.

funéreo, a. adj. (poét.) funéreo, fúnebre.

funestar. v. tr. funestar, tornar funesto, desonrar, profanar, manchar, difamar, estigmatizar; desgraçar.

funesto, ta. adj. funesto, que produz morte; sinistro; infausto; fatal; nocivo; cruel; triste, desgraçado; desastroso; aziago; lutuoso; medonho; lúgubre.

fungible. adj. fungível, que se gasta ou consome com o uso.

fungicida. adj. e m. (quim.) fungicida.

fungiforme. adj. (hist. nat.) fungiforme

fungina. f. (quim.) fungina.

fungir. v intr. (Amér.) substituir a outrem num emprego ou cargo; intrometer-se num negócio.

fungo. m. (cir.) fungo, excrescência esponjosa na pele ou nas mucosas.

fungosidad. f. (cir.) fungosidade, excrescência vascular.

fungoso, sa. adj. fungoso, esponjoso, muito poroso, fofo.

funicular. adj. e m. funicular, que funciona por meio de cordas: ferrocarril funicular, caminho de ferro funicular.

funiculitis. f. (pat.) funiculite.

funículo. m. (bot.) funículo.

funiforme. adj. funiforme.

fuñicar. v. intr. (fam.) atabalhoar, fazer as coisas torpemente.

fuñique. adj. e s. acanhado, diz-se da pessoa pouco desembaraçada e pouco ágil no seu trabalho.

furacar. v. tr. (ant.) furacar, esfuracar.

furente. adj. (poet.) arrebatado, furioso, enfurecido, furente.

furfuráceo, a. adj. furfuráceo, relativo ou semelhante ao farelo.

furfurol. *m.* (quim.) furfurol.

furgón. *m.* furgão, carruagem coberta para mercadorias.

furia. *f.* fúria, ira, cólera, furor, raiva; ataque de loucura; danação; frenesí; embravecimento; assanhamento; (fig.) ardimento; enfurecimento; pessoa irritada e colérica; actividade e violenta agitação; insânia; sanha; veemência, precipitação; mulher má e violenta; (Bras.) estrilo. — *pl.* (mit.) fúrias, nome de três divindades infernais; pressa, velocidade: *a toda furia*, velozmente.

furibundo, da. *adj.* furibundo, irado, propenso a enfurecer-se; colérico; furioso.

furiente. *adj.* V. **furente**.

furioso, sa. *adj.* furioso, possuído de fúria, enfurecido; raivoso; colérico; irritado; violento; terrível; (fig.) muito grande, excessivo; forte; despeitado; impetuoso; endiabrado; frenético; embravecido; desembestado; descabelado; birrento; energúmeno; furibundo; endemoninhado; (pop.) fulo: *estar furioso*, (pop.) estar como uma bicha, lançar chispas.

furlón. *m.* V. **forlón**.

furo. *m.* furo, buraco das formas para o pão de açúcar.

furo, ra. *adj.* V. **huraño**.

furor. *m.* furor, cólera, ira, exaltação; fúria, agitação violenta de ânimo; delírio violento; frenesi; força; entusiasmo; ímpeto; delírio; paixão violenta; impetuosidade, violência; loucura; danação; sanha; furor, insânia; desenfreamento; despeito; embravecimento; assanhamento; arrebatamento; (poét.) furor, estro poético.

furriel. *m.* (mil.) furriel, posto militar.

furriela. *f.* cargo palatino a cuja responsabilidade estão as chaves e móveis do palácio.

furrier. *m.* V. **furriel**.

furris. *adj.* (fam.) mau, desprezível; mal feito.

furruco. *m.* (Amér.) zabumba, tambor grande.

furrusca. *f.* (Amér.) algazarra, barulho, contenda, disputa, rixa. V. **pelotera**.

furtivo, va. *adj.* furtivo; clandestino; secreto; oculto, dissimulado.

furuminga. *f.* (Amér.) embrulhada, confusão, enredo.

furuncular. *adj.* (neol. pat.) furuncular.

furúnculo. *m.* (pat.) furúnculo, tumor; (pop.) bichoca.

furunculosis. *f.* (pat.) furunculose.

furunculoso, sa. *adj.* furunculoso, furuncular.

fusa. *f.* (mús.) fusa.

fusado, da. *adj.* (herald.) fuselado; fusiforme; fusado.

fuscicórneo, a. *adj.* (zool.) fuscicórneo.

fuscina. *f.* (quim.) fuscina.

fuscípedo, da. *adj.* (zool.) fuscímano.

fuscipénneo, a. *adj.* (zool.) fuscipene.

fuscirrostro. *adj.* (zool.) fuscirrostro.

fusco, ca. *adj.* fusco, escuro, trigueiro, tirante a negro; pardo.

fuselado, da. *adj.* (herald.) fuselado. V. **fusado**.

fuselaje. *m.* (avi.) fuselagem, carcassa do avião.

fusibilidad. *f.* fusibilidade.

fusible. *adj.* fusível, fundível. — (electr.) fusível, fio metálico dum circuito eléctrico.

fusiforme. *adj.* fusiforme, com figura de fuso.

fusil. *m.* espingarda, fuzil: *fusil de chispa*, espingarda de pederneira; *fusil de eje*, espingarda de dois canos; *fusil cargado*, espingarda atacada.

fúsil. *adj.* fusível. V. **fusible**.

fusilado, da. *p. p.* e *adj.* fuzilado; assassinado com espingarda.

fusilador, ra. *adj.* e *s.* fuzilador, que fuzila.

fusilamiento. *m.* (mil.) fuzilamento, acto de fuzilar; passagem pelas armas.

fusilar. *v. tr.* (mil.) fuzilar, arcabuzar, passar pelas armas; executar uma pessoa com uma descarga de armas de fogo; (fig. e fa.) plagiar.

fusilazo. *m.* V. **fuzilazo**; tiro de espingarda; (fig.) relâmpago longíquo.

fusilería. *f.* fuzilaria, conjunto de fuzis; conjunto de soldados fuzileiros.

fusilero, ra. *adj.* fuzileiro, relativo ao fuzil.— *m.* fuzileiro.

fusión. *f.* fusão, efeito de fundir; liquefacção, fundição; dege(ê)lo, descongelação; derretedura, derretimento; (fig.) fusão, aliança, união de interesses, partidos ou ideias contrárias; liga; mistura; reunião.

fusionar. *v. tr.* fusionar, fazer a fusão de; fundir; amalgamar; reunir num único partido; confundir, fundir; unir interesses desencontrados. — *v. r.* (com.) aliar-se, unir-se.

fusionista. *adj.* e *s.* fusionista, partidário da fusão de ideias, partidos, etc.

fusípedo, da. *adj.* (bot. e zool.) fusipede.

fusor. *m.* cadinho, vaso ou instrumento para fundir metais.

fusta. *f.* varas, galhos e lenha delgada, fuste, ramadas; chicote; açoite; (mar.) fusta, (embarcação de carga); fustão, tecido de lã. — *pl.* quantia que se paga ao proprietário dum campo para que o gado possa aproveitar os restolhos.

fustal. *m.* V. **fustán**.

fustán. *m.* fustão, pano de algodão com pêlo num dos lados.

fustanero. *m.* fabricante ou vendedor de fustão.

fustaño. *m.* V. **fustán**.

fuste. *m.* fuste, haste de madeira; (arq.) fuste; fuste, haste da lança; arção; (poét.) arção, sela do cavalo; (fig.) fundamento duma coisa não material, base, força, importância duma coisa; nervo, substância, entidade; vida, tronco, lenho.

fustero, ra. *adj.* pertencente ao fuste. — *m.* torneiro.

fustete. *m.* (bot.) fustete; tatajuba.

fustigación. *f.* fustigação; (fig.) instigação; estímulo.

fustigador, ra. *adj.* e *s.* fustigador, que fustiga; açoitador; apaleador.

fustigar. *adj.* fustigar, açoitar, dar açoites; bater; flagelar; maltratar; (fig.) censurar com dureza; estimular; activar; apalear; varejar; apalear; chicotar.

fustina. *f.* (quim.) fustina.

fútbol. *m.* (depor.) futebol; (Bras.) balípodo: *campo de fútbol*, campo de futebol.

futbolista. *m.* (deport.) futebolista.

futbolístico, ca. *adj.* (deport.) futebolístico, relativo ao futebol.

futesa. *f.* futilidade, frioleira, bagatela, insignificância, ninharia, frioleira; migalhice; (fig.) adarme.

fútil. *adj.* fútil, frívolo, inútil, vão, insignificante, de pouco apreço ou importância; (fig.) bizantino; leviano.

futileza. *f.* V. **futilidad.**

futilidad. *f.* futilidade, bagatela, frivolidade; frioleira; inutilidade; vaidade; inconstância; volubilidade; ninharia; pouca importância duma coisa.

futraque. *m.* (fam.) labita, casaca (depre.) peralta, almofadinha.

futura. *f.* (for.) direito à sucessão dum emprego; (fam.) futura, noiva, prometida em casamento.

futurario, ria. *adj.* diz-se daquilo que pertence à futura sucessão; futuro.

futurición. *f.* futurição, futuridade; (rel.) futurição, a vida futura ou eterna.

futurismo. *m.* (lit. e filos.) futurismo.

futurista. *adj.* e *s.* (lit. e filos.) futurista.

futuro, ra. *adj.* futuro, que há-de vir; próximo. — *m.* futuro; destino, o tempo que há-de vir; o porvir; (gram.) futuro (tempo do verbo); (fam.) noivo, prometido, futuro.

G

G, g. *f.* oitava letra do alfabeto espanhol e sexta das suas consoantes. Tem o mesmo som que em português antes das vogais *a, o, u,* e antes de *l* ou *r*. Seguida imediatamente das letras *e* ou *i*, tem um som particular, forte e gutural como a *j*; nas sílabas formadas com *u*, seguida de *e* ou *i*, deixa de pronunciar-se: *guijarro, guerra*; quando a vogal *u* se pronúncia nas combinações com *e* ou *i*, deve colocar-se-lhe um trema: *argüir, güelfo*.

gabachada. *f.* acção própria dos *gabachos*.

gabacho, cha. *adj.* e *s.* habitante dos Pirinéus; pertencente aos povos dos Pirinéus; (depr.) francés; (fam.) asqueroso, imundo, nojento, porco, sórdido; (fig.) sonso, sorrateiro.

gabán. *m.* gabão, capote, abrigo, sobretudo; albornoz; tabardo; gabinardo.

gabaonita. *adj.* e *s.* (geog.) natural ou pertencente a Gábaon (cidade da tribo de Benjamím, na Palestina).

gabardina. *f.* gabardina, sobretudo de fazenda impermeável; gabardina, gabinarda, gabinardo, espécie de gabão, varino.

gabarra. *f.* (mar.) gabarra; (Brasil.) gambarra; gabarra, embarcação de vela e remos e de fundo chato usada para carga e descarga dos navios; batelão; barcaça; gabarote.

gabarraje. *m.* preço que se paga por aluguer das gabarras.

gabarrero. *m.* descarregador, gabarreiro, arrais ou tripulante de gabarra; descarregador, carregador duma gabarra; lenhador.

gabarro. *m.* nódulo, concreções de diversas naturezas contidas num terreno; (vet.) apostema nos pés do cavalo e dos bois; defeito nas fazendas ou tecidos; gosma, pevide, doença das galinhas; (bot.) planta resedácea; (fig.) obrigação, encargo; erro nas contas, erro de cálculo; (prov.) insecto; folgazão.

gabejo. *m.* gavela, paveia, feixe pequeno de palha ou espigas.

gabela. *f.* gabela, gabelo; (ant.) tributo, impo(ô)sto que se paga ao Estado; (fig.)

encargo, gravame; (Amér.) vantagem, partido.

gabina. *f.* cartola, chapéu alto.

gabinete. *m.* gabinete, aposento, onde geralmente se recebem visitas de confiança; toucador, gabinete destinado a quem se veste; conjunto de móveis para um gabinete; gabinete, camarim, escritório; gabinete, ministério, junta dos ministros; gabinete, colecção de objectos curiosos, de instrumentos físicos, de estudo, etc.; gabinete, aposento reservado; (Amér.) varanda envidraçada.

gabión. *m.* (mil.) gabião.

gablete. *m.* (arq.) remate triangular nos edifícios de estilo ogival.

gabrieles. *m. pl.* (fam.) V. **garbanzos**, grãos-de-bico ou cozido.

gaburón. *m.* (mar.) chapúz.

gacel. *m.* (zool.) macho da gazela.

gacela. *f.* (zool.) gazela, algazel; mamífero ruminante da Ásia.

gaceta. *f.* gazeta, publicação periódica, jornal; periódico.

gaceta. *f.* caixa refractária para cozer mosaicos.

gacetable. *adj.* diz-se do projecto próprio para ser convertido em lei, e ser publicado no Diário do Governo.

gacetera. *f.* vendedora de jornais ou gazetas.

gacetero. *m.* jornalista, aquele que escreve em jornais ou gazetas; gazetista, gazeteiro, vendedor de jornais.

gacetilla. *f.* gazetilha, secção de notícias curtas num jornal; (fam.) boateiro.

gacetillero. *m.* gazetilheiro, o que faz ou escreve gazetilhas; jornalista, redactor de noticiário.

gacetista. *n.* pessoa afeiçoada à leitura de jornais; pessoa que fala frequentemente de novidades; gazeteiro, redactor de Gazeta ou de noticiário; gazetista.

gacha. *f.* papa, massa mole, derretida; papas feitas de farinha, água, leite, etc. (fig. e fam.) lama, lodo; (prov.) afagos, carícias, mimos.

gacheta. *f.* dim. de *gacha,* grude. V. engrudo.

gacheta. *f.* mola de fechadura.

gachí. *f.* (pop. prov.) mulher, moça, rapariga.

gacho, cha. *adj.* encurvado, inclinado para a terra; cabano, diz-se do boi ou touro que tem os chifres inclinados para baixo; (prov.) V. zurdo: *a gachas,* de gatas; *sombrero gacho,* chapéu desabado.

gachón, na. *adj.* (fam. prov.) gracioso, atraente, meigo, diz-se do menino que se cria com muito mimo; atraente, que tem atractivo, doçura, mimo.

gachonada. *f.* (fam.) graça, atracção. V. gachonería.

gachonería. *f.* (fam.) graça, delicadeza, meiguice, atracção; desvanecimento, requebro.

gachuela. *f.* dim. de *gachas;* papinha.

gachupín. *m.* V. cachupín.

gádidos. *m. pl.* (ictiol.) gádidas.

gado. *m.* (ictiol.) gado.

gaduína. *f.* (quim.) gaduina.

gaélico, ca. *adj.* gaélico, gael.

gafa. *f.* gafa, gancho com que se puxava a corda da besta para a armar; grampo de metal; (mar.) tenaz para suspender pesos. — *pl.* ganchos ou hastes duma armação em que se apoiam as lentes dos óculos; óculos com armadura desta classe.

gafar. *v. tr.* arrebatar alguma coisa com as unhas ou fisgá-la com gancho; gafar, armar, esticar a besta; gatear, compor com grampos ou gatos os objectos partidos; (fam.) enfeitiçar, maleficiar.

gafedad. *f.* (med.) contracção permanente dos dedos, entorpecimento; lepra que mantém fortemente encurvados os dedos das mãos e às vezes os dos pés; gafeira; gafa.

gafete. *m.* broche. V. corchete.

gafo, fa. *adj.* (med.) gafo, que tem encurvados e sem movimento os dedos das mãos ou dos pés; leproso, que padece de lepra, gafa ou gafeira; (Amér.) magoado, pisado (dos pés, por ter andado muito).

gago, ga. *adj.* (Amér.) V. tartamudo.

gaguear. *v. intr.* (prov.) sussurrar, começar a divulgar-se; (prov. e Amér.) V. tartamudear.

gaicano. *m.* (ictiol.) V. rémora.

gaita. *f.* (mús.) gaita, instrumento músico de sopro; assobio; (fig. e fam.) pescoço; coisa difícil, árdua, embaraçosa: *gaita gallega,* gaita de foles; *estar de gaita,* (pop.) estar muito alegre.

gaitería. *f.* vestido ou adorno de várias cores, garridas e sem gosto.

gaitero, ra. *adj.* (fam.) gaiteiro, diz-se da pessoa ridiculamente alegre; garrido, peralta; diz-se dos vestidos ou adornos de cores demasiadamente garridas. — *m.* gaiteiro, tocador de gaita.

gaje. *m.* salário, emolumento que corresponde a uma carreira ou emprego; soldo,

salário, soldada; gaje, remuneração; (ant.) penhor: *gajes del oficio,* (fam.) ossos do ofício.

gajo. *m.* galho, ramo de árvore; galho, parte dum cacho ou dum ramo com seus frutos; galho, gaipo, esgalha de qualquer fruto; gomo, cada uma das divisões de certos frutos; ramificação, ramal de montes que derivam duma montanha principal; galho, chifre dos ruminantes bovídeos, esgalho; (bot.) V. lóbulo.

gajoso, sa. *adj.* galhudo, galhoso, que tem galhos; gomoso; que tem cachos ou esgalhos.

gala. *f.* gala, vestuário usado em certos dias ou festividades, roupa de luxo; bizarria, garbo, graça; gala, ornamento; o mais selecto duma coisa, o mais apurado, o melhor; gala, festa; regozijo; dádiva pecuniária; dia de gala, de festa. — *pl.* ornamentos preciosos; trajes, jóias e demais artigos de luxo e de pompa; (prov.) flores das plantas herbáceas: *día de gala,* dia de festa, de gala; *gala de Francia,* (bot.) V. balsamina; *de gala,* diz-se do uniforme ou traje de maior luxo; *hacer gala de algo,* (fig.) vangloriar-se, jactar-se; *traje de gala,* traje de gala.

galactagogo. *adj.* (terap.) galactagogo.

galactemia. *f.* (pat.) galactemia.

galactia. *f.* (pat.) galactorreia.

galactirrea. *f.* (med.) galactorreia.

galactita. *f.* (min.) galactita, galactite.

galactites. *f.* galactite. V. galactita.

galactocele. *m.* (pat.) galactocele.

galactocemia. *f.* (pat.) galactocemia.

galactofagia. *f.* galactofagia.

galactófago, ga. *adj. e s.* galactófago.

galactóforo, ra. *adj.* (anat.) galactóforo.

galactógeno, na. *adj.* (terap.) galactogé(ê)nio, galactagogo.

galactografía. *f.* (med.) galactografia.

galactología. *f.* galactologia.

galactometría. *f.* galactometria.

galactómetro. *m.* galactó(ô)metro.

galactoposia. *f.* (terap.) galactoposia.

galactorrea. *f.* (pat.) galactorreia.

galactosa. *f.* (quím.) galactose, açúcar do leite.

galactosis. *f.* (fisiol.) galactose.

galactosuria. *f.* (pat.) galactosúria.

galacho. *m.* (prov.) V. barranquera.

galafate. *m.* ladrão industrioso, sagaz. — *pl.* (fam.) esbirros, oficiais de justiça; mariola, moço de fretes.

galaico, ca. *adj.* galego, galaico. V. gallego.

galalita. *f.* (quim.) galalite.

galamero, ra. *adj.* guloso, que gosta de guloseimas. V. goloso.

galán. *adj.* galã; galante, agradável, gentil, galhardo. — *m.* homem elegante, de bom semblante e airoso; galanteador; (teatr.) galã; (fig.) namorado, galanteador.

galanado, da. *adj.* enfeitado, ornado.

galancete. *m.* dim. de *galán,* galã, actor que faz papéis de galã jovem.

galanía. *f.* gala, galanice, galhardia, bizarria.

galano, na. *adj.* galante, gentil, aprimorado, bem vestido; agradável; (fig.) elegante, engenhoso (diz-se dum discurso); loução; (Amér.) diz-se das plantas de cores garridas; diz-se da rês de pêlo de várias cores. — *f.* (prov.) margarida, flor da planta desde nome.

galante. *adj.* galante, próprio de galã; esbelto; donairoso, engraçado; gentil; bonito; atento, polido, cortesão; amável; galante, galanteador, (fig.) galante, divertido, engraçado; gracioso; diz-se da mulher que gosta de galanteios e de costumes licenciosos; (fig.) lovelace: *dicho galante,* galantaria.

galanteador, ra. *adj.* e *s.* galanteador, que galanteia; cortejador; galã; (pop.) padecente.

galantear. *v. tr.* galantear, cortejar uma mulher, requebrar, namorar; dizer galanteios; ser amável; (fig.) solicitar assiduamente; arrulhar; facetear; chichisbear.

galanteo. *m.* galanteio; reque(ê)bro; gentileza; amabilidade; namo(ô)ro; conversa amorosa; madrigal ; (fam.) derriço, derrete; cortejo, corte; palavras amáveis; lisonja; dito galanteador.

galantería. *f.* galantaria, galanice; graça; elegância; delicadeza; acção ou expressão obsequiosa; amenidade de trato; generosidade; liberalidade, bizarria; (fig.) galanteria, dito engraçado; galanice; delicadeza. — *pl.* galanterias, habilidade.

galantina. *f.* galantina, iguaria coberta com geleia.

galanura. *f.* gentileza, elegância, graça e aparência vistosa resultante das galas vestidas; (fig.) elegância no estilo; (fam.) graça no modo de falar; galhardia, galanice.

galapagar. *m.* lugar onde abundam cágados.

galápago. *m.* (zool.) cágado, réptil semelhante à tartaruga; dente da relha do arado; torno para brocar peças de artilharia; molde de fazer telhas; lingote curto de chumbo, estanho ou cobre; (mil.) espécie de telhado que os soldados formavam unindo os escudos; (cir.) espécie de bandagem, galapo; (vet.) galápago, úlcera na coroa do casco das cavalgaduras; (mil.) antiga máquina de guerra. V. **testudo;** (Amér.) sela de montar para senhoras.

galapaguera. *f.* tanque onde se conservam vivos os cágados.

galapo. *m.* instrumento de cordoeiro para torcer os fios; galapo.

galardón. *m.* galardão, recompensa de méritos ou serviços, pré(ê)mio; (fig.) glória.

galardonador, ra. *adj.* e *s.* galardoador que galardoa.

galardonar. *v. tr.* galardoar, premiar os serviços ou méritos dalguém; recompensar; premiar.

gálata. *adj.* e *s.* (geog.) gálata, natural da ou pertencente à Galácia.

galaxia. *f.* (astr.) galáxia, via-láctea. V. **galactita.**

galayo. *m.* galaio, outeirinho, pico de rocha nua que sobrassai num monte.

galbana. *f.* (fam.) desleixo, preguiça, moleza, indolência.

galbanado, da. *adj.* da cor do gálbano.

galbanoso, sa. *adj.* (fam.) indolente, desleixado, mole, preguiçoso.

gálbula. *f.* (bot.) gálbulo, gálbula.

galdrope. *m.* (mar.) galdrope.

gálea. *f.* gálea, elmo, capacete dos soldados romanos.

galeato. *adj.* e *m.* diz-se do prólogo destinado a defender a obra contra os censores.

galeantropía. *f.* (pat.) galeantropia.

galeantrópico, ca. *adj.* e *s.* galeantrópico.

galeaza. *f.* (mar.) galeaça, galé grande de três mastros.

galena. *f.* (min.) galena; galenite: *aparato de galena,* (rad.) detector de galena.

galénico, ca. *adj.* galé(ê)nico, pertencente à doutrina de Galeno.

galenismo. *m.* (med.) galenismo.

galenista. *adj.* e *s.* galenista, partidário do galenismo.

galeno. *m.* (pop.) galeno, médico.

galeno, na. *adj.* (mar.) galeno, diz-se do vento ou brisa que corre entre o norte e o nascente e sopra suavemente; sereno, tranquilo, agradável.

gáleo. *m.* (ictiol.) peixe tão voraz como o tubarão; peixe-espada.

galeón. *m.* (mar.) galeão.

galeota. *f.* (mar.) galeota, galera pequena movida a remos e à vela.

galeote. *m.* galeote, galeriano, o que remava nas galés, como condenado ou como cativo; forçado.

galera. *f.* (mar.) galera, galé; galera, carro de quatro rodas coberto com caniçada; prisão, cárcere de mulheres; fila de camas na parte central duma enfermaria, quando a respectiva lotação está escedida; (impr.) galé; (arit.) (Amér.) linha ou sinal de divisão; (carp.) garlopa grande; (min.) galeria, fila de fornos de fundição onde se aquecem várias retortas ao mesmo tempo; (zool.) crustáceo semelhante ao camarão; (Amér.) alpendre ou telheiro com tabuado; cartola ou chapéu de coco. — *pl.* galés, pena de remar nas galés, condenação a galés.

galerada. *f.* carga duma galera de rodas; (impr.) granel; prova de granel antes de paginar.

galerero. *m.* carreteiro, o que governa as muares do carro ou da galera; dono duma galera.

galería. *f.* galeria, parte dum edifício com janelas altas ou colunas; corredor descoberto ou varanda envidraçada que dá luz para o interior dos aposentos; galeria, colecção de pinturas; (mil.) galeria; (mar.) galeria; varanda dum navio; galicismo por *vulgo,* o *público* em geral.

galerín. *m.* dim. de *galera;* (impr.) galé.

galerita. *f.* (orni.) espécie de cotovia. V. **cogujada.**

galerna. *f.* pé de vento tempestuoso no Cantábrico; lufada de vento súbita e borrascosa.

galerno. *m.* V. **galerna.**

galés, sa. *adj.* e *s.* (geog.) galês, natural de ou pertencente a Gales. — *m.* galês (idioma).

galga. *f.* galga, pedra grande atirada duma encosta e que cai rebolando e aos saltos; (zool. Amér.) formiga amarela muito veloz.

galga. *f.* (zool.) galga, fêmea do galgo; erupção cutânea semelhante à sarna; esquife onde se conduzem os defuntos pobres ao cemitério; galga, mó de lagar; (mar.) galga, arinque ou ancorote.

galga. *f.* fita que segura na perna os sapatos das mulheres.

galgo, ga. *adj.* e *s.* cão galgo; (Amér. e prov.) guloso.

galgueño, ña. *adj.* galgaz, relativo ao galgo, esguio, esgalgado; magro.

gálgulo. *m.* (orni.) rabilongo, espécie de pega.

galiana. *f.* via de trânsito, para gado.

galianos. *m. pl.* espécie de torta cozida nas brasas; comida de pastores.

galibar. *v. tr.* (mar.) galivar, moldar as peças para a construção dos navios. — *m.* conductor de uma gabarra.

gálibo. *m.* (mar.) galismo, modelo para peças dos navios; cércea, arco de ferro em forma de U, que serve para comprovar que os vagões com a sua máxima carga podem circular pelos túneis; (mar.) contorno vertical do porão dum navio, gabari.

galicado, da. *adj.* afrancesado, diz-se do estilo, palavras, etc., em que se nota a influência da língua francesa.

galicismo. *m.* galicanismo.

galicanista. *adj.* e *s.* partidário do galicanismo.

galicano, na. *adj.* galicano, pertencente ou relativo à Gália, à França.

galiciano, na. *adj.* e *s.* V. **gallego.**

galicina. *f.* (quim.) galicina.

galicinio. *m.* (ant.) galicínio, galicanto.

galicismo. *m.* galicismo, palavra afrancesada, francesismo; galicismo, idiotismo, próprio da língua francesa.

galicista. *s.* pessoa que usa com muita frequência de galicismos, galiciparla, galicígrafo.

gálico, ca. *adj.* e *m.* gálico, pertencente às Gálias, galicano.

gálico, ca. *adj.* (med.) gálico; (pat.) lues.

galícola. *adj.* (zool.) galícola, diz-se dos insectos que vivem nas plantas.

galicoso, sa. *adj.* e *s.* sifilítico, que padece sífilis.

Galilea. (geog.) Galileia.

galilea. *f.* (arq.) galilé, galileia, átrio ou pórtico das igrejas, especialmente quando estão ocupadas por tumbas; parte alpendurada, fora do templo, cemitério, galilé, galileia.

galileo, a. *adj.* e *s.* (geog.) natural de Galileia, pertencente ou relativo a este país da Terra Santa, galileu.

galillo. *m.* campainha, úvula; (fam.) gasnate, gasganete.

galimatías. *m.* (fam.) galimatias, imbróglio, discurso obscuro; embrolho, embrulho, embrulhada; desordem, confusão; aranzel; discurso muito palavroso e confuso, discurso embrulhado.

galináceo, a. *adj.* e *s.* V. **gallináceo.**

galio. *m.* (bot.) gálio, erva coalheira da família das rubiáceas.

galio. *m.* (quim.) gálio, metal da família do alumínio.

galiparla. *f.* galiparla, pessoa que emprega na linguagem palavras afrancesadas; galicíparla, galicógrafo; pessoa amiga de galicismos, galicista.

galiparlante. *adj.* galiparla.

galiparlista. *s.* V. **galicista.**

galo, la. *adj.* e *s.* (geog.) galo, natural ou pertencente à Gália. — *m.* gálico, gaulês, língua dos antigos gauleses.

galocha. *f.* galocha, tamanco, calçado de madeira, borracha ou ferro para evitar a humidade dos pés.

galochero. *m.* tamanqueiro, que vende ou faz tamancos ou galochas.

galofobia. *f.* galofobia, aversão aos franceses.

galófobo, ba. *s.* galófobo.

galomania. *f.* galomania, apaixonamento pelas coisas de França.

galomaníaco, ca. *adj.* e *s.* galomaníaco, pessoa que tem muita admiração por tudo o que é francês.

galómano, na. *adj.* e *s.* galomaníaco.

galón. *m.* galão; tecido lavrado forte e estreito; tira estrançada de prata, ouro, para enfeitar; (mil.) galão, distintivo militar; (mar.) cinta, listão do navio; (mar.) tira de linho para fortificar as fendas calafetadas da embarcação.

galón. *m.* galão, medida de capacidade para os líquidos.

galoneador, ra. *s.* agaloador, pessoa que enfeita ou adorna com galões.

galoneadura. *f.* agaloadura, adorno feito com galões.

galonear. *v. tr.* agaloar, enfeitar com galões; atorcelar; apassamanar; galonar; debruar.

galopada. *f.* galopada, corrida a galope, galope; espaço que se percorre galopando.

galopante. *p. a.* e *adj.* galopante, que galopa, galopador; (fig.) diz-se de certa tísica aguda muito avançada e fulminante.

galopar. *v. tr.* galopar, ir o cavalo a galope; andar a galope, andar muito depressa; galopar, cavalgar um cavalo que vai a galope.

galope. *m.* (equit.) galope, a carreira mais rápida do cavalo; (fig.) com pressa, aceleradamente; (fig.) corrida rápida; dança; (mar.) o extremo dos mastros.

galopeado, da. *adj.* e *p. p.* galopeado, diz-se do que se faz a galope; precipitado; que faz as coisas à pressa e sem perfeição; ensinado a galopar (diz-se dos cavalos). — *m.* castigo de punhadas ou pancadas.

galopeador, ra. *adj.* e *s.* galopador, galopante, diz-se da pessoa que gosta galopar.

galopear. *v. intr.* V. galopar.

galopillo. *m.* moço de cozinha.

galopín. *m.* galopim, garoto, gaiato; vadio, patife; (fig. e fam.) homen velhaco; bicho--da-cozinha; brejeiro; tratante; egoista, sevandija.

galopinada. *f.* estocada, garotice, galopinagem, maroteira, galatice; dito de galopim, acção de galopinar.

galopo. *m.* garoto, maroto, vadio; galopim; tratante.

galpito. *m.* frango pouco desenvolvido, enfezado.

galpón. *m.* (Amér.) bairro destinado aos escravos nas fazendas; telheiro, alpendre extenso que serve para preservar as mercadorias da intempérie.

galvánico, ca. *adj.* galvânico, relativo ao galvanismo.

galvanismo. *m.* (fís.) galvanismo.

galvanización. *f.* (fís.) galvanização, acto ou efeito de galvanizar.

galvanizado. *adj.* submetido à galvanização.

galvanizador. *s.* pessoa que galvaniza, galvanizante.

galvanizar. *v. tr.* (fís. e técn.) galvanizar, aplicar o galvanismo a um animal (vivo ou morto); galvanizar, submeter à acção da pilha voltaica; aplicar uma capa de metal sobre outra por meio do galvanismo; (fig.) galvanizar, reanimar, avivar, dar vida, excitação ou energia de maneira fictícia.

galvano. *m.* reproducção feita em chapa pelo galvanoplastia, galvano.

galvanocaustia. *f.* (cir.) galvanocaustia.

galvanocáustica. *f.* galvanocáustica.

galvanocáustico, ca. *adj.* galvanocástico.

galvanocauterio. *m.* (cir.) galvanocautério, ele(c)trocautério.

galvanocerámica. *f.* (art. e of.) galvanocerâmica.

galvanocirugía. *f.* galvanocirurgia.

galvanofarádico, ca. *adj.* galvanofarádico.

galvanofaradización. *f.* galvanofaradização.

galvanograbado. *m.* (técn.) galvanogravura.

galvanografía. *f.* galvanografia.

galvanometría. *f.* galvanometria.

galvanométrico, ca. *adj.* galvanométrico.

galvanómetro. *m.* (fís.) galvanó(ô)metro.

galvanométrógrafo. *m.* (fís.) galvanometrógrafo.

galvanomagnético, ca. *adj.* (fís.) galvanomagnético.

galvanomagnetismo. *m.* (fís.) galvanomagnetismo.

galvanoplastia. *f.* (fís. e técn.) galvanoplastia, galvanogravura, galvanografia.

galvanoplástica. *f.* (fís. e técn.) galvanoplastia.

galvanoplástico, ca. *adj.* galvanoplástico.

galvanoscopio. *m.* (fís.) galvanoscópio.

galvanostegia. *f.* (fís.) galvanostegia.

galvanotaxia. *f.* galvanotaxia.

galvanotecnia. *f.* galvanotécnica.

galvanotécnico, ca. *adj.* galvanotécnico.

galvanoterapéutica. *f.* (terap.) galvanoterapêutica.

galavnoterapia. *f.* (terap.) galvanoterapia.

galvanotipia. *f.* (fís.) galvanotipia, ele(c)trotipia.

galla. *f.* redemoinho que faz o pêlo do cavalo no peito; (germ.) duro, moeda de 5 pesetas.

galladura. *f.* galadura, pequena mancha na gema do ovo que indica a fecundação.

gallar. *v. tr.* galar, cobrir o galo as galinhas; (prov.) cobrir o macho a fêmea (nas aves).

gallarda. *f.* galharda, antiga dança e música espanhola; (impr.) tipo de letra de oito pontos tipográficos.

gallardear. *v. intr.* galhardear, mostrar galhardia e gentileza; bizarrear o valor.

gallardete. *m.* (mar.) galhardete; bandeira estreita para ornamentação de ruas e edifícios.

gallardetón. *m.* galhardete de duas pontas.

gallardía. *f.* galhardia, bizarria; gentileza, elegância; graça nas acções e nos movimentos; valor, coragem, esforço, arrojo, ânimo, brío, ousadia, intrepidez; apostura; galanice; galhardia: desinteresse, liberalidade; louçania; (fig.) gala; desempeno.

gallardo. da. *adj.* galhardo, garboso, desembaraçado, bizarro, esbelto, elegante, gentil; valente. esforçado; de presença agradável; galhardo, animoso, brioso, ousado, intrépido, valeroso; donairoso, generoso; liberal; desinteressado; luzido; loução; (fig.) eminente, excelente, grande; arrogante; (mar.) forte, rijo, desfeito (diz-se do temporal).

gallaruza. *f.* capote com capuz usado pelos montanheses.

gallear. *v. tr.* galar, cobrir o galo as galinhas. — *v. intr.* (fig. e fam.) vociferar, gritar. levantar a voz com ameaças; (fig.) levantar a crista, primar. sobressair entre outros.— *v. r.* abespinhar-se. assanhar-se.

gallegada. *f.* galegada, ajuntamento de galegos; galegada. palavra ou acção própria dos galegos; galegada, dança galega e a sua música; galeguice.

gallego, ga. *adj.* e *s.* (geog.) galego, natural ou pertencente à Galiza; diz-se do vento noroeste em Castela; galego. idioma da Galiza; (Argent.) galego, diz-se do emigrante espanhol; (Amér. zool.) espécie de lagartixa que vive nas margens dos rios; galego, ave semelhante à gaivota.

galleguismo. *m.* galeguice, dito ou acção de galego.

galleo. *m.* gálio, desigualdado nas peças metálicas fundidas e enfriadas ràpidamente; (taur.) sorte que faz o toureiro ajudado com a capa.

gallera. *f.* edifício onde se realizam lutas ou rinhas de galos; (Amér.) lugar onde se criam ou se guardam os galos de briga, galinheiro.

galleria. *f.* galinheiro; lugar onde se criam os galos de briga; galaria.

gallero. *m.* (Amér.) pessoa que cuida dos galos de briga; afeiçoado às lutas de galos.

galleta. *f.* galheta, vasilha pequena para licor com o gargalo entortado.

galleta. *f.* biscoito, biscouto, bolacha de embarque, bolo chato de farinha muito fina; chapa de frente duma barretina; carvão, variedade de antracite; (fam.) bofetada, bolachada, galheta, assoa-queixos; (Amér.) pão de farelo: *galleta para té*, bolanchinha doce.

galletería. *f.* fábrica de bolachas ou estabelecimento onde se vendem.

galletero. *m.* bolacheiro, fabricante ou vendedor de bolachas; biscoiteiro, biscouteiro, recipiente onde se conservam e servem as bolachas ou biscoitos.

gallillo. *m.* úcula. V. **galillo**.

gallina. *f.* (zool.) galinha, fêmea do galo.— *s.* (fig.) galinha, cobarde, pessoa tímida ou pusilânime: *gallina ciega*, cabra-cega, galinha-cega, (jogo de crianças); *gallina de mar*, galinha-do-mar, cantariz, alcantarilha, requeime, ronca (variedade de peixe); *nido de gallina*, choqueiro.

gallináceo, a. *adj.* (zool.) galináceo, relativo à galinha; galináceo, ave galinácea. — *f. pl.* galináceas.

gallinaza. *f.* ave de rapina. V. **aura**; galinhaça, estrabo ou excremento das galinhas.

gallinazo. *m.* (orni.) V. **aura**.

gallinejas. *f. pl.* tripas fritas de galinha e doutras aves que se vendem nos bairros extremos de Madrid.

gallinería. *f.* mercado de galinhas. V. **pollería**; bando de galinhas; (ant.) capoeira; (fig.) cobardia, poltronería.

gallinero, ra. *adj.* (cetr.) galinheiro, diz-se das aves de rapina que se nutrem de galinhas.— *s.* galinheiro, vendedor de galinhas.— *m.* galinheiro, capoeira, lugar onde se criam as galinhas; galinheiro, canastra onde vão as galinhas destinadas à venda; galinheiro, lugar onde se juntam muitas mulheres, gritaria; galinheiro, varandas, lugar nos teatros por cima dos camarotes, geral; (fig.) lugar onde há muita gritaria e confusão, galinheiro.

gallineta. *f.* galinhola. V. **choca e fúlica.**

gallinoso, sa. *adj.* cobarde, pusilânime, tímido, poltrão.

gallinsectos. *m. pl.* (zool.) galinsectos.

gallinúlidas. *f. pl.* (zool.) galinulídeas.

gallístico, ca. *adj.* pertencente ou relativo aos galos, especialmente às lutas dos mesmos.

gallito. *m.* galinho, galo pequeno, (fig.) homem descarado junto das mulheres; figurão, o que sobressai ou se destaca nalguma coisa; (Amér.) certo pássaro dentirrostro.

gallo. *m.* (zool.) galo, macho da galinha; (ictiol.) galo, escalo, dourada; (fig. e fam.) galo, pessoa que dispõe de tudo, pessoa que manda; homem entrado em anos, galo; (arq.) pau de fileira. V. **parhilera**; V. **molinete**, (brinquedo); (pop) nota falsa dum cantor; boia de cortiça das redes de pescar; (bot.) amor de hortelão. V. **estoque**; (Amér.) homem forte e valente.

gallocresta. *f.* (bot.) galocrista, espécie de sálvia.

gallofa. *f.* galhofa, comida dada como esmola; verduras, hortaliças para salada, guisado, etc.; conto, história sem graça; (prov.) pão pequeno mas comprido: *andar o darse a la gallofa*, galhofear, mendigar.

gallofar. *v. intr.* V. **gallofear**.

gallofear. *v. intr.* galhofear, mendigar, vadiar; levar vida alegre.

gallofero, ra. *adj.* e *s.* vagabundo, que anda pedindo esmolas; galhofeiro, ocioso; galhofeiro, alegre.

gallofo, fa. *adj.* e *s.* V. **gallofero**.

gallón. *m.* céspede, torrão relvoso; V. **tepe**; (prov.) taipa, parede feita de paus e barro.

gallón. *m.* (arq.) certo lavor que enfeita os capitéis, arabescos; enfeite semelhante nos talheres de prata; (mar.) última caverna da proa.

gallonada. *f.* taipa feita de paus e barro.

gallote, ta. *adj.* e *s.* (prov. e Amér.) resolvido, ousado, atrevido.

gama. *f.* (zool.) gama, fêmea do gamo; (prov.) corno, haste.

gama. *f.* (mús.) gama, escala musical; (fig.) escala, gradação de cores; (filol.) gama, terceira letra do alfabeto grego.

gamacismo. *m.* gamacismo.

gamado, da. *adj.* gamado, em forma da letra grega gama; suástico: *cruz gamada*, cruz gamada ou suástica.

gamarra. *f.* gamarra, correia que se ata da cilha ao cabeção da cavalgadura.

gamaza. *f.* (bot.) V. **alharma**; olho de boi.

gamba. *f.* (ictiol.) espécie de lagostim.

gambado, da. *adj.* (Amér.) cambado, zambo, cambaio. V. **patizambo.**

gambaj. *m.* gibão. V. **gambax.**

gámbalo. *m.* certo tecido de linho usado antigamente.

gambalúa. *m.* (fam.) trangola, homem alto, pernalta, esguio, indolente; inútil para o trabalho.

gámbaro. *m.* (ictiol.) camarão. V. **camarón.**

gambax. *m.* gibão acolchoado que se vestia debaixo da armadura.

gamberro, rra. *adj.* e *s.* libertino, dissoluto; incivil, grosseiro; (Bras.) amolecar, cafunje. — *f.* (prov.) mulher pública.

gambesina. *m.* V. **gambax.**

gambesón. *m.* V. **gambax.**

gambeta. *f.* cambeta, movimento de pernas, na dança, que consiste em as lançar e cruzar com graça; (equit.) curveta. V. **corveta.**

gambetear. *v. intr.* cambetear, fazer cambetas; (equit.) curvetear, fazer curvetas o cavalo.

gambeto. *m.* capote que chegava abaixo dos joelhos.

gambito. *m.* gambito (lance no jogo do xadrez).

gamboa. *f.* (bot.) gamboa, variedade de marmeleiro.

gambocho. *m.* (prov. V. **toña.**

gambota. *f.* (mar.) gambota, cada um dos madeiros curvos que formam a abóbada.

gambujo. *m.* V. **cambuj.**

gambusina. *f.* (prov.) variedade de pêra.

gamela. *f.* gamela, espécie de cesto.

gamella. *f.* cangueiro, parte do jogo com que se jungem os bois.

gamella. *f.* gamela, vasilha de madeira para dar de comer aos animais; gamela, marmita de soldado ou marinheiro; gamote, vertedouro.

gamellada. *f.* gamelada. conteúdo duma gamela.

gamellón. *m.* gamelão, gamela grande; dorna para pisar as uvas; (agr.) camalhão, porção de terreno entre dois sulcos.

gameto. *m.* (biol.) gameta, célula da fecundação.

gamezno. *m.* gamo pequeno e novo.

gamitadera. *f.* V. **balitadera.**

gamitar. *v. intr.* dar balidos o gamo, balir.

gamitido. *m.* balido do gamo ou voz que o imita.

gamma. *f.* gama, terceira letra do alfabeto grego correspondente ao *g.*

gamo. *m.* (zool.) gamo, mamífero cervídeo, veado.

gamón. *m.* (bot.) gamão, asfódelo ramoso.

gamonal. *m.* plantação de gamões; (Amér.) cacique.

gamonita. *f.* gamão. V. **gamón.**

gamonito. *m.* rebentos que deitam algumas árvores e plantas à sua volta.

gamonoso, sa. *adj.* abundante em gamões.

gamopétalo, la. *adj.* (bot.) gamopétalo.

gamosépalo, la. *adj.* (bot.) gamossépalo.

gamuno, na. *adj.* diz-se da pele do gamo.

gamuza. *f.* (zool.) camurça, camuça; camurça, pele deste animal.

gamuzado, da. *adj.* acamurçado, da cor da camurça, amarelado.

gana. *f.* gana, apetite, desejo, propensão natural; vontade duma coisa, gana; fome; (fam.) ódio, desejo de vingança.

ganable. *adj.* ganhável, que pode ganhar-se.

ganadería. *f.* rebanho, manada de gado, récua; tráfico, negócio de gado.

ganadero, ra. *adj. e s.* diz-se de certos animais, que acompanham o gado; ganadeiro, negociante ou possuidor de gado; ganadeiro, guardador de gado, vaqueiro, zagal, pegureiro.

ganado, da. *p. p. e adj.* ganho, ganhado, diz-se do que ganha. — *m.* (zool.) gado, reses em geral; enxame de abelhas; (fig. e fam.) conjunto de pessoas.

ganador, ra. *adj. e s.* ganhador, que ganha; (fam.) ganhadeiro, laborioso.

ganancia. *f.* ganância, ganho, lucro, proveito, utilidade; avanço; colheita, benefício; (fig.) mina: *no le arriendo la ganancia,* (fam.) não lhe invejo a sorte; *ganancia en el juego de cartas,* estuche; *ganancia fácil,* (fig.) bocado sem osso; *ganancia inesperada,* chuchadeira; arranjão; *pequeña ganancia,* achega; *llevar parte en las ga-*

nancias, ter rasca na assadura; (com.) *pérdidas y ganancias,* ganhos e perdas.

ganancial. *adj.* lucrativo, rendoso, ganancioso: *bienes gananciales,* (for.) bens adquiridos depois do matrimónio.

ganacioso, sa. *adj.* lucrativo, que da ganho, ganancioso. — *s.* pessoa que tem lucro ou ganância.

ganapán. *m.* ganapão, ganhador, mariola, moço de fretes, homem de ganho; trabalhador do campo, jornaleiro adventício; (fig.) galego; homem rude; pobretão.

ganar. *v. tr.* ganhar, adquirir capital, ou aumentá-lo, lucrar, tirar proveito; ganhar, conquistar, tomar, assenhorear-se, captar a vontade duma pessoa, ganhar a sua amizade; ganhar, adquirir no jogo; ganhar batalha, pleitos, vencer; (fig.) contrair, ganhar; merecer; chegar a; (fig.) ganhar, avantajar-se, exceder outrem, ganhar, corromper, seduzir; conseguir; conquistar ou tomar uma cidade; chegar ao sítio ou lugar que se pretende; ganhar uma demanda; apoderar-se de; avançar; cobrar; (mar.) avançar; (Bras.) abiscoitar, empapar. — *v. intr.* melhorar, prosperar, medrar; propagar-se; levar vantagem; ter resultado; receber: *ganar al juego,* estuchar; *ganar poco,* arranhar.

ganchete (a medio). *adv.* (fam.) por metade; desalinhadamente, sem perfeição.

ganchillo. *m.* agulha de gancho para fazer croché; trabalho feito com a mesma agulha.

gancho. *m.* gancho; esgalho; cajado de pastor; bordão de pastor; galho que fica na árvore quando se rompe um ramo; engate; gafa; (fig.) anzol; haste curva de matéria resistente para suspender um peso; arame curvo que usam as mulheres para segurar os cabelos; (fig. e fam.) aliciador, angariador, aquele que tem habilidade para convencer outro, garatuja; escrita com má letra; (prov.) forquilha de cinco dentes, gancho; (Amér.) sela de montar para senhora, manhoso, que tem gancho para convencer ou habilidade; angariador, alcoviteiro, rufião; (mar.) croque: *tener gancho,* diz-se da mulher que tem habilidade para namorar, para arranjar namoro; *echar el gancho,* segurar; (fam.) atrair, seduzir; *agarrar con un gancho, suspender de un gancho,* engatar, enganchar; *gancho de la aguja de hacer media,* farpo, farpela.

ganchoso, sa. *adj.* gancheado, ganchoso, que tem gancho, semelhante ao gancho.

ganchudo, da. *adj.* farpado; gancheado, em forma de gancho.

gándara. *f.* gândara, terreno arenoso; charneca, terra baixa, inculta, gândara; terreno despovoado, estéril.

gandaya. *f.* gandaia, vadiagem; profissão de trapeiro; ociosidade; (fig.) vadiagem, mandriice.

gandaya. *f.* V. **redecilla.**

gandido, da. *adj.* (Amér.) comilão, glutão.

gandinga. *f.* (min.) mineral miúdo e lavado; (prov.) miúdos de rês; (prov.) passas de qualidade inferior; (Amér.) guisado feito de fígado ou de porco: *buscar la gandinga*, (fam.) ganhar a vida.

gandujado. *m.* guarnição em forma de pregas ou franzidos.

grandujar. *v. tr.* encolher, franzir, fazer pregas, pregar.

gandul, la. *adj. e s.* gandulo, vagabundo, vadio; machaceador, machaceiro; pachorrento; madraço; empaleador; tunante; meliante; mendicante, indivíduo duma antiga milícia dos mouros de África e Granada; (Amér.) certa tribu de índios bárbaros; (Bras.) borocoxô, jirote, pamonha, pé-leve.

gandulear. *v. intr.* preguiçar, mandriar, vadiar; madracear.

ganduleria. *f.* vadiagem, preguiça, ociosidade; indolência; madraçaria; (Bras.) leseira.

gandulón. *adj. aum.* de gandul; madraceirão.

gandumbas. *adj. e s.* preguiçoso, indolente, relaxado, ocioso, vadio.

ganforro, rra. *adj. e s.* (fam.) velhaco, malandro; (fam.) tunante, brejeiro.

ganga. *f.* (min.) ganga, parte terrosa que envolve os minerais.

ganglio. *m.* (med.) gânglio, tumor pequeno que se forma nos músculos e nos tendões; (anat.) gânglio.

ganglión. *m.* (med.) gânglio, ganglião.

ganglioma. *m.* (pat.) ganglioma.

ganglionar. *adj.* (anat.) relativo a gânglios.

gangocho. *m.* (Amér.) V. guangoche.

gangosamente. *adv.* fanhosamente.

gangosidad. *f.* fanhosidade, qualidade de fanhoso.

gangoso, sa. *adj.* fanhoso; (pop.) fanha; gangoso; morfanho: *hablar gangoso*, falar morfanho, que fala como se tivesse o nariz apertado; falar fanhosamente.

gangrena. *f.* (med.) gangrena, estromeno; (bot.) doença das árvores que destroi a casca, o tronco e a médula; (fig.) gangrena, corrupção, germen de destruição, de desorganização. *gangrena gaseosa*, gangrena gasosa.

gangrenado, da. *adj.* (med.) gangrenado, estronado.

gangrenarse. *v. r.* (med.) gangrenar-se, encancerar; padecer gangrena uma parte do corpo ou da árvore; estromenar-se; (fig.) perverter. — *v. intr.* tornar-se gangrenoso.

gangrenoso, sa. *adj.* gangrenoso, que tem gangrena, que é da natureza da gangrena.

ganguear. *v. intr.* fanhosear, falar fanhosamente, ser fanhoso.

gangueo. *m.* pronunciação fanhosa; fungada, fala pelo nariz.

gánguil. *m.* (mar.) embarcação de pesca de duas proas e uma vela latina; embarcação que recebe o lodo, areia pedra, etc., que extrai a draga para atirar no alto mar.

ganoso, sa. *adj.* desejoso, que tem vontade duma coisa.

gansada. *f.* (fig. e fam.) sandice, asneira, estupidez; asnice, tolice.

gansear. *v. intr.* (fam.) fazer ou dizer sandices.

ganso, sa. *s.* (orni.) ganso, ave palmípede; ânser. — *adj. e s.* (fig.) pessoa estúpida e indolente; pessoa rústica, homem rude, tosco: *ganso salvaje de Madagascar*, apeca-apoa: *hablar por boca de ganso*, (fig.) não ter ideia própria, falar por bouca doutrem.

gante. *m.* espécie de tecido feito de linho cru.

ganzúa. *f.* gazua, chave falsa; chave mestra; (fig.) ladrão que rouba com manha; gatuno, esperto, sagaz; (pop.) algoz, verdugo; pessoa com habilidade para arrancar a outra um segredo.

ganzuar. *v. tr.* abrir uma fechadura com gazua; (fig.) V. sonsacar.

gañán. *m.* ganhão, moço de lavoura, trabalhador, jornaleiro; (fig.) homen rude; plebeu.

gañanía. *f.* multidão de trabalhadores, de jornaleiros, malta; (fig.) V. alquería, alcaria, casa de lavoura, de campo.

gañido. *m.* ganido, a voz aguda do cão, latido do cão que sofre; queixume dos animais.

gañiles. *m. pl.* partes cartilaginosas do animal onde sai a voz ou o ganido, goelas; guelras do atum.

gañir. *v. tr.* ganir, dar ganidos; grasnar as aves; (fig. e fam.) respirar com ruído as pessoas, ressonar; falar com voz ronquenha.

gañón, gañote. *m.* (fam.) gasganete, garganta, gasnete; (prov.) certo doce com forma de tubo com massa muito fina.

garabatada. *f.* acção de lançar o garabato ou fateixa para colher alguma coisa.

garabatear. *v. intr.* deitar as fateixas, o garabato; garatujar, rabiscar; (fig.) andar com rodeios, esgaratujar, fazer garatujas; tergiversar, rodear, fazer circunlóquios.

garabateo. *m.* acção de e efeito de deitar as fateixas ou garabatos.

garabatillo. *m.* (med.) dificuldade para expectorar.

garabato. *m.* garabato, fateixa, gancho de ferro; sedeiro, gancho de ferro com que se carda o linho; rastelo; sacho para capinar ou mondar; (fig.) garbo, gentileza, elegância mulheril; gatafunhos, garatujas; letras mal formadas; gaifonas, gaifonice; ladrão; (Amér.) forquilha, forcado, utensílio agrícola.

garabatoso, sa. *adj.* garboso, galhardo, que tem garbo, elegante.

garabito. *m.* banco, alto, barraca, casinhola, onde as mulheres vendem hortaliças nas praças ou mercados; abundância de frutas e verduras; (Amér.) rapaz vadio.

garaje. *m.* garagem, casa para recolha de veículos, automóveis; alpendre onde se guardam automóveis.

garambaina. *f.* atavio, enfeite, adorno de mau gosto. — *pl.* (fam.) garatujas, ademanes ridículos, afectados.

garante. *adj.* e *s.* garante, que dá garantia, abonador, fiador, pessoa que se responsabiliza por alguém, por alguma coisa; responsável.

garantía. *f.* garantia, penhor, fiança; caução; aval; empenho; (fig.) paládio; direito que a constituição dum estado reconhece aos cidadãos; garantia; protecção, amparo; abocação; aquilo que assegura a execução duma coisa ou a posse; segurança; fiança, responsabilidade. — *pl.* privilégios, isenções: *dado en garantía*, empenhado; *dejar sin garantía*, desgarantir; *sin garantía*, a descoberto; *garantías constitucionales*, garantias constitucionais.

garantir. *v. tr. def.* garantir, afiançar. V. **garantizar.**

garantizado, da. *p. u.* de **garantizar**; e *adj.* garantido; afiançado.

garantizador, ra. *adj.* e *s.* afiançador, fiador, que garante.

garantizar. *v. tr.* garantir, afiançar, dar em garantia; afiançar; defender; afirmar; assegurar; certificar; responsabilizar-se por; tornar seguro.

garañón. *m.* (zool.) garanhão, cavalo ou burro de padreação; (fig.) garanhão, dissoluto.

garapacho. *m.* carapaça. V. **carapacho.**

garapiña. *f.* carapinhada, líquido congelado que forma frocos ou grumos; certo tecido com rendas e galões; (Amér.) carapinhada, bebida refrigerante.

garapiñar. *v. tr.* congelar um líquido até o deixar em forma de carapinhada; fazer carapinhada; banhar guloseimas em calda de açúcar.

garapiñera. *f.* sorveteira, vaso para fazer carapinhada.

garapita. *f.* galrito, rede espessa e pequena.

garatura. *f.* instrumento para raspar peles.

garatusa. *f.* garatusa, certo lance no jogo do chilindrão; garatusa, trapaça, logro no jogo de esgrima; (fig. e fam.) lisonjas, mimos, afagos, carícias, meiguices para captar a vontade dalguém.

garbancera. *f.* (prov.) certa planta leguminosa.

garbancero, ra. *adj.* e *s.* gravanceiro, referente ao grão-de-bico; vendedor de grão-de-bico; (fam.) incorrecto, incivil.

garbanzal. *m.* ervançal, terra semeada de grão-de-bico.

garbanzo. *m.* (bot.) ervanço, gravanço, grão-de-bico; ervanço, semente desta planta; *garbanzo negro*, (fig.) diz-se da pessoa sem préstimo entre outras da classe.

garbanzuelo. *m.* V. **esparavan.**

garbar. *v. tr.* (prov. agr.) engavelar, enfeixar, fazer feixes de trigo.

garbear. *v. intr.* mostrar garbo ou bizarria; (germ.) roubar ou andar na pilhagem; (fam.) viver de expedientes. V. **trampear.**

garbear. *v. tr.* donairear, afectar garbo ou gentileza. V. **garbar.**

garbera. *f.* meda, frascal. V. **tresnal.**

garbías. *m. pl.* guisado de verduras, queijo, farinha, manteiga de porco e ovos.

garbillador, ra. *adj.* e *s.* joeirador, diz-se do que joeira.

garbillar. *v. tr.* joeirar, cirandar grão; (min.) peneirar, limpar minerais, joeirar.

garbillo. *m.* peneira, joeira, ciranda; (prov.) esparto largo e escolhido; (min.) espécie de crivo ou peneira; mineral miúdo.

garbino. *m.* vento do Sudoeste.

garbo. *m.* garbo, galhardia, gentileza, graça, boa presença, brio, donaire, elegância; contento; galanice; apostura, airosidade; (fam.) graça e perfeição que se dá às coisas; bizarria, liberalidade, generosidade; desinteresse; chiste.

garboso, sa. *adj.* garboso, galhardo, airoso; arrogante; bemposto, loução, galã; chic; (fig.) generoso, liberal; desinteressado, bizarro.

garbullo. *m.* garabulha, inquietação e confusão de várias pessoas; alvoroto, tropel, barulho.

garceta. *f.* (orni.) garceta, garça-branca, garça-ribeirinha; cabelo que cai sobre as faces; (mont.) cada uma das pontas inferiores das hastes do veado; penteado do tempo da rainha Ana d'Áustria; (prov.) peaça. — *pl.* penas de garça.

gardenia. *f.* (bot.) gardé(ê)nia.

gardingo. *m.* gardingo, certo funcionário entre os Godos.

garduja. *f.* garduja, pedra das minas de Almadén que se toma por inútil por não ter azougue.

garduña. *f.* (zool.) fuinha.

garduño, ña. (fam.) larápio, ladrão matreiro e sagaz que furta com manha, raposa.

garete. *m.* (mar.) *irse al garete*, garrado, diz-se do navio que sem governo vai levado pelo vento ou pela corrente, garrar o navio.

garfa. *f.* garra, unha curva dalguns animais; antigo tributo aplicado à guarda das eiras.

garfada. *f.* a(c)ção de empolgar, de agarrar com as unhas ou garras.

garfear. *v. intr.* fisgar, agafanhar, lançar os ganchos para agarrar um objecto em poço, rio, etc.

garfio. *m.* gancho de ferro, garavato, fateixa, engate, farpão.

gargajeada. *f.* escarradura. V. **gargajeo.**

gargajear. *v. intr.* escarrar, lançar, expelir escarros; expe(c)torar.

gargajeo. *m.* escarradura, expectoração.

gargajiento, ta. *adj.* e *s.* gosmento, que escarra ou expectora frequentemente.

gargajo. *m.* gargalho, escarro espesso; (fig. e fam.) rapaz enfesado, raquítico; pessoa asquerosa.

gargajoso, sa. *adj.* e *s.* que expectora com frequência. V. **gargajiento.**

gargal. *m.* (Amér.) galha do carvalho ou roble.

garganchón. *m.* (fam.) garganta, garguero. V. **garguero.**

garganta. *f.* (anat.) garganta, laringe; voz de cantor; garganta, desfiladeiro, estreito; parte mais estreita dum porto; parte do arado; cama do arado; (arq.) parte mais estreita das colunas; (fig.) artelho, parte superior do pé por onde está unido com a perna; (fig.) garganta, boa voz; (pop.) engolideiras.

gargantada. *f.* golfada, líquido que se vomita duma vez.

gargantear. *v. intr.* gargantear, gorjear, trinar, requebrar, fazer garganteios com a voz. — *v. tr.* (germ.) confessar no meio da tortura; (mar.) ligar o estropo dum cadernal ou moitão.

garganteo. *m.* garganteio, garganteado.

gargantil. *m.* chanfradura, entalhe, recorte semicircular na bacia dos barbeiros.

gargantilla. *f.* gargantilha, colar para o pescoço da mulher; cada uma das contas que formam um colar.

gárgara. *f.* gargarejo, agitação dum líquido na boca ou na garganta.

gargarismo. *m.* gargarejo, a(c)ção de gargarejar, gargarismo; gargarejo, líquido para gargarejar, colutório.

gargarizar. *v. intr.* gargarejar, agitar um líquido na boca sem o engolir; tomar gargarejos.

gárgol. *adj.* goro, choco, diz-se do ovo infecundo. — *m.* javre, junta, encaixe, entalho nas aduelas; caixilho.

gárgola. *f.* gárgula, abertura por onde escorre a água duma fonte ou cascata; gárgula, cano, estreito por baixo dos beirais para receber as águas dos telhados.

gárgola. *f.* (agr.) linhaça, semente do linho; (prov.) vagem de legume, que contém um ou dois grãos.

gargotero. *m.* butarinheiro, vendedor ambulante.

garguero. *m.* garganta, gargueiro, parte superior da traqueia.

garifo, fa. *adj.* xerife. V. **jarifo.**

gariofilea. *f.* (bot.) espécie de cravo silvestre.

garita. *f.* guarita, abrigo para sentinela, vigilantes, guarda-freios, etc; pequeno quarto do porteiro nos portais; latrina, sentina; (Amér.) porta, entrada da cidade.

garitero. *m.* gariteiro, o que tem casa de jogo; frequentador de tais casas; (germ.) encobridor de ladrões; receptador de furtos.

garito. *m.* garito, baiuca de tavolagem; lucro que se tira duma tavolagem; garito, casa de jogo.

garla. *f.* (fam.) charla, conversa, tagarelice, cavaco, chocalhice.

garlador, ra. *adj* e *s.* (fam.) charlador, conversador, chocalheiro, tagarela, palrador, farfalhador.

garlante. *p. a.* e *adj.* (fam.) tagarelante, que tagarela, palrador.

garlar. *v. tr* e *intr.* (fam.) parolar, palrar, falar muito e indiscretamente, tagarelar, taramelar, chocalhar.

garlito. *m.* galrito, espécie de rede para pescar; (fig. e fam.) cilada, laço; engano encoberto; traição, armadilha: *cojer a uno en el garlito,* (fig. e fam.) apanhar alguém em flagrante, com a boca na botija; *caer en el garlito,* dar na cilada, cair na corriola.

garlocha. *f.* garrocha. V. **garrocha.**

garlopa. *f.* (carp.) garlopa, plaina grande; desbastador, garlopa.

garnacha. *f.* garnacha, vestimenta de magistrados e sacerdotes; pessoa que veste garnacha; pequena companhia ambulante de cómicos; (agr.) espécie de uva vermelha da que se faz o vinho chamado Garnacha.

garniel. *m.* V. **guarniel.**

garo. *m.* salmoura, líquido que ressuma o peixe deitado em sal; molho feito das tripas e do fígado, etc., dalguns peixes muito apreciado pelos romanos.

garo. *m.* (ictiol.) garo, espécie de arenque; banquete, brodio; (pop.) povo.

garoso, sa. *adj.* (Amér.) faminto, comilão.

garpa. *f.* gaipo de uva.

garra. *f.* (zool.) garra, unha de aves de rapina e de feras; (fig.) garras, mãos do homem, gadanhos; (mar.) garra, gancho do arpéu; (prov.) perna dum animal; (Amér.) pedaço de coiro endurecido: *echar la garra,* (pop.) arrepanhar, lançar as garras, as mãos.

garrafa. *f.* garrafa larga e redonda, com gargalo alto e estreito.

garrafal. *adj.* garrafal, diz-se da certa espécie de cerejas e ginjas; (fig.) crasso, grande, extraordinário, exorbitante.

garrafiñar. *v. tr.* (fam.) surripiar, tirar arrebatar alguma coisa.

garrafón. *m.* garrafão, vasilha bojuda de vidro.

garrama. *f.* garrama, espécie de tributo que os mulçumanos pagam aos seus príncipes; (fig.) roubo, furto, pilhagem, rapina; (prov.) derrama, contribuição.

garramar. *v. tr.* (fam.) furtar, surripiar, tirar astuciosamente; garramar, cobrar o tributo chamado garrama.

garrancha. *f.* (fam.) espada farrusca, catana. (prov.) V. **gancho;** (bot.) V. **espata.**

garranchada. *f.* garranchada, ferida produzida por garrancho.

garranchazo. *m.* V. **garranchada.**

garrancho. *m.* garrancho, ramo curto duma árvore, esgalho, gancho.

garranchuelo. *m.* (bot.) planta gramínea de talo extenso e espigas compridas.

garrapata. *f.* (zool.) carrapato, carraça; (fam.) (mil.) cavalo inútil para o serviço; (fig.) anão, pigmeu, pitorra.

garrapateador. *m.* escrevinhador, rabiscador.

garrapatear. *v. intr.* rabiscar, garatujar, escrevinhar, escrever mal.

garrapato. *m.* rabisco, garatuja, traço irregular; (fig.) carraça, o que é pequeno e se agarra a tudo.

garrapatón. *m.* disparate grande. V. **gazapatón.**

garrapatoso, sa. *adj.* diz-se da escrita irregular e cheia de garatujas.

garrapiñar. *v. tr.* surripiar. V. **garrafiñar.**

garrapiñera. *f.* V. **garapiñera.**

garrar. *v. intr.* (mar.) garrar, arrastar o navio a âncora pelo fundo sem fazer presa.

garraspera. *f.* V. **carraspera.**

garrear. *v. intr.* (mar.) V. **garrar.**

garrideza. *f.* (ant.) galhardia; elegância.

garrido, da. *adj.* garrido, gentil, janota, elegante; formoso, lindo; (fig.) maio; engravatado; loução; fazeiro.

garroba. *f.* (bot.) alfarroba. V. **algarroba.**

garrobal. *m.* alfarrobal, lugar plantado de alfarrobeiras.

garrobilla. *f.* pedaços ou ramos de alfarrobeira empregados para curtir coiros.

garrobo. *m.* (Amér.) sáurio de forte pele escamosa.

garrocha. *f.* garrocha, aguilhão para picar os touros; garrocha, haste de madeira com ponta de ferro farpeada.

garrochar. *v. tr.* garrochar, picar com garrocha, picar toiros; agarrochar, picar com a garrocha. V. **agarrochar.**

garrochazo. *m.* garrochada, picada produzida pela garrocha.

garrocheador. *m.* o que agarrocha. V. **agarrochador.**

garrochear. *v. tr.* garrochar, picar toiros. V. **agarrochar.**

garrochista. *m.* o que agarrocha. V. **agarrochador.**

garrochón. *m.* garrochão. V. **rejón.**

garrofa. *f.* (bot.) alfarroba. V. **algarroba.**

garrofal. *m.* alfarrobal. V. **garrobal.**

garrofero. *m.* (prov.) alfarrobeira. V. **algarrobo.**

garrón. *m.* (zool.) esporão das aves; extremidade das patas de certos animais por onde se dependuram depois de mortos; esgalho, galho; (prov.) V. **calcañar.**

garrota. *f.* garrote, arrocho; cajado de pastor. V. **cavada.**

garrotazo. *m.* arrochada, bordoada, paulada.

garrote. *m.* garrote, pau grosso, arro(ô)cho; estaca; garrote, instrumento de suplício para estrangulação; garrote, pena de morte por estrangulação; ligadura forte para conter hemorragias; ligadura, compressão forte nos braços e nas pernas; compressão, aperto de ligadura por meio de arrocho; (mar.) alavanca para torcer um cabo; (Amér.) freio de carro: *dar garrote,* dar a morte por meio do garrote.

garrotear. *v. intr.* (Amér.) espancar, apalear, dar com pau; (prov.) debulhar, esbagoar as espigas, batendo-lhes com o garrote.

garrotero. *m.* (Amér.) V. **apaleador.**

garrotillo. *m.* (med.) garrotilho, difteria na laringe e noutros pontos do aparelho respiratório, crupe, esquinência; (vet.) angina do cavalo; (prov.) pau curvo empregado para dar o nó ao vencilho.

garrotín. *m.* dança dos fins do século xix.

garrubia. *f.* (agr.) semente de alfarroba. V. **algarroba.**

garrucha. *f.* roldana, polé; garrucha, antigo instrumento de tortura; anel dos liços pequenos do tear.

garrucho. *m.* (mar.) garrucho, garruncho, garrucha, anel de ferro ou madeira.

garrudo, da. *adj.* que tem muita garra; (Amér.) vigoroso, forçudo.

garrulador, ra. *adj.* gárrulo. V. **gárrulo.**

garrulería. *f.* garrulice, charlatanismo, charlatanaria, tagarelice.

garrulidad. *f.* garrulice, garrulidade, qualidade de palrador.

gárrulo, la. *adj.* gárrulo, chilreador, que gorjeia muito; (fig.) gárrulo, falador, charlatão; loquaz, palavreador, palavreiro, galrão, galreiro, farfalhador; diz-se das coisas que fazem ruído continuado.

gárrulo. *m.* (orni.) gárrulo.

garúa. *f.* (Amér. e mar.) V. **llovizna.**

garuar. *v. intr.* (Amér.) V. **lloviznar.**

garujo. *m.* betão. V. **hormigón.**

garulla. *f.* (bot.) uva desbagoada que fica caída nos cestos; (fig. e fam.) canalha, reunião de gente ordinária.

garullada. *f.* (fig. e fam.) multidão desordenada. V. **garulla;** (prov.) conjunto de perus.

garvín. *m.* coifa ou touca feita de rede.

garza. *f.* (orni.) garça: *garza real,* garça-real; (fig. Amér.) pessoa de pescoço comprido.

garzo, za. *adj.* garço, de cor esverdeada ou verde-azulado. — *m.* V. **agárico.**

garzón. *m.* garção, jovem, mancebo, rapaz bem disposto, engraçado; galanteador, namorador; (mil.) ajudante de ordens no antigo corpo espanhol dos guardas reais; (Amér.) garção, espécie de garça real.

garzonear. *v. intr.* galantear, namorar.

garzota. *f.* (orni.) garçota; pluma da garça.

gas. *m.* (quim.) gás, fluído aeriforme; ar; carburante de hidrogénio obtido pela destilação do carvão de pedra; (Amér.) V. **petroleo.** — *pl.* gases, flatulência, ventosidade.

gasa. *f.* gaze, gaza, tecido de seda leve e muito transparente; fumo no chapéu em sinal de luto.

gaseado, da. *p. p. e s.* gaseado, que ou aquele que sofreu a acção nociva de gases.

gasear. *v. tr.* gasear, submeter à acção de gases tóxicos; asfixiar por meio de gases; atacar com gases.

gaseamiento. *m.* a(c)ção e efeito de gasear; ataque com gases; asfixia por meio de gases.

gaseiforme. *adj.* gaseiforme.

gasendismo. *m.* gasendismo, doutrina atomística do Padre Gasendi.

gasendista. *adj. e s.* partidário do gasendismo.

gaseol. *m.* (farm.) gaseol.

gaseosa. *f.* gasosa, bebida refrescante gaseificada.

gasero, ra. *s.* fabricante de gás, empregado na fabricação do gás; fabricante ou vendedor de aparelhos de gás.

gasificable. *adj.* que se pode gaseificar.

gasificación. *f.* gaseificação, evaporação, redução de um corpo a gás.

gasificar. *v. tr.* (quim.) gaseificar, gasificar, reduzir a gás; aerificar.

gasiforme. *adj.* gaseiforme, gaseoso.

gasista. *m.* o que coloca e repara os aparelhos que funcionam a gás; operário dos serviços de iluminação a gás.

gasógeno. *m.* gasogé(ê)nio, gasógeno, aparelho que produz gás.

gasoil. *m.* gás-oil.

gasolina. *f.* gasolina, líquido volátil e inflamável obtido por destilação dos petróleos brutos.

gasoleno. *m.* V. **gasolina.**

gasolinera. *f.* lancha automóvel movida a gasolina.

gasometría. *f.* gasometria.

gasométrico, ca. *adj.* gasométrico, relativo a gasometria.

gasómetro. *m.* gasó(ô)metro, aparelho para medir gás, aparelho que serve de reservatório ao gás da iluminação.

gasón. *m.* V. **yesón;** caliça; (prov.) grande porção de terra que fica por desfazer pelo arado.

gastable. *adj.* gastável, que se pode gastar; fungível, consumível.

gastadero. *m.* (fam.) lugar onde se gasta alguma coisa.

gastado, da. *p. p.* e *adj.* gastado, gasto; gastado, consumido, desfeito, estragado, desbaratado, empregado; gastado, esbanjado; cortido; gastado, debilitado, diz-se da pessoa decaída física ou moral: *gastado por el uso*, (pop.) macaco, coçado; *prenda de vestir muy gastada y rota*, farrapo.

gastador, ra. *adj.* e *s.* gastador, que gasta muito dinheiro; gastador, derramador, consumidor, gastador, desgovernado; estragadão, estragador; gastador, galdeiro; esbanjador; despendedor, desgastador; desbaratador; estroína; alargador. — *m.* nas prisões, o condenado a trabalhos públicos; (mil.) soldado, sapador, porta-machado.

gastamiento. *m.* gasto, quebra, detrimento nas coisas pelo uso.

gastar. *v. tr.* gastar, empregar dinheiro numa coisa; consumir, usar; gastar, desbastar, acabar, estragar, extinguir; despender, gastar, desbaratar, empregar; gastar, alargar; expender; gastar, evaporar, despesar; (fig.) chupar; (fig.) fundir, fumar; (pop.) empandeirar, estrompar; gastar, aniquilar; esbanjar; (Bras.) pop. entoar. — *v. r.* gastar-se, corroer; consumir-se; extenuar-se; destruir, arruinar-se: *gastar el tiempo, la vida*, (fig.) depender, consumir o tempo, empregar o tempo; *gastar más de lo que se puede*, aguentar a família; *gastar mucho*, alargar-se, derreter-se, desperdiçar; *gastar una herencia*, chupar uma herança.

gasterópodo, da. *adj.* (zool.) gasterópode, moluscos que têm um pé na parte inferior do ventre. — *m. pl.* gasterópodes.

gasterósteo. *m.* género de peixes teleósteros.

gasto. *m.* gasto, a(c)ção de gastar; gasto, consumo, expensão, dispêndio, despesa; desembo(ô)lso; consumo; desbaratamento; estragação; desperdício, expensas: *gasto grande*, despesão, (pop.) devorismo; *gasto*

inesperado, batocada; *gastos dedueidos*, (com.) deduzidas as despesas; *hacer grandes gastos*, alargas a bolsa.

gastoso, sa. *adj.* V. **gastador.**

gastralgia. *f.* (med.) gastralgia.

gastrectomía. *f.* (cir.) gastrectomia.

gastricismo. *m.* gastricismo.

gástrico, ca. *adj.* (med.) gástrico, relativo ao estômago.

gastritis. *f.* (med.) gastrite.

gastricidad. *f.* (pat.) gastricidade.

gastrocele. *m.* (pat.) gastrocele.

gastrocistitis. *f.* (pat.) gastrocistite.

gastrocolitis. *f.* (pat.) gastrocolite.

gastrodiafanoscopia. *f.* (med.) gastrodiafanoscopia.

gastroduodenal. *adj.* (anat.) gastroduodenal.

gastroduodenitis. *f.* gastroduodenite.

gastroenteritis. *f.* (med.) gastrenterite.

gastroenterocolitis. *f.* (pat.) gastro-entero-colite.

gastrofaradización. *f.* (terap.) gastrofaradização.

gastrointestinal. *adj.* (anat.) gastro-intestinal.

gastrólatra. *adj.* e *s.* gastrólatra; glutão.

gastrolatría. *f.* gastrolatria; glutonaria.

gastrología. *f.* gastrologia.

gastrológico, ca. *adj.* gastrológico.

gastrólogo, ga. *s.* gastrólogo.

gastromanía. *f.* gastromania.

gastromicetos. *m. pl.* (bot.) gastromicetes.

gastronomía. *f.* gastronomia.

gastronómico, ca. *adj.* gastronó(ô)mico.

gastrónomo. *m.* gastró(ô)nomo, aquele que gosta de boa cozinha, de boas **iguarias;** acepipeiro; amigo d'acepipe.

gastropatía. *f.* (pat.) gastropatia.

gastroperitonitis. *f.* (pat.) gastroperitonite.

gastrosis. *f.* (pat.) gastrose.

gastrorrafia. *f.* gastrorrafia.

gastrorragia. *f.* gastrorragia.

gastrorrágico, ca. *adj.* gastrorrágico.

gastrorrea. *f.* gastrorreia.

gastrorreico, ca. *adj.* gastrorreico.

gastrostomía. *f.* gastrostomia.

gastrotomía. *f.* gastrotomia.

gastrotómico, ca. *adj.* gastrotómico.

gastrovascular. *adj.* (anat.) gastrovascular.

gástrula. *f.* (zool.) gástrula.

gastrulación. *f.* (biol.) gastrulação.

gata. *f.* (zool.) gata, fêmea do gato; (fam.) diz-se da mulher nascida em Madrid; (bot.) V. **gatuña;** (mar.) mastro de gata, verga seca; (fig.) nuven pequena colada a um monte; (Amér.) peixe semelhante ao tubarão; ervas rasteiras e daninhas.

gatada. *f.* unhada, arranhadela; acção própria de gato, acção vituperável, acção feita com astúcia, com engano e simulação; (fig.) palavra astuciosa e engraçada; parada da lebre na carreira.

gatas (a). *adv.* de gatas, de gatinhas; andar com os pés e as mãos pelo chão.

gatazo. *m.* aum. de *gato*, gatarão; (fam.) engano, logro para obter dinheiro ou qualquer outra coisa de valor.

gateado, da. *adj.* semelhante ao gato, gatum; gateado, semelhante ao gato ou parecido com ele; (Amér.) gateado, diz-se do cavalo ou da égua de pelagem com malhas pretas; diz-se do cavalo baio e do amarelo-avermelhado. — m. madeira muito compacta.

gateamiento. m. acção de trepar o gato.

gatear. v. intr. trepar, subir, como os gatos; andar de bruços, engatinhar, andar de gatinhas. — v. tr. arranhar o gato; furtar.

gatera. f. gateira, buraco por onde entra e sai o gato; (bot.) gataria. — m. (fig. e fam.) ratoneiro; (mar.) gateira, abertura por onde passam os cabos.

gatería. f. (fam.) gataria, grande quantidade de gatos; (fig.) ajuntamento de crianças malcriadas; hipocrisia, fingimento; (fam.) bando, grupo de gaiatos, de canalha.

gatero, ra. adj. gateiro, habitado ou frequentado por gatos. — s. vendedor de gatos; gateiro, o que gosta de ter ou criar gatos.

gatesco, ca. adj. gatesco, relativo ao gato.

gatillazo. m. pancada do gatilho das espingardas.

gatillo. m. gatilho, percussor, que percute, percutidor; (arq.) gato, peça de ferro para dar solidez ao vigamento; (carp.) gato, grampo; gatuno, ratoneiro; (cir.) boticão, tenaz, instrumento para arrancar dentes; (vet.) borda da crineira; parte superior do pescoço dalguns animais quadrúpedes.

gato. m. (zool.) gato; (med.) macaco, aparelho para levantar grandes pesos; gato, espigão de ferro para dar solidez; bolso, bolsa para dinheiro; reserva de dinheiro, economias; (fig. e fam.) ratoneiro; larápio; gato, grampo; gatilho; espécie de ratoneira; avarento, unhas de fome; (Amér.) certa dança e música popular argentina: *aquí hay gato encerrado*, (pop.) aqui anda coisa encoberta.

gatuna. f. (bot.) V. **gatuña.**

gatuno, na. adj. gatesco, gatum, pertencente ou relativo ao gato.

gatuña. f. (bot.) gatunha.

gatuperio. m. mistura, mixórdia; (fam.) intriga, engano, enredo, farça.

gauchada. f. (Amér.) gauchada, acção realizada com astúcia, audácia e habilidade.

gauchage. m. (Amér.) gauchada, bando de gaúchos.

gauchesco, ca. adj. gauchesco, relativo ao gaúcho; que tem semelhança com ele.

gaucho, cha. adj. e s. gaúcho; (fig.) grosseiro, sáfio; taimado, astuto.

gaudeamus. m. (pop.) gaudeamus, refeição alegre.

gaudón. m. (prov.) V. **alcaudón.**

gavanza. f. rosa brava ou silvestre.

gavanzo. m. roseira brava.

gavera. f. (prov. e Amér.) molde para fabricar telhas ou ladrilhos. V. **tapial.**

gaudio. m. gáudio, júbilo, regozijo; brinquedo, folgança; pândega.

gaveta. f. gaveta, gaveta corrediça que faz parte das secretárias; (prov.) anel de ferro ou laço de corda para apertar os vimes ou os juncos.

gavia. f. (mar.) gávea; cubículo ou gaiola onde se encerravam os loucos furiosos; hospital de alienados; (agr.) cova para plantar uma árvore; cipote, pau com buracos por onde passam os cordões dum cabo quando se está fazendo; vala para desaguamento; (min.) brigada de operários que se ocupam no transporte de cargas. — pl. conjunto das três velas das galeras.

gavia. f. (orni.) gaivota.

gavial. m. (zool.) gavial.

gaviero. m. (mar.) marinheiro a cujo cuidado está a gávea.

gavieta. f. (mar.) gávea, mezena.

gaviete. m. (mar.) gaviete.

gavilán. m. (zool.) gavião; cada um dos dois bicos laterais da pena de escrever; copos da espada; rabisco, rasgo da pena no fim dalgumas letras; (agr.) flor do cardo; (mar.) croque, arpéu; (cir.) ligadura para o nariz.

gavilancillo. m. (bot.) pico, espinho curvo da folha de alcachofra.

gavilla. f. gabela, feixe, molho ou atado de sarmentos, canas, erva, etc.; (fig.) bando, quadrilha de gente ordinária ou de malfeitores.

gavillador. m. (germ.) capitão de ladrões, chefe duma quadrilha de salteadores.

gavillar. m. terreno coberto de feixes ou gabelas.

gavillero. m. lugar onde se juntam as gabelas ou feixes durante a sega.

gavina. f. (orni.) gaivota. V. **gaviota.**

gavión. m. gavião, cesto cheio de terra ou pedras para obras de defesa e para construções hidráulicas; (fig.) chapéu de copa e abas muito grandes e largas.

gaviota. f. (orni.) gaivota.

gavota. f. gavota, antiga dança francesa.

gayadura. f. barra, guarnição e adorno feito com listas doutra cor.

gayar. v. tr. enfeitar, adornar ou guarnecer alguma coisa com listas doutra cor.

gayo, ya. adj. gaio, alegre, agradável, vistoso, contente, vivo. — m. (prov.) V. **grajo.**

gayola. f. (pop.) gaiola. V. **jaula;** (fig. e fam.) prisão, cárcere; (prov.) cabana para guardas de vinhedos.

gay saber. m. gaia-ciência, poesia.

gayubar. m. terreno montuoso, abundante em medronheiros.

gaza. f. (mar.) estropo, laço na extremidade duma corda; alça; estribos: *gaza de un motón*, alça dum moutão; *gaza del estay*, alça do estai.

gazafatón. m. (fam.) grande disparate.

gazapa. f. (fam.) engano, mentira, embuste, peta.

gazapatón. m. (fam.) V. **gazafatón.**

gazapera. f. covil, toca de coelhos; (fig. e fam.) reunião de gente de baixa condição para fins ilícitos; covil de ladrões; briga, rixa, pendência.

gazapillo. m. coelho pequeno.

gazapina. f. (fam.) matula, súcia, **caterva,** reunião de canalha; rixa, briga, **conten-**

da, alvoroto; (fig.) conjunto de erros ou enganos.

gazapo. m. (zool.) caçapo, láparo, coelho novo; (fig. e fam.) homem astuto, matreiro; mentira, peta, embuste; e(ê)rro, engano ao escrever ou falar; (zool. prov.) certa ave de rapina; (fam.) carapetão, mentira grande; caçapo, homem baixo, acaçapado.

gazmiar. v. tr. gulosar, comer gulodices. V. **gulusmear.** — v. r. (fam.) queixar-se, ressentir-se.

gazmol. m. (zool.) pevide, espécie de abcesso na língua das aves de rapina.

gazmoñada. f. fingimento, modéstia, devoção, escrúpulo afectado.

gazmoñería. f. fingimento, afectação ridícula de modéstia, de devoção ou de escrúpulos; bioco.

gazmoñero, ra. adj. e s. V. **gazmoño.**

gazmoño, ña. adj. e s. hipócrita, impostor, diz-se do que afecta devoção e virtudes que não possui, melindroso.

gaznápiro, ra. adj. e s. atoleimado, boçal, palúrdio, lorpa, simplório.

gaznar. v. intr. grasnar. V. **graznar.**

gaznatada. f. gasnatada, pescoçada, pancada no pescoço com a mão.

gaznatazo. m. pescoçada. V. **gaznatada.**

gaznate. m. gasnate, garganta, gasganete, gasnete; filhó cilíndrica semelhante a uma traqueia. V. **garguero:** remojar el gaznate, (pop.) molhar a palavra.

gaznate. m. (Amér.) doce feito de ananás ou de coco.

gaznatón. m. pescoçada. V. **gaznatada e gaznate.**

gazofia. f. V. **bazofia.**

gazofilacio. m. gazofilácio, lugar onde se recolhiam as esmolas para o culto em Jerusalém.

gazpacho. m. gaspacho, caspacho, sopa fria feita com pedaços de pão, água fria, azeite, vinagre, sal, alho e cebola. — pl. migas cozidas ao borralho ou sobre as brasas; resíduos, sobras.

gazul. m. (bot.) V. **lagazul.**

gazuza. f. (fam.) fome, gana devoradora.

gazuzo, sa. adj. (Amér.) V. **hambriento.**

ge. f. gê, nome da letra G.

gea. f. conjunto de tudo o que é inorgânico dum país ou região; obra que o descreve.

gehena. f. geena, inferno, lugar de suplício eterno.

geico, ca. adj. (quim.) geico.

géiser. m. gé(ê)iser.

gel. m. (quim.) gel.

gelásimo. m. (zool.) gelásimo.

gelatina. f. (quim.) gelatina; cola de peixe; geleia.

gelatinoso, sa. adj. gelatinoso; pegajoso.

gelatiniforme. adj. gelatiniforme.

geldre. m. (bot.) V. **mundillo.**

gelfe. m. preto senegalês.

gélido, da. adj. (poét.) gélido, gelado, muito frio; (fig.) cortante.

gema. f. (min.) gema, nome das pedras preciosas; (bot.) gema, botão dos vegetais,

gomo, rebento; (quim.) sal gema; parte de madeira esquadrada que ainda tem alguma casca.

gemación. f. (bot.) gemação.

gemebundo, da. adj. gemebundo, gemente, gemedor, lamuriento.

gemelado, da. adj. (herald.) diz-se do escudo formado de duas achas gémeas.

gemelo, la. adj. gé(ê)meo, diz-se do irmão nascido com outro ou outros; gémeo, igual, da mesma forma, semelhante ou parecido. — s. pl. gémeos (irmãos); binóculo; abotoadura, botões de punho; gémeos (constelação). V. **Géminis.**

gemido. m. gemido, lamentação, som lastimoso, mágoas; suspiro.

gemidor, ra. adj. gemedor, que geme; (fig.) gemedor, que produz um certo som semelhante a gemido.

gemificación. f. (bot.) gemação, desenvolvimento dos rebentos da planta.

geminación. f. (ret.) geminação, duplicação duma ou mais palavras.

geminado, da. adj. (hist. nat.) geminado.

geminar. v. tr. e intr. (ant.) geminar, duplicar, dobrar.

gemíneo, a. adj. gémino; geminado, emparelhado.

gemífero, ra. adj. gemífero.

geminifloro, ra. adj. (bot.) geminifloro.

géminis. m. (farm.) emplastro composto de alvaiade e cera; (astr.) pl. Gémeos.

gemiparidad. f. (hist. nat.) gemiparidade.

gemíparo, ra. adj. (zool. e bot.) gemíparo.

gemiquear. v. intr. (prov. e Amér.) gemicar, choramingar. V. **gemotear.**

gemiqueo. m. acção de gemicar. V. **gimoteo.**

gemir. v. intr. gemer; dar gemidos, soltar lamentos; padecer; suspirar; sussurrar; murmurar em tom plangente; cantar (a rola); (fig.) gemer, uivar; ganir, soltar o cão e outros animais gemidos; gemer, ranger; (pop.) miar.

gemonias. f. pl. (hist.) gemó(ô)nias; escárnio público, ultraje.

gen. m. (biol.) gene.

genciana. f. (bot.) genciana.

gencianáceo, a. adj. (bot.) gencianáceo. — f. pl. (bot.) gencianáceas.

gencianela. f. (bot.) gencianela.

genciáneo, a. adj. (bot.) gencianáceo.

gendarme. m. (mil.) gendarme.

gendarmería. f. gendarmaria, corpo de soldados franceses de segurança pública; gendarmaria, quartel, posto, esquadra de gendarmes.

genealogía. f. genealogia; estirpe, linhagem; árvore de geração; genealogia, estudo das famílias; orígem, procedência, fonte.

genealógico, ca. adj. genealógico: árbol genealógico, árvore genealógica.

genealogista. m. genealogista.

geneático, ca. adj. que pretende adivinhar pelo nascimento dos homens.

generable. adj. gerável.

generación. f. geração, acto de gerar ou procrear; geração, casta, género, espécie raça; geração, linhagem, sucessão de descendentes em linha recta; geração, conjunto dos homens da mesma época; geração, todos os povos, todas as gentes; geração, filiação.

generador, ra. *adj.* gerador, que gera ou cria. *m.* (geom.) gerador; linha geratriz; (mec.) gerador, generador, caldeira de máquina de vapor; gerador, a parte que produz força ou energia.

general. *adj.* geral, comum, frequente, usual, habitual; público; universal; corrente; nacional; aproximado; enciclopédico; genérico, indeterminado; principal. — *m.* (rel.) geral, prelado superior duma ordem religiosa; (mil.) general; (prov.) repartição da alfândega onde se cobram os direitos de exportação e importação. — *pl.* gerais, aulas de academia ou universidade: *en general,* em geral, de um modo geral.

generala. *f.* generala, mulher do general; (mil.) generala, toque para chamar tropas às armas ou a postos.

generalato. *m.* generalado, generalato.

generalidad. *f.* generalidade, qualidade do que é geral; generalidade, maioria dos indivíduos ou objectos que compõem uma classe ou todo; generalidade, discurso sem aplicação particular; generalidade, nome dado às Cortes da Catalunha; (prov.) comunidade dum lugar; direitos que se pagam nas alfândegas. — *pl.* princípios gerais, ideias fundamentais; considerações que não tem relação directa com o assunto: *la generalidad,* a maior parte.

generalísimo. *m.* (mil.) generalíssimo, chefe supremo dum exército.

generalizable. *adj.* generalizável.

generalización. *f.* generalização; vulgarização; difusão.

generalizador, ra. *adj.* generalizador, que generaliza.

generalizar. *v. tr.* generalizar, tornar geral ou público, divulgar, difundir, publicar uma coisa; propagar, vulgarizar; exprimir numa ideia as relações de semelhança existentes entre os seres ou factos. — *v. intr.* fazer generalizações, não fazer restrições individuais.

generar. *v. tr.* engendrar, gerar. V. **engendrar.**

generativo, va. *adj.* generativo, diz-se do que tem virtude de engendrar; generativo, relativo à geração; genital.

generatriz. *adj. e s.* geratriz, que gera, generatriz.

genérico, ca. *adj.* genérico, comum a muitas espécies; geral, vago, indeterminado.

género. *m.* gé(ê)nero, conjunto de coisas duma mesma espécie, que tem caracteres semelhantes; género, classe; ordem, classe, qualidade; carácter; maneira, feitio; no comércio, qualquer classe de mercadoria ou tecido; feitio; feição artística; género, maneira, modo; (gram.) género, propriedade que tem os nomes para designar os sexos, para representar o masculino ou o feminino; (hist. nat.) conjunto de seres que tem caracteres comuns; parte da li-

teratura ou oratória. — *pl.* géneros, mercadorias, existências: *el género humano,* o género humano; *género chico,* obras teatrais curtas e modernas e de género alegre; de género, diz-se das obras artísticas ou literárias que representam costumes da vida comum.

generosidad. *f.* generosidade, desintere(ê)sse, desprendimento, desambição; coração, franqueza; altruismo; magnanimidade; magnificência; alma; (fig.) desapropriação; (ant.) mesura; liberalidade; nobreza, bizarria.

generoso, sa. *adj.* generoso, magnânimo, desprendido, desambicioso, altruista; franco, nobre, bizarro; animoso; magnífico; magnificante; galhardo; generoso, belo, bem-dado, beneficente; desinteresseiro; nobre, franco; espirituoso; designativo de vinho fino.

genesíaco, ca. *adj.* genesíaco, pertencente ou relativo ao Génesis.

genésico, ca. *adj.* genésico, genesíaco, pertencente ou relativo à geração.

Génesis. *m.* Gé(ê)nesis, livro do Antigo Testamento. — *f.* gó(ê)nese, origem, princípio.

genética. *f.* genética.

genetlíaca. *f.* genetliologia.

genetlíaco, ca. *adj.* genetlíaco, pertencente ou relativo à genetliologia.

genial. *adj.* genial, próprio do génio; prazenteiro, festivo, alegre; galhardo; (fig.) chispante; genial, notável, genial, que revela génio; próprio dum grande talento; diz-se da índole ou natureza duma pessoa; inclinação duma pessoa.

genialidad. *f.* genialidade, qualidade ou carácter duma pessoa; poder do génio; costume, inclinação conforme ao génio de cada um.

genio. *m.* gé(ê)nio, índole, sublimidade de talento; génio, cará(c)ter, mdo de ser duma pessoa, temperamento; engenho; disposição habitual, génio; inclinação, propensão; (fig.) génio, talento, gosto, vocação natural para alguma coisa; (fig.) pessoa de grande talento. — *pl.* génios, pessoas imateriais, superiores aos homens; (poét.) génio, cada um dos espíritos que se supõe presidiam ao bem ou ao mal, a guerra, etcétera.

genital. *adj.* genital que serve para a geração; sexual. — *m.* testículo. V. **testículo;** *órganos genitales,* órgãos genitais.

genitivo, va. *adj. e m.* genitivo, que pode gerar; (gram.) caso do nome que é complemento posessivo, limitativo ou determinativo de outro nome, que geralmente em Espanha e Portugal notamos pela preposição *de.*

genitor. *m.* genitor, o que gera.

genizaro, ra. *adj.* V. **jenízaro.**

genol. *m.* (mar.) cada uma das peças do cavername.

gente. *f.* gente, quantidade de pessoas; pessoas, em geral; nação, os habitantes dum país; população, povo; humanidade; gente, multidão de pessoas; o género hu-

mano; tropa, força armada, família; parentela; gente, pessoas dum mesmo partido; (mar.) conjunto de homens que formam a tripulação dum navio: *la gente*, a
massa, o povo; *derecho de gentes*, direito das gentes, direito internacional; *gente
de coleta*, (fam.) toureiros.

gentil. *adj.* e *s.* gentil, idólatra, pagão; gentil,
infiel; gentil, bizarro, galhardo, apo(ô)sto,
belo, galã; cavalheiroso, nobre; esbelto, elegante; gracioso, lindo, formoso; forte, robusto, generoso; exquisito, notável;
excelente.

gentileza. *f.* gentileza, galhardia, bizarria,
galanice, apostura, airosidade; elegância;
gentileza, garbo, graça; urbanidade; gentileza, ostentação, liberalidade; cortesia;
(lit.) galas, primores do estilo; coisas feitas
com arte e delicadeza, mimos; amabilidade; a(c)ção nobre.

gentilhombre. *m.* gentil-homem, pessoa de
muita distinção que acompanha o rei;
gentil-homem, homem nobre, cavaleiro, fidalgo; homem de bem:*gentilhombre de
cámara*, gentil-homem da câmara.

gentilicio, cia. *adj.* gentilício, gentílico, pertencente a gentes ou nações; pertencente
a uma linhagem.

gentílico, ca. *adj.* gentílico, idólatra, infiel,
relativo aos gentios ou pagãos.

gentilidad. *f.* gentilidade, religião dos gentios, paganismo, idolatria; gentilidade,
povos gentios, pagãos; gentilismo.

gentilismo. *m.* gentilidade, paganismo. V. **gentilidad.**

gentilizar *v. tr.* gentilizar. praticar os ritos
dos gentios; converter no paganismo; praticar o culto pagão.

gentío. *m.* gentio, turbamulta, reunião de
pessoas; enxurrada de gente; multidão
de gente.

gentualla, gentuza. *f.* (depr.) gentalha, gente
desprezível, plebe, ralé; gentaça; gente
ordinária, ínfima, plebe; gente baixa, canalha.

genuflexión. *f.* genuflexão, ajoelhar, acto de
dobrar o joelho.

genuino, na. *adj.* genuino, puro, próprio, natural, legítimo; formal; estreme, mero;
verdadeiro; sem mistura; exacto; franco,
sincero; (Bras.) lítixo.

geocéntrico. *adj.* geocêntrico, pertencente ao
centro da Terra; (astr.) diz-se dum planeta visto desde a terra como centro.

geocentrismo. *m.* geocentrismo.

geocentrista. *s.* geocentrista.

geocerina. *f.* (quim.) geocerine.

geoda. *f.* (geol.) geode, pedra oca que contém cristais.

geodesia. *f.* geodesia, ciência que se ocupa
das medidas da Terra e de levantar mapas
ou cartas correspondentes; arte de medir
e dividir as terras.

geodésico, ca. *adj.* geodésico, relativo à geodesia.

geodesimetría. *f.* geodesimetria.

geodesta. *m.* professor de geodesia; geode-
sista, pessoa que se ocupa de geodesia.

geodinámica. *f.* geodinâmica.

geodinámico, ca. *adj.* geodinâmico.

geofagia. *f.* geofagia.

geofágico, ca. *adj.* geofágico.

geofagismo. *m.* geofagia.

geófago, ga. *adj.* e *s.* geófago, que come
terra.

geofísica. *f.* geofísica.

geofísico, ca. *adj.* geofísico.

geogenia. *f.* geogenia.

geogénico, ca. *adj.* geogénico.

geognosia. *f.* geognosia.

geognosta. *s.* pessoa que tem conhecimento
da geognosia.

geognóstico, ca. *adj.* geognóstico.

geogonia. *f.* geogenia.

geogónico, ca. *adj.* geogénico.

geografía. *f.* geografia, ciência que se ocupa
da descrição da Terra; obra que se ocu-
pa de assuntos geográficos; compêndio ou
tratado de Geografia.

geográfico, ca. *adj.* geográfico.

geógrafo, fa. *s.* geógrafo.

geología. *f.* geologia.

geológico, ca. *adj.* geológico.

geólogo, ga. *m.* tratadista de geologia, geólogo.

geomancia. *f.* geomancia.

geomántico, ca. *adj.* e *s.* geomante, geomân-
tico.

geómetra. *s.* geómetra.

geometral. *adj.* V. **geométrico.**

geometría. *f.* geometria, ciência que estuda
as dimensões e as propriedades das linhas,
superfícies e volumes.

geométrico, ca. geométrico, relativo à geometria.

geometrografía. *f.* geometrografia.

geomorfia. *f.* geomorfia.

geomorfogenia. *f.* geomorfogenia.

geomorfología. *f.* geomorfologia.

geomorfológico, ca. *adj.* geomorfológico.

geonomía. *f.* geonomia.

geonómico, ca. *adj.* geonómico.

geopiteco, ca. *adj.* e *s.* geopiteco.

geopolítica. *f.* geo-política.

geoponía. *f.* geoponia, cultura do solo.

geopónica. *f.* geopónia. V. **geoponía.**

geopónico, ca. *adj.* pertencente ou relativo à
geoponia.

geoquímica. *f.* geo-química.

georama. *m.* georama.

Georgia. (geog.) Geórgia.

georgiano, na. *adj.* e *s.* (geog.) georgiano,
natural da ou pertencente a Geórgia.

geórgica. *f.* geórgica.

geoscopia. *f.* geoscopia.

geostática. *f.* geostática.

geotermia. *f.* (geol.) geotermia.

geotérmico, ca. *adj.* (geol.) geotérmico.

geotrópico, ca. *adj.* (bot.) geotrópico.

geotropismo. *m.* (bot.) geotropismo.

gépido, da. *adj.* e *s.* (hist.) gépido, relativo
aos Gépidas.

geraniáceo, a. *adj.* (bot.) geraniáceo. — *f. pl.*
geraniáceas.

geranio. *f.* (bot.) gerânio; bico de cegonha.

gerbo. *m.* (zool.) V. **jerbo.**

gerencia. *f.* gerência, cargo de gerente; escritório de gerente; tempo que dura este cargo.

gerente. *m.* (com.) gerente, administrador; empresário.

geriatría. *f.* (med.) geriatria.

gerifalco. *m.* V. gerifalte.

gerifalte. *m.* (zool.) gerifalte, gerifalto, gerifalco, espécie de falcão; (mil.) antiga peça de artilharia; (germ.) ladrão: *como un gerifalte*, de forma excelente, muito bem.

germán. *adj.* apócope de *germano*.

germanesco, ca. *adj.* pertencente ou relativo a *germania*.

germania. *f.* germania, geringonça, giria, calão, linguagem dos ciganos ou dos ladrões; amancebamento, concubinato; irmandade dos grémios de Valência contra Carlos I.

germánico, ca. *adj.* e *s.* (geog.) germânico, pertencente a Germânia ou Alemanha; diz-se da língua que falaram os povos germanos.

germanio. *m.* (quim.) germânio, metal parecido com o bismuto.

germanismo. *m.* germanismo, palavra ou expressão própria da língua alemã.

germanista. *s.* germanista.

germanización. *f.* germanização.

germanizar. *v. tr.* germanizar, dar carácter ou feição alemã; inclinar-se às coisas germânicas.

germano, na. *adj.* e *s.* (geog.) germano. V. germánico.

germanófilo, la. *adj.* e *s.* germanófilo.

germanofobia. *f.* germanofobia.

germanófobo, ba. *adj.* e *s.* germanófobo.

germen. *m.* germe, gérmen, princípio rudimentar dum novo ser orgânico, embrião; (bot.) embrião, rudimento da planta na semente; (fig.) causa, princípio, origem; rudimento; fonte.

germicida. *adj.* e *s.* germicida, que destrói os gérmenes.

germinación. *f.* (bot.) germinação; evolução; (fig.) desenvolvimento.

germinador, ra. *adj.* germinador, que faz germinar.

germinal. *adj.* germinal, pertencente ao gérmen, que contém o gérmen. — *m.* germinal, sétimo mês do calendário republicano francês.

germinar. *v. intr.* germinar, brotar e começar a desenvolver-se as plantas; deitar rebentos; grelar; (fig.) principiar a desenvolver-se, frutificar; ter orígem; crescer.

germinativo, va. *adj.* germinativo, que pode germinar ou causar a germinação.

gerocomia. *f.* gerocomia. V. gerontocomía.

gerocomio. *m.* gerocó(ô)mio.

gerodermia. *f.* gerodermia.

gerontocomía. *f.* gerocomia.

gerontocracia. *f.* gerontocracia.

gerontocrático, ca. *adj.* gerontocrático.

gerontología. *f.* gerontologia.

gerundense. *adj.* e *s.* (geog.) natural de ou pertencente a Gerona.

gerundiada. *f.* (fam.) expressão ridícula, tolice, parvoíce.

gerundiano, na. *adj.* (fam.) diz-se do estilo néscio e ridículo.

gerundio. *m.* (gram.) gerúndio, particípio presente; (fig. e fam.) pedante, pessoa que fala ou escreve com inoportuna erudição.

gesta. *f.* gesta; façanha; história; feitos guerreiros; poema épico da Idade Média.

gestación. *f.* (fisiol.) gestação; gravidez; (fig.) elaboração; acção de germinar uma ideia; gestação, exercício entre os romanos para restabelecer a saúde; preparação, incubação.

gestatorio, ria. *adj.* gestatório, transportável: *silla gestatoria*, cadeira gestatória.

gestear. *v. intr.* gesticular, fazer gestos; exprimir-se por gestos.

gestero, ra. *adj.* gesticulador, gesticuloso, que faz gestos; garfoneiro.

gesticulación. *f.* gesticulação, acção de gesticular, gestos; mímica.

gesticular. *adj.* gesticular, pertencente ao gesto.

gesticular. *v. intr.* gesticular, fazer gestos, mimicar, exprimir-se por mímica.

gesticuloso, sa. *adj.* gesticuloso, que gesticula.

gestión. *f.* gestão, gerência; administração; agência; pretensão, insistência, solicitação.

gestionar. *v. tr.* esforçar-se; diligenciar para conseguir algo que deseja; negociar; administrar; solicitar; pretender; promover.

gesto. *m.* gesto, expressão do rostro; semblante, cara; mímica; aceno; movimento exagerado por hábito ou enfermidade; fisionomia; momice; sinal; aspecto, aparência; gaifona; meneio; a(c)ção: *hacer gestos*, gaifonar; *gestos ridículos*, macaquices, bichancros; *gesto amenazador*, arremesso; *gesto amedrantador*, biocos; *hacer gestos a una cosa*, (fam.) desprezar uma coisa.

gestor, ra. *adj.* e *s.* gestor, que gestiona ou administra; (com.) membro duma sociedade mercantil que participa na administração desta; gerente; administrador de bens alheios.

gestoría. *f.* agência; administração; gerência.

gestudo, da. *adj.* (fam.) carrancudo, que põe mau gesto.

giba. *f.* giba, corcova, corcunda; (fig. e fam.) incómodo, enfado, maçada.

gibar. *v. tr.* V. corcovar; (fam.) corcovar, molestar, aborrecer, enfadar.

gibosidad. *f.* gibosidade, giba, curvatura convexa da coluna vertebral; corcova, corcunda; (bot.) gibosidade, corcova dos órgãos de certas plantas.

giboso, sa. *adj.* e *s.* giboso, corcunda, corcovado; convexo.

gibraltareño, ña. *adj.* e *s.* gibraltarino, natural de ou relativo a Gibraltar.

giga. *f.* giga, dança e música populares.

giganta. *f.* (bot.) girassol; giganta, mulher de alta estatura.

gigante. *adj.* e *m.* gigante, gigantesco, de grande tamanho; colosso; altíssimo; portentoso; admirável; desmedido; colossal; descomunal; enorme; gigante, pessoa de estatura descomunal; figura grotesca dalgumas festas. V. **gigantón;** (fig.) o que excede em valor, energia ou virtude.

gigantesco, ca. *adj.* gigantesco, pertencente ou relativo aos gigantes; (fig.) excessivo, sobressalente, gigântico, desmesurado, descomunal; admirável; colossal; prodigioso; enorme; titânico; extraordinário; formidável; ciclópeo.

gigantez. *f.* gigantismo, estatura de gigante; marca gigantesca; tamanho que excede o regular.

gigantilla. *f.* dim. de *giganta;* figura artificial com cabeça e membros em desproporção com o corpo; mulher muito gorda e baixa.

gigantismo. *m.* (med.) gigantismo, anomalia caracterizada por excesso de crescimento.

gigantología. *f.* gigantologia.

gigantomaquia. *f.* gigantomaquia.

gigantón, na. *s.* gigantão; figura gigantesca que toma parte nas procissões; (impr.) espaço que, por ter ficado a alto, deixa uma espécie de borrão no impresso. — *m.* (bot.) espécie de dália: *echar a uno los gigantones,* (fam.) repreender ou censurar com severidade.

gigote. *m.* gigote, gigó, guisado de carne picada, manteiga e caldo: *hacer gigote,* (pop.), esmigalhar uma coisa.

gilí. *adj.* (fam.) tonto, bobo, toleirão, tolo.

gilvo, va. *adj.* diz-se da cor do mel.

gimelgas. *f. pl.* (mar.) chapuz. V. **jimelgas.**

gimnasia. *f.* ginástica; (fig.) prática ou exercício que serve de treino em qualquer actividade.

gimnasiarca. *m.* gimnasiarca.

gimnasio. *m.* ginásio.

gimnasta. *m.* ginasta, atleta.

gimnástica. *f.* ginástica. V. **gimnasia.**

gimnástico, ca. *adj.* ginástico, relativo à ginástica.

gímnico, ca. *adj.* gímnico, ginástico.

gimnocárpico, ca. *adj.* (bot.) gimnocarpo.

gimnocarpo, pa. *adj.* (bot.) gimnocarpo.

gimnocéfalo. *adj.* e *m.* (zool.) gimnocéfalo.

gimnofobia. *f.* gimnofobia.

gimnosofía. *f.* gimnosofia.

gimnosofista. *s.* gimnosofista.

gimnospermo. *adj.* (bot.) gimnospérmico, gimnospermo.

gimnoto. *m.* (zool.) gimnoto.

gimnuro. *m.* (zool.) gimnuro.

gimoteador, ra. *adj.* choramingador, choramingas, choraminga; lamuriante.

gimotear. *v. intr.* gemicar, choramingar, lamuriar, gemer, lamentar-se.

gimoteo. *m.* lamúria, lamentação, choradeira.

ginandro, dra. *adj.* (bot.) diz-se dos vegetais que têm flores hermafroditas.

gindama. *m.* (germ.) medo, temor. V. **jindama.**

ginebra. *f.* genebra, bebida alcoólica feita com aguardente e bagas de zimbro.

Ginebra. (geog.) Genebra.

ginebrés, sa. *adj.* e *s.* V. **ginebrino.**

ginebrino, na. *adj.* e *s.* (geog.) genebrense, genebrino, genebrês, natural de ou pertencente a Genebra.

gineceo. *m.* gineceu, aposento das mulheres entre os gregos; (bot.) gineceu.

ginecocracia. *f.* ginecocracia.

ginecología. *f.* (med.) ginecologia.

ginecológico, ca. *adj.* (Amér.) ginecológico.

ginecólogo, ga. *s.* ginecólogo, ginecologista.

ginesta. *f.* giesta, género de plantas leguminosas, retama. V. **hiniesta.**

gingival. *adj.* (anat.) gengival, relativo às gengivas.

ginglimo. *m.* gínglimo.

ginobase. *f.* (bot.) ginobase.

ginobásico, ca. *adj.* (bot.) ginobásico.

ginóforo. *m.* (bot.) ginóforo.

ginostemo. *m.* (bot.) ginosteme.

giobertita. *f.* (min.) giobertite, carbonato de magnésio.

gipsífero, ra. *adj.* gipsífero, que contém gesso.

giralda. *f.* cata-vento, grimpa, lâmina móvel do cata-vento.

giraldete. *m.* roquete sem mangas.

giraldilla. *f.* dim. de *giralda;* baile popular asturiano.

girándula. *f.* girândola, roda ou travessão para foguetes.

girar. *v. tr.* e *intr.* girar, percorrer, andar à roda, percorrer em volta, dar voltas; circular; desviar-se, sair do rumo inicial; (fig.) dançar; (com.) girar, sacar, passar, negociar letras de câmbio; transferir; lidar; (mec.) mover-se um corpo circularmente em volta dum eixo, girar.

girasol. *m.* (bot.) girassol; (min.) girassol, aspecto da ópala; (fig.) aquele que procura obter o favor dum príncipe ou doutra pessoa poderosa.

giratorio, ria. *adj.* giratório, que gira ou se move em sentido circular, circulatório. — *f.* móvel que gira em redor dum eixo.

giro. *m.* giro, movimento em torno; volta; rotação; rodeio; circunlóquio; ameaça; fanfarronada; bravata; gilvaz, golpe na cara; (com.) transferência de capitais; conjunto dos negócios duma casa comercial; giro, movimento da carteira duma firma comercial; circulação de uma letra de câmbio; circuição: *giro postal,* vale postal; *tomar mal giro un negocio,* entortar-se o negócio; *tomar otro giro,* cambiar de opinião.

giro, ra. *adj.* (prov. e Amér.) diz-se do galo de penas amarelas; (ant.) galante, gentil, formoso.

girola. *f.* (arq.) nave que rodeia a abside.

giromancia. *f.* giromancia.

girómetro. *m.* girómetro.

girondino, na. *adj.* e *s.* (hist.) girondino.

giroscópico, ca. *adj.* diz-se da agulha giroscópica.

giroscopio. *m.* (fís.) giroscópio.

giróstato. *m.* (fís.) girostato, giroscópio.
giróvago, ga. *adj.* giróvago, errante, errabundo; girovago (frade ambulante); vadio, vagabundo.
gis. *m.* giz. V. clarión; (Amér.) V. pizarrín.
giste. *m.* escuma, espuma de cerveja.
gitanada. *f.* ciganada, acção própria de ciganos, ciganária, cianice, lisonja, carícia para enganar, adulação.
gitanear. *v. intr.* (fig.) ciganar, adular com ciganices, trapacear; errar, vagabundar, vadiar.
gitanería. *f.* ciganagem, ciganada, ciganaria, gitanaria, conjunto de ciganos; ciganagem, dito ou acção de ciganos; afago, adulação, lisonja, carícia para enganar; arte e graça própria das ciganas.
gitanesco, ca. *adj.* próprio de ciganos.
gitanismo. *m.* costumes e maneiras características dos ciganos; ciganada, ciganagem. V. gitanería.
gitano, na. *adj.* e *s.* cigano, gitano, pertencente a raça dos ciganos; (fig.) cigano, que tem arte para seduzir com boas palavras: *brazo de gitano,* espécie de doce feito com farinha, ovos, leite e açúcar.
glacial. *adj.* glacial; gelado; glacial, que faz gelar ou gelar-se; (fig.) frio, desafecto; desabrido, glacial, reservado; falta de animação; insensível, indiferente; (geog.) glacial, diz-se das terras e mares das zonas glaciais.
glaciar. *m.* glaciar, geleira, massa de gelo nas montanhas.
glacis. *m.* (fort.) esplanada; bicha. V. explanada.
gladiador. *m.* gladiador.
gladiatorio, ria. *adj.* gladiatório.
gladíolo. *m.* (bot.) gladíolo, espadana.
glairidina. *f.* (quim.) glaiadina.
glairina. *f.* (quim.) baregina.
glande. *m.* (anat.) glande, bálano do pénis. — *f.* (bot.) (prov.) bolota, glande.
glandífero, ra. *adj.* (bot.) glandífero, que tem ou dá bolotas ou glandes.
glandiforme. *adj.* glandiforme.
glandígero, ra. *adj.* (bot.) glandífero.
glándula. *f.* (bot. e anat.) glândula; (med.) glândula, tumor subcutâneo: *glándulas endocrinas,* glândulas endócrinas.
glandulación. *f.* (med.) glandulação.
glandular. *adj.* glandular, próprio das glândulas.
glandulífero, ra. *adj.* (anat.) glandulífero.
glanduliforme. *adj.* (anat.) glanduliforme.
glanduloso, sa. *adj.* glanduloso, glandular.
glasé. *m.* glacé(ê), tafetá, seda lustrosa.
glaseado, da. *adj.* e *p. p.* parecido com o glacé; brilhante, polido, lustroso, luzente.
glasear. *v. tr.* lustrar, polir, tornar brilhante, assetinar o papel.
glasto. *m.* (bot.) glasto, planta crucífera de cujas folhas se extrai uma tinta azul.
glauberita. *f.* (min.) glauberite.
gláucico, ca. *adj.* (quim.) gláucico.
glaucio. *m.* (bot.) gláucio, gláucia.

glauco, ca. *adj.* glauco, verde-claro, verde-mar esverdeado. — *m.* (zool.) glauco, molusco gasterópode.
glaucoma. *m.* (pat.) glaucoma.
glauconita. *f.* (geol.) glauconite.
glayo. *m.* (prov.) V. arrendajo.
gleba. *f.* gleba, torrão que se levanta com o arado, leiva; gleba, herdade, prédio rústico; gleba, feudo; (ant.) nuvem escura: *adicto a la gleba,* (for.) adicto à gleba, escravo ou servo empregado na cultura do mesmo terreno fosse qual fosse seu dono.
glenoideo, a. *adj.* (anat.) glenóide, glenoideia.
glera. *f.* cascalheira. V. cascajar.
gleucometría. *f.* gleucometria.
gleucómetro. *m.* (quim. e fís.) gleucó(ô)metro.
gliadina. *f.* (quim.) gliadina.
glicemia. *f.* V. glucemia.
glicerato. *m.* (quim.) glicerado, glicerato.
glicérico, ca. *adj.* (quim.) glicéreo, glicérico.
glicérido. *m.* (quim.) glicerida, éter de glicerina.
glicerilo. *m.* (quim.) glicerilo.
glicerina. *f.* (quim.) glicerina.
glicerofosfato. *m.* (quim.) glicerofosfato.
glicerol. *m.* (quim.) glicerina.
glicina. *f.* (bot.) glicínia.
glicogenia. *f.* (fisiol.) glicogênia.
glicogénico, ca. *adj.* (quim.) diz-se dum ácido derivado do glicogénio.
glicógeno, na. *adj.* glicógeno. — *m.* (quim.) glicogénio.
glicol. *m.* (quim.) glicol.
gliconio. *adj.* glicó(ô)nio, glicó(ô)nico. — *m.* glicónio.
glicosuria. *f.* (pat.) glicosúria, diabetes.
glicosúrico, ca. *adj.* e *s.* glicosúrico; diabético.
glifo. *m.* (arq.) glifo, cavidade aberta em ornatos arquitectónicos.
glifografía. *f.* glifografia.
glíptica. *f.* glíptica, arte de gravar em pedras finas ou preciosas; arte de gravar em aço os cunhos de moedas e medalhas.
glíptico, ca. *adj.* pertencente ou relativo à glíptica.
gliptodonte. *m.* (paleont.) gliptodonte.
gliptografía. *f.* (arqueol.) gliptografia.
gliptología. *f.* (arqueol.) gliptologia.
gliptoteca. *f.* gliptoteca.
global. *adj.* global, considerado no conjunto ou em globo, total.
globo. *m.* globo, corpo esférico, bola, esfera; globo, a terra; astro.
globosidad. *f.* globosidade, esfericidade.
globoso, sa. *adj.* globoso, que tem a forma do globo; esférico.
globular. *adj.* globular, que apresenta a forma de glóbulo; globular, composto de glóbulos.
globularia. *f.* (bot.) globulária.
globulariáceo, a. *adj.* (bot.) globulário, globulariáceo. — *f. pl.* (bot.) globulariáceas.

globulina. *f.* (histol. e quim.) globulina.
glóbulo. *m.* glóbulo, pequeno corpo esférico; (biol.) glóbulo.
globuloso, sa. *adj.* globuloso, globular.
glomérulo. *m.* (hist. nat. e bot.) glomérulo.
gloria. *f.* glória, bem-aventurança; glória, renome, fama, honra, esplendor, reputação; celebridade; brilho; alegria, regozijo; gosto, prazer veemente; glória, ilustração; glória, orgulho, vaidade; tecido de seda transparente; espécie de pastel folhado; espécie de forno portátil; (pint.) fundo de quadros religiosos figurando o Céu; memória; galardão; (fig.) coroa, louro, lustre; estola (diz-se dos santos). — *m.* glória, a conta mais grossa do rosário; glória, certa oração da missa: *estar en sus glorias*, (fam.) estar muito contente; *saber a gloria*, (fig. e fam.) gostar muito duma coisa; *sin pena ni gloria*, (fig. e fam.) diz-se das coisas que passam inadvertidas.
gloriado, da. *p. p.* de *gloriarse.* — *m.* (Amér.) espécie de ponche com aguardente.
gloriapatri. *m.* (litur.) Glória Patri, Glória ao Pai.
gloriar. *v. tr.* V. **glorificar.**
gloriase. *v. r.* gloriar-se, gabar-se, ja(c)tar-se; comprazer-se; alegrar-se muito; (fig.) arrear-se, ufanar-se, envaidar-se.
glorieta. *f.* espécie de carramanchão, praça pequena; passeio público; praça onde terminam várias ruas ou alamedas.
glorificable. *adj.* glorificável, digno de ser glorificado.
glorificación. *f.* glorificação, acto de glorificar; enaltecimento, engrandecimento, exalçamento, louvor, encómio, apoteose; (rel.) glorificação, elevação bem-aventurança.
glorificador, ra. *adj.* e *s.* glorificador, glorificante, enaltecedor, louvador. — *m.* Deus.
glorificar. *v. tr.* glorificar, fazer glorioso o que não o era; glorificar, honrar, magnificar; apoteosar; aureolar; enaltecer; (fig.) engrandecer; glorificar; bendizer; exaltar; alardear; louvar, prestar honras; (rel.) glorificar; beatificar. — *v. r.* gloriar-se, ufanar-se; alcançar glória. V. **gloriarse.**
glorioso, sa. *adj.* glorioso, cheio de glória; digno de honra; glorioso, pertencente à glória; ínclito; glorioso, memorável; famoso, jactancioso; que está na bem-aventurança eterna; que dá glória ou honra; ilustre, honrado, vaidoso, glorioso.
glosa. *f.* glosa, comentário literal, anotação; interpretação breve; crítica; glosa, versos feitos sobre mote; (mús.) glosa, variações sobre umas mesmas notas.
glosacra. *f.* (pat.) dor na língua.
glosador, ra. *adj.* e *s.* glosador, que glosa; anotador, explicador.
glosal. *adj.* (med.) glossiano.
glosalgia. *f.* (pat.) glossalgia.
glosantrace. *f.* (pat.) tumor gangrenoso na língua.
glosantrax. *f.* (pat.) tumor gangrenoso na língua.

glosar. *v. tr.* glosar, desenvolver um verso; um mote; glosar, comentar, anotar, criticar; glosar; fazer a glosa de; explicar, interpretar.
glosario. *m.* glossário, catálogo, vocabulário de palavras; dicionário de palavras técnicas duma ciência ou arte.
glosato, ta. *adj.* (zool.) que tem a língua muito grande.
glose. *m.* anotação, acto de glosar, de fazer notas ou observações.
glosectomía. *f.* (cir.) glossotomia.
gloseína. *f.* (quim.) nitroglicerina.
glosilla. *f.* dim. de **glosa**; (impr.) tipo de letra menor que a do breviário.
glosista. *s.* V. **glosador.**
glositis. *f.* (pat.) glossite.
glosocatoco. *m.* (med.) abaixa-língua.
glosocele. *m.* glossocele.
glosodinia. *f.* (pat.) glossodinia.
glosodinamómetro. *m.* glossodinamómetro.
glosofaringe. *f.* glossofaringe.
glosofaríngeo. a. *adj.* (anat.) glossofaríngeo.
glosografía. *f.* (ictiol.) glossografia.
glosográfico, ca. *adj.* glossográfico.
glosógrafo. *m.* glossógrafo.
glosoideo, a. *adj.* glossóide.
glosolisis. *f.* glossolise, paralisia da língua.
glosología. *f.* glossologia.
glosológico, ca. *adj.* glossológico.
glosólogo, ga. *s.* glossólogo, glossologista.
glosomanía. *f.* mania de falar.
glosopatia. *f.* glossopatia, nome das enfermidades da língua em geral.
glosopático, ca. *adj.* glossopático.
glosopeda. *f.* (vet.) doença epizoótica do gado.
glosoplastia. *f.* glossoplastia.
glosoplejia. *f.* (pat.) glossoplegia.
glosotomía. *f.* (cir.) glossotomia.
glosotómico, ca. *adj.* glossotó(ô)mico.
glotal. *adj.* glótico.
glótico, ca. *adj.* (anat.) glótico, pertencente ou relativo à glote.
glotis. *f.* (anat.) glote, glótide, abertura na parte superior da laringe.
glotón, na. *adj.* e *s.* glutão, comilão, que come muito, com excesso; alarve; (pop.) desengaçado; devorador; desgorgomilado; alambazado; (Bras.) esgalamido.
glotonear. *v. intr.* devorar, comer com glutonaria.
glotonería. *f.* glutonaria, qualidade de glutão; alarvaria; edacidade; glutonia; vício de glutão, fregidão; *comer con glotonería*, resengaçar.
glucina. *f.* (quim.) óxido de glucínio.
glucemia. *f.* (pat.) glicemia.
glucida. *f.* (quim.) sacarina.
glucinio. *m.* (quim.) glucínio, metal parecido com o alumínio.
glucogenia. *f.* (fisiol.) glicogenólise.
glucógeno, na. *adj.* (fisiol.) glicógeno.
glucometría. *f.* arte de medir com o glucómetro ou gleucómetro.
glucométrico, ca. *adj.* gleucométrico.
glucómetro. *m.* glucómetro, gleucó(ô)metro.
glucosa. *f.* glicose, açúcar de amido ou de uvas; (quím.) dextrose.

glucósido. *m.* (quím.) glicósido, composto de glicose.

glucosuria. *f.* (med.) glicosúria, melitúria, diabetes.

gluma. *f.* (bot.) gluma, invólucro da flor das gramíneas.

glumáceo, a. *adj.* (bot.) semelhante à gluma, glumáceo.

glumélula. *f.* (bot.) glumélula.

glumífero, ra. *adj.* glumífero.

glumilla. *f.* (bot.) cada uma das brácteas que protege a flor das poáceas.

gluten. *m.* glúten, toda substância gumosa ou viscosa que fica na farinha dos cereais.

glúteo, a. *adj.* (anat.) glúteo, pertencente às nádegas.

glutina. *f.* (quim.) glutina; (bot.) glutina.

glutinosidad. *f.* glutinosidade; viscosidade.

glutinoso, sa. *adj.* glutinoso, pegajoso, viscoso.

gneis. *m.* (min.) gneisse.

gneisico, ca. *adj.* gnêissico.

gnetáceo, a *adj.* (bot.) gnetáceo. — *f. pl.* (bot.) gnetáceas.

gnómico, ca. *adj.* gnó(ô)mico.

gnomo. *m.* gnomo, ser fantástico que habita no seio da terra; enão, anão.

gnomología. *f.* gnomologia.

gnomológico, ca. *adj.* gnomológico.

gnomólogo, ga. *s.* gnomólogo.

gnomon. *m.* gnó(ô)mon; instrumento que marca a altura do Sol; projector da sombra no relógio-de-sol.

gnomónica. *f.* gnomó(ô)nica.

gnomónico, ca. *adj.* gnomó(ô)nico.

gnomonista. *m.* e *f.* gnomonista.

gnosis. *f.* (filos.) gnose, ciência superior às crenças vulgares; saber por excelência; agnosticismo; (ocult.) filosofia ou ciência dos magos.

gnosticismo. *m.* (filos.) gnosticismo, gnose.

gnóstico, ca. *adj.* e *s.* gnóstico.

goa. *f.* (min.) massa de ferro que sai da fornalha.

Goa. (geog.) Goa.

gobelino. *m.* (mit.) espécie de diabo familiar

gobernable. *adj.* governável, que se pode governar.

gobernación. *f.* gove(ê)rno, governação; governo, exercício do governo; (Amér.) gabinete do governador.

gobernador, ra. *adj.* e *s.* governador, que governa; governador, chefe superior duma província, cidade ou território; governador, representante do Governo nalgum estabelecimento público.

gobernadora. *f.* governadora, mulher do governador; a que governa um reino.

gobernalle. *m.* (mar.) governalho, leme, governo; temão. V. **timón.**

gobernante. *p. a., adj.* e *m.* governante, que governa; (fam.) aquele que se mete a governar por sua conta e risco.

gobernar. *v. tr.* governar, mandar com autoridade; governar, guiar, dirigir; conduzir; administrar, reger, imperar sobre; ter grande influência sobre; governar, do-

minar; governar, arranjar, concertar, compor; governar, alimentar, montar, sustentar; pilotar; controlar; (mar.) arrumar, pilotar; barquejar. — *v. intr.* obedecer o navio ao leme; exercer, administração, autoridade. — *v. r.* governar-se, reger-se; proceder; portar-se bem ou mal; tratar devidamente dos seus interesses; regular-se arranjar-se; alinhar-se.— *pres. ind. irr.*

gobierno, -as, -a, -an; *subj.* **gobierne, -es, -e, -en.**

gobernativo, va. *adj.* governativo. V. **gubernativo.**

gobernoso, sa. *adj.* (fam.) diz-se da pessoa cuidadosa e de bom governo.

gobierna. *f.* cata-vento, grimpa, veleta.

gobierno. *m.* gove(ê)rno acto ou efeito de governar; governo, poder executivo, conjunto de ministros dum Estado; cargo, ministério e dignidades de governador; administração; dire(c)ção, regência; ordem; governo, norma, regra de conducta; distrito ou território do governador e duração das suas funções; (pop.) governo, freio, rédea; governo, casa, palácio do governador; (fig.) regime; economia; arranjo; governo, alimento, sustento; governo de casa, economia doméstica; (mar.) governo, direcção, leme do navio; reinado; controlo; endereçamento.

gobio. *m.* (ictiol.) gobião; cobite.

goce. *m.* go(ô)zo, satisfação material ou espiritual; prazer; posse; proveito; utilidade; desfrute duma coisa; fruição.

gocete. *m.* gocete, peça de malha que fazia parte da armadura para proteger as axilas.

godo, da. *adj.* e *s.* (hist.) go(ô)do, gótico; (pop.) godo, homem rico, opulento; (Amér.) godo, nome com que se designavam os espanhóis.

gofio. *m.* iguaria feita com milho, ou trigo tostado; farinha de milho, trigo ou cevada tostados.

gofo, fa. *adj.* néscio, ignorante, grosseiro; (pint.) diz-se da figura anã e da de baixa estatura.

gofrado, da. *p. p.* e *m.* gofrado; gofradura.

gofrar. *v. tr.* gofrar, fazer as nervuras de folhas e flores artificiais.

gofrador. *m.* gofrador, instrumento para gofrar; pessoa empregada na gofradura.

gol. *m.* (deport.) gol, ponto marcado; golo.

gola. *f.* garganta duma pessoa, gola; (mil.) gola de serviço; gorjal, peça da armadura que serve para defender o pescoço; gorjeira. renda para adornar o pescoço, gola; (fort.) gola, entrada desde a praça até ao baluarte; (arq.) moldura cujo perfil tem a figura dum S.; gola, linha ou espaço entre os lados dum ângulo saliente; chanfradura das bacias de barbeiro; (mar.) garganta, boca, canal em certos portos ou rias; (Amér.) gola, espécie de colarinho de mulher.

goldre. *m.* aljava, coldre, carcaz para as setas.

goleta. *f.* (mar.) escuna, goleta.

golf. *m.* golfe, jogo escossês parecido com o jogo português choca.

golfa. *f.* (fam.) prostituta, mulher da má vida.

golfán. *m.* golfão, gólfão, nenúfar.

golfear. *v. intr.* vadiar, vagabundear, viver como os vagabundos.

golfería. *f.* vagabundagem, conjunto de vagabundos; acção própria de vagabundos; vida de prostituta.

golfillo. *m.* galopim, pequeno vagabundo.

golfín. *m.* ladrão que, geralmente, ia com outros em bando.

golfo, fa. *s.* vagabundo, vadio.

golfo. *m.* go(ô)lfo, porção de mar que entra pela terra; toda a extensão do mar; certo jogo de sorte; (fig.) confusão, desordem, voragem; (poet.) abismo de penas ou misérias.

golilla. *f.* golilha, cabeção, adorno usado antigamente pelos ministros, magistrados, etc. — *m.* (fig. e fam.) funcionário que usava cabeção; juíz, beca; colar, ornato para o pescoço; (Amér.) chaveta no eixo da carruagem para evitar a saída da roda.

golillero, ra. *s.* pessoa que fazia ou arranjava golilhas ou cabeções.

golondrina. *f.* (orni.) andorinha; (ictiol) andorinha do mar; (Amér.) andorinha, carro fechado para mudanças: *golondrina de mar*, (orni.) gaivina, andorinha-do-mar.

golondrinera. *f.* (bot.) celidonia. V. **celidonia.**

golondrino. *m.* (orni.) andorinho, filho da andorinha; andorinha macho; (ictiol.) V. **golondrina;** (med.) furúnculo na axila; (fig.) andejo, inconstante, vagabundo, borboleta; soldado desertor.

golondro. *m.* cobiça, desejo ansioso; capricho; (fam.) parasita, que vive à custa alheia.

golosear. *v. intr.* V. **golosinear.**

golosina. *f.* guloseima, gulosice, manjar delicado, doce ou muito saboroso; gulodice, apetite, desejo dalguma coisa; (fig.) coisa mais agradável que útil; acepipe. — *pl.* apaparicos, bocadinhos.

golosin(e)ar. *v. intr.* gulosar, comer gulodices, guloseimar.

goloso, sa. *adj.* e *s.* gulo(ô)so, que gosta de gulodices; guloso, que tem o vício da guglutão, gastrónomo: *ser goloso*, (fig.) ser la; amigo de bons bocados; *tener muchos golosos una cosa*, (fig.) ser muito cobiçada uma coisa.

golpazo. *m.* aum. de **golpe;** golpázio, grande golpe; pancada, choque violento; golpada.

golpe. *m.* golpe, pancada, choque, encontro violento de dois corpos; pancada, ou ferimento com instrumento cortante, corte, incição; contusão; multidão, porção de coisas ou pessoas que irrompem duma só vez; pulsação, batimento; acto enérgico para resolver uma questão; acontecimento inesperado e funesto; infortúnio, desgraça; golpe; golpe, lance, rasgo; cópia, abundância; golpe, projecto, plano, intento; lingueta de fechadura; lance no jogo, gol-

pe; (fig.) admiração, surpresa; crise; ímpeto; pequena porção de líquidos que se bebe de uma vez; chofrada; batedura, baterela; embate; graça e oportunidade, rasgo de engenho; (Amér.) maço de ferro; roda de vestido; (Bras.) taca: *de golpe y porrazo*, precipitadamente, irreflectivamente; *golpe con los nudillos en la cabeza*, cocorote; *golpe de correa*, correada; *golpe del destino*, baque; *golpe doloroso*, (fig.) farpão.

golpeadero. *m.* parte onde se golpeia muito; lugar onde cai água de alto; ruído resultante de muitos golpes.

golpeador, ra. *adj.* e *s.* que golpeia, golpeante.

golpeadura. *f.* pancada, batida, golpe, botadura.

golpear. *v. tr.* e *intr.* golpear, dar golpes em; bater, espancar, percutir; atundir, contundir; apalear; machucar; (fig.) causar dissabores; afligir, angustiar, ferir; (fig.) coçar; (Bras.) esculocar: *golpear a alguien*, dar em alguém.

golpeo. *m.* pancada, batida, golpe, batedura.

golpete. *m.* alavanca para manter aberta uma porta ou janela.

golpetear. *v. tr.* e *intr.* golpear continuadamente.

golpeteo. *m.* golpes continuados.

gollería. *f.* manjar delicado, iguaria excelente, golodice; delicadeza, superfluidade, demasia: *pedir gollerías*, (fig. e fam.) pedir impossíveis.

golletazo. *m.* pancada no gargalo duma garrafa, quando não se pode abrir; (taur.) sorte na morte dos touros, estocada; (fig.) fim, violento ou irregular dado a um negócio difícil.

gollete. *m.* gargalo, colo de garrafa ou doutra vasilha; cabeção ou gola do hábito dos donatos; parte superior da garganta.

gollizo. *m.* desfiladeiro, passagem estreita entre montes, rios, etc; garganta dum rio

goma. *f.* (bot.) goma, seiva que se extrai de certas árvores; borracha, elástico; (med.) goma, tumor sifilítico. — *m.* (pop.) janota, peralta.

gomecillo. *m.* V. **lazarillo.**

gomero, ra. *adj.* pertencente ou relativo à goma. — *m.* (Amér.) gomeiro, o que explora a indústria da borracha; frasco de cola; (bot.) V. **eucalipto**

gomia. *f.* (prog.) V. **tarasca;** (fig.) e (fam.) glutão, comilão, voraz; papão; devorador, destruidor, dissipador.

gomidos. *m. pl.* (quím.) grupo químico que compreende os corpos gomosos.

gomífero, ra. *adj.* V. **gumífero.**

gomista. *s.* gomeiro, vendedor de artigos de borracha.

gomorresina. *f.* (bot.) suco viscoso dalgumas plantas, goma-resina.

gomosería. *f.* janotaria.

gomosidad. *f.* gomosidade, viscosidade.

gomoso, sa. *adj.* gomoso, que tem goma ou se parece com ela; (med.) diz-se da pessoa que padece gomas. — *m.* janota, peralta.

gonce. *m.* gonzo. dobradiça. V. **gozne.**

gonda. *f.* (Amér.) cauda de raposa.

góndola. *f.* (mar.) gôndola; embarcação pequena de recreio; ónibus, carruagem grande.

gondolero. *m.* gondoleiro, barqueiro que conduz uma gôndola.

gonete. *m.* antigo vestido de mulher.

gonfalón. *m.* gonfalão, estandarte, bandeira, pendão; (herald.) guião, bandeira.

gonfosis. *f.* (anat.) gonfose.

gong. *m.* gongo, tantã.

gongorino, na. *adj.* gongórico, que tem os vícios do gongorismo.

gongorismo. *m.* (lit.) gongorismo, estilo pretensioso.

gongorizar. *v. intr.* (lit.) gongorizar, escrever ou falar em estilo gongórico.

gongrona. *f.* (bot.) gongrona; (pat.) gongrona, papeira.

gonicele. *m.* (pat.) gonocele, acumulação de esperma nos canais seminíferos.

goniometría. *f.* goniometria.

goniométrico, ca. adj. goniométrico.

goniómetro. *m.* gonió(ô)metro, angulómetro.

gonitis. *f.* (pat.) gonite.

gonocele. *m.* (pat.) gonocele. V. gonicele.

gonococcia. *f.* (pat.) gonococia; blenorragia.

gonoccico, ca. *adj.* (pat.) gonacócico.

gonococo. *m.* (pat.) gonococo.

gonorrea. *f.* (pat.) gonorre(ê)ia, fluxo da uretra; blenorragia.

gonorreico, ca. *adj.* (pat.) gonorre(ê)ico.

gonzalito. *m.* (Amér.) V. cacique.

gorbetear. *v. intr.* (Amér.) picar o cavalo.

gorbin. *m.* V. gurbión.

gordal. *adj.* gordo, mais grosso, o que excede em grossura as coisas da sua espécie.

gordana. *f.* banha, gordura animal.

gordiano, na. *adj.* gordiano: *nudo gordiano*, nó górdio; *cortar el nudo gordiano*, (fig.) cortar o nó górdio, sair de uma situação embaraçosa.

gordiflón, na. *adj.* V. gordinflón.

gordinflón, na. *adj.* (fam.) gordaço, gordalhudo, muito gordo, atoucinhado, obeso, gordanchudo.

gordo, da. *adj.* gordo, que tem gordura; obeso corpulento, grosso; cheio; chorudo; gordo, pingue, untuoso, gorduroso, gordurento; anediado, nafado; arrepolhado; (fig.) importante; (fig.) e (fam.) gordo, diz-se do homem rico e poderoso; considerável, alentado; (mar.) grosso, bravo, encrespado (diz-se do mar); (Bras.) panzuá. — *m.* unto, gordura, gordo, banha. — *f.* (Amér.) torta de milho: *el gordo*, (fig. e fam.) o prémio maior da lotaria, a taluda.

gordura. *f.* gordura, adiposidade; gordura, abundância de carnes nas pessoas e animais; chorume; banha; ádipe; corpulência, fornimento; enxúndia; sebo; obesidade.

gorga. *f.* alimento para as aves de cetraria; (prov.) remoinho das águas dos rios.

gorgojarse. *v. r.* criar gorgulho. V. agorgojarse.

gorgojera. *f.* lugar onde há muito gorgulho.

gorgojo. *m.* (zool.) gorgulho, insecto que ataca os cereais nos celeiros; (fig. e fam.) pessoa muito pequena; fuinha, rapaz débil e raquítico.

gorgojoso, sa. *adj.* que tem gorgulho; roído de gorgulhos.

gorgón. *m.* (Amér.) cimento, betão, formigão.

gorgóneo a. *adj.* (mit.) pertencente ou relativo às Górgonas.

gorgor. m. gorgolejo. V. gorgoteo.

gorgorán. *m.* gorgorão, tecido de seda.

gorgorear. *v. intr.* V. gorgoritear.

gorgorita. *f.* borbulha pequena; (fam.) garganteio, trinado.

gorgoritear. *v. intr.* (fam.) gargantear, trinar, gorjear, requebrar a voz.

gorgorito. *m.* (fam.) garganteio, trinado da voz. — *m. pl.* requebros, trinados da voz, garganteios; (prov.) borbulha: *hacer gorgoritos*, fazer garganteios.

gorgorotada. *f.* golo, sorvo, porção dum licor bebido duma só vez; trago.

gorgotear. *v. intr.* bolhar, borbulhar.

gorgoteo. *m.* gorgolejo, ruído produzido pelo borbulhar dum líquido ou gás.

gorgoteo. m. gorgolejo, acto de gorgolejar; ruído que faz um líquido pelo borbulhar.

gorgotero. *m.* bufarinheiro. V. buhonero.

gorguera. *f.* gorjeira, renda para adornar o pescoço; gorjal da armadura; (bot.) invólucro.

gorguz. *m.* gorguz, gorgaz, virotão; espécie de dardo; lança curta; roção, pau para apanhar fruta; (Amér.) aguilhão da garrocha; V. puya.

gorigori. *m.* (fam.) cantilena, voz, com que, geralmente, se refere ao canto lúgubre dos enterros.

gorila. *m.* (zool.) gorila, gorilha, mamífero muito feroz e forte que vive na África Equatorial.

gorja. *f.* gorja, garganta: *estar uno de gorja*, estar muito alegre.

gorjal. *m.* gorjal, parte da armadura usada antigamente para defender o pescoço; gorjal parte das vestes sacerdotais.

gorjeador, ra. *adj.* gorjeador, que gorjeia, trinador, chilrador.

gorjear. *v. intr.* gorjear, emitir as aves sons agradáveis; trinar, cantar, chiar, gargantear; chilrar; cantar com voz melodiosa, gorjear, trinar; (ant.) zombar; (Amér.) zombar, escarnecer. — *v. r.* balbuzir, começar a falar as crianças.

gorjeo. *m.* gorjeio, trinado; chilro; chiada; chilreada; chilrada; garganteio; balbuciação, articulações imperfeitas na voz das crianças; o chilrear das crianças; gorjeio, volata, canto melodioso.

gormador. *m.* vomitador, o que vomita.

gormar. *v. tr.* vomitar. V. vomitar.

gorra. *f.* gorra, barrete, carapuça; touca; montera, gorra de peles dos pastores. — *m.* (fig.) parasita que vive à custa alheia: *vivir de gorra*, viver à custa alheia; *de gorra*, à carga, à custa alheia; *poner la gorra*, encarapuçar; *poner una gorra*, engorrar; *gorra de visera*, pala de boné.

gorrada. *f.* V. gorretada.

gorrear. *v. intr.* (fam.) viver à custa alheia, viver à custa doutrem.

gorrería. *f.* loja ou oficina onde se fazem ou vendem barretes.

gorrero, ra. *s.* barreteiro, chapeleiro, vendedor ou fabricante de barretes ou chapéus. — *m.* parasita que vive à custa alheia.

gorretada. *f.* barretada, cortesía que se faz com o barrete ou chapéu

gorrín. *m.* V. gorrino.

gorrinada. *f.* porcaria, sujidade, imundícia.

gorrinería. *f.* porcaria, sujidade; imundícia; (fig.) pessoa grosseira, indecorosa.

gorrino, na. *s.* (zool.) leitão, porco pequeno, cochino; (fig.) pessoa suja, desasseada e grosseira.

gorrión. *m.* (orni.) gorrião, ave semelhante ao pardal; pardal-dos-telhados; fuinho, variedade do gorrião.

gorriona. *f.* fêmea do gorrião.

gorrista. *adj.* e *s.* parasita, chupista, diz-se do que vive à custa alheia; encostador; encostadiço.

gorro. *m.* barrete, chapéu de senhora, gorro, carapuça; *gorro de dormir*, barrete de dormir; *gorro frígio*, frígio; *poner el gorro*, requebrar uma mulher, cortejar, requestar uma mulher não se importando com quem está presente.

gorrón. *m.* seixo, pedra roliça e muito lisa; rojão de porco; bicho-da-seda que não termina o casulo; (mec.) ponta dum eixo que serve para facilitar a rotação, e serve de apoio.

gorrón, na. *adj.* e *s.* chupista, parasita, encastadiço, desfrutador, galdeiro, encostador, o que vive à custa alheia; homem perdido e viciado: *ir de gorrón*, ir à enga; *ser un gorrón*, desfrutar.

gorrona. *f.* rameira, prostituta.

gorronal. *m.* V. guijarral.

gorronería. *f.* acção de chupista ou parasita de encostador; parasitismo.

gorullo. *m.* V. burujo.

gosipino, na. *adj.* diz-se do que tem algodão, ou se parece com ele.

gota. *f.* go(ô)ta, pingo; (arq.) gota, pequeno ornato de forma quadrada, redonda, que se põe nos tectos, etc., e especialmente sob os triglifos da ordem dórica; gota, pequena porção de líquido; pequena parte esférica dum líquido, gota; (med.) gota, doença que afecta ao organismo inteiro e principalmente às articulações, artrite: *gota a gota*, destilar; *sudar la gota gorda*, suar as estopinhas, (fig.) esforçar-se muito num trabalho; *gota serena*, (med.) amaurose; *hacer caer en gotas*, chover; *gota a gota el mar se agota*, água mole, em pedra dura, tanto dá até que a fura; *no ver gota*, não ver nada.

goteado, da. *p. p.* e *adj.* gotejado, destilado, pingado; manchado com gotas.

gotear. *v. intr.* gotejar, destilar; chorar; pingar; começar a chover, cair em gotas;

dar ou receber uma coisa pouco a pouco; verter gota a gota.

goteo. *m.* destilação, gotejamento; estilicídio.

gotera. *f.* goteira, fenda no telhado, lugar por onde cai água dos telhados; biqueira, beirado; sanefa que cerca o alto do dossel, da cama, etc.; (fig.) achaque: *es una gotera*, é um moto contínuo. V. griseta.

gotero. *m.* (Amér.) V. cuentagotas.

goterón. *m.* gota grande; (arq.) goteirão; sulco que se faz na parte inferior das cornijas ou canal nas mesmas para escoamento das águas.

gótico, ca. *adj* gótico, pertencente ou relativo aos Godos; (fig.) nobre, ilustre, go(ô)do. — *m.* língua germânica que falavam os godos; (arq.) gótico, nome com que se conhece o estilo caracterizado pelo arco em ogiva.

gotón, na. *adj.* e *s.* godo.

gotoso, sa. *adj.* e *s.* (med.) gotoso, que sofre de gota; artrítico.

goyesco, ca. *adj.* goiesco, próprio ou característico de Goya; que tem semelhança com as obras deste pintor.

gozable. *adj.* deleitável.

gozador, ra. *adj.* que goza, que desfruta.

gozante. *p. a.* e *adj.* gozante, que goza.

gozar. *v. tr.* gozar, desfruir, deliciar, exultar; fruir, deliciar, exultar; fruir; gozar; deleitar; gozar, lucrar; chincar, cincar; gozar, possuir com gozo; gozar, ter prazer.

gozne. *m.* gonzo, dobradiça; macha-fêmea; bisagra, engonço.

gozo. *m.* go(ô)zo, alegria, júbilo, prazer; satisfação; contentamento, deleite, deleitação, contento; consolação, entusiasmo; (pop.) melgueira; satisfação material ou espiritual, gozo; prazer, posse, proveito; utilidade: *saltar de gozo*, saltar de contente; *causar gozo*, deleitar.

gozoso, sa. *adj.* gozoso, cheio de gozo, contente, contentamento, que denota prazer; descarregado; alegre. — *pl.* diz-se dos mistérios da Resurreição, no rosário.

gozque. *m.* e *adj.* gozo, diz-se do cão pequeno e que ladra muito.

grabado. *p. p.*, *adj.* e *m.* gravado, gravura, arte de gravar; processo para gravar; estampa, gravura; figura; (fig.) cinzel: *grabado en madera*, gravura em madeira: *grabado en metales*, (téc.) metalografia.

grabador, ra. *s.* gravador, aquele que grava, que faz gravuras; cinzelador; (fig.) cinzel; artista que se emprega em gravação, gravador.

grabadura. *f.* gravação, gravadura, gravura.

grabar. *v. tr.* gravar, abrir a buril ou a cinzel, cinzelar, lavrar; imprimir; entretalhar; exarar; (fig.) fixar no ânimo, lavrar; fixar na memória, no coração; esculpir; assinalar, marcar com selo ou ferrete; (fig.) perpetuar, imortalizar, fixar.

grabazón. *m.* enfeite formado de peças gravadas.

gracejada. *f.* (Amér.) V. gracejo.

gracejar. *v. intr.* gracejar, falar ou escrever com gracejo; dizer graças, gracejar.

gracejo. *m.* gracejo, chiste, graça; galanteio; facécia; gala; graça, atractivo nas acções, agrado, airosidade.

gracia. *f.* graça, dom natural; graça, atractivo, aparência atraente; graça, afabilidade, agrado; graça, dito agudo, discreto; afabilidade, bom modo; graça, benefício, concessão gratuita; garbo, donaire, desembaraço; benevolência e amizade; perdão, graça, indulto; mercê, obséquio, favor; teima, capricho; graça (título honorífico); graça, nome duma pessoa; estima; airosidade; gracejo ofensivo; elegância; cortesia; entretenimento; bizarria; benefício; galanice; farsolice; (pop.) gaje, gala; (rel.) graça, auxílio, favor de Deus; *for./* graça, absolução, perdão. — *pl.* graças, divindades mitológicas; agradecimento: *dar las gracias*, agradecer; *no estar para gracias*, (fam.) não ser para graças; *en gracia*, em atenção ou consideração; *¡gracias!*, obrigado!; *estado de gracia*, estado de graça ou inocência.

graciable. *adj.* gracioso, inclinado a fazer graças; afável, benigno; gracioso; concessível; perdoável, amável.

grácil. *adj.* grácil, subtil, miúdo; delicado, fino; airoso.

graciola. *f.* (bot.) graciola.

graciosidad. *f.* graciosidade, formosura, beleza, perfeição; graciosidade, gratificação.

gracioso, sa. *adj.* gracioso, que tem graça; donaire ou atractivo; agradável, amável; gracioso, afável, cortês, delicado, gracioso, engraçado, galante; gracioso, feito por graça, favor ou mercê; gratuito; gracioso, propenso a fazer graças ou benefícios; chistoso, engraçado; gracioso, título dos reis de Inglaterra; elegante; descambado; entretenido; agraciado; airoso. — *s.* gracioso, chocarreiro, farcista, bobo de comédia, actor, có(ô)mico, motejador: *dicho gracioso*, farçola, biscate; *ser gracioso*, ter chiste: *tenerse por gracioso*, vender agudezas.

grada. *f.* degrau, assento nos bancos dum anfiteatro; degrau de escada. V. **peldaño;** tarimba, estrado ao pé do altar; grade locutório de freiras; (mar.) carreira, plano inclinado onde se constroem os navios; palanque. — *pl.* escadarias, escalinatas majestosas; (agr.) grades para desfazer os torrões.

gradación. *f.* gradação, série de coisas ordenadas gradualmente; progressão gradual; (mús. e ret.) gradação; transição gradual; (pint.) degradação, enfraquecimento, diminuição gradual de luz.

gradar. *v. tr.* (agr.) gradar, esterroar e aplanar a terra com a grade.

gradeo. *m.* gradagem.

gradería. *f.* escadaria, série de escadas em lance seguidos.

gradiente. *m.* gradiente, diferença de pressão barométrica entre dois pontos.—*f.* (Amér.) pendente, declive.

gradilla. *f.* escadote, escada pequena, portátil; molde para fabricar tijolos ou ladrilhos.

grado. *m.* V. **peldaño;** degrau de escada; graduação, grau de dignidade; grau de antiguidade entre os militares; grau, graduação numa faculdade, título universitário; (fig.) medida da qualidade e estado duma coisa; intensidade; grau, parte da circunferência; grau, expoente do termo mais alto; (ant.) grau, vontade; (fís.) grau; (gram.) grau de comparação; (for.) grau, cada uma das instâncias em que está um pleito; (mat.) grau. — *pl.* (rel.) as quatro ordens menores.

grado. *m.* vontade, gosto, grado.

graduable. *adj.* graduável, que pode graduar-se.

graduación. *f.* graduação; classe, categoria; graduação, honra, preeminência; (mil.) graduação; classificação; (fís.) graduação.

graduado, da. *p. p.* e *adj.* graduado; (mil.) graduado, diz-se do militar com grau superior ao posto que efectivamente tem.

graduador. *m.* graduador, o que gradua ou tem por fim graduar.

gradual. *adj.* gradual, que tem ou revela gradação; gradual, que se faz por graus; progressivo; sucessivo. — *m.* gradual, versículos da missa, entre a epístola e o evangelho; gradual, livro de canto chão.

graduando, da. *s.* graduando, pessoa que recebe um grau universitário.

graduar. *v. tr.* graduar, dispor em graduação; graduar, examinar o grau ou qualidade duma coisa; graduar, conferir um grau universitário; graduar, classificar; assinalar; registar os graus em que se divide uma coisa: graduar, dividir em graus: (mil.) graduar, conferir uma graduação militar.

grafía. *f.* grafia, modo de escrever; ortografia.

gráfico, ca, *adj.* gráfico, relativo à grafia; gráfico, figurado por desenhos ou figuras geométricas; claro; descriptivo.

gráfila ou **grafila.** *f.* grafila, orla duma moeda ou medalha.

grafio. *m.* gráfico, instrumento para desenhar e fazer lavores nas pinturas estofadas.

grafioles. *m. pl.* espécie de doces em forma de S.

grafito. *m.* (min.) grafite, plombagina.

grafófono. *m.* grafofone, grafofono (espécie de fonógrafo).

grafolita. *f.* grafolite.

grafología. *f.* grafologia.

grafológico, ca. *adj.* grafológico.

grafólogo, ga. *s.* grafólogo.

grafomancia. *f.* grafomancia.

grafomanía. *f.* grafomania.

grafómano, na. *adj.* e *s.* grafómano.

grafometría. *f.* (top.) grafometria.

grafómetro. *m.* (top.) grafó(ô)metro.

graforrea. *f.* graforre(é)ia.

grafostática. *f.* (mec.) grafostática.

gragea. *f.* confeitos miúdos.

graja. *f.* (zool.) gralha, fêmea do gralho.

grajear. *v. intr.* grasnar, gralhar; crocitar, corvejar.

grajero, ra. *adj.* gralheira, diz-se do lugar onde se recolhem as gralhas.

grajo. *m.* (zool.) gralho, espécie de corvo; (fig.) charlatão; (Amér.) catinga, fartum. cheiro desagradável; planta mortácea de odor fétido.

grajuno, na. *adj.* relativo à gralha ou semelhante a ela.

grama. *f.* (bot.) grama; gramão.

gramal. *m.* lugar coberto de gramão.

gramallera. *f.* V. llares.

gramática. *f.* gramática, ciência da linguagem; gramática, livro que contem os preceitos da arte gramatical: *gramática parda*, (pop.) habilidade para se guiarem na vida.

gramatical. *adj.* gramatical, gramático.

gramático, ca. *adj.* gramatical, gramático. — *m.* gramático, pessoa que se ocupa de estudos gramaticais.

gramatiquear. *v. tr.* (fam.) gramaticar, tratar de matérias gramaticais.

gramatiquería. *f.* (pop.) coisa pertencente à gramática; gramatiquice.

gramil. *m.* (carp.) graminho, instrumento para traçar riscos paralelos; gagadeira.

gramilla. *f.* gramadeira, espada de pau para bater o linho; (bot.) dim. de **grama**; (Amér) certa gramínea forraginosa, utilizada para pasto.

gramíneo, a. *adj.* (bot.) gramíneo. — *f. pl.* gramíneas.

graminícola. *adj.* (hist. nat.) graminícola.

graminiforme. *adj.* graminiforme.

graminívoro. *adj.* graminívoro, granívoro, herbívoro.

gramo. *m.* grama, unidade de peso.

gramófono. *m.* gramofone, fonógrafo, gramofó(ô)nio.

gamola. *f.* gramofone, gramofó(ô)nio.

gramómetro. *m.* (art. y of.) gramó(ô)metro.

gramoso, sa. *adj.* gramoso, pertencente ao gramão.

gran. *adj.* grã, grão, apócope de **grande** (anteposto ao substantivo; principal, primeiro numa classe.

grana. *f.* (agr.) grão, semente miúda de certos vegetais; tempo em que o trigo e os outros cereais estão em grão para sazonarem; (fig. e fam.) vadio, malandro: *grana del paraíso*, V. **cardamono**.

grana. *f.* (zool.) V. **cochinilla** e **quermes;** cor escarlate, produzida pelo quermes; grã, tecido de cor escarlate, galha.

granada. *f.* (bot.) romã, fruto da romãzeira; (mil.) granada, projectil de artilharia; *granada de mano*, granada de mão.

granadera. *f.* (mil.) bolsa para levar as granadas de mão.

granadero. *m.* (mil.) granadeiro, soldado que lança granadas; granadeiro, soldado pertencente à companhia que vai na dianteira dum regimento; (fig.) pessoa muito alta.

granadina. *f.* granadina, tecido rendado de seda retorcida; refresco feito com sumo de romã; canção espanhola.

granadino, na. *adj.* granadino, pertencente à romã; que tem cor de romã. — *m.* (bot.) flor da romã.

granado, da. *p. p.* e *adj.* granado. (fig.) ilustre, nobre, notável, principal; grado; maduro, hábil; (fam.) granado, crescido, alto, espigado.

granado. *m.* (bot.) romãzeira, romeira.

granador. *m.* crivo para crivar a pólvora; lugar onde se criva a pólvora.

granalla. *f.* (metalurg.) granalha, metal reduzido a grãos, granitos, limaduras de prata ou ouro.

granallar. *v. tr.* granitar, reduzir a granitos.

granar. *v. intr.* granar, formar-se o grão dos frutos numa planta; granitar, reduzir a granitos; (fig.) frutificar.

granate. *m.* (min.) granate, pedra fina, granada.

granatín. *m.* certo tecido antigo.

granazón. *m.* a(c)ção e efeito de granar as plantas ou de crear semente.

gran bestia. *f.* (zool.) alce, grão-besta.

grancé. *adj.* garança, cor vermelha produzida pela granza.

grancero. *m.* granzal, lugar onde se recolhem granzas.

granda. *f.* V. **gándara.**

grande. *adj.* grande, que excede o comum; profundo e largo; comprido; crescido, desenvolvido; extenso; (fig.) excepcional pelo talento, pelas virtudes, etc.; bom; poderoso; excelente; grave, ponderoso; heroico; copioso; intenso; violento; forte; corajoso, magnânimo; magnífico; numeroso; grande, pomposo, com fausto; grande, generoso, nobre, magno; ingente; alto; belo; avantajado; agigantado; formidável; colossal; muito numeroso; considerável; vasto; maiúsculo; eminente; respeitável; (Bras.) biguano, açu, badejo, baita, mãe. — *m.* grande, título nobiliario, grande de Espanha; grande do Reino; prócere; prócer, magnate; pessoa nobre e poderosa: *en grande*, por junto, em conjunto; *vivir en grande*, vivir à grande, com largueza; *echárselas de grande*, fanfarronar, blasonar; *muy grande*, (Bras.) mangagá, apaideguado.

grandevo, va. *adj.* (poét.) grandevo, diz-se da pessoa de muita idade.

grandeza. *f.* grandeza, tamanho excessivo duma coisa; grandeza, majestade; poder extensão; valor; importância; excelência, magnanimidade; bizarria; fortuna, ostentação; abundância, cópia; nobreza; jerarquia; vastidão; luxo; magnificência, pompa, fausto; grandeza, primeira nobreza ou fidalguia, grandeza, título de grande de Espanha ou do Reino; altura; magnitude; elevação: *manía de grandezas*, megalomania.

grandezuelo, la. *adj.* dim. de *grande.*

grandilocuencia. *f.* grandiloquência, eloquência, abundante e elevada; altiloquência, estilo sublime; pomposidade.

grandilocuente. *adj.* grandiloquente, grandíloquo; nobre, elevado; sublime.

grandílocuo, cua. *adj.* grandíloquo, magníloquo, altiloquente.

grandiosidad. *f.* grandiosidade; magnificência; sumptuosidade; colossalidade.

grandioso, sa. *adj.* grandioso; faustoso, magnífico, pomposo, notável, nobre, elevado, magnificente; imponente; sublime; colossal, formidável; fabuloso.

grandisonar. *v. intr.* (poét.) soar ou troar com força

grandísono, na. *adj.* (poét.) V. **altísono.**

grandor. *m.* grandeza, tamanho das coisas; magnitude; grandura, grandeza.

graneado, da. *p. p.* e *adj.* granitado, sarapintado; granulado, reduzido a grão; (mil.) fogo seguido ou sucessivo; fogo de repetição.

graneador. *m.* granador, aparelho para granar pólvora; buril empregado pelos gravadores para furar chapas.

granear. *v. tr.* semear, espalhar o grão ou semente num terreno; granular, converter em grão; granar, granular a pólvora; alisar a pedra litográfica.

granel (a). *adv.* a granel, a rodo; a granel, em abundância, sem ordem, em montão; a granel, sem empacotar, sem invólucro (diz-se dos géneros). — *m.* granel, montão de cereais; (fig.) confusão de coisas, desordem: *vender a granel,* vender a lota.

granelar. *v. tr.* preparar as peles a fim de que pareçam granitadas, granitar.

graneo. *m.* acção de granitar ou granular; (agr.) sementeira.

granero. *m.* celeiro; tulha; (fig.) território abundante em cereais.

granete. *m.* (art. y ofi.) instrumento semelhante ao punção ou buril de gravador.

granguardia. *f.* (mil.) guarda-avançada, tropa de cavalaria da vanguarda.

granífero, ra. *adj.* (bot.) granífero.

granilla. *f.* felpa, granito, pequeno grão o avesso dos tecidos.

granillero, ra. *adj.* diz-se dos porcos que se alimentam de bolotas que encontram no chão.

granillo. *m.* dim. de *grano;* pequeno grão, granito; gránulo, grãozinho; (vet.) pequeno tumor que sofrem certas aves; (fig.) utilidade e proveito pelo usufruto dalguma coisa.

granilloso, sa. *adj.* granuloso, que tem gránulos, ou grãozinhos; que tem granulações; que tem a superfície áspera, granulosa; pustuloso, que tem pústulas ou borbulhas.

granítico, ca. *adj.* relativo a granito ou semelhante a esta rocha.

granito. *m.* dim. de *grano;* granito, gránulo, grãozinho, pequeno grão; granito, rocha dura e compacta, granular; (fig.) pessoa insensível; semente do bicho-da-seda.

granívoro, ra. *adj.* granívoro, diz-se dos animais que se alimentam de grãos.

granizada. *f.* granizada, saraivada, bátega de granizo; chuva de pedra; (fig.) granizada, quantidade de coisas que caem; (prov. e Argentina) granizada, bebida gelada;

granizada, aquilo que cai em abundância, multidão de coisas que caem de uma vez: *granizada de balas,* (mil.) chuveiro.

granizado. *m.* refresco que se faz com gelo e frutas machucadas.

granizal. *m.* (Amér.) granizada, abundância de granizo.

granizar. *v. intr.* granizar, cair granizo, chover pedra; (fig.) cair como granizo.

granizo. *m.* granizo, saraiva; chuva de pedra; (fig.) granizada; quantidade de coisas miúdas que caem; chuva congelada, pedrisco; (fig.) chuveiro, multidão, grande número.

granja. *f.* granja, propriedade rústica, de cultura lucrativa; granja, prédio rústico; casal, edifício onde se recolhem os frutos duma herdade; (Bras.) sitio: *granja suburbana,* almoinha.

granjeable. *adj.* granjeável, que se pode granjear.

granjear. *v. tr.* granjear, amanhar, obter; adquirir, merecer, obter com trabalho; (pop.) conquistar; aumentar os bens comerciando com trabalho ou com esforço próprio; ganhar, captar o favor dalguém; (fig.) granjear, conquistar, agenciar, atrair, conseguir, captar. — *v. r.* granjear-se, captar-se; (Amér.) roubar, furtar: *granjearse amigos,* granjear-se amigos.

granjeo. *m.* granjeio, lucro; amanho; colheita de produtos agrícolas; proveito, ganho.

granjería. *f.* produto das fazendas rústicas; lucro das propriedades rurais; granjearia, benefício obtido pelo cultivo das terras, fazendas, etc.; cultura, lavoura, lucro, produto; (fig.) lucro que se obtém no comércio.

granjero, ra. *s.* granjeiro, granjeeiro, rendeiro, cultivador de terras ou fazendas; cultivador de granja, rendeiro, agricultor.

grano. *m.* grão, semente, bago de trigo ou doutro cereal; grão, porção miúda dalguma coisa; espinha, borbulha da pele, pequeno furúnculo; (Bras.) titinga; grão, areia, grossa que se encontra nas pedras; peso, quarta parte do quilate; parte exterior da pele curtida; (vet.) tumor chamado grão de cevada; (farm.) grão, peso equivalente à vigésima quarte parte do escrópulo.

granoso, sa. *adj.* granoso, granuloso, que tem grãos.

granuja. *f.* uva desbagoada, semente da videira e dalgumas ontras plantas, graúlho, granita; (fam.) grupo de vadios. — *m.* (fig.) malandro, galopim, biltre, bilhostre, pícaro, velhaco, falporrias: *es un granuja,* é um belis.

granujada. *f.* malandrice, velhacaria, biltraria.

granujado, da. *adj.* V. **agranujado.**

granujería. *f.* malandragem, grupo de vadios ou malandros.

granujiento, ta. *adj.* espinhento, espinhudo, que tem muitos grãos ou borbulhas.

granujo. *m.* (fam.) espinha, grão, tumor que aparece no corpo.

granujoso, sa. *adj.* granuloso, que tem grãos.
granulación. *f.* granulação.
granulador. *m.* que granula, diz-se do que reduze a grânulos.
granular. *v. tr.* (quim.) granular, reduzir o metal a grânulos. — *v. r.* cobrir-se de borbulhas alguma parte do corpo.
granular. *adj.* granular, diz-se da erupção de espinhas ou pequenos furúnculos.
gránulo. *m.* dim. grânulo, grão pequeno; (farm.) pequena pílula.
granuloso, sa. *adj.* granuloso, granular.
granza. *f.* (bot.) granza, ruiva.
granzas. *f. pl.* alimpaduras de cereais joeirados; resíduos, escórias de qualquer metal.
granzón. *m.* (min.) pedaços grossos de minério que não passam pelo crivo. — *pl.* restos de palha que ficam quando se joeira.
granzoso, sa. *adj.* que tem muitos resíduos.
grao. *m.* praia que serve de desembarcadoiro; beiramar.
grapa. *f.* grampo, gancho, gato, peça de metal para ligar duas coisas; (mil.) sacatrapos, sacabolas; (vet.) grapa, ferida nas curvas do cavalo.
grasa. *f.* gordura, pingue, banha; sebo, gordura, porcaria, sujidade, sujeira; goma do zimbro. — *pl.* escórias de metal: *grasa para lubricar,* axúngia.
grasera. *f.* vasilha onde se põe a gordura; pingadeira, vasilha onde se recolhe a gordura da carne que se assa.
grasería. *f.* fábrica de velas de sebo; (agr.) certa enfermidade dos bichos-da-seda.
graseza. *f.* gordura, qualidade de gorduroso.
grasiento, ta. *adj.* gordurento, gorduroso, ensebado; grassento; grasso; oleoso; sebento, sujo, porco; adiposo; exundioso.
grasilla. *f.* sandaraca, resina seca de zimbro, goma graxa; (bot.) grasseta, planta articulária.
graso, sa. *adj.* gordurento, grassento, grasso, gorduroso. — *m.* V. graseza.
grasones. *m. pl.* alimento feito de farinha, amêndoas, açúcar e canela.
graspo. *m.* (bot.) espécie de *brezo.*
grasura. *f.* V. grosura.
grata. *f.* escova pequena de metal, usada pelos douradores, para limpar, raspar ou brunir.
gratar. *v. tr.* limpar, raspar ou brunir com escova.
gratificación. *f.* gratificação, recompensa, pré(ê)mio, dom, liberalidade; gorjeta, espórtula; gratificação, agrado, gosto.
gratificador, ra. *adj.* e *s.* gratificador, que, ou aquele que gratifica.
gratificar. *v. tr.* gratificar, remunerar, recompensar, dar gorjeta a; agradar; gratificar, comprazer.
gratín. *m.* (gal.) modo de preparar uma iguaria de maneira a que fique recoberta duma crosta alourada ao forno.
gratis. *adv.* gratuitamente, de graça; (Bras.) gode: *trabajar gratis,* trabalhar para o bispo.

gratisdato, ta. *adj.* gratuito, que se dá de graça.
gratitud. *f.* gratidão, reconhecimento por benefício recebido; agradecimento; (fig.) paga: *con gratitud,* agradecidamente; *mostrar gratitud,* agradecer.
grato, ta. *adj.* grato, agradecido, reconhecido; suave, agradável, grato; grato, benévolo; benigno; gratuito, gracioso; ameno; aprazível; melodioso.
gratuidad. *f.* gratuidade, gratuitidade.
gratuito, ta. *adj.* gratuito, de graça, gratuito, sem fundamento, arbitrário; desinteressado: *acusación gratuita,* acusação gratuita.
gratulación. *f.* gratulação, felicitação, parabéns; agradecimento; congratulação.
gratular. *v. tr.* gratular, felicitar, dar parabéns, agradecer, mostrar-se reconhecido. — *v. r.* alegrar-se, comprazer-se, congratular-se, regozijar-se.
gratulatorio, ria. *adj.* gratulatório, congratulatório.
grava. *f.* cascalho, conjunto de lascas de pedra britada; areia grossa.
gravamen. *m.* gravame, encargo que pesa sobre alguém, carga, opressão, vexame; gravame, incómodo; gravame, imposto, tributo, gabela; ónus.
gravar. *v. tr.* gravar, oprimir, pesar, carregar, vexar, causar gravame; gravar, onerar, impor ónus ou obrigação; gravar, agravar, sobrecarregar com tributos.
gravativo, va. *adj.* gravativo, oneroso; opressivo, vexatório.
grave. *adj.* grave, pesado, que tem peso; grave, grande, importante, de muita importância; grave, sério, que causa respeito; grave, perigoso, sério; grave, majestoso; grave, árduo, difícil, enfadonho, incómodo, molesto; grave, diz-se do estilo; grave, decoroso, sério; sisudo, circunspe(c)to; grave, diz-se do som baixo e profundo; reservado; (gram.) grave, paroxítono; intenso; profundo; elevado, sole incomplacente; decoroso: *no es asunto grave,* não é coisa de consequência; *con aires graves,* conselheirismo. — *m.* (mús.) grave, nota muito baixa.
gravear. *v. intr.* gravitar, tender para um ponto; andar em volta dum astro, sendo atraído por ele.
gravedad. *f.* (fís.) gravidade; gravidade, circunspecção, compostura, sisudez, ponderação; modéstia; importância; circunstância perigosa; intensidade; enormidade; excesso; importância, gravidade, carácter sério de um negócio, de uma doença, etc.; gravidade, tom enfático; (fig.) grandeza, importância, gravidade; (mús.) gravidade dos sons.
gravedoso, sa. *adj.* diz-se do que é grave, circunspecto e sério com afectação.
gravidez. *f.* gravidez, prenhez; gestação, estado da mulher durante o período em que se desenvolve o feto; (pop.) embaraço.
gravídico, ca. *adj.* gravídico, relativo à gravidez.

grávido, da. adj. (poét.) carregado, cheio, prenhe, abundante, pesado; (pop.) barriguda, diz-se da mulher que se acha no estado de gravidez.

gravímetro. m. (fís.) gravímetro.

gravitación. f. gravitação, atracção, gravidade.

gravitar. v. intr. gravitar, tender para um ponto, pesar; fazer pressão uma coisa sobre outra; (fig.) impor um gravame; estribar.

gravoso, sa. adj. gravoso, oneroso; gravoso, molesto, incómodo, pesado, intolerado, vexatório.

graznador, ra. adj. grasnador, que grasna; (pop.) palrador, falador, tagarela.

graznar. v. intr. grasnar, gritar, (certas aves); palrar, crocitar; (fig.) palrar, discorrer sobre coisas que se não estudaram; (pop.) revelar um segredo; dar com a língua nos dentes.

graznido. m. grasnido, grasnada, vozearia própria de certas aves; grasno, grasnadela; (fig.) canto dissonante ou desentoado; tagarelice.

greba. f. grevas, parte da armadura que cobria a perna.

greca. f. grega, cercadura, adorno em linhas formando ângulos rectos; certa dança.

Grecia. (geog.) Grécia.

greciano, na. adj. (geog.) grego, pertencente à Grécia.

grecisco, ca. adj. V. greciano.

grecismo. m. helenismo.

grecizar. v. tr. grecizar, helenizar, escrever ou falar segundo o grego. — v. intr. usar afectadamente de locuções gregas.

greco, ca. adj. grego. V. griego. — s. grego.

grecolatino, na. adj. greco-latino.

grecorromano, na. adj. greco-romano.

greda. f. greda, argila arenosa; albizo.

gredal. m. terreno abundante em greda. — adj. gredoso, argiloso, barreiro, diz-se do terreno que tem greda.

gredoso, sa. adj. gredoso, pertencente à greda; gredoso, argiloso, que tem greda, barrento.

gregal. m. gregal, vento do levante.

gregal. adj. gregal, gregário; ordinário, relativo à grei.

gregario, ria. adj. gregário, que faz parte da grei; que anda na companhia doutros; sem distinção; (fig.) falto de ideias e iniciativas.

gregoriano, na. adj. gregoriano, diz-se do canto religioso de Gregório I; diz-se do calendário de Gregório XIII: canto gregoriano, canto gregoriano.

gregorillo. m. espécie de xaile.

Gregorio. n. p. Gregório.

greguería. f. algazarra, vozearia, algaraviada, gralhada, confusão de vozes.

greguisco, ca. adj. grego. V. griego.

greguizar. v. intr. grecizar.

gremial. adj. gremial, relativo aos grémios.— m. agremiado, indivíduo pertencente a um grémio; gremial, pano que os bispos põem sobre os joelhos quando pontificam.

gremio. m. gré(ê)mio, associação, corporação, assembleia; grémio, união dos fiéis com os seus pastores; grémio, regaço, seio; claustro, corpo de doutores e catedráticos nas Universidades; círculo, clube; corpo.

grenchudo, da. adj. que tem grenhas, que tem o cabelo emaranhado ou em desalinho.

greña. f. grenha, cabelo emaranhado; coisa enredada; (agr.) calcadouro; primeiras folhas que deitam o bacelo; porção de trigo que se mete na eira; (fam.) gaforina, topete.

greñudo, da. adj. grenhudo, gadelhudo, desgrenhado; desgadelhado.

gres. m. (geol.) grés; macinho.

gresca. f. algazarra, barulho, motim, contenda, rixa, briga, bulha.

grey. f. grei, rebanho de gado miúdo; (fig.) congregação de fiéis cristãos; raça, povo; clã.

grial. m. graal, vaso místico que os livros de cavalaria supõem haver servido para instituir a Eucaristia.

griego, ga. adj. e s. (geog.) grego, natural ou pertencente a Grécia. — m. grego, língua grega; (fig. e fam.) grego, ininteligível, obscuro: hablar en griego, (fam.) falar obscuramente. V. tahur.

grieta. f. gre(ê)ta, fenda, racha, abertura, frincha, fresta; gretadura da pele; (vet.) gretas do travadouro do cavalo; falha (nos metais ou pedras preciosas: tener una grieta en el labio, ter cieiro nos beiços.

grietado, da. adj. gretado, que tem gretas, fendido.

grietarse. v. r. gretar-se, abrir-se, fender-se, rachar-se.

grietearse. v. r. V. grietarse.

grietoso, sa. adj. gretado, com gretas, fendido, rachado.

grifa. f. (impr.) grifa, letra bastarda ou cursiva.

grifado, da. adj. (impr.) escrito em letra grifa.

grifarse. v. r. empinar-se o cavalo. V. engrifarse.

grifería. f. conjunto de torneiras; loja onde estas se vendem.

grifo, fa. adj. crespo, grifo, encaracolado, emaranhado, desgrenhado. — m. grifo, animal fabuloso; torneira; grifo, letra grifa; (zool.) condor, ave de rapina.

grifo, fa. adj. (impr.) grifo, tipo de letra cursiva, itálica, aldina ou bastarda.

grifón. m. torneira. V. grifo.

grilla. f. (zool.) fêmea do grilo; briga, rixa: esa es grilla, (fam.) essa é muito calva, isso é mentira.

grillada. f. grilada, porção de grilos.

grillarse. v. r. espigar-se, grelarem-se as plantas.

grillera. f. cova, no campo, onde se recolhem os grilos; toca de grilo; gaiola para grilos: olla de grillos, (fam.) lugar onde há grande confusão e desordem.

grillero. m. carcereiro, o que trata dos ferros ou grilhetas nas prisões.

grillete. *m.* grilheta, grande anel de ferro ao qual se prendiam os condenados a trabalhos públicos. — *m.* grilheta, condenado à pena de grilheta.

grillo. *m.* (zool.) grilo; (bot.) grelo, espiga, (fig.) grilhões, peias: *cantar el grillo,* (fig. e fam.) telintar o dinheiro.

grillos. *m. pl.* grilhetas, grilhões, peias; (fig.) qualquer coisa que embaraça e detém o movimento.

grima. *f.* estremecimento, inquietação, horror, desgosto, espanto, susto, temor; (zool.) grima, espécie de antílope; (Amér.) porção pequena, lágrima, migalha: *dar grima,* espantar; horrorizar.

grimoso, sa. *adj.* horroroso, inquietante.

grimpola. *f.* (mar.) galhardete, grimpa, bandeira farpada.

grimpolón. *m.* grimpa, catavento.

grinalde. *f.* projéctil do formato da granada.

gringo, ga. *adj.* (fam. desprec.) estrangeiro, especialmente o inglês. — *m.* (fam.) grego, linguagem ininteligível: *hablar en gringo,* falar grego.

griñón. *m.* toalha, toucado das mulheres, véu de freira; (agr.) enxerto de damasqueiro em pessegueiro.

gripal. *adj.* (med.) relativo à gripe, gripal.

gripe. *f.* (med.) gripe, influênza.

gris. *adj.* gris, cinzento, pardo; (fig.) triste, lânguido, apagado; mediocre. — *m.* (zool.) esquilo da Sibéria de pele muito apreciada; (fam.) frio, ou vento frio: *hace gris,* (fam.) faz frio.

grisáceo, a. *adj.* acinzentado, griséu, grisalho.

grisalla. *f.* (pint.) grisalha.

grisar. *v. tr.* pulir o diamante.

griseo, a. *adj.* griséu, acinzentado, tirante a verde.

griseta. *f.* griseta, tecido de seda; (agr.) doença das árvores por infiltração de água no tronco; rapariga vestida com griseta; modista, costureira; rapariga namoradeira.

grisgrís. *m.* espécie de amuleto mourisco.

grisma. *f.* (Amér.) gota, pisca, lágrima, migalha, quantidade pequena duma coisa.

grisón, na. *adj.* e *s.* (geog.) grisão, natural ou pertencente aos Grisões (Suíça). — *m.* grisão (língua).

grisú. *m.* grisu, gás. V. **mofeta.**

grita. *f.* gritaria, alarido, grita, algazarra: *dar grita,* caçoar dalguém.

gritadera. *f.* (Amér.) gritaria, alarido, grita, algazarra. V. **griteria.**

gritador, ra. *adj.* e *s.* gritador, clamador, chiador, chilreador.

gritar. *v. intr.* gritar, soltar gritos, levantar a voz, bradar, vociferar, alvoroçar, estoirar, algazarrar; apupar; exclamar, clamar, manifestar o público o seu desagrado com demonstrações ruidosas.

gritería. *f.* gritaria, algazarra, barulho, vozearia, vozeria, clamor, algazarra; inferneira; alarido, alvoro(ô)to; estralada; berreiro; charivari; chiada; assuada, assobiada; barulhada; confusão; apupada;

(pop.) destampatório: *armar una griteria,* fazer algazarra.

griterío. *m.* V. **griteria.**

grito. *m.* grito, voz emitida com força; clamação; brado; clamor; manifestação vibrante dum sentimento geral; (fig.) movimento interior; queixume; voz de alguns animais; som estridente; (Bras.) estrilo: *poner el grito en el cielo,* queixar-se veementemente dalguma coisa; *grito de guerra,* grito ou apelido de guerra.

gritón, na. *adj.* (fam.) gritador, que grita muito.

groar. *v. intr.* grasnar, coaxar. V. **croar.**

groelandés, sa. *adj.* e *s.* (geog.) gronelandês, natural ou pertencente à Gronelândia.

Groenlandia. (geog.) Gronelândia.

groenlandés, sa. *adj.* e *s.* gronelandês, natural ou pertencente à Gronelândia.

groera. *f.* (mar.) buraco para passar um cabo.

gromática. *f.* (ant.) gromática, agrimensura.

gromo. *m.* gomo, gema das árvores, rebento, renovo, botão; (prov.) rama de tojo.

gropos. *m. pl.* borras dos tinteiros.

grosella. *f.* groselha, fruto da groselheira, uva espim.

grosellero. *m.* (bot.) groselheira.

grosería. *f.* grosseria, indelicadeza, descortesia, incivilidade; rusticidade, rudeza, ignorância; vulgaridade; desafabilidade; desagrado; desamabilidade; desagasalho; descomedimento; desatenção; barbarie, barbaridade; boçalidade; bestialidade; indelicadeza; indecência; má-criação; incorre(c)ção; deselegância; desabrimento; despolidez; (pop.) coice; imperfeição em trabalhos de mãos; expressão grosseira.

grosero, ra. *adj.* e *s.* grosseiro, incivil, descortês, malcriado; rústico; to(ô)sco; achamboado; mal acabado; imperfeito, rude; grosso, de má qualidades; áspero; indelicado, incivil; ordinário; inculto; imoral, indecoroso; bárbaro; sem finura; craso; ajambrado, ajavardado; incorre(c)to; (fig.) animal; maçorral; alambazado; indecente; indelicado; bestial; charro; chavasco; boçal; descortês; avilanado; desatencioso, desconsiderado; desaprimorado; desajeitado; desafável; desgalante; deselegante; descomedido; abrutado; (fig.) alarve, be(ê)sta; chineleiro; avaqueirado; aburelado; (vulg.) achavascado; fúfio, bertoldo.

grosor. *m.* grossura, corpulência, espessura dum corpo; densidade; gordura, banha.

grosularia. *f.* (min.) variedade de granate.

grosularieo, a. *adj.* (bot.) grossulária, grossulariáceo — *f. pl.* glossulariáceas.

grosulina. *f.* (min.) grossulina, grossularina.

grosularina. *f.* (quim.) grossularina, grossulina.

grosura. *f.* gordura, banha; forçura, miúdos de animais.

grotesco, ca. *adj.* grotesco, ridículo, estravagante, exótico, caricato; irregular e de mau gosto; grutesco.

grúa. *f.* grua, guindaste, maquinismo para levantar grandes pesos; (mil.) máquina militar usada antigamente; (mar.) V. muñonera.

gruero, ra. *adj.* (zool.) grueiro, diz-se do falcão adestrado na caça dos grous.

gruesa. *f.* grosa, doze dúzias; renda principal duma prebenda.

grueso, sa. *adj.* grosso, corpulento, avultado, encorpado; grosseiro, boto, obtuso, rude; grosso, grande; grosso, ordinário; pouco agudo (diz-se do entendimento); denso; consistente; estúpido. — *m.* corpulência; a parte principal e mais forte dum todo; grossura; grosso, espessura, grossura: *en grueso*, por grosso, por atacado, por junto; *comercio en grueso*, comércio de atacado; *hombre grueso*, homem cheio.

gruir. *v. intr.* gruir, soltar o grou o seu canto.

grujidor. *m.* alicate de vidraceiro.

grujir. *v. tr.* ajustar os bordos dos vidros nos caixilhos.

grulla. *f.* (zool.) grou; (astr.) constelação austral. — *pl.* (pop.) calças de polainas.

grullada. *f.* súcia, caterva; bando de grous. V. **gurullada**; calinada, truísmo. V. **perogrullada**; (pop.) reunião de oficiais de justiça.

grullero, ra. *adj.* grueiro. V. **gruero**.

grullo. *adj.* (Amér.) diz-se do cavalo de cor cinzenta; cavalo grande e forte. V. **peso** ou **duro**.

grumete. *m.* (mar.) grumete, marinheiro de graduação inferior.

grumo. *m.* coágulo, grumo, parte dum líquido que se coagula; conjunto de coisas que estão apertadas; gránulo; grão; novelo; godilhão; pequena porção de sangue, leite, ou outro líquido que se coagula; godilhão; grumo, rebento das árvores, gomo. *formar grumos la leche*, deslassar; *llenar de grumos*, engodilhar.

grumoso, sa. *adj.* grumoso, granuloso, que tem grumos.

gruñido. *p. p.* de *gruñir* e *m.* grunhido, voz de porco; rosnadela; voz de cão ou doutros animais quando ameaçam; (fig.) sons inarticulados, de pessoa que está de mau humor; grunhido, ronco, roncadela.

gruñidor, ra. *adj.* e *s.* grunhidor, que grunhe; (pop.) ladrão de porcos.

gruñimiento. *m.* grunhidela, resmungadela, acto de grunhir.

gruñir. *v. intr.* grunhir, dar grunhidos; rosnar resmungar, murmurar entre dentes; mostrar desgosto; chiar, ranger.

gruñón, na. *adj.* (fam.) resmungão, rezingueiro, murmurador, grunhidor; (Bras.) resmelengo.

grupa. *f.* garupa, anca do cavalo; (Amér.) costas; (mil.) bota-sela, toque, para selar os cavalos: *volver grupas*, voltar atrás.

grupada. *f.* borracha, bátega de chuva; rajada, rabanada de vento; (equit.) garupada, salto do cavalo para sacudir o cavaleiro.

grupera. *f.* almofada que se coloca atrás do selim para pôr a maleta, etc.; retranca, parte do arreio; rabicho de sela. V. baticola.

grupo. *m.* grupo, conjunto, reunião, ajuntamento de vários objectos ou pessoas; pequena associação; (pint. e escult.) conjunto de figuras pintadas ou esculpidas.

gruta. *f.* gruta, caverna, cova; gruta, obra artificial para estância no verão; furna. — *pl.* criptas, abóbadas subterrâneas.

grutesco, ca. *adj.* grutesco, relativo ou pertencente à gruta.

¡gua! *interj.* (Amé.) usa-se para exprimir temor, admiração e lamento.

guabo. *m.* V. **guamo**.

guabul. *m.* (Amér.) bebida feita de banana madura.

guaca. *f.* jazigo dos antigos índios americanos, onde se encontram objectos de valor; (Amér.) tesouro escondido ou enterrado; lugar onde se depositam frutas verdes para que amadureçam; templo de ídolos: *hacer su guaca*, (Amér.) fazer farnel ou pecúlio, juntar dinheiro.

guacal. *m.* (Amér.) árvore cujos frutos redondos são utilizados como vasilhas; a vasilha assim formada; cesto quadrilongo para transportar frutas, louça, cristais, etc.

guacamayo. *m.* (zool.) espécie de papagaio da América, arara.

guacamol. *m.* (Amér.) salada de abacate.

guacamote. *m.* (Amér.) V. **yuca**.

guacia. *f.* (bot.) acácia; goma de acácia.

guaco. *m.* (bot.) guaco, planta do Peru; (zool.) certa ave galinácea de carne excelente; (Amér.) objectos cerâmicos procedentes dos antigos túmulos amerindios.

guachaje. *m.* (Amér.) manada de bezerros separados das suas mães.

guachapear. *v. tr.* (fam.) chapinhar, patinhar, agitar a água com mãos e pés, atabalhoar, fazer uma coisa depressa e mal.— *v. intr.* chocalhar, tinir, soar uma chapa de ferro por estar mal pregada.

guachar. *v. tr.* (Amér.) V. **amelgar**.

guácharo, ra. *adj.* diz-se da pessoa doentia.— *m.* (zool.) certo pássaro dentirrostro nocturno, parecido com o noitibó.

guacharrada. *f.* queda na água ou no lodo.

guacharro. *m.* V. **guacho**.

guachinango, ga. *adj.* (Amér.) V. **zalamero**.— *s.* nome dado aos mexicanos pelos cubanos.

guacho, cha. *adj.* empapado, molhado; (Amér.) órfão. — *m.* cria dum animal, especialmente filhote de pássaro; (prov.) menino pequeno; (Amér.) índio que serve de correio. V. **descabalado**.

guadafiones. *m. pl.* maniotas, travões, peias; prisões nos pés dos animais para não fugirem.

guadamací, cil. *m.* V. **guadamecí, cil**.

guadamacilería. *f.* guadamecilaria, arte de fazer guadamecis.

guadamacilero. *m.* guadamecileiro, fabricante de guadamecis.

guadamecí, cil. *m.* guadameci, guadamecil, guadamecim, antiga tapeçaria de couro pintado ou em relevo.

guadameco. *m.* certo enfeite feminino, usado antigamente.

guadaña. *f.* (agr.) gadanha, espécie de foice, gadanho; (fig.) a morte.

guadañador, ra. *adj* e *s.* gadanheiro, que sega erva com gadanha. — *f.* ceifeira, máquina de gadanhar.

guadañar. *v. tr.* gadanhar, segar erva com gadanha, ceifar.

guadañero. *m.* gadanheiro, ceifeiro, segador; barqueiro, remador do barco chamado *guadaño*, na Havana.

guadapero. *m.* (bot.) pereira brava; moço que leva a comida aos ceifeiros.

guadarnés. *m.* guarda-arnês, lugar onde se guardam os arreios de cavalaria; armaria, espécie de museu de armas; estribeiro--mor da casa real; estribeiro, moço que trata dos arreios.

guadramaña. *f.* embuste, mentira, patranha, ficção.

guagua. *f.* coisa sem valor; (Amér.) insecto muito pequeno que destroi as laranjeiras; ónibus.

guagualón, na. *s.* (Amér.) V. **zangolotino.**

guagüero, ra. *adj.* e *s.* (prov.) chupista, para-sita, que gosta de viver à custa alheia.

guaina. *adj.* e *s.* (Amér.) mancebo, jovem, moço.

guaipe. *m.* (Amér.) filástica, estopa.

guaira. *f.* (mar.) vela triangular, espécie de flauta dos índios americanos; forno de barro para fundir prata, empregado pelos indios do Peru.

guairo. *m.* embarcação pequena e com duas velas triangulares.

guita. *f.* (mil.) sentinela nocturna.

guaja. *s.* (pop.) malandro, tunante, vadio; (vulg.) caixa de rufo, tambor.

guajaca. *f.* (bot.) (Amér.) planta trepadeira empregada para encher colchões.

guájar. *s.* ou **guájaras.** — *f. pl.* fragosidade, qualidade daquilo que é fragoso; a parte mais fragosa duma serra.

guaje. *m.* (Amér.) espécie de acácia; (fig.) tonto, bobo. — *adj.* (Amér.) traste, diz-se da pessoa ou coisa inútil.

guájete por guájete; *adv.* (fam.) (Amér.) tanto por tanto; uma coisa por outra.

guajira. *f.* certo canto popular cubano.

guajira, ra. *adj.* e *s.* (Amér.) camponês branco da ilha de Cuba.

guajolete. *m.* (Amér.) V. pavo; tonto, néscio.

guala. *f.* (Amér.) espécie de frango de água; V. **abutre.**

¡gualá! *interj.* por Deus!; certamente!; por certo!

gualatina. *f.* guisado de maças com leite de amêndoa e farinha de arroz.

gualda. *f.* (bot.) gauda, espécie de reseda, empregada para tingir de amarelo; (fig.) e fam.) rosto pálido como uma sidra.

gualdado, da. *adj.* jalne, jelde, tingido do amarelo, cor de oiro.

gualdera. *f.* cada um dos lados dalgumas armações — *f. pl.* pernas, lados duma escada.

gualdo, da. adj. jalne, jalde, gualdo, de cor amarela ou do oiro.

gualdrapa. *f.* gualdrapa, xairel; (fig. e fam.) frangalho, trapo, farrapo dum vestido ou fato roto.

gualdrapazo. *m.* (mar.) embate das velas contra os mastros dum navio.

gualdrapear. *v. tr.* pôr uma coisa em sentido inverso doutra, como os alfinetes quando se põem de ponta contra a cabeça. — *v. intr.* (mar.) baterem as velas contra os mastros.

gualdrapeo. *m.* acção de **gualdrapear.**

gualdrapero. *m.* andrajoso, farroupilha, es-farrapado, o que anda vestido com andra-jos, esfrangalhado.

gualdrines. *m. pl.* (mar.) canhoneiras, por-tinholas fingidas.

gualeta. *f.* (Amér.) V. **orejera.**

gualetudo, da. *adj.* (Amér.) pèzudo, que tem os pés grandes.

guallipén. *adj.* (Amér.) cambaio. V. **pati-tuerto.**

guamazo. *m.* (Amér.) bofetada; palmada; soco.

guambia. *f.* (Amér.) espécie de mochila.

guamil. *m.* (Amér.) terreno montanhoso.

guampa. *f.* (Amér.) V. **aliara.**

guampo. *m.* (Amér.) piroga.

guanaco, ca. *s.* (zool.) guanaco, mamífero ru-minante utilizado como besta de carga nos Andes Meridionais; (fig.) simples, bobo, estúpido.

guanajo. *m.* (zool.) (Amér.) ave parecida com o peru. V. **pavo;** (fig.) preguiçoso.

guana. *f.* (Amér.) ave palmípede parecida com o ganso.

guanaquear. *v. intr.* (Amér.) caçar guanacos.

guanche. *adj.* e *s.* (geog.) guanche, diz-se do antigo habitante das Canárias.

guandoca. *f.* (Amér.) cárcere, prisão.

guandú. *m.* (Amér.) espécie de árvore legu-minosa.

guanera. *f.* guaneira, lugar onde há guano.

guanero, ra. *adj.* pertencente ou relativo ao guano.

guangoche, guangocho. *m.* (Amér.) tecido basto, espécie de serapilheira.

guanín. *adj.* (Amér.) V. **guañín.**

guanina. *f.* (bot.) (Amér.) planta herbácea cujas sementes se empregam como café.

guano. *m.* guano, esterco de aves marinhas usado como adubo; adubo de terras.

guantada. *f.* (fam.) bofetada, palmada, pan-cada com a mão aberta.

guantazo. *m.* bofetada, estoiro. V. **guan-tada.**

guante. *m.* luva; (fam.) gadanho, a mão. — *pl.* gratificação, luvas; *arrojar el guante,* desafiar; *echar el guante,* (pop.) apoderar--se duma coisa; *echar un guante,* (fam.) angariar dinheiro, geralmente para fins benéficos; *guantes forrados de piel,* luvas estofadas; *poner como un guante,* (fam.) tornar alguém dócil: *recojer el guante,* (fig.) aceitar um desafio, apanhar a luva,

guantelete. *m.* manopla; (cir.) ligadura da mão.

guantería. *f.* luvaria, loja ou fábrica onde se fazem ou vendem luvas.

guantero, ra. *s.* luveiro, fabricante ou vendedor de luvas.

guanto. *m.* (Amér.) espécie de estramónio.

guatón. *m.* bofetada. V. **guantada.**

guañanga. *f.* (Amér.) V. **añoranza.**

guañín. *adj.* diz-se do ouro baixo de lei.

guañir. *v. intr.* (prov.) grunhir (os leitões).

guapear. *v. intr.* (fam.) bizarrear, guapear, portar-se com bravura, ostentar coragem; (fam.) fazer alarde de bom gosto no vestir; trajar com elegância afectada; (Amér.) fanfarronar, fanfarrear.

guapería. *f.* acção própria de brigão; galanteio.

guapetón, na. *adj.* (fam.) guapetão, muito guapo, bizarro; fanfarrão.

guapeza. *f.* (fam.) guapice, valentia, índole briosa, bizarria, ânimo, denodo, valor; (fam.) ostentação nos vestidos, janotice.

guapo, pa. *adj.* (fam.) guapo, elegante, garboso, belo, esbelto, bem parecido, animoso, brioso; corajoso, valente, animoso. destemido, que despreza os perigos; garrido, ostentoso no modo de vestir; agradável, amável. — *m.* brigão, que briga, rixoso; galã que corteja uma mulher. — *m. pl.* (fam. e prov.) adornos, coisas ostentosas e inúteis.

guapote, ta. *adj.* (fam.) bonachão, bonacheirão, que tem bom génio; guapo, bem parecido, esbelto.

guapura. *f.* (fam.) guapice, formosura, beleza.

guaracha. *f.* baile semelhante ao sapateado.

guarache. *m.* (Amér.) espécie de sandália tosca de couro.

guaracho. *m.* (Amér.) chapéu deformado.

guaragua. *f.* (Amér.) V. **rodeo.**

guaraguao. *m.* (Amér.) espécie de águia.

guaraná. *f.* (bot.) guaraná; guaraná, pasta medicinal feita com cacau, tapioca e sementes de guaraná.

guarango, ga. *adj.* (Amér.) incivil, mal educado.

guaraní. *adj.* guaraní, diz-se do indivíduo duma raça da América do Sul. — *s.* pertencente a esta raça; língua dos guaranís.

guarapo. *m.* garapa, suco da cana sacarina; bebida refrigerante feita deste suco.

guarapón. *m.* (Amér.) chapeirão, chapéu de abas grandes.

guarda. *s.* guarda, pessoa encarregada de vigiar ou proteger; pessoa que guarda, — guarda, acção de guardar, protecção, vigilância; acção de defender, de proteger, de conservar ou vigiar; (mil.) serviço de militares quando exercem vigilância, conjunto de soldados que ocupam um posto; cada uma das duas varetas maiores dos leques; guarda, sentinela; (mar.) tempo de serviço a bordo, quarto. — *m. pl.* tutela; guarda (do livro); copos da espada: *guarda de coto*, coiteiro; *guarda de pañol*, (mar). paioleiro.

guardaagujas. *m.* guarda-agulha, pessoa encarregada de mudar a vía nos caminhos de ferro V. **guardagujas.**

guardabanderas. *m.* (mar.) marinheiro a cujo cuidado está a bitácula.

guardabarrera. *m.* e *f.* guarda-barreira, empregado do caminho de ferro na passagem de nível.

guardabarros. *m.* guarda-lama, guarda-lamas, resguardo para evitar que a lama salpique as portinholas dos carros.

guardabauprés. *m.* (mar.) guarda-gurupés.

guardabosque. *m.* guarda-florestal, outeiro, guarda dos bosques ou matos.

guardabrazo. *m.* guarda-braço, braçal, peça da antiga armadura para resguardar o braço.

guardabrisa. *m.* farol, fanal de cristal.

guardacabras. *s.* (mar.) guarda-cabra, cabreiro.

guardacalada. *f.* (arq.) trapeira,

guardacalor. *m.* (mar.) envoltura de chapas de ferro que rodeia e protege a superfície da chaminé dos navios de vapor.

guardacantón. *m.* marco, frade de pedra para resguardar das carruagens as esquinas dos prédios.

guardacartas. *m.* arquivo de cartas.

guardacartuchos. *m.* (mar.) guarda-cartucho, caixa que serve para conduzir os cartuchos desde o paiol à peça.

guardacostas. *m.* (mar.) corre-costas, guarda--costas.

guardacuerpo. *m.* gelosia para defender o maquinista no trem.

guardacuños. *m.* empregado que guarda os cunhos na Casa da Moeda.

guardado, da. *adj.* e *p. p.* guardado, (fig.) sepulto: *bien guardado*, debaixo de chave.

guardador, ra. *adj.* e *s.* guardador, que guarda ou conserva, conservador; arrecadador; guardador, que observa a lei, os preceitos, etc.; respeitador; (fig.) mesquinho, tacanho; avarento, avaro, económico.

guardafrenos. *m.* guarda-freio, empregado dos caminhos de ferro, que maneja os freios dum comboio.

guardafuego. *m.* (mar.) guarda-fogo.

guardaguas. *m.* (mar.) tábua sobre as portas para evitar a entrada da água do mar.

guardagujas. *m.* guarda-agulhas; agulheiro, empregado nos caminhos de ferro, que tem a seu cargo o manejo das agulhas para a mudança das vias.

guardahumo. *m.* (mar.) lona posta na chaminé do fogão, para evitar que o fumo vá para a ré.

guardainfante. *m.* guarda-infantes, armação de arame para entufar as saias das senhoras; (mar.) peça que rodeia o cabrestante.

guardajoyas. *m.* guarda-jóias, cofre em que se guardam as jóias.

guardalado. *m.* anteparo, peitoril, parapeito.

guardamalleta. *f.* sanefa de cortinado.

guardamancebo. *m.* (mar.) guarda-mancebos, cabos que servem de corrimão aos marinheiros, no extremo da proa.

guardamano. *f.* guarda-mão.

guardameta. *m.* (deport.) guarda-meta.

guardamonte. *m.* (artil.) guarda-mato, chapa da espingarda para proteger o gatilho; guarda-florestal.

guardamuebles. *m.* local para guardar os móveis; funcionário que cuida no palácio das mobílias.

guardamujer. *f.* criada da rainha, que acompanhava as damas de honor quando saíam em coche.

guardapapeles. *m.* pasta para guardar papéis.

guardapapo. *m.* gorjal, peça de armadura para proteger o pescoço.

guardapesca. *m.* guarda-pesca, embarcação destinada a vigiar a pesca.

guardapiedras. *m.* crivo, peneira.

guardapierna. *m.* polaina.

guardapiés. *m.* guarda-pé, saia que antigamente se usava por baixo das roupas abertas.

guardapolvo. *m.* guarda-pó, sobretudo leve; beiral duma janela; forro que reveste o vigamento superior das casas.

guardapuerta. *f.* V. antepuerta.

guardar. *v. tr.* guardar, custodiar; guardar, proteger, defender, vigiar, acautelar; reservar; guardar, arrecadar; economizar; guardar, deter, depositar, conservar, encovar; embornalar; embaular; (fig.) entesoirar; embocetar; aferrolhar; estofar; guardar, cumprir a obrigação; guardar, tomar para si; reter, conservar oculto; reservar; preservar; guardar, ser avarento, enferrolhar, entesoirar. — *v. r.* precaver-se dum risco; precaver-se; defender-se, abster-se; reservar-se, acautelar-se, evitar; *guardársela a uno*, (fam.) diferir para tempo oportuno a vingança ou despique; *guardar recuerdos*, entesoirar recordações; *guardar un secreto*, enterrar; *guardar en el pañol*, apaiolar; *nadar y guardar la ropa*, conservar-se entre dois partidos.

guardarropa. *m.* guarda-fato, guarda-roupa, armário onde se guarda a roupa; pessoa encarregada da guarda da roupa.

guardarropía. *f.* guarda-roupa, conjunto de roupas e aprestos para representações teatrais; lugar onde se guarda esta roupa.

guardarruedas. *m.* V. guardacantón; marco, frade de pedra.

guardasellos. *m.* guarda-selos, chanceler-mor.

guardasilla. *f.* molduras nas paredes para evitar a roçadura das cadeiras.

guardasol. *m.* V. quitasol.

guardaela. *m.* (mar.) corda grossa para amarrar a vela aos mastros.

guardavía. *m.* guarda-linha, empregado nos caminhos de ferro que vigia a linha férrea.

guardavista. *m.* guarda-vista; pala; viseira; bandeira do candeeiro.

guardavivos. *m.* moldura que se embute numa aresta.

guardería. *f.* ocupação, e funções do guarda.

guardesa. *f.* mulher encarregada da guarda dalguma coisa; mulher do guarda; guardiã.

guardia. *f.* guarda, conjunto de gente armada que guarda um posto, uma pessoa, etc.; defesa, custódia, protecção. — *m.* soldado pertencente ao corpo de guardas; guarda, sentinela; (esgr.) guarda, modo de estar à defesa; (mar.) guarda, tempo de serviço a bordo: *estar de guardia, estar-a-la-mira*, acautelar-se: *mantenerse en guardia*, trazer a barba sobre o hombro; *montar la guardia*, estar de sentinela; *ponerse en guardia*, pôr-se cobro em si.

guardián, na. *s.* guardião, guardiã; pessoa que cuida ou guarda uma coisa. — *na* ordem de San Francisco prelado de cada convento desta Ordem; (mar.) cabo mais grosso que os usuais; (mar.) guardião, oficial marinheiro inferior a contra-mestre; clavário, cavaleiro guardião nalgumas ordens militares.

guardianía. *f.* guardiania, emprego de guardião, tempo que dura este cargo; jurisdição do padre guardião; jurisdição que tem cada convento para pedir esmola.

guardiero. *m.* (Amér.) guarda duma fazenda.

guardilla. *f.* águas-furtadas; esvão, desvão.

guardilla. *f.* cada um dos dentes mais grossos do pente; sobrecostura, certo alvor para enfeitar a costura.

guardín. *m.* (mar.) cabo com que se suspendem as portinholas das baterias dos navios; galdrope do leme; cabo para içar; espias para suster os mastros a prumo.

guardón, na. *adj.* diz-se da pessoa muito económica, que economiza demais.

guardoso, sa. *adj.* guardoso, parco, económico; poupado; sovina; mesquinho, miserável.

guarecer. *v. tr.* guarecer, amparar, acolher; auxiliar, socorrer, refugiar. — *v. r.* refugiar-se, acolher-se. — *v. irr.* como crecer.

guaricha. *f.* (Amér.) fêmea, mulher desprezível; índia solteira.

guarida. *f.* guarida, cova de animais, covil de feras; (fig.) abrigo, amparo, refúgio; lugar onde uma pessoa vai frequentemente.

guarín. *m.* leitãozinho que nasceu há pouco tempo.

guarismo. *m.* (arit.) algarismo, cada um dos caracteres numéricos árabes; número; quantidade expressa por algarismo.

guarne. *m.* (mar.) uma das voltas dum cabo enrolado num objecto.

guarnecedor, ra. *adj.* e *s.* guarnecedor, que guarnece.

guarnecer. *v. tr.* guarnecer, fornir, arreiar; pôr guarnição a alguma coisa; guarnir; adornar, enfeitar; colocar; vestir; dotar, prover, equipar; rebocar, cobrir de reboco as paredes, estucar; (mil.) estar de guarnição; guarnecer, fortalecer uma praça com tropas; guarnecer, pôr ao falcão o caparão, os cascabeis, etc.; guarnecer, engastar pedras preciosas; arrear as cavalgaduras; (poet.) emperlar. — *conj. irr.* como crecer.

guarnecido, da. p. p. e adj. guarnecido; arreiado; acairelado; apedrado (de pedras preciosas). — m. reboco das paredes.

guarnés. m. V. guadarnés.

guarnición. f. guarnição, enfeite, adorno dos vestidos; guarnição, engaste de pedra preciosa; guarnição, tropa que guarnece um lugar; guarnição, punhos e copos da espada que preservam a mão; (mar.) guarnição, tripulação. — pl. guarnições, conjunto dos arreios das cavalgaduras: guarnición interior, torro.

guarnicionar. v. tr. (mil. guarnecer, colocar guarnição numa praça forte.

guarnicionería. f. correaria, selaria.

guarnicionero. m. correeiro, seleiro, o que faz ou vende arreios.

guarniel. m. bolsa de couro que os almocreves trazem presa ao cinto.

guarnimiento. m. (mar.) guarnição, conjunto com que se guarnece um aparelho, uma vela ou um cabo.

guarnir. v. tr. V. guarnecer; (mar.) colocar os cadernais num aparelho.

guaro. m. (Amér.) aguardente de cana, cachaça.

guarra. f. (zool.) fêmea do porco; (bot.) guarra, planta americana.

guarrería. f. porcaria, sujeira, (fig.) acção feia.

guarrero. m. porqueiro, porcariço. V. porquerizo.

guarro. m. (zool.) porco, suíno. — adj. enxovalhado, imundo, sujo, porco.

¡guarte! interj. guarte!, contracção de guarda-te; sentido!, guarda!

guasa. f. (fam.) insipidez, falta de graça, sensaboria, monotonia; troça, chalaça, zombaria, burla, chasco; (Amér.) peixe comestível.

guasanga. f. (Amér.) bulha, algazarra.

guasca. f. (Amér.) guasca, tira de coiro que serve de rédea ou látego.

guascazo. m. (Amér.) açoite dado com o látego.

guascudo, da. adj. (Amér.) diz-se da madeira fibrosa e flexível.

guasearse. v. r. chancear-se, chalacear-se burlar-se.

guasería. f. (Amér.) grosseria, grossaria, rusticidade.

guaso, sa. s. rústico, camponês do Chile. — adj. (fig.) rude, grosseiro, incivil.

guasón, na. adj. e s. (fam.) chalaceador, caçoador, zombador; insípido, sem graça, sensaborão.

guasquear. v. tr. (Amér.) açoitar com o látego.

guasquillo. m. (Amér.) fita para atar os maços de tabaco.

guata. f. manta de algodão em rama; (Amér.) barriga, pança; empeno, arqueamento.

Guatemala. (geog.) Guatemala.

guatemalteco, ca. adj. e s. (geog.) guatemalteco, guatemalense.

guateque. m. (fam.) (Amér.) reunião de amigos, festa íntima; dança popular.

guau. m. voz onamatopaica com que se representa o ladrido ou latido do cão.

¡guay! interj. ai!

guaya. f. choro, lamento, lamúria, lamentação: hacer la guaya, fazer choradeira.

guayaba. f. goiaba, fruto da goiabeira; goiabada, doce que se faz com este fruto; (fig. e fam.) (Amér.) mentira, embuste.

guayabal. m. goiabal, terreno plantado de goiabeiras.

guayabera. f. casaquinho de tecido leve.

guayabo. m. (bot.) goabeira; (pop.) rapariga bela e pequena.

guayaca. f. (Amér.) guaiaca, bolsa, taleigo; bolsa para tabaco. (fig.) amuleto.

guayacán. m. (Amér.) guaiaco; pau-santo.

guayaco. m. (Amér.) V. guayacán.

guayacol. m. (quím.) guaiacol.

guayado, da. adj. (Amér.) diz-se de certos cantos que têm por estribilho «guay!» ou «ay, amor!».

guayaquil. m. cacau proveniente de Guaiaquil.

Guayaquil. (geog.) Guaiaquil.

guayaquileño, ña. adj. e s. (geog.) guaiaquilenho.

guayuco. m. (Amér.) espécie de tanga ou sunga; espécie de avental.

guazapa. f. (Amér.) brinquedo de crianças. V. perinola.

guazubirá. m. (Amér.) veado montês, de cor de canela escura.

gubán. m. bote grande, sem leme, usado nas Filipinas.

gubernamental. adj. governamental, governativo.

gubernativo, va. adj. governativo, governamental.

gubia. f. (carp.) goiva, formão de meia cana; goiva, agulha com que o artilheiro desimpedia o ouvido da peça quando tinha algumas incrustações.

guedeja. f. guedelha, cabeleira comprida; juba do leão.

guedejón, na. adj. guedelhudo, gadelhudo.

guedejoso, sa. adj. guedelhudo, gadelhudo.

guedejudo, da. adj. guedelhudo, gadelhudo, melenudo.

güeldo. m. engodo, isca para pescar, feita de camarões e pequenos crustáceos.

guelte, gueltre. m. (p. us.) tinheiro.

güello. m. (prov.) V. ojo.

güercho, cha. adj. (prov.) estrábico, vesgo.

güérmeces. m. pl. certa enfermidade dos falcões e mais aves de rapina.

güero, ra. adj. (Amér.) V. rubio.

guerra. f. guerra, rompimento de paz; guerra, arte da guerra; guerra, pugna, luta, peleja, combate, conflito; oposição, esforço por destruir; guerra, antipatia, aversão; guerra, contradição, luta, polémica; contenda; milícia; guerra, certo jogo de bilhar; campanha.

guerreador. adj. e s. guerreador, que guerreia; amigo de guerrear.

guerreante. p. a. e adj. guerreante, guerreador, que guerreia.

guerrear. *v. tr.* guerrear, fazer guerra, hostilizar, combater, lutar, pelejar, pugnar; guerrear, fazer oposição, resistir, rebater, contradizer, perseguir; guerrear, atacar, prejudicar.

guerrera. *f.* dólman, casaco da farda militar.

guerrero, ra. *adj.* guerreiro, belicoso, marcial, beligerante; batalhador, bélico, belígero, militar. — *m.* guerreiro, soldado, militar, lutador, pelejador; (fig. e fam.) traquinas, travesso; (prov.) forneiro, furnário, pássaro chamado, joão-de-barro.

guerrilla. *f.* guerrilha, partida de tropa ligeira; guerrilha, troço de paisanos que combate sob as ordens dum chefe; certo jogo de cartas: *combatir en guerrilllas*, aguerrilhar.

guerrillear. *v. intr.* guerrilhar, pelejar em guerrilha.

guerrillero. *m.* guerrilheiro, paisano que serve numa guerrilha ou é seu chefe; franco-atirador.

guía. *m. e f.* guia, condutor, pessoa que conduz e ensina o caminho; (fig.) guia, pessoa que dirige outra; guia, espécie de passaporte ou salvo-conduto; guia, cada uma das praças do corpo de guias; instrutor, o que dá instruções; guia; guia, ramo que se deixa numa árvore para servir de guia aos outros ramos; (mil.) guia, sargento ou cabo que se coloca para o bom alinhamento da tropa; senhor; adestrador; direcção: governo. — *f.* guia, sinal de marcação, poste grande de cantaria para assinalar a direcção dum caminho de montanha; guia, tratado em que se estabelecem preceitos; guia, pau em que prende a cabeçada dum animal metido na nora; guía, roteiro, livro para elucidar sobre viagens; guia, relação ou documento que acompanha a mercadoria; guia, peça que dirige o movimento da haste do êmbolo; guia, guarda do leque; guia, parelha da frente, nas carruagens tiradas a duas ou mais parelhas; árvore motor; (fig.) fanal, estrela, farol; mestre; encaminhamento; guia, os cabelos extremos do bigode; (carp.) guia, tábua em que se enfia a cana do gramínho. — *pl.* guias, rédas: *guia de ferrocarril*, guia dos caminhos de ferro; *guía de embarque*, guia de alfândega; *guía de arte*, cicerone.

guiadera. *f.* guia nas noras e aparelhos semelhantes. — *pl.* medeiros a prumo que sustentam a viga no lagar de azeite.

guiado, da. *p. p. e adj.* guiado, dirigido, diz-se do que leva guia ou documento bastante; encaminhado.

guiador, ra. *adj. e s.* guiador que guia ou conduz; director.

guiar. *v. tr.* guiar, ensinar o caminho, ir adiante, encaminhar; dirigir, conduzir; governar; aconselhar; ensinar; proteger; fazer que uma peça duma máquina siga determinado caminho; conduzir, guiar um automóvel ou outro veículo; (fig.) dirigir, guiar, orientar; (agr.) guiar os ramos duma árvore ou planta. — *v. r.* dirigir-se,

deixar-se dirigir, conduzir-se; encaminhar-se.

guija. *f.* seixo, pedra pequena e lisa das margens dos rios; calhau pequeno.

guijarral. *m.* seixal, pedregal.

guijarrazo. *m.* pedrada, pancada com calhau.

guijarreño, ña. *adj.* pedregoso, abundante em calhaus; (fig.) diz-se da pessoa robusta e forte.

guijarrillos. *m. pl.* pedrinha, seixo pequeno.

guijarro. *m.* calhau, rebo, pedra.

guijarroso, sa. *adj.* pedregoso, diz-se dos terrenos com muitas pedras, calhaus ou cascalho.

guijeño, ña. *adj.* pertencente aos seixos; (fig.) duro, empedernido.

guijo. *m.* cascalho, conjunto de calhaus ou seixos próprios para calcetar os caminhos. V. **gorrón.**

guijoso, sa. *adj.* seixoso, abundante em seixos; (fig.) duro.

guilla. *f.* guilha, colheita copiosa e abundante: *de guilla*, em abundância.

guillame. *m.* (carp.) guilherme, plaina de carpinteiro.

guillarse. *v. r.* fugir, endoidecer; (pop.) perder o juízo. V. **chiflarse.**

guillín. *m.* V. **huillín.**

guillote. *m.* colheteiro, aquele que recolhe a colheita; usufrutuário. — *adj.* ocioso, preguiçoso, desaplicado, vadio.

guillotina. *f.* guilhotina, instrumento com que se corta a cabeça aos condenados à morte em França; máquina de cortar papéis.

guillotinar. *v. tr.* guilhotinar, dar morte por meio da guilhotina; decapitar com a guilhotina.

guimbalete. *m.* (mar.) alavanca com que se move o êmbolo duma bomba aspirante.

guimbarda. *f.* (carp.) plaina estreita de carpinteiro.

güin. *m.* galho ou rebento que deitam algumas plantas.

guinchar. *v. tr.* picar, ferir com a ponta dum pau; aguilhoar.

guincho. *m.* pau pontiagudo, aguçado; aguilhão; (prov.) gancho que termina em ponta; (Amér.) guincho, ave de rapina, águia-pesqueira.

guinda. *f.* (bot.) ginja, fruto da ginjeira; variedade de cereja; (mar.) guinda, altura da mastreação dum navio; guinda, corda que serve para guindar.

guindalera. *f.* ginjal, plantação de ginjeiras.

guindaleta. *f.* guindaleta, guindalete, cabo grosso de cânhamo ou couro; cabo do guindaste; haste onde os ourives suspendem a balança; (prov.) corda para atar os touros pelas hastes.

guindaleza. *f.* (mar.) guindareza, cabo, corda grossa e comprida.

guindamaina. *f.* (mar.) guindamaina, acto de içar e abater a bandeira em saudação que faz um navio a outro.

guindar. *v. tr.* guindar, subir, içar, levantar, colocar no alto; (fam.) lograr, obter, conseguir, ganhar; (fig.) elevar, tornar empolado; erguer a uma posição elevada; ganhar em concurso; enforcar; (prov.) escorregar, resvalar. — v. r. dependurar--se, elevar-se, alçar-se.

guindaste. m. (mec.) guindaste, aparelho para levantar grandes pesos; (mar.) guindaste, cabrestante.

guindilla. f. guíndia, malagueta, pimento vermelho, pequeno e muito picante; (depre. e fam.) agente da polícia.

guindo. m. (bot.) ginjeira, árvore da família das rosáceas.

guindola. f. (mar.) guindola, pequeno andaime de três tábuas; barquinha, salva-vidas, barco, insubmersível para salvamento de náufragos; aparelhos provisórios duma embarcação desmastreada; barquilha.

guinea. f. guinéu, antiga moeda inglesa, de oiro.

Guinea. (geog.) Guiné.

guineo, a. adj. e s. (geog.) guineenesse, natural da ou pertencente a Guiné. — m. certo baile próprio dos negros; música deste baile.

guinga. f. guingão, tecido fino de algodão.

guinja. f. **guinjo.** m. açofeifa. V. **azufaifa.**

guinjo (lero). m. (bot.) açofeifeira, árvore frutífera.

guiñada. f. piscadela de olho, piscadura; aceno com os olhos; acção de piscar; (mar.) guinada, desvio que uma embarcação faz da sua derrota.

guiñador, ra. adj. e s. que pisca os olhos.

guiñadura. f. V. **guiñada.**

guiñamiento, ta. adj. V. **guiñaposo.**

guiñapo. m. (Amér.) farrapo, andrajo; argamandel; (fig.) pessoa andrajosa, esfarrapada; pessoa envilecida; degradada; frangalho, esfrangalhado, andrajoso.

guiñaposo, sa. adj. (Amér.) andrajoso, frangalhoso, coberto de farrapos.

guiñar. v. tr. piscar os olhos; (mar.) guinar o navio, desviar um navio da sua derrota: giñar el ojo a alguien, dar d'olho.

guiño. m. piscadela, aceno que se faz com um olho.

guiñote. m. jogo de cartas.

guión. m. guião, estandarte, pendão que vai à frente dalgumas procissões ou irmandades; cruz que vai à frente do prelado; cavaleiro que levava um estandarte, à frente das tropas; (mús.) guião, sinal antigo que, no fim duma linha, indicava a primeira nota da linha seguinte; guia de notas ou apontamentos; (gram.) hifen, traço de união; (fig.) guiador, aquele que guia; (mar.) parte mais delgada do remo: guión de película, argumento; guión de actor, guião de actor.

guinaje. m. ofício de guia, condutor.

guionista. s. guionista de películas, argumentista.

guipar. v. tr. (vulg.) ver, notar, olhar, distinguir, perceber.

guipur. m. (do francês Guipure) guipura, renda muito fina.

Guipúzcoa. (geog.) Guipúscoa.

guipuzcoano, na. adj. e s. (geog.) guipuscoano, natural de ou pertencente à província de Guipúscoa.

guirigay. m. (fam.) geringonça, enxacoco, aravia, araviada; gíria; algaravia; gritaria, confusão.

guirindola. f. guarnição do peitilho da camisa.

güiris. m. (Amér.) mineiro, pessoa que trabalha nas minas.

guirnalda. f. grinalda, coroa de flores, ramos, etcétera, com que se cinge a cabeça; antigo tecido de lã. V. **perpetua,** planta.

guisa. f. guisa, modo, forma, maneira: a, de, en, tal guisa, adv. de tal maneira, de tal guisa, de tal modo.

guisado. p. p. e m. guisado; guisado, iguaria com refogado: estar uno mal guisado, (fig. e fam.) estar zangado, aborrecido; guisado de pollo, (Bras.) quenga.

guisador, ra. adj. e s. que guisa a comida, cozinheiro.

guisandero ra. adj. e s. (geog.) guisandeiro, natural de ou pertencente a Guisando. — s. cozinheiro, pessoa que guisa a comida; adubador.

guisantal. m. ervilhal, plantação de ervilhas.

guisante. m. ervilha, planta hortense, ervilheira; semente desta planta.

guisar. v. tr. guisar, cozinhar; preparar com refogado; (fig.) ordenar, compor alguma coisa.

guiso. m. guisado; adubo; estrugido: guiso hecho de sobras, bazófia.

guisopillo. m. V. **hisopillo.**

guisote. m. guisado ordinário feito com pouco cuidado.

guita. f. guita, cordel, barbante; corda fina de cânhamo; (fam.) guita, dinheiro.

guitar. v. tr. costurar ou coser com guita.

guitarra. f. (mús.) guitarra, viola, violão, guitarrão; maço de pau com que se desfaz e pulveriza o gesso; (Bras.) pinho.

guitarrazo. m. pancada dada com violão.

guitarrear. v. intr. tocar guitarra, frequentar as festas e funções.

guitarreo. m. toque repetido de violão.

guitarrería. f. oficina onde se fabricam violas, violões, bandolins e laúdes; loja onde se vendem estes instrumentos.

guitarrero, ra. s. violeiro, fabricante de violões, guitarreiro; violista; guitarrista, tocador de violão ou viola.

guitarrico. m. (mús.) guitarrilha, guitarra pequena; machete.

guitarrillo. m. (mús.) guitarrilha, guitarrinha; cavaquinho.

guitarrista. s. guitarrista, pessoa que toca guitarra ou ensina a tocá-la.

guitarro. m. V. **guitarrillo.**

guitarrón. m. aum. de guitarra, guitarrão; (fig.) homem esperto e perspicaz; espertalhão, manhoso, velhaco.

guitero. s. pessoa que faz ou vende guita.

guitón, na. adj. e s. vadio, mandrião, vagabundo.

guitonear. v. intr. vadiar; andar à tuna, podendo trabalhar.

guitonería. *f.* vadiagem, vagabundagem; chusma de vadios.

guizque. *m.* rocão, pau comprido com um gancho na ponta; (prov.) aguilhão de insecto; língua da víbora.

gula. *f.* gula, excesso na comida e na bebida, glutonaria, gulodice, intemperança; (ant.) gula, garganta, guela.

gules. *m. pl.* (herald.) goles, sinal da cor vermelha.

guloso, sa. *adj.* e *s.* gulo(ô)so, que tem gula, glutão, comilão; (fig.) que não se contenta com pouco.

gulusmear. *v. intr.* gulosar, andar cheirando o que se cozinha.

gúmena. *f.* (mar.) gúmena, amarra, calabre, cabo grosso para amarrar as âncoras.

gumía. *f.* agomia, arma curva dos mouros.

gura. *f.* (germ.) justiça.

gurapas. *f. pl.* (germ.) V. **galeras.**

gurbia. *f.* (Amér.) V. **gubia.**

gurbio, bia. *adj.* curvado, diz-se dos instrumentos de metal que têm alguma curvatura.

gurdo, da. *adj.* néscio, tolo, simples, pateta, parvo, bolónio.

guro. *m.* (germ.) beleguim.

gurriato. *m.* filhote do pardal; (prov.) leitão.

gurrufalla. *f.* bagatela, ninharia.

gurrufero. *m.* (fam.) sendeiro, rocim feio e manhoso, cavalicoque, pileca.

gurrumina. *f.* (fam.) condescendência excessiva do marido para com a sua própria mulher; (prov. e Amér.) bagatela, ninharia; pessoa esperta, astuta.

gurrumino, na. *adj.* (fam.) mesquinho, mau, vil. — *m.* marido condescendente em excesso, bonacheirão, indulgente. — *s.* (Amér. e prov.) rapazito, menino, rapaz.

gurrullada. *f.* (fam.) súcia, grupo de pessoas de má nota, corja, malta; (germ.) multidão de beleguins.

gurullo. *m.* grumos. V. **burujo.**

gurupa. *f.* V. **grupa.**

gurupera. *f.* V. **grupera.**

gurupié. *m.* emparelhão, sócio ao jogo.

gusanear. *v. intr.* formigar. V. **hormiguear.**

gusanera. *f.* chaga ou lugar onde se criam vermes, bicheira; vermineira; vala, perto dos galinheiros onde se criam vermes para alimento das galinhas; (fig. e fam.) paixão mais veemente do ânimo; (prov.) ferida na cabeça.

gusanería. *f.* bicharia, ajuntamento de vermes.

gusaniento, ta. *adj.* verminoso, que tem vermes, bichoso.

gusanillo. *m. dim.* de *gusano*, gusanilho, vermesinho, vermículo; canutilho de ouro ou de prata; espécie de lavor miúdo em tecidos: *matar el gusanillo*, matar o bicho, tomar aguardente em jejum; *gusanillo de la conciencia*, (fam.) aranha da consciência.

gusano. *m.* verme, gusano, tavão; (fig.) bicho da terra, pessoa abjecta, humilde. V. **lombriz** e **oruga**: *gusano de la conciencia*, re-

morso, aranha da consciência; *gusano de seda*, bicho-da-seda; *gusano de luz*, bicheiro luzente; *gusano de la madera*, bicho-de-conta.

gusanoso, sa. *adj.* verminado, verminoso, bichoso.

gusarapiento, ta. *adj.* bichoso, bichento, que tem vermes; (fig.) corrupto, imundo, podre.

gusarapo. *m.* (depre.) verme, bicho, gusano; insecto pequeno que se cria nos líquidos.

gustable. *adj.* gostável, pertencente ou relativo ao gosto; (Amér. e prov.) gostos, saboroso.

gustación. *f.* gustação, degustação, a(c)ção de provar.

gustadura. *f.* gustação, degustação, a(c)ção de provar.

gustar. *v. intr.* gostar, provar, saborear, tomar o gosto, degustar, avaliar pelo paladar. — *v. tr.* gosta.r, ter prazer; agradar, achar bem, desejar, querer, comprazer-se; gostar; aprovar; amar; apetecer. V. **experimentar**; *gustar anticipadamente*, antegostar; *esto no me gusta*, (fam.) isto não me faz bom estômago; *ese negocio no me gusta*, (fam.) esse negócio não me cheira; *no gustar*, desgostar; *me gustaría*, quem me dera!

gustativo, va. *adj.* gustativo, pertencente ou relativo ao sentido do gosto.

gustatorio, ria. *adj.* gustativo, pertencente ou relativo ao sentido do gosto.

gustazo. *m.* (fam.) satisfação em troçar doutrem.

gustillo. *m.* gostinho, sabor que algumas coisas deixam no paladar; resaivo, sabor pouco agradável.

gusto. *m.* go(ô)sto, sentido do sabor; gosto, paladar, sabor; gosto, prazer, satisfação, deleite; gosto, faculdade de sentir ou apreciar o belo; gosto, arbítrio, vontade própria; simpatia; inclinação; critério; elegância; carácter, maneira; gosto, desejo, complacência; gosto, divertimento, recreio; gosto, faculdade de discernir o bom do mau; semelhança; desejo, capricho; agrado, fruição; deleite, deleitação; eleição; delícia; (fig.) paladar: *a gusto*, à vontade; *tomar el gusto a algo*, (fig.) afeiçoar-se a uma coisa.

gustoso, sa. *adj.* gostoso, saboroso, agradável ao sentido do gosto; contente, satisfeito; agradável, divertido; satisfeito, deleitoso; apetitoso; alegre; (Bras.) sucutuba.

gutapercha. *f.* guta-percha; goma-guta da que se extrai o caucho; tecido impregnado de guta-percha.

gutiámbar. *f.* resina de cor amarela. V. **gutagamba.**

gutífero, ra. *adj.* (bot.) gutífero. — *f. pl.* (bot.) gutíferas.

gutural. *adj.* gutural, pertencente ou relativo à garganta; gutural, diz-se do som que se articula na garganta; fanhoso.

guzla. *f.* (mús.) guzla, instrumento usado no Oriente, espécie de rabeca.

H

H, h. *f.* nona letra do alfabeto espanhol, e sétima das suas consonantes; é aspirada na Andalúzia e na Estremadura; (quím.) H, abreviatura ou símbolo do hidrogénio.

¡ha! *interj.* V. ¡ahí!

haba. *f.* (bot.) fava, planta herbácea leguminosa de grande poder nutritivo; fava, fruto e semente desta planta; semente de café, de cacau, etc.; nódulo duma pedra; (med.) empola; (vet.) inchação no céu da boca dos animais, fava; laparão; (prov.) feijão, fruto e semente desta planta leguminosa; (min.) pedaço de minério metálico envolvido pela ganga.

habado, da. *adj.* (vet.) diz-se do animal que tem a doença da fava; ave de penas sarapintadas.

habanera. *f.* habanera, havanera, música e dança originária de Havana.

habanero, ra. *adj.* e *s.* havanês, natural de ou pertencente a Havana.

habano. *adj.* e *s.* havano, havanês, natural de ou pertencente a Havana e por ext. a Ilha de Cuba. — *m.* havano, charuto de Havana.

habar. *m.* (agr.) faval, terreno semeado de favas.

hábeas-corpus. *m.* expr. lat. habeas-corpus, lei que não permite que alguém seja preso sem culpa formada, ou punido sem julgamento.

haber. *v. tr.* haver, ter, possuir; haver, receber; obter; haver, apoderar-se de, chegar a ter; conseguir; tomar. — *v. intr.* haver acontecer, suceder, sobrevir, ocorrer; existir; verificar-se, efectuar-se; celebrar-se, ter lugar; em frases de sentido negativo, ser inútil, inconveniente ou impossível; em frases de sentido afirmativo, ser necessário ou conveniente; estar nalguma parte. — *v. aux.* haver, que serve para conjugar outros verbos nos tempos compostos. — *v. r.* haver-se, portar-se, conduzir-se, proceder: *haber de*, ter de, ter que, ser necessário; *habérselas con alguien*, (fam.) disputar, brigar com alguém; *hay mucha gente*, há muita gente; *¿qué hay de nuevo?*, que há de novo?; *no hay*, não há; *hay necesidad de*, há-se de mister;

un año ha, há um ano; *hay que*, há-se de mister. — *pres. ind. irr.* he, has, ha, hemos, habéis, han; *pret.* hube, hubiste, hubo, hubimos, hubisteis, hubieron; *fut.* habré, habrás, habrá, habremos, habréis, habrán; *cond.* habría, habrías, habría, habríamos, habríais, habrían; *subj.* haya, has, etc.; *imperf.* hubiera, hubiese, etc.; etc.; *imperativo.* he, haya, hayamos, habed, hayan; *p. p.* habido; *ger.* habiendo.

haber. *m.* haveres, bens, fazenda; salário, soldo, pensão; cabedal; riquezas; fundos; (com.) haver uma das partes em que se dividem as contas correntes.

háber. *m.* doutor entre os judeus; sábio entre os judeus; título superior ao de rabino.

haberado, da. *adj.* abastado, rico, valioso.

haberío. *m.* conjunto dos animais domésticos; gado; besta de carga.

habichuela. *f.* (bot.) feijão, planta, semente e seu fruto.

habiente. *p. a.* de *haber*; possuidor, que possui, que tem; usa-se em termos jurídicos.

hábil. *adj.* hábil, apto, capaz, machucho; mestre; destro; competente; agudo; experimentado; engenhoso; hábil, destro, avisado, atilado; ardiloso; consumado; hábil, astuto, expedito; acertado; meigo; industrioso; melieiro; ágil; experto; machacaz; (fig.) melro; hábil, astuto, astucioso, sagaz; aquele que tem habilidade para fazer alguma coisa; finório; (Bras.) taco: *ser muy hábil en algo*, ser bicheiro em alguma coisa; mestre; *individuo hábil*, barra; *muy hábil*, fino como um coral; *día hábil*, dia de fazer, dia de trabalho.

habilidad. *f.* habilidade, inteligência, agudeza; capacidade; astúcia; ace(ê)rto; sagacidade; destreza; engenho; arte; arteirice; arteiro, artice; artifício; habilidade, destreza, desteridade; aptidão; experiência; luzimento; facilidade, habilidade; expediente; maestria; força; indústria; estudo; (fig.) alcance. — *pl.* habilidades, talentos, exercícios de pelotiqueiro, sortes: *manejarse con habilidad y discreción*, levar o barco a bom porto.

habilidoso, sa. adj. habilidoso, que tem habilidade; engenhoso; destro, dextro; experto; artificioso; (depr.) finório, espertalhão.

habilitación. f. habilitação, lugar onde o habilitado exerce o seu cargo; habilitação, capacidade, aptidão; (for.) habilitação, formalidades jurídicas para demonstrar certa capacidade, ou para adquirir um direito.

habilitado, da. p. p. adj. e m. habilitado, pagador; industrioso; pessoa que guarda dinheiros duma entidade ou sociedade; tesoureiro duma corporação; (mil.) quartel-mestre; habilitado, aquele que abre um estabelecimento com géneros ou dinheiro a crédito.

habilitador, ra. adj. e s. habilitador, aquele que habilita.

habilitar. v. tr. habilitar, tornar hábil, tornar apto; dar ou prestar dinheiro a alguém para que possa valer-se por si, que possa negociar; habilitar, fornecer, prover alguém do necessário; habilitar, proporcionar; (for.) habilitar. — v. r. (fam.) preparar-se; dispor-se, tornar-se apto ou capaz.

habitabilidad. f. habitabilidade, qualidade de habitável.

habitable. adj. habitável, que pode habitar-se.

habitación. f. habitação, apartamento; aposento; residência, edifício destinado a morada, habitação; (for.) direito de habitação; lugar, casa em que se habita; habitação, quarto, peça duma casa; (hist. nat.) região onde habitualmente se cria uma espécie de animal ou vegetal, habitação: habitación humilde, (fig.) choça, antro; habitación mal vestida, quarto abafado.

habitáculo. m. habitação, casa, morada, residência; habitáculo, habitação pequena e sem comodos.

habitador, ra. adj. e s. habitador, que habita, reside ou vive, habitante.

habitante. p. a. e s. habitante, que habita, habitador; habitante, cada uma das pessoas que formam um bairro, uma cidade, um estado ou nação; habitante, alma; íncola; citadino (habitante duma cidade): los habitantes, país.

habitar. v. tr. habitar, residir, morar, viver; assistir; demorar; albergar; aninhar; alojar, estar, frequentar; ocupar. — v. intr. residir, viver, habitar.

hábito. m. hábito, uso, costume adquirido; hábito; traje, vestido; hábito, insígnia com que se distinguem as ordens religiosas ou militares; (fig.) cada uma destas ordens; traje talar dos eclesiásticos, dos religiosos, dos estudantes, etc.; hábito, maneira usual de ser, de comportar-se; (med.) aspecto exterior do corpo humano, modo de ser do indivíduo.

habituación. f. hábito, uso, costume.

habituado, da. p. p. e adj. habituado, familiarizado; consueto; atreito; afeito; avezado; consueto; habituado, galicismo por parroquiano e aficionado; (Bras.) aquilotado.

habitual. adj. habitual, que se faz por hábito; consueto; consuetudinário; indispensável; corrente, frequ(ü)ente; familiar; acostumado, habitual; ordinário, usual; vulgar.

habitualidad. f. habitualidade, habitualismo, qualidade de habitual.

habituar. v. tr. habituar, fazer tomar costume; afazer; familiarizar; avezar; acostumar. — v. r. acostumar-se; ageitar-se com; acadimar; engar; habituar-se, contrair hábito de.

habitud. f. relação, conexão, afinidade duma coisa com outra; hábito; costume.

habiz. m. doação de imóveis feita a mesquitas ou a outras instituições religiosas muçulmanas.

habla. f. fala, faculdade de falar; acção de falar; língua, idioma; elóquio; fala, falada; locução, palavra; idioma; dialecto; fala, conferência; discurso; reunião; prática; qualquer modo de exprimir uma ideia não falando; diálogo: estar al habla, estar em conversa; el habla, (mar.) à fala (a distância próxima); perder el habla, embaçar; se habla..., conta-se...

hablado, da. p. p. e adj. falado, dito; consabido; intercedido, rogado; tratado; avisado; com bien ou mal, comedido ou descomedido no falar.

hablador, ra. adj. e s. falador, que fala demasiadamente, loquaz, tagarela; palavreador; indiscreto no falar; falador importuno; palestrista, palestreiro; garrão, galreador; farfalhador; facundo; faranduleiro; conversador, charlador; (fam.) francelho; (Bras.) terereca: hablador sin sentido, (fig.) faroleiro.

habladuría. f. tagarelice, loquacidade, falatório; dito importuno, indiscreto; rumor, mentira; (fam.) murmuração, mexerico, enredo, intriga; chocarrices; mexericos; farola; bisbilhotice, falatório.

hablanchín, na. adj. (fam.) falador. V. hablador.

hablantín, na. adj. e s. (fam.) V. hablanchín.

hablar. v. intr. falar, exprimir por palavras; discursar, exprimir-se; falar, rogar, interceder; dizer, proferir; narrar, conversar; discorrer sobre; orar, discursar; advogar; falar, tratar, discorrer por escrito; (fig.) falar, inspirar, avisar interiormente; falar, descobrir um segredo; tratar, convir, concertar; dirigir a palavra a uma pessoa; proferir palavras certas aves; (fam.) ter conversas amorosas; murmurar; criticar; fazer-se entender por aceno; ter influência; ordenar. — v. tr. empregar um ou outro idioma para se fazer entender; dizer. — v. r. falar-se; correr o boato, o rumor; dizer-se, conversar-se; manter relações: hablar por gestos, falar por gestos; hablar en favor de alguien, falar por alguém; hablar por la nariz, falar pelo nariz; hablar bien o mal de alguien, falar bem ou mal dalguém; ha-

blar por hablar, (fam.) dar à língua, falar por falar; *hablar ampulosamente*, falar de poleiro, de papo.

hablilla. *f.* rumor, mentira, balela, boato. tagarelice, bisbilhotice; atoarda; chisme: *andar en hablillas*, (pop.) andar nas bocas do mundo.

hablista. *s.* purista, que fala uma língua com correcção e propriedade.

hablistán. *adj.* e *s.* (fam.) falador. V. **hablanchín.**

habón. *m.* verruga, tumor em forma de fava.

habús. *m.* V. **habiz.**

haca. *f.* V. **jaca.**

hacán. *m.* sábio ou doutor entre os judeus.

hacanea. *f.* hacanea, facanea.

hacecillo. *m.* dim. de *haz*; (bot.) umbela.

hacedero, ra. *adj.* fa(c)tível, efe(c)tível, executável; fácil: *ser hacedera una cosa*, ter uma coisa entrada.

hacedor, ra. *adj.* e *s.* fazedor, que faz alguma coisa; que costuma fazer; feitor. administrador; (fam.) fazedor, que faz tudo com suma facilidade: *El Supremo Hacedor*, o Supremo Criador.

hacendado, da. *p. p.* e *adj.* que tem muitos bens de raiz; abastado em bens de raiz; (Amér.) abastado, que tem gado; dono dum engenho de açúcar.

hacendar. *v. tr.* conferir o domínio de terras. *v. r.* comprar herdades ou bens de raiz para se estabelecer nalguma parte. — *conj. irr.* como *acertar.*

hacendera. *f.* trabalho comum, público e gratuito.

hacendería. *f.* trabalho corporal, obra material.

hacendero, ra. *s.* fazendeiro, que cuida com esmero da sua fazenda. — *m.* operário que trabalha por conta do estado, nas minas de Almadén.

hacendilla, hacendita. *f.* dim. de *haciendita*, pequena quinta.

hacendista. *m.* homem versado em administração pública, gerente da Fazenda Pública.

hacendoso, sa. *adj.* laborioso, trabalhador, solícito e diligente; eficaz; fazendeiro.

hacenduela. *f.* dim. de *hacienda*, fazendilha.

hacer. *v. tr.* fazer, criar, produzir; realizar, fabricar, construir, formar, manufacturar. compor; fazer, executar, pôr em prática; (fig.) conceber na imaginação; caber, conter em si; fazer, causar, ocasionar; dispor, arrumar, preparar; fazer, compor, melhorar; juntar, convocar; estimar; (fig.) crer, supor; habituar; acostumar; compor um número ou quantidade; obrigar a alguém, elaborar, efe(c)tuar, efe(c)tivar; praticar; pôr em ordem; dispor, arranjar; representar; trabalhar; converter, transformar; mostrar; perfazer; completar; fingir; ser causa de. — *v. intr.* fazer, convir, importar; fazer, crescer; corresponder, concordar, fazer; fazer, existir actualmente; pôr cuidado e diligência; fingir-se o que não é; imitar, simular; supor, imaginar; importar, interessar; haver. —

v. r. aumentar, crescer; fazer-se, desviar-se; fazer-se, habituar-se; tornar-se, converter-se em; estabelecer-se; desenvolver-se dedicar-se a uma carreira; fingir-se; (mar.) navegar; vir a ser; habilitar-se; habituar-se; afazer-se; apartar-se; retirar-se. — *v. imp.* sobrevir, experimentar-se (referido ao tempo): *hacer un brindis*, fazer uma saúde; *¿qué le hace que venga o no?*, que vos faz ou que importa ele venha ou não?; *hacer su santa voluntad*, fazer fim ao desejo; *hacer al caso*, (fam.) fazer ao negócio ou ao caso; *hacer gasto*, fazer gasto; *hacer el amor a una mujer*, (fam.) derriçar; *hacer un buen recibimiento*, dar bom agasalho; *hacer algo de prisa y corriendo*, aldravar; *hacer de capitán araña*, (fam.) meter os cães na mouta e ficar de fora; *no hacer caso*, abandonar; *hacer charadas*, charadear; *te hacía en Madrid*, eu fazia-te em Madrid; *hace frío*, faz frio; *hacer caediza una cosa*, dar a entender com malícia alguma coisa; *haberla hecho buena*, (fam.) fazer uma coisa prejudicial ao fim desejado. — *pres. ind. irreg.* **hago, haces, hace, hacemos, hacéis, hacen;** *imperfecto.* **hacía, hacías,** etc.; *pret. indef.* **hice, hiciste, hizo, hicimos, hicisteis, hicieron;** *fut.* **haré, harás,** etc.; *cond.* **haría, harías** etc.; *subj.* **haga, hagas, haga,** etc.; *imperf.* **hiciera** o **hiciese, hicieras** o **hicieses,** etc.; *imperat.* **haz, haga, hagamos, haced, hagan;** *p. p.* **hecho;** *ger.* **haciendo.**

hacera. *f.* V. **acera.**

hacerío. *m.* azar, desdita, desgraça, infortúnio.

haces. *f. pl.* (mil.) tropas reunidas em corpo de exército.

hacezuelo. *m.* dim. de *haz.*

hacia. *prep.* para, para onde, perto de. cerca de; em direcção a, rumo a: *hacia atrás*, às arrecuas; *hacia donde*, para onde; *hacia arriba*, para cima; *hacia abajo*, para baixo; *hacia atrás*, para trás; *hacia adelante*, para diante; *hacia fin de semana*, para o fim da semana.

hacienda. *f.* fazenda, herdade; propriedade rural; fazenda, bens, riquezas, capital; lavor, tarefa caseira; afazeres; acção, obra, sucesso; negociação, negócio; (ant.) recontro, conflito, batalha. — *pl.* (Amér.) gado: *Hacienda Pública*, Fazenda Pública; *pequeña hacienda*, (Bras.) sitio.

hacina. *f.* meda, montão de feixes; (fig.) montão, pilha.

hacinador, ra. *s.* amontoador, enfeixador o que empilha os feixes ou molhos dalguma coisa.

hacinamiento. *m.* amontoamento, (fig.) empilhamento; barda; amontoação.

hacinar. *v. tr.* amontoar, pôr os feixes uns sobre os outros, formando meda; (fig.) amontoar, empilhar, acumular sem ordem; enfeixar; entulhar; aglomerar.

hacha. *f.* acha, machado; acha, tocha de cera; brandão, vela de cera; antiga dança espanhola; archote, facho breado para resistir ao vento; (Amér.) certo j̣ịṣọ de crianças: *hacha de dos filos*, bisarma; *hacha de viento*, archote.

hachar. *v. tr.* V. **hachear.**

hachazo. *m.* machadada, golpe dado com machado; cornada que o touro dá lateralmente; (Amér.) movimento brusco do cavalo.

hache. *f.* agá, nome da letra ache: *llámelo usted hache*, (fig. e fam.) tanto dá uma coisa como outra.

hachear. *v. tr.* machadar, cortar com machado, trabalhar com machado ou machada. — *v. intr.* machadar, dar machadadas.

hachero. *m.* lenhador, cortador ou tachador de lenha; tocheiro; (mil.) porta-machado. V. **gastador.**

hacheta. *f.* dim. de *hacha*, machadinha.

hacho. *m.* facho, archote; (germ.) ladrão; (geog.) lugar elevado, perto da costa, donde era costume fazer sinais com fogo.

hachón. *m.* aum. de *hacha*; machadão; archote, tocha, brandão; vela grande de cera; braseiro alto, fixo sobre um pé, que se acendia em sinal de regozijo público.

hachote. *m.* (mar.) vela curta e grossa.

hachuela. *f.* dim. de *hacha*, machadinha; (Amér.) machadinha, alvião, picareta.

hada. *f.* fada, entidade fantástica com poder sobrenatural; uma das três Parcas.

hadado, da. *p. p.* e *adj.* fadado: *bien o mal hadado*, bem ou mal fadado, feliz ou infeliz.

hadar. *v. tr.* fadar, adivinhar, vaticinar, predestinar, anunciar, prognosticar o disposto pelos fados; encantar.

hado. *m.* fado, destino, encadeamento fatal dos sucessos; fortuna, sorte, futuro; fado, a ordem das coisas; destino, fatalidade.

haedo. *m.* (prov.) V. **hayal.**

hafiz. *m.* guarda, conservador, vigilante, vigiante.

hagiografía. *f.* hagiografia.

hagiográfico, ca. *adj.* hagiográfico.

hagiógrafo. *m.* hagiógrafo, hagiólogo.

hagiología. *f.* hagiologia, hagiografia.

hagiólogo. *m.* hagiólogo, hagiógrafo.

Haití. (geog.) Haiti.

haitiano, na. *adj.* e *s.* haitiano. — *m.* haitiano (idioma).

¡hala! *interj.* eia, usada para infundir alento, excitar, dar pressa, animar, etc.; olá!, emprega-se para chamar; alô!, emprega-se no telefone.

halacabuyas. *m.* marinheiro principiante.

halagador, ra. *adj.* afagador, afagueiro, afagoso, aplaudidor, mesureiro, encomiástico, exaltador, adulador.

halagar. *v. tr.* afagar, dar mostras de afecto, acariciar, tratar com meiguice; adular, lisonjear; (fig.) deleitar, agradar; cortejar; atabicar; angariar; exaltar; agasalhar; mimosear; ciganar.

halago. *m.* afago, carícia, mimo, meiguice; adulação, lisonja; deleite; agrado; atractivo; ciganagem; ciganice; falinhas: *atraer con halagos*, levar alguém na bebida.

halagüeño, ña. *adj.* fagueiro, afagueiro, afagoso, afagador, acariciador; adulador, lisonjeiro; encomiástico; atraente.

halar. *v. tr.* (mar.) alar, içar, puxar por corda ou cabo.

halcón. *m.* (orni.) falção: *halcón gentil.* V. **nebli.**

halconado, da. *adj.* afalcoado, semelhante ao falcão.

halconear. *v. tr.* (fam.) andar a mulher a atrair o homem.

halconera. *f.* falcoaria, lugar onde se recolhem os falcões.

halconería. *f.* falcoaria, caça com falcões.

halconero, ra. *adj.* e *m.* diz-se da mulher que provoca os homens com gestos e olhares, fraldiqueira; falcoeiro, o que guarda ou adestra falcões.

halda. *f.* falda, fralda; serapilheira, saco onde se metem alguns géneros, costal; (prov.) V. **regazo.**

haldada. *f.* sacada, o que um saco pode conter.

haldear. *v. intr.* fraldejar; sacudir com graça, ao andar as saias e o vestido.

haldeta. *f.* dim. de *halda*, fralda, parte inferior dum vestido.

haldudo, da. *adj.* farto, com muita roda, diz-se da saia ou vestido feminil.

¡hale! *interj.* eia!, usa-se para animar e dar pressa. V. **¡hala!**

hálito. *m.* hálito, bafo, alento, fôlego; vapor; respiração; (poét.) hálito, aragem, viração.

halo. *m.* halo, círculo que circunda o Sol e a Lua; coroa, auréola; (anat.) auréola, círculo no peito da mulher.

halófilo, la. *adj.* (bot.) halófilo.

halógeno, na. *adj.* (quim.) halogé(ê)nio.

haloideo, a. *adj.* (quim.) halóide: *sales haloideas*, sais halóides.

hall. *m.* vestíbulo (palavra inglesa).

hallada. *f.* achada, acção de achar.

hallado, da. *p. p.* e *adj.* achado; familiarizado, acostumado; aparecido: *bien o mal hallado*, bem ou mal achado.

hallador, ra. *adj.* e *s.* achador, que acha; (mar.) que recolhe e salva despojos de navios e seus carregamentos.

hallar. *v. tr.* achar, encontrar, inventar, descobrir; achar, experimentar, inquirir, observar, entender, averiguar; achar, advertir, notar; achar, compreender, entender, reconhocer uma coisa à força de reflexão; acertar; atinar. — *v. r.* achar-se, estar presente; achar-se, sentir-se, estar: *no hallarse uno*, não estar a vontade, estar incómodo.

hallazgo. *m.* achado; coisa achada; alvissaras; achamento; descobrimento.

hamaca. *f.* maca, rede que serve de cama e de balouço.

hamadría. *f.* (mit.) hamadríada, ninfa dos bosques.

hámago. *m.* substância amarela e amarga elaborada pelas abelhas; (fig.) náusea, fastio.

hamaquero. *m.* redeiro, fabricante de redes; condutor de maca ou rede; gancho para dependurar aquela rede.

hambre. *f.* fome, vontade de comer; fome, escassez, penúria, falta de comestíveis; (fig.) apetite, desejo ardente duma coisa; (burl.) galga; fome, época de carestia; (fig.) fome, avidez: *hambre canina*, fome canina; (med.) cinorexia, aração; *a buena hambre no hay pan duro*, (pop.) asno que tem fome, cardos come; *hambre y esperar hacen rabiar*, (pop.) a boca não admite fiador; *hambre larga no repara en salsas*, (pop.) asno que tem fome, cardos come; *muerto de hambre*, (fam.) apertado da fome; *persona con cara de hambre*, (pop.) famelgo; *tener hambre canina*, (fam.) berrar as tripas; *matar de hambre*, morrer de fome; *matar o entretener el hambre*, matar ou fartar a fome.

hambrear. *v. tr.* esfomear, esfaimar, atormentar com fome, privar de alimentos, reduzir à fome; (fig.) buscar com avidez uma coisa. — *v. intr.* sofrer fome, estar esfaimado; mostrar alguma necessidade, mendigando remédio.

hambriento, ta. *adj.* e *s.* esfomeado; faminto; famélico; famelgo, esfaimado, famulento; (fig.) desejoso, veemente.

hambrón, na. *adj.* e *s.* (fam.) esfomeado, faminto, famélico, que tem apetite devorador, famulento, desgorgomilado.

hamo. *m.* anzol para pescar, anzolo.

hampa. *f.* ladroagem, associação de ciganos, ladrões e assassinos; vida de ociosidade e vadiagem; bravata, fanfarronada.

hampesco, ca. *adj.* malfeitor, vadio, pertencente à ladroagem.

hampo, pa. *adj.* V. **hampesco.** — *m.* ladroagem. V. **hampa.**

hampón. *m.* e *adj.* valentão, bravo; vadio, preguiçoso; pimpão ; altivo, orgulhoso, soberbo, vão.

hanega. *f.* V. **fanega.**

hanegada. *f.* V. **fanegada.**

hangar. *m.* (gal.) hangar, abrigo alpendrado, especialmente empregado para recolha de aviões.

Hansa. *f.* Hansa, antiga confederação dalgumas cidades alemãs.

hanseático, ca. *adj.* hanseático.

haplócero. *m.* (zool.) haplócero.

haplodermitis. *f.* (pat.) haplodermite.

haplografía. *f.* haplografia.

haplología. *f.* haplologia.

haplopétalo, la. *adj.* (bot.) haplopétalo.

haplóstomo, ma. *adj.* (hist. nat.) haplóstomo.

haplotomía. *f.* (cir.) haplotomia.

haragán, na. *adj.* e *s.* mandrião, ocioso, madraço, preguiçoso; madraceador, madraceiro, empaleador, descurioso, galderio; bandarra.

haraganear. *v. intr.* madracear, mandriar, preguiçar, viver na ociosidade, andar às aranhas; bandurrear.

haraganeria. *f.* mandrice, mandrieira, ociosidade, preguiça.

haraganoso, sa. *adj.* (p. us.) mandrião. V. **haragán.**

harakiri. *m.* hara-quiri, suicídio próprio do antigo Japão, que consiste em abrir o ventre.

harambel. *m.* V. **arambel.**

harapiento, ta. *adj.* andrajoso, esfarrapado. maltrapilho, codegueiro; fraca-roupa; fragalheiro, farrapão, frangalheiro. V. **haraposo.**

harapo. *m.* farrapo, andrajo, fragalho, argamandel; última aguardente de pouca graduação que sai do alambique: *hacer harapos*, fragalhar; *vestirse de harapos*, atrapalhar-se.

haraposo, sa. *adj.* esfarrapado, andrajoso, maltrapilho.

harbar. *v. intr.* (ant.) atabalhoar.

hargullar. *v. tr.* V. **farfullar.**

hargullista. *adj.* e *s.* (p. us.) V. **farfullador.**

harca. *f.* (mil.) harca, corpo de tropas, exército em Marrocos.

harem, harén. *m.* harém, parte das casas muçulmanas onde vivem as mulheres; harém, conjunto das mulheres que vivem no harém; (fig.) lupanar.

harija. *f.* farinha, muito leve que se levanta do grão quando é moído ou da farinha quando é peneirada.

harina. *m.* farinha, pó resultante da trituração dos cereais; (fig.) pó miúdo a que se reduzem algumas matérias sólidas: *donde no hay harina todo es mohina*, (pop.) a pobreza costuma trazer desgostos; *estar metido en harina*, (fig.) estar gordo, ter boas carnes; *hacer buena harina*, (fig. e fam.) fazer boa farinha, convir nalguma coisa; *hacer harina una cosa*, (fig. e fam.) fazer uma coisa em fanicos; *ser harina de otro costal*, (fig. e fam.) ser uma coisa distinta doutra.

harinado. *m.* água de farinha, farinha dissolvida em água .

harinero, ra. *adj.* e *s.* farináceo, pertencente ou relativo à farinha. — *m.* farinheiro, negociante de farinhas; arca onde se guarda a farinha.

harinilla. *f.* dim. de *harina;* (Amér.) cabecinha, farinha grossa.

harinoso, sa. *adj.* farinhento, farinhoso, que tem muita farinha. V. **farináceo.**

harma. *f.* V. **alharma.**

harmonía. *f.* harmonia. V. **armonía.**

harmonioso, sa. *adj.* harmonioso. V. **armonioso.**

harón, na. *adj.* lerdo, indolente, mandrião, preguiçoso; que faz resistência ao trabalho; (equit.) diz-se do cavalo que se pega.

haronear. *v. intr.* madracear, mandriar, entregar-se à ociosidade; andar com preguiça; (equit.) pegar-se o cavalo.

haronía. *f.* mandriice, mândria, ociosidade, preguiça.

harpa. *f.* (mús.) harpa. V. **arpa.**

harpado, da. *adj.* canoro. V. **arpado.**

harpía. *f.* harpia. V. **arpía.**

harpillera. *f.* serapilheira, tecido grosseiro que serve para sacos.

harqueño. adj. pertencente ou relativo à harca.

harrado. m. (arq.) ângulo ou canto que fazem certas abóbadas. V. **enjuta.**

¡harre! interj e m. V. **¡arre!**

harrear. v. tr. tocar. V. **arrear.**

harria. f. récua. V. **arria.**

harriero. m. arrieiro. V. **arriero;** (orni.) (Amér.) certa ave trepadora.

hartada. f. fartadela. V. **hartazgo.**

hartar. v. tr. e r. fartar, saciar a fome ou a sede; (fig.) satisfazer um desejo; causar tédio ou aborrecimento; enfastia; fartar; encher; dar muito, dar em abundância; (fam.) embuchar, empanturrar, enfrascar, empandeirar; acevadar, empanzinar; entulhar-se; alambazar-se; fartar-se; aborrecer-se; ateigar-se, atafulhar-se; encher-se; atracar-se.

hartazgo. m. saciedade, fartadela, enfarte, repleção incómoda causada por haver comido muito, empacho; empanturramento; empanzinamento, abastamento, abastança; fartação; barrigada; indigestão; fartola: hartazgo de reír, barrigada de riso, darse un hartazgo, comer demais.

hartazón. f. V. **hartazgo.**

hartera. f. (Amér.) V. **hartazgo.**

harto. ta. p. p. irreg. de hartar: adj. farto, saciado de comer, de beber; farto, abundante, bastante; abarrotado; ateigado; aborrido, aborrecido; enfartado; empachado; cheio; (pop.) entoiriçado; empanturrado. — adv. assaz, sobejamente, com fartura: estar harto, (fig.) embucha; harto de la vida, aborrecido da vida.

hartón. m. (germ.) pão V **hartazgo.**

hartura. f. fartura, abundância de alimento; repleção; abundância, cópia; (fig.) saciedade; fartura, aborrecimento, enfado, desgosto; logro dum desejo ou apetite; atafulhamento, fartadela, enfartamento; empanturramento; empacho.

hasaní. adj diz-se da moeda marroquina.

hasta. prep. até, indica um termo no tempo, no espaço, ou nas acções; também se usa como conjunção copulativa e equivale a también ou aún; hasta después, até depois; hasta luego, até logo; ¿hasta donde?, até onde?; ¿hasta cuando?, até quando?; hasta que, até que; ¿hasta cuanto?, até quanto?; hasta tanto, até tanto.

hastial. m. (arq.) parte superior e triangular da fachada dum edifício, entre as vertentes do telhado; (min.) face lateral duma escavação; (fig.) homemzarrão rústico e grosseiro. — pl. alpendres para uso e comodidade do público.

hastiado, da. p. p. e adj. enfastiado, enfastioso, aborrecido.

hastiar. v. tr. enfastiar; fartar; (pop.) enfrascar. V. **fastidiar.**

hastío. m. fastio, repugnância à comida; (fig.) fastio, tédio, desgosto, aborrimento; desprazer: infernação.

hastioso, sa. adj. fastiento, enfadonho, fastidioso. V. **fastidioso.**

hataca. f. colherão de pau; rolo de madeira para estender a massa.

hatajador. m. (Amér.) aquele que guía a récua.

hatajar. v. tr. dividir ou separar o gado em fatos ou rebanhos.

hatajo. m. pequeno fato, rebanho pequeno, fatinho; (fig. e fam.) chorrilho, chuveiro, multidão, montão, porção, grande número: un hatajo de pillos, um chorrilho de velhacos.

hatear. v. intr. fazer a mala com a roupa de uso diário; prover, abastecer com fardel ou farnel (os pastores).

hatería. f. farnel, fardel, provisão semanal de víveres que se dá aos pastores; roupa e mantimento dos pastores quando andam com o gado .

hatero, ra. adj. diz-se das cavalgaduras que levam os víveres para os pastores. — m. o encarregado de levar o farnel ou fardel aos pastores. — s. (Amér.) fazendeiro de gado.

hatijo. m. cobertura de esparto para tapar cortiços.

hatillo. m. rebanho pequeno: cojer o tomar el hatillo, ir-se, partir; echar el hatillo al mar, (fig. e fam.) irritar-se.

hato. m. fato, rebanho, manada; roupa de uso diário; malhada, lugar onde os pastores pernoitam com o gado; provisão diária de mantimentos; (fig.) bando, cambada, tropa, quadrilha de gente má; abundância, chirrilho, cópia; fardel, farnel; (Amér.) fazenda de gado: guiar el hato, arrumar a trouxa, preparar-se para marchar; menear el hato, espancar.

haute. m. (herald.) brasão, onde figuram armas de diversas linhagens.

havar. adi. e s. (geog.) diz-se do indivíduo da tribo berberisca de Havara, na África Setentrional; pertencente a esta tribo.

haya. f. (bot.) faia, árvore copulífera e a sua madeira.

hayal. m. (bot.) faial, lugar povoado de faias.

hayedo. m. V. **hayal.**

hayo. m. (bot.) coca; mistura de folhas de coca que mascam os índios da Colômbia.

hayornal. m. (bot.) lugar povoado de **hayornos.**

hayorno. m. (bot.) faia de um a doze metros de altura.

hayucal. m. (prov.) faial.

hayuco. m. (bot.) lande ou bolota fruto da faia.

haz. m. feixe, molho de varas, canas ou sarmentos: haz de paja, feixe de palha; haz de líctor, feixe de líctor.

haz. f. face. rosto, cara; (fig.) frente, direito, parte dalguma coisa oposta ao avesso; frontaria de edifício: a dos haces, com segunda intenção; haz a haz, face a face; haz de la tierra, face, superfície da terra; a sobre haz, aparentemente.

haz. m. (mil.) ala de exército.

haza. f. terra de semeadura.

hazaleja. f. toalha para o rosto.

hazana. *f.* lida, ocupação doméstica, própria da mulher

hazaña. *f.* façanha. feito heroico; proeza; (iron.) façanha, acção perversa, perversidade.

hazañar. *v. intr.* trabalhar com afã.

hazañería. *f.* melindres, afectação de escrúpulos ou admiração.

hazañero, ra. *adj.* melindroso, afectado, escrupuloso, piegas.

hazañista. *adj.* (Amér.) V. **hazañero.**

hazañoso, sa. *adj.* façanhoso, bravo que faz proezas, heróico.

hazmerreír. *m.* bobo, tolo, alvo de risota; pessoa ridícula e extravagante, chocarreiro: *ser el hazmerreír de la gente,* (pop.) ficar por barreiras de zombarias, ser fábula da gente.

hazuela. *f.* dim de **haza.**

he. *adv.* eis, ei-lo, ei-lo aqui. — *interj.* o!: *heme aquí* eis-me aqui; *he aquí mis libros,* eis os meus livros; *helo ahí,* ei-lo aqui; *helos aquí,* ei-los aqui.

hebdómada. *f.* hebdó(ô)mada, espaço de sete dias, semanas ou anos.

hebdomadario, ria. *adj.* hebdomadário, semanal — *m.* hebdomadário, semanário. — *s.* hebdomadário, pessoa que preside cada semana nos coros das comunidades religiosas.

hebetar. *v. tr.* (p. us.) embotar, enervar, debilitar. V. **embotar.**

hebetud. *f.* (mec.) hebetismo; estupidez, imbecilidade.

hebijón. *m.* fuzilhão, haste duma fivela para segurar a presilha.

hebilla. *f.* fivela: *no faltar hebilla,* (fig. e fam.) diz-se da pessoa que tem tudo o necessário para fazer uma coisa.

hebillaje. *m.* conjunto de fivelas.

hebillero. *s.* fabricante ou vendedor de fivelas.

hebra. *f.* linha, fio de linho; enfiadura, enfiada; fio de linho, seda, etc., própria para coser; fibra da carne, filamento; fio, filão, veio; porção de líquido que corre em fio; fio, fibra, filamento das matérias têxteis; (bot.) pistilo da flor do açafrão; (fig.) fio dum discurso; fio, porção de metal tirado à fieira; coisa que tem semelhança com o fio; (poét.) fios, os cabelos: *cortar la hebra, el hilo de la vida,* cortar o fio da vida; *pegar la hebra,* falar muito, travar conversa demorada; *estar uno de buena hebra,* (fig. e fam.) ter compleição robusta.

hebraico, ca. *adj.* hebraico, hebreu, semítico.

hebraísmo. *m.* hebraísmo, religião hebraica, lei de Moisés; locução própria da língua hebraica.

hebraista. *s.* hebraista, aquele que estuda a literatura e a língua hebraica.

hebraizante. *p. a.* de **hebraizar** e *m.* hebraizante, que hebraiza.

hebraizar. *v. intr.* hebraizar, seguir as doutrinas e praticar a religião dos hebreus, judaizar; estudar a língua hebraica.

hebreo, a. *adj.* e *s.* hebreu, semita, israelita, judeu; pertencente ou relativo ao povo semítico, qe habitou e conquistou Palestina.

hebrero. *m.* esófago do ruminante. V. **herbero.**

hebroso, sa. *adj.* fibroso, que tem fibras; formado de fibras de filamentos.

hebrudo, da. *adj.* V. **hebroso.**

hecatombe. *f.* hecatombe; (fig.) hecatombe, matança humana, carnificina.

hectara. *f.* (Amér.) V. **hectárea.**

hectárea. *f.* hectare, medida agrária de cem ares.

héctico, ca. *adj.* héctico, diz-se da febre própria das doenças consumptivas. — *s.* héctico, aquele que sofre héctica. V. **hético.**

hectiquez. *f.* (med.) hecticidade, estado de héctico.

hecto. *m.* hecto, prefixo que designa cem, usado em palavras compostas.

hectoedria. *f.* hectoedria.

hectoédrico, ca. *adj.* hectoédrico.

hectógrafo. *m.* hectógrafo, aparelho que serve para fazer muitas cópias dum escrito ou desenho.

hectogramo. *m.* hectograma.

hectólitro. *m.* hectolitro.

hectómetro. *m.* hectó(ô)metro.

hectóreo, a. *adj.* (poét. mit.) hectóreo, referente ao herói troiano Heitor.

hectovatio. *m.* hectovátio.

hecha. *f.* (ant.) feito, acção; (agr.) tributo que se paga pelas rega das terras: *de esta hecha,* desta vez, desta feita.

hechiceresco, ca. *adj.* feiticeiresco, pertencente ou relativo a feitiçaria.

hechicería. *f.* feitiçaria, arte mágica, magia, sortilégio, bruxaria; bruxedo; emprego de feitiços; encanto.

hechicero, ra. *adj.* e *s.* feiticeiro, que emprega ou faz feitiços; bruxo; benzedeiro; amentador; fádico; mágico; mago; cativante, encantador; embruxador; enfeitiçador, estrige; fada; maga; sibila; amavioso; sedutor;

hechizado, da. *p. p.* e *adj.* encantado, embruxado, emburriçado; amentado.

hechizar. *v. tr.* enfeitiçar, fazer mal a alguém com feitiços; embruxar; encantar; (fig.) enfeitiçar, arrebatar; amentar; encantar; enlevar, atrair; prender o amor ou a vontade; embruxar; encarochar; (pop.) emburrar, emburriçar.

hechizo. *m.* feitiço, sortilégio; amavios; magia; encantamento, qualquer coisa supersticiosa como ervas, drogas, benzeduras, etc.; feitiço, bruxedo; (fig.) feitiço, encanto, enlevo, fascinação. — *adj.* artificioso, fingido; postiço, desmontável; feito, fabricado.

hecho, cha. *p. p. irr.* de **hacer,** e *adj.* feito, afeito, acostumado, habituado; maduro, perfeito, feito, adestrado, exercitado; consumado; conformado; desenvolvido. — *m.* feito, a(c)ção, obra; fa(c)to, acontecimento, sucesso; assunto ou matéria de que se trata; (for.) caso sobre que se litiga ou que dá origem, causa; anedota; coisa; episódio; lance; fito, intento.

hechor, ra. adj. (ant.) que se faz; (prov.) malfeitor. V. **malhechor;** (Amér.) V. **garañón.**

hechura. f. feitura, execução, forma; configuração; estrutura; forma exterior; feitio; preço dum trabalho; composição; fábrica; organização do corpo; (fig.) feitura, criatura, protegido dalguém; aquele que deve a sua fortuna ou posição a outro.

hechusgo. m. (Amér.) forma exterior, aspecto duma coisa.

hedentina. f. fedor, fedentina, fartum; sentina, lugar fedorento; latrina.

heder. v. intr. feder, exalar, empestar; exalar mau cheiro; (fig.) enfadar, aborrecer; lançar mau cheiro; ser importuno, causar enfado; ser intolerável; enfadar. — pres. ind. irr. **hiedo, -es, -e, -en;** subj. **hieda, -as, -a, -an.**

hediento, ta. adj. adj. V. **hediondo.**

hediondez. f. hediondez; hediondeza, coisa fedorenta, fétida, asquerosa, que cheira mal; (fig.) corrupção, fealdade extrema; (fig.) diz-se da acção que inspira repugnância, horror.

hediondo, da. adj. hediondo, fedorento; repugnante; imundo, nojento; empestador; abominável; infando; fétido; (fig.) horrível, inconfessável; enfadonho, insofrível; sujo, torpe, obsceno, hediondo; disforme, que provoca repulsão; (bot.) arbusto leguminoso de olor desagradável.

hedonismo. m. hedonismo.

hedonista. s. pessoa que segue a doutrina do hedonismo.

hedor. m. fedor, mau cheiro; empestamento; cheiro; cheirum; (Brasil) inhaca.

hegemonía. f. hegemonia, supremacia que um estado ou cidade exerce sobre outro; supremacia duma cidade nas antigas federações gregas.

hégira. f. V. **héjira.**

hegrilla. f. (Amér.) V. **higuerilla.**

héjira. f. hégira, era muçulmana que tem por ponto de partida a fuga de Maomé no ano 622 da era cristã.

hejoto. m. V. **ejote.**

helable. adj. congelável, que se pode congelar.

helada. f. geada, congelação, gelo; geada, descida da temperatura abaixo de zero; helada blanca, escarcha.

heladería. f. (Amér.) local onde se faz ou vendem gelados.

heladizo, za. adj. congelativo, que congela fàcilmente.

helado, da. p. p. e adj. e m. gelado, congelado; muito frio; aterido; álgido; (fig.) estupefacto, atónito, pasmado; (fig.) glacial, frio, indiferente; esquivo, desdenhoso; gelado, sorvete.

helador, ra. adj. e f. gelador, que gela; máquina para fazer sorvetes gelados, sorveteira.

heladura. f. geladura, congelação, seca ou queima produzida nas plantas pelo frio.

helaje. m. (Amér.) frio, calofrio, arrepio.

helamiento. m. congelação, congelamento; a(c)ção de gelar ou congelar.

helar. v. tr. gelar, solidificar pela a(c)ção do frio; frigorificar; coalhar-se com frio; congelar. — v. intr. encaramelar-se, aterecer-se; (prov.) atrecer-se; helarse la sangre en las venas, coalhar-se o sangue nas veias. — pres. ind. irreg. **hielo, -as, -a, -an;** subj. **hiele, -es, -e, -en.**

helear. v. tr. V. **ahelear.**

helechal. m. fetal. lugar plantado de fetos.

helecho. m. (bot.) feto, planta criptogâmica.

helena. f. (mar.) fogo-de-santelmo quando se apresenta só com uma chama; fogo fátuo.

helénico, ca. adj. helé(ê)nico, grego, pertencente à Grécia.

helenio. m. (bot.) helénia, planta medicinal.

helenismo. m. helenismo, locução própria da língua grega; helenismo, grecismo, idiotismo da língua grega; civilização grega.

helenista. m. helenista, pessoa versada na língua grega; judeus que falavan antigamente a língua grega e observavam os costumes de Grécia.

helenístico, ca. adj. helenístico.

helenización. f. helenização, acção de helenizar.

helenizar. v. tr. (p. us.) helenizar, tornar semelhante ao carácter grego; dedicar-se ao estudo do grego ou da civilização grega.

heleno, na. adj. e s. (geog.) heleno, grego.

helera. f. bexiga, tumor que aparecem nalgumas aves.

helero. m. geleira, massa de gelo nas montanhas; (por ext.) toda a mancha de neve.

helgado, da. adj. que tem os dentes ralos e desiguais.

helgadura. f. espaço entre dente e dente, desigualdade dos dentes.

helíaco, ca. adj. (astr.) helíaco, diz-se do nascimento e ocaso dum astro quando coincide com o nascimento e ocaso do Sol: sacrificios helíacos, sacrifícios helíacos, em honra do Sol.

heliantemo. m. (bot.) heliantemo.

hélice. f. (astr.) Ursa Maior, Norte; hélix, rebordo exterior do pavilhão auricular, hélice; hélice, linha em forma de rosca a volta dum cilindro; (mar.) hélice, propulsor de navios e aeroplanos, etc.; (arq.) pequenas volutas no capitel coríntio; (zool.) molusco gasterópode.

helicoidal. adj. helicoidal, helicóide, semelhante à hélice; cocleado.

helicoide. m. helicóide, helicoidal.

helicómetro. m. helicómetro, aparelho para medir a força das hélices.

Helicón, helicona. m. (mit.) Helição, Parnaso, monte consagrado às musas; (mús.) bombardino, instrumento músico.

helicónides. f. pl. helicónidas, as musas.

helioconio, nia. adj. helioconiano, helicónio pertencente ou relativo ao monte Helicão; relativo às Helicónides.

helicóptero. m. (avia.) helicóptero.

helio. m. (quím.) hélio.

heliocéntrico, ca. *adj.* (astr.) heliocêntrico, relativo ao Sol, como centro do sistema astronómico.
heliocometa. *f.* (astr.) helicometa.
heliocromía. *f.* (fís.) heliocromia.
hellocrómico, ca. *adj.* relativo à heliocromia.
  heliocró(ô)mico.
heliofilia. *f.* heliofilia.
heliófilo, la. *adj.* e *s.* heliófilo.
heliofísica. *f.* heliofísica.
heliofobia. *f.* heliofobia.
heliófobo, ba. *adj.* e *s.* heliófobo.
heliogábalo. *m.* (fig.) heliogábalo, glutão.
heliograbado. *m.* heliografia, heliogravura, gravura heliográfica.
heliografía. *f.* heliografia.
heliográfico, ca. *adj.* heliográfico.
heliógrafo. *m.* heliógrafo.
heliolatría. *f.* heliolatria, culto ao Sol.
heliometría. *f.* heliometria.
heliométrico, ca. *adj.* heliométrico.
heliómetro. *m.* helió(ô)metro.
helioplastia. *f.* helioplastia.
helioscopia. *f.* helioscopia.
helioscópico, ca. *adj.* helioscópico.
helioscopio. *m.* helioscópio.
heliosis. *f.* (pat.) heliose, insolação.
heliostática. *f.* heliostática.
heliostático, ca. *adj.* heliostático.
helióstato. *m.* helióstato.
helioterapia. *f.* helioterapia.
heliotermómetro. *m.* heliotermó(ô)metro.
heliotipia. *f.* (p. us.) heliotipia.
heliotropina. *f.* (quím.) heliotropina.
heliotropio. *m.* V. heliotropo.
heliotropismo. *m.* heliotropismo, heliotropia.
hélix. *m.* (anat.) hélix, rebordo exterior do pavilhão da orelha.
helmintiasis. *f.* (med.) helmintíase.
helmíntico, ca. *adj.* helmíntico, que se refere aos helmintos; diz-se dos medicamentos que empregam para combater os helmintos.
helminto. *adj.* e *s.* (zool.) helminto, diz-se dos animais que se reproduzem por gemação. — *m. pl.* helmintos, vermes intestinais.
helor. *m.* (prov.) frio intenso e penetrante.
helvecio, cia. *adj.* e *s.* (geog.) helvécio, natural da Helvécia ou pertencente a este país da Europa antiga.
helvético, ca. *adj.* e *s.* (geog.) helvético, helvécio, natural da antiga Helvécia hoje Suíça.
hemalopia. *f.* (pat.) hemalopia.
hematemesis. *f.* (med.) hematémese.
hematidrosis. *f.* hematidrose.
hematia. *m.* (med. hematia.
hematina. *f.* (med. hematina, substância corante empregada na composição da hemaglobina.
hematites. *f.* (min.) hematite, mineral de ferro oxidado, muito duro que se emprega para polir metais.
hematobio. *m.* (entom.) organismo que vive no sangue.
hematocele. *m.* (med.) hematocele.
hematoma. *m.* (pat.) hematoma.
hematopoyesis. *f.* (biol.) hematopoese.

hematopoyético, ca. *adj.* hematopoético.
hematosina. *f.* hematosina.
hematosis. *f.* (fisiol.) hematose.
hematospernia. *f.* hematosperma.
hematoterapia. *f.* hematoterapia.
hematozoo. *m.* (zool.) hematozoário.
hematuria. *f.* (med.) hematúria.
hematúrico, ca. *adj.* hematúrico.
hembra. *f.* fêmea, animal do sexo feminino; fêmea, vegetal do sexo feminino; fêmea, mulher; fêmea, toda a peça que tem uma abertura na qual encaixa o se introduz outra; (fig.) molde; cabelo fino e quebradiço; cauda de cavalo pouco abundante em crinas. — *adj.* (fig.) delgado, fino, liso; frouxo.
hembraje. *m.* (Amér.) conjunto das fêmeas dum gado.
hembrear. *v. intr.* manifestar o macho inclinação para as fêmeas; gerar só fêmeas.
hembrilla. *f.* dim. de *hembra*; fêmeazinha; fêmea de colchete, de gonzo, etc.; armela de ferrolho; (agr.) trigo candial de grão pequeno; (Amér.) V. **hembrión** e **germen**.
hembruca. *f.* (Amér.) fêmea do pintassilgo.
hembruno, na. *adj.* afeminado, feminino.
hemerálope. *adj.* (med.) hemeralópico.
hemeralopía. *f.* (med.) hemeralopia.
hemerobio. *m.* (zool.) hemeróbio.
hemerología. *f.* hemerologia.
hemerológico, ca. *adj.* hemerológico.
hemerologio. *m.* hemerológio.
hemeropatía. *f.* (pat.) hemeropatia.
hemeroteca. *f.* hemeroteca.
hemiacefalia. *f.* (fisiol.) hemiacefalia.
hemiacéfalo, la. *adj.* (terap.) hemiacéfalo.
hemicíclico, ca. *adj.* hemicíclico.
hemiciclo. *m.* (geom.) semicírculo; hemiciclo; hemiciclo, espaço central na sala das sessões da Câmara dos Deputados.
hemicránea. *f.* (med.) hemicrânia, hemialgia; enxaqueca.
hemiedria. *f.* (min.) hemiedria.
hemiédrico, ca. *adj.* hemiédrico.
hemiedro, dra. *adj.* hemiédrico.
hemifacial. *adj.* hemifacial.
hemiopía. *f.* (med.) hemiopia.
hemiplejía. *f.* (pat.) hemiplegia, paralisia dum lado do corpo.
hemipléjico, ca. *adj.* e *s.* hemiplégico.
hemíptero, ra. *adj.* (zool.) hemíptero.—*m. pl.* hemípteros.
hemisférico, ca. *adj.* hemisférico.
hemisferio. *m.* (geom. e astr.) hemisfério.
hemisferoidal. *adj.* hemisferoidal.
hemisferoideo, a. *adj.* hemisferóide, hemisferoidal.
hemisimétrico, ca. *adj.* hemissimétrico.
hemistiquio. *m.* hemistíquio.
hemitropía. *f.* hemitropia.
hemitropo, pa. *adj.* (bot. e min.) hemítropo.
hemodiagnosis. *f.* (med.) hemodiagnóstico.
hemodinamometría. *f.* (fisiol.) hemodinamometria.
hemodinamómetro. *m.* (histol.) hemodinamó--(ô)metros.
hemofilia. *f.* (pat.) hemofilia.
hemofílico, ca. *adj.* e *s.* hemofílico.

hemoftamía. f. (pat.) hemoftalmia.
hemoglobina. f. (quím. e biol.) hemoglobina.
hemoglobinuria. f. (pat.) hemoglobinúria.
hemolisis. f. (pat.) hemolise.
hemopatía. f. (pat.) hemopatia.
hemoplastia. f. (med. hemoplastia.
hemoplástico, ca. adj. (fisiol.) hemoplástico.
hemóptico, ca. adj. (pat.) hemoptóico.
hemoptísico, ca. adj. e s. hemoptísico, hemoptóico.
hemoptisis. f. (pat.) hemoptise.
hemorragia. f. (pat.) hemorragia: *hemorragia nasal*, epistaxe; *hemorragia cerebral*, encefalorragia, apoplexia.
hemorrágico, ca. adj. (pat.) hemorrágico.
hemorrea. f. hemorreia.
hemorroidal. adj. (pat.) hemorroidal.
hemorroide. f. (pat.) hemorróidas, hemorróides, almorreimas.
hemorroisa. f. hemorróissa, mulher que padece de fluxo de sangue constante.
hemorro. m. V. ceraste.
hemoscopia. f. (med.) hemoscopia.
hemospasia. f. (terap.) hemospasia.
hemóstasis. f. (pat.) hemóstase, hemostasia.
hemostático, ca. adj. e s. (pat.) hemostático.
hemoterapia. f. (terap. hemoterapia.
hemotórax. m. (med.) hemotórax.
hemulón. m. (ictiol.) género de peixes pertencentes à família dos acantopterígios.
henaje. m. secagem do feno.
henal. m. V. henil.
henar. m. lugar semeado de feno.
henchidor, ra. adj. e s. enchedor, que enche.
henchidura. f. henchidura, enchimento, enchente.
henchimiento. m. henchidura; nos moinhos de papel, parte inferior das pilhas sobre a qual batem os maços. — *pl.* (mar.) enchimentos.
henchir. v. tr. encher, preencher; desempenhar dignamente um emprego; apinhoar; estofar; inchar; abalofar; colmar; atestar; atufar; cobrir, coalhar; entulhar; arrepolhar; ingurgitar. — *v. r.* encher-se, fartar-se de comida; ingurgitar-se; *henchirse de orgullo*, endeusar-se; *henchirse de vanidad*, empertigar-se. — *conj. irr.* como **pedir**.
hendedor, ra. adj. fendedor, que fende; rachador.
hendera. f. fenda, greta. V. hendidura.
hender. v. tr. fender, rachar, abrir, causar fenda, abrir greta; (fig.) fender, cortar, abrir caminho; atravessar, sulcar. — *v. r.* fender-se, gretar-se, rachar-se. — *pres. ind. irr.* **hiendo, -es, -e, -en**; *subj.* **hienda, -as, -a, -an**.
hendible. adj. fendível, rachável.
hendido, da. p. p. e adj. fendido, rachado, falhado, falho, enfrestado; (bot.) farquilhoso.
hendidor, ra. adj. (Amér.) V. hendedor.
hendidura. f. fenda, abertura de objecto rachado; gre(ê)ta, racha, rachadela, rachadura; incisão; frincha; cieiro (na pele); falha.

hendiente. m. fendente, o que fende; cutilada de cima para baixo; machadada.
hendimiento. m. fendimento, rachadela.
hendir. v. tr. (p. us.) fender. V. hender.
heneador, ra. adj. e s. (agr.) segador de feno.
henear. v. tr. (agr.) segar o feno.
henequén. m. (bot.) piteira. V. pita.
henestrosa. f. (bot.) giestal.
hénide. f. (poét.) ninfa dos prados.
henificar. v. tr. forragear, conservar as forragens pela secagem.
henil. m. palheiro, depósito de feno.
henné. m. (gal.) V. alheña.
heno. m. (bot.) feno, planta gramínea; feno, erva ceifada e seca para o alimento do gado.
henojil. m. V. cenojil.
henojo. m. (Amér.) V. hinojo.
henrio. m. (fís.) henrio, unidade de indução eléctrica.
heñir. v. tr. amassar, sovar a massa com os punhos. — *conj. irr.* como ceñir.
hepatalgia. f. (pat.) hepatalgia, cólica hepática.
hepática. f. (bot.) hepática.
hepático, ca. adj. (pat. e bot.) hepático, que sofre do fígado; hepática (planta).
hepatismo. m. (med.) hepatismo.
hepatita. f. (min.) hepatite.
hepatitis. f. (pat.) hepatite.
hepatización. f. (med.) hepatização.
hepatizar. v. tr. hepatizar. — *v. r.* hepatizar-se.
hepatocele. f. (pat.) hepatocele.
hepatogástrico, ca. adj. (med.) hepatogástrico.
hepatogastritis. f. (pat.) hepatograstrite.
hepatografía. f. (anat.) hepatografia.
hepatográfico, ca. adj. hepatográfico.
hepatología. f. (med.) hepatologia.
hepatológico, ca. adj. (med.) hepatológico.
hepatólogo, ga. s. hepatólogo, hepatologista.
hepatopatía. f. (pat.) hepatopatia.
hepatorrea. f. (pat.) hepatorreia.
hepatotomía. f. (cir.) hepatotomia.
heptacordio. m. V. heptacordo.
heptacordo. m. (mús.) heptacordo, heptacórdio; lira ou cítara de sete cordas.
heptaedro. m. (geom.) heptaedro.
heptagonal. adj. heptagonal.
heptagono, na. adj. e m. heptágono.
heptandria. f. (bot.) heptandria.
heptandro, dra. adj. (bot.) heptandro.
heptarca. m. heptarca.
heptarquía. f. heptarquia, país dividido em sete reinos; governo de sete pessoas.
heptasílabo, ba. adj. e m. (gram.) heptassílabo.
heptateuco. m. heptateuco.
her. v. tr. (prov.) V. hacer.
heraclida. adj. heráclida, descendente de Hércules ou Héracles.
heraldía. f. cargo de arauto ou heraldista.
heráldica. f. heráldica, ciência que trata dos brasões.
heráldico, ca. adj. heráldico, pertencente ou relativo ao brasão, ou ao heraldista. — *m.* armista, perito em heráldica.

heraldo. *m.* arauto; mensageiro, arauto, pregoeiro; indivíduo versado em heráldica. V. **rey de armas.**

herbáceo, a. *adj.* herbáceo, relativo ou semelhante à erva.

herbajar. *v. tr.* pastorear, apascentar o gado nas devesas. — *v. intr.* pastar, pascer o gado.

herbaje. *m.* ervagem, conjunto de ervas para pasto; direito sobre os gados pelo arrendamento de pastagens; tecido áspero de lã.

herbajear. *v. tr.* e *intr.* pastorear, apascentar. V. **herbajar.**

herbajero. *m.* arrendatário duma devesa.

herbal. *adj.* e *s.* (prov.) cereal, diz-se de plantas ou frutos farináceos.

herbar. *v. tr.* curtir as peles ou coiros com determinadas ervas. — *conj. irr.* como acertar.

herbario, ria. *adj.* herbário, pertencente ou relativo às ervas. — *m.* botânico, pessoa que estuda a botânica; (bot.) herbário, colecção de plantas secas para o estudo da botânica; herbário, livro de botânica; (zool.) pança, primeira cavidade do estômago dos ruminantes.

herbaza. *f.* aum. de **hierba**; erva grande.

herbazal. *m.* ervaçal, terreno em que há muita erva.

herbecer. *v. intr.* ervecer, começar a crescer a erva. — *conj. irr.* como **crecer.**

herbero. *m.* esófago de animal ruminante.

herbívoro, ra. *adj.* herbívoro. — *m. pl.* (zool.) herbívoros.

herbolar. *v. tr.* V. **enherbolar.**

herbolario, ria. *adj* e *s.* (fig. e fam.) estouvado, amalucado, pessoa sem senso; herbolário, aquele que recolhe e vende plantas medicinais; herbolista, ervanário; herbanário; loja onde se vendem estas plantas medicinais; (fig.) exótico, excéntrico, ridículo.

herborista. *s.* (gal.) V. **herbolario.**

herborización. *f.* (bot.) herborização, colheita de plantas para herborizar.

herborizador, ra. *adj.* e *s.* herborizador, que herboriza.

herborizar. *v. intr.* herborizar, recolher plantas medicinais para seu estudo; colher plantas para herbário ou para aplicação medicinal.

herboso, sa. *adj.* ervoso, herboso, abundante em erva; relvoso.

hercúleo, a. *adj.* hercúleo, relativo ou pertencente a Hércules ou que se parece nas suas qualidades com ele; hercúleo que tem muita força; valente, possante, fornido.

Hércules. *m.* Hércules, homem de força extraordinária; (astr.) Hércules, constelação boreal; (fig.) forte, robusto.

heredable. *adj.* herdável, que pode herdar-se.

heredad. *f.* herdade; propriedade rústica; bens de raiz; fazenda, propriedade rural; terra de lavoura.

heredado, da. *p. p.* e *s.* herdado, que tem propriedades ou bens imóveis; abastado.

heredamiento. *m.* herdade, propriedade rústica; (for.) herdamento, herança, apanágio.

heredar. *v. tr.* herdar, receber alguma coisa por herança; herdar, dar ou adquirir por herança; dar herdades; (fig.) herdar, adquirir por hereditariedade ou por parentesco vícios, costumes, temperamento, etc.; herdar, instituir por herdeiro.

heredero, ra. *adj.* e *s.* herdeiro, pessoa que herda ou deve herdar; (fig.) que tem as inclinações, costumes ou temperamentos de seus pais; legatório, sucessor: *heredero de la mitad*, meieiro.

heredípeta. *s.* pessoa que com astúcia recebe heranças.

hereditario, ria. *adj.* hereditário, pertencente ou relativo à herança; que se transmite por sucessão; que se transmite por hereditariedade; que se recebe por herança; (fig.) hereditário, diz-se dos vícios, temperamento, etc., que se transmitem de pais a filhos, dos ascendentes aos descendentes.

hereje. *s.* herege, herético; que segue ou pratica heresias; pagão; incrédulo; (fig.) desvergonhado, procaz, herege, ímpio, ateu.

herejía. *f.* heresia, erro em matéria de fé; doutrina contrária aos princípios ou verdades da Igreja Católica; acto ou palavra ofensiva da religião; (fig.) sentença errónea contra os princípios duma ciência ou arte; injúria grave; ofensa; heresia, atrocidade, mau trato.

herencia. *f.* herança, direito hereditário; bens que ficam ao herdeiro por morte dalguém; herança, sucessão aos direitos do defunto; o que se herda ou deve herdar; legado; deixa; sucessão de bens; o que se transmite com o sangue; tudo o que herdamos de nossos pais; (ant.) prédio rústico: *herencia indivisa*, acervo; *herencia pingüe*, herança choruda.

heresiarca. *s.* heresiarca, autor duma heresia.

heretical. *adj.* herético.

herético, ca. *adj.* herético, relativo à heresia; que contém heresia; relativo ao herege.

herida. *f.* ferida, golpe, chaga; corte; úlcera; cissura; (fig.) ferida, ofensa, agravo, injúria; dor, pena; impressão violenta; lesão produzida por um corte, um choque, uma arma, etc.; (Bras.) fabiana.

herido, da. *p. p.* e *s.* ferido, magoado, fulminado; atacado; (fig.) ferido, ofendido, injuriado.

heridor, ra. *adj.* feridor, que fere.

herimiento. *m.* ferimento, ferida.

herir. *v. tr.* ferir, romper as carnes com um instrumento cortante, com uma arma, etc.; ferir, estilar; aleijar; (fig.) chofrar; (fig.) alancear; ferir, bater o sol nalguma parte; ferir, tocar as cordas dum instrumento; (fig.) ferir, assombrar, injuriar, ofender, alfinetar, agraviar; (fig.) mover, excitar algum afecto; alguma paixão; ferir, dar golpes, bater num corpo; ferir, incomodar, fazer forte impressão nos olhos e nos ouvidos: *herir en lo vivo*, ofender; *herir mor-*

talmente, exulcerar. — *v. r.* ferir-se, cortar-se.

herma. *m.* hermes.

hermafrodita. *adj.* e *s.* (zool. e bot.) hermafrodita, andrógino; bissexual.

hermafroditismo. *m.* hermafroditismo, hermafroditismo; androgínia, bissexualidade.

hermafrodito *m.* V. **hermafrodita.**

hermana. *f.* (germ.) camisa. — *pl.* tesoura, tesoiro; as orelhas. V. **hermano.**

hermanable. *adj.* irmanável, pertencente ao irmão ou que pode ser irmanado; fraternal.

hermanado, da. *p. p.* e *adj.* irmanado; igualado; emparelhado; igual e uniforme em tudo a outra coisa.

hermanal. *adj.* V. **fraternal.**

hermanamiento. *m.* confraternização; igualação.

hermanar. *v. tr.* irmanar, tornar irmão, igualar, adaptar, uniformar, uniformizar; reconhecer por irmão (em sentido espiritual); emparelhar; agermanar; (fig.) assocializar. — *v. r.* agermanar-se; (Amér.) mal usado por emparelhar ou unir formando par.

hermanastro, tra. *s.* meio irmão.

hermanazgo. *m.* irmandade. V. **hermandad.**

hermandad. *f.* irmandade, parentesco entre irmãos; (fig.) irmandade, amizade íntima; irmandade, fraternidade, união fraternal; uniformidade, correspondência, igualdade, semelhança; irmandade, confraria religiosa; associação, liga, confederação; irmandade, comunhão, sociedade de bens, reciprocidade de interesses: *Santa Hermandad*, Santa Irmandade.

hermanear. *v. intr.* dar tratamento de irmão; usar do nome de irmão falando com alguém.

hermanecer. *v. intr.* nascer um irmão. — *conj. irr.* como *agradecer.*

hermano, na. *s.* irmão, filho do mesmo pai e mãe; irmão, irmã, tratamento entre cunhados; irmão, tratamento dado ao eclesiástico leigo; irmão, nome dado pelo pregador aos ouvintes; (fig.) irmão, confrade: *hermano de leche*, colaço.

hermanuco. *m.* V. **donado.**

hermeneuta. *s.* hermeneuta.

hermenéutica. *f.* hermenêutica.

hermenéutico, ca. *adj.* hermenêutico.

hermético, ca. *adj.* hermético, relativo a alquímia; hermético, fechado; (fig.) impenetrável.

hermodátil. *m.* (bot.) cólquico, lírio-verde. V. **quitameriendas.**

hermoseado, da. *adj.* e *p. p.* aformoseado, embelezido.

hermoseador, ra. *adj.* e *s.* aformoseador, que aformoseia; embelezante.

hermoseamiento. *m.* aformoseamento, embelezamento; ataviamento; exornação; alindamento.

hermosear. *v. tr.* aformosear, embelezar, adornar, enfeitar, embelecer; engraçar; ataviar; atilar; exornar; decorar; (fig.) melhorar; alegrar.

hermoseo. *m.* aformoseamento. V. **hermoseamiento.**

hermosilla. *f.* (bot.) espécie de planta de adorno.

hermoso, sa. *adj.* formoso, belo, bonito, bem feito; grandioso, excelente; perfeito; formoso, aprazível, sereno; galhardo; (fig.) arrogante; próprio; lindo.

hermosura. *f.* formosura, beleza, elegância; fermosura, beleza, pessoa formosa, mulher formosa, beldade; (fig.) deidade, astro.

hernia. *f.* (pat.) hérnia; (pop.) quebradura; força; *hernia umbilical*, hérnia umbilical.

herniario, ria. *adj.* herniário.

hernioso, sa. *adj.* e *s.* hernioso; quebrado; que tem hérnia.

hernista. *m.* cirurgião especializado no tratamento de hérnia.

hernutas. *m. pl.* hernutos, cristãos heréticos conhecidos por irmãos-morávios.

Herodes. *n. pr.* Herodes: *de Herodes a Pilatos*, (fig. e fam.) daquí para ali, de mal para pior, de Herodes para Pilatos.

herodiano, na. *adj.* herodiano.

héroe. *m.* herói, varão ilustre ou célebre pelos seus feitos e virtudes; herói, protagonista duma obra literária: *el héroe del día*, herói do dia; (mit.) herói, semi-deus.

heroicidad. *f.* heroicidade; acção heróica, heroísmo; (fig.) arrojo, temeridade, magnanimidade; façanha.

heroico, ca. *adj.* heróico; épico, epope(ê)ico; ousado: *remedio heroico*, remédio heróico.

heroina. *f.* (Amér. e pop.) V. **heroína.**

heroína. *f.* heroína, mulher ilustre pelos seus feitos e suas virtudes; heroína, personagem principal duma obra literária.

heroína. *f.* (quim.) heroína.

heroísmo. *m.* heroísmo, a(c)ção heróica; bravura; coragem; valentia; arrojo, temeridade, magnanimidade; (fig.) dedicação; desambição.

herpe. *s.* (med.) herpes; empigem; herpete.

herpético, ca. *adj.* e *s.* (med.) herpético; dartroso.

herpetismo. *m.* (med.) herpetismo.

herpetografía. *f.* (zool.) herpetografia, herpetologia.

herpetográfico, ca. *adj.* herpetográfico.

herpetología. *f.* (pat.) herpetologia; (zool.) herpetologia.

herpetológico, ca. *adj.* (med. e zool.) herpetológico.

herpetólogo, ga. *s.* herpetólogo.

herrada. *f.* balde, dornacho, dorna pequena, vaso de tirar água; ferrada, água em que se apagou um ferro em brasa: *una herrada no es caldera*, (fam.) escorregar não é cair.

herradero. *m.* ferra, acto de ferrar o gado, marcando-o com ferro em brasa; lugar ou época da ferra.

herrador. *m.* ferrador, o que ferra cavalgaduras, etc.; ferrador, alveitar.

herradora. *f.* (fam.) mulher do ferrador.

herradura. *f.* herradura das bestas; espécie de calçado de esparto que se põe às bestas quando se desferram: *mostrar las herraduras*, fugir, dar uma patada.

herraj. *m.* bagaço da azeitona. V. **erraj.**

herraje. *m.* ferragem, obra de ferro (fechaduras, chapas, argolas, etc.); ferragem, ferraduras e cravos com que se prega.

herramental. *m.* ferramental, conjunto das ferramentas duma arte. — *adj.* ferramental, diz-se da caixa das ferramentas.

herramienta. *f.* ferramenta, utensílio de ferro dum trabalhador; ferramenta, conjunto destes instrumentos; (fig. e fam.) ferramenta, dentadura; cornadura, armação, pontas dos animais cornígeros; (germ.) navalha, arma.

herrar. *v. tr.* ferrar, ajustar e cravar ferraduras; ferrar, marcar com ferro; ferrar, guarnecer com ferro; ferrar, marcar com ferrete os condenados; (fig.) prover do necesário. — *conj. irr.* como *acertar.*

herrén. *m.* forragem que se dá ao gado. V. **herrenal.**

herrenal. *m.* forrageal, terreno plantado de forragem.

herrera. *f.* (fam.) mulher do ferreiro.

herrería. *f.* ferraria, ofício de ferreiro, oficina de ferreiro; forja onde se funde e se lavra o ferro; (fig.) barulho, confusão, desordem, ruído com algazarra.

herrero. *m.* ferreiro, artífice que trabalha em ferro, forjador; (Amér.) mal usado por *herrador: en casa del herrero, cuchillo de palo*, em casa de ferreiro, pior apeiro.

herrero. *m.* (germ.) V. **ferreruelo.**

herrerón. *m.* (depr.) ferreiro que não sabe do seu ofício, mau ferreiro.

herrete. *m.* agulheta, ponta metálica das extremidades dalguns cordões; agulheta de atacador.

herretear. *v. tr.* colocar agulhetas em cordões, atacadores, etc.; ferretear, ferrar, marcar com ferro.

herrezuelo. *m.* pequena peça de ferro, ferrinho.

herrial. *adj.* ferral, variedade de uva, grande e preta; diz-se também da videira que a produz.

herrín. *m.* ferrugem, enferrujamento. V. **herrumbre.**

herrón. *m.* malha, chapa de ferro furada que se atira de longe para a enfiar num fito ou num prego fincado na terra, como no jogo da malha; pau ferrado, varapau; arruela, anilha de ferro para evitar a fricção entre duas peças; barra grande de ferro usada para plantar álamos, videiras, etc.

herronada. *f.* pancada vibrada com barra de ferro; (fig.) bicada violenta dalgumas aves, ferroada.

herrumbe. *m.* (Amér.) V. **herrumbre.**

herrumbrar. *v. tr.* V. **aherrumbrar.**

herrumbre. *f.* ferrugem, óxido de ferro; gosto, sabor a ferro dalgumas coisas; enferrujamento; (bot.) ferrugem (doença das plantas).

herrumbroso, sa. *adj.* ferrugento; enferrujado, coberto ou picado de ferrugem.

hertziano, na. adj. (fís.) hertziano: *ondas hertzianas*, ondas hertzianas.

hérulo, la. *adj.* e *s.* hérulo.

hervencia. *f.* espécie de suplício antigo.

herventar. *v. tr.* aferventar, escaldar. — *conj. irr.* como *acertar.*

hervidero. *m.* fervedoiro, fervedouro, fervura, fervor, manancial de água fervendo; fervor, estertores pulmonares; pieira nos broncos; fervor da mocidade; fervedouro, abundância, copia; ajuntamento, multidão de pessoas ou animais.

hervido, da. *p. p.* e *adj.* fervido, fermentado (xaropes ou calda de açúcar).—*m.* (Amér.) cozido (comida).

hervidor. *m.* vasilha para fazer ferver um líquido.

hervir. *v. intr.* ferver, estar em ebulição um líquido; (fig.) agitar-se o mar com violência, fervilhar; borbulhar, formar cachão; (fam.) pulular; atingir um alto grau de intensidade; ferver, haver abundância; ferver, arder a paixão; estuar. — *v. tr.* ferver, cozer em líquido; produzir ebulição em; encalir (ligeiramente): *hervir la sangre*, (fig.) ferver o sangue; *hervir en ira*, ferver em ira; *conj. irr.* como *sentir.*

hervite. *m.* V. **cochite hervite.**

hervor. *m.* fervor, fervura; (fig.) fogosidade; veemência, impetuosidade e viveza de juventude; ardor, animosidade; efervescência, ruídos das águas do mar; fervor, devoção ardente; fervor, eficácia, diligência; ardência; (med.) nome de certas erupções cutâneas benignas.

hervoroso, sa. *adj.* fogoso, impetuoso, ardoroso, exaltado, fervoroso, fogoso, acalorado, impetuoso.

hesitación. *f.* hesitação, dúvida. V. **duda.**

hesitar. *v. intr.* hesitar, duvidar, vacilar, estar indeciso.

hespéride. *adj.* pertencente às Hespérides. — *f. pl.* Plêiades.

hesperidio, dia. *adj.* (bot.) hesperídeo.

hespérido, da. *adj.* (poét.) pertencente ou relativo às Hespérides; hespério, ocidental, diz-se do nome do planeta Hésper.

hesperio, ria. *adj.* hespério, ocidental, natural da Hespéria; pertencente às Hespérias.

hespero, ra. *adj.* V. **hesperio.**

Héspero. *m.* Hésper, vésper, o planeta Venus, quando se avista de tarde no Ocidente.

hespirse. *v. r.* V. **engreírse.**

hespital. *m.* (Amér.) V. **hospital.**

hestérico, ca. *adj.* (Amér. e pop.) V. **histérico.**

hetaira. *f.* hetera, hetere; fadista ; (fig.) messalina.

hetar. *v. tr.* (caló) V. **llamar.**

heteo, a. *adj.* e *m.* heteu, diz-se dos antigos habitantes dum povo da terra de Canaã e fez parte da tribu de Judá; pertencente a este povo.

hetera. *f.* hetera, hetaira, mulher de vida dissoluta, cortesã na antiga Grécia.

heterocarpo, pa. *adj.* heterocarpo.
heteróclito. *m.* heteróclito; (fig.) irregular, estranho.
heterodáctilo, la. *adj.* (zool.) heterodá(c)tilo.
heterodermo, ma. *adj.* (zool.) heterodermo.
heterodínamo, ma. *adj.* (biol.) heterodinâmico.
heterodino, na. *adj.* e *m.* heterodino.
heterodojía. *f.* (Amér.) V. heterodoxia.
heterodojo, ja. *adj.* (Amér.) V. heterodoxo.
heterodoxia. *f.* heterodoxia, oposição à ortodoxia.
heterodoxo, xa. *adj.* e *s.* heterodoxo, que sustenta uma doutrina oposta com o dogma católico.
heterogamia. *f.* (bot.) heterogamia.
heterógamo, ma. *adj.* (bot.) heterógamo; heterogâmico.
heterogeneidad. *f.* heterogeneidade.
heterogéneo, nea. *adj.* heterogé(ê)neo.
heterogenesia. *f.* (biol.) heterogenesia.
heterógono, na. *adj.* heterógono.
heteroinfección. *f.* hetero-infe(c)ção.
heteromancía. *f.* adivinhação supersticiosa pelo voo das aves.
heterómero, ra. *adj.* e *s.* (bot.) heterómero.
heteromorfia. *f.* (quim.) heteromorfia.
heteromórfico, ca. *adj.* heteromórfico.
heteromorfismo. *m.* heteromorfismo.
heteromorfo, fa. *adj.* heteromorfo.
heteronomía. *f.* heteronomia.
heteropétalo, la. *adj.* heteropétalo.
heteroplastia. *f.* (med.) heteroplastia.
heterópodo, da. *adj.* heterópode.
heterópsido, da. *adj.* diz-se dos metais baços.
heteróptero. *m.* (zool.) heteróptero.
heteroscio, cia. *adj.* (geog.) heteroscio.
heteroscopia. *f.* (pat.) heteroscopia, vista anormal.
heterosexual. *adj.* heterossexual.
heterospóreos. *f. pl.* (bot.) diz-se das plantas criptógamas que têm várias *esporas*.
heterotermo, ma. *adj.* heterotermo, heterotérmico.
heterotético, ca. *adj.* heterotético.
heterotipo, pa. *adj.* heterótipo.
heterozoario, ria. *adj.* heterozoário.
hético, ca. *adj.* (pat.) ético, tísico; pertencente à tuberculose pulmonar; (fig.) muito magro e consumido.
hetiquez. *f.* (med.) hetica.
heulandita. *f.* (min.) silicato de alumina.
hexacordo. *m.* (mús.) hexacordo, escala de seis notas do cantochão.
hexaédrico, ca. *adj.* hexaédrico.
hexaedro. *m.* (geom.) hexaedro, sólido, de seis faces.
hexafilo, la. *adj.* (bot.) hexafilo.
hexagonal. *adj.* V. hexágono.
hexágono, na. *adj.* (geom.) hexágono, polígono de seis ângulos e seis lados.
hexagrama. *m.* (filol.) hexagrama.
hexámetro. *m.* hexâmetro.—*adj.* hexâmetro.
hexandria. *f.* (bot.) hexandria.
hexandro. *m.* (geom.) hexandro.
hexángulo, ia. *adj.* V. hexágono.
hexápeda. *f.* V. toesa.

hexapétalo, la. *adj.* (bot.) hexapétalo, que tem seis pétalas.
hexápodo. *adj.* e *s.* (zool.) hexápode.
hexasépalo. *adj.* (bot.) hexassépalo.
hexasílabo, ba. *adj.* hexassílabo.
hexaspermo, ma. *adj.* hexaspermo.
hexastilo. *m.* (arq.) hexastilo.
hez. *f.* fezes, sedimento, pé, bo(ô)rra, lia, despejo. — *f. pl.* escória, o mais vil, o mais desprezível de qualquer coisa; fundagem; excremento; excreção; fezes, matérias fecais; (fig.) a ralé, a escória da sociedade; (fig.) sevandija: *la hez del pueblo*, a escória da sociedade; *quitar las heces*, defecar; *heces del vino o vinagre*, madre, mãe.
hi. *m.* V. hijo.
Hiados, Hiades. *f. pl.* (astr.) Hiades, constelação de sete estrelas.
hialino, na. *adj.* (fís.) diáfano, hialino, com aparência de vidro, transparente como o vidro; hialóide.
hialografía. *f.* hialografia.
hialógrafo. *m.* hialógrafo.
hialoideo, a. *adj.* hialóide, que tem aparência de vidro.
hialoides. *f.* (anat.) membrana halóide.
hialoiditis. *f.* (pat.) hialoidite.
hialotecnia, hialurgia. *f.* hialoctecnia, hialurgia, arte de trabalhar ou fabricar o vidro.
hiante. *adj.* diz-se do verso em que há hiatos.
hiatídico, ca. *adj.* hiatídico.
hiato. *m.* hiato, encontro de duas vogais no fim duma palavra e princípio doutra; (p. us.) hiato, abertura, greta, fenda.
hibernés, sa. *adj.* e *s.* (geog.) natural da ou pertencente a Hibérnia, antiga ilha hoje, Irlanda; hibérnio.
hibérnico, ca. *adj.* e *s.* (geog.) V. hibernés.
hibernizo, za. *adj.* invernal, hibernal, que se observa durante o Inverno.
hibierno. *m.* Inverno. V. invierno.
hibisco. *m.* (bot.) hibisco, planta malvácea.
hibridación. *f.* hibridação, produção de seres híbridos.
hibridar. *v. tr.* produzir um ser híbrido pelo cruzamento de duas espécies diferentes.
hibridismo. *m.* hibridismo, hibridez, qualidade de híbrido; condição ou carácter de híbrido.
híbrido, da. *adj.* híbrido, produto de cruzamento de duas espécies diferentes; formado de elementos de diferentes línguas; ambígeno, desaborido. — *m.* planta, animal ou palavra híbrida.
hibuero. *m.* V. higuero.
hicaco. *m.* (bot.) icaqueiro, arbusto rosáceo, espontâneo nas Antilhas; icaco, fruto do icaqueiro.
hicadura. *f.* (Amér.) conjunto de cordas que sustêm a *hamaca*, no ar.
hicotea. *f.* (Amér. e zool.) espécie de tartaruga de água doce, comestível.
hidalgo, ga. *adj.* e *s.* fidalgo, pessoa da nobreza pelo seu sangue e pela sua classe; infanção; filho de algo; aristócrata, pessoa que tem foros ou títulos de nobreza, her-

dados de seus avós; próprio de pessoa
nobre; (fig.) fidalgo, generoso, bizarro:
hidalgo de bragueta, pai com sete filhos
varões consecutivos de legítimo matrimónio e que assim adquiria o direito de fidalguia.
hidalgote, ta. *adj.* aum. de *hidalgo*, fidalgaço,
fidalgarrão.
hidalguejo, ja. hidalgüelo, la, hidalguete, ta.
adj. dim. de *hidalgo*, fidalguinho, fidal-
guito.
hidalguez, hidalguía. *f.* fidalguia, qualidade
de fidalgo; aristocracia; alta-roda; (fig.)
fidalguia, nobreza, generosidade; nobreza
de carácter; acção de fidalgo nobre e ge-
nerosa.
hidartrosis. *f.* (med.) hidartrose.
hidátide. *f.* (med.) hidátide; (zool.) hidátide,
ténia vesicular que produz o quisto hidá-
tico, equinococos.
hidra. *f.* (zool.) hidra, cobra aquática, venenosa; excetra; (astr.) constelação do
hemisfério austral em que há uma estrela
de primeira grandeza, coração-da-hidra;
(mit.) serpente fabulosa: *hidra de las siete
cabezas*, bicha de sete cabezas.
hidrácido. *m.* (quim.) hidrácido.
hidragogo. *adj.* e *m.* (med.) hidragogo, purgativo violento.
hidrángea. *f.* (bot.) hidrângea, hortênsia. —
f. pl. (bot.) hidrângeas.
hidrante. *m.* hidrante.
hidrargírico, ca. *adj.* hidrargírico.
hidrargiro. *m.* V. **hidrargiro.**
hidrargirismo. *m.* (med.) hidrargirismo.
hidrargirosis. *f.* (pat.) hidrargirose.
hidrargiro. *m.* (quim.) hidrargiro, hidrargi-
rio, mercúrio, azougue.
hidrartrosis. *f.* (pat.) hidrartrose.
hidratable. *adj.* hidratável, que se pode hidratar.
hidratación. *f.* hidratação, acção de hidratar
ou hidratar-se.
hidratado, da. *adj.* e *p. p.* hidratado, combinado com água.
hidratar. *v. tr.* hidratar, dar o carácter de
hidrato; combinar um corpo com a água;
absorver água. — *v. r.* hidratar-se.
hidrato. *m.* (quim.) hidrato, combinação dum
óxido metálico com água.
hidráulica. *f.* (fís.) hidráulica, parte da física
que estuda o equilíbrio e movimento dos
fluidos, especialmente da água.
hidráulico, ca. *adj.* hidráulico, pertencente ou
relativo à hidráulica; hidráulico, que se
move por meio da água; hidráulico, que
se endurece na água. — *m.* engenheiro,
pessoa que se dedica à construção de obras
hidráulicas.
hidremia. *f.* V. **hidrohemia.**
hídrico, ca. *adj.* (quim.) diz-se dos corpos
compostos que contêm água ou hidrogénio.
hidro. *m.* (pop.) V. **hidroplano.**
hidroa. *f.* (med.) erupção na pele.
hidroaviación. *f.* hidroaviação, locomoção
por meio do hidroavião.
hidroavión. *m.* hidroavião, aeroplano com
flutuadores; hidroavião.

hidrocarbonado, da. *adj.* (quim.) hidrocarbonato.
hidrocarburo. *m.* (quim.) hidrocarboneto.
hidrocefalia. *f.* (pat.) hidrocefalia.
hidrocéfalo, la. *adj.* (med.) hidrocéfalo.
hidrocele. *m.* (med.) hidrocele.
hidrociánico, ca. *adj.* (quim.) hidrociânico.
hidroclorato. *m.* (quim.) hidroclorato.
hidroclórico, ca. *adj.* (quim.) hidroclórico.
hidrodinámica. *f.* (fís.) hidrodinâmica.
hidrodinámico, ca. *adj.* hidrodinâmico.
hidroeléctrico, ca. *adj.* hidroelé(c)trico, hidro-
-elé(c)trico.
hidrófana. *f.* (min.) hidrófana, ópala.
hidrófero. *m.* hidrófero, aparelho para difundir as águas minerais sobre o aquista.
hidrofilacio. *m.* hidrofilácio.
hidrófilo, la. *adj.* hidrófilo.
hidrófita. *m.* (bot.) hidrófito, diz-se das plantas que vivem na água.
hidrofobia. *f.* (med.) hidrofobia.
hidrófobo, ba. *adj.* e *s.* hidrófobo.
hidroftalmia. *f.* (med.) hidroftalmia, hidrof-
talmo.
hidrófugo, ga. *adj.* hidrófugo, que preserva
da humidade.
hidrogenación. *f.* (quim.) hidrogenação.
hidrogenado, da. *p. p.* e *adj.* hidrogenado,
combinado com hidrogénio; que contém
hidrogénio.
hidrogenar. *v. tr.* hidrogenar, combinar com
o hidrogénio.
hidrógeno. *m.* (quim.) hidrogé(ê)nio.
hidrogeología. *f.* (geol.) hidrogeologia.
hidrognomonía. *f.* hidrognomonia.
hidrognosia. *f.* hidrognosia, hidrogeologia.
hidrogogía. *f.* arte de canalizar as águas.
hidrografía. *f.* (geog.) hidrografia.
hidrográfico, ca. *adj.* hidrográfico.
hidrógrafo, fa. *s.* hidrógrafo.
hidrohemia. *f.* (med.) hidremia.
hidroide. *adj.* hidroideo.
hidroides. *m. pl.* (zool.) hidróides.
hidrol. *m.* (quim.) hidrol.
hidrolato. *m.* (farm.) hidrolato.
hidrólisis. *f.* (quim.) hidrólise.
hidrolizar. *v. tr.* (quim.) hidrolizar.
hidrología. *f.* hidrologia.
hidrológico, ca. *adj.* hidrológico.
hidrólogo, ga. *s.* hidrólogo.
hidromancía. *f.* hidromancia.
hidromanía. *f.* hidromania.
hidromaníaco, ca. *adj.* e *s.* hidromaníaco.
hidromántico, ca. *adj.* e *s.* hidromântico.
hidromecánico, ca. *adj.* hidromecânico.
hidromedusa. *f.* (zool.) hidromedusa.
hidromel. *m.* hidromel, mistura de água
e mel.
hidrómetra. *m.* hidrómetra, o que sabe hidrometria.
hidrometría. *f.* (fís.) hidrometria.
hidrométrico, ca. *adj.* hidrométrico.
hidrómetro. *m.* (fís.) hidró(ô)metro.
hidrónfalo. *m.* (pat.) hidrônfalo.
hidronosis. *f.* (pat.) hidronose.
hidrópata. *s.* (med.) hidrópata, hidropata.
hidropatía. *f.* (med.) hidropatia.
hidropesía. *f.* (med.) hidropisia.

hidrópico, ca. *adj.* e *s.* (med.) hidrópico; (fig.) insaciável, sedento com excesso.
hidropiretis. *f.* (pat.) hidropirética.
hidropisina. *f.* (bioquim.) hidropisina.
hidroplano. *m.* hidroplano, hidroavião.
hidropleuritis. *f.* (pat.) hidropleurite.
hidrópota. *adj.* e *s.* hidrópota.
hidroquinona. *f.* (quim.) hidroquinone.
hidrorrea. *f.* (pat.) hidrorre(é)ia.
hidroscopia. *f.* hidroscopia.
hidroscopio. *m.* hidroscópio.
hidrosfera. *f.* (geog.) hidrosfera.
hidrosis. *f.* (fisiol.) hidrose.
hidrostática. *f.* (fís.) hidrostática.
hidrostático, ca. *adj.* hidrostático.
hidrostato. *m.* (fís.) hidróstato.
hidrotecnia. *f.* hidrotecnia.
hidroterapia. *f.* hidroterapia, hidropatia.
hidroterápico, ca. *adj.* hidroterápico.
hidrotermal. *adj.* (geol.) hidrotermal, hidrotérmico.
hidrótica. *f.* (med.) hidrótica.
hidrotimetría. *f.* (quim.) hidrotimetria.
hidrotimétrico, ca. *adj.* (quim.) hidrotimétrico.
hidrotímetro. *m.* (quim.) hidrotímetro.
hidrotipia. *f.* (fís.) hidrotipia.
hidrotitis. *f.* (pat.) hidrotite.
hidrotomia. *f.* (anat.) hidrotomia.
hidrotórax. *m.* (pat.) hidrotórax, hidrotorácia.
hidróxido. *m.* (quim.) hidróxido.
hidroxilamina. *f.* (quim.) hidroxilamina.
hidrozoarios. *m. pl.* (zool.) hidrozoários.
hidruria. *f.* (pat.) hidrúria.
hidrúrico, ca. *adj.* (pat.) hidrúrico.
hiedra. *f.* (bot.) hera: *hiedra terrestre,* erva vivaz labiada da Península Ibérica.
hiel. *f.* fel, bílis; (fig.) amargura, pesar, dor, sentimento; cólera. — *pl.* trabalhos, desgostos, adversidades, amarguras.
hielo. *m.* ge(ê)lo, água gelada; (fig.) congelação; frialdade, indiferença, tibieza; pasmo; suspensão de ânimo; insensibilidade: *ser de hielo,* (fig.) ficar ou estar de gelo: *agua de hielo,* água gelada; *romper el hielo,* (fig.) desfazer o receio.
hiemación. *f.* (bot.) hiemação.
hiemal. *adj.* hiemal; hibernal.
hiena. *f.* (zool.) hiena.
hienda. *f.* esterco, excremento dos animais, fiança.
hierático, ca. *adj.* hierático; (fig.) diz-se do estilo muito solene; sacerdotal.
hieratismo. *m.* hieratismo.
hierba. *f.* (bot.) erva (planta); erva, conjunto de muitas ervas que nascem num terreno; veneno feito com ervas venenosas. — *pl.* pastagens, pasto para os animais; forragem em verde; anos (falando dos animais que se criam nos pastos).
hierbabuena. *f.* (bot.) hortelã-pimenta.
hierbajo. *m.* ervedo, diz-se de toda a erva ou legume de má qualidade.
hierbal. *m.* (Amér.) V. **herbazal.**
hierocracia. *f.* (pol.) hierocracia.
hierodrama. *m.* hierodrama.
hierofanta, te. *m.* hierofante.

hierofántidas. *f. pl.* hierofântides.
hieroglífico, ca. *adj.* e *s.* hieroglífico, jeroglífico.
hierografía. *f.* hierografia.
hierologia. *f.* hierologia.
hierológico, ca. *adj.* hierológico.
hierólogo. *m.* hierólogo.
hieromancía. *f.* hieromancia.
hieros. *m. pl.* (bot.) V. **yeros.**
hieroscopia. *f.* hieroscopia. V. **aruspicina.**
hierosolimitano, na. *adj.* e *s.* (geog.) hierosolimitano.
hierra. *f.* (Amér.) ferra, acção de marcar o gado com ferro em brasa. V. **herradero.**
hierre. *m.* (prov.) V. **herradero.**
hierrezuelo. *m.* dim. de *hierro.*
hierro. *m.* ferro, (metal.); ferro, marca que se põe nos animais; ferro, ponta ofensiva de arma branca; ferro, instrumento de ferro ou de aço; ferro, dente de ferro que anda debaixo do arado. — *pl.* ferros, grilhões, grilhetas, cadeias, algemas: *hierro albo,* ferro branco, candente.
hifemia. *f.* (pat.) hifemia; anemia.
higa. *f.* figa, figura em forma de mão fechada com o dedo polegar metido entre o indicador e o dedo grande, que se usa como preservativo de malefícios; amuleto; (fig.) figa, burla, desprezo, caçoada: *no importa una higa,* (fam.) ser insignificante uma coisa; *no dar por una cosa dos higas,* desprezar uma coisa; dar higas, (fig.) fazer caçoada duma coisa.
higadilla. *f.* fígado dos animais pequenos. V. **higadillo.** (Amér.) guisado feito com rins e fígado de reses.
higadillo. *m.* fígado de animais pequenos, particularmente das aves; (Amér.) enfermidade das aves domésticas, causada pela aglomeração de sangue no fígado.
hígado. *m.* (anat.) fígado; (fig.) fígado, ânimo, valentia, coragem, valor: *malos hígados,* (fam.) mau carácter, má índole maus fígados; *echar los hígados,* (fam.) trabalhar fortemente; desejar com veemência; *hígado marino,* (ictiol.) fígado marinho.
higate. *m.* guisado de fígos ligeiramente fritos com toucinho e cozidos com caldo de galinha.
hígido, da. *adj.* hígido; salutar, de perfeita saúde.
higiene. *f.* (med.) higiene; higiene, limpeza, asseio.
higiénico, ca. *adj.* higié(ê)nico; salubre; limpo.
higienista. *adj.* e *s.* higienista.
higienización. *f.* higienização.
higienizar. *v. tr.* higienizar, sanear.
higiología. *f.* higiologia.
higo. *m.* (bot.) figo, fruto da figueira; (med.) figo, carnosidade, excrescência sifilítica à roda do ânus: *higo chumbo,* ou *de pala,* figo de nopal ou da figueira da índia; *no dar por una cosa un higo,* (fam.) desprezar uma coisa; *de higos a brevas,* (fam.), de vez em vez.
higrófilo, la. *adj.* higrófilo.

higrofobia. *f.* higrofobia, hidrofobia.
higrología. *f.* (fís. e fisiol.) higrologia.
higrológico, ca. *adj.* higrológico.
higrólogo. *m.* higrólogo, higrologista.
higroma. *m.* (pat.) higroma.
higrometría. *f.* (fís.) higrometria.
higrometricidad. *f.* higrometricidade.
higrométrico, ca. *adj.* higrométrico.
higrómetro. *m.* (fís.) higró(ô)metro.
higroscopia. *f.* (fís.) higroscopia.
higroscopicidad. *f.* higroscopicidade.
higroscópico, ca. *adj.* higroscópico.
higroscopio. *m.* higroscópio.
higuana. *f.* V. iguana.
higuera. *f.* (bot.) figueira, árvore frutífera da
   família das urticáceas: *higuera del in-*
   fierno o infernal, figueira-do-inferno; *hi-*
   guerra de Indias, chumba ou nopal, figueira-da-índia; *higuera de Egipto.* V. cabra-
   higo; *sal de higuera.* V. sal; *estar en la hi-*
   guera, estar distraído e alheio no que se
   trata.
higueral. *m.* figueiral, figueiredo; plantação,
   lugar povoado de figueiras.
hijadalga. *f.* V. *hidalga.*
hijado, da. *adj.* (Amér.) V. ahijado.
hijastro, tra. *s.* enteado, indivíduo em relação ao padrasto e à madrasta.
hijato. *m.* V. retoño.
hijear. *v. intr.* (Amér.) V. ahijar.
hijito, ta. *s.* dim. de *hijo.*
hijo, ja. *s.* filho, filha; qualquer indivíduo em
   relação aos pais; (fig.) filho, natural de
   um país, província, cidade, etc.; filho,
   filha, qualquer produção do engenho; filho,
   fruto dum trabalho; filho, filha, expressão de carinho; de ternura; filho, rebento, rebentão, gomo das plantas; filho, efeito, resultado; filho, obra d'arte; filho,
   aquele que procede de certa estirpe; (fig.)
   filho, produto, consequência. — *m. pl.* descendentes, filhos: *el Hijo de Dios,* Deus
   Homem; *hijo de padres desconocidos,*
   filho das ervas; *no reconocer a un hijo,*
   engeitar o filho; *hijos adulterinos,* enxertos de crime; *tener muchos hijos,* carregar-se de família; *hijo de família,* filho-
   -de-família; *hijo político,* genro; *hija polí-*
   tica, nora.
hijodalgo. *m.* V. hidalgo.
hijuela. *f.* dim. de *hija;* filhinha; filhita;
   coisa subordinada a outra principal; pedaço ou tira que se põe para fazê-la mais
   folgada ou grande; pala, cartão, ou tela
   com que o sacerdote cobre o cálice; valeta, regueira, pequena acéquia; caminho
   estreito, atalho, caminho vicinal; expedição postal rural; (for.) formal de partilhas, inventário dos bens que correspondem a cada herdeiro; semente de palmeira; (prov.) feixe de lenha miúda.
hijuelación. *f.* (Amér.) acção de partilhar, dividir uma herdade.
hijuelar. *v. tr.* (Amér.) dividir uma herdade;
   partilhar, fazer partilhas duma herança.
hijuelero. *m.* carteiro rural, correio a pé.
hijuelo. *m.* dim. de *hijo;* filhinho, filhito;
   (bot.) rebento, renovo; vergôntea.

hila. *f.* fileira, alinhamento, fila; série de
   coisas, pessoas ou animais dispostas em
   linha recta; tripa delgada; fio (de água);
   chumela; (cir.) fios para curativos das feridas. — *m. pl.* acção de fiar, fiação;
   (prov.) tertúlia em que se reunem os al-
   deãos, à lareira, nas noites do inverno:
   a la hila, por fila, um a um, um atrás doutro; *hila de agua,* fio d'água.
hilable. *adj.* que se pode fiar, que se pode
   reduzir a fio, fiável.
hilacha. *f.* fiapo, fio que se desprende dum
   tecido; fio ténue; fiozinho.
hilachento, ta. *adj.* V. hilachoso e andrajoso.
hilacho. *m.* V. hilacha; (Amér.) V. guiñapo.
hilachoso, sa. *adj.* fiaposo, que tem muitos
   fiapos.
hilada. *f.* fileira, alinhamento; (arq.) fiada,
   série de tijolos, pedras, madeiras, etc., colocadas em fileira.
hiladillo. *m.* fiadilho, borra de seda, cadarço,
   barbilho; borra de seda torcida em fio;
   fita estreita do linho ou seda; fitilho.
   V. puntilla.
hiladizo, za. *adj.* fiável, que se pode fiar para
   tecer.
hilado, da. *adj. p. p.* e *m.* fiado, reduzido a
   fio; a(c)ção e efeito de *hilar,* fiadura; porção de cânhamo, seda, linho, etc., reduzida a fio; porção fiada de algodão, seda,
   etcétera.
hilador, ra. *s.* fiandeiro, pessoa empregada
   em fiar. — *f.* máquina para fiar.
hilandería. *f.* fiação, fábrica de fiar; arte de
   fiar.
hilandero, ra. *s.* fiandeiro, fiadeiro, pessoa
   que se emprega em fiar. — *m.* fiação, lugar
   onde se fia.
hilar. *v. tr.* fiar, reduzir a fio; fiar, tecer
   com fio de algodão, linho, cânhamo, etc.;
   fiar, tecer, formar o bicho-da-seda o casulo; formar as aranhas suas teias; tecer;
   (fig.) deduzir, discorrer, raciocinar, inferir;
   fiar, tecer, tramar; puxar a fieira: *hilar*
   delgado, (fig.) assutilar; fiar delgado; proceder com cautela; *hilar muy fino,* tomar
   palha de fino.
hilaracha. *f.* fiamento. V. hilacha.
hilarante. *adj.* desopilante; (quim.) hila-
   riante.
hilaridad. *f.* hilaridade, vontade de rir; expressão tranquila e plácida de gozo e satisfação; alegria súbita; alegria excessiva, riso; algazarra; explosão de risos.
hilarza. *f.* (prov.) V. hilaza.
hilatura. *f.* fiação, fiadura, acção de fiar e
   reduzir a fios matérias filamentosas.
hilaza. *f.* (prov.) filaça, filamento grosseiro de
   substância têxtil; fio para tecer.
hilera. *f.* fileira, alinhamento, fila; ordem,
   disposição de coisas, pessoas, animais numa
   mesma linha; fio delgado; fieira, aparelho
   para reduzir a fios os metais; fileira, enfiada; enfiamento; ala; (arq.) cumeira,
   a trave do cume dum telhado; (ant.) pão
   de fileira, fieira: *hilera de casas,* andaime
   de casas; *poner en hilera,* enfiar.

hilero. *m.* sinal, ou sulco formado nas águas pela corrente; direcção duma corrente d'água.

hilete. *m.* dim. de *hilo;* fiozinho, fiozito, pequeno fio.

hiliotropo. *m.* (Amér.) V. **heliotropo.**

hilo. *m.* fio, fibra, filamento; fio, arame. metal passado pela fieira; fio da teia da aranha ou do casulo do bicho-da-seda; (fig.) fio, corrente muito delgada dum líquido; fio, continuação, encadeamento dum discurso, série; fio, enfiada; fio, cordel; roupa branca de linho: *al hilo,* a fio; *a hilo,* sem interrupção, a fio; continuadamente; *pender de un hilo,* estar em grande risco; *perder el hilo,* perder o fio ao discurso; *por el hilo se saca el ovillo,* pela amostra duma coisa que se conhece o resto.

hilván. *m.* alinhavo, alinhavão; pontos largos com que se embasta ou alinhava.

hilvanado, da. *p. p.* e *adj.* alinhavado; cosido a pontos largos.

hilvanar. *v. tr.* alinhavar, coser a pontos largos; embastar; (fig.) compor, fazer apressadamente alguma coisa; (fig.) traçar, começar a dar forma idear alguma coisa; (fig. e fam.) atamancar, atabalhoar, executar mal.

himen. *m.* (anat.) hímen.

himeneo. *m.* himeneu, casamento, festa nupcial, bodas.

himenio. *m.* (bot.) himé(ê)nio.

himenofiláceas. *f. pl.* (bot.) himenofiláceas, família de fetos pteriodófitos.

himenoforo. *m.* (bot.) himenóforo.

himenografía. *f.* (anat.) himenografia.

himenográfico, ca. *adj.* himenográfico.

himenología. *f.* (anat.) himenologia.

himenológico, ca. *adj.* himenológico.

himenóptero, ra. *adj.* e *s.* (entom.) himenóptero. — *m. pl.* himenópteros, ordem de insectos a que pertencem as abelhas, as formigas, etc.

himenotomía. *f.* (anat.) himenotomia.

himenotómico, ca. *adj.* himenotó(ô)mico. mento para fazer a himenotomia.

himnario. *m.* hinário, colecção, conjunto de hinos; hinário, livro de hinos religiosos. dade, em louvor da Pátria; entre os anhimno. *m.* hino, cântico, em honra da Divinhimenótomo. *m.* (anat.) himenótomo, instrutigos, hinos em honra dos deuses; poema em louvor dum herói; composição musical com letra em honra dalguma pessoa, dalgúm feito histórico; composição feita para celebrar alguma coisa; hino, canto, canção, coro: *Himno nacional,* hino nacional; *himno triunfal,* epinício.

himnología. *f.* hinologia, arte de recitar, cantar ou compor hinos.

himplar. *v. intr.* rugir a pantera ou a onça.

hin. *m.* onomatopeia, que representa a voz do cavalo e da mula.

hincada. *f.* (Amér.) V. **hincadura, genuflexión.**

hincadura. *f.* fincamento. fixação.

hincapié. *m.* finca-pé, acto de fincar o pé; porfía, empenho; *hacer hincapié,* fazer finca-pé, porfiar, insistir, teimar.

hincar. *v. tr.* fincar, introduzir uma coisa noutra; apoiar, cravar; (prov.) plantar. — *v. r.* ajoelhar-se: *hincar la rodilla,* dobrar o joelho, ajoelhar; *hincarse de hinojos,* ajoelhar-se; *hincar el diente,* (fig.) censurar; apossar-se dalguma coisa.

hincha. *f.* (fam.) ódio, rancor, inimizade; asca; aversão; (pop.) fanático; exaltado; entusiasta.

hinchado, da. *p. p.* e *adj.* inchado, entumecente; empapuçado; empandeirado; encarniçado; copado; assoprado; ectásico; entufado; enfunado; (med.) enfartado; (fig.) ancho; (fig.) inchado, fofo, presumido, vão, soberbo; afectado, inchado, guindado, (diz-se do estilo): *hinchado de vanidad,* empanturrado; *velas hinchadas,* velas cheias.

hinchar. *v. tr.* inchar, inflar, encher de ar; inchar; arrepolhar; entufar; empandinar; empandeirar; empanturrar; avolumar; abalofar; inchar; (med.) enfartar; (fig.) inchar, crescer um rio, aumentar de volume a água dum rio, ribeiro, arroio, etc.; exagerar uma notícia, um sucesso. — *v. r.* lucrar, inchar-se; entumecer; abarrotar--se; empapuçar-se; abalofar-se; (fig.) alcandorar-se; (med.) excrescer; tomar proporções anormais; (fig.) inchar-se, ensoberbecer-se, encher-se de vaidade: *hincharse de comida,* fartar-se; *inchar el viento las velas,* enfunar.

hinchazón. *m.* (med.) enfarte; inchação, acto ou efeito de inchar, inchaço; eleção; entumecência; empaideramento; bojadura; inchamento; (fig.) inchação, vaidade, soberba, orgulho, presunção; estilo empolado; (pop.) tumor; tumefa(c)ção; edema.

hinojal. *m.* funchal, lugar onde crescem funchos.

hinojo. *m.* (bot.) funcho, planta umbelífera, aromática e medicinal, aneto: *hinojo hediondo,* endro; *hinojo marino,* variedade de planta umbelífera de flores brancas esverdeadas, abundante nas costas espanholas.

hinojo. *m.* joelho. — *m. pl.:* de *hinojos,* de joelhos.

hintero. *m.* masseira, mesa ou tabuleiro onde se amassa o pão.

hioideo, a. *adj.* (anat.) hióide, hioideu.

hioides. *adj.* (anat.) hióide, osso entre a base da língua e a laringe.

hiosci(ami)na. *f.* (quím.) hiosciamina.

hipálage. *f.* (ret.) hipálage.

hipar. *v. intr.* impar, soluçar, arquejar, esbaforir; alentar; lamuriar; (fig.) almejar; desejar ardentemente; afadigar-se, cansar-se excessivamente; fatigar-se. — V. **gimotear.**

hiper. *prep.* hiper, prefixo, que significa superioridade ou excesso.

hiperacidez. *f.* hiperacidez, qualidade do que é ácido.

hiperácido, da. *adj.* hiperácido.
hiperacusia. *f.* hiperacusia.
hiperacusis. *f.* hiperacuse.
hiperalbuminosis. *f.* (pat.) hiperalbuminose.
hiperalgesia. *f.* (med.) hiperalgesia, hiperalgia.
hiperalgia. *f.* (med.) hiperalgia, hiperalgesia.
hiperbático, ca. *adj.* hiperbático.
hipérbato. *m.* (p. us.) hipérbato.
hiperbatón. *m.* (gram. hipérbato, hiperbaton.
hipérbola. *f.* (geom.) hipérbole, curva geométrica.
hipérbole. *f.* (ret.) hipérbole.
hiperbólico. ca. *adj.* hiperbólico.
hiperboliforme. *adj.* hiperboliforme, que tem a forma da hipérbole.
hiperbolizar. *v. intr.* hiperbolizar, usar de hipérboles; exagerar.
hiperboloide. *m.* (geom.) hiperbolóide.
hiperbóreo, a. *adj.* hiperbóreo, setentrional, relativo ao norte.
hiperceratosis. *f.* (med.) hiperceratose.
hiperclorhidria. *f.* (pat.) hipercloridia.
hipercolia. *f.* (med.) hipercolia.
hipercrisis. *f.* (med.) hipercrise.
hipercrítica. *f.* crítica severa e exagerada.
hipercrítico, ca. *adj.* hipercrítico. — *m.* hipercrítico, crítico muito severo.
hipercromia. *f.* (med.) hipercromia.
hiperdulia. *f.* hiperdulia, culto a Nossa Senhora.
hiperemia. *f.* (med.) hiperemia.
hiperémico, ca. *adj.* hiperémico.
hiperenteritis. *f.* (pat.) hiperenterite.
hiperenterosis. *f.* (pat.) hiperenterose.
hiperestesia. *f.* hiperestesia.
hiperestésico, ca. *adj.* hiperestésico, hiperestético.
hiperfísico, ca. *adj.* hiperfísico, superior a natureza; sobrenatural.
hipergénesis. *f.* (terat.) hipergenesia.
hipergenético, ca. *adj.* (terat.) hipergenético.
hipericáceas. *f. pl.* (bot.) hipericáceas.
hipericíneas. *f. pl.* (bot.) hipericíneas.
hipericina. *f.* (quím.) hipericina.
hipericíneo, a. *adj.* (bot.) hipericíneo.
hipérico. *m.* (bot.) hiperico.
hiperinosis. *f.* (pat.) hiperinose.
hipermetría. *f.* hipermetria.
hipérmetro. *adj.* e *m.* hipérmetro.
hipermétrope. *adj.* e *s.* (pat.) hipermetrope.
hipermetropia. *f.* (pat.) hipermetropia.
hipermnesia. *f.* (med.) hipermnesia.
hipermnésico, ca. *adj.* hipermnésico.
hiperopía. *f.* (pat.) hiperopia, hipermetropia.
hiperosmia. *f.* (med.) hiperosmia.
hiperostosis. *f.* (pat.) hiperosteose, hiperostose.
hiperóxido. *m.* (quím.) hiperóxido.
hiperplasia. *f.* (pat. e terat.) hiperplasia, hipergenesia.
hiperplástico, ca. *adj.* (med.) hiperplástico.
hipersarcosis. *f.* (pat.) hipersarcose.
hipersecreción. *f.* (med.) hipersecreção.
hipersensibilidad. *f.* (pat.) hipersensibilidade.
hipersensibilización. *f.* (pat.) hipersensibilização.

hipersensible. *adj.* hipersensível; alucinatório.
hipertensión. *f.* (pat. e med.) hipertensão.
hipertensivo, va. *adj.* hipertensivo.
hipertermia. *f.* (pat.) hipertermia.
hipertonía. *f.* (pat.) hipertonia.
hipertónico, ca. *adj.* (med. e quím.) hipertó(ô)nico.
hipertrofia. *f.* (pat.) hipertrofia.
hipertrofiado, da. *adj.* e *p. p.* hipertrofiado.
hipertrofiarse. *v. r.* (pat.) hipertrofiar-se.
hipertrófico, ca. *adj.* (pat.) hipertrófico.
hipestesia. *f.* (part.) hipestesia.
hipetro, tra. *adj.* e *m.* (arq.) hipetro.
hipiatra. *m.* (vet.) hipiatro, médico veterinário.
hipiatría. *f.* hipiatria, hipiátrica.
hipiátrica. *f.* (vet.) hipiátrica, hipiatria.
hipiátrico, ca. *adj.* (vet.) hipiátrico.
hipiatro. *m.* hipiatro, veterinario.
hípica. *f.* corrida de cavalos.
hípico, ca. *adj.* hípico, equino, cavalar.
hipido. *m.* soluço, lamúria, choradeira, (pronuncia-se aspirando a letra H).
hipismo. *m.* equitação, arte de montar a cavalo; hipismo.
hipnagogo, ga. *adj.* hipnagógico, soporífico.
hipnal. *m.* (zool.) áspide, réptil, pequena serpente venenosa parecida com a víbora.
hipnofobia. *f.* hipnofobia.
hipnófobo, ba. *adj.* e *s.* hipnófobo.
hipnogénico, ca. *adj.* hipnogé(ê)neo.
hipnografía. *f.* hipnografia.
hipnología. *f.* hipnologia.
hipnólogo, ga. *s.* hipnólogo.
hipnopatía. *f.* (pat.) hipnopatia, hipnosia.
hipnosia. *f.* (fisiol.) hipnosia, hipnose.
hipnosis. *f.* (fisiol.) hipnose.
hipnoterapia. *f.* hipnoterapia.
hipnótico, ra. *adj.* e *m.* hipnótico, narcótico.
hipnotismo. *m.* (med.) hipnotismo.
hipnotizable. *adj.* que pode ser hipnotizado; hipnotizável, magnetizável.
hipnotización. *f.* hipnotização.
hipnotizador, ra. *adj.* e *s.* hipnotizador, (fig.) encantador, magnetizador.
hipnotizar. *v. tr.* hipnotizar; magnetizar; (fig.) concentrar a atenção em.
hipo. *m.* soluço, contracção espasmódica; (fig.) ânsia, grande desejo duma coisa; anelo; (fig.) cólera, despeito, rancor, ódio a alguém: *tener hipo con la vecina*, ter uma birra com a sua vizinha.
hipo. *prep.* hipo, prefixo que indica inferioridade ou subordinação.
hipoalgesia. *f.* (med.) hipoalgesia.
hipoazótico, ca. *adj.* hipoazótico, hipozótico.
hipoazoturia. *f.* (pat.) hipoazotúria.
hipobosco. *m.* (zool.) hipobosco.
hipobranquio, quia. *adj.* (zool.) hipobrânquio.
hipocampo. *m.* hipocampo (peixe chamado cavalo-marinho); monstro fabuloso, metade cavalo, metade peixe; (anat.) hipocampo.
hipocastáneo, a. *adj.* (bot.) hipocastâneo. — *f. pl.* hipocastâneas.
hipocausto. *m.* hipocausto.

hipocentauro. *m.* hipocentauro, centauro, monstro antigo.
hipocentro. *m.* hipocentro.
hipocicloide. *f.* (geom.) hipociclóide.
hipoclórico, ca. *adj.* (quím.) hipoclórico.
hipoclorito. *m.* (quím.) hipoclorito.
hipoclorhidria. *f.* (pat.) hipocloridria.
hipocloroso, sa. *adj.* (quím.) hipocloroso.
hipocolia. *f.* (pat.) hipocolia.
hipocondria. *f.* (pat.) hipocondria; melancolia; tristeza profunda.
hipocondríaco, ca. *adj.* hipocondríaco. — *s.* hipocondríaco; melancólico, merencório.
hipocóndrico, ca. *adj.* hipocondríaco.
hipocondrio. *m.* (anat.) hipocôndrio.
hipocorístico, ca. *adj.* hipocorístico.
hipocraneano, na. *adj.* (anat.) hipocraniano.
hipocrás. *m.* hipocraz, infusão de canela, amêndoa, e açúcar, em vinho.
hipocrateriforme. *adj.* (bot.) hipocrateriforme.
hipocraterimorfo, fa. *adj.* (bot.) hipocrateriforme.
hipocrático, ca. *adj.* hipocrático.
hipocratismo. *m.* hipocratismo.
Hipocrénides. *f. pl.* (poét.) Hipocrénidas, musas do Parnaso.
hipocresía. *f.* hipocrisia, falsidade, fingimento, impostura, falsa virtude; deslealdade; bigoteria; deslisura; duplicidade; farçada; farsa; farisaísmo; (fig.) exterioridade; bioco, bioquice; beatice; agasalho enganoso.
hipócrita. *adj. e s.* hipócrita; dissimulado; falaz; falacioso, falso; desleal; farçante; farisaico; fariseu; dúplice; melúria; (fig.) ambidextro; (fam.) beguino; hipócrita, beato falso; bigote, beatão; colo torto; velhaco fingido; (Bras.) morde-e-assopra, zanho.
hipocritón, na. *adj. e s.* (fam.) beatão, beatorro.
hipodáctilo. *m.* (zool.) hipodá(c)tilo.
hipodermia. *f.* hipodermia.
hipodermatomía. *f.* (cir.) hipodermatomia.
hipodérmico, ca. *adj.* hipodérmico.
hipodermis. *f.* hipoderme, hipoderma.
hipodermoterapia. *f.* (terap.) hipodermoterapia.
hipodromía. *f.* hipodromia.
hipódromo. *m.* hipódromo, campo em que se fazem corridas de cavalos; (Bras.) prado.
hipoestesia. *f.* hipoestesia, hipestesia.
hipofagia. *f.* hipofagia.
hipófago, ga. *adj.* hipófago.
hipofaringe. *f.* (anat.) hipofaringe.
hipofasia. *f.* (pat.) hipófase.
hipofasis. *f.* (pat.) hipófase.
hipófisis. *f.* (anat.) hipófise.
hipofisitis. *f.* (pat.) hipófisite.
hipofleo, a. *adj.* (bot.) hipoflec.
hipofosfato. *m.* (quím.) hipofosfato.
hipofosfito. *m.* (quím.) hipofosfito.
hipofosfórico, ca. *adj.* (quím.) hipofosfórico.
hipofosforoso, sa. *adj.* (quím.) hipofosforoso.
hipoftalmía. *f.* (pat.) hipoftalmia.
hipogástrico, ca. *adj.* (anat.) hipogástrico.
hipogastrio. *m.* (anat.) hipogástrico.

hipogénico, ca. *adj.* (geol.) diz-se dos terrenos e rochas formadas no interior da terra.
hipogeo. *m.* (arq.) hipogeu; cova, subterrâneo; capela ou edifício subterrâneo.
hipoginia. *f.* (bot.) hipogínia.
hipógino, na. *adj.* (bot.) hipógino.
hipoglobulia. *f.* (pat.) hipoglobulia.
hipogloso, sa. *adj.* (anat.) hipogloso.
hipognato. *m.* (terat.) hipógnato.
hipogrifo. *m.* (mit.) hipogrifo.
hipohepatía. *f.* (pat.) hipoepatia.
hipólito. *m.* (zool.) hipólito, cálculo que se encontra nos intestinos do cavalo.
hipología. *f.* hipologia.
hipólogo. *m.* (vet.) hipólogo.
hipómanes. *m.* (vet.) hipó(ô)manes.
hipomanía. *f.* (med.) hipomania; (vet.) hipomania; gosto apaixonado por cavalos.
hipomaníaco, ca. *adj. e s.* hipomaníaco.
hipómetro. *m.* hipó(ô)metro.
hipomoclio, clión. *m.* (fís.) fulcro.
hipomóvil. *adj.* hipomóvel.
hiponitrato. *m.* (quím.) hiponitrato.
hipopatología. *f.* (vet.) hipopatologia.
hipopigo. *m.* (zool.) hipopígio.
hipopión. *m.* (pat.) hipópio.
hipoplasia. *f.* (med.) hipoplasia.
hipopo, pa. *adj.* (zool.) hipópode.
hipopótamo. *m.* (zool.) hipopótamo.
hiposmia. *f.* (pat.) hiposmia.
hiposo, sa. *adj.* soluçoso, soluçante, que tem soluços.
hipospadíaco, ca. *adj. e m.* hipóspado.
hipospadias. *m.* (pat.) hipospadia.
hipóstasis. *f.* (teol. e med.) hipóstase.
hipostático, ca. *adj.* (teol.) hipostático.
hipostenia. *f.* (pat.) hipostenia.
hiposténico, ca. *adj.* hiposté(ê)nico.
hipóstilo, la. *adj.* (arq.) hipostilo.
hiposulfato. *m.* (quím.) hiposulfato.
hiposulfito. *m.* (quím.) hipossulfito.
hiposulfúrico. *adj.* (quím.) hipossulfúrico; ditiónico.
hiposulfuroso, sa. *adj.* (quím.) hipossulfuroso.
hipoteca. *f.* hipoteca; empenhamento; empenhoramento: *purgar de hipotecas,* desipotecar.
hipotecable. *adj.* hipotecável.
hipotecar. *v. tr.* hipotecar, dar por hipoteca, onerar com hipoteca.
hipotecario, ria. *adj.* hipotecário: *acreedor hipotecario,* credor hipotecário.
hipotenusa. *f.* (geom.) hipotenusa.
hipotermal. *adj.* hipotermal.
hipotermia. *f.* hipotermia.
hipótesis, hipótesi. *f.* hipótese, suposição admissível de que se tira uma conclusão; teoria não demonstrada, mas provável; condição; circunstância.
hipotético, ca. *adj.* hipotético, conjectural, suposto.
hipotiposis. *f.* (ret.) hipotipose.
hipotomía. *f.* hipotó(ô)mia.
hipotómico, ca. *adj.* hipotó(ô)mico.
hipotonía. *f.* (med.) hipotonia, hipotensão.
hipotónico, ca. *adj.* (med.) hipotó(ô)nico.
hipotrofia. *f.* (med.) hipotrofia

hipóxido. *m.* (quím.) hipóxido.
hipozoico, ca. *adj.* (zool.) hipozóico.
hipsocefalia. *f.* hipsocefalia.
hipsocéfalo, la. *adj.* e *s.* hipsocéfalo.
hipsografía. *f.* hipsografia.
hipsometria. *f.* (fís.) hipsometria; (geom.) hipsometria, altimetria.
hipsométrico, ca. *adj.* hipsométrico.
hipsómetro. *m.* (fís. e radiotel.) hipsó(ô)-metro.
hipurato. *m.* (quím.) hipurato.
hipuria. *f.* (pat.) hipúria.
hipúrico, ca. *adj.* (quím.) hipúrico.
hipurita. *f.* (min.) hipurita.
hircina. *f.* (quím.) hircina.
hircino, na. *adj.* hircino, do bode ou a ele relativo.
hircismo. *m.* hircismo, cheiro desagradável das axilas; bodum.
hirco. *m.* (zool.) hirco, bode.
hircocervo. *m.* (mit.) animal quimérico, composto de bode e veado.
hiriente. *p. a.* e *adj.* feridor, que fere.
hirma. *f.* V. **orilla.**
hirmar. *v. tr.* V. **afirmar.**
hirsuto, ta. *adj.* hirsuto, de pêlos longos, duros e espessos, eriçado; (fig.) áspero, áustero, ríspido; severo.
hirundicultura. *f.* hirundicultura, cultura das sanguessugas.
hirundinaria. *f.* (bot.) celidonia (planta).
hirviente. *p. a.* e *adj.* fervente; ebuliente; ardente; efervescente; estuoso; (fig.) veemente.
hisca. *f.* visgo, visco.
hiscal. *m.* corda de esparto de três fios; (prov.) montão de feixes formados na eira quando se vão descarregando dos carros.
hisopada. *f.* hissopada, acto de hissopar; aspersão com hissope.
hisopadura. *f.* V. **hisopada.**
hisopar. *v. tr.* V. **hisopear.**
hisopazo. *m.* pancada dada com o hissope.
hisopear. *v. tr.* asperger, aspergir com água benta com o hissope; hissopar.
hisopillo. *m.* dim. de *hisopo*; zaragatoa, boneca de pano que se embebe num líquido para refrescar os doentes; (bot.) hissopo, planta usada na medicina e para condimento.
hisopo. *m.* (bot.) hisso(ô)po, planta de família das labiadas empregada na medicina e nos condimentos; hissope, instrumento com que se asperge água benta; asperges, aspersório.
hispalense. *adj.* e *s.* (geog.) natural da, relativo ou pertencente a Sevilla.
hispalio, lia. V. **hispalense.**
hispánico, ca. *adj.* e *s.* hispânico, pertencente ou relativo à Hispânia. V. **español.**
hispanidad. *f.* qualidade de hispânico; conjunto de todos os povos hispânicos.
hispanismo. *m.* hispanismo, espanholismo, palavra ou locução própria do espanhol.
hispanista. *s.* hispanista, pessoa versada na língua e literatura espanholas.
hispanizado, da. *adj.* hispanizado, espanholizado.

hispanizar. *v. tr.* hispanizar, espanholizar, espanholar.
hispano, na. *adj* e *s.* espanhol, hispano, hispânico, pertencente ou relativo à Hispânia.
hispanoamericano, na. *adj.* e *s.* hispano--americano. diz-se dos países de América onde se fala espanhol; diz-se dos indivíduos de raça branca nascidos ou naturalizados nestes países.
hispanófilo, la. *adj.* e *s.* hispanófilo, diz-se do estrangeiro afeiçoado a costumes, cultura e história espanhóis.
híspido, da. adj. híspido, eriçado, de pêlos, irsuto.
hispir. *v. tr.* e *intr.* afofar, tornar fofo, amolecer; cardar a lã.
histeralgia. *f.* (pat.) histeralgia.
histerectomía. *f.* (cir.) histerectomia.
histéresis. *f.* (electr.) histerese.
histérico, ca. *adj.* histérico, pertencente ao histerismo; histérico, pertencente ao útero.
histerismo. *m.* (med.) histerismo, doença nervosa da mulher.
histerocele. *m.* (pat.) histerocele.
histerofisa, histerofisia *f.* (med.) histerófise.
histerografía. *f.* histerografia.
histerólito. *f.* (pat.) histerólito.
histerología. *f.* histerologia.
histerólogo. *m.* histerólogo.
histeroloxia. *f.* (pat.) histeroloxia.
histeromalacia. *f.* (pat.) histeromalacia.
histeromanía. *f.* histeromania.
histerometría. *f.* histerometria.
histerómetro. *m.* histeró(ô)metro.
histeroptosis. *f.* histeroptose.
histeroscopio. *m.* histeroscópio.
histerotomía. *f.* (cir.) histerotomia, metrotomia.
histerotómico, ca. *adj.* histerotómico.
histerótomo. *m.* (cir.) histerótomo; metrótomo.
histofisiología. *f.* histofisiologia.
histofisiológico, ca. *adj.* histofisiológico.
histogénesis. *f.* (biol.) histogénese, histogenia.
histógeno, na. *adj.* histogéneo.
histogénico, ca. *adj.* histogénico, histogenético.
histografía. *f.* histografia.
histográfico, ca. *adj.* histográfico.
histógrafo, fa. *adj.* histógrafo.
histología. *f.* (anat.) histologia.
histológico, ca. *adj.* histológico.
histólogo, ga. *s.* histólogo, histologista.
histoneurología *f.* (med.) histoneurologia.
histonomía. *f.* (biol.) histonomia.
histonómico, ca. *adj.* histonó(ô)mico.
historia. *f.* história, narração dos acontecimentos históricos; história, conto, fábula; narração inventada; (fam.) história, intriga, questão; pendência; patranha, enre(ê)-do; (pint.) quadro dum facto histórico. — *pl.* histórias, desavenças, pretextos: *dejarse de historias*, vir ao assunto; *una mujer de historia*, (fam.) mulher de má reputação; *pasar a la historia*, (fig. e fam.) diz-se das coisas sem interesse; *picar en historia*, (fig. e fam.) diz-se das coisas que tem gran-

de importância ou gravidade; *historia falsa*, (Bras.) maxambeta.

historiado, da. *p. p.* e *adj.* historiado (fig. e fam.) historiado, cheio de episódios, muito enfeitado; adornado com excesso.

historiador, ra. *s.* historiador; narrador de acontecimentos históricos.

historial. *adj.* historial, pertencente à história. — *m.* (med.) historial; resenha dos antecedentes dum negócio ou da carreira dum funcionário.

historiar. *v. tr.* historiar, fazer a história de; narrar; descrever; (pint.) pintar um sucesso histórico; historiar, decorar, embelezar, ornar, enfeitar, adornar.

histórico, ca. *adj.* histórico, pertencente ou relativo à história; histórico, comprovado, certo.

historieta. *f.* dim. de **historia;** historieta, narração de pouca importância, anedota, conto, fábula.

historiografía. *f.* historiografía.

historiográfico, ca. *adj.* historiográfico.

historiógrafo, fa. *s.* historiógrafo, historiador.

historiología. *f.* historiologia.

historiológico, ca. *adj.* historiológico.

historiólogo, ga. *s.* historiologo, historiologista.

histotomía. *f.* histotomia.

histotómico, ca. *adj.* histotómico.

histótomo. *m.* (cir.) histótomo.

histotripsia. *f.* (cir.) histotripsia.

histotromía. *f.* histotromia.

histrión. *m.* histrião, farsista, comediante, farçante, pelotiqueiro, palhaço, bobo.

histriónico, ca. *adj.* histrió(ô)nico, próprio de histrião.

histrionista. *f.* mulher que representava ou bailava nos teatros.

histrionismo. *m.* histrionismo, ofício de histrião; histricnismo, conjunto das pessoas dedicadas ao histrionismo.

hita. *f.* prego pequeno e sem cabeça; marco, baliza. V. **hito.**

hito, ta. *adj.* unido, contíguo, imediato; fixo, firme. — *m.* poste de pedra, marco; (fig.) fito, alvo, mira no tiro; fito, pau a que se atira no jogo da bola; (fam.) fito, busilis, embaraço, dificuldade principal; *dar en el hito,* dar no fito, acertar no ponto da dificuldade; *mirar de hito en hito,* fitar, olhar com suma atenção; *a hito,* fixamente; *poner el hito en una cosa,* (fig.) atirar.

hitu, ta. *adj.* preto (diz-se do cavalo); V. **negro.**

hitón. *m.* (min.) prego grande, quadrado e sem cabeça.

hobachón, na. *adj.* bien, pessoa frouxa para o trabalho, indolente; negligente, vagabundo, vadio, ocioso.

hobachonería. *f.* indolência, preguiça, ociosidade, desídia, moleza.

hoblón. *m.* (Amér.) V. **lúpulo.**

hocicada. *f.* focinhada, pancada dada com o focinho; narigada; resposta brusca.

hocicar. *v. tr.* fossar. V. **hozar.** — *v. intr.* afocinhar, cair de focinho; (fig. e fam.) esbarrar, topar, tropeçar com uma dificul-

dade muito grande; beijocar. V. **besucar;** (mar.) afundar a proa, afocinhar.

hocico. *m.* focinho; (fam.) focinho, rosto, cara do homem quando tem os lábios avultados; focinho, carranca, aspecto de mau humor, gesto de zanga; amuo: *dar de hocicos,* (fam.) dar com a cara ou cair dando com ela nalguma parte; *estar de hocico,* (fam.) encaramonar-se; *meter el hocico en todo,* (fam.) meter o focinho em tudo.

hoción, na. *adj.* V. **hocicudo.**

hocicudo, da. *adj.* focinhudo, que tem grande focinho, trombudo, carrancudo.

hocino. *m.* fouce, foice, instrumento para roçar ou cortar lenha, roçadura.

hocino. *m.* estreiteza dum rio entre montanhas.—*pl.* hortas pequenas que se formam nesses lugares.

hociquear. *v. tr.* fossar. V. **hocicar.**

hociquera. *f.* (Amér.) focinheira dos animais; bocal.

hodómetro. *m.* V. **odómetro.**

hogañazo. *adv.* (fam.) V. **hogaño.**

hogaño. *adv.* (fam.) este ano, neste ano, no ano presente; nesta época.

hogar. *m.* lar, lareira, parte da cozinha onde se faz fogo, chaminé; fogueira; (fig.) lar, casa, domicílio; lar, vida de família, fogo.

hogaza *f.* fogaça, grande bolo ou pão cozido.

hoguera. *f.* fogueira, matérias combustíveis em chamas, labareda, lumaréu.

hoja. *f.* (bot.) fo(ô)lha; folha, pétala; folha, lâmina delgada de qualquer matéria; folha, batente de porta; folha, lâmina de espada, sabre, etc.; folha, papel que se imprime de cada vez; folha, camada no interior de certos pastéis; porção de terra de pousio; folha, certidão de serviços dum funcionário; folha, escamas dos metais e dos minerais.

hojalata. *f.* lata, folha de ferro estanhada pelos dois lados; folha-de-flandres.

hojalatería. *f.* latoaria, fábrica de folha de lata; latoaria, oficina de latoeiro ou de funileiro; loja onde se vendem peças de lata ; funilaria; arte de fabricar lata.

hojalatero. *m.* latoeiro, funileiro.

hojaldrado, da. *p. p.* e *adj.* folhado; semelhante à massa folhada.

hojaldrar. *v. tr.* folhar a massa, fazer massa folhada.

hojaldre. *m.* folhado, pastel de massa muito sovada com manteiga; *quitar el hojaldre al pastel,* (fig.) descobrir a malhada ou enredo.

hojaldrista. *s.* pasteleiro, pessoa que faz pastéis folhados.

hojaranzo. *m.* variedade de xara, esteva. V. **ojaranzo e adelfa.**

hojarasca. *f.* folhada, folhas caídas, folhedo; folhagem, folhame; (fig.) coisa inútil, palavreado supérfluo; promessas vãs.

hojeadura. *f.* folheadura, acção de folhear um livro.

hojear. *v. tr.* folhear, volver as folhas dum caderno, livro, etc.; folhear, ler apressadamente; arrancar as folhas a uma planta, flor. etc. — *v. intr.* formar lâminas algum metal.

hojecer. *v. intr.* frondear, cobrir-se de folhagem.

hojoso, sa. *adj.* folhoso, que tem muitas folhas, frondoso, frondente, folhudo.

hojudo, da. *adj.* folhudo, V. **hojoso.**

hojuela. *f.* dim. de *hoja*, folhinha; sonho, filhó; película que fica da azeitona moída e que despois se volta a moer; folhelho; folheta, folha delgada de oiro, prata, etc., empregada para galões, bordados, etc.; (bot.) cada uma das folhas que formam parte doutra composta; (Amér.) V. **hojaldre.**

¡hola! *interj.* olá!, emprega-se para chamar ou saudar familiarmente e ainda para denotar estranheza.

holán. *m.* V. **holanda;** (Amér.) V. **faralá.**

Holanda. (geog.) Holanda.

holandés, sa. *adj.* e *s.* (geog.) holandês, natural da ou pertencente à Holanda. — *m.* holandês, (idioma): *a la holandesa,* diz-se de certa encardernação económica; a uso de Holanda.

holandeta. *f.* holandilha.

holco. *m.* (bot.) feno branco.

holgachón, na. *adj.* (fam.) folgazão, habituado a passar bem, sem trabalhar ou trabalhando pouco.

holgado, da. *p. p.* e *adj.* folgado, largo, que não aperta, que tem amplitude ou largueza; folgado, desocupado; (fig.) folgado, abastado, desafogado de dinheiro.

holganza. *f.* folgança, folguedo, prazer, diversão; descanso, quietude, repouso, tranquilidade; regozijo; pagode.

holgar. *v. intr.* folgar, descansar, tomar fôlego; folgar, estar de folga; não trabalhar, não ter que fazer; madracear; galhofar; estar sem exercício ou sem uso. — *v. r.* folgar, divertir-se, regozijar-se, alegrar-se, ter satisfação.—*pres. ind. irr.* **huelgo, -as, -a, -an;** *subj.* **huelgue, -es, -e, -en.**

holgazán, na. *adj.* e *s.* mandrião, que não quer trabalhar, vadio, vagabundo; ocioso, preguiçoso; bargante; galhofeiro, galdério; estouvado; meliante; descuidado; afidalgado; desaplicado; deixado; descansado; desapressado; bilhardão: *ser un holgazán,* (fam.) estar com a barriga para o ar.

holgazanear. *v. intr.* mandriar, madracear, entregar-se ao ócio; preguiçar, folgar, folgazar, vadiar; pagodear; bargantear.

holgazanería. *f.* mandriice, ociosidade, vadiagem; preguiça; barganteria; desaplicação; descanso.

holgón, na. *adj.* e *s.* folgazão, amigo de folgar, galhofeiro.

holgorio. *m.* (fam.) folguedo, regalório; regozijo, folgança, folia (a letra *H* desta palavra costuma ser aspirada).

holgueta. *f.* (fam.) folguedo. V. **holgorio.**

holgura. *f.* folguedo, folgança, diversão entre muitos; folga, largura, largueza; desaperto.

holocausto. *m.* holocausto; (fig.) sacrifício, acto de abnegação.

hológrafo, fa. *adj.* (for.) hológrafo, autógrafo.

holómetro. *m.* holó(ô)metro.

holostérico, ca. *adj.* barométrico, referente ao barómetro.

holladero, ra. *adj.* vereda, trilho, diz-se da parte do caminho por onde se transita.

holladura. *f.* pisadela, acção de pisar.

hollar. *v. tr.* pisar, calcar; (fig.) calcar, abater; humilhar; desprezar, atropelar os direitos e infringir as leis. — *conj. irr.* como **contar.**

hollejo. *m.* folhelho, película que reveste certas frutas e legumes.

hollejudo, da. *adj.* (Amér.) diz-se do folhelho, ou película de certas frutas ou legumes.

hollín. *m.* fuligem, ferrugem da chaminé.

hollinar. *v. tr.* (Amér.) encher de fuligem.

holliniento, ta. *adj.* fuliginoso, que tem fuligem.

hombracho. *m.* homem corpulento, homemzarrão, hombrazo.

hombrachón. *m.* homenzarrão. V. **hombracho.**

hombrada. *f.* magnanimidade, a(c)ção própria dum homem generoso ou esforçado, generosidade; valentia; façanha; chibança.

hombradía. *f.* hombridade, esforço, inteireza, valor, integridade; hombridade; qualidade de homem.

hombre. *m.* homem, animal racional; homem, varão; homem, indivíduo da espécie humana; a humanidade; homem, marido; homem, o que chegou à idade viril; certo jogo de cartas; soldado, operário; indivíduo denodado: *hombre bueno,* (for.) medianeiro em actos de conciliação; *hombre de acción,* homem de expedição; *hombre astuto,* (fig.) bicho-de-conta; *hombre grosero,* arreeiro; *hombre hercúleo,* homem agigantado; *hombre de bien* homem de bem; *hombre malvado,* homem ruim; *hombre de leyes,* homem da lei; *hombre de mar,* homem do mar; *hombre de Estado,* homem de Estado; *como un solo hombre,* com unanimidade; *hombre de cabeza,* homem de talento; *no tener uno hombre,* (fig.) não ter homem; *hombre alto,* (Bras.) baitarra; *hombre bueno,* (Bras.) abaetê; *hombre verdadero,* (Bras.). abaetê; *hombre fuerte,* (Bras.) durão; *hombre valiente,* (Bras.) escorador.

hombrear. *v. intr.* ombrear, querer ser homem; diz-se do rapaz que tem maneiras de homem adulto; (fig.) ombrear, querer semelhar-se a outro; (Amér.) imitar a mulher as maneiras dos homens, trabalhar em ofícios próprios dos homens; fazer força como os homens; ombrear, semelhar aos homens, pôr-se em paralelo.

hombrear. *v. intr.* fazer força com os ombros para suster ou empuxar alguma coisa.

hombrecillo. *m.* dim. de *hombre,* homenzinho. — *m.* (bot.) lúpulo.

hombrera. *f.* ombreira, peça da antiga armadura para proteger os ombros; (mil.) platinas; ombreira, adorno nos ombros dos vestidos.

hombría de bien. *f.* honradez, pundonor, probidade, rectidão do ânimo.

hombrillo. *m.* ombreira, reforço de tecidos nas camisas, vestidos, etc.

hombro. *m.* ombro, parte superior do braço, espádua: *a hombros*, às cavaleiras; *no tener la cabeza sobre los hombros*, não ter a cabeça no seu lugar; (fig.) *mirar por encima del hombro*, tratar alguém por cima do ombro, olhar, desprezá-lo.

hombruno, na. *adj.* (fam.) diz-se da mulher que afecta maneiras de homem; macha.

home. *m.* (prov. e Amér.) V. **hombre.**

homenaje. *m.* homenagem, juramento solene de fidelidade feito ao rei; cortesia; (ant.) menagem; co(ô)rte; (fig.) preito; veneração, submissão; respeito; (Amér.) mal usado por *don, favor, merced,* etc.; (fig.) homenagem, oferenda, presente: *rendir homenaje,* dar homenagem; *torre del homenaje,* torres de menagem.

homenajear. *v. tr.* homenagear, dar homenagem; afagar.

homeomería. *f.* homomeria, homeomeria.

homeómero, ra. *adj.* homómero, homeómero.

homeópata. *m.* e *adj.* homeópata.

homeopatía. *f.* (med.) homeopatia.

homeopático, ca. *adj.* homeopático.

homeosis. *f.* (fisiol.) homeose.

homérico, ca. *adj.* homérico, próprio ou característico de Homero.

homero. *m.* (bot.) amieiro. V. **aliso.**

homicida. *s. adj.* pessoa que comete um homicídio; assassino.

homicidio. *m.* homicídio, morte duma pessoa causada por outra; assassínio, assassinato; crime de quem mata outrem; homicídio, certo tributo que se pagava antigamente: *homicidio en la Persona de Cristo,* deicídio.

homicillo. *m.* homizio, antigo tributo; (ant.) homicídio.

homilética. *f.* (rel.) ensinamento da religião cristã aos adultos.

homilía. *f.* homília, prática sobre coisas da religião, e principalmente sobre a o Evangelho, ou algum ponto das Escrituras.

homiliario. *m.* homiliário, livro que contém homílias.

hominal. *adj.* (hist. nat.) hominal, pertencente ou relativo aos homens.

hominicaco. *m.* (fam.) poltrão, homem pusilâmine e de má catadura.

homo. *prefixo,* designativo de semelhança, parecido com, igual, etc.

homocentricidad. *f.* (geom.) homocentricidade.

homocéntrico, ca. *adj.* homocêntrico.

homocentro. *m.* homocentro.

homocromia. *f.* (hist. nat.) homocromia.

homodermos. *m. pl.* (zool.) homodermos.

homodino. *m.* (rad.) que tem a mesma intensidade.

homódromo, ma. *adj.* homódromo.

homofilia. *f.* (biol.) homofília.

homófilo, la. *adj.* homófilo.

homofonia. *f.* homofonia.

homófono, na. *adj.* homófono, homofó(ô)nico.

homogamia. *f.* (bot.) homogamia.

homógamo, ma. *adj.* (bot.) homógamo.

homogeneidad. *f.* homogeneidade, qualidade do que é homogéneo; identidade, semelhança.

homogeneizar. *v. tr.* homogeneizar, fazer semelhante ou parecido com.

homogéneo, a. *adj.* homogé(ê)neo, da mesma natureza que outro; mesmo; idêntico, análogo.

homogénesis. *f.* homogenia.

homogenia. *f.* homogenia.

homografía. *f.* (geom.) homografia.

homográfico, ca. *adj.* homográfico.

homógrafo, fa. *adj.* homógrafo.

homologable. *adj.* que se pode homologar.

homologación. *f.* homologação, autorização.

homologar. *v. tr.* (for.) homologar; (deport.) reconhecer ou confirmar uma marca desportiva.

homología. *f.* (anat. e fisiol.) homologia.

homológico, ca. *adj.* homológico.

homólogo, ga. *adj.* homólogo.

homómero, ra. *adj.* (bot.) V. **homeómero.**

homomorfo, fa. *adj.* homomorfo.

homomorfosis. *f.* qualidade de homomorfo.

homonimia. *f.* homonímia.

homónimo, ma. *adj.* homó(ô)nimo.

homopétalo, la. *adj.* homopétalo.

homoplasia. *f.* (biol.) homoplasia.

homoplastia. *f.* homoplastia.

homoplástico, ca. *adj.* homoplástico.

homóptero, ra. *adj.* e *s.* (zool.) homóptero.

homorgánico, ca. *adj.* homorgânico.

homosexual. *adj.* homossexual; fanchono.

homosexualidad. *f.* homossexualidade; fanchonismo.

homosexualismo. *m.* homossexualismo, fanchonismo.

homotermal. *adj.* (fís.) homotermal.

homotérmico, ca. *adj.* homotérmico, homotermo.

homotermo, ma. *adj.* homotermo, homotérmico.

homotipia. *f.* (anat.) homotípia.

homótipo, pa. *adj.* homótipo.

homótono, na. *adj.* homótono.

homotropismo. *m.* homotropia.

homótropo, pa. *adj.* homótropo.

honcejo. *m.* espécie de foice (para cortar lenha).

honda. *f.* funda, aparelho para lançar pedras com violência; fundíbulo, antigo instrumento de guerra para atirar projécteis; (mar.) eslinga, cabo para levantar pesos a bordo; funda, fronda: *soldado armado con honda,* fundibulário.

hondable. *adj.* (mar.) fundeiro, diz-se do lugar onde podem fundear os barcos.

hondada. *f.* V. **hondaza.**

hondanada. *f.* (Amér.) V. **hondonada.**

hondar. *v. tr.* (Amér.) V. **ahondar.**

hondazo. *m.* tiro de funda.

hondeador. *m.* (germ.) ladrão que pondera antes de furtar.

hondear. *v. tr.* (mar.) sondar, reconhecer o fundo com a sonda; descarregar um barco; (germ.) ponderar, reflexionar. V. **tantear.** — *v. intr.* disparar a funda.

hondijo. *m.* funda. V. **honda.**

hondilla. *f.* funda, laço, atadura.

hondillos. *m. pl.* fundilhos, entrepernas dos calções.

hondo, da. *adj.* fundo, profundo, que tem profundidade; terreno baixo; (fig.) profundo, recôndito; entranhado; encovado; fundo; abismal. — *m.* fundo, parte inferior duma coisa côncava.

hondón. *f.* fundo, parte inferior duma coisa côncava; fundo, a parte inferior duma escavação; lugar profundo, rodeado de terrenos mais altos; fundo, base do estribo; olho da agulha.

hondonada. *f.* ribanceira, fundura, (fig.) depressão; terreno fundo; terreno baixo.

hondura. *f.* fundura, profundidade; (fig.) depressão; lugar baixo. — *pl.* atoleiro, lugar pantanoso, baixo, lamaçais: *meter se en honduras,* emaranhar-se, meter-se em coisas difíceis em saber muito delas.

Honduras. (geog.) Honduras.

hondureñismo. *m.* palavra ou locução próprias dos hondurenhos.

hondureño, ña. *adj.* e *s.* (geog.) hondurenho, natural das Honduras, ou pertencente a esta nação.

honestar. *v. tr.* V. **honrar, cohonestar.**

honestidad. *f.* honestidade, modéstia, decoro, decência, recato, probidade, compostura; honestidade, pudor, castidade; urbanidade: *vender la honestidad,* baratar a honra por dinheiro; *aparentar honestidad,* (fig.) coonestar.

honesto, ta. *adj.* honesto, decente, decoroso, casto, púdico; honesto, probo, honrado; honesto, justo, razoável, conveniente, próprio.

hongo. *m.* (bot.) cogumelo, fungão, fungo; chapéu de feltro; (med.) fungo. — *pl.* fungos.

hongoso, sa. *adj.* fungoso; esponjoso, poroso.

honor. *m.* honra, demonstração de respeito; honra, honor, consideração e glória; honra, honestidade e recato; cargo, emprego; castidade, pudicícia; honra, aplauso, louvor; honra, ânimo, brio, grandeza d'alma; honra, dignidade; honra, celebridade; deco(ô)ro; (fig.) coroa. — *pl.* honras, título honorífico, honrarias, dignidades.

honorabilidad. *f.* honorabilidade; probidade; benemerência.

honorable. *adj.* honorável, digno de ser honrado e acatado, respeitável; (herald.) honroso.

honorar. *v. tr.* (p. us.) V. **honrar.**

honorario, ria. *adj.* honorário, honorífico, que serve para honrar; honorário, diz-se do que tem as honras dum cargo, sem proventos. — *m.* honorário, paga, recompensa, estipêndio; soldo de honra.

honorífico, ca. *adj.* honorífico, que dá honra.

honoris causa. *loc. lat.* por motivo de honra, a título de honra, honoris causa.

honra. *f.* honra, estima da dignidade própria; honra, boa fama; honra, bem, felicidade; honra, apreço; estima; honra, honestidade, pudor da mulher, virgindade; fama; (fig.) lustre; galardão; honra, graça, mercê. — *pl.* distinções honoríficas: *honras fúnebres,* exéquias solenes; honras fúnebres; *perder la honra,* desonrar-se; *tener a honra,* fazer honra; *tener uno a mucha honra una cosa,* envaidecer-se dalguma coisa.

honradero, ra. *adj.* (p. us.) V. **honrador.**

honradez. *f.* honradez, probidade; honradez, proceder recto; pundonor; dignidade; integridade de carácter; honra; honestidade; decência; consciência; deco(ô)ro; exa(c)tidão.

honrado, da. *p. p.* e *adj.* honrado, que tem honra; virgem (a mulher); casto; probo; decente; honesto; exa(c)to, re(c)to; consciencioso; executado honrosamente; (irón.) honrado, brejeiro, velhaco.

honramiento. *m.* acção e efeito de honrar.

honrar. *v. tr.* honrar, respeitar, tratar com honra; venerar; honrar, enaltecer ou premiar alguém; glorificar; distinguir; enobrecer; respeitar; ilustrar; lisonjear, penhorar; decorar; louvar; galardoar. — *v. r.* ter a honra de ser ou fazer alguma coisa; enobrecer-se, ufanar-se; adquirir honra ou distinção.

honrilla. *f.* ponto de honra, vergonha; pejo, receio de crítica.

honroso, sa. *adj.* honroso, que dá honra, que enobrece; decente, decoroso, honroso; honesto; honrado; cioso da honra ou da reputação; digno.

hontanal. *m.* V. **hontanar.**

hontanar. *m.* lugar onde nascem fontes ou mananciais, fontanário.

hopa. *m.* opa, espécie de balandrão; alva, vestidura que vestiam os condenados à morte.

hopear. *v. intr.* rabear, mexer ou menear a cauda (animais).

hopeo. *m.* rabeadura, acto de rabear.

hoploteca. *f.* V. **oploteca.**

hopo. *m.* rabo, cauda felpuda: ¡hopo!, fora!; *sudar el hopo,* (fam.) suar o topete; custar muito trabalho; *seguir el hopo,* ir na pingada, seguir o rastro; (fam.) *volver el hopo,* dar as costas, fugir.

hoquis (de). *loc. adv.* (Amér.) grátis, de graça.

hora. *f.* hora; hora, tempo fixo, determinado; ocasião, tempo oportuno; hora, instante, momento; últimos instantes da vida; nalgumas regiões, emprega-se com o significado de légua; distância que se percorre em uma hora; (Amér.) qualquer enfermidade nervosa que causa uma morte repentina. — *pl.* horas, livro de orações. — *adv.* agora: *dar hora,* assinalar prazo ou marcar tempo preciso para uma coisa; *en buena hora,* muito embora, ainda bem.

horaciano, na. *adj.* horaciano.

horada. *adj.* empregado na locução *a la hora horada,* que significa, à hora pontual.

horadable. *adj.* perfurável, furável.

horadación. *f.* perfuração, a(c)ção de furar.

horadado, da. *p. p.* e *adj.* perfurado, furado.— *m.* casulo do bicho-da-seda, esburacado por ambas as partes.

horadar. *v. tr.* furar, perfurar, esburacar. — *m.* caverna, antro.

horado. *m.* furo, perfuração, buraco; por extensão, caverna ou concavidade subterrânea.

horario, ria. *adj.* horário, pertencente às horas. — *m.* ponteiro, agulha das horas, nos relógios; mostrador de relógio.

horca. *f.* fo(ô)rca, instrumento para o suplício da estrangulação, patíbulo; forcado, garfo, forquilha; cancela que se coloca no pescoço dos animais para que não possam atravessar os valados; réstea de alhos, cebolas, etc.

horcado, da. *adj.* em forma de forca, aforquilhado. — *m.* tromba de elefante.

horcadura. *f.* forcadura, espaço entre as pontas do forcado; (bot.) forcada, forcadura.

horcajada. *f.* (prov.) forcadura. V. **horcajadura;** *a horcajadas,* de escachapernas, escarranchado, a cavalo, montado.

horcajadillas (a). V. **a horcajadas.**

horcajadura. *f.* forcada, ângulo que formam as pernas no seu nascimento; bifurcação.

horcajo. *m.* coelheira, parte dos arreios que se põem no pescoço das mulas de trabalho, molhelha; forquilha, formada pela vara do lagar de azeite; confluência de dois rios; bifurcação; ponto de união de duas montanhas.

horcate. *m.* arreio em forma de ferradura que se põe no pescoço das bestas de tiro.

horco. *m.* réstea de alhos ou cebolas.

horcón. *m.* esteio, forquilha, espeque bifurcado para sustentar as parreiras; (Amér.) viga vertical que serve para suster os vigamentos do telhado.

horconada. *f.* pancada dada com um forcado; porção de erva que se pega duma vez com o forcado, forcado.

horconadura. *f.* conjunto de esteios.

horchata. *f.* orchata, espécie de bebida refrescante: *horchata de chufas,* xarope preparado com uma emulsão de amêndoas e diluído em água.

horchatería. *f.* lugar onde se faz ou vende orchata.

horchatero, ra. *s.* pessoa que vende ou faz orchata, orchateiro.

horda. *f.* horda, bando indisciplinado; tribo de árabes ou tártaros errantes; horda, chusma, multidão de pessoas; caterva, guerrilha; tribo nómada de selvagens.

hordiate. *m.* cevada descascada; espécie de orchata feita de cevada.

horizontal. *adj.* horizontal, que está no horizonte ou paralelo a ele; relativo ao horizonte. — *f.* (Amér.) horizontal, meretriz, prostituta, hetaira, mulher pública; (vulg.) michela.

horizontalidad. *f.* qualidade de horizontal, horizontalidade.

horizonte. *m.* horizonte, círculo que limita o campo de nossa observação; (fig.) âmbito; limite; círculo máximo da esfera, perpendicular ao diâmetro que passa pelo ponto onde está o observador; horizonte, perspectiva; (fig.) futuro.

horma. *f.* fo(ô)rma, molde para fabricar alguma coisa; forma, molde, tipo; parede de pedra seca; (Amér.) vasilha de barro, *encontrar la horma de su zapato,* duro com duro não faz bom muro; *encontró la horma de su zapato,* cada Achilles tem seu Homero; achou forma para o seu sapato.

hormar. *v. tr.* V. **ahormar.**

hormaza. *f.* parede de pedra seca.

hormazo. *m.* pancada dada com a forma; montão de pedras soltas; (prov.) quinta de recreio.

hormería. *f.* (Amér.) loja onde se vendem formas para calçado.

hormero. *m.* formeiro, formista, vendedor ou fabricante de formas.

hormiga. *f.* formiga. insecto de família dos formicídeos; (med.) doença cutânea, formigueiro, formicação; (germ.) dados de jogar: *ser una hormiga,* ser muito económica e trabalhadora uma pessoa; *hormiga león,* formiga-leão.

hormigante. *adj.* formigante, que formiga.

hormigón. *m.* formigão, betão, mistura de cal areia e cascalho: *hormigón armado,* trução feita com betão sobre uma armadura de barras ou vigas de ferro ou aço.

hormigonera. *f.* betoneira, aparelho para preparar o betão.

hormigoso, sa. *adj.* pertencente ou relativo às formigas; danificado pelas formigas.

hormigueamiento. *m.* formigueiro, formigamento.

hormiguear. *v. intr.* formigar, formiguejar; (germ.) furtar coisas de pouco preço; *galicismo* por *abundar.*

hormigüela. *dim.* de *hormiga,* formiguinha.

hormigueo. *m.* formigamento, formigueiro, comichão; fervedouro.

hormiguero, ra. *adj. m.* formicação, formigame, formigueiro, formiguedo; (fig.) muita gente junta ou desfilando; formigueiro, ladrão que furta coisas de pouco valor, ratoneiro; trapaceiro, que joga com dados viciados; (Amér.) mal usado por *hormigueo.* — *adj.* diz-se do que pertence à doença chamada *hormiga.*

hormiguillar. *v. tr.* (Amér. e min.) misturar o mineral de prata ou mineral argentífero com sal.

hormiguillo. *m.* (vet.) formigo, formiguilho, doença nos cascos das cavalgaduras; (pop.) formigueiro; (Amér.) amalgamação de minerais de prata; cordão que formam os operários e passam de mão em mão as matérias duma obra.

hormilla. *f.* botão de madeira forrado.

hormón. *m.* (med.) hormona, produto de secreção interna de certos órgãos.
hormona. *f.* (med.) V. **hormón;** (quim.): *hormona testicular,* andrina.
hornabeque. *m.* (fort.) hornaveque, fortificação exterior, obra córnea em arquitectura.
hornablenda. *f.* (min.) horneblenda.
hornacero. *m.* fornaceiro, aquele que trata do forno próprio dos prateiros e fundidores de metal.
hornacina. *f.* (arq.) fórnice, cavidade, abóbada ou arco de porta em parede mestra para colocar estátuas, vasos artísticos, etc.; charola.
hornacho. *m.* escavação, buraco ou cavidade funda feita na terra para explorar minerais.
hornachuela. *f.* espécie de choça ou covil.
hornada. *f.* fornada, o que um forno coze duma só vez; fornada, amassadura; os pães que se cozem no mesmo forno ao mesmo tempo; (fig.) fornada, conjunto de indivíduos que terminam ao mesmo tempo uma carreira, ou são nomeados para certos cargos ao mesmo tempo; (fig.) quantidade de coisas que se fazem de uma vez.
hornaguear. *v. tr.* escavar a terra para extrair carvão de pedra; (Amér. e prov.) mover-se um corpo dum lado para o outro.
hornagueo. *m.* extracção de carvão.
hornaguera. *f.* carvão de pedra, hulha.
hornaguero, ra. *adj.* frouxo, folgado, espaçoso, amplo; diz-se do terreno onde há hulha.
hornaza. *f.* (prov.) fornalha, forno, fornilho; forja, frágua, pequeno forno que usam os ourives e fundidores para fazer as suas fundições; (pint.) cor amarelo-claro que usam os oleiros para vidrar.
hornear. *v. tr.* (Amér.) assar alguma coisa ao forno. — *v. intr.* fornejar, fornear, exercer a profissão de forneiro.
hornecino, na. *adj.* bastardo, adulterino.
hornera. *f.* forneira, mulher do forneiro; lugar onde se prepara o carvão, carvoaria.
hornería. *f.* lugar onde há muitos fornos; ofício de forneiro.
hornero, ra. *s.* forneiro, pessoa que tem este ofício; fornaceiro; (zool. e Amér.) pássaro.
hornilla. *f.* fornilha, fornilho, cada um dos fornos do fogão; cacifo, buraco nas paredes do pombal, para se aninharem os pombos.
hornillo. *m.* fornilho, pequeno forno manual usado nas cozinhas, laboratórios e usos industriais; fogareiro, fogãozinho; (mil.) fornilho de pólvora, câmara de mina ou lugar onde se mete a pólvora; caixão cheio de pólvora ou bombas que se metem numa mina.
horno. *m.* forno, construção abobadada para cozer pão, assar carne, etc.; fornaça; fornalha; (fig.) lugar muito quente; construção abobadada para cozer loiça, cal, telhas, etc.; (germ.) calaboiço.
hornstenio. *m.* (min.) variedade de calcedónia.
horografía. *f.* horografia.
horográfico, ca. *adj.* horográfico.
horología. *f.* horologia.
horologio. *m.* horológio.
horometría. *f.* horometria.
horondo, da. *adj.* V. **orondo.**
horópter. *m.* (ópt.) horóptero.
horoptérico, ca. *adj.* (ópt.) pertencente ou relativo ao horóptero.
horóptero. *m.* horóptero.
horóscopo. *m.* horoscópio, horóscopo, prognóstico, predição.
horqueta. *f.* forqueta, forquilha, espeque bifurcado; (Amér.) ângulo agudo no curso dum rio. V. **horcón.**
horquilla. *f.* dim. de *horca,* forquilha, forqueta, forcado; forção; fo(ô)rca, gadanho; estronca; forquilha, pau bifurcado; gancho de segurar os cabelos, grampo; (Amér.) forquilha; (med.) doença nos cabelos; (agr.) forquilha, forcado para serviço das eiras.
horrar. *v. tr.* (prov. e Amér.) V. **ahorrar.** — *v. r.* (Amér.) ficar livre, diz-se das fêmeas que não emprenham.
horrear. *v. tr.* reunir em manada as fêmeas que não ficaram prenhes.
horrendo, da. *adj.* horrendo, medonho, que causa horror; que horroriza, que causa horror; formidoloso; infernal.
hórreo. *m.* celeiro, tulha onde se recolhe o grão; espigueiro, celeiro sustentado no ar por quatro colunas ou esteios.
horrero. *m.* celeireiro, guarda encarregado das tulhas ou celeiros.
horribilidad. *f.* horribilidade, qualidade do que é horrível.
horrible. *adj.* horrível, antiformoso; infando; meduseo; medonho; atroz; (poét.) metuendo; feio, que causa horror.
horridez. *f.* qualidade de hórrido, horrendo.
hórrido, da. *adj.* hórrido, horrendo, hediondo, que causa horror.
horrífico, ca. *adj.* (poét.) horrífico, horrendo, horrífero.
horripilación. *f.* arrepiadura, horripilação; calofrio, arrepiamento causado pelo medo, pela repulsão, etc.; arrepiamento.
horripilado, da. *p. p. e adj.* despavorido, horripilado.
horripilante. *p. a. e adj.* horripilante, que horripila, que assusta.
horripilar. *v. tr. e r.* horripilar, despavorir, estarrecer; arrepiar; horrorizar; enfadar, impacientar; causar arrepios; arrepiar-se; causar horror.
horripilativo, va. *adj.* que causa horripilação.
horrisonante, horrísono, na. *adj.* (poét.) horrísono, que causa um som aterrador.
horro. *m.* (Amér. e pop.) V. **ahorro.**
horro, rra. *adj.* fo(ô)rro, diz-se do que foi escravo e alcança a liberdade; alforriado; livre, liberto; desobrigado; livre, diz-se das fêmeas que não emprenham; (fig.) diz-

-se do tabaco de má qualidade que não arde bem.

horror. *m.* horror, sensação arrepiante de medo ou repulsão; aversão, terror; (fig.) arrepiadura; formidoloso; medo, pavor, terror; (fig.) atrocidade, enormidade; horror, grande quantidade: *horror al trabajo*, ergofobia; *sentir horror por*, aborrecer; *horror al color rojo*, (med.) eritrofobia. — *pl.* calamidades, tormentos; atrocidades.

horrorizar. *v. tr.* causar horror, horrorizar, horripilar; exterrecer; apavorar; estarrecer; despavorir; amedrontar. — *v. r.* horrorizar-se, encher-se de pavor, de espanto.

horrorizado, da. *p. p.* e *adj.* despavorido; horrorizado.

horroroso, sa. *adj.* horroroso, medonho, pavoroso; (fam.) muito feio; (ant.) atroce; aborrecível; arrepiante.

horrura. *f.* imundície, imundice; lixo; sujidade que sai duma coisa; (min.) escórias e desperdícios das explorações minerais.

hortal. *m.* (prov.) V. **huerto.**

hortaliza. *f.* hortaliças, verduras; ervagem, ervas; nome que se dão às plantas comestíveis que se cultivam nas hortas, como couves, repolhos, legumes, etc.

hortatorio, ria. *adj.* V. **exhortatorio.**

hortecillo. *m.* dim. de *huerto.*

hortelana. *f.* mulher do hortelão, horteola.

hortelana, na. *adj.* e *m.* hortense, pertencente à horta; hortelão, aquele que cultiva hortas; (zool.) hortulana, pássaro conirrostro de arribação.

hortense. *adj.* hortense, pertencente ou relativo às hortas.

horticultor, ra. *s.* horticultor, o que se dedica à horticultura, jardineiro.

horticultura. *f.* horticultura, arte de cultivar os jardins e hortas.

hortolano. *m.* V. **hortelano.**

hosanna. *m.* hosana, hossana, louvor, júbilo; (rel.) hino sacro que se canta em Domingo de Ramos; aclamação litúrgica; saudação; salve

hosco, ca. *adj.* fosco, de cor muito escura; carrancudo, áspero, intratável; baço, amulatado; (fig.) soberbo, intratável; desvanecido, ufano.

hoscoso, sa. *adj.* áspero, crespo.

¡hospa! *interj.* V. **oxte.**

hospedado, da. *p. p.* e *adj.* albergado; aposentado; alojado.

hospedador, ra. *adj.* e *s.* hospedador, que hospeda.

hospedaje. *m.* hospedagem, retribuição pelo alojamento; albergamento; alojamento; aposentamento; aposentação; aposentadoria; agasalho; agasalhado; hospedaria; hospitalidade: *dar hospedaje*, aposentar; *contrato de hospedaje*, albergaria.

hospedamiento. *m.* hospedagem, acto de hospedar.

hospedar. *v. tr.* hospedar, ter hóspedes em casa; alojar, dar alojamento; agasalhar;

albergar; aposentar. — *v. r.* alojar-se; aposentar-se; albergar-se; instalar-se como hóspede em uma casa ou hospedaria.

hospedería. *f.* hospedaria, aposentadoria; aposentação; albergaria, estalagem; pensão; habitação, nas comunidades, destinado a receber os seus hóspedes; casa destinada ao alojamento de viandantes e visitantes. V. **hospedaje.**

hospedero, ra. *s.* hospedeiro, hospedeira, pessoa que dá hospedagem; albergador; mesoneiro.

hospiciano, na. *s.* asilado, recolhido em hospício, em asilo.

hospiciante. *s.* (Amér.) V. **hospiciano.**

hospicio. *m.* hospício, casa para albergar a peregrinos e indigentes; albergue. V. **hospedaje e hospedería.**

hospital. *m.* hospital, albergue, albergaria; estabelecimento onde se recolhem e tratam doentes, geralmente pobres; edifício onde há mutios doentes.

hospitalario, ria. *adj.* hospitalário, diz-se das ordens religiosas que se dedicam a hospedagem; hospitaleiro, que socorre; agasalhadeiro; agasalhador.

hospitalero, ra. *s.* pessoa encarregada dum hospital; hospitaleiro, hospitaleira, pessoa que dá hospedagem por caridade.

hospitalicio, cia. *adj.* pertencente à hospitalidade.

hospitalidad. *f.* hospitalidade, acto de hospedar; liberalidade para acolher as pessoas gratuitamente; acolhimento afectuoso; hospitalidade a pobres e peregrinos; bom acolhimento a estrangeiros; hospitalidade, permanência dum enfermo num hospital: *pedir hospitalidad*, pedir agasalho; *derecho de hospitalidad*, aposentadoria.

hospitalización. *f.* hospitalização, acto ou efeito de hospitalizar.

hospitalizar. *v. tr.* hospitalizar, internar num hospital, meter em hospital, transformar em hospital.

hosquedad. *f.* aspereza, desabrimento no trato, insociabilidade; cor escura, moreno ou trigueiro.

hostal. *m.* V. **hostería.**

hostalero. *m.* mesoneiro.

hostelero, ra. *s.* albergueiro; (ant.) mesoneiro; hospedeiro, estalajadeiro.

hostería. *f.* estalagem, hospedaria, pousada, albergaria, pensão.

hostia. *f.* hóstia, o que se oferece como sacrifício; Hóstia, partícula de pão ázimo que se consagra na missa; (rel.) Hóstia, fo(ô)rma: *Hostia consagrada*, Eucaristia.

hostiario. *m.* hostiário, caixa onde se guardam as hóstias não consagradas; molde em que se fazem as hóstias.

hostigador, ra. *adj.* e *s.* fustigador, que fustiga.

hostigamiento. *m.* fustigação; castigo, correcção; (fig.) perseguição.

hostigar. *v. tr.* fustigar, castigar com látego; açoutar; (fig.) perseguir, incomodar; molestar; corrigir.

hostigo. *m.* lategada, açoute com látego; chicotada, vergastada. V. **latigazo;** parte duma parede exposta ao vento ou à chuva.

hostigoso, sa. *adj.* (Amér.) V. **empalagoso.**

hostil. *adj.* hostil, contrário, inimigo, desafe(c)to, desafeiçoado; adversário, adverso, agressivo.

hostilidad. *f.* hostilidade, desconcórdia, desavença; desagasalho; desafeição; desadoração; hostilidade, agressão armada dum povo ou dum exército; hostilidade, desamor, desamizade; animosidade; antipatia; animadversão; (fig.) encarniçamento; (fig.) desconce(ê)rto: *romper las hostilidades,* entrar em guerra.

hostilización. *f.* hostilidade. V. **hostilidad.**

hostilizar. *v. tr.* hostilizar, causar dano ao inimigo, prejudicar; fazer guerra a alguém; atravessar-se; opor-se; guerrear.

hotel. *m.* hotel, hospedaria grande e luxuosa; casa grande e isolada em que vive uma só família.

hotelero. *m.* hoteleiro, dono ou gerente dum hotel.

Hotentocia. (geog.) Hotentótia.

hotentote, ta. *s.* e *adj.* (geog.) hotentote, natural da ou pertencente a Hotentótia; língua dos hotentotes.

hoto. *m.* confiança; esperança: *en hoto,* em confiança.

hovero, ra. *adj.* V. **overo.**

hoy. *adv.* hoje, neste dia, no dia actual; hoje, no tempo presente; no dia em que se está; actualmente.

hoya. *f.* fossa, excavação, cova, concavidade profunda feita na terra; sepultura; sementeira; extensa planície rodeada de montanhas.

hoyada. *f.* fossada, cova, terreno baixo.

hoyanca. *f.* (fam.) vala comum nos cemitérios.

hoyar. *v. tr.* (Amér.) cavar a terra para plantar os cafeeiros.

hoyo. *m.* cova, excavação; concavidade formada na terra; fojo; sepultura; concavidade, fundura, profundidade. — *pl.* cicatrizes, sinais que deixam certas enfermidades, como a varíola, na pele: *hoyo para plantar la vid,* (agr.) elfa.

hoyoso, sa. *adj.* terreno que tem covas; bexigoso, picado de bexigas; que tem sinais ou cicatrizes de varíola.

hoyuela. *f.* dim. de *hoyo;* covinha, fosseta, fossazinha; cova na parte inferior da garganta onde começa o peito.

hoyuelo. *m.* dim. de *hoyo;* covinha, pequena cova que algumas pessoas têm na ponta do queixo ou no meio das faces; certo jogo de rapazes.

hoz. *f.* fouce, foice, foz, instrumento para ceifar; cortadura; córrego: *segar con hoz,* gadanhar; *en forma de hoz,* falcato, falcular; *hoz dentada,* (prov.) serrador; *de hoz y de coz,* precipitadamente, aloucadamente.

hoz. *f.* garganta, estreitamento dum rio entre duas serras; garganta, passo estreito em terra, entre ribanceiras ou montanhas; foz, boca dum rio: *hoz de un río,* embocadura.

hozada. *f.* fouçada, foiçada, golpe dado com fouce ou foice; porção de erva cortada com a fouce ou foice duma só vez.

hozadero. *m.* fossa, lugar onde vão fossar os javalis ou os porcos.

hozadura. *f.* fossada, cova que faz um animal que fossa.

hozar. *v. tr.* fossar, remexer a terra com o focinho, focinhar.

huaca. *f.* V. **guaca.**

huacal. *m.* V. **guacal;** cesto quadrilongo para transportar frutas, loiça, etc.

huaco. *m.* V. **guaco.**

huaico. *m.* (Amér.) grande massa de rocha desprendida na cordilheira dos Andes por efeito das chuvas torrenciais.

huairo. *m.* (Amér.) árvore do Peru.

huairona. *f.* (Amér.) forno de cal.

huaraca. *f.* (Amér.) V. **honda.**

huarache. *m.* (Amér.) V. **sandalia.**

huarachúa. *f.* (Amér.) brincadeira, mentira.

hucha. *f.* arca, hucha, caixa grande onde os lavradores guardam as suas coisas; alcanzía; (fig.) melgueira; hucha, bolsinho, dinheiro economizado; (fig.) dinheiro amealhado, pecúlio. V. **alcancía.**

huchear. *v. tr.* chamar, gritar, clamar, vociferar; escarnecer, tratar com desprezo; açular os cães na caça.

huebra. *f.* (agr.) jeira, porção de terreno que lavra em um dia uma junta de bois; parelha de mulas que se alugam para trabalharem um dia inteiro e o moço que as guia; (germ.) baralho de cartas.

huebrero. *m.* moço que guia uma parelha de mulas ou bois, jungidos à charrua; pessoa que aluga estes animais.

hueca. *f.* rosca em espiral na parte mais delgada para prender a fibra que se vai fiando.

hueco, ca. *adj.* e *s.* oco, côncavo, vazio; brando, esponjoso; (fig.) vão, oco, presumido; diz-se das coisas que têm som retumbante e profundo; sonoro; (fig.) oco, inchado, presumido; oco, mole, macio; oco, pomposo, empolado (diz-se do estilo); espaço, intervalo de tempo ou de lugar; (fig. e fam.) vacatura, cargo vago; (arq.) vão, abertura numa parede para fazer portas, janelas, etc.; cho(ô)cho; encabadoiro; inane: *cabeza hueca,* cabeça de coco.

huecograbado. *m.* gravura em oco, heliogravura.

huecú. *m.* sumidouro, sumidoiro, atoleiro, lamaçal profundo.

huelga. *f.* greve, tempo em que os trabalhadores estão sem trabalhar; conjunto de pessoas que se unem para deixar o trabalho a fim de obter certas condições dos patrões; espaço de tempo em que se descança; (agr.) tempo em que a terra está sem lavrar; (mil.) folga da bala; folga, diferença entre a bala e o calibre da peça; folga, folgança, divertimento, recreação; férias, descanso, folguedo; festa no campo, lugar apropriado para a recreação; *declararse en huelga*, pôr-se em greve; *huelga del hambre*, greve de fome; *subsidio de huelga*, subsídio de greve.

huelgo. *m.* fôlego, alento, respiração; largura, folga; ampliação, vastidão; espaço, folga entre duas peças; folgança, regozijo: *tomar huelgo*, tomar fôlego, parar um pouco para descansar.

huelguista. *s.* grevista, o que toma parte numa greve; pessoa que promove uma greve.

huelguístico, ca. *adj.* pertencente ou relativo à greve.

huella. *f.* pegada, vestígio que o pé do homem ou do animal deixou no solo; pisada, pisadura, calcadura, pista; estrada, escabelo em que se assenta o pé, degrau de escada; sinal, relevo que deixa uma chapa tipográfica no papel, etc., sobre que se estampa; (fig.) impressão física ou moral que deixa uma pessoa, um sucesso, ou outra coisa qualquer numa pessoa: *huellas dactilares*, impressão que a polpa ou a ponta dum dedo deixam sobre os objectos que tocam.

huello. *m.* lugar onde se pisa; pisada das cavalgaduras.

hueñi. *m.* (Amér.) menino, filho de araucanos; rapazito empregado no serviço doméstico; (Amér.) V. **expósito**; (poét.) diz-se da pessoa a quem faltaram os filhos; (fig.) desamparo.

huerca. *f.* (germ.) a justiça.

huerco. *m.* (fig.) pessoa triste, melancólica, solitária; esquife, andas em que se levam os mortos; inferno. V. **muerte**.

huérfago. *m.* V. **huélfago**.

huérfano, na. *s.* e *adj.* órfão, diz-se da pessoa de menor idade a quem faltou o pai e a mãe ou um deles; desamparado; (fig.) vazio, despojado; o que perdeu o seu protector; falta de amparo ou dalguma coisa; (Amér.) V. **expósito**.

huero, ra. *adj.* chocho, goro; vazio e sem substância; oco; insignificante; vão; (fig. e fam.) chocho, vão, débil, falto de forças; (Amér.) apodrecido.

huerta. *f.* horta, terreno onde se cultivam legumes, plantas comestíveis, hortaliças; terreno de regadio à roda dalguma cidade.

huertano, na. *adj.* e *s.* pessoa que vive nos terrenos de regadio chamados hortas.

huerto. *m.* pequena horta, ho(ô)rto; lugar onde se cultivam hortaliças e árvores de fruto; fruticeto.

huesa. *f.* sepultura, cova para enterrar os mortos.

huesamenta. *f.* (Amér.) V. **osamenta**.

huesarrón. *m.* aum. de *hueso*.

huesera. *f.* (prov. e Amér.) V. **osario**.

huesezuelo. *m.* dim. de *hueso*, ossinho.

huesillo. *m.* dim. de *hueso*; ossinho, pequeno osso; (bot.) árvore leguminosa de Cuba; (Amér.) pêssego seco ao sol.

hueso. *m.* osso; a parte mais dura do corpo, que forma o esqueleto dos homens e dos animais; parte do arcaboiço; caroço de certos frutos; (fig.) dificuldade, o que causa trabalho incómodo, osso, o ingrato dum trabalho. — *pl.* ossos, restos mortais.

huesoso, sa. *adj.* ósseo, pertencente ou relativo ao osso.

huésped, da. *s.* hóspede, pessoa alojada em casa alheia; (fig.) habitante, frequentador; dono de hospedaria; estalajadeiro, dono de estalagem; estrangeiro que viaja num país, peregrino. — *adj.* alheio, estranho: *casa de huéspedes*, hospedaria, estalagem, pensão; *no contar con la huéspeda*, fazer conta sem a hóspeda.

huéspede. *m.* (fam.) V. **huésped**.

hueste. *f.* hoste, tropa, exército em campanha; corpo de exército; (fig.) bando, chusma, multidão. — *pl.* (fig.) conjunto de partidários.

huesudo, da. *adj.* ossudo, pessoa ou animal que têm muitos ossos; magro; que tem ossos muito salientes.

hueva. *f.* milhares, ovas de peixe.

huevar. *v. intr.* começar a ovar (as aves).

huevera. *f.* oveira, mulher do oveiro; mulher que vende ovos; utensílio para servir os ovos na mesa, oveira; oveiro, o ovário das aves.

huevería. *f.* loja onde se vendem ovos.

huevero. *m.* oveiro, indivíduo que vende ovos; oveira, utensílio para servir os ovos à mesa.

huevo. *m.* o(ô)vo; corpo que se forma na fêmea de muitos animais e que encerra o germe dum animal da mesma espécie; (fig.) germe, princípio; orígem.

¡huf! *interj.* V. **¡uf!**

hufanda. *f.* (Amér.) V. **bufanda**.

hugonote, ta. *s.* e *adj.* huguenote diz-se dos indivíduos que em França seguiam a seita de Calvino.

huida. *f.* fuga, evasão; fugida, êxodo; acção de fugir; folga; largueza; efúgio; abalo; fuga, retirada em desordem; fuga, subterfúgio; fuga, (equit.) desvio do cavalo da direcção que levava: *huida precipitada*, (fig.) desavoramento, arrancada.

huidero. *m.* lugar onde se refugiam os animais de caça; trabalhador que nas minas de azougue se ocupa de abrir cavidades em que se introduzam as escoras de segurança da mina. — *adj.* fugido, fugaz.

huidizo, za. *adj.* fugidiço, que foge; fugião; fugaz; fujão; fugáceo; fugidio; esquivo.

huido, da. *adj.* foragido; fugidiço; fugado; fugitivo; evadido: *huido precipitadamente*, (fig.) desavorado.

huidor, ra. *adj.* e *s.* fugitivo, que foge, fugidiço.

¡huifa! *interj.* (Amér.) de alegría.

huila. *adj.* (Amér.) V. **tullido**. — *f.* (Amér.) V. **andrajo**.

huilhuil. *m.* (Amér.) pessoa andrajosa e esfarrapada; farrapeiro; usa-se com o artigo *un.*

huiliento, ta. *adj.* (Amér.) V. **andrajoso;** esfarrapado.

huincha. *f.* (Amér.) fita de algodão ou lã; fita para atar o cabelo; ponto de partida nas carreiras de cavalos.

huinchada. *f.* (Amér.) medida de longitude.

huinche. *m.* (Amér.) grua, guindaste, máquina para levar pesos.

huinchero. *m.* (Amér.) ajudante do agrimensor; pessoa que conduz ou governa a grua.

huiquilete. *m.* (Amér.) V. **añil.**

huir. *v. intr.* fugir, retirar-se precipitadamente; fugir de arrancada; livrar-se, escapar-se; fugir, evitar; alpinar; foragir-se; passar velozmente; amorar-se; dar às de vila-diogo; fugir, desamparar; desabalar; (fig.) evadir, evadir-se; (prov.) desaurir; (fig.) apartar-se duma coisa; evitar, afastando-se; soltar-se, escapar-se; (Bras.) derrancar: *huir en desbandada,* desabelhar, desbandar; *huir de,* estranhar; *huir de una dificultad,* eludir; *huir del mundo,* engaiolar-se, encantoar-se; *huir precipitadamente,* (fig.) desarvorar-se; *huir del trabajo,* fugir do trabalho. — *conj. irr. ind. pres.* **huyo, -es, -e, huimos, huís, huyen;** *imperf.* **huía, -as, -a,** etc.; *pret. indef.* **huí, huiste,** etc.; *fut. imperf.* **huiré, -ás, -a,** etc.; *imperf.* **huyera,** etc.; *subj.* **huya,** etc.; *ger.* **huyendo.**

huisache. *m.* (Amér.) V. **picapleitos.**

huistora. *f.* (Amér.) V. **tortuga.**

huitrín. *m.* (Amér.) dependura de maçarocas de milho.

hujier. *m.* V. **ujier.**

hulado. *m.* (Amér.) V. **encerado.**

hule. *m.* oleado, encerado; borracha, caucho.

hulear. *v. intr.* (Amér.) resinar árvores; extrair a resina das árvores.

hulero. *m.* (Amér.) operário que extrai a resina das árvores.

hulla. *f.* hulha, carvão de pedra.

hullero, ra. *adj.* hulheiro, pertencente ou relativo à hulha. — *m.* operário que trabalha nas minas de hulha. — *f.* hulheira, mina de hulha.

¡hum! *interj.* V. **¡uf!**

huma. *f.* (Amér.) V. **humita.**

humada. *f.* V. **ahumada.**

humadera. *f.* (Amér.) V. **humareda.**

humanal. *adj.* V. **humano.**

humanar. *v. tr.* humanar, tornar humano, tornar benévolo; humanizar. — *v. r.* tornar-se homem (diz-se do Verbo Divino).

humanidad. *f.* humanidade, a natureza humana; o género humano; humanidade, benevolência, benignidade, disposição compassiva; humanidade, fraqueza, sensibilidade, compaixão, bondade; (fig.) humanidade, corpulência, gordura.—*pl.* humanidades, estudos clássicos superiores, letras humanas.

humanismo. *m.* humanismo, doutrina dos humanistas da Renascença; (filos.) culto, deificação da humanidade.

humanista. *s.* humanista, pessoa versada nas humanidades; pessoa versada em literaturas e línguas antigas.

humanístico, ca. *adj.* pertencente ou relativo a humanidades ou a humanismo.

humanitario, ria. *adj.* humanitário, que ama os seus semelhantes; humanitário, bondoso, filantropo, benigno, caritativo; que interessa a generalidade dos homens, que procura o bem da humanidade.

humanitarismo. *m.* humanitarismo, amor à humanidade; filantropia; humanidade.

humanización. *f.* humanização, acto de humanizar.

humanizarse. *v. r.* tornar-se homem. V. **humanarse;** abrandar-se. V. **ablandarse;** aplacar-se. V. **desenojarse.**

humano, na. *adj.* humano, pertencente ou relativo aos homens ou próprio deles; humano, afável, compassivo, benigno; sensível. — *m.* o homem, a pessoa humana. — *pl.* os homens, o género humano; *fragilidad humana,* argila; *dar forma humana,* antropomorfizar; *el ser humano,* bicho-de-careta.

humarada. *f.* V. **humareda.**

humarazo. *m.* V. **humazo.**

humareda. *f.* fumarada, fumarada, fumada; fumaceira; grande porção de fumo, fumaça, fumaçada.

humaza. *f.* V. **humazo.**

humazga. *f.* fumagem, imposto sobre as casas em que se acendesse lume.

humazo. *m.* fumaraça, fuligem, fumarada, fumaça; fumo denso e copioso; fumigação.

humear. *v. intr.* fumegar, fumear, fumarar, fumar, deitar fumo; (fig.) deixar restos, sinais dalgum sucesso que já passou. — *v. r.* envaidecer-se, empolar-se; (Amér.) fumegar.

humectación. *f.* humectação.

humectante. *p. a.* e *adj.* humectante, que humecta.

humectar. *v. tr.* (med.) humectar, humedecer, molhar.

humectativo, va. *adj.* humectativo, humectante, que causa humidade.

humedad. *f.* humidade, demolha; madidez; qualidade do que é húmido; relento da noite.

humedal. *m.* terreno húmido.

humedecer. *v. tr.* humedecer, causar humidade; lubrificar; banhar; empapar; asperger; (fam.) madeficar. — *v. r.* tornar-se húmido, molhar-se ligeiramente. — *conj. irreg.* como *agradecer.*

húmedo, da. *adj.* húmido, mádido, madefa(c)to; aquático, aguacento; (prov.) avelado.

humeral. *adj.* (anat.) relativo ao osso úmero; — *m.* (rel.) humeral; (prov.) lareira para defumar a matança.

húmero. *m.* (anat.) úmero, osso do braço.

humero. *m.* fumeiro, cano da chaminé; (prov.) local para defumar a matança.

húmico, ca. adj. (agr.) referente ao terriço; (quím.) diz-se dum ácido que deve existir no terriço

húmido, da. adj. V. **húmedo.**

humiento, ta. adj. fuliginoso; (prov.) V. **ahumado.**

humildad. f. humildade, submissão; humildade; modéstia, desvaidade; (fig.) abatimento; demonstração de respeito, submissão; inferioridade, pobreza, modéstia, obscuridade.

humilde. adj. humilde, que tem humildade, pobre; (fig.) baixo, que carece de nobreza, de pouca altura; (fig.) debruçado; modesto, submisso; baixo, rasteiro, humilde; de pouca aparência. — m. pessoa humilde.

humillación. f. humilhação; submissão, rebaixamento; vergonha, vexame; depressão; avania; degradação; desaire; amesquinhamento; ape(ê)rto; aperreamento; envilecimento; enxovalho; encolhimento; (fig.) decadência; (fig.) achatamento; (fig.) abate; abatimento; (fig.) abaixamento.

humillado, da. p. p. e adj. humilhado, depresso, deprimido, alavercado; aperreado; amesquinhado; achatado; arratado; abatido; (fig.) derribado; (fig.) abarbado; corrido; (fig.) enterrado: ser humillado, apanhar um bigode.

humilladero. m. cruzeiro, oratório, capela, capelinha que há à entrada dalgumas povoações junto aos caminhos com uma imagem, uma cruz.

humillador, ra. adj. e s. humilhante, que humilha, que vexa.

humillante. p. a. e. adj. humilhante, que humilha, degradante; depressor; denigrativo; desairoso; amesquinhador; desluzidor; deprimente.

humillar. v. tr. humilhar, tornar humilde; deprimir; arrefeçar; inclinar uma parte do corpo, em sinal de acatamento; assoberbar; desatinar; abater, derrocar; derribar; desendeusar; desengrandecer; desemproar; abarbar; degradar; desgraduar; amesquinhar; vexar; apoucar; apear; apertar; acalcanhar; estimular; agastar; aporrinhar; apoquentar; meter debaixo dos pés; aviltar; aperrear; acabrunhar; arrastrar; envilecer; abaixar; envergonhar; (fig.) desaprumar, arrombar, atenazar, destronar, debruçar, apequenar, aniquilar, acurvar, encouchar. — v. r. humilhar-se; descer-se; desprezar-se desinchar-se; debruçar-se; degradar-se; alacaiar-se; amesquinhar-se; exinarnir-se; apoucar-se; menosprezar-se; curvar a fronte; agachar-se, arrastar-se; ir ao beija-mão dalguém; (fig.) ajoelhar; acurvar-se; (fig.) encolher-se; (fig.) abater-se.

humillo. m. (fig.) vaidado, presunção.—m. pl. (vet.) doença dos porcos pequenos.

humo. m. fumo, vapor que se eleva dos corpos em combustão ou muito aquecidos; fumo, vapor que exalam as coisas que fermentam; (bot.) árvore cubana da família das leguminosas de madeira compacta; árvore rutácea cubana de madeira compacta; fumo, vaidade, coisa vã; cheiro, reputação; fumo, pó negro que entra na composição de certas tintas; (fig.) indício, suspeita. — p. fogos, lares, famílias: quitarle, bajarle los humos a alguien, humilhar a altivez dalguém, abater as fumaças de alguém.

humor. m. líquido da economia animal; (fig.) gé(ê)nio, disposição de ânimo, jovialidade; boa ou má disposição para fazer uma coisa: buen humor, louçania, bem-humorado; humor acuoso, aguadilha; de buen o mal humor, bem ou mal encarado; estar siempre de buen humor, andar com a catinha na água; tener un humor desigual, ter dias; mal humor, (Brasil) lundu; arrufo, afinação, bilis; (fig.) azedume; estar de mal humor, não estar com os seus alfinetes; poner de mal humor, fazer beiço; no tener humor de, não estar d'ânimo.

humoracho. m. despr. de humor.

humorada. f. gracejo, pilhéria, dito ou feito alegre; extravagância; tuvo la humorada de ir a París, deu-lhe o sestro de ir a Paris.

humoral. adj. humoral, pertencente ou relativo aos humores.

humorismo. m. humorismo, estilo literário em que se irmanam a graça com a ironia e o alegre com o triste; doutrina médica segundo a qual todas as doenças resultam da alteração dos humores.

humorista. s. humorista, diz-se da pessoa que tem humorismo, que fala ou escreve com chiste ou com feição irónica; diz-se dos médicos partidários da doutrina do humorismo.

humorístico, ca. adj. humorístico, que revela humorismo, relativo ao humorismo.

humorosidad. f. abundância de humores.

humoroso, sa. adj. humoroso, que tem humor; que está bem ou mal disposto de ânimo.

humosidad. f. V. **fumosidad.**

humoso, sa. adj. fúmido, fúmeo, fumoso, fumífero; que deita fumo de si próprio; (fig.) fumante; vaporoso.

humus. m. (agr.) humus, humo, terra vegetal.

hundible. adj. submergível, submersível, afundável.

hundido, da. p. p. e adj. fundido, fundo; (fig.) deprimido, derrotado; arrombado; derribado.

hundimiento. m. afundamento, submersão; demolição, derrumbamento; envilecimento, derrocamento; afundimento.

hundir. v. tr. afundar, submergir; arrombar; afundir; (fig.) fundir; atochar. — v. r. afundar-se; desaparecer; declinar; derrocar-se; entrar; (fig.) abater, oprimir, decair, degenerar; (fig.) afocinhar; arruinar-se, destruir; derribar-se um edifício: hundir un navío, lançar um navio no fundo; el hierro se hundió en la carne, o ferro entrou nas carnes; hundirse en el lodo, encravar-se no lodo; hundirse en *el sueño.* encarnar-se no sono; *ojos hundidos,* olhos fundos.

húngaro, ra. *adj.* e *s.* (geog.) húngaro, natural da ou pertencente a Hungría. — *m.* língua húngara.

huno, na. *adj.* e *s.* relativo aos Hunos, povo da Ásia Central muito feroz, que na Idade Média desvastou diversas regiões da Europa.

hura. *f.* (méd.) espinha de carácter maligno que aparece na cabeça; cova, buraco, toca, lura; (bot.) hura; brocha, pincel grande.

huracán. *m.* furacão, vento repentino e impetuoso; ciclone, tufão.

huracanado, da. *adj.* que tem a força do furação.

huracanarse. *v. r.* aumentar o vento até se tornar furacão.

huraco. *m.* V. **agujero.**

huraña. *f.* insociabilidade, repugnância no convívio de gente.

huraño, ña. *adj.* insociável. dessociável; (fig.) apartadiço; estranhão; intratável; que foge, que se esconde do convívio de gente.

hurgador, ra. *adj.* esgaravatador, que esgaravata; remexedor.

hurgamandera. *f.* (germ.) rameira, meretriz, mulher pública.

hurgamiento. *m.* esgaravatamento; remexida.

hurgar. *v. tr.* remexer, esgaravatar, remover alguma coisa; (fig.) incitar, comover; agitar, inquietar, perturbar.

hurgón. *m.* atiçador, remexedor, espevitador; (fam.) V. **estoque.**

hurgonada. *f.* acção e efeito de remover, de revolver, de remexer; (fam.) estocada.

hurgonazo. *m.* pancada com o atiçador, ou remexedor; (fam.) estocada.

hurgonear. *v. tr.* remexer com o atiçador o lume, o fogo; (fam.) estocar, estoquear, atirar estocadas; esborralhar.

hurgonero. *m.* atiçador, ferro empregado para atiçar ou remexer o lume.

hurí. *f.* mulher muito bela do paraíso de Mafoma; (fig.) qualquer mulher muito bela.

hurón, na. *s.* (zool.) furão, mamífero carniceiro, que se emprega na caça dos coelhos; (fig.) furão, pessoa curiosa, bisbilhoteira; furão, fura-vidas; (fam.) andrófobo; pessoa insociável, misantropo; pessoa mediça, curiosa; bisbilhoteira que averigua ou descobre segredos.

hurona. *f.* (zool.) fêmea do furão.

horonear. *v. tr.* afuroar, caçar com o furão; (fig. e fam.) averiguar, investigar, furoar, procurar saber, esquadrinhar, descobrir um segredo ou uma coisa oculta.

huronera. *f.* covil, cova, toca do furão; furoeira, caixa onde se guarda o furão para a caça; (fig. e fam.) esconderijo.

huronero. *m.* pessoa que cuida dos furões.

¡hurra! *interj.* grito de alegria de entusiasmo; grito muito usado nos países setentrionais.

hurtadillas, (a). *adv.* às furtadelas, a furto; às escondidas; à chucha calada; às encobertas.

hurtado, da. *p. p.* e *adj.* furtado: *hurtado con destreza,* empalmado.

hurtador, ra. *adj.* e *s.* ladrão, diz-se do que furta alguma coisa, roubador.

hurtar. *v. tr.* furtar, faiar; (fam.) bifar; (fig.) atabafar; furtar, roubar, tomar ou reter bens alheios contra a vontade de seu dono; furtar, não dar o peso e a medida certa; furtar, desviar, esquivar; (Bras.) afanar. — *v. r.* desviar-se, ocultar-se: *hurtar con habilidad,* (pop.) gamar; *hurtar algo del bolsillo,* apalpar as algibeiras a alguém.

hurto. *m.* acção de furtar, furto, coisa furtada, roubada; furto, furtadela; empalmadela, empalmação; a coisa furtada.

husada. *f.* fusada; (bot.) maçaroca fusada, porção de linho enrolado no fuso.

húsar. *m.* (mil.) hússar, hussardo, soldado da cavalaria ligeira vestido à húngara.

husera. *m.* (bot.) V. **bonetero.**

husero. *m.* chifre direito que tem o gamo dum ano.

husillero. *m.* pessoa que trabalha com o fuso nos lagares de azeite.

husillo. *m.* dim. de *huso,* fusinho, fuso pequeno; parafuso de madeira; fuso de lagar; (Brasil) bobina provida de fio e de lançadeira que se usa nos teares.

husillo. *m.* esgoto, sarjeta, fosso, cloaca.

husma. *f.* V. **husmeo:** *andar a la husma,* (fig. e fam.) andar inquirindo coisas ocultas.

husmeador, ra. *adj.* e *s.* cheirador, farejador, que fareja; (fig. e fam.) espião.

husmear. *v. tr.* farejar, cheirar, fariscar, buscar pelo faro; indagar com dissimulação; pesquisar, indagar. — *v. r.* anatomizar; afocinhar. — *v. intr.* começar a cheirar mal uma coisa.

husmeo. *m.* farisco, farejo.

husmo. *m.* fartum; cheiro das carnes quando começam a descompor-se: *ser un husmo,* ter má boca; *andarse al husmo,* bisbilhotar, farejar.

huso. *m.* fuso, instrumento para fiar; instrumento de ferro para dobar a seda; fuso, instrumento para reunir dois ou mais fios; (min.) cilindro dum torno; (heráld.) losango estreito e comprido; bilro: *mujer que trabaja en el huso,* bilreira.

¡huy! *interj.* hui!, expressa dor, temor, medo, susto, geralmente nas crianças, usa-se também repetida.

I

I, i. *f.* décima letra do alfabeto espanhol e terceira das suas vogais; letra numeral designativa de um, na numeração romana (I); *griega,* ipsilão (y): *poner los puntos sobre las íes,* pôr os pontos nos íi.

ib. *m.* (Amér.) feijão pequeno.

ibérico, ca; iberio, ria. *adj.* ibérico, ibero, pertencente a Ibéria.

ibero, ra. *adj.* e *s.* ibero, ibérico natural ou pertencente à Ibéria europeia ou à Ibéria asiática.

ibídem. *adv.* no mesmo lugar, no mesmo passo. ibidem.

ibis. *f.* (orni.) ave pernalta considerada como divina no tempo dos faraós; ibis.

icáreo, a; icario, ria. *adj.* icário, próprio de Ícaro.

icástico, ca. *adj.* icástico, sem artifício, sem disfarce, natural, singelo; que representa com clareza os objectos e as ideias.

iceberg. *m.* icebergue, grande massa de gelo que flutua nos mares polares, iceberg.

icnografia. *f.* (arq.) icnografia.

icnográfico, ca. *adj.* (arq.) icnográfico.

icnógrafo, fa. *s.* pessoa que faz plantas ou planos de edifícios, icnógrafo.

icono. *m.* icone, cada uma das imagens que representam a Virgem e os santos nas Igrejas russa e grega.

iconoclasia. *f.* doutrina dos iconoclastas; iconoclasmo.

iconoclasta. *adj.* e *s.* iconoclasta, diz-se dos hereges que negam o culto devido às imagens sagradas.

iconoclastia. *f.* inclinação à iconoclasia.

iconófilo, la. *s.* iconófilo, pessoa que gosta das imagens ou esculturas.

iconógeno. *m.* substância empregada em fotografia para revelar as imagens.

iconografía. *f.* iconografia.

iconográfico, ca. *adj.* iconográfico.

iconógrafo, fa. *s.* pessoa versada em iconografia, iconógrafo.

iconólatra. *adj.* e *s.* iconólatra.

iconolatría. *f.* iconolatria.

iconología. *f.* iconologia.

iconólogo, ga. *s.* pessoa versada em iconologia, iconólogo, iconologista.

iconómaco. *adj.* e *s.* iconó(ô)maco, iconoclasta.

iconomanía. *f.* iconomania.

iconomaníaco, ca. *adj.* iconomaníaco, que sofre de iconomania.

iconometría. *f.* iconometria.

iconómetro. *m.* (fís.) iconó(ô)metro, aparelho que serve para determinar a distância focal de uma objectiva fotográfica.

iconostasio. *m.* iconóstase, espécie de grande retábulo ou biombo coberto de imagens usado nas igrejas de rito grego ou copto.

iconoteca. *f.* iconoteca, colecção de estampas, gravuras, desenhos, etc., antigos, e lugar onde se conservam nos museus, igrejas, etc.

icoroso, sa. *adj.* (cir.) icoros, que tem icor.

icosaedro. *m.* (geom.) icosaedro, sólido de vinte faces.

icoságeno, na. *adj.* polígono que tem vinte ângulos.

icosandria. *f.* (bot.) icosandria.

icosandro, a. *adj.* (bot.) icosandro.

icteria. *f.* (orni.) espécie de melro verde; (min.) pedra preciosa, que tem certas virtudes contra a icterícia.

ictericia. *f.* (med.) icterícia, cor amarela da pele, das secreções e das mucosas; (pat.) aurigo.

ictericiado, da. *adj.* e *s.* que padece de icterícia; ictérico.

ictérico, ca. *adj.* (med.) ictérico; auriginoso.

íctico, ca. *adj.* ictíaco, ictíoco, relativo aos peixes.

ictíneo. *m.* barco submarino.

ictiocola. *f.* (neol.) ictiocola; neologismo por *colapez.*

ictiofagia. *f.* ictiofagia.

ictiófago, ga. *adj.* e *s.* ictiófago.

ictiografía. *f.* ictiografia.

ictiográfico, ca. *adj.* ictiográfico.

ictiógrafo, fa. *s.* ictiógrafo, versado em ictiografia.

ictioideo, a. *adj.* semelhante a um peixe, ictióide.

ictiol. *m.* ictiol, óleo mineral empregado nas doenças da pele.

ictiólito. *m.* (paleont.) ictiólito.

ictiología. *f.* ictiologia.

ictiológico, ca. *adj.* ictiológico.

ictiólogo, ga. *s.* pessoa versada em ictiologia. ictiólogo.

ictiosauro. *m.* (zool.) ictiossauro.

ictiosis. *f.* ictiose.

ida. *f.* ida, acto de ir; partida, jornada; ida, corrida, viagem; rasto; pista; (fig.) ímpeto, inconsideração, acção impensada; (esgr.) ataque, acometimento depois de cruzadas as espadas; (mont.) pegadas que a caça deixa no solo.

idea. *f.* ide(é)ia. representação mental dalguma coisa; imaginação, representação, concepção; ideia, plano que se forma na imaginação, fantasia; conta; conhecimento; fábrica, fantasia; maneira de ver; ideia; intenção, fim; ideia, conceito ou juízo formado dalguma coisa; pensamento, lembrança; ideia, imagem, recordação; proje(c)to; intenção.

ideación. *f.* formação das ideias.

ideado, da. *p. p.* e *adj.* elaborado: *está bien ideado*, está bem achado.

ideal. *adj.* ideal, pertencente ou relativo à ideia; ideal, que está na fantasia; que não é real que está na fantasia; excelente, perfeito, incorpóreo, incorporal; que possui a perfeição suprema; ideal, fantástico. — *m.* ideal, prototipo, modelo; aspiração: *mujer ideal*, (fig.) dulcineia.

idealidad. *f.* idealidade, qualidade do que é ideal; fantasia; devaneio; imaginação.

idealismo. *m.* idealismo, idealidade, fantasia, devaneio.

idealista. *adj.* e *s.* idealista, diz-se da pessoa que professa o idealismo; pessoa que devaneia; (fig.) sonhador alheio às realidades da vida.

idealización. *f.* idealização; facultade de idealizar.

idealizar. *v. tr.* idealizar, elevar as coisas sobre a realidade por meio da imaginação; projectar; idear, poetizar, fantasiar; criar na imaginação; idealizar.

idear. *v. tr.* idear, elaborar com a imaginação; fantasiar; criar na imaginação; planear, proje(c)tar; delinear; (fig.) idear, imaginar inventar; idear, discorrer, meditar; debuxar; desenhar; engenhar; alvitrar; (fig.) forjar.

ideario. *m.* ideário, principais ideias dum autor; ideário, exposição ou agitação de ideias.

ídem. *pron. lat.* idem, o mesmo, igualmente, também.

idéntico, ca. *adj.* idêntico, igual; que é o mesmo; semelhante, parecido; análogo.

identidad. *f.* identidade; igualdade; semelhança; (mat.) identidade; qualidade de que dois membros têm um valor idêntico; identidade, mesmeidade.

identificable. *adj.* identificável, que pode ser identificado.

identificación. *f.* identificação, assimilação; (fig.) consubstanciação.

identificado, da. *p. p.* e *adj.* identificado; consubstanciado.

identificar. *v. tr.* identificar; parecer idêntico; fazer que duas coisas diferentes apareçam como semelhantes. — *v. r.* identificar, parecer-se duas coisas, identificar-se; assimilar-se; consubstanciar-se; ajustar-se a; confundir-se: *identificarse con alguien*, correr-se com alguém.

ideo, a. *adj.* pertencente ao monte Ida (Ásia); (por ext.) pertencente a Tróia.

ideogenia. *f.* (filos.) ideogenia.

ideogénico, ca. *adj.* ideogé(ê)nico.

ideografía. *f.* ideografia.

ideográfico, ca. *adj.* ideográfico.

ideograma. *m.* ideograma.

ideología. *f.* ideologia.

ideológico, ca. *adj.* ideológico.

ideólogo, ga. *s.* ideólogo.

idielectricidad. *f.* (fís.) idiele(c)tricidade, propriedade de se electrizar por fricção.

idieléctrico, ca. *adj.* idielé(c)trico.

idílico, ca. *adj.* idílico, pertencente ao idílio; amoroso, madrigalesco.

idilio. *m.* idílio, pequena composição, campestre ou pastoril; (fig.) idílio, colóquio; (fig.) amor simples e puro; (fig.) avena.

idiógino, na. *adj.* idiógino.

idiólatra. *adj.* e *s.* idiólatra.

idiolatrría. *f.* idiolatria.

idioma. *m.* idioma, língua dum povo; língua modo de falar dalguém; idioma, linguagem, dialecto.

idiomático, ca. *adj.* idiomático, próprio do idioma; peculiar a um idioma.

idiopatía. *f.* idiopatia.

idiopático, ca. *adj.* idiopático.

idioscópico, ca. *adj.* idioscópico.

idiosincrasia. *f.* idiossincrasia; temperamento, carácter, índole.

idiosincrásico, ca. *adj.* idiossincrásico.

idiota. *adj.* e *s.* idiota, maluco, parvo, imbécil, lorpa; ignorante; pacóvio, estouvado; apancado; (Bras.) abestalhado: *parecer idiota*, atoleimar-se; *volverse idiota*, apavoar-se.

idiotez. *f.* idiotia; idiotice; parvoíce; maluqueira; idiotismo; pacovice; palermice; estupidez estouvadice.

idiotismo. *m.* idiotismo, ignorância; deficiência intelectual; (gram.) idiotismo.

idiotizar. *v. r.* (fam.) ataroucar, idiotizar, imbecilizar.

ido, da. *adj.* e *s.* (fam.) louco; amorado.

idólatra. *adj.* e *s.* idólatra; apaixonado; que ama excessivamente uma pessoa ou coisa; pagão.

idolatrar. *v. tr.* idolatrar, adorar ídolos; amar cegamente; idolatrar.

idolatría. *f.* idolatria, adoração aos ídolos; paganismo; (fig.) idolatria, amor excessivo.

idolátrico, ca. *adj.* idolátrico; pertencente à idolatria.

ídolo. *m.* ídolo; divindade falsa; (fig.) ídolo, pessoa ou coisa excessivamente amada; pagode.

idolología. *f.* idolologia, idologia.

idolopeya. *f.* (ret.) idolopeia.

idoneidad. *f.* idoneidade, capacidade; aptidão, aptitude.

idóneo, a. *adj.* idó(ô)neo; apto, capaz; conveniente; adequado; achado; experto; experimentado; expresso; assado.

idumeo, a. *adj.* e *s.* (geog.) idumeu.

Idus. *m. pl.* Idos.

iglesia. *f.* igreja, congregação dos fieis; pessoal eclesiástico; igreja, governo eclesiástico; igreja, templo cristão; diócese; igreja, imunidade dos que se asilavam num templo; igreja, reuniões particulares; (fig.) aprisco.

ignaciano, na. *adj.* partidário de S. Inácio.

ignaro, ra. *adj.* ignaro, ignorante, estúpido.

ignavia. *f.* ignávia; preguiça, indolência; desleixo.

ignavo, va. *adj.* ignavo, indolente; fraco; pusilânime; cobarde.

ígneo, a. *adj.* ígneo; ardente; cor de fogo.

ignición. *f.* ignição, ignescência; combustão; inflamação.

ignícola. *adj.* e *s.* ignícola.

ignífero, ra. *adj.* (poét.) ignífero, que deita ou traz fogo.

ignipotente. *adj.* (poét.) ignipotente.

ignito, ta. *adj.* ignito, aceso, inflamado; brilhante; ignito, purificado pelo fogo; ardente.

ignívomo, ma. *adj.* (poét.) ignívomo, que vomita fogo.

ignívoro, ra. *adj.* ignívoro, que engole ou parece engolir fogo.

ignoble. *adj.* V. **innoble.**

ignografía. *f.* V. **icnografía.**

ignominia. *f.* ignomínia, afronta pública; infâmia; desonra; opróbio; (fig.) enxovalho; baixeza, envilecimento.

ignominioso, sa. *adj.* ignominioso; desonroso; vergonhoso; infamante; afrontoso, infame.

ignorado, da. *p. p.* e *adj.* ignorado; não conhecido; obscuro; humilde; recôndito.

ignorancia. *f.* ignorância; incompetência; imperícia, inaptidão, desconhecimento; inconsciência; desaviso; desavisamento; bisonhice.

ignorante. *p. a.*, *adj.* e *s.* ignorante, que ignora; falta de instrução; analfabeto; estúpido; inculto; desavisado; desconhecedor; incapaz; inconsciente; estulto; indouto; (fig.) be(ê)sta, asno, bárbaro; descerebrado; analfabeto; (Bras.) pai-mané: *ser un ignorante*, (fig.) saber o ax.

ignorantismo. *m.* ignorantismo; estado de ignorância; sistema dos que advogam a ignorância do povo.

ignorantista. *adj.* e *s.* ignorantista, partidário do ignorantismo.

ignorantón. *m.* e *adj.* ignorantão, muito ignorante.

ignorar. *v. tr.* ignorar, não saber; não ter conhecimento duma coisa; estar alheio, não saber.

ignoto, ta. *adj.* ignoto, desconhecido; obscuro; humilde; incerto; incógnito.

igual. *adj.* igual, idêntico, que tem a mesma natureza ou valor; semelhante; uniforme, liso; igual; inalterável; muito parecido; proporcionado; em relação conveniente; constante, não variável, igual; a mesma classe ou condição; indiferente, igual; constante; equ(ü)itativo, equável; equivalente; afim. — *m.* (mat.) igual, sinal de igualdade: *por igual, igualmente*, com igualdade; *ser igual que*, emparelhar; equivaler; *sin igual*, incomparável.

iguala. *f.* igualação, igualamento; ajuste, pacto; estipêndio dado em virtude de ajuste, avença; régua de madeira com que os pedreiros verificam a igualdade duma parede.

igualación. *f.* igualação, igualamento, acção de igualar; ajuste, convénio, acordo; equiparação; emparelhamento; entalho, juntura.

igualado, da. *p. p.* e *adj.* igualado, liso, nivelado, plano; emparelhado; empatado.— *m.* crivo de pele fina. — empate; (Amér.) grosseiro, desvergonhado.

igualador, ra. *adj.* e *s.* igualador, que iguala; nivelador.

igualamiento. *m.* igualamento.

igualar. *v. tr.* e *intr.* igualar, igualdar, tornar igual; adequar, estabelecer igualdade; igualar, compor, arranjar, pôr em paralelo; ajustar, combinar; igualar, tornar plano ou liso; ajustar, combinar; (fig.) igualar, reputar sem distinção; equilibrar; equiparar; equivaler, emparelhar; empatar; igualar, ser igual; emparceirar; (agr.) gradar, estorroar; igualar, nivelar. — *v. r.* igualar-se; colocar-se em igualdade; equilibrar-se; equiparar-se; agermanar-se: *igualarse con*, correr parelhas; emparelhar.

igualdad. *f.* igualdade, conformidade; igualdade, paridade; igualdade, uniformidade; equ(ü)idade; equilíbrio; equivalência; correspondência entre as partes dum todo; igualdade, organização social sem privilégios de classes; (mat.) igualdade, equação; regularidade; uniformidade; paridade.

igualitario. *adj.* igualitário, que envolve igualdade.

igualón, na. *adj.* diz-se do filho da perdiz, quando já se assemelha aos seus pais.

iguana. *f.* (zool. Amér.) iguana, iguano.

iguanodonte. *m.* (zool.) iguanodonte.

iguaria. *f.* iguaria, manjar delicado e apetitoso.

ijada. *f.* ilharga, flanco, lado; pontada, dor na ilharga; lombo de porco: *tener su ijada*, ter podres, ter o seu senão.

ijadear. *v. intr.* ofegar, arquejar, bater, mover muito as ilhargas por efeito de cansaço.

ijar. *m.* ilharga, flanco, lado.

ilación. *f.* ilação, dedução; ilação, o que se conclui de certos factos, consequência; desligamento; ilação, ordem progressiva dum discurso: (rel.) *discurso sin ilación*, discurso descosido; *ilación mental*, entrelinha.

ilapso. *m.* ilapso, êxtase contemplativo; influência de Deus na alma das pessoas.

ilativo, va. *adj.* ilativo, conclusivo.

ileadelfo. *m.* (terat.) ileadelfo.

ilécebra. *f.* ilécebras, blandícias, carícias, afagos, seduções.

ilegal. *adj.* ilegal, ilícito; ilegítimo; clandestino; indevido.

ilegalidad. *f.* ilegalidade; acto ilegal, ilegalidade; iniquidade; injustiça.

ilegibilidad. *f.* ilegibilidade.

ilegible. *adj.* ilegível; indecifrável.

ilegitimar. *v. tr.* ilegitimar, privar da legitimidade; tornar ilegítimo.

ilegitimidad. *f.* ilegitimidade; bastardia.

ilegítimo, ma. *adj.* ilegítimo, não legítimo; bastardo; injusto, inautêntico; adulterino (diz-se dos filhos); falso; espúrio.

íleo. *m.* (med.) volvo, vólvulo, cólica por torção intestinal.

ileon. *m.* (anat.) íleon, íleo.

ileon. *m.* V. **ilion.**

ilerdense. *adj.* e *s.* (geog.) natural ou pertencente a Lérida.

ilergete. *adj.* e *s.* (geog.) ilergeta.

ileso, sa. *adj.* ileso, incólume, que não tem lesão, inde(m)ne; inta(c)to; são.

iletrado, da. *adj.* iletrado, analfabeto, sem cultura, iletrato.

ilíaco, ca. *adj.* (anat.) ilíaco, pertencente ou relativo à bacia.

ilíaco, ca. *adj.* pertencente ou relativo à flion. Tróia.

ilíada. *f.* iliada.

iliberal. *adj.* iliberal; mesquinho, despótico.

ilícito, ta. *adj.* ilícito, proibido, ilegal, não permitido; indevido; de contrabando.

ilicitud. *f.* qualidade de ilícito, ilegitimidade.

iliense. *adj.* e *s.* V. **troyano.**

ilimitable. *adj.* ilimitável; imenso.

ilimitado, da. *adj.* ilimitado, sem limites; infinito; indeterminado; indefinido; incomensurável; aberto; incalculável; eviterno; eterno; incondicional; impreensível; absoluto: *crédito ilimitado*, crédito aberto; *ambición ilimitada*, ambição desabalada.

ilion. *m.* (anat.) ílion, ílio.

ilíquido, da. *adj.* ilíquido, diz-se da conta, dívida, etc., que está por liquidar.

ilírico, ca. *adj.* e *s.* (geog.) ilírico, pertencente ou relativo à Ilíria.

ilirio, ria. *adj.* e *s.* ilírio, natural da ou pertencente a Ilíria.

iliterato. *adj.* iliterato, iletrado, ignorante, analfabeto.

ilota. *s.* ilota, escravo; (fig.) o que se acha privado dos seus direitos de cidadão.

ilotismo. *m.* ilotismo, condição de ilota.

ilógico, ca. *adj.* ilógico, sem lógica, absurdo; incoerente.

iludido, da. *p. p.* e *adj.* embaído, embaçado.

iludir. *v. tr.* iludir, enganar, malograr, burlar. V. **burlar;** iludir, deludir; embaçar; embair; desvairar; (fig.) embalar.

iluminación. *f.* iluminação, alumiamento; luminária, adorno de luzes; iluminura, pintura a cores que se faz sobre pergaminho; irradiação dum foco luminoso;

(fig.) luz súbita que às vezes lança Deus sobre as almas; inspiração; ilustração.

iluminado, da. *p. p.* e *adj.* alumiado; iluminado; ilustrado; instruído. — *s.* diz-se dos adeptos da seita de iluminados.

iluminador, ra. *adj.* e *s.* iluminador, que ilumina; iluminador, aquele que faz iluminuras.

iluminante. *p. a.* e *adj.* iluminante, que ilumina.

iluminar. *v. tr.* iluminar, aclarar; alumiar, dar luz; iluminar, adornar com muitas luzes; iluminar, colorir estampas, adornar livros, etc.; (fig.) iluminar, esclarecer, inspirar; descobrir águas subterrâneas; iluminar, revestir de luz mística; desassombrar; colorir; desobscurecer; desofuscar; farolizar; luzir; lustrar; alumiar; (fig.) clarificar; abrilhantar; aclarar o espírito com a luz divina; iluminar, ilustrar o entendimento com instrução.

iluminaria. *f.* V. **luminaria.**

iluminativo, va. *adj.* iluminativo, iluminante, que serve para iluminar.

iluminismo. *m.* iluminismo, sistema dos iluminados sobre a existência duma inspiração sobrenatural.

ilusión. *f.* ilusão, engano dos sentidos ou da inteligência; fantasmagoria; desvairo; delusão; embaçadela; embaimento, enganação, enganamento, enganação; engana-vista; engano; mágica; mentira; fantasia, teia de aranha; falácia; alucinação; ilusão, esperança sem fundamento; (ret.) ironia viva e picante; erro, aparência; fraude, mofa, logro; ilusão, decepção: *vender ilusiones*, vender fumo; *la vida mata las ilusiones*, os anos são desenganos.

ilusionado, da. *p. p.* e *adj.* ilusionado, (pop.) embarrilado.

ilusionarse. *v. r.* iludir-se, enganar-se; embair-se; atabicar; enganar-se; mentir-se.

ilusionismo. *m.* ilusionismo, arte de produzir ilusão; prestidigitação.

ilusionista. *s.* ilusionista, (neol.) por *prestidigitador.*

ilusivo, va. *adj.* ilusivo, ilusório; enganoso, falso, aparente.

iluso, sa. *adj.* e *s.* iluso, enganado, seduzido; propenso a iludir-se, sonhador.

ilusorio, ria. *adj.* ilusório, capaz de enganar; enganoso, falso; fabuloso, falaz; frustratório; falso; falacioso; deceptivo; fantasmagórico, mentido; ilusório, que produz ilusão.

ilustración. *f.* ilustração, sabedoria, saber, conjunto de conhecimentos extensos e variados que possui uma pessoa; ilustração, lume; conspicuidade, erudição; educação; (fig.) luz; (pop.) desasnamento; (fig.) desbastamento; ilustração, gravuras que ornam uma obra literária.

ilustrado, da. *adj.* ilustrado, diz-se da pessoa que é muito instruída; civilizado; erudito; ilustrado, inspirado; ilustrado, ornado de gravuras.

ilustrador, ra. *adj. adj.* e *s.* ilustrador, que ilustra; que faz gravuras para livros, estampas, etc.

ilustrar. *v. tr.* ilustrar, dar luz ao entendimento; aclarar um ponto dalguma matéria; aclarar, esclarecer, iluminar; ilustrar, ornar com gravuras um trabalho impresso; (fig.) ilustrar, distinguir pelas suas qualidades uma pessoa ou coisa; ilustrar, civilizar, desasnar, assinalar; educar; decorar; elucidar; explicar; alumiar; (fig.) enfronhar; (fig.) clarificar; (fig.) dessarranhar; desnublar; desasnar; (fig.) luzir--se. — *v. r.* (teol.) iluminar (Deus) interiormente a criatura com luz sobrenatural.

ilustrativo, va. *adj.* ilustrativo, que ilustra.

ilustre. *m.* e *s.* ilustre, de casa ou origem distinta; ilustre, célebre, insigne; eminente; magnate; inescurecível; exímio, excelso; inclito; egrégio; conspícuo; claro; alto; abalizado; conhecido; afidalgado; lustroso; benemérito; (fig.) emérito; (fig.) luzeiro: *de prosapia ilustre*, de alto nascimento.

ilustrísimo, ma. *adj.* superl. de *ilustre*; título que se dá a pessoas de certa categoria como bispos, etc.

imagen. *f.* imagem, figura, representação pelo desenho, pintura ou escultura; imagem, representação da divindade ou de santo; (fís.) objecto reflectido num espelho ou na água; (ret.) hipotipose, metáfora que exprime mais vivamente as ideias tornando--as mais sensíveis; (fisiol.) imagem, impressão que, depois de se haver contemplado um objecto com muita intensidade, persiste nos olhos; imagem, retrato, efígie, pintura; (fig.) imagem, formosura do rosto.

imaginable. *adj.* imaginável, que se pode imaginar.

imaginación. *f.* imaginação, excogitação; imaginação, fantasia, coisa fantástica; imaginação, devaneio; afiguração; fábrica.

imaginar. *v. intr.* imaginar; contemplar; considerar; devanear; elaborar; cogitar; barruntar; ter bico; afigurar; entressonhar; formar; fantasiar. fabricar; (fig.) forjar; antojar-se; afigurar: *imaginar que*, assentar que; *más de lo que pueda imaginarse*, superior a toda excepção.

imaginaria. *f.* fantasmagoria; (mil.) imaginária; (mil.) piquete de prevenção; soldado que vela durante a noite.

imaginario, ria. *adj.* imaginário, que só existe na imaginação; imaginário, diz-se do que pintava ou fazia escultura de imagens; escultor de imagens; imaginário, que não é real, fictício, fantástico; imaginário, fabuloso, falso; aparente; aéreo.

imaginativa. *f.* imaginativa, faculdade de imaginar.

imaginativo, va. *adj.* imaginativo, que imagina ou pensa fàcilmente; apreensivo; imaginativo, fantasioso.

imaginería. *f.* imaginária, estatuária; imaginária; figuras bordadas ou pintadas.

imaginero. *m.* imaginador, imaginário, escultor ou pintor que só faz imagens; santeiro.

imán. *m.* imã, imane, imamo, sacerdote muçulmano, que preside às cerimónias do culto.

imán. *m.* (fís.) íman, magnete natural; (min.) magnetite; mineral de ferro que tem a propriedade de atrair o ferro, aço e outros corpos; (fig.) atractivo; (fig.) coisa que atrai.

imanación. *f.* acção e efeito de imanar ou imanar-se; magnetização.

imanar. *v. tr.* imanar, magnetizar um corpo. — *v. r.* imanar-se.

imantación. *f.* V. **imanación.**

imantar. *v. tr.* imanar. V. **imanar.**

imbebible. *adj.* impotável.

imbécil. *adj.* e *s.* imbécil, néscio, tonto; (p. us.) fraco, débil; palerma; apanascado; alvar; alorpado; mentecapto; estouvado; desassisado; demente; atoleimado; maduro; estulto; (fig.) asno; (Bras.) abestalhado.

imbecilidad. *f.* imbecilidade, qualidade de imbécil; (p. us.) fraqueza, debilidade; desassiso; madureza; estupidez; estultícia; inépcia; entontecimento; estouvadice; (pat.) bariencefalia.

imberbe. *adj.* imberbe, sem barba; diz-se do jovem que não tem barba.

imbibición. *f.* imbibição.

imbornal. *m.* (mar.) embornal, cada um dos furos nas trincanizes, para dar passagem às águas que se derramam no convés.

imborrable. *adj.* indelével. V. **indeleble.**

imbricación. *f.* (arq.) imbricação, disposição arquitectónica que imita as escamas dum peixe.

imbricado, da. *adj.* (bot.) imbricado, sobreposto, diz-se das partes que se cobrem entre si a maneira das telhas num telhado; (zool.) imbricado, diz-se das conchas de superfície ondulada.

imbricar. *v. tr.* imbricar, dispor em imbricação.

imbuir. *v. tr.* imbuir, infundir, persuadir; embeber; mergulhar num líquido; fixar; arrugar; insinuar; infiltrar; inculcar; (fig.) imprimir. — *v. r.* imbuir-se: *imbuido en algo*, embebido, empapado.

imbursación. *f.* sorteamento, sorteio.

imitable. *adj.* imitável, que se pode imitar; que é digno de ser imitado.

imitación. *f.* imitação; arreme(ê)do; fac-simila; (fig.) decalco; cópia; obra ou produto que se pode confundir com outra de diferente qualidade, de mais valor e melhor: *imitación del gesto o de la voz*, mimese; *imitación del natural*, artifício; *imitación servil*, macacada, (fig.) decalque.

imitado, da. *p. p.* e *adj.* imitado, feito por imitação; falso; fi(c)tício: *ser imitado*, servir de espelho.

imitador, ra. *adj.* e *s.* imitador, que imita, imitante; arremedador; forrageador; macaqueador.

imitar. *v. tr.* imitar, copiar, contrafazer; desfigurar; assemelhar; lucidar; (fig.) forragear; apanhar; macaquear; arremedar; decalcar; executar uma coisa a semelhança doutra.

imitativo, va. *adj.* **imitatorio, ria.** *adj.* imitativo, imitante, que imita; pertencente à imitação.

impacción. *f.* impacto, choque com penetração como uma bala, pedra, etc., no alvo.

impaciencia. *f.* impaciência, ansiedade; falta de paciência; frenesí, freíma; (fig.) cócegas; (med.) freimaço; (pop.) formigueiro; desespero; sôfrego; inquietação; agastamento; ansiedade; ira.

impacientar. *v. tr.* impacientar, tornar impaciente; fazer perder a paciência; irritar; importunar; enfrenesiar; assovinar; assovelar; desafreimar; desapacientar; arreliar; enfezar. — *v. r.* agastar-se; enfrenesiar-se; desatinar-se; perder os estribos; derreter-se; arreliar-se; desadorar; afreimar-se.

impaciente. *adj.* impaciente, que não tem paciência; freimático; frenético; fragueiro; assomado; apressado; que não gosta de esperar; sôfrego.

impacto. *m.* impacto, choque com penetração dalgum objecto como bala, pedra, etc.; metido à força; implantado; impelido.

impagable. *adj.* impagável; incompensável; que não se pode pagar.

impagado, da. *p. p.* e *adj.* impagado, que não é pagado.

impalpabilidad. *f.* impalpabilidade; qualidade do que é impalpável.

impalpable. *adj.* incorporal; que não se pode apalpar, impalpável; intangível; incorpóreo; (fig.) etéreo.

impar. *adj.* impar, desigual, que não é par; único, dispar; que não é divisível por dois.

imparcial. *adj.* imparcial, que julga com imparcialidade; equilibrado; equânime; desinteresseiro; desinteressado; équo; equ(ü)itativo; independente; indiferente; desapaixonado; desafeiçoado: *discurso imparcial*, discurso que tem equabilidade.

imparcialidad. *f.* imparcialidade; equanimidade: independência; equ(ü)idade; aceitação; qualidade daquilo que é imparcial; neutralidade: *juzgar con imparcialidad*, *adv.* julgar sem aceitação das partes.

imparidigitado, da. *adj.* que tem os dedos em número ímpar.

imparisílabo, ba. *adj.* imparissilábico, imparissílabo.

impartible. *adj.* impartível, indivisível, que se não pode dividir, que não se pode partir.

imparticipable. *adj.* V. **incomunicable.**

impartir. *v. tr.* dividir, repartir, distribuir; (fig.) delegar; (for.) pedir, exonerar; impartir, implorar; comunicar.

impasibilidad. *f.* impassibilidade; inalterabilidade; estoicidade; qualidade de impassível; apatia; indiferença perante a dor ou o perigo.

impasible. *adj.* impassível, imutável, inflexível; estóico; inabalável; apático; inalterado; inalterável; que é insensível à dor física; impassível, fresco; frio; insensível à dor ou à alegria; imperturbável; sereno, indiferente.

impavidez. *f.* impavidez, qualidade do que é impávido; inalterabilidade; intrepidez; imutabilidade; denodo; audácia ante o perigo.

impávido, da. *adj.* impávido, imutável; que não tem pavor; intrépido; inabalável; inalterável; fresco; frio; destemido; denodado; que não tem temor.

impecabilidad. *f.* impecabilidade, qualidade de impecável; (fig.) perfeição; estado daquele que é incapaz de pecar ou cometer falta.

impecable. *adj.* impecável, incapaz de pecar; (fig.) imaculado; isento de mancha; imaculável; irrepreensível; perfeito.

impedido, da. *adj.* e *p. p.* e *s.* impedido, tolhido, que não pode usar de seus membros; embaraçado; encalhado; empeçado; entrevado; (fig.) embuchado; impedido, vedado ao trânsito; que tem impedimento: *impedido de obrar libremente*, coacto; *quedarse impedido*, entrevar-se.

impedimento. *m.* impedimento, impedição; obstáculo, esto(ô)rvo; impedimento, qualquer circunstância que deixa nulo o matrimónio; impedimento, padrasto; contrariedade; entrepeço; encalhação; atalho; embaraço; embargamento; encalhe; defensão; impedimento, inconveniente, estorvo, estorvamento, estorva; empecilho; empe(ê)ço; entorpecimento; defensa; barbicacho; entravamento, (fig.) embargo, emposta; (fig.) ingurgitação; impedimento, tudo o que impede; proibição; impossibilidade.

impedir. *v. tr.* impedir, estorvar; impossibilitar a execução dalguma coisa; embaraçar; entravar; contrariar; desviar; embargar; embarrancar; deixar; atravessar-se; atrasar; embaçar; embaraçar; obstruir; opor-se; não consentir; pôr impedimento, obstar a; deter; desaviar; inabilitar; abster; estrangular; vedar; decepar; evitar; entrambicar; empalar; empeçar; empecer; entorpecer; empancar; entrevar; (fig.) empantanar, embuchar, barrar, encalhar; coagular; (fig.) atar, desmandar: *impedir actuar a alguien*, atar de pé e mãos a alguém; *impedir los movimientos de alguien*, cortar os braços a alguém; *impedir el paso*, cortar a passagem, atravancar, engarrafar.

impeditivo, va. *adj.* impeditivo, que impede.

impeler. *v. tr.* impelir, empurrar para produzir movimento; constranger; impulsar; impulsionar; abolir; arrojar; empuxar; esbarrar; arrastar; (fig.) estimular, incitar; impelir, fazer caminhar para diante; (fig.) induzir.

impelir. *v. tr.* (Amér.). V. **impeler.**

impenetrabilidad. *f.* impenetrabilidade; qualidade do que é impenetrável; propriedade geral da matéria em virtude da qual dois corpos não podem ocupar o mesmo sítio; (fig.) carácter do que não pode ser conhecido, adivinhado, impenetrabilidade.

impenetrable. *adj.* impenetrável, que não se pode penetrar; improfundável; indecifrável; incompreenssível; inescrutável; inextricável, misterioso.

impenitencia. *f.* impenitência, obstinação no pecado; falta de arrependimento; persistência no erro.

impenitente. *adj.* e *s.* impenitente; contumaz no erro; relapso, empedernido; incontrito.

impensa. *f.* (for.) gasto que se faz com a coisa possuída.

impensado, da. *adj.* impensado, imprevisto, inopinado, não pensado; súbito, inconsulto; incogitado, inadvertido; inesperado; inconsiderado.

imperador, ra. *adj.* imperador, que manda.

imperante. *p. a.* e *adj.* imperante, que impera, reinante; (astrol.) diz-se do signo predominante.

imperar. *v. intr.* imperar, exercer a dignidade imperial; mandar, dominar, reinar, governar; mandar como senhor; prevalecer.

imperativo, va. *adj.* imperativo, que manda ou ordena; autoritário, despótico; arrogante, imperioso; (gram.) imperativo.

imperatorio, ria. *adj.* imperatório, relativo ao imperador; imperativo; terminante.

imperceptibilidad. *f.* imperceptibilidade; indistinção.

imperceptible. *adj.* imperceptível, incompreensível, ininteligível; indiscriminável; subtil; ténue; insignificante.

imperdible. *adj.* imperdível, que não se pode perder. — *m.* imperdível, alfinete de segurança.

imperdonable. *adj.* imperdoável, que não tem perdão; condenável; indesculpável; inexcusável.

imperecedero, ra. *adj.* imperecedoiro, imperecedouro; imorredoiro, perdurável; (fig.) imortal, inacabável; eternal, eterno; inconsumptível, inconsumível; inextinguível; imortal.

imperfección. *f.* imperfeição, falta de perfeição; imperfeição, defeito, erro moral; deficiência; deformidade; deformação; (fig.) falta; defectibilidade; incorrecção; defeito; vício; mancha.

imperfeccionar. *v. tr.* (Amér). V. **deteriorar, mutilar.**

imperfectibilidad. *f.* imperfectibilidade. V. **imperfección.**

imperfectible. *adj.* imperfectível; indescernível.

imperfecto, ta. *adj.* imperfeito, não perfeito, não acabado ou aperfeiçoado; incompleto; defeituoso; deficiente, deforme; desprimoroso; informe; frustrado; desaprimorado, desapurado; defectível; (fig.) abortivo; aguado.

imperforación. *f.* (Amér.) imperfuração, oclusão de órgão ou conduto.

imperial. *adj.* imperial, relativo ao imperador; autoritário; despótico; arrogante; augusto. — *f.* imperial, tejadilho ou cobertura das carruagens; imperial, parte superior dalguns veículos. — *m.* (Amér.) charuto de qualidade escolhida; cimeira, parte superior do morrião.

imperialismo. *m.* (pol.) imperialismo.

imperialista. *s.* imperialista, partidário do imperialismo. — *adj.* imperialista.

impericia. *f.* imperícia, falta de perícia, incompetência, inexperiência; ignorância.

imperio. *m.* império, acção de mandar com autoridade; mando, poder; império, território de imperador, dignidade de imperador; império, espaço de tempo do governo dum imperador; império, potência; império, arrogância, altivez, orgulho, sobranceria; dominação; ordem, predomínio: *valer un imperio*, (fig. e fam.) ser de grande mérito.

imperiosidad. *f.* imperiosidade; arrogância; tom imperioso.

imperioso, sa. *adj.* imperioso; arrogante; soberbo; impreferível; que tem grande influência; forçoso; imperativo; altivo; imperioso, irresistível.

impermanencia. *f.* impermanência; instabilidade.

impermanente. *adj.* impermanente; instável; inconstante.

impermeabilidad. *f.* impermeabilidade.

impermeabilizar. *v. tr.* impermeabilizar, impermear; encerar.

impermeable. *adj.* impermeável; que não se deixa atravessar por fluidos. — *m.* impermeável, capa de borracha; aguadeiro.

impermutabilidad. *f.* impermutabilidade.

impermutable. *adj.* impermutável, que não se pode trocar.

imperpetuo, tua. *adj.* imperpétuo.

impersonal. *adj.* impessoal, não pessoal; (gram.) impessoal.

impersonabilidad. *f.* impessoalidade, impersonalidade; impersonalidade, falta de originalidade.

impersonalizar. *v. tr.* (gram.) usar como impessoal um verbo.

impersuasible. *adj.* impersuadível, não persuadível.

impertérrito, ta. *adj.* impertérrito; intrépido; impávido; inalterável; estóico; imutável.

impertinencia. *f.* impertinência, despropósito, rabugice, mau humor, dito fora de propósito; displicência; desprazer; impertinência; causticidade; importunidade enfadonha; impertinência, curiosidade; inconveniência; aborrecimento; delicadeza excessiva; capricho; descomedimento; abelhudice; destempe(ê)ro; destampatório; desavergonhamento; desbragamento; frescura; desafo(ô)ro; atrevimento; audácia; infernação; minudência; cinismo; (fig.) derriço; assédio; estopada; (Bras.) ata-

ráu, empache; *decir impertinencias*, deslinguar-se.

impertinente. *adj.* e *s.* impertinente, despropositado, que não vem ao caso; enfadonho; arreliento; audaz; emproado; atrevido; desforado; inoportuno; enfadonho, rabugento; incómodo; desaforado; cínico; exigente; desacanhado; desavergonhado; descomedido; abelhudo; despejado; (fig.) destravado; cáustico, molesto; impertinente, caprichoso, difícil de contentar; muito delicado; (pop.) franchinote. — *pl. m.* lunetas: *ser impertinente*, faltar ao respeito.

imperturbabilidad. *f.* imperturbabilidade; presença de espírito; tranquilidade; inalterabilidade; estoicidade.

imperturbable. *adj.* imperturbável, impassível, corajoso; magnânimo; inexpugnável; frio, fresco; inalterável; inexcitável; estóico.

impétigo. *m.* (méd.) impetigo, impigem, sarna.

impetra. *f.* impetra, faculdade, licença; impetra, consecução dum benefício eclesiástico, concedido pelo Papa.

impetrable. *adj.* impetrável, impetratório.

impetración. *f.* impetração, súplica; impetração, obtenção, conseguimento.

impetrador, ra. *adj.* e *s.* impetrante, que impetra.

impetrar. *v. tr.* impetrar, conseguir uma graça por meio de rogos; impetrar, rogar, suplicar; solicitar uma graça com afinco; impetrar, alcançar, obter por impetração.

impetratorio, ria. *adj.* impetratório, que serve para impetrar; impetrativo.

ímpetu. *m.* ímpeto, movimento acelerado; ímpeto, força; violência; ímpeto, arrebatamento, impulso violento, assalto repentino; impetuosidade; furor; precipitação; agitação; impulsão; deno(ô)do; arrebato; impulso; (fig.) cólera: *bajar los ímpetus*, desafervorar.

impetuosidad. *f.* impetuosidade, fúria, ímpeto; violência; deno(ô)do; açodamento.

impetuoso, sa. *adj.* impetuoso, violento, precipitado; desadvertido; arrancado; forte; desatinado; furibundo; altivo; ardoroso; denodado; açodado; desembestado; arrebatado; desfeito (diz-se do vento, etc.); fogoso; veemente; irritado.

impiedad. *f.* impiedade, falta de piedade, acto ímpio; blasfémia, sacrilégio; crueldade; descrença.

impío, pía. *adj.* ímpio, falto de piedade, cruel, desumano; irreligioso, ateu; sacrílego; blasfemo, indevoto, incrédulo; despiedado; iníquo.

impla. *f.* touca de cabeça, usado antigamente; tecido de que eram feitos estes véus.

implacabilidad. *f.* implacabilidade, inexorabilidade.

implacable. *adj.* implacável, imperdoável, que não perdoa; inexorável; insensível; empedernido; incompassivo, desnaturado, inclemente.

implacentario, ria. *adj.* (zool.) aplacentário.

implantación. *f.* implantação; fundação; estabelecimento; inauguração.

implantar. *v. tr.* implantar, inserir; fixar; fundar, estabelecer; inaugurar; arreigar; introduzir uma coisa noutra.

implaticable. *adj.* intratável, insociável, que não admite conversa.

implicación. *f.* implicação, contradição, oposição dos termos entre si; (for.) implicação, cumplicidade; encadeamento; incompatibilidade.

implicar. *v. tr.* implicar, envolver, enredar, complicar. — *v. intr.* obstar, envolver contradição, implicar; ser incompatível; contender; impedir; embirrar.

implicatorio, ria. *adj.* implicatório, implicativo.

implícito, ta. *adj.* implícito, contido numa proposição; não expresso, subentendido; tácito.

implorable. *adj.* implorável, que se pode implorar.

imploración. *f.* imploração, súplica, ro(ô)go.

implorar. *v. tr.* implorar, pedir humildemente; suplicar; rogar; chamar em auxílio; clamar.

implosión. *f.* (fís.) implosão.

implume. *adj.* implume, que não tem penas ou plumas.

impolarizable. *adj.* impolarizável.

impolítica. *f.* impolítica, descortesia, indelicadeza.

impolítico, ca. *adj.* impolítico; descortés; incivil; desafável.

impoluto, ta. *adj.* impoluto, limpo, não poluído, imaculado; incontaminado; virtuoso; puro.

imponderabilidad. *f.* imponderabilidade.

imponderable. *adj.* imponderável, que se não pode pesar; (fig.) imponderável, que excede toda a ponderação; inapreciável; subtil.

imponedor, ra. *adj.* e *s.* imponente, que impõe; imputador; impostor; instrutor, instruidor; (impr.) imponedor, paginador.

imponente. *p. a. adj.* e *s.* imponente, que impõe; imponente, grave, ponderoso; soberbo; majestoso; grandioso.

imponer. *v. tr.* impor, pôr carga, impor obrigação, lançar tributo; imputar, atribuir, culpar falsamente; doutrinar, ensinar, instruir; impor, predominar; impor, infundir medo ou respeito; colocar dinheiro a juros ou em depósito; impor, embair, iludir; (impr.) impor, meter em forma a composição; impor, colocar em volta da composição na prensa as cunhas para a segurar, margear as diversas partes duma chapa tipográfica; infligir; apenar; obrigar a. — *v. r.* impor-se, ter imponência; fazer-se respeitar; tornar-se necessário; inculcar-se: *imponerse una penitencia*, ciliciar-se; *imponer silencio*, impor silêncio, pôr o dedo na boca; *imponer condiciones*, impor condições. — *conj. irr.* como *poner*.

imponible. *adj.* que se pode onerar ou agravar com imposto, ou tributo.

impopularidad. *f.* impopularidade, depopulação; desafeição, mau conceito no público.

imporosidad. *f.* qualidade do que não é poroso.

imporoso, sa. *adj.* que não é poroso.

importable. *adj.* (ant.) insuportável.

importación. *f.* importação, acção e efeito de importar mercadorias; importação, conjunto de coisas importadas; entrada: *derechos de importación*, direitos de entrada.

importador, ra. *s.* importador, que importa mercadorias. — *adj.* importador.

importado, da. *p. p.* e *adj.* importado; estrangeiro.

importancia. *f.* importância, valor, conveniência, utilidade; importância; consideração; importância, merecimento; magnitude; circunstância; alcance; consideração; (fig.) envergadura; consequência; importância; consideração; autoridade, representação duma pessoa pela sua dignidade ou qualidades.

importante. *adj.* e *p. a.* importante, considerável; que importa; importante, que é de importância; importante, considerado; classificado; alto; magno; avultado; memorável; chorudo; (fig.) consequente; útil; accesório o que mais interessa.

importar. *v. intr.* importar, convir, aproveitar, interessar; importar, incumbir; dar-se; deitar; convir; importar, valer certo preço; levar consigo, importar, introduzir num país artigos, costumes ou jogos estrangeiros: *importar en*, amontar; *no importar algo*, não dar por isso; *no importar un rábano nada*, deitar-se a dormir; *importa poco*, pouco se me dá; *¡no importa!*, embora!; não é coisa de consequência; *no importa, déjelo*, muito embora, seja assim: *¿qué te importa eso?*, que se vos dá a vós isso?; *no te importe*, não te dê cuidado.

importe. *m.* importe, custo, preço; importância dum crédito, duma dívida ou dum saldo.

importunación. *f.* importunação, insistência importuna, impertinência; aperreamento; apoquentação; aporrinhação; aperreação; (pop.) serrazina; seringação; (fig.) cirreira; (fam.) batalhação; (pop.) frete; (fig.) estopada; encostadela, maçada.

importunado, da. *p. p.* e *adj.* importunado, apoquentado; amartelado.

importunar. *v. tr.* importunar, estorvar; enfadar; incomodar com uma pretensão; ou petição; maçar; amartelar; amolar; incomodar; atazanar; desatinar; afadigar; (pop.) seringar; desinquietar; chatear; atordoar; apoquentar; aporrinhar; matar o bicho-do-ouvido; desgraçar; fartar; aperrear; atormentar; (fig.) estopar; (fig.) frigir; (fig.) assediar; importunar, enfadar, ser molesto; (Bras.) futicar, xumbregar: *importunar a alguien*, atrelar-se a alguém; *no me importuna*, não me maça.

importunidad. *f.* importunidade; assiduidade, insistência enfadonha; importunidade, qualidade de importuno; atracadela; amoladela; (fig.) atracação.

importuno, na. *adj.* importuno, enfadonho, maçador, incomodativo; entremetido; incó(ô)modo; aperreador; apegadiço; metediço; indiscreto; extemporâneo; apoquentador; (prov.) empalagoso; (fig.) seringador; (burl.) chinchila; maçador; insuportável; incomodativo; molesto.

imposibilidad. *f.* impossibilidade, falta de possibilidade; incompatibilidade; impraticabilidade; inacessibilidade; inibitória; impotência; incontingência; coisa impossível; irrealizável; impedimento absoluto.

imposibilitado, da. *p. p.* e *adj.* impossibilitado, tornado impossível; tolhido, paralítico; entrevado.

imposibilitar. *v. tr.* impossibilitar, tirar a possibilidade de executar ou conseguir uma coisa; inabilitar; inibir; privar de; inabilitar. — *v. r.* impossibilitar-se, inutilizar-se; tornar-se inapto para.

imposible. *adj.* e *s.* impossível, que não é possível; intratável; incrível; impraticável; infactível; impressível, insuportável; usa-se com os verbos *estar* e *ponerse*; (Amér.) muito sujo; desasseado; impossível, muito difícil; inaceitável; intolerável; com quem não se pode viver nem tratar; impossível; extravagante; coisa que não é possível.

imposición. *f.* imposição, carga ou obrigação que se impõe; (impr.) imposição, colocação dos moldes no prelo, para que a folha saia depois de dobrada, convenientemente impressa; imposição, coa(c)ção; imposição, tributo, impo(ô)sto.

imposta. *f.* (arq.) imposta, cornija sobre a qual se assenta um arco; imposta, faixa horizontal na fachada nos edifícios, encosta.

impostor, ra. *adj.* e *s.* impostor, que tem impostura, que engana sob a aparência da verdade; impostor, fanfarrão; farçante, farsante; empafo; embaucador; berliques; mentiroso; faroleiro; falso; (pop.) faiante; charlatão.

impostura. *f.* impostura, aleive, embuste, imputação falsa e maligna; charlatanice; embófia; impostura, imposturice; aldravice; falsidade; farsa; farsada, farçada; andrómina; embaimento; hipocrisia; vaidade, bazófia, presunção.

impotable. *adj.* impotável, que não serve para beber (falando-se da água).

impotencia. *f.* impotência, falta de poder para fazer uma coisa; impotência, incapacidade para conceber; infrutuosidade; (med.) agenésia; impotência, infecundidade; frigidez; infertilidade; improdutividade; astenia.

impotente. *adj.* e *s.* impotente, incapaz de fazer uma coisa, falta de poder; impotente, incapaz de gerar; infrutífero; inapto; infértil; incapaz; embargado; entrevado homem que não tem erecção; improfíquo; improlífico; improdutível,

improdutivo; (med.) frígido; ser impotente, entrevar-se; *impotente sexual*, (Bras.)
frouxo.

impracticabilidad. *f.* impraticabilidade; qualidade do que é impraticável.

impracticable. *adj.* impraticável, inexequível, que não se pode praticar; intransitável; descaminhado; inacessível; inexecutável.

imprecación. *f.* imprecação, acto de imprecar, maldição, praga; exclamação; arre-
ne(ê)go; execração; anatema; conjuro;
(ret.) figura que consiste em desejar a alguém males, infortúnios e calamidades.

imprecador, ra. *adj.* e *s.* imprecador, que
impreca; execrador; exclamador.

imprecar. *v. tr.* imprecar, praguejar; execrar, exclamar; desejar que venha dano
para alguém; anatematizar; amaldiçoar;
rogar pragas; suplicar. — *v. intr.* rogar
pragas, dizer imprecações.

imprecativo, va. *adj.* imprecativo, imprecatório.

imprecatorio, ria. *adj.* imprecatório, que implica imprecação; semelhante a uma imprecação.

imprecisión. *f.* imprecisão, informidade, falta de rigor.

impreciso, sa. *adj.* impreciso, informe, indeterminado, confuso, falto de precisão.

impregnable. *adj.* impregnável, que se pode
impregnar.

impregnación. *f.* impregnação; estado de corpo impregnado.

impregnar. *v. tr.* impregnar, abeberar, aboborar, embeberar, banhar, emprenhar,
beber; impregnar, fazer entrar uma substância nos poros, embeber; beber, impregnar. — *v. r.* embeber-se, impregnar-se;
imbuir-se; infiltrar-se, penetrar-se.

impremeditación. *f.* impremeditação, falta
de premeditação; inconsideração, imprudência; imprevisão, imprecaução; impre-
vidência; imprevisão, improvidência.

impremeditado, da. *adj.* impremeditado, não
premeditado; indeliberado; desintencionado; imprevidente; instrutivo, impensado.

imprenta. *f.* imprensa, arte de imprimir livros; imprensa, oficina tipográfica; impressão, tipo, forma de letra com a qual
se imprime; (fig.) o que se publica impresso; imprensa, estabelecimento onde se imprime, máquina com a qual se imprime
ou estampa; prensa, prelo, arte de imprimir: *sacar de la imprenta*, desimprensar;
tipos de imprenta, letra de forma; *libertad de imprenta*, liberdade de imprensa.

imprentar. *v. tr.* (Amér.) brunir, passar a
ferro, engomar.

imprescindible. *adj.* imprescindível, indispensável, diz-se daquilo de que se não pode
prescindir; absolutamente necessário; forçoso.

imprescriptibilidad. *f.* imprescritibilidade;
qualidade de imprescritível.

imprescriptible. *adj.* imprescritível, que não
pode prescrever.

impresentable. *adj.* impresentável, que não
é digno de apresentar-se, que não é digno
de ser apresentado.

impresibilidad. *f.* (biol.) impressibilidade.

impresible. *adj.* (biol.) impressível.

impresión. *f.* impressão, acto ou efeito de imprimir; impressão, sinal dum corpo que se
encontra com outro; impressão; tipo ou
qualidade de letra duma edição; impressão, imprensadura; impressão, emotividade; efeito; comoção, influência moral;
impressão, edição, (fig.) eco; (fig.) contusão; impressão, sensação, que as coisas
causam no ânimo; impressão, marca,
sinal em fundo ou em relevo; impressão, efeito produzido nu alma, nos sentidos.

impresionabilidad. *f.* impressionabilidade,
qualidade de impressionável

impresionable. *adj.* impressionável, impressionista; fácil de impressionar-se; emotivo; impressionável, sujeito a receios,
apreensões, sustos.

impresionado, da. *p. p.* e *adj.* impressionado,
agradado, assustado.

impresionante. *p. a.* e *adj.* impressivo, impressionador, impressionante, que impressiona.

impresionar. *v. tr.* impressionar, comover,
calar no ânimo, afectar; imprimir na
ideia; impressionar, causar uma impressão;
produzir uma impressão material; abalar
o espírito; . — *v. r.* impressionar-se.

impresionismo. *m.* impressionismo, forma artística ou literária de representar a natureza; impressionabilidade.

impresionista. *s.* impressionista, partidário
do impressionismo.

impresivo, va. *adj.* impressivo.

impreso, sa. *p. p. irr.* de *imprimir* e *adj.* impresso. — *m.* obra impressa, impresso.

impresor. *m.* impressor, tipógrafo; impressor, dono duma tipografia; impressor, imprimidor; batedor de imprensa, imprensador.

imprestable. *adj.* imprestável, que se não
pode emprestar; incapaz.

imprevisible. *adj.* que se não pode prever; incogitável.

imprevisión. *f.* imprevisão, falta de previsão; inadvertência; descautela; improvidência; inconsideração; desapercebimento;
desprevenção; despercebimento; impremeditação; imprecaução; incúria; imprudência; indeterminação; imprevisão, desmazelo; negligência.

imprevisor, ra. *adj.* imprevidente, que não
prevê, desacautelado, desleixado; incauto;
desprecatado; desprevenido; descauteloso, descautelado; negligente, improvidente, dissipador.

imprevisto, ta. *adj.* imprevisto, que não é
previsto, inconsiderado; fortuito; acidental;
incogitável; inadvertido; imprevidente;
inesperado; improviso; desacautelado;
aquilo que se não prevê; inopinado. — *m.*
acontecimento inesperado.

imprimación. *f.* imprimação, imprimadura; conjunto de ingredientes com que se imprima.

imprimadera. *f.* imprimadeira, utensílio em forma de faca para imprimar paredes, lenços, etc.

imprimidor, ra. *adj.* e *s.* (ant.) impressor.

imprimir. *v. tr.* imprensar, editar, dar a estampa; imprimir, gravar; estampar, carimbar; (fig.) fixar no ânimo, imprimir; deixar marcado; aplicar, estampar cores, etc.; fixar por meio de pressão; publicar pela imprensa.

improbabilidad. *f.* improbabilidade; incerteza.

improbable. *adj.* improvável, incerto.

improbador, ra. *s.* improvador, desaprovador.

improbar. *v. tr.* improvar, provar, reprovar, censurar.

improbidad. *f.* improbidade, falta de probidade; maldade; má índole perversidade.

ímprobo, ba. *adj.* ímprobo, falta de probidade; desonesto; difícil de fazer; árduo; excessivo, custoso; corrupto; inútil; vão; (fig.) aperreado.

improcedencia. *f.* improcedência, falta de oportunidade, de fundamento ou de direito.

improcedente. *adj.* improcedente que se não justifica; incoerente; ilógico; inadequado, extemporâneo.

improductibilidad. *f.* improdutividade; esterilidade.

improductible. *adj.* improdutivel, estéril, infértil.

improductividad. *f.* improdutividade, esterilidade; infrutuosidade, infertilidade, infecundidade.

improductivo, va. *adj.* improdutivo, que não produz, estéril; improlífico, infrutífero; infrutuoso; infecundo, infértil.

improfanable. *adj.* improfanável, que se não pode profanar.

improlífico, ca. *adj.* improlífico, infecundo, estéril.

impronta. *f.* reprodução de imagens em fundo ou em relevo, em matéria dúctil que depois endurece.

impronunciable. *adj.* improferível, que se não pode pronunciar; inefável.

improperar. *v. tr.* improperar, injuriar, afrontar, exprovar, repreender, censurar, vituperar.

improperio. *m.* impropério, injúria grave, acusação ultrajante; censura áspera; vitupério; blasfemia; (Bras. Sur) despropério. — *pl.* versículos ou cânticos religiosos na sexta-feira da Semana Santa: *decir improperios*, improperar.

impropiedad. *f.* impropriedade; incongruência; improcedência.

impropio, pia. *adj.* impróprio, indecoroso, inoportuno, extemporâneo; inconveniente; incongruente; estranho, alheio; decepado; desacomodado; indigno; ineficaz; inadequado; improcedente; indevido; descabido; desapropriado; indecoroso.

improrrogable. *adj.* improrrogável, que se não pode prorrogar; inadiável.

impróspero, ra. *adj.* impróspero, que não é próspero.

impróvido, da. *adj.* impróvido; improvidente, desprevenido.

improvisación. *f.* improvisação; obra ou composição improvisada, improvisação; rápida ascensão numa carreira; rápido desenvolvimento da fortuna duma pessoa; (pop.) improvisata, improviso.

improvisado, da. *p. p.* e *adj.* improvisado, feito à pressa; mal feito; suposto; fictício.

improvisador, ra. *adj.* e *s.* improvisador, que improvista; repentista.

improvisar. *v. tr.* improvisar, fazer de repente e sem preparação (discursos, poesias, etc.); arrancar à pressa; fingir; fitar falsamente; mentir.

improviso, sa. *adj.* improviso, improvisado; repentino, inesperado; imprevisto; súbito: de improviso, de repente, de improviso, depressa, improvisadamente, de chofre; *cojer a uno de improviso*, tomar alguém entreportas.

improvisto, ta. *adj.* improvisto. V. **improviso:** *a la improvista*, improvisadamente.

imprudencia. *f.* imprudência, falta de prudência; imprevisão; loucura, desconsideração; desgarre; desvengonha; asofia; inconsideração; diabrura; desavisamento, desaviso; desconchavo; indiscrição; desatento; leviandade, descuido, negligência: *cometer imprudencias*, louquejar, desatentar.

imprudente. *adj.* imprudente, que não tem prudência; imprevidente; inadvertido; descarado, inconsiderado, desvergonhado, desacautelado; desbocado; desaconselhado, estavanado; despropositado; arrebatado; louco; desadvertido, desavisado; desatentado; incauto; impróvido; indiscreto.

impudencia. *f.* impudência, falta de pudor; descaramento, desvergonha, acto ou dito impudente; desaforo.

impudente. *adj.* impudente, sem pudor, descarado, desavergonhado; impúdico, indecente, desonesto, desaforado, desavergonhado.

impudicia. *f.* impudicícia, falta de pudicícia; desonestidade; lascívia; impudícia; desvergonha; desmancho, deslavamento; lubricidade; atrevimento; desafo(ô)ro; descaramento; desco(ô)co; impureza; desbocamento; desbragamento; indecência.

impudicicia. *f.* impudicícia. V. **impudicia.**

impúdico, ca. *adj.* impudico, desonesto, sem pudor; lascivo; luxurioso; obsceno; desvergonhado, desmanchado; atrevido; desforado; cínico; descocado; descarado; incasto; fornicário; impuro; indecoroso; lúbrico; desbragado; despejado; indecente.

impudor. *m.* impudor, impudência; descaro; cinismo; descaramento; desonestidade; desco(ô)co; desavergonhamento.

impuesto, ta. *p. p. irreg.* e *adj.* imposto. — *m.* impo(ô)sto, tributo, taxa, contribuição, gabela.

impugnable. *adj.* impugnável, refutável, contrariável, contestável, contraditável.

impugnación. *f.* impugnação, oposição, refutação, resistência; contestação; controversia; adversão; ataque; (for.) contradita.

impugnado, da. *p. p.* e *adj.* impugnado, controverso, contradito, contraditado.

impugnador, ra. *adj.* e *s.* impugnador, que contesta, controversista, argumentador, adversário, contraditor, impugnativo, arguente.

impugnar. *v. tr.* impugnar, refutar, combater, contrariar, contestar, controverter, argumentar, adversar, atacar; contraprovar, contrariar; arguir; (pop.) desnegar.

impugnativo, va. *adj.* impugnativo, que serve para impugnar.

impulsar. *v. tr.* impulsar, dar impulso; impelir; abalar, mover; impulsionar; empurrar.

impulsión. *f.* impulsão, impulso; pressão de baixo para cima.

impulsivo, va. *adj.* impulsivo, que dá impulso; impulsivo. que se excita fàcilmente, irritável arrebatado.

impulso. *m.* impulso, ímpeto, estímulo; instigação, sugestão; esforço; incitamento; força; impulsão; incitação; instigação: *dar impulso*, activar, adiantar; impulsionar; *primer impulso*, arrancada.

impulsor, ra. *adj.* e *s.* impulsor, que impele, incitador, instigador, que estimula.

impune. *adj.* impune, que fica sem castigo.

impunidad. *f.* impunidade, falta de castigo.

impureza. *f.* impureza, mistura de partículas estranhas a um corpo ou matéria; impureza, falta de pureza ou castidade; impudicícia; contaminação; indecência imundícia; desonestidade. — *pl.* impurezas, fezes que corrompem uma coisa.

impurificación. *f.* impurificação.

impurificar. *v. tr.* impurificar, tornar impuro; desnaturalizar; apodrecer; deturpar; corromper; depois de abolida a Constituição de 1823, incapacitar os liberais para o serviço do Estado.

impuro, ra. *adj.* impuro, que não tem pureza; contaminado; desnaturado; impudico; imundo; incasto, desonesto; cloacal, cloacino; imoral, obsceno.

imputabilidad. *f.* imputabilidade.

imputable. *adj.* imputável, que se pode imputar; atribuível.

imputación. *f.* imputação, acção de imputar, inculpação fundamentada; imputação, coisa imputada; arguição; incriminação; acusação; responsabilidade.

imputador, ra. *adj.* e *s.* imputador, que imputa; acusador, arguidor.

imputar. *v. tr.* imputar; imputar, atribuir alguém uma culpa ou delito; acusar, culpar; imputar, creditar, abonar em conta; atribuir; incriminar; aplicar; achacar; inculpar; denunciar, qualificar de erro ou crime; assacar.

imputativo, va. *adj.* imputável.

imputrefactible. *adj.* imputrescível, incorruptível.

imputrescibilidad. *f.* imputrescibilidade.

imputrescible. *adj.* imputrescível, incorruptível, que não se pode apodrecer.

in. *pref.* in; usado na composição de palavras em sentido negativo ou privativo.

in. *prep. insep.* em muitas palavras da língua espanhola.

inabordable. *adj.* inabordável, inacessível.

inacabable. *adj.* incanabável, interminável, infindo, inexaurível; inextinguível; eterno.

inaccesibilidad. *f.* inacessibilidade.

inaccesible. *adj.* inacessível; intratável; inabordável; inacessível, alcantilado, fragoso, impraticável; incognoscível; inatingível.

inacceso, sa. *adj.* inacessível.

inacción. *f.* ina(c)ção, falta de acção, ociosidade, inércia; ócio; indecisão; indolência.

inacentuado, da. *adj.* átono, sem acento prosódico, não acentuado.

inaceptable. *adj.* inaceitável, que se não pode aceitar; inadmissível; intolerável.

inactividad. *f.* ina(c)tividade, falta de actividade ou diligência; inércia; situação de um funcionário que, por determinação superior deixou o exercício; inacção, incúria, negligência, indolência; desídia; desocupação; adormecimento.

inactivo, va. *adj.* ina(c)tivo, sem movimento, ocioso, inerte; que não está ao serviço; que não exerce funções; indolente, indiligente; desocupado; desidioso.

inadaptabilidad. *f.* qualidade de inadaptável, inadaptabilidade.

inadaptable. *adj.* inadaptável, que se não pode adaptar.

inadaptación. *f.* inadaptação, falta de adaptação.

inadecuado, da. *adj.* inadequado, impróprio; improcedente; incongruente, desapropriado.

inadmisibilidad. *f.* inadmissibilidade.

inadmisible. *adj.* inadmissível, inaceitável, intolerável; fabuloso.

inadmisión. *f.* inadmissão; exclusão.

inadoptable. *adj.* inadoptável, que se não pode adoptar.

inadvertencia. *f.* inadvertência, falta de advertência; irreflexão, desavisamento, desaviso; despercebimento; desprevenção; inconsideração; e(ê)rro, equivocação; descuido; imprevisão. — *pl.* coisas inadvertidas, desconcertos, desatenções.

inadvertido, da. *adj.* inadvertido, imprudente, inconsiderado, negligente; irreflectido, impensado, alheio; desavisado, despercebido; inadvertido, inconsiderado, desadvertido.

inafectado, da. *adj.* desafectado, que não tem afectação.

inagotable. *adj.* inesgotável. inextinguível, inexaurível, insecável, infindo, inacabável, infinito, inexausto; indeficiente.

inaguantable. *adj.* que se não pode aguentar, insofrível, intolerável, inadmissível, inaceitável, intolerável, insuportável, incomportável.

inajenable. adj. inalienável.

in albis. adv. em branco, sem saber nada, in albis.

inalcanzable. adj. inatingível, inasequível, inacessível, inatingível.

inalienabilidad. f. inalienabilidade.

inalienable. adj. inalienável, que se não pode transmitir a outrem.

inalterabilidad. f. inalterabilidade; permanência; serenidade; constância; imutabilidade; indelebilidade.

inalterable. adj. inalterável, que não se pode alterar; imperturbável; sereno; impassível; incorru(p)to; estóico; imutável; indelével.

inalterado, da. adj. inalterado, que não tem alteração.

inameno, na. adj. falto de amenidade.

inamisibilidad. f. inamissibilidade.

inamisible. adj. inamissível.

inamovilidad. f. inamovilidade.

inamovible. adj. inamovível, que se não pode deslocar, que não é amovível.

inane. adj. inane, fútil, inútil, vazio, nulo.

inanición. f. (med.) inanição, debilidade extrema por falta de alimento; exinanição.

inanidad. f. inanidade, qualidade, do que é inane.

inanimado, da. adj. inanimado, que não tem vida; inânime.

inánime. adj. V. **exánime.**

inano, na. adj. (Amér.) V. **enano.**

inantéreo, a. adj. (bot.) inantéreo.

inapagable. adj. inextinguível, que se não pode apagar ou extinguir.

inapeable. adj. que não pode apear ou desmontar; (fig.) incompreensível; teimoso, pertinaz, obstinado na sua ideia ou opinião.

inapelable. adj. (for.) inapelável, de que não se pode apelar.

inapendiculado, da. adj. (zool.) inapendiculado.

inapercibido, da adj. V. **inadvertido.**

inapetencia. f. inapetência; (med.) inapetência, fastio, falta de apetite; (med.) anorexia: *inapetencia a los líquidos*, adipsia.

inapetente. adj. inapetente, que não tem apetência, fastiento.

inaplacable. adj. (pop.) V. **implacable.**

inaplazable. adj. que não se pode aprazar; inadiável: impreterível; improrrogável.

inaplicabilidad. f. inaplicabilidade.

inaplicable. adj. inaplicável, que não pode ser aplicado; que não vem a propósito.

inaplicación. f. desaplicação, desaproveitamento.

inaplicado, da. adj. inaplicado, que não tem aplicação.

inapreciable. adj. inapreciável, que se não pode apreciar; precioso; inestimável; primoroso.

inaprensible. adj. que se não pode colher; inapreensível; inacessível; aéreo.

inaprensivo, va. adj. que não tem apreensão.

inapropiable. adj. que não é apropriável.

inapropiado, da. adj. desapropriado.

inaptitud. f. inaptidão; incapacidade.

inapto, ta. adj. V. **inepto.**

inarmonia. f. (mús.) inarmonia, desarmonia; enarmonia.

inarmónico, ca. adj. inarmó(ô)nico; desonante; desafinado; desarmó(ô)nico; desarmonioso; enarmó(ô)nico; inconsonante.

inarticulable. adj. inarticulável, que se não pode articular.

inarticulación. f. inarticulação, falta de articulação.

inarticulado, da. adj. inarticulado, que não é articulado; diz-se também dos sons da voz que não formam palavras.

in artículo mortis. loc adv. lat. em artigo de morte; em ocasião de morte.

inasequible. adj. inexequível, que se não pode executar; inexecutável, inatingível.

inaudible. adj. inaudível, que se não pode ouvir.

inaudito, ta. adj. inaudito, nunca ouvido; exce(p)cional; extravagante; incrível; inacreditável; estupendo; façanhoso; *cosa inaudita*, coisa de arromba.

inauguración. f. inauguração, acto de inaugurar; estreita; aperção; abertura; (fig.) aberta; fundação; início, princípio de funcionamento.

inaugurado, da. p. p. e adj. iniciado, inaugurado; fundado.

inaugurador, ra. adj. e s. inaugurador, que inaugura; fundador.

inaugural. adj. inaugural, pertencente ou relativo à inauguração; inicial.

inaugurar. v. tr. inaugurar, estrear; abrir; fazer a inauguração de um monumento; de um serviço público, etc; inaugurar, iniciar; fundar: *inaugurar una escuela, fundarla*, abrir uma escola.

inaveriguable. adj. inaveriguável, que se não pode averiguar.

inca. m. inca; título do soberano do Peru; moeda de ouro de Peru; língua falada pelos incas.

incaico, ca. adj. incásico, pertencente ou relativo aos incas.

incalcinable. adj. incalcinável, que não pode ser calcinado ou reduzido a cal.

incalculable. adj. incalculável, que se não pode calcular; cuja importância não pode ser calculada; incomputável.

incalificable. adj. inclassificável; inqualificável, que se não pode qualificar; inqualificável, censurável, indigno, vituperável.

incamerar. v. tr. incamerar, incorporar nos bens da Igreja ou do Estado.

incandescencia. f. incandescência, qualidade ou estado de incandescente; acensão; (fig.) ardor, exaltação.

incandescente. adj. incandescente, aceso; que está em incandescência; candente, ardente, em brasa; (fig.) exaltado, fogoso.

incansable. adj. incansável, que se não cansa; assíduo, activo, laborioso, incansável; inesgotável; indefeso; frequ(ü)ente; bólico; fragueiro; infatigável: *ser incansable*, bolir.

incapacidad. *f.* incapacidade, falta de capacidade; improficiência; improficuidade; ineficácia; (fig.) inaptidão, falta de entendimento, incapacidade; (for.) carência de aptidão legal para exercer, obter ou usufruir certos direitos; incompetência; impotência: *incapacidad jurídica*, inabilidade.

incapacitado, da. *adj.* e *s.* desafinado; desqualificado; improficiente; ineficaz; inepto; inábil; (fig.) anulado.

incapacitar. *v. tr.* incapacitar, tornar incapaz; degradar; desqualificar; estropiar, estropear; inabilitar; (fig.) anular. — *v. r.* incapacitar-se; tornar-se incapaz; inabilitar-se.

incapaz. *adj.* incapaz, que não tem capacidade; (fig.) incapaz, falto de talento, ignorante; (fam.) insuportável, insofrível; (for.)incapaz, que está privado por lei de certos direitos; incapaz, decepado; eunuco; improficiente; improfíquo; inepto; inapto; incompetente; inútil; impotente; (pop.) bigorrilha; (Bras.) paíba.

incardinación. *f.* acção e efeito de *incardinar.*

incardinar. *v. tr.* admitir um bispo um eclesiástico doutro diocese, como súbdito próprio.

incarnante. *adj.* incarnativo.

incarnativo, va. *adj.* incarnativo; próprio para cicatrizar.

incasable. *adj.* diz-se da mulher que por falta de méritos de beleza, de qualidades não poderá achar marido; que não se pode casar por repugnância ao matrimónio.

incásico, ca. *adj.* V. **incaico.**

incasto, ta. *adj.* incasto, que não tem castidade, impudico, desonesto.

incausto. *m.* V. **encausto.**

incautación. *f.* expropriação; acção e efeito de *incautarse.*

incautarse. *v. r.* expropriar; tomar posse uma autoridade competente dos bens duma pessoa ou entidade; (por ext.) apoderar-se dalguma coisa.

incauto, ta. adj. incauto, que não tem cautela; desprecatado; desacautelado; desprevenido; imprecatado.

incendiado, da. *p. p.* e *adj.* acendido.

incendiar. *v. r.* incendiar, pôr fogo a qualquer coisa que não está destinada a arder; incendiar; abrasar; incender, acender.

incendiario, ria. *adj.* incendiário; (fig.) escandaloso, subversivo, sedicioso; excitante; revolucionário.

incendio. *m.* incêndio, fogo grande; (fig.) grande ardor; conflagração; calamidade; afeição que abrasa o ânimo; afecto veemente; incêndio, alvoroto, agitação popular; abrasamento.

incensación. *f.* insensação, turificação.

incensar. *v. tr.* incensar, turibular, perfumar com incenso; turificar, dirigir com o turíbulo o fumo do incenso; (fig.) lisonjear, adular, louvar.

incensario. *m.* incensário, incensório, turíbulo.

incensio. *m.* (Amér.) V. **incenso.**

incensurable. *adj.* incensurável, que não é censurável.

incentivo. *m.* incentivo, estímulo, estimulante, aquilo que excita; aguilhoamento, aguilhoada, aguilhão; atractivo; acicate; (fig.) anzol, alimento.

incertidumbre. *f.* incerteza, falta de certeza, hesitação, dúvida; improbabilidade; indecisão; indistinção; dubiedade; dúvida; contingência.

incesable. *adj.* incessável, incessante, que não cessa ou não pode cessar; sempiterno; contínuo, continuado; constante; ininterrupto; assíduo; desvelado.

incesante. *adj.* incessante, que não cessa.

incestar. *v. intr.* incestar, desonrar com incesto, cometer incesto.

incesto. *m.* incesto.

incestuoso, sa. *adj.* incestuoso, que comete incesto; torpe; desonesto, impuro.

incicatrizable. *adj.* (med.) incicatrizável.

incidencia. *f.* incidência; o que sobrevém no decorrer dum assunto ou negócio; (geom.) incidência.

incidental. *adj.* incidental; superveniente; acidental acessório.

incidente. *adj.* incidente, que sobrevém no decurso dum assunto e tem com este alguma relação. — *m.* (for.) incidente, questão distinta do principal assunto, mas com ele relacionada; episódio; acidente, experiência; situação, movimento, circunstância, ocorrência, caso.

incidir. *v. intr.* incidir, sobrevir, incorrer, cair numa falta, erro, etc.; incidir, ocorrer, sobrevir, acontecer; suceder.

incienso. *m.* incenso; (fig.) incenso, adulação, lisonja; (Amér.) planta herbácea de aroma muito semelhante ao do incenso.

incierto, ta. *adj.* incerto, duvidoso, dúbio; incerto, hesitante, mudável, inconstante, variável, indeciso, irresoluto, perplexo; não seguro; incerto, errado, errôneo, falso, desconhecido, ignorado; não sabido; indistinto; controverso; contestável; inconsistente, frágil; indefinido, indeterminado; ambíguo; aleatório; aventureiro; eventual; contingente; dessegurado; (fig.) anfíbio.

incinerable. *adj.* incinerável, que se pode incinerar; incinerável, diz-se das notas do Banco retiradas da circulação para serem queimadas.

incineración. *f.* incineração, cineração.

incinerar. *v. tr.* incinerar, reduzir a cinzas.

incipiente. *adj.* incipiente, principiante, que começa; elemental; aprendiz, novato.

incircunciso, sa. *adj.* incircunciso, não circuncidado.

incircunscripto, ta. *adj.* incircunscrito, não compreendido dentro de determinados limites.

incisión. *f.* incisão, cesura, corte com lanceta, incisura, cortamento, cortadura.

incisivo, va. *adj.* incisivo, apto para abrir ou cortar, cortante; (fig.) incisivo, mordaz, ungente, penetrante, picante; decisivo; enérgico. — *m. pl.* incisivos (dentes).

inciso, sa. *adj.* inciso, cortado (diz-se do estilo). — *m.* (gram.) inciso; coma, vírgula.

incisorio, ria. *adj.* incisório, que corta ou pode cortar; incisório (diz-se dos instrumentos de cirurgia); cortante.

incitación. *f.* incitação; impulso estimulante, estímulo; excitação, instigação; provocação; acoroçoamento; atiçamento; induzimento; indução; (fig.) alor.

incisura. *f.* (anat.) incisura, incisão.

incitable. *adj.* incitável, que se incita fàcilmente.

incitado, da. *adj.* e *p. p.* incitado, estimulado; animado; acoroçoado.

incitador, ra. *adj.* e *s.* incitador; instigador; provocador; (fig.) incendiário, revolucionário; impulsivo, estimulador; aguilhoador; inflamador; indutor; acendedor, impulsor.

incitamento. *m.* incitamento, incentivo, incitação, estímulo, instigação, provocação; acoroçoamento.

incitamiento. *m.* incitamento. V. **incitamento.**

incitar. *v. tr.* incitar, estimular, instigar; provocar; açular; dar asas; bater os acicates ;acoroçoar; agulhar; abalar; convidar; excitar; assovinar, assovelar; incentivar; acirrar; impulsar, induzir; exortar; apressar; aguçar; inflamar; animar; (fig.) empuxar; incender; assoprar; atiçar; despertar, beliscar; agarrochar; acenar.

incitativa. *f.* (for.) provisão do tribunal superior, para que os juizes inferiores façam justiça às partes.

incitativa, va. *adj.* incitativo, que incita, incitante. — *m.* incitativo, o que tem a virtude de incitar, incentivo.

incivil. *adj.* incivil, que não tem civilidade; descortês; sem cultura; incorre(c)to; desprimoroso; desconsiderado; desatencioso; desgalante; descomedido; desatilado; desconversável; (fig.) asno; grosseiro; malcriado.

incivilidad. *f.* incivilidade; grosseria; indelicadeza; descortesia; incorre(c)ção; desconversação.

incivilizable. *adj.* incivilizável.

inclasificable. *adj.* inclassificável, inqualificável.

inclemencia. *f.* inclemência; dureza; rigor; crueldade; inflexibilidade; (fig.) inclemência, intemperie, rigor da estação.

inclemente. *adj.* inclemente, duro, rigoroso, desabrido, cruel, severo, áspero.

inclinación. *f.* inclinação, reverência; (fig.) inclinação, afecto, amor, propensão; (geom.) inclinação, direcção que uma linha ou superfície tem com relação a outra; (fís.) inclinação, ângulo variável, que a agulha magnética forma com o plano horizontal; inclinação, desnivelamento; desaprumo; inclinação, devoção; declinação; declive; declividade, declivio; afeição, inclinação, desvio; índole; ape(ê)go;

apetite; (fig.) atra(c)ção; (fig.) tendência, simpatia, propensão.

inclinado, da. *adj.* e *p. p.* e *adj.* inclinado, desnivelado; decumbente; atreito; declive; assotado; descaído; afeiçoado; amigo; acaçapado: *inclinado al amor*, amoroso; inclinado hacia adelante, debruçado.

inclinador, ra. *adj.* e *s.* inclinador, que inclina.

inclinar. *v. tr.* inclinar, apartar uma coisa de sua posição vertical; abaixar, curvar, abater; debruçar; derribar; derrocar, desabar; descair; descer; desnivelar; defle(c)tir; (fig.) convencer a alguém para fazer alguma coisa; dar tendência; predispor; afeiçoar. — *v. intr.* tender, propender; inclinar-se; parecer-se um objecto a outro; declivar, declinar, desaprumar-se; debruçar-se; encurvar-se; determinar-se; mostrar-se favorável; submeter-se, mostrar preferência por.

inclinativo, va. *adj.* inclinativo, que inclina, que pode inclinar.

ínclito, ta. *adj.* ínclito, egrégio, ilustre, esclarecido; celebrado; nomeado, famoso.

incluido, da. *p. p.* e *adj.* incluído, inclusão; anexo; apósito; incluso; incurso; encerrado; contido; compreendido.

incluir. *v. tr.* incluir, encerrar, meter uma coisa dentro doutra; abranger; incluir, conter em si uma coisa ou levá-la; incluir, compreender um número menor noutro maior ou uma parte no seu todo; inserir; envolver em; fechar, encerrar; abraçar; cifrar; contar; englobar; incorporar.

inclusa. *f.* roda, hospício de enjeitados.

inclusero, ra. *adj.* e *s.* (fam.) enjeitado, que foi criado na casa dos expostos; rodeiro.

inclusive. *adv.* inclusive, inclusivamente.

inclusivo, va. *adj.* inclusivo, que inclui ou pode abranger.

incluso, sa. *p. p. irreg.* de *incluir* e *adj.*, incluso, incluído; abrangido; compreendido. — *adv.* inclusivamente. — *prep.* até. V. **hasta.**

incoacción. *f.* incoação, acção de incoar, começo; início.

incoagulable. *adj.* incoagulável.

incoado, da. *adj.* e *p. p.* incoado, começado, iniciado.

incoar. *v. tr.* incoar, dar começo a uma coisa; começar, principiar; iniciar-se; diz-se dum processo, questão, ou procedimento oficial.

incoativo, va. *adj.* incoativo, que começa, que exprime princípio duma coisa ou acção.

incobrable. *adj.* incobrável, que se não pode cobrar.

incoercibilidad. *f.* incoercibilidade.

incoercible. *adj.* incoercível, que não pode ser coagido.

incógnita. *f.* (mat.) incógnita; incógnita, causa ou razão desconhecida dum facto; segre(ê)do, enigma.

incógnito, ta. *adj.* incógnito, desconhecido, ignoto; incerto; encoberto; anó(ô)nimo;

de incógnito, incógnitamente, de incógnito; *estar de incógnito,* conservar o anónimo, guarda o incógnito; *viajar de incógnito,* viajar incógnito.

incognoscible. *adj.* incognoscível, que não se pode conhecer.

incoherencia. *f.* incoerência; discrepância; desconexão; desordem; incongruência; improcedência; desligamento; desproporção.

incoherente. *adj.* incoerente, não coerente; falto de harmonia; desconexo; ilógico; incongruente, disparatado; discrepante; improcedente; inconsequente; desatado; desconexo; desconcordante: *discurso incoherente,* discurso descosido.

incohesión. *f.* incoesão, falta de coesão.

íncola. *m.* íncola, habitante dum povo, morador dum lugar.

incoloro, ra. *adj.* incolor, sem cor; que não tem feição política; indeciso; dúbio.

incólume. *adj.* incólume, são, sem lesão, intacto; ileso; salvo; pálido; inde(m)ne; incorru(p)to.

incolumidad. *f.* incolumidade; incorru(p)ção; segurança; salubridade; isenção de perigo.

incombinable. *adj.* incombinável, que se não pode combinar.

incombustibilidad. *f.* incombustibilidade.

incombustible. *adj.* incombustível, que não pode arder; (fís.) incombustível.

incomible. *adj.* intragável, que se não pode comer.

incomodador, ra. *adj.* molesto, enfadonho, que incomoda.

incomodar. *v. tr.* incomodar, causar incomodidade ou incómodo; importunar; molestar; desgostar; afligir; desapacientar; embaraçar; desarranjar; enfadar; enfezar; apoquentar; (vulg.) amolar; (fig.) adoentar; (Bras.) atucanar. — *v. r.* incomodar-se; molestar-se; desgostar-se; afligir-se; agastar-se; maçar-se; enfadar-se; desacomodar-se; agitar-se.

incomodidad. *f.* incomodidade, falta de conforto; incó(ô)modo; moléstia; desgosto; aborrecimento; importunidade; dano; inconveniência; apoquentação; contrariedade; abalo; esto(ô)rvo; enfado; desassosse(e)go; descó(ô)modo, descomodidade; desarranjo; embaraço; desconchego; desconveniência; desconfo(ô)rto; desnaturalidade; afrontamento (por muita comida).

incómodo, da. *adj.* incó(ô)modo; importuno, molesto, enfadonho; nocivo; incomodativo; incomodante, inconfortável; descó(ô)modo; desarranjado; embaraçoso; desconversável; (pop.) desinquieto.

incomparable. *adj.* incomparável; único; excelente, óptimo; exímio; extraordinário.

incomparado, da. *adj.* incomparável, que se não pode comparar. V. **incomparable.**

incompartible. *adj.* indivisível, que se não pode dividir.

incompatibilidad. *f.* incompatibilidade; repugnância entre pessoas ou coisas; (for.) incompatibilidade, impedimento para exer-

cer uma função; oposição; inconciabilidade; ineptidão; antagonismo; incapacidade.

incompatible. *adj.* incompatível; inconciliável; diz-se dos cargos que não podem ser desempenhados ao mesmo tempo, pelo mesmo indivíduo; contraditório; incomportável: *hacerse incompatible,* desarmonizar-se; *ser incompatible con,* incompatibilizar-se.

incompensable. *adj.* incompensável, que se não pode compensar.

incompetencia. *f.* incompetência, falta de competência ou aptidão; (for.) incompetência; improficiência; inabilidade; ineptidão; ineficácia.

incompetente. *adj.* incompetente, impróprio; sem capacidade ou idoneidade; inábil; inepto; ineficaz; extemporâneo, inoportuno; improfíquo, improficiente; (for.) incompetente, sem jurisdição.

incomplejo, ja. *adj.* incomplexo.

incompleto, ta. *adj.* incompleto; não acabado; imperfeito; mutilado; parcial; deficiente, defectivo; fragmentário; falto.

incomplexo, xa. *adj.* incomplexo, simples, que não é complexo; (mat.) incomplexo.

incomponible. *adj.* inconciliável, que não se pode conciliar, incompatível.

incomprendido, da. *p. p.* e *adj.* incompreendido.

incomprensibilidad. *f.* incompressibilidade, incompreensibilidade.

incomprensible. *adj.* inatingível, inescrutável, inacesível, indecifrável; inconcebível; inexplicável; incompreensível, incompressível; (fig.) improfundável, sibilino: *cosa incomprensible,* (fig.) álgebra.

incomprensión. *f.* incompreensão.

incomunicabilidad. *f.* incomunicabilidade.

incomunicable. *adj.* incomunicável.

incomunicación. *f.* incomunicação.

incomunicado, da. *p. p. adj.* e *s.* incomunicado, que não tem comunicação, diz-se dos presos.

incomunicar. *v. tr.* incomunicar. — *v. r.* incomunicar-se, isolar-se.

inconarse. *v. r.* (Amér.) barbarismo por *enconarse.*

inconcebible. *adj.* inconcebível, inexplicável, inconcepto; inacreditável; incrível; extravagante.

inconciliabilidad. *f.* inconciliabilidade; incompatibilidade.

inconciliable. *adj.* inconciliável, incompatível

inconcluso, sa. *adj.* inconcluso, não concluído.

inconcurrencia. *f.* qualidade de *inconcurrente.*

inconcurrente. *adj.* (Amér.) diz-se da razão ou motivo que não concorrem na demonstração dum facto.

inconcuso, sa. *adj.* inconcuso, firme, sem dúvida, inabalável; incontestável.

incondicional. *adj.* incondicional, absoluto, sem restrições, sem condições; total; ilimitado.

inconducente. *adj.* não conducente para um fim; extemporâneo, inoportuno.

inconexión. *f.* inconexão, incongruência; incoerência; independência.

inconfesable. *adj.* inconfessável; (fig.) vergonhoso; hediondo; monstruoso.

inconfeso, sa. *adj.* (for.) inconfesso; inconfessado.

inconfidencia. *f.* desconfiança. V. **desconfianza.**

inconfidente. *adj.* inconfidente, infiel; desleal.

inconfundible. *adj.* inconfundível; único; distinto; muito diferente.

incongelable. *adj.* incongelável.

incongruencia. *f.* incongruência; impropriedade; desarmonia; incomveniência.

incongruente. *adj.* incongruente; inconveniente; impróprio; incôngruo; inoportuno.

incongruidad. *f.* incongruência, incongruidade.

incongruo, grua. *adj.* incôngruo, incongruente, impróprio, inoportuno; incôngruo, eclesiástico, que não tem côngrua; (gram.) incôngruo, contra o bom senso.

inconmensurabilidad. *f.* incomensurabilidade.

inconmensurable. *adj.* incomensurável; imenso; enorme.

inconmovible. *adj.* que não se pode comover ou alterar.

inconmutabilidad. *f.* incomutabilidade.

inconmutable. *adj.* incomutável. V. **inmutable.**

inconquistable. *adj.* inconquistável; inexpugnável, invencível; (fig.) que não se deixa vencer com rogos.

inconsciencia. *f.* inconsciência.

inconsciente. *adj.* inconsciente, ignorante; irresponsável; l o u c o; impremeditado; (fig.) automático.

inconsecuencia. *f.* inconsequência; incoerência; inconstância, incongruência, contradição.

inconsecuente. *adj.* inconsequente; incoerente; contraditório; incongruente; inconstante; frívolo.

inconsideración. *f.* inconsideração; falta de atenção; irreflexão; leviandade.

inconsiderado, da. *adj.* inconsiderado; imprudente; precipitado; indiscreto; imprevisto; desacertado; desconsiderado; arrebatado; desacordado; desaconselhado; adoidado; desadvertido.

inconsistencia. *f.* inconsistência; fraqueza; inconstância; incerteza; imprevisão; leviandade; mutabilidade, volubilidade; incompatibilidade, contradição.

inconsistente. *adj.* inconsistente; inconstante; indeciso; incerto; precário; mudável, volúvel; incompatível.

inconsolable. *adj.* inconsolável; tristíssimo.

inconstancia. *f.* inconstância, instabilidade, volubilidade; versatilidade, mutabilidade de opinião, pensamento, etc.; inconstância, vicissitude, mudança de tempo ou de fortuna; leviandade; infidelidade.

inconstante. *adj.* inconstante, variável, volúvel; leviano, mudável; versátil; incerto; infiel; frágil; elástico; inconsistente; frívolo; desigual; acatassolado; desvairado; inconsequente; bandoleiro (no amor); (Bras.) terereca.

inconstitucional. *adj.* inconstitucional.

inconstitucionalidad. *f.* inconstitucionalidade.

inconsumible. *adj.* inconsumível; indestrutível.

inconsútil. *adj.* inconsútil, sem costura (diz-se geralmente da túnica de Jesús Cristo).

incontable. *adj.* incontável; numeroso; inumerável; incalculável; inenarrável; inefável.

incontaminado, da. *adj.* incontaminado; incorrupto; puro; indemne; imaculado.

incontenible. *adj.* que não se pode conter.

incontestable. *adj.* incontestável; indiscutível; irrefutável; indefectível; evidente; inconcusso; inegável; ineludível.

incontinencia. *f.* incontinência; intemperança; sensualidade; excesso; incapacidade para reter produtos de excreção; (pat.) enuresia, enurese.

incontinente. *adj.* incontinente; imoderado, sensual; dissoluto; impudico; libertino; concupiscente; imoderado. — *adv.* incontinente, imediatamente.

incontinuo, nua. *adj.* incontínuo, não interrompido, contínuo.

incontrastable. *adj.* incontrastável, invencível; insuperável; irrespondível; (fig.) pertinaz; obstinado; incontrovertível; indisputável.

incontratable. *adj.* intratável. V. **intratable.**

incontrito, ta. *adj.* incontrito, impenitente.

incontrolable. *adj.* (neol.) que se não pode controlar.

incontrovertible. *adj.* incontrovertível, incontroverso, indiscutível, incontestável, incontrastável, irrespondível, irrefutável.

inconvencible. *adj.* inconvencível, que se não deixa convencer; irrazagável.

inconvenible. *adj.* inconveniente, não conveniente.

inconveniencia. *f.* inconveniência, incomodidade; desconformidade; inverosimilhança duma coisa; indelicadeza; grosseria; despropósito.

inconveniente. *adj.* inconveniente; impróprio; inoportuno; indecente; indecoroso; descabido; desvantajoso; desacomodado; desconveniente; desconcertado; desbocado; desapropositado; desacertado; destoante; incongruente; indigno; indelicado; grosseiro; indesejável; incorre(c)to; extemporâneo; inadequado. — *m.* inconveniente, desvantagem; esto(ô)rvo, contratempo; impedimento, dano, inconveniente; defeito; entorpecimento; desarrazoamento; desaguisado; embaraço, obstáculo.

inconversable. *adj.* desconversável, intratável, insociável, solitário, grosseiro, rude.

inconvertible. *adj.* inconvertível; imudável; inconversível.

incordio. *m.* (med.) V. **buba**; fastidio, aborrecimento.

incorporación. *f.* incorporação; agrupamento; inclusão.

incorporal. *adj.* incorpóreo, incorporal, imaterial.

incorporar. *v. tr.* incorporar, juntar num só corpo, reunir; sentar ou reclinar o corpo que estava deitado, incluir; ligar; admitir em corporação; unir, ajuntar, englobar; incorporar, tomar corpo; fazer parte; pôr em pé; afiliar; incarnar; anexar; agregar. — *v. r.* incorporar-se, endireitar-se; juntar-se a uma corporação, cortejo, etc.; unir-se; alistar-se; reunir-se; ingressar em.

incorporeidad. *f.* incorporeidade, imaterialidade.

incorpóreo, a. *adj.* incorpóreo, imaterial; incorporal; impalpável.

incorporo. *m.* incorporação. V. **incorporación.**

incorrección. *f.* incorre(c)ção; imperfeição, de defeito; incorrecção, dito ou gesto incorrectos; indelicadeza; grosseria; e(ê)rro.

incorrecto, ta. *adj.* incorrecto, imperfeito, defeituoso; errado, falso; imoral; inconveniente; indigno; deselegante; indelicado; grosseiro.

incorregibilidad. *f.* incorrigibilidade, qualidade de incorrigível.

incorregible. *adj.* incorrigível; indisciplinado; indócil; incapaz de emenda; indisciplinado; incurável: *ser incorregible,* não ter emendas.

incorrupción. *f.* incorru(p)ção; estado duma coisa que se não corrompe; (fig.) pureza de vida e santidade de costumes.

incorruptibilidad. *f.* incorru(p)tibilidade; integridade.

incorruptible. *adj.* incorru(p)tível, imputrescível, inflexível, incorru(p)tivo; (fig.) inconcusso; incorruptível, que se não deixa corromper; (fig.) incorruptível, que se não pode perverter.

incorrupto, ta. *adj.* incorru(p)tó, não, corrompido; incorru(p)tível; isento de corrupção; (fig.) não pervertido; aplica-se á mulher que não perdeu a pureza virginal; inalterável; incorruptível, que se não deixou sobornar.

incrasar. *v. tr.* (med.) incrassar. V. **engrasar.**

increado, da. *adj.* incriado, que não foi criado.

incredibilidad. *f.* incredibilidade; qualidade do que é incrível.

incredulidad. *f.* incredulidade, descrença; ateismo; incredulidade, repugnância em acreditar uma coisa; irreligião; falta de fé e de crença católica; incredulidade; desconfiança.

incrédulo, la. *adj.* e *s.* incrédulo, descrente, ateu, ateista, ímpio; que não tem fé religiosa; pessoa sem credulidade.

increíble. *adj.* incrível, que não pode acreditar-se; inadmissível; exce(p)cional; incrível, (fig.) muito difícil de acreditar; inacreditável; falso, fantástico; inconcebí-

vel; inexplicável; fabuloso; inaudito; extraordinário; singular.

incrementar. *v. tr.* incrementar, adicionar. V. **aumentar.**

incremento. *m.* incremento, aumento, acréscimo; medra; ascendência; adeantamento, adiantamento; aumentação; apensação; engrandecimento; achega; acessão; adicionamento; (mat.) incremento, quantidade diferencial: *tomar incremento,* tomar corpo.

increpación. *f.* increpação, repreensão áspera.

increpador, ra. *adj.* e *s.* increpador, increpante, que increpa.

increpar. *v. tr.* increpar, repreender com dureza e severidade, acusar, censurar, arguir.

incriminación. *f.* incriminação; inculpação; acusação.

incriminar. *v. tr.* incriminar, acusar com insistência dalgúm crime ou delito; exagerar alguma culpa ou delito; inculpar.

incristalizable. *adj.* incristalizável.

incruento, ta. *adj.* incruento; diz-se especialmente do sacrifício da missa.

incrustación. *f.* embutido, embutidura; incrustação; acção de incrustar.

incrustado, da. *p. p.* e *adj.* incrustado; engastado; encaixado; encrustado; embutido; (carp.) encabeçado, encabeirado: *incrustado en oro y plata,* adamascado.

incrustador, ra. *adj.* e *s.* incrustador, que incrusta.

incrustar. *v. tr.* incrustar, taux'ar, encravar; embutir; assobradar, assoalhar; embrechar; encrustar; encastoar; encaixar; cobrir uma superfície com uma crosta dura; inserir, aderir fortemente a uma superfície.

incubación. *f.* empolha; incubação; (med.) evolução duma doença; cho(ô)co; (fig.) preparação, elaboração; premeditação.

incubadora. *f.* chocadeira, incubadora, aparelho para incubação artificial.

incubar. *v. tr.* e *intr.* incubar, empolhar; chocar os ovos.

incuestionable. *adj.* incontrovertível, incontroverso; indubitado; indubitável; indiscutível; inquestionável; sem contestação; incontrastável; evidente; indisputado; indiscutível; axiomático; inegável; iniludível.

inculcación. *f.* inculca, informação; (fig.) sugestão.

inculcador, ra. *adj.* e *s.* inculcador, que inculca; (fig.) adelo.

inculcar. *v. tr.* inculcar; infiltrar; encaixar; imprimir; apertar uma coisa contra outra; (fig.) alcovitar. — *v. r.* inculcar-se, repisar; repetir para imprimir no ânimo; (impr.) juntar demasiadamente umas letras a outras; apertar; estreitar; inculcar, dar informação. — *v. r.* obstinar-se; persistir; fazer-se aceitar; impor-se.

inculpabilidad. *f.* inculpabilidade, insenção de culpa, falta de culpabilidade.

inculpable. *adj.* inculpável, inculpado que se não pode inculpar.

inculpación. *f.* inculpação; imputação.

inculpar. *v. tr.* inculpar, acusar, imputar; atribuir culpas a alguém; incriminar; censurar.

incultivable. *adj.* incultivável, que se não pode cultivar.

inculto, ta. *adj. adj.* inculto, sem cultivo ou amanho; desamparado; incivilizado; devoluto; bárbaro; machorra; agreste; (fig.) inculto, deforme; (fig.) inculto, de modos rústicos, grosseiro, rude; grosseiro, desalinhado (falando do estilo): *terreno inculto,* exido, boiça, descampado, terra devoluta.

incultura. *f.* incultura, falta de cultura, incivilidade, falta de ilustração; incultura, barbarie; apedeutismo.

incumbencia. *f.* incumbência, obrigação; dever; incumbência, comissão, encargo, cousa que se incumbiu; dever, encomenda; encarre(ê)go.

incumbente. *adj.* (bot.) incumbente, inclinado para terra; (zool.) incumbente.

incumbir. *v. intr. e tr.* incumbir, estar à carga dalguém alguma coisa; incumbir, reputar, encarregar, encomendar, cometer; caber, competir; estar a cargo, incumbir.

incumplido, da. *adj.* não cumprido, não levado a efeito.

incumplimiento. *m.* falta de cumprimento: *incumplimiento del deber,* erro d'ofício.

incumplir. *v. tr.* deixar de cumprir, desacatar, descumprir, faltar: *incumplir lo prometido,* desempenhar-se alguém da sua palavra; *incumplir una palabra o una promesa,* faltar a palavras, voltar com a palavra atrás.

incunable. *adj. e s.* incunábulo, aplica-se às edições feitas desde a invenção da imprensa, até princípios do século XVI.

incurabilidad. *f.* incurabilidade, qualidade de incurável.

incurable. *adj.* incurável, que não tem cura, que se não pode curar (tratando-se de doenças ou de doentes).

incuria. *f.* incúria, desleixo, deixação, desaco(ô)rdo, desavisamento; desconce(ê)rto; desalinho; desidia; pouco cuidado, negligência; desatavio; desazo; descautela; desaplicação; desleixação; abandono; abandonamento; descuriosidade; ina(c)tividade; inadvertência; desmaze(ê)lo; incuriosidade.

incurrir. *v. intr.* incorrer, cometer alguma acção pecaminosa ou errada; incorrer, correr; merecer, tornar-se merecedor de indignação, ódio, castigo, etc.; incorrer; incidir; comprometer-se; chamar sobre si: *incurrir en la misma falta o defecto,* tornar atrás.

incursión. *f.* (mil.) incursão, invasão, correria hostil, algazarra, incursão de gente armada num país inimigo; incursão ; (ant.) azaria; expedição; incurso; excursão: *hacer incursiones,* excursionar; *incursiones*

en tierras de moros, entradas em terras de mouros.

incusar. *v. tr.* V. **acusar.**

incuso, sa. *adj.* incuso, aplica-se à moeda ou medalha que está cunhada só dum lado.

indagación. *f.* indagação, informação; exame; averiguação; exploração; desvassamento; devassa; departimento; (fig.) excavação; investigação; pesquisa.

indagador, ra. *adj. e s.* indagador, que indaga; informador; devassante; explorador; averiguador.

indagar. *v. tr.* indagar; apalpar; alveitar; indagar, procurar descobrir; investigar por sinais ou por conjecturas; pesquisar; procurar saber; informar-se; devassar; examinar; (fig.) aparafusar: *indagar antes de tomar una medida,* apalpar o terreno; *¿qué estás indagando?,* que andas tu a cheirar?

indagatoria. *f.* (for.) indagação; declaração que se faz prestar ao pretenso réu sem juramento, sobre o delito que se está averiguando.

indagatorio, ria. *adj.* indagatório, que serve para indagar.

indebido, da. *adj.* indevido, indébito; indevido, que não é obrigatório; impróprio; imerecido; inconveniente.

indecencia. *f.* pacholice; indecência, falta de decência ou de modéstia; inconveniência; acção vituperável; desonra; descompostura; desconchavo; desonestidade; desbocamento; indecoro.

indecente. *adj.* indecente; desonroso; indecoroso; inconveniente; desonesto; desbocado; (fig.) cloacino: *expresión indecente,* asneirola.

indecible. *adj.* inexprimível, indizível; inexplicável; improferível; incontável; inefável; indizível, que se não pode dizer; inarrável, inenarrável.

indecisión. *f.* incerteza; indecisão; irresolução; falta de decisão; empate; ina(c)ção; indeterminação; dubiedade; ataranto.

indecisivo, va. *adj.* ex-cátedra.

indeciso, sa. *adj.* indeciso, irresoluto; perplexo, vacilante, duvidoso; areado, aréu; assustado; abaláveis; dúbio; duvidoso; indeterminado; indeliberado; indecidido; informe; inconsistente; incerto; (fig.) deambulatório, atado; (fig.) incolor.

indecisorio, ria. *adj.* diz-se do juramento cujas afirmações só são aceites como decisivas quando prejudiciais à testemunha que jura.

indeclarable. *adj.* indeclarável.

indeclinabilidad. *f.* indeclinabilidade.

indeclinable. *adj.* indeclinável, inevitável, que tem que fazer-se; irrecusável; (gram.) aplica-se às partes da oração que não tem declinação; indeclinável, forçoso; incessível.

indecoro. *m.* indecoro, falta de decoro; indignidade.

indecoroso, sa. *adj.* indecoroso, indecente, desonroso; desairoso; desonesto; impróprio, indigno; deslustroso; indecoroso, que ofende: *acto indecoroso*, desar.

indefectibilidad. *f.* indefectibilidade, indispensabilidade; qualidade do que é indefectível (aplica-se à Igreja Católica).

indefectible. *adj.* indefectível, infalível; indestrutível; perdurável; indispensável.

indefendible. *adj.* indefensável, indefensível.

indefensable. *adj.* indefensável. V. **indefendible.**

indefensible. *adj.* indefensável, indefensível.

indefensión. *f.* impotência, falta de defesa.

indefenso, sa. *adj.* indefenso, indefeso, desarmado; impotente; inerme; abandonado.

indefinible. *adj.* indefinível; inexplicável; indeterminável.

indefinido, da. *adj.* indefinido, indeterminado; ilimitado; vago; (mat.) indefinido; (lóg.) indefinido; incomensurável; indelineável; indistinto.

indehiscencia. *f.* indeiscência.

indehiscente. *adj.* indeiscente.

indeleble. *adj.* indelével, que se não pode apagar; indestrutível.

indeliberación. *f.* indeliberação, indecisão; irresolução; irreflexão.

indeliberado, da. *adj.* indeliberado, irresoluto; indeciso; irreflectido; impremeditado; desapercebido; desintencionado.

indelicadeza. *f.* indelicadeza; descortesia; grossaria; inconveniência; incorre(c)ção; desprimor; desamabilidade; descortesia; desmesura; (fig.) despolidez.

indelicado, da. *adj.* indelicado; inconveniente; grosseiro; indiscreto; desatencioso.

indemne. *adj.* inde(m)ne, ileso, incólume; incontaminado.

indemnidad. *f.* inde(m)nidade; situação da pessoa indemne; imunidade. V. **indemnización.**

indemnización. *f.* inde(m)nização, compensação; desquite; abono; emenda; comparação; reparação; desforra.

indemnizado, da. *p. p.* e *adj.* indemnizado; ressarcido; entregue; abonado, pagado; compensado.

indemnizar. *v. tr.* inde(m)nizar, compensar, ressarcir dum dano ou prejuízo; compensar; abonar, pagar; desforrar; desforçar; corroger; desinteressar; emendar. — *v. r.* indemnizar-se, livrar-se ou esquivar-se a responsabilidade; desforrar-se.

indemostrable. *adj.* indemonstrável.

independencia. *f.* independência; liberdade; autonomia; inteireza; firmeza de carácter; emancipação; desafo(ô)go; insenção.

independiente. *adj.* indêpendente, livre de dependência; autó(ô)nomo; livre, não sujeito; fragueiro; apartado; despegado; emancipado; dessujeito; desprendido; absoluto. — *adv.* independentemente. — *m. pl.* independentes, protestantes dissidentes de Escócia e Holanda: *independiente de eso*, independente da questão.

independizar. *v. tr.* e *r.* (neol.) V. **emancipar.**

indescifrable. *adj.* indecifrável, obscuro, falto de clareza; (fig.) inexplicável, ininteligível.

indescriptible. *adj.* indescritível, que se não pode descrever; inefável; inenarrável.

indeseable. *adj.* indesejável; perigoso; inconveniente; aborrecido. — *s.* indesejável, pessoa cuja permanência num dado lugar ou país é considerada perigosa ou inconveniente.

indesignable. *adj.* que não se pode designar.

indestructibilidad. *f.* indestrutibilidade; inalterabilidade.

indestructible. *adj.* indestrutível; inalterável; inconsumptível, inconsumível; indelével; inexterminável.

indeterminable. *adj.* indeterminável; duvidoso, incerto, irresoluto; indefinível; indistinto.

indeterminación. *f.* indeterminação; indecisão; perplexidade; dúvida; incerteza; dubiedade; informidade; imprecisão; assexualidade.

indeterminado, da. *adj.* indeterminado, não determinado; indeciso, irresoluto; indefinido, vago, indecidido; informe; indistinto; abstracto; impreciso; ambíguo; induvidoso; indeterminado, cobarde; pusilânime; tímido; assexual.

indevoción. *f.* indevoção; irreligião, irreligiosidade.

indevoto, ta. *adj.* indevoto, irreligioso; ímpio; pouco afeiçoado.

India. (geog.) Índia.

india. *f.* (fís.) abundância de riquezas.

indianés, sa. *adj.* índio. V. **indio.**

indianismo. *m.* indianismo.

indianista. *s.* indianista.

indianización. *f.* indianização.

indianizar. *v. tr.* indianizar, dar feição indiana a.

indiano, na. *adj.* e *s.* indiano, índio, ameríndio, natural da América; diz-se daquele que regressa enriquecido da América.

indianología. *f.* indianologia.

indianólogo, ga. *s.* indianólogo, indianista.

indicación. *f.* indicação; efeito de indicar; esclarecimento; sinal; descobertura; denotação; descobrimento; designação; indigitamento; indício; determinação.

indicador, ra. *adj.* e *s.* indicador, que indica ou serve para indicar; ponteiro que indica em aparelhos telegráficos; índice; denotador.

indicán. *m.* (quím.) indicã, indicana.

indicar. *v. tr.* indicar, mostrar, designar; dar a entender com sinais ou indícios; mostrar ou apontar com o dedo; designar, revelar; mencionar; aconselhar; denotar; demonstrar; expressar; designar; arguir; indigitar, indiciar; alvitrar; determinar; enunciar, mencionar; esboçar ligeiramente; (med.) indicar, mostrar a conveniência de aplicar um tratamento.

indicativo, va. *adj.* indicativo, indicador; (gram.) indicativo, (diz-se do verbo). — *m.* (gram.) indicativo.

indicción. *f.* indicção, convocação para um sínodo ou concílio; (cronol.) indicção; espaço de quinze anos.

índice. *m.* índice, indício, sinal duma coisa; índice, relação, tabela, catálogo de livros proibidos pelo Pontífice; lista; indicador (dedo); indicador, agulha, ponteiro de relógio; gnómon dum quadrante solar; elenco; índex: *dedo índice*, dedo mostrador ou índex; (pop.) fura-bolos; *índice de libros prohibidos por la Iglesia*, expurgatório.

indiciado, da. *p. p.* e *adj.* indiciado, que tem contra si a suspeita de ter cometido um delito.

indiciar. *v. tr.* indiciar, dar indício dalguma coisa; delatar; suspeitar, desconfiar por indícios; (for.) indiciar, pronunciar, descobrir por indícios; acusar; pronunciar como criminoso.

indiciario, ria. *adj.* (for.) indiciário.

indicio. *m.* indício, sinal, vestígio; mostra; indicação, aparência; (fig.) cheiro; denotação; assomo; barrunto; (fig.) fumos; a mostra; (fig.) clarão; indício; anúncio: *dar indicios de algo*, indiciar.

índico, ca. *adj.* índico, indiano, pertencente às Índias Orientais.

indiferencia. *f.* indiferença, falta de entusiasmo, curiosidade ou paixão; desinteresse; apatia; frieza; desprendimento; negligência; inércia; insensibilidade; estoicidade; indolência; ina(c)ção; (fig.) ingratidão; desdém; desvio; desleixação; desleixo; desafeição, desape(ê)go, desapegamento: *mostrar indiferencia*, encolher os ombros.

indiferenciado, da. *adj.* indiferenciado, sem diferenciação, indiscriminado.

indiferente. *adj.* indiferente, apático; desinteressado; estranho; insensível; imparcial; desapaixonado; estóico; alheado; descuidado, negligente; frio; desleixado; despreocupado; desapegado: *estar indiferente*, (fam.) estar indiferente; *ser completamente indiferente*, (fam.) tanto faz assim como assada.

indígena. *adj.* e *s.* indígena, originário dum país ou localidade; aborígene autóctone.

indigencia. *f.* indigência, miséria extrema; pobreza absoluta; carência; penúria; estreiteza; apuro; empobrecimento; (fig.) desnudez: *estar en la indigencia*, estar à dependura.

indigenismo. *m.* indigenato.

indígeno. *adj.* (Amér.) V. **indígena**.

indigente. *adj.* indigente, pobre; mendigo; apurado; descamisado; apertado; mesteroso; mesquinho.

indigestarse. *v. r.* não assentar bem um manjar, não digerir; (fig. e fam.) não ser determinada pessoa do agrado dalguém.

indigestible. *adj.* indigerível; incoctível.

indigestión. *f.* indigestão, perturbação nas funções digestivas; (pop.) fartadela; afito; empacho.

indigesto, ta. *adj.* indigesto, difícil de digerir; (fig.) repugnante, desordenado; confuso; áspero; rude no trato; desordenado; empachoso. — *s.* (Amér.) índio.

indignación. *f.* indignação; agastamento; repulsão; desprezo; ira; desadoração cólera, furor.

indignar. *v. tr.* indignar, enfadar, irritar, causar indignação; revoltar; indispor. — *v. r.* indignar-se; agastar-se; indispor-se; (pop.) estomagar-se.

indignidad. *f.* indignidade; baixeza; afronta; infâmia; envilecimento; infamação; demérito; ultraje; malvadez.

indigno, na. *adj.* indigno; desprezível, baixo, vil, torpe, indecoroso; impróprio; inconveniente; desonroso; infando; demeritório demérito; desonesto; infame; desgabado; desmerecido.

índigo. *m.* índigo; anil; V. **añil**.

indigotina. *f.* (quim.) indigotina, princípio corante do anil.

indiligencia. *f.* indiligência, falta de diligência, e de cuidado; preguiça; negligência; inacção.

indino, na. *adj.* (fam.) indigno; travesso, teimoso, descarado. V. **indigno**.

indio, dia. *adj.* e *s.* índio, indiano, natural da ou pertencente à Índia; ameríndio. — *m.* índio, metal semelhante à prata; azulado; cerúleo.

indiófilo, la. *adj.* que protege os índios.

indirecta. *f.* indire(c)ta; piada; alusão pérfida, insinuação; circunlocução; rodeio de palavras: *indirecta del padre Cobos*, (fam.) procacidade, insolência com que se diz uma coisa desagradável.

indirecto, ta. *adj.* indire(c)to; tortuoso; oblíquo; simulado; mediato; colateral.

indirigible. *adj.* indirigível, que não pode ser dirigido.

indiscernible. *adj.* indiscernível, indiscriminável.

indisciplina. *f.* indisciplina, desobediência; desordem, motim; rebelião, indocilidade; desacato; desacatamento.

indisciplinable. *adj.* indisciplinável; incorrigível.

indisciplinado, da. *p. p.* e *adj.* indisciplinado; rebelde; insubordinado; indócil; ingovernável; inadaptado; desobediente: *recluta indisciplinado*, soldado boçal.

indisciplinarse. *v. r.* indisciplinar-se, quebrar a disciplina; revoltar-se; desacatar; desobedecer.

indiscreción. *f.* indiscrição; imprudência; leviandade; entremetimento; descaída; inconfidência; abelhudice; desavisamento, desaviso chocalhice; (fig.) assoalhadura, assoalhamento; (pop.) descambadela, descambação: *cometer una indiscreción*, descair-se.

indiscreto, ta. *adj.* e *s.* indiscreto, inconfidente, tagarela; leviano; imprudente; curioso; mexeriqueiro; linguareiro; irreflectido; temerário; metediço; arriscado; mexedor; abelhudo; chocalheiro; estavanado; desavisado; (fig.) assoalhador; adiantado: *ser un indiscreto*, (fam.) dar com a língua nos dentes.

indiscriminado, da. *adj.* indiscriminado; indistinto; confuso; indiferenciado.

indisculpable. *adj.* indesculpável, imperdoável; inexcusável.

indiscutible. *adj.* indiscutível; evidente; indubitável; incontrovertível; incontrastável; incontestável; inconcusso; indisputável; inegável.

indiscutibilidad. *f.* indiscutibilidade; indisputabilidade.

indisolubilidad. *f.* indissolubilidade.

indisoluble. *adj.* indissolúvel, indesatável.

indispensabilidad. *f.* indispensabilidade.

indispensable. *adj.* indispensável; necessário; habitual; constante; inexcusável; forçoso; imprescindível; impreterível; vital.

indisponer. *v. tr.* indispor, privar da disposição conveniente; indispor, causar incómodo de saúde; descompor; malquistar; desarranjar; incomodar; produzir discórdia; irritar, zangar; indignar, alhear as simpatias dalguém; (fig.) entroviscar. — *v. r.* indispor-se, desavir-se, irritar-se, azedar-se; pôr-se mal com alguém; zangar-se; irritarse, enfadar-se: *indisponer a dos amigos*, descompadrar, descasar. — *conj. irr.* como *poner*.

indisposición. *f.* indisposição, desarranjo, incómodo de saúde; má vontade; zanga; desavença; achaque, enfermidade; indisposição; desafeição, aversão, tédio; (Bras.) manemolência; *indisposición física*, (Bras.) gangué.

indispuesto, ta. *p. p. irreg.* de *indisponer* e *adj.* indisposto, que sente alteração na saúde; mal disposto; incomodado; desavindo; adoentado; agastado; abananado; (fig.) choquento.

indisputable. *adj.* indisputável, incontestável. incontrovertível incontrastável, inegável.

indistinción. *f.* indistinção, falta de distinção; indeterminação; confusão; incerteza.

indistinguible. *adj.* indistinguível, que se não pode distinguir indistinto.

indistinto, ta. *adj.* indistinto, confuso, vago, indeterminado, mal definido, indiscriminado; indelineável; indeciso; indefinido; indiscernível.

individuación. *f.* individuação; especificação.

individual. *adj.* individual, pertencente ou relativo ao indivíduo; individual, particular, próprio ou característico, dalguma coisa.

individualidad. *f.* individualidade; entidade; individualidade, conjunto de qualidades que constituem o indivíduo; qualidade particular dalguma coisa; propriedade dalguma coisa, individualidade.

individualismo. *m.* individualismo, existência individual; isolamento dos indivíduos na sociedade; indualismo, sistema que dá preferência ao indivíduo e seus direitos, ao direitos colectivos; individualismo, egoismo de cada qual nos afectos, nos interesses, etc.; existência individual.

individualista. *s.* individualismo, partidário do individualismo.

individualizar. *v. tr.* individualizar, individuar.

individuar. *v. tr.* individuar, especificar, individualizar, determinar; destrinçar; considerar uma coisa isoladamente; especializar.

individuo, dua. *adj. e s.* indivíduo, que constitui um todo; indivíduo, entidade; (pop.) coiso; meco; (pop.) fabiano; macho; alma; membro; indivíduo, indivisível, que se não divide; indivíduo, qualquer ser, em relação à sua espécie; indivíduo, pessoa isolada; (fam.) indivíduo, pessoa abstracta; indivíduo, pessoa cujo nome se ignora; indivíduo, pessoa da qual se fala com desdém ou desprezo; (Bras.) zanho; *individuo inteligente, vivo* (Bras.) batuta.

indivisibilidad. *f.* indivisibilidade, qualidade de indivisível.

indivisible. *adj.* indivisível, indivíduo, que não pode ser dividido; (for.) diz-se das coisas que não admitem divisão.

indivisión. *f.* indivisão; (for.) indivisão, falta de divisão; estado de condomínio ou comunhão de bens.

indiviso, sa. *adj.* indiviso, não dividido em partes. — *s.* indiviso.

indoblegable. *adj.* indobrável; inflexível; indomável.

indócil. *adj.* indócil, que não tem docilidade; inadaptado; indomável; indomesticável; indisciplinado; incorrigível, rebelde; (Bras.) puava.

indocilidad. *f.* indocilidade, falta de docilidade; desobediência, indisciplina.

indocto, ta. *adj.* indouto, que não é douto, que tem pouco saber, inepto, inculto.

indocumentado, da. *adj. e s.* indocumentado, que não tem documentação, desacompanhado de documentos; que não pode identificar a sua personalidade; diz-se da pessoa sem responsabilidade.

Indochina. (geog.) Indochina.

indochino, na. *adj. e s.* indochinês, natural da ou pertencente à Indochina.

indoeuropeo, a. *adj. e s.* (geog.) indo- europeu, relativo à Índia e à Europa; ário.

índole. *f.* índole, inclinação natural; cará(c)ter próprio a cada um; temperamento; índole, natureza e condição das coisas; índole, entranha; ânimo; (fig.) esto(ô)fa; (fig.) bofe, entranha: *de mala índole*, áspero; *ser de mala índole*, ser mau como as cobras.

indolencia. *f.* indolência; pacholice, pachorra; deixação; desídia; descautela; indolência, qualidade de indolente; insensibilidade moral; preguiça, apatia; inércia; desleixação; froixidão, descuramento; desmazelamento. desmaze(ê)lo; ina(c)ção; (Bras.) flauta.

indolente. *adj.* indolente, pachorrento; apachorrado; apagado; descauteloso; apático; desleixado; enervado; desmanchadão; madraço; desmazelado, desmedrado; arruador; incurioso; abóbora; fo(ô)sco; (fig.) boleima, froixo, aréu, chinchorro; negligente; ocioso; *charla indolente*, frioleira; *persona indolente*, baraça desatada, emplastro.

indoloro, ra. *adj.* que não causa dor.
indomable. *adj.* indomável, indominável; indomésticável; indó(ô)mito; inconquistável; (Brasil) aporreado (falando-se do cavalo).
indomado, da. *adj.* indomado, indó(ô)mito: indoméstico; que não está domesticado.
indomesticable. *adj.* indomesticável, indomável; que se não pode domesticar; indómito; feroz.
indomesticado, da. *adj.* não domesticado; indoméstico, indomesticado; indomado.
indoméstico, ca. *adj.* indoméstico; indomesticável, bravio, que está por domesticar; selvagem; bárbaro; rude.
indomía. *f.* (Amér.) V. indormía.
indómito, ta. *adj.* indó(ô)mito, indomesticado; (fig.) difícil de sujeitar, incorrigível; indisciplinado, indócil; indomável; indómito, que ainda não pode ser domesticado; difícil de domar; (fig.) que não foi vencido; (fig.) altivo, soberbo.
indormía. *f.* (Amér.) manha, arbitrio.
Indostán. (geog.) Indostão.
indostanés, sa. *adj.* e *s.* indostânico, indostano, natural do Indostão.
indostánico, ca. *adj.* e *s.* (geog.) indostânico, índio, natural do ou pertencente ao Indostão.
indotación. *f.* falta de dotação.
indotado, da. *adj.* indotado, não dotado.
indubitable. *adj.* indubitado, indubitável; inequívoco; inegável; evidente; iniludível; incontroverso.
indubitado, da. *adj.* indubitado; certo, que não admite dúvida.
inducción. *f.* indução, raciocínio, em que de factos particulares se tira uma conclusão genérica; induzimento; (fil.) epagoge; fís.) indução: *carrete o bobina de inducción,* bobina de indução.
inducia. *f.* indúcias, tréguas, trégua, dilação.
inducidor, ra. *adj.* e *s.* induzidor que induz, indutor, incitador, incitante.
inducimiento. *m.* induzimento, indução.
inducir. *v. tr.* induzir, instigar, incitar, aconselhar; persuadir, exortar; estimular; determinar; (fig.) empuxar, inducir causar, ocasionar; induzir, inferir; (fís.) induzir, produzir os efeitos da indução eléctrica: *inducir a alguien,* determinar alguém; *inducir a error,* enganar. — *conj. irr* como conducir.
inductancia. *f.* (electr.) indutância.
inductividad. *f.* (electr.) inductividade.
inductivo, va. *adj.* indutivo, que induz, que procede por indução; incitativo.
inductor, ra. *adj.* indutor, que induz. — *m.* (fís.) indutor.
indudable. *adj.* indubitável, incontestável, evidente, certo, inegável; inconcusso; indiscutível; declarado; incontroverso; *hecho indudable,* facto constante.
indulgencia. *f.* indulgência; clemência; revisão de penas feita pela Igreja; bondade; perdão; franqueza; desculpa; benignidade; benevolência; doçura.
indulgenciar. *v. tr.* indulgenciar, conceder indulgência; perdoar.

indulgente. *adj.* indulgente, fácil em perdoar, bom, clemente, humano, benévolo, complacente; brando; dulcífico, benigno.
indultar. *v. tr.* indultar, conceder indulto; perdoar, atenuar a pena; indultar, relevar duma obrigação; absolver; eximir.
indultario. *m.* indultário.
indulto. *m.* indulto, comutação da pena; privilégio; dispensa de um encargo legal; indulto, graça concedida pela Igreja; amnistía; mercê; absolução.
indumentaria. *f.* indumentária, arte ou história do vestuário; indumentária, vestuário de certa época ou povo.
indumentario, ria. *adj.* indumentário, relativo ao vestuário.
indumento. *m.* indumento, vestuário.
induración. *f.* (med.) induração, endurecimento; engorgitamento.
indurar. *v. tr.* (med.) endurecer, ingurgitar.
indusia. *f.* (bot.) indúsia.
indusio. *m.* indúsio. V. indusia.
industria. *f.* indústria, habilidade ou engenho para fazer alguma coisa; destreza; artifício; artimanha; arte; invenção; ofício; trabalho para sustentar-se; indústria, conjunto de operações para transformar matérias primas; indústria, conjunto dos ramos duma actividade industrial; profissão; (fig.) agência; meneio.
industrial. *adj.* industrial; relativo à indústria. — *s.* industrial, o que vive duma indústria.
industrialismo. *m.* industrialismo; mercantilismo. V. mercantilismo.
industrialista. *adj.* e *s.* industrialista, partidário do industrialismo.
industrialización. *f.* industrialização.
industrializar. *v. tr.* industrializar.
industriar. *v. tr.* industriar, tornar hábil, exercitar, adestrar, ensinar, instruir, amestrar. — *v. r.* adestrar-se, prender, achar os meios para sustentar-se.
industrioso, sa. *adj.* industrioso, trabalhador, laborioso, hábil, habilidoso, experto; engenhoso, manhoso; destro; que exerce indústria.
inebriar. *v. tr.* inebriar, embriagar. V. emborrachar, (fig.) inebriar, turbar o ânimo.
inedia. *f.* inédia, abstinência absoluta de alimento.
inédito, ta. *adj.* inédito, escrito e não publicado; nunca visto; original; desconhecido.
ineducación. *f.* falta de educação; descortesia, grosseria.
ineducado, da. *adj.* descortês, grosseiro, sem educação; incivil; indelicado; (fig.) asno; (vulg.) achavascado.
inefabilidad. *f.* inefabilidade; arroubo, delícia.
inefable. *adj.* inefável, indizível; delicioso; inebriante; inenarrável.
ineficacia. *f.* ineficácia; inutilidade; impropriedade; inactividade; impotência; insuficiência; infrutuosidade, esterilidade.

ineficaz. *adj.* ineficaz, não eficaz, insuficiente, impotente, inútil; impróprio; infrutuoso; estéril; inábil, inerte.

inejecución. *f.* (Amér.) inexecução falta de execução.

inejecutable. *adj.* inexecutável; infa(c)tível.

inelegancia. *f.* inelegância, deselegância.

inelegante. *adj.* inelegante, deselegante; desengraçado.

inelegible. *adj.* inelegível, que não se pode eleger.

ineludible. *adj.* iniludível, indudável; incontestável; inelutável.

inembargable. *adj.* que se não pode penhorar

inenarrable. *adj.* inenarrável, inefável. V. **inefable.**

inepcia. *f.* inépcia; necedade; ignorância crassa; ineptidão; estolidez, tolice; imbecilidade; acto absurdo.

ineptitud. *f.* ineptidão, inépcia, incapacidade; necedade; inabilidade; improficiência; ineficácia; incompetência; inaptidão; (fig.) asneira.

inepto, ta. *adj.* e *s.* inepto, que não tem aptidão; néscio, tolo, estúpido; incapaz; absurdo; disparatado; inábil; desjeitoso; improficiente; impotente; ineficaz; incompetente; inexperto; inapto; indouto.

inequívoco, ca. *adj.* inequívoco, indudável, claro, evidente, declarado.

inercia. *f.* inércia, ignávia; ina(c)ção; indolência; preguiça; frouxidão; incúria; negligência; entorpecimento; ina(c)tividade, indiferença, desídia; (fís.) inércia: *salir de la inercia.* desencantoar.

inerme. *adj.* inerme, desarmado; inofensivo; (bot. e zool.) desprovido de espinhos ou acúleos; impotente; incapaz.

inerrable. *adj.* infalível, que não pode errar.

inerrancia. *f.* inerrância; infalibilidade.

inerrante. *adj.* (astr.) inerrante, fixo, sem movimento.

inerte. *adj.* inerte, que tem inércia; sem movimento ou actividade; ina(c)tivo; ineficaz, inútil, inerte, ignavo, frouxo, preguiçoso, lânguido, ocioso, tardo, indolente; (med.) inerte, paralítico; desidioso, negligente.

inervación. *f.* (fisiol.)) inervação.

inervar. *v. tr.* inervar, comunicar influxo nervoso.

inescudriñable. *adj.* inescrutável. V. **inexcrutable.**

inescrutable. *adj.* inescrutável; impenetrável; incompreensível.

inescrutabilidad. *f.* inescrutabilidade; impenetrabilidade.

inesperado, da. *adj.* inesperado, inopinado; imprevisto; súbito; inadvertido.

inestabilidad. *f.* instabilidade, falta de estabilidade; inconstância; fragilidade; inconsistência.

inestable. *adj.* instável, não estável; inconstante; inconsistente; dessegurado; (fís.) astático.

inestancable. *adj.* inestancável, inesgotável.

inestimabilidad. *f.* inestimabilidade.

inestimable. *adj.* inestimável, de valor incalculável, inapreciável; famoso.

inestimado, da. *adj.* inestimado, que está por avaliar; inestimado, que não se estima como merece.

inevitable. *adj.* inevitável; inelutável; fatal; iniludível; forçoso; infalível; indispensável; indeclinável.

inexactitud. *f.* inexa(c)tidão; e(ê)rro; mentira; falsidade; impontualidade.

inexacto, ta. *adj.* inexa(c)to; errado; falso, infiel, erró(ô)neo; incorre(c)to.

inexcogitable. *adj.* inexcogitável.

inexcusabilidad. *f.* inescusabilidade.

inexcusable. *adj.* inescusável, indispensável; inelutável; indesculpável, forçoso, imprescindível.

inexhausto, ta. *adj.* inexausto, que não está esgotado; incontável, inexaurível.

inexistencia. *f.* inexistência, falta de existência; carência.

inexistente. *adj.* inexistente, que não existe.

inexorabilidad. *f.* inexorabilidade; despiedade; implacabilidade.

inexorable. *adj.* inexorável, implacável, duro, frio, incomplacente; indomável; inabalável; empedernido; inflexível, inclemente; incompassivo; despiedado.

inexperiencia. *f.* inexperiência, falta de experiência; (fig.) inocência.

inexperto, ta. *adj.* inexperto, inexperiente; ingénuo; inocente; jovem, de pouca idade; desatilado; bisonho, aprendiz: *ser inexperto,* (fam.) ter poucas barbas.

inexpiable. *adj.* inexpiável ,que não se pode expiar; irremissível.

inexplicabilidad. *f.* inexplicabilidade; obscuridade; (fig.) extravagância.

inexplicable. *adj.* inexplicável; obscuro; difícil, intrincado; extravagante; indefinível; indecifrável; inconcebível; incrível; inefável, inenarrável, indizível; incompreensível.

inexplorable. *adj.* inexplorável, que se não pode explorar.

inexplorado, da. *adj.* inexplorado; desconhecido; misterioso.

inexplosible. *adj.* (fís.) inexplosível, que não pode explodir.

inexpresivo, va. inexpressivo; que não exprime nada; desanimado.

inexpugnable. *adj.* inexpugnável; inconquistável: invencível: inatacável.

inextensibilidad. *f.* inextensibilidade.

inextensible. *adj.* (fís.) inextensível.

inextenso, sa. *adj.* inextenso, sem extensão, não estendido.

inextinguible. *adj.* inextinguível; (fig.) inextinguível, inexterminável; perdurável, de grande duração; incessante, perpétuo.

inextirpable. *adj.* inextirpável; que se não pode desarraigar.

in extremis. *adv.* in-extremis, nos últimos momentos da vida.

infacundo, da. *adj.* infacundo, não facundo; pouco eloquente.

infalibilidad. *f.* infalibilidade; inerrância; indefectibilidade.

infalible. _adj._ infalível; certo, seguro, indefectível; inevitável que nunca se engana; inerrante.

infalsificable. _adj._ infalsificável.

infamación. _f._ infamação, difamação; descrédito.

infamador, ra. _adj_ e _s._ infamador, infamante, difamador, caluniador.

infamar. _v_ _.tr._ infamar, difamar, desacreditar, desonrar, macular, manchar a reputação; denigrar, desafamar, desonestar, macular; estigmatizar, criticar; caluniar; (fig.) enxovalhar.

infamativo, va. _adj._ infamante, desonroso, infamatório, infamador.

infamatorio, ra. _adj._ infamatório, infamante, difamatório, desonroso, difamador.

infame. _adj._ infame, ignominioso, sem crédito; sem honra; vil, abjecto; baixo, torpe; ignóbil; muito mau; desacreditado; desavergonhado; biltre; detestável; desprezível; (fig.) asqueroso.

infamia. _f._ infâmia, má fama, mau nome, desonra; infâmia, ignomínia; ignobilidade, vileza; baixeza; maldade; denigração, injúria ignominiosa, calúnia, descrédito; desonra, degradação, degradamento; desafo(ô)ro; mácula; labéu. — _pl._ acusações ultrajantes.

infancia. _f._ infância; primeiro período da vida; os primeiros anos; as crianças; (fig.) infância, origem, princípio, começo; meninez, meninice; puerícia; impubescência; impuberdade; (fig.) berço: _desde la más tierna infancia_, desde o berço; _la segunda infancia_, a segunda infância, a decrepitude.

infanta. _f._ infanta, menina que não tem sete anos; infanta, filha do rei; infanta, parenta do rei que obtém este título.

infantado. _m._ infantado, território dum infante.

infante. _m._ infante, menino com menos de sete anos; infante, filho dos reis; infante, parente do rei que obtém este título; infante, soldado de infantaria; menino de coro nalgumas catedrais.

infantería. _f._ infantaria, tropa que marcha e combate a pé.

infanticida. _adj._ e _s._ infanticida, que mata uma criança.

infanticidio. _m._ infanticídio.

infantil. _adj._ infantil, pertencente à infância; (fig.) infantil, inocente, cândido, inofensivo; acriançado; amenidado, menineiro, pueril.

infantilismo. _m._ (pat.) infantilismo.

infanzón, na. _s._ infanção, fidalgo isento de todo o serviço, mas que não tinha no seu solar outro direito de domínio, além do que lhe permitiam os seus privilégios; infanção, gentil-homem.

infanzonado, da. _adj._ próprio do infanção.

infanzonía. _f._ infançonia, qualidade de infanção.

infartación. _f._ enfartamento, ingurgitamento.

infartar. _v. tr._ enfartar, ingurgitar, obstruir; inflar.

infarto. _m._ (med.) enfarte, enfartamento, ingurgitamento, ingurgitação, tumor.

infatigable. _adj._ infatigável, incansável, activo.

infatuación. _f._ enfatuação; enfatuamento; vaidade, orgulho.

infatuado, da. _adj._ e _p. p._ enfatuado; vaidoso; empafo; fátuo.

infatuar. _v. tr._ enfatuar, encher de vaidade enfatuar, encasquetar, preocupar; enfatuar, prevenir excessivamente em favor de alguma pessoa ou coisa.— _v. r._ enfatuar-se, encher-se de vaidade; engramponar-se; entonar-se; empertigar-se; (fam.) enchouriçar-se.

infausto, ta. _adj._ infausto, desgraçado, infeliz, funesto; desastroso; aziago.

infebril. _adj._ apiréctico, que não tem febre.

infección. _f._ infe(c)ção; contágio; inficionação; infestação; apegamento; contaminação; corrupção.

infeccionar. _v. tr._ infe(c)cionar, infe(c)tar, contagiar, contaminar; corromper; (fig.) depravar, perverter. V. **inficionar.**

infecciosidad. _f._ infecciosidade.

infeccioso, sa. _adj._ infe(c)cioso, que produz infe(c)ção; apegadiço; infe(c)tuoso, contagiante, contagioso.

infectar. _v. tr._ infe(c)tar, infe(c)cionar, corromper, contaminar, contagiar.

infectivo, va. _adj._ infectuoso, infeccioso, que produz infecção.

infecto, ta. _adj._ infe(c)to, infe(c)cionado, contagiado; pestilente, corrupto; que exala mau cheiro; mefítico.

infecundarse. _v. r._ infecundar-se, esterilizar-se; fazer-se infecundo.

infecundidad. _f._ infecundidade, esterilidade, infertilidade; improdutividade.

infecundo, da. _adj._ infecundo, estéril, que se não reproduz; improdutivo; improlífico, infértil, infrutífero.

infelicidad. _f._ desgraça, infelicidade, infortúnio, desventura, desdita, adversidade, sorte adversa; desfortuna; (Bras.) malamba.

infeliz. _adj._ infeliz, desgraçado, desventurado, desditoso; infausto; mal sucedido; pacóvio; infortunado; empecadado; amofinado; desventuroso, desventurado; coitado; desditoso, desditado; desprotegido; adverso; amesquinhado; (pop.) desinfeliz; (fam.) bondoso, acanhado. — _s._ pessoa desditosa, desgraçada.

inferencia. _f._ inferência, ilação; deducção; consequência, conclusão.

inferior. _adj._ inferior, que está abaixo; inferior, somenos, menor que outra coisa em qualidade ou quantidade; inferior, súbdito; sujeito a outro, subalterno, subordinado; ordinário; comum, pobre, baixo; (Bras.) mambembe. — (geog.) inferior, diz-se dos lugares ou terras que estão em nível mais baixo do que outras: _no ser inferior a otro_, (fam.) ter seus cinco dedos na mão; _ser inferior a_, ficar atrás; _ser muy inferior a otros_, (fam.) não chegar aos calcanhares de alguém.

inferioridad. *f.* inferioridade, qualidade de inferior; inferioridade, situação duma coisa debaixo de outra: *complejo de inferioridad,* complexo de inferioridade.

inferir. *v. tr.* inferir, deduzir, tirar pelo raciocínio, julgar, concluir, tirar por conclusão; derivar, deduzir, depender, coligir; induzir; arguir; ocasionar. — *v. r.* inferir--se, deduzir-se.

infernal. *adj.* infernal, relativo ao inferno; (fig.) infernal, diabólico; horrível, medonho, atroz; perverso; horrendo; pernicioso; excessivamente mau, endiabrado, avernal; atordoador; infernal, diz-se do que causa grandes desgosto ou incómodo; que causa barulho ou confusão: *piedra infernal,* pedra-infernal.

infernar. *v. tr.* infernar, afligir, atormentar, inquietar, irritar; desesperar; infernar, condenar ao inferno. — *conj. irr.* como *acertar.*

infernillo. *m.* lamparina de álcool, que serve de pequeno fogareiro.

inferno, na. *adj.* (poét.) infernal. V. **infernal.**

inferoanterior. *adj.* infero-anterior.

inferoexterior. *adj.* infero-exterior.

inferointerior. *adj.* infero-interior.

inferoposterior. *adj.* infero-posterior.

infertilidad. *f.* infertilidade, esterilidade.

infertilizable. *adj.* infertilizável.

infestación. *f.* infestação, assolação, devastação, dano causado por hostilidades.

infestar. *v. tr.* infestar, infe(c)cionar, assolar, empestar; infestar, devastar, causar dano com hostilidades ou correrias; percorrer os mares como corsário ou pirata; contaminar.

infesto, ta. *adj.* (poét.) infesto, molesto, nocivo, hostil, pernicioso, danoso, prejudicial.

infibulación. *f.* (vet.) infibulação.

infibular. *v. tr.* infibular, praticar a infibulação; afivelar.

inficionar. *v. tr.* infe(c)cionar, inficionar, contagiar, corromper, infe(c)tar, contaminar; (fig.) corromper, perverter, depravar; infestar; apegar; apestar.

infidelidad. *f.* infidelidade; deslealdade; idolatria; carência de fé católica, falsa fé; perfídia; infidelidade; impiedade; infidelidade, os infieis; adultério; infidelidade, falta de exactidão, de verdade; inconstância; inconfidência.

infidencia. *f.* infidelidade, traição; abuso de confiança, deslealdade, inconfidência.

infidente. *adj. e s.* infiel, infido, que abusa da confiança; desleal, traidor, falso.

infiel. *adj. e s.* infiel, desleal; traidor; infido, falso; inconstante; infiel, que não professa a fé verdadeira, pagão, gentio; falível, falto de exactidão: *ser infiel a su cónyuge,* (pop.) pôr os cornos.

infiernillo. *m.* lamparina de álcool que serve de pequeno fogareiro.

infierno. *m.* inferno; lugar onde penam os maus; tormento dos condenados; os demónios; inferno, báratro, averno; inferno, limbo; inferno, refeitório de algumas ordens religiosas; (fig. e fam.) inferno, lugar de muita confusão, algazarra e discórdia; inferno, subterrâneo onde assenta a roda motriz atafona; desordem; inferneira; tormento horroroso; pena intensa; tortura, vida atribulada; tormenta; confusão; (técn.) reservatório para onde correm os resíduos da fabricação do azeite; (Amér.) certo jogo de cartas; abismo: *los quintos infiernos,* (pop.) diz-se do lugar muito distante; *¡vete al infierno!,* vai-te com os demónios!

infigurable. *adj.* que não pode ser figura corporal, incorpóreo, imaterial.

infijo. *m.* (gram.) infixo.

infiltración. *f.* infiltração; introdução; (fig.) evolução lenta de ideias ou doutrinas difundidas.

infiltrar. *v. tr.* infiltrar, introduzir um líquido entre os poros dum sólido; instigar; fazer entrar; introduzir pouco a pouco; insinuar; (fig.) infundir no ânimo ideias ou doutrinas; embeber; infundir. — *v. r.* infiltrar-se; penetrar; impregnar-se.

ínfimo, ma. *adj.* ínfimo, o mais baixo de todos; ínfimo, o mais inferior; último, ínfimo; (fig.) ínfimo, o mais desprezível ou vil.

infinible. *adj.* infindo, interminável, infinito, ilimitado; inumerável.

infinidad. *f.* infinidade, grande quantidade; imensidade; (fig.) infinidade, multidão de pessoas ou coisas.

infinitesimal. *adj.* (mat.) infinitesimal.

infinitivo. *adj.* (gram.) infinitivo.—*m.* (gram.) infinitivo.

infinito, ta. *adj.* infinito, ilimitado, muito grande, incomensurável; inumerável, imenso, sem límites; vasto. — *m.* (ant.) infinito.

infinitud. *f.* infinidade, qualidade do infinito.

infirmar. *v. tr.* (for.) infirmar, invalidar, declarar nulo; revogar, anular.

inflación. *f.* inflação, acção de inflar; inflação, aumento de circulação fiduciária; (fig.) inflação, soberba, orgulho, vaidade: *inflación de moneda,* emissionismo.

inflacionismo. *m.* (neol.) inflacionismo, inflação da moeda.

inflacionista. *s.* (neol.) inflacionista, partidário da inflação ou do inflacionismo.

inflamabilidad. *f.* inflamabilidade.

inflamable. *adj.* inflamável, fácil de inflamar--se, incendiável, acendível.

inflamación. *f.* inflamação, acção de inflamar; (med.) inflamação; ardor intenso; rubor; encendimento; abrasamento; incêndio; inflamação, encandescência, ardor dos afectos.

inflamador, ra. *adj.* inflamador, que inflama; (fig.) incitador.

inflamar. *v. tr.* inflamar, pôr em chamas, acender, incendiar; tornar vermelho e inchado; irritar; estimular, excitar os afectos ou paixões; abrasar, assanhar; afoguear; (fig.) ele(c)trizar.—*v. r.* inflamar--se, enrubescer-se; fazer-se vermelho; escandecer-se alguma parte de corpo do animal, tornar-se rubra; ele(c)trizar-se; abrasar-se: *inflamarse una herida*, inflamar-se uma ferida; *inflamar de amor*, enfeitiçar.

inflamativo, va. *adj.* inflamativo, que inflama, inflamatório.

inflamatorio, ria. *adj.* (med.) inflamatório; (fig.) excitante.

inflar. *v. tr.* inflar, encher de vento; enfunar; (fig.) inflar, inchar, ensoberbecer, enfunar, enfatuar; desvanecer. — *v. r.* ensoberbecer-se, enfatuar-se; empandeirar--se: *inflar las velas*, (mar.) bojar; *inflar los carrillos*, fazer bochecha.

inflativo, va. *adj.* inflatório, que tem a virtude de inflar.

inflexibilidad. *f.* inflexibilidade; firmeza; austeridade, rigidez; constância do ânimo; obstinação.

inflexible. *adj.* inflexível, que não é flexível; (fig.) inflexível, rígido, firme, constante, teimoso, obstinado, pertinaz; inexorável; impassível; sereno; indomável; decidido.

inflexión. *f.* inflexão, dobradura, inclinação; inflexão, mudança de tom na voz; inflexão, variação de desinência; flexão, difracção da luz; (geom.) inflexão: *inflexión de voz*, inflexão de voz.

inflicción. *f.* infli(c)çáo, castigo, pena, cominação.

inflictivo, va. *adj.* que causa inflicção.

infligir. *v. tr.* infligir, castigar, impor penas, cominar.

inflingir. *v. tr.* V. **infligir.**

inflorescencia. *f.* (bot.) inflorescência.

influencia. *f.* influência; influxo; preponderância; poder, autoridade, valimento; influência, graça e inspiração de Deus; (astr. e fís.) influência; (electr.) influência, indução, electrostática.

influenciar. *v. tr.* (Amér.) V. **influir.**

influenza. *f.* (med.) influença, gripe.

influir. *v. tr.* influir, actuar, causar certos efeitos uns corpos nos outros; estimular; (fig.) influir, concorrer, cooperar, exercer influência moral; contribuir para o êxito dum negócio; incutir; entusiasmar; exercer predomínio; influir, inspirar Deus algum dom da Sua Graça; coagir; embeiçar; imprimir: *influir sobre alguien*, actuar sobre alguém, impressionar; magnetizar. — *conj. irr.* como *fluir.*

influjo. *m.* influência; influxo, preia-mar; influência, embeiçamento. V. **influencia.**

infolio. *m.* in-fólio, formato dum livro; in--fólio, livro com esse formato.

información. *f.* informação; comunicação; esclarecimento acerca do procedimento doutrem; averiguação, indagação; informação, notícia, informe; informação, opinião sobre alguém; assopro; conta; indício; conhecimento; *abrir información*, abrir devassa.

informador, ra. *adj.* e *s.* informador, que informa, informante; devassante; averiguador; denunciador.

informal. *adj.* inconveniente, que não se ajusta às regras previstas; imodesto, indecoroso, indecente; incorrecto, inconveniente; irregular.

informalidad. *f.* informidade, falta de formalidade; inconveniência; incorrecção, falta de gravidade ou etiqueta; imodestia, impudicícia; coisa reprovável pela sua incorrecção.

informar. *v. tr.* informar, dar informação; instruir, inteirar, avisar, esclarecer; dar parecer sobre; (filos.) ser a forma substancial dalgum corpo, dar a forma, animar, advertir. — *v. intr.* informar, falar nos estrados o procurador ou os advogados. — *v. r.* informar-se, instruir-se, inteirar-se, tomar informações: *informar a alguien de algo*, pôr alguém ao facto dalguma coisa; *informar contra alguien*, arrazoar alguém; *informar secretamente*, denunciar.

informativo, va. *adj.* informativo, que informa; (filos.) que dá forma a uma coisa.

informe. *m.* informe, notícia, informação; parecer, opinião; (for.) informe, alegação, exposição do advogado em defesa de causa. — *pl.* averiguações.

informe. *adj.* informe, sem forma, tosco, imperfeito, irregular; monstruoso; disforme; informe, de forma vaga e indeterminada.

informidad. *f.* informidade, estado informe, deformidade, imperfeição.

infortificable. *adj.* infortificável, que se não pode fortificar.

infortuna. *f.* (astrol.) infortuna, influxo adverso dos astros.

infortunado, da. *adj.* infortunado, desafortunado, infeliz, desventurado; infausto; desditado.

infortunio. *m.* infortúnio, infelicidade, desventura, desgraça, contratempo, desdita, desfortuna, desventura; adversidade; fatalidade; facto, acontecimento funesto.

infosura. *f.* (vet.) aguamento.

infracción. *f.* infra(c)ção, violação duma lei ou ordem; transgressão; desobediência; contravenção; quebra.

infracto, ta. *adj.* infra(c)to; inflexível.

infractor, ra. *adj.* e *s.* infra(c)tor, transgressor, contraventor.

infraestructura. *f.* infra-estrutura.

in fraganti. *adv.* em flagrante.

inframaxilar. *adj.* infra-maxilar.

infrangible. *adj.* infrangível, que se não pode quebrar; inviolável; inquebrantável.

infranqueable. *adj.* infranqueável, impossível ou difícil de franquear ou transpor.

infraoctava. *f.* (igl.) infra-oitava, dias compreendidos entre uma festa e a sua oitava.

infraoctavo, va. *adj.* infra-oitavo.

infraorbitario, ria. *adj.* infra-orbitário.

infrarrojo, ja. *adj.* infra-vermelho.

infrascripto, ta. *adj.* infra-escrito. V. **infrascrito.**

infrascrito, ta. *adj.* e *s.* infra-escrito, abaixo assinado ou escrito.

infrecuencia. *f.* infrequ(ü)ência, falta de frequência.

infrecuente. *adj.* infrequ(ü)ente, náo, frequente.

infringir. *v. tr.* infringir, transgredir ordens, leis, etc.; contravir; devassar; violar, quebrantar.

infructífero, ra. *adj.* infrutífero, que não dá fruto; ineficaz; (fig.) infrutífero, que não é de utilidade nem proveito; infrutífero, estéril, improdutivo; improlífico; infecundo; infrutuoso; (fig.) vão, que não dá resultado, não proveitoso.

infructuosidad. *f.* infrutuosidade, infecundidade, qualidade do que é infrutuoso.

infructuoso, sa. *adj.* infrutuoso, ineficaz, inútil; estéril, infértil; infecundo, improlífico; desaproveitado.

ínfula. *f.* (rel.) ínfula, faixa de lã que antigamente usavam os sacerdotes na cabeça e alguns reis; (fig.) vaidade, presunção.

infumable. *adj.* infumável, diz-se do que é mau para se fumar.

infundado, da. *p. p.* e *adj.* infundado, que não tem fundamento, improcedente; desmotivado.

infundíbulo. *m.* (anat.) infundíbulo.

infundio. *m.* (fam.) mentira, patranha, embuste.

infundioso, sa. *adj.* mentiroso, embusteiro.

infundir. *v. tr.* (p. us.) infundir, inculcar, imprimir, incutir; infundir, deitar um líquido numa vasilha; (fig.) infundir, comunicar Deus à alma uma graça; infundir, embeber, ensopar, macerar; infundir, inspirar, mentir: *infundir soberbia*, afofar; *infundir poco a poco*, destilar; *infundir valor*, desatemorizar, animar.

infurtir. *v. tr.* V. **enfurtir.**

infusibilidad. *f.* infusibilidade, qualidade do que é infusível.

infusible. *adj.* infusível, que se não pode derreter, que não pode ser fundido.

infusión. *f.* infusão, aspersão; infuso; aspersão de água na cabeça do que se baptiza; (farm.) infusão, acção de lançar um líquido quente sobre uma substância medicamentosa; infusão, líquido resultante da infusão; maceração farmacêutica: *poner en infusión*, infundir.

infusorio, ria. *adj.* e *m.* (zool.) infusório, diz-se dos animais microscópicos e unicelulares que vivem nos líquidos.

inga. *adj.* V. **pirita.** — *m.* V. **inca.** — *f.* (bot.) inga, planta da família das mimósáceas.

ingeniar. *v. tr.* engenhar, maquinar, traçar ou inverter engenhosamente. — *v. r.* industriar-se, engenhar-se, discorrer com engenho.

ingeniería. *f.* engenharia, ciência da construção; profissão de engenheiro; (mil.) engenharia, arma de engenharia.

ingeniero. *m.* engenheiro, aquele que se aplica a engenhar; aquele que pode dirigir construções civís ou militares.

ingenio. *m.* engenho, maestria; arte; faculdade inventiva, talento; habilidade; máquina, artifício mecânico; engenho, astú-cia, subtileza, destreza; engenho, instrumento de encadernador para aparar as folhas dos livros; engenho, faculdade especial, talento, aptidão; ardil: *aguzar el ingenio*, afiar o engenho, aguçar a inteligência; *ingenio agudo*, despejo; *ingenio de azucar*, engenho d'açúcar; *falta de ingenio*, desengenho, desengenhoso; *tener ingenio*, ter chiste, (fig.) despontar.

ingeniosidad. *f.* rasgo de engenho; qualidade de engenhoso; farçola (fig.) ideia artificiosa e subtil (usa-se geralmente em sentido depreciativo). — *pl.* acertos do juízo.

ingenioso, sa. *adj.* artificioso, inventivo, com arte, chistoso; dedáleo; ardiloso; engenhoso, feito com engenho; atilado; delicado; arguto; despejado; industrioso, agudo; artificioso; (fig.) artista: *ser ingenioso*, ser um alho; *dichos ingeniosos*, (fig.) descaidas, abanicos.

ingénito, ta. *adj.* ingé(ê)nito, conatural, de nascença; inato; ingénito, que não foi gerado.

ingente. *adj.* ingente, muito grande, enorme; estrondoso.

ingento, ta. *adj.* inato, não engendrado.

ingenuidad. *f.* pacovice, inexperiência; desengano; infantilismo; franqueza; desafe(c)tação; ingenuidade, sinceridade; (for.) condição pessoal de haver nascido livre em contraposição à do liberto; liberdade, estado do que nasceu livre.

ingenuo, nua. *adj.* e *s.* ingé(ê)nuo, sincero; anjo; anjinho; pai-avô; pacóvio; alonso; desmalicioso; bem-aventurado; infantil; inexperto; inexperiente; franco; boçal; incauto; sem doblez, singelo; claro; desafe(c)tado; (for.) que nasceu livre, e não perdeu a liberdade: *hombre ingenuo*, homem de bofes-lavados; (Bras.) paio; *volverse ingenuo*, embobar-se; *persona ingenua* (Bras.) badó.

ingerencia. *f.* V. **injerencia.**

ingeridura. *f.* V. **injeridura.**

ingerir. *v. tr.* V. **injerir.**

ingestión. *f.* ingestão, acto de ingerir ou tomar alimento pela boca; (fisiol.) deglutição.

ingle. *f.* (anat.) virilha, parte do corpo que corresponde à junção da coxa com o ventre.

inglés, sa. *adj.* e *s.* (geog.) inglês, natural de ou pertencente a Inglaterra. — *m.* língua inglesa; (fam.) credor que pede o pagamento duma dívida; ânglico, anglo; inglês; (pop.) bife: *acción propia de ingleses*, inglesada; *adoptar las costumbres inglesas*, inglesar-se.

inglesismo. *m.* anglicismo, inglesismo.

inglete. *m.* anquiete, ângulo de quarenta e cinco graus; malhete; ensambladura em esquadria.

inglosable. *adj.* inglosável, que se não pode glosar.

ingluvies. *m.* inglúvias, papo das aves; garganta; primeiro estômago das aves.

ingobernable. *adj.* indócil, ingovernável, que se não pode governar; indisciplinado; indomável; desembestado; indisciplinável: *caballo ingobernable*, cavalo que tem sestros cavalo arremessado.

ingratitud. *f.* ingratidão, desagradecimento; esquecimento dos benefícios recebidos; desconhecimento; (pop.) coice: *pagar con la ingratitud*, (fam.) por um abraço, um baraço.

ingrato, ta. *adj.* ingrato, desagradecido; (fig.) desagradável, molesto, ingrato; desconhecedor; áspero, rude; estéril, infrutuoso, que recompensa mal; difícil; que não é inspirador; desprezível; desnatural.

ingrávido, da. *adj.* leve, subtil, ténue.

ingrediente. *m.* ingrediente, coisa que entra num composto; elemento; base.

ingresar. *v. intr.* ingressar, entrar, dar ingresso (diz-se geralmente do dinheiro); ingressar, entrar a formar parte duma corporação. — *v. r.* (Amér.) V. **alistarse.**

ingreso. *m.* ingresso, entrada, admissão; entrada, receita de dinheiros; emolumento; ingresso, entrada, lugar por onde se entra; ingresso, recepção numa comunidade ou corporação; ingresso, exame de aptidão na universidade.

ingrosación. *f.* (quim.) engrossação, sublimação.

inguinal. *adj.* inguinal.

ingurgitación. *f.* (med.) ingurgitação, ingurgitamento, enfarte num órgão glandular; distensão dum vaso; (fisiol.) deglutição.

ingurgitar. *v. tr.* (med.) ingurgitar, engolir àvidamente; encher; tornar repleto; enfartar.

inhábil. *adj.* inábil, inapto, inepto, incapaz, insuficiente, sem aptidão, incompetente, impossibilidade de exercer emprego ou dignidade; inexperto; desmanhoso; desageitado; improficiente; (Bras.) paíba.

inhabilidad. *f.* inabilidade; inepcia; incapacidade; insuficiência; incompetência; impossibilidade, defeito para exercer dignidade ou emprego; incapacidade; improficiência; inaptidão.

inhabilitación. *f.* inabilitação; impossibilidade; certa pena aflitiva na qual se distinguem vários graus; (fig.) anulação; incapacidade.

inhabilitar. *v. tr.* inabilitar, declarar alguém incapaz de exercer cargos ou empregos ou para exercer direitos civis ou políticos; impossibilitar alguém dalguma coisa; incapacitar; desabilitar; desqualificar; anular.

inhabitable. *adj.* inabitável, que se não pode habitar.

inhabitado, da. *adj.* inabitado, em que ninguém habita; desértico; despovoado; desfrequentado; desamparado.

inhabitual. *adj.* desabitual.

inhacedero, ra. *adj.* que se não pode fazer; infa(c)tível.

inhalación. *f.* inalação; aspiração; absorção pelas vias respiratórias.

inhalador. *m.* (med.) inalador, instrumento para tomar inalações.

inhalar. *v. tr.* (med.) inalar, aspirar certos gases ou líquidos pulverizados; absorver pelas vias respiratórias; assoprar, bafejar em forma de cruz sobre cada uma das ânforas dos santos óleos quando se consagram.

inhallable. *adj.* que não se pode encontrar.

inhereditable. *adj.* que não se pode herdar.

inherencia. *f.* inerência, união de coisas inseparáveis por sua natureza ou que só se podem separar mentalmente; conexão, dependência íntima.

inherente. *adj.* inerente, inseparável; inato; inauferível: *ser inherente*, ser inerente.

inhibición. *f.* inibição, proibição, impedimento; (fig.) embargo.

inhibir. *v. tr.* (for.) inibir, proibir judicialmente que se prossiga no andamento dalguma causa. — *v. r.* inibir-se, afastar-se do conhecimento dum assunto.

inhibitorio, ria. *adj.* inibitório, que iniba ou proíbe; (for.) inibitório.

inhiesto, ta. *adj.* erecto, erguido. V. **enhiesto.**

inhonestable. *adj.* desonesto. V. **deshonesto.**

inhonestidad. *f.* desonestidade, falta de honestidade ou decência. V. **deshonestidad.**

inhonesto. ta. *adj.* desonesto. V. **deshonesto.**

inhospedable. *adj.* inóspito, inospitaleiro.

inhospitable. *adj.* inospitaleiro, inóspito.

inhospital. *adj.* inóspito, inabitável.

inhospitalario, ria. *adj.* inóspito, falto de hospitalidade; inóspito, pouco humano para com os estranhos; inóspito, que não oferece segurança nem abrigo.

inhospitalidad. *f.* inospitalidade, falta de hospitalidade.

inhumación. *f.* inumação, enterramento, ente(ê)rro.

inhumanidad. *f.* inumanidade, desumanidade, crueldade, desalmamento; despiedade

inhumanitario, ria. *adj.* inumano, desumano, cruel, incompassível, incompassivo.

inhumano, na. *adj.* inumano, cruel, desumano, bárbaro, duro, incompassivo, incompassível; acerbo; despiedoso, despiedado, desalmado, atroz, desnaturado.

inhumar. *v. tr.* inumar, enterrar, sepultar, dar sepultura, desamortalhar.

iniciación. *f.* iniciação; ingressão no conhecimento duma coisa; cerimónia com que se inicia alguém nos mistérios duma religião; admissão em loja maçónica; admissão; introdução; incoação; encetadura; início; empreendimento; (fig.) ba(p)tismo.

iniciado, da. *adj.* e *s.* e *p. p.* iniciado; começado; adepto; neófito; catecúmeno; pessoa admitida à iniciação duma ordem ou seita.

iniciador, ra. *adj.* e *s.* iniciador, que inícia; inaugurador.

inicial. *adj.* inicial, que começa, que princípia; inaugural. — *f.* inicial, primeira letra duma palavra, verso ou capítulo.

iniciar. *v. tr.* iniciar, começar, principiar, inaugurar; iniciar, admitir numa sociedade secreta; iniciar, ensinar o mais essencial duma ciência; instruir em coisas abstractas; inaugurar; fundar; estrear; empreender; encetar; abrir; (fig.) entrar. — *v. r.* iniciar-se, adquirir os primeiros conhecimentos; receber a iniciação; iniciar-se, penetrar nos mistérios duma religião, associação ou seita; (rel.) receber as ordens menores.

iniciativa. *f.* iniciativa, prerrogativa de propor em primeiro lugar; acção de tomar a iniciativa; diligência; actividade; empre(ê)sa; expediente.

iniciativo, va. *adj.* iniciativo, inicial, que dá princípio a uma coisa.

inicuo, cua. *adj.* iníquo, contrário à equidade; perverso, malvado; injusto; arbitrário.

inigualado, da. *adj.* igualável; incomparável.

inimaginable. *adj.* inimaginável, que se não pode imaginar.

inimitable. *adj.* inimitável, que não se pode imitar.

ininteligible. *adj.* ininteligível; obscuro, incompreensível, misterioso.

iniquidad. *f.* iniqu(ü)idade, maldade, perversidade; grande injustiça; iniquícia; crime; improbidade; maldade.

iniquísimo, ma. *adj.* superl. de *inicuo*, iniquíssimo.

injerencia. *f.* ingerência, intervenção.

injeridura. *f.* enxertadura, parte por onde se enxertou a árvore.

injerir. *v. tr.* inserir, introduzir uma coisa noutra; entretecer; (fig.) incluir uma coisa na outra, fazendo menção dela; engolir. — *v. r.* imiscuir-se, intrometer-se nalgum negócio. — *conj. irr.* como *sentir*.

injertable. *adj.* enxertável, que pode ser enxertado.

injertación. *f.* enxertia.

injertador. *m.* enxertador, o que enxerta.

injertar. *v. tr.* (agr.) enxertar, aplicar um enxerto a uma árvore: *injertar a escudete,* enxertar de escudo; *injertar a la inglesa,* enxertar à inglesa; *injertar de corona,* enxertar de coroa; *injertar de corteza,* enxertar de encosto.

injertera. *f.* plantação de árvores tiradas do viveiro.

injerto, ta. *p. p.* e *adj.* enxertado.

injerto. *m.* (bot.) enxe(ê)rto, a parte da planta que se enxerta; enxertia, acto de enxertar; enxerto, planta enxertada.

injundia. *f.* (fam.) enxúndia, unto. V. **enjundia.**

injuria. *f.* injúria, afronta, agravo, ultraje; dano; estrago que causa uma coisa; insulto; ofensa moral; vitupério; impropério; enxovalho; denigração; descompostura; empulhação.

injuriado. *m.* (Amér.) tabaco em rama, de qualidade inferior.

injuriador, ra. *adj.* e *s.* injuriador, injuriante; ultrajador, denigrador; abusador.

injuriar. *v. tr.* injuriar, ofender com obras ou palavras, infamar, ultrajar, insultar; menoscabar, denigrar, vituperar, improperar. empulhar; desonrar, causar estragos a; ofender; difamar; afiar a língua; desbocar-se.

injurioso, sa. *adj.* injurioso, ofensivo, afrontoso, ultrajante; atacante; contumelioso; ludibrioso; (fig.) apasquinado; calunioso, abusivo.

injusticia. *f.* injustiça; iniqu(ü)idade; semjustiça; agravo; desafo(ô)ro; desaguisado; (fig.) arbitrariedade.

injustificable. *adj.* injustificável.

injustificado, da. *adj.* injustificado, não justificado.

injusto, ta. *adj.* injusto, não justo; oposto à justiça; iníquo; infundado; desigual; sujo; desarrazoado; arbitrário; indevido.

Inmaculada. *f.* Imaculada; (teol.) Imaculada Conceição; Puríssima. V. **Purísima.**

inmaculado, da. *adj.* imaculado, sem mácula ou mancha; incontaminado; incorru(p)to, incorru(p)tível; puro; sagrado; incontaminado; (fig.) alvo; inocente, ingénuo; virginal, casto, intacto: *la Inmaculada Concepción,* Imaculada Conceição.

inmaduro, ra. *adj.* desazonado.

inmanejable. *adj.* intratável, que se não pode manejar ou dirigir.

inmanencia. *f.* imanência, qualidade do que é imanente.

inmanente. *adj.* (filos.) imanente, que permanece inerente, inseparável; que existe ou reside em si mesmo.

inmarcesible. *adj.* imarcescível, que não murcha.

inmarchitable. *adj.* imarcescível. V. **inmarcesible.**

inmaterial. *adj.* imaterial, não material, incorpóreo, incorporal, impalpável.

inmaterialidad. *f.* imaterialidade; incorporeidade; espiritualidade.

inmaterialismo. *m.* (filos.) imaterialismo.

inmaterialista. *adj.* e *s.* (filos.) imaterialista, adepto do imaterialismo.

inmaterialización. *f.* imaterialização, espiritualização.

inmaterializar. *v. tr.* imaterializar, tornar imaterial; espiritualizar.

inmediación. *f.* imediação, contiguidade; proximidade; vizinhança, arrabalde, subúrbio; (for.) conjunto de direitos atribuídos ao sucessor imediato duma vinculação. — *pl.* imediações, proximidades, vizinhanças, subúrbios.

inmediato, ta. *adj.* imediato, contíguo, vizinho, muito próximo; imediato, instantâneo, sem tardança; consecutivo.

inmedicable. *adj.* imedicável, que se não pode medicar; incurável, irremediável.

inmejorable. *adj.* que não se pode melhorar.

inmemorable. *adj.* imemorável, imemorial, imemoriável.

inmemorial. *adj.* imemorial, imemorável, imemoriável, muito antigo, antiquíssimo; de origem desconhecida. *m.* (for.) imemorial, direito adquirido pela posse de longo tempo.

inmensidad. *f.* imensidade, imensidão, infinidade de espaço; imensidade, grande número. grande extensão; vastidão; grandeza ilimitada, o infinito.

inmenso, sa. *adj.* imenso, que não tem medida; infinito, ilimitado; (fig.) imenso, muito grande, enorme; inumerável, difícil de medir-se ou contar-se; incomensurável; vasto; descomunal; incontável; desmedido; incalculável; indefinido.

inmensurable. *adj.* imensurável, que se não pode medir, imenso; (fig.) de muito difícil medida; infinito.

inmerecido, da. *adj.* imerecido, não merecido; injusto; indevido; descabido.

inmergir. *v. tr.* (neol.) imergir, mergulhar; penetrar; afundar. V. **sumergir.**

inmérito, ta. *adj.* imérito, imerecido, injusto.

inmeritorio, ria. *adj.* que não é meritório ou de mérito.

inmersión. *f.* imersão, mergulho; (astr.) imersão dum astro; afundamento.

inmigración. *f.* imigração.

inmigrante. *p. a. adj. e s.* imigrante, que imigra.

inmigrar. *v. intr.* imigrar, dar entrada num país para aí viver.

inmigratorio, ria. *adj.* imigratório.

inminencia. *f.* iminência; proximidade.

inminente. *adj.* iminente, propínquo, pendente, sobranceiro; que ameaça ou está para suceder dum momento para o outro.

inmiscible. *adj.* (fís. e quim.) imiscível.

inmiscuir. *v. tr.* misturar, juntar uma substância com outra. — *v. r.* imiscuir-se, intrometer-se num assunto alheio; ingerir--se. — *conj. irr.* como *huir.*

inmisericorde. *adj.* imisericordioso; duro; desumano; cruel; incompassivo; inclemente; desapiedado, desalmado, desnaturado.

inmisericordia. *f.* imisericórdia; inclemência; (fig.) endurecimento.

inmisión. *f.* inspiração, acção de infundir ou inspirar.

inmixtión. *f.* imisção, mistura.

inmobiliario, ria. *adj.* imobiliário, diz-se dos bens imóveis por natureza ou disposição legal.

inmoderación. *f.* imoderação; descomedimento; excesso.

inmoderado, da. *adj.* imoderado, descomedido; excessivo; exagerado.

inmodestia. *f.* imodéstia, falta de pudor; vaidade; presunção; fatuidade; impudor; despejo, impudência, desenvoltura.

inmodesto, ta. *adj.* imodesto, vaidoso; presumido; enfatuado; desenvolto; impudico, impudente, despejado; desumilde, fantasioso; descomposto; descomedido.

inmódico, ca. *adj.* imódico, exorbitante, excessivo, imoderado.

inmolación. *f.* imolação, sacrifício cruento; holocausto.

inmolador, ra. *adj. e s.* imolador, que imola; sacrificador.

inmolar. *v. tr.* imolar, oferecer em sacrifício, vitimar; imolar, sacrificar, fazer sacrifícios. *v. r.* imolar-se, dar a vida, bens, etc., em proveito ou honra doutrem; sacrificar-se; prejudicar-se por atenção a alguém.

inmoral. *adj.* imoral, desonesto, contrário à moral; antimoral; incesto; imundo; impuro; (fig.) devasso; escandaloso; falto de moral, indecente, que tem maus costumes: *llevar vida inmoral*, degradar-se, desregrar-se, *volverse inmoral*, impurificar-se; *acto inmoral*, (Bras.) safadeza.

inmoralidad. *f.* imoralidade, desregramento; imoralidade, a(c)ção imoral; estragamento; devassidão; descaminho; deboche; corrupção; prática de actos imorais; desonestidade; indecência.

inmortal. *adj.* imortal, que não está sujeito à morte; que não morre, glorioso; eterno; imorredoiro; (fig.) imortal, que dura tempo indefinido; imortal, (fig.) duradouro; inextinguível; duradoiro. — *pl.* os deuses.

inmortalidad. *f.* imortalidade, eternidade; qualidade de imortal; fama imortal; vida perpétua na memória dos homens.

inmortalizado, da. *adj.* imortalizado; eterno.

inmortalizador, *adj. e m.* imortalizador, aquele que imortaliza.

inmortalizar. *v. tr.* imortalizar, eternizar, eternar, eternizar; tornar imortal, tornar célebre. — *v. r.* imortalizar-se, eternizar-se.

inmortificación. *f.* falta de mortificação.

inmortificado, da. *adj.* não mortificado.

inmotivado, da. *adj.* desmotivado, sem motivo.

inmoto, ta. *adj.* imoto, imóvel, que não se move, insensível, inflexível; fixo, permanente.

inmovible. *adj.* inamovível, imóvel; que se não pode deslocar.

inmovilidad. *f.* imobilidade, qualidade do que é ou está imóvel; emperramento, ina(c)ção; estabilidade; impossibilidade, incapacidade de mover-se; imobilidade, falta de movimento, repouso; (fig.) imobilidade, firmeza, constância nos afectos, nas resoluções; (vet.) imobilidade, enfermidade do cavalo.

inmovilzación. *f.* imobilização.

inmovilizar. *v. tr.* imobilizar, tornar imóvel; fazer parar; encadear; paralisar; reter; não deixar progredir; estacionar; tornar--se imóvel; imobilizar, deter; (com.) colocar um capital em má situação.

inmudable. *adj.* imutável, imudável.

inmueble. *adj. e m.* imóvel, diz-se dos bens, terras, etc., que não sendo por natureza imóveis, são declarados como tais por a lei; imóvel, de raiz; propriedade, imóvel, bens de raiz.

inmundicia. *f.* imundície, contaminação; ascorosidade; asquerosidade; excremento; chavasquice; (fig) esterqueiro; (vulg.) merdeiro; sujidade; porcaria; (fig.) impureza, desonestidade; imundícia, imundice, falta de limpeza; lixo; (Bras.) caça miúda de pêlo.

inmundo, da. *adj.* imundo, que não é limpo; sujo; asqueroso; merdoso; indevido; imundo, impuro; ascoroso; ascoso; cochino; chavascal; savandija: *lugar inmundo*, chiqueiro, (fig.) estrumeira; *hombre inmundo*, homem obsceno, torpe, impuro.

inmune. *adj.* imune, isento, livre de encargos ou doenças.

inmunidad. *f.* imunidade; privilégio; prerrogativa; franqueza; foro; isenção; franquía; imunidade, propriedade dum organismo vivo de estar isento duma doença determinada; imunidade, segurança.

inmunización. *f* imunização; (med.) imunização.

inmunizar. *v. tr.* imunizar, tornar imune; (med.) imunizar; tornar refractária uma doença.

inmutabilidad. *f.* inalterabilidade; imutabilidade.

inmutáble. *adj.* imutável, imudável; incomutável; estóico; perseverante; firme.

inmutación. *f.* imutação; demudança; alteração; mudança; transformação.

inmutar. *v. tr.* imutar, transmudar, alterar, variar ou mudar uma coisa; converter, transformar; deturbar; alterar o corpo, o semblante, o ânimo. — *v. r.* imutar-se, perturbar-se; comover-se, demudar-se; desfigurar-se.

innatismo. *m.* (filos.) inatismo.

innato, ta. *adj.* inato, congé(ê)nito; ingé(ê)nito; inerente; não nascido.

innatural. *adj.* que não é natural.

innavegabilidad. *f.* inavegabilidade, impossibilidade duma nave para navegar.

innavegable. *adj.* inavegável, que se não pode navegar; desnavegável.

innecesario, ria. *adj.* desnecessário, que não é necessário; supérfluo.

innegable. *adj.* inegável; incontestável; iniludível; inconcusso; indisputável, indiscutível; indubitável.

innoble. *adj.* ignóbil, que não é nobre, baixo, obscuro, vil, desprezível.

innocivo, va. *adj.* inóxio, inofensivo, inócuo.

innocuidad. *f.* inocuidade.

innocuo, cua. *adj.* inócuo, que não prejudica; inofensivo; inóxio.

innominable. *adj.* inominável, indicível.

innovación. *f.* inovação; novidade; renovação; mudança.

innovador, ra. *adj.* e *s.* inovador, que inova.

innovamiento. *m.* inovação. V. **innovación**.

innovar. *v. tr.* inovar, mudar ou alterar as coisas, introduzindo novidades; tornar novo; inventar.

innumerabilidad. *f.* inumerabilidade; grande multidão.

innumerable. *adj.* inumerável, incontável, inúmero; excessivo.

innúmero, ra. *adj.* inúmero, inumerável, infinito, incontável.

inobediencia. *f.* inobediência; desobediência.

inobservable. *adj.* inobservável, que se não pode observar ou cumprir.

inobservancia. *f.* inobservância, falta de observância; infra(c)ção; falta; desuso; negligência; incúria; falta de cumprimento.

inobservante. *adj.* inobservante, que não observa ou não cumpre.

inobservar. *v. tr.* faltar ao cumprimento dalguma coisa; infringir, não observar.

inocarpo. *m.* (bot.) inocarpo.

inocencia. *f.* inocência; pureza; candura; ingenuidade; virgindade; ausência de culpa ou pecado; simplicidade; inculpabilidade; inexperiência, infantilidade, a infância.

inocentada. *f.* (fam.) ingenuidade, singeleza, a(c)ção ou palavra inocente; simpleza; engano ridículo em que alguém cai por descuido ou por falta de malícia.

inocente. *adj.* inocente, que não cometeu culpa; inocente, cândido; ingé(ê)nuo, fácil de enganar; puro; inocente, inóxio, inócuo; inocente, inofensivo; inocente, diz-se das crianças que ainda não chegaram à idade da discrição; incauto, inexperiente, inexperto; infantil; desmalicioso; (fig.) cordeiro, asninho; anjo; colombino; simples; (pop.) idiota, doido: *los Santos Inocentes*, Os Santos Inocentes (festa celebrada em 28 de Dezembro); *dia de los Santos Inocentes*, o primeiro de Abril.

inocentón, na. *adj.* (fam.) aum. de *inocente*. inocentão, simplório, crédulo, papalvo, simples em extremo, muito fácil de enganar.

inocuidad. *f.* inocuidade.

inoculable. *adj.* inoculável.

inoculación. *f.* inoculação; (fig.) propagação; infiltração; enxertia.

inoculador, ra. *adj.* e *s.* inoculador, aquele que inocula.

inocular. *v. tr.* (med.) inocular, comunicar por inoculação; contagiar; (fig.) inocular, perverter alguém com o mau exemplo ou falsa doutrina; infiltrar; inserir, enxertar; (fig.) transmitir, propagar; incutir.

inocultable. *adj.* que se não pode ocultar ou esconder.

inocuo, cua. *adj.* inócuo, que não faz dano. V. **innocuo.**

inodoro, ra. *adj.* inodoro, que não tem cheiro. —*m.* inodoro, aparelho sanitário das retretes e sentinas; ejector; saca-trapo.

inofensivo, va. *adj.* inofensivo, inócuo; inocente; inerme; (fig.) colombino; anodino; cordeiro.

inolvidable. *adj.* inolvidável; inesquecível; memorável.

inope. *adj.* pobre, indigente.

inoperable. *adj.* (med.) inoperável, que não pode ser operado.

inoperante. *adj.* inoperante, não eficiente; que não justifica: *persona inoperante*, (fig.) estátua.

inopexia. *f.* (fisiol.) inopexia.

inopia. *f.* inópia; penúria; indigência; pobreza, escassez; deficiência.

inopinable. *adj.* inopinável, improviso; inimaginável.

inopinado, da. *adj.* inopinado, imprevisto. inopino, inesperado, súbito, incrível; extraordinário; desacostumado.

inoportunidad. *f.* inoportunidade; incongruência; indiscrição; extemporaneidade; improcedência; imprudência.

inoportuno, na. *adj.* inoportuno; intempestivo; incongruente; incó(ô)modo; improcedente; maçador; inconveniente, inaplicável; fora de propósito, despropositado; extemporâneo; descabido; desfrisante; (Bras.) cabuloso, penvação; *ser inoportuno,* desafinar-se, descaber.

inordenado, da. *adj.* desordenado, irregular; incôndito.

inordinado, da. *adj.* V. **inordenado.**

inorgánico, ca. *adj.* inorgânico, que não tem órgãos; sem vida; (fig.) diz-se do que está mal organizado; mineral.

inorganizado, da. *adj.* desorganizado, desordenado, inorganizado; inorgânico.

inoxidable. *adj.* inoxidável, que se não pode oxidar.

in púribus. (lat.) *adv.* ficar nu, ficar sem nada.

inquebrantable. *adj.* inquebrantável; inviolável; inflexível; inabalável; estóico; infrangível; adamantino; inexpugnável; rijo; sólido.

inquietador, ra. *adj. e s.* inquietador, que inquieta, perturbador, desassossegador.

inquietar. *v. tr.* inquietar, desassossegar; perturbar; excitar; desatinar; desatentar; conturbar; abalar; emocionar; atribular; deturbar; angustiar; agoniar; alarmar; amofinar; alvorotar; desquietar; (for.) inquietar, perturbar na posse; (fig.) infernar. — *v. r.* inquietar-se; estar inquieto; desvelar-se; amofinar-se; abalar-se; angustiar-se; afligir-se.

inquieto, ta. *adj.* inquieto, que não está quieto; desassossegado; inquieto, buliçoso, turbulento, inquieto, trave(ê)sso; traquinas; apreensivo; excitado; agitado; conturbado; atribulado; angustioso; ansioso; fragulhento; estoirinhado; endemoninhado; amofinado; desinquieto; receioso; (Bras.) afalmado, arupanado, cuíra.

inquietud. *f.* inquietude, inquietação; desassosse(ê)go; agitação; excitação; comoção; preocupação; alvoroço; inquietamento; nervosismo; apoquentação; atribulação; deturbação; açoramento; ansiedade; ânsia; angustia; frenesí; alteração; emoção; amofinação; conturbação; afã; desve(ê)lo; (Bras.) chamego.

inquilinato. *m.* inquilinato, locação, aluguer, arrendamento duma casa ou parte dela; inquilinato, direito do inquilino sobre a casa arrendada.

inquilino, na. *s.* inquilino, arrendatário.

inquinamento. *m.* inquinamento, infecção.

inquinar. *v. tr.* inquinar, manchar, contagiar, infectar, corromper; sujar; poluir.

inquiridor, ra. *adj. e s.* inquiridor, indagador; devassador.

inquirir. *v. tr.* inquirir, indagar, examinar cuidadosamente; investigar; averiguar; tomar informações; informar-se; (fam.) cheirar, demandar; explorar; interrogar testemunhas. — *conj. irr.* como *adquirir.*

inquisición. *f.* inquisição, acção de inquirir, indagação; averiguação, exame; inquisição, tribunal onde se julgavam os crimes em matéria religiosa; inquisição, prisão para os réus deste tribunal; inquisição, casa onde se reunia o tribunal da Inquisição.

inquisidor, ra. *adj. e s.* inquiridor, devassador; indagador; inquisidor, juiz do tribunal da Inquisição; pesquisador.

inquisitivo, va. *adj.* inquisitivo, que inquire ou averigua; minucioso; perscrutador.

inquisitorial. *adj.* inquisitorial, relativo ou pertencente ao inquisidor ou à Inquisição.

inquisitorio, ria. *adj.* inquisitório. V. **inquisitivo.**

insaciabilidad. *f.* insaciabilidade; avidez.

insaciable. *adj.* insaciável que nunca se farta ou contenta; ávido; sôfrego; devorador; desgorgomilado.

insaculación. *f.* (for.) sorteio, sorteamento, rifa.

insaculador. *m.* (for.) sorteador, aquele que sorteia.

insacular. *v. tr.* (for.) sortear, meter numa urna ou saco listas ou esferas para sorteio ou votação.

insalivación. *f.* insalivação.

insalivar. *v. tr.* insalivar, impregnar de saliva.

insalubre. *adj.* insalubre, não salubre, doentio, mefítico.

insalubridad. *f.* insalubridade, falta de salubridade.

insalvable. *adj.* que se não pode salvar; invencível (diz-se dos obstáculos).

insanable. *adj.* insanável, incurável, irremediavel.

insania. *f.* insânia, loucura, demência; estouvadice; insanidade; doidice.

insanidad. *f.* V. **insania e locura.**

insano, na. *adj.* insano, louco, demente; estouvado; estulto; desatinado; insano, fátuo; doentio; insalubre.

insatisfecho, cha. *adj.* insatisfeito, que não está satisfeito; que não está pago.

insaturable. *adj.* (quim.) insaturável; insaciável.

inscribir. *v. tr.* inscrever, insculpir, gravar letreiros ou inscrições; inscrever; incluir numa lista de nomes; (for.) consignar por escrito; (geom.) inscrever, traçar uma figura dentro doutra; empadroar; afiliar; adscrever; encabeçar; encartar-se; associar-se.

inscripción. *f.* inscrição; letreiro, inscrição, escrito gravado em pedra, metal, etc.; inscrição, título da dívida pública; inscrição, assentamento em livro, rol, etc.

inscrito, ta. *p. p. irreg.* de *inscribir* e *adj.* inscrito, gravado, registado, incluído em lista.

insculpir. _v. tr._ esculpir, insculpir, gravar, abrir a buril.

insecable. _adj._ insecável, que se não pode cortar ou dividir.

insecticida. _adj._ e _m._ inse(c)ticida, que serve para matar insectos.

insectil. _adj._ pertencente à classe dos insectos.

insectífugo, ga. _adj._ inse(c)tífugo, que afugenta os insectos.

insectívoro, ra. _adj._ inse(c)tívoro. — _f. pl._ (bot.) insectívoras. — _m. pl._ (zool.) insectívoros.

insecto, _m._ (entom.) inse(c)to; (fig.) pessoa insignificante.

insectología. _f._ inse(c)tologia, entomologia.

insectológico, ca. _adj._ (entom.) inse(c)tológico.

insectólogo, ga. _adj._ e _s._ entomólogo, entomologista, inse(c)tologista.

inseguridad. _f._ inseguridade, insegurança; improbabilidade; incerteza; inquietação.

inseguro, ra. _adj._ inseguro, falto de segurança; instável; duvidoso, dúbio; eventual; incerto; inevidente; vacilante.

inseminación. _f._ (biol.) inseminação, fecundação do óvulo.

insenescencia. _f._ qualidade do que não envelhece.

insenescente. _adj._ que não envelhece.

insensatez. _f._ insensatez, falta de sensatez ou de razão; loucura; temeridade; insensatez, dito ou facto insensato; insania; necedade; absurdo; desconchavo; desatinação; desarrazoamento; descabelada; despautério; inconsciência; inepcia; estolidez; estouvadice; desorientação: _decir insensateces_, desarrazoar.

insensato, ta. _adj._ insensato, falto de senso; contrário ao bom senso; louco; estouvado; demente; falto de juízo; insano; néscio; leviano; estroina; extravagante; doido; desatinado; destemperado; descabelado; inconsciente; estulto; absurdo; desorientado; (fig.) delirante; descerebrado; (fam. ant.) enxovedo; (Bras.) estrabulega.

insensibilidad. _f._ insensibilidade, falta de sensibilidade; (fig.) insensibilidade, impassibilidade, dureza de coração; indiferença; apatia; rigidez; adormecimento; inclemência; frieza; (fig.) embotadura; endurecimento.

insensibilizador, ra. _adj._ insensibilizador, que insensibiliza.

insensibilizar. _v. tr._ insensibilizar, tornar insensível; (fig.) desumanizar; coiraçar; empedernir; anestesiar; endurecer; apatizar; estupidecer; embotar; desapiedar.

insensible. _adj._ insensível, não sensível; insensitivo; (fig.) insensível, impassível, indiferente; imperceptível; inanimado; estuporado; descaridoso; incompassível; estóico; apático; empedernido; inexcitável; (fig.) coiraçado; embotado; esviscerado; inacessível à piedade: _persona insensible_, (pop.) madeiro.

inseparabilidad. _f._ inseparabilidade; inerência.

inseparable. _adj._ inseparável; inerente; indivisível; indissolúvel.

insepulto, ta. _adj._ insepulto, não sepultado; por sepultar.

inserción. _f._ inserção; entretecedura; (bot.) apego.

insertar. _v. tr._ inserir, incluir, meter uma coisa noutra; diz-se geralmente da inclusão dalgum texto ou escrito noutro; entretecer; entroncar; enxerir; entremear; enxertar; emoldurar. — _v. r._ (bot. e zool.) inserir-se, implantar-se um órgão noutro; enxertar-se.

inservible. _adj._ inservível, inútil, que não serve ou que não está em estado de servir; baldo; inaproveitável.

insexual. _adj._ insexual.

insexualidad. _f._ insexualidade.

insidia. _f._ insídia, cilada, emboscada; traição; aleivosia; estratagema.

insidiador, ra. _adj._ e _s._ insidiador, que arma ciladas; insidioso; pérfido.

insidiar. _v. tr._ insidiar, armar ciladas, atraiçoar; procurar seduzir.

insidioso, sa. _adj._ insidioso, que arma insídias, insidiador; pérfido; capcioso, do oso, enganador; traiçoeiro, fraudulento.

insigne. _adj._ insigne, distinto, notável, famoso, ilustre, célebre, eminente; ínclito; preclaro; extraordinário; assinalado.

insignia. _f._ insignia, sinal, distintivo de dignidade, funções ou nobreza; medalha; divisa; emblema; estandarte, pendão, bandeira; venera; imagem; (mil.) insígnia, bandeira, estandarte; (mar.) insígnia, bandeira, símbolo que denota a graduação do chefe que comanda o navio. — _pl._ insígnias, divisas para distinguir as classes e graduações no exército.

insignificancia. _f._ insignificância; ridicularia; bagatela; ninharia; inutilidade; palha; migalhice; exiguidade; bizantinice; biscato; frivolidade; minúcia; alfarricóque; choldra; chavo; ardite; cigalho; (fig.) códeo, avo, barro, átomo; farófia; farelada; (pop.) dez-reis; (vulg.) merdice. — _pl._ farfalharia; farelório, farelos, farfalhada: _insignificancia de algo_, dedo dalguma coisa.

insignificante. _adj._ insignificante, que nada significa; que não tem valor; sem importância; reles; mediocre; frívolo; exíguo; minúsculo; débil; chilro; fútil; (fig.) cho(ô)cho; (fig.) inane; (Bras.) aíva; _cantidad insignificante_, pada, dedada; _cosa insignificante_, (fig.) abana-moscas.

insinuación. _f._ insinuação; indicação indirecta; sugestão, lembrança; coisa que se dá a perceber; remoque; (for.) insinuação, apresentação de instrumento público ante o juiz competente; (ret.) insinuação; (fig.) infusão. — _pl._ meias-palavras.

insinuador, ra. _adj._ e _s._ insinuador, que insinua; influidor.

insinuar. _v. tr._ insinuar, dar a entender; fazer entrar no ânimo, persuadir; induzir; indicar indirectamente; aconselhar; influir; incutir; alvitrar; infiltrar; (fig.) destilar; apontar; (for.) fazer a apresentação dum instrumento ante o juiz competente. — v. r. insinuar-se, introduzir-se arteiramente no ânimo de outra pessoa; captar a simpatia de; encasar-se; inculcar-se; enfronhar-se; declarar-se subtilmente a uma mulher.

insinuativo, va. adj. insinuativo, insinuante.

insipidez. f. insipidez; falta de sabor; sem saboria; (fig.) monotonia.

insipido, da. adj. insípido, que não tem sabor; semsabor; ensosso; desengraçado; monótono; falto de espírito; sem sal; cho(ô)cho; deslavado; chilro; destemperado; desgostoso desabrido; desaborido; frieirão; desengraçado; (fig.) chato; (Bras.) ité: vino insípido, vinho chato.

insipiencia. f. insipiência, ignorância; fatuidade.

insipiente. adj. e s. insipiente, ignorante; falto de juízo, insensato, tolo.

insistencia. f. insistência; constância; perseverança; contumácia; insistência; afinco; teimosia; obstinação; (por ext.) inoportunidade: insistencia cargante. (pop.) serrazina, (fig.) atração.

insistente. adj. insistente; repetido; persistente; exigente; aferrado; em'birrante; obstinado; enfadonho; teimoso.

insistir. v. intr. insistir, teimar. persistir; porfiar; insistir, a(c)tuar; enga?? apertar; aporfiar; instar; prosseguir; firmar-se; aferrar-se: insistir a alguien, apertar com alguém; insistir en, afincar-se; insistir sobre, apertar em; insistir co~ tesón, empenhar-se; él insistirá sobr~ ello, ele levará a sua avante.

insobornable. adj. incorru(p)tível.

insociabilidad. f. insociabilidade; desconversação; (fig.) androfobia.

insociable, insocial. adj. insociável, que não é sociável; inconversável, desconversável; descarinhoso; dessociável; incomunicável; inaliável; intratável, esquivo; (fig.) arisco; (fig.) andrófobo, inacessível: hacerse insociable, asselvajar-se; persona insociable, arrepia-cabelo.

insolación. f. (med.) insolação; (pat.) astrobolismo; (meteor.) insolação; tempo durante o dia em que o Sol brilha sem nuvens.

insolar. v. tr. e r. insolar, assoalhar, expor ou secar ao sol; pôr-se doente pela acção do Sol.

insoldable. adj. insoldável, que não se pode soldar; (fig.) irreparável; inconcertável; (fig.) incorrigível, sem emenda.

insolencia. f. insolência; atrevimento; desco(ô)co, descaro, descaramento; audácia; desaforo; arrogância; deslinguamento; despejo; descomedimento; desavergonhamento; desacato; desabrimento; demasía; indecência; desvergonha; despeito; (fig.) despregadura; (fig.) enxovalho; petulância atrevida; orgulho ofensivo; falta de respeito; insulto; injustiça: decir inso-

lencias, deslinguar-se; hablar con insolencia, descarar-se.

insolentar. v. tr. e r. desavergonhar, tornar insolente, tornar atrevido; descocar-se; desaforar-se; atrever-se; emproar-se; descarar-se; desmesurar; descarar; embridar-se; desfaçar-se.

insolente. adj. e s. insolente, desafogado; atrevido; grosseiro; orgulhoso, desavergonhado; desafogado; descomedido; atrevidaço; emproado; descarado; audaz; desmesurado; deslinguado; arrogante; despejado; indecente, indecoroso; abalançado; impudente; franchinótico; arremesado; altivo; soberbo; malcriado; que diz ou faz insolências; (fig.) despregado; adiantado; (fig.) destravado, franchinote, arremessador: mostrarse insolente, arrebitar-se; ser insolente, demasiar-se.

in sólidum. (loc. lat.) adv. (for.) por inteiro, pelo todo.

insólito, ta. íadj. insólito, extraordinário; desafeito; que é fora do vulgar; incrível; desacostumado; desusado; infrequ(ü)ente, infrequ(ü)entado; estranho; exce(p)cional.

insolubilidad. f. insolubilidade, qualidade de insolúvel.

insoluble. adj. insolúvel, que não é solúvel; que se não pode dissolver nem diluir; que se não pode desatar; impagável; irresolúvel.

insolvencia. f. insolvência, qualidade de insolvente; impossibilidade de pagar uma dívida.

insolvente. adj. e s. insolvente, a pessoa que não pode pagar as suas dívidas.

insomne. adj. insone, que tem insónias, que não dorme.

insomnio. m. insó(ô)nia, falta de sono, privação de sono; dificuldade para dormir; vigília; desve(ê)lo.

insondable. adj. insondável, que se não pode sondar; improfundável, (fig.) impenetrável; alto; imperscrutável.

insoportable. adj. insuportável, intolerável, insofrível; insuportável, (fig.) muito incómodo, muito enfadonho, molesto, irrequieto.

insospechable. adj. imprevisto; inesperado, que se não pode suspeitar, inimaginável.

insostenible. adj. insustentável; (fig.) insustentável, que se não pode defender com razões; indefensável.

inspección. f. inspe(c)ção, exame, reconhecimento, controlo; inspecção, cargo, cuidado, vigilância do inspector; inspecção casa de despacho, repartição do inspector; indagação: inspección del campo, (mil.) descoberta; inspección de pesos y medidas, almotaçaria.

inspeccionar. v. tr. inspe(c)cionar, examinar atentamente; passar em revista; indagar; controlar; vigilar.

inspector, ra. adj. inspe(c)tor, que observa, que inspecciona. — m. inspector, fiscal, empregado público ou particular que inspecciona; indagação, verificador; (mil.) inspector.

inspectoría. *f.* (Amér.) inspe(c)toria, corpo de polícia comandado por un inspector; área de vigilância correspondente ao referido corpo policial.

inspirable. *adj.* inspirável.

inspiración. *f.* inspiração; ideia ou pensamento que nos vem de repente; inspiração, sugestão, conselho; inspiração, acção de inspirar ar nos pulmões; estro; influxo; insuflação divina; (fig.) lume; alento; aura; (rel.) inspiração, ilustração sobrenatural ; inspiração, a coisa inspirada; entusiasmo criador.

inspirador, ra. *adj.* e *s.* inspirador, que inspira; (anat.) diz-se dos músculos que servem para a inspiração.

inspirar. *v. tr.* inspirar, introduzir ar nos pulmões; inspirar, infundir no ânimo; sugerir, incutir; inspirar, iluminar Deus o entendimento; (poét.) inspirar, acender o engenho; inflamar a musa; originar; alumiar; infiltrar, assoprar; infundir; influir; (fig.) imprimir.

inspirativo, va. *adj.* inspirativo, que inspira.

instabilidad. *f.* instabilidade, falta de estabilidade; inconstância; variabilidade; vicissitude, incerteza.

instable. *adj.* instável, que não é estável; inconstante; volúvel; movediço; mudável.

instalación. *f.* instalação; estabelecimento; inauguração; aparelhamento; organização; alojamento.

instalador, ra. *adj.* e *s.* instalador, que instala.

instalar. *v. tr.* instalar, dar posse dum cargo; instalar, assentar; estabelecer; instalar, investir em posse; instalar, alojar; dispor para funcionar; inaugurar. — *v. r.* estabelecer-se; alojar-se; organizar a sua casa de habitação.

instancia. *f.* instância, pedido com insistência; impugnação feita nas escolas e resposta a um argumento; solicitação porfiada, exigência, insistência; (for.) instância, foro, jurisdição; empenho; instância, graus da jurisdição dos tribunais: *en última instancia*, (fam.) ao atar das feridas; *a instancias de alguien*, às instâncias de alguém.

instantaneidad. *f.* instantaneidade.

instantáneo, a. *adj.* instantâneo, súbito, rápido, repentino; fugaz; (fig.) elé(c)trico.

instante. *p. a.* e *adj.* instante, que insta; iminente. — *m.* instante, momento, ocasião; (fig.) asso(ô)fro; minuto: *al instante*, num instante, de contado; *a cada instante*, a todo o instante, a cada instante, sem cessar; *por instantes*, incessantemente.

instar. *v. tr.* instar, repetir a petição; aporfiar; insistir. — *v. intr.* instar, impugnar as conclusões dum argumento; instar, pedir a urgente execução duma coisa; tornar-se urgentemente necessário: *instar a*, apertar; instar por.

instauración. *f.* instauração; inauguração, fundação; estabelecimento, restabelecimento.

instaurador, ra. *adj.* e *s.* instaurador, que instaura.

instaurar. *v. tr.* instaurar; restabelecer; renovar; reedificar.

instaurativo, va. *adj.* diz-se do que tem virtude de instaurar.

instigación. *f.* instigação; incitação; incitamento; sugestão; estímulo; indução; induzimento; excitação; (fig.) fustigação.

instigador, ra. *adj.* e *s.* instigador, que instiga; indutor, influidor, impulsor; incitante, atiçador, inflamador.

instigar. *v. tr.* instigar, incitar, induzir; açular; inflamar; excitar; estimular.

instilación. *f.* instilação; (fig.) insinuação; influxo.

instilar. *v. tr.* instilar, fazer cair gota a gota; (fig.) instilar, insuflar, infundir insensìvelmente no ânimo uma doutrina, afecto etc.; induzir, persuadir; inculcar; insinuar.

instintivo, va. *adj.* instintivo, espontâneo; indeliberado; impremeditado.

instinto. *m.* (fisiol.) instinto; instinto, impulso, do Espírito Santo; instinto; impulso, natural independente da reflexão; instinto, propensidade, tendência; disposição; aptidão natural: *tener malos instintos*, (fam.) ter pêlos no coração; *hombre de buenos instintos*, (fam.) homem de bons bofes, *por instinto*, instintivamente.

institución. *f.* instituição, fundação, estabelecimento; instituto; coisa instituída ou estabelecida; formação; instituição, ensino, educação, instrução; organização. — *pl.* (pol.) instituições, leis políticas dum Estado; instituições, colecção metódica dos elementos duma ciência; instituição, nomeação da pessoa que deve herdar.

institucional. *adj.* institucional.

instituidor, ra. *adj.* e *s.* instituido; fundador; ere(c)tor.

instituir. *v. tr.* instituir, fundar, criar, estabelecer, erigir; instituir, estabelecer de novo, restabelecer; instituir, ensinar, educar, instruir; formar; instituir, estatuir, instituir, declarar, nomear; instituir, determinar; constituir; nomear como herdeiro; dar começo; marcar; fixar. — *v. r.* constituir-se senhor, arrogar-se autoridade.

instituto. *m.* instituto, regulamento, regra, modo; instituto, desígnio, intento; instituto, estabelecimento, corporação; sociedade científica ou literária; instituto, estabelecimento de instrução; instituto, nome de certos estabelecimentos comerciais: *instituto de belleza*, instituto de beleza.

institutor, ra. *adj.* e *s.* instituidor; fundador.

institutriz. *f.* preceptora de crianças no lar.

instrucción. *f.* instrução; ensino; educação; conhecimentos adquiridos, saber; preceitos dados para instruir; instrução; preparação de processo; instrução, doutrina; instrução, documento ou esclarecimento duma causa; instrução conjunto de regras, normas, ordens, etc.; erudição; (pop.) desemburradela, desasnamento, desbastação. — *pl.* instruções, ordens, indicações: *juez de instrucción,* juiz de instrução; *instrucción militar,* exercício militar; *hacer la instrucción militar,* fazer exercício militar; *ir sin instrucciones,* (fig.) ir entre lusco e fusco; *instrucción pública,* instrução pública; *dar instrucciones,* instruir, informar.

instructivo, va. *adj.* instrutivo, próprio para instruir; educativo; edificante.

instructor, ra. *adj. e s.* instrutor, instruidor; (mil.) instrutor, militar que ministra a instrução aos soldados; mentor; preceptor; amestrador.

instruir. *v. tr.* instruir, ensinar, ilustrar, educar; doutrinar; adestrar; instruir, informar; instruir, fazer advertência, dar a conhecer o estado dalguma coisa instruir, formar um processo; (mil.) instruir recrutas; leccionar; documentar; industriar amestrar; alumiar, exercitar, exercer; (fam.) desemburrar, desembrutecer; iniciar; (fig.) enfronhar; desmoitar. — *v. r.* instruir-se apascentar-se; adestrar-se: *instruir una causa,* (for.) instruir uma causa. — *conj. irr.* como *huir.*

instrumentación. *f.* instrumentação, arte de instrumentar; instrumental, conjunto de instrumentos musicais.

instrumental. *adj.* instrumental, pertencente ou relativo a instrumentos musicais; (for.) instrumental, pertencente aos instrumentos públicos. — *m.* instrumental, conjunto de instrumentos duma orquesta ou de instrumentos do médico e cirurgião.

instrumentar. *v. tr.* (mús.) instrumentar, fazer a partitura para vários instrumentos.

instrumentista. *s.* (mús.) instrumentista, pessoa que toca um instrumento; sinfonista; fabricante de instrumentos musicais, cirúrgicos, etc.

instrumento. *m.* instrumento, peça de ferramenta para arte e ofícios; instrumento, auto, escritura, documento, título justificativo; instrumento, engenho, máquina; (mús.) instrumento; (fig.) instrumento, meio para conseguir uma coisa; ministro: *servir de instrumento para,* servir de instrumento à; *instrumento de viento,* instrumento de vento; *instrumento de cuerda,* instrumento de cordas.

insuavidad. *f.* insuavidade.

insubordinación. *f.* insubordinação; desobediência; desacato; indisciplina; desmando; desmancho; desrespeito; indocilidade.

insubordinado, da. *adj. e s.* insubordinado; indisciplinado; desobediente.

insubordinar. *v. tr. e r.* insubordinar, indisciplinar, desacatar; desobedecer; causar insubordinação; amotinar-se, revoltar-se; insubordinar-se.

insubsanable. *adj.* insanável, que se não pode sanar.

insubsistencia. *f.* insubsistência, qualidade do que é insubsistente; carência de fundamento.

insubstancial. *adj.* insubstancial, frívolo; não substancioso; inconsequente, leviano; fútil.

insubstancialidad. *f.* insubstancialidade, qualidade de insubstancial; frivolidade; coisa insubstancial.

insubstituíble. *adj.* insubstituível, que se não pode substituir; incapaz de suceder a outro.

insuficiencia. *f.* insuficiência, falta de suficiência; escassez; incapacidade; insuficiência; inaptidão, deficiência; defeito; exiguidade, o que não chega; insuficiência, inabilidade, incapacidade.

insuficiente. *adj.* incapaz, insuficiente, que não é suficiente; incapaz, inepto, ignorante, minguado; incompleto; inapto; deficitário, deficiente, defeituoso; exíguo: *ser insuficiente,* não saber para meia-missa.

insuflación. *f.* (med.) insuflação, operação para introduzir ar nos pulmões.

insuflador. *m.* (med.) insuflador, que insufla; insuflador, aparelho para insuflar.

insuflar. *v. tr.* (med.) insuflar, encher de ar ou líquido uma cavidade; (fig.) sugerir, inspirar, infundir; (calão) cuspir; aflar.

insufrible. *adj.* insofrível, insuportável, incomportável, insofrível.

ínsula. *f.* ilha, ínsula; lugar pequeno ou governo de pouca importância.

insular. *adj. e s.* inslar, insulano, ilhéu.

insulina. *f.* (med.) insulina.

insulsez. *f.* sensaboria; insipidez; monotonia; enxabidez; qualidade de insípido.

insulso, sa. *adj.* insulso, inso(ô)sso; que não tem sal; insípido; destemperado; ingracioso; enxabido; desaborido; enxarondo; frierão; sem sabor; sem graça; (fig.) insípido, falto de graça e vivacidade.

insultador, ra. *adj. e s.* insultador, desfeitador. afrontador.

insultar. *v. tr.* insultar, ofender alguém; insultar, ultrajar, injuriar; desfeitear; afrontar; denigrar; apurar; improperar; agravar; (fig.) apostrofar, enxovalhar. — *v. r.* V. **accidentarse.**

insulto. *m.* insulto, injúria, afronta; blasfé(ê)mia; impropério; agressão; desfeita; enxovalho, enxovalhamento; apurada; descomposição; descompostura; empulhação; avania; (fig.) bofetada; (fig.) apedrejamento; (pop.) descalçadela; (fig.) enxovalho, chegadela: *proferir insultos violentamente,* desembestar injúrias; *proferir insultos,* chover raios e coriscos.

insumable. *adj.* que não se pode sumar; exorbitante.

insume. *adj.* custoso, de subido preço.

insumergibilidad. *f.* insubmergibilidade.

insumergible. *adj.* insubmergível, insubmersível, que se não pode submergir.

insumisión. *f.* desobediência, falta de submissão.

insumiso, sa. *adj.* insubmisso, não submisso; inconquistado; desobediente; rebelde, altivo; independente.

insuperabilidad. *f.* qualidade de insuperável.

insuperable. *adj.* insuperável, inapreciável; incontrastável; invencível; que se não pode superar.

insurgente. *adj.* e *s.* insurgente, que se insurge, rebelde; revoltoso, amotinado.

insurrección. *f.* insurreição, rebelião, revolta; levantamento, reacção vigorosa; sublevação.

insurreccional. *adj.* insurre(c(cional, pertencente ou relativo à insurreição; galicismo por *insurrecto, insurgente,* etc.

insurreccionar. *v. tr.* insurre(c)cionar; alevantar, revoltar, insurgir; sublevar; amotinar, concitar à rebelião. — *v. r.* amotinar-se, insurreccionar-se; sublevar-se contra um governo; reagir.

insurrecto, ta. *adj.* e *s.* insurre(c)to, revoltado contra a autoridade pública; rebelde; amotinado.

intacto, ta. *adj.* inta(c)to, não tocado; incólume íntegro; ileso; inde(m)ne; (fig.) impoluto, puro, sem mancha.

intachable. *adj.* irrepreensível; perfeito; correcto; que não merece repreensão.

intangibilidad. *f.* intangibilidade.

intangible. *adj.* intangível; impalpável; incorporal, incorpóreo.

integrable. *adj.* (mat.) integrável que se pode integrar.

integración. *f.* (mat.) integração.

integrador. *m.* integrador, diz-se dum aparelho que totaliza as indicações contínuas.

integral. *adj.* (filos.) diz-se das partes que entram na composição dum todo, total, inteiro, integral; (mat.) integral, resultado de integrar uma função diferencial. — *f.* integral, essa função.

integrante. *adj.* e *p. a.* integrante, que integra, que completa; integrante, diz-se das partes que forman um todo.

integrar. *v. tr.* integrar, dar integridade a uma coisa; integrar, formar um todo; (mat.) integrar, determinar uma quantidade duma expressão diferencial, determinar a integral duma quantidade diferencial: *integrado por,* formado por.

integridad. *f.* integridade, inteireza, rectidão; qualidade de íntegro; integridade, pureza das virgens; incorru(p)tibilidade, incorru(p)ção; austeridade; (fig.) virtude, qualidade duma pessoa íntegra, perfeição; integridade, honradez.

íntegro, gra. *adj.* íntegro, completo; que não falta nenhuma das suas partes; perfeito, recto; (fig.) íntegro, austero, probo, desinteressado, incorru(p)tível, justo, honrado: *carácter íntegro,* barbas honradas.

intelectiva. *f.* intelectiva, faculdade de entender.

intelectivo, va. *adj.* intelectivo, que entende; relativo à inteligência; intelectual.

intelecto. *m.* intelecto, inteligência, entendimento; faculdade de entender ou compreender.

intelectual. *adj.* intelectual, relativo ao intelecto, ao entendimento; espiritual, sem corpo. — *s.* pessoa inteligente e culta: *los intelectuales,* os intelectuais.

intelectualidad. *f.* intelectualidade, entendimento, intelecto; mentalidade; conjunto das faculdades intelectuais; conjunto de pessoas cultas dum povo, país, etc.

inteligencia. *f.* inteligência, entendimento, intelecto, faculdade intelectiva; conhecimento; habilidade, experiência; inteligência, mente, mentalidade; inteligência, correspondência; (pop.) fósforo; (fig.) chispa, bitola; inteligência, conluio, harmonia; inteligência, percepção clara e fácil; pessoa inteligente; inteligência, acordo secreto, relações clandestinas, união recíproca; inteligência, substância puramente espiritual; (Bras.) quengo.

inteligente. *adj.* e *s.* inteligente, sábio, instruído; inteligente, perito; dotado de faculdades intelectuais; inteligente, sengo; afinado; alumiado; esperto; atilado; despejado; (pop.) fura-paredes; inteligente; apreensivo; inteligente, esperto, hábil; (Bras.) baquara: *poco inteligente,* apoucado; *ser muy inteligente,* (fam.) ter chumbo na testa; *tenerse por inteligente,* vender agudeza.

inteligibilidad. *f.* inteligibilidade.

inteligible. *adj.* inteligível; compreensível, claro; que se ouve bem; fácil; referente à inteligência; (filos.) inteligível.

intemperado, da. *adj.* intemperado, imoderado; excessivo.

intemperancia. *f.* intemperança, falta de temperança, glutonaria; incontinência; desregramento; deboche.

intemperante. *adj.* intemperante, que não é sóbrio; desordenado; intemperado; imoderado; descomedido.

intemperie. *f.* intempérie, perturbação atmosférica; tempestade; desigualdade do tempo ou dos humores; destempe(ê)ro; destemperança: *a la intemperie,* a céu descoberto, desabrigadamente; ao tempo; *dormir a la intemperie,* dormir ao sereno; *poner a la intemperie,* pôr a serenar.

intempesta. *adj.* (poét.) usa-se na frase *noche intempesta,* noite alta, a altas horas da noite.

intempestivo, va. *adj.* intempestivo, inoportuno, que vive fora do tempo próprio, extemporâneo; despropositado; inopinado; prematuro: *a una hora intempestiva,* a desoras.

intención. *f.* intenção, propósito, desígnio; desejo; vontade; (fig.) sestro; manha, instinto maligno de certos animais; (fig. e fam.) missa encomendada, intenção com que é celebrada; mente; ânimo; destino; (fig.) decreto; intuito: *con intención,* afitadamente, adrede, por acinte; *mala intención,* (fam.) maus bofes; *de recta intención,* bem-intencionado; *sin mala intención,* por bem; *tener la intención de,* contar; *conozco bien sus intenciones,* (fam.) bem vejo a derrota que quereis tomar; *con segunda intención,* com segunda intenção; *cura de primera intención,* (med.) curativo de primeira intenção: *de primera intención,* provisòriamente; *oponerse a las intencio-*

nes de alguien, encontrar os intentos de alguém; *tener malas intenciones*, (fam.) propender para a parte do carocho.

intencionado, da. *adj.* intencionado, que tem alguma intenção, feito com intenção, propositado; usa-se com os advérbios, *bien, mal. mejor* e *peor*.

intencional. *adj.* intencional, pertencente aos actos interiores da alma; intencional, deliberado, propositado, feito de ciência certa, com pleno conhecimento de causa.

intendencia. *f.* intendência, direcção e governo duma coisa; intendência, distrito do intendente; intendência, emprego ou escritório do intendente.

intendente. *m.* intendente, director ou administrador dalguma coisa; chefe superior da fazenda pública numa província; director de fábricas ou empresas, exploradas por conta do tesouro; (mil.) intendente.

intensar. *v. tr.* intensar, intensificar, tornar intenso, fazer com que uma coisa adquira maior intensidade do que aquela que tinha..

intensidade. *f.* intensidade, grau de energia dum agente natural ou mecânico, duma qualidade ou expressão, etc.; (fig.) veemência nos afectos do ânimo, intensidade; agudeza; grau elevado.

intensificación. *f.* intensificação, acção ou efeito de intensificar.

intensificar. *v. tr.* intensificar, tornar intenso; tornar mais forte.

intenso, sa. *adj.* intenso, enérgico; forte; activo; veemente; agudo; violento; enfático; vivo; ardente; profundo; (Bras.) mãe.

intentar. *v. tr.* intentar, planear, projectar; intentar; iniciar a execução duma coisa; procurar, pretender; (for.) intentar, mover, propor uma acção; diligenciar, pôr em execução; acometer; atentar: *intentar lo imposible*, (pop.) meter o rossio na betesga; intentar passar por, arvorar-se em.

intento. *m.* intento, plano, propósito, desígnio; intenção; intento, coisa intentada; mira; fim; empre(ê)sa; empenho: *de intento*, de propósito; *al primer intento*, (fam.) à primeira enxada.

intentona. *f.* (fam.) intentona, intento, temerário, especialmente se se frustrou; intento louco; colunio para motim ou revolta, empresa insensata.

ínter. *adv.* entre, no meio, dentro; é empregado como prefixo; V. **ínterin.**

interacción. *f.* interacção.

interanular. *adj.* (histol.) interanular.

interarticular. *adj.* (anat.) interarticular.

interastral. *adj.* (astr.) interastral.

intercadencia. *f.* intercadência, interrupção, desigualdade na conduta, linguagem, etc.; (med.) intercadência, enfraquecimento intermitente do pulso arterial; (fig.) inconstância nos afectos; falta de continuidade.

intercadente. *adj.* intercadente, intermitente; irregular; interrupto.

intercalación. *f.* intercalação; inserção.

intercalar. *adj.* intercalar, que se intercala, que está intercalado ou inserido.

intercalar. *v. tr.* intercalar, interpor; pôr uma coisa entre outras, meter de permeio; entrelinhar; inserir; (fig.) engastar: *intercalar citas en un discurso*, engastar citações num discurso.

intercambiable. *adj.* diz-se das peças similares pertencentes a objectos fabricados com perfeita igualdade.

intercambio. *m.* intercâmbio, reciprocidade de considerações e serviços entre corporações análogas de diversos países; troca.

interceder. *v. intr.* interceder, rogar por outrem; interceder, intervir; ser intermediário; mediar; alcovitar; advogar; suplicar.

intercelular. *adj.* (anat.) intercelular.

intercepción. *f.* intercepção; (fís.) intercepção.

interceptación. *f.* interceptação; interrupção; intercepção.

interceptar. *v. tr.* interceptar, interromper; interceptar, deter; interceptar, obstruir uma comunicação; cortar; impedir.

interceptor. *m.* interruptor. V. **interruptor.**

intercesión. *f.* intercessão; intervenção favorável, mediação.

intercesor, ra. *adj. e s.* intercessor, que intercede, mediador, medianeiro; alcoviteiro; advogado.

intercesorio, ria. *adj.* relativo à intercessão.

intercervical. *adj.* (anat.) intercervical.

interciso. *adj.* interciso, dizia-se do dia que era de festa só pela manhã.

intercolumnio. *m.* (arq.) intercolúnio, espaço entre colunas.

intercomunicarse. *v. r.* intercomunicar-se.

intercontinental. *adj.* intercontinental.

intercostal. *adj.* (med.) intercostal.

intercurrencia. *f.* (med.) intercorrência.

intercurrente. *adj.* (med.) intercorrente.

intercutáneo, a. *adj.* (anat.) intercutâneo, subcutâneo.

interdecir. *v. tr.* interdizer, vedar, proibir.— *conj. irr.* como *decir.*

interdentorio, ria. *adj.* interdental.

interdición. *f.* interdição; proibição; impedimento.

interdicto, ta. *adj.* (Amér.) interdito, que se acha sujeito à interdição.— *m.* interdito; (for.) julgamento sumário ou sumaríssimo.

interdigital. *adj.* (anat.) interdigital.

interés. *m.* intere(ê)s, proveito, ventagem; lucro; empenho; interesse, atenção; interesse, juros, lucro produzido pelo capital; interesse, utilidade; interesse, preço, merecimento, valía duma coisa; interesse, parte que se toma nos afectos suscitados pela leitura ou narração dum acontecimento, poema, etc.; conveniência; avanço; agio; ape(ê)go; mercenarismo; (fig.) desvelo; estímulo; importância; simpatia; benevolência, solicitude; atenção cativada pela curiosidade; desejo, atracção, inclinação. — *pl.* interesses, bens de fortuna.

interesable. *adj.* cobiçoso; ávido, interesseiro.

interesado, da. *adj.* e *p. p.* interessado; que tem interesse; empenhado; convenienioso; mercenário; mercantil; interesseiro; (fig.) egoísta. — *s.* interesseiro, que se deixa levar pelo interesse, egoísta; interessado, que tem interesse em alguma coisa ou parte nos lucros duma empresa.

interesante. *adj.* interessante, que desperta interesse ou curiosidade; atractivo, notável; que inspira simpatia; diz-se do estado da mulher grávida.

interesar. *v. intr.* interessar, ter interesse numa coisa; interessar, lucrar, ganhar; ser importante ou de interesse; agradar. — *v. tr.* interessar, dar parte a outrem num negócio ou num comércio, interessar, cativar a atenção e o ânimo de alguém; atrair, inspirar afecto a; afectar algum órgão do corpo, interessar; interessar, abalar, comover; inspirar interesse, compaixão, simpatia, etc.; atingir, ferir. — *v. r.* interessar-se, tomar interesse por: *la estocada le interesó el pulmón*, a estocada interessou o pulmão; *interesarse por*, tomar interesse por.

interesencia. *f.* interessência, presença, assistência pessoal a um acto ou função; interferência.

interestelar. *adj.* (astr.) interestelar.

interfecto, ta. *adj.* e *s.* (for.) assassinado, diz-se da pessoa morta violentamente.

interferencia. *f.* (fís.) interferência; entremetimento.

interferir. *v. tr.* (fís.) interferir, causar interferência; intervir; entremeter-se.

interfoliáceo, a. *adj.* (bot.) interfoliáceo.

interfoliar. *v. tr.* interfoliar, inserir folhas em branco entre as folhas impressas dum livro.

interglaciar. *adj.* (geol.) interglaciário.

interin. *m.* interim, entrementes, tempo indeterminado, interinidade. — *adv.* entretanto.

interinamiento. *m.* (for.) confirmação, ratificação.

interinar. *v. tr.* interinar, desempenhar interinamente um cargo.

interinidad. *f.* interinidade, qualidade do que é interino, interinato; interinado, tempo que dura um cargo interino.

interino, na. *adj.* e *s.* interino, que serve por algum tempo, suprindo a falta doutra pessoa ou coisa; provisório; eventual; passageiro; efé(ê)mero.

interior. *adj.* interior, da parte de dentro, interno; interior, íntimo; interior, diz-se da habitação sem vistas para a rua; (fig.) íntimo, interior; interno, que só pertence à nação, em contraposição ao estrangeiro; interior, mediterrâneo. — *m.* compartimento médio das carruagens; interior, ânimo. — *pl.* entranhas; interior, instalação interna duma casa.

interioridad. *f.* interioridade, interior. — *pl.* coisas privativas e secretas das pessoas ou entidades.

interjección. *f.* (gram.) interjeição; exclamação, grito.

interjectivo, va. *adj.* interje(c)tivo; interje(c)cional.

interlínea. *f.* (impr.) entrelinha.

interlineación. *f.* interlineação.

interlineal. *adj.* interlinear, que está entre linhas; interlinear, diz-se da tradução interpolada no texto da obra traduzida.

interlinear. *v. tr.* interlinear, entrelinhar, interlinhar; (impr.) entrelinhar.

interlocución. *f.* interlocução, conversação entre duas ou mais pessoas; diálogo; intervenção, mediação.

interlocutor, ra. *s.* interlocutor, cada uma das pessoas que tomam parte num diálogo; interventor, mediador.

interlocutorio, ria. *adj.* (for.) interlocutório.

interludio. *m.* (mús.) interlúdio, intermédio, diversão musical.

interlunar. *adj.* (astr.) interlunar.

interlunio. *m.* (astr.) interlúnio; lua nova.

intermaxilar. *adj.* (anat.) intermaxilar.

intermediación. *f.* intermediação; mediação, intervenção entre duas ou mais pessoas.

intermediar. *v. intr.* intermediar, estar de permeio, mediar; intervir; (Amér.) mediar, interceder por alguém; interpor-se entre pessoas que contendem; entremear.

intermediario. *adj.* e *s.* intermediário; que está de permeio ou entre dois; pessoa que está entre o produtor e o consumidor; medianeiro, mediador.

intermedio, dia. *adj.* intermédio, que está de permeio, entre dois; intermédio, que está entre os extremos de lugar ou tempo, interposto; mediano; mediocre. — *m.* intermédio, entrea(c)to; intervalo; diversão entre duas peças duma representação teatral; entremês teatral, entreacto. — *pl.* pratos do meio num jantar.

intermenstruación. *f.* (fisiol.) intermenstruação.

intermenstrual. *adj.* (med.) intermenstrual.

interminable. *adj.* interminável; eterno; sem fim; demorado; infinito; sem-te(ê)rmo; inacabável; inexaurível; inexausto; inextinguível.

interministerial. *adj.* interministerial, entre dois ou mais ministérios.

intermisión. *f.* intermissão, interrupção, intervalo.

intermitencia. *f.* (med.) intermitência, descontinuidade em qualquer sintoma; intermitência, qualidade de intermitente.

intermitente. *adj.* intermitente, não contínuo; descontínuo; errático.

intermitir. *v. tr.* intermitir, descontinuar, cessar, suspender uma coisa por algum tempo; interromper a sua continuação; parar por intervalos.

intermundo. *m.* (fís. e astr.) intermúndio, espaço estre os astros.

intermuscular. *adj.* (anat.) intermuscular.

internación. *f.* internamento, internação.

internacional. *adj.* internacional, comum a duas ou mais nações. — *f.* (pol.) Internacional, agrupamento de operários em oposição à burguesia e ao capitalismo; a Internacional, hino da associação internacional dos operários: *derecho internacional*, direito internacional.

internacionalidad. *f.* internacionalidade.

internacionalismo. *m.* internacionalismo, sistema de política internacional; doutrina que premoniza uma aliança de todas as classes operárias sem distinção de pátria.

internacionalista. *adj.* e *s.* internacionalista, relativo ao internacionalismo; partidário do internacionalismo.

internacionalización. *f.* internacionalização.

internacionalizar. *v. tr.* internacionalizar, tornar internacional; espalhar por várias nações.

internado, da. *p. p.* e *adj.* internado. — *m.* internado, estado do aluno interno; internato, conjunto dos alunos internos.

internar. *v. tr.* internar, enviar alguém para o interior dum país; meter terra dentro ou para o interior; internar, pôr dentro de colégio, asilo, hospital, etc. — *v. intr.* internar-se, introduzir-se, penetrar.— *v. r.* avançar para dentro, internar-se; (fig.) entranhar-se, introduzir-se nos segredos doutrem; profundar numa matéria.

interno, na. *adj.* interno, interior. — *s.* interno, aluno que vive internado num colégio; pessoa que tem residência num hospital, asilo, etc.: *interno de hospital*, internos dos hospitais.

internodio. *m.* entrenó, espaço entre dois nós.

inter nos. *adv.* (lat.) entre nós, aqui para nós.

internunciatura. *f.* internunciatura.

internuncio. *m.* (rel.) internúncio, ministro pontifício, que faz as vezes do núncio; internúncio, mensageiro; interlocutor; ministro do imperador da Áustria que residia em Constantinopla.

interoceánico, ca. *adj.* interoceânico.

interocular. *adj.* (anat.) interocular.

interoinferior. *adj.* íntero-inferior.

interoposterior. *adj.* íntero-posterior.

interóseo, a. *adj.* (anat.) interósseo.

interosuperior. *adj.* íntero-superior.

interpaginar. *v. tr.* interfoliar. V. **interfoliar.**

interparietal. *adj.* (anat.) interparietal.

interpelación. *f.* interpelação, acção de interpelar; pedido de explicações por um membro do Parlamento; apóstrofe; (for.) interpelação, intimação judicial.

interpelar. *v. tr.* interpelar, interromper quem fala; demandar; citar; interpelar, pedir explicações a um ministro no Parlamento; (for.) interpelar, intimar; recorrer a alguém, solicitando amparo e protecção.

interpeninsular. *adj.* interpeninsular.

interplanetario, ria. *adj.* interplanetário.

interpolación. *f.* interpolação; intercalação; interrupção; intermissão; inserção.

interpolador, ra. *adj.* e *s.* interpolador, que interpola palavras num escrito.

interpolar. *v. tr.* interpolar, alternar, pôr de permeio, entremear; interpolar, interromper para prosseguir depois; intercalar numa obra palavras ou frases, interpolar; intercalar; descontinuar.

interpolar. *adj.* (fís.) interpolar, que fica entre os pólos de uma pilha.

interponer. *v. tr.* interpor, pôr entre dois; intrometer; entremeter, entrepor; entressachar; mediar, meter alguém como medianeiro; fazer intervir. — *v. r.* (for.) interpor formalizar por meio de petição alguns recursos legais; intervir como mediador; entremear; colocar-se entre; entremeter-se; meter no meio; pôr-se de por meia; interpor-se. — *conj. irr.* como *poner*.

interposición. *f.* interposição, situação dum corpo entre outros dois; intervenção, mediação; entreposição; entremetimento.

interprender. *v. tr.* interprender, assaltar de improviso, tomar ou ocupar por surpresa uma coisa, entreprender.

interpresa. *f.* interpresa, empreendimento, assalto imprevisto, acção militar súbita; arremetida.

interpretable. *adj.* interpretável, que se pode interpretar.

interpretación. *f.* interpretação; explicação; versão, comentário crítico; declaração; exposição; explanação; acepção; acomodação; (ret.) metáfrase; (fig.) entrelinha: *interpretación de un papel en el teatro*, desempenho; *interpretación de la Biblia*, exegese; *interpretación de una pieza musical*, execução.

interpretador, ra. *adj.* e *s.* interpretador, que interpreta; explicador.

interpretar. *v. tr.* interpretar, tornar claro o sentido dalguma coisa, dalgum texto, dalguma palavra; interpretar, traduzir, explicar; tirar dalguma coisa, uma indução, um presságio, etc.; julgar da intenção dalguém exprimir o pensamento dum artista; interpretar, verter de uma língua, para outra, traduzir; interpretar, representar; interpretar, enarrar, coligir; colher; apostilhar; deduzir, anotar; decifrar, declarar, explicar; expor; ajuizar: *interpretar mal el sentido de algo*, envenenar, (fig.) estropear, estropiar, forçar; *interpretar mal el sentido de una frase*, forçar o sentido de uma frase; *interpretar erróneamente*, contraverter.

interpretativo, va. *adj.* interpretativo, que serve para interpretar alguma coisa; explicativo; susceptível de interpretação.

intérprete. *s.* intérprete, pessoa que interpreta; farante; leccionista; comentador; glosador; chuanga; expositor; tradutor; pessoa que traduz duma língua a outra língua; aquele que está encarregado de transmitir os sentimentos, os desejos de outrem; aquele que interpreta uma obra artística, intérprete; metafrasta; (fig.) intérprete, o que serve para denotar os sentimentos da alma: *intérprete de las Sagradas Escrituras*, exegeta, intérprete da Bíblia.

interregno. *m.* interregno, intervalo entre dois reinados; interrupção.

interrogación. *f.* interrogação; pergunta; interrogação, sinal ortográfico (?), que se põe no começo e no fim duma frase interrogativa; (ret.) erotema; interrogação.

interrogador, ra. *adj.* e *s.* interrogador, que interroga, interrogante, examinador.

interrogar. *v. tr.* interrogar, perguntar, inquirir, demandar; (fig.) consultar, sondar; interrogar, examinar, procurar conhecer: *interrogar al reo,* (for.) examinar o réu; *interrogar testigos,* desvassar.

interrogativo, va. *adj.* (gram.) interrogativo, que implica interrogação; que serve para interrogar.

interrogatorio. *m.* interrogatório, série de perguntas feitas geralmente por escrito; questionário que as contém; perguntas que o magistrado dirige ao réu e respostas deste; interrogação, exame, inquirição; (ret.) erotemático.

interrumpido, da. *adj.* interrompido, descontínuo; decepado; entremeado; (fig.) cortado, destroneado; empatado: *trayecto interrumpido,* trajecto empatado.

interrumpir. *v. tr.* interromper, impedir a continuação dalguma coisa; deter; empatar; interromper, acidentar; desenfiar; desconfiar; bedelhar; deturbar; deixar; (fig.) decepar; interromper, cortar a palavra a alguém; interromper, suspender a continuação; interromper, estorvar, impedir; pôr termo a. — *v. r.* descontinuar--se; cortar-se; parar momentâneamente; deixar de falar.

interrupción. *f.* interrupção, suspensão; corte; falha; descontinuidade; atalhamento; atalho; decepamento; entrepausa; empate; interrupção, aparte; (ret.) suspensão, reticência: *sin interrupción,* a fio; sem despegar; a eito.

interruptor, ra. *adj.* e *m.* interruptor, que interrompe; interruptor, interruptor eléctrico, aparelho para interromper a corrente eléctrica.

intersecarse. *v. r.* (geom.) cortarem-se duas linhas ou superfícies entre si.

intersección. *f.* (geom.) interse(c)ção, ponto de união entre duas linhas que se cortam; intersecção, entrecorte: *punto de intersección,* entrecortadura.

intersideral. *adj.* diz-se do que está entre dois ou mais astros ou referente a eles.

intersticial. *adj.* relativo ao interstício.

intersticio. *m.* interstício, pequeno intervalo entre as partes dum todo; (fig.) interstício, espaço de tempo ou de lugar; claro; interstício, greta; fenda; intervalo entre órgãos contínuos; poro.

intertrigo. *m.* (med.) intertrigo, intertrigem, inflamação da pele; eritema produzido por fricção repetida da pele.

intertropical. *adj.* intertropical, entretró(ô)pico; que se encontra entre os trópicos.

intérula. *f.* (bot.) indúsia.

interurbano, na. *adj.* interurbano, que se realiza entre cidades.

interusurio. *m.* (for.) juros que são devidos à mulher por demora na devolução do dote.

intervalo. *m.* intervalo, distância de um ponto a outro; intervalo, espaço entre duas épocas; espaço entre dois factos; intervalo, intermitência; entreacto; entretanto; intervalo, claro, entremeio; aberta; (mús.) distância que separa um som doutro: *a grandes intervalos,* alongadamente; *intervalos lúcidos,* lúcidos intervalos.

intervención. *f.* intervenção, intercessão; ingerência; entremetimento; acto de intervir; intervenção, oficina do interventor; (cir.) operação cirúrgica, intervenção: *intervención personal,* assistência.

intervencionismo. *m.* intervencionismo.

intervencionista. *s.* intervencionista, partidário do intervencionismo.

intervenidor, ra. *adj.* e *s.* V. **interventor.**

intervenir. *v. tr.* e *intr.* intervir, tomar parte num assunto; intervir, interpor; mediar; influenciar; ingerir-se; influir; intervir, entrepor, entremeter-se; tornar-se mediador; tornar-se parte; intervir, advir, sobrevir, ocorrer incidentemente; intervir, acudir; intervir, fiscalizar a administração nas alfândegas; apresentar-se um terceiro para aceitar ou pagar uma letra de câmbio, intervir.

interventor, ra. *adj.* e *s.* interventor, que intervém; interveniente; medianeiro; pessoa fiadora de uma letra de câmbio.

intervertebral. *adj.* intervertebral.

interview. *m.* anglicismo por *entrevista,* ou *conferencia.*

interviewar. *v. tr.* neologismo por *entrevistarse* ou *conferenciar.*

intervocálico, ca. *adj.* intervocálico, diz-se da consoante que está entre vogais.

interyacente. *adj.* interjacente que está no meio ou entre duas ou mais coisas, interposto.

intestado, da. *adj.* e *s.* (for.) intestado, que não fez testamento ou que é nulo ou ilegal.

intestinal. *adj.* intestinal, pertencente ou relativo aos intestinos.

intestino, na. *adj.* intestino, interno; (fig.) intestino, doméstico; nacional; civil. — *m.* (anat.) intestino, víscera abdominal que vai desde o estômago ao ânus. — *pl.* bandulho: *intestino grueso,* colo; *intestinos de animales para comer,* (prov.) colhada.

intima(ción). *f.* intimação, notificação jurídica; citação.

intimar. *v. tr.* intimar, avisar, citar, declarar, notificar; intimar, fazer-se familiar, familiarizar; intimar, notificar à autoridade; (for.) fazer intimação, emprazar; intimar, falar com arrogância; conjungir. — *v. r.* insinuar-se, introduzir-se.

intimatorio, ria. *adj.* (for.) intimatório, diz--se de todo o despacho ou carta com que se notifica um decreto ou ordem.

intimidación. *f.* intimidação; medo atemorizamento; amedrontamento; assoberbamento.

intimidad. *f.* intimidade, amizade íntima; intimidade estreiteza; convivência; familiaridade, intimidade. conversação íntima; (fig.) colaçia, intimidade, aderência.

intimidar. *v tr.* intimidar, causar ou infundir medo, assustar, amedrontar; intimidar, exigir; intimidar, ameaçar, aturdir, atemorizar; (fig.) agoirar; assoberbar; atalhar; acanhar; acobardar; ameaçar. — *v. r.* intimidar-se, assustar-se.

íntimo, ma. *adj.* íntimo, interior, profundo; cordial, estreito, familiar, amigo muito querido; entranhável; (fig.) fraterno; o fundo da alma; particular, íntimo; essencial.

intína. *f.* (bot.) intina.

intitular. *v. tr.* intitular, dar, pôr título a alguma pessoa, livro, escrito, etc.; nomear, epigrafar, chamar, denominar. — *v. r.* (fig.) destinar, designar para um emprego; (Amér.) mal usado por *llamarse.*

intocable. *adj.* (ant.) intangível, que se não pode tocar; (Índia) pária.

intolerabilidad. *f.* intolerabilidade, qualidade de intolerável.

intolerable. *adj.* intolerável, que se não pode tolerar; inaceitável; inexcusável; diabólico; duro; inadmissível; incomportável; insuportável.

intolerancia. *f.* intolerância; violência; fanatismo; altivez; intolerância, falta de tolerância; violência perseguição religiosa; impaciência.

intolerante. *adj.* e *s.* intolerante, fanático; que não é tolerante, que não tolera.

intonso, sa. *adj.* (poét.) intonso, que não tem o pêlo cortado; não tosquiado, hirsuto; (fig.)ignorante, inculto, rústico. — *s.* diz-se do livro que se encaderna sem lhe aparar as margens.

intoxicación. *f.* (med.) intoxicação, envenenamento, entoxicação; introdução dum veneno no organismo.

intoxicar. *v. tr.* intoxicar, envenenar, empeçonhar; atossigar; atoxicar. — *v. r.* envenenar-se: *intoxicar con alcohol,* etilizar.

intraducibilidad. *f.* intraduzibilidade.

intraducible. *adj.* intraduzível, que se não pode traduzir dum idioma para outro.

intramuros. *adv.* intramuros, da parte de dentro duma cidade, vila ou lugar; da parte de dentro dos muros ou muralhas duma povoação.

intramuscular. *adj.* (anat.) intramuscular.

intranquilidad. *f.* intranqu(ü)ilidade, falta de tranquilidade; desassossêgo; inquietação; desassossego; (med.) freimaço.

intranquilizador, ra. *adj.* que dá intranquilidade.

intranquilizar. *v. tr.* desassossegar, tirar a tranquilidade; desquietar; apavorar; desapaziguar; dessazonar; conturbar.

intranquilo, la. *adj.* intranqu(ü)ilo, falto de tranquilidade; desassossegado; freimático; inquieto; alterado.

intransferible. *adj.* intransferível, que se não pode transferir; incessível; indisponível;

inalienável; inamovível; inabdicável; intransmissível.

intransigencia. *f.* intransigência; falta de transigência; intolerância; austeridade; fanatismo; exclusivismo.

intransigente. *adj.* intransigente, que não transige; fanático; incomplacente; acirrado; esturrado; rígido ; austero; inflexível.

intransitable. *adj.* intransitável, impraticável; dévio; descaminhado; intransitável, onde se não pode passar ou andar.

intransitado, da. *adj.* diz-se do lugar por onde se não pode passar; que é solitário; lugar poco frequentado.

intransitivo, va. *adj.* (gram.) intransitivo.

intransmisible. *adj.* intransmissível.

intransmutabilidad. *f.* imutabilidade.

instransmutable. *adj.* imutável, constante, inalterável, fixo.

intrasmisible. *adj.* intransmissível. V. **intransmisible.**

intratabilidad. *f.* intratabilidade; soberbia; arrogância; insociabilidade.

intratable. *adj.* intratável; impraticável, ínvio, fragoso; (fig.) intratável, insociável; de génio áspero ou rude; inconversável; incomunicável; desabrido; dessociável; descarinhoso; avinagrado; arisco.

intratorácico, ca. *adj.* (anat.) intratoráxico.

intravascular. *adj.* (med.) intravascular.

intravenoso, sa. *adj.* (med.) endovenoso, intravenoso.

intravertebrado, da. *adj.* (zool.) intravertebrado.

intrepidez. *f.* intrepidez, arro(ô)jo, audácia, bravura, deno(ô)do; ousadia; coragem; irreflexão; ardor; ardideza; ardimento; determinação, decisão; arreme(ê)so, arremessamento; arreganho; destemidez, destemor; desassombro.

intrépido, da. *adj.* intrépido, audaz, destemido; animoso; ousado; firme; resoluto; arrojado; denonado; temerário; irreflectido; afoito; ardoroso, corajoso; arrojado; determinado; atrevido; desmedroso, destemido.

intricar. *v. tr.* V. **intrincar.**

intriga. *f.* intriga, enre(ê)do oculto, mexerico, bisbilhotice; embrulhada; maquinação; conto; alhada; arriosca; chisme; (Bras.) fuxico, infuca, lelê, lubambo, trança; entrecho de peça literária; insídia: *intriga amorosa,* empenho amoroso.

intrigante. *p. a.,* *adj* e *s.* intrigante, mexeriqueiro, intriguista; embusteiro; mexedor; galdeiro; alcoviteiro; bisbilhoteiro; entremetido; acusa-pilatos; (fig.) agulha ferrugenta; (fig.) envolvedor, atador; *individuo intrigante,* (Bras.) intrigante.

intrigar. *v. intr.* intrigar, fazer intrigas; envolver; astuciar; alcovitar; bisbilhotar. — *v. tr.* (gal.) por *inquietar, malquistar,* etc.

intrincable. *adj.* intrincável, que se pode intrincar; confuso, intrincado, embaraçado.

intrincación. *f.* complicação, embaraço, enredo; confusão, embrulhada.

intrincado, da. *p. p.* e *adj.* intrincado, intricado, embaraçado; obscuro; complicado, confuso: arre(vê)sso: entrecambado; abrupto; abstruso; dedáleo; fragoroso; inextricável; embrulhado; (pop.) semiscarúncio; alabirintado; (fig.) diabólico: *ser muy intrincado*, ter suas coisas; ter dente de coelho; *cuestiones intrincadas*, (pop.) danças.

intrincar. *v. tr.* intrincar. intricar, embaraçar, enredar, complicar; confundir; emaranhar; obscurecer os pensamentos.

intríngulis. *m.* (fam) intenção oculta que se supõe ou entrevê numa pessoa ou acção; (fig.) medula: *aquí está la intríngulis*, (fam.) aquí é que é ela; aí bate o ponto; apanha.

intrínseco, ca. *adj.* intrínseco, íntimo, essencial; real; interior, interno; inerente.

introducción. *f.* introdução, apresentação, preâmbulo; prefácio; prólogo; introdução, admissão; importação; introdução, preparação a qualquer estudo; (fig.) familiaridade; convivência; infiltração; ingresso; (ret.) exórdio; (mús.) introdução, sinfonia de abertura, prelúdio; discurso preliminar.

introducir. *v. tr.* introduzir, meter dentro; fazer admitir; dar entrada; apresentar; importar; estabelecer; (fig.) pôr em uso; fazer adoptar; atrair, ocasionar; embocar; infiltrar; encanar; ingerir, encaixar; embeber; enxerir; inalar (ar, gás, etc.); (Bras.) embilocar.— *v. r.* introduzir-se; meter-se alguém onde não é chamado; entrar, penetrar; insinuar-se; ingerir-se, intrometer-se.— *conj. irr.* como *conducir.*

introductor, ra. *adj.* e *s.* introdutor, que introduz; apresentante: *introductor de embajadores*, introdutor d'embaixadores.

introito. *m.* intróito, princípio dum escrito ou duma oração; intróito, orações do sacerdote no princípio da missa; intróito, começo, entrada; intróito, exórdio.

intromisión. *f.* intromissão entremetimento; ingerência.

introrso, sa. *adj.* (bot.) introrso.

introspección. *f.* introspe(c)ção observação do que se passa no interior; exame subjectivo.

introspectivo, va. *adj.* introspe(c)tivo: *carácter introspectivo*, carácter frio.

introversión. *f.* introversão; recolhimento ou concentração do espírito; exame de consciência.

introverso, sa. *adj.* introverso; absorto; concentrado; voltado para dentro.

intrusarse. *v. r.* apropriar-se sem razão nem direito dum cargo, duma autoridade, etc.

intrusión. *f.* intrusão, usurpação; posse ilegal e violenta; intromissão; entremetimento.

intrusismo. *m.* intrusão. V. **intrusión.**

intruso, sa. *adj.* e *s.* intruso, que se introduziu sem direito; intruso, ilegalmente apossado ou investido num cargo ou dignidade; intruso, estranho ao grémio ou ao grupo em que se encontra; apegadiço; mete-

diço; entremetido; (fig.) alanceador; (Bras.) introsca: *ser un intruso*, entremeter-se.

intubación. *f.* (med.) tubagem, colocação dum tubo na faringe.

intubar. *v. tr.* (med.) colocar um tubo metálico na faringe para evitar a asfixia.

intuición. *f.* intuição, percepção clara duma ideia ou verdade; pressentimento; primeira vista; (fig.) luz; apercepção.

intuir. *v. tr.* perceber, clara e instantâneamente uma ideia ou verdade.

intuitivo, va. *adj.* intuitivo; evidente; incontestável; claro.

intumescencia. *f.* intumescência; inchação; (poét.) intumescência, preiamar, fiuxo das ondas.

intumescente. *adj.* intumescente, inchado; túmido.

intususcepción. *f.* (anat.) intussuscepção, intuscepção.

intutible. *adj.* (Amér.) sujo; inútil.

inula. *f.* (bot.) inula.

inulina. *f.* (quím.) inulina.

inulto, ta. *adj.* (poét.) inuto, que se não vingou: impune.

inundable. *adj.* inundável, susceptível de ser inundado.

inundación. *f.* inundação, alagamento; (fig.) inundação, multidão; excessiva de coisas; anegação; cheia; coluvião; enchente.

inundar. *v. tr.* inundar, alargar, cobrir de àgua os campos; banhar; (fig.) inundar, invadir tumultuosamente; encher; espalhar por; encapelar; anegar; empantanar.— *v. r.* inundar-se; alargar-se: *inundado de alegría*, banhado em alegria.

inurbanidad. *f.* inurbanidade, descortesia, indelicadeza; grossaria; incorre(c)ção; incivilidade.

inurbano, na. *adj.* inurbano, incivil, descortês, incorre(c)to, grosseiro.

inusitado, da. *adj.* inusitado, não usado, desusado; esquisito; desacostumado; extraordinário.

inusual. *adj.* não usual.

inútil. *adj.* inútil, desnecessário; sem préstimo; vão; infrutuoso; imporfícuo; baldado; ineficaz; imprestável; frustrado; improdutivo; desaproveitado; estéril; frívolo; (Bras.) punga: *cosa inútil*, (fig.) palha, palhada; *es inútil*, (fam.) não tem atilho nem vincilho; *hombre inútil*, (pop.) bandurrilha, homem desatado, bolas, entulho, enxalmo, boleima, empada choninha.

inutilidad. *f.* inutilidade; incapacidade; infrutuosidade; coisa, inútil; desproveito; improficuidade; desnecessidade; ineficácia.

inutilizar. *v. tr.* inutilizar, tornar inútil, frustrar; invalidar; anular; baldar; (Bras.) afolozar.

invadeable. *adj.* invadeável.

invadir. *v. tr.* invadir, entrar pela força; acometer, investir; usurpar; alastrar por; (fig.) entrar injustificadamente em funções alheias; arremeter; devassar; apoderar-se.

invaginación. *f.* (bot., pat. e cir.) invaginação.

invaginar. *v. tr.* invaginar, unir por meio de invaginação.

invalidación. *f.* invalidação; inutilidade; anulação, rescisão; desqualificação.

invalidad. *f.* invalidade, nulidade.

invalidar. *v. tr.* invalidar, inutilizar; anular; desqualificar; rescindir; abolir; (for.) infirmar.

invalidez. *f.* invalidez, nulidade; invalidade.

inválido, da. *adj.* e *s.* inválido, inutilizado; enfermo, fraco; (mil.) inválido; (fig.) inválido, irrito, nulo; inválido, imbécil, demente. — *pl.* inválidos, hospício de inválidos militares.

invariabilidad. *f.* invariabilidade; imutabilidade; constância; firmeza.

invariable. *adj.* invariável, constante, firme. fixo; imutável; indeclinável; inalterado.

invariado, da. *adj.* não variado, constante, firme.

invariante. *m.* (mat.) invariante.

invasión. *f.* invasão; incursão; (fig.) difusão geral; propagação; (med.) invasão, princípio de doença; (fig.) cheia.

invasor, ra. *adj.* e *s.* invasor, que invade; agressor.

invectiva. *f.* invectiva; diatribe; expressão injuriosa e violenta; (fig.) declamação; censura.

invectivar. *v. tr.* (neol.) invectivar; increpar; injuriar; atacar; censurar.

invencibilidad. *f.* invencibilidade, qualidade de invencível.

invencible. *adj.* invencível; irresistível; inexpugnável; indomável; inconquistável.

invención. *f.* invenção; coisa inventada; acção de achar; invenção, engano, ficção, fábula, astúcia; embuste, mentira; descobrimento; achamento; indústria; embromação, fantasia; engenho.

invendible. *adj.* invendável, invendível: *vender la invendible*, (fam.) vender bem avelórios.

inventar. *v. tr.* inventar, idear, criar a sua obra o poeta ou o artista; urdir; fingir factos falsos; inventar, discorrer ou achar à força de engenho ou por acaso alguma coisa nova; inventar, excogitar; astuciar; descobrir; mentir; fabular; fantasiar; fabricar; achar; alvitar; improvisar; engenhar; (fig.) aparafusar; forjar; criar pela imaginação; imaginar uma coisa que se diz como verdadeira; tramar; levantar calúnias.

inventariado, da. *adj.* anotado, arrolado.

inventariar. *v. tr.* inventariar, fazer inventário, relacionar; arrolar; anotar; anotar os bens; (fig.) descrever minuciosamente; catalogar; catalogar, enumerar, narrar, relatar feitos e acontecimentos.

inventario. *m.* inventário; arrolamento; anotação de bens; inventário, rol, registo; enumeração de bens; (com.) avaliação das mercadorias em ser e dos diversos valores para estabelecer os ganhos e perdas; enumeração minuciosa, catálogo; relação;

arrolamento de objectos: *hacer inventario*, ementar.

inventiva. *f.* inventiva, imaginação, engenho inventivo; faculdade de inventar.

inventivo, va. *adj.* inventivo, engenhoso; que tem disposição para inventar; diz-se das coisas inventadas.

invento. *m.* invento; invenção; engenho; achamento; indústria; invento, coisa inventada; descoberta.

inventor, ra. *adj.* e *s.* inventor, que inventa, autor; que discorre sem fundamento; excogitador; autor; artífice; forjador; descobridor; fabricador; engenhoso; engenhador; achador; alvitreiro; (fig.) pai; inventor, embusteiro, fingidor.

inverecundia. *f.* inverecúndia, desvergonha; desfaçatez; descaro, sem vergonha; impudicícia.

inverecundo, da. *adj.* e *s.* inverecundo, desvergonhado; impúdico; descarado.

invernáculo. *m.* invernadouro, invernadoiro, estufa para plantas.

invernada. *f.* invernada, tempo invernoso; estação de inverno; (Amér.) paragem destinada a pasto do gado durante o Inverno; (Bras.) curral de novilhos para engorda.

invernadero. *m.* invernadouro, invernadoiro, lugar próprio para passar o Inverno; lugar para pastagem do gado durante o Inverno: *invernadero de plantas*, (bot.) estufa.

invernal. *adj.* invernal, pertencente ou relativo ao Inverno. — *m.* inverneira, invernadoiro, lugar para se guardar o gado no Inverno.

invernar. *v. intr.* invernar, passar o Inverno num sítio; invernar, ser tempo de Inverno; (Amér.) pastar o gado nas inverneiras.

invernizo, za. *adj.* inverniço, próprio do Inverno; que cresce de Inverno.

inverosímil. *adj.* inverosímil, inacreditável; desnatural; incrível; fabuloso; pouco provável.

inverosimilitud. *f.* inverosimilitude, qualidade de inverosímil.

inversión. *f.* inversão, colocação de capitais; contraversão; inversão, mudança em sentido contrário; estado de coisa invertida, troca: *inversión sexual*, fanchonice, fanchonismo.

inversor. *m.* (electr.) inversor, aparelho que serve para inverter o sentido duma corrente eléctrica.

invertasa. *f.* (quím.) V. **invertina**.

invertebrado, da. *adj.* e *s.* (zool.) invertebrado. — *m. pl.* invertebrados, animais que não tem a coluna vertebral.

invertina. *f.* (quím.) díastase que transforma a sacarose, antes de toda a fermentação alcoólica.

invertido, da. *adj.* e *m.* invertido, inverso; invertido, fanchono, afanchonado; amaricado.

invertir. *v. tr.* inverter, transformar as coisas ou a ordem delas; alterar; aplicar (capitais); inverter, durar, empregar; desordenar; contraverter; fazer seguir em direcção contrária à primitiva; (por. ext.) mudar, trocar, alterar: *invertir el orden de algo*, envessar. — *conj. irre.* como *sentir*.

investidura. *f.* investidura, acção de investir; carácter que se adquire com a posse de certos cargos e dignidades.

investigable. *adj.* investigável, que se pode investigar; usada antigamente com acepção oposta à enunciada.

investigación. *f.* investigação, indagação minuciosa; averiguação; deslinde; exame; informação; indagação; estudo; esploração; devassamento; (fig.) excavação; pesquisa; busca: *hacer una investigación*, devassar.

investigador, ra. *adj. e s.* investigador, que investiga; explorador; averiguador; atalhador; indagador; furoeiro; investigador, estudioso; (fig.) excavador, vasculhador; pesquisador; esquadrinhador; indagador; inquiridor.

investigar. *v. tr.* investigar, inquirir, indagar, pesquisar; investigar, fazer diligências para descobrir alguma coisa; investigar, estudar; devassar; examinar; excogitar; averiguar; explorar; deslindar; indagar; afuroar; furoar; (fig.) excavar, meter-se pela terra dentro; (fig.) apalpar, vasculhar; esquadrinhar: *investigar sobre alguien*, ir em demanda de alguém; *investigar a fondo*, assuntar.

investimento. *m.* inversão de dinheiros eclesiásticos na aquisição de imóveis.

investir. *v. tr.* investir, conferir uma dignidade ou cargo importante; arremessar, empossar; usa-se com as preposições *con* ou *de*. — *conj. irre.* como *vestir*.

inveterado, da. *adj.* inveterado, entranhado; arraigado; muito, antigo; entranhável; clássico; (fig.) encanecido: *odios inveterados*, ódios encanecidos.

invicto, ta. *adj.* invi(c)to, invencível, sempre victorioso; que nunca foi vencido.

invierno. *m.* Inverno, uma das quatro estações do ano; época mais fria do ano.

invigilar. *v. intr.* vigiar, zelar cuidar solìcitamente.

inviolabilidad. *f.* inviolabilidade, qualidade de inviolável; prerrogativa de não estar sujeito a responder em tribunal.

inviolable. *adj.* inviolável, impreterível; infringível; que se não pode violar ou profanar; privilegiado.

inviolado, da. *adj.* inviolado; que se conserva em toda a sua pureza e integridade; incorru(p)tível, incorru(p)to; intacto; ileso.

invisibilidad. *f.* invisibilidade, qualidade de invisível.

invisible. *adj.* invisível que se não pode ver; incorpóreo; incorporal; impenetrável, oculto.

invitación. *f.* invitação, invitamento, convite; convite, cartão ou impresso com que se convida; invitação, exortação.

invitado, da. *adj. p. p. adj. e s.* invitado, convidado, pessoa que recebeu convite.

invitar. *v. tr.* invitar, convidar; invitar, desafiar. — *v. r.* convidar-se.

invitatorio. *m.* invitatório, antífona que se diz no princípio das matinas.

invocación. *f.* invocação; alegação; evocação; invocação, chamada (em auxílio, em socorro); invocação; apelido; advocação; invocação, chamamento; súplica que o poeta dirige a uma divindade; invocação, protecção divina, adoração, rogo: *invocación mágica*, conjuro.

invocador, ra. *adj. e s.* invocador, que invoca.

invocar. *v. tr.* invocar, chamar alguém em auxílio; invocar, acolher-se a uma lei; invocar, exorar; clamar; citar em seu favor; invocar, rogar, suplicar; recorrer ao testemunho de: *invocar a Dios*, apelar para Deus; *invocar a los espíritus*, evocar, conjurar.

invocatorio, ria. *adj.* invocatório, que serve para invocar.

involucela. *f.* (bot.) involucelo.

involucrabilidad. *f.* involucrabilidade.

involucrable. *adj.* involucrável.

involucrado, da. *adj.* (bot.) involucrado, que tem invólucro.

involucral. *adj.* involucral.

involucrar. *v. tr.* intercalar, misturar, rechear num discurso ou escrito, assuntos estranhos ao tema principal.

involucrillo. *m.* (bot.) involucelo.

involucro. *m.* (bot.) invólucro, conjunto de brácteas, de órgãos foliáceos reunidos em volta da base duma flor; envelope; invólucro, coisa que envolve; capa; forro; embrulho.

involuntariedad. *f.* involuntariedade.

involuntario, ria. *adj.* involuntário; não voluntário; inconsciente; impremeditado; instintivo; irrefle(c)tido; desinteressado, desintencional, desintencionado; indeliberado; contrafeito.

involutivo, va. *adj.* involutoso.

invulnerabilidad. *f.* invulnerabilidade.

invulnerable. *adj.* invulnerável; inalterável; inatacável, que não pode ser ferido; invulnerável, coiraçado; invulnerável, imaculado.

inyección. *f.* inje(c)ção; líquido, injectado, injecção.

inyectado, da. *p. p. e adj.* inje(c)tado, que se injectou.

inyectar. *v. tr.* inje(c)tar, introduzir um líquido num corpo com um instrumento.

inyector. *m.* inje(c)tor, o que se injecta; aparelho para auxiliar a tiragem das fornalhas, nas máquinas de vapor.

iñiguista. *adj. e s.* V. **jesuíta.**

iodo. *m.* (quim.) V. **yodo.**

ion. *m.* (quim. e (fís.) ion, ião, cada uma das partes que foram dissociadas por uma corrente eléctrica.

ionio. *m.* (quím.) ió(ô)nio, ião.

ionización. *f.* ionização.

ionizar. *v. tr.* ionizar.

iota. *f.* iota, nona letra do alfabeto grego.

iotacismo *m.* (gram.) iotacismo. emprego excessivo da letra *i* numa língua.

ipso facto. *loc. lat.*, imediatamente, no acto; por isso mesmo, precisamente por isso; pelo próprio facto.

ipso jure. *loc. lat.* (for.) pelo mesmo direito ou lei.

ir. *v. intr.* ir, andar, mover-se dum lugar para outro; caminhar de cá para lá; passar; dirigir-se; ir, estar, ser; distinguir-se uma pessoa doutra; aportar; consistir, depender; considerar as coisas por um aspecto especial ou dirigi-las a um fim determinado; importar, interessar; ir, conduzir, levar (diz-se do caminho); ir, distar, diferenciar-se, distinguir-se; ir, continuar, seguir, progredir; obrar, proceder; comparecer; estar prestes; decorrer; suceder; estar tratando; existir; figurar; orçar; achar-se; ir, declinar-se, conjugar-se um nome ou verbo com outro; ir, entrar no jogo, jogar; passar de saúde; tomar um certo carácter; frequentar; tratar de; seguir viagem para; quadrar, assentar; com a preposição *contra*, significa perseguir e sentir ou pensar o contrário do que significa o substantivo a que se aplica; com a preposição *con*, ter o que o substantivo significa; com a preposição *por*, seguir uma carreira; com a preposição *en*, importar, interessar. — *v. r.* ir-se, retirar-se; ir-se, esvair-se; ir-se, mover-se; ir-se, gastar-se; perder-se; ir-se, evaporar-se; ir-se, fazer as suas necessidades sem sentir; estar em perigo de vida; deslizar, perder o equilíbrio; dirigir-se, encaminhar-se, ausentar-se; escoar-se; desaparecer; passar; serve de auxiliar, unido ao gerúndio de outro verbo. exprimindo uma acção que se prolonga: *ir viviendo, trabajando, resistiendo*, etc.; *¿quién va?*, expressão usada geralmente pela noite, quando se descobre um vulto ou se sente um ruído e não se vê quem o causa; *vamos a lo interesante*, vamos ao que importa; *ya va para un año*, já lá vai um ano; *¡vaya!*, (fam.) emprega-se para exprimir leve aborrecimento ou denotar aprovação e para excitar ou conter; *irse el dinero*, ir-se o dinheiro; *ir con los tiempos*, acomodar-se ao tempo; *ir a bordo*, andar embarcado; *ir de la ceca a la meca*, (fam.) andar duma banda para outra; *ir en el coche de S. Fernando*, (fam.) andar no cavalo de S. Francisco; *ir demasiado lejos*, desmandar-se; *ir de un lado a otro*, andarilhar; *ir en el machito*, (fam.) viver abastado; *ir más lejos*, passar adiante; *vete en paz*, ide em paz; *ir viento en popa*, ir com vento em popa; *irse haciendo viejo*, ir-se fazendo velho; *írsele los ojos a alguien detrás de algo*, (fam.) irem-se os olhos a alguém; *va anocheciendo*, vai-se chegando a noite; *¡váyase!*, vá-se embora. — *pres. ind. irr.* **voy, vas, va, vamos, váis, van;** *imperf.* **iba, ibas,** etc.; *indef.* **fui, fuiste,** etc.; *futur.* **iré, -ás,**

etcétera; *pot.* **iría,** etc.; *pres. subj.* **vaya, -as, -a,** etc.; *imperf.* **fuera** ou **fuese,** etc.; *imperat.* **ve;** *ger.* **yendo.**

ira. *f.* ira, sentimento que move à indignação, cólera, fúria, raiva; ira, furor, embravecimento; agastamento; vingança; castigo, (fig.) ira, fúria dos elementos.

iracundia. *f.* iracúndia, disposição natural para se encolerizar; iracúndia, ira excessiva; fúria, furor; indignação; assanhamento, assanho.

iracundo, da. *adj.* e *s.* iracundo, irascível, colérico; propenso à ira, iroso, irado; iracundo, irritado; furibundo; agastadiço; alteradiço.

Irán. (geog.) Irã.

iranio, nia. *adj.* e *s.* (geog.) natural ou pertencente ao Irã; iraniano, irânico, pérsico.

irascibilidad. *f.* irascibilidade, qualidade de irascível; disposição a irritar-se; irritabilidade; atrabílis.

irascible. *adj.* irascível, propenso a irritar-se; que se irrita fàcilmente; irascível, daninho, assomado; (fig.) efervescente; furibundo; avinagrado; anojadiço; enfadadiço; fosfórico; indignativo; alteradiço; (fig.) bilioso: *genio irascible*, génio forte.

iridáceo, a. *adj.* (bot.) iridáceo. — *f. pl.* iridáceas, plantas que tem por tipo o género iris.

íride. *f.* (bot.) V. **lirio hediondo.**

iridectomía. *f.* (cir.) iridotomia, incisão cirúrgica na íris.

irídeo, a. *adj.* (bot.) aplica-se a certas plantas que tem por tipo o íris. — *f. pl.* iridáceas, família destas plantas.

iridio. *m.* (min.) irídio, metal branco duro e raro, que existe em certos minérios de platina.

iridiscente. *adj.* iridescente, que reflecte as cores do arco-íris.

iris. *m.* (astr.) meteoro luminoso em forma de arco, arco-íris; (anat.) íris, membrana situada no interior do globo ocular.

irisación. *f.* irisação, propriedade que têm certos corpos de reflectir raios coloridos como o arco-íris; os reflexos assim produzidos.

irisado, da. *adj.* iriado, que tem as cores do arco-íris.

irisar. *v. intr.* irisar, iriar, apresentar um corpo as cores do arco-íris, ou algumas delas; fazer aparecer a irisação.

iritis. *f.* (med.) irite, inflamação da íris.

irlanda. *f.* irlanda, tecido fino de algodão e lã; irlanda, tecido de linho.

Irlanda. (geog.) Irlanda.

irlandés, sa. *adj.* e *s.* (geog.) irlandês, natural de Irlanda, pertencente ou relativo a esta ilha. — *m.* língua dos irlandeses.

ironía. *f.* ironia, sarcasmo, zombaria; (fig.) dentada, dardo: *ironía insultante*, (lit.) micterismo.

irónico, ca. *adj.* iró(ô)nico, sarcástico; que emprega a ironia; irónico, acrimonioso, acerado; zombeteiro.

ironizar. *v. tr.* ironizar, satirizar, falar ou escrever com ironia; tornar irónico; exprimir com ironias; epigramatizar. — *v. intr.* empregar ironias.

irracionable. *adj.* (arit.) irracionável, irracional.

irracional. *adj.* irracional, não racional, contrário à razão; (mat.) irracional, diz-se das quantidades que não têm medida comum à unidade; irracional, inacreditável; animalia; bestial; incrível. — *m.* irracional, animal que não tem raciocínio; bruto.

irracionalidad. *f.* irracionalidade, qualidade de irracional; falta de raciocínio; irracionalidade, impremeditação; desrazão.

irradiación. *f.* irradiação, difusão; efluência, eflúvio; irradiação, contágio, propagação; (fís.) expansão de luz que rodeia os astros e os faz parecer maiores do que são em realidade; (anat.) disposição radiada de certos vasos.

irradiar. *v. tr.* irradiar, emitir, lançar de si raios luminosos ou outra energia; irradiar, cintilar, efluir, emitir, (fig.) dardejar; propagar, espalhar. — *v. intr.* emitir, espargir raios de luz; (fig.) deparar-se em raios.

irrazonable. *adj.* irracionável, irracional, não racional; absurdo: *hombre irrazonable*, homem avesso.

irreal. *adj.* irreal, imaginário, fantástico; não real.

irrealidad. *f.* irrealidade, qualidade do que não é real.

irrealizable. *adj.* irrealizável, que se não pode realizar; infa(c)tível; inexecutável; impraticável; inexequível.

irrebatible. *adj.* irrefutável, incontrastável; indiscutível; incontrovertível; incontestável; que se não pode refutar ou rebater; evidente.

irreconciliabilidad. *f.* qualidade de irreconciliável.

irreconciliable. *adj.* irreconciliável, inconciliável; incompatível; incomportável.

irrecuperable. *adj.* irrecuperável, que se não pode recuperar.

irrecusable. *adj.* irrecusável, que se não pode recusar; indeclinável; incontestável.

irredimible. *adj.* irredimível, que se não pode remir.

irreducibilidad. *f.* irredutibilidade, qualidade que é irredutível.

irreducible. *adj.* irreduzível, irredutível, que se não pode reduzir.

irreductible. *adj.* V. **irreducible.**

irreemplazable. *adj.* insubstituível, imprescindível.

irreflexión. *f.* irreflexão, falta de reflexão, precipitação; imprudência; estouvamento; inconsequência; arrebatamento; inconsideração; desace(ê)rto, desarrazoamento; desconsideração; despercebimento; aturdimento; diabrura; impremeditação.

irreflexivo, va. *adj.* irreflexivo, irrefle(c)tido; inconsiderado; inconsequente; arremes-

sado; inconsiderado; impulsivo; incogitado; desassisado; desconsiderado; despercebido; desadvertido; desajuizado; desatentado; indeliberado; impremeditado; inconsciente.

irreformable. *adj.* irreformável.

irrefragable. *adj.* irrefragável, inegável.

irrefrenable. *adj.* irrefreável, irreprimível, indomável.

irrefutable. *adj.* irrefutável, incontrastável, incontestável, indisputável, indisputado, indiscutível; iniludível, inegável.

irregular. *adj.* irregular, contrário à lei ou à justiça; informe; desregrado; barroco; boémio anó(ô)malo estrambótico; anormal; extravagante; desgrenhado; descosido; desigual; (med.) errático, acatástico, atáxico; (for.) incurial; (geom.) irregular, diz-se do polígono e do poliedro que não são regulares.

irregularidad. *f.* irregularidade, (for.) incurialidade; desigualdade; deformidade; deformação; descompasso; anomalia; desmando; desmancho; extravagância; anormalidade; procedimento irregular; erro; falta.

irreivindicable. *adj.* que se não pode reivindicar.

irreligión. *f.* irreligião, ateismo, falta de religião; impiedade.

irreligiosidad. *f.* irreligiosidade, descrença; impiedade; indevoção; irreligião.

irreligioso, sa. *adj.* e *s.* irreligioso, descrente; indevoto; anti-religioso; incrédulo; infiel; impio; contrário ao espírito da religião; ateu.

irremediable. *adj.* irremediável, incurável; (fig.) que não pode ter alívio; inevitável.

irremisibilidad. *f.* irremissibilidade.

irremisible. *adj.* irremissível, imperdoável, inexpiável; infalível; irremediável.

irremunerado, da. *adj.* irremunerado, que não recebe remuneração.

irrenunciable. *adj.* que se não pode renunciar; irresignável.

irreparabilidad. *f.* irreparabilidade, qualidade do que é irreparável.

irreparable. *adj.* irreparável, que se não pode reparar; irremediável.

irreplicable. *adj.* irreplicável, que não admite réplica; irrespondível.

irreprensible. *adj.* irrepreensível, que não merece repreensão; perfeito, correcto.

irreprimible. *adj.* incoercível; irreprimível; que se não pode conter.

irreprochabilidad. *f.* irrepreensibilidade.

irreprochable. *adj.* irrepreensível, incensurável, impecável.

irresarcible. *adj.* que se não pode resarcir.

irrescatable. *adj.* que se não pode resgatar.

irrescindible. *adj.* que se não pode rescindir.

irresistibilidad. *f.* irresistibilidade.

irresistible. *adj.* irresistível, a que se não pode resistir; incontratável; invencível; fatal; que encanta, que seduz; insuperável; inevitável, irresistível, necessário.

irresoluble. *adj.* irresolúvel, diz-se do que não pode resolver; insolúvel.

irresolución. *f.* irresolução, hesitação; cobardia; dúvida; indecisão; indeterminação; arrepsia; entralhação; (fig.) froixeza.

irresoluto, ta. *adj.* e *s.* inrresoluto, indeciso; irresoluto, medroso; indeliberado; indeterminado; atadinho; cobarde; duvidoso; incerto; engasgado; engadanhado; abaláveis; indecidido; (fig.) deambulatório, atado: *ser irresoluto,* indeterminar-se, andar às aranhas.

irrespetuosidad. *f.* desacato, desacatamento, desrespeitō; indelicadeza; desveneração.

irrespetuoso, sa. *adj.* desrespeitador, desobediente; irrespeitoso; irreverente, que tem falta de respeito; desencabretado; desconsiderado; desabusado; indelicado; desrespeitoso; irrespeitoso.

irrespirabilidad. *f.* irrespirabilidade, impossibilidade de respirar; dificuldade de respiração.

irrespirable. *adj.* irrespirável, que se não pode respirar, que dificilmente se pode respirar; deletério; abafado.

irresponsabilidad. *f.* irresponsabilidade, inculpabilidade.

irresponsable. *adj.* irresponsável, que não tem responsabilidade; inconsciente.

irrestañable. *adj.* que se não pode estancar.

irresuelto, ta. *adj.* V. **irresoluto.**

irreverencia. *f.* irreverência, desacato, desacatamento; desrespeito; desveneração; blasfé(ê)mia; irreverência; acto irreverente.

irreverenciar. *v. tr.* irreverenciar, desvenerar, desrespeitar. V. **profanar.**

irreverente. *adj* e *s.* irreverente; desrespeitoso; indecoroso; blasfemador, blasfematório, blasfemo.

irrevocabilidad. *f.* irrevogabilidade, qualidade do que é irrevogável; irrevocabilidade.

irrevocable. *adj.* irrevogável, irrevocável; imprescritível; que se não pode anular; definitivo.

irrigación. *f.* irrigação, rega; jacto dum líquido sobre uma região doente.

irrigador. *m.* (med.) irrigador, instrumento para irrigações medicinais; clisiobomba.

irrigar. *v. tr.* (med.) irrigar, fazer irrigações em; regar, banhar, rociar um líquido nalguma parte do corpo; (Amér.) mal usado por *regar.*

irrigatorio, ria. *adj.* irrigatório, que serve para irrigar.

irrisión. *f.* irrisão, zombaria, mofa, escárnio; (fam.) irrisão, pessoa ou coisa que é objecto de riso ou mofa; irrisão, de risão; fábula; (vulg.) apepinação; (pop.) derriça; ludíbrio: *servir de irrisión,* ser objecto da zombaria ou de escárnio.

irrisorio, ria. *adj.* irrisório, que produz riso ou mofa; derisório; que provoca riso ou motejo; ridículo.

irritable. *adj.* irritável, irascível, enfadadiço; melindroso; ardego; assanhadiço; al-

teradiço; inflamável, irritável; anojadiço; delicado; irritável, colérico; daninho; assomadiço; abafadiço; (fig.) bilioso, encalmadiço.

irritación. *f.* irritação, ira, excitação; exacerbação; cólera persistente; enfado; agastamento; (fig.) bílis; abespinhamento; abração; exacerbação; despeito; enfurecimento; embravecimento; arrenagação; fúria; inflamação; assomada; assanhamento; indignação; exasperação; excandescência; excitação; anojo; anojamento; encanzinamento; (fig.) enxoframento, encruamento; (fig.) azedamento.

irritadizo, za. *adj.* V. **irritable.**

irritado, da. *p. p. adj.* e *s.* irritado, enfunado, encolerizado, agastado; envinagrado; envisperado; despeitado; despeitoso; enfadado; embespinhado; embravecido; arrenegado; arreminado; furioso; aze(ê)do; assanhado; afiado contra; dardejante; anojado; beliscado; corajoso; (fig.) afinado, (fig.) encabritado, enxofrado, encruado, encrespado, ambuzinado, inflamado, esturrado, azedado; (fig.) assovinado, assovelado; (Bras.) tiririca.

irritador, ra. *adj.* e *s.* irritador, que provoca ira, que irrita, irritante.

irritamiento. *m.* ira. V. **irritación.**

irritar. *v. tr.* irritar, encolerizar, tornar irado; provocar a ira, exacerbar, desgostar; encanzoar, encanzinar, anojar, excandescer, despitar; irritar, açular; indignar, exasperar; excitar; exagitar; agastar; desatinar; assovelar; assovinar, assanhar; apurar; coçar; desapacientar; exaltar; estomagar; estimular; agravar; acirrar; emborrascar; arrufar; arrenegar; embravecer, embravear; embespinhar; endiabrar; enfurecer; enfadar; enfunar; encarniçar; encolerizar; (Bras.) atucanar; (med.) irritar, causar excitação morbosa num órgão; (fig.) avinagrar, acender, exasperar, incender, danar; (fig.) afiar, aferrotoar, assomar, azedar, infernar, inflamar, endemoninhar, encabritar, encruar, enxofrar; (fig.) desencadear (desus.): *irritar a alguien,* enfezar alguém. — *v. r.* encanzinar-se; destemperar; desabrir-se; embravecer; anojar-se; acelerar-se; abespinhar-se; alterar o sangue; apaixonar-se; indignar-se; indispor-se; excitar-se; descabelar-se; assomar-se; exaltar-se; perder os estribos; estuporar-se; arrenegar-se; embuziar; enchouriçar-se; enervar-se; despeitar-se; envinagrar-se; encrudelecer-se, encruar-se; encolerizar-se; enfadar-se; embirrar; pôr-se nos bicos dos pés; (fig.) efervescer, (fig.) azedar-se; (pop.) estomagar-se; (fig.) frenesiar, estoirar; encrespar-se; (fig.) encabritar-se.

írrito, ta. *adj.* írrito, que não tem efeito, nulo, inútil; inválido, sem força nem obrigação.

irrogación. *f.* irrogação; imposição.

irrogar. *v. tr.* irrogar, causar, ocasionar, provocar prejuízos ou danos; fazer recair sobre alguém; infligir; atribuir.

irrompible. *adj.* inquebrável, indestrutível.

irrumpir. *v. tr.* irromper, entrar com violência, com ímpeto nalgum lugar; furar; invadir sùbitamente; (fig.) surgir, brotar, nascer.

irrupción. *f.* irrupção, acometimento impetuoso; invasão súbita; entrada violenta; avançada; assaltada; incursão; avalancha.

irruptor, ra. *adj.* e *s.* irruptivo, que irrompe.

isagoge. *f.* isagoge, introdução, preliminares, rudimentos, proémio, prólogo, exórdio.

isagógico, ca. *adj.* isagógico.

isba. *f.* isba, habitação de madeira dos povos do Norte da Europa e da Ásia.

iscariotismo. *m.* iscariotismo.

iscariotista. *adj.* e *s.* iscariotista, partidário do iscariotismo.

iscuria. *f.* (med.) iscúria, retenção da urina.

isíaco, ca. *adj.* isíaco, pertencente ou relativo a Ísis.

Isidoro. *n. p.* Isidoro.

Isidro. *n. p.* Isidro.

isirio. *m.* (bot.) isirio.

isla. *f.* (geog.) ilha, terra cercada de água; quarteirão de casas; (fig.) conjunto de árvores isoladas que não estejam junto do rio; (Bras. Amazonas) ipuã.

Islam. *m.* Islão, islame, islamismo.

islámico, ca. *adj.* islâmico.

islamismo. *m.* islamismo, maometismo.

islamita. *adj.* e *s.* islamita, que professa o islamismo.

islamizar. *v. intr.* islamizar, professar ou adoptar o islamismo.

islán. *m.* véu de rendas para cobrir a cabeça.

islandés, sa. *adj.* e *s.* (geog.) islandês, natural da ou pertencente à Islândia. — *m.* islandês, idioma falado na Islândia.

Islandia. (geog.) Islândia.

islándico, ca. *adj.* V. **islandés.**

isleño, ña. *adj.* e *s.* islenho, isleno, insular, insulano, natural duma ilha ou pertencente a ela.

isleo. *m.* ilhéu, ilhota, ilha pequena, próxima duma grande.

isleta. *f.* ilhota, ilha pequena; aliazar (dum rio).

islilla. *f.* axila; sovaco. V. **sobaco** e **clavícula.**

islote. *m.* ilhote, ilhéu, ilha pequena e despovoada, ilhota; ilhéu, ilhota, rochedo no meio do mar.

Ismael. *n. p. r.* Ismael.

ismaelita. *adj.* e *s.* ismaelita, descendente de Ismael; diz-se dos árabes; agareno, sarraceno.

isoáxico, ca. *adj.* isoáxico, isáxone.

isobárico, ca. *adj.* isobárico: *línea isobárica,* linha isóbara ou isobárica.

isóbaro, ra. *adj.* (fís.) isóbaro, isobárico.

isobarométrico, ca. *adj.* (fís.) isobarométrico, isobárico.

isocelular. *adj.* isocelular.

isoclino, na. *adj.* (fís.) isóclino.

isocromático, ca. *adj.* (fís.) isocromático.

isocromía. *f.* (técn.) isocromia.

isocrónico, ca. *adj.* isócrono.

isocronismo. *m.* (fís.) isocronismo.

isócrono, na. *adj.* isócrono.

isodáctilo, la. *adj.* (zool.) isodá(c)tilo.

isodinámico, ca. *adj.* (fís.) isodinâmico.

isodonte. *m.* (zool.) isodonte.

isoédrico, ca. *adj.* (min.) isoédrico.

isoete. *m.* (bot.) isoeta.

isoéteas. *f. pl.* (bot.) isoetáceas.

isófono, na. *adj.* isófono.

isogameto. *m.* (bot.) isogameto.

isogamia. *f.* (bot.) isogamia.

isógino, na. *adj.* (bot.) isógino.

isógono, na. *adj.* (fís.) isógono.

isografia. *f.* isografia.

isomería. *f.* (quim.) isomeria, isomerismo.

isomérico, ca. *adj.* (quim.) isomérico, isómero.

isómero, ra. *adj.* (quim.) isómero, isomérico.

isométrico, ca. *adj.* (min. e geom.) isométrico.

isomorfia. *m.* (min.) isomorfismo.

isomorfismo. *m.* (min.) isomorfismo.

isomorfo, fa. *adj.* (min.) isomorfo.

isonomia. *f.* (fís.) isonomia.

isónomo, ma. *adj.* (fís.) isónomo.

isopatía. *f.* (med.) isopatia.

isoperímetro, tra. *adj.* (geom.) isoperimétrico.

isopétalo, la. *adj.* (bot.) isopétalo.

isópodo, da. *adj.* (zool.) isópode.

isóptero, ra. *adj.* (zool.) isóptero.

isoquímeno, na. *adj.* (meteor.) isoquimeno, isoquimé(ê)nico.

isósceles. *adj.* (geom.) isósceles.

isospóreo, a. *adj.* (bot.) isospórico. Isósporo.

isósporo. *m.* (bot.) isósporo.

isostémono, na. *adj.* (bot.) isostémone.

isotermo, ma. *adj.* (fís. e meteor.) isotérmico, isotermo; *línea isoterma,* linha isotérmica.

isótero, ra. *adj.* (meteor.) isótero.

isotonia. *f.* (fís.) isotonia.

isotopia. *f.* (quim.) isotopia.

isótopo. *m.* (quim.) isótopo.

isotrón. *m.* (fís.) isotrão.

isotropia. *f.* (biol.) isotropia.

isótropo, pa. (fis. e mat.) isótropo.

isquiático, ca. *adj.* (anat.) isquiático.

isquion. *m.* (anat.) ísquion, ísquio.

Israel. (geog.) Israel.

israelita. *adj.* e *s.* (geog.) israelita, hebreu, pertencente ou natural de Israel.

israelítico, ca. *adj.* israelita, hebreu, israelítico.

istmeño, ña. *adj.* natural dum istmo.

ístmico, ca. *adj.* ístmico, pertencente ou relativo a um istmo.

istmo. *m.* (geog.) istmo.

istriar. *v. tr.* V. **estriar.**

ita. *adj.* e *s.* (geog.) V. **aeta.**

Italia. (geog.) Itália.

italianismo. *m.* italianismo, imitação dos costumes italianos; italianismo, palavra italiana usada noutra língua.

italianización. *f.* italianização.

italianizar. *v. tr.* italianizar, dar carácter italiano, a.

italiano, na. *adj.* e *s.* (geog.) italiano, natural da Itália ou pertencente a esta nação. — *m.* italiano, idioma de Itália.

itálico, ca. *adj.* itálico, italiano; itálico, diz-se da letra bastardinha.

ítalo, la. *adj.* e *s.* ítalo, italiano.

itamo. *m.* barbarismo por *díctamo*.

itea. *f.* (bot.) itea.

ítem (más). *adv.* ítem, outrossim, do mesmo modo, também, igualmente.

iterable. *adj.* iterável, que se pode ou deve repetir.

iteración. *f.* iteração, repetição, reiteração.

iterar. *v. tr.* iterar, repetir, reiterar.

iterativo, va. *adj.* iterativo; reiterado; repetido; frequentativo.

itinerario, ria. *adj.* itinerário, relativo a caminho. — *m.* itinerário, indicação do caminho; roteiro; descrição de viagem.

itria. *f.* (min. e quím.) ítria, óxido de ítrio.

itrio. *m.* (quím.) ítrio.

ivierno. *m.* V. **invierno.**

ixora. *f.* (bot.) ixora.

iza. *f.* (germ.) rameira, prostituta, meretriz.

izado, da. *p. p.* de *izar*, içado. — *m.* (germ.) amancebado, aquele que vive em mamcebia.

izar. *v. intr.* (mar.) içar, erguer, levantar: *izar las vergas*, (mar.) amantilhar as vergas; *izar la bandera*, arvorar a bandeira; *izar con una cuerda*, alar.

izquierda. *f.* esquerda, mão esquerda; (pol.) esquerda.

izquierdazo. *m.* pancada com a mão esquerda.

izquierdear. *v. intr.* (fig.) esquerdear, desviar-se do que é justo.

izquierdista. *adj.* e *s.* (pol.) esquerdista, partidário da esquerda em política.

izquierdo, da. *adj.* esquerdo, oposto ao lado direito; esquerdo, canhoto, que se serve mais da mão esquerda que da direita; (fig.) torto, torcido, não recto; esquerdo, cavalgadura que mete os joelhos para dentro. — *f.* (pol.) colectividade política que guarda menos respeito às tradições do país, esquerda: *a la izquierda*, à esquerda.

J

J, j. *f.* undécima letra e oitava consoante do alfabeto espanhol; chama-se *jota* e tem um som gutural extremamente difícil de representar, pronunciado com forte aspiração; não varia em todas as combinações com as vogais, e tem o mesmo som forte do *g* antes de *e* ou de *i*.

jabalcón. *m.* (arq.) pendural, viga ou barrote que do vértice da asna cai sobre a linha.

jabalconar. *v. tr.* assentar ou colocar os pendurais no tecto.

jabalí. *m.* (zool.) javali, porco montês, javardo.

jabalín. *m.* (prov.) V. **jabalí**.

jabalina. *f.* (deport.) azagaia, dardo, pique ou chuço que se usava na caça dos animais silvestres; arrojeito.

jabalinero, ra. *adj.* (prov.) diz-se do cão adestrado na caça do javali.

jabalón. *m.* (arq.) V. **jabalgón**.

jabalonar. *v. tr.* V. **jabalconar**.

jabarda. *f.* (prog.) saia da lã grosseira.

jabardillo. *m.* enxame, multidão de insectos ou pássaros que faz chilreada; (fig. e fam.) enxame, chusma, barafunda, multidão de pessoas que fazem confusão e ruído.

jabardo. *m.* enxame novo ou segunda criação das abelhas; (fig. e fam.) chusma, turba de gente má; multidão de pessoas que fazem muito barulho.

jabato. *m.* (zool.) javalizinho, porquinho montês; (pop.) diz-se do homem arrojado.

jabear. *v. tr.* (Amér.) V. **robar**.

jabeba. *f.* V. **ajabeba**.

jabeca. *f.* (min.) forno de destilação usado antigamente nas minas de mercúrio.

jábeca. *f.* rede. V. **jábega**.

jabega. *f.* V. **jabeba**.

jábega. *f.* xávega, rede grande de pescar; barco pequeno empregado para pesca.

jabegote. *m.* cada um dos homens que puxam pelos cabos da *jábega*.

jabeguero, ra. *adj.* pertencente ou relativo ao aparelho de pesca chamado *jábega*. — *m.* pescador que utiliza a *jábega*.

jabelar. *v. tr.* (germ.) entender, conhecer.

jabelgar. *v. tr.* (prov.) V. **jalbegar**.

jabeque. *m.* (mar.) embarcação de três mastros, com velas latinas, usada no Mediterrâneo; chaveco; (fig. e fam.) ferida no rosto: *pintar un jabeque*, (fam.) ferir no rosto.

jabera. *f.* variedade de canção andaluza.

jabladera. *f.* javradeira. V. **argallera**.

jablar. *v. tr.* javrar. entalhar as aduelas.

jable. *m.* javre, encaixe na extremidade interior das aduelas para segurar os tampos nos barris.

jabón. *m.* sabão: *dar jabón*, (fam.) lisonjear; *dar un jabón*, (fam.) dar um sabonete, repreender com aspereza; *jabón de Palencia*, (pop.) pau com que as lavadeiras batem a roupa; sova de pau; *jabón de sastre*, giz de alfaiate; *jabón de piedra*, giz de alfaiate; *pompa de jabón*, bola de sabão.

jabonada. *f.* (Amér.) ensaboada; censura; repreensão.

jabonador, ra. *adj. e s.* ensaboador, que ensaboa.

jabonadura. *f.* ensaboadela, ensaboamento. — *pl.* água ou espuma de sabão que fica dos ensaboados; (pop.) repreensão.

jabonar. *v. tr* ensaboar. esfregar com sabão; ensaboar, humedecer a barba com água e sabão; (pop.) repreender àsperamente, ensaboar.

jaboncillo. *m.* sabonete, pasta de sabão aromatizado; giz de alfaiate.

jabonera. *f.* saboneteira; caixa para o sabonete; saboeira, mulher que fabrica ou vende sabões ou sabonetes.

jabonera. *f.* (bot.) saponária, saboeira.

jabonería. *f.* saboaria, fábrica ou loja de sabão.

jabonero, ra. *adj.* saboeiro, diz-se do touro cuja pele é de cor esbranquiçada. — *m.* saboeiro, o que fabrica ou vende sabão; (bot.) saboeiro.

jabonete. *f.* V. **jabonete**.

jabonete (de olor). *m.* sabonete aromático.

jabonoso, sa. *adj.* saponáceo, que tem as propriedades do sabão.

jaca. *f.* (zool.) faca, cavalo ou égua peque-nos; (Amér.) égua de pouca altura.

jacamara. *m.* (orni.) ave trepadora que habi-ta nos bosques do Brasil.

jácara. *f.* xácara, cantata, composição poéti-ca popular, seguidilha; música para can-tar e dançar; dança ao som da xácara; reunião de gente alegre que às noites anda pelas ruas fazendo alvoroço; (fig. e fam.) incómodo, moléstia, enfado; ma-çada; embuste, mentira, patranha; con-to, cantiga, história: *no estar para jáca-ras*, (fam.) não estar para brincadeiras ou chalaças.

jacarandá. *f.* (bot.) jacarandá.

jacarandaina. *f.* (germ.) V. **jacarandina**.

jacarandana. *f.* (germ.) quadrilha de ladrões ou rufiões; gíria dos rufiões.

jacarandina. *f.* (germ.) música para cantar ou bailar a *jácara*.

jacarandino, na. *adj.* (germ.) pertencente à *jacarandina*.

jacarando, da. *adj.* próprio da xácara. — *m.* fanfarrão. V. **jácara**.

jacarandoso, sa. *adj.* (fam.) donairoso, de-senvolto, alegre; chalaceador; galhofeiro.

jacarear. *v. intr.* cantar xácaras frequente-mente; (fig. e fam.) andar pelas ruas can-tando e fazendo ruído; incomodar com pa-lavras impertinentes; causticar; (fam.) contar histórias ou mentiras.

jácaro, ra. *adj.* fanfarrão, valentão, jactan-cioso. — *m.* valentão: *a lo jácaro*, com afectação no modo de trajar.

jácena. *f.* (arq.) trave, viga atravessada que sustenta outras, viga mestra.

jacerina. *f.* jazerina, jazerão, cota de malha muito miúda.

jacilla. *f.* vestígio, sinal sobre a terra deixa-da por uma coisa que lá esteve muito tempo.

jacintino, na. *adj.* (poét.) violáceo.

jacinto. *m.* (bot.) jacinto, planta liliácea, flor desta planta; pedra preciosa de cor ala-ranjada.

jaco. *m.* cota de malha de manga curta; gi-bão de pano tosco que usavam antigamen-to os soldados.

jaco. *m.* cavalo pequeno e mau.

jacobeo, a. *adj.* pertencente ou relativo ao apóstolo Santiago.

jacobinismo. *m.* jacobismo, doutrina dos ja-cobinos.

jacobino, na. *adj. e s.* membro duma asso-ciação política revolucionária criada em Páris em 1789; jacobino, partidário exal-tado da democracia.

jacobita. *adj.* membro duma seita religiosa de que foi chefe Jacob, bispo de Edessa.

jactancia. *f.* ja(c)tância, vaidade, arrogân-cia; farelice, fanfarrice; gabo; alarde; alardeamento; gabarolice; farsolice; fan-tastiquice; farófia; envaidecimento; chi-bança; chibantaria; enfatuação entona-ção; bizarria; bizarrice; fantasia; fan-farraria; fanfarrada; farronca; (fig.) fu-maças; (prov.) gabarrice, gabarolice;

(pop.) fanfúrria; fanfarrice; (Bras.) pá-bulo; (fig.) pábulo; (fig.) bazofia.

jactancioso, sa. *adj. e s.* ja(c)tancioso, farfa-lhador; fareleiro; fanfarrão; galreador; galrejador; apelintrado; façanheiro; faro-feiro; engalado; chibante; blasonador; en-fatuado; entufado; bizarro; frigideira; farfalhento, farfalhador; fanfa; fanfarrão; alabancioso; valente por dente; bazofio; ba-zofiador; (fig.) empavesado; arrogante; *ser jactancioso*, fazer o diabo a quatro; *per-sona jactanciosa*, (prov.) gabarrista, ga-barola.

jactarse. *v. r.* louvar-se, gabar-se; ja(c)tar--se, ufanar-se; exaltar-se; farsolar, galrejar alardear, apelintrar-se; envaidar-se; em-pavonar-se, empavoar-se; blasonar, entu-far-se, farfalhar, fanfar, farroncear; ala-bar-se, alabardar-se; assoalhar-se; (fig.) empavesar-se; (fig.) bofar; (fig.) arrotar; (pop.) farelar; (fig.) emplumar-se, estimar--se, atirar-se; vanagloriar-se.

jaculatoria. *f.* (rel.) jaculatória, oração bre-ve e fervorosa; ejaculação.

jáculo. *m.* V. **dardo**.

jachado, da. *adj.* (Amér.) diz-se do que tem uma cicatriz na cara produzida por arma branca.

jachar. *v. tr.* (caló) acender, queimar.

jachí. *m.* (Amér.) farelo.

jachipén. *m.* (Amér.) alimento; banquete; festim.

jade. *m.* (min.) jade, pedra dura que risca o vidro e o quartzo.

jadeante. *p. a. e adj.* arquejante, que ar-queja.

jadear. *v. intr.* arquejar, respirar com di-ficuldade; ofegar; alentar, arfar; ansiar; respirar com esforço.

jadeo. *m.* arquejo, acção de arquejar; afã; respiração cansada, respiração difícil; es-pécie de molho; anélito; opressão.

jaecero, ra. *adj. e s.* seleiro, correiro, fa-bricante ou vendedor de jaezes.

Jaén. (geog.) Jaén.

jaenés, sa. *adj. e s.* (geog.) natural de ou pertencente a Jaén.

jaez. *m.* jaez, aparelho e adorno das caval-gaduras; (fig.) qualidade, índole, carácter, jaez, sorte, género; (germ.) roupa ou ves-tidos; jaez, adorno de fitas com que se enfeitam as crinas dos cavalos em dias de festa.

jaezar. *v. tr.* ajaezar. V. **enjaezar**.

jafético, ca. *adj.* jafético, relativo a Jafete.

jaguar. *m.* (zool.) jaguar; no Brasil chama-se onça pintada ou onça; (Bras.) acanguçu.

jagüey. *m.* lago, cova ou depósito grande onde se recolhem as águas dum campo na América; (bot.) cipó.

jaharrar. *v. tr.* engessar, cobrir com gesso uma parede depois de rebocada.

jaharro. *m.* engessadura.

jahuel. *m.* (Amér.) poço ou balsa de água.

jaique. *m.* albornoz com capuz usado pelos árabes.

jal. *m.* (Amér.) pedaço de pedra-pomes.

jalamina. *f.* (Amér.) V. **calamina**.

jalar. *v. tr.* (fam.) atirar; atrair; puxar. V.
halar; (prov.) comer com apetite. — *v. r.*
(Amér.) largar-se, ir-se. V. emborracharse.
jalbegador. *adj.* e *s.* caiador, que caia.
jalbegar. *v. tr.* caiar, branquear, (fig.) empoar o rosto. V. enjalbegar.
jalbegue. *m.* caiadura, caiação, mão de cal
para caiar; (fig.) arrebique, enfeite para
o rosto.
jaldado, da. *adj.* V. jalde.
jalde. *adj.* jalde, jalne, amarelo vivo, cor
de oiro.
jaldo, da. *adj.* V. jalde.
jaldre. *m.* (cetr.) cor amarela bastante forte dalgumas aves.
jalea. *f.* gele(é)ia, suco de frutos cozidos com
açúcar.
jaleador, ra. *adj.* e *s.* animador, excitador;
aplaudidor.
jalear. *v. tr.* animar, excitar os cães a
perseguirem a caça; aplaudir, animar com
gestos, bravos, palmas, etc., os que bailam
ou cantam; (prov.) espantar a caça. V.
ojear; (Amér.) importunar, molestar.
jaleco. *m.* jaleco, jaqueta curta.
jaleo. *m.* grito para excitar os cães na caça;
algazarra, animação, graça, viveza aplausos que se dão àqueles que bailam;
chinfrim; (fig.) fandango; (pop). choldraboldra, charrafusca; estrupício, rixa,
pendência; (Bras.) fuzarca, fuzuê; certa
dança popular andaluza: *jaleo de zapateado y palmas*, batecum. V. jarana.
jaletina. *f.* gelatina; espécie de geleia fina
e transparente.
jalifa. *m.* califa, vice-sultão em Marrocos.
jalifato. *m.* califado, dignidade ou território
do califa.
jalisco, ca. *adj.* (Amér.) ébrio, borracho. —
m. chapéu de palha, feito em Jalisco.
jalma. *f.* V. enjalma.
jalmería. *f.* oficina de enxalmeiro.
jalmero. *m.* enxalmeiro. V. enjalmero.
jalón. *m.* (topogr.) baliza, bandeirola, estaca empregada em agrimensura.
jalón. *m.* (pop.) (Amér.) V. tirón.
jalonar. *v. tr.* balizar, limitar por meio de
bandeirolas.
jaloque. *m.* siroco, vento quente do Sudeste.
jalpacar. *v. tr.* (Amér.) lavar areias minerais.
jallar. *v. tr.* (Amér.) V. hallar.
jallo, lla. *adj.* (Amér.) presumido; susceptível.
jama. *f.* (Amér.) iguana de pequeno tamanho.
jamaca. *f.* (Amér.) V. hamaca.
jamaica. *f.* (Amér.) espécie de feira que se
celebra com fins de beneficência.
Jamaica. (geog.) Jamaica.
jamaicano, na. *adj.* e *s.* (geog.) jamaicano.
jamar. *v. tr.* (fam.) comer.
jamás. *adv.* jamais, nunca, em nemhum tempo; em época alguma: *para siempre jamás amén*, para aqui e para diante Deus.
jamba. *f.* (arq.) jamba, ombreira de porta
ou janela; (germ.) dona de casa.
jambaje. *m.* (arq.) conjunto das duas jam-
bas e do dintel duma porta ou janela.

jambar. *v. tr.* (Amér.) V. jamar.
jámbico, ca. *adj.* V. yámbico.
jambo, ba. *adj.* (prov.) astuto. — *m.* (germ.)
dono de casa.
jamelgo. *m.* (fam.) sendeiro, cavalo magro e
esfomeado.
jamerdana. *f.* monturo, lugar onde se limpam os resíduos dos ventres das reses.
jamerdar. *v. tr.* lavar, no matadouro, os ventres das reses; (fam.) lavar mal e depressa.
jamete. *m.* tecido de seda bordado a ouro.
jámila. *f.* V. alpechín.
jamo. *m.* (Amér.) rede em forma de manga.
jamón. *m.* presunto, perna e espádua do
porco depois de salada e curada. V. pernil:
jamón curado, presunto curado; *estar jamón*, (pop.) ser muito excelente uma coisa.
jamona. *adj.* e *f.* (fam.) durázia, diz-se da
mulher que já não é moça e se é nutrida.
jamoncillo. *m.* (Amér.) doce de leite.
jampa. *f.* (Amér.) V. umbral.
jamuga. *f.* V. jamugas.
jamugas. *f. pl.* cadeirinha que se põe no albardão para as mulheres irem a cavalo.
jamurar. *v. tr.* extrair água de; esgotar um
dique, mina, embarcação, etc.
janano, na. *adj.* (Amér.) diz-se do que tem
lábio leporino.
jándalo, la. *adj.* (fam.) aplica-se à pronúncia
do andaluz.
jane. *adj.* (Amér.) V. janano.
jangada. *f.* (fam.) velhacada, asneira, tolice,
ideia néscia, fora de ocasião, trastada, tratantada; (mar.) jangada (para navegar).
jansenismo. *m.* jansenismo.
jansenista. *adj.* e *s.* jansenista.
Japón. (geog.) Japão.
japón, na. *adj.* e *s.* V. japonés.
japonés, sa. *adj.* e *s.* (geog.) japonês, natural do ou pertencente ao Japão. — *m.*
idioma japonês.
japónica. *adj. f.*: *tierra japónica.* V. cato.
japuta. *f.* (ictiol.) xaputa, chaputa.
jaque. *m.* xeque, lance no jogo do xadrez;
espécie de penteado antigo. — *pl.* cada
uma das bolsas dos alforges: *jaque mate*,
xeque-mate.
jaque. *m.* valentão, rufião; jactancioso.
jaqué. *m.* (Amér.) V. chaqué.
jaquear. *v. tr.* xaquear, dar xeques ou xa-
ques no jogo do xadrez; (fig.) fustigar o
inimigo.
jaqueca. *f.* (med.) enxaqueca; hemicrânia,
hemialgia, dor da cabeça.
jaquecoso, sa. *adj.* (fig.) fastidioso, enfadonho, aborrecedor.
jaquel. *m.* (herald.) escaque, peça do brasão; faceta de diamante. — *adj.* (Amér.)
V. cajel.
jaquelado, da. *adj.* (heral.) xadrezado, enxadrezado, dividido em quadros pequenos,
escaquetado.
jaquero. *m.* pente pequeno antigo.
jaquetilla. *f.* jaqueta curta.
jaquetón. *m.* valentão, fanfarrão, rufião.
jaquetón. *m.* jaquetão.

jáquima. *f.* cabeçada feita de corda, que substitui o cabresto; (Amér.) borracheira.

jaquimazo. *m.* cabrestada, pancada com a *jáquima;* (fig.) e fam.) desgosto, grande pesar causado a alguém.

jaquimero. *m.* cabresteiro, fabricante ou vendedor de cabrestos.

jar. *v. intr.* (germ.) V. **orinar.**

jara. *f.* (bot.) esteva, xara; xara, seta feita de pau tostado; dardo, arma de arremesso: *jara común,* cisto.

jarabe. *m.* xarope; (fig.) qualquer bebida excessivamente doce; lambedor: *jarabe de pico,* (fam.) promessas que não se hão--de cumprir.

jarabear. *v. tr.* xaropar, receitar xaropes com frequência.—*v. r.* xaropar-se, tomar xarope.

jaraíz. *m.* lagar. V. **lagar.**

jaral. *m.* esteval, xaral, lugar povoado de estevas; (fig.) coisa enredada ou intrincada.

jarana. *f.* (fam.) diversão buliçosa de gente ordinária, algazarra, gritaria, tumulto, pendência, alvoroto; tramóia, burla; trapaça; comoção popular; (Amér.) baile popular: *ir de jarana,* (fam.) ir de charola, fandanguear.

jarandina. *f.* (germ.) V. **jacarandina.**

jaranear. *v. intr.* (pop.) andar em pândegas e patuscadas; bulhar, fazer motim ou algazarra; brigar, provocar desordens; trapacear, enganar; fandanguear.

jaranero, ra. *adj.* afeiçoado a *jaranas;* pagodeiro; bulhento, amotinador, alegre, divertido, frangalhoteiro.

jarano. *m.* chapéu de feltro branco e abas largas.

jarapa. *f.* (germ.) V. **telón.**

jarazo. *m.* golpe ou ferida feita com a xara.

jarcia. *f.* carga ou montão de coisas diferentes; (mar.) enxárcia. — *pl.* cordoalha, cordame, aparelhos dum navio; conjunto de aparelhos para pescar; (fig. e fam.) conjunto de coisas diversas ou da mesma espécie em desordem ou confusão: *jarcia real,* (mar.) ovençadura, enxárcia real.

jarciar. *v. tr.* V. **enjarciar.**

jarcio, cia. *adj.* (Amér.) V. **borracho.**

jardín. *m.* jardim, terreno onde se cultivam plantas; retrete, privada de navio; jaca, mancha da esmeralda; (germ.) loja; feira.

jardinaje. *m.* (Amér.) V. **jardinería.**

jardinera. *f.* jardineira, mulher que trata de jardins; jardineira, mulher do jardineiro; carruagem de quatro rodas e quatro assentos; jardineira, mesa em que se colocam flores e outros objectos de adorno; carro aberto semelhante aos «eléctricos» usados no verão; (Amér.) V. **marquesina.**

jardinería. *f.* jardinagem, arte de cultivar os jardins.

jardinero. *m.* jardineiro, o que trata de jardins.

jardincillo. *m.* jardim pequeno, chouça.

jarearse. *v. r.* (Amér.) morrer de fome; evadir-se, fugir. V. **bambolearse.**

jareta. *f.* bainha, dobra cosida na orla dum tecido; (mar.) xareta, rede com que se impede a abordagem dum navio; amantilhos de enxárcia.

jaretera. *f.* jarreteira. V. **jarretera.**

jaretón. *m.* bainha larga.

jarifo, fa. *adj.* belo, bem adornado ou preparado; vistoso, bem ataviado.

jarique. *m.* vara de porcos que podem pastar gratuitamente nos montes comunais; (prov.) convénio para *jaritar* um caudal de água.

jaro. *m.* mancha espessa num monte baixo; (prov.) carvalho pequeno.

jaro, ra. *adj.* diz-se do animal de pelagem avermelhada.

jarocho, cha. *s.* rústico, impulsivo; (prov.) pessoa de modos bruscos e insolentes. — *adj.* (geog.) camponês, da costa de Veracruz.

jaropar. *v. tr.* (fam.) xaropar, dar muitos xaropes ou medicamentos.

jarope. *m.* (fam.) xarope; (fig. e fam.) gole amargo ou bebida muito desagradável.

jaropear. *v. tr.* (fam.) V. **jaropar.**

jaroso, sa. *adj.* esteval, cheio ou povoado de estevas ou xaras.

jarra. *f.* jarra, vasilha de boca larga e uma ou mais asas; jarra, antiga ordem de cavalaria em Aragão: *de jarra* ou *en jarras,* com as mãos na cintura.

jarrar. *v. tr.* (pop.) V. **jaharrar.**

jarrazo. *m.* jarrão, jarra grande e decorativa; pancada vibrada com jarra.

jarrear. *v. tr.* V. **jaharrar.**

jarrear. *v. intr.* (fam.) tirar líquidos com jarros; (p. us.) bater, golpear; (fig.) chover a cântaros.

jarrero. *m.* aquele que faz ou vende jarros; o que trata da água ou do vinho que se deita nos jarros; (prov.) lugar onde se põem as jarras de água.

jarreta. *f.* dim. de jarra, jarrinha, jarra pequena.

jarretar. *v. tr.* (fig.) enervar, enfraquecer,, tirar as forças ou o ânimo.

jarrete. *m.* (vet.) jarre(ê)te, curvejão, região do joelho que se opõe à rótula; tendão das pernas dos quadrúpedes.

jarretera. *f.* jarreteira, liga para segurar as meias; jarreteira, ordem militar inglesa.

jarro. *m.* jarro, vasilha parecida com a jarra, com uma só asa; jarro, quantidade de líquido que nela cabe; medida de capacidade para vinho; (fam.) (prov.) falador. gritador sem propósito: *echarle a uno un jarro de agua fría,* (pop.) resfriar o entusiasmo.

jarrón. *m.* jarrão, vaso artístico, jarro grande; (arq.) enfeite em forma de jarro nos remates de muitos edifícios, urna.

jasa. *f.* V. **sajadura.**

jasador. *m.* V. **sajador.**

jasadura. *f.* V. **sajadura.**

jasar. *v. tr.* V. **sajar.**

jaspe. *m.* (min.) jaspe.

jaspeadura. *f.* acção e efeito de jaspear, pintura com aparência de jaspe.

jaspear. *v. tr.* jaspear, pintar dando a aparência de jaspe.

jaspón. *m.* (min.) mármore de grão grosso, branco algumas vezes e com manchas vermelhas ou amarelas outras.

jateo, a. *adj.* e *s.* raposeiro, diz-se do cão que persegue e caça as raposas.

jatib. *m.* pregador marroquino que dirige a oração de sexta-feira.

¡jau! *interj.* empregada para animar e incitar alguns animais.

jauja. *f.* (fam.) abundância, prosperidade, eldorado, edém.

jaula. *f.* gaiola para aves; jaula, cárcere para feras; (fig.) gaiola, prisão, cárcere, casa forte; (min.) gaiola usada nas minas para subir e descer operários e materiais.

jaulero. *m.* gaioleiro, fabricante de gaiolas.

jaulilla. *f.* antigo adorno para a cabeça.

jaulón. *m.* gaiola grande.

jauría. *f.* matilha, grupo de cães que caçam, dirigidos por um deles; (fig.) confusão, barulho.

jauto, ta. *adj.* insípido, insosso, sem sal.

Java. (geog.) Java.

javanés, sa. *adj.* e *s.* (geog.) javanês. — *m* javanês (língua).

javo, va. *adj.* e *s.* V. **javanés.**

javera. *f.* V. **jabera.**

jayán, na. *s.* homenzarrão, gigante. — *m.* (germ.) rufião a quem os demais respeitam; grande alcoviteiro.

jayún. *m.* (Amér.) espécie de junco.

jazarán. *m.* V. **jacerina.**

jazmín. *m.* (bot.) jasmim, planta originária de Pérsia de flores muito aromáticas: *jazmín de la índia,* jasmim-do-rabo. V. **gardena.**

jazmíneo, a. *adj.* (bot.) jasmináceo, diz-se das plantas com flores e sementes semelhantes ao jasmim.

jebe. *m.* alúmen; (Amér.) goma-eláctica, caucho.

jebuseo, a. *adj.* e *s.* jebuseu, diz-se dos habitantes dum povo bíblico, Jebus, antigo nome de Jerusalém; pertencente a este povo.

jeda. *adj.* e *f.* (prov.) diz-se da vaca recém-parida e que está criando.

jedive. *m.* quediva, título de vice-rei do Egipto; kedive.

jediv(i)al. *adj.* relativo ao kedive ou quediva.

jedrea. *f.* (bot.) V. **ajedrez.**

jefa. *f.* superiora, directora, chefe.

jefactura. *f.* (Mex.) barbarismo por **jefatura.**

jefatura. *f.* chefatura, chefado, chefia, dignidade e cargo de chefe: *jefatura de Gobierno,* chefado do Governo, o primeiro ministro.

jefe. *m.* chefe, senhor, o que é cabeça numa casa; cabeça numa família, numa corporação chefe, o principal entre outros; chefe, superior, dirigente, corre(c)tor; chefe, cid; (ant.) duque; (Amér.) senhor, ca-

valeiro; (heral.) chefe, parte superior dum escudo de armas: *sin jefe,* (fig.) acéfalo; *jefe de la casa,* amo; *quedar uno jefe,* (Amér.) perder no jogo tudo o que tem; *en calidad de jefe,* em chefe, *Jefe de gobierno,* primeiro ministro; *jefe militar,* almocadém; *jefe de una secretaría,* oficial maior; *jefe de secta o partido,* corifeu; *jefe de Estado,* chefe do Estado; *jefe político,* antigo nome do governador civil numa província.

Jehová. *n. pr.* Jeová, nome de Deus na língua hebraica.

jehovismo. *m.* jeovismo, culto de Jeová.

jehuite. *m.* (Amér.) maleza, ervas que nascem em terreno inculto.

jeito. *m.* (mar.) rede usada na pesca da anchova e da sardinha pelos pescadores do mar Cantábrico.

¡je, je, je! *interj.* com que se representa o riso. V. **¡ja, ja, ja!**

jejo. *m.* (prov.) seixo, pedra.

jelenco, ca. *adj.* (Amér.) tonto, baboso.

jema. *f.* parte duma trave que ficou com a casca; (mar.) falha num madeiro.

jemal. *adj.* que tem a longitude do *jeme.*

jeme. *m.* distância entre o dedo polegar e o indicador, separando-os o mais possível; (fig. e fam.) rosto. V. **palmito;** *no tener mal jeme,* (fam.) ter um lindo rosto (uma mulher).

jemiquear. *v. intr.* (Amér.) V. **jeremiquear.**

jemiqueo. *m.* (Amér.) V. **jeremiqueo.**

jenab(l)e. *m.* mostardeira.

jeniquén. *m.* V. **henequén.**

jenizaro, ra. *adj.* e *s.* (fig.) misturado; (Amér.) diz-se do descendente de índio e chinesa ou de chinês e índia. — *m.* soldado de infantaria da antiga guarda do sultão de Turquia.

jeque. *m.* bolsa do alforge; xeque (árabe); ancião, chefe de tribu entre os árabes.

jerapellina. *f.* vestido velho, farraposo, roto; esfrangalhado; trapo, farrapo.

jerarca. *m.* jerarca, autoridade, superior eclesiástica.

jerarquía. *f.* jerarquia, hierarquia, ordem entre os diversos coros do anjos e os diversos graus da Igreja; (por ext.) grau, ordem ou classe doutras pessoas ou coisas; classe, categoria, lugar que se ocupa na escala social; subordinação gradativa de poderes.

jerárquico, ca. *adj.* jerárquico, hierárquico; relativo à jerarquia.

jerarquizar. *v. tr.* organizar jeràrquicamente alguma coisa.

jeremiada. *f.* jeremiada, lamentação exagerada, lamúria importuna.

jeremías. *s.* (fig.) pessoa que se lamenta com muita frequência; lamuriante.

jeremiquear. *v. intr.* (Amér.) choramingar, chorar com frequência e sem motivo; jeremiar, fazer lamúria.

jerez. *m.* xerez, vinho andaluz.

jerga. *f.* xerga, espécie de burel, tecido grosso; enxergão, colchão; gíria; geringonça, calão, linguagem difícil de entender; algaravia.

jergón. *m.* enxergão; (fig. e fam.) vestido mal feito e mal ajustado ao corpo; pessoa gorda e preguiçosa; zarção de cor esverdeada; barriga, buxo, pança.

jergueta. *f.* espécie de burel, xerga.

jeria. *f.* (Amér.) V. **feria.**

jeribeque. *m.* visagem, gesto, piscadela, esgar, contorsão.

jericoplear. *v. tr.* (Amér.) aborrecer, enfastiar, incomodar.

jerife. *m.* xerife, xarife, título em Marrocos; xarife, chefe superior da cidade de Meca.

jerifiano, na. *adj.* xerifiano, xarifiano, xerifino.

jerigonza. *f.* geringonça, gíria, calão; (fig. e fam.) linguagem difícil de entender; acção estranha e ridícula.

jeringa. *f.* seringa; mesinha, ajuda, clíster; (fig. e fam.) seringação, impertinência.

jeringación. *f.* seringação, acção e efeito de seringar; injecção; (fig. e fam.) seringação, enfado, impertinência.

jeringador, ra. *adj. e s.* (fam.) seringador, que seringa.

jeringar. *v. tr.* seringar, injectar o líquido duma seringa; seringar, dar um clíster; (fig. e fam.) molestar, aborrecer, causticar, maçar.

jeringatorio. *m.* (pop.) V. **jeringación.**

jeringazo. *m.* seringação, seringadela.

jeringuear. *v. tr.* (Amér.) V. **jeringar.**

jeringuilla. *f.* seringa muito pequena; (bot.) seringuilha (arbusto e a sua flor).

jerjén. *m.* (Amér.) V. **jején.**

jeroftalmia. *f.* (med.) xeroftalmia.

jeroglífico, ca. *adj.* jeroglífico, hieroglífico.

jeroglífico. *m.* jeróglifo, hieróglifo.

jeronimiano, na. *adj.* jeronimita, jerónimo, relativo à ordem de S. Jerónimo.

Jerónimo. *n. pr.* Jerónimo.

jerónimo, ma. *adj. e s.* jeronimita, jeró(ô)nimo, pertencente à ordem de S. Jerónimo.

jerosolimitano, na. *adj. e s.* (geog.) hierosolimitano, jerosolimitano, natural de ou pertencente a Jerusalém.

jersey. *m.* casaquinho de agasalho, feito de malha.

jertas. *f. pl.* (germ.) as orelhas.

Jerusalén. (geog.) Jerusalém.

jesnato, ta. *adj. e s.* diz-se de quem foi sempre dedicado a Jesus.

Jesucristo. *n. pr.* Jesus Cristo, o Redentor, o Filho de Deus, o Messias; o Cordeiro de Deus; o Deus Homem: *¡Jesucristo!,* interjeição com que se manifesta admiração e estranheza.

jesuita. *adj. e s.* jesuíta, religioso da Companhia de Jesus.

jesuítico, ca. *adj.* jesuítico, pertencente ou relativo à Companhia de Jesus.

jesuitismo. *m.* jesuitismo, sistema moral, social e religioso dos Jesuítas.

Jesús. *n. pr.* Jesus; Jesus, Jesus Cristo: *el Niño Jesús,* o menino Deus; *¡Jesús!,* inter-

jeição que exprime admiração, susto, dor, lástima; *en un decir Jesús,* (fam.) num relance.

jesusear. *v. intr.* (fam.) repetir muitas vezes o nome de Jesus. — *v. tr.* (Amér.) atribuir um facto a uma pessoa.

jeta. *f.* beiçada, beiços grossos e caídos; murrão de candeeiro; focinho de porco; (fam.) parte anterior da cabeça; torneira duma caldeira, canalização, etc.; (prov.) torneira de pipa ou tonel; fungo.

jetón, na. *adj.* V. **jetudo.**

jetudo, da. *adj.* beiçudo, que tem os beiços muito grossos.

ji. *f.* vigésima segunda letra do alfabeto grego.

jía. *f.* (Amér. bot.) arbusto rubiáceo espinhoso e de folhas opostas.

jíbaro, ra. *adj. e s.* (Amér.) camponês, rústico, campónio; campesino; homem alto e vigoroso.

jibe. *m.* (Amér.) tamis, peneira.

jibraltareño, ña. *adj. e s.* (geog.) gibraltarino, natural de ou pertencente a Gibraltar.

jicaque. *adj.* (Amér.) inculto, grosseiro.

jícara. *f.* xícara, chávena; (Amér.) vasilha feita de casca da cabaça pequena; caixa de pequeno tamanho em que se levam frutas, pãezinhos, etc.

jicarazo. *m.* pancada dada com uma xícara; propinação aleivosa de veneno.

jícaro. *m.* (Amér.) V. **güira.**

jicarón. *m.* xícara grande.

jico. *m.* (Amér.) V. **hico.**

jifa. *f.* miudezas das reses.

jiferada. *f.* pancada com o *jifero.*

jifería. *f.* exercício do ofício de magarefe, cortador.

jifero, ra. *adj.* diz-se do que é pertencente ao matadouro; (fig. e fam.) enxovalhado, sujo. — *m.* faca de magarefe; magarefe, o que mata e esquarteja as reses.

jijallar. *m.* codesseira, codessal, terreno povoado de codessos.

jijallo. *m.* (bot.) codesso.

jijas. *f. pl.* brio, coragem, valor.

jijear. *v. intr.* (prov.) lançar gritos nos cantares de rondas.

¡ji, ji, ji! *interj.* com que se representa o riso.

jigón. *m.* (bot.) árvore de Cuba semelhante a macacaúba.

jijona. *f.* variedade de trigo, de boa qualidade, que se cría na Mancha e em Múrcia. — *m.* torrão que se fabrica em Jijona.

jileco. *m.* V. **jaleco.**

jilguera. *f.* (zool.) fêmea do pintassilgo.

jilguero. *m.* (zool.) pintassilgo.

jilibioso, sa. *adj.* (Amér.) melindroso, diz-se da pessoa que se queixa e chora sem motivo; diz-se do cavalo que está sempre movendo alguma parte do corpo. V. **dengoso.**

jilmaestre. *m.* (mil.) substituto do encarregado do governo dos cavalos ou das mulas de transporte das peças de artilharia.

jilote. *m.* (Amér.) maçaroca de milho verde.
jilotear. *v. intr.* (Amér.) começar a madurecer o milho.
jimagua. *adj.* (Amér.) gémeo.
jimelga. *f.* (mar.) reforço de madeira nos mastros, vergas, etc.
jimia. *f.* V. **simia.**
jimilile. *m.* (Amér.) carriço de canas finas e flexíveis.
jimio. *m.* V. **simio.**
jinda. *f.* V. **jindama.**
jindama. *f.* (germ.) me(ê)do, cobardia.
jinebro. *m.* (prov.) V. **enebro.**
jinestada. *f.* molho feito com leite, farinha de arroz e outros ingredientes.
jineta. *f.* (zool.) gineta, gato bravo.
jineta. *f.* gineta, sistema de equitação de estribo curto; lança curta que era insígnia de capitão; espécie de jarreteira ou dragona que usavam os sargentos; antigo tributo sobre os gados.
jinetada. *f.* fanfarronice, fanfarria, fanfarrice, acção de fanfarrão, imprópria de quem a pratica.
jinete. *m.* ginete, cavaleiro armado de lança e adarga; cavaleiro, o que cavalga; ginete, o que se firma bem a cavalo; ginete, cavalo de fina raça; amazona, mulher.
jinetear. *v. intr.* cavalgar, sobre tudo em lugares públicos. — *v. tr.* (Amér.) domar cavalos selvagens; ter mando, na milícia, sem estar efectiva a sua nomeação; ginetear, domar cavalos. — *v. r.* envaidecer-se.
jinglar. *v. intr.* gingar, balançar-se, bambolear-se.
jingoísmo. *m.* (pol.) jingoísmo; patriotice exaltada e agressiva contra o estrangeiro.
jingoísta. *s.* jingoísta, partidário do jingoísmo.
jínjol. *m.* V. **azufaifa.**
jinjolero. *m.* V. **azufaifo.**
jiote. *m.* (Amér.) impétigo, impetigem, doença cutânea.
jipa. *f.* (Amér.) chapéu de palha fina.
jipar. *v. intr.* (Amér.) V. **hipar.**
jipato, ta. *adj.* (Amér.) hepático; pálido, descorado, anémico; diz-se das frutas insípidas.
jipe. *m.* V. **jipi.**
jipi. *m.* (Amér.) chapéu de palha fina.
jíquima. *f.* (Amér.) V. **jícama.**
jiquipil. *m.* (Amér.) medida de secos.
jira. *f.* retalho, tira, pedaço comprido que se corta ou rasga dalgum estofo ou pano.
jira. *f.* piquenique, merenda festiva no campo feita entre amigos.
jirafa. *f.* (zool.) jirafa; (astr.) Jirafa.
jirel. *m.* xairel, cobertura rica de cavalos.
jirimitear. *v. intr.* (Amér.) V. **jeremiquear.**
jirimiquiento, ta. *adj.* choramingueiro, que chora sem motivo.
jirofina. *f.* espécie de molho com baço de carneiro, pão torrado, etc.
jiroflé. *m.* V. **giroflé.**
jirón. *m.* girão, cercadura, debrum de vestuário; andrajo; tira à roda duma saia;

pedaço de pano; estandarte, ou pendão que remata em ponta; (fig.) pequena porção ou parte dum todo; (heral.) triângulo nos escudos.
jironado, da. *adj.* esfarrapado, rasgado, desgarrado; enfeitado com girões; (herald.) diz-se do escudo dividido em oito girões.
jirpear. *v. tr.* (agr.) escavar, fazer uma cova em torno do pé das videiras para se depositarem as águas das chuvas e regas.
jisca. *f.* V. **carrizo.**
jiste. *m.* V. **giste.**
jito. *m.* (impr.) gito; metal que sobra da fundição.
jitomate. *m.* (Amér.) V. **tomate.**
job. *m.* job, diz-se do homem dotado de grande paciência.
jocear. *v. tr.* (Amér.) V. **hozar.**
jockey. *m.* jóquei, o que monta os cavalos de corrida.
jocó. *m.* V. **oragután.**
jocoque. *m.* (Amér.) leite estragada.
jocoserio, ria. *adj.* joco-sério que participa do sério e do jocoso.
jocosidad. *f.* jocosidade; gracejo; chiste; graça; jovialidade.
jocoso, sa. *adj.* jocoso, faceto, gracioso, chistoso, trocista; divertido; chulista; descambado; desopilante; desenfastadiço.
jocoyote. *m.* (Amér.) benjamim, filho mais novo e querido dos pais.
jocú. *m.* (ictiol.) peixe do mar das Antilhas.
jocundidad. *f.* jucundidade, alegria, tranquilidade; exultação.
jocundo, da. *adj.* jucundo, alegre, aprazível, agradável.
jocher. *v. tr.* (Amér.) tourear, açular. V. **azuzar.**
jofaina. *f.* bacia, palangana, bátega.
jofor. *m.* prognóstico (entre os mouriscos).
jola. *f.* (Amér.) dinheiro, moeda.
jolgorio. *m.* (fam.) folguedo. V. **holgorio.**
jolito. *m.* calma, suspensão: *en jolito*, burlado, logrado.
jolote. *m.* (Amér.) V. **guajalote.**
jollín. *m.* (fam.) pândega; rixa. V. **gresca.**
joma. *f.* (Amér.) V. **joroba.**
jomado, da. *adj.* (Amér.) V. **jorobado.**
jomar. *v. tr.* (Amér.) corcovar. V. **encorvar.**
jonda. *f.* (Amér.) V. **honda.**
jónico, ca. *adj.* e *s.* jó(ô)nico, natural da ou pertencente à Jónia. — *m.* jónico (pé da poesia grega e latina); jónico (dialecto grego): *orden jónico*, (arq.) ordem jónica.
jonio, nia. *adj.* e *s.* V. **jónico.**
jonja. *f.* (Amér.) caçoada, zombaria. V. **burla.**
jonjabar. *v. tr.* (fam.) lisonjear; (germ.) inquietar. V. **engatusar.**
jonjabero, ra. *adj.* lisonjeador, bajulador. V. **zalamero.**
jonuco. *m.* (Amér.) desvão, quarto escuro. V. **chiribitil.**
jordán. *m.* (fig.) aformoseador; remoçador, purificador: *ir uno al Jordán*, (fig. e fam.) democraer, convalescer.
jorfe. *m.* muro de suporte de terras; rocha talhada a pique; penhasco alto.

jorgolín, jorgolino. *m.* (germ.) companheiro, criado de rufião.

jorguín, na. *s.* pessoa que faz bruxaria; bruxo, bruxa; feiticeiro.

jorguinería. *f.* feitiçaria, bruxaria. V. **hechicería.**

jorja. *f.* (Amér.) chapéu de palha.

jornada. *f.* jornada, caminho que se anda num dia; jornada, andada, andança, etapa; jornada, viagem por terra; jornada, expedição militar; jornada, viagem dos reis ou da corte no verão; jornada, duração do trabalho dos operários num dia; jornada, acto (no teatro.); jornada, tiragem de exemplares duma obra; (fig.) jornada, vida do homem; jornada, expedição militar, batalha: *jornada de trabajo*, jornada do trabalho.

jornal. *m.* jornal, salário; o que ganha o trabalhador por cada dia de trabalho, jornal; paga; estipêndio; emolumento; jeira, antiga medida agrária usada em diferentes províncias de Espanha; jornal, salário diário; jornal: *a jornal*, mediante determinado salário diário.

jornalar. *v. tr.* V. **ajornalar.**

jornalero. *m.* jornaleiro, aquele a quem se paga jornal; jornaleiro, mercenário; avençal.

joroba. *f.* corcova, giba; corcunda; alcorcova; (burl.) merenda; (fig. e fam.) impertinência, enfado; coisa enfadonha.

jorobado, da. *p. p. adj.* e *s.* corcovado, que tem uma ou mais corcovas; corcunda; alcachinado; corcunda, que se dobra para a terra arqueando o dorso; (Bras.) cacundo.

jorobadura. *f.* acção e efeito de corcovar; importunação, moléstia, aborrecimento.

jorobar. *v. tr.* corcovar; (fig.) importunar, molestar, aborrecer, fatigar, enfadar, chatear, amolar.

jorobeta. *m.* (deprec.) marreco, apodo com que se designa um corcunda.

jorro. *m.* arrastão, rede de arrasto.

jorro, rra. *adj.* (Amér.) V. **horro.**

josefino, na. *adj.* e *s.* josefino, pertencente ou relativo a José; diz-se das pessoas de certas congregações devotas de S. José; (Amér.) diz-se dos membros das sociedades de S. José.

José. *n. pr.* José.

jostrado, da. *adj.* diz-se do virote com um casquilho.

jota. *f.* jota, nome da letra *j*; coisa mínima; pouca coisa: *no saber ni jota*, não saber o bê-a-bá, não saber patavina; *sin faltar una jota*, sem faltar uma vírgula.

jota. *f.* jota, baile e cante popular de Aragão e Valência; música própria deste baile.

jota. *f.* (Amér.) V. **ojota.**

joule. *m.* (fís.) joule, unidade de trabalho, equivalente a um coulomb.

jovada. *f.* terreno que se pode arar num dia com uma parelha de animais.

joven. *adj.* jovem, juvenil, de pouca idade; mancebo; aprilino; franga, mo(ô)ço; que

é ainda muito novo (falando-se de animais); que tenra idade: *el hijo más joven*, benjamin.

jovenzuelo, la. *adj.* jovencilho.

jovial. *adj.* jovial, engraçado, alegre, chistoso, prazenteiro; faceto; pertencente a Jove ou Júpiter; (fig.) descarregado; descambado; magana.

jovialidad. *f.* jovialidade, bom humor, aprazibilidade, alegria.

joya. *f.* jóia; prémio, recompensa; (fig.) pessoa ponderada; jóia, coisa de muito valor; (arq.) V. **astrágalo.** — *pl.* jóias, objectos, móveis preciosos; enxoval, conjunto de roupas que leva uma mulher quando casa; expresões carinhosas: *ser una joya*, (fig.) ser uma jóia, ter excelentes qualidades.

joyante. *adj.* aplica-se à seda muito fina e brilhante.

joyel. *m.* jóia pequena; jòiazinha.

joyelero. *m.* estojo. V. **guardajoyas.**

joyera. *f.* mulher que tem uma joalharia; mulher que fazia e bordava enfeites femininos.

joyería. *f.* joalharia, arte, ofício ou estabelecimento de joalheiro.

joyero. *m.* joalheiro, fabricante ou vendedor de jóias; guarda-jóias, estojo para guardar jóias; armário onde o joalheiro as tem guardadas; (Amér.) V. **orífice.**

joyo. *m.* (bot.) joio. V. **cizaña.**

joyolina. *f.* (fam. Amér.) o cárcere, a prisão.

joynó. *m.* aum. de *joya.*

joyosa. *f.* (germ.) espada.

juan. *m.* (germ.) mealheiro, cepo, caixa de esmolas das igrejas: *Juan de Garona*, (germ.) piolho; *Juan Díaz*, (germ.) cadeado, fechadura, ferrolho; *Juan Dorado*, (germ.) moeda de oiro; *Juan Platero*, moeda de prata; *Juan Lanas*, (fam.) homem apoucado, tonto, bonacheirão, simplório; *Juan machir*, cutelo, alfange; *Juan tarafe*, (germ.) dado de jogar; *Juan Palomo*, (fam.) João Panão, homem inútil; *buen Juan*, (fam.) bonacheirão, homem simples e fácil de enganar, simplório.

Juan. *n. pr.* João.

juanas. *f. pl.* alargador, tesoura de madeira usada pelos luveiros para abrir as luvas.

juanero. *m.* (germ.) ladrão que abre as caixas de esmolas das igrejas.

juanete. *m.* joanete, saliência da articulação do dedo grande do pé; maça do rosto um pouco saliente; (mar.) joanete, vela superior à gávea; (vet.) sobreosso formado na parte inferior do casco das cavalgaduras: *juanete de proa*, joanete de proa; *juanete mayor*, joanete grande.

juanetero. *m.* (mar.) marinheiro especialmente encarregado de manobrar os joanetes; moço de navio.

juanillo. *m.* (Amér.) gorjeta.

juarda. *f.* surro, sujidade que têm os tecidos por não lhes terem desengordurados os fios quando do seu fabrico.

juardoso, sa. *adj.* sujo, ensebado, sebento, gorduroso (diz-se do pano).

juay. *m.* (Amér.) cutelo.

juba. *f.* V. **aljuba.**

jubetería. *f.* jubetaria, loja onde se vendiam *jubetes;* ofício de algibebe.

jubetero. *m.* algibebe, fabricante de *jubetes* e gibões.

jubilación. *f.* aposentação, reforma; jubilação, vencimento da pessoa jubilada.

jubilar. *adj.* pertencente ao jubileu.

jubilar. *v. tr.* aposentar, dispensar em virtude de idade avançada; jubilar, conceder a jubilação; (fig. e fam.) rejeitar uma coisa por ser inútil; reformar, inutilizar alguma coisa; (ant.) regozijar. — *v. intr.* jubilar-se, obter a jubilação; (Amér.) aprender, instruir-se num assunto; adquirir prática. — *v. r.* jubilar-se, aposentar-se, conseguir a jubilação.

jubileo. *m.* jubileu (festa israelita; jubileu, indulgência plenária entre os cristãos; (fig. e fam.) jubileu, bodas de ouro duma pessoa de alta dignidade; (fig.) romaria; dia de regozijo.

júbilo. *m.* júbilo, grande contentamento; regozijo; alegria, contento, consolação.

jubiloso, sa. *adj.* jubiloso, festivo; alegre, contento, exultante.

jubo. *m.* (prov.) V. **yugo.**

jubón. *m.* gibão, jubão, corpinho; almilha; argau: *jubón de azotes,* açoites nas costas.

jubonero. *m.* algibebe, o que fazia gibões.

juco, ca. *adj.* (Amér.) azedo, fermentado.

judaica. *f.* espinho de equino fóssil, de forma cilíndrica.

judaico, ca. *adj.* judaico, pertencente aos judeus.

judaísmo. *m.* judaísmo.

judaizante. *p. a. adj.* e *s.* judaizante, que judaíza.

judaizar. *v. intr.* judaizar, abraçar a lei dos judeus; observar os ritos e leis dos judeus.

judas. *m.* (fig.) judas, homem aleivoso, traidor; judas, figura ridícula em forma de boneco ou estafermo que se costuma queimar em sábado de Aleluia; bicho-da-seda que não faz casulo e morre cravado na ponta da folhagem para onde sobe.

judería. *f.* judiaria, bairro de judeus; certa contribuição que pagavam os judeus.

judía. *f.* (bot.) feijão, planta leguminosa e seu fruto; mulher judia. V. **avefría.**

judiada. *f.* judiaria, acção própria de judeus; acção desumana; judiaria, grande porção de judeus; lucro excessivo e escandaloso, usura.

judiar. *m.* feijoal, terra semeada de feijão.

judicación. *f.* julgamento; juízo, opinião, parecer.

judicatura. *f.* judicatura, exercício de julgar; judicatura, dignidade ou cargo de juiz; tempo que dura; magistratura, corpo constituído pelos juízes dum país.

judicial. *adj.* judicial, forense, relativo aos tribunais.

judiciario, ria. *adj.* judiciário, relativo à ciência judiciária; judiciário, judicial, forense.

judihuelo, la. *s.* dim. de *judío.*

judío, a. *adj.* e *s.* judeu, hebreu. natural de ou pertenecente à Judeia; (fig.) judeu, avarento, usurário; judeu, diz-se do rapaz que cospe sobre outro; judeu, semita, semítico; (fig.) circunciso. — *pl.* os circuncidados: *el judío errante,* o judeu errante.

judión. *m.* variedade de feijão, de vagens mais largas, feijoca.

juego. *m.* jo(ô)go diversão; jogo (de cartas, bilhar, etc.); jogo, armação correspondente a cada par de rodas numa carruagem; jogo, passatempo sobre o cálculo ou acaso; jogo, conjunto de regras de jogo; jogo, série completa de coisas que formam um todo; movimento; (fig.) jogo, disposição em que estão unidas duas coisas; jogo, artifício para conseguir uma coisa, manha, astúcia, etc.; jogo, coisas que tem conexão entre si; jogo, deporte; folguedo; namoro por gestos, exercício; aparelho; joguete: *juego de pasa pasa,* jogo de prestidigitação; *juego de azar,* loto; *juego de café,* aparelho de café; *juego de manos,* empalmação, artes de berliques-e--berloques; *trampa en el juego,* batota; *juego de la gallina ciega,* jogo de cabra cega, das escondidas; *tener buen juego,* ter bom jogo; *tener mala suerte en el juego,* ter mau jogo; *conocer el juego,* (fig.) conhecer o jogo; *tener buena suerte en el juego,* ser feliz no jogo; *descubrir el juego a alguien,* descobrir as intenções dalguém; *esconder el juego,* (fig.) esconder o jogo, dissimular as suas intenções; *hacer el juego a alguien,* ajudar alguém nas suas intenções; *por juego,* de brincadeira.

juella. *f.* (Amér.) vulgarismo por *huella.*

juerano, na. *adj.* (Amér.) estrangeiro; forasteiro.

juerga. *f.* (fam.) borga, pândega, pagodice, estroinice; frascaria; desordem: *andar de juerga,* (pop.) fragatear; *darse a la juerga,* frangalhotear; *ir de juerga,* ir de charola.

juerguista. *adj.* e *s.* boémio, afeiçoado à pândega; pagodista, pagodeiro; funçanista; desordeiro; (vulg.) bexigueiro; (prov.) cicateiro.

jueves. *m.* quinta-feira, quinto dia da semana: *ser cosa del otro jueves,* ser coisa do outro mundo; *Jueves Santo,* quinta--feira de endoenças.

juerte. *adj.* (Amér.) vulgarismo, por *fuerte.*

juez. *m.* juiz, o que tem autoridade para julgar e sentenciar; árbitro; magistrado supremo do povo de Israel desde que se estabeleceu na Palestina até adoptar o regime monárquico; cada um dos caudilhos que governaram Castela em certa época, na falta dos antigos condes; juiz, conhecedor; ministro; árbitro.

jugada. *f.* jogada, acção e efeito de jogar; lance de jogo; (fig.) partida, peça, engano, acção má e inesperada contra alguém.

jugadera. *f.* V. **lanzadera.**

jugador, ra. *s.* jogador, que joga; jogador, que tem o vício de jogar; jogador, que sabe jogar: *jugador de manos*, prestidigitador; *jugador de juegos de azar*, batoteiro.

jugar. *v. tr.* e *intr.* brincar, folgar, divertir-se; jogar, expor, perder ao jogo; manejar com destreza as armas; arriscar, jogar, aventurar; traquinar, retoucar; pôr-se em movimento (máquina, etc.); fazer jogo ou convir uma coisa com outra; intervir, tomar parte; ter parte num negócio; jogar, chalacear, zombar; jogar, fazer uma partida a alguém: *jugar con dos barajas*, (fam.) conservar-se entre dois partidos; *jugar fuerte*, aventrar-se a muito; *jugar limpio*, andar com honra; *jugar del vocablo*, jogar de palavras. *pres. ind. irr.* **juego, -as, -a, -an;** *sub.* **juegue, -es, -e, -en.**

jugarreta. *f.* (fam.) jogada mal feita; (fig. e fam.) velhacada, logro; (fam.) pechotada: *hacer una jugarreta a alguien*, assobiar as botas; prega-la boa a alguém.

juglándeo, a. *adj.* (bot.) aplica-se às árvores dicotiledóneas que tem por tipo a nogueira. — *f. pl.* juglandáceas.

juglar. *adj.* e *s.* truão, farsista, histrião; bobo, chocarreiro, pelotiqueiro, charlatão.

juglar(es)a. *f.* mulher farsista.

juglaresco, ca. *adj.* jogralesco, próprio de jogral.

juglaría, juglería. *f.* chocarrice, charlatanaria; gestos, modos, etc., próprios dos chocarreiros.

jugo. *m.* suco, seiva, substância das carnes, das plantas, sumo; chorume; (fig.) parte proveitosa, útil e substancial duma coisa: *jugos gástricos*, suco gástrico, pancreático; *quitar el jugo*, dejungir; *sacar el jugo a uno*, (fam.) obter a maior utilidade ou proveito de alguém.

jugosidad. *f.* sucosidade, suculência, qualidade de sucoso.

jugoso, sa. *adj.* sucoso, suculento, sumarento, que tem suco; chorumento, chorudo; (fig.) substancioso.

juguete. *m.* brinquedo, objecto airoso e bonito; jogue(ê)te, zombaria; comédia ou peça breve e ligeira; joguete, pessoa ou coisa dominada por força moral ou material; joguete, gracejo, zombaria; facécia; (Bras.); aiaia: *servir de juguete*, servir de joguete; *juguete de niños*, (prov.) enzona; *juguete infantil*, (Bras.) balalão.

juguetear. *v. intr.* brincar, joguetear, retouçar, retoiçar; galhofear; entreter-se; gracejar.

jugueteo. *m.* brincadeira, brinquedo, folguedo.

juguetería. *f.* loja de quinquilharias; comércio de quinquilharias.

juguetón, na. *adj.* brincalhão, folgação; estúrdio; jovial, prazenteiro; brincão, diz-se dos animais; (Bras.) encapetado, peralta.

juicio. *m.* juízo, acto ou faculdade de julgar; tino, discernimento; opinião, conceito;

arbitrio; arrazoamento; estimativa; maduração; madureza; circunspecção; consideração; voto; parecer; prognóstico; julgamento, tribunal, jurisdição; seriedade, parecer, conceito; (fig.) mioleira, miolo, assento; acordão; (fig.) conselho; juízo, faculdade intelectual de ajuizar; (fig.) juízo, cordura, prudência; (for.) juízo, conhecimento duma causa.

juicioso, sa. *adj.* e *s.* judicioso, que tem juízo; judicioso, feito com juízo; (fig.) maduro; machucho; ajuizado; formal; atentado; cordato; equilibrado; assisado; circunspe(c)to; aconselhado; *consejo juicioso*, bem-vista.

juico, ca. *adj.* (Amér.) surdo.

julepe. *m.* (farm.) julepe, julepo, espécie de xarope lambedor; julepe, certo jogo de cartas; (fig. e fam.) reprimenda, castigo; (Amér. Meriod.) medo, susto, (México) trabalho, sofrimento.

juliano, na. *adj.* pertencente a Júlio César, juliano.

julio. *m.* julho, sétimo mês do ano.

julio. *m.* (electr.) joule, unidade de medida do trabalho eléctrico.

julo. *m.* rês ou cavalgadura que vai na frente; guia, égua madrinha.

juma. *f.* (fam.) V. **jumera.**

jumarse. *v. r.* (Amér.) V. **emborracharse.**

jumel. *m.* variedade algodão de Egipto.

jumenta. *f.* (zool.) asna, burra, jumenta.

jumental, jumentil. *adj.* asinino, diz-se do que é pertencente ao jumento.

jumentizar. *v. tr.* (Amér.) embrutecer.—*v. r.* embrutecer-se.

jumento. *m.* (zool.) asno, burro, jumento.

jumera. *f.* (pop.) bezunda, bezundela, embriaguez, bebedeira.

juncada. *f.* espécie de sonhos, filhós ou outros doces feitos com estes fritos e passados por calda de açúcar; (vet.) medicamento para curar o mormo. V. **juncar.**

juncal. *adj.* pertencente ou relativo ao junco. V. **gallardo.** — *m.* juncal, junqueiro.

juncar. *m.* juncal, junqueira, lugar povoado de juncos.

júnceo, a. *adj.* juncácea, diz-se das plantas monocotiledóneas, que têm por tipo o junco. — *f. pl.* juncáceas, família destas plantas.

juncial. *m.* junçal, terreno onde cresce junça.

junciana. *f.* (fig. e fam.) fanfarronice, jactância, ufania vã, sem fundamento.

junciera. *f.* perfumador de barro, para plantas aromáticas que se deitam dentro com vinagre.

junciforme. *adj.* (bot.) que tem forma de junco.

juncino, na. *adj.* diz-se do que é feito com juncos ou composto de juncos.

junco. *m.* (mar.) pequena embarcação usada nas Índias Orientais.

junco. *m.* (bot.) junco, género de plantas delgadas e flexíveis que crescem em terrenos húmidos; junco, chibata; bengala de junco: *junco oloroso*, junco cheiroso.

juncoso, sa. *adj.* juncoso, semelhante ou parecido com o junco; juncoso, diz-se do terreno em que abundam os juncos.

junglada. *f.* V. **lebrada.**

junio. *m.* junho, sexto mês do ano.

junior. *m.* religioso jovem, sujeito aínda ao mestre de novícios.

junquillo. *m.* (bot.) junquilho, planta bulbosa e muito aromática; (arq.) moldura redonda, mais delgada que o bocel; (mil.) bocel, moldura que está diante da culatra da peça.

junta. *f.* junta, reunião de várias pessoas para tratar dalgum assunto; junta, conjunto de indivíduos que dirigem uma cole(c)tividade; junta, direcção; junta, articulação, união, de duas ou mais coisas; junta, comissão; cole(c)tividade; congresso; ajunta; ponto de junção; assembleia; junta, conferência de dois ou mais médicos sobre um doente; congresso, junta, reunião de várias pessoas; ajuntamento, parelha; corporação administrativa ou consultiva; junta, (arq.) espaço entre pedras ou tijolos contíguos; (mar.) junta, costura, ligação.

juntar. *v. tr.* juntar, ajuntar, unir umas coisas com outras; juntar, aglutinar, aglomerar, incorporar; encambulhar; adunar; consociar; coacervar; juntar, copular; coalescer; conjungir; conjuntar; colar; congregar; aderir; juntar, acumular, alisar com junteira as extremidades das tábuas que se hão-de soprepor; juntar, aunar; apinhoar; aliar, agregar, anexar; ajuntar, englobar; juntar, encostar, chegar; (fig.) entesoirar. — *v. r.* juntar-se, unjir-se, associar-se; copular, ter cópula carnal; convenir; coerir; incorporar-se; agregar-se; alcançar-se; ajuntar-se; arranchar-se; acumular-se; encontrar-se; (fig.) desposar-se; juntar-se, andar em companhia de outra pessoa: *juntarse estrechamente*, amariçar; *juntarse con gente de la mala vida*, amatular-se; *juntarse como socios*, empaceirar; *Dios los cría y ellos se juntan*, cada ovelha com sua parelha.

juntera. *f.* (carp.) junteira, juntoira, juntoura, espécie de garlopa para aplainar os cantos das tábuas.

junto, ta. *p. p. irreg.* de *juntar;* e *adj.* junto unido, pegado; adunado; conjugado, aderente; assumido; adje(c)to; ajuntado; inerente. — *adv.* junto, certo, cerca de, juntamente chegado; ao pé, ao lado: *junto a* achegamente; *junto con*, com; *junto al mar*, a beira-mar; *muy junto*, contínuo; *todo junto*, de chusma ,*en coro*; *por junto*, (los. adv.) por junto, por atacado; *junto a*, próximo a.

juntorio. *m.* antigo tributo.

juntura. *f.* juntura, comissura, junção; articulação; união, linha de união; ligação; encaixe; encasamento; (bot.) artículo.

Júpiter. *n. pr.* (astr.) Júpiter. — *m.* (ant.) estanho

juque. *m.* juramento; (Amér.) cuíca.

jura. *f.* jura, juramento, acção de jurar; (Amér.) guarda, polícia.

jurado. *m.* júri, conjunto de indivíduos que nos tribunais julgam de facto uma causa; jurado, cada um destes indivíduos. — *p. p.* e *adj.* jurado, declarado solenemente; protestado com juramento; que prestou juramento.

jurador, ra. *s.* jurador ,que jura; que tem vício de jurar; (far.) jurado, que declara em juízo com juramento.

juraduría. *f.* ofício e dignidade de jurado.

juramentar. *v. tr.* juramentar, ajuramentar, tomar juramento a alguém. — *v. r.* obrigar-se por juramento; ajuramentar-se.

juramento. *m.* juramento, acção de jurar; a fórmula com que se jura; com que se promete, com que se afirma invocando o nome de Deus; juramento; blasfé(ê)mia; jura; promessa solene: *juramento solemne*, dejúrio.

jurar. *v. tr.* jurar, declarar solenemente, afirmar ou negar com juramento, invocando o nome de Deus; reconhecer solenemente a soberania dum príncipe; jurar, submeter-se sob juramento; jurar, blasfemar; jurar, invocar; jurar, declarar pùblicamente amizade ou ódio. — *v. intr.* praguejar, prestar juramento; prometer vingar-se duma pessoa.

jurásico, ca. *adj.* e *s.* (geol.) jurássico.

juratoria. *f.* (for.) caução juratória; lâmina de prata que tem gravado o Evangelho, sobre a qual prestam juramento os magistrados.

jurdia. *f.* espécie de rede de pescar.

jurero. *m.* (Amér.) homem que jura falso por dinheiro.

jurgar. *v. tr.* (Amér.) V. **hurgar.**

jurídico, ca. *adj.* jurídico, conforme aos princípios do direito.

jurisconsulto. *m.* jurisconsulto, advogado; jurisperito.

jurisdicción. *f.* jurisdição, autoridade, competência, alçada; influência, poder, extensão, latitude até onde chega a autoridade dalguém; jurisdição, território onde o juíz exerce as suas faculdades; competência.

jurisdiccional. *adj.* jurisdicional, pertencente à jurisdição.

jurispericia. *f.* jurisprudência. V. **jurisprudencia.**

jurisperito. *m.* jurisperito, jurisconsulto; advogado; letrado.

jurisprudencia. *f.* jurisprudência; ciência do Direito.

jurisprudente. *m.* jurisperito. V. **jurisperito.**

jurista. *s.* jurista jurisconsulto, advogado.

juro. *m.* juro, jus, direito perpétuo de propriedade; juro, tença, pensão perpétua sobre títulos da dívida pública: *de juro*, por força, de necessidade absoluta.

justa. *f.* justa, peleja, combate a cavalo e com lança; torneio, justa, jogo a cavalo; (fig.) certame num ramo de saber humano.

justa. *f.* (germ.) a justiça.

justador. *m.* justador, o que justa, rival, o que entra em justa.

justar. *v. intr.* justar, combater, pelejar na justa.

justicia. *f.* justiça, virtude de dar a cada um o que é seu; direito, razão, equ(ü)idade; justiça, castigo, pena; justiça honra, probidade; honestidade; justiça, juíz, tribunal, autoridade judicial; direito, razão, equidade; (fam.) justiça, pena de morte, execução capital: *hacer justicia*, fazer justiça; *administrar justicia*, administrar justiça; *justicia mayor*, justiça maior.

justiciable. *adj.* justiçável, que pode ou deve submeter-se aos tribunais.

justiciador. *m.* justiçador.

justiciazgo. *m.* julgado, cargo ou dignidade de juiz.

justiciero, ra. *adj.* justiceiro, amante da justiça; rigoroso; justiceiro, implacável, inflexível.

justificable. *adj.* justificável, que se pode justificar.

justificación. *f.* justificação; razão; desculpa reabilitação; justificação, prova que o réu faz de sua justiça; (impr.) justificação, comprimento das linhas no componedor; justificação, prova convincente duma coisa; santificação do homem pela graça divina; conta; expurgação; aclaração apologia; defesa, descargo; defensão; alibi.

justificado, da. *p. p.* e *adj.* justificado, conforme à justiça; razoável; justo, íntegro, recto.

justificante. *p. a. adj.* e *m.* justificante, que justifica; documento que justifica.

justificar. *v. tr.* justificar, provar judicialmente alguma acoisa; justificar, provar com argumentos; justificar, rectificar, desculpar; justificar, provar a inocência dalguém; fundamentar; (fig.) legitimar; demonstrar; (teol.) tornar justo; defender; (impr.) justificar, dar às linhas no componedor o comprimento que devem ter; abonar; dar contas; autorizar. — *v. r.* justificar-se; defender-se; desculpar-se; descarregar-se; alimpar-se.

justificativo, va. *adj.* justificativo, justificante; justificatório.

justillo. *m.* justilho, corpete muito justo; espartilho, corpinho.

justinianeo, a. *adj.* justiniâneo.

justipreciar. *v. tr.* apreciar, apreçar, estimar, avaliar, fixar o preço dalguma coisa, taxar por justo valor.

justiprecio. *m.* apreço, avaliação duma coisa; estimação do justo preço.

justo, ta. *adj.* justo, conforme à justiça; imparcial; equ(ü)itativo; re(c)to; exa(c)to; legítimo; ajustado; adequado; que assenta bem; justo, igual a otra coisa; merecido; fundado; preciso; apertado; correcto, estricto; pontual; próprio; estreito; devido; equitativo; arrazoado; acertado. — *s.* justo, o que vive segundo a lei de Deus. — *adv.* justamente; estritamente.

juvenal. *adj.* juvenil; diz-se dos jogos instituídos por Nero dedicados a Júpiter.

juvenil. *adj.* juvenil, pertencente a juventude; mo(ô)ço, jovem.

juventud. *f.* juventude, idade juvenil, adolescência; mocidade; a gente moça, juventude; (fig.) aurora, alvorada.

juzgado. *m.* julgado, tribunal de um só juiz; termo ou território da sua jurisdição; judicatura.

juzgador, ra. *adj.* e *s.* julgador, que julga; juíz.

juzgamundos. *s.* (pop.) mexeriqueiro, pessoa murmuradora, maldizente.

juzgar. *v. tr.* e *intr.* julgar, deliberar, sentenciar, formar juízo; julgar, conjecturar, imaginar; crer, persuadir-se duma coisa; dá-la por certa; estimar; ajuizar; contemplar, considerar; decidir; aferir; (fig.) conhecer; arbitrar; (Amér.) mal usado por *espiar*. — *v. r.* julgar-se; crer-se; dar-se como apto: *juzgar a los demás por sí mismo*, aferir os outros por si; *juzgar superficialmente*, antojar-se a alguém; *juzgarse como*, avaliar-se; *juzgarse semejante a otro*, equiparar-se a outrem; *juzgar bien de alguien*, julgar bem de alguém.

K

K, k. *f.* décima segunda letra do abecedário espanhol e nona das suas consoantes; é usada nalgumas palavras de origen estrangeiro; é o símbolo do potássio.

ka. *f.* nome da letra *k*.

kábila. *f.* kabila

kaíd. *m.* kaid; juíz na Argélia.

kali. *m.* (quím.) V. **cali.**

kan. *m.* ção, príncipe ou chefe entre os tártaros.

kantismo. *m.* kantismo, sistema filosífico fundada por Kant. nos fins do século XVIII.

kantista. *s.* kantista, partidário do sistema filosófico de Kant.

kappa. *f.* décima letra do alfabeto grego.

kedive, khedive. *m.* V. **jedive.**

kéfir. *m.* bebida gasosa, que tem propriedades medicinais que se usa muito no Cáucaso.

kepis. *m.* (mil.) quépis, boné. V. **quepis.**

kermes. *m.* V. **quermese.**

kerosén. *m.* (Amér.) V. **nafta.**

kerosina. *f.* (Amér.) V. **nafta.**

kieselguhr. *m.* (geol.) terra fóssil.

kili. *pref.* quilo, kilo.

kiliárea. *f.* miriare, superfície com mil ares.

kilo. *m.* quilo, abreviatura de quilograma; prefixo que designa mil. — *m.* (com.) quilograma.

kilográmetro. *m.* (mec.) quilogrâmetro.

kilogramo. *m.* quilograma.

kilojulio. *m.* (electr.) unidade de medida do trabalho eléctrico equivalente a mil quilogramas.

kilolitro. *m.* quilolitro.

kilométrico, ca. *adj.* quilométrico, pertencente ou relativo ao quilómetro.

kilómetro. *m.* quiló(ô)metro.

kilovatio. *m.* (electr.) quilovate, quilovátio.

kimona. *f.* (Amér.) V. **quimona.**

kimono. *m.* V. **quimono.**

kiosco. *m.* V. **quiosco.**

kirie. *m.* kírie, parte da missa em que se invoca três vezes Deus. — *m. pl.: llorar los kiries,* (fig.) e fam.) chorar muito.

kirieleisón. *m.* V. **kirie:** *cantar el kirieleisón,* pedir misericórdia.

knut. *m.* suplício usado na Rússia; látego usado neste suplício.

krausismo. *m.* krausismo, sistema filosófico fundado por Krause, no século XIX.

krausista. *adj.* e *s.* krausista, pertencente ou relativo ou krausismo.

kurdo, da. *adj.* e *s.* (geog.) curdo, natural de Curdistão, pertencente ou relativo a esta região da Turquia asiática.

L

L, l. *f.* décima terceira letra do alfabeto español, e décima das suas consoantes; letra numeral romana que representa o valor de cinquenta.

la. *art. deter. f.* (gram.) antepõe-se aos nomes apelativos do mesmo género; pode usar-se antes ou depois do verbo; a.

la. *m.* (mús.) lá, sexta nota da escala musical.

lábaro. *m.* lábaro, guião, estandarte dos exércitos romanos que o imperador Constantino, depois de sua victória contra Maxêncio, mandou colocar uma cruz e o monograma de Jesús Cristo; o mesmo monograma; (por ext.) bandeira, estandarte.

labelo. *m.* (bot.) labelo, pequeno lábio.

laberíntico, ca. *adj.* labiríntico, (fig.) confuso, intrincado ; dedáleo, dedálico; inextricável; complicado.

laberinto. *m.* labirinto, dédalo; labirinto, enredo, complicação, coisa confusa; (anat.) labirinto, conjunto, conjunto de orgãos e cavidades que compõem a parte interna do ouvido; (fig.) labirinto, enredo, confusão, tropel; grande embaraço; enlejo.

laberintodontes. *m. pl.* labirontodonte.

labia. *f.* (fam.) lábia, manha, falas melífluas para iludir ou captar simpatia; facilidade e graça no falar; palavreado; facúndia; (pop.) galra, palra, fala; palrice; (pop.) astúcia; solércia.

labiado, da. *adj.* (bot.) labiado, diz-se das plantas dicotiledóneas que tem a corola em forma de lábio; amanhado. — *f. pl.* labiadas, família destas plantas.

labial. *adj.* labial, pertencente ou relativo aos lábios; que se pronuncia com os lábios.

labialización. *f.* labialização.

labializar. *v. tr.* labializar, tornar labial, pronunciar com os lábios.

labihendido, da. *adj.* leporino, que tem o lábio superior fendido.

lábil. *adj.* lábil, que escorrega ou escorre fàcilmente; escorregável; frágil, caduco, débil; (quím.) diz-se do composto fácil de transformar em outro mais estável; transitório.

labio. *m.* lábio, beiço; parte exterior carnuda e vermelha que forma o contorno da abertura bucal e cobre a dentadura; (fig.) contorno de certas coisas; orgão da fala. — *pl.* rebordos duma ferida, boca; (bot.) lobos de certas flores em forma de lábios; (fig.) linguagem, palavras, discurso: *labio pequeño,* beicinho; *labios de una herida,* boca de uma chaga.

labiodental. *adj.* (gram.) diz-se da letra que se pronuncia com o lábio inferior e com os dentes, labiodental.

labionasal. *adj.* labionasal, diz-se da consoante que se pronuncia com os lábios e com a nariz.

labioso, sa. *adj.* labioso, de grandes lábios, beiçudo; (Amér.) que tem lábia, eloquente.

labor. *f.* labor, trabalho; adorno tecido ou bordado, lavor; lavor, bordado, costura; lavoura; fabrico; faina; amanho; lavor, exercício; benefício; estudo; com o artigo *la* escola de meninas; onde aprendem a fazer lavores; lavoura, lavra, cada uma das araduras que se dá à terra; milheiro de telhas ou tijolos; semente do bicho-da--seda; (min.) escavação, exploração, lavra, trabalho nas minas; obra de agulha feita por desenho; lavor, estudo, trabalho mental ou intelectual: *labor blanca,* o trabalho de agulha que fazem as mulheres no tecido.

laborable. *adj.* laborável, que se pode laborar, que se pode trabalhar; cultivável, arável, que é próprio para a lavoura.

laborante. *p. a.* e *adj.* laborioso, trabalhador. — *m.* conspirador, político.

laborar. *v. tr.* laborar, trabalhar; manobrar; lidar; lavrar, cultivar; requerer ou intrigar com algum desígnio; (mar.) laborar. — V. **labrar.**

laboratorio. *m.* laboratório; (fig.) lugar onde se operam grandes transformações ou operações.

laborear. *v. tr.* lavrar, trabalhar uma coisa; (min.) lavrar, escavar; (mar.) laborar, passar e correr um cabo pelo gorne.

laboreo. *m.* lavra, cultivo da terra, lavoura; (min.) lavra das minas; (mar.) disposição do aparelho para laborar.

laborera. *adj.* laboriosa, trabalhadeira, amiga de trabalhar.

laborio. *m.* labor ou trabalho.

laboriosidad. *f.* laboriosidade, afinco, apego, aplicação ao trabalho; diligência.

laborioso, sa. *adj.* laborioso; trabalhador; diligente, activo; laborioso, difícil, penoso, trabalhador, árduo; feito com muito trabalho; estudioso; industrioso; agenciador; incansável.

laborismo. *m.* (pol.) laborismo, socialismo.

laborista. *s.* (pol.) laborista; trabalhista, partidário do laborismo.

labra. *f.* lavra, lavoura, produção; lavra, autoria.

labradío, día. *adj.* V. **labrantío.** — *m.* lavradio.

labrado, da. *p. p.* e *adj.* lavrado, ornado de lavores ou relevos. — *m.* lavra de pedras, madeiras, etc.; lavrado, campo lavrado. — *pl.* (germ.) escarpins.

labrador, ra. *adj.* e *s.* lavrador, que trabalha na lavoura, agricultor; lavrador, proprietário agrícola; lavrador, aldeão; trabalhador; (Amér.) V. **huebrero.** — *f.* (germ.) a mão.

labradoresco, ca. *adj.* pertencente ao lavrador ou que é próprio dele.

labradorita. *f.* (min.) labradorite.

labrandera. *f.* bordadeira, costureira, mulher que faz trabalhos femininos.

labrantío, a. *adj.* lavradio, arável.

labranza. *f.* lavoura, agricultura, cultivo dos campos; labor, trabalho duma arte ou ofício.

labrar. *v. tr.* lavrar madeiras, metais, etc.; lavrar, cultivar a terra, arar; arrendar uma terra; edificar, construir, mandar edificar; lavrar, bordar, coser; fazer trabalhos femininos; (fig.) fazer, causar. — *v. intr.* lavrar, calar no ânimo; impressionar, mortificar.

labriego, ga. *s.* labrego, lavrador rústico, aldeão.

labrusca. *f.* (bot.) labrusca, videira brava.

labro. *m.* labro, lábio superior dos mamíferos e de alguns insectos.

laburno. *m.* (bot.) laburno; codeço-bastardo.

laca. *f.* laca, (substância resinosa); laca, verniz duro; cor roxa que se faz do estracto da cochinilha, da raiz da rúbia e do pau-brasil.

lacaya. *f.* (Amér.) casa sem tecto.

lacayo. *m.* lacaio, criado de libré; moço de esporas; laço de fitas no punho de camisa das mulheres; (mil.) soldado de infantaria que acompanhava os cavaleiros e ricos-homens à guerra.

lacayuno, na. *adj.* lacaiada, dito ou acção própria de lacaio; próprio de lacaio.

laceador. *m.* (Amér.) homem cujo ofício é laçar, prender com laço.

lacear. *v. tr.* enlaçar, enfeitar com laços; atrair a caça à distância a que se lhe

possa atirar; (Amér.) laçar, prender com laço,

lacedón, na. *adj.* e *s.* V. **lacedemonio.**

lacedemonio, nia. *adj* e *s.* (geog.) lacedemónio, natural da ou pertencente à Lacedemónia.

lacena. *f.* V. **alacena.**

lacerable. *adj.* lacerável, que se pode lacerar ou rasgar.

laceración. *f.* laceração, dilaceração, acção de rasgar ou romper.

lacerado, da. *p. p.* e *adj.* lacerado, dilacerado, rasgado, despedaçado; infeliz, desventurado, desgraçado; desditoso. V. **lazarino.**

lacerar. *v. intr.* padecer, passar trabalhos, ser víctima da miséria.

lacerar. *v. tr.* lacerar, dilacerar, rasgar, romper, despedaçar: *lacerar las carnes,* excarnificar; *lacerar el corazón,* despedaçar o coração.

laceria. *f.* lazeira, miséria, pobreza, indigência; incómodo; fadiga, trabalho, lazeira, lepra.

lacería. *f.* laçaria, laçadas, enfeite de laços, conjunto de laços.

lacerioso, sa. *adj.* lazeirento, pobre, desgraçado, lazeirado.

lacero. *m.* homem destro em manejar o laço para apresar animais, caçador com laço.

lacertiano, na. *adj.* lacertiforme parecido com o lagarto.

lacértidos. *m. pl.* (zool.) lacértidas.

lacertoideo, a. *adj.* parecido com o lagarto.

lacertiforme. *adj.* lacertiforme.

lacerto. *m.* (zool.) lacerto, lagarto.

lacertoso, sa. *adj.* musculoso, membrudo, fornido; forte.

lacinia. *f.* (bot.) lacínia, sépala, segmento, lâmina.

laciniado, da. *adj.* (bot.) laciniado, que tem lacínias ou recortes profundos .

lacio, cia. *adj.* murcho, desbotado, fanado; débil; frouxo, lânguido, decaído, lasso, sem vigor; diz-se do cabelo delgado e corredio.

lacivo, va. *adj.* V. **lascivo.**

lacomancía. *f.* lacomancia.

lacón. *m.* lação, presunto, pernil de porco fumado.

lacón. *adj.* e *s.* V. **lacónico.**

lacónico, ca. *adj.* lacó(ô)nico, conciso, breve; lacónico, que fala ou escreve laconicamente.

laconismo. *m.* laconismo, concisão; modo lacónico de falar ou escrever, conciso ou resumido.

lacra. *f.* marca, cicatriz, sinal, vestígio ou resto dum mal; imperfeição, vício, defeito físico ou moral.

lacrar. *v. tr.* contagiar, prejudicar à saúde, causar uma dor ou enfermidade; (fig.) lesar, prejudicar alguém nos seus interesses.

lacrar. *v. tr.* lacrar, fechar, selar ou pegar com lacre.

lacre. *m.* lacre, misto de substâncias fàcilmente inflamáveis; (fig.) lacre, cor vermelha; (bot.) árvore de Cuba de madeira resistente.

lacrimable. *adj.* (ant.) lacrimável, lamentável. V. **lagrimable.**

lacrimal. *adj.* lacrimal, que produz lágrimas. — *m.* (anat.) lacrimal.

lacrimatorio, ria. *adj.* lacrimatório, relativo às lágrimas; diz-se do vaso em que os Romanos guardavam as lágrimas que derramavam pelos mortos.

lacrimoso, sa. *adj.* lacrimoso, que tem lágrimas, choroso, aflito, banhado em lágrimas; lagrimoso, que provoca o pranto.

lacrimotomía. *f.* (cir.) lacrimotomia.

lacrimótomo. *m.* (cir.) lacrimótomo.

lactación. *f.* lactação, secreção láctea; acção de amamentar.

lactancia. *f.* lactação, período da vida em que a criatura mama.

lactar. *v. tr.* amamentar; lactar, aleitar. — *v. intr.* lactar, mamar.

lactario, ria. *adj.* leitoso. V. **lechoso.**

lactato. *m.* (quím.) lactato.

lacteado, da. *adj.* diz-se dum pó composto de leite condensado, pão torrado e açúcar.

lácteo, a. *adj.* lácteo, relativo ou semelhante ao leite; lácteo, cor de leite: *vía láctea,* via láctea.

lactescencia. *f.* lactescência.

lacticíneo, a. *adj.* V. **lácteo.**

lacticíneo. *m.* lacticínio, preparado feito com leite.

lacticinoso, sa. *adj.* lacticinoso, leitoso, lácteo.

láctico, ca. *adj.* (quím.) lácteo, pertencente ou relativo ao leite.

lactífago. ga. *adj.* lactífago, galactófago.

lactífero, ra. *adj.* (anat.) lactífero, que dá leite; diz-se dos canais excretórios das glândulas mamárias.

lactiforme. *adj.* lactiforme.

lactífugo. ga. *adj.* lactífugo.

lactígeno, na. *adj.* lactígeno, galactagogo.

lactina. *f.* (quim.) lactose, lactina.

lactobutirómetro. *m.* lactobutiró(ô)metro, butirómetro.

lactodesímetro. *m.* lactodensímetro; galactómetro.

lactómetro. *m.* lactó(ô)metro, lactodensímetro; galactómetro.

lactosa. *f.* (quím.) lactose, lactina.

lactúceo, a. *adj.* (bot.) lactúceo.

lactúcico, a. *adj.* (quím.) lactúcico.

lactucina. *f.* (quím.) lactucina.

lactumen. *m.* (med.) lactúmen, lactume.

lacustre. *adj.* lacustre, lacustral.

lacha. *f.* (ictiol.) enchova, anchova.

lacha. *f.* (fam.) vergonha, pundonor, pudor, apreço pela própria honra; aspecto desagradável. V. **maña.**

lachear. *v. t.* (Amér.) galantear, falar de amores.

lacho, cha. *adj.* e *s.* (Amér.) galante enamorado.

ladeado, da. *adj.* e *p. p.* ladeado, inclinado para o lado; (bot.) ladeiro (diz-se das folhas, espigas, etc., que se inclinan para um lado).

ladear. *v. tr.* ladear, acompanhar ao lado, ladear, inclinar, torcer, desviar; flanquear. — *v. intr.* ladear, desviar do caminho principal; ladear, andar do través; desviar do caminho principal. — *v. r.* (fig.) inclinar-se a uma coisa; estar uma coisa a par doutra; (fam.) (Amér.) enamorar-se.

ladeo. *m.* ladeamento, ladeio.

ladera. *f.* ladeira ,encosta, declive, subida: *laderas de carro,* xalmas.

ladería. *f.* socalco, tabuleiro, pequena planura no declive dum monte.

ladilla. *f.* ladilha, piolho ladro, chato, insecto; (fig.) importuno, molesto; (bot.) espécie de cevada.

ladino, na. *adj.* ladino, astuto, sagaz, manhoso; que fala fàcilmente alguma ou algumas línguas. além da sua; machacaz; gaiato; gabıru; cigano.

lado. *m.* lado, banda de qualquer coisa; lado, face; (anat.) lado, costado, ilharga; lado, costado, metade longitudinal do animal; direcção, lugar ou parte situada à esquerda ou à direita; lado, aspecto; banda, parte; sítio; lado, costado, linha de parentesco; lado, partido; lado, avesso ou direito duma fazenda; esteira encostada às estacas num carro; partido, opinião; posição; feição; (geom.) lado duma figura ou dum sólido; (mil.) lado, flanco; lado. ponto de vista sob o qual se encara uma questão; (fig.) lado, pessoa que acompanha ou aconselha outra, ilharga; meio para obter algum fim.

ladra. *f.* ladração, latido; (fig.) alarme, gritaria, vozerio.

ladrador, ra. *adj.* ladrador, que ladra ou late; (fig.) caluniador, maldizente; (fig.) falador, palrador.

ladrar. *v. intr.* ladrar, dar ladridos ou latidos o cão, latir; (fig.) ladrar, ameaçar sem acometer; impugnar, motejar, repreender; ladrar, clamar; (Bras. Sur.) acoar; *ladrar del perro,* (Bras. Sur) acôo; *ladrar a la luna,* (fam.) ladrar à lua.

ladrería. *f.* (gal.) V. **leprosería;** (vet.) cisticercose.

ladrido. *m.* ladrido, ladradura, latido, voz do cão quando ladra; (fig. e fam.) murmuração, calúnia, maledicência.

ladrillado, da. *p. p.* e *adj.* ladrilhado. — *m.* ladrilhado, pavimento revestido de ladrilhos.

ladrillador. *m.* ladrilhador, o que ladrilha. V. **enladrillador.**

ladrillal. *m.* olaria, lugar onde se fabricam tijolos ou ladrilhos, forno onde se cozem

ladrillar. *v. tr.* ladrilhar, cobrir com ladrilhos. V. **enladrillar.**

ladrillazo. *m.* ladrilhada, pancada dada com um ladrilho.

ladrillejo. *m.* dim. de *ladrillo;* ladrilho pequeno; brincadeira que os rapazes fazem de noite com um ladrilho às portas das casas, para que as pessoas que nelas habitam corram à porta crendo que bate alguém.

ladrillero, ra. s. ladrilheiro, fabricante ou vendedor de ladrilhos.
ladrillo. m. ladrilho, tijolo; azulejo; desenho, lavor em forma de ladrilho; (germ.) ladrão. — adj. (pop.) estulto, estólido, estúpido: poner ladrillos, atijolar; ladrillo sin cocer, adobe; ladrillo refractario, ladrilho refractário; ladrillo hueco, ladrilho oco.
ladrilloso, sa. adj. ladrilhoso, que é de ladrilho ou se parece com ele.
ladrón, na. adj. ladrão, que furta ou rouba; empalmador; milhafre, falcatrueiro; galfarro; fajardo; gatuno. — s. ladrão, gatuno, salteador, tratante; biltre, maganão; brejeiro; bandoleiro, arrombador, fajardo; (Bras.) cafunge. — m. ladrão, pequena abertura que se faz num rio ou numa acéquia para tirar água; ladrão, morrão que queima uma vela.
ladronear. v. tr. roubar continuadamente.
ladronazo, za. adj. e m. aum. de ladrón, ladravão, ladravaz.
ladronera. f. ladroeira, lugar onde se recolhem e ocultam os ladrões; ladroeira, furto, roubo; ladrão, abertura de rio ou acéquia; (fort.) ladroeira. V. **matacán**.
ladronería. f. V. **ladronício**.
ladronesca. f. (fam.) quadrilha de ladrões.
ladronesco, ca. adj. (fam.) pertencente aos ladrões ou relativo a eles.
ladronicio. m. furto, costuma de furtar. V. **latrocinio**.
ladronzuelo, la. s. ladrãozinho, pequeno ladrão, ratoneiro.
lady. f. título de honra dado em Inglaterra às senhoras de nobreza.
lagaña. f. V. **legaña**.
lagañoso, sa. V. **legañoso**.
lagar. m. lagar, tanque onde se reduzem a líquido certos frutos; lagar, máquina para pisar a uva; lagar, edifício onde se pisa a uva.
lagarejo. m. lagareta, lagariça, lagar pequeno: hacerse lagarejo. V. **lagrearse**.
lagarero. m. lagareiro, dono de lagar; o que trabalha em lagares.
lagareta. f. lagareta, lagariça. V. **lagarejo**;
lagarta. f. (zool) lagarta, fêmea do lagarto; lagarta, espécie de borboleta, parecida com o bicho-da-seda; (fig. e fam.) mulher astuta.
lagartado, da. adj. alagartado. V. **alagartado**.
lagartear. v. tr. (Amér.) imobilizar um lagarto, apertando-o.
lagartera. f. lagarteira, toca onde se recolhem os lagartos.
lagartero, ra. adj. lagarteiro, diz-se da ave ou doutro animal que caça lagartos.
lagartija. f. (zool.) lagartixa, lagarto pequeno, sardanisca.
lagartijero, ra. diz-se dalguns animais que caçam e comem lagartixas.
lagarto. m. (zool.) lagarto; sardão; (fig.) manhoso, astuto; (germ.) ladrão do campo; quadrado das sobrepelizes feito de renda; (anat.) músculo grande do braço

entre o ombro e o cotovelo; (ant.) lagarto, cruz da ordem de Sant Iago.
lago. m. lago, tanque irregular de jardim.
lagoftalmía. f. (pat.) lagoftalmia.
lagotear. v. intr. (fam.) lisonjear para enganar, adular; bajular, afagar; seduzir; apaparicar.
lagotería. f. (fam.) lisonja, adulação, engodo para obter alguma coisa dalguém; apaparicamento; mimo, mimalhice; macaquices.
lagotero, ra. adj. e s. (fam.) lisonjeiro, adulador, mimoso.
lágrima. f. lágrima; lágrima, pinga, go(ô)ta de qualquer líquido; lágrima, suco das vides e doutras árvores depois da poda. — pl. choro; (fig.) lágrima, porção muito, pequena dum líquido.
lagrimable. adj. lacrimável, lamentável, digno de dó.
lagrimacer. v. intr. V. **llorar**.
lagrimal. adj. lacrimal, lagrimal. — m. (anat.) lacrimal: los lagrimales, (fig.) bica-dos-olhos.
lagrimar. v. intr. chorar. V. **llorar**.
lagrimear. v. intr. lagrimejar, lacrimejar, choramingar, chorar com frequência.
lagrimeo. m. choro, lacrimação, lagrimação.
lagrimón. m. grande lágrima.
lagrimoso, sa. adj. lagrimoso, lacrimoso; choroso; (fig.) enternecedor, que faz chorar.
laguna. f. lagoa, pequeno lago; (fig.) lacuna, vazio, falta, interrupção num discurso, etcétera; lacuna, espaço claro nos escritos: salir de la laguna y entrar en mojada, (pop.) tirar-se da lama e meter-se no atoleiro.
lagunajo. m. charco, água estagnada.
lagunar. m. (arq.) artesão, lavor entre molduras, nos tectos, nas abóbadas, etc.
lagunato. m. (Amér.) V. **lagunajo**.
lagunero, ra. adj. pertencente à lagoa; paludoso, pantanoso, lamacento, lodoso. — m. (Amér.) pessoa que trata duma lagoa.
lagunoso, sa. adj. pantanoso, abundante em lagoas.
laical. adj. pertencente ou relativo aos leigos.
laicalización. f. (Amér.) laicização.
laicalizar. v. tr. (Amér. neol.) laicizar, laicificar.
laicidad. f. (neol.) V. **laicismo**.
laicismo. m. laicismo.
laicista. s. laicista, partidário do laicismo.
laicizar. v. tr. laicizar, tornar laico.
laico, ca. adj. e s. laico, leigo, secular; não religioso; laica, diz-se da escola em que se prescinde do ensino religioso.
laísta. adj e s. (gram.) diz-se dos que empregam la e las, no dativo e acusativo do pronome ella.
laja. f. laja, laje, lájea; (mar.) baixio de pedra a modo de mesa plana, banco; (Amér.) cordel muito fino.
lalofobia. f. (pat.) lalofobia.
laloneurosis. f. (pat.) laloneurose.
lalopatía. f. (pat.) lalopatia.

lama. *f.* lama, lodo; areia miúda que serve para misturar com a cal; (min.) pó de metais; (Amér.) V. **cardenillo.**

lama. *f.* lhama, tecido de prata ou de ouro; (Amér.) tecido de lã com franjas nas beiras.

lama. *m.* lama, sacerdote budista tibetano: *gran lama o dalay lama,* grão-lama ou dalay-lama.

lamaísmo. *m.* lamaísmo, seita do budismo no Tibete.

lamaísta. *s.* lamaísta, o que professa o lamaísmo.

lambda. *f.* lambda, undécima letra do alfabeto grego.

lambel. *m.* (herald.) peça que tem a figura duma faixa com três colgaduras.

lambeo. *m.* V. **lambel.**

lambetazo. *m.* lambedura, lambedela. V. **lengüetada.**

lambida. *f.* lambedura, lambedela. V. **lamedura.**

lambido, da. *adj.* (Amér.) V. **relamido.**

lambisquear. *v. tr.* (Amér.) lambarar, comer lambarices.

lambón, na. *adj.* bajulador, adulador, desprezível; denunciante; delator.

lambrequín. *m.* (herald.) lambrequim.

lambriche. *adj.* (Amér.) bajulador, adulador.

lambrija. *f.* lombriga, verme, parasita dos intestinos; (fig. e fam.) pessoa excessivamente fraca; minhoca, lombriga. V. **lombriz.**

lambrión, na. *adj.* (prog.) glutão, faminto; esfaimado.

lambrusca. *f.* lambrusca, videira brava. V. **labrusca.**

lambrusco, ca. *adj.* (Amér.) V. **glotón.**

lameculos. *s.* (fam.) bajulador, o que bajula, o que lisonjeia servilmente; (pop.) engraxador: *ser un lameculos,* (pop.) engraxar, adular ou bajular servilmente.

lamedal. *m.* lamaçal, lodaçal, lameira, lameirão.

lamedor, ra. *adj.* lambedor, que lambe. — *m.* lambedor, xarope; (fig.) lambedor, engodo, carícia fingida, lisonja: *dar lamedor,* começar a perder no jogo para ganhar depois com mais segurança.

lamedura. *f.* lambedela, lambedura.

lamelar. *adj.* lamelado, dividido em lamelas.

lamelífero, ra. *adj.* (hist. nat.) lamelífero.

lameliforme. *adj.* (hist. nat.) lameliforme.

lamelirrostros. *m. pl.* (zool.) lamelirrostros.

lamelibranquios. *m. pl.* (zool.) lamelibrânquios.

lamelicornios. *m. pl.* (zool.) lamelicórneos.

lameloso, sa. *adj.* lameloso, lamelado, lameliforme.

lamentable. *adj.* lamentável, deplorável; que infunde tristeza; triste; lastimável; lutuoso; lúgubre; funesto; deploratório; desgraçado; deplorando.

lamentación. *f.* lamentação, gemido, lamento; queixa dolida; canto triste, clamor; elegia; alarido; choradeira; deploração.— *pl.* mágoas: *lamentación aburrida,* (pop.) serrazina.

lamentar. *v. tr.* lamentar, sentir, deplorar, ter pena; prantear com gemidos ou gritos. — *v. intr.* e *r.* lamentar, sentir pena; lamentar-se, queixar-se; lastimar-se; gaiar; amazelar-se; aqueixar-se; deplorar-se; chorar-se.

lamento. *m.* lamento, queixa, gemido; ai; cho(ô)ro; lamentação; pranto, melúria.

lamentoso, sa. *adj.* lamentoso, deplorável, digno de lástima; lamentável; lastimoso.

lameplatos. *s.* (pop.) lambareiro, lambaz, glutão; guloso; lambe-pratos, pessoa que se alimenta de restos ou sobejos.

lamer. *v. tr.* lamber, passar a língua por cima dalguma coisa; (fig.) tocar branda e suavemente alguma coisa, lamber; (pint.) lamber, terminar uma obra com demasiado apuro. — *v. r.* lamber-se; regozijar-se: *el buey suelto bien se lame,* (fam.) boi solto delambe-se todo; *lamer el culo a alguien,* (vulg.) lamber os pés a alguém, adulá-lo servilmente.

lametón. *m.* acção de lamber com ânsia.

lamia. *f.* lâmia, monstro fabuloso com rostro de mulher e corpo de dragão; (zool.) tubarão.

lamiáceas. *f. pl.* (bot.) lamiáceas.

lamido, da. *adj.* e *p. p.* lambido, gasto, usado, roçado; (fig.) diz-se da pessoa pálida e fraca; delambido, afectado; efeminado; (pus.) coçado pelo uso; (pint.) muito lamido.

lagunato. *m.* (Amér.) V. **lagunajo.**

lámina. *f.* lâmina, folha de metal muito delgada; estampa; (fig.) folha delgada de qualquer matéria; (bot.) lâmina, ferro dos instrumentos para cortar; (fig. e pop.) pessoa desavergonhada, fresca; lâmina, chapa de metal com desenho gravado, gravura em cobre; lâmina; estampa gravada.

laminación. *f.* laminagem, laminação.

laminado, da. *p. p.* e *adj.* laminado, guarecido de lâminas; reduzido a lâmina; chapeado. — *m.* laminação.

laminador, ra. *adj.* laminador. — *m.* laminador, aquele que lamina.

laminadora. *f.* (mec.) máquina de laminar, laminador.

laminar. *adj.* laminar, que tem a forma de lâmina, que tem lâminas.

laminar. *v. tr.* laminar, lamelar, reduzir a lâminas; guarnecer com lâminas; chapear; (prov.) lambarar, comer lambarices.

laminero, ra. *adj.* laminador, que faz lâminas, que lamina os metais. — *s.* gravador, abridor que abre ao buril; laminador. V. **goloso.**

laminoso, sa. *adj.* laminoso, lameloso, diz-se dos corpos de feitio laminar.

lamiscar. *v. tr.* (fam.) lamber com avidez.

lamoso, sa. *adj.* lamoso, lamacento, enlameado, enlodado.

lampa. *f.* (Amér.) espécie de sacho. V. **azada.**

lampacear. *v. tr.* (mar.) lambazar, alambazar, enxugar com o lambaz.

lampadario. *m.* lampadário.

lampalagua. *adj.* (Amér.) glutão. — *m.* (Amér.) monstro fabuloso que seca os rios.

lampallo, lla. adj. (Amér.) V. **hambriento.**
lampar. v. tr. e r. desejar ardentemente. V. **alampar.**
lámpara. f. lâmpada, alampada; luz, luzeira; luminária; lucerna, candeia; corpo que despede luz; (fig.) nódoa, mancha de óleo ou de azeite no vestuário; ramo de árvore que os jovens põem às portas das casas em manifestação dos seus amores.
lamparería. f. lampadaria, fábrica de lâmpadas ou lugar onde elas se armazenam ou vendem.
lamparero, ra. s. lampadeiro, fabricante ou vendedor de lâmpadas; pessoa que cuida das lâmpadas; lampadeiro, haste para sustentar lâmpadas.
lamparilla. f. lamparina, lâmpada pequena, vaso em que se acende, luz alimentada a azeite; estofo de lã muito flexível.
lamparín. m. lamparina, bocal em que se coloca o lampião nas lâmpadas das igrejas.
lamparista. s. lampadeiro. V. **lamparero.**
lamparón. m. nódoa de oleo; (méd.) lapa rão, escrófula no pescoço, alporca; (vet.) enfermidade dos solípedes.
lampazo. m. (bot.) bardana; (mar.) lambaz, vassoura ou o molho de cabo esfarpado para enxugar a água nos pavimentos dos navios; (min.) vassoura feita de galhos verdes.
lampear. v. tr. (Amér.) remover a terra com a enxada. V. **escuadrar.**
lampero. m. (Amér.) sachador, aquele que sacha.
lampino, na. adj. (Amér.) V. **lampiño.**
lampiño, ña. adj. lampinho, imberbe; (bot.) lampinho, que não tem pêlos.
lampión. m. lampião, grande lanterna; farol; (pop.) azeite, óleo.
lampista. s. (gal.) V. **lamparero.**
lampistería. f. (gal.) V. **lamparería.**
lampo. m. (poét.) lampo, relâmpago, brilho, luz, clarão repentino e fugaz.
lampreadar. f. (Amér.) sova de chicotadas.
lampreado, da. p. p. de lamprear. — m. (Amer.) guisado chileno.
lamprear. v. tr. lamprear, cozinhar ou guisar uma comida, fritando-a ou assando-a primeiro e cozinhando-a depois em vinho, açúcar, etc.
lampreazo. m. (fam.) chicotada ou pancada forte; chibatada, lategada. V. **latigazo.**
lamprehuela. m. lampreia-do-rio.
lampreílla. f. (ictiol.) lampreia-do-rio.
lámpsana. f. (bot.) lampsana, labresto.
lampuga. f. (ictiol.) lampuga.
lampuso, sa. adj. (Amér.) desavergonhado.
lana. f. lã, pêlo de alguns animais; lã, fazenda tecida com esse pêlo, roupa feita de lã; pessoa da ínfima plebe.
lanada. f. (mil.) lanada, varredouro feito com pêlo de ovelha para limpar interiormente as peças de artilharia.
lanar. adj. lanar, lanígero, diz-se do gado que tem lã.
lance. m. lanço, acção de deitar a rede para pescar; lanço, peixe que se tira duma só vez; lance, transe, ocasião crítica; epi-

sódio, emergência; aventura; incidente; lance, sucesso, situação interessante ou notável, no poema dramático ou na novela; lance, contenda, rixa, pendência; (taur.) sorte de capa; lance, perigo, vicissitude; impulso, rasgo, lance; lance, conjuntura, facto notável, aperto, situação difícil; golpe, lance: lance de honor, lance de honor; lance arriesgado, extremo; tener pocos lances, ser pouco interessante.
lanceado, da. adj. (bot.) V. **lanceolado.**
lancear. v. tr. ferir com a lança, lancear, alancear.
lanceolado, da. adj. (bot.) lanceolado, em forma de ferro de lança; parecido com a ponta da lança.
lancera. f. lanceiro, cabide de lança panóplia, lugar onde se guardam.
lancería. f. conjunto de lanças; tropa de soldados armados com lanças, lanceiros.
lancero. m. lanceiro, soldado armado com lança; o que usa ou leva lança; lanceiro, fabricante ou vendedor de lanças. — pl. lanceiros, espécie de quadrilha dançante, música desta dança.
lanceta. f. lance(ê)ta, instrumento cirúrgico de dois gumes; (Amér.) mal usado por aguijón.
lancetada. f. lancetada, golpe de lanceta; (Amér.) mal usado por aguijonazo.
lancetazo. m. V. **lancetada.**
lancetero. m. estojo onde se lavam as lancetas.
lancinante. p. a. de lancinar e adj. lancinante, diz-se da dor que se faz sentir por picadas ou golpes internos; (fig.) cruciante, pungente; lancinante, que lancina, doloroso.
lancinar. v. tr. lancinar, golpear, ferir com ponta; rasgar, dilacerar; pungir, afligir; atormentar. — v. r. lancinar-se, fazer-se sentir por picadas ou golpes internos.
lancha. f. laja, laje, lájea ou lancil, pedra de superfície plana; lancha, embarcação própria para transportar carga ou passageiros no interior dos portos; lancha, a maior embarcação que os navios levam para seu serviço; bote, barco pequeno; lancha, embarcação pequena para pesca, tráfego costeiro, etc.; lancha, carreta armadilha para caçar perdizes: lancha a vapor, (Brasil) andorinha; lancha cañonera, lancha-canhoneira.
lanchada. f. lanchada, carga duma lancha.
lanchaje. m. (com.) frete duma lancha.
lanchar. m. pedreira donde se extraem os lancis ou lajes; lugar onde abundam.
lanchar. v. intr. (Amér.) lanchar.
lanchazo. m. pancada, golpe dado com a parte plana dum lancil ou duma laje.
lanchero. m. arrais, patrão duma lancha; lancheiro aquele que conduz uma lancha, condutor duma lancha.
lanchón. m. aum. de lancha. lanchão, lancha grande, barcaça; lousão, grande laje, naturalmente lisa, plana e de pouca espessura, lanchão.

lanchonero. m. barqueiro, pessoa que tripula ou conduz uma grande lancha, lanchão.

landa. f. landa, charneca, terreno baldio; charneca arenosa.

landó. m. landó(ô), carruagem de quatro rodas e de dupla capota que se pode abrir e cerrar a vontade.

landre. f. íngua, bubão do tamanho duma bolota que se forma por enfartamento dos gânglios linfáticos; bolsa debaixo dos vestidos para guardar o dinheiro.

landrecilla. f. pequeno corpo de carne redondo, que se acha em diferentes partes do corpo.

landrero, ra. adj. diz-se do mendigo que guarda o dinheiro em bolso oculto; (germ.) diz-se do ladrão que pedindo para trocar algum dinheiro recebe o troco e não dá o seu equivalente.

landrilla. f. landrilha, larva de certos insectos.

lanería. f. loja onde se vende lã.

lanero, ra. adj. pertencente ou relativo à lã. — m. negociante, mercader de lã; laneiro, armazém onde se guarda a lã.

langa. f. bacalhau curado.

langaruto, ta. adj. (fam.) V. larguirucho.

langosta. f. (zool.) locusta, gafanhoto, insecto ortóptero; lagosta, crustáceo marinho.

langostín, langostino. m. lagostim, espécie de lagosta pequena.

langostón. m. aum. (zool.) gafanhão, gafanhoto grande.

languidecer. v. intr. languescer, enfraquecer, perder as forças, adoecer; afrouxar--se; elanguescer; desmedrar; descair; deperecer; alanguidar-se; (fig.) definhar-se; morrer de paixão, de desgosto. — conj. irr. como crecer.

languidez. f. languidez, langor, estado lânguido, apatia; falta de espírito, de valor, de energia; languidez, despeito; definhamento; elanguescência; descaimento; deperecimento; froixeza; froixidão; abatimento; fraqueza; debilidade; delíquio; morbidez; postração moral; cansaço.

lánguido, da. adj. lânguido, fraco, débil, frouxo; extenuado; de pouco espírito, valor, energia; lânguido, elanguescente; desmaiado; deixado; descaído; (fig.) lânguido, falto de vigor, de ânimo; desfalecido, abatido; voluptuoso; debilitado, lânguido.

languor. m. V. languidez.

languso, sa. adj. (Amér.) astuto, sagaz.

lanífero, ra. adj. (poét.) lanífero, lanígero, diz-se do que traz ou tem lã.

lanificación. f. lanifício. — m. lanifício, obra ou tecido de lã; manufactura de lã; arte de fabricar a lã.

lanilla. f. felpa, pêlo curto e fino que fica no direito dum tecido; lanilha, tecido de pouca consistência, feito de lã fina; arrebique (usado antigamente pelas mulheres); lanugem, carepa, cotão; penugem d certos objectos.

lanio, a. adj. V. lanar.

lanolina. f. lanolina.

lanosidad. f. lanugem, carepa, pêlos que cobrem certas plantas, frutos e otros objectos; lanosidade, qualidade do que é lanoso.

lanoso, sa. adj. lanoso, lanudo. V. lanudo.

lansquenete. m. lansquenete, lansquené(ê).

lantaca. f. espécie de colubrina filipina.

lanteón. m. (mar.) aparelho de moitão.

lanterno. m. (prov.) V. aladierna.

lantia. f. lanterna de duas ou mais luzes da bitácula; corda grossa do aparelho de moitão.

lanudo, da. adj. lanoso, lanudo, que tem muita lã ou carepa; (Amér.) diz-se da pessoa tosca e grosseira.

lanuginoso, sa. adj. lanuginoso, que tem lanugem; felpudo; semelhante à lã, ao algodão.

lanza. f. lança, arma ofensiva de haste comprida e terminada em ferro pontiagudo; lança, varal de carruagem; lança, soldado armado de lança; lança, antena náutica. — pl. antiga contribuição que pagavam os grandes e os titulares ao rei; lança, chuço: romper lanzas, quebrar, romper lanças; lanza en ristre, lança em riste, lança tesa em punho.

lanzabombas. m. lança-bombas.

lanzacabos. m. foguetão, diz-se duma espécie de foguete com que se atiram cabos a náufragos.

lanzada. f. lançada, golpe que se dá com lança, e ferida que se faz com ela.

lanzadera. f. lançadeira, peça de tear com um cilindro em que passa o fio da tecelagem; lançadeira, peça análoga nas máquinas de costura.

lanzado. m. (mar.) lançamento.

lanzador, ra. adj. e s. lançador, que lança, que arroja; arrojador; (deport.) arremessador.

lanzafuego. m. V. botafuego.

lanzallamas. m. lança-chamas.

lanzamiento. m. lançamento, lançadura, acção de lançar ou arrojar alguma coisa; (for.) despejo, expropriação violenta; (mar.) lançamento, proje(c)ção ou saída do cadaste pela proa; lançamento, atirada; arremessamento, arreme(ê)sso.

lanzaminas. m. (mil.) lança-minas.

lanzar. v. tr. lançar, arrojar, atirar com força; arremessar; lançar, emitir; arravessar; arremessar; enxotar; dardejar; despedir; desferir; lançar, exalar; exclamar; eliciar; expulsar; expelir; lançar, soltar, deixar livre; lançar, vomitar; (for.) lançar, expropriar, despojar; (agr.) lançar, brotar, deitar, rebentar, criar (diz--se das plantas); (fig.) desembestar; lançar, dirigir, lançar, espalhar, semear; derramar; verter; lançar, publicar; lançar, pôr em voga; lançar, precipitar-se; (Bras.) apinchar, bajogar. — v. r. arremeter; arremessar-se; meter-se; arrojar-se; descarregar; engolfar-se: lanzar fuera de sí, ejacular; *lanzar una flecha*, desferir uma frecha.

lanzatorpedos. *m.* lança-torpedos.

lanzazo. *m.* V. **lanzada.**

lanzón. *m.* aum. de *lanza;* lança grande; lança curta e grossa, que usavam os guardas das vinhas; (bot.) árvore das Filipinas.

laña. *f.* grampo, gato de ferro que serve para unir duas peças; lanha, coco ainda verde; tira de toucinho. — *pl.* lazanhas; certa massa de farinha para fazer sopa.

lañador. *m.* deita-gatos, o que conserta louça por meio de grampos.

lañar. *v. tr.* gatear, consertar louça com grampos de metal; escalar o peixe.

lapa. *f.* flor; espuma ligeira dalguns líquidos, camada.

lapa. *f.* (bot.) lapa, lapão, bardana, planta medicinal. V. **lampazo;** (prov.) V. **almorejo;** (Amér.) V. **guacamayo.**

lapa. *f.* manceba, concubina de soldado.

lapachar. *m.* lagoa, pântano, charco largo, lugar lamacento ou excessivamente húmido.

laparocele. *m.* (pat.) laparocele, hérnia lombar.

laparoscopia. *f.* (cir.) laparoscopia.

laparotomía. *f.* (cir.) laparatomia.

laparótomo. *m.* (cir.) laparótomo.

lape. *adj.* (Amér.) enredado, emaranhado diz-se da lã ou dos fios quando estão enleados.

lapicero. *m.* lapiseira, pequeno tubo em que se mete o lápis; caneta para lápis, porta-lápis. V. **lápiz.**

lápida. *f.* lápide, lápida, pedra lisa com qualquer inscrição; lápida, pedra sepulcral; laje que cobre o túmulo, lousa tumular.

lapidación. *f.* lapidação, acção de lapidar; apedrejamento, lapidagem; (fig.) perfeiçoamento.

lapidar. *v. tr.* lapidar, apedrejar, matar à pedrada; lapidar, talhar, desbastar, polir; lapidar, facetar; (fig.) educar, aperfeiçoar; (Amér.) lapidar pedras preciosas.

lapidario, ria. *adj.* lapidário, pertencente ou relativo a pedras preciosas, a inscrições lapidares; lapidar; lapidar, estilo conciso próprio das inscrições lapidares. — *m.* lapidário, joalheiro, pessoa que comercia em pedras preciosas; (técn.) lapidário, aparelho para polir ou brunir as pedras preciosas.

lapídeo, a. *adj.* lapídeo, que é duro como a pedra ou resistente como ela; que é da natureza da pedra.

lapidificación. *f.* (quim.) lapidificação, petrificação.

lapidificar. *v. tr.* (quim.) lapidificar, petrificar, converter em pedra. — *v. r.* petrificar-se.

lapidífico, ca. *adj.* (quim.) lapidífico, próprio para lapidificar; que concorre para a formação de pedras.

lapidoso, sa. *adj.* lapídeo, em que há muitas pedras; pedregoso.

lápiz. *m.* (min.) nome de várias substâncias minerais que servem para desenhar; lápis, ponteiro de plombagina para escrever ou desenhar; esta substância revestida dum invólucro de madeira; qualquer objecto com que se escreve ou risca.

lapizar. *v. tr.* desenhar com lápis, debuxar, esboçar, delinear. — *m.* mina de plumbagina; caneta de lápis.

lapo. *m.* (fam.) bengalada, lambada, vergastada; (Amér.) bofetada; (fig.) gole, trago.

lapón, na. *adj.* e *s.* (geog.) lapão, natural de Lapónia; pertencente a este país da Europa. — *m.* lapão, língua falada neste país.

lapso. *m.* lapso, decurso de tempo; espaço de tempo; desliza; (fam.) descaída; lapso, queda em culpa ou erro; (Bras.) mancada.

lapsus. *m.* (lat.) V. **lapso.**

lapsus calami. (lat.) lapso de pena; erro que escapou ao escrever.

lapsus linguæ. (expr. lat.) lapso de língua; engano ou erro ao falar.

laque. *m.* (Amér.) V. **boleadoras.**

laqueado, da. *p. p.* e *adj.* coberto com laca; charoado.

laquear. *v. tr.* envernizar com laca; charoar, acharoar; (Amér.) V. **bolear.**

laqui. *m.* (Amér.) V. **laque.**

lar. *m.* lar (deus doméstico); lar (da cozinha) lareira. — *pl.* lares, lar, casa própria. V. **hogar.**

larario. *m.* larário, oratório doméstico, capela na qual os Romanos colocavam os deuses lares ou domésticos.

lardáceo, a. *adj.* semelhante ou parecido com o toucinho.

lard(e)ar. *v. tr.* lardear, untar com toucinho, com gordura o que se está assando; albardar, entremear com pequenos pedaços de toucinho (uma carne); (fig.) afligir, castigar, mortificar, maltratar.

lardero. *(jueves) adj.* diz-se da quinta-feira seguinte ao carnaval.

lardo. *m.* lardo, toucinho, banha, gordura, unto dos animais, para entremear peças de carne.

lardón. *m.* (impr.) pedacinho de papel que se interpõe no prelo, e provoca falha de impressão; aditamento que se faz à margem do original ou nas provas de imprensa, adenda.

lardoso, sa. *adj.* gorduroso, gordurento.

larga. *f.* calço, pedaço de sola que se põe na parte posterior da forma quando o calçado há-de ser mais comprido do que o tamanho dela; o mais comprido dos tacos de bilhar; dilação, demora. — *pl.* largas, dilações.

largar. *v. tr.* largar, soltar, deixar livre; afrouxar; largar, alargar, desapertar, soltar pouco a pouco; ceder; (mar.) largar, desferir as velas; desacoitar, desaferrar, desempenhar; lançar; emitir, soltar, proferir. — *v. r.* (mar.) largar-se, fazer-se ao mar; (fam.) ir-se com rapidez e dissimulação, ausentar-se, escapar-se; soltar-se; ir-se embora.

largo, ga. *adj.* comprido, longo, extenso, amplo; (fig.) grande, considerável; (fig.) copioso, abundante; generoso; compreensivo, liberal; vasto, espaçoso; considerável; prolixo; demorado; largo, dilatado; rápido; expedito; (mar.) largo, solto; largo, diz-se do vento favorável. — *m.* comprimento. V. **largor;** (mús.) largo, movimento lento. — *adv.* com abundância. — *interj.* ala!; fora;: *largo de ahí,* fora!; rua!; *largo y tendido,* com profusão; *a la larga,* com a continuação, com os anos, com o andar do tempo; *a lo largo de,* ao correr de, ao longo.

largueado, da. *adj.* listrado, raiado, riscado.

larguero. *m.* (carp.) alizares, couceiras das portas ou janelas; travessa do pé do tear; espécie de almofada. — *adj.* (Amér.) liberal, abundante.

largueza. *f.* largueza, largura; largueza; (fig.) liberalidade, desprendimento, generosidade; (fig.) dissipação, liberdade: *dar con largueza,* dar abastadamente.

larguirucho, cha. *adj.* (fam.) esgrouviado, diz-se das pessoas desproporcionadamente altas em relação à largura.

largura. *f.* comprimento, longura; largura, largueza; extensão em sentido oposto ao comprimento.

laricino, na. *adj.* pertencente ou semelhante ao lárice.

larije. *adj.* V. **alarije.**

laringe. *f.* (anat.) laringe, parte superior da traqueia onde se produz a voz.

laringectomía. *f.* (cir.) laringectomia.

laríngeo, a. *adj.* laringeo, pertencente ou relativo à laringe.

laringitis. *m.* (med.) laringite.

laringocele. *f.* (pat.) laringocele.

laringocentesis. *f.* (pat.) laringocentese.

laringofaringe. *f.* (anat.) laringofaringe.

laringofaringitis. *f.* (med.) laringofaringite.

laringofonía. *f.* (med.) laringofonia.

laringografía. *f.* (anat.) laringografia.

laringología. *f.* (med.) laringologia.

laringólogo, ga. *s.* laringólogo, laringologista.

laringometría. *f.* (med.) laringometria.

laringonecrosis. *f.* (pat.) laringonecrose.

laringoparálisis. *f.* (pat.) laringoparalisia.

laringoplastia. *f.* (cir.) laringoplastia.

laringorrea. *f.* (pat.) laringorreia.

laringorrinología. *f.* (med.) laringorrinologia.

laringoscopia. *f.* (med.) laringoscopia.

laringoscopio. *m.* (cir.) laringoscópio.

laringotisis. *f.* (pat.) laringotuberculose.

laringotomía. *f.* (cir.) laringotomia.

larva. *f.* larva; lagarta.

larvado, da. *adj.* (med.) larvado.

larval. *adj.* larval.

larvario, ria. *adj.* larvário, larval.

larvicida. *adj.* e *s.* larvicida.

larvícola. *adj.* (zool.) larvícola.

larviforme. (hist. nat.) *adj.* larviforme.

larvíparo, ra. *adj.* (zool.) larvíparo.

larvívoro, ra. *adj.* (zool.) larvívoro, diz-se de certos peixes que devoram larvas.

las. *art. def. f. pl.* as; acusativo do pronome *ellas* no feminino plural, as.

lasca. *f.* lasca, fragmento pequeno desprendido duma pedra, estilhaço.

lascadura. *f.* (Amér.) esforadura, arranhadura, escoriação. V. **rozadura.**

lascar. *v. tr.* (Amér.) V. **magullar.**

lascar. *v. tr.* (mar.) lascar, afrouxar, arriar, abrandar um cabo lentamente.

lascivia. *f.* lascívia, luxúria, deleite carnal; sensualidade; incontinência; erotismo; lubricidade.

lascivo, va. *adj.* lascivo, pertencente à lascívia; lascivo, sensual; libidinoso, incontinente; devasso; chulo; arreitado; frascário; erótico; fornicário, carnal; afrodisíaco; (fig.) luxuriante; frondoso; viçoso; travesso, folgazão; alegre.

lascón. *m.* (mar.) acção de lascar um cabo.

lasitud. *f.* lassitude, lassidão, cansaço, fadiga; falta de vigor; tédio; extenuação.

laso, sa. *adj.* lasso, fatigado, cansado; falto de forças; débil, frouxo; gasto; devasso; relaxado; frouxo, macilento; lasso, diz-se do fio de linho ou cânhamo por torcer, bambo.

lasquenete. *m.* lasquenete, soldado da antiga infantaria alemã; lasquenete, jogo de cartas.

lastar. *v. tr.* pagar por outrem uma dívida, da qual mais tarde se será reembolsado pelo devedor; (fig.) sofrer por uma falta cometida; expiar.

lástima. *f.* lástima; compaixão; dor; lamentação; miséria; desgraça; pena; lástima, queixume, mágoa; lástima, coisa que produz desgosto; desgosto, incomodo; infortúnio; (fam.) diz-se da pessoa sem préstimo.

lastimador, ra. *adj.* lastimador, que lastima ou faz mal.

lastimadura. *f.* magoadela.

lastimar. *v. tr.* ferir, danificar; lastimar, ter pena de, lamentar, deplorar, compadecer; causar lástima, dor, compaixão. V. **compadecer;** (fig.) agravar, ofender a honra; estropear; (fig.) exasperar. — *v. r.* condoer-se, lamentar-se, lastimar-se, queixar-se, afligir-se; chorar; gaiar.

lastimero ra. *adj.* lastimoso, que inspira dor, deplorável; que fere ou danifica.

lastimoso, sa. *adj.* lastimoso, deplorável, que inspira dor ou lástima; choroso; lastimável; deplorável; chorador.

lasto. *m.* declaração ou recibo de pagamento que se dá a quem paga por outrem.

lastra. *f.* laje, pedra lisa. V. **lancha.**

lastrar. *v. tr.* (mar.) lastrar, pôr lastro nos navios; (fig.) lastrar, equilibrar, firmar, tornar estável alguma coisa, carregando-a com lastro; carregar com lastro; (Amér.) V. **balastar.**

lastraje. *m.* (mar.) lastração, acção e efeito de lastrar.

lastre. *m.* lastra, pedra larga de má qualidade que só serve para obras de alvenaria.

lastre. *m.* (mar.) lastro; lastro, areia que os aeronautas levam na barquinha do aeróstato; (fig.) juízo, peso, madureza: *quitar el lastre a un navío*, desalastrar, desafogar um navio.

lata. *f.* lata, folha de ferro estanhada, folha--de-flandres; vasilha ou caixa de lata; ripas finas sobre as quais se assentam as telhas.

lata. *f.* (mar.) vãos.

lata. *f.* (pop.) maçada, aborrecimento causado por discurso, ou conversação fastidiosa; assuada tocando em latas velhas: *dar la lata*, aborrecer, causar enfado, chatear; *dar la lata para conseguir algo*, (pop.) agarrar-se as abas da casaca dalguém.

latania. *f.* (bot.) latânia.

latastro. *m.* (arq.) V. plinto.

latear. *v. tr.* (Amér.) molestar com uma conversação enfadonha.

latebra. *f.* latíbulo, esconderijo, covil; céu, morada dos deuses.

latebroso, sa. *adj.* latebroso, que tem esconderijos, que se oculta; obscuro.

latente. *adj.* oculto, escondido; que não é aparente; que se não manifesta exteriormente; (por ext.) dissimulado, disfarçado; (Amér.) barbarismo por *latiente*, que *late: estado latente*, estado latente; *estar latente*, estar oculto, escondido.

lateral. *adj.* lateral, pertencente ou relativo ao lado; que está ao lado; situado num lado duma coisa; transversal; realizado à parte; (fig.) colateral, diz-se do parentesco.

lateralidad. *f.* qualidade do que é lateral, laterabilidade.

lateranense. *adj. e s.* lateranense, pertencente ao templo de S. João de Letrão.

latería. *f.* (Amér.) V. hojalatería.

latericio, cia. *adj.* laterício, semelhante ao pó de ladrilho.

laterita. *f.* (geol.) nome de certa rocha muito comum na índia, parecida com a argila.

latero, ra. *adj.* fastidioso, maçador, enfandonno.

latero, ra. *adj. e s.* (Amér.) V. hojalatero.

látex. *m.* (bot.) látex, látice, suco leitoso dos vegetais.

laticífero, ra. *adj.* (bot.) que contem látex.

latido. *p. p. e m.* latido; latido, ganido, latido entrecortado ou lamentoso; latejo, movimento acelerado ou palpitante do coração; pulsação, latejo doloroso num tumor ou parte inflamada; pontada, dor aguda; latido, ganido dos cães, ladrido; (fig.) remoroso, estímulo.

latifundio. *m.* latifúndio, vasta propriedade rural.

latigazo. *m.* lategada, chicotada, açoite dado com látego ou azorrague; estalido do chicote; dano involuntário, repreensão inesperada; pancada com látego ou chicote; (fig.) ruído semelhante ao duma pancada dada com látego ou chicote.

látigo. *m.* látego, chicote, azorrague, açoite feito de cordas ou correias com que se castigam as cavalgaduras; cordel que sustem uma balança romana; corda ou correia com que se firma a cilha; látego, arrebém, chicote; (Brasil.) estovo; (fig.) castigo, flagelo; (fig.) estímulo: *azotar con látigo*, chicotar; *látigo de jinete*, chicote comprido.

latigudo, da. *adj.* (Amér.) V. correoso.

latigueada. *f.* (Amér.) surra de açoites.

latiguear. *v. intr.* dar estalidos com o látego ou chicote; (Amér.) chicotar, fustigar.

latiguera. *f.* látego, corda, correia, chicote.

latiguero. *m.* aquele que faz ou vende látegos.

latiguillo. *m.* dim. de *látigo*; làtegozinho, chicotinho, pequeno chicote; ramo rasteiro de certas plantas que nascem ao pé do talo; (fig. e fam.) excesso declamatório do actor ou orador que, exagerando a expressão dos afectos quer arrancar aplausos do oratório.

latín. *m.* latim, língua do Lácio falada pelos antigos romanos, usada hoje pela Igreja Católica e da qual derivam vários idiomas; qualquer palavra ou frase intercalada num texto em língua vulgar; (fig.) coisa difícil de entender: *ser latín*, ser incompreensível, ser latim.

latinajo. *m.* (fam.) latinório, mau latim; trecho latino mal traduzido, mal aplicado; (fig.) palavra ou frase latina usada em castelhano.

latin(e)ar. *v. intr.* latinar, falar ou escrever latim; traduzir latim.

latinidad. *f.* latinidade, latim, língua dos antigos romanos.

latiniparla. *f.* latiniparla, linguagem dos que empregam palavras latinas, falando ou escrevendo em espanhol.

latinismo. *m.* latinismo, palavra ou expressão própria do latim; emprego de palavras latinas noutra língua; idiotismo da língua latina; construção imitada da língua latina.

latinista. *s.* latinista, pessoa versada na língua ou literatura latinas.

latinización. *f.* latinização.

latinizar. *v. tr.* latinizar, alatinar, tornar latino, dar forma ou terminação latina a uma palavra doutra língua; (fam.) empregar latinório.

latino, na. *adj. e s.* (geog.) latino natural do ou pertencente ao Lácio; latino, que sabe latim; latino, pertencente à língua latina; aplica-se à Igreja do Ocidente; latino, diz-se dos naturais dos países da Europa onde se falam línguas derivadas do latim; (mar.) latina, diz-se da vela triangular que se enverga nas caranguejas ou se iça nos estais; latina, diz-se das embarcações que tem vela latina ou triangular.

latinoamericano, na. *adj. e s.* (geog.) latino--americano, diz-se dos habitantes da América Latina.

latir. *v. intr.* latir, ladrar, ganir, soltar latidos o cão; latejar, pulsar; palpitar, bater a artéria, pulsar o coração; *latir el pulso*, bater o pulso.

latirina. *f.* (quím.) latirina.

latirismo. *m.* (pat.) latirismo.

latitud. *f.* latitude, largura dum país, comarca ou província; largura dalguma coisa; (astr.) latitude; (geog.) latitude; (fig.) latitude, difusão, prolixidade.

latitudinal. *adj.* latitudinário; largo, amplo; latitudinal.

latitudinario, ria. *adj.* (geol.) latitudinarista, que sustenta a possibilidade da salvação fora da Igreja Católica; extenso, extensivo; amplo.

latitudinarismo. *m.* (teol.) latidudinarismo.

lato, ta. *adj.* largo, amplo; (fig.) lato, diz-se do sentido dado às palavras; que não se toma em sentido rigoroso; dilatado ; extensivo.

latón. *m.* latão, liga de cobre e zinco, de cor amarela.

latonería. *f.* latoaria, oficina onde se fabricam obras de latão; loja onde se vendem obras da latão.

latonero. *m.* latoeiro, fabricante ou vendedor de obras de latão; (prov.) V. **almez.**

latoso, sa. *adj.* (fam.) fastidioso, enfadonho, aborrecido, pesado, maçador.

latréutico, ca. *adj.* latrêutico, pertencente ou relativo à Latria.

latría. *f.* latria, adoração a Deus.

latrocinar. *v. intr.* (p. us.) latrocinar, roubar violentamente.

latrocinio. *m.* latrocínio, roubo à mão armada; extorsão, furto; ladroeira, fraude.

lauco, ca. *adj.* (Amér.) pelado, calvo.

laucha. *f.* (Amér.) V. **ratón.** — *m.* (Amér.) homem esperto; rapazote.

lauchón. *m.* (Amér.) rapaz bastante crescido mas magro.

laúd. *m.* (mús.) alaúde; (mar.) laúde; embarcação pequena do Mediterrâneo, usada na pesca do atum; (zool.) tartaruga de concha coriácea que habita no Atlântico.

laudable. *adj.* laudável, louvável, digno de louvor, laudativo.

laudar. *v. tr.* (for.) louvar, decidir, sentençar; dar sentenças o louvado ou o juíz árbitro.

laudativo, va. *adj.* laudativo, laudatório.

laudatoria. *f.* panegírico, apologia; escrito ou oração em louvor de pessoas ou coisas

laudatorio, ria. *adj.* laudatório, que louva ou contém louvor laudatório.

laude. *f.* lápide, lápida, pedra sepulcral. — *m. pl.* (rel.) laudes, parte do ofício divino que segue às matinas.

laudemio. *m.* (for.) laudé(ê)mio, penão ou prémio que o enfiteuta paga ao directo senhorio, quando aliena o prédio.

laudes. *f. pl.* laudes, horas canónicas a seguir às matinas.

laudo. *m.* (for.) laudo, parecer do louvado ou do árbitro, louvamento, louvação.

launa. *f.* lâmina, folha, chapa de metal; lâminas dum barro especial com que na Andaluzia se cobrem os telhados.

lauráceo, a. lauráceo; (bot.) diz-se das plan-

tas que tem por tipo o loureiro. — *f. pl.* (bot.) lauráceas.

laureando. *m.* V. **graduando.**

laureado, da. *p. p.* e *adj.* laureado, premiado, galardoado — *s.* laureado, pessoa que obteve um prémio.

laurear. *v. tr.* laurear, coroar de louros; (fig.) galardoar, premiar; festejar; adornar; honrar.

lauredal. *m.* loureiral.

laurel. *m.* (bot.) loureiro, loireiro; (fig.) laurel, coroa de louros; galardão, pré(ê)mio: *laurel de Alejandría*, loureiro de Alexandria; *cosechar laureles*, colher louros; *dormirse en los laureles*, (fig.) dormir à sombra dos louros; *cubrir de laureles*, (fig.) cobrir de laureis.

laurente. *m.* laurenta, operário que está ao pé da tina com as formas e vai fazendo as folhas nas fábricas de papel.

laureola, lauréola. *f.* lauréola, laurel, coroa de louros; (bot.) lauréola; auréola.

laurífero, ra. *adj.* laurífero, que produz ou tem louros.

lauríneo, a. *adj.* (bot.) lauríneo, lauráceo.

lauro. *m.* (bot.) laurel. V. *laurel*; (fig.) louro, glória, triunfo, vitória; louvor.

lauro. *m.* (bot.) laurel. V. **laurel;** (fig.) louro, -cerejeiro.

lava. *f.* lava, matéria expedida pelos vulcões; (fig.) excurrada, torrente.

lava. *f.* (min.) lavagem, banho dos metais para os limpar das impurezas.

lavable. *adj.* lavável, que se pode lavar.

lavabo. *m.* lavabo, lavatório, utensílio para lavar as mãos e a cara; quarto do disposto para este fim; (Bras.) quartinho.

lavabo. *m.* (rel.) lavabo, parte da missa em que o sacerdote lava as mãos.

lavacaras. *s.* (fig. e fam.) adulador, bajulador, pessoa que lisonjeia.

lavación. *f.* (farm.) loção.

lavacro. *m.* lavacro, baptismo.

lavada. *f.* aguada. V. **lavado;** espécie de rede de pesca.

lavadero. *m.* lavadouro, lavadoiro, lavanderia, local ou tanque onde se lava roupa; pedra ou tábua sobre a qual se lava; lugar nas margens e no leito e rios ou arroios onde se lavam as areias auríferas à procura de oiro.

lavadientes. *m.* (pus.) dentífrico, líquido para lavar os dentes.

lavado, da. *p. p.* e *adj.* lavado; (Amér.) lavada, diz-se da pelagem do cavalo cuja cor é como se tivesse sido lavada. — *m.* lavadura; pintura a aguada feita com uma só cor.

lavador. *m.* (impr.) grossa, escova de impressor.

lavador, ra. *adj.* lavador, que lava. — *m.* instrumento de ferro para limpar as armas de fogo; (Amér.) lavabo.

lavadura. *f.* lavadura, lavagem; água suja. V. **lavazas;** composição de que usam os luveiros para amaciar as peles.

lavafrutas *m.* lava-frutas.

lavaje. *m.* lavagem das lãs.
lavajo. *m.* charco de águas pluviais que raramente seca.
lavamanos. *m.* lavatório, lavabo, depósito de água com torneira para lavar as mãos.
lavamiento. *m.* lavamento, lavação. V. **lavativa.**
lavandera. *f.* lavadeira; (zool.) lavadeira, alvéola. V. **aguzanieves.**
lavandería. *f.* lavandaria, oficina de lavar roupa, lavadaria; lavadouro, lavadoiro.
lavandero, ra. *s.* lavadeiro, pessoa que lava roupa por ofício.
lavaplatos. *s.* pessoa que lava os pratos; (Amér.) planta empregada para lavar móveis ensebados; V. **fregadero.**
lavar. *v. tr.* lavar, limpar, tirar as impurezas com um líquido; banhar ; regar ; purificar; enxugar; lavar, dar a última mão ao estuque; (fig.) limpar, purificar tirar algum defeito ou descrédito; (pint.) aguar, dar cor com aguadas a um desenho; (min.) purificar os minerais por meio da água; assear; desencardir; (med.) detergir; abluir. — *v. r.* lavar-se, tomar banho, limpar-se; (fig.) reabilitar-se; chapinhar (com a mão): *lavarse el pecado,* (fig.) baptizar-se.
lavativa. *f.* clister, ajuda, lavativa; lavática; mezinha; seringa; (fig. e fam.) moléstia, incomodidade: *poner una lavativa,* clisterizar, mezinhar.
lavatorio. *m.* lavatório, acção de lavar ou lavar-se; ablução, lavagem; lava-pés, cerimónia de Quinta-feira Santa; lavabo, cerimónia do sacerdote na missa, lavando os dedos; água que se bebe depois da comunhão; (fig.) limpeza, purificação.
lavazas. *pl.* lavadura, água suja que ficou duma lavagem.
lave. *m.* (min.) lavagem, operação de lavar os metais nas minas.
lavotear. *v. tr.* e *r.* lavar à pressa, muito e mal.
lavoteo. *m.* lavação mal feita e à pressa.
laxación. *f.* laxação, lassidão; frouxidão.
laxamiento. *m.* lassidão, estado do que está lasso ou laxo.
laxante. *p. a.* de *laxar* e *adj.* laxante, que afrouxa; defecatório. — *m.* laxante, purgante ligeiro.
laxar. *v. tr.* laxar, tornar frouxo; diminuir a tensão dalguma coisa; alargar, atenuar, relaxar; (fig.) atenuar, aliviar.
laxativo, va. *adj.* laxativo, laxante, que laxa, que tem virtude de laxar; levemente purgante. — *m.* laxativo, purgante, laxante.
laxidad. *f.* V. **laxitud.**
laxismo. *m.* doutrina em que predomina o relaxamento moral; laxismo.
laxista. *f.* partidário do laxismo.
laxitud. *f.* lassitude, lassidão; frozeza, afrouxamento; estado do que está lasso; negligência de carácter; devassidão.
laxo, xa. *adj.* lasso, laxo, frouxo, bambo; relaxado; (fig.) devasso, licencioso, relaxado, aplica-se à moral.

lay. *m.* (poét.) lai, composição poética dos provençais e dos franceses.
laya. *f.* (agr.) pá dentada de ferro que serve para cavar e revolver a terra; enxada de dois bicos.
laya. *f.* qualidade, natureza, espécie, sorte; (fig.) esto(ô)fa, estofo; laia, casta; raça; jaez.
layador. *m.* cavador, pessoa que cava a terra, cavador de vinha; cavador com enxada de dois bicos.
layar. *v. tr.* cavar a terra com a laya.
lazada. *f.* laçada, nó corrediço, fácil de desatar; laço de adorno.
lazador, ra. *s.* (Amér.) que sabe sujeitar ou apanhar com laço.
lazar. *v. tr.* laçar, prender com laço, atar; apertar; prender com laço; (Amér.) V. **enlazar.**
lazareto. *m.* lazareto, edifício isolado onde estão em quarentena os viajantes provenientes de países onde há suspeita de haver alguma epidemia ou alguma doença contagiosa; lazareto, hospital de leprosos na Idade Média; (Amér.) hospital de variolosos.
lazarillo. *m.* moço de cego, rapaz que o guia e conduz pela mão; (fam.) companheiro inseparável.
lazarino, na. *adj.* e *s.* lazarento, lázaro, leproso; coberto de chagas ou de pústulas; (pop.) esfomeado, magro.
lazarista. *m.* lazarista, missionário da congregação de S. Lázaro.
lázaro. *adj.* (Amér.) lazarento. — *m.* (fig.) lázaro, pobre e andrajoso e comumente coberto de chagas; doente, pobre: *estar hecho un lázaro,* (fig.) estar coberto de chagas.
lazaroso, sa. *adj.* lazarento. V. **lazarino.**
lazo. *m.* laço, laçada ou nó de fitas ou de coisas semelhantes empregada como adorno ou enfeite; laço, ornato com flores e plantas; laço, nó corrediço; adorno feito de metal ou pedras imitando o laço de fitas; laço, armadilha para caçar; corda com uma laçada para prender touros e outros animais; laço, tira comprida de couro entrançada com que na América do Sul os cavaleiros apanham os animais e as pessoas; (fig.) laço, ardil ou artifício enganoso, cilada; laço, união, vínculo, prisão; (Amér.) corda.
lazulita. *f.* (min.) lazulite, lazulita.
le. *pron. pers. sing. dat.* lhe, o; não admite preposição e pode usar-se como sufixo.
lea. *f.* (pop.) rameira, prostituta.
leal. *adj.* leal, que não falta às suas promessas; sincero; franco; honesto; fiel, dedicado; fiel, manso, diz-se do cavalo e doutros animais domésticos.
lealtad. *f.* lealdade, fidelidade, sinceridade; gratidão que os animais mostram pelo homem; legalidade, veridade; probidade.
lebeche. *m.* vento sudeste do litoral mediterrâneo.
lebeni. *m.* bebida moira feita com leite azedo.
lebertisa. *f.* pirite magnética.

lebrato. *m.* (zool.) lebracho, lebre nova.
lebrel, la. *adj.* lebrel, lebréu, diz-se do cão empregado para caçar lebres. — *m.* (zool.) lebrel, galgo.
lebrela. *f.* (zool.) galga, fêmea do galgo ou lebrel.
lebrero, ra. lebreiro, diz-se do cão que caça as lebres. — *f.* (bot.) árvore de Cuba, cuja madeira é empregada para cabos de ferramenta.
lebrillo. *m.* alguidar grande e vidrado para lavar roupa, pés, etc.
lebrón. *m.* lebrão, lebre grande; (fig.) covarde, tímido; poltrão. — *adj.* (Amér.) grande, valentão.
lebruno, na. *adj.* leporino, pertencente ou semelhante à lebre.
lecanomancia. *f.* lecanomancia.
lección. *f.* lição, leitura, acção de ler; lição, exposição de doutrina feita pelo professor; lição, letra ou texto duma obra; lição, exemplo, ensino, escarmento; lição, o que o profesor dá para estudar; lição, discurso em exercícios literários; repreensão, admonição, advertência; (rel.) lição, trecho do ofício; (fig.) audição: *que te sirva de lección,* (fam.) assoa-te a esse guardanapo; *dar la lección,* dar lição.
leccionario. *m.* le(c)cionário, livro eclesiástico que contém as lições de matinas.
leccionista. *s.* le(c)cionista, professor que dá aulas particulares.
lecitina. *f.* (quím.) lecitina.
lectiscernio. *m.* lectiscérnio.
lectivo, va. *adj.* le(c)tivo, relativo ao ensino ou ao movimento escolar; lectivo, diz-se do tempo destinado para o ensino.
lector, ra. *adj.* e *s.* leitor, que lê; leitor, professor de filosofia ou teologia; leitor, catequista; leitor, clérigo que tem a ordem menor de leitor.
lectorado. *m.* leitorado, ordem menor de leitor.
lectoral. *adj.* e *m.* teologal, diz-se do cónego que obtém uma prebenda do mesmo nome. — *f.* teologal, dignidade, cargo ou prebenda de cónego teologal.
lectura. *f.* leitura, acção de ler; lição, prelecção de professor; leitura, erudição, cultura duma pessoa; (impr.) tipo chamado cícero, de corpo doze.
lecha. *f.* láctea, sémen de peixe; cada uma das bolsas que o contêm.
lechada. *f.* argamassa, massa fina que serve para branquear paredes; massa a que se reduz o trapo para fazer papel; líquido que tem em suspensão corpos insolúveis muito divididos; (fam.) porção de leite.
lechal. *adj.* mamote, mamão, animal que ainda mama; (bot.) lácteo, lactescente, lactífero, diz-se das plantas que têm um suco leitoso. — *m.* lactescente, lactescência vegetal.
lechar. *adj.* mamão. V. **lechal;** lactescente; diz-se da fêmea cujos peitos têm leite; lactífero, que tem a faculdade de criar leite, nas fêmeas.

lechar. *v. tr.* (Amér.) V. **ordeñar** e **enjabelgar.**
leche. *f.* leite; (bot.) leite, suco branco dalgumas plantas; (fig.) primeira educação, primeiros ensinamentos.
lechecillas. *f. pl.* fressura, miúdos.
lechera. *f.* leiteira, mulher que vende leite; leiteira, vasilha em que se guarda ou serve o leite.
lechería. *f.* leitaria, lugar onde se vende leite.
lechero, ra. *adj.* leiteiro, que contém leite, lácteo. — *m.* leiteiro, o que vende leite; (Amér.) V. **ordeñador.**
lecherón. *m.* (prov.) tarro, vaso em que os pastores recolhem o leite; (Amér.) cueiro de baeta para envolver o recém-nascido.
lecheruela. *f.* (bot.) V. **lechetezna.**
lechetezna. *f.* (bot.) cobião, espécie de planta medicinal euforbiácea.
lechigada. *f.* ninhada, conjunto de animais nascidos dum parto, barrigada, leitigada, ninhada; (fig. e fam.) malta, matula, gente da mesma profissão ou vida.
lechiguana. *f.* (Amér.) abelha que produz mel; favo e mel que ela produz.
lechín. *m.* (bot.) espécie de oliveira; (vet.) furúnculo nas cavalgaduras.
lechino. *m.* (vet.) furúnculo nas cavalgaduras; (cir.) mecha, fios que se metem numa chaga para que não feche.
lecho. *m.* leito, cama; (fig.) álveo, leito, fundo de rio ou regato; leito do mar; camada; leito, tabuleiro de carro; (fig.) leito, camada de coisas sobrepostas horizontalmente; leito, superfície horizontal duma pedra sobre a qual se assenta outras; (ant.) esquife, andas para defuntos.
lechocino. *m.* (prov.) (bot.) V. **hierba cana.**
lechón. *m.* leitão, porquinho que ainda mama, bácoro de mama; (fig.) homem porco, imundo, desmazelado; farroupilho.
lechona. *f.* leitoa, fêmea do leitão; (fig. e fam.) mulher porca, desmezelada, imunda.
lechosa. *f.* V. **papaya.**
lechoso, sa. *adj.* leitoso, lácteo parecido com o leite; lactescente; leituado, diz-se das plantas e frutos com suco branco leitoso. — *m.* (bot.) V. **papayo.**
lechuga. *f.* (bot.) alface: *fresco como una lechuga,* (pop.) diz-se da pessoa muito desenvolta; *lechuga flamenca,* (bot.) alface crespa, repolhuda.
lechugado, da. *adj.* que tem a forma da folha da alface.
lechuguero, ra. *s.* hortelão, vendedor de alfaces.
lechuguilla. *f.* (bot.) alface silvestre; espécie de cabeção e punhos frisados que se usavam no tempo de Filipe II.
lechuguina. *f.* (fig.) e fam.) elegante, tafula, janota, mulher que se enfeita muito e segue a moda.
lechuguino. *m.* alface pequena que ainda não foi transplantada; (fig. e fam.) rapazelho, frangainho, rapaz imberbe e namorador; elegante, janota, taful, diz-se do jovem que segue a moda; (fam.) adonis;

aparamentoso; estoiradilho, aperaltado: *vestir como un lechuguino*, aperaltar-se; *ser un lechuguino*, dandinar.

lechuza. *f.* (zool.) coruja; (fig. e fam.) coruja, mulher velha e feia, parecida com a coruja; (germ.) ladrão que furta de noite. — *adj. f.* (Amér.) rameira, prostituta.

lechuzo. *m.* (fig. e fam.) apodo que se dá aos cobradores de impostos; mulo ou mula que ainda mama; homem que se assemelha à coruja; harpia, usurário.

ledo, da. *adj.* (poét.) ledo, contente, gaio, risonho, alegre.

ledro, dra. *adj.* (germ.) baixo, devasso, ruim, desprezível.

leedor, ra. *adj.* e *s.* leitor, que lê, ledor.

leer. *v. tr.* ler; ler, entender o sentido dos caracteres traçados; ler, explicar pùblicamente uma lição; (fig.) penetrar os sentimentos de alguém; adivinhar alguma coisa oculta que haja acontecido, ler.

lefio, fia. *adj.* (Amér.) tonto, néscio.

lega. *f.* leiga, monja que tem a seu cargo os trabalhos caseiros.

legacía. *f.* legacia, cargo ou dignidade de legado; legação, mandato; legacia, legação, território onde o legado exerce o seu cargo; legacia, duração do cargo de legado.

legación. *f.* legacia; legação, missão diplomática e sua residência; legação, pessoal duma representação estrangeira.

legado. *m.* legado, enviado do Papa; legado, embaixador, ministro junto dum governo estrangeiro; legado, núncio pontifício; legado, o que o testador deixa em seu testamento a quem não é seu principal herdeiro; (ant.) legado, presidente duma província romana; assessor de Cônsul; chefe de legião: *legado a látere*, cardeal, legado a latere.

legador. *m.* jornaleiro que ata os pés do gado lanar para ser tosquiado.

legadura. *f.* atadura, atilho, ligadura.

legajar. *v. tr.* (Amér.) V. **enlegajar.**

legajo. *m.* maço de papéis atados; conjunto de papéis que estão reunidos por tratarem dum mesmo assunto.

legal. *adj.* legal, prescrito por lei, conforme a lei; verídico, pontual, fiel, fidedigno, justo.

legalidad. *f.* legalidade, qualidade de legal, conformidade com a lei; legal, régimen político estatuído pela lei fundamental do Estado; fidelidade, pontualidade.

legalista. *s.* legalista, pessoa que pugna pela observância das leis.

legalización. *f.* legalização, autenticação, reconhecimento da autenticidade dum documento.

legalizar. *v. tr.* legalizar, tornar legal; dar força de lei a; autenticar, validar, legalizar; justificar; autenticar um documento ou uma assinatura, legitimar; autorizar.

légamo. *m.* lo(ô)do, ceno, barro, lodaçal; parte argilosa das terras de lavradio; grossura,

gordura; terra firme em que se assentam os alicerces dum edifício.

legamoso, sa. *adj.* barrento, lamacento, lodoso; gordo, forte, pingue (diz-se dos terrenos).

leganal. *m.* lodaçal, cenagal.

legaña. *f.* remela.

legañoso, sa. *adj.* remeloso.

legar. *v. tr.* legar, transmitir por testamento; deitar um legado; delegar, incumbir, deputar, enviar como legado ou como embaixada; (fig.) legar, transmitir, fazer passar.

legatorio, ria. *s.* legatório.

legenda. *f.* legenda, lenda, história ou feitos da vida dum santo.

legendario, ria. *adj.* legendário, lendário. — *m.* legendário, autor duma legenda; santoral, livro que contém lendas dos santos.

legible. *adj.* legível, que se pode ler.

legífero, ra. *adj.* legífero, legislador.

legífrago, ga. *adj.* legífrago.

legión. *f.* legião, corpo de tropas; falange; (fig.) multidão, legião.

legionario, ria. *adj.* e *m.* legionário, pertencente à legião; legionário, soldado duma legião.

legislable. *adj.* legislável.

legislación. *f.* legislação, corpo de leis; legislação, ciência das leis.

legislador, ra. *adj.* e *s.* legislador, que legisla; (fig.) censor, censurador.

legislar. *v. intr.* e *tr.* legislar, dar ou estabelecer leis; censurar, criticar.

legislativo, va. *adj.* legislativo, relativo à legislação.

legislatura. *f.* legislatura, exercício ou mandato duma assembleia legislativa; legislatura, tempo que dura este mandato.

legisperito. *m.* jurisconsulto. V. **jurisperito.**

legista. *m.* legista, jurisconsulto, jurista; professor de jurisprudência.

legítima. *f.* (for.) legítima.

legitimación. *f.* legitimação; habilitação, (for.) legitimação, reconhecimento como legítimo dos filhos naturais; habilitação.

legitimado, da. *p. p.* e *adj.* legitimado, tornado legítimo. — *s.* filho natural dos pais legítimos.

legitimar. *v. tr.* legitimar, justificar, tornar legítimo; provar a verdade duma coisa conforme as leis; habilitar alguma pessoa para um emprego ou ofício; legalizar; justificar; coonestar: *legitimar a un bastardo*, desbastardar.

legitimario, ria. *adj.* e *s.* (for.) legitimário, pertencente à legítima; legítimo, que tem direito à legítima.

legitimidad. *f.* legitimidade; legalidade; autenticidade.

legitimista. *adj.* e *s.* legitimista, partidário do princípio da dinastia legítima.

legítimo, ma. *adj.* legítimo, conforme as leis; genuíno, verdadeiro; autêntico; racional; diz-se do filho procedente do matrimónio não espúrio; (Bras.) lítico.

lego, ga. adj. e s. leigo, laico, secular, que não pode ter ordens sacras; pessoa ignorante.

legón. m. (agr.) enxadão, enxada grande.

legoncillo. m. (agr.) enxadinha.

legra. f. (cir.) legra, instrumento para legrar; trépano; (vet.) trépano para desbastar o casco dos animais.

legración. f. (cir.) legração, acção de legrar.

legrado. m. (cir.) legração. — p. p. legrado.

legradura. f. (cir.) legração, raspagem de ossos cariados.

legrar. v. tr. legrar, operar com a legra.

legrón. m. aum. de legra.

legua. f. légua, medida itinerária de 5.572 m. e 7 dm.: a la legua, à légua; a leguas, de cien leguas ou desde media legua, à légua, muito longe; legua cuadrada, legua quadrada.

leguario, ria. adj. pertenecente ou relativo à légua.

leguleyo. m. legulejo, o que trata de leis, conhecendo-as escassamente.

legumbre. m. (bot.) legume; por ext. hortaliça; (Amér.) guisado de legumes.

legumbrera. f. (Amér.) V. ensaladera.

legúmina. f. (quim.) legumina.

leguminoso, sa. adj. (bot.) leguminoso, que frutifica em vagem. — f. pl. leguminosas.

leíble. adj. legível, que se pode ler fàcilmente.

leída. f. lição, acção de ler. V. lectura.

leído, da. p. p. e adj. lido; diz-se da pessoa entendida e sabedora, lida; leído y escribido, (pop.) diz-se da pessoa pedante.

leila. f. leila, festa mourisca nocturna.

leima. f. (mús.) um dos semitons usados na música grega.

leísmo. m. tendência dominante em Castela dos que empregam só a forma pronominal le no acusativo masculino do pronome él.

leísta. s. (gram.) pessoa partidária do leísmo.

lejanía. f. parte remota ou distante dum lugar; desvizinhança; distância.

lejano, na. adj. distante, afastado, remoto, longínquo, desviado, apartado; desconvizinho; arredado: pariente lejano, parente arredado.

lejas. adj. pl. distantes, remotas, longínquas: de lejas tierras, de terras remotas.

lejía. f. lixívia, barrela, decoada; infundiça; lixívia, água fermentada com qualquer cinza ou substância térrea; (fig.) ensaboadela, reprimenda, repreensão satírica ou forte: meter en lejía la ropa, decoar, embarrelar.

lejío. m. lixívia dos tintureiros.

lejísimos. adv. muito longe, longíssimo.

lejitos. adv. um pouco longe.

lejos. adv. longe, a grande distância no espaço ou no tempo; distante, remoto; a desamão. — (pint.) longes, os últimos planos dum quadro; aspecto a certa distância; (fig.) aparência vislumbre duma coisa: ir demasiado lejos, desmandar-se, alargar-se; a lo lejos, ao longe.

lejuelos. adv. dim. de lejos.

lele. adj. (Amér.) V. lelo.

lelili. m. lelili, vozearia, algazarra que fazem os mouros quando entram em combate ou celebram uma festa.

lelo, la. adj. e s. fátuo, simples, tolo, chochinha.

lema. m. lema, argumento, exposição breve, súmula; inscrição, epígrafe; divisa; tema dum discurso; (mat.) proposição preliminar para facilitar a demonstração dum teorema.

lemanita. f. (min.) lemanite, ,ade.

lembario. m. soldado que combatia a bordo dos baixéis.

lemnáceo, a. adj. (bot.) lemnáceo. — f. pl. lemnáceas.

lemnícola, lemnio, nia. adj. e s. (geog.) natural de ou pertencente a Lemnos, lemnense.

lemniscata. f. (geom.) lemniscata.

lemnisco. m. lemnisco, fita dos atletas vencedores.

lemografía. f. lemografia.

lemur. m. (zool.) lemur, lé(ê)mure, variedade de macaco.

lémures. m. pl. (mit.) lémures, génios maléficos; (fig.) lémures, fantasmas dos mortos.

lemurias. f. pl. lemúrias (festas nocturnas romanas).

len. adj. diz-se do fio de algodão ou seda de fibras pouco torcidas. — m. (germ.) rio.

lena. f. vigor, alento, espírito.

lencera. f. mulher dedicada ao comércio de fanqueiro; mulher de fanqueiro.

lencería. f. lençaria, conjunto de panos de diversos tecidos; fancaria, loja de fanqueiro; rouparia do colégio, hospital, etc.

lencero. m. fanqueiro, mercador, vendedor de artigos de fancaria.

lendel. m. círculo que o animal deixa no solo, quando faz mover uma nora.

lendrera. f. pente fino de dentes curtos e muito juntos.

lendrero. m. lugar onde há lêndeas.

lendroso, sa. adj. lendeoso, diz-se do que tem muitas lêndeas.

lene. adj. lene, suave, mole, brando, diz-se do que tem bom tacto; doce, benévolo; ligeiro, leve; macio.

leneas. f. pl. leneias, antigas festas atenienses em honra de Baco.

lengua. f. (anat.) língua; língua, fala, idioma, linguagem; língua, intérprete; língua, badalo de sino; fiel de balança; língua, cada uma das províncias em que se dividia a jurisdição da Ordem de S. João de Jerusalém; informação; conselho; (fig.) boca: lengua de mar, língua de mar, beira-mar; lengua de tierra, língua de terra; lengua de buey, (bot.) ancusa; lengua materna, língua materna, do país; lengua madre, língua-mãe; lengua viva, língua viva; lengua muerta, língua morta; lengua viperina, língua viperina, má-língua; lengua estropajosa, (fam.) língua-de-trapos, trapalhão no falar; mala *lengua*, (fam.) má-língua, ruim-língua; *lengua de fuego*, língua de fogo; *media lengua*, (fam.) meia língua; *lengua cervina*, (bot.) língua cervina, douradinha; *tirar de la lengua a alguien*, (fam.) puchar pela língua a alguém; *andar en lenguas*, falar-se d'alguém; *hacerse lenguas*, louvar alguém; *arrancar la lengua*, deslinguar; *calentársele a uno la lengua*, (fig.) dar com a língua nos dentes; *estar con la lengua de un palmo*, (pop.) estar com língua de palmo; *sacar la lengua a alguien*, fazer zombaria dalguém; *tener uno la lengua gorda*, (fam.) estar bêbedo.

lenguado. *m.* (ictiol.) linguado; punhal comprido de folha larga.

leguaje. *m.* linguagem, língua, idioma, fala; linguagem, estilo; (fig.) linguagem, voz, grito dos animais; linguagem, mímica ou por sinais; elocução; acento: *lenguaje confuso*, algaravia; ingresia; *lenguaje oscuro*, (fig.) charada; *lenguaje de la calle*, linguagem das ruas.

lenguaraz. *adj.* linguareiro, que fala muito, linguaraz; palrador; atrevido; versado em línguas.

lenguatón. na. *adj.* linguaraz, chocalheiro. V. **lenguaraz.**

lenguaz. *adj.* linguareiro, falador, chocalheiro, maldizente; tagarela.

lengüeta. *f.* lingu(ü)eta, língua pequena; lingueta, palhe(ê)ta de instrumento de sopro; lingueta, fiel de balança; (anat.) lingueta. V. **epiglotis;** faca de encadernador; espécie de trado; lingueta, adorno em forma de língua; ferro em forma de anzol das varas, setas, etc.; (carp.) macho, instrumento para abrir as roscas da porta do parafuso; (cir.) atadura que se aplica nas amputações; (arq.) parede que se faz nos lados duma abóbada tabicada: *lengüeta de la cerradura o de cerrojo*, lingueta da fechadura; *lengüeta de flecha*, lingueta de seta.

lengüetada. *f.* lambedura, lambedela.

lengüetear. *v. intr.* (Amér.) bacharelar, tagarelar.

lengüetería. *f.* jogo dos registos do órgão que têm palheta.

lengüilargo, ga. *adj.* (pop.) linguaraz. V. **lenguatón.**

lengüista. *s.* (pop.) V. **linguista.**

lenguón, na. *adj.* (Amér.) V. **lenguatón.**

lenidad. *f.* lenidade; brandura; suavidade; indulgência; delgadeza; mansidão.

lenificación. *f.* lenificação; suavização; mitigação; alívio.

lenificar. *v. tr.* lenificar, abrandar; suavizar, mitigar, desengravecer; calmar. V. **suavizar.**

lenificativo, va. *adj.* lenitivo, leniente, lenimentoso.

leninismo. *m.* (pol.) leninismo, doutrina de Lénine, comunismo.

lenitivo. *m.* lenitivo, meio para mitigar os sofrimentos; alívio; lenimento.

lenocinio. *m.* lenocínio, alcovitaria; alcoviteirice; devassidão.

lente. *m.* e *f.* (ópt.) lente; luneta que se segura no nariz; monóculo; luneta de mão. — *m. pl.* óculos.

lente. *m.* (Amér.) V. **llantén.**

lentecer. *v. intr.* engrandecer, amolecer. V. **reblandecerse.** — *conj. irr.* como *crecer*.

lenteja. *f.* (bot.) lentilha (legume); lente de pêndulo; (fís.) lentilha, lente de pequenas dimensões; (med.) lentilha, sarda, nódoa vermelha na pele: *lenteja de agua*, (bot.) lentilha-d'água, lemna.

lentejar. *m.* terreno plantado de lentilhas.

lentejuela. *f.* lentejoula, lentejoila, palhetazinha metálica com que se bordam os vestidos.

lentezuela. *f.* lentícula, lente pequena.

lenticela. *f.* lenticela.

lenticular. *adj.* lenticular, parecido na forma à lentilha; lentiforme. — *m.* (anat.) lenticular (osso do ouvido).

lentiforme. *adj.* lentiforme.

léntigo. *m.* (pat.) lentígem, sarda; mancha da pele.

lentiscal. *m.* lentiscal, lentisqueira.

lentisco. *m.* (bot.) lentisco, aroeira, almecegueira.

lentisquina. *f.* fruto da aroeira ou almecegueira.

lentitud. *f.* lentidão, lenteza, falta de rapidez; tardança, vagar; (pop.) pachorra, pacholice; delonga; descanso: *hablar con lentitud*, falar com descanso.

lento, ta. *adj.* lento, demorado, ronceiro; tardío, vagaroso; lento, brando, pouco vigoroso, ineficaz, inactivo; (ant.) dobradiço, flexível; descansado; desapressado; (mús.) majestoso; (pop.) pachorrento, apachorrado; madraço; mole; froixo; (fam. e med.) glutinoso, pegajoso, viscoso; pouco rigoroso; (Bras.) anhoto.

lentor. *m.* (med.) saburra da língua.

lentura. *f.* lentura, humidade.

lenzuelo. *m.* lona para transporte de palha trilhada (p. us.); lenço de bolso.

leña. *f.* lenha, para queimar; (fig. e fam.) lenha, apaleamento, surra, castigo: *echar leña al fuego*, atiçar um mal; dar incentivo a um afecto, atiçar discórdias; *leña menuda*, fachina.

leñador, ra. *s.* lenhador, lenheiro, o que corta lenha; lenheiro, o que vende lenha.

leñazo. *m.* (fam.) arrochada, paulada. V. **garrotazo.**

leñera. *f.* depósito de lenha.

leñero. *m.* lenheiro, vendedor de lenha, lenhador. V. **leñera.**

leño. *m.* lenho, madeiro ou troço de árvore sem ramos; madeira. V. **madera;** lenho, antiga embarcação de vela e remos; (fig. e fam.) cepo, estúpido, pessoa sem inteligência; (poét.) nave, lenho, embarcação.

leñoso, sa. *adj.* lenhoso, que tem a consistência da madeira.

Leo. *m.* (astr.) Leo, Leão.

león. *m.* (zool.) leão; (fig.) leão, homem audaz e valente; leão, (variedade de insecto): (Amér.) V. **puma;** (germ.) rufião.

leona. *f.* (zool.) leoa, fêmea do leão; (fig.) leoa, mulher audaz e valente; (germ.) porteira. — *pl.* as calças.

leonado, da. *adj.* leonado, da cor do leão, aleonado.

leonera. *f.* leoneira, jaula. gaiola de leão; (fig.) casa de jogo; enxovia, habitação escura e suja; (fig.) chiqueiro; botica de cheché.

leonería. *f.* fanfarronice, fanfarrice, bravata, jactância. V. **bizarría.**

leonero. *m.* leoneiro, que trata de leões. V. **tablajero, garitero.**

leonero, ra. *adj.* (Amér.) diz-se do cão adestrado na caça dos leões.

leonés, sa. *adj.* e *s.* (geog.) leonês, natural de ou pertencente a León.

leónica. *f.* (anat.) veia lingual.

leonina. *f.* (med.) espécie ou grau de lepra.

leonino, na. *adj.* leonino, relativo ao leão; (for.) leonino.

leontiasis. *f.* (pat.) leontíase.

leontina. *f.* (gal.) cadeia do relógio.

leonudo. *m.* (bot.) leonudo.

leopardo. *m.* (zool.) leopardo.

leopoldina. *f.* barretina militar; cadeia pendente do relógio de bolso.

lepadidos. *m. pl.* (zool.) lépades.

lepar. *v. tr.* (germ.) furtar.

Lepe. *n. p.: saber más que Lepe,* ser muito perspicaz ou esperto.

lepe. *m.* (Amér.) piparote dado no ouvido.

leperada. *f.* (Amér.) velhacada; dito soez.

lépero, ra. *adj.* e *s.* (Amér.) vadio, pertencente à íntima plebe da cidade do México; astuto, ladino; velhaco, patife.

laperuza. *f.* rameira. V. **pelandusca.**

lepidia. *f.* (Amér.) indigestão, diarreia.

lepidolita. *f.* (min.) lepidólito.

lepidóptero, ra. *adj.* (zool.) lepidóptero. — *m. pl.* lepidópteros.

lepidosirén. *m.* (zool.) V. **lepidosirena.**

lepidosirena. *f.* (zool.) lepidossereia, lepidossirene.

lepiria. *f.* (Amér.) V. **indigestión.**

lepisma. *f.* (zool.) lepisma.

leporino, na. *adj.* leporino, relativo à lebre: *labio leporino,* lábio leporino.

lepra. *f.* (med.) lepra; morfe(é)ia; (fig.) coisa nociva que se propaga.

leprología. *f.* (med.) leprologia.

leprológico, ca. *adj.* leprológico.

leprólogo, ga. *s.* leprólogo.

leprosería. *f.* leprosaria, lazareto de leprosos.

leprosidad. *f.* leprosidade.

leproso, sa. *adj.* e *s.* leproso; lazarento; (fig.) vicioso, corrupto; gafeirento, gafeiroso, gafe.

lercha. *f.* vime de ensartar peixes ou aves mortas.

lerdo, da. *adj.* lerdo, pesado, vagaroso no andar; (fig.) lerdo, estúpido, rude, ignorante, grosseiro, estúpido, acanhado; (germ.) covarde.

lerdón. *m.* (vet.) lerpia no joelho.

leridano, na. *adj.* e *s.* (geog.) natural de ou pertencente a Lérida.

les. *pron. pers. dat. s. pl.* lhes, lhas: *les dio vino,* deu-lhes vinho (é empregado no caso acusativo incorrectamente).

lesbiano, na. *adj.* e *s.* lésbico, pertencente â ilha de Lesbos, lesbiano: *amor lesbiano,* lesbianismo.

lésbico, ca, lesbio, bia. *adj.* e *s.* lésbio. V. **lesbiano:** *amor lésbico,* lesbianismo, amor lésbio.

lesear. *v. intr.* (Amér.) tontear, fazer ou dizer tontices.

lesera. *f.* (Amér.) tontice. V. **tontería.**

lesión. *f.* lesão, dano causado por ferida, golpe, doença, etc.; (fig.) dano, prejuízo, detrimento; (for.) prejuízo duma das partes num contrato oneroso.

lesionar. *v. tr.* lesar, causar lesão, ferir, molestar; ofender; prejudicar.

lesivo, va. *adj.* lesivo, danoso, prejudicial.

lesnordeste. *m.* (mar.) lés-nordeste (vento médio entre o leste e o nordeste).

leso, sa. *adj.* leso, lesado, confuso, ferido; (fig.) leso, pervertido, perturbado; leso, ofendido, lesado; leso de juízo, mentecato; (Amér.) tonto, néscio: *lesa majestad,* lesa-majestade.

lesquin. *m.* (Amér.) V. **liquidambar.**

lesueste. *m.* lés-sueste (vento médio entre leste e sueste).

leste. *m.* (mar.) leste, este, levante, nascente, oriente (vento que sopra do nescente).

letal. *adj.* letal, mortal, mortífero; macabro; lúgubre; fatídico.

letalidad. *f.* letalidade; mortalidade.

letame. *m.* estrume, lodo do fundo das águas, limos, adubo.

letanía. *f.* litania, ladainha; lista, narração prolixa. — *pl.* procissão que se faz cantando a litania.

letargia. *f.* (ant.) letargia. V. **letargo.**

letárgico, ca. *adj.* (med.) letárgico, aletargado, atacado de letargia; letárgico, relativo a letargia; (fig.) apático, insensível.

letargo. *m.* (med.) letargo, sono profundo; torpor, inacção; indolência; esquecimento; estorpecimento; modo(ô)rra, madornice.

leteo, a. *adj.* (poét.) leteu, relativo ao Letes; infernal.

letífero, ra. *adj.* letífero, letífico, mortal.

letificante. *p. a.* e *adj.* letificante, aprazível, alegre.

letificar. *v. tr.* letificar, alegrar, animar, causar júbilo.

letífico, ca. *adj.* letífico, alegre, jubiloso.

letón, na. *adj.* e *s.* (geog.) letão, natural da ou pertencente a Letónia. — *m.* letão, língua da Letónia.

Letonia. (geog.) Letónia.

letra. *f.* letra, cada um dos caracteres do alfabeto; letra, forma de escrever; (com.) letra de câmbio; letra, algarismo; letra, letreiro; letra, texto; letra, composição adaptada à música; (impr.) letra, tipo de impressão; letra, sentido duma frase ou sentença. — *pl.* letras, literatura, erudição, carreira literária; cartas, letras; (fam.) letras, astúcia, sagacidade.

letrada. *f.* letrada, mulher do letrado ou homem de letras; mulher do advogado.

letrado, da. *adj.* e *s.* letrado, douto, instruído, erudito, sábio; sabichão; que presume muito e sem saber; letrado, advogado, perito em leis; jurisconsulto; literato.

letradura. *f.* (ant.) letradura, literatura.

letrero. *m.* letreiro, inscrição, rótulo; epígrafe; etique(ê)ta; legenda.

letrina. *f.* latrina, lugar para dejecções, sentina; privada, necessária; secreta; (fig.) coisa suja.

letrón. *m.* aum. de *letra*, letrão, letra muito grande. — *pl.* édito eclesiástico onde se mencionavam as pessoas excomungadas o qual se afixava nas portas das igrejas.

letrudo, da. *adj.* (Amér.) V. **letrado.**

letuario. *m.* espécie de marmelada; (ant.) primeira refeição que se tomava de manhã.

leucemia. *f.* (med.) aleucemia, leucemia.

leucina. *f.* (quim.) leucina.

leucisco. *m.* (ictiol.) género de peixes fisóstomos.

leucito. *m.* leucito, leucite.

leucocéfalo, la. *adj.* (zool.) leucocéfalo.

leucocitemia. *f.* (med.) leucocitemia.

leucocito. *m.* leucócito, glóbulo branco no sangue; citóide.

leucocitosis. *f.* (pat.) leucocitose.

leucoflegmasia. *f.* leucoflegmasia.

leucoma. *f.* (med.) leucoma, albugo, albugem, belida, névoa da córnea do olho.

leucomaína. *f.* leucomaína.

leucopatía. *f.* (pat.) leucopatia.

leucópodo, da. *adj.* (zool.) leucópode.

leucóptero, ra. *adj.* leucóptero.

leucorrea. *f.* (med.) leucorre(é)ia.

leucorreico, ca. *adj.* leucorre(é)ico.

leucosis. *f.* (pat.) leucose.

leudar. *v. tr.* levedar, fazer fermentar. — *v. r.* fermentar a massa com a levedura.

leude. *m.* cargo militar da monarquia gótica.

leudo, da. *adj.* lêvedo, que fermentou; fermentado com levedura; levedado.

leva. *f.* saída da embarcação dum porto; recrutamento, alistamento, condução de recrutas, leva; espeque, escora; (mec.) dentes de certas rodas; (pop.) andadura; (mar.) acção de levantar âncora para navegar; saída dum navio; (fig.) astúcia, embuste, engano, trapaça.

levada. *f.* transporte de bichos-da-seda duma parte a outra; (esgr.) movimento quando se maneja a lança ou a espada antes de a pôr no seu lugar.

levadero, ra. *adj.* exigível, que se pode exigir; que é cobrável.

levadizo, za. *adj.* levadiço, que se pode levantar ou abaixar fàcilmente; móvel, que se pode mover: *puente levadizo*, ponte levadiço.

levador. *m.* levador, o que leva ou conduz, condutor; (germ.) aldrão sagaz e lesto; (mec.) dente de certas rodas. V. **leva.**

levadura. *f.* levedura, fermento no pão; (med.) fermento de humores: *pan sin levadura*, pão ázimo; *levadura de cerveza*, levedura de cerveja.

levantada. *f.* levantada, acção de levantar-se da cama.

levantado, da. *p. p.* e *adj.* levantado, (fig.) levantado, sublevado, exaltado; exalçado, ere(c)to, erguido, alto, alevantado; elevado.

levantador, ra. *adj.* e *s.* alevantador, que levanta, levantador; amotinador, sedicioso.

levantadura. *f.* levantadura, levantamento; acto de levantar um cerco, levada; elevação.

levantamiento. *m.* levantamento, levantadura; levantamento, motim, sedição, sublevação; revolta; alevantamento, alçamento; descerco; levantamento, sublimidade, elevação: *levantamiento popular*, alvoroço do povo; *levantamiento de destierro*, alçamento de degredo.

levantar. *v. tr.* levantar, mover de baixo para cima alguma coisa; levantar, alevantar, alar; alçar; levantar, exaltar, alvorotar, amotinar; engrandecer; levantar, construir, edificar; levantar, aumentar, elevar, subir de preço uma coisa; levantar fabricar, construir, edificar; levantar, empinar; engrilar; erguer; erigir; encumear, encimar; aprumar; elevar; abar; levantar, estabelecer; levantar, imputar, atribuir falsamente, com malícia; levantar, alistar, chamar às armas; levantar, mover, passar de um lado para o outro; fazer cessar; (mil.) levantar, alistar gente; levantar a voz, o som. *v. r.* levantar-se; aprumar-se; arrebitar-se; erguer-se; alçar-se; alevantar-se; exurgir-se; (prov.) entrizar-se.

levante. *m.* levante, parte do horizonte onde nasce o Sol; nascente, oriente, este, leste; nome das comarcas mediterrâneas de Espanha; levante, vento que sopra do oriente: *de levante*, (loc. adv.) de levante, sem reflexão, irreflectidamente.

levantino, na. *adj.* e *s.* (geog.) levantino, natural do ou pertencente ao Levante (parte oriental do Mediterrâneo).

levantisco, ca. *adj.* levantadiço, de génio inquieto; alevantadeiro, turbulento; alevantado.

levar. *v. tr.* (mar.) levantar ferro; fazer-se à vela, largar. — *v. r.* (germ.) mover-se, ir-se: *levar anclas*, desamarrar, desaferrar, desancorar, levar âncora, desgarrar.

leve. *adj.* leve, ligeiro, ágil, alado; de pouco peso; (fig.) venial, leve, de pouca importância; leve insignificante.

levedad. *f.* leveza, ligeireza, qualidade do que é leve; ligeireza, inconstância; de ânimo; leveza, leviandade.

levente. *m.* soldado da marinha turca. — *m.* e *f.* (Amér.) pessoa estrangeira da qual não se conhece a sua origem e costumes.

leviatán. *m.* leviatão, misterioso monstro marinho de que fala a Bíblia, leviatã; (fig.) coisa monstruosa, colossal, imensa.

levigación. *f.* levigação.

levigar. *v. tr.* levigar, desfazer em água uma matéria em pó, para precipitá-la depois.

levirato. *m.* levirato, obrigação que a lei de Moisés impunha ao irmão dum defunto para que desposasse a viúva dele, e assegurar a continuidade da família.

levita. *m.* levita, membro da tribo de Leví; diácono, sacerdote.

levita. *f.* sobrecasaca, labita; espécie de paletó.

levítico, ca. *adj.* levítico, pertencente ou relativo aos levitas; (fig.) afeiçoado à igreja. — *m.* terceiro livro do Pentateuco.

levitín. *m.* pequena labita.

levitón. *m.* grande sobrecasaca, mais comprida que a vulgar.

levógiro, ra. *adj.* (quim.) levogiro, diz-se da substância que desvia o plano da polarização da luz para a esquerda.

levulosa. *f.* (quim.) levulose.

léxico. *m.* dicionário da língua grega e por extensão, qualquer dicionário de outra língua. — *adj.* lexical, pertencente ou relativo ao dicionário ou léxico.

lexicografía. *f.* lexicografia.

lexicográfico, ca. *adj.* lexicográfico.

lexicógrafo. *m.* lexicógrafo.

lexicología. *f.* lexicologia.

lexicológico, ca. *adj.* lexicológico.

lexicólogo. *m.* lexicólogo.

lexicón. *m.* léxicon. V. **léxico.**

ley. *f.* lei, decreto, ordenação; lei, religião; amor, lealdade, fidelidade; autoridade; lei, qualidade, peso, medida que devem ter os metais; lei, regra, estatuto, legislação; fo(ô)ro; código. — *pl.* leis, conjunto de leis, legislação.

leyenda. *f.* legenda, inscrição nas moedas, medalhas, etc.; lenda, fábula, conto, novela; leitura, acção de ler, obra que se lê; epígrafe.

leyendario, ria. *adj.* V. **legendario.**

lezna. *f.* sovela, espécie de agulha para furar e coser empregada pelos correeiros e sapateiros.

lezna. *adj.* V. **deleznable.**

lía. *f.* tamiça, corda de esparto; lia, fezes, borras; lia, pé, bagaço das uvas de que se faz água-pé: *estar hecho una lía*, (pop.) estar bêbedo.

liana. *f.* (gal. e bot.) cipó. V. **bejuco.**

lianza. *f.* (Amér.) conta corrente que uma pessoa tem num armazém ou loja.

liar. *v. tr.* ligar, amarrar, atar, segurar com corda; embrulhar, fazer embrulhos; (fig.) enganar, mentir. — *v. intr.* liar-se, ligar--se, contrair aliança. — *v. r.* pegar-se, travar-se de palavras, de razões; (fam.)

escapar-se, fugir; esticar, morrer: *liarlas*, escapulir-se, morrer.

liara. *f.* corna, chavelho de boi para líquidos. V. **aliara.**

lías. *m.* (geol.) lias.

liásico, ca. *adj.* (geol.) liásico.

liatón. *m.* corda de esparto.

liaza. *f.* liança, conjunto de tamiças para amarrar couramas de vinho, óleo, etc.; cordas com que se prendem os odres que se transportam.

libación. *f.* libação, acção de libar; libação, cerimónia dos antigos pagãos.

libamen. *m.* libação, oferenda feita no sacrifício.

libamiento. *m.* libação, matéria especial que se libava nos sacrifícios.

libanense. *adj.* e *s.* (geog.) natural do ou pertencente ao Líbano.

libanés, sa. *adj.* e *s.* V. **libanense.**

Líbano. (geog.) Líbano.

libar. *v. tr.* libar, chupar levemente o suco dalguma coisa; libar, beber, fazer libações; provar algum licor; libar, fazer libações nos sacrifícios; libar, sacrificar.

libatorio. *m.* libatório, vaso em que se faziam libações.

libela. *f.* moeda de prata que usavam os Romanos.

libelar. *v. tr.* (for.) demandar, liquidar, fazer petições e libelos; (ant.) relatar, narrar.

libelático, ca. *adj.* libelático; apóstata.

libelista. *s.* libelista, pessoa que faz libelos ou forma acusações.

libelo. *m.* libelo, escrito difamatório; (for.) petição, memorial.

libélula. *f.* (zool.) libélula.

líber. *m.* (bot.) líber, entrecasca das árvores.

liberación. *f.* liberação, quitação ou remissão duma dívida ou obrigação, cancelamento, canceladura do gravame dum imóvel; liberação, acção de pôr em liberdade, liberdade; termo dum tempo de serviço; quitação; (Amér.) isenção do pagamento de direitos alfandegários.

liberado, da. *adj.* (com.) liberado, diz-se da acção cujo valor não se satisfaz em dinheiro.

liberador, ra. *adj.* e *s.* liberador. V. **libertador.**

liberal. *adj.* liberal, que gosta de dar; generoso; franco; livre; independente; dadivoso; expedito, activo; (pol.) liberal, partidário da liberdade política; liberal, diz-se da profissão que se obtém por meio do estudo; magnificente; galhardo, bizarro; avançado em política.

liberalidad. *f.* liberalidade, generosidade, desprendimento; franqueza, bizarria; liberalidade, dádiva, presente.

liberalismo. *m.* (pol.) liberalismo, partido político dos liberais.

liberalizar. *v. tr.* liberalizar, tornar liberal; fazer com que alguém adopte as ideias liberais.

liberar. *v. tr.* liberar, eximir alguém duma obrigação, libertar, tornar livre; (com.) libertar de dívida; desobrigar; emancipar; desencarcerar; descravizar; desatar; exonerar; franquear: *liberar de deudas*, desempenhar; *liberar de la esclavitud*, descativar.

liberatorio, ria. *adj.* liberatório, eficaz para extinguir uma obrigação: *fuerza liberatoria*, a que tem legalmente o papel moeda.

Liberia. (geog.) Libéria.

liberiano, na. *adj.* e *s.* (geog.) natural da ou pertencente à Libéria, libério.

libérrimo, ma. *adj. super.* de *libre*; libérrimo.

libertad. *f.* liberdade, faculdade de obrar segundo a própria vontade; liberdade, estado contrário à escravidão; liberdade, falta de sujeição e subordinação; liberdade, prerrogativa; liberdade, faculdade de fazer o que não é proibido por lei; liberdade, excesso de familiaridade; liberdade, falta de etiqueta; liberdade, ousadia, franqueza; liberdade, desembaraço, despejo, desencolhimento; imunidade; independência; (fig.) alvedrio; anchura; franqueza, sinceridade; livre arbítrio; (pol.) liberdade, conjunto das ideias liberais; licença; desassombro; desassossego. *pl.* imunidades; regalias, atrevimentos: *conseguir la libertad*, emancipar-se; *hablar con libertad*, falar com liberdade; *poner en libertad*, excarcerar, descativar, desencarcerar.

libertado, da. *p. p.* e *adj.* libertado; liberto, livre; sem sujeição; libertado; ousado, atrevido, insolente.

libertador, ra. *adj.* e *s.* libertador, que liberta; emancipador, aforrador, descravizador.

libertar. *v. tr.* libertar, pôr em liberdade; dar a liberdade; livrar, dispensar, eximir; libertar, tirar ou livrar de perigo; emancipar, desencarcerar; descravizar, desoprimir; absolver; franquear; desobrigar; soltar; aliviar.

libertario, ria. *adj.* libertário, anarquista.

liberticida. *adj.* e *s.* liberticida, que destroi a liberdade.

libertinaje. *m.* libertinagem, devassidão, desregramento de costumes; licenciosidade; libertinagem, irreligião; deboche; desbragamento; barganteria; desmancho; desconcerto nos costumes; pagodice; desenfreamento.

libertino, na. *adj.* e *s.* libertino, devasso, dissoluto; crapuloso, desregrado, impúdico; libertino, ímpio, irreligioso; pagodeiro; desenfreado; debochado; desbragado; bargante; desmandado; desaforado; maganão; pagodista; frascario.

libertino. *s.* libertino, filho de liberto na antiga Roma; o mesmo liberto; escravo ou escrava a quem se deu a liberdade.

liberto, ta. *s.* liberto, escravo ou escrava a quem se deu a liberdade; libertino, fo-(ô)rro.

Libia. (geog.) Líbia.

líbico, ca. *adj.* e *s.* (geog.) líbico, pertencente ou natural da Líbia.

libídine. *f.* lascívia, luxúria, líbido, desejo sensual.

libidinoso, sa. *adj.* libidinoso, lascivo, luxurioso, dissoluto, crapuloso, sensual, volu(p)tuoso, lúbrico, incontinente, erótico; desmanchado.

líbido. *m.* (sicol.) líbido, desejo sensual.

libio, bia. *adj.* e *s.* (geog.) líbio, natural de ou pertencente à Líbia.

libra. *f.* libra, peso antigo, arrátel; certa moeda imaginária de valor variável; (astr.) Libra; libra esterlina; (Amér.) folha de tabaco de superior qualidade.

libración. *f.* libração, oscilação dum corpo até ficar em equilibrio; balanço; (astr.) oscilação aparente da Lua.

libraco. *m.* alfarrábio; livreco, livro velho, desprezível.

librado. *m.* (com.) pessoa que tem que pagar uma letra de câmbio.

librador, ra. *adj.* livrador, que livra ou liberta. — *m.* intendente das cavalariças reais. — (com.) sacador ou passador duma letra de câmbio.

libramiento. *m.* livramento; livrança; livrança, cédula com ordem de pagamento.

librancista. *m.* pessoa que apresenta livranças ou ordens de pagamento a seu favor.

libranza. *f.* livramento; livrança, ordem de pagamento.

librar. *v. tr.* livrar, salvar, tirar de perigo; defender, preservar; livrar; livrar, entregar, fazer livrança; (com.) expedir letras de câmbio; decretar; desimplicar, desligar; desabafar; desembaraçar; franquear; expedir; desapressar. — *v. intr.* autorizar a religiosa para ir falar ao locutório; parir a mulher, dar à luz. — *v. r.* livrar-se, salvar-se; fugir; desembaraçar-se:

libratorio. *m.* parlatório, locutório nos conventos ou prisões.

librazo. *m.* pancada dada com um livro.

libre. *adj.* livre, que não é escravo, que não está preso; livre, que tem a faculdade de fazer uma coisa; livre, so(ô)lto; livre, licencioso, libertino; atrevido, desenfreado; insubordinado, livre; dispensado, isento; livre, isolado; desobrigado; livre, independente, desembaraçado; livre, solteiro; livre, inocente, sem culpa, sem cuidados; desembaraçado; emancipado; aforrado; despejado; desimpedido; claro; imune; expedito; franco; absolto; fácil.

librea. *f.* libré, uniforme de criado; farda; uniforme das quadrilhas dos cavaleiros nos torneios; (Amér.) V. **lacayo**.

librear. *v. tr.* arratelar, pesar, vender alguma coisa por libras ou arráteis; enfeitar, adornar.

librecambio. *m.* (com.) livre-câmbio.

librecambista. *adj.* e *s.* livre-cambista, partidário do livre-câmbio; livre-cambista, relativo ao livre-câmbio.

librepensador. adj. e s. livre-pensador, partidário do livre-pensamento.

librepensamiento. m. livre-pensamento.

librería. f. livraria, loja onde se vendem livros; biblioteca; livraria, colecção de livros; livraria, comércio de livros.

libreril. adj. livresco, pertencente ou relativo ao comércio de livros.

librero. m. livreiro, o que vende livros; bibliópola; comerciante de livros; encadernador de livros.

libreta. f. dim. de libra; librinha, moeda; pão duma libra, pão de arrátel em Madrid.

libreta. f. livrete, livro pequeno para apontamentos; livro de memória; caderneta; registo.

libretista. s. libretista, autor de libretos.

libreto. m. libreto, argumento duma obra musical; palavras ou verso duma ópera.

librillo. m. livrinho; livro de mortalhas: librillo de cera, livrinho de cêra, rolo de cêra em forma de livro; librillo de oro, folhas de oro, colocadas em folhas de papel.

libro. m. livro, folhas impressas ou manuscritas reunidas num volume; livro, obra em verso ou prosa; livro, porção de cadernos cosidos ou encadernados; livro, registo diário no qual o comerciante inscreve as operações; livro sagrado: libro aburrido, palheirão; libro impreso, exemplar; libro de notas, livro de apontamentos; libro de oraciones, devocionário; libro viejo, alfarrábio; gran existencia de libros, bibliorreia.

licántrope. s. licantropo. V. **licantropo.**

licantropía. f. licantropia.

licantrópico, ca. adj. relativo à licantropia.

licántropo, pa. s. licantropo.

liceísta. s. sócio duma sociedade literária ou de recreio.

licencia. f. licença, permissão; consentimento; autorização; desregramento; beneplácito; devassamento; licença, facultade; licença, desavergonhamento; devassidão; vida licenciosa; licença, grau de licenciado; infracção das leis da linguagem ou do estilo, licença, liberdade poética; licença, escrito que comunica a permissão concedida; permissão concedida aos militares ou aos empregados públicos para se ausentarem do serviço ou trabalho.

licenciadillo. m. (fig. e fam.) (depr.) apodo que se dava à pessoa ridícula nas suas acções e pedante que andava vestido com hábitos clericais.

licenciado, da. adj. e s. licenciado, pessoa que presume de entendida; licenciado, livre; licenciado pessoa que recebeu o grau universitário da licenciatura; licenciado, advogado; (fig.) o que veste hábitos clericais ou de estudante; doutor; letrado; licenciado, despedido; soldado que cumpriu o serviço militar.

licenciamiento. m. licenciamento, desmobilização; desincorporação; destituição; acto de receber o grau de licenciado.

licenciar. dar licença, despedir alguém, destituir; dar baixa do serviço; conferir o grau de licenciado, licenciar; licenciar a tropa, desarmar desmobilizar, desincorporar. — v. r. licenciar-se, tomar liberdades contra as regras e a decência.

licenciatura. f. licenciatura, grau de licenciado; acto de receber o grau de licenciado; estudos necessários para obter o grau de licenciado.

licenciosidad. f. neologismo por licencia, libertinaje. V. **libertinaje.**

licencioso, sa. adj. licencioso, dissoluto, atrevido, livre; pagodista; depravado; fresco; impudente; airado; destemperado; desencabrestado; desenfreado; desbochado; desbocado; desmandado; despejado; desaforado; (fig.) devasso: mujer licenciosa, mulher despejada, messalina; llevar una vida licenciosa, desgovernar-se.

liceo. m. liceu, escola, academia, aula; liceu, nome de certas sociedades de recreio ou literárias; estabelecimento de ensino secundário oficial em Portugal e Chile; no México, escola de instrução primária.

lición. f. (Amér.) V. **lección.**

licitación. f. (for.) licitação, acção de licitar; venda ou lanço em leilão.

licitador. m. licitador, o que licita; licitante.

licitante. p. a. e adj. licitante, que licita, licitador.

licitar. v. tr. licitar, oferecer uma quantidade no acto do leilão ou de partilha judicial; cobrir o lanço na praça ou leilão; pôr em leilão; deitar no leilão.

lícito, ta. adj. lícito, permitido por lei; conforme a justiça; justo; legal; autorizado por lei.

licitud. f. qualidade de lícito; legalidade; justiça.

licnobio, bia. adj. e s. diz-se do noctívago.

lico. m. (Amér.) barrilha ou soda.

licopodio. m. licopódio.

licor. m. licor, qualquer líquido; licor, bebida espirituosa.

licorera. f. licoreira, licoreiro.

licorero, ra. s. (Amér.) V. **licorista.**

licorista. s. licorista, fabricante ou vendedor de licores.

licoroso, sa. adj. licoroso; generoso; diz-se dos vinhos espirituosos e aromáticos.

licto. m. licto.

licuable. adj. liquidificável; fusível.

licuación. f. liquação, liquefacção; dissolução.

licuante. p. a. liquidificante; que liquidifica.

licuar. v. tr. liquefazer, liquidar, derreter, tornar líquido; liquescer. — v. r. derreter-se, liquecer-se.

licuefacción. f. liquefacção.

licuefacer. v. tr. e r. liquefazer. V. **licuar.**

licuefactible. adj. liquidificável.

licuefactivo, va. adj. liquefactivo.

licuescencia. f. deliquescência.

licuescente. adj. deliquescente.

licurgo, ga. adj. (fig.) inteligente, sagaz; astuto. — m. (fig.) legislador.

lichera. *f.* cobertor, manta de lã para a cama.

lid. *f.* lide, peleja, luta, combate, batalha; (fig.) disputa, contenda: *en buena lid*, por bons meios.

líder. *m.* (pol.) chefe.

lidia. *f.* lida, acção de lidar; combate; corrida de touros.

lidiadero, ra. *adj.* que pode lidar-se.

lidiador, ra. *s.* lidador, pessoa que lida; toureiro.

lidiante. *p. a.* e *adj.* lidador, combatente, pelejador.

lidiar. *v. intr.* lidar, combater, pelejar; resistir; (fig.) tratar com uma ou mais pessoas que causam incómodo; opor-se. — *v. tr.* lidar, correr, tourear; picar touros.

lidio, dia. *adj.* e *s.* (geog.) lídio, natural da ou pertencente à Lídia.

lidita. *f.* (quím.) lidite.

liebrastón. *m.* lebrezinha, lebre nova.

liebratón. *m.* lebrezinha, lebre nova.

liebrático. *m.* V. **liebratón.**

liebre. *f.* (zool.) lebre; (fig. e fam.) homem tímido, covarde, timorato; (astr.) Lebre, constelação austral: *cojer una liebre*, escorregar, cair no chão; *comer uno liebre*, ser covarde.

liebrecilla. *f.* lebrezinha, lebre pequena; (bot.) V. **azulejo.**

liencillo. *m.* (Amér.) tecido grosseiro de algodão.

liendra. *f.* (Amér.) V. **liendre.**

liendre. *f.* lêndea, semente ou ovo do piolho: *cascar las liendres*, (pop.) repreender com veemência; apalear, bater com pau.

lientería. *f.* (med.) lienteria.

lientérico, ca. *adj.* (med.) lientérico.

liento, ta. *adj.* lento, pouco molhado, levemente húmido.

lienzo. *m.* tecido de linho, cânhamo ou algodão; lenço, pano quadrado para uma pessoa se assoar ou limpar o rosto ; pintura sobre tela; fachada dum edifício; lanço de muro; (fort.) cortina, lanço de muralha.

liga. *f.* liga, fita para cingir a meia à perna; visco; venda, faixa; (bot.) agário; mistura, liga; liga, confederação, aliança, pacto; associação, sociedade; (germ.) amizade: *liga para pájaros*, gaiolo, visco para caçar pássaros.

ligación. *f.* ligação, liga, mistura; coligação, cópula; misto, mistura, união.

ligada. *f.* (mar.) atadura, volta que se dá apertando alguma coisa; V. **ligadura.**

ligado, da. *p. p.* e *adj.* ligado, unido. — *m.* ligação das letras na caligrafia; (mús.) união de dois ou mais pontos que mantêm o seu valor, ligado.

ligadura. *f.* ligadura, atadura; atilho; sujeição com que uma coisa está ligada; ligamento, ligadura; liga; (mús.) ligadura, ligado; (mar.) nó; (cir.) ligadura, atadura; (arq.) ligadura, união dos arcos nas abóbadas.

ligagamba. *f.* ligagamba, liga de meias.

ligamaza. *f.* viscosidade que envolve as sementes dalgumas plantas.

ligamen. *m.* ligame, ligâmen.

ligamento. *m.* ligamento, ligação, atadura; (anat.) cordão fibroso que liga os ossos; membrana destinada a manter os órgãos nos seus lugares; (fig.) conformidade.

ligamentoso, sa. *adj.* ligamentoso, fibroso.

ligamiento. *m.* ligamento, ligação; (fig.) conformidade, união de vontades; cópula.

ligar. *v. tr.* ligar, fazer liga de metais; unir, enlaçar; ligar, atar, prender; conjurar um malefício, exorcizar, exorcismar; (fig.) obrigar; ligar, incorporar, pegar; misturar; coadunar; entrelaçar; entretecer, encadear; consorciar; coligar. — *v. intr.* juntar cartas dum mesmo naipe em certos jogos; fazer liga; combinar-se com; criar relações íntimas; formar aliança; copular. — *v. r.* confederar-se, coligar-se unir-se para algum fim; encadear-se; unir-se por vínculos morais; ter relação com: *ligar las notas*, (mús.) música.

ligazón. *f.* liame, ligação, união duma coisa com outra; (mar.) liame, conjunto de madeiros que compõem o esqueleto dum navio; coesão, coerência; encadeação; conúbio ; correspondência entre duas ou mais pessoas.

ligereza. *f.* ligeireza, presteza, agilidade; rapidez de movimentos; celeridade; ligeireza, leveza; (fig.) ligeireza, leveza, leviandade, volubilidade, inconstância; instabilidade; ligeireza, dito ou feito irreflectido, conversação ligeira; indiscrição; imprevisão, impremeditação; frivolidade; inconsequência; estouvamento; imprudência; facilidade; desaviso; inconsideração; desembaraço; diabrura.

ligero, ra. *adj.* ligeiro, leve. que pesa pouco; leviano; ágil; desembaraçado, veloz; leve, diz-se do sono que se interrompe fàcilmente; (fig.) ligeiro, pouco importante; ligeiro, leve, de fácil digestão; leve, inconstante, volúvel, leviano; superficial; vago; té(ê)nue; pouco denso, pouco encorpado; transparente, vaporoso; franqueiro; apressado; frívolo, inconsequente; fácil; imprevidente; imprudente; inconsiderado, desatento; delgado; aforrado: *a la ligera*, à pressa, sem aparato e sem bagagem; *de corrida*, de ligeiro; *de ligero*, sem reflexão; *persona ligera*, estarola; *cabeza ligera*, (fam.) cabeça fraca; *ligero de cabeza*, (fam.) loureiro; *ligero de cascos*, estúrdio; *cosa ligera*, (fig.) palha, palhada; *a la ligera*, frìvolamente; *conversación ligera*, (fam.) dois dedos de conversa; *mujer ligera*, arrolada; *persona ligera de cascos*, (pop.) estragas-albardas.

ligero. *m.* (pop.) manto, mantilha de mulher. — *adv.* ligeiramente.

ligeruelo, la. *adj.* ligeiro.

ligio, gia. *adj.* lígio, sujeito por obrigação feudal.

lignario, ria. *adj.* lígneo, lenhoso, de madeira, ou que tem a sua consistência.

lignificación. *f.* lignificação.

lignificar. *v. tr.* e *r.* lignificar, lignificar-se, tornar-se lígneo.
ligniforme. *adj.* ligniforme.
lignina. *f.* (quím.) lignina.
lignito. *m.* (min.) lignite.
ligón. *m.* espécie de sacho de cabo comprido.
liguilla. *f.* certa classe de liga ou fita estreita.
lígula. *f.* (bot.) lígula; (med.) epiglote.
ligulado, da. *adj.* (bot.) ligulado, liguloso.
ligustre. *m.* (bot.) flor do alfeneiro ou alfena.
ligustrino, na. *adj.* ligustrino, pertencente ao ligustro.
ligustro. *m.* ligustro, alfena.
lija. *f.* (ictiol.) lixa; pele seca deste peixe; lixa para polir. — *adj.* (Amér.) esperto, astuto.
lijadura. *f.* polimento com lixa; acção e efeito de lixar.
lijar. *v. tr.* lixar, polir com lixa, alisar, raspar com a lixa;
lijo. *m.* lixo, escória, coisa desprezível. — *adj.* imundo, sujo.
lila. *f.* (bot.) lila, lilás; tecido de lã, fabricado em Lila. — *adj.* (fam.) bobo, simplório.
lilac. *f.* V. **lila.**
lilaila. *f.* V. **lelilí.**
lilaila. *f.* astúcia, treta, manha, estratagema, ardil; gritaria, algazarra.
lialallas. *f. pl.* (Amér.) tretas, estratagemas.
lilao. *m.* (fam.) ostentação vã no porte ou nas palavras.
liele. *adj.* (Amér.) débil, decaído de forças por enfermidade, paralítico; trémulo.
lilequear. *v. tr.* (Amér.) tiritar, tremer por medo ou por doença.
lili. *m.* lili, instrumento músico e marcha dos mouros. — *adj.* (fam.) louco.
liliáceo, a. *adj.* (bot.) liliáceo. — *f. pl.* liliáceas.
lililí. *m.* V. **lelilí.**
liliputiense. *adj.* e *s.* (fig.) liliputiano, muito pequeno, anão, pigmeu.
liliquiento, ta. *adj.* (Amér.) V. **lile.**
lima. *f.* (bot.) lima, fruto da limeira; limeira (árvore).
lima. *f.* lima, instrumento para desbastar os metais e outras matérias duras; (fig.) correcção, emenda, lima, perfeição das obras, especialmente das do entendimento; (pop.) frieira, diz-se da pessoa muito voraz: *lima sorda*, (fig.) o que imperceptivelmente vai consumindo alguma coisa.
lima. *f.* (arq.) sanca, cimalha convexa que se coloca na cumeeira para apoio da armação do telhado; o ângulo sobre o qual se coloca a sanca: *lima hoya*, o mesmo ângulo quando é reentrante; *lima tesa*, o mesmo ângulo quando é saliente.
lima. *f.* (germ.) a camisa.
limácidos. *m. pl.* (zool.) limácidas.
limado, da. *p. p.* e *adj.* limado, desbastado ou pulido com lima; (fig.) apurado; correcto.
limador, ra. *adj.* e *s.* limador, que lima.

limadura. *f.* limadura, limagem, trabalho de limar; (fig.) correcção, aperfeiçoamento. — *pl.* limalha, partícula metálicas produzidas com a lima, aparas.
limalla. *f.* limalha, metal pulverizado pela lima.
limar. *v. tr.* limar, desbastar ou polir com a lima; (fig.) aperfeiçoar, polir; civilizar; desbastar; polir o estilo duma obra; limar, consumir, gastar insensìvelmente; instruir, polir alguém.
limar. *m.* (Amér.) V. **limero.**
limaza. *f.* V. **babosa.**
limazo. *m.* baba, viscosidade.
limbo. *m.* limbo, extremidade, borda dalguma coisa ou orla de vestido ou manto; (rel.) limbo; (astr.) limbo, rebordo do disco dum astro; (bot.) limbo, parte livre das pétalas e sépalas: *estar en el limbo*, (fam.) estar distraído.
limen. *m.* (poét.) umbral. V. **umbral.**
limeño, ña. *adj.* e *s.* (geog.) limenho, natural de ou pertencente a Lima.
limera. *f.* (mar.) enora ou leme, abertura por onde passa a cabeça do leme.
limeta. *f.* garrafa de bojo largo e gargalo comprido.
limitable. *adj.* limitável, que se pode limitar.
limitación. *f.* limitação; termo, fronteira; límites; restrição; moderação: *sin limitación*, ilimitadamente, sem limitação.
limitado, da. *p. p.* e *adj.* limitado; apoucado de engenho ou compreensão; limitado, económico, parco; (fig.) limitado, restricto, determinado.
limitáneo, a. *adj.* limítrofe, confinante, fronteiriço.
limitar. *v. tr.* limitar, demarcar. determinar os limites; servir de limite; estremar; limitar, reduzir, estreitar, encurtar; fixar, determinar, limitar; restringir; fixar; designar, escolher; limitar, diminuir. — *v. r.* limitar-se, não passar além de; restringir-se; contentar-se; reduzir as próprias despesas; cingir-se; mal usado por *confinar*, circunscrever-se; atar-se; estreitar-se: *limitarse a*, adstringir-se a; *limitar a un asunto*, cingir-se a um assunto.
limitativo, va. *adj.* (Amér.) restrictivo, diz-se do que limita ou coarcta.
límite. *m.* limite, te(ê)rmo, confim, linha de demarcação, raia; termo; meta; (fig.) fim, termo; (mat.) limite, medida; circulo; estremadela; extremidade; extremo. — *pl.* barreiras: *sin límites*, sem limite; *trasponer los límites*, passar além de; *señalar los límites*, deslindar.
limítrofe. *adj.* limítrofe, confinante, contíguo.
limnánteas. *f. pl.* (bot.) limnantáceas.
limnanto. *m.* (bot.) limnanto.
limnea. *f.* (zool.) limneia.
limnimetría. *f.* (fís.) limnimetria.
limnímetro. *m.* (geol.) limnímetro.
limnita. *f.* (min.) limnite.
limnología. *f.* (geol.) limnología.
limnológico, ca. *adj.* (geol.) limnológico,

limo. *m.* limo, lama, barro, lo(ô)do; vasa; aluvião; (fig.) imundície.
limo. *m.* (Amér.) (bot.) V. **limero.**
limón. *m.* (bot.) limão, (fruto); limoeiro.
limón. *m.* V. **limonera.**
limonada. *f.* limonada: *limonada purgante,* limonada purgativa.
limonado, da. *adj.* citrino, que tem a cor de limão.
limonar. *m.* limoal, pomar de limoeiros.
limonera. *f.* cada um dos varais dum carro puxado por um cavalo só; conjunto desses varais.
limonero, ra. *s.* vendedor de limões. — *m.* limoeiro.
limonita. *f.* (min.) limonite.
limosidad. *f.* limosidade; sarro, sujidade dos dentes.
limosna. *f.* esmola; caridade: *pedir limosna,* (germ.) amoinar; galhofear; mendigar; *limosna para los difuntos,* falhas; *dar limosna,* dar esmola.
limosnear. *v. intr.* mendigar, esmolar. V. **mendigar.**
limosnera. *f.* escarcela, bolsa, algibeira onde se trazia dinheiro para as esmolas.
limosneo. *m.* mendicidade, acção de pedir esmolas.
limosnero, ra. *adj.* esmoler, caritativo, que faz esmolas. — *m.* esmoleiro, encarregado de dar esmolas; bolsa, algibeira, escarcela: *limosnero mayor del rey,* esmoler mor da casa real.
limoso, sa. *adj.* limoso, lodoso, lamacento.
limpia. *f.* limpeza, limpamento. V. **limpieza.**
limpiada. *f.* (Amér.) V. **limpieza.**
limpiabarros. *m.* limpa-pés, utensílio para tirar a lama do calçado ao entrar em casa.
limpiabotas. *m.* engraxador; (fam.) limpa--botas.
limpiachimeneas. *m.* limpa-chaminés.
limpiadera. *f.* (carp.) plaina; ferro da aguilhada, instrumento para limpar o arado.
limpiador, ra. *adj.* e *s.* limpador, que limpa; decotador; alimpador, alimpativo; depuratório.
limpiadura. *f.* limpeza, limpamento, limpa, limpadura. — *pl.* limpaduras, alimpaduras, lixo.
limpiamanos. *m.* (Amér.) guardanapo, toalha.
limpiamiento. *m.* limpamento. V. **limpia.**
limpiaoídos. *m.* palito para limpar os ouvidos.
limpiaparabrisas. *m.* (auto.) limpa-pára--brisas.
limpiar. *v. tr.* limpar, tornar limpo, tirar o que suja; purificar; polir; enxugar; (agr.) limpar, tirar os ramos secos e inúteis; joeirar; expungir, fazer desaparecer; esvaziar; limpar, desembaraçar do que causa dano ou incómodo; afugentar; (pop.) furtar, limpar; ganhar no jogo; desobstruir; açacalar; alimpar; expurgar; depurar; engraxar; desatravancar; apurar; desempoliar; desabafar; assear; (agr.) decotar; desencardir;

desfilhar; (fig.) desinfestar, desinçar; detergir; (feridas). — *v. r.* (fam.) fugir, escapar-se; (Amér.) castigar, açoutar; sachar, mondar: *limpiarse la nariz con la manga,* assoar-se à manga; *limpiarse las narices,* assoar-se.
limpiasuelos. *m.* encerador.
limpiauñas. *m.* limpa-unhas.
limpidez. *f.* (poét.) limpidez, qualidade do que é límpido; clareza; diafaneidade.
límpido, da. *adj.* (poét.) límpido, puro, sem mancha; claro, cristalino.
limpieza. *f.* limpeza, limpamento; (teol.) Imaculada Conceição; (fig.) pureza, castidade; probidade; perfeição; limpeza de sangue, de descendência; integridade; honestidade; esmero, perfeição, coisa bem acabada: *limpieza de bolsa,* falta de dinheiro; *limpieza de manos,* probidade, desinteresse, integridade; *limpieza de corazón,* honestidade, integridade; *limpieza de sangre,* limpeza de sangue.
limpio, a. *adj.* limpo, que não tem mancha; sem sujidade; limpo, puro; limpo de sangue; (fig.) isento dalguma coisa que o prejudique; desembaraçado; limpo, líquido, o que fica depois de deduzidas as despesas; sem corpos estranhos; asseado; escolhido; joeirado; puro; que não tem mistura; claro, diáfano, nítido; sereno; não contaminado; livre; transparente; honrado; corre(c)to; decente; (fam.) endomingado; depurado; imune; expurgado; incontaminado; alvo; (agr.) decotado: *en limpio,* em substância ou líquido.
limpio. *adv.* V. **limpiamente.**
limpión. *m.* limpadela, limpeza ligeira: *dar un limpión a los zapatos,* tirar a lama aos sapatos; (Amér.) esfregão, pano para limpar.
lináceas. *adj.* e *f. pl.* (bot.) lináceas.
lináceo, a. *adj.* (bot.) lináceo.
linaje. *m.* linhagem, estirpe, ascendência ou descendência duma família; linhagem, classe ou condição; extra(c)ção social; árvore de geração; paternidade, (fig.) berço; origem; estirpe; família; geração; condição. — *pl.* fidalgos: *linaje humano,* o género humano.
linajista. *m.* linhagista, genealogista.
linajudo, da. *adj.* e *s.* diz-se daquele que descende ou se preza de descender de alta estirpe.
lináloe. *m.* (bot.) V. **áloe.**
linar. *m.* linhal, linhar, terreno semeado de linho.
linaria. *f.* (bot.) linária.
linaza. *f.* (bot.) linhaça, semente do linho; (Amér.) V. **lino.**
lince. *m.* (zool.) lince; (fig.) lince, pessoa sagaz; (astr.) Lince, constelação boreal; (pop.) ladrão que está de atalaia. — *adj.* lince, diz-se da vista muito aguda.
lincear. *v. tr.* (fig. e fam.) descobrir ou notar o que dificilmente pode ver-se.
lincurio. *m.* pedra que os antigos diziam ser a urina do lince fossilizada.

linchamiento. *m.* linchagem, execução sumária pela multidão.

linchar. *v. tr.* linchar, justiçar e executar sumàriamente segundo a lei de Lynch.

lindar. *v. tr.* lindar, confinar, estar contígua uma possessão a outra; tocar nos limites de qualquer território; entestar; estremar; pôr lindes ou balizas em; demarcar; confinar com.

lindazo. *m.* linda, estrema, raia; marca, padrão.

linde. *m. e f.* linde, limite; raia; estrema; fronteira; linda; marca, padrão: *marcar con lindes,* abalizar; *poner lindes,* deslindar.

lindel. *m.*ᵥ V. dintel.

lindera, lindería *f.* V. linde.

lindero, ra. *adj.* confinante, limítrofe, vizinho: *con linderos y arrabales,* (fig.) com todos os pontos e vírgulas, com todos os pormenores.

lindeza. *f.* beleza, formosura, qualidade de lindo; perfeição, graça, agudeza; lindeza, perfeição, graça, primor: *decir lindezas,* dizer belezas.

lindo, da. *adj.* lindo, belo, formoso, agradável à vista; bom, primoroso; asseado; belo, airoso, gentil.— *m.* homem afeminado, adamado; galante: *de lo lindo,* (fig. e fam.) lindamente, às mil maravilhas; com grande primor.

lindón. *m.* (agr.) V. caballete.

lindura. *f.* V. lindeza.

línea *f.* linha, extensão considerada em longitude; linha, regra; linha, raia; linha, faixa; traço que figura uma extensão duma só dimensão; fio de linho; linha (escrita ou impressa); classe, género, espécie; linha, ascendência, descendência de família, linha; linha, trincheira; fios do telégrafo e telefono; linha, estrada, direcção; linha, via terrestre, marítima ou aérea; (mil.) formação de tropas em ordem de batalha, em linha; linha, regra de procedimento, norma, governo, categoria. — *pl.* feições, traços da mão; carta curta, linhas. — *loc. adv.* em linha, em fila: *línea que divide un ángulo recto por su mitad,* meia-esquadria; *dirección en línea recta,* alinhamento; *poner en línea recta,* alinhar.

lineal. *adj.* linear, lineal, pertencente à linha; (bot. e anat.) linear, lineal, diz-se das partes duma planta ou dum animal dispostas em forma de linha; linear, que se expresa por linhas geométricas: *dibujo lineal,* desenho linear.

lineam(i)ento. *m.* lineamento, primeiras linhas dum desenho, dum objecto; contorno. esboço. debuxo. — *pl.* feições do rosto, linhas.

linear. *v. tr.* traçar linhas, delinear, debuxar.

linear. *adj.* V. lineal.

líneo, a. *adj.* (bot.) linácea.

lin(e)otipia. *f.* (impr.) linotipia, composição no linótipo.

lin(e)otipo *m.* linótipo.

lin(e)otipista. *s.* linotipista.

linfa. *f.* linfa, humor, líquido aquoso transparente que circula nos vasos linfáticos; aguadilha; (poét.) água.

lingar. *v. tr.* lingar.

linfagitis. *f.* (med.) linfagite.

linfático, ca. *adj.* linfático, que contém linfa: *vaso linfático,* vaso linfático.

linfatismo. *m.* (med.) linfatismo.

lingote. *m.* lingote, barra de metal em bruto; (mar.) linguado, cada um dos paralelepípedos de ferro destinados a lastrar o navio; pedaço de ferro ou chumbo em bruto; (mil.) projé(e)til cilíndrico.

lingotera. *m.* molde para vazar os lingotes.

lingual. *adj.* lingual, pertencente ou relativo à língua.

lingüiforme. *adj.* linguiforme, que tem forma de língua.

lingüista. *s.* pessoa versada em língua, em linguística; linguista.

lingüística. *f.* linguística, estudo das línguas; ciência da linguagem.

lingüístico, ca. *adj.* linguístico, pertencente ou relativo a linguística.

linguodental. *adj.* linguodental, que se pronuncia com a língua e os dentes.

linim(i)ento. *m.* (farm.) linimento, medicamento untoso que se destina a fricções.

linio. *m.* V. liño.

lino. *m.* (bot.) linho, género de plantas lináceas empregada como planta textil; tecido que se faz com as fibras desta planta; (fig. poét.) vela de navio: *lino cáñamo,* alcaneve; *porción de lino dispuesto para ser hilado,* rocca.

linógrafo, fa. *s.* (Amér.) V. linotipista.

linóleo. *m.* linóleo, tecido feito com juta e untado com uma mistura de pó de cortiça e óleo.

linóleum. *m.* V. linóleo.

linón. *m.* cambraia, tecido muito fino e transparente de algodão ou linho.

linotipia. *f.* (impr.) linótipo.

linotipista. *s.* (impr.) linotipista.

linterna. *f.* lanterna, lampião com luz resguardada por vidros; alanterna; (arq.) lanterna parte superior dum zimbório, clarabóia; (mec.) cilindro formado por duas rodas que engrenam uma na outra; (mar.) farol.

linternazo. *m.* pancada dada com uma lanterna; (fig. e fam.) pancada com qualquer outro instrumento.

linternero. *m.* lanterneiro, fabricante de lanternas.

linternón. *m.* lanterna grande; (mar.) farol de popa; lanternão.

liño. *m.* fila, fileira, série de árvores ou plantas em linha recta; sulco, rego aberto na terra.

lío. *m.* pacote, embrulho, envoltório de coisas atadas, maço; feixe, lio; embrulhada, embrechada; bisbilhotice; entroixo; fardel; mexerico, mexida; (fig.) dédalo; maionesa; estreolita: *armar un lío,* embrulhar, causar enredo ou confusão; *estar metido en un lío*, (fam.) estar metido em boas; *hacerse un lío*, (fam.) emaranhar--se, engasgalhar-se; *andar metido en líos*, (fam.) andar metido em baralhas.

liocarpo, pa. *adj.* (bot.) liocarpo.

liocomo, ma. *adj.* (antrop.) liócomo.

liodermo, ma. *adj.* (hist. nat.) liodermo.

liorna. *f.* (fig. e fam.) algazarra, desordem, confusão, barafunda.

lioso, sa. *adj.* (fam.) enredador, mexeriqueiro, descasa-casados; contilheiro; bicudo. V. **embrollador.**

lipasa. *f.* (quim.) lipase.

liparocele. *m.* (pat.) liparocele, tumor sebáceo.

lipemanía. *f.* (med.) lipemania, tristeza, melancolia.

lipemaníaco, ca. *adj.* e *s.* (med.) lipemaníaco.

lipemia. *f.* (med.) lipemia.

lipidia. *f.* (Amér.) tolice; teima.

lipidiar. *v. tr.* (Amér.) aborrecer, maçar, importunar.

lipidioso, sa. *adj.* (Amér.) aborrecedor, maçador, enfadonho, importuno.

lipiria. *f.* lipéria. V. **lepidia.**

lipis. *f.* (quim.) lipes, vitríolo azul, sulfato de cobre.

lipogénesis. *f.* lipogé(ê)nese.

lipograma. *m.* (lit.) lipograma.

lipogramático, ca. *adj.* e *s.* lipogramático.

lipoideo, a. *adj.* lipóide.

lipoma. *m.* (med.) lipoma.

lipotimia. *f.* (med.) lipotimia; síncope, delíquio.

lipuria. *f.* (pat.) lipúria.

liquefacción. *f.* liquefacção. V. **licuefacción.**

liquefacer. *v. tr.* liquefazer; derreter. — *v. r.* fundir-se. V. **liquefacer.**

liquen. *m.* (bot.) líquen, líquene; (med.) líquen, dermatose papular.

liquidable. *adj.* liquidável, que se pode liquidar.

liquidación. *f.* liquidação, acto de liquidar; liquidação, liquefacção; (com.) liquidação, apuramento de contas, pagamento do passivo e distribuição do activo; liquidação, venda de fazendas ou outros objectos por preço reduzido.

liquidador, ra. *adj.* e *s.* liquidador, aquele que liquida; liquidatário, que liquida uma conta ou negócio.

liquidar. *v. tr.* liquefazer, liquidificar, tornar líquida ou fluida alguma coisa, derreter, fundir; liquidar, ajustar ou apurar contas; pagar; liquidar, vender a preço reduzido; (pop.) matar. — *v. r.* liquescer, derreter-se; (fig.) liquidar, aclarar, deslindar, resolver, desenredar.

liquidez. *f.* liquidez, qualidade ou estado do que é líquido; fluidez.

líquido, da. *adj.* líquido, fluído; líquido, que resta depois de feitas todas as deduções; líquido, diz-se das consoantes susceptíveis de se combinarem fàcilmente com outras. *m.* líquido, bebida; alimento líquido; (com.) líquido, resto depois de feitas todas

as deduções. — *f.* (gram.) líquida, (consoante): *líquido imponible*, rendimento tributável arbitrado a um contribuinte, que serve de base para a sua tributação; *producto líquido*, produto líquido.

lira. *f.* (mús.) lira; (poét.) lira, combinação métrica de cinco versos; lira, moeda italiana de prata; (fig.) númen; (poét.) inspiração ou nome dos poetas.

Lira. *f.* (astr.) Lira, constelação setentrional; (bot.) lira (planta).

lirado, da. *adj.* (bot.) liriforme, que tem forma de lira.

liria. *f.* visgo, visco.

lírica. *f.* lírica, poesia lírica; colecção de poesias líricas.

lírico, ca. *adj.* lírico, pertencente ou relativo à lira ou à poesia: *poeta lírico*, poeta lírico.

lirio. *m.* (bot.) lírio; açucena: *lirio de Florencia*, lírio florentino; *lirio de los valles*, lírio convale; *lirio blanco*, açucena; *lirio hediondo*, lírio fétido; *lirio amarillo*, lírio amarelo; *lirio espadañal*, lírio amarelo; *lirio de agua*, lírio ácoro.

lirismo. *m.* lirismo.

lirón. *m.* (zool.) arganaça, arganaz, leirão; (pop.) pessoa que dorme muito: *dormir como un lirón*, dormir muito.

lirondo, da. *adj.* limpo, puro, sem mistura. V. **mondo y lirondo.**

lis. *f.* (bot.) lírio, lis, flor-de-lis; (herald.) flor-de-lis.

lis. *m.* (Amér.) V. **sedimento**, *poso*.

lisa. *f.* (ictiol.) liça. V. **mújol.**

Lisboa. (geog.) Lisboa.

lisboeta. *adj.* V. **lisbonense.**

lisbonense. *adj.* e *s.* (geog.) lisbonense, lisboeta, natural ou pertencente a Lisboa.

lisbonés, sa. *adj.* e *s.* (geog.) lisbonense, lisboeta, natural de ou pertencente a Lisboa.

lisera. *f.* (prov.) haste, cana que segura uma caniçada; pé da piteira; (fort.) berma.

lisiado, da. *p. p.* e *adj.* aleijado, estropiado, diz-se do que tem uma imperfeição orgânica; ansioso, desejoso, anelante.

lisiar. *v. tr.* aleijar, estropiar, ferir, mutilar, lesar.

lisimaquia. *f.* (bot.) lisimáquia.

lisión. *f.* (Amér.) V. **lesión.**

lisis. *f.* (med.) período da remissão da febre.

liso, sa. *adj.* liso, plano, sem asperezas, macio; liso, sem adornos, sem ornato; (fig.) fácil, sem tropeços; liso, franco, sincero, llano; (germ.) petulante, descarado, desavergonhado; atrevido; honrado; chato; aplanado; desempanado; corredio: *hombre liso*, homem que não tem artifício, singelo; *liso y llano*, claro, evidente.

liso. *m.* tafetá.

lisol. *m.* (quim.) lisol.

lisonja. *f.* lisonja, louvor, afectado, adulação; mimo; dito lisonjeiro; blandícia; (fam.) engraxamento; louvação; galanteio; apaparicamento; mesurice; (fig.) incenso, incensação.

lisonja. *f.* (herald.) V. **losange.**

lisonjeador, ra. *adj.* e *s.* lisonjeador, adulador, louvador, blandicioso; (fig.) incensador.

lisonjeante. *p. a.* e *adj.* lisonjeante, que lisonjeia.

lisonjear. *v. tr.* lisonjear, elogiar con afectação, adular; encomiar; (fig.) deleitar, agradar (diz-se das coisas materiais); cortejar; afagar; acariciar; louvaminhar; apaparicar; gabar; (fig.) engraxar; incensar.

lisonjero, ra. *adj.* e *s.* lisonjeiro, lisonjeador, adulador, louvador; atraente, seductor, que agrada ou deleita; gabanela; afagadeiro; elogioso; encomiástico.

lista. *f.* lista, listra, tira comprida e estreita de pano ou papel; lista, risca de cor diferente num tecido ou nalguma outra coisa; catálogo, arrolamento, relação, rol; index, índice; minuta; elenco; (ant.) aranzel; relação; chamada.

listar. *v. tr.* listrar, enfeitar com listras; arraiar; betar.

listeado, da. *p. p.* e *adj.* V. **listado.**

listel. *m.* (arq.) listel, moldura lisa e estreita.

listerina. *f.* (terap.) composto anti-séptico e detersivo.

listero *m.* apontador, aquele que é encarregado de marcar as faltas ou presenças dos que trabalham em qualquer serviço.

listeza. *f.* qualidade de listo.

listín. *m.* pequena lista; (Amér.) periódico.

listo, ta. *adj.* lesto, rápido, diligente, expedito, pronto; disposto para fazer alguma coisa; listo, armado, despejado; sagaz, apercebido; ágil, desembaraçado; terminado, acabado: *estar listo*, aprontar-se; arrebentar; *listo para*, apto, aparelhado; *¡vamos listos!*, estamos asseados!; *pasarse de listo*, (fam.) diz-se ironicamente da pessoa demasiadamente lesta.

listón. *m.* fita estreita de seda, banda, faixa; (arq.) listel; ripa, sarrafo; listão, diz-se do touro listrado ao longo do dorso; (carp.) encabeira.

listonado, da. *m.* e *adj.* (carp.) ripado, obra feita com ripas ou sarrafos; ripado; ripado, gradeamento de ripas.

listonar. *v. tr.* (carp.) ripar, gradear com ripas; fazer ripados.

listonería. *f.* conjunto de listões; conjunto de fitas, sortimento de fitas.

listonero, ra. *s.* fabricante de fitas.

lisura. *f.* lisura, igualdade de superfície, polidez; (fig.) franqueza, sinceridade, ingenuidade; (Amér.) palavra ou acção grosseira, insultuosa.

lita. *f.* larva, landrilha.

litación. *f.* litação, oblação, oferenda de sacrifícios.

litar. *v. tr.* litar, sacrificar, oferecer sacrifícios à Divindade.

litarge, litargirio. *m.* (quim.) litargírio; almártega.

lite. *f.* (for.) lite, lide, pleito judicial, demanda.

litera. *f.* beliche, liteira; cadeirinha; cadeira portátil.

literal. *adj.* literal, conforme à letra; literal, claro, terminante; literal, diz-se duma tradução feita palavra por palavra.

literalidad *f.* qualidade de literal.

literario, ria. *adj.* literário, pertencente ou relativo à literatura; relativo às belas-letras.

literatear *v. intr.* tratar sobre assuntos literários, escrever sobre estes assuntos.

literato, ta. *adj.* e *s.* literato, a pessoa que possui muitos conhecimentos de literatura; versado em literatura; que cultiva a literatura.

literatura. *f.* literatura, conjunto de produções literárias duma época, dum país, etc.; literatura, teoria da composição literária; profissão do homem de letras, do escritor; arte de compor obras literárias; carreira das letras.

literero. *m.* liteireiro, vendedor ou alugador de liteiras; o que conduz uma liteira.

litiasis. *m.* (med.) litíase.

lítico, ca. *adj.* lítico, relativo à pedra.

litícola. *f.* litocola, betume para soldar pedras.

litigación. *f.* litígio, contestação judicial; pleito, demanda.

litigador, ra *adj.* e *s.* litigante, demandista.

litigante. *p. a.* e *adj.* e *s.* litigante, que litiga; demandista; contestante, contestador; litigante, relativo a litígio.

litigar. *v. tr.* e *intr.* litigar, pleitear, ter litígio; demandar; contestar; (fig.) contender; demandar em juízo.

litigio. *m.* litígio, pleito, demanda, questão; incidente, disputa, contenda; litígio, fundação; contenção; lite; altercação.

litigioso, sa. *adj.* litigioso, que envolve litígio; que tem tendência a promover litígios; litigioso, contestado; contencioso.

litina. *f.* (quim.) litina, óxido de lítio.

litínico, ca. *adj.* litínico.

litio. *m.* (quim.) lítio, metal muito leve.

litis. *f.* V. **lite.**

litisconsorte *s.* (for.) litisconsorte.

litiscontestación. *f.* (for.) litiscontestação, resposta à demanda judicial.

litisexpensas. *f. pl.* (for.) custas do processo.

litispendencia. *f.* (for.) litispendência, o estado de andamento dum processo judicial.

litocálamo *m.* cana fóssil.

litoclasa *f* (geol.) litóclase, fractura natural das rochas.

litoclasta. *f.* (cir.) litoclastia.

litocola. *f.* litocola.

litocromía *f.* litocromia.

litocrómico, ca. *adj.* litocró(ô)mico.

litocromista. *s.* litocromista.

litofanía. *f.* (técn.) litofania.

litofito. *m.* litófito.

litofotografía. *f.* fotolitografia.

litofotografiar. *v. tr.* fotolitografrar.

litogenesia. *f.* (geol.) litogenesia.

litoglifia. *f.* litoglifia.

litografía. *f.* litografia.
litografiar. *v. tr.* litografiar.
litográfico, ca. *adj.* litográfico.
litógrafo. *m.* litógrafo.
litoideo, a. *adj.* litóide.
litolatría. *f.* litolatria.
litología. *f.* litologia.
litológico, ca. *adj.* litológico.
litólogo, ga. *s.* litologista, litólogo.
litoral *m.* litoral, beira-mar, terreno banhado pelo mar. — *adj.* litoral, que diz respeito à beira-mar.
litorina. *f.* (zool.) litorina.
litospermo. *m.* (bot.) litospermo.
litote. *f.* (ret.) litotes.
litotipografía. *f.* litotipografia.
litotomía. *f.* (cir.) litotomia.
litotómico, ca *adj.* (cir.) litotómico.
litotomista. *s.* (cir.) litotomista.
litótomo. *m.* (cir.) litó(ô)tomo.
litotricia. *f.* (cir.) litotrícia.
litotríptico, ca. *adj.* (bot.) litotrítico.
litotritor. *m.* (cir.) litotritor.
litráceas. *f. pl.* (bot.) litráceas.
litrarieo, a. *adj.* (bot.) litráceo. — *f. pl.* litráceas, litrariadas.
litro. *m.* litro, unidade de capacidade; litro, capacidade dum decímetro cúbico.
Lituania. (geog.) Lituânia.
lituano, na. *adj.* e *s.* (geog.) lituano. — *m.* lituano (língua).
lituo. *m.* lituo, espécie de clarim usado pelos Romanos; lítuo, bastão usado como insígnia pelos áugures.
liturgia. *f.* liturgia, ritual, ordem das cerimónias e das orações.
litúrgico, ca. *adj.* litúrgico.
liturgista. *s.* liturgista.
liviandad. *f.* leviandade; lascívia; levidade, leveza, pouco peso; leviandade, inconstância, volubilidade; impureza, incontinência, desonestidade; (fig.) irreflexão.
liviano, na. *adj.* leviano, ligeiro, leve, de pouco peso; (fig.) leviano, fácil, inconstante, volúvel, vário; leve, ligeiro, sem importância; lascivo; luxurioso, luxuriante; incontinente, desonesto. — *m.* pulmão. *pl.* burro que vai na frente e serve de guia à récua. V. **bofes.**
lividez. *f.* lividez, qualidade de lívido; cor lívida; aspecto cadavérico; palidez extrema.
lívido, da. *adj.* lívido, arroxeado, azulado, violáceo; (fig.) cadavérico; extremamente pálido.
Livonia. (geog.) Livó(ô)nia.
livonio, nia. *adj.* e *s.* (geog.) livó(ô)nio, natural da ou pertencente à Livónia.
livor. *m.* livor, cardão, cárdeno, morrado; (fig.) inveja, ódio, aversão, rancor; confusão, desarranjo.
lixiviación. *f.* lixiviação.
lixivial. *adj.* lixivioso.
lixiviar. *v. tr.* (quim.) lixiviar, separar os princípios solúveis por meio de lavagem.

liza. *f.* liça, lice, lugar destinado a torneios; liça, batalha, combate; duelo; (fig.) liça, debate, contenda.
lizo. *m.* liço, trama, fios do tear.
lizón. *m.* (bot.) V. **alisma.**
lo. *art. def. sing.* o; o artigo neutro *lo* antepõe-se aos adjectivos para convertê-los em substantivos abstractos: *lo bueno,* o bom, a bondade; acusativo do pronome pessoal da terceira pessoa no género masculino ou neutro e número singular *él* e *ellos: lo llamo,* eu chamo- o; *lo vendo,* vendo-o; *lo tiene,* o tem.
loa. *f.* loa, apologia; gabação; louvor; loa, enaltecimento, magnificação, elogio; engrandecimento; loa, composição ou poema dramático breve.
loable. *f.* beberete que se dava nas universidades depois de alguma graduação ou de algum exercício literário.
loado, da. *p. p.* e *adj.* louvado; elogiado, encomiado, gabado.
loador, ra. *adj.* e *s.* louvador, que louva, elogiador; (fam.) engraxador.
loán. *m.* medida agrária filipina.
loanda. *f.* espécie de escorbuto.
loar. *v. tr.* louvar, gabar, elogiar, magnificar, engrandecer. V. **alabar**
loba. *f.* (zool.) lo(ó)ba, fêmea do lobo: *lo que la loba hace, al lobo le place,* uma áspide não mata outra áspide.
loba. *f.* (agr.) leiva, camalhão entre sulco e sulco abertos pelo arado.
loba. *f.* loba, batina eclesiástica: *loba cerrada,* sotaina.
lobada. *f.* (Amér.) leiva, camalhão.
lobado. *m.* (vet.) lobão, tumor de certos animais.
lobado, da. *adj.* (bot. e zool.) lobulado, lobado.
lobanillo. *m.* (med.) cisto lobinho, tumor superficial, indolor, lupia.
lobato. *m.* (zool.) lobato, lobacho, lobinho, lobo pequeno.
lobatón. *m.* (germ.) ladrão que furta ovelhas ou carneiros.
lobear. *v. intr.* (fig.) espreitar ou espiar como um lobo.
lobelia. *f.* (bot.) lobélia.
lobeliáceo, a. *adj.* lobeliáceo. — *f. pl.* (bot.) lobeliáceas.
lobelina. *f.* (quim.) lobelina.
lobera. *f.* monte onde os lobos fazem covil.
lobero, ra. *adj.* lobeiro, pertencente ou relativo aos lobos. — *m.* lobeiro, caçador de lobos; (fam.) embusteiro. V. **espantanublados** — *pl.* zagalotes, balas para caçar lobos.
lobezno. *m.* lobinho, cachorro da loba.
lobina. *f.* (ictiol.) robalo. V. **róbalo.**
lobo. *m.* V. **lóbulo.**
lobo. *m.* (zool.) lo(ô)bo; (ictiol.) espécie de tubarão; caboz, peixe malacopterígio; (astr.) Lobo, constelação austral; aparelho para limpar e desenlaçar o algodão; gancho de ferro com que os sitiados se defendiam do alto das muralhas; (germ.) ladrão; (fig. e fam.) bebedeira, bico, ti-

fão, carraspana, cabeleira, touca, borracheira: *lobo marino,* lobo marinho; *lo que la loba hace, al lobo le place,* uma áspide, não mata outra áspide; *lobo de mar,* (fig.) marinheiro velho, esperimento.

loboso, sa. *adj.* diz-se do terreno onde se criam muitos lobos.

lóbrego, ga. *adj.* lôbrego, sombrio, tenebroso, escuro, cavernoso; fúnebre, triste, melancólico, medonho.

lobreguecer. *v. tr.* tornar lôbrega uma coisa, escurecer, tornar escuro. — *v. tr.* escurecer, anoitecer. — *conj. irr.* como *crecer.*

lobreguez. *f.* obscuridade, escuridão.

lobregura. *f.* obscuridade, escuridão.

lobulado, da. *adj.* (bot. e zool.) lobulado, com figura de lóbulo; que tem lóbulos.

lóbulo. *m.* (bot. e anat.) lóbulo, lobo, parte arredondada e saliente dum órgão; (arq.) lóbulo.

lobuno, na. *adj.* lobal, lupino, relativo ao lobo.

locación. *f.* (for.) locação, aluguer, arrendamento; contrato de arrendamento.

locadio, dia. *adj.* (fam. Amér.) V. **loco.**

locador, ra. *s.* (Amér.) locador, o que dá em arrendamento uma coisa.

local. *adj.* local, respeitante a determinado lugar. — *m.* local, sítio, paragem fechada e coberta, lugar.

localidad. *f.* localidade, lugar determinado, povoação; local, sítio, lugar ou assento em espectáculos públicos; bilhete, entrada em espectáculos públicos.

localismo. *m.* bairrismo, excessivo amor ao lugar em que alguém nasceu.

localizable. *adj.* que se pode localizar ou fixar.

localización. *f.* localização; situação.

localizar. *v. tr.* localizar, fixar ou limitar em lugar determinado, circunscrever; situar.

locatario, ria. *s.* locatário, arrendatário. V. **mandatario**

locativo, va. *adj.* locativo, relativo ao contrato de arrendamento. — *m.* (gram.) locativo.

locazo, za. *adj.* grande louco, muito louco.

loción. *f.* loção, ablução, lavagem; acção de lavar, lavatório, banho.

loco, ca. *adj.* doido, louco, que perdeu a razão, desassisado; demente, insensato, alienado; maluco, desvairado; desbolado; desembestado; desvariado, desnorteado, alheado; furioso; iracundo; fanático; frenético; (fig.) ébrio; louco, imprudente; irreflectido; frondoso, luxuriante; (Bras.) biruta, estrabulega, pancada, zureta; viçoso (diz-se dos ramos das árvores; (fig.) louco, fértil, muito fecundo. — *s.* louco, demente: *estar loco por algo,* estar louco por alguma coisa, adoecer; *hablar a tontas y a locas,* farfalhar; *volver loco,* desassir, desmiolar; *volverse loco,* dar em doido; endoidar-se; *hacer las cosas a tontas y a locas,* fazer as coisas no ar; *loco de atar,* muito louco.

locomoción. *f.* locomoção; transporte; movimento.

locomotividad. *f.* locomobilidade.

locomotivo, va. *adj.* locomotor. V. **locomotor.**

locomotor, ra. *adj.* locomotor, próprio para locomoção. — *f.* aparelho locomotor; locomotiva.

locomotriz. *adj.* locomotriz. — *f.* locomotiva.

locomovible. *adj.* locomóvel.

locomóvil. *adj.* locomóvel, que pode trasladar-se dum lugar para outro.

locuacidad. *f.* loquacidade, verbosidade; charlatanaria; hábito de falar muito.

locuaz. *adj.* loquaz, falador, verboso, palavreador, galreiro, algarvio; palrador.

locución. *f.* locução, modo de falar; frase; expressão.

locuela. *f.* sotaque pessoal, modo e forma particular do falar de cada um.

locuelo, la. *adj.* louquinho; (fam.) menino traquinas ou estouvado.

loculado, da. *adj.* (biol.) locular.

loculicida. *adj.* (bot.) loculicida.

lóculo. *m.* (bot.) lóculo.

locumbal. *f.* (Amér.) aguardente de uvas que se faz em Locumba cidade do Peru.

locura. *f.* loucura, alienação mental; demência; desacerto, desatino, despropósito; estroinice, alienismo; estouvadice; desatinação; desvario; desatino; devaneio, desvairamento, desvairo; louquice; (fig.) deslumbramento; (fig.) exaltação do ânimo produzida por algum afecto ou outro motivo; frenesi; (fig.) bolho; loucura, disparate; loucura, chiste, gracejo; loucura, atrevimento; loucura, presunção; (fig.) loucura, imprudência; acto irreflectido; extravagância, diabrura, brincadeira desenvolta; temeridade, loucura: *locura incurable,* acromania; *hacer locuras,* louquejar, fazer loucuras.

locutor, ra. *s.* locutor, pessoa que fala ante o microfone nos postos emissores de radiodifusão.

locutorio. *m.* locutório, posto destinado ao uso individual do telefone pelo público, nas estações telefónicas; locutório, compartimento separado por grades através das quais as religiosas ou pessoas recolhidas falam a quem as visita, parlatório, (fig.) converso.

locha. *f.* **loche.** *m.* (ictiol.) caboz, peixe malacopterígio.

locho, cha. *adj.* (Amér.) vermelho.

lodachar, lodazal, lodazar. *m.* lodaçal, lugar onde há muito lodo; atoleiro; lamaçal; lodaçal, charco, atascadeiro, atoladeiro, ludreiro; enxurdeiro; charqueiro: *salir de lodazales y entrar en cenagales,* tirar-se da lama e meter-se no atoleiro.

lodazal. *m.* lodaçal; atoleiro, lamaçal; (fig.) vida dissoluta; lugar de devassidão.

lodazar. *m.* lodaçal. V. **lodazal.**

lodo. *m.* lo(ô)do, mistura de água e de terra, lama; (fig.) tremedal; degradação; ignomínia.

lodoso, sa. *adj.* lamacento; lodacento, lutulento, lodoso; sujo.

lof. *m.* (mar.) meio do navio no sentido longitudinal, ló.

lofio. *m.* (ictiol.) espécie de peixe teleósteo.

lofobranquio, a. *adj.* (ictiol.) lofobrânquio. — *m. pl.* lofobrânquios.

loganiáceo, a. *adj.* (bot.) loganiáceo. — *f. pl.* loganiáceas.

logarítmico, ca. *adj.* (mat.) logarítmico.

logaritmo. *m.* (mat.) logaritmo.

logia. *f.* loja, local ou assembleia maçónica.

lógica. *f.* lógica; método, coerência; razão; raciocínio.

lógico, ca. *adj.* lógico; relativo à lógica; razoável, natural; coerente, consequente. — *m.* lógico, que estuda lógica ou que é versado em ela.

logística. *f.* (mil.) logística, estrategia.

logístico, ca. *adj.* (mil.) (mat.) logístico.

logografía. *f.* logografia; estenografia.

logógrafo, fa. *s.* logógrafo.

logogrífico, ca. *adj.* logogrífico; obscuro.

logogrifo. *m.* logogrifo, enigma; linguagem obscura.

logomaquia. *f.* logomaquia.

logómetro. *m.* (fís.) logómetro.

logopatía. *f.* (pat.) logopatia.

logorrea. *f.* logorre(é)ia, grande verbosidade.

lograr. *v. tr.* lograr, obter, conseguir o que se intenta ou deseja; fluir; lograr, gozar ou desfrutar um benefício; alcançar; atingir, conseguir; embaçar; apanhar; aproveitar; cobrar; conquistar; merecer; chegar; adergar; avezar; colher; abarbar. — *v. r.* aperfeiçoar-se alguma coisa, chegar ao cúmulo da perfeição.

lograr. *v. intr.* lograr, lucrar, tirar proveitos com dinheiro dado a juro.

logrería. *f.* usura, exercício de logreiro.

logrero, ra. *s.* logreiro, pessoa que dá dinheiro a juro, usurário, agiota; açambarcador de frutos; engrampador.

logro. *m.* lucro, ganho; usura; conseguimento, obtenção; alcance; alcançamento; lo(ô)gro, gozo, posse: *dar a logro*, dar dinheiro a juro.

Logroño. (geog.) Logronho.

logroñés, sa. *adj.* e *s.* (geog.) natural de ou pertencente a Logronho.

loísta. *adj.* e *s.* (gram.) diz-se do que usa sempre o *lo* para o acusativo masculino do pronome *él*.

lolio. *m.* (bot.) lólio.

loma. *f.* lomba, montículo, planura sobre uma serra, altura pequena e prolongada, lombada; encosta.

lomada. *f.* (Amér.) V. **loma.**

lomaje. *m.* (Amér.) lombada, lomba, terreno formado por montículos.

lombarda. *f.* bombarda, antiga máquina de guerra; (bot.) lombarda, espécie de couve semelhante ao repolho.

lombardear. *v. tr.* bombardear, disparar bombardas.

lombardero. *m.* bombardeiro, soldado que assestava e disparava as bombardas.

lombárdico, ca. *adj.* (geog.) lombardo. V. **lombardo.**

lombardo, da. *adj.* e *s.* (geog.) lombardo natural ou pertencente à Lombardia. — *m.* banco de crédito que adianta dinheiro sobre o valor das manufacturas entregadas para venda.

lombardo, da. *adj.* diz-se do touro que tem a parte superior do corpo duma cor clara.

lombricera. *f.* (Amér.) V. **hierba lombriguera.**

lombriciento, ta. *adj.* (Amér.) que tem muitas lombrigas.

lombrigón. *m.* lombriga grande, minhoca.

lombriguera. *f.* buraco feito na terra pelos vermes — *adj.* (bot.) lombrigueira. V. **hierba lombriguera.**

lombriz. *f.* minhoca, verme da terra; lombriga, verme parasita dos intestinos; (fig. e fam.) lombriga, pessoa fraca e esguia.

lombrizal. *adj.* lombriçal, lumbrical.

lomear. *v. intr.* levantar e abaixar (o cavalo), de quando em quando a garupa.

lomentáceo, a. *adj.* (bot.) lomentáceo.

lomera. *f.* cataplasma dos arreios das cavalgaduras; lombada de pele ou pano para os livros; cavalete de telhado.

lometa. *f.* alto, outeiro de pequena altura. V. **altozano.**

lomienhiesto, ta. *adj.* alto de lombos; (fig. e fam.) presunçoso, emproado, vaidoso.

lomillería. *f.* selaria, oficina ou loja de correeiro.

lomillo. *m.* trabalho de costura feito a ponto de cruz; parte inferior da albarda na qual encaixa o lombo da cavalgadura. — *pl.* arreio de duas almofadas, compridas e estreitas, para as bestas de carga.

lominhiesto, ta. *adj.* V. **lomienhiesto.**

lomo. *m.* lombo, parte inferior das costas, dorso; lombo, região lombar do porco depois de morto, lombo, carne de porco; lombo, lombada, costas de livro; leiva, terra que a charrua levanta entre regos; lombo, costas dum instrumento cortante, lado oposto ao fio, costa; camalhão; (vet.) dorso, o espinhaço desde a cernelha até às ancas; lombo, parte por onde se dobram a comprido os tecidos, peles, etc.: *poner el lomo a los libros*, alombar; (Amér.) V. **forzal.**

lomudo, da. *adj.* lombudo, diz-se do que tem grandes lombos.

lona. *f.* lona, tecido para velas de navio, toldos, etc.; (fam.) saco feito deste tecido. V. **arpillera;** (bot.) lona, planta das Honduras; (Amér.) serapilheira.

lonco. *m.* (Amér.) colarinho, pescoço.

loncha. *f.* pedra lisa e plana. V. **lancha;** coisa larga e comprida. V. **lonja.**

lonche. *m.* (Amér.) lunch.

lóndiga. *f.* V. **alhóndiga,** terreiro de trigo.

londinense. *adj.* e *s.* (geog.) londrino, natural de ou pertencente a Londres.

Londres. (geog.) Londres.

longa. *f.* (mús.) longa.

longanimidad. *f.* longanimidade, magnanimidade, generosidade; paciência para suportar ofensas.

longánimo, ma. *adj.* longânimo, longânime, generoso, magnânimo, bondoso, corajoso, constante; resignado.

longaniza. *f.* lingu(ü)iça, linguarela, pessoa muito alta e magra.

longares. *m.* (germ.) homem cobarde.

longevidad. *f.* longevidade, vida longa.

longevo, va. *adj.* longevo, que tem muita idade, muito velho; que dura muito.

longilobulado, da. *adj.* longilobado.

longimano, na. *adj.* (zool.) longímano.

longimetría. *f.* (top. e geog.) longimetria.

longímetro. *m.* longímetro.

longíncuo, cua. *adj.* longínquo; remoto; afastado.

longipenne. *adj.* (orni.) longipene.

longipétalo, la. *adj.* (bot.) longipétalo.

longirrostro, tra. *adj.* (zool.) longirrostro.

longitud. *f.* longitude, comprimento, extensão duma coisa considerada na sua maior dimensão; (geog.) longitude.

longitudinal. *adj.* longitudinal, lineal.

longo, ga. *s.* (Amér.) índio ainda jovem.

longuera. *f.* porção de terreno comprido e estreito.

longuería. *f.* dilação, prolixidade.

longuetas. *f. pl.* (cir.) ligaduras ou tiras de pano estreitas, aplicadas às fracturas e amputações.

lonja. *f.* tira larga e pouco grossa, talhada, fatia; tirante que prende os arreios ao carro; praça, bolsa, lugar onde se reunem os negociantes; armazém onde se colocam as pilhas de lã; mercearia; átrio acima do nível da rua, de templos e doutros edifícios; comércio por grosso e miúdo; correia com que se amarrava o falcão.

lonja. *f.* (Amér.) coiro descarnado e sem pêlo.

lonjear. *v. tr.* (Amér.) lonquear, rapar o pêlo aos couros.

lonjeta. *f.* fatiazinha, pequena fatia; caramanchão, caramanchel.

lonjista. *s.* lojista, o que tem loja de cacau, etc.; merceeiro, vendedeiro.

lontananza. *f.* (pint.) longes, fundos dum quadro: *en lontananza,* ao longe, a distância.

loor. *m.* louvor, louvação, glorificação, elogio. V. **alabanza.**

lopigia. *f.* (med.) V. **alopecia.**

loquear. *v. intr.* louquejar, dizer ou fazer loucuras; (fig.) doudejar, brincar, galhofar, divertir-se ruidosamente, fazer diabruras.

loquera. *f.* enfermeira de doidos; prisão de loucos; (Amér.) (fam.) V. **locura.**

loquería. *f.* (Amér.) V. **manicomio.**

loquero. *m.* enfermeiro de loucos.

loquesco, ca. *adj.* amalucado, adoidado; (fig.) chalaceiro, brincalhão: *a la loquesca,* à doida.

loquios. *m. pl.* (med.) lóquios, corrimento sanguíneo e seroso depois do parto.

lora. *f.* (Amér.) loiro ou papagaio; fêmea do papagaio.

lorantáceo, a. *adj.* (bot.) lorantáceo. — *f. pl.* lorantáceas.

lord. *m.* lorde, título honorífico inglês. — *pl. lores.*

lordosis. *f.* (pat.) lordose.

loriga. *f.* loriga, couraça; loriga, antigo saio de malha com escamas metálicas; loriga, antiga armadura de cavalo para tempo de guerra; peça de ferro que reforçava as buchas das rodas das carruagens.

loriguero, ra. *adj.* diz-se do pertencente ou relativo à loriga.

loro. *m.* (orni.) papagaio, loiro; (fam.) loiro, diz-se da pessoa que fala muito; (bot.) espécie de loureiro; (Amér.) urinol de cristal para os doentes que estão de cama; tormento para que os réus declarem a verdade.

loro, ra. *adj.* loiro, amarelo, jaldo; denegrido, escuro, fusco.

los. *art. def. m. pl. os: los niños,* os meninos. — *pron. pers. m. pl.* acusativo da terceira pessoa, os.

losa. *f.* lousa, loisa, laje; loisa, armadilha para caçar aves ou ratos.

losado, da. *p. p. e adj.* enlousado, lajeado. — *m.* enlousado, coberto de lousas (diz-se do solo).

losange. *m.* (herald.) losaigo, rombo.

losar. *v. tr.* enlousar, lajear. V. **enlosar.**

loseta. *f. dim.* de *lousa;* lousinha, laje pequena; armadilha; *cojer en la loseta,* (fig.) enganar alguém na ratoeira, na esparrela.

lote. *m.* lote, porção; quinhão; sorte; prémio.

lotería. *f.* lotaria, jogo de azar com prémios; rifa: *lotería en cartones numerados,* loto; estabelecimento onde se vendem os bilhetes de lotaria.

lotero, ra. *s.* pessoa que vende lotaria; cauteleiro.

loto. *m.* (bot.) loto, lotos, lodão.

lotófago, ga. *adj.* lotófago, que se alimenta do fruto do loto.

lover. *v. intr.* (prov.) V. **llover.**

loxodromia. *f.* (mar.) loxodromia.

loxodrómico, ca. *adj.* (mar.) loxodró(ô)mico.

loxodromismo. *m.* (mar.) loxodromia, loxodromismo.

loyo. *m.* cogumelo comestível do Chile.

loza. *f.* louça, productos de cerâmica; barro fino e cozido.

lozanear. *v. intr.* louçainhar, ostentar louçania, tornar-se loução. — *v. r.* agir com louçania; brotar, crescer com viço, vegetar de modo luxuriante.

lozanecer. *v. intr.* V. **lozanear.**

lozanía. *f.* louçania; viço, verdor das plantas; garridice, orgulho, altivez; louçania, frescura, luxúria; frondosidade; louçania, garbo, gentileza; elegância; altivez, soberba: *perder la lozanía,* envelhecer, desfolhar-se, desmerecer; *recuperar la lozanía,* (fig.) enverdecer.

lozano, na. *adj.* loução, luxuriante, viçoso, garrido, que tem louçania; loução, frescal;

(fam.) frescalhote; galante, luxuriante; elegante. belo, garboso, formoso; enfeitado; airoso.

lúa. f. espécie de luva de esparto para limpar cavalgaduras.

luán. adj. (Amér.) diz-se da cor amarela e cor cinzenta ou gris clara.

lubricación. f. lubrificação.

lubricador, ra. adj. lubrificador, que lubrifica: lubricador automático, lubrificador automático.

lubrícán. m. crepúsculo, ocaso.

lubricante. p. a. e adj. lubricante, diz-se de toda a substância que serve para lubrificar, lubrificante.

lubricar. v. tr. lubricar, lubrificar, tornar resvaladiça uma coisa, untar; fazer escorregadiço.

lubricativo, va. adj. lubrificante, que lubrifica.

lubricidad. f. lubricidade, qualidade de lúbrico; (fig.) afrodisia, luxúria, erotismo, sensualidade, lascívia.

lúbrico, ca. adj. lúbrico; (fig.) lúbrico, propenso à luxúria, libidinoso, lascivo, luxurioso; escorregadiço; (fig.) lúbrico, sensual, erótico, incontinente, impúdico.

lubrificación. f. lubrificação, acto ou efeito de lubrificar.

lubrificador. m. lubrificador, aparelho para lubrificar ou ensebar as lãs.

lubrificar. v. tr. lubrificar, untar, tornar escoregadiço; ensebar.

lucanio, nia. adj. e s. lucano. V. lucano.

lucarna. f. (arq.) lucarna, abertura no telhado duma casa para dar luz e ar ao sótão.

lucas. m. pl. (germ.) os naipes.

lucentor. m. enfeite que antigamente usavam as mulheres no rosto.

lucera. f. V. claraboya.

lucerna. f. candelabro grande; lucerna, clarabóia, luzerna, lucarna, candeia, lumieira; (ictiol.) lucerna, candeia, peixe. V. milano; (p. us.) pirilampo; lucerna, pequena luz, lamparina. V. candela.

lucernario. m. lucernário, abertura no alto duma escada; lucernário, poço de acesso às catacumbas romanas; o anoitecer; o crepúsculo da tarde.

lucerno. m. (germ.) candelabro.

lucérnula. f. (bot.) V. neguilla.

lucero. m. Vénus (planeta); luzeiro, astro brilhante; fresta; mancha branca e grande na testa dalguns animais, luzeiro; (fig.) esplendor, lustre; (fig.) (poét.) cada um dos olhos. — pl. luzeiros.

lucidez. f. lucidez, qualidade de lúcido; brilho; clareza de raciocínio; brilhantismo.

lúcido, da. adj. lúcido, resplandecente, brilhante; (fig.) lúcido, claro no raciocínio; transparente.

lucido, da. p. p. e adj. luzido, pomposo, vistoso; que age com graça, liberalidade e esplendor.

lucidor, ra. adj. luzente, brilhante.

lucidura. f. caiação, caiadura da parede.

luciérnaga. f. (zool.) pirilampo, luze-cu, luze-luze; lumieira; luzerna.

Lucifer. m. Lúcifer, Lucifer, Satanás; (astr.) Lúcifer, Vénus; (fig.) homem soberbo e maligno.

luciferino, na. adj. luciférico, luciferino, satânico. diabólico; mefistofélico.

luciferismo. m. culto dado a Lúcifer.

lucífero, ra. adj. (poét.) lucífero, que dá luz. — m. (astr.) Lúcifer, Vénus.

lucífugo, ga. adj. (poét.) lucífugo.

lucilina. f. (quím.) lucilina.

lucímetro. m. (fís.) lucímetro.

lucimiento. m. luzimento, brilho; aplauso; fulgor, fulgência.

lucio, cia. adj. luzidio, reluzente, brilhante, nítido. — m. pequena lagoa que fica na marisma durante a maré vazante.

lucir. v. intr. luzir, brilhar, resplandecer; cintilar; lustrar; (fig.) sobresair, avantajar; luzir, tirar muito proveito do trabalho, dar proveito; dar bom resultado; emitir luz; desenvolver-se. — v. tr. iluminar, alumiar; luzir, ostentar, manifestar o adiantamento, a riqueza, a autoridade, etc.; limpar, pôr brilhante. V. **enlucir.** — v. r. vestir-se e enfeitar-se com esmero, luzir-se; adornar-se; brilhar, merecer louvor; (fig.) sair airoso dalguma incumbência, luzir-se; (irón.) claraboiar: estamos lucidos!, (fam.) expressão irónica empregada para significar o desgosto produzido duma coisa inesperada. — pres ind. irr. luzco, luces, etc; subj. luzca, etc.

lucrar. v. tr. lucrar, conseguir, ganhar, aproveitar, tirar lucro ou vantagens de, conseguir o que se deseja obter. — v. r. lucrar-se, tirar lucro ou proveito.

lucrativo, va. adj. lucrativo, que produz utilidade; vantajoso, proveitoso.

lucro. m. lucro, proveito, ganho, benefício, intere(ê)sse: lucros y daños, lucros e perdas.

lucroso, sa. adj. lucroso, lucrativo, vantajoso.

luctuoso, sa. adj. lutuoso, digno de tristeza, triste, deplorável.

lucubración. f. lucubração, acção de lucubrar; vigília e trabalho consagrado ao estudo, lucubração; lucubração, meditação grave; obra ou produto da lucubração.

lucubrar. v. tr. lucubrar, passar a noite em trabalhos intelectuais; meditar profundamente.

lúculo. m. (fig.) homem muito rico e que dá lautos banquetes.

lúcuma. f. (bot.) fruto do lúcumo.

lucha. f. luta, combate, guerra, lide, peleja, batalha; (fig.) disputa, contenda; colisão; derriça; conflito; desafio; contenda; controvérsia; debate; (mil.) choque; ludo; fig.) contraste; (Bras.) adevão, aloite.

luchadero. m. (mar.) parte do remo coberta de coiro ou cânhamo, onde se apoia sobre o tolete.

luchador, ra. s. lutador, pessoa que luta, combatente.

luchar. v. intr. e tr. lutar, combater braço a braço, pelejar, combater corpo a corpo; (fig.) lutar, contender, guerrear, lidar, pelejar; (fig.) disputar, discutir; entrebater-se; medir-se; derriçar; altercar; debater; forcejar: *luchar cuerpo a cuerpo*, engalfinhar-se.

lucharniego, ga. *adj.* diz-se do cão ensinado a caçar de noite.

luche. *m.* (Amér.) V. **infernáculo.**

lucho, cha. *adj.* (Amér.) V. **ducho.**

luda. *f.* (germ.) mulher.

ludada. *f.* enfeite, antigo adorno feminino.

ludibrio. *m.* ludíbrio, escárnio, zombaria, derisão; (fig.) enxovalho; (vulg.) apepinação.

lúdicro, cra. *adj.* relativo ou pertencente ao jogo.

ludimiento. *m.* esfregação, fricção, roçadura, esfregadura.

ludio, dia. *adj.* (germ.) velhaco. — *m.* (germ.) moeda de cobre. V. **ochavo.**

ludión. *m.* (fís.) ludião, lúdio.

ludir. *v. tr.* esfregar, roçar, friccionar uma coisa contra outra; coludir.

lúe. *f.* infecção; lúes, sífilis; gálico; (vulg.) galiqueira.

luego. *adv.* logo, sem demora, sem dilação, prontamente; depois; logo, imediatamente. — *conj.* logo, portanto, por conseguinte; ergo: *desde luego*, imediatamente; sem tardança; de conformidade, sem dúvida; *luego que*, depois que, assim que; apenas; *para luego*, para logo, desde logo; *hasta luego*, adeus.

luenga. *f.* delonga, demora, dilação; tardança.

luengo, ga. *adj.* comprido, longo. V. **largo;** (germ.) principal ou que tem o primeiro lugar na estima ou na importância.

luético, ca. *adj.* sifilítico, infeccioso.

lugar. *m.* lugar, sítio, espaço; lugar, povoação pequena, vila, aldeia; tempo; emprego; motivo; lugar, emprego, posto; lugar, texto dum autor; lugar, ocasião; oportunidade; lugar, causa, motivo; proposta para emprego; (prov.) conjunto de terras cultivadas por um colono: *lugar común*, latrina; *dar lugar a*, dar lugar; *lugar escusado*, latrina; *lugar donde se vive*, meio.

lugarejo. *m.* lugarejo, casal, aldeola.

lugareño, ña. *s.* e *adj.* aldeão, habitante dum lugar pequeno; lugarenho.

lugarete. *m.* lugarejo, pequeno lugar.

lugarote. *m.* lugar amplo, grande lugar.

lugartenencia. *f.* lugar-tenência.

lugarteniente. *m.* lugar-tenente, pessoa que desempenha por delegação as funções de outrem.

luge. *m.* (deport.) luge, espécie de trenó pequeno.

lugre. *m.* (mar.) lugre, embarcação pequena de três mastros.

lúgubre. *adj.* lúgubre, fúnebre, lutuoso, triste, sombrio, escuro, medonho, funesto, melancólico.

lugués, sa. *adj.* e *s.* (geog.) natural de ou pertencente a Lugo.

luición. *f.* remissão de censos.

luidero. *m.* (mar.) chamaceiro.

luir. *v. tr.* remir censos; (Amér.) esfregar, roçar.

luis. *m.* luís, antiga moeda francesa de oiro.

Luis. *n. pr.* Luís.

Luisa. *n. pr.* Luisa,

luisa. *f.* (bot.) limonete, lúcia-lima, erva-heloisa.

luísmo. *m.* V. **laudémio.**

lujación. *f.* luxação. V. **luxación.**

lujo. *m.* luxo, sumptuosidade; luxo, alarde; (fig.) estrondo; estravagância; superfluidade; magnificência; ostentação; gala; pompa; (Bras.) cuca. — *pl.* floreados, meiguices.

lujoso, sa. *adj.* luxuoso; ostentoso; magnificente; esplêndido; estrondoso; deslumbrante; sumptuoso.

lujuria. *f.* luxúria, sensualidade, lascívia; excesso; demasia em qualquer coisa; lubricidade, incontinência.

lujuriar. *v. intr.* luxuriar, entregar-se ao vício da luxúria; copular (diz-se dos animais).

lujurioso, sa. *adj.* luxurioso, sensual, lascivo, libidinoso, luxuriante; lúbrico, incontinente, fornicário, desmanchado; frascário; impúdico; exuberante; viçoso.

lula. *f.* (zool.) lula, calamar. V. **calamar.**

luliano, na. *adj.* e *s.* (filos.) luliano, lulista.

lulismo. *m.* (filos.) lulismo, sistema filosófico de Lúlio.

lulista. *adj.* e *s.* (filos.) lulista, luliano.

lulo, m. (Amér.) embrulho, pacote.

lulú. *m.* (zool.) lulú, cãozinho de pêlo comprido.

lumadero. *m.* (germ.) dente de homem ou animal.

lumaquela. *f.* (min.) lumaquela.

lumbago. *m.* (med.) lumbago.

lumbar. *adj.* (anat.) lombar, relativo aos lombos.

lumbeta. *f.* (Amér.) dobradeira usada pelos encadernadores.

lumbrada. *f.* lamaréu, grande fogueira, labareda.

lumbre. *f.* lume, fogo, combustível incendiado; lume, claridade, luz; chama; em certas armas de fogo; fuzil que fere lume na pederneira; lume, parte anterior da ferradura; lumieiro, fresta para deixar entrar a luz; luz, claridade; isca; pederneira para fazer lume; lume, faiscas que se tiram da pederneira; pinça; (fig.) lume, luz, brilho, esplendor, luzimento. — *pl.* pederneira; sílex: *ni por lumbre*, (fam.) de nenhum modo; *lumbre del agua*, lume, superfície da água; *a lumbre de paja*, (fam.) breve, efémero.

lumbrera. *f.* lumieira, objecto que alumia, corpo luminoso; fogaréu, chama grande; (arq.) lumieira, fresta; pinça de ferradura; abertura das plainas por onde saem as aparas da madeira; (fig.) luzeiro, pessoa douta, esclarecida e virtuosa, luminar; (mar.) vigia. — *pl.* (fig.) os olhos.

lumbrerada. *f.* lumaréu. V. **lumbrarada.**

lumbrical. *adj.* (anat.) lumbrical.

lumbroso, sa. *adj.* V. **luminoso.**

luminar. *m.* luminar, astro que dá luz e claridade; luzeiro; (fig.) luminar. V. **lumbrera.**

luminaria. *f.* luminária; lamparina, lanterna, iluminação por festa pública; lâmpada continuamente acesa na capela do S.S. Sacramento; (pop.) janela: *hacer luminarias,* iluminar.

lumínico. *m.* (fís.) princípio ou agente hipotético dos fenómenos da luz.

luminiscencia. *f.* (fís.) luminescência.

luminiscente. *adj.* (fís.) luminescente.

luminista. *adj.* (Amér.) diz-se do pintor que sobressai em dar efeitos de luz aos quadros.

luminosidad. *f.* luminosidade.

luminoso, sa. luminoso; brilhante, resplandecente; (fig.) evidente, claro, luminoso, instructivo.

luminotecnia. *f.* luminotécnica.

luna. *f.* lua; vidro do espelho; lente de óculos; lua, impressão causada pela lua nos loucos ou nos doentes; (arq.) lua; (fort.) lua; lua, loucura, mania; lunação: *poner a alguien en los cuernos de la luna,* (fam.) pôr alguém nos cornos da lua; *andar en la luna,* (fam.) andar na lua.

lunación. *f.* (astr.) lunação.

lunado, da. *adj.* lunado, que tem o forma de meia lua.

lunanco, ca. *adj.* (vet.) náfego, que tem um quadril menor que outro.

lunar. *adj.* (astr.) lunar, pertencente ou relativo a Lua.

lunar. *m.* lunar, sinal na pele; (fig.) mancha, nódoa, desdouro; defeito de pouca monta.

lunarejo, ja. *adj.* (Amér.) diz-se do animal que tem lunares na pele; diz-se da pessoa que tem um ou mais lunares na pele.

lunaria. *f.* (bot.) lunaria; (min.) lunaria, pedra preciosa cinzenta.

lunario, ria. *adj.* lunário, pertencente ou relativo às lunações. — *m.* calendário.

lunático, ca. *adj.* lunático, insano, louco por intermitências, aluado. homem de luas, maníaco; excêntrico, caprichoso.

lunatismo. *m.* (med.) luada.

lunch. *m.* anglicismo por **merienda, colación,** etc.

lunecilla. *f.* adereço em forma de meia lua empregado como adorno.

lunel. *m.* (herald.) figura em forma de flor, feita de quatro meias luas.

lunes. *m.* segunda-feira, segundo dia da semana.

luneta. *f.* (óptic.) luneta, lente de óculos; lugar de cadeira nos teatros; lagar d'azeite; enfeite em forma de meia lua, usado pelas mulheres na cabeça, e pelas crianças nos sapatos; (for.) luneta, baluarte pequeno; (arq.) telha, beiral. V. **bocateja** e **luneto.**

luneto. *m.* (arq.) luneta, abertura que se abre nas habitações para entrada de ar e luz.

lunisolar. *adj.* (astr.) lunissolar.

lúnula. *f.* lúnula, mancha esbranquiçada na raíz das unhas; (geom.) lúnula.

lupa. *f.* (ópt.) lupa, lente que aumenta os objectos; microscópio simples.

lupanar. *m.* lupanar, bordel, alcouce; prostíbulo, casa de prostituição; açougue de Vénus; farra.

lupanario, ria. *adj.* lupanário. bordelesco.

lupercales. *f. pl.* lupercais, antigas festas romanas em honra do deus Pã.

lupia. *f.* (med.) lupia, lobinho. V. **lobanillo.**

lupicia. *f.* (med.) V. **alopecia.**

lupino, lupina. *adj.* lupino, pertencente ou relativo ao lobo. — *m.* (bot.) tremoço; tremoceiro.

lupulino. *m.* lupulina, substância amarga que contém o lúpulo.

lúpulo. *m.* (bot.) lúpulo, planta trepadeira, empregada no fabrico da cerveja.

lupus. *m.* (med.) lupus, lupo.

luquete. *m.* (arq.) casquete esférico que fecha a abóbada.

lura. *f.* lura, buraco; toca.

lúrido, da. *adj.* lúrido, pálido, lívido.

lurdoso, sa. *adj.* lúrido.

lurio, ria. *adj.* (Amér.) louco, doido, demente, fátuo. V. **pedante.**

!urte. *m.* (prov.) alude, avalancha.

luscinia. *f.* (zool.) nome genérico dos rouxinois; luscínia.

luscínidos. *m. pl.* luscínias, género de pássaros insectívoros de que faz parte o rouxinol.

lusco, ca. *adj.* lusco, vesgo; que tem um só olho; cego.

lusaidas. *f. pl.* lusíadas, fastos heróicos dos Lusos, Lusitanos.

Lusitania. (geog.) Lusitânia.

lusitánico, ca. *adj.* lusitânico, pertencente ou relativo aos lusitanos.

lusitanismo. *m.* lusitanismo, lusismo, costumes próprios dos Lusitanos.

lusitano, na. *adj.* e *s.* (geog.) lusitano, luso, lusitânico, pertencente ou relativo a Lusitânia, natural da Lusitânia.

luso, sa. *adj.* e *s.* (geog.) V. **lusitano.**

lusobrasileño, ña. *adj.* e *s.* luso-brasileiro.

lusocastellano, na. *adj.* e *s.* luso-castelhano.

lusoespañol. *adj.* e *s.* luso-espanhol.

lustración. *f.* lustração, lavagem; purificação, cerimónia pagã para purificar uma pessoa ou coisa; expiação.

lustrador, ra. *adj.* e *m.* lustrador, que serve para lustrar, o que lustra.

lustral. *adj.* lustral, pertencente ou relativo à lustração; lustral, que serve para purificar ou lustrar: *agua lustral,* água lustral.

lustrar. *v. tr.* lustrar, purificar; expiar; lustrar, dar lustre a alguma coisa como metais. pedras. etc.; assetinar, lustrar; lustrar; peregrinar por algum país; lustrar, dar lustre, tornar brilhante, polir; envernizar; purificar com água lustral.

lustre. *m.* lustre, brilho das coisas polidas; lustre, lustradela; (fig.) lustre. esplendor, glória, deco(ô)ro; (fig.) brilho dado pela beleza, pelo mérito, pela reputação; honra: *dar lustre*, lustrar; *sacar lustre*, enediar.

lustrear. *v. tr.* (Amér.) lustrar, dar lustre, dar brilho.

lústrico, ca. *adj.* pertencente à lustração; (poét.) quinquenal, referente ao lustro.

lustro. *m.* lustro, espaço de cinco anos.

lustroso, sa. *adj.* lustroso, lustrino, que tem lustre; luzente, luzidio; anediado; (fig.) setim.

lútea. *f.* verdelhão, pássaro.

luteína. *f.* luteina.

luten. *m.* (quím.) mistura que serve para tapar ou cubrir as junturas dos vasos químicos, luto.

lúteo, a. *adj.* lúteo, lamacente, de lodo.

luteogálico, ca. adj. luteogálico.

luteogállico, ca. *adj.* (quím.) luteogálico.

luteolina. *f.* (quím.) substância corante da cor amarela.

luteranismo. *m.* luteranismo.

luterano, na. *adj.* e *s.* luterano, sectário de Lutero, conforme as doutrinas de Lutero.

luto. *m.* luto, sinal de sentimento pela morte dalguém; luto, dó, pena, pesar, anojo; funestação; (fig.) cipreste; (fig.) cinza; luto, trajos e ornamentos: luto, calamidade, tristeza; traje de luto: *ponerse de luto*, tomar luto; *quitarse el luto*, deitar luto; *medio luto*, luto curto; *alivio de luto*, luto aliviado; *luto riguroso*, luto pe-

sado ou rigoroso; *ir de luto*, andar de luto.

lutoso, sa. *adj.* V. **luctuoso.**

lutria. *f.* (zool.) V. **nutria.**

luxación. *f.* (cir.) luxação, deslocação dum osso da sua articulação; desconjuntamento, deslocadura, estorcegão, estorcegada.

Luxemburgo. (geog.) Luxemburgo.

luxemburgués, sa. *adj.* e *s.* (geog.) luxemburguês.

luz. *f.* luz; claridade; fluido luminoso; luz, corpo, matéria que alumia; luz, vela acesa, candeeiro, candeia, etc.; luz, utensilio para alumiar; luz, dia; (fig.) aviso; (pint.) luz; (fig. e fam.) dinheiro; (arq.) janela, lumieiro, clarabóia, bandeira, fresta; luz, resplendor; (fig.) luz, conhecimento; ilustração; luz, luzeiro, homem douto, insigne; dimensão horizontal duma habitação, ponte, etc. — *pl.* luzes, cultura, doutrina, ilustração, ciência: *entre dos luces*, ao amanhecer, ao anoitecer; *cerrar los ojos a la luz*, (fig.) cerrar os olhos à luz, morrer, não querer admitir uma verdade incontestável; *abrir los ojos a la luz*, (fig.) nascer, conhecer a verdade das coisas; *dar a luz*, dar a luz; delivrar-se, desemprenhar.

Luzbel. *m.* Lúcifer, Satanás, o Demo.

luzonita. *f.* (min.) luzonite.

Lyon. (geog.) Lião.

LL

Ll, ll. *f.* décima quarta letra do alfabeto espanhol, e undécima das suas consoantes; pronuncia-se como o *lh* português; não pode dividir-se no fim da linha.

llaga. *f.* chaga, úlcera, no corpo do homem ou do animal; chaga, estigma; chaga, pena infortúnio; (fig.) chaga, aflição, dor; chaga, junta entre dois tijolos da mesma fileira; terreno pantanoso; chaga, ferida aberta; chaga, incisão na casca das árvores; *llagas de Cristo*, (bot.) planta da família das gerianáceas ornamentais; *poner el dedo en la llaga*, pôr o dedo na chaga.

llagar. *v. tr.* chagar, fazer ou causar úlceras ou chagas em; (fig.) ferir, molestar, torturar. — *v. r.* afistular-se, ulcerar-se, tornar-se em chagas; cobrir-se de chagas; empalamar.

llama. *f.* chama, labareda que se eleva de matérias incendiadas; chama, flama; (fig.) ardor, violência duma paixão; chama, lume, luz; (fig.) áscua. — *pl.* labaredas, suplício do fogo: *en llamas*, em chamas; *falsa llama* o *llama bastarda*, (bot.) planta da família das iridáceas; *salir de las llamas en las brasas*, tirar-se da lama e meter-se no atoleiro.

llama. *f.* (zool.) lama, mamífero ruminante originário do Peru.

llama. *f.* charco, paul, terreno pantanoso.

llamada. *f.* chamada, acto de chamar; chamada, sinal que se põe na escrita para chamar a atenção da pessoa que lê; chamada, gesto, aceno para chamar a atenção; chamada, cita; advocação; (mil.) toque de reunir.

llamadera. *f.* aguilhada, vara delgada e comprida com aguilhão.

llamador, ra. *s.* chamador, pessoa que chama; avisador o que leva avisos; aldraba, argola de porta; botão de campainha eléctrica; cordão de campainha; chamador, batente.

llamamiento. *m.* chamamento, chamada, acção de chamar; convocação; chamamento, evocação; apelação; advocação; clamação; inspiração com que Deus move os corações; (mil.) toque de reunir: *hacer un llamamiento a la opinión*, apelar para opinião; *llamamiento a filas*, mobilização, adua, apelido.

llamar. *v. tr.* e *intr.* chamar, dizer em alta voz o nome dalguém; chamar, fazer sinais para que venha alguma pessoa; chamar, convocar, citar; chamar, clamar, invocar, pedir auxílio oral ou mentalmente; chamar, reclamar, mandar, vir; nomear, dar nome a; chamar, escolher para um cargo; chamar, apelidar; chamar, atrair; chamar, invocar auxílio, chamar, bater à porta. — *v. r.* chamar-se, ser designado por um nome; apelidar-se; ter nome; (mar.) mudar, trocar a direcção o vento: *llamar a las armas*, dar uma alerta; *llamar la atención*, dar na vista; *llamar a los espíritus*, evocar; *llamar a un gato*, bichanar.

llamarada. *f.* labareda, grande chama, (fig.) vermelhidão e calor súbito do rosto; arrebatamento; lampejo; últimos clarões duma luz que se apaga; (fig.) afogueamento; repente; afrouxamento.

llamativo, va. *adj.* e *s.* apetitoso, picante, diz-se da comida que dá sede; (fig.) atraente, garrido, que chama a atenção exageradamente.

llamazar. *m.* lamaçal, lodaçal, atoleiro.

llambria. *f.* parte das penhas que forma um plano muito inclinado difícil de passar.

llamear. *v. intr.* chamejar, deitar chamas. arder; (fig.) estar encolerizado. — *v. tr.* passar um objecto pelas chamas, chamuscar; expelir com chama; passar pelas chamas um objecto para o desinfectar.

llana. *f.* trolha, utensílio que os pedreiros usam para aplainar as paredes; desempenadeira, pá.

llana. *f.* página, lauda, cada uma das faces duma folha de papel; planura, planície.

llanada. *f.* planura, planície; planura, terreno sem altos nem baixos; planalto; lhanura; campina

llanca. *f.* (Amér.) mineral de cobre de cor verde-azulado; pedrinhas desse minério.

llanero, ra. *s.* habitante das lhanuras ou planícies; campino; (Amér.) habitante das pampas ou campinas da América do Sul.

llaneza. *f.* llaneza, franqueza, familiaridade; ingenuidade; desengano; desafe(c)tação; afabilidade; desvaidade; lhaneza, simplicidade notável; singeleza; despejo; afabilidade, descortesia; planície, chaneza.

llano, na. *adj.* lhano, plano, raso, achatado; contínuo, chão; (fig.) lhano, franco; (prov.) gafo; (fig.) desempoado, desempoeirado; (fig.) lhano, efusivo, desvaidoso, despretencioso; claro; desafe(c)tado; franco; incerimonioso, sincero, acessível; sem ornato, simples, diz-se dos vestidos; claro, evidente; corrente, sem dificuldade nem embaraço; singelo (diz-se do estilo); (gram.) aplicado às palavras, grave ou paraxítono. — *m.* planície. — *pl.* malhas lisas das meias: *discurso llano*, discurso fraco; *país llano*, país chato; *a la llana*, (for.) diz-se do leilão em que os licitantes ouvem as ofertas uns dos outros.

llanque. *m.* (Amér.) espécie de sandália.

llanta. *f.* (carp.) aro, peça de ferro, que guarnece a pina das rodas dos carroa.

llantén. *m.* (bot.) tanchagem, planta hervácea vivaz: *llantén de agua*, chantagem aquática.

llantecillo. *m.* (Amér.) tanchagem menor.

llantera. *f.* V. **llorera.**

llantería. *f.* (Amér.) choradeira, choro simultâneo de várias pessoas.

llantina. *f.* V. **llorera.**

llanto. *m.* cho(ô)ro, pranto, lágrimas, gemido, choro, sentimento; lamento ;mal usado em Chile por lágrimas, gotas de suco que destilam algumas plantas; *llanto de niño*, (Bras.) bué.

llanura. *f.* planeza, superfície plana, lisa, rasa; chapada, planura; planície, terreno plano; descampado; achada, estepa.

llapa. *f* .(min.) V. **yapa.** (Amér.) desconto feito pelo vendedor ou comprador.

llapango, ga. *adj.* diz-se no Equador da pessoa que veste bem mas não usa calçado.

llapar. *v. tr.* (min.) V. **yapar.**

llar. *m.* (prov.) fogão de cozinha. — *f. pl.* lárias; cadeia de ferro da qual pende o caldeirão do tecto da cozinha; gramalheira; (mil.) obras ou defesas num baluarte. *f.* (prov.) cercado de troncos de choupo.

llavazo. *m.* pancada com uma chave.

llave. *f.* chave, instrumento metálico para abrir ou fechar uma fechadura; instrumento com que se dá corda ao relógio, etcétera; chave, utensílio para apertar, aparafusar, estender, fixar, etc., vários aparelhos; torneira; chave, pequeno utensílio para afinar instrumentos músicos, para fechar orifícios de instrumentos de sopro; fechos, fecharia de arma de fogo; chave, sinal ortográfica; chave, meio para descobrir o que está oculto; chave, princípio que facilita o conhecimento dalguma coisa; (arq.) chave, esquadria com que se fortalecem os ângulos; (mús.) cha-

ve, clave; chave, a largura inferior do pé; chave, torneira metálica para tonéis e pipas; (fig.) chave, solução, explicação, decifração.

llavero, ra. *s.* chaveiro, pessoa que guarda as chaves. — *m.* claviculário; carcereiro; despenseiro; argola onde se enfiam as chaves.

llavín. *m.* chave pequena para abrir o trinco.

lleco, ca. *adj.* (agr.) virgem, natural, diz-se da terra que nunca foi cultivada ou arroteada.

llegada. *f.* chegada, vinda, acção de chegar; o momento em que se chega; aproximação; regresso; abordagem; advento; chegamento; arribação, arribada; acessão; *llegada repentina, imprevista*, entrevinda; *llegada feliz*, boa-vinda, bem-vinda; *llegada de un barco a puerto*, aportada.

llegado, da. *p. p.* e *adj.* chegado, vindo: *bien llegado*, bem-chegado, bem-vindo; *llegado del extranjero*, chegadiço; *recién llegado*, recem chegado; *llegado en el último momento*, arribista, advindo.

llegar. *v. intr.* chegar, atingir o lugar para que se estava a caminho, vir; chegar, durar até uma época determinada; acudir, chegar, vir por sua ordem ou por seu turno; chegar, alcançar, obter, conseguir; chegar, tocar; importar, ascender; chegar, montar; (pop.) adergar; assomar; atingir; ser suficiente; elevar-se a; ir até ao ponto de; igualar. — *v. tr.* chegar, juntar uma coisa à outra, achegar, aproximar. — *v. r.* chegar-se, aproximar-se; ir, ter a um lugar determinado; chegar-se, unir-se: *no llego a distinguirte*, não chego a perceber-te; *el gasto no llega a cien escudos*, a despesa não chega a cem escudos; *llega a parecer increíble*, chega a parecer incrível; *nada le llega a la juventud*, nada chega à mocidade; *no llegar a alguien a la suela de los zapatos*, (fam.) não chegar aos calcanhares de alguém.

llena. *f.* cheia, aluvião, enchente que faz sair do seu leito rios e ribeiros.

llenar. *v. tr.* e *r.* encher, tornar cheio, fartar; estofar; colmar; atacar; barrotar; cochar; cobrir; atufar; atestar; empanturrar; (pop.) enfrascar; fartar-se, encher-se, assenhorear-se; (fig.) ocupar dignamente um lugar; satisfazer, parecer bem; fecundar o macho à fêmea; encher, comulgar, prodigalizar; encher um vão, um lugar vazio; encher, emprenhar; encher, agradar; encher, meter uma quantidade de coisas dentro de. — *v. intr.* encher, ir subindo; chegar a Lua ao plenilúnio; irritar-se, zangar-se, depois de ter sofrido um certo tempo: *llenar la andorga*, encher a barriga, abastar-se; *llenar la boca*, embocar; *llenar con*, impregnar; *llenar con exceso*, atafulhar, (fig.) atapulhar; *llenar hasta el borde*, acogular, atulhar, atestar, arrasar, cogular; *llenar* *de miedo*, encher de medo; *llenar un vacío*, atochar; *llenarse de admiración*, encher os olhos, a vista; *llenarse de agua*, aguar-se; *llenarse de tristeza*, cobrir-se de tristeza

llenero, ra. *adj.* pleno, cabal, completo, preenchido; (for.) sem limitação.

lleno, na. *adj.* cheio, que contém tudo o que pode encerrar; cheio, maciço, compacto; cheio, rico, que abunda em alguma coisa; cheio, farto; fordo; apinhoado; basto; assoberbado; coberto; cheio, assoprado; embuchado; entupido; cheio, abarrotado, enfrascado; cheio, empachado, enchido; (fig.) coalhado; (prov.) entourido; (pop.) entoiriçado; (fam.) abarrisco, (fig. herald.) diz-se do escudo carregado doutro esmalte; plenilúnio da Lua cheia; enchente de teatro, cinema, etc. (fam.) abundância, cheia; (fig.) perfeição, acabamento; (med.) cheio, diz-se do pulso forte; (Bras.) tiba. — *pl.* (mar.) figura dos fundos de embarcações muito redondas: *de lleno*, inteiramente, completamente; *cara llena*, rosto cheio; *luna llena*, enchente da Lua; Lua cheia; *a manos llenas*, com mão cheia; *árbol lleno de frutos*, árvore coberta de frutos; *completamente lleno*, cheio como ovo; *lleno de*, (fig.) bastido, inchado; *dar de lleno*, dar em cheio; *lleno hasta el borde*, atestado, cheio até às bordas; *ojos llenos de alegría*, olhos banhados em alegria.

llenura. *f.* plenitude, grande abundância.

llera. *f.* V. **glera.**

llerén. *m.* (bot. Amér.) planta amarantácea, que produz fécula alimentícia.

lleta. *f.* (bot.) rebento, grelo novo das plantas bolbosas.

lleudar. *v. tr.* V. **leudar.**

lleulle. *adj.* (Amér.) V. **inepto.**

lleva. *f.* levada, condução.

llevada. *f.* acção e efeito de levar, levada, condução.

llevadero, ra. *adj.* suportável, tolerável.

llevador, ra. *adj.* e *s.* levador, que leva, que conduz, portador; aquele que transporta.

llevar. *v. tr.* levar, conduzir, transportar; levar, cortar, separar violentamente; levar, tolerar, suportar; levar, erigir; levar, cobrar um preço; persuadir alguém, induzir; ter em arrendamento uma herdade; levar, contar, passar (falando-se do tempo); levar, trajar, vestir; levar, receber, apanhar; levar, arrebatar, arrancar; avantajar, exceder; tomar, engolir, digerir; levar, dirigir, guiar; levar, alcançar, obter, conseguir, lograr. — *v. r.* levar-se, estilar-se; alçar-se: *llevar agua a la mar*, deitar água no mar; *llevarse bien con el vecino*, avizinhar bem com alguém; *llevar el aire a una persona*, fazer antecâmara; *llevar por buen camino*, amalhar; *llevar consigo*, arrastar; *llevar a cuestas*, andar nas ancas dalguém; deitar às costas; *llevar al extremo*, apurar; *llevar algo a buen fin*, levar alguma coisa ao nosso fim; *¿cuánto lleva por aquello?*,

quanto leva por aquilo?; *llevar buen sueño*, estar dormindo a bom levar.

llichi. *m.* (Amér. bot.) rebento, renovo.

lligues. *m. pl.* (Amér.) favas tingidas empregadas em alguns jogos à maneira de dados; o mesmo jogo.

lloradera. *f.* (deprec.) choradeira, acção de chorar muito por motivo fútil, lamúria; (ant.) carpideira.

llorador, ra. *adj.* e *s.* chorador, que chora fàcilmente; chorão.

lloraduelos. *s.* choradolos, chorinca, lamentador; choramingas, choramigas; choramigador, pessoa que chora muito.

lloramico. *m.* dim. de *lloro.*

llorar. *v. tr.* e *intr.* chorar, derramar lágrimas; gotejar, fluir algum humor pelos olhos; chorar, choramigar, choramingar; chorar, estilar; chorar, derramar seiva (as árvores); prantear, sentir muito uma coisa; chorar, verter lágrimas; afligir-se.

lloredo. *m.* V. **lauredal.**

llorera. *f.* chora, choradeira; indivíduo que anda sempe a lastimar-se.

llorica. *s.* chorinca, choramingas, melado, choricas, choramigas.

lloriqueador, ra. *s.* e *adj.* choramigas, choramigador, chorador, melado.

lloriquear. *v. intr.* choramigar, gemicar, choramingar; (pop.) fungar; chorincar.

lloriqueo. *m.* choradeira, chora; fungadeira; cho(ô)ro; berreiro; lamúria.

lloro. *m.* cho(ô)ro, acção de chorar, pranto; chora; berreiro; elegia; lamentação.

llorón, na. *adj.* chorão, choramigas, choramingueiro, choramigador, chorador; (mil.) chorão, espécie de penacho. — *m.* (bot.) choradeira: *niño llorón*, (pop.) fungão; *sauce llorón*, (bot.) choradeira; *criatura llorona*, berrão, berraga, (pop.) berzunda, berzundela.

llorona. *f.* V. **plañidera.**

lloroso, sa. *adj.* choroso, que chora ou chorou, lacrimoso; choroso, elegíaco; choroso, chorão; chorado, choradinho; choroso, aplica-se às coisas que causam tristeza e pranto; lacrimoso, lúgubre, triste: *ojos llorosos*, olhos envinagrados.

llovedizo, za. *adj.* chovediço, chovedio; diz-se dos tectos ou abóbadas, que por defeito passam fàcilmente as águas das chuvas.

llover. *v. intr.* e *impers.* chover, cair água das nuvens; cair grande quantidade dalguma coisa sobre alguém; (fig.) chover, vir em abundância (trabalhos, dinheiro, desgraças). — *v. tr.* fazer cair em gotas; derramar; lançar; (fig.) causar: produzir: *llover a cántaros o chorros*, chover a cântaros, debagar, chover por uma pávela; *dejar de llover*, estiar; *llover ligeramente*, merujar, chuviscar; *llover sobre mojado*, (fig.) chover no molhado, sobrevirem trabalhos sobre trabalhos; *como llovido del cielo*, de modo inesperado.

llovido, da. *p. p.* e *adj.* chovido; caído do alto como a chuva; caído ou vindo em abundância: *llovido del cielo,* de modo inesperado.

llovioso, sa. *adj.* V. **lluvioso.**

llovizna. *f.* chuvisqueiro, chuvisco; chovisco, chuva miudinha; chuvinha, (prov.) meruja, meruginha.

lloviznar. *v. intr.* choviscar, chuviscar, cair chuvisco; merujar.

llovíznoso, sa. *adj.* húmido por causa do chuvisco; diz-se do tempo em que há muitos chuviscos.

llueca. *adj.* e *s.* choca. — *echar una llueca,* preparar o ninho à galinha choca e pô-la sobre os ovos.

lluquí. *m.* (Amér.) canhoto.

lluvia. *f.* chuva, acção de chover; (fig.) chuva, abundância, cópia; chuveiro; aguada: *agua de lluvia,* (prov.) chovedice; *amenazar lluvia,* estar de chuva; *falta de lluvia,* estiagem; *lluvia fuerte,* chuvarada, chuvada: *lluvia de oro,* (bot.) variedade de planta leguminosa papilonácea; *lluvia de estrellas,* chuva de estrelas: *lluvia fina,* (Bras.) xixixi; *lluvia muy fina y fría con neblina,* (Bras.) aruega.

lluvioso, sa. *adj.* chuvoso, em que há chuva; abundante em chuva; aplica-se ao tempo ou ao país em que chove muito.

M

M, m. *f. m.* décima quinta letra e duodécima consoante do alfabeto espanhol; M. letra que tem o valor de mil na numeração romana.

mabinga. *f.* (Amér.) V. **estiércol**; (Amér.) tabaco de má qualidade.

mabita. *m.* (Amér.) desafortunado, pessoa que tem desgraça. — *f.* mau olhado.

maca. *f.* V. **hamaca.**

maca. *f.* pisadura da fruta; nódoa, mancha nos tecidos; dano leve; (fig. e fam.) fraude.

macabeo, a. *adj. e s.* (hist.) macabéu: *libro de los macabeos,* livro dos macabéus.

macabro, bra. *adj.* macabro, fúnebre, que participa do feio da morte; triste, repulsivo.

macacada. *f.* (pop.) macacal, tolice.

macaco. *m.* (zool.) macaco, primata, antropóide, símio. — *adj.* (Amér.) macaco, feio, desproporcionado.

macaco. *m.* moeda das Honduras do valor de um peso.

macacoa. *f.* (Amér.) macacoa, saudade, melancolia, tristeza.

macadam. *m.* V. **macadán.**

macadamización. *f.* (neol.) macadamização.

macadamizar. *v. tr.* macadamizar, empedrar ou calcetar pelo sistema de macadame.

macadán. *m.* macadame, sistema de empedramento de ruas ou estradas.

macana. *f.* macaná, arma ofensiva dos ameríndios; (Amér.) varapau de madeira dura; (fig. prov.) graça, piada, chiste; (Amér.) mentira disfarçada com artifício; coisa mal feita.

macanazo. *m.* pancada dada com o macaná.

macanear. *v. tr.* (Amér.) contar ou inventar patranhas; fazer mal alguma coisa. — *v. r.* (Amér.) trabalhar com assiduidade.

macanero, ra. *adj.* (Amér.) diz-se do que conta ou inventa patranhas.

macano. *m.* (Amér.) cor escura empregada para tingir lã.

macanudo, da. *adj.* formidável, enorme, magnífico, diz-se do que provoca estranheza ou espanto por ser grande e extraordinário.

Macao. (geog.) Macau.

macaquear. *v. intr.* (Amér.) macaquear, arremedar como os macacos, imitar ridiculamente.

macarelo. *m.* homem provocador.

macareo. *m.* (mar.) macaréu, vaga impetuosa na foz dos rios, nas marés vivas.

macarrón. *m.* macarrão; (mar.) extremidade dos cadernais que sai fora das bordas do navio.

macarronea. *f.* macaró(ô)nea, composição, burlesca em que se misturam palavras latinas com outras duma língua vulgar, às quais se dá terminação latina.

macarrónico, ca. *adj.* macarró(ô)nico, relativo a macarróneo.

macarse. *v. r.* começarem a apodrecer as frutas pelas machacaduras ou amolgadelas recebidas, sorvar.

macatrullo, lla. *adj.* (prov. e Amér.) tonto, néscio.

maceador. *m.* maçador de linho

macear. *v. tr.* maçar, bater, dar pancadas com o maço ou maça, pisar. — *v. intr.* (fig.) maçar, malhar, insistir, porfiar, enfadar.

macedonio, nia. *adj. e s.* (geog.) macedónio, natural da ou pertencente à Macedónia.

macelo. *m.* matadoiro, matadouro, lugar onde se abatem as reses.

maceo. *m.* maçagem.

maceración. *f.* maceração; infusão; cortidura, maceramento; (fig.) mortificação do corpo.

maceramiento. *m.* V. **maceración.**

macerar. *v. tr.* macerar, submeter uma substância sólida à maceração; amolecer; pisar; aborborar; epistar; (fig.) mortificar, afligir a carne com penitência; torturar.

macerar. *v. tr.* enfraquecer as aves de rapina para a caça.

macerina. *f.* V. **mancerina.**

macero. *m.* maceiro, bedel que leva a maça em sinal de dignidade.

maceta. *f.* dim. de *maza.* maça pequena; mace(ê)ta, vaso para flores ou plantas; empunhadura dalgumas ferramentas; (Amér.) cabeleira, cabelo.

maceta. *f.* (bot.) V. **corimbo;** (Amér.) pêlo, cabelo, cabeleira.

macetear. *v. tr.* macetear, dar pancadas com a maça.

macetera. *f.* armação para colocar vasos em jardins.

macetero. *m.* utensílio para colocar vasos com flores.

macetón. *m.* aum. de *maceta,* maça ou maço grande; vaso onde se põem ramos com flores.

macfarlán. *m.* V. **macferlán.**

macferlán. *m.* gabão ou capote sem mangas.

macia. *f.* V. **macis.**

macicez. *f.* macicez, qualidade do que é maciço.

macilento, ta. *adj.* macilento, pálido, descorado, triste, melancólico; macerado; amortecido; cadavérico.

macillo. *m.* macinho, pequeno maço; martelo de piano.

macina. *f.* (quim.) macinha.

maciño. *f.* (geol.) macinho.

macis. *f.* macis, arilo da noz-moscada; óleo que se extrai da mesma.

macizar. *v. tr.* encher uma parte oca com material, bem apertado.

macizo, za. *adj.* maciço, sólido, firme, compacto, cheio. — *m.* maciço, proeminência do terreno, ou grupo de alturas ou montanhas; (fig.) canteiro de jardim; leito de flores; encontros duma ponte.

maco, ca. *adj.* (germ.) V. **bellaco.**

macolla. *f.* (bot.) grupo de pés nascidos da mesma semente.

macón. *m.* favo sem mel, resseco e de cor escura. — *adj.* (Amér.) muito grande.

macona. *f.* cesto sem asas, canastra grande.

macrobiano, na. *adj.* macróbio, pessoa de idade muito avançada.

macrobiótica. *f.* macrobiótica, arte de prolongar a vida.

macrocefalia. *f.* (terat.) macrocefalia.

macrocefálico, ca. *adj.* (terat.) macrocefálico.

macrocéfalo, la. *adj.* e *s.* (terat. e anat.) macrocéfalo; (bot.) macrocéfalo.

macrócero, ra. *adj.* (zool.) macrócero. — *m. pl.* macróceros.

macrocitasis. *f.* (bioquim.) macrocitase.

macrocitemia. *f.* (pat.) macrocitemia.

macrocito. *m.* (pat.) macrocito.

macrocitosis. *f.* macrocitose.

macrócomo, ma. *adj.* macró(ô)como.

macrocosmo. *m.* macrocosmo.

macrodáctilo, la. *adj.* e *m.* (zool.) macrodáctilo.

macrogloso, sa. *adj.* (zool.) macroglosso.

macrografía. *f.* macrografia.

macrología. *f.* (ret.) macrologia; estilo difuso.

macromanía. *f.* macromania. V. **megalomanía.**

macromelia. *f.* (terat.) macromelia.

macropétalo, la. *adj.* (bot.) macropétalo.

macropia. *f.* (med.) macropia.

macropódidos. *m. pl.* (zool.) macrópodes.

macropsia. *f.* (med.) macropsia, macropia.

macrorrizo, za. *adj.* (bot.) macrorrizo.

macroscelia. *f.* macroscélia.

macroscélido. *m.* (zool.) macroscélido.

macroscio, cia. *adj.* (geog.) macróscio.

macroscópico, ca. *adj.* macroscópico.

macrosis. *f.* macrose.

macrosoma. *m.* (biol.) macrosoma.

macróspora. *f.* (bot.) macrospora.

macrosporangio. *m.* (bot.) machosporângio.

macróstico, ca. *adj.* macróstico, escrito em linhas muito compridas.

macróstilo, la. *adj.* (bot.) macróstilo.

macruro. *adj.* (zool.) macruro, que tem cauda longa.

macsura. *f.* recinto reservado numa mesquita para o califa ou imã ou para colocar o sepulcro dalguma pessoa tida em estado de santidade.

macuache. *m.* índio, boçal mexicano sem nenhuma instrução.

macuco, ca. *adj.* (Amér.) astuto, velhaco. — *m.* (Amér.) rapaz crescido.

macuenco, ca. *adj.* (Amér.) V. **enclenque.**

mácula. *f.* mácula, nódoa; (fig.) desdouro, infâmia, vileza; senão; desdoiro; (fam.) bitafe; contaminação; (astr.) mancha, cada uma das partes escuras do Sol ou da Lua; mancha; artifício; (fig.) mácula, defeito numa obra da inteligência; tudo o que ofende a honra, a reputação.

macular. *v. tr.* macular, manchar, sujar; (fig.) infamar; deslustrar, desdoirar; emporcalhar; encardir; coinquinar.

maculatura. *f.* (impr.) maculatura, folha mal impressa, suja; papel ordinário para embrulho.

maculiforme. *adj.* maculiforme, em forma de mancha ou mácula.

maculoso, sa. *adj.* (ant.) maculoso, manchado; salpicado de nódoas.

macuquero. *m.* aquele que extrai metais das minas abandonadas sem conhecimento das autoridades.

macuquino, na. (Amér.) *adj.* diz-se da moeda de ouro ou prata que foi cortada sem serrilha e circulava até meados do século XIX.

macuto. *m.* (Amér.) mochila de soldado; cesto de cana que usam os mendigos na Venezuela para recolher as esmolas.

machaca. *f.* pilão, mão do almofariz, instrumento com que se pila; (fig.) maçador, pessoa fastidiosa na sua conversação.

machadera. *f.* V. **machaca.**

machacador, ra. *adj.* e *s.* maçador, machucador, que machuca, que pisa, que pila, pilador.

machacamiento. *m.* machucadura, machuca, machucação.

machacante. *m.* soldado que está ao serviço dum sargento; (fam.) moeda, peso forte; (Amér.) peso duro.

machacar. *v. tr.* machucar, pilar, moer, maçar, triturar, reduzir a pó por meio dum moinho; pisar; esmagar; amarte-

lar; amassar; abolar; (farm.) epistar;
acachapar; alquebrar; esboroar, desboroar; apolejar. — *v. intr.* (fig.) repisar,
malhar, insistir maçadora e tenazmente:
machacar un idioma, abocanhar em língua
estranjeira; *machacar en frio*, trabalhar
sem resultados.

machacón, na. *adj. e s.* maçador, importuno,
teimoso, diz-se da pessoa enfadonha, fastidioso.

machada. *f.* fato ou rebanho de bodes;
(fam.) necedade, teimosia; V. **necedad.**

machado, *p. p. e adj.* machucado, pilado,
pisado. — *m.* machado, instrumento cortante para cortar madeira.

machaje. *m.* (Amér.) conjunto de animais
machos.

macha-martillo. (a). *adv.* sòlidamente, com
maço e martelo, a machamartilho.

machada. *f.* (pop.) façanha.

machanga. *f.* (Amér.) V. **machaquería.**

machango, ga. *adj.* (Amér.) V. **machacón.**
— *m.* (Amér.) espécie de macaco.

machaqueo. *m.* machuca, machucação, moedura, moagem, esmagadura, esmagamento.

machaquería. *f.* maçadoria, grande maçada,
causticidade, importunidade.

marchar. *v. tr.* machucar. V. **machacar.** —
v. r. (Amér.) emborrachar-se.

machear. *v. intr.* engendrar o animal maior
número de machos que de fêmeas; cobrir
o macho a fêmea.

machetazo. *m.* machetada, golpe de machete.

machete. *m.* machete, sabre, arma mais curta e pesada que a espada; faca de mato,
machete; facalhão.

machetar. *v. tr.* ferir ou cortar com o machete; (mar.) estacar, estaquear, fincar
estacas; (Amér.) V. **porfiar.**

machetero. *m.* (mil.) gastador, que abate as
árvores e o mato que impedem a marcha,
desbravador; segador de cana-de-açúcar.

machega. *adj.* diz-se da abelha-mestra.

machigua. *f.* (Amér.) lavadura de milho.

machiembrado. *m.* (carp.) machos e fêmeas,
macha-fêmeas.

machihembradora. *f.* máquina que faz o
mesmo trabalho que as plainas de entalhar ou ensamblar a madeira.

machihembrar. *v. tr.* (carp.) ensamblar, entalhar, embutir, emalhetar, mechar, machear.

machín. *m.* Cupido, deus do Amor; (Amér.)
macaco.

machina. *f.* compasso de chapeleiro, cábrea
ou grua, guindaste empregado nos portos
e arsenais; maço para bater. V. **martinete.**

machío, a. *adj.* (p. us.) machio, peco, chocho,
improductivo, infecundo, diz-se do vegetal
que não produz.

macho. *m.* peça que entra dentro doutra;
macho, martelo de bancada de serralheiro;
macho, cepo de bigorna; macho, molde
de areia em que se fundem os sinos; macho, broca de fechadura; macho, haste
maior nos moinhos de vento. — *pl.* (mar.)
machos do leme; maço grande; bigorna

quadrada; banco no qual os ferreiros têm
a bigorna pequena; safra, bigorna de ferreiro com uma só ponta; peça de aço, em
espiral para abrir roscas em tapa de
metal; parte de dobradiça que encaixa
na fêmea; a parte do colchete, em forma
de gancho.

macho. *m.* (zool.) macho, animal do sexo
masculino; macho, mulo; (fig.) homem
néscio; (bot.) planta masculina; (Amér.)
grão de arroz com casca; V. **cabrón.** —
adj. macho, forte, robusto, varonil: *macho
cabrío*, bode.

machorro, rra. *adj.* estéril, improdutivo, infrutífero.

machota. *f.* (prov.) (Amér.) virago, mulher
varonil, machão, machôa. V. **marimacho.**

machota. *f.* V. **machote.**

machote. *m.* mascoto, maço de madeira; espécie de malho; macharão; (pop.) fan-
chonaço.

machucador, ra. *adj.* machucador, que machuca, pisador, trilhador.

machucadura. *f.* machucadura, machuca, machucação, amolgadela, trilhadura, pisadura; machoca (do trigo).

machucamiento. *m.* V. **machucadura.**

machucante. *m.* (fam.) (Amér.) sujeito, indivíduo.

machucar. *v. tr.* machucar, pisar, trilhar,
esmagar, confundir, amolgar, maçar;
(Amér.) V. **machacar.**

machucón. *m.* (Amér.) V. **machucadura.**

machucho, cha. *adj.* machucho, astuto, prudente, sensato, judicioso; maduro, entrado em idade.

machuelo. *m.* mulo pequeno, machinho; gér-
mem dum ser orgânico; (Amér.) sável.

machuelo. *m.* o coração do alho.

Madagascar. (geog.) Madagáscar.

madama. *f.* (gal.) senhora; (Amér.) V. **balsamina.**

madamisela. *f.* V. **damisela.**

madapolán. *m.* madapolão.

madefacción. *f.* (farm.) madefa(c)ção.

madefactar. *v. tr.* V. **madeficar.**

madeficar. *v. tr.* (farm.) madeficar.

madeja. *f.* meada; madeixa, negalho de
linho, lã, algodão ou seda que se pode
dobar e reduzir a novelos; madeixa, porção de cabelos; (fig.) homem efeminado;
(fig.) estriga; gadelha: *hacer madejas*,
emadeixar; *atar en madejas*, estrigar;
madejas sin cuenta, (fig. e fam.) diz-se
das coisas ou pessoas desordenadas; *enre-
darse la madeja*, (fig. e fam.) complicar-se
um assunto.

madera. *f.* madeira; casco, unha de cavalo:
madera del aire, pau do ar; pontas, chifres de animais; *madera de construcción*,
madeira de construção; *madera verde*,
madeira verde; *madera de trepa*, madeira
de ondulações; *madera escuadrada*, madeira esquadrada ou esquadrejada; *madera chapeada*, madeira chapada; *madera
brava*, madeira muito densa e dura; *no
holgar la madera*, (fig. e fam.) trabalhar
sem interrupção; *ser de mala madera*,

(fig. e fam.) ter preguiça; *trabajar en madera,* madeirar.

madera. *m.* madeira, vinho da Ilha da Madeira.

maderable. *adj.* diz-se da árvore que dá madeira útil para construções.

maderación. *f.* (p. us.) madeiramento. V. **maderamen.**

maderada. *f.* madeirada, grande porção de madeiros que se transportam por um rio.

maderaje. *m.* madeiramento, conjunto de madeiras que servem para um edifício ou que fazem parte duma construção.

maderamen. *m.* madeiramento, madeirada. V. **maderaje.**

maderamiento. *m.* madeiramento. V. **enmaderamiento.**

maderar. *v. tr.* V. **enmaderar.**

maderería. *f.* estância de madeiras; lugar onde ela é recolhida para venda ao público.

maderero. *m.* madeireiro, estanceiro; negociante de madeiras; o que conduz a madeirada pelos rios. V. **carpintero.**

madero. *m.* madeiro, lenho; tronco, trave, viga; (fig.) nave, navio, embarcação; (fig. e fam.) madeiro, homem insensível; pessoa néscia e rude; (fig.) cruz: *madero barcal* ou *rollizo,* madeiro descascado; *madero callizo* ou *serradizo,* madeiro serradiço; *madero de la Cruz,* madeiro da Cruz.

madianita. *adj.* e *s.* madianita, povo bíblico descendente de Madiã.

madona. *f.* madona, Virgem Maria.

mador. *m.* espécie de transpiração cutânea, ligeira humidade do corpo, madidez.

madrás. *m.* tecido de algodão raiado.

madrasta. *f.* (Amér.) V. **madrastra.**

madrastra. *f.* madrasta; (fig.) madrasta, diz-se da terra árida e a tudo que prejudique ou incomode; (germ.) cárcere.

madraza. *f.* (fam.) mãe muito condescendente que tem excessivo mimo com os filhos.

madre. *f.* mãe, mulher que deu à luz um filho ou mais; madre, título das religiosas, professa; madre, directora de hospício; madre, mulher idosa; madre, regente, governante de hospitais, casas de recolhimento, etc.; (fig.) mãe, causa, origem dalguma coisa; madre, útero, matriz; madre, leito de um rio; (fig.) pátria; borra, pé, sedimento; madeiro, viga principal; esgoto principal.

madrearse. *v. r.* deteriorar-se, a levedura, vinho, etc.

madrecilla. *f.* ovário, oveiro das aves.

madrecita. *m.* mesinha.

madreclavo. *m.* (bot.) madre-cravo, cravo-da-índia.

madreperla. *f.* madrepérola.

madrépora. *f.* (zool.) madrépora; pólipo dos mares tropicais.

madreporarios. *m. pl.* (zool.) madreporários.

madrepórico, ca. *adj.* madrepórico.

madreporífero, ra. *adj.* madreporífero.

madreporiforme. *adj.* (host. nat.) madreporiforme

madreporita. *f.* (paleont.) madreporita.

madrero, ra. *adj.* (pop.) muito amigo de sua mãe.

Madrid. (geog.) Madrid.

madreselva. *f.* (bot.) madressilva, chupa-mel.

madrigado, da. *adj.* casado em segundas núpcias; castiço, diz-se do touro e doutros animais que já castiçaram; (fig.) e fam.) prático e experimentado.

madrigal. *m.* madrigal, galanteio; (poét.) madrigal.

madrigalesco, ca. *adj.* madrigalesco.

madrigálico, ca. *adj.* madrigálico, madrigalesco.

madrigalista. *s.* madrigalista, autor de madrigais.

madriguera. *f.* madrigueira, madrigoa, cova, lapa, toca de coelhos ou outros animais; (fig.) esconderijo, latíbulo, toca de gente de má nota.

madrileño, ña. *adj.* e *s.* (geog.) madrileno, madrilense, natural de ou pertencente a Madrid.

madrina. *f.* madrinha, mulher que serve de testemunha em baptizados, crismas e casamentos; (fig.) a que favorece ou protege outra pessoa, protectora; coluna ou poste de madeira; madrinha, égua que serve de guia à manada; (mar.) peça de madeira para reforço doutra; lançadeira, correia que une dois animais de tiro para que caminhem com igualdade; comadre, alcoviteira; (Bras.) dindinha. V. **alcahueta.**

madrinazgo. *m.* acto de assistir como madrinha; título ou cargo de madrinha.

madrona. *f.* mestre de esgoto; mãe condescendente. V. **madraza.**

madroncillo. *m.* morango. V. **fresa.**

madroñal. *m.* medronhal, lugar abundante em medronheiros.

madroñera. *f.* medronhal; medronheiro (arbusto).

madroño. *m.* (bot.) medronheiro; medronho, fruto do medronheiro; (Amér.) lírio que floresce em Maio; borla de seda frouxa do feito de medronho.

madrugada. *f.* madrugada, aurora, alva; (Bras.) alvôro, principio do dia; madrugada, acção de madrugar: *de madrugada,* ao amanhecer, de madrugada, muito cedo.

madrugador, ra. *adj.* e *s.* madrugador, que madruga; (fig.) diligente.

madrugar. *v. intr.* madrugar, levantar-se cedo da cama; (fig.) ganhar tempo numa empresa, praticar algum acto antes do tempo próprio; anteceder outrem em qualquer coisa; manifestar-se muito cedo.

madrugón. *m.* (pop.) madrugador, madrugada grande.

maduración. *f.* maduração, maturação, sazonamento; (med.) maturação dum abceso.

maduradero. *m.* madureiro, lugar onde se põe a fruta a amadurecer.

madurador, ra. *adj.* madurador, que faz amadurecer.

madurante. *p. a.* e *adj.* que amadurece.
madurar. *v. tr.* madurar, tornar maduro, maturar, amadurecer, sazonar os frutos, (fig.) madurar, meditar uma ideia, amadurecer; abrandar; (cir.) activar a supuração dos tumores. — *v. intr.* amadurecer, ir sazonando os frutos; (fig.) crescer em idade e juízo; aboborar.
madurativo, va. *adj.* maturativo, que auxilia a maturação; (fig.) e fam.) meio que se aplica à irritação duma pessoa.
madurez. *f.* madurez, madureza, maduração, estado do fruto maduro ou sazonado; virilidade; (fig.) circunspecção, siso, prudência, juízo.
maduro, ra. *adj.* maduro, sazonado, que atingiu a madurez; (fig.) judicioso, prudente, sábio; circunspecto, sisudo; maduro, entrado em anos; reflectido, vagaroso; em estado de ser resolvido; atempado.
maese. *m.* (ant.) mestre, tratamento que se dava aos operários.
maese coral. *m.* jogo de mãos.
maesil. *m.* V. **mestril**
maesilla. *f.* cordel para subir ou baixar os liços dum par de bilros de passamanaria.
maestoso. *m.* (mús.) maestoso.
maestra. *f.* mestra, professora; mulher do professor; (fig.) coisa que instrui ou ensina; régua que serve de guia ao fazer uma parede; mestra, escola de meninas; (zool.) abelha-mestra.
maestrado, da. *adj.* amestrado, destro; manhoso.
maestral. *adj.* magistral, pertencente ou relativo a mestre. V. **magistral**.
maestralizar. *v. intr.* (mar.) inclinar a bússola para o lado donde vem o vento mistral.
maestrante. *m.* cavaleiro duma mestrança.
maestranza. *f.* mestrança, antiga sociedade cujo fim era a prática da equitação; mestrança, depósito de material para embarcações; mestrança, corpo de operários dum arsenal; mestrança, sociedade real de cavaleiros que se exercitam no manejo das armas; mestrança, local das oficinas do material de guerra.
maestrazgo. *m.* mestrado, dignidade ou território do mestre duma ordem militar.
maestre. *m.* mestre, superior duma ordem militar; mestre, preceptor, professor; (mar.) mestre: *gran maestre*, grão-mestre.
maestrear. *v. tr.* entender e intervenir com outros, como mestre, numa operação; podar a vide sem aparar o sarmento; nivelar um tabique ou parede principal; dogmatizar, fazer de mestre. — *v. intr.* (fam.) alardear de mestre.
maestreescuela. *m.* V. **maestrescuela**.
maestresala. *m.* mestre-sala, criado principal que assistia à mesa.
maestrescolía. *f.* dignidade de mestre-escola.
maestrescuela. *m.* dignatário dalgumas igrejas catedrais, encarregado do ensino de ciências eclesiásticas; mestre-escola, professor de instrução primária.

maestría. *f.* mestria, habilidade, perícia; título de mestre; engano, estratagema.
maestril. *m.* (agr.) célula do favo de mel, onde se transforma em insecto a larva da abelha-mestra.
maestro. tra. *adj.* magistral, perfeito notável, exímio, exemplar, diz-se da obra de mérito; amestrado, diz-se do animal ensinado. — *s.* professor, mestre, educador; (fam.) desasnador; mestre, prático; perito; maestro, compositor de música; mestre, doutor; mestre, padre mestre; mestre, pintor de fama; mestre, mentor; mestre, o que tem o grau maior em filosofia.
maestrucho, cha. *adj.* diz-se do mestre inábil.
mafrito, ta. *adj.* (Amér.) cobarde, pusilânime, efeminado.
mafura. *f.* (bot.) mafureira.
magallánico, ca. *adj.* relativo ao estreito de Magalhães.
magancear. *v. intr.* (Amér.) mandriar. V. **haraganear**.
maganceria. *f.* engano, trapaça.
magancés. *adj.* (fig.) traidor, daninho.
magancia. *f.* (Amér.) V. **magancería**.
maganel. *m.* máquina militar que servia para derrubar muralhas.
magante. *adj.* (Amér.) V. **maganto**.
maganto, ta. *adj.* triste, pensativo, melancólico; macilento.
maganza. *f.* (Amér.) V. **holgazanería**.
magambón, ona. *adj.* e *s.* (Amér.) V. **holgazán**.
magaña. *f.* ardil, astúcia, engano; defeito de fundição na alma dum canhão de artilharia.
magarza. *f.* V. **matricaria**.
magarzuela. *f.* V. **matricaria**; macela fedegosa.
magazine. *m.* magazin, magazine, publicação ilustrada.
magdalena. *f.* madalena, bolo pequeno semelhante ao biscoito; (fig.) madalena, pecadora arrependida; mulher triste e chorosa: *estar hecha una magdalena*, estar desconsolada e lacrimosa.
magdaleón. *m.* (farm.) magdalião, rolo cilíndrico de emplastros ou de pílulas.
magenta. *m.* magenta (cor).
magia. *f.* magia, arte mágica; religião dos magos; (fig.) fascinação, encanto; atractivo, feitiço; encantamento: *magia negra*, magia negra; *hacer algo por arte de magia*, fazer uma coisa por arte de berliques-e-berloques.
magiar. *adj.* e *s.* (geog.) magiar. — *m.* magiar, língua dos magiares.
mágica. *f.* maga, mulher que exerce a magia, feiticeira. V. **encantadora**.
mágico, ca. *adj.* mágico, relativo à magia; mágico, extraordinário, maravilhoso, encantador, sobrenatural, fascinante. — *m.* mágico, mago, feiticeiro.
magin. *m.* (fam.) entendimento, imaginação, mente.
magismo. *m.* magismo, prática da magia; sistema e religião dos magos.

magisterial. *adj.* pertencente ou relativo ao magistério.

magisterio. *m.* magistério, cargo, classe e grau de professor; magistério, exercício do professorado; (quím.) magistério, preparado farmacêutico.

magistrado. *m.* magistrado, funcionário revestido de autoridade judicial ou administrativa; juíz; membro duma audiência territorial ou judicial; membro do Supremo Tribunal de Justiça.

magistral. *adj.* magistral, relativo ao magistério; magistral, diz-se do que se faz com mestria; diz-se do cónego que tem a seu cargo a pregação; título com que se distingue a igreja colegial de Alcalá de Henares. — *m.* (farm.) medicamento que só se prepara por prescrição médica; fundente principal para a fundição de metais.

magistralia. *f.* (fam.) canonicato, dignidade de cónego pregador.

magistratura. *f.* magistratura, dignidade de magistrado ou tempo de sua duração; magistratura, corporação de magistrados; magistratura, carreira da toga.

magma. *m.* magma, massa pastosa que fica depois de espremer o sumo duma substância; (geol.) magma.

magnalio. *m.* (quím.) magnalio.

magnanimidad. *f.* magnanimidade, grandeza de alma, generosidade; fortaleza, animosidade.

magnánimo, ma. *adj.* magnânimo, generoso; elevado; animoso; nobre; honorável.

magnate. *m.* magnata, magnate, personagem importante, poderoso ou influente.

magnesia. *f.* (quím.) magnésia.

magnesiano, na. *adj.* (quím.) magnesiano, que tem magnésia.

magnésico, ca. *adj.* (quím.) magnesiano, magnésico.

magnesio. *m.* (quím.) magnésio, metal simples, de cor e brilho como a prata: *luz de magnesio,* luz do magnésio (empregado na fotografia).

magnesita. *f.* magnesite, espuma-do-mar.

magnético, ca. *adj.* (fís.) magnético; pertencente ou relativo ao magnete ou ao imã; magnético que tem as propriedades do imã.

magnetismo. *m.* (fís.) magnetismo, magnetização; força atractiva do ferro magnético; magnetismo, parte da física que estuda as propriedades dos imãs; magnetismo, conjunto de fenómenos que produzem certas correntes eléctricas; (fig.) magnetismo, influência que exerce um indivíduo sobre outro, atracção, poder de encantar; sedução.

magnetita. *f.* (min.) magnetite.

magnetizable. *adj.* magnetizável, que se pode magnetizar.

magnetización. *f.* magnetização; estado duma pessoa magnitizada.

magnetizado, da. *p. p.* e *adj.* magnetizado; (fig.) ele(c)trizado.

magnetizador, ra. *adj.* e *s.* magnetizador, magnetizante, que magnetiza.

magnetizar. *v. tr.* (fís.) magnetizar; comunicar as propriedades do magneto; (fig.) ele(c)trizar, atrair, encantar, dominar a vontade; entusiasmar; comunicar o magnetismo animal, hipnotizar; (fig.) ter influência sobre alguém.

magneto. *f.* (fís.) magnete; (electr.) magnete.

magnetoeléctrico, ca. *adj.* magneteléctrico.

magnetofón. *m.* (electr.) magnetofon.

magnetófono. *m.* (electr.) magnetofone.

magnetogenia. *f.* (fís.) magnetogénia.

magnetología. *f.* (fís. e med.) magnetologia.

magnetológico, ca. *adj.* magnetológico.

magnetometría. *f.* magnetometria.

magnetómetro. *m.* (fís.) magnetómetro.

magnetotecnia. *f.* (fís.) magnetotecnia.

magnificación. *f.* magnificação, acto de magnificar, de engrandecer de louvar, louvor.

magnificador, ra. *adj.* e *s.* magnificador, aquele que magnifica; magnificatório.

magnificar. *v. tr.* magnificar, louvar, exaltar, engrandecer, glorificar; tornar magnífico.

magnificat. *m.* magnífica, canto à Virgem Maria.

magnificativo, va. *adj.* magnificatório, que magnifica.

magnificencia. *f.* magnificência; excelência; aparato; megalegoria; sumptuosidade; excelsitude; luzimento; luxo; ostentação, grandeza; (fig.) estrondo; magnificência, munificência, pompa; aparato.

magnificente. *adj.* magnificente, aparatoso; luxuoso; neologismo por magnífico; magnificente, magnificatório.

magnífico, ca. *adj.* magnífico, excelente; muito bom, admirável; magnífico, esplêndido, sumptuoso; magnífico, famoso; luzido; magnífico, magnificente; estirado; augusto; formoso; luxuoso; aparatoso; estrondoso; (fig.) áureo; magnífico, pomposo, grandioso; generoso: *fiesta magnífica,* festa estrondosa; ¡*magnífico!,* essa é de barbas!

magnilocuencia. *f.* magniloqu(ü)ência, estilo elevado.

magnílocuo, cua. *adj.* magníloquo; eloquente; grandioso.

magnitud. *f.* magnitude, tamanho dum corpo, grandeza; importância; volume; gravidade.

magno, na. *adj.* magno, grande; magno, maior; aplica-se a pessoas ilustres; magno, importante.

magnolia. *f.* (bot.) magnólia, árvore magnoliácea de flores aromáticas; magnólio, flor desta árvore.

magnoliáceo, a. *adj.* (bot.) magnoliáceo, diz-se das árvores e arbustos dicotiledóneos de flores grandes e aromáticas. — *f. pl.* magnoliáceas, família destas plantas.

magnolina. *f.* (quím.) magnolina.

mago, ga. *adj.* e *s.* mago, antigo sacerdote da religião zoroástrica; mago, que faz magia; feiticeiro; mago, mágico, encantador; (fig.) merlim, encantador, seductor; magos, diz-se dos três reis magos que adoraram o Menino Jesus.

magosto. *m.* magusto, fogueira para assar castanhas; castanhas assadas na fogueira.

magra. *f.* fatia de presunto.

magrez. *f.* magreza, qualidade de magro; magreza, estica; (pop.) magreira.

magro, gra. *adj.* magro, se(ê)co, descarnado, fraco; magro, chué; definhado; enxuto; descadeirado; argueireiro; chupado; delgado; (prov.) melado; (prov.) entrezilhada; magro, (por ext.) desnalgado; galgaz; magro, que tem falta de tecido adiposo; magro, que há pouca gordura ou sebo; (fig.) magro, mediocre, mesquinho; pouco fértil; (fig.) pouco rendoso, pouco abundante. — *m.* (fam.) lombo de porco.

magrura. *f.* V. **magrez.**

magua. *f.* (Amér.) decepção, logro.

maguarse. *v. r.* (Amér.) sofrer uma decepção.

maguey. *m.* (bot.) (Amér.) pita, planta amarilídea, agave americano.

magüey. *m.* (pop.) V. **maguey.**

maguillo. *m.* (bot.) macieira silvestre.

magüira. *f.* (Amér.) planta cubana da família das bignoniáceas.

magujo. *m.* (mar.) magujo. V. **descalcador.**

magullado, da. *adj.* e *p. p.* contuso, amolgado.

magullador, ra. *s.* que faz contusão.

magulladura. *f.* V. **magullamiento.** — *s.* contusão, mágoa, magoadura, pisadura; machucadura.

magullar. *v. tr.* magoar, pisar, machucar; alejar; contundir; maçar; amolgar; (fig.) penalizar; contristar, ofender.

magullón. *m.* (Amér.) V. **magulladura.**

Maguncia. (geog.) Magúncia.

máhatma. *m.* maatma, sábio indiano, chefe espiritual.

maherir. *v. tr.* assinalar, prevenir, procurar.

mahometano, na. *adj.* e *s.* maometano, sectário da religião de Maomé; maometano, pertencente à religião de Maomé; mafamético.

mahomético, ca. *adj.* maomético, pertencente à religião de Maomé.

mahometismo. *m.* maometismo, religião de Maomé.

mahometista. *s.* maometano, que segue a religião de Maomé; maometano.

mahometizar. *v. intr.* maometizar, professar o maometismo.

mahón. *m.* nanquim, tecido forte de algodão.

mahona. *f.* embarcação turca de transporte.

maiceado, da. *adj.* (Amér.) V. **calamocano.**

maicena. *f.* maisena, farinha muito fina de milho.

maicería. *f.* (Amér.) estabelecimento onde se vende milho.

maicero. *m.* (Amér.) vendedor de milho.

maicillo. *m.* (bot.) planta gramínea semelhante ao milho; (Amér.) areia grossa empregada na pavimentação. V. **mijo.**

maído. *m.* V. **maullido.**

maíllo. *f.* fruto do *maíllo.*

maíllo. *m.* V. **maguillo.**

maimón. *m.* macaco; açorda, sopa fervida com azeite, sal e água.

maimona. *f.* pau da azenha onde se encaixa e se move o eixo.

maitinada. *f.* matinada, madrugada; festa matutina. V. **alborada.**

maitinante. *m.* matinário, clérigo que tem obrigação de assistir às matinas.

maitines. *m. pl.* matinas, primeira parte do ofício divino de cada dia.

maíz. *m.* (bot.) maís, milho; milho, fruto desta planta; *maíz tostado,* (Bras.) ado.

maizal. *m.* milhal, milheiral, milharal

maja. *f.* pilão, mão de gral, do almofariz.

majada. *f.* malhada; redil, curral; excremento dos animais, esterco; (Amér.) rebanho de gado lanar.

majadal. *m.* lugar de pastagem para gado menor; malhada em que se recolhem o gado.

majadear. *v. intr.* pernoitar o gado em malhada; estrumar, adubar a terra com estrume.

majadear. *v. tr.* (Amér.) importunar, molestar.

majadería. *f.* tolice, baboseira, dito, tolo, asneira, fatuidade.

majaderico. *m.* espécie de guarnição na címbria do vestido, usada antigamente.

majaderillo. *m.* bilro para fazer rendas.

majaderito. *m.* V. **majaderillo.**

majadero, ra. *adj.* e *s.* malhadeiro, pateta, tolo, néscio, curto de engenho; fátuo. — *m.* malhadeiro, mão do gral, do almofariz, maça, instrumento de malhar; lugar onde se malha.

majado, da. *p. p.* e *adj.* malhado. — *m.* (Amér.) trigo ou milho humedecido e esmagado que se come em guisados; sobremesa composta com esta iguaria.

majador, ra. *adj.* e *s.* malhador, que malha; pisador.

majadura. *f.* malha. pisadura.

majagranzas. *m.* (fig.) homem grosseiro e inepto, rústico.

majal. *m.* cardume, bando de peixes.

majamiento. *m.* malha. V. **majadura.**

majano. *m.* baliza, montão de pedras soltas para servir de limite. — *adj.* bruto, insensível.

majar. *v. tr.* malhar, maçar, pisar, V. **machacar;** (fig. e fam.) moer, enfadar, molestar, incomodar.

majadería. *f.* conjunto ou reunião de peraltas.

majestad. *f.* majestade, grandeza, magnificência; majestade, suma respeitabilidade; majestade, tratamento de Deus e dos reis e imperadores; autoridade. *Su Majestad,* Sua Majestade.

majestuosidad. *f.* majestade, excelência, sublimidade, qualidade de majestoso.

majestuoso, sa. *adj.* majestoso, augusto, sublime, alteroso, altivo; majestoso; (fig.) senhorial; sumptuoso, imponente; grave, solene.

majeza. *f.* (fam.) peraltice, presunção nos modos e no vestir, garridice; ostentação desta qualidade; fanfarrada, fanfarraria; chibantaria, chulice; gabo; farromba.

majo, ja. adj. peralta, presumido, garrido, bem vestido; adornado, vistoso; fátuo, fanfarrão, luxuoso; namorado. — m. janota, petimetre; peralvilho, janota; homem vestido com o antigo traje andaluz; galã; chulo; desabotinado. *echárselas de majo*, fanfarronar, blasonar de valentão.

majolar. m. (agr.) bacelada. plantação de bacelos.

majuela. f. (bot.) fruto do espinheiro-alvar. cardo branco; correia, atacador de couro para os sapatos.

majuelo. m. (bot.) espinheiro-alvar, cardo branco; bace(ê)lo, cepa nova; vinha nova, bacelar.

majzén. m. governo ou autoridades suprema em Marrocos.

mal. adj. contrac. de *malo*; mal, mau; (se usa só anteposto ao substantivo masculino: mau dia, mau humor). — m. mal, oposição ao bem; o que se afasta do que é lícito e honesto; desgraça, calamidade; mal, ofensa, dano; pesar; aflição; moléstia; castigo; achaque, doença, epidémia; calamidade, estrago, prejuízo; mágoa; calúnia, maledicência; opinião desfavorável; inconveniente; mal, desordem; mal, defeito, vício; *no hay mal que cien años dure*, não há dia sem tarde; *ir de mal en peor*, andar de mal para pior; *las cosas van muy mal*, as coisas estão mal assombradas; *del mal, el menos*, mais vale má avença que boa sentença; *espíritu del mal*, o diabo; *no hay mal en ello*, (fam.) não correrá sangue; *hacer mal*, danar; *hablar mal de alguien*, dizer cobras e lagartos; *que queda mal*, desairoso.

mal. adv. contràriamente, sem razão, de forma imprópria, insuficientemente; mal, malamente, màmente; infelizmente; dificilmente; maliciosamente; mal, apenas.

mala. f. mala, mala de correio ou posta ordinária; mala, correio.

mala. f. manilha, nome de certas cartas nalguns jogos.

malabar. adj. e s. (geog.) malabar, natural de ou pertencente a Malabar. — m. malabar, língua dos malabares.

malabárico, ca. adj. V. **malabar.**

malabarista. s. malabarista, escamoteador, prestidigitador; (Amér.) o que tira ou rouba com agilidade e astúcia.

malaca. f. (Amér.) penteado, feito com duas tranças usado pelas mulheres mexicanas.

malacara. adj. (Amér.) diz-se do cavalo ou égua que tem uma lista branca na testa.

malacate. m. malacate, malacato, espécie de cabrestante, empregado nas explorações agrícolas e mineiras; (Amér.) fuso para fiar.

malacia. f. (med.) malácia.

malacitano, na. adj. e s. V. **malagueño.**

malacologia. f. malacologia.

malacológico, ca. adj. malacológico.

malaconsejado, da. adj. mal-aconselhado; indiscreto; imprudente.

malacopterigio, gia. adj. (zool.) malacopterígios. — m. pl. malacopterígios.

malacostumbrado, da. adj. mal-acostumado, excessivamente amimado, mal-habituado.

malacostumbrar. v. tr. amimar, mal-acostumar.

malacuenda. f. filaça de estopa; serrapilheira. V. **arpillera.**

malafa. f. V. **almalafa.**

Málaga. (geog.) Málaga: *salir de Málaga y entrar en Malagón*, tirar-se da lama e meter-se no atoleiro.

malagaña. f. armação de paus empregada para recolher os enxames duma colmeia.

malagradecido, da. adj. (Amér.) mau-agradecido, desagradecido, ingrato.

malaguaste, (al). adv. (Amér.) diz-se do modo de acender fogo, frotando dois pedaços de madeira.

malagueña. f. malaguenha, canção popular andaluza.

malagueño, ña. adj. e s. (geog.) malaguenho, malaguês, natural de ou pertencente a Málaga.

malagueta. f. (bot.) malagueta, espécie de pimenta muito ardente e aromático; árvore mirtácea do mesmo nome.

malamistado, da. adj. (Amér.) inimistado; amancebado.

malandante. adj. mal-andante, infeliz, desgraçado, desafortunado.

malandanza. f. desgraça, desdita, desventura, infortúnio.

malandar. m. porco não destinado à ceva.

malandrín, na. adj. e s. malandrim, vadio; maligno, perverso, miserável, devasso.

malaquita. f. (min.) malaquite.

malar. adj. (anat.) malar: *hueso malar*, osso malar.

malaria. f. (med.) malária, febre palustre.

malárico, ca. adj. malárico, relativo à malária.

malatería. f. leprosaria, edifício destinado a hospital de leprosos.

malatía. f. lepra, gafeira.

malato, ta. adj. e s. gafo, leproso, malato.

malato. m. (quím.) malato, sal de ácido málico.

malavenido, da. adj. desavindo, desacorde, mal-avindo.

malaventura. f. desfortuna, desventura, desgraça infortúnio, mala-ventura, desastre.

malaventurado, da. adj. infortunado, infeliz; desventurado; infausto; desditoso; mal-aventurado; mal-afortunado; pouco afortunado, desventuroso.

malaventuranza. f. desfortuna, adversidade; desfortúnio, desventura.

malayo, ya. adj. e s. (geog.) malaio, natural de ou pertencente a Malásia. — m. malaio, língua malaia.

malbaratador, ra. adj. e s. malbaratador, que malbarata, que dissipa, dissipador.

malbaratamiento. m. esbanjamento.

malbaratar. v. tr. desbaratar, desperdiçar, derreter; destroçar; dissipar; esbanjar; vender com prejuízo; desperdiçar; delapidar; desbaratar, destruir; (fig.) fumar;

malbaratar, arruinar; malbaratar, vender mal: *malbaratar un patrimonio,* derreter um património.

malbaratillo. *m.* V. **baratillo.**

malcarado, da. *adj.* que tem má cara; que tem o rosto repelente ou repulsivo.

malcasado, da. *adj.* e *p. p.* diz-se do cônjuge que falta aos deveres matrimoniais, mal casado.

malcasar. *v. tr.* casar uma pessoa sem as circunstâncias necessárias para a felicidade do matrimónio.

malcaso. *m.* traição, perfídia; acção infame; crime; deslealdade.

malcocinado. *m.* miúdos das reses; fressura; talho; lugar onde se vendem os miúdos das reses; malcozinhado.

malcomer. *v. tr.* comer escassamente; comer com pouco gosto.

malcomido, da. *p. p.* e *adj.* malcomido, mal alimentado; magro por insuficiência de alimento; falto de alimento.

malcontado. *m.* (Amér.) dinheiro que se dá aos tesoureiros para compensar as falhas de dinheiro que possam ter por enganos de contas.

malcontento, ta. *adj.* malcontente, descontente; revoltoso; perturbador da ordem pública. — *m.* certo jogo de naipes.

malcoraje. *m.* (bot.) V. **mercurial.**

malcorte. *m.* infracção das leis da protecção às florestas, ao cortar madeira ou cortar lenha.

malcriado, da. *p. p.* e *adj.* malcriado descortês, grosseiro, incivil; agalegado; mimoso, mimalho; desavergonhado; (fig.) deslinguado; falto de boa educação; mal educado.

malcriar. *v. tr.* malcriar, mal educar; fazer muito mimo; educar mal os filhos; ser demasiado indulgente com os filhos, condescendendo com os seus caprichos, malcriar.

maldad. *f.* maldade, qualidade de mau; maldade, acção má; maldade, improbidade; enganação, infâmia; maldade, estropício; arteirice; infernalidade; (pop.) bandoria; (ant.) aleuoza; maldade, crueldade, iniqu(ü)idade; génio, travesso, birra; teimosia; travessura de criança; maldade, malícia; (ant.) maldade, defeito.

maldadoso, sa. *adj.* (Amér.) maldoso, acostumado a cometer maldades.

maldecido, da. *adj.* e *p. p.* amaldiçoado, maldito, aplica-se a pessoa má, perversa de má índole; maldito, excomungado.

maldecidor, ra. *adj.* e *s.* maldizente, que tem má-língua; difamador; maldizente, aquele que diz mal dos outros; detractor, difamador, maldizente, má-língua; amaldiçoador, execrador.

maldecimiento. *m.* maledicência, murmuração.

maldecir. *v. tr.* e *intr.* amaldiçoar, maldiçoar; execrar; anatematizar; blasfemar; denigrar; excomungar; imprecar; arrenegar; detestar; (fig.) danar; maldiçoar; lançar maldições contra pessoas ou coisas, praguejar; maldizer, falar mal dalguém, murmurar; deitar cobras e lagartos pela boca. — *conj. irr.* como *decir,* excepto no fut. imperf. e no condi. que é regular.

maldiciente. *p. a.* e *s.* maldizente que tem má-língua; denigrativo; difamador, que fala mal dos outros; desbocado; detra(c)tor, detra(c)tivo, detraente; amaldiçoador, que amaldiçoa; áspide.

maldición. *f.* maldição, imprecação, anatematização; execreção; blasfé(ê)mia; anatema; arrene(ê)go; praga; maldição, murmuração grave; (fig.) fatalidade; desgraça.

maldita. *f.* (fam.) a língua: *soltar la maldita,* soltar a língua, dizer alguém o que sente, com pouco respeito.

maldito, ta. *p. p. irreg* de *maldecir; adj.* e *s.* maldito, mau, perverso; execrando; danado; anatema; excomungado; amaldiçoado; de maus costumes; ruim; maldito, condenado pela justiça divina; maldito, de má qualidade, miserável: *maldito lo que importa una cosa,* (fam.) ser insignificante uma coisa em si mesma.

maleabilidad. *f.* maleabilidade, qualidade de maleável; ductilidade; flexibilidade.

maleable. *adj.* dúctil; maleável, flexível (diz-se dos metais); maleável, susceptível de ser maleado; dúctil, brando, que se pode dobrar à vontade; (fig.) a(c)tuável, maleável.

maleación. *m.* movimento curto e rápido das mãos, martelagem.

maleador, ra. *adj.* V. **maleante.**

malear. *v. tr.* danificar, estragar, corromper; (fig.) viciar, perverter, depravar; deitar a perder; falsificar; fazer mal; apatizar; apeçonhar. — *v. r.* portar-se mal.

malecón. *m.* molhe, paredão, represa, valado para vedar as cheias, cota-mar, açudada.

maledicencia. *f.* maledicência, difamação, murmuração; detra(c)ção, desgago; afeamento.

maleficiar. *v. tr.* maleficiar, causar dano, danificar, fazer mal; prejudicar; enfeitiçar; fazer malefícios; (fig.) depravar, perverter.

maleficio. *m.* malefício, mal feito com feitiçarias; sortilégio, maldade; prejuízo, dano; malefício, meio empregado para causar o mal do feitiço; feitiço.

maléfico, ca. *adj.* maléfico, malévolo; prejudicial; nocivo; malfazejo; infernal. — *s.* feiticeiro, bruxo.

malencarado, da. *adj.* mal-encarado; que revela maus instintos.

malentendido, da. *adj.* mal-entendido, mal interpretado; mal apreciado. — *m.* (gal.) equívoco, mal-entendido.

maleolar. *adj.* (anat.) maleolar.

maléolo. *m.* (anat.) maléolo, tornozelo. V. **tobillo.**

malestar. *m.* mal-estar, incómodo físico cu moral; indisposição, doença; incomodiaade; desassossego.

maleta. *f.* maleta, mala de mão, mala pequena, bolsa para se levar roupa; saco de viagem; (Amér.) V. alforja; trouxa de roupa: *hacer la maleta*, fazer a mala, preparar-se para partir; *largar o soltar la maleta*, (pop.) morrer.

maleta. *m.* (pop.) toureiro sem mérito; diz--se do que exerce com desacerto a sua profissão; (germ.) ladrão oculto num armário, etc.

maletería. *f.* fábrica, loja ou venda de malas.

maletero. *m.* maleiro, fabricante ou vendedor de malas; pessoa que transporta malas; (Amér.) ladrão de malas; criado que, em viagem, leva a maleta.

maletín. *m.* dim. de *maleta*, maleta pequena.

malevo, va. *adj.* (Amér.) V. malévolo.

malevolencia. *f.* malevolência, má vontade; antipatia, aversão; repulsão.

malévolo, la. *adj.* malévolo, malevolente; propenso ao mal; que tem má índole.

maleza. *f.* maleza, abundância de ervas nocivas às sementeiras; tojal, selva, moita, espinhal, mata brava; maldade; (Amér.) V. pus.

malformación. *f.* (med.) irregularidade congénita num organismo.

malgama. *m.* (quim.) V. amalgama.

malgastador, ra. *adj.* desbaratador; dissipador, estragador, malbaratador; desaproveitado; perdulario; esbanjador; delapidador; despendedor.

malgastar. *v. tr.* malgastar, desbaratar, esbanjar, dissipar os bens; desperdiçar; malbaratar; desaproveitar; desperdiçar; desgovernar; (fig.) derreter; destruir; delapidar; despender; por extensão, diz--se também do tempo, da paciência.

malhablado, da. *adj.* e *s.* malfalante, maldizente, desvergonhado ou atrevido no falar; desbocado.

malhadado, da. *adj.* malfadado, infeliz, desditoso, desgraçado.

malhaya. *interj.* barbarismo por *mal haya*.

malhecho, cha. *adj.* malfeito, imperfeito; diz-se das pessoas de corpo imperfeito, deforme, corcovado. — *m.* malfeitoria, acção má.

malhechor, ra. *adj.* e *s.* malfeitor, que comete crimes, facínora, criminoso; (Bras.) aldagrante.

malherir. *v. tr.* malferir, ferir gravemente. *conj. irr.* como *sentir*.

malhojo. *m.* desperdício, restos, cascas, aparas, lixo, rebotalho.

malhumorado, da. *adj.* mal-humorado, que está de mau humor; que tem maus humores.

malicia. *f.* maldade, qualidade de mau; V. maldad; malícia, inclinação para o mal; malícia interpretação maliciosa; perversidade; malignidade; malícia, astúcia; ar-

dil; velhacaria; propensão para pensar mal; penetração, sagacidade; ronha; (fig.) suspeita, receio; desconfiança.

maliciable. *adj.* que pode maliciar-se.

maliciar. *v. tr.* maliciar, pôr malícia em; interpretar em mau sentido; maliciar, alterar, corromper, viciar, danificar. V. malear; maliciar, suspeitar, desconfiar, presumir mal de outrem.

malicioso, sa. *adj.* malicioso; maligno, mau; astucioso; mordaz; finório; travesso; malicioso, falso; malicioso, que toma as coisas em mau sentido, desconfiado.

malignar. *v. tr.* malignar, corromper, viciar, infeccionar; (fig.) tornar má ou prejudicar uma coisa; (fig.) malignar, desacreditar; fazer mal. — *v. r.* corromper-se, depravar-se.

malignidad. *f.* malignidade, propensão para pensar ou obrar mal; malignidade, qualidade de maligno; perversidade; (med.) malignidade, carácter grave duma doença.

maligno, na. *adj.* maligno, propenso a pensar mal, maldoso, malicioso; pernicioso, de índole nociva, nocivo, prejudicial, pernicioso; perverso; de má natureza.

malilla. *f.* manilha, nome de certas cartas nalguns jogos.

malingrar. *v. tr.* V. malignar.

malino, na. *adj.* (pop.) V. maligno.

malintencionado, da. *adj.* e *s.* mal-intencionado, que tem más intenções; que tem má índole.

malmandado, da. *adj.* desobediente, que não obedece; que faz as coisas de má vontade.

malmaridada. *adj.* e *f.* diz-se da mulher que falta aos deveres conjugais.

malmeter. *v. tr.* malbaratar, malgastar, desbaratar; induzir alguém para o mal. V. malquistar.

malmirado, da. *adj.* malquisto, malvisto, desacreditado; descortês, falto de cortesia; grosseiro; aborrecido, antipático.

malo, la. *adj.* e *s.* mau, má, que carece de bondade; o contrário de bom; mau, nocivo à saúde; mau que se opõe à razão ou à lei; mau, que tém má vida, que tem maus costumes; mau, indisposto; mau, infernal, diabo, infame; daninho; mau, indevido, mau, inferior, ínfimo; mau, diabólico, endemoninhado; (pop.) estuporado; (fig.) sestro; mau, velhaco, malicioso; mau, trabalhoso, difícil; mau; (Bras.) aíva, escroto, perrengue. — *m.* o diabo: *hombre malo*, homem de maus bofes; *el lado malo de las cosas*, o reverso da medalha; *muy malo*, endiabrado; *andar a malas con alguien*, andar as más com al guém; *hombre de malas costumbres*, bargante; *¡no es mala esa!*, (pop.) essa não é má; *de mala gana*, aborridamente, avessamente; *hacer algo de mala gana*, fazer uma coisa a arrepalão da vontade; *niño malo*, diabril; *no ser malo del todo*, não ser desavoso; *por las malas o por las buenas*, à força, voluntàriamente; *de malas entra-ñas*, da má bofe, de más entranhas; *lo ma-*

lo es ser pobre, o mau é ser pobre; *sufrir malos tratos*, dar ancas; *de malos instintos*, (fig.) atravessado; *malos modos*, arreganho; *ponerse malo*, (fig.) adoecer.

maloca. *f.* (Amér.) invasão em terra de amerindios com pilhagem e extermínio.

malogrado, da. *p. p.* e *adj.* aguado, frustrado; (fig.) furado, abortivo.

malogramiento. *m.* malogro, frustração. V. **malogro.**

malograr. *v. tr.* malograr, inutilizar; frustrar; desgraçar; ir ao ar; desarmar; abortar; aguar; não aproveitar uma coisa (o tempo, a ocasião, etc.). — *v. r.* frustrar-se; ir-se a gaita; desaviar-se; (fig.) aguar-se; gorar-se, não ir avante.

malogro. *m.* malo(ô)gro, efeito de malograr; êxito desfavorável; frustração; revés; malogro, abortamento; (fig.) aborto.

maloliente. *adj.* fedorento, que exala mau cheiro; empestador.

malón. *m.* (Amér.) irrupção de amerindios, ataque inesperado de amerindios; (fig.) felonia inesperada que se comete em prejuízo dalguém.

maloquero, ra. *adj.* salteador.

malparar. *v. tr.* maltratar, deixar em mau estado: *malpararse alguna cosa*, anuviar-se alguma coisa.

malparida. *f.* malparida, mulher que malpariu, que abortou.

malparir. *v. intr.* malparir, ter mau parto, abortar.

malparto. *m.* aborto, acção de abortar V. **aborto.**

malpigiáceo, a. *adj.* (bot.) malpiguiáceo, diz-se das plantas dicotiledóneas, que têm por tipo a malpiguia. — *f. pl.* malpiguiáceas, família destas plantas.

malquerencia. *f.* malquerença, desafe(c)to, desafeição; desgraça; animosidade; malevolência; animadversão.

malquerer. *v. tr.* malquerer, detestar, odiar; desejar mal. — *conj. irr.* como *querer.*

malquistar. *v. tr.* malquistar, inimizar, tornar malquisto; desarmonizar; desconchavar; desconcordar; desavir; descompadrar; descompor; desirmanar; indispor; desafeiçoar; (fig.) entroviscar; derribar. — *v. r.* desamistar-se; desirmanar-se: *malquistarse con alguien*, desabrir-se com alguém.

malquisto, ta. *adj.* malquisto, inimizado; desamado; desavindo; indisposto; desconchavado; que está a mal com uma ou várias pessoas; odiado, que tem poucas simpatias; que não tem boa fama; odioso, antipático.

malrotador, ra. *adj.* e *s.* dissipador, que dissipa, que esbanja, esbanjador; delapidador; estragador; pródigo.

malrotar. *v. tr.* dissipar, malgastar a fazenda; esbanjar; derrotar; desperdiçar; prodigar; estragar, deteriorar; delapidar.

malsano, na. *adj.* malsão, enfermiço; doentio, insalubre; achacoso; valetudinário; mau, prejudicial.

malsín. *m.* malsim, delator, intriguista; caluniador; detractor; maldizente.

malsonante. *adj.* malsoante, que soa mal; que escandaliza os ouvidos de pessoas honestas.

malsufrido, da. *adj.* malsofrido, insofrido; impaciente; que não é sofrido; que é impaciente.

malta. *m.* malte, cevada que se faz germinar e secar para fazer cerveja; (Amér.) cerveja de primeira qualidade.

maltería. *f.* estabelecimento onde se obtém o malte para a fabricação da cerveja.

maltés, sa. *adj.* e *s.* (geog.) maltês, natural da ou pertencente a Malta.

maltón, na. *adj.* (Amér.) V. **gandullón.**

maltosa. *f.* (quim.) maltose.

maltratado, da. *p. p.* e *adj.* estropeado; desancado; (fig.) apedrejado; (fig.) aspado: *maltratado por los años*, adiantado na idade.

maltratamiento. *m.* mau trato, vexação.

maltratar. *v. tr.* maltratar, tratar mal alguém; achacar; amarfanhar; atribular; descornar; avergoar; embair; deteriorar; aviar; estropear; apalpar; desmazelar; fustigar; (fig.) apedrejar; (fig.) despedaçar; (fig.) estormentar; (fig.) aspar, — *v. r.* menoscabar, depreciar.

maltrecho, cha. *adj.* maltratado. V. **malparado.**

maluco, ca. *adj.* e *s.* (geog.) natural da ou pertencente às Ilhas Malucas.

malucho, cha. *adj.* (fam.) adoentado, um tanto doente: *estar malucho*, estar adoentado.

malura. *f.* (Amér.) V. **malestar.**

malva. *f.* (bot.) malva, género de plantas malváceas, emolientes e dulcificantes. — *f. pl.* malváceas; (fig.) malva, pessoa de bom génio, pessoa bondosa: *malva silvestre*, malva silvestre.

malváceo, a. *adj.* (bot.) malváceo.

malvado, da. *adj.* malvado, perverso; malvado, capaz de grandes crimes; facínora, celerado, infame; ímprobo; foragido; daninho; desaventurado; facinoroso; (fig.) sestro; mau: *hombre malvado*, homem estragado, ruim armação; *mujer malvada*, (fig.) megera.

malvar. *m.* malvar, terreno onde crescem malvas.

malvar. *v. tr.* corromper, tornar mau, viciar. — *v. r.* viciar-se, corromper-se, tornar-se perverso.

malvasía. *f.* malvasia, variedade de uva; malvasia, vinho feito com esta uva.

malvavisca. *f.* (Amér.) V. **malvavisco.**

malvavisco. *m.* (bot.) malvaísco, planta medicinal; malva arbórea.

malvender. *v. tr.* malbaratar, vender a baixo preço.

malversación. *f.* delapidação, malversação; esbanjamento; desgove(ê)rno; delapidação de dinheiros no exercício dum cargo; má administração; malversação, extravio; depredação.

malversador, ra. *adj.* e *s.* malversador, de-lapidador; depredador; aquele que mal-versa.

malversar. *v. tr.* malversar, delapidar; de-predar; administrar mal os bens alheios; derramar; esbanjar; extraviar; alcan-çar-se.

malvezar. *v. tr.* e *r.* acostumar mal.

malvivir. *v. intr.* viver mal.

malla. *f.* malha, abertura na rede entre os nós; malha, tecido de re(ê)de; malha, te-cido de ferro ou outro metal feito de pe-quenos aneis com que se fabricavam co-tas e outras armaduras; malha, tecido fino, meia; (fig.) armadilha, enredo: *que-darse sujeto a las mallas de la red*, ema-lhar; (bot.) classe de batata pequena.

mallador. *m.* malhador, aquele que malha.

mallar. *v. intr.* fazer malhas. V. **enmallar.**

mallero. *m.* malheiro, fabricante ou vende-dor de malhas.

mallete. *m.* dim. de *mallo.* (mar.) malhete de madeira em forma de cunha empre-gada para dar estabilidade à artilharia ou à mastreação, nos barcos de guerra.

mallo. *m.* (Amér.) malho, martelo, maço de madeira; malho, certo jogo com bolas; chinquilho, certo jogo em Portugal; (mar.) maço de calafate; maço de calceteiro.

Mallorca. (geog.) Maiorca.

mallorquín, na. *adj.* e *s.* (geog.) maiorqui-no, natural de ou pertencente a Maior-ca. — *m.* maiorquino, dialecto que se fala nas Ilhas Baleares.

mallugar. *v. tr.* (Amér.) V. **magullar.**

mamá. *f.* (fam.) mamã, mãe na língua das crianças.

mama. *f.* (fam.) mamã, mãe; chuche; (anat.) mama, te(ê)ta dos mamíferos.

mamacona. *f.* cada uma das mulheres vir-gens e anciãs, dedicadas ao serviço dos templos dos antigos incas e cuidavam das virgens do Sol; (Amér.) cabeçada de coi-ro torcido que se põe às cavalgaduras.

mamada. *f.* (fam.) mamadura, acção de ma-mar; quantidade de leite que suga uma criança; tempo que dura a amamenta-ção; (Amér.) pechincha, vantagem.

mamadera. *f.* mamadeira, bomba para ex-trair leite do seio das mulheres, no pe-ríodo da lactação; (Amér.) bico de bor-racha do biberão; (Amér.) mal usado por biberão.

mamado, da. *adj.* (vulg.) borracho, ébrio; mamado, que mamou. V. **borracho.**

mamador, ra. *adj.* e *s.* mamador, que ma-ma; diz-se daquele que mama para des-carregar o seio das mulheres.

mamaíta. *f.* dim. de mamã.

mamalón. *m.* (Amér.) folgazão, preguiçoso.

mamar. *v. tr.* mamar, sugar o leite; mamar, comer, engolir; chuchar; (fig.) chupar; mamar, aprender uma coisa na infân-cia; (fig.) obter, conseguir, alcançar (sem méritos) alguma coisa: *dar de mamar*, aleitar, amamentar; *mamarse a uno*, en-ganá-lo duramente.

mamario, ria. *adj.* (anat.) mamário, perten-cente ou relativo às mamas.

mamarrachada. *f.* (fam.) acção desconcer-tante e ridícula; conjunto de mamarra-chos, de gebos; fantochada; conjunto de mal-jeitosos; parvoice; pachouchice.

mamarrachista. *s.* pessoa que faz mamar-rachos.

mamarracho, cha. *m.* (fam.) mamarracho, figura ridícula, defeituosa; adorno mal feito; homem pouco sério; fantoche; facha.

mambrú. *m.* (mar.) chaminé dos fogões dos barcos.

mamelón. *m.* (bot.) nome dado a todos os tubérculos que têm a forma de pedínculo.

mameluca. *f.* (Amér.) rameira, meretriz.

mameluco. *m.* mameluco, soldado duma mi-lícia privilegiada do que se serviam os sul-tões de Egipto; mameluco, homem bobo, néscio; estroso; (Amér.) fato de criança duma só peça.

mamella. *f.* mamilo, cada um dos apêndices compridos que tem alguns animais, espe-cialmente as cabras.

mamellado, da. *adj.* que tem mamilos.

mamey. *m.* (bot. e Amér.) árvore sapotácea de flores brancas e fruto ovóide, fruto desta árvore; árvore dicotiledónea guti-fera de América de flores brancas e fruto arredondado; fruto desta árvore.

mamífero, ra. *adj.* e *s.* (zool.) mamífero, que tem mamas; que alimenta as suas crias com o leite das suas mamas. — *m. pl.* ma-míferos, classe destes animais.

mamila. *f.* mamila, parte principal da mama.

mamitis. *f.* (med.) inflamação das mamas.

mamola. *f.* meiguice, carícia para afagar ou para zombar a uma pessoa.

mamón, na. *adj.* e *s.* mamão, que mama mui-to; chucharrão. — *m.* (agr.) ladrão, re-bento que rouba o suco alimentício à haste ou pé do vegetal; (bot.) mamoei-ra, mamoeiro, árvore sapindácea da Amé-rica, cujo fruto comestível é parecido com a amêndoa; mamão, mamoa, fruto desta árvore.

mamoncete. *m.* chucharrão.

mamoneada. *f.* (Amér.) acção de *mamonear.*

mamonear. *v. tr.* (Amér.) bater com um pau.

mamoso, sa. *adj.* diz-se da criança ou ani-mal que mama com muito apetite; aplica-se a certa espécie de painço.

mamotreto. *m.* memorial, livro de aponta-tamentos; (fig. e fam.) pacote de papéis mal ordenados; (fig.) empecilho, estorvo. V. **armatoste.**

mampara. *f.* anteparo; biombo; pára-vento; guarda-vento; empanada; anteporta; (Amér.) mal usado por *puerta.*

mamparo. *m.* (mar.) anteparo, antepara, ta-bique divisório nos barcos, meio-fio.

mampato, ta. *adj.* (Amér.) diz-se do animal anão e de pernas curtas.

mamplora. *m.* (Amér.) V. **sodomita.**

mamporro. *m.* (fam.) golpe ou ligeira pan-cada.

mampostear. *v. tr.* (arq.) trabalhar de pedreiro em alvenaria.

mampostería. *f.* alvenaria, obra de pedreiro, ou de pedra e cal; ofício de pedreiro; cobrança de dízimos ou impostos.

mampostero. *m.* pedreiro, o que trabalha em alvenaria; mamposteiro, recebedor ou administrador de impostos, rendas, esmolas, etc.

mampresar. *v. tr.* começar a domar os cavalos selvagens.

mampuesta. *f.* fiada de pedras ou tijolos num edifício.

mampuesto, ta. *adj.* diz-se dos materiais de alvenaria. — *m.* pedra em bruto, geralmente grande, que se pode colocar com a mão; parapeito; *de mampuesto,* de prevenção.

mamujar. *v. tr.* mamujar, mamar sem apetite.

mamullar. *v. tr.* comer ou mascar fazendo os mesmos gestos que faz o que mama.

mamut. *m.* mamute, espécie de elefante fóssil da época quaternária.

man. *f.* V. **mano;** *a man salva,* sem risco, impunemente.

mana. *f.* (Amér.) V. **maná.**

maná. *m.* maná, alimento que, segundo a Bíblia, Deus mandou em forma de chuva aos israelitas no deserto; maná, substância gomosa empregada como purgante.

manada. *f.* mancheia, manada, pequena porção; molho de ervas que se pode abranger com a mão: *a manadas,* em az.

manada. *f.* manada, rebanho de gado: *manada de lobos,* alcateia; *salirse de la manada,* desmanar-se.

manadero, ra. *adj.* e *m.* manadeiro, manancial, que mana ou corre incessantemente. *m.* pastor, zagal, guardador de gado.

managuaco, ca. *adj.* (Amér.) diz-se da pessoa rústica; diz-se do animal que tem as patas e focinho com manchas brancas.

manate. *p. a.* de *manar.*

manantial. *adj.* diz-se da água que mana; manancial. — *m.* manancial, nascente de água, fonte natural, fontela, água nativa; (fig.) manancial, origem donde provém uma coisa, mina: *manantial de agua,* mãe d'água; *manantial del río,* berço do rio.

manantío, a. *adj.* que mana.

manar. *v. intr.* manar, brotar, correr algum líquido dalguma parte; manar, derivar, defluir; (fig.) dimanar, emanar, proceder; (fig.) abundar: *manar a torrentes,* enxurrar; *manar en,* abundar.

manaza. *f.* aum. de *mano,* manápula, mãozorra, mão grande.

mancamiento. *m.* manqueira, falta, defeito duma coisa.

mancar. *v. tr.* mancar; aleijar, estropiar; emanquecer; desjarretar; (burl.) derrear. *v. intr.* (germ.) faltar; (Amér.) atrever-se, ser capaz de fazer uma coisa; mancar, coxear, manquejar.

mancarrón, na. *adj.* aum. de *manco.* V. **matalón;** (Amér.) diz-se da pessoa que está

inútil para o trabalho; (Amér.) dique ou paliçada para desviar o curso duma corrente d'água.

manceba. *f.* manceba, concubina; amiga; amada; barregã; mulher entretenida.

mancebete. *m.* dim. de *mancebo.* mancebinho, mocinho, rapazinho.

mancebía. *f.* mancebia, casa pública de mulheres mundanas; alcouce, bordel; lupanar, lupanário; barreguice; amancebamento; amigação; açougue de Vénus; travessura ou diversão desonesta; mancebia, adolescência, juventude, mocidade.

mancebo. *m.* mancebo, homem de poucos anos; mo(ô)ço, jovem; homem solteiro; artista assalariado; moço, rapaz.

máncer. *m.* e *adj.* espúrio, filho de mulher pública.

mancera. *f.* (agr.) rabiça do arado; aravela.

mancerina. *f.* pires com abraçadeira circular no centro onde se coloca a chávena em que se serve o chocolate.

mancil. *m.* V. **mandilandín.**

mancilla. *f.* (fig.) mancha, desdouro, desonra, menoscabo; infamação, infâmia; (fig.) desdoiramento, desdoiro; mancha, chaga, ferida.

mancilladero, ra. *adj.* (ant.) desonroso, infamante; funestador.

mancillamiento. *m.* mancha, desonra, desdouro.

mancillar. *v. tr.* manchar, ofender, infamar; funestar; enxovalhar; envilecer; denigrar; (fig.) desdoirar; magoar.

mancipación. *f.* (for.) alienação, cessão duma propriedade; venda e compra.

mancipar. *v. tr.* sujeitar , tornar escravo.

manco, ca. *adj.* e *s.* manco, sem braço ou mão; (fig.) aleijado, defeituoso, imperfeito. — *m.* (zool.) manco (ave palmípede); (Amér.) cavalicoque, cavalo fraco ou mau.

mancomún (de). *adv.* mancomunadamente, de comum acordo.

mancomunal. *adj.* (Amér.) associado, unido.

mancomunar. *v. tr.* mancomunar, pôr de acordo, combinar; (for.) obrigar duas ou mais pessoas mancomunadas à paga ou execução duma coisa. — *v. r.* associar-se, combinar-se para certo fim; conluiar-se.

mancornar. *v. tr.* mancornar, agarrar pelas hastes do touro e derribá-lo; atar uma corda à mão e ao chifre do mesmo lado duma rês para evitar que fuja; atar duas reses pelos chifres para que andem juntas; (fig. e fam.) unir duas coisas da mesma espécie que estavam separadas. — *conj. irr. como contar.*

mancuerda. *f.* volta da roda, no suplício deste nome.

mancuerna. *f.* parelha, junta de animais; par de coisas; ajoujo, correia para atrelar duas reses pelos cornos; talo de tabaco; parelha de presidiários amarrados pela mesma corrente, nas Filipinas.

mancha. *f.* mancha, sinal que suja; nódoa; mancha, malha de cor; cerro povoado de árvores e arbustos; (fig.) mancha, desonra, desdouro, estigma; mácula; impureza; defeito; contaminação, enxovalho; denigração, deslustre; bitafe; mendácula; (astr.) mancha do Sol; (Amér.) carbúnculo do gado; doença que ataca o cacaueiro: *mancha original*, a mácula original; *mancha en la piel*, defedação.

Mancha (La). (geog.) A Mancha: *Don Quijote de la Mancha*, D. Quixote da Mancha.

manchadizo, za. *adj.* que se mancha fàcilmente.

manchado, da. *p. p.* e *adj.* manchado, que tem mancha ou manchas; maculado; (fig.) impuro, contaminado, sujo, malhado.

manchar. *v. tr.* manchar, pôr mancha numa coisa; enodoar; sujar; denegrir; infamar; macular; impurificar, contaminar, empeçonhar; enxovalhar; desuntar; deturpar; embostelar; embodegar; emporcalhar; conspurcar; deslustrar; desdoirar; (pint.) manchar: *manchar la fama*, desdoirar a reputação, embaciar. — *v. r.* manchar-se, denegrir-se, encardir-se, emboldregar-se; enxovalhar-se.

manchón. *m.* aum. de *mancha;* mancha grande; ferro, mata, onde se recolhem os animais de montaria; mata de plantas muito espessa.

manchón. *m.* (Amér.) V. **manguito.**

manda. *f.* oferta, promessa; legado; manda, deixa, disposição testamentaria; (Amér.) V. **voto** ou **promessa.**

mandadera. *f.* mandadeira. V. **demandadera.**

mandadero, ra. *s.* mandadeiro, o que faz recados ou mandados, mensageiro; mandatário; procurador.

mandado, da. *p. p.* e *adj.* mandado. — *m.* ordem, mandado, recado; mensagem; mandado, encargo; mandado, notícia: *bien mandado*, bem mandado, obediente.

mandamás. *m.* (pop. e neol.) chefe, capataz; mandão.

mandamiento. *m.* mandamento, mandato, preceito; ordem dum superior; preceito do Decálogo; (for.) mandato, ordem, despacho do juíz; mandado judicial. — *pl.* os cinco dedos da mão; os cinco mandamentos.

mandante. *p. a.* e *adj.* mandante, que manda; (for.) pessoa que autoriza outrem a certos actos em seu nome.

mandar. *v. tr.* e *intr.* mandar, dar ordens; prescrever; preceituar; dirigir; governar; arremessar, enviar; mandar, encarregar; mandar, legar, dispor em testamento; nomear para um cargo; dominar, exercer autoridade; reger; mandar, querer; sobresair; (mil.) mandar, comandar; decretar, determinar; encomendar; chefiar; despachar; estatuir; emitir; estar à frente; oferecer; prometer alguma coisa; (equit.) dominar o cavalo; ordenar que vá; atirar; fazer presente de; delegar; eleger. — *v. r.* comunicar uma casa, um aposento com outro; mover-se por si mesmo; servir-se dalguma porta, escada ou outra comunicação: *dejar de mandar*, desacaudilhar; *mandar en co-*

misión, deputar; *mandar sin límites*, (fig.) dar a chuva e o bom tempo; *mandar por mandar*, mandar autoritàriamente; *mandar por*, mandar buscar; *mandar al otro barrio*, (pop.) mandar para a outra vida; *mandar al diablo*, (fam.) mandar ao diabo; à fava, à tábua.

mandarín. *m.* mandarim, governador ou magistrado duma cidade chinesa; (fig.) mandarim, pessoa que exerce um cargo com pouco prestígio.

mandarina. *f.* e *adj.* (bot.) tangerina, espécie de laranja. — *f.* língua erudita da China.

mandarinato. *m.* mandarinado, mandarinato, cargo de mandarim.

mandarria. *f.* (mar.) martelo de calafates.

mandatario. *m.* (for.) mandatário; procurador; delegado; representante.

mandato. *m.* mandato, ordem; cerimónia, do lava-pés da Quinta-Feira Maior; sermão do mandato que se prega por este motivo; (for.) mandato, delegação, procuração; mandamento, preceito; edi(c)to, decreto; determinação; (pol.) mandato, programa que os eleitores impõem aos seus deputados.

mandíbula. *f.* (anat.) mandíbula, maxila, queixada; mandíbula, parte do bico das aves.

mandibular. *adj.* mandibular.

mandil. *m.* mandil, avental grande e forte. V. **delantal;** insígnia maçónica; trapo; pano para limpar os cavalos; rede de malhas estreitas para pescar; (Amér.) babeiro.

mandilada. *f.* (germ.) reunião de criados ou rufiões.

mandilandín. *m.* (germ.) criado de rufiões ou de mulheres públicas.

mandilandinga. *f.* (germ.) V. **hampa.**

mandilar. *v. tr.* limpar o cavalo com um pano ou mandil.

mandilete. *m.* (artil.) portinhola das peças de artilharia.

mandilete. *m.* peça de armadura que protege a mão.

mandilón. *m.* (fig. e fam.) covarde, poltrão, homem ignaro e fraco de espírito, papaaçorda; mandilão, mandil grande.

mandioca. *f.* (bot.) mandioca, gáfio; farinha de mandioca.

mando. *m.* mando, autoridade, poder; ordem; gove(ê)rno; direito, comando; mandato; chefia; chefatura; controlo; arbítrio; (germ.) desterro; (mec.) engrenagem, transmissão do movimento: *tener el mando de un ejército*, ter o mando dum exército.

mandoble. *m.* cutilada que se dá com a espada e com ambas as mãos; espada antiga muito comprida e pesada; (fig.) repreensão severa.

mandolín. *m.* (Amér.) V. **bandolín.**

mandolina. *f.* (mús.) mandolim, mandolina

mandolino. *m.* (Amér.) V. **bandolín.**

mandón, na. *adj.* e *s.* mandão, autoritário, que manda com arrogância. — *m.* antigamente chefe de tropa irregular; (Amér.) capataz de mina; pessoa que dá a voz de partida nas corridas de cavalos; chefe.

mandrachero. *m.* tabulageiro, o que tem casa de tabulagem.

mandracho. *m.* tabulagem, casa de jogo público.

mandra. *f.* cabana, choça de pastor.

mandria. *adj.* e *s.* (fam.) apoucado, pusilânime, tímido, de pouco valor, covarde; (prov.) V. **holgazán.**

mandril. *m.* (zool.) mandril.

mandril. *m.* (mec.) mandril, tarraxa de torno; haste própria de certos instrumentos cirúrgicos.

mandrilado. *m.* (mec.) perfuração feita com o mandril.

mandrilar. *v. tr.* (mec.) perfurar com o mandril; alisar os furos grandes em certos trabalhos mecânicos.

mandrón. *m.* maradrão, máquina que servia para arrojar pedras; bola grande que se atirava com a mão.

manduca. *f.* (pop.) manducação, comida.

manducación. *f.* (fam.) manducação, acção de manducar.

manducar. *v. intr.* (fam.) manducar, comer, tomar alimentos.

manducatoria. *f.* (fam.) comida, sustento, comezaina.

manea. *f.* maniota, peia, maneia.

manear. *v. tr.* pear, prender a cavalgadura com peias ou maniotas; manejar.

manecilla. *f.* dim. de *mano*, mãozinha, pequena mão; fecho de metal com que se fecham certos livros ou outros objectos; sinal, em figura de mão para chamar a atenção nos escritos; mão, ponteiro de relógio; mão, cabo, punho de instrumento; (bot.) sarmento das plantas trepadeiras.

manejable. *adj.* manejável, maneável; fácil; governável; dócil; flexível.

manejado, da. *p. p.* e *adj.* manejado; (pint.) com os advérbios *bien* ou *mal* e outros semelhantes, pintado com desembaraço ou sem ele.

manejar. *v. tr.* manejar, mover com as mãos, menear; governar os cavalos, manejar; executar com as mãos; trabalhar; (fit.) governar, dirigir; conduzir; reger. — *v. r.* menear-se, mexer-se; adquirir agilidade depois de ter tido um impedimento; (fig.) administrar: *manejarse con habilidad,* (fig.) levar o barco a bom porto.

manejo. *m.* manejo, arte de governar os cavalos; gerência; administração, direcção, gove(ê)rno dum negócio; (fig.) manobra, artimanha; manejos; manejo, picadeiro.

maneota. *f.* maniota, peia, maneia.

manera. *f.* maneira, modo, fo(ô)rma, feitio, feição, método de fazer uma coisa; costume; hábito; porte, modo das pessoas; maneira, abertura, fenda numa capa para deixar passar a mão; maneira, estilo,

qualidade ou classe das pessoas; (pint.) carácter particular que um pintor dá às suas obras, maneira. V. **maña;** ensejo, oportunidade, possibilidade, maneira. — *pl.* maneiras, gestos, atitude na sociedade.

manero, ra. *adj.* maneiro, acostumado a vir, comer à mão (diz-se do açor e do falcão).

manes. *m. pl.* manes, (fig.) sombras ou almas dos mortos.

manezuela. *f.* mãozinha, braçadeira de livro, fecho; cabo, punho. V. **manija.**

manferidor. *m.* aferidor, contraste.

manfla. *f.* (fam.) concubina, manceba, mulher com que se tem trato ilícito; (prov.) porca velha recém-parida; (germ.) bordel.

manflorita. *m.* (pop.) V. **hermafrodita.**

manflota. *f.* (germ.) V. **burdel.**

manflotesco, ca. *adj.* (germ.) que frequenta bordéis.

manga. *f.* manga (parte do vestido); manga, saia duma cruz; mangueira de bomba; manga de carro; parte do eixo onde entra a roda; manga, filtro afunilado, covo; manga, tromba-d'água; tarrafa, rede de pescar, calão. V. **esparavel;** mala portátil que se abre pelos dois lados; manga, destacamento de gente armada; (mar.) manga, a maior largura dum navio; ventilador de navio ou mina; manga, linha de caçadores para dirigir a caça em determinado sentido; (mil.) manga, ala dum corpo; (bot.) mangueira, manga. — *pl.* mangas, luvas, gratificação: *hacer mangas y capirotes,* obrar sem reflexão; *ser de manga ancha,* (fam.) passar-culpas, diz-se do confessor demasiado indulgente; *mangas perdidas,* mangas perdidas; *manga de agua,* manga de água; *a buena hora mangas verdes,* diz-se dos remédios tardíos; *andar manga por hombro,* (fig. e fam.) diz-se da desordem no governo duma casa; *ir de manga,* (fig. e fam.) diz-se de duas ou mais pessoas que se põem de acordo num assunto; *estar como la manga de un chaleco,* (fig. e fam.) (Amér.) não ter dinheiro; *por mangas o por faldas,* (pop. e Amér.) por fás ou por nefas; *tirar la manga a uno,* (fig. e fam. Amér.) pedir dinheiro com astúcia.

mangajarro. *m.* (fam.) manga mal feita que cai sobre as mãos.

mangajo. *m.* (Amér.) homem sem vontade que se deixa manejar por outro qualquer.

mangana. *f.* laço que se atira às patas dum cavalo ou touro quando vai correndo, para o fazer prender.

mangana. *m.* (Amér.) préstimo; fraude.

manganato. *m.* (quim.) manganato.

manganear. *v. tr.* (Amér.) deitar um laço ao pé dum animal quando vai correndo; (Amér.) maçar, importunar. V. **rapiñar.**

manganeo. *m.* festa em que muitas pessoas se divertem a lançar laços aos pés ou mãos das cavalgaduras.

manganesa. *f.* (min.) peróxido de manganês.

manganesia. *f.* V. **manganesa.**

manganeso. *m.* (min.) manganês.

manganeta. *f.* rede para caçar pássaros; (Amér.) V. manganilla.

mangánico, ca. *adj.* (quim.) mangânico, manganésico.

manganilla. *f.* manganilha, engano, logro, ardil de guerra, subtileza de mãos, treta; vara comprida para varejar as azinheiras; (prov.) vara comprida para apanhar bolotas.

manganoso, sa. *adj.* manganoso.

mangante. *m.* (germ.) V. mendigo; (fam.) diz-se do que pede dinheiro com astúcia.

manganzón. *adj.* e *s.* (Amér.) V. maganzón.

mangla. *f.* ládano, nome da goma adocicada que distila a xara; mangra, doença das gramíneas.

manglar. *m.* mangal, plantação de mangues.

mangle. *m.* (bot.) mangue, mangueira, resina de mangueira.

mango. *m.* (bot.) mangueira, mangadeira (árvore); manga, mangaba (fruto).

mango. *m.* cabo duma ferramenta, asa; *poner un mango*, encabar; *mango de una escoba*, cabo duma vassoura.

mangón. *m.* V. revendedor; (Amér.) cerca para encerrar gado.

mangonada. *f.* cotovelada, pancada dada com o cotovelo.

mangoneador, ra. *adj.* que mangoneia; mandão; intruso.

mangonear. *v. intr.* (fam.) mangonar, mangonear, estar ocioso; vadiar; ter preguiça; intrometer-se, meter-se aonde não se é chamado, ostentando autoridade.

mangoneo. *m.* (fam.) intromissão, acto de intrometer-se num assunto; vadiação.

mangonero, ra. *adj.* e *s.* (fam.) mandrião, vadio, ocioso; intrometido.

mangorrero, ra. *adj.* (fam.) que anda entre as mãos, usual, quotidiano, que anda a cotio; (fam.) mandrião, ocioso, vadio; inútil, de pouco valor.

mangote. *m.* (fam.) manga larga e comprida, manguito, manga postiça para resguardar as mangas do casaco.

manguardia. *f.* (arq.) quebra-mar, muralhas que reforçam os pegões duma ponte.

manguear. *v. tr.* (Amér.) manguear, fazer entrar o gado no curral.

manguera. *f.* curral, mangueira; (mar.) mangueira de lona para tirar água nas embarcações; (Amér.) tubo de ventilação.

manguero. *m.* pessoa que tem a seu cargo o manejo das mangas das bombas ou das bocas de rega.

mangueta. *f.* borracha, instrumento de borracha elástica para clisteres; couceira da porta; alavanca, padiola para duas pessoas transportarem grandes pesos.

manguilla. *f.* dim. manguito, manga postiça; meia manga.

manguindó. *m.* (Amér.) homem folgazão.

manguita. *f.* coberta. V. funda.

manguitería. *f.* pelaria. V. peletería.

manguitero. *m.* peleiro. V. peletero.

manguito. *m.* manguito, de peles para aquecer as mãos; manguito, meia manga postiça; biscoito grande em forma de rosca.

chumaceira, anel de ferro ou de aço para reforçar os canhões: *manguito de incandescencia*, manga de incandescência.

maní. *m.* amendoim. V. cacahuete.

manía. *f.* mania, espécie de loucura com tendência para a fúria; mania, extravagância, capricho; teima; embirração; excentricidade; (fig.) bo(ô)lha; (pop.) madureza; (fig.) enfermidade; afecto, desejo imoderado; paixão; (zool.) mania, insecto lepidóptero; mania, espécie de alienação, capricho; (Bras.) pancada. — *pl.* (pop.) minhocas: *tener manías*, empreender, ter areias na cabeça.

maníaco, ca. *adj.* e *s.* maníaco, que sofre ou padece de mania; louco; amalucado; excêntrico; lunático; bolhudo; avenado; birrento; desorientado; extravagante; apaixonado.

manialbo, ba. *adj.* calçado, diz-se do cavalo ou égua que tem malhas nos pés ou nas mãos.

maniatar. *v. tr.* maniatar, atar as mãos; algemar; tolher os movimentos a; (fig.) constranger; tirar a libertade a.

maniático, ca. *adj.* e *s.* maníaco, que tem manias; mágico, louco; apancado.

manicato, ta. *adj.* (Amér.) valente, esforçado.

manicero. *m.* (Ambér.) aquele que vende amendoim.

manicomio. *m.* manicó(ô)mio, hospital de loucos, de alienados; casa dos loucos; hospício de alienados.

manicordio. *m.* (mús.) manicórdio. V. monacordio.

manicorto, ta. *adj.* (fam.) mesquinho, pouco generoso, avarento, pouco dadivoso.

manicuro, ra. *s.* manicuro, pessoa que trata das mãos e das unhas das mãos; o que cuida das unhas, da pele, etc., das mãos.

manida. *f.* morada, retiro do homem ou do animal; madrigueira, madrigoa; (germ.) casa.

manifacero, ra. *adj.* e *s.* (fam.) mexeriqueiro, que tem o costume de mexericar; metediço.

manifactura. *f.* V. manufactura, manufactura.

manifestación. *f.* manifestação; reunião pública no ar livre; manifestação; anunciamento; emanação; declaração; exteriorização; externação; decobertura; exibição; anúncio; expressão pública ou colectiva dum sentimento ou opinião: *manifestación embozada*, (pop.) indirecta; *manifestación repentina y violenta*, (fig.) explosão; *manifestación súbita*, aparição; *primera manifestación de la inteligencia*, o alvorecer da inteligência.

manifestador, ra. *adj.* e *s.* manifestador, que manifesta, manifestante.

manifestante. *s.* manifestante, que manifesta, manifestador; que toma parte numa manifestação.

manifestar. *v. tr.* manifestar, dar a conhecer, dar ao manifesto; palear, patentear, manifestar; pôr de manifesto; descobrir; pôr a vista; desenfronhar; desembainhar;

desencapotar; desvelar; pôr em claro: enunciar; explicar, expor; exprimir; expressar; expender; manifestar, denotar. assinalar; aclarar; descerrar; aduzir; demonstrar; anunciar, (fig.) desenfardar; exibir; externar; exteriorizar; exuberar; assoalhar. — *v. r.* expor o Santíssimo Sacramento; devassar-se; desvendar-se; amanhecer; apresentar-se; dar; desdobrar-se; declarar-se; denunciar-se; (fig.) emergir: *manifestar sutilmente un afecto ou pasión*, destilar; *manifestarse una idea*, aparecer uma ideia; *la verdad se manifiesta poco a poco*, a verdade emerge pouco a pouco; *manifestar algo a medias*, entremostrar. — *conj. irr.* como *acertar*.

manifestativo, va. *adj.* manifestativo.

manifiesto, ta. *p. p. irr.* de *manifestar*, e *adj.* manifesto, manifestado; manifesto, patente, claro; desvelado; claro; evidente; explícito; expressivo; manifesto, declarado; achadiço; formal; aparente; inescurecível; diz-se do Santíssimo Sacramento quando está manifesto ou exposto. — *m.* manifesto, programa político ou religioso; manifesto, declaração da carga dum navio: *poner de manifiesto*, expor, (fig.) descortinar, detectar, emergir.

manigua. *f.* (Amér.) terreno coberto de ervas ruins.

manija. *f.* cabo, punho de certos utensílios e ferramentas; maniota, braçadeira, anel de ferro para segurar alguma coisa espécie de luva de coiro usada pelos ceifadores; manivela; virola.

manijar. *v. tr.* V. **manejar.**

manilargo, ga. *adj.* que tem mãos compridas: *largo de manos*, mãos largas, dadivoso, liberal, mãos largas.

maniluvio. *m.* (med.) manilúvio, banho às mãos em água quente.

manilla. *f.* manilha, bracelete, pulseira; manilha, anel de ferro, grilhete; algema; aro de metal; argola com que se adornam as senhoras; elo de cadeira; tubo de barro usado em canalização: *manilla del reloj*, agulha, apontador de relógio.

maniobra. *f.* manobra, evolução; manobra, operação manual; manobra, (mar.) arte de governar as embarcações, faina de marinheiro; conjunto de cabos e aparelhos dum navio; (mil.) manobra, demonstração, exercício táctico; manobra, manipulação: *maniobras de un asunto*, (fig.) entradas e saídas.

maniobrar. *v. tr.* e *intr.* manobrar, executar manobras, ordenar movimentos; exercitar; (fig.) executar todos os actos necessários para conseguir um certo resultado; evolucionar: *maniobrar el buque*, amarinhar; *maniobrar un buque para que navegue viento en popa*, arribar para correr vento em popa.

maniobrero, ra. *adj.* manobreiro, que manobra, que trabalha com as mãos, manobrador; (mil.) manobrador, diz-se da tropa e do chefe que a manda.

maniobrista. *m.* (mar.) manobrista, diz-se do que sabe fazer bem as manobras dum navio.

maniota. *f.* maniota, corda ou corrente de ferro para pear as cavalgaduras.

manipulación. *f.* manipulação, preparação manual de certos medicamentos, acto de manipular.

manipulador. *m.* e *adj.* manipulador, que manipula; manipulador, aparelho de telegrafia para transmitir sinais telegráficas.

manipular. *v. tr.* manipular, preparar alguma coisa com as mãos; manipular, (fig. e fam.) dirigir os negócios ou intrometer-se nos alheios.

manipulario. *m.* chefe dum manípulo na milícia romana.

manipulear. *v. tr.* (Amér.) V. **manipular.**

manipuleo. *m.* acção ou efeito de dirigir negócios.

manípulo. *m.* manípulo, pequena estola que o sacerdote leva no braço esquerdo quando diz missa; manípulo, insígnia primitiva dos soldados romanos; manípulo, cada uma das vinte e cinco secções em que estava dividida a corte romana.

maniqueísmo. *m.* maniqueismo, seita dos maniqueus.

maniqueo, a. *adj.* e *s.* maniqueu, aquele que segue os erros do Maniqueu.

maniquete. *m.* mitene, luva que deixa descobertos os dedos; luva de coiro dos segadores que cobre até metade dos dedos da mão esquerda.

maniquí. *m.* manequim, figura móvel que se pode pôr em várias atitudes; manequim, francatripa; (fig.) bilro; manequim, figura em forma humana, de madeira, cartão, etcétera, em que os alfaiates ou costureiras provam peças de vestuário; manequim, boneco; (fig.) autómato, pessoa sem vontade.

manir. *v. tr.* macerar, abrandar, amolecer (diz-se das carnes que se guardam o tempo conveniente.

manirroto, ta. *adj.* manirroto, perdulário, desprendedor, delapidador; gastador, liberal.

manita. *f.* (quim.) substância açucarada que têm algumas plantas como as algas, cogumelos, etc.

manito. *m.* maná qe se dá às crianças como purgante.

manito. *m.* (Amér.) V. **manecita.**

manivacío, a. *adj.* (fam.) com as mãos vazias.

manivela. *f.* (mec.) manivela, peça de máquina a que se imprime movimento com a mão.

manizuela. *f.* (Amér.) orifício de tonel ou de odre.

manjar. *m.* manjar, qualquer substância alimentícia; manjar, biró; biscoitada; acepipe; iguaria; manjar, o que alimenta o espírito ou serve de recreio: *manjar blanco*, manjar branco; *manjar exquisito*, acepipe.

manjelín. *m.* manjelim, peso com que se avaliavam diamantes.

manjolar. *v. tr.* levar a ave presa numa gaiola, no cesto ou na mão.

manjorrada. *f.* comezaína, grande quantidade de manjares ordinários.

manlieva. *f.* imposto que se cobrava efectiva e peremptòriamente de casa em casa.

mano. *f.* (anat.) mão; tromba de elefante; direcção; lado duma coisa; mão; mão, cinco cadernos de papel; ponteiro de relógio; mão, pilão do almofariz ou do gral; mão, demão de tinta ou pintura; conjunto de cardas para cardar o pano, carda miúda; mão, império, mando, poder; mão, patrocínio, influência; valimento; mão, parceiro que joga primeiro; mão, lance inteiro no jogo de cartas; mão, auxílio, socorro; mão, reunião de gente, tropa; repreensão, castigo; (pop.) gadanha; pessoa que executa alguma coisa; penhor, fiança; cunho, particular, estilo, feição artística; pequeno peixe ou objecto que se abrange com a mão: *mano a mano*, com familiaridade; *mano de cazo*, canhoto; *mano de gato*, arrebique, cor postiça; *a mano*, à mão, achegadamente; *abrir la mano*, (fig.) afrouxar a corda; *cargar la mano*, (fig.) apertar a corda; *la mano de Dios*, o dedo de Deus; *echar la mano a alguien*, lançar a alguém os gadanhos; *en lo que esté de mi mano*, ao meu alcance; *estar a mano*, estar chegado; *hacer todo lo que esté en la mano de uno*, assestar toda a artilharia; *hombre de mano izquierda*, (fam.) homem de muitos entresseios; *coger a alguien con las manos en la masa*, apanhar alguém com a boca na botija; *a mano armada*, à mão armada; *querer coger el cielo con la mano*, arrancar pedras com os dentes; *mano llena*, mainça; *mano maestra*, dedo de mestre; *tener algo al alcance de la mano*, saber alguma coisa na ponta dos dedos; *saber lo que se tiene entre manos*, não precisar de andadeiras; *tener buenas manos para algo*, ter dedo; *estar mano sobre mano*, ter as mãos no seio; *de buena mano*, de boa procedência; *ser la mano derecha*, (fam.) diz-se da pessoa muito útil a outrem.

mano. *m.* (Amér.) V. **hermano**, amigo, companheiro.

manobrar. *v. tr.* (Amér.) V. **maniobrar.**

manobrero. *m.* operário que limpa as acéquias.

manojear. *v. tr.* pôr em molhos as folhas do tabaco.

manojo. *m.* manojo, molho que se pode abranger com a mão, feixe; (Amér.) atado de tabaco em rama: *a manojos*, abundantemente, aos punhados.

manométrico, ca. *adj.* manométrico, pertencente ou relativo ao mamómetro.

manómetro. *m.* (fís.) manó(ô)metro, aparelho indicador da tensão dos vapores e dos gases.

manopla. *f.* manopla, luva de ferro, parte das antigas armaduras guerreiras; ma-

nopla, chicote próprio para cocheiro; (Amér.) boxe, armadura metálica que se enfia nos dedos para jogar o soco; (prov.) tira de sola que usam os sapateiros para não magoarem.

manoseador, ra. *adj.* e *s.* manuseador, que manuseia; apalpador; amarrotador; apolegador.

manosear. *v. tr.* manusear, amarrotar, apalpar; apolegar; tocar repetidamente uma coisa; manusear, mexer com a mão.

manoseo. *m.* manuseação, manuseio; apalpamento; apolegadura; manuseamento.

manotada, manotazo. *m.* palmada, bofetada, pancada dada com a mão.

manoteado, da. *p. p.* de *manotear; m.* V. **manoteo.**

manoteador, ra. *adj.* que gesticula, que dá palmadas.

manotear. *v. tr.* e *intr.* dar palmadas, bater com as mãos; gesticular; agitar as mãos ao falar; dar bofetadas com a mão; patear, dar patadas o cavalo.

manoteo. *m.* gesticulação, acção de mover as mãos, bater com as mãos; gesticulado, accionado.

manquear. *v. intr.* manquejar, mancar, fingir que tem defeito, que manqueja; estar manco, coxear; (mar.) ficar atrás.

manquedad, manquera. *f.* manqueira, aleijão de braço; falta ou lesão do braço ou de mão; (fig.) falta, defeito.

mansalino, na. *adj.* muito grande, extraordinário; (Amér.) magnífico, soberbo; valente.

mansalva (a). *adv.* sem risco, sem nenhum perigo, impunemente.

mansedumbre. *f.* mansidão, mansuetude; paciência; pacatez; dulçor; suavidade; benignidade; brandura de génio; serenidade.

mansejón, na. *adj.* mansarrão, diz-se do animal muito manso.

manseque. *m.* baile infantil de Chile.

mansión. *f.* mansão, aposento, morada; mansão, assento; mansão, estância; mansão, situação; demora, permanência, lugar: *mansión de los justos*, mansão dos justos; *hacer mansión*, deter-se, ficar nalgum lugar.

manso. *m.* quinta, prédio; bens isentos de encargos que se possuiam as paróquias ou mosteiros.

manso, sa. *adj.* manso, plácido; paciente; pacato; pacífico; dulcífico; macio; sossegado; brando de génio; sereno; amansado, domesticado. — *m.* boi cabresto.

mansurrón, na. *adj.* excessivamente manso.

manta. *f.* manta, cobertor de cama; manta, cobertura das cavalgaduras; tecido ordinário de algodão que se fabrica e usa no México; manta, almoçela; manta, almatricha; enxalmo; (prov.) manta, berzunda, berzundela; (prov.) chuva; (fig.) sova, tunda; (min.) espécie de saco usado na América para transportar minerais: *tirar de la manta*, (fam.) descobrir um segredo; *dar una manta*, (pop.) mantear;

a manta de Dios, (fam.) abundantemente; *echar mantas*, dizer mal dalguém; *liarse la manta a la cabeza*, determinar-se a fazer uma coisa.

mantaterilla. *f.* espécie de liteiro; tecido de trama de bramante.

manteada. *f.* (Amér.) manteação, acção de mantear.

manteado, da. *p. p. e adj.* manteado; (Amér.) tenda de campanha.

manteador, ra. *adj. e s.* manteador, que manteia.

manteamiento. *m.* manteação, acção de mantear.

mantear. *v. tr.* mantear, fazer dar saltos alguém sobre uma manta. — *v. intr.* (prov.) sair muitas vezes as mulheres de casa.

manteca. *f.* manteiga, banha; pomada; substância gordurosa; exúngia: *pan con manteca*, pão barrado de manteiga; *manteca de cerdo*, banha.

mantecada. *f.* fatia de pão com manteiga e açúcar; espécie de bolo doce cozido numa caixinha de papel.

mantecado. *m.* bolo amassado com gordura de porco; espécie de sorvete composto de leite, ovos e açúcar.

mantecón. *m.* (fig. e fam.) homem comodista que gosta de grande conforto.

mantecoso, sa. *adj.* manteigoso, que tem muita manteiga; amanteigado; enxundioso; semelhante a manteiga ou a suas propriedades.

manteísta. *m.* o que assistia às escolas públicas vestido com sotaina e manto.

mantel. *m.* toalha de altar, de mesa, mantel; (ant.) roupas de mesa; coberta de mesa: *extender el mantel*, pôr a mesa; *levantar los manteles*, levantar-se da mesa.

mantelería. *f.* jogo de toalhas ou guardanapos; serviço de toalhas; fábrica ou venda de toalhas.

manteleta. *f.* mantelete, capa curta para senhoras.

mantelete. *m.* mantelete, vestidura curta que os eclesiásticos levam sobre o roquete; (herald.) manteler, adorno no escudo d'armas; (mil.) abrigo ligeiro para defesa ou ataque duma fortaleza.

mantelo. *m.* espécie de avental de pano que cobre a saia e se ata à cinta.

mantellina. *f.* mantilha da cabeça.

mantenedor, ra. *adj. e s.* mantenedor, cavaleiro principal nos torneios ou justas; mantenedor, defensor; asseverador; alimentador; afirmador; mantenedor, aquele que mantém ou sustenta, alimentador, defensor, campeão.

mantener. *v. tr.* manter, prover de alimento; alimentar; apaniguar; conservar; sustentar; manter, observar, cumprir; manter, aguentar; entreter; defender; manter, sustentar uma opinião, um sistema; manter, segurar; manter, permanecer no mesmo estado. — *v. r.* conservar, sustentar, manter-se; (for.) amparar

alguém na posse dalguma coisa; manter uma ideia; alimentar-se, entreter-se, conservar-se; perseverar; permanecer no mesmo estado; sustentar-se; resistir com êxito: *mantener las bridas*, apertar a rédea; *mantener conclusiones*, defender; *mantener una cosa en secreto*, levar água no bico; deslizar alguém de uma coisa; *mantener una entretenida*, entreter uma no bico; *mantener una entretenida*, entreter uma amiga; *mantener una confusión*, ter confusões; *mantener una opinión*, manter uma opinião; *mantenerse a expensas de alguien*, (fam.) comer a barba longa; *mantenerse de gorra*, (pop.) andar nas ancas dalguém; *mantenerse en sus trece*, embirrar, dar e tomar; *mantenerse firme*, resistir, manter-se firme. — *conj. irr.* como *tener*.

mantenida. *f.* manceba, mulher que vive à custa dum homem.

mantenido, da. *p. p.* de *mantener*. — *m.* (Amér.) fadista; apaniaguado, aquele que vive à custa do trabalho da sua mulher; aquele que vive à custa d'alguém.

manteniente (a). *adv.* com ambas as mãos; com toda a força; em continente, no mesmo instante.

mantenimiento. *m.* manutenção, mantimento, alimento; mantença, sustento. — *pl.* víveres.

manteo. *m.* mantel, capa com colarinho usada pelos eclesiásticos; saia lisa e sem pregas; manteação. V. **manteamiento.**

mantequera. *f.* mulher que faz ou vende manteiga; manteigueira, vaso em que se serve a manteiga; batedeira, vaso de madeira em que é feita a manteiga, barata.

mantequería. *f.* manteigaria, estabelecimento onde se fabrica ou vende a manteiga.

mantequero, ra. *adj. e s.* manteigueiro, fabricante ou vendedor de manteiga. V. **corojo.**

mantequilla. *f.* manteiga batida e misturada com açúcar, manteiguilha.

mantequillera. *f.* (Amér.) manteigueira (recipiente).

mantequillero. *m.* (Amér.) V. **mantequero.**

mantera. *f.* manteira, mulher que fabrica ou vende mantos, ou mantas para mulheres.

mantero. *m.* manteiro, fabricante ou vendedor de mantas.

mantilla. *f.* mantilha, manto fino com que cobrem a cabeça as mulheres; cueiro de criança, xairel; (Amér.) homem cobarde: *estar en mantillas*, (fam.) saber muito pouco dalguma coisa; *haber salido de mantillas*, alcançar idade de maioridade.

mantillo. *m.* (agr.) terriço, húmus, terra vegetal; adubo formado por substâncias, animais e vegetais, misturadas com terra.

mantis. *f.* (entom.) mantis.

mantisa. *f.* (mat.) mantissa.

manto. *m.* manto, vestidura com que se cobriam as mulheres da cabeça aos pés; capa de mulher; manto, véu comprido;

manto, capa dalguns religiosos; capa que se usa sobre a beca ou batina; manto, rica vestidura de cerimónia que se ata por cima dos ombros em forma de capa; (fig.) manto, o que encobre alguma coisa; (herald.) manto, porção de terreno horizontal; (min.) manto, capa de mineral; (fig.) capa, pretexto, manto.

mantón. *m.* mantão, xaile grande, de abrigo: *mantón de Manila,* mantilha de seda da China.

mantón, na. *adj.* V. **mantudo.**

mantudo, da. *adj.* diz-se da ave quando tem caídas as asas e está enroupada nelas. — *s.* (Amér.) máscara.

manuable. *adj.* manejável, maneiro, fácil de manejar.

manual. *adj.* manual, que se faz com as mãos; feito à mão; manejável; caseiro, de fácil execução; (fig.) dócil, tratável; fácil de entender. — *m.* manual, compêndio; manual, caderno, livro de apontamentos; manual, livro do ritual dos sacramentos. — *pl.* emolumentos eclesiásticos pela assistência ao coro.

manubrio. *m.* manivela, peça de máquina a que se imprime movimento com a mão; manúbrio, cabo de instrumento.

manuella. *f.* (mar.) barra do cabrestante; cana do leme.

manufactura. *f.* manufa(c)tura, trabalho manual; indústria, produto de indústria; obra feita à mão ou com auxílio de máquinas; manufactura, estabelecimento industrial onde se fabricam.

manufacturar. *v. tr.* manufa(c)turar, fabricar, produzir trabalho manual.

manufacturero, ra. *adj.* manufa(c)tureiro.

manumisión. *f.* manumissão, emancipação, libertação de escravos; alforria.

manumiso, sa. *p. p. irreg.* de *manumitir* e *adj.* manumisso; escravo forro, aquele que recebeu alforria, liberto.

manumisor. *m.* (for.) manumissor, o que dá alforria ou liberdade, forrador.

manumitir *v. tr.* (for.) manumitir, dar alforria a, ou liberdade ao escravo, alforriar.

manuscribir. *v. tr.* manuscrever, escrever à mão.

manuscrito, ta. *adj.* manuscrito, escrito à mão. — *m.* manuscrito.

manutención. *f.* manutenção, manutenência, conservação; alimentação, sustento; amparo; (for.) manutenção, protecção judicial.

manutener. *v. tr.* (for.) manter, amparar. — *conj. irr.* como *tener.*

manzana. *f.* (bot.) maçã, pomo, fruto da macieira; grupo ou bloco isolado de casas contíguas; maçã, pomo da espada: *manzana de la discordia,* (fig.) pomo de discórdia; (Amér.) maçã-de-adão, nó da garganta.

manzana. *f.* (Amér.) quarteirão, espaço quadrado de terreno circunscrito por ruas nos seus quatro lados.

manzanal. *m.* pomar de macieiras. V. **manzano.**

manzanar. *m.* V. **manzanal.**

manzanil. *adj.* diz-se dalguma frutas parecidas com a maçã.

manzanilla. *f.* (bot.) macela, camomila; variedade de azeitona; vinho branco de Sanlúcar de Barrameda; maçanilha, maçã pequena; ponta da barba; maçaneta, puxador, remate em forma globular.

manzanillo. *adj.* (bot.) diz-se da oliveira que produz azeitona pequena. — *m.* mancenilha, mancenilheira.

manzano. *m.* (bot.) macieira, maceira.

maña. *f.* mancha, destreza, habilidade, arte; artifício, astúcia; manha, ardil, treta; manha, mau costume; vício; feixe pequeno; artimanha; indústria; artice; engano; estratagema; artifício; maestria; (fig.) dedo; manha, maneira, modo; molho pequeno de linho, esparto, etc.: *darse maña,* ter habilidade numa coisa, dar-se boa manha; *obrar con maña,* astuciar; *más vale maña que fuerza,* mais pode Deus que o diabo.

mañana. *f.* manhã; a manhã, o dia imediato. *m.* tempo futuro, próximo, brevemente, em breve:

mañanear. *v. intr.* madrugar habitualmente.

mañanero, ra. *adj.* madrugador. V. **madrugador.**

mañanica, ta. *f.* manhãzinha, princípio da manhã, o alvorecer.

mañear. *v. tr.* dispor ou fazer alguma coisa com manha; proceder manhosamente.

mañería. *f.* esterilidade (nas fêmeas); maninhez, esterilidade nas terras.

mañero, ra. *adj.* manhoso, sagaz, astuto; manejável, fácil de tratar ou de manejar.

mañeruelo, la. *adj.* dim. de *mañoso.*

maño, ña. *s.* (prov.) aragonês; (Amér.) irmã; expressão de carinho.

mañoco. *m.* tapioca, massa crua de farinha e milho que comiam os índios de Venezuela.

mañoso, sa. *adj.* manhoso, que tem manha; manhoso, destro, dextro; artista; astuto; expeditivo; manhoso, experto; industrioso; artificioso; engenhoso; (prov.) manhoso; sengo; manhoso, mestre; manhoso, estratégico, consumado; astucioso: *hombre mañoso,* macacão; *persona mañosa y astuta en sus negocios,* dançante.

mañuela. *f.* ardil, manha com astúcia e velhacaria. — *pl.* (fig.) pessoa astuta e manhosa.

mapa. *f.* mapa, carta, representação geográfica da terra ou duma parte de alguma superfície plana. — *f.* coisa rara, excelente no seu género; flor, coisa rara, o que sobressai em habilidade: *llevarse la mapa,* (fig. e fam.) levar vantagem numa linha.

mapamundi. *f.* (geog.) mapa-múndi; carta que representa o globo terrestre, dividido em dois hemisférios; (Amér. e fam.) nádegas.

mapuche. *adj.* e *s.* V. **araucano.**

maque. *m.* verniz, laca.

maquear. *v. tr.* laquear, cobrir com laca; envernizar, charoar; adornar móveis com pinturas ou dourados com laca.

maqueño. *m.* (Amér.) variedade de plátano.

maquí. *m.* (bot.) arbusto chileno liliáceo de fruto doce e adstringente.

maquiavélico, ca. *adj.* maquiavélico, pertencente ou relativo ao maquiavelismo.

maquiavelismo. *m.* maquiavelismo, doutrina de Maquiavel.

maquiavelista. *s.* e *adj.* maquiavelista, que segue as doutrinas de Maquiavel.

maquila. *f.* maquia, medida de cereais, farinha ou azeite que recebem os moleiros em remuneração; maquia, antiga medida de cereais; (Amér.) medida de peso de cinco arrobas.

maquilar. *v. tr.* cobrar a maquia, maquiar.

maquilear. *v. tr.* (Amér.) V. **maquilar.**

maquilero. *m.* maquiador, o encarregado de cobrar a maquia.

maquillaje. *m.* acção de compor ou aformosear com enfeites.

maquillar. *v. tr.* e *r.* aformosear com enfeites.

máquina. *f.* máquina, aparelho para aproveitar ou regular a acção duma força; máquina, instrumento para comunicar movimento a algum agente natural; máquina, qualquer instrumento de peças móveis, locomotiva, bicicleta, aparelho de coser, etcétera; máquina, arte, engenho; máquina, machina; máquina, aparelho; máquina, edifício grande e sumptuoso; (fig.) projecto de imaginação; máquina abundância; máquina, artifício nos teatros para representar algum facto; (fig.) máquina, pessoa sem vontade; autómata; máquina, conjunto dos órgãos que constituem o corpo humano: *navegar a toda máquina*, (mar.) navegar rota abatida; *máquina de taponar botellas*, arrolhador.

maquinación. *f.* maquinação, cilada, bisbilhotice; conluio; fábricas; maquinação, trama, intriga.

maquinador, ra. *s.* maquinador, que maquina; engenhador; aquele que faz alguma maquinação, que trama alguma coisa.

maquinal. *adj.* maquinal, automático; indeliberado; maquinal, relativo aos movimentos e efeitos das máquinas; maquinal, respeitante às máquinas; (fig.) maquinal, inconsciente, espontâneo.

maquinar. *v. tr.* maquinar, urdir, tramar, proje(c)tar algum ardil; astuciar; conjurar: engenhar; conspirar; (fig.) maquinar, forjar; planear; idear, traçar, maquinar; intrigar: *maquinar intrigas*, entreter intrigas, conspirar.

maquinaria. *f.* maquinaria, arte de fabricar máquinas; maquinaria, conjunto de máquinas de una indústria determinada, ou para um fim determinado; maquinaria, mecanismo que dá movimento a um artefacto, máquina.

maquinismo. *m.* predomínio das máquinas na moderna indústria; maquinismo, arte de máquinas; (filos.) maquinismo, doutrina que considera aos animais como máquinas; maquinismo, aparelho, instrumento.

maquinista. *s.* maquinista, pessoa que inventa, constroi ou dirige máquinas; pessoa que dirige a mudança nos cenários dos teatros.

mar. *m.* ou *f.* mar, massa de água salgada que cobre a maior parte do globo terrestre; mar, porção definida desta vasta extensão d'água; (fig.) grande lago; qualquer quantidade d'água ou doutro líquido; (fig.) aquilo que apresenta fluctuações; (fig.) dificuldades morais em que o indivíduo parece submergir-se; (fig.) grande quantidade dalguma coisa; imensidade dalguma coisa; abismo; agitação das águas; mar, cópia, abundância de coisas fluídas; (fig.) mar, coisa grande, insondável, incompreensível: *alta mar*, fundão; *el mar*, (poét.) anfitrite; *hacerse a la mar*, empegar-se; despedir-se; desferir; desancorar; desamarrar; alargar-se; *alterarse el mar*, encapelar; *mar de lágrimas*, arroio de lágrimas.

marabuto. *m.* marabuto, marabu, eremita, religioso muçulmano.

maraca. *m.* (Amér.) V. **maracá;** jogo de azar no Chile; (fig. e Amér.) rameira.

maracá. *m.* (Amér.) instrumento musical dos guaranís feito duma cabaça seca com grãos de milho dentro.

maracaná. *m.* (Amér.) V. **guacamayo.**

maraña. *f.* tojal, espinhal; maranha, fios enredados; (fig.) negócio difícil, enredo; lance intrincado; (germ.) prostituta.

marañal. *f.* V. **coscojar.**

marañento, ta. *adj.* (Amér.) V. **marañero.**

marañero, ra. *adj.* e *s.* maranhoso, enredador, intrigante.

marañoso, sa. *adj.* V. **marañero;** maranhoso; (p. us.) enredado.

marañuela. *f.* (bot. Amér.) V. **capuchina.**

marapa. *f.* (Amér.) espécie de ameixa.

maraquero, ra. *s.* pessoa que tem na sua casa jogo de *maraca*.

marasmo. *m.* (med.) marasmo, magreza extrema; (fig.) abatimento físico; perda das forças morais; apatia profunda; (fig.) paralisação; suspensão; estagnação: *caer en un marasmo*, amarasmar.

maratón. *m.* (deport.) maratona.

maravedí. *m.* maravedi, maravedil, maravidi, antiga moeda espanhola umas vezes real e outras imaginária.

maravedinada. *f.* antiga medida de capacidade.

maravilla. *f.* maravilha, coisa extraordinária; coisa que suscita admiração; maravilha, portento, prodígio, milagre, encantamento, encanto; maravilha, deslumbramento; (fig.) assombro; maravilha, obra grandiosa; coisa excelsa: *maravilla de noche*, (bot.) boas-noites; *es una maravilla*, é uma admiração.

maravillado, da. *p. p.* e *adj.* maravilhado; abismado; extático; deslumbrado; aturdido; entusiasmado; encantado: *dejar maravillado*, deixar com a boca aberta; *quedarse maravillado*, atordoar-se.

maravillar. *v. tr.* maravilhar, admirar; causar espanto ou admiração; entusiasmar; encantar; atordoar; arrebatar; (fig.) assombrar; (fig.) embriagar; deslumbrar.— *v. r.* embeber-se; assombrar-se; embevecer-se; deslumbrar-se; encantar; extasiar-se.

maravilloso, sa. *adj.* maravilhoso, admirável; mágico, extraordinário; milagroso; exce(p)cional; deslumbrador; arrebatador; assombroso; façanhoso; estupendo; extremado; (fig.) endeusado; maravilhoso, surprendente: *creer que se ha hecho algo maravilloso*, julgar ter feito uma grande África.

maray. *m.* (Amér.) cada uma das pedras que formam o engenho do açúcar, etc., como moinhos, azenhas, etc.

marbete. *m.* rótulo, etique(ê)ta, marca de papel que se põem nas mercadorias; rótulos em malas ou volumes despachados por caminho de ferro; ourela.

marca. *f.* marca, sinal num objecto para o reconhecer; marca, província, distrito fronteiriço; marca, senha; marca, estigma; marca, aferição; marca, epígrafe; impressão; marca, mágoa; marca, vestígio que deixa um objecto ou corpo sobre outrem; marca, sinal, nota para recordar alguma coisa; estalão, craveira, instrumento para medir a estatura das pessoas; marca, medida que deve ter uma coisa; marca, ferre(ê)te; (germ.) rameira (mar.) marca, ponto da costa que serve de sinal; marca, instrumento com que se marca; marca, acção de marcar; marca, sinal, distintivo; cunho; marca, firma; qualidade; índole; bitola; botão de ceroulas; marca, tento no jogo; (ant.) sigilação.

marcación. *f.* marcação; (mar.) ângulo que forma a visual dirigida a um ponto com o rumo que leva o barco.

marcado, da. *p. p.* e *adj.* marcado; designado; determinado; galicismo na acepção de *notable, manifiesto, evidente,* etc.

marcador, ra. *adj.* e *s.* marcador, que marca; aferidor; que tem a seu cargo a aferição dos pesos e medidas; contrastador; (impr.) marginador, encarregado de colocar as folhas de papel nas máquinas.

marcar. *v. tr.* marcar, pôr marca ou sinal numa coisa ou pessoa; assinalar; apontar qualidades ou defeitos; marcar, bordar uma marca na roupa; notar, indicar; fixar; ferir; calcular; (fig.) aplicar, destinar, observar; (mar.) marcar, observar a direcção ou rumo; acentuar; (fig.) abalizar: *marcar el compás,* (mús.) bater o compasso; *el reloj marca las seis,* o relógio marca seis horas; *marcar un plazo,* marcar prazo; *marcar el paso,* (mil.) marcar passo.

marcasita. *f.* (min.) marcassite.

marceador, ra. *adj.* tosquiador, que tosquia.

marcear. *v. tr.* tosquiar, cortar rente (pêlo, lã, etc.). — *v. intr.* fazer o tempo próprio do mês de Março.

Marcelino. *n. pr.* Marcelino.

Marcelo. *n. pr.* Marcelo.

marceo. *m.* limpeza das colmeias no começo da primavera.

marcero, ra. *adj.* V. **marceador.**

marcescencia. *f.* (bot.) marcescência.

marcescente. *adj.* (bot.) marcescente.

marcial. *adj.* marcial, bélico, guerreiro; bizarro, varonil, franco; (farm.) marcial, diz-se dos medicamentos compostos de ferro. — *m.* marcial, pó aromático que se perfumavam as luvas: *ley marcial,* lei marcial.

marcialidad. *f.* marcialidade; (fig.) bizarria; familiaridade, franqueza.

marciano, na. *adj.* (astr.) marciano, marciático, relativo ao planeta Marte.

marco. *m.* quadro, moldura de painel; guarnição de porta, janela, etc., padrão de pessos e medidas, marco; marco, moeda alemã de prata; marco, peso de oito onças; craveira, instrumento de sapateiro para tomar as medidas; medida de comprimento. V. **cartabón:** *poner un marco a una estampa,* encaixilha-la.

márcola. *f.* (agr.) vara comprida para limpar os ramos altos das árvores.

marcolador, ra. *s.* podador, desbastador ou limpador de oliveiras com a *márcola.*

marcolear. *v. tr.* (agr.) limpar as árvores com a *márcola.*

marcomano, na. *adj.* e *s.* (geog.) marcomano, natural da ou pertencente a Marcomania.

marcha. *f.* marcha, acção de marchar, velocidade; movimento da tropa; cadência com que um corpo de tropa caminha; curso; andamento; progresso, desenvolvimento; cortejo, préstito; (mús.) marcha, peça musical para regular o passo; fogueira de lenha às portas das casas em sinal de regozijo; marcha, toque para marchar; marcha, andamento duma coisa ou negócio; marcha, funcionamento, movimento regular duma máquina.

marchador, ra. *adj.* (Amér.) diz-se do cavalo andador. V. **amblador.**

marchamar. *v. tr.* marcar os géneros ou fardos na alfândega; alfandegar.

marchamero. *m.* marcador de géneros ou volumes na alfândega.

marchamo. *m.* marca de alfândega que se põe nos fardos ou géneros; (Amér.) imposto por cada rês abatida nos matadouros públicos.

marchante. *adj.* mercantil; (prov. e Amér.) traficante; freguês, cliente, o que compra na mesma loja.

marchantería. *f.* (Amér.) V. **clientela.**

marchapié. *m.* (mar.) guarda-mancebos, andorinho das vergas, cabos que servem de apoio aos marinheiros que vão ao gurupés, ao pau de surriola, etc.; estribos.

marchar. *v. intr.* e *r.* marchar, andar, caminhar, fazer jornada, ir ou partir dum lugar; marchar, trabalhar uma máquina; (fig.) desenvolver-se, marchar, funcionar, progredir; marchar, seguir um negócio os seus trâmites; (mil.) marchar, fazer marcha; apartar-se; fazer fuga; (fig.) eclipsar-se; ausentar-se; desalojar, descampar; despedir-se; arredar-se; departir-se: *marcharse sin decir adiós*, (fam.) despedir-se em latim; *marcharse del alojamiento*, desagasalhar-se; *marcharse furtivamente*, evadir-se; *me marcho de prisa*, estou de abalada; *estar a punto de marcharse*, (fam.) estar com o pé no ar, no estribo; *esto no marcha*, isto não vai bem; ¡*marchen*!, avante!; *marchar bien*, diz-se das coisas ou negócios que se desenvolvem bem.

marchantear. *v. tr.* negociar, traficar, principalmente em gado ou cavalgaduras.

marchitable. *adj.* marcescente, marcescível, que murcha ou pode murchar.

marchitamiento. *m.* murchidão, murcha; enfraquecimento, emurchecimento, definhamento.

marchitar. *v. tr.* murchar, murchecer, emurchecer, tornar mucho, privar do viço; (fig.) murchar, enfraquecer, fazer esmolecer, emagrecer, debilitar, perder o vigor, a robustez; desmerecer; anuviar, embaçar; estropear; (fig.). — *v. r.* entristecer-se, encarguilhar-se, desflorecer; desverdecer; definhar; agostar-se.

marchitez. *f.* murchidão, desbotamento, perda da cor; emurchecimento, estado de murcho; encarquilhamento; desbotamento, desbitadura; definhamento, (fig.) decoramento.

marchito, ta. *adj.* murcho, flácido, sem vigor, sem louçania; amarrotado, debotado; decíduo; encarquilhado; embaçado; macilento; desbotado; agostado; desflorecido; pálido; flácido.

marea. *f.* maré, fluxo e refluxo, a enchente e vazante; parte da costa ocupada pela preia-mar; aragem, brisa; chuvisco, orvalho; aguagem; lixo das ruas, que se arrasta com água: *navegar contra viento y marea*, (fig.) forçar o tempo; *aprovechar la marea*, (fig.) aproveitar a maré, aproveitar uma oportunidade.

mareador. *m.* (germ.) ladrão que troca o dinheiro falso pelo bom.

mareaje. *m.* (mar.) náutica, arte da navegação; profissão de navegar ou marear; mareagem, mareação; derrota, rumo do navio.

mareamiento. *m.* mareação, mareagem; enjoo

mareante. *p. a.* e *adj.* mareante, que mareia, que professa a arte da navegação; que enjoa ou mareia. — *s.* negociante marítimo.

marear. *v. tr.* (mar.) marear, governar, dirigir o navio; pôr em movimento uma embarcação no mar; vender em público, vender ao público, despachar mercadorias; (fig. e fam.) enfadar, molestar, aborrecer. — *v. intr.* e *r.* enjoar, ter

enjoo a bordo, marear-se; perder o brilho; avariar-se no mar (os géneros); (fig.) embriagar-se; desmaiar; embrulhar-se; (fam.) enfanicar-se: *conocer la aguja de marear*, (fig.) saber guiar a sua barca.

marégrafo. *m.* marégrafo, mareógrafo.

marejada. *f.* marejada, marulho, marulhada; (fig.) exaltação dos ânimos e sinal de desgosto; prelúdio de motim.

mare mágnum. *m.* (expr. lat.) (fam.) mare-magnum, abundância, grandeza ou confusão, multidão confusa.

maremoto. *m.* maremoto, tremor do mar.

mareo. *m.* mareação, enjo(ô)o; (fig. fam.) enfado, tédio, aborrecimento, enjoo; desmaio, desvanecimento; náusea: *sentir mareo*, fugir a terra debaixo dos pés.

mareógrafo. *m.* (fís.) mareógrafo, marégrafo.

mareómetro. *m.* (fís.) mareómetro, maré(ê)-metro, marégrafo.

marero. *adj.* (mar.) mareiro, diz-se do vento que sopra do mar; propício para a navegação.

mareta. *f.* (mar.) mareta; marulho, marejada; (fig.) rumor de multidão; alteração de ânimo; agitação.

maretazo. *m.* golpe de mar, choque violento das vagas.

marfil. *m.* marfim; (anat.) marfim, dentina, parte dura dos dentes coberta pelo esmalte.

marfileño, ña. *adj.* ebúrneo, relativo ao marfim; (fig.) elefantino; ebóreo, eborário; amarfinado.

marfilina. *f.* certa composição que imita o marfim na cor e é usada para imagens em relevo.

marfuz, za. *adj.* repudiado, desprezado; falar, enganoso, pérfido.

marga. *f.* (min.) marga, terra calcária, marna: *marga calcárea*, marga calcária.

margajita. *f.* (min.) marcassite.

margar. *v. tr.* margar, adubar as terras com marga.

margarato. *m.* (quim.) margarato.

margárico, ca. *adj.* (quim.) margárico.

margarímetro. *m.* margarímetro.

margarina. *f.* (quim.) margarina, substância gorda, parecida com a manteiga; (Amér.) manteiga falsificada.

margarita. *f.* margarita, pérola das conchas; margarita, género de moluscos que produzem o nácar; certo caracol marinho; (por ext.) qualquer caracol pequeno; (bot.) margarita, margarida; (min.) margarida, silicato de alumina e cal; (mar.) variedade de nó: *echar margaritas a puercos*, (fam.) deitar pérolas a porcos, não é mel para boca do asno; *margarita de los prados*, margarida-dos-prados, estrela da terra, mem-me-quer.

margen. *m.* e *f.* margem, borda; margem, espaço que fica em branco nos lados duma página; margem, extremidade; beira; franja; margem, praia, litoral; (fig.) margem. ocasião, ensejo; margem, orla, cercadura; margem, terreno que ladeia um rio ou corrente d'água, borda; margem, terra lavrada entre dois regos. — *pl.* arribas: *dar margen*, dar ensejo, dar ocasião.

margenar. *v. tr.* V. **marginar.**

margesi. *m.* (Amér.) inventário dos bens duma corporação.

marginado, da. *p. p.* e *adj.* marginado, que tem margens; (bot.) que tem rebordo; marginado, escrito na margem dum livro.

marginal. *adj.* marginal, pertencente à margem; posto à margem; da margem.

marginar. *v. tr.* marginar, escrever, apontar, anotar na margem; apostilhar, margear; marginar, deixar margens no papel em que se escreve ou imprime.

margrave. *m.* margrave, título de dignidade dalguns príncipes alemães.

margraviato. *m.* margraviado, margraviato, cargo, dignidade ou território pertencente do margrave.

margravina. *f.* margravina, mulher do margrave.

marguera. *f.* margueira, jazigo de marga; lugar onde se deposita a marga.

margullar. *v. tr.* (Amér. agr.) mergulhar plantas. V. **acodar.**

María. *n. pr.* Maria, nome da Santíssima Virgem.

mariache. *m.* (Amér.) V. **fandango.**

marial. *adj.* marial, mariano, que diz respeito à Virgem; diz-se dos livros escritos em louvor da Santíssima Virgem.

mariano, na. *adj.* mariano, pertencente à Santíssima Virgem e a seu culto.

marica. *f.* (fam.) dim. de *María*, Mariazinha, Mariquita; (orni.) pega, pássaro. — *m.* (fig. e fam.) marição, maricas, homem efeminado; afanchonado; fanchono; (vulg.) abóbora.

maricangalla. *f.* (mar.) asa de carangueja.

Maricastaña. *n. pr.* personagem proverbial símbolo de remota antiguidade.

maricón. *m.* (fig. e fam.) marição. V. **marica;** sodomita, homem efeminado; fanchono.

mariconería. *f.* (vulg.) fanchonice.

maridable. *adj.* marital, conjugal, matrimonial.

maridaje. *m.* maridança, união, conformidade dos casados; (fig.) união, nexo, harmonia, analogia.

maridanza. *f.* (prov.) maridança, vida de casados; vida que o marido dá à sua mulher.

maridar. *v. intr.* maridar, contrair matrimónio, casar (uma mulher); fazer vida de casado. — *v. r.* (fig.) casar, unir, emparelhar, juntar, enlaçar.

maridazo. *m.* (fam.) marido demasiadamente condescendente. V. **gurrumino.**

maridillo. *m.* escalceta para os pés.

marido. *m.* marido, consorte, cônjuge do sexo masculino, homem casado.

mariguanza. *f.* cerimónias supersticiosas de mãos que fazem os curandeiros chilenos; movimentos ou gestos para escarnecer uma pessoa.

marimacho. *m.* (vulg.) marimacho, virago, fanchona, fanchonaça, machão, macha; mulher com aspecto e modos de homem.

marimanta. *f.* (fam.) papão, fantasma com que se mete medo às crianças.

marimarica. *m.* (fam.) maricas, homem efeminado.

marimba. *f.* (mús.) marimba, espécie de tambor dos negros africanos; (Amér.) instrumento musical. V. **tímpano,** xilofone, marimba.

marimorena. *f.* (fam.) rixa, contenda. V. **camorra;** *armar una marimorena,* provocar uma rixa.

marina. *f.* marinha, costa, praia, beira-mar; marinha, arte da navegação; marinha, corpo dos empregados de marinha; marinha, conjunto dos navios duma nação; marinha, conjunto da tripulação destes navios; (pint.) marinha, quadro representando uma cena marítima. — *pl.* marinhas, salinas.

marinaje. *m.* marinhagem, marinhagem, conjunto de marinheiros, exercício da marinharia.

marinamo, ma. *adj.* (Amér.) diz-se do galo ou da galinha que tem cinco dedos; diz-se da pessoa que tem um dedo a mais.

marinar. *v. tr.* pôr o peixe de salmoira ou escabeche para o conservar; marinhar, tripular um navio apresado; tripular de novo um navio .

marinear. *v. intr.* (mar.) marinhar, tripular, um navio; exercer o ofício de marinheiro.

marinera. *f.* blusa de marinheiro; (Amér.) dança popular.

marinerado, da. *adj.* tripulado ou equipado (o navio).

marinerazo. *m.* aquele que é muito prático nas coisas do mar; lobo-do-mar; marinheiro velho e experiente.

marineresco, ca. *adj.* marinharesco, marinhesco, marinhático.

marinería. *f.* marinharia, arte náutica; marinharia, profissão de marinheiro; marinhagem, conjunto de marinheiros, marinharia.

marinero, ra. *adj.* marinharesco, marinheiresco; embarcadiço, diz-se do que pertence à marinha ou aos marinheiros; diz-se do navio que obedece às manobras com facilidade. — *m.* marinheiro, marujo; marinheiro, homem versado em marinharia, homem do mar, marítimo, mariante.

marinesco, ca. *adj.* marinhesco, marinheiresco, relativo aos marinheiros: *a la marinesca,* à moda de marinheiro.

marino, na. *adj.* marinho, pertencente ao mar; (herald.) diz-se de certos animais fabulosos que terminam em cauda de peixe, como as sereias. — *m.* marinheiro, mareante, marítimo, homem do mar; oficial de marinha; perito em navegação.

marión. *m.* V. **esturión.**

marioneta. *f.* francatripa, títere, boneco que se faz mover por meio de cordéis. V. **títere.**

mariposa. *f.* (zool.) maripo(ô)sa, borboleta; pássaro vulgar de Cuba; espécie de lamparina; (bot.) arbusto zingiberáceo de Cuba.

mariposeador, ra. *adj.* (Amér.) que adeja, que borboleteia.

mariposear. *v. intr.* (fig.) borboletear, adejar; (fig.) variar frequentemente de afeições e caprichos.

mariposón. *m.* (fam.) homem muito galanteador.

mariquita. *f.* (zool.) joaninha, insecto que se alimenta de pulgões. V. **perico** (ave trepadora). — *m.* (fam.) homem efeminado, fanchono. V. **marica**.

marisabidilla. *f.* (fam.) sabichona, mulher que presume saber muito, douto(ô)ra.

marisca. *f.* (Amér.) afeição que atrai um sexo para o outro.

mariscador, ra. *adj.* e *s.* marisqueiro, que tem por ofício apanhar mariscos.

mariscal. *m.* (mil.) marechal, posto superior no exército; oficial da milícia antiga, abaixo do condestável.

mariscala. *f.* marechala, mulher do marechal.

mariscalato. *m.* V. **mariscalía**.

mariscalía. *f.* marechalado, marechalato, cargo ou dignidade de marechal.

mariscante. *adj.* (germ.) que marisca ou furta.

mariscar. *v. tr.* mariscar, apanhar mariscos; (germ.) furtar.

marisco. *m.* marisco, crustáceo ou molusco comestível.

marisma. *f.* marisma, atascadeiro, alverca, terreno encharcado à beira-mar; marnota, sapal.

marismo. *m.* (ot.) V. **orgaza**.

marisquero, ra. *s.* vendedor ou apanhador de mariscos.

marista. *adj.* e *m.* marista, religioso pertencente à congregação dos sacerdotes de Maria.

marital. *adj.* marital, pertencente ou relativo ao marido, conjugal: *vida marital*, vida marital; *hacer vida marital*, coabitar.

marítimo, ma. *adj.* marítimo, pertencente ou relativo ao mar; marinho, naval, marinheiro.

maritornes. *f.* (fig. e fam.) criada ordinária, feia e com modos de virago.

marjal. *m.* terreno baixo e pantanoso; terreno alagadiço, sapal.

marjal. *m.* medida agrária equivalente a cinco ares e vinte e cinco centiares.

marlota. *f.* marlota, capote mourisco, curto e com capuz.

marlotar. *v. tr.* (p. us.) V. **malrotar**.

marmaja. *f.* (Amér.) marcassite. V. **marcasita**.

marmajera. *f.* (Amér.) areeiro, vaso pequeno de areia fina.

marmella. *f.* V. **mamella**.

marmellado, da. *adj.* V. **mamellado**.

marmita. *f.* marmita, panela, tacho de metal com tampa e uma ou duas asas.

marmitón. *m.* mirmidão, ajudante de cozinheiro, moço de cozinha.

mármol. *m.* mármore; (fig.) mármore. obra artística de mármore; mármore, imagem da indiferença ou da insensibilidade.

marmolejo. *m.* colunelo, coluna pequena.

marmoleño, ña. *adj.* marmóreo.

marmolería. *f.* conjunto de mármores dum edifício; obra de mármore; oficina de marmorista.

marmolillo. *m.* dim. V. **guardacantón**; frade de pedra; (fig.) néscio. V. **zote**.

marmolina. *f.* (Amér.) V. **marmoración**.

marmolista. *m.* marmorista, marmoreiro, marmorário, o que trabalha em mármore; vendedor de mármores.

marmoración. *f.* estuque. V. **estuco**.

marmóreo, a. *adj.* marmóreo, de mármore; semelhante ao mármore.

marmoroso, sa. *adj.* V. **marmóreo**.

marmosete. *m.* (impr.) vinheta, gravura alegórico que costuma pôr-se ao fim dum capítulo ou livro.

marmota. *f.* (zool.) marmota, leirão; gorra de estamenha que usaram as mulheres e as crianças; (fam.) mulher muito feia; pessoa que dorme muito.

maro. *m.* (bot.) maro.

maroma. *f.* maroma, calabre, corda grossa de esparto ou cânhamo; estrinque, amarra.

maromear. *v. intr.* (Amér.) golpear, dançar o funâmbulo na maroma; (fig.) fazer provas de equilíbrio; inclinar-se para um outro partido, conforme as circunstâncias.

maromero, ra. *s.* acrobata, volantim, funâmbulo. — *adj.* diz-se da pessoa astuta e dissimulada; (Amér.) aplica-se ao político versátil.

marón. *m.* esturjão. V. **morueco**.

maronita. *adj.* e *s.* maronita, cristão do Monte Líbano.

marota. *f.* (Amér.) V. **marimacho**.

marqués. *m.* marquês.

marquesa. *f.* marquesa; alpendre. V. **marquesina**.

marquesado. *m.* marquesado, título ou dignidade de marquês; marquesado, terras do domínio do marquês.

marquesina. *f.* marquesinha, toldo que abriga a tenda de campanha; espécie de alpendre para abrigar da chuva.

marqueta. *f.* pão ou porção de cera virgem; (Amér.) fardo de tabaco em rama. V. **mercado**.

marquetería. *f.* marchetaria; tauxia, embutidura, incrustação. V. **ebanistería e taracea**.

marquiartife. *m.* (germ.) V. **artife**.

marquida. *f.* (germ.) rameira, mulher pública.

marquisa. *f.* (germ.) V. **marquida**.

marra. *f.* marra, clareira nas vinhas, olivedos, etc. V. **almádena**.

marra. *f.* deficiência, escassez; falta.

márraga. *f.* marga, serapilheria. V. **marga**.

marrajo, ja. *adj.* matreiro, diz-se do touro ou boi manhoso, marraxo:, velhaco; (fig.) astuto, cauteloso, difícil de enganar, marralheiro, manhoso. — *m.* (ictiol.) tubarão, marraxo.

marramao. *m.* miau, onomatopeia que indica a voz do gato.

marramau. *m.* V. **marramao.**

marramizar. *v. intr.* miar, dar mios o gato.

marrana. *f.* (zool.) marrã, fêmea do marrão, porca; (fig. e fam.) mulher suja, pouco asseada, enxovalhada; mulher ordinária e de baixa condição; mulher de mau comportamento.

marrana. *f.* eixo de roda da nora.

marranada. *f.* (fig. e fam.) cochinada, porcaria, acção baixa, indecorosa. V. **cochinada.**

marranalla. *f.* canalha, gente ruim. V. **canalla.**

marranchín, na. *adj.* indecente, indecoroso, velhaco, baixo.

marranchón, na. *s.* marrão; leitão; indecente.

marranería. *f.* (fig.) cochinada. V. **marrana.**

marranero, ra. *s.* guardador duma manada de porcos; criador ou vendedor de porcos.

marranillo. *m.* leitão. V. **cochinillo.**

marrano. *m.* madeiro grosso empregado em certas armações (rodas hidráulicas, torres de lagar, etc.).

marrano, na. *adj.* vil, baixo, ordinário, sujo, porco, enxovalhado, asqueroso; (ant.) marrano, excomungado, maldito, epíteto injurioso que se dava aos mouros ou judeus; marrano, convertido à fé católica, cristão novo. — *m.* (zool.) marrano, porco; javali domesticado; (fig.) homem de comportamento baixo e indecoroso.

marrar. *v. intr.* errar, faltar, tropeçar; (fig.) desviar-se do caminho recto, desencaminhar-se, aberrar.

marras, (de). *adv.* (pop.) então, outrora, antigamente, antanho, o que se fez ou sucedeu noutro tempo: *la noche de marras,* aquela noite de então.

marrasquino. *m.* marrasquino, marasquino.

marrazo. *m.* machado de cortar lenha; golpe dado com marra; erro de tiro na espingarda de pistão; (Amér.) machete ou sabre curto.

marrear. *v. tr.* marrar, bater com a marra ou com o marrão.

marrillo. *m.* cacete, moca, cacheira, cachamorra, pau curto e um pouco grosso.

marro. *m.* jogo da malha; volta, movimento em que se furta o corpo para não ser colhido; falta, erro; pau com que se joga a bilharda.

marrón. *m.* malha, chapa de ferro ou pedra para jogar o jogo da malha.

marroquí. *adj.* e *s.* (geog.) marroquino, natural de ou pertencente a Marrocos. — *m.* marroquim fino, tafilete.

marroquín, na. *adj.* e *s.* V. **marroquí.**

marroquinería. *f.* (Amér.) V. **tafiletería.**

marrueco, ca. *adj* e *s.* marroquim.

marrulla. *f.* (Amér.) V. **marrullería.**

marrullería. *f.* arteirice, astúcia com que se pretende enganar uma pessoa por meio de afagos.

marrullero, ra. *adj.* astucioso, que usa de arteirice, astuto, marralheiro.

Marsellesa. *f.* Marselhesa, hino nacional da França.

marsopa. *f.* (zool.) marsopa, toninha, cetáceo parecido com o delfim.

marsupial. *adj.* (zool.) marsupial. — *m.* marsupial, didelfo.

marta. *f.* (zool.) marta: *marta cibelina,* marta zibelina; *piel de marta,* pele de marta.

Marta. *n. pr.* Marta: *Marta la Piadosa,* mulher hipócrita.

martagón. *m.* (bot.) martagão, lírio silvestre. — *s.* (fam.) espertalhão.

Marte. *m.* (astr.) Marte; (mit.) Marte; (quím.) ferro; (fig.) a guerra.

martellina. *f.* escoda, martelo dentado dos canteiros.

martes. *m.* te(ê)rça-feira, terceiro dia da semana.

martillada. *f.* martelada, pancada dada com o martelo.

martillado, da. *p. p.* e *adj.* martelada. — *m.* (germ.) caminho.

martillador, ra. *adj.* e *s.* martelador, que martela.

martillar. *v. tr.* martelar, bater com o martelo nalguma coisa; (fig.) oprimir, atormentar; (germ.) caminhar: *martillar el hierro,* bater o ferro.

martillazo. *m.* martelada, pancada forte dada com o martelo.

martillear. *v. tr.* martelar. V. **martillar.**

martilleo. *m.* martelagem, acção de martelar; (fig.) martelagem ruído semelhante ao produzido pelas pancadas repetidas do martelo.

martillo. *m.* martelo, instrumento para martelar; chave de afinar instrumentos de corda; (fig.) leilão, martelo; perseguidor, mortificador; (ictiol.) martelo (peixe, molusco); (anat.) martelo, osso do ouvido; (técn.) martelo, parte de certos relógios que bate as horas em campainha; martelo dum piano: *a macha martillo,* com mais solidez do que primor; *a martillo,* a golpes de martelo; *martillo de herrero,* macho; *martillo de picapedrero,* amarrete; (equit.) dar de esporas ao cavalo, ferir de martelete.

martín. *m.* tempo de S. Martinho, tempo em que se faz a matança dos porcos: *llegar a uno su San Martín.* (fig.) chegar o dia de sofrimento, àquele que vive no meio de prazeres.

Martín. *n. pr.* Martinho.

martinete. *m.* martinete, martelo de piano; martinete, martelo grande para bater ferro ou aço; maço movido por água para pisoar, máquina para plantar estacas no mar e nos rios; edifício onde há martinetes; (orni.) martinete, ave pernalta que vive perto dos rios; martinete, penacho de penas desta ave: *picar de martinete,* (equit.) dar de esporas ao cavalo, ferir de martelete.

martingala. *f.* cada uma das calças que levavam os homems de armas debaixo do coxote; certo lance nos jogo do monte; artimanha, treta, artifício para enganar.

martinico. *m.* (fam.) fantasma. V. **duende.**

mártir. *s.* mártir; (fig.) pessoa que padece grandes trabalhos, mártir.

martirial. *adj.* pertencente ou relativo aos mártires.

martirio. *m.* martírio, sofrimento ou suplício de mártir; (fig.) qualquer trabalho longo e penoso, martírio.

martirizador, ra. *adj.* e *s.* martirizador, que martiriza.

martirizar. *v. tr.* martirizar, tornar, mártir; (fig.) afligir, atormentar, martirizar, vexar; aspar.

martirologio. *m.* martirológio.

marucho. *m.* (Amér.) capão que cria a ninhada.

maruga. *f.* (Amér.) V. **maracá** e **sonajero.**

marullo. *m.* marulho, marulhada. V. **mareta.**

marxismo. *m.* marxismo.

marxista. *adj.* e *s.* marxista.

marzante. *m.* moço que canta com coplas.

marzas. *f. pl.* (prov.) coplas que os moços vão cantando de noite pelas casas das aldeias.

marzo. *m.* Março, terceiro mês do ano.

mas. *m.* peso equivalente a três gramas e 620 miligramas, nas Filipinas.

mas. *conj.* mas, porém. V. **pero.**

más. *adv.* mais além, significa excesso duma quantidade em relação a outra; mas além, indica quantidade indeterminada, além do que se aponta. — *m.* mais, sinal da soma: ¡*más!*, bis!; *a más de esto*, por cima de; *de más*, demais; *más y más*, mais e mais; *ni más ni menos*, nem mais nem menos; *sin más ni más*, sem mais nem mais; *más que*, mais que.

masa. *f.* massa, mistura de farinha diluída num líquido e formando pasta; massa, volume, multidão, aglomeração; massa, acervo; (fig.) massa, índole, génio brando; massa, qualquer substância parecida com a massa; massa, totalidade; massa, conjunto duma obra de arquitectura; massa, conjunto de coisas unidas ou pegadas; massa, totalidade, suma total; massa, conjunto das partes que formam um todo: *masa de harina y queso*, farte, fartalejo; *porción de masa para hacer un pan*, empelo; *masa de harina de mandioca, manteca y tocino*, (Bras.) farofa; *con las manos en la masa*, (fig.) estar com as mãos na massa; *levantarse en masa*, levantar-se em massa; *las masas*, a multidão; *formarse* ou *juntarse en masas*, juntar-se em massas; *en masa*, em massa, todos ao mesmo tempo.

masaco. *m.* (Amér.) iguaria feita na Bolívia com plátano assado e maçado, com queijo e carne.

masacrar. *v. tr.* galicismo por *asesinar*, *matar*.

masada. *f.* casa de campo, quinta, prédio rústico, heredade com terras de lavoura, ferramentas e gado.

masadero. *m.* quinteiro, caseiro; vizinho, colono de fazenda; habitante duma herdade ou fazenda.

masaje. *m.* massagem, maçagem, amassamento; fricção nalguma parte do corpo para obter resultados terapêuticos; *dar masajes*, (med.) maçar; masaje facial, massagem facial.

masajista. *m.* massagista, pessoa que faz massagens; friccionador; maçagista, amaçador.

mascabado, da. *adj.* mascavado, mascavo, diz-se do açúcar com melaço, não refinado.

mascada. *f.* (Amér.) porção da comida que cabe duma só vez na boca; quantidade de tabaco que se masca duma só vez; lenço de seda usado pelos mexicanos, para cobrirem o pescoço.

mascador, ra. *adj.* e *s.* mascador, que masca.

mascadura. *f.* mascadura, acção de mascar; mastigação; quantidade de alimento que se mastiga duma só vez; (Amér.) bolo ou pão que se come com o café ou com o chocolate.

mascar. *v. tr.* mascar, mastigar sem engolir; partir, esmiuçar a comida com os dentes; triturar com os dentes; (fig.) morder, apertar com os dentes; (fig. e fam.) resmungar, dizer por entre dentes; trincar

máscara. *f.* máscara, disfarce, antiface; arreme(ê)do; máscara, pretexto; máscara, pessoa mascarada; máscara, lugar ou reunião de pessoas fantasiadas (baile, festa, etc.); máscara, trajo de pessoa mascada.

mascarada. *f.* mascarada, grupo de pessoas mascaradas; palhaçada, encamisada; mascarada, festa em que há muitas pessoas mascaradas; pessoas fantasiadas ou com máscara; rancho de pessoas mascaradas.

mascarar. *v. tr.* (prov.) V. **tiznar.**

mascarero, ra. *s.* pessoa que vende ou aluga fatos de máscara.

mascarilla. *f. dim.* de *máscara*; mascarilha, máscara pequena que cobre parte do rosto duma pessoa, duma escultura e especialmente dum cadáver; molde que se tira dum rosto, particularmente dum cadáver.

mascarón. *m. aum.* de *máscara*; cara disforme e fantástica, que se usa em certas obras de arquitectura; carranca; mascarão: *mascarón de proa*, (mar.) mascarão de proa; carranca de navio; figura da proa.

mascota. *f.* mascote, figura ou amuleto que dá boa sorte e felicidade à pessoa que o leva, segundo a crença vulgar; boa ventura; boa sina.

mascujador, ra. *adj.* pessoa que masca ou mastiga com dificuldade.

mascujar. *v. intr.* mascar com dificuldade, mascar mal, mastigar mal; rumiar, remoer; (fig. e fam.) resmungar.

masculifloro, ra. *adj.* (bot.) masculifloro, que tem flores masculinas.

masculinidad. *f.* masculinidade; qualidade do que é masculino ou másculo; virilidade.

masculinizar. *v. tr.* masculinizar, dar género masculino a um vocábulo; tornar masculino — *v. r.* tomar a mulher modos ou trajes de homem.

masculino, na. *adj.* masculino, pertencente ou relativo ao varão ou ao macho; masculino, varonil, enérgico, próprio do homem. — *m.* (gram.) masculino; género.

mascullar. *v. tr.* resmungar, mastigar as palavras, falar entre dentes; pronunciar mal as palavras.

masé. *m.* (gal.) masse.

masecoral, masejicomar. *m.* V. **maese coral.**

maselucas. *m. pl.* (germ.) os naipes.

masera. *f.* masseira, amassadeira; pano que cobre a massa para que fermente; pele de carneiro ou pano em que se amassa a torta.

masería. *f.* V. **masada.**

masetero. *m.* (anat.) masséte.

masía. *f.* (prov.) herdade, casa rústica. V. **masada.**

masicoral. *m.* V. **masecoral.**

masicote. *m.* (quím.) massicote.

masilla. *f.* betume, massa para fixar os vidros nos caixilhos.

masita. *f.* (mil.) desconto no pré; massa de vidraceiro.

maslo. *m.* parte da cauda dos quadrúpedes; caule das plantas.

masón. *m.* bolo de farinha e água para engordar as aves.

masón, na. *s.* mação, franco-mação.

masonería. *f.* maçonaria, franco-maçonaria.

masónico, ca. *adj.* maçó(ô)nico, relativo á maçonaria.

masoquismo. *m.* masoquismo.

masoquista. *s.* masoquista, que pratica o masoquismo.

masora. *f.* massorá, exame crítico do texto da Sagrada Escritura.

masoreta. *m.* massoreta.

masorético, ca. *adj.* massorético.

mastaba. *f.* mastaba, túmulo egípcio.

mástel. *m.* magro, espeque; talo; escora.

mastelerillo. *m.* (mar.) mastro menor que o mastaréu.

mastelero. *m.* (mar.) mastaréu, pequeno mastro suplementar.

mástic. *m.* betume, mastique; almécega.

masticación. *f.* mastigação; trituração.

masticador. *m.* mastigador, instrumento triturador da comida destinada à pessoa que tem dificuldade em mastigar.

masticar. *v. tr.* mascar, mastigar, triturar com os dentes; (fig.) resmungar, rumiar, meditar, remoer.

masticatorio, ria. *adj.* e *s.* (med.) mastigatório, masticatório, medicamento que se mastiga para produzir saliva; que serve para mastigar.

masticino, na. *adj.* relativo à resina da aroeira, ou almecegueira.

mastigador. *m.* mastigador, mastigadouro, freio que facilita a mastigação aos cavalos.

mástil. *m.* mastro, árvore de embarcação; mastaréu; pé, haste, tronco ou talo de planta crescida; parte mais estreita da guitarra, braço; faixa larga usada pelos índios americanos em lugar de calças: *abatir los mástiles,* desarvorar; desenfurnar; *sin mástiles,* desarvorado.

mastín, na. *adj.* e *s.* mastim, diz-se duma espécie de cães grandes.

mástique. *m.* mástique, resina de aroira, almecegueira ou lentisco.

mastodimia. *f.* (pat.) mastodimia.

mastodonte. *m.* (zool.) mastodonte.

mastoidal. *adj.* mastóideo, mastoidal.

mastoideo, a. *adj.* (anat.) mastóideo, mastóide.

mastoides. *m.* (anat.) mastóide.

mastoiditis. *f.* mastoidite.

mastología. *f.* (med.) mastologia.

mastológico, ca. *adj.* (med.) mastológico.

mastozoario, ria. *adj.* e *m.* (zool.) mastozoário.

masturbación. *f.* masturbação.

masturbador, ra. *s.* masturbador.

masturbarse. *v. r.* masturbar-se.

masurio. *m.* (quím.) massurio.

masvale. *m.* V. **malvasía.**

mata. *f.* (min.) minério de enxofre que sai do forno sem estar completamente derretido.

meta. *f.* arbusto, nome de todas as plantas que duram mais de dois anos; raminho, pé duma planta herbácea; mata, arvoredo, porção de terreno com árvores da mesma espécie; cabelo, porção de cabelo: *mata parda,* (bot.) V. **chaparro**; *vivir a salto de mata,* viver com dificuldade; *ser todo matas y por rozar,* (fam.) diz-se dos negócios emaranhados.

mata. *f.* V. **matarrata.**

matabuey. *f.* V. **amarguera.**

matacabras. *m.* o vento norte quando é muito forte e frio. V. **bóreas.**

matacán. *m.* mata-cães, preparado para matar cães; nóz vómica; matação, pedregulho; lebre velha já muito corrida pelos cães; (fort.) obra saliente no alto dum muro, duma torre fortificada, etc.

matacandelas. *m.* apagador de velas, mão-de-judas.

matachín. *m.* dança burlesca de magarefes; jogo usado entre os mesmos, magarefe; (fig. e fam.) provocador, pendenciador.

matachín. *m.* faca de abater as reses. V. **jefero.**

matachinada. *f.* matachinada, bufonaria, chocarrice.

matada. *f.*)Amér.) V. **caída.**

matadero. *m.* matadoiro, matadouro; (fig.) grande trabalheira, grande canseira, trabalho excessivo; degoladoiro; (Bras. Sur) abatedouro.

matador, ra. *adj.* e *s.* matador, que mata; matador, espada, toureiro. — *m.* quaisquer das três cartas superiores no jogo do voltarete; mortal, letar; homicida; criminal, criminoso, assassino.

matadura. *f.* matadura, chaga, ferida na pele das cavalgaduras.

matafuego. *m.* instrumento ou aparelho para apagar o fogo; bombeiro.

matagallina. *f.* (bot.) trovisco.

matagusano. *m.* (Amér.) conserva de casca de laranja e mel.

matahambre. *m.* (Amér.) doce de iúca, ovo e açúcar.

matalahúga *f.* (bot.) anis, planta e semente, aniseira.

matalahugar. *m.* terreno semeado de aniseiras.

matalahúva. *f.* (bot.) V. **matalahúga.**

matalascallando. *m.* (fam.) sonso.

matalobos. *m.* (bot.) mata-lo(ô)bos, acónito.

matalón, na. *adj.* e *s.* mancarrão, sendeiro, cavalo ruim.

matalotaje. *m.* (mar.) matalotagem, víveres para um navio; (fig. e fam.) montão de coisas, ror; (Amér.) equipagem e provisões que se levam em viagens por terra.

matalote. *adj.* e *m.* (mar.) navio que antecede ou segue outro na mesma linha. V. **matalón.**

matamoros. *adj.* V. **valentón;** fanfarrão, valentão, mata-mouros. —

matamoscas. *m.* mata-moscas, instrumento para matar moscas.

matancero, ra. *adj.* e *s.* (geog.) natural de ou pertencente a Matanzas.

matanza. *f.* matança, acto de matar; mortandade; carnificina; matança, abatimento de porcos para consumo; açougue; extermínio; época do abatimento de porcos; (fig. e fam.) instância, porfia duma pretensão; gado destinado à matança.

mataperico. *m.* (Amér.) V. **capirotazo.**

mataperrada. *f.* (fam.) travessura, diabrura, acção de pessoa travessa.

mataperros. *m.* (fig. e fam.) rapaz travesso e leviano.

matapolvo. *m.* chuva passageira e miúda.

matar *v. tr.* matar, tirar a vida; matar, apagar, extinguir; fatigar; ferir; fazer mataduras na pele; apagar a cal ou gesso; tirar-lhe a força; apagar o brilho dos metais; marcar os naipes para fazer batota; degolar; assassinar; (fam.) aviar, despachar; acabar; (fig.) incomodar, violentar; cansar, fatigar; extinguir. — *v. r.* matar-se, afadigar-se; suicidar-se; trabalhar muito; afligir-se; sacrificar-se: *matar a sanfre fría,* matar a sangue frio; *matar a pedradas,* apedrejar; *matar con metralla,* metralhar; *matar com arma de fuego,* estoirar; *matar con puñal,* apunhalar; *matar el tiempo,* (fig.) enganar o tempo; *matar los colores,* (fig.) adoçar as cores; *mátalas callando,* (pop.) diz-se da pessoa dissimulada e manhosa; *matar la sed,* matar a sede; *matar el gusanillo,* (pop.) matar o bicho, dejejuar-se; *a matar,* a matar; *estar a matar,* ter más relações com alguém.

matarife. *m.* magarefe, o que esquarteja as reses. V. **jefero.**

matarratas. *m.* (fam.) diz-se dos licores muito alcoólicos.

matasanos. *m.* (fig. e fam.) mata-sanos, mata-sãos, curandeiro, mau médico; charlatão.

matasapo. *m.* (Amér.) diz-se de certo brinquedo das crianças.

matasellos. *m.* carimbo para inutilizar os selos.

matasiete. *m.* (fig. e fam.) mata-sete, fanfarrão, espadachim, valentão, ferrabrás, farfalhador; chibante; estroi-tudo.

matasuegra. *m.* e *f.* (Amér.) pessoa que conversa e entretém a mãe para que o namorado converse com a filha.

matasuegras. *m.* brinquedo extensível e plegável que faz surpresa em certo momento.

matate. *m.* (Amér.) rede em forma de saco.

matatús. *m.* (Amér.) V. **matanga.**

matazón. *f.* matança de animais para o abastecimento duma povoação.

mate. *adj.* mate, embaciado, sem brilho, desbrilho. — *m.* mate, último lance no jogo do xadrez.

mate. *m.* (bot.) mate, arbusto do Paraguai; mate, infusão que se faz com as folhas do mate, chamado chá-mate; mate, taça, cabaça em que se toma a infusão de mate; chícara, vasilha de madeira.

matear. *v. tr.* semear as sementes, plantar os pés a determinada distância uns dos outros. — *v. intr.* gradar o trigo ou outros cereais; bater o mato; dar mate no jogo do xadrez.

matear. *v. tr.* (Amér.) tomar chá-mate, matear.

matear. *v. intr.* (Amér.) beber a infusão das folhas de mate; (Amér.) misturar um líquido com outro.

matemática. *f.* V. **matemáticas.**

matemáticas. *f. pl.* matemáticas, ciência do cálculo.

matemático, ca. *adj.* (fig.) matemático, inegável, indiscutível, indubitável; infalível; incontroverso; incontrovertível; matemático; pertencente ou relativo às matemáticas. — *m.* matemático pessoa versada em matemáticas.

mateología. *f.* mateologia.

mateológico, ca. *adj.* mateológico.

mateotecnia. *f.* mateotecnia, ciência inútil, fantástica.

mateotécnico, ca. *adj.* pertencente ou relativo à mateotecnia.

materia. *f.* matéria, substância extensa e impenetrável, capaz de receber qualquer forma; matéria, substância de que uma coisa é feita; (fig.) matéria, assunto, extremo; matéria, corpo (em oposição ao espírito); matéria, causa, ocasião, motivo; (med.) matéria; pus; dejecções do corpo; (for.) matéria, o que constitui um delito: *materia de risa,* assunto para risadas; *materia sobre la que se ha dado una opinión,* coisa aforada.

material. *adj.* material, pertencente ou relativo a matéria; material, o que é oposto ao espiritual; oposto à forma; (fig.) grosseiro, sem engenho, material, animal; material, corporal, corpóreo. — *m*. material, ingrediente; material, conjunto de formados numa indústria ou empregados numa construção; material, matéria bruta para manufacturar.— *pl*. materiais de guerra, armamento: *materiales para una obra*, aparelho; *materiales de derribo*, derribamento; *perder la forma material*, desmaterializar-se.

materialidad. *f*. materialidade, qualidade do que é material; materialidade, aparência das coisas; som das palavras, materialidade.

materialismo. *m*. materialismo, doutrina que só admite a existência das coisas materiais.

materialista. *s*. e *adj*. materialista, diz-se do sectário do materialismo.

materialización. *f*. materialização, corporização, corporalização.

materializar. *v*. *tr*. materializar, considerar material uma coisa que não o é; considerar material; corporalizar; incorporar, corporizar, concretizar.— *v*. *r*. materializar-se; embrutecer-se; animalizar-se.

maternal. *adj*. maternal, materno. V. **materno.**

maternidad. *f*. maternidade, estado ou qualidade de mãe; tratamento às religiosas que têm o título de madres; estabelecimento de assistência para mulheres grávidas e parturientas: *subsidio de maternidad*, subsídio de maternidade.

materno, na. *adj*. materno, relativo à mãe; próprio de mãe; (fig.) carinhoso, afectuoso.

matero, ra. *adj*. e *s*. (Amér.) o que é afeiçoado a tomar mate.

matidez. *f*. qualidade de mate.

matinal. *adj*. matinal, matutino. V. **matutinal.**

matiné. *m*. prenda de vestuário feminino; espécie de chambre que usavam as mulheres na sua casa; (Amér.) espécie de blusa que usam as campesinas no Equador; função ou espectáculo matinal.

matiz. *m*. matiz, gradação de cores; colorido; combinação de diversas cores dum tecido, pintura, etc.; cor mimosa de certas flores; pequena diferença entre coisas do mesmo género; colorido do estilo; cor política.

matizar. *v*. *tr*. matizar, dar diversas cores a; matizar, dar a uma cor determinado matiz matizar, variar, realçar com cores; (fig.) adornar; (fig.) graduar sons ou expressões de conceitos espirituais; colorir; esmaltar, ornar; matizar, betar.

matoco. *m*. (fam.) (Amér.) o diabo, o demónio.

matojo. *m*. (depr. bot.) planta; planta barrilheira herbácea.

matón. *m*. (fig.) ferrabrás, espadachim, brigão.

matorral. *m*. mato, matorral, moita, brejo, brenha, matagal, campo inculto; enxara.

matoso, sa. *adj*. matoso, cheio de mato, brenhoso; em que há mato.

matraca. *f*. matraca, instrumento de madeira com que se faz ruido muito desagradável; úsa-se na Semana Santa em lugar dos sinos; (fig. e fam.) zombaria, chacota; insistência pesada e maçadora; matraca, apupada: *dar matraca*, matraquear, insistir maçadoramente.

matracalada. *f*. desordenada multidão de gente.

matraquear. *v*. *intr*. (fam.) matraquear, tocar matracas; (fig. e fam.) dirigir vaias, apupar; amotinar; insistir incomodando; pedir uma coisa com insistência maçadora; matraquear.

matraqueo. *m*. (fam.) acção de matraquear; apupo, troça, zombaria.

matraquista. *s*. matraqueador, pessoa que matraqueia, maçador; chalaceador; pessoa que incomoda com a sua insistência.

matraz. *m*. (quím.) matrás, vaso de vidro para operações químicas; retorta.

matrear. *v*. *intr*. (Amér.) andar pelos montes fugido à justiça.

matreria. *f*. matreirice, astúcia, perspicácia.

matrero, ra. *adj*. matreiro, astuto, experimentado; (Amér.) foragido, homem que anda pelos montes fugida à justiça. V. **suspicaz** e **marrajo.**

matriarca. *f*. matriarca.

matriarcado. *m*. matriarcado.

matricida. *s*. matricida.

matricidio. *m*. matricídio.

matrícula. *f*. matrícula; relação de pessoas sujeitas a certos serviços; lista, registo de nomes; alistamento; rol da equipagem; matrícula, inscrição numa aula e seu emolumento; pago por quem se matricula; (mat.) matrícula; encabeçamento.

matriculado, da. *p*. *p*. e *adj*. matriculado, inscrito na matrícula; matriculado, diz-se do que está inscrito no alistamento da marinha.

matriculador. *m*. matriculador, o que matricula.

matricular. *v*. *tr*. matricular, registar na matrícula; encabeçar. — *v*. *r*. matricular-se.

matrimonesco, ca. *adj*. matrimonial.

matrimonial. *adj*. matrimonial, conubial, conjugal, relativo ao matrimónio; nupcial.

matrimoniar. *v*. *intr*. matrimoniar, casar, unir em matrimónio; desposar-se.

matrimonio. *m*. matrimó(ô)nio, união de homem e de mulher; casamento; consórcio; conúbio; desposório, conjugio; (fam.) conjugo: *contraer matrimonio*, desposar; *unir en matrimonio*, consorciar.

matriz. *adj*. principal; materna (língua); metropolitana (Igreja); primordial, originário; superior. — *f*. (anat.) matriz, útero; matriz, molde de fundição; porca de parafuso; matriz, molde de tipo ou letras de impressão; matriz, padrão; minuta, escritura ou instrumento público que fica no cartório do tabelião; (fot.) cliché, chapa fotográfica, prova negativa; (fig.) manancial; folha esteriotipada: *iglesia matriz*, igreja matriz; *lengua matriz*, língua mãe.

matrona. *f.* matrona, mulher respeitável; mãe de família; parteira, comadre; matrona, apalpadeira, mulher que nas alfândegas revista as pessoas do seu sexo; (fam.) matrona, mulher corpulenta.

matronal. *adj.* matronal, relativo a matrona.

matronaza. *f.* (fam.) matronaça, mãe de família, corpulenta e austera.

matropa. *f.* (Amér.) V. **histerismo.**

matuasto. *m.* (Amér.) lagarto peçonhento.

matucho, cha. *adj.* (Amér.) hábil e astuto para os negócios. — *m.* (Amér.) V. **matoco.**

matungo, ga. *adj.* (Amér.) matungo. V. **matalón.**

maturranga. *f.* treta, astúcia por meio de afagos; (germ.) rameira.

matusalén. *m.* matusalém, homem de grande longevidade.

matute. *m.* contrabando, acção de contrabandear; género, mercadoria furtada aos direitos; casa de jogos proibidos.

matutear. *v. intr.* contrabandear, fazer contrabando.

matutero, ra. *s.* contrabandista.

matutinal. *adj.* matutino. V. **matutino.**

matutino, na. *adj.* matutino, relativo às horas da manhã, matinal; madrugador.

maula. *f.* retalho de tecido; bagatela, coisa inútil ou desprezível; retalho. V. **retal;** artifício encoberto, fraude, trapaça, estratagema; gorjeta. V. **propina.** — *s.* caloteiro; trapaceiro; mal pagador, pessoa não cumpridora das suas obrigações; madraceiro, madraço: *ni maula ni paula,* (fam.) não tuge nem muge.

maular. *v. intr.* V. **maullar.**

maulería. *f.* velhacaria, falacia, hipocrisia, engano, ciganagem, ciganaria; loja de adelo, de retalhos de tecidos.

maulero, ra. *s.* retalhista, que vende retalhos de tecidos; trapaceiro, pessoa embusteira, velhaca; caloteiro.

maulón. *m.* caloteirão; preguiçoso.

maullador, ra. *adj.* miador, que mia muito.

maullar. *v. intr.* miar, dar mios.

maullido. *m.* voz de gato, parecida com a palavra *miau;* acção de miar.

Mauritania. (geog.) Mauritânia.

mauritano, na. *adj.* e *s.* (geog.) mauritano.

mausoleo. *m.* mausoléu, sepulcro, tumba.

Mavorte. *m.* (poét.) Marte, deus da guerra; a guerra.

maxilar. *adj.* (anat.) maxilar. — *m.* maxilar; queixada, mandíbula.

máxima. *f.* máxima, regra, proposição; sentença, axioma, doutrina; norma, desígnio, princípio; aforismo; (mús.) nota máxima: *tener por máxima,* ter por máxima ou por princípio.

máxime. *adv.* máxime, principalmente.

máximo, ma. *adj. superl.* máximo, o grau mais elevado, sumo, o maior, principal. — *m.* límite superior ou extremo a que pode chegar uma coisa: *el máximo o mais alto; exigir el máximo de alguien,* (fig.) apertar os cordeis.

máximun. *m.* V. **máximo.**

maya. *f.* (bot.) malmequer; maia, flor da giesta; menina que pede donativos durante as festas das maias. — *s.* (geog.) maiato, maiano.

maya. *f.* espécie de jogo de escondidas.

mayador, ra. *adj.* V. **maullador.**

mayal. *m.* almanjarra, almajarra, pau de nora a que se prende o animal; (agr.) mangual, malho, utensílio para malhar o centeio.

mayestático, ca. *adj.* majestático, próprio ou relativo a majestade, majestoso.

mayido. *m.* V. **maullido.**

mayo. *m.* Maio, quinto mês do ano; pau alto adornado de fitas, etc., que se crava no meio das aldeias durante o mês de Maio para diversão; ramos que os noivos põem na porta das suas noivas. — *pl.* música e cantos que na noite do último de Abril dedicam os moços às solteiras.

mayólica. *f.* maiólica, majólica, louça comum com esmalte metálico que antigamente se fabricava por espanhóis e árabes.

mayonesa. *f.* maionese; prato adornado com molho de maionese; molho feito com azeite e ovos.

mayor. *adj. comp.* de *grande;* maior que é superior ou excede em tamanho, espaço, intensidade, número, etc.; maior, superior, chefe duma comunidade ou corpo; maior, superior, caudilho, chefe, cabo de guerra; (ret.) maior, primeira proposição dum silogismo; maior, primeiro oficial duma secretaria; (mil.) major. — *pl.* maiores, avós, antepassados; (rel.) ordens maiores: *al por mayor,* por atacado.

mayora. *f.* mulher do major.

mayoral. *m.* maioral, pastor principal que cuida dos rebanhos; capataz duma companhia de ceifeiros; administrador dos hospitais de S. Lázaro; (germ.) alcaide, corregedor; (Amér.) condutor dum carro eléctrico, maioral. V. **alguacil, corregidor.**

mayorala. *f.* mulher do maioral.

mayorazga. *f.* morgada, mulher do morgado, senhora do morgado.

mayorazgo. *m.* morgadio, bens vinculados, morgado, possuidor desses bens; morgado, filho primogénito que goza e possui o morgadio; morgado. (fig.) filho mais velho duma família: *instituir en mayorazgo.* encabeçar.

mayorazgüelo, la; mayorazguete, ta. adj. dim. de *mayorazgo.*

mayorazguista. *m.* (for.) autor de livros sobre morgadios.

mayordoma. *f.* mordoma, mulher do mordomo; mulher que exerce funções de mordomo.

mayordomear. *v. intr.* mordomar, administrar ou governar uma casa como mordomo.

mayordomía. *f.* mordomía, mordomado, cargo ou emprego de mordomo ou administrador; escritório de mordomo.

mayordomo. *m.* mordomo, criado principal; ecó(ô)nomo; fa(c)totum; despenseiro; mordomo, oficial nas confrarias para efeitos económicos; mordomo, cada um dos indivíduos de certas confrarias religiosas; mordomo, administrador de casa rica ou nobre; *mayordomo mayor*, mordomo-mor.

mayoría. *f.* maioria, superioridade; maioridade; majoria, a maior quantidade dalguma coisa; maioria, maior número de votos numas eleições ; maioria. conjunto de votantes, de vencedores; (mil.) majoria, posto de major ou dignidade de major; maioria, pluralidade, o maior número de votos numa assembleia.

mayoridad. *f.* maioridade, superioridade.

mayorista. *s.* comerciante que vende por junto, atacadista; aplica-se ao comércio por junto; estudante de primeira classe no curso de gramática; (rel.) aquele que já recebeu as órdens maiores.

mayoritario, ria. *adj.* e *s.* (galicismo muito usado); que representa a maioria.

mayueta. *f.* (prov.) morango silvestre.

mayúsculo, la *adj.* maiúsculo, que excede do comum ou ordinário coisa maior que a normal da sua espécie; (gram.) maiúscula, diz-se da letra de maior tamanho empregada como inicial.

maza. *f.* maça. arma antiga; instrumento para malhar o linho; maça, clava; maça. espadela (para malhar o linho); maça, insígnia de maceiro; maça, espécie de pilão cilíndrico usado no serviço de calceteiro; maceta (do bombo); tronco onde se prende a correia dos macacos para que não fujam; qualquer coisa que se amarra à cauda dos cães, rabo-leva; maça, extremidade, a parte mais grossa do taco do bilhar; maça, maço, macete; (Brasil) nacanám, espécie de maça usada pelos selvagens; *maza de Fraga*, martinete, máquina para cravar estacas no mar e nos rios; (fig.) e fam.) pessoa de grande autoridade em tudo o que diz; *maza sorda*, (bot.) V. **espadaña.**

mazacote. *m.* cinzas de gramata ou barrilheira; argamassa, formigão, mistura de pedras com argamassa; maçacote; (fig. e fam.) guisado seco e duro; homem molesto importuno; maçador.

mazada. *f.* maçada, pancada dada com a maça ou o maço; maçadura.

mazagatos. *m.* usado na frase: *andar* ou *haber la de mazagatos*, fazer muito barulho e alvoroto.

mazamorra. *f.* papas de milho com açúcar ou mel muito usadas no Peru; biscoito estragado; (fig.) coisa esmigalhada; (mar.) maçamorga.

mazaneta. *f.* maçane(ê)ta.

mazapán. *m.* maçapão; migalha de pão com a qual os bispos limpam os dedos depois de terem usado os Santos Óleos.

mazar. *v. tr.* bater o leite para fazer manteiga.

mazari. *adj* e *m.* diz-se do tijolo para pavimento.

mazarota. *f.* massa de metal que fica a mais na parte superior, na fundição de grandes peças.

mazazo. *m.* maçada. V. **mazada.**

mazdeísmo. *m.* masdeísmo.

mazmorra. *f.* masmorra, prisão subterrânea, ergástulo.

maznar. *v. tr.* amassar, esmagar, amarrotar, amolecer uma coisa com as mãos; malhar, martelar o ferro em quanto está quente.

mazo. *m.* maço, martelo grande de madeira, mação; molho de coisas; (fig.) homem importuno, maçador.

mazonado, da. *adj.* (herald.) diz-se da figura que representa no escudo a obra de cantaria.

mazonería. *f.* alvenaria, obra de pedreiro; obra em relevo.

mazorca. *f.* (bot.) maçaroca, espiga como a do milho; baga de cacau; nas obras de ferreiro, o trabalho que têm no meio certas verandas de ferro; fusada. V. **husada.**

mazorral. *adj.* mazorral, mazorro, grosseiro, rude. tosco.

mazudo, da. *adj.* em forma de maço.

mazurca. *f.* (mús.) mazurca; mazurca, espécie de polca.

me. *pron. pers.* me; dativo ou acusativo da primeira pessoa do singular; pode usar-se como sufixo: *me dio; diome.*

mea. *f.* (fam.) voz com que o menino indica querer urinar, mija.

meada. *f.* mijada, mijadela, sinal que fica onde alguém urinou.

meadero. *m.* urinol; mictório; mijadeiro; mijadouro.

meados. *m. pl.* mijoca. V. **orines.**

meaja. *f.* mealha, moeda antiga de Castela; certo direito que os juízes exigiam das partes nas execuções. V. **migalja.**

meandro. *m.* meandro, sinuosidade dum caminho ou rio; (arq.) adorno formado por laços sinuosos e complicados.

mear. *v. intr.* e *r.* mijar, urinar; mijar-se: *mear a chorritos*, mijocar; mijar às pinguinhas; *mearse de miedo*, mijar-se com medo.

meato. *m.* (anat.) meato; (bot.) meato.

meca. *f.* V. **ceca;** *andar de ceca en meca*, (fam.) andar de ceca em meca, de um lado para outro.

meca. *f.* (Amér.) esterco humano ou de cavalgadura.

meca. *f.* (pop.) dactilógrafa.

¡mecachis! *interj.* caramba!

mecánica. *f.* mecânica; maquinismo; (fig. e fam.) acção indecorosa, vil, mesquinha; minúcia, bagatela, ninharia; (mil) regime económico da tropa.

mecanicismo. *m.* (biol.) mecanicismo.

mecánico, ca. *adj.* e *s.* mecânico, relativo à mecânica; (fig.) baixo, vil, indecoroso, mesquinho; ignóbil; indecoroso; material; automático; indeliberado; mecânico, versado em mecânica; mecânico, operário que manipula as máquinas.

mecanismo. *m.* mecanismo, disposição das partes constitutivas duma máquina; meios práticos empregados nas artes; modo como funciona um aparelho mecânico. maquinismo; (fig.) estrutura, organização.

mecanización. *f.* mecanização.
mecanizar. *v. tr.* mecanizar, efectuar por meio de máquinas; mecanizar, tornar mecânico ou maquinal; mecanizar, tornar semelhante a uma máquina; organizar mecânicamente.
mecano. *m.* brinquedo de crianças.
mecanografía. *f.* da(c)tilografia.
mecanografiar. *v. tr.* da(c)tilografar.
mecanogáfico, ca. *adj.* da(c)tilográfico.
mecanógrafo, fa. *s.* da(c)tilógrafo.
mecanoterapia. *f.* (terap.) mecanoterapia.
mecanoterápico, ca. *adj.* (med.) mecanoterápico.
mecapal. *m.* chinguiço dos moços de frete.
mecedero. *m.* mexedor para vinho ou sabão.
mecedor, ra. *adj.* balançador, embalador, que mexe. — *m.* mexedor, instrumento para mexer o vinho nas cubas ou o sabão nas caldeiras; baloiço. V. **columpio.**
mecedora. *f.* cadeira de balanço.
mecedura. *f.* balanço, embalo; mexedura, mexida.
mecenas. *m.* (fig.) mecenas, pessoa poderosa que patrocina os homens de letras.
mecenazgo. *m.* mecenato.
mecer. *v. tr.* mexer, mover, agitar um líquido; embalar, balançar dum lado para o outro; chocalhar.
meconato. *m.* (quim.) meconato.
meconio. *m.* mecó(ô)nio. V. **alhorre;** (farm.) mecónio, suco da dormideira.
mecha. *f.* mecha, torcida, rastilho, isca, pavio; morrão, pedaço de corda que se acende para comunicar fogo às peças de artilharia, mecha; mecha, fios que se metem nas feridas ou chagas; tira de toucinho para lardear; fios de linho ou seda; mecha, floco de cabelos; (carp.) mecha, espiga duma tábua para encaixar noutra; (mar.) peça principal do mastro dum navio; (Amér.) contrariedade; verruma, broca, trado: *aguantar mecha,* (fig. e fam.) sofrer com resignação uma coisa.
mechar. *v. tr.* lardear, entremear com pequenos pedaços de toucinho, uma peça de carne.
mechazo. *m.* (min.) combustão duma mecha sem inflamar o cartucho da pólvora.
mechera. *adj.* lardeadeira, diz-se da agulha de lardear. — *f.* (fig.) ladra que oculta o furto entre as saias.
mechero. *m.* mecheiro, bico de candeeiro; isqueiro, acendedor de bolso; tubo dos castiçais em que se mete a vela; bico da candeia.
mechonear. *v. tr.* (Amér.) renhir, pelejar.
mechificar. *v. tr.* (Amér.) escarnecer alguém, mofar-se.
mechinal. *m.* (arq.) agulheiro, buraco quadrado que se deixa nas paredes para meter os paus que sustentam os andaimes; (fig. e fam.) cubículo, quarto pequeno.
mechón. *m.* mecha grande; tufo de lã, fios de lã; torcida de cabelo.
mechoso, sa. *adj.* que tem mechas em abundância.

mechudo, da. *adj.* (Amér.) V. **mechoso.**
mechusa. *f.* (germ.) cabeça.
medalla. *f.* medalha; baixo-relevo em medalhão; medalha, distinção honorífica; venera; insígnia; medalha, prémio de concurso ou exposição: *el reverso de la medalla,* o reverso da medalha, (fig.) o mau lado de qualquer coisa.
medallero. *m.* medalhário, móvel onde se guardam medalhas.
medallista. *s.* medalhista; gravador de medalhas; medalhista, coleccionador de medalhas; versado em medalhas.
medallón. *m.* medalhão, baixo-relevo de figura redonda; medalhão, jóia em forma de caixa pequena. — *m.* (arq.) medalhão.
médano. *m.* duna, medo, médão, montão de areia ao longo das costas.
medanoso, sa. *adj.* que tem medos ou dunas.
medero. *m.* (prog.) meda de feixes de vide.
media. *f.* meia, tecido de malha para cobrir pés e pernas; medida de meia fanga; (mat.) média, termo médio: *la media aritmética,* a média aritmética.
mediacaña. *f.* (arq.) meia-cana, moldura côncava; (carp.) meia-cana, goiva, lima; frisador, ferro de frisar o cabelo; grosa; (impr.) filete de duas linhas, uma grossa e outra fina.
mediación. *f.* mediação, acção de mediar; intervenção; intercessão; interposição: *por mediación,* mediante.
mediado, da. *p. p.* e *adj.* mediado, meado, que contém a metade da sua capacidade: *a mediados de,* em meados de.
mediador, ra. *adj.* e *s.* medianeiro, mediador, que intervém; intercessor; alcoviteiro, alcaiote; avindor; advogado.
mediana. *f.* carne da espádua da rês; pão de qualidade intermédia, meiado.
medianejo, ja. *adj.* (fam.) menos que mediano; medíocre.
medianería. *f.* parede meeira, parede comum a duas casas contíguas; contrato de meação.
medianero, ra. *adj.* mediano, meão, interposto; medianeiro, mediatário, mediador, que intervém. — *m.* o dono duma casa contígua a outra; meeiro, que tem contrato de meação; (fig.) mercúrio (em assuntos amorosos); avindor.
medianeros, ras. *adj. pl.* irmãos gémeos.
medianía. *f.* mediania, termo médio entre dois extremos; (fig.) mediania, mediocridade, pessoa medíocre; moderação, temperança, comedimento; meio, ponto meio duma coisa.
medianidad. *f.* mediania. V. **medianía.**
medianil. *m.* parte duma terra de semeadura, que está entre o cômoro e a terra baixa; V. **medianería.**
mediano, na. *adj.* mediano, de qualidade intermédia, medíocre; meão; moderado; (fig. e fam.) quase nulo e ainda completamente mau. — *pl.* estudantes da classe de gramática em que se tratava do uso e da construção das partes da oração; (Amér.) V. **pequeño.**

medianoche. *f.* meia-noite, hora em que o Sol está no ponto oposto ao meio-dia; (fig.) bolo pequeno recheado de carne.

mediante. *p. a.* e *adj.* mediante, que medeia. *adv.* mediante, em atenção a, por razão de; com a ajuda de, por via de.

mediar. *v. intr.* mediar, intermediar, estar ou existir uma coisa em meio doutras; interpor; transcorrer, mediar; interceder, ser medianeiro ou mediador; intervir acerca de; tomar um termo médio, defender; alcovitar; advogar: *mediar en favor de alguien*, advogar.

mediastino. *m.* (anat.) mediastino.

mediatización. *f.* mediatização.

mediatizar. *v. tr.* mediatizar.

mediato, ta. *adj* mediato.

médica. *f.* médica, mulher com o curso de medicina; mulher do médico.

medicable. *adj.* medicável, que se pode medicar; curável.

medicación. *f.* medicação; tratamento médico.

medical. *adj.* medicinal.

medicamento. *m.* medicamento, remédio médico; terapêutica; farmácia; medicina; ingrediente.

medicamentoso, sa. *adj.* medicamentoso, medicinal, médico; medicativo.

medicar. *v. tr.* medicar, determinar a medicação de; tratar com medicamentos; medicar, medicamentar; medicinar. — *v. r.* mezinhar-se.

medicastro. *m.* medicastro, curandeiro, charlatão, médico reles.

medicina. *f.* medicina; medicina, medicamento; (fig.) remédio.

medicinal. *adj.* medicinal, pertencente o relativo à medicina; médico; medicativo; medical; medicamentoso.

medicinamiento. *m.* medicação, acção de medicar.

medicinar. *v. tr.* medicinar, medicar, aplicar medicamentos; medicamentar; mezinhar; tratar doentes; dirigir o curativo, o tratamento. — *v. r.* mezinhar-se; tomar remédios.

medición. *f.* medição; mensuração; meças; medidagem; metragem; avaliação: *medición de tierras*, agrimensura.

médico, ca. *adj.* médico, relativo ou pertencente à medicina; médico, medicinal. — *m.* médico, facultativo; galeno; médico, aquele que é diplomado em medicina; o que exerce a medicina; clínico: *médico de cabecera*, médico assistente; *médico general*, médico, médico assistente; *médico cirujano*, médico cirurgião; *médico espiritual*, o confessor.

médico, ca. *adj.* e *s.* (geog.) pertencente ou relativo a Média ou aos Medos.

medicolegal. *adj.* médico-legal.

medicomanía. *f.* medicomania.

medicucho. *m.* medicastro. V. **medicastro.**

medida. *f.* medida, grandeza que serve de padrão para a avaliação doutras; medida, o que serve para medir; medida, mensura, mesura; medida, medição; me-dida, quantidade determinada que serve de termo de comparação para medir outras da mesma natureza; medida, proporção; (poét.) quantidade de sílabas dum verso; dimensão; medida, régua ou fita graduada; medida, compasso musical; medida, comedimento, moderação; medida, grau, bitola; medida, exemplo; medida, límite; ordem; regra; medida, providência.

medidor, ra. *adj.* e *s.* medidor, mensurador; aferidor; abalizador (o que mede terras); medidor, aquele que mede. — *m.* contador; (Amér.) contador de água, electricidade, gás, etc.

mediero, ra. *s.* fabricante ou vendedor de meias; meeiro, pessoa que tem metade nalgum negócio ou nalguns bens ou interesses.

medieval. *adj.* medieval, medievo, relativo ou pertencente à Idade Média; mediévico.

medievalismo. *m.* medievismo.

medievalista. *s.* medievista.

medievi mo. *m.* medievismo.

medievista. *s.* medievista, pessoa versada em assuntos da Idade Média.

medievo. *m.* medievo, a Idade Média.

medio. *adj.* meio, médio, diz-se da metade de qualquer coisa; medial. — *m.* meio, metade, ponto equidistante entre dois extremos; meio, intervenção, diligência, meio; arbítrio, engenho; meio, coração; meio, moderação; meio, apelação, expediente; meio, condição, ambiente; meio, médium, pessoa que pode servir de intermediário entre os homens e os espíritos; meio, esfera, lugar, ambiente; modo; via, estrada; (fig.) alavanca; meio, ardil; circunstância; meio, lugar onde se vive. — *pl.* meios, bens, recursos, fortuna; rendimentos que cada um possui; haveres, recursos para substistência: *de medio a medio*, de meio a meio; *dividir por medio*, meiar; *en el medio*, em meio; *estar en el medio*, mediar, entremear; *medio muerto*, entre vivo e morto; *medio para descubrir un misterio*, (fig.) chave.

mediocre. *adj.* mediocre, meião, mediano; fraco; (fig.) chato.

mediocridad. *f.* mediania; mediocridade; (fig.) chateza; estado duma coisa entre boa e má, entre grande e pequena, mediana.

mediodía. *m.* meio-dia; o momento em que se divide o dia em duas pa.tes iguais, em que o Sol está no zénite; (geog.) meio-dia, sul, ponto do horizonte oposto ao norte.

medioeval. *adj.* medieval, mediévico.

medioevo. *m.* V. **medievo.**

mediomundo. *m.* aparelho para pescar.

mediopensionista. *s.* semi-interno, diz-se dos estudantes que estão semi-internos.

mediquillo. *m.* medicastro, curandeiro, índio das Filipinas habilitado para curar sem possuir o diploma correspondente.

medir. *v. tr.* medir, avaliar ou determinar a grandeza ou extensão dalguma coisa; medir, examinar a quantidade de sílabas de que há-de constar um verso; medir, ajustar, proporcionar; medir, tomar medida, comprar; medir, regular com moderação; (mat.) medir, achar a relação entre uma quantidade e outra da mesma espécie tomada como unidade; medir, olhar com provocação; medir, mensurar; considerar. — *v. r.* (fig.) conter-se, moderar-se, medir-se. — *conj. irr.* como *pedir: medir con la vista,* medir com os olhos; *medir tierras,* abalizar.

meditabundo, da. *adj.* meditabundo, que medita ou reflexiona em silêncio, meditativo, pensativo, melancólico; cogitabundo, cogitativo; (fig.) amarroado.

meditación. *f.* meditação, consideração; (rel.) meditação, oração mental; excogitação; meditação, estudo, meditar; lucubração; contemplação; devaneio; reflexão.

meditado, da. *p. p.* e *adj.* meditado; reflexionado: *proyecto muy meditado,* projecto plano, maduro.

meditador, ra. *adj.* meditador, que medita.

meditar. *v. tr.* meditar, aplicar com atenção o pensamento, sobre alguma coisa; meditar, encarar; afundar; considerar; contemplar; magicar; projectar; meditar, aparafusar; excogitar; estudar; devanear; cogitar; cismar; meditar, madurar; lucubrar; amadurar; (Bras.) grunguzar: *meditar un proyecto con detención, estudiarlo,* amadurar um projecto.

meditativo, va. *adj.* meditativo, meditabundo, contemplativo.

mediterráneo, a. *adj.* mediterrâneo, que está rodeado de terra; que está no interior dum território: *Mar Mediterráneo,* Mar Mediterrâneo.

médium. *m.* médium. V. medio.

mediúmnico, ca. *adj.* (ocult.) mediúmnico.

mediumnidad. *f.* (ocult.) medianimidade.

mediumnismo. *m.* (ocult.) mediumnismo, medianidade.

mediosoprano. *f.* (mús.) meio-soprano.

medra. *f.* medrança, medra, melhoria, progresso, aumento, crescença.

medrana. *f.* (pop.) medo, temor, susto, pavor.

medrar. *v. intr.* medrar, crescer (os animais e as plantas); (fig.) melhorar de fortuna, de reputação, etc.; prosperar, medrar; avançar; melhorar-se; frutificar; (fig.) engordar.

medro. *m.* medrança; melhoria; melhora; (fig.) enverdecimento. V. **medra.** — *pl.* progresso, desenvolvimentos.

medroso, sa. *adj.* medroso, timorato, receoso; pusilânime; assustado, cobarde; meticuloso; falso, desanimado; que infunde ou causa medo, medonho.

médula. *f.* V. **medula.**

medula. *f.* (anat. e bot.) medula, tutano; miolo; (fig.) substância principal duma coisa não material; espinal medula.

medular. *adj.* medular.

medulina. *f.* (quim.) medulina.

medulitis. *f.* (pat.) medulite, mielite.

medulización. *f.* (fisiol. e pat.) medulização.

meduloespinal. *adj.* (anat.) medulo-espinal.

meduloso, sa. *adj.* meduloso.

meduloterapia. *f.* (terap.) meduloterapêutica

medusa. *f.* (zool.) medusa; (mit.) Medusa.

medusarios. *m. pl.* (zool.) medusários.

meduseo, a. *adj.* meduseu, medúsico, relativo a Medusa.

mefistofélico, ca. *adj.* mefistofélico, diabólico, perverso.

mefítico, ca. *adj.* mefítico, pestilencial, fétido; infe(c)to; insalubre; miasmático.

mefitismo. *m.* mefitismo.

megadina. *f.* (fís.) megadine.

megáfono. *m.* megafone, ampliador de som; porta-voz.

megajulio. *m.* (fís.) megajoule.

megalanto, ta. *adj.* (bot.) megalanto.

megalegoría. *f.* (ret.) megalegoria.

megalhepatía. *f.* (pat.) megalipatia.

megalítico, ca. *adj.* megalítico.

megalito. *m.* megálito.

megalocefalia. *f.* megalocefalia.

megalocéfalo. *adj.* e *m.* megalocéfalo.

megalocele. *m.* (pat.) megalocele.

megalocito. *m.* (histol.) megalocito.

megalocitosis. *f.* (histol.) megalocitose.

megalógono, na. *adj.* (miner.) megalógono.

megalografía. *f.* megalografia.

megalomanía. *f.* megalomania, mania da grandeza.

megalomaníaco, ca. *adj.* e *s.* megalomaníaco, megalómano.

megalómano, na. *adj.* e *s.* megalómano, megalomaníaco.

megalosaurio. *m.* (paleont.) megalossauro.

megámetro. *m.* (mat., astr. e mar.) megâmetro.

mégano. *m.* V. **médano.**

megascopio. *m.* (fís.) megascópio.

megaterio. *m.* (paleont.) megatério.

megavina. *f.* (fís.) megavine.

megera. *f.* (zool.) megera; (fig.) mulher cruel; mãe desnaturada.

mego, ga. *adj.* meigo, brando, carinhoso, fagueiro, manso, tratável.

meguez. *f.* (p. us.) carícia, afago, meiguice.

mejana. *f.* ilhota, pequena ilha, ínsula; aliazar.

mejicanismo. *m.* mexicanismo.

mejicano, na. *adj.* e *s.* (geog.) mexicano. — *m.* mexicano, idioma azteca.

Méjico. (geog.) México.

mejido, da. *p. p.* e *adj.* mexido, diz-se da gema de ovo batida com açúcar e dissolvida em leite.

mejilla. *f.* (anat.) face; maçã do rosto.

mejillón. *m.* (zool.) mexilhão: *criadero de mejillones,* mexilhoeira.

mejor. *adj.* comp. de *bueno,* melhor, bom, superior a outra coisa. — *adv.* melhor, antes, mais, de preferência: *a lo mejor,* (fam.) emprega-se para se anunciar um feito ou dito inesperado.

mejora. *f.* melhora, melhoramento, melhoria; aumento, lanço em leilão; (for.) porção de bens deixados a mais da legítima pelo testador; aproveitamento, aproveitação; acrescentamento; abono; benefíciação; benefício; medra; emenda; bem--feitoria.

mejorable. *adj.* melhorável, que se pode melhorar; que é susceptível de melhora.

mejorado, da. *adj.* e *p. p.* melhorado; medrado; beneficiado; aperfeiçoado.

mejoramiento. *m.* melhoramento, melhora; aproveitação, aproveitamento; melhoria; beneficiação; expurgação; medra; aperfeiçoamento.

mejorana. *f.* (bot.) amáraco, manjerona.

mejorar. *v. tr.* e *intr.* melhorar, acrescentar; restituir a saúde; melhorar, avantajar; aproveitar; melhorar, expurgar; medrar; ir a melhor; aperfeiçoar; apurar; beneficiar; melhorar, bem-feitorizar; melhorar, aumentar; corrigir; aumentar o preço duma coisa, fazer lanço em leilão; puxar, esticar; melhorar, adeantar, acrescentar; abonar; emendar; avançar; emendar a mão; melhorar, ir o tempo para melhor; recuperar a saúde, melhorar-se, restabelecer-se; aperfeiçoar-se; melhorar, beneficiar em testamento um dos filhos em prejuízo dos outros; (for.) interpor recurso; (fig.) aquilatar-se; melhorar, ir a melhor, desenfermar: *mejorar el enfermo*, apelar o doente; *mejorar de suerte*, endireitar-se; *mejorar el tiempo*, desinvernar, melhorar-se; *mejorando lo presente*, fora da presente companhia.

mejoría. *f.* melhoria, melhora, alívio; vantagem; superioridade; aumento; bemfeitoria; melhoramento; melhoria, abono; avanço.

mejunje. *m.* ingrediente, cosmético, medicamento feito com a mistura de vários ingredientes; (pop.) arremesquinho.

melada. *f.* fatia de pão torrado embebida em mel; pedaços de marmelada seca.

melado, da. *adj.* melado, da cor do mel. — *m.* suco da cana-de-açúcar.

meladora. *f.* (Amér.) última caldeira onde se acaba de cozer o melaço.

meladucha. *f.* e *adj.* diz-se duma espécie de maçã doce mas pouco substancial.

meladura. *f.* melado, sumo da cana doce, já preparado para fazer açúcar.

meláfido. *m.* (geol.) rocha composta de feldspato e ferro magnético.

melampo. *m.* candeeiro com quebra-luz de que se serve o ponto nos teatros.

melancolía. *f.* melancolia, tristeza profunda; atrábilis; lugubridade; (fig.) adro; melancolia, elegia; (fig.) bílis; (fig.) esturvação; tristeza sossegada e permanente; melancolia, despressão do ânimo; (Bras.) maugorra: *tener melancolía*, melancolizar, enturvar-se.

melancólico, ca. *adj.* melancólico, que tem melancolia; meditabundo; merencório; abrumado; lúgubre; macambúzio; me-

lancólico, desalegre; desgrenhado; atro; elegíaco; encaramonado; (fig.) atrabiliário; (fig.) desgosto; (poét.) mesto; (fig.) anuviado.

melancolizar. *v. tr.* melancolizar, entristecer, causar melancolia a alguém.

melanesio, sia. *adj.* e *s.* (geog.) natural da ou pertencente a Melanésia.

melania. *f.* (bot.) melânia.

melanina. *f.* (quim.) melanina.

melanismo. *m.* (med.) melanismo.

melanita. *f.* (min.) melanite, variedade de granate.

melanocárpeo, a. *adj.* (bot.) melanocarpo.

melanocéfalo, la. *adj.* (hist. nat.) melanocéfalo.

melanodermia. *f.* (pat.) melanismo.

melanoma. *f.* (pat.) melanoma.

melanope. *adj.* (zool.) melanope.

melanóptero, ra. *adj.* (zool.) melanóptero.

melanosis. *m.* (med.) melanose, melanina, alteração dos tecidos orgânicos apresentando uma cor escura.

melanóstomo, ma. *adj.* e *m.* (zool.) melanóstomo.

melanoxilo. *m.* (bot.) melanoxilo.

melanuria. *f.* (pat.) melanúria.

melanuro, ra. *adj.* (zool.) melanuro.

melapia. *f.* malápio, melápio, pêro doce.

melar. *adj.* que sabe a mel.

melar. *v. intr.* melar, dar a segunda cozedura ao sumo da cana-de-açúcar; melar, melificar, fazer mel (a abelha). — *v. tr.* (prov.) marcar o gado lanar. — *conj. irr.* como *acertar*.

melasma. *f.* (pat.) melasmo.

melasmo. *m.* (pat.) melasmo.

melaza. *f.* melaço, restos da cristalização do açúcar.

melca. *f.* V. **zahína.**

melcocha. *f.* pasta de mel; qualquer massa comestível feita à base de mel.

melcochero. *m.* fabricante ou vendedor de pastas de mel.

melena. *f.* melena, cabelo comprido; guedelha; juba, coma, crinas do leão; pele macia que se põe no cachaço do boi para o não magoar; (equit.) topete, crina do cavalo que lhe cai sobre a frente.

melena. *f.* (med.) melena, vómito-negro.

melenera. *f.* parte do cachaço dos bois, onde assenta o jugo; molhelha, almofada ou pedaço de pele que se põe na frente dos bois para os jungir.

meleno. *adj.* diz-se do touro que no cachaço, e caindo sobre a frente, tem grande de melena; (fig. e fam.) saloio. V. **payo.**

melenudo, da. *adj.* gadelhudo, guedelhudo, cabeludo.

melera. *f.* meleira, vendedeira de mel; moléstia que ataca os melões.

melero. *m.* meleiro, vendedor de mel; lugar onde se guarda o mel.

melga. *f.* (Amér.) V. **amelga;** parte pequena dum trabalho não concluído.

melgacho. *m.* peixe seláceo. V. **lija.**

melgar. *m.* luzernal, campo abundante em luzernas, plantas leguminosas.

melgar. *v. tr.* (Amér.) V. **amelgar.**

melgarejo. *m.* moeda da Bolívia, equivalente a 75 cêntimos da peseta.

melgo, ga. *adj.* V. **mielgo.**

melia. *f.* (bot.) melia.

meliáceo, a. *adj.* (bot.) meliáceo. — *f. pl.* meliáceas.

melianto. *m.* (bot.) melianto.

mélico, ca. *adj.* mélico, musical, melodioso, lírico.

melífero, ra. *adj.* (poét.) melífluo, fino; suave; melífero, que tem mel.

melificación. *f.* melificação.

melificado, da. *p. p.* e *adj.* melificado, melífluo.

melificador. *m.* (Amér.) melificador.

melificar. *v. tr.* e *intr.* melificar, converter em mel; fabricar mel (a abelha).

melifluencia. *f.* melifluidade.

melifluidad. *f.* melifluidade, suavidade, melosidade.

melifluo, flua. *adj.* melífluo, suave, de voz doce; que corre como o mel; meloso, açucarado; melindroso; (fig.) doce e afável no trato.

melindre. *m.* melindre, iguaria composta de mel e farinha; doce de farinha, ovos e açúcar; (fig.) melindre, delicadeza afectada no trato e no falar; sensibilidade; dengue; denguice: *ser un melindres*, ser d'alfélca; *ser un melindre para comer*, ter má boca.

melindrear. *v. intr.* afectar delicadeza nas acções e nas palavras, melindrar.

melindrería. *f.* hábito de ser afectadamente delicado no trato.

melindrizar. *v. intr.* afectar delicadeza. V. **melindrear.**

melindroso, sa. *adj.* melindroso, afectado no trato; dengoso, melindrero, alféloa; delicado; dengue, mimoso; susceptível; débil; mimalho; achacadiço.

melinita. *f.* (quim.) melinite.

melisa. *f.* (bot.) melissa, erva-cidreira.

melisma. *m.* (mús.) melisma.

melisografía. *f.* (zool.) melissografia.

melito. *m.* (farm.) xarope feito com mel.

melitosa. *f.* (quim.) melitose.

meliturgia. *f.* (zool.) meliturgia.

melituria. *f.* (pat.) melitúria, glicosúria, diabetes.

melocotón. *m.* (bot.) pêssego, fruto do pessegueiro.

melocotonar. *m.* (bot.) pessegal, pomar de pessegueiros.

melocotonero. *m.* (bot.) pessegueiro, alpercheiro.

melodia. *f.* (mús.) melodia; suavidade; doçura na voz ou no estilo.

melodical. *f.* (mús.) melódica.

melódico, ca. *adj.* melódico, melodioso.

melodioso, sa. *adj.* melodioso, agradável ao ouvido; harmosioso; suave, doce; entoado; eufó(ô)nico; bem-soante.

melodista. *s.* melodista, pessoa que compõe melodias.

melodrama. *m.* melodrama, drama com música.

melodramático, ca. *adj.* melodramático, relativo ao melodrama; que tem situações de melodrama.

melodreña. *adj.* diz-se da pedra de afiar ou amolar.

melófago. *m.* (zool.) melófago.

melófono. *m.* (mús.) melofone.

melografía. *f.* melografia, arte de escrever música.

melógrafo, fa. *s.* melógrafo.

meloja. *f.* água de mel, água em que se lavou o mel.

melojar. *m.* (bot.) robledo, carvalhal, carvalheira.

melojo. *m.* (bot.) variedade de carvalho, semelhante ao roble-alvar.

melolonta. *m.* (zool.) melolonta.

melomanía. *f.* melomania.

melómano, na. *s.* melómano, melomaníaco.

melomelia. *f.* (terat.) meló(ô)melia.

melómelo, la. *adj.* e *s.* (terat.) melómelo.

melón. *m.* (bot.) meloeiro; melão, fruto do meloeiro; (fig. e fam.) néscio, torpe: *melón de agua*, melancia; *cortar el melón*, sondar alguém.

melonada. *f.* torpeza, velhacaria.

melonar. *m.* meloal, terreno onde há meloeiros.

melonero, ra. *s.* vendedor ou plantador de melões.

melonhue. *m.* marisco chileno.

melonita. *f.* (min.) melonite.

melopea. *f.* melopeia.

melopeya. *f.* melopeia, arte de produzir melodias; canto ritmado que acompanha a declamação, toada.

meloplastia. *f.* (cir.) meloplastia.

melosidad. *f.* melosidade, qualidade de meloso; matéria melosa; (fig.) doçura, suavidade, melifluidade.

meloso, sa. *adj.* meloso, doce, semelhante ao mel; (fig.) melífluo, suave.

melote. *m.* melaço, doce de calda feito com mel; fezes da cristalização do açúcar.

melsa. *f.* (prov.) baço. V. **bazo;** (fig.) pachorra, lentidão, paciência, vagar.

meltón. *m.* (Amér.) mélton, méltone, tecido de algodão.

meluza. *f.* melaço, líquido viscoso, suco dos frutos.

melva. *f.* (ictiol.) corvina.

mella. *f.* boca, falha, mossa no fio ou no gume dum instrumento cortante; cavidade que fica numa coisa por faltar o que a preenchia; (fig.) menoscabo, diminuição: *hacer mella*, fazer mossa, fazer efeito nalguém a repreensão, o conselho, etc.

mellar. *v. tr.* fazer bocas ou mossas no fio ou no gume de qualquer objecto cortante; (fig.) menoscabar, fazer mossa. — *v. r.* quebrar-se, no todo ou em parte; embotar-se.

melliza. *f.* espécie de salsichão feita com mel.

mellizo, za. *adj.* e *s.* gémeo; diz-se do que é igual a outro ou muito semelhante; diz-se dos irmãos nascidos dum mesmo parto.

mellón. *m.* archote feito de palha.

memada. *f.* (fam.) V. **necedàd.**

membrado, da. *adj.* (herald.) membrado, diz-
-se das aves representadas nos escudos
com pernas de diferente esmalte.

membrana. *f.* (zool., bot. e radiot.) membrana, tecido flexível que nos seres orgânicos cobre as vísceras ou segrega humores.

membranáceo, a. *adj.* (bot. e zool.) membranáceo, semelhante à membrana.

membraniforme. *adj.* (anat.) membraniforme.

membranoso, sa. *adj.* (bot. e zool.) membranoso, composto de membranas; semelhan-
te a membranas.

membrete. *m.* anotação, lembrete; endere-
ço; aviso por escrito, memorando; timbre, cabeçalho das cartas; lembrete, apontamento, sobrescrito de carta ou bilhete.

membrillada. *f.* (Amér.) doce feito com o
marmelo.

membrillar. *m.* (bot.) lugar plantado de
marmeleiros.

membrillate. *m.* doce feito com marmelo.

membrillero. *m.* (bot.) marmeleiro.

membrillete. *m.* (Amér.) planta silvestre
cuja folha é parecida com a do marmeleiro.

membrillo. *m.* (bot.) marmeleiro, arbusto da
família das rosáceas; marmelo, fruto do
marmeleiro.

membrudo, da. *adj.* membrudo, vigoroso,
fornido; reforçado.

memento. *m.* (rel.) memento, comemoração
de vivos e defuntos na missa.

memez. *f.* necedade, parvoice; pacovice,
sendeirada; estouvadice; endró(ò)mina.

memnónida. *f.* (mit.) memnónidas, cada uma
das aves que iam ao sepulcro de Memnón.

memo, ma. *adj.* estouvado, mentecapto, parvo, simplório.

memorable. *adj.* memorável, digno de memória; inescurecível; memorial; famoso memorando.

memorando, da. *adj.* V. **memorable.**

memorándum. *m.* memorando, livro de apontamentos; memorando, comunicação diplomática não assinada; (Amér.) papel
com timbre; memorando, assento; agenda; ementário; nos jornais, secção de
anúncios de serviços.

memorar. *v. tr.* memorar, trazer à memória; lembrar, recordar; comemorar. — *v. r.*
memorar-se, recordar-se.

memorativo, va. *adj.* memorativo, comemorativo.

memoria. *f.* memória, faculdade de reter
ideias anteriormente adquiridas; memória, lembrança, reminiscência; memória,
estudo; mente; memória, coração; (fig.)
eco; menção; memória, memorando;
memória, fama, glória; memória, monumento; memória, obra pía; memória, relação de despesas; memória, memorial,
exposição sumária; apontamento para
lembrança; memória, prenda que se dá
como recordação de amizade (anel, etc.).—
pl. memórias, lembranças, saudades: *aprender de memoria,* tomar de memória;

apanhar a mente; *borrar de la memoria,*
desimaginar; *conservar en la memoria,*
memorizar; *hacer memoria,* memorar; *de
memoria,* de cor, de memória; *hablar
de memoria,* falar de memória; *escribir
una memoria,* memoriar; *falta de memoria,* desacordo; *que escribe de memoria,*
memorista; *que tiene buena memoria,*
memorioso; *falto de memoria,* desmemoriado; *mala memoria, memoria de mosca,* memória de grilo; *hacer memoria,* fazer memória; *perder la memoria,* descorar, esquecer; *refrescar la memoria,* refrescar a memória; *retener en la memoria,*
conservar na memória; *traer a la memoria,* renovar a memória, despertar.

memorial. *m.* memorial, livro de apontamentos; requerimento, petição escrita;
memorial, memoralística; memorável;
memorial, agenda.

memorialesco, ca. *adj.* memorialesco, pertencente ou relativo ao memorial.

memorialista. *m.* escrevente, amanuense,
pessoa que se ocupa em escrever memo-
riales ou outros documentos; memorialista, memorista.

memorión. *m.* aum. de *memoria;* memorião.
adj. V. **memorioso:** *ser un memorión,* apanhar a dente.

memorioso, sa. *adj.* e *s.* memorioso, que tem
boa memória.

memorismo. *m.* sistema de decorar sem cultivar a inteligência; (Amér.) V. **memorioso.**

memorista. *adj.* (Amér.) V. **memorioso;**
maestro memorista, mestre memorioso.

memorización. *f.* memorização.

memorizar. *v. tr.* memorizar.

ménade. *f.* mé(ê)nade, sacerdotisa de Baco,
bacante.

menaje. *m.* alfaias, móveis, utensílios duma
casa; material pedagógico duma escola.

mención. *f.* menção, referência; enunciação; expressão; tenção; registo: *hacer
mención,* memorar, mencionar, ementar;
no hacer mención de una cosa, deslizar a
alguém de uma coisa.

mencionado, da. *p. p.* e *adj.* mencionado;
aludido: *estar mencionado,* (for.) constar.

mencionar. *v. tr.* mencionar, enunciar, fazer
memória; indicar; aludir; (fig.) exarar;
(pop.) alomear: *no mencionar,* deixar no
tinteiro; *sin mencionar,* em claro.

mendacidad. *f.* mendacidade, mentira, falsidade.

mendaz. *adj.* mendaz, mentiroso, falso, enganoso, mentiroso, inexa(c)to, fabulista,
mendaz.

mendicación. *f.* mendigação, mendicidade.
V. **mendiguez.**

mendicante. *adj.* e *s.* mendicante, mendigo,
pedinte, que mendiga de porta em porta:
orden mendicante, ordem mendicante.

mendicidad. *f.* mendicidade, acção de mendigar, mendicância.

mendigante. *p. a. adj.* e *s.* mendicante, que
mendiga, mendigo.

mendigar. *v. tr.* mendigar, pedir esmola de porta em porta; (fig.) pedir com humildade, mendigar; pedir apertadamente; galhofear; (germ.) amoinar: *mendigar en favor de alguien*, (fig.) engorar-se.

mendigo, ga. *s.* mendigo, o que pede esmola habitualmente; pedinte; indigente; galhofeiro; côdea, farrapilha.

mendiguear. *v. tr.* mendigar, pedir esmolas, solicitar, ser mendigo.

mendiguez. *f.* mendicidade, mendicância.

mendoso, sa. *adj.* errado, equivocado, enganado, mentiroso.

mendrugo. *m.* mendrugo, pedaço de pão duro. restos de pão; (pop.) néscio, idiota.

meneador, ra. *adj.* e *s.* meneador, que meneia.

menear. *v. tr.* menear, mover dum lado para outro; (fig.) manejar, dirigir, governar; bolir. — *v. r.* menear-se; (fam.) despachar-se, fazer uma coisa com rapidez e diligência, mover-se; oscilar, saracotear; (Amér.) mover-se lùbricamente: *peor es menearlo*, (pop.) diz-se que convém não seguir tratando dum assunto; *menear la cabeza*, menear a cabeça.

meneo. *m.* meneamento, meneio; manejamento; manejo; (fam.) coça, esfrega, castigo, repreensão; (ant.) trato, comércio, negociação.

menester. *m.* mister, falta, necessidade, precisão; mester, exercício, empre(è)go, ministério, ofício, ocupação. — *pl.* necessidades corporais; (fam.) utensílio, instrumentos ou ferramentas necessárias para os ofícios.

menesteroso, sa. *adj.* e *s.* necessitado, falto, indigente.

menestra. *f.* guisado de carne com hortaliças e presunto. — *pl.* legumes secos.

menestral, la. *s.* mesteiral, oficial mecânico, operário; (poét.) menestrel, trovador.

menestralería. *f.* qualidade de mesteiral.

menestrete. *m.* (mar.) pé-de-cabra, unhagata.

menfita. *adj.* e *s.* (geog.) menfita, natural de ou pertencente a Mênfis. — *m.* ónix.

menfítico, ca. *adj.* menfítico, pertencente à cidade de Mênfis.

mengala. *f.* (Amér.) rapariga da classe baixa.

mengano, na. *s.* beltrano, correlativo de fulano: *zutano y mengano*, cicrano e beltrano.

mengua. *f.* míngua, falta do necessário, escassez, pobreza; (fig.) descrédito, desonra; falta, defeito; detrimento, diminuição, quebra.

menguado, da. *p. p.* e *adj.* minguado; cobarde, pusilânime, fraco, tímido, poltrão; ignominioso; minguado, tonto, falto de juízo, estúpido, idiota; tolo; miserável, minguado, mesquinho, avaro; minguado, fatal, desgraçado; infausto. V. **falto.** — *m.* mate, diminuição de malha nas meias: *hora menguada*, momento fatal.

menguamiento. *m.* míngua. V. **mengua.**

menguante. *p. a.* e *adj.* minguante, que mingua. — *f.* decrescimento das águas dos rios e ribeiros; minguante, vazante da maré; míngua, escassez, estiagem das águas; (astr.) minguante, último quarto da Lua; (fig.) minguante, decadência, míngua dalguma coisa.

menguar. *v. intr.* minguar, decrescer, diminuir; minguar, faltar; minguar, dar mates nas meias; minguar, vazar a maré; (astr.) minguar, passar a Lua ao quarto minguante.

mengue. *m.* (pop.) diabo.

menhir. *m.* menir, monumento megalítico, obelisco.

menina. *f.* açafata, senhora jovem, que servia como aia da rainha ou das infantas ainda crianças.

meninge. *f.* (anat.) meninge.

meníngeo, a. *adj.* pertencente ou relativo às meninges.

meningítico, ca. *adj.* (anat. e pat.) pertencente ou relativo às meninges ou à meningite.

meningitis. *f.* (med.) meningite.

menino. *m.* pajem, mancebo nobre do séquito dum príncipe, dum fidalgo para o acompanhar; moço, fidalgo ao serviço da rainha ou dos príncipes ainda crianças; (prov.) homem pequeno e amaneirado.

menique. *adj.* V. **meñique.**

menisco. *m.* menisco, vidro, convexo dum lado e côncavo doutro; (fís.) superfície côncava ou convexa que se forma na extremidade duma coluna de líquido contido num tubo capilar.

menispermáceo, a. *adj.* (bot.) menispermáceo. — *f. pl.* menispermáceas.

menispérmeo, a. *adj.* (bot.) menispermáceo.

menispermo. *m.* (bot.) menispermo.

menjunje o **merjunje.** *m.* V. **mejunje.**

menologia. *f.* (med.) menologia.

menológico, ca. *adj.* (med.) pertencente ou relativo à menologia.

menologio. *m.* menológio.

menopausia. *f.* menopausa.

menor. *adj.* comp. de *pequeño;* menor, mais pequeno, em dimensões, em quantidade, em intensidade, etc.; menor, mínimo, inferior, que ainda não chegou à maioridade; (mús.) tom menor. — *s.* menor, pessoa que ainda não atingiu a maioridade; (rel.) menor, religioso da ordem de São Francisco; (arq.) espécie de silhar de cantaria; (ret.) segunda proposição de um silogismo; estudantes da classe de gramática em que se ensinam as construções mais fáceis da língua latina; descendentes; minúcias: *por menor*, por miúdo; *Tribunal de menores*, Tribunal dos Menores.

menorete. *adj.* (fam.) dim. de *menor;* pelo menos: *al menorete*, ao menos; *por el menorete*, pelos menos.

menoría. *f.* interioridade duma pessoa em relação a outra. subordinação; (fig.) menoridade.

menorista. *m.* estudante das classes menores; (Amér.) retalhista; V. **minorista.**

menorquín, na. *adj.* e *s.* (geog.) minorquino.

menorragia. *f.* (med.) menorragia.
menorrágico, ca. *adj.* menorrágico.
menorrea. *f.* (med.) menorre(ê)ia, mênstruo.
menos. *adv.* menos, excepto, salvo, falta duma coisa para igualar outra; limitação indeterminada de quantidade expressa; fora de. — *m.* aquilo que é inferior, o mais baixo, o mínimo, o menos.
menos. *m.* (mat.) menos, traço que indica uma quantidade negativa ou uma subtracção.
menoscabador, ra. *adj.* menoscabador, que menoscaba; detractor, infamador.
menoscabar. *v. tr.* menoscabar, diminuir alguma coisa, tirar-lhe alguma parte ou porção; (fig.) depreciar; causar míngua na honra ou na fama, desdoirar; desprezar; tornar imperfeito, deixar incompleto.
menoscabo. *m.* menoscabo; desprezo; depreciação; desdém; desdoiro; detrimento; deterioração; diminuição.
menoscuenta. *f.* desconto, prestação, pagamento por conta duma dívida.
menospreciable. *adj.* menosprezível, desprezível.
menospreciador, ra. *adj.* e *s.* menosprezador, que menospreza, deprezador, desdenhoso.
menospreciar. *v. tr.* menosprezar, ter em pouco apreço; desprezar; depreciar; desdoirar; desdenhar.
menospreciativo, va. *adj.* menosprezativo, menosprezível, menosprezador.
menosprecio. *m.* menospre(ê)zo, pouco apreço ou estima; despre(ê)zo, desdém.
menostasia. *f.* (med.) menostasia.
mensaje. *m.* mensagem, comunicação verbal; notícia; recado; discurso escrito; felicitação dirigida a uma autoridade; comunicação oficial entre as câmaras legislativas; comunicação de carácter político: *mensaje de la Corona*, mensagem da Coroa.
mensajería. *f.* carreira; carro de transporte.
mensajero, ra. *adj.* e *s.* mensageiro o que leva uma mensagem; o que anuncia ou prenuncia; (fig.) mensageiro, anúncio duma coisa futura.
menso, sa. *adj.* (Amér.) néscio, enfadonho.
menstruación. *f.* (fisiol.) menstruação, mênstruo, regra mensal; duração da menorre(ê)ia.
menstruada. *adj.* menstruada, diz-se da mulher que está com o mênstruo.
menstrual. *adj.* menstrual, relativo ao mênstruo.
menstruante. *p. a.* e *adj.* e *f.* menstruante, menstruada.
menstruar. *v. intr.* ter a menstruação.
menstruo, trua. *adj.* menstrual. V. menstruoso. — *m.* (fisiol.) menstruação, mênstruo, regras, menorreia; (quim.) dissolvente ou excipiente líquido.
menstruoso, sa. *adj.* menstrual, relativo ao mênstruo.
mensual. *adj.* mensal, que sucede mensalmente; que dura um mês.

mensualidad. *f.* mensalidade, mesada, ordenado mensal.
ménsula. *f.* (arq.) mísula, ornato saliente em parede vertical; esteio; fecho da abóbada.
mensura. *f.* medida, mensura.
mensurabilidad. *f.* (geom.) mensurabilidade.
mensurable. *adj.* mensurável, que se pode medir.
mensuración. *f.* V. mensura.
mensurador, ra. *adj.* e *s.* mensurador, que mensura, medidor.
mensural. *adj.* que serve para medir, mensural.
mensurar. *v. tr.* mensurar, determinar a medida de, medir.
menta. *f.* (bot.) hortelã-pimenta; menta. V. hierbabuena.
mentado, da. *p. p.* e *adj.* afamado, que tem fama; célebre, famoso; lembrado; nomeado, memorado.
mentagra. *f.* (pat.) mentagra.
mental. *adj.* mental, relativo à mente; intelectual, espiritual: *restricción mental*, restrição mental.
mentalidad. *f.* mentalidade, qualidade de mental, maneira de discorrer; intelectualidade; a mente; estado de espírito; maneira de pensar e de julgar; (fig.) conjunto de homens, pensadores dum Estado, classe, etc.
mentar. *v. tr.* nomear, mencionar uma coisa; indicar; memorar, lembrar.
mentastro. *m.* V. mastranzo.
mente. *f.* mente, poder intelectual; inteligência, espírito; imaginação; lembrança; tenção; mente, intuito, propósito; desígnio; vontade; entendimento.
mentecatada. *f.* V. mentecatería.
mentecatería. *f.* necedade, estupidez, tolice, falta de juízo, estultícia.
mentecatez. *f.* V. mentecatería.
mentecato, ta. *adj.* e *s.* mentecapto, néscio, tolo, idiota; alienado, que perdeu o juízo.
mentidero. *m.* (fam.) mentideiro, lugar de reunião dos ociosos para conversar; soalheiro.
mentido, da. *p. p.* e *adj.* mentido; mentiroso, enganoso; falso, ilusório; vão.
mentir. *v. intr.* mentir; enganar, errar; equivocar; falsificar; fingir, mudar, disfarçar alguma coisa; mentir, faltar à verdade; desdizer; não quadrar. — *v. tr.* mentir, faltar ao prometido, a um dever: *mentir descaradamente*, mentir descaradamente; *mentir más que la Gaceta*, mentir mais que dar pelo amo de Deus; *mentir de cabo a rabo*, mentir de rabo; *mentir por mentir*, ter o vício do mentir.— *conj. irr.* como sentir.
mentira. *f.* mentira, afirmação contrária à verdade, engano propositado, falsidade; pe(ê)ta; embuste; e(ê)rro; ilusão, vaidade; errata nos escritos ou impressos; fábula, ficção; (Bras.) emboança borota: *contar mentiras*, dizer mentiras; *mentira gorda*, mentira de rabo; *mentira descarada*, mentira descarada.

mentirijillas (de). *adv.* de brincadeira. V. de mentirillas.
mentirón. *m.* carapetão, mentira grande.
mentiroso, sa. *adj.* e *s.* mentiroso, que mente, mentireiro; impostor; falso; aparente; fingido; (Bras.) esparolado, quaresma.
mentís. *m.* mentís, facto que contradiz uma asserção; mentís!, expressão com que se desmente uma pessoa.
mentol. *m.* (farm.) mentol.
mentolado, da. *p. p.* e *adj.* (quim.) mentolado.
mentólico, ca. *adj.* (quim.) mentólico.
mentón. *m.* (anat.) mento, queixo, maxilar interior.
mentor. *m.* (fig.) mentor, guia, conselheiro.
menú. *m.* (gal.) ementa, lista. V. **minuta.**
menudear. *v. tr.* amiudar, repetir, fazer uma coisa muitas vezes. — *v. intr.* contar, escrever minudências, coisas frívolas; (Amér.) vender a retalho.
menudencia. *f.* minudência, exiguidade, pequenez; exactidão e escrúpulo; futilidade, bagatela, ninharia, miudência, minúcia. — *pl.* miúdos, despojos do porco, fressura; miudezas, trastes, coisas miúdas e pouco importantes; (Amér.) miúdos.
menudeo. *m.* repetição, com frequência, reiteração; venda a retalho, por miúdo.
menudero, ra. *s.* fressureiro, pessoa que negoceia em fressura, fressureiro.
menudillo. *m.* travadouro, travadoiro, parte das mãos imediata à quartela, nos quadrúpes. — *pl.* miúdos, as entranhas das aves.
menudo, da. *adj.* miúdo, delgado, pequeno; desprezível; miserável; miúdo, escrupuloso, minucioso, exacto; amiudado, frequente, repetido; dízimo dos frutos; moedas de cobre, trocos. — *m. pl.* miúdos de animais: *a menudo*, a miúdo; *por menudo*, por miúdo, a varejo, a retalho.
menuzo. *m.* pequeno pedaço, miúça, miúcalha.
meñique. *adj.* mínimo, meiminho, muito pequeno. — *m.* o dedo mais pequeno da mão.
meo. *m.* (bot.) meon.
meollar. *m.* (mar.) corda de três cabos.
meollo. *m.* miolo, medula; cérebro; (fig.) substância principal duma coisa; miolo, juízo, entendimento.
meolludo, da. *adj.* mioludo, que tem muito miolo.
meón, na. *adj.* mijão, que urina muito. — *f.* (fam.) menina recém-nascida.
mequetrefe. *m.* (fam.) melquetrefe, mequetrefe. homem metediço, malcatrefe.
merar. *v. tr.* diluir, misturar um líquido com outro, destemperar.
merca. *f.* (pop.) merca, compra.
mercachifle. *m.* bufarinheiro; (depr.) negociante sem importância.
mercadante. *m.* mercador. V. **mercader.**
mercadear. *v. intr.* mercadejar, comerciar, mercanciar.
mercader. *m.* mercador, negociante, comerciante; (germ.) ladrão: *prestar oídos de mercader*, fazer ouvidos de mercador.

mercadera. *f.* mulher do mercador.
mercadería. *f.* mercadoria, mercancia; (germ.) furto; ofício de mercador.
mercado. *m.* mercado, concorrência, praça, empório, povo, cidade, porto de muito comércio: *mercado público*, mercado público.
mercaduría. *f.* mercadoria. V. **mercancía.**
mercal. *m.* metical, antiga moeda espanhola.
mercancía. *f.* mercancia, mercadoria, o que se vende ou compra.
mercante. *p. a.* e *s.* mercante, que merca; mercantil; mercador; comerciante: *buque mercante*, navio mercante.
mercantil. *adj.* mercantil, pertencente ou relativo ao mercador; comercial.
mercantilismo. *m.* (econ.) mercantilismo; espírito mercantil.
mercantilista. *s.* mercantilista.
mercantivo, va. *adj.* mercantil. V. **mercantil.**
mercantivol. *adj.* diz-se duma espécia de letra usada antigamente no comércio.
mercar. *v. tr.* mercar, comprar. V. **comprar.**
merced. *f.* mercê, paga, soldada, jornal; mercê, graça, dádiva de empregos, dignidades, rendas, etc.; perdão; mercê, favor, benefício, graça; mercê, vontade, arbítrio; mercê, tratamento de cortesia; órdem religiosa e militar para resgate de cativos.
mercedario, ria. *adj.* e *s.* mercenário, religioso da ordem de N. Senhora das Mercês.
mercenario, ria. *adj.* e *s.* mercenário, que trabalha por dinheiro; interesseiro; religioso da Ordem de N. Senhora das Mercês; trabalhador, jornaleiro; mercenário, o que serve por paga; mercenário, que serve na guerra mediante certo estipêndio.
mercería. *f.* mercearia; loja e comércio de miudezas.
mercerización. *f.* mercerização.
mercerizar. *v. tr.* mercerizar, tratar o algodão com alcali cáustico.
mercero. *m.* lojista de miudezas, merceeiro, mercador de mercearias, merceeiro.
mercurial. *adj.* mercurial, relativo ao Mercúrio; (quím.) mercurial. — *f.* (bot.) mercurial, planta purgativa.
mercurialismo. *m.* (pat.) mercurialismo.
mercurialización. *f.* mercurialização.
mercurializar. *v. tr.* mercurializar, causar mercurialismo a.
mercúrico, ca. *adj.* (quím.) mercúrico, mercurioso.
mercurio. *m.* (quím.) mercúrio, azougue. — *m.* (astr. e mit.) Mercúrio.
merchante. *adj.* mercante. — *m.* bufarinheiro, vendedor ambulante.
merdellón, na. *s.* (fam.) criado que serve com falta de asseio.
merdoso, sa. *adj.* (vulg.) emporcalhado, sujo, cheio de imundície.
mere. *adv.* V. **meramente.**
merecedor, ra. *adj.* merecedor, que merece; digno.
merecer. *v. tr.* merecer, ser digno de prémio ou de castigo; lograr, obter, conseguir; ter em certo grau de estima; merecer, va-

ler. — *v. intr.* merecer, tornar-se merecedor, adquirir méritos, títulos, direitos: *por merecer*, diz-se da mulher casadoira. — *conj. irr.* como *crecer*.

merecido, da. *p. p.* e *adj.* merecido; justo; devido. — *m.* castigo que alguém mereceu; mérito.

merendar. *v. intr.* merendar, comer a merenda; observar com curiosidade; ver as cartas do parceiro com quem se joga; andar ligeiro, anticipar-se. — *conj. irr.* como *acertar*.

merendero, ra. *adj.* diz-se do corvo que anda pelas sementeiras. — *m.* merendeiro, lugar onde se merenda.

merendilla, ita. *f. dim.* de *merienda*.

merendillar. *v. intr.* (prov.) V. **merendar**.

merendola. *f.* V. **merendona**.

merendona. *f.* merendona, merenda abundante.

merengue. *m.* meremgue, doce; (Amér.) alfenim, pessoa delicada.

meretricio, cia. *adj.* meretrício, relativo às meretrizes. — *m.* pecado carnal cometido com uma meretriz.

meretriz. *f.* meretriz, prostituta. V. **ramera**.

mericarpio. *m.* (bot.) mericarpo.

mericismo. *m.* (apt.) mericismo.

meridiana. *f.* meridiana, cama pequena, sesta, hora de descanso depois de almoçar.

meridiano, na. *adj.* meridiano, relativo à hora do meio-dia; (fig.) luminòsíssimo, claríssimo. — *m.* (astr. e geog.) meridiano.

meridional. *adj.* meridional, relativo ao Sul, austral.

merienda. *f.* merenda, refeição ligeira entre o almoço e o jantar; *merienda de negros*, (pop.) confusão e desordem em que ninguém se entende.

merienda. *m.* (pop.) corcova.

merindad. *f.* meirinhado, território e cargo de meirinho.

merino, na. *adj.* merino, diz-se duma raça de carneiros de lã muito fina. — *m.* meirinho, juiz; o que cuida do gado e dos seus pastos; tecido de lã merina.

merismático, ca. *adj.* (biol.) merismático.

meristema. *m.* (bot.) meristema.

meritar. *v. intr.* (p. us.) merecer, praticar actos dignos, meritórios.

meritísimo, ma. *adj. superl.* meritíssimo, digníssimo.

mérito. *m.* mérito, merecimento, valor moral e intelectual; superioridade; aptidões; excelência, virtude; fundamento, motivo, justiça.

meritorio, ria. *adj.* meritório, digno de prémio ou galardão; louvável. — *m.* empregado sem vencimento para adquirir direito a lugares remunerados.

merla. *f.* (orni.) mélroa.

merlín. *m.* (mar.) merlim, corda delgada e alcatroada.

merlo. *m.* (ictiol.) merlo. V. **zorzal marino**.

merlón. *m.* merlão, intervalo dentado nas ameias duma fortaleza.

merluza. *f.* (ictiol.) pescada; (fig. e fam.) borracheira, embriaguez.

merma. *f.* diminuição, perda, consumo; perda natural.

mermador, ra. *adj.* que diminui.

mermar. *v. intr.* diminuir, minguar, consumir-se. — *v. tr.* tirar a alguém parte da quantia que lhe corresponde.

mermelada. *f.* marmelada, doce de marmelo.

mero. *m.* (ictiol.) mero.

mero, ra. *adj.* mero, puro, simples; genuíno, sem mistura.

merodeador, ra. *adj.* e *s.* saqueador, que saqueia; soldado que rouba em marcha.

merodear. *v. intr.* (mil.) saquear, roubar o soldado em tempo de guerra; vadiar pelo campo qualquer pessoa ou quadrilha vivendo do que apanha ou rouba.

merodeo. *m.* pilhagem, saque.

merodista. *s.* V. **merodeador**.

merovingio, gia. *adj.* e *s.* merovíngio.

merquén. *m.* (Amér.) alho com sal que se leva preparado para condimentar a comida durante as viagens.

mes. *m.* mês; mensualidade; menstruação, regra, mênstruo; salário mensal.

mesa. *f.* mesa, (móvel); mesa, grade, altar para comunhão; conjunto de negócios; (fig.) mesa, comida; meseta, mesa, planície; mesa, superfície horizontal dum corpo; prancha da espada; partida de bilhar e o que se paga por ela; convite: *tener mesa buena*, ter mesa farta; *poner la mesa*, pôr a mesa; *mesa-velador*, mesa de pé-de-galo.

mesada. *f.* mesada, prestação mensal; mesada, paga, estipêndio, mensalidade.

mesadura. *f.* arrepelação.

mesalina. *f.* (fam.) messalina, mulher de costumes dissolutos; meretriz.

mesana. *f.* (mar.) mezena, mastro da ré; vela do mastro da ré; artemão: *verga de mesana*, (mar.) mezena.

mesar. *v. tr.* arrepelar, arrancar os cabelos ou barbas com as mãos: *mesarse los cabellos*, apertar as mãos na cabeça, descabelar-se.

mesaticefalia. *f.* (anat.) mesaticefalia.

mesaticéfalo, la. *adj.* (anat.) mesaticéfalo.

mescolanza. *f.* (fam.) miscelânea, mistura extravagante. V. **mezcolanza**.

meseguería. *f.* guarda das messes; cotização entre agricultores para pagamento da mesma; esta mesma cota.

meseguero, ra. *adj.* e *m.* pertencente às messes; guarda dos trigos e messes; (prov.) o que guarda as vinhas.

mesentérico, ca. *adj.* (anat.) mesentérico.

mesenterio. *m.* (anat.) mesentério.

mesenteritis. *f.* (apt.) mesenterite.

meseraico, ca. *adj.* (anat.) V. **mesentárico**.

mesero. *m.* operário que acabou a aprendizagem, e que se ajusta a tanto por mês e a comer.

meseta. *f.* patamar; (geog.) meseta, pequeno planalto, planície.

mesiado. *m.* V. **mesiazgo**.

mesiánico, ca. *adj.* messiânico.

mesianismo. *m.* messianismo; (fig.) crença na vinda do Messias.

Mesías. *m.* Messias, o Redentor; Jesus Cristo; (fig.) messias, pessoa ansiosamente esperada.

mesiazgo. *m.* messiado, missão ou funções de Messias.

mesidor. *m.* messidor, décimo mês do calendário republicano francês.

mesillo. *m.* primeira menstruação depois do parto.

mesmedaz. *f.* (fam.): *por su misma mesmedaz*, expressão para dar a entender que uma coisa chegará a determinado fim por si mesma.

mesmeriano, na. *adj.* mesmeriano, relativo ao mesmerismo. — *s.* mesmeriano.

mesmerismo. *m.* mesmerismo, doutrina do magnetismo animal.

mesnada. *f.* mesnada, gente de guerra assoldadada pelos reis; tropa mercenária; (fig.) companhia, junta, congregação.

mesnadería. *f.* mesnadaria, soldo do mesnadeiro.

mesnadero. *m.* mesnadeiro, soldado de mesnada.

mesocarpio. *m.* (bot.) mesocarpo.

mesocefalia. *f.* (anat.) mesocefalia.

mesocefálico, ca. *adj.* (anat.) mesocefálico.

mesocefalitis. *f.* (pat.) mesocefalite.

mesocéfalo. *adj.* (ant.) mesocéfalo. — *m.* (anat.) mesocéfalo.

mesocolon. *m.* (anat.) mesocolo, mesocólon.

mesocracia. *f.* (pol.) mesocracia; (fig.) V. **burguesía.**

mesocrático, ca. *adj.* mesocrático, burguês.

mesodermo. *m.* (biol. e bot.) mexodermo, mexoderme.

mesófilo. *m.* (bot.) mesófilo, parênquima.

mesófito. *m.* (bot.) mesófito.

mesofrión. *m.* (anat.) mesófrio.

mesogastrio. *m.* (anat.) mesogástrio.

mesolita. *f.* (min.) mesolite.

mesolabio. *m.* (mat.) mesolábio.

mesolítico, ca. *adj.* mesolítico.

mesólobo. *m.* (anat.) mesolóbulo.

mesolóbulo. *m.* (anat.) mesolóbulo.

mesología. *f.* (Hig.) mesologia.

mesológico, ca. *adj.* mesológico.

mesomeria. *f.* (anat.) mesomeria.

mesómero, ra. *adj.* (anat. e quím.) mesomérico.

mesón. *m.* estalagem, hospedaria, pousada; (Amér.) escaparate dos estabelecimentos; albergaria.

mesonaje. *m.* lugar ou rua onde há muitas estalagens.

mesonero, ra. *adj.* e *s.* hospedal, relativo a hospedagem; estalajadeiro, mesoneiro; criado da estalagem.

mesonil. *adj.* pertencente à estalagem ou ao estalajadeiro.

mesonista. *adj.* V. **mesonero.**

Mesopotamia. (geog.) Mesopotâmia.

mesorrecto. *m.* (anat.) mesorrecto.

mesospermo. *m.* (bot.) mesosperma.

mesotenar. *m.* (anat.) mesotenar.

mesotórax. *m.* (anat.) mesotórax.

mesozoico, ca. *adj.* (geol.) mesozóico.

mestal. *m.* sanguinhal, lugar povoado de sanguinhos.

mester. *m.* mester, arte, ofício, mister.

mestización. *f.* mestiçamento, acção de mestiçar.

mestizaje. *m.* mestiçamento, mestiçagem, reprodução dos mestiços entre si; cruzamento de raças.

mestizar. *v. tr.* mestiçar, fazer cruzamentos de indivíduos de diferentes raças.

mestizo, za. *adj.* e *s.* mestiço; mulato, o que é proveniente de pais de raças diferentes; (Bras.) cabra.

mesura. *f.* mesura, gravidade e compostura; modéstia; seriedade; mesura, reverência; moderação, comedimento; mesura, reverência, cortesia; mesurice; (fig.) chumbo; (fig.) medida; mesura, frugalidade.

mesurado, da. *p. p.* e *adj.* mesurado; moderado, modesto, circunspecto; regrado, comedido; prudente; cortês; compassado; circunspecto; mesurado, governado; parco.

mesurar. *v. tr.* mesurar, dirigir cumprimentos, fazer mesuras; cotejar, moderar, morigerar. — *v. r.* conter-se, moderar-se.

meta. *f.* meta, limite, termo; (fig.) conclusão, fim; (prov.) V. **mayueta.**

meta. *prep.* depois; noutro lugar.

metabiosis. *f.* metabiose.

metábola. *f.* (ret.) metábole.

metabólico, ca. *adj.* (quím.) metabólico.

metabolina. *f.* (quím.) metabolina.

metabolismo. *m.* (biol.) metabolismo.

metacárpeo, a. *adj.* (anat.) metacarpiano, metacárpico.

metacarpiano, na. *adj.* (anat.) metacárpico, metacarpiano.

metacarpo. *m.* (anat.) metacárpio, metacarpo.

metacéntrico, ca. *adj.* (fís.) metacêntrico.

metacentro. *m.* (fís.) metacentro.

metacismo. *m.* (gram.) metacismo, mitacismo.

metacromasia. *f.* (pat.) metacrose.

metacromatismo. *m.* metacrose.

metacronismo. *m.* metacronismo, anacronismo.

metacrosis. *f.* metacrose.

metafísica. *f.* (filos.) metafísica, (fig.) modo de discutir subtilmente.

metafísico, ca. *adj.* (filos.) metafísico; (fig.) obscuro, difícil de compreender. — *s.* metafísico, o que professa a metafísica.

metafisiquear. *v. intr.* (neol.) metafisicar.; tornar metafísico ou subtil. V. **sutilizar.**

metafonía. *f.* (fon.) metafonia.

metáfora. *f.* (ret.) metáfora; comparação, figura.

metafórico, ca. *adj.* metafórico, relativo a metáfora; em que há metáfora.

metaforizar. *v. tr.* metaforizar, usar de metáforas ou alegorias.

metaforista. *s.* o que emprega metáforas.

metaforización. *f.* metaforização.

metafragma. *m.* (zool.) metafragma.

metáfrasis. *f.* (ret.) metáfrase.

metafrasta. *s.* metafrasta.
metafrástico, ca. *adj.* metafrástico.
metagoge. *f.* (ret.) metagore; prosopopeia.
metagrama. *m.* (gram.) metagrama, metaplasma.
metal. *m.* metal, corpo simples; (fig.) timbre da voz; qualidade ou condição duma coisa; classe, laia; latão: *el vil metal,* (pop.) o dinheiro; *metal de voz,* metal de voz.
metalada. *f.* (Amér.) quantidade de metal explorável numa beta.
metalado, da. *adj.* (fig.) misturado, impuro.
metalario. *m.* metalúrgico, artista que trabalha em metais.
metaldehído. *m.* (quím.) metaldeíde.
metalepsia. *f.* (quím.) metalepsia.
metalepsis. *f.* (ret.) metalepse.
metalescencia. *f.* (hist. nat.) metalescência.
metalescente. *adj.* (hist. nat.) metalescente.
metálica. *f.* V. **metalurgia.**
metálico, ca. *adj.* metálico, de metal; metálico, relativo a metal; feito de metal. — *m.* dinheiro em prata, ouro ou cobre. V. **metalario.**
metalífero, ra. *adj.* metalífero, que contém metal.
metaliforme. *adj.* metaliforme, diz-se dos minerais que têm aspecto metálico.
metalino, na. *adj.* (nat.) metalino, de metal.
metalina. *f.* (quím.) metalina.
metalista. *m.* V. **metalário.**
metalistería. *f.* metalurgia, arte de trabalhar os metais.
metalización. *f.* metalização.
metalizar. *v. tr.* (quím.) metalizar, fazer que um corpo tome propriedades metálicas. — *v. r.* metalizar-se, converter-se em metal; (fig.) metalizar-se, mover-se por amor ao dinheiro.
metalocromía. *f.* metalocromia.
metalofobia. *f.* (pat.) metalofobia.
metalografía. *f.* metalografia.
metalográfico, ca. *adj.* metalográfico.
metaloide. *m.* (quím.) metalóide, corpo simples.
metaloquímica. *f.* (técn. e quím.) metaloquímica.
metaloterapia. *f.* (terap.) metaloterapia.
metalurgia. *f.* (técn.) metalurgia.
metalúrgico, ca. *adj.* e *s.* metalúrgico, relativo a metalurgia; metalúrgico, metalurgista.
metalla. *f.* bocados de folhas de ouro, aplicadas nas falhas dos dourados.
metamería. *f.* (quím.) metameria.
metamórfico, ca. *adj.* (zool.) metamórfico.
metamorfismo. *m.* (geol.) metamorfismo.
metamorfosear. *v. tr.* metamorfosear, transformar. — *v. r.* metamorfosear-se, transformar-se.
metamorfosis. *f.* metamorfose; transformação; (fig.) mudança de formas, de estado.
metano. *m.* (quím.) metano, gás-dos-pântanos; formena.
metaplasmo. *m.* (gram.) metaplasmo, epêntese.

metapsíquica. *m.* metapsíquica.
metástasis. *f.* (med.) metástase.
metatarsiano, na. *adj.* (nat.) metatársico.
metatarso. *m.* (anat.) metatarso.
metate. *m.* (Amér.) pedra para moer cereais; em Espanha, pedra para o fabrico do chocolate.
metátesis. *f.* (ret.) metátese.
metazoo. *m.* (zool.) metazoário.
metedor, ra. *s.* metedor, introdutor; metedor, pessoa que mete; contrabandista, aquele que faz contrabando; pano que se põe por baixo dos cueiros, papagaio.
meteduría. *f.* introdução de contrabando.
metelón, na. *adj.* (Amér.) metediço, intrometido.
metempsicosis, metempsícosis. *f.* (filos.) palingenesia; metempsicose.
meteórico, ca. *adj.* meteórico, relativo aos meteoros.
meteorismo. *m.* (med.) meteorismo.
meteorito. *m.* aerólito.
meteorización. *f.* (agr.) acção de meteorizar-se a terra; (med.) meteorização; meteorismo.
meteorizar. *v. tr.* (med.) meteorizar, causar meteorismo. — *v. r.* (agr.) receber a terra a influência dos meteoros.
metéoro ou **meteoro.** *m.* meteoro, fenómeno atmosférico.
meteorografía. *f.* (fís.) meteorografia.
meteorográfico, ca. *adj.* (fís.) meteorográfico.
meteorógrafo. *m.* (fís.) meteorógrafo.
meteorología. *f.* (fís.) meteorologia.
meteorológico, ca. *adj.* meteorológico.
meteorologista. *s.* meteorologista.
meteorólogo, ga. *s.* meteorologista.
metedura. *f.* **(de pata)** erro, acção desacertada.
meter. *v. tr.* meter, introduzir uma coisa dentro doutra ou nalguma parte, fazer entrar; pôr, internar, fazer entrar, causar, infundir; incluir; submergir; depositar; empregar; contrabandear; provocar enredos ou mexericos; motivar, induzir; enganar; ingerir; embainhar; dobrar o tecido que sobra; (mar.) carregar as velas; admitir; dar o ofício de; encaixar; embocar; infiltrar; (Bras.) embilocar. — *v. r.* meter-se esconder-se; encafuar-se; seguir uma profissão; intrometer-se; aventurar-se; provocar; tornar-se familiar; desembocar (diz-se dos rios); ingerir-se; entregar-se, deixar-se levar; meter-se, lançar-se; dedicar-se; atrever-se: *meter al hijo en el colegio,* meter o filho no colégio; *meter miedo,* meter medo; *meter miedo,* apavorar, atemorizar.
meticulosidad. *f.* meticulosidade, escrúpulo.
meticuloso, sa. *adj.* e *s.* meticuloso, escrupuloso, cauteloso, timorato, minucioso; medroso.
metiche. *m.* intrometido, metediço.
metidillo. *m.* pano que se põe debaixo das fraldas de crianças.
metido, da. *p. p.* e *adj.* metido; abundante em certas coisas; metido, intrometido,

disposto, posto; (Bras.) socado. — *m.* soco no peito; espécie de lixívia; bainha dobra; ataque; choque; investida.

metija. *m.* homem intrometido.

metilamina. *f.* (quím.) metilamina.

metileno. *m.* (quím.) metileno.

metílico, ca. *adj.* (quím.) metílico.

metilo. *m.* (quím.) metilo.

metimiento. *m.* introdução, acção de meter uma coisa noutra; (fam.) ascendente, influência, privança.

metódico, ca. *adj.* metódico, feito com método; ordenado, regular, comedido, pontual.

metodismo. *m.* metodismo, doutrina dos metodistas; (med.) sistema que atribuia todas as doenças do corpo humano à dilatação dos poros.

metodista. *s.* e *adj.* metodista, que faz parte duma seita metodista; que professa o metodismo.

metodístico, ca. *adj.* metodístico.

metodizar. *v. tr.* metodizar, pôr em ordem, tornar metódico; dispor com método.

método. *m.* método, dizer ou fazer com ordem uma coisa; método, maneira de trabalhar ou proceder que cada um tem; método, processo racional para chegar a algum fim; método, ordem, prudência, circunspecção; método, maneira de proceder.

metodología. *f.* metodologia.

metodológico, ca. *adj.* metodológico.

metomentodo. *m.* (fam.) intrometido, metediço.

metonimia. *f.* (ret.) metonímia, tropo fundado na relação de conexão das palavras.

métopa. *f.* (arq.) métope, espaço no friso dórico.

metoposcopia. *f.* metoposcopia, arte de adivinhar pelas feições do rosto.

metraje. *m.* (neol.) metragem.

metralgia. *f.* (pat.) metralgia.

metrálgico, ca. *adj.* metrálgico.

metralla. *f.* metralha, munição com que sé carregam os projécteis; (min.) grande quantidade de pedaços miúdos de ferro fundido que saltam fora dos moldes ao fabricarem-se os lingotes.

metrallar. *v. tr.* metralhar. V. **ametrallar.**

metrallazo. *m.* metralhada, tiro de metralha.

métrica. *f.* métrica, arte de medir versos.

métrico, ca. *adj.* métrico, relativo ao metro; métrico, que diz respeito à metrificação.

metrificación. *f.* metrificação; versificação.

metrificador, ra. *s.* metrificador, versificador.

metrificar. *v. intr.* e *tr.* metrificar; versificar.

metrista. *s.* metrificador, versificador.

metritis. *f.* (med.) metrite.

metro. *m.* metro, medida de verso; metro, unidade de medida de comprimento; apócope de metropolitano.

metrocele. *f.* (cir.) metrocele.

metrografía. *f.* metrografia.

metrógrafo. *m.* metrógrafo.

metrología. *f.* metrologia.

metrológico, ca. *adj.* metrológico.

metrólogo, ga. *s.* metrologista.

metromanía. *f.* metromania; furor uterino.

metromaníaca. *adj.* e *f.* (med.) metromaníaca.

metrómetro. *m.* (mús.) metró(ô)metro, metró(ô)nomo.

metronómico, ca. *adj.* (mús.) metronó(ô)mico.

metrónomo. *m.* (mús.) metró(ô)nomo, metró(ô)metro.

metrópoli. *f.* metrópole, cidade principal de provincia ou estado; metrópole, igreja arquiepiscopal; metrópole, nação em relação às suas colónias.

metropolita. *m.* metropolita, prelado metropolitano.

metropolitano, na. *adj.* metropolitano, relativo à metrópole; metropolitano, arquiepiscopal. — *m.* metropolitano, o arcebispo em relação aos seus sufragâneos; metropolitano, caminho de ferro subterrâneo.

metrorragia. *f.* (med.) metrorragia.

metrorrea. *f.* (med.) metrorre(é)ia.

metrotomía. *f.* (cir.) metrotomia.

mexicano, na. *adj.* e *s.* (geog.) mexicano. V. **mejicano.**

mezcla. *f.* mistura; mistura, mexerufada; incorporação; amalgamação; mescla; mescla; mexedura; fusão; aliagem; embaralhação; mistura, união de substâncias diferentes que conservam as suas propriedades específicas; conjunto; envolta; mescla, tecido de diferentes fios; choldra; (fig.) amalgama; (fig.) amassilho; alambique; (pop.) choldraboldra; coadunação; anguzada; mescla, agrupamento de coisas ou pessoas diferentes; mescla, mistura de tintas variegadas; (fig.) fricassé: *en mezcla*, de envolta.

mezclable. *adj.* misturável, que se pode misturar.

mezclado, da. *p. p.* e *adj.* mesclado, amalgamado; encambulhado; variegado, misturado; coadunado; envolto; entremeado; entremetido; (Bras.) ababelado. — *m.* antigo tecido feito de mesclas.

mezclador, ra. *s.* pessoa que mistura uma coisa com outra.

mezcladura. *f.* mesclamento. — *m.* mexedura, mistura, mescla. V. **mezcla.**

mezclar. *v. tr.* misturar, mesclar, ligar; entressalhar; envolver; entressemear; fusionar; amassar; aliar; amalgamar; aunar; mesclar; misturar, mexer; entremear; embaralhar; entremisturar; (fig.) embarbascar; (prov.) assalganhar; (Bras.) entreverar (diz-se dos militares de diferentes partidos unidos para a guerra); coadunar; misturar, confundir, baralhar: *mezclar el vino*, adubar o vinho; *mezclar con vino*, avinhar; *mezclar los tipos de una composición*, (impr.) empastelar; *mezclar café de varias clases*, lotar; *mezclar el vino con agua*, destemperar o vinho com água, entrar; (fig.) encarnar. — *v. r.* meter-se, amassar-se: *mezclarse en* *algún asunto,* meter-se alguém na dança; *mezclarse tumultuosamente,* barulhar-se.

mezclilla. *f.* mescla, tecido de mescla pouco encorpado.

mezcolanza. *f.* (fam.) miscelânea, mistura extravagante e confusa, michordia; desordem; choldra.

mezquindad. *f.* mesquinharia, qualidade de mesquinho; acanhamento; futre; mesquinharia, insignificância, coisa mesquinha; mesquinharia, economia, exiguidade, mesquinhez, mesquindade; amesquinhamento, apoucamento, avareza, cicateria; enfezamento.

mezquino, na. *adj.* mesquinho, apoucado; acanhado; chué; pobre, falto do necessário; mesquinho, avarento; miserável; mesquinho, pequeno, diminuto; mesquinho, desditoso, infeliz; mesquinho, econó(ô)mico, apertado, exíguo; mesquinho, amealhador; famaco; falto; amesquinhado; estreito; forreta; mesquinho, avarento, avaro; (fig.) estítico; (fig.) setemesinho: *comida mezquina,* mesa estreita. *m.* servo da gleba na Idade Média (de raça espanhola).

mezquita. *f.* mesquita, templo dos maometanos; (germ.) taberna.

mi. *m.* (mús.) mi, terceira nota da escala musical.

mi. *pron. pers.* na forma de genitivo, dativo e acusativo; (usa-se sempre com preposição): *por mí,* por minha contemplação.

mi, mis. *pron.* apócope de *mío, mía, míos, mías;* meu, minha, meus, minhas: *esta casa es mía,* esta casa é minha; *mi casa,* minha casa; *los míos,* os meus.

miador, ra. *adj.* V. **maullador.**

mialgia. *f.* (med.) mialgia, dor nos músculos.

mialmas. (como unas) expressão familiar; com muita satisfação; com muito agrado.

miar. *v. intr.* miar. V. **maullar.**

miasma. *m.* (med.) miasma, emanação de mau cheiro (usa-se no plural); miasmas, pestilência.

miasmático, ca. *adj.* miasmático, que contém miasmas, que produz miasmas; pestilento.

miau. *m.* (fam.) miau, voz do gato.

mica. *m.* (min.) mica, mineral composto de lâminas finas com brilho metálico.

mica. *f.* (zool.) fêmea do macaco ou mico; (fig. Amér.) mulher que procura agradar, coquete.

micáceo, a. *adj.* micáceo, que contém mica, da natureza da mica; micáceo, que tem semelhança com a mica.

micacita. *f.* (geol.) micaxisto, rocha composta de mica e quartzo.

micado. *m.* Micado, título do Soberano do Japão.

micción. *f.* micção, acção do urinar; (pop.) mija, mijadura.

micénico, ca. *adj.* micénico, relativo a Micenas, antiga cidade do Peloponeso.

micetología. *f.* (bot.) micetologia.

micetológico, ca. *adj.* micetológico, micológico.

micetólogo, ga. *s.* micólogo, micologista.

mico. *m.* (zool.) mico, macaco; de cauda comprida; (fig. e fam.) homem luxurioso; homem de aspecto grotesco: *hacer el mico,* não pagar o que se deve; faltar a um compromisso; faltar a uma cita.

micología. *f.* micetologia, micologia.

micológico, ca. *adj.* relativo a micologia, micológico.

micologista. *s.* micólogo, micologista.

micólogo, ga. *s.* micólogo, micologista.

micosis. *f.* (med.) diabete.

micra. *f.* micro, mícron, milésima parte do milímetro.

microbiano, na. *adj.* microbiano, microbial.

microbicida. *adj.* e *s.* microbicida.

micróbico, ca. *adj.* microbiano, microbial, pertencente ou relativo aos micróbios.

microbio. *m.* micróbio, ser vivo microscópico; micróbio, microorganismo; bactéria; bacilo.

microbiología. *f.* microbiologia.

microbiológico, ca. *adj.* microbiológico.

microbiosis. *f.* (pat.) microbiose.

microbiótico, ca. *adj.* microbiótico.

microbismo. *m.* (pat.) microbismo.

microcefalia. *f.* microcefalia; idiotismo.

microcéfalo, la. *adj.* e *s.* microcéfalo; idiota.

microcele. *m.* (pat.) microcele.

micrócero. *m.* (zool.) micrócero.

microcinematografía. *f.* (fís.) microcinematografia.

microcinematógrafo. *m.* (fís.) microcinematógrafo

microcitemia. *f.* (pat.) microcitose.

microcitosis. *f.* (pat.) microcitose.

microco. *m.* micróbio de forma esférica.

microcósmico, ca. *adj.* microcósmico.

microcosmo. *m.* (zool.) e (filos.) microcosmo.

microcosmología. *f.* microcosmologia.

microcronómetro. *m.* (fís.) microcronó(ô)metro.

microdáctilo, la. *m.* microdá(c)tilo.

microdonte. *adj.* microdonte.

microfaradio. *m.* (ris.) microfarádio.

microfilm. *m.* (fot.) microfilme.

microfilmar. *v. tr.* (fot.) microfilmar.

micrófilo, la. *adj.* (bot. e zool.) microfilo.

micrófito. *m.* (bot. e biol.) micrófito; bactéria.

micrófono. *m.* (fís.) microfone.

microfonía. *f.* (electr. e pat.) microfonia.

microfónico, ca. *adj.* (electr. e pat.) microfónico.

microfonógrafo. *m.* (fís.) microfonógrafo.

microfotografía. *f.* (fís.) microfotografia.

microgloso. *adj* e *m.* (zool.) microglosso.

micrognato, ta. *adj.* micrógnato.

micrografía. *f.* micrografia.

micrográfico, ca. *adj.* micrográfico.

micrógrafo, fa. *s.* micrógrafo.

microlitro. *m.* (fís.) microlitro.

micrología. *f.* micrologia.

micrológico, ca. *adj.* micrológico.

micrólogo, ga. *s.* micrólogo.

micromelia. *f.* (anat. e med.) micromelia.

micromeria. *f.* (bot.) micromeria.

micrómero. *m.* (anat.) micro(ô)mero.

micromerol. *m.* (quim.) micromerol.

micrometría. *f.* micrometria

micrométrico, ca. *adj.* micrométrico.

micrómetro. *m.* (fís.) micrómetro.

micromilímetro. *m.* micromilímetro.

micrón. *m.* (fís.) micron, micro.

microorganismo. *m.* microorganismo, micróbio.

micropelícula. *m.* microfilme.

micropétalo, la. *adj.* (bot.) micropétalo.

micrópilo. *m.* (bot. e zool.) micrópila.

micropsia. *f.* (med.) micropsia.

micropsiquia. *f.* (med.) micropsia; pusilanimidade.

microscopia. *f.* microscopia.

microscópico, ca. *adj.* microscópico; pequeníssimo.

microscopio. *m.* (fís.) microscópio.

microscopista. *s.* microscopista.

micróspora. *f.* (bot.) micrósporo.

micrósporo. *m.* (bot. e bacteriol.) micrósporo.

microstomía. *f.* microstomia.

micróstomo, ma. *adj.* e *m.* (zool.) micróstomo.

microtomía. *f.* microtomia.

micrótomo. *m.* micrótomo.

microzoario. *m.* (zool.) microzoário; protozoário.

micterismo. *m.* micterismo.

micha. *f.* (fam.) (zool.) gata. V. **gata.**

micho. *m.* (zool.) gato. V. **gato.**

mida. *m.* V. **brugo.** — *f.* (prov.) V. **medida.**

midríasis. *f.* (pat.) midriase.

mieditis. *f.* (fam.) me(ê)do. V. **miedo.**

miedo. *m.* medo, terror, receio, temor, susto, pavor, acobardamento, cobardia, apavoramento: *miedo cerval,* medo extraordinário; *meter miedo,* apavorar, atemorizar; *contar cosas de miedo,* dizer medos; *miedo en exámenes,* etc., (fig.) cólicas; *inspirar miedo,* arrepiar; *no sentir miedo,* destemer; *perder el miedo,* desassustar-se; *quitar el miedo,* desapavorar; *tener miedo,* ter medo.

miedoso, sa. *adj.* e *s.* (fam.) medroso, pusilânime, medricas, medonho, cobarde; (Bras.) foba, frouxo.

miel. *f.* mel; (fig.) doçura, suavidade: *miel sobre hojuelas,* oiro sobre azul; *quien se hace de miel, las abispas se lo comen,* quem ovelha se faz, o lobo o come; *más se consigue con miel que con hiel,* mais pode Deus que o diabo.

mielga. *f.* (zool.) melga, peixe seláceo; (bot.) alfafa, luzerna.

mielga. *f.* (agr.) V. **amelga** e **bielgo.**

mielgo, ga. *adj.* gémeo. V. **mellizo.**

mielina. *f.* (quim.) mielina.

mielitis. *f.* (pat.) mielite, medulite.

miembro. *m.* membro, qualquer das extremidades do homem; membro, orgão da geração; membro viril; membro, parte dum todo unida a ele; membro, parte duma coisa separada dela; membro, indivíduo que faz parte duma comunidade; (arq.) membro, parte principal dum edi-

fício; (mat.) membro; (gram.) membro dum período, frase, etc.

niente. *f.* (p. us.) pensamento, mente: *parar mientes,* reflexionar, considerar com cuidado; *traer a las mientes,* recordar, lembrar; *venir a las mientes,* lembrar.

mientra. *adv.* V. **mientras.**

mientras. *adv.* enquanto, entretanto, durante: *mientras que,* entanto que; *mientras tanto,* entretanto; neste entremeio, assim mesmo.

miércoles. *m.* quarta-feira, quarto dia da semana: *Miércoles de Ceniza,* quarta-feira de Cinza.

mierda. *f.* merda, excremento, excreção, fezes, imundícias, deje(c)to; (vulg.) merdice, merdalha; (fig. e fam.) gordura ou porcaria que se pega à roupa ou a alguma outra coisa; sujidade.

mies. *f.* planta madura de cuja semente se faz pão; messe, tempo da ceifa e da colheita dos cereais; (fig.) multidão de gente convertida à religião cristã ou prestes a converter-se.

miga. *f.* migalha, porção pequena de qualquer coisa; miolo do pão; miolo, medula, substância principal das coisas; papas de leite e farinha. — *pl.* migas de alho, sopas de pão, azeite e água: *no hacer buenas migas con alguien,* (fam.) não fazer farinha com alguém; *hacer migas,* migar; *hacer buenas migas,* (fam.) fazer farinha com alguém.

migaja. *f.* migalha; pequeno fragmento de pão; miolo de pão; mica, fragmento; (fig.) migalha, nada ou quase nada. — *pl.* migalhas; desperdícios, sobejos, restos.

migajada. *f.* migalha, porção pequena. V. **migaja.**

migajón. *m.* miolo, pão sem côdea; (fig. e fam.) medula, substância, o que há de essencial numa coisa.

migajuela. *f.* migalhinha.

migar. *v. tr.* migar, partir em migalhas, esparelar.

migración. *f.* migração; migração, passagem dum país para outro; migração, viagem periódica de certas aves; êxodo.

migraña. *f.* enxaqueca. V. **jaqueca.**

migrar. *v. intr.* migrar. V. **emigrar.**

migratorio, ria. *adj.* migratório.

miguelear. *v. tr.* (Amér.) cortejar, namorar.

migueleño, ña. *adj.* (Amér.) descomedido, descortês.

miguero, ra. *adj.* relativo a migalhas: *lucero miguero,* estrela da alva.

mihrab. *m.* nicho que nas mesquitas assinala o lugar por onde olham os que oram.

miiasis. *f.* (pat.) miíase.

miiocéfalo. *m.* (pat.) miiocéfalo.

miiodopsia. *f.* (pat.) miiodopsia, moscas volantes.

miiología. *f.* miiologia.

miitis. *f.* (pat.) miite.

mijo. *m.* espécie de milho originário da Índia; milhaca, milho.

mil. *adj.* mil, dez vezes cem; (fig.) mil, grande número, mas indeterminado. — *pl.*

milhares; (fig. e fam.) *vendrá a las mil y quinientas*, diz-se da hora demasiadamente tarde; *mil veces*, mil vezes.

milagrear. *v. intr.* fazer milagres.

milagrería. *f.* narração de factos maravilhosos que o vulgo costuma tomar como milagres.

milagrero, ra. *adj.* e *s.* milagreiro, que crê fàcilmente em milagres; milagreiro, pessoa que finge milagres.

milagro. *m.* milagre ,acto divino; milagre, sucesso raro; coisa muito extraordinária: *vivir de milagro*, manter-se com muita dificuldade; *escapar de milagro*, escapar por milagre; *hacer milagros*, (fam.) dançar na corda bamba.

milagrón. *m.* (fam.) espanto, admiração.

milagroso, sa. *adj.* milagroso, que faz milagres; maravilhoso, estupendo, assombroso; extraordinário; admirável, pasmoso.

Milán. (geog.) Milão.

milanés, sa. *adj.* e *s.* (geog.) milanês. — *m.* (germ.) pistolete.

milano. *m.* (zol.) milhano, milhafre; (ictiol.) peixe-voador.

milano. *m.* V. **vilano.**

mildeu. *m.* (agr.) míldio, doença das videiras.

milenario, ria. *adj.* milénário, relativo ao número mil; milenar; milenário, que tem mil anos. — *m.* milénio, espaço de mil anos.

milenarismo. *m.* milenarismo.

milenio. *m.* milé(ê)nio, espaço de mil anos; milenário.

milenta. *m.* V. **millar.**

miléporo. *m.* milépora.

milésima. *f.* milésima, cada uma das partes dum todo dividido em mil partes.

milésimo, ma. *adj.* milésimo, diz-se de cada uma das mil partes em que se divide um todo.

milhombres. *m.* (fam.) (Amér.) alcunha aplicada ao homem pequeno e buliçoso e que nada serve.

mili. prefixo designativo de milésima parte no sistema métrico, mili.

miliamperímetro. *m.* (elect.) galvanómetro graduado em miliamperes.

miliamperio. *m.* (electr.) miliampere.

miliar. *adj.* miliar, que tem o tamanho e forma dum grão de milho; (med.) miliar, espécie de erupção cutânea: *fiebre miliar*, febre miliar, erupção miliar.

miliar. *adj.* miliário, diz-se das pedras, colunas, ou marcos que antigamente se colocavam nas estradas para indicar a distância de mil passos: *piedra miliar*, pedra miliária.

miliárea. *f.* miliare.

miliario, ria. *adj.* miliário, miliar, pertencente ou relativo à milha; miliar, relativo ao marco miliar: *piedra miliaria*, pedra miliária.

milicia. *f.* milícia, arte de fazer a guerra e de disciplinar os soldados para ela; milícia, serviço ou profissão militar; funções militares; exercício da guerra; milícia, força militar dum país; milícia,

nome que se dá aos coros dos anjos. — *pl.* milícia, tropas de segunda linha que auxiliavam os de primeira em caso de guerra: *milicia celeste*, milícia celeste.

miliciano, na. *adj.* e *m.* militar, mílite; miliciano, pertencente a milícia. — *m.* soldado de milícias.

milico. *m.* (depre. Amér.) soldado, militar

miligramo. *m.* miligrama.

mililitro. *m.* mililitro, milésima parte do litro.

militante. *p. a.* de *militar*, *adj.* militante, que milita; que luta, que combate: *la Iglesia militante*, a Igreja militante.

militar. *v. intr.* militar, seguir a carreira das armas; (fig.) militar, entrar filiado num partido, militar, combater.

militar. *adj.* e *m.* militar, pertencente ou relativo a milícia; militar, pertencente às tropas; militar, soldado, oficial, homem de armas.— *m.* militar, indivíduo que segue a carreira das armas: *los militares*, (como corporação), militança; *vida* ou *carrera militar*, militança; *vida militar*, (fig.) farda.

militara. *f.* (fam.) esposa, viúva ou filha de militar.

militarismo. *m.* militarismo, predomínio do elemento militar no governo dum Estado, estratocracia.

militarista. *adj.* e *s.* militarista, pertencente ou relativo aos militares; militarista, partidário do militarismo.

militarización. *f.* acção e efeito de militares.

militarizar. *v. tr.* militarizar, dar organização militar.

milite. *m.* (poét.) milite, soldado.

militermia. *f.* (fís.) militermia.

milmillonésimo, ma. *adj.* e *s.* bilionésimo.

milodonte. *m.* (geol.) milodonte.

milonga. *f.* toada popular, simples e monótona.

milonguero. *m.* (Amér.) cantador de milongas.

milor. *m.* milorde, magnata ou magnate inglês. — *pl.* milores.

milpa. *f.* (Amér.) terreno semeado de milho.

milpear. *v. tr.* (Amér.) cultivar a terra.

milpiés. *m.* (zool.) centopeia; cochinilha.

milres. *m.* mil-réis, antiga moeda portuguesa e brasileira.

milla. *f.* milha, medida equivalente a 1.852 metros, milha, medida para as vias romanas; milha marítima, equivalente a 852 metros.

millar. *m.* milhar, mil unidades, milheiro; número grande, indeterminado; cifrão, que designa o número de mil; espaço de terreno onde podem pastar mil ovelhas; *millar en blanco*, cifrão cortado.

millarada. *f.* milhares; número infinito, milhões: *a millaradas*, aos milhares; *echar millaradas*, jactar-se de ser rico.

millón. *m.* milhão, mil milhares; (fig.) número muito grande e indeterminado. — *pl.* tributo antigo concedido ao rei sobre o consumo do vinho, vinagre, carne, sabão, e velas de sebo.

millonada. *f.* quantidade aproximada dum milhão.

millonario, ria. *adj.* e *s.* milionário que tem muitos milhões, muito rico.

millonésimo, ma. *adj.* e *s.* milionésimo.

mimado, da. *p. p.* e *adj.* amimado, acariciado, afagado; dengoso; desperdiçado; delicado; ameigado, mimalho; (irón.) convidado: *criatura mimada,* benjamim.

mimador, ra. *adj.* amimador, que afaga, que acarícia; mimado.

mimar. *v. tr.* amimar, mimar, afagar, acariciar, apanicar, acarinhar; mimosear, ameigar; (irón.) convidar, fazer muito mimo; fazer boca doce; tratar com mimo excessivo.

mimbral. *m.* (bot.) vimeiro, vimieiro. V. **mimbreral.**

mimbrar. *v. tr.* humilhar, vexar, oprimir.

mimbre. *s.* (bot.) vimeiro; vime. V. **mimbrera.**

mimbrear. *v. intr.* mover-se com agilidade, agitar-se como o vime.

mimbreño, ña. *adj.* vimíneo, viminoso, vimoso, da natureza do vime.

mimbrera. *f.* (bot.) vimeiro, vime; nome de várias espécies de salgueiro.

mimbreral. *m.* (bot.) vimieiro, lugar plantado de vimes, vimeiro.

mimbrón. *m.* (bot.) vime, arbusto.

mimbroso. *adj.* vimíneo, viminoso, pertencente ao vime ou feito de vimes, vimoso; abundante em vimeiro.

mimeógrafo. *m.* mimeógrafo.

mimesis. *f.* (ret.) mimese, imitação; (med.) mimese.

mimetismo. *m.* mimetismo; (fig.) disfarce.

mimetisa. *f.* (min.) mimetite.

mimetita. *f.* (min.) mimetite.

mímica. *f.* mímica, pantomima; gesticulação; arreme(ê)do.

mímico, ca. *adj.* mímico, relativo à mímica; expresso por gestos.

mimo. *m.* mimo; carinho, ternura; delicadeza; blandície, derretedura, derrengo, mimalhice, meiguice; afago; primor; coisa encantadora; (fig.) sensibilidade; alféloa; cuidado extremo das coisas; mimo, farsa burlesca, quase sempre obscena; mimo, actor, mímico; (bot. prov.) fúcsia.

mimodrama. *f.* mimodrama, pantomina dramática.

mimógrafo. *m.* mimógrafo, autor de mimos ou farsas.

mimología. *f.* mimologia.

mimologismo. *m.* mimologismo; onomatopeia.

mimólogo. *m.* mimólogo.

mimosa. *f.* (bot.) mimosa, sensitiva, género de plantas leguminosas.

mimosáceas. *f. pl.* (bot.) mimosáceas.

mimosear. *v. intr.* (Amér.) mimosear, tratar com mimo, presentear; obsequiar.

mimóseas. *f. pl.* (bot.) mimóseas.

mimoso, sa. *adj.* mimoso, delicado, amimado; melindroso, cheio de mimos; melífluo, meloso; mimilho; sensível; débil; meigo.

mina. *f.* mina; mina, nascente de água; (fig.) mina, sinecura, ofício rendoso e de pouco trabalho; mina, manancial de utilidades de que se pode tirar proveito; antiga moeda grega; mina, caminho artificial subterrâneo; (fig.) mina, coisa que dá muito proveito com pouco trabalho; (fam.) mina; grande quantidade de dinheiro; (fort.) mina; galeria subterrânea; (fig.) mina, fonte de informações.

minador, ra. *adj.* mineiro, que mina. — *m.* engenheiro ou artífice que abre minas, mineiro; (mil.) sapador, soldado que trabalha nas minas.

minal. *adj.* pertencente à mina.

minar. *v. tr.* minar, abrir caminhos ou galerias subterrâneas, escavar; furar; cavar lentamente; (fig.) minar, consumir, destruir pouco a pouco, corroer; aluir; abalar; amofinar; solapar; minar, esquadrinhar, investigar; (mil.) fazer minas; fazer grandes diligências para conseguir alguma coisa, minar: *minar la moral,* minar a moral.

minarete. *m.* (gal.) minarete, almenara, almádena.

mindango, ga. *adj.* hipócrita, velhaco.

mineraje. *m.* mineração, exploração e beneficiação das minas.

mineral. *m.* e *adj.* mineral, pertencente ou relativo aos minerais; mineral, minério; mineral, qualquer substância inorgânica que se encontra no interior ou na superfície da terra; (fig.) mineral, origem e princípio das fontes; mineral, parte útil duma exploração mineira: *extraer mineral,* minerar; *aguas minerales,* águas minerais.

mineralización. *f.* mineralização.

mineralizador, ra. *adj.* e *s.* aplica-se a toda substância que combinando-se com outra toma propriedades de mineral.

mineralizar. *v. tr.* mineralizar, transformar um metal em mineral. — *v. r.* carregarem-se as águas de substâncias minerais; (quím.) mineralizar.

mineralogía. *f.* mineralogia, metalologia.

mineralógico, ca. *adj.* mineralógico.

mineralogista. *s.* mineralogista.

mineralogo, ga. *s.* mineralogista.

mineralurgia. *f.* mineralurgia.

mineralúrgico, ca. *adj.* mineralúrgico.

minería. *f.* mineração, arte de minerar; corpo de mineiros que trabalham numa mina; mineração, conjunto de minas e de explorações mineiras dum país; corpo de engenheiros de minas.

minero, ra. *adj.* e *m.* mineiro, pertencente à mineração; mineiro, minador, aquele que trabalha nas minas; proprietário de minas; (fig.) origem, princípio, ou nascimento duma coisa.

minerografía. *f.* minerografia.

minerográfico, ca. *adj.* minerográfico.

minerógrafo. *m.* minerógrafo.

mineromedicinal. *adj.* minero-medicinal, diz-se da água mineral que se usa para combater alguma doença, ou enfermidade.

minerva. *f.* intelecto, mente, inteligência; aptidão natural; (rel.) procissão do S. S. Sacramento; (impr.) copiógrafo.

minervales. *f. pl.* (hist.) minervas, festas em louvor a Minerva.

minervista. *s.* minervista, pessoa que trabalha com uma máquina minerva.

minga. *f.* (Amér.) V. mingaco; trabalho extraordinário feito em dias de festa.

mingaco. *m.* (Amér.) reunião de amigos para trabalhar em favor doutro, sem remuneração, só uma jantarada no final.

mingitorio. *m.* mictório, urinol em forma de coluna.

mingón, na. *adj.* (Amér.) diz-se da criança muito amimada.

miniar. *v. tr.* (pint.) miniaturar, pintar em miniatura; descrever minuciosamente, por miúdo.

miniatura. *f.* miniatura, pintura de pequenas dimensões; qualquer objecto de arte em pequenas proporções, muito pequenos; qualquer coisa em ponto pequeno; (fig.) miniatura, pintura, estampa, lindeza.

miniaturista. *s.* miniaturista, pessoa que pinta em miniatura; que desenha em miniaturas.

minifundio. *m.* propriedade rústica muito pequena, herdade muito reduzida.

mínima. *f.* mínima, coisa mínima; (mús.) mínima, nota musical que vale metade da semibreve.

mínimo, ma. *adj.* superl. de *pequeño;* mínimo, mais pequeno, ínfimo, menor. — *m.* religioso de S. Francisco de Paulo; mínimo limite inferior: *cantidad mínima,* pada; *reducir al mínimo,* reduzir ao mínimo.

mínimum. *m.* mínimo, límite ou extremo.

minina. *f.* (fam.) (zool.) fêmea do gato, gata.

minino. *m.* (fam.) (zool.) gato, mamífero carnívoro.

minio. *m.* (min. e quim.) mínio, óxido salino de chumbo, zarcão.

ministerial. *adj.* ministerial, relativo ao ministério ou ao governo.

ministerialismo. *m.* ministerialismo.

ministerio. *m.* ministério; o Gove(ê)rno; departamento ministerial, ministério, cargo de ministro; ministério, conjunto dos ministros; ministério, secretaria do Estado; ministério, cargo que se exerce, mester; ministrado.

ministra. *f.* ministra, mulher que ajuda ou auxilia, medianeira; ministra, mulher do ministro; prelada das freiras Trinitárias.

ministrador, ra. *s.* e *adj.* ministrador, que ministra, ministrante.

ministral. *adj.* V. maestral.

ministrante. *p. a.* e *s.* ministrante, ministrador, que ministra; enfermeiro dum hospital.

ministrar. *v. tr.* ministrar, servir um ofício, emprego ou ministério. — *v. intr.* ministrar, subministrar alguém uma coisa, dar, fornecer, prestar.

ministril. *m.* músico de Igreja; (for.) ofi-

cial de diligências; alcaide; ministro de pouca autoridade; (mús.) espécie de clarinete e músico que o toca.

ministro. *m.* ministro, membro dum ministério; juiz que se emprega na administração da justiça; ministro, enviado, comissionado; agente; ministro, representante, diplomático; ministro de estado.

mino. *m.* onomatopeia empregada para chamar o gato.

minoración. *f.* minoração, diminuição.

minorar. *v. tr.* minorar, diminuir, tornar menor; empequenecer; mermar; atenuar.

minorativo, va. *adj.* minorativo, que minora; (med.) laxante, laxativo, minorativo.

minoria. *f.* minoria, inferioridade em número; minoria, a parte menos numerosa duma corporação deliberativa; menoridade: *minoría de edad,* menoridade.

minoridad. *f.* menoridade, estado duma pessoa menor; minoria.

minorista. *m.* menorista, clérigo de ordens menores.

minorita. *m.* menorita, religioso franciscano.

minotauro. *m.* (mit.) minotauro.

minucia. *f.* minúcia, coisa muito miúda e de pouco valor, ninharia, miuçalha; minudência, bagatela. — *pl.* dízimo que se pagava sobre os frutos de pouca importância.

minuciosidad. *f.* minuciosidade; escrúpulo excessivo; minúcia; pormenor.

minucioso, sa. *adj.* minucioso, que se ocupa com minúcias; descrito por miúdo; pormenorizado; circunstanciado.

minué. *m.* (mús.) minuete.

minuendo. *m.* (mar.) diminuendo.

minuete. *m.* (mús.) minuete.

minúscula. *f.* minúscula, letra pequena ou minúscula.

minúsculo, la. *adj.* minúsculo, pequeno, insignificante, miúdo; diz-se das letras pequenas.

minuta. *f.* minuta, apontamento, rascunho; conta de honorários de advogados; lista, catálogo; borrão.

minutar. *v. tr.* minutar, fazer a minuta, rascunhar.

minutario. *m.* caderno em que o notário faz os rascunhos ou minutas das escrituras.

minutero. *m.* ponteiro de relógio que marca os minutos.

minuto, ta. *adj.* minuto, miúdo, muito pequeno, diminuto. — *m.* minuto; curto espaço de tempo; instante; (mar.) minuto, milha: *en un minuto,* num minuto, num instante.

miñarse. *v. r.* (germ.) ir-se, marchar-se.

miñón. *m.* escória de ferro; filão de ferro na Biscaia.

miñona. *f.* (impr.) tipo de letra de sete pontos.

mio, mía, míos, mías. *pron. pos.* meu, minha, meus, minhas.

mio. *m.* voz com que se chama o gato.

miocardio. *m.* (anat.) miocárdio.

miocarditis. *f.* (pat.) miocardite.

mioceno, na. *adj.* (geol.) mioceno. — *m.* terreno mioceno.

miodinia. *f.* (med.) miodinia.

miografía. *f.* miografía.

miolema. *m.* (anat.) cada um dos tubos transparentes que contêm fibras musculares.

miología. *f.* (anat.) miologia.

mioma. *m.* (med.) tumor muscular.

miope. *adj.* e *s.* míope, que tem miopia; (fig.) pessoa pouco perspicaz.

miopía. *f.* miopia, visão curta; (fig.) falta de inteligência.

mioplasma. *m.* (histol.) mioplasma.

mioplastia. *f.* (cir.) mioplastia.

miopótamo. *m.* (zool.) miopótamo.

miopsis. *f.* (pat.) miose.

miosina. *f.* (quím.) miosina.

miosis. *f.* (med.) miose.

miosota. *f.* (bot.) miosota, miosótis.

miótico, ca. *adj.* (med.) miótico.

miotomía. *f.* (vet.) miotomia.

miquis. (con) *loc. fam.* comigo.

mira. *f.* mira, apêndice metálico dalgumas armas; para fazer a pontaria; ângulo na parte superior da adarga; (fig.) mira, intuito, alvo, intenção, interesse, objecto que se quer atingir; mira, advertência, fim; intuito; desejo: *estar a la mira*, estar à mira; *¡mira!*, olha!; *punto de mira*, ponto de mira; *de altas miras*, ambicioso.

mirada. *f.* mirada, acto de mirar; olhadela, olhadura, lance de olhos; modo de olhar; *mirada de carnero a medio morir*, desgarre; *mirado de soslayo*, desgarre; *mirada tierna*, mirada lânguida.

miradero. *m.* pessoa ou coisa que é alvo da atenção pública; miradouro, miradoiro; ponto elevado donde se descobre largo horizonte; mirante; atalaia.

mirado, da. *p. p.* e *adj.* mirado; cauteloso, circunspecto, prudente, mesurado, metódico; frugal, cordato; olhado: *bien o mal mirado*, bem ou mal olhado.

mirador, ra. *adj.* e *s.* que olha, olhador. — *m.* galeria, pavilhão, atalaia; varanda envidraçada; balcão; mirante, terraço; (mar.) barco para o serviço das almadravas.

miradura. *f.* V. **mirada**.

miraguano. *m.* (bot.) sumaúma, variedade de palmeira; sumaúma, algodão próprio para encher almofadas.

miraje. *m.* (gal.) V. **espejismo**.

miramiento. *m.* miramento, acto de olhar, atender ou considerar alguma coisa; consideração; acatamento; circunspecção e respeito que se deve observar na execução duma coisa; atenção; (fig.) atenção, considerações, demonstrações de respeito ou estima: *no tener miramientos con la familia*, (fam.) cortar pela carne e pelo sangue; *no tener miramientos con alguien*, não ter considerações com alguém; *sin miramientos*, sem consideração.

miranda. *f.* miradouro, miradoiro, mirante.

mirar. *v. tr.* mirar, fixar a vista; olhar com atenção; encarar; observar; espreitar; espiar, vigiar; olhar, ter em vista; res-

peitar, tratar com consideração; apreciar, atender; cuidar, amparar; olhar, corresponder, estar fronteiro; (fig.) olhar, considerar, examinar, reflectir; inquirir; considerar; divisar; aspirar, apetecer; ter em vista; dirigir a pontaria para; avistar; aspirar a; olhar, estar voltado para certo lado. — *v. r.* contemplar-se; (fam.) proceder com prudência; rever-se, comprazer-se: *mirar de alto a bajo a alguien*, medir alguém de alto a baixo; *mirar atentamente*, aplicar a vista; *mirar con fijeza*, desolhar-se, arrasar a vista; *mirar con ojos de cordero a medio morir*, olhar com olhos amorosos; *mirar penetrantemente*, olhar dardejante; *mirar severamente*, encarniçar os olhos; *mirar de frente*, encarar; *mirarse mutuamente*, encarar-se, entreolhar-se; *mirar a lo lejos*, mirar o horizonte.

miríada. *f.* miríada, grande quantidade indeterminada.

miriagramo. *m.* miriagrama.

mirialitro. *m.* (aritm.) mirialitro.

miriámetro. *m.* (arit.) miriâmetro.

miriápodo. *adj.* e *m.* (zool.) miriápode.

mírica. *f.* (bot.) género de plantas miricáceas; mirto.

mirífico, ca. *adj.* (poét.) mirífico, admirável, maravilhoso.

mirilla. *f.* vigia, abertura da porta que dá para a escada ou portal; janelinha, pequena janela da porta exterior.

miriñaque. *m.* merinaque, saia entufada por arcos ou varas flexíveis, saia de balão.

miriñaque. *m.* bagatela, coisa de pouco valor.

miriópodo. *adj.* e *m.* (zool.) miriápode.

mirlamiento. *m.* afectação, ar de importância, orgulho.

mirlarse. *v. tr.* (fam.) entonar-se, mostrar-se altivo, afectar gravidade e ar de importância.

mirlo. *m.* (zool.) melro; (fig. e fam.) gravidade e afectação do rosto: *mirlo blanco*, diz-se duma coisa extraordinária e rara.

mirón, na. *adj.* e *s.* que olha muito, curioso, mirone, mirão, que assiste a um jogo sem tomar parte nele; observador curioso.

mirra. *f.* (bot.) mirra, goma resinosa olorífera.

mirrado, da. *adj.* composto ou mistura com mirra.

mirrauste. *m.* mirrastes, pastel, molho.

mirrino, na. *adj.* feito de mirra ou semelhante a ela.

mirtáceo, a. *adj.* (bot.) mirtáceos, diz-se das plantas dicotiledóneas, que têm por tipo a murta.

mirtídano. *m.* rebento que nasce no pé da murta; renovo do mirto.

mirtino, na. *adj.* mirteo, feito de murta, semelhante à murta.

mirto. *m.* (bot.) mirto, murta: *mirto de Brabante o bastardo*, variedade de arbusto mirtáceo.

mirza. *m.* mirzá, mirzada, título honorífico entre os Persas.

misa. *f.* missa, sacrifício incruento de Jesus Cristo, celebrado no altar pelo sacerdote.

misacantano. *m.* missa-cantante, clérigo que canta missa pela primeira vez; missado, aquele que tem ordens de presbítero.

misal. *m.* e *adj.* missal, diz-se do livro que contém o modo de celebrar a missa; devocionário; (impr.) tipo de letra de 22 pontos.

misantropía. *f.* misantropia, qualidade de misantropo; antropofobia, apantropia; biofobia; (fig.) androfobia.

misantrópico, ca. *adj.* misantrópico, apantrópico; misantrópico, pertencente ou relativo à misantropia.

misántropo. *m.* misantropo. aquele que tem aversão à sociedade humana; dessociável; bicho-de-buraco; antropófobo; apantropo; (fig.) andrófobo.

misar. *v. intr.* (fam.) missar, dizer missa; ouvir missa.

misario. *m.* acólito, ajudante, aquele que ajuda à missa.

miscelánea. *f.* miscelânea, mistura; miscelânea, obra composta de diferentes assuntos; farragem; antologia; mescla; coisas e loisas; (fig.) mistifório, confusão.

misceláneo, a. *adj.* misto, composto de coisas diferentes.

miscibilidad. *f.* miscibilidade, qualidade do que é miscível, que se pode misturar.

miscible. *adj.* miscível, misturável, que se pode misturar.

miserabilísimo, ma. *adj.* superl. de *miserable*; miserabilíssimo.

miserable. *adj.* miserável, desgraçado; miserável, sem valor nem força; miserável, desaventurado, argueireiro, desventurado, desditado, coitado; miserável, econó(ô)mico, apertado, exíguo; amesquinhado; mesteroso, mesquinho, indigente; estreito; infortunado; farrapilha; infame; miserável, infeliz; estuporado; descamisado; desprezível, desprezável; (fig.) fanado; (fig.) agarrado; (prov.) fandinga; miserável, perverso, canalha; miserável, mesquinho, avarento, somítico; (Bras.) pangarave: *llevar una vida miserable*, andar arrastrado; *vida miserable*, vida arrastrada; *persona miserable*, churdo, ludro; volverse miserable, empedernir-se; *persona muy pobre y miserable*, (fig.) farrapo; *llevar una vida miserable*, arrastar a vida.

miseración. *f.* V. **misericordia.**

miseraico, ca. *adj.* (zool.) V. **meseraico.**

miserando, da. *adj.* digno de miseração; miserando, lastimável, deplorável.

miserear. *v. intr.* (fam.) mesquinhar, miserar; tornar mísero, desgraçar.

miserere. *m.* miserere, peça de canto ou música composta sobre as palavras do salmo de David: *cólico miserere*, (med.) cólico miserere.

miseria. *f.* miséria, desgraça, infortúnio, calamidade, empobrecimento; cicateria; miséria, desgraça; desdita; miséria, economia, minúcia, mesquinhez, mesquinha-

ria, mesquindade, indigência; miséria, desapoio; extremidade; avareza; sordidez; (fig.) miséria, desnudez, arrasto; (fig.) miséria, ridicularia, coisa pequena, insignificância; (Bras.) miserê: *ganar una miseria*, ganhar uma miséria; *quedar en la miseria*, ficar a pedir chuva; *reducir a la miseria*, enterrar; *andar con miserias*, cicatear.

misericordia. *f.* misericórdia, compaixão; virtude que impele a perdoar; misericórdia, atributo de Deus, graça, perdão; misericórdia, indulgência, clemência; misericórdia, punhal medieval com que os cavaleiros matavam o adversário derribado se não pedia misericórdia.

misericordioso, sa. *adj.* misericordioso, clemente; propenso à misericórdia.

misero, ra. *adj.* V. **miserable.**

misero, ra. *adj.* diz-se da pessoa que é muito devota de missas; diz-se do sacerdote que não tem outro rendimento que a esmola da missa.

misérrimo, ma. *adj.* superl. de *mísero.*

misia, misiá. *f.* (Amér.) tratamento às senhoras.

misión. *f.* missão, acção de enviar; incumbência; missão, sermão doutrinal; missão, comissão diplomática; missão, terra ou província onde pregam os missionários; missão, embaixada, mensagem, enviatura, encargo; missão, função temporária que um governo encarrega a um agente especial; missão, série de prédicas para a instrução dos católicos ou para conversão dos infiéis; estabelecimento de missionários.

misionar. *v. intr.* missionar, pregar, fazer missões, catequizar, evangelizar.

misionario. *m.* V. **misionero.**

misionera. *f.* missionária, cada uma das religiosas ou irmãs que estão numa casa de missão.

misionero. *m.* missionário, pregador evangélico, padre empregado nas missões; (fig.) propagandista, apóstolo; (Bras.) abaré.

misionero, ra. *adj.* e *s.* (geog.) natural de ou pertencente a Missões, território da Argentina.

misivo, va. *adj.* missivo, que se envia, diz-se do bilhete ou carta que se remete a alguém. — *f.* mensagem, epístola.

mismo, ma. *adj.* mesmo, semelhante, igual; exprime identidade ou semelhança, ou paridade; mesmo, que não sofreu alteração; precisamente, exactamente: *la misma cosa*, a mesma coisa; *no ser de la misma opinión*, encontrar-se nas opiniões: *de la misma forma*, e bem assim; *repetir la misma cosa*, fazer coro com alguém; *ahora mismo*, agora mesmo; *al mismo tiempo*, ao mesmo tempo; a coro; *lo mismo*, mesmo, o mesmo; *lo mismo que*, assim como; *ponerse al mismo nivel que otro*, acamaradar-se; *todo viene a ser lo mismo*, tudo isto vem a um conto.

misogamia. *f.* misogamia, aversão ao casamento.

misógamo, ma. adj. misógamo, que tem aversão ao matrimónio.

misoginia. f. misogínia.

misogínico, ca. adj. pertencente ou relativo à misogínia.

misógino. adj. e m. misógino.

misología. f. misologia.

misológico, ca. adj. pertencente ou relativo à misologia.

misólogo, ga. adj. e m. misólogo.

misoneísmo. m. misoneísmo.

misoneísta. s. misoneísta.

misopedia. f. misopedia.

mistagógico, ca. adj. mistagógico, pertencente ou relativo a mistagogo.

mistagogo. m. mistagogo, sacerdote romano que iniciava nos mistérios da religião.

mistar. v. tr. mussitar; cochichar, falar em voz baixa.

mistela. f. V. **mixtela**; mistela.

misterio. m. mistério, doutrinas ou práticas só conhecidas dos iniciados; mistério, doutrina ou facto religioso inacessível à razão; mistério, o que se mantém em segre(ê)do, incógnita, enigma; abismo; coisa muito difícil de compreender; mistério, segredo; negócio secreto ou reservado; mistério, tudo o que parece inexplicável; mistério, verdade dogmática da religião católica que a razão humana não pode compreender: *obrar con misterio*, andar com armas encouradas; *misterio profundo*, arcano; *misterios*, arcas encoiradas.

misterioso, sa. adj. misterioso, em que há mistério; arcano, acroático, encoberto, denso, desconhecido, estranho; misterioso, incompreensível, incógnito; inexplicável; (fig.) alto, sibilino, apocalíptico; misterioso, que faz segredo de coisas insignificantes: *hombre misterioso*, homem misterioso.

mística. f. mística, parte da teologia que trata da vida espiritual e contemplativa.

misticismo. m. misticismo, misticidade; devoção; misticismo, doutrina dos místicos; misticismo, estado de grande perfeição religiosa; misticismo, doutrina que ensina a comunicação directa entre o homem e Deus: *vida contemplativa*, devoção exagerada.

místico, ca. adj. e s. místico, que se dedica à vida espiritual; místico, beatífico; ascético; (fig.) seráfico; escritor que trata da mística; místico, misterioso, alegórico; místico, sentimental; místico, muito devoto; relativo ao misticismo.

mistificación. f. mistificação; galicismo por *farsa, burla, engaño*.

mistificar. v. tr. mistificar; galicismo por *embaucar, engañar*.

mistifori. adj. (for.) diz-se dos delitos que podem ser sujeitos à jurisdição eclesiástica e à secular; mistifório, confusão de pessoas, mistura de coisas.

mistilíneo, a. adj. (geom.) V. **mixtilíneo**.

mistión, etc. V. **mixtión**.

mistral. m. mistral, vento violento seco e frio que sopra do norte ou do nordeste no Sul da França e Mediterrâneo.

mita. f. (Amér.) tributo que pagavam os índios do Peru; sorteio que se fazia entre os índios para empregados nas obras públicas; (bot. Amér.) colheita das folhas da coca.

mitaca. f. (Amér.) colheita em geral.

mitacismo. m. mitacismo.

mitad. f. metade; metade, médio; (fam.) consorte, marido ou mulher: *mitad y mitad*, por partes iguais; *mitad del camino*, meio caminho; *estar en la mitad de algo*, demeiar; *ir a mitades con alguien*, emparelhar; *partir por la mitad*, meiar.

mitadenco. adj. diz-se do tributo frumentário pago em duas espécies, metade e metade. — m. mistura de trigo e centeio em partes iguais, meado.

mítico, ca. adj. mítico, relativo ao mito; fabuloso.

mitigable. adj. mitigável, susceptível de mitigação.

mitigación. f. mitigação, moderação, alívio, abrandamento; minoração; aplacamento; atenuação; paliação; qualificação; favor.

mitigador, ra. adj. e s. mitigador, que mitiga, mitigativo, mitigatório, aplacador; dulcificante.

mitigar. v. tr. mitigar, moderar, diminuir, ou suavizar uma coisa áspera; abrandar, suavizar; amansar; aliviar; acalmar; paliar; adoçar, desafligir; desagastar; desafoguear; desemperrar; desengravecer; desagravar; desacerbar; desalterar; apagar; maciar, amaciar; aplacar; (fig.) desencalmar, abalsamar. — v r. mitigar-se, abrandar-se, acalmar-se: *mitigar la sed*, amansar a sede: *mitigar el dolor*, abrandar o sofrimento.

mitigativo, va. adj. mitigativo, mitigatório.

mitigatorio, ria. adj. mitigativo, mitigatório.

mitilicultura. f. mitilicultura.

mitílidos. m. pl. (zool.) mitílidas.

mitilotoxina. f. (bioquím.) mitilotoxina.

mitin. m. comício, reunião pública.

mito. m. mito, fábula, ficção alegórica, utopia, símbolo: *tratar como un mito*, mitificar, tornar fabuloso.

mitografía. f. mitografia; mitologia.

mitográfico, ca. adj. mitográfico.

mitógrafo, fa. s. mitógrafo.

mitología. f. mitologia.

mitológico, ca. adj. mitológico.

mitologista. s. mitologista, mitólogo.

mitólogo, ga. s. mitólogo, mitologista.

mitomanía. f. (pat.) mitomania.

mitomaníaco, ca. adj. e s. mitómano.

mitón. m. mitene, luva que cobre a mão e deixa descoberto os dedos.

mitosis. f. (biol.) mitose.

mitra. f. mitra; (fig.) mitra, dignidade e território do episcopado.

mitrado, da. adj. e m. mitrado, diz-se da pessoa que pode usar mitra.

mitral. adj. (anat.) mitral (válvula do coração).

mitrar. *v. intr.* (fam.) mitrar, obter um bispado.

mitridatismo. *m.* (toxicol.) mitridatismo.

mitridato. *m.* (farm. e quim.) mitridato.

mitriforme. *adj.* mitriforme, com forma de mitra.

mixedema. *m.* (pat.) mixedema, variedade de edema.

mixedematoso, sa. *adj.* (pat.) mixedematoso.

mixina. *m.* (ictiol.) mixina.

mixinoide. *adj.* (zool.) mixinóide.

mixomicetos. *m* pl. (bot.) mixomicetes.

mixtamente. *adv.* (for.) que corresponde às duas jurisdições, eclesiástica e civil.

mixtela. *f.* mistela, bebida feita de aguardente, água, açúcar e canela.

mixtificar. *v. tr.* V. **mistificar.**

mixtificación. *f.* V. **mistificación.**

mixtifori. *m.* (fam.) V. **mistifori.**

mixti fori. *loc. lat.* (for.) de foro misto.

mixtilíneo, a. *adj.* (geom.) mixtilíneo.

mixtión. *f.* mistura, mescla; (herald.) púrpura, cor heráldica; amalgamação, fusão.

mixto, ta. *adj.* misto, misturado; composto de vários simples. — *m.* mestiço. V. **mestzo;** fósforo; lume.

mixtura. *f.* mistura, mescla; pão de várias sementes; (farm.) poção feita de vários ingredientes.

mixturar. *v. tr.* misturar, incorporar uma coisa com outra; mesclar.

mixturero, ra. *adj.* e *s.* misturador, que mistura.

miz. *m.* onomatopeia para chamar o gato.

miza. *f.* (pop.) V. **micha.**

mizcal. *m.* metical, moeda moura.

mizo, za. *adj.* (germ.) V. **manco.**

mizo. *m.* (pop.) V. **micho.**

mnemónica. *f.* mnemó(ô)nica, mnemotecnia.

mnemotecnia. *f.* mnemotecnia, mnemónica.

mnemotécnico, ca. *adj.* mnemotécnico.

moa. *f.* (germ.) moeda.

moabita. *adj.* e *s.* (geog.) moabita.

mobiliario, ria. *adj.* móvel; diz-se dos valores ao portador ou transferíveis por endoso. V. **mueble.** — *m.* mobília. V. **moblaje.**

moblaje. *m.* mobiliário, mobília, conjunto de móveis duma casa.

moblar. *v. tr.* mobilar, guarnecer de móveis. V. **amueblar.** — *conj. irr.* como **contar.**

moble. *adj.* V. **móvil.**

moca. *m.* moca, café da Arábia.

moca. *f.* (Amér.) V. **tremedal.**

mocador. *m.* lenço de assoar. V. **moquero.**

mocante. *m.* (germ.) V. **mocador.**

mocar. *v. tr.* assoar, moncar.

mocárabe. *m.* V. **almocárabe.**

mocarro. *m.* (fam.) monco, humor espesso do nariz.

mocasin. *m.* mocassina.

mocear. *v. intr.* mocear, praticar acções próprias da gente moça.

mocedad. *f.* mocidade, idade juvenil, fogo, furor, verduras da idade; diversão desonesta e licensiosa.

moceril. *adj.* V. **juvenil.**

mocero. *adj.* luxurioso, libertino.

mocetón, na. *s.* mocetão, pessoa jovem, alta e corpulenta.

mocezuelo. *m.* (Amér.) convulsões que costumam ter os recém-nascidos.

mocil. *adj.* juvenil, próprio da mocidade.

moción. *f.* moção, movimento; (fig.) moção, emoção do espírito; inclinação do ânimo para aquilo que lhe é sugerido; moção, proposta, proposição feita numa assembleia deliberante; nome das vogais das línguas semíticas; (rel.) moção, inspiração divina.

mocionar. *v. tr.* (Amér.) fazer uma moção, propor.

mocito, ta. *adj. y s.* mocinho, pessoa muito jovem.

moco. *m.* (fisiol.) monco, humor segregado pelo nariz, ranho; mofo, bolor; morrão de pavio ou vela; escória que sai do ferro em brasa; (germ.) bocado de corrente partida que fica depois de roubado o relogio; (bot.) moncos, bredos da índia: *moco de pavo,* monco de peru; *no ser moco de pavo,* (fam.) ser muito importante; *llorar a moco tendido,* chorar com abundância; *moco del bauprés,* (mar.) pica-peixe: *Dios da pañuelo a quien no tiene mocos,* (pop.) dá Deus nozes a quem não tem dentes.

mocoso, sa. *adj.* moncoso, ranhoso; (fig.) que cheira a cueiros, que é ainda muito criança; diz-se em tom de censura ao rapaz intrometido; insignificante, de nenhuma importância; desprezível, pouco estimável.

mocosuena. *adv.* (fam.) diz-se dos vocablos traduzidos segundo o seu som mais que a sua significação.

mocha. *f.* cortesia, cumprimento que se fazia abaixando a cabeça.

mochada. *f.* V. **topetada.**

mochales. *adj.* e *s.* (pop.) louco, estouvado, desajuizado: *estar mochales,* não ter juízo.

mochar. *v. tr.* V. **desmochar.**

mochazo. *m.* coronhada, pancada dada com a coronha.

mocheta. *f.* (arq.) mocheta, ângulo saliente; extremidade grossa oposta ao corte ou ao fio de certas ferramentas.

mochil. *m.* servente ou moço de lavrador.

mochila. *f.* mochila, saco de soldado; bornal dos caçadores; (equi.) mochila, caparação à gineta; (fig.) V. **joroba.**

mochilero, mochillero. *m.* servente do exército que leva as mochilas; o que viaja a pé levando mochila.

mochín. *m.* verdugo, carrasco, executor da justiça.

mocho, cha. *adj.* mo(ô)cho, diz-se do animal que não tem hastes ou daquilo a que falta o remate; desmochada, descabeçada, diz-se da árvore a que cortaram os ramos superiores; (fam.) pelado, tosquiado; raso; rajado. — *m.* coronha.

mochuelo. *m.* (zol.) mo(ô)cho; (fig.) osso; a pior parte duma partilha, assunto trabalhoso e difícil do qual ninguém quer encarregar-se: *tocar el mochuelo a al-*

guien ou *cargar con el mochuelo*, (fam.) caber a alguém o pior quinhão.

moda. *f.* moda, uso, costume, em voga; moda, maneira corrente de trajar; moda, uso novo, recente.

modal. *adj.* modal, condicional. — *m. pl.* modos, acções externas pelas quais se singulariza uma pessoa, maneiras.

modalidad. *f.* modalidade; modo de existir; maneiras particulares de cada um; circunstâncias; aspecto das coisas; modo de ser ou de manifestar-se uma coisa; (mús.) modalidade.

modelado, da. *p. p.* e *adj.* modelado, moldado. — *m.* modelação.

modelador, ra. *adj.* e *s.* modelador, que modela.

modelar. *v. tr.* modelar, fazer por molde ou modelo; reproduzir exactamente; moldar; contornar; dirigir; formar de cera, barro, etc., uma figura ou adorno (pint.) representar com exactidão o relevo das figuras. — *v. r.* (fig.) modelar-se, ajustar-se a um modelo.

modelo. *m.* mode(ê)lo, exemplo que um se propõe seguir; modelo, imagen representação dalguma coisa; (escult.) modelo, figura de barro, gesso, etc.; (fig.) modelo, exemplar, molde, norma, regra, ideal; forma; modelo, pessoa que serve de estudo a pintores, escultores, etc.; (fig.) espelho; estilo; modelo, exemplar, exemplo; bitola; amostra; (fig.) chavão.

moderación. *f.* moderação; comedimente; parcimó(ô)nia; compostura; cordura, temperança nas acções e nas palavras; diminuição, atenuação, minoração; baixa, redução de preço; meio termo; continência, enfreamento; entibiamento; equ(ü)idade; circunspecção, pacatez; mediania; (fig.) freio; frugalidade; abstinência: *proceder sin moderación*, desmoderar; *falta de moderación*, descomedimento.

moderado, da. *p. p.* e *adj.* moderado, que tem moderação, circunspe(c)to; regular; comedido; atenuado; limitado; reduzido; médio; frugal; moderado, não excessivo; mediocre; prudente; moderado, pertencente ou relativo ao partido liberal; conservador: *de precio moderado*, de preço acomodado; *hombre moderado*, homem ajustado.

moderador, ra. *adj.* e *s.* moderador, que modera: *poder moderador*, poder moderador.

moderante. *p. a.* e *adj.* moderante, que modera.

moderantismo. *m.* (pol.) moderantismo.

moderar. *v. tr.* moderar, regular com moderação; regrar; reprimir; suster; restringir; modificar; temperar, conter nos limites; moderar, abaixar, reduzir o preço; entibiar; enfrear; medir; amortecer; amansar; abrandar; mesurar; desencalmar, (um desejo). — *v. r.* moderar-se, mesurar-se, cingir-se, conter-se; arrefecer-se; abster-se; ser comedido, prudente; conter-se: *moderar la velocidad de una máquina*, moderar o andamento duma máquina.

moderativo, va. *adj.* moderativo, moderador; moderável.

moderatorio, ria. *adj.* moderativo, moderador.

moderato. *m.* (mús.) moderato, andamento moderado.

modernidad. *f.* modernice, aferro a coisas modernas, modernismo, modernidade.

modernismo. *m.* modernismo, afeição excessiva a coisas modernas, modernice; actualização; neologismo.

modernista. *adj.* e *s.* modernista, pertencente ou relativo ao modernismo.

modernización. *f.* modernização, acção de modernizar.

modernizador, ra. *adj.* e *s.* modernizador, que moderniza.

modernizar. *v. tr.* modernizar, tornar moderno; pôr ao gosto moderno coisas antigas; adaptar à moda.

moderno, na. *adj.* moderno, recente, no(ô)vo; que sucedeu recentemente; dos nossos dias; hodierno.

modestia. *f.* modéstia, humildade; simplicidade; comedimento; honestidade; desambição; recolhimento, recato; deco(ô)ro, decência; desvaidade, despretensão: *afectar modestia*, embiocar-se; *falta de modestia*, descalcadeira.

modesto, ta. *adj.* e *s.* modesto, que tem modéstia, que não tem orgulho; moderado; comedido; modesto, decente, honesto; simples, não luxuoso; púdico; despretencioso; desambicioso; desaparatoso; decoroso; desempoado; desvaidoso; tímido.

modicidad. *f.* modicidade; exiguidade; parcimónia.

módico, ca. *adj.* módico, moderado, limitado; escasso; mediocre; exíguo, pequeno, insignificante; moderado; económico; modesto: *precio módico*, preço módico.

modificable. *adj.* modificável, que pode modificar.

modificación. *f.* modificação; alteração; mudança; limitação, restrição das coisas.

modificador, ra. *adj.* e *s.* modificador que modifica; transformador.

modificar. *v. tr.* modificar, limitar, restringir, reduzir as coisas aos termos justos; alterar; emendar; corrigir; descompor; acidentar. — *v. r.* modificar-se; alterar-se emendar-se.

modificativo, va. *adj.* modificativo, que modifica ou serve para modificar.

modificatorio, ria. *adj.* modificativo, que modifica.

modismo. *m.* (gram.) modismo, modo de falar próprio duma língua; idiotismo de linguagem.

modista. *m.* e *f.* modista, costureira, modisto, costureiro, pessoa que faz trajes para senhora. — *f.* modista, que tem loja de modas; (fig.) agulha.

modistería. *f.* (Amér.) loja de modas.

modistilla. *f.* (fam.) modista de pouco valor no seu ofício; aprendiza de modista.

modisto. *m.* (neol.) modista no género masculino, costureiro, modisto, homem que trabalha em vestidos de senhora.

modo. *m.* modo, maneira de ser, fo(ô)rma, método; casta, condição; modo, moderação; cortesia; forma particular de fazer alguma coisa; modo, urbanidade, decência no porte ou no trato; meio; arte; (gram.) modo, acção do verbo; (mús.) modo, maneira do tom; estilo; disposição; jeito; condição, estado; via; modo ou locução adverbial.

modorra. *f.* modo(ô)rra, sonolência; prostração; apatia; insensibilidade; indolência, madornice; (vet.) certa doença do gado lanar.

modorrar. *v. tr.* modorrar, causas modorra. — *v. r.* sorvar-se a fruta.

modorrilla. *f.* (fam.) (mar.) quarto da modorra ou madorra, terceira vigia ou terceira guarda.

modorro, rra. *adj.* modorrento, que tem modorra, amodorrado, modorro, sonolento; apático; (fig.) ignorante; diz-se da fruta que se sorva; (vet.) doente da modorra (a ovelha).

modoso, sa. *adj.* de boas maneiras, mesurado, cortês, urbano.

modrego. *m.* (fam.) inepto, homem sem habilidade.

modulación. *f.* (mús.) modulação; melodia; suavidade; entoação da voz; acento.

modulador, ra. *adj. e s.* modulador, que modula.

modular. *v. intr.* modular, passar dum tom a outro; entoar com melodia, cantar harmoniosamente.

módulo. *m.* módulo, medida; regulação; modulação, diâmetro de moedas e medalhões; unidade de qualquer medida; (arq.) módulo; (mat.) módulo.

moer. *m.* V. **muaré.**

mofa. *f.* motejo, zombaria, ludíbrio; alrotaria; achincalhação; chasco; derisão; derriço; debique; (fam.) chufa, derroça, desfrute; enxovalho; escárnio: *hacer mofa,* meter a bulha, fazer mofa de.

mofador, ra. *adj. e s.* mofador, derriçador, alrotador, que zomba.

mofadura. *f.* mofa. V. **mofa.**

mofar. *v. intr.* mofar, zombar, motejar, escarnecer; mofar, troçar; (fig.) chuchar, (vulg.) apepinar, ludibriar, meter a bulha; achincalhar-se; chuchar-se; apupar; derriçar; palitar.

mofeta. *f.* mofeta, gases das minas e subterrâneos; (zool.) zorrilho.

mofisco. *adj.* (Amér.) V. **mofador.**

moflete. *m.* (fam.) bochecha grande e carnuda.

mofletudo, da. *adj.* bochechudo, belfudo, façudo, que tem bochechas grandes e carnudas.

mofrado, da. *adj.* (Amér.) efeminado. V. **afeminado.**

mogate. *m.* verniz ordinário de oleiro; camada que cobre alguma coisa: *a medio mogate,* com descuido, sem perfeição.

mogol, la. *adj. e s.* (geog.) mogol, mongol, mongólico. — *m.* mongol, língua dos mongóis.

mogólico, ca. *adj.* mongólico, relativo à Mongólia ou aos mongóis.

mogolla. *f.* (Amér.) farelo muito fino; acto de conseguir de graça um serviço ou trabalho apreciável. V. **moyuelo.**

mogollar. *v. tr.* (Amér.) V. **trampear.**

mogollón. *m.* metediço, intrometido, entrometimento dalguém sem ser chamado; chupista, guilhote, guloso, papajantares: *de mogollón,* à custa alheia; *comer de mogollón,* (fam.) comer à custa da barba-longa.

mogón, na. *adj.* esmoucado, diz-se do bovino mocho duma haste.

mogote. *m.* montículo isolado de forma cônica; montão de molhos ou feixes em pirâmide; hastes dos veados novos.

mogrollo. *m.* V. **gorrista;** rústico, grosseiro, chupista.

moharra. *f.* ponta, ferro da lança.

moharrache ou **moharracho.** *m.* (fig. e fam.) mamarracho. V. **mamarracho.**

mohatra. *f.* mofatra, venda fingida; engano; enganação; embaçadela; trapaça, fraude; venda fingida que se faz fraudulentamente.

mohatrar. *v. intr.* trapacear, fazer mofatras.

mohatrero, ra. *s.* mofatrão, trapaceiro; o que faz mofatras.

mohatrón. *m.* mofatrão.

mohecer. *v. tr.* V. **enmohecer.**

moheda. *f. m.* mata, bosque; mata de árvores copadas.

mohicano, na. *adj. e s.* (etnog.) indivíduos dum pequeno povo da América do Norte.

mohiento, ta. *adj.* V. **mohoso.**

mohín. *m.* gesto, trejeito, esgar, careta.

mohína. *f.* desgosto; enfado, agastamento, indignação contra alguém; amofinação; eno(ô)jo: *con mohína,* amuadamente.

mohindad. *f.* V. **mohína.**

mohíno, na. *adj.* mofino, triste, desgostoso; melancólico; merencório; arrufadiço; diz-se do macho e mula filhos de cavalo e burra; diz-se das reses bovinas e cavalares que têm pêlo e focinho muito pretos; o que joga só contra os mais. — *m.* rabilargo. V. **rabilargo.**

moho. *m.* mo(ô)fo, bolor, eflorescência vegetal desenvolvida pela humidade; bafio; enferrujamento (ant.) arruvidão; camada que se forma na superfície dum corpo pela alteração química, ferrugem, verdete; (fig.) dificuldade de trabalhar depois dum largo descanso.

mohosearse. *v. r.* (Amér.) V. **enmohecerse.**

mohoso, sa. *adj.* mofoso, mofento; bolorento; ferruginoso.

moisés. *m.* (neol.) cestinha vestida que serve de berço para recém-nascidos.

mojábana. *f.* V. **almojábana.**

mojabobos. *m.* (Amér.) V. **calabobos.**

mojada. *f.* molhadela, sopa embebida em qualquer licor; ferida, picada feita com arma penetrante; facada; malhadela, banho; molhadura.

mojado, da. *p. p. e adj.* molhado, empapado; cortido; humedecido com qualquer líquido; mádido, madefa(c)to; banhado; (Bras.) qualquer líquido, vinho, azeite, etc., que se vende nas mercearias; (fig.) diz-se do papel que não tem importância ou que tem pouca importância.

mojador, ra. *adj. e s.* molhador, que molha. — *m.* molha-selos.

mojadura. *f.* molhadela, molhadura, demolha; banho; ser molhado pela chuva ou de outro modo.

mojama. *f.* moxama, atum seco salgado.

mojar. *v. tr.* molhar, humedecer uma coisa com água ou com outro líquido; impregnar; empapar; encharcar; demolhar; embeber. — *v. r.* expor-se à chuva; apanhar chuva. — *v. intr.* ter parte, meter-se nalgúm negócio ou lucro.

mojarrillo. *s.* (fam.) folgação, chalaceador; galhofeiro, pessoa sempre alegre e bem disposta.

moje. *m.* molho de qualquer guisado, caldo de guisado.

mojel. *m.* (mar.) polé, poleame de laborar composto de duas caixas sobrepostas pelos extremos e com os eixos paralelos ou perpendiculares.

mojí. *m.* punhada, pancada dada com o punho. V. **mojicón.**

mojiganga. *f.* mogiganga, dança burlesca, festa pública de máscara; pequena farsa teatral; (fig.) coisa ridícula.

mojigatería. *f.* dissimulação, qualidade de hipócrita; acção própria de hipócritas; hipocrisia; fingimento; falsa devoção.

mojigatez. *f.* V. **mojigatería.**

mojigato, ta. *adj. e s.* dissimulato, hipócrita, fingido; delambido; beato falso; beatão; cheio de escrúpulos: *mujer beata,* franca.

mojinete. *m.* palmadinha suave dada na cara como carícia; (Amér.) remate de telhado no alto dos muros; parte superior e triangular dum edifício.

mojón. *m.* baliza, marco divisório; alveiro; porção compacta de excremento expelido duma só vez; estrema; miliar, diz-se das pedras que marcavam a distância de 1.000 passos nas estradas.

mojona. *f.* medição de terras; acção de demarcar as terras.

mojona. *f.* tributo que se pagava antigamente por a medição dos vinhos.

mojonación. *f.* V. **amojonamiento.**

mojonar. *v. tr.* V. **amojonar.**

mojonera. *f.* lugar onde se põem as balizas ou marcos divisórios; série de marcos para delimitações; estrema.

mola. *f.* (med.) mola, carne informe formada no ventre da mulher.

molada. *f.* molada, porção de tinta que se mói cada vez; quantidade de azeitona que se mói duma só vez.

molar. *adj.* molar, relativo à mó, próprio para moer: *diente molar,* dente molar.

molar. *m.* (min.) variedade de quartzo de que se fazem mós de moinho.

molariforme. *adj.* molariforme.

molcajete. *m.* gral, almofariz com três pés.

moldaje. *m.* (metal.) moldagem; moldação.

moldar. *v. tr.* V. **amoldar e moldurar.**

molde. *m.* molde, modelo; madre, modelo oco para vazar metais ou cera derretida; fo(ô)rma; modelo pelo qual se talha uma coisa (impr.) molde, caixa em que se coloca a matriz na fundição de tipos; caracteres dispostos e ordenados para se imprimir; (fig.) molde, modelo, pessoa exemplar; norma: *de molde,* de molde, a propósito; *molde de zapatero, o sombrerero,* forma.

moldeador. *adj. e s.* moldador, que faz moldes, moldador, instrumento de entalhador, para ornar as molduras em madeira rija.

moldear. *v. tr.* moldar, formar o molde duma figura; fundir, vazando no molde; afeiçoar; (fig.) adaptar; dar forma a; conformar.

moldura. *f.* moldura, caixilho, guarnição dum quadro; (arq.) faixa, ornamento saliente em obras de arquitectura, moldura; fieira de ourives: *moldura côncava,* meia-cana; *moldura saliente,* (arq.) cornija; *hacer molduras,* bocelar.

moldurar. *v. tr.* moldar, moldurar, fazer molduras. V. **moldear.**

moldurera. *f.* (Amér.) V. **juntera.**

mole. *f.* mole, volume enorme; construção gigantesca maciça; multidão numerosa e compacta; grande porção.

molécula. *f.* molécula; (fig.) corpúsculo.

molecular. *adj.* molecular.

moledero, ra. *adj.* que pode moer, ou que há-de ser moído.

moledor, ra. *adj. e s.* moledor, que mói; (fig.) diz-se da pessoa que cansa e fatiga com a sua impertinência, causticante importuno, secante, moedor.

molendero, ra. *s.* moleiro, pessoa que mói ou que leva o grão aos moinhos. — *m.* chocolateiro, que mói ou fabrica o chocolate.

moleña. *f.* pedernal, pederneira. V. **pedernal.**

moleño, ña. *adj.* diz-se da pedra própria para fazer mós de moinhos.

moler. *v. tr.* moer, triturar um corpo; reduzir a pó; (fig.) cansar, fatigar, importunar, amofinar, causticar, impacientar, molestar, secar, pisar; moer, destruir, maltratar, estragar; contundir; derrear; maçar muito e com impertinência; afiar; farinar; moer, remoer as tintas na pedra com a moleta: *moler en almirez,* machucar, maçar; *moler a palos,* apalear; desancar. — *conj. irr.* como *mover.*

molero. *m.* fabricante ou vendedor de mós.

molestador, ra. *adj. e s.* molestador, que molesta; incomodador, importuno, secante, causticante, moedor.

molestar. *v. tr.* molestar, ser molesto, enfadar, incomodar; maltratar; ofender; causar prejuízo; contundir, magoar; oprimir; ofender, melindrar; desgostar; (fig.) adoentar; desarranjar desacordar; dar que fazer a alguém; atediar, desassossegar; desatinar; incomodar; aperrear; maçar; atordoar; apoquentar; exacerbar; apaciguar; apurar; embaraçar; (pop.) seringar; frigir, aporrear; flechar; (Bras.) azangar: *molestar a alguien para obtener algo,* (fig.) agarrar se às abas da casaca de alguém; *molestar a alguien,* bolir com alguém; *molestar con pretensiones,* assediar. — *v. r.* molestar-se, desacomodar-se; afinar-se; afligir-se; despeitar-se; enfadar -se; incomodar-se; maçar-se; (Bras.) empombar.

molestia. *f.* moléstia, incómodo, fadiga; canseira; falta de comodidade; embaraço; moléstia, enfado, inquietação, incómodo; adversidade; desgosto; inquietação; moléstia, doença, achaque; incómodo físico; desarranjo; abalo, abalamento; desassosse(ê)go; aflição; contrariedade; descomposição; desconveniência; inconveniência; aperreação, aperreamento; (pop.) frete, seringação, serrazina, mecha, encostadela; maçada; (Bras.) paulificação.

molesto, ta. *adj.* molesto, que molesta; nocivo; enfandonho; árduo, trabalhoso; desarranjado; desacomodado; incó(ô)modo, importuno, penoso, molesto; beliscado; atediado; enfadado, enfadoso, enfadonho; desconsolado; desinquietado; incomodante; extorsivo; agoniado; aporreado; apoquentador; maçador; (irón.) chinchila; (fig.) asseteador; (pop.) seringador; (Bras.) peuvação: *molesto con,* afiado contra.

molestoso, sa. *adj.* V. **molesto.**

molibdato. *m.* (quím.) molibdato.

molibdeno. *m.* (quím.) molibdé(ê)nio, molibdeno.

molicie. *f.* moleza. brandura, molície; (fig.) moleza, afeição à vida regalada, afeminação; moleza, suavidade; moleza, frouxidão, languidez dos órgãos; moleza, falta de vigor, de carácter; moleza, excesso de indulgência.

molido, da. *p. p.* e *adj.* moído, triturado; alquebrado; cansado, fadigado: *molido a palos,* desancado.

molienda. *f.* moenda, moedura, acto de moer; moedura, porção de trigo ou de azeitona que se mói duma vez; molinote, moenda de cana-de-açúcar; tempo que dura a operação de moer a azeitona ou cana-de-açúcar; farinação; moenda, moinho; (fam.) moedeira, cansaço, canseira, fadiga, importunação.

molificable. *adj.* molificável, que se pode molificar.

molificación. *f.* molificação, amolecimento.

molificar. *v. tr.* molificar, amolecer, suavizar; afrouxar, abrandar.

molificativo, va. *adj.* molificativo, que molifica, emoliente.

molimiento. *m.* moedura, moenda; (fig.) cansaço, fadiga.

molinada. *f.* moenada, moenda de trigo necessária numa casa para passar uma temporada.

molinar. *m.* lugar onde estão os moinhos.

molinejo. *m.* molinilho, pequeno moinho.

molinera. *f.* farinheira, moleira; mulher do moleiro; mulher que tem ou trabalha num moinho.

molinería. *f.* grupo de moinhos; moagem indústria de moageiro.

molinero, ra. *adj.* e *m.* moleiro, pertencente ao moinho ou à moagem; moleiro, o que tem a seu cargo um moinho.

molinete. *m.* dim. de *molino;* molinete, ventilador de janela; brinquedo; figura de dança (mar.) molinete, bolinete, pequeno cabrestante.

molinillo. *m.* pequeno instrumento que serve para moer pequenas quantidades dalguma coisa; molinilho manual.

molino. *m.* moinho, engenho para moer; moinho, máquina para triturar qualquer coisa; moinho, casa onde há moinho; (fig.) pessoa estouvada, leviana, buliçoso; (germ.) tormento corporal: *molino de viento,* moinho de vento; *molinos de viento,* (fig.) inimigos fantásticos e imaginários; *molino movido por bestias,* atafona; *piedra de molino,* pedra de atafona; *rueda principal del molino de azúcar,* bolandeira; *molino de agua,* moinho d'água; *llevar el agua a su molino,* (fig.) levar água a seu moinho.

molitivo, va. *adj.* emoliente, que emolece, que suaviza.

mololoa. *f.* (Amér.) conversação, agitada e ruidosa.

molondro, molondrón. *m.* (fam.) molengão, homem indolente, preguiçoso, molangueiro; poltrão, ignorante.

moloso, sa. *adj.* e *s.* (geog.) molosso, natural da ou pertencente a Molossia (Epiro). — *m.* (pot.) molosso, pé de verso.

molote. *m.* (Amér.) alvoroto, escândalo; V. **moño;** empada recheada de miolos, papas, etc.

molotera. *f.* (Amér.) bulha, alvoroto.

molusco. *m.* (zool.) molusco; (Bras.) sururu.

molla. *f.* parte magra da carne; (prov.) miolo de pão.

mollar. *adj.* mole, fácil de quebrar ou triturar, molar; (fig.) diz-se do que dá muito lucro e pouca despesa; (fig.) e (fam; diz-se de quem é fácil de enganar, crédulo, simplório; carnudo, diz-se da fruta garrafal. — *pl.* certa dança andaluza.

mollear. *v. intr.* amolecer, abrandar, ceder à pressão; dobrar-se curvar-se por brandura ou moleza.

molledo. *m.* polpa, parte carnuda e redonda dalgúm membro; miolo do pão.

molleja. *f.* moleja, moela das aves, buxo: *criar molleja,* entregar-se à ociosidade mandriar.

mollejón. *m.* rebolo, pedra redonda própria para afiar; (fam.) homem muito gordo e frouxo; (fig. e fam.) molendas, homem muito brando de génio.

mollera. *f.* (anat.) moleirinha, moleira, fontanela; (fig.) entendimento, miolo: *cerrado de mollera,* cabeça dura; *abrir la mo-*

llera, (fam.) abrir o entendimento; *duro de mollera,* teimoso, obstinado; pertinaz.

mollera. *m.* (fam.) polpa, parte carnuda dalgúm membro.

mollerón. *m.* (germ.) casco de aço.

molleta. *f.* bolo de pão de trigo; pão negro, ordinário. — *pl.* V. **despabiladeras.**

mollete. *m.* molete, pão pequeno de trigo; micha; polpa do braço; bochecha gorda e redonda.

molletero, ra. *s.* pessoa que faz ou vende moletes.

molletudo, da. *adj.* mofletudo, bochechudo.

mollicio, cia. *adj.* mole, suave, macio, brando, tenro.

mollino, na. *adj.* suave (diz-se da chuva miúda).

mollizna. *f.* chuvisco. V. **llovizna.**

mollíznar. *v. intr.* chuviscar. V. **lloviznar.**

molliznear. *v. intr.* V. **lloviznar.**

momeador, ra. *adj.* que faz momices.

momear. *v. intr.* fazer momices, fazer trejeitos ou caretas.

momentaneidad. *f.* momentaneidade, instantaneidade; transitoriedade.

momentáneo, a. *adj.* momentâneo; instantâneo; rápido; muito breve; transitório; fugaz.

momento. *m.* momento, instante, breve espaço de tempo; pouca duração; ocasião oportuna; lance; circunstância; consequência; (fig.) minuto, ass(ô)pro; peso, importância; consideração, valor; gravidade dum corpo; ocasião, oportunidade, ensejo; importancia, urgência; (mec.) momento, produto duma força por uma distância qualquer.

momería. *f.* momice, trejeitos, esgares, caretas, gaifonice, visagens.

momero, ra. *adj.* e *s.* que faz momices, gaifoneiro.

momia. *f.* múmia, cadáver dissecado; (fig.) múmia, pessoa muito magra.

momificación. *f.* mumificação.

momificar. *v. tr.* mumificar, converter em múmia um cadáver.

momio, mia. *adj.* descarnado, seco, sem gordura. — *m.* (fig.) coisa útil ou rendosa obtida sem trabalho; o que se obtém ou dá, além do que corresponde legìtimamente. V. **ganga:** *de momio,* de graça.

momo. *m.* momice, gesto, figura.

mona. *f.* (zool.) mona, macaca, fêmea do macaco; (fig. e fam.) macaco, imitador, pessoa que procura imitar outra; (pop.) mona, bebedeira, embriaguez, berzunda, berzundela, borracheira, pessoa ébria; chapa de ferro que os picadores de toiros usam na perna direita; certo jogo de cartas; (prov.) bicho-da-seda que não faz casulo; (Amér.) manequim para trajes de mulher; pessoa ou coisa má: *dormir la mona,* (fig. e fam.) dormir estando bêbado.

mona. *f.* pastelão, ou torta feita com ovos cozidos. V. **hornazo:** *estar pensando en la mona de Pascua,* estar distraído.

monacal. *adj.* monacal, monástico; conventual.

monacato. *m.* monacato, estado ou vida monacal; monacismo, instituição monástica.

monacillo. *m.* menino de coro, acólito.

Mónaco. (geog.) Mó(ô)naco.

monacordio. *m.* (mús.) manicórdio.

monada. *f.* macacada, acção própria de macacos; macaquice; coisa pequena, delicada e primorosa; (fig.) acção imprópria de pessoa séria; afago. — *pl.* macaquices. trejeitos, visagens, bichancros.

mónada. *f.* mó(ô)nada, cada um dos seres indivisíveis que compõem o Universo; infusório microscópico de apêndices filamentoso.

monadelfia. *f.* (bot.) monadelfia.

monadelfo, fa. *adj.* (bot.) monadelfo.

monadismo. *m.* (filos.) monadismo.

monadista. *adj.* e *s.* (filos.) monadista.

monadología. *f.* monadologia.

monago. *m.* (fam.) menino do coro. V. **monaguillo.**

monaguillo. *m.* menino do coro. V. **monacillo.**

monandria. *f.* (bot.) monândria.

monándrico, ca. *adj.* (bot.) monândrico, monândro.

monanto, ta. *adj.* (bot.) monanto, que tem só uma flor.

monaquismo. *m.* monaquismo, monacato.

monarca. *m.* monarca, soberano, rei; pessoa ou coisa que domina.

monarquía. *f.* monarquia, coroa, estado, governado por um monarca, reino.

monárquico, ca. *adj.* e *s.* (pol.) monárquico, relativo à monarquia, partidário da monarquia.

monarquismo. *m.* monarquismo, sistema dos monarquistas.

monasterial. *adj.* monástico, monastical, monacal, conventual.

monasterio. *m.* mosteiro, convento de frades, abadia; por ext. qualquer casa de religiosos; claustro.

monástico, ca. *adj.* monástico, monacal; fradesco, freiral.

moncho, cha. *adj.* (Amér., pop.) V. **mucho.**

monda. *f.* (prov.) monda, alimpa, mondadura; monda, tempo próprio para mondar; exumação de ossadas; derrama (das árvores); (Amér.) surra, tunda de açoites.

mondadientes. *m.* palito para dentes.

mondador, ra. *adj.* e *s.* mondador, que monda, podador.

mondadura. *f.* mondadura, monda, alimpa de cortição. — *pl.* restos, desperdícios das coisas que se mondam ou limpam.

mondar. *v. tr.* mondar, limpar, purificar, expurgar; limpar o leito dum rio ou canal; descortiçar, descascar, tirar a casca ou a pele das frutas ou dos tubérculos; mondar; alimpar; cortar o cabelo; (fig.) alimpar alguém do dinheiro: *mondar los dientes,* palitar.

mondarajas. *f. pl.* (fam.) cascas, restos de frutas ou tubérculos.

mondaria. *f* meretriz. V. **mundaria.**

mondejo. *m.* certo recheio do bucho do porco ou do carneiro. — *adj.* (Amér.) tonto, simples, simplório.

mondo, da. *adj.* limpo, mundo, purificado, livre de coisas postiças ou supérfluas: *mondo y lirondo*, limpo e relimpo.

mondonga. *f.* (fam.) mondonga, criada boçal, mondongueira.

mondongo. *m.* mondongo, intestino de rês ou de porco, miúdos; (fam.) intestinos humanos; carne para ensacar; (Amér.) guisado feito de mondongo.

mondonguería. *f.* estabelecimento onde se vende fressura.

mondonguero. *s.* fressureiro, mondongueiro, vendedor de fressura, tripeiro; pessoa porca, enxovalhada.

mondonguil. *adj.* (fam.) pertencente ou relativo ao mondongo.

monear. *v. intr.* (fam.) macaquear, fazer macaquices ou monadas; (Amér.) jactar-se, envaidecer-se; trabalhar com energia.

moneda. *f.* moeda, peça de metal cunhada; dinheiro cunhado; moeda, metal sonante; (fig.) moeda, o que representa um valor moral ou intelectual.

monedaje. *m.* moedagem, direitos a pagar pela fabricação da moeda; fabricação de moeda.

moned(e)ar. *v. tr.* amoedar. V. **amonedar.**

monedería. *f.* moedagem, ofício de moedeiro.

monedero. *m.* moedeiro, fabricante de moedas, batedor de moedas; bolsa do dinheiro.

monería. *f.* macaquice; (fig.) gesto gracioso das crianças; bagatela, ninharia, futilidade; brinco, bonito, dixe primoroso ou bem acabado.

monesco, ca. *adj.* (fam.) simiesco, próprio dos macacos ou semelhante a eles.

monetario, ria. *adj.* monetário, relativo à moeda. — *m.* monetário, colecção ordenada de moedas e medalhas; monetário, móvel em que se guardam moedas e medalhas.

monetización. *f.* amoedação, monetização.

monetizar. *v. tr.* amoedar; dar curso legal como moeda a notas de banco, monetizar.

mongol, la. *adj.* (gal.) V. **mogol.**

moni. *m.* (pop. Amér.) dinheiro. V. **monis.**

moniato. *m.* (bot.) V. **boniato.**

monicaco. *m.* poltrão, fantoche. V. **hominicaco.**

monición. *f.* admoestação; publicação de monitória.

monicongo, ga. *s.* (Amér.) boneco, chochinhas.

monifato. *m.* (Amér.) rapaz presumido e vaidoso.

monigote. *m.* fantoche, homem ignorante; boneco ou figura ridícula feita de trapo; mamarracho, pintura ou escultura mal feita; frade leigo; (vulg.) leigo, ignorante no seu ofício; rapaz que quer afectar de homem; andróide; (Amér. fam.) seminarista.

moniliforme. *adj.* moniliforme, com feitio de colar ou rosário.

monillo. *m.* justilho ou colete de mulher sem mangas.

monimia. *f.* (bot.) monímia.

monimiáceas. *f. pl.* (bot.) monimiáceas.

monipodio. *m.* convenção, ajuste entre várias pessoas que se associam para fins ilícitos.

monís. *f.* bugiaria, objecto pequeno, bem acabado, mas de pouco valor; espécie de massa feita de ovos e açúcar. — *m.* (fam.) dinheiro; chelpa.

monismo. *m.* (filos.) monismo.

monista. *adj. e s.* (filos.) monista.

mónita. *f.* astúcia com lisonja.

monitor. *m.* monitor, aquele que avisa ou admoesta; decurião; monitor, navio de guerra artilhado e couraçado.

monitoria. *f.* monitória, admoestação.

monitorio, ria. *adj.* monitorial; diz-se da pessoa ou do que serve para avisar. — *m.* advertência do Papa ou dos Prelados.

monja. *f.* monja, freira, religiosa professa; (fam.) beata. — *pl.* faíscas dum papel que arde sem chama.

monje. *m.* monge, frade, anacoreta; solitário; (orni.) V. **pavo carbonero.**

monjía. *f.* direito, prebenda, benefício que o monge tem no seu mosteiro.

monjil. *adj.* monjal, próprio de freiras ou a elas relativo; monástico, monacal. — *m.* mongil, hábito de freira; túnica talar para mulheres; vestido de lã que usavam as mulheres como luto.

monjío. *m.* monacato, estado de monja; acto de professar, de tomar hábito.

mono, na. *adj.* bonito, polido, delicado, gracioso, engraçado. — *m.* (zool.) mono, macaco, símio, bugio; (fig.) mono, indivíduo feio, macambúzio; (fig.) macaco, fato de trabalho; (fam.) boneco, bonifrate, pessoa afectada.

monoatómico, ca. *adj.* (fís.) monoató(ô)mico.

monobásico, ca. *adj.* monobásico.

monocárpeo, a. *adj.* monocarpo.

monocárpico, ca. *adj.* monocárpico.

monocefalia. *f.* (terat.) monocefalia.

monocefálico, ca. *adj.* pertencente à monocefalia.

monocéfalo, la. *adj.* monocéfalo.

monocelular. *adj.* monocelular.

monócero, ra. *adj.* monócero.

monoceronte. *m.* monoceronte, unicórnio.

monociclo, cla. *adj.* monociclo.

monoclínico, ca. *adj.* monoclínico.

monoclino, na. *adj.* monoclino.

monocordio. *m.* (mús.) monocórdio, monocordo.

monocotiledóneas. *f. pl.* monocotiledó(ô)neas.

monocotiledóneo, a. *adj.* monocotiledó(ô)neo.

monocromasia. *f.* monocromia.

monocromático, ca. *adj.* monocromático, monocromo.

monocromo, ma. *adj.* monocromo, monocromático.

monóculo, la. *adj.* monóculo, que tem um só olho. — *m.* monóculo, luneta de um vidro só.

monocultura. *f.* monocultura.

monodáctilo, la. *adj.* monodáctilo.

monodia. *f.* monodia.

monódico, ca. *adj.* (mús.) monódico.

monodonte. *m.* (zool.) monodonte. — *adj.* monodonte, que só tem um dente.

monoecia. *f.* (bot.) monécia.

monofásico, ca. *adj.* (electr.) diz-se da corrente eléctrica que cambia de sentido.

monofilo, la. *adj.* monófilo.

monofisismo. *m.* monifisismo.

monofisita. *s.* (rel.) monofisita.

monofito, ta. *adj.* monófito.

monofobia. *f.* (pat.) monofobia.

monófobo, ba. *adj. e s.* monófobo.

monoftalmo, ma. *adj.* monoftalmo.

monogamia. *f.* monogamia.

monogámico, ca. *adj.* monogâmico.

monógamo, ma. *adj. e m.* monógamo.

monogástrico, ca. *adj.* monogástrico.

monogenésico, ca. *adj.* monogenético.

monogenesis. *f.* (biol.) monogé(ê)nese.

monogenismo. *m.* monogenismo.

monogenista. *s.* (antropol.) monogenista.

monogenístico, ca. *adj.* pertencente ou relativo ao monogenismo.

monógeno, na. *adj.* monógeno.

monoginia. *f.* (bot.) monoginia.

monogino, na. *adj.* (bot.) monógino.

monografía. *f.* monografia, estudo ou descrição duma coisa determinada.

monográfico, ca. *adj.* monográfico.

monografista. *s.* monógrafo.

monógrafo, fa. *s.* monógrafo.

monograma. *m.* monograma, cifra.

monoico, ca. *adj.* (bot.) monóico.

monolépido, da. *adj.* (hist. nat.) monolépide, monolépido.

monolítico, ca. *adj.* monolítico.

monolito. *m.* monólito, monumento feito duma só pedra.

monologar. *v. intr.* monologar, recitar monólogos; falar consigo só; entredizer.

monólogo. *m.* monólogo; solilóquio.

monomanía. *f.* monomania, espécie de alienação mental; monomania, ideia fixa.

monomaníaco, ca. *adj. e s.* monomaníaco, que sofre de monomania; alheado.

monomaniático, ca. *adj.* (Amér.) V. **monomaníaco.**

monomaquia. *f.* monomaquia, duelo, combate singular.

monometalismo. *m.* monometalismo.

monometalista. *s.* monometalista.

monométrico, ca. *adj.* (poét.) monométrico.

monómetro. *m.* (poét.) monó(ô)metro.

monomio. *m.* (mat.) monó(ô)mio.

monona. *adj.* (fam.) diz-se do vocábulo com que se encarece o donaire e a graça duma mulher.

monopastos. *m.* polé, roldana simples.

monopatía. *f.* (pat.) monopatia.

monopétalo, la. *adj.* (bot.) monopétalo.

monoplano. *m.* (aviac.) monoplano.

monoplástico, ca. *adj.* monoplástico, que tem uma só peça.

monoplejía. *f.* (pat.) monoplegia.

monopodia. *f.* (terat.) monopódia.

monópodo, da. *adj.* (zool.) monópode.

monopolio. *m.* monopólio, aproveitamento, exclusivo duma indústria ou comércio; monopólio, convénio para só vender a determinado preço; exclusiva; abarcamento; açambarcamento.

monopolista. *s.* monopolista, monopolizador, abarcador, abarcante; açambarcador.

monopolización. *f.* monopolização, abarcamento; açambarcamento.

monopolizar. *v. tr.* monopolizar, fazer monopólio de; possuir exclusivamente; açambarcar; ter o exclusivo de; explorar abusivamente; atravessar os géneros.

monorquídea. *f.* (med.) existência dum só testículo no escroto.

monorrimo, ma. *adj.* monorrimo.

monorrítmico, ca. *adj.* monorítmico.

monosabio. *m.* (taurom.) mono-sábio, ajudante do picador.

monosilábico, ca. *adj.* (gram.) monossilábico.

monosilabismo. *m.* (gram.) monossilabismo; monossilabismo, maneira de falar por monossílabos.

monosílabo, ba. *adj. e s.* monossílabo.

monóstrofe. *f.* monóstrofe.

monotálamo, ma. *adj.* (zool.) monotálamo.

monote. *m.* (fam.) estátua, pessoa sem acção.

monoteico, ca. *adj.* monote(é)ico, monoteísta.

monoteísmo. *m.* monoteísmo.

monoteísta. *adj. e s.* monoteísta.

monoteístico, ca. *adj.* monoteístico.

monotelismo. *m.* (rel.) monotelismo.

monotelita. *adj. e s.* (rel.) monotelita.

monotipia. *f.* (impr.) monótipo, monotipo.

monotonía. *f.* monotonia, uniformidade, unidade de forma, na voz, na música; monotonia, insipidez, sensaboria, falta de variedade; (pint.) monotonia, falta de gradação na distribuição das cores.

monotipo. *m.* (impr.) monótipo, monotipo.

monótono, na. *adj.* monótono; falto de variedade; uniforme; insípido, sensabor; (fig.) maçudo.

monotrema. *adj.* (zool.) monotremo. — *m. pl.* monotrématos.

monovalente. *adj.* (quím.) monovalente; univalente.

monoxilo. *m.* (mar.) monóxilo, piroga formada duma só peça de madeira.

monozoico, ca. *adj.* (zool.) monozóico.

monronro, ra. *s.* (fam. Amér.) palavra carinhosa.

monseñor. *m.* monsenhor, título concedido pelo Papa; em França dava-se ao delfim ou a pessoas de alta dignidade.

monserga. *f.* (fam.) algaravia, linguagem confusa embrulhada; embrulhada, negócio complicado.

monstruo. *m.* monstro, produção contra a ordem da natureza; monstro, ser fantástico; (fig.) pessoa desnaturada e muito cruel; monstro, pessoa ou coisa horrenda; animal enorme; monstro, coisa estupenda, pasmosa, assombrosa; (fig.) monstro, pessoa muito feia, abo(ô)rto; versos sem sentido; monstro, coisa excessivamente grande.

monstruoso, sa. *adj.* monstruoso, anormal, contrário à natureza; horrendo, muito feio; monstruoso, vituperável, execrável; inaudito; inconfessável; informe; desconforme, enorme; disforme; (fig.) monstruoso, extraordinário, assombroso, desmedido; prodigioso, horrível.

monta. *f.* montada; monta, soma de várias parcelas, montante, total; monta, valor ou estimação intrínseca; (mil.) toque de clarim em tempo de guerra; monta, preço, importância, qualidade. V. **acaballadero:** *cosa de poca monta*, (fam.) fumo de palha, de pouca monta.

montacargas. *m.* elevador para cargas.

montada. *f.* desveno, montada do freio.

montadero. *m.* poial de pedra. V. **montador.**

montado, da. *p. p.* e *adj.* montado, diz-se do soldado que serve a cavalo; diz-se do cavalo disposto com todos os arreios para poder ser montado; diz-se da arma de fogo carregada. — *m.* cavaleiro, aquele que monta; ginete.

montador. *m.* cavaleiro, aquele que monta; poial de pedra à porta de casa para montar fàcilmente nos cavalos; qualquer coisa que serve para este fim.

montadura. *f.* arreios completos dum soldado de cavalaria; conjunto de arreios duma cavalgadura; engaste das jóias.

montaje. *m.* montagem, preparação das peças dum maquinismo; engaste das pedras preciosas. — *pl.* reparos de artilharia, carretas.

montanera. *f.* montado, montanheira; tempo que dura a ceva dos suínos; pasto, cevo de bolota.

montano, na. *adj.* montanhesco, relativo à montanha; silvestre, alpestre.

montantada. *f.* jactância vã, vanglória; multidão, excessivo número.

montante. *m.* montante, grande espada que se brandia com ambas as mãos; pé direito de máquinas ou armação; (arq.) pinázio que divide uma janela; bandeira, janela, sobre uma cota; (herál.) presente da lua com as pontas viradas para cima; (Amér.) alvoroço, motim. — *f.* (mar.) montante, maré, enchente.

montante. *m.* (neol.) montante, soma, importância.

montantear. *v. intr.* brandir o montante; (fig.) falar com jactância, querer dirigir os negócios alheios; chibantear.

montantero. *m.* o que combatia com montante.

montaña. *f.* montanha, série de montes, monte, elevação natural do terreno; (fig.) montanha, grande volume de alguma coisa: *montaña rusa*, montanha russa; *hacer de un grano una montaña*, (pop.) de um argueiro, fazer um cavaleiro; *no hay montañas sin cañadas, valles y cabradas*, (pop.) não há medalha sem reverso.

montañero, ra. *adj.* e *s.* montanheiro, montanhês, montanhesco; silvestre, alpestre.

montañés, sa. *adj.* e *s.* montanhês, que vive nas montanhas, montanheiro; silvestre; alpestre; (geog.) natural de ou pertencente a Santander; monteburguense, natural das montanhas de Burgos.

montañismo. *m.* V. **alpinismo.**

montañoso, sa. *adj.* montanhoso, pertencente ou relativo às montanhas; montanhesco; silvestre, alpestre; montuoso.

montaplatos. *m.* elevador para pratos.

montar. *tr.* e *v. intr.* montar, pôr-se ou subir para cima dalguma coisa; colocar-se sobre uma cavalgadura; pôr a funcionar, montar; armar, preparar, assentar; montar, chegar a importar, somar (diz-se das contas); (fig.) montar, importar, ser de importância acoimar, multar por ter entrado na mata gado ou cavalgaduras; colocar sobre; montar, fornecer o que é preciso passar além de; montar; engastar; praticar a equitação; ser capaz de abranger; crescer, subir, atingir; (Amér.) humilhar. — *v. r.* envaidecer-se; bifurcar-se sobre.

montaraz. *adj.* e *m.* montaraz, montês, montesinho, diz-se do que anda no monte ou se criou nele, silvestre; (fig.) indomável, incivil; (fig.) bravio, ferino, diz-se do que tem génio agreste; montaraz, guarda das matas, montes, herdades, etcétera; coiteiro, couteiro.

montazgar. *v. tr.* receber o tributo da passagem do gado.

montazgo. *m.* tributo pago pelo trânsito do gado através dum monte.

monte. *m.* monte, elevação natural do terreno; monte, terra coberta de árvores, arbustos, etc.; (fig.) obstáculos, grave estorvo ou inconveniência; porção considerável; (fig. e fam.) cabeleira desordenada e suja; monte, jogo de azar; (pop.) mancebia, lupanar: *andar al monte*, atirar ao monte; *correr monte*, sair de caça; *montepío*, montepio; *monte de piedad*, monte de piedade.

montea. *f.* monteada, montaria; (arq.) monteia.

monteador. *m.* monteador, o que faz a montaria.

montear. *v. tr.* montear, caçar no monte, fazer montaria; (arq.) montear, fazer a monteia duma obra, formar arcos.

montecillo. *m.* monte pequeno, colina.

monteleva. *f.* palavra empregada em: *almadraba de monteleva*, almadraba usada na pesca do atum, almadra.

montepío. *m.* montepio. V. **monte pío.**

montera. *f.* monteira, carapuça; coberta envidraçada sobre um pátio; capitel, capacete do alambique; mulher do monteiro; (mil.) espécie de guarita triangular; mar.) V. **monterilla;** (Amér.) V. **borrachera.**

monterería. *f.* loja onde se fazem ou vendem carapuças.

monterero, ra. *s.* carapuceiro, fabricante ou vendedor de carapuças.

montería. *f.* montaria de caça grossa; arte de caçar, arte venatória, montaria; montaria, reunião de monteiros ou caçadores do monte; batida.

montero, ra. *s.* monteiro, pessoa que caça nos montes; coiteiro ou couteiro: *montero mayor*, monteiro-mor da casa real; *montero de Espinosa*, oficial do serviço da Câmara do rei de Castela.

monterón. *m.* aum. de *montera*.

monterruca. *f.* carapuça feia.

montés, sa. *adj.* montês, silvestre, alpestre, que anda ou se cria no monte; indomável.

Montesco. *m.* Montesco, nome duma família de Verona inimiga dos Capuletos: *haber Montescos y Capuletos*, estar de rixa permanentemente, haver mosquitos por cordas.

montesino, na. *adj.* montesinho, montesino, montês, silvestre.

montevideano, na. *adj. e s.* (geog.) montevideano.

Montevideo. (geog.) Montevideu.

montículo. *m.* montículo, monte pequeno e isolado; corco(ô)vo.

monto. *m.* montante, soma. V. **monta.**

montón. *m.* montão, acumulação desordenada; conjunto de coisas empilhadas; acervo; pilha; empilhamento; pessoa inútil, sem préstimo; (fig.) enxovalhado, parco, imundo; pessoa idosa, fraca ou achaquenta; chusma; aglomeração; magote; chapeirada; (fig.) barda: *a montones*, (fig. e fam.) abundantemente; *montón de dinero*, chapeirada de dinheiro; *de montón*, amontoadamente; *en montón*, amontoadamente; *montón de gente*, (fig.) coorte; *a montones*, em magote, acumuladamente, às dúzias, em barda.

montonero. *m.* covarde, o que só aceita luta quando vai acompanhado, guerrilheiro pertencente à *montonera*.

montoso, sa. *adj.* V. **montuoso.**

montubio, bia. *adj.* (Amér.) camponês da costa; inculto, rústico.

montuno, na. *adj.* montano, relativo ao monte; (Amér.) rústico e grosseiro.

montuosidad. *f.* montanhesco, qualidade de montanhoso, silvestre.

montuoso, sa. *adj.* montuoso, montanhoso, montanheiro, montanhesco; silvestre, alpestre, relativo aos montes.

montura. *f.* montada, cavalgadura em que se monta; arreios dum cavalo; cavalgadura, besta para transportes ou de sela; montagem, acto de montar; caixa de espingarda ou pistola; armação, montagem duma máquina. V. **montaje.**

monuelo. *adj. e s.* bonifrate, rapazelho sem juízo.

monumental. *adj.* monumental, relativo ao monumento; grandioso; extraordinário, magnífico, excelente.

monumento. *m.* monumento, estátua, edifício, obra erigida em memória de pessoas ou sucesso notável; monumento, edifício imponente pela sua grandeza ou antigui-

dade; monumento, túmulo, sepulcro, sepultura; monumento, sepulcro onde se deposita o corpo de Nosso Senhor em quinta feira Santa. — *pl.* monumentos, restos de produções de obras artísticas ou científica dos séculos passados.

monzón. *amb.* monção, vento periódico no oceano índico.

moña. *f.* monho, laço de fita para enfeitar o cabelo; monha, laço com que se enfeita o pescoço dos touros; monha, roseta usada pelos toureiros na parte posterior da cabeça; (fig. e fam.) bezunda, bezundela, borracheira; (fig. e fam.) enfado, desgosto, tristeza.

moña. *f.* boneca, brinquedo; monha, maneouim.

moño. *m.* monho, rolo de cabelo natural; topete; laço de fitas; poupa, tufo de penas que algumas aves têm na cabeça; (Amér.) cabelo de homem; enfeites supérfluos que usam as mulheres: *hacerse una el moño*, (fig. e fam.) pentear-se (uma mulher), encarrapitar-se, arrematar o cabelo; *ponerse uno moños*, atribuir-se méritos, fazer o diabo a quatro.

moñón, na. *adj.* topetudo. V. **moñudo.**

moñudo, da. *adj.* topetudo, que tem topete ou poupa, encristado, diz-se das aves.

moquear. *v. intr.* deitar monco ou ranho.

moqueo. *m.* monco, secrecção nasal abundante.

moquero. *m.* lenço de assoar.

moquete. *m.* mosquete, soco, murro, punhada no rosto.

moquetear. *v. intr.* (fam.) deitar moncos, assoar-se com frequência. — *v. tr.* dar mosquetes.

moquillo. *m.* pevide das galinhas; barbilhão; mormo, doença do gado.

moquita. *f.* coriza, pingo do nariz.

mor. *m.* mor, aférese de amor: *por mor de*, por mor de.

mora. *f.* (bot.) mora, amora, fruto da amoreira ou da silva; (for.) mora, demora, alargamento de prazo.

morabetino. *m.* morabitino, maravedi, moeda árabe de prata.

morabito. *m.* marabuto, religioso muçulmano, espécie de eremita, marabu; espécie de ermida.

morabuto. *m.* V. **morabito.**

moracho, cha. *adj.* morado claro.

moráceas. *f. pl.* (bot.) moráceas.

morada. *f.* morada, moradia, lugar onde se mora; habitação, residência, aposento, alojamento, domicílio, estada.

morado, da. *adj.* morado, da cor da amora, roxo.

morador, ra. *adj. e s.* morador, que mora ou habita; domiciliado; habitante; inquilino.

moradux. *m.* V. **almoradux.**

moraga. *f.* molho, feixe de espigas; (prov.) acto de assar frutas secas ou peixes pequenos, com fogo de lenha e ao ar livre; matança do porco.

morago. *m.* molho. V. **moraga.**

moral. *adj.* moral, relativo à moral; doutrinal; intelectual, espiritual; que tem bons costumes. — *f.* moral, ciência dos bons costumes; tratado relativo a essa ciência; moralidade; modo de proceder; (filos.) moral, ética, moralidade.

moral. *m.* (bot.) amoreira.

moraleja. *f.* moral, lição, moralidade duma fábula, conto, etc., conclusão, moral.

moralidad. *f.* moralidade, qualidade do que é moral; moral, bons costumes; doutrina moral; virtudes; moralidade, sentido moral; moralidade, sentido moral, objecto moral.

moralista. *m.* moralista, professor ou autor de obras de moral; moralista, o que estuda moral.

moralización. *f.* moralização, moralidade.

moralizador, ra. *adj.* e *s.* moralizador, que moraliza; edificante, que dá bons exemplos.

moralizar. *v. tr.* moralizar, tornar moral, corrigir os maus costumes; infundir ideias sãs. — *v. intr.* moralizar, fazer reflexões morais; servir de lição de moral.

moranza. *f.* V. **morada**.

morapio. *m.* vinho tinto.

morar. *v. intr.* morar, habitar, residir; (fig.) estar; permanecer; achar-se.

moratoria. *f.* (comer.) moratória, dilação de prazo para o pagamento duma dívida; carta moratória.

moratorio, ria. *adj.* moratório, dilatório.

Moravia. (geog.) Morávia.

moravo, va. *adj.* e *s.* (geog.) natural de ou pertencente a Morávia.

moray. *m.* (Amér.) V. **roble**.

morbidez. *f.* morbidez, morbideza, suavidade; languidez; quebramento de forças.

morbididad. *f.* estado de enfermidade; relação entre o número de enfermos e os habitantes duma povoação ou país; morbilidade.

mórbido, da. *adj.* mórbido, enfermiço, doentio; brando; suave, delicado; lânguido; mole; mimoso; (pint. e escult.) mórbido, diz-se duma obra artística delicada.

morbífico, ca. *adj.* morbífico, que causa doença; insalubre.

morbígeno, na. *adj.* morbígeno, morbígero, morbífico, insalubre.

morbilidad. *f.* V. **morbididad**.

morbiliforme. *adj.* morbiliforme, semelhante ao sarampo.

morbo. *m.* morbo, doença; epilepsia; icterícia.

morboso, sa. *adj.* morboso, que causa doença, morbífico, morbígeno, morbígero, insalubre, enfermiço, achacoso, doentio, mórbido.

morcajo. *m.* trigo misturado com centeio.

morceguila. *f.* excremento dos morcegos.

morcella. *f.* faísca, fagulha do morrão.

morciguillo. *m.* morcego. V. **murciélago**.

morcillo. *m.* morcela, espécie de chouriço, moura; (fig. e fam.) aumento de frases que alguns actores fazem ao seu papel: *meter morcillas*, aumentar as frases numa peça teatral.

morcillero, ra. *s.* salsicheiro, vendedor de chouriços de sangue; actor que tem o costume de acrescentar algumas frases ao seu papel; (Amér.) mentiroso.

morcillo. *m.* parte carnosa do braço, desde o ombro até o cotovelo, polpa.

morcillón. *m.* morcela grande, estômago de porco ou carneiro recheado.

mordacidad. *f.* mordacidade; crítica severa; maledicência; murmuração; detra(c)ção; (fig.) dardo; corrosividade; acerbidade; aspereza de certas substâncias; mordacidade, carácter satírico, dicacidade, má-língua.

mordante. *m.* (impr.) mordente, instrumento para marcar as linhas.

mordaz. *adj.* mordaz, corrosivo; picante; pungente, satírico; maledicente; áspero, picante ao paladar; acre; acrimonioso; incisivo, acerado: *alusión mordaz*, biscante, bisca; *dicho mordaz*, (fig.) dentada, farsola; *ser mordaz*, farsolar.

mordaza. *f.* mordaça, açaimo, açama; (fig.) repressão de liberdade de falar ou escrever; (artil.) aparelho para evitar o recuo das peças de artilharia; (mar.) máquina que detém a saída da âncora.

mordedor, ra. *adj.* mordedor, que morde; (fig.) que satiriza ou murmura; mordente; incisivo; cáustico, satírico, mordaz, murmurador.

mordedura. *f.* mordedura, acção de morder, mordedela, dentada, mordimento; ferida, contusão produzida por pessoa ou animal que mordeu; (fig.) impressão dolorosa, efeito nocivo.

mordente. *m.* mordente, preparação de tintas para cobrir objectos prontos a dourar; mordente, preparado para fixar cores, fixativo; (mús) V. **quiebro**, adorno de canto.

morder. *v. tr.* morder, agarrar e apertar com os dentes; morder, dar dentadas; apertar ou ferir com os dentes; fazer doer; consumir, gastar insensìvelmente, abocanhar, dentar, dentear; (fig.) morder, murmurar, ofender a fama ou o crédito; atacar, corroer; incitar, estimular; (fig.) tomar o gosto ou sabor; causar comichão; (Amér.) enganar, intrujar; morder, separar uma coisa de outra apertando-as: *morderse los labios*, (fig.) morder os beiços. — *v. r.* morder-se, dar dentadas em si mesmo. — *pres. ind. irr.* **muerdo, -es, -e, -en;** *subj.* **muerda, -as, -a, -an.**

mordicación. *f.* mordicação.

mordicar. *v. tr.* mordicar, mordiscar, morder levemente ou repetidas vezes; picar, pungir.

mordicativo, va. *adj.* mordicativo, que mordica.

mordido, da. *p. p.* e *adj.* mordido, denteado; (fig.) menoscabado, desfalcado.

mordidura. *f.* (Amér.) V. **mordedura**.

mordiente. *p. a.* e *adj.* mordente, que morde, mordaz. — *m.* mordente, substância para fixar cores; água-forte para as gravuras, erosão. — *pl.* (germ.) tesouras.

mordimiento. *m.* mordimento. V. **mordedura**.

mordiscar. *v. tr.* mordicar, mordiscar, morder levemente ou repetidas vezes.
mordisco. *m.* mordedura, mordedela leve; dentada, picada; pedaço ou bocado que se tira mordendo; ofensa: *mordisco del diablo*, (bot.) espécie de escabiosa.
mordisquear. *v. tr.* (Amér.) mordiscar.
morena. *f.* (ictiol.) moreia.
morena. *f.* fogaça ou pão de rala; more(é)ia, montão de gabelas, meda; morena, montão de pedras que se forma nas geleiras.
morenero. *m.* rapaz que na tosquia leva um prato com o *morenillo*.
moreno, na. *adj. e s.* moreno, trigueiro, que tem cor trigueira; de cor escura, abacanado; fusco. — *s.* (Amér.) preto.
morenote, ta. *adj. aum.* de *moreno*.
móreo, a. *adj.* (bot.) morácea. — *f. pl.* moráceas.
morera. *f.* (bot.) amoreira branca.
moreral. *m.* (bot.) amoreiral, lugar plantado de amoreiras.
morería. *f.* mouraria, bairro em que habitavam moiros ou mouros; mourama, terra de moiros.
moretón. *m.* (fam.) equimose. V. **equimosis.**
morete. *m.* (Amér.) V. **moretón.**
moreteado, da. *adj.* (Amér.) cheio de equimose. V. **amoratado.**
morfa. *f.* doença das laranjeiras e dos limoeiros.
morfea. *adj.* (vet.) morfe(é)ia, diz-se duma espécie de lepra.
morfema. *m.* (gram.) morfema.
Morfeo. *m.* (mit.) Morfeu, deus do sono.
morfetina. *f.* (quím.) morfetina.
morfina. *f.* morfina, um dos alcalóides do ópio.
mórfico, ca. mórfico, morfético.
morfinismo. *m.* morfinismo, estado morboso produzido pelo abuso da morfina ou do ópio.
morfinización. *f.* morfinização.
morfinizar. *v. tr.* morfinizar, aplicar a morfina.
morfinomanía. *f.* morfinomania.
morfinómano, na. *adj. e s.* morfinó(ô)mano.
morfofísica. *f.* morfofísica.
morfogenia. *f.* (biol.) morfogénea.
morfografía. *f.* (biol.) morfografia.
morfología. *f.* (hist. nat. e gram.) morfologia.
morfológico, ca. *adj.* morfológico.
morfometría. *f.* morfometria.
morganático, ca. *adj.* morganático, diz-se de matrimónio desigual.
moribundo, da. *adj. e s.* moribundo; semiânime, agonizante, estertoroso, expirante; amortecido; exânime.
moriego, ga. *adj.* mouro. V. **moruno.**
morigeración. *f.* morigeração, temperança nos costumes; mesura; moderação; boa educação.
morigerado, da. *p. p. e adj.* morigerado, que tem bons costumes; mesurado, moderado; frugal.
morigerar. *v. tr.* morigerar, moderar os excessos; educar; mesurar; modificar os

costumes; edificar com bons exemplos; ensinar. — *v. r.* morigerar-se, moderar-se, adquirir bons costumes.
morilla. *f.* espécie de cogumelo. V. **cagarria.**
morillero. *m.* V. **mochil.**
morillo. *m.* morilho, peça de ferro em que se apoia a lenha na lareira; cães, ferros de chaminé para sustentar a lenha.
morir. *v. intr.* morrer, expirar, falecer, deixar de viver; fenecer; extinguir-se, acabar, (fig.) fenecer, acabar, morrer; padecer violentamente algum efeito ou paixão; descansar; cessar alguma coisa no seu curso ou acção; morrer, apagar-se a luz, o fogo, etc; morrer, terminar; morrer, desejar, apetecer com excesso; morrer, desaguar, lançar-se um rio em outro ou no mar; morrer, acabar, secar (diz-se das plantas); morrer, cair no esquecimento; perder o vigor; (pop.) estender a perna; arrevessar a alma; chegar a sua hora; ir-se para Deus; ir para os anjinhos; desaparecer. — *v. r.* morrer-se, finar-se, extinguir-se; (pop.) esticar a canela ou o pernil; estender a perna; (fig.) despenar-se: *morir antes de tiempo*, ser vindimado em agraço; *morirse del susto*, (fam.) morrer de abafas; *morirse de envidia*, arrebentar de inveja; *morirse de hambre*, morrer de fome; *estar a punto de morir*, estar para morrer; *morirse de deseos por algo*, morrer de desejos por alguma coisa; *morir con las botas puestas*, morrer vestido; *morirse de miedo*, morrer de medo; *morir para el mundo*, morrer para o mundo. — *conj. irr.* como *dormir*.
morisco, ca. *adj. e s.* mouro. V. **moruno.**
morisma. *f.* moirama, mourama, religião dos mouros; moirama, multidão de moiros: *a la morisma*, à moda dos moiros.
morisqueta. *f.* ardil, treta ou astúcia própria de mouros; (fig. e fam.) engano, desprezo; arroz cozido com água e sem sal: *hacer morisquetas*, fazer traquinices.
morlaco, ca. *adj.* ignorante, que afecta ignorância; melúria. — *m.* (Amér.) patacão, moeda de prata.
Morlaquia. (geog.) Morláquia.
morlón, na. *adj. e s.* melúria. V. **morlaco.**
mormado, da. *adj.* (Amér.) amormado. V. **amormado.**
mormón, na. *s.* mórmon, sectário do mormonismo.
mormónico, ca. *adj.* mormónico.
mormonismo. *m.* mormonismo.
mormullar. *v. tr.* V. **murmurar.**
mormullo. *m.* V. **murmullo.**
mormurar. *v. intr.* (Amér.) V. **murmurar.**
moro, ra. *adj. e s.* mouro, natural de Mauritânia, ou pertencente a ela; diz-se do cavalo ou égua de pêlo negro com uma estrela ou mancha branca na testa; (fig. e fam.) diz-se do vinho não aguado; diz-se do adulto não baptizado: *moro de paz*, pessoa pacífica; *hay moros en la costa*, (fam.) expressão empregada para recomendar precaução; *haber moros y cris-*

tianos, (fig. e fam.) grande rixa; *prometer el oro y el moro*, fazer grandes gabões.

morocada. *f.* marrada de carneiros.

morojo. *m.* (Amér.) V. **madroño.**

morolo, la. *adj.* simplório, muito simples.

morón. *m.* montilho, monte pequeno, montículo; (prov.) moléstia dos cereais; (Amér.) peixe sem espinhas e de carne saborosa.

morona. *f.* (Amér.) migalha de pão.

moronar. *v. tr.* (Amér.) V. **desmoronar.**

moroncho, cha. *adj.* V. **morondo.**

morondanga. *f.* (fam.) misturada, miscelânea de coisas inúteis e de pouco valor.

morondo, da. *adj.* pelado, sem pêlo ou sem folhas.

morosidad. *f.* morosidade, lentidão, demora; morosidade, falta de actividade ou pontualidade; incúria; froixidão; vagar.

moroso, sa. *adj.* moroso; vagaroso; lento, tardio; demorado; demoroso.

morrada. *f.* cabeçada, turra, pancada dada com a cabeça; (fig.) bofetada.

morral. *m.* embornal, saco que se coloca no focinho das bestas, para elas comerem a ração, bornal; mochila, espécie de saco usado pelos soldados e caçadores; (pop.) homem grosseiro.

morralla. *f.* (ictiol.) V. **boliche;** (fig.) gentalha, frandulagem; súcia de maltrapilhos, malta, chusma, misturada; farragem; (Amér.) dinheiro miúdo.

morreras. *f. pl.* (prov.) erupção nos lábios.

morrillo. *m.* cachaço das reses; cascalho; seixo; morrosinho.

morriña. *f.* hidropisia no gado. V. **comalia;** (fig. e fam.) melancolia, desalento, tristeza.

morriñoso, sa. *adj.* morrinhento, morrinhoso, que tem morrinha; raquítico, doente; (fig. e fam.) tristonho, melancólico.

morrión. *m.* morrião, capacete sem viseira e de abas levantadas, barretina; (vet.) espécie de vertigem nos falcões.

morro. *m.* morro; morro, monte pequeno e redondo; seixo; rochedo escarpado que serve de sinal aos navegantes; beiço saliente e grosso: *estar de morros*, (fam.) estarem zangadas duas ou mais pessoas.

morro. *m.* palavra que se diz ao gato.

morrocote. *m.* pão enviado ao domicílio dum defunto.

morrocotudo, da. *adj.* (fam.) muito importante ou difícil, dificultoso, espinhoso; grosso; grande, formidável; (Amér.) rico, opulento.

morrón. *adj.* diz-se duma variedade de pimentos; (mar.) diz-se da bandeira que está enrolada no seu mastro depois de içada. — *m.* colisão entre dois ou mais automóveis.

morrón. *m.* (fam.) V. **golpe.**

morroncho, cha. *adj.* (prov.) manso, aprazível. V. **benigno.**

morronga. *f.* (fam.) gata, animal; (fig.) (Amér.) criada.

morrongo. *m.* (fam.) gato, animal; (Amér.) (fig.) criado; folha de tabaco enrolada para fumar.

morronguear. *v. intr.* (Amér.) chupar ou beber; dormitar.

morroñoso, sa. *adj.* (Amér.) áspero, rugoso.

morrudo, da. *adj.* beiçudo, que tem beiços grossos; cabeçudo, rombo, sem ponta; focinhudo.

morsa. *f.* (zool.) morsa.

mortadela. *f.* mortadela, salpicão italiano.

mortaja. *f.* mortalha; (fig.) (Amér.) mortalha, pequena tira de papel para cigarros; entalhe. V. **muesca.**

mortal. *adj.* mortal, sujeito à morte; mortal, que causa a morte, mortífero; letal; mortiço; fatal; perigoso; figadal; transitório; mortal; capital; extremo; mortal, enfadonho, fastidioso macabro; (fig.) decisivo, concludente. — *m.* o homen: *tener odio mortal*, ter ódio infernal; *restos mortales*, cinzas; *pecado mortal*, pecado mortal.

mortalidad. *f.* mortalidade, condição de mortal; mortalidade, quantidade de pessoas que morrem anualmente; *tablas de mortalidad*, tábuas de mortalidade.

mortandad. *f.* mortandade, mortalidade, matança, carnificina; exterminação, estrago; (fig.) estripação.

mortecino, na. *adj.* diz-se do animal morto naturalmente; apagado e sem vigor; moribundo, débil, quase a apagar-se: *hacer la mortecina*, fingir-se morto.

morterada. *f.* porção de carne e alhos que se pisa no almofariz; (artill.) morterada, tiro de morteiro.

morterete. *m.* dim. de *mortero*; morteirete, antiga peça de artilharia; morteiro, pequena peça de ferro que se ataca de pólvora para produzir explosão, em sinal de festa; lamparina; almofariz.

mortero. *m.* morteiro, gral, almofariz; peça de artilharia; argamassa; betonilha; betão.

morteruelo. *m.* morteirete, brinquedo de rapazes à maneira de morteiro; guisado de fígado de porco.

mortífero, ra. *adj.* mortífero, que produz a morte; letal; deletério; fatal.

mortificación. *f.* mortificação; tormento, aflição; mortificação, penitência; mortificação, consumição, desgosto; atormentamento; (fig.) frágua; abro(ô)lho, cilício; maceração da carne como penitência.

mortificado, da. *p. p.* e *adj.* mortificado, fragoado; macerado, contrito; atormentadu; agoniado.

mortificador, ra. *adj.* e *s.* mortificador, que mortifica; atormentador, mortificante.

mortificar. *v. tr.* e *r.* mortificar, extinguir a vitalidade dalguma parte do corpo; penitenciar; atormentar; afligir; mortificar, dominar as paixões, castigando o corpo; torturar; agoniar; macerar; contristar; consumir; (fig.) aspar; (Amér.) V. **avergonzarse:** mortificar a alguém, (fig.) lançar o agraço no olho de alguém; *morti-*

ficarse con cilicios, ciliciar-se; *mortificarse la carne,* macerar-se.

mortual. *f.* (Amér.) herança, bens herdados.

mortuorio, ria. *adj.* mortuária, relativo ao morto ou às exéquias. — *m.* funeral, exéquias; (prov.) lugar onde existiu uma povoação: *esquela mortuoria,* lutuosa; *lecho mortuorio,* leito mortuário.

morucho, *m.* novilho embolado.

morueco. *m.* carneiro de padreação.

moruno, na. *adj.* mouro, mourisco.

morusa. *f.* (fam.) chelpa, dinheiro.

mosaico, ca. *adj.* moisaico, relativo a Moisés.

mosaico. *adj. e m.* mosaico, pavimento feito de ladrillos de várias cores; embutido de pedrinhas de várias cores; (arq.) mosaico, ordem de arquitectura judaica; mosaico, coluna torsa, espiral.

mosaísmo. *m.* moiseísmo, lei de Moisés; civilização moisaica.

mosca. *f.* (zool.) mo(ô)sca, insecto diptero; pequena porção de barba no lábio inferior; (fig.) mosca, pessoa importuna, incómoda; (fig.) inquietação; (pop.) chelpa, dinheiro; (astr.) constelação austral, mosca. — *pl.* fagulhas; desgosto; pontos fortes, remates de costura. — *interj.* apre!; irra;: *estar con la mosca en la oreja,* (fam.) andar com a pedra no sapato; *en boca cerrada no entran moscas,* em boca cerrada não entra mosca; *mosca muerta,* (fam.) mosca morta, pessoa sonsa; *contemplar a las moscas,* (fam.) papa moscas; estar boquiabierto sem fazer nada; *picar una mosca a alguien,* (pop.) estar com a mosca, irritado; *aflojar la mosca,* (pop.) dar dinheiro; *pescar con moscas,* pescar com moscas no anzol; *quien se hace de miel las moscas se lo comen,* a quem se faz mel, moscas o comem; *moscas blancas,* (fig. e fam) flocos de neve; *játeme Vd. esa mosca por el rabo!,* (pop.) expressão empregada para indicar um despropósito; *cazar moscas,* (fig. e fam.) caçar moscas, fazer coisas inúteis; *por si las moscas,* (pop.) por acaso; *más moscas se cojen con miel que con hiel,* (pop.) não é com vinagre que se apanham moscas.

moscada. *adj.* moscada, diz-se do fruto da moscadeira; noz-moscada.

moscarda. *f.* (zool.) moscardo, espécie de mosca.

moscadear. *v. intr.* pôr os ovos (a abelha mestra).

moscardón. *m.* (zool.) moscão, tavão, vespão; (fig. e fam.) pessoa impertinente e enfadonha.

moscarrón. *m.* (fam.) mascão. V. **mascardón.**

moscatel. *adj.* moscatel, diz-se duma casta de uva; moscatel cepa que produz esta uva. — *m.* moscatel, vinho fabricado com a uva moscatel; homem fastidioso pela sua ignorância.

moscatelina. *f.* (bot.) moscatela, moscatelina.

moscella. *f.* V. **morcella.**

mosco, ca. *adj.* (Amér.) diz-se do cavalo que tem pêlos-brancos. — *m.* V. **mosquito.**

moscón. *m.* moscão, grande mosca, moscardo; (fig.) mosca, pessoa sonsa.

moscona. *f.* mulher desvergonhada.

mosconear. *v. intr.* importunar, aborrecer com maçadas.

mosconeo. *m.* importunação, acto de importunar, maçada.

moscovita. *adj. e s.* moscovita, natural de ou pertencente a Moscovo.

moscovítico, *adj.* moscovita.

Moscú. (geog.) Moscovo.

mosén. *m.* título dos clérigos na antiga coroa de Aragão.

mosqueado, da. *p. p. e adj.* mosqueado, salpicado de pintar; (pop.) picado, escandalizado.

mosqueador. *m.* moscadeiro, mosquiteiro, enxota-moscas; (fig. e fam.) cauda duma cavalgadura.

mosquear. *v. tr.* afugentar as moscas ,enxotar as moscas; (fig.) tomar a mosca, ofender-se; açoitar. — *v. r.* (fig.) desembaraçar-se violentamente de empecilhos; estimular-se; melindrar-se; picar-se, escandalizar-se.

mosqueo. *m.* afugentamento das moscas; (pop.) ofensa; enfadamento.

mosquero. *m.* mosqueiro, utensílio para apanhar e matar as moscas, enxota-moscas.

mosquetazo. *m.* mosquetaço, tiro de mosquete; mosquetada, ferida feita por um mosquete.

mosquete. *m.* mosquete, antiga arma de fogo; (Amér.) plateia dum teatro; mosquete, espingarda reforçada.

mosquetería. *f.* mosquetaria, tropa de mosqueteiros; mosquetaria, descarga de mosquetes; espectadores dum teatro que estão noma plateia ou aqueles que nos antigos pátios de comédias assistiam às representações de pé.

mosquetero. *m.* mosqueteiro, soldado armado de mosquete; espectador que assistia de pé às representações.

mosquetón. *m.* mosquetão, espingarda curta antiga; mosquetão, peça metálica para as correntes.

mosquil. *adj.* relativo à mosca. — *m.* lugar de recolha das cavalgaduras para fugir às moscas.

mosquino, na. *adj.* V. **mosquil.**

mosquita. *f.* dim. mosca pequena; (orni.) variedade de pássaro pequeno: *mosquita muerta,* diz-se da mulher ou rapariga dissimulada, sonsa.

mosquitera. *f.* mosquiteiro. V. **mosquitero.**

mosquitero. *m.* mosquiteiro, cortinado ou rede que resguarda dos mosquitos.

mosquito. *m.* (zool.) mosquito; melga; (fig. e fam.) aquele que frequenta as tavernas; (avia.) mosquito, avião ligeiro de bombardeamento utilizado pelos americanos durante a segunda guerra mundial.

mostacera. *f.* mostardeira, vaso em que se serve à mesa a mostarda.

mostacero. *m.* V. **mostacera.**

mostacilla. *f.* escumilha, chumbo miúdo; missanga, avelórios, contas miúdas.

mostacho. *m.* bigode; (fig. e fam.) mancha, gilbaz ou cicatriz no rosto; (mar.) cabresto do gurupés.

mostachoso, sa. *adj.* que tem grandes bigodes.

mostagán. *m.* (fam.) vinho.

mostaza. *f.* (bot.) mostardeira, mostarda, semente da mostardeira; condimento que se faz com esta semente: *subirsele a uno la mostaza a las narices*, (fig. e fam. irritar-se, zangar-se.

mostazal. *m.* mostardal, plantio de mostardeiras.

mostazo. *m.* (bot.) mosto espesso; mostardeira.

¡moste! *interj.* V. **¡moxte!**

mostear. *v. intr.* destilar (as uvas); levar ou deitar o mosto nas uvas; deitar o mosto no vinho velho.

mostela. *f.* feixe, molho.

mostelera. *f.* lugar onde se guardam os feixes ou molhos.

mosto. *m.* mosto, sumo das uvas; molho feito de mosto e mostarda: *mostó agustín*, bolo de mosto e espécies.

mostrable. *adj.* que pode ser mostrado.

mostillo. *m.* massa de mosto cozido e espécies; molho de mosto e mostarda. V. **mosto agustín.**

mostrado, da. *p. p.* e *adj.* mostrado, habituado a uma coisa; acostumado, afeito.

mostrador, ra. *adj.* mostrador, que mostra. — *m.* balcão de loja, mostrador, parte do relógio que indica as horas.

mostrar. *v. tr.* mostrar ,expor à vista, indicar, fazer ver; amostrar, exibir; patentear; das sinais ou indícios de; manifestar; ensinar; apontar; simular; aparentar; dar a entender; expressar; exteriorizar; luzir; designar; assomar; denotar; fazer conhecer; demonstrar, descobrir; apresentar; mostrar, fingir o que não é; provar; demonstrar, simular, aparentar. — *v. r.* mostrar-se, comportar-se conforme a sua dignidade, manifestar-se, aparecer em público, dar nas vistas; conduzir-se; exibir-se; revelar-se: *mostrar los talones*, (pop.) mostrar as costas, fugir; *mostrarse en público*, assoalhar-se; *mostrarse tal cual se es*, (pop.) desafivelar a máscara; *mostrar las intenciones*, desmascarar-se. — *conj. irr.* como *contar*.

mostrenco, ca. *adj.* bens jacentes que não têm dono conhecido; (fig. e fam.) vagabundo, vagamundo, que não tem casa nem amo conhecido; enxalmo; ignorante ou tardo em discorrer ou atender; mostrengo, homem muito grande e pesado: *bienes mostrencos*, bens jacentes.

mota. *f.* nó que se forma no tecido; cotão (fig.) defeito ligeiro; mota, aterro à beira de rio; elevação pequena natural ou artificial numa planície; moeda de cobre; (Amér.) punhado ou porção pequena de lã solta.

motar. *v. tr.* (germ.) furtar.

mote. *m.* mote, sentença breve para ser glosada; divisa, emblema; motejo, apo(ô)do;

agnome; chufa, epíteto; alcunha; (Amér.) equívoco, erro; *poner motes*, epitetar.

motear. *v. intr.* mosquear, pintalgar, sarapintar.

motejador, ra. *adj.* e *s.* motejador, que moteja; escarnecedor; apodador.

motejar. *v. tr.* motejar, dizer motejos contra alguém, escarnecer; satirizar, zombar; debicar; alcunhar; desdenhar.

motejo. *m.* motejo, escárnio, sátira, zombaria, vaia; censura; apodo.

motete. *m.* motete, cântico religioso; motejo, apodo; cesto com asas de corda para meter os braços.

motilar. *v. tr.* tosquiar, cortar o pêlo ou rapá-lo.

motilón, na. *adj.* pelado, sem pêlo. — *m.* (fig. e fam.) leigo sem instrução.

motín. *m.* motim, tumulto popular, revolta; desordem; arruaça, alvoro(ô)to, amotinação sedição, farfalhada, assuada; bernarda, barulho, barulhada; conturbação; (fig.) senzala; barrilada (vulg.): *provocar motines*, arruaçar.

motivación. *f.* motivação, acto de motivar; exposição dos motivos.

motivado, da. *p. p.* e *adj.* motivado, causado, ocasionado; arrazoado; fundamentado; determinado.

motivador, ra. *s.* motivador, causante, aquele que motiva ou dá causa.

motivar. *v. tr.* motivar, dar motivo ou causa, ocasionar. originar, causar, determinar; explicar o motivo, fundamentar, dar a razão.

motivo, va. *adj* motivo, que move ou pode fazer mover; que determina. — *m.* motivo, causa, razão; fundamento; origem; ocasião; impulso; força; princípio; lugar; pábulo; expediente; circunstância; consideração; determinante; assunto; fim com que se faz alguma coisa; (mús.) motivo, frase musical; (bel. art.) assunto de composição.

moto. *m.* marco divisório, baliza. — *f.* motocicleta, moto.

moto, ta. *adj.* (Amér.) órfão.

motocicleta. *f.* motocicleta, bicicleta com motor, autociclo.

motociclismo. *m.* (deport.) motociclismo.

motociclista. *s.* (deport.) motociclista.

motociclo. *m.* motociclo, motocicleta.

motolito, ta. *adj.* néscio, tolo, crédulo: *vivir uno de motolito*, sustentar-se a expensas doutrem.

motón. *m.* (mar.) moitão, cadernal: *motón de briol o violín*, cadernal de dois gornes; *motón de escota de gavia*, moitão das escotas das gáveas; *motón de rabiza*, moitão de rabixo; *motón de canasta*, moitão alceado ou aguentado; *motón giratorio*, moitão de torno.

motonave. *f.* embarcação de motor eléctrico ou de explosão.

motonería. *f.* (mar.) poleame, conjunto de polés, roldanas, moitões, etc.; estralheira.

motor, ra. *adj.* motor, que faz mover; excitador; alma; autor. — *m.* motor, máquina que dá movimento. — *f.* motora, pequena embarcação com motor; motor, tudo o que produz movimenta; força que imprime movimento; agente.

motoricidad. *f.* motoricidade, acção do sistema nervoso que determina as contracções musculares.

motorista. *s.* pessoa que conduz automóvel, motocicleta, etc.; motorista, autista.

motorización. *f.* acção e efeito de motorizar.

motorizar. *v. tr.* mecanizar; dotar de motor.

motril. *m.* V. **mochil.**

motrilo, la. *adj.* (Amér.) gordo, diz-se dos animais.

motriz. *adj.* motriz, motora; que produz movimento.

motu propio. (lat.) voluntàriamente, de própria iniciativa.

movedizo, za. *adj.* movediço, fácil de ser movido; dessegurado; inseguro; que não está firme; movediço, inconstante ou fácil de mudar de intenção, volúvel; solto; mexediço.

movedor, ra. *adj.* e *s.* movedor que move, motor.

movedura. *f.* aborto. V. **aborto.**

mover. *v. tr.* mover, dar movimento a; deslocar, mexer; menear; agitar: impelir, instigar; cansar; intentar; mover, dar motivo; ocasionar; mover, alterar, comover; mover, inspirar; começar a brotar; mover, excitar; mexelhar; induzir; animar; impressionar; chocalhar; (fig.) estimular; inclinar; convidar; abalar; suscitar; fluir em; (Bras.) futicar; (Bras. Sur) balanzar. — *v. r.* mover-se, estar em movimento, agitar-se, bulir; passar, decorrer, comover-se, deixar-se persuadir, ceder; menear-se; agitar-se; deslocar-se, abalar-se: *moverse contínuamente,* dar ao beque; *no os movais de aquí,* não vos bulais d'aquí; *se me mueven los dientes,* abalam-me os dentes; *no dejar de moverse,* bolir; *mover a compasión,* mover à compaixão. — *pres. ind. irr.* **muevo, -es, -e;** *subj.* **mueva, -as, -a, -an.**

movible. *adj.* movível, que se pode mover; móvel; (fig.) variável, volúvel, inconstante; mutável; ambulante.

movición. *f.* (fam.) movimento, movimentação.

movido, da. *p. p.* e *adj.* movido; chocalhado; impelido; instigado; ocasionado.

moviente. *p. a.* e *adj.* movente, que move; que se move; móvel; (herald.) diz-se da peça que se dirige dos bordos ao interior do escudo.

móvil. *adj.* móvel, que pode mover-se; movediço; que não tem estabilidade; que não está fixo; (fig.) volúvel. — *m.* móbil, causa; ânimo; elemento; motor, causa motriz; causa primordial.

movilidad. *f.* mobilidade, qualidade de movível; (fig.) mobilidade, multabilidade, inconstância; volubilidade; facilidade de mudar de opinião; propriedade do que obedece às leis de movimento.

movilizable. *adj.* que se pode mobilizar.

movilización. *f.* mobilização; acto de mobilizar.

movilizar. *v. tr.* mobilizar, pôr em actividade ou movimento, tropas, etc; pôr em pé de guerra, atropar; (med.) pôr em movimento alguma parte do corpo fixa ou ancilosada: *estar movilizado,* estar em armas.

movimiento. *m.* movimento, estado em que um corpo muda de posição em relação a outro; movimento, impulsão, efervescência; evolução; meneamento; movimento, a(c)ção, impulso, animação; movimento, andamento musical; movimento, alteração, inquietação; movimento, ímpeto duma paixão ou afecto; movimento, agitação política; movimento, compras e vendas; movimento, conjunto das peças dum relógio ou duma máquina; movimento, marcha de tropas; marcha de exército; maneira com que alguém move o corpo; variação de valores, movimento de valores; transacções.

moyana. *f.* pão de rala que se dá aos cães que vigiam o gado; antiga arma de artilharia; espécie de colubrina; (fig. e fam.) mentira, ficção.

moyo. *m.* medida de capacidade equivalente a 258 litros.

moyuelo. *m.* rolão, sêmea fina.

moza. *f.* mo(ô)ça, criada de servir; empregada; concubina; moça; pá de lavadeira; peça das trempes que segura o cabo da frigideira; nalguns jogos, mão final: *moza de fortuna,* prostituta.

mozalbete. *m.* mocilho, moço de pouca idade.

mozalbillo. *m.* mocilho. V. **mozalbete.**

mozallón. *m.* mocetão, moço valente e robusto, moçalhão.

mozancón, na. *s.* mocetão, moço ou moça robusta.

mozárabe. *adj.* e *s.* moçárabe.

mozarrón, na. *s.* mocetão, mocetona, pessoa robusta.

mozcorra. *f.* (fam.) rameira, prostituta.

moznado. *adj.* (herald.) diz-se do leão que não tem dentes, lingua nem garras.

mozo, za. *adj.* e *s.* mo(ô)ço, novo em idade, jovem, solteiro; moço, serviçal, servente; criado, fâmulo; recruta: *mozo de cordel,* mariola, moço de fretes; *mozo de cuerda,* fretejador, mariola, galopim; *feniqueiro; mozo de abordo,* (mar.) paquete; *mozo de estoques,* (taur.) moço-de-forcado.

mozón, na. *adj.* mocetão, moçalhão; (Amér.) pândego, trocista.

mozonada. *f.* (Amér.) troça graciosa.

mozonear. *v. intr.* (Amér.) fazer troça.

mozuelo, la. *s.* mocinho, (rapaz, rapariga).

mú. *m.* mu, onomatopeia com que se representa a voz do toiro e da vaca; mugido: *no decir ni mú,* (fam.) não falar palavra; fazer-se em copas.

mu. *m.* ó-ó, voz que se emprega comummente para adormecer as crianças.

muaré. *m.* muaré, tecido de seda ondeado.

mucama. *f.* (Amér.) servente, criada de servir, fámula.

mucamo. *m.* (Amér.) servente, serviçal, criado de servir.

múcara. *f.* (mar.) conjunto de baixios que não são visíveis.

mucejo. *m.* (Amér.) tristeza, abatimento de ânimo.

muceta. *f.* mozeta, murça eclesiástica ou prelatícia; murça, capelo de doutor.

mucilaginoso, sa. adj. mucilaginoso.

mucílago. *m.* mucilagem, substância viscosa vegetal.

mucina. *f.* (quím.) mucina.

mucíparo, ra. adj. mucíparo.

mucitis. *f.* (pat.) mucite.

mucívoro, ra. adj. (zool.) mucívoro.

mucle. *m.* (Amér.) doença do recém-nascido.

muco, *m.* (bot.) muco, árvore malvácea.

mucoráceos. *m. pl.* (bot.) mucoráceas, fungos, bolores.

mucosidad. *f.* mucosidade, muco; (Bras.) meleca.

mucoso, sa. adj. mucoso, que tem ou produz mucosidade.

mucre. adj. (Amér.) acre, áspero, adstringente.

mucrón. *m.* (anat.) mucron, espinhela.

mucronato, ta. adj. pontiagudo, terminado em ponta; (zool.) V. **xifoides.**

mucronífero, ra. adj. (bot.) V. **mucronato.**

mucuy. *m.* (Amér.) V. **tórtola.**

muchachada. *f.* rapaziada, acção própria de rapazes; puerilidade, criancice, garotice.

muchachear. *v. intr.* fazer rapaziadas.

muchachería. *f.* rapaziada, rapazia, reunião de rapazes que fazem barulho.

muchachez. *f.* puerícia, estado de rapaz.

muchachil. adj. juvenil, próprio de rapazes.

muchacho, cha. *s.* rapaz, rapariga; mo(ô)ço, moça; (fam.) pessoa que está na mocidade; muchacho; mancebo; jovem: *muchacha en edad de merecer,* franganota; *muchacha ligera de cascos,* chasca; *muchacha frescachona,* moça choruda; *muchacho travieso,* moço traquinas; *muchacho con ínsulas de hombre,* franganito, frangote, franganote.

muchedumbre. *f.* multidão, grande quantidade de pessoas ou coisas; abundância, cópia; a multidão, o povo, a plebe, o vulgo; apertão; fula; (fig.) enxame, formigueiro; magote.

muchila. *m.* (Amér.) V. **mochila.**

muchísimo, ma. adj. e adv. (superl.) muitíssimo; em grande quantidade; com grande intensidade.

mucho, cha. adj. muito, abundante, numeroso; excessivo; intenso; forte. — adv. muito, com abundância; em grande quantidade; com intensidade; em excesso; em grande número; em estilo familiar equivale a sim ou certamente; profundamente, em alto grau; com força; bem: *comer mucho,* comer bem; *mucho más,* bem mais; *no hace mucho,* há bocadinho; *cuando mucho,* quando muito; *tener en mucho,* ter em grande estima; *muy mucho,* muitíssimo; *hablar a mucha gente,* falar a bem; *quien mucho abarca poco aprieta,* quem muito embarca, pouco aperta. — pl. muitos, mil, grande quantidade.

muda. *f.* muda, acto de mudar, mudança; renovação da pena ou do pêlo nos animais; muda, roupa que se muda duma vez; certo cosmético para o rosto; alteração da voz na puberdade; muda, tempo em que os animais fazem a muda; ninho para as aves de caça.

mudable. adj. mudável, que se pode mudar com facilidade, variável, volúvel, móvel, mudadiço, inconstante; inconsequente; antojadiço.

mudada. *f.* (Amér.) muda de roupa.

mudadizo, za. adj. mudadiço, mudável, inconstante.

mudamiento. *m.* V. **mudanza.**

mudancia. *f.* (prov.) V. **mudanza.**

mudanza. *f.* mudança; trasladação duma casa ou habitação para outra; deslocação; modificação; transformação; metamorfose; alteração; variação, mutação, muda; mudança, certo número de movimentos no compasso dos bailes; inconstância de afeições; volubilidade; variação; visicitude; alteração da voz na puberdade; conversão: *mudanza de casa o de domicilio,* mudança de casa, de domicílio.

mudar. *v. tr.* mudar, dar ou tomar outro ser ou natureza, estado, lugar, figura, etc.; mudar, levar dum lugar para outro; deslocar; remover; trasladar, transferir; desviar; alterar, transformar uma coisa; mudar, substituir uma coisa por outra; mudar, remover dum sítio ou emprego; mudar a voz; mudar de penas, de pêlo (os animais); dispor de outro modo; modificar; mudar, dar outra direcção; alterar; renovar; tomar outro aspecto; variar de comportamento, de génio; mudar de roupa; (fig.) variar; converter; (fam.) defecar. — *v. r.* mudar-se de roupa, de fato; passar a residir em outra casa; transformar-se; alterar-se, tornar-se diferente.

mudéjar. adj. e *s.* mudéjar.

mudez. *f.* mudez, impossibilidade física de falar; silêncio deliberado e persistente; mutismo.

mudo, da. adj. e *s.* mudo; calado, silencioso; pessoa privada do uso da fala; que não tem voz; afónico; atalhado; mudo, diz-se das coisas inanimadas: *letra muda,* letra muda; *quedarse mudo de sorpresa,* ficar mudo de surpresa.

mueblaje. *m.* mobília; arreamento. V. **moblaje;** móveis, alfaias, trastes de casa.

mueblar. *v. tr.* mobilar. V. **amueblar.**

mueble. adj. móvel (diz-se dos bens que não são de raiz). — *m.* móvel, objecto de mobília; alfaia, traste de casa. — *pl.* arreação, trastes da casa; adereço da casa; (Bras.) teréns: *bienes muebles,* bens móveis; *quitar los muebles de una habitación,* desalfaiar.

mueblería. *f.* fábrica ou loja de móveis.

mueblista. *m.* marceneiro, fabricante ou vendedor de móveis; ebanista.

mueca. *f.* esgar, trejeito, gaifonice, contorção, gaifona, gestos, visagens, ademanes ridículos, bichancros: *hacer muecas*, gaifonar.

muela. *f.* mó, pedra do moinho, ou lagar; mó, rebolo, pedra de amolar; (anat.) dente molar; morro plano no cume; (fig.) roda, círculo feito de qualquer coisa; cabeço outeiro, colina; quantidade de água suficiente para fazer andar uma roda de moinho; unidade de medida para apreciar a quantidade de águas dos canais; (bot.) V. **almorta:** *muela del juicio*, dente da sabedoria, cabeiro, do siso; *Dios da almendras a quien no tiene muelas*, (pop.) dá Deus nozes a quem não tem dentes.

muelar. *m.* ervilhal, terreno semeado de ervilhas.

muelo. *m.* montão de grão limpo, na eira.

muellaje. *m.* ancoragem, direitos que se pagam por ancorar.

muelle. *adj.* mole, brando, delicado, suave, flexível; mole, voluptuoso; (fig.) efeminado, adamado; amanteigado, froixo; macio. — *m.* mola, pedaço de ferro ou aço temperado; adereço, enfeite composto de diferentes relicários ou dixes que as mulheres traziam pendente da cintura: *muelle del reloj*, corda do relógio. — *pl.* tenazes grandes usadas nas casas da moeda.

muelle. *m.* molhe, cais, embarcadoiro, porta-mar; dique de carga e descarga; plataforma nas estações dos caminhos de ferro.

muenda. *f.* (Amér.) tunda, tareia. V. **zurra.**

muenga. *f.* (Amér.) moléstia.

muengo, ga. *adj.* (Amér.) diz-se da pessoa ou animal a quem falta uma orelha.

muer. *m.* V. **mueré.**

¡muera! *interj.* abaixo!

muérdago. *m.* (bot.) agárico.

muerdo. *m.* mordedura, mordedela; (fam.) bocado.

muermo. *m.* (vet.) mormo; (Amér.) nome dum género de árvores rosáceas de madeira muito apreciada.

muermoso, sa. *adj.* mormoso, que tem mormo.

muerte. *f.* morte, cessação da vida; defunção, decesso; falecimento; acabamento; separação do corpo e da alma; morte, acto de morrer; a pena capital; (fig.) ataúde, cipreste; desaparecimento; sepultura; (fig.) grande desgosto; aflição profunda; morte, falta de movimento, de vida; homicídio; figura do esqueleto humano como símbolo da morte; (fig.) destruição, aniquilamento; ruína; morte, termo, fim: *muerte aparente*, exanimação; *muerte por accidente*, morto por acaso; *muerte en estado de gracia*, (rel.) eutanasia; *estar a las puertas de la muerte*, estar a despedir, estar à dependura; *la muerte*, descanso eterno; *padecimiento y muerte de Jesucristo*, Paixão; *muerte sin padecimiento*, (med.) eutanasia; *muerte repentina*, morte arrebatada; *muerte violenta*, morte arrebatada; *entre la vida y la muerte*, entre a vida e a morte;

muerte chiquita, estremecimento nervoso; *de muerte*, de morte, fatalmente.

muerto, ta. *p. p. irr.* de *morir* e *adj.* e *m.* morto, que está sem vida; defunto; extinto; morto, desaparecido, desatado das prisões do corpo; falecido; exânime; inanimado; (pop.) despido; insensível; (fig.) apagado, pouco activo, murcho; murcho, seco (falando dos vegetais); extinto, desvanecido; sem acção, sem vigor; paralisão, em que não há movimento; morto, estancado, estagnado; muito fatigado; muito desejoso de; apagado; esquecido; do que não se fala.

muesca. *f.* entalhe, concavidade, encasamento, encaixe; corte, sinal semicircular que se faz na orelha das reses; concavidade que se faz para introduzir qualquer coisa; encarna: *hacer muescas*, amocegar.

mueso. *m.* (fig. e fam.) dor de ventre das puérperas.

muestra. *f.* amostra, mode(ê)lo, exemplar; tabuleta; porte, figura; exemplo; amostra, indício; exibição; (fig.) mostra, sinal, prova, indício; demonstração; (mil.) mostra, visita fiscal passada à tropa; (fig.) sinal, demonstração dalguma coisa; paragem que faz o cão ao encontrar a caça: *botón, paño de muestra*, pano de amostra.

muestrario. *m.* mostruário, colecção de amostras de mercadorias.

muévedo. *m.* móvito, parto prematuro, aborto.

mufla. *f.* mufla, vaso de barro para sujeitar certos corpos à acção do fogo, sem que a chama lhes toque; cobertura de barro, com furos, para certas forjas.

muftí. *m.* mufti, chefe religioso e jurisconsulto muçulmano.

muga. *f.* termo, limite, marco divisório.

mugar. *v. intr.* V. **desovar.** desovar, fecundar as ovas.

mugido. *m.* mugido, voz do boi e dos bovídeos em geral; grito do toiro ou da vaca.

mugidor, ra. *adj.* mugidor, que muge.

mugir. *v. intr.* mugir, dar mugidos; (fig.) soltar gritos semelhantes ao mugido; (fig.) bramar, bramir, estrondear; arruar.

mugre. *f.* imundície, sujidade, porcaria; mugre; ferrugem dos metais.

mugriento, ta. *adj.* sujo, ensebado, engordurado; ferrugento; imundo.

mugrón. *m.* mergulhão de videira; alporca, mergulho, mergulhia; mergulhão, mergulha.

mugroso, sa. *adj.* engordurado, ensobado; ferrugento.

muir. *v. tr.* mungir, ordenhar.

mujalata. *f.* sociedade agrícola em Marrocos constituída por um muçulmano com um cristão ou um judeu.

mujer. *f.* mulher, pessoa do sexo feminino; mulher, aquela que chegou à idade da puberdade; mulher, a casada em relação ao marido, esposa, metade; mulher, senhora; (pol.) madama; cônjuge consorte; mulher, o belo sexo: *las mujeres*, o sexo fraco. o belo sexo; *mujer hermosa*, fada; *mujer gorda*, abóbora; *mujer fuerte y hombruna*, macha, fanchona; *mujer exquisita*, alvéloa; *mujer callejera*, arruadeira; ambulatriz; *mujer de conducta ligera*, arrolada; *mujer ladina*, abelha-mestra; *mujer pública, mundana, de mal vivir*, etc., (vulg.) sendeira, meretriz, prostituta; *mujer de treinta años*, (Bras.) balzaquiana; *mujer fea*, (Bras.) urucaca; *mujer sin atractivos*, (Bras.) bofe.

mujercilla. *f.* dim. de *mujer*, mulherzinha, mulher ordinária; diz-se também da mulher de má vida.

mujerengo. *adj.* (Amér.) mulherengo, mulheril, maricas, mulherigo, diz-se do homem efeminado.

mujeriego, ga. *adj.* mulherengo, diz-se do homem apaixonado por mulheres; frascário; fraldiqueiro; frangalhoteiro; (fig.) sensual; farante.

mujerol. *adj.* efeminado; mulheril, pertencente ou relativo à mulher; amaricado.

mujerío. *m.* mulherio, conjunto de mulheres, as mulheres em geral; grande quantidade de mulheres.

mujerona. *f.* aum. de mulher; mulheraça, mulherão, mulherona, mulher alta e robusta.

mujeruca. f. dim. de *mujer*, fanchona, mulherzinha.

mujerzuela. f. dim. de *mujer*, mulherzinha; fanchona.

mujo, ja. *adj.* (Amér.) V. **musgo.**

mula. *f.* (zool.) mula, fêmea do macho ou do mu; calçado dos Papas semelhante ao que usavam os patrícios romanos; (fig.) pessoa ruim; (fig.) pessoa teimosa, obstinada.

mulada. *f.* (Amér.) muletada, conjunto de mulas, manada de mulas.

muladar. *m.* muladar, monturo; lugar onde se deita o esterco, esterquilíneo, caterqueíra.

muladí. *adj.* e *s.* cristão renegado; diz-se do cristão que na Península Ibérica abraçava o islamismo.

mular. *adj.* muar, pertencente ou relativo à raça dos mus.

mulatada. *f.* (Amér.) cólera, exasperação dos mulatos.

mulatear. *v. intr.* (Amér.) pintar, começar a maturação das frutas.

mulatero. *m.* aquele que aluga mulas, alquilador; muleteiro, moço de mulas, arrieiro.

mulato, ta. *adj.* e *s.* mulato, filho de pai branco e mãe preta ou viceversa; moreno, trigueiro.

muleque. *f.* (Amér.) rapaz preto recém-chegado.

mulero. *m.* muleteiro, moço de mulas, arrieiro.

muleta. *f.* muleta, dos coxos; pau em que o toureiro suspende a capa; (fig.) apoio, amparo; (zool.) muleta (conchas).

muletada. *f.* muletada, manada de gado muar.

muletero. *m.* muleteiro. V. **mulatero.**

muletilla. *f.* muleta de toureiro; estribilho, palavras muito repetidas, bordão; espécie de botão comprido de passamanaria; bengala com o castão em forma de muleta; travessa na extremidade dum pau; (min.) prego com cabeça em formato de cruz

muletillero, ra. *s.* pessoa que usa de estribilhos ou bordões na conversação.

muleto, ta. *s.* machinho, mulo de pouca idade. mulinho.

muletón. *m.* baeta, baetilha, tecido felpudo de lã.

mulilla. *f.* calçado dos patrícios romanos.

mulo. *m.* (zool.) mu, macho, mulo; (fig.) cabeçudo, teimoso.

mulso, sa. *adj.* mulso, hidromel, misturado com mel ou açúcar.

multa. *f.* multa, coima, pena pecuniária; qualquer pena ou condenação; emenda; (pop.) enxeco: *imponer una multa*, apenar; *condonar una multa*, descoimar.

multar. *v. tr.* multar, aplicar multas, condenar em multas, acoimar; apenar.

multiarticular. *adj.* multiarticular.

multicapsular. *adj.* (bot.) multicapsular.

multicaule. *adj.* (bot.) multicaule.

multicelular. *adj.* (zool. e bot.) multicelular.

multicolor. *adj.* multicolor, multicor.

multicopista. *adj.* e *s.* copiógrafo; minerva.

multicúspide. *adj.* multicúspide.

multífido, da. *adj.* multífido.

multiflor. *f.* (Amér.) planta rosácea com muitas flores em cada ramo.

multifloro, ra. *adj.* (bot.) multifloro.

multifolio, lia. *adj.* (bot.) multifoliado.

multiforme. *adj.* multiforme, diverso.

multilátero, ra. *adj.* (geom.) multilátero.

multilobulado, da. *adj.* multilobado.

multilocular. *adj.* (bot.) multilocular.

multimillonario, ria. *adj.* e *s.* multimilionário.

multípara. *adj.* e *f.* multípara, mulher que teve mais de um parto.

multiparidad. *f.* (obstetr.) multiparidade.

multipartido, da. *adj.* (bot.) multipartido.

multípedo, da. *adj.* (zool.) multípede.

multipétalo, la. *adj.* (bot.) multipétalo.

multiplano, na. *adj.* multiplano.

múltiple. *adj.* multíplice, complexo, variado, que se manifesta de vários modos; oposto a simples; numeroso.

multiplex. *m.* (fís.) multiplex (aparelho telegráfico).

multiplicable. *adj.* multiplicável, que se pode multiplicar.

multiplicación. *f.* multiplicação; reprodução; (fig.) difusão, propagação.

multiplicador, ra. *adj.* e *s.* multiplicador, que multiplica; coeficiente.

multiplicando. *adj.* e *m.* (mat.) multiplicando.

multiplicar. *v. tr.* (mat.) multiplicar; aumentar; reproduzir; propagar, difundir.— *v. r.* multiplicar-se, propagar-se, reproduzir-se, crescer em número; enxamear; (fig.) desenvolver extraordinária actividade: *tabla de multiplicar,* tábua de multiplicar.

multiplicativo, va. *adj.* multiplicativo, que multiplica ou serve para multiplicar.

multíplice. *adj.* multíplice. V. **múltiple;** numeroso, variado; complexo.

multiplicidad. *f.* multiplicidade; multidão; abundância excessiva; variedade; número considerável.

múltiplo, pla. *adj.* e *s.* (mat.) múltiplo, número múltiple: *mínimo común múltiplo,* menor múltiplo comum.

multipolar. *adj.* multipolar.

multitubular. *adj.* multitubular.

multitud. *f.* multidão, grande número de pessoas ou coisas; povo, populacho, turba; cheia; cópia; afluência; (pop.) bicharia, colmeia; bastidão; formigueiro; ajuntamento; magote; apertada de gente; apertão; chusma; azáfama; (fig.) enxame; exército; enxurrada de gente; (fig.) vulgo.

multivalencia. *f.* (quim.) multivalência.

multivalvo, va. *adj.* (zool.) multivalve.

mullida. *f.* cama para o gado.

mullido, da. *p. p.* e *adj.* afofado, abrandado, amolecido. — *m.* enchimento, recheio mole ou fofo com que se acolchoam colchões, assentos, etc.

mullidor, ra. *adj.* e *s.* amolecedor, que amolece.

mullir. *v. tr.* amolecer, abrandar, fazer mole, afofar, tornar fofo; bater a lã; (fig.) tratar e dispor as coisas com habilidade para conseguir algum fim; (agr.) cavar à roda das cepas; derraigar; (fig.) molir, maquinar, dispor as coisas industriosamente: *mullírselas a uno,* castigar uma pessoa. — *pret. irr.* **mulló, lleron;** *sub. imperf.* **mullera** o **mullese;** *ger.* **mullendo;** *imperat.* **mulle, mullid.**

mumuga. *f.* (Amér.) desperdício de tabaco.

mundanal. *adj.* mundano, mundanal; temporal; material; transitório; dado aos prazeres do mundo; não virtuoso.

mundanalidad. *f.* mundanalidade, mundanidade, mundaneidade, mundanismo.

mundanear. *v. intr.* mundanar, atender excessivamente à mundanalidade.

mundaneo. *m.* mundanismo, vida mundana.

mundanería. *f.* mundanalidade, mundaneidade, mundanismo; acção mundana.

mundanero, ra. *adj.* mundano, mundanal; temporal; material.

mundanesca. *f.* conjunto de gente mundana; costumes da gente mundana.

mundanesco, ca. *adj.* V. **mundano.**

mundanidad. *f.* mundanidade, mundanalidade, mundaneidade.

mundanismo. *m.* mundanismo, mundaneidade, vida mundana; preocupação com os prazeres materiais.

mundanista. *adj.* e *s.* relativo ao mundanismo; partidário do mundanismo.

mundano, na. *adj.* mundano, pertencente ou relativo ao mundo; mundo, pessoa dada

aos prazeres do mundo; (fig.) profano; temporal; material; transitório.

mundial. *adj.* mundial, pertencente ou relativo ao mundo; geral.

mundicia. *f.* limpeza.

mundificación. *f.* mundificação; (med.) mundificação; purificação.

mundificante. *p. a.* e *adj.* mundificante, que mundifica; abstergente; emoliente.

mundificar. *v. tr.* mundificar, limpar, purificar; assear.

mundificativo, va. *adj.* mundificativo, mundificante, aplica-se ao medicamento purificador.

mundillo. *m.* dim. de *mundo;* enxugador, aparelho para enxugar, para aquecer a roupa; almofada cilíndrica para fazer rendas. — *pl.* (bot.) planta caprifoliácea semelhante às hortenses.

mundinovi. *m.* mundinóvi, espécie de cosmorama ou câmara óptica.

mundo. *m.* mundo, conjunto de tudo o que existe; mundo, a Terra, o Planeta; Globo terrestre; Universo; a humanidade; sistema de planetas; cada um dos continentes; a gente, a maior parte da gente; a vida humana sobre a Terra; (fam.) mundo, grande quantidade, grande número de gente; (fig.) o mundo, o inimigo da alma, os prazeres materiais da vida; mundo, categoria social; classe: *ver mundo,* viajar; *medio mundo,* muita gente, a maior parte da gente.

mundología. *f.* ciência de mundo; experiência da vida mundana.

mundonuevo. *m.* mundinóvi, espécie de câmara óptica.

munición. *f.* munição, petrechos necessários à tropa; conjunto de armamentos de defesa com que se aprovisiona uma praça, um exército; projécteis; chumbo de caça; carga duma arma de fogo; víveres e forragem; armas e munições; munições de boca; mantimentos para um exército; (Amér.) uniforme de soldados; diz-se do que está feito à pressa e mal acabado: *munición menuda,* chumbo miúdo para caçar pássaros; *munición de boca,* munições de boca; *municiones de guerra,* petrechos de guerra; apercebimento.

municionamiento. *m.* apetrechamento, apreste-apresto; abastecimento; aprovisionamento.

municionar. *v. tr.* apetrechar, municionar, prover de munições; abastecer, municiar, aprovisionar.

municipal. *adj.* municipal, pertencente ou relativo ao município ou à municipalidade; consistorial. — *m.* indivíduo da guarda municipal; (Amér.) V. **concejal:** *consejo municipal,* consistório.

municipalidad. *f.* municipalidade, município, concelho; câmara municipal; conjunto de indivíduos eleitos para regerem os negócios municipais, de interesse público.

municipalización. *f.* municipalização.

municipalizar. *v. tr.* municipalizar, entregar ao município um serviço público.

munícipe. *m.* munícipe, cada um dos indivíduos que formam o município.

municipio. *m.* município, municipalidade; habitante dum concelho; câmara municipal; cidade livre que se governava por leis próprias com quanto participasse dos direitos de cidade romana; circunscrição territorial em que uma vereação exerce a sua jurisdição.

munificencia. *f.* munificência, generosidade, liberalidade.

munificente. *adj.* V. **munífico.**

munificentísimo, ma. *adj.* superl. de *munífico.*

munífico, ca. *adj.* munífico, munificente; dadivoso, que exerce a liberalidade com munificência.

munitoria. *f.* arte de fortificar uma praça, fortaleza, etc.; fortificação.

munúsculo. *m.* presente insignificante, sem valor.

muñeca. *f.* (anat.) pulso, munheca, colo da mão; boneca, brinquedo de menina; manequim; boneca de trapo para envernizar; marco, divisória; (fig. e fam.) mulher presumida e frívola.

muñeco. *m.* boneco, brinquedo de crianças; (fig. e fam.) bonifrate; bilro; fantoche: *tener muñecos en la cabeza,* ter ilusões descabidas.

muñeira. *f.* dança popular galega; música dessa dança.

muñequera. *f.* pulseira, geralmente de couro, para segurar o relógio.

muñequería. *f.* (am.) excesso de enfeites no vestuário.

muñidor. *m.* andador, empregado de confrarias e irmandades; intrigante; mediador, medianero; eleiçoeiro (de eleições); agente de contratos: *muñidor electoral,* eleiçoeiro.

muñir. *v. tr.* convocar, chamar, convidar para reuniões de confrarias ou irmandades; concertar, dispor, manejar; (agr.) derraigar as terras. — *conj. irr.* como *mullir.*

muñón. *m.* coto, resto dum membro a que foi amputada uma parte; o músculo deltóide e a região do ombro correspondente ao mesmo; (artil.) munhão, eixo dos canhões, que encaixa na munhoneira.

muñonera. *f.* (artil.) munhoneira.

muquición. *f.* (germ.) comida.

muquir. *v. tr.* (germ.) comer.

mural. *adj.* mural; parietal.

muralla. *f.* (fort.) muralha, muro duma fortaleza, adarve; (Amér.) V. **pared;** casa aldeã com uma só porta para a rua.

murallón. *m.* paredão, grande muralha.

murar. *v. tr.* murar, cercar de muros; muralhar, fortificar.

murceguillo. *m.* V. **murciélago.**

murceo. *m.* (germ.) V. **tocino.**

murciano, na. *adj.* e *s.* (geog.) murciano.

murciar. *v. tr.* (germ.) furtar.

murciégalo. *m.* (zool.) V. **murciélago.**

murciélago. *m.* (zool.) morce(ê)go; (Bras.) andirá.

murcigallero. *m.* (germ.) ladrão que furta à boca de noite.

murcilero. *m.* (germ.) ladrão que furta aos que estão a dormir.

murcio. *m.* (germ.) ladrão.

murecillo. *m.* (zool.) músculo dum animal.

murena. *f.* (zool.) more(é)ia, peixe ambiforme.

mureño. *m.* (prov.) V. **majano.**

murete. *m.* parede, muro pequeno.

muriacita. *f.* (min.) mineral cristalino que tem por base o sulfato de cal anidro. V. **anhidrita.**

muriático, ca. *adj.* (quím.) muriático, clorídrico.

muriato. *m.* (quím.) muriato.

múrice. *m.* múrice, molusco gastrópode; (poét.) cor de púrpura.

múridos. *m. pl.* (zool.) múridas.

murmujear. *v. intr.* (fig. e fam.) murmurar, falar baixo, mussitar.

murmullar. *v. intr.* murmurar. V. **murmurar.**

murmullo. *m.* murmúrio, sussurro de vozes; murmuração; frénito; cício; murmurinho, borborinho.

murmuración. *f.* murmuração, detra(c)ção, maledicência; afeamento; andeja; falada, fala; chocalheirada; falatórios.

murmurador, ra. *adj.* e *s.* murmurador, detractor; maldizente, murmurante, desgabador.

murmurar. *v. intr.* murmurar, sussurrar; murmulhar, rumorejar, ramalhar; falar entre dentes; dizer em voz baixa; segredar; falar mal de alguém; queixar-se; censurar ocultamente; resmungar; detrair; difamar; cochichar; apurdar; aguarentar; aguçar a língua; (fig.) analvalhar; desgabar; afear.

murmureo. *m.* murmúrio contínuo; murmulho.

murmurio. *m.* murmuração, murmúrio, sussurro das folhas das árvores, das águas, etcétera; cício, ciciamento: *murmurio del agua,* arrulho da água.

murmurón, na. *adj.* (Amér.) murmurador. V. **murmurador.**

muro. *m.* muro, parede, muralha; (germ.) broquel, escudo; (fig.) defesa.

murria. *f.* melancolia, tristeza, aborrecimento, mágoa, pena, aflição: *tener murria,* estar triste.

múrrino, na. *adj.* murrino, feito de murra ou relativo a ela; diz-se dos vasos preciosos conhecidos por vasos murrinos.

murrio, a. *adj.* triste, melancólico, descontente, aborrecido, merencório.

murro. *m.* (Amér.) cenho, semblante severo, aspecto carrancudo.

murta. *f.* (bot.) murta. V. **arrayán.**

murtal. *m.* **murtela.** *f.* (bot.) murtal, terreno onde abunda a murta.

murtilla. *f.* (bot.) murteira, arbusto mirtáceo; licor feito do suco da murteira.

murtina. *f.* (bot.) V. **murtilla.**

murtón. *m.* (bot.) murtinho, baga da murta.

murucuca. *f.* (bot.) maracujá.

murucuyá. *f.* (bot.) martírio. V. **pasionaria.**

murueco. *m.* (zool.) V. **morueco.**

murumo. *m.* (bot.) murumo, palmeira da África Oriental.

mus. *m.* certo jogo de cartas: *no hay mus*, de nenhum modo.

musa. *f.* musa, deusa que presidia às artes liberais; (fig.) musa, nume, inspiração de poeta; engenho poético. — *pl.* (fig.) ciências e artes liberais.

musáceo, a. *adj.* (bot.) musáceo. — *f. pl.* musáceas.

musaraña. *f.* (zool.) musaranho. V. **musgaño**; mígala; (por ext.) qualquer sevandija, insecto ou animal muito pequeno; (fig. e fam.) pessoa de má figura contrafeita e ridícula, figurilha; espécie de nuvenzinha que, por vezes, se põe diante dos olhos: *estar pensando en las musarañas*, (pop.) estar a pensar na morte da bezerra.

muscaria. *f.* V. **moscareta.**

muscarina. *f.* (quím.) muscarina.

muscardina. *f.* muscardina, doença dos bichos-da-seda .

musco, ca. *adj.* de cor pardo escuro.

musculación. *f.* musculação. V. **musculatura.**

musculado, da. *adj.* musculado, que tem músculos bem desenvolvidos.

muscular. *adj.* muscular, pertencente aos músculos.

musculatura. *f.* musculatura, conjunto e disposição dos músculos; força muscular.

musculina. *f.* (bioquím.) musculina.

músculo. *m.* (anat.) músculo; energia; rijeza.

musculoso, sa. *adj.* musculoso, que tem músculos fortes; musculado; (fig.) robusto, forte; (Bras.) mucudo.

muselina. *f.* musselina, tecido leve de algodão, lã ou seda.

museo. *m.* museu: *pieza de museo*, peça de museu, objecto interessante.

muserola. *f.* focinheira, correia da cabeçada, bocal, barbilho.

musgo. *m.* (bot.) musgo; limo.

musgoso, sa. *adj.* musgoso, pertencente ou relativo ao musgo; coberto de musgo.

música. *f.* música; música, melodia e harmonia; música, concerto de instrumentos ou vozes; composição musical; música, sociedade musical, banda de música; música, papel ou colecção de papeis em que está escrita uma composição musical; (fig.) música, reunião de sons agradáveis ou desagradáveis, dissonância; filarmónica, orquestra.

musical. *adj.* musical, pertencente ou relativo à música; (fig.) suave, harmonioso.

musicalidad. *f.* musicalidade.

musicastro. *m.* (desprec.) músico reles.

músico, ca. *adj.* e *s.* músico, relativo à música; músico, pessoa que professa a arte musical; compositor musical, musicógrafo; músico, cantor ou tocador de instrumento: *músico de charanga*, charangueiro; *músico callejero*, menestrel, músico ambulante.

musicografía. *f.* musicografia.

musicógrafo, fa. *s.* musicógrafo.

musicología. *f.* musicologia.

musicológico, ca. *adj.* musicológico.

musicólogo, ga. *s.* musicólogo.

musicomanía. *f.* musicomania, melomania.

musicomaníaco, ca. *adj.* e *s.* musicomaníaco.

musicómano, na. *adj.* e *s.* musicó(ô)mano; melómano.

musicoterapia. *f.* (terap.) musicoterapia.

musiquero. *m.* estante ou móvel para guardar obras ou papéis de música.

musiquillo. *m.* musicozinho; musiquim, músico ambulante.

musitación. *f.* mussitação, murmúrio; (med.) mussitação.

musitar. *v. intr.* mussitar, falar em voz baixa; cochichar; falar entre dentes; ciciar, murmurar.

musivo, va. *adj.* de mosaico; disposto em forma de mosaico; bisulfuro de estanho.

muslime. *adj.* e *s.* muslim, muçulmano.

muslímico, ca. *adj.* muslímico, pertencente ou relativo aos muslins, moslénico.

muslera. *f.* coxote, parte da armadura que cobria as coxas.

muslo. *m.* (anat.) coxa. — *pl.* calções.

musmón. *m.* filho de cabra e de carneiro.

mustango. *m.* (Amér.) cavalo bravio.

muste. *interj.* V. **uste.**

mustela. *f.* (zool.) espécie de toninha (peixe marinho).

mustélidas. *f. pl.* (zool.) mustélidas.

mustelino, na. *adj.* (zool.) mustelino.

mustio, tia. *adj.* melancólico, triste, lânguido, macilento. merencório, murcho; (fig. Amér.) hipócrita, falso.

musuco, ca. *adj.* (Amér.) de pêlo riçado.

musulmán. *adj.* e *s.* muçulmano, maometano, agareno.

muta. *f.* matilha.

mutabilidad. *f.* mutabilidade; inconstância; instabilidade; volubilidade; versatilidade.

mutación. *f.* mutação, acto de mudar, mudança de cenário; variação.

mute. *m.* (Amér.) milho torrado e cozido.

mutilable. *adj.* que se pode mutilar ou amputar.

mutilación. *f.* mutilação, corte; amputação.

mutilado, da. *p. p. adj.* e *s.* mutilado, o que foi privado dum membro ou parte do corpo; estropiado, amputado; incompleto.

mutilador, ra. *adj.* e *s.* mutilador, aquele que mutila.

mutilar. *v. tr.* mutilar, cortar uma parte do corpo; privar dum membro; amputar; estropiar; cortar; (fig.) truncar; deturpar; decepar; destruir parte de; mutilar, castrar; desjarretar; fanar.

mútilo, la. *adj.* mutilado, diz-se do que sofreu mutilação.

mutis. *m.* (teatr.) palavra empregada para indicar que devem sair da cena certos personagens; acto de retirar-se: *hacer mutis*, (fig.) calar.

mutismo. *m.* mutismo; mudez; silêncio; aglossia.

mutro, tra. *adj.* (Amér.) diz-se do animal a quem não saíram, ou não cresceram os cornos. V. **mutre.**

mutual. *adj.* V. **mutuo.**

mutualidad. *f.* mutualidade, qualidade do que é mútuo; reciprocidade; mutualidade, solidariedade, sistema de serviços mútuos.

mutualista. *s.* mutualista.

mutuante. *s.* mutuante, pessoa que mutua ou empresta.

mutuario, ria. *s.* mutuário.

mutuatario, ria. *s.* mutuário, pessoa que recebe qualquer coisa por empréstimo.

mutuo, tua. *adj.* mútuo, que se permuta entre duas ou mais pessoas; recíproco; correspondente. — *m.* (for.) contrato pelo qual se cede um objecto e deve ser restituído no mesmo género, qualidade e quantidade; empréstimo; permutação de coisas do mesmo género: *compañía de seguros mutuos*, sociedade de seguros mútuos.

mutualismo. *m.* mutualismo; (biol.) mutualismo.

muy. *adv.* mui; muito, o mais possível, com excesso, com abundância; profundamente, em alto grau: *muy mucho*, (pop.) muitíssimo; *muy lejos*, bem longe; *esto es muy de él*, isto é próprio dele.

muz. *m.* (mar.) remate do talha-mar.

muzárabe. *adj.* e *s.* muçarabe.

muzlemia. *f.* (ant.) mourama.

muzo, za. *adj.* e *f.* murça, diz-se da lima fina.

my. *f.* nome da duodécima letra do alfabeto grego.

N

N, n. *f.* décima sexta letra do alfabeto espanhol; signo com que se designa uma pessoa de quem não se sabe ou não se quer dizer o nome.

nabab. *m.* nababo, governador de províncias na Índia muçulmana; (fig.) homem imensamente rico.

nababo. *m.* V. **nabab.**

nabal. *adj.* V. **nabar.** — *m.* V. **nabar.**

nabar. *adj.* e *m.* pertencente ou relativo aos nabos; nabal, terreno plantado de nabos.

nabato. *m.* (germ.) espinhaço. V. **esquinazo.**

nabería. *f.* conjunto de nabos; nabada, sopa de nabos.

nabí. *m.* profeta entre os mouriscos.

nabina. *f.* nabilha, semente de nabo.

nabiza. *f.* nabiça, rama do nabo.

nabo. *m.* (bot.) nabo, planta crucífera, raiz desenvolvida desta planta; qualquer raiz grossa e desenvolvida; (fig.) tronco da cauda das cavalgaduras; (germ.) embargo; (arq.) cilindro de madeira, eixo; (mar.) mastro: *nabo gallego.* V. **naba.**

naborí. *s.* índio livre que na América se empregava no serviço doméstico.

naboría. *f.* adjudicação de indígenas, para serviço de criados, no princípio da conquista da América.

nácar. *m.* nácar; madrepérola; (fig.) cor de carmim, cor-de-rosa; cor branca.

nácara. *f.* timbale da antiga cavalaria; (prov.) V. **nácar.**

nacarado, da. *adj.* nacarado, nacarino, que tem aspecto de nácar.

nacáreo, a. *adj.* nacarino.

nacarino, na. *adj.* nacarino, nacarado, róseo, que tem aspecto de nácar; coberto ou guarnecido de nácar.

nacarón. *m.* nácar de qualidade inferior.

nacatete. *m.* (Amér.) pintainho, pinto ainda implume.

nacela. *f.* (arq.) nacela, moldura côncava da base duma coluna; escócia.

nacer. *v. intr.* nascer, sair do ventre materno ou do ovo; nascer, germinar, brotar, produzir; principiar, começar; (fig.) nascer, surgir no horizonte; nascer, originar-se; nascer, vir o cabelo ou as penas ao animal; nascer, descender duma família ou linhagem; formar saliência; (bot.) nascer, brotar, rebentar; (fig.) criar--se num hábito ou costume; (fig.) nascer, proceder uma coisa de outra; nascer, inferir-se uma coisa de outra; nascer, aparecer, ser próprio para algum fim; provir; surgir, gerar-se; (fig.) ter aptidões especiais para; ser pago para; provocar, originar; emergir, emanar: *nacido para,* ser fadado para; *haber nacido,* (fig.) sair bem dum perigo. — *v. r.* germinar no ar; rebentar; estalar. — *pres. ind. irr.* **nazco, naces, nace,** etc.; *sub.* **nazca,** etc.

nacida. *f.* nascida, espécie de tumor, abcesso.

nacido, da. *p. p.* e *adj.* nascido. — *m.* tumor, furúnculo, nascida: *bien nacido,* de nobre linhagem, bem-nascido, bem-nado; *nacido antes de tiempo,* abortivo; *nacido dos veces,* (dízese de Baco) binascido; *mal nacido,* velhaco, pouco nobre.

naciente. *p. a.* e *adj.* nascente, que nasce; (fig.) muito recente; (herald.) diz-se do animal cuja cabeça sai acima duma peça do brasão. — *m.* oriente.

nacimiento. *m.* nascimento, acto de nascer; (fig.) estirpe, extracção; emergência; (fig.) fonte, nascimento; berço; Nascimento, Natividade de Jesús; (fig.) origem, presépio; nascimento, nascença; aparecimento dum astro; (fig.) causa, princípio. nascimento: *de nacimiento,* de nascimento.

nación. *f.* nação, conjunto dos habitantes dum território, governado por leis próprias; (fam.) nascimento; nação, estado; casta; raça; povo; pátria; naturalidade.

nacional. *adj.* e *m.* nacional, pertencente ou relativo à nação; natural duma nação em oposição ao estrangeiro; nacional, pertencente a um país; pátrio.

nacionalidad. *f.* nacionalidade, qualidade de nacional; naturalidade; agrupação de indivíduos que têm a mesma origem ou história e tradições comuns.

nacionalismo. *m.* nacionalismo; preferência por tudo o que é próprio da nação a que se pertence; nacionalismo, doutrina pela qual se exalta a personalidade nacional.

nacionalista. *m.* e *f.* nacionalista, partidário do nacionalismo.

nacionalización. *f.* nacionalização, acto de nacionalizar.

nacionalizar. *v. tr.* nacionalizar; tornar nacional, naturalizar. — *v. r.* nacionalizar-se, aclimar-se: *nacionalizar un barco*, embandeirar.

nacional-sindicalismo. *m.* (pol.) nacional-sindicalismo.

nacional-sindicalista. *s.* (pol.) nacional sindicalista.

nacional-socialismo. *m.* (pol.) nacional-socialismo, hitlerismo.

nacional-socialista. *adj.* e *s.* (pol.) nacional--sindicalista.

naco. *m.* (Amér.) tabaco em rolo para mascar.

nacrita. *f.* (min.) nacrite, variedade de talco, de brilho semelhante à nácar.

nada. *f.* nada, a não, existência; nada, coisa nula. — *pron. indef.* nada, coisa nenhuma; não: *desvanecerse en la nada*, desfazer-se em fumo; *nada, o casi nada*, migalha; *reducir a la nada*, aniquilar; *no saber nada*, saber o ax; *no servir para nada*, (fig.) ter maus dedos para organista; *sumirse en la nada*, desaparecer.

nadadera. *f.* bóia para aprender a nadar, nadadeira.

nadadero. *m.* nadadouro, lugar próprio para nadar.

nadador, ra. *adj.* e *s.* nadador, que nada; pessoa destra em nadar; o que serve para nadar.

nadar. *v. tr.* nadar, flutuar; (fig.) nadar, abundar; (fig. e fam.) estar uma coisa folgada dentro doutra; nadar, flutuar, boiar; sustentar-se e progredir sobre a água; (fig.) banhar-se; estar coberto dum líquido; ter abundância de; nadar, estar sobre: *nadar y guardar la ropa*, conservar--se entre dois partidos, estar a duas amarras, ter o pé em dois estribos.

nadería. *f.* migalhice, ninharia, coisa de pouca importância; bagatela; frioleira; minúcia; côdea; (fig.) avelório, avo; (pop.) dez-réis, bizantinice; choldra; futilidade; coisica; farelos; (burl.) farelório.

nadie. *pron. indef.* ninguém, nenhuma pessoa. — *m.* (fig.) pessoa insignificante, João-Ninguém: *Don Nadie*, (pop.) chochinha; *un don nadie*, bolas, empada, *un don nadie*, (Bras.) bereberé.

nadilla. *pron. indet.* (fam.) nadinha.

nádir. *m.* funcionário da fazenda em Marrocos.

nadir. *m.* (astr.) nadir.

nado (a). *adv.* a nado, nadando: *pasar a nado*, atravessar a nado.

nafra. *f.* matadura.

nafrar. *v. tr.* ferir e chagar a cavalgadura com o atrito dos arreios.

nafta. *f.* nafta; gasolina.

naftalina. *f.* naftalina.

naftílico, ca. *adj.* (quím.) naftílico.

naftol. *m.* (quím.) naftol.

nagua. *f.* anágua. V. **enaguas.**

nagual. *m.* (Amér.) nagual, bruxo, feiticeiro; o animal que uma pessoa tem como seu companheiro inseparável.

nagual. *m.* (Amér.) planta crucífera.

naguatlato, ta. *adj.* e *s.* diz-se do índio mexicano que conhecia a língua naguatle.

nahuatle. *adj.* diz-se da língua falada pelos índios mexicanos. — *m.* a mesma língua.

naide. *pron.* (pop.) V. **nadie.**

naife. *m.* certo diamante de qualidade superior.

naipe. *m.* naipe, carta de baralha; (fig.) baralho: *florear el naipe*, preparar as cartas para fazer trapaça; *colocar los naipes por orden*, enaipar; *dar bien el naipe*, (fig.) ter boa sorte; *dar el naipe a uno para una cosa*, (fig.) ter habilidade numa coisa; *dar mal el naipe*, (fig.) ter má fortuna; *estar como el naipe*, (fig. e fam.) estar muito delgado e seco.

naipera. *f.* mulher que trabalha na fabricação de cartas de jogar.

naire. *m.* cornaca, o que trata dos elefantes e os adestra; naide, título de dignidade no Malabar.

¡najencia! *interj.* (germ.) vai-te daqui!

nalca. *f.* (bot. Amér.) pecíolo do *pangue.*

nalga. *f.* nalga, nádega, anca. — *pl.* besbelho, assento: *dar azotes en las nalgas*, descadeirar; *enseñar las nalgas*, desnalgar-se; *menear las nalgas al andar*, desnalgar-se, descadeirar-se; *de nalgas grandes*, ancudo; *nalgas del hombre*, (pop.) maçote.

nalgada. *f.* nalgada, nadegada; pernil do porco.

nalgar. *adj.* nadagueiro, pertencente ou relativo a nádegas.

nalgatorio. *m.* (fam.) as duas nádegas.

nalgón, na. *adj.* (Amér.) V. **nalgudo.**

nalgudo, da. *adj.* nadegudo, que tem grandes nádegas; ancudo.

nalguear. *v. intr.* mover com exagero as ancas ao andar, dar cuadas.

nambí. *adj.* (Amér.) diz-se do cavalo ou égua que tem as orelhas caídas.

nambira *f.* (Amér.) metade duma cabaça.

nana. *f.* (Amér.) V. **pupa.**

nana. *f.* (pop.) avó. V. **abuela;** nana, canção de embalar, embaladeira; (Amér.) aia; mãe.

nanear. *v. tr.* saracotear, mover com requebro as ancas; andar uma pessoa à semelhança dos patos.

nanekismo. *m.* (rel.) nanequismo.

nango, ga. *adj.* (Amér.) forasteiro; tonto, néscio.

nanismo. *m.* (anat. e pat.) nanismo, estado de anão.

nanita. *f.* sinónimo de muito antigo.

nanjea. *f.* variedade de árvore filipina.

nanocefalia. *f.* (terat.) nanocefalia; microcefalia.

nanocéfalo, la. *adj.* e *s.* (terat.) nanocéfalo, microcéfalo.

nanocormia. *f.* (anat.) nanocormia.

nanomelia. *f.* (pat.) nanomelia.

nanómelo. *m.* (terat.) nanó(ô)melo.

nansa. *f.* nassa. V. **nasa;** aquário pequeno para peixes.

nansú. *m.* tecido de algodão branco ou de cor, empregado pelas mulheres.

nao. *f.* (mar.) nau, navio. V. **nave.**

naonato, ta. *adj.* e *s.* diz-se da pessoa nascida numa embarcação.

napa. *f.* (germ.) V. **nalga.**

napea. *f.* (mit.) Nape(é)ia, ninfa dos bosques, dríade.

napelina. *f.* (quím.) napelina.

napias. *f. pl.* (pop.) beque, o nariz.

napiforme. *adj.* napiforme.

napoleón. *m.* napoleão, moeda francesa de prata do valor de 5 francos.

napoleónico, ca. *adj.* napoleó(ô)nico; bonapartista.

napoleonismo. *m.* (pol.) napoleonismo; bonapartismo.

Nápoles. (geog.) Nápoles.

napolitana. *f.* certo lance no jogo de cartas.

napolitano, na. *adj.* e *s.* (geog.) napolitano.

naque. *m.* companhia antiga de cómicos ambulantes, composta por dois homens.

narango. *m.* (Amér.) V. **moringa.**

naranja. *f.* (bot.) laranja, fruto da laranjeira; laranja, bala do tamanho duma laranja: *media naranja,* (fig.) consorte, a esposa, metade; *¡naranjas de la China!, interj.* que serve para negar e também para denotar assombro, estranheza, etc.; *cáscara de naranja,* casca da laranja; *media naranja,* (arq.) meia laranja; abóbada, cúpula.

naranjada. *f.* laranjada, (bebida); (fig. e fam.) dito ou acção grosseira.

naranjado, da. *adj.* alaranjado.

naranjal. *m.* (bot.) laranjal, pomar de laranjeiras.

naranjazo. *m.* laranjada, pancada dada com uma laranja; arremesso de laranja.

naranjera. *f.* trabuco.

naranjero, ra. *adj.* pertencente ou relativo à laranja; diz-se dum cano com um diâmetro de 8 a 10 cm. — *s.* pessoa que vende laranjas. — *m.* (bot.) laranjeira.

naranjilla. *f.* laranja verde e pequena (para conserva).

naranjo. *m.* (bot.) laranjeira, árvore e a sua madeira; (fig. e fam.) homem rude ou ignorante.

narceína. *f.* (quím.) narcína.

narcisismo. *m.* admiração da própia beleza, à semelhança de Narciso; vaidade.

narciso. *m.* (bot.) narciso, planta e a sua flor; (Amér.) V. **adelfa:** *narciso trompón, de los prados* ou *de lechuguilla,* abrotea.

narciso. *m.* (fig.) narciso, homem namorado de si mesmo; adamado; vaidoso.

narcoanálisis. *f.* (sicol.) narco-análise.

narcomanía. *f.* narcomania.

narcosis. *f.* (pat.) narcose.

narcoterapia. *f.* (terap.) narcoterapia.

narcótico, ca. *adj.* e *m.* (med.) narcótico, soporífero, que entorpece ou adormece.

narcotina. *f.* (quím.) narcotina.

narcotismo. *m.* (méd.) narcotismo, narcotização.

narcotización. *f.* narcotização, anestesia.

narcotizador, ra. *adj.* narcotizador, que narcotiza.

narcotizar. *v. tr.* narcotizar, produzir narcotismo; anestesiar; entorpecer.

nardino, na. *adj.* nardino, relativo ao nardo.

nardo. *m.* (bot.) nardo, planta liliácea; nardo, perfume extraído desta planta.

nares. *f. pl.* (germ.) nariz.

narguile. *m.* narguilé, cachimbo oriental.

narigada. *f.* (Amér.) porção de rapé para cheirar.

narigón, na. *adj.* narigudo. V. **narigudo; na**rigão; (Amér.). — *m.* argola que se pendura no nariz.

narigudo, da. *adj.* narigudo, que tem nariz grande, narigão, narigueta. — *s.* narigudo, pessoa com o nariz muito grande; narigudo, em forma de nariz; (Bras.) toscano.

nariguera. *f.* anel pendurado no nariz, usado pelos índios.

narigueta. *f.* dim. de *nariz;* narizinho.

nariguilla. *f.* dim. de *nariz;* narizinho.

nariz. *f.* (anat.) nariz; nariz, focinho dos animais; nariz, olfacto; venta de nariz; aroma delicado que exalam os bons vinhos; golpe de tranqueta, ferro onde encaixa a tranqueta da porta; ângulo agudo; gargalo de alambique; (mar.) beque dum navio; extremidade aguda dalgumas coisas; (fig.) tino, sagacidade; (fig.) apêndice, beque, fungão.

narizón, na. *adj.* (Amér.) V. **narigudo.**

narizota. *f.* aum. de *nariz;* nariganga, narigão. — *pl.* (pop.) bicancra, bicanço, bicanca.

narra. *f.* pau grosso que serve de freio nos carros.

narrable. *adj.* narrável, que se pode narrar ou contar.

narración. *f.* narração, conta, exposição; anedota; descrição; narração, acção de narrar; (ret.) narra, parte do discurso que contém a exposição dos factos: *narración breve,* conto; *narración ficticia,* fábula.

narrado, da. e *adj.* narrado, contado, referido, relatado.

narrador, ra. *adj.* e *s.* narrador, que narra.

narrar. *v. tr.* narrar, contar, referir, relatar; expor as particularidades dalgum facto; descrever, historiar; referir o sucedido; narrar, expressar; falar; (ant.) enarrar; descrever; contar; *narrar cosas ocultas,* mexericar; *narrar minuciosamente,* enumerar.

narrativa. *f.* narrativa, narração; habilidade em referir ou contar as coisas.

narrativo, va. *adj.* narrativo, pertencente ou relativo à narração; expositivo.

narratorio, ria. *adj.* narratório, narrativo. V. **narrativo.**

narria. *f.* zorra, armação ou aparelho para levar, arrastando coisas de grande peso; (fig. e fam.) mulher gorda e pesada.

narval. *m.* (ictiol.) narval, cetáceo do Oceano Glacial Ártico; unicórnio do mar.

narvaso. *m.* cana de milho com folhagem que se guarda para pasto.

nasal. *adj.* nasal, pertencente ou relativo ao nariz: *fosas nasales*, bitácolas, bitáculas.

nasalización. *f.* nasalização, acto de nasalizar, de nasalar, nasalação; som nasal.

nasalizar. *v. tr.* nasalizar, tornar nasal, pronunciar com som nasal, nasalar.

nasardo. *m.* nasardo, um dos registos do orgão, de som nasal.

naso. *m.* (fam.) narigão, nariz, grande, nariganga.

nasofaringeo, a. *adj.* pertencente ou relativo à faringe.

nastuerzo. *m.* V. **mastuerzo.**

nasudo, da. *adj.* (p. us.) V. **narigudo.**

nata. *f.* nata, parte gorda do leite; creme; (fig.) nata, o melhor, o principal, a fina flor, o escol; (min.) (Amér.) escória da copelação. — *pl.* creme batido com açúcar: *cubrir de nata*, anatar; (agr.) enatar; *la flor y nata*, (fig.) beijinho; *quitar la nata*, desnatar; *pasteles de nata*, pastéis de nata.

natación. *f.* natação, arte ou acto de nadar.

natal. *adj.* pertencente ou relativo ao nascimento, natal; pertencente ou relativo ao país em que se nasceu. — *m.* natal, nascimento, natalício, dia do nascimento duma pessoa.

natalicio, cia. *adj.* natalício, anos, dia do nascimento duma pessoa.

natalidad. *f.* natalidade, número proporcional de nascimentos em tempo ou povoação determinada.

natátil. *adj.* natátil, que sobrenada, que pode fiutuar ou boiar à superfície da água.

natatorio, ria. *adj.* natatório, pertencente ou relativo à natação; natatório, que serve para nadar, aplica-se ao lugar próprio para nadar ou para banhar-se.

natarón. *m.* V. **requesón.**

natio, a. *adj.* natural, nativo. — *m.* nascimento, natureza: *oro natio*, oiro natural.

natividad. *f.* Natividade, dia de Nascimento de Cristo; dia do Natal; natividade, natal.

nativo, va. *adj.* nativo, que nasce naturalmente, natural; pertencente ou relativo ao país onde se nasceu; próprio, inato, congénito; nativo, diz-se dos metais que se encontram isentos de toda a combinação. — *m.* nativo, natural, dum país, indígena, autoctone, aborígene.

nato, ta. *p. p. irr.* de *nacer*; nato, nascido, nado.

natrón. *m.* natrão, natrum, usado pela fabricação de sabões, tintas, etc.

natura. *f.* natureza, natura; natureza, as partes genitais; (mús.) escala natural: *contra natura*, desnatural.

natural. *adj.* e *m.* natural, pertencente ou relativo à natureza; conforme a qualidade das coisas; natural, originário dum povo ou país; natural, que nasce com o indivíduo; inato; ingénito, que não tem artifício, composição ou mistura; não artificioso; natural, verosímil, provável; justo natural, sincero, franco, inartificioso, inartificial; natural, desafe(c)tado, elegante; natural incerimonioso; ingé(ê)nuo, despretencioso; desartificioso, sincero, sem doblez; natural, diz-se nas Filipinas do filho de pai e mãe índios; (mús.) tom natural; natural, índole, génio, temperamento; natural, instinto dos irracionais; natural, fácil, sem constrangimento; natural, costumado, regular: *cuadro pintado del natural*, imagem ética; *no natural*, desnatural; poco natural, desdenhoso, ajanotado, contrafeito; *es natural*, claro está!

naturaleza. *f.* natureza, todos os seres que forman o universo; natureza, que é natural; a essência dos seres; natureza, virtude, classe, propensão natural; força das coisas; natureza, temperamento, índole; (fig.) esto(ô)fa; natureza, modo de ser das coisas ou das pessoas; natureza, a constituição, o organismo; o cará(c)ter, espécie, classe, complexão; naturalidade de um país, dum lugar; natureza, sexo.

naturalidad. *f.* naturalidade, qualidade do que é natural; franqueza, ingenuidade; desafe(c)tação; naturalidade, conformidade das coisas com as leis ordinárias; naturalidade, terra onde se nasceu; naturalidade, direito inerente aos naturais dum país; naturalidade, simplicidade; espontaneidade; ausência de artifício: *falta de naturalidad*, desnaturalidade; *con poca naturalidad*, afectadamente; *no tener naturalidad*, afectar.

naturalismo. *m.* naturalismo, carácter do que é natural; naturalismo, sistema filosófico que tudo atribui à natureza; natureza; naturalismo, religião da natureza, independente de toda intervenção sobrenatural.

naturalista. *adj.* e *s.* naturalista, pertencente ou relativo ao naturalismo; partidário do naturalismo; naturalista, pessoa que se dedica ao estudo da história natural ou ao estudo da natureza.

naturalización. *f.* naturalização, nacionalização; aclimatação; naturalização, acto pelo qual um estrangeiro se torna cidadão dum país que não é o seu.

naturalizar. *v. tr.* e *r.* naturalizar, nacionalizar, tornar-se cidadão dum Estado que não é o seu; acostumar-se, aclimatar-se, habituar-se.

naturismo. *m.* sistema filosófico que atribui à natureza a força para curar todas as doenças, naturalismo.

naturista. *s.* que é partidário do naturismo; naturalista.

naufragar. *v. intr.* naufragar, soçobrar, ir a pique; acostar; sofrer naufrágio; (fig.) malograrse; fracassar num intento ou negócio; ter mau êxito; perder-se.

naufragio. *m.* naufrágio, perda dum navio; ruína completa, desgraça, desastre, perda: *restos de un naufrágio lanzados a la playa*, arrojos.

náufrago, ga. *s.* e *adj.* náufrago, que naufragou; que sofreu um naufrágio. — *m.* tubarão.

naumaquia. *f.* naumaquia, representação dum combate naval entre os Romanos; lugar destinado a este espectáculo.

náusea. *f.* (med.) náusea, enjo(ô)o, ânsia; agonia, náusea, embrulhamento do estômago; nojo, repugnância; asco; arcada; estuação; angústia; aversão; *tener náuseas*, ter náuseas, agoniar-se, embrulhar- -se; *con náuseas*, agoniado; *dar náuseas*, asquear; *quitar las náuseas*, desengulhar, desenjoar.

nauseabundo. *adj.* nauseabundo; infesto, infe(c)tado, imundo; nausetativo, nauseante; nauseoso; repugnante; nausento, que enjoa fàcilmente.

nausear. *v. intr.* nausear, ter náuseas; repugnar; provocar vómitos; asquear; agoniar.

nauseativo, va. *adj.* nauseativo, nauseabundo; repugnante, nojento.

nauta. *m.* nauta, navegante, marinheiro; navegador, aquele que navega.

náutica. *f.* náutica, ciência ou arte de navegar.

náutico, ca. *adj.* e *s.* náutico, pertencente ou relativo à navegação; pessoa versada em náutica.

nava. *f.* nava, planície, planura; planície cercada de montanhas; planície vasta.

navaja. *f.* navalha, faca; instrumento com uma lâmina cortante e um cabo que protege o fío; (zool.) lingueirão, molusco acéfalo; dente do javali; ferrão dalguns insectos; (fam.) língua dos maldizentes ou murmuradores: *navaja de afeitar*, navalha de barba; *herir con navaja*, anavalhar; *en forma de navaja*, anavalhado.

navajada. *f.* navalhada, golpe de navalha.

navajazo. *m.* navalhada, golpe com navalha.

navajero. *m.* estojo ou bolsa onde se guardam as navalhas de fazer barba; pano e taça que serve para o mesmo fim.

navajo. *m.* deprec. de *nava;* charco de águas pluviais que raramente seca.

navajonazo. *m.* V. **navajazo.**

navajudo, da. *adj.* (Amér.) arteiro, astucioso, marralheiro.

naval. *adj.* naval, pertencente ou relativo à navegação e aos navios: *batalla naval,* batalha naval; *escuela naval,* escola naval.

navarro, rra. *adj.* e *s.* (geog.) navarrino, navarro, natural de ou pertencente a Navarra.

nave. *f.* (mar.) navio, nau, nave, barco; (arq.) nave, parte interior da igreja, desde a entrada até ao santuário: *nave lateral,* nave lateral; *nave central,* nave central; *quemar las naves,* (fig.) tomar uma determinaçao extrema; *la nave de San Pedro,* a Igreja Católica; *naves de la iglesia,* asas da igreja.

navegable. *adj.* navegável, que se pode navegar, por onde se pode navegar; por onde um barco pode flutuar.

navegación. *f.* navegação, acto de navegar; náutica, viagem por mar; movimento marítimo; navegação, arte do navegador; trato ou comércio marítimo: *navegación aérea,* navegação aérea; *navegación fluvial,* navegação fluvial ou interior; *navegación intersideral,* astronáutica.

navegador, ra. *adj.* e *s.* navegador, que navega; marinheiro.

navegar. *v. intr.* navegar, viajar por mar ou pelo ar; seguir um navio a viagem; navegar, esteirar; (fig.) arar as ondas: *navegar de bolina,* barlaventear, bolinar; *nevegar en convoy,* andar de conserva; *navegar ciñendo el viento,* arribar governando a bolina; *navegar a dos aguas,* estar entre duas águas; *navegar a sotavento,* ajular; *navegar a palo seco,* correr em árvore seca; *navegar a toda máquina,* navegar rota abatida; *navegar a todo trapo,* forçar as velas; *navegar a vela,* andar à vela; *saber navegar en la vida,* saber guiar a sua barca.

naveta. *f.* naveta, incensário.

navícula. *f.* naveta, nave pequena; (bot.) alga microscópica em forma de navícula ou naveta.

navicular. *adj.* navicular, em forma de naveta.

naviculario. *m.* naviculário, proprietário ou capitão dum navio mercante romano.

navidad. *f.* Natal; Natividade de Jesús Cristo; dia de Natal; tempo imediato ao dia de Natal; nascimento de Jesus Cristo, de Nossa Senhora ou dos Santos; aniversário, natalício: *tener muchas navidades,* (fig.) ser muito velho.

navideño, na. *adj.* pertencente ou relativo ao tempo de Natividade; diz-se das frutas que se conservam ou guardam até ao Natal.

naviero, ra. *adj.* naval, relativo à navegação. — *m.* naviculário, dono dum barco; proprietário de navios mercantes, armador.

navio. *m.* (mar.) navio, grande embarcação mastreada; embarcação de grande porte.

náyade. *f.* (mit.) náiade, ninfa, do rio.

nazareno, na. *adj.* e *s.* (geog.) nazareno, natural de Nazaré; nazareno, diz-se da pessoa que, entre os Hebreus se consagrava a Deus; Nazareno, Jesus Cristo; cristão, que professa a fé de Cristo, nazareno; o que nas procissões da Semana Santa, leva túnica.

nazáreo, a. *adj.* e *s.* V. **nazareno.**

Nazaret. (geog.) Nazaré.

nazi. *m.* (pol.) nazi, nazista, partidário do nazismo.

nazificar. *v. tr.* nazificar, fazer nazista.

nazismo. *m.* (pol.) nazismo, nacional-socialismo alemão.

nazista. *s.* nazista, nazi.

názula. *f.* requeijão.

nearca. *m.* V. **navarca.**

nebel. *m.* nabla, instrumento músico semelhante à lira. V. **nabla.**

nebí. *m.* (zool.) V. **neblí.**

nebladura. *f.* (ágr.) mangra, humidade que os nevoeiros deixam nos campos, ferrugem dos trigos; (vet.) atordoamento do gado lanar.

neblina. *f.* neblina, nevoeiro, névoa densa e rasteira, cerração; cinceiro; (Bras.) garoa.

neblinear. *v. intr.* (Amér.) V. **garuar.**

neblinoso, sa. *adj.* nebuloso, nevoento, eneviado.

nebulón. *m.* homem hipócrita, astuto, dissimulado, velhaco, farsante, fariseu.

nebulosa. *f.* (astr.) nebulosa.

nebulosidad. *f.* nebulosidade; nuvem leve; (fig.) falta de clareza; pequena obscuridade, sombra.

nebuloso, sa. *adj.* nebuloso, nevoento, enevoado; (fig.) nebuloso, duvidoso, sombrio. — *f.* (astr.) nebulosa.

necear. *v. intr.* necear, dizer ou praticar necedades; teimar nèsciamente, numa coisa.

necedad. *f.* necedade, acto ou dito de néscio; disparate; estupidez; ignorância; pacovice; palermice; tolice; barbaquice, bobice; bertoldice; bernardice; asneira; asnada; estolidez; inércia, estultícia; desassiso; destempe(ê)ro; (pop.) sendeira; farinhada. — *pl.* farfalharia, areias.

necesaria. *f.* necessária, latrina, privada.

necesario, ria. *adj.* necessário; preciso; indispensável; inevitável; infalível; muito útil; imprescindível; forçoso; fundamental: *no carecer de lo necesario,* (fig.) não estar descalço; *falto de la necesario,* desprovido; *ser necesario,* dever, convir, ser necessário.

neceser. *m.* estojo com objectos de toucador.

necesidad. *f.* necessidade; falta do que é necessário; precisão; pobreza, miséria; indigência; necessidade, carência, fome; necessidade, apuro; necessidade, evacuação corporal; obrigação; coação; ape(ê)rto, circunstância compulsória; necessidade, constrangimento, obrigação imperiosa; necessidade, risco, perigo; incontingência; falta; estreiteza; indespensabilidade; (fig.) força; desnudez. — *pl.* (pop.) certas funções naturais, evacuações do corpo.

necesitado, da. *p. p. adj. e s.* necessitado; indigente; pobre, obrigado pela necessidade; mesquinho; mesteroso; falho, apertado.

necesitar. *v. tr. e intr.* necessitar, ter necessidade dalguma coisa; carecer; obrigar por necessidade; forçar; reclamar; precisar; sujeitar a privações; exigir; constranger; exigir; errar de; demandar; estar ermo.

necezuelo la. *adj.* dim. de *necio.*

necio cia. *adj. e s.* néscio, tolo, tonto, ignorante, estúpido; imperito; imprudente; pacóvio; desassisado; asno; palerma; desatinado; atoleimado; estroso; estulto; alonso; incauto; estouvado; mentecapto; alorpado; minguado; inepto; pacóvio; alvar; apanascado; (fam.) luminárias; bisonho; estavanado; bobalhão; bo(ô)bo; boçal; desbolado; (pop.) madeiro; fulgão;

bertoldo; macho; enxovedo; anastásio; desaustinado: *a palabras necias, oídos sordos,* a palavras loucas, orelhas moucas; *volver necio,* aparvoar.

necrobia. *f.* (zool.) necróbia.

necrobiosis. *f.* (pat.) necrobiose.

necrocitosis. *f.* (biol.) necrocitose.

necrodulia. *f.* necrodulia, necrolatria.

necrofagia. *f.* necrofagia.

necrófago, ga. *adj. e s.* necrófago.

necrofilia. *f.* (pat.) necrofilia.

necrofilismo. *m.* (pat.) necrofilia.

necrófilo, la. *adj. s.* necrófilo.

necrofobia. *f.* (pat.) necrofobia.

necrófobo, ba. *adj. e s.* necrófobo.

necróforo, ra. *adj. e s.* (zool.) necróforo.

necrografía. *f.* necrografia.

necrográfico, ca. *adj.* necrográfico.

necrógrafo, fa. *s.* necrógrafo.

necrolatría. *f.* necrolatria, necrodulia.

necrología. *f.* necrologia, relação de pessoas mortas; lutuosa; necrologia, biografia de pessoa morta há pouco tempo.

necrológico, ca. *adj.* necrológico.

necrólogo, ga. *s.* necrólogo.

necromancia. *f.* necromancia.

necromanía. *f.* necromania.

necromaníaco, ca. *adj. e s.* necromaníaco.

necrópolis. *f.* necrópole, cemitério.

necropatía. *f.* (pat.) necropatia.

necropsia. *f.* (med.) necroscopia.

necroscopia. *f.* (med.) necroscopia; autópsia.

necrosis. *f.* (med.) necrose, gangrena.

necroscópico, ca. *adj.* necroscópico.

necrótico, ca. *adj.* necrótico.

necrotomia. *f.* (cir.) necrotomia.

néctar. *m.* (mit.) néctar, bebida dos deuses; néctar, suco, doce das flores; (fig.) bebida deliciosa, néctar: *es un néctar,* é um alambre.

nectáreo, a. *adj.* nectarífero, que produz néctar.

nectarífero, ra. *adj.* (bot.) nectarífero, que produz néctar.

nectarino, na. *adj.* V. **nectáreo.**

nectario. *m.* (bot.) nectário.

neerlandés, sa. *adj. e s.* (geog.) holandês.

nefandario, ria. *adj.* diz-se das pessoas que cometem pecado nefando.

nefando, da. *adj.* nefando, nefário, abominável; depravado; perverso; contrário à natureza; indigno, torpe, infando; execrável; repugnante; horrível; abominável; execrando; depravado.

nefario, ria. *adj.* nefário, nefando, malvado, indigno; abominável.

nefas. *adv.* usado na loc.; *por fas o por nefas,* por meios lícitos ou ilícitos.

nefasto, ta. *adj.* nefasto, funesto; triste; lutuoso; danoso; trágico; de mau agouro; desgraçado, maldito.

nefelina. *f.* (min.) nefelina.

nefelismo. *m.* (astr.) conjunto de caracteres com que se nos apresentam as nuvens.

nefralgia. *f.* (pat.) nefralgia.

nefrálgico, ca. *adj.* (med.) nefrálgico.

nefoscopio. *m.* (meteor.) nefoscópio.

nefrita. *f.* (min.) nefrite.

nefrítico, ca. *adj.* (anat. e pat.) nefrítico.
nefritis. *f.* (pat.) nefrite.
nefrocele. *f.* (pat.) nefrocele.
nefroideo, a. *adj.* nefróide.
nefrología. *f.* (pat.) nefrologia.
nefrólogo, ga. *s.* nefrólogo, nefrologista.
nefrotomía. *f.* (cir.) nefrotomia.
negable. *adj.* negável, que se pode negar.
negación. *f.* negação; carência ou falta total duma coisa; incapacidade; inaptidão; falta; desconsentimento; desmentido; (garm.) partícula ou palavra que serve para negar.
negadez. *f.* incapacidade, ineptitude, ineficácia.
negado, da. *p. p.* e *adj.* negado; recusado; desmentido; incapaz; inepto, inapto; improficiente; ineficaz.
negador, ra. *adj.* e *s.* negador, que nega; recusador, aquele que nega.
negamiento. *m.* V. negación.
negar. *v. tr.* negar, dar por falsa alguma verdade; negar, recusar, impedir, dizer que não; contestar; não confessar; rejeitar; desmentir; proibir, vedar, repudiar, abandonar; dissimular, ocultar, faltar a um dever; negar, desdenhar, evitar; desconsentir; denegar; declinar; (pop.) desnegar; descomprazer. — *v. r.* negar-se, escusar-se de fazer uma coisa ;não receber quem o procura; estranhar-se; abanar as orelhas; recusar-se; não se prestar: *negar la propia religión*, apostatar; *no saber negar nada*, (fam.) não ter boca para dizer não; *negar a pies juntillas*, negar a pés juntos; *negarse a sí mismo*, negar-se a si mesmo. — *pres. ind. irr.* **niego, -as, -a, -an**; *subj.* **niegue, -es, -e, -en.**
negativa. *f.* negativa, negação; devolução; repulsa; falta de concessão do que se pode; proposição que nega; desconsentimento; denegação; recusa.
negatividad. *f.* (fís.) negatividade.
negativismo. *m.* (pat.) negativismo; (filos.) negativismo.
negativista. *adj.* e *s.* (filos. e pat.) negativista.
negativo, va. *adj.* negativo, que exprime negação; contraproducente; proibitivo; nulo; contraditório, contrário.
negativo. *m.* (fot.) negativa, prova negativa.
negligé. *adj.* (galicismo) descuidado, desalinhado.
negligencia. *f.* negligência, preguiça, despreocupação; incúria; desapuro; desconce(ê)rto; desavisamento; deixação; desatenção; desatavio; descuriosidade desídia; desaplicação; desamanho; descautela; impremeditação imprudencia; imprevisão; indiligência; indiferença; inadvertência; froixidão, desleixo; desmaze(ê)lo; abandono; desdém; adormecimento; acedia; arrefecimento; desaco(ô)rdo.
negligente. *adj.* e *s.* negligente, desleixado, frouxo; desasado; desapurado; desatento; deixado; (fig.) adormentado; desastrado, desaplicado; despreocupado; desaproveitado; desaprimorado; descauteloso;

apachorrado; incurioso; improvidente; desmazelado desmanchado; abandonado; descuidoso desarranhado; froixo; (fam.) estrafalário: *volverse negligente*, desleixar-se.
negociable. *adj.* negociável, vendível, que se pode negociar, mercadejável.
negociación. *f.* negociação, negócio; ajuste, pacto, estipulação, agenciamento, comércio; contrato: *romper las negociaciones*, romper negociações.
negociado, da. *p. p.* e *m.* negociado, comerciado; cada uma das repartições duma administração; (Amér.) negócio ilícito: *jefe de negociado*, chefe de repartição.
negociador, ra. *adj.* e *s.* negociador, que negoceia; negociador, agente diplomático que gestiona um negócio importante; agenciador; procurador.
negociante. *p. a.* e *adj.* negociador, que negoceia, merceeiro, marcador. — *s.* negociante, comerciante; traficante; homem de negócios: *negociante sin escrúpulos*, chatinador.
negociar. *v. intr.* negociar, comerciar, fazer negócios; traficar; ajustar; agenciar; comprar ou vender; promover; preparar; contratar, celebrar, concluir um tratado; vender, permutar. descontar; aprontar; aparelhar; (pol.) negociar, (um tratado); pactar, pactuar; estipular; mercanciar, mercar; dejar; mercantilizar; agenciar; negociar, tratar pela via diplomática; *negociar sin escrúpulos*, (pop.) barganhar; *negociar la paz*, ajustar a paz.
negocio. *m.* negócio, transa(c)ção comercial; comércio; tráfico; ajuste; assunto pendente; ocupação; coisa; trabalho; pretensão; negocição; empre(ê)sa: *negocio redondo*, (fig. e fam.) negócio vantajoso; *hacer negocio*, fazer negócio; *hombre de negocios*, homem de negócios; *los negocios son los negocios*, (pop.) amigos, negócios à parte; *negocio difícil*, encalacração; *buen negocio*, (fig.) chuchadeira; *estropear un negocio*, abafar um negócio; *emprender un negocio difícil*, (fig.) meter-se em danças; *punto principal de un negocio*, fundo dum negócio; *negocios sucios*, chatinaria; *negocio ventajoso*, um belo negócio: *arreglar los negocios*, arranjar os negócios; *negocio de mucha gente*, (Bras.) cu-de-mãe-joana; *negocio deshonesto*, (Bras.) mamata.
negocioso, sa. *adj.* negocioso, diligente, cuidadoso, afanoso, atarefado, activo, muito ocupado.
negra. *f.* semínima, nota de música; (germ.) caldeira, vasilha de ferro; espada negra; negra, mulher preta; escrava; (pop.) mulher que trabalha muito; a terceira partida do jogo, que desempata as duas primeiras: *tocarle a uno la negra*, ter a pior parte num assunto.
negral. *adj.* negral, que tende para o preto.
negrear. *v. tr.* negrejar, mostrar-se negro; negrejar, tender para negro.

negrecer. *v. intr.* enegrecer, fazer-se negro, escurecer. — *conj. irr.* como *crecer*.
negreguear. *v. intr.* negrajar. V. **negrear**.
negregura. *f.* V. **negrura**.
negrería. *f.* negraria, negralhada, ajuntamento de negros.—
negrero, ra. *adj.* e *s.* negreiro, traficante de negros.
negrizal. *m.* terreno escuro e muito fértil.
negrizco, ca. *adj.* negruzco. V. **negruzco**.
negro, gra. *adj.* e *s.* negro, de cor escura, pre(ê)to; trigueiro, moreno; sombrio; escuro, opaco e sem brilho; denso; (fig.) sumamente triste e melancólico; infeliz, infausto, desgraçado; fúnebre, lúgubre, tétrico; mofino; negro, enxovalhado, imundo, porco, sujo; (fig.) negro, horrível, hediondo, medonho; negro, indigno, odioso, execrável; ruim; desprezível; negro, preto, indivíduo de raça negra; negro, lindo, expressão de carinho: *negro cimarrón*, negro cimarrão, escravo negro fugitivo; *traer la negra*, (fam.) encalistar; *tener la negra*, (fam.) estar com a macaca; *negro como el tizón*, negro como o fumo; *negro de marfil*, negro-de-marfim; *negro de huesos*, negro-de-osso; *negro de la uña*, (fig.) a mais pequena parte duma coisa; *como negra en baño*, (fig.) com afectação e gravidade; *esa si que es negra*, (fig. e fam.) locução empregada para expressar a dificuldade duma coisa; *no somos negros*, (fam.) locução empregada para repreender as pessoas que tratam outras sem consideração; *estar negro*, (pop.) estar farto daguma coisa, dum trabalho, etc.; estar preocupado.
negrófilo, la. *adj.* e *s.* negrófilo, partidário da abolição da escravatura.
negroide. *adj.* e *s.* negróide, semelhante aos negros.
negror. *m.* negrura. V. **negrura**.
negrota. *f.* (germ.) caldeira. V. **negra**.
negrura. *f.* negrura, negror, negridão.
negruzco, ca. *adj.* negrusco, de cor morena, algo negra; anegralhado; denegrido.
neguijón. *m.* (med.) doença dos dentes que os estraga e deixa pretos.
negus. *m.* negus, título do imperador da Abissínia.
neis. *m.* (geol.) V. **gneis**.
neldo. *m.* V. **eneldo**.
nelumbo. *m.* (bot.) nelúmbio, nelumbo.
nema. *f.* fecho ou selo duma carta.
nematelmintos. *m. pl.* (zool.) nematelmintes.
nemato. *m.* (zool.) némato.
nematoide. *adj.* (zool.) nematóide.
neme. *m.* (Amér.) betume, asfalto.
nemoroso, sa. *adj.* (poét.) nemoroso, relativo ao bosque; cheio de bosque.
nene, na. *s.* (fam.) nené, criança, criancilha, expressão de carinho para pessoas de mais idade. — *m.* (fig. irón.) homem temível pelas suas façanhas.
neneque. *m.* (Amér.) pessoa muito fraca.
nenia. *f.* né(é)nia, canto fúnebre.
nenúfar. *m.* (bot.) nenúfar, golfão: *nenúfar blanco*, lua-de-água, nenúfar branco.

neo. prefixo que significa novo. — *m.* (quím.) néon, neónio.
neocatolicismo. *m.* neocatolicismo.
neocatólico, ca. *adj.* e *s.* neocatólico.
neoclasicismo. *m.* (lit.) neoclassicismo.
neoclásico, ca. *adj.* e *s.* neoclássico.
neodimio. *m.* (quím.) neodimio.
neófito, ta. *s.* neófito; noviço; (por ext.) aquele que acaba de ser admitido numa corporação; (fig.) inexperto; iniciado.
neofobia. *f.* neofobia.
neófobo, ba. *adj* e *s.* neófobo.
neogalo. *m.* (med.) neógala.
neogótico, ca. *adj.* e *s.* neogótico.
neografía. *f.* neografia.
neografista. *s.* neografista, neógrafo.
neogranadino, na. *adj.* e *s.* (geog.) natural de ou pertencente a Nova Granada; hoje Colômbia.
neolatino, na. *adj.* neolatino, novilatino.
neolítico, ca. *adj.* (geol.) neolítico.
neología. *f.* neologia.
neológico, ca. *adj.* neológico.
neologismo. *m.* neologismo.
neólogo, ga. *s.* neólogo, neologista.
neomenia. *f.* neomé(ê)nia, primeiro dia da Lua.
neomenias. *f. pl.* neoménias, festas que os Gregos celebravam no novilúnio.
neón. *m.* (quím.) néon, neó(ô)nio.
neoplasia. *f.* (pat. e med.) neoplasia; tumor.
neoplasma. *m.* (med.) neoplasma.
neoplastia. *f.* (cir.) neoplastia.
neoplástico, ca. *adj.* (med.) neoplástico.
neoplatonicismo. *m.* neoplatonismo.
neoplatónico, ca. *adj.* neoplató(ô)nico.
neoplatonismo. *m.* neoplatonismo.
neorama. *f.* neorama, espécie de panorama.
neorrealista. *s.* neo-realista.
neotérico, ca. *adj.* neotérico, moderno.
neoyorquino, na. *adj.* e *s.* nova-iorquino.
neozoico, ca. *adj.* neozóico.
neperiano, na. *adj.* (mat.) neperiano.
nepote. *m.* nepote, parente ou favorito do Papa.
nepotismo. *m.* nepotismo; favoritismo.
neptúneo, a. *adj.* (poét.) ne(p)tunino, ne(p)túnio, relativo ao Neptuno ou ao mar.
neptuniano, na. *adj.* (geol.) ne(p)tuniano.
neptúnico, ca. *adj.* (geol.) ne(p)tuniano.
neptunismo. *m.* (geol.) ne(p)tunismo.
neptunista. *adj.* e *s.* (geol.) ne(p)tunista.
Neptuno. *m.* (astr.) Ne(p)tuno, nome dum planeta; (mit.) Neptuno, deus do mar; (poét.) o mar.
nequácuam. *adv.* (fam.) de nenhum modo.
nequicia. *f.* nequícia, perversidade, maldade.
nereida. *f.* (mit.) nereida, nereide, ninfa do mar.
nerón. *m.* (fig.) homem muito cruel.
neroniano, na. *adj.* próprio de Nero; (fig.) cruel, sanguinário.
nervado, da. *adj.* nervado, que possui nervuras.
nervadura. *f.* (arq.) nervura, moldura saliente; (bot.) nervura, conjunto dos nervos duma folha.
nérveo, a. *adj.* nérveo, nerval, nervoso.

nervezuelo. *m.* nervinho.
nerviación. *f.* (bot.) nervação.
nerviecillo. *m.* nervinho.
nervifoliado, da. *adj.* (bot.) nervifoliado.
nervino, na. *adj.* nervino, diz-se do medicamento que tem acção sobre os nervos.
nervio. *m.* (anat.) nervo; (bot.) nervo das folhas; corda dos instrumentos músicos; nervo, cada um dos cordões que se colocam na lombada dos livros; (arq.) nervo; (mar.) cabo para segurar as velas; (fig.) força, vigor, temperamento: *fortalecer los nervios*, desenervar; *carne con nervio*, carne com nervos; *ser el nervio de algo*, (fig.) ser o motor principal; *hombre de nervio*, (fig.) homem de nervo, vigoroso; *estar con los nervios de punta*, estar com os seus nervos; *poner los nervios de punta a alguien*, contender com os nervos dalguém; *ser un manojo de nervios*, ser um molho de nervos; *el nervio de la guerra*, (fig.) o dinheiro; *ataque de nervios*, ataque nervoso.
nerviosidad. *f.* nervosidade.
nerviosismo. *m.* nervosismo, nervosidade; irritabilidade; frenesi; excitação.
nervioso, sa. *adj.* nervoso, que tem nervos; nervoso, doente dos nervos; excitado; irritável; frenético; nervado; vigoroso; enérgico; impressionável; (Bras.) afaluado, abagualado; (bot.) nervado: *estar nervioso*, estar com os nervos; sofrer de nervos; *ponerse nervioso*, estar com os seus nervos; *estado nervioso*, nervosidade.
nervosidad. *f.* nervosidade, força e actividade dos nervos; qualidade ou estado do que está nervoso; nervosismo; (fig.) força e eficácia das razões e argumentos; flexibilidade de certos metais.
nervoso, sa. *adj.* nervoso; forte, vigoroso, enérgico.
nervudo, da. *adj.* nervudo, robusto; musculoso, forte.
nervura. *f.* nervura, conjunto das partes que sobressaem na lombada dum livro.
nesceiencia. *f.* insciência, falta de ciência; ignorância, inaptidão.
nesciente. *adj.* insciente, ignorante, pacóvio, palerma, tonto.
nesga. *f.* nesga, tira de pano triangular para dar mais folga a uma peça de vestuário; (fig.) porção de qualquer coisa cortada em figura triangular e unida com outra.
nesgado, da. *p. p.* e *adj.* enesgado, que tem nesgas.
nesgar. *v. tr.* enesgar, cortar um tecido em direcção oblíqua à dos seus fíos.
néspera. *f.* nespereira. V. níspero.
neto, ta. *adj.* neto, limpo, nítido; saldo líquido. — *m.* (Amér.) (arq.) pedestal de coluna; verde, diz-se da fruta.
neuma. *m.* (mús.) neuma, melodia vocalizada sem palavras ou sobre a última sílaba da última palavra.
neuma. *m.* (ret.) neuma, gesto de assentimento ou recusa.
neumático, ca. *adj.* (fís.) pneumático. — *m.* pneu de veículo.

neumonía. *f.* (pat.) pneumonía.
neumónico, ca. *adj.* (pat.) pneumó(ô)nico, relativo ao pulmão; doente de pneumonia.
neumotorax. *m.* (med.) pneumotorax.
neural. *adj.* (anat.) neural.
neuralgia. *f.* (pat.) neuralgia, nevralgia.
neurálgico, ca. *adj.* (pat.) neurálgico.
neurastenia. *f.* (med.) neurastenia; nervosismo, fraqueza nervosa; esgotamento nervoso.
neurasténico, ca. *adj.* e *s.* (med.) neurasté(ê)nico, referente à neurastenia; doente de neurastenia.
neurilema. *m.* (anat.) neurilema.
neurilemitis. *f.* (pat.) neurilemite.
neurilidad. *f.* (fisiol.) neurilidade.
neurisma. *f.* (med.) V. aneurisma.
neuritis. *f.* (med.) neurite, neurose, nevrose.
neurocirugía. *f.* neurocirurgia.
neurodermatosis. *f.* neurodermatose.
neuroesqueleto. *m.* neuroesqueleto.
neurografía. *f.* neurografia.
neurología. *f.* (anat.) neurologia.
neurológico, ca. *adj.* neurológico.
neurologo, ga. *s.* neurologista, neurólogo.
neuroma, *m.* (med.) neuroma, nevroma, tumor no tecido dos nervos.
neurona. *f.* (anat.) neurona, neuró(ô)nio.
neurónico, ca. *adj.* neuró(ô)nico.
neuroparálisis. *f.* (med.) neuroparalisia.
neuroparalítico, ca. *adj.* relativo à neuroparalisia.
neurópata. *s.* neuropata. V. neurólogo.
neuropatía. *f.* (med.) neuropatia, neurose.
neuropático, ca. *adj.* neuropático.
neuropatología. *f.* neuropatologia.
neuropatológico, ca. *adj.* relativo à neuropatologia.
neuropatólogo, ga. *s.* pessoa versada em neuropatologia.
neurópteros. *m. pl.* (zool.) insectos com nervura nas asas, neurópteros.
neurosis. *f.* (med.) neurose, qualquer doença nervosa; neuropatia; nevrose.
neurótico, ca. *adj.* e *s.* (med.) neurótico, nevrótico, que sofre nevrose.
neurotomía. *f.* neurotomia.
neurótomo. *m.* neurótomo, dissecador de nervos.
neutral. *adj.* neutral, que não se declara nem por um nem por outro; neutro, diz-se das pessoas ou coisas; imparcial; indiferente; desapaixonado; recto, justo; equânime; neutral, que não toma parte em favor ou detrimento de Estados beligerantes.
neutralidad. *f.* neutralidade, qualidade do que é neutro; neutralidade, equanimidade; imparcialidade, indiferença.
neutralización. *f.* neutralização; acção e efeito de neutralizar; (quím.) acto de neutralizar.
neutralizar. *v. tr.* neutralizar, tornar neutral; (fig.) neutralizar, anular, destruir um efeito. — *v. r.* neutralizar-se; tornar-se neutro, anular-se; destruir-se.
neutro, tra. *adj.* neutro; (gram.) neutro, pertencente ao género neutro; (quím.) neu-

tro, que não é ácido nem alcalino; neutro, indefinido, neutral, indiferente, que nem é por um nem por outro; neutro que não tem órgãos sexuais;` (fig.) indiferente, inactivo; sem energia.

neutrón. *m.* (fís.) neutrão.

nevada. *f.* nevada, porção de neve caída duma vez; acção de nevar; (bot.) planta que cresce em lugares pedregosos.

nevado, da. *adj.* nevado, coberto de neve; branco como a neve; branqueado; alvo; esfriado; diz-se do toiro que tem pequena manchas brancas; frio como a neve, esfriado.

nevar. *v. intr.* nevar, cair neve; (fig.) branquear, tornar-se branco. — *v. tr.* cobrir de neve; esfriar por meio do gelo ou da neve. — *pres. ind.* **nieva;** *sub.* **nieve,** etc.

nevasca. *f.* nevasca, temporal de neve, tempestade de neve, tormenta de neve.

nevazo. *m.* V. **nevada.**

nevera. *f.* neveira, geleira, lugar onde se guarda gelo ou neve; vendedeira de gelo ou de gelados; (fig.) geleira, quarto ou sala que está demasiadamente fria; neveira lugar onde se fabrica ou se conserva gelo; sorveteira; neveira, frigorífero, frigorífico: *poner en la nevera,* frigorificar.

nevería. *f.* sorvetaria, loja onde se vendem refrescos gelados.

nevero. *m.* neveiro, vendedor de gelados ou sorvetes; sorveteiro; geleira das montanhas.

nevisca. *f.* nevada ligeira de flocos miúdos.

neviscar. *v. intr.* neviscar, cair neve em pequena quantidade.

nevoso, sa. *adj.* nevoso, que frequentemente tem neve; nevado, nevoento.

nexo. *m.* nexo, ligação, vínculo, conexão; coerência; união.

ni. *conj.* nem; também não; até não. — *adv.* não: *ni siquiera,* nem sequer; *ni comer ni beber,* não comer nem beber; *ni que,* nem que, ainda que; *ni más ni menos,* nem mais nem menos; ¡*ni por cien pesetas!*, nem ainda por cem pesetas!; *ni uno ni otro,* nem um nem outro; *ni tanto ni tan poco,* nem tanto nem tão pouco; *ni bueno ni malo,* nem bom nem mau; *ni para un lado ni para otro,* nem para uma parte nem para outra; *ni siquiera uno,* nem sequer um.

nira. *f.* palhar, palhal, palhoça.

nícalo. *m.* V. **níscalo.**

Nicaragua. (geog.) Nicarágua.

nicaragüense. *adj. e s.* (geog.) nicaraguano.

nicaragüeño, ña. *adj. e s.* (geog.) nicaraguano.

nicle. *m.* (min.) variedade de calcedónia, espécie de ágata com riscas.

nicociana. *f.* (bot.) nicociana, tabaco.

nicociano, na. *adj.* referente à nicotina ou ao tacaco.

nicomediense. *adj. e s.* (geog.) nicomediense.

nicótico, ca. *adj.* nicotino, relativo ao nicotismo.

nicotina. *f.* (quím.) nicotina.

nicotismo. *m.* (med.) nicotismo.

nictación. *f.* nictação; pestanejo.

nictálope. *adj. e s.* nictalope.

nictalopia. *f.* (med.) nictalopia.

nictitante. *adj.* (zool.) nictitante.

nictofobia. *f.* (pat.) nictofobia.

nicho. *m.* nicho, vão, cavidade em parede; concavidade para colocar uma coisa; charola; edícula; cochicholo, casa ou lugar muito pequeno; (fig.) nicho, emprego ou lugar creado ou reservado para alguém expressamente.

nidada. *f.* ninhada, conjunto dos ovos postos por uma ave; ninhada, aves contidas num ninho.

nidal. *m.* ninheiro, lugar onde as galinhas costumam pôr; ninho; endez, ovo colocado no lugar onde as galinhas devem pôr; (fig.) ninho, refúgio, abrigo; princípio, fundamento, origem, causa, motivo, base; esconderijo, escaninho.

nidificación. *f.* nidificação, construção dum ninho.

nidificar. *v. intr.* nidificar, fazer ninho (as aves).

nido, *m.* ninho das aves; (por ext.) cavidade ou buraco onde procriam diversos animais; toca; (fig.) ninho, pátria, casa, berço, morada; lugar originário de certas coisas imateriais; (fort.) trincheira circular reduzida; ninho, covil, madrigoa, madrigueira, asilo de gente má. V. **nidal.**

niebla. *f.* névoa nevoeiro; cinceiro; (med.) névoa, doença dos olhos. V. **añublo;** (fig.) névoa, confusão, obscuridade numa coisa ou assunto; escumilha, chumbo miúdo para caça; (pop.) madrugada.

niego. *adj.* ninhevo, diz-se do falcão apanhado no ninho.

niel. *m.* nielo, nigela, ornato de esmalte preto em obras de ourivesaria.

nielado, da. *p. p. e adj.* nigelado, ornado de esmalte preto. — *m.* nigelagem, acção de nigelar.

nielar. *v. tr.* nigelar, ornar com esmalte preto.

niéspera. *f.* nêspera. V. **níspola.**

niéspola. *f.* nêspera. V. **níspola.**

nieto, ta. *s.* neto. — *pl.* netos, descendentes, vindouros.

nietrasto, ta. *s.* filho do enteado ou da enteada.

nieve. *f.* neve, água gelada; (fig.) neve, alvura, suma brancura; (Amér.) gelo de crema.

nigola. *f.* (mar.) V. **flechaste.**

nigromancia. *f.* nigromancia, necromancia; (fam.) magia negra.

nigromante. *m.* nigromante, necromante.

nigromántico, ca. *adj.* nigromântico. — *m.* V. **nigromante.**

nigua. *f.* (zool.) nígua; bicho-dos-pés; matacanho.

nihilismo. *m.* niilismo; descrença absoluta; redução a nada; (filos. e pol.) niilismo.

nihilista. *adj e s.* niilista, que profesa o niilismo.

nilométrico, ca. *adj.* nilométrico.

nilómetro. *m.* niló(ô)metro.

nilón. *m.* (neol.) nylon.

nimbar. *v. tr.* nimbar, aureolar, cercar ou ornar de nimbo.

nimbo. *m.* nimbo, auréola das imagens; (meteor.) nimbo, nuvem pluviosa; (numism.) nimbo, auréola em certas medalhas que rodeava a cabeça dalguns imperadores.

nimiedad. *f.* nimiedade; prolixidade; pouquidade; insignificância; minúcia, minuciosidade; futilidade; (pop.) palhas alhas; exiguidade; argueiro; excesso.

nimio, mia. *adj.* nímio; demasiado; excessivo; prolixo, minuciosso; miserável; avaro; mesquinho; exíguo.

ninfa. *f.* (mit.) ninfa; (fig.) mulher nova e formosa; (zool.) crisálida. — *pl.* ninfa, lábios pequenos da vulva.

ninfea. *f.* (bot.) nenúfar.

ninfeáceo, a. *adj.* (bot.) ninfeáceo. — *f. pl.* ninfeáceas.

ninfo. *m.* (pop.) narciso, homem bonito, efeminado.

ninfomanía. *f.* (med.) ninfomania, furor uterino, metromania, clitorismo.

ninfómana. *adj. e s.* V. **ninfomaníaca.**

ninfomaníaca. *adj. e f.* ninfomaníaca, metromaníaca.

ninfosis. *f.* (zool.) ninfose.

ningún. *adj.* apócope de *ninguno;* nenhum; usa-se sòmente anteposto a substantivos masculinos no singular: *ningún hombre,* nenhum homem; *de ningún modo,* de nenhum modo.

ningún, na. nenhum, nenhuma; nem um só. — *pron. indetr.* nulo e sem valor, de nenhum efeito: *ninguno,* nem meio; *en ninguna parte,* em nenhuma parte.

ninivita. *adj. e s.* (geog.) ninivita.

niña. *f.* (anat.) pupila, menina do olho; (fig. e fam.) menina, rapariga, pessoa ou coisa do maior carinho ou apreço dalguém: *querer más que a las niñas de sus ojos,* (pop.) trazer nas meninas dos olhos.

niñada. *f.* criancice, infantilidade, puerilidade, meninice.

niñato. *m.* vitelinho que está no ventre da mãe quando a matam.

niñear. *v. intr.* fazer criancices, portar-se como uma criança.

niñera. *f.* ama-seca, criada que cuida dos meninos.

niñería. *f.* criancice, ninharia, meninice; puerilidade; ninharia, bagatela, insignificância, frioleira, banalidade; ninharia, escassez, pouquidade, pouquidão.

niñero, ra. *adj. e s.* menineiro, que gosta de crianças ou das suas brincadeiras.

niñeta. *f.* pupila, menina do olho.

niñez. *f.* infância, meninice, puerícia; (fig.) infância, princípio dalguma coisa; criancice.

niño, ña. *adj. e s.* menino, jovem, criança; (fig.) que tem pouca experiência ou reflexão; pessoa solteira; (Amér.) tratamento que os pretos dão aos brancos; (fam.) bedelho; *niño de la piedra,* enjeitado, exposto; *niño de teta,* criança de

peito; *Dios Niño,* o Menino Deus; *el Niño Jesús,* Menino Jesús; *niño travieso,* criança traquinas; *ser un niño,* ser menineiro; *desde niño,* desde a infância; *niño atrevido,* (Bras.) brochote.

niobio. *m.* (quím.) nióbio.

nipón, na. *adj. e s.* (geog.) nipó(ô)nico, japonês.

nipos. *m. pl.* (germ.) dinheiro.

niquel. *m.* (quím.) níquel.

nequelado, da. *p. p.* de niquelar, e *adj.* niquelado. — *m.* niquelagem.

niquelador, ra. *s.* o que niquela.

niqueladura. *f.* niquelagem.

niquelar. *v. tr.* niquelar, cobrir ou guarnecer de níquel.

niquelífero, ra. *adj.* niquelífero.

niquelina. *f.* (min.) niquelina, arseniato de níquel.

niquiscocio. *m.* (fam.) negócio de pouca importáncia, coisa de pouca importáncia: *ocuparse en niquiscocios,* perder o tempo em bagatelas.

nirvana. *m.* nirvana.

níspero. *m.* (bot.) nespereira.

níspola. *f.* (bot.) nêspera, fruto da nespereira.

nistagma. *f.* (pat.) nistagmo, movimentos oscilatórios e bruscos do globo ocular.

nistagmo. *m.* (pat.) V. **nistagma.**

nitidez. *f.* nitidez; clareza; limpidez; brilho; asseio.

nítido, da. *adj.* nítido, limpo, polido, brilhante, resplandecente; puro, claro; luzidio; lustroso; asseado.

nito. *m.* (bot.) feto filipino empregado para fazer chapéus. — *pl.* (fam.) resposta para ocultar o que se come ou o que se leva quando alguém o pergunta.

nitral. *m.* nitral, nitreira.

nitrato. *m.* (quím.) nitrato: *nitrato de plata,* nitrato de prata; *nitrato de Chile,* nitrato do Chile.

nitrería. *f.* nitreira, nitral.

nítrico, ca. *adj.* nítrico, azoto.

nitrificación. *f.* (quím.) nitrificação.

nitrificador, ra. *adj. e s.* nitrificador, que produz a nitrificação.

nitrificar. *v. tr.* (quím.) nitrificar, converter em nitro; cobrir de nitro.

nitrito. *m.* (quím.) nitrito, azotito.

nitro. *m.* (min.) nitro, azotato de potássio, salitre.

nitrobenceno. *m.* (quím.) nitrobenzina.

nitrobenzol. *m.* (quím.) nitrobenzina.

nitrogenado, da. *adj.* nitrogenoso, azotado.

nitrógeno. *m.* (quím.) nitrogé(ê)nio, azote.

nitroglicerina. *m.* (quím.) nitroglicerina.

nitrosidad. *f.* nitrosidade.

nitroso, sa. *adj.* nitroso, salitroso.

nivel. *m.* nível, instrumento para verificar os planos horizontais; horizontalidade; nível, altura da superfície dum líquido; (fig.) nível, altura que uma coisa atinge; igualdade; situação, rasoura, norma; equivalência; nível, igualdade do terreno; plano, planície, terreno, superfície chã, rasa.

nivelación. *f.* nivelação, nivelamento; aplanação, aplanamento; emparelhamento: *nivelación de un terreno*, aterro.

nivelador, ra. *adj.* e *s.* nivelador, que nivela; alinhador.

nivelar. *v. tr.* nivelar, tornar horizontal, igualar, arrasar, acamar; aplanar, tornar horizontal; (topog.) nivelar, medir com o nível um terreno; (fig.) igualar; (fig.) destruir, arrasar; alinhar; alhanar; anivelar; aflorar; emparelhar; aprumar: *nivelar un terreno*, aterraplanar, achanar; *nivelar una calle*, cilindrar uma rua; *nivelar una pared*, desempenar.

níveo, a. *adj.* níveo, alvo como neve.

nivoso, sa. *adj.* V. **nevoso**. — *m.* Nivoso, quarto mês do calendário republicano francês.

no. *adv.* não: *no bien*, logo que; *no más*, sòmente; *ya no más*, não mais; *¡cómo no!*, pois não!; *no menos*, não menos; igualmente; *no, que no*, decerto; *¿porqué no?*, porque não?; *ya no*, ainda não; *no quiero*, não quero; *no hace mucho*, não há muito; *no por cierto*, não por certo; *no solo*, não só; *por sí o por no*, pelo sim, pelo não.

nobiliario, ria. *adj.* nobiliário, relativo a nobreza.

nobilísimo, ma. *adj. superl.* de *noble*; nobilíssimo.

noble. *adj.* e *s.* nobre, elevado, ilustre, generoso; preclaro; notável; distinto; honroso, excelente; majestoso, magnânimo, sublime; que possui títulos nobiliárquicos; pessoa pertencente à nobreza; (fig.) estirado; bizarro; bem-nascido; bem-nado; belo; aristocrático; aristócrata; afidalgado, senhorial. — *m.* antiga moeda de ouro.

nobleza. *f.* nobreza, fidalguia, excelência; nobreza, aristocracia, conjunto dos nobres dum país; distinção; excelência; mérito, gravidade; magnanimidade; generosidade; majestade; elevação; superioridade; nobreza, esplendor, lustre; alteza; deco(ô)ro: *nobleza de sentimientos*, nobreza de sentimentos. — *f.* espécie de tecido de damasco.

noblote, ta. *adj.* (fam.) fidalgo, que procede com nobreza.

noceda. *f.* nocedal. V. **nogueral**.

nocente. *adj.* nocente, prejudicial, nocivo; que faz mal. V. **culpado**.

nocible. *adj.* V. **nocivo**.

noción. *f.* noção, conhecimento; ideia; noção, conhecimento elementar; rudimentos; noção, notícia; informação; exposição sumária; noção, sentido, acepção duma palavra. — *pl.* rudimentos; luzes: *adquirir nociones de algo*, (fig.) enfronhar-se, enfarinhar; *ligeras nociones de algo*, (fig.) besuntadela; *primeras nociones*, elementos.

nocional. *adj.* nocional, referente a noção; com carácter de notícia.

nocividad. *f.* nocividade, qualidade de nocivo; desvantagem.

nocivo, va. *adj.* nocivo, prejudicial, danoso; pernicioso; desaproveitoso; desvantajoso; funesto; incó(ô)modo; exicial; infesto;

deletério; contrário; endemoninhado; daninho.

nocla. *f.* V. **noca**.

noctambulismo. *m.* no(c)tambulismo, qualidade de ou estado de noctâmbulo; sonambulismo; maneira de viver das pessoas que fazem da noite, dia.

noctámbulo, la. *adj.* e *s.* no(c)tâmbulo, que anda de noite; (prov.) serandeiro.

noctíluca. *f.* noctiluca; (poèt.) a Lua.

noctívago, ga. *adj.* (poét.) no(c)tívago; no(c)tâmbulo; lucífugo; que vagueia de noite.

nocturnal. *adj.* nocturno; que se faz de noite; pertencente à noite.

nocturnidad. *f.* (for.) circunstância agravante dum acto criminoso, quando praticado de noite .

nocturnino, na. *adj.* (p. us.) nocturno.

nocturno. *adj.* no(c)turno, pertencente à noite; que se faz durante a noite; (mús.) composição para piano ou orquestra, de carácter terno e melancólico; nocturno, no(c)tivago; nocturno, parte do ofício divino que se cantava durante a noite. — *pl.* certas aves de rapina que aparecem durante a noite, ou que buscam alimento de noite; (bot.) diz-se das plantas que só de noite tem as suas flores abertas; nocturno, (fig.) taciturno, melancólico.

noche. *f.* noite, noute; (fig.) noite, cegueira escuridão; tristeza; (germ.) sentença de morte; (germ.) chona; trevas; (fig.) a morte; noite, parte do dia em que o Sol está abaixo de nosso horizonte; escuridão que reina durante esse tempo; escuridão em geral; (fig.) noite, ignorância, incerteza; época muito afastada; (pop.) sentença de morte; (Bras.) caruca: *noche toledana*, (fig.) noite passada bem dormir; *caer la noche*, anoitecer; *al correr de la noche*, entrenoite; *irse a casa por la noche*, ir para casa com estrelas; *pasar la noche sin dormir*, passar a noite em claro; *pasar la noche en vela*, estrenoitar; *poco antes de la noche*, com restos de dia; *de la noche a la mañana*, de repente, em breve espaço de tempo; da noite para o dia; *la noche de San Juan*, a noite de S. João; *al caer la noche*, à boca da noite.

Nochebuena. *f.* Noite de Natal, noite de consoada.

nochebueno. *m.* doce de azeite com amêndoas, pinhões etc., próprio do Natal; lenho que se põe ao fogo na noite de Natal.

nocherniego, ga. *adj.* no(c)tívago, que anda de noite; nocturno; (prov.) serandeiro.

nodación. *f.* (med.) nodação, impedimento produzido por um nodo.

nodal. *adj.* nodal, relativo ao nodo.

nodátil. *adj.* (nat.) diz-se da articulação dos ossos.

nodo. *m.* (med.) tumor, furo nas articulações ósseas; (astr.) nodo; (fís.) nodo.

nodriza. *f.* nutriz, ama de leite, criadeira.

nodular. *adj.* noduloso, que tem nódulos, relativo ao nódulos.

nódulo. *m.* nódulo, nó pequeno; nódulo, concreção de pouco volume.

nogada. *f.* nogada, milho em que entra o miolo de nozes.

nogal. *m.* (bot.) nogueira, árvore e a sua madeira: *dar color de nogal,* anogueirar.

nogalina. *f.* nogueirado, cor da nogueira.

noguera. *f.* nogueira. V. **nogal.**

noguerado, da. *adj.* nogueirado, cor de nogueira.

nogueral. *m.* (bot.) nogueiral, nogal, plantio de nogueiras.

nolición. *f.* (fil.) nolição, acto ou efeito de não querer.

noli me tángere. *m.* (lat.) ninguém me toque; (med.) úlcera maligna; coisa considerada ou tratada como isenta de contradição ou exame.

noluntad. *v.* (for.) nolição.

nómada, nómade. *adj.* e *s.* nó(ô)mada, nómade, vagabundo, que não tem domicílio fixo, errante, errabundo, boémio: *pueblos nómadas,* povos erráticos.

nomadismo. *m.* nomadismo.

nombradía. *f.* nomeada, celebridade, fama, reputação; opinião; nome; crédito.

nombrado, da. *p. p.* de *nombrar* e *adj.* nomeado, designado; célebre; nomeado; famoso; afamado.

nombramiento. *m.* nomeação, acto ou efeito de nomear; despacho pelo qual se nomeia alguém para o exercício dum cargo, nomeação; designação; eleição.

nombrar. *v. tr.* nomear, designar pelo nome; mencionar, indicar; nomear, fazer particular menção; nomear, designar para um cargo ou emprego; prover um emprego; nomear, chamar; escolher, designar, despachar alguém para um cargo; instituir; qualificar; cognominar, denominar; apelidar; delegar; declarar. — *v. r.* dizer o seu próprio nome, nomear-se; apelidar-se: *nombrar herederos,* declarar herdeiros.

nombre. *m.* nome; alcunha; fama, reputação; qualificação; denominação; cheiro; título apelido; crédito; nome, autoridade ou poder com que se executa uma coisa por outrem; nome, apodo, alcunho, apelido injurioso; (gram.) nome: *nombre de pila,* nome de pia, do baptismo; *cambiar de nombre,* desbaptizar-se; *poner nombre,* baptizar; *por otro nombre,* alias.

nomenclador. *m.* nomenclador, catálogo de nomes ou vocábulos.

nomenclátor. *m.* nomenclador.

nomenclatura. *f.* nomenclatura, relação, catálogo, lista; nomenclatura, conjunto de termos peculiares a uma actividade; terminologia.

nomeolvides. *f.* (bot.) não-me-esqueças, miosota, miosote, miosótis.

nómina. *f.* nó(ô)mina, lista de pessoas ou coisas; relação de funcionários; nómina, relíquia com nomes de santos; minuta; catálogo, lista, enumeração; relação dos haveres de pessoal.

nominación. *f.* nomeação; eleição.

nominador, ra. *adj.* e *s.* nomeador, que nomeia.

nominal. *adj.* nominal, pertencente ao nome; nominal, que existe só em nome: *valor nominal,* valor nominal.

nominalismo. *m.* (filos.) nominalismo.

nominalista. *adj.* e *s.* (filos.) nominalista.

nominar. *v. tr.* nomear, mencionar. V. **nombrar.**

nominativo, va. *adj.* (com.) nominativo, diz-se dos títulos e inscrições; nominal. — *m.* (gram.) nominativo. — *pl.* (fam.) rudimentos, primeiras noções.

nominilla. *f.* documentos para autorizar pagamentos aos funcionários.

nómino. *m.* pessoa idónea, hábil, própria, para desempenhar empregos ou cargos importantes.

nomografía. *f.* nomografia.

nomología. *f.* nomologia.

nomparell. *f.* (impr.) diamante, antigo carácter de letra que corresponde ao corpo seis.

non. *adj.* ímpar, único. V. **impar.** — *m. pl.* nones, não e não, negação repetida de alguma coisa: *quedar de non,* ficar só; sem companheiro; *digo que nones,* eu digo não e não; *andar de nones,* vadiar; *pares y nones,* pares e nones.

nona. *f.* nones. o nono dia antes dos Idos, no antigo calendário Romano; (liturg.) noa. — *pl.* nonas. segunda das partes em que os Romanos dividiam o mês.

nonada. *f.* nonada, coisa mínima, bagatela, insignificância; ninharia, coisa de pouca monta, frioleira.

nonagenario, ria. *adj.* e *s.* nonagenário.

nonagésimo, ma. *adj.* e *s.* nonagésimo.

nonagonal. *adj.* eneagonal, pertencente ao eneágono.

nonágono, na. *adj.* e *m.* (geom.) eneágono.

nonato, ta. *adj.* nonato, nascido por meio da operação cesariana; (fig.) diz-se da coisa ainda não existente.

noningentésimo, ma. *adj.* nonogentésimo, noningentésimo.

nonio. *m.* (mat.) nó(ô)nio.

nono, na. *adj.* noveno. V. **noveno.**

non plus ultra. (lat.) não mais além.

non sancta. *expr. fam.* diz-se da gente de mau viver.

noología. *f.* noologia.

nopal. *m.* (bot.) nopal, figueira da India; cochonilheira.

nopalito. *m.* (Amér.) (bot.) folha tenra do nopal comestível.

noque. *m.* anoque, tanque, lugar onde se curtem peles; pilhas de seiras cheias de azeitona para moer.

noquero. *m.* curtidor.

noraquera. *f.* parabéns, felicitação, congratulação.

noramala. *adv.* em má hora. V. **enhoramala.**

nora tal, en tal. *adv.* em má hora. V. **noramala.**

noray. *m.* (mar.) V. **proís.**

nordestal. *adj.* nordésteo, que está no ou vem do nordeste.

nordeste. *m.* nordeste, ponto entre norte e leste; nordeste, que sopra desse ponto.

nordestear. *v. intr.* (mar.) nordestear, navegar para nordeste; inclinar-se para nordeste (agulha magnética).

nórdico, ca. *adj.* e *s.* nórdico, diz-se das línguas germânicas, das quais são dialectos o islandés, noruguês, sueco e dinamarquês; norreno.

nordovestear. *v. intr.* (mar.) navegar para noroeste, noroestear; inclinar-se para noroeste (a agulha magnética).

noria. *f.* nora, engenho de tirar água; estanca-rios; poço donde se tira água com uma nora; (fig. e fam.) qualquer coisa, emprego, etc., em que nada se adianta, embora se trabalhe muito; nora, (fig.) roda viva, azáfama.

norial. *adj.* pertencente ou relativo a nora.

norma. *f.* norma, esquadria, esquadro; regra; princípio, preceito; direcção; mode(ê)lo, lei; norma, método; exemplo; formulação; estatuto; código; política; forma: *salirse de la norma*, desregrar-se.

normal. *adj.* normal, segundo a norma; normal, exemplar, regular; ordinário; que serve de norma ou regra; (mat.) normal, perpendicular. — *f.* escola normal; esquadria, esquadro.

normalidad. *f.* normalidade; qualidade ou condição de normal; normal ou usual: *no funcionar con normalidad*, andar fora dos eixos.

normalista. *adj.* e *s.* normalista, relativo a escola normal; aluno duma escola normal.

normalización. *f.* normalização, regularização.

normalizar. *v. tr.* normalizar, pôr em boa ordem; metodizar, regularizar , tornar normal.

normando, da. *adj.* e *s.* (geog.) normando, natural ou pertenecente à Normandia.

normano, na. *adj.* e *s.* (geog.) V. **normando.**

normativo, va. *adj.* (neol.) normativo, que serve de norma.

nornordeste. *m.* nor-nordeste.

nornoroeste. *m.* nor-noroeste.

nornorueste. *m.* nor-noroeste.

noroeste. *m.* noroeste.

noroestear. *v. intr.* (mar.) noroestear, navegar para noroeste. V. **noruestear.**

nortada. *f.* nortada, vento frio do norte.

norte. *m.* norte, pólo ártico; norte (ponto cardeal); norte, parte do globo terrestre ou dum país; norte, vento que sopra dessa parte; estrela Polar; (fig.) direcção, rumo guía, norte, farol: *perder el norte*, (fig.) perder o norte, desorientar-se; *sin norte*, desnorteado, (fig.) deambulatório; *poner rumbo al norte*, anortear; *la ambición es su norte*, (fig.) a ambição é o seu norte.

Norteamérica. (geog.) América do Norte.

norteamericano, na. *adj.* e *s.* (geog.) norte--americano; (pop.) yankee.

nortear. *v. tr.* nortear, dar a direcção do norte; (fig.) orientar, regular. — *v. intr.* nortear, declinar para o norte o vento reinante.

norteño, ña. *adj.* nortenho, relativo a coisas ou pessoas situadas ao norte.

nórtico, ca. *adj.* nórtico, pertencente ou relativo ao norte.

Noruega. (geog.) Noruega.

noruego, ga. *adj.* e *s.* (geog.) noruguês, natural da ou pertencente a Noruega. — *m.* noruguês, língua da Noruega.

norueste. *m.* noroeste.

noruestear. *v. intr.* (mar.) noroestear, navegar para noroeste; inclinarse para noroeste (a agulha magnética).

nos. *pron. pers. pl.* nós; uma das duas formas do dativo e acusativo do pronome pessoal da primeira pessoa plural; usa-se antes ou depois do verbo; usam-no, em vez de *eu*, os soberanos, o Papa, os bispos e altos funcionários.

nosocomial. *adj.* nosocomial, relativo a hospital.

nosocomio. *m.* nosocó(ô)mio, hospital.

nosocrático, ca. *adj.* (farm.) nosocrático; específico (medicamento).

nosófito, ta. *adj.* (bot.) nosófito.

nosofobia. *f.* (pat.) nosofobia.

nosófobo, ba. *adj.* e *s.* nosófobo.

nosogénesis. *f.* (med.) V. **nosogenia.**

nosogenia. *f.* (med.) nosogenia.

nosografía. (med.) nosografía.

nosología. *f.* (med.) nosologia.

nosológico, ca. *adj.* nosológico.

nosólogo, ga. *s.* nosologista.

nosomanía. *f.* (pat.) nosomania.

nosomántica. *f.* nosomântica, arte de curar por meio de encantamentos.

nosotros, tras. *pron. pers. pl.* nós; nós outros.

nostalgia. *f.* nostalgia, melancolia, saudade da pátria; tristeza; banzo; (fig.) saudade dalgum bem perdido.

nostálgico, ca. *adj.* nostálgico, relativo a nostalgia; nostálgico, saudoso, triste, que sofre nostalgia.

nostramo, ma. *s.* V. **nuestramo. ma.** — *m.* tratamento próprio dos contramestres.

nostras. *adj.* (med.) aplica-se a doenças próprias dos nossos países, em oposição às mesmas doenças noutros países.

nota. *f.* nota, marca, sinal; nota, anotação a um texto; crédito, reputação, fama, celebridade; nota, censura, repreensão; nota, estilo, dicção, elocução; nota, minuta, lembrança, apontamento; ofensa; vício; nota, comunicação diplomática; nota, defeito, observação; explicação escolar; conhecimento, atenção; pecha, mácula; (mús.) nota; acento; advertência; memorando; (com.) nota, detalhe, pormenor: *autor de nota*, autor de nota; *mujer de nota*, mulher de nota; *notas musicales*, notas de música; *tomar nota de algo*, tomar nota dalguma coisa; *tener buenas notas*, ter boas notas (dos estudantes); *nota diplomática*, nota diplomática; *hombre de nota*, homem de aparência; *mujer de mala nota*, madragoa, mulher de má nota; *sitio de mala nota*, madrigueira; *caer en nota*, promover escândalo; *dar la nota*, (fig.) dar a nota. — pl. notas, minuta, registo de tabelião; protocolo de escrição.

nota bene. (lat.) repara, nota bem, observa.

notabilidad. f. notabilidade, qualidade de notável; conspicuidade; notabilidade, pessoa muito notável.

notabilísimo, ma. adj. superl. notabilíssimo.

notable. adj. notável, digno de nota, reparo ou cuidado; notável, grande; ilustre; insigne; extraordinário; distinto; apreciável; considerável, egrégio, eminente; memorável, afamado; assinalado; magnífico, excelso; exímio; excelente; célebre; famoso; conspícuo; abalizado; particular; especial; apreciável, sensível. — m. pl. notáveis, pessoas principais duma localidade ou colectividade; diz-se da classificação usada nos exames dos alunos.

notación. f. anotação; notação; representação do som; (mat.) sistema de sinais convencionais adoptado em matemáticas.

notar. v. tr. notar, marcar, assinalar; notar, observar, reparar, considerar com atenção; advertir; notar, arguir; notar, redigir; notar, repreender, censurar; notar, apontar, tomar nota; notar, dietar; notar, taxar; infamar, desacreditar; divisar, descobrir, aperceber, experimentar, notar; estranhar; anotar, achar, indicar: notar un defecto, descobrir um defeito. — v. r. notar-se, advertir-se.

notaría. f. notariado, ofício de notário; cartório, escritório de notário.

notariado, da. adj. diz-se do que está autorizado ante notário ou abonado com fé notarial. — m. notariado, cargo de notário.

notarial. adj. notarial, pertencente ou relativo ao notário; notarial, feito por notário.

notariato. m. notariado, título ou nomeação de notário; notariado, exercício deste cargo.

notario. m. notário, escrivão público, tabelião.

noticia. f. notícia, informação duma coisa; conhecimento; nota; observação; novidade; memória, lembrança; notícia, escrito sobre um facto ou pessoa notável; biografia; sucesso, informação; nova; novidade, aviso; notícia, esclarecimento, indício; notícia, estracto; atoada; informe: perder noticia de, perder a notícia de; tener noticia de, barruntar; dar una noticia, informar; noticiar; traer buenas noticias, ganhar as alvíçaras; noticia remota, notícia remota; buenas noticias, notícias alegres. — pl. conhecimentos diversos em qualquer arte ou ciência.

noticiar. v. tr. noticiar, informar, comunicar, dar notícia de, publicar, anunciar, tornar conhecido, notificar; dar conhecimento; participar como novidade.

noticiario. m. noticiário, conjunto de notícias.

noticierismo. m. trabalho ou afã do noticiador.

noticiero, ra. adj. noticioso, que dá notícias. — s. noticiador, pessoa que dá notícias; noticiarista, o que escreve notícias nos periódicos.

notición. m. (fam.) notícia extraordinária ou pouco digna de crédito.

noticioso, sa. adj. noticioso; sabedor, conhecedor; erudito.

notificación. f. notificação, documento em que se faz constar a notificação; intimação; informe; anúncio; avisamento.

notificado, da. p. p. de notificar e adj. notificado; (for.) diz-se da pessoa a quem se fez a notificação.

notificar. v. tr. notificar, intimar, avisar, participar judicialmente; avisar, fazer saber segundo as formas legais; dar conhecimento; citar; notificar, noticiar, avisar, participar; expor; anunciar; declarar.

notificativo, va. adj. notificativo, que serve para notificar.

noto. m. V. austro.

noto, ta. adj. noto, conhecido, manifesto, sabido, publicado; notório, (ant.) bastardo, ilegítimo.

notoriedad. f. notoriedade; fama; celebridade, renome; publicidade.

notorio, ria. adj. notório, conhecido, público e sabido de todos; evidente, visível, flagrante; apreciável.

nóumeno. m. (filos.) essência, causa hipotética dos fenómenos, segundo as notícias que o entendimento recebe dos sentidos.

novación. f. (for.) novação, renovação: contrato de novación, contrato de anovamento.

novador, ra. s. novador, inovador.

novar. v. tr. (for.) inovar, renovar, fazer novação.

novatada. f. canelão, maus tratos dados aos caloiros, nalgumas escolas superiores; bisonhice, bisonhária.

novato, ta. adj. e s. novato, caloiro, principiante; inexperto; galucho, bisonho, engatado; (fig.) aprendiz, boçal, estranhão; aluno do primeiro ano duma faculdade: ser novato en algo, (fig.) engatinhar.

novator, ra. s. novador, inovador.

novecientos, tas. adj. e s. novecentos.

novedad. f. novidade; notícia, novidade; mutação nas coisas; nova; primeira informação; originalidade; raridade; estranheza; novidade, ocorrência recente; alteração na saúde; (fig.) admiração causada pelas coisas nunca vistas. — pl. novidades, géneros adequados à moda.

novedoso, sa. adj. (Amér.) V. novelero.

novel. adj. e s. novèl, inexperiente; no(ô)vo, principiante, novato; aprendiz, noviço.

novela. f. novela, pequeno romance; conto; fabulação; (fig.) novela, fantasia; ficção, mentira, enredo, patranha; coisa inverosímil; (for.) novelas, constituições do Imperador Justiniano.

novelador, ra. s. novelista.

novelar. v. intr. compor ou escrever novelas; (fig.) contar ou publicar novelas, contos e patranhas.

novelería. f. inclinação para novidades; inclinação para ler ou escrever novelas ou fábulas.

novelero, ra. adj. e s. noveleiro, amigo de novidades e contos; desejoso de novidades ou que as espalha; inconstante e volúvel no modo de proceder; noveleiro; trapaceiro; leviano, mudável, inconstante; (germ.) criado de alcoviteiro, que leva e traz notícias, mandil.

novelesco, ca. adj. novelesco, próprio de novelas, romanesco.

novelista. s. novelista, pessoa que escreve novelas.

novelística. f. novelística, literatura novelesca; tratado preceptivo da novela.

novelón. m. novela extensa muito dramática e mal escrita, dramalhão.

novena. f. (litúrg.) novena, rezas durante nove dias; novenário, livro de novenas.

novenario. m. novena, período de nove dias; exéquias celebradas ao nono dia dum falecimento.

novendial. adj. diz-se de qualquer dos nove dias de nojo.

noveno, na. adj. noveno, nono. — m. renda territorial, consistente na nona parte dos frutos.

noventa. adj. e m. noventa.

noventavo, va. adj. nonagésimo.

noventón, na. adj. e s. nonagenário.

noviazgo. m. noivado, condição ou tempo que dura o estado de noivo: romper el noviazgo, desnoivar.

noviciado. m. noviciado, aprendizagem das pessoas que entram numa ordem religiosa; noviciado, conjunto de noviços; casa ou quarto dos noviços; noviciado, regime e exercícios dos noviços; (fig.) aprendizado, aprendizagem.

novicio, cia. s. noviço, pessoa que se prepara para professar num convento; (fig.) aprendiz, inexperiente; principiante; aluno.

noviciote. m. (fam.) noviço idoso ou alto.

noviembre. m. Nobembro.

novilunio. m. novilúnio, Lua Nova.

novillada. f. (tauro.) novilhada, corrida ou lide de novilhos; novilhada, conjunto de novilhos, manada.

novillero. m. pastor de novilhos; curral onde eles são encerrados; (tauro.) novilheiro, matador de novilhos; (fam.) gazeador, gazeteiro, estudante que falta à escola.

novillo, lla. s. (zool.) novilho, boi ainda novo, almalho; bezerro; anejo; (fam.) corno, marido enganado pela mulher: hacer novillos, fazer gazeta, faltar aonde se deve ir (diz-se especialmente dos rapazes que faltam à escola).

novio, via. s. noivo, pessoa próxima a casar-se; ou que mantém relações amorosas; noivo, pessoa recém-casada; galã; futuro; amante; amado; desposado;

novo, novato, o que entra de novo em algum estado ou dignidade; (Bras.) pop. osso: mi novio, (fam.) meu bem; viaje de novios, viagem nupcial.

novísima. f. diz-se do antigo corpo de leis chamado Novísima Recopilación.

novísimo, ma. adj. super. de nuevo, novíssimo, muito novo; novíssimo, último na ordem das coisas. — pl. m. novíssimos do homem; os seus últimos destinos.

novocaína. f. (quím.) novocaina.

nubada. f. aguaceiro, chuvada forte e súbita; chuveiro; (fig.) multidão de coisas, cópia.

nubado, da. adj. V. nubarrado.

nubarrada. f. aguaceiro. V. nubada.

nubarrado, da. adj. diz-se dos tecidos com desenhos coloridos em forma de nuvens.

nubarrón. m. nuvem grande e densa separada das outras.

nube. f. nuvem, porção de pó ou fumo; agrupamento de aves, etc., que obscurece o Sol; albugem; (med.) nuvem, mancha na córnea; (fig.) sombra nas pedras preciosas; tudo o que impede de ver; grande multidão ou quantidade; (fig.) ar de tristeza ou melancolia; (germ.) capa, capote: subir una cosa a las nubes, encarecer muito; cubierto de nubes, enublado; entre nubes, entrenublado; estar en las nubes, (pop.) andar nos ares, com a cabeça no ar; sin nubes, desanuviado, claro; poner por las nubes a alguien, pôr nos cornos da Lua alguém; pôr alguém sobre as nuvens; ponerse por las nubes, (pop.) zangar-se, irritar-se, ir às nuvens; caerse de las nubes, (fig.) cair das nuvens, ter grande surpresa.

nubífero, ra. adj. (poét.) nubífero, que traz ou produz nuvens.

núbil. adj. núbil, casadoiro.

nubilidad. f. nubilidade, estado de pessoa núbil; puberdade.

nubiloso, sa. adj. (poét.) nubloso, nebuloso.

nublado. m. nuvem (diz-se geralmente daquela que ameaça tempestade); (fig.) acontecimento que produz risco iminente de adversidade; multidão; abundância, cópia de coisas. — adj. nubloso, coberto de nuvens, enublado; anuviado; entroviscado: descargar el nublado, (fig.) desafogar a ira.

nublar. v. tr. V. anublar.

nublo, bla. adj. nubloso, coberto de nuvens, nubiloso, nebuloso; (fig.) desgraçado, adverso, contrário.

nubosidad. f. qualidade de nubloso; céu coberto de nuvens.

nuboso, sa. adj. nubloso. V. nubloso.

nuca. f. (anat.) nuca; cogote; gacho (do toiro); (Bras.) atuá.

nuclear. adj. nuclear, nucleal: energía nuclear, energia nuclear.

nucleario, ria. adj. nucleal, nuclear.

nucleína. f. (quím.) nucleína; promatina.

núcleo. m. núcleo, miolo da noz e doutros frutos; núcleo, centro, ponto essencial, sede principal; (astr.) núcleo: nú-

cleo nervioso, núcleo nervoso; *núcleo atómico*, núcleo atómico.

nucleoanálisis. *f.* (med.) nucleoanálise.

nucleoide. *adj.* nucleoideo.

nucleol. *m.* (bioquím.) nucleol.

nucleolar. *adj.* relativo ao nucléolo.

nucleolo. *m.* (bot. e histol.) nucléolo.

nucleoplasma. *m.* (med.) nucleoplasma.

nudillo. *m.* (anat.) nó dos dedos, doca; malha, ponto, nó, bilhete fechado em forma de nó; (arq.) torno, prego de madeira.

nudismo. *m.* nudismo.

nudista. *adj. e s.* nudista.

nudo. *m.* nó, laço, laçada; nó, parte mais dura da madeira; (anat.) nó, união dumas partes com outras; especialmente dos ossos; nó, parte mais dura das árvores, ponto de inserção das folhas de certas plantas; nó, enlace; (fig.) nó, união, ligação, vínculo; (med.) nó, tumor nos nervos ou nos ossos; (fig.) nó, dificuldade, obstáculo grande; (mar.) milha; (arq.) nó; (liter.) nó, entrecho, intriga duma peça: *nudo gordiano*, nó górdio, (fig.) indissolubilidade; *nudo en la garganta*, (fig.) aflição; *nudo corredizo*, no corredio.

nudo, da. *adj.* nu. V. **desnudo.**

nudosidad. *f.* qualidade de nodoso, nodosidade.

nudoso, sa. *adj.* nodoso, que tem nós; proeminente.

nuececilla. *f.* (bot.) noz pequena.

nuecero, ra. *s.* vendedor de nozes.

nuégado. *m.* nogado, bolo de farinha, mel e nozes.

nuera. *f.* nora, a mulher do filho em relação aos pais dele.

nuestramo, ma. *adj.* contr. de *nuestro amo*, nosso amo. — *m.* (germ.) escrivão.

nuestro, tros, tra, tras. *pron. pers.* nosso, nossos, nossa, nossas.

nueva. *f.* nova, novidade, notícia: *Buena Nueva*, o Evangelho.

Nueva York. (geog.) Nova-Iorque.

nueve. *adj. e m.* nove.

nuevo, va. *adj.* no(ô)vo, moderno, recente; novo, que se vê ou ouve pela primeira vez; moderno, não estreado; que começa; inexperiente, principiante, recém--chegado; novo, diferente do que antes se sabia; distinto; novo, novato, caloiro; (fig.) novo, que está pouco usado; fresco; ignorado, desconhecido.

nuez. *f.* (bot.) noz, fruto da nogueira; noz, fruto doutras árvores semelhantes à nogueira; (anat.) laringe, nó da garganta, pomo-do-adão; noz (da besta); (mús.) cravelha: *apretar a uno la nuez*, (pop.) matar alguém afogando-o.

nueza. *f.* (bot.) briónia.

nugación. *f.* nugacidade, nugação, frivolidade, futilidade, ninharia, bagatela.

nugatorio, ria. *adj.* nugatório, nugativo, enganoso, frívolo, vão, fútil, ridículo.

nulidad. *f.* (for.) nulidade; falta de validade ou de mérito; falta de talento; pessoa insignificante, incapaz, inepta; inca-

pacidade; improcedência; inaptidão; improficência.

nulificar. *v. tr.* nulificar, anular. V. **anular.**

nulinervado, da. *adj.* (bot.) nulinerve.

nulípara. *adj. e f.* (obstr.) nulípara, diz-se da fêmea que nunca pariu.

nulo, la. *adj.* nulo, sem valor, inválido, incapaz; nulo, vão, inepto; nenhum, improficiente, ineficaz: *dar por nulo*, anular.

nullíus. *adj.* (for.) de ninguém.

numen. *m.* nume, númen, divindade mitológica; inspiração do escritor ou do artista; génio.

numerable. *adj.* numerável, que se pode numerar ou contar.

numeración. *f.* numeração; (arit.) numeração.

numerado, da. *p. p.* de *numerar* e *adj.* numerado, posto por ordem numérica.

numerador. *m.* (arit.) numerador; numerador, aparelho para numerar.

numeradora. *f.* numeradora, máquina para numerar.

numeral. *adj.* numeral, relativo ao número.

numerar. *v. tr.* numerar, contar pela ordem dos números; dispor por ordem numérica; designar o número; expor metòdicamente; numerar, marcar com número; contar; incluir; enumerar.

numerario, ria. *adj.* numerário, relativo ao número. — *m.* numerário, dinheiro efectivo.

numérico, ca. *adj.* numérico, relativo aos números; numeral.

número. *m.* (arit.) número, quantidade; unidade; conjunto de unidades; algarismo; número, quantidade, multidão indeterminada; porção; número, exemplar duma publicação periódica; número, bilhete da lotaria; (gram.) número; número, multidão, abundância; número, medida, cadência; harmonia, ritmo; metro; número.— *pl.* números, quarto dos livros do Pentateuco.

numerosidad. *f.* multidão numerosa, numerosidade.

numeroso, sa. *adj.* numeroso; copioso; abundante; grande em número; considerável; numeroso, harmonioso, cadencioso; que tem medida ou proporção.

numisma. *f.* numisma, moeda cunhada.

numismática. *f.* numismática.

numismático, ca. *adj.* numismático, numismal. — *m.* numismata, o que professa a numismática, numismatista.

numuláceo, a. *adj.* parecido com a moeda.

numular. *adj.* (med.) numular, diz-se do escarro redondo como uma moeda.

numulario. *m.* numulário, banqueiro, capitalista, argentário.

numulita. *f.* (zool.) numulário, concha fóssil.

nunca. *adv.* nunca, jamais, em nenhum tempo: *nunca jamás*, nunca jamais; *nunca pasará eso*, quando as galinhas tiverem dentes.

nunciatura. *f.* nunciatura, cargo, dignidade ou residência de núncio.

nuncio. *m.* núncio, mensageiro, anunciador; precusor; prenúncio; anúncio ou sinal; núncio, representante diplomático do Papa.

nuncupativo, va. *adj.* (for.) nuncupativo, diz-se do testamento aberto.

nuncupatorio, ria. *adj.* nuncupatório, que encerra dedicatória.

nupcial. *adj.* nupcial, relativo ao casamento, conubial.

nupcialidad. *f.* nupcialidade, movimento demográfico de casamentos; estado de núbil.

nupcias. *f. pl.* núpcias, esponsais, conúbio, casamento, boda, matrimónio: *segundas nupcias*, deuterogamia.

nutación. *f.* (astr.) nutação.

nutr(i)a. *f.* (zool.) lontra, mamífero da família das martas.

nutricio, cia. *adj.* nutrício, nutritivo, alimentício, nutrítico.

nutrición. *f.* nutrição; alimentação, alimento; sustento; (fisiol.) nutrição; (farm.) nutrição, preparação dos medicamentos.

nutrido, da. *p. p.* de *nutrir* e *adj.* nutrido, alimentado; (fig.) cheio, abundante, nutrido, farto; gordo, robusto.

nutrimental. *adj.* nutrimental, nutritivo, nutrítico, que serve de sustento.

nutrimento. *m.* nutrimento, nutrição, substância dos alimentos; alimento, alimentação.

nutrimiento. *m.* V. **nutrimento.**

nutrir. *v. tr.* nutrir, alimentar, sustentar, avigorar; (fig.) educar, desenvolver das forças (no sentido moral); fermentar; engordar; nutrir, encher, cumular, dar com abundância; entreter. — *v. r.* nutrir-se, alimentar-se, sustentar-se; avigorar-se.

nutritivo, va. *adj.* nutritivo, alimentício, que serve para nutrir, alimentoso, nutriante, nutrítico, nutriente: *valor nutritivo*, valor nutritivo; *aparato nutritivo*, aparelho nutritivo.

nutriz. *f.* nutriz, ama de leite. V. **nodriza.**

nutual. *adj.* diz-se de certos cargos eclesiásticos providos à vontade de quem os dá.

ny. *f.* nome da décima terceira letra do alfabeto grego, correspondente à letra *n*.

nylon. *m.* (quím. e indust.) naylon: *medias de nylon*, meias de nylon.

Ñ

Ñ, ñ. *f.* décima sétima letra do alfabeto espanhol e décima quarta das suas consoantes; pronuncia-se como o *nh* português.

ñafrar. *v. tr.* fiar.

ñagaza. *f.* V. **añagaza.**

ñame. *m.* (bot.) inhame, planta herbácea da família das dioscóreas, cuja raíz é semelhante à batata-doce.

ñandú. *m.* (Amér. zool.) nandu, ema, avestruz.

ñandubay. *m.* (Amér.) espécie de mimosa, cuja madeira é muito dura e incorruptível.

ñaduti. *m.* (Amér.) tecido muito fino que faziam as mulheres do Paraguay e muito usado na América do Sul.

ñangüé. *m.* (Amér.) variedade de planta semelhante ao estramónio.

ñaña. *f.* (Amér.) V. **niñera,** ama-seca; (Amér.) irmã mais velha.

ñáñigo, ga. *s.* (Amér.) diz-se dos indivíduos pertencentes a uma sociedade secreta de negros.

ñaño, ña. *adj.* e *s.* (Amér.) amimado; muito amigo; irmão, irmã.

ñapango, ga. *adj.* e *s.* (Amér.) V. **mestizo.**

ñapindó. *m.* (Amér.) V. **mimosa.**

ñapo. *m.* (Amér.) espécie de junco com que se fazem canastros.

ñaque. *m.* conjunto de coisas inúteis; ninharias, coisas ridículas.

ñato, ta. *adj.* (Amér.) V. **chato.**

ñeque. *adj.* (Amér.) forte, vigoroso. — *m.* (Amér.) força, energia, vigor.

ñigua. *f.* V. **nigua.**

ñipe. *m.* (bot. Amér.) arbusto cujos ramos se empregam para tingir.

ñiquiñaque. *m.* (fam.) pessoa ou coisa muito desprezível.

ñire. *m.* (Amér.) árvore de vinte metros de altura, de flores solitárias.

ñoclo. *m.* espécie de melindres feitos de farinha, ovos, gordura de vaca, açúcar, vinho e anís.

ñocha. *f.* (Amér.) erva bromoliácea cujas folhas se empregam para fazer cordas, cestos, chapéus, etc.

ñoñear. *v. intr.* (Amér.) fazer tontarias, necedades, parvoíces.

ñoñería. *f.* tontaria, tontice, necedade, patetice, parvoíce; (Amér.) afagos, mimos, carícias.

ñoñez. *f.* qualidade de néscio; tontaria, tontice.

ñoño, ña. *adj.* (fam.) néscio; apoucado; parvo; decrépito, caduco; pusilânime; muito tímido.

ñora. *f.* (prov.) V. **nora.**

ñora. *f.* (prov.) V. **guindilla.**

ñoro. *m.* (bot.) V. **ñora,** pimento muito picante.

ñu. *m.* (zool.) nhu, antílope da Africa do Sul.

ñudillo. *m.* V. **nudillo.**

ñudo. *m.* V. **nudo.**

ñudoso, sa. *adj.* V. **nudoso.**

ñurga. *f.* (Amér.) excremento humano.

ñuridito, ta. *adj.* (Amér.) adoentado, falto de saúde; raquítico.

ñusca. *f.* (Amér.) excremento, fezes.

ñutir. *v. tr.* (Amér.) resmungar, resmonear, rezingar.

ñuto, ta. *adj.* (Amér.) diz-se do que está moído, triturado, convertido em pó.

O

O, o. *f.* décima oitava letra do alfabeto espanhol e quarta das suas vogais.

o. *adv.* (ant.) donde.

o. *conj.* ou; por eufonia substitui-se o *o* por *u*, antes de palavras que comecem por *o* ou *ho.*

¡o! *interj.* oh! ó! V. **¡oh!**

oasis. *m.* oásis; (fig.) trégua, descanso, refúgio nos contratempos da vida.

obcecación. *f.* obcecação, teimosia, cegueira tenaz e persistente; ofuscamento; persistência no erro; fanatismo.

obcecado, da. *p. p.* de *obcecar* e *adj.* obcecado, teimoso; ofuscado, fanático, contumaz.

obcecar. *v. tr.* obcecar, cegar, deslumbrar, ofuscar, desvairar; encher de trevas o entendimento; obscurecer o espírito de; induzir em erro; tornar contumaz no erro.

obcomprimido, da. *adj.* obcomprimido.

obcónico, ca. *adj.* (bot.) obcó(ô)nico.

obduración. *f.* obduração, obstinação, obcecação; teimosia em resistir ao que convém; endurecimento.

obedecedor, ra. *adj.* e *s.* obediente, que obedece; disciplinado.

obedecer. *v. tr.* obedecer, cumprir a vontade de outrem; ceder um animal à direcção que se lhe dá; obedecer; executar as ordens dalguém; ceder; deixar-se guiar; cumprir; observar; determinar-se em virtude de; acatar; (fig.) vergar, obedecer, sujeitar-se. — *conj. irr.* como **crecer.**

obedecible. *adj.* que pode ou deve ser obedecido.

obedecimiento. *m.* obediência, acção de obedecer; obediência; sujeição; dependência.

obediencia. *f.* obediência, acção de obedecer; submissão; sujeição; acatamento; docilidade; obediência, preceito do superior; flexibilidade: *prestar obediencia a alguien,* ir à beija-mão de alguém.

obediencial. *adj.* obedencial, relativo à obediência.

obediente. *p. a.* e *adj.* obediente, que obedece; acatado; obediente, submisso; dócil; humilde.

obelisco. *m.* obelisco; (impr.) óbelo.

óbelo. *m.* óbelo, obelisco.

obencadura. *f.* (mar.) ovençadura, conjunto de ovéns.

obenque. *m.* (mar.) ovém, cada um dos cabos que aguentam os mastros para a borda, os mastaréus, etc.

obertura. *f.* (mús.) abertura, introdução musical.

obesidad. *f.* obesidade, gordura excessiva; corpulência; ádipe.

obeso, sa. *adj.* obeso, gordo, pançudo; corpulento; que tem obesidade; *persona obesa,* (Bras.) xibimba.

óbice. *m.* óbice, obstáculo, impedimento, esto(ô)rvo; embaraço, entorpecimento, dificuldade: *eso no es óbice,* isso não embaraça.

obispado. *m.* bispado, dignidade ou território episcopal, prelazia, diocese.

obispal. *adj.* bispal, relativo a bispo; episcopal.

obispalía. *f.* palácio do bispo, junto da catedral; paço episcopal; diocese, território bispal.

obispar. *v. intr.* obter um bispado; ser nomeado para ele.

obispillo. *m.* menino que nalgumas catedrais vestem de bispo; caloiro de universidade ao qual punham uma mitra de papel; morcela grande e grossa; (zool.) mitra, uropígio das aves.

obispo. *m.* (rel.) bispo, prelado que governa uma diocese; morcela grande; (zool.) bispo, espécie de raia; (germ.) galo (ave).

óbito. *m.* óbito, morte, defunção, falecimento duma pessoa.

obituario. *m.* obituário, registo de óbitos; relação das pessoas falecidas durante um certo período.

objeción. *f.* obje(c)ção, contestação; dúvida; dificuldade; impugnação; argumento contrário; embargo, entravamento; conta, contradita: *poner objeciones,* formular obje(c)ções.

objetar. *v. tr.* obje(c)tar, opor, controverter, alegar em sentido contrário; exprobrar;

lançar em rosto, opor-se a, controverter;
pôr embargos; entravar.

objetivación. *f.* obje(c)tivação.

objetivar. *v. tr.* obje(c)tivar, tornar objectivo; ilustrar com exemplos completos.

objetividad. *f.* obje(c)tividade; existência
real daquilo que é concebido na mente.

objetivismo. *m.* objectividade; desafeição.

objetivo, va. *adj.* obje(c)tivo, relativo ao objecto; desafeiçoado, desinteresseiro; desapaixonado.—*m.* (ópt.) obje(c)tiva, lente;
objectivo, fim, alvo, intento, propósito.

objeto. *m.* obje(c)to, o que se oferece à vista; objecto, coisa material; objecto, tudo
o que ocupa o espírito; matéria; coisa;
assunto; causa; motivo; fim; propósito;
obje(c)tivo, intento; destino; destinação:
no tener otro objeto que, não ter outro objecto senão; *sin objeto,* sem objecto; *con
objeto de,* para; *objeto de valor,* (Bras.)
pilcha.

oblación. *f.* oblação, oferenda e sacrifício
que se faz a Deus; oblata.

oblada. *f.* (rel.) oblata, oferenda feita por
intenção dos mortos.

oblata. *f.* (rel.) oblata, oferecimento para o
culto na igreja; oblata, o pão e o vinho
que se oferecem a Deus, na missa; oblata, religiosa da congregação do Santíssimo
Redentor.

oblativo, va. *adj.* oblativo.

oblato. *m.* e *adj.* oblato, diz-se da pessoa
pertencente à congregação de clérigos
seculares fundada no século XVI.

oblea. *f.* obreia; (fig.) magrizela, pessoa ou
animal muito magro.

obleera. *f.* caixa ou vaso para guardar
obreias.

obleero. *m.* que faz ou guarda obreias.

oblicuángulo. *adj.* (geom.) obliquângulo.

oblicuar. *v. tr.* obliquar, seguir em linha
oblíqua. — *v. intr.* (mil.) obliquar.

oblicuidad. *f.* obliqu(ü)idade, inclinaçao duma linha ou superfície sobre outra; (astr.)
obliquidade; enviés.

oblicuo, cua. *adj.* oblíquo, inclinado, de través, de esguelha, enviesado; indire(c)to;
estrábico; (geom.) oblíquo (superfície);
em diagonal; torto; vesgo; indirecto;
(fig.) dissimulado; ambíguo; dúbio; malicioso; que não é franco.

obligación. *f.* obrigação, acto de obrigar;
o facto de estar obrigado; dever; imposição; exigência; obrigação, condição;
constrangimento; dever, encargo, obrigação; obrigação, título de dívida; vínculo
jurídico; preceito; favor; emprego; convívio; mester; pacto; padrão; incumbência; (fig.) atamento; (for.) obrigação, título jurídico. — *pl.* (fig.) a família: *contraer una obligación,* ter uma obrigação,
empenhar-se; *faltar a la obligación,* desservir.

obligacionista. *s.* (nom.) obrigacionista, o
que possui obrigações.

obligado, da. *p. p.* de *obligar;* obrigado, sujeito, forçado; empenhado; constrangido; agradecido. — *s.* abastecedor, forne-

cedor de determinado comestível a uma
cidade; (mús.) solo cantado ou tocado
por um músico: *estar obligado a,* incumbir; dever; *obligado por la necesidad,*
apertado pela necessidade.

obligar. *v. tr.* obrigar, forçar, sujeitar,
atrair, penhorar, constranger; submeter;
obrigar, ligar por meio de reconhecimentos; cativar; impelir; comprometer; mover, excitar. — *v. r.* comprometer-se, contrair obrigação; responsabilizar-se por:
obligar a alguien a hacer algo, chegar alguém a fazer alguma coisa; *obligar a alguien a pensar como se quiere,* (fig.) meter os dedos pelos olhos; *obligar por juramento,* ajuramentar; *obligar por la fuerza,* pôr a faca aos peitos; *obligarse por
contrato,* avencar-se; *obligarse a hacer
algo,* obrigar-se a fazer alguma coisa.

obligativo, va. *adj.* V. **obligatorio.**

obligatoriedad. *f.* obrigatoriedade; imposição legal.

obligatorio, ria. *adj.* obrigatório, forçoso, inevitável; indispensável, que envolve obrigação; imprescindível; indeclinável; necessário.

obliteración. *f.* (med.) obliteração.

obliterador, ra. *adj.* obliterador, que oblitera.

obliterar. *v. tr.* (med.) obliterar, obstruir,
tapar um vaso ou um canal.

oblongada. *adj.* diz-se da parte superior da
medula espinal.

oblongo, ga. *adj.* oblongo, alongado, oval.

obnubilación. *f.* obnubilação. V. **ofuscamiento.**

oboe. *m.* (mús.) oboé; corne inglês; oboé,
pessoa que toca este instrumento.

óbolo. *m.* óbolo, medida de peso e antiga
moeda usada na antiga Grécia; (farm.)
peso de doze grãos; (fig.) óbolo, pequena
esmola.

obra. *f.* obra, qualquer coisa feita; qualquer coisa produzida por algum agente;
obra, resultado de um trabalho ou duma
acção; obra, escrito científico ou literário; obra, construção de edifícios; edificação, edifício; obra, feito, trabalho;
obra, empre(ê)sa; estudo; (mar.) obra, nome genérico de todos os cabos de laborar;
obra, fama; factura; obra, virtude, meio,
poder; obra, acto, toda sorte de acto ou
acção normal; obra, feito, acção; obra,
resultado do trabalho. — *m. pl.* obras, trabalhos de edificação.

obrada. *f.* (agr.) trabalho feito por um homem num dia; lavra diária; (prov.) medida agrária.

obrador, ra. *s.* obrador, que obra, obreiro.—
m. oficina.

obradura. *f.* moedura, pisada, quantidade de
azeitona espremida duma só vez; pisa.

obraje. *m.* obragem, obra feita à mão; oficina onde se fabricam panos ou outras
coisas de uso comum.

obrajero. *m.* contramestre, capataz, chefe
que dirige o pessoal que trabalha numa
obra.

obrar. *v. tr.* obrar, fazer alguma coisa; fazer, executar algum trabalho; executar, construir, trabalhar; efeituar; efe(c)tuar; obrar, edificar; fabricar; agir; efe(c)tivar; obrar, converter em obra; realizar; praticar um acto; ter feito um medicamento, obrar; traduzir. — *v. intr.* defecar, descarregar o ventre; proceder, portar-se: *obrar por experiencia*, deferir à experiência; *obrar según la conciencia*, obrar segundo a consciência; *obrar de forma distinta a la prometida*, desmanchar a panelinha; *obrar sin tino*, desatentar; *obrar precipitadamente*, arremessar-se; *obrar a tontas y a locas*, fazer uma coisa a aceitar, andar com Deus e à aventura; *obrar alternativamente*, alternar; *obra mal*, proceder mal; *obrar sobre*, produzir efeito sobre.

obrepción. *f.* (for.) ob-repção, ardil para obter alguma coisa, dolo, astúcia.

obrepticio, cia. *adj.* (for.) ob-reptício, ardiloso.

obrería. *f.* ofício, trabalho de obreiro; rendas destinadas à reparação dalguma igreja.

obrerismo. *m.* regime económico em que predomina o trabalho operário como criador de riquezas ou elemento de produção; operariado, o conjunto dos operários.

obrero, ra. *adj. e s.* obreiro, operário, trabalhador, o que trabalha; trabalhador manual remunerado; aquele que coopera ao desenvolvimento duma empresa ou duma ideia; aquele que trata das obras nas igrejas ou comunidades; obreiro, artífice.

obrizo, za. *adj.* diz-se do ouro muito puro.

obscenidad. *f.* obscenidade, qualidade de obsceno; obscenidade, acto ou dito obsceno; pachouchada, pacholice; luxúria; lubricidade; indecência; alarvada; descompostura; desavergonhamento; desonestidade; desbocamento; desfragamento; desmancho; (fig.) arro(ô)to.

obsceno, na. *adj.* obsceno, que ofende o pudor; torpe, impúdico; imundo; impuro; lúbrico; indecoroso; indecente; alarvado; desavergonhado; desonesto; desonroso; desbragado; desbocado; despejado; desmanchado: *dicho obsceno*, asneirada, asneira; *ser obsceno*, luxuriar.

obscuración. *f.* obscuridade.

obscurantismo. *m.* obscurantismo.

obscurantista. *adj. e s.* obscurantista, partidário do obscurantismo.

obscurecer. *v. tr.* obscurecer, tornar obscuro; privar da luz e da claridade, turvar; (fig.) obscurecer, ofuscar a razão; dificultar a inteligência; apagar; confundir; deslustrar; enfraquecer o brilho de; toldar, perturbar; entristecer, anuviar; eclipsar; obscurecer, diminuir o valor das coisas; obscurecer, dificultar, ofuscar. — *v. intr.* obscurecer, anoitecer; tornar-se sombrio, triste. — *v. r.* deslustrar-se, enturvar-se; apagar-se; perder o brilho. — *conj. irr.* como *crecer*.

obscurecimiento. *m.* obscurecimento; escuridão.

obscuridad. *f.* obscuridade, escuridão; (fig.) humildade, orígem humilde, obscuridade; falta de clareza; obscuridade, falta de luz e conhecimento; esquecimento, vida isolada; (fig.) obscuridade, baixeza de nascimento; noite; tenebrosidade; confusão; incerteza.

obscuro, ra. *adj.* obscuro, escuro, sombrio; falto de brilho; (fig.) difícil de entender; confuso; ignorado; humilde; oculto; indistinto; plebeu; pouco conhecido; pouco inteligível; escuro, incerto, perigoso. — *m.* (pint.) escuro.

obsecración. *f.* obsecração, prece, rogo, instância.

obsecrar. *v. tr.* obsecrar, pedir humildemente, rogar, suplicar.

obsecuente. *adj.* obsecuente, dócil, obediente; submiso.

obsequiador, ra. *adj. e s.* obsequiador, amigo de obsequiar; atencioso, presenteador.

obsequiar. *v. tr.* obsequiar, fazer obséquio, favorecer, presentear; galantear; mimosear; tratar com agrado; cativar.

obsequio. *m.* obséquio, acção de obsequiar; favor; dádiva; presente; deferência, afabilidade; atenção; benevolência; convite; galanteio.

obsequiosidad. *f.* (gal.) deferência, afabilidade submissa. V. **deferencia**.

obsequioso, sa. *adj.* obsequioso, serviçal; amável; benévolo; atencioso; atento; expressivo; galante; servidor, amável; benigno; afável. benevolente.

observable. *adj.* observável, que se pode observar.

observación. *f.* observação; atenção; estudo; exame; obje(c)ção; repreensão moderada; nota; reparo; advertência; reflexão explicativa; observância; anotação.

observador, ra. *adj. e s.* observador, que observa; cumpridor; curioso; espe(c)tador.

observancia. *f.* observância, cumprimento do que se manda executar; observância, disciplina; penitência; reverência; honra, acatamento, prática; execução; acatamento; disciplina.

observar. *v. tr.* observar, examinar atentamente; observar, cumprir, advertir, reparar; observar, contemplar, estudar; notar; espreitar; seguir as fases de; objectar; ponderar; tomar por modelo; cumprir ou praticar o prescrito; aperceber; estudar; experimentar; advertir; atender; encarar; acatar. — *v. r.* observar-se; advertir-se.

observatorio. *m.* observatório, lugar donde se observa; (astr.) observatório.

obsesión. *f.* obsessão, preocupação constante; ideia fixa; perseguição diabólica; demência.

obsesionar. *v. tr.* causar obsessão, assediar.

obsesivo, va. *adj.* obsessivo, relativo à obsessão; obsesso.

obseso, sa. *adj.* obsesso; perseguido; importunado; atormentado por uma obsessão; demoníaco, atormentado pela influência do demónio.

obsidiana. *f.* (geol.) obsídia, obsidiana.

obsidional. *adj.* (mil.) obsidional.

obsoleto, ta. *adj.* obsoleto, antiquado, arcaico.

obstaculizar. *v. tr.* obstruir, pôr obstáculos; empatar, embargar; empeçar; empecer; empecilhar; entorpecer; anteparar; estorvar; emprazar; (fig.) atravessar, barrar.

obstáculo. *m.* obstáculo, esto(ô)rvo, embaraço, impedimento, inconveniente; embargamento; empecilho; empecimento; empe(è)ço; entorpecimento; contratempo; entravamento; contrariedade; embrechada; encontro; inconveniente; atalho; atravanco; atoleiro; arista; contra; (fig.) barbilho, barreira; freio; emposta; barranco: *encontrar obstáculos*, encalhar, empecer; *suprimir obstáculos*, desembargar; *poner obstáculos*, empecilhar; *sin obstáculos*, corredio, desempachadamente.

obstante. *p. a.* de *obstar* e *adj.* obstante, que obsta: *no obstante*, apesar de, contudo; se bem que, não obstante; ainda que mesmo; embora, sem embargo; por cima de.

obstar. *v. intr.* obstar, impedir, estorvar; opor; embaraçar, estorvar; obstar, opor-se. ser contrária uma coisa a outra.

obstetricia. *f.* (med.) obstetrícia, obstétrica, tocologia.

obstétrico, ca. *adj.* obstétrico, obstetrício.

obstinación. *f.* obstinação, teima, pertinácia; perseverança; encarniçamento; birra; emperramento; inflexibilidade; indocilidade; aferramento; embirração; contumácia; (fig.) endurecimento; empenho.

obstinado, da. *p. p.* e *adj.* obstinado, aferrado; embirrante; teimoso; relutante; pertinaz; inflexível; birrento; encabeçado; acérrimo; infatigável; fanático; duro; batalhador; contumaz; (pop.) encabruado; embestado; apegado: *ser obstinado*, (fam.) estar com a birra.

obstinarse. *v. r.* obstinarse, aferrar-se a um propósito; perseverar com tenacidade; obstinar-se, negar-se o pecador a persuasões cristãs; embirrar, emperrar, encarrapichar-se; encasmurrar; fazer-se forte; encalistar; endurecer-se; afincar-se; aferrar-se.

obstrucción. *f.* obstrução, impedimento, estorvo; entupimento; entravamento; engasgamento; enfartamento; empacho; atrancamento; atravanco; embaraçamento; (med.) obstrução; encalhe; enfarte.

obstruccionar. *v. tr.* (barb.) obstruir, estorvar, impedir.

obstruccionismo. *m.* obstrucionismo, oposição a todo o transe; (pol.) obstrucionismo, sistema de obstrução política.

obstruccionista. *adj.* e *s.* obstrucionista, que pratica o obstrucionismo; relativo ao obstrucionismo.

obstructor, ra. *adj.* e *s.* obstrutor, que obstrui.

obstruir. *v. tr.* obstruir, impedir, tapar um conduto, ou caminho; (fig.) obstruir, impedir a acção; embaraçar, estorvar; (med.) obstruir, enfartar; entravar; embaçar, embaraçar; empoçar; atravancar; empachar, entupir; empancar. — *v. r.* obstruir, fechar-se, tapar-se um buraco, fenda, conduto. — *conj. irr.* como *huir*.

obtemperar. *v. tr.* obtemperar, obedecer, assentir.

obtención. *f.* obtenção; adquisição; conquista; consecução; impetração.

obtener. *v. tr.* obter, alcançar, conseguir, lograr uma coisa; ter, conservar e manter; adquirir; granjear; arranjar; atingir; cobrar; avezar; agenciar-se; (pop.) farar.

obtento. *m.* renda eclesiástica que serve de côngrua.

obtentor. *adj.* obtentor, que obtém.

obtestación. *f.* (ret.) obtestação.

obturación. *f.* obturação; entupimento.

obturador, ra. *adj.* obturador, que serve para obturar, obturante; tampa. — *m.* obturador.

obturar. *v. tr.* obturar, tapar, obstruir uma abertura ou conduto.

obtusángulo. *adj.* obtusângulo, obtusangulado.

obtuso, sa. *adj.* obtuso, rombo, sem ponta; (fig.) obtuso, rude, torpe; pouco penetrante: *espíritu obtuso*, espírito obtuso.

obué. *m.* V. **oboe.**

obús. *m.* (mil.) obus, peça de artilharia semelhante a um morteiro comprido; bomba, granada.

obusera. *adj.* (mar.) obuseira, diz-se da lancha que leva um obus.

obvención. *f.* obvenção, provento ou receita eventual.

obvencional. *adj.* pertencente ou relativo à obvenção.

obviar. *v. tr.* obviar, evitar, afastar; remediar, atalhar. — *v. intr.* (p. us.) obstar, estorvar, opor-se.

obvio, via. *adj.* óbvio, patente, manifesto, claro; (fig.) muito claro ou que não tem dificuldade; evidente: *es obvio*, claro está.

obyecto, ta. *adj.* (anat.) interposto, intermédio. — *m.* objecção, réplica.

oc. *m.* língua de oc.

oca. *f.* (orni.) ganso. V. **ansa; oca,** jogo da glória.

oca. *f.* (bot.) oca, planta e a sua raíz.

ocalear. *v. intr.* fazer casulos dobrados ou triplos (o bicho-da-seda).

ocarina. *f.* ocarina.

ocarinista. *s.* ocarinista, fabricante ou vendedor de ocarinas, pessoa que toca ocarina.

ocasión. *f.* ocasião, oportunidade, conjuntura, ensejo; causa ou motivo; perigo; risco; circunstância; azar; encontro; (fig.) bolada; assado; dia; aberta; ocorrência, momento, tempo: *en ocasión de*, por ocasião de; *aprovechar la ocasión*, (fig.) lançar mão duma aberta; *dar ocasión de ha-*

blar, dar em que falar; *fuera de ocasión*, desassazonado, a contratempo; *en esta ocasión*, *consiguió lo propuesto*, desta bolada conseguiu o intento.

ocasionado, da. *p. p.* e *adj.* provocador, molesto; exposto a contingências e perigos.

ocasionador, ra. *adj.* e *s.* ocasionador, que ocasiona, causador, motivador.

ocasional. *adj.* ocasional, diz-se do que ocasiona; casual; acidental que dá causa; fortuito; imprevisto; eventual.

ocasionar. *v. tr.* ocasionar, causar, motivar; provocar; originar; motivar; excitar; pôr em risco, ou perigo; arriscar; determinar; dar; engendrar, dar ocasião a; ser motivo de; proporcionar.

ocaso. *m.* (astr.) ocaso, o pôr do Sol; ocidente; ocaso; (fig.) decadência; velhice, termo, ocaso, ruina, declínio.

occidental. *adj.* ocidental, pertencente ao ocidente; que fica ou habita no ocidente.

occidente. *m.* ocidente; poente; ocaso; (fig.) Ocidente, conjunto das nações da parte ocidental da Europa e América.

occiduo, dua. *adj.* occíduo, ocidental, relativo ao ocaso.

occipital. *adj.* (anat.) occipital, relativo ao occipício. — *m.* (anat.) occipital.

occipucio. *m.* (anat.) occipúcio; (pop.) cogote.

occisión. *f.* occisão, morte violenta.

occiso, sa. *adj.* morto violentamente.

oceánico, ca. *adj.* oceânico.

oceánidas. *f. pl.* (mit.) oceânides, ninfas do mar.

océano. *m.* oceano; mar; abismo; profundidade; (fig.) vasta extensão, em geral; vastidão; imensidade, grandeza.

oceanografía. *f.* oceanografia.

oceanográfico, ca. *adj.* oceanográfico.

oceanógrafo, fa. *s.* oceanógrafo.

ocelado, da. *adj.* mosqueado, ocelado, que tem ocelos.

ocelo. *m.* (zool.) ocelo, olho simples dos insectos; mancha redonda e bicolor nas asas dalguns insectos ou nas pernas de certas aves.

ocelote. *m.* (zool.) ocelote.

ocena. *f.* hálito fétido, ozena.

ocenoso, sa. *adj.* océnico; fétido.

ociar. *v. intr.* deixar o trabalho, entregar-se ao ócio.

ocio. *m.* ócio, cessação do trabalho; descanso; vagar; lazer; preguiça; folga, diversão repouso, madraçaria; ina(c)ção: *rato de ocio*, tempo de ócio.

ociosidad. *f.* ociosidade; preguiça; descanso; vadiagem; mandriice; pagode, madraçaria; descanso; desídia; desocupação; ina(c)ção: *vivir en la ociosidad*, (fig.) bandurrear.

ocioso, sa. *adj.* ocioso, desocupado; inútil; supérfluo; sem fruto, proveito ou substância; ocioso, vadio, preguiçoso; madraço, madraceador; inactivo; desocupado; desidioso; desaplicado; galfarro, galderio: *estar ocioso*, (fam.) andar de mãos

nas algibeiras; *vida ociosa*, galhofaria; galhofa; *persona ociosa*, (pop.) emplastro.

ocitocina. *f.* (fiiodiol.) ocitocina.

ocle. *f.* alga, sargaço.

oclocracia. *f.* oclocracia.

oclocrático, ca. *adj.* oclocrático.

ocluir. *v. tr.* (med.) obstruir, fechar um conduto (intestino, etc.).

oclusión. *f.* oclusão; acto de fechar; (med.) oclusão, obligeração dum canal: *oclusión intestinal*, oclusão intestinal.

oclusivo, va. *adj.* oclusivo, pertencente ou relativo à oclusão; oclusivo, que produz oclusão.

oclusor, ra. *adj.* e *s.* oclusivo, que produz oclusão.

ocosial. *m.* (Amér.) terreno deprimido, húmido e com alguma vegetação.

ocre. *m.* ocra, ocre.

ocroso, sa. *adj.* ocreoso.

octacordio. *m.* (mús.) octacorde.

octaédrico, ca. *adj.* (geom.) octaédrico.

octaedro. *m.* (geom.) octaedro.

octaetérida. *f.* (cronol.) octaetéride.

octagonal. *adj.* octogonal.

octágono, na. *adj.* e *m.* (geom.) octógono.

octandria. *f.* (bot.) octandria.

octándrico, ca. *adj.* (bot.) octândrico.

octangular. *adj.* octangular.

octante. *m.* (astr. e mar.) octante, oitante.

octava. *f.* (litúrg.) oitava; (mús.) oitava; (poét.) oitava, estrofe de oito versos.

octavar. *v. intr.* oitavar, dividir em oito partes; (mús.) oitavar, dividir em oitavas musicais.

octavario. *m.* oitavário, período de oito dias; festa religiosa de oito dias, oitava.

octaviano, na. *adj.* octaviano, relativo ao imperador Octávio.

octavilla. *f.* oitavo duma folha de papel; combinação métrica de oito versos octossílabos; folha de pequeno tamanho, de carácter político.

octavín. *m.* flautim.

Octavio. *n. pr.* Octávio.

octavo, va. *adj.* oitavo, último duma série de oito; oitavo, diz-se de cada uma das oito partes em que se divide um todo; oitava parte: *en octavo*, em oitavo.

octeto. *m.* (mús.) octeto.

octillón. *m.* octilião.

octingentésimo, ma. *adj.* e *s.* octingentésimo.

octogenario, ria. *adj.* e *s.* octogenário, que tem oitenta anos.

octogésimo, ma. *adj.* octogésimo.

octogonal. *adj.* octogonal.

octógono, na. *adj.* e *m.* (geom.) octógono. V. **octágono.**

octosilábico, ca. *adj.* octossilábico, octossílabo.

octosílabo, ba. *adj.* e *m.* octossílabo; verso que tem oito sílabas.

octóstilo, la. *adj.* octostilo, que tem oito colunas.

octubre. *m.* Outubro.

óctuple. *adj.* óctuplo.

óctuplo, pla. adj. óctuplo.
ocuje. m. (Amér.) V. calambuco.
oculación. f. (fisiol.) oculação.
ocular. adj. ocular, pertencente aos olhos; relativo à vista. — m. lente.
oculista. s. oftalmologista; oculista.
oculística. f. (med.) oculística, oftalmologia.
ocultación. f. ocultação, acção de ocultar; ocultação, encobrimento, silêncio com que se encobre uma coisa; sonegação; (astr.) ocultação dos astros; eclipse; desaparecimento; furtadela; (fig.) encubação; encobrimento; encoberta.
ocultar. v. tr. ocultar, esconder, sonegar; (fig.) abafar; encafuar; encobrir à vista; empanar; (fig.) embuçar; ocultar, enterrar; encobrir; enfurnar; envolver; (mil.) emboscar; agachar; encoquinar; encovar; encubar; encerrar; cobrir; assolapar; desaparecer; (fig.) atabafar; encapar; (fig.) eclipsar. — v. r. eclipsar-se; desaparecer; anominar-se; anichar-se; furtar-se; alapadar-se; (prov.) lusquir-se; encovar-se; encobrir-se; enterrar-se; embuçar-se; encafuar-se; acobertar-se.
ocultis (de). adv. ocultamente, com dissimulo, em segredo.
ocultismo. m. ocultismo, doutrina que pretende conhecer os segredos da natureza; conjunto de artes ou ciências ocultas como a magia, a adivinhação, o espiritismo, etc.
ocultista. s. ocultista, pessoa que pratica o ocultismo; que se dedica às ciências ocultas; pertencente ou relativo ao ocultismo.
oculto, ta. adj. oculto, escondido; ignorado; clandestino; ábdito; contrabando; encapotado; desaparecido; assolapado; (fig.) anichado; inconfessado; alto; furtado; furtivo; incógnito; arcano; encobertado; emboscado; encoberto; (fig.) enterrado; embuçado; abafado; desconhecido; oculto, misterioso, sobrenatural; não devassado; não explorado.
ocupación. ocupação, trabalho, empre(ê)go; ocupação, modo de vida; ocupação, destino; destinação; exercício; (fig.) arrumo; ocupação, ministério; afazeres; emprego de tempo em negócios, trabalhos, etcétera; modo de vida, emprego, profissão, etc.; (ret.) ocupação, preocupação: falta de ocupación, desocupação.
ocupada. adj. ocupada, diz-se da mulher grávida.
ocupador, ra. adj. e s. ocupador, que ocupa ou toma uma coisa.
ocupante, pa. adj. e s. ocupante, que ocupa.
ocupar. v. tr. ocupar, apoderar-se duma coisa; ocupar, tomar posse; conquistar; habitar; preencher; exercer, desempenhar; dar ocupação; fixar; embaraçar; estorvar; possuir; ter direito a; empregar, consagrar; prender a atenção de; preocupar; (fig.) ocupar, chamar a atenção de; dedicar, destinar; apoderar-se, encher. — v. r. ocupar-se, dar-se ao trabalho; trabalhar; aplicar; entreter-se.

ocupado, da. p. p. e adj. ocupado, que se ocupou; provido; habitado; afanado; entregue; empregado: muy ocupado, azafamado, atarefado.
ocurrencia. f. ocurrência, acontecimento, lembrança; encontro; sucesso casual, ocasião, conjuntura; pensamento agudo ou original; (for.) competência de credores.
ocurrente. p. a. e adj. ocorrente, que ocorre, convergente; diz-se do que tem ditos agudos, que é espirituoso, chistoso.
ocurrir. v. intr. ocorrer, prevenir, vir à ideia; ocorrer, suceder, acontecer, sobrevir; ocorrer, aparecer; acudir; concorrer, percorrer; vir à memória, lembrar, oferecer-se ao pensamento: no se me ocurre, não me ocorre.
ochava. f. oitava, oitava parte dum todo.
ochavado, da. adj. oitavado, que tem oito faces contíguas.
ochavar. v. tr. oitavar, tornar oitavado.
ochavario. m. oitavário.
ochavero. adj. diz-se do madeiro esquadriado que tem de largura a oitava parte da vara.
ochenta. adj. e m. oitenta.
ochentavo, va. adj. octogésimo.
ochenteno, na. adj. octogésimo.
ochentón, na. adj. e s. (fam.) octogenário.
ocho. adj. e m. oito; oitavo; (prov.) quarteirão, quarta parte dum quartilho de vinho.
ochocientos, tas. adj. oitocentos, oito vezes cento. — m. oitocentos.
oda. f. (poét.) ode, composição poética do género lírico.
odalisca. f. odalisca, escrava do Sultão; odalisca, concubina turca.
odaxema. f. odaxismo.
odeón. m. (arqueol.) odeão, odéon, antigo teatro da Grécia; teatro de canto.
odiar. v. tr. odiar, ter ódio detestar, aborrecer, execrar; sentir repugnância por; aborrir; desamar; arrevessar. — v. r. odiar-se, detestar-se.
odio. m. ódio, antipatia, aversão, rancor, abominação; execração; arrene(ê)go; animosidade, animadversão; detestação, desamor; desadoração; inimizade; repulsão.
odiosidad. f. odiosidade; aversão; antipatia.
odioso, sa. adj. odioso, digno de ódio; detestável, abominando; antipático, execrável; rancoroso.
odisea. f. (fig.) odise(é)ia, viagem de aventura.
odómetro. m. odó(ô)metro, podómetro; taxímetro.
odontagogo. m. (med.) odontagogo.
odontagra. f. (med.) odontagra.
odontalgia. f. (med.) odontalgia.
odontálgico, ca. adj. odontálgico.
odontiasis. f. (med. e fisiol.) odontíase.
odontina. f. odontina.
odontitis. f. (pat.) odontite.
odontocele. m. (pat.) odontocele.
odontoides. adj. (anat.) odontóide.
odontolitíasis. f. (odont.) odontolitíase.
odontología. f. (med.) odontologia.

odontológico, ca. *adj.* odontológico.
odontólogo, ga. *s.* odontologista; dentista.
odontorragia. *f.* odontorragia.
odontorrea. *f.* (pat.) odontorragia.
odontosis. *f.* odontose, dentição.
odontotecnia. *f.* odontotecnia.
odontotécnico, ca. *adj.* odontotécnio, etc.
odor. *m.* (med.) odor, cheiro.
odorante. *adj.* odorante, oloroso, perfumado, aromático, cheiroso, fragrante.
odorífero, ra. *adj.* odorífero, odorífico, aromático.
odorífico, ca. *adj.* odorífero. V. **odorífero.**
odre. *m.* odre, saco de pele para transportar líquidos; (pop.) borrachão, bêbedo.
odrecillo. *m.* (not.) V. **utrículo.**
odrería. *f.* odraria, fábrica, oficina ou loja de odreiros.
odrero. *m.* odreiro, fabricante ou vendedor de odres.
odrina. *f.* odre feito com coiro de boi: *estar uno hecho una odrina,* (fam.) ser um poço de doenças.
odrisio, sia. *adj.* e *s.* (geog.) odrisio. V. **tracio.**
oesnoroeste, oesnorueste. *m.* oés-noroeste.
oessudoeste, oessudueste. *m.* oés-sudoeste.
oeste. *m.* oeste, poente, ocaso, ocidente; oeste, vento que sopra do ocidente.
ofendedor, ra. *adj.* e *s.* ofendedor, ofensor.
ofender. *v. tr.* ofender, fazer mal a; injuriar; lesar, melindrar; danar; desgostar; magoar; estigmatizar; agravar; alancear; faltar; afrontar, injuriar; molestar; desconsiderar; pecar contra; transgredir; ir contra as regras, os preceitos de. — *v. r.* dar-se por ofendido, susce(p)tibilizar-se; despeitar-se; (pop.) estomagar-se.
ofendículo. *m.* ofendículo; empecilho, estorvo, dificuldade.
ofendido, da. *p. p.* e *adj.* ofendido, que recebeu alguma ofensa; lesado; desconsiderado; injuriado; afrontado; (fig.) magoado, alanceado, chofrado; *darse por ofendido,* formalizar-se; *sentirse ofendido,* melindrar-se.
ofensa. *f.* ofensa, ultraje, lesão; injúria; agravo; desacato; transgressão dum preceito ou norma; ofensa, ataque; desgo(ô)sto, despeita; desconsideração; agressão; agravo, afronta; blasfé(ê)mia; (fig.) atropelamento; apedrejamento; enxovalho, bofetada: *ofensa grave,* facada; *reparación de una ofensa,* desagravo; *reparar una ofensa,* desagravar, desafrontar.
ofensión. *f.* ofensão, ofensa, dano; agravo; ataque.
ofensiva. *f.* ofensiva, ataque, situação de quem ataca; ofensiva, iniciativa de atacar: *tomar la ofensiva,* (fig.) ser o primeiro em alguma competência; *ofensiva de paz,* ofensiva de paz.
ofensivo, va. ofensivo, agressivo; ofensor; lesivo, que ataca, atacante; desfeitador; duro; abusivo; (fig.) apasquinado; contumelioso.
ofensor, ra. *adj.* e *s.* ofensor que ofende; agressor; atacante.

oferente. *adj.* e *s.* oferente, que oferece, oferecedor.
oferta. *f.* oferta, coisa que se oferece; dádiva, presente, donativo, promessa; oferta, preço oferecido; (fig.) palavra; oferenda; proposta, oblação, oblata: *oferta y demanda,* a oferta e a procura.
ofertar. *v. tr.* barbarismo. V. **ofrecer.**
ofertorio. *m.* (rel.) ofertório.
ofiasis. *f.* (pat.) ofíase.
oficial. *adj.* oficial, que não é privado; proposto pela autoridade; burocrático; solene. — *m.* oficial, operário que trabalha num ofício; oficial, militar graduado; cial, empregado superior de secretaria; oficial, empregado menor judicial ou administrativo; funcionário; verdugo, algoz, carrasco, carniceiro; cortador de açougue; (for.) oficial.
oficiala. *f.* operária, mulher que se ocupa ou trabalha num ofício.
oficialía. *f.* emprego de oficial de contadoria, secretaria, etc.
oficialidad. *f.* oficialidade, conjunto de oficiais do exército; oficialidade, qualidade do que é oficial.
oficiante. *p. a.* de *oficiar* e *adj.* oficiante, que oficia. — *m.* (rel.) oficiante, pessoa que oficia ou preside ao ofício divino.
oficiar. *v. tr.* (rel.) oficiar, celebrar missa, ofícios divinos; oficiar, participar, por meio de ofício.
oficina. *f.* oficina, lugar onde se exerce um ofício; dependência; repartição pública; escritório; laboratório de farmácia; (fig.) lugar onde se elabora alguma coisa não material. — *pl.* quartos baixos que servem para certos trabalhos domésticos.
oficinal. *adj.* (farm. e med.) oficinal.
oficinesco, ca. *adj.* burocrático; pertencente às repartições do Estado ou característico delas.
oficinista. *s.* funcionário público; empregado de escritório.
oficio. *m.* ofício, ocupação habitual; cargo, dever, ministério; ofício, qualquer profissão manual ou mecânica; ofício, carta de carácter oficial; exercício, mester, ofício, carta de carácter oficial; (liturg.) ofício, conjunto das orações e cerimónias litúrgicas; arte; indústria; empre(ê)go, trabalho, ministério; função, vocação; serviço: *de oficio,* oficialmente.
oficionario. *m.* breviário, livro em que se contém o ofício canónico.
oficiosidad. *f.* oficiosidade, diligência, aplicação; importunidade do que se intromete no que não é da sua conta; oficiosidade, serviço voluntário.
oficioso, sa. *adj.* oficioso, obsequioso, servial, solícito; oficioso, prestável; oficioso, sem carácter oficial, não dependente da autoridade; oficioso, diz-se do jornal que recebe inspiração do Governo; entremetido; atencioso; agencioso; extra-oficial.
ofidio, dia. *adj.* e *m.* (zool.) ofídio, ofídico.
ofidismo. *m.* (pat.) ofidismo.

ofiofagia. *f.* ofiofagia.
ofiófago, ga. *adj.* e *s.* (zool.) ofiófago.
ofioglosáceas. *f. pl.* (bot.) ofioglossáceas.
ofiogloso. *m.* (bot.) ofioglosso.
ofiolatría. *f.* ofiolatria.
ofiología. *f.* (hist. nat.) ofiologia.
ofiológico, ca. *adj.* ofiológico.
ofiomancia. *f.* ofiomancia.
ofiómaco. *m.* (zool.) espécie de lagosta.
ofita. *f.* (min.) ofita.
ofiuco. *m.* (astr.) V. serpentario.
ofrecedor, ra. *adj.* e *s.* oferecedor, oferente.
ofrecer. *v. tr.* oferecer, prometer, obrigar-
-se; oferecer, presentear, dar voluntàriamente uma coisa; dedicar; proporcionar;
manifestar; levar à presença de; consagrar a Deus; expor, exibir, apresentar,
patentear, oferecer; ofertar; (fam.) entrar a beber numa taberna; convidar
com; deparar; devotar; facultar, ajudar. —
v. r. oferecer-se, acorrer, apresentar-se à
imaginação; oferecer-se, acontecer, sobrevir; oferecer-se; expor-se, entregar-se
voluntàriamente; oferecer-se, apresentar
os seus serviços; deparar-se; apresentar
-se; propor-se: *¿qué se le ofrece?*, que se
oferece?; *ofrece un bello aspecto*, oferece
um lindo aspecto; *ofrecerse para una misión*, oferecer-se para uma missão; *ofrecer con reservas metales*, (fig.) envidar. —
conj irr. como *crecer.*
ofreciente. *p. a.* e *adj.* oferente. V. ofrecedor.
ofrecimiento. *m.* oferecimento; oferta; proposta; promessa; dedicatória. — *pl.* protesto de amizade.
ofrenda. *f.* oferenda; oferta; oferecimento;
oblata; dedicatória; benesse; ex-voto.
ofrendar. *v. tr.* oferendar, fazer oferenda a
Deus em sinal de adoração; ofertar, contribuir com dinheiro ou com qualquer
outra dádiva; oferecer; oblatar.
oftalmalgia. *f.* (pat.) oftalgia, oftalmalgia,
oftalmagia.
oftalmágico, ca. *adj.* (pat.) oftalmálgico.
oftalmía. *f.* (pat.) oftalmia.
oftálmico, ca. *adj.* (pat.) oftálmico.
oftalmitis. *f.* (pat.) oftalmite.
oftalmocele. *f.* (pat.) oftalmocele.
oftalmocopia. *f.* (pat.) oftalmocopia.
oftalmografía. *f.* (anat.) oftalmografia.
oftalmología. *f.* ɟmed.) oftalmologia.
oftalmológico, ca. *adj.* (med.) oftalmológico.
oftalmólogo, ga. *s.* (med.) oftalmologista,
oculista, oftalmólogo.
oftalmorragia. *f.* (pat.) oftalmorragia.
oftalmoscopia. *f.* (med.) oftalmoscopia.
oftalmoscopio. *m.* (med.) oftalmoscópio.
oftalmoterapia. *f.* (terap.) oftalmoterapia.
oftalmotomía. *f.* (cir.) oftalmotomia.
ofuscación. *f.* ofuscação, ofuscamento. V.
ofuscamiento.
ofuscamiento. *m.* ofuscamento, ofuscação,
obscurecimento, perturbação da vista;
(fig.) obscurecimento, cegueira do entendimento; aberração; desrazão; desluzimento; deslumbramento; despropósito,
erro, confusão das ideias, alucinação dos
sentidos.

ofuscar. *v. tr.* ofuscar; deslumbrar; turvar
a vista; escurecer, obscurecer e fazer
sombra; embair; alucinar; desorientar;
desluzir; entorpecer; (fig.) eclipsar, enegrecer; enfuscar; entrevar, transtornar,
conturbar as ideias. — *v. r.* ofuscar-se;
alucinar-se; encandear-se; enfuscar-se.
ogaño. *adv.* V. hogaño.
ogro. *m.* ogro, papão, monstro imaginário
que se supõe comer gente; (pop.) coca,
co(ô)co.
¡oh! *interj.* oh! (exprime alegria, surpresa,
temor, etc.)
ohm. *m.* (elec.) ohm. ohmio.
óhmico, ca. *adj.* (elec.) relativo ou pertencente ao ohm.
ohmímetro. *m.* (elec.) ohmó(ô)metro.
ohmio. *m.* (elec.) óhmio, ohm.
oíble. *adj.* audível, que pode ser ouvido.
oída. *f.* audiva, audição, outiva: *de oídas*,
de ouvido.
oidio. *m.* (bot.) oídio, oídium.
oído. *m.* ouvido, sentido do ouvir; ouvido,
aparelho auditivo; ouvido de arma de
fogo; *tener buen oído*, ter o ouvido apurado; ter óptimo ouvido (música).
oidor, ra. *adj.* e *s.* ouvidor, ouvinte; auditor,
ouvidor, magistrado.
oidoría. *f.* ouvidoria, cargo ou dignidade de
ouvidor.
oír. *v. tr.* ouvir, perceber pelo ouvido; escutar, atender, assistir à explicação do
professor; (for.) receber o depoimento;
deferir aos rogos de: *¡qué oigo!*, que
ouço!; *¡oiga!*, ouvi vós!; *¡oye!*, ouves! —
pres. ind. irr. oigo, oyes, oye, oyen; *suj.*
oiga, -as, etc.; *ger.* oyendo.
oíslo. *s.* (pop.) pessoa querida e estimada,
principalmente a mulher respeito ao marido.
ojal. *m.* botoeira, abertura de casa do botão;
ilhó, olho, abertura, buraco que atravessa
algumas coisas.
¡ojalá! *interj.* oxalá!, queira Deus!
ojaladera. *f.* casadeira. V. ojaladora.
ojalado, da. *adj.* (vet.) diz-se do bovídeo
que, em volta dos olhos, tem o pêlo mais
escuro que o da cabeça.
ojalador, ra. *s.* pessoa que faz botoeiras;
caseadeira; cortadeira, instrumento para
fazer botoeiras.
ojaladura. *f.* conjunto de casas dum vestido
caseadura.
ojalar. *v. tr.* casear, fazer casas na roupa
para os botões.
ojalatero. *m.* e *adj.* (pop.) diz-se da pessoa que nas contendas civis, se limita a
desejar o triunfo do seu partido.
ojanco. *m.* V. cíclope.
ojaranzo. *m.* (bot.) adelfa, arbusto cistíneo.
ojeada. *f.* olhada, lance de olhos, olhadura;
olhadela; enxerga; vista rápida; aceno,
sinal com os olhos.
ojeador, ra. *s.* aquele que levanta a caça
com vozes; batedor de caça.
ojear. *v. tr.* olhar atentamente; deitar mau-
-olhado; bater o mato para levantar a

caça; (fig.) espantar, afugentar; empresar, represar.

ojeo. *m.* batida para levantar a caça; montaria.

ojera. *f.* olheiras, manchas escuras que circundam os olhos.

ojeriza. *f.* animosidade, antipatia; aversão, ódio; má-vontade; animadversão, aborrecimento; (vulg.) senreira; incha: *tener ojeriza a alguien*, trazer uma pessoa atravessada na garganta; trazer entre dentes; *tomar ojeriza a alguien*, (pop.) tomar senreira com alguém.

ojeroso, sa. *adj.* olheirento. V. **ojerudo**.

ojerudo, da. *adj.* olheirento, que tem olheiras.

ojete. *m.* olhete, pequeno olho, ilhó, orifício por onde se enfia uma fita ou um cordão; buraco redondo ou oval com que se enfeitam certos bordados; (pop.) ânus.

ojetear. *v. tr.* fazer ilhós nalguma coisa.

ojetera. *f.* parte do corpete onde estão colocados os ilhós; reforço de barba de baleia; mulher que faz ilhós; máquina de fazer ilhós.

ojialegre. *adj.* (fam.) que tem os olhos alegres, vivos.

ojiazul. *adj.* que tem os olhos de cor azul.

ojienjuto, ta. *adj.* (fam.) que tem dificuldade para chorar.

ojigarzo, za. *adj.* olhizarco.

ojimiel. *m.* (farm.) aximel, mistura de vinagre, água e mel.

ojimoreno, na. *adj.* (fam.) que tem os olhos pardos.

ojinegro, gra. *adj.* (fam.) olhinegro, olhipreto.

ojituerto, ta. *adj.* olhizaino, estrábico, vesgo, zanaga, zarolho.

ojiva. *f.* (arq.) ogiva, arcada de dois arcos.

ojival. *adj.* (arq.) ogival.

ojizaino, na. *adj.* (fam.) olhizaino, vesgo, zanaga.

ojizarco, ca. *adj.* (fam.) olhizarco, que tem os olhos azuis claros.

ojo. *m.* (anat.) o(ô)lho; vista; atenção, cuidado; olho, buraco de agulha; olho, orifício das ferramentas onde se enfia o cabo; olho, gotas de azeite que nadam no outro líquido; demão de sabão que se dá à roupa quando se lava; ensaboadela; olhal de arco de ponte; aro da chave; buraco da fechadura; olho, cada um dos buracos do pão, queijo, etc.; olho-d'água, manancial, nascente; (fig.) olho, perspicácia; sinal à margem dum escrito para chamar a atenção; malha de rede; (arq.) olho, olhal, vão do arco duma ponte; (impr.) olho, grossura dos caracteres tipográficos; olho, aparência. — *pl.* (fam.) expressão de carinho: *ojo de buey*, (mar.) olho de boi; *ojo de pollo* ou *de gallo*, olho-de-perdiz; *ojo de gato*, (min.) olho de gato; *ojo de puente*, olhal de ponte; *ojo de un cabo*, (mar.) olho dum cabo; *ojo del ancla*, (mar.) olho de âncora; *cuatro ojos*, (fam.) quatro olhos; *a ojos*, a olho; *comprar a ojo de buen cubero*, comprar a

olho; *a ojos vistas*, a olhos vistos; *a ojos cerrados,,* a olhos fechados; *por tus lindos ojos*, (fam.) pelos vossos belos olhos; *cerrar el ojo*, (fig.) morrer; *con el ojo tan largo*, (fig.) com muito cuidado; *dar en los ojos*, ver-se a olho; *hacer los ojos telarañas*, Jfig.) turvar-se a vista; *hasta los ojos*, até os olhos; *llenarle a uno el ojo una cosa*, encher o olho uma coisa; *llorar con ambos ojos*, (fig.) chorar com ambos olhos; *mirar con buenos ojos*, mirar com carinho; *no saber donde se tiene los ojos*, (fig. e fam.) ser muito ignorante; *quebrar el ojo al diablo*, (fam.) fazer o mais razoável; *tener entre ojos a alguien*, trazer entre dentes alguém; *mal de ojo*, (Bras.) anga, afito.

ojoso, sa. *adj.* olhento, cheio de olhos (diz-se do pão, queijo, etc.)

ojota. *f.* (Amér.) espécie de sandália.

ola. *f.* onda, vaga do mar; onda, onda de frio, de fogo, etc.

olaje. *m.* V. **oleaje**.

¡ole! *interj.* olé! viva!; (Bras.) êta. — *m.* baile andaluz.

oleáceo, a. *adj.* (bot.) oleáceo. — *f. pl.* oleáceas.

oleada. *f.* vaga, onda grande, vagalhão; (fig.) ondulação, movimento impetuoso de muita gente apinhada, onda.

oleada. *f.* colheita abundante de azeite.

oleado, da. *adj.* diz-se da pessoa que recebeu a extrema-unção.

oleaginosidad. *f.* oleaginosidade.

oleaginoso, sa. *adj.* oleaginoso, oleoso.

oleaje. *m.* marulhada, vagas sucessivas; marulho, agitação das ondas do mar.

oleánder. *m.* (bot.) oleandro, loendro.

olear. *v. tr.* ungir, administrar a extrema-unção. — *v. intr.* produzir ondas como o mar.

oleario, ria. *adj.* oleoso.

oleastro. *m.* oleastro, oliveira brava; zambujeiro.

oleato. *m.* (quím.) oleato.

oleaza. *f.* água-ruça, líquido proveniente do fabrico do azeite.

olecráneo. *m.* (anat.) olecrânio, olecrano.

olecraniano, na. *adj.* (anat.) olecraniano.

olécranon. *m.* (anat.) olecrânio, olecrano.

oledero, ra. *adj.* cheiroso, que exala cheiro.

oledor, ra. *adj.* cheiroso, que exala cheiro. — *m.* perfumador, caçoula.

oleícola. *adj.* oleícola.

oleicultor, ra. *s.* oleicultor.

oleicultura. *f.* oleicultura.

oleífero, ra. *adj.* oleífero.

oleífico, ca. *adj.* oleífero.

oleificante. *adj.* (quím.) oleificante.

oleína. *f.* (quím.) oleína.

óleo. *m.* óleo, azeite; (liturg.) óleo, azeite usado nos Sacramentos e noutras cerimónias: *pintura al óleo*, pintura a óleo; *al óleo*, a óleo; *los Santos Óleos*, os Santos Óleos.

oleoducto. *m.* oleoduto.

oleografía. *f.* oleografia.

oleolado, da. adj. (farm.) oleolado, óleo medicinal.

oleolato. m. (farm.) óleo essencial.

oleomargarina. f. (quím.) oleomargarina.

oleómeto. m. oleó(ô)metro.

oleorresina. m. suco, líquido procedente de várias plantas.

oleosidad. f. oleosidade, qualidade de oleoso.

oleoso, sa. adj. oleoso, besuntado; (mar.) encapelado, acapelado.

oler. v. tr. cheirar, sentir o cheiro; (fig.) cheirar, suspeitar, calcular, pressentir, conjecturar; cheirar, farejar, inquirir gostos e proveitos; oler bien, cheirar bem; oler a quemado, a chamusquina, cheirar a queimada; oler a hereje, cheirar a hereje.

olfacción. f. olfa(c)ção, acção de cheirar, olfacto; cheiro.

olfatear. v. tr. cheirar com afínco, farejar; indagar com demasiado empenho, averiguar: olfatear la caza, cheirar a caça.

olfateo. m. olfacção, farisco, farejo.

olfativo, va. adj. olfa(c)tivo, relativo ao olfacto.

olfato. m. olfa(c)to, sentido do cheiro, faro; cheiro; olfa(c)ção: tener buen olfato, ter bom cheiro.

olfatorio, ria. adj. olfa(c)tivo, pertencente ou relativo ao olfacto.

olíbano. m. (bot.) olíbano, espécie de incenso.

oliente. p. a. de oler; olente, cheirosa, fragrante, aromático.

oliera. f. âmbula, vaso dos santos-óleos.

oligarca. m. oligarca, membro duma oligarquia.

oligarquía. f. oligarquia.

oligárquico, ca. adj. oligárquico.

oligisto. m. (min.) oligisto.

oligoceno. adj. e m. (geol.) oligoceno.

oligospermo, ma. adj. oligospermo.

olimpíada. f. olimpíada.

olímpico, ca. adj. olímpico, pertencente ao Olimpo ou aos jogos olímpicos; (fig.) altaneiro, soberbo.

Olimpo. m. Olimpo, morada dos deuses do paganismo, (fig.) olimpo, altura eminência das coisas.

ólio. m. V. **óleo.**

oliscar. v. tr. cheirar, farejar, fariscar, procurar pelo cheiro uma coisa; (fig.) averiguar, buscar, investigar. — v. intr. começar a cheirar mal uma coisa, geralmente a carne.

olisquear. v. tr. V. **oliscar.**

oliva. f. (bot.) oliveira. V. **olivo;** azeitona. V. **aceituna;** (orni.) V. **lechuza;** (fig.) paz.

olivar. m. (bot.) olival, olivedo.

olivarda. f. (bot.) tasneirinha; (zool.) espécie de falcão.

olivarero, ra. s. produtor de azeite.

olivarse. v. r. levantarem-se empolas no pão ao ser cozido.

olivera. f. (bot.) oliveira. V. **olivo.**

olivero. m. tulha, lugar onde se coloca a azeitona até ser levada para o lagar.

olivícola. adj. olivícola.

olivicultor, ra. s. olivicultor

olivicultura. f. olivicultura.

olivífero, ra. adj. (poét.) olivífero.

oliviforme. adj. oliviforme.

olivilla. f. (bot.) citocácio.

olivino. m. peridoto.

olivo. m. (bot.) oliveira, árvore oleácea: olivo silvestre, oliveira brava, zambujeiro.

olivoso, sa. adj. (poét.) olivífero.

olma. f. (bot.) olmo muito grosso e frondoso.

olmeda. f. olmedal, terreno plantado de olmos.

olmedo. m. olmedal.

olmo. m. (bot.) olmeiro, olmo, ulmo, ulmeiro: cuando el olmo dé peras, (pop.) quando as galinhas tiverem dentes.

ológrafo, fa. adj. e m. hológrafo. V. **autógrafo.**

olor. m. olor, aroma, cheiro, fragrância; exalação odorífera; (fig.) cheiro, esperança, promessa, oferta; cheiro, pressentimento; cheiro, sinal, indício; fama, reputação, opinião; faro: mal olor, mau cheiro; comunicar mal olor, empestar; olor de chotuno, cheiro de bodum; olor desagradable, cheirum; mal olor de pies, (pop.) chulé; olor repugnante, inhaca; olor suave y grato, fragrância; tener buen olor, ter bom cheiro; morir en olor de santidad, morrer em cheiro de santidade; mal olor, (Bras.) aca, asca, pixé, tacaca, xexéu, acatingado.

olorizar. v. tr. odorar, espalhar cheiro ou aroma, aromatizar, perfumar.

oloroso, sa. adj. oloroso, aromático, perfumado, fragrante; cheiroso.

olvidable. adj. olvidável.

olvidadizo, za. adj. esquecediço, esquecido, que se esquece com facilidade; (fig.) desagradecido, ingrato; desmemoriado; descorado, fraco de memória; persona olvidadiza, (pop.) cabeça de coco, pessoa desmiolada.

olvidado, da. p. p. de olvidar e adj. olvidado, esquecido, diz-se do que se olvida; deslembrado; (fig.) enterrado; defunto; atabafado; abandonado; desabrigado.

olvidar. v. tr. olvidar, esquecer; esquecer, não ter ressentimento; ser ingrato, esquecer; perder o hábito, esquecer; perder de memória; desacompanhar; desacoitar, desmemoriar; deixar; descorar; passar por alto; desleixar. — v. r. olvidar-se, desmemoriar-se; deslembrar-se; descuidar-se; desconhecer-se; desacordar-se; olvidar-se, desmemoriar-se; deslembrar-se; descuidar-se; desconhecer-se; desacordar-se: olvidar por completo, varrer da memória; no lo olvides, dá-te por avisado; olvídalo, que ya pasará, deixa-lo correr que ele passará.

olvido. m. olvido, esquecimento, falta de memória; cessação de carinho; desmemória; desaco(ô)rdo; descuido; desagradecimento, ingratidão; deslembrança; inadvertência; (fig.) desabrido: estar sumido en el olvido, (fig.) estar sepultado em cinzas frias; *echar en el olvido*, entregar ao esquecimento.

olla. *f.* panela; cozido de carnes; toucinho, legumes e hortaliças; redemoinho que formam as águas dum rio; sorvedouro: *olla podrida*, olha podrida; *olla de cohetes*, grande perigo; *olla de grillo*, confusão; barulho, pandemónio; *olla ciega*. V. **alcancía.**

ollao. *m.* (mar.) olhal, abertura que se faz nas velas e toldos.

ollar. *m.* cada um dos dois orifícios do nariz das cavalgaduras.

ollaza. *f.* panelão, caldeirão.

ollería. *f.* olaria, fábrica de louça de barro; louçaria; conjunto de louças e vasilhas de barro.

ollero, ra. *s.* oleiro, fabricante de louças de barro; louceiro, vendedor de louça de barro.

olluela. *f.* panelinha, panela pequena.

omagra. *f.* (med.) omagra.

omaso. *m.* (vet.) livro, pança dos ruminantes.

ombligada. *f.* umbigada, parte que nos coiros corresponde ao umbigo.

ombligo. *m.* (anat.) umbigo; cicatriz abdominal; cordão umbilical; meio; (fig.) meio, centro dalguma coisa; belfas; espécie de concha; (pop.) embigo: *ombligo de Venus*, chapeu dos telhados.

ombliguero. *m.* cinta, faixa com que se comprime o umbigo dos recém-nascidos.

ombría. *f.* V. **umbría.**

omega. *f.* ó(ô)mega, letra do alfabeto grego.

omental. *adj.* (zool.) omental, pertencente ao redenho.

omento. *m.* (anat.) redenho. V. **redaño.**

ómicron. *f.* ó(ô)micron, ómicro, letra do alfabeto grego.

ominar. *v. tr.* ominar, agourar, detestar.

ominoso, sa. *adj.* ominoso, detestável, agourento, abominando.

omisión. *f.* omissão, falta, eliminação; descuido, e(ê)rro, inadvertência; falta, lacuna; preterição; negligência.

omiso, sa. *p. p.* irreg. de *omitir* e *adj.* omisso, descuidado, frouxo; inadvertido; não mencionado.

omitir. *v. tr.* omitir, deixar de dizer ou fazer; não mencionar; passar em silêncio; olvidar, esquecer; postergar; exce(p)tuar; excluir; omitir, descuidar, descurar, abandonar, deixar; (fig.) deixar no tinteiro: *omitir los detalles*, deixar os pormenores.

ómnibus. *m.* ó(ô)nibus, autobus.

omniforme. *adj.* o(m)niforme.

omnímodo, da. o(m)nímodo, que é de todos os modos, ilimitado; incondicional; sem restrições.

omnipatente. *adj.* o(m)nipatente; público.

omnipotencia. *f.* o(m)nipotência, poder absoluto e supremo.

omnipotente. *adj.* o(m)nipotente. —*m.*Todo-Poderoso, Deus.

omnipresencia. *f.* o(m)nipresença; ubiquidade.

omnipresente. *adj.* o(m)nipresente, ubíquo.

omnisapiente. *adj.* o(m)nisciente, que sabe tudo.

omnisciencia. *f.* o(m)nisciência; saber absoluto.

omnisciente. *adj.* o(m)nisciente, que sabe tudo.

omniscio, cia. *adj.* omnisciente; (fig.) omnisciente, que tem muita sabedoria ou conhecimento de muitas coisas.

omnívoro, ra. *adj.* e *s.* (zool.) o(m)nívoro.

omoclavicular. *adj.* (anat.) omoclavicular.

omofagia. *f.* omofagia.

omófago, ga. *adj.* e *s.* omófago; carnívoro.

omóplato. *m.* (anat.) omoplata.

onagra. *f.* (bot.) onagra.

onagráceas. *f. pl.* (bot.) onagráceas.

onagrarieo, a. *adj.* (bot.) onagrária.

onagro. *m.* (zool.) onagro, ónagro, burro selvagem; antiga máquina de guerra.

onanismo. *m.* onanismo, masturbação.

onanista. *s.* onanista, o que pratica o onanismo.

once. *adj.* e *m.* onze.

oncear. *v. tr.* pesar ou dar por onças.

oncejera. *f.* laço para caçar gaivões e outros pássaros pequenos.

oncejo. *m.* (orni.) V. **vencejo.**

oncemil. *m.* (germ.) cota de malha.

onceno, na. *adj.* e *s.* onzeno, undécimo, décimo primeiro.

onda. *f.* onda, vaga; ondulação, movimento circular dum fluido; (fig.) reverberação e movimentos da chama; forma ou figura ondeada; ondulação.

ondeado. *m.* ondeado, ondulado. — *adj.* ondeado, em forma de onda, ondulado; encrespado.

ondeante. *p. a.* e *adj.* ondeante, ondulante.

ondear. *v. intr.* ondear, frisar, ondular; fazer ondear ou ondulações; agitar-se ondulando, flutuar; serpear. — *v. r.* bambalear-se, agitar-se como as ondas; tornar-se onduloso. — *v. tr.* tornar onduloso, frisar; tornar ondeado.

ondeo. *m.* ondulação, acção de ondular.

ondímetro. *m.* V. **ondámetro.**

ondina. *f.* ondina; ninfa.

ondisonante. *adj.* V. **undísono.**

ondoso, sa. *adj.* undoso, undante, onduloso, que forma ondas; ondeante; em que há ondas.

ondulación. *f.* (fís.) ondulação; ondeado: *ondulación permanente*, ondulação permanente; *ondulación al agua*, ondulação a água.

ondulado, da. *p. p.* e *adj.* ondulado, que apresenta ondulações.

ondulante. *p. a.* e *adj.* ondulante, ondeante.

ondular. *v intr.* ondular, ondear, formar pequenas ondas. — *v. tr.* frisar, fazer ondas no cabelo; colubrejar; (fig.) serpear: *ondular el pelo*, encarapilhar o pêlo.

ondulatorio, ria. *adj.* ondulatório; que tem o caracter de ondulação.

onecer. *v. intr.* (prov.) V. **aprovechar.**

onerario, ria. *adj.* onerário, diz-se das naves de carga, usadas pelos antigos.

oneroso, sa. *adj.* oneroso, pesado, gravoso; (for.) oneroso, que impõe ónus.

onfazino. *adj.* diz-se do azeite extraído da azeitona não madura, empregado em medicina.

ónice. *m.* (min.) ónix, ágata fina.

onicofagia. *f.* onicofagia.

onicófago, ga. *adj.* e *s.* onicófago.

onicografia. *f.* onicografia.

onicopatía. *f.* (pat.) onicopatia.

ónique. *f.* V. **ónice.**

oniquina. *adj.* diz-se da pedra ónix.

onírico, ca. *adj.* pertencente ou relativo aos sonhos, onírico.

onirocrisia. *f.* onirocrisia.

oniromancia. *f.* oniromancia.

onisco. *m.* (zool.) onisco.

ónix. *m.* (min.) ónix.

onocrótalo. *m.* pelicano. V. **alcatraz.**

onomancia. *f.* onomancia, onomatomancia.

onomástica. *f.* onomástica; estudo sobre os nomes próprios.

onomástico, ca. *adj.* onomástico.

onomatología. *f.* onomatologia.

onomatológico, ca. *adj.* onomatológico.

onomatomanía. *f.* (pat.) onomatomania.

onomatopeya. *f.* onomatope(é)ia.

onomatopéyico, ca. *adj.* onomatopaico, onomatopeico.

ontogenia. *f.* ontogé(ê)nese, ontogenia.

ontogénico, ca. *adj.* ontogénico.

ontogonia. *f.* ontogonia.

ontología. *f.* (filos.) ontologia.

ontológico, ca. *adj.* ontológico.

ontologismo. *m.* (filos.) ontologismo.

ontologista. *s.* ontologista.

ontólogo, ga. *s.* ontologista.

O. N. U. O. N. U. abreviatura que designa Organização das Nações Unidas.

onubense. *adj.* e *s.* (geog.) natural de ou pertencente a Onuba, hoje Huelva.

onza. *f.* onça, peso equivalente a 287 decigramas; onça, antiga moeda de ouro.

onza. *f.* (zool.) onça, mamífero felino.

onzavo, va. *adj.* e *s.* undécimo, onzeno.

oogenético, ca. *adj.* oogenético, oogénico.

oogénesis. *f.* (biol.) oogé(ê)nese, oogé(ê)nia.

oolítico, ca. *adj.* (geol.) oolítico.

oogonio. *m.* (bot.) oogónio.

oolito. *m.* (geol.) oólito, pedra calcária.

oología. *f.* (zool.) oologia.

oomiceto. *m.* (bot.) oomiceto.

oospora. *f.* (bot.) oospora.

oomancia. *f.* oomancia.

oosfera. *f.* (biol.) oosfera.

opa. *adj.* (Amér.) fonto, idiota.

opacidad. *f.* opacidade, qualidade de opaco; sombra, lugar sombrio; desbrilho.

opaco, ca. *adj.* opaco, escuro; sombrio; denso; turvo; adiáfano; (fig.) triste, melancólico, taciturno; sombrio; (astr.) opaco, sem luz própria.

opado, da. *adj.* V. **hinchado.**

opalescencia. *f.* opalescência; reflexo opalino.

opalescente. *adj.* opalescente; opalino.

opalino, na. *adj.* opalino, relativo a opala; opalino; de cor entre branco e azul.

ópalo. *m.* (min.) opala, ópalo.

opción. *f.* opção, livre escolha; opção, direito a um ofício, dignidade; preferência; eleição, faculdade: *opción entre dos o más cosas o personas*, alternativa; *tener opción,* ter opção.

ópera. *f.* ópera, poema dramático musical.

operable. *adj.* operável, que se pode operar; executável, realizável; (cir.) operável.

operación. *f.* operação; execução; operação, especulação comercial; (mil.) operação, manobra militar, combate; operação, negociação; (mat.) operação, cálculo ou série de cálculos; (cir.) operação.

operador, ra. *adj.* e *s.* (cir.) operador, que opera; executante.

operar. *v. tr.* e *intr.* (cir.) operar, fazer uma operação cirúrgica; operar, produzir um efeito, obrar; manobrar; (com.) operar, especular, negociar; cumprir; executar, realizar; (mat.) operar, fazer uma operação de cálculo; agir. — *v. r.* operar-se, suceder, realizar-se.

operario, ria. *s.* operário, obreiro, trabalhador, artífice; jornaleiro. — *m.* sacerdote que assiste pessoas doentes ou moribundas. — *pl.* classe trabalhadora.

operativo, va. *adj.* operativo, operante, eficaz, que produz efeito.

operatorio, ria. *adj.* operatório, que pode operar; operatório, relativo a operações cirúrgicas.

operculado, da. *adj.* (bot.) opercular.

operculífero, ra. *adj.* (bot. e zool.) operculífero.

opérculo. *m.* (zool. e bot.) opérculo.

opereta. *f.* (mús.) opereta, ópera ligeira.

operista. *s.* actor que canta nas óperas.

operístico, ca. *adj.* pertencente ou relativo a ópera.

operoso, sa. *adj.* operoso, trabalhoso, difícil; eficiente, eficaz.

opiáceo, a. *adj.* opiáceo, preparado com ópio; da natureza do ópio.

opiado, da. *adj.* opiado, preparado com ópio, que contém ópio.

opiar. *v. tr.* opiar, misturar ou preparar com ópio.

opiata. *f.* (farm.) opiata. electuário em que entra ópio.

opiato, ta. *adj.* V. **opiado.** — *m.* V. **opiata.**

opilación. *f.* opilação, obstrução, oclusão; amenorreia; hidropisia; (Bras.) amarelão.

opilarse. *v. r.* (med.) opilar-se, tornar-se clorótica a mulher. — *v. tr.* (ant.) opilar, obstruir.

opilativo, va. *adj.* opilativo, que tende a fechar.

opimo, ma. *adj.* opimo, fértil, rico, abundante, fecundo, excelente.

opinable. *adj.* opinável, que se pode opinar; conjectural, provável, defendível.

opinante. *p. a. adj.* e *s.* opinante, que opina.

opinar. *v. intr.* opinar, emitir a sua opinião; alvitrar; julgar, entender, discorrer, ser de opinião; estimar; informar, decidir; dar o seu voto ou parecer; considerar.

opinión. *f.* opinião, modo de ver; parecer; juízo; voto; presunção; credo político; teima; fama; conceito, reputação; sentimento, convicção; conceito; dictame; persuasão íntima; crença; sentença; voz; nome; conta; consciência; consideração; conselho; arrazoamento; (fig.) bitola; contrapé: *dar su opinión,* dar a sua opinião; *tener mala opinión de alguien,* ter má opinião de alguém; *opinión pública,* opinião pública; *cambio de opinión,* desdizimento; *emitir una opinión,* (fig.) sentenciar.

opio. *m.* (farm.) ópio: *fumadero de opio,* fumadeiro de ópio.

opiófago, ga. *adj.* e *s.* opiófago.

opiologia. *f.* opiologia.

opiomania. *f.* opiomania.

opiómano, na. *adj.* e *s.* opió(ô)mano.

opíparo, ra. *adj.* opíparo, esplêndido, lauto, sumptuoso, copioso, luculiano; magnificente.

opistogástrico, ca. *adj.* (anat.) opistogástrico.

opistografia. *f.* opistografia.

oploteca. *f.* galeria ou museu de armas antigas ou raras.

opobálsamo. *m.* (quím.) opobálsamo.

opodeldoc. *m.* (terap.) opodeldoque.

oponente. *p. a. adj.* e *s.* opoente, oponente, oposto, competido, arguente, emulador; adversário; (for.) contraditor.

oponer. *v. tr.* opor, pôr uma coisa contra outra; opor, impugnar, obje(c)tar; contrapor; impedir, obstar; contrariar; recusar; apresentar; desconcordar; adversar; contradizer; emular; empecilhar; contrariar; pôr em paralelo ou em contraste. — *v. r.* opor-se, recusar-se; controverter-se; antagonizar; contrariar-se, encontrar-se; fazer-se apresentar como adversário; ser contrário a: *oponerse a alguien,* entesar-se com alguém; *oponerse fuertemente,* (fig.) forcejar; *oponerse a las intenciones de alguien,* encontrar os intentos de alguém; *oponer buenas razones,* opor bons argumentos. — *conj irr.* como *poner.*

oponible. *adj.* oponível, que se pode opor.

opopónoce. *f.* (bot.) opopónoce. V. **pánace.**

opopónaco. *m.* (bot.) opopánace.

oporto. *m.* vinho do Porto.

Oporto. (geog.) Porto.

oportunidad. *f.* oportunidade; ocasião favorável; ensejo; conjuntura; a(c)tualidade; azar; lugar; momento próprio; aberta; possibilidade; expediente: *aprovechar la oportunidad,* aproveitar a oportunidade.

oportunismo. *m.* (pol.) oportunismo.

oportunista. *adj.* e *s.* (pol.) oportunista.

oportuno, na. *adj.* oportuno, oportuno, conveniente; apropriado; favorável, pertinente; apropositado; frisante; côngruo; congruente; correspondente: *momento*

oportuno, momento azado; *ser oportuno,* ter seu lugar.

oposición. *f.* oposição; obstáculo; resistência; incompatibilidade; impugnação; contraste; esto(ô)rvo; concurso de pretendentes; oposição, contraste, contradição; empecilho; aversão, ódio; adversidade; desavença; desconciliação; antagonismo; (pol.) oposição, partido oposto a outro que está no Poder; (fig.) embate; contraposição; antítese; competição; (astr.) oposição dos planetas entre si.

oposicionista. *adj.* oposicionista, relativo ou pertencente à oposição. — *s.* oposicionista.

opositar. *v. intr.* concorrer a uma oposição; fazer oposições.

opositifolio, a. *adj.* (bot.) que tem folhas opostas.

opositipétalo, la. *adj.* (bot.) que tem pétalas opostas.

opositisépalo, la. *adj.* (bot.) que tem sépalas opostas.

opósito, ta. *p. p.* irreg. de *oponer;* oposto, contrário, contraditório.

opositor, ra. *s.* opositor, aquele que se opõe; candidato, competidor, pretendente, concorrente; opositor, antagonista; atravessadiço.

opoterapia. *f.* (med.) opoterapia.

opoterápico, ca. *adj.* opoterápico.

opresión. *f.* opressão, vexame; tirania; opressão, encarre(f)e)go; ademonia; afo(ô)go; despotismo; angustia; apertada; ape-(ê)rto; angima; estrangulação; aperreamento; apertão; opressão, estrutura; amesquinhamento, penúria, miséria; ansiedade; aperreação; (fig.) abafamento; ânsia.

opresivo, va. *adj.* opressivo; afogadiço; abafadiço; opressivo, despótico; amesquinhador; opressivo, tirânico, duro, cruel.

opreso, sa. *p. p. irreg.* de *oprimir,* opresso, oprimido; ajoujado.

opresor, ra. *adj.* e *s.* opressor, déspota; apremador; aperreador; tirano.

oprimido, da. *p. p.* e *adj.* oprimido, arrastado; afogado; aflito; assopeado; aperreado; apoquentado; apertado; ansioso; agravado: *sentirse oprimido,* ver-se afogado.

oprimir. *v. tr.* oprimir, causar opressão a; carregar com força; exercer pressão sobre uma coisa; (fig.) vexar, tiranizar, acapelar, agrilhoar; (fig.) tiranizar, afligir, molestar; comprimir; apertar; oprimir, dificultar a respiração; tiranizar, vexar por violência; oprimir, arrastar; enfeudar; engasgar; aqueixar; assoberbar; angustiar; aperrear; meter debaixo dos pés; oprimir; apertar; apoquentar; lançar algemas ao povo; acalcanhar; acabrunhar; apremer; ansiar; amesquinhar; oprimir, albardar; agravar; (fig.) atropelar, ajoujar, algemar; acurvar.

oprobiar. *v. tr.* vilipendiar, cobrir de opróbrio, infamar; denigrar; (fig.) enxovalhar.

oprobio. *m.* opróbrio, vilipêndio, enxovalhamento; enxovalho; desluzimento; denigração; desonra; infâmia; infamação; impropério; (fig.) enxovalho: *cubrirse de oprobio*, desonrar-se.

oprobioso, sa. *adj.* oprobrioso, desonroso, infamante; oprobrioso, que envolve opróbrio.

opsígono, na. *adj.* (med.) opsígono.

opsiometría. *f.* opsiometria.

opsiométrico, ca. *adj.* opsiométrico.

opsiómetro. *m.* (med.) opsió(ô)metro.

opsónico, ca. *adj.* (med.) opsónico.

opsonina. *f.* (fisiol.) opsonine.

optación. *f.* (ret.) optação, expressão dum desejo sob a forma de exclamação.

optar. *v. tr.* optar, escolher, preferir; eleger: exercer o direito de opção; decidir-se por.

optativo. *m.* (gram.) optativo; que exprime desejos.

óptica. *f.* (fís.) óptica, parte da física que estuda a luz e os fenómenos da vista.

óptico, ca. *adj.* óptico, pertencente ou relativo à óptica. — *m.* lojista de óptica; oculista.

optimismo. *m.* o(p)timismo, exultação, optimismo, tendência para achar tudo bem: confiança na melhoria do estado presente.

optimista. *s.* o(p)timista, que prefessa o optimismo. — *adj.* optimista.

óptimo, ma. *adj.* superl. de *bueno*. magnífico, ó(p)timo, excelente; inapreciável; famoso; (Bras.) mantena.

optografía. *f.* optografia.

optográfico, ca. *adj.* optográfico.

optógrafo. *m.* optógrafo.

optometría. *f.* optometria.

optométrico, ca. *adj.* optométrico.

optómetro. *m.* optó(ô)metro.

opuesto, ta. *p. p.* irr. de *oponer* e *adj.* oposto, adverso, contrário, inimigo; inconsequente, antipático; antagó(ô)nico; oposto, ave(ê)sso; incompatível; oposto, descordante; avessado; desvariado; contraditório; desafe(c)to; desafeiçoado; desconforme; contraposto, contrário; oposto, encontrado; (fig.) antípode; inconciliável.

opugnación. *f.* opugnação; ataque; assalto; contradição; impugnação.

opugnador, ra. *adj.* e *s.* opugnador, atacante, combatente; antagonista.

opugnar. *v. tr.* opugnar, fazer oposição, com força e violência; impugnar; combater, assaltar, atacar; refutar, rejeitar, contradizer; opugnar, refutar, investir; pugnar contra; acometer; (fig.) atacar por escrito.

opulencia. *f.* opulência; fausto, abundância; chorume; riqueza, magnincência; (fig.) superabundância de qualquer coisa; opulência, luxo, galarim; riqueza extraordinária; os ricaços.

opulento, ta. *adj.* opulento, rico; afazendado; luxuoso; luxento; abundante; facultoso; chorumento; magnífico; faustoso; muito desenvolvido; (fig.) abundante, copioso. (Bras.) lordaço.

opúsculo. *m.* opúsculo, pequeno livro; impresso; folheto.

oque (de). V. **de balde.**

oquedad. *f.* vão, vazio, espaço livre; espaço oco; (fig.) vazio, insubstancialidade (do que se escreve ou fala) alvado.

oquedal. *m.* bosque, mata de árvores altas; sem erva nem outras plantas.

oqueruela. *f.* nòzinho, laçada que se forma casualmente no retrós ou na linha por estar muito torcida.

ora. *conj.* (contrac. de *ahora*) agora, ora; ou; quer; mas; agora, actualmente; (Bras.) ara: *ora canta ora reza*, ora canta ora reza.

oración. *f.* oração, discurso; proposição; oração, prece, súplica; oração, toque das trindades; oração, ro(ô)go; sermão; oração, invocação a Deus; (gram.) oração, proposição.

oracional. *m.* oracional, livro de orações. — *adj.* oracional, relativo à oração gramatical.

oráculo. *m.* oráculo, resposta que dá Deus pelos seus ministros ou por si; oráculo; fado.

orador, ra. *s.* orador, pregador; declamador; (fam.) arengueiro; arengador.

oraje. *m.* tempo muito agreste, com chuva, neve, pedras ou ventos fortes.

oral. *adj.* oral; verbal; vogal; oral, de viva voz.

orangután. *m.* (zool.) orangotango, grande macaco antropomorfo.

orar. *v. tr.* e *intr.* pedir, orar, suplicar; orar, rezar; orar, falar em público; orar, fazer orações, fazer preces à Divindade.

orario. *m.* orário; orário, estola grande que usa o Papa.

orate. *s.* orate, louco, idiota; estouvado; (fig. e fam.) pessoa de pouco juízo.

oratoria. *f.* oratória, eloquência; arte de falar em público: *oratoria pública*, oratória pública; *el don de la oratoria*, a arte da oratória.

oratorio, ria. *adj.* oratório, pertencente ou relativo à oratória; relativo à eloquência ou ao orador. — *m.* oratória, espécie de armário ou nicho onde há imagens de santos; (mús.) oratório, espécie de drama musical sobre algum tema religioso.

orbe. *m.* orbe; o mundo; a esfera terrestre; globo; a terra; (zool.) certo peixe marinho das Antilhas.

orbicular. *adj.* orbicular, redondo, circular.

órbita. *f.* órbita; círculo; (astr.) órbita, caminho que um astro percorre em virtude do seu próprio movimento; curva que um planeta descreve em volta do Sol; (fig.) órbita; esfera de acção; âmbito; espaço; (anat.) órbita, cavidade onde se aloja o globo ocular.

orbital. *adj.* orbitário, relativo à órbita.

orcela. *f.* (bot.) género de cogumelos.

orcina. *f.* (quím.) orcina, matéria corante de certos líquenes.

orco. *m.* (poét.) orco, a morte, o inferno.

orco. *m.* (zool.) orca.

orcheliano. adj. diz-se do triângulo de Orchell.

ordalias. f. pl. ordálio, diversas provas feitas na Idade Média aos acusados, chamadas juízos de Deus.

orden. m. ordem, colocação das coisas no lugar correspondente; regra; série; sucessão de coisas; sistema; relação duma coisa com outra; ordem, tranquilidade, disciplina; ordem, sacramento da Igreja; ordem, instituto religioso; ordem, de cavalaria; coordenação; classe; alinho; lugar; método; estrutura; medida; arranjamento; arrumação, arrumo; arranjo; encadeação: (fig.) batuta; natureza, categoria. — f. ordem, mandato, preceito, edi(c)to, decreto; constituição; ordem, classe de honra instituída por um soberano; mando; disposição, regulação; (com.) ordem, endosso duma letra de câmbio.

ordenación. f. ordenação, regulamento; repartição de pagamentos nalguns ministérios; (rel.) ordenação, imposição de Ordens Sacras aos ordinandos, compilação de leis.

ordenada. f. (geom.) diz-se da coordenada vertical no sistema cartesiano.

ordenado, da. p. p. e adj. ordenado; ordenado, determinado; aguisado; metódico; arranjadeiro; arrumado; mandado.

ordenador, ra. adj. e s. ordenador, que ordena; arrumador. — m. chefe duma repartição de pagamentos.

ordenamiento. m. ordenamento, ordenação; ordem; lei; pragmática; ordenança; regulamento; mandato; ordem; prescrição; regulamento.

ordenancista. adj. diz-se do chefe ou do oficial que cumpre ou aplica com rigor o regulamento.

ordenando. m. ordinando, o que está para receber as Ordens Sacras.

ordenante. p. a. adj. e m. ordenante, que ordena; V. **ordenando.**

ordenanza. f. ordenança, estatuto; mandato; disposição; mandado; prescrição. — m. (mil.) ordenança, soldado ao serviço dum chefe; ordenança, empregado subalterno em certas repartições.

ordenar. v. tr. ordenar, pôr em ordem; mandar, dirigir a algum fim; dispor; regular; (rel.) ordenar; conferir o sacramento da Ordem; metodizar; formar; ajustar; encomendar; arranjar; estatuir; elaborar; coordenar; decretar; encaminhar; classificar; determinar; exigir. — v. r. ordenar-se, receber as Ordens Sacras.

ordeñadero. m. tarro, vaso em que se apara o leite quando se ordenha.

ordeñador, ra. adj. e s. ordenhador, que ordenha.

ordeñar. v. tr. ordenhar, mungir, tirar o leite; (fig. e fam.) mamar, chupar, tirar pouco a pouco o suco duma coisa; ripar, apanhar, colher à mão a azeitona sem a varejar; colher, apanhar as folhas de amoreira.

ordeño. m. ordenho, ordenha.

órdiga (la). interj. empregada como admiração ou surpresa; usa-se geralmente com o verbo andar.

ordinación. f. preceito. V. **ordenanza.**

ordinal. adj. ordinal, referente a ordem.

ordinariez. f. falta de urbanidade e cultura, grosseria; baixeza, vulgaridade; desafabilidade; chulice; corriqueirice; deselegância, descortesia, indelicadeza; pachochada; arreeirada. — pl. (vol.) chatice.

ordinario, ria. adj. ordinário, comum, usual, vulgar; normal; habitual; frequ(ü)ente; ordinário; regular; plebeu; ordinário, de qualidade inferior; de baixa condição; grosseiro, reles; mal-educado; mediocre, regular, incivil; ordinário, diz-se do tratamento ou da despesa de cada dia; ordinário, diz-se do juiz ordinário, e do juiz eclesiástico; arreeirado; asselvajado; desatencioso, descortês; desinteressante; desatilado; deselegante; desafável; chulo; charro; chinfrim; chocarreiro; assaloiado; corriqueiro; (pop.) macaco; (vulg.) achabascado; aboleimado; agreste; (pop.) fufio, avaqueirado; coimbrão; be(ê)sta; bertoldo; (Bras.) mucufa, punga, xendengue. — m. bispo duma diocese, ordinário; correio periódico; recoveiro, almocreve, encomendeiro.

ordinativo, va. adj. pertencente à ordenação.

orea. V. **oréade.**

oréade. f. (mit.) oréade, ninfa dos bosques e montes.

orear. v. tr. arejar, refrescar, dar vento nalguma coisa. — v. r. arejar-se.

orégano. m. (bot.) orégão: no todo el monte es orégano, (pop.) nem tudo é fácil, num assunto qualquer.

oreja. f. (anat.) orelha, pavilhão do ouvido; ouvido; orelha, pala do sapato; orelha, espécie de asa de alguns instrumentos como o martelo; (fig.) mexeriqueiro; intriguista, bisbilhoteiro; adulador; bajulador: bajar las orejas, (fig. e fam.) ceder com humildade numa disputa; descubrir la oreja, (fig. e fam.) deixar ver o vício ou defeito que estava oculto; ver las orejas al lobo, (fig.) achar-se em grande risco ou perigo próximo; tener buena oreja para la música, (pop.) ter boa orelha para a música; andar con las orejas gachas, (pop.) ficar de orelha caída; calentar a uno las orejas, (fig. e fam.) repreendê-lo severamente; cortar las orejas, desorelhar; mojar la oreja, (fig. e fam.) provocar brigas; oreja de monte, chapéu dos telhados; reírse de oreja a oreja, rir desencaixadamente.

orejano, na. adj. e s. diz-se da rês que não tem marca nas orelhas, nem em parte alguma do corpo.

orejeado, da. adj. diz-se do que está prevenido ou avisado para que, quando outro fale, possa responder ou não, segundo entender.

orejear. *v. intr.* sacudir, abanar as orelhas (diz-se dos animais); (fig.) negar-se a fazer uma coisa ou fazê-la de má vontade.

orejera. *f.* orelheira, cada uma das duas peças do gorro que cobrem as orelhas; orelheira, a aiveca do arado; argola usada pelos índios; (bot.) diabelha.

orejón. *m.* pedaço de pêssego em forma de fita, seco ao ar e ao Sol. — *pl.* orelhão, puxão de orelha.

orejudo, da. *adj.* orelhudo, que tem grandes orelhas. — *m.* (zool.) orelhudo, morcego.

orellana. *f.* orelana, tinta feita com a planta chamada urucú.

orenga. *f.* (mar.) beque da proa; caverna do barco. V. **varenga.**

orensano, na. *adj.* e *s.* (geog.) orensano.

oreo. *m.* oressa, arejo, aragem; vento brando, viração.

orfanato. *m.* orfanato, asilo de órfãos.

orfandad. *f.* orfandade; (fig.) desamparo por falta de pais ou protectores, desvalimento.

orfebre. *m.* ourives, fabricante de objectos de ouro ou prata.

orfebrería. *f.* ourivesaria, arte de ourives.

orfelinato. *m.* (gal.) V. **orfanato.**

orfeón. *m.* orfeão, sociedade cujos membros se dedicam ao canto; escola de canto.

orfeonista. *s.* orfeonista, membro dum orfeão.

órfico, ca. *adj.* orfeico, órfico; pertencente ou relativo a Orfeu ou à música.

organdí. *m.* organdi, organsim, espécie de gaza muito leve.

organero. *m.* o que faz ou conserta órgãos, organeiro; (ant.) organista.

organicismo. *m.* organicismo.

organicista. *adj.* e *s.* organicista, que segue a doutrina do organicismo.

orgánico, ca. *adj.* orgânico, diz-se do corpo que tem disposição para viver; que tem harmonia; relativo aos órgãos; orgânico, relativo à organização; orgânico, relativo aos corpos organizados; (fig.) orgânico, diz-se do que afecta à constituição e funcionamento das entidades colectivas; (quím.) orgânico.

organillero, ra. *s.* pessoa que toca o realejo.

organismo. *m.* organismo, conjunto de órgãos que formam um ser vivo; (fig.) organismo, constituição dum corpo organizado; organismo, conjunto de repartições que formam uma instituição; organismo, construção; estrutura; organismo, conjunto de elementos dispostos para funcionar; organismo, ordem; combinação; corpo organizado.

organista. *s.* (mús.) organista, pessoa que toca o órgão.

organizable. *adj.* organizável, susceptível de organizar.

organización. *f.* organização, estrutura; fábrica; organismo; disposição; composição; fundação; temperamento; organização, disposição, nexo, correspondência dos órgãos do corpo; organização; disposi-

ção orgânica; orden constituição; (fig.) organização moral ou intelectual: *organización de empresas,* organização de empresas.

organizado, da. *p. p.* e *adj.* organizado, constituído; orgânico, organizado, entrechado; (fig.) organizado, constituído intelectualmente duma maneira determinada.

organizador, ra. *adj.* e *s.* organizador, que organiza.

organizar. *v. tr.* organizar, coordenar, elaborar; construir; constituir; (fig.) engatilhar; organizar, dar às partes dum todo a disposição adequada para seu funcionamento; organizar, dispor, ordenar, (fig.) dispor para funcionar. — *v. r.* constituir-se: *organizar militarmente,* militarizar; *organizar un regimiento,* arregimentar.

órgano. *m.* (mús.) órgão, instrumento músico de teclado; (fisiol.) órgão, cada uma das partes dum ser organizado, animal ou vegetal e que exercem uma função; (fig.) órgão, meio ou conduto que põe em comunicação duas coisas; órgão, parte dum ser organizado: *órgano expresivo;* V. **armonio;** *órganos de Móstoles,* pessoas ou coisas que são incongruentes entre si.

organogénesis. *f.* organogénese.

organogenético, ca. *adj.* organogenético.

organogenia. *f.* organogenia, organogenese.

organografía. *f.* organografia.

organográfico, ca. *adj.* organográfico.

organoléptico, ca. *adj.* organoléptico.

organología. *f.* organologia.

organonimia. *f.* organonímia.

organonímico, ca. *adj.* organonímico.

organopatía. *f.* organopatia.

organoscopia. *f.* organoscopia.

organoterapia. *f.* (med.) organoterapia.

organoterápico, ca. *adj.* organoterápico.

orgasmo. *m.* (med.) erecção, eretismo; efervescência.

orgia, orgía. *f.* orgia, festim licencioso; bacanal; (Bras.) esbórnia. — *pl.* festas em honra de Baco.

orgiástico, ca. *adj.* orgiástico, relativo a orgia; báquico.

orgullo. *m.* orgulho, arrogância, altivez, soberba; vaidade; brio; ufania; ardor; alacridade, rapidez de execução; endeusamento; chibantaria, chibança; entono; desdem; desvanecimento; demasia; fanfarraria; empáfia; (fig.) empanturramento, empinadela; fumaça: *abatir el orgullo,* desendeusar; *dejarse de orgullos,* (fig.) desempavesar-se.

orgulloso, sa. *adj.* e *s.* orgulhoso, arrogante, vaidoso, altivo, soberbo; empanturrado; enchouriçado; chibante; arrogante; desumilde; desdenhoso; desprezativo; inflado; endeusado; empáfia; enfunado; empantufado, encristado; engomado; empinado; emproado; empavesado; estirado: *ser altivo y orgulloso,* (fam.) trazer o rei na barriga; *persona orgullosa,* empáfio, embófia; *hombre orgulloso,* (pop.)

homem de bico revolto; *volverse orgulloso*, entufar-se.

¡orí! *interj.* olá!

oribe. *m.* artífice. V. **orífice.**

oricalco. *m.* (ant.) cobre, bronze, latão.

orictognosia. *f.* (hist. nat.) orictognosia.

orientación. *f.* orientação; dire(c)ção; encaminhamento; rumo, destino; guía; regra; indicação.

orientador, ra. *adj.* orientador, que orienta.

oriental. *adj.* oriental, pertencente ao Oriente; (astr.) oriental, diz-se do planeta Vénus. — *s.* oriental, natural do Oriente.

orientalismo. *m.* orientalismo.

orientalista. *adj.* e *s.* orientalista, pessoa versada no conhecimento dos povos e línguas orientais.

orientalizar. *v. tr.* imitar ou adoptar os modos ou costumes orientais.

orientar. *v. tr.* orientar, determinar a posição dum lugar em relação ao oriente; orientar, dirigir, guiar; (fig.) orientar, encaminhar; encerebrar (as faculdades intelectuais); guiar; informar; nortear. — *v. r.* orientar-se; dirigir-se; reconhecer com cuidado uma questão; inteirar-se; informar-se.

Oriente. *m.* (astr. e Geog.) Oriente, este, levante; nascente; vento leste; soão; oriente, parte do horizonte; oriente, brilho especial das pérolas; (fig.) mocidade, juventude.

orificación. *f.* aurificação, obturação dum dente com ouro.

orificador. *m.* obturador, instrumento para obturar.

orificar. *v. tr.* aurificar, preencher com ouro a cavidade dum dente; obturar com ouro.

orífice. *m.* ourives, artífice que trabalha em ouro.

orificio. *m.* orifício, abertura; buraco; (zool.) orifício, abertura de certos condutos e geralmente o ânus; agulheiro; entrada; furo; forame; lura; (fisiol.) estoma.

oriflama. *f.* auriflama; estandarte, bandeira.

orifrés. *m.* galão de ouro ou prata.

origen. *m.* origem, princípio, come(ê)ço, nascimento, manancial; raíz e causa duma coisa; orígem, pátria, país onde se nasce; ascendência; fonte; causa; orígem, etimologia; orígem, extra(c)ção duma pessoa; proveniência; motivo; (fig.) causa moral; germe; o(ô)vo; pai; determinante; emanação, derivação, base; berço; árvore de geração, estirpe; fundação; iniciação; início; fundamento; aparição; (fig.) fábrica; mãe: *dar origen a,* dar orígem a, despertar; *lugar de origen,* mãe; *tener por origen,* derivar.

origenismo. *m.* (rel.) origenismo.

origenista. *adj.* e *s.* (rel.) origenista.

originador. *adj.* e *m.* originador, o que origina, causador.

original. *adj.* original, pertencente à orígem; original; inédito; primitivo; peculiar; nativo; singular; excêntrico; fora do vulgar; fontal; autêntico; primeiro, no(ô)vo; estranho; exemplar. — *m.* original, escrito para imprimir ou para dele se tirar uma cópia; original, pessoa de que se faz o retrato.

originalidad. *f.* originalidade; excentricidade, extravagância.

originar. *v. tr.* originar, ser instrumento, motivo ou orígem duma coisa; predispor; determinar; dar orígem a; ser causa de; fabricar; emanar, derivar; engendrar. — *v. r.* originar-se, nascer, resultar; derivar-se, ter orígem; proceder de; originar-se.

originario, ria. *adj.* originário, que dá orígem a; originário, oriundo, primitivo, descendente; proveniente; indígena; aborígem.

orilla. *f.* borda, beira, termo, extremidade da latitude duma coisa; orla; ourela; borda dum tecido; borda, margem de rio; beira-mar; passeio, parte da rua junto às casas; margem; aragem fria e penetrante; (fig.) termo de qualquer coisa imaterial; extremidade, estrema.

orilla. *f.* aura, viração, brisa, aragem fresca.

orillar. *v. tr.* (fig.) rematar, concluir um assunto; orlar; pôr cercaduras a um pano; orlar, debruar. — *v. intr.* abordar, abeirar-se, chegar-se à beirada, aproximar-se da margem; caminhar à beira do mar ou de rio.

orillo. *m.* ourelo, ourela, orla; entretesta dum tecido.

orín. *m.* ferrugem, óxido; (fig.) mácula.

orín. *m.* urina. — *pl.* ourina. V. **orines.**

orina. *f.* (fisiol.) urina; mijo; (pop.) chichi: *chorro de orina,* mijadela; *orines en el suelo,* (pop.) mijanceira.

orinal. *m.* bacio, vaso de noite, urinol, mictório; bispote; (pop.) mijadeiro; defecador; (vulg.) servidor: *orinal de cama,* comadre.

orinar. *v. intr.* urinar, mijar, fazer chichi; fazer água.

oriniento, ta. *adj.* ferrugento, enferrujado, (fig.) entorpecido pela falta de uso.

orinque. *m.* (mar.) arinque.

Orión. *m.* (astr.) Orion, Orião.

oriundez. *f.* orígem, procedência, ascendência; naturalidade.

oriundo, da. *adj.* oriundo, originário, procedente, natural.

orla. *f.* orla, ourela, cercadura, margem, extremidade dos tecidos; estrema; franja; beira; (heráld.) debrum, filete ao redor do escudo; (arq.) filete dum capitel; orla, cercadura dum impresso.

orlador, ra. *adj.* e *s.* orlador, que faz orlas ou cercaduras.

orladura. *f.* orladura, guarnição com orla, de tecidos, vestidos, etc.; cercadura; (heráld.) debrum.

orlar. *v. tr.* orlar, guarnecer com orla, debruar; franjar; (heráld.) orlar, pôr orla no escudo.

orlo. *m.* (mús.) orlo, registo do órgão.

orlo. *m.* (arq.) plinto.

ornado, da. *p. p.* e *adj.* ornado, adornado; composto; enfeitado.

ornamentación. *f.* ornamentação, adorno, enfeito, decoração.

ornamental. *adj.* ornamental, relativo a ornamentação ou adorno.

ornamentar. *v. tr.* ornamentar, engalanar com adorno, adornar, ataviar, enfeitar, decorar; (fig.) abrilhantar; engalanar; aparatar; aparelhar; exornar; empavesar.

ornamento. *m.* ornamento, enfeite; adorno; alinho; (fig.) ornamento, qualidades morais dum indivíduo; (arq.) ornamento, peças que acompanham as obras principais; decoração; galas; (fig.) arrecadas. — *pl.* ornamentos, paramentos, vestimentas sagradas; ornamentos, armação de Igreja.

ornar. *v. tr.* ornar, adornar, enfeitar; alfaiar, engalanar; empavesar; ataviar; decorar.

ornato. *m.* ornato, atavio, decoração, alfaia, ado(ô)rno; louçainha.

ornitófilo, la. *adj.* ornitófilo.

ornitodelfo, fa. *adj.* e *m.* (zool.) ornitodelfo.

ornitofonía. *f.* ornitofonia.

ornitógalo. *m.* (bot.) ornitógalo.

ornitología. *f.* (zool.) ornitologia.

ornitológico, ca. *adj.* ornitológico.

ornitólogo, ga. *s.* ornitólogo, ornitologista.

ornitomancia. *f.* ornitomancia.

ornitorrinco. *m.* (zool.) ornitorrinco.

ornitosis. *s.* (patol.) ornitose.

ornitotomía. *f.* ornitotomia.

ornitotrofía. *f.* ornitotrofia.

oro. *m.* ouro, oiro, metal precioso; oiro, moeda ou moedas de ouro; oiro, jóias e outros adornos femininos desta espécie; (fig.) ouro, riquezas; cor de oiro; (heráld.) oiro, cor dourada ou amarela. — *pl.* oiros, ouros, naipes das cartas: *buscar pepitas de oro*, faiscar; *de oro*, áureo; *prometer el oro y el moro*, (pop.) fazer grandes gabões; *oro en barras*, ouro em barra; *oro en bruto*, ouro bruto ou virgem; *oro en libritos*, ouro mate.

orobanca. *f.* (bot.) orobanca.

orobancáceas. *f. pl.* (bot.) orobancáceas.

orobias. *m.* espécie de incenso muito fino.

orobo. *m.* (bot.) órobo.

orogenia. *f.* (geol.) orogenia.

orogénico, ca. *adj.* orogénico.

orognosia. *f.* (geol.) orognosia.

orognóstico, ca. *adj.* (geol.) orognóstico.

orografía. *f.* orografia.

orográfico, ca. *adj.* orográfico.

orógrafo, fa. *s.* (topog.) orógrafo.

orología. *f.* orologia.

orológico, ca. *adj.* orológico.

orometría. *f.* orometria.

orómetro. *m.* orómetro.

orondo, da. *adj.* bojudo, diz-se da vasilha de muito capacidade ou bojo; presumido, vaidoso.

oropel. *m.* ouropel, lâmina de latão que imita o ouro; ouricalco; (fig.) ouropel,

oiro falso; coisa de pouco valor e muita aparência; ornatos, frívolos, títulos vãos.

oropéndola. *f.* (orni.) verdilhão.

oropimente. *m.* (min.) ouro-pigmento.

oroya. *f.* caixão ou cesto que corre por um calabre e serve para transportar duma margem a outra dos rios ou montanhas.

orquesta. *f.* (mús.) orquestra, parte do teatro entre o cenário e o público, onde estão os instrumentistas; orquestra, conjunto destes instrumentistas; orquestra, conjunto de músicos que executam concertos; orquestra, parte instrumental duma partitura.

orquestación. *f.* orquestração; arte de instrumentar uma obra musical.

orquestal. *adj.* orquestral, relativo à orquestra.

orquestrar. *v. tr.* orquestrar, instrumentar para orquestra.

orquestrión. *m.* instrumento músico que imita o conjunto dos que tocam numa orquestra.

orquídeo, a. *adj.* (bot.) orquídea, certas plantas dicotiledóneas. — *f. pl.* orquídeas, família destas plantas; abelha-flor

orquitis. *f.* (med.) orquite.

orre (en). *m. adv.* a granel.

ortiga. *f.* (bot.) urtiga, arroteia.

ortigal. *m.* urtigal, terreno coberto de urtigas.

ortivo, va. *adj.* (astr.) ortivo, pertencente ou relativo ao orto, que nasce, oriental.

orto. *m.* (astr.) orto, nascimento dum astro.

ortoclasa. *f.* (min.) ortóclase.

ortocromático, ca. *adj.* ortocromático.

ortodoxia. *f.* ortodoxia, conformidade com o dogma católico; (por ext.) conformidade com a doutrina fundamental duma seita ou sistema.

ortodoxo, xa. *adj.* e *s.* ortodoxo, que é conforme às leis da Igreja; (por ext.) que é conforme às leis fundamentais de qualquer seita ou sistema.

ortodromia. *f.* (mar.) ortodromia, linha mais curta entre os pontos extremos da rota dum navio.

ortodrómico, ca. *adj.* ortodrómico.

ortoepia. *f.* (fisiol.) ortoépia.

ortofonía. *f.* ortofonia; pronunciação normal.

ortofónico, ca. *adj.* pertencente ou relativo a ortofonia.

ortogonal. *adj.* ortogonal.

ortogonio. *adj.* (geom.) ortógono, ortogonal.

ortografía. *f.* ortografia, arte de escrever correctamente as palavras duma língua; (geom.) representação geométrica dum edifício ou doutro qualquer objecto; perfil duma construção.

ortográfico, ca. *adj.* ortográfico, pertencente ou relativo a ortografia.

ortógrafo, fa. *s.* ortógrafo, pessoa versada em ortografia; ortografista.

ortología. *f.* ortologia; ortoépia; prosódia.

ortológico, ca. *adj.* ortológico.

ortólogo, ga. *s.* pessoa versada em ortologia.

ortopedia. *f.* (med.) ortopedia, arte de corrigir as deformidades do corpo.

ortopédico, ca. adj. ortopédico.
ortopedista. s. ortopedista.
ortopnea. f. (pat.) ortopneia.
ortopneico, ca. adj. ortopnêico.
ortóptero, ra. (zool.) adj. ortóptero. — m. pl. ortópteros.
ortorrombal. adj. ortorrômbico.
ortorrómbico, ca. adj. ortorrômbico.
ortosa. f. ortósio, espécie de feldspato; ortose, ortosa.
ortótropo, pa. adj. (bot.) ortotropo.
oruga. f. (bot.) eruca, eruga, planta crucífera herbácea medicinal; larva dos insectos lepidópteros; lagarta da hortaliça.
orujo. m. burusso, resíduo de frutos depois de espremidos; bagaço; bagaço da uva.
orza. f. talha, vaso vidrado de barro alto e sem asas que serve para guardar conservas.
orza. f. (mar.) orça, bolina: a orza, à bolina, aproando para o vento.
orzada. f. (mar.) acção e efeito de orçar; orçada.
orzar. v. intr. (mar.) orçar, inclinar a proa à direcção donde vem o vento; ir a orça; ir à bolina; tomar a direcção do vento.
orzaya. f. V. niñera.
orzuelo. m. (med.) terçogo, terçol, furúnculo das pálpebras.
orzuelo. m. ichó, armadilha de alçapão para apanhar vivas as perdizes; trápola, armadilha para caçar.
os. pron. pers. vós; vos; dativo e acusativo de vosotros e vosotras; pode ir antes ou depois do verbo.
¡os! interj. V. ¡ox!
osa. f. (zool.) ursa, fêmea do urso: Osa Mayor, Ursa Maior; Osa Menor, Ursa Menor.
osadía. f. ousadia, atrevimento; audácia; resolução: desassombro; desco(ô)co; desembaraço; descaro, descaramento; desgarro; coragem; determinação; atrevimento; arro(ô)jo; abalançamento; afoiteza.
osado, da. adj. e p. p. ousado, audaz, atrevido; resoluto; descocado; descarado; atirado; corajoso; aventuroso; empreendedor; determinado; animoso; arrostado; lançado; afoitado.
osambre. m. V. osamenta.
osamenta. f. ossamenta, esqueleto.
osar. v. intr. ousar, atrever-se; ousar, empreender alguma coisa com audácia; atrever-se, afoitar-se.
osar. m. ossário, ossuário.
osario. m. ossário, ossuário, depósito de ossos; ossário, montão de ossos; fossário.
oscense. adj. e s. (geog.) natural ou pertencente a Huesca.
oscilación. f. oscilação; mexida; dubiedade; balanço; (fig.) alternativa; perplexidade; variação, inconstância; vibração; flutuação; variação, alternativa em sentidos opostos.
oscilador. m. oscilador.
oscilar. v. intr. oscilar, mover-se alternativamente; balançar-se; librar-se; (fig.) variar, hesitar, pender para um e para outro lado; vacilar; aumentar e dimi-

nuir alternadamente: oscilando, a dar a dar; oscilar los árboles por el viento, arfar.
oscilatorio, ria. adj. oscilatório, oscilante.
oscilógrafo. m. (mar. e elect.) oscilógrafo.
oscitación. f. (med.) oscitação, bocejo, abrimento de boca.
oscitancia. f. inadvertência proveniente de descuido.
osculación. f. (geom.) osculação.
osculador, osculatriz. adj. osculador, osculatriz.
osculatorio, ria. adj. osculatório.
ósculo. m. ósculo, beijo.
osear. v. tr. espantar as galinhas. V. oxear.
osecico, llo, to. m. dim. de hueso, ossinho, ossico, pequeno osso.
oseína. f. (quím.) osseína.
óseo, a. adj. ósseo, de osso; da natureza do osso.
osera. f. covil de ursos.
osero. m. ossário, ossuário. V. osario.
oseta. f. (germ.) tudo o pertencente aos rufiões.
osezno. m. ursozinho, ursinho, cachorro do urso.
osfialgia. f. (pat.) osfalgia.
osiánico, ca. adj. ossiânico, relativo a Ossian.
osianismo. m. ossianismo.
osicular. adj. ossicular.
osículo. m. (anat.) ossículo.
osífero, ra. adj. ossífero.
osificable. adj. ossificável.
osificación. f. ossificação, formação das partes ósseas.
osificar. v. tr. ossificar, transformar em osso; endurecer. — v. r. ossificar-se; endurecer-se.
osiforme. adv. ossiforme.
osífraga. f. (zool.) ossífraga; xofrango.
osífrago. m. (zool.) ossífraga, xofrango, brita-ossos, águia marinha.
osmanlí. adj. e s. (geog.) osmanli, otomano.
osmazomo. m. osmazoma.
ósmico, ca. adj. ósmico, diz-se dum ácido derivado do ósmio.
osmio. m. (quím.) ósmio.
ósmosis. m. (fís.) ósmose.
osmótico, ca. adj. (fís.) osmótico.
osmunda. f. (bot. e paleon.) osmunda, osmonda.
osmundáceas. f. pl. (bot.) osmundáceas.
osmología. f. (fís.) osmologia; osmologia, tratado sobre os aromas.
osmológico, ca. osmológico.
oso. m. (zool.) urso: hacer el oso, expor-se ao ridículo, fazendo parvoíces; cortejar uma rapariga ostensìvelmente; oso blanco, urso branco; oso marino, urso marinho; oso polar, urso polar.
ososo, sa. adj. ósseo, pertencente ao osso; ossudo; ossuoso; que tem ossos.
osta. f. (mar.) aparelhos que servem para manter a caranguejha.
ostaga. f. (mar.) ostaga, cabo para içar ou arriar horizontalmente as vergas da gávea, ao longo do respectivo mastro.

¡oste! *interj.* V. ¡oxte!

ostealgia. *f.* (med.) ostealgia.

osteálgico, ca. *adj.* (med.) osteálgico.

osteína. *f.* (quím.) osteína, osseína.

osteítis. *f.* (med.) osteíte.

ostensible. *adj.* ostensível, ostensivo; patente; manifesto.

ostensión. *f.* ostensão, manifestação duma coisa; ostentação; alardeamento.

ostensivo, va. *adj.* ostensivo, ostensível; patente, manifesto.

ostentación. *f.* ostentação; jactância; vanglória; luxo; magnificência; pompa; aparato; ostentação, alarde; manifestação exibição; espalhafato; alardeamento; exibicionismo; exposição, esterioridade; luzimento; arrogância; bizarria; gala; arrotação; (fig.) estrondo: *hacer ostentación de*, fazer luxo de.

ostentador, ra. *adj.* e *s.* ostentador, que ostenta, alardeador.

ostentar. *v. tr.* e *intr.* ostentar, mostrar ou tornar patente uma coisa; alardear; exibir com aparato; garrir-se; mostrar-se com ostentação; palear; galear; luxar; luzir; bizarrear; blasonar; chibar, chibantear (no vestido).

ostentativo, va. *adj.* ostentativo, ostensivo, que faz ostentação.

ostento. *m.* prodígio, coisa milagrosa; portento.

ostentoso, sa. *adj.* ostentoso, feito, com ostententação, magnífico, brilhante; aparatoso, digno de ver-se, pomposo, luxuoso; sumptuoso; aparatoso; esplêndido; monumental; luxuoso; alabancioso; estrepitoso.

osteablasto. *m.* (anat.) osteablasto.

octeocia. *f.* (pat.) descalcificação.

osteocola. *f.* (quím.) osteocola.

osteoclasia. *f.* (cir.) osteaclasia.

osteocele. *m.* (pat.) osteocele.

osteodermo, ma. *adj.* e *m.* (zool.) osteodermo.

osteodinia. *f.* (pat.) osteodinia.

osteófago. *m.* (anat.) osteófago.

osteogénesis. *f.* (fisiol.) osteogénese.

osteogenia. *f.* (fisiol.) osteogenia.

osteolito. *m.* paleont.) osteólito, osso fossil; osso petrificado.

osteología. *f.* (anat.) osteologia.

osteológico, ca. *adj.* osteológico.

osteólogo, ga. *s.* osteólogo.

osteoma. *m.* (med.) osteoma.

osteomalacia. *f.* (med.) osteamalacia.

osteometría. *f.* osteometria.

osteométrico, ca. *adj.* osteométrico.

osteomielitis. *f.* (pat.) osteomielite.

osteonecrosis. *f.* (med.) osteonecrose.

osteopatía. *f.* (pat.) osteopatia.

osteoplastia. *f.* (cir.) osteoplastia.

osteoporosis. *f.* (vet.) osteoporose.

osteosarcoma. *m.* (pat.) osteossarcoma.

osteotomía. *f.* (cir.) osteotomia.

osteotómico, ca. *adj.* osteotómico.

osteótomo. *m.* (cir.) osteótomo.

osteoazoario, ria. *adj.* e *m.* (zool.) osteozoário.

ostia. *f.* (zool.) ostra. V. **ostra.**

ostial. *m.* boca, embocadura, foz dum porto ou canal; concha da pérola; lugar onde se pescam as pérolas.

osiario. *m.* ostiário, clérigo que tem a primeira das ordens menores.

ostíolo. *m.* (bot.) ostíolo.

ostra. *f.* (zool.) ostra: *ostra perlífera*, chipo, ostra perlífera.

ostráceo, a. *adj.* ostráceo, semelhante ou relativo à ostra.

ostracismo. *m.* ostracismo, deste(ê)rro político, deportação; (fig.) exclusão voluntária ou forçada dos cargos públicos; proscrição.

ostracita. *f.* (min.) ostracite.

ostracología. *f.* (hist. nat.) ostracologia.

ostral. *m.* ostreira. V. ostrero.

ostrera. *f.* ostreira, lugar onde se criam ostras; mulher que vende ostras.

ostrero, ra. *adj* e *s.* ostreiro, relativo às ostras; ostreira, pessoa que vende ostras.

— *m.* ostreira, lugar onde se criam e conservam ostras.

ostrícola. *adj.* ostreícola, relativo à criação e conservação de ostras.

ostricultor, ra. *s.* ostreicultor.

ostricultura. *f.* ostreicultura.

ostrífero, ra. *adj.* ostrífero, que produz ostras.

ostro. *m.* (zool.) ostro, púrpura, molusco; (fig.) púrpura, cor de púrpura.

ostro. *m.* V. **austro.**

ostrogodo, da. *adj.* e *s.* ostrogodo.

ostugo. *m.* canto. V. **rincón;** isca, bocadinho. V. **pizca.**

osudo, da. *adj.* ossudo. V. **huesudo.**

osuno, na. *adj.* ursino, próprio de urso.

otaca. *f.* (bot.) tojo.

otacústico, ca. *adj.* acústico, diz-se do aparelho que ajuda e aperfeiçoa o sentido do ouvido.

otalgia. *f.* (med.) otalgia, dor de ouvidos.

otálgico, ca. *adj.* (med.) otálgico.

otañez. *m.* (fam.) escudeiro idoso ou criado grave que acompanhava uma senhora.

otario, ria. *adj.* (fam.) (Amér.) tonto, néscio.

oteador, ra. *adj.* observador; explorador; investigador.

otear. *v. tr.* observar; explorar; esquadrinhar; investigar.

otero. *m.* outeiro, colina, eminência.

otitis. *f.* (pat.) otite.

otolito. *m.* otólito, cálculo calcário no ouvido.

otología. *f.* (med.) otologia.

otológico, ca. *adj* otológico.

otólogo, ga. *s.* otólogo, otologista.

otomana. *f.* otomana, espécie de sofá, largo e sem costas.

otomano, na. *adj.* e *s.* (geog.) otomano, turco.

otoñada. *f.* outonada, temporada de Outono; colheita que se faz nesta estação.

otoñal. *adj.* outonal, relativo ao Outono, outoniço.

otoñar. *v. tr.* outonar, passar o Outono nalguma parte. — *v. intr.* brotar a erva no Outono. — *v. r.* regarem-se as ervas com as primeiras chuvas do Outono.

otoñizo, za. *adj.* outoniço, outonal.

otoño. *m.* Outono; colheita.

otoplastia. *f.* (cir.) otoplastia.

otorgadero, ra. *adj.* outorgável, que se pode ou deve outorgar.

otorgador, ra. *adj.* e *s.* outorgador, que outorga.

otorgamiento. *m.* outorgamento, outorga, concessão, aprovação; doação; outorga, declaração em escritura pública; escritura de contrato ou de última vontade; adjudicação.

otorgante. *p. a.* e *s.* outorgante, que outorga.

otorgar. *v. tr.* outorgar; aprovar; consentir em; conceder; doar; condescender; (for.) outorgar, dispor, estabelecer, estipular ou prometer uma coisa; outorgar, permitir, dar licença; facultar, entregar: *quien calla otorga*, quem cala, consente.

otorrea. *f.* (pat.) otorreia.

otorrinolaringología. *f.* (med.) otorrinolaringologia.

otorrinolaringólogo, ga. *s.* otorrinolaringólogista.

otoscopia. *f.* (med.) otoscopia.

otoscopio. *m.* (med.) otoscópio.

ototerapia. *f.* (terap. ototerapia.

ototomía. *f.* (cir.) ototomia.

otro, otra. *adj.* outro; semelhante; novo; segundo; diverso, diferente, distinto; igual, semelhante; mais um: *esa es otra*, mais essa agora!; *otra vez*, ainda uma vez.

otrora. *adv.* outrora, antigamente.

otrosí. *adv.* outrossim, também, igualmente, bem assim, do mesmo modo. — *m.* outrossim, cada uma das petições ou pretensões que vêm depois da principal.

ova. *f.* (bot.) ulva, género de algas gelatinosas.

ovación. *f.* ovação, honras solenes romanas aos heróis; (fig.) ovação, aplauso, aclamação.

ovacionar. *v. tr.* aclamar, aplaudir, ovacionar.

ovado, da. *adj.* galado, fecundado, diz-se do ovo das aves; ovado, oval, oviforme; óveo, ovóide.

oval. *adj.* oval, do feitio de ovo, óveo.

ovalado, da. *adj.* ovado, ovóide.

ovalar. *v. tr.* ovalar, dar a forma oval.

óvalo. *m.* (geom.) oval, curva geométrica.

ovante. *adj.* ovante, triunfante, vitorioso; alegre; orgulhoso.

ovar. *v. intr.* V. **aovar.**

ovaralgia. *f.* (med.) ovaralgia.

ovárico, ca. *adj.* (bot. e zool.) ovárico, relativo a ovário, ovariano.

ovariectomía. *f.* (cir.) ovariotomia.

ovarina. *f.* (quím e terap.) ovarina.

ovario. *m.* (bot. e zool.) ovário; parte do pistilo floral; ovário, glândula sexual feminina; (arq.) moldura enfeitada com ovais.

ovariocele. *m.* (pat.) ovariocele.

ovariocentesis. *f.* (cir.) ovariocentese.

ovarioterapia. *f.* (teraup.) ovarioterapia.

ovariotomía. *f.* (cir.) ovariotomia.

ovaritis. *f.* (pat.) ovarite.

ovas. *f. pl.* ovas, ova de peixe.

oveja. *f.* (zool.) ovelha, fêmea, do carneiro; (Amér.) V. **llama** (mamífero ruminante); (fig.) ovelha, o cristão, relativamente ao seu pastor espiritual: *oveja negra*, (fig.) ovelha tinhosa.

ovejero, ra. *adj.* e *s.* ovelheiro, pastor de ovelhas; ovelheiro, cão que guarda ovelhas.

ovejuno, na. *adj.* ovelhum, pertencente ou relativo às ovelhas, ovino.

overa. *f.* (zool.) oveiro, ovário das aves.

overo, ra. *adj.* diz-se do animal de cor semelhante ao pêssego; (fig. e fam.) diz-se dos olhos inteiramente brancos.

ovetense. *adj.* e *s.* (geog.) ovetense.

óvidos. *m. pl.* (zool.) ovídeos.

oviducto. *m.* (anat.) ovidu(c)to.

ovificación. *f.* ovificação.

oviforme. *adj.* oviforme.

ovigénesis. *f.* (embriol.) ovogenia.

ovil. *m.* ovil, redil, aprisco; (germ.) cama.

ovillador, ra. *s.* aparelho para formar novelos, enoveladeira.

ovillar. *v. intr.* enovelar, fazer novelos. — *v. r.* encolher-se como um novelo.

ovillejo. *m.* novelinho; (poét.) combinação métrica de três versos octossílabos.

ovillo. *m.* nove(ê)lo de linho, seda ou lã; (fig.) coisa enredada; montão; massa confusa: *hacerse un ovillo*, fazer-se um novelo.

ovino, na. *adj.* ovino, ovelhum, diz-se do gado lanar.

ovio, via. *adj.* V. **obvio.**

oviparismo. *m.* oviparidade.

ovíparo, ra. *adj.* e *s.* (zool.) ovíparo.

ovívoro, ra. *adj.* (zool.) ovívoro.

ovogénesis. *f.* (embriol.) ovogenia.

ovogénico, ca. *adj.* ovogé(ê)nico.

ovoide. *adj.* e *m.* (geom.) ovóide, oval, de figura de ovo; ovóide.

óvolo. *m.* (arq.) óvulo, ovículo.

ovología. *f.* (embriol.) ovologia.

ovoscopia. *f.* (avicul.) ovoscopia.

ovoscopio. *m.* (avicult.) ovoscópio.

ovoso, sa. *adj.* algoso, que tem algas, ulváceo.

ovovivíparo, ra. *adj.* ovovivíparo.

ovulación. *f.* (fisiol.) ovulação, saída do ovo.

ovular. *adj.* ovular, oval.

óvulo. *m.* (anat.) óvulo.

¡ox! *interj.* xô, ou xo-xo, voz empregada para enxotar as aves domésticas.

oxácido. *m.* (quím.) oxácido.

oxalato. *m.* (quím.) oxalato.

oxálico, ca. *adj.* (quím.) oxálico.

oxálide. *f.* (bot.) oxálida, oxálide.

oxalídeo, a. *adj.* (bot.) oxalídea.—*f. pl.* oxalidáceas.

oxálido. *m.* (quím.) oxálido.

oxalme. *m.* salmoura com vinagre.

oxaluria. *f.* (pat.) oxalúria.

¡oxe! *interj.* V. **¡ox;**

oxear. *v. tr.* enxotar, espantar, afugentar as galinhas e outras aves domésticas.

ozhídrico, ca. *adj.* (quím.) oxídrico.

oxhidrilo. *m.* (quím.) oxidrilo.

oxiacanta. *f.* (bot.) espino.

oxiacetilénico, ca. *adj.* oxiacetilénico.

oxicloruro, *m.* (quím.) oxicloruro.

oxicrato. *m.* (farm.) oxicrato.

oxidable. *adj.* oxidável.

oxidación. *f.* (quím.) oxidação, oxigenação; enferrujamento.

oxidante. *p. a. adj.* e *m.* oxidante, que oxida.

oxidar. *v. tr.* oxidar, converter em óxido, combinar com o oxigénio. — *v. r.* oxidar-se; enferrujar-se, oxigenar-se.

oxidasa. *f.* (quím.) oxidase.

oxidasis. *f.* (quím.) oxidase.

óxido. *m.* (quím.) óxido.

oxidulado, da. *p. p.* e *adj.* (quím.) oxidulado.

oxidular. *v. tr.* (quím.) oxidular.

oxídulo. *m.* (quím.) oxídulo.

oxigala. *f.* oxígala.

oxigenable. *adj.* (quím.) oxigenável.

oxigenación. *f.* oxigenação; oxidação.

oxigenado, da. *p. p.* e *adj.* oxigenado, que contém oxigénio: *agua oxigenada*, água oxigenada.

oxigenar. *v. tr.* (quím.) oxigenar, combinar com oxigénio, oxidar. — *v. r.* (fig.) respirar o ar livre, arejar-se.

oxigeno. *m.* (quím.) oxigé(ê)nio.

oxigenosis. *f.* (pat.) oxigenose.

oxigonio. *adj.* (geom.) oxígono, diz-se do triângulo acutângulo.

oxihemoglobina. *f.* (quím.) oxiemoglobina.

oximel. *m.* V. ojimiel.

oximetría. *f.* (quím.) oximetria.

oximiel. V. ojimiel.

oxiopía. *f.* oxiopia.

oxipétalo. *m.* (bot.) oxipétalo, planta trepadeira do Brasil.

oxisal. *f.* (quím.) oxisal.

oxítono, na. *adj.* oxítono.

oxiuro. *m.* (ento.) oxiúro.

oxiurosis. *f.* (pat.) oxiurose.

oxizacre. *m.* xarope de romãs e açúcar; molho feito de sumo de limão, com leite, mel e açúcar.

¡oxte! *interj.* safa!, arreda!: *sin decir oxte ni moxte*, (fam.) sem dizer nem chus nem bus, sem pedir licença; sem dizer palavra.

oyente. *p. a.* e *s.* ouvinte, que ouve; ouvinte (numa aula); audiente, auditor.

ozocerita. *f.* (quím. e min.) ozocerite, pez mineral.

ozona. *f.* (quím.) ozone.

ozonización. *f.* (quím.) ozonização.

ozonizado, da. *p. p.* e *adj.* ozonizado, que contém ozone.

ozonizador, ra. *adj.* e *m.* (quím.) ozonizado; aparelho com que se produz ozone.

ozonizar. *v. tr.* (quím.) ozonizar, transformar o oxigénio em ozone; impregnar de ozone.

ozono. *m.* (quím.) ozone, ozó(ô)nio.

ozonometría. *f.* (quím.) ozonometria.

ozonométrico, ca. *adj.* (quím.) ozonométrico.

ozonómetro. *m.* ozonó(ô)metro.

ozonoscopio. *m.* (quím. e meteor.) ozonómetro.

ozoquerita. *f.* (quím. e min.) ozocerite, ozoterite.

P

P, p. *f.* décima nona letra do alfabeto espanhol e décima quinta das suas consoantes; possui som explosivo labial forte.

pabellón. *m.* pavilhão, tenda de campanha; pavilhão, barraca; pavilhão, cortinado dossel; pavilhão, bandeira, estandarte; pavilhão, cortinado sacrário; sarilho de espingardas com baionetas; pavilhão, edifício isolado que forma parte dum outro; pavilhão, símbolo marítimo duma nação; pavilhão, caramanchel; (arq.) pavilhão; (fig.) pavilhão, patrocínio, protecção: *pabellón de la oreja*, pavilhão do ouvido; *pabellón de caza*, pavilhão de caça; *pabellón del cornetín*, (mús.) pavilhão do cornetim.

pabilo ou **pábilo.** *m.* pavio, torcida, morrão de vela, parte carbonizada do pavio; mecha.

pabilón. *m.* mecha de linho que fica pendurada da roca, ao fiar.

pablar. *v. intr.* (humor.) V. **hablar;** só se usa em linguagem festiva, na frase *sin hablar ni pablar.*

Pablo. *n. pr.* Paulo: ¡*guarda Pablo!*, cuidado!; sentido!; expressão familiar para advertir algum perigo.

pábulo. *m.* pábulo, pasto, comida, alimento, sustento; (fig.) pábulo, assunto para maledicência ou escárnio; aquilo que serve de assunto ou motivo: *dar pábulo a algo*, alimentar alguma coisa.

paca. *f.* (zool.) paca, mamífero roedor da América.

paca. *f.* fardo, pacote, especialmente de lã ou de algodão em rama.

pacatería. *f.* pacacidade, pacatez.

pacato, ta. *adj.* pacato, pacífico, sossegado; bonacheirão, moderado; pacífico; tímido.

pacedero, ra. *adj.* pascigoso, que tem pastagem.

pacedura. *f.* apascentamento, pastagem do gado.

pacer. *v. intr.* pastar, pastejar, comer (o gado) a erva nos campos, pascer, apascentar. — *v. tr.* comer, roer, gastar uma coisa; dar pasto ao gado, apascentar. — *conj. irr.* como *nacer.*

paciencia. *f.* paciência, perseverança; tolerância; paciência, espera e sossego na aquisição dalgum bem; paciência, espécie de bolo composto de ovo e amêndoa, com açúcar; pachorra; constância; estoicidade; empenho; (fig.) estômago: *apurar la paciencia de alguien*, apurar a paciência a alguém; *gran paciencia*, (fig.) benedictismo.

paciente. *adj.* paciente, que sofre e tolera as adversidades; paciente, resignado, tolerante, sofredor; constante; pachorrento; aturado; perseverante. — *m.* (gram.) paciente, o que recebe a acção do agente. — *s.* paciente, enfe(ê)rmo, doente.

pacienzudo, da. *adj.* que tem muita paciência, paciente, pachorrento.

pacificación. *f.* pacificação; paz; sossego; quietação; ajustamento de paz entre dois Estados; aplacação; apaziguamento.

pacificado, da. *p. p.* e *adj.* pacificado; apaziguado; sossegado; aquietado; reconciliado.

pacificador, ra. *adj.* e *s.* pacificador, que pacifica um país; pacificador, que leva a paz aos contendores.

pacificar. *v. tr.* pacificar, restabelecer a paz; apaziguar; pacificar; reconciliar, sossegar; desamotinar; aquietar, acalmar, aplacar, abrandar. — *v. r.* pacificar-se; sossegar-se; apaziguarse-se, aplacar-se; serenar-se.

pacífico, ca. *adj.* pacífico, amigo da paz, da ordem; sossegado; quieto; pacato; desabafado; (fig.) cordeiro; acomodado; inofensivo; brando; suave; pacífico, sem oposição.

pacifismo. *m.* pacifismo.

pacifista. *adj.* e *s.* pacifista, relativo ao pacifismo partidário do pacifismo.

paco. *m.* nome que se dá ao mouro isolado que hostiliza os soldados espanhóis, disparando ocultamente.

paco. *m.* (zool.) alpaca. V. **alpaca;** (Amér.) alpaca, liga metálica de zinco e cobre.

paco. *m.* (min.) paco, óxido de ferro e prata.

pacoba. *f.* (bot.) pacoba.

pacón. *m.* árvore chamada do sabão.

pacotilla. *f.* (com.) pacotilha, porção de género que os tripulantes dum navio podem embarcar livre de frete; (deprec.) mercadorias de qualidade inferior; chapéu; *ser de pacotilla,* ser de qualidade inferior.

pacotillero, ra. *adj. e s.* o que negoceia em pacotilha. — *s.* bufarinheiro, mercador ambulante.

pactar. *v. tr.* pactuar, pactear, combinar, contratar, ajustar, assentar; pôr condições ou estipular a conclusão dum negócio; contemporizar (uma autoridade); transigir; fazer um pacto; convencionar; convir.

pacto. *m.* pacto, convenção, contrato, ajuste entre duas ou mais pessoas; contrato, constituição; aliança; convé(ê)nio, estipulação ajustamento; avença; contrato; (Bras.) pauta.

pachacho, cha. *adj.* (Amér.) diz-se da pessoa ou animal de pernas curtas.

pachocha. *f.* (Amér.) pachorra, indolência. V. **pachorra.**

pachón, na. *adj.* (zool.) diz-se do cão parecido com o perdigueiro. — *m.* homem de génio fleumático, pachorrento, pachola.

pachorra. *f.* (fam.) fleuma, indolência, pachorra; pacholice; (fam.) desleixação, descanso; despreocupação: *tener pachorra,* apachorrar-se.

pachorrudo, da. *adj.* pachorrento, madraço, fleumático, indolente; apachorrado.

pachuco, cha. *adj.* passado (demasiadamente maduro); (fig.) frouxo, desmazelado. V. **desmadejado.**

padecer. *v. tr.* padecer, sentir algum dano, dor, enfermidade, etc.; sofrer; sentir qualquer agravo, ou ofensa, etc.; ser atormentado por; estar possuída dalguma coisa desvantajosa; suportar, tolerar, sofrer; receber prejuízo dalguma coisa ou pessoa. — *conj. irr.* como *crecer.*

padecimiento. *m.* padecimento, afe(c)ção; enfermidade; dor; sofrimiento; doença: *padecimiento y muerte de Nuestro Señor Jesucristo,* Paixão.

padillo. *f.* frigideira pequena, espécie de forno para cozer pão com uma abertura central.

padrastro. *m.* padrasto, marido da mãe a respeito dos filhos tidos por ela no matrimónio anterior; padrasto, mau pai; espigo; sabugo; (germ.) delegado do ministério público.

padrazo. *m. aum.* de padre; pai muito indulgente para com os seus filhos.

padre. *m.* pai; (teol.) Pai, primeira pessoa da Santíssima Trindade; padre, religioso, sacerdote; pai, varão ou macho a respeito dos filhos; garanhão, macho reprodutor; pai, principal ascendente duma família; pai, chefe duma descendência, ou povo; pai, autor, inventor, criador; origem; antepassado; criador; (fig.) protector, benfeitor. — *pl.* pais, o pai e a mãe; pais, avoengos; progenitores; padres, todos os indivíduos duma religião ou congregação, falando em comum: *padre*

adoptivo, pai adoptivo; *padre desnaturalizado,* (fig.) padrasto; *padre espiritual,* mestre de espírito; *Padre Eterno,* Padre Eterno; *Padrenuestro,* Pai-Nosso; *Santo Padre,* Padre Santo; *padre putativo,* pai putativo; *padre del yermo,* V. **anacoreta.**

padrear. *v. intr.* parecer-se com o pai nos costumes, nas feições, etc.; padrear, procriar, reproduzir-se (diz-se dos animais); engendrar.

padrenuestro. *m.* pai-nosso, padre-nosso, oração ensinada por Jesus Cristo aos seus discípulos.

padrina. *f.* V. **madrina.**

padrinazgo. *m.* padrinhamento; acto de assistir como padrinho dum casamento, de baptismo, etc., título ou cargo de padrinho; apadrinhamento ou favor dispensado a outrem; qualidade, funções ou obrigações do padrinho.

padrino. *m.* padrinho, o que apresenta ou assiste a outrem ao receber os Sacramentos; título ou cargo de padrinho; padrinho, prote(c)tor; patrono; empenho: *contar con buenos padrinos,* estar a duas amarras; *ser padrino,* empenhar-se; *ser padrino de bautizo,* apresentar uma criança para ser baptizada.

padrón. *m.* padrão, recenseamento; padrão, marco, inscrição em pedra; padrão, coluna que lembra um facto notável; coluna comemorativa , padrão, modelo, tipo de pesos, de medidas, oficialmente adoptadas; padrão, desenho que serve de modelo: *padrón municipal,* bilhete de residência; *padrón de contribuyentes,* encabeçamento. V. **padrazo.**

paella. *f.* prato de arroz seco com carne, hortaliças, peixe, etc., típico das regiões de Valência.

¡paf! *interj.* voz onomatopeica, o ruído duma queda ou choque.

pafión. *m.* (arq.) V. **sofita.**

paga. *f.* paga, acção de pagar; retribuição, remuneração ordenada de funcionários; paga, pago; pagamento; estipêndio; paga, satisfação de culpa, delito ou erro; pela pena correspondente; paga, retribuição, recompensa: *paga anticipada,* antepaga; *capitán a media paga,* capitão entretenido.

pagable. *adj.* V. **pagadero.**

pagadero, ra. *adj.* pagável, que se deve ou pode pagar; pagadouro; pagadoiro. — *m.* prazo em que se deve pagar uma dívida, vencimento: *dinero pagadero a la vista,* dinheiro corrido.

pagado, da. *p. p. e adj.* pagado, pago; entregue; prazenteiro; aprazível; presumido vão: *pagado indebidamente,* indébito; *estar muy pagado de sí mismo,* pagar-se de si mesmo.

pagador, ra. *adj. e s.* pagador, que paga; que faz pagamentos; pagante; paguilha; pagador, tesoureiro; *mal pagador,* (Bras.) gangolino.

pagaduría. *f.* pagadoria, repartição pública onde se fazem pagamentos; contadoria.

pagam(i)ento. *m.* pagamento, paga.

paganismo. *m.* paganismo, gentilidade; politeísmo; etnicismo; infidelidade.

paganización. *f.* acção de paganizar.

paganizar. *v. tr.* paganizar, tornar pagão. — *v. intr.* tornar-se pagão, viver como pagão.

pagano, na. *adj. e s.* pagão; infiel; étnico; gentio; idólatra; (fam.) pagante, aquele que paga; contribuinte, pagador.

pagar. *v. tr.* pagar, satisfazer o que se deve; remunerar; retribuir; recompensar; remir; expiar; satisfazer direitos por artigos importados; pagar, dar satisfação por um delito, sofrer a pena merecida; pagar, corresponder ao carinho; obter com sacrifício; embolsar alguém do que lhe é devido; (pop.) explicar, desembolsar; dar. — *v. r.* afeiçoar-se; receber a paga; indemnizar-se; vingar-se; desforrar-se; franquear; *dejar de pagar*, não pagar; *pagarlas*, sofrer o própio castigo; *pagado de sí mismo*, satifeito de si mesmo; *estamos pagados*, (fam.) estamos pagos.

pagaré. *m.* (com.) letra de câmbio, cheque, assinado; obrigação de pagamento; vale.

pagaya. *f.* (mar.) pangaia, remo filipino de pá sobreposta e atada.

pagel. *m.* (ictiol.) capatão.

página. *f.* página, face duma folha dum livro ou caderno; página, o que está escrito ou impresso em cada folha; (fig.) página, episódio duma vida ou empresa, acção, período, época.

paginación. *f.* paginação.

paginador, ra. *s.* paginador, encarregado de efectuar a paginação.

paginar. *v. tr.* paginar, numerar as páginas dum livro ou folheto; (impr.) paginar.

pago. *m.* pago, entrega de dinheiro ou espécie; satisfação, recompensa; prémio; descarga, desembo(ô)lso; pagamento; prestação; extensão de terras ou herdades: *hacer pago*, (fig.) cumprir, satisfazer; *pago al contado*, dinheiro de contado; *pago anticipado*, antepaga; *pago de una obligación*, descargo; *promesa de pago*, assinado; *dar mal pago*, dar mau pago; *en pago*, em recompensa; *pendiente de pago*, não liquidado.

pago. *m.* distrito determinado de terras, especialmente de vinhas ou olivais; aldeia.

pago. *adj.* (fam.) pago, que recebeu paga, pagado.

pagoda. *f.* pagode.

pagote. *m.* (fam.) pagante, bode espiatório. V. **pagano**; (germ.) rufião jovem.

pagro. *m.* (zool.) capatão.

paico. *m.* (Amér.) V. **pazote**.

paila. *f.* caldeira de cobre, redonda e pouco funda.

pailebote. *m.* (mar.) palhabote: *patrón de pailebote*, palhaboteiro.

pailero. *m.* (Amér.) caldeireiro, fabricante de caldeiras e sertãs.

painel. *m.* painel. V. **panel**.

pairar. *v. intr.* (mar.) pairar, cruzar, bordejar a embarcação em certo local; estar ao pairo; colocar os remos de prancha na água.

pairo. *m.* (mar.) pairo, acção ou efeito de fazer pairar o navio: *navegar al pairo*, (mar.) pairar.

país. *m.* país, região, território, clima, pátria; pintura ou desenho que representa certa extensão de terreno; papel, fazenda ou pele que cobre a parte superior das varetas do leque; paisagem; (fig.) mãe; metrópole: *vivir sobre el país*, (fig.) viver à custa alheia, valendo-se de malas-artes.

paisaje. *m.* paisagem; porção de terreno; género literário ou de pintura que descreve cenas campestres.

paisajista. *adj. e s.* paisagista. V. **paisista**.

paisana. *f.* dança espanhola e sua música, própria dos campónios.

paisanaje. *m.* paisanagem, conjunto de paisanos; circunstância de serem do mesmo país duas ou mais pessoas; paisanada.

paisano, na. *adj. e s.* paisano, patrício, compatrício; campesino, habitante do campo. — *m.* paisano, indivíduo que não é militar: *vestir de paisano*, vestir à paisana.

paisista. *adj. e s.* paisagista, pintor de paisagens.

paja. *f.* palha, haste seca das gramíneas; palha, conjunto destas hastes; coisa ligeira e de pouca importância; (fig.) palha, o que é inútil; refugo: *depósito de paja*, palheira; *hombre de paja*, (fig.) fantoche; *humo de paja*, fumo de palha; *montón de paja*, palhagem; *por un quíteme allá esas pajas*, (fam.) por dá cá aquela palha; *paja para sorber líquidos*, chupete; *ver la paja en el ojo ajeno y no la viga en el propio*, (pop.) ver o argueiro nos olhos alheios e não ver a tranca nos seus.

pajada. *f.* palhada, palha misturada com farelos e com erva.

pajado, da. *adj.* palhete. V. **pajizo**.

pajar. *m.* palheiro, palhar, lugar onde se guarda a palha: *buscar una aguja en un pajar*, procurar agulha em palheiro.

pájara. *f.* fêmea do pássaro; estrela de papel, brincadeira de crianças; (fig.) mulher astuta e sagaz. — *adj.* papel quadrado que dobrado de certo modo fica em figura de pássaro: *pájara pinta*, certo jogo de prendas.

pajarear. *v. intr.* passarinhar, andar à caça de pássaros; (fig.) vadiar.

pajarel. *m.* (orni.) pardal. V. **pardillo**.

pajarera. *f.* passareira, aviário, gaiola grande para criação de pássaros.

pajarería. *f.* passarinhada, abundância de pássaros, passarada, passaredo.

pajarero, ra. *adj.* (fam.) diz-se da pessoa de génio muito jovial e prazenteiro; diz-se das telas, adornos ou pinturas, cujas cores são fortes em demasia e mal combinadas. — *m.* passarinheiro, o que caça cria ou vende pássaros.

pajaril. *m.* (mar.) cabo do punho da amura duma vela, geralmente, do traquete.

pajarilla. *f.* (bot.) aquilégia. V. **aguileña;** passarinha, baço, especialmente o do porco: *traerle a uno las pajarillas volando,* (fig. e fam.) comprazer alguém em tudo quanto lhe apetece; *alegrársele a uno las pajarillas,* tornar-se muito alegre.

pajarito. *m.* dim. de *pájaro;* passarinho, pássaro pequeno, passarito: *quedarse uno como un pajarito,* (fig. e fam.) morrer sossegadamente, morrer como um passarinho; ficar muito fraco; *me lo dijo un pajarito,* (fam.) o meu meninho adivinhou.

pájaro. *m.* (zool.) pássaro; (fig.) homem astuto e sagaz. — *adj.* o que se salienta ou sobressai (especialmente na política); exí mio nalguma matéria; *pájaro bobo,* alca; *pájaro mosca,* chupa-mel; *pájaro de cuenta,* (fam.) homem astuto e perigoso; *matar dos pájaros de un tiro,* (fam.) matar dois coelhos duma cajadada; *de cabeza a pájaros,* cabeça desmiolada, fraca; *más vale pájaro en mano que ciento volando,* (pop.) mais vale um toma-la, que dois te darei.

pajarota (da). *f.* mentira, notícia falsa, balela, invenção.

pajarraco. *m.* passarolo, pássaro grande, desconhecido; (fig. e fam.) passarão, homem astuto e dissimulado.

pajaza. *f.* retraço, restos que os cavalos deixam da palha que comem.

pajazo. *m.* nódoa ou cicatriz na córnea das cavalgaduras.

paje. *m.* pajem. mancebo que acompanhava o rei ou pessoa nobre; pajem, criado de cavaleiro; moço de convés; familiar dum prelado; móvel, espécie de toucador: *servir de paje,* apajear.

pajear. *v. intr.* comer bem (muita palha) as cavalgaduras; (fig.) comportar-se, conduzir-se.

pajecillo. *m.* lavatório, móvel pequeno onde se colocam os candeeiros.

pajel. *m.* (zool.) capatão.

pajera. *f.* grade, palheiro pequeno que há nas cavalariças.

pajería. *f.* lonja onde se vende palha.

pajero. *m.* palheireiro, vendedor ou transportador de palha.

pajil. *adj.* pertencente ou relativo aos pajens.

pajilla. *f.* cigarro enrolado em palha de milho.

pajizo, za. *adj.* palhiço, feito ou coberto de palha; colmo; palhete, da cor da palha, palheáceo.

pajón. *m.* cana alta e grossa das restevas; (Amér.) espécie de esparto fino.

pajonal. *m.* restolhal, terreno em que há restevas.

pajoso, sa. *adj.* palharesco, palhiço, que tem muita palha ou é semelhante a ela.

pajote. *m.* palhoça, esteira de palha e canas para cobrir plantas.

pajucero. *m.* estrumeira de palhiço.

pajuncio. *m.* (deprec.) V. **paje.**

pajuno, na. *adj.* pertencente ou relativo aos pajens. V. **pajil.**

pajuz, pajuzo. *m.* (prov. palha meia apodrecida; palha miuda destinada para adubo, palhinha.

pal. *m.* (herald.) peça heráldica. V. **palo.**

pala. *f.* pá; pá de forno; pala, parte superior dos sapatos; pá de remo; pá, parte larga de diversos objectos; raqueta; assento de metal para pedras preciosas; (anat.) a parte larga e plana dos dentes, mesa dentária; parte das charlateiras; cada uma das chapas das dobradiças; apanhadeira; (fig. e fam.) pala, peta, mentira, habilidade, astúcia para averiguar uma coisa; destreza ou habilidade no jogo da pelota: *meter la pala,* (fi.g. e fam.) enganar com dissimulação e habilidade; *pala de fogón,* pá do forno; *pala de remo,* pá de remo; *pala del timón,* pá do leme; *meter uno su media pala,* (fig. e fam.) intervenir na consecução dum fim; *corta pala,* (fam.) diz-se da pessoa que não conhece uma coisa.

palabra. *f.* palavra, som articulado; palavra, certeza, firmeza no cumprimento duma promessa; vocábulo, te(ê)rmo, fala, promessa verbal, permissão de falar; expressão; (teol.) verbo, palabra, promessa; oferecimento; fé; (mil.) contra-senha; elocução; afirmação. — *pl.* palavras, palavras mágicas usadas pelos bruxos e feiticeiros; ¡palavra!: *palabra divina,* palavra divina; *palabra de Dios,* palavra de Deus; *dos palabras,* uma palavra; *tener unas palabras con alguien,* discutir com alguém; *quitar a alguien las palabras de la boca,* (fig. e fam.) interromper a quem fala; *dar palabra de hacer una cosa,* prometer fazer uma coisa; *vender palabras,* (fig.) enganar, dizer boas palavras a alguém; *venir uno contra su palabra,* (fig.) faltar à palavra; *coger la palabra,* (fig.) tomar a palavra, começar a falar; *decir palabras vanas,* (fig.) falar ao ar; *palabras de gratitud,* palavras agradecidas; *hacer tragar a alguien sus propias palabras al cuerpo,* (fam.) fazer tornar a fala ao bucho de alguém; *palabras necias,* estultilóquio; *palabras prudentes y sensatas,* palavras bem assentadas; *palabras tristes,* acentos tristes; *juego de palabras,* jogo de palavras, equívoco; *palabras cruzadas,* palavras cruzadas.

palabrada. *f.* palavrada, palavrão. V. **palabrota.**

palabreo. *m.* palavreado, acção de falar muito e em vão; palavrório.

palabrería. *f.* palavrório, palanfrório, palavreado, paleio; falada, arenga, farola; franjeado; declamação; (fig.) berça.

palabrero, ra. *adj.* e *s.* palavreiro, palavroso, que fala muito; loquaz, verboso, palreiro, palavreado, falador, frasista, fraseador, fraldoso, palavroso, que promete muito e nada cumpre.

palabrimujer. *adj.* e *m.* diz-se do homem que tem voz afeminada.

palabrista. *adj.* e *s.* palavreiro. V. **palabrero.**

palabrita. *f.* palavrinha, palavra que leva segundo sentido: *palabritas mansas*, (fig. e fam.) diz-se da pessoa que fala com muita suavidade e segunda intenção.

palabrón, na. *adj.* palavreiro. V. palabrero.

palabrota. *f.* palavrão, palavra grosseira, indecente ou ofensiva, palavrada, imprecação, blasfé(ê)mia.

palacete. *m.* palacete.

palaciano, na. *adj.* palaciano, palacego. V. palaciego. — *m.* (prov.) dono dum palácio.

palaciego, ga. *adj.* e *s.* palaciano, relativo a palácio; diz-se do que assiste ou serve no palácio; (fig.) palaciano, cortesão; paceiro; áulico, palatino.

palacio. *m.* palácio, residência real; palácio, solar de família nobre; palácio, edifício sumptuoso; paço; alcáçar.

palacra. *f.* pepita de ouro.

palacrana. *f.* V. palacra.

palada. *f.* pàzada, porção que a pá apanha duma vez; pancada com a pá do remo, remada.

paladar. *m.* paladar, céu da boca; palato; (fig.) sabor, go(ô)sto, sensibilidade, sentido do gosto; desejo: *no tener paladar*, não ter paladar.

paladear. *v. tr.* saborear, tomar a pouco e pouco o gosto duma coisa, degustar. — *v. r.* (fig.) afeiçoar-se a uma coisa, tirar o desejo dela por outra; ir-se acostumando a alguma coisa. — *v. intr.* fazer a criança movimentos com a boca, indicando querer mamar; lavar a boca aos animais para provocar-lhe o apetite.

paladeo. *m.* degustação; movimento dos lábios da criança que quer mamar.

paladial. *adj.* palatal, palatinal, relativo ao paladar.

paladín. *m.* paladim, paladino, cavaleiro de Carlos Magno; paladino, cavaleiro andante; (fig.) paladino, homem intrépido e cavalheiresco; paladino, defensor dedicado.

paladino, na. *adj.* público, claro, evidente, notório, patente, comum. — *m.* V. paladín.

paladio. *m.* (min.) paládio; protecção.

paladión. *m.* (fig.) paládio, garantia, salvaguarda; objecto que se acredita seja a defesa ou segurança duma coisa.

palado, da. *adj.* (herald.) partido em pala, carregado de palas.

palafito. *m.* palafita, construção lacustre sobre estacaria.

palafrén. *m.* palafrém.

palafrenero. *m.* palafreneiro, moço que trata do palafrém ou o acompanha: *palafrenero mayor*, palafreneiro-mor.

palahierro. *m.* guilho, ferro metido na parte mais baixa do moinho, empregado como apoio ao eixo da mó.

palamallo. *m.* palamalho, espécie de jogo de bolas.

palamenta. *f.* (mar.) palamenta, conjunto dos remos duma embarcação.

palanca. *f.* (mec.) alavanca, barra inflexível; pau comprido de que se servem os carregadores para levarem um grande peso; (fort.) palanca, estacaria coberta de terra; (fig.) influência, valimento, recomendação.

palancada. *f.* pancada dada com alavanca ou barra.

palancana. *f.* V. palangana.

palangana. *f.* bacia. V. jofaina. — *m.* (Amér.) fátuo, presunçoso.

palanganero. *m.* lavatório, móvel onde se coloca a bacia.

palangre. *m.* palangre, aparelho de pesca para sítios muito fundos, onde não se podem empregar redes.

palangrero. *m.* barco de pesca com palangre; pescador que usa este aparelho.

palanquera. *f.* estacada, paliçada, tranqueira.

palanqueta. *f.* dim. de *palanca*; alavanca pequena, palanqueta, barra de ferro que se empregava como projéctil nos combates navais; (Amér.) doce de milho torrado com sumo de cana de açúcar.

palanquilla. *f.* ferro de secção quadrada.

palanquín. *m.* palanquim, liteira usada no Oriente; moço de fretes, mariola, carregador; (germ.) ladrão; (mar.) cordas empregadas para recolher as velas.

Palas. *m.* (astr.) Palas, nome dum planeta.

palasan. *m.* (bot.) rota. V. rota.

palastro. *m.* espelho de fechadura; ferro ou aço laminado; chapa de ferro fundido.

palatal. *adj.* palatal. V. paladial.

palatina. *f.* palatina, peliça de senhora.

palatinado. *m.* palatinado, dignidade ou título dos príncipes palatinos da Alemanha; palatinado, território deste príncipe.

palatino, na. *adj.* (anat.) palatino, pertencente ou relativo ao paladar; diz-se do osso que forma a abóbada palatina; pertencente ou relativo aos palácios.

palatitis. *f.* (pat.) palatite.

palatizar. *v. r.* palatalizar, palatizar, tornar palatal; dar som palatal a uma consoante.

palatoplastia. *f.* (cir.) palatoplastia.

palay. *m.* arroz com casca.

palazo. *m.* pàzada, golpe dado com a pá.

palazón. *m.* madeiramento, conjunto de madeiras duma construção.

palco. *m.* camarote de teatro; palco, estrado para o público: *palco de platea*, frisa; camarote ao nivel da plateia; *palco escénico*, (teatr.) cena.

paleador. *m.* padejador, o que trabalha com a pá ou se serve desta.

palear. *v. tr.* aventar o grão. V. apalear.

palenque. *m.* estacada, paliçada ou trincheira defensiva; terreno cercado de estacada; (teatr.) passo à cena.

palentino, na. *adj.* e *s.* (geog.) palentino, natural de Palência.

paleoetnología. *f.* paleoetnologia.

paleofitografía. *f.* (bot.) paleofitografía.

paleofitología. *f.* (hist. nat.) paleofitologia.

paleografía. *f.* paleografia.

paleográfico, ca. *adj.* paleográfico.

paleógrafo. *m.* paleógrafo.

paleolítico, ca. *adj.* e *s.* (geol.) paleolítico.

paleología. *f.* paleologia.

paleólogo, ga. *adj.* e *s.* paleólogo.
paleontografia. *f.* paleontografia.
paleontográfico, ca. *adj.* paleontográfico.
paleontología. *f.* paleontologia.
paleontológico, ca. *adj.* paleontológico.
paleontólogo, ga. *s.* paleontólogo, paleontologista.
paleoterio. *m.* paleotério.
paleozoico, ca. *adj.* (geol.) peleozóico.
paleozoología. *f.* paleozoologia.
palera. *f.* (bot.) (prov.) nopal.
palería. *f.* drainagem, drenagem, saneamento dos terrenos encharcados.
palermitano, na. *adj.* e *s.* (geog.) V. **panomitano.**
palero. *m.* fabricante ou vendedor de pás; o que trabalha com pá; (mil.) soldado que trabalhava como sapador.
Palestina. (geog.) Palestina.
palestino, na. *adj.* e *s.* (geog.) palestino.
palestra. *f.* palestra, lugar público onde se luta; (poét.) palestra, luta; lugar onde se celebram exercícios literários.
paléstrico ca. *adj.* peléstrico.
palestrita. *m.* palestrita, lutador, o que se exercita na palestra.
paleta. *f.* pàzinha, pá pequena; (pint.) paleta, palhe(ê)ta de pintor; colherão para repartir comida; pá com que se mexe o lume; trolha, colher de pedreiro; (anat.) pá omoplata, pádua; pá de roda hidraúlica; pá de ventilador e moinho de vento.
paletada. *f.* chapada, pàzada, o que se pode pegar duma vez com a pá; colherada; paletada, pancada com uma paleta; trabalho de trolha.
paletazo. *m.* cornada de touro. V. **varetazo.**
paletear. *v.* *intr.* (mar.) remar mal, metendo e tirando os remos sem resultado.
paleteo. *m.* acção de remar mal.
paletilla. *f.* (anat.) omoplata, espinhela, apêndice, xifóide; palmatória, espécie de castiçal: *poner a uno la paletilla en su lugar*, (fam.) repreender com severidade.
paleto. *m.* (zool.) gamo. V. **gamo;** (fam.) aldeão; homem grosseiro.
paletó. *m.* paletó; sobretudo.
paletón. *m.* palhetão, parte da chave que impele a lingueta da fechadura.
palia. *f.* (rel.) pala, cartão com que o sacerdote cobre o cálice; corporal, pano de linho sobre que se coloca o cálice e a hóstia no altar; pavilhão, cortina que se põe diante do sacrário.
paliación. *f.* paliação, mitigação, atenuação.
paliar. *v.* *tr.* paliar, encobrir com falsa aparência, dissimular, coonestar; paliar, mitigar, atenuar.
paliativo, va. *adj.* paliativo. — *m.* (med.) paliativo, remédio para mitigar o sofrimento.
paliatorio, ria. *adj.* capaz de paliar, paliativo, que coonesta ou dissimula alguma coisa.
palidecer. *v.* *intr.* empalidecer, tornar-se pálido, cambiar de cor; (fig.) perder importância ou esplendor; desmaiar, deslavar; perder a cor, descorar; embaciar: *pali-*

decer de miedo, enfiar de medo. — *conj.* irr. como *crecer.*
palidez. *f.* palidez; descoramento; (poét.) palor; (bot.) estiolação; (fig.) enfiamento; macilência; amarelidão; desbotadura; descoramento; desmaio.
pálido, da. *adj.* pálido, amarelento, descorado; desmaiado; amarelo; descorado; lúrido; empalmado, embaçado; desbotado; descolorido; (fig.) desanimado, falto de expressão (diz-se geralmente falando de obras literárias).
paliducho, cha. *adj.* descorado, enfiado, um pouco pálido.
palilogía. *f.* (ret.) palilogia.
palillero, ra. *s.* paliteiro, fabricante ou vendedor de palitos. — *m.* estojo onde se colocam palitos.
palillo. *m.* pauzinho (porta-agulhas), palito de esgravatar os dentes; baqueta de tambor; veia grossa de folha do tabaco; bilro para fazer renda ou cordões. — *pl.* palitos que empregam os escultores para modelar; (prov.) castanholas; rudimentos, primeiros princípios; pauzinhos do jogo de bilhar e de outros jogos; (fig.) conversação que se faz depois de comer: *no toque ese palillo,* (fam.) não toque nessa corda; *tocar todos los palillos,* (fam.) empregar todos os meios para determinado fim.
palimpsesto. *m.* palimpsesto.
palindromia. *f.* (pat.) palindromia.
palingenesia. *f.* palingenesia, regeração, renascimento dos seres.
palingenésico, ca. *adj.* palingenésico.
palinodia. *f.* palinódia, retratação pública do que se havia dito: *cantar la palinodia,* fazer a retratação pública, reconhecer um erro próprio.
palinódico, ca. *adj.* palinódico.
palinodista. *s.* palinodista; (prop.) vira-casacas.
palinología. *f.* (bot.) palinologia.
paliduro. *m.* paliduro; piloto.
palio. *m.* pálio, manto grego adoptado pelos Romanos; capa, balandrão; pálio, faixa branca com cruzes negras, usada pelos altos dignatários da Igreja; pálio, sobrecéu portátil empregado nas procissões ou cortejos para cobrir a pessoa que se festeja ou o sacerdote que leva o Santo Sacramento; dosel: *recibir bajo palio,* receber com pálio; *palio del Cáliz,* (liturg.) pala.
palique. *m.* (fam.) cavaco, conversa de pouca importância; paleio.
paliquear. *v.* *intr.* cavaquear, conversar familiarmente, sem assunto determinado.
palisandro. *m.* (bot.) madeira de goiabeira, própria para marcenaria.
palitoque. *m.* V. **palitroque.**
palitroque. *m.* pauzinho tosco e mal formado. V. **banderilla.**
paliza. *f.* sova, pancadaria dada com pau; desanda, apaleadura, maçadura, aquecedela; estoirada, estirão, coça; coçadura; (fig. e fam.) discusão em que se fica

confundido: *dar una paliza,* abordoar, desancar, maçar com pau;

palizada. *f.* paliçada, lugar cercado de estacas; paliçada, defesa com estacaria e com terra para impedir o transbordamento dos rios; barda; (herald.) conjunto de peças em forma de faixa; (fort.) V. **empalizada.**

palizón. *m.* (pop.) coçadela, grande sova, pancada de criar bicho.

palma. *f.* palma, folha de palmeira; palma, insígnia do triunfo e da victória; palma, insígnia da virgindade; palma, triunfo; palma, parte interior da mão; tamareira; palmito (planta); (fig.) palma, fama, glória, celebridade; (vet.) parte do casco do cavalo desde o sabugo até ao calcanhar. — *pl.* aplausos, palmas: bater palmas, (gal.) aplaudir.

palmada. *f.* palmada, pancada com a palma da mão; palmas, ruído que se faz batendo as mãos: *dar palmadas,* bater palmas.

palmadilla. *f.* espécie de bailado espanhol.

palmado, da. *adj.* espalmado. V. **palmeado.**

palmar. *adj.* palmar, referente à palmeira ou palma; palmar, relativo à palma dos cascos dos animais; palmar, que consta dum palmo; (fig.) claro, patente, evidente. — *m.* palmar, palmeiral: *más viejo que un palmar,* muito velho.

palmar. *v. intr.* (pop.) morrer, expirar. — *v. tr.* (germ.) dar por força uma coisa.

palmario, ria. *adj.* evidente, claro, patente, manifesto, inegável, convincente.

palmatífido, da. *adj.* (not.) palmatífido.

palmatipartido, da. *adj.* (bot.) palmatipartido.

palmatisecto, ta. *adj.* (bot.) palmatisecto.

palmatoria. *f.* palmatória, castiçal com asas: palmatória, férula, espécie de castigo nas escolas.

palmeado, da. *p. p.* e *adj.* espalmado; (zool.) palmípede, que tem membranas entre os dedos.

palmear. *v. intr.* aplaudir, bater as palmas; encomiar; (germ.) açoitar; (mar.) palmear.

palmejar. *m.* (mar.) palmejar, prancha que reveste interiormente o arcaboiço do navio.

palmenta. *f.* (germ.) carta mensageira.

palmentero. *m.* (germ.) carteiro, correio.

palmeo. *m.* medição por palmos.

palmera. *f.* (bot.) palmeira, tamareira; macombeira, aricori. V. **palma.**

palmero. *m.* palmeiro, romeiro, peregrino de Terra Santa que trazia conchas, em sinal da sua peregrinação; palmeiro, aquele que trata de palmeiras.

palmeta. *f.* palmatória, instrumento de castigo nas escolas; (pop.) milagrosa; férula: *castigar con la palmeta,* dar as mãos à palmatória; *ganar la palmeta,* (fig.) fazer uma coisa antes que outrem.

palmetazo. *m.* palmatoada; (fig.) correcção feita sem cortesia: *dar palmetazos,* dar com a palmatória.

palmífero, ra. *adj.* (poét.) palmífero, abundante em palmeiras.

palmilobulado, da. *adj.* (bot.) palmilobado.

palmilla. *f.* palmilha dos sapatos; espécie de fazenda azul.

palmilla. *f.* espécie de pano que se fabricava em Cuenca.

palmina. *f.* (quím.) palmina.

palminervado, da. *adj.* (bot.) palmatinérveo.

palmipartido, da. *adj.* (bot.) palmipartido.

palmípedo, da. *adj.* (zool.) palmípede. — *f. p.* palmípedes.

palmiste. *m.* (bot.) palmiste.

palmita. *f.* dim. de *palma: llevar, recibir o traer a uno en palmitas,* (fam.) trazer nas palmitas, tratar com muito cuidado ou amor.

palmitato. *m.* (quím.) palmitato.

palmitera. *f.* (prov.) V. **palmito.**

palmítico, ca. *adj.* (quím.) etálico, palmítico.

palmitieso, sa. *adj.* palmiteso, diz-se das cavalgaduras que têm os cascos planos ou convexos.

palmitina. *f.* (quim.) palmitina.

palmito. *m.* (bot.) palmeira anã; palmito, miolo de palmeira: *como un palmito,* (fam.)vestido com limpeza.

palmito. *m.* (fig. e fam.) palminho de cara, rosto de mulher.

palmo. *m.* palmo, medida de comprimento, equivalente a uns 21 centímetros; jogo de rapazes: *tener medido a palmos,* (fig.) conhecer a palmos, ter conhecimento prático dum terreno ou lugar.

palmotear. *v. intr.* aplaudir. V. **palmear.**

palmoteo. *m.* acção de bater palmas, aplauso.

palo. *m.* pau, bordão, cajado; pau, todo a espécie de madeira; enxerto; pau, árvore, mastro do navio; pau, paulada; cacetada; haste; pedúnculo; paus, naipe, haste, perna duma letra; pau, madeira de algumas árvores de Índia; suplício do empalamento; (fig.) dano, prejuízo; espécie de lance no jogo do bilhar; lenho, acha (fig. pop.) pau, pessoa alta e magra. — *pl.* V. **palillos;** pauladas, cacetadas: *de palo,* de pau; *dar con un palo,* dar com um pau; *palo santo,* pau-santo ou das Antilhas; *palo del Brasil,* pau-do-Brasil; *palo de agua,* pau-d'água; *palo de jabón,* pau-sabão; *palo dulce,* pau-doce; *cada palo aguanta su vela,* (fig.) expressão empregada para indicar que cada um deve cuidar de si mesmo; *no se dan palos de balde,* (fig. e fam.) expressão para exprimir que as coisas não se conseguem sem interesse.

paloduz. *m.* (bot.) alcaçuz, regoliz.

paloma. *f.* (zool.) pomba; (fig.) pessoa de génio meigo e dócil; (mar.) paloma, cabo que rodeia a verga pelo meio; carneiros, carneirada; ondas encapeladas e espumosas; (astr.) constelação austral; (germ.) lençol de cama: *afición a las palomas,* columbofilia; *paloma torcaz,* pomba torcaz; *paloma buchona,* diz-se da pomba que enche o papo até parecer mais volumoso que o resto do corpo; *paloma mensajera,* pomba mensageira; *paloma moñuda*, pomba topetuda.

palomadura. *f.* (mar.) palomadura.

palomar. *m.* pombal, lugar onde se recolhem e criam pombos.

palomariego, ga. *adj.* diz-se da pomba criada no pombal.

palomear. *v. intr.* andar à caça de pombos; ocupar-se muito tempo na criação de pombos.

palomera. *f.* pombalinho, pombal pequeno, ermo de pouca extensão; (prov.) casinhola para pombas.

palomería. *f.* caça das pombas de arribação.

palomero, ra. *s.* pombeiro, o que trata da criação e venda de pombos; aquele que é afeiçoado à criação de pombos.

palometa. *f.* (ictiol.) palombeta.

palomilla. *f.* espécie de mariposa nocturna que habita nos celeiros; qualquer borboleta pequena; dorso, espinhaço, parte anterior da garupa das cavalgaduras; cavalo branco; ninfa; insecto; ovado das albardas e selas para que não assentem no espinhaço dos animais; (bot.) fumária; chumaceira; peça de máquina; armação triangular que serve de apoio no muro. — *pl.* carneirada, ondas encapeladas ou espumosas.

palomina. *f.* excremento dos pombos; (bot.) fumária.

palomino. *m.* (zool.) borracho, pombo novo que ainda não voa; filho de pombo do mato; (fam.) nódoa de excremento na parte posterior da camisa.

palomita. *f.* milho torrado.

palomo. *m.* pombo, macho da pomba; (fig.) propagandista; (germ.) homem néscio ou simplório.

palón. *m.* (herald.) pendão, espécie de bandeira.

palor. *m.* V. **palidez.**

palotada. *f.* paulada, pancada dada com pau: *no dar palotada,* (fam.) não acertar.

palote. *m.* pauzinho, pau de tamanho médio; riscos que se fazem para aprender a escrever.

paloteado, da. *p. p. p.* de *palotear.* — *m.* certa dança com paulitos; (fam.) contenda, rixa violenta com pancadas.

palotear. *v. intr.* bater com os paus ou paulitos, fazendo barulho; (fig.) falar muito e discutir sobre uma coisa.

paloteo. *m.* V. **paloteado.**

palpabilidad. *f.* palpabilidade, evidência.

palpable. *adj.* palpável, manifesto, patente, evidente, claro; palpável, que pode tocar-se com as mãos.

palpación. *f.* (med.) palpação, método exploratório aplicando os dedos.

palpadura. *f.* V. **palpamiento.**

palpamiento. *m.* palpação, acto de palpar; apalpamento; apalpadela; apalpação; (fig.) conhecimento duma coisa tão bem como se lhe tocasse.

palpar. *v. tr.* palpar, apalpar, tocar com as mãos uma coisa, andar às apalpadelas; (fig.) conhecer bem uma coisa, tão clara-

mente como se lhe tocasse; andar às escuras empregando as mãos para não tropeçar; (med.) palpar.

pálpebra. *f.* (anat.) pálpebra. V. **párpado.**

palpebrado, da. *adj.* (zool.) palpebrado.

palpebral. *adj.* (anat.) palpebral.

palpitación. *f.* palpitação; batedura; arfada, arfadura; (med.) palpitação, latejo do coração, fré(ê)mito.

palpitar. *v. tr.* palpitar, bater, latejar, contrair-se e dilatar-se o coração, arfar; (fig.) manifestar com veemência uma afeição.

palpo. *m.* (zool.) palpo, cada um dos apêndices articulados dos artrópodes, em redor da boca.

palta. *f.* (bot.) abacate. V. **aguacate.**

palto. *m.* (bot.) abacateiro, abacate. V. **aguacate.**

paludamento. *m.* paludamento, manto branco ou de púrpura usada pelos antigos romanos.

palúdico, ca. *adj.* palustre, pertencente ao pântano, paludoso, palúdico; diz-se da febre palúdica; paludial, malárica.

paludismo. *m.* (pat.) paludismo, impaludismo, malária.

paludoso, sa. *adj.* paludoso, pertencente ao pântano, patanoso, alagoso.

palumbario. *adj.* (zool.) diz-se do falcão ou açor, empregado na caça dos pombos.

palurdo, da. *adj.* palúrdio, pacóvio; estúpido, palerma, simplório, inculto; diz-se da gente do campo ou das aldeias.

palustre. *adj.* palustre; paludial. — *m.* pá de trolha.

palla. *f.* (Amér.) V. **paya.**

pallaco. *m.* (Amér.) pedaço de mineral de boa qualidade, que se costuma encontrar entre os restos da entrada duma mina abandonada.

pallador. *m.* (Amér.) cantor popular ambulante.

pallaquear. *v. tr.* (Amér.) V. **pallar.**

pallar. *v. tr.* (Amér.) escolher a parte metálica ou mais rica dos minerais.

pallete. *m.* (mar.) tecido feito com cordões de cabo empregado para defesa da obra externa.

pallón. *m.* ensaio de ouro misturado com prata.

pamela. *f.* espécie de chapéu de palha, de abas largas, usado pelas mulheres.

pamema. *f.* (pop.) bagatela, frioleira, futilidade, ninharia; pampanada.

pampa. *f.* pampa, grande extensão sem arvoredo da América do Sul.

pámpana. *f.* (bot.) parra, folha de videira: *zurrar la pámpana,* bater, açoitar, castigar.

pampanada. *f.* fruto que se extrai dos pâmpanos.

pampanaje. *m.* abundância de pâmpanos; (fig.) coisa inútil. V. **hojarasca.**

pampaniforme. *adj.* que tem forma de pâmpano.

pampanilla. *f.* V. **taparrabo.**

pámpano. *m.* (bot.) pâmpano, ramo tenro da videira, sarmento; (ictiol.) V. **salpa.**

pampanoso, sa. *adj.* pampanoso, que tem pâmpanos.

pampeano, na. *adj.* (Amér.) relativo às pampas, pampeiros.

pampear. *v. intr.* (Amér.) percorrer as pampas.

pampero, ra. *adj.* e *s.* pampeiro, relativo às pampas; diz-se do vento procedente das pampas; habitante das pampas.

pampirolada. *f.* molho de água, pão e alhos; (fig.) necedade, bagatela; (fig.) pachuchada, despropósito.

pamplemusa. *f.* (bot.) nome duma planta rutácea, semelhante com o limoeiro.

pamplina. *f.* (bot.) nome dalgumas variedades de plantas; alsine; lentilha-d'água, planta aquática; orelha de rato (planta); (fig. e fam.) frioleira, melindre, despropósito, coisa fútil.

pamplinada. *f.* dito ou coisa fútil. V. **pamplina.**

pamplinero, ra. *adj.* néscio, que diz despropósitos ou futilidades, melindroso.

pamplinoso, sa. *adj.* néscio, que diz despropósitos ou futilidades, melindroso.

pamplonés, sa. *adj.* e *s.* (geog.) pamplonês.

pampón. *m.* (Amér.) curral grande.

pamposado, da. *adj.* preguiçoso, vadio, indolente, mole, desidioso.

pampringada. *f.* fatia de pão, untada com gordura. V. **pringada;** (fig. e fam.) frioleira, coisa sem importância ou fora de propósito.

pamue. *adj.* e *s.* (geog.) diz-se do indígena da Guiné Espanhola.

pan. *m.* pão, alimento feito de farinha amassada e cozida; massa qualquer, ainda que não seja comestível, como de sabão, cera, sebo, etc.; massas para pastéis ou bolos; pão, sustento diário; trigo; hóstias; obreias; e outras coisas semelhantes; folha de ouro ou prata: *pan crudo*, maçaroco; *pan desmenuzado*, migas; *hacer pan*, padejar; *pan con manteca*, pão barrado de manteiga; *pedacito de pan*, belisção; *ganar el pan con el sudor de la frente*, ganhar o pão com o suor do seu rosto; *coger uno el pan bajo el sobaco*, (fam.) ganhar a vontade de alguém; *comer uno el pan de los niños*, (fig.) ser muito velho; *comer pan con corteza*, (fam.) diz-se da pessoa velha que vive sem ajuda alheia; *ser una cosa pan y miel*, (fig.) ser uma coisa muito boa e agradável; *valerle a uno un pan por ciento*, (fig. e fam.) obter considerável vantagem quando se faz alguma coisa.

pana. *f.* bombazina, tecido de algodão a imitar veludo.

pánece. *f.* (bot.) planta herbácea usada em medicina.

panacea. *f.* panacé(é)ia, medicamento ao qual se atribui eficácia para curar todas as doenças; elixir; *panacea universal*, panaceia universal.

panadear. *v. tr.* padejar, fazer pão para venda.

panadeo. *m.* padejo, acto de fazer pão para venda.

panadería. *f.* padaria, lugar onde se vende ou fabrica o pão; mister de padeiro, padejo.

panadero, ra. *s.* padeiro, fabricante ou vendedor de pão; padeira, mulher do padeiro. — *m. pl.* antigo baile espanhol, espécie de sapateado: *oficio de panadero*, padaria.

panadizo. *m.* (med.) panarício, panariz, inflamação flegmonosa na extremidade dos dedos; achacadiço, pessoa muito pálida e continuamente doente; pessoa macilenta.

panado, da. *adj.* panado, diz-se do líquido no qual se deita pão torrado para substituir caldos; coberto de pão ralado.

panal. *m.* panal, favo de mel; V. **azucarillo.**

panamá. *m.* panamá, chapéu de palha feito de fibras de pita.

Panamá. (geog.) Panamá.

panameño, ña. *adj.* e *s.* (geog.) panamense, natural do ou pertencente a Panamá.

panamericanismo. *m.* pan-americanismo.

panamericanista. *adj.* e *s.* pan-americanista.

panamericano, na. *adj.* pan-americano.

panarizo. *m.* V. **panadizo.**

panarra. *m.* (fam.) mentecapto, fraco do espírito.

panatela. *f.* espécie de biscoito comprido e fino.

panateneas. *f. pl.* panateneias, festas que se celebravam em Atenas em honra dos deuses Minerva e Ateneia.

panática. *f.* (mar.) provisão de pão nos barcos; espécie de barco nas ilhas Filipinas.

panatier. *m.* V. **panetero.**

panca. *f.* (Amér.) V. **perfolla.**

pancarpia. *f.* (bot.) pancarpia, coroa feita de diversas flores.

pancarta. *f.* pergaminho em que estão copiados alguns documentos; pancarta.

pancellar. *m.* V. **pancera.**

pancista. *adj.* e *s.* (pol. fam.) barriguista; homem de várias cores políticas; egoísta político que sòmente cuida dos seus próprios interesses, barriguista.

pancilla. *f.* diz-se da letra dos livros de coro.

panclastita. *f.* panclastite, explosivo muito violento.

pancraciasta. *m.* atleta que se dedicava aos exercícios do pancrácio.

pancracio. *m.* antigo combate grego.

pancrático, ca. *adj.* V. **pancreático.**

páncreas. *m.* (anat.) pâncreas, glândula situada na cavidade abdominal.

pancreatalgia. *f.* (pat.) pancreatalgia.

pancreático, ca. *adj.* pancreático.

pancreatina. *f.* (quím.) pancreatina.

pancreatitis. *f.* (pat.) pancreatite.

pancreatectomía. *f.* (cir.) pancreatectomia.

pancromático, ca. *adj.* (fot.) pancromático.

pancho. *m.* (ictiol.) cria do besugo; bandulho.

pancho. *m.* (fam.) pança.

panda. *f.* cada uma das galerias dum claustro.

pandán. *m.* galicismo por *parejo, correspondiente*.

pandáneo, a. *adj.* (bot.) pandânea. — *f. pl.* pandâneas.

pandantif. *m.* (gal.) V. **pinjante.**

pandar. *v. tr.* batotear ao jogo.

pandear. *v. intr.* pandear, empenar-se, arquear-se pelo meio, diz-se das paredes, vigas, etc.; pandear, tornar pando; enfunar, inchar.

pandectas. *f. pl.* pandectas, compilação das leis e decisões dos antigos juristas romanos, feita por Justiniano; Digesto.

pandemia. *f.* (med.) doença epidémica.

pandemonium. *m.* pandemó(ô)nio, capital imaginária do reino infernal (fig. e fam.) pandemónio, lugar em que há muito barulho e confusão; tumulto.

pandeo. *m.* empenamento, arqueamento, inclinação, torcedura, curvatura dalguma coisa.

pandera. *f.* V. **pandero.**

panderada. *f.* conjunto de muitos pandeiros; (fig. e fam.) necedade, despropósito.

panderazo. *m.* pancada dada com o pandeiro.

pandereta. *f.* pandeireta, pandeiro pequeno.

panderetazo. *m.* pancada dada com a pandeireta.

panderete. *m.* pandeirinho, pandeiro pequeno, pandeireta; variedade de ladrilho empregado na construção dos tabiques.

panderete. *m.* (germ.) batota, trapaça ao jogo de cartas.

panderetear. *v. intr.* tocar o pandeiro, bailar ao som do pandeiro.

pandereteo. *m.* acção de tocar o pandeiro.

panderetero, ra. *s.* pandeireiro, fabricante, vendedor ou tocador de pandeiros.

pandero. *m.* pandeiro, pequeno tambor munido de guizos ou de soalhas; adufa; (fig. e fam.) pessoa néscia, que fala muito, com pouco siso.

pandiculación. *f.* pandiculação, espreguiçamento. V. **desperezo.**

pandilla. *f.* liga, união; pandilha, conluio para enganar outrem; fa(c)ção; partido; (fig.) âmbito; coorte; grupo de pessoas que vão divertir-se para o campo: *ir en pandilla*, ir de assuada.

pandillaje. *m.* quadrilha, predomínio duma pandilha para fins ilícitos.

pandillero. *m.* pandilha, pandilheiro, gatuno, trapaceiro.

pandillista. *m.* pandilha, pandilheiro, gatuno, trapaceiro.

pando, da. *adj.* arqueado, pando; diz-se do que se move lentamente; (fig.) pausado, vagaroso, pando, pachorrento. — *m.* terreno plano entre duas montanhas.

Pandora. *f.* (mit.) Pandora: *caja de Pandora*, boceta de Pandora.

pandorga. *f.* pandorga, pandorca, papagaio de papel com que se divertem as crian-

ças; antigo jogo de crianças; (fig. e fam.) pandorga, pandorca, mulher obesa e pesada; (prov.) V. **zambomba.**

panduriforme. *adj.* (bot.) panduriforme.

pane. *f.* (gal.) V. **parada** o **detención** (no maquinismo dum automóvel).

panecillo. *m.* pãozinho, molete, pão pequeno; o que tem forma dum pão pequeno; micha, pão mole.

panegírico, ca. *adj.* panegírico, laudatório, elogioso, encomiástico. — *m.* panegírico, elogio, discurso laudatório, gabação, louvor.

panegirista. *s.* panegirista, orador que pronuncia o panegírico; (fig.) panegirista, encomiador, encomiasta, louvador, o que elogia.

panegirizar. *v. tr.* panegiricar, fazer o panegírico de, encomiar, elogiar.

panel. *m.* painel, almofada de portas, janelas, paredes, etc.; almofadinha; (mar.) cada uma das tábuas que formam o soalho das embarcações: *panel de popa*, painel de popa.

panela. *f.* biscoito de forma prismática.

panenteísmo. *m.* (filos.) crausismo.

panera. *f.* celeiro, tulha; paneiro, cesto grande sem asas para transportar o pão.

panero. *m.* canastra para deitar o pão que sai do forno; esteira pequena e redonda.

paneslavismo. *m.* pan-eslavismo.

paneslavista. *adj.* e *s.* pan-eslavista.

panetela. *f.* espécie de papas feitas com caldo; charuto comprido e fino.

panetería. *f.* repartição dos antigos paços que cuidava do pão e roupa da mesa.

panetero. *s.* pessoa encarregada da *panetería.*

paneuropa. *m.* pan-europa.

paneuropeísta. *adj.* e *s.* pan-europeu.

panfilismo. *m.* benignidade extrema.

pánfilo, la. *adj.* e *s.* muito pausado, mole e tardo; pachorrento, vagaroso, vadio.

panfletista. *m.* (gal.) panfletista; V. **libelista.**

panflet(o). *m.* (gal.) panfleto; V. **libelo, folleto.**

pangermanismo. *m.* pan-germanismo.

pangermanista. *adj.* e *s.* pan-germanista.

pangolín. *m.* (zool.) pangolim, bicho-o-vergonhoso.

paniaguado. *m.* apaniaguado, servidor duma casa onde recebe habitação, alimento e salário; (fig.) apaniaguado, o favorecido por uma pessoa; amigo, confederado, partidário; afilhado.

panhelenismo. *m.* pan-helenismo.

panhelenista. *adj.* e *s.* pan-heleno.

pánico, ca. *adj.* e *m.* pânico, que causa grande medo, que assusta; pânico, terror súbito, me(ê)do, susto, apreensão.

paniconografía. *f.* (técn.) paniconografia.

panícula. *f.* (bot.) panícula, inflorescência em cacho ou espiga.

paniculado, da. *adj.* (bot.) panicular.

panicular. *adj.* panicular, que tem forma de panícula.

panículo. *m.* (zool.) panículo, envoltório. membrana, capa subcutânea formada por um tecido.

paniego, ga. *adj.* que come muito pão; diz-se do terreno que dá trigo. — *m.* saco de carvão.

panificable. *adj.* panificável, que se pode panificar.

panificación. *f.* padejo, panificação.

panificar. *v. tr.* arrotear um terreno para semear trigo; panificar, fazer pão; padejar.

panilla. *f.* medida empregada para o azeite equivalente à quarta parte duma libra; (prov.) V. **abacería.**

panizo. *m.* (bot.) painço, milheiro, planta gramínea.

panocha. *f.* V. **panoja.**

panoftalmitis. *f.* (pat.) panoftalmite.

panoja. *f.* (bot.) maçaroca, espiga da semente do milho ou do painço; conjunto de três biqueirões fritos e unidos pelas caudas.

panol. *m.* (mar.) V. **pañol.**

panoli. *adj.* e *s.* abúlico, diz-se da pessoa sem vontade, simples.

panoplia. *f.* panóplia, armadura completa dum cavaleiro da Idade Média; panóplia, colecção de armas; panóplia, tábua em forma de escudo onde se colocam sabres, floretes e outras armas de esgrima.

panóptico, ca. *adj.* diz-se do edifício feito de forma que dum só ponto se vê o interior do mesmo.

panorama. *m.* panorama, grande painel cilíndrico disposto de modo que o espectador desde o centro imagina ver o horizonte; (por ext.) vista dum horizonte muito dilatado e extenso; grande extensão de paisagem que se vê duma altura; (fig.) vasta exposição.

panorámico, ca. *adj.* panorâmico, pertencente ou relativo ao panorama.

panoso, sa. *adj.* V. **harinoso.**

panosteitis. *f.* (pat.) panosteíte.

panspermia. *f.* doutrina sobre a difusão de germens de seres organizados, os quais se desenvolvem em condições favoráveis.

pantalón. *m.* calça, calças: *la mujer lleva los pantalones,* (fam.) diz-se da mulher que avassala o seu marido.

pantalla. *f.* pantalha, pano ou papel para resguardar a luz, quebra-luz; pára-fogo; guarda-fogo; pantalha, tela de cinema; abaixa-luz; (fig.) espantalho, pessoa que oculta uma outra; pessoa que chama a atenção, enquanto outra ou consegue secretamente uma coisa: *servir de pantalla,* (fig.) ocultar secretamente uma coisa; *pantalla plateada,* pantalha do cinema; *pantalla de chimenea,* pára-fogo.

pantanal. *f.* pantanal, terreno pantanoso.

pantano. *m.* pântano, terreno encharcado; paul; lodaçal; charco; depósito artificial de água para regas; (fig.) dificuldade, óbice; *hacer pantano,* (Bras.) abrejar.

pantanoso, sa. *adj.* pantanoso, alagadiço, paludoso; (fig.) cheio de inconvenientes, dificuldades e embaraços.

pantasana. *f.* arte de pesca feita com redes verticais rodeadas doutras horizontais.

panteísmo. *m.* panteísmo.

panteísta. *adj.* e *s.* panteísta, pessoa sectária do panteísmo.

panteístico, ca. *adj.* panteístico.

panteón. *m.* panteão, jazigo.

pantelegrafía. *f.* (fís.) pantelegrafia.

pantelégrafo. *m.* (fís.) pantelégrafo.

panteología. *f.* panteologia.

panteológico, ca. *adj.* panteológico.

panteólogo, ga. *s.* panteologista, panteólogo.

pantera. *f.* (zool.) pantera; (fig.) pessoa furiosa e sanguinária.

pantera. *f.* (min.) variedade de ágata amarela.

pantofagia. *f.* pantofagia.

pantografía. *f.* pantografia.

pantógrafo. *m.* pantógrafo.

pantómetra. *f.* pantó(ô)metro, espécie de compasso de proporção.

pantomima. *f.* pantomima, representação por gestos; farsa; a(c)cionado; mimodrama.

pantomímico, ca. *adj.* pantomímico.

pantomimo. *m.* pantomimo, truão, bufão, pantomimeiro, pantomineiro.

pantoque. *m.* (mar.) parte mais funda do barco, perto da quilha.

pantorra. *f.* (pop.) pantorrilha. V. **pantorrilla.**

pantorrilla. *f.* pantorrilha, barriga da perna.

pantorrillera. *f.* pantorrilha, chumaço que se põe na barriga da perna.

pantorrilludo, da. *adj.* que tem gordas as barrigas das pernas.

pantufla. *f.* pantufo: *calzarse pantuflas,* empantufar-se.

pantuflazo. *m.* pancada dada com pantufo, chinelada.

pantuflo. *m.* pantufo. V. **pantufla.**

panul. *m.* (Amér.) V. **apio.**

panza. *f.* pança, barriga, ventre; bandulho; diz-se geralmente do que é muito avultado; pança, bo(ô)jo, parte saliente dum vaso, garrafa, etc.; (zool.) pança de ruminante; (fig.) pessoa que anda sempre a comer à custa alheia. — *m.* pancinha, pachorrento, indolente; papajantares, parasita: *panza de burra,* pergaminho com o título de doutor; nome do céu quando está uniformemente anuviado com cor cinza-escuro.

panzada. *f.* pançada, pancada dada com a pança ou na pança; (fam.) fartadela, fartote; pançada, barrigada, fartura de ventre; (pop.) indigestão: *darse una panzada,* (pop.) entourir.

panzón, na. *adj.* pançudo. — *m.* grande pança.

panzudo, da. *adj.* pançudo, que tem grande pança ou barriga, esbarrigudo; bojudo, bojante (diz-se das vasilhas); (pop.) baselga.

pañal. *m.* cueiro, fralda de criança; fralda da camisa do homem; envo(ô)lta.—*pl.* cueiros; faixas; (fig.) primeiros princípios de educação; (fig.) berco, a infância: *estar en pañales*, (fam.) ter pouco ou nenhum conhecimento duma coisa; *de buenos pañales*, (fam.) bem aparentado; *envolver en pañales*, enfaixar; *sacar de pañales*, (pop.) tirar da miséria.

pañalón. *m.* (fig. e fam.) pessoa que, por desleixo, deixa aparecer a fralda da camisa.

pañería. *f.* negócio ou loja de fanqueiro; conjunto de artigos de fancaria.

pañero, ra. *adj. e s.* relativo a tecidos; fanqueiro, comerciante em artigos de fancaria; mulher do fanqueiro.

pañete. *m.* paninho, pano de qualidade inferior; tecido pouco encorpado. — *pl.* bragas, calças curtas usadas pelos trabalhadores e religiosos; toalha que se põe nas imagens de Cristo na Cruz.

pañi. *f.* (germ.) água.

paño. *m.* pano, tecido de lã; pano, qualquer tecido de seda, algodão ou linho; pano, cada uma das tiras de tecido cosidas umas às outras; pano, mancha da córnea; pano, manchas na pele; pano, largura dum tecido; pano, tapete ou armação; pano, pedaço de tecido, especialmente de linho para curar feridas; pano, nódoa que tolda a diafaneidade dos espelhos ou vidros; reboco de parede; encacho, tanga; (mar.) pano, velas do navio. — *pl.* panos, roupas, vestidos.

pañol. *m.* (mar.) paiol, compartimento para guardar víveres, munições, etc.: *pañol de la pólvora*, (mar.) Santa-Bárbara; *guardar en el pañol*, apaiolar; *pañol de las velas*, paiol do velame; *pañol de víveres*, paiol dos víveres, dos mantimentos.

pañolera. *f.* vendedora de lenços, mulher do vendedor de lenços.

pañolería. *f.* lençaria, comércio de lenços; loja onde eles se vendem.

pañolero. *m.* vendedor de lenços; (mar.) paioleiro, marinheiro encarregado da guarda dum paiol.

pañoleta. *f.* lenço triangular do pescoço.

pañolón. *m.* mantão. V. **mantón.**

pañosa. *f.* (pop.) capa de pano.

pañoso, sa. *adj.* andrajoso, esfarrapado, maltrapilho.

pañuelo. *m.* lenço de assoar; lenço da cabeça ou do pescoço: *Dios da pañuelos a quien no tiene mocos*, (pop.) Deus dá nozes a quem não tem dentes; *pañuelo de encaje*, lenço arrendado.

Papa. *m.* Papa, Sumo Pontífice, Padre Santo, chefe da Igreja Católica; (fam.) pai.

papa. *f.* (bot.) batata. V. **patata.**

papa. *f.* (fam.) V. **paparrucha**, atoada. — *pl.* (fig.) qualquer comida, papas, sopinhas moles para crianças.

papá. *m.* (fam.) papá, pai.

papable. *adj.* diz-se do cardeal que pode ser eleito Papa; (fig.) aquele que tem probabilidades de obter um emprego.

papachar. *v. tr.* (Amér.) afagar, acariciar, fazer carícias.

papacho. *m.* (Amér.) carícia, afago, especialmente quando se faz com as mãos.

papada. *f.* papeira, gordura debaixo da barba, papada; barbilhão; *echar papada*, enfolar.

papadilla. *f.* papeira, papada.

papado. *m.* papado, dignidade de Papa; tempo de duração desta dignidade; pontificado.

papafigo. *m.* (mar.) papa-figo, velas maiores do navio.

papagaya. *f.* (zool.) papagaio fêmea.

papagayo. *m.* (zool.) papagaio, ave trepadora; (ictiol.) papagaio, bodião; (bot.) nome vulgar do tinhorão e do melindre; (Bras.) ará: *papagayo brasileño*, ajurujuru; *hablar como un papagayo*, ser um tagarela, falar com excesso, tagalear; *papagayo de noche*. V. **guácharo.**

papahigo. *m.* (mar.) papa-figo, velas maiores do navio, excepto a mezena, quando se navega só com elas; espécie de capuz de pano que protege o pescoço e parte do rosto.

papaína. *f.* (quím.) papaína.

papaíto. *m.* (fam.) dim. de *papá.*

papal. *adj.* papal, relativo ao Papa: *la autoridad papal*, (fig.) o poder das chaves.

papalina. *f.* embriaguez. V. **borrachera**; berzunda, berzundela.

papalina. *f.* gorra com duas pontas que cobre as orelhas; coifa, touca de mulher, de tecido leve.

papalino, na. *adj.* papalino, papal, relativo ao Papa.

papandujo, ja. *adj.* (fam.) excessivamente maduro, sorvado, passado; diz-se dos frutos e doutras coisas.

papar. *v. tr.* comer coisas moles sem mastigar: (fam.) comer; (fig. e fam.) facer pouco caso das coisas: *papar moscas*, ficar com a boca aberta.

páparo, ra. *adj. e s.* diz-se duma tribo, já extinta, do Istmo de Panamá. — *m.* homem rústico.

paparote, ta. *s.* bobalhão. V. **bobalicón.**

paparrabias. *s.* (fam.) pessoa fàcilmente irritável. V. **cascarrabias.**

paparrete. *m.* (pop.) chilíque.

paparrucha. *f.* balela, galga, boato falso, atoarda; obra literária sem valor, mal feita; fábulas, petas, contos de velhas, farsa; farsada, mentira.

papaveráceo, a. *adj.* (bot.) papaveráceo. — *f. pl.* papaveráceas.

papayáceo, a. *adj.* caricáceo. — *f. pl.* caricáceas.

pápaz. *m.* nome dado pelos mouros aos sacerdotes cristãos.

papazgo. *m.* papado, pontificado.

papel. *m.* papel, folha em que se escreve ou imprime; papel, escrito para dar aviso ou para outro fim; carta, credencial, documento, impresso, manuscrito; papel, parte duma peça de teatro confiada a um actor; actor que representa um papel; personagem; papel, escrito ou impresso que não forma livro; (com.) documento, obrigação,

— *pl.* papéis, documentos de identidade, títulos: *papel de alfileres,* carta de alfinetes; *papel de estraza,* papel pardo, de embrulho; *papel de barba,* papel almaço; *papel ahuesado,* papel que imita a cor do osso; *papel para empaquetar,* papel de embrulho; maculatura; *papel secante,* chupa-tinta; *papel de pared,* forro.

papeleador. *m.* papelão; (fig.) impostor.

papelear. *v. tr.* remexer papéis à procura dalguma notícia. — *v. intr.* fazer figura, representar de pessoa importante.

papeleo. *m.* remeximento de papéis.

papelera. *f.* papeleira, móvel para guardar papéis; papelada, abundância ou excesso de papel escrito.

papelería. *f.* papelaria, loja onde se vende papel; papelada, papéis em desordem; papéis velhos, inúteis.

papelero, ra. *adj. e s.* impostor, fanfarrão, faroleiro; papeleiro, fabricante ou vendedor de papel.

papeleta. *f.* papeleta. V. **cédula;** papeliço, pequeno embrulho de papel em que se põe dinheiro de gorjeta; (pop.) pergunta difícil, proposição difícil: *papeleta de empeño,* segurança de penhor.

papelina. *f.* copo para beber, estreito pelo pé, e largo pela boca; popelina, tecido de seda.

papelista. *m.* papelista, aquele que trata de papéis; papeleiro, fabricante ou armazenista de papel; forrador, o que forra de papel as habitações.

papelón, na. *adj.* (fam.) vaidoso, parlapatão, bazófio. — *s.* papelão, homem vão; papelão, papel encorpado e forte, cartão; escrito sem valor; (Amér.) açúcar mascavado.

papelonado, da. *adj.* (herald.) diz-se do escudo ornado em forma de escamas de peixe.

papelonear. *v. intr.* (fam.) imposturar, bazofiar, ostentar autoridade sem direito a ela.

papelorio. *m.* (depr.) papelucho, papel ou escrito desprezível.

papelucho. *m.* (depr.) papel ou escrito desprezível, papelucho; periódico desprezível.

papera. *f.* (med.) papeira, bócio, trasorelho; (vet.) inflamação das parótidas dos cavalos novos. — *pl.* escrófulas, laparões.

papero. *m.* papeiro, vaso para cozer papas.

papialbillo. *m.* (zool.) jineta.

papila. *f.* (bot. e zool.) papila.

papilar. *adj.* papilar.

papilionáceo, a. *adj.* papilionáceo; com figura de borboleta. — *f. pl.* (bot.) papilionáceas.

papiloma. *f.* (med.) papiloma.

papilomatosis. *f.* (pat.) papilomatose.

papilorretinitis. *f.* (pat.) papilorretinite.

papilla. *f.* papas para crianças, geralmente adoçadas com mel ou açúcar; (fig.) astúcia lisonjeira para enganar alguém: *hacer papilla,* (pop.) prejudicar muito uma coisa a alguém; *dar papilla a uno,* (fig. e

fam.) enganar alguém com astúcia lisonjeira.

papillote. *m.* papelotes, de cabelo: *a la papillote,* assado de carne ou de peixe, com manteiga ou azeite e envolto num papel.

papín. *m.* espécie de doce caseiro.

papiláceo, a. *adj.* papiláceo.

papirífero, ra. *adj.* (bot.) papirífero.

papiro. *m.* (bot.) papiro; papiro, lâmina tirada do caule desta planta.

papirotada. *f.* capirote. V. **papirote.**

papirotazo. *m.* capirote, chofre com o dedo. V. **papirote.**

papirote. *m.* capirote, chofre com o dedo; (fig. e fam.) mentecapto.

papisa. *f.* papisa, papesa; só se usa falando da mulher que dizem ter exercido as funções de Papa sob o nome de João VIII.

papismo. *m.* papismo; Igreja Católica e os seus organismos e doutrinas.

papista. *adj. e s.* papista, nome dado aos católicos pelos protestantes.

papo. *m.* papo, nome vulgar do bócio; papo, primeiro estômago das aves; papada, barbela; (mar.) seio, bojo da vela enfunada; comida que se dá duma vez à ave de rapina: *hablar de papo,* (fig. e fam.) falar com presunção.

paporrear *v. tr.* vapular. V. **vapulear.**

papudo, da. *adj.* papudo, diz-se das aves.

papujado, da. *adj.* diz-se das galinhas que têm muitas penas no papo; (fig.) papudo, avolumado.

pápula. *f.* (med.) pápula, pequeno tumor da pele, borbulha.

papuloso, sa. *adj.* papuloso, que tem as características da pápula.

paquear. *v. tr.* disparar como os mouros *pacos,* sobre os soldados espanhóis.

paquebot. *m.* V. **paquebote.**

paquebote. *m.* (mar.) paque(ê)te, embarcação, navio, correio marítimo.

paquete. *m.* pacote, pequeno fardo, embrulho, pacotilho, atado; entroixo; maço de cartas ou papéis; paque(ê)te, grande navio a vapor; (fam.) janota: *hacer un paquete,* entroixar.

paquetería. *f.* género de mercadoria miúda que se guarda em pacotes; comércio destas mercadorias; quinquilharia.

paquetero, ra. *adj. e s.* empacotador, que faz pacotes; encarregado da distribuição dos pacotes de jornais aos vendedores. — *m.* contrabandista.

paquiblefarosis. *f.* (pat.) paquiblefarose.

paquicefalia. *f.* (pat.) paquicefalia.

paquicéfalo, la. *adj. e s.* paquicéfalo.

paquidermatocele. *m.* (pat.) paquidermatocele.

paquidermatosis. *f.* (pat.) paquidermatose.

paquidermo, ma. *adj.* paquiderme. — *m. pl.* paquidermes.

paquimeningitis. *f.* (pat.) paquimeningite.

paquímetro. *m.* paquímetro.

par. *adj.* par, igual, semelhante; que se pode dividir por dois; parceiro; parecido. — *m.* par, conjunto de duas pessoas ou coisas semelhantes; parelha de muares, junta de bois; (arit.) par; par, dignidade do pariato; par, casal, macho e fêmea. — *f. pl.* placenta; par, membro da Câmara alta em certos países; (com.) par, igualdade de câmbio entre dois países; igualdade de valor venal dum papel de crédito no momento da emissão; par, parlha.

par. *prep.* por, em fórmulas de juramento. V. **por.**

para. *prep.* para; designa direcção: *partir para el Brasil,* partir para o Brasil; designa proveito de: *pedir para los pobres,* pedir para os pobres; exprime relação: *muchacho crecido para su edad,* criança crescida para a sua idade; manifesta um fim: *leer para instruirse,* ler para se instruir; exprime um período de: *tener alimentos para un mes,* ter mantimentos para um mês; designa proximidade: *estar para marcharse,* estar para partir; exprime ideia de contra: *remedio para la fiebre,* remédio para a febre; *para que,* para que, a fim de que; *para mí,* para mim; *para siempre,* para sempre; *¿para dónde?,* para onde?; *para el futuro,* para diante; *de mí para mí,* de mim para mim.

paraba. *f.* (Amér. zool.) espécie de papagaio.

parabién. *m.* parabém, felicitação. — *m. pl.* emboras: *parabién al recién llegado,* boa-vinda, boas-vindas.

parábola. *f.* parábola, alegoria que encerra uma verdade importante; narração importante; (geom.) parábola.

parabolano. *m.* clérigo da primitiva igreja oriental; pessoa que usa de parábolas ou ficções; (fig.) boateiro; embusteiro.

parabólico, ca. *adj.* parabólico, pertencente ou relativo à parábola o que inclui ficção doutrinal; (geom.) encurvado como uma parábola, relativo à parábola.

parabolizar. *v. intr.* falar ou expor por meio de parábolas; representar; simbolizar; exemplificar.

paraboloide. *m.* (geom.) paraboloíde.

parabrisas. *m.* (autom.) pára-brisa.

paraca. *f.* brisa muito forte do Pacífico.

paracaídas. *m.* pára-quedas, aparelho para moderar a velocidade da queda dos corpos.

paracaidismo. *m.* pára-quedismo, arte ou maneira de saltar dum avião, em pleno voo, usado o pára-quedas.

paracaidista. *s.* pára-quedista, o que desce dum pára-quedas.

paracéntrico, ca. *adj.* paracentral.

paracentesis. *f.* (med.) paracêntese.

paracianógeno. *m.* (quím.) paracianogênio.

paraciesia. *f.* (obstr.) paraciesia.

paraclasa. *f.* (geol.) paráclase.

paracleto o **paráclito.** *m.* (teol.) Paracleto, nome dado ao Espírito Santo.

paracronismo. *m.* paracronismo, erro cronológico; anacronismo.

paracusia. *f.* (pat.) paracusia.

parachispas. *m.* pantalha de tela metálica, que têm as lâmpadas de arco para não saltarem as chispas dos carvões.

parachoques. *m.* pára-choque.

parada. *f.* parada, paragem; redil, lugar onde se recolhem as reses; parada, demora, descanso; alto; parada, lugar onde se pára; parada, fim do movimento dalguma coisa; parada, pausa, suspensão; (mús.) parada; parada, lugar onde se mudavam os cavalos duma diligência, muda; presa para deter as águas dum rio; parada, aposta no jogo; (mil.) parada, reunião de tropa que entra de guarda; revista militar; (esgr.) parada, maneira de parar um golpe.

paradera. *f.* adufa, comporta da presa do moinho; (mar.) armação de pesca semelhante à almadrava.

paradero. *m.* paradeiro, lugar onde alguma pessoa ou coisa está, paragem; (fig.) paradeiro, fim, termo dalguma coisa; paradeiro; morada, lugar onde se encontra alguma pessoa.

paradeta. *f.* dim. de *parada;* paradinha, pequena parada. — *pl.* antiga dança espanhola.

paradiástole. *f.* (ret.) paradiástole.

paradigma. *m.* paradigma, exemplo, regra, norma, mode(ê)lo.

paradina. *f.* monte baixo de pastagem onde há currais para o gado lanígero.

paradisíaco, ca. *adj.* paradisíaco, relativo ao paraíso, paraísico; edé(ê)nico; (fig.) seráfico.

paradislero. *m.* caçador que espera a caça; (fig.) o que anda à procura de notícias ou as inventa.

parado, da. *p. p.* e *adj.* parado, tímido, frouxo nas palavras, acções, etc.; desocupado; desempregado; ina(c)tivo; demorado; detido; estatelado, estático; estofo; atabafado (negócios); (Amér.) direito ou em pé: *lo mejor parado,* o melhor, seguro ou proveitoso; *estarse parado,* ficar parado, demorar-se, ficar engasgado; *quedarse parado en un discurso,* engasgar-se; *salir mal parado,* sair descalavrado; *salir bien parado,* sair bem-parado.

paradoja. *f.* paradoxo; desconchavo; coisa incrível, contra-senso; opinião inverosímil ou absurda com aparência de verdadeira.

paradójico, ca. *adj.* paradoxal.

paradojo, ja. *adj.* paradoxal. V. **paradójico.**

parador ra. *adj.* que pára ou fica parado; diz-se do cavalo que pára com facilidade; diz-se do jogador que pára muito. — *m.* estalagem. V. **mesón.**

parafernales. *adj. pl.* (for.) parafernais: *bienes parafernales,* bens parafernais.

parafina. *f.* (quím.) parafina.

parafinado, da. *p. p.* e *adj.* parafinado. — *m.* parafinagem.

parafinar. *v. tr.* (quím.) parafinar, converter em parafina; untar com parafina.

parafonía. *f.* (fisiol. e pat.) parafonia.

parafónico, ca. *adj.* (med.) parafónico.

paraformo. *m.* (quím.) paraformo.

parafraseador, ra. *adj.* e *s.* parafraste, que faz paráfrases.

parafrasear. *v. tr.* parafrasear, fazer a paráfrase dum texto.

paráfrasis. *f.* paráfrase.
parafraste. *m.* parafrasta, parafraste.
parafrástico, ca. *adj.* parafrástico.
parageusia. *f.* (pat.) parageusia.
paragoge. *f.* (gram.) paragoge.
paragógico, ca. *adj.* (gram.) paragógico.
parágrafo. *m.* parágrafo. V. **párrafo.**
paragranizo. *m.* (agr.) cobertura sobre as culturas para as proteger da saraiva.
paraguas. *m.* guarda-chuva, chapéu de chuva: *varillaje del paraguas,* armação do guarda-chuvas.
Paraguay. (geog.) Paraguai.
paraguay. *m.* (orni.) espécie de papagaio abundante no Paraguai.
paraguayano, na. *adj.* e *s.* (geog.) V. **paraguayo.**
paraguayo, ya. *adj.* e *s.* (geog.) paraguaio, natural do ou pertencente ao Paraguai.
paragüería. *f.* loja onde se vendem guarda-chuvas.
paragüero, ra. *s.* guarda-soleiro, fabricante ou vendedor de guarda-chuvas. — *m.* bengaleiro.
parahusar. *v. tr.* brocar, trabalhar com a broca, broquear; fazer furos com a broca.
parahúso. *m.* broca; trado.
paraíso. *m.* paraíso, céu, mansão dos anjos, edén; (teatr.) lugares mais altos no teatro; (fig.) paraíso, lugar delicioso, ameno, aprazível: *causar las delicias del paraíso,* emparaisar.
paraje. *m.* paragem, lugar, sítio, estância; colocação, estado, ocasião ou disposição duma coisa.
parajismero, ra. *adj.* que faz gestos. V. **gestero.**
parajismo. *m.* gesto, esgar, momice, gesticulação.
paral. *m.* apoio de andaime; (mar.) madeiro untado de sebo, próprio para lançar a água uma embarcação.
paraláctico, ca. *adj.* (astr.) pertencente à paralaxe.
paralaje. *f.* paralaxe.
paralalia. *f.* (pat.) paralalia.
paralasis. *f.* paralaxe.
paralaxi. *f.* paralaxe.
paraldehído. *m.* (quím.) paraldeído.
paralela. *f.* (fort.) trincheira que abre o sitiante duma praça forte. — *pl.* paralelas, barras para ginastas.
paralelar. *v. tr.* comparar, fazer paralelo, paralelizar, confrontar.
paralelepípedo. *m.* (geom.) paralelepípedo.
paralelismo. *m.* paralelismo; correspondência simétrica; confronto, comparação; simetria; evolução no mesmo sentido.
paralelo, la. *adj.* (geom.) paralelo; paralelo, similar, semelhante, correspondente, análogo. — *m.* paralelo, cotejo, comparação; confronto; símile; paralelo: *establecer un paralelo,* emparelhar, pôr em paralelo.
paralelografía. *f.* paralelografia.
paralelogramo. *m.* (geom.) paralelogramo.

paralipómenos. *m. pl.* paralipómenos, paralelipómenos.
paralipse. *f.* (ret.) paralipse.
paralis. *m.* (pop.) V. **parálisis.**
parálisis. *f.* (pat.) paralisia; entorpecimento; marasmo; entrevação, entrevamento, embargo de membros, aneúria; estupor, acinesia: *parálisis infantil,* paralisia-infantil.
paraliticado, da. *adj.* paralítico, atacado de paralisia.
paraliticarse. *v. r.* paralisar-se, ficar paralítico, entorpecer-se.
paralítico, ca. *adj.* e *m.* paralítico, que tem paralisia, entrevado, aleijado, encarangado, embargado: *quedarse paralítico,* entrevar-se.
paralización. *f.* (fig.) paralisação; interrupção; entorpecimento; demora; empoçamento; (fig.) esterilização; acinesia.
paralizador, ra. *adj.* paralisador, que paralisa.
paralizar. *v. tr.* paralisar, tornar paralítico ou inerte; causar paralisia; fazer parar; suspender; neutralizar. — *v. intr.* deixar de ter movimento. — *v. r.* entorpecer-se, entrevar-se; não progredir; deter-se; (fig.) empantanar-se; entumecer-se; empoçar (expedientes); enferrujar (por falta de exercício).
paralojismo. *m.* (lóg.) paralojismo, raciocínio falso.
paralojizar. *v. tr.* intentar convencer com razões falsas.
paralluia. *m.* alpendre, telheiro, tejadilho, obra coberta para resguardar da chuva.
paramagnético, ca. *adj.* paramagnético.
paramagnetismo. *m.* paramagnetismo.
paramentar. *v. tr.* paramentar, adornar, enfeitar uma coisa.
paramento. *m.* paramento, ornato, enfeite ou adorno com que se cobre uma coisa; (arq.) face anterior ou posterior duma parede: *paramentos sacerdotales,* vestuário litúrgico.
paramera. *f.* região onde abundam os páramos ou desertos.
paramétrico, ca. *adj.* paramétrico, relativo ao parâmetro.
parámetro. *m.* (geom.) parâmetro.
paramnesia. *f.* (pat.) paramnesia.
paramnésico, ca. *adj.* (pat.) paramnésico.
páramo. *m.* páramo, terreno deserto; (fig.) qualquer lugar muito frio e desamparado; lugar ermo e desabrigado.
parancero. *m.* caçador que caça com laço.
parangón. *m.* comparação, semelhança, exemplo, modelo.
parangona. *f.* (impr.) parangona, tipo de impressão de corpo grande.
parangonar. *v. tr.* paragonar, fazer comparação, comparar; assemelhar; fazer paralelo, confrontar; (impr.) justificar numa linha as letras, adornos, etc., de corpos diferentes.
paranilina. *f.* (quím.) paranilina.

paranínfico, ca. adj. (arq.) relativo à ordem que tem estátuas de ninfas no lugar de colunas.

paraninfo. m. paraninfo, padrinho de casamento; paraninfo, salão nobre nas universidades; aquele que pronunciava a oração de sapiência nas universidades.

paranoia. f. (med.) paranóia, parane(é)ia.

paranoico, ca. adj. e s. (pat.) paranóico, paraneico, louco; delirante.

paranomasia. f. paranomasia, agnominação.

paranza. r. espera, sítio coberto de ramos, onde os caçadores esperam a caça; certa espécie de pesca no Mar Menor (Murcia).

parao. m. (mar.) parau, embarcação filipina.

parapetarse. v. r. (fort.) parapeitar-se, entrincheirar-se, resguardar-se com parapeitos; (fig.) precaver-se contra algum risco.

parapeto. m. (arq.) parapeito, parede, varanda nas escadas; (fort.) parapeito, terrapleno para defensa do peito dos soldados; parapeito, parte superior duma trincheira; barrera; frontal.

paraplejia. f. (pat.) paraplegia.

parapléjico, ca. adj. e s. paraplégico, atacado de paraplegia.

parapleuresía. f. (pat.) parapleurisia.

paraplexia. f. (pat.) paraplexia.

parapoco. m. (pop.) apoucado, pessoa tímida.

parar. m. certo jogo de azar, por meio de cartas.

parar. v. tr. parar, sustar o movimento de; impedir de andar, diminuir a intensidade de; deter; parar, fazer parada ao jogo; apostar ao jogo; prevenir, preparar; (fig.) fixar, fitar; (esgri.) aparar, desviar; afastar; demorar; pôr freio; (fig.) barrar; enfraquecer, diminuir a intensidade de. — v. intr. parar, cessar de andar, de funcionar, de falar; recair; vir ou estar em domínio e propriedade dalguma coisa, depois doutros donos a terem possuído; parar, terminar, concluir; parar, reduzir-se, converter-se uma coisa em outra; habitar; alojar-se; hospedar-se; conservar-se; desfechar; não seguir, não continuar; ficar imóvel; pairar; não ir além de; estacar; permanecer, residir; descansar. — v. r. parar-se, deter-se; fazer alta; encharcar-se; amuar-se (diz-se dos relógios); encalhar.

pararroja. m. V. **pararrayos.**

pararrayos. m. pára-raios.

parasanga. f. parasanga, medida itinerária dos antigos persas.

parasceve. f. parasceve. V. **preparación;** parasceve, sexta-feira santa, preparação para a Páscoa.

paraselene. f. (meteor.) parasselénio.

parasemo. m. carranca de proa nos antigos navios gregos e romanos.

parasíntesis. f. parasíntese.

parasintético, ca. adj. (gram.) parasintético.

parasismo. m. paroxismo.

parasitario, ria. adj. parasitário, relativo aos parasitas.

parasiticida. adj. parasiticida. — m. parasiticida, preparado para matar parasitas.

parasítico, ca. adj. parasitário.

parasitismo. m. parasitismo.

parasito, ta. adj. V. **parásito.**

parásito, ta. adj. e s. parasita, diz-se do animal ou vegetal que se alimenta doutro; (fig.) parasita pessoa que vive à custa alheia, galdério; pessoa encostadiça, arrimadiça; (fig.) chupista, abelhão.

parasitología. f. (hist. nat.) parasitologia.

parasitosis. f. (pat.) parasitose.

parasol. m. pára-sol; umbela, guarda-sol; (bot.) umbela, florescência.

parástade. m. (arq.) parastática.

parata. f. socalco, talhão pequeno e estreito, formado em terreno pendente.

paratáctico, ca. adj. (gram.) partencente ou relativo a *parataxis.*

parataxis. f. (gram.) disposição de dois proposições seguidas sem indicar a sua relação e dependência.

paratífico, ca. adj. (med.) paratífico.

paratifoidea. f. parafitóide.

paratopia. f. (pat.) paratopsia.

parazonio. m. parazónio, espada grega e romana.

parca. f. (mit.) parca; (poét.) a morte.

parce. m. espécie de prémio aos alunos de gramática.

parcela. f. parcela, porção pequena de terreno particular; adição; parte do cadastro; partícula. V. **partícula.**

parcelación. f. aparcelamento, emparcelamento.

parcelar. v. tr. parcelar, dividir em parcelas; parcelar, medir, repartir, designar parte.

parcelario, ria. adj. parcelário, dividido em parcelas; pertencente ou relativo a parcelas.

parcial. adj. parcial, relativo a uma parte do todo; parcial, não cabal, incompleto; apaixonado; parcial, partidário dalguém, fa(c)cioso.

parcialidad. f. parcialidade; partido; amizade; afección, partido, afeição; paixão, que impede a rectidão de juízo; aceitação: *acusar de parcialidad a alguien,* averbar alguém de suspeito.

parcidad. f. V. **parquedad.**

parcionero, ra. adj. e s. partícipe. V. **partícipe.**

parcísimo, ma. adj. super. de parco, parcíssimo.

parco, ca. adj. parco, poupado, sóbrio, frugal, moderado, mesurado, económico.

parcha. f. (Amér.) nome genérico de diversas plantas passiflóreas.

parchazo. m. (mar.) pancada que dá uma vela contra o seu próprio mastro; (fig. e fam.) burla, fiasco, zombaria.

parche. m. parche, emplastro, emenda que se cola sobre outra; pele de tambor; (fig.) tambor; retoque mal feito, especialmente na pintura: *pegar un parche,* pregar um calote; *parche poroso,* parche poroso.

parchís. m. certo jogo, parchise.

parchista. m. (fig. e fam.) caloteiro. V. **sablista.**

pardal. *adj.* diz-se da gente da aldeia que costumava vestir de pano pardo. — *m.* (orn.) pardal pintarroxo; (zool.) leopardo; (fig.) homem velhaco e astuto; (bot.) V. **anapelo.**

pardear. *v. intr.* distinguir-se ou sobressair a cor parda.

pardela. *f.* (orni.) ave aquática, parecida com a gaivota.

¡pardiez! *interj.* (fam.) pardês;, pardeus;, por Deus!

pardillo, lla. *adj.* V. **pardal.** — *m.* (orni.) pardal, pintarroxo.

pardillo, lla. *s.* (pop.) aldeão, pessoa rústica.

pardina. *f.* (prov.) V. **paradina.**

pardisco, ca. *adj.* pardusco. V. **pardusco.**

pardo, da. *adj.* pardo. V. **obscuro** (falando das nuvens); fusco; diz-se da voz que não tem som claro; pardo, escuro, sombrio, coberto (diz-se do dia). — *m.* (zool.) leopardo, pardo; (Amér.) mulato, filho de branca e de negro ou vice-versa.

pardusco, ca. *adj.* pardusco, pardacento, pardaço, encinzentado.

pareado, da. *p. p. adj.* e *s.* pareado, diz-se de dois versos unidos que rimam.

parear. *v. tr.* parear, emparelhar, juntar, igualar duas coisas; colocar a par; emparelhar, formar pares; (taur.) bandarilhar.

parecencia. *f.* parecença, semelhança.

parecer. *m.* parecer, opinião, juízo; voto; parecer, semblante, aparência; parecer, ordem das feições do rosto e disposição do corpo.

parecer. *v. intr.* aparecer, mostrar-se, deixar-se ver; parecer, ser de opinão; opinar, apreciar; achar-se; encontrar-se (o que parecia perdido); aparecer, parecer ter aparência de; ser semelhante; tornar-se crível ou provável; afigurar-se; ser verosímil; constar. — *v. r.* assemelhar-se, parecer-se; cheirar; arremedar; entrefigurar-se: *aún me parece verlo*, afigure-me vê-lo ainda; *a lo que parece*, com que então.

parecido, da. *p. p.* e *adj.* parecido, semelhante, similar, análogo; que se parece; aparente, aparentado; (Bras.) escritinho. —*m.* semelhança; arreme(ê)do; assemelhação; (gram.) cognado, cognato; similitude.

pareciente. *p. a.* e *adj.* parecente, semelhante.

parectasis. *f.* (ret.) paréctase.

pared. *f.* parede, muro; tabique. — *pl.* (fig.) morada, lar; conjunto de coisas ou pessoas que se apertam estreitamente; (fís.) parede, superfície lateral dum corpo: *pared medianera*, parede meeira; *pared maestra*, parede mestra; *vivir pared por medio*, morar parede meias com alguém; *entre paredes*, entre paredes, dentro de casa; *poner a alguien entre la espada y la pared*, (fam.) pôr o baraço na garganta de alguém.

paredaño, ña. *adj.* que está separado por uma parede.

paredón. *m.* paredão, parede grande; parede arruinada.

pareja. *f.* parelha, par dalguns animais; um par; par de dança. — *pl.* parelhas no jogo dos dados: *sin pareja*, desacompanhado; *correr parejas con*, correr parelhas; *a parejas*, a parelhas; *por pareja*, por parelha.

parejero, ra. *adj.* parelheiro (cavalo adestrado a correr em parelha com outro); (Amér.) cavalo excelente e veloz.

parejo, ja. *adj.* parelho, igual, semelhante, parecido, análogo, liso; chão.

parejuelo. *m.* espécie de trave ou madeiro da armação dum edifício.

parejura. *f.* igualdade, semelhança, parecença.

paremia. *f.* paré(ê)mia, refrão, adágio; provérbio, sentença.

paremiología. *f.* paremiologia.

paremiológico, ca. *adj.* paremiológico.

paremiólogo. *m.* paremiólogo.

parencefalia. *f.* (pat.) parencefalia.

parencéfalo. *m.* (anat.) parencéfalo.

parencefalocele. *f.* (pat.) parencefalocele.

parénesis. *f.* paré(ê)nese, discurso moral, exortação.

parenético, ca. *adj.* parenético.

parénquima. *m.* (bot.) parênquima; (zool.) parênquima.

parenquimatoso, sa. *adj.* parenquimatoso.

parentación. *f.* (p. us.) solenidade fúnebre.

parentela. *f.* parentela, conjunto de parentes, família.

parentesco. *m.* parentesco, vínculo, conexão; enlace por consanguinidade ou afinidade; agnação; deudo; família; (fig.) união ou vínculo das coisas: *parentesco cercano*, estreito parentesco.

paréntesis. *m.* (gram.) parêntese, parêntesis, frase interposta num período; parêntese, sinal que indica essa interposição; parêntese, suspensão, interrupção: *abrir, cerrar un paréntesis*, abrir, fechar um parêntese; *poner entre paréntesis*, pôr entre parêntesis; *entre paréntesis*, incidentemente; *paréntesis de tiempo*, claro de tempo; *poner una palabra entre paréntesis*, fechar em arcos.

pareo. *m.* emparelhamento, união duma coisa com outra; ajuntamento das aves para formar casal.

parergón. *m.* acrescentamento a qualquer coisa que lhe serve de adorno.

paresa. *f.* mulher dum titular da Câmara dos Pares, mulher dum par.

paresia. *f.* (med.) paresia, párese.

pargo. *m.* (ictiol.) capatão. V. **pagro.**

parhelia. *f.* (meteor.) parélio.

parhelio. *m.* (meteror.) parélio.

parhilera. *f.* (arq.) cumeeira, trave do cume do telhado.

paria. *s.* pária, pariá, indivíduo duma casta indiana privada de todos os direitos; (fig.) pária, homem desprezado ou excluído da sociedade.

pariambo. *m.* pariambo, pirríquio, pé da poesia grega e latina.

parias. *f. pl.* páreas, tributo; secundinas, placenta: *rendir parias,* fazer homenagem.

parición. *f.* parto, tempo de parir, as fêmeas.

parida. *adj.* parida, diz-se da fêmea que pariu recentemente. — *f.* parida: *salga la parida,* certo jogo de rapazes.

paridad. *f.* paridade, semelhança; paridade, igualdade entre si; analogía; equivalência: *establecer la paridad,* estabelecer paridade.

paridera. *adj.* parideira, diz-se da fêmea fecunda. — *f.* lugar próprio para o gado parir; tempo em que pare o gado.

paridora. *adj.* parideira, diz-se da mulher ou fêmea muito fecunda.

pariente, ta. *adj.* e *s.* parente; semelhante, análogo, parecido, igual, equivalente, parente, indivíduo pertencente à mesma família; consorte, o marido ou a mulher; agnado; achegado; cognato; nome que o rei dá por escrito aos titulares de Castela: *pariente lejano,* parente afastado; *pariente cercano,* parente estreito; *pariente por afinidad,* parente por afinidade, contraparente; *medio pariente,* semiparente; *mis parientes,* (fam.) os meus; *sin parientes,* desaparentado; *parientes políticos,* parentes por afinidade; *parientes consanguíneos,* parentes consanguíneos.

parietal. *adj.* parietal, pertencente ou relativo à parede; (anat.) parietal (osso); (bot.) parietal.

parietina. *f.* (quím.) parietina.

parificación. *f.* comprovação.

parificar. *v. tr.* provar ou apoiar com uma paridade ou exemplo o que se disse ou se propôs.

parigual. *adj.* igual, muito semelhante ou análogo.

parihuela. *m.* padiola, maca; camilha. V. **camilla.**

parimiento. *m.* (ant.) convénio ou ajuste feito de antemão.

pario, ria. *adj.* e *s.* (geog.) pário, natural de ou pertencente à ilha de Paros.

paripé (hacer el). (fam.) presumir, aparentar, dar-se tono.

paripinnado, da. *adj.* (bot.) parinulado.

parir. *v. intr.* parir, dar à luz; desgravidar; esbarrigar; delivrar-se; (fig.) produzir; causar; sair à luz o que estava oculto; publicar: *poner a parir,* pôr a parir; *parir a medias,* (fig. e fam.) ajudar alguém num trabalho difícil; *conocer a alguien como si se le hubiera parido,* (fam.) conhecer a alguém como os seus dedos.

parisién. *adj.* e *s.* (geog.) galicismo. V. **parisiense.**

parisiena. *f.* (impr.) tipo de letra de cinco pontos.

parisiense. *adj.* e *s.* (geog.) parisiense, natural de Paris.

parasilábico, ca. *adj.* V. **parisílao.**

parisílabo, ba. *adj.* parissílabo, aplica-se ao verso ou vocábulo de igual número de sílabas que outro.

parisino, na. *adj.* e *s.* V. **parisiense.**

paritario, ria. *adj.* aplica-se aos conselhos compostos por igual número de patrões e de operários para fixar as condições de trabalho, etc.: *tribunal paritario,* tribunal de arbítrios, avindões.

parla. *f.* lábia, loquacidade; fala; corrilhos; (pop.) galra, palra; verbosidade insubstancial; tagarelice; parola; palavrório; parlenda; palavriado; peta; parla; (pop.) conversa, fala

parlador, ra. *adj.* e *s.* parolador, falador, tagarela, loquaz; paroleiro; palrador.

parladuría. *f.* tagarelice; palradura; parolagem.

parlaembalde. *s.* (fig. e fam.) tagarela, palrador, paroleiro.

parlamentar. *v. intr.* parlamentar, falar, parlamentear, propor ou discutir condições entre partes beligerantes; fazer ou aceitar propostas; falar ou conversar com os outros; parlamentar, fazer propostas para capitulação ou rendição duma força ou para chegar a um acordo.

parlamentario, ria. *adj.* e *s.* parlamentário, relativo ao parlamento; parlamentar, membro do parlamento; parlamentar, pessoa que vai parlamentar.

parlamentarismo. *m.* (pol.) parlamentarismo.

parlamentear. *v. intr.* V. **parlamentar.**

parlamento. *m.* parlamento, assembleia legislativa; congresso, corte; discurso que se dirigia a um congresso ou junta; acção de parlamentar; (teatro) relação comprida em prosa ou em verso.

parlanchín, na. *adj.* e *s.* (fam.) paroleiro, linguareiro; tagarela; palavreador, palavreiro, falador, aldeaga, galrão; charlador, mexeriqueiro; galreiro.

parlante. *p. a.* e *adj.* parlante, que parla; facundo; (herald.) diz-se das armas que representam um objecto de nome igual ao de quem as usa.

parlar. *v. tr.* parlar, falar; falar com desembaraço; tagarelar, falar muito; sem dizer nada de substancial; palrar, falar (certas aves); palrar, revelar o que se deve calar ou que não é necessário conhecer; parolear; palrar, dar à língua.

parlatorio. *m.* parlatório, falatório; locutório. V. **locutorio.**

parlería. *f.* palraria, tagarelice; mexerico; andeja; enredo (fig.) gorjeio dos pássaros; murmúrio, sussurro das águas.

parlero, ra. *adj.* palreiro, palrador, paroleiro, falador, tagarela; mexeriqueiro, enredador, linguareiro; (fig.) falador, eloquente, expressivo; cantante; harmonioso; rumorejante; canoro; gárrulo (diz-se das aves).

parleruelo, la. *adj.* tagarelazinha.

parleta. *f.* (fam.) palestra, charla, conversação indiferente ou de pouca importância; cavaqueira.

parlón, na. *adj.* e *s.* (fam.) falador, palrador, tagarela, que fala muito.

parlotear. *v. intr.* (fam.) tagarelar, parolar, palavrear, charlar, aldeagar; mexericar; enredar; (pop.) bofar.

parloteo. *m.* tagarelice; conversação ruidosa, palratório; palanfrório, charla.

parnasianismo. *m.* parnasianismo.

parnasiano, na. *adj.* parnasiano.

parnasista. *m.* (*est.*) parnasiano, poeta.

parnaso. *m.* (fig.) parnaso, colecção de poesias de vários autores; parnaso, conjunto de todos os poetas duma nação ou duma época determinada; antologia.

parné. *m.* (germ.) chelpa, dinheiro, milho: *que tiene parné,* chelpudo.

paro. *m.* (fam.) paragem, acto de parar; ina(c)ção; ina(c)tividade; paragem, lugar onde se pára, sítio, estância; paragem, suspensão, interrupção; interrupção duma exploraçãa industrial ou ∪grícola por parte dos patrões em contraposição à greve dos operários; desemprego, desocupação: *en paro,* desarrumado, sem trabalho; *paro forzoso,* desempre(ê)go forçoso.

parodia. *f.* paródia, imitação burlesca.

parodiar. *v. tr.* parodiar, imitar burlescamente, fazer paródias, arremedar.

paródico, ca. *adj.* paródico, relativo a paródia, burlesco.

parodista. *s.* parodista o que faz paródias.

parola. *f.* (fam.) parola, lábia, verbosidade; (fig.) parola, conversação longa e vã, palanfrório.

parolero, ra. *adj.* (fam.) paroleiro. V. **parlanchín.**

parolina. *f.* (fam.) parola, lábia. V. **parola.**

paronimia. *f.* paronímia.

paronímico, ca. *adj.* paronímico, paró(ô)nimo.

parónimo, ma. *adj.* paró(ô)nimo.

paroníquieo, a. *adj.* (bot.) paroníquia. — *f. pl.* parónicas.

paronomasia. *f.* (ret.) paronomásia, aliteração.

paronomástico, ca. *adj.* paronomástico.

parosmia. *f.* (pat.) parosmia.

parótico, ca. *adj.* (anat.) parótico, perto da orelha.

parótida. *f.* (anat.) parótida.

parotidectomia. *f.* (cir.) parotidectomia.

parotídeo, a. *adj.* (anat.) parotídeo, parotidiano.

parotiditis. *f.* (pat.) parotidite.

parovario. *m.* (embriol.) parovário.

parovaritis. *f.* (pat.) parovarite.

paroxia. *f.* (pat.) paroxia.

paroxismal. *adj.* (med.) paroxísmico.

paroxísmico, ca. *adj.* paroxísmico.

paroxismo. *m.* (med.) paroxismo, accesso violento duma doença; acidente perigoso ou quase mortal; (fig.) paixão, exaltação das paixões; abalo, abalamento.

paroxista. *adj. e s.* diz-se da pessoa partidária das resoluções extremas.

paroxítono, na. *adj.* (gram.) paroxítono.

paroxístico, ca. *adj.* paroxístico, paroxismico.

parpadear. *v. intr.* pestanejar, abrir e fechar os olhos.

parpadeo. *m.* pestanejo, acção de pestanejar.

párpado. *m.* (anat.) pálpebra, párpado; *tener los párpado caídos,* ter os olhos demisos; *volver los párpados hacia afuera,* arremelgar.

parpalla. *f.* moeda de cobre espanhola, que valia dois quartos.

parpallota. *f.* V. **parpalla.**

parpar. *v. intr.* grasnar, soltar a voz (o pato).

parque. *m.* parque, tapada, coutada; (mil.) arsenal, parque, lugar onde se guardam munições de guerra; parque, lugar onde se guardam materiais, aparelhos, etc., destinados a um serviço público; *parque de diversiones,* (Bras.) mafuá.

parquedad. *f.* moderação no uso das coisas; austeridade; frugalidade, economia parcimó(ô)nia. V. **parcidad.**

parquet. *m.* (gal.) parquete. V. **taracea.**

parqui. *m.* V. **palqui.**

parra. *f.* parreira, videira, videira cujos ramos se estendem em ramada, cepa; espécie de cipó que destila água; vaso de barro próprio para conter mel; bilha: *hoja de parra,* folha de videira, pâmpano; *subirse uno a la parra,* (fam.) zangar-se, irritar-se.

parrado, da. *adj.* aparrado, parrudo, diz-se das arvores ou plantas com rama baixa e dilatada. V. **aparrado.**

parrafada. *f.* conversação, confidência entre duas ou mais pessoas.

párrafo. *m.* parágrafo, párrafo, cada uma das divisões dum escrito; parágrafo, sinal que separa estas divisões; (pop.) charla, conversação: *echar un párrafo,* cavaquear.

parragón. *m.* prata de toque.

parral. *m.* parreiral, série de muitas parreiras; vinha por podar; bilha de barro para conter mel.

parranda. *f.* (fam.) pândega, festa, borga, folia; (Bras.) fuzarca: *andar de parranda,* (fam.) andar na pândega ou na borga.

parranda. *f.* grupo de músicos ou de boémios, que saem de noite tocando instrumentos de música ou cantando, tuna.

parrandear. *v. intr.* pandegar, andar em pândega.

parrandeo. *m.* estroinice, pândega, borga, folia.

parrandero, ra. *adj. e s.* pândego, folião, participante numa pândega, festa ou patuscada.

parrandista. V. **parrandero.**

parrar. *v. intr.* parrar-se, alastrar-se (a rama das árvores e plantas).

parrel. *adj.* (prov.) variedade de uva quase preta.

parresia. *f.* (ref.) parrésia.

parricida. *s.* parricida.

parricidio. *m.* parricídio.

parrilla. *f.* grelha. — *pl.* botija de fundo largo e boca estreita. — *pl.* (germ.) potro, tormento.

párroco. *m.* pároco, cura, sacerdote encarregado duma freguesia.

parrilla. *f.* grelha. — *pl.* botija de fundo largo e boca estreita. — *pl* (germ.) potro, tormento.

parrocha. *f.* petinga, sardinha pequena.

parrón. *m.* (bot.) labrusca. V. **parrita.**

parroquia. *f.* paróquia, freguesia; igreja matriz; paróquia, conjunto de fregueses; clero duma igreja, clientela, freguesia duma igreja; clientela, freguesia duma loja, dum alfaiate, dum médico, etc.

parroquial. *adj.* paroquial, relativo à paróquia.

parroquial. *f.* paroquil, igreja paroquial, paróquia, freguesia.

parroquialidad. *f.* direito paroquial.

parroquiano, na. *adj.* e *s.* paroquiano, pertencente a determinada paróquia; freguês duma loja, cliente.

parsimonia. *f.* parcimó(ô)nia, frugalidade, sobriedade; austeridade; moderação nas despesas; circunspecção; temperança.

parsimonioso, sa. *adj.* parcimonioso, económico, poupado, frugal, austero, sóbrio, moderado.

parte. *f.* parte, porção indeterminada dum todo; parte, número, porção; parte, sítio, lugar; parte, cada uma das pessoas que contratam; parte, quinhão em partilha; parte, lado, costado; parte, grande divisão nos livros; parte, papel representado por um actor; parte, parcialidade, partido; parte, pessoa interessada num negócio; cada um dos actores duma companhia facção, partido; pedaço, fragmento; contingente; (for.) parte, litigante; comunicação telegráfica ou telefónica; direcção, lado; parte, participação ou comunicação verbal ou escrita. — *pl.* partes, órgãos genitais; partes, prendas, dotes naturais. — *m.* mensagem; telegrama, comunicação, informação, participação; aviso: *partes naturales,* orgãos genitais; *por parte,* por partes, por artigos, distintamente; *de parte,* da parte, a favor, em nome de; *en partes,* em partes; *de parte a parte,* de parte a parte, de lado a lado.

partear. *v. tr.* partear, assistir o médico ou a parteira à mulher parturiente.

parteluz. *m.* (arq.) janela geminada. V. **ajimez.**

partencia. *f.* partida, acto de partir ou marchar.

partenogénesis. *f.* (hist. nat.) partenogénese.

partenón. *m.* partenão, pártenon.

partera. *f.* parteira, mulher que assiste a parturientes, comadre.

partería. *f.* ofício de parteira.

partero. *m.* parteiro, médico que assiste aos partos.

parterre. *m.* jardim com relva, flores e passeios largos.

partesana. *f.* partazana, alabarda aguda e larga.

partesanero. *m.* soldado armado com partazana.

partible. *adj.* partível, divisível, que se pode ou deve partir ou dividir.

partición. *f.* partição partilha, repartição dos bens duma herança; (arit.) divisão.

particionero, ra. adj. partícipe.

participación. *f.* participação, aviso ou notícia, comunicação; parte; memorândum; colaboração; consórcio.

participar. *v. tr.* participar, noticiar, comunicar, avisar, informar, anunciar; expresar; dar. — *v. intr.* participar, tomar ou ter parte nalguma coisa; colaborar; ter a natureza ou qualidades comuns a.

partícipe. *adj.* e *s.* partícipe, participador, participante.

participial. *adj.* (gram.) participal.

participio. *m.* (gram.) particípio.

partícula. *f.* partícula, parte pequena; pequena palavra invariável; fragmento, fra(c)ção; pequena porção; parte diminuta; molécula; (fig.) insignificância; (rel.) partícula, a Hóstia consagrada.

particular. *adj.* particular, próprio, peculiar dalguma coisa; individual; especial; exce(p)cional; singular; extraordinário, particular; confidencial; não oficial ou público; particular, separado; reservado; íntimo; pessoal; minucioso; individual. — *m.* particular, particularidade, matéria, assunto de que se trata; particular, uma pessoa qualquer.

particularidad. *f.* particularidade, singularidade, especialidade; individualidade; particularidade; cada uma das circunstâncias ou particularidades duma coisa; minuciosidade, detalhe; pormenor; circunstância particular.

particularismo. *m.* particularismo. V. **individualismo.**

particularista. *s.* particularista, pessoa que particulariza ou individualiza.

particularizar. *v. tr.* particularizar, referir minuciosamente; particularizar, distinguir ou mencionar especialmente alguém; detalhar; individualizar. — *v. r.* distinguir-se, singularizar-se.

partida. *f.* partida, acção de partir ou sair; saída; apartamento; certidão do registo civil; cada uma das parcelas duma conta; corpo de gente armada, quadrilha, guerilha; passamento, morte; partida, porção de mercadorias; parte do termo ou território duma povoação; partida, certo número de jogos; (mil.) partida de tropas; partes, dons, prendas, talentos, qualidades duma pessoa; partida, cada uma das sete partes da colecção de leis compiladas no tempo de Alfonso o Sábio de Castela; partida, nota de débito ou crédito, num livro de escrituração comercial.

partidario, ria. *adj.* e *s.* partidário, adepto, devoto, aderente; militante, aliado, entusiasta, fa(c)cionário, afiliado, afeiçoado, amigo, acólito; apaixonado; (fig.) apaniguado; sectário, partidarista, sequaz; guerrilheiro: *reunir partidarios,* arrebanhar partidários.

partidarista. *adj.* e *s.* (Amér.) partidarista. V. **partidista.**

partidista. *adj.* e *s.* partidarista, pessoa sectária dum partido, sequaz.

partido, da. *p. p.* e *adj.* partido; dividido; repartido, distribuído; fendido; rachado; franco, liberal, generoso, dadivoso; (heráld.) dividido de alto a abaixo em duas partes iguais.—*m.* (pol.) partido, fa(c)ção, bando; vantagens; casamento de conveniência; meio; expediente; circunscrição; resolução; clã; (fig.) falange; utilidade; favor; protecção; parcialidade; convénio; partido, ajuste, condiçoes remunerativas; partido, distrito duma jurisdição ou administração; jogo, competição, contenda desportiva; determinação, partido.

partidor. *m.* partidor, aquele que divide ou reparte alguma coisa; repartidor; aquinhoador; utensílio usado pelas mulheres para abrir a risca do cabelo; (arit.) divisor.

partidura. *f.* marrafa, risca no cabelo.

partija. *f.* partilha, partição.

partimento. *m.* V. **partición.**

partimiento. *m.* partimento, partição. V. **partición.**

partiquino, na. *s.* cantante de ópera que desempenha papéis de pouca importância.

partir. *v. tr.* partir, dividir; repartir, distribuir; partir, fender, rachar, quebrar, romper, desfazer; partir, acometer em peleja; (ant.) partir, separar, apartar. — *v. intr.* partir, tomar uma data ou um acontecimento como base para um cômputo; abalar; emanar; sair dum sitio; pôr-se a caminho; sair com ímpeto; ter origem, princípio em; provir. — *v. r* dividir-se em opiniões ou parcialidades; (arit.) dividir uma quantidade por um número dígito; partir-se, dividir-se em parcialidades; ir-se embora; despegar-se; quebrar-se, romper-se.

partitivo, va. *adj.* partível; (gram.) partitivo.

partitura. *f.* partitura, texto duma obra musical.

parto. *m.* parto, acção de parir; desgravidação; delivramento, delivração; o ser que nasceu; (fig.) qualquer produção física, produto do entendimento; acontecimento esperado; (pop.) aliviação, aliviamento: *mal parto,* desmancho.

parturienta. *f.* parturiente, diz-se da mulher que está de parto, ou recém parida.

parturiente. *adj.* e *f.* parturiente. V. **parturienta.**

párulis. *m.* (med.) flegmão, fleimão. V. **flemón.**

parva. *f.* parva, ligeira refeição antes do almoço; (agr.) calcadouro; (fig.) montão grande dalguma coisa; multitude.

parvada. *f.* (agr.) conjunto de calcadouros; ninhada de pintainhos ou pintos.

parvedad. *f.* parvidade, pequenez, pequena quantidade, pouquidade; parva, pequena porção de alimento que se toma nos dias de jejum; dejejuadoiro.

parvero. *m.* eirada de cereais para debulha.

parvidad. *f.* parvidade. V. **parvedad.**

parvificar. *v. intr.* encurtar; diminuir, escassear, atenuar. V. **achicar.**

parvo, va. *adj.* parvo, pequeno, menor, apanascado. V. **pequeño;** em espanhol, *parvo* nunca tem a acepção portuguesa de tolo, idiota, etc.

parvulez. *f.* pequenez, pequeneza; parvulez, parvuleza, puerilidade, simplicidade.

párvulo, la. *adj.* e *s.* parvo, pequeno, criança que está ainda na meninice; (fig.) ingénuo, inocente, fácil de enganar; humilde, coitado.

pasa. *f.* passa, uva scca. — *adj.* enfeite usado antigamente pelas mulheres; carapinha dos pretos: *pasa de corinto,* passa de corinto.

pasa. *f.* canal entre baixios por onde podem passar as embarcações.

pasabalas. *m.* (mil.) aparelho para comprovar o calibre das balas; passadeira, calibrador de balas.

pasable. *adj.* passável; regular, mediano; aceitável. V. **pasadero.**

pasacalle. *m.* (mús.) marcha popular de andamento muito vivo; passeio pelas ruas tocando música.

pasacampana. *f.* (vet.) agrião, tumor no calcâneo dos cavalos.

pasacólica. *f.* (med.) cólica. V. **cólica.**

pasada. *f.* passagem; rendimento suficiente para poder manter-se e viver, passadio; partida de jogo; passo, passada, medida antiga equivalente a cinco pés; (fig. e fam.) partida, acção maliciosa, mau comportamento. V. **paso,** acção de passar: *de pasada,* de passagem; *pasada de pintura,* demão de pintura; *cosas pasadas,* coisas de antanho; *jugar una mala pasada,* enganar alguém, comportar-se mal com alguém.

pasadera. *f.* alpondras, pedras para atravessar rios, charcos, etc., poldras.

pasadero, ra. *adj.* passável, que se pode passar com facilidade; aceitável, tolerável; regularmente de saúde; meião; medíocre. — *m.* alpondras.

pasadía. *f.* passadio, rendimento para sustentação. V. **pasada.**

pasadillo. *m.* espécie de ourela que aparece em ambos os lados do tecido.

pasadizo. *m.* passadiço, corredor, passagem estreita de casa ou rua; (fig.) passagem, passadouro, passadoiro, meio para passar duma parte para outra.

pasado, da. *p. p.* e *adj.* passado; decorrido, andado; pretérito; seco (fruta); repassado; embebido. — *m.* o passado, tempo que passou; desertor, soldado que se passa para o inimigo. — *pl.* antepassados, ascendentes: *pasado de moda,* envelhecido.

pasador, ra. *adj.* passador, que passa, contrabandista. — *m.* flecha, seta de besta; passador, fecho, ferrolho, aldraba de porta ou janela; tranca, chaveta, eixo de dobradiça; agulha para o cabelo; alfinete de gravata; passador, alfinete para segurar condecorações; passador, coador; (mar.) instrumento para abrir os cordões dos cabos: *pasador de cordones*, agulheta; *pasador de cerradura*, passador de fechadura.

pasadura. *f.* passagem, lugar onde se passa, passadiço, galeria; (fig.) choro convulsivo das crianças.

pasaje. *m.* passagem, acção de passar; passagem, direito que se paga por passar nalgum sítio; passagem, lugar, preço de viagem; conjunto de passageiros dum navio; estreito, passagem; passagem dum livro ou escrito; passadiço entre duas ruas; acolhida, tratamento dispensado a alguém; (mús.) transição; passagem, conjuntura, acontecimento, lance.

pasajero, ra. *adj.* e *s.* passageiro; transitório, efé(ê)mero; passageiro, por onde passa muita gente; diz-se das aves que vêm de partes remotas; passageiro, volátil; fugitivo, breve; passageiro, viajante, que passa ou caminha dum lugar para outro; fugaz; meteórico; passageiro, transeunte; viajante em navio: *lugar pasajero*, lugar passageiro.

pasamanar. *v. tr.* passamanar, guarnecer de passamanes.

pasamanería. *f.* passamanaria, fábrica de passamanes; obra de passamanes; profissão de passamaneiro; loja onde se vendem passamanes.

pasamanero, ra. *s.* passamaneiro, fabricante ou vendedor de passamanes, sirgueiro.

pasamano. *m.* passamanes, fitas ou galões entretecidos a ouro, prata ou seda; corrimão ou mainel da escada; (mar.) passagem que há da popa à proa nos navios.

pasamiento. *m.* passagem, passadouro, passadoiro.

pasante. *p. a.* e *adj.* passante, que passa; (heráld.) diz-se do animal pintado em atitude de andar ou passar. — *m.* assistente, ajudante de professor ou advogado; repetidor, explicador de lições; (pop.) a-carreta-papéis, advogado principiante: *pasante de pluma*, escrevente de advogado.

pasantía. *f.* prática, exercício do assistente, ajudante ou praticante de professor ou profissional liberal; tempo que dura este exercício ou prática.

pasaperro (coser a). (fig.) encadernar com pergaminho livros de pouco volume.

pasaporte. *m.* passaporte, licença escrita para sair do país; licença com itinerário dada a militares; (fig.) carta branca, liberdade de fazer alguma coisa.

pasar. *v. tr.* passar, levar, conduzir; passar, mudar, trasladar; transpor; atravessar; transportar; entregar; exceder; traspassar; filtrar; transmitir; omitir; ir além de; passar, penetrar, introduzir; passar, ultrapassar, exceder; passar, contrabandear; passar, avantajar; passar, transferir, legar; passar, padecer, sofrer; tolerar; entregar, alcançar; entregar, dar; passar, enfiar; passar, levar, deixar correr uma coisa por cima de outra que a toca suavemente; passar, coar, cirandar,

joeirar, peneirar, filtrar; engolir, deglutir; tragar; passar, calar, omitir; passar, dissimular. desculpar, não fazer caso; repassar uma lição, estudar; praticar com um profissional liberal, rever um livro; secar, dessecar; passar o tempo, ir vivendo; passar, comer o dinheiro; passar, lavrar, publicar; dirigir, aplicar; expedir; empregar; passar, fazer deslizar; passar, estar em determinado sítio durante certo período; efectuar. — *v. intr.* passar, circular, propagar-se (uma doença, etc.), mudar, converter-se; passar, declarar que não se faz jogo nas cartas; passar, decorrer o tempo; passar, morrer; ter o necessário para viver; durar, manter-se; prolongar-se; mostrar-se, aparecer momentâneamente, concluir, terminar, acabar; desaparecer; ir-se; passar, ser votado; ser aprovado num exame; ter curso, passar; passar, não jogar um lance em certos jogos; decorrer; estar, achar-se; passar, ser transmitido; passar, viver, subsistir; passar, viver; passar, ser tolerável; exceder. — *v. impr.* acontecer, suceder, advir; acaecer. — *v. r.* passar para o lado ou partido oposto, passar-se, bandear-se; começar a apodrecer; esquecer-se; exceder-se; não fechar bem; passar, perder a força; mudar de residência; gastar-se, decorrer (o tempo); estar, viver, passar-se: *pase lo que pase*, aconteça o que acontecer.

pasarela. *f.* (gal.) passadeira; passagem, lugar por onde se passa; ponte pequena nos navios.

pasatiempo. *m.* passatempo, divertimento, entretimento; devaneio, desporte desenfado; (pop.) entretem: *pasatiempo divertido*, frescata, patuscada.

pasatoro (a). *adv.* diz-se de certa forma de matar o touro.

pasaturo. *m.* (p. us.) estudante privado.

pasavante. *m.* (mar.) salvo-conduto naval; carta de marca dada a um navio mercante adquirido no estrangeiro.

pasavolante. *m.* acção executada ligeiramente ou com descuido; passa-volante, espécie de colubrina antiga.

pascasio. *m.* (fam.) estudante universitário que ia passar as férias de Páscoa fora da cidade.

pascua. *f.* Páscoa, festa anual dos hebreus; Páscoa, festa anual dos cristãos. — *pl.* Natal: *dar las Pascuas*, felicitar no Natal; *celebrar la Pascua*, empascoar; *de Pascuas a Ramos*, (fam.) de quando em quando; *santas pascuas*, (fam.) expressão para indicar conformidade com o que acontece ou se diz; *como unas pascuas*, muito alegre.

pascual. *adj.* pascoal, relativo à Páscoa: *cumplir con el Precepto Pascual*, (pop.) desarriscar.

pascuilla. *f.* pascoela, primeiro domingo depois da Páscoa da Ressureição.

pase. *m.* passe, licença, permissão; passaporte, licença por escrito; passe, acção e efeito de passar; (taur.) passe; exequatur: *hacer un pase*, passar a bola no futebol.

paseadero. *m.* passeadouro, passeadoiro, passeio, lugar onde se passeia.

paseador, ra. *adj.* passeador, que passeia muito.

paseana. *f.* (Amér.) etapa, descanso ou paragem numa viagem.

paseante. *p. a. adj. e s.* passeante, que passeia: *paseante en corte*, vadio, pessoa sem ocupação.

pasear. *v. intr.* passear, andar por diversão, para tomar ar; andar o cavalo a passo. — *v. tr.* passear, levar a passeio; (fig.) andar vagando (diz-se de coisas imateriais); estar ocioso.

paseata. *f.* (fam.) passeata, passeio pequeno.

paseo. *m.* passeio; lugar ou sítio para passeio; passeio, pequena distância; inambulação; deambulação; excursão: *¡anda a paseo!*, vai pela sombra! ; *dar el paseo a alguien*, assassinar alguém.

pasera. *f.* passeira, lugar onde se secam frutas; operação de secar algumas frutas.

pasero, ra. *s.* vendedor de passas.

pasero, ra. *adj.* passeiro, diz-se do cavalo ensinado ao passo.

pasibilidad. *f.* passibilidade, qualidade de passível, ou passivo.

pasible. *adj.* passível, que pode padecer.

pasicorto, ta. *adj.* que tem o passo curto.

pasiflora. *f.* (bot.) passiflora, passiflórea.

pasifloráceo, a. *adj.* (bot.) passifloráceo. — *f. pl.* passifloráceas.

pasiflóreo, a. *adj.* (bot.) passiflóreo. — *f. pl.* passiflóreas.

pasilargo, ga. *adj.* passilargo, que tem o passo comprido.

pasillo. *m.* corredor, passagem estreita no interior dum edifício, galeria; ponto de casear; passo, episódio da Paixão de Cristo.

pasión. *f.* paixão, acção de padecer; paixão, tormentos e morte de Cristo; paixão, estado passivo no sujeito; paixão, perturbação ou afeição desordenada da alma; inclinação ou preferência duma pessoa por outra; empenho; arrebatamento; encarniçamento; entusiasmo, acendimento, encendimento, ardência; (fig.) incêndio, amor; paixão, sermão sobre os tormentos de Cristo que se prega nas Semana Santa; paixão, parte dos Evangelios que descreve a Paixão de Cristo; (Bras.) cachaça, paixonite: *pasión amorosa*, (fig.) derretimento; *con pasión*, apaixonadamente.

pasional. *adj.* passional, relativo a paixão, especialmente amorosa.

pasionaria. *f.* (bot.) passiflórea, maracujá, martírio, flor da paixão.

pasionario. *m.* passionário, livro por onde se canta a Paixão de Cristo.

pasioncilla. *f.* pequena paixão, paixoneta, paixão passageira; (deprec.) aversão da alma contra alguma pessoa, rancor, ódio.

pasionero. *m.* padre que canta a Paixão nos ofícios divinos da Semana Santa; clérigo de hospital, que dá assistência espiritual aos doentes.

pasionista. *m.* padre que canta a Paixão.

pasito. *m.* passinho, pequeno passo. — *adv.* devagarinho, em voz baixa, suavemente, com muito cuidado.

pasitrote. *m.* chouto, trote miúdo e incómodo.

pasividad. *f.* passividade, qualidade ou estado do que é passivo.

pasivo, va. *adj.* passivo, ina(c)tivo, que deixa operar os outros sem por si fazer coisa alguma; que não toma parte activa; diz-se da reforma, aposentação; paciente; indiferente; inerte; (gram.) passivo (verbo). — *m.* (com.) passivo: *obediencia pasiva*, obediência passiva; *pasivo de un banco*, o passivo de um banco.

pasmado, da. *p. p. e adj.* pasmado; (heráld.) diz-se de certos peixes que se representam no brasão com a boca aberta e sem língua; assombrado; embaçado, encantado, aturdido, atordoado, luminárias; estupefa(c)to; embasbacado, basbaque, absorto, abismado; frio; azabumbado; (fig.) areado; ina(c)tivo.

pasmar. *v. tr.* esfriar muito ou bruscamente; enregelar, secar, queimar (as plantas); causar perda dos sentidos, desmaiar; (fig.) assombrar, pasmar, ficar admirado; aturdir; embaçar; estupeficar, abobar; embelezar. — *v. r.* contrair espasmo; admirar-se, atordoar-se; assombrar-se; abobar-se; (pint.) empanarem-se as cores ou vernizes.

pasmarota. *f.* (fam.) pasmo, desmaio fingido, gestos de falsa admiração.

pasmarote. *m.* (fam.) estafermo, basbaque. V. **estafermo**.

pasmo. *m.* esfriamento que causa defluxo, dor nos ossos, etc.; nome do tétano; (fig.) pasmo, aturdimento, admiração e assombro extremado; atordoamento, estranheza, estupefacção; embasbacação; enfiamento, assarapantamento; objecto que causa este pasmo: *causar pasmo*, embasbacar.

pasmón, na. *adj. e s.* paspalhão, basbaque, palerma.

pasmoso, sa. *adj.* (fig.) pasmoso, que causa pasmo ou admiração, assombroso, prodigioso, milagroso; inconcebível; estupendo, arrebatador, façanhoso.

paso, sa. *adj.* passada, diz-se da fruta posta ao sol a secar e da fruta seca por outro processo.

paso. *m.* passo, passada, modo de andar, andadura. V. **peldaño**; passo, acto de passar; passo, diligência, providência; passo, passada, vestígio de pegada; passo, andadura das bestas; passo, passagem; licença para passar; passo, caso, sucesso, acontecimento, lance; passo, situação, circunstância; conjuntura; adiantamento, progresso; passo da Paixão de Jesus; passo, passagem de livro ou escrito, peça dramática breve; alinhavo; passo, justa, torneio; (fig.) ponto comprido na costura;

andamento das tropas; comprimento duma passada; passo, posição dos pés na dança; passo, passagem estreita e difícil num valado, monte; conjuntura, acto, resolução; (técn.) passo, distância entre dois dentes de uma engrenagem, entre dois filetes duma hélice; estreito, passagem de mar; morte, falecimento; garganta; (teatr.) pequena peça teatral; caminho, transição; medida: *un paso al frente*, um passo para a frente; *paso ligero*, passo leve; *paso acelerado*, passo acelerado; *tirar a veinte pasos*, atirar a vinte passos; *paso difícil*, (fig.) passo difícil; *más que de paso*, a passo corrido; *abrir paso*, abrir caminho; *hacer el paso*, fazer-se o tolo. — *interj.* passo!; de vagar!; alto lá! — *adv.* V. **pasito**; *a dos pasos*, a dois passos, perto; *a dar un paso en falso*, dar um passo em falso, cometer um erro; *dar un buen o mal paso*, dar um bom ou mau passo; proceder bem ou mal.

pasodoble. *m.* música e baile de movimento rápido.

pasote. *m.* V. **pazote.**

paspartú. *m.* passe-partout.

pasquín. *m.* pasquim, escrito anónimo afixado, em sítio público; edi(c)to; panfleto, difamatório; crítica mordaz.

pasquinada. *f.* pasquinada, pasquim: *crítica mordaz*, pasquinagem.

pasquinar. *v. tr.* pasquinar, criticar por meio de pasquins, escrever pasquins.

pasta. *f.* pasta, massa; massa alimentícia; pasta, porção de ouro ou prata fundidas e por trabalhar; barra; pasta, massa de farrapos para fazer cartão; pasta, massa para o fabrico do papel; pasta, massa para pastéis e comestíveis; pasta, capa de livro; (fig.) pasta, demasiada brandura de génio; (germ.) dinheiro: *buena pasta*, boa índole, génio pacífico; *hombre de buena pasta*, homem de bons bofes; *reducir a pasta*, empastar.

pastadero. *m.* pastagem, terreno de pastagem, pascigo.

pastar. *v. tr.* e *intr.* pastar, levar o gado ao pasto; pascer, comer o gado a erva nos prados; andar pastando.

pasteca. *f.* (mar.) patesca, poleame de laborar semelhante ao moitão. V. **galápago.**

pastel. *m.* pastel, massa de farinha e manteiga; torta doce; empada; (fig.) trapaça no jogo; lápis feito duma matéria corante; (impr.) pastel, conjunto de tipos destinados a fundição; (fig. e fam.) tramóia, conluio; cabala; conventículo; (fort.) reducto irregular; (fig.) pastel, empada, pessoa baixa e muito gorda; (pint.) pastel: *pastel en bote*, guisado de perna de carneiro; *hacer pasteles*, frasquejar; *pastel ordinario*, boleima; *pastel pequeño*, bichinha; *pastel de arroz*, (Bras.) afurá.

pastelada. *f.* trama, cabala, conluio, tramóia, enredo oculto.

pastelear. *v. intr.* (fig. e fam.) contemporizar com intuitos interesseiros.

pastelejo. *m.* pastelzinho, pastel pequeno, bolinho.

pasteleo. *m.* contemporização interesseira.

pastelería. *f.* pastelaria, estabelecimento onde se fabricam e vendem pastéis; pastelaria, arte de fabricar pastéis, pastas, etcétera; pastelaria, conjunto de pastéis.

pastelero, ra. *s.* pasteleiro, fabricante ou vendedor de pastéis; (fig. e fam.) pessoa comodista; contemporizador, paliador.

pastelista. *s.* (pint.) pastelista, o que pinta ou desenha a pastel.

pastelón. *m.* pastelão, empadão.

pastenco, ca. *adj.* e *s.* diz-se da rês desmamada que se põe a pastar pela primeira vez.

pasterización. *f.* pasteurização.

pasterizador. *m.* pasteurizador, aparelho próprio para pasteurizar.

pasterizar. *v. tr.* pasteurizar.

pastero. *m.* aquele que deita nas seiras a pasta da azeitona já moída.

pastilla. *f.* pastilha, pequena pasta de açúcar com essência ou medicamento.

pastinaca. *f.* (bot.) pastinaca, pastinaga, cherívia, espécie de cenoura; (ictiol.) peixe seláceo, semelhante à raia.

pastizal. *m.* pastio, pasto, terreno em que há pastagem.

pasto. *m.* pasto, acção de pastar; pasto, alimento do gado; pascigo; pasto, sítio em que pasta o gado; (cetr.) pasto, porção de comida que se dá duma vez às aves; (fig.) pábulo; defesa.

pastoforio. *m.* pastofório, quarto ou cela que tinham os sumos sacerdotes pagãos.

pastón. *m.* (prov.) pastio, terreno de má qualidade que se deixa para pasto.

pastor, ra. *s.* pastor, guardador de gado, zagal, pegureiro, apascentador. — *m.* prelado, pároco, pastor: *el Buen Pastor*, o Bom Pastor.

pastoral. *adj.* pastoril; pastoral, pertencente aos prelados; pastoril, relativo à poesia em que se fala da vida dos pastores. — *f.* pastoral, drama bucólico; pastoral, circular dirigida por um bispo ao clero ou aos fiéis da sua diocese.

pastorear. *v. tr.* pastorear, apascentar, apascoar, levar o gado ao pasto; guiar ao pasto; (fig.) pastorear, dirigir pastoralmente o prelado os seus fiéis.

pastorela. *f.* pastorela, música, canto simples e alegre à maneira dos pastores; composição poética dos provençais.

pastoreo. *m.* apascoamento, pastoreação.

pastoría. *f.* pastorícia, profissão do pastor; conjunto de pastores. V. **pastoreo.**

pastoricio, cia. *adj.* V. **pastoril.**

pastoril. *adj.* pastoril, próprio dos pastores; rústico; bucólico.

pastosidad. *f.* pastosidade, qualidade de pastoso.

pastoso, sa. *adj.* pastoso, que está em pasta; viscoso; massudo, empastado; (med.) saburroso; (pint.) pintado com boa demão de tinta; espe(ê)sso, diz-se da voz pouco clara.

pastura. *f.* pasto, pastagem (erva); porção de comida que se dá duma vez só aos bois; local onde estes pastam; (fig.) pastos.

pasturaje. *m.* pastagem comum; direito de pastagem.

pasudo, da. *adj.* (Amér.) diz-se do cabelo em forma de passas.

pata. *f.* pata, perna e pé dos animais; (zool.) pata, fêmea do pato; extremidade da âncora; (fig. e fam.) obstáculo, transtorno; (fam.) perna; pé ou base duma coisa; (carp.) pé, parte inferior dum móvel; (Amér.) adulação, lisonja: *pata de gallo*, despropósito; (fig.) pé-de-galinha, ruga no canto dos olhos; *a la pata la llana*, sem afectação, com simplicidade; *a la pata coja*, (fig.) a pospelo; *patas arriba*, às avessas, de cabeça para baixo; *mala pata*, (fig.) desinfelicidade, desgraça; *que tiene mala pata*, diz-se da pessoa desinfeliz; *tener mala pata*, ter pouca sorte; *meter la pata*, (fam.) deslizar, intervir desastradamente; *metedura de pata*, (fam.) deslize.

pataco, ca. *adj.* e *s.* V. **patán.**

patacón. *m.* patacão, moeda de prata.

patache. *m.* (mar.) patacho, embarcação ligeira de dois mastros.

patada. *f.* patada, pancada dada com a pata ou com o pé; (fam.) passada, passo; (fig. e fam.) pegada, pista: *a patadas*, (fam.) com excessiva abundância; *dar la patada a alguien*, (pop.) desempoleirar.

patagón, na. *adj.* patagó(ô)nio.

Patagona. (geog.) Patagó(ô)nia.

patagónico, ca. *adj.* (geog.) patagónico.

pataje. *m.* V. **patache.**

patalear. *v. intr.* pernear, espernear, patear.

pataleo. *m.* pateada, acto de patear; pateada, ruído feito com os pés ou com as patas; estropeada.

pataleta. *f.* (fam.) faniquito, chilique, desmaio sem gravidade, especialmente quando se crê que é fingido.

patán. *adj.* e *m.* (fam.) aldeão, campónio, parolo, rústico; homem grosseiro e rude; avaqueirado, desafável, desajeitado; patudo, patola, patau: *comportarse como un patán*, apaixonar-se.

patanería. *f.* (fam.) grosseria, rusticidade, ignorância; rusticidade.

patarata. *f.* patarata, mentirola; ostentação ridícula e desprezível; ênfase; expressão afectada, excesso de amabilidade; coisa ridícula.

pataratero, ra. *adj.* e *s.* patarateiro, que diz pataratas ou pataratices.

patarra. *f.* insipidez, sensaboria, falta de graça e viveza.

patarráez. *m.* (mar.) patarrás, cabo grosso para reforçar a ovençadura.

patarroso, sa. *adj.* e *s.* desengraçado, que não tem graça, sensaborão, que tem falta de chiste.

patas. *m.* (fam.) o diabo. V. **pateta.**

patata. *f.* (bot.) batata, planta e o seu tubérculo; *dar forma de patata*, (Bras.) abatatar.

patatal, tar. *m.* batatal, terreno plantado de batatas.

patatero, ra. *adj.* batateiro, diz-se da pessoa que se alimenta de batatas; (fig. e fam.) tarimbeiro; aplicava-se ao oficial do exército que tinha sido promovido desde simples soldado sem ter cursado estudos superiores.

patatín, patatán (que). (fam.) subtilezas, desculpas de quem não quer entrar em razões.

patatús. *m.* (fam.) faniquito, chilique, desmaio, leve.

paté. *adj.* (heráld.) diz-se da cruz cujas extremidades se alargam.

pateadura. *f.* pateada, pateadura, acto de patear; (fig. e fam.) repreensão ou refutação violenta.

pateamiento. *m.* pateada. V. **pateadura.**

patear. *v. tr.* (fam.) patear, reprovar, batendo com os pés no chão; (fig. e fam.) tratar rudemente alguém, maltratar. — *v. intr.* (fam.) patear em sinal de zanga, dor ou desagrado; dar patadas por enfado ou cólera; (fig. e fam.) patear, palmilhar, andar muito, dar bastantes passos para conseguir alguma coisa; estar muito encolerizado ou enfadado; (teatr.) patear, batendo com os pés, em sinal de desagrado.

pateliforme. *adj.* pateliforme.

patena. *f.* patena, lâmina, medalhão com uma imagem, usada ao peito como adorno, pelas lavradeiras; (litur.) patena: *más limpio que una patena*, extremamente asseado.

patentar. *v. tr.* patentear, conceder e pedir patente.

patente. *adj.* patente, evidente, aberto, accessível, expresso; (fig.) claro, franco, luminoso, perceptível; demonstrativo, declarado (fig.) desnudo. — *f.* carta-patente; direitos pagos para exercer uma profissão; patente, contribuição, paga pelos que entram para uma corporação aos membros mais antigos.

patentizar. *v. tr.* patentear, evidenciar, tornar patente, constatar; tornar claro e evidente.

pateo. *m.* pateada, acção de patear: *pateo en un espectáculo*, assobio.

pátera. *f.* pátera, espécie de taça usada nos sacrifícios antigos.

paternal. *adj.* paternal, próprio da afeição de pai.

paternidad. *f.* paternidade, qualidade de pai; paternidade, tratamento dado a certos religiosos; (fig.) autoria.

paterno, na. *adj.* paterno, paternal.

paternóster. *m.* Pai-nosso; (fig. e fam.) nó grosso e muito apertado.

pateta. *m.* o diabo, zambro.

patético, ca. *adj.* patético; tocante, que comove, sentimental.

patiabierto, ta. adj. (fam.) cambaio, que tem as pernas tortas e separadas, cambado.

patialbillo. m. gineta, gato bravo.

patialbo, ba. adj. que tem as patas brancas. V. **patiblanco.**

patiblanco, ca. adj. diz-se do animal que tem as patas brancas.

patibulario, ria. adj. patibular, relativo a patíbulo; patibular, horroroso, espantoso; lúgubre, medonho (cara).

patíbulo. m. patíbulo, cadafalso, fo(ô)rca, guilhotina.

paticalzado, da. adj. calçado, diz-se das aves que têm penas até aos pés.

paticojo, ja. adj. (fam.) coxo. V. **cojo.**

paticorto, ta. adj. diz-se dos animais que têm as pernas curtas.

patidifuso, sa. adj. (pop.) surpreendido. V. **patitieso.**

patiestevado, da. adj. cambaio, diz-se de quem tem as pernas tortas em forma de arco.

patihendido, da. adj. bissulco, bissulcado, diz-se do animal que tem o pé rachado.

patilla. f. patilhas, suíças, parte da barba que se deixa crescer nas partes laterais das faces; certa posição da mão esquerda no braço da guitarra; charneira das fivelas; parte saliente dum encaixe de madeira; (Bras.) costeleta. — pl. o diabo, as garras do diabo; (mar.) patilhas: *patilla y cruzado y vuelta a empezar*, (fam.) expressão com que se censura a repetição de actos inúteis.

patilludo, da. adj. que tem suíças espessas e compridas.

patimuleño, ña. adj. que tem o casco semelhante ao da mula.

patín. m. patim, calçado para patinar: *patín de ruedas*, patim de rodas; *patín de cola*, (aviac.) trem de aterragem.

pátina. f. pátina, verniz que o tempo dá aos objectos; pátina, crosta formada em certos objectos antigos; (pint.) pátina, tons suaves dos quadros antigos.

patinadero. m. lugar ou pista de patinar.

patinador, ra. adj. e s. patinador, que patina.

patinar. v. intr. patinar, deslizar com patins; patinhar, girarem as rodas sem avançar o veículo; derrapar, deslizar.

patinazo. m. deslizamento, acto de derrapar, derrapagem.

patinoso, sa. adj. que tem pátina.

patio. m. pátio, recinto descoberto dum edifício; (teatr.) plateia; espaço que medeia entre as linhas de árvores e a margem dum campo.

patiquebrar. v. tr. quebrar uma pata a um animal.

patita. f. patazinha, pata pequena, patita: *poner de patitas en la calle*, despedir alguém dum emprego; *ir a patita*, andar a pé.

patitieso, sa. adj. (fam.) que fica paralisado, ou sem movimento nas pernas ou pés, devido a accidente repentino; (fig. e fam.) surpreendido, atordoado; empolado, rete-

sado por presunção ou afectação, empertigado, teso, estupefacto; atónito.

patituerto, ta. adj. zambro, cambaio; torto, torcido, malfeito.

patizambo, ba. adj. e s. zambro, cambaio, que tem as pernas tortas para fora e juntos os joelhos.

pato. m. (zool.) pato.

patochada. pachouchada, dito disparatado, tolice, despropósito, parvoiçada, pachouchada.

patogenia. f. (med.) patogénia, patogé(ê)nese.

patógeno, na. adj. patogé(ê)nico.

patognómico, ca. adj. patognomó(ô)nico.

patojera. f. coxeadura, deformidade nos pés.

patojo, ja. adj. coxo, cambaio, zambro, diz-se daquele que imita o pato ao andar.

patología. f. patologia.

patológico, ca. adj. patológico.

patólogo, ga. s. patólogo, patologista.

patón, na. adj. (fam.) pèzudo, que tem grandes pés, patudo, que tem grandes patas.

patoso, sa. adj. enfadonho, maçador, diz-se da pessoa que se julga engraçada.

patraña. f. patranha, mentira, grande pe(ê)ta; contarelo, mentirola, farsa, embuste; chocalhice; embromação; blague, embófia; (desprec.) milagreira; (fig.) encravação.

patrañero, ra. adj. e s. patranheiro, que inventa patranhas, patranhento, mentiroso, embusteiro, embaidor, aldravão.

patria. f. pátria, a nossa própria nação; pátria, lugar em que se nasceu; (fig.) berço: *madre patria*, mãe-pátria; *la patria celestial*, a pátria celeste.

patriarca. f. patriarca, personagem do antigo testamento; patriarca, título eclesiástico; os fundadores das ordens religiosas; (fig.) velho respeitável.

patriarcado. m. patriarcado.

patriarcal. adj. patriarcal. — f. Sé patriarcal, igreja do patriarca.

patriciado. m. patriciado, dignidade ou condição de patrício; nobreza.

patriciano, na. adj. e s. diz-se da certos hereges que se guiam pela doutrina do heresiarca Patrício.

Patricio. n. pr. Patrício.

patricio, cia. adj. patrício, relativo aos patrícios. — m. patrício, distinto, aristocrata, nobre, privilegiado.

patrimonial. adj. patrimonial, relativo ao património; patrimonial, pertencente a alguém em razão da sua pátria.

patrimonialidad. f. (rel.) patrimonialidade.

patrimonio. m. patrimó(ô)nio, herança paterna, bens de família; (fig.) património, bens próprios; património, dote dos ordinandos.

patrio, tria. adj. pátrio, pertencente ou relativo à pátria.

patriota. m. patriota, o que tem amor à sua pátria.

patriotería. f. (fam.) alarde excessivo, próprio do patrioteiro; chauvinismo.

patriotero, ra. *adj.* e *s.* patrioteiro, o que alardeia patriotismo; chauvinista.

patriótico, ca. *adj.* patriótico, pertencente ou relativo ao patriota ou à pátria.

patriotismo. *m.* patriotismo, amor à pátria, qualidade de patriota; civismo.

patrística. *f.* (igles.) patrística, patrologia.

patrístico, ca. *adj.* patrístico, patrológico.

patrocinador, ra. *adj.* e *s.* patrocinador, que patrocina, protector, favorecedor.

patrocinar. *v. tr.* patrocinar, defender, proteger, favorecer, amparar, dar patrocínio a; advogar; apadrinhar; assistir: *patrocinar una solicitud,* apoiar um pedido.

patrocinio. *m.* patrocínio, protecção, auxílio, amparo, favor; apoio; auspício; (fig.) arrimo.

patrología. *f.* (igles.) patrologia, patrista.

patrológico, ca. *adj.* patrológico, patrístico.

patrón, na. *s.* patrono, padroeiro, protector, defensor, patrão; padroeiro, santo titular duma igreja; patrono, protector escolhido por um povo ou congregação; padroeiro, orago; patrão, dono de casa onde alguém se hospeda; senhorio, amo, senhor. — *m.* patrão, o que governa um pequeno navio; padrão, modelo; padrão, padrão monetário; cavalo, planta em que se faz um enxerto; patrão, o que dá a liberdade a um escravo; patrono, santo protector.

patrona. *f.* (mar.) galera imediatamente inferior em dignidade à capitânia duma esquadra.

patronado, da. *adj.* padroado, diz-se das igrejas e benefícios que têm patrono.

patronal. *adj.* patronal, pertencente ao patrono ou padroado.

patronato. *m.* padroado, direito, poder ou faculdade do patrono; patronato, fundação duma obra pia; missão de cumprir essa obra pia; patronato, classe dos patrões; fundação; mecenato.

patronazgo. *m.* padroado, patronato.

patronear. *v. r.* patronear, exercer o cargo de patrão dum barco; (Bras.) patroar.

patronero. *m.* patrono. V. **patrón.**

patronímico, ca. *adj.* patronímico, relativo ao pai ou aos nomes de família; patronímico, diz-se do sobrenome que antigamente se dava aos filhos, formado do nome próprio de seus pais.

patrono, na. *adj.* e *s.* patrono, defensor, protector, padroeiro, o santo titular, amparador, orago; senhor, em relação aos seus libertos; patrão, amo, pessoa que emprega operários ao seu serviço.

patrulla. *f.* patrulha, ronda de soldados, pequeno grupo de pessoas que vão a passo.

patrullar. *v. intr.* patrulhar, rondar uma patrulha.

patrullero. *m.* (mar.) barco de pequena tonelagem armado com artilharia, empregado na vigilância.

patuá. *m.* (gal.) V. **dialecto, jerga.**

patudo, da. *adj.* (fam.) patudo, que tem grandes patas ou pés.

patulea. *f.* (fam.) soldadesca, tropa desordeira; multidão desordeira.

patullar. *v. intr.* pisar com força, sem atenção; (fig. e fam.) andar muito, fazer muitas diligências; conversar.

paturro, rra. *adj.* (Amér.) rechonchudo, anafado.

paucifloro, ra. *adj.* (bot.) paucifloro.

paúl. *m.* paul, pântano, brejo, porção de água estagnada.

paúl. *adj.* e *m.* diz-se do clérigo regular missionário pertencente à congregação de S. Vicente de Paulo.

paular. *m.* pântano ou atoleiro.

paular. *v. intr.* falar, palrar; só se usa em linguagem festiva.

paulatino, na. *adj.* paulatino; feito aos poucos, devagar.

paulilla. *f.* borboleta. V. **palomilla.**

paulina. *f.* paulina, breve de excomunhão, cominatória; (fig. e fam.) paulina, descompostura, repreensão forte; carta anónima ofensiva.

pauperismo. *m.* pauperismo, indigência permanente, empobrecimento, pobreza, paupérie.

paupérrimo, ma. *adj.* (superl.) paupérrimo, muito pobre, pobríssimo, indigente.

pausa. *f.* pausa, interrupção breve do movimento, acção, etc.; lentidão; descanso; ina(c)ção; (mús.) pausa; (técn.) pausa, intervalo das vigas dum madeiramento: *hacer una pausa,* descansar.

pausado, da. *p. p.* e *adj.* pausado, feito com pausa, lento, cadenciado, descansado, vagaroso. — *adv.* pausadamente.

pausar. *v. intr.* pausar, interromper ou retardar um movimento ou exercício, demorar, descansar, poisar.

pauta. *f.* pauta, instrumento para riscar o papel em que as crianças aprendem a escrever; pauta, o mesmo papel depois de riscado; (fig.) pauta, exemplo, mode(ê)lo, molde, norma, regra.

pautada. *f.* (mús.) pentagrama.

pautado, da. *p. p.* e *adj.* pautado, riscado com traços paralelos; pentagrama.

pautador. *m.* pautador, o que pauta ou faz pautas.

pautar. *v. tr.* pautar, riscar o papel com a pauta; (fig.) dirigir, regular; (mús.) pautar.

pava. *f.* (zool.) perua, fêmea do peru; (fig. e fam.) mulher desengraçada: *pelar la pava,* arrastar a asa, gargarejar, namorar da rua para a janela.

pava. *f.* fole grande dos fornos metalúrgicos; (Amér.) caldeira, cafeteira ou chaleira.

pavada. *f.* bando de perus; certo jogo de rapazes; (fig. e fam.) tolice, dito insosso.

pavana. *f.* pavana, dança espanhola; pavana, música adequada a essa dança; espécie de romeira que usavam as mulheres.

pavero, ra. *s.* guardador ou vendedor de perus.

pavero. *m.* chapéu de aba larga e copa cónica, que usam os andaluzes.

pavés. *m.* pavês, escudo grande, embraçadeira.

pavesa. *f.* faúlha, faísca, fagulha.

pavesada. *f.* pavesada. V. **empavesada.**

pavesina. *f.* pequeno pavês.

pavezno. *m.* peruzinho. V. **pavipollo.**

pavía. *f.* (bot.) pavia, casta de pêssego.

pávido, da. *adj.* pávido, que tem pavor; tímido, medroso; assustado, assombrado.

pavimentación. *f.* pavimentação; chão; sobrado; empedrado.

pavimentar. *v. tr.* pavimentar, fazer pavimento, construir com pavimento; assobradar, assoalhar, estradar; macadamizar; empedrar, alousar.

pavimento. *m.* pavimento; chão, sobrado; macadame; empedrado.

paviota. *f.* (zool.) V. **gaviota.**

pavipollo. *m.* peruzinho, filho do peru emquanto novo.

pavisoso, sa. *adj.* bobo, sem graça.

pavitonto, ta. *adj.* néscio, estúpido.

pavo. *m.* (zool.) peru, género de aves galináceas; (fig. e fam.) homem tolo e incauto.

pavón. *m.* pavão; cor azulada, preta ou parda com que se coloram objectos de ferro ou aço, a fim de evitar que se oxidem; (astr.) constelação celeste cerca do pólo antártico.

pavonada. *f.* (fam.) passeata, passeio breve ou outra diversão de pouco tempo; excursão; (fig.) pavonada, ostentação, vaidade: *darse una pavonada*, entreter-se; divertir-se.

pavonado, da. *p. p.* e *adj.* azulado, escuro. — *m.* V. **pavón** (cor).

pavonador, ra. *adj.* bronzeador, que dá a cor de bronze ao ferro ou aço.

pavonar. *v. tr.* bronzear, foscar o ferro ou aço, a fim de evitar que se oxidem.

pavonazo. *m.* (pint.) pavonaço, cor mineral semelhante ao carmim.

pavonear. *v. intr.* pavonear, fazer vã ostentação de qualidades ou prendas pessoais. — *v. tr.* (fig.) iludir com promessas. — *v. r.* envaidar-se, empantufar-se; (fig.) empavesar-se; delamber-se.

pavoneo. *m.* pavonada, ostentação, jactância.

pavor. *m.* pavor, temor, espanto, sobressalto, me(ê)do; apavoramento.

pavorde. *m.* prepósito, título de prelado de certas comunidades religiosas; grau honorífico de certos lentes na Universidade de Valência.

pavordear. *v. intr.* enxamear. V. **jabardear.**

pavordía. *f.* prepositura, dignidade de prepósito; território em que este exerce a sua jurisdição.

pavorido, da. *adj.* espavorido, apavorado. V. **despavorido.**

pavoroso, sa. *adj.* pavoroso, que causa pavor; medonho, horroroso; terrífico; aterrador; apavorante; arrepiante; formidoloso.

pavura. *f.* V. **pavor.**

paya. *f.* (Amér.) composição poética dialogada e improvisada.

payacate. *m.* (Amér.) lenço grande para o nariz.

payador. *m.* (Amér.) cantor popular errante, geralmente gaúcho, que se acompanha a si próprio com violão.

payar. *v. intr.* (Amér.) cantar *payas.*

payasada. *f.* palhaçada, acto ou dito de palhaço, arlequinada, chocarrice, bobice, bobagem, farsolice, fantochada: *hacer payasadas*, apalhaçar.

payaso. *m.* palhaço, saltimbanco, arlequim, bo(ô)bo, chocarreiro, bolbalhão, bigarim: *hacer el payaso*, apalhaçar, bobear.

payés, sa. *adj.* e *s.* (geog.) camponês da Catalunha ou das Ilhas Baleares.

payo, ya. *adj.* e *s.* campó(ô)nio, camponás, rústico; (germ.) pastor, prelado.

payuelas. *f. pl.* (med.) bexigas loucas, varíola.

paz. *f.* paz, sosse(ê)go de espírito; paz, tranqu(ü)lidade pública; paz, relações amistosas; paz, ajuste, convénio; paz, pacificação; (litúrg.) paz, parte da missa; paz, relíquia ou imagem que se beija quando se dá a paz na missa; saudação; paz, igualdade em contas; paz, alívio, aquietação; paz, descanso (diz-se dos mortos); paz, paz no jogo, não perder nem ganhar; (fig.) paz, desforra de palavras ou acções; paz, igualdade em contas, quando se paga o que se deve; paz, beijo que se dá no rosto; pachorra; paciência.

pazguatería. *f.* simpleza, tolice, papalvice.

pazguato, ta. *adj.* e *s.* simplório, papalvo, pateta; parvo.

pazo. *m.* palácio, paço, casa senhorial na Galiza.

pazpuerca. *adj.* (fam.) diz-se da mulher suja e grasseira.

pche o **pchs.** *interj.* que denota indiferença, reserva ou displicência.

pe. *f.* nome da letra *P*: *de pe a pa*, (fam.) pê a pá, Santa Justa, de princípio ao fim, de fio a pavio, inteiramente, sem tirar nem pôr.

pea. *f.* borracheira, embriaguez.

peaje. *m.* peagem, direitos de trânsito, portagem; pedágio.

peajero. *m.* portageiro, cobrador dos direitos de trânsito ou peagem.

peal. *m.* peal, parte da meia que cobre o pé, peal, meias sem pé que se prende a este por meio duma presilha; pano com que se cobre o pé; (fig. e fam.) pessoa inútil desajeitada, desprezível, vil.

peán. *m.* (lit.) canção de guerra; canto lúnebre.

peana. *f.* peanha, base, pedestal; supedâneo, estrado em que o sacerdote põe os pés enquanto diz missa.

peaña. *f.* peanha. V. **peana.**

peatón. *m.* peão, pessoa que caminha a pé, correio rural a pé; aldeagante.

pebete. *m.* pivete, substância aromática para perfumar; estopim, fios inflamáveis para

chegar o fogo a qualquer peça pirotécnica; (fig. e fam.) pivete, o que deixa mau cheiro; (Amér.) menino, criança, pivete.
pebetero. *m.* piveteiro, perfumador.
pebrada. *f.* molho. V. **pebre.**
pebre. *s.* piverada, espécie de molho composto de pimenta, alho, salsa e vinagre; nome da pimenta.
peca. *f.* sarda, mancha na pele, lunar; efélide.
pecable. *adj.* pecável, sujeito a pecar, capaz de pecar.
pecado. *m.* e *p. p.* de *pecar;* pecado transgressão do preceito religioso; culpa, excesso; (fig. e fam.) o diabo; certo jogo de cartas; e(ê)rro; desvirtude; delito; falta, culpa; defeito; vício.
pecador, ra. *adj.* e *s.* pecador, que peca; penitente. — *f.* (fam.) rameira, prostituta.
pecaminoso, s. *adj.* pecaminoso, que envolve pecado; cheio de pecados; (fig. e fam.) pecaminoso, em que há pecado ou parece contaminado de pecado.
pecana. *f.* (bot.) V. **pacana.**
pecante. *p. a., adj.* e *s.* pecante, pecador; excessivo.
pecar. *v. intr.* pecar, cometer pecados, transgredir um preceito ou regra; errar, ser deficiente; incorrer; pecar, cair num excesso; faltar; ofender; (med.) predominar (humores): *pecar una cosa de insuficiente,* pecar uma coisa por insuficiente.
peccata minuta. (fam.) erro, falta ou vício. leve.
pece. *f.* argamassa para fazer taipas.
peceño, ña. *adj.* pezenho, da cor do pez (diz-se geralmente do cavalo que tem esta cor).
pecera. *f.* aquário, vasilha de cristal que serve para peixes.
pecezuela. *f.* peçazinha, peça pequena.
peciento, ta. *adj.* pezenho. V. **peceño.**
pecilgo. *m.* V. **pellizco.**
peciluengo, ga. *adj.* diz-se da fruta de pedúnculo comprido.
pecina. *f.* lodo que se forma no fundo dos charcos ou acéquias.
pecina. *f.* V. **piscina.**
pecinal. *m.* charco de água estagnada com muito lodo.
pecinoso, sa. *adj.* lodoso, que tem lodo.
pecio. *m.* destroços, fragmentos de naufrágios ou porções da sua carga; direitos, que o senhor dum porto de mar, exigia dos navios que naufragavam nas suas costas.
peciolado, da. *adj.* (bot.) peciolado.
peciolar. *adj.* (bot.) peciolado, peciolar.
pecíolo. *m.* (bot.) pecíolo, pé da folha.
pécora. *f.* rês de gado lanígero: *ser buena ou mala pécora,* (fam.) ser boa rês, diz-se da pessoa astuta ou velhaca especialmente sendo mulher.
pecorea. *f* pilhagem da soldadesca; (fig.) diversão ociosa fora de casa.
pecorear. *v tr.* pilhar, roubar gado. — *v. intr.* andar a soldadesca furtando e saqueando.

pecoso, sa. *adj.* sardento, que tem sarda.
pectina. *f.* (quím.) pectina.
pectinado, da. *adj.* (bot.) semelhante ao pente, pectíneo.
pectíneo. *m.* (anat.) pectíneo, músculo da coxa.
pectinibranquios. *m.* pl. (zool.) pectinibrânquios.
pectinicórneo. *adj.* (zool.) pectinicórneo.
pectiniforme. *adj.* (hist. nat.) pectíneo.
pectoral. *adj.* peitoral, pertencente ao peito; proveitoso para o peito. — *m.* peitoral, cruz episcopal; peitoral, racional, ornato no peito do sumo sacerdote da lei antiga.
pectosa. *f.* (quím.) pectina.
pecuario, ria. *adj.* pecuário, pertencente ou relativo ao gado.
peculado. *m.* (for.) peculato.
peculiar. *adj.* peculiar, relativo a pecúlio; peculiar, particular; especial, próprio, privativo duma pessoa ou coisa.
peculiaridad. *f.* peculiaridade; particularidade; especialidade.
peculio. *m.* pecúlio, fazenda, cabedal que o pai ou senhor permitia ao seu filho ou servo para o seu uso; (fig.) pecúlio, dinheiro de cada um; conjunto de conhecimentos; bens.
pecunia. *f.* (fam.) pecúnia, dinheiro.
pecuniario, ria. *adj.* pecuniário,, relativo a dinheiro.
pecunioso, sa. *adj.* pecunioso; argentário.
pecha. *f.* peita, tributo; V. **pecho.**
pechar. *v. tr.* peitar, pagar peita ou tributo; (ant.) pagar uma multa; assumir um encargo ou um prejuízo, arcar, arrostar (geralmente, acompanhado da preposição *con*); (prov.) fechar com chave ou ferrolho.
pechblenda. *f.* V. **pecblenda.**
peche. *m.* venera. V. **pechina.**
pechelingue. *m.* V. **pirata.**
pechera. *f.* peitilho da camisa; guarnição de renda. V. **chorrera;** guarnição das camisolas na parte do peito; peitoral, correia que cinge o peito do cavalo; (fig. e fam.) colo, parte exterior do peito, especialmente nas mulheres.
pechería. *f.* conjunto de tributos; recenseamento tributário.
pechero. *m.* babeiro. V. **babador.**
pechero, ra. *adj.* e *s.* peiteiro, que pagava peita ou tributo; plebeu, vilão.
pechiblanco. *adj.* diz-se do animal que tem o peito branco.
pechina. *f.* venera, conchas que serviam de insígnia aos peregrinos de Santiago; (arq.) triângulo curvilíneo na chave da cúpula.
pechisacado, da. *adj.* (fig. e fam.) arrogante, envaidecido.
pecho. *m.* (anat.) peito, tórax; os órgãos respiratórios; peito, seio de mulher; (fig.) peito, valor, esforço; coração; interior do homem; tributo que se pagava ao rei ou ao senhor; peitilho, peito da camisa; (fig.) alma, espírito; ânimo; (fig.) censo.

pecho. *m.* peita, tributo que se pagava ao rei ou senhor territorial; (fig.) censo, antiga contribuição.

pechuga. *f.* peituga, peito das aves; (fig. e fam.) peito de homem ou mulher; ladeira encosta.

pechugón. *m.* murro dado no peito; choque ou encontro entre dois peitos; (fig.) esforço grande.

pechuguera. *f.* peitogueira, tosse rebelde do peito.

pedagogía. *f.* pedagogia; educação; arte de instruir.

pedagógico, ca. *adj.* pedagógico, relativo à pedagogia.

pedagogo, ga. *s.* pedagogo, pedagogista, professor, mestre; aio, preceptor de crianças.

pedaje. *m.* peagem V. **peaje.**

pedal. *m.* pedal, peça dos pianos, órgãos; pedal, peça de máquina; alavanca; pedal, parte dos velocípedes ou da máquina da costura: *pedales de bicicleta*, pedais da bicicleta.

pedalear. *v. intr.* pedalar, mover os pedais.

pedáneo. *adj.* e *m.* pedâneo, juiz ou alcaide das aldeias ou pequenos lugares.

pedante. *adj.* pedante, que faz alarde de conhecimentos que não possui; pretencioso; charlatão; pedante, que se dá por sábio, afectado, pedantesco. — *m.* mestre de gramática.

pedantear. *v. intr.* pedantear, fazer-se pedante, alardear ciência que não possui.

pedantería. *f.* pedantaria, pedantismo; afectação; pedantice.

pedantesco, ca. *adj.* pedantesco, que tem pedantismo; próprio de pedante; afectado.

pedantismo. *m.* pedantaria, pedantismo, pedantice, afectação.

pedarquía. *f.* pedarquia, governo de crianças.

pedazo. *m.* pedaço, porção dalguma coisa; bocado; naco; trecho.

pederasta. *m.* pederasta, sodomita.

pederastia. *f.* pederastia; sodomia.

pedernal. *m.* pedernal, pederneira, quartzo muito duro; (fig.) coisa muito dura; dureza de qualquer espécie: *corazón de pedernal*, coração de pedernal, insensível.

pedernalino, na. *adj.* feito de pedernal ou que participa das suas qualidades; (fig.) duro, empedernido.

pedestal. *m.* pedestal, suporte; supedâneo, peanha; plinto; (fig.) base, fundamento: *servir de pedestal a alguien*, (fig.) servir de pedestal a alguém.

pedestre. *adj.* pedestre, que anda a pé; (fig.) vulgar, inculto, grosseiro.

pedestrismo. *m.* pedestrianismo.

pediatra. *m.* pediatra, especialista de doenças das crianças.

pediatría. *f.* (med.) pediatria, medicina das crianças.

pediátrico, ca. *adj.* pediátrico.

pediatrista. *s.* pediatra, pediatro.

pedicelado, da. *adj.* (bot.) pedicelado.

pedicelina. *f.* (zool.) pedicelina.

pedicelo. *m.* (bot.) pedicelo, pedúnculo; (zool.) pedicelo.

pedicoj. *m.* pulinho, salto com um pé só.

pediculado, da. *adj.* (bot.) pediculado.

pedicular. *adj.* pedicular, diz-se das doenças que produzem piolhos.

pedículo. *m.* (bot.) pedículo, pedúnculo.

pediculosis. *m.* (med.) pediculose, pediculação.

pedicuro. *m.* pedicuro, calista.

pedido. *m.* pedido, tributo, contribuição; (ant.) donativo, ou consessão que os soberanos pediam aos seus vassalos; encomenda mercantil; petição. V. **petición.**

pedidor, ra. *adj.* e *s.* pedidor, que pede; pedinchão, pedintão; que pede com impertinência.

pedidura. *f.* petição, acto de pedir.

pediforme. *adj.* (zool.) pediforme.

pedigón, na. *adj.* e *s.* (fam.) pedidor, pedinchão, pedintão.

pedigüeño, ña. *adj.* e *s.* pedinchão, pedintão, que pede com frequência e importunidade.

pediluvio. *m.* pedilúvio, banho aos pés.

pedimento. *m.* pedimento; petição: *a pedimento*, a pedido. V. **petición.**

pedipalpos. *m. pl.* (zool.) pedipalpos.

pedir. *v. tr.* pedir, rogar; pedir, perguntar, informar-se dalguma coisa; pedir, solicitar, requerer; pedir, pôr preço ao que se vende; pedir, exigir alguma coisa; pedir, esmolar, pedir esmola; ter necessidade; pedir, querer, apetecer; pedir, desejar; pedir em casamento; no jogo de cartas, obrigar a jogar certo naipe; pedir, implorar. — *v. intr.* mendigar; pedir, orar, suplicar: *pedir en casamiento*, pedir em casamento; *pedir la venia*, pedir vénia; *¿cuánto pide por eso?*, quanto pede por isso?; *no hay más que pedir*, (fam.) não há mais que pedir; *a pedir de boca*, (fam.) a pedir por boca. — *pres. ind. irr.* **pido, -es, -e, -en:** *indef.* **pidió -eron;** *subj.* **pida.** etc.; *imperf.* **pidiera, pidiese,** etc.; *p. p.* **pedido;** *gerun.* **pidiendo.**

pedo. *m.* peido, gás que sai do intestino com ruído: *pedo de lobo* (bot.) V. **bejín;** *al pedo*, (Amer.) inùtilmente.

pedófilo, la. *adj.* pedófilo, amigo de crianças.

pedología. *f.* pedologia.

pedómetro. *m.* pedó(ô)metro.

pedorrera. *f.* peidorrada, grande quantidade de peidos.

pedorrero, ra. *adj.* peidorreiro; nojento.

pedorreta. *f.* peidorreta, ventosidade imitada com a boca.

pedorro, rra. *adj.* e *s.* peidorreiro; nojento.

pedrada. *f.* pedrada, acto de arremessar uma pedra; pancada com pedra que se arremessou; sinal que deixa uma pedrada; (fig.) pedrada, remoque: *como pedrada en ojo de boticario*, expressão para indicar que uma coisa chega em ocasião oportuna.

pedral. *m.* (mar.) pouta, poita, pedra que serve de âncora.

pedrea. *f.* apedrejamento, acção de apedrejar; combate à pedrada; pedrisco, saraiva miúda, granizada, saraivada, (fam.) prémios pequenos na lotaria.

pedregal. *m.* pedregal, lugar onde há muitas pedras soltas; (Bras.) itacuruba.

pedregoso, sa. *adj.* pedregoso, diz-se do terreno coberto de pedras; que sofre do mal de pedra.

pedrejón. *m.* pedregulho, pedra grande, penedo.

pedreñal. *m.* trabuco antigo que disparava por meio de pederneiras.

pedrera. *f.* pedreira, canteira, lugar donde se extrai pedras.

pedreral. *m.* espécie de padiola para transportar pedras.

pedrería. *f.* pedraria, quantidade de pedras preciosas.

pedrero. *m.* pedreiro, canteiro, operário que lavra as pedras; (artil.) pedreiro, morteiro antigo que arremessava pedras.

pedrés. *adj.* diz-se do sal-gema.

pedreta. *f.* pedrinha, pedra pequena.

pedrezuela. *f.* pedrinha, pedra pequena.

pedrisca. *f.* pedrisco. V. **pedrisco.**

pedriscal. *m.* pedregal. V. **pedregal.**

pedrisco. *m.* pedrisco, saraiva miúda; pedrouço, monte de pedras; chuva de pedras, grande quantidade de pedradas.

pedrisquero. *m.* pedrisco, saraivada.

pedrizo, za. *adj.* pedregoso, coberto de pedras. — *f.* V. **pedregal.**

pedro. *m.* (germ.) traje usado de noite pelos ladrões; capote; ferrolho: *como Pedro por su casa,* (fam.) com inteira liberdade, sem contemplações, nem reparos.

Pedro. *n. pr.* Pedro.

pedrusco. *m.* (fam.) pedra em bruto, pedra tosca.

pedunculado, da. *adj.* (bot.) pedunculado.

pedúnculo. *m.* (bot.) pedúnculo, pedículo. V. **pezón.**

peer. *v. intr.* e *r.* peidar, expelir gases do intestino.

pega. *f.* pegamento, pegadura; breadura, banho com pez dado a certos vasos ou vasilhas; (zool.) rémora, peixe marinho; (pop.) chasco, burla, engano, logro, decepção; pergunta difícil nos exames; (min.) acto de dar fogo aos barrenos; (fam.) tunda, sova; (Amér.) período de infecção ou contágio nas enfermidades.

pega. *f.* (orni.) V. **urraca.**

pegadillo. *m.* (fig. e fam.) maçador.

pegadizo, za. *adj.* pegajoso, pegadiço, que se pega fàcilmente; viscoso; contagioso, que fàcilmente se comunica; (fam.) pegadiço, peganhento, maçador, diz-se dos chupistas, papa-jantares; postiço. V. **postizo.**

pegado. *m.* parche, emplastro pegajoso.

pegador. *m.* (min.) operário que pega fogo aos tiros de pedreira.

pegadura. *f.* pegadura, pegamento, acção de pegar ou colar, pega; colagem; união física ou costura de duas coisas.

pegajosidad. *f.* glutinosidade.

pegajoso, sa. adj. pegajoso, peganhento; pegajoso; contagioso, que com facilidade se

comunica; (fig.) pegajoso, atractivo, suave, brando; carinhoso em demasia. V. **sobón;** pegajoso, diz-se dos ofícios e empregos onde há interesses de que se pode abusar.

pegamiento. *m.* pegadura, acção de pegar ou colar.

pegamoide. *m.* celulosa dissolvida para impregnar tecidos ou papel.

pegar. *v. tr.* pegar, colar, grudar; fazer aderir; unir; pegar, agarrar, criar raízes; segurar; contagiar, comunicar por influência ou contágio; segurar, arrimar uma coisa a outra; pegar, atirar com violência uma coisa de encontro a outra; coser, atar, castigar; bater, maltratar; (Bras.) esculacho, ripa. — *v. intr.* (fig.) fazer feito, fazer impressão; assentar; cair bem; ficar perto ou contíguo; tropeçar; agarrar-se, unir-se; pegar, travar-se de razões; pegar, estar pegado, próximo, contíguo, pegar no sono; começar a dormir; pegar, prender, agarrar; generalizar-se; inflamar-se; implicar; aderir, colar-se; confinar. — (fig.) pegar, desgostar, incomodar. — *v. r.* queimar-se; pegar-se (no fundo da panela); esturrar; pegar-se, encostar-se a alguém, introduzir-se onde não é chamado; insinuar-se; afeiçoar-se; pegar-se, fixar-se no ânimo; pegar-se, ficar prejudicado no manejo dos interesses alheios; ficar aderente; pegar-se, ser contagioso; pegar-se, brigar com alguém.

pegaseo, a. *adj.* (mit.) pertencente ao cavalo Pégaso ou às musas.

Pegásides. *f. pl.* as Musas.

Pegaso. *m.* (mit.) Pégaso; (astr.) Pégaso.

pegata. *f.* (fam.) falcatrua, logro, vigarice, engano.

pegatisia. *m.* (fam.) parasita, chupista; miserável, mendigo.

pegatoste. *m.* emplastro. V. **pegote.**

pegmatita. *f.* (min.) pegmatite.

pego. *m.* trapaça, batotice no jogo: *dar el pego.* (pop.) enganar, lograr.

pegollo. *m.* esteios e apoio dos celeiros.

pegote. *m.* emplastro de pez, ou outra substância pegajosa; (fig.) pessoa impertinente; guisado esturrado; parche. V. **parche.** parasita, papajantares.

pegotear. *v. intr.* (fam.) apresentar-se às horas da comida, sem convite.

pegotería. *f.* (fam.) acção e efeito de *pegotear.*

pegual. *m.* (Amér.) cilha própria para prender os animais colhidos com laço ou para transportar objectos pesados.

peguera. *f.* cova onde se queima a madeira de pinho para desta se extrair o alcatrão e o pez; sítio onde se derrete o pez para marcar o gado.

peguero. *m.* pegueiro, fabricante ou vendedor de pez.

pegujal. *m.* pecúlio; (fig.) pegulhal, pequena porção de rebanhos e terras.

pegujalejo. *m.* (fig.) pequena porção de sementeiras, gado ou dinheiro.

pegujalero. *m.* lavrador que possui poucas terras, pegureiro; ganadeiro ou fazendeiro que tem, pouco gado.

pegujar. *m.* pegulhal.

pegujarero. *m.* lavrador ou ganadeiro modesto. V. **pegujalero.**

pegujón. *m.* novelo apertado de lã ou de cabelo.

pegullón. *m.* novelo de lã ou de cabelo V. **pegujón.**

pegunta. *f.* marca, sinal que se põe no gado com pez derretido.

peguntar. *v. r.* marcar as reses com pez ou breu derretido.

pehuenche. *adj.* diz-se do habitante duma parte dos Andes, geralmente como depreciativo. — *s.* o mesmo habitante.

peina. *f.* pente de adorno. V. **peineta.**

peinada. *f.* penteadura. V. **peinadura.**

peinado, da. *p. p.* e *adj.* penteado, efeminado, que se adorna com esmero mulheril, apurado, diz-se do estilo muito cuidado. — *m.* penteado, arranjo e compostura do cabelo; descalvado, diz-se dos montes.

peinador, ra. *adj.* e *s.* penteador, que penteia; penteador, toalha que cobre o que se penteia ou barbeia; roupão.

peinadura. *f.* penteadela, acção de pentear-se; cabelos que se arrancam ao pentear.

peinar. *v. tr.* pentear, limpar, desenredar ou compor o cabelo; roçar ligeiramente uma coisa a outra, tocar; (fig.) desenredar ou limpar o pêlo ou lã dalguns animais. — (fam.) repreender; escarpar, cortar ou tirar parte de pedra ou terra duma rocha ou montanha.

peinazo. *m.* (carp.) pinázio, peças que nas portas e janelas envidraçadas, separam e sustentam os vidros.

peine. *m.* pente; instrumento de ferro com que se carda a lã; peito do pé; pente dos teares; (fig.) e fam.) pessoa astuta; (teatr.) espécie de gradeamento situado na cena.

peinería. *f.* pentearia, oficina ou estabelecimento de penteeiro.

peinero. *m.* penteeiro, fabricante ou vendedor de pentes.

peineta. *f.* pente convexo usado pelas mulheres como adorno ou travessão para segurar o penteado.

peinetero. *m.* penteeiro. V. **peinero.**

peje. *m.* (ictiol.) peixe, (empregado em combinação para designar certos peixes): *peje araña*, peixe-aranha; *peje diablo*, peixe escorpena; (fig.) homem astuto, sagaz, melro.

pejiguera. *f.* (fam.) empecilho, embaraço, coisa inútil e embaraçosa, embaraço.

pela. *m.* V. **peladura;** (germ.) peseta.

pelada. *f.* pele de carneiro ou ovelha, à qual se arranca a lã depois de morta a rês.

peladera. *f.* alopecia.

peladero. *m.* lugar onde se pelam os porcos ou se depenam as aves; (fig. e fam.) sítio onde se joga com batota.

peladilla. *f.* amêndoa confeitada, lisa e redonda; pedra.

peladillo. *m.* variedade de pessegueiro; pêssego (fruto). — *pl.* lã arrancada das peles de carneiro ou ovelha.

pelado, da. *p. p.* e *adj.* pelado; (fig.) liso. raso, descarnado, nu; diz-se das coisas principais que dispensam outras que as adornem; diz se do número que tem dezenas, centenas ou milhares certos.

pelador. *m.* pelador, aquele que péla ou descasca alguma coisa.

peladura. *f.* peladura, acção de pelar ou descascar; mondadura.

pelafustán. *m.* (fam.) folgazão, vadio e pobretão; pessoa inútil na sociedade.

pelagallos. *m.* (fig. e fam.) folgazão, homen de baixo estofo sem ofício.

pelagatos. *m.* (fam.) pobre diabo, homem pobre e desprezível; homem pouco inteligente.

pelagianismo. *m.* (rel.) pelagianismo.

pelagiano, na. *adj.* e *s.* (rel.) pelagiano, relativo ao pelagianismo.

pelágico, ca. *adj.* pelágico, relativo ao pélago,

pelagoscopio. *m.* (fís.) pelagoscópio.

pelagra. *f.* (pat.) pelagra.

pelagroso, sa. *adj.* e *s.* pelagroso, relativo a pelagra; doente de pelagra.

pelaire. *m.* cardador de panos.

pelairía. *f.* cardagem, ofício do cardador de panos.

pelaje. *m.* pelagem, natureza e qualidade do pêlo ou da lã dum animal; (fig. e fam.) aspecto duma pessoa.

pelambrar. *v. tr.* curtir peles. V. **apelambrar.**

pelambre. *m.* pelame, coirama, courama; cabelame, conjunto de pêlo em todo o corpo ou parte dele; mistura de água e cal para pelar as peles; pelada, falta de pêlo nas partes onde é natural tê-lo.

pelambrera. *f.* alcaçaria; abundância de pêlo; lugar onde se pelam as peles; porção de pêlo espesso; alopecia.

pelambrero. *m.* peliceiro, curtidor, operário que curte peles.

pelamen. *m.* (fam.) pelame, courama. V. **pelambre.**

pelamesa. *f.* briga em que os contendores arrancam os cabelos ou a barba.

pelandusca. *f.* (pop.) rameira, prostituta.

pelantrin. *m.* lavrador ou ganadeiro de pequenos recursos.

pelar. *v. tr.* pelar, arrancar, cortar o cabelo; pelar, depenar as aves; (fig.) descascar; tirar os bens a outrem, com astúcia ou violência; (fam.) depenar, ganhar alguém todo, o dinheiro ao jogo; perder o cabelo por doença ou acidente; esfolar. — *v. r.* pelar-se, cair o pêlo: *duro de pelar,* difícil de conseguir; *pelarse de frío,* ter muito frio.

pelarela. *f.* V. **alopecia** ou **peladera.**

pelásgico, ca. *adj.* pelásgico, relativo aos pelasgos.

pelasgo, ga. *adj.* e *s.* (hist.) pelasgo.

pelaza. *f.* V. **pelazga.**

pelazga. *f.* (fam.) briga, disputa, contenda; palha de cevada meia trilhada.

peldaño. *m.* degrau de escada; supedâneo.

pelde. *m.* fuga, fugida. V. **apelde.**

pelea. *f.* peleja, combate, batalha, contenda; briga, rixa; (fig.) rixa de animais; afã, porfia, lida; luta contra apetites e paixões; peleja, fadiga; (Bras.) adevão, aloite, banquelê, bôlo, frege, furdunco, ingriba, lacuteio, lubambo, mironga, pendenga, perequê, sororó; *amigo de peleas* (Bras.) arreliado.

peleador, ra. *adj. e s.* pelejador, que peleja, lutador; pelejador inclinado a pelejar; batalhador; (Bras.) pop. arena; (Bras. Ceará) afuleimado.

pelear. *v. intr.* pelejar, combater, lutar, brigar, renhir, batalhar; (fig.) lutar, pelejar para conseguir alguma coisa. — *v. r.* brigarem duas ou mais pessoas; lutarem; (fig.) malquistar-se, inimizar-se: *disponerse a pelear*, (Bras.) espalhar.

pelechar. *v. intr.* empenar, criar penas, emplumar; encabelar, criar cabelo (os animais); (fig. e fam.) recobrar a saúde; melhorar de sorte; começar a medrar.

pelel. *m.* cerveja clara.

pelele. *m.* boneco de palha ou de trapos para divertimento do povo no carnaval; (fig. e fam.) simplório, pessoa simples.

peleón. *adj e m.* (fam.) diz-se do vinho muito, ordinário.

peleona. *f.* (fam.) rixa, pendência, briga.

pelerina. *f.* (gal.) capa. V. **esclavina.**

pelete. *m.* no jogo da banca, o que aponta estando de pé; (fig. e fam.) homem pobre de poucos haveres: *en pelete*, em pelota, inteiramente nu.

peletería. *f.* pelaria, ofício de preparar peles; pelaria, comércio de peles finas; pelaria, estabelecimento onde se vendem.

peletero, ra. *s.* peleiro, preparador de peles finas.

pelgar. *m.* (fam.) V. **pelagallos.**

peliagudo, da. *adj.* hirsuto, aplica-se ao animal de pêlos compridos, duros e espessos; (fig. e fam.) muito difícil, árduo, espinhoso; diz-se da pessoa esperta ou manhosa: *ser peliagudo* (fam.) ser muito difícil uma coisa.

peliblanco, ca. *adj.* que tem o pêlo branco.

peliblando, da. *adj.* que tem o pêlo brando e suave.

pelícano. *m.* (orni.) pelicano; boticão, tenaz para arrancar dentes.

pelicano. *m.* V. **pelícano.**

pelicano, na. *adj.* que tem o pêlo ou o cabelo branco.

pelicorto, ta. *adj.* que tem o pêlo ou cabelo curto.

película. *f.* película, pele fina e delicada; fita cinematográfica, folha longa de filme utilizada em fotografia; filme.

pelicular. *adj.* pelicular, relativo a película.

peliculero, ra. *s.* actor de filme.

peliforra. *f.* (fam.) rameira, prostituta.

peligrar. *v. intr.* perigar, correr perigo, estar em perigo; perigar, estar em risco de malograr-se alguma coisa.

peligro. *m.* perigo, risco ou contingência iminente; passagem, obstáculo ou ocasião em que aumenta o perigo; (germ.) tormento de justiça; inconveniente, inseguridade.

peligroso, sa. *adj.* perigoso, que tem perigo, arriscado; perigoso, que pode causar mal; precário, crítico; feio (diz-se das feridas); (Bras.) prêto.

pelilargo, ga. *adj.* que tem o pêlo comprido.

pelillo. *m.* (fig. fam.) ninharia causa leve de aborrecimento; bagatela; pequena desavença; pelinho: *echar pelillos a la mar*, reconciliar-se; *no tener pelillos en la lengua* (fam.) falar francamente; *pararse o reparar en pelillos*, ter demasiado escrúpulo em fazer alguma coisa.

pelilloso, sa. *adj.* (fig. e fam.) susce(p)tível, esquisito, muito melindroso.

pelinegro, gra. *adj.* que tem o pêlo preto.

pelirrojo, ja. *adj.* ruivo, que tem o pêlo ruivo.

pelirrubio, bia. *adj.* louro, que tem o pêlo louro.

pelitieso, sa. *adj.* que tem o pêlo arrepiado ou hirsuto.

pelitre. *m.* (bot.) pelitre, planta e a sua raíz.

pelma. *m.* (fam.) V. **pelmazo**; coisa demasiadamente apertada.

pelmacería. *f.* (fam.) lentidão, pouco desembaraço, preguiça.

pelmazo. *m.* coisa demasiadamente apertada, calcada ou esmagada; comida pesada; (fig.) pessoa vagarosa pouco activa; importuna; pessoa que aborrece.

pelo. *m.* pêlo, cabelo; pêlo, penugem das aves; penugem dalgumas frutas; barba; parte filamentosa das penas; fiapo na pena de escrever; pêlo, fêvera delgada de lã, seda, etc.; pêlo dos tecidos; mola das armas de fogo; fiosinho, seda em cru; pêlo, cor do pêlo dos animais; veio, defeito nas pedras ou nos metais, riscas; parte fibrosa da madeira; espiral, cabelo dos relógios; (fig.) cabelo, doença dos seios; (vet.) pêlo, enfermidad e dos cascos das cavalgaduras; (fig.) ninharia, bagatela: *pelo de aire* (fig.) vento imperceptivel; *rascarse uno pelo arriba*, (fig. e fam.) tirar dinheiro da algibeira, gastar dinheiro, geralmente de má vontade; *relucirle a uno el pelo* (fig. e fam.) estar grosso e bem alimentado; *ser capaz de contarle los pelos al diablo*, (fig. e fam.) ser muito habilidade; *ser uno de buen pelo* (irón.) ser de má condição; *tener pelos en el corazón*, (fig. e fam.) ser muito cruel; *pelo rizado*, (Bras.) pixoim.

pelón, na. *adj. e s.* pelado, calvo, careca; (fig. e fam.) sem recursos económicos; tapado, de curtas faculdades.

pelona. *f.* alopecia, calvície.

pelonería *f.* (fam.) pobreza, escassez, miséria.

pelonía *f.* alopecia. V. **pelona.**

pelopio. *m.* (quim.) pelópio, pelópico.

peloponense. *adj. e s.* (geogr.) peloponense.

peloponesíaco, ca. *adj.* pertencente ou relativo ao Peloponeso.

pelosa. *f.* (germ.) saia, capa.

peloso, sa. *adj.* peloso, peludo, que tem pêlo.

pelota. *f.* pelota, péla pequena, bola; jogo de péla ou pelota; pelota, bola de matéria branda, que se amassa fàcilmente; jangada de couro; pelouro, bala de chumbo ou ferro com que se carrega as armas de fogo; (pop.) rameira: *en pelota*, (pop.) em pelota, nu; sem dinheiro; em coiracho; *devolver la pelota*, (fam.) rebater, refutar, impugnar com as mesmas razões; *estar la pelota en el tejado*, (fam.) ser dudoso o êxito dum assunto ou negócio; *no tocar pelota*, (fig. e fam.) não descobrir a dificuldade duma coisa; estar alheio num negócio; *sacar uno pelotas de una alcuza*, (fig. e fam.) ser muito hábil e esperto para conseguir um fim proposto; *jugar a la pelota con uno*, (fig. e fam.) enganar a alguém com falsas razões.

pelota (en). em pelota, nu, sem dinheiro: *dejar en pelota* (pop.) roubar alguém todo o seu dinheiro.

pelotari. *s.* jogador de pelota.

pelotazo. *m.* pelotada, pancada com pelota.

pelote. *m.* pêlo de cabra para estofar móveis.

pelotear. *v. tr.* verificar contas. — *v. intr.* pelotear, jogar a pelota por passatempo, sem formalidade; (fig.) disputar, contender; renhir, brigar; arrojar uma coisa dum lado para outro. — *v. r.* disputar-se.

pelotera. *f.* (fam.) altercação, rixa bulha, contenda, principalmente entre mulheres: *tener una pelotera con alguien* ter dúvidas com alguém.

pelotería. *f.* conjunto de pélas ou pelotas; abundância de pêlo de cabra para estofos.

pelotero. *m.* peloteiro, fabricante ou vendedor de pelotas.

pelotilla. *f.* bolinha de cera, guarnecida de pontas de vidro; pelotinha, pelazinha; (pop.) louvaminha, incenso, incensação, blandície: *hacer la pelotilla*. (pop.) incensar, louvaminhar, adular, bajular.

pelotilleo. *m.* (fam.) fanfarra, adulação; incensação, brandície.

pelotillero, ra. *s.* (pop.) louvador louvaminheiro, bajulador, adulador; (Bras.) enxuga-gêlo.

pelotón. *m.* pelotão, pelota grande; maranha de pêlos ou cabelos (fig.) tropel de gente sem ordem; magote; (mil.) pelotão, cada uma das partes em que se divide uma companhia.

pelta. *f.* pelta, adarga asiática que usaram os gregos e romanos.

peltado, da. *adj.* (bot.) peltado.

peltre. *m.* peltre, liga de zinco, chumbo e estanho.

peltrero. *m.* picheleiro, o que trabalha em obras de estanho.

peluca. *f.* peluca, cabeleira postiça, chinó; chorina; alfarreca; (fig. e fam.) repreensão áspera, batibarba.

pelucón. *m.* peluca grande, grande chinó.

pelucona. *f.* (fam.) peça de ouro de tempo da dinastia de Bourbon.

peluche. *f.* (gal.) V. **felpa.**

peludo, da. *adj.* peludo, que tem muito pêlo.

cabeludo. — *m.* capacho; esteira feita de esparto.

peluquera. *f.* cabeleireira, dona de salão de cabeleireiro; cabeleireira, mulher do cabeleireiro.

peluquería. *f.* barbearia, loja ou salão de cabeleireiro.

peluquero. *m.* cabeleireiro, homem que faz cabeleiras; cabeleireiro, o que corta e penteia o cabelo; barbeiro.

peluquín. *m.* peluca pequena, chinó simples; alfarreca; peluca com caracóis e trança usada no século XVIII.

pelusa. *f.* penugem, cotão, lanugem dalgumas frutas e plantas; cotão que largam os panos; (fig. e fam.) inveja infantil: *gente de pelusa*, diz-se das pessoas importantes ou ricas.

pelvi. *adj. e s.* parse; diz-se da língua dos parses.

pelviano, na. *adj.* (anat.) pélvico.

pelvímetro. *m.* pelvímetro.

pelvis. *f.* (anat.) pelve, bacia.

pella. *f.* massa que se aperta e toma a forma esférica; grelo da couve-flor; massa de metais fundidos não trabalhados; banha de porco; porção pequena e arredondada de merengue para enfeitar bolos; dinheiro que se deve ou se defrauda; (zool.) garça real cinzenta.

pellada. *f.* porção de gesso ou argamassa que o trolha sustém na colher, trolhada.

pelleja. *f.* pele separada do corpo do animal; courão; (fam.) rameira; (germ.) saia: *no arriesgar la pelleja*, (fam.) ter amor à pele.

pellejería. *f.* pelaria, casa, loja, rua, bairro onde se vendem ou preparam peles; pelaria, conjunto de peles.

pellejero, ra. *s.* peleiro, peliceiro vendedor ou preparador de peles.

pellejina. *f.* pele pequena.

pellejo. *m.* pele, couro; odre, pele; (fig. e fam.) ébrio, bêbado, borracho, odre, borracha; (fig.) pele das frutas; (fam.) rameira, courão; (fig.) a própria vida; a pele: *perder el pellejo*, (fam.) morrer; *mudar el pellejo*, (fig.) despir a pele; mudar do costume; *no tener uno más que el pellejo*, não ter mais que pele e ossos; *soltar el pellejo*, (fig. e fam.) morrer.

pellejudo, da. *adj.* que tem a pele frouxa, flácida.

pellejuela. *f.* pelezinha, pele delgada e fina.

pellejuelo. *m.* pelezinha. V. **pellejuela.**

pelleta. *f.* pele V. **pelleja.**

pelletería. *f.* pelaria. V. **pellejería.**

pelletero. *m.* V. **pellejero.**

pellica. *f.* cobertor feito de peles finas; peliça, pelica.

pellico. *m.* samarra de pastor; peliça em feitio de samarra.

pellijero. *m.* peleiro. V. **pellejero.**

pelliquero. *m.* fabricante ou vendedor de peliças.

pelliza. *f.* peliça, peça de vestuário, feita ou forrada de peles finas; (mil.) peliça. V. **dormán.**

pellizcador, ra. *adj.* beliscador, que belisca.

pellizcar. *v. tr.* beliscar; ferir ou ofender de leve; debicar; estorcegar; depenicar; agarrar, pegar com cuidado. — *v. r.* (fig.) consumir-se com desejo.

pellizco. *m.* beliscadura; pequena porção duma coisa; estorcegada; estorcegão; (Bras.) piniçio.

pello. *m.* espécie de samarra fina.

pellón. *m.* vestidura talar antiga, feita de peles; (Amér.) espécie de xairel.

pellote. *m.* V. **pellón.**

pena. *f.* pena, castigo, punição; desgosto, tristeza, aflição; dor, tormento, mágoa; pena, dificuldade, trabalho; sofrimento; sensaboria, sensabor; tribulação; luto; angústia; apertada; contrição; contristação; afligimento; agrura; expiação; desolação, desprazer, desdita; (fig.) amargura; desgosto; lástima; dó, compaixão; (mar.) penol, lais de carangueja, parte extrema e mais delgada duma verga. — *pl.* (germ.) galés (pena): *a duras penas, a* muito custo; com grande dificuldade ou trabalho.

pena. *f.* rémige, cada uma das penas mais compridas das asas das aves.

penable. *adj.* penável, digno de castigo, que pode receber pena.

penachera. *f.* penacho. V. **penacho.**

penacho. *m.* penacho, poupa, grupo de penas que têm certas aves na cabeça; penacho, conjunto de penas para adorno; cocar; airão; (fig. e fam.) vaidade, presunção, soberba.

penachudo, da. *adj.* que tem penacho ou que o leva.

penachuelo. *m.* penachinho, penacho pequeno.

penadilla. *f.* vasilha, V. **penado.**

penado, da. *p. p.* de *penar* e *adj.* penado, que sofre pena; penoso, difícil, árduo, trabalhoso; diz-se duma espécie de vasilha.— *s.* condenado, pre(ê)so, padecente; que está sofrendo uma pena.

penador. *adj.* diz-se do livro onde a justiça assenta os castigos aplicados por delitos de pastagem.

penal. *adj.* penal, pertencente ou relativo a pena, ou que a inclui. — *m.* penitenciária.

penalidad. *f.* penalidade; castigo; trabalho aflitivo, apoquentação; (for.) penalidade, sanção imposta pela lei penal.

penar. *v. tr.* punir, impor pena, condenar; corrigir; magoar. — *v. intr.* penar, padecer, sofrer pena, sofrer; penar, agonizar muito tempo. — *v. r.* penar, afligir-se atormentar-se: *penar por una cosa,* desejar-la com ânsia; *depar de penar,* despenar, desencarcerar.

pencar. *v. tr.* (germ.) açoutar, dar açoutes o verdugo.

pencazo. *m.* azorragada, golpe de azorrague ou de açoute.

penco. *m.* (fam.) sendeiro, pileca. V. **jamelgo.**

pencudo, da. *adj.* que tem pencas.

pencuria. *f.* (germ.) rameira.

penchicarda. *f.* (germ.) desordem, briga simulada numa taverna para não pagarem as despesas.

pendanga. *f.* dama de ouros em certo jogo; (fam.) rameira.

pendejo. *m.* pentelho; (vulg.) conjunto de pêlos do púbis; (fig. e fam.) homem poltrão ou pusilânime.

pendencia. *f.* pendência, briga, contenda, desavença, rixa, conflito, luta, desafío, apuração: *tener pendencia con alguien,* (fam.) travar palha com alguém; *promover pendencias,*(fam.) dar gosto ao diabo.

pendenciar. *v. intr.* pendenciar, contender, ter pendência com, brigar.

pendenciero, ra. *adj.* pendenciador, brigão, amigo de rixas; duelista, altercador, batalhador, acutilador; baralhador: *hombre pendenciero,* (pop.) estoira - vergas.

pender. *v. intr.* pender, estar pendurado ou suspenso; depender. V. **depender;** (fig.) estar por resolver ou terminar um pleito, ou negócio; estar por decidir; estar pendente; estar iminente; estar disposto a, descair.

pendiente. *p. a.* e *adj.* pendente, que pende; dependurado ou suspenso; (fig.) pendente, que está por resolver ou terminar; que depende de; dependente; iminente; que está próximo a resolver-se; inclinado; colgado.

pendiente. *m.* brinco, pingente, arrecada; (herald.) parte interior dos estandartes e das bandeiras; inclinação dum terreno ou telhado. — *f.* ladeira, encosta, declive, vertente; inclinação, declividade; declívio; descida.

pendil. *m.* manto de mulher; (prov.) candeia; *tomar el pendil y la media manta,* ir dormir; safar-se.

pendingue (tomar el). (pop.) dar às de Vila-diogo.

pendol. *m.* (mar.) querena, operação preliminar, para a limpeza dos fundos das embarcações.

péndola. *f.* pena das aves; (arq.) prumo de madeira, cabos verticais que sustentam as pontes pênseis; pêndulo de relógio.

pendolaje. *m.* (mar.) direito de apropriar-se de todos os géneros que estão sobre a coberta (nas presas de guerra).

pendolario. *m.* V. **pendolista.**

pendolista. *s.* pessoa que escreve depressa, com destreza e letra bem feita.

pendolón. *m.* (arq.) madeira vertical na armação do telhado.

pendón. *m.* (mil.) pendão, estandarte, bandeira, guião, insígnia militar; pendão, divisa ou insignia usada nas procissões; pernada, galho que sai do tronco duma árvore; (fig.) pessoa (especialmente mulher) muito alta e desajeitada; pessoa moralmente desprezível.

pendonear. *v. intr.* arruar. V. **pindonguear.**

pendular. *adj.* pendular, próprio do pêndulo ou a ele relativo.

péndulo, la. *adj.* pendente, dependurado, suspenso. — *m.* (mec.) pêndulo.

pendura (a la). *adv.* (mar.) diz-se de tudo o que está pendurado, especialmente da âncora.

pene. *m.* (anat.) pé(ê)nis, membro viril; (vulg.) gaita.

peneque. *adj.* (fam.) ébrio, borracho, bêbedo; (prov.) diz-se da pessoa ou animal que cambaleia ao andar.

penetrabilidad. *f.* penetrabilidade.

penetrable. *adj.* penetrável; (fig.) compreensível.

penetración. *f.* penetração; (fig.) acuidade; perspicácia; sagacidade, agudeza; compreensão duma coisa difícil; penetração ou ingresso.

penetrador, ra. *adj.* e *s.* penetrador, que penetra; sagaz; inteligente, arguto, perspicaz.

penetrante. *p. a.* e *adj.* penetrante, que penetra; penetrante, profundo, que entra muito nalguma coisa; (fig.) penetrante, claro agudo, alto, subido ou elevado (voz, gritos, etc.); estrídulo; incisivo; aquilino; ardiloso; dardejante; severo (frío); pungente; profundo, intenso.

penetrar. *v. tr.* penetrar, introduzir um corpo noutro, passar através de; repassar; tocar profundamente; penetrar, fazer-se sentir com violência uma coisa (frio, gritos, etc.); alcançar; abrir; entranhar: embeber; entrar; devassar; ingressar; coar (ar, vento, etc.); (fig.) penetrar, chegar ao íntimo da alma; penetrar, compreender o íntimo dalguém; perceber, descobrir; transpor; introduzir-se; chegar ao interior; (fig.) insinuar-se, comover, descortinar; furar: *penetrarse de*, impregnar-se, empapar-se de.

penetrativo, va. *adj.* penetrativo, que penetra, penetrante; pungente.

pénfigo. *m.* (med.) pênfigo.

penibético, ca. *adj.* (geog.) penibético.

penicilado, da. *adj.* (hist. nat.) penicilado.

penicilina. *f.* (bioquim.) penicilina.

penicilinasis. *f.* (bioquim.) penicilinase.

penicilio. *m.* (bot.) penicílio.

peniforme. *adj.* peniforme.

penígero, ra. *adj.* (poét.) alado, que tem asas ou penas.

peninervado, da. *adj.* (bot.) peninervado, peninérveo.

península. *f.* (geog.) península.

peninsular. *adj.* e *s.* (geog.) peninsular, pertencente a ou natural duma península.

penique. *m.* pé(ê)ni, duodécima parte do xelim.

penisla. *f.* V. **península.**

penitencia. *f.* penitência, sacramento; penitência, virtude consistente na dor de ter pecado; penitência, expiação da culpa; penitência, arrependimento das más acções; castigo, pena! tormento; austeridade; (fig.) cilício; penitência, castigo imposto pela Inquisição: *hacer penitencia*, comer parcamente; *cumplir la penitencia*, expiar.

penitenciado, da. *adj.* e *s.* penitenciado, pessoa castigada pela Inquisição.

penitencial. *adj.* penitencial, relativo à penitência.

penitenciar. *v. tr.* penitenciar, impor como penitência.

penitenciaría. *f.* penitenciaria, tribunal pontifício onde se resolvem os negócios da competência do Papa; penitenciária; prisão pública, corre(c)cional, casa de correcção; cadeia celular, prisão.

penitenciario, ria. *adj.* penitenciário, diz-se do presbítero secular ou regular que ouve de confissão em uma igreja determinada; penitencial, relativo às penitenciárias. — *m.* penitenciário, cardeal presidente do tribunal da penitenciaria, em Roma: *registro penitenciario*, correctório.

penitenta. *f.* penitente, mulher que se confessa sacramentalmente; arrependida.

penitente. *adj.* e *s.* penitente, relativo a penitência; penitente, que tem penitência; arrependido; penitente, pessoa que faz penitência ou que se confessa sacramentalmente; penitente, pessoa que veste de túnica em sinal de penitência, nas procissões.

penitente. *s.* (fam.) penitente, companheiro em qualquer acto de mau gosto ou velhacaria.

peno, na. *adj.* e *s.* V. **cartaginés.**

penol. *m.* (mar.) penol, ponta ou extremo das vergas.

penoso, sa. *adj.* penoso; árduo, trabalhoso; dificultoso; difícil; incómodo; fatigante; doloroso, que aflige, que custa a fazer ou a suportar; amargo; duro; árido; ímprobo; afadigoso; fragueiro; afanoso.

pensado, da. *p. p.* e *adj.* pensado, reflectido, imaginado, meditado: *mal pensado*, mal pensado; *de pensado*, de propósito, de caso pensado.

pensador, ra. *adj.* e *s.* pensador, que pensa, medita ou reflexiona; que tem ideias profundas; pessoa dedicada a estudos muito elevados, filósofo.

pensamiento. *m.* pensamento, faculdade de pensar; o espírito, a alma; pensamento, ideia; sentença notável dum escrito; (fig.) suspeita, receio; pensamento, ideia capital duma obra; esboço duma obra; fantasia; imaginação; intenção; meditação; reflexão; máxima, sentença; excogitação; desígnio, ânimo; mente; (bot.) amor-perfeito, planta e sua flor.

pensar. *v. tr.* pensar, dar o penso aos animais; dar a ração ao gado. — *conj. irr.* como *acertar.*

pensar. *v. intr.* e *tr.* pensar, reflectir, imaginar, discorrer, raciocinar, ter uma opinião; cogitar, examinar; pensar, formar ânimo de fazer alguma coisa; formar uma ideia; ser de parecer; supor; fazer tenção; prever; projectar; estar preocupado com; ter no espírito; julgar; estimar; achar; considerar; (Bras.) grunguzar: *hablar sin pensar*, falar sem pensar; *pensar bien, mal*, pensar bem, mal. — *m.* pensamento, opinião, juízo. — *pres. ind.*

irr. **pienso, -as, -a, -an;** *subj.* **piense, -es, -en.**

pensativo, va. *adj.* pensativo, absorto, que medita intensamente, meditativo; preocupado; (Bras.) banzalivo: *aire pensativo,* ar pensativo.

penseque. *m.* (fam.) erro motivado por descuido ou falta de meditação.

pensil. *adj.* pênsil, suspenso. — *m.* (fig.) jardim delicioso.

pensilvano, na. *adj.* e *s.* (geog.) natural da ou pertencente à Pensilvânia.

pensión. *f.* pensão, renda anual, foro; (fig.) ónus, carga, trabalho; pensão, o que se paga pela educação e sustento dum aluno no colégio; pensão, casa de hóspedes, hospedaria; aposentação; hospedagem: *pensión vitalicia,* pensão vitalícia; *pensión de retiro,* pensão por serviços prestados; *pensión mensual,* mênstruo; *pensión de un colegial,* colegiatura.

pensionado, da. *adj.* e *s.* pensionista, pensionário, que tem ou recebe uma pensão; aposentado.

pensionar. *v. tr.* pensionar, conceder uma pensão a alguém; sobrecarregar, impor um tributo.

pensionario. *m.* pensioneiro, o que paga pensão; conselheiro, advogado ou dignatário numa república.

pensionista. *s.* pensionista, pessoa que tem direito a receber e cobrar uma pensão, sobre tudo do Estado; pensionista, colegial que paga pensão; pensionista, estudante a quem o Estado subsidia; pensionista, pessoa que come em pensão; pensionista, recolhida ou noviça que paga pensão no convento.

pentaatómico, ca. *adj.* (quim.) pentaatómico.

pentacarpo, pa. *adj.* (bot.) pentacarpo.

pentacordio. *m.* (mús.) pentacordo.

pentadáctilo, la. *adj.* (bot. e zool.) pentadáctilo.

pentadecágono, na. *adj.* (geom.) pentadecágono.

pentaédrico, ca. *adj.* que tem forma de pentaedro.

pentaedro. *m.* (geom.) pentaedro.

pentágino, na. *adj.* (bot.) pentágino.

pentagonal. *adj.* (geom.) pentágonal.

pentágono. *m.* (geom.) pentágono.

pentagrama. *m.* (mus.) pentagrama.

pentámero, ra. *adj.* (bot. e zool.) pentâmero, pentâmere.

pentámetro. *m.* pentâmetro.

pentandro, a. *adj.* (bot.) pentandro.

pentano. *m.* (quim.) pentano.

pentapétalo, la. *adj.* (bot.) pentapétalo.

pentápolis. *f.* pentápole.

pentáptero, ra. *adj.* (zool.) pentáptero.

pentarca. *m.* pentarca, membro duma pentarquia.

pentarquía. *f.* pentarquia.

pentasílabo, ba. *adj.* pentassílabo.

Pentateuco. *m.* Pentateuco.

pentatlón. *m.* (deport.) pentatlo.

pentatoma. *f.* (zool.) pentátomo.

pentatómico, ca. *adj.* (quim.) pentatómico.

Pentecostés. *m.* (rel.) Pentecostes, Pentecoste.

pentedecágono. *m.* pentedecágono.

pentodo. *f.* (rad.) pentode.

penúltimo, ma. *adj.* e *s.* penúltimo.

penumbra. *f.* penumbra, sombra débil, meia luz; (astr.) sombra parcial nos eclipses: *quedar en la penumbra,* ficar na penumbra, quase esquecido; *poner en la penumbra,* apenumbrar.

penumbroso, sa. *adj.* penumbroso, mal iluminado.

penuria. *f.* penúria, escassez, falta das coisas mais necessárias, miséria, pobreza, indigência; desamparo, míngua, estreiteza, ape(ê)rto; (Bras.) disgra.

peña. *f.* penha, fraga, penhasco, penedo, pedra grande por trabalhar; rocha: *durar por peñas,* (fig. e fam.) durar por muito tempo; *ser una peña,* (fig. e fam.) ser insensível.

peña. *f.* sociedade; associação, grupo de amigos ou camaradas; nome de certos agrupamentos de recreio.

peñaranda. *f.* (pop.) casa de penhores: *estar un objeto en peñaranda,* (fam.) estar empenhado.

peñarse. *v. r.* (germ.) retirar-se disfarçadamente, ir fugindo a pouco e pouco.

peñascal. *m.* penhascal, lugar coberto de penhascos; penedia, fraguice, fragal, fraguedo.

peñascaró. *m.* (germ.) aguardente.

peñasco. *m.* penhasco, penha alta; rocha extensa; (anat.) rochedo do osso, temporal.

peñascoso, sa. *adj.* penhascoso, abundante em penhascos; fragal, fragoso.

peño. *m.* exposto. V. **expósito.**

peñol. *m.* V. **peñón.**

péñola. *f.* (poét.) pena de ave para escrever.

peñolada. *f.* penada. V. **plumada.**

peñón. *m.* penha grande; monte penhascoso.

peón. *m.* peão, o que anda a pé; jornaleiro, trabalhador em coisas que não requerem habilidade especial; (mil.) peão, infante, soldado de infantaria; peão, pequena peça do xadrez; qualquer peça do jogo das damas; pião, brinquedo em forma de pêra; colmeia, cortiço.

peón. *m.* peón, pé da poesia grega e latina.

peonada. *f.* jeira, obra que um jornaleiro faz num dia; antiga medida agrária.

peonaje. *m.* peonagem, conjunto de peões ou de soldados de infantaria; brigada, conjunto de operários que trabalham numa obra.

peonería. *f.* jeira, medida de terra que um homem pode lavrar num dia, leira.

peonía. *f.* (bot.) peó(ô)nia, rosa-albardeira.

peonía. *f.* terreno conquistado e concedido aos soldados.

peonza. *f.* pião, pitorra; (fig.) e fam.) pessoa pequena e buliçosa: *a peonza,* (fam.) a pé.

peor. *adj.* comp. de *malo;* pior, inferior, de condição ou qualidade inferior a outra coisa; mais mal. — *adv.* pior, mais mal: *ir a peor,* desmelhorar; *es peor el remedio*

que la enfermedad, (fam.) é pior a emenda
que o soneto.

peoría. *f.* pioria, qualidade do que é pior.

Pepa. *n. pr.* Pepa; usa-se na frase irónica
¡*viva la Pepa!*

pepe. *m.* (pop.) melão mau; V. **lechuguino**,
alface pequena.

pepián. *m.* V. **pipián.**

pepinar. *m.* pepinal, campo semeado de pepinos.

pepino. *m.* (bot.) pepineiro (planta); pepino,
(fruto): *me importa un pepino o tres pepinos*, (pop.) isto não vale uma ataca.

pepita. *f.* (bot.) pevide, semente; (vet.) pevide, doença das galinhas; pedaço de ouro
puro e nativo, pepita: *no tener uno pepita
en la lengua*, (fig. e fam.) não ter papas na
língua.

pepitoria. *f.* espécie de cabidela de ave; (fig.)
miscelânea, conjunto, mistura de coisas várias.

pepitoso, sa. *adj.* pevidoso, abundante em
pevides; pevidosa, diz-se da galinha com
pevide.

pepla. *f.* (pop.) V. **plepa.**

peplo. *m.* peplo, túnica sem mangas usada
antigamente pelas mulheres gregas e romanas.

pepón. *m.* (bot.) melancia V. **sandía.**

pepona. *f.* boneca grande de cartão.

pepónide. *f.* (bot.) pepónide, pepónio.

pepsia. *f.* (med.) pepsia.

pépsico, ca. *adj.* péptico.

pepsina. *f.* (bioquim.) pepsina.

péptico, ca. *adj.* (bioquim.) péptica.

peptona. *f.* (bioquim.) peptona.

peptonificación. *f.* (quim.) peptonificação.

peptonización. *f.* (bioquim.) peptonização.

peptonizar. *v. tr.* (bioquim.) peptonizar.

peptonuria. *f.* (pot.) peptonúria.

pequeñez. *f.* pequenez, pequeneza; exiguidade; mesquinhez; meninice, infância;
ninharia, bagatela, coisa de pouca importância; ruindade, baixeza de carácter;
abatimento; humildade de condição; estatura exígua; coisica; enfezamento; minuciosidade; cigalho, minúcia; (fig.) dedal: *persona que se ocupa en pequeñeces*,
coca-minhoca, coca-bichinhos.

pequeño, ña. *adj.* pequeno, exíguo, diminuto;
curto; de pouco valor; de pequena estatura; acanhado; mesquinho; baixo; vil;
pequeno, humilde; limitado; breve; ligeiro, de pouca importância; minúsculo;
mínimo; (Bras.) mirim. — *m.* menino,
criança, pequeno, de pouca idade.

pequeñuelo, la. *adj.* e *s.* pequenino, pequer-
rucho, pequenitates, pequenote; rapaz, rapazola.

pera. *f.* (bot.) pêra, fruto da pereira; pêra,
barba que se deixa crescer no queixo; sinecura, rendimento ou emprego lucrativo
ou descansado; (vet.) doença dos pés do
gado lanígero: *pedir peras al olmo*, (fam.)
quando as galinhas tiverem dentes; *ser
un pollo pera*, apilandrar-se; *dar para peras* (pop.), castigar; *poner las peras a*

cuarto, (pop.) obrigar a alguém a fazer
alguma coisa não desejada.

perada. *f.* perada, doce de pêras; bebida alcoólica obtida pela fermentação do sumo
da pêra.

peral. *m.* (bot.) pereira.

peraleda. *f.* peral, pereiral, pomar de pe-
reiras.

peraltar. *v. tr.* (arq.) levantar a curva dum
arco mais do que lhe corresponde; levantar o trilho exterior nas curvas dos caminhos de ferro.

peralte. *m.* (arq.) o que na altura dum arco
excede do semicírculo; maior elevação do
trilho exterior nas curvas dos caminhos
de ferro.

peralto. *m.* altura, dimensão de alto a baixo.

perantón. *m.* V. **mirabel.** (planta); V. **pericón** (leque grande); (fig. e fam.) pessoa
muito alta.

perborato. *m.* (quim.) perborato.

percador. *m.* (germ.) ladrão que furta com
gazua.

percal. *m.* percal, tecido fino de algodão.

percalina. *f.* percalina, tecido forte de algodão.

percance. *m.* percalço, lucro eventual, além
dos salários; contratempo, percalço; transtorno, prejuízo, contrariedade, acidência,
desgraça.

percatar. *v. intr.* e *r.* precatar, acautelar, prevenir, precaver, pensar, considerar.

percebe. *m.* (zool.) perceba; (fig.) tonto, ignorante.

percebimiento. *m.* V. **apercibimiento.**

percepción. *f.* percepção; recebimento; faculdade de perceber; noção, ide(é)ia; conhecimento; compreensão; apreensão.

perceptibilidad. *f.* perceptibilidade, faculdade de perceber.

perceptible. *adj.* perceptível; compreensível; perceptível, que se pode receber ou
cobrar.

perceptivo, va. *adj.* perceptivo, que tem a
faculdade de perceber.

perceptor, ra. *adj.* e *s.* perceptivo, que percebe; arrecadador.

percibir. *v. tr.* perceber; entender, compreender; conhecer; perceber, ver, ouvir; perceber, receber; cobrar; recolher, sentir
percepções; atingir; alcançar; advertir-
-se.

percibo. *m.* percepção, recebimento; receita.

percloruro. *m.* (quim.) percloreto.

percocería. *f.* obra miúda de prata trabalhada geralmente a martelo.

percollar. *v. tr.* (germ.) furtar.

percontear. *v. tr.* (prov.) colocar esteios.

perconteo. *m.* esteio; suporte de pé direito.

percuciente. *adj.* percuciente, que percute,
fere ou maltrata.

percudir. *v. tr.* percutir, embaciar; afligir,
maltratar, bater.

percusión. *f.* percussão; embate, choque.

percusor. *m.* percussor, percutor, o que percute.

percutir. *v. tr.* percutir, bater, ferir; embarrar contra.

percutor. *m.* (mil.) percussor, percutor. V.
percusor.

percha. *f.* percha, vara comprida de madeira; cabide de madeira ou metal; laço
para caçar pássaros, bandoleira de caçador; acção de enxugar e preparar o
pano; alcândora, poleiro; (mar.) tronco
de árvore destinado à construção de mastros; (germ.) pousada, casa.

perchado, da. *adj.* (heráld.) empoleirado, diz-
-se das aves postas em ramas ou varas.

perchar. *v. tr.* pendurar o pano e tirar-lhe
o pêlo com a carda.

perchel. *m.* aparelho de pesca composto de
vários paus para colocar as redes; lugar
onde se colocam.

perchero. *m.* cabides, conjunto de cabides;
lugar onde estes estão situados, guarda-
-roupa.

percherón, na. *adj.* e *s.* (zool.) diz-se duma
raça francesa de cavalos de tiro.

perchonar. *v.* intr. deixar na cepa varas de
mais quando se poda; armar alça-pés onde há caça.

perdedero. *m.* perdição, ocasião ou motivos
para perder; lugar por onde foge a lebre.

perdedor, ra. *adj.* e *s.* perdidoso, que perde.

perder. *v. tr.* perder, ficar privado duma
coisa; perder, desperdiçar; perder, não
conseguir o que se deseja; perder, ser separado pela morte; perder, ter mau êxito;
desaproveitar; conduzir à perdição, desgraçar; corromper; perder, malgastar, dissipar; desperdiçar; frustrar-se um desejo;
sofrer algum prejuízo; sofrer quebra ou
diminuição, desmerecer; arruinar; desfazer-se de ; esquecer, deixar em sítio ignorado; deixar escapar; perder, não chegar
a tempo para; deixar de ter gosto em alguma coisa; (fig.) ficar desnorteado, extraviar, desencaminhar; perder, estragar,
prejudicar,. — *v. intr.* perder, desmerecer;
perder, descair do crédito ou estima; destingir-se perder a cor; valer menos. — *v.
r.* perder-se, extraviar-se; esvaecer-se;
afundar-se; arruinar-se; desaparecer, entregar-se aos vícios; naufragar, amar cegamente; tornar-se inútil; extinguir-se
(o som); confundir-se, baralhar-se; ficar
absorvido; misturar-se; perverter-se, corromper-se; degraçar-se; deitar-se a perder; não aproveitar; perder-se, cair em
desuso; perder-se, desaparecer, morrer;
perder la memoria, perder a memória;
hacer perder la paciencia, fazer perder a
paciência; *perder la vergüenza por completo,* perder toda a vergonha; *perder la
amistad de alguien,* perder alguém de amigo. — *conj. irr. pres. ind. irr.* **pierdo, -es,
-e, -en;** *subj.* **pierda, -as, -a, -an.**

perdición. *f.* perdição; (fig.) ruína, dano grave; abismo; perdição, paixão desenfreada
de amor; perdição, condenação eterna;
perdição, prodigalidade; dissipação, imoralidade; (fig.) despenhamento: *cerca de
la perdición,* beira do abismo.

pérdida. *f.* perda, perdimento, prejuízo, dano; perda, quantidade ou coisa perdida;

privação dalguma coisa; morte; desaparecimento; ruína; mau êxito, mau emprego; perda; desfalque; (mar.) perda,
naufrágio; detrimento; danificação, danação; despesa; desmedrança; derrame, derramamento; avaria; (electr.) deficiência:
pérdidas y ganancias, perdas e lucros;
pérdida del capital, défice; *pérdida en el
juego,* batocada; *no tener pérdida,* (fam.)
ser fácil de achar.

perdida. *f.* (pop.) rameira, meretriz, mulher
de maus costumes.

perdidizo, za. *adj.* perdidiço; (fig. e fam.)
acção de se ausentar ou retrair dissimuladamente: *hacerse el perdidizo,* fugir dissimuladamente; *hacerse perdidizo,* (fig.)
perder voluntàriamente no jogo.

perdido, da. *p. p.* e *adj.* perdido, que não
tem destino determinado; perdido, infrutuoso, que tem mau êxito; extraviado;
olvidado, esquecido; desaparecido; disperso; perdido, diz-se da pessoa cujo estado é desesperado; louco; debochado;
desnorteado; arruinado; inutilizado; nau-
fragado; corrupto; desmandado (projéctil); um certo número de exemplares que
se tiram a mais para substituir os que possam ficar inutilizados.

perdidoso, sa. *adj.* perdidoso, que perde ou
sofreu uma perda.

perdigana. *f.* perdigoto, perdiz nova. V. **perdigón.**

perdigar. *v. tr.* assar, a perdiz ou outra ave
para que se conserve algum tempo; lardear; (fig. e fam.) dispor, preparar alguma coisa para determinado fim.

perdigón. *m.* (zool.) perdigo(ô)to, filho de
perdiz; perdiz nova; perdigão, perdiz macho empregada como chamariz; perdigoto,
munição, grão de chumbo para caçar;
(pop.) extravagante, gastador, pródigo;
(pop.) salpicos de saliva: *cazar con perdigones de plata,* (pop.) comprar a caça para
passar por caçador; *echar perdigones,*
(fam.) borrifar com a boca.

perdigonada. *f.* chumbada, tiro de chumbo;
ferimento que produz.

perdigonera. *f.* chumbeiro, estojo de couro
para levar chumbo de caça.

perdiguero, ra. *adj.* perdigueiro, diz-se do
cão ou doutro animal que caça perdizes. —
m. homem que compra aos caçadores a
caça para revender.

perdimento. *m.* perdimento, perdição, perda.

perdis. *m.* (fam.) estroina. V. **calavera.**

perdiz. *f.* (zool.) **perdiz:** *perdiz blanca,* perdiz branca; *perdiz pardilla,* perdiz cin-
zenta.

perdón. *m.* perdão, remissão de pena; perdão, indulgência; perdão, desculpa; mercê; absolvição, indulto; absolução; (fam.)
pingo de cera, azeite, ou outra qualquer
matéria a ferver.

perdonable. *adj.* perdoável, venial, que se
pode perdoar; desculpável.

perdonador, ra. *adj.* e *s.* perdoador, que perdoa fàcilmente.

perdonar. *v. tr.* perdoar, conceder perdão, remitir, considerar como pago; perdoar, poupar, exceptuar alguém; absolver, perdoar, desculpar; desacoimar; amercear; indultar, indulgenciar, desobrigar, desonerar; eximir; despenitenciar; agraciar; (teol.) justificar.

perdonavidas. *m.* (fg.) e fam.) fanfarrão, ferrabrás, chibante, valentão, matamouros, façanheiro, estrói-tudo.

perdulario, ria. *adj.* e *s.* perdulário, dissipador, gastador, dependedor, desbarajador, esbanjador; estroina; vicioso incorrigível.

perdurabilidad. *f.* perduração, eternidade.

perdurable. *adj.* perdurável, perpétuo, duradouro, eterno, sempiterno; indefectível.

perdurar. *v. intr.* perdurar, durar muito, subsistir, manter-se no mesmo estado.

perecear. *v. tr.* (fam.) dilatar, demorar, protelar, diferir, retardar por negligência ou preguiça.

perecedero, ra. *adj.* perecedouro, perecedoiro, mortal, pouco durável; frágil; transitório, fugaz. — *m.* (fam.) necessidade, miséria.

perecer. *v. intr.* perecer, acabar, fenecer, morrer, deixar de ser; (fig.) sofrer algum dano, trabalho ou apoquentação; sofrer extrema pobreza. — *v. r.* desejar com ânsia; consumir-se com paixão. — *conj. irr.* como *crecer*.

perecimiento. *m.* perecimento; extinção; definhamento; esgotamento; acabamento, fim; morte.

pereda. *f.* V. **peraleda.**

peregrinación. *f.* peregrinação; peregrinação, viagem a algum lugar santo; romaria; peregrinação, viagem por terra estranha; (fig.) peregrinação, a vida humana; êxodo.

peregrinaje. *m.* peregrinação. V. **peregrinación.**

peregrinar. *v. intr.* peregrinar, andar por terras estranhas ou distantes; peregrinar, ir em romaria a um lugar santo; (fig.) peregrinar, ser vivo, andar cá por esta vida; voltear, divagar.

peregrinidad. *f.* peregrino, qualidade do que é raro, notável ou extraordinário; formosura.

peregrino, na. *adj.* e *s.* peregrino, que anda em peregrinação; romeiro; raro, excepcional, notável, extraordinário, especial; estranho, pouco visto; muito formoso ou perfeito, peregrino; viajante; excursionista; exótico, estrangeiro, estranho; infrequ(ü)ente.

perejil. *m.* (bot.) perrexil; (fig.) adorno excessivo e vistoso. — *pl.* (fig. e fam.) títulos honoríficos.

perenal. *adj.* V. **perennal.**

perencejo, ja. *s.* V. **perengano,** designação vaga de pessoa incerta.

perención. *f.* (for.) prescrição em processos.

perendeca. *f.* (fam.) rameira, prostituta.

perendengue. *m.* perendengues, brincos, pendentes, arrecada das orelhas; por extensão, qualquer adorno feminino, berliques;

moeda de cobre, de Filipe IV. — *pl.* adornos, enfeites ridículos.

perene. *adj.* V. **perenne.**

perengano, na. *s.* designação vaga de pessoa incerta; (pop.) coiso.

perennal. *adj.* V. **perenne.**

perenne. *adj.* perene, perenal, contínuo, incessante, que não tem intermitência; perpétuo, ininterrupto; (bot.) perene, vivaz, que vive mais de dois anos.

perennidad. *f.* perenidade, perpetuidade; constância, continuidade.

perentoriedad. *f.* grande urgência, qualidade de peremptório.

perentorio, ria. *adj.* peremptório, terminante, decisivo, que perime; urgente, autoritário, imperioso.

pereza. *f.* preguiça, lentidão; negligência, tédio, descuido; madraçaria; desídia; deixidão; pacholice; froixeza; indolência; entorpecimento; inércia; ina(c)ção; indiligência; (Bras.) flauta, pichorra: *darse a la pereza*, desleixar-se.

perezoso, sa. *adj.* e *s.* preguiçoso, negligente, lento, vagaroso, vadio; descuidado, tardo. — *m.* (zool.) preguiça, mamífero desdentado, da América; madraço, desidioso; indolente; galhofeiro, madraceador; deixado; desapressado; desmanchadão; inerte; (fig.) froixo.

perfección. *f.* perfeição; qualidade de perfeito; bondade, beleza ou excelência em grau elevado; primor; mestria; requinte; perfeição, coisa perfeita; perfeição, alto grau de virtude; acabamento; beleza; delicadeza; afinação; aprimoramento; excelsitude; melhoria; apuro; apogeu; exa(c)tidão; (fig.) edificação: *a la perfección*, perfeitamente.

perfeccionamiento. *m.* aperfeiçoamento; melhora; benefício; acrescentamento; (fig.) desbastação, desbastamento.

perfeccionador, ra. *adj.* e *s.* aperfeiçoador.

perfeccionar. *v. tr.* aperfeiçoar, acabar com perfeição; aperfeiçoar, melhorar; completar, perfeiçoar; (fig.) educar; melhorar; adiantar; afiar; assentar; afinar; acrisolar; atilar; apurar; aprimorar aproveitar; consumar; acepilhar; (fig.) desbastar; curvar; arredondar. — *v. r.* aperfeiçoar-se; aquilatar-se; aprimorar-se; consumar-se; amadurecer.

perfectibilidad. *f.* perfectibilidade; qualidade do perfectível.

perfectible. *adj.* perfectível, susceptível de aperfeiçoar-se.

perfectivo, va. *adj.* perfectivo, que dá ou pode dar perfeição, que perfaz.

perfecto, ta. *adj.* perfeito, acabado, completo, sem defeito, primoroso, excelente, notável; perfeito, inteiro, completo, total no seu género; magistral; perfeito, belo, sem defeito; perfeito, destro, hábil; perfeito, que tem o maior grau de excelência ou bondade; (for.) perfeito, de plena eficácia em juízo. — *m.* (gram.) perfeito (tempo do verbo); ¡prefeito! (fig.) abalizado; estirado; afinado; corre(c)to; atilado, aprimorado; estremado; exa(c)to; absoluto; consumado; aperfeiçoado; exímio; bem-acabado; belo, formoso; delicado, delicioso: *cosa perfecta*, coisa sem falta; *tener un rostro prefecto*, (fig.) ser um rebuxo.

perficiente. *adj.* aperfeiçoador, que aperfeiçoa.

perfidia. *f.* perfídia, deslealdade, traição; falsidade; aleivosia; desserviço.

pérfido, da. *adj.* e *s.* pérfido, traidor, desleal, infiel, otraiçoador, falso, aleivoso.

perfil. *m.* perfil, adorno subtil e delicado; perfil, delineamento do rosto visto de lado; perfil, representação dum objecto visto dum lado; (pint. e escult.) conto(ô)rno; ápice das letras; esboço ligeiro do retrato duma pessoa; (arq.) perfiil, secção perpendicular dum edifício; (geol.) perfil, corte das camadas: *de perfil*, de perfil, de lado. — *pl.* perfis, complementos e reparos com que se acaba uma obra.

perfilado, da. *p. p.* de *perfilar*, e *adj.* afilado, diz-se do rosto magro e comprido; diz-se do nariz bem formado, perfeito.

perfiladura. *f.* acção de perfilar, perfiladura.

perfilar. *v. tr.* perfilar, traçar o perfil dalguém ou dalguma coisa; (fig.) fazer com primor ou esmero uma coisa. — *v. r.* perfilar-se, compor-se colocar-se de perfil.

perfoliada. *f.* (bot.) perfolhada.

perfoliado, da. *adj.* (bot.) perfolhado.

perfoliata. *f.* (bot.) perfolhada.

perforable. *adj.* furável, que pode ser perfurado.

perforación. *f.* perfuração, acção de esburacar, furo, abertura; túnel; galería.

perforador, ra. *adj.* e *s.* perfurador, que perfura, perfurante, furador.

perforar. *v. tr.* perfurar, fazer furos nalguma coisa; esburacar, furar, abrir, penetrar fazendo furo: *perforar un pozo*, abrir um poço.

perfumadero. *m.* perfumador, vaso em que se queimam perfumes.

perfumado, da. *p. p.* e *adj.* perfumado, aromatizado, cheiroso, fragrante.

perfumador, ra. *adj.* e *m.* perfumador, perfumista; perfumador, vaso; defumador, defumadoiro.

perfumar. *v. tr.* perfumar, aromatizar, encher de perfume; derramar perfume; espalhar olor agradável; defumar; embalsamar. — *v. intr.* exalar perfume, fragrância.

perfume. *m.* perfume, fragrância, aroma, cheiro, emanação aromática; vapor, fumo aromático; (fig.) perfume, qualquer matéria odorífera; embalsamamento.

perfumear. *v. tr.* V. **perfumar**.

perfumería. *f.* perfumaria, local onde se preparam os perfumes ou loja onde se vendem; perfumaria, arte de fabricar perfumes.

perfumero, ra. *s.* perfumista. V. **perfumista**.

perfumista. *s.* perfumista, pessoa que prepara ou vende perfumes.

perfunctorio, ria. *adj.* perfunctório; superficial; passageiro; leve; que se pratica sem qualquer fim útil.

perfusión. *f.* banho, untura.

pergal. *m.* recorte das peles de que se faz uma espécie de atacadores para calçado.

pergamíneo, a. *adj.* pergamináceo, semelhante a pergaminho.

pergaminero. *m.* pergaminheiro, pessoa que trabalha em pergaminho ou o vende.

pergamino. *m.* pergaminho, pele de carneiro para nela se escrever; documento escrito em pergaminho. — *pl.* títulos de nobreza, pergaminhos.

pergéneo. *m.* V. **pergueño**.

pergeñar. *v. tr.* engenhar, dispor ou executar com habilidade ou acerto.

pergeño. *m.* (fam.) aspecto ou disposição exterior duma pessoa ou coisa; traça, aparência; (fam.) disposição ou habilidade para executar as coisas.

pérgola. *f.* pérgula; parreira, parreiral; V. **emparrado**.

peri. *f.* Peri, fada benfeitora da mitologia persa.

periambo. *m.* pirríquio, periambo.

perianal. *adj.* (anat.) perianal.

periándrico, ca. *adj.* (bot.) periândrico.

periantio. *m.* (bot.) perianto. V. **perigonio**.

períbolo. *m.* (arq.) períbolo

pericárdico, ca. *adj.* pericárdico.

pericardino, na. *adj.* (anat.) pericárdico, pericardino.

pericardio. *m.* (anat.) pericárdio.

pericarditis. *f.* (pat.) pericardite.

pericárpico, ca. *adj.* (bot.) pericárpico, pericarpial.

pericarpio. *m.* (bot.) pericarpo,. pericárpio.

pericia. *f.* perícia, destreza, habilidade, sabedoria, prática; perícia, experiência; proficiência; maestria; indústria, ace(ê)rto; conhecimento: *adquirir pericia*, (fig.) assentar a mão.

pericial. *adj.* pericial, pertencente ou relativo a perito; perito, destro, hábil.

pericladio. *m.* (bot.) pericladio.

periclasa. *f.* (min.) periclase.

periclasis. *f.* (cir.) periclase.

periclinio. *m.* (bot.) periclínio.

periclitar. *v. intr.* periclitar, perigar, declinar.

perico. *m.* (zool.) periquito, ave semelhante ao papagaio; (fig.) leque grande; urinol; (bot.) espargo grande; (mar.) joanete do mastro de mezena: *Perico de los palotes* (fam.) cabeça de vento, sujeito indeterminado.

pericón, na. *adj.* diz-se daquele que supre todos os demais (geralmente falando do cavalo ou mula). — *m.* valete de paus, em certo jogo; leque muito grande; (Amér.) espécie de dança popular argentina.

pericondrio. *m.* (anat.) pericôndrio, pericondro.

pericondritis. *f.* (pat.) pericondrite.

pericráneo. *m.* (anat.) pericrânio, periósteo que reveste o crânio.

peridoto. *m.* (min.) peridoto.

peridio. *m.* (bot.) perídio.
peridiolo. *m.* (bot.) perídiolo.
perídromo. *m.* (arq.) perídromo.
perieco, ca. *adj.* e (geog.) perieco. — *m. pl.* periecos.
periéresis. *f.* (cir.) periérese.
periferia. *f.* periferia, conto(ô)rno duma figura curvilínea; circunferência.
periférico, ca. *adj.* periférico, relativo à periferia.
perifollo. *m.* (bot.) cerefolho, cerefólio. — *pl.* (fig. e fam.) enfeites femininos de mau gosto.
perifonear. *v. tr.* e *intr.* radiodifundir, transmitir pela T. S. F.
perifonía. *f.* radiodifusão, transmissão, pela T. S. F.
perífono. *m.* radiodifusor, aparelho de T. S. F.
periforantio, a. *adj.* (bot.) V. **periclinio.**
perifrasear. *v. intr.* perifrasear, usar de perífrases.
perifrasi (s). *f.* perífrase, circunlocução.
perifrástico, ca. *adj.* perifrástico, relativo a perífrase; que contém perífrase.
perigallo. *m.* perigalho, pelanga; fita de cor garrida que as mulheres usavam no penteado; espécie de funda feita só de cordel; (fig. e fam.) pessoa muito alta e magra, trangola; (mar.) perigalho, polé.
perigeo. *m.* (astr.) perigeu.
periginio. *m.* (bot.) perigínio.
perigonio. *m.* (bot.) perigónio.
perihelio. *m.* (astr.) periélio.
perilustre. *adj.* muito ilustre.
perilla. *f.* dim. de *pera* perinha; ornato em forma de pêra; pêra, barbicha; extremo do charuto por onde se fuma; (mar.) peça de madeira ou metal por onde passam e correm, pelos seus gornes as adriças.
perillán, na. *s.* (fam.) pessoa astuta, ladina, esperta; velhaco.
perimétrico, ca. *adj.* perimétrico.
perímetro. *m.* perimetro, âmbito, conto(ô)rno duma figura geométrica; perímetro contorno dum espaço.
perimorfosis. *f.* (zool.) perimorfose.
perínclito, ta. *adj.* preclaro, grande notável, heróico.
perineal. *adj.* relativo ao períneo, perineal.
perineo. *m.* (anat.) períneo.
perineumonía. *f.* (pat.) peripneumonia.
perineumónico, ca. *adj.* peripneumónico.
perinola. *f.* piorra, pequeno pião para jogar sobre a mesa, rapa; bilro; (fig. e fam.) mulher pequena, muito mexida.
perinquina. *f.* aversão, V. **inquina.**
perinquinoso, sa. *adj.* rancoroso, que tem rancor ou aversão.
períoca. *f.* sumário, argumento dum livro.
periodicidad. *f.* periodicidade; frequ(ü)ência.
periódico, ca. *adj.* periódico ,que guarda período determinado; periódico, diz-se da publicação que aparece periòdicamente; (aritm.) periódica (fracção). — *m.* periódico, jornal.

periodicucho. *m.* periódico ou jornal de baixa qualidade.
periodismo. *m.* periodismo, jornalismo, imprensa.
periodista. *s.* periodicista, periodista, que redige periódicos, editor dum jornal; *periodista novato, inexperto,* (Bras.) foca.
periodístico, ca. *adj.* periodístico, jornalistico, relativo aos jornais ou jornalistas.
período. *m.* período; período, menstruação; período, época, era, etapa; (mat.) período; (gram.) período; (astr.) período, tempo que um planeta leva a descrever a sua órbita; (cronol.) período; (med.) período, fase duma doença; (ret.) período, frase composta de muitos membros que forma um sentido completo.
perioftalmía. *f.* (pat.) perioftalmia.
perioftálmico, ca. *adj.* perioftálmico.
perioftalmitis. *f.* (pat.) perioftalmite.
periostal. *adj.* janat.) periostal.
periosteitis. *f.* (pat.) periostíte.
periosteo. *m.* (anat.) periósteo.
periosteosis. *f.* (pat.) periosteose, periostose.
periostitis. *f.* (pat.) periostite.
peripatético, ca. *adj.* peripatético, aristotélico; (fig.) ridículo ou extravagante nas suas máximas.
peripatetismo. *m.* peripatetismo, aristotelismo.
peripato. *m.* peripatetismo, sistema filosófico de Aristóteles.
peripecia. *f.* peripécia, acontecimento dum drama, poema ou romance que altera a face das coisas; (fig.) acidente imprevisto, incidente, peripécia, caso estranho e imprevisto.
periplasma. *f.* (bot.) periplasma.
periplo. *m.* périplo, viagem de circum-navegação; périplo, diário de navegação.
períptero, ra. *adj.* e *m.* (arq.) períptero.
peripuesto, ta. *adj.* (fam.) peralta, janota, que veste com afectação, embonecado, chicante.
periquear. *v. intr.* usar de excessiva liberdade (a mulher).
periquete. *m.* (fam.) brevíssimo espaço de tempo; *en un periquete,* num ápice, em duas palhetadas, num ai; num assopro, num átomo; em quatro dias: *hacer algo en un periquete,* levar uma coisa de boleo.
periquito. *m.* (zool.) periquito, ave semelhante ao papagaio: *periquito entre ellas,* (fig. e fam.) diz-se do homem muito afeiçoado a estar sempre entre mulheres; *cátate a Periquito hecho fraile,* (irón.) diz-se da pessoa que alcançou uma dignidade muito desejada, mas pouco merecida.
periscio, cia. *adj.* e *s.* (geog.) períscio.
periscópico, ca. *adj.* periscópico.
periscopio. *m.* periscópio.
perisístole. *f.* (fisiol.) perissístole.
perisodáctilo, la. *adj.* e *m.* (zool.) perissodáctilo.
perisología. *f.* perissologia.
perispérmico, ca. *adj.* (bot.) perispérmico.
perispermo. *m.* (bot.) perisperma, perispermo.

perisplenitis. *f.* (pat.) perisplenite.

perista. *m.* (germ.) receptador, comprador de coisas roubadas.

peristáltico, ca. *adj.* peristáltico.

perístam. *lat.* empregada na expressão: *quedarse per ístam,* deixar alguém sem alimento.

perístasis. *f.* (ret.) perístase, tema, assunto, argumento.

peristilo. *m.* (arq.) peristilo; átrio.

perístole. *f.* (fisiol.) perístole.

peristoma. *f.* (bot. e zool.) perístoma.

peritación. *f.* peritagem, trabalho ou estudo que faz um perito.

periteca. *f.* (bot.) periteca.

peritiflitis. *f.* (med.) peritiflite.

perito, ta. *adj.* e *s.* perito, sábio, experimentado numa ciência ou arte, destro, experto, erudito, conhecedor, mestre.

peritoneal. *adj.* (anat.) peritoneal.

peritoneo. *m.* (anat.) peritoneu, peritó(ô)nio.

peritonitis. *f.* (pat.) peritonite.

perjudicable. *adj.* prejudicial.

perjudicador, ra. *adj.* e *s.* prejudicador, danador, que prejudica.

perjudicar. *v. tr.* prejudicar, ocasionar dano material ou moral; avariar; menoscabar; desnutrir; desservir; danar; danificar; desgraçar; entrambicar; desajudar; (fig.) estragar. — *v. r.* prejudicar-se; aleijar-se.

perjudicial. *adj.* prejudicial, desaproveitoso, nocivo, extorsivo, danoso, desvantajoso, danificador, daninho, funesto, contrário.

perjuicio. *m.* prejuízo, efeito de prejudicar, ou prejudicar-se; dano, perda; avaria; desconveniência; extorsão, inconveniente; deterioração; desproveito; desvantagem; desabono; desserviço; efeito contrário; detrimento; descalavro; e(ê)rro; menoscabo.

perjurador, ra. *adj.* e *s.* perjuro, V. **perjuro.**

perjurar. *v. intr.* perjurar, jurar falso, quebrar o juramento; jurar muito, ou por vício; faltar ao juramento; abjurar.

perjurio. *m.* perjúrio, falso juramento, delito de jurar falso.

perjuro, ra. *adj.* e *s.* perjuro, pessoa que jura falso, infiel, desleal.

perla. *f.* pérola; (fig.) pérola, pessoa muito bondosa; coisa excelente no seu género ou classe; (arq.) pérola; (impr.) certo tipo de letra de quatro pontos tipográficos; (med.) albugo, albugem: *de perlas,* (fam.) às mil maravilhas, perfeitamente.

perlada. *adj.* perolino. V. **perlina.**

perlado, da. *adj.* perolino, que tem o brilho, ou forma duma pérola.

perlático, ca. *adj.* e *s.* (med.) paralítico, que sofre de paralisia.

perlería. *f.* conjunto de muitas pérolas.

perlero, ra. *adj.* perlífero, perolífero, pertencente à pérola.

perlesía. *f.* (pat.) paralisia.

perlezuela. *f.* pérola pequena, pèrolazinha.

perlino, na. *adj.* perolino, da cor de pérola.

perlita. *f.* fonólito, rocha (fonolita).

perlongar. *v. intr.* (mat.) perlongar, ir costeando; estender um cabo para o puxar.

permaná. *m.* (Amér.) a melhor qualidade de chicha.

permanecer. *v. intr.* permanecer, manter-se sem mutação no mesmo lugar, estado ou qualidade; continuar; conservar; durar; demorar; conservar-se; perseverar. — *conj. irr.* como *crecer.*

permaneciente. *p. a.* e *adj.* permanecente, duradouro; permanente.

permanencia. *f.* permanência, duração firme, constância, perseverança; estabilidade, imutabilidade; inalterabilidade; indelebilidade.

permanente. *adj.* permanente, permanecente; duradoiro, estável; ininterrupto, efe-(c)tivo; indelével; inalterável: *servicio permanente,* serviço efectivo.

permanente. *f.* acção de frisar o cabelo; riços artificiais no cabelo, ondulação artificial, permanente.

permanganato. *m.* (quim.) permanganato.

permangánico, ca. *adj.* (quim.) permangânico.

permansión. *f.* permanência. V. **permanencia.**

permeabilidad. *f.* permeabilidade, qualidade de permeável.

permeable. *adj.* permeável, que pode ser penetrado por um fluido.

permeámetro. *m.* permeâmetra.

permisible. *adj.* permissível, admissível; accessível.

permisión. *f.* permissão, autorização; licença; consentimento; concessão, autorização; facultade.

permisivo, va. *adj.* permissivo.

permiso. *m.* diferença entre o valor real e o nominal, nas moedas; ágio.

permiso, sa. *p. p. irr.* de *permitir* e *adj.* permitido. — *m.* licença, consentimento; autorização; permissão; adquiescência; faculdade; consenso, assentimento; beneplácito; anuência.

permisor, ra. *adj.* e *s.* permissor, permitidor.

permistión. *f.* mistura dalgumas coisas, geralmente líquidas.

permitidero, ra. *adj.* permissível, que se pode permitir.

permitidor, ra. *adj.* e *s.* permissor, que permite.

permitir. *v. tr.* permitir, dar licença, autorizar; permitir, não impedir uma coisa; consentir; tolerar; não obstar; dar ocasião ou lugar; deixar, facultar: *permítame, permita-me; no lo permita Dios,* Deus não permita; *permitir de buena gana,* pôr a barato.

permuta. *f.* permuta, troca de empregos entre funcionários; permuta, câmbio; (pop.) alborque; permutação; transposição.

permutabilidad. *f.* permutabilidade.

permutable. *adj.* permutável, que se pode permutar.

permutación. *f.* permutação, troca de um emprego por outro; transposição; (mat.) permutação.

permutar. *v. tr.* permutar, trocar; (fig.) comunicar, partilhar: *permutar ideas*, permutar ideias.

pernada. *f.* pernada, pancada que se dá com uma perna; (mar.) ramificação, ramal dum objecto.

pernaza. *f.* pernaça, pernão.

perneador, ra. *adj.* que tem muita força nas pernas e pode andar muito.

pernear. *v. intr.* pernear, espernear; (fig. e fam.) andar muito, afadigar-se para obter algo; irritar-se por não conseguir o que se deseja. — *v. tr.* (prov.) vender suínos na feira.

pernera. *f.* perneira, cada uma das peças das calças.

pernería. *f.* (mar.) conjunto ou provisão de pernos.

perneta. *f.* perninha, pernazinha: *en pernetas*, (fam.) com as pernas nuas.

pernete. *m.* perno pequeno.

perniabierto, ta. *adj.* que tem as pernas abertas ou separadas.

pernicioso, sa. *adj.* pernicioso, danoso, nocivo, perigoso, prejudicial, desvantajoso.

pernicote. *m.* osso do pernil do porco.

pernicho. *m.* (germ.) postigo.

pernil. *m.* pernil, pernão, anca, coxa de animal; por anton, pernil do porco.

pernio. *m.* dobradiça, gonzo.

perniquebrar. *v. tr.* quebrar uma perna ou as duas. — *conj. irr.* como *acertar*.

pernituerto, ta. *adj.* cambaio, zambro, que tem as pernas tortas.

perno. *m.* perno, pequeno eixo empregado em maquinaria; perno, peça do gonzo onde está a espiga.

pernoctar. *v. tr.* pernoitar; passar a noite fora da própria morada.

pernotar. *v. tr.* notar, advertir, reparar.

pero. *m.* (bot.) pereiro, variedade de macieira; pêro, fruto desta árvore; (fig.) defeito, senão: *no tener peros que poner*, não ter defeito uma coisa; *ese pero no está maduro*, (fam.) expressão empregada para prevenir alguém na prossecução duma coisa ou assunto.

pero. *conj.* pórem, mas, ainda que.

perogrullada. *f.* (fam.) calinada, truísmo, verdade tão conhecida que é escusado dizê-la; chama-se vulgarmente *verdad de Perogrullo*.

perogrullesco, ca. *adj.* relativo à calinada ou truísmo.

Perogrullo. *n. pr.* Calino; truísmo (personagem imaginária a quem se atribuem verdades já sabidas).

perol. *m.* tacho, vasilha de metal de forma semiesférica.

peroné. *m.* a(nat.) peró(ô)nio, peróneo.

peronóspora. *f.* (bot.) peronóspora.

peronosporáceos. *m. pl.* (bot.) peronosporáceas.

peroración. *f.* peroração; epílogo; pequeno discurso.

perorador, ra. *adj. e s.* perorador, orador; pregador.

perorar. *v. intr.* perorar, pronunciar um discurso ou oração; (fam.) falar em conversação familiar como se estivesse a pronunciar um discurso; falar em sentido afectado; (fig.) pedir com instância.

perorata. *f.* peroração, oração, arenga, discurso fastidioso.

peroxidar. *v. tr.* (quim.) peroxidar.

peróxido. *m.* (quim.) peróxido.

parpalla.

perpendicular. *adj.* (geom.) perpendicular. — *f.* perpendicular.

perpendicularidad. *f.* perpendicularidade.

perpendículo. *m.* perpendículo, fio de prumo; (geom.) altura dum triângulo; pêndulo. V. **péndulo.**

perpetración. *f.* perpetração; execução, realização.

perpetrador, ra. *adj. e s.* perpetrador, que perpetra; autor; executor .

perpetrar. *v. tr.* perpetrar, cometer, praticar um acto condenável; realizar; executar; consumar crime ou delito; acabar aperfeiçoar uma coisa.

perpetuación. *f.* perpetuação; perpetuidade; imortalização.

perpetual. *adj.* perpétuo. V. **perpetuo.**

perpetualidad. *f.* perpetuidade.

perpetuar. *v. tr.* perpetuar, tornar perdurável uma coisa; eternizar; imortalizar; propagar por sucessão; dar às coisas uma grande duração. — *v. r.* perpetuar-se; durar sempre; transmitir-se por gerações sucessivas.

perpetuidad. *f.* perpetuidade, duração sem fim; (fig.) perpetuidade, duração muito grande e constante; imortalidade.

perpetuo, tua. *adj.* perpétuo, duradoiro, que permanece para sempre, contínuo, constante; innterrupto; eterno; diz-se de certos cargos vitalícios.

perplejidad. *f.* perplexão, perplexidade; irresolução, indecisão; incerteza; entredúvida; indeterminado, ataranto, aturdimento estonteamento; desarranjo; descomposição.

perplejo, ja. *adj.* perplexo, irresoluto; duvidoso, incerto; coufuso; atrapalhado; ató(ô)nito; indeciso; embasbacado; empachado; atarantado; (fig.) cortado: *dejar perplejo*, embaçar; deslumbrar; *estar perplejo*, areaçar, atarantar-se, esbarrar; *quedarse perplejo*, embasbacar-se, atrapalhar-se, atordoar-se.

perpunte. *m.* perponte, perponto, perpunto, antigo gibão acolchoado usado pelos guerreiros.

perqué. *m.* antiga composição poética em forma de perguntas e respostas; panfleto infamatório.

perquirir. *v. intr.* perquirir, investigar, indagar com cuidado e diligência.

perquisición. *f.* perquisição, perquirição,indagação.

perra. *f.* (zool.) cadela, perra, fêmea do cão; (fam.) perrice, birra de criança; (fig.) e (fam.) embriaguez.

perrada. *f.* canzoada, matilha de cães; (fig. e fam.) canalhice, acção vil, baixeza.

perrengue. *m.* (pop.) birrento, homem irascível, cabeçudo.

perrera. *f.* canil, lugar onde se recolhem ou criam cães; compartimento para cães nos comboios; emprego muito trabalhoso e de pouca utilidade; (fam.) mau pagador, caloteiro.

perrería. *f.* canzoada, cachorrada, multidão de cães; (fig.) canzoada, gente vil e malvada; canalhice, velhacaria.

perrero. *m.* perreiro, enxota-cães; o que trata dos cães; o que cría cães.

perrezno. *m.* cachorrinho, cão pequeno.

perrillo. *m.* cão, gatilho de arma de fogo; (equit.) serrilha que substitui a barbela do freio: *perrillo de todas bodas* (fig. e. fam.) diz-se que gosta de achar-se em todas as festas e diversões.

perro. *m.* (zool.) cão, mamífero carnívoro doméstico; (fig.) dano ou prejuízo que se causa a alguém num contrato; aplica-se às pessoas de má condição.

perroquete. *m.* (mar.) mastaréu de joanete.

perruna. *f.* perruma, perruna, pão ordinário para os cães.

perruno, na. *adj.* canino, pertencente ou relativo ao cão.

persa. *adj.* e *s.* (geog.) persa. — *m.* persa, (língua).

persecución. *f.* persecução, perseguição, perseguimento; encarreiramento; encalço; acossamento; (fig.) apedrejamento; importunidades; aborrecimento; instância enfadonha e frequente.

perseguido, da. *p. p.* e *adj.* perseguido, acossado; (fig.) açoitado, apedrejado, atormentado; aborrecido.

perseguidor, ra. *adj.* e *s.* perseguidor; que persegue.

perseguimiento. *m.* V. **persecución.**

perseguir. *v. tr.* perseguir; ir no encalço de; perseguir, seguir alguém com insistência; importunar; molestar; procurar alguém com frequência, solicitar, requerer com frequência; perseguir, importunar, aborrecer; encarreirar; perseguir em demanda de; (fig.) apedrejar, atormentar; (Bras.) atubibar: *perseguir algo*, aspirar, encaminhar-se; *perseguir a alguien*, ir no alcance de alguém; *perseguir de cerca*, apertar. — *conj. irr.* como *seguir*.

Perseo. *m.* (astr.) constelação boreal.

perseverancia. *f.* perseverança, constância; firmeza; pertinácia; perseverança, duração permanente ou contínua duma coisa; paciência; (fig.) coragem; batalhação, dureza; empenho, afinco.

perseverante. *p. a.* e *adj.* perseverante; pertinaz; firme, constante; paciente; (fig.) batalhador; duradoiro; infatigável; aturado.

perseverar. *v. intr.* perseverar, conservar-se firme, constante; não ceder; continuar; persistir; durar, continuar.; assegurar; aporfiar; atuar;

Persia. (geog.) Pérsia.

persiana. *f.* persiana, gelosia feita de tabuinhas; tecido de seda muito colorido; (vulg.) patilhas do cabelo.

persiano, na. *adj.* e *s.* (geog.) V. **persa.**

persicaria. *f.* (bot.) persicária; pessegueiro durázio.

pérsico, ca. *adj.* pérsico, persa, da Pérsia. — *m.* (bot.) pessegueiro; pêssego.

persignar. *v. tr.* persignar, fazer o sinal da cruz. V. **signar.** — *v. r.* persignar-se, benzer-se, fazendo o sinal da cruz; fazer cruzes; manifestar assombro, surpresa ou admiração; começar a vender.

pérsigo. *m.* (bot.) pêssego; pessegueiro.

persistencia. *f.* persistência, insistência, constância, no intento, ou execução dalguma coisa; perseverança; firmeza.

persistente. *p. a.* e *adj.* persistente, que persiste, perseverante, firme, duradoiro, constante.

persistir. *v. intr.* persistir, manter-se firme ou constante; persistir, durar longo tempo; perseverar; permanecer; aturar; afirmar-se.

persona. *f.* pessoa, indivíduo da espécie humana; pessoa, disposição, figura do corpo; pessoa, qualquer homem ou mulher cujo nome se ignora; personagem; (gram.) pessoa; interlocutor nas comédias; (teol.) Pessoa, Indivíduo da Santíssima Trindade.

personada. *adj.* (bot.) personada.

personado. *m.* prerrogativa de igreja, sem jurisdição.

personaje. *m.* personagem, pessoa notável; (fig.) alguém; personagem, figura dramática; personagem, pessoa que toma parte na acção duma obra literária.

personal. *adj.* pessoal, próprio ou particular da pessoa; privado; íntimo, especial. — *m.* conjunto de pessoas pertencentes a determinada classe ou corporação; pessoal, conjunto de pessoas que trabalham num serviço ou estabelecimento; tributo que pagavam antigamente aos chefes de família.

personalidad. *f.* personalidade, individualidade, carácter próprio de uma pessoa, estilo; (for.) aptidão legal para intervir num negócio.

personalismo. *m.* personalismo; individualismo; exclusivismo; (fig.) egoísmo.

personalizar. *v. tr.* personalizar, personificar, individualizar; aludir a determinadas pessoas; fazer alusões injuriosas; (gram.) usar como pessoais certos verbos que geralmente são impessoais.

personarse. *v. tr.* avistar-se, apresentar-se pessoalmente.

personería. *f.* procuradoria, ofício ou escrito rio de procurador.

personero. *m.* procurador, o que se constitui em procurador para solicitar ou encarregar-se de negócios alheios.

personificación. *f.* personificação; efígie; tipo ideal.

personificar. *v. tr.* personificar, considerar como pessoa; personificar, atribuir qualidades de pessoa a; representar uma determinada pessoa; um sistema ou opinião; personalizar.

personudo, da. *adj.* apessoado, diz-se da pessoa corpulenta e de boa estatura.

perspectiva. *f.* perspectiva; (fig.) aspecto; perspectiva; aparência enganosa das coisas; (fig.) probabilidade; panorama.

perspectivo. *m.* aquele que professa a perspectiva.

perspicacia. *f.* perspicácia; agudeza e penetração da vista; (fig.) perspicácia; agudeza de espírito; presteza de compreensão; sagacidade, acuidade; clarividência; claridades, lume, faro; (fig.) aguçamento.

perspicaz. *adj.* perspicaz, que vê bem; (fig.) perspicaz, agudo de espírito; claro, luminoso; advertido; (fig.) aquilino, sagaz; talentoso; de engenho subtil; (pop.) furaparedes: *ser muy perspicaz,* (fam.) ter lume no olho.

perspicuidad. *f.* perspicuidade; clareza, nitidez, lucidez.

perspícuo, cua. *adj.* perspícuo, claro, transparente; (fig.) diz-se da pessoa que se explica com clareza.

persuadido, da. *p. p.* e *adj.* persuadido, induzido, convicto, convencido: *estar persuadido,* assentar consigo.

persuadidor, ra. *adj.* e *s.* persuasor, que persuade.

persuadir. *v. tr.* persuadir, induzir, mover, levar a crer; convencer, aconselhar; fazer aceitar; levar a persuasão ao ânimo de alguém; encaixar; exortar; determinar; (fig.) empuxar, inclinar, encasquetar: — *v. r.* persuadir-se, convencer-se: *persuadir a alguien,* determinar a alguém.

persuasible. *adj.* persuadível, diz-se do que pode fazer-se acreditar; fácil de persuadir.

persuasión. *f.* persuasão, convicção; crença; opinião.

persuasiva. *f.* persuasiva, faculdade de persuadir, persuasão.

pertenecer. *v. intr.* pertencer, ser de alguém por direito; fazer parte de; pertencer, ser das atribuições ou da competência de; ser devido ou merecido; ser parte integrante de; ser relativo a; ser próprio de; caber a; dizer respeito. — *conj. irr.* como *crecer.*

pertenecido. *m.* V. **pertenencia.**

perteneciente. *p. a.* e *adj.* pertencente, que pertence; relativo a.

pertenencia. *f.* pertença, direito de alguém à propriedade dalguma coisa; pertença; parte acessória dalguma coisa; domínio; unidade de medida de superficie, utilizada em minas; domínio; propriedade; atribuição; pertence.

pértica. *f.* pértica, medida agrária de comprimento.

pértiga. *f.* pértiga, pírtiga, vara comprida, varapau.

pertigal. *m.* pértiga. V. **pértiga.**

pértigo *m.* lança, vara do carro.

pertiguería. *f.* cargo de pertigueiro.

pertiguero. *m.* pertigueiro, ministro que nas catedrais assiste aos ofícios tendo na mão uma vara comprida guarnecida de prata; bedel de igreja.

pertinacia. *f.* pertinácia, teimosia, obstinação, tenacidade, contumácia; (fig.) grande duração ou persistência.

pertinaz. *adj.* pertinaz, obstinado, tenaz, teimoso; (fig.) duradouro, contumaz.

pertinencia. *f.* pertinência, pertença, qualidade de pertinente.

pertinente. *adv.* pertinente, que pertence; relativo, concernente, correspondente; diz-se do que vem a propósito, pertinente; (for.) cunducente ou concernente ao pleito; respetivo a.

pertrechar. *v. tr.* petrechar, prover de petrechos, apetrechar; (fig.) petrechar, dispor ou preparar o necessário para a execução duma coisa; municionar, prover.

pertrechos. *m. pl.* petrechos, munições e instrumentos de guerra, apetrechos; instrumentos necessários para qualquer operação.

perturbable. *adj.* perturbável, que se pode perturbar.

perturbación. *f.* perturbação; desarranjo, desordem, revolução; confusão; excitação; agitação, comoção; alteração; desassosse(ê)go; ataranto, atarantação; emberamento, aturdimento; atordoamento; (fig.) desnorteamento; enfiamento; conturbação; desalinho; embaraço; demência: *perturbación del orden,* (fig.) baralha; *perturbación social,* convulsão social; *perturbación de los sentidos o de la razón,* estonteamento.

perturbado, da. *p. p.* e *adj.* perturbado; desordenado; desarranjado; comovido; confuso; toldado; envergonhado; atrapalhado; aturdido; desorientado; alterado; ató(ô)nito; convulso, empachado; entroviscado; desconcertado; (fig.) cortado.

perturbador, ra. *adj.* e *s.* perturbador, que perturba, perturbante; amotinador; baralhador; atrapalhador, agitador, desordeiro, fa(c)cioso; desassossegador; desordenador.

perturbar. *v. tr.* perturbar, transtornar a ordem, quietude ou sossego das coisas; alterar, agitar, amotinar; abalar; desarranjar; confundir; envergonhar; estontear; desconcertar; atarracar; baralhar; atrapalhar; desorganizar; desgovernar; conturbar; consternar; desatinar; desassossegar; convulsionar, desquietar, conturbar, empachar; (fig.) desnortear; infernar; entroviscar: *perturbar la razón,* arvoar; *perturbar el orden,* alterar a ordem; *perturbar los sentidos,* atordoar os sentidos; . — *v. r.* perturbar-se, turvar-se; perder a serenidade, atrapalhar-se; desarranjar-se; embascar-se.

Perú. (geog.) Peru.

perú (valer una cosa un), (fig. e fam.) ser de muito preço ou estimação.

peruanismo. *m.* modo de falar próprio dos peruanos.

peruano, na. *adj.* e *s.* (geog.) peruviano, peruano, natural do Peru ou pertencente a este país.

peruviano, na. *adj.* e *s.* (geog.) peruviano. V. **peruano.**

perversidad. *f.* perversidade, maldade ou corrupção dos costumes ou qualidades; malvadez; depravação; infâmia, infamação; índole ferina; desalmamento; estrago, estragamento; fealdade.

perversión. *f.* perversão, erro, corrupção de costumes, depravação; perversão, alteração duma função normal; desencaminhamento; devassidão; improbidade; desmoralização, danação; apeçonhamento; contaminação; envenenamento; deturpação; deboche; extravio moral.

perverso, sa. *adj.* e *s.* perverso, que tem muito má índole; corru(p)to, vicioso; malvado; depravado; traiçoeiro; diabólico; infame; facinoroso; endemoninhado, endiabrado; desalmado; devasso; (Bras.) condenado, puava.

pervertido, da. *p. p.* e *adj.* pervertido, alterado; pervertido, viciado, depravado; apeçonhado; demoralizado; estraviado; derrancado; degenerado; desencaminhado, depravado.

pervertidor, ra. *adj.* e *s.* perversor, corru(p)tor, que perverte; extraviador; desmoralizador; desedificativo; desencaminhador; depravador.

pervertimiento. *m.* perversão. V. **perversión.**

pervertir. *v. tr.* perverter, perturbar a ordem das coisas; fazer mudar para mal; corromper; desmoralizar; deturpar; desvirtuar; viciar; depravar; falsear; falsificar; extraviar moralmente; desedificar; desgovernar; destragar; apeçonhar; empestar; (fig.) envenenar; descompor; debochar; desencaminhar, derrancar; endiabrar. — *v. r.* perverter-se; depravar-se; desencaminhar-se; degenerar; corromper-se; esbandalhar-se. — *conj. irr.* como *sentir.*

pervigilio. *m.* pervígil, falta ou privação do sono, insónia; vela ou vigília contínua.

pervio, via. *adj.* pérvio, que dá passagem; franco, patente, aberto.

pervinca. *f.* (bot.) pervinca.

pervulgar. *v. tr.* divulgar, fazer público, propagar, tornar notório; promulgar, publicar, vulgarizar, proclamar.

pesa. *f.* peso de balança; peso para fazer subir e baixar as lâmpadas; peso para movimentar os relógios.

pesaácidos. *m.* pesa-ácidos.

pesacartas. *m.* pesa-cartas, balança para pesar cartas.

pesada. *f.* pesada, o que se pesa duma vez.

pesadez. *f.* peso, pesadume, qualidade de pesado; (fís.) peso, gravidade dos corpos; (fig.) obesidade; teimosia, impertinência, aborrecimento; madornice, enfado; entorpecimento; enfastiamento; estopada; carga, excesso; duração desmedida; trabalho, fadiga cansaço, maçada; pesadume, car-

regação, abundância; desgosto, pesar; lentidão; morosidade; incómodo; mágoa.

pesadilla. *f.* pesadelo, opressão do coração e dificuldade de respirar durante o sono; pesadelo, mau sonho; sonho aflitivo; (fig.) pesadelo, preocupação grave e contínua; pessoa, coisa ou pensamento importuno; importunação; dandão; (pop.) dão-dão; (ant.) motejo, graça pesada.

pesado, da. *adj.* pesado, que pesa muito; (fig.) obeso; pesado, sono profundo; pesado, carregado de vapores (diz-se do tempo); pesado, maçador impertinente; enfadonho; rude; molesto; grosseiro; ofensivo, sensível; duro, árduo, áspero, trabalhoso; vagaroso; lento; profundo; enfartado, compacto, denso; violento, forte; caro; difícil de digerir; incómodo, difícil, penoso, molesto; pesado, executado sem elegância nem vivacidade; decrépito; desconsolado; madraço; afadigado; aborrido; empalagoso; estopante; (fig.) maçudo; (irón.) chinchila; denso; (Bras. Sur) abaloso: *pesado como el plomo*, achumbado; *persona pesada*, pessoa aborrecida; *ser pesado a alguien*, ser pesado a alguém, ser-lhe incómodo.

pesador, ra. *adj.* e *s.* pesador, que pesa.

pesadumbre. *f.* pesadume; peso, fartum; (fig.) má vontade; pesar, sem sabor; entristecimento; injúria; agravo; desassossego, tristeza, pesar; rixa, contenda, que ocasiona pesadume ou desgosto; contristação; desprazer; desgosto.

pesaje. *m.* pesagem, acto de pesar.

pesaleches. *m.* pesa-leite, galactómetro.

pesalicores. *m.* pesa-licor, areómetro para líquidos.

pésame. *m.* pêsame, condolência; expressão de pesar pelo infortúnio ou morte de alguém; pêsames, mágoas: *dar el pésame*, dar os seus sentimentos.

pesantez. *f.* (Fís.) gravidade, peso dos corpos.

pesar. *m.* pesar, mágoa, desgo(ô)sto; arrependimento, remorso; pesar; aflição, contrição, contristação; dessatisfação; desprazer, semsabor; semsaboria: *a pesar*, contra vontade, mau grado; *a pesar de*, com tudo, a despeito de, por cima de, contra; *a pesar de los pesares*, sem embargos dos embargos; *a su pesar*, em seu despeito.

pesar. *v. tr.* e *intr.* pesar, averiguar o peso; (fig.) pesar, ponderar; tomar o peso a; sopesar; considerar, examinar atentamente; apreciar; pesar, ter peso; (fig.) pesar, ter uma coisa valor ou estimação, ser digna de muito apreço; padecer; pesar, ter pesar, doer-se; (fig.) pesar, ter força, influência; ser difícil de digerir; causar mágoa; causar remorso, arrependimento. — *v. r.* pesar-se, verificar o seu próprio peso.

pesario. *m.* instrumento cirúrgico para remediar os prolapsos do útero, pessário.

pesaroso, sa. *adj.* pesaroso, arrependido, contrito, arrepeso; apesarado; (fig.) magoado; triste.

pesca. *f.* pesca, ofício e arte de pescar; pesca, pescaria, o que se pesca; (fig. e fam.) pessoa sagaz, ladina; pessoa de maus costumes: *pesca de arrastre,* pesca de arrasto; *pesca del atún,* almadrava; *andar a la pesca de algo,* (pop.) andar à pesca dalguma coisa; indagar .

pescada. *f.* (ictiol.) pescada. V. **merluza.**

pescadería. *f.* peixaria, lugar, posto ou loja onde se vende peixe.

pescadero, ra. *s.* peixeiro, pessoa que vende peixe.

pescadilla. *f.* (ictio.) pescadinha.

pescado. *m.* pescado ,peixe; badejo salgado.

pescador, ra. *adj.* e *s.* pescador, que pesca: *pescador de atún,* almadraveiro; *pescador de perlas,* mergulhador; *pescador de hombres,* (fig.) pescador de homens, diz-se dos apóstolos; *el anillo del pescador,* anel do pescador; *a río revuelto, ganancia de pescadores,* a rio revolto ganância de pescadores.

pescante. *m.* peça saliente presa à parede, a um posto, ao costado dum navio, etc. para sustentar ou pendurar alguma coisa; boleia assento do cocheiro ou do maquinista, almofada; tramóia, maquinismo de teatro; macaco para levantar pesos.

pescar. *v. tr.* pescar, apanhar peixes; (fig. e fam.) pescar, agarrar, apanhar, colher alguma coisa; pescar, conseguir alguma coisa com astúcia, obter ardilosamente; surpreender em flagrante; (pop.) entender, compreender; (Bras.) gapinar.

pescozada. *f.* pescoção, pescoçada.

pescozón. *m.* pescoção, pancada que se dá com a mão no pescoço, ou na cabeça; pescoçada.

pescozudo, da. *adj.* pescoçudo, que tem o pescoço grosso, pescoceira.

pescuda. *f.* pergunta. V. **pregunta.**

pescudar. *v. tr.* perguntar. V. **preguntar.**

pescuezo. *m.* pescoço; colo; (fig.) vaidade, soberba: *torcer el pescuezo,* (pop.) morrer; *torcer a uno el pescuezo,* (pop.) estrangular, enforcar; *cortar el pescuezo,* (pop.), decapitar.

pescuño. *m.* pescaz, cunha que une o arado à rabiça.

pesebre. *m.* pesebre, estrebaria, cortelho, lugar designado na manjedoira para as cavalgaduras.

pesebrejo. *m.* dim. de *pesebre*; (vet.) cada uma das cavidades ou alvéolos onde estão encaixados os dentes das cavalgaduras.

pesebrera. *f.* disposição ou ordem dos pesebres nas cavalariças; conjunto desses pesebres.

pesebrón. *m.* persevão, tábua inferior do coche onde o passageiro apoia os pés.

peseta. *f.* peseta, unidade monetária espanhola: *cambiar le peseta* (pop.) vomitar, deitar a carga ao mar.

pésete. *m.* espécie de juramento, maldição ou praga.

¡pesia (tal)! *interj.* apre, irra!; ápage!; fora daqui!

pesiar. *v. intr.* maldizer, praguejar.

pesillo. *m.* pesinho, pequeno peso; balança pequena de precisão, para pesar moedas.

pesimismo. *m.* pessimismo; derrotismo.

pesimista. *adj.* e *s.* pessimista; derrotista.

pésimo, ma. *adj.* péssimo, detestável, que não pode ser pior.

peso. *m.* pe(ê)so, gravidade; peso, duma coisa; peso, objecto metálico aferido, empregado como medida; ó(ô)nus; peso, importância; força, eficácia das coisas não materiais; (fig.) influência; peso, moeda dalguns países; (fig.) peso, tudo que incomoda ou afadiga; (germ.) embargo; carga; autoridade; sensatez.

pésol. *m.* V. **guisante.**

pesón. *m.* (fís.) espécie de balança para determinar o peso dos corpos.

pespuntador, ra. *adj.* e *s.* pespontador, que pesponta.

pespuntar. *v. tr.* pespontar, dar pespontos nalguma coisa.

pespunte. *m.* pesponto, lavor de costura.

pespuntear. *v. tr.* pespontear, pespontar.

pesquera. *f.* pesqueira, lugar onde se pesca; pequena barragem; açude, presa de água.

pesquería. *f.* pescaria, ofício e exercício de pescadores; pesqueira, lugar onde se pesca, acção de pescar.

pesquis. *m.* perspicácia. V. **cacumen.**

pesquisa. *f.* pesquisa, informação, indagação, averiguação.

pesquisar. *v. tr.* pesquisar, investigar, indagar, informar, averiguar; furoar; alveitar; esquadrinhar; inquirir.

pesquisidor, ra. *adj.* e *s.* pesquisidor, pesquisante, averiguador; indagador.

pestaña. *f.* (anat.) pestana, cada um dos pêlos que bordam as pálpebras; pestana, debrum de costura; pestana, friso; cenário; barbatana; ourela. — *pl.* (bot.) cílios: *no pegar pestaña,* não pregar olho; *quemarse las pestañas,* (fig.) queimar as pestanas, estudar muito.

pestañear. *v. intr.* pestanejar, mover as pestanas; (fig.) pestanejar, ter vida.

pestañeo. *m.* pestanejo, movimento rápido e repetido das pálpebras.

pestañoso, sa. *adj.* pestanudo, que tem grandes pestanas.

peste. *f.* peste, (enfermidade); empestamento; peste, fedor, mau cheiro, (fig.) peste, corrupção de costumes; excessiva abundância de coisas; peste, pessoa de má índole; (germ.) dado de jogar. — *pl.* palavras de zanga, ameaça ou maldição: *echar pestes,* maldizer alguém; *decir pestes,* falar mal de alguém; *peste bubónica,* peste bubónica, (Bras.) febre-de-caroço.

pestífero, ra. *adj.* pestífero, empestador; pestífero, que tem muito mau cheiro; pernicioso; corruptor, mefítico.

pestilencia. *f.* pestilência; peste; contágio; epidemia.

pestilencial. *adj.* pestilencial, pestífero; infe(c)to.

pestilencioso, sa. *adj.* pestilencioso, pestilencial, pestífero, mefítico, contagioso, miasmático.

pestilente. *adj.* pestilente, pestilento, pestilencial, pestilencioso, pestífero, contagioso, infe(c)to mefítico, miasmático, empestador.

pestillo. *m.* pestilo, fecho, aldrava, lingueta de fechadura ou tranqueta; (Amér.) noivo.

pesuña. *f.* úngula. V. **pezuña.**

pesuño. *m.* pezunho, cada um dos dedos coberto com unha dos animais de pata fendida.

petaca. *f.* arca de couro ou de madeira com cobertura de pele; charuteira, tabaqueira, cigarreira; (prov. e Amér.) prostituta, meretriz.

petalífero, ra. *adj.* (bot.) petalífero.

petalismo. *m.* petalismo, ostracismo.

pétalo. *m.* (bot.) pétala.

petaloideo, a. *adj.* petalóide.

petalla. *f.* (prov.) alvião, espécie de picareta.

petanque. *m.* (min.) mineral de prata nativa.

petar. *v. tr.* (fam.) agradar, comprazer.

petar. *v. intr.* (prov.) chamar à porta; bater no chão.

petardear. *v. tr.* (mil.) petardar, petardear, fazer saltar com petardos; (fig.) engranar, vigarizar; pedir emprestado com intenção de não pagar, calotear.

petardero. *m.* petardeiro, soldado que dispara o petardo; caloteiro, vigarista.

petardista. *s.* caloteiro, vigarista; impostor; ladrão.

petardo. *m.* petardo; petardo, pequena peça de artifício que rebenta com estrondo; (fig.) engano, calote, vigarice, embaçadela; galga.

petate. *m.* esteira de folhas de palmeira; bagagem de marinheiro, mochila de soldado ou presidiário; (fam.) equipagem de qualquer pessoa que vai a bordo; (fig. e fam.) trapaceiro, vigarista, caloteiro; homem desprezível: *liar el petate*, (fam.) mudar de casa; pegar nas trouxas; (fig.) morrer.

petenera. *f.* canto popular malaguenho: *salir por peteneras*, (fam.) fazer ou dizer algum despropósito.

petequia. *f.* (med.) petéquia, manchas avermelhadas que aparecem na pele.

petequial. *adj.* petequial, referente à petéquia; que tem petéquias.

petera. *f.* (fam.) obstinação e zanga; perrice de criança, birra. V. **pelotera.**

peteretes. *m. pl.* gulodices, guloseimas.

peticano. *m.* (impr.) tipo de letra de 26 pontos.

peticanon. *m.* (impr.) V. **peticano.**

petición. *f.* petição; pedido; súplica; ro(ô)go, requerimento; pretensão; expostulação; demanda; exposição; desejo; (log.) petição de principio, raciocínio vicioso; (for.) petição, requerimento: *petición inoportuna*, apertado rogo, exigência.

peticionario, ria. *adj.* e *s.* peticionário, aquele que demanda em juízo.

petifoque. *m.* (mar.) bujarrona pequena.

petillo. *m.* espécie de peitilho de figura triangular; jóia com a mesma figura.

petimetre, tra. *s.* petimetre, peralvilho, janota ridículo, pretensioso, **peralta** ,estoiradinho; barbeirinho, **pessoa fraldeira**; adamado; alcorce, chinchafol: *comportarse como un petrimetre*, aperaltar-se.

petitoria. *f.* (pop.) petição, rogo, súplica. V. **petición.**

petitorio, ria. *adj.* petitório, relativo a petição ou súplica. — *m.* (fam.) petição, repetida e impertinente, peditório; (fam.) regimento, catálogo com a lista de todos os medicamentos; farmacopeia.

peto. *m.* peto, peitilho; peto, orelha, do sacho ou alvião; peto, costas, parte oposta ao gume de certos instrumentos; peta; couraça; peito de armas; (zool.) parte interior da couraça dos quelónios.

petral. *m.* peitoral, peiteira nos arreios dos cavalos.

petraria. *f.* balista, besta.

petrarquesco, ca. *adj.* petrarquesco.

petrarquista. *adj.* e *s.* petrarquista.

petrel. *m.* (orni.) petrel.

pétreo, a. *adj.* pétreo, de pedra; pedregoso; (fig.) duro, desumano; insensível; rígido.

petrificable. *adj.* petrificável.

petrificación. *f.* petrificação; fossilização.

petrificante. *p. a.* e *adj.* petrificante, que petrifica.

petrificar. *v. tr.* petrificar, transformar ou converter em pedra; empedernir, endurecer alguma coisa de modo que pareça pedra. — *v. intr.* petrificar, impedernir; (fig.) tornar imóvel de espanto.

petrífico, ca. *adj.* petrífico, que petrifica, petrificante.

petrognosia. *f.* petrologia.

petrografía. *f.* petrografia.

petrográfico, ca. *adj.* petrográfico.

petrógafo. fa. *s.* petrogafista, petrógrafo.

petroleína. *f.* (quim.) petroleína, vaselina.

petroleno. *m.* (quim.) petroleno.

petróleo. *m.* (quim.) petróleo, óleo mineral: *esencia de petróleo*, essência de petróleo.

petrolero, ra. *adj.* petroleiro, relativo a petróleo; petroleiro, diz-se do que destrói por meio do petróleo, terrorista, incendiário. — *s.* vendedor de petróleo: *barco petrolero*, navio petroleiro.

petrolífero, ra. *adj.* petrolífero.

petrolina. *f.* (quim.) petrolina, petroline.

petrolización. *f.* petrolização.

petrología. *f.* petrologia, petrografia.

petrológico, ca. *adj.* petrológico.

petronio. *m.* (fig.) petrónio, indivíduo muito elegante.

petrosílice. *f.* (min.) petrossílex, petrossílice, felsito.

petroso, sa. *adj.* petroso, pedregoso, pétreo; (zool.) rochedo, diz-se de certa região do osso temporal.

Petrus in cunctis. *m.* (lat.) pedante.

petulancia. *f.* petulância, insolência, descaramento, desvergonha, ousadia, descaro, atrevimento; fumaças, arrebito.

petulante. *adj.* e *s.* petulante, atrevido, insolente, descarado, impertinente, imodesto, desvergonhado, arrebitado, arremessado, desaforado, atiradiço; (pop.) franchinote, deslavado.

peyorativo, va. *adj.* pejorativo, que piora ou agrava; diz-se dos conceitos morais.

pez. *m.* (ictiol.) peixe: *pez gallo*, peixe-galo, o alfaquim; *pez espada*, peixe-espada; *pez sierra*, peixe-serra, o espadarte; *pez martillo*, peixe-martelo; *pez caimán*, peixe-agulha.

pez. *f.* pez, substância resinosa extraída do pinheiro; breu, piche: *pez líquida*, alcatrão.

pezolada. *f.* cadilhos do urdume nas peças de pano.

pezón. *m.* (bot.) pedículo, pedúnculo; (anat.) mamilo, bico do peito; chavelha do eixo dos carros; (fig.) cabo, ponta de terra; parte saliente de certas frutas; (germ.) cordão da bolsa.

pezonera. *f.* chaveta, cavilha de ferro para segurar as rodas dos carros; mamadeira.

pezuelo. *m.* urdume, primeiros fios da teia, urdidura.

pezuña. *f.* úngula, dedos dos animais de pata fendida ou rachada.

phi. *f.* phi, nome da vigésima primeira letra do alfabeto grego, correspondente à F.

pi. *f.* pi, décima sexta letra do alfabeto grego, correspondente à P.

piache (tarde). *loc. fam.* muito tarde; expressão, empregada para dizer que se chegou tarde, *tarde piaste*.

piada. *f.* pio, piado; (fig. e fam.) expressão dalguém, parecida à que outrem usa.

piador, ra. *adj.* piador, que pía. — *m.* (germ.) bebedor.

piadoso, sa. *adj.* piedoso, misericordioso, comiserativo, benigno; compassivo; religioso, devoto; piedoso.

piafador, ra. *ad.* campeador, diz-se do cavalo que campeia.

piafar. *v. intr.* fazer piafé (o cavalo), bater no chão com as patas dianteiras, campear.

piafe. *m.* acção de campear, piafé.

pialar. *v. tr.* (Amér.) V. **apealar.**

piamadre. *f.* (anat.) pia-mater.

piamáter. *f.* (anat.) pia-mater.

piamente. *adv.* piamente, piedosamente.

pianino. *m.* pequeno piano vertical.

pianista. *s.* pianista, que toca o piano; fabricante ou vendedor de pianos.

piano. *m.* (mús.) piano: *piano vertical*, piano vertical, *piano de cola*, piano de cauda.

pianoforte. *m.* (mús.) forte piano.

pianola. *f.* pianola, piano mecânico.

pian, pian. *adv.* (fam.) a passa lento, pouco e pouco.

pian, piano. *adv.* pouco e pouco, gradualmente, com lentidão.

piar. *v. intr.* piar, dar pios, chiar; (fig. e fam.) chamar com ânsia ou insistência; (ger.), beber, tragar um líquido.

piara. *f.* piara, vara de porcos; manada de éguas, récua de mulas, etc.

piarcón, na. *s.* (germ.) beberrão, grande bebedor.

piariego, ga. *adj.* diz-se de quem tem piaras, manadas de éguas ou récuas de mulas.

piastra. *f.* piastra, moeda de vários países.

pica. *f.* pique, chuço, lança antiga; garrocha de tourear; escola de pedreiro; medida de profundidade; soldado armado de pique: *poner una pica en Flandes*, meter uma lança em Africa.

pica. *f.* (med.) melácia.

picacismo. *m.* (med.) V. **malacia.**

picacho. *m.* pico, cume, cimo, picoto de montanha.

picada. *f.* picada, picadura, picadela; bicada; mordedura de insecto.

picadero. *m.* picadeiro, lugar onde se adestram cavalos; picadeiro, cepo de encurvar as aduelas; (mar.) cada um dos descansos das embarcações, de madeira ou ferro, dentro da doca.

picadillo. *m.* picado, iguaria com carne ou peixe muito cortado; (pop.) desfeito; lombo de porco preparado para fazer chouriços.

picado, da. *p. p.* e *adj.* picado; furado. — *m.* picado, guisado; (mar.) diz-se do mar encrespado ou encapelado; diz-se da pessoa assovinada ou irritada.

picador. *m.* (taur.) picador, toureiro a cavalo que pica os touros com a garrocha; picador, que adestra cavalos; cepo de cozinha.

picadura. *f.* picada, picadura, picadela; bicada. V. **pinchazo;** recorte em vestidos, calçados etc.; mordedura dum animal; picadilho, tabaco picado em fio ou em partículas informes; princípio de cárie na dentadura.

picajón, na. *adj.* V. **picajoso.**

picajoso, sa. *adj.* e *s.* melindroso, susce(p)tível, chofrudo, que se ofende fàcilmente.

picante. *p. a.* e *adj.* picante, que pica, ardente; apimentado; agro. — *m.* pico, sabor acídulo, acidez; (fig.) sal, graça chiste; (germ.) pimenta, acirrante: *decir cosas picantes*, biscatear; *dicho picante*, agudeza, biscate, bisca.

picaño. *m.* tomba, remendo em sapato ou bota.

picaño, ña. *adj.* pícaro, folgazão, andrajoso e desavergonhado.

picapedrero. *m.* canteiro, pedreiro, o que lavra a pedra.

picapica. *m.* pós ou folhas vegetais que fazem comichão na pele.

picapiojos. *m.* alfaiate remendão.

picapleitos. *m.* demandista. V. **pleitista;** (fam.) advogado sem causas.

picaporte. *m.* pica-porta, aldrava de porta; maço da porta; trinco, fecho muito simples de portas e janelas; chave do trinco.

picaportazo. *m.* aldravada, pancada dada com a pica-porta.

picar. *v. tr.* e *intr.* picar, ferir ou furar com objecto pontiagudo; dar picadas em; bicar; picar, lavrar pedras com o picão; picar, traçar certos insectos a roupa; arpoar; deter o touro com a vara, agarrochar; farpear; picar, morder, (alguma ave ou insecto); picar, morder o peixe a isca; picar, esporear; cortar ou dividir em bocadinhos; (fig.) estimular, incitar; picar, ter comichão; arder; bilhardar (no jogo do bilhar); picar, diz-se do afeito da pimenta e de outros comestíveis no paladar; comer em porções pequenas; (mil.) tocar, perseguir o inimigo em retirada; picar, ofender de palavras; (fig.) picar, começar a concorrer compradores a um leilão; (med.) picar, sangrar, fazer uma sangria; (equit.) picar, amestrar o cavalo no picadeiro; abrir buracos em; encher de aspereza; (coc.) picar, reduzir a pequenos fragmentos; excitar, estimular; irritar, molestar.—v. r. picar-se, ressentir-se; ferir-se; melindrar-se; picar-se, traçar-se, mofar-se a roupa; picar-se, corromperem-se os comestíveis; picar-se, excitar-se (diz-se dos animais que estão com o cio); picar-se, ja(c)tar-se; picar-se; encapelar-se, encrespar-se o mar; agitar-se; caprichar em, ter pretensões a.

picaramona. f. (fam.) maroteira, velhacaria; velhacada, ajuntamento de pícaros ou velhacos.

picaraza. f. (orni.) pega. V. **urraca.**

picarazo, za. adj. grande pícaro.

picardear. v. intr. dizer ou fazer picardias ou velhacarias; traquinar. — v. tr. ensinar picardias ou vilezas. — v. r. viciar-se, envilecer-se; enredar, inquietar; marotear.

picardía. f. picardia; vileza, velhacaria; desfeita; pirraça; acção baixa, baixeza; engano, maldade; picardia, traquinagem, travessura de rapazes; acção desonesta; estúrdia, estroinice. — pl. ditos injuriosos; picardias.

picardihuela. f. picardiazinha, leve picardia, pirraça.

picardo, da. adj. e s. (geog.) picardo, natural da ou pertencente à Picardia.

picaresca. f. velhacada, grupo de pícaros ou velhacos. — profissão de pícaros ou velhacos.

picaresco, ca. adj. picaresco, pertencente ou relativo aos pícaros; chulo; burlesco; picaresca, diz-se da literatura em que se fala da vida dos pícaros: ojos picarescos, olhos daninhos.

picaril. adj. V. **picaresco.**

picarizar. v. tr. ensinar picardias. V. **picardear.**

pícaro, ra. adj. e s. pícaro, ardiloso, astuto, patife; maroto; tratante, falto de honra e de vergonha; (fig.) danoso, prejudicial, bargante, pícaro, velhaco, galopim, tipo descarado, malicioso; vil; falporrias, fagundes, biltre, chulo, gabiru; pícaro, travesso, cómico, burlesco, mandrião: pícaro de cocina, ajudante de cozinheiro; ojos pícaros, olhos maganos.

picarote. adj. velhacaz, velhação.

picatoste. m. fatia de pão torrada com manteiga ou frita; recheio com miolo de pão.

picaza. f. sacho, espécie de pequena sachola.

picazo. m. picada, com o pique, aguilhão, etc.; sinal que deixa essa picada; (zool.) filhote da pega.

picazo. m. pancada com o picão.

picazo, za. adj. pigarço, picaço, picarço (diz-se do cavalo ou égua malhados de branco e preto).

picazón. m. comichão; prurido, coceira; (fig.) zanga, enfado, desgosto.

picea. f. (bot.) pinheiro-alvar.

píceo, a. adj. píceo, da natureza do pez.

Picio. n. pr.: más feo que Picio, (fam.) diz-se da pessoa excessivamente feia.

picnometría. f. (fís.) picnometria.

picnómetro. m. (fís.) picnó(ô)metro.

picnosis. f. (med.) picnose.

picnóstilo. m. (arq.) picnostilo.

picnic. m. (angl.) refeição no campo, piquenique.

pico. m. bico de ave; bico, pico, ponta aguçada; picareta, picão, martelo pontiagudo do canteiro; picão, sacho para picar milho; bico, extremidade de vasilha; pico, cume de montanha; bico, resto para arredondar uma conta; bico de agulha; pico, montante isolado que termina em ponta; (mar.) beque; (fig. e fam.) facúndia, verbosidade; bico. pua: herir con el pico, picar; (mar.) pico de cangrejo, caranguejia; abrir el pico, (fig.) abrir a boca.

pico. m. pico, peso usado nas Filipinas.

picoa. f. (germ.) V. **olla.**

pícol. adv. (germ.) pouco, em pequenas quantidades.

picolete. m. peça da fechadura para suster a lingueta.

picón, na. adj. belfo, diz-se das cavalgaduras cujos incisivos superiores, excedem os inferiores. — m. chasco, zombaria; espécie de carvão miúdo, cisco de carvão; (germ.) pilho.

piconero. m. carvoeiro, fabricante ou vendedor de cisco de carvão; (taur.), picador de touros.

picor. m. ardor no paladar, por ter comido coisa picante.

picosa. f. (germ.) palha.

picoso, sa. adj. bexigoso, que tem sinais de bexigas; bexiguento.

picota. f. pelourinho, picota; (fig.) picoto, ponta duma torre ou montanha alta; picota, jogo de rapazes: poner en la picota, empicotar.

picotada. f. picada. V. **picotazo.**

picotazo. m. bicada, picada de ave ou réptil; sinal que fica dessas bicadas.

picote. m. picote, pano grosseiro de lã de cabra, burel; tecido de seda muito lustroso.

picoteado, da. adj. picoso, que tem picos.

picotear. v. tr. bicar, picar (as aves). — v. intr. (fig.) cabecear, (o cavalo); (fam.) mexericar; tagarelar, palrar. — v. r. brigar (as mulheres entre si); descompor-se, altercar.

picotería. f. (fam.) tagarelice, vício de falar muito, parolagem.

picotero, ra. adj. e s. tagarela, palrador, que fala muito e sem razão. — m. (zool.) picanço.

picotillo. m. picote de qualidade inferior.

picotín. m. quarta parte do cuartal.

picrato. *m.* (quim.) picrato.
pícrico, ca. *adj.* (quim.) pícrico.
picrina. *f.* (quim.) picrina.
picta. *adj.* diz-se da toga que usavam os magistrados romanos.
pictografía. *f.* pictografia.
pictográfico, ca. *adj.* pictográfico.
pictograma. *f.* pictograma, pictógrafo.
pictórico, ca, *adj.* pictórico, relativo à pintura; pictórico, pictural, pitoresco.
picudillo, lla. *adj.* diz-se do bico ou pico pequeno.
picudo, da. *adj.* bicudo, que tem bico ou pico; focinhudo, que tem focinho; (fig. e fam.) tagarela, falador. — *m.* espeto. V. **espetón.**
pichana. *f.* (Amér.) vassoura. V. **escoba.**
pichanga. *f.* (Amér.) V. **pichana.**
pichel. *m.* pichel, vaso, geralmente de estanho, para beber vinho, pichorra.
pichelería. *f.* pichelaria, oficina ou ofício de picheleiro.
pichelero. *m.* picheleiro, fabricante de pichéis.
picheringue. *m.* V. **pecheringue.**
pichincha. *f.* (Amér.) pechincha, ganga.
pichón. *m.* borracho, pombinho implume; (fig. e fam.) nome dado a pessoas do sexo masculino em sinal de carinho.
pichona. *f.* (fam.) nome que se dá a pessoas do sexo feminino, em sinal de carinho.
pedientero. *m.* mendigo. V. **pordiosero.**
pidón, na. *adj.* e *s.* (fam.) pedinchão, pedincão, V. **pedigüeño.**
pie. *m.* (anat.) pé, extremidade inferior do homem; pata; pé, base, sustentação; pé, medida; pé, haste de planta; pé, parte inferior duma coisa; árvore, tronco; pé, no calçado, a parte que cobre o pé; pé, depósito, borras, sedimento, fezes; pé, parte da meia que cobre o pé; pé, parte sobre que assentam os móveis e certos objectos; pé, o último que joga em oposição ao primeiro, que é mão; parte oposta à cabeceira; (poét.) pé, parte do verso grego ou latino; pé, metro de verso; pé, final dos escritos; (fig.) pé, motivo, ensejo, pretexto; pé, fundamento; regra, uso; estilo; pé, medida de comprimento; pé, massa cilíndrica de uva pisada e expremida no lagar; primeira cor dada em tinturaria: *comer a uno por los pies,* (fam.) ocasionar-lhe gastos excessivos; *el negocio está en pie,* o negócio está em pé; *estar con el pie en el aire,* (fig.) estar com o pé no ar; *parar los pies a uno,* (fig. e fam.) impedir alguém a realização duma coisa; *pie ante pie,* pé ante pé; *pie atrás,* pé atrás; *pies ¿para qué os quiero?,* (fam.) expressão empregada para denotar a resolução de fugir dum perigo; *poner a alguien a los pies de los caballos,* (fig. e fam.) falar com desprezo de alguém; *poner a uno el pie sobre el cuello* (fig.) pôr o pé no pescoço; *poner uno pies en pared,* (fig. e fam.) manter-se teimosamente na própria opinião; *saber de qué pie se cojea,* (fig. e fam.) conhecer

bem o vício ou o defeito moral de si mesmo ou de outra pessoa; *tener pies,* (fig.) ter bom pé, correr ou andar muito; *vestir-se uno por los pies,* (fig. e fam.) ser do sexo masculino; *volver pie atrás,* fazer pé atrás; *pie ancho,* (Bras.) paxaxo; *pie grande,* (Bras.) prancha.
piedad. *f.* piedade, amor às coisas religiosas, devoção; dó; pena; lástima, compaixão; misericórdia.
piedra. *f.* pedra, pederneira que se punha antigamente nas armas de fogo; lugar destinado para expor os enjeitados; saraiva grossa, granizo, pedra; (med.) pedra, cálculo, concreção calcária; (fig.) dureza, pedra: *piedra para lavar,* batedoiro, batedeira; *piedra maestra,* chave da abóbada; *primera piedra* ou *piedra angular,* fazer pé fundamental; *piedra filosofal,* (fig.) pedra filosofal; *tantas veces da la gotera en la piedra que hace mella,* água mole em pedra dura tanto dá até que fura; *piedras de paso para atravesar,* alpendre.
piel. *f.* pele, derme e hipoderme; couro; coiro; pele, couro curtido; pele, casca de certos frutos, legumes ou tubérculos: *dar la piel,* morrer; *piel de oveja con la lana,* melote; *pieles en flor,* coiros verdes; *dar la piel,* (fig.) morrer; *ser de la piel del diablo,* ser da pele do diabo; *pieles curtidas,* peles curtidas.
piélago. *m.* pélago, mar alto; mar; abismo; (fig.) imensidade, infinidade; grande abundância.
pielga. *f.* madeiro furado para arranjar caniços.
pielgo. *m.* pernil de odre. V. **piezgo.**
pielitis. *f.* (pat.) pielite.
pielonefritis. *f.* (pat.) pielonefrite.
piemesis. *f.* (pat.) piemese.
piemia. *f.* (med.) piemia.
pienso. *m.* penso, alimento, trato dos animais.
pienso (ni por). (pop.) nem de sela nem de albarda.
Piérides. *f. pl.* (poet.) as Musas.
pierio, ria. *adj.* (poet.) piério, pertencente ou relativo às Musas.
pierna. *f.* perna, membro inferior entre o, joelho e o pé; coxa; perna, parte de letra; (pop.) gâmbia; cada uma das partes dum todo; perna, cada um dos ramos do compasso; perna, pata de animal; perna de calça ou calção: *darle a la pierna,* (fig.) dar ao chinelo; *estirar la pierna* (pop.) morrer; *dormir a pierna suelta,* (fam.) dormir em cheio.
piernitendido, da. *adj.* de pernas estendidas.
pierrot. *m.* (gal.) V. **payaso;** pierrot.
pietismo. *m.* pietismo.
pietista. *adj.* e *s.* pietista.
pieza. *f.* peça, parte dum todo; peça, moeda; móvel, peça de mobiliário; jóia; artefacto; peça, porção de tecido fabricado duma vez; peça quarto em qualquer casa, aposento, compartimento; (artil.) peça, canhão; espaço de tempo ou lugar; peça de caça; bobo, truão; peça, pedras para

jogar as damas, o xadrez, etc.; peça, obra dramática ou musical; (heráld.) peça, parte do escudo.

piezgo. m. pernil de odre; (fig.) couro, preparado para transportar líquidos.

piezoelectricidad. f. (fís.) piecelectricidade.

piezoeléctrico, ca. adj. picelé(c)trico.

piezómetro. m. (fís.) piezó(ô)metro.

pífano. m. pífano, pífano; pessoa que toca este instrumento.

pifar. v. tr. (germ.) esporear, chegar esporas a um cavalo.

pifia. f. tacada em falso no bilhar; (fig.) erro, descuido, engano, equivocação.

pifiar. v. intr. deixar ouvir o sopro quando se toca a flauta. — v. tr. dar tacada em falso no bilhar.

pigmentación. f. pigmentação; coloração.

pigmentario, ria. adj. pigmentário.

pigmento. m. (anat.) pigmento.

pigmeo, a. adj. e s. pigmeu; anão; (fig.) muito pequeno; individuo insignificante, sem mérito.

pignorable. adj. empenhável, que se pode penhorar.

pignoración. f. penhora. V. **empeño.** empenhoramente, empenho; hipoteca.

pignorar. v. tr. penhorar, empenhar, hipotecar. V. **empeñar.**

pignoraticio, cia. a adj. pignoratício.

pigre. adj. preguiçoso, vagaroso, negligente, vadio, desleixado.

pigricia. f. preguiça, ociosidade, desleixo; incúria; froixidão, indolência.

pigro, gra. adj. V. **pigre.**

pihua. f. coriza, calçado rústico feito de coiro de boi. V. **abarca.**

pihuela. f. peia para os falcões; (fig.) embaraço, estorvo, peia. — pl. grilhões, grilhetas..

pijama. m. pijama, prenda para dormir.

pijote. m. antiga peça de artilharia V. **esmeril.**

pijotería. f. (vulg.) dito ou pretensão desagradável; minuciosidade enfadonha e impertinente.

pijotero, ra. adj. enfandonho, maçador, impertinente.

pila. f. pia; pia baptismal; pilha, montão, disposição em altura; grande quantidade; (fig.) paróquia, freguesia; toda a lã que um proprietário tira cada ano dos seus rebanhos; (arq.) pegão de arco de ponte; (hera) figura em triângulo, cuja base começa no chefe; (fís.) pilha, aparelho para produzir correntes eléctricas: sacar de pila, (fam.) ser padrinho de baptismo de alguém; pila bautismal, pia, fonte baptismal.

pilada. f. amassadura, argamassa que se faz duma vez; porção de pano que se apisoa duma só vez; pilha, montão.

pilar. m. bebedouro de animais. V. **pilón;** baliza, marco; (arq.) pilar, coluna simples; (fig.) esteio, pessoa que serve de amparo.

pilar. v. tr. pilar, descascar, pisar no gral com o pilão.

pilarejo. m. pilarete, pequena coluna.

pilarote. m. (arq.) pilar grande.

pilastra. f. pilastra, pilar rectangular ou quadrado.

pilastrón. m. pilastra grande.

pilatero. m. encarregado das lãs nas manufacturas de lanifícios.

pilca. f. (Amér.) taipa, parede de pedra e saibro.

pilche. m. (Amér.) xícara ou vasilha de madeira.

píldora. f. pílula, preparação farmacêutica; bola ou mecha de fios embebida em algum medicamento; (fig. e fam.) coisa desagradável; má nova: dorar la píldora, (fig.) dourar a pílula; tragarse la píldora,, (fam.) engolir a pílula.

pildorero. m. (farm.) pilulador, aparelho para fazer pílulas.

píleo. m. píleo, barrete que era sinal de alforria entre os Gregos e Romanos; píleo, barrete de cardeal.

pilero. m. amassador de barro para fazer tijolos e outros objectos de olaria.

pileta. f. pia de água benta; (min.) lugar onde se recolhem as águas dentro das minas; (prov.) V. **alcorque;** (Amér.) V. **piscina.**

pilo. m. pilo, espécie de dardo entre os romanos; (bot. Amér.) arbusto cuja casca tem propriedades vomitivas.

pilocarpina. f. pilocarpina, alcalóide.

pilón. m. pia grande; tanque, reservatório de água para bebedouro de animais; pilão instrumento para pilar no gral; pão de açúcar, pilão; peso da balança romana; pedra grande que serve de contrapeso, pilão; amassadura de cal e areia em grande quantidade; mão de gral; algibe.

pilón. m. pilone, pórtico de templo egípcio.

pilonero, ra. adj. (fig. e fam.) diz-se das notícias vulgares ou de quem as divulga.

pilongo, ga. adj. fraco, extenuado, macilento: castaña pilonga, castanha pilada.

pilongo, ga. adj. diz-se de certo benefício eclesiástico, destinado a pessoas baptizadas em certas paróquias.

pilórico, ca. adj. (anat.) pilórico, relativo ao piloro.

piloro. m. (anat.) piloro.

piloso, sa. adj. piloso, que tem pêlos, peludo.

pilotaje. m. pilotagem, arte e ofício de piloto; pilotagem, direitos, pagos pelos navios por serviços dos pilotos; estacaria, conjunto de estacas afincadas em terra para consolidar os alicerces.

pilote. m. estaca comprida própria para consolidar alicerces.

pilotar. v. tr. pilotar, governar como piloto; pilotar, dirigir um navio, pilotear, marear; pilotar, dirigir um avião; dirigir um automóvel.

pilote. m. estaca comprimida própria para consolidar alicerces.

pilotear. v. tr. V. **pilotar.**

pilotín. m. ajudante de piloto.

piloto. m. pilo(ô)to, o que dirige a rota dum navio; piloto, prático duma barra, de um porto; piloto, o imediato dum capitão de navio mercante; piloto, o que dirige um avião ou um automóvel; (fig.) piloto, guia director dum negócio, duma empresa, de investigações de estudos, etc.; (germ.) ladrão que vai adiante doutros, guiando-os: *piloto automático*, robot.

piltra. *f.* (germ.) cama para dormir.

piltraca. *f.* V. **piltrafa.**

piltrafa. *f.* pelanga, pele caída e mole, carne magra e engelhada; pelhancaria, pelhancas. — *pl.* (por. ext.) migalhas, resíduos de comidas, farrapos, frangalhos, restos.

piltro. *m.* (germ.) criado de rufia, aposento.

pillabán. *m.* malandro, velhaco. V. **pillastre.**

pillada. *f.* (fam.) patifaria, velhacada, gaiatice, gaiatada.

pillador, ra. *adj.* e *s.* pilhante, ladrão, que furta; (germ.) jogador.

pillaje. *m.* pilhagem, furto, rapina, saque, roubo, despojamento, expoliação, depredação; (mil.) pilhagem, saque.

pillar. *v. tr.* pilhar, furtar, roubar, apanhar à força; pegar, agarrar ou apreender uma coisa; (mil.) pilhar, saquear; depredar; infestar.

pillastre. *m.* (fam.) malandro, velhaco, patice; (fam.) astuto, sagaz, maganão.

pillastrón. *m.* malandrão, malandraço, velhacão.

pillear. *v. intr.* (fam.) vadiar, fazer vida de vadio; vellaquear; gaiatar.

pillería. *f.* (fam.) velhacada, malta de patices, súcia de vadios; barganteria, biltraria; maganagem, maganeira; desavergonhamento; gaiatice, gaiatada; patifaria.

pillo, lla. *adj.* e *s.* (fam.) malandro, velhaco, patife, libertino, vadio, empalmador; agadanhador; birbante, bilhostre; magano, meliante, desavergonhado; futre; gaiato, galderio; (pop.) estoira-vergas, gabiru, gajo; (fam.) sagaz, astuto.

pilluelo, la. *adj.* e *s.* (fam.) maroto, rapazinho traquina; gaiato.

pimelosis. *f.* (med.) pimelose.

pimental. *m.* pimental, lugar onde crescem pimentos.

pimentero. *m.* (bot.) pimenteira; recipiente da pimenta, depois de moída.

pimentón. *m.* pimentão, pó que se obtém dos pimentos vermelhos.

pimienta. *f.* pimenta, fruto do pimenteiro; pimenta, pó que se obtém moendo o grão da pimenta; colheita de pimentos; (fig.) malícia, pimenta: *pimenta cayena,* aga; pimenta de Tabasco. V. **malagueta:** *hacer pimienta,* (pop.) V. **hacer novillos.**

pimiento. *m.* (bot.) pimenteiro, planta; pimento, fruto dessa planta; pimentão (nalguns lugares): *pimiento morrón,* pimento doce.

pimpina. *f.* (Amé.) garrafa, espécie de moringa para esfriar a água.

pimpinela. *f.* (bot.) pimpinela.

pimplar. *v. tr.* (fam.) beberricar, beber vinho.

pimpleo, a. *adj.* musal, pertencente ou relativo às Musas.

pimpollada. *f.* mata de árvores novas.

pimpollar. *m.* mata de árvores novas.

pimpollear. *v. intr.* brotar, rebentar os pimpolhos. V. **pimpollecer.**

pimpollecer. *v. intr.* rebentar os pimpolhos, brotar os renovos.—*conj. irr.* como *crecer.*

pimpollejo. *m.* pimpolho muito pequeno, rebentão pequeno.

pimpollo. *m.* pimpo(ô)lho, pinheiro novo; pimpolho, rebento, reno(ô)vo de árvore; botão de rosa; árvore nova; vergôntea; sarmente, gre(ê)lo; (fam.) menino que se distingue pela sua beleza, graça e donaire; mancebo elegante, formoso; pimpolho (diz-se de rapaz): *brotar pimpollos,* apimpolhar-se.

pimpolludo, da. *adj.* viçoso, que tem muitos pimpolhos ou botões.

pina. *f.* pina de roda dum carro; baliza cónica; marco pontiagudo.

pinacoteca. *f.* pinacoteca.

pináculo. *m.* pináculo, píncaro; (fig.) pináculo, cimo, o mais alto grau: *llegar al pináculo,* (fig.) chegar ao pináculo.

pináceas. *m. pl.* (bot.) pináceas.

pinada. *adj.* (bot.) diz-se das folhas compostas.

pinar. *m.* pinhal, mata de pinheiros, pinheiral.

pinarejo. *m.* pinhal pequeno.

pinariego, ga. *adj.* pineo, pertencente ou relativo ao pinheiro.

pinastro. *m.* (bot.) pinheiro silvestre.

pinatar. *m.* pinhal, pinheiral.

pinatero. *m.* (Amér.) V. **cao.**

pinatífido, da. *adj.* (bot.) pinatífido.

pinaza. *f.* pinaça, piácea, barco de remo e vela.

pincarrasca. *f.* V. **pincarrasco.**

pincarrascal. *m.* pinhal, pinheiral de pinheiros bravos.

pincarrasco. *m.* (bot.) pinheiro bravo.

pincel. *m.* pincel; (fig.) pincel, o pintor; obra pintada; pincel, o modo de pintar; (mar.) escopeiro.

pincelada. *f.* pincelada, traço ou toque feito com pincel; (fig.) expressão compendiosa duma ideia, retoque, aperfeçoamento.

pincelar. *v. tr.* pintar; apincelar; retratar, fazer retratos; dar pinceladas.

pincelero, ra. *s.* pinceleiro, fabricante ou vendedor de pincéis; caixa para guardar pincéis.

pincelote. *m.* pincel grande.

pinchadura. *f.* picada, acção de picar; estorcegão.

pinchar. *v. tr.* picar, ferir com objecto pontiagudo; perfurar, furar; (fig.) estimular, espicaçar; apuar; estorcegar; aferrotoar; excitar, incitar: *pinchar con un alfiler,* alfinetar; *no pinchar ni cortar* (pop.) ter pouca influência; *pinchar en hueso* (fig.) dar em seco.

pinchaúvas. *m.* (pop.) farroupilha, homem desprezível.

pinchazo. *m.* picada, ferida com objecto pontiagudo; alfinetada; estorcegão: *reparar un pinchazo de la rueda de un vehículo,* desempanar.

pinche. m. mirmidão, ajudante de cozinheiro.

pincho. m. aguilhão, ferrão, ponta aguda; chuço; sonda para examinar cargas; (fam.) V. **matón:** *ser un pincho* (fam.) apilandrar-se.

pinchón. m. V. **pinzón.**

pinchudo, da. adj. diz-se do que pica; pontiagudo.

pindárico, ca. adj. pindárico.

pindoga. f. (fam.) pindoga, mulher que sai muito à rua.

pindonguear. v. intr. arruar, andar muito pela rua; (Bras.) pindongar.

pineal. adj. (anat.) pineal.

pineda. f. pinhal. V. **pinar.**

pinga. f. vara comprida para levar cargas ao ombro. V. **percha.**

pingajo. m. (pop.) farrapo, frangalho, andrajo, trapo pendente.

pingajoso, sa. adj. farraposo V. **raposo.**

pinganello, pinganillo. m. V. **calamoco.**

pinganitos, (en). adv. (fam.) em fortuna próspera, em postos elevados.

pingar. v. intr. pingar, gotejar; brincar, saltar; (fig.) inclinar a borracha para beber.

pingo. m. farrapo, andrajo. V. **pingajo.** — pl. vestidos baratos de mulher: *andar de pingo*, arruar.

pingorota. f. cume (de montanha, etc. etc.).

pingorote. m. (fam.) parte saliente duma coisa. V. **peruétano.**

pingorotudo, da. adj. (fam.) empinado, alto, elevado; altivo, orgulhoso.

pingue. m. certa embarcação de carga de porões grandes.

pingüe. adj. pingue, abundante, gordo, gorduroso; (fig.) abundante, rendoso, copioso, fértil, pingue.

pingüerinoso, sa. adj. gordurento, gorduroso, que tem gordura.

pingüino. m. (zool.) pinguino.

pinguosidad. f. gordura, untuosidade.

pinícola. m. (orni.) pinícola.

pinífero, ra. adj. (poét.) pinífero, pinígero.

pinina. f. (quim.) pinina.

pinito. m. pino, primeiros passos da criança ou do convalescente: *hacer pinitos*, dar os primeiros passos (uma criança ou um convalescente).

pinjante. adj. e s. pingente, diz-se da jóia que se traz dependurada como adorno.

pinnipedo, da. adj. e m. pl. pinípede, pinípedes.

pino. m. (bot.) pinheiro; (fig.) (poét.) navio, nave: *pino albar*, pinheiro que cresce até à altura de 30 metros; pino silvestre, pinheiro bravo; *pino rollo*, serrano ou de Valsaín, pinheiro bravo.

pino, na. adj. pino, muito pendente; ao alto, muito a prumo, a pino. — m. (pop.) pino, primeiros passos da criança ou do convalescente.

pinole. m. mistura de baunilha, e outras espécies para juntar ao cacau, no fabrico de chocolate.

pinoso, sa. adj. pinífero, pinígero.

pinta. f. pinta, mancha, sinal; lunar na pele; adorno; gota de água ou licor; sinal, indi-

cador do naipe; pinta, antiga medida de líquidos; (fig.) fisionomia, aparência, aspecto. — pl. V. **tabardillo.**

pintadera. f. forma, aparelho para fazer enfeites no pão.

pintadillo. m. (orni.) pintassilgo.

pintado, da. p. p. e adj. pintado, colorido naturalmente; sarapintado. V.**pintojo,** (fig.) perfeito, excelente: *el más pintado*. (fam.) o mais hábil.

pintamonas. s. (fig. e fam.) pinta-monos, pintor de pouca habilidade; pessoa pouco importante.

pintar. v. tr. pintar; pintar, representar com tintas um objecto; pintar, debuxar; pintar, cobrir de tinta; (fig.) pintar, escrever, representar viva e animadamente pessoas ou coisas, pela palavra; pintar, fingir, engrandecer, exagerar. — v. intr. pintar, começar a tomar cor e a amadurecer (os frutos); tomar cor, começar a tingir-se.— v. r. pintar-se, dar cor ou arrebique no rostro: *pintarse la cara*, arrebicar-se; *pintar sobre dorado*, estofar.

pintarrajar. v. tr. (fam.) borrar, pintar sem gosto. V. **pintorrear.**

pintarrajear. v. tr. (fam.) borrar, pintar sem gosto. V. **pintorrear.**

pintarrajo. m. (fam.) mamarracho, pintura mal feita.

pintarroja. f. V. **lija.**

pintear. v. intr. chuviscar. V. **lloviznar.**

pintiparado, da. adj. pintiparado; semelhante, parecido; próprio, justo, feito à medida.

pintiparar. v. tr. (fam.) comparar, confrontar uma coisa com outra.

pintojo, ja. adj. sarapintado, que tem pintas ou manchas, manchado.

pintón, na. adj. pintor, diz-se do cacho de uvas que começa a amadurecer; diz-se do tijolo mal cozido. — m. doença do milho.

pintor, ra. s. pintor, o que professa a arte da pintura.

pintoresco, ca. adj. pintoresco, pitoresco, pinturesco.

pintorrear. v. tr. (fam.) borrar, pintar sem gosto, pintalgar.

pintura. f. pintura, arte de pintar; pintura, tábua, lâmina ou tela para pintar; pintura, a mesma obra pintada; quadro, painel; (fig.) descrição, narração, representação por meio da palavra; debuxo.

pinturero, ra. adj. e s. (fam.) diz-se da pessoa que alardeia, ridiculamente de formosa, fina ou elegante; vaidoso, ridículo.

pínula. f. pínula, peça laminal nos extremos duma alidade; mira.

pinzas. f. pl. pinças, tenazes pequenas; forceps: *pinzas del cangrejo*, boca do caranguejo.

pinzón. m. (orni.) tentilhão, pássaro parecido com o pardal.

pinzote. m. (mar.) pinçote, alavanca com que se fazia tirar a cana do leme.

piña. f. (bot.) pinha, fruto do pinheiro; ananás, planta e seu fruto; (mar.) nó de cabo; (fig.) magote ou conjunto de pessoas.

piñal. *m.* campo semeado de ananases.

piñata. *f.* panela. V. **olla**; panela cheia de doces, que é quebrada com um pau no primeiro domingo de Quaresma.

piñón. *m.* (bot.) pinhão, semente do pinheiro; burro traseiro da récua, no qual monta o arrieiro; peça em que descansa o gatilho nas armas de fogo: *estar a partir un piñón*, (fam.) ter grande intimidade e confiança duas ou mais pessoas.

piñón. *m.* (mec.) carrete, pequena roda dentada que engrena com outra maior; entrós, entrosa; (zool.) penugem, pequenas penas que os falcões têm debaixo da asa.

piñonata. *f.* espécie de conserva de amêndoa e açúcar.

piñonate. *m.* pinhoada, pasta feita de pinhões e açúcar; confeito de pinhões e mel.

piñonear. *v. intr.* produzir um pequeno estalido ao engatilhar uma arma; cantar o perdigão quando está com cio; (fig. e fam.) dar mostras, nos costumes e inclinações, de que já se passou de menino a moço, envelhecer; diz-se em tom irónico, dos homens maduros que galanteiam as mulheres, como se fossem moços.

piñoneo. *m.* acção de engatilhar.

piñonero, ra. *adj.* diz-se do pinheiro que dá pinhões comestíveis.

piñuelo. *m.* V.**erraj.**

pío, a. *adj.* pio, devoto, inclinado à piedade, religioso; benigno, misericordioso, compassivo, caritativo; diz-se do animal de pêlo branco com malhas de outra cor.

pío. *m.* (pop.) desejo ardente; (germ.) vinho; pio, voz dalgumas aves; emprega-se também esta voz para as chamar.

piocha. *f.* jóia, de várias figuras, que usam as mulheres para adorno na cabeça; flor feita com penas; espécie de alvião para desprender os rebocos das paredes.

piocha. *f.* espécie de martelo.

piogenia. *f.* (fisiol.) piogenia, formação do pus.

piohemia. *f.* (pat) enfermidade produzida pela reabsorção do pus.

piojento, ta. *adj.* piolhento, piolhoso, relativo aos piolhos; piolhento, que tem piolhos.

piojería. *f.* piolharia, grande porção de piolhos; (fig. e fam.) miséria extrema; escassez.

piojillo. *m.* (zool.) piolho das aves.

piojo. *m.* (zool.) piolho; (fam.) bicho, bicharia: *quitar los piojos*, despiolhar; *piojo resucitado o puesto de limpio*, (pop.) diz-se da pessoa de origem humilde que chegou a melhor posição empregando meios ilícitos; *piojo pegadizo*, (fig. e fam.) diz-se da pessoa importuna e pegadiça; *como piojos en costura*, (fig. e fam.) com grande apertão; *meterse como piojo por costura*, meter-se como piolho por costura.

piojo. *m.* piolho, doença das aves.

piojoso, sa. *adj.* piolhoso, piolhento, que tem muitos piolhos (fig.) miserável, mesquinho, piolhoso.

piojuelo. *m.* piolhinho; pulgão. V. **pulgón.**

piola. *f.* (mar.) cabo pequeno feito de dois ou três fios.

pión, na. *adj.* piador, que pia muito ou com excesso.

pionía. *f.* semente duma planta da Venezuela empregada em efeites para mulheres.

piopollo. *m.* berimbau, instrumento músico.

piornal. *m.* terreno plantado de piornos. V. **piorneda.**

piorneda. *f.* giestal, terreno povoado piornos ou giestas bravas.

piorrea. *f.* (pat.) piorre(é)ia.

piorréico, ca. *adj.* relativo ou pertencente à piorreia.

pipa. *f.* pipa, tonel, vasilha; cachimbo.

pipa. *f.* (mus.) palheta de instrumento; pipia. V. **pipiritaña**; espoleta para inflamar a carga; (bot.) semente, pevide de certos frutos.

pipar. *v. intr.* cachimbar, fumar por cachimbo.

piperáceo, a. *adj.* (bot.) piperáceo. — *pl.* piperáceas.

pipería. *f.* conjunto de pipas.

piperina. *f.* (quím.) piperina.

pipeta. *f.* pipeta; argau, tubo para transferir pequenas porções de líquido.

pipí. *m.* (fam.) chichi: *hacer pipí*, fazer chichi.

pipiar. *v. intr.* pipiar, pipilar, pipitar, piarem as aves quando são pequenas.

pipiolo. *m.* (fam.) novato, inexperiente, principante, inexperto, falto de esperteza.

pipirigallo. *m.* (bot.) luzerna.

pipirijaina. *f.* (fam.) companhia de cómicos pobres, ambulantes.

pipiripao. *m.* (fam.) convite para festa esplêndida e magnífica.

piporro. *m.* (fam.) fagote. V. **bajón.**

pipote. *m.* pipote, pipo pequeno para transporte de licores, pescado, etc.

pipudo, da. *adj.* (vulg.) excelente, imejorável.

pique. *m.* ressentimento, melindre; empenho em fazer uma coisa por amor próprio ou rivalidade; nígua, insecto díptero; acção de sinalar um livro; (mar.) a pique, diz-se da costa escarpada, direita e vertical: *a pique*, perto, a risco de, na contingência de; *echar a pique*, afundar um navio; (fig.) destruir e acabar uma coisa; *irse a pique*, (mar.) acapelar.

pique. *m.* (mar.) madeiro em forma de forquilha colocado na proa.

piqué. *m.* piqué, espécie de fazenda de algodão.

piquera. *f.* alvado, buraco por onde entram as abelhas no cortiço; batoque, buraco do tonel; saída do metal fundido, nos altos fornos: *piquera del candil o velón*, mecheiro, bico de candeia.

piqueta. *f.* picareta; alvião, espécie de enxadão; alferce.

piquete. *m.* picada, ferida ou golpe leve; pequeno marco, piqueta; (mil.) piquete; focinheira de cabeçal.

piquetero. *m.* rapaz empregado nas minas para transporte de ferramentas.

piquetilla. *f.* piqueta pequena, alvião, picão.

pira. *f.* pira, fogueira destinada a cremação de cadáveres ou sacrifícios; (fig.) fogueira.

piragón. *m.* pirausta.

piragua. *f.* piroga, pirágua.

piragüero. *m.* o que governa a piroga.

piral. *m.* V. **pirausta.**

piramidal. *adj.* piramidal; (zool.) piramidal.

pirámide. *f.* (geom.) pirâmide.

piramidón. *f.* (quim.) piramidona.

pirarse. *v. r.* (pop.) pirar-se, safar-se, fugir.

pirata. *adj.* pirático. — *m.* pirata, ladrão que rouba no mar, corsário; (fig.) pirata, pessoa cruel e desapiedada; (Bras.) rana.

piratear. *v. intr.* piratear, exercer a pirataria.

piratería. *f.* pirataria, piratagem; (fig.) roubo dos bens dos outros; contrafazer.

pirático, ca. *adj.* pirático, relativo ao pirata ou à pirataria.

pirausta. *f.* pirale, pirausta, borboleta.

pirca. *f.* (Amér.) parede de pedra solta.

pircar. *v. tr.* (Amér.) fechar com muro de pedra solta.

pirco. *m.* guisado chileno de feijão, milho e abóbora.

pirenaico, ca. *adj.* e *s.* (geog.) pirenaico.

pireneíta. *f.* (min.) pireneíte.

pireno. *m.* (quim.) pireno.

pirenoide. *adj.* (bot. e anat.) pirenóide.

pirenol. *m.* (quim. e terap.) pireno.

pirenolisis. *f.* (bioquim.) pirenolise.

pirético, ca. *adj.* pirético; febril.

piretología. *f.* (med.) piretologia.

piretológico, ca. *adj.* piretológico.

piretólogo, ga. *s.* piretologista.

piretoterapia. *f.* (terap.) piretoterapia.

piretro. *m.* (bot.) piretro.

pirexia. *f.* (med.) pirexia, acesso febril.

pírico, ca. *adj.* pírico, pertencente ou relativo ao fogo.

piriforme. *adj.* piriforme, em forma de pêra.

pirineo, a. *adj.* V. **pirenaico.**

piripi. *adj.* (pop.) bêbedo: *estar piripi*, estar com o bico; ter um grão na asa, estar meio-grosso.

pirita. *f.* (min.) pirite.

piritoso, sa. *adj.* piritoso, que contém pirite.

pirobalística. *f.* (art. mil.) pirobalística.

pirobelología. *f.* pirobologia, pirotecnia.

pirobolista. *m.* pirobologista, engenheiro, construtor de minas militares.

piroelectricidad. *f.* piroele(c)tricidade.

piroeléctrico, ca. *adj.* piroelé(c)trico.

pirofiláceo. *m.* caverna mitológica no centro da Terra, que se dizia estar cheia de fogo.

pirofobia. *f.* (pat.) pirofobia.

pirofórico. *adj.* pirofórico, que se inflama ao contacto com o ar.

piróforo. *m.* piróforo.

pirógeno, na. *adj.* pirogé(ê)nico, pirogenético.

pirograbado. *m.* pirogravura.

pirograbar. *v. tr.* e *intr.* pirogravar.

pirografía. *f.* pirografia, pirogravura.

pirola. *f.* (bot.) pírola.

piroláceo, a. *adj.* (bot.) piroláceo. — *pl.* piroláceas.

pirólatra. *f.* pirólatra.

pirolatría. *f.* pirolatria.

piroleñoso, sa. *adj.* pirolenhoso.

pirología. *f.* pirologia.

pirolusita. *f.* (min.) manganés.

pirómaco, ca. *adj.* (min.) piró(ô)maco; pederneira.

piromancia. *f.* piromancia.

piromanía. *f.* (pat.) piromania.

piromaníaco, ca. *adj.* e *s.* piromaníaco.

piromántico, ca. *adj.* e *s.* piromântico.

pirometría. *f.* (fís.) pirometria.

pirómetro. *m.* (fís.) piró(ô)metro.

pironomía. *f.* (quim.) pironomia.

pironómico, ca. *adj.* (quim.) pironó(ô)mico.

piropina. *f.* (quim.) piropina.

piropeador, ra. *adj.* e *s.* galanteador, elogiados, louvador; (pop.) padecente.

piropear. *v. tr.* dizer galanteios, requebrar, galantear, elogiar; dizer finezas, lisonjas.

piropo. *m.* piropo, liga de quatro partes de cobre e uma de oiro; variedade de granada muito apreciada como pedra fina.

piropo. *m.* (fam.) galantaria, lisonja; reque(ê)bro; elogio; combinação de termos escolhidos; galantaria, galanteio, madrigal.

piróscafo. *m.* piróscafo.

piroscopio. *m.* (fís.) piroscópio.

pirosfera. *f.* (geol.) pirosfera.

pirosis. *f.* (pat.) pirose.

pirotecnia. *f.* pirotecnia.

pirotécnico, ca. *adj.* e *s.* pirotécnico, fogueteiro.

pirótico, ca. *adj.* e *m.* (med.) pirótico, cáustico; cautério.

piroxena. *f.* (quim.) piroxénia.

piroxílico, ca. *adj.* (quim.) piroxílico.

piroxilina. *f.* piroxilina.

piróxilo. *m.* piróxilo, algodão-pólvora.

pirozona. *f.* (farm.) pirozone, pirozónico.

pirquén. *m.* (Amér.): *trabajar al pirquén*, trabalhar segundo o gosto do operário.

pirquinear. *v. intr.* (Amér.) trabalhar as minas segundo o gosto do operário.

pirquinero. *m.* (Amér.) operário que trabalha nas minas segundo o seu próprio gosto.

pirrarse. *v. r.* (fam.) desejar com veemência uma coisa.

pírrico, ca. *adj.* pírrico; diz-se duma dança grega que se realizava com as armas na mão.

pirriquio. *m.* pirríquio, pé da poesia grega e latina.

pirritero. *m.* pirriteiro, pilriteiro. V. **majuelo.**

pirrónico, ca. *adj.* e *s.* pirró(ô)nico, sequaz do pirronismo; céptico. V. **escéptico.**

pirronismo. *m.* pirronismo; cepticismo.

pirueta. *f.* pirue(ê)ta, volta rápida que se faz dar ao cavalo; cabriola, salto.

piruja. *f.* mulher nova, livre e desenvolta.

pisa. *f.* pisadura; (germ.) lupanar.

pisada. *f.* pisada, pisadela, calcadela; pegada; patada.

pisador, ra. *adj.* pisador, que pisa; diz-se do cavalo que levanta os membros anteriores. — *m.* o que pisa a uva.

pisadura. f. pisada, pisadura; trilhadura. V. **pisada.**

pisante. m. (germ.) pé, extremidade da perna; sapato.

pisapapeles. m. pisa-papéis, utensílio para segurar os papéis.

pisar. v. tr. pisar, calcar com os pés; trilhar; confundir, machucar, moer; espezinhar; cobrir o macho a fêmea (aves); cobrir uma coisa com outra; maçar, macerar; acalcanhar; (fig.) desprezar, ofender; vencer; subjugar; tocar as teclas dos instrumentos. — v. intr. assentar-se o pavimento duma habitação sobre o tecto doutra.

pisasfalto. m. variedade de asfalto de consistência semelhante à do pez.

pisaverde. m. (pop.), pisa-verde, indivíduo adamado, janota, barbeirinho; conducirse como, un pisaverde, embonecar-se.

piscatorio, ria. adj. piscatório.

piscícola. adj. piscícola.

piscicultor, ra. adj. e s. piscicultor.

piscicultura. f. piscicultura.

piscifactoría. f. piscina, estabelecimento de piscicultura.

pisciforme. adj. pisciforme.

piscina. f. piscina, tanque para banhar-se piscina, reservatório de água para criação de peixes; piscina, pia do baptismo.

Piscis. m. (astr.) Pisces: a mí, piscis, (pop.) não vale pitada.

piscívoro, ra. adj. e s. piscívoro; ictiófago.

piscolabis. m. (fam.) merenda ligeira, refeição; porção pequena de comida ou bebida.

pisiforme. adj. pisiforme, que tem a forma de ervilha; (med.) pisiforme.

piso. m. pisada, pisadela, pisadura; soalho, solo, piso; pavimento, andar; sola de calçado; (min.) conjunto de galerias à mesma profundidade; o que se paga por estar numa hospedaria: una casa de cinco pisos, uma casa de cinco andares.

pisón. m. maço, galga, calcador.

pisonear. v. tr. calcar; apisoar. V. **apisonar.**

pisotear. v. tr. calcar, pisar repetidamente com os pés, espezinhar; (fig.) maltratar por palavra, ofender, calcar.

pisoteo. m. piso, pisada, pisadela, pisadura; espezinhamento, calcadura.

pisotón. m. calcadela, pisadela.

pista. f. pista, rasto, vestígio; pista, lugar destinado a carreiras ou outros exercícios; pista, indício, indicação: seguir la pista (fig.) ir no encalço de, farejar; hacer perder la pista, despistar; perder la pista de alguien, perder a pista de alguém; pista de aterrizaje, pista do aeródromo; pista de patinar, pista de gêlo.

pistache. m. certo doce caseiro.

pistachero. m. (bot.) alfóstigo. V. **alfóncigo.**

pistacho. m. (bot.) pistacia.

pistadero. m. pilão, mão do gral.

pistar. v. tr. espremer, pisar, tirar o suco.

pistero. m. apisteiro, vaso por onde se dá o apisto aos doentes.

pistilado, da. adj. (bot.) pistilar, pistiláceo, pistiloso.

pistilo. m. (bot.) pistilo.

pisto. m. apisto, caldo grosso e forte do suco da carne; fritada de pimentos e tomates mexidos; (fig.) mistura, confusa: a pistos, pouco a pouco; darse pisto, (fam.) dar-se importância.

pistola. f. pistola, (tecn.) pistola, aparelho empregado em pintura, espécie de pulverizador.

pistolera. f. coldre, estojo de couro para guardar pistolas.

pistolerismo. m. banditismo ou bandidismo, bandolerismo.

pistolero. m. pistoleiro, bandoleiro, bandido, assassino que emprega a pistola para cometer delitos.

pistoletazo. m. pistolaço, pistolada; tiro de pistola; ferida feita com tiro de pistola.

pistolete. m. pistolete, pistoleta, pequena pistola. V. **cachorrillo.**

pistón. m. êmbolo, pistão, parte ou peça do cartucho onde está o fulminante; chave de instrumento músico.

pistonazo. m. (mec.) golpe de êmbolo.

pistonudo, a. adj. (vulg.) muito bom, magnífico, perfeito, superior, excelente.

pistoresa. f. espécie de punhal ou adaga.

pistura. f. espremedura, moedura.

pita. f. (bot.) piteira; pita, fio ou fios que se fazem da piteira; voz para chamar as galinhas; pita, franga; galinha.

pita. f. bolinha de cristal para brinquedo.

pita. f. (pop.) assobiadela, assobiada que se dá a alguém, apupo, pateada.

pitaco. m. haste da piteira.

pitada. f. apitadela, assobio; (fig.) fiasco, dito fora de propósito, inoportuno.

pitagórico, ca. adj. e s. pitagórico.

pitagorismo. m. pitagorismo.

pitancería. f. lugar onde se distribuem as pitanças; distribuição de pitanças; emprego do pitanceiro.

pitancero. m. pitanceiro, o que reparte o bodo ou pitança; distribuidor das rendas dum convento; clérigo, religioso que vive de esmolas.

pitanga. f. (bot.) pitangueira.

pitanza. f. pitança, pensão, comida, esmola; distribuição que se faz diàriamente duma coisa, seja comestível ou pecuniária; (fam.) pitança, alimento diário.

pitaña. f. remela. V. **legaña.**

pitañoso, sa. adj. remeloso. V. **legañoso.**

pitar. v. intr. apitar, tocar o apito; (prov. e Amér.) fumar. — v. tr. pagar, satisfazer dívidas.

pitar. v. tr. distribuir, repartir as pitanças.

pitarra. f. remela. V. **legaña.**

pitarro. m. chouriço pequeno, feito expressamente para crianças.

pitarroso, sa. adj. remeloso. V. **legañoso.**

pitazo. m. som do apito; assobio.

pitazo. m. (germ.) V. **jarro.**

pitecántropo. m. (hist. nat. e antropol.) pitecantropo.

piteco. m. (zool.) piteco.

pitecoide. adj. (zool.) pitecóide.

pitera. f. (bot.) piteira.

pitezna. f. tranqueta de ferro dos cepos.

pítico, ca. *adj.* pítico. V. **pitio.**

pitido. *m.* assobio, silvo do apito; assobio dos pássaros.

pitillera. *f.* cigarreira, carteira ou estojo para cigarros; cigarreira, mulher empregada em fábrica de tabacos e que faz cigarros.

pitillo. *m.* cigarro de papel. V. **cigarrillo.**

pítima. *f.* emplastro que se aplica sobre o coração; (fig. e fam.) borracheira, embriaguez, berzunda, berzundela, envernizadela.

pitio, tia. *adj.* pítico, pertencente a Apolo.

pitío. *m.* assobio, silvo de apito. V. **pitido.**

pitipié. *m.* pitipé, escala, medida proporcional.

pitiriasis. *f.* (med.) pitiriase.

pito. *m.* assobio, apito; pessoa que usa apito ou assobio; pipia, assobio que por meio da água imita o gorgeio dos pássaros; espécie de carrapato; casulo de seda aberto por uma ponta; (fam.) pito, cigarro de papel, charuto: *no valer un pito*, não valer nada; *no tocar pito*, (fam.) não ter ingerência num negócio; *pito de maniobra*, (mar.) apito de manobra; *no vale un pito*, (pop.) não vale um assobio, um corno; *cuando pitos, flautas, cuando flautas, pitos*, (pop.) expressão com que se diz que as coisas costumam acontecer ao contrário do que se espera; *pitos, flautos*, passatempos frívolos.

pitoche. *m.* (pop.) coisa sem valor: *no vale un pitoche*, (pop.) não vale um corno; *no me importa un pitoche*, diz-se das coisas que não interessam.

pitoflero, ra. *s.* músico pouco hábil; (fig.) chocarreiro; jocoso.

pitón. *m.* pitão, serpente venenosa e de grande tamanho.

pitón. *m.* cornicho, chifre pequeno dos animais; (fig.) protuberância; pimpolho, rebento, renovo; haste de piteira.

pitonisa. *f.* pitonisa, pitonissa; (fig.) encantadora, feiticeira.

pitorra. *f.* galinhola. V. **chochaperdiz.**

pitorrearse. *v. r.* troçar, zombar doutrem.

pitorreo. *m.* troça, zombaria.

pitreo. *m.* V. **pitaco.**

pituita. *f.* pituíta, muco glutinoso expelido pela expectoração; mucosidade das fossas nasais.

pituitaria. *f.* pituitária.

pituitario, ria. *adj.* pituitário, relativo à pituitária: *glándula pituitaria*, glândula pituitária, hipófise.

pituitoso, sa. *adj.* pituitoso.

pituso, sa. *adj.* e *s.* (fam.) pequeno, lindo, engraçado, diz-se dos meninos.

piular. *v. intr.* piar. V. **piar.**

piulido. *m.* pio, pipio.

pivote. *m.* pequeno cone que serve de eixo.

pixide. *f.* (liturg.) píxide, vaso em que se guardam as partículas consagradas.

pixidio. *m.* (bot.) píxidio.

piyama. *m.* pijama.

pizarra. *f.* (min.) ardósia, piçarra, xisto argiloso; quadro negro, pedra, lousa escolar.

pizarra. *m.* ardosieria, piçarral, louseira.

pizarreño, ña *adj.* piçarroso, da natureza ou cor da ardósia.

pizarrería. *f.* ardosieira, piçarral, lugar onde se extrai a ardósia; lugar onde se trabalha em ardósias ou lousas.

pizarrero. *m.* louseiro, o que trabalha em ardósia, ardosieiro.

pizarrín. *m.* lápis de lousa para escrever nos quadros negros.

pizarrón. *m.* (Amér.) quadro negro, lousa escolar.

pizarroso, sa. *adj.* piçarroso, abundante em piçarras ou ardósias.

pizate. *m.* (bot. Amér.) V. **pazote.**

pizca. *f.* (fam.) pisca, bocadinho de nada, migalha, cigalho, cisquinho; (pop.) dez-réis, cibo, chisco, chichizinho; porção mínima duma coisa: *ni pizca*, nem dois dedos; *una pizca de razón*, faisca de razão; *no sabe ni pizca*, ele de nada sabe migalha; *no tener pizca de sentido*, não ter migalha de juízo.

pizcar. *v. tr.* (fam.) beliscar. V. **pellizcar.**

pizco. *m.* beliscão. V. **pellizco.**

pizmiento, ta. *adj.* negro, cor do pez, pezento.

pizpereta. *adj.* (fam.) V. **pizpireta.**

pizpierno. *m.* mão do porco. V. **lacón.**

pizpireta. *adj.* e *f.* (fam.) espirituosa, mulher muito viva.

pizpitillo. *m.* V. **pizpita.**

pizzicato. *m.* (mús.) pizicato.

placa. *f.* placa, moeda antiga dos Países Baixos; venera, comenda, condecoração; placa, lâmina, chapa de metal; (fotogr.) chapa.

placabilidad. *f.* placabilidade; serenidade.

placable. *ad.* aplacável, placável, que se pode aplacar.

placativo, va. *adj.* placável, capaz de aplacar, de apaziguar.

placear. *v. tr.* pracear alguns géneros comestíveis a varejo, no mercado; publicar, tornar manifesto.

placel. *m.* (mar.) parcel, recife, escolhe; banco de areia; (Amér.) pescaria de pérolas.

pláceme. *m.* felicitação, parabém, congratulação.

placenta. *f.* (anat.) placenta; (bot.) placenta.

placentación. *fl.* (bot.) placentação.

placentario, ria. *adj.* placentário.

placentero, ra. *adj.* prazenteiro, alegre, jovial, afável.

placentín. *adj.* placentino. V. **placentino.**

placentitis. *f.* (pat.) placentite.

placer. *m.* (mar.) parcel, escolho, recife; banco de areia; areal onde a corrente depositou partículas de ouro; pescaria de pérolas.

placer. *m.* prazer, contentamento, sensação agradável, gosto, agrado; satisfação, prazer; aprazimento; vontade, beneplácito, consentimento; prazer, diversão, entretimento: *a placer*, com todo o prazer ou gosto.

placer. *v. tr.* aprazer, prazer, agradar, comprazer: *que me place*, expressão com que se indica que agrada ou se aprova uma coisa, apraz-me, agrada-me, muito bem. — pres. ind. irr. **plazco, places, place, placemos, placéis, placen;** imperf. **placía placías,** etc.; pret. indef. **plací, placiste, plació** ou **plugo, placimos, placisteis, placieron** ou **pluguieron;** fut. **placeré, placerás, placerá,** etc.; cond. **placería, placerías,** etc.; pres. subj. **plazca, plazcas, plazca** ou **plegue, plazcamos,** etc. imperf. **placiera, placieras, placiera** ou **pluguiera, placiéramos,** etc.; imperant. **plaze, plazca,** etc.; p. p. **placido;** ger. **placiendo.**

placero, ra. adj. e s. praceiro, relativo a praça; o que vende comestíveis no mercado; ocioso, que anda a conversar pelos mercados.

placetuela. f. pracinha, praçazinha.

placibilidad. f. aprazibilidade, qualidades do aprazível.

placible. adj. aprazível, que apraz; agradável, satisfatório.

placidez. f. placidez, sossego, tranqu(ü)ilidade.

plácido, da. adj. plácido, sereno, tranqu(ü)ilo, sossegado; aprazível, grato.

placiente. p. a. de placer e adj. aprazedor, que apraz; agradável, gostoso, bem-visto.

plácito. m. ditame, sentido, parecer, opinião.

plafón. m. sofito. V. **paflón.**

plaga. f. praga, grande calamidade; praga, epidemia, dano grave, doença; prejuizo; praga, infortúnio; chaga, úlcera; (fig.) praga, abundância de coisas nocivas; praga de insectos; espaço entre dois círculos paralelos; rumo, direcção; (geog.) plaga, clima, zona; ponto cardeal; (Bras.) pinima.

plagado, da. p. p. e adj. ferido ou castigado; (fig.) cheio de defeitos.

plagar. v. tr. encher de pragas ou coisas nocivas; infestar.

plagiar. v. tr. e intr. plagiar, apresentar como seu aquilo que copiou de obras alheias; imitar servilmente; copiar obras doutrem; plagiar, comprar como escravo, um homem livre, entre os antigos romanos; utilizar um criado alheio como próprio.

plagiario, ria. adj. e s. plagiário, que plagia; plagiador.

plagio. m. plagiato, plágio, cópia servil, imitação das obras doutrem.

plagióstomos. m. pl. (zool.) plagióstomos.

plaid. m. (angli.) V. **manta de viaje.**

plan. m. plano, altitude ou nível; plano, sistema, intento, proje(c)to, estrutura, método; apontamento por alto; plano, representação gráfica dum terreno, planta; plano, carta, mapa; (mar.) madeiro que forma a base do navio.

plana. f. ferramenta de trolha. V. **llana.**

plana. f. página, lauda, cada um dos lados ou faces duma folha de papel; escrito que fazem as crianças num lado do papel em que aprendem a escrever; quadro militar; (geog.) extensão de território plano, planura, planície, lhanura: plana mayor, (mil.) estado maior dum regimento; en-

mendar la plana, (fam.) advertir alguém sobre algum defeito nalguma tarefa.

planada. f. planura. V. **llanada.**

planador. m. brunidor, oficial de ourives que alisa as peças lisas; o que brune e alisa as lâminas para gravação.

plancton. m. (biol.) plancto, plâncton.

plancha. f. plancha, lâmina; ferro de engomar; (fig.) erro, ridículo; ponte provisória; (mar.) prancha, pranchão.

planchada. f. (mar.) pranchão de desembarque.

planchado. m. conjunto de roupa branca brunida; engomado da roupa.

planchador, ra. s. brunidor, o que brune ou engoma a roupa, engomadeiro.

planchar. v. tr. passar a ferro; engomar roupa.

planchear. v. tr. chapear, cobrir com lâminas ou chapas de metal .

plancheta. f. (topog.) prancheta, instrumento para levantar plantas; echarla de plancheta, fazer alarde de.

planchón. m. pranchão.

planeador. m. (aviac.) planador.

planear. v. tr. planear, planejar, projectar, esboçar um plano; idear, forjar planos, planear, tencionar. — v. tr. (aviac.) descer um avião sem a acção do motor.

planeo. m. (aviac.) descendimento dum avião sem acção do motor.

planeta. m. (astr.) plane(ê)ta. — f. (liturg.) espécie de casula que tem mais curta a parte dianteira.

planetario, ria. adj. (astr.) planetário.

planetícola. s. suposto habitante dum planeta, excepto da Terra.

planetoide. m. (astr.) plantóide.

planga. f. (orni.) espécie de águia americana.

planicie. f. planície. V. **llanura.**

planificación. f. (neol.) planificação.

planificar. v. tr. (neol.) planificar, desenhar ou traçar num plano; representar em plano.

planimetría. f. planimetria.

planímetro. m. planímetro.

planipétalo, la. adj. (bot.) planipétalo.

planisferio. m. planisfério.

plano, na. adj. plano, chão, liso, raso, que não tem desigualdades de nível, chato; (fig.) fácil, claro, manifesto. — (geom.) superfície plana, mapa, carta, plano; plano, programa, sistema, método; lado da espádua; plano, disposição geral duma obra:

planta. f. planta, parte inferior de pé; (bot.) planta, nome genérico dos vegetais; vegetal disposto para se transplantar; plantio, plantação; (arq.) plano, planta, desenho duma figura, projecto; disposição: echar plantas, dizer fanfarronadas ou bravatas; buena planta, boa aparência.

plantador, ra. adj. e s. plantador, que planta; semeador, instrumento para plantar; plantador, sacho de hortelão; (prov.) plantador, colono; (germ.) V. **sepulturero.**

plantaina. f. V. **llantén.**

plantagináceo, a. adj. (bot.) plantagináceo.

plantaje. m. plantação, plantio.

plantar. *adj.* (anat.) plantar, relativo à planta do pé.

plantar. *v. tr.* plantar, cultivar, meter plantas na terra; (fig.) fincar, fixar; plantar, assentar um objecto no seu lugar; sacudir um golpe; assegurar, fundar; (fig.) introduzir alguém em alguma parte; pôr um plano em execução; (fig.) plantar, fundar; enganar, burlar, deixar alguém burlado; ficar, no jogo de cartas; chegar com brevidade. — *v. r.* plantar-se, pôr-se a pé firme, pegar-se (diz-se das cavalgaduras); chegar com brevidade; ficar-se, no jogo de cartas.

plantario. *m.* (agr.) V. **almáciga.**

plante. *m.* motim, levante, movimento subversivo.

planteamiento. *m.* delineamento, delineação; proposta.

plantear. *v. tr.* delinear, traçar, estabelecer, suscitar, expor, propor, pôr em execução; traçar a planta dum edifício.

plantel. *m.* viveiro, criadouro de plantas; (fig.) escola; seminário.

plantificación. *f.* execução; acção de dar bofetadas, couces, etc.

plantificar. *v. tr.* estabelecer, executar a planta ou desenho dum edifício; (fam.) dar bofetadas, couces, etc.; obrigar alguém a colocar-se num lugar contra vontade.

plantígrado, da. *adj.* e *m.* (zool.) plantígrado.

plantilla. *f.* palmilha de sapato; remendo de meia, palmilha, molde; plano reduzido por uma escala; quadro de pessoal; (astr.) figura celeste; cércea, tábua cortada do feitio e tamanho que deve ter uma peça de obra.

plantillar. *v. tr.* palmilhar, deitar palmilhas no calçado ou nas meias.

plantillero, ra. *adj.* e *s.* jardineiro. V. **plantista.**

plantío, a. *adj.* cultivável, diz-se das terras. — *m.* plantação, plantio; lugar plantado recentemente.

plantista. *m.* jardineiro encarregado de plantação de árvores; (fig.) fanfarrão.

plantón. *m.* rebentão, pimpolho para transplantar; plantão, soldado de guarda: *darse un plantón*, atrasar-se muito a chegar ao ponto marcado; *estar de plantón*, esperar muito num lugar determinado.

plantosa. *f.* (germ.) taça ou copo para beber

planudo, da. *adj.* (mar.) diz-se do barco de quilha reduzida.

plántula. *f.* (bot.) plântula.

plañidera. *f.* carpideira, mulher mercenária que acompanhava os funeráis, pranteando os mortos.

plañido, da. *p. p.* e *adj.* carpido. — *m.* pranto, lamento, queixa, choro, gemido.

plañimiento. *m.* carpimento, carpidura, choro, lamentação, pranto.

plañir. *v. tr.* carpir, chorar, soluçando ou clamando, chorar, prantear, lamentar.

plaqué. *m.* plaqué(ê).

plaqueta. *f.* (med. e histol.) elemento constituinte do sangue.

plaquín. *m.* espécie de cota de armas de mangas largas.

plasma. *m.* (biol.) plasma, parte líquida do sangue.

plasma. *f.* V. **prasma.**

plasmador, ra. *adj.* e *s.* criador. V. **creador;** diz-se especialmente de Deus.

plasmar. *v. tr.* plasmar, modelar em gesso ou barro.

plasmático, ca. *adj.* plasmático, relativo ao plasma.

plasmina. *f.* (quim.) plasmina.

plasmodio. *m.* (bot.) plasmódio.

plasta. *f.* pasta. coisa mole como o barro, a massa, etc.; (fig. e fam.) coisa feita sem método.

plaste. *m.* betume, massa plástica de gesso e cola.

plastecer. *v. tr.* betumar, encher, tapar buracos, fendas, etc. com uma massa de gesso e cola. — *conj. irr.* como *crecer.*

plastecido. *m.* acção de plastecer.

plástica. *f.* plástica, arte de plasmar ou formar coisas de barro, gesso, etc.

plasticidad. *f.* plasticidade.

plástico, ca. *adj.* plástico, pertencente ou relativo a plástico; plástico, dúctil, mole; formativo; (fig.) diz-se do estilo ou da frase que dá realce às ideias pela sua concisão.

plastidio. *m.* V. **plástido.**

plástido. *m.* (histol.) plastídio, plastídulo.

plastilina. *f.* plastilina, plasticina.

plastrón. *m.* (gal.) plastrão. V. **pechera.**

plata. *f.* prata; prata, moeda de prata; dinheiro em geral; (herald.) prata; prata, baixela e móveis de prata: *en plata,* (fam.) sem rodeios, em resumo, em susbstância; *como la plata,* (fam.) limpo e formoso.

platabanda. *f.* (gal.) V. **arriate;** (arq.) platibanda.

plataforma. *f.* plataforma, espécie de terraço; vagão de bordos curtos; plataforma parte anterior e posterior dos carros, (tranvías); (fort.) plataforma; (fig.) aparência, plataforma: *plataforma electoral.* plataforma eleitoral.

platal. *m.* dinheirão, dinheirama, dinheirada.

platalea. *f.* (zool.) pelicano.

platanáceo, a. *adj.* (bot.) platanáceo. — *f pl.* platanáceas.

platanal. *m.* bananal.

platanar. *m.* bananal, plantação de bananeiras; plantio de plátanos.

platáneo, a. *adj.* (bot.) diz-se de árvores dicotiledóneas ornamentais.

platanero, ra. *adj.* (Amér.) diz-se do furacão que abala as bananeiras. — *m.* bananeira, árvore que dá a banana.

plátano. *m.* (bot.) plátano, árvore frondosa.

plátano. *m.* (bot.) bananeira, planta e o seu fruto, chamado banana.

platea. *f.* plate(é)ia, pavimento baixo da sala dos teatros.

plateado, da. *p. p.* e *adj.* prateado, banhado de prata; prateado de cor semelhante à da prata.

plateador. *m.* prateador, aquele que prateia.

plateadura. *f.* prateação, prateadura; prata empregada nesta operação.

platear. *v. tr.* pratear, revestir duma camada de prata.

platel. *m.* espécie de salva ou prato, pratel.

plateresco, ca. *adj.* (arq.) diz-se do estilo espanhol de ornamentação do século XVI.

platería. *f.* ourivesaria, arte e ofício de prateiro, ourivesaria, loja onde se vendem objectos de ouro ou prata, joalharia; arruamento dos ourives de prata.

platero. *m.* prateador aquele que trabalha em prata; ourives.

plática. *f.* conversa, palestra; prática, pequeno sermão religioso, exortaçao (mar.) licença dada a navegantes para comunicarem com um porto ou cidade, passada a quarentena.

platicar. *v. tr.* praticar, conversar, palestrar, conversar familiarmente; tratar dum negócio ou assunto.

platicefalia. *f.* platicefalia.

platicéfalo, la. *adj.* e *s.* platicéfalo.

platillo. *m.* pratinho, prato pequeno; prato de balança; guisado de carne e hortalicas; prato extraordinário em dias festivos (nas comunidades religiosas); (fig.) assunto, ou conversa de mexerico; (mús.) pratos, címbalo; prato de balança.

platina. *f.* platina. V. **platino;** parte do microscópio em que se coloca o objecto que se quer observar, platina.

platinado, da. *p. p.* e *adj.* platinado. — *m.* platinagem.

platinar. *v. tr.* platinar, cobrir com uma camada de platino.

platinífero, ra. *adj.* platinífero.

platino. *m.* platina, metal branco mais pesado que o ouro.

platinoide. *m.* liga de metais própria para bobinas eléctricas de grande resistência.

platinoso, sa. *adj.* que contém platina ou é semelhante a ela.

platinotipia. *f.* (fot.) platinotipia.

plato. *m.* prato, vaso pouco fundo em que se serve a comida; prato da balança; prato, comida contida no prato; sustento diário manjar preparado; (fig.) prato, o gasto que se faz com a comida diária; (fam.) tema de murmuração; (arq.) ornato do friso, na ordem dórica; prato, disco: *ser plato de segunda mesa,* (fam.) ser ou sentir-se postergado.

platónico, ca. *adj.* e *s.* (filos.) plató(ô)nico; ideal, desinteressado, honesto.

platonismo. *m.* (filos.) platonismo.

platonizar. *v. intr.* professar o platonismo.

platudo, da. *adj.* (Amér. vulg.) V. **rico, acaudalado.**

plausibilidad. *f.* plausibilidade, qualidade de plausível.

plausible. *adj.* plausível, que merece aplauso; atendível, recomendável, admissível, aceitável, razoável.

plauso. *m.* aplauso. V. **aplauso.**

plaustro. *m.* (poét.) carro descoberto.

playa. *f.* praia, margem do mar ou do rio.

playado, da. *adj.* espraiado, diz-se do rio ou mar que tem praia.

playazo. *m.* praia grande.

playera. *f.* canção andaluza popular. U. m. no pl.

playero, ra. *adj.* e *s.* peixeiro, pessoa que, desde a praia traz o peixe para venda.

plaza. *f.* praça, lugar público; praça, mercado, feira; praça, lugar espaçoso dentro de povoado; praça, lugar fortificado; praça, alistamento para servir como soldado; espaço ,sítio, lugar; emprego, ofício; fama, reputação; grémio ou reuniões de comerciantes duma cidade.

plazo. *m.* prazo, tempo determinado; prazo, vencimento do te(ê)rmo; prazo; prestação; campo, arena: *venta a plazos,* venda a prazos; *fijar un plazo,* marcar um prazo.

plazoleta. *f.* largozito com jardins e passeios.

plazuela. *f.* pracinha, praçazinha.

pleamar. *f.* (mar.) preia-mar, praia-mar, maré cheia; tempo que dura.

plébano. *m.* pároco, cura.

plebe. *f.* plebe, povo, gente comum e humilde, ralé, populaça, gentalha.

plebeyez. *f.* plebeidade; plebeísmo.

plebeyismo. *m.* plebeísmo, plebeidade.

plebeyo, ya. *adj.* e *s.* plebeu, relativo à plebe; plebeu, indivíduo da plebe; diz-se da pessoa que não é nobre nem fidalga.

plebiscitario, ria. *adj.* plebiscitário.

plebiscito. *m.* plebiscito, antiga lei romana estabelecida pela plebe; plebiscito, resolução por maioria de votos.

pleca. *f.* (impr.) filete pequeno e duma só linha.

plectognato. *adj.* (ictio.) plectognato. — *m.* *pl.* plegtognatos.

plectro. *m.* (mús.) plectro; (fig. poét.) inspiração, estilo.

plegable. *adj.* pregueável, dobrável, dobradiço.

plegadera. *f.* dobradeira, instrumento de madeira, osso, etc. para dobrar ou cortar papel ,espátula.

plegadizo, za. *adj.* dobradiço, flexível.

plegado, da. *p. p.* e *adj.* dobrado, pregueado. — *m.* dobra, prega.

plegador, ra. *adj.* dobrador, pregueador. — *m.* dobradeira, espátula, instrumento para dobrar ou cortar.

plegador. *m.* (prov.) andador, empregado de confraria encarregado de receber as esmolas.

plegadura. *f.* dobra, prega, dobradura, dobramento.

plegar. *v. tr.* dobrar; preguear; dobrar as folhas de que se compõe um livro; enrolar a teia no cilindro, seda; (Bras.) ababadar. — *v. intr.* agradar, comprazer. — *v. r.* (fig.) dobrar-se, render-se; ceder aos desejos de alguém. — *pres. ind. irr.* **pliego, -as, -a, -an;** *subj.* **pliegue, -es, -e, -en.**

plegaria. *f.* prece, ro(ô)go, rogativa, súplica fervente, plegária; deprecação; toque de oração, sinal feito com o sino ao meio-dia.

pleguería. *f.* pregueado, conjunto de dobras, especialmente nas obras de arte.

pleguete. *m.* gavinha da vide e doutras plantas.

pleita. *f.* empreita, tira de esparto para fazer esteiras, seiras e capachos.

pleistoceno. *adj.* (geol.) pleistoceno, plistoceno.

pleiteador, ra. *adj.* e *s.* pleiteador, que pleiteia.

pleitear. *v. intr.* pleitear, demandar em juízo, litigar, contender, defender, disputar, rivalizar.

pleitista. *adj.* e *s.* demandista, diz-se da pessoa muito dada a demandas ou pleitos.

pleito. *m.* pleito, questão judicial, litígio, demanda; contenda, lide, batalha, luta, disputa, contestação; rivalidade; contenda doméstica ou particular; desavença; (for.) pleito, processo; autos de processo: *entablar pleito*, demandar em juízo; *rendir pleito homenaje*, jurar solenemente fidelidade; *tener mal pleito* (fig.) não ter razão; *ver el pleito mal parado*, reconhecer o perigo ou a iminência dum assunto; *¿hablaba Vd. de mi pleito?* (fig. e fam.) expressão empregada para mortificar a quem só fala dos seus próprios negócios; *poner a pleito* (fig.) opor-se ardentemente a uma coisa sem ter motivo algum.

plenamar. V. **pleamar.**

plenario, ria. *adj.* plenário, pleno, completo; cheio, inteiro: *indulgencia plenaria*, indulgência plenária.

plenilunar. *adj.* plenilunar.

plenilunio. *m.* plenilúnio, lua cheia.

plenipotencia. *f.* plenipotência; pleno poder.

plenipotenciario, ria. *adj.* plenipotenciário, que tem plenos poderes. — *s.* plenipotenciário, pessoa enviada com plenos poderes, pelo Governo dum país: *Ministro plenipotenciario*, Ministro plenipotenciário.

plenismo. *m.* (filos.) plenismo.

plenista. *s.* (filos.) plenista, partidário do plenismo.

plenitud. *f.* plenidão, qualidade de pleno, plenitude, totalidade; abundância ou excesso de humor no corpo; saciedade: *plenitud de los tiempos* (rel.) plenitude dos tempos. época da Encarnação do Verbo Divino.

pleno, na. *adj.* pleno, cheio, inteiro, completo, perfeito; amplo. — *m.* pleno, reunião ou junta geral duma corporação: *en pleno*, em pleno; *en pleno día*, em pleno dia.

pleonasmo. *m.* (gram.) pleonasmo, redundância.

pleonástico, ca. *adj.* pleonástico.

plepa. *f.* (fam.) pessoa, animal ou coisa com muitos defeitos.

plesímetro. *m.* (med.) plessímetro.

plesiosauro. *m.* plessiosauro.

pletina. *f.* barra de ferro, mais larga que grossa, de dois a quatro milímetros de espessura.

plétora. *f.* (med.) pletora, plenitude de sangue; excesso de sangue, humores ou seiva; (fig.) abundância excessiva dalguma coisa.

pletórico, ca. *adj.* (med.) pletórico, que tem pletora.

pleura. *f.* (anat.) pleura.

pleural. *adj.* (anat.) pleural, pleurítico.

pleuresía. *f.* (pat.) pleuris, pleurisia, pleurite.

pleurítico, ca. *adj.* (med.) pleurítico; que sofre de pleuresia; pleurítico, pleural.

pleuritis. *f.* (pat.) pleurisia, pleuris, pleurite.

pleurodinia. *f.* (med.) pleurodinia.

pleuronéctidos. *m. pl.* (ictiol.) pleuronéctidas.

pleuronecto. *m.* (ictiol.) pleuronectar.

pleuropatía. *f.* (pat.) pleuropatia.

pleuropneumonía. *f.* (pat. e vet.) pleuropneumonia.

pleurorragia. *f.* (pat.) pleurorragia.

pleurotomía. *f.* (cir.) pleurotomia.

pleurorrea. *f.* (pat.) pleurorreia.

plexo. *m.* (anat.) plexo: *plexo solar*, plexo solar.

Pléyadas. *f. pl.* (astr.) Plêiades.

Pléyade. *f.* Plêiade, grupo ou reunião de pessoas célebres, especialmente nas letras. — *f. pl.* (astr.) Plêiades.

plica. *f.* carta de prego, envelope que contém noticia ou documento de carácter reservado; (med.) doença no cabelo.

pliego. *m.* folha de papel; carta, ofício, documento que se envia duma parte a outra; caderno; conjunto de papéis ou documentos fechados num mesmo envelope ou carta; pliego, escritura, instrumento de contrato: *pliegos de cordel*, literatura de cordel.

pliegue. *m.* dobra, prega, vinco, ruga; (Bras.) babado.

plieguecillo. *m.* meia folha de papel dobrada pela metade da largura.

plinto. *m.* (arq.) plinto, peça quadrangular, que serve de base a um pedestal de coluna; ábaco.

plioceno, na. *adj.* e *s.* (geol.) plioceno, plistoceno.

plisar. *v. tr.* (gal.) franzir, preguear, plissar. V. **plegar.**

plomada. *f.* prumo, chumbada, sonda; conjunto dos pesos de chumbo da rede de pesca; (mar.) sonda.

plomar. *v. tr.* chumbar, colocar um selo de chumbo num documento, privilégio ou diploma.

plomazo. *m.* ferida ou pancada produzida pelo grão de chumbo.

plomazón. *m.* almofada de dourador ou pratador.

plombagina. *f.* (min.) plumbagina; grafite.

plomería. *f.* cobertura de chumbo nos telhados; oficina de chumbador ou depósito de chumbo.

plomero. *m.* fabricante ou negociante de artigos de chumbo; chumbeiro.

plomífero, ra. *adj.* (min.) plumbífero, que contém chumbo. — *s.* (fig. e fam.) pessoa, coisa, livro, etc., muito pesado e sem graça.

plomizo, za. adj. plúmbeo, que tem chumbo; plúmbeo, da cor do chumbo; plúmbeo, semelhante ao chumbo.

plomo. m. chumbo, metal azulado e muito pesado; prumo; qualquer peça de chumbo; (fig.) bala, projéctil; pessoa maçadora, impertinente.

plomoso, sa. adj. plúmbeo. V. **plomizo.**

pluma. f. pluma, pena de ave; conjunto de penas; pluma, pena para escrever; pluma, enfeite de penas; (fig.) pena, escritor; estilo ou forma de escrever; profissão de escritor; habilidade caligráfica; unidade, medida para águas; (fig.) bens, riquezas; (fam.) peido: a vuela pluma, escrito ràpidamente.

plumada. f. penada, acção de escrever coisa curta; traço feito à pena; letra floreada que se faz duma penada; plumada, penas que os falcões comeram e que ainda têm no papo.

plumado, da. adj. plumoso, que tem plumas.

plumaje. m. plumagem, conjunto das penas duma ave; plumagem, penas para adorno; penacho, plumaço; (cetr.) classe de penas pela qual se distinguem as diversas espécies de aves de caça.

plumajería. f. montão de plumagens.

plumajero. m. plumaceiro, fabricante ou vendedor de plumachos, penas ou plumagens.

plumaria. adj. diz-se da arte de bordar com penas.

plumazo. m. colchão ou almofada de penas: de un plumazo, com uma penada; com resolução repentina.

plumazón. f. plumagem. V. **plumaje.**

plumbado, da. adj. selado com chumbo.

plumbagina. f. V. **plombagina.**

plumbagíneo, a. adj. (bot.) plumbagíneo. f. pl. plumbagíneas.

plúmbeo, a. adj. plúmbeo, de chumbo; (fig.) que pesa como chumbo; caçador, impertinente.

plúmbico, ca. adj. (quim.) plúmbico, relativo ao chumbo.

plumeado. m. (pint.) sombreado, graduação de escuro num desenho; penejado.

plumear. v. tr. (pint.) sombrear, dar sombra a um desenho; penejar.

plúmeo, a. adj. plúmeo, que tem penas ou plumas; emplumado.

plumería. f. conjunto ou abundância de penas.

plumerío. m. V. **plumería.**

plumero. m. espanador, atado de penas ou plumas, presas a um cabo, para limpar o pó, espanejador; vaso ou caixa em que se depositam as penas; plumão, penacho de capacete.

plumífero, ra. adj. (poét.) que tem ou leva plumas. (pop.) escritor.

plumilla. f. plumilha; (bot.) plúmula.

plumión. m. V. **plumón.**

plumista. m. amanuense, escrevente, escrivão; plumaceiro, fabricante ou vendedor de objectos de penas.

plumón. m. penugem de ave; colchão de penas.

plumoso, sa. adj. plumoso, que tem penas.

plúmula. f. (bot.) plúmula.

plural. adj. (gram.) plural. — m. plural.

pluralidad. f. pluralidade, multidão, multiplicidade.

pluralización. f. pluralizacão..

pluralizar. v. tr. (gram.) pluralizar pôr ou usar no plural; multiplicar.

pluricelular. adj. (biol.) pluricelular.

plurifloro, ra. adj. (bot.) plurifloro.

plurilocular. adj. (hist. nat.) plurilocular.

plus. m. gratificação extraordinária e ocasional; pré da tropa em campanha ou em circunstâncias extraordinárias.

pluscuamperfecto. adj. e s. (gram.) mais-que-perfeito composto.

plus ultra. lat. mais além.

plus valía. f. maior valia.

plúteo. m. prateleira, divisão de estante de livros; gaveta de biblioteca.

pluto. m. (poét.) pluto, riqueza.

plutocracia. f. plutocracia.

plutocrático, ca. adj. e s. plutocrático.

plutomanía. f. plutomania.

plutomaníaco, ca. adj. e s. plutomaníaco.

plutoniano, na. adj. e s. plutónico; diz-se geralmente das pessoas.

plutónico, ca. adj. plutó(ô)nico, pertencente ou relativo ao plutonismo.

plutonio. m. (quím.) plutó(ô)nio.

plutonismo. m. (geol.) plutonismo.

plutonista. adj. e s. plutonista.

pluvia. f. (poét.) chuva.

pluvial. adj. pluvial, diz-se da chuva. — m. pluvial, capa de asperges.

pluvímetro. m. pluviómetro.

pluviométrico, ca. adj. pluviomé(ê)trico.

pluviómetro. m. (meteor.) pluviómetro.

pluvioso, sa. adj. pluvioso, chuvoso. — m. pluvioso, quinto mês do Calendário da primeira República francesa.

poa. f. (mar.) poa, cabo que serve para tornar firmes as bolinas: poa de bolina, poa de bolina; garrucha de la poa de bolina, polé da poa de bolina.

poa. f. (bot.) poa.

pobeda. f. choupal, lugar povoado de choupos.

población. f. povoamento, povoação; população, número de habitantes; cidade, vila, povoado.

poblacho. m. (depre.) povoado reles, aldeola, populacho, gentalha.

poblado. m. povoado, povoação, cidade, vila ou lugar. — adj. povoado, habitado.

poblador, ra. adj. e s. povoador, que povoa; colono, fundador duma colónia.

poblano, na. adj. (Amér.) campónio, campesino.

poblar. v. tr. povoar, fundar uma ou mais povoações. — v. intr. procriar (diz-se dos animais); engendrar, procriar muito. — v. r. povoar-se; revestir-se de folhagem. — conj. irr. como contar.

pobre. adj. e s. pobre, que não tem o necessário à vida, pedinte; necessitado; indigente, mísero, necessitado; infeliz, desgraçado; pobre, estéril; que produz pouco;

apurado. desventurado; exíguo; farrapilha, mendigo; pedinte, apertado; minguado, desditoso, mesquinho, descamisado; pacífico, de bom carácter; desvalido; indigente; falto; famaco; (Bras.) pelado.

pobrería. *f.* pobreza.

pobrero. *m.* esmoler, aquele que nas comunidades é encarregado de dar esmolas.

pobreta. *f.* (fam.) rameira, prostituta.

pobrete, ta. *adj.* pobrezinho, desditoso, infeliz, almasinha; (fig. e fam.) diz-se da pessoa de bom génio mas apoucada e tímida.

pobretear. *v. intr.* comportar-se como pobre, fingir de pobre.

pobrería. *f.* pobreza, os pobres, multidão de pobres; pobreza, falta de recursos; escassez, miséria.

pobreto. *m.* V. **pobrete.**

pobretón, na. *adj.* e *s.* pobretão, muito pobre, pobretana; galhofeiro.

pobreza. *f.* pobreza, necessidade, falta; (fig.) falta de magnanimidade, de galhardia, de nobreza de ânimo; pobreza, escassez, acanhamento das facultades intelectuais: indigência; pobreza, cessão voluntária das coisas do mundo; empobrecimento; mesquindade, mesquinharia; desdita; estreiteza; exiguidade; penúria; (fig.) desnudez, arrasto: *salir de la pobreza,* desempobrecer.

pobrezuelo, la. *adj.* pobrezinho.

pobrismo. *m.* pobreza, conjunto de pobres. V. **pobretería.**

pocero. *m.* poceiro, o que faz poços ou poças; aquele que limpa as fossas.

pocilga. *f.* pocilga, estábulo para gado porcino, curral; (fig. e fam.) lugar hediondo, casa imunda, asquerosa; chavascal, chiqueiro, alfurja.

pocillo. *m.* vasilha ou talha para recolher líquidos; xícara.

pócima. *f.* apózema, cozimento medicinal de vegetais; (farm.) medicamento líquido para se beber.

poción. *f.* poção, bebida, líquido que se bebe. beberagem; (farm.) medicamento líquido para se beber.

poco, ca. *adj.* pouco ,escasso, limitado e curto; pequeno; breve. — *adv.* pouco, em pequena quantidade, escassez; brevemente. — *m.* pouca quantidade: *poco a poco,* pouco a pouco, de degrau em degrau; a formiga; *faltar poco para,* estar dois dedos de fazer alguma coisa; *cosa de poco valor,* pacotilha; *pagar poco a poco,* pagar por pagelas.

póculo. *m.* copo para beber.

pocho, cha. *adj.* (fam.) descolorido, descorado, pálido.

poda. *f.* poda, podadura, podoa; o tempo em que se faz a poda; corte; alimpa; chapota; debastamento; decote; decepagem, desbaste (de árvores).

podadera. *f.* podadeira, podoa, podão.

podador, ra. *adj.* e *s.* podador, que poda, decotador; defolhador.

podadura. *f.* V. **poda.**

podagra. *f.* (med.) podagra, gota nos pés.

podar. *v. tr.* podar, cortar a rama ou os braços inúteis das árvores; (fig.) desbastar; cortar; decepar, chapodar, definhar; decotar: *podar los copas de los árboles,* encopar ou copar as árvores; *podar las ramas,* derramar; *podar la vid,* arrair.

podenco. *m.* (zol.) podengo. cão para a caça de coelhos.

podenquero. *m.* o que cuida dos podengos.

poder. *m.* poder, domínio, império, mando, fo(ô)rça; faculdade; possibilidade; autoridade; influência; posse; jurisdição; eficácia, valimento; recurso; capacidade; meios; poder, forças dum Estado; procuração, poder, instrumento público, poderío; força, vigor; arbítrio; ascendente, ascendência, chave, arma; alçada; mandato; eficiência, virtude. — *pl.* poder, faculdade; mandato: *dar poder,* autorizar.

poder. *v. tr.* poder, ter a faculdade de; ter o meio. autoridade, o direito de poder, estar em estado de; poder, ter força, actividade; poder, ter tempo ou lugar para fazer uma coisa; ter razões para; ter coragem para. — *v. impers.* ser possível que aconteça alguma coisa; poder ser; ter força para sustentar, aguentar, etc.: *puede que lleva,* tal vez chova; *no poder más,* não poder consigo; *hasta más no poder,* até mais não poder; *no poder ver a alguien,* (fig.) não poder ver alguém, aborrecê-lo; *poder ser,* ser possível, poder ser; *eso no puede ser,* isso não pode ser; *poder con,* poder com; *poder más que,* poder mais que; *no puedo por más que llorar,* não posso deixar de chorar; *no poder con,* não poder com; *no poder más,* derrengar-se; *no poder menos,* ser necessário; *no poder parar,* (fig.) estar desassossegado; *no poderse tener,* (fig.) estar muito débil; *no poderse valer,* estar inútil; *no poder tragar a alguien,* ter aversão a alguém; *no poder ver a uno ni pintado,* (fam.) não poder ver alguém.— *pres. ind. irr.* **puedo, -es, -e;** *pret.* **pude, -iste,** etc.; *fut.* **podré,** etc.; *pot.* **podría,** etc.; *subj.* **pueda, -as, -a, -an;** *imperf.* **pudiera, -es,** etc.; *ger.* **pudiendo.**

poderdante. *s.* constituinte, comitente, mandante.

poderhabiente. *s.* procurador, pessoa que tem mandato ou procuração para agir em nome doutrem; mandatário.

poderío. *m.* poderio, faculdade de fazer ou impedir uma coisa; muito poder; autoridade; jurisdição; domínio; riqueza, bens, fazenda; poderio, senhorio, domínio; império; potestade, faculdade; vigor, grande poder.

poderoso, sa. *adj.* e *s.* poderoso que tem poder; poderoso, muito rico, opulento; forte; poderoso, que produz um grande efeito; potente; influente; eficiente, eficaz, efe(c)tuoso; grande, excelente; poderoso, activo, que tem grande poder ofensivo; magnate, colosso; (Bras.) turuna.

podio. *m.* (arq.) pódio.

podofilina. *f.* (farm.) podofilina.

podofilo. *m.* (bot.) podofilo.

podología. *f.* podologia.

podómetro. *m.* podó(ô)metro; conta-passos.

podón. *m.* podão, podadeira grande e forte.

podre. *f.* matéria, pus.

podrecer. *v. tr. e intr.* apodrecer. V. **pudrir.** — *conj. irr.* como *crecer.*

podrecimiento. *m.* putrefa(c)ção. V. **podredura.**

podredumbre. *f.* podridão, má qualidade que faz apodrecer as coisas; corrupção, podridão; perversão; relaxamento; desmoralização; (fig.) sentimento íntimo não comunicado; podredura, putrefa(c)ção, apodrecimento, corrupção; mesquindade; perversão.

podridero, ra. *m.* V. **pudridero.**

podrido, da. *p. p. e adj.* apodrecido, podre, podrido, estragado; corru(p)to, corrompido, choquento; choco; (Bras.) popuca, pubo: *estar podrido,* (Bras.) abichar; *huevo podrido,* ovo choco.

podrigorio. *m.* (fam.) achacoso, pessoa com achaques, achaquento, pessoa doente.

podrimento. *m.* apodrecimento. V. **pudrimento.**

podrir. *v. tr.* V. **pudrir.**

poema. *m.* poema, composição métrica: *poema sinfónico,* poema sinfónico.

poemático, ca. *adj.* relativo ao poema.

poesía. *f.* poesía; poema; poesía, elevação nas ideias e no estilo; poesia, o que desperta o sentimento do belo. — *pl.* poesias, composições dum poeta.

poeta. *m.* poeta; o que escreve em verso; vate; trovador, versejador; (fig.) idealista; sentimental, sonhador.

poetastro. *m.* (deprec.) poetastro, poetaço, mau poeta, coplista.

poética. *f.* poética, poesia.

poético, ca. *adj.* poético, relativo à poesia; (fig.) inspirador; sublime.

poetisa. *f.* poetisa.

poetización. *f.* poetização.

poetizar. *v. intr.* poetizar, compor verso, poetar. — *v. tr.* poetizar, dar carácter poético.

pogoníasis. *f.* pogoníase.

pogonóforo, ra. *adj.* (hist. nat.) pogonóforo.

polaca. *f.* (mus.) polaca, dança e música nacional dos Polacos.

polacada. *f.* (pop.) acto de favoritismo.

polaco, ca. *adj. e s.* (geog.) poló(ô)nio, polaco. — *m.* polaco, língua dos polacos.

polacra. *f.* (mar.) polaca.

polaina. *f.* polaina, peça que cobre a perna desde o peito do pé até ao joelho.

polar. *adj.* polar, pertencente ou relativo aos pólos.

polaridad. *f.* (fís.) polaridade.

polarímetro. *m.* (fís.) polarímetro.

polariscopio. *m.* (fís.) polariscópio.

polarización. *f.* (fís.) polarização.

polarizador, ra. *adj. e m.* polarizador, que polariza; instrumento para poralizar a luz, polarizador.

polarizar. *v. tr.* (fís.) polarizar. — *v. r.* polarizar-se (fig.) concentrar a atenção numa coisa.

polca. *f.* polca, dança polaca.

polcar. *v. intr.* polcar, dançar a polca.

polder. *m.* polder.

polea. *f.* polé, roldana; (mar.) polé, espécie de moitão; polé, antigo instrumento de suplício; estrapada: *conjunto de poleas y cuadernales,* (mar.) estralheria.

poleame. *m.* (mar.) poleame, conjunto de polés.

polemarca. *m.* polemarca.

polémica. *f.* polé(ê)mica, debate oral; discussão; controvérsia; polémica, disputa amigável mas acalorada; discussão na imprensa; contestação, luta; (mil.) ciência da fortificação.

polémico, ca. *adj.* polé(ê)mico, concernente a polémica; controversista.

polemista. *s.* polemista, argumentador, controversista; que discute bem; escritor hábil na polémica.

polemizar. *v. intr.* polemicar, travar polémica, discutir altercar, controverter, desacordar.

polemología. *f.* (mil.) polemologia.

polemológico, ca. *adj.* polemológico.

polemólogo, ga. *s.* polemologista.

polemoniáceo, a. *adj.* (bot.) polemoniáceo. — *f. pl.* polemoniáceas.

polemonio. *m.* (bot.) polemó(ô)nio.

pólen. *m.* (bot.) pólen, pó fecundante das flores.

polenta. *f.* polenta, polenda.

poleo. *m.* (bot.) poejo; (fam.) vaidade, jactância no andar ou no falar; vento frio e áspero.

poleví. *m.* V. **ponleví.**

poli. *pref.* poli, designativo de muito.

poliadelfia. *f.* (bot.) poliadelfia.

poliadelfo, fa. *adj.* (bot.) poliadelfo.

poliadenia. *f.* (pat.) poliadenia.

poliadenitis. *f.* (pat.) poliadenite.

poliadeno, na. *adj.* (bot. e med.) poliadeno.

poliadenoma. *m.* (pat.) poliadenoma.

poliandria. *f.* poliandria.

poliándrico, ca. *adj.* poliândrico.

poliandro, dra. *adj.* (bot.) poliandro.

poliantea. *f.* colecção de notícias sobre diversas matérias.

polianto, ta. *adj.* (bot.) poliante, polianto.

poliarquía. *f.* poliarquia.

poliárquico, ca. *adj.* poliárquico.

poliarticular. *adj.* poliarticular.

poliarteritis. *f.* (pat.) poliarterite.

poliatomicidad. *f.* (quim.) poliatomicidade.

poliatómico, ca. *adj.* (quím.) poliató(ô)mico.

polibásico, ca. *adj.* (quim.) polibásico.

policárpico, ca. *adj.* (bot.) policárpico.

pólice. *m.* pólice, polex, o dedo polegar.

policelular. *adj.* policelular.

policéntrico, ca. *adj.* policêntrico.

policía. *s. e m.* polícia, boa ordem das cidades e estados civilizados; polícia, corpo de agentes encarregados de manter a ordem pública; polícia dete(c)tive, agente da polícia; polícia, cortesia, polidez, urbanidade, civilização; limpeza, asseio.

policíaco, ca. *adj.* policial, concernente à polícia.

policial. adj. policial, concernente à polícia.

policitación. f. policitação, promessa que não foi aceite ainda.

policlínica. f. policlínica.

policopia. f. polígrafo; copiador, aparelho que produz muitas cópias do mesmo escrito.

policroísmo. m. (min.) policroísmo, policromismo.

policromía. f. policromia.

policromo, ma. adj. policromo, de diversas cores.

polichinela. m. polichinelo, boneco, títere; (fam.) bobo, saltimbanco; homem sem dignidade.

polidactilia. f. (terat.) polidactilia.

polidáctilo, la. adj. (terat. e bot.) polidáctilo.

polidipsia. f. polidipsia, sede intensa.

polideza. f. (ant.) polidez, V. **pulidez.**

poliédrico, ca. adj. (geom.) poliédrico.

poliedro. m. (geom.) poliedro.

polifagia. f. polifagia.

polífago, ga. adj. e s. polífago.

polifarmacia. f. uso de muitos medicamentos; abuso de remédios.

polifásico, ca. adj. (eléctr.) polifásico.

polifilo, la. adj. (bot.) polifilo.

polifito, ta. adj. (bot.) polifito.

polifobia. f. (pat.) polifobia.

polifonía. f. (mús.) polifonia.

polifónico, ca. adj. polifó(ô)nico.

polífono, na. adj. polífono, polifónico.

polígala. f. (bot.) polígala.

poligaleo, a. adj. (bot.) poligaleo. — f. pl. poligaláceas.

poligalia. f. (med.) poligalia.

poligamia. f. poligamia.

polígamo, ma. adj. e s. polígamo.

poligástrico, ca. adj. (zool.) poligástrico.

poligastro, tra. adj. e s. (zool.) poligastro.

poligenismo. m. poligenismo.

poligenista. m. poligenista.

poliginia. f. (bot.) poliginia.

poliglotía. f. poliglotismo.

poligloto, ta. adj. e s. poligloto.—f. a Bíblia impressa em diversas línguas.

poligonáceas. f. pl. (bot.) poligonáceas.

poligonal. adj. (geom.) poligonal.

polígono, na. adj. e m. (geom.) poligonal, polígono.

poligrafía. f. poligrafia.

poligráfico, ca. adj. poligráfico.

polígrafo, fa. s. polígrafo.

polilla. f. traça, pililha, poleta, insecto roedor; (fig.) caruncho, o que destrói uma coisa.

polimatía. f. polimatia.

polimita. adj. diz-se do tecido de fio multicor.

polimería. f. (quim.) polimeria.

polimerismo. m. (quim. e terat.) polimerismo.

polimerización. f. (quim.) polimerização.

polimerizarse. v. intr. (quim.) polimerizar-se.

polímero, ra. adj. (quim.) polímero, polímere.

polimorfia. f. polimorfia, polimorfismo.

polimorfismo. m. polimorfia, polimorfismo.

polimorfo, fa. adj. polimorfo.

polín. m. rolão, rolo; madeiro para levantar do chão alguns objectos.

polinche. m. (germ.) pessoa que encobre ladrões ou os afiança.

Polinesia. (geog.) Polinésia.

polinesio, sia. adj. e s. (geog.) polinésio, natural de ou pertencente a Polinésia.

polínico, ca. adj. (bot.) polínico.

polinífero, ra. adj. polinífero.

polinización. f. (bot.) polinização.

polinizar. v. tr. (bot.) polinizar.

polinomio. m. (mat.) polinó(ô)mio.

polio. m. (bot.) poejo. V. **zamarrilla.**

poliomielitis. f. (pat.) poliomielite.

poliopia. f. (med.) poliopia.

poliorcética. f. (mil.) poliorcética.

polipasto. m. sistema de polés. V. **polispasto.**

polipero. m. polipeiro, grupo de pólipos.

polipétalo, la. adj. (bot.) polipétalo.

pólipo. m. (zool.) pólipo; (med.) pólipo, tumor mole e fibroso; (ictiol.) polvo, animal cefalópode.

polipodiáceas. f. pl. (bot.) polipodiáceas, polipódeas.

polipodio. m. (bot.) feto. V. **helecho.**

poliposo, sa. adj. poliposo.

poliptoton. f. (bot.) poliptoto.

polisárcea. f. obesidade.

poliscopio. m. poliscópio.

polisemia. f. polissemia.

polisépalo, la. adj. (bot.) polissépalo.

polisilábico, ca. adj. polissilábico.

polisílabo, ba. adj. polissílabo. — m. polissílabo.

polisíndeton. m. polissíndeto, polissíndeton.

polisintético, ca. adj. polissintético.

polisintetismo. m. polissintetismo.

polisón. m. anquinhas, armação de arame que usavam as mulheres na cinta.

polispasto. m. aparelho formado por um sistema de polés, composto dum grupo fixo e outro móvel.

polispermático, ca. adj. (bot.) polispérmico.

polista. s. jogador de pólo.

polistilo, la. adj. (arq.) polistilo; (bot.) que tem muitos estiletes.

politecnia. f. politécnica.

politécnico, ca. adj. politécnico.

politeísmo. m. politeísmo; paganismo.

politeísta. adj. e s. politeísta.

política. f. política, arte de governar; política, cortesia, compostura, civilidade; política, arte de conduzir um assunto, esperteza, finura.

politicastro. m. (depre.) politiqueiro, politicante, politiquete, político inepto ou pouco correcto nos seus processos.

político, ca. adj. e s. político, concernente à política; político, cortês, delicado, civil; astuto, fino; político, versado nas coisas do governo; diz-se do parentesco por afinidade: padre político, sogro.

politicomanía. f. politicomania.

politicón, na. adj. e s. politição, político com grande afeição pelos assuntos políticos; que se distingue pela sua exagerada cortesia.

politiquear. *v. intr.* (fam.) politicar, tratar de política; politicar, discorrer sobre ela; politicar, servir-se da política para maus fins.

politiqueo. *m.* politicagem, politiquice, efeito de politicar.

politiquería. *f.* V. **politiqueo.**

politiquero, ra. *adj.* e *s.* politicante, politiqueiro.

polítrico, ca. *adj.* (bot.) polítrico.

poliuria. *f.* (pat.) poliúria.

polivalvo. *adj.* (zool.) multivalvo.

póliza. *f.* apólice, certificado de operação financeira ou mercantil, título ou acção bancária; pasquim; bilhete de entrada para um espectáculo; guia para géneros de comércio; apólice, documento de seguro; estampilha fiscal, selo de consumo.

polizón. *m.* vagabundo, vagamundo, vadio, ocioso, o que embarca clandestinamente, passageiro clandestino.

polizonte. *m.* (pop.) esbirro, beleguim, agente de polícia.

polo. *m.* (geog.) pólo; (fig.) base em que se estriba alguém; (fís.) pólo magnético: *polo norte*, pólo norte, boreal ou árctico; *polo sur*, pólo sul, austral ou antárctico.

polo. *m.* (deport.) pólo.

polonés, sa. *adj.* (geog.) V. **polaco.**

polonesa. *f.* (mús.) polonesa; polonesa, casaco, largo e comprido, guarnecido de peles, para senhora.

polonio. *m.* (quim.) poló(ô)nio.

poltrón, na. *adj.* poltrão, frouxo, vadio, preguiçoso, inimigo do trabalho.

poltronería. *f.* poltronaria, qualidade de poltrão; preguiça, frouxidão, aversão ao trabalho, madraçaria.

poltroniarse. *v. r.* poltronear, tornar-se poltrão.

polución. *f.* polução, poluição.

poluto, ta. *adj.* poluto, sujo, imundo; profanado, maculado.

Pólux. *m.* (astr.) Pólux.

polvareda. *f.* poeirada, pó que se levanta da terra; certo apaixonamento ou revolta latente nas multidões.

polvera. *f.* caixa para pó de arroz.

polvoriar. *v. tr.* (fam.) pulverizar.

polvo. *m.* pó, poeira; pó, o que fica das coisas sólidas depois de moídas; pitada, porção de pó que se pode colher entre os dedos indicador e polegar; (fig. e fam.) coito: *sacudir el polvo*, desempoar, abater o pó; *polvo eres y en polvo te convertirás*, tu és pó, e em pó te hás de tornar.

pólvora. *f.* pólvora, mistura empregada em pirotecnia; pólvora, conjunto de fogo artificial; (fig.) mau génio; viveza, actividade, vivacidade.

polvoraduque. *f.* molho de cravo-da-índia, açúcar e canela.

polvoreamiento. *m.* polvilhação.

polvorear. *v. tr.* polvilhar, cobrir de pó.

polvorero. *m.* (Amér.) pirotécnico.

polvoriento, ta. *adj.* poeirento, cheio ou coberto de pó; empoeirado.

polvorín. *m.* polvorim, pólvora de grão miúdo; polvorinho, paiol.

polvorista. *m.* pirotécnico.

polvorizable. *adj.* pulverizável.

polvorización. *f.* pulverização.

polvorizar. *v. tr.* polvilhar; pulverizar. V. **polvorear** e **pulverizar.**

polvorón. *m.* espécie de doce caseiro, feito no forno e que se desfaz em pó ao comê-lo.

polvoroso, sa. *adj.* poeirento. V. **polvoriento:** *poner pies en polvorosa*, (fam.) pôr-se ao fresco, pôr os pés em polvorosa.

polla. *f.* franga, galinha nova; (fig. e fam.) rapariga, mocinha, franjainha; (zool.) ave pernalta; (vulg.) pénis, entrada, a porção de dinheiro que se põe no bolo para jogar: *polla de agua* (orni.) V. **fúlica.**

pollada. *f.* criação, ninhada (especialmente de pintos); (artil.) rajada, conjunto de granadas disparadas por um morteiro ao mesmo tempo.

pollancón, na. *s.* polhastro. V. **pollastro;** (fig. e fam.) franganote, rapagão.

pollastre. *m.* polhastro.

pollastro, tra. *s.* polhastro, frango grande, galo novo; (fig. e fam.) homem audaz e astuto, espertalhão.

pollazón. *f.* ninhada de ovos; criação. V. **pollada.**

pollera. *f.* galinheira, mulher que cria ou vende frangos; capoeira de aves, galinheiro; espécie de cesto de vimes em que as crianças aprendem a andar.

pollería. *f.* mercado ou loja de frangos, galinhas e outras aves.

pollero, ra. *s.* galinheiro, criador de frangos; capoeira de aves.

pollerón. *m.* (Amér.) saia de amazona.

pollez. *f.* tempo entre duas mudas de penas, nas aves de rapina.

pollinejo, ja. *s.* burrico, burrinho.

pollino, na. *s.* burrico, burro novo; (fig.) ignorante, burro, asno.

pollito, ta. *s.* (fig. e fam.) menino de pouca idade, criança; (zool.) frangainho, franganito.

pollo. *m.* pinto, frango; cria das abelhas; (fig. e fam.) pessoa de poucos anos; espertalhão; socalco nas vinhas de regadio; ave que ainda não mudou a pena; (vulg.) escarradura: *guisado de pollo*, frangalhada; *pollo pera* (pop.) estoiradinho; *más vale el ajo que el pollo*, (fam.) sai mais cara a mecha que o sebo.

polluelo, la. *s.* pintainho, frangainho, franguinho.

poma. *f.* (bot.) maçã; perfumador, vaso em que se queimam perfumes; boceta, caixa pequena para perfume; bola de substâncias aromáticas.

pomáceo, a. *adj.* (bot.) pomácea, que tem pomos como frutos. — *f. pl.* pomáceas.

pomada. *f.* pomada; banha.

pomar. *m.* pomar, terreno onde há muitas árvores frutíferas, especialmente macieiras.

pómez, (piedra). *f.* (min.) pedra-pomes.

pomicultor. *m.* pomicultor.

pomicultura. *f.* (agr.) pomicultura.

pomífero, ra. *adj.* (poét.) pomífero.

pomo. *m.* pomo (fruto); bola odorífera; frasco pequeno; pomo, extremo da empunhadura da espada; ramalhete de flores: *pomo de la espada*, maçã da espada.

pomología. *f.* (agr.) pomología.

pomológico, ca. *adj.* pomológico.

pomólogo, ga. *s.* pomologista, pomólogo.

pompa. *f.* pompa, aparato solene; sumptuosidade; magnificência, fausto, luxo; vaidade, gala; ostentação; procissão solene; solenidade, grandiloquência; bolha de água; fole na roupa folgada; leque que forma o pavão abrindo a cauda; (mar.) bomba; bizarria, bizarrice; (fig.) estrondo: *pompa de jabón*, bola de sabão.

pompático, ca. *adj.* pomposo. V. **pomposo.**

pompear. *v. intr.* pompear, ostentar riqueza, exibir pompas. — *v. r.* (fam.) ir com grande comitiva, pompa e acompanhamento; (fam.) pavonear-se.

pompo, pa. *adj.* rombo, sem gume ou fio, embotado.

pompón. *m.* (mil.) pompom, borla de fios curtos e de forma esférica; (ictiol. Amér.) peixe acontopterígio, comestível.

pomponearse. *v. r.* (fam.) pavonear-se. V. **pompear-se.**

pomposidad. *f.* pomposidade, pompa, fausto, luxo, ostentação.

pomposo, sa. *adj.* pomposo, ostentoso, grave e autorizado; o(ô)co, inchado, empolado (diz-se do estilo), estrondoso, aparatoso, altíssono, declamatorio; magnificente; empolado; solene, grandiloquente; faustoso, magnífico.

pómulo. *m.* (anat.) pó(ô)mulo, maçã do rosto.

ponchada. *f.* ponchada, quantidade de ponche que se faz duma vez.

ponche. *m.* ponche, bebida feita com rum, açúcar, limão e água.

ponchera. *f.* poncheira, vaso em que se faz ou serve o ponche.

poncho. *m.* poncho, manto usado pelos gaúchos; capote militar com mangas e romeira.

poncho, cha. *adj.* indolente, vadio, preguiçoso, mole.

ponderabilidad. *f.* ponderabilidade.

ponderable. *adj.* ponderável, que se pode pesar ou ponderar; digno de ser ponderado.

ponderación. *f.* ponderação, reflexão, atenção; ponderação, encarecimento, exageração; ponderação, peso; importância, circunspecção; ponderação, equ(ü)idade, equilíbrio, ou compensação entre dois pesos.

ponderado, da. *p. p.* e *adj.* ponderado, pesado; examinado com atenção; exagerado, encarecido; sisudo, grave, prudente, reflectido, bem pensado.

ponderador, ra. *adj.* e *s.* ponderador, que pondera ou exagera; observador, avaliador; encarecedor; que pesa ou examina; que compensa ou favorece o equilíbrio.

ponderal. *adj.* ponderal, concernente a peso.

ponderar. *v. tr.* ponderar, pesar no espírito; avaliar maduramente ; apreciar; expor com argumentos convincentes; considerar; ter em atenção; refle(c)tir, meditar, pensar; exagerar, encarecer; pesar, determinar o peso; equilibrar; deliberar; louvar, elogiar; mesurar, gabar; (fig.) engrandecer.

ponderativo, va. *adj.* ponderativo, exagerado.

ponderosidad. *f.* qualidade de ponderoso; (fig.) gravidade, importância; atenção, convicção.

ponderoso, sa. *adj.* ponderoso, pesado, que pesa muito; (fig.) grave, importante, bem considerado, aceitável, atendível, convincente.

pondo. *m.* (Amér.) V. **tinaja.**

ponedero, ra. *adj.* que se pode pôr, ou está para ser posto; poedeira, diz-se das aves que já põem ovos. — *m.* ninheiro, poedouro, poedoiro, lugar onde as galinhas costuman pôr; uripígio, orifício anal da galinha.

ponedor, ra. *adj.* poedor, que põe; diz-se do cavalo ensinado a levantar as mãos e erguer-se sobre as patas traseiras; poedeira, diz-se das aves que já põem. — *m.* licitador. V. **postor.**

ponencia. *f.* cargo de relator; exposição feita pelo relator.

ponente. *adj.* e *s.* relator, magistrado ou funcionário que faz a relação dum assunto e propõe a sua resolução.

ponentino, na. *adj.* e *s.* ocidental. V. **ponentisco.**

ponentisco. *adj.* e *s.* ocidental, que diz respeito ao ocidente.

poner. *v. tr.* pôr, colocar; dispor; assentar; estabelecer; supor; atribuir, imputar; obrigar; apostar; pôr, expelir ovos; acomodar, situar; adornar; plantar; montar; empregar; depositar; incutir; propor; notar; mostrar; incluir; introduzir; aparelhar; aplicar, concorrer, contratar; tratar mal; formular, enunciar; inscrever; reduzir a um estado ou condição; restituir; adaptar; dar nome; determinar, marcar, fixar; precisar; trazer; parar no jogo; expor; acrescentar; chimpar; meter, incluir; deitar; firmar; cobrir-se com; calçar; guarnecer, adornar; incutir, infundir; aproximar de; gastar tempo; depor; fazer consistir; misturar, deitar; colocar em emprego; pitar; concentrar; aparelhar, aprontar; impor, estipular; opor; classificar; publicar; trasladar, traduzir; copiar. — *v. r.* opor-se; dedicar-se a uma coisa; colocar-se numa certa posição; tornar-se; (astr.) ocultar-se, desaparecer no horizonte; ocupar-se em; começar a ;chegar com brevidade a um lugar; pousar: *poner al corriente*, inteirar alguém alguma coisa; *poner una tienda*, pôr uma loja; *ponerse el sombrero*, pôr o chapéu; *poner sus respetos a los pies de*, pôr os seus respeitos aos pés de; *poner dinero en el banco*, pôr dinheiro no banco;

ponerse triste, amorrinhar; *ponerse colorado*, pôr-se vermelho; *ponerse de rodillas*, pôr-se de joelhos; *ponerse a escribir*, pôr--se à mesa; *ponerse a hablar*, pôr-se de conversa; *ponerse a mal con*, pôr-se de mal con alguém. — *pres. ind. irr.* **pongo, pones**, etc.; *indef.* **puse, pusiste**, etc.; *fut.* **pondré**, etc.; *pot.* **pondría**, etc.; *pres. subj.* **ponga**, etc.; *imperf.* **pusiera, pusieras**, etc.; *imperat.* **pon**, etc.; *part.* **puesto;** *gerun.* **poniendo.**

pongo. *m.* (zool.) pongo, chimpanzé, orangotango.

pongo. *m.* (Amér.) índio que serve como criado; passagem estreita e perigosa dum rio.

ponientada. *f.* vento do poente.

poniente. *m.* poente, ocidente; poente, vento do poente; (germ.) chapéu.

ponimiento. *m.* postura, acção e efeito de pôr ou pôr-se.

pontaje. *m.* portagem. V. **pontazgo.**

pontana. *f.* lousa de cobertura de valeta.

pontazgo. *m.* portagem, direitos a pagar pela passagem nas pontes.

pontear. *v. tr.* pontar, construir pontes; lançar uma ponte sobre um rio.

pontederia. *f.* (bot.) género de planta pontederiácea.

pontederiáceo, a. *adj.* (bot.) pontederiáceo. — *f. pl.* pontederiáceas.

pontevedrés, sa. *adj.* e *s.* (geog.) natural de ou pertencente a Pontevedra.

pontificado. *m.* pontificado, dignidade de pontífice e duração da mesma; papado.

pontifical. *adj.* pontifical, papal, concernente ao bispo ou arcebispo. — *m.* pontifical, conjunto de ornamentos que servem aos bispos nos ofícios, renda dos dízimos eclesiásticos.

pontificar. *v. intr.* pontificar, ser pontífice, celebrar como pontífice; (fam.) pontificar, falar ou escrever com autoridade.

pontífice. *m.* pontífice, magistrado sacerdotal na antiga Roma; pontífice, bispo ou arcebispo duma diocese; pontífice, o prelado supremo de Igreja Católica: *Sumo Pontífice*, Sumo Pontífice.

pontificio, cia. *adj.* pontifício, relativo ao pontífice.

pontín. *m.* embarcação filipina de cabotagem.

pontocón. *m.* V. **puntillón.**

pontón. *m.* pontão, navio velho que serve de armazém, depósito ou hospital; pontão, barcaça; pontão, ponte formada duma só tábua.

pontonero. *m.* pontoneiro, o que está empregado no trabalho nos pontões.

ponzoña. *f.* peçonha, veneno; (fig.) doutrina ou prática nociva aos bons costumes; envenenamento.

ponzoñoso, sa. *adj.* peçonhento, venenoso; (fig.) corruptor, nocivo aos bons costumes.

popa. *f.* (mar.) po(ô)pa, parte posterior dos navios; *navegar viento en popa*, (fig.) navegar de vento em popa, ser favorecido pelas circunstâncias; *viento en popa*, (mar.)

arrasado em popa; *castillo de popa*, castelo de popa; *en popa*, em popa; *de popa a proa*, (fig.) de popa a proa.

popamiento. *m.* desprezo; afago.

popar. *v. tr.* desprezar, fazer pouco de; afagar, acariciar; (fig.) cuidar muito; tratar com brandura.

pope. *m.* pope, sacerdote da igreja cismática grega.

popel. *adj.* (mar.) diz-se do que está situado cerca da popa.

popelina. *f.* popelina, certo tecido fino.

popés. *m.* (mar.) estais.

poplíteo, a. *adj.* (anat.) poplíteo.

popocho, cha. *adj.* (fam. Amér.) farto.

población. *f.* povoação. V. **población.**

populachería. *f.* fácil popularidade alcançada entre o populacho ou populaça.

populachero, ra. *adj.* pertencente ou relativo ao populacho, próprio para agradar ao populacho.

populacho. *m.* populacho, populaça, chusma, plebe, ralé, o povo das classes baixas.

popular. *adj.* popular, concernente ao povo, plebeu, baixo; vulgar; popular, querido do povo; que agrada ao povo; demócrata, democrático.

popularidad. *f.* popularidade, aplauso do povo; estima, simpatia do povo, popularidade, estima geral; fama; celebridade; influência, prestígio no povo.

popularización. *f.* popularização; vulgarização.

popularizar. *v. tr.* popularizar, tornar popular; vulgarizar; divulgar. — *v. r.* popularizar-se, adquirir popularidade; divulgar-se.

populazo. *m.* V. **populacho.**

populina. *f.* (quim.) populina.

populismo. *m.* (pol.) populismo.

populista. *adj.* e *s.* (pol.) populista, demócrata.

pópulo. *m.* V. **pueblo:** *hacer una de pópulo bárbaro*, actuar violentamente.

populoso, sa. *adj.* populoso, muito povoado.

popurrí. *m.* mistura, confusão, amontoamento, enredo; (mús.) composição formada de fragmentos de obras musicais dum mesmo autor.

poquedad. *f.* pouquidade, escassez, miséria; covardia, pusilanimidade; falta de espírito pouquidade, bagatela.

póquer. *m.* póker, certo jogo de cartas.

poquito, ta. *adj.* e *adv. dim* de *poco*, pouquito, poucochinho, em pequenas quantidades; débil, enfezado, fraco de corpo e espírito: *a poquito*, a pouco e pouco; *poquito a poco*, pouco a pouco, lentamente; *un poquito de algo*, um bocadinho dalguma coisa.

por. *prep.* por; só ou contraída com os artigos *el* (pelo) ou *la* (pela); designativa de várias relações: **causa:** *debilitado por la enfermedad*, debilitado pela doença; *pintado por Picasso*, pintado por Picasso; **condição:** *tener por maestro un padre*, ter por mestre um padre; **meio:** *vencer por la intriga*, vencer pela intriga; **defesa:** *morir* *por la patria,* morrer pela pátria; **estado:** *dar por muerto,* ficar por morto, dar por morto; **espaço de tempo:** *contratarse por dos años,* contratar-se por dois anos; **época aproximativa:** *ocurrió por 1900,* deu-se o facto aí por 1900; **lugar:** *viajar por Europa,* viajar pela Europa; **troca:** *dar plata por billetes,* dar prata por notas de banco; **substituição:** *tomar a una persona por otra,* tomar uma pessoa por outrem; **motivo ou razão:** *por esta causa,* por esta causa; **a respeito de:** *por amor de Dios,* por amor de Deus; **em favor de:** *por mí,* por amor de mim. Exprime ainda muitas outras relações e forma um grande número de locuções adverbiais, prepositivas, conjuntivas, interjectivas: *por bajo,* por baixo; *por encima,* por cima; *por entre,* por entre; *por cuanto,* porquanto; *por ventura,* por ventura.

porcachón, na. *adj.* porcalhão; o que é muito porco, imundo.

porcallón, na. *s.* e *adj.* porcalhão, sujo, porco, imundo.

porcel. *m.* porcino.

porcelana. *f.* porcelana, louça fina; esmalte de ourives.

porcelanita. *f.* (geol.) porcelanite.

porcentaje *m.* (gal.) percentagem.

porcino, na. *adj.* porcino, pertencente ou relativo ao porco. — *m.* porcélio, porco pequeno, porquinho.

porción. *f.* porção, quantidade tirada duma outra maior; (fig.) ração de comida; quota individual; côngrua, prebenda eclesiástica; detalhe; fra(c)ção; (fig.) infinidade: *gran porción de algo* (pop.) fartadela dalguma coisa; *porción pequeña,* belisco; *porción grande,* arregaçada.

porcionero, ra. *adj.* porcionário, partícipe.

porcionista. *s.* porcionista, nos colégios ou comunidades, pensionista.

porcipelo. *m.* (fam.) cerda forte e aguda do porco.

porciúncula. *f.* porciúncula.

porcuno, na. *adj.* porcino, concernente ao porco.

porche. *m.* cobertiço, alpendre, telheiro; adro; átrio.

pordiosear. *v. intr.* esmolar, mendigar, pedir esmola de porta em porta; (fig.) pedir com humildade.

pordioseo. *m.* mendigação, mendicidade.

pordiosería. *f.* mendicidade, mendigação.

pordiosero, ra. *adj.* e *s.* diz-se do mendigo que pede esmola invocando o nome de Deus.

porfía. *f.* porfia, obstinação, teima, pertinácia, discussão, contenda, disputa, constância: *a porfía de,* à porfia, em competência.

porfiado, da. *adj.* e *s.* porfiado, obstinado, teimoso, pertinaz, contumaz.

porfiador, ra. *adj.* e *s.* porfiador, que porfia, que teima muito, pertinaz, persistente, teimoso, aturado.

porfiar. *v. intr.* porfiar, disputar obstinadamente; questionar; altercar, contender; teimar; insistir; importunar.

porfídico, ca. *adj.* pertencente ou relativo ao pórfido.

porfidina. *f.* (quim.) porfidina.

porfidización. *f.* porfirização.

porfidizar. *v. tr.* porfirizar.

pórfido. *m.* (geol.) pórfido, pórfiro.

porfioso, sa. *adj.* porfioso, teimoso. V. **porfiado.**

pórfiro. *m.* (gal.) pórfido, pórfiro.

porisma. *m.* (mat.) porismo.

pormenor. *m.* pormenor, particularidade, minúcia, minudência; coisa ou circunstância secundária num assunto.

pormenorizar. *v. tr.* pormenorizar, referir minuciosamente, detalhar.

pornocracia. *f.* pornocracia.

pornocrático, ca. *adj.* pornocrático.

pornografia. *f.* pornografia, tratado sobre a prostituição; carácter obsceno de obras literárias ou artísticas.

pornográfico, ca. *adj.* pornográfico, relativo à pornografia; obsceno, imoral; (Bras) safadeza.

pornógrafo. *m.* pornógrafo, autor de escritos ou desenhos pornográficos.

poro. *m.* poro, intersticio que separa as moléculas do corpo; poro, orifício minúsculo da pele.

porosidad. *f.* (fís.) porosidade.

poroso, sa. *adj.* poroso, que tem poros; permeável.

porque. *conj.* porque; por causa, motivo ou razão de que; para que.

porqué. *m.* (fam.) porquê, causa, razão, motivo; quantidade, porção.

porquecilla. *f.* dim. de *puerca,* porquinha, porca pequena.

porquera. *f.* e *adj.* diz-se da meia lança ou seja lança curta, espécie de chuço; covil do javali.

porquería. *f.* (fam.) porquice, porquidão, sujidade, imundícia, porcaria; acção suja ou indecente, imundície, grosseria, falta de respeito; desatenção; porcaria, bagatela, coisa de pouco valor; guloseima, fruta ou legume nocivo à saúde; asquerosidade; encardimento; bodegada; imundície, indecência; excreção; (vulg.) merda, merdice.

porqueriza. *f.* chiqueiro, pocilga.

porquerizo. *m.* porqueiro, guardador de porcos; tratador ou negociante de porcos.

porquerón. *m.* (fam.) esbirro, beleguim, aguazil, oficial de diligências.

porquezuelo, la. *s.* porquinho, pequeno porco, bácoro.

porra. *f.* cachamorra, clava, cacete, cacheira, moca; martelo grande; (fig.) o último, nalguns jogos de rapazes; (fam.) vaidade, jactância, presunção; indivíduo importuno; (germ.) rosto: *mandar a la porra,* (pop.) mandar à fava; ¡*porra!,* (fam.) expressão que significa desgosto e enfado.

porráceo, a. *adj.* de cor verde-escuro.

porrada. *f.* cachamorrada, pancada dada com cachamorra; cacetada; (fig.) disparate, necedade; grande porção, montão de coisas.

porrazo. *m.* cacetada, cachamorrada, bordoada, pancada; (fig.) golpe que se recebe ao tropeçar ou dar um trombo; baque, pancada.

porrear. *v. intr.* (fam.) aporrear, molestar, insistir pesadamente, maçar, amolar.

porrería. *f.* (fam.) necedade, tontaria; demora, moleza.

porreta. *f.* folha verde do alho-porro e da cebola: *en porretas*, (fam.) em pêlo, nu.

porretada. *f.* conjunto ou montão de coisas da mesma espécie.

porrilla. *f.* crava ou moca de pequeno tamanho; martelo de ferrador; (vet.) sobremachinho, protuberância resultante da inflamação dos tendões das cavalgaduras.

porrillo, a. *adv.* (fam.) copiosamente, em abundância.

porro, rra. *adj.* (fig.) rude, inepto, néscio.

porrón. *m.* moringue. V. **botijo**; vasilha de vidro usada nalgumas províncias para beber vinho.

porrón, na. *adj.* (fig. e fam.) pachorrento, lento, vagaroso.

porta. *f.* (mar.) portinhola; portas de bateria, canhoneira: *vena porta*, veia porta.

portaácidos. *m.* (med.) porta-ácidos.

portaagujas. *m.* (cir.) porta-agulhas.

portaalmizcle. *m.* (zool.) almiscareiro.

portaaviones. *m.* (aviaç.) porta-aviões.

portabandera. *f.* porta-bandeira, bandoleira, correia em que se firma a haste da bandeira.

portabombas. *m.* (aviaç.) porta-bombas.

portacadenas. *m.* (mec.) porta-cadeias.

portacaja. *f.* porta-caixa; (mil.) bandoleira, correia em que se firma o tambor.

portacarabina. *f.* (mil.) porta-clavina.

portacartas. *m.* porta-cartas, carteira em que se transportam cartas.

portacartuchos. *m.* porta-cartuchos.

portacauterio. *m.* (med.) porta-cautério.

portachón. *m.* porta-tocha.

portachuelo. *m.* desfiladeiro, passagem entre duas montanhas.

portada. *f.* ornato de fachada; portada, frontispício, página de rosto dum livro; (fig.) fachada, frontaria.

portadera. *f.* cesta ou caixa. V. **aportadera**.

portadilla. *adj.* diz-se da tábua que tem 2,52 m. de comprimento, 0,35 de largura e, 0,5 de altura.

portado, da. *adj.* com os advérbios *bien* ou *mal*, significa: bem ou mal comportado.

portador, ra. *adj. e s.* portador, que leva ou conduz alguma coisa; emissário; tabuleiro em que se servem os pratos de comida; (com.) possuidor de títulos ou valores públicos: *portador de una letra de cambio*, apresentador duma letra de câmbio; *letra al portador*, letra ao portador.

portaelectrodos. *m.* (electr.) porta-eléctrodo.

portaequipaje. *m.* porta-bagagem.

portaestandarte. *m.* porta-estandarte.

portafolio. *m.* (gal.) pasta-carteira.

portafusil. *m.* bandoleira, correia para trazer a espingarda a tiracolo.

portaguión. *m.* porta-guião, nos antigos regimentos de dragões.

portaje. *m.* portagem. V. **portazgo**.

portal. *m.* portal, entrada principal dum edifício, pórtico, entrada onde está a porta principal; átrio.

portalada. *f.* portal de casa senhorial.

portalámparas. *m.* (electr.) porta-lâmpadas.

portalápiz. *m.* porta-lápis, lapiseira.

portalejo. *m.* portalzinho, portal pequeno.

portaleña. *f.* (mar.) portinhola, canhoneira; tábua própria para fazer portas.

portalero. *m.* guarda-barreiras, empregado aduaneiro que fiscaliza a entrada dos géneros de consumo às portas das cidades.

portalón. *m.* (mar.) portaló.

portamaletas. *m.* porta-bagagens.

portamantas. *m.* porta-mantas.

portamanteo. *m.* mala portátil. V. **maleta**.

portamechas. *m.* porta-mechas.

portamira. *m.* (topog.) aquele que conduz os respectivos instrumentos de observação nos trabalhos topográficos de nivelação.

portamonedas. *m.* porta-moedas, bolsa para se trazer dinheiro.

portanario. *m.* (anat.) piloro.

portante. *m.* furta-passo, andadura das cavalgaduras: *tomar el portante*, (pop.) ir-se embora.

portantillo. *m.* passo curto e apressado dum animal, principalmente do asno.

portanuevas. *m. e f.* porta-novas, pessoa que traz e leva notícias, alvissareiro.

portañola. *f.* (mar.) portinhola, troneira, canhoneira.

portañuela. *f.* braguilha, parte dianteira das bragas; calças ou calções.

portaobjetivo. *m.* (cinemat.) porta-objectiva.

portaobjetos. *m.* (fís.) porta-objectos.

portapáginas. *m.* (impr.) porta-páginas.

portapaz. *s.* porta-paz, quadro com uma cruz que se dá a beijar em algumas missas.

portapliegos. *m.* pasta, carteira pendente do ombro ou da cintura.

portaplumas. *m.* porta-penas, caneta.

portar. *v. tr.* levar, trazer. — *v. r.* comportar-se, haver-se com decência; proceder bem ou mal.

portátil. *adj.* portátil, de fácil transporte, movível.

portavela. *m.* palmatória.

portaviandas. *m.* porta-comidas.

portaviento. *m.* (acust.) porta-vento.

portavoz. *m.* porta-voz, instrumento semelhante a uma trombeta que reforça a vcz; (fig.) pessoa que transmite as palavras ou as opiniões doutras, portavoz; aquele que pela sua autoridade representa alguma colectividade.

portazgar. *v. tr.* cobrar a portagem.

portazgo. *m.* portagem, tributo que se paga por se passar num sítio; lugar onde se cobra esse tributo.

portazguero. *m.* portageiro, encarregado da portagem, cobrador dos direitos de portagem.

portazo. *m.* ruido duma porta quando bate; acção de bater a porta na cara dalguém: *dar un portazo,* atirar com a porta.

porte. *m.* porte, acção de portear; porte, comportamento; porte, exterior, aparência; porte, qualidade, nobreza, convénio, atitude; (mar.) porte, lotação dum barco, tonelagem; porte, capacidade, tamanho, importância, consideração: *porte franco,* porte-franco.

porteador, ra. *adj.* e *s.* portador, condutor.

portear. *v. tr.* levar, conduzir, transportar. — *v. intr.* bater as portas ou janelas. — *v. r.* emigrar, passar duma parte para outra, (as aves).

portegado. *m.* cobertiço, telheiro, telha-vã.

portel. *m.* portela, caminho estreito.

portento. *m.* portento, prodígio, maravilha, coisa singular, admirável; pessoa de talento extraordinário; (fig.) assombro.

portentoso, sa. *adj.* portentoso, singular, estranho, assombroso, milagroso, estupendo, maravilhoso, extraordinário, singular; prodigioso.

porteño, ña. *adj.* e *s.* (geog.) natural de ou pertencente ao Puerto de Santa María; natural de ou pertencente a Buenos Aires.

porteo. *m.* porte, carreto, transporte.

porterejo. *m.* porteirinho.

portería. *f.* portaria, habitação do porteiro; saguão onde este está e donde exerce vigilância; emprego de porteiro.

portero, ra. *adj.* e *s.* diz-se do tijolo mal cozido; porteiro, pessoa que guarda porta ou portaria, chaveiro.

portero. *m.* (deport.) guarda-rede.

pórtico. *m.* pórtico, galeria com arcadas ou colunas; átrio com colunas; alpendre.

portier. *m.* (gal.) V. **antepuerta.**

portilla. *f.* porteira, cancela; (mar.) portilha, vigia nos navios, seteira.

portillera. *f.* porteira. V. **portilla.**

portillo. *m.* portilha, seteira; portilhão, abertura feita numa muralha, brecha; postigo; aberta; portela, caminho estreito entre dois montes, desfiladeiro; portilho, abertura de qualquer espécie; (fig.) falha ou fenda que fica nalguma coisa quebrada; racha; mossa.

portón. *m.* portão, porta grande.

portorriqueño, na. *adj.* e *s.* (geog.) porto-riquenho.

portuario, ria. *adj.* portuário, relativo a porto.

Portugal. (geog.) Portugal, Lusitânia.

portugalés, sa. *adj.* diz-se duma facção nas lutas civis, em Badajoz, no século XII.

portugués, sa. *adj.* e *s.* português, luso, lusitano, lusitânico, natural ou pertencente a Portugal. — *m.* português, língua falada em Portugal.

portuguesada. *f.* expressão exagerada; em português, diz-se «espanholada».

portuguesismo. *m.* lusitanismo.

portulano. *m.* portulano, colecção de planos de vários portos, encadernada em forma de atlas.

porvenir. *m.* porvir, sucesso ou tempo futuro; futuro; destino; o devir.

porvida. *interj.* juramento, praga.

pos. *prep.* pós, detrás, depois: *en pos,* após, atrás de.

posa. *f.* dobre, toque de sinos a finados; pausa, paragem que o sacerdote faz num enterro para cantar os responsos. — *pl.* nádegas.

posada. *f.* moradia, morada, casa, domicílio; pousada, estalagem, casa de hóspedes; hospedagem; acampamento; estojo de viagem; estojo de talher.

posaderas. *f. pl.* nalgas, nádegas.

posadero, ra. *s.* estalajadeiro, hospedeiro. — *m.* assento feito de esparto ou de tábua.

posante. *p. a.* e *adj.* que pousa; (mar.) diz-se do navio que balança pouco.

posar. *v. intr.* pousar, alojar-se, hospedar-se; pousar, descansar, repousar; pousar, descansar, diz-se das aves depois de haverem voado. — *v. tr.* pousar, tirar a carga, descansar. — *v. r.* precipitar-se, pousar, diz-se dos líquidos.

posaverga. *f.* (mar.) mastaréu de sobresselente.

posca. *f.* refresco de água, vinagre e açúcar.

poscomunión. *f.* oração que se diz na missa, depois da Comunhão; poscomúnio.

posdata. *f.* pós-escrito (P. S.); aditamento a uma carta já assinada.

pose. *f.* (gal.) pose; (fot.) pose, exposição.

poseedor, ra. *adj.* e *s.* possuidor, que possui; possessor.

poseer. *v. tr.* possuir; fruir; gozar; possuir, saber com perfeição. — *v. r.* dominar-se alguém a si mesmo, possuir-se, reprimir-se; estar possuído ou penetrado duma ideia, compreender bem: *dejarse poseer de,* entregar-se: *no poseer nada,* não ter leira nem beira.

poseído, da. *p. p.* e *adj.* possuído; possesso; (fig.) diz-se do que executa acções furiosas ou más; energúmeno, endemoninhado.

posesión. *f.* possessão, posse; possessão, coisa possuída; estado do possesso do demónio; gozo, fruição dalguma coisa; (for.) empessoamento: *dar posesión,* apossar; (for.) desforçar, empossar; apoderar; *entrar en posesión de,* empossar-se. — *pl.* bens imóveis, fazendas, etc.

posesional. *adj.* possessório, possessivo.

posesionar. *v. tr.* empossar, dar posse a alguém; apossar. — *v. r.* empossar-se, apossar-se.

posesionero. *m.* ganadeiro que adquiriu a posse das pastagens que arrendou.

posesivo, va. *adj.* possessivo.

poseso, sa. *p. p. irreg.* de *poseer adj.* e *s.* possesso, energúmeno, endemoninhado, diz-se da pessoa possuída dalgum espírito.

posesor, ra. *adj.* e *s.* possessor, que possui; possuidor.

posesorio, ria. *adj.* possessório, concernente à possessão; que indica possessão.

posfecha. *f.* pós-data, data posterior à verdadeira.

posfechar. *v. tr.* pôr a pós-data.

posfijo. *m.* sufixo. V. **postfijo.**

posguerra. *f.* pós-guerra.

posibilidad. *f.* possibilidade; aptidão, potência. facilidade; faculdade, meíos, bens; medida; eventualidade. — *pl.* posses, bens, meios que se possuem.

posibilitar. *v. tr.* possibilitar, tornar possível.

posibilismo. *m.* (pol.) possibilismo.

posibilista. *adj.* e *s.* (pol.) possibilista.

posibilitación. *f.* facilitação.

posibilitar. *v. tr.* possibilitar, tornar possível, mostrar que é possível; facilitar.

posible. *adj.* possível, que pode ser ou suceder, fa(c)tível praticável. — *m. pl.* bens, rendas, meios de fortuna: *¿es posible?* dar-se o caso?; *hacer lo posible por alguien*, (fig.) trazer ao colo; *hacer lo posible por obtener una cosa*, fazer extremos por alguma coisa; *hacer todo lo posible*, (fam.) meter o resto, envidar o resto; assestar toda a artilharia, fazer força de vela; *ser posible algo*, ter uma coisa entrada; *todo es posible*, tudo é possível; *hacer lo posible*, fazer o possível.

posición. *f.* posição, postura do corpo; situação, colocação; modo; atitude, postura; acção de pôr; suposição; posição categoria, condição social, moral ou económica; posição, circunstâncias; classe; disposição; orientação; posição, sítio ocupado por tropas; posição, emprego público, colocação; (for.) cada uma das perguntas a que devem responder os litigantes ante o tribunal: *tener una buena posición*, ocupar uma bela posição; *en buena posición*, (fam.) empoleirado; *regla de falsa posición*, (arit.) falsa-posição; *posición geográfica en el mapa*, arrumação; *tomar posición*, colocar-se.

positividad. *f.* (electr.) positividade.

positivismo. *m.* positivismo, afeição às comodidades materiais; positivismo, utilitarismo, realismo; (filos.) positivismo.

positivista. *adj.* e *s.* positivista, pertencente ou relativo ao positivismo; partidário do positivismo.

positivo, va. *adj.* positivo, certo, indudável; verdadeiro; inquestionável, real; decisivo, terminante; positivo, (diz-se da electricidade); afirmativo; efe(c)tivo; autêntico; inequívoco, incontestável, inegável; indubitado; indibitável; evidente; formal; lógico, afirmativo; (Bras.) desempombado. — *f.* (fot.) prova positiva. — *m.* o que é certo, o positivo: *de positivo*, certamente, positivamente.

pósito. *m.* depósito, armazém de trigo e doutros cereais; associação de socorros mútuos.

positura. *f.* postura. V. **postura**; postura, estado ou posição duma coisa.

posliminio. V. **postliminio.**

posma. *f.* (fam.) lentidão, fleuma, pachorra. — (fam.) pessoa pachorrenta, lenta, pesada, vagarosa.

posmeridiano. *m.* V. **postmeridiano.**

poso. *m.* lia, sedimento dum líquido, fezes borra; descanso quietude: *posos del vino*, assento do tonel.

posó. *m.* puxo, rolo em forma de nó, feito com o cabelo, usado como penteado pelas mulheres filipinas.

posología. *f.* (med.) posologia.

posológico, ca. *adj.* posológico.

pospelo, la. *adv.* a pospelo, contra o correr do pêlo; ao revés, ao arrepio; violentamente.

pospierna. *f.* pós-perna, (nas cavalgaduras); coxa.

posponer. *v. tr.* pospor, pôr, colocar depois; (fig.) ter em menos, exceptuar, preterir; postergar, dar lugar inferior, procrastinar; deixar para mais tarde; adiar; não fazer caso. — *conj. irr.* como *poner.*

posposición. *f.* posposição, acção de pospor.

pospositivo, va. *adj.* (gram.) pospositivo.

pospuesto, ta. *irreg.* de *posponer* e *adj.* posposto, posto depois; adiado; postergado; desprezado.

posta. *f.* posta, estação de cavalos; posta, estação de mudas das diligências; administração de correios. — *m.* pessoa que viaja pela posta. — *f* posta, talhada, pedaço de carne, peixe, etc.; posta, bola pequena de chumbo; aposta, no jogo; (germ.) V. **alguacil**: *por la posta*, muito rápido.

postal. *adj.* postal, relativo ao correio. — *f.* bilhete postal: *estación postal*, correio.

postdata. *f.* V. **posdata.**

postdiluviano, na. *adj.* pós-diluviano.

postdorsal. *adj.* pós-dorsal.

poste. *m.* poste, madeiro, pedra ou coluna espetada verticalmente para suporte ou sinal; (fig.) castigo que se aplica aos colegiais, obrigando-os a estar de pé.

postelero. *m.* (mar.) escora das plataformas de guarnição dum navio.

postema. *f.* (med.) apostema, abcesso vindo à supuração; (fig.) pessoa importuna.

postemero. *m.* (cir.) lanceta para abrir apostemas; bisturi.

postergación. *f.* postergação; desprezo; preterição; aditamento.

postergar. *v. tr.* postergar, preterir, desprezar, deixar para trás, atrasar, diferir, adiar; (fig.) atropelhar.

posteridad. *f.* posteridade; vindoiros; descendentes; as gerações futuras.

posterior. *adj.* posterior, que está ou vem depois; ulterior; situado atrás.

posteriori, a. *adv.* a posteriori.

posterioridad. *f.* posterioridade.

póstero, ra. *adj.* póstero, posterior.

posteroexterno, na. *adj.* (med.) póstero-interior.

posteroinferior. *adj.* (med.) póstero-inferior.

posterointerno, na. *adj.* (med.) póstero-interior.

posterosuperior. *adj.* (med.) póstero-superior.

posteta. *f.* porção de folhas que um encadernador copa de cada vez; (impr.) conjunto de folhas que formam cadernos.

postfijo, ja. *adj.* sufixo. — *s.* (gram.) sufixo.

postigo. *m.* porta falsa; porta duma folha só; postigo, porta pequena aberta noutra maior; cada uma das pequenas portas que há nas janelas; porta secundária de cidade ou vila.

postila. *f.* apostila, nota marginal.

postilación. *f.* apostilação. acção de apostilar.

postilador. *m.* apostilador, o que apostila.

postilla. *f.* (cir.) bostela, crosta das chagas.

postilla. *f.* V. **postila.**

postillón. *m.* postilhão, conductor da posta.

postilloso, sa. *adj.* bostelenco, que tem bostelas.

postín. *m.* (vulg.) vaidade, presunção.

postiza. *f.* (mar.) postiça, ohra acrescentada ao costado do navio, para o tornar mais alteroso; castanhola. V. **castañuela.**

postizo, za. *adj.* postiço, artificial, imitado, fingido, sobreposto, falso. — *m.* chinó, peluca; emplastramento; ancas postiças, anquinhas; donaire.

postliminio. *m.* poslimínio, restituição dos direitos civis a quem os perdeu por cativeiro, ou ausência.

postmeridiano, na. *adj.* e *m.* pós-meridiano.

postónica. *adj.* postónica, diz-se da silaba atona que esta despóis da silaba tónica.

postor. *m.* licitador, lançador: *el mejor postor,* licitador que num leilão oferece maior lanço.

postpalatal. *adj.* (gram.) pós-palatal.

postración. *f.* prostração, abatimento de forças; humilhação; enfraquecimento; extenuação; enervação derreamento; desalento; madornice; debilidade; (fig.) derriba_mento.

postrado, da. *p. p.* e *adj.* prostrado; derrotado, derreado, consternado; derrubado, exinanido.

postrador, ra. *adj.* e *s.* prostrador, que prostra. — *m.* genuflexório, estrado com encosto para ajoelhar.

postrar. *v. tr.* prostrar, abater, derrubar, lançar por terra; prostrar, debilitar, enfraquecer, abater, tirar o vigor e forças a alguém; prostrar, abater, humilhar; desasar, consternar; derrocar; exinanir; aniquilar. — *v. r.* prostrar-se, prosternar-se, lançar-se de joelhos: *postrarse a los pies de alguien,* debruçar-se aos pés de alguém.

postre. *adj.* prostreiro. — *m.* postre, postres, pospasto, sobre-mesa: *a la postre,* por último, por fim.

postremero, ra. *adj.* postrimeiro.

postremo, ma. *adj.* postreiro, postrimeiro, postumeiro.

postrer. *adj.* V. **postrero,** postreiro.

postrero, ra. *adj.* postreiro, postremo, último na ordem; derradeiro, postimeiro, postrimeiro, postumeiro.

postrimer. *adj.* postreiro.

postrimería. *f.* último período ou últimos anos da vida; (teol.) novíssimo.

postrimero, ra. *adj.* postreiro, último, derradeiro, postrimeiro.

póstula. *f.* postulação. V. **postulación.**

postulación. *f.* postulação, solicitação, pedido.

postulado, da. *adj. m.* e *p. p.* postulado; postulado, princípio primário que é necessário admitir para se estabelecer uma demonstração; axioma.

postulador. *m.* postulador, cada um dos capitulares que postulam; aquele que solicita da cúria romana a beatificação e canonização. duma pessoa venerável.

postulanta. *f.* postulante, candidata a noviça.

postulante. *p. a.* e *adj.* postulante, que postula. — *s.* postulante.

postular. *v. tr.* postular, pedir com instância, pretender; solicitar para prelado duma igreja alguém que não pode ser eleito.

póstumo, ma. *adj.* póstumo, que nasceu depois da morte do pai; publicado depois do falecimento do autor.

postura. *f.* postura, atitude, a(c)ção, figura, posição; acção de plantar árvores novas; postura, tabelamento, preço posto pela autoridade aos comestíveis; lanço, preço que o comprador oferece em leilão: pacto, convénio, concerto, acordo; aposta, quantia apostada; ovo de ave; postura, acção de pôr ovos.

potabilidad. *f.* potabilidade.

potable. *adj.* potável, bebível.

potación. *f.* acto de beber, bebida.

potador, ra. *adj.* e *s.* aferidor de pesos e medidas.

potador, ra. *adj.* e *s.* bebedor, que bebe.

potaje. *m.* potagem, caldo, sopa; legumes guisados; legumes secos; beberagem, poção; (fig.) conjunto de coisas inúteis, misturadas e confusas.

potajería. *f.* porção de legumes secos; lugar de distribuição de legumes ou sementes.

potala. *f.* (mar.) pedra que serve para fazer fundear os barcos ou embarcações menores; pedra de amarra.

potámide. *f.* (mit.) potâmide, ninfa dos rios.

potamofobia. *f.* (pat.) potamofobia.

potamófobo, ba. *adj.* (pat.) potamófobo.

potamografía. *f.* potamografia.

potamología. *f.* potamologia.

potar. *v. tr.* aferir, pôr a marca da aferição nos pesos e medidas; beber.

potasa. *f.* (quim.) potassa.

potásico, ca. *adj.* (quim.) potássico.

potasimetría. *f.* (tecnol.) potassimetria.

potasímetro. *m.* (quim.) potassímetro.

potasio. *m.* (quim.) potássio.

pote. *m.* pote, vaso de barro para líquidos; vaso para flores; pote de ferro para fazer sopa ou cozer carne; padrão para aferir pesos e medidas; comida típica na Galiza e nas Astúrias: *a pote,* abundantemente.

potea. *f.* (quim.) poteia, óxido de estanho calcinado.

potencia. *f.* potência qualidade do que é potente; vigor, fo(ô)rça, autoridade; estado ou nação soberana; potência; personagem de grande importância; potência, influência por unidade de tempo; (mat.) potência; potência, faculdade do espírito; vigor; actividade; império, dominação; virtude governativa.

potencial. *adj.* potencial, que tem potência; virtual; que pode suceder ou existir; (gram.) potencial, diz-se do modo gramatical que designa a possibilidade; (fís.) potencial, quantidade de electricidade dum corpo.

potencialidad. *f.* potencialidade; virtualidade; equivalência duma coisa a respeito doutra, em eficácia e virtude.

potenciómetro. *m.* (electr.) potenció(ô)metro.

potentado. *m.* potentado, pessoa poderosa e opulenta; potentado, príncipe ou soberano que tem domínio independente.

potente. *adj.* potente, que tem poder; eficaz; virtual; potente, diz-se do homem capaz de engendrar; potente, poderoso, enérgico, forte; grande, volumoso; enérgico; que exerce influência.

potentila. *f.* (bot.) potentilha.

potenza. *f.* (herald.) cruz em forma de T.

potenzado, da. *adj.* (herald.) diz-se das peças terminadas em T., acabadas em cruzeta.

poterna. *f.* (mil.) poterna ,porta secreta duma fortificação que dá para o fosso.

potero. *m.* bebedor. V. **potador.**

potestad. *f.* potestade, domínio, poder, jurisdição, autoridade; juíz ou governador; potentado; potestade; potência, faculdade.
— *pl.* potestade, sexto coro dos anjos.

potestativo, va. *adj.* facultativo, que está na faculdade de cada um.

potingue. *m.* (fam.) xarope, mixórdia, bebida de botica.

potísimo, ma. *adj.* potíssimo, principalíssimo, fortíssimo.

potista. *s.* (fam.) bebedor de vinho ou líquidos alcoólicos.

potoco, ca. *adj.* (Amér.) baixo, gordo, rechonchudo.

potosí. *m.* (fig.) riqueza extraordinária, potosí: *valer un potosí*, valer muito.

pot-pourri. *m.* V. **popurri.**

potra. *f.* potra, égua nova; (fig. e fam.) potra, hérnia no escroto: *tener potra*, (pop.) ser afortunado.

potrada. *f.* manada de potros do mesmo dono.

potranca. *f.* potranca, poldra, égua que não tem três anos, potra.

potrear. *v. tr.* (fam.) incomodar, molestar uma pessoa; domar os poldros.

potrera. *f.* cabeçada para os potros.

potrero. *m.* potreiro, o que cuida dos potros; (fam.) cirurgião especialista em hérnias.

potril. *adj.* e *s.* potril, diz-se da pastagem para cria de potros.

potrilla. *m.* (fig. e fam.) velho que ostenta mocidade.

potro. *m.* (zool.) potro, poldro; potro, tronco para ferrar os cavalos; cavalo de madeira onde se torturavam os condenados; cadeirão para parturientes; (fig.) tudo o que incomoda gravemente.

potroso, sa. *adj.* V. **hernioso;** (fam.) ditoso e afortunado.

poya. *f.* poia, bola ou pão chato que o dono duma fornada dá, como retribuição, ao dono do forno onde se coze o pão; resíduos do linho trilhado.

poyal. *m.* poial, pano para cobrir os poiais.

poyar. *v. intr.* pagar a poia.

poyata. *f.* prateleira ou estante para copos ou outras coisas. V. **repisa.**

poyete. *m.* poialzinho.

poyo. *m.* poial, banco fixo de pedra; emolumento judicial.

poza. *f.* poça, cova pouco funda com água; alverca.

pozal. *m.* balde para tirar água do poço; bocal do poço; talha metida na terra.

pozanco. *m.* poça que deixam os rios nas margens depois duma cheia.

pozo. *m.* poço; pego; (fig.) coisa cheia, profunda ou completa; (mar.) porão; algar; depósito, cisterna: *pozo artesiano*, poço artesiano; *pozo de ciencia*, (fig.) poço de ciência; *boca de pozo*, bocal de poço.

prácrito. *m.* V. **pracrito.**

pracrito. *m.* prácrito, língua derivada do sânscrito.

práctica. *f.* prática, uso continuado, experiência, costume ou estilo duma coisa, empirismo; modo ou método; prática, exercício para habilitação; aplicação; exercitação; uso continuado: *falta de práctica*, desacostume; *poner en práctica*, efectuar executar, realizar, dar a execução; pôr em acto: *por la práctica*, pela experiência.

practicable. *adj.* practicável, fa(c)tível, fácil.

practicador, ra. *adj.* e *s.* praticante, praticador, que pratica.

practicaje. *m.* (mar.) pilotagem, exercício da profissão de piloto.

practicanta. *f.* enfermeira.

practicante. *p. a. adj.* e *m.* praticante, que pratica; exercitador; enfermeiro; ajudante de farmácia ou de médico.

practicar. *v. tr.* praticar, exercitar, pôr em prática, executar, efectuar, realizar; praticar, usar, exercitar contínuamente; praticar, exercer debaixo da direcção de pessoa competente; praticar, exercer uma arte, um ofício.

práctico, ca. *adj.* prático, experimentado, versado, exercitado, experiente; empírico; industrioso; corrente; efe(c)tivo. — *m.* (mar.) piloto, prático.

practicón, na. *s.* (fam.) prático, pessoa hábil numa profissão, mais pela prática que pela teoria. V. **rutinario.**

pradal. *m.* prado. V. **prado.**

pradejón. *m.* prado pequeno, pouco extenso.

pradeño, na. *adj.* pertencente ou relativo ao prado.

pradera. *f.* pradaria, praderia, grande extensão de prados.

pradería. *f.* pradaria, praderia, grande extensão de prados.

praderoso, sa. *adj.* pradoso, pertencente ao prado.

pradial. *m.* prairial, nono mês do calendário da primeira república francesa.

prado. *m.* prado, terreno de regadio para pastagem; prado, campo relvoso; lugar ameno que serve de passeio.

pragmática. *f.* ordem das antigas autoridades com obrigatoriedade de lei, pragmática, regulamento, ordenança.

pragmático, ca. *adj.* (for.) pragmático. — *m.* pragmático, jurista que interpreta ou glosa as leis nacionais.

pragmatismo. *m.* (filos.) pragmatismo, pragmaticismo.

pragmatista. *adj.* e *s.* (filos.) pragmatista, pragmaticista.

prao. *m.* (mar.) parau, embarcação malaia.

prasio. *m.* prásio, prásino, cristal de rocha.

prasma. *m.* (min.) prasma, variedade de calcedónia.

pratense. *adj.* pratense, que se produz ou vive no prado.

praticultor. *adj.* e *s.* praticultor.

praticultura. *f.* praticultura.

pravedad. *f.* pravidade, iniquidade, perversidade, maldade.

pravo, va. *adj.* pravo, mau, perverso, malvado, ingrato.

pre. *prep.* pre, indica antecedência ou prioridade. — *m.* pré. V. **prest.**

preadamismo. *m.* pré-adamismo.

preadamita. *m.* pré-adamita.

preadamítico, ca. *adj.* pré-adamítico.

preagónico, ca. *adj.* pré-agó(ô)nico.

preâmbulo. *m.* preâmbulo, prefácio, exórdio; relatório que precede uma lei ou decreto. — *pl.* rodeios, cerimónias; ambages.

prebenda. *f.* prebenda, renda anexa a um benefício eclesiástico; (fig. e fam.) emprego lucrativo e pouco trabalhoso.

prebendado. *m.* prebendado, dignidade; cónego dalguma igreja, catedral ou colegiada.

prebendar. *v. tr.* prebendar. conferir prebendas. — *v. intr.* obter prebendas.

prebostal. *adj.* prebostal, pertencente à jurisdição do preboste.

prebostazgo. *m.* prebostado.

preboste. *m.* preboste; (mil.) antigo magistrado da justiça militar.

precario, ria. *adj.* precário, de pouca estabilidade ou duração; inseguro; difícil; minguado; pobre; incerto; contingente; delicado; frágil; que se possui sem título, por tolerância ou inadvertência do dono.

precaución. *m.* precaução, reserva, cautela antecipada, prevenção; prudência; circunspecção; medida; avisamento, acautelamento.

precaucionarse. *v. r.* precaucionar-se, prevenir-se, acautelar-se.

precautelar. *v. tr.* precautelar, precaver, precaucionar.

precautorio, ria. *adj.* precautório.

precaver. *v. tr.* precaver, prevenir, acautelar, evitar. — *v. r.* precaver-se, acautelar-se, estar de sobreaviso.

precavido, da. *adj.* e *p. p.* precavido, cauteloso, prevenido, precatado, acautelado: *estar precavido,* estar de aviso, estar de pé atrás.

precedencia. *f.* precedência. prioridade, anterioridade, anteposição, antecedência na ordem; preeminência, preferência no lugar, assento nalguns actos honoríficos; primacia, superioridade.

precedente. *p. a.* e *adj.* precedente, que precede, antecedente. — *m.* precedente, acção ou dito; exemplo; prática já iniciada ou seguida: *sin precedentes,* sem precedentes, de arromba; *sin precedentes,* sem exemplo.

preceder. *v. tr.* preceder, ir adiante, anteceder; antepassar. — *v. intr.* adiantar-se, antepor-se.

precelente. *adj.* (p. us.) muito excelente.

preceptista. *adj.* e *s.* preceptor. diz-se da pessoa que ensina preceitos ou regras.

preceptivo, va. *adj.* preceptivo, que inclui ou contém preceitos.

precepto. *m.* preceito, mandato, ordem, instrução; regra, preceito; fórmula, cláusula, código; formalidade; dogma; cláusula. — *pl.* preceitos, mandamentos da lei de Deus.

preceptor, ra. *s.* preceptor, mentor, mestre; pessoa que ensina gramática latina.

preceptoril. *adj.* (depres.) próprio de preceptor ou relativo a ele.

preceptuar. *v. tr.* preceituar, dar ou ditar preceitos; estatuir, prescrever; marcar a norma, dar instruções; prescrever regras.

preces. *f. pl.* preces, orações, instâncias.

precesión. *f.* (ret.) precessão; reticência, frase incompleta; (astr.) precessão.

preciado, da. *adj.* prezado, precioso, excelente, muito estimado. V. **jactancioso.**

preciador, ra. *adj.* e *s.* apreciador.

preciar. *v. tr.* apreciar. V. **apreciar.** — *v. r.* envaidecer-se, ja(c)tar-se, gloriar-se; estimular-se, vangloriar-se.

precinta. *f.* precinta, precinto, cantoneira; cinta, faixa; (mar.) precinta de cabo.

precintar. *v. tr.* precintar, atar. cingir com precintas ou precintos; (mar.) pôr precintas.

precinto. *m.* precinto, precinta para caixotes, baús, fardos, pacotes, etc.

precio. *m.* preço, valor pecuniário; prémio que se ganhava nas justas; (fig.) estimação, importância, crédito, estima, apreço; esforço, perda ou sofrimento para conseguir alguma coisa: *a bajo precio,* ao desbarate, arrastadamente; *a cualquier precio,* por qualquer preço; *a buen precio,* por bom preço; *a precio de sangre,* a preço de sangue; *que no tiene precio,* que não tem preço; *precio usual,* preço corrente; *subir el precio,* levantar o preço; *abrir o romper precio,* abrir preço; *no tener precio una cosa,* ser superior a todo o preço; *tener en mucho precio,* ter em preço.

preciosa. *f.* espórtula, retribuição dada aos prebendados pela sua assistência a ofícios fúnebres.

preciosidad. *f.* preciosidade, qualidade de precioso, preciosidade, coisa preciosa; objecto de grande estima; formosura, beleza.

preciosismo. *m.* (literat.) preciosismo.

preciosista. *adj.* e *s.* (lit.) preciosista, partidário do preciosismo.

precioso, sa. *adj.* precioso, excelente, primoroso, magnífico; de grande valor ou estima, rico; delicado; utilíssimo; afectado; primoroso; (fig.) chistoso, festivo, galhofeiro, jovial; inapreciável, inestimável; (fam.) precioso, formoso; muito vantajoso.

precipicio. *m.* precipício, despenhadeiro; (fig.) ruína espiritual ou temporal; queda violenta; barranco; **alcantilado.**

precipitación. *f.* precipitação; pressa demasiada; acto impensado; atabalhoamento; (quim.) precipitação; arrebatamento; inconsideração; imprevisão; açodamento; (fig.) galope; (fam.) afogadilho.

precipitadero. *m.* precipício. V. **precipicio.**

precipitado, da. *p. p.* e *adj.* precipitado, inconsiderado, arrebatado; imprudente, irrefle(c)tido. — *m.* (quím.) precipitado: *huida precipitada*, fugida desfeita; *persona precipitada*, (fam.) chofreiro.

precipitante. *p. a.* e *adj.* precipitante, que precipita. — *m.* (quim.) reagente com que se obtém um precipitado.

precipitar. *v. tr.* precipitar, despenhar; atropelar; acelerar; (fig.) expor alguém à ruína; açodar; abismar; apressar; abater, derrubar. — *v. r.* precipitar-se; despenhar-se; acelerar-se; (fig.) alvoroçar-se atabalhoar-se; afogar-se; adiantar-se.

precípite. *adj.* precípite, que está arriscado a precipitar-se.

precipitoso, sa. *adj.* precipitoso, pendente, escorregadio e arriscado a despenhar-se ou precipitar-se; (fig.) arrebatado, irreflectido, imprudente.

precípuo, pua. *adj.* precípuo, principal, essencial assinalado.

precisar. *v. tr.* precisar, fixar ou determinar com precisão; obrigar, forçar sem desculpa a execução dalguma coisa; necessitar; ter precisão de; particularizar, calcular ou indicar de um modo preciso; formalizar; determinar; demandar.

precisión. *f.* precisão, obrigação, necessidade urgente; determinação, exa(c)tidão; justeza, pontualidade; concisão, estilo exacto; (lóg.) abstracção mental; regularidade; carência dalguma coisa, necessidade; laconismo, rigor sóbrio de linguagem: *instrumento de precisión*, instrumento de precisão; *con precisión*, afinadamente.

preciso, sa. *adj.* preciso, necessário, indispensável; exa(c)to; determinado; certo; preciso, lacónico, conciso; preciso, pontual, fixo; exacto; distinto, claro, formal; estilo conciso e rigorosamente exacto; inevitável; imprescindível; forçoso; (log.) abstraído ou separado pelo entendimento.

precitado, da. *adj.* pré-citado, citado anteriormente.

precito, ta. *adj.* e *s.* precito, réprobo, condenado, maldito.

preclaro. ra. *adj.* preclaro, esclarecido, ilustre, brilhante, famoso, admirável, ínclito.

precocidad. *f.* precocidade, qualidade de precoce.

precognición. *f.* precognição, conhecimento anterior.

precolombino, na. *adj.* pré-colombiano.

preconización. *f.* preconização; elogio; conselho; propaganda; (eccl.) preconização.

preconizador, ra. *adj.* e *s.* preconizador, que preconiza.

preconizar. *v. tr.* preconizar, louvar, tributar louvores pùblicamente; elogiar em excesso; aconselhar; fazer a propaganda de; (eccl.) preconizar.

preconocedor, ra. *s.* que conhece antecipadamente.

preconocer. *v. tr.* prever, conhecer antecipadamente, conjecturar.

precordial. *adj.* (anat.) precordial.

precoz. *adj.* precoce, que amadureceu antes do tempo; temporão; antecipado; prematuro; (fig.) precoce, diz-se da pessoa de curta idade com grandes dotes intelectuais.

precursor, ra. *edj.* e *s.* precursor, que precede ou vai adiante; que anuncia com antecipação.

predecesor, ra. *s.* predecessor, antecessor, antepassado.

predecir. *v. tr.* predizer, prognosticar, adivinhar; profetizar, vaticinar, agoirar; augurar; denunciar; futurar. — *conj. irr.* como *decir.*

predefinición. *f.* (teol.) predefinição, determinação divina para a existência de coisas em tempo limitado.

predefinir. *v. tr.* (teol.) predefinir, determinar o tempo em que hão-de existir as coisas; prognosticar, vaticinar, futurar, fixar antecipadamente o futuro; predefinir.

predestinación. *f.* predestinação, destino anterior dalguma coisa; determinação antecipada do que há-de suceder.

predestinado, da. *p. p. adj.* e *s.* predestinado, eleito, fadado; destinado por Deus à glória eterna; santo.

predestinar. *v. tr.* predestinar, destinar antecipadamente; fadar; (teol.) predestinar.

predeterminación. *f.* predeterminação.

predeterminante. *p. a.* e *adj.* predeterminante.

predeterminar. *v. tr.* predeterminar, determinar, determinar ou resolver uma coisa com antecipação.

predial. *adj.* predial, pertencente ou relativo ao prédio.

prédica. *f.* prédica, pregação, sermão ou prática do ministro duma seita ou falsa religião.

predicable. *adj.* predicável; recomendável. — *m.* (lóg.) predicável.

predicación. *f.* predicação, prédica; emprego, função ou qualidade de predicado; pregação; doutrina que se predica ou prega.

predicadera. *f.* (prov.) púlpito.

predicaderas. *f.* pl. qualidades ou dotes oratórios dum pregador.

predicado, da. *p. p.* e *adj.* predicado; pregado. — *m.* (lóg.) predicado.

predicador, ra. *adj.* e *s.* predicador, predicante, pregador; pregador, orador evangélico.

predicamental. *adj.* (filos.) predicamental.

predicamento. *m.* (lóg.) predicamento; dignidade, opinião, fama, estimação que se merece pelas próprias obras.

predicante. *p. a.* e *adj.* predicante, que predica. — *m.* ministro duma seita ou falsa religião, que predica.

predicar. *v. tr.* predicar, pregar, aconselhar, exortar; (fig.) admoestar, fazer observações; dizer o predicado; *predicar el Evangelio*, apostolar, evangelizar.

predicción. *f.* predição, acto de predizer; predição, coisa predita; vaticínio, prognóstico; adivinhação.

predicho, cha. *p. p. irreg.* de *predecir* e *adj.* predito, antedito.

predilección. *f.* predile(c)ção, preferência; afecto ou paixão extremosa; apetência; aceitamento.

predilecto, ta. *adj.* predile(c)to, preferido.

predio. *m.* prédio, herdade, fazenda, quinta, terra ou possessão imóvel.

predisponer. *v. tr.* predispor, dispor antecipadamente. — *conj. irr.* como *poner.*

predisposición. *f.* predisposição, inclinação; facilidade; benevolência; aptidão.

predominación. *f.* predominação.

predominancia. *f.* predominância, predominação.

predominante. *p. a.* e *adj.* predominante; preponderante; principal.

predominar. *v. tr.* predominar, prevalecer, preponderar; (fig.) exceder muito em altura uma coisa a respeito doutra; prevalecer.

predominio. *m.* predomínio, império, poder, superioridade; força, dominante; ascendente; influência.

predorsal. *adj.* predorsal.

preelegir. *v. tr.* pré-eleger, eleger antecipadamente; predestinar

preeminencia. *f.* preeminência, preferência, privilégio, vantagem.

preeminente. *adj.* preeminente, sublime, superior, honorífico; preeminente, que ocupa o lugar mais elevado, superior.

preexcelso, sa. *adj.* preexcelso, muito alto, sublime, muito ilustre.

preexistencia. *f.* preexistência.

preexistente. *p. a.* e *adj.* preexistente.

preexistir. *v. intr.* preexistir em época anterior.

prefacio. *m.* prefácio, parte da missa; prólogo, introdução; preâmbulo; prefação; proé(ê)mio.

prefacción. *f.* (for.) prefação. V. prólogo.

prefecto. *m.* prefeito; dignidade entre os Romanos; ministro que preside a um tribunal, junta ou comunidade religiosa; prefeito, governador dum departamento da França; prefeito, superior duma comunidade eclesiástica.

prefectura. *f.* prefeitura.

preferencia. *f.* preferência, primazia, vantagem, predilec(c)ção; eleição; antelação; exclusiva: *con preferencia*, com preferência, preferentemente.

preferible. *adj.* preferível; melhor.

preferido, da. *p. p.* e *adj.* preferido, eleito, anteposto; afeiçoado; favorito.

preferir. *v. tr.* preferir, dar a preferência; exceder, avantajar, escolher; antepor; custar mais de; ter predilecção por; dar primazia a.— *pres. ind. irr.* prefiero, -es, -e, -en; *indef.* prefirió, -eron; *subj.* prefiera, -as, -a, -an; *imperf.* prefiriera, -as, etc.; *ger.* prefiriendo.

prefiguración. *f.* prefiguração, representação antecipada duma coisa.

prefigurar. *v. tr.* prefigurar, representar antecipadamente uma coisa; presupor; afigurar-se.

prefijación. *f.* prefixação.

prefijar. *v. tr.* prefixar, determinar, assinalar, indicar ou fixar antecipadamente uma coisa; destinar.

prefijo, ja. *p. p. irreg.* de *prefijar* e *adj.* prefixo, fixado ou determinado antes. — *m.* (gram.) afixo, prefixo.

prefinición. *f.* prefinição, preestabelecimento, determinação com antecipação.

prefinir. *v. tr.* prefinir, preestabelecer, determinar com antecipação; indicar, fixar o tempo ou termo para executar uma coisa.

prefloración. *f.* (bot.) prefloração.

prefulgente. *adj.* prefulgente, muito resplandecente.

pregón. *m.* pregão, divulgação, proclamação pública; denunciação; proclamas ou banho de casamento.

pregonar. *v. tr.* apregoar, publicar, pregoar; divulgar, proclamar; (fig.) publicar o que era segredo; denunciar; louvar ou elogiar em público; proscrever.

pregonería. *f.* ofício ou exercício de pregoeiro; antigo tributo.

pregonero, ra. *adj.* e *s.* pregoeiro, divulgador, que publica uma coisa que se ignorava, apregoador.

pregunta. *f.* pergunta, interrogação; questão, pergunta: *estar a la cuarta pregunta*, (pop.) estar à dependura.

preguntador, ra. *adj.* e *s.* perguntador, interrogante.

preguntar. *v. tr.* perguntar, fazer perguntas a alguém, interrogar, inquirir, indagar.

preguntón, na. *adj.* e *s.* (fam.) perguntão, que pergunta muito, que pergunta demais e impertinentemente.

pregustación. *f.* pregustação.

pregustar. *v. tr.* pregustar, provar as comidas ou bebidas antecipadamente.

prehistoria. *f.* pré-história.

prehistórico, ca. *adj.* pré-histórico.

prejuicial. *adj.* (for.) prévio à sentença do principal.

prejuicio. *m.* prejulgamento. V. prejuicio.

prejuicio. *m.* prejulgamento, acção e efeito de prejulgar; desapuro; preconceito, prejuízo, opinião antecipada.

prejuzgar. *v. tr.* prejulgar, julgar as coisas antes de tempo oportuno ou sem conhecimento exacto.

prelacía. *f.* preladia, prelatura, prelazia.

prelación. *f.* prelação, direito de preferência, preferência: *derecho de prelación,* direito de prelação.

prelada. *f.* prelada, superiora dum convento de religiosas.

prelado. *m.* prelado, superior eclesiástico; superior dum convento ou comunidade; ministro.

prelaticio, cia. *adj.* prelatício.

prelatura. *f.* preladia, prelatura, prelazia.

preliminar. *adj.* preliminar; preambular; prévio. — *m.* preliminar, preâmbulo, prólogo, proé(ê)mio. — *pl.* preliminares, princípios; começo, regras que servem de base a outras.

prelucir. *v. intr.* preluzir, prefulgir, brilhar muito. — *conj. irr.* como *lucir.*

preludiar. *v. intr.* (mús.) preludiar, provar, ensaiar um instrumento ou a voz. — *v. tr.* (fig.) preparar, iniciar, dar entrada; fantasiar-se.

preludio. *m.* prelúdio, exercício prévio; começo, iniciação; introdução; (mús.) prelúdio; prelúdio, abertura ou sinfonia.

prelusión. *f.* prelúdio, introdução dum discurso ou tratado.

prematuro, ra. *adj.* prematuro, que amadurece antes do tempo; temporão, precoce; prematuro, que se realiza antes da ocasião própria; antecipado, adiantado, extemporâneo.

premeditación. *f.* premeditação; propósito feito antes de actuar; (for.) premeditação (fig.) incubação.

premeditar. *v. tr.* premeditar, pensar reflectidamente uma coisa antes de a executar; resolver antecipadamente; (fig.) incubar.

premiador, ra. *adj. e s.* premiador, que premeia, galardoador.

premiar. *v. tr.* premiar, remunerar, galardoar com mercês, privilégios, empregos, etc., os méritos de cada um; laurear; recompensar, remunerar; coroar.

premidera. *f.* V. **cárcola.**

premio. *m.* pré(ê)mio, recompensa; remuneração; galardão; distinção; ágio; prémio, número premiado na lotaria nacional; demasia, quantia que se junta ao preço para compensação: *premio gordo,* prémio grande.

premiosidad. *f.* aperto, dificuldade, estreiteza.

premioso, sa. *adj.* premente, apertado, forçado; importuno; (fig.) rígido, estreito; diz-se da pessoa com falta de expediente ou agilidade; diz-se da pessoa que fala ou escreve com muita dificuldade; diz-se da linguagem que carece de espontaneidade.

premisa. *f.* (lóg.) premissa; (fig.) sinal, vestígio: *premisa mayor* ou *menor,* premissa maior ou menor.

premiso, sa. *adj.* prevenido, enviado, com antecipação; (for.) que precede, prévio.

premoción. *f.* (teol.) premoção.

premolar. *adj.* (anat.) premolar.

premonitorio, ria. *adj.* premonitório; precursor.

premonstratense. *adj. e s.* diz-se da ordem regular fundada por São Norberto e daqueles que nela professam.

premoriencia. *f.* (for.) morte anterior a outra.

premorir. *v. intr.* (for.) morrer uma pessoa antes que outra.

premostratense. *adj.* V. **premonstratense.**

premuerto, ta. *p. p. irreg.* de *premorir e s.* morto antes doutrem.

premura. *f.* pressa, urgência, apuro, instância, apressamento; (fam.) afogadilho; instância, insistência.

prenda. *f.* prenda, penhor, jóia, móvel, alfaia; parte do vestuário ou calçado; o que se dá ou faz em sinal duma coisa; prenda, presente; (fig.) prenda, cada uma das pessoas que se ama muito; prenda, qualidade ou perfeição moral ou material: *en prenda,* em penhor; *soltar prenda,* dizer algo comprometedor; *no soltar prenda,* manter reserva; *juego de prendas,* jogo de prendas.

prendado, da. *adj.* enamorado.

prendador, ra. *adj.* mutuário que empenha ou tira um penhor.

prendamiento. *m.* penhora; acção de ficar enamorado.

prendar. *v. tr.* penhorar; empenhar; dar em penhor; agradar, cativar, ganhar a afeição dalguém. — *v. r.* enamorar-se, afeiçoar-se; encaprichar-se.

prendedero. *m.* qualquer instrumento que serve para prender ou segurar; fita para prender o cabelo; alamar, colhete, broche, alfinete.

prendedor. *m.* o que prende.

prendedura. *f.* galadura. V. **galladura.**

prender. *v. tr.* prender, pegar, sugeitar, segurar, agarrar; prender, privar da liberdade, capturar, encarcerar; enredar-se, prender-se uma coisa noutra; cobrir o macho a fêmea; apanhar; apreender; aprisionar, encadear, engaiolar. — *v. intr.* pegar uma planta na terra, prender; pender, pegar o fogo. — *v. r.* adornar-se ataviar-se, enfeitar-se: *prender fuego a,* mechar encender.

prendería. *f.* loja de adelo.

prendero, ra. *s.* adelo, adeleiro, sucateiro, belfurinheiro, merca-tudo.

prendido, da. *p. p. e adj.* prendido, preso, aprisionado. — *m.* adorno feminino, especialmente o da cabeça; desenho picotado para rendas e bilros; parte da renda feita sobre este desenho.

prendimiento. *m.* prisão, acto de prender, captura, prendimento; enraizamente, acto de pegar uma planta.

prenoción. *f.* (filos.) prenoção, noção prévia e imperfeita das coisas.

prenombre. *m.* prenome, nome que precede o de família.

prenotar. *v. tr.* prenotar, notar antecipadamente.

prensa. *f.* prensa, máquina para comprimir; (fig.) imprensa; conjunto ou generalidade das publicações, imprensa; máquina de ilustrar ou alisar.

prensado, da. *p. p.* e *adj.* prensado. — *m.* lustro que ficou nos tecidos por efeito da prensa.

prensador, ra. *adj.* e *s.* prensador, que prensa; imprensador.

prensadura. *f.* prensagem, acção de prensar; imprensadura.

prensar. *v. tr.* prensar, apertar ou comprimir na prensa; imprensar; acachapar.

prensil. *adj.* preênsil, que serve para prender ou agarrar.

prensión. *f.* preensão, acção ou efeito de prender alguna coisa.

prensista. *m.* impressor, o que trabalha com o prelo.

prensor, ra. *adj.* e *s.* (zool.) diz-se de certas aves de bico robusto e patas com dois dedos dirigido para trás.

prenunciar. *v. tr.* prenunciar, anunciar com antecipação.

prenuncio. *m.* prenúncio, anúncio antecipado; presságio; sinal precursor; predição.

preñado, da. *adj.* prenho, prenhada, diz-se da mulher ou da fêmea de qualquer espécie que concebeu; (fig.) diz-se da parede que forma bojo; cheio, carregado; barrigudo; (pop.) embaraçada. — *m.* prenhez, estado de fêmea prenhada: *quedar preñada*, embaraçar-se, engravidar-se.

preñar. *v. tr.* engravidar. V. **empreñar.**

preñez. *f.* prenhez, prenhidão, gravidez; (pop.) barriga, embaraço; (fig.) confusão, dificuldade.

preocupación. *f.* preocupação; desassossego; inquietação; preocupação, ideia antecipada, prevenção, preconceito; juízo ou primeira impressão; preocupação, ofuscação do entendimento; (fig.) preocupação, cuidado, previsão de contingência adversa; deslumbramento; cogitação; desgo(ô)sto: *libre de preocupaciones*, (fig.) desanuviado; *quitar las preocupaciones*, despreocupar; *no tener preocupaciones*, estar com o ânimo desafogado; *vivir sin preocupaciones*, viver descansado.

preocupado, da. *p. p.* e *adj.* preocupado; prevenido; apreensivo; desgostoso; cogitativo, cogitabundo; (Bras.) azombado: *estar muy preocupado*, andar sobre brasas: andar cismático.

preocupar. *v. tr.* preocupar, ocupar antecipadamente uma coisa; (fig.) preocupar, pôr o ânimo em cuidado, causar preocupação, inquietar, impressionar; tornar apreensivo; desquietar; (Bras.) encabular. — *v. r.* estar prevenido contra ou a favor de alguém, preocupar-se; recear; agitar-se; desvelar-se; amargar-se; afligir-se: *no te preocupes por eso*, descansei a tal respeito; *ni preocuparme!*, bem se me dá; *esto me preocupa mucho*, isso deve-me muito cuidado.

preopinante. *adj.* e *s.* preopinante.

preordinación. *f.* preordenação.

preordinar. *v. tr.* (teol.) preordenar; predestinar.

prepalatal. *adj.* (gram.) prepalatal, lingual, palatal.

preparación. *f.* preparação, elaboração, disposição; composição; preparação, coisa preparada; preparado, composto; amanho; manipulação; aparelhamento; aviamento; aprestação, aprestamento; (fig.) forja, incubação.

preparado, da. *p. p.* e *adj.* preparado, elaborado; (fig.) pronto, disposto; apto; prevenido. — *m.* preparado, produto resultante duma preparação química ou farmacêutica; elaboração, composição.

preparador, ra. *s.* preparador, pessoa que prepara; preparador, que tem a seu cargo preparar as lições.

preparamento. *m.* V. **preparación.**

preparamiento. *m.* preparação. V. **preparación.**

preparar. *v. tr.* preparar, prevenir, dispor; aprontar; pôr em circunstâncias de poder servir; predispor; dispor, maquinar; preparar, estudar, aprender; (quim.) preparar, preparar, prevenir, dispor alguém; adereçar, adubar; alinhavar; ajeitar; amassar; aperceber; aprestar; aviar; elaborar; (fig.) engatilhar, incubar. — *v. r.* preparar-se, arranhar-se; ataviar-se; prevenir-se; dispor-se para alguma coisa.

preparativo, va. *adj.* preparatório, preparativo. — *m.* preparativo, coisa disposta e preparada; apresto, preparo, amanho; aviamento; aparelhamento: *preparativos bélicos*, apercebimento de guerra.

preparatorio, ria. *adj.* preparatório, diz-se do que prepara ou dispõe; prévio, preliminar. — *m.* disciplina que se professa nos institutos de instrução secundária; estudos prévios para a entrada numa escola superior.

preponderancia. *f.* preponderância, superioridade de peso; predomínio; superioridade de autoridade, crédito, consideração; força; supremacia; imprudência.

preponderar. *v. intr.* preponderar, pesar mais uma coisa que outra; predominar; (fig.) prevalecer; exercer influxo.

preponer. *v. tr.* prepor, antepor, preferir. — *conj. irr.* como *poner.*

preposición. (gram.) preposição, parte invariável da oração.

prepositivo, va. *adj.* prepositivo.

prepósito. *m.* prepósito, principal prelado dalgumas corporações religiosas.

prepositura. *f.* prepositura.

preposteración. *f.* preposteração.

preposterar. *v. tr.* preposterar, inverter a ordem de, trocar atrás o que devia ir adiante.

prepóstero, ra. *adj.* prepóstero, posto às avessas; invertido; transposto; oposto à boa ordem.

prepotencia. *f.* prepotência, grande poder; abuso do poder ou da autoridade, despotismo.

prepotente. *adj.* prepotente, muito poderoso ou influente; que abusa do seu poder ou autoridade; despótico.

prepucial. *adj.* (anat.) prepucial.
prepucio. *m.* (anat.) prepúcio.
prepuesto, ta. *p. p. irreg.* de *preponer* e *adj.* preposto.
prerrafaelismo. *m.* (pint.) pré-rafaelismo.
prerrafaelista. *adj.* e *s.* pré-rafaelista.
prerrogativa. *f.* prerrogativa, privilégio, gra_ ça ou isenção, regalia, direito; atribuição, atributo de excelência ou dignidade; faculdade.
presa. *f.* pre(ê)sa, acção de prender ou tomar uma coisa; coisa apreendida ou roubada; acéquia; dente canino em certos animais; presa, o que se toma ao inimigo; presa, navio tomado ao inimigo; presa ,represa, açude; presa, garra das aves de rapina; barragem; talhada, bocado; fatia, naco; porção pequena de qualquer comestível; mulher que está em prisão.
presada. *f.* quantidade de água represada no açude.
presado, da. *adj.* esverdinhado, de cor verde--claro.
presagiar. *v. tr.* pressagiar, predizer, prognosticar, vaticinar; prever, agoirar, presentir.
presagio. *m.* presságio, prenúncio, prognóstico, agoiro, vaticínio, pressentimento, sinal, adivinhação, predição.
presagioso, sa. *adj.* pressagioso, que contém presságio, ou vaticínio.
présago, ga. *adj.* pressago, pressagioso. V. presagioso.
presago, ga. *adj.* V. présago.
presbicia. *f.* (med). presbítia, presbitismo.
presbiope. *adj.* e *s.* (med.) presbíope.
presbiopia. *f.* (med.) presbiopia, presbitismo.
présbita, présbite. *adj.* e *s.* presbita, que tem presbítia.
presbiterado. *m.* presbiterado, sacerdote, dignidade ou ordem do sacerdote.
presbiteral. *adj.* presbiteral.
presbiterianismo. *m.* presbiterianismo, presbiteranismo.
presbiteriano, na. *adj.* e *s.* presbiterano, presbiteriano.
presbiterio. *m.* presbitério; capela-mor; reunião dos presbíteros com o bispo.
presbítero. *m.* presbítero, sacerdote, padre, clérigo ordenado de missa.
presciencia. *f.* presciência, conhecimento antecipado do futuro.
prescindible. *adj.* prescindível, dispensável.
prescindir. *v. intr.* prescindir, abstrair dalguma coisa, dispensá-la, abster-se ou privar-se dela; prescindir, não fazer contas com alguma pessoa ou coisa; prescindir, deixar-se de; renunciar.
prescribir. *v. tr.* prescrever, preceituar, ordenar, determinar. — *v. intr.* (for.) prescrever, perder-se por prescrição.
prescripción. *f.* prescrição; preceito, ordem expressa; receita; prescrição, extinção dum direito ou duma obrigação cujo cumprimento se não exigiu.
prescriptible. *adj.* prescritível.
prescrito, ta. *p. p. irreg.* de *prescribir* e *adj.* prescrito, que prescreveu.

presencia. *f.* presença, existência ou assistência pessoal em lugar determinado; presença, aspecto, aparência; serenidade de ânimo; representação, fausto, pompa; apostura; face, frente; (fig.) fachada: *en presencia de,* adiante, diante, em presença de.
presencial. *adj.* presencial ,pertencente ou relativo à presença.
presenciar. *v. tr.* presenciar, estar presente, assistir; observar.
presentable. *adj.* apresentável, que está em condições de apresentar-se.
presentación. *f.* apresentação; apresentação, proposta dum indivíduo para exercer uma dignidade eclesiástica; (rel.) apresentação, festa de Nossa Senhora em 21 de Novembro; exibição.
presentado, da. *p. p.* e *adj.* apresentado; (rel.) apresentado, teólogo que espera o grau de professor.
presentador, ra. *adj.* e *s.* apresentador, que apresenta.
presentalla. *f.* ex-voto, oferenda.
presentáneo, a. *adj.* presentâneo, momentâneo, rápido, eficaz.
presentar. *v. tr.* apresentar, pôr em presença; deparar; dar; exteriorizar; expor, exibir; presentar, oferecer alguma coisa; propor alguém para uma dignidade ou cargo; recomendar alguém, apresentando-o pessoalmente. — *v. r.* oferecer-se voluntàriamente; comparecer, apresentar--se; (for.) comparecer em justiça; oferecer os próprios serviços; deparar-se: *presentar sus respetos,* apresentar os seus cumprimentos; *presentarse de pronto,* deparar-se; *presentarse en público por vez primera,* estrear-se; debutar.
presente. *adj.* presente, que assiste pessoalmente, que está à vista; a(c)tual; iminente; existente. — *m.* presente, dádiva; actualidade, o tempo actual; (gram.) presente, tempo de verbo; brinde, convite: *mejorando lo presente,* (fam.) não desfazendo, expressão usada quando se louva uma pessoa à frente doutra; *al presente* ou *de presente,* ao presente ou de presente; *tener presente,* ter presente, ter na memória; *hacer presente,* informar, manifestar; *estar presente,* assistir, estar presente; achar-se; *estar presente por casualidad,* acertar-se; *hacer presentes,* fazer presentes, mimosear; *el presente,* o presente, o tempo actual; *los presentes,* os presentes, pessoas que estão num lugar; *la presente,* diz-se dos escritos e cartas; *de cuerpo presente,* de corpo presente; *todos los presentes,* presentes todos.
presentero. *m.* apresentador, para benefícios eclesiásticos.
presentido, da. *p. p.* e *adj.* pressentido; pressagiado, previsto, entrevisto.
presentimiento. *m.* pressentimento, sentimento vago e instintivo do que vai acontecer; palpite; farisco, farejo; barrunto; antevidência; antojo; (fig.) baque.

presentir. *v. tr.* pressentir, ter o pressentimento de; prever; pressagiar; ter palpite, sentir antecipadamente, entrever; dar pela conta; aventar; antecipar; (fig.) farejar. *conj. irr.* como *sentir*.

presepio. *m.* presepe, presépio; estábulo; cavalariça.

presero. *m.* guarda de represa, barragem, açude ou acéquia.

preservación. *f.* preservação; conservação, defesa; prevenção; protecção.

preservador, ra. *adj.* e *s.* preservador, que preserva, conservador; protector; preservativo.

preservar. *v. tr.* preservar, conservar, pôr ao abrigo de algum mal; resguardar; depender, livrar, cobrir; desviar; imunizar.

preservativo, va. *adj.* e *m.* preservativo, que preserva, defensório defensivo; defesa.

presidario. *m.* V. presidiario.

presidencia. *f.* presidência, dignidade, emprego ou cargo de presidente; tempo que duram as funções de presidente; presidência, lugar onde reside o presidente; presidência, lugar onde se senta o presidente; presidência, acto de presidir; (pop.) presidência, lugar de honra a uma mesa; a cabeceira duma lista ou rol.

presidencial. *adj.* presidencial.

presidencialismo. *m.* (pol.) presidencialismo.

presidencialista. *adj.* e *s.* (pol.) presidencialista.

presidenta. *f.* presidenta, mulher que preside: presidenta, mulher do presidente.

presidente. *p. a.* e *adj.* presidente, que preside. — *m.* presidente, o que preside; presidente, chefe, superior dum conselho, tribunal, junta ou sociedade; presidente, chefe de Estado em algumas repúblicas.

presidiable. *adj.* que merece estar no presídio.

presidiar. *v. tr.* presidiar, guarnecer com soldados um posto ou praça para a sua defesa e conservação; defender, reforçar.

presidiario. *m.* presidiário, condenado a presídio.

presidio. *m.* presídio, força militar que guarnece uma praça de guerra, guarnição; presídio, prisão, penitenciária, estabelecimento penal; cidade ou fortaleza que pode ser guarnecida de soldados; conjunto de presidiários; presídio, pena de prisão; (fig.) auxílio, ajuda, socorro.

presidir. *v. tr.* presidir, dirigir como presidente; superintender; dirigir; regular, arbitrar; predominar.

presilla. *f.* presilha, cordão pequeno em forma de laço; certa espécie de pano; caseado.

presión. *f.* pressão, acção e efeito de apertar ou comprimir; pressão, força exercida por um corpo; impulsão; (fig.) coacção; violência; influência: *presión atmosférica*, pressão atmosférica.

presionar. *v. tr.* fazer pressão; apremar, deprimir; apretar; *presionar sobre alguien*, encampar.

preso, sa. *p. p. irreg.* de *prender* e *adj.* pre(ê)so. — *s.* preso, encarcerado, privado de liberdade, prisioneiro, detido, recluso; (Bras.) detento.

prest. *m.* pré, soldo diário dos soldados.

prestación. *f.* empréstimo, prestação, tributo; (for.) prestação; contribuição: *prestación personal*, serviço braçal.

prestado, da. *p. p.* e *adj.* emprestado, prestado: *de prestado*, de modo precário.

prestador, ra. *adj.* e *s.* emprestador que empresta.

prestamera. *f.* prestimó(ô)nio, pensão ou bens destinados à sustentação dos que estudavam para sacerdote; benefício eclesiástico.

prestamería. *f.* dignidade de prestimoniado; gozo de prestimónio.

prestamero. *m.* prestimoniado.

prestamista. *s.* prestamista, penhorista, mutuante; significa às vezes o que recebe dinheiro de empréstimo.

préstamo. *m.* empréstimo, préstamo. V. empréstimo. (mar.) adiantamento de salário à tripulação; (Bras.) adage: *por contrato de préstamo*, de empréstimo; *dar en préstamo*, emprestar; *préstamo obligatorio*, empréstimo forçado; *préstamo con garantía*, empenhamento, empenho.

prestancia. *f.* prestança, excelência, prestância; superioridade.

prestar. *v. tr.* emprestar, dar de empréstimo; prestar, ajudar, auxiliar; prestar, dar, comunicar; prestar, dedicar atenção, observar. — *v. intr.* prestar, aproveitar, ser útil; prestar, dar de si, estendendo. — *v. r.* prestar-se, oferecer-se.

prestatario, ria. *adj.* e *s.* mutuário, que recebe dinheiro emprestado.

preste. *m.* sacerdote que celebra a missa cantada: *Preste Juan*, Preste João, título do imperador dos Abissínios.

presteza. *f.* presteza, prontidão, ligeireza, agilidade: *con presteza*, prestemente.

prestidigitación. *f.* prestidigitação, agilidade de mãos.

prestidigitador, ra. *s.* prestidigitador, prestimano, escamoteador.

prestigiador, ra. *adj.* e *s.* prestigiador, que causa prestígio; que prestigia; prestidigitador, charlatão, escamoteador.

prestigiar. *v. tr.* prestigiar, dar prestígio a, tornar prestigioso.

prestigio. *m.* prestígio, importância social; influência; encanto, fascinação, engano, ilusão; ascendente, autoridade, prestígio: *tener prestigio*, ter prestígio.

prestigioso, sa. *adj.* prestigioso, que tem prestígio, influente, importante; respeitado, admirado.

prestimonio. *m.* V. préstamo.

prestiño. *m.* V. pestiño.

prestir. *v. tr.* (germ.) emprestar.

presto, ta. *adj.* presto, rápido, ligeiro; (mús.) presto; pronto, diligente, prestes; aparelhado, preparado, pronto. — *adv.* presto, logo, depressa, de pronto

presumible. *adj.* presumível, provável, que se pode presumir ou supor.

presumido, da. *p. p.* e *adj.* presumido, suposto, vaidoso, afe(c)tado; empolado; enfatuado, amaneirado; (fam.) enchouriçado; afectado; dengue; farfalhador; engravatado; (fam.) homem de bigode; delambido; aperaltado; chicante; fantasioso; alambicado, esticado, franchinótico; estirado, chibante, apelintrado; inflado; (fig.) apavonado; (pop.) estoiradinho; empinado; empoeirado; fanfarrão; alinhado; (Bras.) mascarado; (Bras. Norte) enganjento.

presumir. *v. tr.* presumir, conje(c)turar, supor suspeitar. — *v. intr.* presumir, ter vaidade ou presunção; ser afectado, afe(c)tar; aperaltar; gabar-se; apavonar-se; chibar, chibantar; galrejar; abonar-se: *presumir de,* fanfarrear; fanfar; *presumo de elocuente,* me abono de eloquente; *presumir mucho,* (pop.) farelar.

presunción. *f.* presunção, suspeita, conje(c)tura; presunção, vaidade, afe(c)tação, inflação; assomo, barrunto; fumos, fantasia, arrogância; chieira; enfatuação; (fig.) aprumo, euforia, inchação; (for.) presunção, suspeita fundada.

presuntivo, va. *adj.* presuntivo, presumido, pressuposto; provável.

presunto, ta. *p. p. irreg.* de *presumir* e *adj.* presumido, que presume.

presuntuosidad. *f.* presunção, vaidade.

presuntuoso, sa. *adj.* e *s.* presunçoso, presumido, vaidoso; fantástico, apelindrado, aperaltado; alabancioso, fantarelo; (fam.) afumado.

presuponer. *v. tr.* pressupor, supor antecipadamente; assentar, dar por assentado; orçar, fazer um orçamento antecipadamente. *conj. irr.* como *poner.*

presuposición. *f.* pressuposição, suposição prévia.

presupuestar. *v. tr.* (bar.) V. **presuponer.**

presupuestario, ria. *adj.* pertencente ou relativo ao orçamento.

presupuesto, ta. *p. p. irreg.* de *presuponer* e *adj.* pressuposto. — *m.* motivo, causa, pretexto; suposição, orçamento.

presura. *f.* opressão, aperto, angústia; pressa, ligeireza, rapidez, prontidão; afinco, porfia.

presuroso, sa. pressuroso, rápido, ligeiro, veloz, pronto.

pretencioso, sa. *adj.* (gal.) pretensioso, afectado, presumido.

pretendencia. *f.* V. **pretensión.**

pretender. *v. tr.* pretender, apetecer, desejar; solicitar; exigir; ter o propósito de; intentar; diligenciar; sustentar ou asseverar sem fundamento; procurar, fazer a diligência; tratar; aspirar; cortejar, fazer a corte, galantear a uma mulher: *¿qué pretende?,* a onde quer ele chegar?; *si lo que pretendes,* bem vejo a derrota que quereis tomar; *pretender ser médico,* arvorar-se em médico.

pretendido, da. *adj.* pretenso, imaginado, suposto.

pretendienta. *f.* pretendente, mulher que pretende .

pretendiente. *p. a. adj.* e *s.* pretendente, que pretende; candidato; solicitador.

pretensión. *f.* pretensão, aspiração, solicitação; suposto direito a alguma coisa; exigência; desejo ambicioso; vaidade exagerada; jactância; bazófia: *ceder en las pretensiones,* afrouxar-se em suas pretensões; *falta de pretensiones,* despretensão; *sin pretensiones,* despretenciosamente; *tener la pretensión de ser,* (fam.) ter bico de ser; enfeitar-se para.

pretenso, sa. *p. p. irreg.* de *pretender* e *adj.* pretenso. — *m.* (p. us.) V. **pretensión.**

pretensor, ra. *adj.* e *s.* pretensor, que pretende, pretendedor, solicitador.

preterición. *f.* preterição; olvido, omissão; (ret.) preterição.

preterir. *v. tr.* preterir, excluir, omitir, pôr de parte, exceptuar; deixar em claro.

pretérito, ta. *adj.* pretérito, passado. — *m.* (gram.) pretérito.

pretermisión. *f.* pretermissão; omissão; (ret.) preterição.

pretermitir. *v. tr.* pretermitir, omitir.

preternatural. *adj.* preternatural, sobrenatural.

preternaturalizar. *v. tr.* alterar ou transtornar o estado natural duma coisa.

pretexta. *f.* pretexta, toga branca usada na antiga Roma.

pretextar. *v. tr.* pretextar, dar ou tomar como pretexto, desculpar, escusar; (fig.) colorir, corar; enfeitar.

pretexto. *m.* pretexto, desculpa, efúgio, desfeita, coar(c)tada; alvitre; evasiva, evasão; encoberta, entretenida; (fig.) colorido, co(ô)r; achaque: *bajo el pretexto de,* à, com sol cor de; *pretextos futiles,* bicos; *pretexto para ganar tiempo,* (fig.) empalhação.

pretil. *m.* parapeito, varandim, muro de ponte, etc.; lugar plano, calçada ou passeio, ao longo do parapeito ou varandim.

pretina. *f.* cinto com broche ou fivela; cinta; a parte do vestuário que se ajusta à cintura; (fig.) o que cinge ou rodeia alguma coisa.

pretinazo. *m.* pancada dada com cinto.

pretinero. *m.* cinteiro, fabricante de cintos.

pretinilla. *f.* cintozinho, adornado com pedras preciosas, cintilho.

pretónico, ca. *adj.* V. **pretónica.**

pretor. *m.* pretor.

pretor. *m.* (mar.) negrura das águas, na pesca do atum.

pretoría. *f.* V. **pretura;** cargo ou dignidade de pretor.

pretorial. *adj.* pretoriano.

pretorianismo. *m.* pretorianismo, influência exercida por um grupo militar.

pretoriano, na. *adj.* e *s.* pretoriano.

pretoriense. *adj.* pretoriano.

pretorio, ria. *adj.* pretoriano. — *m.* pretório.

pretura. *f.* pretória.

prevalecer. *v. intr.* prevalecer, predominar, sobressair, levar vantagem, preponderar; prevalecer, crescer, criar raízes; (fig.) crescer, aumentar; prevalecer, ter maior valor ou superioridade; conseguir, vencer; arraigar. — *v. r.* valer-se ou servir-se duma coisa, aproveitar-se. — *conj. irr.* como *crecer*.

prevaler. *v. intr.* prevalecer. — *v. r.* valer-se ou servir-se duma coisa. — *conj. irr.* como *valer*.

prevaricación. *f.* prevaricação, conluio; corrupção; desserviço.

prevaricador, ra. *adj.* e *s.* prevaricador, que prevarica.

prevaricar. *v. intr.* prevaricar, faltar aos deveres do seu cargo; corromper a justiça; conluiar; corromper.

prevaricato. *m.* prevaricação, acção do funcionário que falta aos deveres do cargo.

prevención. *f.* prevenção, disposição preventiva; opinião que precede qualquer exame; opinião antecipada; aviso prévio; precaução; premeditação; prisão preventiva; conceito desfavorável que se tem dalguém; provisão de mantimentos ou doutra coisa para algum fim; (mil.) prevenção, guarda do quartel.

prevenido, da. *p. p.* e *adj.* prevenido, apercebido, informado, avisado; prevenido, próvido, acautelado, receoso, desconfiado; provido, abundante, cheio; antecipado; falado; destro; (Bras.) cismado: *estar prevenido*, não estar descalço.

prevenir. *v. tr.* prevenir, evitar, prever, preparar; chegar, dizer ou fazer antes; antecipar; precaver, acautelar, informar, advertir; impedir; surpreender; aparelhar; aprontar; imunizar (enfermidades).— *v. r.* prevenir-se, acautelar-se; aperceber-se. — *conj. irr.* como *venir*.

preventivo, va. *adj.* preventivo, que previne; que serve para prevenir ou impedir, preventor.

prever. *v. tr.* prever, pressupor, calcular, conje(c)turar, predizer; barruntar, entrever, futurar.

previo, via. *adj.* prévio, antecipado, anterior, preliminar, antecessor.

previsión. *f.* previsão; conjectura; presciência, anteconhecimento; farejo.

previsor, ra. *adj.* e *s.* previdente, que prevê; prudente, antevidente.

previsto, ta. *p. p. irreg.* de *prever* e *adj.*, previsto, conjecturado; profetizado, prognosticado.

prez. *amb.* apreço, honra, estima, consideração; lustre, glória.

priatismo. *m.* (med.) priatismo.

priesa. *f.* V. **prisa.**

prieto, ta. *adj.* muito escuro, quase preto; preto, escuro; apertado; (fig.) miserável, escasso; mesquinho.

prima. *f.* prima, primeira parte do dia romano; prima, corda dalguns instrumentos musicais; pré(ê)mio, luvas, gratificação; (rel.) tonsura, prima tonsura, prima, a primeira hora do ofício divino.

primacia. *f.* primazia, excelência, superioridade, vantagem; primazia, dignidade ou cargo de primaz.

primacial. *adj.* primacial.

primada. *f.* (fam.) engano, logração, logro, corriola.

primado. *m.* primaz, primeiro lugar ou grau; primazia; primado; supremacia; primado, o principal entre os bispos e arcebispos dum país.

primal, la. *adj.* diz-se da ovelha ou cabra com mais dum ano e menos de dois. — *m.* cordão ou trança de seda.

primar. *v. intr.* (gal.) primar, distinguir-se V. **sobresalir.**

primario, ria. *adj.* primário, principal, o primeiro em ordem ou grau; (geol.) pertencente a um dos terrenos primários.

primate. *m.* prócere, personagem ilustre, importante, numa classe ou nação.

primavera. *f.* primavera; (fig.) juventude; qualquer coisa vistosa; (bot.) primavera, planta herbácea; primavera, tecido de seda matizado de flores.

primaveral. *adj.* primaveral.

primazgo. *m.* parentesco dos primos entre si; primazia, dignidade de primaz.

primearse. *v. r.* (fam.) tratar-se por primos ó rei e os nobres ou estes entre si.

primer. *adj.* contr. de *primero*; usa-se antes de substantivo.

primera. *f.* primeira, jogo de cartas; primeira classe(caminho de ferro); auto, velocidade (baixa).

primerizo, za. *adj.* e *s.* novato, noviço, principiante, aprendiz; primípara, primichica; primário, primeiro.

primero, ra. *adj.* primeiro, que precede todos outros; o mas antigo; primitivo; o melhor ou mais notável; principal, fundamental; inicial; rudimentar, indispensável. — *adv.* primeiro, antes de tudo; em primeiro lugar, antes, mais cedo.

primevo, va. *adj.* primevo, diz-se da pessoa mais idosa.

primicerio, ria. *adj.* primicério, diz-se do primeiro na sua classe. — *m.* primicério, chantre, o que ocupava o lugar imediato ao reitor na Universidade de Salamanca.

primicia. *f.* primícia, primeiro fruto; primícias, prestação ou oferenda que se fazia à igreja; (fig.). — *pl.* primícias, a primeira produção de coisa imaterial.

primicial. *adj.* pertencente a primícias.

primigenio, nia. *adj.* primigé(ê)nio, primígero, primitivo, originário.

primilla. *f.* perdão da primeira culpa ou falta que se comete. V. **pernícolo.**

primípara. *f.* primípara, fêmea que tem o primeiro parto.

primitivo, va. *adj.* primitivo, original, primeiro, fontal; inicial, inaugural; (fig.) antiquado, grosseiro; rudimentar; (gram.) primitivo, vocábulo que não deriva doutros da mesma língua; diz-se do artista ou obra artística, anterior à Renascença.

primo, ma. *adj.* primo, primeiro; excelente, primoroso. — *s.* primo, parente; tratamento entre nobres; (fam.) crédulo, simplório, tonto, parvo: *a primas*, primeiramente, ao princípio; *materia prima*, matéria-prima; *obra prima*, obra-prima; *prima hermana*, prima com irmã.

primogénito, ta. *adj.* e *s.* primogé(ê)nito.

primogenitura. *f.* primogenitura, dignidade, direito de primogénito.

primor. *m.* primor, habilidade, esme(ê)ro, apuro; perfeição; destreza; ace(ê)rto; minuciosidade, mimo; desteridade, formosura.

primordial. *adj.* primordial, primitivo, primeiro, fundamental, elemental.

primorear. *v. intr.* aprimorar-se, fazer primores, distinguir-se (usa-se principalmente entre os que tocam instrumentos).

primoroso, sa. *adj.* primoroso, excelente, delicado e perfeito; destro, experimentado, perfeito, maravilhoso: *manos primorosas*, mãos de fada.

prímula. *f.* (bot.) prímula.

primuláceo, a. *adj.* (bot.) primuláceo. — *f. pl.* primuláceas.

princesa. *f.* princesa, mulher do príncipe; princesa, soberana de principado; princesa de Astúrias, princesa herdeira do trono de Espanha.

principado. *m.* principado, título, dignidade e território dum príncipe. — *pl.* um dos nove coros dos anjos.

principal. *adj.* principal, que tem o primeiro lugar na importância ou estima; o mais importante; essencial, fundamental; ilustre, esclarecido; clássico; mestre, principal, primeiro nalguns negócios. — *m.* principal, capital que rende juros; principal, chefe duma casa de comércio, fábrica, etc.; (mil.) principal, guarda superior, a mais numerosa e importante; o principal, o que há de mais importância: *idea principal*, ideia mãe; *punto principal*, (fig.) eixo; *rueda principal*, roda mestra; *oración principal*, oração principal.

principalía. *f.* colectividade na organização administrativa das Filipinas.

principalidad. *f.* principalidade, primazia.

príncipe. *adj.* príncipe, prínces, diz-se da primeira edição duma obra. — *m.* primeiro, superior; príncipe, filho do rei, herdeiro da coroa; príncipe, indivíduo da família real ou imperial; (zool.) a cria da abelha-mestra; (fig.) o primeiro em mérito ou talento.

principesco, ca. *adj.* principesco.

principiador, ra. *adj.* e *s.* principiador, que dá começo a alguma coisa.

principianta. *f.* principiante, aprendiza que começa a praticar uma arte ou ofício.

principiante. *p. a.* e *adj.* e *s.* principiante, que principia, ou está em princípio; principiante, que começa a estudar, a aprender ou exercer um ofício, arte ou profissão, aprendiz; incipiente, inexperto, engatado; (fig.) boçal: *ser principiante* (fig.) engatilhar.

principiar. *v. tr.* principiar, começar, iniciar.

principio. *m.* princípio; princípio, come(ê)ro, origem; princípio, base, fundamento, causa primitiva ou primeira duma coisa; entrada, axórdio; (fig.) a(ô)vo, base; alfa; aparecimento; fundamento; iniciação; inauguração; estreio; incoação; chave; embrião; axioma; (fig.) alicerce, cimentação; fonte; infância; razão, base; opinião modo de ver; elementos, matéria essencial; princípio, agente natural; princípio, lei, regra, preceito moral, máxima, sentença; princípio, entrada, primeira parte dum jantar; princípio, elemento de que se compõe um corpo; (impr.) princípio, a parte do livro que precede a principal.

principote. *m.* (fam.) pessoa que faz ostentação da classe superior à sua.

pringado, da. *p. p.* e *adj.* embebido, besuntado, untado. — *f.* fatia de pão embebida em gordura.

pringar. *v. tr.* besuntar, embeber em gordura o pão ou outro alimento; lançar alguém azeite a ferver; besuntar, manchar, untar com gordura (fig. e fam.) ferir, fazendo sangue; denegrir, infamar. — *v. intr.* (fig.) ter parte num negócio. — *v. r.* (fig.) prevaricar; emboldregar-se.

pringón, na. *adj.* (fam.) pingão, engordurado, ensebado, besuntado. — *m.* (fam.) acto de manchar-se com gordura; nódoa ou mancha de gordura.

pringoso, sa. *adj.* gordurento, sujo, ensebado.

pringue. *s.* pingue, banha, gordura, unto; (fig.) sebo, sujidade ,porcaria, sujeira; castigo consistente em lançar azeite a ferver.

prior. *adj.* diz-se do que precede outra coisa. — *m.* prior, pároco de certas freguesias; superior de convento; prelado do convento, nalgumas ordem religiosas; prior, dignitário da ordem militar.

priora. *f.* prioresa, superiora do convento, abadessa.

prioral. *adj.* prioral.

priorato. *m.* priorado, dignidade, território, cargo e jurisdição de prior ou prioresa; vinho tinto do Priorato.

priorazgo. *m.* priorado. V. **priorato.**

priori. (a). *adv.* a priori.

prioridad. *f.* prioridade, primazia de tempo, ordem ou categoria; anterioridade; preferência, antelação.

prioste. *m.* prioste, mordomo de confraria ou irmandade.

prisa. *f.* pressa, celeridade, velocidade, prontidão, rapidez; afo(ô)go; aceleramento, aceleração; freima, fula; darandina, apressuramento, ape(ê)rto; azáfama; (fam.) afogadilho, mecha, galope; prontidão; conflito; urgência; necessidade súbita, caso urgente; impaciência; (Bras.) afobação: *darse prisa*, dar-se pressa, apressar-se; *no hay prisa ninguna*, não ter pressa alguma; *andar de prisa*, caminhar com pressa; *tener prisa de*, ter pressa de; *a prisa*, a pressa, precipitadamente; *a toda prisa*, a toda a pressa; *actuar de prisa y corriendo* (fig.) albardar; *de prisa y corriendo* (fam.) de afogadilho; *dar prisa*, aviar, aferventar,

estugar, aforçurar; *hacer las cosas de prisa
y corriendo*, atropelar-se; *dar prisa a alguien*, dar um atracão; *¡date prisa!*, aperta!; *gran prisa*, lufa-lufa; *ir con mucha prisa*, ir de batida; *muy de prisa*, atropeladamente; *tener mucha prisa*, atrafegar-se; *no tener prisa*, desapressar-se.

priscal. *m.* redil, aprisco para recolha do gado à noite.

priscilianismo. *m.* (rel.) priscilianismo.

priscilianista. *adj.* e *s.* priscilianista.

priscilano, na. *adj.* e *s.* V. **priscilianista.**

prisión. *f.* prisão, acto de prender, apanhar ou agarrar; prisão, cadeia, cárcere; ligadura; prisão, o que une as vontades ou afectos; agrilhoamento, encarceramento, encarceração. — *pl.* grilhetas, algemas: *prisión amorosa*, (Bras.) amarração.

prisionero, ra. *s.* prisionero, detido em prisão, aprisionado, encarcerado; (fig.) cativo duma paixão: *prisionero de guerra*, prisioneiro de guerra.

prisma. *m.* (geom.) prisma; (fís.) sólido triangular de vidro que decompõe os raios luminosos.

prismático, ca. *adj.* prismático. — *m.* prismático.

prístino, na. *adj.* prístino, antigo, primitivo, original; prisco.

prisuelo. *m.* açamo próprio para furões.

privación. *f.* privação, acto de privar; carência, falta; abstenção, abstinência, coibição; estreiteza, miséria; exoneração; falta; destituição; exoneração; frustração, expropriação (da propriedade); desacordo (do sentido): *pasar privaciones*, sofrer privações.

privada. *f.* privada, latrina, retrete, sentina; imundícia dos caminhos, ruas, etc.

privadero. *m.* limpador de retretes ou de fossas. V. **pocero.**

privado, da. *adj.* privado, particular, que não é público; privado, interno, interior, íntimo. — *m.* privado, valido, favorito.

privanza. *f.* privança valimento, favor; intimidade; amizade.

privar. *v. tr.* privar, tirar a propriedade de, desapossar; impedir; privar, proibir, vedar; privar excluir de emprego ou dignidade; tirar, suspender os sentidos. — *v. intr.* privar, ter privança, valimento; tratar com amizade, familiarizar.— *v. r.* privar-se, impor-se privação: *privar de*, excluir, expropriar; descartar; *privar de comodidades*, desaconchegar; *privar de honores*, degradar; *privar de empleo*, depor; privar de, abster-se de.

privativo, va. *adj.* privativo, que exprime privação ou negação; privativo, exclusivo, peculiar, próprio, particular, restrito.

privilegiado, da. *p. p.* e *adj.* privilegiado, que tem privilégio; excepcional, singular, distinto, elevado.

privilegiar. *v. tr.* privilegiar, conceder privilégios a; tratar com consideração especial ou com distinção; dotar com dom especial.

privilegio. *m.* privilégio, direito ou vantagem exclusiva; regalia; prerrogativa;

imunidade; exclusiva, atribuição; franqueza; benefício, diploma em que se concedê direitos ou vantagens exclusivas; (fig.) apanágio. — *pl.* foros (duma cidade ou província).

pro. *s.* prol, proveito, conveniência, vantagem; pró: *buena pro*, bom proveito; bom apetite; *hombre de pro*, homem de bem; *en pro*, em favor de; *el pro y el contra*, o pró e o contra: *pro británico*, pró-britânico.

pro. *prep. insep.* pro, designa origem, anterioridade, exensão, substituição.

proa. *f.* (mar.) proa; (por ext.) a frente de qualquer coisa, arco: *a proa* (mar.), davante; *proa de un barco*, bico, barba da nau; *del lado de proa*, (mar.) de avante; *poner la proa a alguien*, (fig.) atacar alguém; *dirigir la proa hacia*, aproar.

proal. *adj.* pertencente à proa.

probabilidad. *f.* probabilidade, verosimilhança; possibilidade; aparência; eventualidade; facilidade: *cálculo de probabilidades*, cálculo de probabilidades.

probabilismo. *m.* (teol.) probabilismo.

probabilista. *adj.* e *s.* (teol.) probabilista.

probable. *adj.* provável, verosímil, possível, eventual, aparente, expe(c)tável.

probación. *f.* prova; provação, acto de experimentar o ânimo; exame e prova que o noviço deve fazer nas ordens regulares.

probado, da. *p. p.* e *adj.* provado, acreditado pela experiência, experimentado, sabido; diz-se da pessoa que sofreu com paciência grandes tribulações; (for.) acreditado como verdade nos autos.

probador, ra. *adj.* e *s.* provador, que prova.

probadura. *f.* provação, provadura, prova, provança, degustação.

provanza. *f.* provação, provança, averiguação ou prova que se faz duma coisa juridicamente.

probar. *v. tr.* provar, fazer exame das qualidades de pessoas ou coisas; testemunhar; patentar; justificar, demonstrar, estabelecer a verdade, provar; provar, padecer; provar, comer ou beber em pequenas quantidades, degustar; provar, experimentar; intentar; deflorar; fundamentar; evidenciar; convencer; abonar. — *v. intr.* provar, vir a propósito, ajustar; provar, ser favorável à saúde. — *pres. ind. irr.* **pruebo, -as, -a;** *subj.* **pruebe, -es, -e.**

probatorio, ria. *adj.* provatório, que contém prova, que serve de prova.

probatura. *f.* (fam.) ensaio, prova.

probeta. *f.* proveta, manómetro de mercúrio da máquina pneumática; máquina para provar a qualidade e violência da pólvora; vasilha quadrilonga usada pelos fotógrafos.

probidad. *f.* probidade, bondade, re(c)tidão do ânimo; integridade, honradez, decência, deco(ô)ro, exa(c)tidão.

problema. *m.* problema, questão; coisa difícil de compreender ou explicar; enigma; mistério; dúvida: *ir al fondo del problema*, deixar-se de contos; *problemas intrincados*, (pop.) danças.

problemático, ca. *adj.* problemático, duvidoso, incerto.

probo, ba *adj.* probo, íntegro, justo, honrado, decente, decoroso, exa(c)to.

probóscide. *f.* (zool.) probóscida, probóscide.

proboscidio, dia. *adj.* (zool.) proboscídeo. — *m. pl.* proboscídeos.

procacidad. *f.* procacidade, insolência, atrevimento, palavrada, petulância, desvergonha, luxúria.

procaz. *adj.* procaz, procace, insolente, descarado, imprudente, desvergonhado, petulante.

procedencia. *f.* procedência, proveniência; origem; procedência, emanação; procedência, porto de saída ou de escala dum navio; conformidade com a moral, razão ou direito; (for.) fundamento legal e oportunidade duma demanda, petição ou recurso.

procedente. *p. a.* e *adj.* procedente, que procede, proveniente, derivante, oriundo; concluente, emanante: *no ser procedente*, improceder.

proceder. *v. intr.* proceder, seguir-se, nascer, originar-se uma coisa doutra; proceder, portar-se bem ou mal; pôr em execução; andar, prosseguir; derivar; emanar; agir: *proceder contra uno*, (for.) instaurar processo judicial.

proceder. *m.* proceder, procedimento, modo de vida, comportamento: *mal proceder*, desgoverno; *modo de proceder*, atitude.

procedimiento. *m.* procedimento, acção de proceder; modo de proceder, comportamento, método; estilo; meio; (for.) processo, actuação por trâmites judiciais ou administrativos.

procela. *f.* (poet.) procela, tempestade, borrasca, tormenta.

proceleusmático. *m.* proceleusmático.

proceloso, sa. *adj.* proceloso, tempestuoso, tormentoso.

prócer. *adj.* prócere, alto, eminente, elevado. — *m.* prócere, magnate; pessoa de primeira distinção ou constituída em alta dignidade.

procerato. *m.* dignidade de prócere.

proceridad. *f.* proceridade, qualidade do alto ou corpulento; altura, eminência ,elevação; vigor; louçania.

procero, ra. prócero, ra. *adj.* V. **prócer.**

proceroso, sa. *adj.* diz-se da pessoa de alta estatura, corpulenta e de aspecto grave.

procesable. *adj.* que pode ou deve ser processado.

procesado, da. *p. p.* e *adj.* processado, declarado e tratado como presumível réu; processado, diz-se do escrito e da letra dum processo; inculpado, ajuizado. — *s.* processado.

procesal. *adj.* processual, relativo ao processo judicial.

procesamiento. *m.* processamento, acto de processar.

procesar. *v. tr.* processar, formar autos e processos; processar, meter o processo,

autuar; (for.) processar, declarar uma pessoa como provável réu.

procesión. *f.* processão, procedência; procissão, cortejo de carácter religioso; (fig. e fam.) uma ou mais fileiras de pessoas ou animais que vão dum lugar para outro: *andar de procesión por las tabernas* (pop.) decilitrar.

procesional. *adj.* processional.

procesionario. *m.* processionário, livro de rezas que se usam nas procissões.

proceso. *m.* processo, sedimento, decurso; (for.) processo, acção judicial, causa criminal; processo. V. **progreso;** (quim.) método, processo.

procíón. *m.* (astr.) estrela de primeira grandeza.

proclama. *f.* proclama, proclamação; lei ou decreto; proclamação, actos públicos e cerimónias com que se aclama um novo reinado, principado, etc.; proclamação; louvor público; aclamação; anúncio, édito; banho de casamento.

proclamación. *f.* proclamação, publicação solene duma lei ou decreto; proclamação, actos públicos e cerimónias com que se aclama ou proclama um novo reinado, estado, etc.; proclamação, publicação solene; louvor público.

proclamador, ra. *adj.* aclamador, que proclama; proclamador.

proclamar. *v. tr.* proclamar, anunciar em público, com solenidade; aclamar; decretar; promulgar, publicar; reconhecer solenemente; exaltar; afirmar com ênfase; intitular, apelidar em público; proclamar, afirmar em brados; (fig.) dar inequívocos sinais dum afecto, paixão, etc.; apregoar; denunciar; (fig.) embocar a trombeta, cornetear. — *v. r.* fazer-se aclamar; arvorar-se; inculcar-se como; atribuir-se a qualidade de.

proclisis. *f.* (gram.) próclise.

proclítico, ca. *adj.* (gram.) proclítico.

proclive. *adj.* inclinado, propenso; disposto, proclive.

proclividad. *f.* proclividade; tendência, disposição natural.

procomún. *m.* utilidade pública.

procomunal. *m.* utilidade pública.

procónsul. *m.* procônsul.

proconsulado. *m.* proconsulado.

proconsular. *adj.* proconsular.

procreación. *f.* procriação, germinação, reprodução; cultura.

procreador, ra. *adj.* e *s.* procriador, que procria, criador, produtivo.

procrear. *v. tr.* procriar, gerar, produzir, engendrar; promover a germinação. — *v. intr.* procriar, germinar, multiplicar-se.

procronismo. *m.* procronismo.

proctalgia. *f.* (pat.) proctalgia .

proctectomia. *f.* (cir.) prostectomia.

proctitis. *f.* (pat.) proctite.

proctocele. *m.* (pat.) proctocele.

proctopatía. *f.* (pat.) proctopatia.

proctoplastia. *f.* (cir.) proctoplastia.

proctoptosis. *f.* (med.) proctoptose.

proctorrea. *f.* (pat.) proctorreia.
proctoscopia. *f.* (pat.) proctoscopia.
proctoscopio. *m.* (cir.) proctoscópio.
proctostomía. *f.* (cir.) proctostomia.
procura. *f.* procuração, mandato; procuradoria; cuidado assíduo dos negócios.
procuración. *f.* procuração, cuidado e diligência num negócio; procuração, mandato; ofício ou cargo de procurador; procuradoria, escritório de procurador.
procurador, ra. *adj.* procurador, que procura. — *s.* procurador, o que tem procuração para tratar negócios doutrem; procurador, mediador, agente; procurador; administrador, mandatário.
procuradora. *f.* freira que tem a seu cargo o governo económico da comunidade.
procuraduría. *f.* procuradoria, ofício ou cargo de procurador; procuradoria, escritório de procurador.
procurar. *v. tr.* procurar, investigar, buscar, indagar, pesquisar; exercer o ofício de procurador; procurar, pretender ,tratar de; tentar; diligenciar; examinar; proporcionar; agenciar; arbitrar. — *v. r.* procurar-se, agenciar-se.
procurrente. *m.* (geog.) península grande.
prodición. *f.* prodição; traição, aleivosia, deslealdade.
prodigalidad. *f.* prodigalidade, liberalidade, generosidade; esbanjamento; profusão; desperdício; consumo, gasto excessivo; cópia, abundância.
prodigar. *v. tr.* prodigalizar, prodigar, gastar pròdigamente; dissipar; desperdiçar; esbanjar, dar com profusão; dar-se, expor-se ao perigo, arriscar; prodigalizar, dar com profusão e abundância. — *v. r.* exceder-se na exibição pessoal.
prodigio. *m.* prodígio, sucesso estranho e maravilhoso; maravilha; milagre, portento, coisa surpreendente; pessoa extraordinária.
prodigiosidad. *f.* prodigiosidade, qualidade de prodigioso, maravilha, coisa extraordinária.
prodigioso, sa. *adj.* prodigioso, maravilhoso, extraordinário; excelente, primoroso, admirável; portentoso, estupendo, fabuloso, assombroso; descomunal.
pródigo, ga. *adj.* pródigo, esbanjador, dissipador; desaproveitado, desbaratador; generoso, liberal, dadivoso; estragadão; exuberante; abundante, abundoso.
prodrómico, ca. *adj.* (med.) prodrómico.
pródromo. *m.* (med.) pródromo, preâmbulo, preliminar; indisposição, que antecede uma doença.
producción. *f.* produção, acção de produzir; producto, obra, trabalho; realização, produção, conjunto dos productos agrícolas e industriais; indústria, estudo; frutificação (de frutos).
productibilidad. *f.* produtibilidade, produtividade; fecundidade; fertilidade.
productible. *adj.* produtível, que se pode produzir, produzível.
producimiento. *m.* V. **producción.**

producir. *v. tr.* produzir, engendrar, procriar, criar; originar, casar, ocasionar; elaborar, fazer; produzir, dar, ter frutos as árvores, terrenos, etc.; produzir, render, dar interesse; (for.) produzir, alegar; citar factos; formar; fabricar; dar, deixar, deitar; determinar. — *v. r.* manifestar-se, sair à luz; ser o berço de: *producir efecto contrario*, contraproduzir; *producirse una epidemia*, declarar-se uma epidemia. — *conj. irr.* como *conducir.*
productividad. *f.* produtividade, fecundidade, fertilidade.
productivo, va. *adj.* produtivo, que produz, lucrativo, rendoso, fértil; frutífero, frutuário; eficiente, eficaz.
producto, ta. *p. p. irreg.* de *producir* e *adj.* produzido. — *m.* produto, coisa produzida, resultado, lucro, mercadoria, mercancia; resultado; rendimento, benefício, proveito; resultado da multiplicação.
productor, ra. *adj.* e *s.* produtor, que produz, autor, criador.
proejar. *v. intr.* proejar, aproar, remar contra a corrente.
proel. *adj.* (mat.) proeiro. *s. m.* proeiro.
proemial. *adj.* proemial; preambular.
proemio. *m.* proé(ê)mio, prólogo, preâmbulo, prefácio, exórdio; introdução início, preliminar.
proeza. *f.* proeza, façanha; (pop.) proeza, acto censurável ou escandaloso.
profanación. *f.* profanação; sacrilégio; irreverência; (fig.) mau uso duma coisa digna de apreço; desacato.
profanador, ra. *adj.* e *s.* profanador, que profana, sacrílego; funestador.
profanamiento. *m.* profanação, sacrilégio. V. **profanación.**
profanar. *v. tr.* profanar, dar uso profano a um objecto sagrado; profanar, tratar com irreverência; desconsagrar, funestar; aviltar; desonrar; prostituir; macular, contaminar; fazer mau uso do que é digno de apreço.
profanidad. *f.* profanidade; indecência; excesso no fausto ou pompa exterior.
profano, na. *adj.* e *s.* profano, estranho à religião; leigo; secular; libertino; imodesto; (fig.) que não tem ilustração; ignorante; irreligioso, irreverente; que não pertence a uma certa classe, seita ou associação.
profazar. *v. tr.* abominar, censurar, difamar.
profecía. *f.* profecia, vaticínio, prognóstico; predição do futuro; profecia, predição por inspiração divina; profecia, livro canónico do Antigo Testamento; (fig.) conjectura.
profecticio, cia. *adj.* (for.) profetício.
proferir. *v. tr.* proferir, pronunciar palavras, dizer; articular; pronunciar em voz alta; exclamar, falar; (fig.) aventar. — *conj. irr.* como *herir.*
profesar. *v. tr.* professar; exercer, praticar; seguir; abraçar; dedicar; ensinar; professar, reconhecer pùblicamente. — *v. intr.* (rel.) professar, obrigar-se numa ordem

religiosa, tomar o hábito, proferir votos solenes.

profesión. *f.* profissão; profissão, declaração pública; profissão, ofício, mister, emprego; ocupação.

profesional. *adj.* e *s.* profissional, relativo a profissão; pessoa que faz profissão dalguma coisa.

profesionalismo. *m.* exercício duma profissão.

profeso, sa. *adj.* professo; diz-se do religioso que professou. — *s.* diz-se do convento para religiosos professos.

profesor, ra. *s.* professor, educador, mestre; tutor; diz-se da pessoa que exerce ou ensina uma ciência ou arte.

profesorado. *m.* professorado.

profeta. *m.* profeta; vidente; adivinho: *nadie es profeta en su tierra,* ninguém é profeta na sua terra.

profetal. *adj.* profético.

profético, ca. *adj.* profético; agoiral; (fig.) apocalíptico.

profetisa. *f.* profetisa ,mulher que faz profecias.

profetismo. *m.* profetismo.

profetizador, ra. *adj.* e *s.* profetizador, vaticinador, que profetiza.

profetizar. *v. tr.* profetizar, predizer o futuro por inspiração divina; (fig.) profetizar, vaticinar,augurar; prever ou dizer antecipadamente por conjectura ou por acaso.

profiláctica. *f.* (med.) profilaxia, higiene.

profiláctico, ca. *adj.* e *m.* (med.) profila(c)tico, preservativo, preventivo.

profilaxis. *f.* (med.) profilaxia, preservação.

profligar. *v. tr.* (ant.) profligar, destruir, desbaratar, vencer.

prófugo, ga. *adj.* e *s.* prófugo, fugitivo; desertor; refractário; errante; (Bras.) insubmisso.

profundar. *v. tr.* profundar. V. **profundizar.**

profundidad. *f.* profundidade, qualidade de profundo; (geom.) altura, profundidade dos corpos; profundidade, dificuldade em se compreender; (fig.) profundidade, grande penetração de espírito; impenetrabilidade; profundidade, intensidade; fun_dura. — *pl.* (fig.) entranhas.

profundizar. *v. tr.* profundar, tornar mais fundo; aprofundar, escavar; (fig.) profundar, examinar, discorrer com a maior atenção; investigar; sondar, penetrar.

profundo, da. *adj.* profundo, que tem o fundo muito distante da superfície; fundo, extenso; intenso; que penetra muito; cavado; (fig.) intenso, vivo, eficaz; impenetrável, improfundável, incompreensível; profundo, perspicaz; escuro; medonho; forte. — *m.* o mar; o inferno; profundidade: *ser profundo,* ter fundo.

profusión. *f.* profusão, grande abundância; prodigalidade; dispêndio excessivo; abastança; enchente ,enchimento; luxo; exuberância.

profuso, sa. *adj.* profuso, copioso, exuberante; abundante; excessivo; supérfluo; luxuoso; incontável, copioso, pródigo, prolixo.

progenie. *f.* progénie, origem, ascendência; descendência, prole, família; linhagem; progenitura; geração.

progenitor. *m.* progenitor, ascendente em linha recta; avô, pai. — *pl.* avós, antepassados, pais.

progenitura. *f.* progé(ê)nie; progenitura, qualidade de primogénito; progenitura, direito de primogénito.

progimnasma. *m.* (ret.) proginasma, ensaio, prefácio.

prognatismo. *m.* prognatismo.

prognato, ta. *adj.* e *s.* prognato.

prognosis. *f.* prognose, prognóstico, conjectura; prognóstico, predição do tempo.

programa. *m.* programa, prospecto, anúncio, projecto; plano, édito ou aviso público; tema para um discurso, desenho, quadro; programa, exposição resumida do caminho que se propõe seguir; desígnio; programa, índice das matérias que se hão-de ensinar num curso.

progresar. *v. intr.* progredir, fazer progressos nalguma matéria; desenvolver-se; prosseguir, avançar; medrar; adiantar; avantajar, aperfeiçoar; andar, melhorar; ir a melhor; emendar; civilizar; aumentar.

progresión. *f.* progressão, progredimento, continuação; aumento gradual; progresso; (mat.) progressão.

progresismo. *m.* progressismo.

progresista. *adj.* e *s.* progressista, seguidor do partido progressista.

progresivo, va. *adj.* progressivo, que avança; progressista, que progride ou aumenta em quantidade ou perfeição; avançado; (fig.) civilizado.

progreso. *m.* progresso, movimento para diante; aumento; progresso, adiantamento, aperfeiçoamento; civilização; melhora; melhoramento; aproveitamento; medra, aumento; (fig.) desbastamento; andamento (dos negócios): *hacer progresos,* aproveitar, avantajar, aperfeiçoar-se.

prohibición. *f.* proibição; interdição; veto; abolimento; defendimento, defensão banimento; inibição.

prohibido, da. *p. p.* e *adj.* proibido, interdito; defeso; não permitido; indevido; clandestino, de contrabando: *autor prohibido, por la Iglesia,* autor danado.

prohibir. *v. tr.* proibir, ordenar que se não faça, vedar, impedir, tornar defeso; interdizer; abolir; defender; banir, inibir; anatematizar; coitar (a caça).

prohibitivo, va. *adj.* proibitivo, proibitório.

prohibitorio, ria. *adj.* proibitório, proibitivo.

prohijación. *f.* V. **prohijamiento.**

prohijador, ra. *adj* e *s.* perfilhador, que perfilha.

prohijamiento. *m.* perfilhação, perfilhamento; adopção.

prohijar. *v. tr.* perfilhar, receber como filho, ado(p)tar; (fig.) perfilhar, acolher como próprias as opinioês alheias; arrogar.

prohombre. *m.* mestre dum ofício, homem probo.

pro indiviso. adj. (for.) pro indiviso.

prójima. f. (pop.) mulher de pouca consideração ou de conduta duvidosa.

prójimo. m. próximo; semelhante: *no tener prójimo uno*, ser muito duro de coração.

prolapso. m. (med.) prolapso.

prole. f. prole, família, progénie; linhagem, geração, descendência.

prolegómeno. m. prolegó(ô)meno, longa introdução; prolegómeno, noções preliminares duma ciência.

prolepsis. f. (ret.) prolepse.

proléptico, ca. adj. proléptico.

proletariado. m. proletariado, classe social dos proletários.

proletario, ria. adj. e s. proletário, diz-se do que não tem bens; (fig.) plebeu, vulgar; indigente.

proliferación. f. (zool. e bot.) proliferação, prolificação.

proliferar. v. intr. (neol.) proliferar, reproduzir-se, multiplicar-se.

prolífero, ra. adj. (bot. e zool.) prolífero, que se multiplica.

prolificación. f. (bot.) prolificação, proliferação.

prolífico, ca. adj. prolífico; seminal; fértil; productivo, frutuoso.

proligeración. f. (biol. e bot.) proliferação.

prolígero, ra. adj. prolígero.

prolijidad. f. prolixidade; difusão; defeito do que é prolixo; minuciosidade.

prolijo, ja. adj. prolixo, difuso, dilatado com excesso; demasiadamente cuidadoso ou esmerado, minucioso; impertinente, incómodo, fastidioso; superabundante; (fig.) fraldoso, ambagioso; palavroso; estirado: *ser prolijo*, estender a massa; *ser muy prolijo*, (fam.) derramar-se narrando.

prologal. adj. prologal.

prologar. v. tr. prologar, prefaciar, escrever o prólogo duma obra.

prólogo. m. prólogo, prefácio, proé(ê)mio, preâmbulo; prólogo, pequeno acto no drama; introdução; exórdio.

prologuista. s. pessoa que escreveu um ou mais prólogos, prefaciador.

prolonga. f. prolonga, corda que liga o reparo ao armão, nas peças de artilharia.

prolongable. adj. prolongável.

prolongación. f. prolongação, dilatação, dilação; continuação.

prolongador, ra. adj. e s. prolongador, que prolonga.

prolongamiento. m. prolongamento, prolongação; extenção; continuação; dilação; demora.

prolongar. v. tr. prolongar, dilatar, estender; prolongar, fazer que uma coisa tenha mais duração; continuar; dilatar, demorar, dilatar; prolongar, protrair; estender, estiraçar; alongar; delongar; alargar; arrastar. — v. r. prolongar-se; estender-se; (mar.) prolongar, encostar, atracar no sentido do comprimento da embarcação: *prolongar indefinidamente*, eternizar, *prolongar la vida*, estender a vida, alimentar.

proloquio. m. prolóquio, máxima, anexím, provérbio, sentença, ditado.

prolusión. f. prelúdio. V. **prelusión.**

promanar. v.i intr. provir. V. **provenir.**

promediar. v. tr. mediar, igualar, repartir em duas partes iguais. — v. intr. mediar, servir de medianeiro, intervir, interpor-se.

promedio. m. ponto médio duma coisa, meio; termo médio, média.

promesa. f. promessa, afirmativa; promessa, voto feito a Deus ou aos Santos; promessa, coisa prometida; oferta, compromisso; palavra (fig.) auspício, augúrio; empenho.

prometedor, ra. adj. e s. prometedor, que promete.

prometer. v. tr. prometer, obrigar-se a fazer ou dar; comprometer-se; oferecer probabilidades ou esperanças; predizer; anunciar, assegurar, certificar, oferecer ao vendedor um preço. — v. intr. prometer, dar esperanças de bom futuro; fazer prometimento. — v. r. dar-se mútuamente palavra de casamento; oferecer-se ou dedicar-se ao serviço de Deus.

prometida. f. prometida, noiva.

prometido, da. p. p. adj. e s. prometido; prometido, noivo.

prometimiento. m. promessa, compromisso, prometimento.

prominencia. f. proeminência, altura ou elevação de terreno, saliência; avanço; bo(ô)jo; (zg.) barriga.

prominente. adj. proeminente, saliente, que se eleva acima do que o circunda, alto.

promiscuación. f. promiscuidade, mistura confusa e desordenada, mescla; mistura de carne com peixe em dia de abstinência.

promiscuar. v. intr. promiscuar, comer carne e peixe misturado em dia de abstinência; participar indistintamente em coisas heterogéneas.

promiscuidad. f. promiscuidade, mistura confusa e desordenada, mescla.

promiscuo, cua. adj. promíscuo, misturado, indistinto, confuso; (gram.) diz-se dos substantivos epicenos.

promisión. f. promissão, promessa: *Tierra de Promisión*, Terra da Promissão.

promisorio, ria. adj. promissório, promissivo.

promoción. f. promoção, acção de promover, ascendimento, ascenso; alçamento; assunção; conjunto de pessoas promovidas.

promontorio. m. promontório; (fig.) qualquer coisa que faz volume e ocasiona estorvo; promontório, cabo formado de rochas elevadas que entra pelo mar.

promotor, ra. adj. e s. promotor, que promove ou desenvolve; fomentador; arbitrista.

promover. v. tr. promover, iniciar ou adiantar alguma coisa; fomentar; promover, elevar a categoria superior; alçar; iniciar; provocar; ajudar; adiantar; exaltar; elevar à dignidade de, ao emprego de; dar impulso a; trabalhar a favor de; originar, ser causa de: *promover a general*, alçar em general; *promover escándalo*, (fam.) dar enchente. — *conj. irr.* como *mover.*

promulgación. *f.* promulgação; publicação de lei ou decreto.

promulgador, ra. *adj.* e *s.* promulgador, que promulga.

promulgar. *v. tr.* promulgar, publicar oficialmente; divulgar; vulgarizar; anunciar; decretar; proclamar; expedir; propagar.

pronación. *f.* (anat.) pronação.

prono, na. *adj.* prono, inclinado demasiadamente a uma coisa, disposto, propenso.

pronombre. *m.* (gram.) pronome.

pronominado. *adj.* (gram.) pronominal.

pronominal. *adj.* (gram.) pronominal.

pronosticación. *f.* prognóstico, predicção.

pronosticador, ra. *adj.* e *s.* prognosticador, que prognostica.

pronosticar. *v. tr.* prognosticar, conhecer o futuro; prognosticar, predizer, adivinhar, pressagiar; anunciar; auspiciar, augurar; ameaçar (perigo); denunciar, futurar.

pronóstico. *m.* prognóstico, prognose; prenúncio conjetura, futuração; adivinhação; augúrio, auspício; anúncio; calendário com o anúncio dos fenómenos meteorológicos; prognóstico, juízo médico sobre uma doença.

prontitud. *f.* prontidão, celeridade, presteza; apressuramento; a(c)tivação, expedição; prontidão, vivacidade de engenho ou de imaginação; prontidão, rapidez; desembaraço; brevidade; facilidade de perfeição.

pronto, ta. *adj.* pronto, veloz, acelerado; ligeiro; rápido; expeditivo; despachado; fácil, alerta. — *m.* (fam.) repente, impulso repentino: *demasiado pronto,* ante tempo; *lo más pronto posible,* a mais andar, quanto antes; *más pronto,* mais pronto, um pouco depressa; *tan pronto como,* amentre; *ingenio pronto,* engenho pronto; *de pronto,* num pronto, de pronto; *estar pronto,* estar tudo pronto. — *adv.* pronto, prontamente.

prontuario. *m.* prontuário, livro manual de indicações úteis; compêndio das regras duma ciência ou arte.

prónuba. *f.* (poét.) madrinha de casamento.

pronunciable. *adj.* que se pode pronunciar, pronunciável.

pronunciación. *f.* pronunciação, pronúncia; modo de pronunciar; recitação; acento.

pronunciador, ra. *adj.* e *s.* pronunciador, que pronuncia.

pronunciamiento. *m.* pronunciamento, rebelião militar, sublevação, revolta; (for.) cada uma das declarações, despachos, sentenças ou pronúncias do juiz.

pronunciar. *v. tr.* e *r.* pronunciar, exprimir oralmente; proferir, articular; determinar; resolver; (fig.) pronunciar, levantar, sublevar, avultar; revelar; (for.) publicar sentença ou despacho; declarar.

pronuncio. *m.* pronúncio, que tem funções de núncio pontifício.

propagación. *f.* propagação; divulgação, difusão; multiplicação por geração; comuni-

cação por contágio; infiltração, circulação; expansão; deflagração; derramamento: *propagación de una doctrina,* apostolado.

propagador, ra. *adj.* e *s.* propagador, que propaga.

propaganda. *f.* propaganda, propagação de princípios, congregação de cardeais para a difusão da religião católica; sociedade vulgarizadora de certas doutrinas ou conhecimentos.

propagandista. *adj.* e *s.* propagandista.

propagar. *v. tr.* propagar, multiplicar reproduzindo; propagar, espalhar; difundir, vulgarizar, divulgar; (fig.), dilatar ou aumentar alguma coisa; propalar. — *v. r.* propagar-se e reproduzir-se, multiplicar-se; generalizar-se; transmitir-se; pegar-se.

propagativo, va. *adj.* propagativo, que propaga.

propalador, ra. *adj.* e *s.* divulgador, que propaga, que divulga.

propábulo. *m.* (bot.) propábulo.

propalar. *v. tr.* propalar, divulgar coisas ocultas, espalhar, publicar, fazer circular.

proparoxítono, na. *adj.* (gram.) proparoxítono.

propartida. *f.* tempo que precede a partida.

propasar. *v. tr.* exceder, passar além do devido, ultrapassar; — *v. r.* descomedir-se, ir além do razoável, destemperar-se; desmarcar-se, fazer excessos.

propedéutica. *f.* propedêutica; introdução.

propedéutico, ca. *adj.* propedêutico.

propender. *v. intr.* propender, pender, inclinar-se, pender, atirar para.

propensión. *f.* propensão, inclinação, tendência, ape(ê)go, (fig.) embocadura; declive: *tener propensión para,* ter embocadura para.

propenso, sa. *p. p. irreg.* de *propender* e *adj.* propenso, inclinado, com afeição a; atreito, adito.

propiciación. *f.* propiciação; propiciação sacrifício oferecido na lei antiga; intercessão.

propiciador, ra. *adj.* e *s.* propiciador, que propicia.

propiciar. *v. tr.* propiciar, tornar propício, proporcionar, deparar; tornar favorável; abrandar aplacar a ira dalguém, tornando-o favorável e propício; expiar.

propiciatorio, ria. *adj.* propiciatório. — *m.* templo, santos, imagens e relíquias.

propicio, cia. *adj.* propício, que protege; favorável; benigno; próprio; oportuno; amigo; afortunado; inclinado a fazer bem.

propiedad. *f.* propriedade, direito e faculdade de dispor duma coisa; propriedade, atributo, ou qualidade essêncial duma pessoa ou coisa; propriedade, domínio; fazenda, bens de raíz (gram.) propriedade, significação exacta duma palavra; propensão natural; propriedade, semelhança; imitação perfeita, exa(c)tidão; congruência; (fig.) apanágio: *hablar con propiedad,* falar ajustado; *dar en propiedad,* apropriar, — *pl.* facultades; bens, raizes.

propietario, ria. adj. e s. proprietário, dono; que tem cargo ou ofício próprio.

propileo. m. (quim.) propileno.

propileo. m. (arq.) propileu, vestíbulo; peristilo de colunas.

propina. f. propina, gratificação, gorjeta; (Bras.) potaba.

propinación. f. propinação, administração de medicamentos.

propinar. v. tr. propinar, ministrar, dar a beber; administrar ou prescrever medicamentos.

propincuidad. f. propinquidade, proximidade, vizinhança.

propincuo, cua. adj. propínquo, chegado, justo; próximo, vizinho.

propio, pia. adj. próprio, peculiar, exclusivo, próprio, conveniente e apropósito; característico, particular, próprio, natural, genuíno; próprio, o mesmo; semelhante, parecido, escrito com propriedade; próprio, diz-se do substantivo próprio.— m. (gram.) próprio, pessoa que se envia com carta ou recado; correio, portador, mensageiro. — pl. haveres, nacionais ou municipais: propio sentido, sentido próprio; ser propio, ser próprio; corresponder; es propio que, convém que; tomar como propio, arrogar.

propiteco. m. (zool.) propiteco.

propóleos. m. própolis.

propolisina. f. (bioquim. e terap.) propolisina.

proponer. v. tr. propor, apresentar para exame; submeter à apreciação; alvitrar; oferecer; referir; determinar; dispor; manifestar; expor por dúvida ou razões; deliberar; apresentar alguém para um emprego; propor, apresentar uma proposta; inculcar; indigitar; exortar; apontar. — v. r. propor-se, ter tenção de; oferecer-se; destinar-se: el hombre propone y Dios dispone, o homem põe e Deus dispõe. — conj. irr. como poner.

proporción. f. proporção, disposição das partes entre si; aptidão; disposição ou capacidade para alguma coisa; conformidade, conveniência; tamanho, dimensão; extensão, intensidade; analogia; (fig.) equilíbrio; (pint.) entoação; (mat.) proporção; proporção, aptidão, capacidade para qualquer coisa; proporção, ocasião oportuna; conformidade, conveniência, tamanho, dimensão.

proporcionable. adj. proporcionável, que se pode proporcionar.

proporcionado, da. adj. proporcionado, regular, competente, apto; proporcionado, que guarda a devida proporção, disposto regularmente; apto, próprio, conveniente; apolíneo; côngruo, congruente; equ(ü)itativo. — p. p. de proporcionar.

proporcional. adj. proporcional.

proporcionalidad. f. proporcionalidade, proporção.

proporcionar. v. tr. proporcionar, dar ou manter a proporção necessário; proporcionar, facilitar, dispor, ordenar; pôr à dis-

posição dalguém o que necessita ou lhe convém; apropositar; deparar; fornecer; corresponder; adequar; (pint.) entoar; oferecer; prestar; tornar oportuno.

proposición. f. proposição; (lóg.) proposição, oração; (mat.) proposição, teorema; (ret.) exposição do assunto, iniciação.

propósito. m. propósito, deliberação, resolução; desígnio, intento; mira, fim; juízo, tino; proje(c)to; propósito, obje(c)to; assunto; ide(é)ia; destino: a propósito, a propósito, oportunamente; a este respeito; de propósito, de propósito, de caso pensado; a propósito de, a propósito de, com respeito a.

proptoma. m. (med.) proptoma.

proptosis. f. (med.) proptose.

propuesta. f. proposta, condição que se propõe para chegar a um acordo; proposição; moção; consulta; projecto de lei; oferecimento; argumento; promessa.

propuesto, ta. p. p. irreg. de proponer e adj. proposto, oferecido.

propugnáculo. m. propugnáculo, baluarte, fortaleza; (fig.) sustentáculo, defesa, apoio.

propugnador, ra. adj. e s. propugnador, defensor.

propugnar. v. tr. propugnar, defender combatendo, amparar.

propulsa. f. V. **repulsa.**

propulsar. v. tr. V. **repulsar;** propulsar, impelir para diante.

propulsión. f. propulsão; impulsão para diante.

propulsor, ra. adj. e s. propulsor, que produz propulsão; impulsivo, impulsor; m. (mec.) propulsor.

prora. f. (poét.) proa.

prorrata. f. pro rata, quota de rateio: a prorrata, mediante rateio.

prorratear. v. tr. ratear, dividir proporcionalmente.

prorrateo. m. rateio, divisão proporcional dum todo entre várias pessoas.

prórroga. f. prorrogação, prórroga, adiamento, dilação.

prorrogable. adj. prorrogável, que se pode prorrogar.

prorrogación. f. prorrogação, continuação duma coisa, adiamento, dilação.

prorrogar. v. tr. prorrogar, prolongar um prazo; continuar; suspender; adiar, dilatar; estender.

prorrogativo, va. adj. prorrogativo, que prorroga.

prorrumpir. v. tr. prorromper, irromper impetuosamente; desatar; exclamar: prorrumpir en carcajadas, desatar em riso.

prosa. f. prosa; (fig. e fam.) prosa trivialidade, vulgaridade; prosa; lábia, palavreado.

prosador, ra. s. prosador, prosista; (fig. e fam.) falador, palrador, impertinente.

prosaico, ca. adj. prosaico, relativo a prosa; (fig.) material, vulgar, trivial, prosaico.

prosaísmo. m. prosaísmo; (fig.) banalidade, trivialidade, vulgaridade.

prosapia. *f.* prosápia, linhagem, ascendência, progénie, família; (fig.) fumaças.

poscenio. *m.* proscé(ê)nio, parte anterior do palco dos teatros.

proscribir. *v. r.* proscrever, banir, exilar; expulsar, (fig.) proscrever, excluir, proibir; extinguir; eliminar.

proscripción. *f.* proscrição; banimento legal, desterro, deportação; encartação; aplegação.

proscripto, ta. *adj.* e *s.* proscrito, ablegado, banido.

proscriptor, ra. *adj.* e *s.* proscritor, que proscreve.

proscrito, ta. *p. p. irreg.* e *adj.* proscrito, que sofreu proscrição.

prosecución. *f.* prossecução, prosseguição; prosseguimento; continuação.

proseguible. *adj.* que se pode prosseguir.

proseguimiento. *m.* prosseguimento, prossecução.

proseguir. *v. tr.* prosseguir, fazer seguir, continuar, dizer em seguida; levar por diante; continuar a andar; *conj. irr.* como *decir.*

proselitismo. *m.* proselitismo.

prosélito. *m.* prosélito, partidário, sectário, aderente; prosélito, maometano ou sectário, convertido ao catolicismo.

prosénquima. *m.* (bot.) prosênquima.

prosificación. *f.* prosa.

prosificador, ra. *adj.* e *s.* prosador, prosista.

prosificar. *v. tr.* prosar, escrever em prosa; pôr em prosa uma composição poética.

prosinodal. *adj.* diz-se do teólogo examinador de clérigos.

prosista. *s.* prosista, prosador.

prosístico, ca. *adj.* pertencente ou relativo à prosa, prosaico.

prosodia. *f.* (gram.) prosódia.

prosódico, ca. *adj.* (gram.) prosódico, relativo à prosódia.

prosopografía. *f.* (ret.) prosopografia.

prosopalgia. *f.* (p. t.) prosopalgia.

prosopología. *f.* prosopologia.

prosopopeya. *f.* (ret.) prosopope(é)ia; (fam.) afectação de gravidade, entono

prospección. *f.* (min.) sondagem para descobrir os filões duma mina.

prospectar. *v. tr.* (min.) prospe(c)tar, fazer sondagens para descobrir os filões duma mina.

prospectivo, va. *adj.* prospe(c)tivo.

prospecto. *m.* prospe(c)to, programa.

prospecto. *m.* (min.) prospe(c)tor, o que faz sondagens para descobrir filões ou jazigos.

prosperar. *v. tr.* prosperar, ocasionar prosperidade; favorecer; ter fortuna; acertar (fig.) engrandecer, aumentar; *v. intr.* prosperar, medrar; desenvolver-se; engrandecer-se, enriquecer; melhorar; frutificar; enverdecer; ir avante.

prosperidad. *f.* prosperidade, felicidade, fortuna; aumento; riqueza; florescimento; bem-andança; bem-aventurança; (fig.) enverdecimento.

próspero, ra. *adj.* próspero, afortunado, propício, venturoso, belo; abençoado; (diz-se

dum país); florescente; venturoso, feliz; favorável.

prostaféresis. *f.* (astr.) diferença entre a verdadeira e a média anomalia dum astro.

próstata. *f.* (anat.) próstata.

prostatismo. *m.* (pat.) prostatismo.

prostático, ca. *adj.* prostático.

prostatitis. *f.* (med.) prostatite.

prostatocele. *f.* (med.) prostatocele.

prostatocistotomía. *f.* (fir.) prostatocistotomia.

prostatorrea. *f.* (med.) prostatorreia.

prostatotomía. *f.* (med.) prostatotomia.

prosternación. *f.* prosternação, prosternamento.

prosternarse. *v. r.* prosternar-se, prostrar-se, curvar-se humildemente diante de alguém, humilhar-se.

próstesis. *f.* (gram.) próstese, prótese.

prostético, ca. *adj.* protético, prostético.

prostibulario, ria. *adj.* prostibular, respeitante a prostíbulo.

prostíbulo. *m.* prostíbulo, casa de prostituição, alcoice, lupanar, bordel; farra; (fig.) serralho.

próstilo. *adj.* e *m.* (arq.) prostilo.

prostitución. *f.* prostituição; devassidão; conjunto das prostitutas; (fig.) vida desregrada, envilecimento; profanação; meretrício.

prostituidor, ra. *adj.* e *s.* prostituidor, o que prostitui; profanador, pessoa abjecta.

prostituir. *v. tr.* prostituir, levar à prostituição; (fig.) aviltar, degradar; desonrar, desmoralizar; envilecer, abastardar; *v. r.* prostituir-se, degradar-se, degenerar, devassar-se; aviltar-se.

prostituta. *f.* prostituta, meretriz, rameira, comborça, ambulatriz; fadista, armadeira, mulher corriqueira, galdéria; mo(ô)ça barreira, cocote; (vulg.) sendeira, michela; (prov.) franhosca; (fig.) messalina; desgraçada, cortesã; (Bras.) bucho, madama, ratuina.

prostituto, ta. *adj.* e *s.* e *p. p. irr.* de *prostituir,* prostituído.

protagonista. *s.* protagonista, personagem principal duma obra; pessoa que desempenha o principal papel num acontecimento; promotor.

protargol. *m.* (quim.) protargol.

prótasis. *f.* prótase, exposição.

protático, ca. *adj.* protático.

protea. *f.* (bot.) prótea.

proteáceo, a. *adj.* (bot.) proteáceo; *f. pl.* proteáceas.

protección. *f.* prote(c)ção, amparo, auxílio; ajuda; abrigo; defensa, defensão; ausco(ô)sto; paladio; aderência; coberta; ântemuralha; acolhimento; mecenagem; (fig.) adarga; asilo; encostamento; enco(ô)sto; paladio; aderência; coberta; âncora; abafo; arrimo; égide; *aires de protección,* ares de protecção.

proteccionismo. *m.* (econ. pol.) prote(c)cionismo.

proteccionista. *adj.* e *s.* prote(c)cionista,

protéctor, ra. adj. e s. prote(c)tor, protegedor, padroeiro, defensor; advogado; apadrinhador; (fig.) mecenas; padrinho, pai; encostes; em Inglaterra, chefe do Governo fundado por Cronwel: *miembro protector*, membro protector; *aire protector*, ar protector.

protectorado. m. prote(c)torado.

protectoría. f. protectoria, prote(c)torado.

protectorio, ria. adj. prote(c)tório.

protectriz. adj. e s. protectora, que protege; madrinha, advogada.

proteger. v. tr. proteger; tomar a defesa de; preservar; abrigar; guardar; ajudar; auxiliar, favorecer; recomendar; socorrer; defender; agasalhar; cobrir, advogar; apadrinhar; apaniguar; anteparar, antemurar; conservar; abençoar; apoiar.

protegido, da. adj. e s. protegido, favorito, afilhado; valido.

proteico, ca. adj. proteiforme, que muda de forma.

proteico, ca. adj. (med.) proteico; albuminóide.

proteído. m. (quim.) proteído.

proteiforme. adj. proteiforme, polimorfo, multiforme.

proteína. f. (quim. e bioquim.) proteína.

proteinol. m. (fam.) proteinol.

proteísmo. m. proteísmo.

proteles. m. (zool.) prótele.

proteo. m. (fig.) proteu, homem que muda frequentemente de opiniões e afectos.

protervia. f. protérvia; impudência, descaro, insolência; perversidade; brutalidade.

protervidad. f. protérvia, perversidade, insolência, descaro.

protervo, va. adj. protervo, impudente, petulante, descarado; brutal; facinoroso; cruel.

prótesis. f. (cir.) prótese; (gram.) prótese.

protesta. f. protestação, protesto, promessa, afirmação solene; (for.) protesto; clamor escrito de protesto; (com.) protesto duma letra; (Bras.) estrilo.

protestación. f. protestação, protesto.

proprotestante. p. a. adj. e s. protestante; que protesta, (rel.) protestante, luterano.

protestantismo. m. (rel.) protestantismo, luteranismo, calvinismo, anglicanismo; conjunto dos Protestantes.

protestar. v. tr. protestar, prometer ou afirmar terminante ou pùblicamente; confessar pùblicamente a fé; (com.) protestar, fazer o protesto duma letra de câmbio; clamar; ameaçar; reclamar; manifestar-se contra um acto ou medida, insurgir-se.

protestativo, va. adj. protestador, que protesta.

protesto. m. protestação, protesto; (com.) protesto duma letra de câmbio.

protético, ca. adj. (gram.) protético.

protilo. m. (quim.) protilo.

protista. m. (biol.) protista, protisto.

proto. pref. proto, prefixo designativo de superioridade, prioridade, primeiro.

protoalbéitar. m. proto-alveitar.

protoalbeiterato. m. tribunal de exames dos alveitares.

protobromuro. m. (quim.) protobrometo.

protocloruro. m. (quim.) protocloreto.

protocolar. v. tr. protocolizar.

protocolar. adj. protocolar, relativo ao protocolo.

protocolización. f. protocolização, acção de protocolizar.

protocolizar. v. tr. protocolizar, registar em protocolo.

protocolo. m. protocolo, livro de nota de tabelião ou notário; protocolo, convenção internacional; protocolo, registo duma conferência ou deliberação; protocolo, cerimonial, formalidades diplomáticas.

protogínico, ca. adj. (bot.) protogínico.

protohistoria. f. proto-história.

protohistórico, ca. adj. proto-histórico.

protomártir. m. protomártir.

protomedicato. m. protomedicato.

protomédico. m. protomédico.

protón. m. (fís. e quim.) protão.

protónico, ca. adj. (gram.) protónico: *sílaba protónica*, sílaba protónica.

protonotaría. f. protonotariado.

protonotario. m. protonotário, notário-mor, dignatário da Cúria Romana.

protoplasma. m. (biol.) protoplasma.

protoplasmático, ca. adj. (biol.) protoplasmático.

protosulfuro. m. (quim.) proto-sulfureto.

prototipo. m. protótipo, original, primeiro tipo ou mode(ê)lo; protótipo, o mais perfeito exemplar e modelo duma virtude ou qualidade.

protóxido. m. protóxido.

protozeugma. f. (gram.) protozeugma.

protozoario, ria. adj. (zool.) protozoário.

protuberancia. f. protuberância, a parte saliente, eminência; elevação; bossa, convexidade.

protuberante. adj. protuberante, saliente convexo, excrescente.

protutor. m. protutor.

protutoría. f. protutela.

provecto, ta. adj. provecto, adiantado, que tem feito progresso; maduro, idoso.

provecho. m. proveito, benefício, intere(ê)sse; proveito, vantagem, utilidade; proveito, aproveitamento; adiantamento; pl. proventos, lucro, utilidades, ganhos; réditos; benefícios: *en provecho de*, em proveito de.

provechoso, sa. adj. proveitoso; benefícios; eficiente, eficaz, efectivo; frutuoso, frutífero; lucrativo, útil, vantajoso.

proveedor, ra. s. provedor, abastecedor fornecedor, despenseiro, bastecedor.

proveeduría. f. provedoria, cargo ou jurisdição de provedor; proveduria, repartição do provedor.

proveer. v. tr. prover, fornir, fornecer, abastecer, bastecer; munir; prover, dispor, ordenar, resolver, dar saída a um negócio, prover, conferir uma dignidade ou emprego; facilitar; aprestar; ministrar; dar; equipar; despachar; (for.) ditar um juizo ou o tribunal uma resolução que não seja a sentença definitiva, dar provimento; *v. r.* prover-se; descarregar o ventre.

proveído. *m.* provido, resolução judicial.

proveimiento. *m.* provimento, acção de prover.

provenir. *v. intr.* provir, nascer, derivar, proceder, enganar, arguir; originar, começar; descender; derivar; resultar; *conj. irreg.* como *venir.*

provento. *m.* provento, proveiro, rendimento; lucro.

provenzal. *adj.* e *s.* (geog.) provençal; *m.* provençal, língua de oc.

provenzalismo. *m.* provençalismo.

provenzalista. *s.* provençalista.

proverbiador. *m.* livro ou caderno donde se anotam as sentenças especiais.

proverbial. *adj.* proverbial, relativo ao provérbio; muito notório.

proverbiar. *v. intr.* (fam.) usar frequentemente de provérbios.

proverbio. *m.* provérbio, sentença; axioma, adágio, anexim; máxima; rifão; *pl.* Livro da Sagrada Escritura.

proverbista. *s.* pessoa que diz, estuda ou colecciona provérbios.

provicero. *m.* V. **vaticinador.**

providencia. *f.* providência, sabedoria suprema de Deus; providência, medida tendente a regularizar certos serviços; providência, disposição antecipada; prevenção; destino; (for.) resolução do juiz; *cosa providencial,* (Bras.) achado.

providencial. *adj.* providencial.

providencialismo. *m.* providencialismo.

providencialista. *adj.* e *s.* providencialista.

providenciar. *v. tr.* providenciar, ditar ou tomar providências; dispor; ordenar; prover.

providente. *adj.* providente, que provê, próvido; avisado; prudente.

próvido, da. *adj.* próvido, cuidadoso, diligente; prevenido; propício; benévolo; acautelado; prudente.

provincia. *f.* província, divisão territorial; divisão administrativa; conjunto de conventos religiosos, que ocupa determinado território; antigo tribunal, cível.

provincial. *adj.* provincial, relativo a província; *m.* provincial (religiosa).

provincialato. *m.* provincialado, provincialato.

provincialismo. *m.* provincialismo, localismo.

provinciano, na. *adj.* e *s.* provinciano, provincial.

provisión. *f.* provisão, fornecimento, abundância, fornimento, bastecimento, aprestamento, apercebimento, abastamento; *pl.* provisões, despacho ,ordens dos tribunais, providências.

provisional. *adj.* provisório, temporário, interino, provisional.

provisor. *m.* provedor, provisor, juiz eclesiástico delegado do bispo. V. **proveedor.**

provisora. *f.* nos conventos de religiosas, a que tem o governo económico a seu cargo.

provisorato. *m.* provisorado, provisória, provedoria.

provisoría. *f.* provisorado, provisoria; lugar nos conventos onde se guardam e distribuem provisões.

provisto, ta. *p. p. irreg.* de *proveer* e *adj.* provido, fornecido, munido, apercebido, abastado.

provocación. *f.* provocação; desafio; repto; insulto; tentação; atiçamento; desafiação, imitação, açulamento, aliciação.

provocador, ra. *adj.* e *s.* provocador, que provoca ou irrita; atiçador, desordeiro, incitador; mexedor; agressor; apetitoso, incitante.

provocar. *v. tr.* provocar, incitar, desafiar; estimular; irritar; facilitar; ajudar; mover; promover; acometer; atiçar; desinquietar; desafiar; (fam.) aliciar, açular, excitar; (fig.) vomitar, expelir pela boca; despertar; encruar; assomar; *provocar desorden,* (Bras.) frege.

provocativo, va. *adj.* provocativo, provocador, provocante, instigador ,tentador, excitador.

proxeneta. *s.* proxeneta, alcoviteiro, alcaiota; alcouceiro; corretor de amores.

proxenético, ca. adj. proxenético.

proxenetismo. *m.* proxenetismo.

proximidad. *f.* proximidade; proximidade, cercania, vizinhança; beira; adjacência; aproximação; achegamento; (fig.) conta(c)to; *pl.* proximidades, arredores.

próximo, ma. *adj.* próximo, que está perto; vizinho, contíguo; imediato; adjacente; futuro; chegado; imediato; directo.

proyección. *f.* proje(c)ção, projecção, imagem projectada; (geom.) projecção.

proyectante. *p. a.* de *proyectar,* e *adj.* projectante, que projecta.

proyectar. *v. tr.* proje(c)tar, lançar, arremessar; dirigir para a frente; projectar, planear, traçar, dispor ou propor o plano e os meios para fazer uma coisa; projectar, fazer visível sobre um corpo a figura ou a sombra doutro; (geom.) projectar; *v. intr.* meditar, designar; fulminar; estudar, engenhar; (fig.) incubar; *v. r.* proje(c)tar-se.

proyectil. *m.* projé(c)til, arma arrojadiça.

proyectista. *s.* proje(c)tista, desenhador, arbitrista.

proyecto, ta. *adj.* (geom.) projectado, representado em perspectiva; *m.* proje(c)to, plano, planta; inteção, desígnio; desenhos, escritos e cálculos sobre uma obra de arquitectura ou de engenharia; alvitre; delineação; empre(ê)sa; *pl.* fábricas: *proyectos a largo plazo,* (fam.) contos largos.

proyector. *m.* proje(c)tor; *proyector de cine,* animatógrafo.

proyectura. *f.* (arq.) proje(c)tura, saliência externa duma parte dum edifício.

prudencia. *f.* prudência, precaução, ponderação, tino, cautela; cordura; circunspecção; método, mesura, aviso; clarividência; deco(ô)ro; (fig.) madureza.

prudencial. *adj.* prudencial, prudente, circunspecto, razoável.

prudente. *adj.* prudente, cauteloso; previdente comedido, discreto; avisado; cauteloso; judicioso, sengo, acordado, considerado; circunspe(c)to, atinado, acertado; contido; mesurado; aconselhado; maduro; advertido: *ser muy prudente*, (fam.) andar por arames.

prueba. *f.* prova, testemunho, indício, demostração; marca; (mat.) prova, operação para rectificar um cálculo; concurso, exame, prova, experiência; ensaio que se faz duma coisa; provação, transe; prova, degustação dum género; prova, verificação do vestuário; (tipo.) prova, folha de impressão para a sua revisão das emendas; (fot.) prova; razão, argumento; prova, amostra; encetadura; (for.) evidência.

prunela. *f.* (quim.) mistura de potassa e sulfureto.

pruriginoso, sa. *adj.* pruriginoso.

prurigo. *m.* (med.) prurigo, prurigem.

prurito. *m.* (med.) prurido, comichão da pele ou das mucosas, pruído; (fig.) desejo persistente e excessivo.

Prusia. (geog.) Prússia.

prusiano, na. *adj. e s.* (geog.) prussiano.

prusiato. *m.* (quim.) prussiato.

prúsico, ca. *adj.* (quim.) prússico: *ácido prúsico*, ácido prússico.

pselismo. *m.* (pat.) pselismo.

pseudo. *adj.* pseudo. V. **seudo.**

psi. *f.* nome da vigésima terceira letra do alfabeto grego, equivalente a *ps.*

psicalgia. *f.* psicalgia.

psicastenia. *f.* (pat.) psicastenia.

psicasténico, ca. *adj. e s.* psicasté(ê)nico.

psicoanálisis. *f.* psiconálise.

psicoanalista. *adj. e s.* psicanalista.

psicobiología. *f.* psicobiologia.

psicociugía. *f.* psicocirugia.

psicodinámica. *f.* psicodinamismo.

psicofísica. *f.* psicofísica.

psicofisiología. *f.* psicofisiologia.

psicogenia. *f.* psicogenia.

psicognosis. *f.* psicognosia.

psicografía. *f.* psicografia.

psicógrafo. *m.* psicógrafo.

psicograma. *f.* psicograma.

psicología. *f.* psicologia.

psicológico, ca. *adj.* psicológico.

psicólogo, ga. *s.* psicologista, psicólogo.

psicomancia. *f.* psicomancia.

psicometría. *f.* psicometria .

psicométrico, ca. *adj.* psicométrico.

psiconeurosis. *f.* (pat.) psiconeurose.

psicópata. *s.* psicopata.

psicopatía. *f.* (pat.) psicopatia.

psicopático, ca. *adj.* psicopático.

psicopatológico, ca. *adj.* psicopatológico.

psicosis. *f.* (med.) psicose.

psicosomática. *f.* psicosomática.

psicotecnia. *f.* psicotécnica.

psicoterapia. *f.* (terap.) psicoterapia.

psicometría. *f.* (fís.) psicometria.

psicométrico, ca. *adj.* (fís.) psicométrico.

psicrómetro. *m.* (fís.) psicró(ô)metro.

psicroterapia. *f.* (med.) psicroterapia.

psilosis. *f.* psilose.

psique. *f.* (med.) psique; a alma.

psiquiatra. *s.* (med.) psiquiatra, psiquiatro.

psiquiatría. *f.* (med.) psiquiatria.

psíquico, ca. *adj.* psíquico.

psiquinosis. *f.* (med.) psiquinose.

psiquis. *f.* psique.

psiquismo. *m.* psiquismo.

psitácidas. *f. pl.* (zool.) psitácidas.

psitacismo. *m.* psitacismo; verborreia.

psítaco. *m.* (zool.) psítaco, papagaio.

psitacosis. *f.* (med.) psitacose.

psitácula. *f.* (zool.) psitáculo.

psoriasis. *f.* (med.) psoríase.

psoriático. *ca. adj.* (med.) psoríaco.

ptármico, ca. *adj.* ptármico.

pterodáctilo. *m.* (paleont.) peterodá(c)tilo.

pterópodo, da. *adj. e m.* (zool.) pterópodes.

ptialina. *f.* (quim.) ptialina.

ptialismo. *m.* ptialismo.

ptilosis. *f.* (med.) ptilose.

ptiriasis. *f.* (med.) ptiriase.

ptomaína. *f.* (quim.) ptomaína.

ptosis. *f.* (med.) ptose.

¡pu! *interj.* puf!

púa. *f.* pua, haste terminada em bico; pua, ponta de arame farpado; pua; aguilhão, farpa; enxerto; dente de pente; palheta feita de tartaruga para tocar instrumentos musicais; pua, espinho (de animais); (fig.) espinho, pesar; (fam.) pessoa subtil, astuta; (técn.) pua, ferro em forma de verruma; intervalo entre os dentes do pente, do tear.

puado. *m.* conjunto dos dentes dum pente.

puar. *v. tr.* fazer dentes a um pente ou a outro objecto que deva tê-los.

púber, ra. *adj. e s.* púbere, que chegou à puberdade, pubente; adolescente.

púbero. *adj.* V. **púber.**

pubertad. *f.* puberdade, pubescência; adolescência.

pubes. *m.* (anat.) pube. V. **pubis.**

pubescencia. *f.* pubescência, puberdade, adolescência.

pubescer. *v. intr.* pubescer, chegar à puberdade, tornar-se púbere.

pubis. *m.* (anat.) pube, púbis, parte inferior e média do hipogástrio; pêlos que existem nessa região; pube, púbio, parte anterior do ilíaco.

pública. *f.* acto público efectuado antes da tomada do grau maior, nalgumas universidades.

publicación. *f.* publicação, obra literária ou artística publicada; promulgação.

publicador, ra. *adj. e s.* publicador, que publica.

publicar. *v. tr.* publicar, tornar público e notório; vulgarizar, anunciar; publicar; patentear, manifestar; revelar ou dizer o que estava secreto ou oculto; publicar, difundir pela imprensa; publicar, correr os banhos para casamento; editar; emitir; declarar, anunciar; denunciar; vulgarizar; apregoar; manifestar, afirmar pùblicamente; *v. r.* publicar-se, aparecer.

publicata. *f.* mandado, ordem para se publicar um despacho; certificado dessa publicação.

publicidad. *f.* publicidade; vulgarização, divulgação.

publicista. *s.* publicista, escritor jurídico; homem de letras.

publicitario, ria. *adj.* concernente à publicidade.

público, ca. *adj.* e *m.* público, notório, manifesto, patente, comum; geral; evidente; público, sabido; vulgar; público, que pertence a todos; público. comum do povo ou cidade; público, auditório; o povo em geral.

pucelana. *f.* pozolana.

pucia. *f.* almofia, vasilha para usos farmacêuticos.

puchera. *f.* (fam.) cozido espanhol. V. **olla.**

pucherazo. *m.* panelada, pancada dada com uma panela; (fam.) chapelada, fraude eleitoral na contagem dos votos.

puchero. *m.* panela, caçoula, caçoila; (fig. e fam.) alimento diário e regular: *puchero de enfermo,* (fam.) comida de dieta; *hacer pucheros,* (fam.) fazer beicinho.

pucho. *m.* (Amér.) ponta, cabo ou extremidade dalguma coisa.

pudelación. *f.* (metal.) acção de livrar de impurezas o ferro, em fornos especiais.

pudelador, ra. *s.* (metal.) o que, em fornos especiais, livra de impurezas o ferro.

pudelaje. *m.* (metal.) V. **pudelación.**

pudelar. *v. tr.* (metal.) livrar de impurezas o ferro, em fornos especiais.

pudendo, da. *adj.* pudendo, torpe. que causa vergonha, envergonhado; genital: *partes pudendas de la mujer,* (vulg.) pachocho; *partes pudendas,* partes pudendas, órgãos genitais; *m.* pénis.

pudibundez. *f.* afectação ou exageração do pudor.

pudibundo, da. *adj.* pudibundo. V. **pudoroso.**

pudicicia. *f.* pudicícia; castidade, pudor, inocência, moral.

púdico, ca. *adj.* púdico, casto, apudorado, moral, modesto, decoroso, honesto, envergonhado.

pudiente. *adj.* e *s.* poderoso, rico, abastado.

pudin. *m.* (angl.) V. **budin.**

pudinda. *f.* (teol.) pudinda.

pudor. *m.* pudor, vergonha, pundonor, honestidade; modéstia, recato, decência, seriedade, pejo, pundonor, deco(ô)ro; melindre.

pudoroso, sa. *adj.* pudibundo, cheio de pudor, envergonhado; apudorado.

pudrición. *f.* putrefa(c)ção. V. **putrefacción.**

pudridero. *m.* podredouro, podredoiro, monturo; câmara destinada aos cadáveres.

pudridor. *m.* cuba onde se maceram o trapo, nas fábricas de papel.

pudrigorio. *m.* (fam.) pessoa enfermiça. V. **podrigorio.**

pudrimiento. *m.* podridão, apodrecimento; putrefacção, corrupção.

pudrir. *v. tr.* apodrecer, tornar podre, apodrir; corromper; (fig.) consumir, afligir;

molestar; impacientar; *v. intr.* ter morrido, estar sepultado, tornar-se podre; *v. r* apodrecer fazer-se podre; (fig.) afligir-se, desesperar-se, abolorecer.

pueblada. *f.* (Amér.) (barbarismo) V. **tumulto, motín.**

pueble. *m.* (min.) conjunto de operários duma mina.

pueblo. *m.* povo, povoação, cidade, vila, lugar; povo, povoação pequena; povo, conjunto de pessoas dum lugar ou país; povo, gente comum duma povoação, plebe; nação, povo; (fig.) democracia.

pueblerino, na. *adj.* e *s.* pertencente ao povo; natural dum povo.

puente. *m.* ou *f.* ponte; cavalete dos instrumentos músicos de corda; travessão de carro; viga da nora onde gira o eixo; (mar.) ponte dum navio; suporte de alvenaria colocado entre dois pés direitos; (fam.) espaço de tempo entre duas feiras; (odont.) meio para suster um ou mais dentes artificiais: *puente levadizo,* ponte levadiça.

puentecilla. *f.* cavalete nos instrumentos de corda.

puentezuela. *f.* pontezinha, pontilhão, pontícula ,pequena ponte.

puerca. *f.* (zool.) porca, fêmea do porco; escrófula; folha de dobradiça; (fig. e fam.) mulher porca, suja; mulher vil, interesseira, venal.

puerco, ca. *adj.* e *m.* porco, sujo, asqueroso, merdoso, desasseado, imundo, indecente; merdeiro; (fig.) grosseiro, incivil; porco, suíno, cochino.

puericia. *f.* puerícia; segunda infância.

puericultor, ra. *s.* o que professa a puericultura.

puericultura. *f.* puericultura.

pueril. *adj.* pueril, relativo à puerícia; (fig.) fútil, trivial; arrapazado; acriançado; infantil; menineiro, ameninado.

puerilidad. *f.* puerilidade; meninice, infantilidade; frivolidade, futilidade, trivialidade.

puérpera. *f.* puérpera; parturienta.

puerperal. *adj.* puerperal.

puerperio. *m.* puerpério; sobreparto.

puerro. *m.* (bot.) porro, alho-porro.

puerta. *f.* porta, abertura para entrar e sair; porta, o que tapa essa abertura; portagem; tributo que se paga nas cidades ou outros lugares; (fig.) caminho; princípio, entrada: *puerta abatible,* alçapão; *puerta falsa,* porta bastarda; *puerta de dos hojas,* porta aberta em duas; *estar a las puertas,* estar às portas, estar próximo de; *puerta cochera,* porta-cocheira; *a otra puerta, que esta no se abre,* (fig.) a outra porta, que esta não se abre; *llamar a las puertas de uno,* (fig.) pedir ajuda; *salir por la puerta de los perros,* fugir precipitadamente.

puertaventana. *f.* guarda-vento.

puertezuela. *f.* portinha, porta pequena.

puertezuelo. *m.* portilho, portinho, pequeno porto.

puerto. *m.* po(ô)rto; garganta; desfiladeiro; (fig.) porto, asilo; amparo; refúgio; descanso; (germ.) pousada, estalagem: *conducir a puerto seguro*, levar a bom porto; *llegar a puerto*, aportar.

pues. *conj.* pois, conjunção que significa causa, motivo ou razão, assim pois; por tanto, por consequência; pois, já que, visto que; *interj.* pois, certeza dum juízo feito anteriormente: *pues sí*, pois sim, seja; *¡pues no!*, pois não!; *pues que*, pois que!, por tanto!; *¿pues qué?*, pois que?

puesta. *f.* ocaso, acção pôr-se um astro; aposta, parada no jogo; posta, pedaço de carne ou peixe: *puesta del sol*, ocaso do Sol.

puesto, ta. *p. p. irreg.* de *poner* e *adj.* posto, colcado; po(ô)sto, vestido, trajado, arrumado; *m.* posto, lugar; acomodamento; posto, empre(ê)go; destino; posto, loja de venda a miúdo; posto, lugar sesignado para executar uma coisa; posto, sítio onde se esconde o caçador; posto de cubrição, lugar onde estão os garanhões; (mil.) posto, lugar da sentinela; do corpo de guarda: *puesto militar*, posto militar; *puesto de caza*, espreitadeiro.

¡puf! *interj.* puf!

púgil. *m.* púgil, atleta, pugilista.

pugilar. *m.* manual que continha as lições das Sagradas Escrituras.

pugilato. *m.* pugilato, luta com os punhos; briga a murros ou a socos; boxe; (fig.) pugilato, disputa obstinada.

pugna. *f.* pugna, batalha, luta, combate, peleja, briga; (fig.) discussão, polémica.

pugnacidad. *f.* pugnacidade, combatividade; emulação.

pugnar. *v. intr.* pugnar, pelejar, brigar combater, lutar; emular; (fig.) pedir porfiadamente, instar; discutir acaloradamente; defender; sustentar.

pugnaz. *adj.* belicoso, lutador, pelejador, pugnaz.

puja. *f.* acção de lutar contra os obstáculos; lanço em leilão, almoeda, arrematação: *sacar de la puja a alguien*, (fig.) tirar duma dificuldade ou aperto.

pujador, ra. *s.* licitador, pessoa que licita ou lança em leilão.

pujame. *m.* (mar.) V. **pujamen.**

pujamen. *m.* (mar.) lado ou bordo inferior da vela.

pujamiento. *m.* abundância de humores ou sangue.

pujante. *adj.* pujante, possante, que tem pujança, forte, enérgico.

pujanza. *f.* pujança, grande força ou robustez, fortaleza, fo(ô)rça; energia; (fig.) envergadura.

pujar. *v. tr.* pujar, fazer força para passar adiante; *v. intr.* ter dificuldade em expressar-se; vacilar, deter-se na execução duma coisa; (fam.) fazer gesto para romper em choro ou ficar a fazê-los depois de ter chorado.

pujar. *v. tr.* licitar, almoedar, oferecer um

lanço em leilão, deitar no leilão; *v. intr.* (ant.) subir, ascender.

pujo. *m.* puxo, tenesmo; (fig.) vontade violenta de romper em choro ou riso; ânsia, desejo veemente; intenção.

pulcritud. *f.* pulcritude, esme(ê)ro; (fig.) delicadeza; limpeza; perfeição; gentileza.

pulcro, cra. *adj.* pulcro, asseado, esmerado; perfeito, belo; bem parecido, formoso; gentil, delicado.

pulchinela. *m.* polichinelo.

pulga. *f.* (zool.) pulga; (fig.) pitorra, pião pequeno: *tener malas pulgas*, ter mau carácter; *echar a uno la pulga detrás de la oreja*, (fig. e fam.) fazer ter pulga no ouvido; *sacudirse uno las pulgas*, (fig. e fam.) repelir uma ofensa.

pulgada. *f.* polegada, medida de comprimento equivalente a cerca de 23 milímetros.

pulgar. *m.* (anat.) polegar, dedo polegar; *adj.* pequena vara da poda; (bot.) polegar, diz-se do pé mais curto e grosso da vide podada.

pulgarada. *f.* pancada dada com o dedo polegar; pitada.

pulgón. (zool.) pulgão, insecto parasita das plantas.

pulgoso, sa. *adj.* pulguento, que tem muitas pulgas.

pulguera. *f.* pulguedo, lugar onde há muita pulga. V. **empulguera.**

pulguera. *f.* (bot.) V. **zaragatona.**

pulguillas. *m.* (fig. e fam.) homem buliçoso, inquieto, irrequieto.

pulicán. *m.* certo instrumento dentário. V. gatillo.

pulidero. *m.* polidor de couro ou trapo.

pulidez. *f.* polidez, civilidade; qualidade de polido; delicadeza, primor.

pulido, da. *adj.* polido, delicado, gentil; primoroso, bem parecido; cortês; amaciado; bem-acabado; (Bras.) alísio.

pulidor, ra. *adj.* e *s.* polidor, que pule; brunidor, intrumento para polir, lustrador; bocado de trapo ou carneira para proteger os dedos às dobadeiras e polir o fio; açacalador, alisador; apurador.

pulimentar. *v. tr.* polir, brunir, envernizar, dar polimento; lustrar, abrilhantar; amaciar.

pulimento. *m.* polimento; alisadura; lustre, lustradela; desbastação, desbastamento.

pulir. *v. tr.* polir, brunir, envernizar, dar polimento, lustrar, açacalar; abrilhantar; alisar; acepilhar; desbastar; adornar, enfeitar; (fig.) instruir, civilizar, desemburrar; (germ.) furtar, roubar; vender ou empenhar; *v. r.* polir-se, civilizar-se, instruir-se; enfeitar-se; adereçar-se afinar--se.

pulmón. *m.* (anat.) pulmão: *tener buenos pulmones*, (fam.) ter bons pulmões; ter boa voz; *pulmón de acero*, (med.) pulmão de aço.

pulmonado, da. *adj.* (zool.) pulmonado.

pulmonar. *adj.* pulmonar.

pulmonaria. *f.* (bot.) pulmonária, apárgia.

pulmonía. *f.* (med.) pneumonia, pulmonia.

pulmoníaco, ca. *adj.* pneumónico.

pulpa. *f.* polpa, carne musculosa sem ossos; polpa, substância carnuda dos frutos; medula ou tutano das plantas lenhosas.

pulpejo. *m.* polpa, parte palmar dalguns membros pequenos do corpo humano; (vet.) cutidura.

pulpería. (Amér.) taberna, tasca, tenda, locanda.

pulpero. *m.* (Amér.) taberneiro, tendeiro, locandeiro.

pulpero. *m.* pescador de polvos.

púlpito. *m.* púlpito; (fig.) cargo de pregador, nas ordens religiosas.

pulpo. *m.* (ictiol.) polvo, animal cefalópode.

pulposo, sa. *adj.* polposo, carnudo, polpudo.

pulquérrimo, ma. *adj.* pulquérrimo, asseadíssimo, esmeradíssimo.

pulsación. *f.* pulsação; palpitação; batimento; (fig.) movimento periódico, dum fluído; (mús.) acção de tocar ou tanger um instrumento.

pulsada. *f.* pulsação, palpitação duma artéria.

pulsador, ra. *adj.* e *s.* pulsátil, que pulsa.

pulsar. *v. tr.* pulsar, tocar, bater, ferir; pulsar, tocar, tanger, dedilhar; pulsear, tomar o pulso (fig.) pulsear, sondar; *v. intr.* pulsar, latejar, palpitar.

pulsatila. *f.* (bot.) pulsatila, pulsatilha.

pulsativo, va. pulsativo, que faz pulsar.

pulsear. *v. intr.* pulsear, avaliar com outrem a força do pulso.

pulsera. *f.* pulseira, bracelete, argola; ligadura feita no pulso; mecha de cabelo que cai sobre as fontes.

pulsímetro. *m.* (med.) pulsímetro, esfigmómetro.

pulso. *m.* pulso, pulsação das artérias; pulso, parte do braço que liga a mão ao antebraço; pulso, força, vigor; (fig.) tento ou cuidado num negócio: *tomar el pulso*, tomar o pulso; *a pulso*, a pulso; *sacar a pulso*, obter uma coisa com grande dificuldade.

pultáceo, a. *adj.* pultáceo, de consistência mole; (med.) que tem aparência de gangrenado ou apodrecido.

pulular. *v. intr.* pulular, lançar rebento, brotar, germinar ràpidamente; multiplicar-se muito, originar-se, provir ou nascer uma coisa doutra; formigar; enxamear; (fig.) ferver, arder; abundar, ser em grande número.

pulverescencia. *f.* (bot.) pulverescência, pulverulência.

pulverizable. *adj.* pulverizável.

pulverización. *f.* pulverização; (fig.) aniquilação; atomização; desintegração.

pulverizador. *m.* pulverizador, aparelho para pulverizar líquidos; vaporizador.

pulverizar. *v. tr.* pulverizar, reducir a pó; pulverizar, quebrar em pequenos fragmentos; (fig.) aniquilar; pulverizar, reduzir um líquido a gotas muito ténues.

pulverulencia. *f.* (bot.) pulverulência, pulverescência.

pulverulento, ta. *adj.* pulverulento, reduzido a pó; coberto de pó.

pulla. *f.* pulha, dito obsceno; frase ou palavra satírica; gracejo agudo e picante; (zool.) espécie de águia: *lanzar una pulla*, (pop.) empulhar.

pullista. *s.* gracejador, pessoa que gosta de dizer pulhas; escarnizador.

¡pum! *interj.* pum!, voz que indica golpe ou pancada.

puma. *m.* (zool.) puma, leão da América.

pumarada. *f.* V. **pomarada.**

pumente. *m.* (germ.) V. **refajo.**

pumita. *f.* pedra-pomes.

punceta. *f.* (técn.) punceta, escopro pequeno.

punción. *f.* (cir.) punção, incisão.

puncionar. *v. tr.* (cir.) punçar, fazer punções.

puncha. *f.* pua, espinho, ponta fina e aguda.

punchar. *v. tr.* picar, punçar, espetar, furar.

pundonor. *m.* pundonor, dignidade, honra, cavalheirismo, deco(ô)ro, brio.

pundonoroso, sa. *adj.* pundonoroso, brioso, denodado, decoroso.

pungente. *p. a.* e *adj.* pungente, que punge, picante.

pungimiento. *m.* pungimento; compunção; estímulo.

pungir. *v. tr.* pungir, picar; ferir; (fig.) afligir, estimular, incitar.

pungitivo, va. *adj.* pungitivo, penetrante, pungente, agudo.

punible. *adj.* punível, castigável.

punicáceas. *f. pl.* (bot.) punicáceas.

punición. *f.* punição, castigo; pena.

púnico, ca. *adj.* púnico, cartaginês.

punir. *v. tr.* (ant.) punir, castigar reprimir.

punitivo, va. *adj.* punitivo, relativo ao castigo.

punta. *f.* ponta, extremidade agulhada; ponta, esgalho dos cornos do veado, chavelho, chifre; princípio ou fim duma série; ponta, o resto dum cigarro ou charuto; pequena porção de gado; ponta, língua de terra que penetra no mar; ponta, sainete, sabor picante; (fig.) algo, um pouco, tratando-se de qualidades; (heráld.) ponta, parte inferior do escudo; ponta, peça de honra do escudo; (impr.) ponta, furador para tirar as letras da forma; ponta, espécie de renda para enfeite; pontilha, espiguilha; primeiros afluentes dum rio; (fig.) agudeza; bico.

puntación. *f.* V. **puntuación.**

puntada. *f.* ponto, furo feito com agulha; ponto, espaço entre dois desses furos; ponto de costura, alinhavo; (fig.) alusão in directa: *no dar puntada en alguna cosa*, não mexer num assunto.

puntador. *m.* V. **apuntador.**

puntal. *m.* pontalete, escora de madeira, espeque; pontal, ponta de terra ou penedia que entra pelo mar; (fig.) esteio, apoio, fundamento; (mar.) pontal, altura do navio desde a quilha à coberta.

puntapié. *m.* pontapé, pancada com a ponta do pé; (fam.) coice.

puntar. *v. tr.* apontar as faltas dos eclesiásticos no coro; pontuar, colocar na escrita do hebreu e do árabe os sinais que correspondem às vogais.

punteada. *f.* apontado, notado como faltoso; (mús.) dedilhação.

punteado. *m.* V. **punteada.**

puntear. *v. tr.* pontoar, marcar com pontos, pontear; granir, pontilhar, desenhar ou gravar com pontos; pontear, alinhavar, coser, dar pontos (mús.) pontear, dedilhar, tocar o violão ou instrumento de corda; *v. intr.* (mar.) orçar o máximo possível para aproveitar o vento escasso.

puntel. *m.* pontel, espécie de ponteiro, com que se segura o vidro na caldeação.

punteo. *m.* (mús.) dedilhação dum instrumento de música.

puntera. *f.* ponteira, biqueira, conserto no calçado ou nas meias ou peúgas; biqueira de sapato; (fam.) contrapé.

puntería. *f.* pontaria, acto de apontar; pontaria, asse(ê)sto duma arma do fogo; destreza do atirador: *perder la puntería*, desapuntar.

puntero, ra. *adj.* e *m.* ponteiro, que tem boa pontaria, certeiro; ponteiro, vara, punção; ponteiro de canteiro, cinzel.

punterola. *f.* (min.) barra de ferro para encabar.

puntiagudo, da. *adj.* pontiagudo, que termina em ponta aguda, bicudo, bical, agudo, aculeado, assovelado; (bot.) acuminado.

puntilla. *f.* espiguilha, renda estreita e dentada, pontilha; choupa: *de puntillas*, nos bicos ou nas pontas dos pés; *hacer puntilla*, bilrar.

puntillado, da. *adj.* (herald.) pontilhado; denticulado.

puntillazo. *m.* (fam.) pontapé.

puntillero. *m.* pontilheiro, toureiro que mata o touro com a choupa.

puntillo. *m.* pontinho, ninharia em que se repara, insignificância; (mús.) ponto de aumentação.

puntillón. *m.* (pop.) V. **puntapie.**

puntilloso, sa. *adj.* puntilhoso, susce(p)tível, exigente, delicado.

puntiseco, ca. *adj.* diz-se dos vegetais secos pelas pontas.

puntizón. *m.* cada um dos buracos que ficam das folhas impressas, abertos pelas pontas que as prendem ao cilindro.

punto. *m.* ponto; furo; fim; objecto; ponto, estado actual dum negócio; ponto, sinal ortográfico; ponto, pundonor; brio, decoro; ponto, malha; mira de espingarda, ponto de mira; ponto, parte, questão de qualquer ciência; ponto, momento, ocasião oportuna; buraco; estacionamento de carruagens públicas; ás, no baralho de cartas; ponto, parte mínima duma coisa; ponto, instante; rotura pequena numa meia; ponto, medida longitudinal; férias estudantis; assunto de conferência, sermão, etc.; (fig.) ponto, extremidade a que podem chegar as coisas; ponto, pontada na costura; ponto, malha na medida de sapateiro; (med.) ponto, ope-

ração para unir os lábios duma ferida; ponto, valor de cada carta; (fam.) ponto, sujeito, quidam; (impr.) ponto, força do corpo dos diversos caracteres; (mar.) ponto, posição na carta dum navio que navega; ponto, grau de consistência duma iguaria; (geog.) ponto cardeal; ponto, jogador: *al punto*, prontamente; *a punto*, a ponto, a propósito; *a punto de*, a ponto de, prestes a; *en punto*, em ponto, exactamente; *en todo punto*, em todo o ponto, inteiramente; *punto, por punto*, ponto por ponto, minuciosamente; *a tal punto que*, a tal ponto que, de tal maneira que.

puntoso, sa. *adj.* que tem muitas pontas, pontilhoso, pontoso, susceptível.

puntuación. *f.* puntuação, conjunto dos sinais ortográficos.

puntual. *adj.* pontual, presto, diligente; pontual, exa(c)to; certo; conforme, conveniente, próprio, metódico.

puntualidad. *f.* pontualidade; exa(c)tidão; certeza; precisão; diligência e cuidado em fazer as coisas no seu devido tempo; atilamento; assiduidade; formalidade; minuciosidade.

puntualizar. *v. tr.* particularizar, referir miùdamente, aperfeiçoar, dar os últimos retoques; gravar profundamente e com exactidão na memória.

puntuar. *v. tr.* pontuar. colocar na escrita os pontos ortográficos.

puntuar. *f.* puntura, ferida, picada, incisão feita com objecto perfurante; (impr.) puntura, ponta de ferro que segura o papel na prensa.

punzada. *f.* puntura, ferida ou picada produzida por ponta; incisão; (fig.) pontada, dor aguda e passageira; aflção.

punzador, ra. *adj.* e *s.* pungente, que punge.

punzadura. *f.* ferida provocada por ponta. V. **punzada.**

punzante. *p. a.* e *adj.* pungente, agudo, incisivo.

punzar. *v. tr.* punçar, ferir de ponta, incisar; (fig.) avivar-se uma dor; afligir, pungir, magoar; estimular.

punzó. *m.* escarlate, cor vermelha muito viva.

punzón. *m.* punção, instrumento pontiagudo para puncionar; gravar ou furar; lâmina de aço para fundição, cunho; buril; ponteiro; chifre.

punzonería. *f.* colecção de todos os cunhos necessários para uma fundição de letras.

puñada. *f.* punhada, muro.

puñado. *m.* punhado, porção que se pode conter na mão fechada; mão-cheia; (fig.) punhado, pequena quantidade; escassez duma coisa de que deve ou costuma haver quantidade; *a puñados*, abundantemente.

puñal. *m.* punhal, pequena arma branca ofensiva, adaga; *poner el puñal en el pecho*, (fig.) pôr a face ao peito.

puñalada. *f.* punharada, golpe de punhal; punhalada ferida feita com punhal; (fig.) aflição repentina.

puñalejo. *m.* punhalzinho, pequeno punhal.

puñalero. *m.* fabricante ou vendedor de punhais.

puñera. *f.* maquieiro, medida com que o moleiro tira a maquia.

puñetazo. *m.* punhada, pancada com o punho, murro, so(ô)co; *dar puñetazos*, apunhar.

puñete. *m.* V. **puñetazo.**

puño. *m.* punho, mão fechada; pulso; punhado; punho, tira em que termina a manga; cabo, punho, empunhadura; (mar.) cada um dos vértices dos ângulos das velas; (fig. e fam.) pouquidão, exiguidade; estreiteza. — *pl.* força, valor; *meter en un puño*, (fam.) confundir intimidar, meter alguém num chinelo; *puños de la sierra*, banzos de serra; *tener a uno en un puño*, (fam.) pôr o barbicacho a alguém, ter alguém avassalhado; *jugarla a uno de puño*, lograr alguém; *hombre de puños*, homem forte e valeroso; *ser uno como un puño*, ser muito avarento; *escrito de su puño y letra*, escrito de seu punho; *puños de las escotas*, (mar.) punhos das escotas.

pupa. *f.* erupção nos lábios; bostela, crosta que fica ao secar um furúnculo; dor ou doença em linguagem infantil, dói-dói.

pupila. *f.* (anat.) pupila, menina de olhos; pupila, órfã de menor idade a cargo de tutor; mulher dum prostíbulo.

pupilaje. *m.* pupilagem, estado ou condição de pupilo; tutela, dependência de quem dá de comer; pensão, casa de hóspedes; preço da hospedagem.

pupilar. *adj.* pupilar, referente ao pupilo, ou pupila; (anat.) pupilar.

pupilero, ra. *s.* hospedeiro, pessoa que recebe hóspedes; hospedeiro, dono de pensão.

pupilo, la. *s.* pensionista, hóspede; pupilo, aluno; pupilo, órfão a cargo de tutor; *a pupilo*, hospedado e mantido por certo preço.

pupitre. *m.* carteira, mesa escolar; atril; estante inclinada para escrever.

puposo, sa. *adj.* pustulento, que tem feridas, pustuloso.

pupusa. *f.* (Amér.) V. **popusa.**

purana. *m.* cada um dos livros lendários da mitologia indiana.

puré. *m.* puré(ê), pureia; (pop.) desfeita.

purear. *v. intr.* (fam.) fumar charuto.

purera. *f.* charuteira, estojo portátil para charutos.

pureza. *f.* pureza; limpidez; nitidez; (fig.) inocência; virgindade; perfeição; continência; decência; incorru(p)tibilidade; vernaculidade de linguagem.

purga. *f.* purga, purgante, purgativo; (fig.) resíduos ou escórias de certas operações industriais. V. **miel.**

purgable. *adj.* que se pode ou deve purgar.

purgación. *f.* purgação, mênstruo; corrimento; (fig.) expiação. — *p.* gonorre(é)ia; blenorragia.

purgador, ra. *adj.* e *s.* purgante, purgativo, que faz purgar.

purgamiento. *m.* purgação. V. **purgación.**

purgante. *p. a.* e *adj.* e *m.* purgante, purgativo, que purga; evacuante, defecatório, desopilativo, desopilante; *administrar un purgante*, desopilar.

purgar. *v. tr.* purgar, limpiar, purificar; purgar, expiar; padecer; purgar, tomar um purgante; evacuar; desopilar; (fig.) expiar; (fig.) purificar, acrisolar; corrigir, moderar as paixões; (for.) desvanecer os indícios ou suspeitas que há contra uma pessoa; — *v. r.* purgar-se, tomar um purgante; libertar-se de prejuízo ou encargo.

purgativo, va. *adj.* purgante, purgativo, purificativo.

purgatorio, ria. *adj.* purgativo, purgatório; *m.* purgatório, lugar de purificação das almas (fig.) purgatório, tormento constante.

puridad. *f.* puridade, pureza; segredo, reserva, sigilio: *en puridad*, sem rebuço, claramente.

purificable. *adj.* purificável, que se pode ou deve purificar.

purificación. *f.* purificação, acção de purificar; (rel.) purificação de Nossa Senhora, festa da Candelária; purificação, ablução na missa; clarificação; acrisolação; desencardimento; detersão, depuração; apuração; afinagem (dos metais); (quim.) defecação; mineração (dos minerais).

purificadero, ra. *adj.* purificante, diz-se do que purifica, purificador, purificativo.

purificador, ra. *adj.* purificador, que purifica; *m.* sanguinho, pano que usa o sacerdote para limpar o cálice, depois de comungar; purificador, pano, a que o sacerdote limpa, os dedos na missa.

purificar. *v. tr.* purificar, tornar puro, limpar de imperfeições; purificar, acrisolar; abluir; expiar; aquilatar; desinfe(c)tar; depurar; desencardir; clarificar; reabilitar; expiar; luir; apurar; absterger; (quim.) defecar; (for.) cumprir-se ou suprimir-se a condição da qual um direito dependia ou que o modificava: *purificar el vino*, aclarar o vinho; *purificar los metales*, purificar os metais; *v. r.* purificar-se (fig.) clarificar-se; limpar-se, angelizar-se; apurarse; desinfectar-se; expiar-se.

purificatorio, ria. *adj.* purificatório, purificante, purificativo.

puriforme. *adj.* (med.) puriforme.

Purísima. *f.* Puríssima, Inmaculada Conceição.

purismo. *m.* purismo; pureza de linguagem.

purista. *adj.* e *s.* purista.

puritanismo. *m.* puritanismo.

puritano, na. *adj.* e *s.* puritano; (fig.) rígido, austero.

puro, ra. *adj.* puro, sem mistura, genuíno; puro desinteressado; puro, casto, virginal; inocente, imaculado; puro, límpido, transparente; genuíno, natural, verdadeiro; incontestável; simples; mero; castigo, vernáculo; claro; suave; puro, acrisolado, livre de remorsos ou má-fé; incorru(p)tível; incontaminado; (fig.) angélico; fiel, exacto: *puro de*, puro de, exento de. — *m.* charuto.

púrpura. *f.* púrpura, tecido vermelho; púrpura, substância corante; vestuário real; púrpura, dignidade real, imperial ou cardinalícia; (poét.) sangue; (zool.) cochinilha.

purpurado, da. *adj.* purpurado, vestido de púrpura. *m.* purpurado, cardeal, prelado.

purpurar. *v. tr.* purpurar, tingir de púrpura; purpurar, vestir de púrpura.

purpúrea. *f.* (bot.) bardana. V. **lampazo.**

purpurear. *v. intr.* purpurear, tornar-se vermelho ou cor de púrpura; .— *v. tr.* purpurear, dar cor de púrpura.

purpúreo, ra. *adj.* purpúreo, avermelhado.

purpurina. *f.* purpurina.

purpurino, na. *adj.* purpúreo, purpurino.

purriela. *f.* (fam.) bagatela, ninharia, coisa desprezível, de má qualidade, insignificância.

purulencia. *f.* (med.) purulência, supuração.

purulento, ta. *adj.* (med.) purulento, que tem pus, que segrega pus.

pus. *m.* (med.) pus, sânie; matéria; vurmo: *echar pus*, apostemar.

puseísmo. *m.* (teol.) puseísmo.

puseísta. *adj. e s.* puseísta.

pusilánime. *adj.* pusilânime, tímido, cobarde, que tem ânimo fraco, fracalhão, apoucado, medroso, efeminado; (fig.) enconchado.

pusilanimidad. *f.* pusilanimidade, fraqueza de ânimo, timidez, cobardia; excessiva timidez, falta de coragem; meticulosidade; apoucamento; descoragem; (fig.) encolhimento.

pusinesco, ca. *adj.* (pint.) diz-se do tamanho a um terço do natural.

pústula. *f.* (med.) pústula, pequeno tumor, crosta, chaga; (fig.) corrupção; vício.

pustuloso, sa. *adj.* (med.) pustulento, pustuloso.

puta. *f.* puta, rameira, arruadeira, meretriz, galdeira, fadista; messalina; (vulg.) michela; (prov.) franhosca.

putaísmo. *m.* putaria.

putanismo. *m.* putaria.

putañear. *v. intr.* (fam.) putear.

putañero. *m.* (vulg.) putanheiro, frascário, alcoiceiro; fadista.

putativo, va. *adj.* putativo, suposto, ou reputado, tido por pai, irmão, não o sendo.

putería. *f.* putaria; prostituição.

putero. *m.* (vulg.) putanheiro, frascário; alcouceiro; fadista.

putesco, ca. *adj.* (vulg.) meretrício.

puto. *m.* puto; pederasta.

putrefacción. *f.* putrefa(c)ção, apodrecimento; corrupção, podridão; mau cheiro.

putrefactivo, va. *adj.* putrefa(c)tivo, putrefaciente.

putefacto, ta. *adj.* putrefa(c)to, corrompido, podre, infe(c)to.

putrescencia. *f.* putrescência, putrefacção.

putrescente. *p. a. e adj.* putrescente, que entrou em putrefacção.

putrescible. *adj.* putrescível.

putrescina. *f.* (bioquim.) putrescina.

putridez. *f.* putrescibilidade, qualidade de pútrido; fetidez; corrupção.

pútrido, da. *adj.* pútrido, podre; putrefacto; corrupto; fétido, podre; miasmático.

puya. *f.* pua, aguilhão, ponta acerada; pampilho, garrocha, vara comprida terminada em aguilhão.

puya. *f.* (bot.) pampilho.

puyazo. *m.* aguilhoada, picada feita com o aguilhão.

puzolana. *f.* pozolana; rocha vulcânica empregada para fazer cimento.

Q

Q, q. *f.* vigésima letra do alfabeto espanhol e décima sexta das suas consoantes; é sempre seguido de *u* formando o grupo *qu* em que aquela vogal não soa.

que. *pron. rel.* que, qual; o qual, a qual; os quais, as quais: *el libro que*, o livro que; *los libros que*, os livros que; *la mujer que amo*, a mulher que eu amo; *de que*, de não há de que; *a lo que*, ao que; *¿que hora es?*, que horas são?; *¿a que fin?* a que fim?; *¿para qué?* para que?; *!qué pena¡*, que pena!; *conj.* que; caracteriza e começa as orações integrantes: quiero *que estudies*, quero que estudes; começa frases imperativas; *¡que venga deprisa!*, que venha depressa!; exprime correlação dos termos de comparação; *iba tan deprisa que se cayó*, ia tão depressa que caiu; *mas feo que bonito*, mais feio que bonito; emprega-se em vez de porque; *arreglate que ya es tarde*, avia-te, que já é tarde; *por miedo que*, por medo que; *sin que*, sem que; *más de lo que es necesario*, mais do que é necessário, *en cualquier caso que*, em qualquer estado que; *sino que*, se não que; *con tal que*, com tanto que; *de suerte que*, de sorte que; *puesto que*, pois que; *sin qué ni para qué*, sem razão ou sem causa; nas interrogações e exclamações, tem acento.

quebrable. *adj.* quebradiço.

quebracho. *m.* maçã silvestre.

quebrada. *f.* quebrada, terra desigual entre montes; quebra. V. **quiebra**.

quebradero. *m.* quebrador, o que quebra; (fig. e fam.) perturbador, inquietador, o que perturba ou inquieta o ânimo; *quebradero de cabeza*, (pop.) quebra-cabeça, quebradeira.

quebradillo. *m.* salto, tacão de madeira em calçado de mulher; certo movimento de corpo na dança.

quebradizo, za. *adj.* quebradiço, fácil de quebrar-se, frágil; (fig.) delicado de saúde; diz-se da voz capaz para requebros e trinados; flexível, débil; de pouca duração.

quebrado, da. *adj.* quebrado, falido, em esta-

do de falência ou quebra; (med.) herniado, que sofre de quebradura ou hérnia; quebrantado, debilitado; quebrado, desigual, tortuoso (terrenos); *m.* (arit.) quebrado; folha de tabaco de qualidade superior.

quebrador, ra. *adj.* e *s.* quebrador, que quebra uma coisa; quebrantador, infractor, transgressor.

quebradura. *f.* quebradura, abertura, fenda, rotura; (med.) hérnia, quebradura.

quebraja. *f.* racha, greta, fenda.

quebrajar. *v. tr.* fender. V. **resquebrajar**.

quebrajoso, sa. *adj.* quebradiço; cheio de fendas.

quebramiento. *m.* V. **quebrantamiento**.

quebrantable. *adj.* que se pode quebrantar.

quebrantador, ra. *adj.* e *s.* quebrantador, que quebranta; transgressor; violador; quebrantador, debilitante, que prostra as forças.

quebrantadura. *f.* V. **quebrantamiento**.

quebrantamiento. *m.* quebramento, quebrantamento, enfraquecimento; (for.) omissão ou violação de garantias.

quebrantante. *p. a.* e *adj.* que quebranta.

quebrantanueces. *m.* que quebra-nozes.

quebrantaolas. *m.* (mar.) quebra-mar; bóia.

quebrantar. *v. tr.* quebrar; quebrantar fragmentar; rachar, fender; partir com violência; eivar; moer, amachucar em parte, quebrantar; violar; profanar, infringir; ultrapassar; transgredir uma lei ou preceito; quebrantar, forçar, romper, vencer; quebrantar, debilitar, enfraquecer, afrouxar, suavizar, temperar o excesso duma coisa; acalmar; importunar, molestar, fadigar; comover; causar pena; induzir, persuadir; (for.) anular, revogar um testamento; enfraquecer, debilitar; *v. r.* quebrantar-se, alquebrar-se; tornar-se fraco; (mar.) alquebrar-se uma embarcação.

quebranto. *m.* quebrantamento, rompimento, quebra; violação; infracção, afrouxamento; (fig.) quebranto, desalento; prostração; fraqueza; comiseração; piedade; aflição, dor; dano: *quebranto de moneda*, dinheiro para quebras, dado aos pagadores.

quebrar. *v. tr.* quebrar, partir, romper; quebrar, dobrar, torcer; quebrar, quebrantar, infringir; transgredir, violar; quebrar, moderar, temperar, abrandar, suavizar; quebrar, ceder, fraquejar; quebrar, interromper; quebrar, empalidecer, amarelecer; quebrar, falir; quebrar, falir, fazer bancarrota; *v. r.* (med.) quebrar contrair uma hérnia; quebrar-se, fazer-se em pedaços, suspender pagamentos.

quebraza. *f.* fenda, greta; *pl.* quebras, fendas muito subtis na lâmina duma espada.

queche. *m.* (mar.) queche.

quechemarín. (mar.) embarcação pequena de dois mastros.

quechua. *adj.* e *s.* V. **quichua.**

queda. *f.* toque de recolher; hora de recolher; sino empregado no toque de recolher: *tocar a la queda,* tocar a silêncio.

quedada. *f.* estacionamento, acção de ficar num lugar, paragem, ficada, permanência.

quedar. *v. intr.* ficar, estar, deter-se, demorar-se; quedar; ficar, restar, crescer, cobrar; subsistir, permanecer; quedar, parar; estacionar, permanecer; quedar-se, ficar por, passar por, ser tido ou reputado; ficar com; cessar, terminar; convir definitivamente; abrandar o vento; arrematar em leilão; (mar.) abrandar, diminuir a força das ondas; (fig.) não compreender; afrouxar.

quedito. *adv.* quietinho, sossegadinho, pausadamente.

quedo, da. *adj.* que(ê)do, quieto; (fig.) calmo, parado; *adv.* em voz baixa; ponderadamente, com tento: *de quedo,* pouco a pouco, devagar; *interj.* cautela.

quehacer. *m.* ocupação, trabalho, negócio, canseira, quefazer; *pl.* quefazeres.

queja. *f.* queixa, expressão de dor, pena ou sentimento; queixa, ofensa, ressentimento; (for.) querela, acusação criminal.

quejar. *v. tr.* afligir magoar. V. **aquejar;** *v. r.* queixar-se, lamentar-se, fazer queixa.

quejicoso, sa. *adj.* chorinta, choraminga, lamuriento.

quejido. *m.* queixume, queixa, lamentação, jemido.

quejigal. *m.* azinhal azinheiral.

quejigar. *m.* azinhal.

quejigo. *m.* (bot.) azinheira, azinho, azinheiro.

quejigueta. *f.* (bot.) carrasqueiro.

quejilloso, sa. *adj.* chorinta. V. **quejicoso.**

quejoso, sa. *adj.* queixoso, ofendido, lamuriento.

quejumbre. *f.* queixume, queixa, lamentação, lamúria.

quejumbroso, sa. *adj.* lamuriento, lamuriante, lamurioso, que se queixa muito.

quelite. *m.* (Amér.) V. **bledo.**

quelonio, nia. *adj.* e *m.* (zool.) queló(ô)nio.

quelonografía. *f.* quelonografia.

quelonógrafo. *m.* quelonógrafo.

quema. *f.* queima, queimadura; incêndio, fogo, combustão; *huir de la quema,* fugir dum perigo.

quemada. *f.* queimada, lugar onde se queimou mato.

quemadero. ra. *adj.* que há-de ser queimado; *m.* queimadouro, queimadoiro, queimadeiro; lugar destinado à queima de animais mortos e de comestíveis estragados.

quemado, da. *p. p.* e *adj.* queimado; (germ.) negro, de cor negra; *m.* queimada, lugar onde se queimou mato; (fam.) coisa queimada ou que se queima.

quemador, ra. *adj.* e *s.* queimador, que queima; incendiário; *m.* queimadeiro.

quemadura. *f.* queimadura, queima; (bot.) alforra, fungão V. **tizón.**

quemajoso, sa. *adj.* queimoso, ardente, picante.

quemamiento. *m.* (p. us.) queima V. **quema.**

quemar. *v. tr.* queimar, abrasar ou consumir com fogo; requeimar com o sol; arder; picar; escaldar; (fig.) malbaratar, vender a preço baixo; impacientar; *v. intr.* queimar, estar demasiado quente uma coisa; *v. r.* queimar-se; (fam.) zangar-se, impacientar-se, irar-se; crestar-se: *quemarse las pestañas,* (fam.) queimar as pestanas; *quemar una herencia,* queimar uma herança.

quemazón. *m.* queimação, queimadura, queima; calor excessivo, canícula; (fig. e fam.) comichão. V. **comezón;** palavra ou expressão picante; sentimento de mágoa ou pejo; queima, liquidação, venda de artigos a baixo preço; queimação, coisa que enfada muito.

quemí. *m.* (zool. Amér.) espécie de coelho.

quena. *f.* flauta ameríida.

quenopodiáceo, a. *adj.* (bot.) quenopodiáceo.

quenopodio. *m.* (bot.) quenopódio, anserina.

quepis. *m.* quépi, boné militar.

queratina. *f.* (hist. nat.) queratina.

queratitis. *f.* (med.) queratose.

quercina. *f.* (quim.) quercina.

quercitrina. *f.* (quim.) quercitrina.

querella. *f.* querela; queixa; discórdia, pendência; (for.) querela, acusação; reclamação contra um testamento.

querellador, ra. *adj.* e *s.* querelador, que querela.

querellarse. *v. r.* queixar-se, manifestar pena ou sentimento; (for.) querelar, apresentar acusação criminal em juízo; promover querela.

querelloso, sa. *adj.* e *s.* querelante, quereloso, queixoso.

querencia. *f.* querença, acto de querer; tendência para voltar a onde se foi criado; esse mesmo lugar; vontade manifestada, inclinação, pendor, tendência natural; pouso, lugar onde se vai de preferência.

querencioso, sa. *adj.* querençoso, que tem muita querença.

querendón, na. *adj.* (Amér.) muito carinhoso.

querer. *m.* querer, carinho, amor, afecto; vontade; desejo.

querer. *v. tr.* querer, desejar, apetecer; querer, ter vontade ou desejo; querer, amar, ter afecto; querer, determinar, resolver, mandar; querer, pretender, intentar; procurar; querer, convir uma coisa a outra, exigí-la, pedí-la; conformar-se, convir num intento; aceitar o convite para o jogo; opinar; *v. r.* querer-se, amar-se; *v. impers.* querer, poder (falando-se de coisas): *querer bien ou mal a alguien*, querer bem ou mal a alguém; *pres. ind. irreg.* **quiero, -es, -e, -en**; *indef.* **quise**, etc. *fut.* **querré**, etc. *pot.* **querría**, etc. *subj.* **quiera, -as, -a, -an**; *imperf.* **quisiera, -as**, etc. ou **quisiese, -es**, etc.

queresa. *f.* larva. V. **cresa.**

querido, da. *p. p. adj.* e *s.* querido, desejado, muito estimado, amado, amante, amásio; *f.* amante, concubina.

quermes. *m.* (zool.) quermes; (fam.) produto farmacêutico; resultante da fusão do sulfureto de antimónio e do carbonato de sódio.

quermese. *f.* (barb.) quermesse, feira de arraial, arraial; bazar, mercado festivo. V. **verbena.**

querocha. *f.* V. **cresa.**

querochar. *v. intr.* depositar a semente (as abelhas).

quersoneso. *m.* V. **península.**

querosén. *m.* (quim.) querosene.

querub. *m.* (poét.) querubim.

querúbico, ca. *adj.* querubínico.

querubín. *m.* querubim, anjo da primeira hierarquia; (fig.) pessoa formosa.

querva. *f.* (bot.) rícino (planta).

quesada. *f.* (ant.) queijada.

quesadilla. *f.* queijada, queijadinha, pastel de queijo e massa; certa espécie de doce.

quesal. *m.* (orni.) V. **quetzal.**

quesear. *v. intr.* queijar, fazer queijos.

quesera. *f.* queijeira, mulher que fabrica ou vende queijos; queijaria, lugar onde se fabricam os queijos; recipiente para guardar queijos; queijeira, prato coberto para servir o queijo.

quesería. *f.* queijaria, lugar onde se fabricam ou vende queijos; tempo em que se faz queijos.

quesero, ra. *adj.* caseoso; *s.* queijeiro, fabricante ou vendedor de queijos.

quesiqués. *m.* enigma. V. **quisicosa.**

queso. *m.* queijo: *queso de bola*, queijo Flamengo; *queso de nata*, queijo feito de nata; *queso fresco*, queijo mole; *queso de Brie*, queijo de Brie; *queso de Parma*, queijo parmesão; *queso Gruyer*, queijo -gruyère.

quetona. *f.* (quim.) quetone.

quevedos. *m. pl.* óculos, de segurar no nariz, lunetas.

queyapi. *m.* (Amér.) queyapi, fato de peles curtidas que usam os índios de Tucumán.

¡quia! *interj.* (fam.) qual!, significa incredulidade ou negação.

quiasma. *m.* (anat.) quiasma; ponto de contacto de duas coisas em cruz.

quicial. *m.* couceira, coiceira, peça de madeira sobre a qual a porta gira.

quicialera. *f.* V. **quicial.**

quicio. *m.* quício, quiço, gonzo de porta ou janela; (fig.) eixo, ponto principal dum

negócio: *fuera de quicio*, (fig.) fora dos eixos, com violência; *sacar de quicio*, fazer perder a paciência, irritar.

quiché. *adj.* e *s.* quíchua, diz-se do indígena da Guatemala e da língua que ele falava.

quichua. *adj.* e *s.* (geog.) quichua, diz-se dos índios do Peru e da língua falada por estes.

quid. *m.* quid, essência ou motivo duma coisa; razão duma coisa: *dar en el quid*, acertar no alvo.

quidam. *m.* (fam.) quidam, sujeito indeterminado, quidam, pessoa de pouca importância.

quiebra. *f.* quebra, rompimento, fra(c)tura; fenda quebrada; perda ou menoscabo dalguma coisa; (com.) falência, quebra, suspensão de pagamentos.

quiebro. *m.* requebro, inflexão do corpo; (mús.) trinado; (tauro) movimento que o toureiro faz com a cintura, sem mexer os pés.

quien. *pron. rel.* quem, qual, que, ao que, ou o que; equivale também a um entre muitos: *¿quién está ahí?*, quem está aí?; *¿quién de los dos?*, quem dos dois?; *quien más quien menos*, quem mais, quem menos; *dime con quien andas y te diré quién eres*, dize-me com quem andas, dir-te ei as manhas que tens.

quienesquiera. *pron. idef. pl.* de *quienquiera.*

quienquiera. *pron. indef.* qualquer, pessoa indeterminada, algum, seja quem for, quem quer que seja.

quienquier. *pron. indef.* apócope de **quienquiera.**

quiescente. *adj.* quiesciente.

quietación. *f.* quietação, repouso; calma, sossego, tranquilidade.

quietador, ra. *adj.* e *s.* aquietador, que aquieta, apaziguador, tranquilizador.

quietar. *v. tr.* quietar, fazer estar quieto, aquietar, sossegar, tranquilizar.

quiete. *f.* hora ou tempo de recreio dalgumas comunidades religiosas, após as refeições.

quietismo. *m.* quietismo.

quietista. *adj.* e *s.* quietista.

quieto, ta. *adj.* quieto, que não mexe; (fig.) pacífico, sossegado, sem perturbação ou alteração, sereno, tranqu(ü)ilo, morigerado; que não faz diabruras; imóvel.

quietud. *f.* quietude; paz; sosse(ê)go; bem -estar, espírito, repouso, descanso, tranqu(ü)ilidade.

quijada. *f.* (anat.) queixada.

quijal. *m.* queixada; queixal, dente molar.

quijar. *m.* V. **quijal.**

quijarudo, da. *adj.* queixudo, que tem grandes queixos.

quijera. *f.* torno (da besta, arma antiga); faceira dos arreios.

quijero. *m.* margem ou lado em declive duma acéquia ou rego.

quijo. *m.* quartzo que nos filões serve de matriz ao ouro ou à prata.

quijotada. *f.* quixotada, acto próprio dum quixote.

quijote. *m.* coxote, parte da armadura que

cobria as coxas; (vet.) parte superior das coxas das cavalgaduras.

Quijote. *m.* (fig.) Quixote, homem que quer ser juiz ou defensor de coisas que lhe não dizem respeito; homem exageradamente grave e sério: *hacer el Quijote*, fazer quixotadas.

quijotería. *f.* quixotada, quixotice.

quijotesco, ca. *adj.* quixotesco, que age exagerada gravidade e presunção.

quijotismo. *m.* quixotismo, exageração de sentimentos cavalheirescos; orgulho, soberba.

quilatación. *f.* quilatação; avaliação do quilate.

quilatador. *m.* quilatador, aquilatador, avaliador.

quilatar. *v. tr.* quilatar, aquilatar, avaliar.

quilate. *m.* quilate, unidade de peso para pérolas e pedras preciosas, moeda antiga; (fig.) mérito; qualidade; excelência, perfeição.

quilatera. *f.* quilateira, peneira para avaliar o quilate das pérolas.

quilco. *m.* (Amér.) cesto de grande tamanho.

quiliárea. *f.* quiliare.

quilífero, ra. *adj.* (anat.) quilífero.

quilificación. *f.* (med.) quilificação.

quilificar. *v. tr.* (fisiol.) quilificar, converter em quilo o alimento.

quilificativo, va. *adj.* quilificativo.

quilma. *f.* saco de tela grossa. V. **costal.**

quilo. *m.* (fisiol.) quilo. V. **kilo:** *sudar el quilo,* trabalhar com fadiga e desvelo.

quilo. *m.* (Amér.) arbusto poligonáceo.

quilográmetro. *m.* quilogrâmetro. V. **kilográmetro.**

quilogramo. *m.* quilograma. V. **kilogramo.**

quilolitro. *m.* quilolitro. V. **kilolitro.**

quilombo. *m.* (Amér.) choça, cabana campestre; lupanar.

quiloplastia. *f.* (cir.) quiloplastia.

quilorrea. *f.* (pat.) quilorreia.

quilosis. *f.* quilose, elaboração do quilo no intestino delgado.

quiloso, sa. *adj.* quiloso, relativo ao quilo (suco).

quiltro. *m.* V. **gozque.**

quiluria. *f.* (med.) quilúria.

quilla. *f.* (mar.) quilha; (zool.) quilha, parte saliente e afilada do esterno das aves: *falsa quilla,* falsa quilha; *pasar por la quilla,* (mar.) passar um marinheiro por baixo da quilha; *de quilla a perilla* totalmente; *quilla de pantoque ou de balance,* quilha de pantoque.

quillaje. *m.* direito pago pelos buques mercantes.

quillar. *v. tr.* (mar.) pôr a quilha a uma embarcação.

quillotra. *f.* (fam.) amiga, manceba, concubina, amante, amásia.

quillotrador, ra. *adj.* (fam.) estimulante, excitante, que aviva.

quillotranza. *f.* (fam.) transe, momento aflitivo, amargura; conflito.

quillotrar. *v. tr.* (fam.) excitar, avivar, estimular; namorar; cativar, enamorar;

pensar, estudar. — *v. r.* (fam.) queixar-se, lamentar-se.

quillotro. *m.* (fam.) incitação, incentivo, estímulo; indício, síntoma; sinal; enfeitiçamento; devaneio; requebro, galantaria; adorno, gala; amigo, favorito, valido.

quimera. *f.* quimera, monstro lendário; (fig.) quimera, fantasia, ilusão utopia; absurdo; contenda, briga.

quimerear. *v. tr.* quimerizar, inventar quimeras, imaginar; promover contendas.

quimérico, ca. *adj.* quimérico, fabuloso, fingido ou imaginário.

quimerista. *adj.* e *s.* quimerista, amigo de quimeras; altercador, bulhento.

quimerizar. *v. intr.* quimerizar, imaginar coisas fantásticas; fantasiar, imaginar.

quimiatría. *f.* (med.) quimiatria.

química. *f.* química: *química biológica,* química biológica; *química orgánica,* química orgânica.

químico, ca. *adj.* químico, relativo a química. — *m.* químico, versado em química.

quimificación. *f.* quimificação.

quimificar. *v. tr.* quimificar, convertir o alimento em quimo.

quimista. *m.* alquimista.

quimo. *m.* (fisiol.) quimo.

quimono. *m.* quimono, quimão, quimau.

quina. *f.* (bot.) casca da quina, planta rubiácea; quinaquina (alcalóide).

quina. *f.* quina, (no jogo). — *pl.* quinas, os cinco escudos das armas de Portugal; (pop.) dinheiro.

quinal. *m.* (mar.) cabo que se engancha nos mastros dos navios em ocasiões de mau tempo.

quinao. *m.* quinau, emenda, correctivo dum erro; correcção concludente.

quinaquina. *f.* quinaquina, quina (árvore).

quinario, ria. *adj.* quinário, diz-se do que é composto de cinco elementos ou unidades. — *m.* moeda romana de prata; (rel.) devoção de cinco dias.

quincalla. *f.* quinquilharia, mercadoria de pouco valor.

quincallería. *f.* fábrica de quinquilharias; bazar, loja ou comércio de quinquilharia.

quincallero, ra. *s.* quinquilheiro, fabricante ou vendedor de quinquilharias.

quince. *adj.* e *m.* quinze, décimo quinto; certo jogo de cartas.

quincena. *f.* quinzena, espaço de quinze dias; quinzena, retribuição pelo trabalho de quinze dias; detenção governativa durante quinze dias (mús.) quinzena, registo das quinze notas de duas oitavas; um dos registros dos órgãos.

quincenal. *adj.* quinzenal.

quincenario, ria. *adj.* quinzenal. — *s.* quinzenário, pessoa que sofre pena de quinze dias de prisão.

quinceno, na. *adj.* décimo quinto. — *s.* muar de quinze meses.

quincuagena. *f.* conjunto de cinquenta coisas duma mesma espécie.

quincuagenario, ria. *adj.* e *s.* qu(ü)inquagenário.

quincuagésima. *f.* qu(ü)inquagésima, domingo anterior â Quaresma.

quincuagésimo, ma. *adj.* quinquagésimo.

quincunce. *m.* (*agr.*) quincunce.

quincuncial. *adj.* (bot.) quincuncial diz-se do plantio de árvores em grupos de cinco.

quinchi. *f.* (Amér.) quincha, tecto de palha; cobertura de palha, para carros.

quindécimo, ma. *adj.* e *m.* quinze avos.

quindenial. *adj.* que se repete cada quindénio; que dura quinze anos.

quindenio. *m.* quindé(ê)nio; espaço de quinze anos, pensão, paga de quinze em quinze anos pela Santa Sede.

quingentésimo, ma. *adj.* quingentésimo.

quingombó. *m.* (bot.) quiabo.

quingos. *m.* (Amér.) ziguezague.

quiniela. *f.* certo jogo da pelota. — *pl.* apostas mútuas de futebol.

quinientos, tas. *adj.* quinhentos.

quinina. *f.* (farm.) quinina.

quinismo. *m.* (med.) quinismo, intoxicação pela quinina.

quino. *m.* (bot.) quina.

quínola. *f.* (fam.) raridade, extravagância. — *pl.* certo jogo de cartas. *estar de quínolas,* estar vestido de diversas cores.

quinolear. *v.* *tr.* preparar as cartas para jogar as *quínolas.*

quinoleína. *f.* (quim.) quinoleína.

quinolillas. *f.* *pl.* V. **quínolas,** certo jogo de cartas.

quinología. *f.* quinologia.

quinqué. *m.* candeeiro com tubo de vidro, geralmente com quebra-luz, lâmpada; (Bras.) leocádio.

quinquedentado, da. *adj.* (bot.) quinquedentado.

quinquefoliado, da. *adj.* quinquefoliado.

quinquefolio. *m.* quinquefolho, quinquefólio.

quinquelocular. *adj.* quinquecelular.

quinquenal. *adj.* qu(ü)inqu(ü)enal.

quinquenervia. *f.* V. **lancéola.**

quinquenio. *m.* quinquénio, lustro.

quinquepartido, da. *adj.* (bot.) quinquepartido.

quinquerreme. *m.* (mar.) quinquerreme.

quinquevalente. *adj.* (quim.) quinquevalente.

quinquevalvo, va. *adj.* (bot.) quinquevalvular.

quinquevirato. *m.* quinquevirado, quinquevirato.

quinqueviro. *m.* quinquéviro.

quinquillería. *f.* V. **quincallería.**

quinquillero. *m.* V. **quincallero.**

quinta. *f.* quinta, casa de recreio no campo; sorteio para o serviço militar; (mús.) nota que segue à quarta; intervalo que consta de três tons e um semitom maior.

quinta. *f.* conjunto de cinco cartas de jogar, quinta, no jogo dos centos; (esgr.) quinta, parada da linha alto.

quintacolumna. *f.* quinta coluna.

quintacolumnista. *adj.* e *s.* quinta- columnista.

quintador, ra. *adj.* e *s.* quintador, que quinta.

quitaesencia. *f.* refinação, apuramento; quinta—essência, requinte, o mais alto grau.

quitaesenciar. *v.* *tr.* refinar, apurar, alambicar.

quintal. *m.* quintal, quatro arrobas; *quintal métrico,* quintal métrico.

quintalada. *f.* (mar.) quintalada, gratificação à tripulação sobre o valor do carregamento.

quintaleño, ña. *adj.* que tem a capacidade para o peso de um quintal.

quintalero, ra. *adj.* que tem o peso dum quintal.

quintana. *f.* quinta, casa de campo; porta, via ou praça dos acampamentos romanos onde se vendiam víveres.

quintante. *m.* (astr.) quintante.

quintañón, na. *adj.* e *s.* centenário, que tem cem anos.

quintar. *v.* *tr.* quintar, tirar por sorte um de cada cinco; sortear, realizar o sorteio militar. — *v.* *intr.* quintar, chegar ao número de cinco, diz-se geralmenete da Lua quando chega ao quinto dia.

quintería. *f.* casal, fazenda, herdade; casa de campo ou de lavoura; granja.

quinterna. *f.* quina, no jogo do loto; V. **quinterno.**

quinterno. *m.* caderno de cinco folhas de papel; quina, no jogo do loto.

quintero. *m.* quinteiro, o que guarda uma quinta ou trata dela, caseiro, fazendeiro; trabalhador que lavra a terra, moço ou criado do lavrador.

quinteto. *m.* (mús.) quinteto; (poét.) quintilha.

quintil. *m.* quintil, quinto mês do ano, no primitivo calendário romano Julho.

quintilla. *f.* (poét.) quintilha: *andar en quintillas con otro,* (fam.) opor-se-lhe, teimando e contendendo com ele.

quintillo. *m.* certo jogo de cartas.

quintillón. *m.* quintilião.

Quintín (San). *n.* *pr.*: *armarse la de S. Quintín.* (pop.) haver grande questão, diz-se aludinho à batalha de S. Quintín.

quinto, ta. *adj.* quinto. — *m.* aquele que é sorteado para o serviço militar; direito que se pagava ao rei sobre achados ou apreensões feitas; (for.) quinta parte da herança.

quintuplicación. *f.* quintuplicação.

quintuplicar. *v.* *tr.* quintuplicar.

quíntuplo, pla. *adj.* quíntuplo.

quinzal. *m.* falca, toro de madeira.

quinzavo, va. *adj.* e *s.* (arit) diz-se de cada uma das quinze partes iguais em que se divide um todo.

quiñón. *m.* quinhão, a parte que toca a cada pessoa; diz-se das terras que se dividem para semear; porção; medida agrária filipina.

quiñonero. *m.* quinhoeiro, aquele que tem um quinhão.

quío, a. *adj.* e *s.* (geog.) natural de ou pertencente a Quio.

quiosco. *m.* quiosque, quiosco, pavilhão; quiosco, pequena construção para venda de jornais, flores, tabacos, etc; *quiosco de necesidad*, retrete pública.

quipo. *m.* quipó, cada um dos cordões nodosos usados pelos peruvianos, que formavam um método mnemónico.

quiquiriquí. *m.* cocorocó, voz imitativa do cantar do galo; (fig. e fam.) pessoa que se quer salientar.

quiragra. *f.* (pat.) quiragra, dor na mão em regra gotosa.

quirie. *m.* V. **kirie.**

quirinal. *adj.* quirinal. — *m.* Quirinal, o Estado Italiano.

quiritario, ria. *adj.* quiritário.

quirete. *m.* quirete, cidadão da antiga Roma.

quirófano. *m.* (cir.) quirófano.

quirografario, ria. *adj.* quirografário.

quirografía. *f.* quirografia.

quirógrafo, fa. *adj.* e *s.* quirógrafo.

quirología. *f.* quirologia.

quirológico, ca. *adj.* quirológico.

quiromancía. *f.* quiromancia.

quiromántico, ca. *s.* quiromante. — *adj.* quiromante, quiromântico.

quirómetro. *m.* (art. y of.) quiró(ô)metro.

quironecto. *m.* (zool.) quironecto.

quironomía. *f.* quironomia.

quironómidos. *m. pl.* (zool.) quironómidas.

quirónomo, ma. *s.* quiró(ô)nomo.

quiroplastia. *f.* (cir.) quiroplástica.

quirópteros. *m. pl.* (zool.) quirópteros.

quiroteca. *f.* luva. V. **guante.**

quirotomía. *f.* (liturg.) quirotomia.

quirúrgico, ca. *adj.* cirúrgico.

quirurgo. *m.* cirurgião.

quisicosa. *f.* (fam.) enigma ou pergunta problemática.

quisquemenil. *m.* espécie de capote que usam os americanos.

quisque. *m.:* *cada quisque*, (fam.) qualquer pessoa, cada um.

quisquilla. *f.* frioleira, bagatela, reparo ou dificuldade de pouca importância, frivolidade; camarão (crustáceo).

quisquilloso, sa. *adj.* impertinente, rabujento, meticuloso, que repara em ninharias, melindroso, susce(p)tível, friolero, demasiadamente delicado no trato; fácil de agravar-se ou ofender-se.

quistarse. *v. r.* tornar-se querido, fazer-se estimar.

quiste. *m.* (cir.) quiste, cisto, tumor.

quisto, ta. *p. p. irreg.* de *querer* e *adj.* quisto; usa-se com os advérbios *bien* ou *mal*, bemquisto, malquisto.

quita. *f.* (for.) quitação, quita, pagamento duma dívida ou de parte dela, quitança; *interj.* guarda!, tira-se!

quitación. *f.* renda, ordenado, salário; (for.) quitação. V. **quita.**

quitador, ra. *adj.* e *s.* quitador, que quita, tirador; quitador, cão ensinado a tirar a caça aos outros.

quitaaguas. *m.* V. **paraguas.**

quitaipón. *m.* V. **quitapón.**

quitamanchas. *m.* tira-nódoas; *s.* pessoa que tem por ofício tirar as nódoas dos vestuários.

quitamiento. *m.* quitação, quita, quitança.

quitamotas. *s.* (fig. e fam.) adulador, lisonjeiro, bajulador.

quitanieves. *m.* máquina para tirar a neve dos caminhos ou estradas.

quitanza. *f.* quitação, saldo, liquidação duma conto; recibo.

quitapelillos. *f.* (fam.) adulador, bajulador, lisonjeiro.

quitapesares. *s.* (pop.) consolo ou alívio na pena; lenitivo, conforto, consolação, alívio.

quitapón. *m.* adorno de lã colorida, com borlas que é costume pôr na testeira das cavalgaduras.

quitar. *v. tr.* tirar uma coisa do seu lugar; tirar, usurpar, arrebatar, roubar, furtar; desempenhar, resgatar; impedir, estorvar; proibir, vedar, tolher; derrogar, ab-rogar, anular; suprimir um emprego ou ofício; obstar, impedir; despojar ou privar duma coisa, tirar; (fig.) tirar, despegar, privar; desembaraçar, desonerar; *v. r.* separar-se duma coisa, apartar-se, retirar-se, ir-se; (esgr.) defender-se pôr-se em guarda.

quitasol. *m.* guarda-sol, chapéu-de-sol, sombrinha.

quitasueño. *m.* (fam.) o que causa preocupação ou desvelo.

quite. *m.* estorvo, embaraço, dificuldade, obstáculo, impedimento, resistência; (taur.) quite.

quiteño, ña. *adj.* e *s.* (geog.) natural de ou pertencente a Quito (Equador).

quitina. *f.* (hist. nat.) quitina.

Quito. (geog.) Quito (Equador).

quito, ta. *p. p. irreg.* de *quitar* e *adj.* quite, livre, isento, pago; saldado.

quizá (s). *adv.* quiçá, talvez, possìvelmente, porventura.

quórum. *m.* quórum.

R

R, r. f. vigésima primeira letra do alfabeto espanhol e décima sétima das suas consoantes.

raba. f. isca de ovas de bacalhau, para a pesca.

rabada. f. rabada, quarto traseiro das reses abatidas.

rabadán. m. rabadão, maioral de pastores; pastor que guarda um ou mais rebanhos.

rabadilla. f. rabadilha, rabadela, rabada, parte posterior dos mamíferos; rabadela das aves, uropígio.

rabanal. m. rabanal, terreno plantado de rábanos ou rabanetes.

rabanera. f. vendedeira de rábanos ou rabanetes; (fig.) regateira.

rabanero, ra. adj. (fig. e fam.) diz-se dos modos desavergonhados; diz-se do vestido curto, especialmente de mulher; regateiro; m. vendedor de rábanos.

rabaneta. m. rabanete, rabanetezinho.

rabanillo. m. rabanete; espécie de erva daninha; (fig.) pique, pico, sabor do avinagrado ou azedo; (fig. e fam.) desejo veemente de fazer uma coisa; azedume, aspereza de génio, tratamento desabrido; prurido, comichão; desdém e esquivança.

rabaniza. f. semente do rabanete; planta herbácea anual.

rábano. m. (bot.) rábano, rabanete; (fig.) pico, pique de vinho: *no vale un rábano*, (fam.) isto não vale uma ataca; *tomar el rábano por las hojas*, (fig. e fam.) interpretar equivocadamente uma coisa ou executá-la às avessas.

rabárbaro. m. (bot.) ruibarbo.

rabazuz. m. extracto do suco do alcaçuz.

rabear. v. intr. rabear, mexer ou bulir com o rabo; rabear, saracotear; (mar.) mover-se a popa excessivamente dum lado para outro.

rabel. m. (mús.) rabel, rabil, arrabil.

rabel. m. (fig. e fam.) traseiro, nádegas.

rabeo. m. rabeamento.

rabera. f. rabeira, traseira, parte posterior de qualquer coisa; pragana, moinha, alimpadura de cereais; tabuleiro da besta.

raberón. m. extremidade da copa das árvores. depois de cortados pelo pé.

rabí. m. rabi, rabino, sábio, doutor entre os judeus.

rabia. f. raiva, doença que se transmite por mordedura, hidrofobia; doença do grão-de-bico; (fig.) ira, cólera, raiva, furor, zanga forte, assanhamento, fúria; assomada; (Bras.) tianha.

rabiar. v. intr. raivar, padecer raiva ou hidrofóbia; danar-se de raiva; (fig.) raivar, enfurecer-se; rabiar, padecer violentas dores; exceder em muito o usual; impacientar-se, zangar-se com demonstrações de cólera; apetecer com ânsia; enraivecer-se; agastar-se; irar-se; assanhar; *el hambre y el esperar hacen rabiar*, (pop.) a boca não admite fiador; *rabiar por*, desejar veementemente uma coisa.

rabiatar. v. tr. amarrar pelo rabo.

rabiazorras. m. (fam.) suão, vento leste. V. solano.

rabicaliente. adj. (fam.) esquentado, ardendo em concupiscência.

rabicán. adj. apócope de rabicano.

rabicano, na. adj. rabão, rabicão, que tem clinas ou pêlos brancos.

rabicorto, ta. adj. rabicurto, que tem cauda curta; (fig.) diz-se da pessoa que traz vestidos ou vestes curtas.

rábida. f. rábida, convento, ermida, em Marrocos.

rábido, da. adj. raivoso. V. rabioso.

rabieta. f. raivinha, raivazinha; (fig. e fam.) acesso de cólera, zanga, impaciência, enfado por motivo leve.

rabilar. v. tr. peneirar, tirar o farelo dos cereais.

rabilargo, ga. adj. rabilongo, diz-se do animal que tem o rabo comprido; m. rabilongo, pássaro semelhante à pega.

rabillo. m. rabinho; (bot.) pecíolo pé da folha; pedúnculo, pé de planta; cizania.

rabinato. m. ofício ou cargo de rabino.

rabinazgo. m. ofício ou cargo de rabino.

rabinegro, gra. adj. (zool.) diz-se do animal que tem o rabo preto, rabipreto.

rabínico, ca. adj. rabínico.
rabinismo. m. rabinismo.
rabinista. s. rabinista.
rabino. m. rabino, doutor da lei entre os Hebreus.
rabioles. m. pl. rissóis, pastéis de massa com recheio de carne picada.
rabión. m. rápido, parte mais impetuosa da corrente dum rio.
rabioso, sa. adj. raivoso, que sofre de raiva ou hidrofobia; colérico, irado, furioso, raivoso; enfadadiço, furibundo, encanzinado, dardejante, encrespado; exaltado; veemente, excessivo, violento; (Bras.) afuazado, azoretado: perro rabioso, são derramado.
rabisaco, ca. adj. (mar.) pontiagudo.
rabiscador. m. (mar.) percha que vai adelgaçando muito para a extremidade.
rabisalsera. adj. (fam.) diz-se da mulher muito desembaraçada e excessivamente desenvolta.
rabisca. f. impaciência, enfado, repentino e sem grande motivo.
rabiza. f. ponteira, ponta da cana de pescar; (germ.) rameira desprezível; (mar.) fiel; espia, cabo delgado, rabicho, chicote na ponta dum cabo; (pop.) prostituta, meretriz.
rabo. m. (zool.) rabo, cauda, cola; (fig. e fam.) qualquer coisa que se prega pela parte posterior, rabo: cortar el rabo, descaudar, derrabar; sin rabo, descaudado derrabado.
rabón, na. adj. rabão, diz-se do animal que tem o rabo curto ou cortado.
rabona. f. mulher que acompanha os soldados em marcha, vivandeira: hacer rabona, cabular, gazear.
rabopelado. m. (zool.) sarigueia.
raboseada. f. amarrotadela.
raboseadura. f. amarrotadela.
rabosear. v. tr. amarrotar, desluzir ou roçar levemente uma coisa.
raboso, sa. adj. raboso, que tem rabo; desfiado na extremidade, desgastado, esfiapado.
rabotada. f. (fam.) expressão injuriosa ou grosseira; respostada, réplica atrevida; rabanada, pancada com o rabo.
rabotear. v. tr. descaudar. V. desrabotar.
raboteo. m. acção de derrabar; época do ano em que se derrabam as ovelhas e carneiros.
rabudo, da. adj. rabudo, que tem rabo grande.
rábula. m. rábula, advogado ignorante e muito falador, mau orador, chicaneiro.
racamenta. f. cassoilo. V. racamento.
racamento. m. (mar.) cassoilo, arco ou anel com que se seguram as vergas aos mastros, enxertário.
racel. m. (mar.) parte mais afiada da popa ou da proa.
racial. adj. racial, concernente à raça; próprio da raça.
racima. f. rebusco, conjunto de cachos pe-

quenos que ficam na videira após a vindima.
racimado, da. adj. racimado, em forma de cacho.
racimal. adj. pertencente ou relativo ao cacho ou racimo.
racimar. v. tr. rebuscar ou respigar cachos da videira. após a vindima.
racimo. m. racimo, cacho de uvas; por ext. diz-se doutras frutas; (fig.) conjunto de coisas dispostas a modo de cacho; (fam.) enforcado.
racimoso, sa. adj. (bot.) racimoso, racimado, que tem cachos.
racimudo, da. adj. que tem cachos ou racimos grandes.
raciniforme. adj. raciniforme.
raciocinación. f. raciocinação, raciocínio.
raciocinar. v. intr. raciocinar, ponderar, usar do entendimento para conhecer e julgar, arrazoar; calcular; julgar, compreender, deduzir razões.
raciocinio. m. raciocínio, faculdade de reaccionar; arrazoamento, consideração; entendimento; argumento, ou discurso; juizo, ponderação; razão; dedução, indução.
ración. f. ração, porção de víveres para a refeição duma pessoa ou animal; diária para alimento a soldados, criados, etc.; porção de comida vendida a determinado preço; prebenda nalguma igreja catedral ou colegial; ração, pitança.
racionabilidad. f. racionabilidade.
racional. adj. racional, relativo à razão; racional, dotado de razão; razoável, filosófico; m. (mat.) certa expressão algébrica, racional; racional, ornamento sagrado que levava ao peito o sumo sacerdote da lei antiga.
racionalidad. f. racionalidade.
racionalismo. m. (filos. e rel.) racionalismo.
racionalista. adj. e s. racionalista.
racionalización. f. (mat. e econ. pol.) racionalização.
racionalizar. v. tr. (mat. e econ. pol.) racionalizar, tornar racional.
racionamiento. m. racionamento; distribuição de víveres por meio de ração; racionamento, limitação da quantidade de géneros que cada pessoa pode comprar.
racionero. m. raçoeiro, distribuidor das rações nas comunidades; prebendado, beneficiado que tinha ração em corporação religiosa; despenseiro.
racionista. s. raçoeiro, pessoa que tem uma ração ou ordenado; actor de ínfima classe.
racismo. m. (pol.) racismo.
racionar. v. tr. racionar, dividir em rações, distribuir rações; impor oficialmente ração a; limitar a quantidade de.
racista. e s. (pol.) racista.
racha. f. racha, acha de lenha; astilha grande de madeira, lasca.
racha. f. período breve de fortuna; (mar.) rajada, rafega, pé-de-vento; (fig. e fam.) bafejo de sorte: empezar una buena racha, (fam.) desembiçar.
rada. f. rada, enseada, porto de abrigo.

radar. *m.* (rad.) radar (abreviatura da expressão inglesa *radio, detectione and ranging)*.

radiación. *f.* (fís.) radiação; emissão de radiodifusão.

radiactividad. *f.* (fís.) e quím.) radia(c)tividade.

radiactivo, va. *adj.* radia(c)tivo.

radiado, da. *p. p.* e *adj.* radiado; emitido; radiado; (bot. e zool.) radiado. — *m. pl.* (zool.) radiados.

radiador. *m.* radiador, aparelho de aquecimento; série de tubos para refrigeração dos motores de explosão.

radial. *adj.* radial, relativo ao raio.

radián. *m.* (geom.) radiante.

radiante. *adj.* (fís.) radiante, que radia; radiante, brilhante, lustroso, lúcido; bizarro, brilhante, belo, esplêndido, dardejante, ardente: *radiante de alegría,* radiante de alegria.

radiar. *v. intr.* (fís.) radiar, irradiar, emitir raios de luz ou de calor. — *v. tr.* radiar, emitir sinais ou palavras por radiodifusão; (fig.) dardejar, refulgir, cintilar, resplandecer.

radicación. *f.* radicação; (fig.) estabelecimento, larga permanência; prática dum uso, costume, etc.

radical. *adj.* radical, relativo à raiz; (fig.) radical, fundamental, partidário do radicalismo; exaltado, extremado. — *f.* (mat.) radical; (gram. e quim.) radical.

radicalismo. *m.* (pol.) radicalismo.

radicalización. *f.* radicalização.

radicalizar. *v. tr.* (pol.) radicalizar, adoptar o radicalismo em política.

radicar. *v. intr.* radicar, criar raízes, enraizar. — *v. tr.* arraigar, infundir, fixar, radicar. — *v. r.* radicar-se, arraigar-se, lançar raízes, consolidar-se, firmar-se.

radicícola. *adj.* (bot. e zool.) radicícola.

radicoso, sa. *adj.* radicoso, que tem raízes.

radícula. *f.* (bot.) radícula.

radigrafía. *f.* (fot.) radiografia. V. **radiografía.**

radigráfico, ca. *adj.* V. **radiográfico.**

radio. *m.* (quím.) rádio, metal do grupo do bário.

radio. *m.* (geom.) raio; (zool.) rádio, osso que com o cúbito forma o antebraço; rádio, radiograma.

radio. *f.* (fís.) rádio, radiodifusão; rádio, aparelho de radiofonia: *emitir por radio,* radiar; emitir por radiodifusão; *estación de radio,* emissora.

radío, a. *adj.* errante, vadio, erradio.

radiocomunicación. *f.* radiocomunição.

radioconductor. *m.* (electr.) radiocondutor.

radioconcierto. *m.* radioconcerto.

radiodermitis. *f.* (med.) radiodermite.

radiodiagnóstico. *m.* (med.) radiodiagnóstico.

radiodiario. *m.* radiojornal, jornal falado, por T. S. F.

radiodifusión. *f.* radiodifusão.

radiodifundir. *v. tr.* radiodifundir.

radiodifusora. *f.* radioemissora.

radioelectricidad. *f.* (fís.) radioele(c)tricidade.

radioeléctrico, ca. *adj.* (fís.) radioeléctrico.

radioelemento. *m.* (quím.) radioelemento.

radioemisora. *m.* radioemissora.

radiofísica. *f.* (fís.) radiofísica.

radiofonía. *f.* (fís.) radiofonia.

riadiofónico, ca. *adj.* radiofó(ô)nico.

radiofono. *m.* (fís.) radiofone.

radiofotografía. *f.* radiofotografia, radiografia.

radiofrecuencia. *f.* radiofrequência.

radiogoniómetro. *m.* (fís.) radiogonió(ô)metro.

radiografía. *f.* (med.) radiografia.

radiografiar. *v. tr.* radiografar, fotografar por meio dos raios X.

radiográfico, ca. *adj.* radiográfico.

radiograma. *m.* radiograma, actinograma, marconigrama.

radiogramola. *f.* radiola.

radiolario. *m. pl.* (zool.) radiolários.

radiolocalización. *f.* (fís.) radiolocalização.

radiología. *f.* (fís. e med.) radiologia.

radiológico, ca. *adj.* radiológico.

radiólogo, ga. *s.* radiologista.

radiometría. *f.* (fís. e geom.) radiometria.

radiométrico, ca. *adj.* radiométrico.

radiómetro. *m.* (astr. e fís.) radió(ô)metro.

radioreceptor. *m.* aparelho de rádio, receptor, rádio receptor.

radioscopia. *f.* (med e fís.) radioscopia.

radioscópico, ca. *adj.* radioscópico.

radioscopio. *m.* radioscópio.

radioso, sa. *adj.* radioso, que emite raios de luz ou calor; esplendoroso, brilhante, luminoso, alegre.

radiotecnia. *f.* radiotécnica.

radiotelefonía. *f.* radiotelefonia, telefonia sem fios.

radiotelefónico, ca *adj.* radiotelefó(ô)nico.

radiotelegrafía. *f.* radiotelegrafia.

radiotelegráfico, ca. *adj.* radiotelegráfico.

radiotelegrafista. *s.* radiotelegrafista.

radiotelegrama. *m.* radiotelegrama.

radioterapia. *f.* (terap.) radioterapia.

radiotransmisor. *m.* radioemissor.

radiovisión. *m.* (fís.) radiovisão.

radioyente. *s.* radiouvinte.

raditerapia. *f.* (terap.) radioterapia.

radón. *m.* (quím.) radon.

raedera. *f.* raspadeira, raspador, rapadeira; sacho pequeno usado nas minas.

raedizo, za. *adj.* fácil de raspar.

raedor, ra. *adj.* e *s.* raspador, que raspa; rasoura, rasoira; (ant.) o que tem por ofício medir cereais com a rasa.

raedura. *f.* rapadela, rapadura; raspadura, raspas, aparas.

raer. *v. tr.* raspar, rapar, cortar rente o pêlo; rasar, rasourar; arrasar; (fig.) erradicar, desarraigar, destruir pela raíz; chifrar; (fig.) riscar, apagar, varrer da memória. — *v. r.* safar-se, gastar-se até ver-se o fio. — *conj. irr.* como *traer*.

rafa. *f.* (vet.) greta, racha na parte superior do casco das cavalgaduras; emcascado, pilar embutido numa parede para a reforçar; abertura numa acéquia ou canal; (min.) plano inclinado lavrado na rocha.

ráfaga. *f.* rajada, vento forte e violento, lufada, pé-de-vento; nuvem ligeira; clarão, lampejo.

rafal. *m.* granja, casa ou prédio no campo.

rafalla. *f.* V. **rafal.**

rafania. *f.* (med.) doença produzida pelas sementes do rabanete silvestre.

rafe. *m.* (arq.) beiral do telhado.

rafe. *m.* (bot.) cordão do funículo das sementes; (zool.) rugosidade no períneo e no escroto.

rafear. *v. tr.* rebocar, concertar ou segurar um edifício, com pilares.

rafia. *f.* (bot.) ráfia, palmeira e a sua fibra.

raglán. *m.* espécie de gabão de homem.

ragua. *f.* extremidade da cana doce.

rahalí. *adj.* V. **rehalí.**

rahez. *adj.* baixo, vil, desprezível.

raíble. *adj.* que se pode raspar.

raicear. *v. intr.* arraigar, lançar raízes.

raiceja. *f.* raizinha.

raicilla. *f.* raizinha, raigota, radícula.

raicita. *f.* radícula. V. **raicilla.**

raíd. *m.* expedição, percurso.

raido, da. *p. p.* e *adj.* raspado, coçado, rafado (diz-se dos vestidos e tecidos); gasto; (fig.) desavergonhado, indecoroso, livre, descarado.

raigal. *adj.* radical, radicular, pertencente à raíz; entre madeireiros, extremidade do madeiro correspondente à raíz da árvore.

raigambre. *f.* raizada, conjunto de muitas raízes, raizame; (fig.) conjunto de antecedente, interesses, hábitos ou afectos, raízes.

raigón. *m.* grande raíz; (anat.) raíz de dente.

raigrás. *m.* raigrás. V. **césped.**

raijo. *m.* pimpolho, renovo, vergôntea.

rail. *m.* (ferr.) carril, trilho da via férrea.

raimiento. *m.* rapadela. V. **raedura;** descaramento, desvergonha.

raíz. *f.* (bot.) raiz. (fig.) raiz, princípio, base, fonte, origem, causa, fundamento; raíz, parte inferior duma coisa; época; (mat.) raiz; (gram.) raiz, radical.

raja. *f.* racha, fenda; lasca; fatia; incisão; greta; rachadura, abertura; parte, porção duma coisa: *hacer rajas*, dividir; *sacar rajas*, (pop.) tirar proveito dalguma coisa.

rajá. *m.* rajá, soberano índio.

rajable. *adj.* rachável, que se pode rachar fàcilmente.

rajadillo. *m.* amêndoa confeitada.

rajadizo, za. *adj.* rachadiço, fácil de se rachar ou de fender-se.

rajador. *m.* rachador, o que racha lenha ou madeira.

rajadura. *f.* V. **raja.**

rajar. *v. tr.* rachar, fender, lascar, abrir; incisar. — *v intr.* (fig. e fam.) contar mentiras; falar muito, tagarelar. — *v. r.* não cumprir a palavra dada; eivar-se.

rajatabla. (a). *adv.* a todo o transe, custe o que custar, com todo o rigor.

rajeta. *f.* fazenda menos encorpada que a *raja* e com mistura de várias cores.

rajuela. *f.* racha pequena; lasca de pedra; pedra por trabalhar.

ralea. *f.* espécie, qualidade, classe, género; (depre.) ralé, casta, raça, linhagem, esto(ô)fa, extra(c)ção.

ralear. *v. intr.* ralear, tornar-se ralo, perder a densidade ou a solidez; não se desenvolverem inteiramente os cachos da videira; manifestar as más inclinações.

raleza. *f.* qualidade do que é ralo, pouco denso ou sólido, raleza.

ralo, la. *adj.* ralo, pouco espesso, raro.

rallador. *m.* ralador, ralo de cozinha.

ralladura. *f.* sulco que deixa o raspador; raspadura, fragmentos da substância que se passou pelo raspador.

rallar. *v. tr.* ralar, friccionar contra o ralador; (fig. e fam.) molestar, fastidiar, importunar.

rallo. *m.* ralador. V. **rallador.**

rallón. *m.* espécie de venábulo que se disparava com besta e servia na caça maior.

rama. *f.* (bot.) ramo, galho; (fig.) ramo genealógico; ramo, ramificação; (tip) rama; (fig.) ramo, parte, divisão duma ciência, arte, etc. (fig.) ramo, diz-se da pessoa que descende com outras do mesmo tronco.

ramadán. *m.* ramadão.

ramaje. *m.* ramagem, ramada, ramaria, rama, galhada, conjunto de muitos ramos de árvore.

ramal. *m.* ramal, de que se compõem as cordas; corda amarrada à cabeçada do cavalo; lanço de escada; lanço secundário de escada, acéquia, ramal; mina, cordilheira; (fig.) ramificação, ramal; (electr.) derivação; (fig.) ramo, divisão, ramificação.

ramalazo. *m.* pancada, com o ramal, cordoada; sinal ou vergão que deixa na pele, (fig.) dor aguda e repentina.

ramalear. *v. intr.* cabrestear, deixar-se levar pelo cabresto (a cavalgadura).

ramazón. *f.* ramalhada, conjunto de ramos cortados; ramazón.

rambla. *f.* leito de águas pluviais; margem arenosa dos rios; rambla, râmbola, aparelho para esticar panos, râmola.

ramblar. *m.* lugar onde confluem vários sulcos cavados por chuvas e enxurradas.

ramblazo. *m.* barranco cavado por forte enxurrada; sítio por onde se despenham as águas.

ramblizo. *m.* barranco. V. **ramblazo.**

rameado, da. *adj.* rameado, diz-se do desenho de flores e folhas; ramagem.

rameal. *adj.* (bot.) râmeo.

rámeo, a. *adj.* (bot.) râmeo, pertencente ou relativo a rama.

ramera. *f.* rameira, meretriz, prostituta, arruadeira, galderia, fadista, coirão, cocote.

ramería. *f.* lupanar, bordel, alcouce; prostituição, vida de meretriz; conjunto de mulheres públicas.

rameruela. *f.* dim de *ramera*.

ramial. *m.* lugar plantado de ramis.

ramificación. *f.* ramificação; (fig.) conjunto de consequências necessárias dalgum facto ou sucesso; forqueadura; (anat.) ramificação.

ramificar. *v. tr.* forquear, arramar, forquilhar.—*v. r.* ramificar-se, dividir-se em ramos; (fig.) ramificar-se, propagarem-se as consequências dum facto ou sucesso; dividir-se, subdividir-se; bifurcar-se.

ramilla. *f.* ramo pequeno, raminho de árvore; (fig.) leve pretexto.

ramillete. *m.* ramilhete, ramalhete, pequeno ramo de flores; (fig.) prato de doces vistosamente enfeitado; colecção de coisas úteis duma matéria.

ramilletero, ra. *s.* florista, vendedor ou fabricante de ramalhetes.

ramillo. *m.* moeda de pequeno valor.

ramina. *f.* fio ou fibra do rami.

ramito. *m.* raminho; (bot.) cada uma das subdivisões dos ramos.

ramiza. *f.* conjunto de ramas cortadas, ramalhada, ramalhos.

rámneo, a. *adj.* ramnáceo.—*f. pl.* ramnáceas

ramo. *m.* ramo, divisão ou subdivisão de caule, raminho; ramo da árvore, galho, galhinho; ramalhete, conjunto de flores naturais ou artificiais; ramo, classe de indústria, contrato ou negócio; cabo de alhos, molho; réstia ou cabo de cebolas; ramo, ornamento; ramo, descendência linhagem; incumbência subdividida entre várias pessoas; (fig.) ramo de ciência, arte, etc; doença incipiente, ou pouco determinada; departamento.

ramojo. *m.* conjunto de ramos cortados; ramalhada, raminhos.

ramón. *m.* ramada que cortam os pastores para apascentar o gado em tempo de neve ou de rigorosa seca; ramagem que fica da poda das oliveiras e doutras árvores.

ramonear. *v. intr.* podar, desramar, decotar, cortar a rama ou as pontas dos galhos; desbastar; pascerem os animais as folhas e as pontas dos galhos.

ramoneo. *m.* poda, desbante, desrame, acto de podar; temporada de poda.

ramoso, sa. *adj.* ramoso, ramudo, que tem muitos ramos.

rampa. *f.* ladeira, plano inclinado para subir ou descer por ele; cãibra, espasmo doloroso dos músculos. V. **calambre**.

rampante. *adj.* (herald.) rampante.

rampiñete. *m.* instrumento que usavam os artilheiros para limpar o ouvido das peças.

ramplón, na. *adj.* tosco, grosseiro (diz-se do calçado de sola muito grossa e larga); (fig.) tosco, vulgar, desalinhado, chamboado, grosseiro, inelegante, incivil. — *m.* rompão de ferradura: *estilo ramplón*, estilo chato.

ramplonería. *f.* vulgaridade, grosseria, inelegancia, desalinho.

rampojo. *m.* V. **raspajo**.

rampollo. *m.* estaca, tanchão, ramo que se corta da árvore para ser plantado.

rana. *f.* (zool.) rã, batráquio aquático, sem cauda; (Bras.) jia.

ranacuajo. *m.* girino. V. **renacuajo**.

ranal. *m.* terreno em que abundam as rãs. V. **ranero**.

rancajada. *f.* desenraizamento, desarraigamento, arrancamento de plantas.

rancajado, da. *adj.* ferido por uma lasca ou espinho.

rancajo. *m.* espinho, farpa ou lasca que se espeta na carne.

ranciar. *v. tr.* enrançar. V. **enranciar**.

rancidez. *f.* ranço, rancidez; (fig.) ranço, velharia.

rancio, cia, *adj.* rançoso, que tem ranço, (diz-se do vinho e dos comestiveis que com o tempo adquirem sabor ou cheiro mais fortes, melhorando ou estragando-se), (fig.) diz-se das coisas antigas e das pessoas apegadas a elas. — *m.* toucinho rançoso.

ranchería. *f.* conjunto de choças ou cabanas que formam um povoado.

ranchero. *m.* rancheiro, o que cuida do rancho.

ranchear. *v. i.* arranchar, formar ranchos ou se arrancha ou acampa.

rancho. *m.* rancho, comida que se faz para muitos em comum; rancho, cabana fora de povoado; (fig. e fam.) rancho, grupo de pessoas juntas para tratar de assuntos familiares; (mar.) rancho: *hacer rancho aparte*, afastar-se das demais pessoas.

randa. *f.* renda, tecido muito fino. — *m.* (fam.) tunante, malandro, ratoneiro.

ranero. *m.* terreno onde se criam muitas rãs.

rangífero. *m.* (zool.) rena. V. **reno**.

rango. *m.* (gal.) classe, categoria, jerarquia, dignidade; situação social.

rangoso, sa. (Amér.) V. **rumboso**.

rangua. *f.* rótulo. V. **tejuelo**; (prov.) alifafe, tumor dos cavalos.

ranilla. *f.* ranilha, saliência mole na planta do pé do cavalo; (vet.) doença do gado vacum.

ránula. *f.* (med.) rânula, tumor que costuma formar-se debaixo da língua; (vet.) tumor canunculoso.

ranunculáceo, a. *adj.* (bot.) ranunculáceo. — *f. pl.* ranunculáceas.

ranúnculo. *m.* (bot.) ranúnculo.

ranura. *f.* ranhura, encaixe, entalhe.

raña. *f.* terreno de mato rasteiro.

raño. *m.* (ictiol.) perca; espécie de gancho para arrancar das pedras ostras, lapas, etcétera.

rapa. *f.* flor da oliveira.

rapacejo, ja. *s.* rapazinho, rapazelho. — *m.* alma dum galão ou franja; franja, fímbria, galão liso.

rapacería. *f.* V. **rapacidad**, rapacidade.

rapacería. *f.* V. **rapazada**.

rapacidad. *f.* rapacidade; instinto ou gosto da rapina; avidez.

rapador, ra. *adj. s.* rapador, que rapa; raspador; (fam.) barbeiro, tosquiador.

rapadura. *f.* rapadura, rapadela.

rapagón. *m.* rapazola, jovem ainda imberbe.

rapamiento. *m.* rapadura. V. **rapadura.**

rapapiés. *m.* busca-pé, bicha de rabear.

rapapolvo. *m.* (fam.) repreensão áspera.

rapar. *v. tr.* rapar, barbear; rapar o cabelo; (fig. e fam.) furtar ou tirar com violência alguma coisa.

rapavelas. *m.* (vulg.) sacristão.

rapaz. *adj.* rapaz, rapace, que rouba, que furta; rapinante, inclinado à rapina; colomim. — *f. pl.* (zool.) rapaces, aves de rapina.

rapaz, za. *s.* rapaz, rapariga, moço de pouca idade.

rapazada. *f.* rapaziada. V. **muchachada.**

rapazuelo, la. *s.* rapazinho, rapazelho, rapazete, rapazote, rapariguinha, rapariguita.

rape. *m.* (fam.) corte de barba ou cabelo feito à pressa e sem cuidado.

rapé. *adj. e m.* rapé, diz-se do tabaco em pó para cheirar: *caja para rapé*, cheiradeira,

rape. *m.* V. **pejesapo.**

rapidez. *f.* rapidez, velocidade, celeridade, presteza, pressa; desfilada; (fig.) meteoro.

rápido, da. *adj.* rápido, veloz, impetuoso, ligeiro; instantâneo; desembaraçado; (fig.) elé(c)trico; fugaz; arrebatado; apressado; expeditivo; alado; ágil; meteórico. — *m.* rápido, declive no leito dum rio; corredeira; (ferr.) rápido, comboio de andamento mais acelerado. — *adv.* rápido, com rapidez, depressa: *lo más rápido posible*, a todo correr; *pulso rápido*, pulso cheio.

rapiega. *adj.* diz-se da ave de rapina.

rapiña. *f.* rapina, roubo, saque: *ave de rapiña*, ave de rapina.

rapiñador, ra. *adj. e s.* rapinador, que rapina, rapinante.

rapiñar. *v. tr.* (fam.) rapinar, roubar ardilosamente; tirar à força; subtrair arrebatar; roubar com violência.

rapista. *m.* rapador, o que rapa; (fam.) barbeiro, cabeleireiro.

rápita. *f.* rábida. V. **rábida.**

rapo. *m.* V. **nabo.**

raposa. *f.* rapo(ô)sa, mamífero carnívoro; (fig. e fam.) pessoa astuta.

raposear. *v. intr.* raposinhar, usar de manha ou astúcia como a raposa.

raposeo. *m.* raposia, raposice, malícia, astúcia, acção de raposinhar.

raposera. *f.* raposeira, covil de raposa. V. **zorrera.**

raposería. *f.* raposia. V. **raposeo;** astúcia de raposa. V. **zorrería.**

raposero, ra. *adj.* concernente à raposa.

raposía. *f.* raposia. V. **raposería.**

raposino, na. *adj.* relativo à raposa.

raposo. *m.* rapo(ô)so. V. **zorro;** (fig. e fam.) raposo, homem astuto.

raposuno, na. *adj.* relativo à raposa. V. **zorruno.**

rapsoda. *m.* rapsodo, cantor ambulante.

rapsodia. *f.* (mús.) rapsódia: rapsódia, fragmentos dum poema. V. **centón.**

rapsodista. *m.* rapsodista; compilador.

raptado, da. *p. p. e adj.* raptado, que sofreu rapto; raptada, diz-se da mulher raptada.

raptar. *v. tr.* raptar, cometer um rapto; arrebatar, roubar, ratinar.

rapto. *m.* rapto, impulso, acção de arrebatar; rapto, acto de levar por astúcia uma mulher; êxtase, rapto, arroubo, embelezo, arrebatamento; (med.) acidente que priva dos sentidos.

raptor, ra. *adj. e s.* raptor, que rouba, raptador, que comete com uma mulher o delito de rapto.

raque. *m.* acto de recolher os restos que um naufrágio atira à costa.

raquear. *v. intr.* procurar restos de naufrágios.

raquero, ra. *adj.* diz-se do barco pequeno que vai roubando pela costa. — *m.* ladrão que furta nos portos e costas.

raqueta. *f.* raqueta, utensílio de madeira usada em certos jogos; palhe(ê)ta; raqueta, volante (jogo).

raquetero, ra. *s.* fabricante ou vendedor de raquetas.

raquialgia. *f.* (pat.) raquialgia.

raquídeo, a. *adj.* (anat.) raquidiano, raquídeo.

raquidiano, na. *adj.* (anat.) raquidiano, raquídeo.

raquis. *m.* (anat.) ráquis, espinha dorsal, coluna vertebral.

raquítico, ca. *adj. e s.* raquítico, que tem raquitismo; (fig.) raquítico, exíguo; mesquinho; alfenicado; atrofiado; desmedrado; (pop.) setemesinho, engoiado.

raquitis. *f.* (pat.) raquitismo.

raquitismo. *m.* (pat.) raquitismo, enfezamento.

raquítomo. *m.* (cir.) aparelho para abrir a coluna dorsal sem ferir a medula.

rara. *f.* (zool.) espécie de codorniz.

rareza. *f.* rareza, raridade; acção rara, extravagância; objecto curioso; sucesso raro, anormalidade; extranheza; infrequência; anomalia; excentricidade; estroinice; exotismo; desatino.

raridad. *f.* raridade, rareza. V. **rareza.**

rarificar. *v. tr.* enrarecer. V. **rarefacer.**

rarificativo, va. *adj.* rarefa(c)tivo, rarefaciente, que rarefaz.

raro, ra. *adj.* raro, pouco espesso, que não é denso; rarefeito; raro, infrequ(ü)ente, que acontece poucas vezes; que tem muito mérito; extraordinário, singular; insigne; estrafalário, estranhão, estrambótico; desafeito; descostumado; estravagante, inaudito; inexplicável; exce(p)cional; excêntrico, exótico; desusado, estranho; estroina; (Bras.) rasqueiro. — *adv.* raramente, raras vezes.

ras. *m.* superfície rasa, igualdade de nível.

rasa. *f.* abertura, fenda na urdidura dum tecido; planalto, liso e desembaraçado num monte, chapada, clareira. V. **raso.**

rasadura. *f.* rasadura, arrasa, arrasadura.

rasante. *p. a.* e *adj.* rasante, que rasa. — *f.* rasante, linha de inclinação duma rua ou caminho em relação com o plano horizontal: *tiro rasante,* tiro rasante.

rasar. *v. tr.* rasar, medir ou alisar com a rasoura, rasourar; rasar, nivelar, igualar; roçar, raspar.

rasarse. *v. r.* ficar limpo ou desembaraçado.

rascacielos. *m.* (neol.) arranha-céu.

rascadera. *f.* rascador, utensílio para rascar.

rascador. *m.* rascador, utensílio para rascar; alfinete de toucador; debulhador, instrumento de ferro para debulhar o milho.

rascadura. *f.* rascadura; coça, coçadela.

rascalino. *m.* cuscuta. V. **tiñuela.**

rascamiento. *m.* rascadura, arranhadura.

rascar. *v. tr.* rascar, esfregar a pele fortemente, coçar; arranhar; arranhar, limpar com rascador; coçar.

rascazón. *f.* comichão, prurido.

rascle. *m.* rasca, rede de arrastar para a pesca do coral.

rascón, na. *adj.* rascante, áspero ao paladar, carrascão. — *m.* ave pernalta.

rascuñar. *v. tr.* arranhar.

rascuño. *m.* arranhadela. V. **rasguño.**

rasel. *m.* (mar.) parte mais estreita da popa ou proa. V. **racel.**

rasera. *f.* rasoura. V. **rasero.**

rasero. *m.* rasoura, rasoira, rasa; arrasadeira.

rasgado, da. *adj.* rasgado, aberto, espaçoso, diz-se da janela que dá muita luz: *ojos rasgados,* olhos rasgados.

rasgador, ra. *adj.* e *s.* rasgador, que rasga.

rasgadura. *f.* rasgão, rasgadura, rasgamento, ruptura que se faz rasgando; divisão dos tecidos por um esforço violento.

rasgar. *v. tr.* rasgar, romper, lacerar, abrir rasgão; praticar uma abertura; abrir fenda; separar, arrancar. — *v. r.* rasgar-se, romper-se. V. **rasguear.**

rasgo. *m.* rasgo, risco, linha de adorno traçada com a pena; (fig.) expressão feliz; rasgo, acção notável, acção nobre, exemplar; manifestação brilhante, rapto: *de un rasgo,* de um rasgo, de uma só vez.

rasgón. *m.* rasgão, rasgadura de tecido.

rasgueado. *m.* rasgadura, rasgamento; toque rasgado na viola. V. **rasgueo.**

rasguear. *v. tr.* zangarrear, tocar a viola em rasgado. — *v. intr.* fazer traços bonitos ao escrever, rasgar a letra.

rasgueo. *m.* rasgadura, rasgamento; zangarreado, toque de viola.

rasguñar. *v. tr.* arranhar, rascar com a unha ou com algum instrumento cortante uma coisa, especialmente coiro; (pint.) rascunhar, esboçar.

rasguño. *m.* arranhadura, arranhadela; (pint.) desenho em esboço, rascunho.

rasión. *f.* rapadela. V. **rasuración.**

raso, sa. *adj.* raso, plano, liso, desembaraçado de estorvos; claro, limpo, sereno, descoberto (diz-se do céu); raso, sem encosto, sem título, sem graduação; que passa ou se move a pouca altura do solo;

rasteiro. — *m.* raso, cetim; (germ.) clérigo, cura.

rasoliso. *m.* certa espécie de raso ou cetim.

raspa. *f.* (bot.) pedúnculo, comum de racimo ou espiga; pêlo ou fiapo na pena de escrever; espinhas de peixes; película dalguns frutos; (agr.) aresta do grão de trigo; arrelhada; (germ.) batota no jogo de cartas: *tender la raspa,* (fam.) deitar-se a dormir.

raspadillo. *m.* (germ.) batota. V. **raspa.**

raspador. *m.* raspador, raspadeira, instrumento para raspar.

raspadura. *f.* raspadura, raspagem; raspa, raspas, o que se tira duma superfície, raspando.

raspajo. *m.* engaço da uva.

raspamiento. *m.* raspadura, rapadura.

raspar. *v. tr.* raspar, ligeiramente, rapar, picar o vinho ou outro licor, ao paladar; chifrar; furtar, tirar; raspar, roçar um corpo com outro: *raspar el pan,* descodear o pão.

raspear. *v. intr.* correr com aspereza e dificuldade a pena, arranhar o papel.

raspilla. *f.* (bot.) espéce de borragem.

raspín. *m.* cinzel de dentes, usado em certas artes.

raspinegro, gra. *adj.* de arestas negras. V. **arisnegro.**

rasposo, sa. *adj.* áspero, que arranha, áspero ao tacto.

rasqueta. *f.* (Amér.) almofaça. V. **almohaza;** (mar.) rasqueta, instrumento para limpar certas partes do navio.

rasquetear. *v. tr.* (Amér.) almofaçar. V. **almohazar.**

rastacuero. *m.* (gal.) fura-vidas. V. **vividor.**

rastel. *m.* varanda. V. **barandilla.**

rastillado, da. *adj.* (germ.) roubado, diz-se da pessoa a quem roubaram alguma coisa.

rastillador, ra. *adj.* e *s.* assedador do linho; gradador. V. **rastrillador.**

rastillar. *v. tr.* rastelar; recolher o feno; gradar. V. **rastrillar.**

rastilleo. *m.* (germ.) ladrão que furta e foge logo.

rastillo. *m.* rastelo; rastilho; caçoleta, ancinho. V. **rastrillo;** (germ.) mão.

rastra. *f.* ancinho, instrumento agrícola dentado; rastro, rasto, sinal, vestígio; réstia de fruta seca; grade, instrumento agrícola; qualquer coisa que vai pendurada e arrastando; (mar.) rocega; (fig.) resultado duma acção que obriga à reparação do dano causado; cria duma rês; arrastamento, arrastadura.

rastrallar. *v. intr.* estralejar. V. **restallar.**

rastreado, da. *p. p.* e *adj.* rastejado, seguido pelo rasto. — *m.* certo baile espanhol do século XVII.

rastreador, ra. *adj.* e *s.* rastejador, que rasteja.

rastrear. *v. tr.* rastear, seguir o rasto ou a pista de, rastrear, rastejar; (fig.) inquirir, indagar, averiguar por conjecturas ou sinais. — *v. intr.* trabalhar com o ancinho ou a grade; voar baixo, roçando o solo, rastejar; (agr.) estorroar, quebrar os torrões com o rasto ou ancinho; (mar.) rocegar.

rastrel. m. ripa grossa de madeira. V. **ristrel.**

rastreo. m. rocega, acto de rocegar, rastejo.

rastrero, ra. adj. rasteiro, rastejante; (fig.) vil, baixo, aviltante, desprezível, humilde; rastejador, ventor (cão que rasteja a caça); rasteiro, que anda de rasto; rasteiro, que voa rente do chão. — m. carniceiro, açougueiro, magarefe; tropeiro, o que leva gado ao matadouro.

rastrilla. f. espécie de rastelo.

rastrillada. f. o que se recolhe ou limpa duma vez com o rastelo ou com o ancinho.

rastrillador, ra. adj. e s. assedador de linho; que recolhe o feno com o ancinho; gradador; assedadeira.

rastrillaje. m. gradadura, gradagem esterroada.

rastrillar. v. tr. rastelar, o linho ou cânhamo; recolher o feno com o ancinho; gradar, esterroar a terra; desboroar; encinhar.

rastrillo. m. raste(ê)lo, pente por onde passa o linho para assedar; grade de ferro na porta duma fortaleza; estacada, grade ou porta de ferro que defende a entrada duma fortaleza ou estabelecimento penal; caçoleta de arma antiga; (agr.) ancinho; rastelo, divisão do palhetão duma chave; roda de fechadura; engaço.

rastro. m. rasto, ancinho; espécie de sachola com dentes em lugar de pá; rastro, instrumento para arrastar; açougue; rasto, vestígios pegadas, pisadas, pista; sinal, cheiro; mergulhão de videira. V. **mugrón;** matadouro.

rastrojal. m. restolhal, restolha. V. **rastrojera.**

rastrojar. v. tr. restolhar, arrancar o restolho.

rastrojera. f. restolhal, restolha.

rastrojo. m. resto(ô)lho; resteva; colmaço: quitar el rastrojo, descolmar.

rasura. f. rapadela; raspadura, rapadura.— pl. sarro do vinho.

rasuración. f. rapadela. V. **rasura;** raspadura. V. **raedura.**

rasurar. v. tr. barbear, fazer a barba.—v. r. barbear-se.

rata. f. (zool.) rata, rato, ratazana; (germ.) V. **faltriquera.** — m. ladrão: más pobre que una rata, pobre como um rato.

ratafía. f. ratafia.

ratania. f. ratânia.

rata parte. lat. pro rata.

rata por cantidad. pro rata.

rataplán. m. onomatopeia de toque de tambor; rataplã, rufo.

ratera. v. tr. ratear, diminuir ou rebaixar proporcionalmente.

ratear. v. tr. furtar, surripiar coisas de pequeno valor; cometer ratonice; (fam.) bifar.

ratear. v. intr. rastejar, andar de rasto, arrastar-se.

rateo. m. rateio. V. **prorrateo.**

ratería. f. ratonice, ladroíce, ladroeira, gatunice, empaldela, empalmação, furto.

ratería. f. vileza, baixeza, sordidez.

ratero, ra. adj. e s. ratoneiro, diz-se do larápio ou gatuno; agadanhador; empalmador; corta-bolsos.

ratero, ra. adj. rasteiro, rastejante; (fig.) baixo, vil, desprezível; rasteiro, que voa muito baixo.

raticida. adj. e m. raticida, que mata ratos; preparado para matar os ratos.

ratificable. adj. ratificável.

ratificación. f. ratificação; confirmação; aprovação; documento autêntico duma confirmação.

ratificar. v. tr. ratificar, validar, confirmar, corroborar; afortalezar; afirmar, aprovar; comprovar.

ratificatorio, ria. adj. ratificativo, que ratifica.

ratihabición. f. (for.) ratificação, confirmação do que está feito.

ratimago. m. (fam.) estratagema, ardil, logro, engano.

ratina. f. ratina, tecido de lã com o pêlo crespo.

ratino, na. adj. diz-se da rês de pêlo cinzento semelhante ao da ratazana.

rato. m. momento, espaço curto de tempo; instante, bocado; gosto, desgosto (vai sempre acompanhado, nesta acepção, dos adjectivos bueno ou malo). — m. (zool.) rato.

ratón. m. (zool.) rato; (germ.) ladrão, covarde; (mar.) pedra pontiaguda e cortante, no fundo do mar, que pode cortar os cabos.

ratona. f. rata, fêmea do rato.

ratonar. v. tr. ratar, roer (o rato). — v. r. adoecer o gato por ter comido muitos ratos.

ratonera. f. ratoeira, armadilha para apanhar ratos; buraco feito por rato; ninho de ratos; (pop.) encurralamento: caer en la ratonera, enviscar-se, cair na ratoeira.

ratonero, ra. adj. pertencente aos ratos, ratinheiro.

ratonesco, ca. adj. ratinheiro, pertencente aos ratos.

rauco, ca. adj. (poét.) raucíssono, que tem som rouco.

rauda. f. cemitério árabe.

raudal. m. torrente, caudal de água que corre violentamente; (fig.) abundância de coisas que afluem ràpidamente: correr a raudales, correr em bica.

raudo, da. adj. impetuoso, violento, rápido, precipitado.

rauta. f. (fam.) rota, caminho: coger ou tomar la rauta, pôr-se a caminho.

ravioles. m. pl. rissóis.

raya. f. raia, risca; raia, termo, fronteira; termo que se põe a uma coisa; risca do cabelo; estria na lama das armas de fogo; raia, a raia (peixe); raia, freio, sujeição;

raia, linha da palma da mão; (gram.) travessão: *pasar de la raya*, exceder-se, descomedir-se; *tener a raya a alguien*, (fam.) pôr alguém pelos beiços; *tener a raya a los vicios*, enfrear vícios.

rayadillo. *m.* riscado, tecido de algodão.

rayado, da. *p. p.* e *adj.* raiado, riscado. — *m.* conjunto de raias ou riscas num tecido; papel, etc.; acção de riscar.

rayador. *m.* riscador, traçador de riscas ou raias.

rayadura. *f.* raiado, estriado duma arma ou cano raiado.

rayano, na. *adj.* limítrofe, confinante, fronteiriço, raiano; (fig.) próximo, muito semelhante.

rayar. *v. tr.* raiar, riscar, cobrir de traços, sublinhar; estriar. — *v. intr.* confinar uma coisa com outra; tocar as raias ou límites; aproximar-se; com os vocábulos *alba, día, sol*, etc., amanhecer, alvorecer; (fig.) sobressair, distinguir-se; assemelhar-se uma coisa a outra; frisar.

rayo. *m.* (geom.) raio; (meteor.) raio; (fís.) raio, linha luminosa; faisca eléctrica; raio da roda dum carro; (fig.) raio, o que tem grande força ou eficácia; raio, pessoa de génio vivo; raio, infortúnio, desastre imprevisto, estrago, castigo inesperado; raio, pessoa ligeira e diligente; (pop.) alcaide, meirinho, oficial de justiça; olho, órgão da visão; rapidez, exalação. — *interj.* expressão enérgica que denota grande dor ou enfado.

rayón. *m.* seda artificial.

rayoso, sa. *adj.* raiado, riscado, que tem riscas ou raios, listrado.

raza. *f.* raça, casta, linhagem, estirpe; família; origem, qualidade, geração; extra(c)ção, descendência; (fig.) gado; condição de alguma coisa; espécie, variedade, casta, classe.

raza. *f.* greta, fenda, racha; raio de luz que penetra por uma abertura; lista, raia, risca mais clara no tecido; raça, abertura longitudinal no casco das cavalgaduras.

razado, da. *adj.* listrado, raiado ou riscado (tecidos).

rázago. *m.* serapilheira. V. **harpillera.**

razia. *f.* razia, incursão em território inimigo para roubar gado, cereais, etc.; pilhagem total.

razón. *f.* razão, raciocínio; justiça de ver; bom-senso; causa, origem, motivo; argumento; justificação; participação, notícia; percentagem; ordem e método; rectidão, equidade; consideração; fundamento; conta; relação, informe, cômputo; (mar.) razão; razão, palavra, termo que explica um conceito; razão, prova, demonstração: *razón aparente*, (fig.) cor; *estar puesto en razón*, estar posto na razão; *armarse de razón*, encher-se de razão; *ponerse a razones*, pôr-se às razões; *ser de razón*, ser de razão, justo.

razonable. *adj.* razoável, justo, moderado, a c e i t á v e l; equilibrado; contentadiço; (fig.) regular, bastante em qualidade ou

quantidade; suficiente; moderado; sensato: *ser razonable*, ser razoável.

razonablejo, ja. *adj.* dim. de **razonable.**

razonado, da. *adj.* e *p. p.* razoado, razoável, arrazoado; judicioso, sensato.

razonador, ra. *adj.* e *s.* raciocinador, que explica, que dá razões.

razonamiento. *m.* razoamento; raciocínio; arrazoado; argumentação; alegação; oração, discurso; colóquio, prática, conversação.

razonar. *v. intr.* raciocinar, arrazoar, razoar, argumentar; falar, discorrer; explicar, arguir; alegar. — *v. tr.* expor, aduzir razões, argumentar; nomear, apelidar.

razzia. *f.* razia, pilhagem total, saque, depredação, destruição.

re. *prep. insep.* designativa de: reintegração ou repetição; aumento; resistência ou oposição; encarecimento; inversão ou negação; reciprocidade; volta ao estado anterior, etc.

re. *m.* (mús.) ré, segunda nota da escala musical.

reabsorbedor, ra. *adj.* e *s.* reabsorvedor.

reabsorber. *v. r.* reabsorver, tornar a absorver. — *v. r.* desaparecer o sangue, pús, etcétera, pela acção das forças vitais.

reabsorción. *f.* reabsorção, acção ou efeito de reabsorver.

reacción. *f.* rea(c)ção, resistência, revulsão; (quím.) reacção; (fisiol.) reacção; (pol.) reacção, partido político conservador, ultramontanismo, absolutismo.

reaccionar. *v. intr.* reagir, resistir.

reaccionario, ria. *adj.* e *s.* reac(c)ionário, oposto à liberdade; sectário da reacção política ou social; ultramontano, absolutista, oposto a inovações.

reaccionarismo. *m.* (pol.) reaccionarismo, ultramontanismo, absolutismo.

reacio, cia. *adj.* remitente, teimoso, pertinaz; indócil, indisciplinado, inadaptado.

reactancia. *f.* (electr.) reactância.

reactividad. *f.* reactividade, qualidade de reagente.

reactivo, va. *adj.* e *m.* rea(c)tivo, reagente, que estabelece reacção.

readmisión. *f.* readmissão, acto ou efeito de readmitir.

readmitir. *v. tr.* readmitir, admitir novamente.

reagravación. *f.* reagravação.

reagravar. *v. tr.* reagravar, agravar novamente, exacerbar.

reagrupar. *v. tr.* tornar a agrupar, agrupar de novo.

reagudo, da. *adj.* extremamente agudo; muito vivo, fogoso.

reajustar. *v. tr.* ajustar, adaptar novamente; tornar a conformar ou estipular.

real. *adj.* real, verdadeiro, que existe, inaparente; formal, efectivo, inegável, inartificial, sincero, sólido, próprio, existente, certo.

real. *adj.* real, relativo ao rei ou à realeza; (fig.) augusto, régio, sumptuoso, magnificente; grande, digno de um rei; real, generoso, nobre; (fig. e fam.) real, de lei, excelente, muito bom. — *m.* sítio onde está acampado o rei ou onde está acampado um exército; (mil.) arraial, acampamento militar, abarracamento; campo duma feira; arraial; real, moeda espanhola; real, unidade de moeda portuguesa.

reala. *f.* rebanho de diversos donos. V. **rehala.**

realce. *m.* realce, avivamento, rele(ê)vo estimação, distinção, lustre, realço, relevo, brilho, nobreza, honra; engrandecimento; fama; (pint.) parte iluminada dum objecto.

realegrarse. *v. r.* sentir alegria extraordinária.

realengo, ga. *adj.* realengo, régio, real; diz-se das povoações que não são de senhorio nem das ordens militares; diz-se dos terrenos pertencentes ao Estado.

realera. *f.* V. **maestril.**

realero. *m.* maioral, pastor de rebanho de diversos donos.

realete. *m.* dim. de *real.* V. **dieciocheno.**

realeza. *f.* realeza, dignidade ou soberania real, coroa; (fig.) grandeza, esplendor, magnificência, grandiosidade.

realidad. *f.* realidade; o que existe de facto; certeza; veracidade; verdade, ingenuidade, sinceridade; existência; efe(c)tividade: *en realidad*, em realidade, na realidade.

realismo. *m.* (filos.) realismo; (art.) realismo, imitação fiel da natureza.

realismo. *m.* (pol.) realismo, sistema político em que o chefe do Estado é um rei.

realista. *adj.* e *s.* (filos.) realista, partidário do realismo filosófico ou estético.

realista. *adj.* e *s.* (pol.) realista, monárquico, partidário do realismo.

realizable. *adj.* realizábel, fa(c)tível, efeituável, efe(c)tível.

realización. *f.* realização; execução; o que se realizou; (com.) realização, conversão de bens em dinheiro; efe(c)tivação, efe(c)tuação.

realizador, ra. *adj.* e *s.* realizador, produtor; efeituador; executor.

realizar. *v. tr.* realizar, efe(c)tuar, verificar, fazer real e efectiva uma coisa; praticar; cumprir; conseguir; (com.) realizar, converter em dinheiro, liquidar. — *v. r.* realizar-se, efe(c)tuar-se, verificar-se.

realzar. *v. tr.* realçar, colocar em lugar mais elevado; salientar; destacar; bordar em relevo; recamar; dar mais vida ou força; abrilhantar; (fig.) realçar, ilustrar ou engrandecer; embelecer; avivar; galhardear, enaltecer, engraçar; fulgurar.

reamar. *v. tr.* amar muito.

reanimación. *f.* reanimação, restituição de vigor, movimento, etc., renascimento de ânimo.

reanimador, ra. *adj.* e *m.* reanimador, que reanima.

reanimar. *v. tr.* reanimar, confortar, avivar, dar vigor, restabelecer as forças; (fig.) in-

fundir ânimo e vigor; regenerar, galvanizar. — *v. r.* reanimar-se; avivar-se.

reanejo, ja. *adj.* muito velho.

reanudar. *v. tr.* (fig.) renovar, repetir, relembrar (estudo, trabalho, tratamento, et-cétera)

reaparecer. *v. intr.* reaparecer, voltar a aparecer ou a mostrar-se.

reaparición. *f.* reaparição, reaparecimiento; emersão (astros).

reapertura. *f.* reabertura, acção ou efeito de abrir de novo.

rearar. *v. tr.* tornar a arar, binar.

rearmar. *v. tr.* rearmar, tornar a armar.

rearme. *m.* rearme, rearmamento.

reasumir. *v. tr.* reassumir, tornar a assumir; (fig.) reassumir, arrogar; reunir.

reasunción. *f.* reassunção.

reasunto, ta. *p. p. irreg.* e *adj.* reassumido.

reata. *f.* reata, arreata, fileira de cavalgaduras conduzidas por uma arreata; mula de quarta; (mar.) reatas; de reata, (fig. e fam.); de conformidade cega com a vontade; em seguida, logo, após.

reatadura. *f.* reatamento, acção e efeito de volver a atar ou ligar.

reatar. *v. tr.* reatar, atar de novo; atar ou amarrar apertadamente; amarrar duas ou mais cavalgaduras em fileira; (mar.) arreatar.

reato. *m.* reato, obrigação de cumprir a penitência dada pelo confessor.

reaventar. *v. tr.* voltar a aventar ou deitar ao vento uma coisa.

reavivamiento. *m.* acção e efeito de reavivar; estimulação, incitamento.

reavivar. *v. tr.* reavivar, estimular, avivar intensamente. — *v. r.* reavivar-se, fazer-se sentir com maior intensidade.

rebaba. *f.* rebarba; aresta; gesso ou metal fundido que penetra nos encaixes dos moldes ao vasar um objecto; (arq.) resalto duma pedra numa parede; argamassa que as pedras cospem por efeito da pressão; (tipog.) rebarba, intervalo entre duas linhas regulares de composição.

rebaja. *f.* rebaixa, diminuição, desconto, dedução, barateamento; abatimento: *hacer rebaja,* fazer barateamento.

rebajado, da. *p. p.* e *adj.* rebaixado; (fig.) infamado, desacreditado; desprezível. — *m.* soldado que deu baixa do serviço activo.

rebajador, ra. *adj.* e *m.* (fot.) banho para tornar mais claras as fotografias.

rebajamiento. *m.* rebaixamento; (fig.) indignidade; aviltamento; depressão; erosão; encolhimento.

rebajar. *v. tr.* rebaixar, tornar mais baixo; rebaixar, fazer diminuir o preço de, baixar o valor; (fig.) rebaixar, humilhar, abater; (arq.) diminuir a altura dum arco ou abóbada; (pint.) escurecer. — *v. r.* aviltar-se, praticar actos indignos; humilhar-se; ficar dispensado de qualquer serviço militar; aplebear-se.

rebajo. rebaixo, parte rebaixada; entalho, encaixe, encarna.

rebalaje. *m.* corrente das águas.

rebalgar. *v. intr.* andar com as pernas muito abertas.

rebalsa. *f.* água estagnada, vazante; porção de humor detido numa parte do corpo.

rebalsar. *v. tr.* estagnar, rebalsar, embalsar; anegar.

rebalse. *m.* estagnação de vazante; estancamento de águas.

rebanada. *f.* rabanada, fatia, especialmente de pão; talhada de melão, melancia, etc.; *cortar en rebanadas*, afatiar.

rebanar. *v. tr.* cortar em fatias, afatiar, esfatiar, fatiar; talhar.

rebanco. *m.* (arq.) segundo pedestal ou base duma coluna.

rebanear. *v. tr.* (fam.) cortar em fatias. V. **arrebañar.**

rebañadera. *f.* fateixa para tirar objectos que caíram no fundo dum poço.

rebañadura. *f.* arrebanhadura. V. **arrebañadura.**

rebañar. *v. tr.* arrebanhar. V. **arrebañar.**

rebañego, ga. *adj.* gregal, relativo ao rebanho de gado.

rebaño. *m.* rebanho, porção de gado, especialmente lanígero; (fig.) rebanho, conjunto de paroquianos ou fieis; conjunto de muitas coisas.

rebasadero. *m.* (mar.) lugar por onde um navio pode passar para evitar um perigo, passagem.

rebasar. *v. tr.* passar ou exceder certo limite; trasbordar, transbordar, ultrapassar; (mar.) passar, navegando, mais para lá dum navio, cabo escolho ou qualquer estorvo ou perigo.

rebate. *m.* rebate, combate, pendência.

rebatible. *adv.* rebatível, que se pode rebater ou refutar, discutível, impugnável.

rebatimiento. *m.* rebatimento, repulsão; impugnação, refutação.

rebatiña. *f.* rebatinha. V. **arrebatiña.**

rebatir. *v. tr.* rebater, repelir, rechaçar; rebater de novo; rebater, bater muito; descontar, abater, deduzir; redobrar, reforçar; (fig.) rebater, resistir, repelir; (tentações, propostas, etc.); rebater, impugnar, refutar, controverter.

rebato. *m.* alerta, alarme, alarma; rebate, convocação do povo; (mil.) rebate, ataque repentino; rebate, sinal com sino ou tambor, para chamar às armas; (fig.) assalto, movimento súbito e impetuoso duma paixão; *de rebato*, de improviso, repentinamente.

rebautizar. *v. tr.* reba(p)tizar, baptizar de novo.

rebebido, da. *adj.* (pint.) esmolecido, sem brilho.

rebeco. *m.* (zool.) camurça.

rebelado, da. *adj.* e *p. p.* rebelado, insurrecto, sublevado, indisciplinado, rebelde.

rebelar. *v. tr.* rebelar, sublevar, indisciplinar, desobedecer. — *v. r.* rebelar-se; tornar-se rebelde, sublevar-se; indispor-se com alguém; conjurar-se; resistir; opor-se à força das coisas inanimadas; alterarem-se as paixões ou os afectos; alçar-se.

rebelde. *adj.* e *s.* rebelde, rebel, que se revolta ou subleva; (fig.) indócil, desobediente, indisciplinado; inadaptado; desrespeitoso; amotinado; alevantadiço; ingovernável, indomável, indobrável; fa(c)cioso; contumaz; (for.) revel.

rebeldía. *f.* rebeldia; defecção; indocilidade; desmancho; indisciplina; (for.) rebeldia, situação jurídica do rebelde; contumacia; pertinácia, teimosia; oposição; rebelião; resistência; desobediência.

rebelión. *f.* rebelião, insurreição, sublevação, indisciplina; desobediência.

rebelón, na. *adj.* rebelão, diz-se de cavalo que não obedece ao freio.

rebencazo. *m.* chicotada.

rebenque. *m.* rebém, azorrague com que se castigavam os condenados, chicote; (mar.) arrebém, corda ou cabo delgado, vinhateira.

rebina. *f.* segunda bina que se dá às vinhas.

rebinar. *v. tr.* (agr.) cavar pela terceira vez as vinhas.

reblandecer. *v. tr.* amolecer, abrandar, embrandecer; (med.) emolir. — *v. r.* amolecer-se, abrandar-se embrandecer-se. — *conj. irr.* como *crecer*.

reblandecimiento. *m.* amolecimento, abrandamento; (med.) lesão dos tecidos orgânicos.

reblar. *v. intr.* titubear, não poder estar firme, oscilar; retroceder; ceder.

reble. *m.* (germ.) V. **nalga.**

reboñar. *v. intr.* deter-se a roda da azenha por não ter saída a água do açude ou represa.

reboño. *m.* sujeira ou lodo no açude ou represa das azenhas.

reborde. *m.* rebordo, ressalto, moldura.

rebosadero. *m.* lugar por onde transborda um líquido.

rebosadura. *f.* transbordamento, trasbordamento; transvasão.

rebosamiento. *m.* transbordamento. V. **rebosadura.**

rebosar. *v. intr.* trasbordar, deitar por fora, transbordar; (fig.) abundar em excesso; ter em demasia; trasbordar, sobejar, dar a entender com gestos ou palavras o muito que no íntimo se sente; exabundar.

rebotación. *f.* (fam.) acção de saltar ou pular repetidamente um corpo elástico; sufocação, exasperação.

rebotadura. *f.* rechaço, repulsão.

rebotar. *v. intr.* pular repetidas vezes um corpo elástico, ressaltar; arrebitar; rebater, revirar, voltar; bater a bola na parede depois de ter batido no chão; ricochetear; desbotar, perder a cor; alterar-se; mudar-se a qualidade; rebitar; levantar com o pente o pêlo do pano; rebotar, rechaçar. — *v. tr.* revirar uma ponta, rebater, arrebitar; cardar; alterar a cor e qualidade; (fam.) conturbar, sufocar, pôr fora de si.

rebote. *m.* repulsão, ressalte, pulo repetido, rebote, chapeleta, rechaço.

rebozar. *v. tr.* rebuçar, cobrir quase todo o rosto com capa ou manto, embuçar; recobrir uma iguaria com ovos batidos, farinha, etc., albardar.

rebozo. *m.* rebuço, modo de levar a capa ou manto cobrindo a maior parte do rosto; (fig.) rebuço, pretexto, disfarce, simulação, embuste: *de rebozo*, secretamente; *sin rebozo*, franca, sinceramente, às claras.

rebramar. *v. intr.* rebramir, rebramar, voltar a bramar, bramar fortemente; responder a um bramido com outro.

rebramo. *m.* bramido com que o veado responde ao doutro da sua espécie.

rebrotar. *v. tr.* rebrotar. V. **retoñar.**

rebrote. *m.* renovo. V. **retoño.**

rebudiar. *v . intr.* roncar o javali quando fareja gente.

rebudio. *m.* ronco, roncadura do javali, quando fareja gente.

rebufar. *v. intr.* tornar a bufar; bufar com força.

rebufe. *m.* V. **bufido.**

rebufo. *m.* explosão duma arma de fogo, deslocação do ar em redor da boca duma arma de fogo ao sair o projéctil.

rebujado, da. *p. p.* e *adj.* emaranhado, enredado desordenado.

rebujar. *v. tr.* V. **arrebujar.**

rebuje. *m.* bioco.

rebujina. *f.* alvoroço. V. **rebujiña.**

rebujiña. *f.* alvoroto, alvoroço, bulício de gente do povo.

rebujo. *m.* rebuço, embuço de mulher para não serem conhecidas; embrulho mal feito; (fig.) reserva, cautela.

rebultado, da. *adj.* avultado. V. **abultado.**

rebullicio. *m.* rebuliço; desordem; bulha.

rebullir. *v. intr.* reanimar-se, começar a mover-se o que estava quieto; bulir; menear, tornar a mexer. — *conj. irr.* como *mullir*.

rebumbar. *v. tr.* zunir, assobiar, sibilar a bala do canhão.

rebumbio. *m.* (fam.) barulho. V. **barullo.**

reburujar. *v. tr.* (fam.) embrulhar.

reburujón. *m.* embrulho. V. **rebujo.**

rebusca. *f.* rebusca; rebusco, fruto que fica na vinha depois de vindimada; (fig.) refugo, rebotalho, o que fica e não presta, resto; rebusca, nova busca; respira.

rebuscador, ra. *adj.* e *s.* rebusqueiro, que rebusca.

rebuscamiento. *m.* rebusca, acto de rebuscar; amaneiramento, arrebique, afectação excessiva, qualidade de estilo rebuscado ou alambicado; maneira rebuscada das pessoas.

rebuscar. *v. tr.* rebuscar, esquadrinhar, procurar com atenção; buscar novamente; respigar.

rebuscado, da. *p. p.* e *adj.* rebuscado, que foi buscado novamente; rebuscado, apurado, com o máximo cuidado; requintado, empolado, alambicado (estilo).

rebusco. *m.* rebusca. V. **rebusca.**

rebutir. *v. tr.* embutir, encher, rechear.

rebuznador, ra. *adj.* e *s.* zurrador, que zurra, ornejador; (fig.) asno, asneirão, toleirão.

rebuznar. *v. intr.* zurrar, ornear, ornejar, rebusnar; (fig.) zurrar, dizer sandices.

rebuzno. *m.* zurro, orneio, ornejo; (fig.) asneira, tolice, parvoice, sandice.

recabar. *v. tr.* alcançar, obter ou conseguir com instância ou súplicas o que se deseja.

recadero, ra. *s.* recadista encomendeiro, emissário, andadinho, enviado, mensageiro, pessoa que leva ou traz recados.

recado. *m.* recado, mensagem, resposta, participação verbal; recados, lembrança, recordação da estima ou carinho que se tem a uma pessoa; presente, dádiva; provisão, compras diárias; conjuntos de objectos necessários para fazer certas coisas (aprestos, petrechos, etc.); presente, mimo; apresto, preparo; documentos justificativos duma conta, factura; (pop.) frete; precaução, cautela, segurança.

recaer. *v. intr.* recair, cair de novo; recair tornar a adoecer da mesma moléstia, ter uma recaída; voltar a um estado anterior, que se tinha deixado; cair no domínio doutrem; recair, carregar sobre; recair redundar; recair, tocar a; reincidir nos vícios, erros, etc.

recaída. *f.* recaída; (fig.) reincidência.

recalar. *v. tr.* penetrar a pouco e pouco um líquido, infiltrar-se rezumar, verter pelos poros. — *v. intr.* (mar.) chegar um navio à vista dum ponto conhecido da costa; refrescar chegar o vento ao ponto em que havia calmaria.

recalcada. *f.* (mar.) acção de se inclinar um navio.

recalcadura. *f.* recalcadura, recalcamento; recalque.

recalcar. *v. tr.* recalcar, calcar de novo; calcar muitas vezes; recalcar, ajustar, apertar muito uma coisa com outra; sublinhar; encher; insistir em, dizer as palavras com lentidão e exagerada força; sopitar. — *v. intr.* (mar.) aumentar o navio a sua inclinação; repisar, repetir uma coisa muitas vezes. — *v. r.* V. **arrellanarse.**

recalce. *m.* amota. V. **recalzo.**

recalcitrante. *adj.* recalcitrante, teimoso, desobediente, refilão, indisciplinado; fanático.

recalcitrar. *v. intr.* recalcitrar, retroceder resistir com obstinação; respingar; desobedecer; revoltar-se; teimar; escoucinhar; desobedecer.

recalentamiento. *m.* reaquecimento, requentamento.

recalentar. *v. tr.* requentar, aquecer de novo, reaquecer; aquecer demasiado, escaldar; excitar sexualmente; avivar a paixão do amor; excitar o cio dos animais. — *v. r.* abrasar-se, queimar-se, (o tabaco, o trigo, etc.); apodrecer a madeira; escaldar-se, avaliar-se. — *conj. irr.* como *calentar*.

recalzar. *v. tr.* (agr.) amotar, guarnecer de motas em volta do tronco das árvores;

consertar os alicerces dum edifício já construído; pintar um desenho.

recamado. *m.* recamo, bordado a relevo.

recamador, ra. *s.* recamador, bordador, o que recama em relevo.

recamar. *v. tr.* recamar, bordar em relevo.

recámara. *f.* recâmara, câmara interior; reposte de jóias ou móveis de casas ricas; sítio, no interior duma mina, destinado a conter os explosivos; câmara de arma de fogo; (fig.) e fam.) cautela, reserva, segunda intenção.

recambiar. *v. tr.* trocar, devolver, (com.) recambiar, devolver uma letra de câmbio, resacar.

recambio. *m.* recâmbio; (germ.) tasco; bodega, baiuca, taverna; (com.) recâmbio, contracâmbio.

recantación. *f.* palinódia.

recantón. *m.* marco V. **guardacantón.**

recapacitar. *v. tr.* recorrer à memória, relembrando certos factos e meditando sobre eles; meditar; ponderar.

recapitulación. *f.* recapitulação; repetição; enumeração, epítome; epílogo.

recapitular. *v. tr.* recapitular, recordar sumária e ordenadamente; compendiar; resumir; enumerar; epilogar.

recargado, da. *p. p.* e *adj.* sobrecarregado; excessivo, exagerado.

recargar. *v. tr.* tornar a carregar, carregar de novo; sobrecarregar, aumentar a carga; fazer nova reconvenção; (fig.) agravar uma quota ou prestação; sobrecarregar de enfeites; reacusar, fazer novo cargo. — *v. intr.* (med.) aumentar a febre; tornar a achacar.

recargo. *m.* sobrecarga, nova carga, aumento de carga; nova imposição; (med.) aumento de febre; agravo, novo cargo, imputação de novo crime.

recata. *f.* recato, receio em tomar uma decisão; nova procura, rebusca.

recatado, da. *p. p.* e *adj.* recatado, circunspecto, discreto, modesto; pudico, honesto; acautelado, reservado, prudente; decente; (fig.) atabafado.

recatar. *v. tr.* recatar, encobrir ou ocultar; recatar, esconder, acautelar; tornar a buscar. — *v. r.* mostrar receio em tomar uma resolução; acautelar-se; precatar-se; viver com recato.

recatar. *v. tr.* voltar a provar alguma coisa para examinar o seu sabor.

recatear. *v. tr.* regatear. V. **regatear.**

recatería. *f.* venda a varejo. V. **regatonería.**

recato. *m.* recato, cautela, reserva, resguardo; recato, honestidade, modéstia; pudor; segredo; lugar oculto; decência, deco(ô)ro.

recatón. *m.* ponteira. V. **regatón.**

recatón, na. *adj.* e *s.* retalhista, regateiro. V. **regatón.**

recatonazo. *m.* contoada de lança.

recaudación. *f.* arrecadação, cobrança, recebimento, acto de cobrar; quantia cobrada ou arrecadada; recebedoria, tesouraria de finanças.

recaudador. *m.* recebedor, o que recebe; funcionário que recebe os impostos e outras contribuições públicas.

recaudamiento. *m.* recebimento, cobro ou arrecadação; cargo ou emprego de recebedor; cobrança de contribuições; território a que se estende o cargo dum recebedor.

recaudar. *v. tr.* cobrar, receber impostos, arrecadar, guardar; assegurar, pôr ou ter à guarda, acautelar; cole(c)tar; prender; ter em custódia.

recaudo. *m.* acto de cobrar ou arrecadar, arrecadação, cobrança; precaução, cuidado.

recazo. *m.* guarnição da espada entre a folha e a empunhadura; parte da faca oposta ao gume.

recebar. *v. tr.* deitar areia ou cascalho.

recebo. *m.* areia ou cascalho que se deita nas estradas para as tornar firmes.

recechar. *v. tr.* espreitar. V. **acechar.**

rececho. *m.* espreita. V. **acecho.**

recejar. *v. intr.* retroceder, recuar. V. **recular.**

recela. *adj.* e *s.* diz-se do cavalo destinado a excitar as éguas.

recelador. *adj.* e *m.* diz-se do cavalo destinado a excitar as éguas, garanhão.

recelamiento. *m.* receio. V. **recelo.**

recelar. *v. tr.* recear, temer, desconfiar, suspeitar; colocar o cavalo defronte da égua para a excitar.

recelo. *m.* receio, temor, acção e efeito de recear, incerteza, dúvida; me(ê)do; apreensão; desconfiança; desassosse(ê)go: *inspirar recelo*, desconfiar; *sin recelo*, sem receio, afoitamente.

receloso, sa. *adj.* receoso, que tem receio; medroso; desconfiado, duvidoso, incrédulo; desassossegado.

recensión. *f.* recensão, exame crítico duma edição; notícia duma obra literária ou científica.

recental. *adj.* e *s.* diz-se do cordeiro de mama que ainda não pastou, recental.

recentar. *v. intr.* incorporar na massa a levedura, levedar. — *v. r.* renovar-se.

recentín. *m.* cordeiro de mama. V. **recental.**

recentísimo, ma. *adj.* sup. recentíssimo.

receñir. *v. tr.* recingir, cingir de novo.

recepción. *f.* recepção, admissão num emprego, ofício ou sociedade; recepção, reunião festiva que se celebra em algumas casas particulares; inquirição de testemunhas: *encargado de la recepción en los hoteles*, agasalhadeiro, agasalhador.

receptáculo. *m.* receptáculo; (fig.) abrigo, esconderijo; (bot.) parte superior do pedúnculo das plantas.

receptador, ra. *s.* (for.) receptador, pessoa que recepta.

receptar. *v. tr.* (for.) receptar, ocultar, encobrir delinquentes ou coisas que são matéria de delito. — *v. r.* ocultar-se, encobrir-se.

receptivo, va. *adj.* receptivo.

recepto. *m.* retiro, abrigo, esconderijo, lugar seguro.

receptor, ra. *adj.* e *s.* receptor, que recebe. — *m.* (for.) escrivão do tribunal para cobranças; (rad.) receptor, aparelho de rádio; aparelho de telegrafia.

recercador, ra. *adj.* e *s.* que torna a cercar.

recercar. *v. tr.* tornar a cercar. V. **cercar.**

recésit. *m.* V. **recle.**

receso. *m.* recesso, retiro, separação, apartamento, desvio.

receta. *f.* receita, prescrição facultativa, fórmula de medicamento; (fig.) receita, fórmula de composição dalguma coisa; relação de coisas que se pedem.

recetador. *m.* o que receita.

recetar. *v. tr.* receitar, prescrever um medicamento; ordenar, aconselhar; prescrever, formular; aplicar; (fig. e fam.) pedir um coisa verbalmente ou por escrito; medicinar.

recetario. *m.* receitário; receituário; farmacopeia.

recetor. *m.* V. **receptor.**

recetoría. *f.* tesouraria das finanças, recebedoria; tesouraria eclesiástica.

recial. *m.* corrente forte e impetuosa dos rios.

recibidero, ra. *adj.* receptível, que pode ser recebido ou tomado; admissível, aceitável.

recibidor, ra. *adj.* e *s.* recebedor, que recebe; agasalhador. — *m.* antessala.

recibimiento. *m.* recebimento, recepção; recebimento, acolhida, acolhimento; antessala, antecâmara; quarto que dá entrada a cada um dos aposentos; sala de espera.

recibir. *v. tr.* receber, tomar ou aceitar o que é oferecido; cobrar o que é devido; adquirir por transmissão, apanhar; admitir; acolher, agasalhar; hospedar; recolher; receber, aceitar em pagamento; admitir, sofrer; receber, ter comunicação; receber, esposar; casar com; segurar com gesso ou outro material um corpo que se introduz na construção; receber as visitas; sustentar, suster; receber, ir ao encontro de alguém que vem visitar; dar cópia de si; (Bras.) abiscoitar. — *v. r.* formar-se em qualquer faculdade, tomar a investidura ou título para exercer uma profissão.

recibo. *m.* recepção, recebimento; antessala, sala principal; recibo, citação; (com.) descargo, descarga.

recidiva. *f.* (med.) recidiva, recaída, reaparecimento duma doença depois da convalescença.

reciedumbre. *f.* força, fortaleza, vigor.

recién. *adv.* recém; recentemente.

reciente. *adj.* recente, no(ô)vo, fresco, acabado de fazer, que sucedeu há pouco tempo.

reciente. *m.* levedura.

recinchar. *v. tr.* enfaixar uma coisa com outra, cingindo-a.

recinto. *m.* recinto, espaço limitado, assento, conto(ô)rno, âmbito, periféria, lugar, circuito.

recio, cia. *adj.* rijo, forte, vigoroso; grosso, gordo, corpulento, avultado, robusto; rijo, duro, ríjido; áspero, duro de génio; grave, difícil de suportar; substancioso (diz-se das terras) rigoroso (diz-se do tempo); veloz, impetuoso. — *adv.* rijamente, fortemente.

récipe. *m.* récipe, receita médica; (fig. e fam.) desgosto, repreensão, resposta desagradável.

recipiendario. *m.* recipiendário.

recipiente. *p. a.* e *adj.* recipiente, que recebe. — *m.* receptáculo; recipiente, vaso para receber um líquido; campânula de máquina pneumática.

reciprocación. *f.* reciprocidade; mutualidade; reciprocação.

reciprocar. *v. tr.* reciprocar, tornar recíproco; trocar mùtuamente; compensar.

reciprocidad. *f.* reciprocidade; mutualidade, correspondência mútua.

recíproco, ca. *adj.* recíproco, mútuo, alternativo; (gram.) pronome ou verbo recíproco: *estar a la recíproca*, corresponder mùtuamente.

recitación. *f.* recitação, acção de recitar; declamação.

recitáculo. *m.* lugar nos templos onde antigamente se recitava.

recitado. *m.* (mús.) recitativo.

recitador, ra. *adj.* e *s.* recitador, declamador.

recital. *m.* (neol.) récita, recital.

recitante, ta. *s.* recitante, recitador; comediante, cómico, farsante.

recitar. *v. tr.* recitar, declamar, narrar.

recitativo, va. *adj.* (mús.) recitativo, diz-se da declamação musical.

reciura. *f.* rigor, aspereza, inclemência, desabrimento das estações; rijeza, rigor, mau trato.

recizalla. *f.* segundo corte nos metais.

reclamación. *f.* reclamação; oposição a uma coisa injusta; reivindicação; protesto.

reclamar. *v. intr.* reclamar, exigir com direito; opor-se; reivindicar; pedir exigindo. — *v. tr.* reclamar, implorar, clamar, protestar; atrair aves com o reclamo doutra.

reclame. *m.* (mar.) reclame.

reclamo. *m.* reclamo, ave que atrai as da sua espécie; instrumento com que o caçador imita o canto das aves que quer atrair, chamariz; acto de chamar a atenção; reclamo, recomendação feita em jornal; deixa (teatro).

recle. *m.* tempo que se permite aos prebendados de não assistirem ao coro para seu descanso e recreio.

reclinación. *f.* reclinação; abaixamento.

reclinamiento. *m.* V. **reclinación.**

reclinar. *v. tr.* reclinar, encostar; inclinar uma coisa encostando-a, a outra; afastar-se da vertical. — *v. r.* inclinar-se; recostar-se.

reclinatorio. *m.* genuflexório, móvel próprio para se ajoelhar e orar.

recluir. *v. tr.* recluir, encerrar, recolher, pôr em reclusão.

reclusión. *f.* reclusão, encerramento, clausura, prisão, cárcere.

recluso, sa. *p. p. irreg.* de *recluir* e *adj.* recluso, que está preso, encarcerado.

reclusorio. *m.* reclusão, prisão.

recluta. *f.* recruta, recrutamento. — *m.* recruta, soldado novato; mancebo alistado para o serviço militar.

reclutador. *m.* recrutador, o que recruta soldados

reclutamiento. *m.* recrutamento; recrutamento, conjunto de recrutas dum ano ou classe.

reclutar. *v. tr.* recrutar, alistar recrutas para o serviço militar; (fig.) recrutar, fazer partidários, prosélitos; (fig.) recrutar-se suprir-se, prover-se do necessário.

:ecobrar. *v. tr.* recobrar, adquirir de novo, recuperar, readquirir; reparar. — *v. r.* desforrar-se.

recobro. *m.* reco(ô)bro, recuperado; (fig.) renascimento.

recocer. *v. tr.* recozer, tornar a cozer; caldear os metais para que voltem a tomar a têmpera. — *v. r.* (fig.) atormentar-se, afligir-se pela veemência duma paixão. — *conj. irreg.* como *cocer.*

recocida. *f.* recozida, recouto. V. **recocido.**

recocido, da. *adj.* (fig.) muito experiente. — *m.* recozimento; recozido, recouto.

recodo. *m.* ângulo, cotovelo, volta, curva duma rua, caminho, rio, etc.; lance de duas tabelas, no jogo do bilhar.

recogedero. *m.* lugar onde se recolhem ou depositam algumas coisas; instrumento com que se recolhem.

recogedor, ra. *adj.* recolhedor, que recolhe; que dá guarida a alguém, acolhedor. — *m.* aparelho agrícola para recolher palha nas eiras.

recoger. *v. tr.* recolher, guardar, apanhar, resguardar; compilar; dar hospitalidade, recolher, dar asilo; fazer a colheita; encolher, estreitar; cingir; recluir. — *v. r.* recolher-se, retirar-se, voltar para casa; refugiar-se, abrigar-se; concentrar-se; encerrar-se, remeter-se ao silêncio; recolher-se a descansar ou dormir; recolher-se, restringir-se, moderar as despesas; recolher-se, afastar-se do bulício do mundo; recolher-se, abstrair: *recoger ingratitudes,* recolher ingratidões.

recogida. *f.* recolhimento, suspensão do uso ou curso dalguma coisa, para emendá-la ou anulá-la; recolhida, retirada; recolhida, mulher que vive em convento sem ter feito votos; mulher que vive num estabelecimento penitenciário.

recogido, da. *p. p.* e *adj.* recolhido, retraído, afastado do movimento mundano; pouco expansivo, concentrado. — *s.* diz-se do animal que é curto de tronco.

recogimiento. *m.* recolhimento, concentração; meditação; recato, modéstia; recolhimento, casa de recolhidas; vida retirada; reflexão.

recolar. *v. tr.* tornar a coar um líquido. — *conj. irr.* como *contar.*

recolección. *f.* recopilação, resumo ou compêndio; recoleição, observância muito rigorosa das regras em certas ordens religiosas; colheita dos frutos; cobrança, arrecadação; recoleta, casa de recoletos; retiro; recolhimento e atenção a Deus; reclusão austera; (fig.) casa particular em que se observa o recolhimento.

recolectar. *v. tr.* recolher os produtos agrícolas, fazer a colheita; reunir, ajuntar, coligir coisas; cobrar de muitas partes.

recolector. *m.* recebedor. V. **recaudador.**

recolegir. *v. tr.* coligir. V. **colegir.**

recoleto, ta. *adj.* recoleto, diz-se do religioso que guarda recolhimento; diz-se do recolhimento em que se observa esta prática; (fig.) retirado, recatado, que vive em retiro ou modestamente.

recomendable. *adj.* recomendável, digno de apreço, estimável.

recomendación. *f.* recomendação; pedido, empenho, advertência, recomendação; louvor, elogio; aviso, exortação, conselho; incumbência; (Bras.) pistolão.

recomendado, da. *adj.* e *s.* recomendado, que se recomendou; louvado; recomendado, protegido, indivíduo por que se empenha.

recomendar. *v. tr.* recomendar, encarecer, apontar como bom; solicitar, pedir favor ou protecção; aconselhar; encarregar alguém de. — *v. r.* tornar-se recomendável; confiar-se à protecção de. — *conj. irreg.* como *acertar.*

recomendatorio, ria. *adj.* recomendatório.

recomerse. *v. r.* V. **concomerse.**

recompensa. *f.* recompensa, pré(ê)mio, galardão; compensação; indemnização.

recompensable. *adj.* recompensável.

recompensación. *f.* V. **recompensa.**

recompensar. *v. tr.* recompensar, galardoar, premiar; recompensar, retribuir ou remunerar um serviço; compensar; indemnizar; satisfazer.

recomponer. *v. tr.* recompor, compor de novo, reparar; reconstruir, reorganizar; (quím.) recompor as partes separadas. — *conj. irreg.* como *componer.*

recomposición. *f.* (quím.) recomposição, recomposição, reconciliação.

reconcentramiento. *m.* V. **reconcentración.**

reconcentrar. *v. tr.* reconcentrar, fazer convergir para um centro; reunir num ponto; introduzir uma coisa noutra; (fig.) dissimular, ocultar um sentimento ou afecto; (fig.) fixar num ponto a atenção. — *v. r.* (fig.) reconcentrar-se, abstrair-se.

reconciliación. *f.* reconciliação; restabelecimento das relações amistosas; reconciliação, nova consagração de um templo que se profanou.

reconciliador, ra. *adj.* e *s.* reconciliador, que reconcilia.

reconciliar. *v. tr.* reconciliar, tornar a conciliar ou a ligar amizades; congraçar; absolver; reconciliar, voltar ao grémio da igreja alguém que dela se havia afastado; reconciliar, ouvir uma breve confissão, reconciliar, benzer um lugar sagrado que foi profanado. — *v. r.* confessar-se de culpas esquecidas noutra confissão; fazer as pazes com.

reconcomerse. *v. r.* encolher os ombros como quem tem grande comichão; coçar-se com frequência.

reconcomio. *m.* (fig. e fam.) receio, suspeita, desconfiança; (fam.) encolhimento dos ombros; prurido, apetite, impulso, movimento intimo da alma; inclinação para uma afeição.

reconditez. *f.* (fam.) coisa escondida, oculta.

recóndito, ta. *adj.* recôndito, muito escondido, reservado, oculto; coberto; arcano; emboicado; abstruso; (fig.) fundo, anichado: *tener intenciones recónditas,* trazer água no bico.

reconducción. *f.* recondução; (for.) prorrogação.

reconducir. *v. tr.* reconduzir; (for.) prorrogar tácita ou expressamente um arrendamento.

reconfortar. *v. tr.* desafligir, reconfortar, revigorar, animar, restituir as forças.

reconocedor, ra. *adj.* e *s.* reconhecedor; examinador; revisor; verificador.

reconocer. *v. tr.* reconhecer, examinar; registar, verificar; advertir, distinguir; reconhecer, agradecer; reconhecer, sujeitar-se ao domínio doutro; reconhecer, advertir, considerar; reconhecer, declarar como seu, confessar; confirmar; explorar; recompensar; declarar autêntico ou legal. — *v. r.* confessar-se culpável; arrepender-se; reconhecer-se, julgar justamente de si próprio; declrar-se.

reconocido, da. *p. p.* e *adj.* reconhecido, agradecido, grato, obrigado; autenticado; acreditado: *le quedo muy reconocido,* fico-lhe muito agradecido.

reconocimiento. *m.* reconhecimento; gratidão; confissão, declaração dum facto; exame, verificação; (mil.) reconhecimento, para obter informações sobre a posição do inimigo; recompensa, prémio; inspecção; autenticação.

reconquista. *f.* reconquista, acção de reconquistar; coisa reconquistada.

reconquistar. *v. tr.* reconquistar, conquistar de novo; readquirir; (fig.) recuperar a opinião, afeição ou fazenda, etc., reconquistar; recuperar.

reconstitución. *f.* reconstituição.

reconstituir. *v. tr.* e *r.* reconstituir, refazer; (med.) devolver ao organismo as suas condições normais, reconstituir; restaurar, restabelecer; recompor; formar-se de novo. — *conj. irreg.* como *huir.*

reconstituyente. *p. a. adj.* e *m.* reconstituinte; que reconstitui; (med.) reconstituinte, remédio próprio para restabelecer as forças de alguém.

reconstrucción. *f.* reconstrução.

reconstruir. *v. tr.* reconstruir, construir de novo, reedificar, reconstruir, reformar, reorganizar; (fig.) reconstruir, unir, alegar, recolher, evocar ideias ou lembranças

para completar o conhecimento dum facto. — *conj. irreg.* como *huir.*

recontamiento. *m.* reconto; narração.

recontar. *v. tr.* recontar, tornar a contar; contar muitas vezes, narrar, contar pormenorizadamente. — *conj. irreg.* como *contar.*

reconvención. *f.* reconvenção, repreensão; argumento empregado para recriminar, recriminação; (for.) reconvenção, acção do demandado contra o autor.

reconvenir. *v. tr.* reconvir, repreender, recriminar; (for.) demandar judicialmente o autor duma demanda por encargo que atenuam a sua importância; estranhar. — *conj. irr.* como *venir.*

recopilación. *f.* recopilação, compêndio, resumo, excerto; colecção de escritos diversos.

recopilador. *m.* recopilador, o que recopila.

recopilar. *v. tr.* recopilar, compendiar, recolher ou reunir diversas coisas, compilar.

recordable. *adj.* recordável, recordativo, comemorativo.

recordación. *f.* recordação; lembrança; memória; presente.

recordador, ra. *adj.* recordatório, recordativo, que recorda.

recordamiento. *m.* recordação, lembrança, memória.

recordar. *v. tr.* recordar, lembrar; recordar, trazer à memória; lembrar, recordar, suscitar a outrem que tenha presente alguma coisa; ter em memória; memorizar, memorar; evocar. — *v. intr.* despertar o que está dormindo; ter analogia ou semelhança com, fazer lembrar. — *v. r.* voltar a si aquele que está desmaiado; lembrar-se de. — *conj. irr.* como *contar.*

recordativo, va. *adj.* recordativo, recordatório. — *m.* recordação, lembrança.

recordatorio. *m.* lembrança, aviso, advertência, comunicação ou outro meio para fazer recordar alguma coisa.

recorrer. *v. tr.* recorrer, percorrer; registar, observar, olhar cuidadosamente, esquadrinhar; ler ligeiramente uma coisa escrita; concertar ou reparar; (impr.) recorrer, passar a composição tipográfica para outra medida ou parte duma linha para a seguinte; buscar, investigar, inspeccionar por todas as partes. — *v. intr.* (p. us.) recorrer alguém, implorar alguém.

recorrida. *f.* (mar.) reparação, conserto do navio.

recorrido. *m.* traje(c)to, espaço percorrido ou a percorrer, percurso; caminho. itinerário; reparação, conserto.

recortado, da. *p. p.* e *adj.* recortado; (bot.) diz-se das folhas cujos bordos têm muitas desigualdades. — *m.* figura recortada de papel.

recortador. *m.* recortador, operário corticeiro que corta a cortiça esquadrada.

recortadura. *f.* recorte; apara. — *pl.* recortes, aparas.

recortar. *v. tr.* recortar, cortar o que sobra nalguma coisa; dentar, cortar ao redor; aparar; reclinar, perfilar; derrabar (o bordo dum vestido); (pint.) recortar, assinalar o perfil duma figura; entremear.— *v. r.* mostrar-se, sobressaindo.

recorte. *m.* recorte, notícia breve dum jornal; apara; (taur.) sorte de toureio. — *pl.* recortes, aparas, alizadura.

recostadero. *m.* recosto, lugar próprio para se encostar ou recostar; reclinatório.

recostado, da. *p. p.* e *adj.* recostado, reclinado, encostado, arrimado, decumbente.

recostar. *v. tr.* recostar, reclinar, encostar; arrimar; inclinar uma coisa, apoiando-a sobre outra. — *v. r.* recostar-se, recolher-se para dormir.

recova. *f.* regatagem, compra de ovos, galinhas, etc., para a revenda; mercado onde se fazem essas compras; matilha de cães de caça.

recoveco. *m.* voltas e reviravoltas duma ruela, dum beco, passagem, rua, etc.; (fig.) rodeio, entresseio, voltas e artifícios para conseguir algum fim, ambages, rodeios, equívocos.

recreable. *adj.* recreável, aprazível, que causa prazer ou recreio.

recreación. *f.* recreio, distracção, recreação, divertimento, diversão, passatempo, deleite, deporte, entretenimento .

recrear. *v. tr.* recrear, alegrar, divertir, causar prazer. — *v. r.* brincar, deleitar-se, divertir-se, entreter-se, desafogar-se, desenfadar-se: *recrear la vista*, encher os olhos, apascentar os olhos numa coisa bela.

recreativo, va. *adj.* recreativo, que diverte ou recreia, divertido, deleitoso, desenfastioso.

recrecer. *v. tr.* recrescer, aumentar, acrescentar. — *v. intr.* acontecer algo de novo, ocorrer. — *v. r.* reanimar-se, cobrar brios; aumentar-se. — *conj. irr.* como *crecer.*

recrecimiento. *m.* recrescimento, crescimento, aumento.

recreído, da. *adj.* diz-se da ave de caça domesticada, que voltava ao seu estado natural, retomando a sua antiga liberdade.

recrementicio, cia. *adj.* recrementício.

recremento. *m.* (med.) recremento.

recreo. *m.* recreio, entretenimento, prazer, divertimento, recreação; passatempo; deleite; lugar de recreação; tempo destinado às crianças para brincarem, recreio.

recría. *f.* recriação.

recriador. *m.* o que recria.

recriar. *v. tr.* recriar, criar novamente; favorecer o desenvolvimento do gado nascido em outra região; (fig.) dar a um ser novos elementos de vida para seu completo desenvolvimento; o acto da redenção pela paixão e morte de Jesús Cristo (diz-se da espécie humana).

recriminación. *f.* recriminação, repreensão, exprobação, censura.

recriminador, ra. *s.* recriminador, acusador.

recriminar. *v. tr.* recriminar, reconvir, censurar, acusar; responder a acusações com outras.

recrudecer. *v. intr.* recrudescer, tomar novo incremento um mal físico ou moral, ou um afecto; aumentar, agravar-se, recrudescer. — *conj. irr.* como *crecer.*

recrudecimiento. *m.* recrudescimento, recrudescência.

recrudescencia. *f.* recrudescência, recrudescimento.

recrujir. *v. intr.* ranger muito, estalar ou creditar repetidamente.

recruzar. *v. tr.* recruzar, cruzar novamente um lugar.

rectal. *adj.* (anat.) re(c)tal, relativo ao recto.

rectangular. *adj.* (geom.) re(c)tangular.

rectángulo, la. *adj.* e *m.* (geom.) re(c)tángulo.

rectar. *v. tr.* (p. us.) V. **rectificar.**

rectificable. *adj.* re(c)tificável.

rectificación. *f.* re(c)tificação; corre(c)ção; emenda; purificação.

rectificador, ra. *adj.* re(c)tificador, rectificativo; aparelho para rectificar líquidos, rectificador.

rectificar. *v. tr.* re(c)tificar, tornar recto ou exacto; rectificar, emendar, corrigir; purificar. — *v. r.* emendar-se.

rectificativo, va. *adj.* re(c)tificativo, rectificador.

rectilíneo, a. *adj.* (geom.) re(c)tilíneo composto de linhas rectas; (fig.) rectilíneo (diz-se do carácter das pessoas rectas).

rectinervio, via. *adj.* (bot.) re(c)tinérveo.

rectitis. *f.* (pat.) re(c)tite.

rectitud. *f.* re(c)titude, re(c)tidão, integridade de carácter, honradez, equidade, justiça; imparcialidade; legalizade; equanimidade; exactitude, exactidão.

recto, ta. *adj.* recto, direito; alinhado; aprumado; (fig.) verdadeiro, sincero; justo; imparcial; justiceiro; recto, diz-se do sentido primitivo ou literal das palavras; equ(ü)itativo, concioncioso; exigente; moral; íntegro, imparcial; recto, franco, sincero; (mat.) recto, diz-se do ângulo recto: *sentido recto*, sentido natural, recto.

recto. *m.* (anat.) re(c)to: *intestino recto*, intestino recto.

rector, ra. *adj.* e *s.* reitor, que rege ou governa; superior ou director duma comunidade, colégio, hospital, etc.; reitor, abade, prior, pároco; reitor duma universidade.

rectoral. *m.* reitoria, reitorado, cargo de reitor; reitorado, tempo que dura a reitoria.

rectoral. *adj.* reitoral, relativo ao reitor; (fig.) habitação do pároco.

rectorar. *v. intr.* chegar à dignidade de reitor.

rectoría. *f.* reitoria, cargo ou jurisdição de reitor; gabinete do reitor.

rectoscopia. *f.* (med.) re(c)toscopia.

rectoscopio. *m.* (med.) re(c)toscópio.

rectotomía. *f.* (cir.) re(c)totomia.

rectriz. *adj.* (zool.) re(c)triz, diz-se das penas da cauda que dirigem o voo das aves.

recua. *f.* récua, conjunto de bestas de carga; (fig. e fam.) caterva, multidão de coisas que vão umas atrás das outras; bando; súcia.

recubrimiento. *m.* acção de recobrir.

recubrir. *v. tr.* recobrir, cobrir de novo; retelhar. V. **retejar.**

recudimiento. *m.* procuração dada ao arrendatário para cobrar as rendas a seu cargo.

recudir. *v. tr.* pagar o que se deve, solver, liquidar alguma dívida. — *v. intr.* voltar ao ponto de partida; retroceder.

recuelo. *m.* barrela, lixívia forte para corar roupa, decoada; café coado pela segunda vez.

recuento. *m.* reconto, contagem ou segunda contagem; inventário.

recuentro. *m.* V. **reencuentro.**

recuerdo. *m.* recordação, lembrança, memória; (fig.) lembrança, recordação, presente, obséquio. — *pl.* lembranças, cumprimentos a pessoa ausente; evocações; (fig.) cicatriz.

recuero. *m.* almocreve, recoveiro.

recuesta. *f.* requerimento, intimação.

recuestar. *v. tr.* demandar, pedir.

recuesto. *m.* ladeira, lugar em declive, encosta.

reculada. *f.* recuo, recuada, recuamento.

recular. *v. intr.* recuar, andar para trás, retroceder; (fig. e fam.) ceder, voltar trás: *reculando*, às arrecuas.

reculo, la. *adj.* diz-se do frango sem cauda, derrabado.

reculones (a). *adv.* (fam.) às arrecuas, recuando, aos recuos, retrocedendo.

recuñar. *v. tr.* (min.) arrancar pedra ou minério por meio de cunhas.

recuperable. *adj.* recuperável, que pode ser recuperado.

recuperación. *f.* recuperação, readquisição; co(ô)bro, cobramento; restabelecimento; enverdecimento (das forças); restituição.

recuperador, ra. *adj.* e *s.* recuperador, que recupera.

recuperar. *v. tr.* recuperar, readquirir; recobrar; continuar, depois duma interrupção; desforrar-se; retomar, reconquistar. — *v. r.* aliviar-se, restabelecer-se; ser indemnizado ou ressarcido; enverdecer-se.

recuperativo, va. *adj.* recuperativo.

recurrente. *p. a.* e *adj.* recorrente, que recorre, que pede recurso. — *s.* (for.) recorrente.

recurrir. *v. intr.* recorrer, apelar, acudir em caso de necessidade ao favor de alguém; recorrer a uma autoridade; voltar uma coisa ao seu primitivo lugar; (for.) interpor recurso.

recurso. *m.* recurso, reversão, retorno, volta; memorial, requerimento, petição; recurso, meio, expediente; efúgio; desafo(ô)go; apelação; (fig.) arma; âncora; empalhação; (for.) recurso, direito para recorrer a outro tribunal superior; apelação. — *pl.* recursos, meios de subsistência, bens.

recusable. *adj.* recusável; rejeitável, que se pode recusar.

recusación. *f.* recusação, recusa, rejeição, denegação.

recusar. *v. tr.* recusar, não aceitar, rejeitar; (for.) pôr embargo ao juiz para que não entenda numa causa; dar por suspeito; não conceder; privar, opor-se; declinar; desconsentir, denegar, incapacitar, excluir: *recusar un ofrecimiento*, devolver um oferecimento.

rechazador, ra. *adj.* e *s.* rechaçador, que rechaça.

rechazamiento. *m.* rechaço; resistência, oposição, réplica, rebate; repulsão.

rechazar. *v. tr.* rechaçar, fazer retroceder pela força, repelir; expulsar; excluir; inferir; desaplaudir; desprezar; afugentar; denegar; despedir; expelir; resistir; contradizer; devolver; debater, impugnar, opor-se; desbaratar.

rechazo. *m.* rechaço, ricochete; declinação; volta; retrocesso; repulsa: *de rechazo*, de maneira incidental ou ocasional, de chapeleta, de resalto, de ricochete.

rechifla. *f.* (fam.) assobiada, apupada, assuada feita com assobio; (vulg.) apepinação.

rechiflar. *v. tr.* assobiar com insistência, troçar; zombar, escarnecer, mofar, ridicularizar.

rechinador, ra. *adj.* rechinante, que rechina, que range.

rechinamiento. *m.* rechino: *rechinamiento de dientes*, frendor, estridor dos dentes.

rechinar. *v. intr.* rechinar, ranger, fazer estridor; (fig.) rechinar, mostrar mau modo; (fig.) embespinhar; (pop.) franger.

rechinar. *v. intr.* fazer sinal de querer falar. V. **chistar.**

rechoncho, cha. *adj.* (fam.) rechonchudo, achaparrado, nédio, aparrado.

rechupete (de). (loc. fam.) muito agradável, excelente, de chupeta: *ser de rechupete*, ser de chupeta.

red. *f.* rede para pescar, caçar, prender, etc.; re(ê)de, tecido de malhas; (fig.) rede, engano, armadilha, laço, esparrela, ardil, logração; conjunto de ruas convergentes; rede, conjunto de canos condutores, fios, vias de comunicação, agências ou serviços; rede, fazenda mal tecida; rede, grade; rede, coifa para meter o cabelo; rede, entrelaçamento de nervos fibras, etc.

redacción. *f.* reda(c)ção lugar ou escritório onde se redige; redacção; conjunto de redactores dum jornal ou publicação periódica.

redactar. *v. tr.* redigir, exprimir por escrito, escrever, redactar.

redactor, ra. *adj.* e *s.* reda(c)tor, que redige ou redacta; redactor, que faz parte duma redacção.

redada. *f.* redada, lanço de rede; (fig. e fam.) conjunto de pessoas ou coisas apanhadas duma só rede.

redaño. *m.* (anat.) redanho, redenho: *hombre de redaños*, (fam.) homem de bigodes. — *pl.* (fam.) testículos.

redar. *v. tr.* redar, lançar a rede.

redargución. *f.* redarguição; argumento convertido contra quem o deduziu; impugnação, réplica, recriminação.

redargüir. *v. tr.* redarguir, responder, arguindo quem nos argue, replicar; reconvir, recriminar; impugnar; (for.) replicar, contradizer, impugnar. — *conj. irreg.* como *huir.*

redecilla. *f.* redinha, rede pequena, redezinha; tecido de malha de que se fazem as redes; tecido fino de malha para segurar o cabelo; (zool.) segunda cavidade do estômago dos ruminantes.

redecir. *v. tr.* redizer, tornar a dizer, repetir teimosamente.

rededor. *m.* contorno, território: *al, en rededor,* em redor.

redención. *f.* redenção, acção de redimir; resgate; (fig.) salvação; remédio eficaz; recurso, refúgio; (rel.) Redenção de Nosso Senhor Jesus Cristo, salvação.

redendija. *f.* V. **rendija.**

redentor, ra. *adj.* redentor, que redime *m.* redentor; (rel.) Redentor, Jesus Cristo; frade da ordem da Mercê, encarregado de fazer o resgate dos cativos cristãos.

redentorista. *adj.* e *s.* redentorista, padre da congregação de S. Afonso Maria de Ligório.

redeña. *f.* V. **salabardo.**

redero, ra. *adj.* e *s.* pertencente às redes; redeiro, fabricante de redes; o que arma as redes ou pesca com elas.

redescuento. *m.* (com.) redesconto.

redhibición. *f.* redibição.

redhibir. *v. tr.* redibir, desfazer o comprador a venda por o vendedor não ter indicado os defeitos da coisa vendida.

redhibitorio, ria. *adj.* redibitório.

redición. *f.* repetição do que já se disse.

redículo. *m.* retículo, bolsinha em que as senhoras levam o lenço de assoar, dinheiro, etc.

redicho, cha. *adj.* (fam.) diz-se da pessoa que fala com perfeição afectada.

rediezmar. *v. tr.* redizimar, cobrar nova dízima.

rediezmo. *m.* segunda dízima; nona parte dos frutos já dizimados.

redil. *m.* redil, curral cercado para fechar o gado; redil, aprisco, lugar onde vivem os fieis sob a direcção do seu pastor espiritual.

redilar. *v. tr.* amalhar. V. **amajadar.**

redilear. *v. tr.* V. **amajadar.**

redimible. *adj.* redimível.

redimir. *v. tr.* redimir, remir, resgatar; deixar livre de hipotecas ou penhoras; redimir, tirar da escravidão; (fig.) pôr termo a um vexame ou adversidade.

redingote. *m.* redingote.

rédito. *m.* (com.) rédito, lucro, juro, renda, rendimento periódico ou renovado; produto; rendimento.

redituar. *v. tr.* render, produzir lucros ou benefícios periòdicamente ou renovadamente.

redivivo, va. *adj.* redivivo; aparecido; ressuscitado; rejuvenescido; renovado.

redoblado, da. *p. p.* e *adj.* redobrado, que redobrou; diz-se do homem forte e não muito alto; incansável; reforçado, aumentado, diz-se da peça que é mais grossa ou resistente que as demais; (mil.) dobrado, passo dobrado.

redobladura. *f.* redobramento. V. **redoblamiento.**

redoblamiento. *m.* redobramento, redo(ô)bro; aumento considerável.

redoblar. *v. tr.* redobrar, reduplicar; aumentar; repetir; dobrar, revirar (uma ponta de prego), rebitar; reiterar, repetir. — *v. intr.* rufar o tambor.

redoble. *m.* redobramento. V. **redoblamiento;** rufo de tambor; redobre, repetição de arcadas na rebeca.

redoblegar. *v. tr.* redobrar, voltar a dobrar, reduplicar.

redoblón. *adj.* diz-se do prego ou coisa semelhante que se pode rebitar. — *m.* dobra feita em carta de jogar, para fazer trapaça; arrebito.

redoma. *f.* garrafa de vidro, de gargalo estreito e larga na base; redoma; empo(ô)la.

redomado, da. *adj.* astuto, cauteloso, ardiloso, enganador.

redomazo. *m.* pancada dada com redoma.

redonda. *f.* comarca, redondeza; pascigo, pastagem; (mar.) vela de traquete; (mús.) semi breve: *a la redonda,* ao redor.

redondeado, da. *p. p.* e *adj.* arredondado.

redondear. *v. tr.* arredondar, redondear, tornar redondo; libertar de recargos um negócio, uma herdade, etc.; libertar de dívidas ou riscos. — *v. r.* desembaraçar-se de dívidas, cuidados, etc.; (fig.) adquirir bens ou rendas que proporcionem o bem-estar desejado.

redondel. *m.* círculo, circunferência; (taur.) redondel, arena.

redondete, ta. *adj.* redondinho.

redondez. *f.* redondeza, redondez; circuito duma figura curva; superfície dum corpo redondo, redondeza, curvatura; arredondamento.

redondilla. *f.* (poét.) redondilha, verso de quatro octossílabos.

redonda, da. *adj.* redondo, esférico, curvo; cheio; (fig.) diz-se da pessoa de linguagem igual; claro, sem rodeios. — *m.* coisa circular ou **esférica.**

redondón. *m.* (fam.) círculo ou figura circular muito grande.

redopelo. *m.* (fig. e fam.) a pospelo, acto de passar a mão numa fazenda; briga, rixa entre rapazes.

redor. *f.* pequena esteira redonda; (poét.) redor.

redorar. *v. tr.* doirar de novo.

redro. *m. adv.* (fam.) retro, atrás. — *m.* anel que se forma anualmente nos chifres do gado lanígero e caprino.

redrojuelo. *m.* galhinho.

redroviento. *m.* vento que a caça recebe do lugar onde está o caçador.

redruejo. *m.* escádea. V. redrojo.

reducción. *f.* redução; exiguidade; minoração redução, dedução; encurtamento; apoucamento; abaixamento (de preço); diminuição; simplificação; restrição; resumo; troca; submissão; povo de índios convertidos à religião cristã; (arit. e geom.) redução, conversão duma quantidade noutra; (cir.) redução duma fracção; (quím.) redução.

reducibilidad. *f.* redutibilidade.

reducible. *adj.* redutível, que se pode reduzir.

reducido, da. *p. p.* e *adj.* reduzido; estreito, pequeno, menor; minguado; exíguo.

reducimiento. *m.* redução. V. reducción.

reducir. *v. tr.* reduzir, tornar menor; diminuir; restringir; resumir, abreviar; simplificar; subjugar; abrandar, mitigar; substituir; exprimir por certa unidade; transformar em equivalentes; reduzir, retrair; mudar uma coisa noutra; reduzir, resumir, compendiar, desagregar; reduzir, transformar, converter; reduzir, sujeitar à obediência; aligeirar; apouquentar, apoucar; empequenecer; encolher; menoscabar, mermar; apertar, estreitar; circunscrever, limitar, cingir; abaixar (preços); (cir.) reduzir, os ossos deslocados ou fracturados; executar em escala menor; obrigar, constranger; reduzir, tornar ,mais concentrado; (quím.) reduzir separar de um óxido o metal que ele contém; (pint.) reduzir, diminuir proporcionalmente uma figura; repor no mesmo lugar; reduzir, cambiar, trocar: reduzir. dividir em pequenas partes; reduzir, compreender, incluir; persuadir, convencer com razões. — *v. r.* reduzir-se, moderar--se, limitar-se, circunscrever-se na maneira de viver; vir a dar; mitigar-se.

reductibilidad. *f.* redutibilidade.

reductible. *adj.* redutível.

reductivo, va. *adj.* redutivo, que reduz.

reducto. *m.* (fort.) reduto, baluarte, forte.

reductor, ra. *adj.* e *s.* (quím.) redutor, que reduz.

redundancia. *f.* redundância; superabundância de palavras; prolixidade; pleonasmo; excesso.

redundante. *p. a.* e *adj.* redundante, que redunda; supérfluo; excessivo; pleonástico.

redundantemente. *adv.* redundantemente.

redundar. *v. intr.* redundar, superabundar, trasbordar, sobejar; resultar, reverter; redundar, resultar em benefício ou dano; redundar, sobrar, ser de sobra; resultar: *redundar en*, redundar em, dar origem a.

reduplicación. *f.* reduplicação.

reduplicado, da. *p. p.* e *adj.* reduplicado, repetido, redobrado.

reduplicar. *v. tr.* reduplicar, repetir, redobrar, duplicar outra vez.

reduvio. *m.* (zool.) redúvio.

reedificación. *f.* reedificação, reconstrução; reforma; restauração.

reedificador, ra. *adj.* e *s.* reedificador, reconstrutor.

reedificar. *v. tr.* reedificar, voltar a edificar, reconstruir; reformar; restaurar.

reeditar. *v. tr.* reeditar, publicar de novo, fazer nova edição.

reedición. *f.* nova edição.

reelección. *f.* reeleição, acção de reeleger.

reelecto, ta. *p. p. irreg.* de *reelegir* e *adj.* reeleito, eleito segunda vez.

reelegible. *adj.* reelegível, que se pode reeleger.

reelegir. *v. tr.* reeleger, tornar a eleger, eleger de novo.

reembolsable. *adj.* reembolsável.

reembolsar. *v. tr.* reembolsar, embolsar de novo; devolver. — *v. r.* reembolsar-se, entrar na posse do dinheiro que se emprestou.

reembolso. *m.* reembo(ô)lso; pagamento duma quantia devida.

reemplazable. *adj.* substituível, susceptível de se substituir.

reemplazar. *v. tr.* substituir, pôr uma pessoa ou coisa no lugar de outra; suceder a outrem; fazer as vezes de outra pessoa; suprir.

reemplazo. *m.* substituição; renovação; recrutamento; (mil.) situação de oficiais adidos.

reencarnación. *f.* reencarnação.

reencarnar. *v. intr.* reencarnar, tornar a encarnar; reassumir a forma humana.

reencuentro. *m.* reencontro, recontro; recontro, choque de tropas inimigas em pequeno número.

reenganchamiento. *m.* (mil.) novo alistamento; dinheiro que se dá ao soldado que torna a alistar-se. V. reenganche.

reenganchar. *v. tr.* (mil.) tornar a alistar como soldado. — *v. r.* (mil.) tornar a alistar-se.

reenganche. *m.* novo alistamento; quantia que se dá ao soldado que se torna a alistar-se.

reengendrador, ra. *adj.* e *s.* regenerador, regenerante, que torna a gerar.

reengendrar. *v. tr.* regenerar, tornar a gerar.

reenviar. *v. tr.* reenviar tornar a enviar, devolver.

reexpedición. *f.* reexpedição.

reexpedir. *v. tr.* reexpedir, expedir o que se recebeu, expedir novamente.

reexportación. *f.* reexportação.

reexportar. *v. tr.* (com.) reexportar, exportar o que se havia importado.

refacción. *f.* refeição leve, colação; refazimento, conserto, reparo.

refaccionario, ria. *adj.* pertencente ou relativo à refeição; (for.) credor privilegiado pela qualidade do empréstimo.

refacer. *v. tr.* refazer, reparar, restabelecer, melhorar; reconstruir, reedificar.

refajo. *m.* saia de abafar usada pelas mulheres dos povoados; envolvedoiro dos recém-nascidos.

refección. *f.* refeição leve. V. refacción; refazimento, conserto, reparação.

refeccionario, ria. *adj.* pertencente ou relativo à refeição.

refectolero. *m.* refeitoreiro. V. **refitolero.**
refectorio. *m.* refeitório, casa onde se tomam as refeições em comum.
refecho, cha. *p. p. irreg.* de **refacer** e *adj.* refeito.
referencia. *f.* referência, alusão, informação, narração: *con referencia a,* em referência a; *hacer referencia,* fazer referência, aludir; *pedir buena referencia,* exigir boas referências.
referendario. *m.* referendário.
referéndum. *m.* referendum, referendo, consulta ao povo sobre assuntos de interesse comum; referendo, instruções pedidas por um agente diplomático ao seu governo.
referente. *p. a.* e *adj.* referente, relativo a outra coisa, alusivo, que diz respeito.
referible. *adj.* referível, que se pode referir, referente.
referido, da. *p. p.* e *adj.* referido, aludido, citado; narrado; contado.
referir. *v. tr.* referir, aludir, narrar, contar; referir, atribuir, aplicar; encaminhar uma coisa para determinado fim; expor, mencionar. — *v. r.* remeter-se ao que já foi dito; referir-se; reportar-se; ter relação, dizer respeito. — *conj. irreg.* como *sentir.*
refertero, ra. *adj.* brigão, bulhento, desordeiro.
refigurar. *v. tr.* lembrar-se, recordar-se do que antes havia visto.
refilón (de). *m.* de soslaio, de esguelha; (fig.) de passagem, ao de leve.
refinación. *f.* refinação; refinamento, refinadura.
refinadera. *f.* pedra comprida e cilíndrica que serve para fabricar chocolate.
refinado, da. *p. p.* e *adj.* refinado; (fig.) requintado, astuto, malicioso; apurado; afinado; alambicado. — *m.* desbastamento; depuração; refinamento.
refinador. *m.* refinador, o que refina; retificador; refinador de metais, licores.
refinadura. *f.* refinação, refinadura, refinamento.
refinamiento. *m.* refinamento, requinto, esmero; refinamento, astúcia, malícia; subtileza extrema; afectação; grande apuro, primor; chiquismo, chic.
refinar. *v. tr.* refinar, tornar mais fino, refinar, separar as matérias que alteram a pureza duma substância, depurar; (fig.) aperfeiçoar; desbastar; apurar; atirar; requintar; subtilizar; (fig.) alimpar. — *v. r.* (fig.) desasnar-se; apurar-se; afinar-se.
refinería. *f.* refinaria, oficina de refinação; refinação.
refino, na. *adj.* muito fino e purificado, superfino. — *m.* refinação. V. **refinación.**
refirmar. *v. tr.* apoiar uma coisa sobre outra, estribar, firmar, reafirmar, confirmar, ratificar.
reflectar. *v intr.* (fís.) refle(c)tir. V. **reflejar.**
reflector, ra. *adj.* refle(c)tidor. — *m.* refle(c)-tor, reflectidor, aparelho para reflectir a luz; espelho ardente.

refleja. *f.* reflexão. V. **reflexión.**
reflejar. *v. intr.* (fís.) refle(c)tir, repercutir. — *v. tr.* reflectir, reflexionar, meditar. — *v. r.* (fig.) reflectir-se, deixar-se ver, transparecer; incidir, recair; transmitir-se, repercutir-se; revelar-se.
reflejo, ja. *adj.* reflectido, reflexo; (fig.) ponderado, considerado, reflectido; (gram.) reflexivo. — *m.* reflexo, luz reflectida; representação, imagem; (fisiol.) reflexo.
reflexible. *adj.* reflexível, que pode reflectir-se.
reflexión. *f.* reflexão, acção de reflectir, consideração atenta sobre alguma coisa; pensamento, observação, comentário; (fís.) reflexão, incidência, reverberação do raio luminoso ou calorífico; maduração, meditação; estudo; advertência; prudência.
reflexionar. *v. tr.* reflexionar, ponderar, reflectir; pensar; fazer reflexões, discorrer novamente; considerar; avisar-se, meditar; (fig.) madurar: *reflexionar seriamente,* (fig.) meter a mão na consciência.
reflexivo, va. *adj.* reflexivo que reflecte; ponderado, maduro, prudente; meditado, considerado; (gram.) reflexivo (verbo).
reflorecer. *v. intr.* reflorescer, florescer de novo; (fig.) rejuvenescer, remoçar.
refluir. *v. intr.* refluir, retroceder (falando--se dum líquido) refluir, voltar para trás.
reflujo. *m.* refluxo; minguante; movimento das águas depois da preia-mar, (fig.) refluxo, vicissitude, mudança das coisas humanas.
refocilar. *v. tr.* refocilar, recrear, alegrar; restaurar, reforçar, dar folga, descanso, recreio a; realentar. — *v. r.* refocilar-se, recrear-se; recobrar as forças, restaurar-se das fatigas; refestelar-se.
refocilo. *m.* V. **refocilación.**
reforma. *f.* reforma; mudança operada com intuito de melhoramento; nova forma; conserto; reparação; (rel.) Reforma; evolução.
reformable. *adj.* reformável, que se pode reformar.
reformación. *f.* reforma, reformação.
reformado, da *p. p.* e *adj.* reformado; dizia--se do militar que não estava no serviço activo; corrigido; modificado.
reformador, ra. *adj* e *s.* reformador, que reforma.
reformar. *v. tr.* reformar, formar novamente; reformar, reparar, restabelecer, repor, restaurar; reformar, modificar, melhorar; arranjar, emendar, corrigir; — *v. r.* emendar-se, corrigir-se; aposentar-se.
reformativo, va. *adj.* reformativo, reformatório.
reformatorio, ria. *adj.* reformatório, reformativo. — *m.* reformatório, casa de correcção.
reformista. *adj.* e *s.* reformista.
reforzado, da. *adj.* reforçado, que tem reforço; reforçado, diz-se de certa fita própria para debruar.
reforzador. *m.* (fot.) banho para reforçar uma imagem fraca.

reforzar. *v. tr.* reforçar, engrossar, apresentar novas forças; fortalecer, reparar, animar, dar alento; fortificar; — *conj. irr.* como *forzar.*

refracción. *f.* (fís.) refra(c)ção.

refractar. *v. tr.* refra(c)tar, producir a refração; refranger.

refractario, ria. *adj.* refra(c)tário; oposto, rebelde a aceitar uma ideia, opinião, etc. (fís. e quim.) refractário, diz-se do corpo que resiste à acção do fogo; inadaptado: *arcilla refractaria,* argila refractária.

refractivo, va. *adj.* refra(c)tivo, que refrange ou faz refractar.

refracto, ta. *adj.* refra(c)to, que sofreu refracção, que refrangeu.

refractómetro. *m.* refractómetro.

refrán *m.* rifão, provérbio, refrão, adágio, anexim.

refranero. *m.* adagiário, colecção de rifões ou adágios.

refrangibilidad. *f.* refrangibilidade.

refrangible. *adj.* refrangível.

refranista. *s.* pessoa que frequentemente, cita rifões.

refregadura. *f.* esfregadela; sinal que fica duma esfregadela; V. **refregamiento.**

refregamiento. *m.* esfregadela, esfregadura, esfregamento, esfregação.

refregar. *v. tr.* esfregar, roçar, friccionar; (fig. e fam.) lançar à cara; fazer alusões de forma ofensiva.

refregón. *m.* esfregadela, (mar.) pé-de-vento violento. V. **refregadura.**

refrenable. *adj.* refreável

refrenada. *f.* refreamento. V. **sofrenada.**

refrenamiento. *m.* refreamento, refreio; enfreamento.

refrenar. *v. tr.* refrear, dominar com o freio o cavalo, sofrear; (fig.) refrear, sofrear, conter, reprimir, corrigir, emendar, amansar; coibir; açaimar. — *v. r.* refrear-se, dominar-se, mesurar-se.

refrendar. *v. tr.* referendar, assinar como responsável, avalizar; visar passaporte; (fig. e fam.) tornar a executar uma acção; repetir o que se tinha feito.

refrendario. *m.* referendário; relator.

refrendata. *f.* referenda, assinatura do referendário.

refrendo. *m.* referenda; testemunho da autorização. V. **refrendación.**

refrescador, ra. *adj.* refrescante, que refresca, refrescativo.

refrescadura. *f.* refrescamento.

refrescamiento. *m.* refresco. V. **refresco.**

refrescar. *v. tr.* refrescar, tornar fresco, refrigerar; (fig.) renovar, aliviar. — *v. intr.* (fig.) tomar forças; beber algum líquido frio, refrescar-se; (mar.) refrescar, aumentar de intensidade o vento: *refrescar la memoria,* avivar a memória.

refresco. *m.* refre(ê)sco, refrigério, refeição, moderada; bebida fria; bebidas e doces que se oferecem nas visitas, reuniões, etc. *tropas de refresco,* tropas de refresco.

refriega. *f.* refrega, reconto, peleja, luta,

batalha pequena; contenda, briga, conflito.

refrigeración. *f.* refrigeração, refrigério, refeição moderada; frigorificação.

refrigerador, ra. *adj.* e *s.* refrigerador, refrigerante, refrigerativo.

refrigerar. *v. tr.* refrigerar, refrescar, diminuir o calor; desaquecer, frigorificar; (fig.) reparar as forças.

refrigerio. *m.* refrigério, bem-estar que se sente com o fresco; frescor; (fig.) refrigério, alívio, consolação; refeição leve.

refringencia. *f.* (fís.) refringência.

refringente. *p. a.* e *adj.* refringente, refractivo, que refracta.

refringir. *v .tr.* refractar. V. **refractar.**

refrito, ta. *p. p. irreg.* e *adj.* frito de novo. — *m.* (fig.) coisa refeita ou composta de novo; diz-se da refundição duma obra dramática.

refuerzo. *m.* refo(ô)rço, o que reforça, aumento de forças; reforço, socorro, auxílio, ajuda; convalidação; (mar.) entrecostado — *pl.* tropas auxiliares; (art.) reforço a parte mais espessa das bocas de fogo: *de refuerzo,* em reforço de.

refugiado, da. *adj.* e *s.* refugiado, protegido; escondido; emigrado, expatriado.

refugiar. *v. tr.* refugiar, abrigar, esconder, resguardar; proteger. — *v. r.* refugiar-se, esconder-se, abrigar-se, asilar-se, expatriar-se.

refugio. *m.* refúgio; abrigo; amparo; asilo; alfama; albergue, albergamento; (fig.) madrigoa, madrigueira, encoberta, agasalho, entrincheiramento; irmandade dedicada ao serviço e socorro dos pobres: *sin refugio,* desacoitado.

refulgencia. *f.* refulgência; resplendor; lume, brilho intenso.

refulgente. *adj.* refulgente, que refulge, resplandecente; (fig.) glorioso; asseado.

refulgir. *v. intr.* refulgir, resplandecer, emitir fulgor, brilhar fulgurar, estrelar; (fig.) sobressair, distinguir-se.

refundición. *f.* refundição; a obra refundida; (fig.) reforma; fusão.

refundidor, ra. *s.* refundidor, pessoa que refunde.

refundir. *v. tr.* refundir, tornar a fundir, derreter novamente; (fig.) compreender, incluir; reformar, corrigir; refazer. — *v. intr.* resultar. — *v. r.* derreter-se; transformar-se.

refunfuñador, ra. *adj.* e *s.* resmungão, rezingão, fungador, resmungador.

refunfuñadura. *f.* resmunguice, fungadura.

refunfuñar. *v. intr.* resmungar, rezingar, resmonear; falar entre dentes; falar baixo e com mau humor; arrufar-se.

refunfuño. *m.* resmunguice. V. **refunfuñadura.**

refutable. *adj.* refutável, contestável, discutível.

refutación. *f.* refutação; contestação; discusão, impugnação, contradita; antírrese; argumento ou prova contrária; (ret.) refutação, confutação.

refutador, ra. *adj.* e *s.* refutador, impugnador, argumentador, refutatório.

refutar. *v. tr.* refutar, contradizer com razões; rebater, impugnar, desmentir, contestar; contrariar; (fig.) contrapor; (pop.) desnegar; redarguir.

refutatorio, ria *adj.* refutatório, que serve para refutar; impugnativo, impugnador.

regadera. *f.* regador, vasilha para regar; regueira; aguador. — *pl.* tabuinhas formando canal, por onde vem a água até aos eixos dos guindastes para que estes se não incendeiem.

regadero. *m.* regueira, canal de água.

regadío, a. *adj.* regadio, diz-se do terreno que se pode regar. — *m.* terreno dedicado a cultivo que se fertiliza com rega, regadia, regadura, irrigação, rega.

regadizo, za. *adj.* regadio; regadiço. V. **regadío.**

regador. *m.* punção de ferro para indicar o comprimento e o número dos dentes dos pentes.

regador, ra. *adj.* e *s.* regador, que rega; aguador.

regadura. *f.* regadura, rega duma só vez; regadia, irrigação.

regajo. *m.* charco formado por um pequeno arroio; regato, ribeirinho.

regala. *f.* (mar.) borda da amurada, alcatrate; amurada.

regalado, da. *p. p.* e *adj.* regalado, com regalo; suave; delicado; prazenteiro, agradável deleitoso; farto, satisfeito.

regalador, ra. *adj.* e *s.* regalador, que regala, presenteador. — *m.* instrumento de madeira para acabamento dos odres.

regalamiento. *m.* regalo, presente, dádiva; regalo, prazer, recreio, deleite; regalo, vida confortável.

regalar. *v. tr.* regalar, presentear, dar, mimosear; afagar; regalar, recrear, deleitar, regozijar, causar prazer a; arregalar; regalar, acariciar, agasalhar, tratar bem. — *v. r. regalar-se,* ter as comodidades possíveis; sentir grande prazer: *regalar el oído,* (fam.) louvar alguém.

regalar. *v. tr.* derreter, dissolver. V. **derretir.**

regalía. *f.* regalia, direito próprio do rei; privilégios concedidos aos reis pela Santa Sé; (fig.) privilégio, excepção privativa ou particular; emolumentos que um empregado recebe além do seu vencimento: *regalía de aposento,* imposto que pagavam os donos de casa pela isenção do alojamento das tropas; imunidade; prerrogativa.

regalismo. *m.* regalismo, escola ou sistema dos regalistas.

regalista. *adj.* e *s.* regalista, defensor das regalias do Estado.

regaliz. *m.* (bot.) regoliz, alcaçuz.

regalo. *m.* regalo, dádiva, presente; mimo, brinde; convite; cortesia; regalo, deleitação, deleitamento, gosto, prazer; iguaria ou bebida excelente; conveniência,

descanso, comodidade; luxo na comida e na bebida e nos prazeres; regalo, banquete, festim; vida tranquila, contentamento; (Bras.) potaba.

regalón, na. *adj.* *adj.* (fam.) regalão, que se trata com muito regalo ou leva vida regalada; mimoso, mimalho; folgazão.

regante. *p. a.* e *adj.* regador, que rega. — *m.* jornaleiro encarregado da rega, nos campos; pessoa que tem direito a rega com água adquirida ou repartida.

regañadientes (a). *adv.* de má vontade e resmungando: *hacer algo a regañadientes,* fazer uma coisa a arrepelão da vontade.

regañamiento. *m.* arreganho; repreensão; resmunguice.

regañar. *v. intr.* rosnar o cão, arreganhando os dentes; arreganhar, arregoar, gretar a fruta; increpar, repreender ralhar, censurar; indispor; altercar de palavras; resmungar, indignar-se, fazer má cara.

regañera. *f.* repreensão familiar.

regañina. *f.* (fam.) increpação, repreensão ligeira e familiar, arrepelão, gaitada, amansadela, batibarba, cheganço.

regañir. *v. intr.* ganir repetidamente. — *conj. conj. irr.* como *mullir.*

regaño. *m.* (fam.) arreganho, má catadura, gesto de zanga, acompanhado de palavras ásperas, ralhação; (fig.) parte tostada e gretada do pão; (fam.) repreensão; chega; corre(c)ção; golape.

regañón, na. *adj.* e *s.* (fam.) relhador, rabugento, impertinente, diz-se do vento noroeste.

regar. *v. tr.* regar, deitar água à terra para a beneficiar; regar uma rua ou um compartimento para o refrescar ou para o limpar do pó; banhar, regar; atravessar um rio ou canal um território; aguar; (fig.) espargir, asparralhar; regar, molhar, cobrir de água. — *pres. ind irr.* **riego, -gas, -ga, -gan;** *subj. pres.* **riegue,** etc.

regata. *f.* regueira, regueiro, rego ou sulco por onde corre água para as hortas e jardins.

regata. *f.* (mar.) regata, corrida de embarcações à porfia.

regate. *m.* furtadela, movimento rápido, furtando o corpo; (fig. e fam.) pretexto, subterfúgio, escapatória, evasiva.

regateador, ra. *adj.* e *s.* o que regateia, questionador sobre preço dalguma coisa.

regatear. *v. intr.* regatear, questionar sobre o preço duma coisa; regatar, revender, revender a retalho; mesquinha; baratear; ajustar. — *v. intr.* esquivar o corpo, furtar-se; tergiversar, usar de pretextos ou subterfúgios; (mar.) fazer regata, disputar uma corrida duas ou mais embarcações.

regateo. *m.* regateio, acção de regatear; (mar.) regata.

regatería. *f.* venda a retalho; V. **regatonería.**

regatero, ra. *adj.* e *s.* retalhista, que vende a retalho. V. **regatón.**

regato. *m.* charco; (fig.) arroio. V. **regajo**.

regatonear. *v. tr.* comprar por junto para vender a retalho.

regatonería. *f.* regatoria, regatia, venda a retalho de géneros comprados por junto, venda por miúdo; ofício e ocupação do retalhista.

regazar. *v. tr.* arregaçar. V. **arregazar**.

regazo. *m.* regaço, dobra formada pelo vestuário; seio; (fig.) lugar de conforto e tranquilidade.

regencia. *f.* regência, acção de reger; regência, função do regente e tempo que dura essa função; regência, nome de certos estados muçulmanos vassalos da Turquia; regência, denominação de alguns estados pequenos.

regeneración. *f.* regeneração; emenda; palingenesia; reabilitação; reforma moral; restabelecimento do que estava destruído.

regenerador, ra. *adj.* e *s.* regenerador, o que regenera.

regenerar. *v. tr.* regenerar, restabelecer, melhorar; dar vida nova a; reformar; reorganizar, renovar moralmente; emendar.— *v. r.* regenerar-se; emendar-se.

regenerativo, va. *adj.* regenerador, regenerativo, regenerante.

regenta. *f.* mulher do regente; regente, professora.

regentar. *v. tr.* reger, temporàriamente; regentar, exercer um cargo, ou emprego; exercer um cargo honorífico; correr, dirigir, governar, administrar, reger um estabelecimento, etc. — *v. intr.* (fig.) fazer de senhor, afectar superioridade, pretender ter domínio ou mando.

regente. *p. a. adj.* e *s.* regente, que rege ou governa. — *m.* magistrado que presidia a uma audiência territorial; presidente de tribunal superior; regente, administrador, director; regente, reitor, lente, catedrático; (impr.) gerente de tipografia; gerente de farmácia.

regentear. *v. tr.* reger. V. **regentar**.

regicida. *adj.* e *s.* regicida.

regicidio. *m.* regicídio.

regidor, ra. *adj.* e *s.* regedor, que rege ou governa; vereador; regedor, magistrado municipal.

regidora. *f.* mulher do regedor.

regiduría. *f.* regedoria. V. **regiduría**.

regiduría. *f.* regedoria, cargo de regedor.

régimen. *m.* regime, regímem, modo de reger ou governar; regímem, forma de gove(ê)rno dum estado; regímen; (med.) regímem, dieta.

regimentación. *f.* acção de arregimentar.

regimentar. *v. tr.* arregimentar, juntar em regimento várias companhias dispersas.

regimiento. *m.* regimento; conjunto de vereadores; cargo de regedor, regedoria; regimento, unidade orgânica militar; regimento, livro de regulamentos dos pilotos.

regio, gia. *adj.* régio, real; (fig.) régio, magnífico, sumptuoso; grandioso, deslumbrante.

región. *f.* região, território, lugar, país; (fig.) região, espaço que se imagina de grande capacidade; região, espaço determinado do corpo humano; (fig.) clima, plaga, país, região.

regional. *adj.* regional; local.

regionalismo. *m.* (pol.) regionalismo; regionalismo, apego a uma região.

regionalista. *adj.* e *s.* regionalista.

regionario, ria. *adj.* diz-se dum cargo administrativo eclesiástico.

regir. *v. tr.* reger, dirigir, mandar, governar; guiar, conduzir, guiar, levar, reger; (gram.) reger. — *v. intr.* reger, estar vigente; reger, regular, ser o corrente, o que serve de norma; funcionar bem um organismo ou artefacto; (mar.) obedecer a acção do leme, governar. — *conj. irreg.* como *pedir*.

registrador, ra. *adj.* registador, registrador, que registra. — *m.* registador; examinador, verificador; assentador, apalpador, guardabarreira, fiscal; registador, oficial de registo.

registrar. *v. tr.* registar, registrar, verificar, assinalar, anotar, examinar, copiar; registar, manifestar, apresentar uma coisa para ser registada. — *v. r.* registar-se, matricular-se; afiliar-se, arrolar-se.

registro. *m.* registo, registro, acção de registar, verificação, análise, exame; abertura com tampa para examinar os canos da limpeza; registo, atalaia ou lugar donde se pode registar ou observar; registo, regulador de relógios; registo, torneira para regular a força ou o consumo de água, gás, etc., regulador; registo, censo, recenseamento; arrolamento, assentamento, registo, assento que fica do que se regista; registo, livro de apontamentos; registo, escritura; registo, recenseamento; registo, manifestação de bens, géneros, etc.; registo, cordão dos livros que serve de sinal; registo, regulador de tom dalguns instrumentos musicais; registo, nota musical; (impr.) registo, correspondência das linhas duma página com as da página do verso; (quím.) registo, abertura do forno para as operações químicas; registo, exploração: *Registro Civil*, Registro Civil; *libro registro*, livro dos assentos; (germ.) registo, taberna.

regla. *f.* régua para traçar linhas rectas; regra, princípio, lei, prescrição; regra, exemplo, modelo, norma; regra, estatuto; axioma preceito; regra, temperança; moderação; regra, método, medida, fórmula; código; exemplo; (fisiol.) regra, menstruação, mênstruo; pauta; (mat.) regra, operação, método de fazer uma operação.

reglado, da. *p. p.* e *adj.* regrado, moderado, mesurado, sóbrio, prudente; pautado, regrado, regular.

reglamentación. *f.* regulamentação; estatuto; conjunto de regras.

reglamentar. *v. tr.* regulamentar, sujeitar o regulamento; estatuir.

reglamentario, ria. adj. regulamentar, regulamentário.

reglamento. m. regulamento, regra, preceito; regulamento, estatuto; regulamento, disposição oficial que explica a execução duma lei; instruções.

reglar. v. tr. regrar, traçar regras, pautar, alinhar; regrar, sujeitar as regras; dirigir, regular, moderar, regrar as acções. — v. r. regrar-se; moderar-se, regular-se.

reglar. adj. regular, relativo a uma regra religiosa.

regleta. f. (impr.) faia, entrelinha, regreta, régua pequena de tipógrafo para espaçar uma composição.

regletear. v. tr. (impr.) espaçar, faiar, colocar faias numa composição tipográfica.

reglón. m. régua grande usada pelos trolhas para nivelar soalhos e paredes.

regnícola. adj. e s. reinícola, natural dum reino. — m. escritor das coisas nacionais.

regocijado, da. p. p. e adj. regozijado, que causa regozijo, alegre; descarregado; desenfadado.

regocijador, ra. adj. e s. regozijador, que regozija; alegre.

regocijar. v. tr. regozijar, festejar, deleitar, causar prazer, alegrar. — v. r. regozijar--se, encher-se de alegria, ter prazer, congratular-se, alvoroçar-se, deleitar-se, delamber-se.

regocijo. m. regozijo, grande alegria, contentamento, prazer, folia; go(ô)zo, júbilo; regozijo, festa, demonstração de gosto; desafo(ô)go, alvoro(ô)ço.

regodearse. v. r. (fam.) deleitar-se, recrear--se; gracejar; alegrar-se, desfrutar.

regodeo. m. deleite, delícia, desfrute; (fam.) diversão, festa, contentamento.

regojuelo. m. bocadinho de pão que sobra da comida e fica sobre a mesa.

regolaje. m. reinação, bom humor.

regoldar. v. intr. arrotar, eructar.

regoldo. m. (bot.) castanheiro silvestre.

regolfar. v. intr. e r. refluir, retroceder a água contra a sua corrente; mudar de direcção o vento.

regolfo. m. refluxo, volta ou retrocesso da água ou do vento contra o seu curso; (mar.) enseada.

regona. f. regueira grande, rego.

regordete, ta. adj. (fam.) atarracado, gorducho, gordanchudo, anafado, achaparrado, arrepolhado.

regostarse. v. r. afeiçoar-se. V. **arregos-tarse.**

regosto. m. apetite ou desejo de repetir o que se começou a gostar ou gozar.

regraciar. v. tr. agradecer, dar graças, demonstrar agradecimento.

regresar. v. intr. regressar, voltar ao ponto de partida; retroceder; retrogradar; chegar; tomar novamente posse do benefício que se tinha resignado. — v. tr. resignar, ceder um benefício.

regresión. f. regressão, acção de voltar para trás; retrocesso; retrocessão; devolução.

regresivo, va. adj. regressivo.

regreso. m. regresso; chegada; acto de regressar, volta.

regruñir. v. intr. grunhir de novo, resmungar muito. — conj. irr. como *mullir.*

regüeldo. m. eructo, eructação, arro(ô)to; (fig.) cardo imperfeito que sai do tronco principal.

reguera. f. re(ê)go, regueira, canal para conduzir água para os campos.

reguero. m. regueiro, pequena corrente de água, regueira; rasto, sinal, regueira que fica dalgum líquido que se vai derramando.

reguilete. m. farpa, bandarilha. V. **rehilete.**

regulable. adj. regulável, ajustável.

regulación. f. regulação, regulamento, ajustamento.

regulado, da. p. p. e adj. regulado; regular ou conforme à regra, regulado.

regulador, ra. adj. regulador, que regula. — m. regulador, mecanismo para regularizar o movimento duma máquina; árbitro; determinador.

regular. adj. regulado, ajustado, conforme à regra, regular; regulado, medido; regular, medíocre, mediano, meião; diz-se das pessoas que vivem sob regra religiosa; regular, comum, frequente, ordinário, conveniente, provável. — m. (rel.) regular, o que vive sob regra religiosa, regrante: *por lo regular,* regularmente, frequentemente.

regular. v. tr. regular, regulamentar; regular, medir, ajustar, pôr em ordem; arbitrar, dirigir, regular; regular, modificar, moderar. — v. r. dirigir-se, guiar-se.

regularidad. f. regularidade; método; harmonia; proporção; cumprimento escrupuloso dum preceito, obrigação; disciplina; pontualidade, exa(c)tidão.

regularizador, ra. adj. e m. regularizador, que regulariza.

regularizar. v. tr. regularizar, tornar regular ou normal; ordenar; regulamentar; pôr em ordem, ajustar; metodizar.

regulativo, va. adj. regulador.

régulo. m. régulo, rei dum pequeno estado; basilisco, lagarto fabuloso; (quím.) metal depurado por meio de fusão; (astr.) estrela da constelação do Leão.

regurgitación. f. regurgitação, regurgitamento.

regurgitar. v. tr. regurgitar, expelir pela boca sem esforço de vómito.

rehabilitación. f. reabilitação; restauração; coonestação, restituição de direitos ou prerrogativas que se perderam; regeneração; declaração da inocência dum condenado.

rehabilitar. v. tr. reabilitar, habilitar de novo ou restituir ao estado anterior; regenerar; desinfamar, declarar a inocência dum condenado; coonestar; desacoimar; reparar; restaurar.

rehacer. v. tr. refazer, tornar a fazer; refazer, corrigir, consertar, repor, reparar, restabelecer; (mil.) reorganizar; reforçar, fortificar, fortalecer. — v. r. reforçar-

-se; fortalecer-se; refacer-se; recobrar forças; serenar-se, dominar uma emoção, mostrar tranquilidade. — *conj. irr.* como *hacer.*

rehacimiento. *m.* refazimento; recuperação.

rehala. *f.* rebanho de gado lanígero formado por animais de diversos donos.

rehalero. *m.* maioral dum rebanho de gado lanígero.

rehartar. *v. tr.* refartar, fartar muito, saciar inteiramente.

reharto, ta. *p. p. irreg.* de *rehartar*, refarto, muito farto.

rehecho, cha. *adj.* e *p. p. irreg.* de *rehacer*, refeito, tornado a fazer; refeito, de estatura mediana, grosso, forte e resoluto.

rehelear. *v. intr.* amargar, ter sabor de fel. V. **ahelear.**

reheleo. *m.* amargor, sabor de fel.

rehén. *m.* refém, pessoa, praça, etc., que fica em poder do inimigo para caucionar um tratado: *en rehenes*, em refens, em garantia.

rehenchimiento. *m.* reenchimento.

rehenchir. *v. tr.* reencher, tornar a encher; rechear, estofar, acolchoar. — *conj. irreg.* como *henchir.*

rehendija. *f.* greta, frincha. V. **rendija.**

reherimiento. *m.* rechaço, repulsão.

rehervir. *v. intr.* referver, ferver novamente; (fig.) referver, inflamar-se por causa duma paixão. — *v. r.* referver, fermentar, azedar (diz-se das conservas). — *conj. irreg.* como *hervir.*

rehiladillo. *m.* fita estreita.

rehilandera. *f.* moinho de papel (brinquedo de crianças).

rehilar. *v. tr.* fiar ou torcer muito o que se fia. — *v. intr.* mover-se tremendo, vibrar; passar zunindo uma flecha, seta, etc.

rehilero. *m.* farpa, bandarilha.

rehilete. *m.* farpa, bandarilha; frecha de papel que se atira para diversão; (fig.) dito malicioso.

rehilo. *m.* tremor, vibração duma coisa que se move ligeiramente.

rehogar. *v. tr.* refogar, guisar a fogo lento, estrugir.

rehollar. *v. tr.* repisar, recalcar. — *conj. irr.* como *hollar.*

rehoya. *f.* barranco. V. **rehoyo.**

rehoyar. *v. intr.* recavar, tornar a cavar; renovar a cova feita para plantar árvores.

rehoyo. *m.* barranco, cova profunda.

rehuida. *f.* retirada, fugida.

rehuir. *v. tr.* retirar, afastar, evitar, refugir uma coisa por receio dum risco; recusar, não admitir; escusar. — *v. intr.* refugir, tornar a fugir. — *conj. irreg.* como *huir.*

rehundir. *v. tr.* afundar, submergir na máxima profundidade; profundar.

rehundir. *v. tr.* e *r.* dissipar, derreter, gastar; refundir, tornar a fundir.

rehurtarse. *v. r.* fugir a caça por outro caminho; tomar novo rumo.

rehusar. *v. tr.* refusar, enjeitar, não aceitar, denegar, refusar; declinar.

reimpresión. *f.* reimpressão; reedição, conjunto de exemplares reimpressos duma vez.

reimpreso, sa. *adj.* e *p. p. irreg.* de *reimprimir*, reimpresso.

reimprimir. *v. tr.* reimprimir, imprimir novamente, reeditar, repetir a impressão.

reina. *f.* rainha, mulher do rei, soberana; rainha, peça do jogo do xadrez: *reina de las abejas*, abelha-mestra; *reina de los prados*, (bot.) erva ulmeira; rainha dos prados.

reinado. *m.* reinado, espaço de tempo em que governa um rei; reinado, auge dalguma coisa.

reinador, ra. *s.* reinante, pessoa que reina, rei, rainha.

reinar. *v. intr.* reinar, ser rei, governar, preponderar; (fig.) prevalecer ou persistir.

reincidencia. *f.* reincidência, repetição duma mesma culpa; recaída; obstinação; pertinácia; (for.) reincidência, circunstância agravante.

reincidente. *p. a. adj.* e *s.* reincidente, que reincidiu; (Bras.) teteté.

reincidir. *v. intr.* reincidir, cometer novamente um delito ou crime; repetir um acto; recair em; teimar.

reincorporación. *f.* reincorporação.

reincorporar. *v. tr.* reincorporar, volver a incorporar, agregar ou unir a um corpo político ou moral o que se tinha separado dele.

reingresar. *v. intr.* reingressar, tornar a ingressar.

reingreso. *m.* acção e efeito de volver a ingressar.

reino. *m.* reino, estado governado por um rei; (hist. nat.) reino, cada uma das grandes divisões em que estão agrupados todos os seres da natureza.

reinstalación. *f.* reinstalação.

reinstalar. *v. tr.* reinstalar, voltar a instalar.

reintegrable. *adj.* reintegrável.

reintegración. *f.* reintegração; recuperação.

reintegrar. *v. tr.* reintegrar, restituir ou satisfazer integralmente uma coisa, reconstituir. — *v. r.* recuperar-se inteiramente o que se havia perdido ou deixado de possuir.

reintegro. *m.* reintegração; pagamento do que está em dívida.

reir. *v. intr.* rir, gracejar, troçar, rir-se; (fig.) rir, escarnecer, mofar, zombar, desprezar; (poét.) rir-se, sorrir-se, mostrar aparência alegre, diz-se das coisas inanimadas. — *v. r.* (fig.) rir-se, mostrar fenda ou rasgão: *reírse a carcajadas*, rir às gargalhadas; *reírse de alguien*, rir de alguém; *reírse a mandíbula batiente*, rir a bandeiras despregadas; *hacer reir*, fazer rir; *mis botas comienzan a reírse*, (fig.) as minhas botas estão a rir-se. — *pres ind. irreg.* **río, -es, -e;** *indef.* **rió, rieron;** *pres. subj.* **ría, -as,** etc.; *imperf.* **riera, -as,** etc. ou **riese, -es,** etc.; *ger.* **riendo.**

reis. *m. pl.* réis, antiga moeda portuguesa.
reiteración. *f.* reiteração; renovação; confirmação.
reiterar. *v. tr.* reiterar, repetir; renovar, voltar a dizer ou executar; amiudar.
reiterativo, va. *adj.* reiterativo, próprio para reiterar.
reitre. *m.* antigo soldado de cavalaria alemã.
reivindicable. *adj.* reivindicável.
reivindicación. *f.* reivindicação; reclamação dum direito.
reivindicar. *v. tr.* reivindicar, recuperar alguém o que lhe pertence; reclamar; recuperar reaver.
reivindicatorio, ria. *adj.* reivindicativo.
reja. *f.* relha, parte do arado que sulca a terra; (fig.) lavra da terra, aradura.
reja. *f.* grade, gelosia; reixa.
rejacar. *v. tr.* gradar. V. **arrejacar.**
rejada. *f.* arrelhada. V. **arrejada.**
rejado. *m.* grade, gradil. V. **verja.**
rejal. *m.* porção de tijolos colocados de canto e cruzados uns sobre outros, formando pilha.
rejalgar. *m.* (min.) rosalgar, combinação de enxofre e arsénico.
rejera. *f.* (mar.) calabre, cabo grosso para amarrar os navios.
rejería. *f.* arte de construir grades, serralharia; conjunto de obras de gradeiro.
rejero. *m.* serralheiro, artífice que faz grades de ferro.
rejileto, ta. *adj.* garboso, brioso.
rejilla. *f.* ralo, rótula de confessionário, de porta exterior de casa, etc., espécie de gelosia; armação de fornalha, grelha; palhinha para espaldar ou para assentos; rede que serve, nas carruagens dos comboios, de cabide.
rejitar. *v. tr.* V. **vomitar.**
rejo. *m.* aguilhão, ferrão; (fig.) robustez, robusteza.
rejón. *m.* rojão, vara com farpa para tourear, rojo; espécie de punhal.
rejonazo. *m.* garrochada, punhalada, golpe e ferida causada pelo rojão.
rejoncillo. *m.* rojão para toureio.
rejoneador. *m.* rojoneador, o que rojoneia ou garrocha.
rejonear. *v. tr.* rojonear, fazer a sorte do rojão, garrochar.
rejoneo. *m.* rojoneio, acção de garrochar o toiro.
rejuela. *f.* escalfeta, braseirinha; gradesinha; esquentador para os pés.
rejuvenecer. *v. tr. e intr.* rejuvenescer, remoçar; (fig.) renovar, modernizar; emeninecer; melhorar. — *conj. irreg.* como *crecer.*
rejuvenecimiento. *m.* rejuvenescimento; remoçamento.
relabra. *f.* acção e efeito de voltar a lavrar.
relabrar. *v. tr.* voltar a lavrar uma pedra ou madeira.
relación. *f.* relação, conexão, correspondência; relação; afiliação, trato, comunicação duma pessoa com outra; relação, narração; analogia; conformidade; compara-

ção entre duas quantidades comensuráveis; proporção; notícia; lista, rol; ligação; (mús.) relação, espaço entre dois sons; encadeação; descrição; afinidade; cópula; conta; memória; (for.) relatório, informação nos autos; romance; canção que os cegos cantam pela rua. — *pl.* correspondência; comércio, ligação; conhecimento recíproco de pessoais, trato.
relacionar. *v. tr.* relacionar, fazer relação de; relacionar, pôr em relação pessoas ou coisas; relacionar, narrar, referir; arrolar; confrontar; estabelecer relação entre; encadear; aligar; aproximar; correlacionar. — *v. r.* relacionar-se; travar conhecimento com outrem; adquirir relações com alguém; familiarizar-se; encadear-se.
relacionero. *m.* autor ou vendedor de coplas, modinhas ou narrações populares.
relajación. *f.* relaxação; distensão; afracamento; desaperto; consumição; (fig.) incúria, desmazelo; desregramento ou estragamento de costumes; devassidão.
relajado, da. *p. p. e adj.* relaxado, abrandado, atrouxado, distendido, froixo, bambo; negligente; desmoralizado, dissoluto, debochado, devasso.
relajador, ra. *adj.* relaxador, que relaxa.
relajar. *v. tr.* relaxar, diminuir a força ou tensão, abrandar, afrouxar; (fig.) espairecer, distrair; enervar; dispensar do cumprimento de lei ou dever; moderar, abrandar; perverter; devassar; debochar, desmoralizar; enfraquecer; (for.) dispensar dum voto, juramento ou obrigação; entregar o juiz eclesiástico ao secular um réu de pena capital. — *v. r.* relaxar-se; enfraquecer-se; relaxar-se, dilatar-se alguma parte do corpo, quebrar-se; depravar-se, perverter-se; descuidar-se; corromper-se; tornar-se negligente no cumprimento dos seus deveres.
relamer. *v. tr.* relamber, tornar a lamber; barbear-se, arrebicar-se demasiadamente; (fig.) envaidecer-se dalgum feito. — *v. r.* delamber-se, regozijar-se, jactar-se; pintar-se, pôr arrebiques no rosto: *relamerse los labios de gusto,* lamber os beiços.
relámpago. *m.* relâmpago; (fig.) relâmpago, resplendor repentino; relâmpago, qualquer coisa fugaz e rápida; caso vivo, agudo e engenhoso; (vet.) nuvem no olho dos cavalos; (fig.) relâmpago, coisa que passa ligeiramente; corisco.
relampaguear. *v. intr.* relampaguear, relampejar, relampadejar; fuzilar, coruscar, fazer relâmpagos; (fig.) fulgurar, cintilar, resplandecer, brilhar momentâneamente.
relampagueo. *m.* lampejo, coriscação.
relance. *m.* segundo lanço, segunda redada, relance; relance, segunda aventura tentada; acontecimento casual e duvidoso, eventualidade, relance; sorte ou azar no jogo; acção de sortear: *de relance,* casualmente, de relance, eventualmente.
relanzar. *v. tr.* rechaçar, repelir.
relapso. *m.* (med.) relapso, retidiva, recaída.

relapsable. *adj.* (med.) susceptível de relapso.

relatador, ra. *adj.* e *s.* relator, que relata, narrador.

relatante. *p. a.* e *adj.* relator, que relata.

relatar. *v. tr.* relatar, referir, mencionar, narrar; relatar, fazer relação dum processo ou pleito; contar; mencionar.

relatividad. *f.* relatividade; condicionalidade; (fís.) relatividade.

relativismo. *m.* (filos.) relativismo.

relativista. *adj.* e *s.* relativista.

relativo, va. *adj.* relativo, que faz relação a uma pessoa ou coisa; que se refere; condicional; relativo, que não é absoluto; correspondente, concernente a; proporcional, avaliado por comparação; inerente; atinente: *pronombre relativo*, pronome relativo.

relato. *m.* relato, relação; descrição; narração; conto: *relato pesado*, aranzel.

relator, ra. *adj.* e *s.* relator, narrador, que relata ou refere alguma coisa; magistrado que faz a relação dos pleitos nos tribunais, relator, juíz relator.

relatoria. *f.* cargo e gabinete do relator.

relazar. *v. tr.* religar, enlaçar ou atar com várias voltas.

releer. *v. tr.* reler, tornar a ler, ler novamente.

relegación. *f.* relegação; (for.) desterro, expatriação, deportação.

relegar. *v. tr.* relegar, expatriar, afastar, desterrar, internar numa colónia; confinar; excluir; menosprezar; exceptuar.

relej. *m.* V. releje.

relejar. *v. intr.* desaprumar-se, inclinar-se (diz-se das paredes).

releje. *m.* relheira, sulco que deixam as rodas do carro na terra; sarro dos dentes; saburra da língua; (art.) estreitamento na recâmara das peças de artilharia; (arq.) desvio superior do prumo das paredes.

relengo, ga. *adj.* diz-se do terreno constituído por barro e seixos.

relente. *m.* relento, humidade atmosférica da noite, sereno; (fig. e fam.) sornice, cinismo.

relentecer. *v. intr.* amolecer. V. lentecer.

relevación. *f.* relevamento, relevação; alívio ou libertação da carga que se deve levar ou duma obrigação; acção de perdoar ou absolver dum encargo; (for.) isenção duma obrigação ou dum requisito.

relevador. *m.* (electr.) relay; relevador, que ou aquele que releva.

relevante. *adj.* excelente, exímio, importante, relevante, sobressalente, saliente; destacável.

relevar. *v. tr.* relevar, pôr em relevo; realçar, dar relevo; exaltar, engrandecer, relevar; relevar, exonerar, dalgum cargo ou ónus; remediar, socorrer; relevar, absolver, perdoar; (mil.) render uma sentinela, um destacamento, etc.; (pint.) relevar, dar relevo, tornar saliente. — *v. intr.* ressal-

tar uma figura fora do plano; (escult.) esculpir em relevo.

relevo. *m.* (mil.) rendição, acto de render uma sentinela, um destacamento, etc.; soldado ou corpo que rende outro; (fig.) deposição, substituição.

relicario. *m.* relicário, lugar onde estão guardadas relíquias de santos; caixa onde se guardam essas relíquias.

relicto, ta. *adj.* (for.) diz-se dos bens que uma pessoa deixa por sua morte.

relieve. *m.* rele(ê)vo, lavor ou figura que sobressai da superfície natural; destaque; saliência dos objectos desenhados ou pintados; realce. — *pl.* sobejos de comida.

religación. *f.* religação, acção e efeito de religar.

religar. *v. tr.* religar, tornar a atar; ligar de novo, cingir mais estreitamente; religar, tornar a ligar um metal com outro.

religión. *f.* religião, culto; religião, doutrina ou sistema religioso; fé; culto a Deus; respeito, reverência às coisas sagradas; crença religiosa; temor de Deus; escrúpulo; piedade; ordem, instituição religiosa; obrigação de consciência, cumprimento dum dever; religião, dogma e prática religiosa.

religionario. *m.* religionário, sectário do protestantismo.

religiosidad. *f.* religiosidade, qualidade do que é religioso; (fig.) escrúpulo, pontualidade, exactidão, religiosidade.

religioso, sa. *adj.* e *s.* religioso, pertencente à religião; pio, devoto, santo; (fig.) escrupuloso, pontual, profundo; zeloso, religioso, aquele que professou; frade; monge; clérigo; freira; madre.

relimpio, pia. *adj.* (fam.) muito limpo.

relinchador, ra. *adj.* rinchão, que rincha muito.

relinchar. *v. intr.* rinchar, soltar rinchos, relinchar.

relinchido. *m.* V. relincho.

relincho. *m.* rincho, relincho; re(ê)mito; (fig.) grito de festa ou alegria.

relindo, da. *adj.* muito lindo ou formoso.

relinga. *f.* cada uma das cordas que sustentam as redes; (mar.) relinga, corda de reforço das velas.

relingar. *v. tr.* (mar.) relingar, pôr as relingas nas velas; içar as velas até que as relingas fiquem tensas. — *v. intr.* enfrentar o vento com as relingas.

reliquia. *f.* resíduo dum todo; relíquia, parte do corpo dum santo; relíquia, coisa respeitável; (fig.) relíquias, ruínas, vestígio de coisas passadas; (fig.) achaque, dor que fica dalguma enfermidade. — *pl.* relíquias, ruínas históricas: *guardar como una reliquia*, (fam.) conservar como uma relíquia cuidadosamente.

reliquiario. *m.* (p. us.) V. relicario.

reloj. *m.* relógio; cronómetro; (pop.) achaque crónico.

relojera. *f.* caixa de relógio; relojoeira, mulher do relojoeiro.

relojería. *f.* relojoaria, arte de relojoeiro; relojoaria, oficina onde se fazem, vendem ou arranjam relógios.

relojero, ra. *s.* relojoeiro, fabricante ou vendedor de relógios; relojoeiro, pessoa que os conserta.

relso, sa. *adj.* terso. V. **terso.**

relucir. *v. intr.* reluzir, luzir muito, resplandecer, brilhar muito; cintilar: *no es oro todo lo que reluce,* nem tudo é o que aparente, nem tudo o que luz é ouro. — *conj. irreg.* como *lucir.*

reluctancia. *f.* relutância.

reluctante. *adj.* relutante, oposto, contrário, que reluta ou resiste.

reluchar. *v. intr.* relutar, tornar a lutar, resistir, opor-se, lutar mútua e porfiadamente; obstinar-se; ter aversão.

relumbrar. *v. intr.* relumbrar, reluzir, resplandecer, cintilar; brilhar muito.

relumbro. *m.* clarão passageiro. V. **relumbrón.**

relumbrón. *m.* clarão passageiro, relâmpago; ouropel: *de relumbrón,* (fam.) mais aparente que verdadeiro.

relumbroso, sa. *adj.* reluzente, que reluz.

rellano. *m.* patamar de escada; planície que interrompe a pendente dum terreno.

rellenar. *v. tr.* reencher, tornar a encher; rechear, encher bem; inflar; rechear, encher de carne picada ou outros ingredientes; (fig. e fam.) dar de comer até fartar; repimpar, encher a barriga. — *v. r.* rechear-se, encher-se a barriga.

relleno, na. *adj.* recheio, recheado, muito cheio, enchido; maciço. — *m.* recheado, picado para rechear; reenchimento; parte supérflua que alonga um discurso.

remachar. *v. tr.* arrebitar, rebitar pregos, rebites, etc.; (fig.) recalcar, afiançar, reforçar o que se disse ou se fez.

remache. *m.* rebite, acção de rebater uma ponta ou prego.

remada. *f.* acção de remar; pancada com o remo.

remador, ra. *s.* remador. V. **remero.**

remadura. *f.* remadela.

remallar. *v. tr.* compor, reforçar as malhas, apanhar malhas.

remamiento. *m.* remadela.

remandar. *v. tr.* mandar uma coisa muitas vezes.

remanecer. *v. intr.* reaparecer sùbitamente. — *conj. irreg.* como *crecer.*

remanente. *m.* remanescente, o que sobra ou resta; resíduo.

remanga. *f.* arte para a pesca do camarão.

remangar. *v. tr.* arregaçar. V. **arremangar.**

remango. *m.* arregaçadura. V. **arremango.**

remanoso, sa. *adj.* que brota, que mana, que flui.

remansarse. *v. r.* arremansar-se, remansar-se, deter-se a corrente dum líquido, estagnar-se.

remanso. *m.* remanso, detenção, estagnação dum líquido; (fig.) remanso, quietação, lentidão, fleuma, pachorra.

remar. *v. intr.* remar, mover embarcações com os remos; (fig.) remar, trabalhar com fadiga contínua, esforçar.

remarcable. *adj.* (gal.) notável, sobressaínte.

remarcar. *v. tr.* remarcar, voltar a marcar.

rematado, da. *p. p.* e *adj.* rematado, que se rematou; concluído, completo, no maior grau; incurável, diz-se do que não tem cura; condenado a alguma pena; sem remédio nem recursos; completo, no maior grau; encimado; rematado, diz-se do ponto de costura: *loco rematado,* doido rematado.

rematamiento. *m.* remate. V. **remate.**

rematante. *m.* arrematante, pessoa que arremata, arrematador, adjudicatário de coisa leiloada.

rematar. *v. tr.* arrematar, rematar; finalizar, concluir; pôr fim à vida dalguém ou dalgum animal; matar com um só tiro (diz-se das peças de caça); rematar, encimar, coroar; rematar, executar o ponto de remate, arrematar a costura; adjudicar em leilão. — *v. intr.* rematar, terminar, findar, fenecer, morrer. — *v. r.* perder-se; acabar-se; destruir-se.

remate. *m.* remate, fim ou cabo, conclusão duma coisa; adjudicação em leilão; (arq.) remate, ornato superior; (fig.) o mais alto grau; remate, ponto ou nó com que se fecha uma obra de malha, de costura, etc.; fecho duma conta; resultado.

remecer. *v. tr.* mover repetidamente uma coisa dum lado para outro, balançar, embalar.

remedable. *adj.* arremedável, imitável.

remedador, ra. *adj.* arremedador, imitador; macaqueador.

remedar. *v. tr.* arremedar, imitar, parecer, contrafazer, macaquear: *remedar a alguien,* furtar o ar do corpo dalguém; *remedar chapuceramente,* atamancar.

remediable. *adj.* remediável, que se pode remediar, corrigível, evitável.

remediador, ra. *adj.* e *s.* remediador, que remedeia; protector.

remediar. *v. tr.* remediar, dar remédio ao dano, reparar um dano; remediar, socorrer, ajudar, auxiliar; atalhar; corrigir, emendar; evitar, impedir, obstar; livrar, prevenir; desultrajar.

remedición. *f.* remedição; remedeio.

remedio. *m.* remédio, meio de prevenir; reparação dum mal; emenda; correcção; remédio, recurso, expediente, auxílio, remédio, medicamento, medicina; apelação; cura, emenda; expediente; solução; recurso; (for.) apelação; (germ.) procurador habilitado.

remedión. *m.* função com que se substitui a anunciada, no teatro.

remedir. *v. tr.* remedir, voltar a medir.

remedo. *m.* arreme(ê)do, reme(ê)do, macaqueação, imitação grosseira duma coisa, cópia; (vulg.) apepinação.

remellado, da. *adj.* remeloso, remelento, remelado, que tem remelas; (bot.) V. **escotado.**

remecar. *v. tr.* raspar o pêlo das peles para as curtir.

remellón, na. *adj.* e *s.* (pop.) V. **remellar.**

remembranza. *f.* lembrança, memória duma coisa passada; recordação.

remembrar. *v. tr.* rememorar. V. **rememorar.**

rememoración. *f.* rememoração, lembrança.

rememorar. *v. tr.* rememorar, tornar a lembrar, relembrar, recordar, trazer à memória.

rememorativo, va. *adj.* rememorativo.

remendo, da. *p. p.* e *adj.* remendado, que tem remendos; amanhado; consertado; (fig.) malhado, diz-se de animais e de certas coisas.

remendar. *v. tr.* remendar, deitar remendos, reforçar com remendos; amanhar, consertar; corrigir, emendar; apontar; atacoar, ajambrar (grosseiramente); (Bras.) fujicar. — *conj. irreg.* como *acertar.*

remendón, na. *adj.* e *s.* remendão, que deita remendos; alfaiate ou sapateiro que se dedica a consertos.

remera. *f.* re(ê)mige, cada uma das penas mais compridas das asas das aves.

remero, ra. *s.* remador, pessoa que rema, remeiro.

remesa. *f.* remessa; a coisa enviada, o próprio envio; expedição; despacho; exportação.

remesar. *v. tr.* arrepelar, puxar, arrancando repetidamente pela barba ou pelos cabelos.

remesar. *v. tr.* (com.) remeter, fazer remessas de dinheiro ou géneros; despachar, expedir, enviar.

remesón. *m.* arrepelação, acção de puxar e arrancar cabelos; porção de cabelos arrancados.

remeter. *v. tr.* remeter, tornar a meter; meter mais para dentro; pôr um pano impermeável às crianças.

remezón. *m.* estremeção, terramoto ligeiro, abalo de terra, sismo ligeiro.

remiendo. *m.* remendo; pedaço de pano com que se conserta uma parte do vestuário; fundilho; remendo, qualquer conse(ê)rto; malha na pele de animais; (fig.) emplastro; reparação, emenda que se introduz nalguma coisa, remendo; (fig. e fam.) distintivo de qualquer orden militar, cosida na vestidura ou manto dos cavaleiros: *echar un remiendo a la vida,* (fig. e fam.) comer um refrigério.

remilgado, da. *p. p.* e *adj.* afectado, melindroso, que afecta delicadeza: *ser remilgado,* melindrar.

remilgarse. *v. r.* demonstrar afectação nos gestos e modo de falar, melindrar-se.

remilgo. *m.* afectação, gesto ou trejeito afectado; melindre, delicadeza excessiva e afectada.

reminiscencia. *f.* reminiscência, memória, recordação; reminiscência, em literatura e música, identidade ou semelhança ao composto por outro autor.

remípedo, da. *adj.* e *m.* (zool.) remípede.

remirado, da. *adj.* cauteloso, muito prudente, que reflexiona escrupulosamente sobre as próprias acções, circunspecto.

remirar. *v. tr.* remirar, tornar a mirar, mirar muito, observar bem. — *v. r.* esmerar-se, pôr todo o cuidado no que se faz ou resolve; examinar; mirar-se muito, rever-se.

remisible. *adj.* remissível, perdoável.

remisión. *f.* remessa, remissão, remitência, perdão; nota remissiva; endereçamento, enviamento; indulto, absolução; (fig.) extinção; indolência; abatimento; relaxamento, relaxação.

remisivo, va. *adj.* remissivo, diz-se do que remete ou serve para remeter.

remiso, sa. *adj.* remisso, indolente, frouxo; descuidado, de pouca actividade, negligente, lento.

remisoría. *f.* (for.) despacho com o qual o juiz remete o processo ou o réu para outro tribunal.

remisorio, ria. *adj.* remissório, que tem virtude de remitir ou perdoar.

remitente. *p. a. adj.* e *s.* remitente, que remite; diz-se da doença que apresenta remitências.

remitir. *v. tr.* remeter, enviar, expedir; remitir, perdoar, eximir; liberar, absolver; indultar; deixar, deixar; despedir, despachar; enviar, endereçar; deixar; diminuir de intensidade, acalmar, abater, amainar; deixar a juízo doutrem, confiar. — *v. r.* aceitar opinião alheia, remeter-se, confiar-se: *el viento remite,* o vento acalma; *remite el calor,* o calor abate.

remo. *m.* (mar.) remo; braço ou perna no homem e nos quadrúpedes; cada uma das asas das aves; (fig.) trabalho grande e continuado; remo, pena de galés.

remoción. *f.* remoção, acção de remover; transferência; abdicação; desencalhe, desempedimento, desopilação (de obstáculos).

remojadero. *m.* lugar onde se põe alguma coisa de molho.

remojar. *v. tr.* demolhar, pôr de molho em água; empapar, remolhar, embeber; (fig.) convidar a beber para festejar um caso feliz.

remojo. *m.* remo(ô)lho, demolha, acção, de remolhar ou empapar em água alguma coisa: *poner en remojo,* demolhar; *echar en remojo,* (pop.) diferir a discussão dum assunto.

remolacha. *f.* (bot.) beterraba, planta e a sua raiz.

remolar. *m.* remolar, fabricante de remos; oficina onde se fazem remos.

remolar. *v. tr.* (germ.) carregar um dado com um peso oculto para que fique sempre com a mesma face para cima. — *conj. irreg.* como *contar.*

remolcador, ra. *adj.* e *s.* rebocador, que leva a reboque (diz-se das embarcações).

remolcar. *v. tr.* (mar.) rebocar, levar a reboque; rebocar uma carruagem; (fig.) arrastar alguém contra sua vontade.

remoldar. *v. tr.* podar ou derramar árvores.

remoler. *v. tr.* remoer, moer muito uma coisa. — *conj. irreg.* como *moler*.

remolido. *m.* (min.) minério miúdo, misturado com ganga, que ainda há-de ser lavado e purificado.

remolimiento. *m.* remoedura.

remolinante. *p. a.* e *adj.* remoinhoso, que faz remoinho.

remolinar. *v. intr.* remoinhar, formar remoinhos; (fig.) apinhar-se; amontoar-se gente; dar voltas à roda.

remolinear. *v. tr.* mover uma coisa ao redor, em forma de moinho; remoinhar, redemoinhar.

remolino. *m.* remoinho, redemoinho, movimento giratório do ar, da água, do pó, etc.; remoinho, disposição do cabelo em espiral; (fig.) remoinho, confusão de gente; altercação, distúrbio, inquietação; desassossego: *remolino de papel*, corrúpio.

remolón, na. *adj.* e *s.* lento, preguiçoso, vadio, zorreiro, romeiro, que foge do trabalho com malícia.

remolonear. *v. intr.* mandriar, preguiçar, remanchar, demorar-se em fazer o que se deve. — *v. r.* remanchar-se, recusar--se, demorar-se em executar alguma coisa.

remolque. *m.* reboque; reboque, cabo que serve para rebocar; reboque, coisa rebocada.

remollar. *v. tr.* (germ.) guarnecer, forrar.

remollerón. *m.* (germ.) capacete, armadura para a cabeça.

remondar. *v. tr.* remondar, tornar a mondar, podar novamente.

remonta. *f.* remonta, conserto de calçado; gáspea, pedaço de pano ou carneira nos fundilhos das calças de montar; (mil.) remonta, compra, criação e cuidado dos cavalos; estabelecimento destinado a este fim; remonta, cavalos ou mulos destinados a cada unidade.

remontamiento. *m.* remonte.

remontar. *v. tr.* afugentar ou espantar a caça; remontar, prover de cavalos à tropa ou à cavalariça real; consertar uma sela de montar; remontar, navegar contra a corrente, pôr novas solas ou gáspeas ao calçado; (fig.) elevar, sublimar; emendar. — *v. r.* subir ou voar muito alto (as aves); (fig.) remontar-se, subir até à origem duma coisa; elevar-se, exaltar-se, subir de posição.

remonte. *m.* remonte; variedade de jogo de pelota.

remoque. *m.* remoque, bisca, motejo.

remoquete. *m.* punhada, murro; (fig.) remoque, epíteto, dito agudo ou satírico; chufa; apo(ô)do, (fam.) galanteio.

rémora. *f.* (ictiol.) re(è)mora; (fig. e fam.) remora, impedimento, entorpecimento, esto(ô)rvo, empe(ê)ço, obstáculo.

remorder. *v. tr.* remorder, tornar a morder, morder-se um a outro; expor nova-

mente à acção do ácido a chapa que está a gravar-se; (fig.) inquietar, desassossegar; atormentar; pungir, atormentar. — *v. r.* remorder-se, manifestar o sentimento interno. — *conj. irreg.* como *morder*.

remordimiento. *m.* remordimento, remorso, inquietação da consciência; arrependimento: *causar remordimiento*, pesar na consciência.

remosquearse. *v. r.* (fam.) mostrar-se receoso, recear; (impr.) borrar-se a impressão, manchar-se o impresso por ter corrido a tinta.

remostar. *v. intr.* deitar mosto no vinho velho. — *v. r.* machucarem-se as uvas antes de chegarem ao lagar; estar doce o vinho ou saber a mosto.

remosto. *m.* mistura de mosto com o vinho velho; acção de machucarem-se as uvas antes de chegarem ao lagar, acção de tornar-se doce o vinho.

remoto, ta. *adj.* remoto, distante, apartado, afastado; (fig.) que não é verosímil; alongado; extremo, ausente: *lugar remoto*, longinquo: *muy remoto*, arcaico; *de tiempos remotos*, de antes, de épocas remotas.

remover. *v. tr.* remover, passar ou mudar uma coisa dum lugar para outro; depor ou afastar dum emprego; demover; remover, apartar, obviar um obstáculo ou inconveniente; mover, agitar os humores.

removimiento. *m.* remoção, removimento; movimento, alteração dos humores. V. **remoción.**

remozamiento. *m.* rejuvenescimento; remoção. V. **rejuvenecimiento e remoción.**

remozar. *v.* tr. remoçar, tornar moço, dar robustez e louçania própria da mocidade. V. **rejuvenecer.**

rempujar. *v. tr.* V. **empujar.**

rempujo. *m.* (fam.) força, resistência contra alguma coisa; impulso, choque; (mar.) repuxo, disco empregado pelos marinheiros para empurrar a agulha quando cosem as velas.

rempujón. *m.* (fam.) empurrão. V. **empujón.**

remuda. *f.* substituição, mudança; muda de roupa.

remudamiento. *m.* substituição. V. **remuda.**

remudar. *v. tr.* remudar, substituir uma pessoa ou coisa por outra.

remudiar. *v. intr.* mugir a vaca chamando a cria ou vice-versa.

remugar. *v. tr.* ruminar. V. **rumiar.**

remullir. *v. tr.* afofar muito, amaciar, acolchoar.

remunerable. *adj.* remunerável, remuneratório.

remuneración. *f.* remuneração; recompensa, pré()mio; compensação; salário; paga.

remunerador, ra. *adj.* remunerador, que remunera; compensativo.

remunerar. *v. tr.* remunerar, dar remuneração; recompensar; gratificar; compensar; premiar, galardoar; gratificar; pagar, estipendiar.

remuneratorio, ria. *adj.* remuneratório, remunerativo.

remusgar. *v. intr.* suspeitar, conjecturar, barruntar.

remusgo. *m.* suspeita, acção de suspeitar; vento frio e penetrante.

renacentista. *adj.* e *s.* renacentista.

renacer. *v. intr.* renascer, tornar a nascer, adquirir, adquirir pelo baptismo a vida de graça; renascer, recobrar o vigor. — *conj. irreg.* como *nacer.*

renacimiento. *m.* renascimento, renascença, acção de renascer; Renascença, período histórico dos séculos XV e XVI.

renacuajo. *m.* (zool.) girino da rã.

renadío. campo ceifado que torna a brotar.

renal. *adj.* (anat.) renal.

renano, na. *adj.* (geog.) renano.

rencilla. *f.* rixa, desordem, (pop.) renzilha, disputa; altercação rancorosa.

rencilloso, sa. *adj.* rixoso, desordeiro, brigão, chofrudo.

renco, ca. *adj.* derreado, coxo, por lesão nos quadris.

rencor. *m.* rancor, ódio inveterado, despeito, animosidade; (pop.) incha, renzilha, (fig.) cicatriz.

rencoroso, sa. *adj.* rancoroso, despeitado, que tem ódio inveterado.

rencoso. *adj.* diz-se do cordeiro quando tem um testículo fora e outro dentro.

rencuroso, sa. *adj.* (anat.) querelante, que se queixa dum dano ou agravo.

rendaje. *m.* conjunto de rédeas e correias dos arreios.

rendibú. *m.* acatamento, consideração.

rendición. *f.* rendição, rendimento; renda, rendimento, refeita, produto; moeda cunhada que não está autorizada a circular; rendição, resgate; rendimento, submissão; entrega, debelação.

rendido, da. *p. p.* e *adj.* rendido, submisso, galante, obsequioso.

rendija. *f.* fenda, racha, gre(ê)ta, frincha, abertura comprida e estreita.

rendimiento. *m.* fadiga, abatimento de forças, cansaço, rendimento; rendimento, submissão, humildade, subordinação; sujeição; deferência, condescendência; rendimento, lucro, produto, utilidade duma coisa; rédito, fruto.

rendir. *v. tr.* render, vencer, submeter, sujeitar, obrigar a capitular; dominar; render, dar fruto, utilidade, produzir, dar lucro, deixar; cansar, fatigar, render; vomitar a comida; dar, entregar; render, restituir o usurpado; render, apresentar, prestar contas; (mil.) render, mudar uma sentinela, um destacamento, etc.; (mar.) terminar uma viagem marítima; derribar. — *v. r.* (mar.) quebrar-se um mastro ou verga; cansar-se, render-se, fatigar-se; agachar-se; (mil.) depor as armas; dar-se por vencido; (fig.) presentar as chaves, abandonar-se, entregar-se; (fig.) render o colo ao jugo; abaixar; deixar-se dominar.

rene. *f.* V. **riñón.**

renegado, da. *p. p.* e *adj.* renegado, que renega; que renúncia à lei de Cristo, apóstata; (fig. e fam.) diz-se da pessoa de carácter áspero e maldizente. — *m.* voltarete de três parceiros. V. **presillo.**

renegador, ra. *adj.* e *s.* renegador, blasfemador; que jura frequentemente.

renegar. *v. tr.* negar muito; renegar, arrenegar, detestar, abominar. — *v. intr.* renegar, apostatar, abjurar; descrer, blasfemar; (fig. e fam.) dirigir injúrias contra alguém. — *conj. irreg.* como *negar.*

renegón, na. *adj.* e *s.* blasfemador, praguejador.

renegrear. *v. intr.* negrejar intensamente, fazer-se negro.

renegrido, da. *adj.* denegrido, enegrecido.

rengadero. *m.* quadril, anca. V. **cadera.**

rengar. *v. tr.* derrear, fazer descair os quadris; extenuar.

rengífero. *m.* (zool.) rangífero.

renglón. *m.* regra, linha escrita ou impressa; (fig.) parte da renda ou benefício que alguém possui ou da despesa que faz. — *pl.* (fig. e fam.) qualquer escrito ou impresso (linhas): *a renglón seguido,* imediatamente.

renglón. *m.* artigo de comércio, mercadoria.

renglonadura. *f.* pautas, linhas traçadas sobre o papel.

rengo, ga. *adj.* coxo. V. **renco.**

reniego. *m.* blasfé(ê)mia. V. **blasfemia;** (fig.) e fam.) imprecação, dito injurioso, arrene(ê)go, profanação, imprecação, juramento, execração.

reniforme. *adj.* reniforme, em forma de rim.

renil. *adj.* diz-se da ovelha castrada.

renio. *m.* (quím.) ré(ê)nio.

renitencia. *f.* renitência, resistência, oposição; teimosia, obstinação, disposição adversa ou desfavorável; repugnância.

renitencia. *f.* estado da pele quando se acha esticada e lustrosa.

renitente. *adj.* renitente, obstinado, teimoso, contumaz; (med.) renitente.

reno. *m.* (zool.) rena.

renombrado, da. *adj.* célebre, famoso, afamado, nomeado, de grande nomeada.

renombre. *m.* renome, fama, celebridade, crédito, reputação; sobrenome, apelido; epíteto, cognome.

renovable. *adj.* renovável.

renovación. *f.* renovação, renovamento; ressurreição; restauração; reforma; mudança.

renovador, ra. *adj.* e *s.* renovador, que renova, reformador.

renovar. *v. tr.* renovar, tornar novo, dar novo aspecto a alguma coisa, anovar; avivar; recomeçar, repetir, reformar, consertar, melhorar; remudar, substituir, trocar o velho pelo novo. — *v. r.* renovar-se; rejuvenescer; repetir-se; circular (o ar). — *conj. irr.* como *contar.*

renovar. *v. tr.* (rel.) renovar, substituir as coisas antigas por outras novas.

renquear. *v. intr.* coxear, claudicar.

renta. *f.* renda, rendimento; renda, arrendamento; dívida pública ou títulos que a representam.

rentar. *v. tr.* render, dar juros; produzir, dar rendimentos.

rentero, ra. *adj.* e *s.* tributário, que paga tributo; rendeiro, caseiro rural. — *m.* arrendatário, rendeiro.

rentista. *s.* financeiro, economista; capitalista; pessoa que vive de rendimentos; o que recebe renda proveniente de títulos públicos.

rentístico, ca. *adj.* pertencente ou relativo às rendas públicas.

rento. *m.* renda, rendimento anual com que contribui o lavrador ou caseiro.

rentoso, sa. *adj.* rendoso, que rende, que produz rendimento.

renuevo. *m.* reno(ô)vo, rebento novo depois da poda, vergôntea; renovação. V. **renovación**.

renuncia. *f.* (for.) renúncia, acção de renunciar; deixação, demissão ou abandono voluntário duma coisa ou do direito de posse; renúncia, instrumento ou documento que contém a renúncia; desistência; declinação; abdicação; rejeição; (fig.) sacrifício.

renunciable. *adj.* renunciável.

renunciación. *f.* renúncia; sacrifício V. **renunciamiento**.

renunciamiento. *m.* renúncia, renunciação; desistência; abandono; rejeição; sacrifício.

renunciar. *v. tr.* renunciar, abandonar a posse dalguma coisa; rejeitar; recusar; desistir dum direito; resignar, abdicar; largar; recusar; abjurar; desquitar-se; despojar-se; desistir; cortar; depor; declinar; deixar; demitir; abandonar. — *v. intr.* renunciar, não servir carta do naipe jogado, tendo-a: *renunciarse uno a sí mismo*, privar-se de fazer a sua própria vontade em serviço de Deus ou para bem do próximo.

renunciatorio. *m.* resignatário.

reñido, da. *p. p.* e *adj.* inimizado, zangado, de relações cortadas, renhido.

reñidor, ra. *adj.* brigão, que briga, altercador, duelista, renhidor.

reñidura. *f.* (fam.) ralho, repreensão, altercação. V. **regaño**.

reñir. *v. intr.* renhir, contender, disputar; altercar; desarrazoar; pelejar, combater; desadir-se, inimizar-se. — *v. tr.* repreender, corrigir; travar batalha, duelo, etc.; lutar; increpar: *reñir por un quítame allá esas pajas*, (fam.) renhir por ninharias. — *conj. irr.* como *ceñir*.

reo, a. *adj.* réu, ré, criminoso, culpado. — *s.* pessoa que merece castigo, culpado; (for.) demandado, querelado; acusado, inculpado, delinquente.

reoctava. *f.* imposto antigo sobre as vendas a retalho.

reoctavar. *v. tr.* receber o imposto sobre as vendas a retalho.

reóforo. *m.* (fís.) reóforo.

reojo (mirar de). (fam.) olhar de través, olhar de soslaio; (fig.) olhar hostilmente ou com desprezo.

reómetro. *m.* (fís.) reó(ô)metro, galvanómetro; (hidraul.) instrumento para determinar a velocidade duma corrente de água.

reorganización. *f.* reorganização, reconstituição, reforma.

reorganizador, ra. *adj.* e *s.* reorganizador, relativo à reorganização; o que reorganiza; reformador.

reorganizar. *v. tr.* reorganizar, organizar de novo; reformar; melhorar, reconstituir.

reóstato. *m.* (fís.) reóstato.

repacer. *v. tr.* pastar o gado até que a erva finde. — *conj. irr.* como *pacer*.

repagar. *v. tr.* pagar caro ou com excesso.

repajo. *m.* sebe, lugar fechado com arbustos.

repanchigarse. *v. r.* refestelar-se.

repantigarse. *v. r.* refestelar-se, repimpar-se, repoltrear-se.

repapilarse. *v. r.* encher-se de comida, saboreando-a; fartar-se, abarrotar-se; repimpar-se.

repapo (de). *adv.* com sossego e comodidade.

reparable. *adj.* reparável; remediável; reparável, digno de atenção.

reparación. *f.* reparação, conse(ê)rto; desagravo; satisfação dada por ofensas ou injúrias; inde(m)nização: *reparación por las armas*, reparação pelas armas, duelo.

reparado, da. *adj.* reforçado, melhorado, fortalecido.

reparador, ra. *adj.* reparador, que repara ou melhora uma coisa; que nota defeitos frequentemente; reparador, que restabelece e dá alento ou vigor; reparador, que desagrava ou satisfaz por alguma culpa.

reparamiento. *m.* reparo, reparação, conserto, reforma, restauro; reparo.

reparar. *v. tr.* reparar, compor, consertar; restaurar; emendar, corrigir, atenuar; fortificar; refazer; reparar; notar, olhar com cuidado; atender; considerar, reflexionar; reparar, remediar; reparar; desagravar, dar satisfação; inde(m)nizar; melhorar; restabelecer, dar alento; dar a última demão, retocar; compensar. — *v. intr.* reparar, fixar a vista ou a atenção; observar; acautelar-se; parar, deter-se. — *v. r.* conter-se, abster-se; constranger-se; (mar.) abrigar-se.

reparativo, va. *adj.* reparatório.

reparo. *m.* restauração, remédio; reparação, conserto; reparo, advertência, nota, observação; atenção, análise; reparo, dúvida, dificuldade, inconveniente; reconfortante, que se põe na boca do estômago do doente; resguardo; defesa, resguardo, protecção; trincheira: *poner reparo*, fazer zer reparo, fazer uma observação.

repartible. *adj.* repartível, que se pode repartir.

repartición. *f.* repartição, divisão, partilha, distribuição.

repartidero, ra. adj. repartível, que se há--de repartir.

repartidor, ra. adj. repartidor, distribuidor. — m. lugar de partilhas das águas para rega.

repartimiento. m. repartição, distribuição, partilha; contribuição, derrama; aquinhoamento.

repartir. v. tr. repartir, distribuir entre vários uma coisa, lançar uma contribuição por partes; aquinhoar; estremar; dispor em vários sítios: _repartir beneficios_, estender benefícios.

reparto. m. repartição, partilha; derrama; distribuição; (teatr.) elenco. V. **repartimiento.**

repasadora. f. carmeadeira, mulher que carmeia a lã churra.

repasar. v. tr. repassar, passar de novo; carmear a lã; olhar ou examinar novamente; relembrar; voltar a explicar ou estudar a lição; ler por alto; passar os olhos por; recoser, remendar a roupa; repassar, examinar uma obra para corrigir as suas imperfeições.

repasata. f. (fam.) repreensão, correcção.

repaso. m. repasso, repasse, estudo ligeiro, do que se tem estudado; repasse, verificação da coisa feita para ver se está completa; (fam.) repreensão: _dar un repaso,_ dar uma batida.

repatriación. f. repatriação.

repatriado, da. p. p. adj. e s. repatriado, regressado à pátria.

repatriar. v. tr. repatriar, fazer regressar à pátria. — v. intr. e r. repatriar-se, volver à pátria.

repechar. v. intr. subir uma calçada íngreme, uma encosta ou uma ladeira.

repecho. m. ladeira, encosta, declive: _a repecho,_ costa acima, ladeira acima.

repeladura. f. segunda peladura.

repelar. v. tr. arrepelar, repelar, arrancar ou puxar o cabelo; fazer dar ao cavalo uma pequena corrida; cortar as pontas das ervas; (fig.) cortar, tercear, diminuir. — v. intr. sair repintado ou resombrado o que se estampa ou imprime.

repelente. p. a. e adj. repelente, que repele, desapetitoso, desagradável, inaceitável, inadmissível; (Bras. Minas Gerais) abaité.

repeler. v. tr. repelir, lançar de si violentamente; obrigar a recuar; recusar, rejeitar; contradizer uma ideia, proposição ou afirmação; repelir; empuxar; arrojar; asquear; detestar, indignar; excluir; desacolher.

repelo. m. o que vai a contrapelo; fiapo, pequena partícula que se separa duma coisa ; (fig. e fam.)desavença, pequena disputa; repugnância para executar uma coisa; falta de vontade; nó, parte nodosa da madeira.

repelón. m. arrepelão, puxão dado aos cabelos; fio que faz encolher as malhas imediatas, nas meias; (fig.) repelão, corrida pequena do cavalo a toda a brida; (fig.) porção, punhado de qualquer coisa que se arrebata ou arranca: _a repelones,_ aos repelões; _de repelón,_ precipitadamente.

repellar. v. tr. rebocar, cobrir de reboco a parede.

repensar. v. tr. repensar, pensar de novo, reflexionar, meditar, reconsiderar.

repente. m. (fam.) repente, movimento súbito; acção, dito, sucesso repentino: _de repente,_ prontamente, sem discorrer ou pensar.

repentimiento. m. arrependimento, rependimento.

repentino, na. adj. repentino, súbito, imprevisto, inopinado; rápido, momentâneo; improviso, impulsivo, inesperado; _muerte repentina,_ morte arrebatada.

repentizar. v. intr. improvisar, repentizar; executar, logo à primeira leitura, canto ou música, decifrar uma obra musical.

repentón. m. repente violento.

repeor. adj. e adv. (fam.) muito pior.

repercusión. f. repercussão; reverberação; reflexão; eco; (med.) repercussão, acção dos medicamentos repercussivos.

repercusivo, ca. adj. e m. (med.) repercussivo, medicamento que tem virtude para repercutir.

repercutir. v. intr. repercutir, fazer repercussão; retroceder ou mudar de direcção um corpo ao tocar com outro; ressoar, reproduzir sons, repercutir; (fig.) transcender; (med.) fazer com que um tumor reflua para dentro do corpo.

repertorio. m. repertório, livro resumido de coisas notáveis; índice, compilação de obras ou notícias dum mesmo género; repertório, conjunto das obras dum autor, actor ou empresa; repertório, conjunto de peças dramáticas ou óperas.

repetición. f. repetição; reprodução de matéria já dada; iteração; repetição, lição, prelecção doutrinal; (for.) repetição, acção para pedir a restituição do que se tinha dado; repetição, maquinismo do relógio de repetição; frequ(ü)entação, frequ(ü)ência; eco; (teatr.) reprise.

repetidor, ra. adj. e s. repetidor, que repete. — m. repetidor, professor que explica as lições, explicador.

repetir. v. tr. repetir, tornar a dizer ou fazer, repisar; (for.) reclamar contra terceiros; repercutir; refle(c)tir; repetir, cursar pela segunda vez uma ou mais disciplinas; tornar a principiar; ecoar; bisar; duplicar. — v. intr. vir à boca o sabor do que se comeu ou bebeu; efectuar a repetição nas universidades; (pint.) repetir, reproduzir os mesmos quadros ou as mesmas ideias; tornar a aparecer, a suceder. — v. r. repetir-se, redizer as mesmas histórias, repisar os mesmos assuntos: _repetir muchas veces,_ ter sempre na boca: _repetir la misma cosa,_ tornar atrás; fazer coro com alguém. — conj. irr. como _pedir._

repicar. v. tr. repicar, picar muito uma coisa, reduzindo-a a partes muito miúdas; repenicar, fazer dar sons agudos e repetidos; repicar, tanger os sinos festivamente. — *v. r.* prezar-se de, presumir, jactar-se, ficar-se.

repicoteado, da. *p. p.* e *adj.* adornado de bicos, ondas ou dentes, picotado, serrilhado, etc.

repinarse. *v. r.* elevar-se, remontar-se.

repintar. *v. tr.* (pint.) repintar, pintar novamente, avivar, aperfeiçoar. — *v. r.* arrebicar-se com esmero; ataviar-se.

repique. *m.* repique; (fig.) altercação, questão ligeira; repique, toque festivo de sinos, arrepique; repique, certo lanço no jogo dos centos.

repiquetear. *v. tr.* repicar os sinos, viva e ràpidamente. — *v. r.* (fig. e fam.) brigarem duas ou mais pessoas insultando-se com injúrias; descompor-se, altercar muito.

repiqueteo. *m.* repiquete, repique.

repisa. *f.* mísulo, sapata; cachorro.

repizcar. *v. tr.* beliscar. V. **pellizcar.**

repizco. *m.* beliscão. V. **pellizco.**

replantación. *f.* replantação, acção ou efeito de replantar.

replantar. *v. tr.* replantar, tornar a plantar, transplantar.

replantar. *v. tr.* traçar a planta duma obra já estudada e projectada.

replanteo. *m.* acção e efeito de *replantear*; (arq.) acção de reformar a planta dum edifício.

repleción. *f.* repleção, qualidade de repleto; enchente; pletora.

replegar. *v. tr.* fazer novas pregas muitas vezes. — *v. r.* (mil.) retirar em ordem. — *conj. irr.* como *plegar: replegarse en sí mismo*, recolher-se dentro em si.

repletar. *v. tr.* rechear, encher muito, cumular. — *v. r.* fartar-se.

repleto, ta. *p. p.* irreg. de *repletar* e *adj.* repleto, muito, cheio, abarrotado, farto: *tener la bolsa repleta*, ter a conta cheia; *sala repleta de gente*, sala cheia de gente.

réplica. *f.* expressão, argumento ou discurso em resposta a uma crítica, réplica; contestação, obje(c)ção, contradita; argumento contrário.

replicador, ra. *adj.* e *s.* replicador, contraditor; respondão.

replicar. *v. intr.* replicar, responder aos argumentos doutrem, retorquir, refilar, refutar, contestar; impugnar.

replicato. *m.* (for.) réplica, resposta do autor à contestação do réu.

repliegue. *m.* prega dupla; (mil.) acção de retirar as tropas em boa ordem, anfractuosidade (do terreno).

repoblación. *f.* repovoação, acção e efeito de repovoar; conjunto de árvores ou espécie de metais em terrenos repovoados.

reploblar. *v. tr.* repovoar, povoar de novo. — *conj. irr* como *poblar.*

repollar. *v. intr.* repolhar, formar repolho (diz-se de certas plantas ou folhas que adquirem a forma de repolho); arrepolhar-se.

repollo. *m.* (bot.) repo(ô)lho, espécie de couve.

repolludo, da. *adj.* repolhudo, diz-se da planta em forma de repolho; que tem figura de repolho; (fig.) repolhuda (diz-se da pessoa gorda e anafada).

repolluelo. *m.* repolhinho, pequeno repolho.

reponer. *v. tr.* repor, pôr de novo, constituir, restituir; repor substituir o que falta; opor, replicar; (for.) repor, tornar a causa ao estado primitivo; *v. r.* restabelecer-se, recobrar a saúde ou a fortuna; cobrar a cor. — *conj. irr.* como *poner.*

reportación. *f.* reportação, sossego, moderação, serenidade; modéstia.

reportación. *f.* reportação, sossego, moderação, serenidade; modéstia.

reportaje. *m.* reportagem, informação do jornal.

reportamiento. *m.* reportação, modéstia V. **reportación.**

reportar. *v. tr.* refrear, reprimir, moderar; obter, conseguir, alcançar; trazer ou levar; passar uma prova litográfica à pedra; atribuir, fazer referência; aludir a; produzir, originar. — *v. r.* reportar-se, moderar-se, refrear-se.

reporte. *m.* notícia, novidade, sucesso; mexerico, bisbilhotice; prova litográfica.

reporteril. *adj.* concernente à reportagem.

reporterismo. *m.* cargo ou profissão de repórter.

reportero, ra. *adj.* e *s.* repórter, pessoa que leva notícias, noticiarista.

reportista. *m.* transportador, litógrafo prático em passar uma prova litográfica duma pedra a outra.

reportorio. *m.* repertório, almanaque.

reposado, da. *p. p.* e *adj.* repousado, descansado, tranqu(ü)ilo, sossegado.

reposar. *v. intr.* repousar, descansar, sossegar das fadigas; repousar, estar enterrado, jazer; repousar, dormir, sossegar, repousar, assentar, purificar-se um líquido; (Bras.) tunguear. — *v. r.* pousar-se, depositar-se um líquido.

reposición. *f.* reposição, restituição; restabelecimento da saúde.

reposo. *m.* repouso; alívio, descanso; ina(c)ção; sosse(ê)go; repouso, tranqu(ü)ilidade; (fís.) repouso, estado de inércia.

reposte. *m.* despensa, casa ou lugar onde se guardam comestíveis, copa.

repostería. *f.* confeitaria, pastelaria, repostaria, copa, lugar onde se guarda a prataria; repostaria, mantearia da casa real; emprego de reposteiro; gente empregada neste mister.

repostero. *m.* confeiteiro, doceiro; reposteiro, cortina que pende das janelas ou portas; reposteiro, pessoa encarregada do reposte da casa real.

repregunta. *f.* (for.) segunda pergunta que faz à testemunha a parte contrária.

repreguntar. *v. tr.* (for.) propor ou fazer perguntas à testemunha a parte contrária.

reprehender. *v. tr.* repreender. V. **reprender.**

reprehensible. *adj.* V. **reprensible.**

reprehensión. *f.* V. **reprensión.**

reprendedor, ra. *adj.* e *s.* repreensor, repreendedor. V. reprensor.

reprender. *v. tr.* repreender, corrigir, emendar, censurar; avisar; estranhar; animadvertir; increpar; descompor; (fig.) assentar; (Bras.) traquejar: *reprender con dureza*, (Bras.) espinafrar.

reprensible. *adj.* repreensível, censurável.

reprensión. *f.* repreensão, censura; animadversão; chega; aviso; corre(c)tivo, corre(c)-
ção, increpação, descompostura, descom-
ponenda; (fig.) batida, batibarba; chegadela, gaitada: *reprensión amistosa*, fraterna, *reprensión fuerte*, descalçadela.

reprensor, ra. *adj.* e *s.* reprensor, repreendedor; corre(c)tor, increpador.

represa. *f.* repre(ê)sa, comporta, açude, eclusa; barragem; detenção, estagnação; detenção dalgumas coisas não materiais (afectos, paixões, etc.) (mar.) represa.

represalia. *f.* represália; retaliação; vingança; desforra; desquitação: *como represalia*, em despique.

represar. *v. tr.* represar, sustar ou deter o
curso das águas; reaver um navio apresado pelo inimigo; (fig.) represar, conter,
deter, atalhar, reprimir.

representable. *adj.* representável.

representación. *f.* representação; exposição;
exibição em cena; ostentação inerente a
um cargo, autoridade, dignidade; nome
antigo de obra dramática; representação,
imagem, ide(é)ia, representação, súplica
fundada em razões; representação, pedido, petição; representação, conjunto de
pessoas que representam uma entidade,
colectividade, corporação, etc. (for.) representação, direito de representar a uma
pessoa; representação, importância; descrição; efígie, emblema; delegação.

representante. *p. a. adj.* e *s.* representante,
que representa; representante, delegado,
pessoa que representa outrem, mandatário, actor, agente, enviado, apoderado;
deputado; (Bras.) alabama.

representar. *v. tr.* representar, tornar presente; patentear; reproduzir a imagem
de; expor por escrito ou verbalmente;
significar, simbolizar; representar, informar, referir, declarar; representar, recitar em teatro; substituir; imitar; repre-
sentar, aparentar determinada idade; re-
presentar, mostrar, manifestar; represen-
tar, fazer as vezes de outrem; represen-
tar, ser mandatário de; representar, ser
ministro ou embaixador de; figurar, aparentar; representar; desempenhar funções
de actor; ter uma certa aparência, afigurar; descrever; denotar; deputar, delegar. — *v. r.* representar-se, apresentar-se
ao espírito; figurar como símbolo; afigurar-se.

representativo, va. *adj.* representativo, que
representa ou envolve representação.

represión. *f.* repressão; coibição; proibição;
enfreamento, debelação.

represivo, va. *adj.* repressivo, o que reprime;
repressor; reprimidor.

represor, ra. *adj.* e *s.* repressor, que reprime,
repressivo.

reprimenda. *f.* reprimenda, censura, repreensão, admoestação severa; censura;
castigo; aviso; increpação; (fam.) chega,
descalçadela; descompostura, batida, estourada; arrepelão, batibarba, amansadela; gaitada: *dar una reprimenda*, (pop.)
dar uma batida.

reprimir. *v. tr.* reprimir, conter, coibir; moderar, represar; refrear, enfrear, coactar;
proibir, violentar; oprimir, castigar, contrafazer, frenar, pôr freio, abater, debelar,
abaixar; agafar; açamar: *reprimir las
lágrimas*, beber lágrimas; *reprimir el orgullo*, amansar o orgulho. — *v. r.* reprimir-
-se, conter-se, moderar-se, deter-se, contrafazer-se.

reprise. *f.* (gal.) V. reposición. e repetición.

reprobable. *adj.* reprovável, censurável.

reprobación. *f.* reprovação; rejeição; não
aprovação em exame; (fig.) censura severa; repulsão; anatema; desaplauso; desaprovação.

reprobar. *v. tr.* reprovar, desaprovar, censurar, condenar, rejeitar; votar contra; julgar inabilitado (em exame); excluir; enjeitar; desaplaudir, desapoiar; amaldiçoar, condenar; anatematizar, censurar;
refutar.

reprobatorio, ria. *adj.* reprobatório.

réprobo, ba. *adj.* e *s.* réprobo, condenado,
prescito.

reprochable. *adj.* reprovável, detestável,
digno de censura.

reprochador, ra. *adj.* e *s.* reprovador, censurador, exprovador.

reprochar. *v. tr.* reprovar, desaprovar; censurar; lançar ou detfar em rosto; exprovar; detestar; improperar; aviltar, desaprovar; despedir enjeitar, repelir, recusar: *reprochar algo a alguien*, dizer as
boas a alguém.

reproche. *m.* reprovação, censura, reprimenda, imputação, impropério; (fig.) bofetão; repulsa, negativa; vituperação;
falta que se pode lançar em rosto.

reproducción. *f.* reprodução, acção de reproduzir; reprodução, a coisa reproduzida; cópia, réplica; propagação,generação;
multiplicação, reprodução dos animais e
vegetais; repetição, nova edição; contra-
moldagem (diz-se das estátuas): *reproducción asexual*, reprodução assexuada.

reproducir. *v. tr.* reproduzir, voltar a produzir, produzir novamente; copiar; contrafazer, contramoldar; fototipar (por meio
da fotografia). copiografar; redizer; repetir; reproduzir, multiplicar (raça ou espécie); imitar; reeditar. — *v. r.* reproduzir-se. perpetuar-se pela geração; multiplicar-se; padrear (diz-se dos animais).
— *conj. irr.* como producir.

reptar. *v. intr.* reptar, andar de rastos, rastejar, andar de bruços.

reptil. *adj.* e *m.* (zool.) réptil, que se arrasta, que rasteja; réptil.

república. *f.* república, estado, corpo político; município; causa pública; negócios públicos; (fam.) república, casa em que não há ordem nem disciplina: *república de las letras*, república das letras.

republicanismo. *m.* republicanismo.

republicano, na. *adj.* e *s.* republicano; patrício, homem público.

repúblico. *m.* repúblico que se interesa pelo bem público; homem eminente; homem de estado; homem público.

repudiación. *f.* repúdio, abandono, repudiação, rejeição.

repudiar. *v. tr.* repudiar, abandonar, desamparar; rejeitar; divorciar-se; expulsar a esposa do domicílio conjugal; enjeitar; excluir; renunciar.

repudio. *m.* repúdio, abandono da mulher, repudiação; divórcio, descasamento.

repudrir. *v. tr.* apodrecer muito. — *v. r.* (fig. e fam.) ralar-se, consumir-se. — *conj. irr.* como *pudrir*.

repuesto, ta. *p. p. irre.* de *reponer* e *adj.* reposto; apartado, retirado, escondido. — *m.* reserva de provisões; aparador, móvel, sítio onde este se guarda; aposta, quantia apostada em certos jogos.

repugnancia. *f.* repugnância; aversão; nojo, relutância; escrúpulo; melindre, aversão, oposição, desadoração, desagravo, desgo(ô)sto; asco, asquerosidade; antipatia; inconciabilidade; (vulg.) senréira; (filos.) incompatibilidade.

repugnante. *p. a.* e *adj.* repugnante, que causa repugnância ou aversão; asqueroso; nojento; repelente, imundo; desagradável.

repugnar. *v. tr.* repugnar; recusar; contradizer; ser contrário, resistir; (filos.) tornar incompatível. — *v. intr.* repugnar, causar tédio ou aversão; ser incompatível; desgostar; asquear.

repujado. *m.* cinzelamento, acção de cinzelar; cinzelado, obra cinzelada.

repujar. *v. tr.* cinzelar, lavrar metais ou couro a martelo e cinzel.

repulgar. *v. tr.* repolegar, dobrar ou ornar com repolego; debruar; abainhar; embainhar.

repulgo. *m.* repole(ê)go, bainha de roupa; filete torcido para ornato de certas peças; debrum; filete de massa que borda uma empada; excrescência nas feridas das árvores; rebordo.

repulir. *v. tr.* açacalar, polir de novo; compor ou arranjar com afectação; arrebicar, enfeitar com excesso.

repulsa. *f.* repulsa, repulsão; recusa; desacolhimento; detestação; enjeitamento.

repulsar. *v. tr.* repulsar, repelir; desprezar; recusar, negar o que se pede ou pretende; rejeitar; evitar repelindo.

repulsión. *f.* repulsão, repulsa; antipatia, aversão, repugnância.

repulsivo, va. *adj.* repulsivo; repelente, repugnante; antipático, asqueroso.

repullo. *m.* farpa, bandarilha; pulo, salto dado por susto ou medo; (fig.) pulo, demonstração violenta de surpresa.

repunta. *f.* ponta de terra ou cabo mais saliente que outros próximos; (fig.) indício, primeira manifestação duma coisa; (fig. e fam.) contenda, rixa, questão.

repuntar. *v. intr.* (mar.) repontar, começar a maré a encher ou a vazar. — *v. r.* começar o vinho a toldar-se, a azedar-se; (fig. e fam.) desavir-se, indispor-se com alguém.

repunte. *m.* (mar.) reponta. acção e efeito de começar a maré a encher ou a vazar.

repurgar. *v. tr.* repurgar, limpar, purificar.

reputación. *f.* reputação, fama, renome, nomeada; conceito; opinião sobre alguma coisa, consideração; crédito; cheiro.

reputado, da. *p. p.* e *adj.* reputado, célebre, famoso.

reputar. *v. tr.* reputar, estimar, considerar, julgar, avaliar; apreciar; reconhecer o mérito, estimar, ter em conta; dar reputação.

requebrador, ra. *adj.* e *s.* requebrador, galanteador; amoroso.

requebrajo. *m.* galanteio ridículo. V. **requiebro.**

requebrar. *v. tr.* tornar a quebrar ou partir; (fig.) galantear, requebrar, requestar; adular, lisonjear, elogiar; enamorar; saracotear.

requemado, da. *p. p.* e *adj.* requeimado, enegrecido pelo calor do sol ou do fogo.

requemar. *v. tr.* requeimar, crestar; tostar em excesso, crestar, privar as plantas da seiva; requeimar, ter sabor acre; esquentar o sangue. — *v. r.* (fig.) ralar-se, ressentir-se, sem o manifestar.

requemo. *m.* apoquentação, ralação, acção e efeito de consumir-se, de ralar-se.

requeridor, ra. *adj.* e *s.* requeredor, requerente. exigente.

requerimiento. *m.* requerimento, acção de requerer; exigência; (fo.) intimação, aviso, notificação.

requerir. *v. tr.* requerer, exigir, intimar; precisar; merecer; requestar; reclamar; examinar, rever; verificar, reconhecer o estado dalguma coisa; induzir; persuadir; galantear; requebrar. — *conj. irr.* como *sentir*.

requesón. *m.* requeijão, joalhada, que se tira dos resíduos do leite.

requetebién. *adv.* (fam.) muito bem.

requiebro. *m.* reque(ê)bro, galanteio; elogio, corte, namo(ô)ro; (fam.) derriço (a uma mulher); mineral que se torna a partir.

requilorio. *m.* (fam.) formalidade desnecessária; rodeio.

réquiem. *m.* réquiem.

requintador, ra. *s.* pessoa que aumenta uma quinta parte nos arrendamentos públicos.

requintar. *v. tr.* aumentar mais uma quinta parte nos arrendamentos depois de arrematados; requintar, exceder, sobrepujar, ultrapassar muito; (mús.) requintar.

requinto. *m.* quinta parte dum quinto; (mús.) requinta, espécie de clarinete.

requirente. *p. a. irreg.* de *requerir, adj.* e *s.* requerente, que requer; exigente.

requisa. *f.* revista, inspecção; requisição; reclamação.

requisar. *v. tr.* requisitar; fazer requisição, para o serviço militar, de víveres, veículos, etc. revistar, examinar, inspeccionar, os presos e as prisões.

requisicionar. *v. tr.* (bar.) V. requisar.

requisión. *f.* requisição em tempo de guerra para o serviço militar.

requisito, ta. *p. p. irreg.* de *requerir* e *adj.* requisitado. — *m.* requisito, condição exigida para certo fim; circunstância; predicados, dotes exigidos para certa profissão: *cumplir todos los requisitos,* ter todos os requisitos.

requisitorio, ria. *adj.* (for.) requisitório, precatório. — *m.* carta precatória.

requive. V. arrequive.

res. *f.* rês, cabeça de gado, qualquer animal quadrúpede doméstico.

res. *prep. isep.* atenua a significação dos vocábulos simples a que se acha unida.

resabiar. *v. tr.* ressabiar, tomar ressaibo, vício ou mau costume. — *v. r.* melindrar-se; ressentir-se; saborear, deleitar-se com o que agrada.

resabio. *m.* ressaibo, mau sabor, ranço; vício, mau costume; ressaibo, sabor desagradável.

resaca. *f.* (mar.) ressaca, movimento de recuo das ondas; (com.) ressaque, saque de uma nova letra de câmbio.

resalir. *v. intr.* (arq.) ressair, sobressair, ressaltar parte dum edifício. — *conj. irr.* como *salir.*

resaltar. *v. intr.* ressaltar, dar muitos saltos, repinchar; ressaltar, sobressair muito uma coisa; estar elevada ou saliente uma coisa; (fig.) destacar-se, distinguir-se; desenhar-se.

resalte. *m.* ressalto, ressalte, saliência.

resalto. *m.* ressalto, ressalte, relevo, saliência; contrapilastra; forma de caçar o javali.

resaludar. *v. tr.* ressaudar, corresponder à saudação ou cumprimento de alguém.

resalutación. *f.* ressaudação.

resallar. *v. tr.* remondar, tornar a mondar ou sachar.

resalle. *m.* remonda, nova monda ou sacha.

resanar. *v. tr.* cobrir com ouro as falhas dum dourado.

resarcible. *adj.* ressarcível, compensável.

resarcimiento. *m.* ressarcimento, inde(m)nização, reparação, compensação.

resarcir. *v. tr.* ressarcir, compensar, inde(m)nizar, refazer, reparar, desforrar; emendar; desagravar. — *v. r.* ressarcir-se, indemnizar-se; desforrar-se.

resbaladero, ra. *adj.* escorregadio, resvaladiço. — *m.* resvaladoiro, escorregadoiro.

resbaladizo, za. *adj.* resvalante, resvaladiço, diz-se do que é susceptível de fazer cair em falta.

resbalador, ra. *adj.* resvaladiço, escorregador.

resbaladura. *f.* resvaladura, vestígio, sinal ou marca de escorregão ou resvalo.

resbalamiento. *m.* resvalo, escorregão. V. resbalón.

resbalar. *v. intr.* resvalar, escorregar, deslizar; resvalar, fazer escorregar; cair por um declive; (fig.) escorregar, faltar aos seus deveres; incorrer num deslize; (Bras.) testavilhar.

resbalón. *m.* resvalo, escorregão, escorregadura; queda; (fig.) descuido, inadvertência.

resbaloso, sa. *adj.* resvaladio, escorregadio, resvalante.

rescaldar. *v. tr.* escaldar, V. escaldar.

rescaño. *m.* resquício, resto ou parte dalguma coisa.

rescatador, ra. *adj.* e *s.* resgatador, que resgata.

rescatar. *v. tr.* resgatar; resgatar, permutar; resgatar, remir; trocar, permutar, cambiar; resgatar, libertar; resgatar, recuperar pelo dinheiro ou pela força o que o inimigo tenha tomado; (fig.) recuperar, redimir, libertar. — *v. r.* recuperar o tempo ou a ocasião perdida.

rescate. *m.* resgate; resgate, dinheiro para o resgate ou que se pede para esse efeito, resgate, troca, permutação.

rescindir. *v. tr.* rescindir, invalidar, anular um contrato ou obrigação.

rescisión. *f.* rescisão, rompimento, anulação.

rescoldera. *f.* (med.) pirose, azia, azedume do estômago.

rescoldo. *m.* rescaldo, brasas miúdas encobertas pelas cinzas; (fig.) receio, escrúpulo, remorso.

rescripto. *m.* rescrito, resolução pontifícia ou régia por escrito, ordem, mandato.

rescriptorio, ria. *adj.* relativo aos rescritos.

resecación. *f.* dissecação.

resecar. *v. tr.* ressecar, secar muito; (cir.) dissecar, fazer a dissecação dum órgão. — *v. r.* ressecar-se.

resección. *f.* (cor.) resse(c)ção; ablação, estirpação dum órgão ou parte dele.

reseco, ca. *adj.* resse(ê)co, muito seco; magro. — *m.* parte seca duma planta.

resegar. *v. tr.* ressegar, cortar rentes os troncos; ressegar, voltar a ceifar. — *conj. irr.* como *segar.*

reseguir. *v. tr.* rectificar os fios das espadas. — *conj. irr.* como *seguir.*

resellar. *v. tr.* resselar, pôr novo selo; recunhar, voltar a cunhar. — *v. r.* (fig.) virar a casaca, passar de um partido para outro.

resello. *m.* resselagem; segundo cunho; mudança de partido.

resembrar. *v. tr.* ressemear, semear de novo.

resentido, da. *p. p.* e *adj.* ressentido, despeitoso, despeitado; arrufado; ofendido.

resentimiento. *m.* ressentimento; lembrança dolorosa de uma ofensa; melindre; despeito; animosidade; (fig.) cicatriz.

resentirse. *v. r.* ressentir-se, começar a fraquejar uma coisa; estomagar-se; despeitar-se; (fig.) melindrar-se, sentir-se, mostrar-se ressentido. — *conj. irreg.* como *sentir;* mostrar indícios de sofrer; ofender-se, mostrar sentimento ou pesar; sentir-se, rachar-se, fender-se um objecto frágil.

reseña. *f.* resenha, descrição; relato, narração; revista de tropa.

reseñar. *v. tr.* resenhar, referir minuciosamente, fazer resenha; enumerar, narrar, descrever.

resequido, da. *adj.* resseco, ressequido, que secou.

reserva. *f.* reserva, guarda prevenção; reserva, excepção; reserva, segre(ê)do descrição, prudência; reserva, parte do exército ou armada que não está no serviço activo; reserva, corpo de tropa em prevenção; reserva, clandestinidade; circunspecção, cautela, retraimento; reserva, excepção que o superior faz de parte das faculdades que concede ao inferior; (rel.) V. **reservado** (falando da Eucaristia); reserva, duplicidade; (fig.) bioquice:

reservado, da. *p. p.* e *adj.* reservado, cauteloso, prudente, circunspe(c)to, discreto; calado; oculto, não patente; confidencial. — *m.* reservado, lugar reservado, compartimento dedicado a usos especiais: *carácter reservado,* carácter frio ou reservado; *ser muy reservado,* (fam.) ter muitos entressolhos.

reservación. *f.* reservação, reserva.

reservar. *v. tr.* reservar, guardar, pôr de parte, conservar; reservar, destinar para outro tempo; reservar, exceptuar; fazer esperar; demorar; preservar; fazer segredo; dispensar, separar, apartar; reservar, ocultar, encobrir; reservar, economizar; reservar, calar uma coisa; reservar, desconfiar; reservar, não comunicar; (rel.) encobrir o Santíssimo Sacramento que estava exposto. — *v. r.* reservar-se, conservar-se para melhor ocasião; precaver-se; acautelar-se.

reservativo, va. *adj.* reservativo.

reservista. *adj.* e *s.* (mil.) reservista, militar que está na reserva.

resfriado. *m.* resfriado, resfriamento; rega que se dá à terra quando está seca, para a poder lavrar.

resfriamiento. *m.* resfriamento, enfriamento. V. **enfriamiento.**

resfriante. *p. a.* e *adj.* refrigerante, que resfria. — *m.* banho frio em que está submergida a serpentina do alambique. V. **corbato.**

resfriar. *v. tr.* resfriar. V. **enfriar;** (fig.) esfriar, enfranquecer, enfriar, desalentar, desanimar, desaquecer. — *v. intr.* resfriar, começar a fazer frio. — *v. r.* constipar-se, encatarroar-se, endefluxar-se.

resguardar. *v. tr.* resguardar, amparar, defender, proteger. — *v. tr.* acautelar-se, precaver-se, prevenir-se contra um perigo; defender-se.

resguardo. *m.* resguardo, guarda, segurança, precaução, prudência, anteparo, defesa, defensão; guarda fiscal; segurança dada por escrito de dívidas ou contratos; resguardo, zelo dos interesses da fazenda pública, vigilância para impedir o contrabando; corpo de guardas da alfândega; moderação, cautela.

residencia. *f.* residência, morada habitual; lugar em que se reside; residência, habitação do pároco; habitação, domicílio; residência, estada, permanência; residência, sindicância a um juiz; residência, casa de jesuítas: *fijar la residencia,* assentar a residência.

residencial. *adj.* diz-se do emprego ou benefício que obriga à residência do beneficiado.

residenciar. *v. tr.* sindicar um juiz, pedir contas, fazer uma sindicância.

residente. *p. a. adj.* e *s.* residente, que reside; residente, enviado de certos governos junto de um governo estrangeiro.

residir. *v. intr.* residir, morar, habitar; achar-se, estar; assistir pessoalmente por função do seu emprego; (fig.) existir numa pessoa qualquer coisa imaterial; aninhar; alojar; arraigar-se, consistir.

residual. *adj.* residual, pertencente ou relativo a resíduo.

residuo. *m.* resíduo, resto, o que fica da descomposição ou destruição duma coisa; desperdício, alcanços; detrito; alimpaduras; (mat.) resto, aquilo que resta.

resiembra. *f.* ressemeadura, sementeira feita num terreno sem o deixar descansar.

resiembra. V. **resembrar.**

resigna. *f.* resignação, renúncia.

resignación. *f.* resignação; paciência, conformidade; resignação, resistência; resignação, renúncia, entrega voluntária; demissão; aplicação: *sufrir con resignación,* ter paciência.

resignado, da. *p. p.* e *adj.* resignado, paciente, conformado; que se submete a uma força superior.

resignar. *v. tr.* resignar, renunciar, desistir dum emprego ou benefício; resignar, entregar, ceder; renunciar, abdicar. — *v. r.* condescender, submeter-se; conformar-se, ter resignação; dar por bem empregado.

resignatario. *m.* indivíduo a favor de quem se fazia a renúncia.

resina. *f.* resina.

resinación. *f.* resinagem, extracção da resina.

resinar. *v. tr.* resinar, extrair a resina a certas árvores.

resinífero, ra. *adj.* resinífero, resinoso.

resinificable. *adj.* resinificável.

resinificación. *f.* resinificação, acção de converter em resina.

resinificar. *v. tr.* resinificar, converter em resina. — *v. r.* resinificar-se, converter-se em resina.

resinoso, sa. *adj.* resinoso, resinífero.

resipiscencia. *f.* resispicência.

resisar. *v. tr.* diminuir mais as medidas já defraudadas, suprimindo-lhe o equivalente ao imposto da *resisa.*

resistencia. *f.* resistência, oposição, recusa; (fig.) repugnância em fazer alguma coisa; defensa, defesa; fortaleza, fo(ô)rça; aguante; indocilidade, desobediência; oposição; obstinação, teimosia.

resistente. *adj.* e *p. a.* resistente, que resiste ou que se opõe; aturadoiro, aturador; forte, durável, duro; coiraçado.

resistero. *m.* sesta, hora calmosa após o meio-dia; mormaço, calor produzido pela reverberação solar; lugar onde se sente mais este calor.

resistible. *adj.* resistível.

resistidero. *m.* V. **resistero** (sesta).

resistidor, ra. *adj.* resistente, que resiste, sólido, duro, forte, duradoiro, rijo; obstinado, teimoso, pertinaz.

resistir. *v. intr.* resistir, opor resistência; repugnar, contrariar, contradizer, resistir; lutar; durar; subsistir; conservar-se, aguentar-se. — *v. tr.* resistir, sofrer, suportar; resistir, repelir, rechaçar; combater as paixões; fazer face ou frente; adversar; arrostar; aguentar; (fig.) abarbar, embater. — *v. r.* brigar, forcejar, defender-se.

resistivo, va. *adj.* resistente, que resiste ou tem a virtude de resistir.

resma. *f.* resma, conjunto de 20 mãos de papel.

resmilla. *f.* pacote de vinte cadernos de papel de carta.

resobrar. *v. intr.* ressobrar, sobrar muito.

resol. *m.* revérbero, reverberação do sol.

resolano, na. *adj.* soalheiro, diz-se do lugar onde se toma o sol, defendido do vento.

resoluble. *adj.* resolúvel, que se pode resolver.

resolución. *f.* resolução, decisão, deliberação; resolução, propósito, tenção; energia, coragem, ânimo, valor; resolução; resolução, prontidão, viveza, actividade; decreto; despacho, ordem da autoridade; desígnio; determinação, conselho, solução dum caso ou problema; resolução, acto de reduzir a um estado elemental; (med.) resolução; acto de desaparecer a pouco e pouco um tumor, etc.; (fig.) decocção: *adoptar una resolución,* tomar uma resolução, tomar por barato.

resolutivo, va. *adj.* resolutivo, que resolve; determinativo; decisivo, definitivo; (med.) resolutivo, diz-se do medicamento que tem virtude de resolver.

resoluto, ta. *p. p. irreg.* de *resolver* e *adj.* resolvido, resoluto, decidido; compendioso, resumido, abreviado; versado, expedito.

resolutorio, ria. *adj.* resolutório.

resolver. *v. tr.* resolver, deliberar, tomar uma resolução; resumir; resumir, compendiar, abreviar; resolver, uma dúvida; resolver, achar a solução dum problema, converter, transformar; desfazer; destruir; separar, desagregar; analisar; despachar, desembaraçar, destinar; definir; deliberar; fazer desaparecer pouco e pouco; deliberar; decidir, determinar,

desempatar. — *v. intr.* resolver, mudar-se, transformar-se. — *v. r.* resolver-se, decidir-se; desfazer-se; consistir; cifrar-se; reduzir-se, determinar-se; *conj. irr. pres. ind.* **resuelvo, -es, -e, -en;** *subj.* **resuelva,** etc.

resollar. *v. intr.* resfolegar; ofegar, repousar, descansar; (fig. e fam.) dar sinal de si; aparecer a pessoa ausente; falar a pessoa calada; desembaraçar-se; *conj irr.* como *contar.*

resonación. *f.* ressonância, eco, som produzido pela repercusão.

resonador. *m.* ressonador.

resonancia. *f.* ressonância, prolongação do som que vai diminuindo por graus; (fig.) ressonância, divulgação dum facto ou das qualidades duma pessoa.

resonar. *v. intr.* ressoar, repercutir, fazer soar, fazer som por repercussão ecoar, retumbar. — *conj. irreg.* como *sonar;* (fig.) ressoar, ser notório o crédito, a fama duma pessoa.

resoplar. *v. intr.* assoprar, bufar; resfolegar, respirar com ruído, arfar; bufar, soprar o cavalo ou outro animal com ruído.

resoplido. *m.* bufo, assopro; ofego, bufido.

resoplo. *m.* assopro, bufo, ofego, respiração forte e continuada.

resorber. *v. tr.* ressorver, sorver novamente; reabsorver.

resorción. *f.* ressorção; reabsorção.

resorte. *m.* mola; V. **muelle;** mola, força elástica duma coisa; (fig.) mola, recurso, meio para conseguir um fim; elasticidade.

respaldar. *m.* espaldar, encosto, respaldar, (das cadeiras).

respaldar. *v. tr.* assentar, apontar, notar nas costas dum escrito; (vet.) deslocar-se o osso da espádua duma cavalgadura. — *v. r.* encostar-se, recostar-se, apoiar-se.

respaldo. *m.* respaldo, respaldar, respaldar de cadeira; costas, verso dum escrito e o que ali se escreve.

respectar. *v. intr. impers.* pertencer, respeitar, tocar, dizer respeito: *por lo que respecta a,* em consideração a, concernente a.

respective. *adv.* respectivamente.

respectivo, va. *adj.* respe(c)tivo, relativo a pessoa ou coisa determinada; concernente a; próprio; recíproco; competente.

respecto. *m.* respeito, relação, razão, proporção; respeito, lado por onde se considera uma coisa: *al respecto,* respectivamente; *respecto a,* relativamente a; acerca de; a respeito de; *con respecto a,* com respeito a.

respeluzar. *v. tr.* desgrenhar. V. **despeluzar.**

respetabilidad. *f.* respeitabilidade; honorabilidade.

respetable. *adj.* respeitável, digno de respeito, venerado; respeitável, conspícuo, importante, grande, considerável; autorizado.

respetado, da. *p. p.* e *adj.* respeitado, honrado, considerado, acatado.

respetador, ra. *adj.* respeitador, que respeita.

respetar. *v. tr.* respeitar, ter respeito, acatar, venerar; honrar; ter em consideração; cumprir, observar; poupar, não causar dano; suportar, aturar; considerar; estimar. — *v. intr.* respeitar, dizer respeito a, ter respectivo a; pertencer. — *v. r.* dar-se ao respeito.

respetivo, va. *adj.* respeitoso. V. **respetuoso.**

respeto. *m.* respeito, acatamento, obediência; veneração; deferência; consideração; submissão, obediência; respeito, receio da opinião pública; respeito, causa, consideração, motivo particular; coisa que se tem por ostentação, como coche de respeito, sala de respeito, etc.; estima, estimação; deco(ô)ro, mesura, atenção: *tratar sin respeto,* desconsiderar.

respetuosidad. *f.* respeitabilidade, qualidade de respeitoso.

respetuoso, sa. *adj.* respeitoso, reverente, respeitador; respeitoso, que infunde respeito, que guarda respeito; atento, atencioso, deferente; decoroso, cortês.

respigador, ra. *adj.* e *s.* respigador, que respiga.

respigar. *v. tr.* respigar, recolher as espigas que ficaram por segar.

respigo. *m.* semente de couve.

respigón. *m.* respigão, espigão das unhas; enfermidade no peito da mulher que amamenta; (vet.) úlcera da ranilha das bestas.

respingada. *adj.* diz-se da ponta de nariz arrebitada.

respingar. *v. intr.* respingar, escoucinhar (a besta); (fam.) levantar-se o bordo da saia ou casaco por estar mal feito; (fig. e fam.) resmungar, rezingar, recalcitrar; engravitar-se.

respingo. *m.* respingo, acto de recalcitrar; (fig. e fam.) movimento de enfado; repugnância em executar o que se ordena; safanão, movimento violento do corpo com que se mostra enfado; (fig.) aspersão: *dar un respingo,* encabritar-se, engravitar-se.

respingona. *adj.* (fam.) diz-se do nariz arrebitada: *nariz respingona,* nariz arrebitado.

respirable. *adj.* respirável.

respiración. *f.* respiração; entrada e saída do ar em lugar fechado, respiração; o ar que se respira; alento; anélito: *perder la respiración,* (fam.) deitar os bofes de la boca; *respiración artificial,* respiração artificial.

respiradero. *m.* respiradouro, respiradoiro, respiro, abertura, fresta por onde entra ou sai ar; (fig.) descanso, folga, repouso, alívio; ventosa.

respirador, ra. *adj.* respirador, que respira; respiratório, diz-se dos músculos que servem para auxiliar a respiração.

respirar. *v. intr.* respirar, absorver o ar; exalar cheiro, transpirar; assoprar, (fig.)

alentar, respirar, animar-se, cobrar alento; descansar, folgar; (fig. e fam.) falar; respirar, viver.

respiratorio, ria. *adj.* respiratório.

respiro. *m.* respiração; (fig.) momento de descanso, alívio numa fadiga, dor ou pena; prorrogação do prazo para se efectuar um pagamento: *tomarse un respiro,* (fam.) tomar algum descanso.

resplandecer. *v. intr.* resplandecer, rutilar, brilhar muito, luzir, fulgurar, fulgir, cintilar; sobressair; avantajar-se.

resplandecimiento. *m.* resplendor. V. **resplandor.**

resplandor. *m.* resplendor, resplandor; claridade intensa; esplendor, brilho; (fig.) brilho; alvaiade, arrebique branco de que usam as mulheres; esplendor, pompa, luxo.

respondedor, ra. *adj.* e *s.* respondedor, que responde, respondão.

responder. *v. tr.* responder, retorquir; responder, contestar; dar réplica; responder, contestar a uma carta ou bilhete; corresponder; frutificar, dar fruto; responder, surtir o efeito desejado. — *v. intr.* corresponder, repetir o eco; mostrar-se agradecido; (fig.) render, reduzir, frutificar, replicar, ser respondão; responder, garantir, ser responsável.

respondón, na. *adj.* e *s.* (fam.) respondão, que responde com maus modos; respingão; rezingueiro.

responsabilidad. *f.* responsabilidade, qualidade do que é responsável; responsabilidade, dívida, obrigação de responder por certos actos; imputação; conta: *asumo la responsabilidad,* eu tomo a minha conta; *tomar bajo la propia responsabilidad,* incumbir-se.

responsabilizarse. *v. r.* (Amér.) encarregar-se, responsabilizar-se, tornar-se responsável; tornar-se fiador.

responsable. *adj.* responsável; fiador; pessoa que tem a responsabilidade de alguma coisa: *ser responsable,* ser responsável; *salir responsable,* tornar-se responsável, ficar por fiador.

responso. *m.* responso, responsório, série de responsos; (fam. e fig.) repreensão, reprimenda.

responsorio. *m.* responsório, certas preces e versículos que se rezam.

respuesta. *f.* resposta, réplica; refutação; contestação; resposta a uma carta; (fig.) eco: *¡bonita respuesta!,* (fam.) belo despacho!; *respuesta capciosa,* chicana; *respuesta negativa,* resposta negativa.

resquebradura. *f.* fenda, greta, racha.

resquebrajadizo, za. *adj.* quebradiço, rachadiço, que quebra ou racha fàcilmente.

resquebrajadura. *f.* fenda, greta, racha, quebradura.

resquebrajar. *v. tr.* fender a superfície dalguns corpos duros, rachar, gretar.

resquebrajo. *m.* fenda, greta. V. **resquebradura.**

resquebrajoso, sa. *adj.* quebradiço, que se pode fender ou rachar fàcilmente.

resquebrar. *v. intr.* começar a quebrar, fender-se, rachar-se (alguma coisa). — *conj. irreg.* como *quebrar.*

resquemar. *v. tr.* requeimar (a língua ou o paladar). — *v. intr.* tostar, queimar muito; (fig.) pungir, amargar.

resquemazón. *f.* queimor, queimo. V. **resquemo.**

resquemo. *m.* queimor, queimo; sabor e cheiro desagradáveis de coisa requeimada; acidez da comida.

resquemor. *m.* mágoa, inquietação, desgosto; (prov.) V. **resquemo.**

resquicio. *m.* resquício, abertura entre o gonzo e a porta; fenda; greta; (fig.) ocasião oportuna, oportunidade.

resquilar. *v. intr.* subir a uma árvore.

resta. *f.* (mat.) subtra(c)ção, diminuição; resto.

restablecer. *v. tr.* restabelecer, estabelecer de novo; repor no antigo estado; restabelecer, reimplantar; restaurar; renovar; melhorar; (fig.) endireitar. — *v. r.* restabelecer-se duma doença, convalescer, recuperar a saúde; restaurar-se.

restablecimiento. *m.* restabelecimento; restauração; recuperação da saúde; convalescença.

restado, da. *p. p.* e *adj.* restado; subtraído; diminuído; V. **arrestado.**

restallar. *v. intr.* estralejar, o chicote ou a funda; ranger, fazer ruído forte; rebentar uma bomba; estalar, soar forte.

restampar. *v. tr.* reestampar, estampar de novo.

restante. *p. a.* e *adj.* diminuidor, que subtrai ou diminui. — *m.* resto, restante, resíduo, que fica de resto.

restañadero. *m.* estuário. V. **estuario.**

restañadura. *f.* nova estanhadura.

restañar. *v. tr.* estancar, parar, deter o curso dum líquido ou tumor (diz-se especialmente do sangue).

restaño. *m.* estancamento; remanso ou estagnação das águas.

restar. *v. tr.* subtrair, diminuir, tirar dum todo; cercear; (mat.) subtrair, diminuir, achar a diferença entre duas quantidades. — *v. intr.* fartar, ficar, sobejar, ficar de resto ou sobejo.

restar. *v. tr.* rechaçar, fazer retroceder a pela no jogo.

restauración. *f.* restauração; restabelecimento; reparação; conse(ê)rto; restabelecimento, recuperação; restauração; restabelecimento duma dinastia ou dum sistema político.

restaurador, ra. *adj.* e *s.* restaurador, que restaura, restaurante.

restaurante. *p. a.* e *adj.* restaurante, que restaura. — *m.* restaurante, casa de pasto.

restaurar. *v. tr.* restaurar, recuperar ou recobrar; fazer reparações em; restaurar, pôr novamente em vigor; dar novo esplendor a; restaurar, recomeçar; compor; consertar; restaurar, restabelecer no

trono; reimplantar; reintegrar; reconquistar; reaver.

restaurativo, va. *adj.* restaurativo.

restauro. *m.* restauração. V. **restauración.**

restercoleo. *m.* nova estercadura.

restitución. *f.* restituição; restabelecimento; reabilitação; reintegração, regresso ao estado anterior.

restituible. *adj.* restituível, que se pode restituir.

restituidor, ra. *adj.* e *s.* restituidor, que restitui.

restituir. *v. tr.* restituir, repor, revolver; repor; restabelecer no estado anterior; reintegrar, reabilitar. — *v. r.* recuperar o perdido; voltar alguém ao lugar donde havia saído; devolver-se.

restitutorio, ria. *adj.* restituitório.

resto. *m.* resto, parte que fica, resíduo, restante; sobra; parada nos jogos de invite; jogador que rebate a péla; rechaço no jogo da pelota; (mat.) resto, diferença; demasia; excedente. — *pl.* sobras, sobejos.

restorán. *m.* V. **restaurante.**

restregadura. *f.* esfrega, esfregação, esfregadela, esfregamento.

restregamiento. *m.* esfregação. V. **restregadura.**

restregar. *v. tr.* esfregar com força. — *conj. irreg.* como *acertar.*

restribar. *v. intr.* restribar, firmar-se nos estribos, estribar-se; apoiar-se com força.

restricción. *f.* restrição, limitação, redução; modificação; delimitação; coerção; coartação, excelção; circunscrição.

restringente. *p. a. adj.* e *s.* restringente, que restringe; medicamento que aperta os tecidos relaxados.

restringible. *adj.* restringível, que se pode restringir.

restringir. *v. tr.* restringir, estreitar, apertar, cingir; reduzir, encolher, apoucar, coar(c)tar; delimitar; restringir, apertar ou fortificar uma parte lassa do organismo; limitar: *restringir los gastos*, estreitar-se em gastos. — *v. r.* estreitar-se, limitar-se, restringir-se.

restriñidor, ra. *adj.* restringente, que restringe.

restriñimiento. *m.* restringimento; acção de adstringir.

restriñir. *v. tr.* adstringir; restringir, estreitar, limitar, apertar ou fortificar uma parte lassa do organismo.

resucitador, ra. *adj.* e *s.* ressuscitador, que faz ressuscitar.

resucitar. *v. tr.* ressuscitar, chamar de novo à vida; ressurgir; (fig.) fazer reviver; renovar; restabelecer, reaparecer. — *v. intr.* ressuscitar, voltar a viver; ressurgir; (fig.) restabelecer-se de uma doença muito grave; (fam.) escapar dum perigo mortal.

resudación. *f.* ressudação; transpiração ligeira.

resudar. *v. intr.* ressudar, suar de novo, transpirar ligeiramente; destilar; ficarem os troncos das árvores estendidos no chão para perderem a humidade supérflua; ressumar, ressumbrar. V. **rezumar.**

resudor. *m.* transpiração leve, suor ligeiro.

resuelto, ta. *p. p. irreg.* de *resolver* e *adj.* resolvido; resoluto, arrojado, resolvido, audaz; pronto, expedito, diligente, resoluto, determinado, expedito; (equit.) pronto; decisivo; empreendedor, animoso; arrojado; determinado; decidido; deliberado; denodado, corajoso; apostado; despachado; abalançado; (fig.) desenlaçado.

resuello. *m.* ofego, anelação, respiração difícil ou ruidosa, anélito; (vulg.) asma; (pop.) dinheiro.

resulta. *f.* resultado, efeito, consequência; vaga que deixa aquele que é promovido; resulta, resultado de uma conferência, deliberação: *de resultas,* em consequência, portanto.

resultado, da. *p. p.* e *adj.* resultado. — *m.* resultado, efeito, consequência; desfecho; (fig.) fruto; êxito, saída; vantagens, lucro: *dar resultado,* tirar resultado, frutificar; *no dar resultado,* frustrar-se.

resultando. *m.* (for.) considerando, a cada um dos fundamentos das sentenças.

resultante. *p. a.* e *adj.* e *f.* resultante, que resulta; (mec.) resultante, força equivalente a outras várias.

resultar. *v. intr.* ressaltar, ressurgir, resultar, redundar, dar em resultado; dimanar; nascer, provir, originar-se; aparecer, manifestar-se, comprovar-se uma coisa; resultar, sair, ter bom ou mau êxito; dar; apresentar; (fig.) emergir: *resultar de,* inferir-se de.

resumbruno. *adj.* preto e amarelo (diz-se do falcão).

resumen. *m.* resumo; recapitulação; compêndio; sumário; epítome; exposição rápida; extracto, excerto; atalho; encurtamento; recapitulação: *en resumen,* em uma palavra; em resumo.

resumido, da. *p. p.* e *adj.* resumido, compilado; abreviado; sintetizado.

resumir. *v. tr.* resumir; abreviar; resumir, compilar, condensar; em poucas palavras; fazer consistir em; resumir, representar, simbolizar; resumir, conter em resumo; resumir, concentrar; sintetizar; diminuir. — *v. r.* resumir-se, converter-se, compreender-se, reduzir-se; cingir-se, consistir; resolver-se uma coisa em outra; encerrar-se.

resurgimiento. *m.* ressurgimento, ressurreição; reaparição.

resurgir. *v. tr.* e *intr.* ressurgir, surgir de novo; ressuscitar; reaparecer.

resurrección. *f.* ressurreição, acção de ressuscitar; ressuscitação; ressurgimento; (rel.) Ressurreição, Páscoa; (fig.) revivescência; cura surpreendente e inesperada.

resurtida. *f.* ressalto, salto reflexo do corpo, rechaço, ricochete.

resurgido, da. *p. p.* e *adj.* ressurgido. — *f.* ressalto, rechaço, ricochete.

resurtir. *v. intr.* ressurtir, ricochetear, ressaltar, saltar por efeito da reflexão.

resurtivo, va. *adj.* que ressurte, que ricochetea, que retrocede por causa dum choque.

retablero. *m.* artista que constrói retábulos.

retablo. *m.* retábulo, painel; retábulo, decoração dum altar; (ant.) teatrinho de títeres.

retacería. *f.* conjunto de retalhos de qualquer espécie de tecidos.

retaco. *m.* espingarda curta e reforçada na recâmara; taco mais curto e grosso do que os comuns (no jogo do bilhar); (fig. e fam.) arrepolhado, tarracho, rolho, homem baixo e atarracado, bilro, bola, batoque.

retador, ra. *adj.* e *m.* reptador, que repta ou desafia, desafiador.

retaguarda. *f.* V. **retaguardia.**

retaguardia. *f.* retaguarda, último corpo de tropas que cobre os movimentos dum exército: *por la retaguardia,* por detrás; *dejar en la retaguardia,* (fig.) ficar para a retaguarda.

retahila. *f.* enfiada, fileira, série de muitas coisas ou animais.

retajar. *v. tr.* cercear, cortar em volta; aparar de novo (uma pena de ave); circuncidar; estracinhar.

retajo. *m.* retalhadura, acção de retalhar; retalho, coisa retalhada.

retal. *m.* retalho, pedaço de tecido, pele, etc.; desperdícios de pelaria que servem para fazer a cola que usam os pintores; apara.

retallar. *v. tr.* sulcar, recortar de novo uma lâmina ou gravura já gasta.

retallecer. *v. intr.* rebentar, abrolhar, brotar de novo uma planta.

retallo. *m.* (arq.) ressalto, saliência num muro pela diferença de grossura de duas partes sobrepostas.

retallo. *m.* (bot.) pimpolho, renovo, rebento, talo.

retama. *f.* (bot.) retama, giesta; fronças.

retar. *v. tr.* reptar, desafiar, provocar para duelo ou contenda; (fam.) repreender, deitar à cara, lançar em rosto: *retar a muerte,* entrar em desafio com a morte.— *v. r.* desafiar-se.

retardación. *f.* retardação, adiamento, demora, delonga; procrastinação.

retardado, da. *p. p.* e *adj.* retardado, demorado, adiado, diferido, atrasado.

retardador, ra. *adj.* retartador, que retarda.

retardar. *v. tr.* retardar, tornar tardio, demorar, diferir, deter; entorpecer; adiar; fazer chegar mais tarde; atrasar; dilatar; prolongar.

retasar. *v. tr.* taxar de novo; rebaixar o preço das coisas postas em leilão e não arrematadas.

retatarabuelo, la, *s.* quarto avô, quarta avó.

retataranieto, ta. *s.* quarto neto, quarta neta.

retazar. *v. tr.* retalhar, talhar, despedaçar, espedaçar; cortar, dividir em partes;

cortar lenha miúda; dividir o rebanho em lotes; (ant.) quebrar, romper.

retazo. m. retalho, pedaço de pano ou tecido; fracção; retalho, fragmento de discurso ou escrito.

retejador. m. aquele que retelha.

retejar. v. tr. retelhar, recorrer, reparar os telhados colocando as telhas que faltam; (fig.) remediar o que está roto ou falto de vestido.

retejer. v. tr. tecer unida e apertadamente.

retejo. m. retelhadura.

retemblar. v. intr. retremer, tremer repetidamente, livrar, estremecer. — conj. irreg. como temblar.

retemplar. v. tr. (Amér. fig.) retemperar, comunicar mais energia, reanimar.

retén. m. retém, provisão de coisas; (mil.) reserva de tropas, piquete de prevenção; reserva.

retención. f. retenção, demora; desconto; parte ou totalidade de vencimentos suspensos; reserva; conservação do emprego que se tinha quando se é promovido a outro; suspensão do efeito dum rescrito procedente da autoridade eclesiástica.

retención. f. (med.) retenção, depósito de algum humor; detenção, prisão; (fig.) embargo.

retenedor, ra. adj. retentor, que retém.

retener. v. tr. reter; guardar; conservar; reter, conservar na memória; deter, impor prisão preventiva; reter, suspender a recepção de vencimentos ou ordenados: retener en la memoria, conservar na memória, encerebrar. — conj. irreg. como tener.

retenida. f. retenida, cabo náutico para aguentar temporàriamente uma peça; corda, pau, etc., para conter ou guiar um corpo na sua queda.

retentiva. f. retentiva, memória, faculdade de voltar a lembrar-se.

retentivo, va. adj. retentivo, que retém.

reteñir. v. tr. retingir, tingir de novo. — conj. irreg. como teñir.

reteñir. v. intr. retinir. V. retiñir.

retesamiento. m. retesamento, entesadura.

retesar. v. tr. retesar, tornar tenso, esticar, enrijecer, entesar.

reteso. m. retesadura, retesamento; tesão, rijez de coisa estirada e tesa; plenitude da teta cheia de leite.

reticencia. f. reticência; reserva mental; (ret.) aposiopese; omissão voluntária de uma coisa que se deveria dizer.

reticente. adj. reticencioso, que usa de reticência.

retícula. f. V. retículo.

reticulado, da. adj. reticulado, reticular.

reticular. adj. reticular, reticulado.

retículo. m. retículo, tecido em forma de rede; (astr.) retículo; (zool.) segundo compartimento do estômago dos ruminantes; retículo, rede pequena; (ópt.) retículo, disco dos óculos astronómicos.

retiforme. adj. retiforme.

retina. f. retina, membrana interior do olho.

retintín. m. retintim, som de objectos de metal, louça, etc., que se chocam; retintim, tom irónico, forma de falar para ferir outrem.

retinto, ta. p. p. irreg. de reteñir e adj. retinto, muito escuro, de cor carregada.

retinir. v. intr. retinir, tinir muito, ecoar.

retiración. f. retirada; (impr.) retiração, verso duma folha impressa na frente.

retirada. f. retirada, acção de retirar-se; retirada, lugar de refúgio; retiro; recolha; toque militar. V. retreta; (mil.) retirada, acção de retroceder em ordem afastando-se do inimigo.

retirado, da. p. p. e adj. retirado, distante, afastado, separado, apartado, desviado, e(ê)rmo, solitário, isolado, sem comunicações; reformado diz-se do militar que deixa o serviço, aposentado; ausentado; ausente; apartadiço; encantoado.

retiramiento. m. retiro. V. retiro.

retirar. v. tr. retirar, apartar, separar, tirar uma coisa doutra; retirar, afastar, desviar, fazer sair; apartar da vista; distanciar; esconder; arredar; aposentar; incomunicar; encantoar; (impr.) imprimir o verso duma folha já impressa pela frente. — v. r. retirar-se, refugiar-se, pôr-se a salvo; retirar-se, reformar-se, aposentar-se, jubilar-se; retirar, recolher da circulação; ir-se embora; arredar-se; departir-se; apartar-se; incomunicar-se; retirar-se, recolher-se, ir-se para casa; (mil.) retirar, abandonar uma posição, marchar em retirada; retirar-se, deixar um género de vida, a profissão que se exercia; sair duma sociedade ou empresa; retractar-se de: retirar lo dicho, retirar uma expressão: retirarse a un convento, deixar o século.

retiro. m. retiro, retirada, afastamento; distância; solidão; sítio e(ê)rmo; remanso; isolamento temporário; recolhimento, apartamento; soldo do militar reformado; reforma de militar; retiro, exercício piedoso; reforma, aposentação, jubilação; ausência; deste(ê)rro; incomunicação; clausura; afastamento momentâneo da vida social.

reto. m. repto, desafio, provocação, insulto, ameaça: echar retos, ameaçar, proferir ameaças.

retocador, ra. s. retocador, pessoa que retoca.

retocamiento. m. retoque, acção de retocar.

retocar. v. tr. retocar, voltar a tocar; (pint.) retocar, dar certos toques a um desenho, quadro, fotografia, etc.; restaurar uma pintura deteriorada; (fig.) retocar, corrigir, aperfeiçoar, dar a última demão.

retoñar. v. intr. tornar a brotar, rebentar, abrolhar; (fig.) reproduzir-se novamente, retornar, voltar.

retoñecer. v. intr. V. retoñar.

retoño. m. rebento, renovo, vergôntea; galho.

retoque. *m.* retoque, última demão; pulsação frequente, repetida; ligeiro começo de doença, ameaça.

retorcedor. *m.* retorcedor, o que retorce.

retorcedura. *f.* retorcedura. V. **retorcimiento.**

retorcer. *v. tr.* retorcer, torcer novamente; retorcer, redarguir, retorquir; torcer, retorcer, interpretar maliciosamente ou mal; estorcer, estortegar, estrincar. — *v. r.* estorcer-se, contorcer-se, estorturar-se (de dor). — *conj. irreg.* como *torcer.*

retorcido, da. *p. p.* e *adj.* retorcido. — *m.* espécie de doce feito de diversas frutas.

retorcimiento. *m.* retorcedura; contorção; retorcedura, acção de unir dois ou mais fios e trocê-los juntos.

retórica. *f.* retórica, arte de bem falar. — *pl.* (fam.) razões descabidas.

retoricar. *v. intr.* retoricar, aplicar as leis da retórica.

retórico, ca. *adj.* retórico, pertencente ou relativo à retórica; versado em retórica; palavroso; metafórico.

retornamiento. *m.* retorno, retornamento, retornança, regresso, volta, tornada.

retornar. *v. tr.* retornar, devolver, restituir; voltar a torcer uma coisa; fazer retroceder. — *v. intr.* retornar, voltar à primitiva situação; regressar; devolver com recompensa.

retornelo. *m.* (mús.) ritornelo.

retorno. *m.* reto(ô)rno, regresso, volta; troco, pagamento do benefício recebido; satisfação; retorno, carruagem ou cavalgadura que volta ao lugar de saída: dádiva em compensação; (mar.) grande cabo náutico que passa por meio das papoias, retorno.

retorsión. *f.* retorsão, retorcedura; réplica.

retorsivo, va. *adj.* diz-se do que inclui uma retorsão.

retorta. *f.* retorta, vaso bojudo de bico ou gargalo estreito; retorta, tecido de linho de trama muito retorcida.

retortero. *m.* volta ao redor: *andar al retortero,* andar desassossegadamente dum sítio para outro; *traer al retortero,* (fam.) enganar alguém com falsas promessas; importunar alguém.

retortijar. *v. tr.* retorcer, anelar.

retortijón. *m.* torcimento excessivo, retorcedura; anelamento: *retortijón de tripas,* dor rápida e forte nos intestinos.

retozar. *v. intr.* retouçar, traquinar, saltar e brincar alegremente; baloiçar-se; traquinar; espojar-se brincando; (fig.) agitarem-se intimamente algumas paixões; folgar, saltar de alegria. — *v. tr.* tocar a miúdo com a mão uma pessoa do outro sexo, brincando com ela.

retozo. *m.* retouço, retoiço, brinco, folguedo; traquinice, travessura.

retozón, na. *adj.* retouçador, retoiçador, brincalhão, traquinas; turbulento, galhofeiro, brincão, folgazão.

retracción. *f.* retra(c)ção; contracção; enco-

lhimento; (med.) retracção, redução em certos tecidos orgânicos.

retractable. *adj.* retratável.

retractación. *f.* retratação, acção de se desdizer ou retratar; desmentido; desdizimento; denegação; (fig.) palinódia.

retractar. *v. tr.* retratar, desdizer, confessar o próprio erro. — *v. r.* retratar-se, desdizer-se, desmentir-se, dar como não dito; arrepender-se; desnegar-se.

retráctil. *adj.* retrá(c)til, que pode retrair-se, ficando oculto.

retractilidad. *f.* retra(c)tilidade.

retracto. *m.* (for.) direito de opção; direito de reivindicação duma coisa devida.

retraer. *v. tr.* tornar a trazer, reproduzir em imagem; retrair, afastar, dissuadir; encolher; reivindicar, optar a uma coisa vendida. — *v. r.* retrair-se, afastar-se, retirar-se; meter-se para dentro; concentrar-se; encolher-se, meter-se nas encolhas; incomunicar-se; embiocar-se; amochar-se. — *conj. irreg.* como *traer.*

retraído, da. *p. p.* de *retraer* e *adj.* retraído; dizia-se da pessoa refugiada em lugar sagrado ou de asilo; que gosta da solidão; (fig.) pouco comunicativo, não expansivo; acanhado, tímido: *persona retraída,* (fam.) bicho-de-buraco.

retraimiento. *m.* retraimento, acção de retrair; lugar, compartimento interior e retirado; retraimento, refúgio e guarida para segurança; reserva; afastamento da vida social; isolamento; acanhamento; atitude reservada.

retranquear. *v. tr.* (arq.) dispor e colocar em lugar conveniente as pedras para construção.

retranqueo. *m.* acção e efeito de retranquear; disposição em lugar conveniente das pedras para construção; posição fora da esquadria.

retranquero. *m.* (Amér.) guarda-freio.

retransmisión. *f.* retransmissão.

retransmitir. *v. tr.* retransmitir, voltar a transmitir.

retrasado, da. *p. p.* de *retrasar* e *adj.* atrasado, diferido, dilatado; atempado; detido; (fig.) estúpido; (med.) microcéfalo; atardado.

retrasar. *v. tr.* atrasar, diferir a execução duma coisa, demorar, adiar; alongar; pairar; deixar para mais tarde, dilatar. — *v. intr.* atrasar, ir para trás, não estar corrente. — *v. r.* atrasar-se, ficar para trás nos estudos, na riqueza, etc.

retraso. *m.* atraso, demora, adiamento, alongamento; delonga, atrasamento; detença, entorpecimento: *con retraso,* alongadamente; *retraso mental,* atardado mental.

retratable. *adj.* retratável. V. **retractable.**

retratar. *v. tr.* retratar, tirar o retrato a, fotografar; fazer a pintura de; (fig.) representar ou descrever com exactidão; manifestar; revelar; imitar; assemelhar-se.

retratista. *s.* retratista, pessoa que faz retratos, fotógrafo; retratador.

retrato. *m.* retrato, pintura ou efígie; descrição, modelo, cópia; fotografia; (fig.) retrato, o que se assemelha muito a uma pessoa ou coisa.

retrayente. *p. a.* de *retraer* e *s.* que retrai; (for.) V. retracto.

retrechar. *v. intr.* retroceder, recuar (diz-se do cavalo).

retrechería. *f.* (fam.) astúcia, manha, velhacaria para não confessar a verdade; lábia, afectação para captar a benevolência.

retrechero, ra. *adj.* e *s.* (fam.) refalsado, astuto, velhaco; afectado, requebrado; atraente, que tem muitos atractivos.

retreparse. *v. r.* deitar ou inclinar o corpo para trás; recostar-se numa cadeira, em forma que esta se incline também para trás.

retreta. *f.* (mil.) toque militar de recolher; festa nocturna, desfile de tropa com faróis e música.

retrete. *m.* retrete, lugar reservado e secreto; latrina, deje(c)tório, privada, cloaca; sentina; (fig.) entretela de vestido: *ir al retrete*, dar de corpo.

retribución. *f.* retribuição, salário; recompensa ou pagamento duma coisa; paga; emolumento; galardão; remuneração; prémio.

retribuir. *v. tr.* retribuir, recompensar, premiar, pagar, gratificar; corresponder com; mostrar-se agradecido por; galadoar; *conj. irr.* como *huir*.

retributivo, va. *adj.* diz-se do que tem virtude de retribuir.

retroactividad. *f.* retroa(c)tividade.

retroactivo, va. *adj.* retroa(c)tivo, que tem efeito sobre factos passados; que modifica o que já estava feito.

retroceder. *v. intr.* retroceder, recuar, voltar para trás; retirar-se; (fig.) desandar; decair; ceder, não continuar no intento; arrepiar; atrasar; retrogradar; desandar; (for.) retroceder, ceder a outrem um direito, fazer retrocessão de.

retrocesión. *f.* retrocessão, retrocesso, recuo; (for.) acto pelo qual se cede um direito obtido por cessão em favor doutrem, retrocessão.

retroceso. *m.* retrocesso; regresso ao estado anterior; atraso; (fig.) decadência; fossilismo; arreto, arretadura; (med.) recrudescimento duma doença; (mil.) recuo, couce do canhão ou da espingarda.

retrogradación. *f.* (astr.) retrogradação.

retrogradar. *v. intr.* retroceder; (ast.) retrogradar; andar para trás; recuar; (fig.) caminhar em sentido inverso do progresso.

retrógrado, da. *adj.* e *s.* retrógrado, que retrograda; atrasador; (pol.) retrógrado, partidário das instituições políticas de tempos passados; fossilista; contrário ao progresso.

retronar. *v. intr.* retroar, retumbar, produzir estrondo.

retrospectivo, va. *adj.* retrospe(c)tivo, voltar ao passado; relativo a coisas passadas.

retrotacción. *f.* (for.) retrotra(c)ção.

retrotraer. *v. tr.* retrotrair, fingir, para efeitos legais, que uma coisa sucedeu em tempo anterior. — *conj. irr.* como *traer*.

retrovendendo (contrato de). *m.* (for.) retrovendição, acção de retrovender, retrovendendo.

retrovender. *v. tr.* (for.) retrovender, tornar a vender a quem vendera; vender a retro

retroventa. *f.* (for.) retrovendição, acto de retrovenda.

retroversión. *f.* (med.) retroversão.

retrucar. *v. intr.* repicar, fazer repique ou retruque. diz-se da bola de bilhar; retrucar, replicar, redarguir.

retruco. *m.* retruque.

retruécano. *m.* jogo de palavras, inversão de termos, trocadilhos, equívoco: *decir retruécanos*, falar por abanicos.

retrueque. *m.* retruque, repique no jogo do bilhar.

retuerta. *f.* torcicolo, volta tortuosa dos caminhos ou rios quando encontram obstáculos.

retuerto, ta. *p. p.* irreg. de *retorcer* e *adj.* retorcido.

retumbante. *p. a.* de *retumbar* e *adj.* retumbante, que retumba; (fig.) pomposo, ostentoso, altissonante.

retumbar. *v. intr.* retumbar, estrondear, ecoar, estrondar.

retumbo. *m.* retumbo   repercussão do som.

reuma. *amb.* reumatismo, corrimento, fluxo de humores; reuma.

reumatalgia. *f.* (pat.) reumatalgia.

reumático, ca. *adj.* e *s.* reumático, que sofre de reumatismo; reumático, relativo ao reumatismo.

reumátide. *f.* (med.) dermatose reumática.

reumatismo. *m.* (med.) reumatismo.

reunión. *f.* reunião, ajuntamento de pessoas, agrupamento; aproximação de partes desunidas; fusão; adunação; congresso; entrevista; consílio; ajunta; senáculo; aglomeração; englobamento; colecção.

reunir. *v. tr.* reunir, voltar a unir; reunir, conjugar, juntar, agrupar, conjuntar, congregar; adunar; arrecadar; aglomerar; ajuntar; incluir; incorporar; agremiar; (fig.) entesoirar; arrebanhar; encorporar; coligir; convocar; fusionar; amalocar. — *v. r.* reunir-se; incorporar-se; entroncar-se; arranchar-se; avistar-se: *reunir conocimientos*, beber conhecimentos.

revacunación. *f.* revacinação.

revacunar. *v. t.* revacinar, tornar a vacinar.

revalenta. *f.* revalenta.

reválida. *f.* aprovação numa faculdade perante tribunal superior: *examen de reválida*, exame de madureza.

revalidador, ra. *adj.* revalidador, que revalida.

revalidar. *v. tr.* revalidar, validar novamente; confirmar; ratificar; dar mais força. — *v. r.* tomar o grau numa faculdade.

revalorar. *v. tr.* valorar de novo, revalorizar, valorizar de novo.

revalorización. *f.* revalorização, acto de revalorizar a moeda.

revalorizar. *v. tr.* revalorizar, valorizar de novo.

revancha. *f.* (gal.) desforra. V. **desquite, venganza** e **represalia.**

revelación. *f.* revelação; denúncia, confidência, manifestação; prova; (fig.) inspiração; conhecimento súbito; (rel.) Revelação; descoberta; descobertura; desencerramento, dete(c)ção; dessegre(ê)do.

revelado. *m.* (fot.) revelado, operações necessárias para revelar uma matriz fotográfica.

revelador, ra. *adj.* revelador, que revela.— (fot.) revelador, líquido que faz aparecer as imagens nas matrizes fotográficas.

revelamiento. *m.* revelação. V. **revelación.**

revelar. *v. tr.* revelar, descobrir ou manifestar o que era desconhecido e secreto, manifestar, declarar, demonstrar, descobrir; desvelar; descortinar; indicar; exprimir; dete(c)tar; demonstrar; declarar; denunciar, desencachar, desencaixar; desencantoar; expor; (fig.) desencapotar; desenfardar; dessepultar; desvendar; detectar; (fot.) revelar, fazer aparecer a imagen sobre a imagen fotográfica; (rel.) revelar, fazer conhecer pela revelação divina.—*v. r.* revelar-se, manifestar-se; descobrir-se.

reveler. *v. tr.* (med.) revelir, fazer derivar uma doença dum órgão para outro menos importante.

revellín. *m.* (fort.) revelim, obra exterior para defesa das fortificações; revelim, saliência nos fogões de sala.

revenar. *v. intr.* renovar, rebentar, deitar rebentos novos na parte podada das árvores.

revendedor, ra. *adj.* e *s.* revendedor, que revende; especulador.

revender. *v. tr.* revender, vender o que se tinha comprado para negócio; tornar a vender; vender por miúdo o que se comprou por atacado.

revenimiento. *m.* volta, retrocesso; consumição; azedamento; (min.) derrocada ou desabamento parcial numa mina.

revenir. *v. intr.* retornar, reverter, voltar ao estado natural. — *v. r.* definhar-se, consumir-se; ressumar, lançar fora a humidade; desandar (uma massa); azedar-se; (diz-se das conservas); (fig.) submeter-se, ceder. — *conj. irr.* como *venir.*

reventa. *f.* revenda, revendição.

reventadero. *m.* aspereza dum terreno de trânsito difícil; (fig.) trabalho árduo e penoso.

reventador. *m.* (fam.) pessoa que vai ao teatro só para demonstrar desagrado ou patear.

reventar. *v. intr.* rebentar, arrebentar, estalar, despedaçar-se; inutilizar; desfazer-se em espuma as ondas do mar; abrir-se pelo impulso duma força interior; rebentar, brotar, nascer com força, sair com ímpeto; (fig.) rebentar por, ter desejo violento duma coisa; desejar com ardor; trabalhar com afinco, fatigar-se por excesso de trabalho; eclodir, explodir; estoi-

rar; estralar.— *v. tr.* rebentar um cavalo por excesso de corridas; violentar uma paixão; (fig.) molestar; (pop.) seringar; (fam.) morrer violentamente.— *conj. irr.* como *acertar.*

reventón. *adj.* diz-se de certas coisas que parecem que vão rebentar.— *m.* arrebentamento, arrebentão, acção e efeito de arrebentar uma coisa; (fig.) dificuldade ou aperto grave; rebentão, ladeira muito íngreme, quebrada, resvaladeiro; aperto grave; circunstância difícil; canseira, fadiga, trabalho fatigante, esforço.

reverberación. *f.* reverberação, reflexão de luz ou calor.

reverberador, ra. *s.* reverberador; reverberatório.

reverberar. *v. intr.* reverberar, resplandecer, brilhar; refle(c)tir-se a luz dum corpo noutro polido.

reverbero. *m.* reverberação; revérbero; reflexo; revérbero, lâmina ou espelho que reflecte a luz; (Amér.) lâmpada de álcool.

reverdecer. *v. intr.* reverdecer, tornar verde, cobrir de verdura; reverdecer, tomar novo vigor; remoçar, rejuvenescer. — *conj. irr.* como *crecer.*

reverdecimiento. *m.* enverdecimento; fortificação; (fig.) rejuvenescimento.

reverencia. *f.* reverência, respeito, veneração, cortesia; devoção; reverência, mesura, inclinação do corpo em sinal de respeito, acatamento; respeito; reverência, tratamento que se dá aos religiosos condecorados: *con reverencia,* con licença ou permissão de alguém.

reverenciable. *adj.* digno de reverência; venerável, respeitável.

reverenciador, ra. *adj.* reverenciador, que reverência; reverencioso, ceremonioso.

reverenciar. *adj.* reverencial.

reverencial. *v. tr.* reverenciar, tratar com reverência; venerar; adorar; respeitar acatar; fazer reverência a; mesurar.

reverendas. *f. pl.* reverendas, documento em que um bispo concede a um seu diocesano ordenar-se noutra diocese; qualidades que recomendam a estima e consideração.

reverendísimo, ma. *adj.* superl. de *reverendo,* reverendíssimo. — *m.* reverendíssimo, título honorífico que se dá aos sacerdotes.

reverendo, da. *adj.* reverendo, digno de reverência; reverendo, título que se dá aos eclesiásticos; (fam.) circunspecto.

reversibilidad. *f.* reversibilidade.

reversible. *adj.* reversível, reversivo, revertível.

reversión. *f.* reversão, regresso ao estado anterior; tornada.

reverso. *m.* reverso (de moedas ou medalhas). V. **revés;** costas; reverso, lado oposto ao principal; enve(ê)sso, verso duma página ou folha. — *adj.* reverso, que está situado na parte oposta ou posterior; revirado: *el reverso de la medalla,* o reverso da medalha.

reverter. *v. intr.* trasbordar, transbordar, extravasar, derramar-se. — *conj. irr.* como *verter.*

revertir. *v. intr.* (for.) reverter, voltar uma coisa à posse do seu antigo dono. — *conj. irr.* como *vertir.*

revés. *m.* revés, reverso; costas; revés, pancada com as costa da mão; (fig.) revés, desgraça, infortúnio, desastre, contrariedade, contratempo; inconstância, mudança de trato; (esgr.) revés, golpe de espada da direita para a esquerda.

revesa. *f.* (mar.) revessa, corrente derivada da principal e em sentido oposto; (germ.) arte ou astúcia do que engana outro.

revesado, da. *p. p. de revesar* e *adj.* reve(ê)sso, intrincado; difícil de compreender; (fig.) travesso, indócil, endiabrado; difícil.

revesar. *v. tr.* arrevessar, vomitar o conteúdo do estômago.

revesar. *v. tr.* revessar; tomar direcções diferentes o mar, o vento.

revestido, da. *p. p. de revestir* e *adj.* revestido, emplastrado. — *m.* revestimento.

revestimiento. *m.* revestimento; capa com que se cobre ou adorna uma superfície; cobertura; emplastramento; forro.

revestir. *v. tr.* revestir, vestir uma roupa sobre outra; revestir, cobrir com um revestimento; (fig.) revestir, cobrir de galas poéticas; revestir, dar aparência de, disfarçar, dissimular; revestir, diz-se de ordinário do sacerdote que se reveste para celebrar. — *v. r.* (fig.) imbuir-se, possuir-se, penetrar-se; desvanecer-se; adornar-se; armar-se; munir-se; reproduzir as qualidades de, imitar. — *conj. irr.* como *vestir.*

reveza. *f.* (mar.) V. *revesa.*

revezar. *v. intr.* revezar, mudar, substituir alternadamente, reocupar.

revezo. *m,* revezamento, acção de revezar; alternativa; substituição; reve(ê)zo, coisa difícil, escabrosa; parelha de animais para revezar os que trabalham.

reviejo, ja. *adj.* revelho, muito velho, macróbio; decrépito. — *m.* ramo seco e inútil de árvore.

revindicación. *f.* (barb.) V. **reivindicación.**

revindicar. *v. tr.* (barb.) V. **reivindicar.**

revirar. *v. tr.* revirar, torcer. — *v. intr.* revirar, torcer; (mar.) revirar, virar de bordo, tomar outro rumo. — *v. r.* (fam.) rebelar-se; revoltar-se.

revisación. *f.* (Amér.) revisão, acção de rever.

revisada. *f.* (Amér.) revisão, acção de rever.

revisador, ra. *adj.* revisor, que revê.

revisar. *v. tr.* rever, revisar, visar novamente; examinar de novo; ouvir novamente.

revisión. *f.* revisão, acção de rever, novo exame; nova, leitura; revisão, funções de revisor; exame e emenda de provas litográficas; revisão; revisão, nova análise duma lei, decreto, processo, etc.

revista. *f.* revista, nova verificação.

revisor, ra. *adj.* e *s.* revisor, verificador, que revê ou verifica; revisor, o que tem o ofício de rever; revisor, empregado que tem a seu cargo conferir o bilhetes de passagem em veículos, caminhos de ferro, etc.

revisoría. *f.* emprego de revisor, revisoria.

revisorio, ria. *adj.* revisório, relativo a revisão.

revista. *f.* revista, inspecção exacta; exame minucioso; crítica; revista, inspecção de tropas em formatura; revista, publicação periódica; magazim; revista, peça cómica, espectáculo teatral; (for.) revista, revisão dum processo.

revistar. *v. tr.* revistar, inspe(c)cionar; revistar, passar revista; rever, examinar; passar revista; rever, examinar; passar busca; (for.) revistar, rever um processo; (mil.) revistar, passar revista.

revistero, ra. *s.* revisteiro, escritor de revista; crítico de obras literárias para os jornais.

revivificación. *f.* revivificação. (electr.) recuperação, regeneração.

revivificar. *v. tr.* revivificar, tornar a vivificar, reavivar; (fig.) reanimar, despertar.

revivir. *v. intr.* reviver, ressuscitar, tornar à vida; reanimar-se; (fig.) renovar-se.

revocabilidad. *f.* revogabilidade.

revocable. *adj.* revogável, que se pode ou deve revogar; revocável.

revocación. *f.* revogação, revocação; anulação; invalidação, cessação de algum acto.

revocador, ra. *adj.* e *m.* revogador, que revoga. — *m.* rebocador, trolha que reboca.

revocadura. *f.* rebocadura; reboque, acção de rebocar; embo(ô)ço, emboçamento; (pint.) porção de tela oculta pelo quadro ou caixilho.

revocar. *v. tr.* revogar, anular, desfazer, invalidar; derrogar; anular, abolir; dissuadir, apartar; rebocar uma parede; retroceder, emplastrar; acafelar; (for.) infirmar.

revocatorio, ria. *adj.* revogatório; diz-se do que anula.

revoco. *m.* revogação acção e efeito de revogar ou anular; cobertura de giestas nos sacos de carvão; rebo(ô)co, argamassa para cobrir paredes, emplastramento, emplastração; encasque.

revolar. *v. intr.* revoar, tornar a voar, esvoaçar; (pop.) saltar pela janela ou pelo telhado para fugir; voejar, volitar, esvoaçar. V. **revolotear.**

revolcadero. *m.* espojadouro, espojadoiro, lugar onde habitualmente se espojam os animais.

revolcar. *v. tr.* derrubar, maltratar; revolver, virando; rebolear, fazer rebolar; (fig. e fam.) vencer o adversário numa controvérsia; reprovar num exame. — *v. r.* espojar-se, rebolear-se; (fig.) teimar numa ideia, obstinar-se. — *conj. irr.* como *volcar.*

revolotear. *v. intr.* revolutear, revoltear; esvoaçar, voejar. — *v. tr.* rebolar, atirar ao alto, fezendo dar voltas; vir uma coisa pelo ar dando voltas.

revoloteo. *m*. revoada, revoa, movimento que a ave descreve com as asas.

revoltijo, illo. *m*. confusão, embrulhada, enredo, amontoamento; montão de coisas sem ordem nem métodos; trança, rolo de tripas de carneiro; (fig.) enredo, embrulhada, confusão; (Amér.) espécie de guisado.

revoltón. *adj*. diz-se da lagarta das vinhas. — *m*. abóbada do tecto dum quarto; lugar em que uma moldura segue outra direcção.

revoltoso, sa. *adj*. revoltoso, revoltado, sublevado, insurrecto. — *s*. enredador; trave(ê)sso, inquieto; intrincado, revolvido, revo(ô)lto; traquinas, turbulento.

revolución. *f*. revolução, revolvimento, acção de revolver ou revolver-se; revolução, sedição, mudança violenta do Estado ou Governo; revolução, mudança, remodelação no estado e governo das coisas; convulsão, comoção; alboroto, tumulto, revolução; (astr.) revolução; (mec.) revolução, giro, volta das peças sobre os seus eixos; (mat.) circunvolução; (Bras.) mandiola.

revolucionar. *v. tr*. revolucionar, sublevar, amotinar, insurreccionar; revoltar; revolucionar, alterar a ordem; revolucionar, produzir alterção nas ideias, convulsionar, convulsar. — *v. r*. revolucionar-se, sublevar-se; agitar-se moralmente.

revolucionario, ria. *adj*. e *s*. revolucionário, relativo à revolução; agitador, inquietador; inovador; revoltoso, partidário da revolução; desordeiro; revolucionário; (fig.) convulsivo: *intentona revolucionaria*, (pop.) bernarda.

revolvedero. *m*. espojadouro, espojadoiro.

revólver. *m*. revólver, espécie de pistola.

revolver. *v. tr*. revolver, agitar, remexer, misturar, mexer, volver dum lado para outro; confundir, desordenar; voltear sobre si mesmo; volver, voltar a face ao inimigo para o combater; revolver, ver, investigar, examinar minuciosamente, esquadrinhar; revolver, causar distúrbio, desordem; revolver, desandar o caminho andado; revolver, meditar muito, considerar muitas vezes; emaranhar, embaralhar. — *v. r*. revolver-se, mover-se dum lado para outro; revolver-se, remexer-se; embrulhar-se, turvar-se, mudar-se o tempo; (astr.) revolver-se, girar um astro; (mar.) revolver-se, agitar-se o mar: *revolver Roma con Santiago*, (fam.) mexer céu e terra; voltar de baixo para cima, deitar barro à parede. — *conj. irr*. como *volver*.

revolvimiento. *m*. revolvimento, revolução, agitaçãc.

revoque. *m*. rebo(ô)co, reboque, rebocadura; argamassa de gesso, cal ou areia para rebocar, acafeladura, emboço.

revotarse. *v. r*. votar ao contrário do que se votara antes.

revuelco. *m*. espojadura, acção de rebolar pelo chão, de espojar-se.

revuelo. *m*. revo(ô)o, segundo voo das aves; (fig.) turbação, agitação, movimento confuso dalgumas coisas; perturbação: *de revuelo*, ràpidamente, prontamente, como em voo, de caminho.

revuelta. *f*. revolta, alvoroto, sedição, revolução, sublevação; insurreição, desordem, bernarda, rixa; pendência; desordem, mudança, desavença, briga; volta, ponto em que uma coisa muda de direcção; mudança dum estado para outro; (Bras.) mandiola: *incitar a la revuelta*, anarquizar; *pescar en aguas revueltas*, (fam.) pescar em água revolta.

revuelto, ta. *p. p. irreg*. de *revolver. adj*. revo(ô)lto, revolvido, revoltoso; diz-se do cavalo que se vira em pouco terreno; travesso, inquieto, traquinas; difícil de entender, intrincado, revessado; (Bras.) ababelado. — *m*. (agr.) mergulhão, vara que se deixa na vide para criar rebentões.

revulsión. *f*. (med.) revulsão, derivação, revolução.

revulsivo, va. *adj*. (med.) revulsivo, que produz revulsão, derivativo. — *m*. (med.) revulsivo.

revulsorio, ria. *adj*. revulsório, revulsivo, V. **revulsivo.**

rey. *m*. rei, monarca; príncipe reinante; rei, peça do jogo do xadrez; rei, figura das cartas de jogar; abelha-mestra; (fig.) guardador de uma manada de porcos; director de baile ou espectáculo; o que sobressai na sua classe.

reyerta. *f*. rixa, contenda, briga, alteração.

rezado, da. *p. p*. de *rezar* e *adj*. rezado, orado. — *m*. reza, oração; ofício eclesiástico.

rezador, ra. *adj*. e *s*. rezador, que reza muito.

rezaga. *f*. retaguarda.

rezagado, da. *adj*. e *s*. o que fica para trás; atrasado, diferido, retardado: *quedar rezagado*, ficar para trás.

rezagar. *v. tr*. deixar para trás uma coisa; atrasar, diferir, retardar, protelar, suspender, a execução duma coisa; adiar. — *v. r*. atrasar-se, ficar para trás.

rezago. *m*. resto ou resíduo dalguma coisa; atraso.

rezandero, ra. *adj*. e *s*. V. **rezador.**

rezar. *v. tr*. rezar, orar, dizer orações; (fig.) resmungar; mencionar, referir, rezar constar num escrito. — *v. intr*. murmurar, rezar, resmungar: *rezar con uno*, concernir alguém; *el artículo reza así*, reza assim o artigo.

rezo. *m*. reza, oração; rezo, ofício, eclesiástico; o ofício próprio de cada festividade religiosa, reza.

rezón. *m*. fateixa, âncora pequena de quatro braços.

rezondrar. *v. intr*. injuriar, insultar, ofender.

rezongador, ra. *adj*. e *s*. resmungão, rezingao, rezingueiro, resmungador; (Bras.) resmelengo.

rezongar. *v. intr*. resmungar, rezingar, respingar, recalcitrar.

rezumadero. *m.* lugar onde ressumbra alguma coisa; líquido que ressuma; lugar em que este se junta.

rezumar. *v. tr.* ressumbrar, ressumar, ressudar, verter, gotejar; coar-se. — *v. intr.* sair um líquido gota a gota, através de poros, gotejar, destilar. — *v. r.* (fig. e fam.) mostrar-se, transparentar-se, descubrir-se, manifestar-se, patentear-se alguma coisa.

rezumbador. *m.* espécie de pião que zumba ao girar.

rho. *f.* ró, letra do alfabeto grego correspondente à letra **r** do alfabeto espanhol.

¡riá! *interj.* empregada para guiar as cavalgaduras para esquerda.

ria. *f.* ria, esteiro ou braço de rio; foz.

riacho. *m.* riacho, ribeira, regato, ribeiro, rio pequeno e de pouca água.

riachuelo. *m.* V. **riacho.**

riada. *f.* cheia, enchente, inundação.

riba. *f.* V. **ribazo.**

ribaldería. *f.* ribaldaria, velhacaria, patifaria, ribaldia. tratantada.

ribaldo, da. *adj.* ribaldo, patife, tratante, biltre, velhaco; rufião.

ribazo. *m.* outeiro; riba, encosta, ribanceira, fundega.

ribera. *f.* ribeira, riba, margem do mar ou rio; terras próximas do rio; beira: *ser de monte y ribera,* (pop.) ser pau para toda a obra, servir para tudo.

riberano, na. *adj.* V. **ribereño.**

ribereño, ña. *adj. e s.* ribeirinho, marginal; relativo à ribeira ou próprio dela; ribeirinho, que mora à borda d'água, na margem dum rio.

riberiego, ga. *adj. e s.* diz-se do gado que não é transumante ou que não muda de pasto; diz-se dos donos deste género de gado.

ribero. *m.* tapume, valado feito com estacaria, cascalho, etc. na margem das presas para conter a água; lugar onde se embarcam as madeiras que vão para os estaleiros.

ribesiáceo, a. *adj.* (bot.) ribestáceo. — *f. pl.* ribestáceas.

ribete. *m.* ribete, debrum, orla, cairel; aumento, acréscimo; (fig.) comentário que se acrescenta numa conversa; pilhéria, graça na conversação, dito engraçado. — *pl.* (fig.) assomo, indício.

ribeteado, da. *p. p.* de *ribetear* e *adj.* rebruado; (fig.) diz-se dos olhos, quando as pálpebras, estão irritadas.

ribeteador, ra. *adj.* debruador. — *f.* debruadeira, mulher cujo ofício é debruar o calçado.

ribetear. *v. tr.* debruar, orlar, cairelar, acairelar.

ricacho, cha. *adj. e s.* (fam.) pessoa rica mas de trato vulgar; ricaço; afazendado; (pop.) chineiro; bichaço.

ricachón, na. *adj. e s.* V. **ricacho.**

ricadueña. *f.* rica-dona, filha ou mulher do rico-homem.

ricahembra. *f.* rica-dona. V. **ricadueña.**

ricino. *m.* (bot.) rícino, palmacristi; (zool.) rícino, insecto vulgarmente chamado piolho das aves.

ricio. *m.* campo que se semeia aproveitando as espigas que ficaram por ceifar.

rico, ca. *adj. e s.* nobre, de alta linhagem, rico, opulento; rico, fértil; rico, belo, excelente; rico, saboroso, delicioso; magnífico, esplêndido; valioso; precioso, agradável; rico, querido; feliz; rico, produtivo; bom, contente; afazendado; macota; exuberante; facultoso; (fig.) empolado; (Bras.) lordaço.

ricohombre. *m.* rico-homem, da primeira nobreza; grande do reino.

rictus. *m.* (med.) ricto, vinco dos lábios ou da face; contracção.

ricura. *f.* (fam.) riqueza, qualidade de rico, de saboroso, de bom.

ridiculez. *f.* ridicularia, acto ou dito ridículo; extremada delicadeza de génio ou de natural inclinação; bagatela, coisa insignificante; extravagância; inelegância; (fig.) entrudada, entremezada; achincalha, achincalhação; estroinice; farçada; excentricidade: *hacer ridiculeces,* dar-se ao desfrute.

ridiculizar. *v. tr.* ridiculizar, ridiculiarizar; chacotear, troçar dos defeitos dalguma pessoa ou coisa; apodar, chincalhar, achincalhar; apalhaçar; chufar; empandeirar; arremedar; derriçar; ludibriar; (vulg.) apepinar; (Bras.) espinafrar.

ridículo, la. *adj.* ridículo, que desperta riso ou escárnio; insignificante, irrisório; de pouco apreço ou estimação; inelegante; extravagante; derrisório; estrambótico, excêntrico; apalhaçado; lúdrico; (fig.) estrafalário; (pop.) macaco; (Bras.) papelão. — *m.* situação, ridícula; (vulg.) apepinação; bolsa de mão das senhoras.

riego. *m.* rega, regadura; água para regar.

riel. *m.* barra de metal, em bruto; trilho, carril de estrada de ferro.

rielar. *v. intr.* (poet.) tremeluzir, resplandecer, brilhar como prata ou com luz trémula, bruxulear.

rielera. *f.* lingoteira, molde para fazer barras de metal ou carris.

rienda. *f.* rédea, correia para governar as cavalgadura; (fig.) rédea, freio, moderação, sujeição, prudência. — *pl.* (fig.) rédeas, governo, direcção: *a rienda suelta,* desembestadamente; *dar rienda suelta,* dar livre curso; *soltar la rienda* (fig.) desenfrear-se; *tomar las riendas,* dirigir, governar.

riesgo. *m.* risco, azar, perigo; contingência; aventura; fortuna; (fig.) despenhadeiro: *exponer a alguien a un riesgo,* pôr alguém num risco de; *correr riesgo,* aventurar-se; *sin riesgo,* sem perigo.

riesgoso, sa. *adj.* (Amér.) perigoso, arriscado, aventuroso.

rifa. *f.* rifa, sorteio ou lotaria; contenda, pendência; rixa, disputa.

rifar. *v. tr.* rifar, sortear por meio de rifa. — *v. intr.* zangar-se, inimizar-se. — *v. r.*

(mar.) romper-se, descoser-se uma vela ou bandeira.

rifle. *m.* rifle, espingarda curta, raiada, de procedência americana.

rifiero. *m.* soldado armado de rifle.

rigente. *adj.* (poét.) rígido.

rigidez. *f.* rigidez; austeridade, aspereza, inflexibilidade, incomplacência; entesadura; estreitamento; ere(c)ção; inductilidade; severidade; rigidez, tensão do colo do útero.

rígido, da. *adj.* rígido, inflexível; rígido, te(ê)so, hirto; rígido, rijo, forte; (fig.) rígido, severo, austero rigoroso; áspero; indúctil; inclemente; ere(c)to; endurecido; teso; entesado, duro; exigente; incomplacente; engaravitado (pelo frio): *poner rígido*, entesar, atesar; *ponerse rígido*, encaroçar; (fig.) engravitar-se.

rigodón. *m.* rigodão, certa contradança.

rigor. *m.* rigor, dureza, severidade, inflexibilidade, intransigência, crueldade, força; exa(c)tidão, pontualidade; auge de frio ou de calor; rigor, rigidez, aspereza de génio ou de trato; rigor, último termo a que podem chegar as coisas; rigor, precisão, propriedade; despeito; ape(ê)rto; (fig.) acerbidade: *ser de rigor*, ser indispensável, obrigatório; *el rigor de la regla*, a estreiteza da regra; *en rigor*, em rigor; rigorosamente; *de rigor*, de rigor, indispensável.

rigorismo. *m.* rigorismo, demasiado rigor; severidade excessiva; moral severa.

rigorista. *adj.* e *s.* rigorista, extremamente severo.

rigoroso, sa. adj. V. **riguroso.**

rigurosidad. *f.* rigorosidade, rigor.

riguroso, sa. *adj.* rigoroso; rigoroso, áspero, cruel, desumano, muito severo, rude; rigoroso, duro, difícil de suportar; implacável; rígido; exa(c)to; preciso, rigoroso; escrupuloso; exigente; desgrenhado; excessivamente austero; literal, recto, exacto; incomplacente; estreito; impreterível; inadiável; apertado: *orden rigurosa*, ordem apertada; *dar órdenes rigurosas*, apertas as ordens; *cuentas rigurosas*, contas estreitas.

rija. *f.* (med.) fístula no canto do oiho.

rijo. *m.* sensualidade, volúpia.

rijoso, sa. *adj.* rixoso, brigão, bulhento, desordeiro; luxurioso, lúbrico, sensual; voluptuoso; saído, que anda com o cio (animais)) rinchão (diz-se do cavalo).

rilar. *v. intr.* tremer, tiritar. — *v. r.* estremecer, tremer de frio.

rima. *f.* rima, consonância; rimas, versos.

rima. *f.* montão, rima, pilha. V. **rimero.**

rimador, ra. *adj.* e *s.* rimador, que faz rima; versejador.

rimar. *v. intr.* rimar, formar rima; pôr em versos rimados. — *v. tr.* rimar, consoar, tornar consonantes os versos.

rimbombancia. *f.* retumbância, qualidade do que é retumbante.

rimbombante. *p. a.* e *adj.* ribombante, retumbante; (fig.) ostentoso, estrondeante; berrante.

rimbombar. *v. intr.* retumbar, ribombar, ressoar, estrondear, fazer eco.

rimero. *m.* montão, rima, pilha, porção de coisas colocadas uma sobre as outras; ruma.

rinalgia. *f.* (pat.) rinalgia.

rincón. *m.* rincão, canto, ângulo; esconderijo, canto, lugar retirado ou afastado; espaço pequeno; casa, domicílio, habitação particular; canto, cantinho, recanto; (fig.) restos que ficam em lugar fora da vista.

rinconada. *f.* esquina das casas; ângulo das estradas.

rinconera. *f.* cantoneira, mesinha que se coloca num canto; (arq.) lanço, parte duma parede entre a fachada e abertura mais próxima.

ringlera. *f.* fileira, fila, enfiada, série de coisas em linha.

ringlero. *m.* pauta, cada uma das linhas do papel pautado onde aprendem a escrever as crianças.

ringlete. *m.* (Amér.) V. **rehilete.**

rigletear. *v. intr.* (Amér.) V. **callejear.**

ringorrango. *m.* (fam.) traço de pena grande e inútil; (fig. e fam.) enfeite supérfluo e extravagante.

rínico, ca. *adj.* pertencente à rinite.

rinitis. *f.* (pat.) rinite.

rinoceronte. *m.* (zool.) rinoceronte.

rinoplastia. *f.* (cir.) rinoplastia.

rinoscopia. *f.* (med.) rinoscopia.

rinorragia. *f.* (med.) rinorragia.

riña. *f* rixa, contenda, briga, pendência, questão, disputa, desafio, barulhada, desavença, altercação; apuração, encontro; (fig.) baralha, estoirada; (Bras.) destranque; *riña de gallos*, desafio de galos; *riña entre novios*, arrufo de namorados.

riñón. *m.* (anat.) rim; (fig.) coração, interior ou centro dum terreno, lugar ou assunto. — *pl.* rins: *tener el riñón bien cubierto*, (fam.) estar rico; *costar un riñón*, (pop.) custar os dentes da boca; *tener riñones para hacer algo*, ter barbas para fazer alguma coisa.

riñonada. *f.* rilada, tecido adiposo que envolve os rins; rins, parte inferior da região lombar; rilada, guisado feito com rins.

río. *m.* rio; (fig.) grande quantidade, abundância dalguma coisa: *a río revuelto*, em confusão e desordem; *pescar en río revuelto*, (fam.) estar d'agacho; *río de elocuencia*, torrente de eloquência.

riolada. *f.* (fig.) enxurrada, enchente, afluência, concorrência de muitas coisas a um tempo; enchente de pessoas; rio, quantidade considerável duma coisa.

riostra. *f.* (arq.) aspia, perna, travessa de madeira colocada obliquamente numa armação para a segurar.

riostrar. *v. tr.* (arq.) firmar, segurar, colocando *riostras*.

ripiar. *v. tr.* ripar, pregar ripas.

ripio. *m.* resto, resíduo duma coisa; rípio, cascalho, rebo, pedra miúda para tapar buracos de paredes; rípio, palavra supérflua nos versos; palavreado, palavrório; frioleira; palhada: *no perder ripio*, (fig. e fam.) não perder pitada.

ripioso, sa. *adj.* vão, vazio, cheio de inutilidades, que tem muitos rípios.

riqueza. *f.* riqueza, abundância de bens; opulência; magnificência; fertilidade; (fig.) orígem de benefícios; fecundidade de ideias ou imagens; abundância e variedade de expressões; (fig.) ostentação; luxo; beleza de formas; fortuna; exuberância.

risa. *f.* riso, risada, acto ou efeito de rir; zombaria, escárnio; movimento suave de algunas coisas que causam gosto ou prazer; (fig.) chocalhada.

risada. *f.* rîsada, gargalhada. V. **risotada.**

riscal. *m.* terreno penhascoso, cheio de alcantis.

risco. *m.* penhasco alto e alcantilado; filhó, iguaria feita com pedaços de massa banhados em mel.

riscoso, sa. *adj.* penhascoso, alcantilado.

risibilidad. *f.* risibilidade, faculdade de rir.

risible. *adj.* risível, digno de riso; ridículo; digno de escárnio.

risica. *f.* dim. de *risa;* risadinha, risinho; riso falso.

riso. *m.* (poét.) riso agradável.

risotada. *f.* risada, gargalhada, riso estrepitoso, galhofa.

ríspido, da. *adj.* ríspido, áspero, severo, rude, desagradável ao ouvido; intratável.

rispión. *m.* restolho. V. **rastrojo.**

rispo, pa. *adj.* V. **ríspido.**

risquería. *f.* (Amér.) V. **riscal.**

ristolero, ra. *aåj.* risonho, alegre, cordial.

ristra. *f.* réstia de alhos ou cebolas; (fig. e fam.) série, enfiada, conjunto de certas coisas colocadas umas atrás das outras.

ristre. *m.* riste, peça de ferro em que se apoia o conto da lança.

ristrel. *m.* (arq.) listão, régua grossa de madeira.

risueño, ña. *adj.* risonho, que se ri fàcilmente; alegre, prazenteiro; (fig.) risonho, alacre, agradável, que causa alegria; próspero, favorável, promissor.

rítmica. *f.* rítmica.

ritmo. *m.* ritmo; metro, verso; (fig.) ritmo, ordem compassada na sucessão das coisas: *sin ritmo,* desacompassado.

rito. *m.* rito, culto, seita; costume, cerimó(ô)nia; rito, conjunto de regras para o culto. — *adj.* (ant.) recto, justo, legal; (Amér.) manta de tecido grosseiro.

ritual. *adj.* ritual, relativo a ritos. — *m.* ritual, conjunto de ritos duma religião; (fig.) etiqueta; cerimonial.

ritualidad. *f.* ritual, observância das formalidades prescritas, etiqueta.

ritualismo. *m.* ritualismo, seita protestante inglesa; (fig.) predomínio das formalidades nos actos oficiais.

ritualista. *adj.* e *s.* ritualista.

rival. *m.* e *f.* rival, competidor; antagonista; lutador, é(ê)mulo; contendedor, conten-

dente; adversário, contrário: *sin rival,* incomparável.

rivalidad. *f.* rivalidade, inimizade, desafio, emulação, contenção, antagonismo, luta; ciúme.

rivalizar. *v. intr.* rivalizar, competir, disputar, emular, antagonizar, igualar ou procurar igualar; aproximar-se de outro em mérito; entrar em competência; ter ciúmes de outro.

rivera. *f.* ribeiro, regato.

rizado, da. *p. p.* de *rizar* e *adj.* riçado; encrespado; arriçado; anelado. — *m.* acção e efeito de riçar; encrespadura, encanudado, pregas redondas feitas com ferro.

rizal. *adj.* V. **ricial.**

rizar. *v. tr.* riçar, frisar, ondear, tornar crespo, encaracolar, anelar o cabelo; encanudar a roupa a ferro; mover o vento o mar fazendo pequenas ondas. — *v. r.* encrespar-se, encaracolar-se o cabelo naturalmente; arrufar-se (diz-se da água).

rizo, za. *adj.* riço, crespo, ondeado, cacheado, encaracolado naturalmente; crespo (diz-se dum veludo áspero). — *m.* anel de cabelo; (mar.) rizes (pedaços de cabo): *hacer o rizar el rizo,* dar o avião uma volta completa no ar; *tomar rizos,* (mar.) colher os rizes, rizar, enrizar.

rizoso, sa. *adj.* encrespado, diz-se do cabelo ondulado.

rizostoma. *m.* (zool.) rizóstomo.

rizotomía. *f.* (cir.) rizotomia.

rizotónico, ca. *adj.* rizotó(ô)nico.

ro. *interj.* voz que se emprega para adormecer ou embalar crianças.

roa. *f.* (mar.) roda da proa. V. **roda.**

roano, na. *adj.* ruão, diz-se do cavalo de pêlo branco e pardo ou de pêlo branco com malhas escuras e redondas.

rob. *m.* (farm.) arro(ô)be, xarope de frutas.

robadizo, za. *adj.* diz-se do que se finge que foi roubado. — *m.* terra que absorve a água.

robador, ra. *adj.* e *s.* roubador, que rouba; ladrão.

robar. *v. tr.* roubar, apoderar-se do alheio; roubar, raptar, tirar violentamente ou com engano uma mulher da casa paterna; furtar de qualquer modo que seja; arrebatar, corroer, levarem os rios parte da terra por onde passam; tirar os favos do cortiço; descartar-se de cartas, tirando outras tantas do baralho; (fig.) roubar, encantar, atrair a si os afectos; arredondar uma ponta, chanfrar uma aresta; despojar; arrepanhar, bandolear; falcatruar; meter a mão; alimpar; desvalijar; depredar; (fig.) empalmar; (Bras.) afanar, gadunhar.

robda. *f.* tributo. V. **robla.**

robellón. *m.* (bot.) espécie de cogumelo comestível.

roberval. *m.* roberval, balança cujas alavancas estão colocadas por baixo dos pratos respectivos.

robín. *m.* ferrugem dos metais.

robladero, ra. *adj.* feito de forma que se possa rebicar.

robladura. *f.* rebite, dobradura.

roblar. *v. tr.* dobrar, rebitar.

roble. *m.* (bot.) roble, carvalho; (fig.) roble, pessoa ou coisa de grande resistência; (fig.) coisa dura.

robleda. *f.* V. **robledal**.

robledal. *m.* robledo, carvalhal.

robledo. *m.* robledo, mata de robles, carvalheira.

roblizo, za. *adj.* forte, duro, rijo.

roblón. *m.* rebite, espécie de cravo que serve para ligar por dobramento da ponta; lombo que fazem as telhas no cume do telhado.

robo. *m.* roubo, coisa roubada; roubo, acção de roubar; nalguns jogos, cartas que se tomam a mais; (fig.) infidelidade; empalmação; desencaminhamento; falcatrua; furtadela; depredação; (fig.) apanhaia; (Bras.) mamata, muamba, patota: *robo con fractura*, arrombamento; *robo a mano armada*, correria; *robo hábil*, fajardice.

robo. *m.* medida de sólidos que se empregou na província de Navarra, equivalente a meia fanga.

roboración. *f.* roboração.

roborar. *v. tr.* roborar, dar força, fortificar; (fig.) corroborar, confirmar, sustentar.

roborativo, va. *adj.* roborativo, que robora.

robra. *f.* alboroque, refeição dada quando se faz um contrato; luvas, o que se dá a título de presente, além do preço ajustado num contrato.

robrar. *m.* robledo, mata de robles ou carvalhos.

robustecedor, ra. *adj.* robustecedor, que robustece; fortificante; tónico.

robustecer. *v. tr.* robustecer, tornar robusto; fortalecer; avigorar; aumentar; corroborar; endurecer; fortificor, fornir; melhorar; avigorar. — *v. r.* avigorar-se, arrobustar-se. — *conj. irr.* como *crecer*.

robustecimiento. *m.* fortalecimento; avigoramento, fornimento.

robustez. *f.* robusteza: fo(ô)rça; vigor; fornimento, fortaleza; consistência.

robusto, ta. *adj.* robusto, forte, vigoroso, corpazudo, atlético, forçoso, arrobustado, fornido, membrudo; loução, avantajado; poderoso, firme; cheio de vida, vigoroso.

roca. *f.* roca, rocha, rochedo; rocha, penedo, penha, rochedo; (fig.) rocha, diz-se do que é muito duro, firme e constante; (geol.) rocha.

rocada. *f.* rocada, porção de linho, lã ou algodão que se enrola no bojo da roca.

rocadero. *m.* armação na parte superior da roca para segurar a rocada; carapuço que se põe nas rocas sobre a rocada; parte superior da roca onde se põe a rocada.

rocador. *m.* armação na roca. V. **rocadero**.

rocalla. *f.* rocalha, rocal, avelório de vidro; cascalho que se desprende das rochas pela

acção do tempo ou da água; lascas da pedra quando se corta; embrechado.

rocalloso, sa. *adj.* cascalhoso, que tem muito cascalho.

roce. *m.* roçadura, fricção, atrito leve; (fig.) familiaridade. — *pl.* atritos: *roce de los muslos al andar*, (vulg.) bimbalhada.

rociada. *f.* rociada, orvalhada; erva ainda com orvalho que se dá aos animais como remédio; afusão; (fig.) murmuração, mexerico; repreensão severa e ríspida: *rociada de balas*, chuveiro de balas.

rociadera. *f.* regador, vaso próprio para regar.

rociado, da. *p. p.* de *rociar* e *adj.* orvalhado, molhado pelo orvalho.

rociadura. *f.* rociada; asperges, aspergimento, aspersão; chapicada d'água.

rociamiento. *m.* rociada. V. **rociadura**.

rociar. *v. tr.* orvalhar, borrifar, aljofarrar, aljofrar; (fig.) atirar coisas de modo a caírem em forma de chuva; espargir, disseminar; aguar. — *v. intr.* rociar, cair orvalho.

rocín. *m.* rocim, cavalo pequeno e fraco, rocinante, pileca; cavalicoque, cavalo de trabalho; (fig. e fam.) homem rude e ignorante.

rocío. *m.* rocio, orvalho, aljofre; chuvinha, chuvisco; (fig.) borrifo, orvalho, gotas de água artificiosamente espalhadas para humedecer alguma coisa; suavidade, brandura que move, persuade ou deleita; (agr.) água que se junta à azeitona para espreme-la.

roción. *m.* salpicadura violenta duma vaga, produzida pelo choque contra um obstáculo.

rococó. *adj.* (arq.) rococó, diz-se do género de ornamentação, muito usado no século XVIII.

rocoso, sa. *adj.* rochoso, apenhascado; alpestre. V. **roqueño**.

rocha. *f.* roçadura, terreno roçado. V. **roza**.

rochar. *v. tr.* (Amér.) apanhar em flagrante.

rocho. *m.* ave fabulosa e gigantesca.

roda. *f.* (mar.) roda, peça grossa e curva da proa do navio; roda, direito que pagava o gado lanígero. V. **robla**.

rodada. *f.* relheira, sulco feito pelas rodas do carro; redeira, trilho.

rodadero, ra. *adj.* rodante. V. **rodadizo**.

rodadizo, za. *adj.* rodante, que roda com facilidade.

rodado, da. *p. p.* de *rodar* e *adj.* rodado, malhado (diz-se do pêlo do cavalo); fluente, diz-se do período, oração ou frase; (min.) rolado, arredondado (diz-se de pedras e seixos).

rodador, ra. *adj.* rodante, rodador, que roda ou cai rodando. — *m.* certo mosquito da América; boia que os pescadores p?em nas redes.

rodadura. *f.* rodagem, acto de rodar.

rodaja. *f.* rodela, peça circular e plana, de fruta, carne, etc.; roseta da espora; (fam.) carnosidade.

rodaje. *m.* rodagem, acto de rodar; rodagem, conjunto de rodas, rodado; imposto sobre carruagens; (cinem.) filmagem, acção de filmar ou de registar numa fita cinematográfica.

rodal. *m.* lugar ou espaço pequeno que se distingue do que o rodeia; carro de rodas sem raios: *rodal de retamas*, sítio de giestas, etc.

rodancha. *f.* rodela, disco. V. **rodaja.**

rodapelo. *m.* acto de passar a mão a pospelo. V. **redopelo.**

rodapié. *m.* rodapé, faixa de madeira ao fundo das paredes nas salas e noutros compartimentos, friso; rodapé, tábua das varandas para impedir que se vejam os pés das pessoas que a elas se chegam.

rodar. *v. intr.* rodar, mover-se em roda, girar, rolar, dar voltas em redor dum eixo; rolar, cair dando voltas; rodar, mover-se por meio de rodas; rodar, rolar, andar uma coisa pelo chão como abandonada; rodar, circular com abundância (como dinheiro, etc.); girar, andar em negocios ou pretensões, andar inùtilmente com pretensões; (fig.) rodar, suceder-se umas coisas a outras. — *v. tr.* (cinem.) filmar, projectar. — *conj. irr.* como *contar*.

rodeabrazo (a). *adv.* dando uma volta ao braço para atirar uma coisa com ele.

rodeador, ra. *adj.* rodeador, que rodeia.

rodear. *v. intr.* rodear, cercar, circundar; faixar, envolver, apertar, cingir, abarcar, circuir, circuitar; encurralar (ao inimigo). — *v. intr.* rodear, andar em redor, fazer círculos; (fig.) andar com rodeios.— *v. r.* cercar-se, chamar para junto de si: *rodearse de buenos colaboradores*, rodear-se de bons colaboradores; *rodearse de comodidades*, (fig.) estimar-se.

rodela. *f.* rodela, escudo pequeno usado antigamente pela infantaria; embraçadela; (Amér.) V. **rodaja.**

rodenal. *m.* pinheiral, mata de pinheiros vermelhos.

rodeno, na. *adj.* vermelho, diz-se de terras, rochas, etc. muito, porosas, V. **rojo.** *pino rodeno*, espécie de pinheiro de mediana altura, cuja madeira é a mais abundante em resina.

rodeo. *m.* rodeio, acção de rodear; rodeio, volta no caminho, desvio; rodeio, lugar de reunião do gado para contagem ou venda; (fig.) rodeio, subterfúgio, escusa, pretexto, forma indirecta de fazer alguma coisa; circunlóquios, evasivas, perífrase, subterfúgios; empalhação, dilação em negócio; contagem do gado por cabeça; encurralamento; (pop.) companhia de ladrões, de gatunos.

rodera. *f.* rodeira, sulco, trilho da roda do carro; rodeira, caminho próprio para carros; roda que encaixa no eixo, sem ter a respectiva chapa de protecção.

rodero, ra. *adj.* rodeiro, relativo a roda ou que serve para ela. — *m.* moço encarregado nas tipografias de mover as rodas das máquinas.

roderón. *m.* relheiro ou sulco muito profundo.

rodete. *m.* rolete, trança de cabelo enrolada no alto da cabeça; rodilha, rodete; rodízio, roda pequena que faz mover a roda do moinho ou qualquer outra máquina; roda, chapa de ferro nas fechaduras; rodilha, sogra, rolete de pano ou palha que se põe na cabeça para sobre ela assentarem pesos; roda horizontal do jogo dianteiro do carro; instrumento topográfico para medir as distâncias; (herald.) lambrequim, ornato que pende do elmo.

rodezno. *m.* rodízio de moinho; roda hidráulica; roda dentada da atafona.

rodil. *m.* prado entre terras de semeadura.

rodilla. *f.* (anat.) joelho, rótula; rodilha, esfregão; rodilha, pano grosseiro para limpar; estropalho: *hincarse de rodillas*, ajoelhar-se, arrodilhar-se.

rodillazo. *m.* joelhada, pancada dada com os joelhos.

rodillera. *f.* joelheira, cobertura do joelho; remendo no fato na parte correspondente aos joelhos; joelheira, deformação das calças feita pelos joelhos; joelheira, ferimento nos joelhos das cavalgaduras; embotadeira.

rodillero, ra. *adj.* joelheiro, relativo ao joelho. — *m.* espécie de caixote em que as lavadeiras se põem de joelhos para lavar no rio.

rodillo. *m.* rolão, madeiro cilíndrico sobre o qual se conduzem pesos; cilindro, rolo para comprimir e consolidar estradas, salga; (impr.) rolo para estender a tinta nas formas tipográficas.

rodilludo, da. *adj.* joelhudo, que tem joelhos grossos.

rodio. *m.* (min.) ródio.

rodo. *m.* rolão, rolo, V. **rodillo;** fralda de camisa de diferente tecido que o peitilho: *a rodo*, com abundância.

rodrejo, ja. *adj.* diz-se da fruta que não chega a amadurecer. — *f.* espécie de ameixa temporã.

rodriga. *f.* rodriga, empa.

rodrigar. *v. tr.* empar, encostar a vide aos tanchões, colocar empas ou rodrigas.

rodrigazón. *f.* época de colocar as empas ou rodrigas.

rodrigón. *m.* rodriga, empa, estaca, esteio; (fig. e fam.) criado, lacaio que acompanha a pé às senhoras.

roedor, ra. *adj.* roedor, que rói; (fig.) que comove ou agita o ânimo. — *m. pl.* (zool.) roedores.

roedura. *f.* roedura, acção de roer; sinal que fica na parte roída; porção que se corta roendo.

roel. *m.* (herald.) arruela, peça redonda na quarta parte do escudo; roel.

roela. *f.* arruela, disco de ouro ou prata em bruto.

roer. *v. tr.* roer, cortar ou triturar com os dentes; descarnar os ossos; (fig.) roer, consumir pouco a pouco, corroer, desgastar, gastar superficialmente uma coisa;

roer, inquietar, incomodar, molestar, atormentar interiormente; roer, murmurar; devorar; atacar.

rogación. f. ro(ô)go, rogativa, rogatória. — pl. rogações, ladainhas, preces públicas.

rogador, ra. adj. e s. rogador, que roga.

rogar. v. tr. rogar, suplicar, pedir por favor, instar com submissão; demandar, exortar; encarecer; pedir, interceder: hacerse de rogar, fazer-se rogar ou rogado, encarecer-se. — conj. irr. como contar.

rogativa. f. rogativa, rogo.

rogativo, va. adj. rogativo, que inclui rogo.

rogatorio, ria. adj. rogatório, que implica rogo. — m. rogatória, súplica, rogo.

rogo. m. (poét.) fogo, fogueira funerária; pira.

roído, da. p. p. de roer e adj. roído; (fig. e fam.) escasso, mesquinho, dado com mesquinhez; desgastado; (Bras.) bereré.

roal. adj. avermelhado., de cor avermelhada; diz-se das terras, plantas, etc. — m. terreno avermelhado.

rojeante. p. a. de rojear e adj. avermelhado, vermelhusco.

roear. v. intr. avermelhar, mostrar uma coisa a cor vermelha que tem; tirar à cor vermelha, avermelhar-se.

rojete. m. vermelhão, arrebique, espécie de cosmético.

rojez. f. vermelhidão, rubor; cor vermelha.

rojizo, za. adj. avermelhado, tirante a vermelho, vermelhaço.

rojo, ja. adj. vermelho, rubro; afogueado; encarnado, corado; loiro, ruivo, (diz-se do cabelo); (pol.) vermelho, radical, revolucionário: poner al rojo vivo, incandescer.

rojura. f. V. rojez.

rol. m. rol, catálogo, lista; (mar.) lista da marinhagem; (gal.) V. **papel, representación.**

rolar. v. intr. rolar, rodar, dar voltas; (mar.) dar voltas em círculo, rolar, rodar; (Amér.) relacionar-se, ter relações.

roldana. f. rodana, polé, moitão.

rolde. m. roda, agrupamento; redondel, círculo, roda de pessoas ou coisas em ordem.

rolla. f. rolo, entrançado de esparto, que segura as coleiras das cavalgaduras; (fam.) V. **niñera** e **rollona.**

rollar. v. tr. enrolar, pôr em rolos; passar o rolo de pedra para apisoar a terra.

rollizo, za. adj. roliço, robusto e grosso. — m. toro de madeira; pessoa gorda e robusta.

rollo. m. ro(ô)lo (cilindro); rolo, peça de tecido ou estofo enrolado; rolo de papel; de fumo; de fazenda, etc. pelourinho; peça dos autos num processo; madeiro descascado, cilíndrico, mas por trabalhar; seixo arredondado; (pop.) chumbo; chinguiço (de corda); (pop.) narração pesada.

rollona. f. (fam.) ama-seca V. **niñera.**

Roma. f. (fig.) Roma, autoridade do Papa e da cúria romana, a Igreja: revolver Roma con Santiago, (fam.) voltar tudo de cima

para abaixo; a Roma por todo, (fam.) a todo o trance.

romadizarse. V. **arromadizarse.**

romadizo. m. defluxo nasal, catarro da pituitária, resfriado.

romaico, ca. adj. e s. romaico, diz-se da língua grega moderna.

romana. f. romana, balança de braços desiguais, com um peso anexo ao braço maior.

romanador. m. V. **romanero.**

romanar. v. tr. pesar com a balança romana.

romance. adj romance, diz-se das línguas modernas derivadas do latim. — m. romance, idioma espanhol; romance, narração de aventuras imaginárias; romance, livro de cavalarias em verso; combinação métrica octossílaba; (gal.) pequeno romance. V. **novela.**

romanceador, ra. adj. e s. que romanceia, que traduz em língua vulgar.

romancear. v. tr. romancear, traduzir em língua vulgar. — v. intr. (Amér.) perder o tempo à palestra.

romancerista. s. romancista, pessoa que escreve ou publica romances.

romancera, ra. s. cantador de romances. — m. romanceiro, colecção de romances.

romancesco, ca. adj. romancesco, novelesco.

romancillo. m. romance curto.

romancista. adj. e s. romancista, diz-se da pessoa que faz romances ou que escrevia em língua romance.

romanear. v. tr. pesar com a balança romana; (mar.) equilibrar a estiva, levando pesos dum lado para o outro. — v. intr. fazer mais peso uma coisa do lado em que está colocada.

romanero. m. fiel da balança romana.

romanesco, ca. adj. românico, pertencente ou relativo aos Romanos.

romanía (andar de). v. intr. (fam.) sofrer alguém grande decadência nos seus bens ou na sua saúde.

románico, ca. adj. (arq.) românico; (filol.) neolatino.

romanista. adj. e s. romanista.

romanístico, ca. adj. romanista.

romanización. f. romanização.

romanizar. v. tr. romanizar. — v. r. romanizar-se.

romano, na. adj. e s. (geog.) romano, natural do ou pertencente a Roma; diz-se da língua latina e da Igreja Católica: hacer una obra de romanos, (fam.) fazer de alguma coisa bicho de sete cabeças; obra de romanos, (fig.) beneditismo.

romano. m. gato malhado de listas trasversais pardas e negras; alperche muito grande e saboroso.

romanticismo. m. romanticismo, romantismo.

romántico, ca. adj. e s. romântico; (fig.) sentimental, generoso, fantástico, romântico; poético; devaneador.

romanza. f. (mús.) romana, romanza.

rombal. adj. rômbico, com figura de rombo ou losango.

rombo. m. (geog.) rombo, losango. V. **rodaballo.**

romboedro. m. (geom.) romboedro.
romboidal. adj. (geom.) romboidal.
romboide. m. rombóide.
romeo, a. adj. e s. grego bizantino.
romeraje. m. romaria. v. romería.
romeral. m. terreno plantado de alecrim.
romería. f. romaria, viagem, peregrinação, especialmente a que se faz por devoção religiosa; romaria, festa popular religiosa com arraial; (fig.) grande afluência de pessoas, romaria.
romero, ra. s. romeiro, diz-se do homem que vai em romaria, peregrino.
romo, ma. adj. rombo, rombudo, sem ponta, embotado; achatado, de nariz pequeno e pouco pontiagudo; desengenhoso (de inteligência); mulo asneiro nascido de cavalo e burra.
rompecabezas. m. quebra-cebeças, porrete, quebra-cabeças, problema difícil; paciência (jogo).
rompedera. f. rompedeira, cunha de ferreiro, talhadeira; peneira de pele nas fábricas de pólvora.
rompedero, ra. adj. quebradiço, frágil de romper ou quebrar.
rompedor, ra. adj. e s. rompedor, que rompe; estragador.
rompedura. f. rompedura, rompimento, acção e efeito de romper; rasgao; corte; quebra de relações.
rompehielos. m. quebra-ge(ê)los, navio adequado, às paragens onde há gelos.
rompenueces. m. quebra-nozes. V. cascanueces.
rompeolas. m. quebra-mar, paredão avançado no mar, para fazer abrigo a um porto.
romper. v. tr. quebrar, despedaçar; rasgar, quebrar, romper partir; romper, gastar, estragar o fato ou outras coisas, usar, despedaçar; romper, desbaratar um corpo de gente unida; romper, arrombar; romper, abrir, espaço, campo; lavrar a terra pela primeira vez; abrir, arrotear; furar, perfurar; romper, cortar; romper transgredir, passar os limites; estrangalhar, estrompar; desmanchar; forçar; derrotar; demolir; (fig.) romper, dividir a continuidade dalguma coisa não material.—v. intr. romper o dia; começar a aparecer, despontar, nascer, desabrochar (as flores); brotar; começar a falar; romper, revolver-se; principiar; sair com força; reagir; começar com fúria ou excesso; romper o preceito, violar a lei. — v. r. adquirir desembaraço no porte e nas acções; desenvolver-se; romper com alguém, mostrar-lhe antipatia; partir-se; rasgar-se, interromper-se;
rompesquinas. m. (fig. e fam.) valentão, postado nas esquinas das ruas, em atitude de espera.
rompible. adj. quebrável, quebradiço; rasgável.
rompido, da. p. p. (desus.) de romper. V. roto.

rompiente. p. a. de romper e adj. rompente, que rompe. — m. escolho, baixio.
rompimiento. m. rompimento, quebradura, quebra; fractura, rotura; decoração teatral; perspectiva de fundos; arrombamentos, arrombadela; efra(c)ção; estoiro; (fig.) rompimento, corte de relações, rixa, desavença, (pint.) perspectiva de muito fundo; (min.) rompimento, comunicação entre duas escavações.
ron. m. rum, licor feito da destilação do melaço.
ronca. f. brama, grito do veado quando está com o cio; (fam.) bravata, ameaça; fanfarronada.
ronca. f. arma semelhante à partazana.
roncador, ra. adj. roncador, que ronca. — m. (ictiol.) roncador, peixe marinho semelhante à corvina.
roncadora. f. (Amér.) espora muito grande.
roncar. v. intr. roncar, bramar, chamar o gamo com cio a sua fémea; roncar, respirar com ruído ao dormir; roncar, ressonar; roncar, fazer ruído surdo e rouco, o mar, os instrumentos, etc; (fam.) roncar, ameaçar em vão, bravatear.
ronce. m. (fam.) adulação, agrado, elogio. V. roncería.
roncear. v. intr. roncear, demorar, dilatar, adiar, retardar, remanchar a execução duma coisa por a fazer de má vontade; bajular, adular com acções ou palavras, afagar; (mar.) roncear, andar lenta e preguiçosamente uma embarcação.
roncero, ra. adj. ronceiro, indolente, vagaroso; que usa de elogios fingidos; lisonjeiro; (mar.) ronceiro, diz-se do navio lento e pesado.
ronco, ca. adj. ronco, diz-se da voz áspera, rouco, enrouquecido; rouco, rude.— m. (ictil.) peixe abundante nos mares de Cuba.
roncón. adj. fanfarrão, que diz fanfarronices. — m. tubo da gaita galega que faz de baixo.
roncha. f. pequena inchação no corpo dum animal; vergão; equimose; (fig.) dano causado por fraude em dinheiro: levantar ronchas, (fam.) mortificar, magoar.
roncha. f. rodela, fatia fina e redonda.
ronchar. v. tr. mastigar coisas duras.
ronchar. v. intr. fazer ou causar vergões ou equimoses no corpo.
ronda. f. ronda, acção de rondar; ronda, gente que anda rondando; ronda, certo jogo de cartas; ronda, serenata, descante, reunião nocturna para tocar e cantar pelas ruas, ronda de moços; espaço entre o interior do muro e as casas duma praça forte; ronda; caminho imediato a uma povoação; (fam.) rodada, distribuição de bebidas ou cigarros a várias pessoas juntas: linterna de ronda, lanterna de furtafogo.
rondador. m. rondador, o que ronda; (Amér.) instrumento músico parecido com a flauta.

rondalla. *f.* conto, história, historieta, patranha; ronda de moços, serenata.

rondar. *v. tr. e intr.* rondar, fazer ronda, vigiar; rondar, percorrer as ruas de noite, especialmente para galantear ou dar serenatas; rondar, andar à volta, passear em torno; andar em roda de alguém; (mar.) rondar (um cabo). V. **amagar:** *rondar la muerte,* estar abarbado com a morte.

rondel. *m.* composição poética curta.

rondín. *m.* ronda para vigiar as sentinelas; guarda de arsenal; guarda municipal.

rondís. *m.* base maior duma pedra preciosa.

rondó. *m.* (mús). rondó.

rondón (de). *adv.* de roldão, à gagosa, de chofre, de rompão, impetuosamente, de rompante, de repente, de golpe.

rongigata. *f.* brinquedo. V. **rehilandera.**

ronquear. *v. intr.* rouquejar, estar rouco.

ronquedad. *f.* rouquidão, aspereza da voz ou do som; farfalho.

ronquera. *f.* rouquidão, ronqueira, farfalho.

ronquez. *f.* V. **ronquera.**

ronquido. *m.* ronco, roncadura, ruído que se faz roncando; (fig.) ronquido, ruído áspero ou rouco.

ronronear. *v. intr.* ronronar, fazer ronrom (aplica-se aos gatos).

ronza. (ir a la) (mar.) sotaventar-se uma embarcação, cair para sotavento, perder barlavento.

ronzal. *m.* corda que se ata à cabeçada ou cabresto das cavalgaduras para as prender ou dirigir; (mar.) alavanca.

ronzar. *v. tr.* trincar, mastigar com ruído uma iguaria dura e quebradiça.

ronzar. *v. tr.* (mar.) levantar um peso com a alavanca.

roña. *f.* ronha, sarna do gado lanígero; cascão, sujidade; oxidação dos metais; casca do pinheiro; (fam.) ronha, astúcia, manha; ronha, porcaria pegada à pele; ronha, vício contagioso; pessoa mesquinha.

roñería. *f.* (fam.) miséria, mesquinhez, ronha, malícia, astúcia.

roñoso, sa. *adj.* ronhento, ronhoso, que tem ronha; ronhoso, porco, sujo; oxidado, enferrujado; ronhoso, fino, astuto; miserável mesquinho, avarento; áspero, sem polimento, econó(ô)mico; garo; apertado, forra-gaitas, forreta: *ser un roñoso,* apertar a mão.

ropa. *f.* roupa, fato, vestimenta, o que serve para vestir; roupa, objectos de pano, de linho ou algodão para o serviço duma casa, roupa branca; vestes de diferentes dignidades: *ropa blanca,* roupas interiores; *ropa vieja,* roupa-velha, guisado de restos de carne; *tentarse la ropa,* (fam.) considerar muito o que se pensa fazer; *quitar la ropa* (pop.) desenfarpelar; *ropa de niño,* (Bras.) aiaia; *ropa de uso,* (Bras.) afaveco; *ropa muy vieja,* (Bras.) gonga; *ropa vieja,* (Bras.) muafo.

ropaje. *m.* roupagem, roupas exteriores de corpo; roupagem, vestidura, comprida e vistosa; fato, rouparia; (fig.) forma, modo de expressão; linguagem; (pint.) roupagem.

ropaviejería. *f.* loja de adelo, loja em que se compram e vendem fatos usados; tenda de merca-tudo.

ropavejero, ra. *s.* adeleiro, adelo, roupa-velheiro; merca-tudo; farrapeiro; befurinheiro.

ropería. *f.* ofício do vendedor de roupas feitas; ofício de algibebe; rouparia, casa onde se arrecada a roupa; quarto de guardar a roupa e tratar dela.

ropero, ra. *s.* pessoa que vende fatos feitos; roupeiro, pessoa destinada a cuidar da roupa duma colectividade. — *m.* associação benéfica para distribuir roupas aos pobres; roupeiro, pastor de ovelhas ou que tem a seu cargo fazer queijos; roupeiro, guarda-roupa, guarda-fato, armário para guardar roupa.

ropeta. *f.* casaco curto, roupeta. V. **ropilla.**

ropilla. *f.* roupinha; capa dobrada, casaco curto.

ropón. *m.* roupão, roupa comprida que se usa solta sobre os vestidos; (Amér.) amazona, traje de mulher para montar a cavalo.

roque. *m.* roque, torre do jogo do xadrez.

roqueda. *f.* penedia, penhascal, lugar rochoso.

roquedal. *m.* penedia. V. **roqueda.**

roquedo. *m.* rochedo, penedo, penhasco.

roqueño, ña. *adj.* rochoso, diz-se do lugar abundante em rochas; duro como rocha.

roquero. *adj.* roqueiro, edificado entre rochedos.

roquete. *m.* roquete, sobrepeliz estreita de mangas curtas; (herald.) roquete, peça triangular do escudo.

rorar. *v. tr.* (p. us. poes.) rociar, orvalhar.

rorro. *m.* (fam.) nené, criança pequenina, menino, pequenito.

rosa. *f.* (bot.) rosa, flor da roseira; mancha redonda, de cor rosada, que aparece no corpo; roseta, laço redondo de fita; qualquer coisa formada à semelhança da rosa; rosa, diamante lapidado sem facetas por baixo; rosa, cor rosada; flor do açafrão. — *m.* rosa, cor vermelha parecida com a da rosa.

rosáceo, ea. *adj.* rosáceo. — *f. pl.* (bot.) rosáceas.

rosada. *f.* orvalho da noite. V. **escarcha.**

rosado, da. *adj.* rosado, róseo, que tem cor de rosa; rosado, em que entra a essência de rosas.

rosado, da. *adj.* diz-se da bebida gelada e meio coalhada.

rosal. *m.* (bot.) roseira, arbusto que produz as rosas.

rosaleda. *f.* (bot.) roseiral. V. **rosalera.**

rosalera. *f.* (bot.) roseiral, terreno onde crescem roseiras.

rosariero. *m.* fabricante ou vendedor de terços ou rosários; conteiro.

rosario. *m.* rosário, contas de rezar quinze mistérios; rosário, reunião de pessoas que rezam o rosário; (fig.) série, enfiada; espécie de nora ou draga; (fig. e fam.) espinha dorsal: *rezar el rosario*, rezar as contas; *acabar como el rosario de la aurora*, renhir tumultuàriamente.

rosarse. *v. r.* rosar-se, ruborizar-se. V. **sonrosarse.**

rosbif. *m.* rosbife.

rosca. *f.* ro(ô)sca, parafuso e respectiva porca; rosca, volta em espiral num objecto qualquer; rosca, bolo de farinha em forma de argola: *rosca de Arquímedes*, (fís.) parafuso de Arquímedes; *pasarse de rosca*, (fam.) não entrar bem o parafuso; (fig.) exceder-se nalguma coisa; *hacer la rosca*, rondar, afagar para obter alguma coisa.

roscadero. *m.* cesto grande de vime, com duas ou quatro asas no bordo.

roscado, da. *adj.* em forma de rosca, enroscado.

rosco. *m.* rosca de pão, regueifa; bolo em forma de rosca.

roscón. *m.* bolo grande em forma de rosca.

rosear. *v. intr.* rosear, mostrar cor parecida com a da rosa.

róseo. *s. adj.* róseo, rosado, de cor-de-rosa.

roséola. *f.* (med.) roséola, erupção cutânea, caracterizada por pequenas manchas rosadas.

rosero, ra. *s.* roseirista, o que apanha as flores do açafrão.

roseta. *f.* rosinha, rosa pequena, roseta; (med.) roseta na face: ralo de regador; chuveiro. — *pl.* rubor que sobe as faces, rosetas; pipocas, grãos de milho torrados.

rosetón. *m.* rosetão; (arq.) rosácea, janela circular, rendilhada e adornada; adorno circular que se coloca nos tectos.

rosicler. *m.* rosicler, cor rosada do amanhecer; (min.) mineral de prata vermelha do Peru.

rosillo, lla. *adj.* vermelho claro; diz-se do cavalo que tem o pêlo misturado de branco, preto e castanho.

rosita. *m.* (min.) rosita, espécie de silicato de alúmina.

rosmarino, na. *adj.* vermelho claro. — *m.* (bot.) alecrim.

roso. *adj.* rapado, sem pêlo: *a roso y velloso*, a torto e a direito, sem excepção nem consideração.

roso, sa. *adj.* vermelho. V. **rojo.**

rosqueado, da. *adj.* diz-se do que faz ou forma roscas, enroscado.

rosquete. *m.* rosca de massa de pão.

rosquilla. *f.* rosquilha, doce em forma de argolas, rosquinha; rosca, larva de insecto.

rosquillero, ra. *s.* fabricante ou vendedor de rosquilhas.

rostrado, da. *adj.* rostrado, que tem forma de bico ou de esporão; (mar.) rostrado, diz-se do navio com esporão à proa.

rostral. *adj.* rostrado; terminado em ponta ou bico. V. **rostrado.**

rostrata. *adj.* rostrata, rostral, diz-se da coluna ornada de proas, âncoras, etc.: *corona rostrata*, coroa rostrata ou rostral.

rostrillo. *m.* rostozinho, pequeno rosto; espécie de aljôfar; toalha que as mulheres punham à roda do rosto.

rostro. *m.* rosto, bico das aves; coisa rematada em bico; rosto, face, semblante, cara; (mar.) rosto, beque de navio; esporão: *hacer rostro*, (fig.) fazer face ao inimigo; opor-se, contradizer; admitir, aceitar; estar disposto a tolerar adversidades e trabalhos; *rostro sofocado*, rosto afogueado; *dar en rostro*, deitar em cara, reprochar.

rota. *f.* (mar.) rota, derrota, direcção, rumo de navio; derrota, fuga dum exército vencido; rota, tribunal pontifício; (bot.) espécie de junco: *de rota (batida)*, repentinamente; *com ruína total.*

rotación. *f.* rotação; (agr.) variedade de culturas alternadas ou simultâneas; rotação, turno; (mat. e astr.) rotação, revolução.

rotacismo. *m.* (fon.) rotacismo.

rotar. *v. intr.* rodar. V. **rodar;** eructar, arrotar.

rotario, ria. *adj. e s.* rotário.

rotativo, va. *adj.* rotativa, diz-se das máquinas de imprimir que funcionam por meio de formas cilíndricas. — *f.* rotativa, a mesma máquina. — *m.* o jornal impresso nestas máquinas.

rotatorio, ria. *adj.* rotatório, rotante, rolante, que tem movimento circular.

roto, ta. *p. p. irreg.* de *romper* e *adj.* ro(ô)to, andrajoso, esfarrapado; licencioso, libertino, perdulário, vadio, tunante. — *m.* indivíduo da classe baixa do povo; (Amér.) alcunha que se dá ao chileno; mestiço de espanhol e indígena; petimetre, bandalho, peralvilho.

rotonda. *f.* rotunda, edifício ou sala circular; compartimento posterior de certas diligências.

rotoso, sa. *adj.* (Amér.) roto, esfarrapado.

rótula. *f.* (anat.) rótula, osso da articulação do joelho; (farm.) bocado pequeno de massa para fazer pílulas.

rotulación. *f.* rotulagem.

rotulador, ra. *adj. e s.* rotulador, que rotula ou serve para rotular.

rotular. *adj.* pertencente ou relativo à rótula.

rotular. *v. tr.* rotular, colocar um rótulo; etiquetar; epigrafar; pôr rótulo ou inscrição.

rotulata. *f.* rotulagem, colecção de rótulos; (fam.) rótulo, etiqueta, letreiro, título, dístico, inscrição.

rótulo. *m.* rótulo, inscrição, letreiro, título, cartaz, etique(ê)ta, dístico; aviso que se afixa nos lugares públicos; lista dos graduados na Universidade de Alcalá; despacho da Cúria Romana sobre a beatificação.

rotunda. *f.* V. **rotonda.**

rotundidad. *f.* rotundidade, qualidade de rotundo ou redondo, redondeza.

rotundo, da. *adj.* rotundo, redondo; (fig.) gordo, obeso; completo, preciso e terminante; diz-se da linguagem rica, cheia e sonora · contundente; positivo; enfático; categórico.

rotura. *f.* rotura, ruptura; quebradura; fractura; rompimento.

rotura. *f.* (vet.) rotura, hérnia dos solípedes.

roturación. *f.* arroteamento; arrota, terra arroteada de novo.

roturador, ra. *adj.* e *s.* arroteador, diz-se da máquina para arrotear terras.

roturar. *v. tr.* arrotear, rotear, lavrar pela primeira vez as terras ou os montes.

roza. *f.* roçadura, roça; roçado, terra roçada; (prov.) canal pequeno, regueira; (prov.) terreno arroteado para a lavoura.

rozadero. *m.* roçado, lugar ou coisa em que se roça.

rozado, da. *p. p.* de *rozar* e *adj.* coagulado; meio gelado (diz-se das bebidas); roçado; esfregado, gastado ou tocado ao de leve.

rozador, ra. *s.* roçador, roceiro, pessoa que roça as terras.

rozadura. *f.* roçadura, roçadela; fricção, atrito; (med.) escoriação, ferida superficial da pele; (bot.) doença das árvores.

rozagante. *adj.* roçagante, diz-se de vestimentas muito compridas; (fig.) vistoso, pomposo, magnífico, esplêndido.

rozamiento. *m.* roçamento; (fig.) dissenção, divergência ligeira entre duas pessoas ou entidades; (mec.) fricção, atrito.

rozar. *v. tr.* roçar, cortar o mato inútil; pastar, cortar, roer a erva com os dentes; cortar erva miúda ou lenha para a aproveitar; tirar a saliência duma parede, superfície, etc.; roçar, raspar, rapar. — *v. intr.* friccionar levemente, esfregar, gastar, tocar ao de leve. — *v. r.* tropeçar ou ferir-se um pé com outro; roçar-se, tratar-se com familiaridade; assemelhar-se uma coisa com outra; gaguejar, balbuciar.

roznar. *v. tr.* trincar. V. **ronzar.** — *v. intr.* zurrar; ornear, ornejar.

roznido. *m.* ruído dos dentes ao trincar; zurro, orneio.

rozo. *m.* roçadura, lenha miúda que se faz durante a roçada ou roçadura; (germ.) comida: *ser de buen rozo,* (fam.) ter bom apetite.

rozón. *m.* roçadoura, roçadoira, fouce, foice para roçar.

rúa. *f.* rua. V. **calle;** caminho de carros; (prov.) festa nocturna na aldeia.

ruante. *p. a.* de *ruar* e *adj.* passeante, que anda pelas ruas; (heráld.) diz-se do pavão, que abre a cauda.

ruar. *v. intr.* andar pelas ruas e caminhos públicos; passear pelas ruas para cortejar as mulheres.

rubefacción. *f.* (med.) rubefacção, inflamação, acompanhada de vermelhidão da pele.

rubefaciente. *adj.* e *m.* (med.) rubefaciente, que produz rubefacção.

rúbeo, a. *adj.* rúbeo, avermelhado, rubente, rubro, rúbrico.

rubéola. *f.* (med.) rubéola. V. **sarampión.**

rubescencia. *f.* rubescência; rubor; vermelhidão.

rubescente. *adj.* rubescente, avermelhado, que rubesce.

rubí. *m.* (min.) rubi; (fig.) cor muito vermelha.

rubia. *f.* (bot.) ruiva, granza, planta usada em tinturaria; raiz desta planta; moeda árabe de ouro; (pop.) peseta; (pop.) automóvel de grande tamanho.

rubiáceo, a. *adj.* rubiáceo. — *f. pl.* (bot.) rubiáceas.

rubial. *m.* granzal, campo ou terra onde se cria a ruiva ou granza. — *adj.* diz-se do terreno arruivado.

rubiasco, ca. *adj.* arruivado, arruivascado.

rubicán, na. *adj.* rubicano, diz-se do cavalo ou égua que tem o pêlo misturado de branco e vermelho.

rubicela. *f.* espinel, espinela. V. **espinela.**

rubicón (pasar el); (fig.) saltar as barreiras, dar um passo decisivo, arrostando um risco.

rubicundez. *f.* rubidez, vermelhidão, avermelhamento; (med.) cor vermelha que se apresenta como fenómeno morboso nas mucosas e na pele.

rubicundo, da. *adj.* louro, avermelhado, corado, rubicundo.

rubidio. *m.* (quím.) rubídio.

rubificar. *v.* rubificar, tornar vermelho, tingindo com granza ou garança.

rubio, a. *adj.* ruivo, louro, avermelhado, louro, arruivado. — *m.* (ictiol.) ruivo.

rublo. *m.* rublo, moeda de prata russa.

rubor. *m.* rubor, vermelhidão, cor vermelha; (fig.) vergonha, pejo, inflamação, erubescência; (pop.) corrimento.

ruborizado, da. *adj.* ruborizado, que tem rubor; envergonhado.

ruborizar. *v. tr.* ruborizar, causar rubor. — *v. r.* ruborizar-se; (fig.) sentir vergonha; empurpurecer; fazer-se de cores, envergonhar-se, envermelhar-se; correr-se.

ruboroso, sa. *adj.* ruborizado, que tem rubor, envergonhado, corado; inflamado.

rúbrica. *f.* (desus.) rubrica, sinal vermelho; rubrica, epígrafe, rótulo; rubrica, cada uma das regras canónicas; conjunto destas regras; rubrica, firma ou assinatura abreviada: *de rúbrica,* segundo o costume.

rubricar. *v. tr.* rubricar, pôr carimbo ou chancela em algum documento; firmar, assinar.

rubriquista. *m.* rubricista, perito em rubricas eclesiásticas.

rubro, bra. *adj.* rubro, encarnado, vermelho. — *m.* (Amér.) epígrafe, rótulo.

rucar. *v. tr.* trincar, mastigar coisas duras.

rucio, cia. *adj.* ruço, pardacento, grisalho, diz-se do pêlo das cavalgaduras. — *m.* jamelgo, asno.

ruchar. *v. intr.* brotar (as plantas).

rudera. *f.* entalho, caliça dum edifício arruinado.

rudeza. *f.* rudeza, rudez, grossaria; rudeza, estupidez, pobreza de espírito; desacato;

desamabilidade; chavasquice; aspereza; desmesura; descortesia; desagravo; desagasalho; desafabilidade; desabrimento.

rudimental. adj. rudimentar. V. **rudimentario.**

rudimentario, a. adj. rudimentar; elementar; simples, primário; embrionário.

rudimento. m. rudimento, elemento inicial, embrião dum ser orgânico; início; órgão mal desenvolvido. — pl. rudimentos; elementos; primeiras noções duma ciência ou arte, primeiros rudimentos, bê-à-bá; *tener rudimentos de algo*, ter luzes a respeito d'alguma coisa.

rudo, da. adj. rude, rudo, to(ô)sco; áspero, sem polimento; descortês, grosseiro, estúpido, ignorante, bruto, malcriado; desajeitado; agreste; áspero; rigoroso; insuportável; violento; severo, rígido; semi-selvagem; desabrido; barbaresco; charro; fragueiro; inculto; duro; desaprimorado; desatilado.

rueca. f. roca, utensílio para fiar; (fig.) volta ou torcedura duma coisa.

rueda. f. roda; roda, círculo de pessoas ou coisas; cauda, em leque, de certos animais; talhada circular de certos frutos; nora; engenho de tirar água; turno, vez, ordem sucessiva; roda, alternativa, mudança; (pop.) roda, broquel; roda, suplício antigo; (for.) roda, chamada de presos para se reconhecer entre eles o que cometeu um delito.

ruedero. m. fabricante de rodas.

ruedo. m. rodagem, acção de rodar; circuito, círculo, circunferência duma coisa; limite, contorno; roda, franja, orla em roda de alguma coisa; roda, orla interior dum vestido; roda, semicírculo, leque da cauda do pavão; esteira pequena e redonda; lona, capacho; redondel, arena das praças de touros.

ruego. m. ro(ô)go, súplica, petição.

ruezno. m. casca externa da noz.

rufa. f. espécie de grade para aplanar terrenos. V. **trailla.**

rufián. m. rúfio, rufião; fadista; (fig.) bargante; perverso, homem sem honra; alcoviteiro; (Bras.) azeiteiro.

rufianear. v. tr. alcovitar. V. **alcahuetear.**

rufanería. f. alcovitaria; ditos e maneiras de rufião. V. **alcahuetería.**

rufianesca. f. conjunto de rufiões; costumes dos mesmos.

rufianesco, ca. adj. rufianesco, pertencente aos rufiões.

rufo. m. (germ.) rufião. V. **rufián.**

rufo, fa. adj. louro, ruivo ou vermelho; que tem o cabelo anelado; roçagante, vistoso; teso, robusto.

rufón. m. (germ.) fuzil com que se fere lume.

ruga. f. V. **arruga.**

rugar. v. tr. arrugar, enrugar. V. **arrugar.**

rugeo. m. pândega, borga.

rugible. adj. que pode rugir ou imitar o rugido.

rugido. m. rugido, voz do leão, bramido; (fig.) ruído que fazem as tripas.

ruginoso, sa. adj. enfurrujado, oxidado, ferrugento.

rugir. v. intr. rugir, bramir, urrar; (fig.) enfurecer-se uma pessoa que está zangada. — v. r. rugir, soar.

rugosidad. f. rugosidade, aspereza, ruga; encarquilhamento.

rugoso, sa. adj. rugoso, encarquilhado, enrugado.

ruido. m. ruído; rumor, fragor, bulício, estrondo, som confuso; ruído, contenda, tumulto, barulho, motim; estropido; envo(ô)lta; fré(ê)mito; alvoro(ô)ço; estoirada, fragor; farfalhada, atroada; litígio, pendência, alboroto; (fig.) novidade; estranha; ruído, brado; fama; ruído, grande aparência, vã ostentação; rumor; infernação; (Bras.) lacuteio, bafafá, esbreque, espôrro. saçanga; *hacer ruido*, (fig.) fazer ruido, dar que falar causar sensação; *ruido fuerte*, (Bras.) pipôco.

ruidoso, sa. adj. ruidoso, que causa muito ruído; ruidoso, que dá brado, que produz sensação; ruidoso, famoso, célebre; clamoroso, barulhento, estrondoso; estrepitoso, estridente; fragoroso, atroador.

ruin. adj. ruim, mau, vil; desprezível; perigoso, nocivo; malfeito; inferior, destituido de mérito; mesquinho e avarento; diz-se dos animais manhosos; ruim, perverso, biltre; arrufanado, infame; indigno, daninho. — f. extremidade da cauda dos gatos.

ruina. f. ruína, perda, destruição; degradação muito grave; estrago, decadência; (fig.) ruína, perda grande dos bens de fortuna, da saúde, do crédito, etc.; ruíma, destro(ô)ço, perdição, decadência; ruína, causa desta queda, decadência ou perdição; demolição; assolação; danificação; descalavro, desbaratamento; exterminação, aniquilação; arruinamento; devastação; deterioração; (fig.) derrocamento, derriba; despenhadeiro; derrocada; definhamento. — pl. ruinaria, restos de um ou mais edifícios arruinados; destroços; escombros.

ruindad. f. ruindade, qualidade de ruim, acção ruim; coisa ruim; mesquinilharia, mesquindade; indignidade; biltraria; cicateria.

ruinera. f. abatimento, decaimento físico produzido por doenças.

ruinoso, sa. adj. ruinoso, que está em ruína, que ameaça ruína; que não pode aproveitar-se; vil, de preço vil.

ruiseñor. m. (orni.) rouxinol.

rujiada. f. aguaceiro, pancada forte de chuva, chuvada; regadela; repreensão severa.

rujiar. v. tr. rociar, regar.

rular. v. intr. rodar. V. **rodar.**

rulé. m. (fam.) ânus. V. **trasero.**

rulenco, ca. adj. (Amér.) adoentado, enfermiço. V. **enclenque.**

ruleta. f. roleta, espécie de jogo de azar.

rulo. *m.* rolo, cilindro para nivelar a terra; bola grossa ou coisa redonda que pode rolar; pedra cónica que faz de mó nos lagares.

ruma. *f.* (Amér.) ruma, montão de coisas, rima.

Rumania. (geog.) Romé(ê)nia.

rumano, na. *adj.* e *s.* (geog.) natural de ou pertencente à Roménia.

rumantela. *f.* pândega, borga, patuscada. V. **francachela**.

rumazón. *f.* (mar.) conjunto de nuvens. V. **arrumazón**.

rumba. *f.* (Amér.) pândega, patuscada. V. **francachela**; dança e sua música.

rumbada. *f.* bateria. V. **arrumbada**.

rumbantela. *f.* (Amér.) pândega, patuscada.

rumbar. *v. intr.* ser magnífico ou generoso; (Amér.) rumar, seguir um rumo; atirar, arrojar. V. **gruñir** e **zumbar**.

rumbático, ca. *adj.* magnífico, generoso, ostentoso, faustoso, pomposo.

rumbeador. *m.* (Amér.) guía. V. **baquiano**.

rumbear. *v. intr.* (Amér.) orientar-se, tomar rumo; rumar; andar na folia.

rumbo. *m.* rumo, caminho; rumo, senda; (fig. e fam.) fausto, pompa, ostentação, generosidade; desprendimento; pândega; arrogância; (fig.) farol; (mar.) rombo no casco do navio; derrota dum navio; (heráld.) losango furado no centro.

rumbón, na. *adj.* V. **rumboso**.

rumboso, sa. *adj.* (fam.) pomposo, magnificente, faustoso; dadivoso, desprendido, generoso; liberal, munificente.

rumen. *m.* (zool.) rumen, pança, primeiro estômago dos ruminantes, rume.

rumenitis. *f.* (vet.) rumenite, inflamação do rume.

rumenotomía. *f.* (vet.) rumenotomia.

rumí. *m.* nome dado pelos mouros aos cristãos.

rumia. *f.* acção de ruminar, ruminação.

rumiador, ra. *adj.* e *s.* ruminante, que rumina.

rumiadura. *f.* ruminação. V. **rumia**.

rumiante. *adj.* e *m.* e *p. a.* de *rumiar*, ruminante, que rumina; ruminante, diz-se dos animais mamíferos que se alimentam de vegetais e cujos estômagos têm quatro cavidades. — *m. pl.* (zool.) ordem destes animais ruminantes.

rumiar. *v. tr.* ruminar, rumiar, remoer; ruminar, tornar a mastigar, remoer os alimentos que voltam do estômago à boca. — *v. intr.* (fig.) ruminar, pensar muito em; revolver no pensamento; recogitar; cogitar profundamente; meditar, planear; (fig. e fam.) resmungar, resmonear.

rumión, na. *adj.* que rumina muito.

rumo. *m.* primeiro arco nas extremidades dos tonéis ou cubas; arco de cabeça dos tonéis.

rumor. *m.* rumor, clamor; rumor, boato, notícia vaga; rumor, sussurro, murmúrio, ruído brando e suave; ruído confuso de vozes; fré(ê)mito; estralada; ciciamento; *rumor del pueblo*, fábula.

rumorearse. *v. tr.* (neol.) correr um rumor por entre a gente, rumorejar-se, correr; ciciar; deitar voz.

rumoroso, sa. *adj.* rumorejante, rumoroso, que rumoreja; cicioso; clamoroso; (poét.) ruidoso, famoso.

runfla. *f.* (fam.) série de várias coisas da mesma espécie, enfiada.

runflada. *f.* (fam.) enfiada. V. **runfla**.

runflar. *v. intr.* bufar, soprar, resfolegar. V. **resoplar**.

rungo, ga. *adj.* (Amér.) diz-se da pessoa de estatura pequena. — *m.* leitão.

rungue. *m.* (Amér.) feixe de paus para remexer o grão posto a torrar.

rúnico, ca. *adj.* rúnico, relativo às runas.

runo, na. *adj.* rúnico. V. **rúnico**.

runrún. *m.* (fam.) rumor, boato, fama; zunzum; (Amér. zool.) ave de plumagem preta que vive na margem dos rios.

runrunearse. *v. impers.* V. **rumorearse**.

ruñar. *v. tr.* abrir os javres nas aduelas para encaixar as tampas.

rupestre. *adj.* rupestre, diz-se dalgumas coisas relativas às rochas; rupestre, diz-se das pinturas e desenhos pré-históricos existentes em certas rochas e cavernas.

rupia. *f.* rupia, moeda de ouro da Índia e da Pérsia; rupia, moeda de prata dos mesmos países; (med.) rúpia, espécie de dermatose.

ruptil. *adj.* (bot.) rúptil.

ruptura. *f.* rotura, fra(c)tura; (fig.) ruptura, rompimento, desavença; interrupção; anulação, cessação dum contrato ou pacto; rompimento de relações sociais.

rural. *adj.* rural, agrícola, rústico; (fig.) rústico, apegado a coisas aldeãs; campestre; grosseiro, rude; género rústico ou campestre.

rurrú. *m.* rumor, boato, zunzum.

rurrupata. *f.* (Amér.) nana, canção de embalar.

rusalca. *f.* ninfa aquática da mitologia eslava.

rusentar. *v. tr.* encandecer, pôr candente ou ao rubro pelo fogo; pôr em brasa.

Rusia. (geog.) Rússia.

rusiente. *adj.* candente, que está em brasa ou ao rubro.

rusificación. *f.* russificação.

rusificar. *v. tr.* russificar, comunicar os costumes russos. — *v. r.* adoptarem-se os costumes russos.

ruso, sa. *adj.* e *s.* (geog.) russo. — *m.* russo, língua da Rússia.

rusofilia. *f.* russofilia.

rusófilo, la. *adj.* e *s.* russófilo; comunista.

rusofobia. *f.* russofobia.

rusófobo, ba. *adj.* e *s.* russófobo.

rústica. *f.* brochura, acção de brochar os livros; brochura, livro brochado.

rusticación. *f.* rusticação, vida do campo; passeio no campo.

rusticar. *adj.* V. **rural**.

rusticano, na. *adj.* silvestre. V. **rural**.

rusticar. *v. intr.* rusticar. sair ao campo ou habitar nele.

rusticidad. *f.* rusticidade, qualidade do que
é rústico; rusticidade, grossaria; rudeza
própria do que é rústico; rustiquez, rustiqueza.
rústico, ca. *adj.* rústico, pertencente ao
campo; rural, rude; (fig.) rústico, to(ô)sco,
grosseiro. — *m.* rústico, camponês, homem
do campo, campó(ô)nio: *en rústica*, encadernação ligeira com capas de papel, brochura.
rustiquez, rustiqueza. *f.* rusticidade. V. **rusticidad.**
rustir. *v. tr.* (prov.) assar, tostar; roer;
(Amér.) suportar com paciência, trabalhos
e penas.
rustro. *m.* (heráld.) rombo, losango com um
buraco no meio.
ruta. *f.* rota, derrota duma viagem, rumo;
itinerário, roteiro; (fig.) caminho, via,
rumo para chegar a um fim.
rutáceo, a. *adj.* (bot.) rutáceo. — *f. pl.* ru-
táceas.

rutar. *v. intr.* (prov.) murmurar, resmungar, rezingar; eructar, arrotar.
rutenio. *m.* (quím.) ruté(ê)nio.
rutiar. *v. intr.* (prov.) andar pelas ruas
com frequência e sem necessidade. — *v.
tr.* (prov.) atar em récua as cavalgaduras.
rutilación. *f.* rutilação, esplendor, resplendor.
rutilar. *v. intr.* (poét.) rutilar, brilhar intensamente, resplandecer, luzir, cintilar.
rútilo, la. *adj.* rútilo, rutilante, brilhante,
cintilante, da cor de oiro muito vivo.
rutina. *f.* rotina, costume inveterado, hábito adquirido pela prática.
rutinario, ria. *adj.* rotineiro, que se faz ou
pratica por rotina. — *m.* rotineiro.
rutinero, ra. *adj.* e *s.* rotineiro, que segue
a rotina.
rutón, na. *adj.* resmungão. V. **gruñón.**
rútulo, la. *adj.* e *s.* rútulo, diz-se do indivíduo dum povo do antigo Lácio.

S

S, s. *f.* vigésima segunda letra do alfabeto espanhol e décima oitava das suas consoantes; tem o mesmo som que em português e nunca se escreve dobrada; entre duas vogais tem o som de ç português.

sábado. *m.* sábado, sétimo dia da semana: *Sábado Santo*, Sábado Santo.

sabaísmo. *m.* V. **sabeísmo.**

sabalar. *m.* saval, rede para pescar o sável.

sabalera. *f.* grade dos fornos de revérbero.

sabalero. *m.* pescador de sável.

sábalo. *m.* (ictiol.) sável.

sábana. *f.* lençol; rede de esparto para o transporte de palha; (Amér.) savana, páramo, planície arenosa sem árvores; toalha de altar: *pegársele a uno las sábanas*, dormir muito.

sabanazo. *m.* (Amér.) savana pequena, de reduzidas proporções.

sabandija. *f.* sevandija, réptil ou insecto imundo; (fig.) sevandija, pessoa desprezível.

sabanear. *v. intr.* percorrer a savana para recolher ou vigiar o gado.

sabanero, ra. *adj.* habitante duma savana; pertencente ou relativo à savana. — *m.* homem encarregado da recolha do gado na savana.

sabanilla. *f.* lençolzinho; toda a peça pequena, como lençol, toalha, etc.; toalha de altar.

sabañón. *m.* frieira, inflamação produzida pelo frio: *comer como un sabañón*, comer muito e com avidez.

sabatario, ria. *adj.* sabadeador, dizia-se dos judeus por que guardavam religiosamente o sábado, sabatário.

sabático, ca. *adj.* sabático, pertencente ou relativo ao sábado.

sabatina. *f.* sabatina, ofício, reza do sábado; sabatina, repetição, no sábado, das lições da semana; sabatina, exercício literário, nos sábados; (fig.) sova, surra; repreensão.

sabatino, na. *adj.* sabatino.

sabatismo. *m.* sabatismo.

sabatizar. *v. intr.* sabadear, guardar o sábado; não trabalhar nos sábados.

sabaya. *f.* desvão, águas-furtadas; sótão.

sabedor, ra. *adj.* sabedor, que sabe; instruído; conhecedor duma coisa.

sabeísmo. *m.* sabeísmo, religião dos Sabeus.

sabelianismo. *m.* sabelianismo.

sabeliano, na. *adj.* e *s.* sabeliano.

sabélico, ca. *adj.* e *s.* sabélico, sabeliano.

sabelotodo. *s.* (pop.) sabichão. V. **sabidillo.**

saber. *v. tr.* saber, conhecer, ter notícia; ser informado de, ter conhecimento de; ser instruído em alguma coisa; estar exercitado em; saber, ser douto, erudito; saber, ter habilidade; saber, ter sagacidade; ter a possibilidade de; prever; conseguir; compreender, poder explicar. — *v. intr.* saber, perceber; ter sabor; saber, poder; (fig.) sujeitar-se; acomodar-se a alguma coisa; conhecer o caminho, saber ir; saber, parecer-se: *saber la lección*, saber a lição; *no saber qué contestar*, não saber responder; *no sé lo que siento*, não sei o que sinto; *saber lo que se hace*, (fam.) saber as linhas com que se cose; *saber algo a fondo*, (fig.) saber o nome aos bois; *no saber por donde se anda*, (fig.) não saber a quantas anda; *saber de memoria*, saber de cor; *nadie que yo sepa*, ninguém que eu saiba; *hacer saber*, fazer saber; *sabérselas todas*, (pop.) sabê-la toda; *saber vivir*, saber viver. — *pres. ind. irreg.* **sé, sabes,** etc.; *indef.* **supe,** etc.; *fut.* **sabré,** etc.; *pot.* **sabría,** etc.; *pres. subj.* **sepa,** etc.; *imperf.* **supiera, supiese,** etc.

saber. *m.* saber, sabedoria, conhecimento; (fig.) prudência, sensatez.

sabichoso, sa. *adj.* sabichão. V. **sabidillo.**

sabidillo, lla. *adj.* e *s.* sabichão, que alardeia sabedoria sem a ter, ou sem vir a propósito.

sabido, da. *p. p.* de *saber* e *adj.* sabido, sábio, que sabe ou entende muito. — *m.* (prov.) salário fixo: *cosa muy sabida*, coisa muito sabida.

sabidor, ra. *adj.* e *s.* sabedor, que sabe.

sabiduría. *f.* sabedoria, grande soma de conhecimentos; saber, ciência; conhecimento da verdade; (fig.) sabedoria, prudência, rectidão, justiça; acerto nos negócios; notícia, conhecimento.

sabiendas (a). *adv.* a sabendas, cientemente.

sabihondez. *f.* (fam.) sabença, qualidade de sabichão, presunção de sabedoria; destreza.

sabihondo, da. *adj.* e *s.* (fam.) sabichão, que alardeia de sábio sem o ser.

sabino, na. *adj.* sabino (cavalo). V. **rosillo;** sabino, antigo povo da Itália. — *m.* sabino, dialecto falado por este povo.

sabio, a. *adj.* e *s.* sábio, que sabe muito, douto, erudito; prudente, circunspecto; avisado; hábil, aquele que tem muita ciência.

sablazo. *m.* sabrada, golpe de sabre, ferida feita com ele; (fig. e fam.) tiro, acto de conseguir dinheiro ou de viver à custa dos outros; pregar um calote.

sable. *m.* sabre, espada curta; (fig. e fam.) habilidade em extorquir dinheiro; areal formado pelas águas do mar ou do rio nas suas margens.

sableador, ra. *s.* esgrimista, pessoa hábil no manejo da espada ou do sabre; (fig. e fam.) pessoa que pede e consegue dinheiro com artimanhas.

sablear. *v. intr.* (fam.) dar tiros, cravar, pedir dinheiro com astúcia.

sablista. *adj.* e *s.* (fam.) crava, que tem por hábito pedir dinheiro com astúcia; (Bras.) mordedor.

sablón. *m.* saibro, areia grossa.

sabogal. *adj.* e *s.* saveira, diz-se da rede para pescar sável; a mesma rede.

saboneta. *f.* sabonete, pequeno relógio de bolso, cuja tampa se abre apertando uma mola.

sabor. *m.* sabor, sensação, que os corpos produzem no paladar; go(ô)sto; (fig.) propriedade que têm certas coisas de se parecerem a outras; bolinha enfiada de cada lado do freio, junto ao bocado: *a sabor*, à vontade.

saboreador, ra. *adj.* saboreador, que saboreia; saboroso, que dá sabor.

saboreamiento. *m.* saboreamento; gosto.

saborear. *v. tr.* saborear, dar sabor e gosto; saborear, apreciar com deleite o sabor duma coisa; comer com gosto; (fig.) engodar, atrair. — *v. r.* saborear, comer devagar, procurando o sabor; (fig.) deleitar-se, sentir prazer; recrear-se.

saboreo. *m.* acção de saborear.

saborete. *m.* saborzinho, sabor delicado.

saborete. *m.* (fam.) osso de vaca com tutano, que se mete na panela.

sabotaje. *m.* sabotagem, acto de sabotar.

sabotear. *v. tr.* sabotar, praticar sabotagem; destruir, danificar máquinas, instrumentos, etc.

sabroso, sa. *adj.* saboroso, que tem bom sabor, grato ao paladar; (fig.) saboroso, agradável, delicioso; gostoso; (fam.) um tanto salgado.

sabucal. *m.* sabugal, lugar plantado de sabugueiros.

sabueso, sa. *adj.* diz-se do sabujo, cão de caça. — *m.* (fig.) investigador, pesquisador, pessoa que sabe pesquisar.

sabugal. *m.* sabugal. V. **sabucal.**

sabugo. *m.* sabugueiro. V. **saúco.**

sábulo. *m.* saibro, areia grossa e pesada.

sabuloso, sa. *adj.* sabuloso, arenoso, areento.

saburra. *f.* (med.) saburra, matéria viscosa que cobre a língua; secreção, mucosa que cobre as paredes do estômago.

saburral. *adj.* (med.) saburroso, relativo a saburra.

saburroso, sa. *adj.* (med.) saburroso, saburrento.

saca. *f.* saca, sacadela, acto de sacar; exportação de um país para outro; pública-forma, certidão dum documento; (for.) primeira cópia dum documento; (mil.) escolha de recrutas para as diferentes armas.

saca. *f.* saca, grande saco.

sacabala. *f.* saca-balas, pinça dos cirurgiões.

sacabalas. *m.* saca-balas, instrumento para tirar as balas da espingarda ou do canhão; saca-trapos, utensílio para tirar a bucha das armas de fogo.

sacabasura. *m.* (Amér.) apanhador de lixo.

sacabocados. *m.* saca-bocados, instrumento para fazer furos; alicate para furar; (fig.) meio eficaz para conseguir o que se pretende.

sacabotas. *m.* descalçador, descalçadeira, instrumento para descalçar as botas.

sacabrocas. *m.* turquês, ferramenta de sapateiro para tirar os pregos que seguram o calçado à forma.

sacabuche. *m.* (mús.) sacabuxa, trombone; (mar.) bomba manual para extrair líquidos; (fig.) homem baixo. V. **renacuajo.**

sacaclavos. *m.* (Amér.) V. **desclavador.**

sacacorchos. *m.* saca-ro(ô)lhas, instrumento para tirar rolhas de cortiça.

sacacuartos. *m.* (fam.) bugiganga. V. **sacadinero.**

sacada. *f.* território que se separou duma província ou reino.

sacadinero (s). *m.* (fam.) bagatelas; bugigangas; objectos de pouco valor; aldrabão, intrujão.

sacador, ra. *adj.* e *s.* sacador, que saca ou tira.

sacadura. *f.* corte oblíquo que os alfaiates fazem em certas peças para que a roupa assente bem.

sacafilásticas. *f.* saca-filas, agulha para tirar a bucha do ouvido da peça.

sacaliña. *f.* garrocha; espécie de dardo; (fig.) ardil, artifício para conseguir qualquer coisa.

sacamanchas. *m.* tira-nódoas. V. **quitamanchas.**

sacamantas. *m.* (pop.) empregado encarregado de fazer pagar as contribuições; executor fiscal.

sacamiento. *m.* saca, acção de sacar ou tirar.

sacamuelas. *m.* saca-molas, mau dentista; (fig.) charlatão, aldrabão, embusteiro.

sacanabo. *m.* saca-nabo, vara de ferro para tirar a bomba do morteiro.

sacapelotas. *m.* saca-balas de arcabuz, saca-pelouros; (fig.) pessoa desprezível.

sacapotras. *m.* (pop.) mau cirurgião, mata-gente.

sacar. *v. tr.* sacar, tirar para fora à força, extrair, arrancar; tirar, colher; fazer sair; separar, apartar, afastar do emprego ou ocupação; fabricar, formar; imitar; copiar, trasladar; averiguar, descobrir; conseguir, obter, arranjar; arrancar, extorquir; tirar, diz-se das aves que chocam os ovos; ajudar a sair; tirar por consequência; conhecer; descobrir por indício, induzir, coligir, inferir; eleger, escolher por sorteio ou por votação; tirar, ganhar em sorteio, lotaria, etc.; enxaguar; exceptuar, excluir; manifestar; citar; produzir, inventar; desembainhar a espada; alcunhar; provocar, excitar; comprar; levar, conduzir as gavelas para eira; puxar por; (Bras.) sambacar.

sacarífero, ra. *adj.* sacarífero.

sacarificación. *f.* sacarificação.

sacarificar. *v. tr.* sacarificar, converter em açúcar.

sacarígeno, na. *adj.* sacarígeno.

sacarimetría. *f.* sacarimetria.

sacarimétrico, ca. *adj.* sacarimétrico.

sacarímetro. *m.* sacarímetro.

sacarina. *f.* sacarina.

sacarino, na. *adj.* sacarino.

sacaroideo, a. *adj.* sacaróideo, sacarídeo.

sacarol. *m.* (farm.) sacarol.

sacarolado. *m.* (farm.) sacarolado. — *adj.* sacarolado, diz-se dos medicamentos que têm por base açúcar.

sacaromices. *m. pl.* (bot.) sacaromicetes.

sacaromicetáceos. *m. pl.* (bot.) sacaromicetes.

sacarosa. *f.* sacarose, açúcar de pilão.

sacaroscopio. *m.* (quím.) sacarímetro; sacaroscópio.

sacaroso, sa. *adj.* sacaroso.

sacatrapos. *m.* saca-trapo, instrumento para tirar a bucha das armas de fogo, saca-bucha; (artil.) saca-pelouro, saca-trapo (fig. e fam.) pessoa que procura com malícia que alguém diga o que sabe e não quer dizer.

sacelio. *m.* sacelo, capela, ermida ou templo pequeno.

sacerdocio. *m.* sacerdócio, dignidade, estado e funções do sacerdote; (fig.) consagração activa e zelosa a uma profissão; missão nobre.

sacerdotal. *adj.* sacerdotal, relativo ao sacerdote.

sacerdote. *m.* sacerdote, padre, ministro duma religião ou culto; homem consagrado a Deus e ordenado para celebrar o sacrifício da Missa; (fig.) pessoa que exerce uma profissão elevada.

sacerdotisa. *f.* sacerdotisa, mulher que exercia o sacerdócio pagão.

saciable. *adj.* saciável, que se pode saciar.

saciar. *v. tr.* saciar, fartar de bebida ou comida; (fig.) saciar, satisfazer nas coisas do espírito. — *v. r.* fartar-se, cevar-se; (fig.) locupletar-se.

saciedad. *f.* saciedade, estado de quem está saciado; replecção de comida; (fig.) fartura, fastio; enjoo, aborrecimento: *hasta la saciedad*, até não poder mais, fartamente.

saco. *m.* saco, receptáculo de couro, pano, papel, etc., aberto por um dos lados; saco, conteúdo do mesmo; saial, vestidura tosca de pastor; saco, vestido de burel, que se veste por penitência; vestidura curta dos antigos romanos; vestimenta folgada; medida inglesa para secos; saque, acto de saquear; (mar.) saco, baía, enseada; saque (no jogo); (fig.) qualquer coisa que inclui outras (diz-se geralmente em mau sentido).

sacra. *f.* sacra, cada um dos três quadros com orações, que estão encostados à banqueta do altar.

sacramentación. *f.* acção e efeito de sacramentar; administração do viático.

sacramentado, da. *adj.* sacramentado, diz-se da pessoa que recebeu os sacramentos.

sacramental. *adj.* sacramental, relativo aos sacramentos; (fig.) acostumado, consagrado, pela lei ou pelo costume. — *m.* membro da confraria do Santíssimo. — *f.* irmandade do Santíssimo Sacramento; em Madrid, confraria cujo fim é o enterramento dos seus confrades em cemitério próprio.

sacramentar. *v. tr.* sacramentar, converter o pão no corpo de Nosso Senhor Jesus Cristo; sacramentar, ministrar o viático; (fig.) ocultar, dissimular, esconder.

sacramentario, ria. *adj. e s.* diz-se duma seita protestante que nega a presença de Cristo na Sagrada Hóstia; sacramentário.

sacramentino, na. *adj. e s.* pertencente à ordem religiosa da adoração perpétua do SS. Sacramento.

sacramento. *m.* sacramento, sinal sensível dum efeito interior que Deus dá às nossas almas; Cristo Sacramentado na Hóstia; a Hóstia consagrada: *Santísimo Sacramento*, Santíssimo Sacramento; *Sacramento del altar*, a Eucaristia; *los últimos sacramentos*, os últimos sacramentos; *recibir los sacramentos*, receber os sacramentos; *con todos los sacramentos* (pop.) con todos os sacramentos, sem faltar nada; *ser incapaz de sacramentos*, (pop.) diz-se das pessoas muito grosseiras ou rudes.

sacratísimo, ma. *adj.* superl. sacratíssimo, muito sagrado.

sacrificadero. *m.* ara, altar dos sacrifícios, lugar onde estes se faziam.

sacrificador, ra. *adj. e s.* sacrificador, que sacrifica.

sacrificar. *v. tr.* sacrificar, fazer sacrifícios, oferecer em sacrifício, imolar como vítima; sacrificar, renunciar a um benefício em proveito de outrem; abandonar; sujeitar a perigo; desprazar uma coisa para dar mais realce a outra; matar reses para consumo, sacrificar; sacrificar, arriscar, aventurar. — *v. r.* sacrificar-se, dedicar-se, oferecer-se a Deus; sujeitar-se resignadamente a uma coisa violenta ou repugnante; oferecer-se em sacrifício; dedicar-se a alguém, consagrar-se inteiramente.

sacrifício. *m.* sacrifício, oferenda aos deuses; sacrifício, acto do sacerdote ao oferecer na missa o corpo de Cristo sob as espécies de pão e vinho; sacrifício, acto de abnegação; (fig.) perigo ou trabalhos graves aos quais se submete uma pessoa; sacrifício, operação cirúrgica, violenta ou perigosa; (fig.) despesas: *el santo sacrifício*, o santo sacrifício.

sacrilegio. *m.* sacrilégio profanação duma coisa sagrada; ultraje a uma pessoa sagrada; violação duma coisa que merece grande respeito; (fig.) acção extremamente repreensível.

sacrilego, ga. *adj.* sacrílego que cometeu sacrilégio; profanador; ímpio.

sacristán. *m.* sacristão. V. **totillo.**

sacristana. *f.* sacristã, mulher do sacristão, religiosa destinada nos conventos a tratar da sacristia.

sacristanía. *f.* sacristania, emprego e dignidade de sacristão.

sacristía. *f.* sacristia; (fam.) bucho, o estômago do homem.

sacro, cra. *adj.* sacro, sagrado; (anat.) sacro.

sacrosanto, ta. *adj.* sacrossanto, sagrado, sacro.

sacudida. *f.* sacudimento, sacudidura, abalo. V. **sacudimiento.**

sacudido, da. *adj.* e *p. p.* de *sacudir*, sacudido; (fig.) sacudido, desembaraçado, abalado, agitado com força; sacudido, áspero, indócil, intratável sacudido, desenfadado, alegre, divertido; sacudido, determinado, decidido.

sacudidor, ra. *adj.* e *s.* sacudidor, que sacode. — *m.* utensílio com que se sacode e limpa.

sacudidura. *f.* sacudidura, acção de sacudir uma coisa, especialmente para lhe tirar o pó.

sacudimiento. *m.* sacudidura, sacudimento, sacudida, abalo, acção de sacudir, rejeitar, desprezar.

sacudión. *m.* safanão, sacudidela, sacudida brusca.

sacudir. *v. tr.* sacudir, agitar muitas vezes, abalar, abanar; bater; empuxar; arremessar; atirar; bolir; estremecer; apalear; atirar; arrojar; (fig. e fam.) sacudir; espancar; zurzir alguém; espertar, excitar; enxotar; livrar-se de. — *v. r.* repelir, apartar de si, com aspereza, rejeitar; levantar-se contra o seu superior; livrar-se; escapar-se; saracotear-se, agitar o corpo andando.

sacudón. *m.* (Amér.) V. **sacudión.**

sacular. *adj.* sacular, relativo a sáculo.

sáculo. *m.* (anat.) sáculo.

saculiforme. *adj.* (biol.) saculiforme.

sachadura. *f.* sachadura, acção de sachar.

sachar. *v. tr.* sachar, cavar com o sacho; tirar as ervas daninhas com o sacho; mondar.

sacho. *m.* sacho, pequena sachola ou enxada.

sádico, ca. *adj.* sádico, que sofre sadismo; (fig.) perverso, cruel.

sadismo. *m.* sadismo; (fig.) perversidade, crueldade.

saduceísmo. *m.* saduceísmo.

saduceo, a. *adj.* e *s.* saduceu.

saeta. *f.* seta, frecha ou flecha; ponteiro de relógio, seta; bússola; copla breve que se canta na rua durante certas solenidades religiosas; frecha, ponta de sarmento que fica quando se poda a vinha.

Saeta. *f.* (astr.) constelação boreal.

saetada. *f.* setada, golpe ou ferimento feito com seta, frechada.

saetazo. *m.* V. **saetada.**

saetear. *v. tr.* V. **asaetear.**

saetera. *f.* seteira; (fig.) janelinha estreita.

saetero, ra. *adj.* seteiro, relativo a setas. — *m.* seteiro, frecheiro.

safacoca. *f.* (Amér.) confusão, barafunda.

safado, da. *adj.* (Amér.) atrevido, descarado, safado.

safar. *v. tr.* V. **zafar.**

safeno, na. *adj.* (anat.) safeno, diz-se da veia subcutânea da perna.

sáfico, ca. *adj.* (poét.) sáfico.

safirina. *f.* (min.) safirina.

safismo. *m.* safismo, amor lésbio, homosexualidade da mulher.

safranina. *f.* (quím.) safranina.

saga. *f.* saga, bruxa, feiticeira entre os romanos; saga, lenda escandinava.

sagacidad. *f.* sagacidade; agudeza de espírito; finura; perspicácia; argúcia; arteirice; astúcia.

sagapeno. *m.* sagapejo, sagapeno, goma-resina extraída de certas árvores da Pérsia.

sagardúa. *f.* (prov.) V. **sidra.**

sagarmín. *m.* maçã silvestre.

sagarrera. *f.* (Amér.) V. **eplotera.**

sagatí. *m.* saieta, espécie de estamenha.

sagaz. *adj.* sagaz, perspicaz, astuto, fino, de bom olfato; astuto, esperto; avisado, que prevê as coisas; acautelado, gabirudestro, atinado; ardiloso; astucioso: *ser sagaz*, (fam.) pescar as coisas pelos ares; *persona sagaz*, (pop.) pássaro bisnau.

sagita. *f.* (geom.) flecha, segmento do diâmetro perpendicular à corda, compreendido entre esta e a circunferência.

sagitado, da. *adj.* sagitado, que tem forma de seta.

sagital. *adj.* sagital, sagitado, que tem forma de seta.

sagitaria. *f.* (bot.) sagitária.

sagitario. *m.* seteiro. V. **saetero;** (astr.) Sagitário; (germ.) criminoso que vai sendo açoutado pelas ruas.

sagitífero, ra. *adj.* (hist. nat.) sagitífero.

sagitifoliado, da. *adj.* (bot.) sagitifoliado.

ságoma. *f.* (arq.) padrão, molde, planta, gabari. V. **escantillón.**

sagrado, da. adj. sagrado, que recebeu a consagração, consagrado à divindade; sagrado, venerável; santo; nobre; inviolável; puro; (fig.) digno de veneração e respeito. — m. asilo para delinquentes; sagrado, lugar de franquia ou imunidade; (fig.) sagrado, asilo, refúgio.

sagrario. m. sacrário; parte do templo em que se guardam as coisas sagradas; sacrário, tabernáculo em que se guardam as Formas Eucarísticas; capela paroquial em algumas catedrais; (fig.) sacrário, lugar interior e mais reservado.

Sahara. (geog.) Sara.

sahariano, na. adj. pertencente ao Sara.

sahornarse. v. r. escoriar-se, esfolar-se uma parte do corpo.

sahorno. m. escoriação, ligeira esfoladura.

sahumado, da. p. p. de sahumar e adj. (fig.) diz-se da coisa que, sendo boa de per si, é mais apreciada pela adição doutra que a melhora; (fam.) (Amér.) tocado, ligeiramente ébrio.

sahumador. m. perfumador, vaso em que se queimam perfumes, defumador.

sahumadura. f. perfumadura. V. sahumerio.

sahumar. v. tr. perfumar com fumo aromático; defumar; fumigar; embalsamar.

sahumerio. m. perfumadura, defumadura; fumo produzido por uma substância aromática; esta mesma substância; embalsamamento.

saibor. m. (Amér.) aparador (móvel).

saín. m. banha, gordura, sebo de animal; sebo, porcaria, gordura dos panos, chapéus, etc., sebo; gordura de peixe.

sainete. m. dim. de saín; sainete, molho para condimentar iguarias; sainete, peça dramática, jocosa num acto; (fig.) sainete, pico, sal que realça uma coisa agradável; sabor delicado duma iguaria; enfeite, adorno elegante; sainete, aquilo que realça o mérito duma coisa.

sainetear. v. intr. representar sainetes ou comédias curtas.

sainetero. m. comediógrafo, escritor de sainetes ou comédias curtas.

sainetesco, ca. adj. pertencente ou relativo ao sainete; cómico.

sainetista. s. V. sainetero.

saja. f. sarja, sarjação, sarjadura; incisão, cortadela na carne.

sajado, da. p. p. de sajar e adj. diz-se da ventosa que se aplica sobre uma incisão.

sajador. m. sangrador, o que faz sangrias; sarjador, o que sarja; escarificador, lanceta para sarjar; espécie de retranca.

sajadura. f. sarjadura, escarificação, incisão superficial na pele para tirar sangue.

sajar. v. tr. sarjar, escarificar, fazer incisão superficial na pele para produzir escoamento de sangue ou humores.

sajelar. v. tr. limpar o barro de pedras e corpos estranhos.

sajia. f. sarjadura. V. sajadura.

sajón, na. adj. (geog.) saxão, saxónio.

sajumaya. f. (vet.) doença dos porcos que os abafa.

sajuriano. f. (Amér.) certa dança antiga.

sal. f. sal; (quím.) substância resultante da combinação dum ácido com uma base, sal; (fig.) sal, argúcia, graça, chiste; malícia; finura do espírito, vivacidade; (Amér.) desgraça, infortúnio.

sala. f. sala, compartimento principal da casa; sala, aposento de grandes dimensões; sala de audiência dum tribunal; turno de juízes que formam um tribunal; gabinete.

salabardo. m. enxalavar, saco de rede para tirar o peixe das redes grandes.

salabre. m. V. salabardo.

salacidad. f. salacidade, salácia, inclinação à luxúria; impudícia; libertinagem; devassidão, lascívia; lubricidade.

salacot. m. capacete, chapéu usado nos países quentes; capacete tropical.

saladar. m. pequena salina; salgado, terreno estéril por abundância de sais; salga, salgadeira, lugar onde se salga o peixe ou a carne.

saladería. f. (Amér.) indústria de salgar as carnes, charqueada.

saladeril. adj. (Amér.) relativo à indústria de salgar as carnes.

saladero. m. salgadeira, lugar onde se salga a carne ou o peixe; salgadeira, vaso ou tina em que se salga; saladero, antiga prisão de Madrid.

saladillo, lla. adj. diz-se do toucinho fresco pouco salgado. — m. o mesmo toucinho.

salado, da. p. p. de salar e adj. salgado, que tem demasiado sal; estéril por excesso de salitre; (fig.) engraçado, chistoso, gracioso, que tem sal; (Amér.) infeliz, desgraçado; salgado, caro, custoso. — m. V. caramillo (planta).

salador, ra. adj. salgador, que salga. — m. salgadeira.

saladura. f. salgadura, salga.

salamanca. f. (Amér.) gruta natural; espécie de salamandra; (Filip.) variedade de jogo de mãos.

salamandra. f. (zool.) salamandra; salamandra, calorífero de combustão; ser fantástico considerado como espírito elementar do fogo.

salamandria. f. V. salamanquesa.

salamandrino, na. adj. pertencente à salamandra ou parecido com ela.

salamanqués, sa. adj. e s. (geog.) salamanquense, salamanquino, salamanticense.

salamanquesa. f. (zool.) salamandra, espécie de sáurio.

salamanquina. f. (Amér.) (zool.) lagartixa.

salamanquino, na. adj. e s. (geog.) salamanquino, salamanquense, salamanticense.

salamí. m. salami, preparado de carne de lombo, entremeada de presunto de porco e conservada em tripa.

salar. v. tr. salgar, pôr em salmoura, temperar com sal; salgar, impregnar de sal; salgar, deitar sal em excesso, na comida; (Amér.) desonrar, manchar.

salariado. m. assalariamento, pagamento do trabalho exclusivamente pelo salário.

salariar. v. tr. assalariar, contratar por salário.

salario. m. salário, retribuição de serviços; paga; jornal, acostamento; estipêndio; gage; emolumento.

salaz. adj. salaz, luxurioso, devasso; impudico, libertino, lúbrico, lascivo.

salazón. f. salgadura, salga; conjunto de carnes ou peixes salgados; indústria e comércio de conservas salgadas; salgadura, tempo próprio para salgar.

salazonero, ra. adj. relativo a salgadura ou salga.

salbadera. f. V. **salvadera.**

salce. m. salgueiro. V. **sauce.**

salceda. f. salgueiral. V. **salcedo.**

salcedo. m. salgueiral, terreno povoado de salgueiros.

salcochar. v. tr. cozer carnes ou outros alimentos apenas com água e sal.

salcocho. m. (Amér.) preparação de um alimento, cozendo-o só em água e sal; vianda, sobejos de comida destinados aos porcos.

salchicha. f. salchicha, salsicha, chouriça, enchido de tripa fina; (mil.) rastilho com que antigamente se pegava fogo às minas; balão dirigível.

salchichería. f. salsicharia, estabelecimento de salsicheiro.

salchichero, ra. s. salsicheiro, fabricante ou vendedor de salsichas ou enchidos; toucinheiro.

salchichón. m. salsichão, salsicha grande, paio, salpicão; (fort.) salsichão, molho de paus que serve de faxina nas fortificações.

saldable. adj. saldável, liquidável.

saldado, da. p. p. de *saldar* e adj. saldado, liquidado, pago.

saldar. v. tr. saldar, liquidar uma conta, pagar o débito; saldar, vender por baixo preço uma mercadoria.

saldista. m. saldista, o que compra e vende artigos de saldo; o que salda.

saldo. m. (com.) saldo, resto de mercadoria vendida a baixo preço; saldo, liquidação, ajuste de contas; saldo, diferença entre o débito e o crédito; resto; *saldo a favor*, saldo a favor; *saldo deudor*, saldo contra; *saldo acreedor*, saldo positivo.

salega. f. lugar onde se dá sal aos animais, nos campos.

salegar. m. V. **salega.**

salegar. v. intr. tomar o gado o sal que se lhe dá.

salero. m. saleiro, vaso para o sal; lugar onde se guarda o sal; (fig. e fam.) graça, chiste, donaire, elegância; pessoa graciosa; chiste, sal.

salerón. m. proveta para medir a densidade do vinho.

saleroso, sa. adj. (fig. e fam.) gracioso, engraçado; donairoso, elegante; chistoso.

salesa. adj. e s. salésia, diz-se da religiosa da ordem da Visitação fundada por S. Francisco de Sales.

salesiano, na. adj. e s. salesiano.

saleta. f. dim. de *sala;* saleta, sala pequena; sala anterior à; antecâmara real; tribunal de apelação.

salgar. v. tr. dar sal ao gado.

salicilato. m. (quím.) salicilato.

salicílico, ca. adj. (quím.) salicílico.

salicilismo. m. (med.) salicilismo.

salicina. f. (quím.) salicina.

salicíneo, a. adj. (bot.) salicíneo. — f. pl. (bot.) salicíneas.

sálico, ca. adj. sálico, pertencente ou relativo aos sálicos: *ley sálica,* lei sálica que excluía as mulheres do trono.

salicor. m. (bot.) salgadeira.

salida. f. saída, lugar por onde se sai; saída, passo, porta; arredores; campos contíguos às portas duma cidade; saliência; saída, venda de géneros; saída, fim, êxito; (fig.) saída, pretexto; desculpa; escapatória; recurso, expediente; conclusão final; acabamento; (mil.) saída, sortida, ataque dos sitiados contra os sitiantes; saída, meios de vencer um argumento, uma dificuldade; exportação, venda procura; dito; repente.

salidero, ra. adj. amigo de sair, passeador. — m. saída, lugar por onde se sai. V. **andariego.**

salidizo, za. adj. saliente, saído. — m. (arq.) sacada, saliência, parte do edifício que ressai da parede.

salido, da. adj. saído; saliente; saído, que anda com o cio (diz-se dos animais).

salidor, ra. adj. (Amér.) V. **andariego.**

saliente. p. a. de *salir* e adj. saliente, que sobressai; (fig.) saliente, notável, que dá na vista; proeminente, que ressalta, protuberante. — m. oriente, nascente; saliência.

salífero, ra. adj. salífero, que tem ou produz sal.

salificable. adj. (quím.) salificável, que se pode salificar.

salificación. f. (quím.) salificação, acção e efeito de salificar; formação de um sal.

salificar. v. tr. (quím.) salificar, converter em sal.

salimiento. m. saída, saimento.

salín. m. salina, depósito de sal.

salina. f. salina, marinha de sal; mina de sal.

salinero, ra. adj. diz-se do touro de pêlo branco e vermelho. — m. salineiro, o que fabrica, extrai ou vende sal.

salino, na. adj. salino, que contém sal; salino, da natureza do sal.

salinómetro. m. salinó(ô)metro.

salio, lia. adj. e s. sálio, diz-se dos indivíduos dum antigo povo franco; sálio, pertencente aos sacerdotes de Marte.

salipirina. f. (med.) salicilato de antipirina.

salir. v. intr. sair, ir para fora; partir; sair, ressaltar, sobressair; sair, aparecer, manifestar-se, descobrir-se, nascer; partir, desviar-se, afastar-se; libertar-se; brotar, nascer, sair; sair, desembaraçar--se, libertar-se moralmente; sair, publicar-se; vir a ser, ficar; sair, proceder, tirar a sua origem; acabar, concluir, ajustar, terminar uma conta, um negócio; chegar ao fim de; retirar-se; sair, avançar, fazer saliência; sair, cessar de fazer parte de, de exercer certo cargo; separar-se, sair; sair, ir ao encontro de, investir; provir, dimanar; romper; brotar; sair, ser tirado; dizer, ocorrer; parecer, assemelhar-se; resultar; caber; cair em sorte; furar, sair, importar, vir a custar; sair, ter bom ou mau êxito alguma coisa; sair, dizer, fazer alguma coisa inesperada ou intempestiva; derivar; transformar-se; sair, ser eleito; sair, sair em sorte; ausentar-se, empreender viagem; investir; exorbitar; (Bras.) desguiar. — v. r. verter--se, derramar-se; escapar-se, livrar-se: *salirse del buen camino*, (fig.) descarrilar; *salirse con la suya*, (fam.) levar a sua avante; *salir de la cárcel*, sair da cadeia; *salir una profecía*, sair certa uma profecia. — *pres. ind. irreg.* **salgo, sales,** etc.; *fut.* **saldré,** etc.; *pot.* **saldría,** etc.; *pres. subj.* **salga,** etc.

salitrado, da. *adj.* que contém salitre.

salitral. *adj.* salitroso. — *m.* salitral, nitreira.

salitre. *m.* salitre, nitrato de potássio; nitro.

salitrera. *f.* salitral, nitreira. V. **salitral.**

salitrería. *f.* salitraria, casa ou lugar onde se fabrica salitre.

salitrero, ra. *adj.* salitreiro, pertencente ou relativo ao salitre. — *s.* fabricante ou vendedor de salitre.

salitroso, sa. *adj.* salitroso, que tem salitre.

saliva. *f.* saliva; cuspo: *tragar saliva,* (fig.) embatucar, não conseguir falar.

salivación. *f.* (fisiol.) salivação, acção de salivar; salivação, secreção de saliva.

salivadera. *f.* (Amér.) V. **escupidera.**

salivajo. *m.* cuspidura, cusparada. V. **salivazo.**

salival. *adj.* salival, salivar, salivante.

salivar. *v. intr.* salivar, expelir saliva; cuspir.

salivazo. *m.* cuspidura, cusparada, porção de saliva que se cospe duma vez.

salivera. *f.* contas que se põem no freio dos cavalos.

salivoso, sa. *adj.* salivoso, que cospe muita saliva.

salma. *f.* tonelada, medida para regular o carregamento ou capacidade dos navios.

salmanticense. *adj.* e *s.* (geog.) V. **salmantino.**

salmantino, na. *adj.* e *s.* (geog.) salmantino, salmanticense, salamantino, salamanquense.

salmear. *v. intr.* salmear, salmejar, cantar ou rezar salmos; salmodiar; salmear, entoar salmos, cantar.

salmeo. *m.* acção de salmear ou salmodiar.

salmer. *m.* (arq.) diz-se da pedra cortada em plano inclinado, onde começa um arco.

salmista. *m.* salmista, o que compõe ou canta salmos; (por antonom.) o Rei David; salmista, que canta salmos nas catedrais.

salmo. *m.* salmo, composição ou cântico em louvor a Deus; cada um dos cânticos da Bíblia; de cantar, ler ou escrever.

salmodia. *f.* canto para os salmos; maneira de cantar ou recitar os salmos; (fig. e fam.) salmodia, canto monótono; maneira monótona.

salmodiar. *v. tr.* e *intr.* salmear, salmodiar, cantar salmos; cantar com cadência monótona, galrar.

salmón. *m.* (ictiol.) salmão, peixe fluvial e marinho da família dos malacopterígios: *salmón ahumado,* salmão ao fumeiro.

salmonado, da. *adj.* salmonado, de carne semelhante à do salmão; que tem a carne vermelha como a de salmão.

salmonete. *m.* (ictiol.) salmonete, salmonejo.

salmónidos. *m. pl.* (ictiol.) salmónidas, família de peixes a que pertencem o salmão e a truta.

salmuera. *f.* salmoira, salmoura, água com muito sal onde se conservam azeitonas, peixes, carne, etc.; humidade que escorre das coisas salgadas: *salmuera con vinagre,* oxalma.

salmuerarse. *v. r.* adoecer o gado por comer muito sal.

salobral. *adj.* salitroso, diz-se das terras que contém salitre, terras salobres. — *m.* salgada, terra estéril, salgadiça, salobre, que tem muito sal.

salobre. *adj.* salobre, salobro, que tem sabor de sal.

salobreño, ña. *adj.* salgadiço, salitroso; diz--se do terreno que tem qualidades salinas.

salobridad. *f.* salobridade, qualidade de salobre ou salobro.

salol. *m.* (quím. e med.) salol.

salomar. *v. intr.* cantar para ritmar o trabalho.

Salomón. *m.* Salomão, homem de grande sabedoria.

salomónico, ca. *adj.* salomó(ô)nico, pertencente ou relativo a Salomão; (arq.) salomónico, diz-se da coluna lavrada em espiral: *columna salomónica,* coluna cocleada.

salón. *m.* aum. de *sala;* salão, sala grande; reunião de pessoas distintas; recinto próprio para exposição de arte, etc.; (gal.) por exposição.

saloncillo. *m.* dim. de *salón;* sala pequena, salãozinho.

salpicadura. *f.* salpico, salpicadura, acção de salpicar; chapisco, chapinhada: *salpicaduras de barro, lodo,* chocas.

salpicar. *v. tr.* salpicar, molhar com gotas esparzidas; borrifar; (fig.) salpicar, saltar de umas coisas a outras sem nexo; salpicar, molhar com gotas aspergidas; salpicar, (fig.) manchar com pingos ou salpicos, disseminar, espalhar; (fig.) salpicar, manchar a reputação, etc.; salpicar, polvilhar, sarapintar; infamar, macular.

salpicón. m. salpico, salpicadura, gota que salta e borrifa; salpicadura; salpicão, picado de carne, chouriço, paio.

salpimentar. v. tr. salpimentar, temperar com sal e pimenta; assazoar; (fig.) adubar a conversação; maltratar com ditos picantes; (fig.) amenizar: *salpimentado*, diz-se da frase ou dito expressivo e com graça. — *conj. irreg.* como *acertar*.

salpimienta. f. salpimenta, misturado com sal e pimenta.

salpingitis. f. (pat.) salpingite.

salpique. m. V. **salpicadura.**

salpresamiento. m. salpreso.

salpresar. v. tr. salpresar, salgar ligeiramente uma coisa, salpicar; conservar com sal.

salpullido. m. (med.) erupção cutânea, prurido, fogagem; sinais de picadas de pulgas na pele.

salpullir. v. tr. causar erupção na pele; excitar; fazer fogagem na pele. — *v. r.* encher-se a pele de erupções ligeiras. — *conj. irreg.* como *mullir*.

salsa. f. salsa mo(ô)lho para os alimentos; (fig.) qualquer coisa que excita o paladar; aperitivo; adubo:

salsear. v. intr. (fam. prov.) intrometer-se, meter-se em tudo.

salsedumbre. f. qualidade de salgado.

salsera. f. salseira, molheira, vasilha para servir molhos à mesa.

salsero, ra. adj. diz-se do tomilho cheiroso, que serve para condimento. — m. salpicadura de água do mar; (prov.) intrometido.

salso, sa. adj. (ant.) que está salgado.

salsoláceo, a. adj. (bot.) salsolácea, diz-se das plantas dicotiledóneas. — f. pl. salsoláceas. família destas plantas.

saltabanco(s). m. saltimbanco, pelotiqueiro; charlatão de feira, vendedor de drogas na rua; (fig. e fam.) homem buliçoso e insignificante, histrião; homem leviano.

saltable. adj. que se pode saltar.

saltacaballo. m. (arq.) uma das pedras que formam um arco.

saltación. f. salto, arte de saltar baile ou dança.

saltadero. m. saltadoiro; chafariz; repuxo de água.

saltadizo, za. adj. que se estilhaça, que salta ou quebra violentamente.

saltador, ra. adj. saltador, que salta. — m. corda para saltar.

saltadura. f. defeito que resulta na superfície duma pedra por haver saltado uma lasca quando se trabalha.

saltagatos. m. (Amér.) gafanhoto.

saltamonte. m. (zool.) gafanhoto, saltão.

saltanejoso. adj. (Amér.) diz-se do terreno com ligeiras ondulações.

saltar. v. intr. saltar, transpor de um salto; avançar; galgar; dar saltos; pular; brotar, esguichar (líquidos); saltar, arrebentar, quebrar-se violentamente; saltar, desprender-se uma coisa do lugar onde estava fixa; saltar, sobressair, tornar-se notável;

apresentar-se repentinamente. oferecer-se repentinamente à vista, saltar; ressentir-se, saltar, ficar-se; saltar, oferecer-se à imaginação; dizer uma coisa que não vem a propósito; (fig.) passar em claro; omitir; correr; apear-se, descer; passar bruscamente de um assunto a outro; saltar, elevar-se de uma posição inferior a outra superior; ir depressa; ir pelos ares; irromper. — v. r. cobrir o macho a fêmea (animais); (mar.) saltar, mudar o vento repentinamente: *saltar como un toro*, (pop.) estoirinhar; *saltar por encima de*, saltar em claro; *hacer saltar la espada*, (esgr.) desempunhar a espada; *saltar a tierra*, desembarcar; *saltar de un asunto a otro*, saltar de um assunto para outro; *saltar de contento*, saltar de contente; *saltar a la vista*, saltar aos olhos, ser evidente; *saltarse la tapa de los sesos*, fazer saltar os miolos; *saltarse una página*, saltar uma página.

saltarel(o). m. saltarelo, antiga dança espanhola.

saltarén. m. certa música de guitarra para dançar; gafanhoto, saltão.

saltarín, na. adj. e s. bailarino, que dança ou baila; saltarino; (fig.) buliçoso, inquieto, de pouco juízo (diz-se dos jovens).

saltarregla. f. salta-regra; acuta; instrumento para medir ângulos.

saltatrás. m. ou f. V. **tornatrás.**

saltatriz. f. saltatriz, bailarina, dançarina.

saltatumbas. m. (fig. e fam.) sacerdote que vive principalmente de acompanhar enterros.

salteador. m. salteador, ladrão de estrada, depredador, bandoleiro, falperrista, foragido: *salteador de caminos*, destroçador de caminhantes.

salteadora. f. mulher que vive com salteadores.

salteamiento. m. salteamento, salteagem, assalto, acção de saltear.

saltear. v. tr. saltear, assaltar, acometer, sair ao caminho para roubar; começar a fazer uma coisa e não acabar; atacar; anticipar-se a outrem; desvalijar, bandolear; (fig.) sobrevir de repente; surpreender; fritar ligeiramente a fogo vivo.

salteo. m. V. **salteamiento.**

salterio. m. saltério, salter, antigo instrumento musical; saltério, livro do Antigo Testamento; saltério, livro de coro que contém os salmos; parte do breviário; rosário de Nossa Senhora, por conter 150 Ave-Marías.

saltero, ra. adj. nascido na montanha. — m. guarda-mato. V. **montaraz.**

saltígrado, da. adj. saltígrado, diz-se do animal que anda aos saltos.

salto. m. salto, acto de saltar; pulo; espaço que se transpõe, saltando; jogo de rapazes; salto, despenhadeiro; salto, cachoeira, catadura, queda de água num rio; salto, omissão de cláusula, linha, etcétera; salto, saltada, roubo, assalto; salto, acesso sem passar pelos postos interiores; abalançamento; (fig.) subida repentina de preço; salto, trânsito desordenado de uma coisa a outra; salto, sobressalto, espanto.

saltón, na. adj. saltão, saltador, que anda aos saltos, que salta muito. — m. gafanhoto. — pl. diz-se dos olhos muito grandes.

saltuario. adj. (for.) morgado.

salubre. adj. saudável, salubre, salutar.

salubridad. f. salubridade, qualidade de salubre.

salud. f. saúde, estado do que é são; bem público ou particular; estado de graça espiritual; salvação; saúde, brinde. — pl. cumprimentos: la salud es lo primero, (fam.) vão-se os aneis e fiquem os dedos; ¿qué tal va esa salud?, como vai essa bizarria?; tener mala salud, ter saúde fraca; tener buena salud, gozar de saúde; casa de salud, casa de saúde; a su salud, à sua saúde.

saludable. adj. saudável, bom para a saúde; (fig.) proveitoso, vantajoso; salutar, higiénico; benéfico, útil, salutífero.

saludación. f. V. salutación.

saludador, ra. adj. saudador, que saúda ou cumprimenta. — m. curandeiro, benzedor; charlatão.

saludar. v. tr. saudar, cumprimentar; saudar, aclamar, proclamar rei, imperador, etcétera, benzer; brindar; (mil.) salvar, saudar com salvas de artilharia; saudar, fazer continência; saudar, benzer doentes o curandeiro; cortejar: saludar con el sombrero, tirar o chapéu a alguém.

saludo. m. saudação, cortesia, cumprimento; inclinação; barretada (com o chapéu) chapelada: saludo militar, continência.

salutación. f. saudação, cumprimento; saudação angélica (primeira parte da Ave--maria); esta oração; exórdio, proémio.

salutífero, ra. adj. saudável, salutífero, salutar.

salva. f. prova, acção de provar a comida; salva de artilharia, saudação feita com armas de fogo; saudação, boas-vindas; juramento, promessa solene; (for.) salva, prova, temerária de inocência; salva, juramento, promessa solene; salva, bandeja, prato grande.

salvabarros. m. guarda-lamas.

salvable. adj. salvável, que se pode salvar.

salvación. f. salvação, salvamento; (rel.) salvação, posse de bem-aventurança.

salvachia. f. (mar.) espécie de estropo, cabo unido pelos extremos.

salvadera. f. areeiro, vaso com areia para secar a escrita.

salvado, da. p. p. de salvar e adj. salvo. — m. farelo, sêmea, casta, película dos cereais.

salvador, ra. adj. e s. salvador, que salva; (por anton.) Jesus-Cristo.

salvadoreño, ña. adj. e s. (geog.) salvadorenho.

salvaguarda. f. V. salvaguardia.

salvaguardar. v. tr. (gal.) salvaguardar, proteger; pôr ao abrigo; garantir; ressalvar.

salvaguardia. m. salvaguarda, salvo-conduto; prote(c)ção por uma autoridade; amparo, garantia; reserva, condição, cautela, custódia. — f. salvo-conduto, licença escrita para alguém transitar livremente.

salvajada. f. selvajaria; barbaridade.

salvaje. adj. e s. selvagem, inculto, agreste; bravio (diz-se de animais); maninho, estéril, silvestre; não cultivado (terrenos); selvagem, silvestre, bravio (diz-se das plantas); (fig.) bárbaro, inculto, ignorante, rude, grosseiro, estúpido; selvagem, pessoa de costumes bárbaras.

salvajería. f. selvajaria, acção ou dito de selvagem, brutalidade, grosseria, dito grosseiro. V. salvajada.

salvajina. f. multidão de feras monteses; porção de peles ou carnes de animais selvagens; animal selvático.

salvajino, na. adj. selvagíneo, selvagino, selvático (diz-se dos animais ou plantas); selvagíneo, pertencente aos selvagens.

salvajismo. m. selvagismo, selvajaria; ferocidade; brutalidade.

salvamano (a). adv. sem perigo. V. a man-salva.

salvam(i)ento. m. salvamento, salvação; lugar seguro; segurança; salvamento, porto a que se chega depois de grande tempestade e perigos, porto de refúgio.

salvar. v. tr. salvar, livrar de um risco ou perigo; salvar, dar a salvação eterna; dar saúde a; salvar, livrar da ruína; acautelar, reservar; pôr como condição; evitar inconveniente, dificuldade ou risco; ressalvar, vencer um obstáculo, passando--lhe por cima; exceder a altura; vencer uma distância; salvar, conservar intacto; salvar, notar à margem dum escrito as entrelinhas ou emendas para torna-las válidas; tomar a salva, provar a comida e bebida dos príncipes e grandes para mostrar que não contém veneno; (for.) provar juridicamente a inocência; (anat.) dar uma salva de artilharia, saudar com salvas. — v. r. salvar-se, obter a salvação eterna; pôr-se a salvo; escapar a um perigo.

salvarsan. m. (med.) salvarsan, arsenobenzol.

salvavidas. m. salva-vidas, aparelho para salvar náufragos.

¡salve! interj. salve!, saudação. — f. (rel.) oração à Virgem.

salvedad. f. escusa, desculpa, salvaguarda, ressalva; exclusão.

salvilla. f. salva pequena, bandeja.

salviniáceo, a. adj. (bot.) salviniáceo.—f. pl. salviniáceas.

salvo, va. adj. salvo, ileso, livre de perigo; salvo, exceptuado; omitido; excepto. — adv. salvo, excepto; afora: a salvo, a coberto, fora de perigo, em segurança.

salvoconducto. m. salvo-conduto, segurança, licença para alguém transitar livremente; salvo-conduto, privilégio, isenção.

salvohonor. *m.* (fam.) traseiro, parte posterior do corpo humano.

salladura. *f.* sachadura, sachadela.

sallar. *v. tr.* sachar, tirar com o sacho as ervas daninhas.

sallete. *m.* sacho, sachinho, pequena sachola.

sámago. *m.* alburno, parte mais branca e mole das madeiras.

samaritano, na. *adj.* e *s.* samaritano, natural de ou pertencente a Samaria; sectário do cisma do Samaria.

samarugo. *m.* girino da rã. V. **renacuajo**; (fig. prov.) pessoa néscia.

samaruguera. *f.* rede de malhas pequenas.

sambenitar. *v. tr.* ensambenitar, sambenitar; (fig.) infamar, pôr má nota.

sambenito. *m.* sambenito, hábito em forma de saco que os condenados levavam nos autos-de-fé; (fig.) sambenito, nota infamante, descrédito, difamação.

sambrano. *m.* (Amér.) planta leguminosa.

sambuca. *f.* sambuca, instrumento músico usado na Grécia antiga; (mil.) sambuca, antiga máquina de guerra.

samuga. *f.* cadeirinha de senhora. V. **jamuga**.

san. *adj.* apócope de santo; são, santo; usa-se ante os nomes próprios de santos.

sanable. *adj.* sanável, curável, remediável.

sanaco, ca. *adj.* (Amér.) palerma, estúpido.

sanador, ra. *adj.* e *s.* sanador, que sana, curador; curandeiro, mezinheiro.

sanalotodo. *m.* panaceia, certo emplastro de cor preta; (fig.) meio, expediente, remédio.

sanar. *v. tr.* sanar, curar, sarar, dar saúde. — *v. intr.* recobrar a saúde, sarar, melhorar; corrigir-se, emendar-se; (fig.) cicatrizar.

sanativo, va. *adj.* sanativo, que cura ou tem virtude de curar.

sanatorio. *m.* sanatório; hospital, estabelecimento higiénico para onde se mandam doentes ou convalescentes.

sanción. *f.* sanção, estatuto, lei; sanção, acto de autoridade; sanção, ratificação; confirmação; sanção, pena para o infractor da lei; sanção, aprovação duma lei pelo chefe do Estado; cláusula executória da lei; pena, castigo.

sancionable. *adj.* sancionável, que merece sanção.

sancionador, ra. *adj.* e *s.* sancionador, que sanciona.

sancionar. *v. tr.* sancionar, consagrar; sancionar, dar força de lei a uma disposição; sancionar, aprovar qualquer uso ou costume; sancionar, ratificar; confirmar; dar sanção a; (fig.) confirmar, admitir, ratificar, aprovar.

sancirole. *m.* V. **papanatas**.

sancochar. *v. tr.* aferventar a comida, deixando-a meio crua e sem tempero.

sancocho. *m.* (Amér.) iguaria feita com carne e vegetais.

sancta. *m.* parte anterior de Tabernáculo dos Judeus.

sanctasanctórum. *m.* parte interior e mais sagrado do Tabernáculo no Templo de Jerusalem; (fig.) coisa muito reservada e misteriosa.

sanctus. *m.* (rel.) parte da missa, depois do prefácio.

sanchete. *m.* antiga moeda de prata.

sandalia. *f.* alpargata, sandalha, sandália; calçado segurado com correias.

sanchopancesco, ca. *adj.* pertencente ou relativo a Sancho Panza; (fig.) falto de idealidade.

sandalina. *f.* (quím.) essência que se extrai do sândalo vermelho.

sandalino, na. *adj.* sandalhino, pertencente ou relativo ao sândalo.

sándalo. *m.* (bot.) sândalo, planta aromática da família das labiadas; sândalo madeira desta árvore; sândalo, árvore da família das santaláceas; (zool.) sândalo, insecto coleóptero: *sándalo rojo*, árvore tropical da família das leguminosas de madeira tintória.

sandáraca. *f.* sandáraca, resina para vernizes.

sandez. *f.* sandice, qualidade de quem é sandeu; parvoice, tolice; necedade; estouvadice; estultícia; estroinice; (pop.) sendeira, sendeirada; bernardice; estultilóquio.

sandía. *f.* (bot.) melancieira, melancia, planta cucurbitácea, sandia; fruto desta planta.

sandialero, ra. *s.* (Amér.) pessoa que cultiva ou guarda um melancial; melancieiro.

sandiar. *m.* melancial, terreno onde se cultivam melancias.

sandiego. *m.* (Amér.) planta que se cultiva nos jardins e a sua flor.

sandio, dia. *adj.* sandeu, néscio, simplório, simples; estulto; estúpido; mentecapto; idiota, pateta.

sandunga. *f.* (pop.) garbo, graça, donaire, salero.

sandunguero, ra. *adj.* (fam.) garboso, gracioso, gentil, donairoso; chistoso, engraçado.

saneado, da. *adj.* e *p. p.* de sanear; alodial, diz-se dos bens das rendas ou haveres livres de descontos, emolumentos, etc.; saneado.

saneamiento. *m.* saneamento; (fig.) reparação; aplanação de dificuldades.

sanear. *v. tr.* sanear, desinfe(c)tar; sanear, remediar, reparar, assegurar a reparação dum dano; sanear, tornar habitável; (for.) sanear; indemnizar; sanear, tornar higiénico, são, respirável; (fig.) reconciliar: *sanear las costumbres*, correger os costumes.

sanedrín. *m.* Sanedrim, sanédrio, sinédrio, conselho supremo dos Judeus.

sanfasón. *m.* V. **desfachatez**.

sangradera. *f.* lanceta; vasilha para recolher a sangue duma sangria; (fig.) sangradouro, acéquia; comporta para saída da água.

sangrador. *m.* sangrador, o que sangra; (fig.) abertura para dar saída a um líquido; sangradura, sangradouro.

sangradura. *f.* sangradura, sangradouro, sangradoiro, abertura feita para dar saída a
um líquido; picada para tirar o sangue;
cissura da veia; (fig.) draino, drenagem.

sangrar. *v. tr.* sangrar, picar para extrair
sangue; (fig.) sangrar, dessangrar, dar
saída a algum líquido abrindo um conduto; resinar; (fam.) furtar. — *v. intr.*
sangrar, deitar sangue. — *v. r.* sangrar-
-se, ser sangrado: *estar sangrando una
cosa*, ser de pouco tempo.

sangraza. *f.* sangue corrompido, sangue mau,
alterado.

sangre. *f.* sangue, líquido que circula pelas
veias e artérias; sangue, casta, raça, linhagem, geração; vida; família, estirpe;
sangue, ferida; sangue, substância, bens,
fazenda: *mala sangre*, carácter vingativo;
sangre caliente, sangue adusto; *falto
de sangre*, exangue; *sangre fría*, (pop.)
estribeira; (fam.) frescura; *perder la sangre fría*, atrapalhar-se; *verter mucha
sangre*, dessangrar; *tener sangre en las
venas*, ter sangue nas veias; *sudar sangre*, afadigar-se muito, suar sangue; *ser
de la misma sangre*, ser do mesmo sangue; *llorar lágrimas de sangre*, chorar lágrimas de sangue; *bañado en sangre*, tinto
em sangue; *a sangre y fuego*, a sangue e
fogo; *bautismo de sangre*, martírio, baptismo de sangue; *sangre fría*, sangue-frio,
serenidade de ânimo; *sangre de dragón*,
sangue-de-drago; *helársele a alguien la
sangre en las venas*, ficar aterrado, gelar-
-se alguém o sangue nas veias.

sangría. *f.* dessangramento; sangria; sangradouro, parte da articulação do braço,
oposta ao cotovelo; (cir.) sangria, sangue
que se tirou; (fig.) sangria, furto duma
coisa aos bocados; sangria, corte para resinagem; sangria, bebida composta de
água, sumo de limão, vinho tinto e açúcar; sangria, jorro líquido de metal; sangria, (fig.) despesa contínua, sem compensação; (impr.) sangria, acção de começar
uma linha mais dentro.

sangriento, ta. *adj.* sangrento, que derrama
sangue; sangrento, ensanguentado; sangrento, cruento, atroz; (fig.) que ofende
gravemente, sangrento; sanguinolento,
coberto de sangue.

sangriza. *f.* purgação da mulher.

sanguaza. *f.* V. **sangraza**, sangue mau; (fig.)
líquido de cor do sangue que sai dalgumas
frutas ou legumes.

sangüesa. *f.* V. **frambuesa**.

sangüeso. *m.* (bot.) framboeseiro.

sanguífero, ra. *adj.* sanguífero, que contém
sangue.

sanguificación. *f.* (med.) sanguificação, conversão do sangue venoso em arterial.

sanguificar. *v. tr.* converter em sangue, sanguificar.

sanguijolero, ra. *adj.* V. **sanguijuelero**.

sanguijuela. *f.* (zool.) sanguessuga, verme
empregada para extrair sangue; (zool.)
bicha; (fig.) sanguessuga, pessoa que com

astúcia vai tirando dinheiro ou proveitos
à custa dalguém; despeitador.

sanguijuelero, ra. *s. s.* pessoa que vende ou
aplica sanguessugas.

sanguina. *f.* sanguina, lápis vermelho escuro
feito com hematite; sanguínea, esboço feito a sanguina.

sanguinaria. *f.* pedra preciosa de cor de sangue, espécie de ágata; (bot.) sanguinária,
planta: *sanguinaria mayor*, (bot.) sanguinária, erva-da-muda; *sanguinaria menor*,
planta dicotiledónea.

sanguinario, ria. *adj.* sanguinário, feroz,
atroz, vingativo; encarniçado; (fig.) apache; cruel; pessoa que se compraz em
derramar sangue, sanguinário.

sanguíneo, a; sanguino, na. *adj.* sanguíneo,
que contém sangue; sanguíneo, de cor
do sangue; sanguíneo, pertencente ou relativo ao sangue.

sanguino. *m.* (bot.) V. **aladierna** e **cornejo**.

sanguinolencia. *f.* sanguinolência, qualidade
do que é sanguinolento ou sangrento.

sanguinolento, ta. *adj.* sangrento, sanguinolento, que faz derramar muito sangue.

sanguinoso, sa. *adj.* sanguíneo, sanguino,
sanguinoso, sanguinolento, que é da natureza do sangue.

sangüis. *m.* sangue de Cristo sob os acidentes
do vinho.

sanidad. *f.* sanidade, qualidade do que é são;
salubridade; higiene; sanidade, conjun-
to de serviços criados para preservar a
saúde pública; saúde, isenção de contágio: *en sanidad*, em estado de perfeita
saúde; *junta de sanidad*, junta de saúde.

sanidina. *f.* ortósio. V. **ortosa**.

sanie(s). *f.* (med.) icor; sânie, líquido fétido formado de sangue e pus.

sanioso, sa. *adj.* (med.) icoroso; sanioso, em
que há sânie.

sanitario, ria. *adj.* sanitário, relativo a sanidade. — *m.* sanitário, indivíduo pertencente ao corpo de saúde militar.

sanjuanista. *adj. e s.* cavaleiro da Ordem
militar de S. João de Jerusalém.

sano, na. *adj.* são, que tem perfeita saúde;
são, inteiro, sem lesão; seguro, sem risco;
são, saudável, sem dano ou corrupção, sadio, saudável, salubre; são, não apodrecido (diz-se dos vegetais); recto, livre de
erros ou vícios; sincero, de boa intenção;
são, incólume, sem defeitos; são, sincero, probo, recto; são, puro, inocente;
loução: *cortar por lo sano*, empregar
meios heroicos para conseguir uma coisa,
cortar pelo são; *sano y salvo*, a são e
salvo.

sansa. *f.* burusso de azeitona.

sanscritista. *s.* sanscritista, pessoa versada
na língua sânscrita.

sánscrito, ta. *adj.* sânscrito. — *m.* sânscrito.

sanseacabó. *m.* (pop.) acabou-se, nada mais.

sansimoniano, na. *adj. e s.* sansimonista.

sansimonismo. *m.* (econ.) sansimonismo.

sansirolé. *m.* (pop.) pateta. V. **bobalicón**.

sansón. *m.* (fig.) sansão, homem de muita
força, forçudo.

santabárbara. *f.* (mar.) santa-bárbara, paiol da pólvora; praça de armas.

santaláceo, a. *adj.* (bot.) santaláceo. — *f. pl.* santaláceas.

santanderiense. *adj.* e *s.* (geog.) V. **santanderino.**

santanderino, na. *adj.* e *s.* (geog.) santanderino.

santanica. *f.* (Amér.) espécie de formiga.

santelmo. *m.* santelmo, chama azulada que se observa no alto dos mastros dos navios.

santera. *f.* mulher do santeiro; aquela que trata dum santuário.

santería. *f.* santidade, qualidade de santo.

santero, ra. *adj.* e *s.* beato, santeiro; pessoa que cuida dum santuário; andador, pessoa que pede esmola levando a imagem dum santo; andador de irmandade.

Santiago. *m.* Santiago, grito de guerra dos Espanhóis, ao travarem algum combate; acometida durante a batalha; espécie de tecido fabricado em Santiago de Compostela: *revolver Roma con Santiago,* voltar tudo de cima para abaixo.

santiaguista. *adj.* e *s.* diz-se do indivíduo que pertence à ordem militar de Santiago.

santiamén (en un); (fig. e fam.) num santiámem, num instante, num momento, à lume de palhas.

santidad. *f.* santidade, estado de santo; pureza; virtude; santidade, título dado ao Papa.

santificable. *adj.* santificável.

santificación. *f.* santificação; celebração, conforme os ritos religiosos.

santificador, ra. *adj.* e *s.* santificador, que santifica.

santificar. *v. tr.* santificar, tornar santo; abençoar; honrar um santo; dedicar a Deus uma coisa; (fig. e fam.) abonar, desculpar; bendizer; edificar; moralizar.

santificativo, va. *adj.* santificante, que tem virtude ou poder para santificar.

santiguada. *f.* persignação, acção de fazer o sinal da Cruz.

santiguadera. *f.* benzedura, acção de fazer cruzes e dizer orações sobre doentes; benzedeira.

santiaguador, ra. *adj.* e *s.* ensalmador; benzedor, benzedeiro.

santiaguamiento. *m.* persignação. V. **santiguada.**

santiguar. *v. tr.* e *r.* santigar, benzer-se, persignar-se; fazer supersticiosamente cruzes sobre alguém; (fig. e fam.) castigar ou maltratar por actos; persignar-se; ensalmar.

santimonia. *f.* santimó(ô)nia, santidade, qualidade de santo; (bot.) planta herbácea da família das compostas.

santiscario. *m.* invenção.

santísimo, ma. *adj. super.* de *santo,* santíssimo. — *m.* O Santíssimo, a Eucaristia.

santo, ta. *adj.* e *s.* santo, perfeito e livre de toda a culpa; canonizado; sagrado; bem-aventurado; venerável; puro, imaculado; inviolável; (fig.) eficaz; benéfico;

santo, imagem dum santo; indivíduo que morreu em estado de santidade; (fig.) pessoa extremamente bondosa; vinheta, gravura, estampa; dia onomástico: *santo y seña,* apelido; *santo oficio,* santo ofício; *Semana Santa,* Semana Santa; *Tierra Santa,* Terra Santa; *Santos Lugares,* Lugares Santos; *Santo Sepulcro,* Santo Sepulcro; *hacer perder la paciencia a un santo,* fazer perder a paciência a um santo; ; *fiesta de Todos los Santos,* festa de Todos os Santos; *dar el santo,* (mil.) dar o santo-e-senha; *todo el santo día,* todo o dia; *santo varón,* (fig.) hipócrita; singelo, simples; *Santo Padre,* Santo Padre; *Santa Sede,* Santa Sé; *Espíritu Santo,* Espírito Santo; *quedarse con el santo y la limosna,* ficar com o santo e a esmola.

santón, na. *adj.* e *s.* santão, santarrão, indivíduo que finge santidade; beato; hipócrita; (fam.) diz-se da pessoa muito influente numa colectividade; asceta não cristão (religioso muçulmano).

santónico, ca. *adj.* pertencente ou relativo aos *santones.* — *m.* (bot.) santonina.

santonina. *f.* santonina (vermífugo).

santoral. *m.* santoral, hagiológio; santoral, livro de coro dos ofícios dos santos; lista dos santos de cada dia do ano.

santuario. *m.* santuário, templo no qual se venera a imagem ou relíquia dum santo; oratório; sacrário; (fig.) lugar onde se guardam objectos de grande estimação; santuário, lugar mais venerável do Templo de Jerusalém.

santulón, na. *adj.* (Amér.) V. **santurrón.**

santurrón, na. *adj.* santarrão, santão, beato; hipócrita, beatão, devocionista.

santurronería. *f.* beatice, bioquice; devocionismo, qualidade de santarrão.

saña. *f.* cólera, sanha, furor, raiva; ira; fúria.

sañudo, da. *adj.* sanhudo, cheio de sanha, sanhoso.

sapa. *f.* resíduo que fica de mastigar o betel.

sapada. *f.* queda de bruços; postema, apostema na planta do pé.

sapajú. *m.* (zool.) sapaju.

sapidez. *f.* qualidade de sápido; (fig.) paladar.

sápido, da. *adj.* sápido, saboroso, que tem sabor.

sapiencia. *f.* sabedoria. V. **sabiduría;** livro da sabedoria escrito por Salomão.

sapiencial. *adj.* sapiencial, relativo a sabedoria.

sapiencia. *adj.* sábio, sapiente. V. **sabio.**

sapillo. *m.* (zool.) sapinho; (vet.) ramilha, tumor; espécie de afta.

sapina. *f.* (bot.). V. **salicor** (planta).

sapindáceo, a. *adj.* (bot.) sapindáceo. — *f. pl.* sapindáceas.

sapino. *m.* (bot.) abeto; pinheiro-alvar.

sapo. *m.* (zool.) sapo; (fam.) qualquer bicho cujo nome se ignora; pessoa soberba e vaidosa; (Amér.) nódoa no interior das pedras preciosas; peixe pequeno, de cabeça grande e boca fendida, que vive nos rios cubanos: *echar sapos y culebras por la boca*, (pop.) deitar cobras e lagartos pela boca; chover raios e coriscos.

saponáceo, a. adj. saponáceo. V. **jabonoso.**

saponaria. f. (bot.) saponária. V. **jabonera.**

saponificable. adj. saponificável.

saponificación. f. saponificação.

saponificar. v. tr. saponificar, converter em sabão. — v. r. saponificar-se.

saponina. f. (quím.) saponina.

saporífero, ra. adj. saporífero, que causa ou tem sabor.

sapotáceo, a. adj. (bot.) sapotáceo. — f. pl. sapotáceas.

sapote. m. (bot.) sapota. V. **zapote.**

sapremia. f. (pat.) sapremia

saprófago, ga. adj. (zool.) saprófago.

saprófilo, la. adj. saprófilo.

saprófito, ta. adj. (bot.) saprófito. — m. (zool.) saprófito.

saprolegniáceas. f. pl. (bot.) saprolegniáceas.

saque. m. saque, saída no jogo da péla e outros; jogador que serve a péla; risco ou sítio donde se dá saque à péla: *tener buen saque*, (fam.) comer ou beber muito de cada vez.

saqueador, ra. adj. e s. saqueador, que saqueia; devastador, ladrão, depregador.

saqueamiento. m. saque. V. **saqueo.**

saquear. v. tr. saquear, dar saque a; despojar violentamente; roubar; depredar; devastar; pilhar; pôr a saque; meter a saco; despojar, desvalijar; assolar; roubar.

saqueo. m. saque, saqueio, pilhagem; despojamento, despo(ô)jo, depredação.

saquera. adj. diz-se da agulha que serve para coser sacos.

saquería. f. fabricação de sacos; sacaria, porção de sacos.

saquerío. m. sacaria, porção de sacos.

saquero, ra. s. fabricante ou vendedor de sacos.

saquete. m. saquinho, saco pequeno, saquitel; (artil.) envoltura onde se embrulha a carga duma peça de artilharia.

saquilada. f. saquilada, quantidade que se leva num saco não cheio.

saragüete. m. (fam.) sarau íntimo.

sarampión. m. (med.) sarampão, sarampo.

sarasa. m. (fam.) maricas, fanchono, homem efeminado.

sarcasmo. m. sarcasmo, ironia mordaz, troça sangrenta, chasco, ludíbrio; (fig.) dardo, dentada, escárnio.

sarcástico, ca. adj. sarcástico, escarnecedor; que encerra sarcasmo; iró(ô)nico; zombeteiro; escarninho: *dicho sarcástico* (fig.) seta.

sarcia. f. carga, carreto, fardo, peso. V. **carga.**

sarcocarpio. f. (bot.) sarcocárpio.

sarcocele. m. (med.) sarcocele, tumor duro e crónico.

sarcoda. m. (zool.) protoplasma de tecidos animais.

sarcolema. m. (anat.) sarcolema.

sarcología. f. (anat.) sarcologia.

sarcológico, ca. adj. sarcológico.

sarcoma. m. (med.) sarcoma, tumor maligno.

sarcófago. m. sarcófago, túmulo, ataúde, sepulcro, féretro; (zool.) sarcófago, insecto díptero.

sarcomatoso, sa. adj. sarcomatoso, sarcomático.

sarcótico, ca. adj. (cir.) sarcótico.

sardanapalesco, ca. adj. sardanapalesco.

sardesco, ca. adj. diz-se do cavalo ou burro muito pequenho de estatura; (fig.) diz-se da pessoa áspera; indócil, intratável, áspero.

sardina. f. (ictiol.) sardinha, peixe marinho: *arrimar el ascua a su sardina*, chegar a brasa à sua sardinha; *estar como sardinas en canasta*, estar como sardinha em canastro.

sardinal. m. rede para a pesca da sardinha, sardinheira.

sardinel. m. (arq.) obra de tijolos postos em esquina.

sardinero, ra. adj. e s. sardinheiro, vendedor de sardinhas; pertencente ou relativo às sardinhas.

sardineta. f. dim. de *sardina*, sardinhazinha; porção de queijo que sobressai do molde; alamar, adorno feito de galões aparelhados e terminados em ponta, usado nos uniformes dos militares.

sardio, sardo. m. sárdio, sardónica, pedra preciosa sem brilho; ágata.

sardo, da. adj. sardo, diz-se da rês bovina que tem manchas de cores.

sardo, da. adj. e s. (geom.) natural de ou pertencente a Sardenha; sardo, sardónico.

sardón. m. mata de azinheiros, de encinas.

sardonal. m. (prov.) azinhal, lugar povoado de azinheiros.

sardonia. adj. (med.) diz-se do riso que dá à boca uma expressão sarcástica; sardónico. — f. (bot.) sardó(ô)nia, planta cujo suco produz uma contracção dos músculos faciais que semelham o riso.

sardónica, sardónice. f. ágata de cor amarelada e sem brilho.

sardónico, ca. adj. sardó(ô)nico (riso); sardónico, relativo à sardónia (planta).

sarga. f. sarja, espécie de tecido entrançado; (pint.) tapeçaria para adornar paredes.

sargado, da. adj. V. **asargado.**

sargal. m. vimieiro, lugar povoado de *sargas*.

sargenta. f. religiosa da Ordem de Santiago; alabarda que usavam os sargentos; mulher do sargento.

sargentear. v. tr. sargentear, exercer funções de sargento; (fig.) capitanear; (fig. e fam.) mandar imperiosamente, dar ordens com mando afectado.

sargentería. f. (mil.) ofício de sargento.

sargentía. f. emprego ou posto de sargento.

sargento. m. (mil.) sargento, oficial inferior; graduação imediatamente superior à de furriel; o mais antigo alcalde da corte.

sargentona. f. (fam. desprec.) mulheraça regateirona.

sargo. m. (ictiol.) sargo, peixe marinho.

sarguero, ra. adj. pertencente ao vime (sarga). — m. pintor de tapeçarias para paredes; tecelão, fabricante de sarjas.

sargueta. f. variedade de tecido de sarja.

sarmentador, ra. s. esvidigador, pessoa que apanha vides, depois de podada a vinha; que apanha vides secas.

sarmentar. v. intr. esvidar, esvidigar, limpar a vinha das vides; apanhar vinhas podadas. — conj. irr. como acertar.

sarmentazo. m. vergastada, pancada com uma vide.

sarmentera. f. lugar onde se guardam as vides; acção de esvidar ou esvidigar.

sarmenticio, cia. adj. diz-se dos antigos cristãos que eram queimados em fogueiras de vides ou sarmentos.

sarmentillo. m. dim. de sarmiento, sarmentinho.

sarmentoso, sa. adj. sarmentoso, que é semelhante aos sarmentos ou com as vides.

sarmiento. m. (bot.) sarmento, rebento de videira; vara de vide; rama de vide seca para lenha; haste comprida das trepadeiras; ramo ou haste lenhoso; rebento de videira comprido, flexível, fino e nodoso.

sarna. f. (med.) sarna, doença contagiosa cutânea; gafeira: sarna con gusto no pica, a doença voluntária não incomoda.

sarnoso, sa. adj. sarnoso, gafo, feirento; sarnento, que tem sarna; cheio de sarna; sarabulhento, áspero; que não tem a superfície lisa.

sarpullido. m. fogagem, borbulhagem; achores; dartros, impigem; efervescência do sangue; borbulhas na pele; (fig.)sinais de mordeduras de pulga.

sarpullir. v. tr. e r. borbulhar; encher-se de impigens, borbulhas etc., pelo corpo.

sarracenia. f. (bot.) sarracénia.

sarracénico, ca. adj. sarraceno, pertencente aos sarracenos.

sarraceno, na. adj. e s. sarraceno, árabe, mouro.

sarracín. adj. V. **sarracino.**

sarracina. f. tumulto, briga, arruaça, rixa tumultuosa; (por. ext.) tumulto, conflito em que há mortos e feridos.

sarracino, na. adj. e s. V. **sarraceno.**

sarrapia. f. V. **sarapia.**

sarria. f. V. **sarapia.**

sarria. f. rede para acarretar palha; seirão, seira grande.

sarrillo. m. sarrido, estertor de moribundo; estridor da respiração; dificuldade da respiração.

sarrio. m. (prov.) V. **gamuza.**

sarro. m. sarro, borra, sedimento; fezes do vinho, da urina ou de qualquer outra coisa; tártaro, sarro dos dentes; saburra da língua; ferrugem dos cereais; fuligem que a pólvora queimada deixa nas armas.

sarroso, sa. adj. sarrento, que tem sarro, saburroso; (med.) saburroso, coberto de saburra.

sarta. f. sarta, enfiada, (fig.) fiada, enfileira; disposição de pessoas ou coisas em segui-

da umas às outras; fiada, fileira, série; cordão de coisas enfiadas.

sartal. m. sartal, série: sarta de tonterías, um chorrilho de asneiras.

sartén. f. sertã, frigideira larga; vasilha de pouco fundo de cabo comprido; estreladeira: saltar de la sartén y dar en las brasas, tirar-se da lama e meter-se no atoleiro; tener la sartén por el mango, ter a faca e o queijo na mão.

sartenada. f .fritada, o que se frita duma só vez na sertã; o que cabe na sertã.

sartenazo. m. pancada dada com uma sertã; (fig. e fam.) pancada forte dada com qualquer coisa; golpe material ou moral; pancada violenta.

sarteneja. f. dim. de sartén; sertãzinha; (Amér.) fenda formada pela estiagem em terreno argiloso; frigideirinha.

sartenero. m. o que faz ou vende sertãs.

sartorio. adj. e m. (anat.) diz-se do músculo coxal.

sastra. f. alfaiata, mulher do alfaiate; costureira que faz trabalhos de alfaiate.

sastre. m. alfaiate, indivíduo que faz fatos para homem; o que faz vestuário de homem; (Bras.) sirrador, tiziu: sastre remendón, alfaiate remendão; ejercer el oficio de sastre, alfaitar.

sastrería. f. alfaiataria, oficina do alfaiate.

sastresa. f. (prov.) V. **comadreja.**

satán ou **satanás.** m. demó(ô)nio, diabo; Lúcifer; Satã, Satanás.

satandera. f. (prov.) V. **comadreja.**

satánico, ca. adj. satânico, diabólico; satânico, que se refere a Satanás; satânico, muito perverso; infernal, satânico, demoníaco, mefistofélico; luciférico, luciferino: acción satánica, demoninharia.

satanismo. m. (fig.) perversão; malícia muito grande, satânica.

satélite. m. (astr.)satélite, planeta secundário que gira em volta dum planeta principal; (fam.) alguazil, esbirro, beleguim, quadrilheiro; pessoa ou coisa que depende doutra e a segue constantemente; sequaz, sectário, partidário: cada uno de los satélites de Júpiter ou Saturno, lúnula.

satén. m. cetim, tecido de seda.

satín. m. espécie de madeira americana semelhante à nogueira.

satinado, da. p. p. de satinar e adj. que tem o brilho da seda; sedoso, semelhante à seda; acetinado; (poét.) seríceo.

satinador, ra. s. e adj. acetinador, que acetina.

satinar. v. tr. acetinar, tornar macio e lustroso como o cetim; amaciar; dar ao tecido ou ao papel polimento e brilho pela pressão; dar aspecto de cetim.

sátira. f. sátira, composição, discurso, dito, etc. para censurar ou pôr em ridículo; dito mordaz, remoquete; discurso picante ou maldicente; censura; sátira, biscate.

satiriasis. f. (med.) satiriase; estromania.

satírico, ca. adj. satírico, pertencente ou relativo à sátira ou sátiro; satírico, incisivo; desbocado; (fig.) cáustico, mordaz. — m.

satírico, autor de sátiras: *canción satírica*, chiste.

satirizar. *v. tr.* e *intr.* motejar, ridicularizar, causticar; alfinitar, (fig.) frechar; (fig.) apimentar; desembainhar a língua cortadora; epigramatizar; criticar satiricamente.

sátiro, ra. *adj.* (p. us.) sátiro. V. **mordaz**.— *m.* (mit.) sátiro, semideus com pés e pernas de bode; composição cénica lasciva; (fig.) sátiro, homen libidinoso, cínico; devasso.

satisdación. *f.* (for.) garantia, fiança.

satisfacción. *f.* satisfação, reparação, expiação; pago; satisfação, agrado; explicação; aprazimento; bem; contento; contentamento; descargo; desconto; presunção, jactância; satisfação, reparação de dano, injúria, etc.; satisfação, confiança, esperança firme; presunção; segurança: satisfação, contentamento, alegria.

satisfacer. *v. tr.* satisfazer, pagar o que se deve; ; correger; bastar; contentar; cobrir; (fig.) encher; desafaimar; satisfazer, bastar; sossegar (as paixões); desfazer um agravo; premiar o mérito; contentar; convir; satisfazer, cumprir, dar execução obviar; pagar, remir; mitigar; satisfazer, proporcionar satisfação a; obviar; satisfazer, acalmar, saciar; satisfazer, agradar, contentar; tranquilizar, convencer. — *v. r.* vingar-se dum agravo; satisfazer-se, dar-se por satisfeito; contentar-se, vingar-se; fartar-se, saciar-se; pagar-se; indemnizar-se; depicar-se; satisfazer-se, convencer-se, persuadir-se: *satisfacer a alguien por entero*, encher a alguém as medidas; *no satisfacer el gusto de alguien*, descompprazer; *satisfacer una necesidad o deseo*, fartar; *satisfacer una ofensa*, desforçar-se: *satisfacer los deseos de alguien*, satisfazer os desejos de alguém. — *conj. irr.* como *hacer*.

satisfactorio, ria. *adj.* satisfatório, que satisfaz; satisfatório, aceitável, suficiente, grato, propício; favorável: *Prueba satisfactoria*, prova efectiva.

satisfecho, cha. *adj.* e *s.* satisfeito, saciado, farto; agradado; almoçado; contente, contente como um alho; satisfeito, cheio; encantado; desafrontado; abastoso; cumprido; satisfeito, realizado: *darse por satisfecho*, contentar-se; *satisfecho de sí mismo*, contente de si; *quedar satisfecho*, fartar-se.

sativo, va. *adj.* sativo que se semeia ou cultiva; o contrário a silvestre.

sátrapa. *m.* sátrapa, governador duma província da antiga Pérsia; (fig. e fam.) homem ladino, astuto, matreiro; (fig.) sátrapa, rico, voluptuoso.

satrapía. *f.* satrapia, dignidade, governo e território governado por um sátrapa.

saturable. *adj.* saturável, que se pode saturar.

saturación. *f.* saturação; saciedade; fartura; acogulada; impregnação; acoguladura.

saturado, da. *p. p.* de *saturar* e *adj.* saturado; acogulado; impregnado, embebido no mais alto grau; (fig.) farto, cheio, satisfeito: *saturado de agua*, aguachado.

saturar. *v. tr.* saturar, saciar, fartar; levar ao ponto de saturação; impregnar; embeberar; acogular; locupletar; (fig.) encher; fartar, saciar.

saturnal. *adj.* saturnal, pertencente ou relativo a Saturno. — *f.* festa em honra do deus Saturno.

saturnino, na. *adj.* saturnino, satúrnio; saturnal; saturnino, diz-se da pessoa triste e taciturna; (med.) diz-se das doenças produzidas por intoxicação de sais de chumbo.

saturnismo. *m.* (med.) doença produzida pela intoxicação dos sais de chumbo.

Saturno. *m.* (astr.) Saturno; (quím.) saturno, antigo nome do chumbo.

saturno, na. *adj.* saturnino, triste, taciturno.

sauce. *m.* (bot.) salgueiro, árvore: *sauce llorón* ou *de Babilonia*, chorão; choradeira.

sauceda. *f.* saucedal. — *m.* salgueiral. V. **salceda**.

saucillo. *m.* (bot.) centinódia. V. **centinodia**.

saúco. *m.* (bot.) sabueiro, arbusto medicinal usado como diurético; (vet.) saúco, parte dos cascos das cavalgaduras entre a tapa e a palma.

saudade. (voz galaico-portuguesa); saudade, lembrança triste e suave; saudade, nostalgia.

sauquillo. *m.* (bot.) espécie de sabugueiro.

saurio, ria. *adj.* (zool.) sáurio.

saurio. *m.* (zool.) sáurio, certa clase de répteis que tem por tipo o lagarto e o crocodilo. — *m. pl.* sáurios, ordem destes animais.

sausería. *f.* casa onde se arrecada a baixela e o serviço da mesa do palácio real.

sausier. *m.* chefe da baixela e do serviço da mesa do palácio.

sautor. *m.* sautor, aspa. V. **sotuer**.

sauz. *m.* (bot.) salgueiro.

sauzal. *m.* salgueiral.

savia. *f.* seiva, líquido que as raízes das plantas absorvem da terra, aguadilha; (fig.) seiva, energia, alento, elemento vivificador.

saxátil. *adj.* saxátil, que vive ou cresce nas pedras ou nos rochedos.

sáxeo, a. *adj.* sáxeo, que é de pedra, pedregoso; saxífraga.

saxifragáceo, a. *adj.* (bot.) saxifragáceo. — *f. pl.* saxifragáceas.

saxifragia. *f.* V. **saxifraga**.

saxofón. *m.* (gal.) V. **saxófono**.

saxófono. *m.* (mús.) saxofone, instrumento músico de sopro.

saxoso, sa. *adj.* (ant.) pedregoso, coberto de muitas pedras.

saya. *f.* saia, vestidura antiga, espécie de túnica; saia, vestuário de mulher; fraldilha; enágua, falda.

sayal. *m.* burel, tecido de lã tosca; (ant.) hábito de frade.

sayalería. *f.* arte de tecer burel.

sayalero, ra. *s.* fabricante de burel.

sayalesco, ca. *adj.* de burel ou pertencente a este tecido.

sayo. *m.* saio, antiga veste larga com abas e fraldão; (fam.) qualquer vestuário: *decir para su sayo*, falar entre dentes.

sayón. *m.* Ministro de justiça na Idade Média que fazia os embargos; saião, verdugo, algoz; aguazil; saião, grande saio; confrade que vai nas procissões vestido com túnica comprida; (fam.) homem de aspecto feroz, feio e cruel.

sayuela. *f.* variedade de figueira; dim. de *saya*, saiazinha, saia pequena; camisa de estamenha usada nalgumas ordens religiosas.

saz. *m.* V. **sauce.**

sazón. *m.* madureza, maduração, maturação; ponto, perfeição; sazão, ocasião, tempo oportuno; gosto e sabor das comidas: *a la sazón*, então, naquele tempo; *en sazón*, oportunamente, a tempo, em boa ocasião; maduro; *sazón de los frutos*, madureza; *que no está en sazón*, dessazonado.

sazonado, da. *p. p.* de *sazonar* e *adj.* sazonado, amadurecido; assazonado, amadurado, maduro; depressivo, substancial, (diz-se do estilo ou da frase): *sazonado con pimienta*, apimentado; *mal sazonado*, chilro.

sazonador. *adj.* e *s.* sazonador, que faz sazonar.

sazonamiento. *m.* adubo, tempero.

sazonar. *v. tr.* sazonar, sazoar, tornar maduro; amadurecer; temperar, dar bom sabor a uma iguaria, co dimentar. — *v. r.* saborar, assazonar; adubar; apimentar. — *v. r.* sazonar, adubar a conversação com ditos chistoso e agudos; acerejar-se.

sea. *conj.* seja, ou, quer; embora, embora!

sebáceo, a. *adj.* sebáceo, da natureza do sebo; sebáceo, sebento, que tem sebo.

sebácico, ca. *adj.* sebácico, diz-se dum ácido obtido pela destilação dos corpos gordos.

sebato. *m.* (quím.) sal do ácido sebácico.

sebe. *f.* sebe, tapume de varas ou ramos; taipa, cerca; caniçada.

sebera. *f.* (Amér.) carteira de couro para levar sebo.

sebillo. *m.* sebo suave e fino; espécie de sabonete para maciar as mãos; sabão fino.

sebo. *m.* sebo, gordura, enxundia; assacate; sebo, qualquer género de gordura.

seborrea. *f.* (med.) seborre(é)ia.

seboso, sa. *adj.* enxundioso; seboso, que tem gordura, que está untado com sebo ou qualquer gordura de animais, sebáceo; (fig.) açucarado, lisonjeiro, meigo em demasia.

sebucán. *m.* (Amér.) coador cilíndrico usado em Venezuela e Cuba.

seca. *f.* seca, estiagem; seca, período em que secam as pústulas; seca, falta de chuva, estação em que não chove; (med.)

tumor, inflamação, inchação das glândulas.

secadal. *m.* V. **sequedal** e **secano;** sequeiro; eira onde nas olarias ou fábricas de telhas se coloca ao ar a obra modelada.

secadero, ra. *adj.* apto para conservar-se seco. — *m.* secadoiro, enxugadoiro, secadouro, lugar onde se coloca alguma coisa para secar mais fácil.

secadillo. *m.* doce feito com amêndoas limão, açúcar e clara de ovo.

secadío, a. *adj.* secante, que pode secar-se ou esgotar-se.

secador. *m.* enxugador, aparelho, estufa para secar a roupa ou enxugá-la; secadoiro.

secafirmas. *m.* aparelho para secar os escritos.

secamiento. *m.* secagem, acto de secar ou fazer secar.

secano. *m.* sequeiro, terreno não regadio; banco de areia a descoberto ou ilha árida próxima à costa; (fig.) qualquer coisa que está muito seca; secarrão: *terreno de secano*, terreno que não é de regadio.

secante. *p. a.* de *secar* e *adj.* secante, que seca. — *m.* secante, papel mata-borrão; (pint.) secante, óleo usado pelos pintores para fazer secar a pintura ou tintas fàcilmente; substância que seca as tintas. — *adj.* secante, importuno, maçador, enfadonho: *papel secante*, chupa-tinta.

secante. *f.* (geom.) secante, diz-se das linhas ou superfícies que cortam outras.

secar. *v. tr.* secar, enxugar; achicar; desecar; emurchecer; dessecar; secar, tirar a humidade de um corpo molhado; secar, consumir o humor ou suco dos corpos; secar, esgotar; secar, pôr a seco, estancar; secar, murchar; (fig.) secar, tornar insensível; (fig.) secar, maçar, importunar. — *v. r.* secar-se, evaporar-se, secar-se, arejar-se, apergaminhar-se; ficar sem água; enxugar-se, esgotar-se; (fig.) secar-se, emagrecer, definhar-se; ter muita sede, secar-se; secar-se, enfraquecer uma pessoa: *secar a la sombra*, enxambrar; *secar al aire*, enxugar ao ar; *secar al humo*, (prov.) empezar, defumar; *secar el corazón*, dessecar o coração; *secar excesivamente*, estorricar; *secar un terreno*, desalgar; *secarse las flores, plantas*, etc., entristecer-se, aganar, machiar; *secarse una herida*, cicatrizar-se.

secatón, na. *adj.* (fam.) sem graça, insípido; insulso.

secatura. *f.* secatura, insipidez, fastio, tédio; seca; importunação; maçada.

sección. *f.* se(c)ção, corte, cortadura; cada uma das partes em que se divide um todo; secção, desenho dum perfil de edifício, terreno, máquina, etc.; secção, divisão dalguma coisa; (geom.) secção, corte, linha ou superfície em que se cortam duas superfícies ou dois sólidos; (mil.) secção, unidade ou fracção de unidade dos corpos de tropas: *sección de un plano*, corte;

sección plana, secção plana; *sección vertical*, secção vertical.

seccionar. *v. tr.* cortar, cindir, se(c)cionar, dividir em secções.

secesión. *f.* desmembração; secessão, acto de separar-se duma nação parte do território; apartamento, retraimento dos negócios públicos; secessão, separação.

secesionista. *adj. e s.* secessionista, partidário da secessão; pertencente ou relativo à secessão.

seceso. *m.* evacuação do ventre.

seco, ca. *adj.* se(ê)co, que carece de humidade, ou de suco; seco, falto de água; seco, cho(ô)co; enxuto; seco, árido; machio; fraco, seco; magro; dessecado; desafruitado; seco, chupado; avelado; seco, (fig.) chuchado; amoxamado; apergaminhado; encanecido; seco, sem verdura, murcho; seco, mirrado; seco, diz-se de tempo que não chove; seco, magro, de muito poucas carnes; descarnado; seco, não carinhoso, áspero no trato; seco, insensível, esgotado; insípido; seco, que não tem doçura, suavidade; seco, vazio, escorrido.

secreción. *f.* secreção, excreção; ejaculação; segregação; apartamento; separação; afastamento.

secreta. *f.* tese defendida só em presença dos mestres; oração da missa; (fam.) policia secreta; (p. us.) latrina.

secretar. *v. tr.* (fisiol.) segregar, elaborar e expelir uma substância.

secretaria. *f.* secretária, mulher que exerce as funções de secretário; secretária, mulher do secretário.

secretaría. *f.* secretariado, funções ou dignidade de secretário; secretaria, lugar onde se exerce as funções de secretária.

secretariado. *m.* V. **secretaría.**

secretario. *m.* secretário, indivíduo encarregado de escrever a correspondência, redigir as actas duma assembleia; secretário, amanuense; secretário, empregado para fazer a correspondência duma pessoa ou entidade; (ant.) confidente, secretário; escrivão: *secretario particular*, secretário particular.

secretear. *v. intr.* (fam.) segredar, mexericar; ciciar; bisbilhotar; bichanar; dizer segredos, cochichar.

secreteo. *m.* bisbilhotice, mexerico; acção de segredar, de falar em segredo.

secreter. *m.* escritório. V. **escritorio.**

secretista. *m.* naturalista, diz-se de quem estuda os segredos da natureza; segredista, segredeiro.

secreto, ta. *adj.* secreto, oculto, escondido; encoberto; ignorado; calado; furtivo; clandestino; (fig.) atabafado; secreto, discreto, dissimulado; (fig.) solitário, íntimo. — *m.* segre(ê)do, aquilo que deve estar oculto; (prov.) coisada; conventículo; clandestinidade; incógnita, arcano; sagredo, esconderijo; retiro; solidão; causa desconhecida, mistério; silêncio, arcas encoiradas; reserva, discrição; sigilo; confidência; coisa de que alguém faz grande mistério;

segredo, lugar separado numa prisão; o íntimo; mola oculta; (mús.) tábua armónica do piano: *reunión secreta e ilícita*, conventículo; *relaciones secretas de una mujer*, mércia; *cosas secretas*, (fig.) bastidor; *escalera secreta*, escada secreta; *negocio secreto*, negócio secreto; *sesión secreta*, sessão secreta.

secretorio, ria. *adj.* (med.) secretor, que segrega, secretório.

secta. *f.* seita, doutrina defendida por algum mestre célebre que é seguida por outros; seita, falsa religião ensinada por um mestre famoso; diz-se em religião, daqueles que se separam duma comunhão principal.

sectador, ra; sectario, ria. *adj. e s.* sectário, fanático; fa(c)cioso; demagogista; (fig.) sectário, apaniguado; sectário, que professa ou segue uma seita; sequaz.

sectarismo. *m.* sectarismo, exclusivismo; partidarismo; fa(c)ciosismo.

sector. *m.* (geom.) se(c)tor, parte do círculo compreendida entre dois raios e o arco que entre eles se contém; (mil.) sector, parte de um recinto fortificado que está sob a ordens de um comandante especial; parte duma classe ou colectividade que apresenta caracteres especiais.

secuaz. *adj. e s.* sequaz, partidário ou sectário duma doutrina ou duma opinião; sequaz, devotado, devoto; aderente; aliado; afiliado; (fig.) apaniguado; membro de bando, de partido, sequaz.

secuela. *f.* sequ(ü)ela, consequência, resultado duma coisa; (for. Amér.) prossecução duma causa; sequela, consequência; conclusão de raciocínio; sequela, longa série de coisas.

secuencia. *f.* (rel.) sequ(ü)ência, prosa ou verso que se diz depois da epístola em certas missas.

secuestración. *f.* sequ(ü)estração. V. **secuestro.**

secuestrado, da. *p. p.* de *secuestrar* e *adj.* sequestrado, embargado, apreendido; (for.) arrestado.

secuestrador, ra. *adj. e s.* sequ(ü)estrador, que sequestra; embargador.

secuestrar. *v. tr.* sequ(ü)estrar, pôr alguma coisa em sequestro; penhorar, executar judicialmente; privar do uso, exercício ou domínio; apoderar-se violentamente; isolar; arrotar, empatar; abduzir; (for.) embargar, apreender; sequestrar, apoderar-se ilegalmente dalguma pessoa exigindo dinheiro pelo seu resgate.

secuestro. *m.* sequ(ü)estro, sequ(ü)estração; bens sequestrados; empata; arresto; apreensão; embargo; (med.) porção de osso necrosado que fica encravada nos tecidos; sequestro, apreensão duma pessoa para exigir dinheiro pelo seu resgate; sequestro, depósito duma coisa em mãos de terceiro, por decisão judicial; pessoa a quem se confia esse depósito.

secuestrotomía. *f.* (cit.) sequestrotomia.

sécula. *para (in) sécula,* ou *sécula sin fin* ou *sécula seculórum;* eterno, para sempre.

secular. *adj.* secular. V. **seglar;** que se faz de século a século; secular, que tem um século ou mais de existência; secular, diz--se do clero que não vive em clausura; profano; temporal; mundano.

secularización. *f.* secularização.

secularizado, da. *p. p.* de *secularizar* e *adj.* secularizado, diz-se dos bens que foram eclesiásticos e que se desamortizaram.

secularizar. *v. tr.* secularizar, tornar secular; restituir à vida ou ao estado leigo; secularizar; dispensar dos votos religiosos. — *v. r.* secularizar-se, passar do estado de religioso ao de secular.

secundar. *v. tr.* secundar, auxiliar, ajudar, favorecer, servir, coadjuvar.

secundario, ria. *adj.* secundário, auxiliar, segundo em ordem, acessório; (geol.) secundário; inferior; episódico.

secundinas. *f. pl.* (anat.) secundinas.

secundípara. *adj.* secundípara.

secura. *f.* secura, qualidade ou estado do que está seco.

securiforme. *adj.* securiforme.

sed. *f.* se(ê)de, secura; (fig.) avidez; desejo veemente; necessidade de água ou de humidade; ambição; apetite ou desejo ardente: *matar la sed,* matar a sede; *sed de sangre,* sede de sangue.

seda. *f.* se(ê)da, substância produzida pela larva dum insecto; seda (tecido); cerda, pêlo áspero e comprido de certos animais: *gusano de seda,* bicho-da-seda.

sedación. *f.* sedação, sedativo, calmante.

sedadera. *f.* sedeiro, rastelo, instrumento para assedar.

sedal. *m.* sedalha, cordel de seda que sustenta o anzol; sedela; (cir. e vet.) sedenho.

sedante. *p. a.* e *m.* sedante, sedativo, calmante, paliativo.

sedar. *v. tr.* sedar, acalmar, moderar, sossegar, apaziguar.

sedativo, va. *adj.* (med.) sedativo, calmante, sedante.

sede. *f.* se(ê)de, assento ou trono dum prelado; sede, capital duma diocese; diocese e sua jurisdição; *Santa Sede,* Santa Sé.

sedentario, ria. *adj.* sedentário, de pouco movimento; inactivo, que não faz exercício.

sedería. *f.* mercadoria de seda; conjunto destas mercadorias; fazendas de seda; loja de seda.

sedero, ra. *adj.* pertencente ou relativo à seda.— *s.* fabricante ou negociante de seda.

sedición. *f.* sedição, perturbação da ordem pública; revolta, sublevação, motim, rebelião, tumulto; bandoria, bernarda; (fig.) revolta das paixões.

sedicioso, sa. *adj.* e *s.* sedicioso, que promove uma sedição ou toma parte nela; revoltoso, insubordinado; revolucionário; fa(c)cioso; amotinador; alevantadiço; alevantador; (fig.) incendiário.

sedientes. *adj. pl.* diz-se dos bens de raiz.

sediento, ta. *adj.* sedente, sedento, sequioso; (fig.) sedento, diz-se dos terrenos ou plantas que necessitam de rega; sedento, que deseja uma coisa ardentemente, ávido; ébrio.

sedimentación. *f.* sedimentação.

sedimentar. *v. tr.* sedimentar, depositar sedimento um líquido.— *v. r.* formar sedimentos, depositar-se.

sedimentario, ria. *adj.* sedimentário, sedimentar.

sedimento. *m.* sedimento, depósito que se forma num líquido; fezes, bo(ô)rra, lia, pé; fundalho, fundagem; (geol.) sedimento (estrato).

sedimentoso, sa. *adj.* sedimentos, sedimentar.

sedoso, sa. *adj.* sedoso, semelhante à seda; (fig.) assetinado, macio e lustroso; estrigado.

seducción. *f.* sedução, seduzimento; encanto; atra(c)ção; atractivo; alcovitice; aliciamento; extravio; embaimento; encantação, magia; (fig.) magnetismo, atracção.

seducible. *adj.* seduzível.

seducido, da. *p. p.* de *seducir* e *adj.* seduzido, enganado com manha; cativado; encantado; (fig.) enfeitiçado.

seducir. *v. tr.* seduzir, enganar com manha; persuadir para o mal; corromper por meio de sedução; atrair; deslumbrar; desonrar uma mulher; encantar, cativar; engarapar, enfeitiçar; embelecar; angariar; embair; debochar, apodrecer; (fig.) magnetizar, devassar; atrelar; engabelar.

seductivo, va. *adj.* seductor, diz-se do que seduz; atraente; encantador; tentador.

seductor, ra. *adj.* e *s.* sedutor, que seduz; enganador; sedutor, que engana uma mulher para a desonrar; atraente, cativante; encantador; tentador; embriagador; engodador; engafador, enfeitador; amavioso; extraviador, aliciador; desencaminhador, embaidor; corru(p)tor; (fig.) lovelace; (Bras.) pirata; *seductor de mujeres,* (Bras.) talufão; *mujer seductora,* (fig.) sereia, cigana.

sefardí. *adj.* e *s.* diz-se do judeu oriundo de Espanha.

sefardita. *adj.* V. **sefardí.**

segable. *adj.* segadouro, segadoiro, que está em condições de se ceifar; maduro.

segada. *f.* sega, ceifa. V. **siega.**

segadera. *f.* segadeira, espécie de foice, segadoira, ceifeira.

segador. *m.* segador, ceifeiro, aquele que sega; (zool.) aracnídeo pequeno, de patas muito compridas.

segadora. *adj.* segadora, ceifeira, diz-se da máquina empregada para segar.— *f.* ceifeira, mulher que ceifa.

segar. *v. tr.* segar, cortar messes ou erva, ceifar; cortar o que sobressai ou está mais alto; (fig.) impedir alguma coisa bruscamente; ceifar, conquistar louros, adquirir glória.

segazón. *f.* sega, ceifa, segada, segadura, colheita.

seglar. *adj.* e *s.* secular, pertencente à vida, estado ou costume do século ou mundo; mundano; secular, leigo, sem ordens clericais.

segmentación. *f.* segmentação; fragmentação.

segmentario, ria. *adj.* segmentário; fragmentário.

segmento. *m.* segmento, parte dum todo; fragmento; (geom.) segmento.

segoviano, na. *adj.* e *s.* natural de ou pertencente a Segovia, segoviano.

segoviense. *adj.* e *s.* (goog.) V. **segoviano.**

segregación. *f.* segregação, afastamento, separação.

segregar. *v. tr.* segregar, separar ou afastar uma coisa; apertar, pôr de parte; desunir; desprender; secretar.

segregativo, va. *adj.* segregativo, que segrega ou tem virtude de segregar.

seguetear. *v. intr.* trabalhar com a serra surda em obras de marchetaria.

seguida. *f.* seguida, seguimento; série, continuação, ordem; certa dança antiga: *de seguida,* seguidamente; *en seguida,* em seguida, em acto contínuo.

seguidilla. *f.* seguidilha, composição que pode constar de quatro ou sete versos.— *pl.* ária e dança popular espanhola; (fig. e fam.) fluxo de ventre.

seguido, da. *p. p.* de *seguir* e *adj.* seguido, contínuo, sem interrupção de lugar ou tempo; seguido, que está em linha recta. — *m. pl.* mates, malhas que vão diminuindo no remate do pé das meias.

seguidor, ra. *adj.* e *s.* seguidor, que segue a uma pessoa ou coisa.— *m.* pauta para escrever; sectário, partidário.

seguimiento. *m.* seguimento, prosseguimento; continuação; perseguição.

seguir. *v. tr.* seguir, ir depois de alguém; acompanhar, escoltar; seguir, perseguir; observar, espiar; percorrer; ir à procura duma pessoa ou coisa; professar ou exercer uma ciência ou arte; seguir, ser do ditame ou parcialidade duma pessoa; imitar ou fazer alguma coisa devido ao exemplo doutro; abraçar, ado(p)tar.— *v. r.* inferir-se, continuar-se; resultar: *a seguir,* seguidamente; a eito, a seguir; *seguir un argumento.* seguir um argumento; *seguir las costumbres del pais,* seguir os usos do país; *seguir de cerca a alguien,* seguir de perto alguém.

según. *prep.* segundo, conforme: *según y conforme,* a tal objecto.

segunda. *f.* nas fechaduras e chaves, dupla volta; (mús.) segunda, intervalo duma nota a outra imediata.

segundar. *v. tr.* secundar. V. **asegundar.**— *v. intr.* ser o segundo, ir em segundo lugar.

segundario, ria. *adj.* secundário, V. **secundario.**

segundero, ra. *adj.* diz-se do segundo fruto, que anualmente dão certas plantas.— *m.* ponteiro dos segundos (no relógio).

segundilla. *f.* sineta para avisar os religiosos em certas comunidades; (fam.) água que se esfria em resíduos de gelo, depois desta ter esfriado outra água.

segundo, da. *adj.* segundo, que segue logo depois do primeiro; favorável. — *m.* segundo, sexagésima parte dum minuto; segundo, aquele que está em segundo lugar.

segundogénito, ta. *adj.* e *s.* secundogé(ê)nito, segundogé(ê)nito.

segundogenitura. *f.* secundogenitura, segundogenitura.

segundón. *m.* secundogénito, filho segundo; qualquer filho não primogénito.

segur. *f.* segure, grande machado, machada; segure dos lictores; foice.

segurador. *m.* segurador, fiador, abonador, pessoa que afiança outra; responsável.

seguranza. *f.* segurança, seguridade.

seguridad. *f.* segurança, segureza, seguridade; confiança; tranquilidade do espírito; caução; firmeza; garantia; certeza, convicção, afirmação, protesto, segurança; sossego; seguração, segurança: *con seguridad,* com segurança.

seguro, ra. *adj.* seguro, livre, isento de todo dano ou perigo, firme; indubitável; em que se pode confiar; garantido; inabalável; prudente; eficaz; infalível; que foi posto no seguro; seguro, constante, firme; seguro, certo, digno de confiança. — *m.* segurança, confiança, certeza; seguro, salvo-conduto; seguro, asilo, retiro, lugar seguro; travão de arma de fogo; (com.) seguro, contrato contra riscos eventuais; caução; protecção; garantia; contrato.

seico. *m.* conjunto de seis feixes de cereais.

seis. *adj.* seis; sexto. — *m.* seis; sena, carta de jogar com seis pintas.

seisavado, da. *adj.* hexagonal.

seisavar. *v. tr.* sextavar, cortar em forma hexagonal, dar seis faces a alguma coisa.

seisavo, va. *adj.* e *m.* sexto, sexta parte dum inteiro.

seiscientos, tas. *adj.* seiscentos, seis vezes cem.

seise. *m.* menino do coro em certas catedrais de Espanha.

seisén. *m.* V. **sesén.**

seiseno, na. *adj.* (desus.) V. **sexto.**

seisillo. *m.* conjunto de seis notas que se deven cantar ou tocar no tempo correspondente a quatro delas.

seísmo. *m.* terramoto, sismo.

selacio, cia. *adj.* (ictiol.) seláceo.— *m. pl.* seláceos.

selección. *f.* sele(c)ção, eleição duma pessoa ou coisa entre outras; escolha: *selección natural,* seleção natural.

seleccionador, ra. *adj.* e *s.* sele(c)cionador, que selecciona.

seleccionar. *v. tr.* sele(c)cionar, eleger, escolher; estremar; fazer a selecção de.

selectividad. *f.* (rad.) sele(c)tividade.

selectivo, va. *adj.* sele(c)tivo, referente à selecção.

selecto, ta. *adj.* sele(c)to, escolhido; (fig.) excelente, especial.

selector. *m.* (rad.) aparato selectivo; sele(c)tor.

seleniato. *m.* (quím.) selenato, seleniato.

selénico, ca. *adj.* (quím.) selé(ê)nico.

selenio. *m.* (quím.) selé(ê)nio.

selenioso, sa. *adj.* (quím.) selenioso, selénico.

selenita. *m.* ou *f.* selenita, habitante hipotético da Lua. — *f.* (quim.) designação antiga do sulfato de cobre.

selenitoso, sa. *adj.* selenitoso, que contém gesso; água selenitosa, água calcárea.

seleniuro. *m.* (quim.) seleniato.

selenografía. *f.* selenografia.

selenográfico, ca. *adj.* selenográfico.

selenógrafo. *m.* selenógrafo.

selenosis. *f.* (med.) selenose.

selva. *f.* selva, bosque, matagal, mato; floresta; mata inculta; (fig.) grande porção de coisas emaranhadas.

selvático, ca. *adj.* selvático; pertencente ou relativo às selvas; (fig.) rústico, falto de cultura; selvagem; montês, bravio, agreste; bárbaro, rude; grosseiro, intratável; pessoa malvada.

sellador, ra. *adj.* e *s.* selador, que põe selo.

selladura. *f.* selagem; acção de pôr selos ou carimbos nalguna coisa.

sellar. *v. tr.* selar, estampilhar, pôr selos ou carimbos nalguna coisa; estampar, imprimir; selar, carimbar, pôr marca; (fig.) fechar, tapar, cobrir, selar; cerrar; confirmar.

sello. *m.* se(ê)lo; peça onde estão abertas armas, brasão, firma ou divisa; selo, sinete, carimbo; chancela; marca estampada num papel que se emprega em escrituras, requerimentos, certidões; etc.; vinheta móvil que se cola em certos documentos sujeitos a imposto do selo; tudo o que serve para selar; (fig.) cunho, marca, sinal, carácter, distintivo; fecho, selo postal; estampilha, selo.

semafórico, a. *adj.* semafórico, pertencente ou relativo ao semáforo.

semáforo. *m.* semáforo, telégrafo óptico, estabelecido na costa para dar sinais aos navios.

semana. *f.* semana, série de sete dias; (fig.) féria, salário, ganho numa semana; trabalho dum operário durante a semana.

semanal. *adj.* semanal, que acontece semana a semana; hebdomadário; semanal que dura uma semana.

semanario, ria. *adj.* semanário, hebdomadário, semanal. — *m.* semanário, magazim, jornal que se publica semanalmente.

semanero, ra. *adj.* e *s.* pessoa que exerce um emprego ou trabalho por semanas; semanal.

semántica. *f.* semântica, estudo da significação das palavras; semiologia, semiótica.

semántico, ca. *adj.* semântico, relativo à; significação das palavras; semiológico.

semasiologia. *f.* semasiologia, semântica.

semasiológico, a. *adj.* semasiológico, semântico.

semblante. *m.* semblante, representação externa do que se passa na alma; semblante, cara, rostro, frente; fácies; fosca; (fig.) aparência, aspecto das coisas.

semblanza. *f.* esboço biográfico; semelhança, parecido.

sembrada. *f.* V. sembrado.

sembradera. *f.* semeador, máquina para semear.

sembradío, día. *adj.* semeadouro, semeadoiro, diz-se do terreno próprio para semear.

sembrado, da. *p. p.* de *sembrar* e *adj.* e *m.* semeado; sementeira; semeada; terreno semeado; constelado.

sembrador, ra. *adj.* e *s.* semeador, que semeia.

sembradura. *f.* semeadura, sementeira.

sembrar. *v. tr.* semear, lançar semente à terra; (fig.) semear, espalhar, esparzir; semear, causar, fazer sementeira; (fig.) disseminar; deitar semente em; (fig.) semear, propagar, fomentar, promover; propalar; semear, publicar para que se divulgue, ocasionar: *sembrar discordias*, meter discórdias: *sembrar la confusión*, tirar coisa de seus eixos. — *conj. irr.* como *acerta.*

semeja. *f.* semelhança, qualidade do que é semelhante; sinal, indício.

semejable. *adj.* semelhável, que se pode semelhar, semelhante.

semejante. *p. a.* de *semejar* e *adj.* semelhante, que tem semelhança com outrem ou com outra coisa; análogo, parecido; aparente; mesmo; (fig.) convinzinho; (gram.) cognato, cognado; equiparável. — *m.* semelhança, imitação, afim; parecença; analogia, conformidade.

semejanza. *f.* semelhança, qualidade de semelhante; analogia; conformidade; mesmeidade; arreme(ê)do; afinidade; assemelhação; assimilação; avultação; (ret.) símil.

semejar. *v. intr.* e *r.* semelhar, ser semelhante a uma pessoa ou coisa; parecer-se a alguém ou a alguma coisa; aproximar-se; parecer; semelhar, imitar, arremedar, lembrar; comparar-se.

semen. *m.* sé(ê)men, líquido fecundante; (bot.) semente; (Bras.) porra.

semental. *adj.* e *m.* (agr.) semental, pertencente ou relativo a sementeira ou semeadura; semental, diz-se do animal macho que se destina para padreação; cavalo de cobrição.

sementar. *v. tr.* semear.

sementera. *f.* (agr.) semeação, semeadura; sementeira, terra semeada; sementeira, o que se semeia; sementeira, estação, tempo de semear.

sementero. *m.* sementeiro, saco onde o semeador leva as sementes.

semestral. *adj.* semestral que sucede ou se repete cada semestre; semestral, semianual; que dura um semestre; que corresponde a um semestre.

semestre. *m.* semestre, semestral; semestre, espaço de tempo de seis meses; renda, ordenado, etc., que se paga cada semestre.

semi. *pref.* semi, meio, metade.

semianular. *adj.* semianular.

semibreve. *f.* (mús.) semibreve.

semicadencia. *f.* (mús.) passagem simples da nota tónica à dominante.

semicapro. *m.* semicapro.

semicilíndrico, ca. *adj.* semicilíndrico, hemicilíndrico.

semicilindro. *m.* semicilindro, hemicilindro.

semicircular. *adj.* semicircular; (arq. e fort.) meia-rotunda.

semicírculo. *m.* (geom.) semicírculo; meia-lua.

semicircunferencia. *f.* (geom.) semicircunferência.

semiconsonante. *adj.* semiconsoante.

semicopado, da. *adj.* (mús.) V. **sincopado.**

semicorchea. *f.* (mús.) semicolcheia.

semicromático, ca. *adj.* semicromático.

semicuadrado, da. *adj.* (astr.) semiquadrado.

semicupio. *m.* (med.) semicúpio.

semidea. *f.* (poét.) V. **semidiosa.**

semideidad. *f.* semidivindade.

semideo. *m.* (poét.) V. **semidios.**

semidesnudez. *f.* seminudez.

semidesnudo, da. *adj.* seminú.

semidiáfano, na. *adj.* semidiáfano.

semidiámetro. *m.* (geom.) semidiâmetro.

semidiós. *m.* semidivindade; (mit.) semideus, indígete.

semidiosa. *f.* semidivindade.

semidiptongo. *m.* (gram.) semiditongo.

semidítono. *m.* (mús.) semiditono.

semidoble. *adj.* (liturg.) semiduplex.

semidormido, da. *adj.* semiadormecido, quase adormecido.

semieje. *m.* (geom.) semieixo, metade dum eixo.

semiesfera. *f.* hemisfério.

semiesférico, ca. *adj.* hemisférico.

semifloscular. *adj.* (bot.) semifloscular.

semiflósculo. *m.* (bot.) semiflósculo.

semiflosculoso, sa. *adj.* (bot.) semiflosculoso.

semifluido, da. *adj.* semifluído.

semiforme. *adj.* a meio formar.

semifusa. *f.* (mús.) semifusa.

semigola. *f.* (fort.) semigola; linha tirada do ângulo da cortina duma fortaleza para o flanco.

semihombre. *m.* (ant.) pigmeu; semívido.

semilunar. *adj.* semilunar.

semilunio. *m.* (astr.) semilúnio.

semilla. *f.* (bot.) semente, parte da planta que a reproduz quando germina; (fig.) semente, orígem, causa; qualquer grão que se semea; semente, gérmen; grão que se lança a terra para que germine; *semilla pequeña*, semínulo.

semillero. *m.* viveiro de plantas, seminário; lugar onde se guardam sementes para estudo; (fig.) orígem ou princípio onde nascem algumas coisas, foco; viveiro de plantas novas; sementeira.

seminación. *f.* (bot. e fisiol.) seminação.

seminal. *adj.* seminal, pertencente ou relativo ao sémen, à semente.

seminario. *m.* seminário, viveiro de plantas; seminário, estabelecimento de ensino para educação de meninos e jovens; foco, orígem: *seminario conciliar*, estabelecimento de educação dos mancebos que se destinam à vida eclesiástica.

seminarista. *m.* seminarista, aluno de seminário.

seminífero, ra. *adj.* seminífero.

semínima. *f.* (mús.) semínima. — *pl.* (fig.) bagatelas, minúcias.

semiografía. *f.* (med.) semiografia; (mús.) semiografia.

semiología. *f.* semiologia. V. **semiótica.**

semiológico, ca. *adj.* semiológico, semântico.

semiotecnia. *f.* semiotecnia.

semiótica. *f.* semiótica, semiologia; sintomatologia.

semipedal. *adj.* semipedal, que tem meio pé de comprimento.

semipelagianismo. *m.* semipelagianismo.

semipelagiano, na. *adj.* e *s.* semipelagiano.

semiperíodo. *m.* semiperíodo.

semiplena. *f.* *adj.* (for.) semiplena, diz-se da prova incompleta.

semiquintil. *m.* (astr.) semiquintil.

semiprobanza. *f.* (for.) semiprova.

semirecto. *adj.* (geog.) semi-recto, diz-se do ângulo de 45 graus.

semisabio, bia. *adj.* semi-sábio.

semisuma. *f.* resultado de dividir por dois uma soma.

semita. *adj.* e *s.* semita, descendtnte de Sem; semítico; (Amér.) espécie de bolo ou biscoito.

semítico, ca. *adj.* semítico.

semitismo. *m.* semitismo.

semitista. *s.* semitista.

semitono. *m.* (mús.) semitom.

semitransparente. *adj.* semitransparente, um tanto transparente.

semitrino. *m.* (mús.) trino de curta duração que começa pela nota superior.

semivivo, va. *adj.* semivivo, meio vivo, quase sem vida.

semivocal. *f.* (gram.) semivogal.

sémola. *f.* trigo candial descascado; trigo esmagado; sêmola.

semnopiteco. *m.* (zool.) semnopiteco.

semoviente. *adj.* semovente, que anda ou se move por si próprio. — *s.* semovente: *bienes semovientes*, bens semoventes, gado.

sempiterno, na. *adj.* sempiterno, perpétuo, eterno, que dura sempre; perene; incessante.

senado. *m.* senado, assembleia de patrícios romanos; senado, organismo do poder legislativo; senado, edifício onde os senadores celebram as suas sessões; (fig.) assembleia, junta de pessoas respeitáveis; público, auditório que acorre a uma representação dramática.

senador. *m.* senador, membro do senado.

senaduría. *f.* senadoria, senatoria, cargo ou dignidade de senador.

senara. *f.* porção de terra que os amos dão a certos servidores para que a lavrem por sua conta, como adiantamento do seu salário; seara, terra semeada; terra concelhia.

senario, ria. *adj.* senário, que consta de seis elementos ou unidades.

senatorial, senatorio, ria. *adj.* senatorial, relativo ao senado ou ao senador, senatório.

sencillez. *f.* singeleza, simplicidade; singeleza, ingenuidade, sinceridade; desvaidade; despretensão; desatavio; afabilidade; franqueza, desafe(c)tação; familiaridade.

sencillo, lla. *adj.* simples, sem artifício, singelo, não dobrado, sem mistura; (fig.) simples, fácil de enganar; ingé(ê)nuo, singelo, sincero, franco, sem malícia; inceremonioso; fácil, acessível; corrente; incauto; desaparatoso; desafe(c)tado, despretencioso, desartificioso; elementar; desornado; efusivo, familiar; claro; bem-aventurado; b e n é v o l o; desvaidoso; desempoado; desempoeirado; crédulo, simplório. — *m.* (Amér.) trocos, miúdos (dinheiro trocado); (bot.) singelo, simples (diz-se das plantas); moeda pequena, comparada com outra do mesmo nome, mas de maior valor.

senda. *f.* senda, caminho estreito, vereda; atalho; (fig.) caminho, hábito, rotina; meio para fazer alguma coisa.

senderar, senderear. *v. tr.* encaminhar ou guiar por uma senda, vereda ou atalho; abrir atalhos, azinhagas ou veredas. — *v. intr.* (fig.) ir por caminhos extraordinários no modo de agir ou discorrer.

sendo, da. *adj.* (barb.) V. **grande, vasto, desmesurado.**

sendos, das. *adj. pl.* um ou uma para cada uma, duas ou mais pessoas ou coisas; (ant.) sendos, senhos.

séneca. *m.* (fig.) homem de muita sabedoria.

senectud. *f.* senectude, idade senil, senilidade, decrepitude, velhice.

senil. *adj.* senil, velho, senecto; idoso, decrépito.

senilidad. *f.* senilidade, velhice, decrepitude.

senilismo. *m.* senectude. V. **senilidad.**

seno. *m.* (anat.) seio, ventre materno; seio, peito da mulher; regaço; seio, curvatura, volta, sinuosidade; seio, enseada; seio das vestes; seio, concavidade, espaço; seio, centro; seio, bolso; (fig.) centro, coração, âmago; concavidade; (geom.) seno; (cir.) seno, cavidade, bolso que se forma numa chaga: *senos grandes,* (Bras.) peitaria.

sensación. *f.* sensação, impressão transmitida pelos sentidos; sensibilidade; emoção; (fig.) estrondo: *hacer sensación,* fazer sensação.

sensacional. *adj.* sensacional, que produz sensação; (fig.) importante; notável, estupendo; (fig.) estrepitoso.

sensatez. *f.* sensatez; prudência; circunspecção; juízo; bom-senso, sisudez; maturação, madureza, cordura; equanimidade; (fig.) miolo.

sensato, ta. *adj.* sensato, que tem bom-senso; prudente; circunspecto; cordato; sisudo; maduro; atilado; atinado; considerado; equilibrado, apropositado; equânime.

sensibilidad. *f.* sensibilidade, faculdade de sentir; qualidade de sensível; irritabilidade; impressionabilidade; sensibilidade grande; precisão ou delicadeza de um instrumento que acusa a menor alteração ou erro; sensibilidade, propensão à compaixão, e à ternura; (fig.) melindre; susceptibilidade; afectividade; emotividade; (fig.) paladar.

sensibilización. *f.* sensibilização.

sensibilizador. *adj.* e *m.* (for.) sensibilizador.

sensibilizar. *v. tr.* sensibilizar, tornar sensíveis à acção da luz certas sustâncias usadas em fotografia.

sensible. *adj.* sensível, dotado de sensibilidade; impressionável; perceptível; diz-se do aparelho que regista a menor alteração ou erro; sensível, perceptível, evidente, manifesto, patente; sensível, doloroso, lamentável; sensível, humano, compassivo, compadecido: *el lado sensible,* (fam.) a corda sensível, o fraco de alguém. — *f.* (mús.) nota sensible, nota sensível.

sensiblería. *f.* sentimentalismo exagerado ou fingido.

sensitivo, va. *adj.* sensível, sensitivo, concernente ao sentido; sensitivo, que tem a faculdade de sentir, sensível; sensual.

sensorial. *adj.* sensorial. V. **sensorio.**

sensorio, ria. *adj.* sensório, relativo à sensibilidade; sensório, que transmite sensações. — *m.* aparelho sensitivo, parte do cérebro que se julga ser o centro comum de todas as sensações.

sensual. *adj.* sensual, sensitivo; volu(p)tuoso, lúbrico, lascivo; devasso, carnal; erótico; impuro.

sensualidad. *f.* sensualidade; lubricidade, volúpia, luxúria, sensualismo, lubricidade; incontinência; impureza; erotismo; (fig.) epicurismo; estímulo da carne.

sensualismo. *m.* sensualismo, sensualidade; (filos.) sensualismo.

sensualista. *adj.* e *s.* sensualista.

sentada. *f.* assentada, tempo em que se está sentado; (Amér.) V. **remesón:** *de una sentada,* d'uma assentada.

sentadillas (a). *adv.* a cavalo, como as mulheres, com ambas as pernas do mesmo lado.

sentado, da. *p. p.* de *sentar* e *adj.* sentado; assentado, discreto, assisado, prudente, judicioso, sisudo; (bot.) diz-se das partes das plantas que não têm pé.

sentamiento. *m.* (arq.) assento, base; assentamento, cama que faz uma coisa pela pressão dos materiais que a compõem.

sentar. *v. tr.* sentar, assentar. — *v. intr.* (fam.) assentar, causar bom ou mau efeito; ficar bem, cair bem (diz-se de vestes); fazer proveito ou dano; agradar uma coisa. — *v. r.* sentar-se, tomar assento, assentar-se: *sentar la mano,* (fam.) sentar a mão, castigar; *sentar las costuras*, (fam.) sentar as costuras; *sentar plaza*, (mil.) sentar praça; *sentar en cuenta*, sentar no livro; *sentar bien un vestido*, cair bem um vestido; *sentar mal*, causar mau efeito uma coisa; fazer dano uma coisa; *sentar la cabeza*, amadurecer; assentar a espada; *sentarse a la mesa*, amesendar-se; *sentarse cómodamente*, apoltronar-se; *sentarse cruzando las piernas*, aninhar-se. — *conj. irr.* como *acertar*.

sentencia. *f.* sentença, ditame, parecer; julgamento proferido por um juiz ou árbitro; sentença, decisão; despacho; palavra; acórdão; louvação; evangelho pequenino; sentença, axioma; decisão; deciso; apotegma; aresto; (for.) desembargo; executória; opinião, frase curta que encerra um pensamento moral; proverbio, máxima.

sentenciado, da. *adj.* e *s.* e *p. p.* de *sentenciar*; louvado, sentenciado.

sentenciador, ra. *adj.* e *s.* sentenciador, que sentencia ou tem faculdade de sentenciar.

sentenciar. *v. tr.* sentenciar, declarar, decidir, arbitrar; sentenciar, dar ou pronunciar uma sentença; condenar; (fig. e fam.) sentenciar, destinar uma coisa a um fim; sentenciar, decidir, julgar; (fig.) emitir a sua opinião; dar ou manifestar voto.

sentencioso, sa. *adj.* sentencioso, diz-se do dito ou do escrito que encerra moralidade ou doutrina; sentencioso, que tem força de sentença; sentencioso, que se exprime gravemente; sentencioso, de gravidade afectada; (fig.) magistral; sentencioso, grave: *dicho sentencioso*, apotegma.

senticar. *m.* V. **espinar**.

sentido, da. *p. p.* de *sentir* e *adj.* e *m.* sentido, que inclui sentimento; sentido, que se ofende com facilidade, sensível, melindrado; impressionável; sentido, eloquente, pensativo; persuasivo, cheio de sentimento; magoado; pesaroso, triste; sentido, (fig.) mioleira; sentido, emocionante; sentido, mente, acepção, definição, interpretação, ideia; sentido, aspecto; atenção; pensamento, mira, intento; sentido, senso, bom-senso; faculdade de sentir ou apreciar; inteligência ou conhecimento com que se fazem as coisas; sentido, qualquer das faculdades chamadas sentidos; (fig.) sentido, voluptuosidade, sensualidade; sentido, lado de um corpo, de um objecto; sentido, direcção; sentido, plangente; sentido, acepção das palavras: *entorpecer los sentidos*, adormecer; *turbar el sentido*, desatentar; *perder el sentido*, perder o sentido, fanicar, embaçar, desmaiar; *perder el sentido común*, entontecer; *no tener sentido común*, não ter a cabeça no seu lugar; *tomar en mal sentido*, desvirtuar; *en el sentido*, ao correr do pêlo.

sentimental. *adj.* sentimental, que se refere ao sentimento; sentimental, que excita sentimentos de ternura; sentimental, propenso a afectos; que tem ou afecta sensibilidade; sentimental, impressionável, afectuoso, romancesco, sensível.

sentimentalismo. *m.* sentimentalismo, qualidade de sentimental.

sentimiento. *m.* sentimento, acto ou efeito de sentir; sentimento, mente, alma; aco(ô)rdo; sentimento (p. us.) deploração; sentimento, pena, mágoa, desgosto; pesar; dor; sentimento, opinião, parecer; sentimento, resentimento, indignidade; sentimento; sensação, faculdade de compreender; paixão, desgosto; convicção, suspeita; sentimento, afecto íntimo da alma; sentimento, expressão apaixonada, viva; sentimentos, dotes morais, qualidades do carácter; sentimento, paixão, amor, aquilo que é do domínio do coração.

sentina. *f.* cloaca, deje(c)tório; sentina, (mar.) arca das bombas; arcada da bomba; (fig.) sentina, lugar onde abundam os vícios; receptáculo de imundícias.

sentir. *v. tr.* sentir, perceber; ouvir; julgar, entrever; sentir, padecer; deplorar; sentir, achar, experimentar; sentir, chorar, sofrer fisicamente; padecer, ter pena; sentir, ter sensação; sentir, experimentar uma sensação física ou moral; sentir, compreender, apreciar. — *v. r.* sentir-se, penalizar-se, cheirar, começar apodrecer uma coisa; mostrar-se resentido; melindrar-se; resentir-se, ofender-se; sentir-se, conhecer o estado em que se está. — *m.* sentir, sentimento; opinião, modo de ver: *ojos que no ven, corazón que no siente*, longe de vista, longe do coração; *sentir en el alma*, sentir a dor no âmago; *sentir desconfianza*, andar de pé atrás; *sentir inclinación hacia*, agradar-se; *sentir mucho*, embustear; *revelarse el modo de sentir*, desencapotar-se; *decir lo que se siente*, dizer o que sente; *sentir las miserias ajenas*, sentir, ser sensível às misérias alheias; *sentir el peso de los años*, sentir o peso dos anos. — *pres. ind. ir.* **siento, -es, -e, -en**; *indef.* **sintió, -eron**; *sub. pres.* **sienta, -as, -a, sintamos, sintáis, sientan**; *imperf.* **sintiera**, etc.; *ger.* **sintiendo**.

seña. *f.* senha, sinal, gesto prèviamente combinado; indício, aceno, gesto; (mil.) senha; cheiro; apelido; palavra que se junta ao do santo na frase que serve para as sentinelas se reconhecerem.

señal. *f.* sinal, marca, baliza; limite; sinal, indício, nota; sinal, distintivo, bandeira; cicatriz, prodígio ou coisa extraordinária; sinal, senha, senho; sinal, depósito; assomo; sinal, aferição, indício, impressão; sinal, alvo; indicação; indicativo; amostra, denotação; (ant.) sigilação; (fig.) clarão; assobiadela; sinal, marca, vestígio, anúncio; firma, mancha na pele; sinal, dinheiro ou objecto que se dá para assegurar um contrato, etc.; sinal para lembrança; sinal, cicatriz, imagem duma coisa; (med.) sinal, acidente, mudança que induz a formar juízo do estado duma doença; sinal, distintivo, bandeira militar.

señalado, da. *p. p.* de *señalar* e *adj.* designado, apontado; indigitado; assinalado;

citado; elevado; apontado; assinalado, insigne, famoso; memorável, abalizado; assinalado, particular, especial.

señalador, ra. *adj.* e *s.* denotador; que assinala, assinalador.

señalamiento. *m.* demonstração, demarcação; designação; indigitamento; destino; assinalamento, acto de assinalar; fixação da hora e data para algum fim; (for.) designação de um dia para um acto do tribunal.

señalar. *v. tr.* assinalar, denotar; destinar; assinalar, marcar com um sinal; chamar a atenção de; fazer notar; almagrar; determinar; designar; demonstrar; assinar; assinalar, abalizar, marcar com balizas; indicar; estremar; aprazar; indigitar; deferir; constituir; deputar; denominar; apontar; citar; assinalar, fazer sinal para marcar alguma coisa; constituir; assinalar, fazer uma ferida que deixe cicatriz; determinar, fixar tempo; assinalar, anunciar, dar notícia; assinalar, pôr sinal, balizar; distinguir; assinalar, distinguir, nobilitar. — *v. r.* assinalar-se; abalizar-se; dar sinal de, revelar-se; distinguir-se, singularizar-se.

señero, ra. *adj.* solitário, só, único; aplica-se ao território que tinha a faculdade de alevantar pendão nas proclamações dos reis.

señolear. *v. intr.* caçar com negaça.

señor, ra. *adj.* e *s.* senhor, dono duma coisa; senhor, nobre, próprio de senhor; senhor, amo, proprietário; Senhor, Deus; senhor, amo, patrão; senhor, título de nobreza, cid, cide; senhor, chefe, dominador, potentado; (Bras.) pop. nhô.

señora. *f.* senhora, ama, madama; senhora, mulher do senhor, esposa; senhora, termo de cortesia para com as mulheres; (fam.) sogra; (Brasil) tratamento de senhora, angana; (Bras.) pop. nhá.

señorada. *f.* acção própria de senhor.

señoreador, ra. *adj.* senhoreador, dominador.

señorear. *v. tr.* senhorear, tornar-se senhor; dominar, mandar; asenhorear-se, apoderar-se duma coisa; sujeitar ao mando ou domínio; dominar as paixões; (fig.) fazer de senhor, mandar. — *v. r.* senhorear-se, usar de gravidade no porte, tratar-se senhorilmente.

señoría. *f.* senhoria, direito de senhor; domínio, mando, soberania; senhorio, terra senhorial; senhoria, título que se dá a pessoas da nobreza.

señorial. *adj.* senhorial, senhoril, majestoso, distinto, nobre; senhoril, garboso.

señorío. *m.* senhorio, direito de senhor; senhorio, domínio, território pertencente ao senhor; (fig.) domínio das paixões, senhorio; (fig.) gravidade, ar senhoril; gravidade, circunspecção; senhorio, conjunto de pessoas de distinção.

señorita. *f.* senhorita, menina; senhorita, filha dum senhor; tratamento da mulher solteira, senhorita, senhorina; (fig.) ama, com repeito aos criados.

señoritingo, ga. *adj.* (deprec.) senhoraço.

señorito. *m.* dim. de *señor;* senhorito, filho de senhor; (fam.) senhor, amo, com respeito aos criados; jovem rico e ocioso.

señorón, na. *adj.* e *s.* grande senhor, senhoraço.

señuelo. *m.* negaça, chamariz; (fig.) anzol; reclamo, qualquer coisa que serve para atrair as aves; chamariz, ave que serve de chamariz; (fig.) chamariz, isca, engodo, negaça; (Amér.) cabresto.

seo. *f.* sé, igreja catedral.

seó. *m.* seor, seora. — *s.* contr. de *señor.*

sépalo. *m.* (bot.) sépala, cada uma das folhas do cálice da flor.

separable. *adj.* separável, desunível, destacável; desagregável.

separación. *f.* separação, desvio, desvizinhança; enclausura; abjunção; desunião, divisão; separação, deslocadura; desligamento; demembração; estremadela; apartamento; fra(c)cionamento; aparta; alongamento; desagregação; desconjuntamento; desencorporação; desanexação; devisa; despedida; afastamento; destituição; arredamento; cisão; eliminação; departimento; departição; (pop.) extremadela; separação, afastamento, distância; desmembramento; separação, quebra de amizade; ruptura de união conjugal.

separado, da. *adj.* e p. p. de *separar;* desligado, afastado; distinto; isolado; diz-se de dois cônjuges que por sentença judicial foram isentos de viver em comum e autorizados a administrar cada um os seus bens; separado, desquitado; desviado; desligado; apartado; abstraído; desconjunto, desconexo; desanexo; desmembrado; arredio; destacado; avulso; ausente; (bot.) desadunado: *por separado,* aparte, em separado; *vivir separado,* fazer corro aparte; *dientes separados,* dentes enfrestados.

separador, ra. *adj.* e *s.* separador, que separa.

separar. *v. tr.* separar, despejar, desquitar; desunir; deslocar; despegar; estremar; exce(p)tuar; alongar; apartar; abstrair; desencavilhar; acantoar; abrir; separar; desencorporar; desencaixar; desenganchar; desanudar; desanexar; afastar; cortar; desapertar; desachegar; desfiar; destravar; desprender; desaproximar; arredar; cindir; cisar; destacar; eliminar; departir; deixar; (fig.) alhear; desapartar, desterrar; (ant.) aleixar; separar, dividir, decretar a separação entre cônjuges; interromper; repartir, dividir; estar colocado entre. — *v. r.* separar-se, abrir-se; desquitar-se; desviar-se; alongar-se, aleixar-se; apartar-se; deixar; despedir-se; arredar-se; ausentar-se, bifurcar-se; (mil.) destacar.

separata. *f.* impressão separada que se faz dum artigo ou capítulo já publicado.

separatismo. *m.* separatismo, doutrina dos separatistas.

separatista. *s.* pessoa que segue as doutrinas do separatismo, e conspira para que um território ou colónia se separe da soberania actual.

separativo, va. *adj.* separativo, diz-se do que separa ou pode separar.

sepelio. *m.* enterramento, enterro, inumação de defuntos.

sepia. *f.* (ictiol.) siba, molusco; (pint.) sépia, matéria corante tirada deste molusco.

sepsis. *f.* (med.) sepse, sepsia.

septal. *adj.* pertencente ou relativo ao septo.

septena. *f.* septena, conjunto de sete coisas por ordem.

septenario, ria. *adj.* e *m.* septenário, que vale ou contém sete; septenário, espaço de sete dias.

septenio. *m.* septé(ê)nio, espaço de sete anos.

septeno, na. *adj.* septeno, sétimo.

septentrión. *m.* setentrião, norte, ponto cardeal; (astr.) Ursa Maior, constelação.

septentrional. *adj.* setentrional, pertencente ou relativo ao setentrião; setentrional, que fica para o norte; ártico.

septeto. *m.* (mús.) séptuor, composição para sete instrumentos ou vozes; conjunto de sete vozes ou instrumentos.

septicemia. *f.* (med.) septicemia, alteração do sangue.

septicida. *adj.* (bot.) septicida.

séptico, ca. *adj.* (med.) infe(c)to, séptico.

septiembre. *m.* Setembro, nono mês do ano.

septillo. *m.* (mús.) conjunto de sete notas que se cantam ou tocam no tempo correspondente a seis delas.

septillón. *m.* septilião.

septimino. *m.* (mús.) séptuor.

séptimo, ma. *adj.* e *s.* sétimo, que numa série de sete ocupa o último lugar; sétimo, cada uma das sete partes iguais em que se divide um todo.

septigentésimo, ma. *adj.* septigentésimo.

septisílabo, ba. *adj.* septissílabo.

septo. *m.* (anat.) septo.

septuagenario, ria. *adj.* e *s.* septuagenário.

septuagésimo. *f.* septuagésima, o terceiro domingo antes do primeiro da Quaresma.

septuagésimo, ma. *adj.* e *s.* septuagésimo.

septuplicación. *f.* septuplicação.

septuplicar. *v.* *tr.* septuplicar, multiplicar por sete.

séptuplo, pla. *adj.* e *s.* séptuplo.

sepulcral. *adj.* sepulcral, relativo ao sepulcro; (fig.) fúnebre; cavo; sombrio.

sepulcro. *m.* sepulcro, sepultura; jazigo, túmulo; ente(ê)rro; sepulcro, urna com a imagem de Cristo morto; parte da ara do altar onde se depositam as relíquias; (fig.) lugar onde morre muita gente: *el Santo Sepulcro*, o Santo Sepulcro.

sepultación. *f.* (Amér.) sepultura.

sepultador, ra. *adj.* e *s.* sepultador, que sepulta; coveiro, sepultante, enterrador.

sepultar. *v.* *tr.* sepultar, meter em sepultura; enterrar; inumar; (fig.) guardar, esconder, soterrar; submergir; afundar; abismar (diz-se do ânimo); engolfar, mergulhar. — *v.* *r.* (fig.) afastarse do mundo.

sepulto, ta. *p.* *p.* *irreg.* de *sepultar* e *adj.* sepulto, sepultado, enterrado.

sepultura. *f.* sepultura; sepulcro; sepultura, cova para enterrar um cadáver; ente(ê)rro; lugar em que um cadáver está enterrado; túmulo; (fig.) morte; sítio onde morre muita gente.

sepulturero. *m.* coveiro, enterrador, sepultureiro, sepultador, coveiro.

sequedad. *f.* secura, sequidão; (fig.) aridez; dito ou gesto áspero e duro; (pop.) sequeira, seca, estiagem.

sequeroso, sa. *adj.* sequioso, que tem falta do suco ou humidade; ressequido; sequilhoso.

sequete. *m.* pedaço de pão ou bolo seco e duro; pancada seca dada a uma coisa para a pôr em movimento, ou detê-la; (fig. e fam.) aspereza no tratamento.

sequía. *f.* se(ê)ca, tempo seco de larga duração, estiagem; secura da boca; secura, seca, estado do que secou; (pop.) sequeira; sede.

sequío. *m.* sequeiro. V. **secano.**

séquito. *m.* séqu(ü)ito, cortejo, comitiva, acompanhamento, seguimento; (fig.) popularidade.

sequizo, za. *adj.* que tende a secar.

ser. *m.* essência, natureza; ser, ente, criatura; ser, modo de ser; ser, existência de pessoa ou coisa; forma, figura; vida, existência: *ser pensante*, ser pensante; *el no ser*, o não ser, o nada.

ser. *v.* *intr.* ser, existir, haver; ser, servir, prestar para uma coisa; ser, suceder, acontecer; ser, valer (falando do preço das coisas); ser, pertencer; tocar; ser, fazer parte de; ser, formado de; ser, ter princípio ou orígem; ser, ter as propriedades que os nomes significam; achar-se; consistir causar: *no sea que*, não seja que; *sea como fuere*, corrão as coisas como correrem. — *conj.* *irr.* *pres.* *ind.* *irr.* **soy,** eres, es, somos, sois, son; *imperf.* **era,** etc.; *indef.* **fui,** etc.; **seré,** etcétera; *pot.* **seria,** etc.; *pres.* *subj.* **sea,** etc.; *imperf.* **fuera** ou **fuese,** etc.; *fut.* **fuere,** etc. *imp.* **sé, sea, seamos, seáis, sean;** *ger.* **siendo;** *p.* *p.* **sido.**

sera. *f.* seira, alcofa.

serado. *m.* V. **seraje.**

seráfico, ca. *adj.* seráfico, pertencente ou relativo com o serafim; (fig.) pobre, humilde.

serafín. *m.* serafim, anjo da primeira jerarquia; serafim, pessoa de rara formosura.

serafín. *m.* serafim, moeda de prata na Índia.

serafina. *f.* serafina, tecido de lã para forros; baeta encorpada com desenhos.

seraje. *m.* conjunto de seiras ou alcofas.

serano. *m.* serão, reunião familiar nocturna; sarau; passatempo.

serapino. *m.* goma-resina. V. **sagapeno.**

serasquier. *m.* general do exército otomano.

serena. *f.* composição poética ou musical dos trovadores, que se cantava de noite; (fam.) sereno, humidade da noite; orvalho, relente.

serenar. *v.* *tr.* e *intr.* serenar, tornar sereno; aclarar, sossegar, acalmar; pacificar; enfriar água ao relento; desnublar;

desemborrascar; desembravecer; desenfurecer, desencolerizar, abrandar; aclarar os licores turvos; (fig.) serenar, tranqu(ü)ilizar, apaziguar disturbios; aliviar, aplacar, aquietar. — *v. r.* serenar-se, tranquilizar-se, desarmar-se, aplacar-se; destoldar-se (o tempo).

serenata. *f.* serenata, concerto musical de noite e ao ar livre; serenata, composição poética ou musical.

serenero. *m.* serenim, antigo vestuário de senhoras, capota, touca, lenço da cabeça.

sereni. *m.* canoa, lancha pequena, bote.

serenidad. *f.* serenidade, qualidade de sereno; serenidade, título de honra dalguns príncipes; acalmação; inalterabilidade; equanimidade; desassombro; tranqu(ü)ilidade, calma, sangue-frio: *serenidad de espíritu*, desenfado.

serenísimo, ma. *adj. super.* de *sereno;* seren-íssimo, muito sereno; seren-íssimo, diz-se em Espanha dos príncipes.

sereno. *m.* sereno, guarda-no(c)turno; sereno, orvalho, relento.

sereno, na. *adj.* sereno, calmo, quieto, tranqu(ü)ilo, sossegado; sereno, limpo de nuvens, claro; impávido, tranquilo; feliz; plácido; assentado; desanuviado (diz-se do tempo), acalmado; formoso; inalterável: *poner al sereno*, pôr a serenar.

sericícola. *adj.* sericícola, referente à cultura da seda. — *s.* sericícola, fabricante de seda.

sericicultor. *m.* sericicultor, sericultor, sericícola.

sericicultura. *f.* sericicultura.

sericígeno, na. *adj.* (zool.) sericígeno.

sericina. *f.* sericina.

sérico, ca. *adj.* sérico, serífero, de seda.

sericultura. *f.* V. **sericicultura.**

serie. *f.* série, sucessão de coisas; sequ(ü)ência crescente ou decrescente de grandezas, segundo uma determinada lei; seguimento; sucessão; reunião de corpos orgânicos e homogéneos; gama; enfiada, continuação, disposição natural e metódica.

seriedad. *f.* seriedade; gravidade de porte; sisudez; rectidão; honradez; mesura; incomplacência; formalidade, circunspecção, maduração; deco(ô)ro.

serígeno, na. *adj.* serígeno.

seringa. *f.* (Amér.) goma da Índia.

serio, ria. *adj.* sério, grave, circunspe(c)to; sisudo; sério, severo, sério, real, positivo, verdadeiro, sincero; importante, sério, conspícuo; decoroso; maduro; formal; chumbado; sério, majestoso.

sermón. *m.* sermão, prédica, sobre assuntos religiosos; (fig.) sermão, repreensão, admoestação; reprimenda.

sermonar. *v. intr.* pregar, fazer sermões.

sermonario, ria. *adj.* pertencente ou semelhante ao sermão; sermonário, colecção de sermões escritos.

sermoneador, ra. *adj.* e *s.* pregador, que faz pregações; que ralha, que repreende.

sermonear. *v. intr.* pregar, fazer sermões. —

v. tr. pregar, admoestar, repreender, ralhar, increpar; exortar.

sermoneo. *m.* (fam.) sermão, repreensão frequente.

sermonero. *m.* (fam.) pregador, ralhador, repreendedor importuno.

serna. *f.* herdade, terra de semeadura.

seroja. *f.* V. **serojo.**

serojo. *m.* folha seca que cai das árvores; gravetos, lascas, restos de lenha.

serón. *m.* alforge, seirão, seira mais comprida que larga, seira grande para levar carga.

serondo, da. *adj.* serôdio, tardio, diz-se dos frutos que vêm tarde.

seronero. *m.* cesteiro, fabricante ou vendedor de seiras.

serosidad. *f.* serosidade, líquido que segrega certas membranas; aguadilha; (med.) diaforese, serosidade.

seroso, sa. *adj.* seroso, relativo ao soro ou serosidade; seroso, que tem soro.

seroterapia. *f.* seroterapia. V. **sueroterapia.**

serótino, na. *adj.* serôdio, fruto tardio. V. **serondo.**

serpa. *f.* ladrão, sarmento estéril.

serpear. *v. intr.* serpear, serpentear. V. **serpentear.**

serpentaria. *f.* (bot.) serpentária, dragonteia.

Serpentario. *m.* (astr.) Serpentária, Serpentário, constelação boreal.

serpentear. *v. intr.* serpear, serpentear mover-se como uma serpente; cobrejar, colubrejar, colear.

serpenteo. *m.* acção e efeito de serpear ou serpentear.

serpentígero, ra. *adj.* (poét.) serpentífero, que tem ou leva serpentes.

serpentín. *m.* (quím. e mec.) serpentina, tubo hélice do alambique; serpentina, antiga peça de artilharia; serpentina, instrumento de ferro onde se coloca a mecha do arcabuz; cão da espingarda.

serpentina. *f.* serpentina, pedra de cor verdosa; serpentina, rolo de papel que se arremessa por ocasião dos divertimentos carnavalescos.

serpentino, na. *adj.* serpentino, que se refere à serpente; serpentiforme, que tem forma de serpente; diz-se do mármore que tem listras tortuosas.

serpiente. *f.* (zool.) serpente cobra; (poét.) serpe; (fig.) serpente, o diabo que tentou Eva; demónio; Serpentário, constelação boreal.

serpiginoso, sa. *adj.* (med.) serpentinoso, diz-se das úlceras.

serpigo. *m.* (med.) impigem, impetigo; chaga, úlcera.

serpollar. *v. intr.* (bot.) rebentar, deitar rebentos às árvores.

serpollo. *m.* rebento, renovo, vergôntea.

serradizo, za. *adj.* serradiço, próprio para serrar (diz-se da madeira).

serrado, da. *adj.* e *p. p.* de *serrar;* serrado, que se serrou; serrado, asserrilhado, dentado; denteado, com dentes como os da serra; serreo.

serrador, ra. adj. e s. serrador, que serra; o que tem por ofício serrar madeira.

serraduras. f. pl. serradura, serrim; serração. V. **serrín.**

serrallo. m. serralho, lugar em que os maometanos têm as suas mulheres, harém; lupanar, prostíbulo, qualquer sítio onde se cometem obscenidades.

serrana. f. (poét.) serrana, composição poética popular.

serranía. f. serrania, terreno composto de serras e montanhas; cordilheira.

serraniego, ga. adj. V. **serrano.**

serranil. m. espécie de punhal ou faca.

serranilla. f. serrana, serranilha, canção popular escrita em metros curtos.

serrano, na. adj. e s. serrano, que habita ou nasceu na serra; montanhês, montesino; serrano, pertencente ou relativo às serras ou a seus moradores ou habitantes.

serrar. v. tr. serrar, cortar com serra: serrar chapuceramente, (pop.) serrotar. — conj. irr. como acertar.

serrátil. adj. (med.) serrátil, diz-se do pulso desigual e frequente.

serrato. m. (anat.) dentado.

serrería. f. oficina de trabalho onde se serram madeiras.

serreta. f. dim. de sierra; serrinha, serrilha (barbela de ferro); galão de ouro ou prata com dentes dum lado.

serretazo. m. sofreada, acção de serrilhar; repreensão violenta. V. **sofrenada:** dar un serretazo, repreender violentamente.

serrijón. m. serrote, serra de folha larga.

serrín. m. serradura, serrim; serrim (farelo de madeira): tener la cabeza llena de serrín, ter estrelas na testa.

serrino, na. adj. sérreo, serrátil, pertencente à serra ou parecido com ela.

serrón. m. aum. de sierra. V. **tronzador; serrão, serrote.** — V.**serrucho.**

serrote. m. serrote, serra de mão.

serruchar. v. tr. (Amér.) serrar com serrote.

serrucho. m. serrote, serra de folha larga; serra de mão.

serrulado, da. adj. denticulado.

serruendo, da. adj. (prov.) V. **serondo.**

servador. m. (poét.) salvador, defensor.

serventesio. m. (poét.) antiga poesia provençal de assunto moral, político, etc.

serventía. f. (Amér.) serventia; servidão, passagem, caminho de serventia.

servible. adj. servível, que pode servir, útil; prestadio.

serviciador. m. portageiro, cobrador da portagem dos rebanhos.

servicial. adj. serviçal, que serve com esmero e cuidado; agencioso, agasalhadeiro, agasalhador; obsequiador, obsequioso; oficioso; mesinha; serviçal, diligente. — m. clíster; (Amér.) criado, servente.

serviciar. v. tr. cobrar o direito de portagem dos rebanhos.

servicio. m. serviço, estado de criado ou de servente; serviço, estado de servo; serviço, ministério; serviço, culto a Deus; serviço militar; serviço, utilidade, provei-

to; obséquio; servicio, baixela; bacio grande; clíster; serviço de mesa; aparelho de mesa, coberta, iguarias que se põem na mesa de cada vez; servício, merecimento, bem-feitoria; benemerência; serviço, emprego, obrigações; préstimo; obséquio, benefício.

servidero, ra. adj. servível, útil, que serve; apto para ser utilizado; que requer assistência pessoal; apto, capaz.

servido, da. p. p. de servir e adj. servido, usado, gastado.

servidor, ra. adj. e s. servidor, que serve; servidor, servo, criado, servente, pessoa ao serviço de alguém; servidor de damas; o que se oferece por cortesia à disposição de alguém; obsequiador; servidor, bacio, bispote, penico, urinol; servidor, fâmulo; mercenário; atento, servidor.

servidumbre. f. servidão, condição, trabalho, ou estado próprio de servo; criadagem, conjunto de criados; servidão, obrigação inexcusável; escravidão; (for.) servidão, serventia; direito em prédio alheio que limita o domínio deste; grande sujeição; obrigação rigorosa; gabela; famulato, conjunto de criados duma casa: servidumbre de paso, caminho de serventia.

servil. adj. e s. servil, pertencente ou relativo aos servos ou criados; servil, humilde, de pouca estimação; servil, abjecto; servil, famulatório, famulatício; servil, subserviente, bajulador, baixo; servil, que segue e se ajusta ao original ou ao modelo: persona servil, (fig.) fantoche.

servilismo. m. servilismo, subserviência; humildade; mesurice; adulação.

servilón, na. adj. aum. de servil. — m. partidário da monarquia absoluta.

servilleta. f. guardanapo.

servilletero. m. argola de guardanapo.

servio, via. adj. e s. (geog.) sérvio, natural da ou pertencente a Sérvia. — m. sérvio, língua de este antigo país da Europa.

serviola. f. (mar.) serviola, turco para serviço da âncora; guarda que se estabelece de noite perto da serviola.

servir. v. intr. e tr. servir, estar ao serviço doutro; (fig.) servir, acolitar; servir, aproveitar; servir, exercer um emprego ou trabalho; servir, ser de utilidade, valer; servir, satisfazer, comprazer, dar gosto; servir, ser soldado no activo, militar, servir à pátria; servir, prestar, desempenhar, exercer; servir à mesa, dar uma iguaria a um conviva; servir, ministrar, dar; exercer um emprego público, desempenhar qualquer função; servir, ser escravo, servo ou criado duma casa, servente; servir de, substituir, suprir, fazer as vezes de; servir, jogar carta do naipe que se pede; servir, estar sujeito a; exercer um emprego; ajustar-se, agradar; obsequiar alguém; cortejar uma dama; dar culto. — v. r. ajudar-se, empregar; servir-se, haver por bem; servir-se, valer-se, fazer uso; dignar-se, aproveitar-se servir-se, tomar para si uma porção de iguaria ou bebida.

servita. adj. e s. servita, membro duma congregação religiosa.

servomotor. m. (mar.) aparelho para mover o leme; motor auxiliar.

sesada. f. fritada de miolos; miolos dum animal.

sesâmeo, a. adj. (bot.) sesâmea, diz-se das plantas dicotiledóneas polipétalas.—f. pl. sesâmeas.

sésamo. m. (bot.) sésamo, gergelim.

sesamoideo, a. adj. sesamoideo, sesamóide, semelhante à semente do sésamo.

sescuncia. f. antiga moeda romana de cobre.

sesear. v. intr. pronunciar a letra c, como s.

sesenta. adj. sessenta, seis vezes dez.—m. sessenta, conjunto de signos que representa o número sessenta.

sesentavo, va. adj. e s. sexagésimo, diz-se de cada uma das sessenta partes em que se divide um todo.

sesentón, na. adj. e s. sexagenário, que tem sessenta anos.

seseo. m. acção de pronunciar a letra c como a s.

sesera. f. (pop.) crânio, cérebro, mioleira, miolos.

sesga. f. nesga (de tecido). V. **nesga.**

sesgado, da. p. p. de sesgar e adj. sesgado, oblíquo, inclinado; enviesado; esguelhado; sesgo.

sesgadura. f. esguelha, corte enviesado.

sesgar. v. tr. enviesar, esguelhar; pôr de esguelha; torcer para um lado, obliquar; inclinar.

sesgo, ga. adj. sesgo, torcido, cortado obliquamente; grave, torcido no semblante; enviesado, enviés, viés; sesgo, torcido, oblíquo, esguelhado; sesgo, calmo, sossegado, tranquilo, sereno. — m. obliqu(ü)idade; (fig.) meio termo que se toma nos negócios duvidosos; por ext. rumo ou curso dum negócio.

sesgo, ga. adj. (p. us.) V. **sosegado.**

sésil. adj. (bot.) aplica-se às plantas que não têm pé.

sesión. f. sessão, reunião duma corporação; (fig.) conferência, consulta para determinar uma coisa; assentamento; duração.

sesionar. v. intr. celebrar sessão uma corporação.

seso. m. miolo, cérebro, massa nervosa comprida no crânio; (fig.) prudência, sisudez; calço de qualquer objecto para que fique firme.

sesquiáltero, ra. adj. sesquiáltero.

sesquimodio. m. medida de módio e meio de capacidade.

sesquióxido. m. (quim.) sesquióxido.

sesquipedal. adj. sesquipedal.

sesquitercio, cia. adj. sesquitercio, sesquiterceiro.

sesteadero. m. lugar onde o gado passa a sesta.

sestear. v. intr. sestear, dormir a sesta; recolher o gado durante o dia em lugar sombreado.

sestercio. m. sestércio, moeda de prata dos antigos romanos.

sestero, sestil. m. V. **sesteadero.**

sesudez. f. sisudez, sisudeza, seriedade, sensatez, prudência.

sesudo, da. adj. sisudo, prudente, cordato, sensato, apropositado, maduro; (fig.) mioloso.

seta. f. (bot.) cogumelo, míscaro, seta.

setáceo. adj. setáceo; que tem sedas ou é da sua natureza.

setal. m. lugar onde abundam os cogumelos.

setecientos, tas. adj. e s. setecentos, sete vezes cem.

setena. f. conjunto de sete coisas por ordem; tributo em que se pagava um por cada sete (falando-se de frutos).

setenado, da. p. p. de setenar e adj. castigado com pena superior à culpa. — m. septénio, período de sete anos.

setenar. v. tr. tirar por sorte um por cada sete.

setenario. m. septenário.

setenta. adj. e m. setenta, sete vezes dez; septuagésimo.

setentavo, va. adj. septuagésimo.

setentón, na. adj. e s. (fam.) septuagenário.

setiembre. m. V. **septiembre.**

setífero, ra. adj. setífero.

sétimo, ma. adj. V. **séptimo.**

seto. m. sebe, estancada, caniço.

seudo. pref. pseudo, falso, suposto.

seudomórfico, ca. adj. pseudomorfo, pseudomórfico.

seudomorfismo. m. pseudomorfismo.

seudomorfo, fa. adj. pseudomorfo.

seudomorfosis. f. pseudomorfose.

seudónimo, ma. adj. pseudó(ô)nimo. — m. pseudónimo, nome empregado por um autor em lugar do próprio, nome falso ou suposto.

severidad. f. severidade, rigor e aspereza no trato e no castigo; severidade, exactidão no cumprimento da lei ou da regra; severidade, gravidade, seriedade; aspereza, exactidão; pontualidade; sobriedade; inclemência; estritura, incomplacência; austeridade.

severo, ra. adj. severo, rigoroso, áspero; exacto, rigoroso, pontual; grave, sério; inclemente; estrito; incomplacente; exigente; duro; austero; simples e elegante, falando-se do estilo; correcto, sóbrio; violento, rude.

sevicia. f. sevícia, maus tratos; crueldade excessiva; desumanidade.

sevillanas. f. pl. sevilhanas, canto e dança populares de Sevilha.

sevillano, na. adj. e s. (geog.) sevilhano.

sexagenario. adj. e s. sexagenário.

sexagésima. f. sexagésima, o domingo quinze dias anterior ao primeiro da Quaresma.

sexagesimal. adj. sexagesimal.

sexagésimo, ma. adj. sexagésimo. — s. sexagésimo.

sexagonal. adj. hexagonal.

sexángulo, la. adj. (geom.) hexágono.

sexcentésimo, ma. adj. sexcentésimo.

sexenio. *m.* sexé(ê)nio, período de seis anos.

sexma. *f.* se(ê)sma, antiga medida, terça parte do côvado; sexta parte de qualquer coisa; antiga moeda romana.

sexmero. *m.* sesmeiro, o que tem a seu cargo os negócios de cada sesmo.

sexmo. *m.* se(ê)smo, terreno sesmado.

sexo. *m.* sexo, género: *sexo debil* ou *bello sexo*, o belo sexo, o sexo fraco; *sexo feo* ou *sexo fuerte*, o sexo forte.

sexología. *f.* sexologia.

sexológico, ca. *adj.* sexológico.

sexta. *f.* sexta, terceira das quatro partes iguais em que os romanos dividiam o dia; sexta, a terceira das horas canónicas, que se deve celebrar na sexta hora do dia; (mús.) sexta, intervalo entre seis notas.

sextaferia. *f.* prestação de trabalho pessoal para reparação de caminhos e outras obras de utilidade pública; serviço braçal.

sextaferiar. *v. tr.* prestar trabalho pessoal em obras de utilidade pública.

sextantario, ria. *adj.* que tem o peso dum sextante.

sextante. *m.* (astr.) sextante; (geom.) sextante; sextante, antiga moeda romana de cobre.

sextario. *m.* sextário, medida romana de capacidade para líquidos e secos.

sextavar. *v. tr.* sextavar, dar seis faces a alguma coisa; cortar ou talhar em forma hexagonar.

sexteto. *m.* (mús.) sexteto.

sextil. *adj.* (astron.) sextil.

sextilla. *f.* sextilha.

sextillo. *m.* (mús.) conjunto de seis notas iguais que se tocam ou cantam no tempo correspondente a quatro delas.

sextillón. *m.* sextilião.

sextina. *f.* (poét.) sextina.

sexto, ta. *adj.* sexto, que ocupa o último lugar numa série de seis; sexto, diz-se de cada uma das seis partes iguais em que se divide um todo. — *m.* livro em que estão juntas algumas constituições e decretos canónicos; (fam.) sexto mandamento da lei de Deus.

sextuplicación. *f.* sextuplicação.

sextuplicar. *v. tr.* sextuplicar, tornar seis vezes maior; sextuplicar, multiplicar por seis.

séxtuplo, pla. *adj.* e *s.* sêxtuplo.

sexuado, da. *adj.* sexuado, que tem um sexo.

sexual. *adj.* sexual, pertencente ou relativo ao sexo; genital; *órganos sexuales,* órgãos sexuais; *unión sexual,* copulação; *inversión sexual,* fanchonice; *impotente sexual,* (Bras.) frouxo.

sexualidad. *f.* sexualidade.

sexualismo. *m.* sexualismo, estado de um ser provido de sexo.

sexualista. *adj.* diz-se do sistema de Lineu, fundado nos órgãos sexuais das plantas.

si. *m.* (mús.) si, sétima nota da escala musical; si, sinal que a representa.

si. *conj.* se, conforme as circunstâncias; ainda que, no caso de; contanto que; exprime dúvida: *no se si me será posible,*

não sei se me será possível; oposição: *si uno dice que sí, el otro dice que no,* se um diz que sim, o outro diz que não; motivo: *si no fuera yo el que...* se eu não for o que; *si bien que,* se bem que; *si es verdad,* se é verdade; *como si,* como se.

sí. *pron.* forma reflexa do pronome pessoal da terceira pessoa, quando acompanhada de preposição: *hablar de sí,* falar de si; *en sí,* em si; *en sí mismo,* em si mesmo; *fuera de sí,* fora de si; *por sí mismo,* por si; *ser dueño de sí,* ser senhor de si; *no tener un momento para sí,* não ter um momento de seu; *volver en sí,* voltar a si; *por sí y ante sí,* por sua própria deliberação; *de sí para sí,* de si para si; *de por sí,* de per si, individualmente.

sí. *adv.* sim, partícula afirmativa; como substantivo, indica permissão ou concessão. — *m.* consentimento, licença, permissão, concessão: *dar el sí,* dar o sim; *decir que sí,* responder de sim; *ni sí ni no,* pelo sim pelo não; *un día sí y otro no,* um dia sim outro não; *no decir ni que sí ni que no,* não dizer sim nem não; *¡pues sí!,* (fam.) ¡pois sim!, *sí, por cierto,* certamente.

sialadenitis. *f.* (pat.) sialadenite.

sialagogo, ga. *adj.* e *m.* (med.) sialagogo.

sialismo *m.* sialismo, abundância de salivação.

sialofagia. *f.* sialofagia.

sialología. *f.* sialologia, sialogia.

sialológico, ca. *adj.* sialológico, sialógico.

Siam. (geog.) Siame, Sião.

siamés, sa. *adj.* e *s.* (geog.) siame, siamês, natural de Siame ou Sião. — *m.* siamês, língua siamesa.

sibarita. *adj.* e *s.* sibarita, natural de Síbaris (Itália antiga); (fig.) sibarita diz-se da pessoa dada aos prazeres e ao luxo.

sibarítico, ca. *adj.* sibarítico, relativo à cidade de Síbaris; (fig.) sibarítico, sensual, voluptuoso.

sibaritismo. *m.* sibaritismo, luxo; sensualidade; vida de sibarita; voluptuosidade; requintada.

Siberia. (geog.) Sibéria.

siberiano, na. *adj.* e *s.* (geog.) siberiano.

sibil. *m.* concavidade subterrânea, cova, gruta, caverna; tulha, silo para conservar frescos os alimentos.

sibila. *f.* sibila, profetisa, mulher que predizia o futuro; (fig.) bruxa.

sibilante. *adv.* sibilante, que sibila, cicioso; estridente.

sibilino, na. *adj.* sibilino, relativo a sibilia; sibilino, furtivo, escuro, misterioso, enigmático.

sic. *adv.* sic, assim, textualmente.

sicalipsis. *f.* pornografia. V. **pornografía.**

sicalíptico, ca. *adj.* lascivo, pornográfico, desonesto. V. **pornográfico.**

sicambro, bra. *adj.* e *s.* sicambro.

sicamor. *m.* (bot.) V. **ciclamor.**

sicario. *m.* sicário, assassino assalariado, beleguim; facínora; fadista.

sicativo, va. *adj.* sicativo. V. **secativo e secante.**

sicigia. *f.* (astr.) sizígia, conjunção ou oposição da Lua com o Sol.

Sicilia. (geog.) Sicília.

siciliano, na. *adj.* e *s.* (geog.) siciliano.

siclo. *m.* siclo, moeda hebraica.

sicofanta ou sicofante. *m.* sicofanta, caluniador, impostor.

sicómoro. *m.* (bot.) sicómoro.

siconio. *m.* (bot.) espécie de figo.

sicosis. *f.* sicose.

sicote. *m.* fartum, sujidade do corpo humano misturada com o suor.

sidecar. *m.* (barbar.) side-car, side-car, carro atrelado lateralmente a uma motocicleta.

sideración. *f.* (astrol.) sideração, influência dos astros na vida de alguém; horóscopo; (med.) morte súbita; sideração.

sideral. *adj.* sideral, relativo aos astros; sidéreo.

sidéreo, a. *adj.* V. sideral.

sidérico, ca. *adj.* sidérico, relativo ao ferro.

siderismo. *m.* siderismo, culto dos astros.

siderita. *f.* (quim.) siderte; (bot.) planta labiada de flores amarelas.

siderodendro. *m.* (bot.) siderodendro.

siderografía. *f.* siderografia.

siderográfico, ca. *adj.* siderográfico.

siderolítico, ca. *adj.* siderolítico.

sideromancia, sideromancía. *f.* sideromancia.

siderosa. *f.* (quim.) siderita, siderose.

sideroscopio. *m.* sideroscópio.

siderosis. *f.* (ned.) siderose, afecção pulmonar produzida pelo óxido de ferro.

sideróstato. *m.* (astro.) sideróstata.

siderotecnia. *f.* siderotecnia, metalurgia.

siderurgio. *f.* siderurgia.

siderúrgico, ca. *adj.* siderúrgico.

sidra. *f.* sidra, cidra.

siega. *f.* se(ê)ga, ceifa, segada; ceifa, tempo da ceifa, messes ceifadas.

siembra. *f.* semeadura, semeação, sementeira; semeada, terreno semeado, sementeira, estação, tempo de semear.

siempre. *adv.* sempre, em todo ou em qualquer tempo; em todo o caso, quando menos, sem cessar, sem fim; constantemente; em fim, finalmente: *casi siempre*, quase sempre; *siempre que*, sempre que; *para siempre*, para sempre; *para siempre jamás amén*, para aquém e para diante Deus; *¡hasta siempre!*, ¡até sempre!; *ser siempre el mismo*, ser sem direito nem a avesso; *lo de siempre*, a mesma história.

siempreviva. *f.* (bot.) sempre-viva, sempre-noiva, sempre-verde: *siempreviva mayor*, erva-vermicular; *siempreviva menor*, arroz-dos-telhados ou dos-ratos.

sien. *f.* (anat.) fonte, cada um dos lados da região temporal da cabeça.

sienita. *f.* (min.) sienite.

sienítico, ca. *adj.* que contém sienite.

sierpe. *f.* serpente, cobra; (fig.) serpe, pessoa muito feia ou feroz; serpente, qualquer coisa coleante que se move à maneira de serpente; estrela, brinquedo; (germ.) gazua.

sierra. *f.* serra, instrumento cortante; serra, cordilheira, montanha cujo cume tem muitos acidentes.

siervo, va. *s.* escravo, servo; servo, criado, servo, pessoa professa em ordem religiosa, fórmula obsequiosa; (fam.) pessoa muito pobre: *sierva de Dios,* (rel.) serva de Deus.

sieso. *m.* (anat.) se(ê)sso, esfíncter anal, parte inferior do intestino recto.

siesta. *f.* sesta, tempo depois de meio-dia em que aperta mais o calor; sesta, tempo destinado a descansar ou dormir depois de comer; música que se canta nas igrejas pela tarde, véspera: *siesta del carnero,* a que se dorme antes do almoço.

siete. *adj.* e *m.* sete, seis e mais um; sete, número sete; carta de jogar com sete pontos; (fam.) rasgão angular.

sietemesino, na. *adj.* sete-mesinho, diz-se da criança que nasce de sete meses.

sieteñal. *adj.* que tem sete anos.

sifilide. *f.* (med.) sifilide, dermatose sifilítica.

sífilis. *f.* (med.) sífilis, gálico; (pat.) lues; mal francês; avariose; (vulg.) galiqueira: *contagiar la sífilis*, galicar; *contraer la sífilis*, galicar-se.

sifilismo. *m.* sifilismo.

sifilítico, ca. *adj.* (med.) sifilítico; avariado; gálico.

sifilización. *f.* (med.) sifilização.

sifilografía. *f.* (med.) sifiligrafia.

sifiligráfico, ca. *adj.* sifiligráfico.

sifilógrafo. *m.* sifilógrafo.

sifiloma. *m.* (med.) sifiloma.

sifón. *m.* sifão, tubo curvo que serve para trasfegar líquidos; sifão, garrafa fechada com um sifão, e carregada com água e ácido carbónico; sifão, tromba, manga d'água.

sifonado, da. *adj.* (zool.) diz-se duma variedade de moluscos.

sifosis. *m.* corcunda, corcova. V. jorobado.

sifué. *m.* V. sobrecincha.

siga. *f.* (Amér.) V. seguimiento.

sigilación. *f.* sigilação; (med.) sigilação, impressão, marca.

sigilar. *v. tr.* selar, imprimir, com selo; ocultar ou calar alguma coisa; guardar segredo.

sigilo. *m.* sigilo, segre(ê)do; selo: *sigilo sacramental,* segredo de confissão.

sigilografía. *f.* estudo dos selos antigos.

sigiloso, sa. *adj.* secreto, calado, discreto.

sigla. *f.* sigla, letra inicial empregada com abreviatura.

siglo. *m.* século, espaço de cem anos; trato e comércio dos homens no que se refere à vida comum e política; século, tempo largo e indeterminado; século, o mundo, as coisas mundanas; século, idade presente; século, tempo que parece muito longo: *que tiene diez siglos*, semi-secular; *que tiene diez siglos*, decissecular; *hace un siglo que no te veo*, há um século que o não vejo; *por los siglos de los siglos*, pelos séculos dos séculos.

sigma. *f.* décima oitava letra do alfabeto grego correspondente ao *s.*

sigmático, ca. *adj.* (gram.) sigmático.

sigmatismo. *m.* sigmatismo.

sigmoideo, a. *adj.* sigmóideo, sigmóide, o que se assemelha à letra grega sigma.

signáculo. *m.* selo ou sinal num escrito.

signar. *v. tr.* e *r.* assinar, firmar, subscrever; persignar, fazer o sinal da cruz.

signatario, ria. *adj.* e *s.* signatário, que subscreve ou assina um documento.

signatura. *f.* assinatura, firma, catalogação, numeração, sinal; sinal numérico na parte inferior da folha; sinal na primeira pagina de uma folha de impressão; assignatura, tribunal da corte romana.

significación. *f.* significação; significação, sentido duma palavra ou frase; significação, importância em qualquer ordem; significação, acepção, sentido; significação, notificação; significado; definição; definibilidade; denotação: *significación contraria,* contra-significação.

significado, da. *p. p.* de *significar* e *adj.* e *m.* significado; significação, sentido, acepção duma palavra; equivalente duma palavra; definição.

significador, ra. *adj.* e *s.* significador, que significa; denotador; significante.

significancia. *f.* significação. V. **significación.**

significar. *v. tr.* significar, querer dizer, denotar, representar; exprimir, expressar; indicar; designar; definir; explicar; significar, ter o sentido de; constituir, traduzir-se por, ser; significar, participar, notificar; manifestar ; comunicar.

significativo, va. *adj.* significativo, que dá a entender como propriedade uma coisa; significativo, expressivo; emblemático; que exprime uma clareza; significativo, que tem valor; que tem o sentido de; diz-se dos algarismos que têm valor absoluto.

signo. *m.* sinal, indício; estigma; sinal, firma de tabelião ou notário; signo, fado; (astr.) signo, cada uma das figuras que representam as doze constelações do Zodíaco; horóscopo: *signo de admiración,* (gram.) exclamação.

siguiente. *adj.* seguinte, que segue; consequente; afiado contra; imediato; ulterior, posterior; seguinte, que vem logo depois de outro: *al día siguiente,* o dia depois.

sil. *m.* ocra, ocre, mineral de ferro.

silaba. *f.* sílaba, fonema ou conjunto de fonemas pronunciados numa só emissão de voz; (fig. e fam.) palavra, qualquer som articulado.

silabar. *v. intr.* V. **silabear.**

silabario. *m.* silabário, livrinho para aprender a ler; silabário, cartilha de leitura em que as palavras estão divididas em sílabas; livro de leitura silabada.

silabear. *v. intr.* e *tr.* soletrar, soletrear, silabar, pronunciar separadamente cada sílaba; ler por sílabas, silabar.

silabeo. *m.* soletração; ajuntamento de sílabas; acção de silabar, de soletrar.

silábico, ca. *adj.* silábico, relativo à sílaba.

sílabo. *m.* sílabo, índice, catálogo.

silanga. *f.* estreito, braço de mar comprido e estreito que separa duas ilhas.

silba. *f.* assobio, acção de assobiar; assobiadela; apupada; vaia, apupo.

silbador, ra. *adj.* e *s.* assobiador, que assobia.

silbante. *p. a.* de *silbar* e *adj.* estridente, assobiado, apupado; sibilante. — *m.* (fam.) rapaz pobre.

silbar. *v. tr.* assobiar, apupar; atilar (pássaros); apitar; silvar; (fig.) patear, manifestar desagrado assobiando; sibilar, produzir um silvo; silvar.

silbato. *m.* assobio, apito; instrumento para assobiar; buraquinho, fenda por onde sai o ar ou ressuma um líquido.

silbido. *m.* assobio, apito, som; assobiadela.

silbo. *m.* assobio, silvo; som agudo, assobio; voz aguda e penetrante; apito; (fig.) sibilo; assobio, ruído do ar encadenado; silvo; sibilação; silvo, ruído da respiração semelhante ao do silvo.

silboso, sa. *adj.* que assobia.

silenciador. *m.* (mec.) aparelho para amortecer os ruídos.

silenciar. *v. tr.* embatocar; deixar em silêncio; calar, silenciar, guardar silêncio; impor silêncio a; emudecer; abstrair.

silenciario, ria. *adj.* que guarda contínuo silêncio. — *m.* ministro destinado a cuidar do silêncio no templo ou na casa.

silenciero, ra. *adj.* e *s.* encarregado de fazer guardar o silêncio.

silencio. *m.* silêncio, emudecimento; abstenção de falar; (fig.) silêncio, sossego, falta de ruído; omissão, interrupção da correspondência; silêncio, segredo, pausa; toque nos quartéis depois do de recolher.

silencioso, sa. *adj.* e *s.* silencioso, que não fala; que não faz barulho nem ruído; que está em silêncio; silencioso, taciturno; (fig.) inexpressivo; silencioso, reservado, calado; silencioso, sossegado, quieto; silencioso, diz-se do lugar em que não há ruído; (Bras. Amazonas) abu: *quedarse silencioso,* meter-se nas encolhas.

silente. *adj.* V. **silencioso.**

silepsis. *f.* (ret.) silepse.

silería. *f.* lugar onde estão as tulhas ou silos.

silero. *m.* silo.

sílex. *m.* V. **sílice.**

silfide. *f.* ou **silfo.** *m.* sílfide, silfo, fêmea, ninfa do ar; (fig.) sílfide, mulher graciosa e delicada.

sílice. *f.* (min. e quím.) sílica, combinação do silício com o oxigénio.

silíceo, a. *adj.* silicioso, que contém sílica ou é semelhante a ela.

silícico, ca. *adj.* (quím.) silícico, pertencente ou relativo à sílica.

silicificación. *f.* silicificação.

silicio. *m.* (quím.) silício, metalóide que se extrai da sílica.

siliciuro. *m.* (quím.) combinação do silício e um metal.

silicosis. *f.* (med.) certa enfermidade produzida pela inalação de pequenas partículas de areias, etc.

silicua. *f.* peso antigo de quatro grãos; (bot.) síliqua, fruto seco bivalve e alongado.

siliculforme. *adj.* (bot.) semelhante à síliqua; siliquiforme.

silicula. *f.* (bot.) silícula.

silo. *m.* (agr.) silo, tulha subterrânea; cova ou qualquer lugar subterrâneo para guardar grãos; (fig.) qualquer lugar profundo e escuro; (fig.) antro, cova.

silogismo. *m.* silogismo.

silogístico, ca. *adj.* silogístico.

silogizar. *v. intr.* silogizar, raciocinar por silogismos.

silómetro. *m.* (mar.) aparelho que serve para determinar a velocidade dum navio.

silonia. *f.* (prov.) V. **nueza.**

silueta. *f.* silhueta, perfil; desenho de perfil.

siluriano, na. *adj.* (geol.) siluriano.

silúrico, ca. *adj.* (geol.) V. **siluriano.**

silva. *f.* silva, miscelânea literária; silva composição poética.

Silvano. *m.* (mit.) Silvano.

silvático, ca. *adj.* V. **selvático.**

silvestre. *adj.* silvestre, criado sem cultura nas selvas ou campos; silvestre, rude, indomável; indomado; inculto, agreste, rústico; silvestre, arruda brava; (fig.) sertanejo; arisco; alpestre.

silvicultor. *m.* silvicultor, o que se dedica à silvicultura.

silvicultura. *f.* silvicultura, cultura dos bosques e dos montes.

silla. *f.* assento, cadeira; sela, aparelho para montar a cavalo; assento para uma só pessoa; silha; cadeira se(ê)de episcopal; dignidade episcopal e papal.

sillar. *m.* silhar, pedra lavrada em esquadria para revestimento de paredes; seladouro, seladoiro, parte do dorso do animal onde assenta a sela.

sillera. *f.* lugar onde se guardam as cadeiras de mãos; mulher que cuida das cadeiras nas igrejas.

sillería. *f.* conjunto de cadeiras iguais; cadeirado, conjunto de assentos unidos uns aos outros; oficina ou loja onde se fabricam ou vendem as cadeiras.

sillería. *f.* fábrica feita de silhares, de pedra lavrada.

sillero. *m.* cadeireiro, fabricante ou vendedor de cadeiras.

silleta. *f.* dim. de *silla;* cadeira pequena, cadeirinha; comadre (urinol para doentes); pedra sobre a qual se trabalha ou mói chocolate. — *pl.* (prov.) V. **jamugas.**

silletazo. *m.* cadeirada, pancada dada com uma cadeira.

sillete. *m.* variedade de cadeira, banquinho.

silletero. *m.* moço de liteira, cada um dos condutores duma liteira.

sillico. *m.* urinol, cadeira de retrete, furada; **bacio** ou pote desta cadeira.

sillín. *m.* selim, sela pequena sem arção; selim, **assento** da bicicleta; sela pequena de montar, selim.

sillita. *f.* dim. de *silla; llevar a la sillita de la reina,* andar de charolada.

sillón. *m.* aum. de *silla;* cadeirão, cadeira de braços; poltrona; acostamento; silhão, sela grande em que montam as mulheres; cadeirão.

sima. *f.* furna, cavidade muito grande e profunda na terra; abismo, antro, cova; remoinho; escócia, moldura côncava.

simado, da. *adj.* diz-se das terras profundas.

simbiosis. *f.* (hist. nat.) simbiose.

simbiótico, ca. *adj.* (bot.) pertencente ou relativo a simbiose.

simbólico, ca. *adj.* simbólico; alegórico; emblemático; simbólico, análogo, congruente; significativo.

simbolismo. *m.* simbolismo.

simbolista. *s.* simbolista.

simbolizable. *adj.* simbolizável.

simbolización. *f.* simbolização; representação simbólica.

simbolizar. *v. tr.* simbolizar, servir como símbolo; ser o símbolo de; representar; denotar; significar; representar; figurar por símbolos. — *v. intr.* simbolizar, ter congruência, conformidade; parecer-se uma coisa com outra.

símbolo. *m.* símbolo, figura, marca, representação; imagem; divisa; nota, emblema; (fig.) símbolo, senha, sinal convencional; signo, atributo, empre(ê)sa, alegoria; dito sentencioso; (quim.) símbolo.

simbología. *f.* simbologia, simbolologia.

simbológico, ca. *adj.* simbológico, simbolológico.

simetría. *m.* simetria; harmonia; proporção adequada das partes dum todo; correspondência, regularidade.

simétrico, ca. *adj.* simétrico, relativo à simetria; harmónico; proporcionado, que tem simetria.

simetrizar. *v. tr.* simetrizar, tornar simétrico; dispor simètricamente; ter simetria.

simia. *f.* (zool.) macaca. V. **mona.**

símico, ca. *adj.* simiesco, pertencente ou relativo ao símio.

simiente. *f.* semente; germe, gérmen; embrião; sé(ê)men; (fig.) causa, orígem, principio; (bot.) V. **alazor.**

simienza. *f.* desus. V. **sementera.**

símil. *adj.* simil, semelhante, similar, parecido com outro. — *m.* símile, comparação, analogia, semelhança entre duas coisas.

similar. *adj.* similar, homogéneso, da mesma natureza; semelhante, análogo; aparente.

similicadencia. *f.* (ret.) emprego no fim de duas ou mais proposições, palavras de terminação ou de som semelhante.

similitud. *f.* similitude, semelhança, parecença.

similitudinario, ria. *adj.* similitudinário, similar.

simio. *m.* (zool.) símio, macaco, bugio, mono.

simonía. *f.* simonia.

simoniaco, ca. *adj.* simoníaco.

simoniático, ca. *adj.* simoníaco.

simpatía. *f.* simpatia, afinidade, entre alguns corpos; (fig.) simpatia, conformidade de humor ou génio de uma pessoa com outra; simpatia, inclinação, afecto por alguém; simpatia, natural ou ideal entre duas pessoas; tendência natural para uma coisa; (med.) simpatia, relação entre as acções de dois ou mais órgãos; correspondência; amizade; atra(c)ção: *tener simpatia a alguien*, engraçar com alguém.

simpático, ca. *adj.* simpático, que inspira simpatia; atraente; agradável; grato, conforme, análogo; bem encarado; bem acondicionado; atractivo; (mús.) diz-se da corda que vibra por si só, quando se faz vibrar outra.

simpatizar. *v. intr.* simpatizar, ter simpatia por; sentir afeição por alguém ou por alguma coisa; fraternizar; engraçar; gostar, aprovar.

simple. *adj.* e *s.* simples, puro, único; só, sem composição; simples, sem mistura; simples, singelo, não dobrado ou duplicado; não reforçado; (fig.) insípido, insulso, inso(ô)sso; simples, pacato, ingénuo, sem malícia, crédulo, parvo; ignorante; atontado, amalucado; apatetado, incauto; familiar; incomplexo; simples, desaparatoso, desadornado, despretencioso, desornado, desartificioso; estulto; bisonho; chochinha; chocarreiro; boçal; (pop.) bo(ô)ca-aberta; pacóvio; infantil; faceiro; mero; simples, rito ou ofício religioso que não é duplex; (bot.) simples, sem ramificação; simples, planta, erva, mineral ou droga que por si só serve para a medicina ou entra na composição dos medicamentos, símplices: *puro y simple*, puro e simples; *a simple vista*, à simples vista; *hombre simple*, pai-avô, paio.

simpléctico, ca. *adj.* simplé(c)tico.

simpleza. *f.* simpleza, parvoíce, rusticidade; pacovice, necedade; palermice, sendeirada, estupidez, desconchavo; bertoldice; infantilidade; bernardice, ingenuidade.

simplicidad. *f.* simplicidade, candura, ingenuidade; desado(ô)rno; desafe(c)tação; desatavio; barbaquice; despretensão; facilidade; simplicidade, qualidade de simples ou singelo; franqueza, credulidade excessiva.

simplificable. *adj.* simplificável.

simplificación. *f.* simplificação; (mar.) reducção duma fracção a termos menores.

simplificador, ra. *adj.* simplificador, que simplifica.

simplificar. *v. tr.* simplificar, tornar simples, fácil ou claro; facilitar; (mat.) reduzir uma fracção a termos menores, simplificar.

simplísimo, ma. *adj. superl.* simplicíssimo.

simplista. *adj.* e *s.* simplista, que simplifica ou tende a simplificar; simplicista, pessoa que curava por meio de símplice.

simplón, na. *adj.* (fam.) mentecapto; simples, papalvo; pacóvio, simplório, sandeu, ingénuo. crédulo, infantil, bertoldo, atolado, bernardo.

simposia. *f.* festim, entre os antigos gregos.

simposíaco, ca. *adj.* pertencente ou relativo ao festim ou banquete.

simulación. *f.* simulação, fingimento, simulamento; disfarce; simulação, alteração aparente da causa ou objecto verdadeiro dum contrato; fraude; fraudação; contrafa(c)ção; arreme(ê)do, enganação; engano; (fig.) estudo.

simulacro. *m.* simulacro, imagem feita à semelhança duma coisa ou pessoa; imagem fantasiada; aparência sem realidade; acção simulada, manobra militar.

simulador, ra. *adj.* e *s.* simulador, que simula; (fig.) hipócrita.

simular. *v. intr.* simular, representar uma coisa fingidamente; disfarçar, fazer crer; representar com semelhança; fingir; fraudar; (fig.) estudar; aparentar, imitar; fazer o simulacro de; arremedar.

simulcadencia. *f.* simulcadência, igualdade, regularidade.

simulcadente. *adj.* simulcadente, que tem simulcadência.

simultanear. *v. tr.* realizar duas coisas diferentes ao mesmo tempo; tornar simultâneo; cursar ao mesmo tempo duas ou mais disciplinas de anos ou faculdades diferentes; coincidir.

simultaneidad. *f.* simultaneidade; qualidade de simultâneo; coincidência; existência ou produção simultânea.

simultáneo, a. *adj.* simultâneo; sincrónico; coincidente; coexistente.

simún. *m.* simum, vento dos desertos da África e Arábia.

sin. *prep.* sem; além, de mais, fora (indica falta, exclusão, condição, e entra em muitas loc., adv.): *sin duda*, sem dúvida; *sin cuento*, sem conto; *sin más*, sem mais; *sin fin*, sem fim; *sin embargo*, ainda assim, com tudo, com tudo isso.

sinagoga. *f.* sinagoga, assembleia entre os Judeus; sinagoga, templo dos Judeus; (fig.) conciliábulo, conluio.

sinaláctico, ca. *adj.* sinaláctico, conciliador.

sinalagmático, ca. *adj.* (for.) sinalagmático.

sinalefa. *f.* (gram.) sinalefa.

sinapismo. *m.* (med.) sinapismo; (fig. e fam.) maçador, sinapismo, maçada, pessoa ou coisa que incomoda.

sinartrosis. *f.* (anat.) sinartrose.

sincárpico, ca. *adj.* (bot.) sincárpico, sincarpado.

sincarpio. *m.* (bot.) sincárpio, sincarpo.

sincerador, ra. *adj.* e *s.* justificador, justificante, que justifica.

sincerar. *v. tr.* inocentar, justificar, provar a inculpabilidade de alguém; reabilitar. — *v. r.* franquear-se, desabafar-se com alguém; abrir o coração; desenganar-se com alguém; abrir-se com alguém.

sinceridad. *f.* sinceridade; franqueza; singeleza, veracidade; ingenuidade; desengano; desassombro; desabafo; desafe(c)tação; desafo(ô)go; lisura; lhaneza.

sincero, ra. *adj.* sincero, ingé(ê)nuo, verdadeiro, sem fingimento; singelo; lhano; liso; leal; simples; natural; expansivo; aberto; desafe(c)tado; declarado; cordial; entranhável; formal, inartificioso;

verdadeiro: *ser sincero*, (fam.) ser um coração lavado.

sincipucio. *m.* (anat.) sincipício, sincipúcio, sinciput.

síncopa. *f.* (gram.) síncope; (mús.) síncopa.

sincopado, da. *p. p.* de *sincopar* e *adj.* sincopado; (mús.) diz-se do canto ou música que tem notas sincopadas.

sincopal. *adj.* (med.) sincopal. V. **síncope.**

sincopar. *v. tr.* (gram.) sincopar, tirar letra ou sílaba no meio da palavra; (mús.) sincopar, unir por síncope; (fig.) abreviar, encurtar, reduzir.

síncope. *m.* (gram.) síncope, supressão de letra ou sílaba; (med.) síncope, desfalecimento, delíquio, desmaio.

sincopizar. *v. tr.* (med.) causar uma síncope.

sincrético, ca. *adj.* sincrético, pertencente ou relativo ao sincretismo.

sincretismo. *m.* (filos.) sincretismo.

síncrisis. *f.* síncrise.

sincrónico. ca. *adj.* sincró(ô)nico, que sucede ao mesmo tempo; simultâneo.

sincronismo. *m.* sincronismo; simultaneidade.

sincronización. *f.* sincronização.

sincronizador. *m.* (fís.) sincronizador.

sincronizar. *v. tr.* sincronizar, tornar simultâneos os movimentos de dois ou mais aparelhos mecânicos; sincronizar, narrar os factos por sincronismo.

síncrono, na. *adj.* síncrono.

sindeticón. *m.* cola-tudo.

sindactilia. *f.* (med.) sinda(c)tilia.

sindáctilo, la. *adj.* (med. e zool.) sindá(c)tilo.

sindéresis. *f.* sindérese; discreção, bom juízo, rectidão para julgar; bom senso.

sindesmografía. *f.* (anat.) sindesmografia.

sindesmográfico, ca. *adj.* sindesmográfico.

sindesmología. *f.* (anat.) sindesmologia.

sindesmológico, ca. *adj.* sindesmológico.

sindesmosis. *f.* (cir.) sindesmose.

sindicable. *adj.* sindicável, que se pode sindicar.

sindicación. *f.* sindicação, sindicância; informação judiciária.

sindicado. *m.* sindicado, junta de síndicos.

sindicador ra. *adj.* e *s.* sindicador, sindicante.

sindical. *adj.* sindical, pertencente ou relativo ao síndico; sindical que se refere ao sindicato.

sindicalismo. *m.* sindicalismo, organização operária por meio do sindicato.

sindicar. *v. tr.* sindicar, acusar, delatar; suspeitar; ter uma suspeita. — *v. r.* sindicalizar-se; associar-se em sindicato.

sindicalista. *s.* e *adj.* sindicalista, pertencente ou relativo ao sindicato; sindicalista, pessoa partidária do sindicalismo.

sindicato. *m.* sindicato; junta de síndicos; associação para defesa dos interesses económicos, ou políticos comuns.

sindicatura. *f.* sindicado, cargo ou dignidade de síndico.

síndico. *m.* síndico, pessoa escolhida para zelar os interesses duma corporação a que pertence; liquidatário; síndico, procura-dor; síndico, o que guarda as esmolas dadas aos religiosos mendicantes.

síndrome. *m.* síndrome.

sinécdoque. *f.* (ret.) sinédoque.

sinedrio. *m.* V. **sanedrín.**

sinéresis. *f.* (gram.) sinérese.

sinergia. *f.* (fisiol.) sinergia, esforço simultâneo de vários órgãos ou músculos.

sinfín. *m.* sem-fim, quantidade indeterminada, inúmero, infinidade.

sinfinidad. *f.* (fam.) sem-fim, infinidade. V. **sinfín.**

sínfisis. *f.* (anat.) sínfise.

sinfonía. *f.* sinfonia, composição instrumental para orquestra; reunião de vozes; sinfonia, conjunto de sons; peça de música instrumental; (fig.) sinfonia, colorido, acorde, harmonia de tons.

sinfónico, ca. *adj.* (mús.) sinfó(ô)nico, pertencente ou relativo à sinfonia.

sinfonista. *s.* sinfonista, pessoa que compõe música sinfónica, ou executa sinfonias.

singladura. *f.* (mar.) singradura, distância percorrida por um navio em 24 horas; a derrota dum navio à vela num dia; acção de singrar, de navegar; singradura, velocidade que um navio leva.

singlar. *v. intr.* (mar.) singrar, navegar, andar um navio com rumo determinado; navegar à vela, velejar.

single. *adj.* (mar.) diz-se dos cabos simples, quando um dos seus extremos estão atados ao penol da verga.

singular. *adj.* singular, único, só; singular, relativo a um só; que não se assemelha a outro; (fig.) extraordinário, raro, excelente; sem-par; anó(ô)malo; infrequ(ü)ente; estranho; singular, elevado; excêntrico; singular, individual; (fig.) incrível; exímio; exce(p)cional; singular, extravagante; (gram.) singular, número que designa uma só pessoa ou coisa. — *m.* o número singular.

singularidad. *f.* singularidade, qualidade do que é singular; particularidade; estranheza; descambação; anomalia; extravagância; surpreendente; qualidade do que está fora do comum; excentricidade.

singularizar. *v. tr.* singularizar, tornar singular, privilegiar; distinguir, dos outros; (fig.) referir com minuciosidade; particularizar, privilegiar. — *v. r.* singularizar-se, distinguir-se, tornar-se saliente por qualquer motivo; salientar-se.

singulto. *m.* singulto, soluço; ânsia, contracção brusca do diafragma.

sinhueso. *f.* (fam.) língua, como órgão da palavra.

siniestra. *f.* sinistra, esquerda (falando-se da mão).

siniestrado, da. *adj.* e *s.* sinistrado, vítima dum sinistro; que sofreu sinistro.

siniestro, tra. *adj.* sinistro, desastre; funesto; sinistro, esquerdo; funesto, ameaçador; avesso, mal intencionado; sinistro, aziago; infeliz, funesto; infausto, fatal. — *m.* sinistro, desastre; acontecimento que origina grandes perdas materiais.

sinistrorsum. *adj.* em direcção à esquerda.

sinnúmero. *m.* infinidade, número ilimitado, sem-número; número incalculável de pessoas ou coisas, grande multidão.

sino. *conj.* senão, mas, sòmente, a não ser; além de, fora de.

sino. *m.* sina, destino, sorte, fado; fortuna.

sinoble. *adj.* (heráld.) sinopla.

sinocal ou **sinoco, ca.** *adj.* (med.) diz-se da febre contínua e pouco grave.

sinodal. *adj.* sinodal, pertencente ao sínodo.

sinodático. *m.* sinodático, tributo que antigamente pagavam aos bispos, os clérigos que assistiam ao sínodo.

sinódico, ca. *adj.* pertencente ou relativo ao sínodo; sinódico.

sínodo. *m.* sínodo; assembleia de eclesiásticos ; antigo nome dos concílios; dos bispos; junta de eclesiásticos nomeados pelo bispo para examinar os ordinários.

sinófobo, ba. *adj.* e *s.* sinófobo, que tem aversão à China.

sinología. *f.* sinologia.

sinológico, ca. *adj.* sinológico.

sinólogo, ga. *s.* sinólogo.

sinonimia. *f.* sinonímia, diz-se das palavras ou expressões que tem quase a mesma significação.

sinonímico, ca. *adj.* sinonímico.

sinónimo, ma. *adj.* sinó(ô)nimo, que tem a mesma significação. — *m.* sinónimo, palavra sinónima.

sinople. *adj.* (heráld.) sinopla, sinople, cor verde dos escudos.

sinopsis. *f.* sinopse, obra sintética do conjunto duma ciência; sinopse, compêndio, resumo, sumário, súmula; extractoepítoma; epílogo, epilogação.

sinóptico, ca. *adj.* sinóptico, relativo à sinopse; resumido; sintético.

sinovia. *f.* (anat.) sinóvia, líquido das cavidades articulares.

sinovial. *adj.* (anat.) sinovial.

sinovitis. *f.* (med.) sinovite.

sinrazón. *f.* sem-razão, acção feita contra a justiça; injustiça; acto contrário à justiça.

sinsabor. *m.* sensaboria, insipidez, dessaboria; (fig.) pesar, desprazer, desgosto; (fig.) conversação ou dito sem graça; sensabor; descontentamento; desprazer; agrura; (fig.) amargura: *los sinsabores de la vida*, as agruras da existência.

sinsubstancia. *s.* (fam.) sem-sal, pessoa frívola, insubstancial.

sintáctico, ca. *adj.* (gram.) sintá(c)tico, pertencente ou relativo à sintaxe.

sintaxis. *f.* (gram.) sintaxe.

síntesis. *f.* síntese, composição dum todo pela reunião das suas partes; síntese, compêndio duma matéria; compêndio, resumo, sinopse; epílogo, epilogação; epítoma; extra(c)to.

sintético, ca. *adj.* sintético, feito em síntese; resumido; sintético, diz-se de certos productos industriais que reproduzem a composição e qualidades de certos corpos naturais.

sintetizable. *adj.* sintetizável, que se pode sintetizar.

sintetizar. *v. tr.* sintetizar, tornar sintético; reunir por meio de síntese; resumir, compendiar, abreviar; condensar; sintetizar, apertar; extremar; epitomar; epilogar.

sintoísmo. *m.* sintó, sintoísmo, religião primitiva dos japoneses.

sintoísta. *s.* sintoísta, o que professa o sintoísmo.

síntoma. *m.* (med.) sintoma, fenómeno revelador duma enfermidade; (fig.) sintoma, sinal, indício, presságio, prenúncio; sintoma, anúncio.

sintomático, ca. *adj.* sintomático, característico, relativo a sintoma; anunciativo.

sintomatología. *f.* (med.) sintomatologia.

sintomatológico, ca. *adj.* sintomatológico.

sintonía. *f.* (electr.) sintonia.

sintónico, ca. *adj.* sintonizado, regularizado (falando-se de T. S. F.).

sintonismo. *m.* qualidade de sintonizado.

sintonización. *f.* sintonização, acção de sintonizar; sintonização, regularização das ondas de T. S. F.

sintonizador. *m.* (electr. e fís.) sintonizador, regularizador das ondas de T. S. F.

sintonizar. *v. tr.* sintonizar, regularizar as ondas de T. S. F.; estabelecer concordância de vibrações, em radiotelefonia, etc.; sintonizar; estabelecer a sintonia.

sinuado, da. *adj.* (bot.) sinuado, recortado dum modo sinuoso.

sinuosidad. *f.* .sinuosidade, estado do que é sinuoso; flexuosidade, tortuosidade; rodeio, concavidade, seio; sinuosidade, desvio; tergiversação; volta, curva; evasiva.

sinuoso, sa. *adj.* sinuoso, tortuoso, que descreve curvas; (fig.) sinuoso, que não é franco; tortuoso, ondulado.

sinusitis. *f.* (med.) sinusite.

sinusoidal. *adj.* sinusoidal, relativo à sinusóide; em forma de sinusóide.

sinusoide. *f.* (geom.) sinusóide.

sinvergüencería. *f.* (fam.) desfaçatez; falta de vergonha.

sinvergüenza. *adj.* e *s.* desavergonhado; desaventurado; descarado; fresco; impudente; fagundes; sem-vergonha, patife; (Bras.) deslambido, xixilado: *cara de sinvergüenza*, cara deslavada; *hombre sinvergüenza*, homem estragado.

sionismo. *m.* sionismo.

sionista. *s.* sionista, referente ao sionismo, ou a seus adeptos.

sipia. *f.* V. **jibia.**

sipo, pa. *adj.* (Amér.) bexigoso, marcado ou picado de bexigas.

siquier(a). *conj.* ainda que; se bem que; mesmo que; ou, já, ora. — *adv.* pelo menos, ao mesmo, tão sòmente: *siquiera un poquito*, se bem seja um pouco; *ni preguntar siquiera*, sem dignar-se preguntar; *n: siquiera*, também não.

sir. *m.* tratamento que se dava aos soberanos em França; sire; título de senhores feudais.

sirena. f. sereia, metade mulher, metade peixe; qualquer das ninfas marinhas.

sirenio, nia. adj. (ictiol.) diz-se dos mamíferos pisciformes.

sirga. f. (mar.) sirga, corda com que se puxam as redes ou uma embarcação ao longo da margem; acto ou efeito de sirgar.

sirgar. v. tr. sirgar, conduzir uma embarcação ao longo da margem com sirga; puxar ou alar um barco; levar com sirga.

sirgo. m. seda torcida, fio de seda, tecido de seda; sirguilha grossa; o bicho-da--seda.

Siria. (geog.) Síria.

siriaco, ca. adj. e s. (geog.) natural de ou pertencente a Síria; sírio; siríaco, diz-se da língua falada antigamente pelos sírios.

sirimiri. m. (prov.) chuvioso, chuvinha, chuva miúda. V. **calabobos.**

siringotomía. f. (cir.) siringotomia.

Sirio. m. (astr.) Sirio, estrela da Constelação da Ursa Maior; Canícula.

sirio, ria. adj. e s. (geog.) sírio.

sirle. m. excremento do gado lanígero; caganita.

siro, ra. adj. e s. (geog.) sírio, siro, da Síria.

siroco. m. siroco, xaroco, vento quente do Sueste.

sirria. f. V. **sirle.**

sirte. f. sirtes, baixios, bancos de areia; recifes; sirtes, (fig.) perigos no mar; escolhos; areia movediça.

sirventés. m. sirventês, sirvente, composição poética.

sirvienta. f. servente, criada, serviçal; ancila; mulher dedicada ao serviço doméstico; fá(â)mula.

sirviente. p. a. de servir, adj. e s. servente, que serve; servente, sujeito a servidão (prédio); criado, servidor, criado, servente; fa(c)totum; fâmulo; familiar.

sisa. f. pequena parte que se furta nas compras; retalho de fazenda que guardam os alfaiates; abertura no vestuário, cava; sisa, imposto sobre comestíveis; mordente usado pelos douradores.

sisador, ra. adj. e s. criado infiel que furta nas compras; alfaiate que fica com os sobejos da fazenda.

sisadura. f. cava, abertura no vestuário.

sisal. adj. sisal, planta de fibras têxteis empregadas na indústria; agave.

sisar. v. tr. furtar pequenas partes nas compras; fazer cavas nos vestidos; diminuir as medidas dos comestíveis em proporção ao imposto da sisa.

sisar. v. tr. preparar o estofo para o dourado.

sisarcosis. f. (med.) união de ossos por meio de músculos.

sisear. v. intr. ciciar, assobiar; bichanar; emitir sons de s e ch para chamar ou manifestar desagrado.

siseo. m. acção e efeito de sisear; assobio; cicio.

sisiones. f. pl. V. **ciciones.**

sísmico, ca. adj. sísmico, pertencente ou relativo aos terremotos; relativo ao sismo.

sismo. m. V. **seísmo.**

sismógrafo. m. sismógrafo, aparelho para determinar as oscilações e movimentos dum tremor de terra.

sismología. f. sismologia.

sismológico, ca. adj. sismológico.

sismómetro. m. sismó(ô)metro.

sistema. m. sistema, conjunto de regras ligados entre si formando um todo harmónico; sistema, arte, arbítrio; método; sistema, conjunto de partes dependentes umas doutras; plano; norma de proceder; (geol.) sistema, formação de terrenos; sistema, método de classificação dos seres vivos; sistema, modo de governação dos Estados.

sistemático, ca. adj. sistemático, metódico, ordenado; posto em sistema; que procede por princípios.

sistematismo. m. espírito de sistematizar

sistematización. f. sistematização, metodização.

sistematizado, da. p. p. de sistematizar e adj. limitado a um sistema.

sistematizador, ra. adj e s. sistematizador, que sistematiza.

sistematizar. v. tr. sistematizar, organizar, reduzir a sistema; metodizar.

sistilo. m. (arq.) sistilo.

sístole. m. sístole, movimento de contracção do coração e das artérias; sístole, licença poética.

sistólico, ca. adj. sistólico, sistolar.

sistro. m. (mús.) sistro, antigo instrumento músico.

sitacosis. f. (med.) V. **psitacosis.**

sitar. v. tr. (Amér.) assobiar para chamar uma pessoa.

sitiado, da. p. p. de sitiar e adj. assediado; sitiado; cercado.

sitiador. m. e adj. sitiador, que sitia uma praça ou fortaleza; sitiante; assediador.

sitial. m. setial, assento de cerimónia, escabelo.

sitiar. v. tr. (mil.) sitiar, uma praça, uma fortaleza; pôr cerco; assediar; bloquear; sitiar, cercar alguém cerrando todas as saídas para o apanhar; pôr sítio a; cercar: sitiar una plaza, empreender uma praça.

sitibundo, da. adj. (poet.) sitibundo, sedento.

sitio. m. sítio, lugar, corredoiro; sítio, espaço ocupado por um objecto; sítio, lugar memorável; terreno próprio para alguma coisa; localidade, qualquer lugar; sítio; (Bras.) roça, sítio, habitação rústica; sítio, ce(ê)rco, assédio, corredoiro, bloqueio; acção de sitiar.

sitios. adj. pl. V. **sedientes.**

sito, ta. adj. situado, colocado.

situación. f. situação, lugar; assentamento; circustância; situação, posição; disposição; sítio, lugar em que se acha situada ou colocada uma pessoa ou coisa; estado ou constituição das coisas e pessoas; ordem das coisas; situação, disposição duma coisa num lugar.

situado, da. *p. p.* de *situar* e *adj.* situado, colocado, assentado. — *m.* salário, ordenado ou renda adstritos a alguns bens produtivos.

situar. *v. tr.* situar, colocar uma coisa num lugar determinado; apostar, pôr; construir num certo lugar; situar, consignar; obrigar; hipotecar. — *v. r.* situar-se, colocar-se; empregar, colocar capital, situar; estabelecer-se: *situarse en buen puesto,* empoleirar-se.

sizigia. *f.* (astr.) sizígia.

snob. *m.* snobe, indivíduo que manifesta admiração por tudo o que está em moda.

snobismo. *m.* snobismo; exentricidade.

so. *m.* (fam.) seu, usa-se para reforçar o significado de certos adjetivos prepositivos: *¡so granuja!.* — contr. de *señor, seor,*

so. *prep.* sob, debaixo: *so capa de,* sob color de, *so pena de,* sob pena de. — *pref.* sob, debaixo. *¡so! interj.* ¡xó! (emprega-se para fazer parar cavalgaduras).

soasar. *v. tr.* soassar, assar ligeiramente.

soba. *f.* sovadura, sova, tunda, surra; amachucamento, manuseio; (fig.) açoitamento, espancamento; apaleamento; fubeca; (pop.) aquecedela: *dar una buena soba a alguien,* apalpar as costelas a alguém.

sobacal. *adj.* axilar, relativo ao sovaco.

sobaco. *m.* sovaco, axila.

sobadero, ra. *adj.* que se pode sobar — *m.* curtidouro, lugar onde se surram as peles.

sobado, da. *p.* de *sobar* e *adj.* sovado, amassado, diz-se da bola a cuja massa se juntou azeite ou manteiga; coçado. — *m.*sova. V. **sobadura.**

sobadura. *f.* V. **soba.**

sobajadura. *f.* V. **sobajamiento.**

sobajamiento. *m.* amarrotamento; enxovalhamento, manuseio, machucamento.

sobajar. *v. tr.* amarrotar, enxovalhar, amachucar, amarfanhar; (Amér.) humilhar, rebaixar.

sobajeo. *m.* amarrotamento, amarfanhamento.

sobandero. *m.* curandeiro, endireita, o que conserta os ossos deslocados. V. **algebrista.**

sobaquera. *f.* cava, corte dum vestido no lugar do sovaco; reforço do vestuário sob a axila; peça de tecido impermeável que protege do suor a parte das vestes que correspondem à axila.

sobaquina. *f.* sovaquinho, cheiro a suor proveniente dos sovacos.

sobar. *v. tr.* sovar, amassar, bater a massa; manusear; surrar, machucar as peles; (fig.) sovar, bater, dar pancadas; apalpar, manusear uma pessoa; (fig. e fam.) molestar, maçar, importunar, incomodar, moer, cacetear; tratar com demasiada familiaridade.

sobarba. *f.* focinheira, correia da cabeçada. V. **muserola;** barbela, papada, saliência adiposa por baixo do queixo.

sobarbada. *f.* sofreada, sofreamento; (fig.) repreensão áspera.

sobarbo. *m.* pá de uma roda hidráulica, pá de moinho.

sobarcar. *v. tr.* sobraçar, meter debaixo do braço; arregaçar, puxar os vestidos até às axilas.

sobejos. *m. pl.* sobejos, sobras da mesa.

sobeo. *m.* socairo, correia com que se amarra o jugo à lança do carro ou ao temão do arado.

soberanear. *v. intr.* mandar ou dominar como soberano.

soberanía. *f.* soberania, qualidade de soberano; independência; domínio; soberania, poder supremo; soberania, dignidade, soberana ou autoridade de soberano; soberania, orgulho, altivez, imperiosidade.

soberano, na. *adj.* soberano, supremo; excelso, excelente; singular, soberano, elevado, excelente, superior. — *s.* soberano, autoridade suprema; (pop.) a libra esterlina.

soberbia. *f.* soberba, sobérbia, ufania, orgulho, altivez, arrogância, vaidade excessiva, presunção; magnificência, sumptuosidade; apetite desordenado de preferências; altanaria; soberba, desvanecimento na contemplação das próprias prendas; arrogância; soberba, cólera ou ira desordenadas; entono, entonação; endeusamento, empáfia, envaidecimento; embófia; inflação, (fig.) empinadela; empanturramento; arrebito.

soberbio, bia. *adj.* soberbo, altivo, arrogante; altaneiro; ufano, orgulhoso; vaidoso, presunçoso; majestoso, grandioso, sumptuoso, soberbo, grandioso, sublime, magnífico, alto, forte, soberbo, fogoso, orgulhoso e violento; alteroso; formoso, arrogante; (fig.) empertigado; encristado; endeusado; emproado; empavesado; arrebitado.

sobermejo, ja. *adj.* vermelho-escuro.

soberna. *f.* (Amér.) V. **sobornal.**

sobijo. *m.* (Amér.) V. **soba.**

sobina. *f.* sovina, prego ou cavilha de madeira.

sobón, na. *adj.* (fam.) enfadonho, maçador, importuno, fastidioso por excessiva familiaridade ou demasiadas carícias; (fam.) mandrião, ocioso, vadio; preguiçoso, que foge ao trabalho; empalagoso.

sobordo. *m.* (mar.) revista de carga dum navio para confrontar as mercadorias com os documentos; registo, livro onde o capitão dum navio escritura a carga.

sobornación. *f.* V. **soborno.**

sobornable. *adj.* corru(p)tível, que se pode subornar; subornável.

sobornado, da. *p. p.* de *sobornar* e *adj.* subornado, aliciado por suborno, peitado; embuchado, diz-se do pão que se mete entre duas fileiras quando vai para o forno.

sobornador, ra. *adj.* e *s.* subornador, que suborna ou peita, aliciador, corru(p)tor.

sobornal. *m.* sobrecarga, o que se acrescenta à carga.

sobornar. *v. tr.* subornar, corromper com dádivas; peitar, aliciar, debochar.

soborno. m. subo(ô)rno, subornamento; peita, aliciação; suborno, dádiva para subornar; (fig.) sedução; deboche.

sobra. f. sobra, demasia, excesso; injúria, agravo; atrevimento, insolência. — pl. sobras, desperdícios, restos, sobejos da comida ou doutras coisas: de sobra, sobradamente; excessivamente, de sobra.

sobradero. m. desaguadouro, desaguadoiro, rego ou vala para esquamento das águas duma acéquia.

sobradillo. m. alpendre, duma janela para resguardar da chuva; adufa.

sobrado, da. p. p. de sobrar e adj. sobrado, que sobra demasiado; atrevido; audaz, licencioso, sobejo; sobrado, rico, abastado, farto. — m. desvão, sótão.

sobrante. p. a. adj. e m. exceso, excedente. — pl. sobras, restos, excedentes.

sobrar. v. tr. sobrar, descer, exceder, sobejar; demasiar. — v. intr. sobrar, ter mais do que se necessita; ficar, restar.

sobrasada. f. espécie de paio das Baleares.

sobrasar. v. tr. chegar as brasas para junto do que se está aquecendo.

sobre. prep. so(ô)bre, no parte superior de, em cima de, por cima de; acerca de; a mais de; próximo de; em penhor de; com domínio e superioridade; depois de. — m. sobre, envelope, sobreescrito; cobertura.

sobreabundancia. f. superabundância.

sobreabundante. p. a. e adj. superabundante, que superabunda.

sobreabundar. v. intr. superabundar, sobejar, existir em excesso.

sobreaguar. v. intr. sobrenadar, boiar, andar ou estar sobre a superfície da água.

sobreagudo, da. adj. e s. (mús.) sobreagudo, muito agudo, o som mais agudo do sistema musical.

sobrealiento. m. respiração difícil e fatigante.

sobrealimentación. f. superalimentação.

sobrealimentar. v. tr. superalimentar, engordar.

sobrealzar. v. tr. sobreerguer, erguer mais alto, aumentar a elevação duma coisa; levantar, fazer crescer o preço duma coisa.

sobrearco. m. (arq.) sobrearco, verga da porta, padieira.

sobreasar. v. tr. assar novamente.

sobrecama. f. colcha, coberta de cama; (Amér.) certo ofídio, espécie de boa.

sobrecaña. f. (vet.) sobrecana, tumor ósseo das extremidades anteriores dos cavalos.

sobrecarga. f. sobrecarga, o que se junta à carga; sobrecarga, corda que segura a carga; (fig.) sobrecarga, coisa que agrava ou incomoda; pena ou paixão, que agrava a que já se sentia.

sobrecargar. v. tr. sobrecarregar, carregar com peso excesivo, sobrecoser uma costura.

sobrecargo. m. (mar.) sobrecarga, pessoa responsável pelo carregamento dum navio.

sobrecebadera. f. (mar.) sobrecevadeira (vela).

sobrecédula. f. segunda cédula mandando observar a primeira.

sobreceja. f. sobrolho, parte da fronte imediata às sobrancelhas.

sobrecejo. m. sobrecenho, cenho.

sobrecelestial. adj. sobreceleste, mais que celeste, sobrecelestial.

sobrecerco. m. (arq.) cerco ou guarnição com que se reforça outro.

sobrecerrado, da. adj. muito bem fechado.

sobrecielo. m. (fig.) sobrecéu, dossel, esparavel.

sobrecincho, cha. m. e f. sobrecilha, sobrecincha, tira de coiro que aperta os arreios da cavalgadura.

sobrecoger. v. tr. surpreender, apanhar de improviso; aparecer de repente; causar surpresa; apanhar descuidado; tomar de improviso; assustar. — v. r. surpreender-se, assustar-se; intimidar-se.

sobrecogido, da. adj. enfiado; atalhado; entrado.

sobrecogimiento. m. surpresa; espanto, sobressalto.

sobrecruz. m. cada um dos quatro raios das rodas hidráulicas.

sobrecubierta. f. sobrecoberta, segundo convés.

sobrecuello. m. colarinho.

sobrecurar. v. tr. curar com descuido, ligeiramente.

sobredicho, cha. adj. sobredito, dito acima ou atrás; já mencionado.

sobreentender. v. tr. V. sobrentender.

sobreesdrújulo, la. adj e s. V. sobresdrújulo.

sobreestadías. f. pl. (com.) cada um dos dias além do prazo da carga ou descarga dum navio; o que se paga por este motivo.

sobreexceder. v. tr. V. sobrexceder.

sobreexcitación. f. sobreexcitação, superexcitação.

sobreexcitar. v. tr. excitar muito, causar grande impressão; sobreexcitar. — v. r. alvoroçar-se, encolerizar-se, excitar-se muito, exasperar-se, exaltar-se.

sobrefalda. f. sobressaia, saia curta empregada como enfeite sobre outra.

sobreforro. m. (mar.) forro de embarcação.

sobrefrenada. f. V. sofrenada.

sobrefusión. f. permanência dum corpo em estado líquido à temperatura inferior à da sua fusão.

sobrehilado. m. alinhavo na ourela. — adj. alinhavado.

sobrehilar. v. tr. alinhavar na ourela para que esta se não desfie; cholear.

sobrehilo. m. alinhavo, pontos de costura que se dão para que não se desfie a ourela.

sobrehueso. m. sobreosso, tumor duro sobre um osso; (fig.) coisa que incomoda ou carrega, trabalho incómodo.

sobrehumano. m. sobre-humano, superior às forças humanas; extra-humano; milagroso; sublime, extraordinário egrégio.

sobreintendencia. f. V. superintendencia.

sobrejalma. *f.* enxalmo, manta que se põe sobre a albarda.

sobrejuanete. *m.* (mar.) sobrejoanete, cada uma das vergas que se cruzam sobre os joanetes e as velas que sobre as vergas se largam.

sobrelecho. *m.* (arq.) sobreleito, superfície inferior que descansa sobre o leito da que lhe fica por debaixo.

sobrellevar. *v. tr.* carregar alguém uma carga para aliviar outrem; aguentar; (fig.) ter resignação nos trabalhos; relevar, desculpar; aliviar, ajudar a levar uma carga; (fig.) suportar os trabalhos da vida: *sobrellevar las cosas,* deixar correr alguma coisa.

sobremanera. *m.* sobremaneira, excessivamente.

sobremano. *f.* (vet.) sobremão, tumor duro que se forma na mão das cavalgaduras.

sobremesa. *f.* toalha da mesa; tempo que se está na mesa depois da refeição: *de sobremesa,* à sobremesa.

sobremesana. *f.* (mar.) gávea do mastro da ré.

sobremodo. *adv.* sobremodo, sobremaneira.

sobremuñonera. *f.* (mil.) sobremunhoneira, peça de ferro para evitar que a peça salte ao disparar.

sobrenatural. *adj.* sobrenatural, superior ao natural; milagroso; extranatural; que excede os termos da natureza.

sobrenaturalismo. *m.* sobrenaturalismo.

sobranaturalizar. *v. tr.* fazer uma coisa sobrenatural.

sobrenombre. *m.* alcunha; sobrenome, nome pelo qual se designa uma pessoa; cognominação, cognome; apelido; antonomasia; agnome; apo(ô)do; epíteto.

sobrentender. *v. tr.* e *r.* subentender, entender, perceber o que não estava bem explicado. — *conj. irr.* como *entender.*

sobrepaga. *f.* sobrepaga, o que se paga além do estipulado.

sobreparto. *m.* sobreparto, depois do parto, tempo que segue imediatamente ao parto.

sobrepasar. *v. tr.* exceder, ultrapassar; avantajar; estremar-se.

sobrepelliz. *f.* sobrepeliz, vestidura branca de tecido fino que usa o sacerdote sobre a sotaina.

sobreperico. *m.* (mar.) vela quadrada que se larga sobre o joanete da mezena.

sobrepeso. *m.* sobrecarga.

sobrepié. *m.* (vet.) sobrepé, tumor nos cascos das cavalgaduras.

sobreplán. *m.* (mar.) cada uma das ligações do cavername ao forro do navio.

sobreponer. *v. tr.* sobrepor, pôr em cima; apor; acrescentar; dobrar, virar por cima; (fig.) dominar os impulsos do ânimo. — *v. r.* obter ou afectar superioridade; dominar-se; sobrevir. — *conj. irr.* como *poner.*

sobreprecio. *m.* aumento no preço comum.

sobrepuerta. *f.* galeria, peça para sustentar cortinados sobre as portas; sanefa; tela, pintura ou talha que se coloca sobre as portas.

sobrepuesto, ta. *adj.* e *p. p. irreg.* de *sobreponer;* sobreposto, coisa que se põe sobre outra; sobreposto, encastelado. — *m.* sobreposto, enfeites que se põem sobre os vestidos, galões, passamanes, jaezes, etc.: favo feito pelas abelhas depois de cheia a colmeia.

sobrepujamiento. *m.* sobrepujamento.

sobrepujanza. *f.* pujança excessiva, grande robustez e força.

sobrepujar. *v. tr.* sobrepujar, avantajar-se; (fig.) desbancar, eclipsar; adiantar; sobrepujar, pujar muito, ultrapassar, superar, avantajar-se; sobrelevar; exceder.

sobrequilla. *f.* (mar.) sobrequilha, madeiramento que cobre a quilha para fortalecer as cavernas.

sobrero, ra. *adj.* V. **sobrante.**

sobrero, ra. *s.* fabricante de envelopes.

sobrerrienda. *f.* (Amér.) falsa rédea.

sobrerronda. *f.* (mil.) contra-ronda.

sobrerropa. *f.* V. **sobretodo.**

sobresaliente. *f.* (teatr.) mulher sobressalente que supre a falta doutra.

sobresaliente. *adj.* e *m.* sobressalente, conspícuo; destacável; eminente; luzido; lúcido; distinção, nota máxima nos exames; sobressalente; suplente, substituto.— *p. a.* de *sobresalir;* sobressalente, que sobressai; *figura sobresaliente,* figura destacada.

sobresalir. *v. intr.* sobressair, despontar, destacar, avultar; elevar; alçar-se; sobressair, luzir; fulgir; fulgurar; sobressair, empinar-se; destacar; sobressair, avantajar, exceder; distinguir-se, avantajar-se; ressaltar; distinguir-se, tornar-se visível; sair fora duma linha dada; ressaltar, ouvir-se distintamente; prender a tenção; realçar; avultar: *sobresalir de todos por el talento,* avultar entre todos pelo talento. — *conj. irr.* como *salir.*

sobresaltado, da. *p. p.* de *sobresaltar* e *adj.* alvoroçado, assarapantado.

sobresaltar. *v. tr.* sobressaltar; assarapantar; fremir; alvoroçar, alvorotar; estremecer; alarmar; assustar, acometer de repente; sobressaltar, tomar de assalto, de surpresa. — *v. r.* inquietar-se, assustar-se; estremecer-se; alvorotar-se; exaltar-se; alarmar-se.

sobresalto. *m.* sobressalto, inquietação súbita; temor, susto repentino; assarapantamento; fremência; alvoro(ô)ço, alvoroçamento; estremecimento; alvoro(ô)to; estremeção; alarma; (fig.) aldravada: *estar en continuo sobresalto,* andar com o credo na boca; *de sobresalto,* de surpresa, de sobressalto.

sobresdrújulo, la. *adj.* bisesdrúxulo.

sobreseer. *v. intr.* sobresser, sobrestar, desistir, cessar. — *v. r.* deter-se, parar-se.

sobreseimiento. *m.* suspensão, desistência.

sobrestadía. *f.* (mar.) cada um dos dias que excedem ao prazo de carga e descarga dum navio; o que se paga por este motivo.

sobrestante. *m.* sobrestante, capataz, apontador, fiscal de operários; superintendente.

sobresueldo. *m.* paga extraordinária sobre a paga normal, retribuição além do ordenado fixo; gratificação.

sobresuelo. *m.* pavimento que se coloca sobre outro.

sobretendón. *m.* (vet.) tumor nos tendões das pernas das cavalgaduras.

sobretodo. *m.* paletó, casacão de abrigo que se veste sobre o casaco; sobretudo.

sobretrancanil. *m.* (mar.) sobretrincanizes.

sobreveedor. *m.* superior dos vedores ou inspectores.

sobrevenida. *f.* vinda repentina e inesperada.

sobrevenir. *v. intr.* sobrevir, suceder, vir, acontecer, ocorrer; incidir, aceder; mediar; apresentar-se; devir; advir; sobrevir, chegar inopinadamente; vir na ocasião de. — *conj. irr.* como *venir*.

sobreverterse. *v. r.* verter-se em abundância.

sobrevesta ou **sobreveste.** *f.* espécie de túnica, sobreveste.

sobrevivir. *v. tr.* sobreviver, continuar a viver depois doutra pessoa ou dalgúm sucesso ou prazo: *sobrevivir a alguien,* enterrar alguém.

sobrexceder. *v. tr.* sobreexceder, exceder muito, ultrapasar.

sobrexcitación. *f.* sobreexcitação.

sobrexcitar. *v. tr.* sobreexcitar.

sobriedad. *f.* sobriedade, desado(ô)rno; austeridade; fragueirice; estreiteza; estoicidade; frugalidade; mesura; sobriedade, temperança, moderação; parcimó(ô)nia; (fig.) reserva, circunspecção.

sobrinazgo. *m.* parentesco de sobrinho.

sobrino, na. *s.* sobrinho, indivíduo em relação aos irmãos dos pais.

sobrio, a. *adj.* sóbrio, parco, mesurado, frugal; abstinente; fragueiro; apertado; estreito; econó(ô)mico; chumbado; desadornado; austero, sóbrio, moderado; parco na comida e bebida; (fig.) sóbrio, estilista, ático; sóbrio, simples: *estilo sobrio,* estilo apanhado; *hombre sobrio,* homem ajustado; *ser sobrio en,* ser avaro de.

soca. *f.* (Amér.) último rebento ou renovo que dá a cana-do-açúcar.

socaire. *m.* (mar.) socairo, abrigo que oferece alguma coisa contra o vento: *estar al socaire,* ir ao socairo de.

socairero. *m.* (mar.) mandrião.

socaliña. *f.* ardil, artifício com que se tira de alguém o que não está obrigado a dar.

socaliñar. *v. tr.* tirar ardilosamente uma coisa a alguém.

socaliñero, ra. *adj.* e *s.* ardiloso, que usa de ardil para extorquir alguma coisa.

socalzado. *m.* (carp.) socalco.

socalzar. *v. tr.* calçar, reforçar pela parte inferior um muro que ameaça ruir; escorar.

socapa. *f.* socapa, pretexto fingido ou aparente; manha; disfarce: *a socapa,* à socapa, dissimuladamente.

socapiscol. *m.* V. **sochantre.**

socarra. *f.* chamusca, chamusco, acção de torrar ligeiramente ou chamuscar; chamuscada.

socarrar. *v. tr.* torrar, queimar superficialmente uma coisa; chamuscar; assar de mais.

socarrén. *m.* (arq.) beiral, beirado, beira, aba de telhado.

socarrena. *f.* concavidade, espaço oco ou vazio; (arq.) espaço que se deixa entre duas vigas do telhado ou do soalho.

socarrina. *f.* (fam.) chamusco.

socarronería. *f.* astúcia, velhacaria.

socava (ción). *f.* socava, solapamento; regueira, alcorca; escavação.

socavar. *v. tr.* socavar, escavar por baixo, derruir; (fig.) minar; solapar.

socavón. *m.* socava, cova escavada, escavação; socavão; socava grande e profunda.

socaz. *m.* regueiro desde o moinho até o leito do rio.

sociabilidad. *f.* sociabilidade, qualidade do que é sociável.

sociable. *adj.* sociável, que nasceu para viver em sociedade; (fig.) polido, urbano delicado. — *m.* carruagem de dois assentos.

social. *adj.* social, sociável, pertencente ou relativo a uma sociedade; referente a sociedades comerciais ou industriais: *ser poco social,* ter o nariz arrebitado; *formas sociales,* conveniências; *previsión social,* previsão social.

socialdemócrata. *s.* (pol.) social-demócrata.

socialismo. *m.* (pol.) socialismo.

socialista. *adj.* e *s.* (pol.) socialista; cole(c)tivista.

socialización. *f.* socialização.

socializar. *v. tr.* socializar; colectivizar.

sociedad. *f.* sociedade, reunião de pessoas submetidas às leis comuns; sociedade, associação, agremiação, estado social; sociedade, entidade, empre(ê)sa, associação, consorcio; cole(c)tividade, corpo, assembleia; sociedade, lugar ou casa de reunião; sociedade, agrupamento de pessoas para diversão, clube.

societario, ria. *adj.* societário; sócio.

socinianismo. *m.* (rel.) socinianismo.

sociniano, na. *adj.* (rel.) sociniano.

socio, cia. *s.* sócio, pessoa associada com outra para qualquer fim; companheiro; cúmplice; parceiro; associado; agregado: *tomar como socio,* associar.

sociología. *f.* sociologia.

sociológico, ca. *adj.* sociológico.

sociólogo, ga. *s.* sociólogo, experto em sociologia.

socolor. *m.* sob color, sob cor. — *adv.* a pretexto de; com a aparência de.

socollada. *f.* (mar.) sacudidura, safanão das velas; queda brusca da proa dum navio.

socoro. *m.* lugar que está sob o coro.

socorredor, ra. *adj.* e *s.* socorredor, que socorre ou ajuda.

socorrer. *v. tr.* socorrer, prestar auxílio; defender; acudir; ajudar; auxiliar; remediar; assistir; dar a mão a alguém. —

v. r. socorrer-se, valer-se do auxílio ou protecção de.

socorrido, da. *p. p.* de *socorrer* e *adj.* socorrido, auxiliado; diz-se da pessoa que socorre a necessidade doutrem; comum, ordinário, trivial; serviçal; abastado; abastecido; fornecido (diz-se duma praça ou mercado).

socorro. *m.* socorro, prote(c)ção, provisão, benefício, auxílio, ajuda; defesa; esmola; (mil.) socorro, refo(ô)rço de tropas ou de munições; tropa auxiliar, dinheiro, alimento; achega; assistência. — *interj.* socorro; designativa de pedido de auxílio ou defesa: *llamar en socorro*, apelidar.

sochantre. *m.* chantre, director do coro nos ofícios divinos.

soda. *f.* soda, bebida refrigerante; (quím.) soda. V. **sosa.**

sódico, ca. *adj.* (quím.) sódico.

sodio. *m.* (quím.) sódio.

sodomía. *f.* sodomia; fanchonismo.

sodomita. *adj.* e *s.* sodomita, natural de ou pertencente a Sodoma; sodomita, que comete sodomia, fanchono, afanchonado.

sodomítico, ca. *adj.* sodomítico, relativo à sodomia.

soez. *adj.* soez, vil, ordinário, grosseiro, torpe, baixo, imundo; chulo; incorrecto; indigno; vulgar.

sofá. *m.* sofá, assento para duas ou mais pessoas; canapé.

sofaldar. *v. tr.* sofraldar, erguer a fralda de; (fig.) levantar, solevar, soerguer uma coisa para descobrir outra.

sofí. *adj.* e *m.* sofi, título dos soberanos da Pérsia; sofi, seita religiosa da Pérsia.

sofión. *m.* reposta, resposta áspera, grosseira, demonstração de enfado; trabuco, espécie de bacamarte.

sofisma. *m.* sofisma, argumento ou raciocínio capcioso; argúcia; engano; dolo.

sofismo. *m.* V. **sufismo.**

sofista. *adj.* e *s.* sofista, que argumenta com sofismas. — *s.* sofista, o que se dedicava à filosofia, filósofo retórico.

sofistería. *f.* sofistaria, emprego de raciocínios sofísticos; chicana; sofistaria, os mesmos raciocínios; razão sofística.

sofisticación. *f.* sofisticação; subtileza excessiva; falsificação.

sofisticar. *v. tr.* sofisticar, sofismar; adulterar, falsificar; desnaturar com sofismas; subtilizar; enganar.

sofístico, ca. *adj.* sofístico, aparente, fingido, enganoso; subtil.

sofistiquez. *f.* qualidade de sofístico.

sofito. *m.* (arq.) sofito, artesão lavrado em que assenta uma arquitrave ou cornija.

soflama. *f.* chama ténue ou revérbero do fogo, rubor nas faces; afrontamento; palavras artificiosas para iludir; expressão artificial para enganar; discurso, alucoção; adulação. V. **arrumaco.**

soflamar. *v. tr.* fingir, enganar; escarnecer, motejar, meter a ridículo, envergonhar. — *v. r.* tostar-se, queimar-se.

soflamero, ra. *adj.* e *s.* adulador, fingido,

---

falso, afectado; trapaceiro, pessoa enganadora.

sofocación. *f.* sufocação; afrontamento, asfixia; afogadura; afôgo; engasgamento; abafo, abafamento; ape(ê)rto.

sofocador, ra. *adj.* e *s.* sufocador, que sufoca; asfixiante, afrontoso, abafador.

sofocante. *p. a.* de *sofocar* e *adj.* sufocante, asfixiante, asfixioso; afrontoso, abafador, abafadiço: *día de calor sofocante*, dia abafadiço; *calor sofocante*, calor abafador.

sofocar. *v. tr.* sufocar, impedir a respiração; apagar, dominar, extinguir; atafegar; afrontar; asfixiar; afogar; abafar; engasgar; abochornar; (fig.) importunar; envergonhar; apagar, oprimir. — *v. r.* sufocar-se; esbaforir-se; abafar-se; engasgalhar-se.

sofocleo, a. *adj.* próprio e característico de Sófocles.

sofoco. *m.* sufocação, asfixia; (fig.) grave desgosto que se dá ou recebe. V. **sofocación.**

sofocón. *m.* (fam.) mágoa, desgosto que sufoca. V. **desazón.**

sofomanía. *f.* sofomania.

sofómano, na. *adj.* e *s.* sofó(ô)mano, sofomaníaco.

sofoquina. *f.* (fam.) desgosto grande que se recebe; envergonhadela. V. **sofocón.**

sofreír. *v. tr.* frigir levemente uma coisa. — *conj. irr.* como *freír.*

sofrenada. *f.* sofreamento, sofreadura, sofreada; puxão do freio do cavalo; (fig.) repreensão áspera.

sofrenar. *v. tr.* sofrear a cavalgadura, reter ou reprimir o freio; (fig.) sofrear, reprimir as paixões; repreender àsperamente; sofrear, refrear, reprimir, conter.

sofrenazo. *m.* V. **sofrenada.**

sofrito, ta. *p. p. irreg.* de *sofreír;* sofreado.

soga. *f.* soga, corda grossa de esparto; (Amér.) correia grossa para atar cavalgaduras; medida antiga equivalente a oito varas e meia; medida agrária; (arq.) parte dum silhar que fica descoberto. — *m.* (fig.) homem velhaco, socarrão. — *interj.* dito de estranheza ou aversão: *echar la soga tras el caldero*, (fam.) deixar perder o acessório, uma vez perdido o principal; *no mentar la soga en casa del ahorcado*, (pop.) em casa do ladrão não lembrar em baraço; *con la soga a la garganta*, (fam.) ameaçado de grave risco; *dar soga*, fazer burla dalguém.

soguear. *v. tr.* cordear, medir com corda ou com a medida chamada soga; (agr.) passar uma corda por cima das espigas para tirar o orvalho; (Amér.) atar uma besta com um cabresto comprido para que possa pastar.

soguería. *f.* cordoaria, fábrica ou loja de cordoeiro; conjunto de cordas grossas; (prov.) cordano, sortimento de cordas.

soguero. *m.* cordoeiro, fabricante ou vendedor de sogas; moço de fretes, carregador, mariola.

soguilla. *f.* cordinha, corda delgada feita de esparto; trança delgada de cabelo. — *m.* mariola, carregador, moço de fretes.

soja. *f.* (bot.) soja.

sojuzgador, ra. *adj.* e *s.* subjugador, que subjuga; déspota, despótico.

sojuzgar. *v. tr.* subjugar, submeter, dominar com violência; sujeitar; oprimir, reprimir, vencer, conquistar.

sol. *m.* so., astro do dia; luz, calor, influxo do sol; dia; formosura; renda de lavor antigo; (mús.) sol, quinta nota da escala; (Amér.) moeda de prata do Peru.

solacear. *v. tr.* V. **solazar**.

solada. *f.* sedimento, pé. V. **suelo**.

solado, da. *p. p.* de *solar* e *adj.*, solado. — *m.* pavimento sobrado, ladrilhado ou lajeado.

solador. *m.* assoalhador, ladrilhador, lajeador.

soladura. *f.* assoalhadura, assoalhamento, acção de ladrilhar, lajear ou sobradar; material que serve para assoalhar; ladrilho, lajedo.

solana. *f.* soalheiro, lugar exposto ao sol; habitação ou galeria para tomar o sol.

solanáceas. *f. pl.* (bot.) solanáceas.

solanáceo, a. *adj.* (bot.) solanáceo.

solanera. *f.* insolação, doença produzida pela exposição ao sol; lugar exposto aos raios solares.

solanina. *f.* solanina.

solano. *m.* vento calmoso e sufocante que vem de leste.

solapa. *f.* lapela; (fig.) solapa, ficção, disfarce, dissimulação, ardil; (vet.) cavidade em algumas chagas.

solapado, da. *p. p.* de *solapar* e *adj.* solapado, dissimulado; enganoso; falso, fingido, com ficção; assolapado.

solapamiento. *m.* (vet.) cavidade dalgumas chagas.

solapar. *v. tr.* pôr lapelas nos casacos; sobrepor; cruzar, imbricar; (fig.) solapar, ocultar maliciosa e cautelosamente, paliar, encobrir. — *v. intr.* cair certa parte do corpo dum vestido dobrada sobre outra.

solape. *m.* V. **solapo**.

solapo. *m.* lapela. V. **solapa**; parte duma coisa que fica tapada por outra; (fig. e fam.) sopapo, murro debaixo do queixo; vão, cova: *a solapo*, ocultamente, às escondidas.

solar. *adj.* solar, pertencente ou relativo ao Sol; solar, diz-se da habitação antiga de família nobre.

solar. *m.* casa, descendência nobre, linhagem; terreno para edificar ou destinado a edificação.

solar. *v. tr.* assoalhar, soalhar, ladrilhar, lajear, pavimentar com ladrilhos, louça ou outros materiais; solar, pôr solas no calçado. — *conj. irr.* como *contar*.

solariego, ga. *adj.* solarengo, relativo a solar nobre e antigo; solarengo, antigo e nobre.

solarium. *m.* solário, estabelecimento destinado à cura de doenças pela luz solar.

solaz. *m.* solaz, prazer, entretenimento, con-

solação, distracção; expansão; alívio dos trabalhos: a *solaz*, prazenteiramente.

solazar. *v. tr.* consolar, entreter, dar alívio, divertir, alegrar. — *v. r.* entreter-se; alegrar-se, consolar-se.

solazo. *m.* (fam.) sol forte e ardente.

solazoso, sa. *adj.* que causa distracção ou prazer; alegre, consolado, aprazível, agradável, deleitável.

soldada. *f.* soldo, soldada, salário; estipêndio; pré de soldado; paga, emolumento.

soldadesca. *f.* milícia, exercício e profissão de soldado; soldadesca, conjunto de soldados; soldadesca, tropa indisciplinada.

soldadesco, ca. *adj.* soldadesco, relativo a soldado, próprio de soldado.

soldado. *m.* soldado, o que serve no exército; soldado, militar sem graduação; (fig.) partidário, sequaz, mílite; (pop.) magala; *soldado armado con fusil*, fuzileiro; *soldado de infantería* ou *de a pie*, infante; *soldado de milicia*, miliciano; *soldado bisoño*, galucho; *soldado raso*, soldado raso; *hacerse soldado*, seguir as armas; *soldado de reconocimiento*, explorador; *soldado a caballo*, soldado a cavalo.

soldado. *p. p.* de *soldar*, soldado, pegado ou unido com solda.

soldador. *m.* soldador, aquele que solda; soldador, ferro de soldar metais.

soldadura. *f.* soldadura, soldagem; soldadura, solda, matéria usada para soldar; (fig.) emenda, remédio, correcção de alguma coisa.

soldán. *m.* sultão.

soldar. *v. tr.* soldar, pegar, unir com solda; (fig.) emendar, corrigir, desculpar; coalescer; chumbar (com chumbo). — *v. r.* unir-se; fechar (uma ferida).

soleado, da. *p. p.* de *solear* e *adj.* soalhado, exposto ao sol; batido da luz.

soleamiento. *m.* assoalhamento, exposição ao sol.

solear. *v. tr.* soalhar, assoalhar, expor ao sol.

solecismo. *m.* solecismo, falta de sintaxe.

soledad. *f.* soledade, solidão, falta de companhia; solidão, lugar deserto, e(ê)rmo; soledade, orfandade; desvalimento; saudade; tristeza de que está só; despovoação; ence(ê)rro, encerramento, apartamento; abstra(c)ção; (mús.) canção e música andaluza de carácter melancólico.

solemne. *adj.* solene, que se celebra todos os anos com pompa; pomposo, majestoso; grave; aparatoso; célebre, famoso, grande, insigne, notável; enfático; solene; alegre; festivo; (for.) solene, autêntico; formal; válido; acompanhado de todos requisitos; augusto, imponente; (fig.) engomado; enfático.

solemnidad. *f.* solenidade, qualidade de solene; acto solene; festividade; solenidade, formalidades que autenticam um acto; solenidade, magnificência, pompa; solenidade, festa solene da Igreja; (fig.) ênfase; gravidade. — *pl.* formalidades legais: *pobre de solemnidad*, muito pobre.

solemnización. *f.* solenização, acto de solenizar.

solemnizador, ra. *adj.* e *s.* solenizador, que soleniza.

solemnizar. *v. tr.* solenizar, celebrar solenemente; comemorar; tornar solene; solenizar, engrandecer; celebrar, exaltar, encarecer; louvar com aplauso.

solenoide. *m.* (electr.) solenóide.

sóleo. *m.* (anat.) músculo solhar, músculo da barriga da perna.

soler. *v. intr.* (defec.) soer, costumar, ter por hábito ou costume: *soler ir a un sitio*, dar em ir a um lugar; *soler hacer*, acostumar. — *conj. irr.* como *mover*.

solera. *f.* soleira, construção de madeira, ferro, etc., em que assentam pilares, comportas, etc.; frechal; (carp.) chapim; soleira, pedra plana para suster pés direitos; pouso, pedra debaixo da mó do moinho; chão, do forno; lia ou feze do vinho; (mar.) soleira, grande peça de madeira entre a taleira e a parte dianteira da carreta de uma peça nos navios: *solera de puerta*, coiceira.

solercia. *f.* solércia, estratagema, habilidade, argúcia, astúcia. indústria; finura, esperteza.

solería. *f.* materiais para assoalhar uma casa; solaria, conjunto de coiros para fazer solas.

soletero, ra. *s.* pessoa que deita palmilhas; palmilhadeira.

solevamiento. *m.* V. **sublevación.**

solevantar. *v. tr.* solevantar, soerguer; sublevar; desinquietar, induzir alguém para fazer alguma coisa má; mudar de casa ou emprego; alterar, comover.

solevar. *v. tr.* solevar, solevantar, soerguer, sublevar. V. **sublevar.**

solfa. *f.* solfa, música escrita, arte de solfejar; (fig.) música; (fam.) surra, sova, tunda; acordo, harmonia entre pessoas de diversas classes: *poner en solfa*, (pop.) apresentar uma coisa sob aspecto ridículo.

solfatara. *f.* solfatara; enxofreira.

solfeador, ra. *adj.* e *s.* solfista, que solfeja; (fam.) zurzidor.

solfear. *v. tr.* solfejar, ler ou entoar as notas dum trecho musical; (fam.) dar uma sova, sovar, zurzir; censurar com insistência.

solfeo. *m.* solfejo, solfeio; (fig. e fam.) sova, tunda, zurzidura; apaleamento, castigo de pancadas.

solferino, na. *adj.* de cor roxa avermelhada.

solfista. *s.* solfista, pessoa que pratica o solfejo.

solicitación. *f.* solicitação, acção de solicitar; pedido; pretensão; requerimento.

solicitador, ra. *adj.* e *s.* solicitador, que solicita; agente, solicitador, procurador.

solicitante. *p. a.* de *solicitar* e *adj.* solicitante, que solicita.

solicitar. *v. tr.* solicitar, pretender ou pedir uma coisa com diligência e cuidado; diligenciar, agenciar; solicitar, requerer como solicitador; convidar; demandar;

(fís.) atrair; (fig.) aliciar; solicitar, procurar seduzir uma mulher; solicitar, procurar, promover os negócios próprios ou alheios; requestar.

solícito, ta. *adj.* solícito, cuidadoso, diligente; prestimoso; receoso, inquieto; activo.

solicitud. *f.* solicitude, cuidado, diligência; pretensão; memorial ou requerimento em que se solicita alguma coisa, petição; convite; demanda; desvelo; carinho; diligência.

solidar. *v. tr.* comsolidar, solidar, firmar, endurecer, fortalecer; (fig.) afirmar ou estabelecer com razões fundamentais.

solidaridad. *f.* solidariedade, qualidade do solidário; solidariedade, adesão à causa doutros; cooperação; responsabilidade mútua.

solidario, ria. *adj.* solidário, diz-se das obrigações contraídas solidàriamente; solidário, aderido, associado a causa doutrem.

solidarizar. *v. tr.* solidarizar, tornar solidário. — *v. r.* solidarizar-se, tornar-se solidário.

solideo. *m.* solideu, barrete com que os padres cobrem a coroa.

solidez. *f.* solidez, qualidade de sólido; solidez; firmeza, resistência; segurança; rijeza; fundamento; consistência; dureza, fortidão, fortaleza.

solidificación. *f.* solidificação; endurecimento; congelação.

solidificar. *v. tr.* solidificar, tornar sólido um fluido, solidar; congelar; endurecer; (quím.) corporalizar, corporificar; coagular. — *v. r.* solidificar-se, congelar-se, coalhar-se.

sólido, da. *adj.* sólido, firme, maciço, denso, duro, forte; estável; consistente; seguro, duradoiro; que tem fundamento real; nutritivo, substancial; sólido, firme, válido. — *s.* (geom.) sólido.

solífugos. *m. pl.* (zool.) solífugos.

soliloquiar. *v. intr.* (fam.) monologar, falar a sós.

soliloquio. *m.* solilóquio; monólogo, fala que alguém dirige a si próprio.

solimán. *m.* solimão, sublimado corrosivo.

solimitano, na. *adj.* e *s.* V. **jerosolimitano.**

solio. *m.* sólio, trono, assento real com dosel; cadeira pontifícia.

solípedo, da. *adj.* (zool.) solípede. — *m. pl.* solípedes.

solipsismo. *m.* (filos.) solipsismo.

solista. *s.* (mús.) solista, o que executa um solo duma peça musical.

solitaria. *f.* solitária, té(ê)nia, helminto intestinal.

solitario, ria. *adj.* solitário, deserto, e(ê)rmo, desamparado; afastado; só; sem companhia; eremítico; solitário, retirado, eremitão, que vive na solidão. — *m.* solitário, jóia com um só diamante encastoado; paciência, jogo de cartas; (zool.) eremita--bernardo. V. **ermitaño,** solitário, espécie de melro.

sólito, ta. *adj.* sólito, habitual, acostumado; ordinário, usado, frequ(ü)ente, costumado.

soliviadura. *f.* aliviamento, acção e efeito de aliviar, solevantar ou soerguer.

soliviantar. *v. tr.* sublevar, incitar, excitar, induzir à revolta, instigar.

soliviar. *v. tr.* ajudar a levantar uma coisa por baixo, aliviar, solevantar, soerguer, solevar. — *v. r.* levantar-se um pouco o que está sentado ou deitado, soerguer-se.

solivio. *m.* aliviamento. V. **soliviatura.**

solo, la. *adj.* só, único na sua espécie; só, isolado, desacompanhado; só, orfão; só, solteiro; sòzinho, só, abandonado, desamparado; com exclusão de qualquer outro; ermo, solitário; diz-se do café sem leite.

solo. *m.* solo, certo jogo de cartas; passo de dança; (mús.) solo, trecho musical para ser executado por uma só pessoa.

sólo. *adv.* só, sòmente, ùnicamente: *tan solo,* sòmente, meramente.

solomillo. *m.* azém, carne do lombo; lombinho do porco; carne de vaca junto ao lombo.

solsticial. *adj.* solsticial, pertencente ou relativo ao solstício.

solsticio. *m.* (astr.) solstício.

soltadizo, za. *adj.* solto, com arte e manha, com disfarce para algum fim.

soltador, ra. *adj. e s.* soltador, que solta ou desata.

soltaní. *m.* moeda turca.

soltar. *v. tr.* soltar, desprender ou libertar o que estava preso; desatar, alargar, soltar; soltar, dar livre curso a; desembaraçar; soltar, deixar correr o conteúdo de; soltar, expedir; deslaçar; desjungir; desencravilhar; desagrilhoar; desarcar; depor; desasir; desvencelhar; deixar; desligar; desaferrolhar; desacolchetar; desengaiolar; desengranzar; desengonçar; desengatar; desencadear; desenpunhar; desatacar; desatar; desfraldar; desatrelar; desalgemar; despedir; desagarrar; desprender; exalar; desabrochar; desamarrar; desencurralar; desatar; desapertar; desempolgar; soltar, desembaraçar; desligar o que estava unido; desjungir; disparar, proferir; dar largas; soltar, dar liberdade a um preso; manifestar um afecto (riso, choro, etc.), explicar, dar solução; afroixar; soltar, deixar escapar dos lábios; deixar cair, largar da mão; dizer, proferir, soltar; desatar a rir; soltar, dizer tudo. — *v. r.* soltar-se; abalar-se; desprender-se; despregar-se; desasir-se; desaferrolhar-se; desaferrar-se; desatar-se; desatrelar-se; desabrochar-se; desagarrar-se; adquirir agilidade e habilidade na execução das coisas; tornar-se desenvolto; começar a fazer alguma coisa; desprender-se; correr livremente; andar à solta; tornar-se pando; desprender-se; sobrevir.

soltería. *f.* estado de solteiro, celibato.

soltero, ra. *adj. e s.* solteiro, que não casou; livre, solto; solteiro, celibatário, célibe.

solterón, na. *adj. e s.* solteirão, celibatário, célibe já entrado em idade; solteirona,

celibatária; pessoa idosa e ainda solteira; (Bras.) vitalina

soltura. *f.* soltura; agilidade, prontidão; soltura, galhardia; despejo; desape(ê)rto; desembaraço; destreza; atrevimento; (fig.) soltura; dissolução, libertade; licensiosidade; descomedimento; desenvoltura.

solubilidad. *f.* solubilidade, qualidade do que é solúvel.

soluble. *adj.* descomponível, solúvel; susceptível de dissolver; (fig.) solúvel, que se pode resolver.

solución. *f.* solução, desenlaçamento; desenlace; solução, fusão; dissolução; conclusão, decisão, acto de dissolver; soluto; solução, resultado da dissolução; solução, desenlace, desfecho; desatamento; (fig.) chave, solução; (fig.) desempate; solução, paga, satisfação; êxito, saída, solução; (mat.) solução; solução, desenlace de poema ou drama; solução, interrupção, lacuna; resolução dalguma dificuldade; desempate; aresto.

solucionar. *v. tr.* solucionar, resolver um assunto; solucionar, achar solução a alguma coisa ou dificuldade; solucionar, despachar; desenlaçar; desatar; solucionar, pôr termo a; resolver: *solucionar pegas,* (pop.) desencalacrar, desatar dificuldades; *solucionar dificultades,* aplainar as dificuldades, aplainar.

solutrense. *adj.* (geol.) diz-se da época do período de pedra lavrada.

solvencia. *f.* (com.) solvabilidade, possibilidade de pagar o que se deve; solvência, solvibilidade.

solventar. *v. tr.* solver, pagar dívidas; dar solução a um assunto difícil; resolver, pagar, dissolver.

solvente. *p. a.* de *solver* e *adj.* solvente; que paga ou pode pagar o que deve; que tem por fim solver; solvente, desobrigado de dívidas; solvente, capaz de cumprir rigorosamente uma obrigação ou cargo; solvente, (quím.) dissolvente, que solve ou dissolve.

sollado. *m.* (mar.) porão, uma das cobertas inferiores do navio.

sollamar. *v. tr.* chamuscar, queimar ligeiramente; passar por cima das chamas.

sollastre. *m.* moço ajudante de cozinha; mirmidão; (fig.) velhaco, maroto, brejeiro.

sollastría. *f.* emprego de ajudante de cozinha.

sollozar. *v. intr.* soluçar, chorar, dar soluços.

sollozo. *m.* soluço, pranto entrecortado de soluços; acção de soluçar.

soma. *f.* rolão, parte mais grossa da farinha.

somanta. *f.* (fam.) surra, sova, tunda; açoite, pancadaria; coçadela, coça; apaleamento; (pop.) estoirada.

somatar. *v. tr.* (Amér.) dar uma sova, surrar.

somatén. *m.* corpo de milicianos não pertencentes ao exército regular; rebate, dizse na Catalunha: *tocar a somatén,* alarma, alvoroto; ¡somatén!, grito de guerra das antigas milícias de Catalunha.

somatenista. *s.* indivíduo que pertence ao *somatén*.

somático, ca. *adj.* somático, corporal, pertencente ou relativo ao corpo.

somatología. *f.* somatologia.

somatológico, ca. *adj.* somatológico.

sombra. *f.* sombra, obscuridade, assombramento, falta de luz; sombra imagem escura; sombra, espaço sem luz pela interposição dalgum corpo; sombra, imagem duma pessoa ausente ou falecida; sombra, asilo, refúgio; sombra, aparência, semelhança duma coisa; sombra, mácula, defeito; (fam.) sombra, sorte, fortuna; sombra, escuridão, ignorância; obscurantismo; sombra, mancha, nódoa, defeito; catadura; (fig.) silhueta, parte escura dum desenho ou quadro; sombra, leve aparência, suspeita; (fig.) sombra, segredo, mistério.

sombraje. *m.* ramada, resguardo.

sombrajo. *m.* V. **sombraje**; (fam.) sombra que alguém faz ficando diante da luz e incomodando outrem.

sombrar. *v. tr.* assombrar. V. **asombrar.**

sombreado, da. *p. p.* de *sombrear* e *adj.* anuviado; assombrado; que está à sombra; coberto de sombra. — *m.* o escuro, o conjunto de sombras num desenho, ou num quadro.

sombreador, ra. *adj.* sombreiro, que faz sombra.

sombrear. *v. tr.* sombrear, dar ou produzir sombra; (pint.) sombrear, dar sombras num quadro ou desenho, dar sombreado; sombrear, começar a sair o bigode ou a barba, adumbrar, ssombrar; apenumbrar; (pint.) assombrar.

sombrerada. *f.* chapeirada, chapelada, porção que cabe num chapéu.

sombrerazo. *m.* aum. de *sombrero*; chapelão, chapeirão; chapéu grande; pancada dada com o chapéu; (fam.) chapelada, cumprimento com o chapéu: *dar un sombrerazo* (*saludar*) tirar o chapéu a alguém.

sombrerera. *f.* chapeleira, mulher do chapeleiro; chapeleira, mulher que faz chapéus ou os vende; modista de chapéus; chapeleira, caixa para guardar chapéus.

sombrerería. *f.* chapelaria, arte ou ofício de fazer chapéus; chapelaria, fábrica ou loja onde se vendem os chapéus.

sombrerero. *m.* chapeleiro, o que faz ou vende chapéus, sombreireiro.

sombrerete. *m.* dim. de *sombrero*; chapèuzinho, chapelete, chapelinho; (bot.) parte superior dos cogumelos: *sombrerete de chimenea*, chapéu de chaminé.

sombrero. *m.* chapéu, cobertura de diversas formas para a cabeça do homem ou da mulher; tecto que cobre o púlpito; (fig.) privilégio que tinham os Grandes de Espanha de cobrir-se perante o rei; (bot.) parte superior dos cogumelos em forma de guarda-sol; (mar.) parte superior do cabrestante: *sombrero de cabrestante*, (mar.) parte superior do cabrestante;

sombrero de ala ancha, chapéu de abas grandes; *sombrero antiguo*, birro; *sombrero de ala caída*, chapéu desabado; *tocado, cubierto con sombrero*, enchapelado; *sombrero de copa alta*, alcatruz, cartola, chapéu alto.

sombría. *f.* umbria, lugar sombrio.

sombrilla. *f.* chapéu de sol; pequeno guarda-sol para senhora, sombrinha.

sombrillazo. *m.* pancada dada com uma sombrinha.

sombrío, a. *adj.* sombrio, diz-se do lugar em que frequentemente há sombra; lúgubre, fúnebre; enevoado; entrevado; e(ê)rmo; desassombrado; (fig.) lúgubre, sepulcral; avernal; assombrado; anuviado; (fig.) sombrio, triste, melancólico; sombrio, carregado, severo; escuro: *semblante sombrío*, semblante anuviado.

sombroso, sa. *adj.* sombrio, sombroso, que tem pouca luz; que produz muita sombra. V. **sombrío.**

somera. *f.* someiro, cada um dos apoios de madeira usados nas antigas máquinas de imprimir.

somero, ra. *adj.* quase em cima da superfície; (fig.) superficial, ligeiro, exíguo; feito com pouca reflexão; que tem pouco fundo; superficial, aparente.

someter. *v. tr.* submeter, sujeitar, subjugar, humilhar; subordinar a vontade própria à outrem; enfeudar; conquistar; avassalhar; (fig.) atar; dominar; submeter, pôr uma coisa debaixo doutra. — *v. r.* submeter, tornar dependente; render o colo ao jugo; acurvar-se; abaixar; vir às boas; claudicar; desengrimpar-se; dar de si; submeter-se, humilhar-se.

sometimiento. *m.* submetimento, submissão. humildade.

sommier. *m.* (palavra francesa) colchão de rede metálica.

somnambulismo. *m.* sonambulismo, estado de sonâmbulo.

somnámbulo, la. *adj.* e *s.* sonâmbulo, diz-se da pessoa que anda, fala ou se mexe dormido.

somnífero, ra. *adj.* (p. us.) sonífero, que dá ou causa sono.

somnilocuencia. *f.* pessoa que tem o costume de falar durante o sono.

somnílocuo, cua. *adj.* e *s.* soníloquo, que fala durante o sono.

somnolencia. *f.* sonolência, sono imperfeito, desejo forte de dormir; (fig.) inércia, apatia, indolência; mado(ô)rra, madornice, modo(ô)rra.

somnolente. *adj.* sonolento.

somnolento, ta. *adj.* e *s.* sonolento, relativo a sonolência; atacado de sono; que faz sono; lento, tardo, falto de actividade; estremenhado; falto de energia.

somonte (de). *adj.* tosco, ao natural, em bruto, rude; aplica-se ao mosto que ainda não se converteu em vinho.

somorgujador. *m.* mergulhador, o que trabalha submergido na água.

somorgujar. *v. tr.* e *r.* submergir, mergulhar.

somormujar. *v. intr.* mergulhar, submergir.

somormujo. *m.* V. **somorgujo.**

sompesar. *v. tr.* sopesar, levantar uma coisa.

son. *prep. insep.* V. **sub.**

son. *m.* som, tudo o que impressiona o ouvido; ruído; timbre; (fig.) notícia, boato; som, modo, maneira, pretexto; som, rumor; norma: *en son de*, ao som de, com acompanhamento de; *sin ton ni son*, sem tom nem som; *en son de*, de tal modo; *¿a qué son?*, com que razão?

sonable. *adj.* sonoro, ruidoso, famoso, notável.

sonadero. *m.* (p. us.) lenço (para assoar).

sonado, da. *p. p.* de *sonar* e *adj.* assoado; soado; que soou; famoso, afamado, que tem fama; famigerado; divulgado com ruído e admiração; famoso, notável: *hacer una sonada*, promover escândalo, dar que falar.

sonador, ra. *adj.* e *s.* sonoro, soante, que soa; que faz ruído, ruidoso; (p. us.) lenço de assoar.

sonaja. *f.* soalha, cada um dos discos do pandeiro; certos brinquedos e instrumentos rústicos.

sonajero. *m.* guizo, chocalho para crianças.

sonajillos. *f. pl.* matraca.

sonambulismo. *m.* V. **somnambulismo.**

sonámbulo, la. *adj.* e *s.* V. **somnámbulo.**

sonante. *p. a.* de *sonar* e *adj.* soante, que soa, sonoro; (gram.) soante, sonora (diz--se das letras): *dinero contante y sonante*, dinheiro de contado.

sonar. *v. intr.* soar, ecoar; produzir som; soar, dar; assoar; emitir som; fazer-se ouvir; chegar aos ouvidos; ser pronunciado; soar, ter uma letra valor fónico; mencionar-se, citar-se; soar, aparentar algo; ter visos ou aparências; soar, propalar-se; impressionar os ouvidos; soar, ter fama. — *v. tr.* soar, tanger, bater, assoar. — *v. r.* assoar-se. — *v. imper.* dizer-se, falar-se: *sonar bien*, soar bem; *sonar mal*, destoar; *sonar alrededor de*, circunsoar; *sonaron las dos*, bateram duas horas; *sonó la hora del castigo*, soou a hora do castigo. — *conj. irr.* como *contar*.

sonata. *f.* (mús.) sonata, composição de música instrumental.

soncle. *m.* (Amér.) unidade de medida de lenha equivalente a 400 lenhos, usado em México.

sonda. *f.* (mar.) sondagem; sonda, espécie de prumo com que se determina a profundidade das águas; abertura feita nas rochas para determinar a natureza e composição das mesmas; (cir.) algália, estilete.

sondable. *adj.* sondável, que se pode sondar.

sondadura. *f.* (mar.) sondagem.

sondaje. *m.* (mar.) sondagem.

sondaleza. *f.* (mar.) sondareza, corda graduada para balizar os lugares de sondagem.

sondar. *v. tr.* (mar.) sondar; examinar com a sonda; fazer sondagens; sondar, averi-

guar a natureza do subsolo; (fig.) sondar, averiguar as intenções duma pessoa, o estado ou natureza dalguma coisa; (cir.) sondar, algaliar; sondar, explorar; (fig.) apalpar.

sondeable. *adj.* sondável, que se pode sondar.

sondeador, ra. *adj.* e *s.* o que faz sondagens.

sondear. *v. tr.* sondar. V. **sondar.**

sondeo. *m.* exploração; sondagem; investigação, pesquisa.

sonecillo. *m.* dim. de *son.*

sonetear. *v. tr.* e *intr.* sonetear, sonetar, fazer sonetos.

sonetico. *m.* dim. som que se faz batendo com os dedos num móvel.

sonetillo. *m.* dim. de *soneto;* soneto de versos de oito ou menos sílabas.

sonetista. *s.* sonetista, pessoa que faz sonetos.

sonetizar. *v. intr.* sonetar, sonetear, fazer sonetos.

soneto. *m.* (poét.) sone(ê)to, composição de catorze versos dispostos em duas quadras e dois tercetos.

songa. *f.* (Amér.) V. **chunga.**

sonido. *m.* som, feito produzido no órgão da audição pelas vibrações dos corpos sonoros; sonido; ruído; rumor; estrondo; som, valor, pronunciação das letras; som, rumor, notícia, fama: *sonido destemplado*, som agudo; *sonido de la trompa o del clarín*, clangor; *conjunto de sonidos musicales*, frase.

soniquete. *m.* som pouco perceptível; estribilhos. V. **sonecillo** e **sonsonete.**

sonlocado, da. *adj.* V. **alocado.**

sonochada. *f.* sonoite, sonoute, começo da noite, o anoitecer; acção de velar ou seroar.

sonochar. *v. intr.* velar nas primeiras horas da noite.

sonómetro. *m.* monocórdio, sonó(ô)metro.

sonoridad. *f.* sonoridade, qualidade de sonoro; sonoridade, harmonia; cadência agradável.

sonorización. *f.* (gram.) sonorização.

sonorizar. *v. tr.* (gram.) sonorizar, tornar sonoro; converter em som.

sonoro, ra. *adj.* sonoro, que soa; sonoro, que soa bem; sonoro, forte, claro; sonoro, diz--se da letra cuja prolongação é acompanhada de vibração da glote; que tem muito som; que tem som agradável, bem timbrado: *voz sonora*, voz cheia.

sonreír. *v. intr.* e *r.* sorrir, rir levemente; sorrir, infundir alegria; mostrar-se alegre, mostrar-se favorável; dar esperanças; sorrir-se; agradar, aprazer.

sonriente. *p. a.* de *sonreir*, *adj.* e *s.* sorridente, que sorri, risonho, alegre; alegre, prazenteiro, amável.

sonrisa. *f.* sorriso, acção de sorrir; riso leve, de satisfação, de desprezo, irónico; aspecto agradável.

sonrisueño, ña. *adj.* e *s.* sorridente, risonho.

sonrodarse. *v. r.* atolar-se (as rodas dum veículo); atascar-se. — *conj. irr.* como *contar.*

sonroj(e)ar. *v. tr.* envergonhar, ruborizar, erubescer, enrubescer, corar.

sonrojo. *m.* rubor, vergonha, pejo; (fig.) afronta, injúria, ofensa; erubescência.

sonros(e)ar. *v. r.* e *tr.* dar, pôr cor de rosa, tornar de cor de rosa; ruborizar-se; corar, rosar-se.

sonroseo. *m.* rubor, cor avermelhada que sobe ao rosto.

sonsacador, ra. *adj.* e *s.* enganador, induzidor; moquenco.

sonsacamiento. *m.* V. **sonsaca.**

sonsacar. *v. tr.* furtar com destreza; surripiar, surripilhar; subtrair às escondidas; solicitar secretamente; (fig.) induzir com manha a revelar um segredo: *sonsacar algo a alguien*, tirar do bojo a alguém alguma coisa.

sonsonete. *m.* som produzido por golpes cadenciosos, imitando o ritmo duma música; ruído continuado, geralmente desagradável e pouco intenso; sonsonete, inflexão especial da voz para dizer alguma ironia ou dito malicioso.

sonto, ta. *adj.* (Amér.) troncho, diz-se da cavalgadura a que se cortou uma ou duas orelhas.

soñador, ra. *s.* sonhador, desvaneador, que sonha muito; sonhador, que conta patranhas, sonhos, contos ou lhes dá crédito; que conta coisas imaginárias; idealista; fantasiador, fantasioso.

soñar. *v. tr.* sonhar, ter sonhos; sonhar, devanear; devariar; fantasiar; discorrer fantàsticamente; pensar constantemente em; desejar; fantasiar; ter sonhos; imaginar, prever; ansiar por uma coisa, sonhar: *ni soñarlo*, (fam.) de nenhum modo, *conj. irr.* como *contar*.

soñera. *f.* soneira, sonolência, desejo forte de dormir.

soñolencia. *f.* sonolência, soneira, vontade de dormir.

soñoliento, ta. *adj.* sonolento, com sono, que está quase dormido; que faz sono; assonorentado; (fig.) preguiçoso, apático, entorpecido; tardo; moroso; sonífero, soporífero; adormecido: *estar soñoliento*, estar com os anjinhos; *hombre soñoliento*, chona.

sopa. *f.* sopa, pedaço de pão molhado nalgum líquido; sopa, pão cortado que se deixa no caldo, leite, etc. — *pl.* sopa, potagem de pão, arroz, massa, etc. e caldo; sopa, caldo, comida que se dava aos pobres nos conventos: *comer a la sopa boba*, comer à tripa forra; comer a barba longa; *hecho una sopa*, muito molhado; *sopa de ajo*, açorda; *de la mano a la boca desaparece la sopa*, da mão à boca se perde a sopa.

sopalancar. *v. tr.* solevar, solevantar, soerguer com alavanca; colocar a alavanca por baixo dalguma coisa para a levantar; solevar com alavanca; erguer com dificuldade.

sopalanda. *f.* grande opa, opalanda.

sopanda. *f.* madeiro encaixado noutro para o sustentar; correão; correia grande e grossa para sustentar a caixa das carruagens sem molas, usados antigamente.

sopapear. *v. tr.* (fam.) esbofetear, dar sopapos, maltratar.

sopapo. *m.* sopapo, pancada dada com a mão; murro, bofetão; bofetada; bolachada; (fam.) biscoito; (pop.) bazanada; assoa-queixos; (fig.) revés, sopapo.

sopar ou **sopear.** *v. tr.* V. **ensopar.**

sopear. *v. tr.* sopear, calcar, pisar; (fig.) maltratar; dominar; sujeitar, refrear; reprimir.

sopeña. *f.* socava, cova subterrânea; escavação.

sopera. *f.* sopeira, terrina para servir a sopa.

sopesar. *v. tr.* sopesar, levantar uma coisa como para apreciar o seu peso; sopesar, expender; afilar; sustentar o peso de; distribuir com regra ou parcimónia; suspender na mão.

sopetear. *v. tr.* maltratar, ultrajar, abusar.

sopeteo. *m.* acção e efeito de *sopetear*.

sopetón. *m.* bofetão, sopapo, pancada forte e repentina; *de sopetón*, sùbitamente, de repente, de improviso:.

sopista. *m.* ou *f.* pessoa que vive de esmolas, que anda às sopas; estudante que fazia os seus estudos esmolando; sopista, pessoa que gosta de sopas.

sopladero. *m.* respiradouro nas cavidades subterrâneas; orifício que dá ar para os condutos subterrâneos.

soplado, da. *p. p.* de *soplar* e *adj.* assoprado; (fig. e fam.) janota, casquilho, taful; vaidoso, orgulhoso; presunçoso. — *m.* (min.) fenda muito profunda.

soplador, ra. *adj.* assoprador, que sopra; (fig.) assoprador, instigador. — *m.* abano para o lume; fole; (Amér.) ponto de teatro.

sopladura. *f.* assopradura, assopramento, assopro; assopradela; abanadura.

soplar. *v. intr.* soprar, assoprar, activar ou apagar com o sopro; bafejar; dirigir o sopro para; respirar, sugerir, correr o vento fazendo-se sentir; soprar, inflar, aflar; impelir ar com o sopro; (fig.) soprar, inspirar, insinuar, cochichar; sugerir; (fig.) soprar, acusar, denunciar, delatar; enxugar copos, beber muito vinho, soprar, empanzinhar-se; ensoberbecer-se; orgulhar-se; soprar, comer um peão no jogo de damas; comer muito; soprar, ventar, fazer vento com a boca; (fig.) favorecer; soprar o vento muito forte, lufar, entesar: *soplársela a alguno*, enganar alguém; *¡sopla!*, interjeição empregada para admirar ou ponderar.

soplete. *m.* maçarico, aparelho para soldar, que produz uma chama de elevada temperatura; um dos tubos de enchimento da gaita de foles.

soplido. *m.* sopro. V. **soplo.**

soplillo. *m.* abano, abanador; soprozinho; variedade de tecido de seda muito transparente; coisa muito leve e delicada; biscoito muito leve e poroso: *orejas de so-plillo*, orelhas despegadas.

soplo. *m.* so(ô)pro, assopramento, assopradu-ra; assopradela; flato; ar; (fig.) aura; (fig.) asso(ô)pro, instante, tempo muito bre-ve; (fam.) sopro, aviso, segredo; delação; sopro, som; sopro, ar inspirado, exalação: *dar el soplo*, (pop.) denunciar; *soplo de viento*, lufa, lufada; *en un soplo*, num instante.

soplón, na. *adj.* e *s.* (fam.) mexeriqueiro; acusa-pilatos, denunciante, delator; con-tilheira.

soponcio. *m.* desmaio, delíquio, aflição; f-niquito; angustia; (fam.) sopa grande.

sopor. *m.* (med.) torpor; entumecência; mo-dorra, adormecimento, sonolência; sopor; letargo, sono profundo; estado comatoso, letargia.

soporífero, ra. *adj.* e *s.* soporífero, que pro-voca o sono; adormentador, adormecedor, soporífico; soporativo; (fig.) enfadonho; maçador; soporífero, que produz sono, ou sopor; substância soporífica.

soportable. *adj.* suportável, aguentável; atu-rável; tolerável, sofrível, que se pode su-portar.

soportador, ra. *adj.* e *s.* suportador, aguen-tador, que suporta.

soportal. *m.* (arq.) soportal, átrio; pórtico, espaço coberto diante da entrada dum edifício; soleira; alpendre; alpendrada.

soportar. *v. tr.* suportar, sofrer, tolerar; su-portar, sustentar uma carga, levar sobre si uma carga; suportar, pairar; aturar; atravessar; aparar; arrostar; suportar, padecer; apanhar; aguentar; aguardar; (fig.) absorver, loar; engolir; suportar, suster um peso; ter sobre si: *soportar una afrenta*, devorar; *soportar un insulto sin reaccionar*, engolir um insulto; *ser capaz de soportar*, ter bojo para.

soporte. *m.* suporte, apoio, sustentáculo; (herald.) cada uma das figuras que sus-têm o escudo; suporte, coluna; fulcro; base: *soportes del bastidor*, banzos de bastidor: *soporte de bóveda*, suporte de abóbada.

soprano. *f.* e *m.* soprano, pessoa que tem a voz de soprano. — *m.* homem castrado; so-prano, voz de tiple.

sopuntar. *v. tr.* pontear, marcar com pon-tos; colocar pontos debaixo duma letra, palavra ou frase; sublinhar.

sor. *m.* V. **seor.**

sor. *prep. insep.* V. **sub.**

sorbato. *m.* (quim.) sorbato.

sorbedor, ra. *adj.* e *s.* sorvedor, que sorve ou absorve; aspirador.

sorber. *v. tr.* sorver, beber aspirando, ab-sorver; (fig.) chupar, sugar; (fig.) tragar, engolir, submergir: *sorber el seso a al-guien*, desmiolar.

sorbete. *m.* sorvete, refresco gelado.

sorbetera. *f.* vasilha para fazer sorvetes; sorveteira.

sorbetón. *m.* aum. de *sorbo*, sorvo grande.

sorbible. *adj.* sorvível, que se pode sorver.

sórbico, ca. *adj.* (quim.) diz-se dum ácido que tem a baga da sorveira.

sorbo. *m.* trago, gole; acção de sorver; so(ô)rvo, porção de líquido que se sorve duma vez, sorvedura; (fig.) sorvo, porção mínima dum líquido.

sorche. *m.* (fam.) soldado, recruta.

sordera ou **sordez.** *f.* surdez, privação ou diminuição da faculdade de ouvir; acu-sia; emouquecimento; (pat.) cofose; qua-lidade ou estado de surdo; perda consi-derável do sentido do ouvido.

sordidez. *f.* mesquinharia, impureza; aca-nhamento; avareza, cicateria; egoísmo, (fig.) asquerosidade; sordidez, sordideza.

sórdido, da. *adj.* mesquinho, sórdido, sujo, imundo; (fig.) sórdido, impuro, asqueroso; apertado; avaro; acanhado; egoísta; arrepanhado; agarrado; sórdido, sujo, no-jento, repugnante; vil; torpe: *asuntos sórdidos*, questões de estômago.

sordina. *f.* (mús.) surdina, peça para diminuir a intensidade do som dos instrumentos músicos; mola de relógios para travar a campainha: *a la sordina*, em surdina, si-lenciosamente, dissimuladamente.

sordino. *m.* (mús.) espécie de violino.

sordo, da. *adj.* e *s.* surdo, que não ouve; que ouve mal; pouco audível; pouco so-noro; calado, silencioso; (fig.) surdo, in-sensível, indiferente; surdo, que soa pou-co: *a palabras necias, oidos sordos*, a pa-lavras loucas orelhas moucas.

sordomudez. *f.* surdimutismo, qualidade ou estado de surdo-mudo.

sordomudo, da. *adj.* e *s.* surdo-mudo, priva-do por surdez de nascença da faculdade de falar.

sordón. *m.* (mús.) espécie de fagote.

soriano, na. *adj.* e *s.* soriano, pertencente ou relativo a Sória.

soriasis. *f.* (med.) psoríase.

sorites. *m.* (lóg.) sorites, raciocínio composto de muitas proposições.

sorna. *f.* so(ô)rna, indolência, molenga, pre-guiça, lentidão, inércia; sorna, velhacaria com que se diz ou faz alguma coisa; sor-nice; (fig.) sorna, fleima, dissimulação; (pop.) indolência; soneca; inércia; manha de velhaco.

sornar. *v. intr.* (germ.) dormir, sornar, fazer as coisas com sorna; ser pachorrento.

soro. *adj.* e *m.* diz-se do falcão apanhado quando novo.

soro. *m.* (bot.) conjunto dos esporangos dos fetos.

soroche. *m.* (Amér.) angústia, falta de ar; opressão que se sente nas grandes alturas.

sóror. *f.* sóror, irmã, freira. V. **sor.**

sorprendente. *adj.* surpreendente, que sur-preende; que admira; maravilhoso; as-sombroso; inconcebível; estupendo; in-frequ(ü)ente; raro, estranho, esquisito, pe-regrino, magnífico.

sorprender. *v. tr.* surpreender, apanhar inesperadamente; sobressaltar; espantar, maravilhar; surpreender, alterar; e:tra-nhar; apanhar; bispar; entrepender; atocaiar; enbasbacar; colhe(ê)r, embaçar; surpreender, tomar de improviso, inesperadamente. — *v. r.* desconcertar-se; (vulg.) banzar; consternar-se: *sorprender desagradablemente,* desapontar; *sorprenderse de,* ver perdida a baralha; *¡es sorprendente!,* é para admirar!

sorprendido, da. *p. p.* de *sorprender, adj.* surpreendido, admirado; consternado; achado; apanhado; empachado; desapontado: *estar sorprendido,* estar em consternação; *sorprendido con las manos en la masa,* achado no delito.

sorpresa. *f.* surpresa, acto ou efeito de surpreender; coisa que dá motivo a surpresa; consternação; admiração; estranheza; (fig.) estupor, abalo; estranhamento; estupefac(c)ão; emboscada; entrepresa; efeito; assaltada; embasbacação; aturdimento; desapontamento; assalto: *coger por sorpresa,* bispar, tomar alguém desapercebido; *sorpresa desagradable,* empanturramento; *por sorpresa,* por assalto.

sorqui. *m.* (prov.) roldana, polé.

sorra. *f.* (mar.) saibro, areia grossa para lastro dos navios; cada um dos lados do ventre do atum.

sorteable. *adj.* sorteável, que se pode sortear.

sorteador. *m.* sorteador, que sorteia o que lança sortes; toureador que passa o touro à capa.

sorteamiento. *m.* V. **sorteo.**

sortear. *v. tr.* sortear, escolher à sorte; sortear, dividir em sortes; lidiar touros a pé; (fig.) evitar com manha, livrar-se dum compromisso, risco ou dificuldade; capear os touros.

sorteo. *m.* sorteio, sorteamento, acção de sortear.

sortiaria. *f.* adivinhação por cartas ou naipes.

sortija. *f.* anel de usar no dedo; anel de cabelo, caracol; argola de metal para vários usos, anilha; jogo do anel; cada um dos arcos que reforçam o centro das rodas: *sortija de pedida,* anel de noiva.

sortilegio. *m.* sortilégio, adivinhação supersticiosa; bruxedo; conjuração.

sortílego, ga. *adj.* e *s.* sortílego, sorteiro; adivinhador por sortes.

sos. *prep. insep.* V. **sub.**

sosa. *f.* barrilheria (planta). V. **barrilla;** (quim.) soda, óxido de sódio.

sosaina. *adj.* e *s.* (fam.) pessoa insulsa.

sosal. *m.* V. **sosar.**

sosaño. *m.* mofa, zombaria; injúria.

sosar. *m.* terreno onde abunda a barrilheira ou soda (planta).

sosegado, da. *p. p.* de *sosegar* e *adj.* sossegado; quieto, pacífico; acomodado; machucho, apaziguado, acalmado; assentado; aquedado.

sosegador, ra. *adj* e *s.* sossegador, que sossega; lenitivo; aquietador.

sosegar. *v. tr.* sossegar, aplacar, pacificar, tranqu(ü)ilizar, aquietar, acalmar; adormecer.—*v. intr.* descansar, dormir, repousar; desapoquentar; desanojar, desencolerizar; desemperrar; desencalmar; (fig.)

dulcificar. — *v. r.* sossegar-se, acalmar-se, aplacar-se, desembravecer-se. — *conj irr.* como *acertar.*

sosera, sosería. *f.* sensaboria, insipidez, falta de graça, de sal; dito, acção insulsa; baboseira, desconchavo.

sosez. *f.* V. **sosera.**

sosiega. *f.* sossego, descanso depois duma tarefa; gole de vinho ou aguardente que se toma à *sosiega* ou antes de deitar-se.

sosiego. *m.* sosse(ê)go, quietude, tranqu(ü)ilidade; descanso; paz; acalmação; aplacação, aplacamento, aquietação; desemperramento, desassombro; serenidades, quietação.

soslayar. *v. tr.* esguelhar, atravessar de soslaio, pôr obliquamente; (fig.) passar por alto, deixando de lado uma dificuldade; evitar; eludir.

soslayo (al, de) . *loc. adv.* de soslaio, obliquamente, de esguelha: *mirar de soslayo,* olhar de soslaio.

soso, sa. *adj.* inso(ô)sso, que não tem sal, ou tem pouco; insulso, insípido; (fig.) insulso, sem graça, desenxabido, que não tem vivacidade; frieirão; dessaborido; (fig.) amanteigado.

sospecha. *f.* supeita; desconfiança; conje(c)tura; dúvida, suposição; cheiro; assomo; fumos; indício, barrunto: *tener sospecha de algo,* ter cheiro dalguma coisa; *tener sospechas,* andar com a pedra no sapato.

sospechable. *adj.* suspeitoso. V. **sospechoso.**

sospechar. *v. tr.* e *intr.* suspeitar, conje(c)turar, supor, imaginar; desconfiar, duvidar; entrever; barruntar; aventar; indiciar: *sospecharse algo,* ter cheiro dalguma coisa.

sospechoso, sa. *adj.* e *s.* suspeitoso, que suspeita; suspeito, que infunde ou dá motivo para suspeitar; pessoa suspeita; equívoco; indicioso: *ser sospechoso de,* cheirar a.

sosquín. *m.* pancada dada à traição, golpe de lado dado à traição.

sostén. *m.* sustento, sustentação, sustentamento; pessoa que sustenta, arrimo, amparo; descanso, apoio, esteio; sustento, enco(ô)sto, encostemento; base, fundamento; (fig.) apoio moral, prote(c)ção; porta-seios, peça de vestuário feminino; (mar.) equilíbrio de um navio bem lastrado; (fig.) alicerce, coluna; estribo; alimento.

sostenedor, ra. *adj.* e *s.* sustentador, que sustenta, defensor; protector; paladim.

sostener. *v. tr.* suster, sustentar, manter firme uma coisa; sustentar uma tese ou proposição; (fig.) suster, sofrer, tolerar; prestar apoio; auxiliar, dar a alguém o necessário para a sua manutenção; apoiar; aguentar; alicerçar; alimentar, dar o necessário para viver. — *v. r.* suster-se, manter-se; amparar-se; apoiar-se. — *conj. irr.* como *temer.*

sostenido, da. *p. p.* de *sostener* e *adj.* sustentado, mantido firme, segurado; sustentado; alimentado; (mús.) sustenido, diz-se da nota que tem elevação de meio tom. — *m.* (mús.) sustenido.

sostenimiento. *m.* sustentação, sustento; manutenção, sustento; conservação.

sota. *f.* sota, dama (nas cartas de jogar); (fig. e fam.) mulher insolente e desavergonhada; sota, termo que significa inferior, subalterno ou subordinado a um chefe: *sota-cochero*, sota-cocheiro; *sota caballerizo*, sota-estribeiro.

sotabanco. *m.* andar habitável situado por cima da cornija geral dum edifício; (arq.) acrotério.

sotabarba. *f.* barba que se deixa crescer por baixo do maxilar inferior.

sotacola. *f.* atafal, retranca. V. **ataharre.**

sotacoro. *m.* lugar debaixo do coro.

sotacura. *m.* (Amér.) coadjutor, eclesiástico que coadjuva.

sotalugo. *m.* segundo arco da pipa ou tonel que aperta os extremos das aduelas, colete.

sotamano (a). *loc. adv.* (prov.) expressão empregada no jogo da pelota, recolhendo-a com a funda.

sotana. *f.* sotaina, sotana, batina de padre; (fig. e fam.) sova, tunda, surra, coça.

sotanera. *v. tr.* (fam.) espancar, sovar, surrar, zurzir; repreender àsperamente.

sotaní. *f.* espécie de saiote curto e sem pregas.

sótano. *m.* cave, compartimento subterrâneo nos alicerces dum edifício.

sotaventarse. *v. r.* (mar.) sotaventear-se, voltar-se para sotavento (o navio).

sotavento. *m.* (mar.) sotavento, borda do navio oposta a barlavento: *a sotavento,* ajulamento.

sotechado. *m.* telheiro, cobertiço, coberto, alpendre.

soteño, ña. *adj.* soutenho, que se cria nos soutos.

sotera. *f.* espécie de enxada.

soterrar. *v. tr.* soterrar, meter debaixo da terra, enterrar; (fig.) esconder, ocultar muito bem. — *conj. irr.* como *acertar.*

sotillo. *m.* soutinho, soutozinho.

soto. *m.* souto, bosque denso, matagal, devesa; souto, mata de que se tira lenha.

soto. *prep. insep.* debaixo. V. **debajo.**

sotoministro. *m.* soto-ministro, jesuíta coadjutor.

sotreta. *f.* (Amér.) diz-se do cavalo inútil.

sotrozo. *m.* chaveta dos eixos para segurar as rodas dos reparos de artilharia.

sotuer. *m.* (herál.) aspa, insígnia heráldica em forma de X.

sotura. *f.* (anat.) V. **sutura.**

soturno, na. *adj.* soturno, lúgubre, sombrio. V. **saturno.**

soviet. *m.* soviete, conselho formado por operários, soldados e camponeses na Rússia.

soviético, ca. *adj.* soviético.

sovietismo. *m.* (pol.) sovietismo.

sovietización. *f.* sovietização.

sovietizar. *v. tr.* sovietizar, impor o sistema político soviético.

sovoz (a). *loc.* sotto voce.

spahi. *m.* (mil.) spahi, soldado da cavalaria francesa na África e de cavalaria ligeira dos turcos.

speaker. *m.* (rad.) V. **locutor.**

spleen. *m.* (angl.) spleen, hipocondria.

sportsman. *m.* (angl.) desportista.

su. (contr. de *suyo); pron. pos.* seu, sua.—*pl.* seus, suas; usa-se sòmente anteposto ao substantivo; às vezes tem carácter indeterminado.

suarda. *f.* sujidade, matéria gordurosa que se pega à roupa; suarda, sujidade da pele dos animais causada pelo suor. V. **juarda.**

suasorio, ria. *adj.* suasório, suasivo, persuasivo, que convence.

suave. *adj.* suave, liso e mole ao tacto; brando; doce; leve; meigo; delicado; aprazível; agradável aos sentidos; suave, que se faz sem custo; tranquilo, manso; lento, moderado; meigo; adocicado; pacato; clemente, benigno; melodioso, meloso, melífluo; ameigado; (fig.) amoroso; cordeiro.

suavidad. *f.* suavidade, qualidade do que é suave; doçura; brandura, meiguice; amenidade; melosidade, melifluidade; faguice; delicadeza; dulçor; pacatez.

suavizador, ra. *adj.* suavizador, que suaviza. — *m.* assentador, utensílio para assentar o fio das navalhas de barba.

suavización. *f.* suavização, efeito de suavizar; alívio.

suavizar. *v. tr.* suavizar, tornar suave; mitigar; aliviar, atenuar; moderar; abrandar; (fig.) adormecer: *suavizar los colores,* adoçar as cores; *suavizar la pronunciación,* abrandar as letras; paliar; abemolar; desagravar; desengravecer; desemperrar, desacerbar; desencalmar; (fig.) afeminar; desperfilar desagastar; consolar; emblandecer; afogar; (fig.) corrigir maciar; (fig.) emelar; desinflamar; açucarar.

sub. *pre. insep.* sub, sob, debaixo; denota acção secundária, inferioridade ou atenuação.

suba. *f.* (Amér.) V. **alza.**

subacetato. *m.* (quím.) subacetato.

subácido, da. *adj.* (quím.) subácido.

subacuático, ca. *adj.* subaquático.

subafluente. *m.* subafluente, afluente secundário.

subagente. *s.* subagente.

subalcaide. *m.* vice-presidente de câmara municipal; vereador que representa o presidente.

subalpino. na. *adj.* (geog.) subalpino.

subalquilar. *v. tr.* subarrendar, sublocar.

subalterno, na. *adj. e m.* subalterno, dependente doutrem, subordinado; inferior ajudante; secundário; que está debaixo; subalterno, empregado de categoria inferior; (mil.) oficial de categoria inferior à de capitão.

subálveo. *adj. e s.* que está sob o leito dum rio.

subarrendador, ra. *s.* subarrendador, aquele que subarrendou alguma coisa; sublocador.

subarrendamiento. *m.* subarrendamento,

subarrendar. *v. tr.* subarrendar, arrendar a outro o que já se tomara por arrendamento; sublocar. — *conj. irr.* como *arrendar.*

subarrendatario, ria. *s.* subarrendatário, o que tomou de subarrendamento; sublocatário.

subarriendo. *m.* subarrendamento; sublocação; preço de subarrendamento ou de sublocação.

subasta (ción). *f.* leilão, venda judicial de bens ou jóias em hasta pública; arrematação; almoeda; subastação; adjudicação dum contrato, geralmente de serviço público; subastação, acto ou efeito de subastar: *vender en pública subasta,* arrematar; *sacar a la pública subasta,* leiloar.

subastador, ra. *s.* pessoa que vende em hasta pública.

subastar. *v. tr.* leiloar, arrematar, vender em hasta pública, vender em leilão; almoedar; deitar no leilão.

subclase. *f.* (hist. nat.) subclasse, cada um dos grupos em que se dividem certas classes de seres naturais.

subclavio, via. *adj.* (zool.) subclavicular, que está debaixo da clavícula.

subcomisión. *f.* subcomissão, grupo de pessoas que formam parte duma comissão e têm funções à parte.

subconsciencia. *f.* subconsciência; semiconsciência.

subconsciente. *adj.* subconsciente.

subconservador. *m.* subconservador; juiz delegado pelo conservador.

subcontratista. *s.* subcontratista.

subcontrato. *m.* subcontrato.

subcostal. *adj.* subcostal, que fica debaixo das costelas.

subcutáneo, a. *adj.* (anat.) subcutâneo, que fica por baixo da pele.

subdecano. *m.* subdecano.

subdelegable. *adj.* subdelegável, que se pode subdelegar.

subdelegación. *f.* subdelegação.

subdelegado. *m.* subdelegado.

subdelegar. *v. tr.* subdelegar.

subdiaconado ou **subdiaconato.** *m.* subdiaconato, dignidade de subdiácono.

subdiácono. *m.* (rel.) subdiácono, clérigo de epístola.

subdirección. *f.* subdire(c)ção, cargo de subdirector.

subdirector. *m.* subdire(c)tor, imediato ou substituto do director.

subdistinción. *f.* acção de subdistinguir.

subdistinguir. *v. tr.* subdistinguir, fazer distinção doutra distinção.

súbdito, ta. *adj.* e *s.* súbdito, que está sujeito à vontade de outrem; vassalho.

subdividir. *v. tr.* e *r.* subdividir; fazer subdivisão de.

subdivisible. *adj.* subdivisível, susceptível de subdividir.

subdivisión. *f.* subdivisão, nova divisão do que já estava dividido.

subdominante. *f.* (mús.) quarta nota da escala diatónica.

subduplo, pla. *adj.* (mat.) subduplo, diz-se do número que está duas vezes contido noutro ou que é metade doutro.

subejecutor. *m. s.* subexecutor.

suberoso, sa. *adj.* suberoso, subérico, que tem a consistência ou aparência da cortiça.

subfamilia. *f.* (biol.) grupo de seres compreendidos entre a família e a tribo.

subfiador. *m.* (Amér.) fiador subsidiário.

subfluvial. *adj.* subfluvial.

subgénero. *m.* subgé(ê)nero.

subgobernador. *m.* governador substituto.

subida. *f.* subida, subimento; encosta, ladeira; ascendimento; alteração; lugar por onde se sobe a um outeiro ou a uma eminência; subida, acréscimo, aumento; recrecimento; aumento, elevação, levantamento.

subidero, ra. *adj.* aplica-se a alguns instrumentos empregados para subir. — *m.* lugar por onde se sobe.

subido, da. *p. p.* de *subir* e *adj.* subido, elevado; alto, diz-se da cor ou cheiro forte; subido, elevado; alto.

subidor. *m.* o que tem por ofício subir ou levantar alguma coisa.

subíndice. *m.* subíndice.

subinspección. *f.* cargo e repartição de subinspector.

subinspector. *m.* subinspector, imediato a inspector.

subintendencia. *f.* subintendência, cargo ou repartição de subintendente.

subintendente. *m.* subintendente, pessoa imediata ao intendente.

subintracción. *f.* (med. e cir.) subintração.

subintrante. *p. a.* e *adj.* que subintra.

subintrar. *v. intr.* entrar alguém depois de outro, em lugar de outro; (cir.) colocar-se um osso debaixo doutro; (med.) começar um acesso febril antes de ter acabado o anterior; subintrar, entrar em seguida, sucessivamente.

subir. *v. intr.* subir, alçar; altear; alar; subir, ir para cima; elevar; levantar; endireitar o que estava tombado; subir, encarecer, elevar os preços, aumentar; subir, importar (uma conta); ascender, crescer, aumentar; subir, atrepar, elevar; chegar; subir, transportar-se de um lugar a outro mais elevado; ascender, entrar num veículo, subir para um veículo; trepar, elevar-se, (fig.) exaltar; subir, elevar, endireitar, levantar, erguer; subir, ascender, ir para cima; subir, ir em aumento; crescer; subir, elevar-se, crescer em dignidade e em bens, etc.; subir, ir à cabeça, perturbar a razão; subir, elevar a voz.

subitáneo, a. *adj.* subitâneo, súbito, inesperado; repentino.

súbito, ta. *adj.* súbito, imprevisto; impulso; arriscado; inesperado; repentino; precipitado; violento nas obras ou nas palavras; impetuoso: *de súbito,* de repente, sùbitamente.

subjefe. *m.* subchefe, o que faz as vezes de chefe e serve sob as suas ordens.

subjetividad. *f.* subje(c)tividade, qualidade de subjectivo.

subjetivismo. *m.* subje(c)tivismo; egotismo.

subjetivista *s.* subje(c)tivista.

subjetivo, va. *adj.* subje(c)tivo, relativo ao sujeito; subjectivo, que se passa no espírito; relativo ao modo de pensar ou sentir.

sublevación ou sublevamiento. *m.* sublevação; rebelião, motim; levantamento; revolução, revolta; amotinação; alevantamento; alteração; alvoro(ô)to; bandoria.

sublevado, da. *p. p.* de *sublevar* e *adj.* e *s.* sublevado, amotinado; alvoroçado; agitado; alvorotado; faccioso.

sublevar. *v. tr.* sublevar, revoltar, amotinar; levantar em sedição; alvorotar, alvoroçar; agitar; fa(c)cionar; alevantar; anarquizar; alterar, indignar; insurre(c)cionar. — *v. r.* alevantar-se; amotinar-se; exsurgir; alçar-se; alvorotar-se; alterarse; desordenar-se; conjurar-se.

sublimación. *f.* sublimação; endeusamento; assunção; (quím.) sublimação, volatilização; passagem directa do estado sólido ao estado gasoso; (fig.) purificação.

sublimado, da. *adj.* e *m.* e *p. p.* sublimado, acrisolado; (quím.) sublimado, sublimado, corrosivo.

sublimar. *v. tr.* sublimar, enaltecer, engrandecer; exaltar; (fig.) acrisolar, calmar; (quím.) sublimar, volatilizar; sublimar, levantar bem alto, engrandecer; purificar; fazer passar um corpo sólido ao estado gasoso. — *v. r.* altear-se; alcandorar-se.

sublimatorio, ria. *adj.* sublimatório, pertencente ou relativo à sublimação.

sublime. *adj.* sublime, excelso, eminente; elevado; empinado; altíloco; altívago; extremado; sublime, magnífico, esplêndido; altivo, alto alcandorado; excelso; (fig.) endeusado; altissonante; altíssono; (fig.) etéreo; sublime, muito nobre, muito grande, grandioso, magnífico.

sublimidad. *f.* sublimidade, eminência; alteza; elevamento; excelsitude; elevação; excelência; perfeição; incompreensibilidade; grandeza; altura, exaltação.

sublimizar. *v. tr.* exaltar, elevar, engrandecer.

sublingual. *adj.* (anat.) sublingual, que fica debaixo da língua.

sublunar. *adj.* sublunar, que está abaixo da Lua.

submarino, na. *adj.* e *m.* submarino, que está debaixo da superfície do mar; submarino, navio destinado a navegar por debaixo da superfície do mar ou das águas; submergível, navio submergível, submarino.

submaxilar. *adj.* (anat.) submaxilar.

submúltiplo, pla. *adj.* submúltiplo, diz-se do número que se contém duas ou mais vezes noutro. — *m.* (mat.) submúltiplo.

subnitrato. *m.* (quím.) subnitrato.

subnota. *f.* (impr.) nota posta sobre outra nota num livro, documento, etc.

suboficial. *m.* (mil.) categoria entre sargento e oficial.

suborden. *m.* (biol.) subordem, cada um dos grupos em que se dividem algumas ordens dos seres naturais.

subordinación. *f.* subordinação; ordem estabelecida entre as pessoas tornando umas dependentes das outras; subordinação, dependência; sujeição; disciplina.

subordinado, da. *p. p.* de *subordinar* e *adj.* subordinado, sujeito, dependente de outrem; subalterno. — *s.* subordinado, inferior, subalterno.

subordinar. *v. tr.* subordinar, sujeitar pessoas ou coisas à dependência doutras; subordinar, submeter, disciplinar; pôr sob a dependência de; subjugar; afe(c)tar. — *v. r.* submeter-se, sujeitar-se.

subpolar. *adj.* (geog. e astr.) subpolar, o que está debaixo dos polos.

subprefectura. *f.* subprefeitura.

subranquial. *adj.* subranquial.

subrayar. *v. tr.* sublinhar, traçar linhas por baixo das palavras ou frases para a destacar; (fig.) sumlinhar, acentuar para chamar a atenção.

subreino. *m.* reino subordinado a outro; (hist. nat.) qualquer das divisões dos reinos da natureza.

subrepción. *f.* sub-repção, fraude, dolo, falsidade; sub-repçâô, ocultação dum facto para obter algum proveito.

subreptício, cia. *adj.* sub-reptício; sub-reptício, que se faz ou se toma escondidamente, fraudulento; clandestino; furtivo.

subrogación. *f.* sub-rogação, substituição.

subrogar. *v. tr.* (for.) sub-rogar, substituir; transferir direitos ou encargos.

subsanable. *adj.* reparável, que pode ser reparado, desculpado, escusado.

subsanación. *f.* reparação, emenda, desculpa; acção de reparar uma falta.

subsanar. *v. tr.* desculpar; escusar; reparar; emendar; remediar um erro ou dano; sanar; resarcir um dano.

subscapular. *adj.* e *s.* (anat.) que está situado debaixo da omoplata.

subscribir. *v. tr.* e *r.* subscrever, assinar; (fig.) concordar; seguir a opinião de outrem; subscrever, contribuir com alguma quota; subscrever, assinar uma publicação periódica; subscrever, firmar, apoiar; aquiescer, aceder; inscrever-se como assinante de uma publicação.

subscripción. *f.* subscrição, compromisso de contribuir com certa quantidade para; assinatura.

subscriptor, ra. *s.* subscritor, assinante, o que subscreve.

subsecretaría. *f.* subsecretaria, subsecretariado.

subsecretario. *m.* subsecretário, o que substitui o secretário; secretário geral dum ministro.

subseguir. *v. intr.* e *r.* subseguir, seguir-se uma coisa imediatamente a outra. — *conj. irr.* como *seguir.*

subsidiario, ria. *adj.* subsidiário, auxiliário; que vem em reforço, auxiliar.

subsidio. *m.* subsídio, auxílio; contribuição; achega; socorro ou auxílio extraordinário; ajuda; contribuição, imposto.

subsistencia. *f.* existência; permanência; estabilidade; subsistência; conservação das coisas; sustento; meios de viver, subsistência; manutenção da vida; alimentos, sustentação.

subsistir. *v. intr.* subsistir, continuar; existir, viver; durar; consistir; manter; subsistir, ter existência; estar em vigor; persistir, permanecer; continuar a ser.

subsolano. *m.* subsolano, vento de levante.

substancia. *f.* substância, suco; extracto; o que é necessário para a nutrição; substância, ser, essência das coisas; substância, entidade; (fig.) choruma; substância, natureza; qualquer classe de matéria; (fig.) o mais importante ou essencial dalguma coisa; fundo; sentido, conceito; força; vigor: *en substancia,* em resumo, em substância; *formar una sola substancia,* consubstanciar; *sin substancia,* dessaborido.

substanciación. *f.* substanciação.

substancial. *adj.* substancial, pertencente ou relativo à substância; substancial, nutritivo; substancioso; essencial, fundamental; alimentar.

substanciar. *v. tr.* substanciar, fornecer alimento substancial; expor sumàriamente, extra(c)tar, compendiar; (for.) seguir um processo judicial as vias normais.

substancioso, sa. *adj.* substancioso, que tem substância; chorumento; nutritivo, alimentar, substancial; (fig.) que contém ideias ou elementos úteis: *caldo substancioso,* caldo apurado.

substantivar. *v. tr.* (gram.) substantivar, empregar como substantivo.

substantivo, va. *adj.* (gram.) substantivo, que designa um ser; substantivo, que tem existência real. — *m.* (gram.) substantivo, nome.

substitución. *f.* substituição, acto ou efeito de substituir; permuta.

substituible. *adj.* substituível, que se pode substituir.

substituir. *v. tr.* substituir, pôr uma pessoa ou coisa no lugar doutra; substituir, fazer as vezes de; equivaler-se; fazer-se substituir; converter. — *conj. irr.* como *huir.*

substitutivo, va. *adj.* substitutivo, diz-se da substância que pode substituir outra.

substituto, ta. *adj. s.* e *p. p. irr.* de *substituir;* substituto, que substitui; suplente.

substracción. *f.* substra(c)ção, resto; deducção; (mat.) substracção.

substraendo. *m.* diminuidor.

substraer. *v. tr.* subtrair, furtar, roubar fraudulentamente; deduzir; subtrair, tirar com subtileza ou fraude; fazer escapar; (mat.) subtrair, diminuir; arrebatar; afas-

tar.—*v. r.* subtrair-se, esquivar-se, fugir.— *conj. irr.* como *traer.*

substrato. *m.* substracto; camada inferior.

subsuelo. *m.* subsolo, camada inferior à terra arável; construção por baixo do rés-do-chão.

subtangente. *f.* subtangente.

subtender. *v. tr.* (geom.) subtender, unir as extremidades dum arco ou duma linha quebrada. — *conj. irr.* como *tender.*

subtenencia. *f.* cargo de subtenente.

subterfugio. *m.* subterfúgio, pretexto, evasiva, ardil; descarte, entretenida; encoberta, estratagema, evasão, efúgio: *ir con subterfugios,* andar por atalhos.

subtensa. *f.* (geom.) subtensa, corda de arco.

subterráneo, a. *adj.* subterrâneo, que está debaixo da terra. — *m.* subterrâneo, caverna, excavação subterrânea.

subtítulo. *m.* subtítulo, título secundário.

suburbano, na. *adj.* suburbano. — *m.* suburbano, habitante de subúrbio.

suburbio. *m.* subúrbio, bairro, arrabalde, aldeia perto da cidade. — *pl.* subúrbios, arredores; redondezas.

subvención. *f.* subvenção, subsídio; socorro.

subvencionar. *v. tr.* subvencionar, subsidiar, dar subvenção.

subvenir. *v. tr.* socorrer, ajudar, amparar, auxiliar.

subversión. *f.* subversão, acção ou efeito de subverter; subversão; ruína, destruição; insubordinação, revolta; perturbação.

subversivo, va. *adj.* subversivo, que subverte; revolucionário; subversor, subvertedor.

subvertir. *v. tr.* subverter, transtornar, revoltar, destruir; corromper moralmente; revolucionar; perturbar. — *v. r.* submergir-se; subverter-se.

subyacente. *adj.* subjacente.

subyugación. *f.* subjugação; conquista, sometimento; enfeitiçamento.

subyugador, ra. *adj.* e *s.* subjugador, conquistador; déspota; enganador; enfeitiçador.

subyugar. *v. tr.* subjugar, submeter, sujeitar, dominar violentamente, avassalhar, impor o jugo, submeter; derribar, conquistar; enganar; enfeitiçar; (fig.) encabrestar, algemar.

succino. *m.* (min.) súccino, âmbar amarelo.

succión. *f.* su(c)ção, sugamento, acção de sugar com os lábios; chupadura, chupamento.

succionar. *v. tr.* chupar, absorver, sugar, chuchar.

sucedáneo, a. *adj.* e *m.* sucedâneo, diz-se da substância que pode substituir outra.

suceder. *v. intr.* suceder, tomar uma pessoa ou coisa o lugar doutra; obter por testamento ou lei uma herança; descender; proceder; suceder, acontecer um facto; dar-se, realizar-se; seguir-se; decorrer; produzir efeito: *suceda lo que suceda,* dê aonde der; *¿qué le sucede?,* que vos sentís?; *suceder al mismo tiempo,* coincidir, entrecorrer.

sucedido, da. *p. p.* de *suceder* e *adj.* sucedido, acontecido, realizado. — *m.* sucesso, facto, acontecimento, acaecimento; caso.

sucesión. *f.* sucessão, herança; transmissão, direitos transmitidos aos descendentes; sucessão, prole, descendência directa; encadeação; continuação.

sucesivo, va. *adj.* sucessivo, consecutivo; contínuo; que sucede sem interrupção; continuado: *en lo sucesivo*, d'aquí em.

suceso. *m.* sucesso, aquilo que sucede; acontecimiento; fa(c)to; caso; êxito; sucesso, resultado dum negócio; decurso, lapso de tempo; evento; episódio.

sucesor, ra. *adj.* e *s.* sucessor, que sucede a outro; herdeiro; descendente; advindo; epígono.

sucesorio, ria. *adj.* sucessório, pertencente à sucessão.

suciedad. *f.* sujidade, qualidade de sujo; sujidade, porcaria, imundície; asquerosidade; impureza; (vulg.) merda, merdice; encardimento; enxovalhamento; enxovalho; contaminação; chavasquice; desasseio; (fig.) impropério, obscenidade.

sucinto, ta. *adj.* sucinto, abreviado, breve, conciso, curto, resumido.

sucio, cia. *adj.* sujo, impuro, que tem nódoas; que se suja fàcilmente; imundo, sórdido, torpe, maculado; (fig.) sujo, desonesto, impuro, obsceno, indecente; descortês; impolítico, incivil; sujo, baço, sem brilho; choquento; asqueroso; desasseiado; codegueiro; churro, churdo; (fam.) acairelado; (vulg.) merdeiro; ludro; ludroso; infe(c)to; enfarruscado; besuntado; falando dalguns jogos com trapaça; (Bras.) bodoso, labreado: *hombre sucio*, (fig.) cochino, bodegão; *uñas sucias o enlutadas*, unhas acaireladas: *casa sucia*, bodega, casa de ciganos, chiqueiro.

suco. *m.* suco; suco, seiva. V. **jugo.**

sucoso, sa. *adj.* V. **jugoso.**

súcubo. *adj.* e *m.* súcubo, diz-se do diabo que, sob a aparência de mulher tem comércio carnal com um varão; súcubo, que se deita ou põe por baixo.

súcula. *f.* torno, máquina, cilindro. V. **cabria** e **torno.**

suculencia. *f.* suculência. V. **jugosidad.**

suculento, ta. *adj.* suculento, nutritivo, substancioso, agradável ao paladar; delicioso; chorudo, chorumento; (Bras.) sucutuba. V. **jugoso.**

sucumbir. *v. intr.* sucumbir, ceder, render-se; morrer, perecer; ser prostrado ou vencido; dobrar-se; (fig.) perder a coragem; não resistir; ceder; ficar debaixo; (for.) perder um pleito, uma acção.

sucursal. *adj.* sucursal, diz-se do estabelecimento, que serve de ampliação a outro; anexo, filial. — *f.* sucursal, anexa.

suche. *adj.* agro, que não está maduro ou sazonado. — *f.* (Amér.) V. **suchil.**

sud. *m.* sul. V. **sur.**

sudadera. *f.* suadouro. V. **sudadero.**

sudadero. *m.* sudário, lenço para limpar o suor; suadouro, suadoiro, xairel de lã;

estufa para fazer suar (em casa de banho); casa de abafo; lugar, parede que súa, que verte água; lugar onde se tosquia o gado. V. **bache;** suadouro, manta que se põe debaixo da sela.

sudafricano, na. *adj.* e *s.* sul-africano, natural da África do Sul.

sudamericano, na. *adj.* e *s.* sul-americano, natural da América do Sul.

sudamina. *f.* sudâmina.

sudanés, sa. *adj.* e *s.* (geog.) sudanês.

sudar. *v. intr.* suar, transpirar, deitar suor pelos poros; (fig.) destilar as plantas algumas gotas do seu suco; destilar água através dos poros; (fam.) suar, trabalhar, ludar, afadigar-se, trabalhar com fadiga.— *v. tr.* suar, empapar em suor: *sudar la gota gorda*, (pop.) puxar pela charrua; *sudar tinta*, (pop.) suar sangue e água.

sudario. *m.* sudário, lenço para limpar o suor; sudário, mortalha: *Santo Sudario*, Santo Sudário, mortalha de Jesus Cristo.

sudestada. *f.* (Amér.) sudestada, vento sueste acompanhado de chuva persistente.

sudeste. *m.* sueste, ponto do horizonte entre sul e este, sudeste; vento que sopra desse lado.

sudoeste. *m.* sudoeste, ponto do horizonte entre sul e oeste.

sudor. *m.* suor; (fig.) suco que segregam as plantas; gotas que saem e se destilam das coisas que contêm humidade; (med.) diaforese; (fig.) suor, fadiga; sacrifício, fruto de grande trabalho; (Bras.) pituí: *con el sudor de la frente*, como o suor do rosto; *sudor de pies*, (pop.) chulé; *sudor de sangre*, (pat.) dermatorragia.

sudorífero, ra. *adj.* sudorífero, sudorífico. — *m.* sudorífico, medicamento que faz suar.

sudoríparo, ra. *adj.* (anat.) diz-se da glândula ou folículo que segrega o suor.

sudoroso, sa. *adj.* suado, que está a suar muito, suarento.

sudsudeste. *m.* sussueste, ponto do horizonte entre sul e sueste; vento que sopra dessa direcção.

sudsudoeste. *m.* sussudoeste, ponto do horizonte entre sul e sudoeste; vento que sopra dessa direcção.

sudueste. *m.* sudoeste. V. **sudoeste.**

Suecia. (geog.) Suécia.

sueco, ca. *adj.* e *s.* (geog.) sueco. — *m.* sueco, idioma da Suécia: *hacerse el sueco*, (pop.) fazer ouvidos de mercador, fazer-se desentendido; fingir-se ignorante.

suegra. *f.* sogra, mãe do marido em relação à mulher; mãe da mulher em relação ao marido; (fam.) breviário; (prov.) extremos que unem as roscas do pão.

suegro. *m.* sogro, pai do marido em relação com a mulher; pai da mulher em relação ao marido.

suela. *f.* sola, parte de calçado que assenta no chão; sola, couro bovino curtido; sola, pedaço de couro na ponta do taco do bilhar; (zool.) linguado, peixe. — *pl.* sandálias (nalgumas ordens religiosas); sola, planta do pé.

sueldo. *m.* so(ô)ldo, moeda antiga de cobre; soldo, paga, estipêndio, salário; soldada, salário de criado; honorários; soldo, paga dos militares e soldados em geral; nome de várias moedas antigas; soldo, mensualidade, emolumento, paga: *poner a sueldo,* alugar; *tomar a sueldo,* assoldar, assoldadar.

suelo. *m.* solo, superfície da terra, chão; assoalho; solo, terreno arável; solo, fundo, base de algumas coisas, vasilhas, etc.; sedimento, pé; solo, depósito que deixa no fundo uma matéria líquida; solo, chão, pavimento, andar de uma casa; soalho; solo, terra, mundo; território; solo, casco das cavalgaduras. — *pl.* palha, grão que fica dum ano para outro: *suelo natal,* pátria; *suelo fértil,* solo fértil; *poner suelo a un pavimento,* assoalhar; *venirse al suelo,* cair-se; *por los suelos,* diz-se das coisas que tem preço muito baixo; prostrado; *medir el suelo,* cair-se de bruços.

suelta. *f.* so(ô)lta, soltura, peia para cavalgaduras ou para bestas; soltura, desembaraço, agilidade; solta, bois de reserva, muda de bois; solta, estorvo, obstáculo, embaraço.

suelto. *m.* pequeno artigo dum jornal.

suelto, ta. *p. p. irreg.* de *soltar,* e *adj.* so(ô)lto, livre, desembaraçado; devasso; descosido; desatado; avulso; desferido; desprendido; solto, ligeiro, veloz; solto, pouco compacto, desagregado; destacado; desujeito; desgarrado; despejado; despregado; abalado; (fig.) desabrochado; solto, separado, sem ligação; (fig.) solto, licencioso; solto, ágil, expedito, livre no falar; que anda à solta, desembaraçado; solto, atrevido, despejado, descarado; (poét.) solto, não rimado.

sueño. *m.* sono, acção de dormir; descanso; sonho, ideias fantásticas; durante o sono; (fig.) sonho, coisa fantástica, imaginária; ilusão; sono, desejo, necessidade de dormir; (fig.) estado de inércia, de inactividade; vontade de dormir, adormecimento; indolência: *sueño dorado,* ilusão; *ser dado a los sueños,* fantasiar-se; *interrumpir el sueño a alguien,* desadormecer.

suero. *m.* so(ô)ro, líquido que se separa dos grumos do sangue depois de coagulados.

sueroterapia. *f.* seroterapia, soroterapia.

suerte. *f.* sorte, destino; azar; fortuna; ace(ê)rto; adre(ê)go; sorte, fada, fadário; fado; sorte, (fig.) estre(ê)la, andança; sorte, aquilo que pode acontecer para bem ou para mal; sorte, estado, condição; sorte, bilhete de lotaria; sorte, espécie, laia, condição; sorte, lance no combate de touros; sorte, maneira ou modo de fazer uma coisa; sorte, acaso, risco; ventura; quinhão; sorte, sorteio militar; sorte, lote de fazendas; campo, terra de cultura seperada de outras por linhas divisórias; prémio da loteria: *Dios te dé buena suerte,* Deus te fada; *con suerte,* fortunado;

por suerte, por felicidade; *correr detrás de la suerte,* ir à fortuna.

suertero, ra. *adj.* (Amér.) feliz, afortunado. — *m.* cauteleiro, vendedor ambulante de lotaria.

suestada. *f.* (Amér.) V. **sudestada.**

sueste. *m.* sueste, sudeste; (mar.) chapéu próprio dos homens de mar.

suéter. *m.* prenda de abrigo, suéter.

suevo, va. *adj. e s.* (geog.) natural da ou pertencente a Suécia; diz-se dos indivíduos pertencentes a umas tribos germânicas que no século V invadiram as Gálias.

sufí *adj. e m.* sofi, sectário duma doutrina panteísta entre os maometanos.

suficiencia. *f.* suficiência, aptidão, capacidade; abastança; vaidade, presunção; suficiência, mediania.

suficiente. *adj.* suficiente, que satisfaz, que é bastante, assaz, suficiente, bem arrazoado; ineficiente; suficiente, farto; côngruo; suficiente, apto, capaz; idó(ô)neo. — *m.* suficiente, classificação escolar entre mediocre e bom: *ser suficiente,* chegar, bastar, dar, abastar.

sufijo, ja. *adj.* (gram.) sufixo, diz-se do afixo que se pospõe à palavra; afixo. — *m.*sufixo.

sufismo. *m.* doutrina de certa doutrina maometana.

sufra. *f.* correia que faz do arreio para segurar os varais dos carros.

sufragáneo, a. *adj. e m.* sufragâneo, que depende da jurisdição e autoridade de alguém; diz-se do bispo ou do bispado dependente dum metropolitano.

sufragar. *v. tr.* sufragar, ajudar, favorecer; custear, satisfazer; orar por alma de; fazer sufrágios por. — *v. intr.* (Amér.) sufragar, votar, dar o voto a um candidato; (usa-se seguido com a preposição *por*).

sufragio. *m.* sufrágio, voto numa eleição; votação, adesão; sufrágio, socorro, ajuda, auxílio, favor; sufrágio, aprovação; orações pelas almas dos mortos; obra pia pela alma do defunto; sufrágio, qualquer obra boa que se aplica pelas almas do purgatório.

sufragismo. *m.* (pol.) sufragismo, sistema político que concede à mulher o direito a sufrágio.

sufragista. *f. e m.* sufragista, partidário do sufragismo.

sufrible. *adj.* sofrível, que se pode sofrer; tolerável; suportável; razoável, que não é mau de todo, mediocre.

sufridera. *f.* peça de ferro com um furo no meio que os ferreiros põem debaixo da que querem furar; alfeça.

sufridero, ra. *adj.* V. **sufrible.**

sufrido, da. *p. p.* de **sufrir** e *adj. e s.* sofrido, que sofreu; sofrido, duro, paciente; padecente, padecedor; incansável; aturador; aturadoiro, aturado; sofrido, que sofre com resignação; sofredor; diz-se do marido consentidor: *mal sufrido,* impaciente.

sufridor, ra. *adj. e s.* sofredor, que sofre; padecedor.

sufrimiento. *m.* sofrimento, aflição; padecimento; dor física; pena moral; paciência; tolerância; conformidade com que se sofre alguma coisa; sofrimento, abro(ô)lho; sofrimento, resignação.

sufrir. *v. tr.* sofrer, padecer, sentir; sofrer, padecer com resignação um dano moral ou físico; padecer, aguentar, suportar; aguardar; experimentar; apanhar; consentir; amargar; atravessar; sofrer, admitir; expiar; resistir, tolerar; sofrer, permitir, consentir. — *v. r.* dissimular um sofrimento, resignar-se; reprimir-se; sustentar; pagar por meio de pena: *sufrir del corazón*, ter agastamento do coração; *sufrir en silencio*, engolir; *dejar de sufrir*, despenar; *sufrir malos tratos*, dar ancas; *sufrir las consecuencias de algun asunto*, descobrir o corpo.

sufrutescente. *adj.* (bot.) diz-se da planta que morre depois da fructificação.

sufusión. *f.* (med.) sufusão; espécie de catarata do cristalino.

sugerencia. *f.* (Amér.) inspiração, sugestão; insinuação; ideia que se sugere; alvitre.

sugeridor, ra. *adj.* e *s.* inspirador, que inspira ou sugere, alvitreiro.

sugerir. *v. tr.* sugerir, inspirar, lembrar, provocar no espírito; ocasionar; proporcionar; sugerir, instigar, advertir; seduzir; inculcar; ministrar; aflar; alvitrar; apontar; incutir; (fig.) assoprar; inquietar; instigar; insinuar. — *conj. irr.* como *sentir*.

sugestibilidad. *f.* sugestibilidade.

sugestión. *f.* sugestão; alvitre; indução; ilusão; inculca; asso(ô)pro; ideia, vontade; desejo, etc. provocados em uma pessoa em estado de hipnose; sugestão, coisa sugerida; inspiração, estímulo; insinuação; hipnotismo.

sugestionador, ra. *adj.* e *s.* sugestionador, que sugestiona.

sugestionar. *v. tr.* sugestionar, produzir sugestão em; inspirar, insinuar; encantar; induzir; dominar a vontade duma pessoa; influenciar; insinuar ou inspirar a uma pessoa hipnotizada actos ou palavras involuntárias.

sugestivo, va. *adj.* sugestivo; encantador; (fig.) e fam.) atractivo.

suicida. *adj. m.* e *f.* suicida, pessoa que se mata a si mesmo; que serviu de instrumento para o suicídio.

suicidarse. *v. r.* destruir-se a si mesmo; matar-se a si mesmo; suicidar-se.

suicidio. *m.* suicídio, acção e efeito de suicidar-se; (fig.) acto de destruir a própria pessoa ou a sua influência.

suidos. *m. pl.* (zool.) suídas, suídios.

suiza. *f.* antiga diversão militar; imitação de exercícios bélicos; (fig.) contenda, rixa; (Amér.) surra, sova.

Suiza. (geog.) Suíça.

suizo, za. *adj.* e *s.* (geog.) suíço, natural da ou pertencente a Suíça; bolo especial de farinha, ovo e açúcar.

sujeción. *f.* sujeição, acção de sujeitar; sujeição, prisão, união; estado daquilo que está unido, dependência; demissão; (fig.) freio; pejo; acanhamento; jugo, vassalagem; subordinação; prisão, atadura; ligadura; tudo o que se ata ou coisa sujeita; (ret.) argumento que tem lugar quando alguém faz objecção a si mesmo: *sin sujeción*, desatadamente; *librarse de la sujeción*, emancipar-se, desoprimir.

sujetado, da. *p. p.* de *sujetar* e *adj.* sujeitado; agarrado; *sujetado con cincha*, cilhado.

sujetador, ra. *adj.* e *s.* sujeitador, asegurador, que segura, que sujeita, que domina.

sujetar. *v. tr.* sujeitar, segurar, encadear; submeter ao domínio dalguém; reduzir à sujeição; sujeitar, encabrestar; conter, enganchar; enfeudar; adstringir; empunhar; avassalhar; (fig.) atar; imobilizar. sujeitar, fixar; constranger, sujeitar, submeter à obediência. — *v. r.* firmar, segurar, conter alguma coisa por meio da força; submeter-se: *sujetar con grilletes*, agrilholar; *sujetar a condición*, coactar; *sujetar con alfileres*, alfinetar; *sujetar una vela a la verga* (mar.) envergar.

sujeto, ta. *p. p. irreg.* de *sujetar adj.* e *s.* sujeito, exposto ou propenso a alguma coisa; sujeito, encadeado; enfeudado; foreiro; sujeito, indíviduo que se não nomenia; homem; sujeito, atado, aprisionado; sujeito (depre.) micho, meco; (Bras.) zinho: *estar sujeto a peligro*, correr perigo; *sujeto de mala nota*, (fig.) freguês; aldravão.

sulfamida. *f.* (quim.) sulfamida.

sulfanilamida. *f.* (quim.) sulfanilamida.

sulfapiridina. *f.* (quim.) sulfapiridina.

sulfatación. *f.* V. **sulfatado.**

sulfatado. *m.* composto que contém sulfato.

sulfatador, ra. *adj.* e *s.* sulfatador, que sulfata; sulfatadora, aparelho para sulfatar.

sulfatar. *v. tr.* sulfatar, impregnar de sulfato de cobre ou aspergir com este produto químico.

sulfatiazol. *m.* (quim.) sulfatiazol.

sulfato. *m.* (quim.) sulfato, combinação do ácido sulfúrico com um radical mineral ou orgânico: *sulfato de cobre*, sulfato de cobre; *sulfato de hierro*, sulfato ferroso; vitríolo verde.

sulfhídrico. *adj.* (quim.) sulfídrico.

sulfito. *m.* (quim.) sulfito, combinação do ácido sulfuroso com um radical mineral ou orgânico.

sulfonal. *m.* (quim.) sulfonal, medicamento hipnótico.

sulfuración. *f.* sulfuração, acção de sulfurar, enxoframento.

sulfurado, da. *p. p.* de *sulfurar* e *adj.* sulfurado; (fig.) encolerizado, irritado, enxofrado.

sulfurar. *v. tr.* sulfurar, combinar um corpo com o enxofre; (fig.) irritar, encolerizar, enfurecer; (fig.) enxofrar.

sulfúreo, a. *adj.* sulfúreo, sulfúrico.

sulfúrico, ca. *adj.* sulfúrico, sulfúreo.

sulfuro. *m.* (quim.) sulfure(ê)to, combinação do enxofre com un metal.

sulfuroso, sa. *adj.* (quim.) sulfúreo, sulfuroso, que tem a natureza do enxofre; enxofrento.

sultán. *m.* sultão, título do imperador dos Turcos; título dado a príncipe ou governador maometano.

sultana. *f.* sultana, mulher do sultão; embarcação principal empregada pelos turcos na guerra.

sultanía. *f.* sultania, território governado por um sultão.

sultánico, ca. *adj.* sultânico.

suma. *f.* soma, acção de somar; soma, agregado de muitas coisas; conta; suma, o mais substancial duma coisa; recapitulação, recopilação; (mat.) soma, adição, produto; conclusão; substância; compêndio; resumo; súmula: *suma y compendio,* cifra; *en suma,* em suma, emfim, em resumo.

sumador, ra. *adj.* e *s.* adicionador, que adiciona, que soma.

sumando. *m.* (mat.) cada uma das parcelas duma soma.

sumar. *v. tr.* recopilar, compendiar, sumariar uma matéria; (mat.) somar, adicionar; somar, ajuntar números ou quantidades para achar a soma.

sumaria. *f.* (for.) sumário, processo escrito; sumário, conjunto de formalidades para preparar o julgamento no processo criminal militar; devassa.

sumarial. *adj.* (for.) pertencente ou relativo a sumário.

sumariar. *v. tr.* (for.) submeter a processo sumário; sumariar.

sumario, ria. *adj.* sumário, abreviado; reduzido a compêndio; sumário, resumido, breve; (for.) expeditivo, isento das formalidades ordinárias. — *m.* sumário, conjunto de formalidades a fim de preparar um processo; sumário, compêndio; epítome.

sumergible. *adj.* sumergível. — *m.* (mar.) submarino, navio submergível.

sumergimiento. *m.* submersão. V. **sumersión.**

sumergir. *v. tr.* e *r.* submergir, mergulhar, meter uma coisa debaixo da água ou doutro líquido; (fig.) afundar.

súmero, ra. *adj.* e *s.* (hist.) sumeriano.

sumersión. *f.* submersão; mergulhamento; alagamento.

sumidad. *f.* sumidade, a parte mais elevada de certas coisas.

sumidero. *m.* sumidouro, sumidoiro; sarjeta; agueiro.

sumiller. *m.* sumilher, chefe em várias repartições ou ministérios do paço.

suministrable. *adj.* subministrável, que pode ser subministrado.

suministrador, ra. *adj.* e *s.* subministrador, que subministra; abastecedor, fornecedor.

suministrar. *v. tr.* subministrar, prover do necessário, ministrar, fornecer; deparar; bastecer, aprovisionar; abastecer, equipar; avitualhar; aprestar, facilitar.

suministro. *m.* subministração; provisão, abastecimentos para as tropas, condena-

dos, etc.; fornimento, fornecimento, apetrechamento; aprovisionamento.

sumir. *v. tr.* sumir, afundar, desaparecer debaixo da água ou terra; consumir no sacrifício da missa; (fig.) submergir, abismar. — *v. r.* sumir-se, encovar-se as faces por falta de dentes, magreza, etc.; sumir-se, meter-se ou desaparecer debaixo da terra; submergir-se, afundir-se, afundar-se; (fig.) fugir; atarefar-se (num trabalho).

sumisión. *f.* submissão; submissão; sujeição; acatamento; deferência a toda a prova; submissão, abaixamento da voz; (for.) submissão; claudicação; abatimento; (fig.) encolhimento; obediência; humildade; rendição.

sumiso, sa. *adj.* submisso, obediente, subordinado; subjugado, rendido, sujeito.

sumista. *adj.* referente a suma ou compêndio. — *s.* sumista, pessoa hábil e prática em fazer somas; sumista, autor de sumas ou compêndios.

sumo, ma. *adj.* sumo, supremo, máximo; excelso; extraordinário; o mais elevado; altíssimo; (fig.) muito alto, enorme. — *m.* o requintado; o ápice: *a lo sumo,* no mais alto grau.

sumóscapo. *m.* (arq.) escapo, quadrante de ligação ao fuste ao capitel da coluna.

súmulas. *f. pl.* súmulas, sumário dos princípios elementares da lógica.

sumulista. *m.* sumulista, o que ensina ou estuda súmulas.

sunción. *f.* comunhão do sacerdote (à missa).

suncho. *m.* V. **zuncho.**

suntuario, ria. *adj.* sumptuário; relativo ao luxo; magnífico, pomposo.

suntuosidad. *f.* sumptuosidade, magnificência, pompa, opulência, luxo; riqueza.

suntuoso, sa. *adj.* sumptuoso, magnífico, grande, aparatoso, pomposo.

supedáneo. *m.* supedâneo, especie de peanha, apoio ou estribo.

supeditación. *f.* sujeição, opressão; dependência; (fig.) sujeição, avassalamento.

supeditar. *v. tr.* sujeitar, oprimir com rigor ou violência; (fig.) sujeitar, avassalar.

súper. *prefij.* super, prefixo que designa superioridade, excesso, fora, sobre, preeminência, etc.

superable. *adj.* superável, que se pode vencer.

superabundancia. *f.* superabundância, abundância excessiva; superfluidade.

superabundante. *adj.* superabundante, excessivamente, abundante; supérfluo.

superabundar. *v. intr.* superabundar, abundar excessivamente; sobejar.

superar. *v. tr.* superar, exceder, sobrepujar, vencer, dominar; subjugar; sujeitar; passar além, transpor, galgar; exceder, sobrelevar, levar vantagem a; levar de vencida; avantajar; emular.

superávit. *m.* superavit, excesso das receitas sobre as despesas; saldo a favor, superavit; resíduo.

superciliar. *adj.* (anat.) superciliar.

superchería. *f.* fraude, dolo, embuste, engano; estocada; fraudação; embaçadela.

superchero, ra. *adj.* e *s.* embusteiro, enganador; trapaceiro; falsário.

superdominante. *f.* (mús.) sexta nota da escala diatónica.

supereminencia. *f.* supereminência, proeminência, elevação extraordinária, preeminência; grau de excelência duma pessoa; superioridade, prestância, vantagem.

supereminente. *adj.* supereminente, muito elevado; superior; sobreelevado.

superentender. *v. tr.* superintender, dirigir superiormente, inspeccionar, vigiar; governar.

supererogación. *f.* acção executada além dos termos da obrigação, supererogação.

supererogatorio, ria. *adj.* supererogatório.

superferolítico, ca. *adj.* (pop.) delicado, em excesso, muito fino, primoroso, excelente.

superfetación. *f.* (fisiol.) superfetação; (fig.) superfetação, coisa que vem tarde, fora de tempo.

superficial. *adj.* superficial, pertencente ou relativo à superfície; (fig.) superficial, pouco profundo; que não profunda as coisas; leviano, ligeiro; que não é bem fundado; aparente; sem solidez; superficial, frívolo, sem fundamento.

superficialidad. *f.* superficialidade, qualidade do que é superficial; superficialidade, acanhamento de inteligência, estreiteza de engenho; (fig.) frivolidade.

superficiario, ria. *adj.* (for.) diz-se do que tem o uso da superfície ou dos frutos do fundo alheio.

superficie. *f.* superfície, limite ou termo dum corpo; (geom.) superfície; (fig.) conhecimento leve ou imperfeito das coisas; extensão, dimensão: *en la superficie*, à superfície; superficialmente.

superfluencia. *f.* grande abundância.

superfluidad. *f.* superfluidade; coisa supérflua; demasia; excesso; desnecessidade.

superfluo, flua. *adj.* supérfluo, desnecessário, inútil, que é de mais, demasiado.

superfosfato. *m.* (quím.) superfosfato.

superfusión. *f.* (fís.) superfusão.

superheterodino. *m.* (rad.) superheteródino.

superhombre. *m.* super-homem.

superhumeral. *m.* superumeral, amicto, vestuário eclesiástico.

superintendencia. *f.* superintendência, administração suprema em qualquer ramo; emprego, cargo, jurisdição e repartição do superintendente.

superintendente. *s.* superintendente; pessoa que superintende; inspector; fiscal; pessoa que vigia superiormente a execução de trabalhos.

superior. *adj.* superior, que está acima de; superior, em grau mais elevado; superior, de melhor qualidade, muito bom, excelente; distinto; superior, que excede os outros em dignidade ou força; que emana de autoridade; que tem força para vencer; exímio; eminente; avantajado; melhor. — *m.* superior, o que dirige uma

congregação ou autoridade; avantajado, cimeiro.

superiora. *f.* a que dirige uma congregação ou comunidade; abadessa; prioresa.

superiorato. *m.* superiorato, dignidade ou cargo de superior ou superiora dum convento.

superioridad. *f.* superioridade; autoridade; excelência; preeminência ou vantagem duma coisa com respeito a outra; eminência; mérito.

superlativo, va. *adj.* superlativo, muito grande, excelente. — *m.* (gram.) superlativo (adjectivo).

supernumerario, ria. *adj.* supranumerário, que excede ou está fora do número estabelecido; extranumerário; extraordinário. — *s.* supranumerário, empregado que trabalha numa repartição pública sem estar no respectivo quadro do pessoal.

superovulación. *f.* (fisol.) superovulação.

superpoblación. *f.* superpopulação, excesso de população.

superposición. *f.* sobreposição, superposição.

superproducción. *f.* (econ.) superprodução. excesso de produção; (cinema), superprodução, filme muito importante.

superrealismo. *m.* (art.) super-realismo.

superrealista. *adj.* e *s.* (art.) super-realista, partidário do super-realismo.

superstición. *f.* superstição, crença estranha à fé religiosa e contrária à razão; crendice; (fig.) astrosia. — *pl.* (pop.) minhocas.

supersticioso, sa. *adj.* supersticioso, que tem superstição. — *s.* pessoa supersticiosa.

supérstite. *adj.* (for.) sobrevivente, supervivente. V. **superviviente.**

supersubstancial. *adj.* supersubstancial (diz-se do pão Eucarístico).

supervención. *f.* (for.) supervivência, supervenção, acção e efeito de sobrevir novo direito.

superveniencia. *f.* supervenção.

supervenir. *v. intr.* sobrevir. V. **sobrevenir.**

supervisar. *v. tr.* fiscalizar, inspeccionar; *supervisar el periódico*, assistir à folha.

supervisión. *f.* acção e efeito de *supervisar*; supervisão, visão superior à normal.

supervivencia. *f.* supervivência, sobrevivência.

superviviente *adj.* e *s.* supervivente, sobrevivente; advindo.

supinación. *f.* supinação, posição duma pessoa deitada de costas; supinação, posição da mão com a palma voltada para cima.

supino, na. *adj.* supino, deitado de costas; supino, referente à supinação; (fig.) supino, em alto grau; diz-se da ignorância que procede da negligência; da ignorância voluntária. — *m.* (gram.) supino, forma verbal latina.

súpito, ta. *adj.* V. **súbito.**

suplantable. *adj.* suplantável, que pode ser suplantado.

suplantación. *f.* suplantação.

suplantador, ra. *adj.* e *s.* suplantador, que suplanta, usurpador, falsificador.

suplantar. *v. tr.* suplantar, falsificar; usurpar; passar as palhetas; deixar, dar um bigode; desbancar; suplantar, adulterar; falsificar; usurpar.

suplefaltas. *m.* (gram.) suplente, pessoa que supre; substituto, pessoa que é chamada no lugar doutrem para cumprir funções ou serviços.

suplemental, suplementario, ria. *adj.* suplementar, suplementário, supletivo; que serve de suplemento; adicional.

suplemento. *m.* suplemento, complemento; aditamento; adição; apêndice; suplemento, acrescentamento; (gram.) suplemento; o que se dá mais; folha extraordinária que acresce a um número de um jornal; (geom.) suplemento, o que falta a um ângulo para prefazer 180 graus; suplemento, o que falta a um arco para completar uma semicircunferência.

suplencia *f.* acção de suprir uma pessoa a outra; acção de substituir.

suplente. *adj.* e *s.* suplente, substituto; suplente, que supre ou substitui; supletivo.

supletorio, ria. *adj.* supletório, supletivo, suplente.

súplica. *f.* súplica; súplica, oração instante e humilde; súplica, petição; requerimento; exortação; demanda; deprecação; súplica, memorial ou requerimento para pedir uma graça, um favor; petição; prece; rogativa; pedido humilde. — *pl.* deprecativos.

suplicación. *f.* súplica, suplicação, (for.) apelação; agravo.

suplicar. *v. tr.* suplicar, demandar; expostular; imprecar; exortar; (fig.) conjurar; (fig.) conjurar; suplicar, rogar, pedir com humildade; deprecar; (for.) suplicar, apelar, agravar.

suplicatoria. *f.* **suplicatorio.** *m.* (for.) precatória, carta que um tribunal dirige a outro de diferente e superior circunscrição; suplicatório, que encerra súplica; (for.) instância dirigida por um tribunal ou juiz ao Senado ou à Câmara dos Deputados, pedindo autorização para processar a algum membro daquelas duas Câmaras.

suplicio. *m.* suplício, punição corporal ou execução capital; tortura; suplício, (fig.) grave dor ou tormento, tudo o que causa tormento moral ou sofrimento moral; suplício, pena de morte; sofrimento cruel, pena.

suplidor, ra. *adj.* e *s.* suplente, substituto.

suplir. *v. tr.* suprir, fazer as vezes doutro; suprir, completar o que falta; suprir, remediar; dissimular (um defeito, etc.) encobrir, tolerar algum defeito; suprir; sofrer.

suponedor, ra. *adj.* e *s.* conjecturador, presumidor, que supõe, que conjectura.

suponer. *v. tr.* conje(c)turar, supor, estabelecer por hipótese; fingir uma coisa; presumir; trazer consigo; importar; dar; assentar; considerar; afigurar; improvisar; futurar; fazer conta de; alegar, conjecturar; implicar, dar falsamente como

autêntico. — *v. intr.* ter representação ou autoridade numa república ou comunidade: *suponer que,* dar que que; *suponer que tal hecho sea cierto,* dar que tal facto seja verdade; *supongamos que es verdad,* suponhamos que é verdade. — *conj. irr.* como *poner.*

suposición. *f.* suposição, conje(c)tura; afiguração; barrunto; conta; improvisação; futuração; suposição, hipótese; suposição, autoridade; impostura.

supositivo, va. *adj.* supositício, supositivo. suposto, que indica suposição.

supositorio. *m.* (med.) supositório.

supra. *prefij.* supra, prefixo com a significação de sobre, acimo, mais além.

supradicho, cha. *adj.* sobredito, mencionado, dito mais além; supradito, supracitado.

suprema. *f.* Supremo Tribunal e Conselho da Inquisição.

supremacia. *f.* supremacia, superioridade absoluta; grau supremo em qualquer linha; supremacia, preeminência, superioridade hierárquica; supremacia, hegemonia, primazia; poder, influência suprema.

supremo, ma. *adj.* supremo, que não tem superior na sua linha ou espécie; altíssimo, último; empíreo; supremo, que está acima de tudo, sumo, divino.— *m. El Ser Supremo,* Deus.

supresión. *f.* supressão, corte; eliminação; elisão; anulação; apagamento; abrogação; exclusão; extirpação; expurgação; (med.) supressão, obstrução das vias.

supreso, sa. *p. p. irreg.* de *suprimir.*

supresor, ra. *adj.* e *s.* supressivo, supressório, que suprime, eliminador.

suprimir. *v. tr.* suprimir, elidir, eliminar; afogar; agarrotar; açamar; excluir; extirpar; extinguir; esvaecer; suprimir, calar, omitir; fazer cessar; impedir de aparecer; passar por alto; expurgar; eliminar.

suprior, ra. *s.* o que faz as vezes de prior ou priora.

supuesto, ta. *p. p. irreg.* de *suponer* e *adj.* suposto, hipotético; falso; improvisado; apócrifo. — *m.* suposição, hipótese, suposto; (gram.) sujeito: *por supuesto,* por certo, certamente; *supuesto que,* suposto que, uma vez que, pois que, já que.

supuración. *f.* supuração, produção ou corrimento de pus.

supurar. *v. intr.* supurar, formar ou deitar pus; abceder; transformar-se em pus. — *v. tr.* dissipar, consumir a humidade de um corpo por meio do fogo ou calor; (fig.) dissipar, consumir; (med.) fazer supurar.

suputación. *f.* suputação, cômputo, cálculo.

suputar. *v. tr.* suputar, calcular, computar, avaliar indirectamente uma quantidade.

sur. *m.* sul, ponto cardeal do horizonte; sul, parte dum país que fica mais perto do pólo sul; sul, vento austral; sul, meio-dia.

sura. *m.* surata, cada um dos capítulos do Alcorão.

surada. *f.* (mar.) ventania do sul.

sural. *adj.* (anat.) sural, relativo à barriga da perna.

surcador, ra. *adj.* e *s.* sulcador, que sulca.

surcaño. *m.* linda, limite entre dois terrenos.

surcar. *v. tr.* sulcar, riscar, fazer sulcos ou riscas na terra com o arado; (fig.) riscar, raiar, fazer riscos; (fig.) sulcar, fender as ondas; (mil.) fazer a bala ricochete; fender, abrir, cortar.

surco. *m.* sulco, re(ê)go feito com o arado; risco, raia, encurvilha, sinal ou fenda que deixa uma coisa que passa por outra, traço; ruga na pele; estria: *echarse en el surco*, (pop.) abandonar uma empresa por desalento ou preguiça.

surgidero. *m.* surgidoiro, surgidouro, ancoradouro, ancoradoiro; ancoração, amarração, lugar onde surgem ou ancoram os navios.

surgidor, ra. *adj.* surgente, que surge. — *s.* o que surge.

surgir. *v. intr.* surgir, aparecer elevando-se; surgir, vir do fundo para a superfície, emergir; nascer, crescer; aparecer de repente, irromper, emergir, surgir; surgir, brotar a água; surgir, decorrer, passar; ancorar o navio; (fig.) aparecer, manifestar-se; elevar-se; surgir, suscitar-se, originar-se; sair um líquido em espadana, de esguicho; deparar-se; despontar.

surrealismo. *m.* (art.) surrealismo.

surrealista. *adj.* e *s.* (art.) surrealista.

sursuncorda. *m.* (pop.) suposta pessoa anónima e muito importante.

surtida. *f.* surtida, saída oculta contra os sitiantes; (fort.) passagem ou porta secreta por onde se sai contra o inimigo; (fig.) porta falsa; saída secreta; (mar.) varadouro, rampa para o mar, no cais.

surtidero. *m.* esgoto, lugar onde se vai fazer sortimento de géneros ou fazendas; esgoto, conduto artificial para desaguar um tanque; repuxo, esguicho de água.

surtido, da. *p. p.* de *surtir* e *adj.* sortido, variado. — *m.* sortimento, sortido, provisão.

surtidor, ra. *adj.* fornecedor, que fornece sortimento. — *m.* esguicho, repuxo, jacto de água, cho(ô)rro.

surtimiento. *m.* sortimento, acção e efeito de sortir. V. **surtido.**

surtir. *v. tr.* sortir, prover, abastecer, fornecer, fornecer; aprovisionar. — *v. intr.* brotar a água, repuxar, esguichar, sair a água em jacto; surtir, produzir efeito; ter êxito.

surto, ta. *p. p. irreg.* de *surgir* e *surtir* e *adj.* surto, fundeado, ancorado; (fig.) tranquilo, em repouso.

sus. *prep.* abaixo, sob; (prefixo que indica inferioridade, aproximação, substituição, etcétera).

¡sus! *interj.* sus!; acima!; ânimo!; coragem!; eia!

susano, na. *adj.* próximo, vizinho, perto.

suscepción. *f.* suscepção, acção de receber em si mesmo alguma coisa.

susceptibilidad. *f.* suce(p)tibilidade, impressionabilidade, delicadeza, melindre; idiossincrasia; sensibilidade.

susceptible. *adj.* susce(p)tível, que se ofende fàcilmente; melindroso; susceptível, apto para receber, ter ou experimentar; capaz; escrupuloso, delicado, impressionável: *ser muy susceptible*, melindrar-se.

susceptivo, va. *adj.* V. **susceptible.**

suscitación. *f.* suscitação; levantamento, promoção.

suscitar. *v. tr.* suscitar, fazer nascer ou aparecer; provocar, levantar, promover; originar; sugerir; revoltar: *suscitar una cuestión*, excitar uma questão.

suscribir. *v. tr.* subscrever. V. **subscribir.**

suscripción. *f.* V. **subscripción.**

susidio. *m.* (fig.) inquietação, angústia. V. **inquietud.**

susodicho, cha. *adj.* sobredito. V. **sobredicho.**

suspendedor, ra. *adj.* e *s.* suspensivo, que suspende, suspensor.

suspender. *v. tr.* suspender, suster no ar; pendurar; suspender, interromper temporàriamente; impedir de fazer; suspender, proibir durante um certo tempo; deter, parar, sustar; fazer cessar; reter; demorar, retardar; adiar; conter; (fig.) suspender, privar alguém, temporàriamente do seu vencimento ou emprego; reprovar em exame; causar admiração; enleiar, cativar; suspender, encantar; embelezar; entorpecer; entreter: *suspender pagos*, suspender pagamentos. — *v. r.* ficar suspenso, pendurar-se: *suspenderse las negociaciones*, empatar as negociações.

suspensión. *f.* suspensão; suspensão, censura ou correcção eclesiástica; suspensão, detenção, demora, parada, pausa, silêncio; suspensão, arrebatamento, admiração, enleio, êxtase; suspensão, correcção ou privação de benefício ou ofício; suspensão, cada uma das molas das carruagens; (quím.) suspensão; (gram.) suspensão, interrupção do sentido, indicada por uma série de pontos; (mús.) suspensão, prolongamento duma nota ou pausa; suspensão, dúvida, hesitação, incerteza; (med.) supresão.

suspenso, sa. *p. p. irreg.* de *suspender* e *adj.* suspenso, pendurado, pendente; iminente; hesitante, irresoluto; interrompido; diferido; adiado; suspenso, admirado, perplexo. — *m.* reprovado em exame, adiamento.

suspensores. *m. pl.* (Amér.) suspensórios, alças com que se seguram as calças e que passam por cima dos ombros.

suspensorio, ria. *adj.* suspensório, próprio para fazer suspender. — *m.* suspensório, cinta, ligadura para amparar o escroto.

suspicacia. *f.* suspicácia, qualidade de suspicaz; suspicácia, desconfiança, suspeita.

suspicaz. *adj.* suspicaz, desconfiado, suspeito, que inspira desconfiança, suspeitoso.

suspirado, da. *p. p.* de *suspirar* e *adj.* suspirado; (fig.) suspirado, muito desejado.

suspirar. *v. intr.* suspirar, dar suspiros; (fig.) soprar brandamente; sussurrar; desejar ardentemente; ambicionar, suspirar; ter saudades de: *suspirar por*, suspirar por, desejar ardentemente.

suspiro. *m.* suspiro, aspiração forte e prolongada; assobio feito de vidro, apito; suspiro, bolo muito leve feito de farinha, ovo e açúcar; (bot.) V. **trinitaria**; pausa breve; murmúrio, sussurro do vento, *exhalar el último suspiro*, dar o último suspiro.

suspiroso, sa. *adj.* anelante, que suspira com dificuldade.

sustentable. *adj.* sustentável, que se pode sustentar ou defender com razões; defensável.

sustentación. *f.* sustentação, sustento, sustentamento; sustentáculo.

sustentáculo. *m.* sustentáculo, apoio, base, suporte; (fig.) amparo, arrimo; protecção, defesa.

sustentador, ra. *adj.* e *s.* sustentador, que sustenta.

sustentamiento. *m.* sustentação; segurança, apoio; manutenção, sustento.

sustentar. *v. tr.* sustentar, manter; sustentar, suster; aguentar; amparar; resistir a; fazer frente; conservar; manter, alimentar, sustentar; subsidiar; dar ânimo, alentar; sustentar, defender uma doutrina, proposição, etc. sustentar, escorar; afirmar. — *v. r.* sustentar-se, manter-se; suster-se; equilibrar-se; subsistir; conservar a mesma situação, manter-se: *sustentar el propio punto de vista*, levar a sua adiante.

sustento. *m.* sustento, alimento, mantimento; manutenção, comida; sustento, apoio, arrimo, amparo; protecção; defesa; conservação, sustentação.

sustitución. *f.* V. **substitución.**

susto. *m.* susto, me(ê)do repentino; sobressalto, impressão repentina de pavor; temor profundo; (fig.) susto, preocupação por alguma desgraça que se teme.

susurración. *f.* sussurro, som baixo e confuso, murmúrção secreta, murmúrio; cício; zumbido. ,

susurrador, ra. *adj.* e *s.* sussurrante, que murmura ou sussurra; rumorejante.

susurrar. *v. intr.* sussurrar, fazer sussurro, murmurar; sussurrar, soar, espalhar-se, começar-se a dizer ou a divulgar uma coisa que se ignorava; segredar; (fig.) sussurrar,

mover-se com ruído suave (o ar, o regato, etc.); zumbir, zunir. — *v. r.* começar a divulgar-se; (fam.) bichanar, cochichar; arrulhar.

susurro. *m.* sussurro, murmúrio, som confuso; ruído produzido por pessoas que falam em voz baixa; zumbido; cício, ciciamento; bichanada.

susurrón, na. *adj.* e *s.* (fam.) murmurador, que fala às escondidas.

sutil. *adj.* subtil, ténue, fino, delicado; ligeiro; agudo; incorporal; ambagioso; metafísico; arguioso; argueireiro; arguto; afinado; chicaneiro; delgado, destro; delicado, ardiloso; (fig.) etéreo; agudo, engenhoso, perspicaz; fino, penetrante, que escapa ao tacto; (fig.) caviloso, hábil; delicado; primoroso, leve, manso.

sutileza ou **sutilidad.** *f.* subtileza, qualidade de sútil; delicadeza; subtilidade; (fig.) dito ou conceito excessivamente agudo e falto de exactidão; subtileza, penetração, perspicácia; astúcia; artifício; subtileza, arte, delgadeza; argúcia; estratagema; dito agudo; agudeza, aguçamento; (fig.) acume, acuidade; subtileza, delicadeza, temeridade; agudeza de espírito; argumento ou raciocínio para embaraçar outrem.

sutilizar. *v. tr.* subtilizar, metafisicar; tornar subtil, subtilizar; atenuar; acadimar; adelgaçar; chicanar; astuciar; (fig.) alambicar; limar, aperfeiçoar; raciocinar com subtileza; volatilizar; subtilizar, discorrer com subtileza, engenhosamente; argumentar subtilmente.

sutura. *f.* (cir.) sutura, costura cirúrgica das bordas duma ferida; costura, juntura: *punto de sutura*, ponto de sutura.

sutural. *adj.* sutural, relativo às suturas.

suturar. *v. tr.* (cir.) fazer suturas, suturar.

suyo, suya. *pron. poss.* 3ª pessoa. seu, sua; seu, dele; dela. — *pl.* seus, suas, deles; *salirse con la suya*, fazer a sua vontade ou capricho; *de suyo*, de seu, de si mesmo, naturalmente; *él se saldrá con la suya*, ele levará a sua avante; *hacer de las suyas*, fazer das suas; *a cada cual lo suyo*, o seu a seu dono; *el suyo*, os seus (ant.) sendos; *los suyos*, os seus; *no tener un momento suyo*, não ter um momento de seu.

svástica. *f.* suástica, diagrama místico de bom agouro; gamada.

T

T, t. *f.* vigésima terceira letra do alfabeto espanhol e décima nona das suas consoantes; T. abreviatura de tonelada.

¡ta! *interj.* alto aí!, basta!, tá!

taba. *f.* astrágalo. ganiz, ossinho situado na articulação do jogo da perna do boi ou do carneiro; encarne: *menear las tabas*, andar muito de pressa; (Amér.) falar muito.

tabacal. *m.* tabacal, lugar semeado de tabaco.

tabacalera. *f.* charutaria.

tabacalero, ra. *adj.* e *s.* pertencente ou relativo ao cultivo,fabricação e venda do tabaco; tabacino; diz-se da pessoa que cultiva ou vende tabaco.

tabaco. *m.* (bot.) tabaco, planta solanácea; tabaco, charuto; folha de tabaco preparada para dievrsos usos.

tabacoso, sa. *adj.* (fam.) tabaquista, diz-se do que cheira muito rapé; manchado com tabaco; diz-se da árvore atacada da doença do tabaco; tabaqueiro, tabaquento, sujo de tabaco ou rapé.

tabalada. *f.* V. **tabanazo** e **tamborilada.**

tabalario. *m.* (fam.) V. **tafanario.**

tabalear. *v. tr.* mexer, mover, agitar uma coisa. — *v. intr.* tamborilar, tocar com os dedos sobre uma superfície qualquer.

tabaleo. *m.* agitação, movimento, acção e efeito de mover uma coisa dum lado para outro.

tabanco. *m.* banca, barraca, tenda nas ruas ou mercados; (Amér.) desvão.

tabanque. *m.* torno de oleiro; atabaque.

tabaola. *f.* algazarra, bulha, barulho; gritaria, motim; tagarela. V. **batahola.**

tabaque. *m.* açafate, cestinho de costura; tachinha, preguinho de cabeça pouco maior que a tacha; brocha, tacha, cravo.

tabaquera. *f.* tabaqueira, caixa de rapé; fornilho do cachimbo; cheirador, (prov.) fumadeira; cheiradeira.

tabaquería. *f.* tabacaria, loja onde se vende tabaco; oficina onde se fazen charutos; estanco.

tabaquero, ra. *adj.* e *s.* pessoa que faz charutos, que os vende ou negoceia em tabaco; tabaqueiro.

tabaquismo. *m.* tabajismo, intoxicação produzida pelo abuso do tabaco.

tabaquista. *s.* tabaquista, conhecedor de tabacos; pessoa que cheira ou fuma muito tabaco; tabaquista, tabaqueiro.

tabardillo. *m.* (med.) febre grave e contagiosa: *tabardillo pintado*, tabardilho, tifo exantemático.

tabardo. *m.* tabardo, antigo capote de mangas e capuz; casaco de pano grosso; dalmática dos arautos e rei de armas.

tabarra. *f.* (fam.) maçada, conversação fatigante e enfadonha: *dar tabarra*, molestar, aborrecer.

tabear. *v. intr.* (Amér.) conversar, parolar, parlar, tagarelar.

tabellar. *v. tr.* dobrar as peças de tecido. deixando livres as ourelas; tabelar, marcar ou pôr os carimbos da fábrica em tecidos; marcar as fazendas; submeter à tabela oficial dos preços (de géneros expostos à venda); fixar o preço de.

taberna. *f.* taberna, casa onde se vende vinho e outras bebidas a retalho; taberna, bodega; betesga; loja de bebidas; (pop.) ermida; tasca; casa de bebidas e comidas; baiuca; (fig.) casa imunda: *andar de taberna*, decilitrar.

tabernáculo. *m.* tabernáculo, tenda, pavilhão; tabernáculo, Sacrário, lugar onde se guarda o S. S. Sacramento; tabernáculo, lugar onde os Hebreus tinham colocada a Arca do Testamento; (fig.) tabernáculo, morada; lares.

tabernera. *f.* taberneira, mulher do taberneiro; taberneira, mulher que vende vinho na taberna.

tabernería. *f.* profissão de taberneiro.

tabernero. *m.* taberneiro, bodegueiro; bodegão; decilitreiro; o que vende vinho na taberna; (fig.) homem pouco asseado, grosseiro; sujo.

tabernucho. *m.* (depr.) taberna pequena e suja.

tabes. *f.* (med.) tabes, doença, consupção; enfranquecimento.

tabescencia. *f.* enfranquecimento.

tabético, ca. *adj.* pertencente ou relativo a tabes, que sofre tabes; tabético.

tabia. *f.* (arq.) tabica, tabuazinha para tapar um vão; (mar.) a última peça da borda do navio.

tabicar. *v. tr.* tabicar, pôr ou fazer tabiques em; pôr tabiques em; fechar com tabiques; (fig.) fechar, tapar, entupir uma coisa que devia estar aberta.

tabicón. *m.* aum. de *tabique*, tabique que não passa dum pé de largura; adobe, tijolo cru.

tábido, da. *adj.* (med.) tábido, podre, corrompido; corrupto; consumido, extenuado; sanioso; que encerra podridão; atacado de tabes; consumido pelo marasmo.

tabífico, ca. *adj.* (med.) tabífico, que corrompe, que faz corromper; que faz apodrecer.

tabique. *m.* tabique, parede delgada feita de tijolos, brita ou adobes; (por ext.) apartamento, divisória, taipa divisão que separa dois compartimentos; membrana que separa duas cavidades; tabique, frontal; anteparo; (anat.) membrana que divide duas cavidades; (bot.) membrana que divide o interior dos frutos: *tabique maestro*, parede mestra; *tabique de maderas*, tabuado, entabuamento.

tabiquería. *f.* conjunto ou série de tabiques.

tabla. *f.* tábua, peça plana de madeira; banca, mesa, balcão; macho; prega dum vestido; tábua, mapa, quadro; boana; falheiro; aduela; macho; tábua, face maior duma esquadria; lista, catálogo; índex, índice; minuta; tábua, enxaimel; tabuada; tabela (do bilhar); macho, prega, franzido; tábua, faixa de terra entre duas filas de árvores; tabuleiro, canteiro (de horta); posto aduaneiro; balcão de talho; talho, açougue; tábua, lâmina ou placa de qualquer matéria e de forma plana; tábua, parte mais larga e carnuda de certos membros do corpo. — *pl.* tábuas, palco onde representam os comediantes; cenário, tablado; barreira das praças de touros; tábuas, empate no jogo de xadrês, de damas, etc. tábuas da lei.

tablachero. *m.* o que cuida das comportas e das turmas de rega.

tablachina. *f.* escudo de madeira.

tablacho. *m.* comporta para deter a água.

tablado. *m.* tablado, estrado, palco; tabuado, sobrado; andaime; tablado, palco; tábuas da cama; patíbulo; estrado, palanque; tábuas de leito.

tablaje. *m.* tabuado, conjunto de tábuas; tabulagem, casa de jogo; ganho.

tablajero. *m.* carpinteiro que faz tablados; tabulageiro, o que toma parte nos jogos de azar; carniceiro, cortador, açougueiro, o que corta a carne nos talhos; pessoa que cobra os direitos reais; (prov.) praticante, enfermeiro de hospital; dono ou frequentador de casa de jogo.

tablar. *m.* conjunto de tabuleiros ou canteiros (de horta ou jardim); alfobre.

tablazo. *m.* pancada dada com uma tábua;

porção ou braço de rio ou mar, pouco profundo e comprido.

tablazón. *f.* conjunto de tábuas, tabuado, madeiramento para cobrir ou forrar embarcação; tabuado, sobrado, tapume de tábuas; soalho.

tableado, da. *p. p.* de *tablear* e *adj.* tabuado, dividido em tábuas, franzido. — *m.* franzimento, franzido, pregueado, conjunto de tábuas dum vestido.

tablear. *v. tr.* dividir a terra em canteiros ou tabuleiros; aplanar a terra; dividir a madeira em tábuas; preguear, fazer pregas na roupa; franzir; reduzir barras de metal a folhas ou lâminas.

tableo. *m.* acção e efeito de *tablear*, tabla; chapa; lâmina.

tablera. *f.* mendiga que pedia esmola tocando uma matraca chamada; *tablillas de S. Lázaro*.

tablero. *m.* tábua aparelhada; diz-se do madeiro próprio para ser cortado em tábuas; tronco de que se tiram tábuas; tabuleiro, peça de madeira com rebordos; tabuleiro, tábua de madeira com divisões; tabuleiro para vários jogos; mesa de jogo; tábua aparelhada para servir; tabual, prego próprio para tábuas; casa de jogo; patamar, patim; espaço plano numa igreja ou noutro edifício; pedaço de jardim ou horta limitado por bordadura; mesa de alfaiate; tabuleiro, quadro negro de escola; (arq.) plano saliente com molduras; ábaco; secção duma salina; talhão; canteiro.

tableta. *f.* dim. tabuinha; (farm.) comprimido, pastilha.

tableteado. *m.* ruído de tábuas que se batem.

tabletear. *v. intr.* matraquear, fazer ruído com tábuas; mover tábuas fazendo ruído com elas.

tableteo. *m.* matraqueamento; acção e efeito de *tabletear*.

tablilla. *f.* dim. de *tabla*. tabuinha; tabela, tabuleta, quadro para afixar avisos; tabela, tablilha, bordo interno da mesa do bilhar; barra de chocolate; matracas que se usam para pedir esmola em Espanha para os hospitais de S. Lázaro.

tablón. *m.* aum. de *tabla*; tabuão, tábua grande; pranchão, prancha; enxaimel; (pop.) berzunda, berzundela, embriaguez: *cojer un tablón*, (pop.) empeitar-se, encarraspanar-se.

tablonaje. *m.* pilha de tábuas; conjunto de tabuões.

tablonillo. *m.* dim. de *tablón*; prancheta, pequena prancha; madeira ou tábuas serradas em diferentes dimensões; assento da última fila das trincheras nas praças de touros; tábua que forma o assento da retrete; tabuão delgado.

tabloza. *f.* paleta de pintor.

tabor. *m.* unidade de tropas marroquinas do exército espanhol.

tabú. *m.* tabú, proibição religiosa entre os indígenas da Polinésia.

tabuco. *m.* cubículo, quarto pequeno e mau; compartimento acanhado, desvão.

tabulador. *m.* peça de máquinas de escrever para formar colunas.

taburete. *m.* tamborete, cadeira de braços sem espaldar. — *pl.* camarotes de teatro próximos ao palco.

tac. *m.* tiquetaque, ruído cadenciado que produzem certos movimentos compassados. — *m.* repetido.

taca. *f.* pequeno armário.

tacada. *f.* golpe de taco; espécie de carambolas no jogo do bilhar; cho(ô)fre; falqueta; (mar.) conjunto de pedaços de madeira que fazem de cunha para mover ou levantar alguma coisa.

tacana. *f.* (min.) certo mineral abundante em prata de cor negrusco.

tacañear. *v. intr.* amealhar, tacanhear; obrar com sovinice; proceder como tacanho; mostrar-se tacanho.

tacañería. *f.* mesquinharia, tacanharia, tacanhice, tacanheza, tacanhez; mesquinhez; sovinice; mesquindade; ape(ê)rto; cicateria; velhacaria, astúcia vil; miséria; avarez sórdida; pequenez; qualidade de tacanho: *andar con tacañerías*, (fam.) cicatear; *vivir con tacañería*, viver no maior aperto.

tacaño, ña. *adj.* tacanho, sovina, avarento; mesquinho; miserável; duro; amealhador; famaco; avaro; acanhado; astuto; velhaco; vil; mesquinho, pequeno, acanhado: *ser tacaño*, apertar a mão; encolher a mão; apertado em dar; *volverse tacaño*, atacanhar.

tacar. *v. tr.* assinalar, marcar com mancha ou mossa.

tacazo. *m.* tacada, pancada com o taco no jogo do bilhar; cho(ô)fre.

taceta. *f.* vasilha de cobre para transvasar azeite.

tacita. *f.* dim. de *taza;* tigelinha, tigela pequena: *tacita de plata*, diz-se do que está muito limpo e polido.

tácito, ta. *adj.* tácito, silencioso, implícito, subentendido; não expresso; secreto; calado.

taciturnidad. *f.* taciturnidade, qualidade de taciturno.

taciturno, na. *adj.* taciturno, tristonho, melancólico; macambuzio; taciturno, calado, silencioso; triste, sombrio; que fala pouco; silencioso; misantropo.

taclobo. *m.* concha dum molusco das Ilhas Filipinas.

taco. *m.* taco, tarugo, pau roliço; taco, prego de madeira, chapuz; taco, cacete, toco; taco (do jogo do bilhar); taco, calendário de parede com uma folha para cada dia; torno de madeira; taco, estalo, canudo de pau de sabugueiro com que brincam os rapazes; vareta de espingarda; bucha de arma de fogo; (fig. e fam.) taco, refeição ligeira entre o almoço e o jantar; taco, trago de vinho; taco, voto, palavrada, juramento, palavrão; eructação; blasfé(è)mia; imprecação; **taco**, bocado.

taco. *adj.* (Amér.) casquilho, peralta, janota, diz-se da pessoa que veste segundo a última moda. V. **currutaco.**

tacón. *m.* tacão, salto (de sapato); quadro que segura o papel ao ser impresso: *poner tacones a unos zapatos*, atacoar.

taconazo. *m.* pancada dada com tacão; golpe com o tacão.

taconear. *v. intr.* andar fazendo ruído ou barulho com os tacões; bater os tacões; (fig.) andar com arrogância, janotar. — *v. tr.* (Amér.) V. **taponear.**

taconeo. *m.* acção e efeito de *taconear.*

táctica. *f.* tá(c)tica, arte que ensina a pôr bem as coisas; (mil.) táctica, arte de combater; (fig.) habilidade; jeito, sistema especial para conseguir um fim, táctica; ter grande conhecimento do mundo; estratégia.

táctico, ca. *adj.* tá(c)tico, referente à táctica. — *m.* táctico, indivíduo perito em táctica.

táctil. *adj.* tá(c)til, referente ao tacto.

tacto. *m.* tacto, sentido pelo qual se apreciam as formas das coisas ou dos objectos; acção de tocar, acção de palpar; tino; (fig.) chumbo; madureza; (fig.) tacto, habilidade, prudência, acerto, manha, tino; sagacidade; vocação; tacto, toque, o acto de apalpar.

tacha. *f.* tacha, nódoa, mácula, falta; (Bras.) mendácula; inabilidade; defeito numa pessoa ou coisa; tacha, prego pequeno de cabeça chata; (for.) tacha, motivo legal para desprezar um testemunho; falta, defeito, nota: *cosa sin tacha*, coisa sem falta.

tachable. *adj.* censurável, criticável.

tachado, da. *p. p.* de *tachar* e *adj.* tachado, notado, censurado; borrado, apagado, aspado; riscado.

tachador, ra. *adj.* censurador, diz-se do que censura ou põe defeito.

tachadura. *f.* acção e efeito de borrar ou riscar algum escrito; riscadura; expurgação.

tachar. *v. tr.* tachar, notar, censurar, pôr defeito em; borrar, apagar, riscar com traços algum escrito; emendar; alegar um motivo legal para recusar um testemunho; expurgar; (fig.) culpar, censurar.

tachero. *m.* operário que lida com os tachos nos engenhos de açúcar.

tachón. *m.* tachão, tacha grande de cabeça dourada ou prateada; traço, risco de pena sobre o que está escrito.

tachonar. *v. tr.* tachonar, ornar com tachões, preguear com tachões; enfeitar uma coisa com galões ou frutas.

tachonería. *f.* obra tachonada, ornada com tachões.

tachoso, sa. *adj.* defeituoso; que tem defeito ou tacha; pechoso.

tachuela. *f.* tachinha, tacha pequena; percevejo; (Amér.) tachinho, tacho pequeno; (fig. e fam.) pessoa de baixa estatura.

tafanario. *m.* (fam.) traseiro, parte posterior do corpo humano.

tafetán. *m.* tafetá, tecido fino de seda muito lustroso. — *pl.* (fig.) bandeiras, estandartes; enfeites femininos.

tafia. *f.* tafiá, aguardente de cana; cachaça.

tafilete. *m.* tafilete, couro fino; marroquim fino.

tafiletear. *v. tr.* adornar, enfeitar ou compor com tafilete ou marroquim.

tafiletería. *f.* arte de preparar o tafilete; loja onde se vende; oficina onde se prepara.

tafo. *m.* cheiro activo e desagradável; olfacto. V. **olfato.**

tagarino, na. *adj.* e *s.* tagarino, diz-se dos antigos mouros que viviam entre os cristãos.

tagarote. *m.* tagarote, nome dum falcão africano; amanuense, escrevente de tabelião ou notário; (fam.) homem alto e deselegante; fidalgo pobre que vive à custa alheia.

tagarotear. *v. intr.* escrever com desembaraço e ligeireza.

tahalí. *m.* talim, boldrié, charpa, caixa de couro pequena para relíquia.

taharal. *m.* tamargal. V. **tarayal.**

taheño, ña. *adj.* barbirruivo, diz-se do cabelo avermelhado.

tahona. *f.* atafona, moinho para farinha cuja roda é movida por força animal; azenha; padaria, casa onde se coze e vende pão.

tahonera. *f.* atafoneira, a que tem atafona; padeira, mulher do padeiro.

tahonero. *m.* atafoneiro, o que possui uma atafona; padeiro, o que tem padaria.

tahulla. *f.* espécie de medida agrária.

tahúr, ra. *adj.* taful, jogador por ofício ou hábito. — *m.* jogador trapaceiro; aquele que frequenta casas de jogo; bom jogador; estafador, trapaceiro; fulheiro.

tahurería. *f.* tafularia, casa de jogo; tafulice, vício de taful; batotice, trapaça ao jogo; tafularia, vida de jogador por ofício.

taifa. *f.* bando, parcialidade; (fig. e fam.) súcia, corja, conjunto de pessoas de má vida; ou de pouco juízo.

taimado, da. *adj.* taimado; malicioso, astuto; matreiro, velhaco, galopim, fariseu; dúplice; ataimado.

taimarse. *v. r.* (Amér.) obstinar-se, perseverar com tenacidade.

taimería. *f.* velhacaria, astúcia, malícia.

taina. *f.* cobertiço para o gado; coice; termo, chegada.

tiana. *f.* taino, língua usada no noroeste do Brasil.

taire. *m.* (pop.) bofetada, cachaço.

taita. *f.* papá, nome infantil de pai; nome dado aos anciãos pretos.

taja. *f.* cangalhas (para carga); tábua de lavadeira.

taja. *f.* talha, corte, repartimento, distribuição.

tajada. *f.* talhada, porção que se corta duma coisa; fatia; (pop.) tachada, borracheira, embriaguez, bebedeira, berzunda, berzundela; rouquidão ou tosse produzida por constipação; (Amér.) talho, corte.

tajadera. *f.* talhadeira, instrumento em forma de meia-lua, para cortar; tábua em que se corta a carne nas cozinhas. — *pl.* comportas para deter a corrente da água, entalho, chanfradura das gamelas de pau.

tajadero. *m.* talhador, cepo de talho para cortar a carne; (ant.) talhador, trincho, prato grande de trinchar.

tajadilla. *f.* talhadinha; guisado de fressuras; gomo de laranja ou limão para os bebedores de aguardente.

tajado, da. *p. p.* de *tajar* e *adj.* talhado, cortado, diz-se da costa ou rocha cortada verticalmente; talhado, diz-se do escudo dividido diagonalmente da esquerda para a direita.

tajador, ra. *adj.* talhador, que talha ou corta. — *m.* talhador, cepo para cortar carne.

tajadura. *f.* talhadura, acção e efeito de talhar ou cortar, talhamento, talha.

tajamar. *m.* (mar.) talha-mar, beque de navio; talha-mar, obra angular para quebrar a força da água; dique, esporão; (germ.) faca de mato.

tajamiento. *m.* talhadura, talhamento.

tajante. *p. a.* de *tajar* e *adj.* talhante, cortante, que talha ou corta. — *m.* talhante, cortador de carnes verdes.

tajaplumas. *m.* canivete. V. **cortaplumas.**

tajar. *v. tr.* talhar, cortar, dividir uma coisa em duas ou mais partes com instrumento cortante; aparar a pena de ave para escrever.

tajea. *f.* bueiro, cano para escoamento de água por baixo duma estrada.

tajo. *m.* talho, corte feito com instrumento cortante; talho, aparo da pena de escrever; cutilada; tarefa, trabalho que se deve fazer em determinado tempo; lugar até onde chega, em tarefa, um grupo de trabalhadores; talho, fio, gume, corte; fragura de monte ou penhasco; tábua de picar a carne; cepo para decapitar os condenados; movimento com a espada, da direita para a esquerda.

tajuela. *f.* banco de lavadeira. V. **tajuelo.**

tajuelo. *m.* (mar.) prancheta de ferro do cabrestante.

tal. *adj.* tal; semelhante, igual, similar; tal, tão grande, tamanho; tal, um certo. — *adv.* tal, desta maneira, assim mesmo.

tala. *f.* (bot.) acção e efeito de talar; corte de árvores; desrama; desbaste; atalhada; (ant.) despopulação; certo jogo de rapazes, bilharda; desarborização; decepamento; decepagem; derruba.

talabarte. *m.* talabarte, boldrié; cinturão, tarim.

talabartería. *f.* correaria, loja ou oficina de correeiro.

talabartero. *m.* correeiro, seleiro; o que faz talabartes.

talador, ra. *s.* e *adj.* talador, que tala.

taladrador, ra. *adj.* e *s.* furador, que fura com broca, trado ou verruma. — *f.* máquina para furar.

taladrar. v. tr. furar, assovinar; abrir; tradear, furar com trado; brocar, verrumar; (fig.) estrugir, atroar, aturdir os ouvidos; (fig.) penetrar, perceber com o discurso uma matéria duvidosa.

taladro. m. trado, broca, forame; abre-ilhós; berbequim; barbequim; verruma; (zool.) molusco gastrópode.

talaje. m. (Amér.) pastagem, acção de apascentar o gado nos campos e preço que se paga por isso.

talamete. m. (mar.) coberta parcial na proa de embarcações pequenas.

talamite. m. remeiro da fileira inferior nas antigas embarcações.

tálamo. m. tálamo, cama, leito nupcial; leito conjugal; (fig.) núpcias; (zool.) tálamo, insecto coleóptero.

talamoco, ca. adj. (Amér.) albino, falto de pigmentação.

talán. m. voz imitativa do sino; usa-se mais repetido.

talanquera. f. tranqueira, valo; paliçada ou parede que serve de defesa; defesa e segurança; trincheira de tábuas.

talante. m. talante, arbitrio; talante, desejo, vontade; talante, maneira de executar uma coisa; talante, catadura, aspecto, disposição pessoal: estar de buen o mal talante, achar alguém de boa ou má data; buen talante, amenidade; de mal talante, de mau humor.

talar. v. tr. talar, destruir, assolar, devastar; desgalhar; desramar; forragear; desmontar; decepar; assolar; (agr.) desmoitar; derrotar; desarborizar; cortar pelo pé as árvores; podar (oliveiras).

talar. adj. talar, que chega aos calcanhares; diz-se das vestes eclesiásticas; batina.

talasofobia. f. (pat.) talassofobia.

talasómetro. m. (mar.) talasó(ô)metro.

talasoterapia. f. talassoterapia.

talco. m. (min.) talco, silicato de magnésia; pedra falsa; ouropel; brilho falso; usa-se em lâminas muito finas para bordados e enfeites; reduzida a pó, usa-se em farmácia.

talcoso, sa. adj. composto ou abundante em talco.

talcualillo, lla. adj. (fam.) que não sai da mediania; que é ou está medianamente; que vai experimentando alguma melhoria.

tálea. f. paliçada, estacada dos acampamentos romanos.

taled. m. pano de lã com que os judeus cobrem a cabeça nas suas cerimónias religiosas.

talega. f. taleiga, saco pequeno e largo; fardel; taleigada; o que se guarda na taleiga; bo(ô)lsa que usavam as mulheres para preservar o penteado; coifa; touca; cueiro; soma de mil pesos fortes em prata; (fam.) dinheirão, dinheirama; (fig. e fam.) muitos pecados para confessar.

talego. m. fardel, taleiго, saco comprido e estreito; (fig. e fam.) pessoa muito larga

de cinta, deselegante, saco, pessoa desairosa.

taleguilla. f. taleiguinha, taleiga pequena; calção de toureiro; (fig. e fam.) dinheiro que se gasta diàriamente numa casa.

talento. m. talento, moeda imaginária entre os antigos gregos e romanos; talento, conjunto de dotes naturais; talento, dotes intelectuais; grande inteligência; aptidão natural ou faculdade adquirida; talento, despejo; engenho; cabeça forte; mente; (fig.) chispa; alcance: sin talento, desprendado.

talio. m. (quím.) tálio, metal branco semelhante ao chumbo.

talión. m. talião, punição semelhante à ofensa; castigo igual à culpa.

talionar. v. tr. talionar, aplicar a pena de talião a alguém.

talismán. m. talismã, objecto a que se atribuem virtudes; carácter, figura ou objecto simbólico e supersticioso; (fig.) tudo o que produz um efeito surpreendente; encanto; amuleto; talisman, doutor na lei maometana.

talmo. f. espécie de pequena capa de abrigo.

Talmud. m. Talmude, Talmud, livro que contém a lei e as tradições dos judeus.

talmúdico, ca. adj. talmúdico, referente ao Talmude.

talmudista. m. e f. talmudista, o que professa a doutrina do Talmude.

talocha. f. instrumento de alvenaria, talocha.

talón. m. talão, calcanhar; talão, parte do recibo; (arq.) talão, moldura côncava dum lado e convexa por outro; talão, calcanhar de meia ou sapato; parte posterior do pé do homem e dalguns animais; (técn.) talão, entalhe duma viga para assentar o chincharel; cada uma das partes de que se compõe uma muralha: conocer donde se tiene el talón de Aquiles, saber do achaque da vinha; pisar los talones a alguien, ir nas estribeiras de alguém, acossar-se com alguém; seguir de perto; apretar uno los talones, deitar a correr; talón de venta, talão de venda.

talón. m. padrão monetário.

talonario, ria. adj. talonário; diz-se do documento que se corta dum livro ficando neste o talão ou contraprova.—m. (Amér.) livro de talões.

talonear. v. intr. (fam.) calcorrear, caminhar a pé; (Amér.) incitar às cavalgaduras batendo-lhe com os talões ou calcanhares.

talpa(ria). f. (med.) abcesso que se forma no interior dos tecidos da cabeça.

talque. m. talco, barro branco de que se fazem cadinhos ou crisóis.

talquita. f. (min.) rocha xistosa composta principalmente de talco.

talud. m. (arq.) talude, inclinação de muro; declive, rampa; escarpa; inclinação dum terreno, fosso, etc.

talla. f. talha, obra de escultura especialmente em madeira; entalhe; talha, tributo antigo; talha, estatura, cintura; envergadura; talha, marca, medida; (cir.) talha, operação, incisão; talha, resgate pela libertade dum cativo; talha, relevo em pedra ou madeira; (mil.) instrumento para medir a talha duma pessoa, estatura ou altura; talha, no jogo da banca e outros: *obra de talla,* entalhe, escultura em meio-relevo.

talla. *f.* (mar.) talha, aparelho composto por um ou mais cardenais de dois gornes ou mais gornes e um moitão.

tallado, da. *p. p.* de *tallar* e *adj.* talhado. — *m.* talhamento: *bien o mal tallado,* com bom ou mal talhe, bem ou mal talhado.

tallado, da. *adj.* (heráld.) talhado, diz-se dos ramos que têm o talo de diferente esmalte.

tallador. *m.* talhador, que talha; gravador; abridor: *tallador en hueco,* gravador.

talladura. *f.* entalhadura; obra de talha; escultura e gravura em madeira.

tallar. *v. tr.* e *intr.* talhar, entalhar, esculpir, gravar, abrir em madeira ou metal; talhar, bancar, fazer banca; talhar, descoser; talhar, lavrar pedras preciosas; abrir metais; talhar, avaliar; talhar, ser banqueiro, jogar só contra todos; talhar, medir a estatura duma pessoa; (Amér.) conversar, cavaquear; falar de amores um homem e una mulher; (ant.) cortar, fender, talhar: *tallar en bajorrelieve o media talla,* entretalhar.

tallar. *adj.* que pode ser cortado ou talado; diz-se duma classe de pentes pequenos. — *m.* monte ou mata que está renovando mata ou bosque novo em que se pode fazer o primeiro corte.

tallarín. *m.* talharim, massa de macarrão em tiras delgadas (usa-se no plural).

tallarola. *f.* talharola, espécie de faca para cortar a trama dos tecidos de veludo, nos teares.

talle. *m.* talhe, feitio, feição do corpo ou do vestido; talho, estatura; a feição de qualquer objecto; (fig.) disposição, aparência, feição, proporção; forma; figura.

tallecer. *v. intr.* entalecer, grelar. V. **entallecer.** — *conj. irr.* como *crecer.*

tallecillo. *m.* figurinha (diz-se em sentido irónico).

táller. *m.* táler, moeda alemã. V. **tálero.**

taller. *m.* oficina de trabalho manual; escola; estudo, seminário de ciências: *taller de ajuste,* oficina onde os operários ajustam as peças duma máquina; *taller de montaje,* oficina de montagem.

taller. *m.* galheteiro.

talleta. *f.* (Amér.) V. **alfajor.**

tallista. *s.* entalhador, o que faz obras de talha; escultor, o que esculpe.

tallo. *m.* (bot.) talo, haste duma planta, caule; renovo, rebento duma planta; fuste ou tronco de coluna sem base nem capitel; talo, fatia confitada de abóbora, melão, etc.: *sin tallo,* (bot.) descaulecido, descaulino; acaule.

talludo, da. *adj.* taludo, que tem caule desen-

volvido; (fig.) taludo, crescido, alto; diz-se da mulher ou homem quando vai passando a juventude; apegado, aferrado, afincado; taludo, corpulento, importante; grande.

tamaño, ña. *adj.* tamanho, tão grande, tão pequeno; *superl.* muito grande, muito pequeno. — *m.* tamanho, magnitude, grandeza, volume; dimensões; maior ou menor dimensão ou volume que alguma coisa: *tamaño natural,* tamanho natural; *clasificar por tamaños,* classificar por tamanhos; *de gran tamaño,* decumano.

tamba. *f* (Amér.) tanga (dos índios do Equador).

tambalear. *v. intr.* e *r.* cambalear, andar com passo pouco seguro, oscilar andando; cambotear; não caminhar a direito; caminhar sem firmeza nas pernas; (fig.) vacilar.

tambaleo. *m.* cambaleio.

tambanillo. *m.* (arq.) ressalto sobre porta ou janela.

tambarillo. *m.* arca, cofre, caixa com tampa abaulada.

tambero, ra. *adj.* tambeiro, diz-se do gado manso.

también. *adv.* também, da mesma forma, realmente, outrossim, tanto ou assim; do mesmo modo, igualmente.

tambo. *m.* lugar onde se ordenham as vacas; tambo, reunião de pretos africanos para se divertirem. V. **mesón** e **venta.**

tambor. *m.* (mús.) tambor (instrumento); tambor (o que o toca); tambor, cilindro, caixa para torrar café; bastidor de bordar; tambor, muro cilíndrico que serve de base a uma cúpula; tambor, tímpano do ouvido; (mec.) tambor, peça cilíndrica; (arq.) tambor, cada uma das fiadas de pedras cilíndricas do fuste de uma coluna; tambor, cilindro da mola dos relógios; tambor, maciço ou fuso de escada de caracol: *tambor mayor,* (mil.) tambor-mor.

tambora. *f.* bombo, tambor grande.

tamborear. *v. intr.* tamborilar, tocar com as pontas dos dedos.

tamborete. *m.* tamboril, tambor pequeno; (mar.) tamborete, pedaço de madeira que serve para segurar a um mastro outro sobreposto.

tamboril. *m.* tamboril, tambor pequeno que se toca com uma só baqueta; atabaque.

tamborilada. *f.* V. **tamborilazo.**

tamborilazo. *m.* (fig. e fam.) bate-cu, pancada no chão com as nádegas, caindo; palmada na cabeça ou nas costas, cachação.

tamborilear. *v. intr.* tamborilar, tocar o tamboril; exaltar, elogiar; exalçar, gabar muito alguém; tocar frequentemente o tamboril; (impr.) igualar, assentar as letras batendo no tamborete.

tamborilero. *m.* tamborileiro, o que toca tamboril.

tamborilete. *m.* tamborilete; (impr.) tamborete, tabuinha quadrada para assentar as formas batendo-lhe com o martelo.

tamborín. *m.* tamboril.

tamborino. *m.* tamboril; tamborileiro.
tamboritear. *v. intr.* tamborilar. V. **tamborilear.**
tamborón. *m.* bombo grande.
tambre. *m.* (Amér.) acéquia, açude.
tamiz. *m.* tamis, peneira muito espessa.
tamizar. *v. tr.* tamisar, passar pelo tamis; sengar, cirandar; depurar.
tamo. *m.* tamo, felpa, pêlo, cotão do linho, algodão ou lã; pó ou palha muito miúda de cereais trilhados; cotão, lixo que se junta debaixo dos móveis.
tampoco. *adv.* também não, tão-pouco.
tampón. *m.* almofada de tinta para carimbos.
tan. *adv.* apócope de *tanto;* tão, tanto; não se emprega para modificar a significação do verbo: *tan siquiera,* sequer, pelo menos.
tan. *m.* som que resulta de tocar o tambor (usa-se repetido); bátega.
tanate. *m.* tanato, espécie de seirão para levar minério no México.
tanato. *m.* (quím.) tanato.
tanatofilia. *f.* tanatofilia.
tanatofobia. *f.* tanatofobia.
tanatología. *f.* tanatologia.
tanda. *f.* alternativa, vez, turno; tarefa, obra, trabalho; capa, camada, turma de trabalhadores; partida de bilhar; número indeterminado de certas coisas do mesmo género; ordem sucessiva, mudança; tanda, quantidade de açoutes; partida de gente empregada numa obra; número de jogos que se devem fazer para ganhar.
tándem. *f.* tandem, bicicleta para duas pessoas.
tanganillas (en). *loc. adv.* por um fio, com pouca segurança, em perigo de cair.
tanganillo. *m.* esteio provisório, calço de pedra, pau ou coisa semelhante; salsicha pequena.
tangencia. *f.* (geom.) tangência: *punto de tangencia,* ponto de tangência.
tangencial. *adj.* tangencial.
tangente *adj.* (geom.) tangente. — *f.* (geom.) tangente: *irse ou escapar por la tangente;* escapar-se pela tangente.
Tánger. (geog.) Tânger.
tangerino, na. *adj* e *s.* (geog.) tangerino.
tangibilidad. *f.* tangibilidade; sensibilidade; evidência.
tangible. *adj.* tangível, palpável, sensível, evidente, inconcusso, que se pode tocar.
tango. *m.* (mús.) tango; fito, jogo da malha; tango, festa e dança de pretos e da gente do povo, na América; música para estes bailes.
tangón. *m.* (mar.) botaló do traquete ou da amura da proa.
tanígeno. *m.* (quim.) tanigénico.
tánico, ca. *adj.* (quim.) taninoso, que contém tanino.
tanino. *m.* (quim.) tanino.
tanque. *m.* tanque, carro de assalto blindado; tanque, reservatório para líquidos; alverca; almácega.
tantalio. *m.* (quim.) tantálio, tântalo.
tantalita. *f.* (min.) tantalite.

tantán. *m.* tam-tam, gongo, tantã. V. **batintín.**
tantarán, tantarantán. *m.* ratalã, som do tambor; (fig. e fam.) golpe, pancada violenta.
tanteador. *m.* apontador, marcador, quadro onde se marcam os pontos ao jogo.
tantear. *v. tr.* medir, comparar uma coisa com outra para ver se está bem; tentear, calcular; ensaiar, marcar os tentos no jogo, calcular, tentear, apontar os pontos no jogo; tentear, ponderar; considerar, examinar com prudência uma pessoa ou coisa; (pint.) bosquejar, esboçar, delinear; (Amér.) experimentar, ponderar, calcular aproximadamente. — *v. r.* optar por uma coisa, dando o mesmo preço.: *tantear el terreno* (fam.) apalpar o terreno.
tanteo. *m.* acção e efeito de tentear; número de tentos que se ganham no jogo; (fig.) tento, juízo prudente, ponderação; (pint.) bosquejo, primeiros traços; exame. *al tanteo,* a olho, aproximadamente.
tantico, ca, llo, lla, to, ta. *adj.* tantinho, tantico, bocadinho, pequena porção. — *adv.* pouco.
tanto, ta. *adj.* tanto, diz-se de quantidade, número ou porção de uma coisa indefinida; tanto, tão grande; tamanho, tal. — *m.* tanto (quantidade certa); porção, cópia dum escrito; tento no jogo; ficha com que se marcam os tentos; (fam.) golpe, pancada, tapona. — *pl.* número indeterminado, tantos. — *adv.* tanto; até tanto; tão; de tal modo, em tal grau; muito; a tal ponto; com tal, insistência.
tántum ergo. *m.* quinta estrofe do hino *Pange língua.*
tañedor, ra. *s.* tangedor, pessoa que tange um instrumento músico.
tañer. *v. tr.* (mús.) tanger, tocar um instrumento musical; tanger, tocar os sinos; . — *v. intr.* tamborilar com os dedos.
tañido. *p. p.* de *tañer* e *adj.* tangido. — *m.* toque, som de instrumento musical; som de coisa tocada, como o de uma campainha.
tañimiento. *m.* tangimento, toque, acção e efeito de tanger.
taño. *m.* casca de árvores (para curtir.)
tao. *m.* tau, insígnia religiosa da ordem de S. João.
taoísmo. *m.* tauismo, doutrina teológica da antiga religião dos chineses.
taoísta. *s.* tauista, o que professa o tauismo.
tapa. *f.* (Amér.) V **estramonio.**
tapa. *f.* tampa, peça móvel com que se tapa uma caixa, um cofre, etc. cobertura; tapa, parte superior do casco dos animais; cada umas das capas de sola que formam o tacão; carne do jarrete; *tapa de livro,* encadernação; *tapa de los sesos,* (fig. e fam.) parte superior do crânio; *tapa de los tacones,* alça.
tapabalazo. *m.* (mar.) cilindro de madeira que usavam os barcos de guerra **para** fechar os buracos feitos com as balas e projécteis.

tapaboca. m. (fam.) tapabo(ô)ca, bofetada na boca para fazer calar; lenço para agasalhar o pescoço, cachecol; (fig. e fam.) argumento irrespondível, que faz calar.

tapabocas. m. V. **tapaboca;** (mil.) tapa, tampa da boca dum canhão.

tapacete. m. (mar.) tolda dum navio; toldo; tejadilho; câmara de um navio.

tapada. f. mulher embuçada, para não ser conhecida; tapada, cerca de arvoredo, mata onde se cria caça.

tapadera. f. encobrideira, coberta, coberteira; cobertura; tampa, testo, que se ajusta à boca de qualquer coisa para a tapar; (fig.) capa, pessoa que encobre o que outra deseja que se ignore; chegadeira; abafador; encobridor.

tapadero. m. tampa grande; instrumento que serve para tapar um buraco; tapume, testo;.

tapadillo. m. emboço, rebuço, acção de rebuçar-se; um dos registos das flautas do órgão: *de tapadillo,* às escondidas, dissimuladamente, secretamente.

tapado, da. p. p. de *tapar* e adj. tapado, abafado, coberto com roupa; coberto, m. (Amér.) sobretudo, casaco para senhora; comida feita de bananas e carne;. — adj. (Amér.) diz-se do cavalo sem manchas nem sinais.

tapador, ra. s. e adj. tapador, que tapa; encobridor. — m. tampa,.

tapadura. f. tapadura, tapamento; tampa; tapume.

tapafunda. f. capelada, peça que cobre a boca dos coldres; cobertura da sela de montar.

tapajuntas. m. (carp.) regulete, moldura que separa as portas e divide as almofadas das paredes.

tápalo. m. (Amér.) manta, xaile.

tapamiento. m. tapamento, tapadura, acção e efeito de tapar.

tapapiés. m. brial (de senhora); vestido

tapar. v. tr. tapar, tampar, cobrir, fechar o que está aberto, ou descoberto; abrigar; acafelar; entupir; encobrir; envolver; atapulhar; (fig.) abafar; (fig.) ocultar, encobrir um defeito; tapar, dissimular, ocultar;: *tapar la boca a alguien,* tapar a boca a alguém; *tapar con argamasa,* argamassar; *tapar los toneles,* botocar, batocar.; *tapar los ojos,* tapar os olhos;.

taparrabo. m. encacho, tanga; calção muito curto usado como fato de banho.

tapate. m. (Amér.) V **estramonio.**

tapayagua. f. (Amér.) V **llovizna.** chuvisco, chuva miúda.

tapera. f. (Amér.) tapera, ruínas dum povoado; habitação em ruína e abandonada, tapera, pardeeiro; casa em ruínas.

taperujarse. v. r. (fam.) tapar-se, rebuçar-se, cobrir o rostro com a mantilha; agasalhar-se.

taperujo. m. (fam.) tapulho, tampa, rolha grosseira; maneira deselegante de rebuçar-se.

tapeso. m. (Amér.) espécie de caniçada que serve de cama.

tapetado, da. adj. escuro, preto, diz-se da cor.

tapete. m. tape(ê)te, pequeno, alcatifa; pano de mesa, toalha; pano de cobrir mesa, cofres, etc.: *poner sobre el tapete,* estar em discussão uma coisa; *tapete verde* (fig.) mesa de jogo de cartas.

tapia. f. taipa, taipal, muro, cerca; parede de terra ou barro calcado; adobe; tapume tabique.

tapiador. m. taipeiro, o que faz taipas.

tapial. m. taipal, molde em que se fazem os adobes; parede de taipa; tábuas entre as quais se aperta o barro para fazer a parede duma taipa. V. **tapia;** (prov.) V. **adral.**

tapiar. v. tr. taipar, murar; acafelar; cercar com taipa; entaipar, taipar; fechar com taipas; (fig.) entaipar, fechar, dividir ou limitar com taipas; apertar o barro na taipa; construir paredes de taipa.

tapicería. f. tapeçaria, conjunto de tapetes; tapeçaria, arreação, armação, arreamento; estrágulo; fábrica de tapetes; obra e arte de tapeceiro; loja de tapeceiro; ofício de fabricar tapetes; estofo lavrado ou bordado para revestir paredes, soalhos, móveis, etc. alcatifa;: *tapicería de gobelinos,* tapeçarias de gobelinos.

tapicero. m. tapeceiro, o que fabrica, vende ou coloca tapetes; tapeceiro, armador.

tapiería. f. conjunto de taipas.

tapioca. f. tapioca, fécula da raíz da mandioca.

tapir. m. (zool.) anta, tapir.

tapiz. m. tape(ê)te, tapiz, colgadura, pano grande, tecido no qual se copiam quadros.

tapizado, da. p.p. de **tapizar** e adj. atapetado, tapetado.

tapizar. v. tr. tapiçar, tapizar, atapetar; forrar com tecidos móveis ou paredes; tapiçar.

tapón. m. tampão, tampa, móvel com que se tapa um vaso, uma caixa, etc.; ro(ô)lha; tapulho; batoque; penso para obstruir uma ferida ou cavidade do corpo; chumacete; bucha; tampo; porção de gaze ou algodão para deter uma hemorragia.

taponamiento. m. tapamento.

taponar. v. tr. tapar, fechar com tampa; pensar uma ferida.

taponazo. m. salto e estalo produzido pela rolha ao abrir-se uma garrafa de líquido espumoso.

taponería. f. fábrica e indústria de rolhas; conjunto de rolhas, loja onde se vendem.

taponero, ra. adj. e s. relativo à indústria de rolhas; rolheiro, rolhista; o que fabrica ou vende rolhas.: *industria taponera,* indústria de rolhas.

tapujarse. v. tr. (fam.) embuçar-se rebuçar-se, tapar-se; embiocar-se.

tapujo. m. emboço, rebuço, bioco; (fig.) disfarce; hipocrisia; dissimulação, rebuço, fingimento; *sin tapujos,* às claras, declaradamente.

tapuya. *adj.* e *s.* tapuio, tapuia, diz-se do índio selvagem do Brasil.

taque. *m.* ruído, que faz uma porta ao fechar-se à chave; ruído ao bater-se uma porta; batedura.

taquear. *v. intr.* (Amér.) V. **taconear.**

taqueometría. *f.* (top.) taqueometria.

taqueómetro. *m.* (top.) taqueó(ô)metro.

taquera. *f.* taquilha, espécie de cabide para tacos de bilhar, taqueira.

taquería. *f.* (Amer.) descaro, descaramento; desenvoltura; desaforo, atrevimento.

taquicardia. *f.* (med.) taquicardia.

taquigrafía. *f.* taquigrafia, arte de escrever por meio de sinais e abreviaturas; abreviatura; estenografia.

taquigrafiar. *v. tr.* taquigrafar, estenografar; escrever taquigràficamente.

taquigráfico, ca. *adj.* taquigráfico, estenográfico.

taquígrafo, fa. *s.* taquígrafo, estenógrafo.

taquilla. *f.* estante, armário, para guardar papéis; bilheteira, papeleira, secretária; bilheteira, compartimento onde se vendem bilhetes; estante com compartimentos para guardar bilhetes de caminho de ferro, teatro, etc.; secretária, móvel em que se guardam documentos ou papéis importantes; dinheiro arrecadado pela venda de bilhetes.

taquillero, ra. *s.* bilheteiro, o que vende bilhetes ao público.

taquimetría. *f.* taquimetria.

taquimétrico, a. *adj.* taquimétrico.

taquímetro. *m.* taquímetro.

tara. *f.* (com.) tara, desconto no pesso da mercadoria em compensação do invólucro em que vai metida.

tara. *f.* defeito, enfermidade hereditária; mácula; desarranjo mental.

tarabilla. *f.* taramela, peça de madeira em forma de cunha; taramela, peça de madeira que gira em volta dum prego para fechar uma porta ou cancela; travelho, peça para retesar a corda duma serra; instrumentos de enxotar pássaros; taramela, peça de madeira que bate na mó do moinho para fazer sair o grão; (fig.) tagarela,; falatório; língua; taramela, palavreado rápido e sem sentido. — *s.* pessoa tagarela.; *ser un tarabilla*, ter bicho carpinteiro no rabo; *tarabilla de molino*, cítola.

tarabita. *f.* fuzilhão, bico de fivela; para segurar a presilha; calabre ou maroma por onde corre um cesto para atravessar rios; (Amér.) corda usada para atar árvores ou paus nas margens dos rios.

taracea. *f.* marchetaria, arte de marchetar ou inscrustar; incrustação; obra marchetada ou tauxiada; embutidura; embutido; embrechado; encaixe; obra de embutidos.

taraceado, da. *p.p.* de **taracear** e *adj.* adamascado; embutido; encaixado; engastado; encabeçado; incrustado.

taracear. *v. tr.* incrustar, adamascar; embrechar; engastar; marchetar, fazer em-

butidos em madeira ou noutra matéria; tauxiar; (fig.) esmaltar, matizar.

tarado, da. *p. p.* de **tarar** e *adj.* que tem defeitos ou máculas; viciado, degenerado.

tarambana. *m.* e *adj.* mequetrefe, melcatrefe; (Bras.) desabotinado; doidivanas, pessoa aloucada, sem juízo, estouvada; tresloucado; taramela duma porta ou cancela; peça de madeira que serve de peia ao gado.

taranta. *f.* (Amér.) aturdimento, desfalecimento. V. **aturdimiento.**

tarantela. *f.* tarantela, música e dança napolitanas.

tarántula. *f.* tarântula, grande aranha muito venenosa: *estar picado de la tarántula*, estar muito excitado; mordido de tarântula.

tarar. *v. tr.* tarar, pesar o continente ou invólucro de uma mercadoria para diminuir esse peso do peso bruto para obter o peso real; marcar o peso da tara sobre os sacos, vasilhas, etc.

tarara ou **tarará.** *f.* tarará, voz onomatopaica imitando a trombeta; tarara, aparelho para limpar cereais.

tararear. *v. tr.* e *intr.* cantar a meia voz, cantarolar, trautear; cantar sem articular.

tarareo. *m.* acção e efeito de cantarolar, cantarola.

tararira. *f.* (fam.) vozearia, gritaria alegre; gralhada. — *s.* pessoa buliçosa, travessa, alegre. — *f.* (Amér.) peixe argentino cuja carne é muito apreciada.

tarasca. *f.* tarasca, espécie de manequim com figura de serpente monstruosa que figura na procissão do Corpo de Deus nalgunas cidades; (fig.) mulher feia e má; V. **gomia;** (Amér.) em Chile, boca muito grande.

tarascada. *f.* mordedura, dentada, mordedela; ferida feita com os dentes.

tarascar. *v. tr.* morder ou ferir com os dentes, dar dentadas.

tarazar. *v. tr.* morder; (fig.) incomodar, mortificar; V. **atarazar.**

tarazón. *m.* bocado, parte que se tira dalguma coisa.

tarbea. *f.* sala grande.

tardador, ra. *adj.* e *s.* tardador, que tarda ou demora; vagaroso.

tardanza. *f.* tardança, demora, detenção, detença, delonga.

tardar. *v. intr.* tardar, espaçar, demorar, adiar, atrasar a execução dalguma coisa; empregar tempo em fazer alguma coisa; demorar-se; vir tarde; fazer-se esperar: *sin tardar*, sem mais tardar.

tarde. *f.* tarde; tarde, última hora do dia. — *adv.* tarde, a hora avançada do dia ou da noite; inoportunamente, fora de tempo: *más tarde*, mais tarde, depois, ulteriormente; *hacerse tarde*, fazer-se tarde; *más tarde o más temprano*, ou cedo ou tarde; *demasiado tarde*, tarde e a más horas; *más vale tarde que nunca*, (pop.) mais vale tarde que nunca; *de tarde en tarde*, ocasionalmente; *muy tarde*, a desoras; *dar las buenas tardes*, dar as boas tardes.

tardecer. *v. intr.* entardecer, começar a cair a tarde.

tardío, día. *adj.* tardio, serôdio, que vem fora do tempo; tardo, tardeiro, tardego, lento, pausado; demoroso, moroso: *consuelos tardíos*, confortos de enforcado.

tardo, da. *adj.* tardio, vagaroso, lento, preguiçoso; que acontece depois do conveniente; tardo na compreensão ou na explicação; extemporâneo, serôdio; pachorrento, madraço; descansado; (fig.) froixo: *hombre tardo y flemático*, (pop.) pachola, madraço.

tardón, na. *adj.* e *s.* (fam.) tardião, que tarda muito, tardinheiro, pachorrento, tardo em compreender as coisas; tardonho, demoroso.

tarea. *f.* tarefa, qualquer obra ou trabalho; empreitada; obra que deve fazer-se em tempo limitado; (fig.) afã, fadiga, canseira causada por um trabalho contínuo; tarefa, trabalho do chocolateiro, em cada dia: *tarea pesada*, encostadela; maçada.

tárgum. *m.* targum, targo.

tarifa. *f.* tarifa, tabela de preços; registo de valores; tarifa, pauta de direitos; estiva; empreitada.

tarifar. *v. tr.* tarifar, submeter à tarifa; fixar por tarifa (preços, direitos, etc.); pautar. — *v. intr.* ralhar, inimizar-se.

tarima. *f.* tarima, tarimba, estrado de madeira.

tarimilla. *f.* tarimasinha, tarima pequena.

tarimón. *m.* tarima grande.

tarín. *m.* tarim, antiga moeda espanhola de prata.

tarina. *f.* travessa de mediana grandeza em que se serve a carne.

tarja. *f.* tarja, escudo antigo, broquel; antiga moeda espanhola de cobre, equivalente à quarta parte do real de prata; senha que se dá em várias lojas, contra-senha; pau em que se fazem entalhes marcando compras a crédito; (fam.) pancada, chicotada.

tarjador, ra. *s.* o que marca géneros que vende fiado.

tarjar. *v. tr.* tarjar, marcar na tarja os géneros fiados.

tarjero, ra. *s.* V. **tarjador.**

tarjeta. *f.* cartão de visita; tarjeta; escudosinho; tarja, moldura de quadro.

tarjeteo. *m.* (fam.) uso frequente de cartões de visita para cumprimentos.

tarjetera. *f.* carteira para cartões de visita. V. **tarjetero.**

tarjetero. *m.* carteira para cartões de visita.

tarjetón. *m.* cartão grande.

tarquín. *m.* nateiro, lodo das águas estagnadas.

tarquina. *adj.* e *f.* (mar.) espécie de vela dum navio.

tarquinada. *f.* (fig. e fam.) violação, estupro, violência contra a honestidade duma mulher.

tarraconense. *adj.* e *s.* (geog.) tarraconense, natural de Tarragona.

tarreña. *f.* cada uma das peças de barro cozido usadas a modo de castanholas.

tarro. *m.* tarro, vaso, boião.

tarso. *m.* (anat.) tarso, parte posterior do pé; tarso, a parte mais fina das patas das aves.

tarta. *f.* torteira, espécie de tacho para tortas; torta, pastel, empanadilha.

tártago. *m.* (bot.) tártago; (fig. e fam.) desgraça, infortúnio; sarcasmo, chufa, dito picante.

tartajear. *v. intr.* tartamudear, tartarear, gaguejar, falar com dificuldade, entaramelar-se.

tartajeo. *m.* tartamudeio, gagueira, gaguez; gagueio.

tartajoso, sa. *adj.* e *s.* tartamudo, gago, entaramelado, que gagueja.

tartalear. *v. intr.* (fam.) vacilar, mover-se sem ordem ou com movimentos trémulos, precipitados e desconexos; titubear, cambalear, tartamelear; tremer a fala por susto; embaraçar-se, atrapalhar-se.

tartamudear. *v. intr.* tartamudear, gaguejar, taramelar, tartarear, falar ou ler com dficuldade, embrulhar-se falando; (Bras.) empacar.

tartamudez. *f.* tartamudez, gaguez, gaguice, dificuldade em falar.

tartamudo, da. *adj.* e *s.* tartamudo, gago; que fala com voz trémula.

tartana. *f.* tartana, carruagem de duas rodas, com cobertura abobadada; (mar.) tartana, pequena embarcação de vela latina, em uso no Mediterrâneo.

tartanero. *m.* cocheiro, que guia ou conduz a tartana.

tartáreo, a. *adj.* (poét.) tartáreo, pertencente ou relativo ao Inferno.

tartárico, ca. *adj.* (quím.) tartárico. V. **tártrico.**

tartarizar. *v. tr.* (farm.) tartarizar, preparar uma composição com tártaro.

tártaro. *m.* (quím.) tártaro, crosta aderente às vasilhas do vinho, sarro; tártaro, incrustação calcária que se forma nos dentes, sarro.

Tártaro. *m.* (poét.) Tártaro, Inferno.

tártaro, ra. *adj.* e *s.* (geog.) tártaro, natural da Tartária.

tartera. *f.* torteira. V. **tortera.**

tartesio, sia. *adj.* e *s.* (geog.) tartéssio.

tartrato. *m.* (quím.) tartarato.

tártrico, ca. *adj.* (quím.) tartárico, tártrico.

tartufo. *m.* tartufo, homem hipócrita; falso devoto, impostor.

tarugo. *m.* tarugo, prego de pau; paralelepípedo de madeira empregado para calcetar ruas; tarugo, torno de pau, para unir e segurar tábuas ou madeiros; tarolo; bocado grande de pão, naco; (pop.) imbécil, bo(ô)bo. V. **zoquete.**

tarumba (volverle a uno). (fam.) atarantar, estontear, confundir, atordoar alguém; voltar o juízo a alguém.

tas. *m.* tás, pequena bigorna de aço e sem hastes usada pelos ourives.

tasa. *f.* taxa, preço fixo; preço legal; regra; medida; estiva; tarifa, pauta; termo; limite.

tasación. *f.* taxação, taxa, avaliação, lotação, apreçamento, estimação.

tasador, ra. *adj.* e *s.* taxador, avaliador; (for.) contador, taxador de custas judiciais; aquilatador, lotador, apreçador, estimador.

tasajería. *f.* local onde se preparam ou vendem tassalhos.

tasajear. *v. tr.* atassalhar, cortar em tassalhos; retalhar a carne para salgar.

tasajo. *m.* charque, pedaço de carne salgada e seca; tassalho, talhada de carne.

tasar. *v. tr.* taxar, fixar a taxa ou o preço; estabelecer, avaliar, fixar o preço do trabalho; regrar, regular, moderar, limitar; apreçar; estimar; lotar, lotear; restringir; reduzir.

tasca. *f.* tasca, baiuca, bodega, taberna; (pop.) ermida; casa de batota; (Amér.) diz-se do litoral de difícil desembarque pela violência das correntes marítimas e agitação do mar.

tascador. *m.* tasca, espadela, utensílio para espadelar o cânhamo ou linho.

tascar. *v. tr.* tascar, espadelar o cânhamo ou o linho; (fig.) morder o freio; roer a erva com ruído; tasquinhar: *tascar el freno*, morder o freio.

tasconio. *m.* barro branco. V. **talco**; talco.

Tasmania. (geog.) Tasmânia.

tasmanio, nia. *adj.* e *s.* (geog.) natural de ou pertencente a Tasmânia, tasmânio.

tasquera. *f.* (fam.) contenda, alvoroto, rixa; (germ.) taberna, tasca.

tasquero. *m.* índio do Peru, empregado em operações de embarque e desembarque, em costas difíceis.

tasquil. *m.* lasca, fragmento que salta da pedra ao ser trabalhada.

tastana. *f.* côdea, crosta produzida pela estiagem nos campos cultivados; membrana que separa os gomos de certas frutas.

tástara. *f.* farelo grosso.

tastaz. *m.* pó que se faz dos cadinhos velhos, que servem para limpar metais.

tasto. *m.* mau gosto, gosto desagradável de comida velha; bafio.

tata. *m.* (fam.) tatá, papá, palavra infantil designativa dos pais, dos avós e das amas de leite e da irmã.

tatarabuelo, la. *s.* tataravô, tetravô.

tataradeudo, da. *s.* antepassado, ascendente, parente muito antigo.

tataranieto, ta. *s.* tataraneto, tetraneto.

tatas (andar a). *adv.* andar de gatinhas, a criança; começar a andar.

¡tate! *interj.* tate!, cautela!, cuidado!, veja lá!; pouco a pouco!; tatá, com que se faz ver que veio inesperadamente à ideia alguma coisa: *¡tate tate!*, (pop.) de vagar, pouco a pouco.

tato, ta. *adj.* tato, gago, tátaro, que troca o c e o s, pelo t.

tatuaje. *m.* tatuagem; desenho indelével sobre a pele.

tatuar. *v. tr.* tatuar, desenhar sobre a pele com substâncias corantes; marcar; imprimir, gravar sobre o corpo desenhos indeléveis; fazer tatuagem. — *v. r.* tatuar-se.

tau. *m.* tau, última letra do alfabeto hebraico; insígnia religiosa; (fig.) insígnia, distintivo; tau, nome da décima nona letra do alfabeto grego.

taujel. *m.* listão de madeira; régua de madeira.

taumaturgia. *f.* taumaturgia.

taumaturgo. *m.* taumaturgo, pessoa admirável nas suas obras; obrador de milagres, autor de coisas prodigiosas.

taurino, na. *adj.* taurino, táureo, toureiro, toireiro, pertencente ou relativo ao touro, às corridas de touros.

Tauro. *m.* (astr.) Tauro, Touro, signo do Zodíaco.

taurófilo, la. *adj.* e *s.* afeiçoado aos touros e às corridas de touros.

taurómaco, ca. *adj.* V. **tauromáquico.**

taurófobo, ba. *adj.* e *s.* que tem horror e repulsão aos touros e às corridas de touros.

tauromaquia. *f.* tauromaquia, arte de lidar touros.

tauromáquico, ca. *adj.* pertencente ou relativo às corridas de touros, à tauromaquia.

tautocronismo. *m.* tautocronismo; isocronismo.

tautócrono, na. *adj.* (fís.) tautócrono; isócrono; síncrono.

tautofonía. *f.* tautofonia, repetição dum mesmo som; monotonia.

tautofónico, ca. *adj.* pertencente ou relativo à tautofonia.

tautófono, na. *adj.* tautófono, que tem o mesmo som.

tautograma. *m.* (poét.) tautograma.

tautología. *f.* (ret.) tautologia.

tautológico, ca. *adj.* tautológico.

tautologista. *s.* tautologista.

tautomería. *f.* (quím.) tautomeria.

tautometría. *f.* (mús.) tautometria.

taxativo, va. *adj.* (for.) taxativo, limitativo, restritivo; restrito.

taxi. *m.* (fam.) V. **taxímetro.**

taxidermia. *f.* taxidermia, arte de dissecar os animais mortos, de empalhar ou naturalizar os animais vertebrados.

taxidérmico, ca. *adj.* taxidérmico.

taxidermista. *s.* taxidermista, dissecador, pessoa que pratica a taxidermia.

taxímetro. *m.* taxímetro, táxi, aparelho para marcar nas carruagens a distância percorrida e a quantia a pagar; táxi, automóvel provido desse aparelho; (mar.) aparelho semelhante ao azimute.

taxina. *f.* (quím.) substância venenosa proveniente das folhas do teixo (árvore).

taxista. *com.* pessoa que possui ou conduz um táxi.

taxonomía. *f.* taxinomia, taxionomia.

taxonómico, ca. *adj.* taxinó(ô)mico.

taz a taz. *adv.* tanto por tanto.

taza. *f.* taça, xícara; chávena; o conteúdo duma xícara ou chávena; bacia; tanque.

tazaña. f. V. **tarasca.**

tazar. v. tr. roçar, coçar a roupa pelas pregas e dobras. — v. r. roçar-se.

tazmía. f. porção de grão que cabe a cada recebedor de dízimos; cálculo da produção provável duma colheita.

tazón. m. aum. de taza; taça grande, malga.

té. m. chá; arbusto das teáceas; chá, as folhas dessa planta depois de secas; chá, infusão feita com as folhas secas do chá; chá, reunião de pessoas em que se toma chá, chàzada: aficionado al té, chazeiro, chazista.

te. f. nome da letra t, tê.

te. pron. te, a ti; dativo ou acusativo do pronome pessoal da segunda pessoa do singular.

tea. f. teia, facho, archote de madeira impregnado de resina que serve para alumiar; acha de pinho; tocha.

teame, teamide. f. pedra que antigamente diziam ter propriedades contrárias ao íman.

teatino, na. s. e adj. diz-se dos clérigos seculares de S. Caetano; pertencente a esta ordem religiosa.

teatral. adj. teatral, pertencente ou relativo ao teatro, cénico; espalhafatoso, aplica-se às coisas da vida real; exagerado; ateatrado: obra teatral ridícula, entremezada.

teatralidad. f. teatralidade, carácter teatral; teatralidade, qualidade de espectaculoso.

teatro. m. teatro, cenário, palco, cena; lugar onde se representam peças dramáticas ou espectáculos; teatro, arte de representar ou compor obras dramáticas; teatro, conjunto de peças teatrais dum autor; teatro, lugar onde sucedem acções notáveis ou qualquer acontecimento; teatro, literatura dramática.

teatrófono. m. teatrofone, aparelho destinado a transmitir por meio de telefone uma audição teatral, de música, de canto, etc.

teatrucho. m. (deprec.) teatro pequeno e mau.

tebaida. f. tebaida, solidão.

tebaína. f. (quím.) tebaína, o mais tóxico dos alcalóides de ópio.

tebaísmo. m. tebaísmo, intoxicação produzida pelo ópio.

tebano, na. adj. e s. (geog.) tebano, natural de Tebas; pertencente ou relativo a esta cidade da antiga Grécia.

tebeo, a. adj. e s. (geog.) natural ou pertencente a Tebas; tebano.

teca. f. relicário, caixa para guardar relíquias.

tecalí. m. alabastro de cores muito vivas do México.

tecásporo, ra. adj. e s. (bot.) tecasporo.

tecla. f. cada uma das peças de ébano ou marfim que compõem o teclado dum órgão, ou piano ou outro instrumento, tecla; tecla, (fig.) assunto delicado, ponto fraco, corda sensível; ponto melindroso; assunto debatido; (zool.) tecla, insecto lepidóp-

tero: dar uno en la tecla, acertar na forma de fazer uma coisa; tocar una tecla, (fig. e fam.) mover com cuidado um assunto; tocar la misma tecla, bater a mesma tecla.

teclado. m. teclado, conjunto de teclas do piano, órgão ou de instrumento semelhante.

tecle. m. (mar.) moitão.

tecleado, da. p. p. de teclear e adj. acção de mover os dedos como quem bate as teclas.

teclear. v. intr. bater as teclas; mover os dedos como quem bate as teclas. — v. tr. (fig. e fam.) tocar, ensaiar vários meios para conseguir algum fim; tentear, experimentar.

tecleo. m. acção e efeito de tocar ou mover as teclas.

técnica. f. técnica, conjunto de preceitos de que se serve uma ciência ou arte; técnica, habilidade; práctica.

tecnicismo. m. tecnicismo, qualidade do que é técnico; tecnicismo, conjunto de palavras técnicas empregadas na linguagem duma arte, duma ciência ou duma profissão; cada uma das palavras técnicas.

técnico, ca. adj. e s. técnico, pertencente ou relativo a uma ciência ou arte; técnico, hábil, experimentado, experto; facultativo; o que possui conhecimentos especiais duma ciência, arte ou profissão; entendido, perito.

tecnicolor. m. (cinem.) procedimento para obter películas cinematográficas com imagens em cores reais; tecnicolor.

tecnocracia. f. tecnocracia.

tecnología. f. tecnologia.

tecnológico, ca. adj. tecnológico.

tecnólogo, ga. s. tecnólogo.

tecorral. m. parede de pedra solta.

tectónica. f. tectónica (arquit.); (geol.) tectónica.

tectónico, ca. adj. te(c)tónico, relativo à te(c)tónica.

techado, da. p. p. de techar e adj. telhado, com te(c)to. — m. te(c)to: bajo techado, ao abrigo.

techador. m. telhador, trolha que faz ou coloca tectos.

techar. v. tr. construir o tecto, cobrir com tecto, telhar um edifício.

techo. m. te(c)to, a face superior inferna duma casa; (fig.) casa, habitação, domicílio, lar, abrigo, tecto; (fig.) pátria; (pop.) chapéu; (aviac.) altura absoluta alcançada pelos aviões.

techumbre. f. te(c)to, cobertura dum edifício.

tedero. m. tocheiro de ferro; vendedor de teias.

Tedéum. m. Te Deum, cântico eclesiástico em acção de graças.

tediar. v. tr. ter tédio a alguma coisa, abominar, aborrecer.

tedio. m. tédio, fastio, repugnância, enfastiamento, enfado; derretimento, aborrimento, aborrecimento; nojo; desgosto.

tedioso, sa. adj. tedioso, enfadonho, aborrecido, enfastiado; fastidioso, maçador.

tefrita. _f._ (geol.) tefrite.

teguillo. _m._ peça de madeira empregada na construção de tectos de superfície plana e lisa.

tegumentario, ria. _adj._ (bot.) tegumentar.

tegumento. _m._ (bot.) tegumento, invólucro duma semente; (zool.) membrana que cobre o corpo do animal ou algum dos seus órgãos internos.

teína. _f._ (quím.) teína, princípio activo do chá.

teísmo. _m._ (rel.) teísmo.

teísta. _adj._ e _s._ teísta.

teja. _f._ telha, peça para a cobertura de edifícios; cada uma das duas partes duma barra de aço que envolvem a alma da espada: _a toca teja,_ a pronto pagamento; _de tejas abajo,_ segundo ordem regular, não contando com causas sobrenaturais; _de tejas arriba,_ contando com a vontade de Deus; _teja de canalón,_ algeroz.

tejadillo. _m._ tecto pequeno; tejadilho, tecto de veículo.

tejado. _m._ telhado, cobertura duma edificação; (min.) afloração, parte superior dum filão; (pop.) capa, manto, chapéu.

tejamaní, tejamanil. _m._ (Amér.) tábuas finas empregadas como telhas para tectos de casa.

tejar. _m._ telheira, lugar onde se fabricam telhas, tijolos ou adobes; telhal, olaria.

tejar. _v. tr._ telhar, cobrir com telha.

tejaroz. _m._ beiral, beirado, beira do telhado.

tejavana. _f._ telha-vã, telhado sem forro; cobertiço.

tejazo. _m._ pancada, com telha, telhada.

tejedera. _f._ teceloa; (zool.) bicho-tesoura.

tejedor, ra. _adj._ e _s._ tecedor, tecelão, que tece; tecelão, pessoa que tem por ofício tecer; fabricante de tecidos. — _m._ (zool.) insectos hemípteros que correm com agilidade sobre a água; (fig. prov.) homem de duas caras, refolhado, fingido, tecedor de enredos. V. **embrollón.**

tejedura. _f._ tecedura, textura, trama.

tejeduría. _f._ arte de tecer, tecelagem; oficina onde estão os teares e trabalham os tecelões.

tejemaneje. _m._ (fam.) destreza, agilidade, afã para fazer uma coisa; sagacidade.

tejer. _v. tr._ tecer, fazer teia, entrelaçando fios; tramar, entrelaçar; (fig.) entretecer; discorrer, compor, ordenar com método; cruzar, misturar com ordem; tecer, urdir, intrigar, maquinar; tecer enredos, não obrar com lisura.

tejera. _f._ mulher que fabrica telhas; telheira. V. **tejar.**

tejería. _f._ telheira. V. **tejar.**

tejero. _m._ telheiro, fabricante de telhas e tijolos.

tejido, da. p. p. de _tejer_ e _adj._ tecido. — _m._ textura dum tecido; coisa tecida; (hist. nat.) tecido, agrupamento de células, formando conjunto estrutural.

tejo. _m._ chapa metálica grossa, de forma circular; malha de pedras ou tijolos com que os rapazes jogam; jogo da malha;

pedaço de ouro em pasta; troquel, forma para a cunhagem de moedas; (bot.) teixo.

tejoleta. _f._ telho, pedaço de telha ou de barro cozido; espécie de castanholas. V. **tarreña.**

tejón. _m._ pedaço de ouro fundido e em bruto.

tejonera. _f._ madrigoa, madrigueira, toca onde se criam os texugos.

tejuela. _f._ telhinha, telha pequena; pedaço de telha ou de barro cozido. V. **tejoleta;** peça de armação dos arções da sela de montar.

tejuelo. _m._ rótulo de livro; (mec.) peça onde se apoia a extremidade inferior dum eixo vertical; (vet.) osso curto e muito resistente que serve de base ao casco das cavalgaduras.

tela. _f._ teia, tela, tecido, pano; quadro; tela, teia, liça, liçada, lugar fechado destinado para festas, jogos públicos, etc.; flor, nata de alguns líquidos; tez, película dalguns frutos; belida, nevoasinha na pupila do olho; teia, fios tecidos pela aranha; (fig.) objecto de discussão; teia, enredo, trapaça, intriga; trama, maranha; (fig.) assunto, matéria; (anat.) tez, teia, tecido reticular, parte interior do corpo do animal; quadro, pintura, tela.

telalgia. _f._ (med.) telalgia.

telamón. _m._ (arq.) télamon, telamão, estátuas de homens que sustentam edificações; talante.

telangiectasis. _f._ (med.) telangectasia.

telar. _m._ tear, aparelho para tecer; parte superior do palco onde está a tramóia; instrumento de encadernador para coser as folhas: _telar mecánico,_ tear mecânico.

telaraña. _f._ teia de aranha; (fig.) coisa fútil ou frívola, insignificância, coisa de pouco valor: _tener telarañas en los ojos,_ ter arestas nos olhos; _quitar a alguien las telarañas,_ (fig.) tirar as teias de aranha a alguém.

telarejo. _m._ tearzinho, tear pequeno.

telautografía. _f._ telautografia.

telautógrafo. _m._ telautógrafo.

telautograma. _m._ telautograma.

telecomunicación. _f._ telecomunicação.

telecinematografía. _f._ (fís.) telecinematografia.

telecomando. _m._ (mec.) telecomando, comando de um maquinismo a distância.

telefio. _f._ (bot.) teléfio, erva-dos-calos, favária-maior.

teledinámica. _f._ teledinâmica.

teleférico. _m._ teleférico.

telefonear. _v. tr._ telefonar, transmitir telefone, servir-se do telefone.

telefonema. _m._ telefonema.

telefonía. _f._ (fís.) telefonia: _telefonía sin hilos,_ telefonia sem fios.

telefónico, ca. _adj._ telefó(ô)nico.

telefonista. _s._ telefonista.

teléfono. _m._ (fís.) telefone: _llamar por teléfono,_ telefonar; _teléfono público,_ telefone público; _teléfono automático,_ telefone automático; *teléfono de campaña*, (mil.) telefone de campanha.

telefonógrafo. *m.* telefonógrafo.

telefoto. *m.* (fís.) telefoto.

telefotografía. *f.* telefotografia.

telefotográfico, ca. *adj.* telefotográfico.

telegrafía. *f.* telegrafia: *telegrafía sin hilos*, telegrafia sem fios.

telegrafiar. *v. tr.* telegrafar, comunicar pelo telégrafo; telegrafar, expedir comunicações telegráficas.

telegráfico, ca. *adj.* telegráfico.

telegrafista. *s.* telegrafista.

telégrafo. *m.* telégrafo.

telegrama. *m.* telegrama, comunicação telegráfica.

teleiconografía. *f.* teleiconografia.

teleiconográfico, ca. *adj.* teleiconográfico.

teleiconógrafo. *m.* teleiconógrafo.

teleimpresor. *m.* teleimpressor.

telemecánica. *f.* telemecânica.

telemetría. *f.* telemetria.

telemétrico, ca. *adj.* telemétrico.

telémetro. *m.* telé(ê)metro.

telemetrografía. *f.* telemetrografia.

telemetrógrafo. *m.* telemetrógrafo.

telendo, da. *adj.* V. **airoso.**

telenque. *adj.* (fam. Amér.) palerma, tonto; trêmulo, enfermiço.

teleobjetivo. *f.* teleobjectivo.

teleología. *f.* teleologia.

teleológico, ca. *adj.* teleológico.

teleosaurio. *m.* (zool. e paleont.) teleossáurio.

telepatía. *f.* telepatia.

telepático, ca. *adj.* telepático.

telepatina. *f.* (quím.) telepatina.

telepatizar. *v. tr.* acertar por meios telepáticos.

telera. *f.* teiró, teiroga, pescaz, peça do arado que segura o dente ao temão; curral feito de esteios e tábuas; cada um dos madeiros paralelos que formam as prensas dos encadernadores, carpinteiros, etc.; as quatro pranchas em que assentam os reparos de artilharia.

telerín. *m.* taipal, sebe com que se guarnecem as bordas do carro para amparar a carga, xelma.

telero. *m.* pau dos tendais das carruagens.

telescópico, ca. *adj.* telescópico, relativo ao telescópio; telescópico, que não pode ver-se sem o telescópio.

telescopio. *m.* telescópio.

teleta. *f.* folha de papel mata-borrão; rede que se coloca nos tanques dos moinhos de fabricar papel.

televisar. *v. tr.* transmitir por televisão.

televisión. *f.* televisão.

televisor. *m.* aparelho de televisão.

telifono. *m.* (zool.) género de aracnídeos.

telón. *m.* (teatr.) pano de fundo do teatro; decoração: *telón de boca*, pano de boca; *telón de fondo*, decoração, pano de fundo.

telonio. *m.* teló(ô)nio, repartição pública, mesa onde se pagavam os tributos: *a manera de telonio*, sem ordem, sem cuidado.

telúrico, ca. *adj.* telúrico, pertencente ou relativo à terra (como planeta).

telurio. *m.* (quím.) telúrio.

tellina. *f.* (zool.) telina. V. **almeja.**

telliz. *m.* teliz, xairel; pano que cobre a sela do cavalo.

telliza. *f.* colcha, coberta de cama.

tema. *m.* tema, texto que se toma por assunto num discurso; tema, este mesmo discurso; tema, argumento, assunto; objecto; (gram.) tema, parte essencial, invariável dum vocábulo; tema, matéria dum discurso, dum escrito, duma conversação, etc.; tema, pensamento musical que o autor desenvolve. — *f.* teimosia, ideia fixa dos dementes, porfia, obstinação, pertinácia, capricho.

temático, ca. *adj.* temático, que se executa segundo o tema ou assunto de qualquer matéria; arranjado, conforme ao tema; (gram.) temático, relativo ao tema duma palavra.

tembladal. *m.* V. **tremedal.**

tembladera. *f.* espécie de taça muito fina com duas asas e uma pequena base; (zool.) tremelga, torpedo, peixe; (Amér.) enfermidade que ataca os animais em certas paragens dos Andes.

trembladero, ra. *adj.* tremedor, trémulo, tremente, que treme. — *m.* V. **tremedal,** lodaçal.

temblador, ra. *adj.* e *s.* tremedor, trémulo, tremente, que treme; tremelga; quacre.

temblante. *p. a.* de *temblar* e *adj.* tremente, que treme muito. V. **tembloroso.** — *pl.* espécie de pulseira ou bracelete que usavam as mulheres.

temblar. *v. intr.* tremer, estremecer; agitar-se com movimento frequente; vacilar; (fig.) tremer, ter muito medo; assustar-se, estremecer-se; receiar; tremer, abanar, não estar firme; fazer estremecer: *temblar bajo los pies*, fugir a terra debaixo dos pés; *temblar de frío*, tiritar, tremer de frio; *temblar de miedo*, tremer como varas verdes, anciar, fremir. — *conj. irr.* como *acertar*.

tembleque. *m.* e *adj.* trémulo, pessoa ou coisa que treme muito. V. **tembloroso.** — *m.* trémulos, jóias ou pedras preciosas, formando flores e oscilando na extremidade de pequenos arames.

temblequear, tear. *v. intr.* (fam.) tremelicar, tremer, fremir; tremer com frequência; tiritar, estremecer-se.

temblor. *m.* tremor, movimento involuntário, repetido e frequente; agitação do que treme; estremecimento; fremência; arrepiada; estremeção; tremor de medo, arrepiamento; tremor de terra, terramoto, terremoto; tremor, convulsão; agitação: *temblor de tierra*, terramoto, tremor de terra.

tembio(ro)so, sa. *adj.* tré(ê)mulo, tremente, tremedor; tremelicante, que treme muito; tremelicoso; tremuloso, que padece tremuras: *tembloroso de frío*, arrepiado.

temer. *v. tr.* e *intr.* temer, ter medo; temer, recear um dano; suspeitar, recear, acreditar; temer, sentir temor; duvidar;

apreender, desconfiar; temer, recear, arreciar; reverenciar; temer, ter susto: *no temer*, destemer, desprezar; *no temer a la muerte*, desprezar a morte; *hacerse temer*, inspirar respeito, temor.

temerario, ria. *adj.* temerário, imprudente; que se expõe ao perigo, audacioso; temerário, o que se diz sem fundamento; temerário, arrojado; arriscado; afoito; abalançado; audaz; audacioso; aventureiro; inconsiderado; (fig.) arrojadiço; paladínico: *hombre temerario*, homem de macana; *ser un temerario*, louquejar; *juicio temerario*, juízo temerário.

temeridad. *f.* temeridade; arro(ô)jo ou arrojamento; barbaridade; arremessamento; loucura; imprudência; diabrura; temeridade, qualidade do que é temerário; acção temerária, juízo temerário; temeridade, desassombro; audácia, ousadia ante o perigo.

temerón, na. *adj.* (fam.) fanfarrão, valentão, que alardeia valentia sem a ter; blasonador.

temeroso, sa. *adj.* temeroso, pavoroso, timorato; tímido; medroso; cobarde; acanhado; formidando; meticuloso; temeroso, que infunde pavor; temeroso, que receia um dano; receoso, terrível.

temible. *adj.* temível, digno de ser temido; que causa temor; medonho.

temor. *m.* temor, me(ê)do, susto; atemorizamento; desassosse(ê)go; receio; suspeita; temor, receio dum dano futuro; temor; acobardamento; emoção; acanhamento; (fig.) apreensão; temor, desconfiança; temor, sentimento respeitoso; escrúpulo, zelo: *por temor a*, de medo que; *mostrar temor*, fazer barba medrosa.

temoroso, sa. *adj.* temoroso, que infunde temor; pavoroso, timorato; temeroso, medroso, irresoluto; temoroso, que receia algum dano; temoroso, tímido; obstinado; pertinaz.

tempanar. *v. tr.* colocar tampos nas colmeias, nas cubas, nos tonéis, etc.; tapar.

tempanil. *m.* pernil dianteiro do porco.

témpano. *m.* (mús.) timbale; pele estendida de pandeiro; qualquer coisa plana e dura; manta de toucinho; tampo de cuba ou de tonel; tampa de cortiça que tapa a colmeia; (arq.) tímpano, espaço entre três cornijas dum frontão; codão.

temperable. *adj.* que se pode temperar.

temperación. *f.* moderação, acalmação; tempero, temperamento.

temperado, da. *p. p.* de *temperar* e *adj.* temperado, moderado; apaladado; (Amér.) V. **templado**; temperado (afinação de instrumentos); (fig.) temperado, comedido, delicado, agradável, suave.

temperamental. *adj.* pertencente ou relativo ao temperamento; diz-se do temperamento das pessoas muito sensíveis.

temperamento. *m.* temperamento, tempero; temperamento, índole; qualidade predominante do organismo; temperamento, tempero, mistura; tempérie, temperatura,

estado da atmosfera; temperamento, índole, car(á)cter, gé(ê)nio; estado fisiológico; constituição particular do corpo; constituição moral; tempero, modo, jeito, meio de que se compõe alguma coisa: *buen temperamento*, (med.) eucrasia; *temperamento colérico*, temperamento colérico.

temperancia. *f.* temperança; sobriedade; economia; parcimónia; moderação, comedimento; modéstia.

temperar. *v. tr.* temperar, mesurar, moderar, avigorar; suavizar; (med.) temperar, sedar, acalmar; temperar, afinar; temperar, dar tempero a; (Amér.) temperar, mudar de ares. V. **veranear.**

temperatísimo, ma. *adj. superl.* de *temperado*, moderadíssimo, muito moderado nas comidas, nas bebidas, nas paixões, etc.; morníssimo.

temperatura. *f.* temperatura, grau maior cu menor de calor nos corpos; temperatura, estado atmosférico do ar; clima. V. **temperie**; estado ou grau de frio ou calor; (fig.) acção, actividade: *tener temperatura*, ter febre; *temperatura fría*, frialdade.

temperie. *f.* tempérie, estado da atmosfera segundo os graus de calor ou humidade; clima; temperamento do ar; ambiente; temperamento, temperatura.

tempero. *m.* (agr.) estado em que se encontra a terra para as sementeiras.

tempestad. *f.* tempestade, violenta agitação da atmosfera; tempestade, perturbação das águas do mar; chuva geralmente acompanhada de relâmpagos, trovões, etc.; chuva forte com forte vento; borrasca, tufão; tempestade, trovoada, temporal; tormenta; (fig.) discusão violenta; desordem; tumulto; agitação dos ânimos; tempestade; génio violento: *hacer una tempestad en un vaso de agua*, de um argueiro, fazer um cavaleiro; *ser inminente una tempestad*, toldarem-se os ares.

tempestear. *v. intr.* descarregar a tormenta; (fig. e fam.) rogar pragas, manifestar grande zanga.

tempestividad. *f.* oportunidade, conjuntura favorável; ocasião propícia.

tempestivo, va. *adj.* tempestivo, que sucede no tempo próprio, oportuno.

tempestuoso, sa. *adj.* tempestuoso, estuoso; propenso a tempestade; sujeito a tempestades; (fig.) revolto, violento; (fig.) embravecido; encrespado; desabrido (diz-se do tempo).

templadera. *f.* espécie de comporta para regular o passo da água nos canais de acéquias; regulador.

templado, da. *adj.* e *p. p.* de *templar*; temperado, moderado; comedido, sóbrio; delicado, agradável, suave; tépido, morno; valente, com serenidade; temperado; nem frio, nem quente (diz-se do clima); (mús.) afinado, ajustado, abemolado; mesurado; frugal; apaladado; clemente; (fig.) amoroso.

templador, ra. *adj.* e *s.* temperador, moderador; chave para regular a tensão de fios metálicos, cabos, etc.; (mús.) chave de afinar os instrumentos músicos; moderador, modificador; afinador.

templadura. *f.* a(c)ção e efeito de temperar; moderação, comedimento; têmpera.

templanza. *f.* temperança moderação,; sobriedade; equ(ü)idade, frugalidade; continência; comedimento; temperança, benignidade de clima; temperança, virtude que modera as paixões; (pint.) harmonia, boa disposição das cores.

templar. *v. tr.* temperar, atibiar,; moderar; amenizar; suavizar; correger; destemperar, amostecer; amenisar; temperar, amornar, aquecer ligeiramente; (fig.) amaciar; amansar; desengravecer; temperar (metais, cristais, etc.) aceirar; temperar a voz, abemolar; temperar instrumentos músicos, afinar; entesar, tesar; (fig.) sossegar a cólera; temperar, corrigir; entibiar; acalmar. — *v. intr.* esquetar; perder o frio, aquecer;. — *v. r.* corrigir-se, moderar-se, conter-se.: *templar con llave,* regular;.

templario. *m.* templário, indivíduo duma ordem de cavalaria para protecção dos Lugares Santos de Jerusalém.

Temple. *m.* ordem de templários.

temple. *m.* temperatura, temperie; têmpera; temperamento; temperatura, estado dos corpos; consistência elasticidade ou rijeza que se dá aos metais; (fig.) têmpera, carácter, génio; ; humor; índole; feitio; valentia; coragem; meio termo entre duas coisas; (mús.) afinação de instrumentos: *al temple* (pint.) à têmpera.

templete. *m.* dim. de templo; espécie de relicário; oratório; pavilhão; quiosque; templosinho.

templista. *s.* (pint.) pessoa que pinta à têmpera.

templo. *m.* templo, edifício destinado a um culto; igreja; sinagoga; mesquita; templo, lugar destinado e consagrado ao culto divino; templo, alcaçar; (fig.) templo, lugar real ou imaginário em que se rende culto à verdade e a jutiça, ao saber, etc.

témpora. *f.* têmpora, tempo de jejum.

temporada. *f.* temporada, espaço de vários dias, meses ou anos; temporada, tempo durante o qual se faz alguma coisa; temporada, certo espaço de tempo mais ou menos largo; época destinada a alguma coisa.

temporal. *adj* e *m.* temporal, transitório, passageiro, temporário; provisório; temporal, profano, secular; temporal, que passa com o tempo; temporal, tormenta, tempestade; (anat.) temporal, época, conjuntura, ocasião; temporal, cada um dos ossos simétricos da caixa craniana; temporal, efé(ê)mero, fugaz, fugáceo: *correr el temporal,* arriscar-se num perigo.

temporalidad. *f.* temporalidade; provisionalidade; prebendas; rendimentos eclesiásticos.

temporalizar. *v. tr.* temporalizar, tornar temporal; secularizar.

témporas. *f.* têmporas. *V.* **témpora.**

temporero, ra. *adj.* interino num ofício ou emprego, provisório; transitório.

temporizar. *v. tr.* contemporizar; ocupar-se nalguma coisa por mero passatempo.

temporal. *adj.* e *s.* temporão, diz-se da terra e das plantas que dão fruto muito cedo.

tempranero, ra. *adj.* temporão, antecipado, prematuro.

tempranilla. *f.* e *adj.* temporã, diz-se da uva.

tempranito. *adv.* (fam.) cedinho, muito cedo.

temprano, na. *adj.* temporão.; antecipado, adiantado; precoce. — *m.* sementeira de frutos temporãos. — *adv.* cedo, com antecipação, em breve tempo antes do tempo próprio.

temulencia. *f.* temulência; embriaguez.

temulento, ta. *adj.* temulento, embriagado, ébrio, bêbado.

ten con ten. *m.* tacto, prudência, habilidade: (fam.) com tento, com regra, com prudência.

tena. *f.* cobertiço, alpendre; rebanho de ovelhas e de cabras que de ordinário não excede sessenta cabeças.

tenace. *adj.* (poét.) tenaz, teimoso.

tenacear. *v. intr.* insistir, teimar, porfiar; importunar; insistir;. — *v. tr. V.* **atenacear.**

tenacero. *m.* fabricante ou vendedor de tenazes; pessoa que as emprega.

tenacidad. *f.* tenacidade, qualidade de ser tenaz, aderente ou de desagregar-se com dificultade; tenacidade, afinco, aferro; pertinácia; persistência; contumácia; inflexibilidade; encarniçamento; consistência; aferramento; (fig.) endurecimento.

tenacillas. *f. pl.* tenazes; pinças; espevitador.

tenáculo. *m.* (cir.) tenáculo, gancho para exteriorizar as artérias a laquear.

tenada. *f.* cobertiço. alpendre. *V.* **tinada.** e **henil.**

tenante. *m.* (heral.) figura que sustém o brasão, suporte.

tenar. *m.* (anat.) tenar, saliência da parte externa da palma da mão.

tenaz. *adj.* tenaz, muito aderente; tenaz, que segura com firmeza; (fig.) tenaz, pertinaz; firme, constante; obstinado; teimoso, aferrado; inflexível; forte; indisciplinado: enérgico; afincado; contumaz; birrento; batalhador; duro; infatigável, incansável; decidido; consistente.

tenaza. *f.* tenaz, instrumento que serve para agarrar qualquer objecto; turquês; chegadeira; alicatão, (fort.) tenalha, pequena obra de fortificação; tenaz, dentes de algums animais; pinça.

tenazada. *f.* acção de agarrar com tenaz ou turquês; ruído que faz a tenaz ao manejar-se; (fig.) acção de morder fortemente, dentada.

tenazón. (a.) *loc. adv.* de chofre, ao acaso, sem fazer pontaria.

tenca. *f.* (ictiol.) tenca, tainha dos rios; (fig. e fam. (Amér.) mentira.

tención. *f.* retenção.

tendal. *m.* tendal, toldo, coberto; panal, pano grande que se estende debaixo das oliveiras para apanhar as azeitonas varejadas; estendal; estendedoiro; conjunto de coisas estendidas a secar; espaço soalhado para estender café para secar; (Amér.) alpendre onde se tosquiam as ovelhas. V. **tendedero.**

tendalada. *f.* (Amér.) V. **tendalera.**

tendalera. *f.* (fam.) estendal, mistura de coisas em desordem; desarrumação das coisas que se deixam estendidas no chão.

tendedor, ra. *s.* estendedor, pessoa que estende.

tendedura. *f.* estendedura, acto de estender.

tendel. *m.* cordel de pedreiro; camada de argamassa sobre cada fieira de tijolo.

tendencia. *f.* tendência, propensão, inclinação; vocação; disposição; queda; fraco.

tendencioso, sa. *adj.* tendencioso, que manifesta tendência para determinados fins; malévolo.

tendente. *adj.* tendente, inclinado a, propenso; que tem vocação, inclinado.

ténder. *m.* (f. c.) tênder.

tender. *v. tr.* tender, desdobrar, estender, desenrolar, espalhar; estender, alargar, estirar, alongar; estender, espalhar pelo chão; tender, propender, ter vocação, aplicar uma camada delgada de reboco nas paredes ou tectos; emparreirar. — *v. intr.* tender, propender, ter por fim; dirigir-se, inclinar-se; propender, ter tendência ou inclinação. — *v. r.* estender-se, deitar-se ao comprido, estirar-se; abrir todas as cartas sobre a mesa; estender-se (um cavalo que corre); descuidar-se, desamparar um negócio por negligência; estender-se, estirar-se, deitar-se ao comprido; estender todas as cartas na mesa; (mar.) dar a borda; *tender al mismo fin*, converger; *tender uma mano*, deitar uma mão; *tender la ropa*, emparreirar a roupa; — *conj. irr.* como **entender.**

tenderete. *m.* estenderete (jogo de cartas; (fam.) barraca para venda ao ar livre. V. **tendalera.**

tendero, ra. *s.* tendeiro, pessoa que tem tenda ou loja, lojista; merceeiro; retalhista. — *m.* fabricante de tendas de campanha ou o que trata delas.

tendido, da. *p. p.* de **tender** e *adj.* desferido; desfraldado, enfunado; estendido (diz-se do galope violento do cavalo). — *m.* acção de estender, tensão; palanque da praça de touros; porção de roupa que a lavadeira estende duma vez; (alven.) camada delgada de cal ou argamassa que se estende sobre as paredes; massa tendida; tacamissa, parte do telhado desde a fileira até a aba: *largo y tendido*, largamente, profusamente, *tendido en el suelo*, estatelado.

tendinoso, sa. *adj.* (anat.) tendinoso, que tem tendões; que se compõe de tendões; pertencente aos tendões.

tendón. *m.* (anat.) tendão, feixe de fibras que ligan os músculos; corda cordoveia: *tendón de Aquiles*, tendão de Aquiles.

tenducha, ou **tenducho.** *f.* e *m.* (depre.) lojeca, loja de mau aspecto; loja mal fornecida; futrice; quitana, baiuca.

tenebrario. *m.* (rel.) tenebrário, tocheiro aceso durante o ofício de trevas da Semana Santa.

tenebrosidad. *f.* tenebrosidade; qualidade de tenebroso; escuridão. cerração.

tenebroso, sa. *adj.* tenebroso, escuro, cheio de trevas; estrevado; avernal; atro; sombrio, caliginoso; (fig.) difícil de compreender, misterioso, pungente, dolorido; secreto e pérfido; medonho, horrível.

tenedero. *m.* (mar.) ancoração, ancoradouro; surgidouro, lugar onde a âncora pega.

tenedor. *m.* possuidor, o que possui alguma coisa; garfo (de mesa);: *tenedor de libros* contador, contabilista, guarda-livros,.

teneduría. *f.* cargo e escritório de guarda-livros: *teneduría de libros*, arrumação de contas; escrituração comercial por partidas dobradas; contabilidade.

tenencia. *f.* posse, possessão; tenência, cargo; ofício e habitação de tenente; (Bras.) vigor, firmeza, hábito.

tener. *v. tr.* ter, deter; agarrar, pegar; ter, possuir, gozar, dominar; ter, existir; ter, deitar; empunhar; ter, guardar, cumprir; hospedar, receber em casa; ter, possuir em abundância; julgar, reputar, entender; estimar; apreciar; ter, manter, gozar de; ter, deter, reter; segurar; fruir; gozar; ser das dimensões de; ser composto de; conquistar, administrar, dirigir; valer; importar; reputar; conservar; sofrer de, sentir; ter, ser obrigado a; ter, dar à luz; ser obrigado a;. — *v. r.* ter-se; parar; manter-se; reputar-se; reprimir-se; parar; equilibrar-se; segurar-se; aguentar-se considerar-se; ater-se; confiar-se; manter-se firme; passar o tempo; firmar-se para não cair; usa-se às vezes como verbo auxiliar em lugar de haver: *tener que*, dever; *tener salida ou comunicación*, deitar; *tener buenos amigos*, constar bons amigos; *tener coche*, ter carro; *tener por*, ter por; *tener entre manos algún negocio*, ter entre mãos algum negócio; *aquello que no tiene nada que ver con lo que yo digo*, aquilo não tem nada que ver com o que eu digo; *¿qué tienes que hacer?*, que tendes que fazer?; *tenerse por*, dar-se; *tenerse en pie*, ter-se em pé; *no me puedo tener de risa*, não me posso ter com riso; *todos lo tenian por muerto*, todos o tinham por morto. — *conj. irr. ind. pres.* tengo, tienes, tiene, tenemos, teneis, tienen; *imperf.* tenía, tenías, etc.; *pret. indef.* tuve, tuviste, etc.; *fut. imperf.* tendré, ás, á. etc. *pot. cond.* tendría, etc.; *subj. pres.* tenga, etc.; *imperf. ou* tuviese, etc.; *fut. imperf.* tuviere, etc.; *imperat.* tenga, etc.; *part.* tenido.

tenería. *f.* alcaçaria, curtidoiro, curtume, curtimento; fábrica de curtume.

tenesmo. *m.* (med.) tenesmo, puxo.

tenga, etc. V. tener.

tenguerengue (en). sem estabilidade, em equilíbrio inestável.

tenia. *f.* bicha solitária; equinococo; verme intestinal; té(ê)nia.

tenienta. *f.* mulher do tenente.

tenientazgo. *m.* tenência, cargo de tenente.

teniente. *p. a.* de *tener, adj.* e *m.* possuidor, que tem ou possui uma coisa; verde, diz--se de fruta não madura; (fam.) um tanto surdo; medriocre, miserável, escaso; (fig.) avarento, mesquinho. — *m.* substituto; (mil.) tenente: *teniente coronel,* tenente--coronel; *teniente general,* tenente-general; (mar.) *teniente de navío,* capitão-tenente.

tenífugo, ga. *adj.* (med.) tenífugo.

tenis. *m.* té(ê)nis (jogo de bola com raquetas); *tenis de mesa,* ténis de mesa.

tenista. *s.* jogador de ténis.

tenor. *m.* voz entre o contralto e barítono, tenor; tenor, pessoa que tem essa voz; cantor.

tenor. *m.* teor, constituição duma coisa; estabilidade, maneira; modo; norma; teor, conteúdo literal dum escrito; estilo: *a este tenor,* deste modo, neste estilo.

tenorio. *m.* (fig. e fam.) galanteador audaz e fanfarrão; lovelace.

tenotomía. *f.* (cir.) tenotomia.

tensar. *v. tr.* estirar, estender, alongar, tornar tenso ou comprido.

tensión. *f.* tensão, estado do que é tenso; tensão, ere(c)ção; entesadura; tensão, força elástica dos gases; tensão, grau de energia eléctrica que se manifesta num corpo; tensão, extensão, dilatação; tensão; estado de rigidez que se manifesta em certas partes do corpo; (fig.) tensão de espírito, preocupação forte.

tenso, sa. *adj.* tenso, esticado, estirado, retesado; (fig.) muito aplicado ou preocupado.

tensón. *m.* tenção, composição poética provençal em que contendiam dois ou mais trovadores.

tensor. *m.* (mec.) tensor, que estende ou origina tensão; que serve para estender; diz-se dos músculos destinados a produzir tensão.

tentación. *f.* tentação, impulso para fazer uma coisa má; farnicoques, frenicoques, fornicoques; assalto; (pop.) menção; (fig.) cócegas; (fig.) sujeito que induz ou persuade; instigação; estímulo; tentação, desejo repentino; apetite.

tentaculado, da. *adj.* tentaculado, provido de tentáculos.

tentacular. *adj.* tentacular.

tentáculo. *m.* (zool.) tentáculo, qualquer dos apêndices móveis e moles de diversos moluscos; crustáceos, etc., corninho.

tentadero. *m.* tenta, curral fechado para experimentar a bravura dos bezerros.

tentador, ra. *adj.* e *s.* tentador, que tenta; tentador, apetitoso; que tenta, que faz cair na tentação; — *m.* Tentador, o Demónio, o Diabo.

tentalear. *v. tr.* tentar repetidas vezes; tentear, reconhecer às apalpadelas uma coisa; tentear com as mãos; tentear com um pau, etc.

tentar. *v. tr.* tentear, ta(c)tear, examinar, ensaiar; tentar, instigar; seduzir; tentar, procurar, intentar; tentar, desafiar; atentar; apetitar; (fig.) deslumbrar; tentar, tentear, apalpar; (cir.) sondar, reconhecer com a tenta uma ferida, tentear.— *conj. irr.* como acertar: *tentar la ropa,* apalpar a roupa.

tentativa. *f.* tentativa, acção com que se intenta ou tenteia alguma coisa; tentativa, acometimento; experimento, experimentação; empreendimento; experiência; tentativa, princípio de execução dum delito que não chega a realizar-se; tentativa, ensaio, prova; (Bras.) infuca.

tentativo, va. *adj.* tentativo, que serve para tentar, tentante.

tentempié. *m.* (fam.) merenda, colação, lanche; aperitivo, aperiente; : *tomar un tentempié,* tomar um aperitivo.

tentenelaire. *m.* ou *f.* (Amér.) quarterão, o filho de mulato e branca ou de branco e mulata.

tentón. *m.* ((fam.) acção de tentear brusca e ràpidamente; tentativa rápida.

tenue. *adj.* te(ê)nue, delicado, delgado, apagado; súbtil; de pouca consistência; simples; ténue de pouco valor e importância; ténue, frágil, pouco denso; leve; fraco, pequeníssimo, débil: *sonido tenue,* som débil.

tenuidad. *f.* tenuidade, qualidade do que é ténue ou débil; (fig.) insignificância; delicadeza; subtileza.

tenuta. *f.* (for.) posse provisória até decisão judicial.

tenutario, ria. *adj.* possessório, pertencente ou relativo à posse provisória.

tenzón. *f.* tenção. composição poética provençal.

teñidura. *f.* tintura, acção e efeito de *teñir.*

teñir. *v. tr.* tingir, dar a uma coisa uma cor diferente da que tinha; corar; almagrar; engraxar (tingir da cor negro); tingir, embeber uma substância corante); comunicar uma cor a; meter em tinta; pintar de preto.— *v. r.* mudar de cor; (fig.) persuadir alguém. — *conj. irr.* como ceñir.: *teñir de negro el cabello,* engraxar o cabelo; *teñir de pardo,* embaçar.

teobromina. *f.* (quim.) teobromina, princípio activo do cacau.

teocalí. *m.* (Amér.) teocal, templo dos antigos mexicanos.

teocracia. *f.* teocracia, governo exercido pelos sacerdotes ou directamente por Deus.

teocrático, a. *adj.* teocrático.

teodicea. *f.* (teol.) teodiceia, teologia natural.

teodolito. *m.* (mat.) teodolito, instrumento geodésico para medir ângulos.

teofanía. *f.* teofania, manifestação da divindade.

teofilantropía. *f.* teofilantropia, doutrina baseada no amor a Deus.

teofobia. *f.* teofobia, (pat.) temor exagerado de Deus.

teófobo, ba. *s.* o que sofre de teofobia.

teogonía. *f.* teogonia, genealogia dos deuses do paganismo.

teogónico, ca. *adj.* teogó(ô)nico.

teologal. *adj.* teologal, pertencente à teologia; : *canónigo teologal,* cônego magistral.

teología. *f.* teologia, ciência que trata de Deus, dos dogmas e dos preceitos religiosos.

teológico, ca. *adj.* teológico, teologal.

teologizar. *v. intr.* teologizar, discorrer sobre princípios ou razões teológicas.

teólogo, ga. *s.* teólogo, pessoa versada em teologia; estudante de teologia.

teomanía. *f.* teomania.

teomancia. *f.* teomancia.

teorema. *m.* teorema, proposição que precisa ser demonstrada para se tornar evidente.

teorético, ca. *adj.* teorético, relativo a teoria, teórico.

teoría, teórica. *f.* teoría, teórica, conhecimento especulativo; conjectura; hipótese.

teórico, ca. *adj.* teórico; especulativo, hipotético; (fam.) utopista, devaneador.

teorización. *f.* acção e efeito de *teorizar;* exposição ou estabelecimento de teorias.

teorizar. *v. tr.* teorizar, tratar dum assunto só em teoria.

teoso, sa. *adj.* resinoso.

teosofía. *f.* teosofia.

teosófico, ca. *adj.* teosófico.

teósofo. *m.* teósofo.

tepe. *m.* torrão herbáceo empregado na construção de paredes e muralhas, tepe.

tequio. *m.* (Amér.) gravame, tributo oneroso; dano; prejuízo.

terapeuta. *adj.* e *s.* terapeuta; clínico.

terapéutica. *f.* (med.) terapêutica; medicação.

terapéutico, ca. *adj.* terapêutico, relativo à terapêutica.

terapia. *f.* terapia, terapêutica.

teratofobia. *f.* (pat.) teratofobia.

teratogénesis. *f.* teratogé(ê)nese.

teratogenia. *f.* teratogenia.

teratogénico, a. *adj.* teratogé(ê)nico.

teratología. *f.* teratologia.

teratológico, a. *adj.* teratológico.

teratólogo, ga. *s.* teratólogo, teratologista.

teratoma. *m.* (med.) teratoma.

teratopagia. *f.* (terat.) teratopagia.

teratópago. *m.* (terat.) teratópago.

terbio. *m.* (quim.) térbio.

terelete. *adj.* (arq.) espécie de arco de abóbada.

tercena. *f.* depósito ou armazém oficial de tabaco.; (Amér.) V. **carnicería.**

tercenal. *m.* carga de trinta molhos de messes.

tercenco. *adj.* diz-se da rès menor de 3 anos.

tercenista. *s.* pessoa encarregada de administrar um depósito de tabaco.

tercer. *adj.* terceiro.

tercera. *f.* terceira, alcoviteira, medianeira, mulher que alcovita; espécie de jogo de contas; (mús.) terça.

tercería. *f.* terçearia, intervenção, causa em favor de terceiro, intercessão; alcovitice; mediação; tenência interina de fortaleza; ofício de colector de dízimos; (for.) direito dum terceiro entre dois ou mais litigantes.

tercerilla. *f.* (poét.) composição métrica de 3 versos de arte menor, copla de 3 versos.

tercero, ra. *adj.* terceiro. — *m.* medianeiro, intercessor; terceiro; alcoviteiro; medianeiro; corretor de amores, alcoviteiro; terceiro (que não é nenhuma das pessoas de quem se fala); terceiro, membro da terceira ordem de Nossa Senhora do Carmo; terceiro, árbitro, o que desempata: *tercero en discordia,* árbitro mediador.

tercerola. *f.* carabina curta; quartola; barril, pequena pipa equivalente a um quarto de tonel; flauta menor que a comum.

tercerón, na. *s.* filho de branco e de mulata.

terceto. *m.* (mús.) terce(ê)to; (poét.) terceto, estância de 3 versos.

tercia. *f.* terça (hora canónica); tércia; terça, a terça parte dum todo; terça parte duma vara; dizimaria, casa onde se deposita o dízimo.

terciado, da. *p. p.* de *terciar* e *adj.* diz-se do açúcar amarelo. — *m.* espada de folha larga e curta: *azúcar terciada,* açúcar mascavado.

terciador, ra. *adj.* terçador, intercessor, mediador.

terciana. *f.* (med.) terçã, febre intermitente que se repete de três em três dias.

tercianario, ria. *adj.* e *s.* tercionário, que tem terçãs.

terciar. *v. tr.* terçar, atravessar, cruzar, pôr em diagonal; dividir uma coisa em três partes. — *v. intr.* mediar; servir de medianeiro; intervir, terçar, pugnar; prefazer o número terceiro; lavrar a terra terceira vez. — *v. r.* vir a pêlo, vir a calhar.

terciario, ria. *adj.* terciário, terceiro em ordem ou grau; (geol.) terciário. — *m.* (arq.) arco de pedra que se faz nas abóbadas formadas com cruzeiros; religioso terceiro.

terciazón. *f.* terceira lavra das terras.

tercio, cia. *adj.* te(ê)rco, terceiro na ordem.— *m.* terço, cada uma das três partes iguais em que se divide um todo; terço, cada uma das três partes em que se divide o rosário; (mil.) terço, corpo de infantaria da antiga milícia espanhola. — *pl.* membros fortes e robustos do homem: *hacer buen tercio,* ajudar alguém nalguma coisa; *hacer mal tercio,* não favorecer alguém nalguma coisa.

terciodécuplo, pla. *adj.* e *m.* tércio-décuplo.

terciopelado, da. *adj.* aveludado. — *m.* espécie de tecido semelhante ao veludo.

terciopelero. *m.* fabricante de veludos.

terco, ca. adj. teimoso, obstinado, pertinaz; apostado; aferrado; constante; abarroado; emperrado; inapelável; batalhador; duro; birrento; afincado; apegado; (pop.) encabruado; (Amér.) desabrido.

terebeno. m. (quím.) terebeno.

terebintáceo, a. adj. (bot.) terebintáceo. — f. pl. terebintáceas.

terebinteno. m. (quím.) terebinteno.

terebintina. f. (quím.) terebintina.

terebración. f. terebração, perfuração, acção de furar ou verrumar.

terebrante. adj. (med.) terebrante, diz-se da dor que produz a sensação duma broca a penetrar nos tecidos.

terebrar. v. tr. terebrar, furar, perfurar, verrumar.

tereniabín. m. espécie de maná líquido.

Teresa. n. pr. Teresa.

teresa. adj. e f. diz-se da freira carmelita que professa a ordem de Santa Teresa de Jesus.

teresiana. f. espécie de quépi militar.

teresiano, na. adj. teresiano.

tergiversable. adj. tergiversável, que se pode tergiversar.

tergiversación. f. tergiversação; subterfúgio; evasiva; desculpa.

tergiversador, ra. adj. e s. tergiversador, que usa de tergiversações.

tergiversar. v. tr. tergiversar, forçar as razões para defender ou desculpar alguma coisa; voltar as costas; usar de subterfúgios; emaranhar, confundir; (fig.) envenenar, empregar falsidades.

teriaca. f. teriaga, teriaca. V. **triaca.**

teriacal. adj. teriacal. V. **triacal.**

termal. adj. termal, relativo às termas ou caldas.

termalidad. f. termalidade.

termántico, ca. adj. termântico, que produz calor.

termas. f. pl. termas, caldas, banhos quentes; banhos públicos dos antigos romanos.

termes. m. (entom.) terma, térmita, térmite.

termiatría. f. termiatria.

térmico, ca. adj. térmico, relativo ao calor.

Termidor. m. Termidor.

terminable. adj. terminável, que se pode terminar ou acabar.

terminación. f. terminação; conclusão, fim; parte final duma obra ou coisa; mate; extremidade; (gram.) terminação.

terminado, da. p. p. de terminar e adj. terminado, concluído, acabado; rematado. — m. ordem, divisão de andares e quartos de uma casa.

terminal. adj. terminal, final, último, que põe fim a uma coisa.

terminante. p. a. de terminar e adj. terminante, que termina; terminante, categórico, decisivo, concludente; formal; claro; definitivo; absoluto; expresso; limitativo; irrevogável.

terminar. v. tr. terminar, acabar, pôr termo a; concluir; servir de termo a; rematar; demarcar, limitar. — v. intr. terminar, ter fim, acabar, consumar; expirar; (fig.)

morrer; (gram.) terminar, acabar, diz-se da terminação ou desinência das palavras; ter um termo, um limite: *terminar algo*, dar fim a alguma coisa; *terminar con alguien*, chegar ao cabo com alguém; *para terminar*, por despedida.

terminativo, va. adj. terminativo, terminante, que faz terminar.

terminista. s. purista, pessoa que emprega termos rebuscados e afectados.

término. m. te(ê)rmo, término, fim, conclusão, remate; término, termo, raia, marca divisória, limite, baliza, confins; extremidade, extremo, termo, término; distrito, comarca, região; confins, termo, limite, sítio; lugar assinalado, distrito; tempo determinado, prazo; termo, modo, jeito, disposição, teor, maneira de se portar, forma; disposição, a p a r ê n c i a, procedimento, modos; objectivo; meta; fim; termo, palavra, expressão, desinência, vocábulo; elemento de proporção; (for.) termo, prazo determinado; termo, território de jurisdição; (mat.) termo; (pint.) plano; (arq.) termo, sustentáculo, apoio que acaba na parte superior em cabeça humana; (med.) tempo, dia crítico de uma doença; (mús.) tom.

terminología. f. terminologia; nomenclatura; tecnologia.

terminológico, ca. adj. terminológico.

termiónico, ca. adj. (electr.) termiónico.

termita. f. (entom.) térmita, terma; formiga branca; (quím.) explosivo à base do alumino e óxidos de diferentes metais.

termitero. m. termiteira, ninho de térmites.

termobarómetro. m. (fís.) termobaró(ô)metro.

termocauterio. m. (cir.) termocautério.

termocrosis. f. (fís.) termocrose.

termodinámica. f. (fís.) termodinâmica.

termodinámico, ca. adj. (fís.) termodinâmico.

termoelectricidad. f. (fís.) termoele(c)tricidade.

termoeléctrico, ca. adj. (fís.) termoelé(c)trico.

termoestesia. f. (pat. e fís.) termoestesia.

termofobia. f. (pat.) termofobia.

termogénesis. f. termogênese, termogénia.

termogénico, ca. adj. termogéneo.

termógeno, na. adj. (fís.) termogé(ê)neo.

termografía. f. (fís.) termografia.

termógrafo. m. (fís.) termógrafo.

termología. f. (fís.) termologia.

termológico, ca. adj. (fís.) termológico.

termólogo, ga. s. termologista.

termomagnético, ca. adj. (fís.) termomagnético.

termomagnetismo. m. (fís.) termomagnetismo.

termomanómetro. m. (fís.) termomanó(ô)metro.

termomecánica. f. (fís. e mec.) termomecânica.

termometría. f. (fís.) termometria.

termométrico, ca. adj. (fís.) termométrico.

termómetro. m. (fís.) termó(ô)metro; *termómetro centígrado, de Réaumur, de Fharenheit*, termómetro centígrado de Réaumur, de Fharenheit; *termómetro de máxima, de mínima,* termómetro de máxima, de mínima; *termómetro registrador,* termómetro registrador; *termómetro de la opinión,* (fig.) termómetro da opinião.

termometrógrafo. *m.* (fis.) termometrógrafo.

termomultiplicador. *m.* (fís.) termomultiplicador.

termopropulsión. *f.* (mec.) termopropulsão.

termoquímica. *f.* (quím.) termoquímica.

termos. *m.* recipiente empregado para manter uma temperatura constante dos líquidos ou sólidos contidos no mesmo.

termoscopia. *f.* (fís.) termoscopia.

termoscópico, ca. *adj.* (fís.) termoscópico.

termoscopio. *m.* (fís.) termoscópio.

termosifón. *m.* (fís.) termossifão.

termostato. *m.* (electr.) termóstato.

termoterapia. *f.* (terap.) termoterapia.

termoterápico, ca. *adj.* termoterápico.

termotropismo. *m.* termotropismo.

terna. *f.* terno, trio, trindade; grupo de três pessoas propostas para um cargo; terno, acta de jogar ou dado com três pintas.

ternado, da. *adj.* (bot.) ternado.

ternario, ria. *adj.* ternário, composto de três elementos. — *m.* ternário, espaço de três dias dedicados a uma devoção; (quím.) ternário; (mús.) ternário, compasso em três tempos iguais.

ternasco. *m.* cordeiro recém-nascido, cabrito.

terne. *adj. e s.* (fam.) valentão; perseverante, obstinado; forte, robusto, saudável.

ternera. *f.* terneira, vitela, novilha; carne de vitela ou vitelo.

ternero. *m.* terneiro, bezerro, vitelo.

ternerón, na. *adj.* (fam.) sensível, mole; diz-se da pessoa que se enternece com facilidade. — *m.* (Amér.) diz-se do rapaz já crescido que quer fazer-se passar por menino.

terneza. *f.* ternura, qualidade de terno, meiguice; dito lisonjeiro, requebro; arrulho; galanteio. — *pl.* entranhas, carinho; ternura, sensibilidade, facilidade de enternecer-se; ternura, doçura, suavidade; afecto brando e carinhoso; suavidade nas palavras e expressões.

ternilla. *f.* cartilagem em forma de lâmina; (anat.) cartilagem.

ternilloso, sa. *adj.* cartilaginoso, cartilagíneo, cheio de cartilagens.

terno. *m.* terno, trio, conjunto de três coisas da mesma espécie; terno, vestuário masculino de três peças; voto, juramento, praga; terno, paramento completo de três celebrantes da missa cantada; terno, lance de três números no jogo de loto; (impr.) caderno de três folhas; terno, grupo de três, trio; trindade: *echar ternos,* votar, rogar pragas, dizer juramentos.

ternura. *f.* ternura, qualidade do que é terno; ternura, carinho, doçura; amor; afeição; dulçor; efusão, melosidade; meiguice; melifluidade; afecto suave e carinhoso; tristeza suave; ternura, requebro, galanteio; dito lisonjeiro: *con ternura,* amoràvelmente.

terpina. *f.* (quím.) terpina.

terpinol. *m.* terpinol, substância obtida pela acção dum ácido sobre a terpina.

terquear. *v. intr.* teimar, mostrar-se obstinado; obstinar-se; porfiar; insistir em; sustentar com obstinação.

terquedad. *f.* teimosia, qualidade do que é teimoso; embirração; aferramento; constância; encarniçamento; ape(ê)go; apegamento; batalhação; birra; emperramento; (fig.) induração, obstinação, teima; pertinácia; porfia; (fig.) porfia, disputa; questão renhida; insistência; (Amér.) V. **despego.**

terracota. *f.* terracota, espécie de barro cozido; terracota, diz-se das esculturas feitas com esse barro.

terrada. *f.* espécie de betume ou resina; betume feito de almagre.

terrado. *m.* terrado, terraço, cobertura plana dum edifício; varanda; eirado.

terraja. *f.* terraxa, utensílio de serralheiro para fazer as roscas dos parafusos; atarraxador.

terrajar. *v. tr.* (mec.) fazer roscas nos parafusos.

terraje. *m.* terrádigo, terrádego; renda que paga o arrendatário ao proprietário dum terreno.

terraplén. *m.* terrapleno, maciço com que se enche uma depressão; trincheira, reduto, alteamento de terra para defesa; ate(ê)rro; (fort.) solo interior duma fortificação; terras trazidas para fazer uma superfície plana.

terraplenamiento. *m.* terraplenamento, terraplenagem.

terraplenar. *v. tr.* terraplenar, formar terrapleno, encher de terra; acumular terra; alisar; entulhar; aterrar; explanar.

terráqueo, a. *adj.* terráqueo, composto de terra; referente à terra; terrestre; aplica-se ao globo terrestre.

terrateniente. *s.* latifundiário, fazendeiro; dono ou possuidor de terras; proprietário de terras.

terraza. *f.* terraço duma casa; alegrete de jardim; açotea; jarra vidrada de duas asas; terraço, obra de alvenaria em forma de galeria descoberta; coberta plana dum edifício, terraço.

terrazgo. *m.* leira de terra para semear; terrádigo, pensão ou renda.

terrazguero. *m.* lavrador que paga renda ou terrádigo; pessoa encarregada de receber a renda ou terrádigo.

terrazo. *m.* (pint.) terreno representado numa paisagem; linha térrea; eirado.

terrear. *v. intr.* terrear, mostrar-se a terra nos campos semeados; aparecer a terra sem vegetação.

terrecer. *v. tr.* aterrar, aterrorizar, causar terror; pôr medo.

terregoso, sa. *adj.* diz-se dos campos cheios de torrões.

terremoto. *m.* terremoto, sismo, tremor de terra; abalo, abalamento; terramoto;

(fig.) grande estrondo, grande abalo social.

terrenal. *adj.* terrenal, terreal, terrestre, pertencente ou relativo à terra, em oposição ao que se refere ao céu; terreal, mundano; terráqueo, terrenal.

terreno, na. *adj.* terreno, terrestre, terreal; terráqueo; terroso, pertencente à terra; terreno, mundano; terreno, terroso, que tem a cor da terra. — *m.* terreno, espaço de terra mais ou menos extenso; terreno, campo ou esfera de acção; terreno, solo (referente à sua natureza).

térreo, a. *adj.* térreo, da terra; térreo, parecido com, ou semelhante à terra.

terrera. *f.* alcantil, terreno escarpado; (orni.) calhandra.

terrero, ra. *adj.* térreo, terrestre, terreno, terráqueo; pertencente ou relativo à terra; rasteiro, diz-se do voo baixo de certas aves; diz-se da cavalgadura que levanta pouco as mãos ao andar; diz-se dos cestos ou seiras para transportar a terra; (fig.) humilde, rasteiro, baixo, terreno. — *m.* terreiro, terraço dum edifício; terreiro, montão de terra; alvo, ponto de mira, fito; terreiro, espaço livre despejado na frente dos edifícios; terreiro, praça, largo.

terrestre. *adj.* terrestre, pertencente ou relativo à terra; terráqueo; que vive sobre a superfície da terra ou na parte sólida do globo terráqueo; (fig.) terrestre, mundano.

terribilidad. *f.* terribilidade; qualidade de terrível; coisa terrível; aspereza; dureza; violência de carácter.

terrible. *adj.* terrível, formidando; fulmíneo; formidável; medonho; furioso; diabólico; atroz; levado do diabo; (poét.) metuendo; terrível, que causa terror; temível; áspero de génio; extraordinário, desmesurado; grande; violento; muito mau; duro de condição; descompassado; desmedido; demais; terrível, cruel, violento, muito forte; (Bras.) abarbarado.

terrícola. *m.* ou *f.* terrícola, habitante da terra. — *pl.* (zool.) terrícolas, anélidos, que vivem ocultos na terra.

terrifico, ca. *adj.* terrífico, terrificante, que amedronta, que terrifica, que inspira terror.

territorial. *adj.* territorial, pertencente ao território; *división territorial*, circunscrição.

territorialidad. *f.* territorialidade.

territorio. *m.* território, país, região; território, terreno que compreende um país, região, etc.; território, circuito ou termo duma jurisdição; território, área duma cidade, província, região, etc.; território, grande extensão de terreno.

terrizo, za. *adj.* feito de terra, fabricado com terra; terreno, térreo. — *f.* ou *m.* alguidar. — *m.* eira por lajear.

terromontero. *m.* outeiro, pequena colina; montículo, montinho.

terrón. *m.* torrão, terrão, pedaço solto de terra compacta; pequeno pedaço solto de qualquer coisa; pedaço formado de partes miúdas que se agregam; montão, reunião de coisas imateriais. — *pl.* bens de raiz: *terrón de açúcar*, torrão de açúcar.

terror. *m.* terror, me(ê)do, pavor; horror; apavoramento; assombro; desaco(ô)rdo; medo; assombramento; aterramento; (fig.) bichancros; terror, época do regime revolucionário francês; terror, grande medo, pânico; dificuldade; terror; fase de um regime político assinalado por perseguições, morticínios, etc.

terrorífico, ca. *adj.* terrífico, terrorífico; apavorante.

terrorismo. *m.* terrorismo, dominação pelo terror; terrorismo, sucessão de actos de violência para infundir terror; terrorismo, regime de terror.

terrorista. *s.* terrorista, partidário do terrorismo.

terrosidad. *f.* qualidade de terroso, natureza duma terra.

terroso, sa. *adj.* terroso, que tem a natureza e qualidades da terra; terroso, misturado com terra; terroso, terrento.

terruño. *m.* torrão (de terra); torrão, comarca, país natal; terreno, espaço de terra.

tersar. *v. tr.* polir, limpar, lustrar; fazer terso, polido ou lustroso; brunir; alisar.

tersidad. *f.* V. tersura.

terso, sa. *adj.* terso, puro, limpo; terso, lustroso, claro; lustrino; açacalado; polido; (fig.) terso, puro, limado, civilizado; fluente, fácil; correcto; terso, fino, vernáculo (diz-se do estilo, da linguagem, etc.).

tersura. *f.* polimento, lustre, limpeza; qualidade de terso; pureza; elegância; pureza do estilo.

tertulia. *f.* tertúlia, assembleia, reunião de pessoas que se juntam para conversar ou divertir-se; palestra literária; lugar nos cafés destinado às mesas de jogo; galería na parte mais alta dos antigos teatros; varandas, torrinhas; (Amér.) localidade num teatro; nome que se dá em América a uma espécie de sofá: *tertulia de confianza*, reunião de amigos para conversação e diversões.

Tesalia. (geog.) Tessália.

tesálico, ca; tesaliense; tesalio, lia; tésalo, la. *adj.* e *s.* (geog.) tessálico, natural de Tessália ou pertencente a esta região da antiga Grécia.

Tesalónica. (geog.) Tessaló(ô)nica.

tesalonicense, tesalónico, ca. *adj.* e *s.* (geog.) natural da ou pertencente a Tessalónica.

tesar. *v. tr.* (mar.) esticar, entesar, atesar, tesar os cabos, velas, etc. — *v. intr.* tesar, retroceder, andar para trás a junta de bois.

tesauro. *m.* tesouro; (ant.) tesouro; elenco; catálogo; sumário de vozes e termos, reduzidos de uma língua a outra.

tesela. *f.* tessela, cubo ou peça de mosaico para lajear pavimentos; peça cúbica de mármore empregada em pavimentos.

teselado, da. *adj.* diz-se dos pavimentos feitos com tesselas.

tésera. *f.* téssera, placa com inscrições que os romanos usavam como senhas, distinção honorífica, etc.

tesis. *f.* tese, proposição para ser defendida; tese, estudo, enunciação; tese, dissertação escrita apresentada na Universidade pelo aspirante a doutor; tese, assunto; tema.

tesitura. *f.* (mús.) tessitura, disposição dada às notas musicais para se acomodar a uma voz ou instrumento; (fig.) atitude, disposição do ânimo; contextura, organização.

teso, sa. *p. p. irreg.* de *tesar* e *adj.* tesado, entesado; te(ê)so. — *m.* alto, cume de morro ou alcantilado; cimo; teso.

tesón. *m.* rijeza, firmeza, inflexibilidade; energia; empenho; constância; tesão, firmeza; tesura; impetuosidade; (fig.) força; perseverança; cada uma das tábuas que formam o fundo dos tonéis.

tesonería. *f.* teimosia, pertinácia; obstinação; insistência.

tesonero, ra. *adj.* (Amér.) perseverante, constante; tenaz, persistente.

tesorería. *f.* tesouraria, cargo de tesoureiro e lugar onde exerce as suas funções; cargo ou ofício de tesoureiro.

tesorero, ra. *s.* tesoureiro, pessoa encarregada de guardar e administrar os dinheiros duma colectividade. — *m.* cônego encarregado da guarda das relíquias e tesouro duma catedral.

tesoro. *m.* tesouro, grande quantidade de dinheiro ou de objectos preciosos; erário duma nação; abundância de valores, de capitais; (fig.) pessoa ou coisa de muito apreço e estimação; tesouro, cofre, arca; (fig.) tesouro, tudo o que é muito precioso e útil; relíquias ou ornamentos de valor que se guardam nas catedrais e nalgumas igrejas: *tesoro de la iglesia,* (fig.) cimélio; *tesoro público,* erário, os cofres do Estado, o tesouro público.

Tespíades. *f. pl.* (poét.) as Musas.

testa. *f.* parte superior da cabeça do homem e dos animais; (por ext.) cabeça; fronte; parte superior dalguma coisa; frente; (fig.) entendimento; capacidade, prudência; juízo, cabeça: *testa coronada,* monarca, soberano.

testáceo, a. *adj.* testáceo, diz-se dos animais que têm concha. — *m.* testáceo.

testación. *f.* borradura, riscadura; acção de borrar ou riscar alguma escrita ou pintura.

testado, da. *p. p.* de *testar* e *adj.* diz-se da pessoa falecida que tem feito testamento.

testador, ra. *s.* testador, aquele que testa ou tem feito testamento.

testamentaría. *f.* (for.) testamentaria, execução dum testamento; junta dos testamentários; juízo de partilhas; testamentaria, administração dos bens do testador.

testamentario, ria. *adj.* e *s.* testamentário, pertencente ou relativo ao testamento; testamental; testamenteiro; encarregado pelo testador da execução do testamento.

testamentifacción. *f.* (for.) faculdade de testar.

testamento. *m.* (for.) testamento, declaração da última vontade; documento que faz fé: *testamento ológrafo,* o que faz o testador escrito e assinalado por si mesmo; *Nuevo o Antiguo Testamento,* Novo Testamento, ou Velho Testamento.

testar. *v. intr.* testar, fazer testamento; legar; deixar, dispor em testamento; atestar; testemunhar. — *v. tr.* testar, safar, riscar, cancelar.

testarazo. *m.* cabeçada, testada. V. **testarada.**

testarrón, na. *adj.* (fam.) teimoso, obstinado, pertinaz, cabeçudo.

testarronería. *f.* teimosia, pertinácia; obstinação, teima.

testarudez. *f.* teimosia, qualidade de teimoso; teimosice, pertinácia, obstinação, teima.

testarudo, da. *adj.* e *s.* teimoso, cabeçudo, testudo, obstinado, pertinaz; amarrado; (fig.) induviado.

teste. *m.* testículo.

testera. *f.* testeira, parte dianteira dalguma coisa; testada; assento de carruagem; cada uma das paredes do forno de fundição; parte superior ou anterior da cabeça do animal; testeira, parte da cabeçada que envolve a cabeça das bestas; testeira, adorno da cabeça; frontal, testa.

testero. *m.* frente. V. **testera** e **trashoguero;** testeiro, maciço de minério que tem duas caras descobertas; (prov.) extremo do pinheiro por onde está cortado com a serra.

testicular. *adj.* (anat.) testicular, pertencente ou relativo aos testículos.

testículo. *m.* (anat.) testículo, cada uma das glândulas do escroto; (vulg.) colhão.

testificación. *f.* testificação; testemunho, acção e efeito de *testificar;* depoimento.

testificar. *v. tr.* testificar, atestar, declarar, assegurar; testemunhar, depor como testemunha em algum acto judicial; (fig.) declarar com segurança e verdade; comprovar.

testificata. *f.* (for.) testemunho legalizado, de escrivão, em que dá fé duma coisa; certidão de prova.

testificativo, va. *adj.* testificativo, pessoa que declara uma coisa verdadeira; que faz fé; testemunhável.

testigo. *m.* e *f.* testemunha, pessoa que dá testemunho dalguma coisa; testemunho; atestante; conteste; testemunha, testemunho, coisa que atesta algum facto; testemunho, marca de terra que se deixa nas escavações: *tomar por testigo,* servir de testemunha; *testigo de duelo* o acto público, padrinho; *testigo presencial, de vista* o *ocular,* testemunha ocular ou de vista.

testimonial. *adj.* testemunhal, que faz fé e dá verdadeiro testemunho. — *f. pl.* instrumento legalizado em que se dá fé do que nele se contêm; atestado de bons costumes passado pelos bispos.

testimonio. *m.* testemunho, depoimento de testemunha; prova; fé; vestígio; demonstração; certidão legalizada de prova; autoridade.

testudo. *m.* testudo, testudem, antiga formação militar; antiga máquina de guerra.

testuz, testuzo. *m.* testa, fronte nalguns animais; cachaço, nuca (noutros).

tesura. *f.* tesura, rigidez. V. **tiesura.**

teta. *f.* te(ê)ta, glândula mamária; úbere; mama; mamilo; (fig.) montículo cónico; (pop.) chucha: *quitar la teta al niño*, desaleitar, destetar; (bot.) V. **barbaja:** *dar la teta,* amamentar, dar de mamar; *niño de teta,* criança de peito.

tetania. *f.* (pat.) tetania.

tetánico, ca. *adj.* (med.) tetânico, relativo ao tétano.

tétano, tétanos. *m.* (med.) tétano.

tetanoideo, a. *adj.* tetanóide, tetaniforme.

tetar. *v. tr.* amamentar, dar de mamar, lactar; aleitar.

tetera. *f.* chaleira, bule para chá.

tetero. *m.* biberão. V. **biberón.**

teticiega. *adj.* diz-se da rês que tem obstruídos os canais das glândulas mamárias.

tetilla. *f.* dim. de *teta;* tetinha; chupeta de biberão; tetinha de macho.: *dar en la tetilla* (fam.) tocar na tecla, ferir o ponto mais vivo.

tetón. *m.* pedaço seco de ramo podado, que fica unido ao tronco.

tetona. *adj.* (fam.) tetuda. V. **tetuda.**

tetracordio. *m.* (mús.) tetracórdio.

tetradinamia. *f.* (bot.) tetradinamia.

tetradínamo, ma. *adj.* (bot.) tetradínamo.

tetradracma. *m.* tetradracma.

tetraedro. *m.* (geom.) tetraedro.

tetragonal. *adj.* (geom.) tetragonal.

tetrágono. *m.* (geom.) tetrágono.

tetragrama. *m.* (mús.) tetragrama.

tetragrámaton. *m.* tetragrama, palavra com quatro letras.

tetralogía. *f.* tetralogia.

tetrámero, ra. *adj.* tetrâmero.

tetrámetro. *m.* tetrâmetro.

tetramotor. *m.* (aviac.) tetramotor, avião com quatro motores.

tetrandria. *f.* (bot.) tetrandria.

tetrandro, dra. *adj.* (bot.) tetrandro.

tetrapétalo, la. *adj.* (bot.) tetrapétalo.

tetrápodo, da. *adj.* (zool.) tetrápode.

tetrarca. *m.* tetrarca, senhor da quarta parte dum reino ou província; governador de uma província ou território.

tetraquía. *f.* tetrarquia, dignidade, jurisdição ou tempo do governo dum tetrarca.

tetrasílabo, ba. *adj.* e *m.* tetrassílabo.

tetraspermo. ma. *adj.* (bot.) tetraspermo.

tetraspora. *f.* (bot.) tetraspora.

tetrasporangio. *m.* (bot.) tetrasporangio.

terástico, ca. *adj.* (arq.) tetrástico; (poét.) tetrástico.

tetrástilo, la. *adj.* e *m.* (arq.) tetrástilo.

tetratomicidad. *f.* (quim.) tetratomicidade.

tetramónico, ca. *adj.* (quím.) tetrató(ô)mico.

tétrico, ca. *adj.* tétrico, muito triste; fúnebre; medonho, escuro; carrancudo; severo; grave; melancólico; lutuoso; lúgubre;

Tetuán. (geog.) Tetuão.

tetuda. *f. adj.* tetuda, diz-se da fêmea que tem tetas grandes; (prov.) azeitona que tem o feitio de teta.

teurgia. *f.* teurgia, espécie de magia baseada na comunicação com os espíritos celestes.

teúrgico, ca. *adj.* teúrgico.

teurgo. *m.* teurgo, mago dedicado à teurgia.

teutón, na. *adj.* e *s.* (geog.) teutó(ô)nico; (fam.) alemão.

teutónico, ca. *adj.* (geog.) teutónico, — *m.* língua dos teutões.

textil. *adj.* têxtil, diz-se da matéria que pode tecer-se.

texto. *m.* texto, dito ou escrito por um autor; citação; texto, passagem citada duma obra literária; (impr.) carácter tipográfico; por antonom. sentença da Sagrada Escritura; (fig.) fonte.

textual. *adj.* textual, conforme ao texto; exa(c)to, fielmente reproduzido ou citado,

textualista. *m.* textualista.

textura. *f.* textura, disposição dos fios num tecido; operação de tecer; (fig.) estrutura duma obra de engenho; (hist. nat.) textura, disposição que têm entre si as partículas dum corpo.

tez. *f.* tez, epiderme do rostro; cútis.

theta. *f.* teta, oitava letra do alfabeto grego.

ti. *pron.* pess. da segunda pessoa do singular, ti (leva sempre preposição e quando esta é *con,* diz-se *contigo: eso no es para ti,* não é para as tuas barbas.

tía. *f.* tia, irmã dos pais; tratamento de respeito que se dá à mulher casada ou já idosa, em certos lugares; (fam.) rameira: *no hay tu tía.* (fam.) não há esperanças de conseguir o que se deseja; *quedar para tía,* (fam.) não casar; *cuéntaselo a tu tía* (pop.) não creio o que dizes.

tialina. *f.* ptialina.

tialismo. *m.* sialismo, secreção excessiva da saliva.

tianguis. *m.* V. **tiánguez.**

tiara. *f.* tiara, mitra do Pontífice; dignidade de Sumo Pontífice: ornamentos que os cristãos persas usavam na cabeça.

tíbar. *m.* ouro puro.

tibe. *m.* corindão V. **corindón.**

tiberio. *m.* (fam.) ruído, confusão, alvoroto.

Tibet. (geog.) Tibete.

tibetano, na. *adj.* e *s.* (geog.) tibetano. — *m.* tibetano. (língua).

tibia. *f.* (anat.) tíbia. osso principal e anterior da perna; tíbia, flauta pastoril, pífaro: (vulg.) canela.

tibiar. *v. tr.* amornar. V. **entibiar.**

tibieza. *f.* tibieza, tibiez, qualidade de tíbio; afrouxamento; afroixeza; (fig.) arrefecimento; tepidez; frieza; falta de fervor.

tibio, bia. *adj.* tíbio, tépido, mo(ô)rno; (fig.) frouxo, mole, descuidado; falto de entusiasmo, de fervor, etc.; descarinhoso: friacho.

tiburón. *m.* (zool.) tubarão.

tic. *m.* tique, movimento inconsciente e habitual, tico.

tictac. *m.* tiquetaque, ruído regular do movimento dum relógio.

tichela. *f.* tigelinha, vasilha para recolher borracha da árvore.

ticholo. *m.* (Amér.) porção da goiabada.

tiempo. *m.* tempo, duração limitada; parte desta duração; tempo, época, estação do ano; idade; oportunidade; ocasião; tempo, vagar momentos livres ou desembaraçados de trabalho ou negócio; tempo, estado político; tempo, largo espaço; (mús.) tempo; (gram.) tempo; parte do espaço em que se dividem a execução duma coisa; momento determinado; delonga, dilação, prazo; estação; tempo, estado da atmosfera; : *a tiempo*, a tempo,; *con el tiempo*, com o andar do tempo; *con tiempo*, com tempo, com vagar; *a su tiempo*, a seu tempo; *al mismo tiempo*, ao mesmo tempo; *llegar a tiempo*, chegar a tempo; *hubo un tiempo*, houve um tempo; *a un tiempo*, a um tempo; *hace mucho tiempo*, há muito tempo; *en tiempo y lugar*, em tempo e lugar; *tiempo medio* (astrom.) tempo médio; *fuera de tiempo*, fora de tempo; *por algún tiempo*, por algum tempo; *¿qué tal tiempo hace?*, que tal está o tempo?; *hace buen* ou *mal tiempo*, faz bom ou mau tempo; *tiempo seco*, tempo seco; *tiempo lluvioso*, tempo chuvoso; *abrir el tiempo,* melhorar o tempo; *en tiempo de Maricastaña*, em tempo muito antigo; *de cuatro tiempos*, de quatro tempos (motor); *grande espacio de tiempo*, (Bras.) tempão.

tienda. *f.* loja, tenda, barraca de campanha; barraca de feira; toldo que usam algumas embarcações e carros; tendal, toldo, tolda; barraca de campanha; pequena loja de mercenaria; barraca de feira; betesga, tenda muito pequena, baiuca; quitanda; futrica: *tienda de campaña*, barraca; *tienda con buena parroquia*, loja bem afreguesada; *abrir tienda,* estabelecer-se.

tienta. *f.* tenta, operação para experimentar a bravura dos bezerros; sagacidade, arte para averiguar uma coisa; (cir.) tenta, sonda, estilete para sondar feridas. — *loc. adv. a tientas*, às apalpadelas; *andar a tientas*, andar apalpando.

tientaguja. *f.* sonda para terrenos, verruma de ferro, para sondar o solo.

tientaparedes. *s.* pessoa que anda às apalpadelas física ou moralmente.

tiento. *m.* tento, exercício do sentido do tacto, tino; ta(c)to, toque, acção de tocar ou apalpar; bordão de cego; corda ou vara da nora; pulso; firmeza; tento; (fig. e fam.) golpe pancada; balancim, maroma para dançar na corda; (pint.) tento; (zool.) tentáculo; (mús.) ensaio de tom, prelúdio; *dar un tiento*, reconhecer uma coisa, examiná-la; *con tiento*, a tento; *andar con tiento*, ir com cuidado, a tento.

tierno, na. *adj.* tenro, mole, delicado; aprilino; amenidado; afe(c)tuoso; melífluo;

madrigalesco; meigo; tenro, delicado, flexível; tenro, recente de pouco tempo; terno (falando-se da idade); terno, que chora fàcilmente; terno, afectuoso, carinhoso, amável; compassivo; *pan tierno*, pão fresco; *decir frases tiernas*, arrulhar; *volver tierno*, atenrar; *corazón tierno*, coração terno.

tierra. *f.* terra, o planeta onde vivemos; terra, solo, parte branda do solo; parte sólida da superfície do globo; terra, país natal; terra, a pátria de cada um, terra, os habitantes da Terra; terra, terreno, próprio para lavoura; pátria, região; localidade onde se nasce; terra, pó, poeira; os bens terrestres o mundo.

tieso, sa. *adj.* te(ê)so, empertigado; ere(c)to; empepinado; entesado; extenso; teso, que não se dobra fàcilmente; que se dobra com dificuldade; firme, rijo; duro robusto; (de saúde); teso, esticado, rígido; (fig.) teso, engomado; barbiteso; teimoso; grave; circunspecto; teso, tenso, não bambo; teso, terco, testudo, cabeçudo, teimoso; pertinaz; (fig.) teso, renhido, violento, inflexível; enérgico; : *tieso de frío*, (prov.) engorgido, engarvitado; *ponerse tieso*, empertigar-se, engravitar-se; encaroçar; *tenérselas tiesas con alguien*, ter a barba tesa — *adv.* tesamente, fortemente. V. **tiesamente.**

tiesta. *f.* testo, tampo dos tonéis; testa, aduela que serve de fundo nas pipas.

tiesto, ta. *adj.* V. **tieso.**

tiesto. *m.* vaso de barro para flores; bocado de cualquer vasilha de barro.

tiesura. *f.* tesura, dureza, rigidez; ere(c)ção; entesadura; (fig.) demasiada gravidade; tesura, qualidade de teso. rigidez, força; (fig.) austeridade, vaidade, valentia.

tifáceo, a. *adj.* (bot.) tifácea. — *f. pl.* tifáceas.

tífico, ca. *adj.* (med.) tífico, pertencente ou relativo ao tifo; que tem tifo.

tifilitis. *f.* (med.) tiflite.

tifo. *m.* (med.) tifo. V. **tifus.**: *tifo de América*, febre amarela; *tifo asiático*, cólera-morbo; *tifo de Oriente*, peste bubónica.

tifo, fa. *adj.* (fam.) farto cheio.

tifoideo, a. *adj.* tifóide, pertencente ou relativo ao tifo.

tifón. *m.* tromba de água; furacão no mar da China, tufão.; redemoinho; torvelinho.

tifus. *m.* (med.) tifo, doença infecciosa muito grave; (germ.) entradas de borla nos teatros.

tigra. *f.* (Amér.) tigre fêmea.

tigre. *m.* (zool.) tigre, mamífero carnívoro, muito feroz; (fig.) pessoa muito sanguinária e cruel; (Amér.) jaguar; pássaro do Equador de tamanho maior que uma galinha.

tigresa. *f.* tigre fêmea.

tija. *f.* cano da chave.

tijera. *f.* tesoura, tesoira, instrumento cortante; qualquer coisa em forma de tesoira; certo draino que se faz em terras húmidas; tosquiado; (fig.) grandes unhas muito agudas; armação de madeira que sustenta o telhado; (fig.) pessoa maldizente, que murmura, detractor; esquilador; sanja, regueira, esgotadouro.

tijeral. *m.* (arq.) (Amér.) tesoura da armação do telhado.

tijereta. *f.* dim. de *tijera*. tesourinha; tesoira pequena; tesoirinha; elo; fio espiral da vide; (zool.) insecto coleóptero; — *pl.* gavinha, abraço, apêndice de certas plantas; (Amér. zool.) ave palmípede.

tijeretada. *f.* **tijeretazo.** *m.* tesourada, golpe com tesoura.

tijeretear. *v. tr.* tesourar, cortar com tesoura, tesoirar; dar golpes com tesoura; dispor a seu arbítrio dos assuntos alheios; (fig.) cortar, dilacerar, difamar, falar mal de alguém; talhar.

tijereteo. *m.* acção e efeito de *tijeretear*; tesourada, tesoirada; ruído que faz a tesoura quando se corta repetidamente;.

tijerilla, tijeruela. *f.* dim. de *tijera*; tesourinha, tesoirinha, tesoura pequena; espiral da vide; gavinha.

tila. *f.* (bot.) tília, flor de tília, chá de tília, bebida antiespasmódica.

tildar. *v. tr.* pontuar, empregar os sinais ortográficos num escrito; virgular, notar; (fig.) apontar alguém com labéu, censurar, tachar; macular; estranhar; pôr til nas letras; apagar, borrar, riscar, cancelar letra ou clausula num escrito.

tilde. *f.* til, sinal diacrítico; mácula; (fig.) labéu; censura; insignificância, coisa mínima.

tildón. *m.* aum, risco ou traço para apagar o que está escrito;.

tilia. *f.* (bot.) V. **tilo.**

tiliáceo, a. *adj.* (bot.) tiliácea. — *f. pl.* tiliáceas.

tiliche. *m.* (Amér.) V. **baratija**, traste de pouco valor.

tilichero. *m.* (Amér.) bufarinheiro.

tilín. *m.* telim, voz que imita a campainha; *hacer tilín*, cair em graça; *tener tilín*, ter graça, atractivo; *en un tilín*, (Amér.) V. **en un tris.**

tilingo, ga. *adj.* (Amér.) tolo, simplório, V. **insubstancial.**

tilo. *m.* (bot.) árvore da família das tiliáceas cuja folha se emprega em medicina, tília.

tilosis. *f.* (med.) tilose.

tiltil. *m.* (Amér.) V. **almiar.** palheiro descoberto.

tilla. *f.* (mar.) tilha, coberta de pequeno navio.

tillado. *m.* soalho de madeira, sobrado. — *adj.* e *p. p.* de *tillar;* assoalhado.

tillar. *v. tr.* V. **entarimar;** assoalhar, soalhar com madeira.

timador, ra. *adj.* e *s.* vigarista; (Bras.) aldagrante.

timar. *v. tr.* vigarizar, surripiar, tirar ou furtar com manha; enganar, iludir com promessas;. — *v. r.* entender-se com o olhar, piscar os olhos (os namorados).

timba. *f.* (fam.) partida de jogo de azar; antro de jogo; tabulagem; (Filip.) balde para tirar água dum poço; (Amér.) barriga, ventre.

timbal. *m.* timbale, espécie de tambor metálico; atabal; atabaque (usado pelos africanos); tamboril; espécie de empada.

timbalero. *m.* atabaleiro; pessoa que toca timbales.

timbrador. *m.* timbrador, o que timbra; instrumento que serve para selar ou timbrar.

timbrar. *v. tr.* timbrar, pôr no timbre o brasão de armas; estampar um timbre ou selo; selar; carimbar.

timbrazo. *m.* campainhada forte.

timbre. *m.* timbre (de brasão); timbre, qualidade sonora dum instrumento; timbre, marca, sinal, nos documentos públicos; carimbo, selo; insígnia; campainha, instrumento de percussão; timbre, cifra, monograma; timbre, campainha dum relógio; (fig.) acção gloriosa, que enobrece; gala, glória.

timeleáceo, a. *adj.* (bot.) timeleácea. — *f. pl.* timeleáceas.

timiama. *f.* confecção cheirosa reservada ao culto divino entre os judeus.

timidez. *f.* timidez, acanhamento; qualidade de tímido; pacatez; franqueza; estranheza; empacho; acobardamento; cobardia; (fig.) atamento; encolha; encolhimento; timidez, temor, medo, receio; irresolução.

tímido, da. *adj.* tímido, que tem temor, acanhado, apoucado; pacato; formidoloso; encolhido; medroso; atontadiço; estranhão; desanimado; empachado; envergonhado; empachoso; assustadiço; assustado; desconfiado; assombradiço; atadinho; cobarde; (fig.) encouchado; (fig.) atado; encolhido; apoucado, timorato; pusilânime: *persona tímida*, (fig.) pessoa fraca, débil, pessoa tímida.

timo. *m.* (fam.) vigarice, conto do vigário; acto de vigarista, burla; (Bras.) conto-do--vigário, passa-moleque: *dar un timo*, enganar, vigarizar.

timo. *m.* (anat.) timo, glândula vascular.

timocracia. *f.* (pol.) timocracia.

timócrata. *s.* timócrata, timocrata.

timocrático, ca. *adj.* timocrático.

timol. *m.* timol, fenol sólido de cheiro forte.

timón. *m.* temão, peça comprida do arado ou do carro, lança do carro; cana de foguete: (mar.) temão, leme; temão, instrumento que governa o movimento dalgumas máquinas; (fig.) temão, leme, direcção dalgum governo; (aviaç.) leme de aeroplano: *caja del timón* (mar.) gainta; *caña del timón*, barra do leme; *llevar el timón*, arrumar; *sin timón*, (mar.) desgovernado; *desmontar el timón*, desmontar o leme;.

timonear. *v. intr.* timonear, governar o navio; dirigir o leme; ir ao leme.

timonel. *m.* (mar.) timoneiro, o que governa o leme do navio; homem do leme; o que vai ao leme, timoneiro.

timonera. *f.* (mar.) temoneira, espaço onde se move o pinçote do leme;. — *adj.* (orn.)

diz-se de cada uma das penas grandes que têm as aves na cauda.

timonero. *m.* timoneiro, homem do leme, o que governa o leme do navio; — *adj.* diz--se do arado comum ou temão.

timorato, ta. *adj.* temente, que tem o santo temor de Deus; timorato, tímido, pacato; meticuloso; apreensivo; formidoloso; a-tontadiço; estranhado; desconfiado; acanhado; assombradiço; assustadiço; atadinho; cobarde; (fig.) encouchado; atado; encolhido; timorato, que receia errar ou ofender alguém; escrupuloso; hesitante.

timpánico, ca. *adj.* (anat. e med.) timpanal, timpânico, referente ao tímpano; timpanítico; timpanal; timpanítico, que sofre de timpanite.

timpanillo. *m.* (impr.) timpanilho, caixilho de ferro que segura as frisas no prelo.

timpanítico, ca. *adj.* (med.) timpanítico, que sofre timpanite; relativo à timpanite.

timpanitis. *f.* (med.) timpanite.

timpanización. *f.* (med.) timpanização.

timpanizarse. *v. r.* (med.) timpanizar-se, tumefazer-se o ventre devido à timpanite.

tímpano. *m.* atabale, timbale, tamboril; tímpano; marimba; xilofone; tímpano, espaço entre as três cornijas dum frontão; tímpano, espécie de caixilho em que se coloca o papel de imprimir; tímpano, parte do órgão auditivo.

tina. *f.* tina, talha de barro; cuba, espécie de dorna; banheira, balsa; vaso grande em forma de caldeira para transportar água; barreleiro, tina para lavar.

tinaja. *f.* talha, vaso de barro cozido de bojo grande para líquidos; tinalha; cuba; tina, dorna; tinada, líquido que pode conter uma tina.

tincar. *v. tr.* (Amér.) dar piparotes a uma bolinha em certo jogo. — *v. intr.* (Amér.) ter um palpite, um pressentimento.

tincazo. *m.* (Amér.) piparote. V. **capirotazo.**

tinco, a. *adj.* (Amér.) diz-se da rês que, ao caminhar, roça uma pata na outra.

tinelar. *adj.* tineleiro, pertencente ao tinelo.

tinelero, ra. *s.* tineleiro, o que provê o tinelo.

tinelo. *m.* tinelo, refeitório, sala em que comem os criados duma casa.

tinera. *f.* lareiar, pedra da lareira.

tinerfeño, ña. *adj.* e *s.* (geog.) natural de ou pertencente a Tenerife.

tingladillo. *m.* (mar.) disposição das tábuas do forro nalgumas embarcações menores, trincado.

tinglado. *m.* alpendre, telheiro, cobertiço; tabuado armado à ligeira; (fig.) enredo, trama, artifício, trincafio, maquinação.

tinglar. *v. tr.* trincafiar, colocar tábuas umas sobre outras, à maneira de telhado.

tingle. *f.* faca de vidraceiro.

tinicla. *f.* lorigão, espécie de cota de armas.

tiniebla. *f.* treva, falta de luz; (fig.) treva, cegueira, ignorância; trevas, cerimónias da Semana Santa.

tinillo. *m.* lagariça onde se recolhe o mosto.

tino. *m.* tino, juízo; ta(c)to; sentido, orientação; tino, destreza em dar no alvo; pru-

dência, cuidado; discrição; instinto; ideia; atenção; (fig.) madureza; mioleira; cordura; (fig.) juízo, destreza na pontaria; : *falta de tino,* desacerto; *hacer perder el tino,* desatinar; *proceder con tino,* proceder com madureza; *sin tino,* sem medida, sem moderação; às tontas; *tener tino,* (pop.) atremar; *perder el tino,* perder o tino, o juízo por cólera ou desgostos; *a tino,* a tino, a o(ô)lho, às apalpadelas; *a buen tino,* a tino, a olho.

tino. *m.* tina, tanque para tingir; lagar.

tinta. *f.* tinta, líquido para tingir ou escrever; tintura. — *pl.* matiz, gradação de cores: *medias tintas,* (fam.) panos quentes; *de buena tinta,* de ciência certa; *saber de buena tinta,* (fam.) estar bem informado, saber de fonte limpa; *sudar tinta,* (pop.) realizar um trabalho, com muito esforço, suar sangue.

tintar. *v. tr.* tingir. V. **teñir.**

tinte. *m.* tintura, tingidura; tinturaria; cor com que se tinge; (fig.) disfarce, tintura, matiz, tom; artifício com que se dissimulam coisas não materiais.

tinterazo. *m.* pancada com um tinteiro.

tinterillo. *m.* (fig. e fam.) mau empregado; mau advogado, rábula; aprendiz.

tintero. *m.* tinteiro, pequeno vaso para conter tinta; mancha preta nos dentes das cavalgaduras por onde se lhes conhece a idade; (impr.) tinteiro, depósito de tinta nas máquinas de imprimir: *no dejar nada en el tintero,* (fam.) não reter nada no estômago; *dejarse en el tintero,* (fam.) não falar claro; ficar no tinteiro uma palavra ou frase.

tintín. *m.* tintim, som da campainha ou de copo ao tocar-se-lhe.

tintinar. *v. intr.* tilintar, tinir, tintinar.

tintinear. *v. intr.* V. **tintinar.**

tintineo. *m.* acção e efeito de tilintar.

tintirintín. *m.* som agudo e penetrante do clarim e doutros instrumentos.

tinto, ta. *p. p. irreg.* de **teñir** e *adj.* tinto, diz-se da uva tinta e do vinho que se faz dela; tingido.

tintóreo, a. tintório, diz-se do corante que serve para tingir.

tintorería. *f.* tinturaria, loja ou oficina de tintureiro; ofício de tintureiro.

tintorero. *m.* tintureiro, o que tinge.

tintura. *f.* tintura; pintura no rosto; (fig.) laivos, vestígios, tinturas, conhecimentos rudimentares; (farm.) tintura, dissolução duma substância medicinal num líquido.

tinturar. *v. tr.* tingir. V. **teñir;** (fig.) dar tinturas, instruir superficialmente, informar por alto.

tiña. *f.* traça, lagarta das colmeias; (med.) tinha, doença da pele e do couro cabeludo; (fig. e fam.) miséria, mesquinharia, mesquinhez.

tiñería. *f.* (fam.) mesquinhez, mesquinharia.

tiñoso, sa. *adj.* tinhoso, que tem tinha; (fig. e fam.) avarento, sórdido, miserável; escasso; diz-se do que tem boa sorte no jogo.

tío. *m.* tio, irmão de qualquer dos pais; tio, tratamento respeitoso que se dá ao homem casado e já idoso; (fam.) homem rústico, grosseiro; em certas províncias de Espanha, padrasto; (Amér.) pai (diz-se dos negros velhos): *un tío con suerte,* diz-se do homem que tem boa sorte.

tionina. *f.* (quím.) tionina.

tiorba. *f.* tiorba, espécie de alaúde grande e com muitas cordas.

tiovivo. *m.* carrocel, recreio de feira; roda de cavalinhos.

tipejo. *m.* tipo, pessoa ridícula, meco.

tiperrita. *f.* (Amér.) mecanógrafa, funcionária pública.

tipiadora. *f.* máquina de escrever; dactilógrafa, mulher que escreve à máquina.

típico, ca. típico, que serve de tipo; característico; simbólico, alegórico; original.

tiple. *m.* tiple (voz); guitarra de sons muito agudos; (mar.) mastro inteiriço; vela de falua com todos os rizes tomados. — *s.* soprano, pessoa com voz de tiple; guitarrista.

tiplisonante. *adj.* esganiçado, que tem voz ou tom de tiple.

tipo. *m.* tipo, mode(ê)lo, exemplar; tipo, símbolo representativo; tipo, cunho ou caracter tipográfico; tipo, figura ou talhe duma pessoa; (deprec.) tipo, pessoa estranha e singular; pessoa excêntrica; tipo, pessoa ou coisa que reúne os caracteres que distinguem uma classe; (fig.) chavão: *es un tipo original,* (fam.) é um verdadeiro tipo.

tipocromía. *m.* tipocromia.

tipografía. *f.* (impr.) tipografia, imprensa.

tipográfico, ca. *adj.* tipográfico.

tipógrafo. *m.* tipógrafo.

tipofotografía. *f.* (tecn.) tipofotografia.

tipolitografía. *f.* tipolitografia.

tipometría. *f.* tipometria.

tipómetro. *m.* (impr.) tipó(ô)metro.

tipotelegrafía. *f.* (fís.) tipotelegrafia.

tipotelegráfico, ca. *adj.* tipotelegráfico.

tipotelégrafo. *m.* (fís.) tipotelégrafo.

tiquismiquis. *m. pl.* (pop.) escrúpulo de quem é cheio de potinhos, escrúpulos vãos ou ridículos; reflexões vãs; (fam.) expresões ridiculamente afectadas.

tira. *f.* tira, pedaço de pano, papel, etc., mais comprido que largo; banda, faixa, lista, filete, ourela; friso; *hacer tiras,* fazer em tiras, rasgar.

tirabeque. *m.* (agr.) ervilha-molar.

tirabotas. *m.* calçadeira, gancho para calçar as botas; calçador.

tirabuzón. *m.* saca-ro(ô)lhos; (fig.) cacho, anel, caracol de cabelos; riçado de cabelos em forma de espiral; chouriço.

tiracantos. *m.* (fam.) homem desprezível. V. **echacantos.**

tiracuero. *m.* (fam.) sapateiro remendão.

tirachinos. *m.* (prov.) fisga, forquilha a que se prende um elástico

tirada. *f.* arremesso, acção de atirar; jacto, lançamento; estirão, estiraço; tirada, distância que há entre dois lugares; tirada,

espaço de tempo; tirada, série de coisas que se escrevem ou dizem de uma assentada; (impr.) tiragem, acção de imprimir; tiragem, número de exemplares que se fazem de cada impressão; tirada, acto de tirar, grande extensão de caminho; tirada, fala ou trecho muito extenso; trecho, discurso de grande extensão: *de una tirada,* de uma tirada, sem parar, de uma só vez; *tirada aparte,* (impr.) tiragem que se faz por separado dalgum escrito.

tiradera. *f.* frecha, flecha, seta, espécie de azagaia dos índios; corda para entesar o arco; (Amér.) espécie de tirantes entre os quais vão as bestas, nos engenhos de açúcar; (pop.) cadeia, calceta, ferropeia.

tiradero. *m.* tocaia, espera, lugar onde o caçador espera para atirar.

tirado, da. *p. p.* de *tirar* e *adj.* atirado, dado muito barato; muito abundante. — *m.* tiragem, passagem de metais pela fieira (especialmente de ouro); (impr.) tiragem, acção de imprimir: *vender a un precio tirado,* vender por preço arrastado.

tirador, ra. *m.* e *f.* atirador, pessoa que atira; pessoa que estira; estirador, instrumento com que se estira; puxador de gaveta, porta, janela, etc.; cordão de campainha, de sineta, etc.; régua de ferro usada pelos canteiros; pena metálica que serve de tira-linhas; fisga, funda; (Amér.) cinto largo que usa o gaúcho argentino; (impr.) impressor: *tirador de oro,* artífice que reduz a fio o ouro; *tirador de metales,* artífice que faz passar pela fieira os metais; *ser un gran tirador,* o que atira com destreza; bom atirador.

tirafondo. *m.* (técn.) tira-fundo; (cir.) instrumento para extrair corpos estranhos das feridas.

tiralíneas. *m.* tira-linhas, instrumento de metal para traçar linhas a tinta: *tiralíneas curvo,* tira-linhas em forma de arco ou curvo.

tiramira. *f.* cordilheira comprida e estreita; fila, fileira, série, enfiada; distância, tirada; (fig. e fam.) chorrilho, enfiada de coisas, de palavras, etc.

tiramollar. *v. tr.* (mar.) tiramolar, afrouxar um cabo; largar as escotas; amainar, arrear (uma talha a bordo).

tirana. *f.* tirana, canção popular espanhola.

tiranía. *f.* tirania, domínio de tirano; despotismo, opressão; abuso de poder ou força; violência; tirania, governo injusto e cruel; (fig.) tirania, carestia, exorbitância dos preços dos géneros; tirania, constrangimento do livre arbítrio; estratocracia; absolutismo; aperreamento; despotismo: *liberación de la tiranía,* desopressão; *salir de la tiranía,* emancipar-se; desoprimir.

tiranicida. *adj.* e *s.* tiranicida, que mata um tirano.

tiranicidio. *m.* tiranicídio, morte dada a um tirano.

tiránico, ca. *adj.* tirânico, pertencente ou relativo à tirania; tirânico, que exerce tirania; (fig.) que exerce uma influência irresistível; opresivo; cruel; absoluto; despótico.

tiranización. *f.* tiranização.

tiranizar. *v. tr.* tiranizar, governar como tirano; (fig.) dominar tirânicamente; oprimir; tiranizar, tratar com severidade; aperrear; apertar; exercer a tirania; escravizar; oprimir.

tirano, na. *adj.* e *s.* tirano, diz-se do que rege um estado sem justiça, ou abusa do poder; déspota; tirano, diz-se do afecto ou paixão que domina a alma; tirano, pessoa dominante, desumana, cruel; príncipe ou jefe de estado que governa com crueldade. — *m.* (zool.) pássaro dentirrostro.

tirante. *p. a.* de *tirar* e *adj.* tirante, que tira; tirante, te(ê)so, retesado; (fig.) tirantes, diz-se das relações de amizade próximas a romper-se; tirante, extenso, alça; apertado; retesado; repuxado; comprimido. — *m.* corda ou correia que ligam ao carro as cavalgaduras que o puxam; barra de ferro atravessada duma parede à outra para pendurar candeeiros; suspensórios das calças.

tirantez. *f.* tensão, comprimento; extensão; (arq.) direcção dos planos de fiada dum arco ou abóbada; desconcórdia; ere(c)ção; entesadura; distância entre os extremos duma coisa.

tirantilla. *f.* (arq.) barrote, viga pequena.

tirapié. *m.* tirapé, correia que usam os sapateiros para segurar os sapatos quando neles trabalham.

tirar. *v. tr.* atirar, arremessar, arrojar, lançar, jogar; atrair, chamar a si com violência; atirar, derrubar; deitar abaixo, derribar; tirar, puxar, arrastar; tirar, reduzir a fio os metais; esticar, estender, estirar, alongar; atirar, disparar, descarregar armas de fogo; tirar, traçar linhas; ganhar, tirar, perceber (salário, ordenado, etc.), procurar, empregar, dirigir os meios para um fim; tirar prémios da urna ou do saco na lotaria; (fig.) esbanjar, malgastar; (impr.) imprimir; (Amér.) conduzir, transportar, carrear; (Bras.) bajogar; (Bras. Sur) apinchar. — *v. intr.* atrair, por virtude natural, como o íman; tirar, puxar, fazer forças para levar atrás de si; ir, caminhar; tirar, puxar por uma arma; jogar, manejar bem certas armas; tirar, puxar bem o fumo (cigarros, chaminés, etc.); durar, manter-se sem descair; tender, propender, inchar-se; imitar, tirar a, assemelhar-se (principalmente falando de cores); tratar de, cuidar de conseguir alguma coisa, geralmente com dissimulação. — *v. r.* abalançar-se, atirar-se; arrojar-se; lançar-se; estirar-se, estender-se; louvar-se; deixar-se.

tiraviva. *f.* (mar.) tira-vira.

tirela. *f.* tecido listrado.

tireta. *f.* (prov.) cordão para segurar as calças.

tirilla. *f.* dim. de *tira;* tirinha; cabeção, tira que forma a gola das camisas, colarete, colarinho de camisa.

tiritaña. *f.* tiritana, tecido muito leve de seda; (fig. e fam.) ninharia, bagatela, insignificância; coisa de pouca monta.

tiritar. *v. intr.* tiritar, tremer com frio; arreganhar-se com frio.

tiritón. *m.* (fam.) arrepio, tremor de frio.

tiritona. *f.* (fam.) calafrio ou tremor fingidos; arrepio afectado.

tiro. *m.* tiro, acção e efeito de *tirar;* tiro, explosão, estampido, disparo de arma de fogo; detonação; descarga; tiro, sinal feito pelo que se atira; peça ou canhão de artilharia; tiro, carga que se dispara duma vez; tiro, alcance da carga ou da arma; tiro, dano grave; chasque, burla; tiro, lugar onde se atira ao alvo; tiro, conjunto de animais que puxam um carro; tiro, tirante, aparelho dos animais de tiro; talha para içar uma coisa; tiragem duma chaminé; folga entre as pernas das calças; comprimento duma peça de tecido; (fig.) grave dano; furto; zombaria; logro; talha, correia para elevar os materiais de construção dum edifício. — *pl.* boldrié, correia de que pende a espada: *de tiros largos,* de fato de festa; *ni a tiros,* de forma alguma; *a tiro hecho,* deliberadamente; de caso pensado; *tiro al azar,* chofre; *tiro con perdigones,* chumbo; *quitar el tiro de un carruaje,* desengatar, desenganchar; *ejercitarse en el tiro,* exercitar-se no tiro; *revólver de seis tiros,* revólver de seis tiros; *línea de tiro,* linha de tiro.

tirocinio. *m.* tirocínio, aprendizagem, estágio; exercício de principiante; (rel.) noviciado; prática.

tiroideo, a. *adj.* (anat.) tiroideu, pertencente ou relativo a tiróide.

tiroides. *m.* (anat.) tiróide, glândula na parte superior da traqueia.

tiroiditis. *f.* (med.) tiroidite.

tiroidectomía. *f.* (cir.) tiroidectomia.

tirolés, sa. *adj.* e *s.* (geog.) tirolês, pertencente ou relativo a Tirol, natural do Tirol; (por ext.) quinquilheiro, o que vende quinquilharias.

tirón. *m.* aprendiz, novato; bisonho, calouro; (rel.) novício; principiante.

tirón. *m.* puxão, acção e efeito de tirar com violência; tirão, esticão, estirão; grande extensão de caminho; distância grande; arrepelão: *de un tirón,* de uma só vez; *ni a dos tirones,* com dificuldade.

tirona. *f.* rede grande de malha para pescar.

tirotear. *v. tr.* tirotear, repetir os tiros, dar tiros.

tiroteo. *m.* tiroteio, fogo de fuzilaria; fuzilada; tiros muito seguidos ou sucessivos.

tirria. *f.* (fam.) birra, pirraça, teima, mania; zanga; antipatia; ódio; animosidade; (vulg.) senreira; animadversão; oposição tenaz; birra, veneta.

tirso. *m.* tirso, emblema de Baco; bastão enfeitado com hera e pâmpanos; (bot.) tirso, disposição das flores em forma de pirâmide, panícula cónica.

tirulato, ta. *adj.* (fam.) V. **turulato.**

tirulo. *m.* parte central do charuto.

tisana. *f.* tisana, bebida medicinal que resulta de cozer certas ervas.

tisanuro, ra. *adj.* (zool.) tisanuro, insecto. — *m. pl.* tisanuros.

tísico, ca. *adj. e s.* (med.) tísico, que sofre de tísica; héctico: *volverse tísico,* entisicar-se.

tisiología. *f.* (med.) tisiologia.

tisiológico, ca. *adj.* pertencente à tisiologia.

tisiólogo, ga. *s.* pessoa versada em tisiologia.

tisioterapia. *f.* (med.) tisioterapia.

tisioterápico, ca. *adj.* tisioterápico.

tisiquez. *f.* tísica, tuberculose pulmonar.

tisis. *f.* (med.) tísica, tuberculose pulmonar; héctica.

tisú. *m.* tecido de seda com fios de ouro ou prata.

tisuria. *f.* (pat.) tisúria.

titán. *m.* titã; (fig.) titã, gigante, indivíduo de grande força; gigante mitológico; guindaste para elevar grandes pesos.

titanato. *m.* (quím.) sal formada de ácido titânico e uma base.

titánico, ca. *adj.* titânico, referente aos titãs; titânico, de grande força; (fig.) titânico, excessivo, desmesurado, formidável.

titánico, ca. *adj.* (quím.) titânico, referente a titânio.

titanio, nia. *adj.* titânico, referente aos titãs.

titanio. *m.* (quím.) metal, quase tão pesado como o ferro.

titanita. *f.* (min.) titanite.

titear. *v. tr.* (Amér.) encavacar; troçar; burlar; zombar.

titeo. *m.* (Amér.) troça, acção e efeito de troçar.

títere. *m.* títere, boneco que se faz mover; bobo, truão; fantoche; francatripa; melcatrefe; (fig.) andróide; louco; palhaço, indivíduo de figura ridícula; sujeito néscio; ideia fixa; que preocupa muito; (fig.) títere, bonifrate, presumido, ridículo; pessoa frívola, sem carácter; bufão. — *pl.* espectáculo público de saltimbancos; sombrinhas, sombrinhas sombras chinescas: *no dejar títere con cabeza,* voltar de baixo para cima; *hacer títere.* V. **hacer tilín.**

titerero, ra, rista. *s.* V. **titiritero.**

titeretada. *f.* (fam.) acção própria de títere; acção desconexa.

titilación. *f.* titilação; cócegas; titilamento; ligeira agitação em certos corpos.

titilador, ra. *adj.* titilante, que titila.

titilar. *v. intr.* titilar, palpitar; agitar-se com ligeira tremura; tremer ligeiramente.

titiritaina. *f.* (fam.) ruído, confuso de flautas e doutros instrumentos; (por ext.) qualquer rebuliço alegre ou festivo; barulho alegre e desordenado.

titiritar. *v. intr.* tiritar, tremer de medo, de frio.

titiritero. *m.* equilibrista, titereiro; titeriteiro; saltimbanco; palhaço; titereiro, o que titereia.

titubar. *v. intr.* (p. us.) V. **titubear.**

titubeante. *p. a.* de *titubear* e *adj.* titubeante, que titubeia; indeciso; vacilante; perplexo.

titubear. *v. intr.* titubear, vacilar, duvidar; desatinar; titubear, não poder estar firme; cambalear; oscilar; perder a estabilidade; titubear, falar hesitando, balbuciar, tartamudar; exprimir-se com dificuldade; (fig.) titubear, sentir perplexidade nalgum ponto ou matéria.

titubeo. *m.* titubeação; chincada; indecisão; dubiedade, dubiez; incerteza; hesitação; dúvida.

titulado, da. *p. p.* de *titular* e *adj.* titulado. — *m.* titular, pessoa que possui título académico ou de nobreza, titulado.

titular. *v. tr.* titular, pôr título ou nome a uma coisa; intitular, registar; epigrafar; denominar; encabeçar um escrito. — *v. r.* denominar-se.

titular. *adj.* titular, que tem título; titular, que dá o seu próprio nome por título a alguma coisa; titular, diz-se do que exerce uma profissão de carácter especial e próprio: *titular de una iglesia,* padroeiro.

título. *m.* título, inscrição no princípio dum livro, dum capítulo; epígrafe; denominação; (ant.) bitafe; letreiro, rótulo; título, denominação honorífica; executória, excelência; título, causa, motivo, fundamento; pretexto; título, dignidade nobiliária; título, expediente; (com.) título, efeito; título, subdivisão de código; título, diploma de emprego ou dignidade; título, documento representativo da dívida Pública: *título de la Deuda Pública,* consolidado, título da Dívida Pública; *título al portador,* efeito ao portador; *título auténtico,* padrão; *título firmado por un soberano,* alvará; *título nominativo,* título nominativo.

tiza. *f.* albizo; giz; (fig.) ponta de veado calcinada; greda branca para marcar.

tizna. *f.* tisna, substância preparada para enegrecer; fuligem; tisna, tisnadura.

tiznado, da. *p. p.* de *tiznar* e *adj.* farrusco; fuliginoso; encarvoado; tisnado, enegrecido; meio queimado.

tiznadura. *f.* tisnadura, tisna.

tiznajo. *m.* (fam.) mascarra, farrusca.

tiznar. *v. tr.* tisnar, pôr negro como carvão; enodoar com tisna; enfarruscar; enegrecer, tostar; encarvoar; enfulijar; afumar, encarvoar; (fig.) sujar; macular. — *v. r.* enegrecer-se; manchar-se; (fig.) difamar, deslustrar, manchar a fama; (Amér.) embriagar-se, emborrachar-se.

tizne. *m. e f.* tisne, tisna, fuligem. — *m.* tição.

tiznón. *m.* nódoa de carvão ou fuligem; farrusca; mascarra.

tizo. *m.* tição, pedaço de lenha meio queimada; brasa; carvão.

tizón. *m.* tição, pedaço de lenha meio queimada; (bot.) fungão cogumelo preto; enferrujamento; (fig.) nódoa na honra, na fama, na reputação; (agr.) alforra; enfermidade das searas; tardoz, extremo de pedra lavrada; que entra na parede; (fig.) mancha, nódoa, labéu, desonra, deslustre: *negro como el tizón*, negro como o fumo; *cubrirse de tizón*, (bot.) enferrujar; *a tizón*, forma especial da colocação dos tijolos ou das pedras nas paredes.

tizona. *f.* (fig. e fam.) espada, arma, durindana.

tizonear. *v. intr.* atiçar, atear a lume; arranjar os tições.

tizonera. *f.* carvoeira de tições.

toa. *f.* maroma, corda, sirga.

toalla. *f.* toalha, coberta que se põe sobre as almofadas da cama.

toallero. *m.* toalheiro, móvel para pendurar toalhas.

toar. *v. tr.* (mar.) atoar, levar a reboque, rebocar.

toba. *f.* tufo, pedra calcárea; tofo, sarro dos dentes; (fig.) crosta, casca, camada que se forma nalgumas coisas; (prov.) talo de cardo silvestre.

tobáceo, a. *adj.* forrado de tufo (pedra).

tobar. *m.* canteira ou pedreira de tufo.

tobiano, na. *adj.* diz-se de cavalo ou égua, malhados.

tobillera. *adj.* (fam.) dizia-se da rapariga que deixava de vestir de menina, mas que, todavia, não vestia ainda saias compridas.

tobillo. *m.* (anat.) tornozelo, protuberância de cada um dos dois ossos da perna: *más vale hasta el tobillo que hasta el colodrillo*, (pop.) mais vale má avença, que boa sentença.

tobogán. *m.* tobogã.

toboso, sa. *adj.* formado de tufo (pedra).

toca. *f.* touca, adorno para cobrir a cabeça; chapéu de aba pequena para senhoras. — *pl.* importe duma ou várias mensalidades que, pelo falecimento dum funcionário se dão aos herdeiros; subsídio por morte.

tocable. *adj.* tocável, que se pode tocar.

tocada. *f.* toucada, certo lance dos combates de galos.

tocado, da. *p. p.* de *tocar* e *adj.* tocado; tocado, meio ébrio, meio doido, louco, um pouco perturbado. — *m.* (p. us.) toucado, penteado, adorno da cabeça das mulheres.

tocador. *m.* toucador, móvel para servir a que se touca ou penteia; gabinete de toucar; toucador, touca em que as mulheres envolviam o cabelo; (Bras.) penteadeira.

tocador, ra. *adj.* e *s.* tocador, que toca; diz-se especialmente ao que toca um instrumento musical.

tocadura. *f.* toucado, adorno da cabeça das mulheres.

tocadura. *f.* matadura. V. **matadura.**

tocamiento. *m.* tocamento, tocadura, toque, acção e efeito de tocar ou apalpar, apalpadela, apalpamento; (fig.) chamamento ou inspiração.

tocante. *p. a.* de *tocar* e *adj.* tocante, que toca; atinente; contíguo: *tocante a*, referente a, em ordem a, acerca de, concernente a.

tocar. *v. tr.* tocar, exercitar o sentido do tacto; palpar; tocar, palpar, chegar a mão alguma coisa; tocar, pulsar um instrumento; tocar, atingir; tocar, avisar com campainha ou outro instrumento; tocar, chegar uma coisa a outra; dobrarem os sinos; dar sinal; tocar, ensaiar os metais na pedra de toque; tocar, bater levemente uma coisa em outra; (fig.) tocar, inspirar, estimular; persuadir; tocar, tratar, falar de alguma coisa de leve; tocar, ferir uma coisa para reconhece-la pelo som; toucar, pentear, enfeitar o cabelo; sentir os ameaços duma enfermidade; embeiçar; corresponder; incumbir; abordar; (mar.) fundear, fazendo escala. — *v. intr.* tocar, pertencer; tocar, chegar de passagem a um lugar; tocar, cair em sorte; tocar, estar uma coisa próxima ou contígua a outra. — *v. r.* toucar-se, enfeitar-se a cabeça, cobrir-se; (mar.) tocar, bater, roçar a quilha no fundo do mar; ter um ponto comum de contacto; unir-se; aproximar-se: *tocar un problema*, abordar uma questão; *tocar alarma*, tocar alarme; *tocar la costa*, beber a costa; *tocar ligeramente*, beijar; *tocar todos los palillos para conseguir algo*, (pop.) meter agulhas por alfinetes; *tocar al adversario*, (esgr.) tocar o adversário; *es mejor no tocar este asunto*, é melhor não tocar nessa questão; *el paquebot tocó en Pernambuco, o paquete* tocou em Pernambuco; *por la parte que me toca*, pela parte que me toca; *ahora me toca a mí*, toca-me agora; *tocar el punto sensible de alguien*, tocar na corda sensível de alguém; *por lo que a mí me toca*, pelo que me toca; *tocar el cielo con las manos*, (fig.) tocar o céu com o dedo; *tocar a retirada*, tocar a retirada; *tocar las consecuencias*, sofrer as consequências.

tocasalva. *f.* salva, bandeja.

tocata. *f.* (mús.) tocata, musicata; (fig.) apaleamento, sova, surra.

tocayo, ya. *s.* xará; tocaio, homónimo.

tocia. *f.* tutia, óxido de zinco.

tocinera. *f.* toucinheira, mulher que vende toucinho; toucinheira, mulher do toucinheiro; tábua de salgar o toucinho.

tocinería. *f.* açougue, loja onde se vende toucinho.

tocinero. *m.* toucinheiro, toicinheiro, vendedor de toucinho, salsicheiro.

tocino. *m.* toucinho; toicinho, carne gorda dos porcos; lardo.

tocio, cia. *adj.* anão, diz-se duma espécie de carvalho.

toco. *m.* (Amér.) espécie de nicho rectangular.

tocografía. *f.* (med.) tocografia.

tocográfico, ca. *adj.* (med.) tocográfico.

tocógrafo, fa. *s.* (med.) tocógrafo.

tocología. *f.* (med.) tocologia, obstetrícia.

tocológico, ca. *adj.* (med.) tocológico, obstétrico.

tocólogo. *m.* tocólogo, parteiro.

tocón, na. *adj.* V. **reculo.** — *m.* toco, parte do tronco que fica na terra, depois de cortada a árvore; coto.

tocona. *f.* tanchão, toco de grande diâmetro.

toconal. *m.* lugar onde há muitos tanchões, tanchoal; olival formado por tanchões de oliveiras.

tochedad. *f.* rusticidade, qualidade de rústico ou tosco; necedade, dito néscio, tolice.

tochimbo. *m.* (Amér.) forno de fundição.

tocho, cha. *adj.* tolo, néscio. — *m.* lingote de ferro.

tochuelo. *adj.* tolinho. — *m.* pequeno lingote de ferro.

tochura. *f.* rusticidade, tolice, grossaria. V. **tochedad.**

todavía. *adv.* até um momento determinado desde tempo anterior, todavia, não obstante, ainda assim, mas, contudo; entretanto, sem embargo; porém: *todavía no*, ainda não.

todo, da. *adj.* todo, toda. — *m.* tudo, a totalidade. — *adv.* de tudo, inteiramente, totalmente: *sobre todo*, *ante todo*, antes de tudo; *con todo*, com tudo; *así y todo*, apesar disso; *después de todo*, por fim de contas; *todo el mundo*, todo o mundo; *se las sabe todas*, (pop.) sabe-a toda; *decir a todo que sí*, dizer amen a tudo; *tener todo cuanto se desea*, ter à conta tudo o que se deseja; *del todo*, de todo, de todo em todo; *todo el día*, todo o dia; *esto es todo*, eis tudo, não há mais a dizer; *hombre capaz de todo*, homem para tudo, capaz de tudo.

todopoderoso, sa. *adj.* todo-poderoso, que tem poder ser límites. — *m.* Omnipotente, Deus, o Altíssimo.

toesa. *f.* antiga medida de comprimento, toesa.

tofana. *f.* água-tofana, certo veneno.

tofo. *m.* (med.) tumor junto das articulações; (vet.) tofo, tumor no ventre dos novilhos.

toga. *f.* toga, manto largo de lã que usavam os romanos; toga, vestimenta dos magistrados, professores, advogados, juízes, etc.; beca; (fig.) a magistratura: *vestirse de toga*, entogar-se.

togado, da. *adj.* e *s.* togado, que usa toga; pertencente à magistratura judicial.

toisón. *m.* tosão de ouro, ordem militar espanhola; insígnia desta ordem.

tojal. *m.* tojal, mata de tojo.

tojino. *m.* (mar.) torno, taco de madeira para diversos usos; especialmente cravados no costado das embarcações, servem de escala.

tolano. *m.* cada um dos pêlos curtos que crescem no cachaço; (vet.) fava, doença das cavalgaduras, tolano (usa-se no plural).

tolda. *f.* (mar.) tolda, castelo da popa.

toldadura. *f.* cortina de pano, espécie de toldo, para diminuir o efeito da luz ou do calor.

toldar. *v. tr.* V. **entoldar.**

toldería. *f.* (Amér.) acampamento de índios americanos.

toldilla. *f.* (mar.) duneta, tombadilho, meia coberta no castelo da popa.

toldo. *m.* to(ô)ldo, peça de lona, madeira ou zinco que serve para abrigar do sol ou da chuva; cobertura com que se cobrem os carros; loja de sal a retalho ou por miúdo; (Amér.) cabana de índios argentinos feita com peles e ramos; (mar.) barração.

tole. *m.* (fig.) gritaria, balbúrdia; rumor de desaprovação; confusão tumultuária: *tomar uno el tole*, partir aceleradamente, fugir, passar o pé.

toledano, na. *adj.* e *s.* (geog.) toledano, natural de ou pertencente a Toledo.

tolemaico, ca. *adj.* ptolemaico.

tolena. *f.* sova. V. **tollina.**

tolerable. *adj.* tolerável, aturável; mediocre; aguentável; sofrível, suportável, digno de indulgência.

tolerancia. *f.* tolerância, respeito pelas opiniões alheias; consentimento; indulgência; convivência; tolerância, sofrimento, paciência, resignação; tolerância, condescendência; tolerância, qualidade de tolerante; margem ou diferença consentida na qualidade ou quantidade das coisas ou mercadorias contratadas; (med.) tolerância, faculdade de suportar o uso continuado duma droga.

tolerante. *p. a.* de *tolerar* e *adj.* tolerante, que tolera; paciente; conivente; indulgente.

tolerantismo. *m.* tolerantismo, sistema dos que preconizam a tolerância religiosa.

tolerar. *v. intr.* tolerar, sofrer, levar com paciência, suportar, consentir; desculpar; tolerar, dissimular algumas coisas que não são lícitas; tolerar, pairar; aparar; aguentar; contemplar; ateirar; deixar; tolerar, indulgenciar; padecer; (fig.) coar, padecer; deixar passar; digerir, assimilar (falando-se do organismo); tolerar, permitir tàcitamente; não impedir: *tolerar un insulto*, aparar um insulto; *tolerar un remedio*, digerir, assimilar um remédio.

tolmera. *f.* fraguedo, penhascal.

tolmo. *m.* penedo, penhasco elevado.

Tolón. (geog.) Tolão.

tolón. *m.* (Amér.) pião sem ponta de ferro.

tolón. *m.* (vet.) tolano, tumor.

tolondro, dra; tolondrón, na. *adj.* atordoado, estouvado, aturdido, desaustinado. — *m.* galo, inchaço: *a tolondrones*, com interrupção, a retalhos.

tolteca. *adj.* e *s.* diz-se do indivíduo duma antiga tribo do México; indivíduo pertencente a este tribo. — *m.* língua falada por estas tribos.

tolueno. *m.* (quím.) tolueno.

toluol. *m.* (quím.) toluene.

tolva. *f.* tremonha, canoura de moinho; parte superior das caixas das esmolas ou das urnas com uma abertura para deixar passar as esmolas, moedas, listas, bolas, etc.

tolvanera. *f.* poeirada, grande porção de poeira, poeira, torvelinho de pó.

tolla. *f.* tremedal, atoleiro de águas subterrâneas; (Amér.) artesa grande usada como **b e b e d o i r o** das bestas; (prov. icti.) V. **mielga.**

tolladar. *m.* V. **atolladero.**

tollina. *f.* (fam.) sova, surra.

tollo. *m.* (ictiol.) lixa, cação, peixe seláceo; (zool.) carne do lombo do veado; tocaia, espera, embuscada para caçar ou matar, cova em que os caçadores esperam a caça.

toma. *f.* tomada, acção de tomar ou de receber; tomada, conquista; assalto duma praça ou cidade; porção dalguma coisa; pitada, coisa que se toma duma vez; abertura num rego, para desviar uma porção d'água; expugnação, tomada; toma, tomada, porção de remédio que se toma de cada vez: *toma de corriente*, (electr.) colhida de electricidade.

tomada. *f.* tomada, conquista duma praça; placa para derivação e colhida de electricidade.

tomadero. *m.* cabo, parte por onde se pega nalguma coisa; asa; abertura para dar saída a água; apanhado dos vestidos.

tomador, ra. *adj. e s.* tomador, que toma, que pega, pegador; conquistador; (com.) tomador, adquirente de letra de câmbio; tomador, assaltador; (Amér.) bebedor: *tomadores de rizos*, (mar.) tomadouros; *tomador de cruz*, (mar.) o correspondente ao ponto meio da verga.

tomadura. *f.* tomada, acção de *tomar*; tomada, o que se pode tomar duma vez; (Amér.) embriaguez, bebedeira: *tomadura de pelo*, troça.

tomaína. *f.* ptomaína.

tomajón, na. *adj.* (fam.) que toma ou recebe com frequência, com facilidade ou descaramento; apanhador.

tomar. *v. tr. e intr.* tomar, pegar nalguma coisa; agarrar; tomar, conquistar, ocupar, abranger; apoderar-se; tomar, receber, aceitar; tomar, comer ou beber; apreender, capturar; tomar, invadir, assaltar; contrair, pôr em prática; tomar, acolher; contratar um serviço ou servente; tomar, adquirir, comprar, colher, apanhar, escolher; pedir, exigir; tomar, tirar, comprar, adquirir, furtar, eleger; atingir; tomar uma determinação, animar-se, resolver-se; tomar, encaminhar-se; tomar medida, medir; tomar, apoiar, considerar como; fazer uso de; tomar, obstruir, atravancar; surpreender o ânimo; tomar, cobrir o macho a fêmea; fazer vaza no jogo de cartas; (mar.) tomar, arribar a um porto um navio. — *v. r.* enferrujar-se, cobrir-se o metal de ferrugem; ser assaltado por uma impressão: *tomar en consideración*, entrar em conselho; *tomar a su*

cargo, correr com alguma coisa; *tomar a chacota*, (fig.) derriçar; *dar y tomar*, dar e tomar; *en dar y tomar es fácil errar*, em dar e tomar é fácil errar; *tomar a foro una heredad*, aforar; *tomar por las armas*, (mil.) expugnar; *tomar en marcha un vehículo*, amorcegar; *tomar el pelo a uno*, meter a alguém os pés nas algibeiras; *tomar el partido de alguien*, acudir por alguém; *tomar un poquito de algo*, chiscar; *tomar el pelo*, (pop.) entrar de semana com alguém, encaixar as barbas a alguém; *tomar rizos a las velas*, (mar.) meter as velas nos rizes; *tomar rumbo norte*, (mar.) tomar a derrota do norte; *tomar por testigo*, tomar por testemunha; *tomar a su cargo*, tomar sobre si, a sua conta; *tomar una cosa al pie de la letra*, tomar uma coisa à letra, tomar uma coisa a pé da letra; *tomar asiento*, sentar-se, tomar assento.

tomatada. *f.* tomatada, fritada de tomates; massa de tomates para tempero; sopa de tomate.

tomatal. *m.* tomatal, planta de tomate; tomateiro, tomateira, planta.

tomatazo. *m.* pancada dada com tomate.

tomate. *m.* (bot.) tomate, fruto da tomateira ou tomateiro; tomateiro, planta; (fam.) buraco feito nalguma peça de malha do vestuário.

tomatera. *f.* tomateiro, tomateira, planta solanácea.

tomatero, ra. *s.* pessoa que vende tomates. — *adj.* próprio para ser guisado com tomates; diz-se especialmente dos fangos pequenos e tenros.

tómbola. *f.* tômbola, rifa ou lotaria organizada com fins benéficos cujos prémios são objectos, não dinheiro.

tomento. *m.* tomento, estopa do linho depois de espadelado; tomento, lanugem dos vegetais; estopa grossa; estopa mal desarestada; pubescência espessa.

tomentoso, sa. *adj.* (bot.) tomentoso, que tem tomentos; coberto de cotão (fruto) ou de lanugem.

tomero. *m.* (Amér.) guarda de represa ou acéquia.

tomillar. *m.* plantio de tomilhos, tomilhal.

tomillo. *m.* (bot.) tomilho, planta labiada odorífera, empregada como condimento.

tomín. *m.* terça parte dum adarme; (Amér.) antiga moeda de prata.

tomismo. *m.* tomismo, doutrina teológica e filosófica de S. Tomás de Aquino.

tomista. *adj. e s.* tomista, que segue a doutrina de S. Tomás; referente a esta doutrina.

tomiza. *f.* tamiça, cordel delgado de esparto, cordinha de esparto.

tomo. *m.* tomo, livro, volume; tomo, parte duma obra; tomo, grossura duma coisa; (fig.) importância, valor, estima; alcance; tomo, divisão, parte; tomo, cada um dos volumes que forma uma obra: *de tomo y lomo*, de muito peso e volume, de consideração, de importância.

tomón, na. *adj.* e *s.* (fam.) que toma ou recebe com frequência e descaramento; apanhador.

ton. *m.* apócope de *tono;* usa-se na frase: *sin ton ni son,* (fam.) sem motivo nem causa; disparadamente; sem tom nem som.

tonada. *f.* toada, composição para cantar; toada, música desta canção; toada, som de vozes e instrumentos; som mal definido; (Amér.) embuste, ponderação excessiva: *tonada musical,* choradinho.

tonadilla. *f.* dim. de *tonada;* tonadilha, toadilha; modinha, canção alegre e ligeira; peça de teatro curta e ligeira; cantiga; tonilho.

tonadillera. *f.* mulher que canta toadilhas ou tonadilhas.

tonadillero. *m.* cantor ou autor de toadilhas ou tonadilhas.

tonal. *adj.* (mús.) pertencente ou relativo ao tom ou à tonalidade.

tonalidad. *f.* (mús.) tonalidade, sistema de sons que formam uma composição musical; propriedade que caracteriza um tom; (pint.) tonalidade, coloração, sistema de cores e tons; tom.

tonante. *p. a.* de *tonar* e *adj.* tonante, que troveja; fulminante; trovejante; (fig.) forte, vibrante; atroador. — *m.* um dos epítetos de Júpiter.

tonar. *v. intr.* (poét.) trovejar, tonar, troar; fulminar, arremessar raios.

tonario. *m.* livro antifonário.

tondino. *m.* (arq.) tondinho, moldura pequena na base das colunas.

tondo. *m.* (arq.) espécie de moldura num paramento.

tonel. *m.* tonel, pipa grande, barril; barrica; tonel, antiga medida com que se regulava o carregamento dos navios; tonel, o seu conteúdo; tonel, antiga medida de capacidade maior que a tonelada; (fig.) beberrão, homem que bebe muito: *meter en tonel,* encubar, embarrilar.

tonelada. *f.* tonelada, unidade de peso ou capacidade; conjunto de tonéis, tonelame; tonelagem, direito por tonelada.

tonelaje. *m.* (mar.) tonelagem, capacidade duma embarcação; capacidade de transporte dum navio; tonelagem, número de toneladas dum conjunto de navios mercantes; tonelagem, direito que se pagava por tonelada antigamente: *tonelaje de arqueo,* lotação.

tonelería. *f.* tanoaria, tonelaria; conjunto de tonéis, provisão de tonéis; tanoaria, loja de tanoeiro; ofício de tanoeiro.

tonelero. *m.* e *adj.* pertencente ou relativo ao tonel ou a tanoaria; tanoeiro, o que faz ou vende tonéis, toneleiro.

tonga. *f.* rima, ruma, camada.

tonga(da). *f.* capa, camada, demão: *disponer en tongadas,* encamar; *tongada de ladrillos,* camada de tijolos.

tongo. *m.* (Amér.) trapaça, fraude nas corridas de cavalos e nos jogos e desportes em geral.

tonicidad. *f.* tonicidade, grau de tensão dos tecidos vivos dos músculos.

tónico, ca. *adj.* (med.) tó(ô)nico, que fortalece ou tonifica; fortificante. — *f.* (mús.) tó(ô)nica, diz-se da primeira nota duma escala musical; (gram.) diz-se da vogal que tem acento predominante. — *m.* (med.) tónico, remédio, medicamento que tonifica ou fortalece.

tonificación. *f.* tonificação.

tonificador, ra. *adj.* tonificador, que tonifica.

tonificar. *v. tr.* tonificar, fortalecer, vigorizar, tonizar; dar tom, vigor a; dar energia ou vigor aos tecidos ou órgãos.

tonillo. *m.* toada, som monótono de quem fala, lê ou prega; sotaque, pronúncia particular e peculiar dum indivíduo.

tonina. *f.* (ictiol.) toninha, tonina, atum de pouca idade; delfim, cetáceo, porco-marinho.

tono. *m.* tom, tono, maior ou menor elevação do som; tom, inflexão da voz e modo particular de dizer uma coisa; tom, energia, vigor; força; tom, som dum instrumento; tom, pequena espiral de metal que modifica o tom das trompetas e doutros instrumentos de latão; tom, modo, maneira; (pint.) tom, relevo, vigor, harmonia, conjunto de um quadro; tom, expressão, acento, entoação, entoamento; (med.) tom, disposição natural; tom, inflexão ou expressão da voz; (mús.) escala em que um trecho musical está composto; (fig.) tom, modo de dizer ou de escrever: *darse tono,* dar-se importância, dar-se tom; *de buen o mal tono,* de bom ou mau gosto; *dar tono a,* entoar; *darse aires de gran tono,* fazer-se estátua; *medio tono,* (mús.) meio-tom; *salida de tono,* ex-abrupto; (fig.) descarrilamento; *salirse de tono,* desarmonizar, destoar; *tono de voz,* metal de voz; *dar el tono,* entoar; dar o tom, servir de exemplo; *tono mayor o menor,* tom maior ou menor.

tonómetro. *m.* tonó(ô)metro.

tonsila. *f.* (anat.) tonsila, amígdala, glândula.

tonsilitis. *f.* (med.) tonsilite.

tonsura. *f.* tonsura, grau preparatório para receber as ordens menores; corva; tonsura, corte de cabelo ou de lã.

tonsurando. *m.* o que está próximo a receber tonsura.

tonsurar. *v. tr.* tonsurar, cortar o pêlo ou a lã; tosquiar; tonsurar, praticar a cerimónia de tonsura; dar a tonsura.

tontada. *f.* tontice, tolice, tontaria, necedade; parvoíce; acção ou dito tolo.

tontaina. *s.* tolo, tonto, parvo; pateta.

tontear. *v. intr.* tontear, fazer ou dizer tontarias; disparatar; bobear; parvoejar.

tontedad, tonter(í)a. *f.* estultícia, sendeirada; pachouchada; estupidez; estouvadice; minúcia; endró(ô)mina; bobice; bertoldice; bestice; bestidade; asneira; demência; desace(ê)rto, basbaquice; desengenho; desarrazoamento; destempe(ê)ro; desassiso; desconchavo; estolidez; estroinice; incoerência; bernardice; tonteira, qualidade de tonto; tontice, tontaria; dito de tonto; (fig.) tontaria, dito sem importância; ninharia; farinhada; chochice; farfalhada; disparate; tolice; (Bras.) ébia, leseira: *cometer una gran tontería*, (fig.) estatelar-se; *decir tonterías*, farfalhar, desarrazoar, desatirnar-se; *una sarta de tonterías*, um chorrilho de asneiras.

tontina. *f.* (com.) tontina, associação de várias pessoas em que o capital dos sócios falecidos passa aos sobreviventes; fundo morto, tontina; qualquer operação financeira baseada na duração da vida humana.

tonto, ta. *adj.* tonto, parvo, idiota, doido; tonto, bo(ô)bo, pateta, néscio; tolo; palerma; estulto; maduro; mentecapto; estouvado; aloucado; apalhaçado; apatetado; amalucado; bobo; bo(ô)ca-aberta; asinino, asinário; demente; desbolado; basbaque; desengenhoso; desatremado; azamboado; estúpido; estólido; faceiro; (fam.) enxovedo; (fig.) boleima; (pop.) bertoldo; (fam.) batorelha; (Bras.) desabotinado, babaquara, bocó, sarango, zebróide: *hacerse el tonto*, atoleimar-se; fazer-se besta; *hacer el tonto*, fazer a boa; *mujer muy tonta*, asneirona; *medio tonto*, semi-racional; *un poco tonto*, amoucado, aparvoado; *quedarse tonto*, beber o siso; *hacer las cosas a tontas y a locas*, fazer as coisas no ar; andar por Deus e à aventura.

tontucio, cia. *adj.* e *s.* deprec. de *tonto;* meio parvo, meio tolo; tolinho.

tontuna. *f.* tontaria, necedade, parvoice; entontecimento.

toñil. *m.* espécie de ninho de palha ou erva seca feito no palheiro para amadurecer maçãs ou peras.

toñina. *f.* (zool.) tonina, toninha, atum.

¡top! (mar.) voz de mando para deter uma manobra.

topacio. *m.* topázio, pedra preciosa de cor amarela e muito dura.

topada. *f.* V. **topetada.**

topadizo, za. *adj.* encontradiço, que se encontra com frequência. V. **encontradizo.**

topador, ra. *adj.* e *s.* topador, que topa, que encontra.

topar. *v. tr.* topar, encontrar, empeçar; tropeçar; bater; topar, echar casualmente; encontrar; embarrar-se; esbarrar; deparar. — *v. intr.* marrar, dar cabeçadas; aceitar o invite ao jogo; parar, arriscar dinheiro ao jogo, topar; (fig.) consistir; estribar; (fig. e fam.) sair bem uma coisa; topar, fundar-se em; *toparse con*, empeçar-se.

toparca. *m.* senhor dum pequeno estado; toparca.

toparquía. *f.* toparquia, jurisdição do toparca.

tope. *m.* tope, to(ô)po; amortecedor na extremidade dos vagões; travão, peça para deter o movimento dum mecanismo; tope, tropeço, estorvo; pancada; ponta do mastro; tope, choque, encontro de dois corpos; tope, cimo, cume; parte superior ou mais elevada; tope, extremidade, extremo; tope, choque, embate; rixa, contenda; (fig.) busílis, ponto onde está uma dificuldade; cúmulo; auge; alto, pancada do martelo; ponta, extremidade dum madeiro ou palo; (mar.) vigia: *hasta el tope*, (fig.) inteiramente, até onde se pode chegar; (bot.) planta amarilidácea.

topera. *f.* toca de toupeira; buraco aberto pela toupeira.

topetada. *f.* topetada, marrada, (fig. e fam.) topetada, pancada com a cabeça, cabeçada; encontrão.

topetar. *v. tr.* topetar, marrar, dar violentamente com a cabeça nalguma parte. — *v. intr.* chocar, topar, embater; tropeçar, dar cabeçadas; esbarrar.

topetudo, da. *adj.* marrador, diz-se dos animais que tem o costume de marrar; que dá marradas.

tópico, ca. *adj.* tópico, que se refere a determinado lugar. — *m.* (med.) tópico, medicamento para uso externo; (ret.) expressão vulgar. — *pl.* lugares comuns, princípios gerais.

topinada. *f.* (fam.) distracção, acção de pessoa distraída; atrapalhaço; erro.

topinaria. *f.* (med.) talpária; abcesso.

topinera. *f.* lura, toca da toupeira.

topino, na. *adj.* topinho, diz-se do cavalo de pernas curtas.

topiquero, ra. *s.* diz-se da pessoa que dá aplicação de tópicos nos hospitais.

topo. *m.* (zool.) toupeira mamífero insectívoro que vive em galerias subterrâneas; (Amér.) cerro ou colina que sobressai.

topo. *m.* (fig. e fam.) toupeira, pessoa míope, estúpida, atrapalhada.

topofobia. *f.* (pat.) topofobia.

topófobo, ba. *adj.* e *s.* topófobo.

topografía. *f.* topografia.

topográficamente. *adv.* topogràficamente,

topográfico, ca. *adj.* topográfico.

topógrafo. *m.* topógrafo.

topogrillo. *m.* insecto ortóptero.

topón. *m.* (Amér.) V. **topetazo.**

toponimia. *f.* toponímia.

toponímico, ca. *adj.* toponímico.

toponomástica. *f.* toponomástica.

toponomástico, ca. *adj.* toponomástico.

toque. *m.* toque, contacto; toque, acção de tocar os sinos; (mil.) toque, sinal com tambor, corneta ou clarim; (pint.) toque, pincelada ligeira, esmero, artístico, retoque, toque, ensaio de metais; toque, percussão, pancada; aperto de mão; (fig.) toque, ponto essencial dalguma coisa; resto, vestígio; inspiração; começo de apodrecimento; prova, exame; chamamento advertência; *pedra de toque*, prova de ouro ou prata; toque, inspiração divina.

toqueado. *m.* som rítmico, feito com as mãos, os pés, ou com instrumentos de percussão; palmadas, sapateado, pateada.

toquería. *f.* conjunto de toucas; ofício de quem faz toucas;.

toquero, ra. *s.* fabricante ou vendedor de toucas.

toquetear. *v. tr.* tocar repetidamente sem ordem nem tino.

toquilla. *f.* véu à roda dum chapéu; touquinha; gravatinha, buço, manta para o pescoço, lenço pequeno que usam as mulheres na cabeça; xaile; palha muito fina para chapéus no Equador.

tora. *f.* tora, tributo que os judeus pagavam por família; livro da lei moisaica.

torácico, ca. *adj.* (anat.) torácico, pertencente ou relativo ao tórax.

toracocentesis. *f.* (cir.) toracocentese.

toracoplastia. *f.* (cir.) toracoplastia.

toracoscopia. *f.* (med.) toracoscopia.

torada. *f.* manada de touros, tourada.

toral. *adj.* principal, básico, de mais força; vigoroso; (prov.) em bruto; amarelo; diz-se da cera para curar; . — *m.* (min.) molde para barras de cobre; barra feita neste molde.

tórax. *m.* (anat.) tórax, peito do homem e dos animais; tórax, cavidade do peito; (não varia no plural).; segmento intermédio do corpo dos insectos.

torbellino. *m.* torvelinho, redemoinho, pé-de--vento, turbilhão; (fig.) turbilhão de coisas que ocorrem ao mesmo tempo; pessoa muito viva irrequieta e buliçosa; tufão; (fig.) concorrência de coisas simultâneas.

torca. *f.* depressão circular num terreno e com bordas escarpadas; cratera, concavidade nas montanhas.

torcal. *m.* lugar onde há *torcas*.

torcaz. *adj.* torcaz, diz-se de certa variedade de pombas.

torcaza. *f.* (zool.) pomba-torcaz.

torce. *f.* volta; cada uma das voltas dum colar, tracelim ou cordão; anel, fuzil de caeia ou colar; colar, elo.

torcedero, ra. *adj.* torto, torcido, tortuoso; torcido, desviado da perpendicular.— *m.* instrumento que serve para torcer os fios, torcedor; torcedoira, torcedura.

torcedor, ra. *adj.* e *m.* torcedor, que torce; torcedor, fuso; (fig.) coisa que causa desgosto.

torcedura. *f.* torcimento, torcedura, acto ou efeito de torcer; estorcimento; estortegada, estortegadela; estortegadura; entortadura; empeno; água-pé, vinho fraco; (cir.) entorse, distensão: *torcedura de un cabo,* cocha.

torcer. *v. tr.* torcer, dar voltas; torcer, fazer volver uma coisa sobre si mesma formando hélices; torcer, estorcegar, estorcer; estortegar; encurvar; entortar; torcer, dobrar uma coisa recta; torcer, desviar uma coisa da sua direcção; torcer, encurvar, revirar; (fig.) torcer, desencaminhar-se desviar-se da virtude; (fig.) torcer, interpretar mal; (fig.) mudar de parecer, torcer, dissuadir; torcer, inclinar-se em favor de; torcer, deslocar, desviar do sentido natural; inclinar; envolver, enroscar; caracolar; sujeitar, fazer ceder; corromper; distender por meio dum esforço; torcer, alterar, desvirtuar; torcer, desaprovar, dar sinal de reprovação; . — *v. r.* fabricar

um charuto; azedar-se; avinagrar-se o vinho; (fig.) mudar a vontade; inclinar-se; vergar-se; render-se; desviar-se da rectidão; torcer-se; desdizer-se retractar-se; *torcerse la madera,* empenar; *torcerse un negocio,* entortar-se um negócio; *dar el brazo a torcer,* confessar um erro, dar o braço a torcer; *torcer un arco,* vergar, torcer um arco; *estar torcido con uno,* ter inemizade com alguém; *torcer el gesto,* dar sinal de desaprovação, torcer o gesto; *torcerse un pie,* descolocar-se um pé.— *conj. irr.* **mover.**

torcida. *f.* torcida, pavio. mecha de candeeiro;.

torcido, da. *p. p.* de *torcer* e *adj.* torcido, inclinado, inflexo; oblíquo; torcido, que não é recto; torto, curvo; enviesado; empenado; torcido, torto, (fig.) que não obra com rectidão, desleal; — *m.* espécie de doce de ameixa; torçal, cordão de seda.

torcimiento. *m.* estorcimento; inflexão; torcedura, torcimento; sinuosidade; estado de coisa torcida; (fig.) evasiva, sofisma; expressão retorcida, perífrase, circunlóquio; torcimento, curvadura, encurvadura; (fig.) desvio do caminho da virtude; desvario; circunlocução.

torculado, da. *adj.* helicoidal, em forma de parafuso.

tórculo. *m.* tórculo, pequena prensa; prelo para gravar em cobre, aço, etc.; prensa de estampador; aparelho para polir metais.

tordería. *f.* tenda, choça de índio nas Pampas argentinas.

tórdiga. *f.* tira de couro. V. **túrdiga.**

tordillo, lla. *adj.* tordilho.; mosqueado de branco e preto, da cor do tordo.

tordo, da. *adj.* tordilho, diz-se das cavalgaduras de pelagem branca e preta.— *m.* tordo, pássaro.

toreador. *m.* toureiro, toureador, que toureia; que toureia a cavalo.

torear. *v. intr.* tourear, toirear, lidar touros; (fig. e fam.) tourear, zombar, meter à bulha, chamotear; (Amér.) desafiar, namorar; provocar.

toreo. *m.* toureiro, acção de tourear; tauromáquia, toureiro; arte de lidar ou correr os touros.

torera. *f.* casaquinho curto, justo e sem botões.

torería. *f.* grémio ou conjunto de toureiros; traquinada, travessura de rapazes.

torero, ra. *adj.* e *m.* toureiro, pertencente ou relativo ao toureiro; toureiro, o que toureia nas praças.

torés. *m.* (arq.) toro, de coluna.

torete. *m.* dim. de *toro,* tourinho, tourito, touro pequeno; (fig. e fam.) busílis, dificuldade; prato, assunto ou novidade de que mais se trata nas conversas.

torga. *f.* trambolho, peia que se põe aos animais a fim de que não penetrem nas herdades.

toril. *m.* touril, lugar onde estão fechados os touros antes da lide.

torio. *m.* (quim.) tório.
toriondez. *f.* cio do gado vacum.
toriondo, da. *adj.* saído, diz-se do gado vacum quando está com cio.
torita. *f.* (min.) torite.
torloroto. *m.* espécie de oboé rústico.
tormagal. *m.* penedia, fraguedo, lugar cheio de penhascos.
tormellera. *f.* V. **tormagal.**
tormenta. *f.* tormenta, tempestade, trovoada; (fig.) desgraça, adversidade, tormenta; manifestação volenta do ânimo; (irón.) berzunda, berzundela: *pasar la tormenta,* abonançar.
tormentar. *v. intr.* sofrer tormenta, atormentar-se.
tormentario, ria. *adj.* pertencente ou relativo à antiga artilharia.
tormentín. *m.* (mar.) mastaréu do gurupés.
tormento. *m.* tormento, acção de atormentar; tormento, tortura, dor física; tormento, suplício; consumição; martírio; aflição, angustia; aguilhão; infernação; máquina de guerra para disparar balas; (fig.) cilício; atribulação; dor moral; tormento, causa ou indivíduo que o provoca.
tormentoso, sa. *adj.* tormentoso, que ocasiona tormento; tormentoso, diz-se do tempo em que há tormenta.
tormera. *f.* penhascal. V. **tolmera.**
tormo. *m.* penhasco elevado. V. **tolmo.**
torna. *f.* torna, acção de tornar ou voltar, tornada, volta, regresso; obstáculo numa regueira para desviar um curso de água.: *volver las tornas* diz-se do câmbio na marcha dum assunto.
tornada. *f.* tornada, acto ou efeito de tornar ou regressar; volta, regresso; torna-viagem; certa estrofe provençal.
tornadera. *f.* garavanço, forcado para limpar os cereais na eira.
tornadero. *m.* obstáculo numa regueira V. **torna.**
tornadizo, za. *adj.* tornadiço, que se torna ou volta fàcilmente; inconstante, volúvel. — *m.* sobreiro (árvore);. V. **alcornoque.**
tornado, da. *p. p.* de *tornar* e *adj.* tornado, — *m.* tornado, furacão no golfo da Guiné.
tornadura. *f.* tornada, acção de voltar, volta, regresso.
tornaguía. *f.* recibo, quitação de entrega de mercadorias.
tornalecho. *m.* dossel, sobrecéu.
tornamiento. *m.* transformação, mudança, câmbio, conversão duma coisa noutra.
tornapunta. *f.* madeiro ensamblado noutro horizontal, para segurar um madeiro vertical ou inclinado.
tornar. *v. tr.* tornar, volver, restituir; mudar (a uma pessoa ou coisa a sua natureza ou o seu estado). — *v. intr.* regressar, voltar; tornar, repetir, fazer de novo; repetir um acto. — *v. r.* cambiar, restituir-se, mudar-se; fazer-se, vir a ser.
tornasol. *m.* tornassol, girassol (planta); furta-co(ô)r; tornassol, indicador químico.

tornasolado, da. *adj.* acatassolado, cambiante, furta-co(ô)r.
tornasolar. *v. tr.* fazer ou causar cambiantes ou furta-cores.
tornátil. *adj.* torneado, feito ao torno; (poét.) que gira com facilidade.
tornavoz. *m.* aparelho ou dispositivo para que o som repercuta e se ouça melhor; concha que cobre o buraco do ponto nos teatros.
torneador. *m.* torneiro, torneador, o que torneia, o que trabalha ao torno.
torneadura. *f.* apara que se tira ao tornear.
tornear. *v. tr.* tornear, fabricar, afeiçoar ao torno; contornear. — *v. intr.* tornear, dar voltas em redor ou à roda de; tornear, combater ou pelejar nos torneios; (fig.) dar tratos à imaginação.
torneo. *m.* torneio, combate a cavalo entre várias pessoas; justa; dança, à imitação do torneio; ludo; (pop.) descante (entre cantores).
tornera. *f.* rodeira, freira encarregada do serviço da roda, nos conventos; mulher do torneiro.
tornería. *f.* tornearia, oficina ou ofício de torneiro.
tornero. *m.* torneiro artífice que faz obras ao torno; torneiro, o que faz torno; recadeiro de freiras, recadista.
tornés. *m.* tornese, moeda antiga de prata.
tornija. *f.* chaveta para segurar as rodas nos eixos das carruagens.
tornillero. *m.* (fam.) tornilheiro, soldado desertor.
tornillo. *m.* parafuso, (fig. e fam.) deserção dum soldado; tornilho, torninho, torno pequeno: *apretar a uno los tornillos,* apertar alguém os cordeis; obrigá-lo a agir em certo sentido.
torniquete. *m.* torniquete, alavanca angular de ferro; torniquete, cruz móvel para só deixar passar uma pessoa de cada vez; (cir.) torniquete, instrumento para conter as hemorragias.
torniscón. *m.* murro na cara ou na cabeça, especialmente com as costas da mão, sopapo, bofetão; (Amér. fam.) beliscão.
torno. *m.* to(ô)rno, máquina de tornear; torno; giro, rodeio, volta, movimento em redor; rodeio, volta de rio ou de braço de mar; torno, aparelho no qual se apertam as peças que devem ser limadas ou polidas; freio de carruagem; parafuso de travar as rodas do carro; roda de convento ou de casa de expostos; (ant.) volta, regresso; vinda: *en torno,* em torno, em redor, em volta; *en torno de,* em torno de, em volta de.
toro. *m.* (astr.) Touro; (zool.) touro, boi bravo; (fig.) touro, homem robusto e forte. — *pl.* touros, corrida de touros: *toro mejicano,* bisonte; *otro toro,* (fig.) expressão empregada para indicar que se deve mudar de assunto numa conversa; *ciertos son los toros,* diz-se para expressar a verdade duma coisa; *toro corrido* (pop.) pessoa que tem muita experiência; *echar la*

capa al toro, (pop.) ir ao encontro dum perigo; *soltarle el toro a alguien*, (fig. e fam.) dizer sem rodeios uma coisa desagradável a alguém; *ver los toros desde la barrera*, (fam.) contemplar uma coisa sem estar em perigo.

toro. *m.* (arq.) toro, docel, moldura circular que orna a base das colunas. V. **bocel.**

toronja. *f.* (bot.) toronja, toranja, espécie de cidra,.

toronjil, toronjina. *m.* e *f.* (bot.) melissa, erva-cidreira.

toronjo. *m.* toronja, espécie de cidreira que dá toronjas.

torozón. *m.* (fig.) inquietação, desassossego; (vet.) torção, forcilhão, cólica de animal; enterite dos animais com dores de cólica.

torpe. *adj.* torpe, tropego, entorpecido, sem movimento livre, tardo; desapeitado, inábil; rude, desonesto, lascivo; ignominioso, infame; feio, grosseiro, tosco, rude, tapado; tardo, de difícil compreensão; inexperto; inepto; ineficaz; improficiente; desgraçado, desairoso, desgracioso, desmazelado; incapaz, incompetente; amazelado; (fig.) beócio.

torpedeamiento. *m.* torpedeamento.

torpedear. *v. tr.* (mar.) torpedear, lançar torpedos.

torpedeo. *m.* (mar.) torpedeamento.

torpedero. *adj.* e *m.* (mar.) torpedeiro, barco destinado a lançar torpedos.

torpedista. *adj.* e *s.* diz-se da pessoa hábil no manejo ou construção dos torpedos.

torpedo. *m.* (mar.) torpedo, máquina de guerra submarina; (zool.) torpedo, raia, tremelga.: *torpedo aéreo*, torpedo aéreo.

torpeza. *f.* lentidão, vagar; tardança no movimento, torpor, inércia, entorpecimento, falta de jeito; inactidão, incapacidade, ineficácia, improficiência; rudeza, estupidez, parvoíce; torpeza, desvergonha, desonestidade; ignomínia; infâmia; desaire; inabilidade; torpeza, fealdade, falta de ornato ou cultura, lentidão, vagar, tardança

tórpido, da. *adj.* (med.) entorpecido; tórpido, que reage com dificuldade.

torrado, da. *adj.* torrado, tostado. — *m.* grão--de-bico torrado.

torrar. *v. tr.* torrar, tostar ao fogo.

torre. *f.* to(ô)rre, edifício para defesa em caso de guerra; torre, construção anexa a igreja ou a algumas casas; campanário, torre dos sinos; torreão, mirante; casa de campo; casa de campo, granja com horta; torre, roque, no jogo do xadrez; torre, reduto couraçado nos navios de guerra.: *torre de mando* ou *de combate*, (mar.) torre de comando; *torre de mando* (aviaç.) torre de comando do aeródromo.

torrear. *v. tr.* torrear, torrejar, fortificar com torres.

torrefacción. *f.* torrefa(c)ção; tostadura.

torrefacto, ta. *adj.* torrado, tostado. V. **tostado.**

torrejón. *m.* torrinha, torre pequena ou mal construída.

torrencial. *adj.* torrencial, relativo ou semelhante à torrente.

torrente. *m.* torrente, corrente de água muito rápida e impetuosa; metal de voz grossa e forte; (fig.) multidão de gente que se dirige a um lugar; (fig.) torrente, aluvião, multidão, abundância simultânea de coisas.

torrentera. *f.* leito duma torrente; quebrada; excavação feita pelas chuvas ou torrentes.

torrentoso, sa. *adj.* torrencial, torrentoso, diz-se do caudal de água que corre à maneira de torrente.

torreón. *m.* aum. de *torre;* torreão, torre grande para defesa duma praça, cidade, castelo etc.

torrero. *m.* faroleiro, indivíduo encarregado dum farol; atalaia, pessoa que vigia; colono, trabalhador duma casa de campo, ou granja, caseiro.

torreznero, ra. *adj.* e *s.* (fam.) folgazão; preguiçoso, mandrião.

torridez. *f.* qualidade de tórrido ou ardente.

tórrido, da. *adj.* tórrido, muito ardente; excessivamente quente ou queimado: *zona tórrida*, zona tórrida.

torrija. *f.* torrija, rabanada de pão embebida em vinho ou leite e frita e adoçada com mel ou açúcar.

torsiómetro. *m.* (fís.) instrumento próprio para medir a torção ou torcedura duma barra.

torsión. *f.* torção, torcedura; estado de coisa torcida; acto ou efeito de torcer.

torso. *m.* torso, tronco do corpo humano; torso, obra de arte que representa o tronco do corpo humano, sem cabeça nem membros; corpo duma estátua.

torta. *f.* torta, pastel, pastelão; (pop.) lostra; (fam.) qualquer massa em forma de torta; torta, massa de pão arredondada; (fam.) torta, bofetada, bofetão, pancada dada no rosto com a mão; *tener cara de torta*, ter rosto bolachudo; *que tiene cara de torta*, bolacheirona; *tortas y pan pintado*, (fam.) diz-se do trabalho, coisa ou acção muito melhor que outro ao que se compara ou que não tem dificuldade, *costar la torta un pan*, (fig. e fam.) dito para expresar que uma coisa é muito difícil de conseguir ou custa muito dinheiro, mais do que vale.

tortedad. *f.* curvatura, tortuosidade, obliquidade; tortura, estado de torção.

tortera. *f.* tortual, tortueiral; disco na parte inferior do fuso da roca, para lhe facilitar o giro; torteira, vaso para cozer ou fazer as tortas.

tortero. *m.* espécie de tumor na cabeça; tortual, tortueiral. V. **tortera.**

tortero, ra. *s.* pessoa que faz tortas ou as vende;. — *m.* caixa ou cesto para guardar tortas.

torteruelo. *m.* (bot.) variedade de luzerna.

torticero, ra. *adj.* injusto, contra as leis.

tortícolis. *m.* (med.) torcicolo.

tortilla. *f.* dim. de *torta*, tortilha; omeleta, fritada de ovos batidos, tortilha : *volverse la tortilla*, (fam.) mudar a sorte ou a fortuna; *hacerse tortilla*, fazer-se em fanicos.

tortillera. *f.* (vulg.) fressureira, ninfomaníaca.

tortillero. *m.* (Amér.) o que faz ou vende omeletas.

tortillo. *m.* (heráld.) tortão; arruela.

tortis. *m.* tortis, letra gótica que se usou no começo da imprensa.

tórtola. *f.* (orni.) ro(ô)la, ave columbiforme.

tórtolo. *m.* (orni.) macho da rola; (fig. e fam.) inocente, simples; homem apaixonado, enamorado.

tortor. *m.* trabelho, arrocho; (mar.) tortor, cada uma das voltas duma corda, ligando dois objectos, e retorcida. com uma alavanca.

tortuga. *f.* (zool.) tartaruga; (mil.) antiga defesa militar. V. **testudo**.

tortuosidad. *f.* tortuosidade; sinuosidade; (fig.) parcialidade; ardil.

tortuoso, sa. *adj.* tortuoso, sinuoso, que tem voltas e rodeios; torto; (fig.) taimado; cauteloso; desleal; arrevessado; anfractuoso; fragoso.

tortura. *f.* tortura, qualidade de torto ou torcido; curvatura, tortuosidade; tortura, averiguação por meio de tormento; dor ou aflição grande, tortura; atrocidade; (fig.) inferno; angústia.

torturador, ra. *adj.* e *s.* torturador, que tortura, torturante, pungente; dilacerante.

torturar. *v. tr.* torturar, dar tortura, atormentar fig.) afligir; angustiar; atormentar; (fig.) macerar; averrumar; . — *v. r.* estorturar-se; atormentar-se; .

torunda. *f.* penso compacto de fios.

toruno. *m.* (Amér.) boi castrado depois dos três anos.

torva. *f.* redemoinho, remoinho, turbilhão de neve ou chuva.

torvo, va. *adj.* to(ô)rvo, terrível à vista, iracundo; irado; sinistro, pavoroso; terrível, espantoso, horrível.

tory. *m.* tory, nome que tem em Inglaterra o partido conservador.

torzal. *m.* torçal, cordão fino de seda; (fig.) torcida, união de coisas torcidas, presas em forma de trança.

tos. *f.* tosse : *tos convulsa*, tosse convulsa, coqueluche.

toscano, na. *adj.* e *s.* (geog.) toscano. — *m.* língua italiana.

tosco, ca. *adj.* to(ô)sco, grosseiro, sem polimento, bruto, rude; (fig.) inculto, rústico; desaprimorado; desatencioso; desafável; aboleimado; achavascado; ordinário; malfeito.

tosedera. *f.* tosseira, tosse repetida.

toser. *v. intr.* tossir, ter tosse; (fig.) e fam.) competir com outra pessoa, especialmente em valor; fingir tosse para dar sinal : *toser fuerte*, (fam.) dar-se ares de valentão; .

tosidura. *f.* tossidela.

tosigar. *v. tr.* entoxicar. V. **atosigar.**

tósigo. *m.* peçonha. V. **ponzoña;** (fig.) angústia ou aflição grande.

tosigoso, sa. *adj.* tossegoso, que tem tosse; envenenado, empeçonhado.

tosquedad. *f.* rusticidade; grossaria; desatenção; desafabilidade; desamabilidade; chavasquice; (pop.) pachouchada; ignorância, rusticidade.

tostada. *f.* torrada. rabanada de pão torrada e adoçada com mel, manteiga, etc.: *dar una tostada*, (fam.) fazer uma partida, enganar.

tostadera. *f.* torradeira.

tostadero. *m.* (fam.) torreira, lugar muito quente.

tostado, da. *p. p.* de **tostar** e *adj.* tostado, diz-se da cor escura. — *m.* tostadura.

tostador, ra. *adj.* torrador, que torra, tostador. — *m.* torradeira, utensílio para tostar alguma coisa.

tostadura. *f.* tostadura, torrefa(c)ção, torração.

tostar. *v. tr.* torrar, tostar; tostar, torrar, queimar, aquecer demasiadamente; curtir a pele, tostá-la ao sol ou ao vento; (Bras.) saberecar. — *v. r.* tostar-se; queimar-se. — *conj. irr.* como, *contar*.

tostón. *m.* grão-de-bico torrado; leitão assado; dardo de madeira, cuja ponta foi endurecida ao fogo; tostão, antiga moeda portuguesa; moeda mexicana; tiborna, sopa de pão torrado molhado em azeite; coisa muito tostada; (pop.) aborrecimento. V. **tabarra.**

tota (a). (pop. Amér.) sobre as costas.

total. *adj.* total, geral, universal; . — *m.* (mat.) soma, total. — *adv.* em suma, em resumo.

totalidad. *f.* totalidade, soma, o total; reunião de todas as coisas ou pessoas que formam uma classe ou espécie.

totalitario, ria. *adj.* (neol.) totalitário; autoritário, ditatorial.

totalitarismo. *m.* (neol.) totalitarismo, sistema de governo autoritário.

totalización. *f.* totalização.

totalizador, ra *adj.* e *s.* totalizador, que totaliza; aparelho que serve para totalizar mecânicamente.

totalizar *v. tr.* (neol.) totalizar, calcular o total de; apreciar em conjunto, sumar.

totazo. *m.* (Amér.) cabeçada, pancada que se dá com a cabeça, de encontro a qualquer objecto.

tótem. *m.* tóteme, totem.

totemismo. *m.* totemismo.

toxemia. *f.* (med.) toxemia.

toxicar. *v. tr.* entoxicar, toxicar, intoxicar, envenenar, empeçonhar.

toxicidad. *f.* qualidade de tóxico; toxicidade, toxidade.

tóxico, ca. *adj.* (med.) tóxico, diz-se das substâncias venenosas; substâncias que tem a propriedade de envenenar. — *m.* substância tóxica; veneno.

toxicografía. *f.* toxicografia.

toxicográfico, ca. *adj.* toxicográfico.

toxicoideo, a. *adj.* semelhante a um veneno ou tóxico.

toxicología. *f.* toxicologia.

toxicológico, a. *adj.* toxicológico.

toxicólogo, ga. *s.* pessoa versada em toxicologia, toxicólogo.

toxicomanía. *f.* (pat.) toxicomania.

toxicomaníaco, a. *adj.* e *s.* diz-se da pessoa que padece de toxicomania.

toxicómano, na. *adj.* e *s.* diz-se da pessoa que padece de toxicomania.

toxicometría. *m.* (quim.) toxicómetro, instrumento para medir a intensidade de um veneno.

toxicosis. *f.* (pat.) toxicose.

toxidermia. *f.* toxidermia.

toxina. *f.* toxina.

toza. *f.* pedaço de casca de árvore carrasca; toco de árvore; jugo para jungir as mulas ao arado.

tozalbo, ba. *adj.* diz-se da rês que tem a frente branca.

tozar. *v. intr.* (prov.) topetar, bater com o topete; (fig.) teimar nèsciamente; topar, bater , esbarrar; tropeçar.

tozo, za. *adj.* anão de baixa estatura; tolo, estulto, fátuo.

tozudez. *f.* teimosia, porfia; obstinação; pertinácia; qualidade de teimoso.

tozudo, da. *adj.* teimoso, obstinado; pertinaz; inapelável; testarudo; cabeçudo; testudo.

tozuelo. *m.* cachaço, cachaceira de animal.

traba. *f.* trava, peia; acção e efeito de travar; travação, trava; calço de rodas; trava; laço, prisão; trava, prisão de travar as bestas; trava, esto(ô)rvo; estorvamento; entorpecimento; entrave; entravamento; empe(ê)ço; trava, inconveniente; (fig.) freio; embargo; embaraço; estorvo, empecilho; trava, impedimento, obstáculo, peia; trava, hombreira, pedaço de pano que reune as duas partes do escapulário. — *pl.* travas, maniotas das bestas: *sin trabas*, sem obstáculos.

trabacuenta. *f.* erro de conta; (fig.) discussão, controvérsia, contenda, disputa.

trabadero. *m.* travadouro, travadoiro, dos animais; parte delgada da perna das bestas onde se ata a trava ou peia.

trabado, da. *adj.* e *p. p.* de *travar*. travado; cavalo, égua, que tem ambas mãos brancas; (fig.) robusto, forte; membrudo, hercúleo; travado, preso, entrelaçado, unido; atravancado; entabolado; peado; tartamudo; encarniçado.

trabador. *m.* (Amér.) travadoura. V. **triscador.**

trabadura. *f.* acção e efeito de *trabar*; travação; travadura; travamento; conexão; nexo; **ligadura.**

trabajado, da. *adj.* e *p. p.* de *trabajar*. trabalhado; afadigado; cansado; cheio de trabalhos; moído de trabalho, trabalhado, ornado; lavrado; feito com arte e cuidado; trabalhoso.

trabajador, ra. *adj.* e *s.* trabalhador, que trabalha; empreendedor; madrugador; infatigável; industrioso; estudioso; aplica-

do; (Port.) macóbio; (prov.) incerne; trabalhador, que gosta de trabalhar; laborioso; trabalhador, pessoa que trabalha; jornaleiro; o que trabalha de enxada; obreiro; ganhão; operário; dado ao trabalho; (Bras.) pé-de-boi; *trabajador del puerto*, (Bras.) doqueiro; *trabajador rural*, (Bras.) pé-duro.

trabajar. *v. tr.* trabalhar, ocupar-se em qualquer exercício ou ofício; trabalhar, ocupar-se na execução dalguma coisa; formar, lavrar, pôr em obra; trabalhar, funcionar; exercitar; (fig.) trabalhar, inquietar, molestar, vexar, oprimir; perturbar; trabalhar; ocupar-se nalguma coisa, nalgum trabalho; trabalhar, diligenciar, solicitar, lidar; trabalhar, exercer uma actividade; exercer o seu ofício; manipular; esforçar-se: *trabajar con afán*, afadigar; *trabajar sin cuidado*, achavascar, albardar; *trabajar sin gusto y mal*, engorolar; *trabajar con ahinco*, (Bras.) gurmir.

trabajo. *m.* trabalho, empre(ê)sa; funcionamento; função: estudo; enfadamento; fabrico; colocação; afã; trabalho, elaboração; (ant.) meneio; trabalho; labor; ocupação, exercício; trabalho, obra, produção; indústria; trabalho, operação da máquina ou ferramenta que se emprega com algum fim; trabalho, dificuldade ou prejuízo; impedimento; trabalho, fadiga, presa; trabalho, actividade física ou intelectual; trabalho, obra feita ou para fazer; serviço; ocupação manual ou intelectual. — *pl.* trabalhos, desgostos, misérias, dificuldades, incómodos: *trabajo abrumador*, encostadela, maçada; *trabajo duro*, fadiga; *trabajo penoso*, (fig.) maçada; *trabajo principal*, chefe de obra; *pequeño trabajo*, biscate; *sin trabajo*, desempregado; a gagosa; *hacer trabajos*, alfaiatar; *despreciar un trabajo*, desaplicar; *trabajos forzados*, trabalhos forçados, pena infamante; *tomarse uno el trabajo*, par--se alguém ao trabalho; *trabajo urgente*, faina; *trabajo producido por una máquina*, efeito; *emprender un trabajo*, emprender um trabalho, começar um trabalho; *trabajo intelectual*, trabalho do espírito.

trabajoso, sa. *adj.* trabalhoso, que dá ou causa trabalho; agro; laborioso; custoso, difícil; que padece trabalhos e misérias; trabalhoso, fadigoso, árduo; aperreado; afanoso; afadigador; trabalhoso, cansativo, dificultoso, cansado; imperfeito; trabalhoso, abatido, achacoso; trabalhoso, que causa grande fadiga; trabalhoso, cheio de trabalhos; (Amér.) pouco complacente, exigente; (Amér.) molesto, enfadonho.

trabal. *adj.* trabal, diz-se do prego próprio para vigas ou traves.

trabalenguas. *m.* palavra ou locução de difícil pronunciação.

trabamiento. *m.* V. **trabadura**; travação, travamento.

trabanca. *m.* tabuleiro apoiado em cavaletes, que faz de mesa.

trabanco. *m.* travanca, pau que se fixa na coleira do cão para que não possa abaixar a cabeça ; trambolho.

trabar. *v. tr.* travar, juntar ou unir uma coisa com outra ; travar, prender, pear ; fazer parar com o travão ; travar, agarrar, pregar ; travar, concordar, ligar, enlaçar ; travar, copular ; encadear ; entrelaçar ; entravar ; entrançar ; entretecer ; encravinhar ; encargalhar ; (fig.) engrenar ; travar, engrossar, condensar um líquido ; travar, contender, disputar, batalhar ; travar, amargar. — *v. r.* unir-se, juntar-se, empenhar-se ; cruzar-se ; encambulhar-se ; travar-se de razões ; altercar : *trabarse de palabras*, disputar, contender ; travar de palavras ; *trabar la lengua*, taramelar, tartamudear ; *trabar batalla*, travar batalha ; *trabar conocimiento*, travar amizade, travar conhecimento.

trabazón. *f.* entretecedura ; coligação, cópula ; encadeação ; (fig.) contexto ; travação, enlace recíproco de duas ou mais coisas ; conexão, ligação ; travação, dependência duma coisa com outra : *trabazón permanente*, coligância ; *sin trabazón*, incomplexo.

trabilla. *f. dim.* de *traba*: tresilha de pano ou de couro para prender as extremidades inferiores da calça ou polaina ; malha solta na meia ; travasinha ; peiasinha ; presilha da meia sem pé.

trabuca. *f.* busca-pé de foguete rasteiro ; foguete de bichas de rabiar.

trabucación. *f.* transtorno, perturbação, confusão, atrapalhação ; desordem ; misturada ; desarranjo.

trabucar. *v. tr.* transtornar, atrapalhar ; boa ordem das coisas ; ofuscar o entendimento ; desordenar ; misturar ; perturbar ; (fig.) alterar, confundir ; pronunciar, escrever equivocadamente umas palavras por outras, confundir. — *v. r.* atrapalhar-se, equivocar-se ; perturbar-se.

trabuco. *m.* trabuco, antiga máquina de guerra para arremessar pedras ; espécie de arma de fogo, de bacamarte, mais curta que a espingarda e de mais calibre ; (ant.) astúcia, arte.

traca. *f.* (mar.) carreira, enfiada de tábuas ou cobertas dos navios ; fiada de petardos ou foguetes colocados na extensão duma corda que estoiram sucessivamente ; artefacto pirotécnico.

trácala. *f.* (Amér.) trapaça, tramoia, ardil ; engano, enredo ; fraude, burla.

tracalada. *f.* (Amér.) multidão confusa e desordenada.

tracalero, ra. *adj.* (Amér.) trampolineiro, embusteiro, calofeiro.

tracamundana. *f.* (fam.) troca de ninharias ; confusão, alvoroço, alvoroto ; troca-baldrocas, troca de coisas de pouco valor.

tracción. *f.* tra(c)ção, acção de puxar, de deslocar ou esticar ; acção de arrastrar carruagens ; trazida, acção de trazer ; tracção, modo de arrastrar veículos.

trace. *adj.* e *s.* V. **tracio**.

tracería. *f.* (arq.) decoração formada de combinações geométricas.

traciano, na. *adj.* e *s.* V. **tracio**.

tracias. *f.* vento noroeste.

tracista. *m.* tracista, diz-se da pessoa que traça um plano, desenho, etc. duma fábrica, duma máquina, etc. ; pessoa que planeia ; (fig.) diz-se da pessoa que planeia tretas, que é fecunda em manhas, etc. maquinador ; projectista.

tracoma. *f.* (med.) tracoma.

tracomatoso, sa. *adj.* relativo ou pertencente à tracoma.

tracto. *m.* espaço que media entre dois lugares ; espaço ; intervalo ; tra(c)to ; lapso de tempo ; decurso de tempo ; separação ; conjunto de versículos ou orações que se rezam na missa, antes do Evangelho.

tractocarril. *m.* espécie de comboio que pode circular sem carris ou com eles.

tractor. *m.* tra(c)tor máquina industrial ou agrícola para tracção.

tradición. *f.* tradição, transmissão de notícias, costumes, composições literárias, danças e canções, etc. de geração, em geração ; tradição, doutrina, costumes, etc. conservadas num povo por transmissão de pais a filhos ; tradição ; memória ; uso ; costume ; hábito ; (for.) tradição, entrega.

tradicional. *adj.* tradicional, pertencente ou relativo à tradição ; conservado na tradição.

tradicionalismo. *m.* (pol.) tradicionalismo ; tradicionalismo, apego, á tradição e aos usos e costumes antigos.

tradicionalista. *adj.* e *s.* tradicionalista.

tradicionista. *s.* narrador, escritor ou coleccionador de tradições.

traducción. *f.* tradução, versão ; tradução, obra traduzida ; tradução, interpretação ; tradução, sentido que se dá a um texto ; (p. ext.) explicação, interpretação : *traducción interlineal*, chicha.

traducible. *adj.* traduzível, que se pode traduzir.

traducir. *v. tr.* traduzir, explicar ; traduzir, explicar numa língua o que está escrito ou expresso noutra ; traduzir, interpretar, mudar, converter, trocar ; (fig.) traduzir, explicar, interpretar, exprimir. — *v. r.* traduzir-se, interpretar-se, manifestar-se : *traducir latín*, alatinar. — *conj. irr.* como *conducir*.

traductor, ra. *adj.* e *s.* tradutor, que traduz uma obra.

traedizo, za. *adj.* que se traz, que se pode trazer.

traedor, ra. *s.* e *adj.* trazedor, que traz.

traer. *v. tr.* trazer, conduzir, transladar uma coisa dum lugar a outro onde está o que fala ; conduzir para cá ; trazer para si ; trazer, atrair ; acarretar ; trazer, entregar ; levar, ter posta uma coisa ; (fig.) alegar razões de autoridade ; aduzir ; despertar, trazer à memória ; tratar, andar fazendo uma coisa ; trazer, produzir, infligir ; proporcionar ; sentir ; trazer ; trajar, levar vestido ; trazer, derivar, proceder ;

trazer, (fig.) alegar textos, razões, etc.; trazer, ser portador de; trazer, oferecer, ofertar; trazer, causar, acarretar, ocasionar. — *v. r.* vestir-se bem ou mal: *traer a propósito*, apropositar; *traer su origen de*, derivar; *traer hacia sí*, atrair; *traer a la memoria*, despertar; recordar; *traer en el pensamiento*, cogitar, trazer na mente; *persona de traer y llevar*, pessoa de levar e trazer, pessoa bisbilhoteira; *este negocio, me trae disgustos*, este negócio traz-me desgostos; *traer consigo*, trazer consigo; *traer en lenguas*, ou *en bocas*, trazer alguém entre dentes; *traer entre manos*, trazer entre mãos; *traer a la vista*, trazer de olho. — *conj. irr.*; *pres. indic.* **traigo, traes, trae, traemos**, etc.; *pret. ind.* **traje, trajiste, trajo, trajimos**, etc.; *imperf.* **traía, traías**, etc.; *fut. imperf.* **traeré, traerás**, etc.; *sub. pre.* **traiga**, etc.; *imperf.* **trajera**, etc. ou **trajese**, etc.; *ger.* **trayendo.**

trafagador. *m.* traficante, negociante, tratante.

trafagar. *v. intr.* traficar, negociar, andar por vários países, correr mundo.

tráfago. *m.* tráfico; tráfego, conjunto de trabalhos que causam fadiga; tráfego, trato; comércio; transporte de mercadorias, tráfego; afã.

trafalgar. *m.* tecido ordinário de algodão, espécie de cambraieta.

traficación. *f.* V. **tráfico.**

traficante. *m.* traficante, que trafica, que negoceia; negociante; cigano; chatim; intrujão; tratante; pessoa que faz negócios fraudulentos; o que faz traficâncias; mercador.

traficar. *v. intr.* traficar, comerciar, negociar; chatinar; mercantilizar, mercar; mercadejar; mercanciar; barganhar; trafegar, transitar, transportar mercadorias; barganhar, comerciar com coisas de pouco valor; (pop.) fazer negócios fraudulentos.

tráfico. *m.* tráfico, traficância; tráfico, negociação; comércio; mercadoria, mercancia; tráfico, troca de mercadorias; tráfego, trânsito, acção de transitar; acto de mercadejar; chatinária.

trafulla. *f.* (fam.) trapaça, ardil.

tragable. *adj.* tragável, que se pode tragar ou engolir.

tragaderas. *f. pl.* faringe; (fig. e fam.) boafé, paciência; engolideiras; pouco escrúpulo; tolerância excessiva.

tragadero. *m.* tragadeiro, faringe, goela; tragadouro, tragadoiro, sorvedouro. — *pl.* boa-fé.

tragador, ra. *adj. e s.* tragador, que traga; engolidor, comilão, que come muito; devorador.

tragahombres. *m.* (fam.) fanfarrão, fanfa, façanheiro; matamouros; bravateador; matasete.

tragaleguas. *m.* (fam.) papa-léguas; andarilho, pessoa que anda muito e depressa.

tragaluz. *m.* lucerna, lucarna; clarabóia, janela aberta no tecto ou na parte superior da parede; candeia; lumieira; arbóis; (mar.) meia-laranja, olho de boi.

tragantada. *f.* o maior trago que se pode engolir duma só vez.

tragantón, na. *adj.* comilão, glutão, devorador.

tragantona. *f.* (fam.) barrigada, patacada, comezaina, refeição abundante; acção de engolir por susto, à força, etc. (fig. e fam.) violência, pressão que faz alguém para acreditar nalguma coisa.

tragaperras. *m.* (fam.) espécie de balança automática.

tragar. *v. tr.* tragar, engolir, devorar; absorver; ingerir; ingurgitar; beber; tragar, comer vorazmente; tragar (falando-se da terra, do mar, etc.); tragar, suportar, engolir, tolerar; acreditar fàcilmente; tolerar; dissimular; t r a g a r, devorar, comer muito e depressa; tragar, não se dar por entendido; tragar absorver; (fig.) tragar, sofrer com paciência; sorver, submergir, destruir; aniquilar; fazer desaparecer; (Bras.) embicar. — *v. r.* tragar, sofrer, ocultar, dissimular o sofrimento: *no poder tragar a alguien*, não poder tragar alguém, ter aversão a alguém; *tragar con dificultad*, engasgar-se; *hacer tragar a alguien un despropósito*, encaixar; *tragar los alimentos*, deglutir; *tragarse algo*, beber uma coisa; *tragarse embustes*, engolis patranhas; *tragarse un embuste*, engolir a pítula; *tragarse una opinión*, engolir uma opinião.

tragazón. *f.* gula, glutonaria, voracidade.

tragedia. *f.* tragédia, canção dos pagãos em louvor de Baco; tragédia, obra dramática; tragédia, composição lírica para lamentar desgraças; tragédia, género trágico; (fig.) tragédia, acontecimento que desperta piedade, terror, etc.; tragédia, desastre, desgraça, catástrofe, sucesso funesto; cena triste.

trágico, ca. trágico, que se refere à tragédia; trágico, diz-se do autor duma tragédia. — *m.* trágico, aplica-se ao actor que representa papéis trágicos; (fig.) trágico, funesto, fatal; carácter do que é terrível; autor de tragédias.

tragicomedia. *f.* tragicomédia, peça teatral dramática com cenas ou incidentes cómicos.

tragicómico, ca. *adj.* tragicó(ô)mico, pertencente ou relativo à tragicomédia.

trago. *m.* trago, porção de líquido que se bebe duma só vez; trago, gole, so(ô)rvo; (fig. e fam.) trago, adversidade, aflição, infortúnio; angústia; cálice de amargura; dor: *a tragos*, pouco a pouco, lentamente; *prepararse para un trago amargo*, fazer estômago para alguma coisa; *tomar un trago*, dar um beijo no copo; *tomar un trago de vino*, enfiar uma vez de vinho; *beber de un trago*, beber de um trago.

trago. *m.* (anat.) trago, pequena saliência do orifício externo do conduto auditivo.

tragón, na. *adj.* comilão, devorador, glutão; galfarro; ingluvioso; engolidor; (pop.)

desengaçado; desgorgomilado; (prov.) prieira: *ser un tragón*, ter bom estômago.

tragonear. *v. tr.* (fam.) ingerir, comer, engolir muito e com frequência.

tragonería. *f.* glutonaria, gula, voracidade.

tragonía. *f.* glutonaria. V. **tragonería.**

traición. *f.* traição, perfídia, delito contra a fidelidade; infidelidade; traição, emboscada; aleive; aleivosia; falseamento; deslealdade; entrega; macanjice; cilada; infidelidade; (fig.) assassinamento: *alta traición*, alta traição; *hacer traición*, fazer uma entrega; *víctima de una traición*, atraiçoado; *a traición*, à falsa fé, inesperadamente.

traicionado, da. *p. p.* de *traicionar* e *adj.* atraiçoado; entregue.

traicionar. *v. tr.* trair, atraiçoar; falsar; falsear; deslealdar; entregar; enganar; (fig.) assassinar, abandonar traiçoeiramente; revelar, trair um segredo; cometer traição: *traicionar a un amigo*, entregar um amigo; *traicionar un secreto*, revelar um segredo. — *v. r.* denunciar-se.

traicionero, ra. *adj.* e *s.* traiçoeiro, pérfido, aleivoso; traidor; cobarde; desleal; enganoso; falso, capaz de ferir atraiçoadamente; atraiçoador; relativo à traição.

traída. *f.* trazida, trazimento, transporte, acção de trazer; trazida, importação.

traído, da. *p. p.* de *traer* e *adj.* gasto, usado, que se vai fazendo velho; diz-se da roupa, do fato.

traidor, ra. *adj.* e *s.* traidor, que atraiçoa; macacório; atraiçoador; falso; aleivoso; inconfidente; desleal; entregador; infiel; infido; (fig.) assassino; traidor, traiçoeiro; comprometedor; perigoso: *amigo traidor*, amigo traidor; *este río es traidor*, este rio é perigoso.

traílla. *f.* treia, correia para cães; cordel, guita, barbante; espécie de grade para nivelar um terreno; parelha de cães, atrelador.

traillar. *v. tr.* gradar, nivelar um terreno com a grade.

trainera. *adj.* diz-se da embarcação empregada na pesca com traina; traineira. — *f.* espécie de chalupa, pequena embarcação usada na pesca da sardinha, da pescada, etc., nalguns portos do Norte de Espanha.

traje. *m.* traje, trajo, fato; indumentária; indumento; (pop.) farpela; vestuário habitual, vestes; traje, vestido, roupa exterior; traje, vestido de máscara ou de disfarce; (fig.) encadernação: *traje talar*, traje eclesiástico; *traje de paisano*, traje à paisana; *traje de viaje*, traje de viagem; *traje de ceremonia*, traje de cerimónia; *traje nuevo y lujoso*, (pop.) pálio rico; *envuelto en lúgubre traje*, amortalhado; *desfile de trajes*, ensaio de apuro.

trajeado, da. *p. p.* de *trajear* e *adj.* (fig.) encadernado: *persona mal trajeada*, (prov.) fandinga, maçáruco; *persona bien trajeada*, pessoa bem-posta, enfarpelada.

trajear. *v. tr.* trajar, vestir, prover de roupa uma pessoa; vestir, usar como vestuário.— *v. intr.* vestir-se, revestir-se, cobrir-se; dar alguém o traje conveniente.

trajín. *m.* tráfego, transporte de mercadorias; faina, azáfama, tráfego; lide, ocupação.

trajinar. *v. tr.* transportar, carregar.—*v. intr.* trafegar, lidar, azafamar-se, afadigar-se.

trajinería. *f.* carreto, transporte de mercadorias.

trajinero. *m.* transportador, transportista, carregador.

tralla. *f.* corda mais grossa que a guia; soga; látego; azorrague; trança na extremidade do chicote para que estale; chicote assim aparelhado; ponta do chicote.

trallazo. *m.* chicotada, estalo de chicote; (fig.) repreensão severa.

trama. *f.* trama, tecido, conjunto de fios que com a teia fazem o tecido; (fig.) confabulação, artifício, trama; disposição interna, contextura duma obra dramática, novelesca, etc.; trama, contextura; (fig.) conspiração; conluio; conjuração; andrómina; (fig.) trama, tramoia; ardil; enre(ê)do; intriga; maquinação.

tramador, ra. *adj.* e *s.* tramador, que trama; promotor; urdidor.

tramar. *v. tr.* tramar, passar a trama por entre os fios da urdidura; (fig.) tramar, urdir, intrigar, enredar; tecer, conluiar; astuciar; conjurar; (fig.) forjar; tramar, amascar; conspirar; armar; mover; maquinar: *tramar contra alguien*, conspirar.

tramilla. *f.* barbante, cordel ou corda muito fina.

tramitación. *f.* trâmite, senda; via; trâmites, diligências apropiadas à direcção dum assunto ou negócio.

tramitador, ra. *s.* pessoa que encaminha um assunto ou negócio.

tramitar. *v. tr.* fazer passar um negócio pelos trâmites devidos para a sua resolução ou conclusão.

trámite. *m.* trâmite, direcção, expediente; trâmite, meio, via, caminho; termos por que passa um negócio para a sua resolução.

tramo. *m.* tracto, espaço de terreno; tramo, lanço de escada; parte, trecho de andaime, canal ou caminho; parte, pedaço, porção de alguma coisa; tramo, espaço entre duas ou mais asnas.

tramojo. *m.* (agr.) vencelho, vencilho; atilho para atar molhos de trigo; trabalho, dificuldade; (Amér.) espécie de trambolho.

tramontana. *f.* tramontana, norte; (fig.) vaidade, soberba, altivez.

tramontano, na. *adj.* trasmontano, ultramontano.

tramontar. *v. intr.* tramontar, transmontar, passar por além dos montes. — *v. tr.* favorecer a fuga de alguém; desaparecer o sol por detrás dos montes; tramontar.

tramoya. *f.* tramóia, máquina de teatro; (fig.) tramóia, ardil, enredo engenhoso, artifício; tramóia, farsa.

tramoyista. *m.* maquinista de teatro, inventor, construtor ou director de tramóia; (fig.) trapaceiro, enredador.

trampa. *f.* armadilha, artifício; estirão; falácia; mácula; empulhação; fraude; emboscada; falcatrua; estratagema; galezia; fulheria; dívida atrasada; fraudação; maçada; embuste; engano; artimanha; enganação; embaimento; embaçadela; cilada; alcapão; astúcia; (fig.) bateria; (pop.) endró(ô)mina; (fig.) encravação; (fig.) corriola; encavadela; (bur.) pala; aboiz; trampa, enre(ê)do, engano, trapaça: *caer en la trampa*, cair no anzol; cair na corrida; *trampa de un foso*, alçapão; *trampa del calzón*, alçapão dos calções; *trampa en el juego*, batota; gamboina; fulheira; *trampa para atrapar animales*, boiz, alçaprema; estrepe; azeiro; pulhar; *llevarse la trampa una cosa*, deitar-se a perder, malograr-se.

trampal. *adj.* atoleiro, tremedal, lameiro, pântano; lamaçal, lodaçal.

trampantojo. *m.* (fam.) ilusão, ardil, enre(ê)do; artifício para enganar; falácia; subtileza para enganar.

trampazo. *m.* última volta da corda no suplício da polé.

trampear. *v. intr.* (fam.) trampear, trapacear; enganar; calotear; fraudar; (pop.) engranzar; batotar, batotear; usar de enganos, pedir emprestado com ardis e enganos; calotear, pregar calote; (fam.) defender-se, procurar meios para ir suportando a penúria; arrastar-se, ir suportando as enfermidades ou achaques; calotear; pedir fiado para não pagar: *trampear en el juego*, batotar, batotear.

tramperia. *f.* trapaça, trapaçaria, acção própria de trapaceiros.

trampista. *s.* e *adj.* trampolineiro; batoteiro; embusteiro; falcatrueiro; fulheiro.

trampolín. *m.* trampolim, plano inclinado para dar impulso aos saltos; (fig.) pessoa ou coisa aproveitada para conseguir aumentos desmedidos; trampolim, plancha que os acrobatas percorrem para dar saltos; trampolina.

tramposo, sa. *adj.* e *s.* trampolineiro; falcatrueiro; fulheiro; enganador; agadanhador; macacório; (pop.) engranzador; batoteiro; embusteiro; caloteiro; tramposo; velhaco, sujo; nojento; trapaceiro; troca-tintas.

tranca. *f.* tranca, cacete, varapau, tranca de porta; pau de trancar portas e janelas; (Amér.) borracheira, bebedeira: *a trancas y barrancas*, passando por cima de todos os obstáculos, a trancos e barrancos; *hacer algo a trancas y a barrancas,* atamancar.

trancada. *f.* passo largo, salto; trancada, pancada com uma tranca; paulada; estacada que passa dum lado a outro dum rio para atravessá-lo.

trancar. *v. tr.* trancar, fechar com uma tranca; apalancar. V. **atrancar.** — *v. intr.* ir a passos largos.

trancazo. *m.* trancada, pancada com uma tranca; (fig. e fam.) gripe.

trance. *m.* trance, transe, arrebatamento; excessos mentais; embelezo; momento crítico; ocasião perigosa; transe, agonia, últimos instantes da vida; conjuntura aflitiva; crise; lance; perigo: *caer en trance*, extasiar-se; *el trance de la muerte*, arranco da morte; *en trance*, embebido.

tranco. *m.* passo largo, tranco; salto; umbral, umbreira, limiar de porta; (fam.) pontos largos ao passajar a roupa; (prov.) V. **tala;** limiar, passo da porta, conceira: *en dos trancos*, ràpidamente, em dois saltos; *a trancos*, aos saltos, aos trancos.

trancha. *f.* ferro dos funileiros para fazer rebordos na folha.

tranchete. *m.* trinchete, faca de sapateiro.

trangallo. *m.* trambolho, pau que se coloca nas coleiras dos cães. V. **trabanca.**

tranquear. *v. intr.* V. **trancar.**

tranquera. *f.* tranqueira, paliçada, estacada; (Amér.) cancela, porteira.

tranquero. *m.* tranqueiro, umbral da porta; ombreira da porta ou janela; pé-direito.

tranquil. *m.* (arq.) linha de prumo.

tranquilar. *v. tr.* (com.) notar à margem dos livros do comércio; (p. us.) tranquilizar. V. **tranquilizar.**

tranquilidad. *f.* tranqu(ü)ilidade, sose(ê)go; pacificação; desenfado; descanso; pacacidade, pacatez; tranquilidade, bem-estar; equ(ü)idade; desleixação; desopressão; acalmação; aquietação; desassombramento, desassombro; despreocupação; desagastamento; (fam.) frescura; (pop.) melgueira; serenidade; quietação; paz; tranquilidade, sossego de espírito; descanso: *recobrar la tranquilidad*, desengrilar-se; *perturbar la tranquilidad*, desinquietar.

tranquilizado, da. *p. p.* de *tranquilizar* e *adj.* tranquilizado; acalmado; apaziguado.

tranquilizador, ra. *adj.* tranqu(ü)ilizador, que tranquiliza; assossegador; apaziguador; aquietador; pacificador.

tranquilizar. *v. tr.* tranqu(ü)ilizar, apaziguar; acalmar; pacificar; assentar; asserenar; assossegar; desapavorar; desamotinar; desalterar; desencolerizar; desassanhar; aquietar; desassombrar; desapoquentar; desassustar; desatribular; desembirrar; desemborrascar; desafligir; desagastar; desagravar; (fig.) descansar; tranquilizar, tornar tranquilo; sossegar. — *v. r.* tranquilizar-se, acalmar-se; despreocupar-se; desenfurecer-se.

tranquilo, la. *adj.* tranqu(ü)ilo, pacífico, quieto, sossegado; pacato; assentado; desabafado; frio; inexcitável; assente; descansado; aquedado; desleixado; acalmado; acomodado; machucho; descauteloso; macio; fresco; desagastado; (fig.) despreocupado; (fig.) tranquilo, não perturbado de ânimo; tranquilo, calmo; sereno; descansado, certo, seguro; tranquilo, que não tem inquietação, agitação nem receio: *existencia tranquila*, existência desabafada; *vida tranquila*, vida descansada.

tranquillo. *m.* jeito, maneira, modo de fazer uma coisa mediante a qual se faz com maior êxito; (prov.) tranco, umbral de janela.

trans. *pref. insep.* designativa de; além de; através; para trás.

transacción. *f.* transa(c)ção, convénio; aco-(ô)rdo; acomodamento; negócio; ajuste; contrato; pacto; combinação, operação comercial; acordo que se faz para terminar litígios judiciais.

transalpino, na. *adj* .transalpino.

transandino, na. *adj.* transandino.

transatlántico, ca. *adj.* transatlântico, que está além do Atlântico. — *m.* transatlântico, navio de carreira.

transbordador, ra. *adj.* que baldeia. — *m.* barca que trafega entre dois pontos dum rio.

transbordar. *v. tr.* baldear, fazer o trasbordo de mercadorias ou passageiros dum barco para outro, duma carruagem para outra; extraverter; deitar por fora.

transbordo. *m.* trasbordamento, trasbo(ô)rdo; baldeação; desbordamento.

transcendencia. *f.* V. **trascendencia.**

transcendental. *adj.* V. **trascendental.**

transcendentalismo. *m.* transcendentalismo.

transcender. *v. intr.* V. **trascender.**

transcontinental. *adj.* transcontinental.

transcribir. *v. tr.* transcrever, copiar, trasladar um escrito; (mús.) fazer a transcrição dum trecho de música; reproduzir por cópia.

transcripción. *f.* transcrição; (mús.) transcrição, acto de transcrever para um instrumento um trecho de música escrito para outro instrumento: *transcripción de un trozo*, cita.

transcri(p)to, ta. *p. p. irreg.* de *transcribir* e *adj.* transcrito, que se transcreveu.

transcurrido, da. *p. p.* de *transcurrir* e *adj.* decorrido; andado; decurso: *un año transcurrido*, um ano andado.

transcurrir. *v. intr.* transcorrer, decorrer, passar, correr, passar tempo; passar além; findar; decorrer; mediar.

transcurso. *m.* transcurso, decurso, volver do tempo; corrida, corrida do tempo.

tránseat. voz latina para afirmar uma coisa que não se deseja negar.

transeúnte. *adj.* e *s.* transeunte, que transita ou passa por algum lugar; viandante; caminhante; passageiro; transeunte, transiente, transitório; transeunte, que não dura, que não permanece.

transferencia. *f.* transferência; mudança, substituição; abalienação (de escravos ou de terras); derivação (corrente eléctrica); transferência, permutação, passagem.

transferible. *adj.* transferível, que se pode transferir.

transferir. *v. tr.* transferir, levar ou passar uma coisa dum lugar para outro; transportar; mudar; transferir, devolver; demitir; dar; deslocar; abdicar; abalienar;

transferir, transportar, mudar, diferir, dilatar, demorar; retardar; transferir, trasladar; adiar; transmitir, passar a outro.— *conj. irr.* como *sentir*.

transfigurable. *adj.* transfigurável, que se pode transfigurar.

transfiguración. *f.* transfiguração (por ant.) a Transfiguração de Nosso Senhor Jesus Cristo.

transfigurar. *v. tr.* transfigurar, fazer mudar de figura; demudar; transformar.

transfixión. *f.* transfixação, acção de ferir trespassando de lado a lado.

transflor. *m.* (pint.) pintura que se dá sobre prata, oiro, estanho, etc., regraxo.

transflorar. *v. tr.* (pint.) regraxar.

transflorar. *v. intr.* transparecer, aparecer a través de; transluzir.

transflorear. *v. tr.* (pint.) pintar a regraxo, regraxar.

transformable. *adj.* transformável, que se pode transformar.

transformación. *f.* transformação; mudança de forma; alteração; reforma; metamorfose; desfiguração; elaboração; mutação; demudança; evolução.

transformador, ra. *adj.* e *s.* transformador, que ou aquele que transforma. — *m.* (fís.) aparelho eléctrico para modificar a corrente eléctrica e modificar a tensão e intensidade, transformador.

transformamiento. *m.* transformação.

transformar. *v. tr.* transformar, fazer mudar de figura ou aspecto; metamorfosear; elaborar; converter; decompor; imutar; modificar; demudar. — *v. r.* transformar--se, elaborar-se; converter-se; devir; evolucionar; degenerar; disfarçar-se; passar para um novo estado; sofrer importantes mudanças; transfigurar; alterar; mudar de forma; mudar de costumes, de comportamento; transformar; alterar-se; variar.

transformativo, va. *adj.* transformativo, que pode transformar.

transformismo. *m.* transformismo, doutrina biológica; evolucionismo.

transformista. *adj.* e *s.* transformista, pertencente ou relativo ao transformismo; transformista, que faz mutações rápidas nos trajes, etc.; pessoa partidária do transformismo (doutrina).

transfregar. *v. tr.* esfregar uma coisa com outra. — *conj. irr.* como *fregar*.

transfretano, na. *adj.* transfretano, que está além dum estreito ou braço de mar; ultramarino.

transfretar. *v. tr.* atravessar o mar, transfretar. — *v. intr.* estender-se, dilatar-se.

tránsfuga. *s.* ou **tránsfugo.** *m.* fugitivo; trânsfuga, pessoa que deserta; fugidiço; desertor; trânsfuga, pessoa que passa para o partido oposto; que passa para o campo inimigo.

transfundición. *f.* V. **transfusión.**

transfundir. *v. tr.* transfundir, derramar; fazer passar um líquido dum recipiente para outro; (fig.) difundir; comunicar uma coisa entre vários; difundir; (fig.) espalhar.

transfusible. *adj.* que se pode transfundir.

transfusión. *f.* transfusão; (cir.) transfusão de sangue.

transgangético, ca. *adj.* (geog.) transgangético.

transgredir. *v. tr.* transgredir, infringir, contravir; violar um preceito ou lei; desobedecer; devassar: *transgredir los límites de algo,* (fig.) sair da madre; *transgredir las órdenes,* desmandar-se; *transgredir la ley,* apartar da lei.

transgresión. *f.* transgressão, infracção; desobediência; contravenção; desmando; violação.

transgresor, ra. *adj.* transgressor, infra(c)tor; contraventor; delinquente.

transiberiano, na. *adj.* (geog.) transiberiano.

transición. *f.* transição; acção de passar dum estado a outro; transição, passagem dum lugar, assunto ou estado a outro; transição, mudança repentina de tom ou expressão; (mús.) transição.

transido, da. *adj.* transido; (fig.) transido, repassado, tolhido; fatigado, angustiado; (p. us.) miserável; escasso; penetrado; impregnado; esmorecido de susto, dor, etc.

transigencia. *f.* transigência, condição de transigente; condescendência; tolerância; indulgência; contemporização; (fig.) frouxidão de carácter; claudicação.

transigir. *v. intr.* transigir, consentir; ceder; convir; condescender; pactuar; aquiescer; contemporizar; claudicar; tolerar conciliar; ajustar algum ponto litigioso, transigir.

transiluminación. *f.* (med.) transiluminação.

transilvano, na. *adj.* e *s.* (geog.) transilvano.

transistor. *m.* (electrón.) transístor.

transitable. *adj.* transitável, por onde se pode transitar; andadeiro; andável.

transitar. *v. intr.* transitar, passar, viajar, fazendo algumas paragens; andar, circular, percorrer; fazer caminho; caminhar.

tránsito. *m.* trânsito, acção de transitar; passagem; trajecto; paragem, marcha; êxodo; circulação; morte de pessoas santas, concorrência.

transitoriedad. *f.* transitoriedade; fugacidade; efemeridade.

transitorio, ria. *adj.* transitório, temporal; passageiro; acidental; efé(ê)mero; mortal; breve; fugaz.

translimitación. *f.* translimitação.

translimitar. *v. tr.* ultrapassar os límites morais ou materiais; passar a fronteira dum estado sem intenção de violar o território.

translinear. *v. intr.* (for.) passar um vínculo duma linha a outra, passar na ordem sucessória.

transliteración. *f.* transliteração.

transliterar. *v. tr.* transliterar, representar as letras de um vocábulo pelas letras do vocábulo correspondente noutra língua.

translucidez. *f.* translucidez, qualidade de translúcido, limpidez; diafaneidade.

translúcido, da. *adj.* translúcido; transluzente; límpido; diáfano.

transluciente. *adj.* translúcido; transluzente.

transmigración. *f.* transmigração; metempsicose das almas.

transmigrar. *v. intr.* transmigrar, passar a outro país para viver nele; transmigrar, passar de um corpo para outro.

transmisible. *adj.* transmissível, que se pode transmitir.

transmisión. *f.* transmissão; propagação num meio; comunicação de movimento.

transmisor, ra. *adj.* transmissor. — *m.* transmissor, aparelho telefónico ou telegráfico; manipulador.

transmitir. *v. tr.* transmitir, expedir; enviar; fazer chegar a; conduzir; transportar; transferir para a posse de outrem; comunicar, participar; (for.) alienar, trasladar; transferir; ceder; propagar. — *v. r.* transmitir-se; comunicar-se; propagar-se; contagiar-se; apegar; contaminar-se: *transmitir por radio,* emitir; *transmitir una enfermedad,* dar uma doença.

transmudación. *f.* transmudação.

transmudar. *v. tr.* transmudar, trasladar, mudar de uma parte para outra; transmudar, converter uma coisa noutra; metamorfosear; alterar; transformar.

transmundano, na. *adj.* supramundano, que está fora do mundo.

transmutable. *adj.* transmutável, que se pode transmudar; transformável.

transmutación. *f.* transmutação; transferência; mudança; conversão.

transmutar. *v. tr.* transmutar, transmudar, converter uma coisa noutra.

transmutativo, va. *adj.* transmutativo.

transmutatorio, ria. *adj.* transmutativo.

transoceánico, ca. *adj.* transoceânico, ultramarino.

transpacífico, ca. *adj.* transpacífico, relativo às regiões situadas para além do Pacífico.

transparencia. *f.* transparência, diafaneidade; limpidez; lucidez; clareza.

transparentarse. *v. r.* transparentar-se, fazer-se ou ser transparente; (fig.) deixar-se adivinhar; transluzir.

transparente. *adj.* transparente; diáfano; límpido; claro; (fig.) que deixa perceber um sentido oculto. — *m.* cortina ou vidro para atenuar a luz, transparente; janela de vidros que ilumina o fundo dum altar.

transpirable. *adj.* transpirável, que pode transpirar.

transpiración. *f.* transpiração; exudação.

transpirar. *v. intr.* transpirar, fazer sair os humores pelos poros, suar, exalar suor.

transponedor, ra. *adj.* e *s.* que transpõe; transmutador; transportador.

transponer. *v. tr.* transpor, pôr em lugar diferente daquele em que estava; transferir; ultrapassar; exceder. — *v. r.* ocultar-se, desaparecer; desaparecer do nosso horizonte o Sol ou outro astro; ficar-se um pouco adormecido. — *conj. irr.* como *poner.*

transportable. *adj.* transportável, susceptível de ser transportado.

transportación. *f.* transportação, transporte; (fig.) êxtase; enlevo.

transportado, da. *p. p.* de *transportar* e *adj.* transportado; extasiado; enlevado; arrebatado.

transportador, ra. *adj.* transportador, que transporta. — *m.* (geom.) transferidor.

transportamiento. *m.* transportação, transporte, transportamento; êxtase; enlevo.

transportar. *v. tr.* transportar, levar dum para outro lugar; trasladar; (mús.) transportar, mudar de tom; demover; (fig.) encantar, extasiar; embriagar; enlevar; arrebatar. — *v. r.* transportar-se, enlevar-se; remontar mentalmente; passar dum lugar para outro.

transporte. *m.* transporte, transportação; transportamento; êxtase; enlevo; arrebatamento; delírio; endeusamento; entusiasmo; embriaguez.

transposición. *f.* transposição; (ret.) transposição, alteração da ordem natural das palavras.

transpositivo, va. *adj.* transpositivo, pertencente ou relativo a transposição.

transpuesto, ta. *p. p. irreg.* de *transponer* e *adj.* transposto, que sofreu transposição; transferido; transportado; enlevado; extasiado; arrebatado.

transterminar. *v. tr.* passar dum termo jurisdicional a outro; transferir.

transubstanciación. *f.* transubstanciação, conversão total duma substância noutra; (liturg.) transubstanciação, transformação do pão e do vinho no Corpo e Sangue de Jesus Cristo.

transubstancial. *adj.* transubstancial.

transubstanciar. *v. tr.* transubstanciar, converter totalmente uma substância noutra; transubstanciar, diz-se do Corpo e Sangue de Jesus Cristo na Eucaristia.

transverberación. *f.* transfixação. V. **transfixión.**

transversal. *adj.* transversal, que passa ou está de través; atravessado; colateral; diz-se do parente que o não é em linha recta.

transverso, sa. *adj.* transverso, situado de través; oblíquo.

tranvía. *m.* carro eléctrico, tranvia, trâmuei, caminho de ferro numa rua: *tranvía de caballos*, americana.

tranviario, ria. *adj.* ferroviário, relativo aos trâmueis ou tranvias. — *m.* empregado nos serviços de trâmueis ou carros eléctricos.

tranza. *f.* (for.) posse judicial dos bens do devedor.

tranzadera. *f.* trança, laço.

tranzado, da. *p. p.* de *tranzar* e *adj.* entrançado; diz-se da armadura composta de diversas peças com suas uniões.

tranzar. *v. tr.* cortar, truncar; trançar; entrançar, entrelaçar.

tranzón. *m.* tracto de terra cultivada.

trapa. *f.* (rel.) trapa, ordem pertencente à de Cister.

trapa. *f.* espécie de grade para trabalhos agrícolas; ruído de pés, estrépito; vozearia grande, ruído de gente; gritaria; alarido, estrépito.

trapacear. *v. intr.* trapacear, fazer trapaças; enganar; usar de enganos; ciganar; batotar.

trapacería. *f.* trapaçaria; trapaça; fraude; engano; ciganaria; alcantina.

trapacero, ra. *adj.* e *s.* trapaceiro; trampolineiro; cigano; faramalheiro; chicaneiro; farsante; falsário.

trapacista. *adj.* e *s.* trapaceiro, aldrabão, trampolineiro; (fig.) vigarista, velhaco; cavalheiro de indústria.

trapajo. *m.* trapo, farrapo, frangalho; pedaço de pano, velho e roto.

trapajoso, sa. *adj.* esfarrapado, roto, esfrangalhado; entaramelado, que pronuncia as palavras de maneira confusa.

trápala. *f.* ruído, barulho, confusão de gente, estrépito; balbúrdia; estrépito, ruído compassado do galope ou trote do cavalo; loquacidade, vício de falar muito.

trápala. *f.* (fam.) trapaça, engano, ardil; embuste; (germ.) cadeia, prisão. — *m.* (fam.) tagarelice, loquacidade; — *s.* (fig. e fam.) tagarela, palrador, falador, conversador, parlapatão, impostor.

trapalear. *v. intr.* (fam.) tagarelar, palrar; mentir.

trapalear. *v. intr.* fazer barulho com os pés, andando de cá para lá.

trapalón, na. *s.* e *adj.* (fam.) embusteiro; tagarela; engrampador; embalador; fabulista; farsante; fajardo; fulheiro; (vulg.) argamandel.

trapaza. *f.* trapaça, burla, dolo, fraude, chicana; aldravice, batota; engano, embuste; cavilação.

trapazar. *v. intr.* trapacear, usar de trapaças, fraudar, cavilar.

trape. *m.* entretela do fato.

trapeador. *m.* esfregão. V. **aljofifa.**

trapear. *v. impers.* (prov.) nevar. — *v. tr.* (Amér.) esfregar o soalho com um trapo.

trapecial. *adj.* (geom.) trapezoidal, trapezóide.

trapeciforme. *adj.* trapeziforme, trapezoidal.

trapecio. *m.* trapézio, aparelho de ginásio; (geom.) trapézio, quadrilátero irregular; (anat.) primeiro osso da segunda fileira do carpo.

trapense. *adj.* e *s.* trapista, frade da Ordem da Trapa.

trapería. *f.* traparia, trapagem, conjunto de muitos trapos; loja de adelo; loja de venda de fazendas.

trapero, ra. *s.* trapeiro, farrapeiro, o que apanha trapos ou os vende; adelo, o que compra ou vende coisas usadas; fragalheiro.

trapezoidal. *adj.* (geom.) trapezoidal.

trapezoide. *m.* (geom.) trapezóide.; (anat.) segundo osso da segunda fileira do carpo.

trapichear. *v. intr.* (fam.) engenhar, inventar traças, industriar-se para obter alguma coisa; comerciar em pequena escala.

trapicheo. *m.* (fam.) acção e efeito de *trapichear.*

trapichero. *m.* trapicheiro, o que trabalha em trapiche; lagareiro.

trapillo. *m.* de *trapo*; trapilho, trapinho, trapo pequeno; galã, dama de baixa condição: *de trapillo*, com roupa de andar por casa; *estar de trapillo*, estar mal trajado, com roupa de andar por casa.

trapisonda. *f.* (fam.) bisbilhotice, barulho; balbúrdia; rixa, briga; enre(ê)do; embrulhada; algazarra, confusão; embrulhada.

trapisondear. *v. intr.* (fam.) meter brigas; armar intrigas; armar barulhos; promover enredos, balbúrdia; ardar metido em barulho.

trapisondista. *s.* trapaceiro, enredador; intriguista; pessoa que anda em enredos, que arma barulhos, etc,; barulhento; enredador.

trapito. *m.* dim. de **trapo**; trapilho, trapinho, pequeno trapo; : *los trapitos domingueros*, ou *de cristianar*, fato domingueiro, a melhor roupa que se tem.

trapo. *m.* trapo, farrapo, rodilha; pedaço de pano velho ou usado; trapo, farrapo, andrajo; (mar.) velame dum navio, pano; trapo; capa de toureiro; fato velho; roupa muito usada; (teatr.) pano de fundo de teatro; (Amér.) teia, tela, tecido; — *pl.* (fam.) vestidos da mulher;: *trapo viejo*, farrapo, fragalho, frangalho; *cubrir con trapos*, entrapar; *lengua de trapo*, língua de trapo, diz-se da pessoa que fala com dificuldade, atabalhoadamente; *poner a uno como un trapo*, repreender a alguém àsperamente; *soltar uno el trapo*, desatar a rir.

traque. *f.* via aérea; traqueia, canal cartilaginoso para conduzir ar aos pulmões, canal respiratório.

traqueal. *adj.* traqueal, pertencente ou relativo à traqueia.

traquealgia. *f.* (anat.) dor na traquia.

traquear. *v. intr.* estelar, estralejar. V. **traquetar.** — *v. tr.* (Amér.) frequentar um lugar ou um caminho.

traquearteria. *f.* (anat.) (p. us.) traqueia.

traqueitis. *f.* (med.) traqueíte.

traquelismo. *m.* (med.) traquelismo.

traqueo. *m.* estalo, estouro. V. **traqueteo.**

traqueocele. *m.* (pat.) traqueocele.

traqueoscopia. *f.* traqueoscopia.

traqueoscópico, ca. *adj.* traqueoscópico.

traqueostenosis. *f.* (pat.) traqueostenose.

traqueotomia. *f.* traqueotomia.

traqueotómico, ca. *adj.* pertencente ou relativo à traqueotomia.

traquetear. *v. intr.* estralejar, fazer ruído ou estrépito; fazer estrondo, ruído, bulha; — *v. tr.* agitar, mover dum para outro lado; sacudir, vascolejar; (fig. e fam.) manusear, manejar muito uma coisa.

traqueteo. *m.* estalo, ruído, estouro continuado de fogos de artifício; traquejo, movimento duma coisa ou pessoa ao ser transportada; (Amér.) muito prática ou experiência num serviço.

traquita. *f.* (min.) traquito, rocha vulcânica semelhante ao pórfiro.

tras. *prep.* atrás, trás, detrás; após; depois de: *uno tras otro*, consecutivamente; *tras de venir tarde*, além de vir tarde. — *m.* (fam.) traseiro. V. **trasero.**

tras. *interj.* trás, voz imitativa dum ruído, pancada, golpe. etc.

trasabuelo, la. *m.* e *f.* (ant.) trisavô, trisavó.

trasalpino, na. *adj.* V. **transalpino.**

trasandino, na. *adj.* V. **transandino.**

trasandosco, ca. *adj.* e *s.* diz-se da rês do gado menor que tem mais de dois anos.

trasanteanoche. *adv.* na noite de trás-anteontem.

trasanteayer. *adv.* trasantontem, trás-anteontem.

trasantier. *adv.* (fam.) trás-anteontem, trasantontem.

trasañejo, ja. *adj.* que tem mais de três anos; V. **tresañejo.**

trasatlántico, ca. *adj.* V. **transatlántico.**

trasbordar. etc. V. **transbordar.**

trasca. *f.* correia curtida de couro de boi; correia delgada.

trascabo. *m.* cambapé, rasteira, sancadilha.

trascanador. *m.* V. **madeja.**

trascantón. *m.* marco, frade de pedra; V. **guardacantón.**

tracantonada. *f.* marco, frade de pedra. V. **guardacantón.**

trascendencia. *f.* transcendência, alcance; penetração; perspicácia; consequência; resultado; (fig.) envergadura, metafísica; transcendência; qualidade daquilo que é transcendente; grande importância; sublimidade; excelência; superioridade; importância; sagacidade.

trascendental. *adj.* de grande alcance, transcendental; transcendente; que trancende.

trascendentalismo. *m.* (filos.) transcendentalismo.

trascendentalista. *s.* transcendentalista, pessoa sectária do transcendentalismo.

trascender. *v. intr.* transcender, ser superior a; rescender; trescalar; exalar odor forte; transcender; transparecer; mostrar-se, manifestar-se (o que estava oculto); penetrar, averiguar, compreender; traspassar, passar além; ascender, subir; medrar; ultrapassar; ser transcendente, elevar-se por cima do vulgar; distinguir-se; *conj. irr.* como **encender.**

trascendido, da. *p. p.* de **trascender** e *adj.* transcendido,; transcendido, que transcende, transcendente.

trascolar. *v. tr.* transcoar, transcolar, coar através dalguma coisa.; (med.) exudar.

trasconejarse. *v. r.* ficar a caça atrás dos cães que a perseguem; (fig. e fam.) extraviar-se; perder-se alguma coisa.

trascordarse. *v. r.* esquecer-se, perder a lembrança; não se lembrar exactamente; desmemoriar-se. — *conj. irr.* como *contar.*

trascoro. *m.* lugar que fica atrás do coro, nas igrejas.

trascorral. *m.* pátio interior detrás do curral; (fam.) traseiro.

trascorrer. *v. intr.* passar de certo limite.

trascorvo. *v. adj.* diz-se da cavalgadura de patas tortas.

trascribir. *etc.* V. **transcribir.**

trascurrir. *v. intr.* V. **transcurrir.**

trascurso. *m.* V. **transcurso.**

trasdobladura. *f.* tresdobradura, acto ou efeito de tresdobrar; triplicação.

trasdoblar. *v. tr.* tresdobrar, triplicar. V. **tresdoblar.**

trasdoblo. *m.* tresdobro, triplo.

tradós. *m.* (arq.) pilar que fica imediatamente detrás duma columa; parte exterior dum arco ou abóbada.

trasdosear. *v. tr.* (arq.) reforçar uma obra pela parte posterior.

trasechador, ra. *adj. e s.* espreitador; pelejador; batalhador.

trasechar. *v. tr.* espreitar; armar ciladas.

trasegador, ra. *adj. e s.* trasfegador, que trasfega.

trasegar. *v. tr.* trasfegar, transvasar; revirar; transtornar; trafegar, mudar as coisas dum lado para o outro; trasfegar; (fig.) enfustar.

traseñalar. *v. tr.* transtrocar um sinal ou marca; pôr marca ou sinal numa coisa diferente da que tinha.

trasera. *f.* traseira, retaguarda; parte posterior.: *parte trasera de un coche*, assento da carruagem da parte de atrás; *puerta trasera*, porta detrás, porta falsa.

trasero, ra. *adj.* traseiro, que está ou que vem detrás; traseiro, posterior; diz-se do carro carregado com mais peso atrás do que adiante. — *m.* traseiro, parte posterior do animal;. — *pl.* (fig. e fam.) antepassados, maiores; avós; avoengos.

trasfollado, da. *adj.* (vet.) transfolado, diz-se do animal que padece de alifafe.

trasfollo. *m.* (vet.) alifafe, tumor.

trasformación. *f.* V. **transformación.**

trasfregar. *v. tr.* V. **transfregar.**

trasfretano, na. *adj.* V. **transfretano.**

trasfuego. *m.* (prov.) transfogueiro.

trásfuga, trásfugo. *s.* V. **tránsfuga.**

trasfundición. *f.* transfusão. V. **transfundición.**

trasga. *f.* trasga, lança do carro de bois; trasga, peça de madeira que sujeita o te.não ao arado.

trasgo. *m.* trasgo, duende, espírito travesso; (fig.) diabrete, criança enredadora e viva; inquieto; demónio; trasgo, traquinas, travesso.

trasgredir. *etc.* V. **transgredir.**

trasguear. *v. intr.* imitar o ruído e estrondo dos trasgos ou duendes; trasguear; traquinar.

trashoguero, ra. *adj.* borralheiro, diz-se do preguiçoso que fica em casa, que não vai

ao trabalho. — *m.* (arq.) guarda-chaminé. pedra de lareira, guarda-fogo; chapa que forra a parede da chaminé; transfogueiro, o toro de lenha a que se encostam as achas na lareira.

trashojar. *v. tr.* folhear, V. **hojear.**

trashumación. *f.* transumância, passagem periódica dos rebanhos da planície para as serras e vice-versa.

trashumar. *v. tr.* transumar, passar o gado das devesas de inverno às devesas de verão e vice-versa.

trasiego. *m.* trasfega, trasfe(ê)go; trasfegadura; acção e efeito de trasfegar.

trasijado, da. *adj.* famélico; famelgo, diz-se daquele que está muito fraco; muito magro; descarnado; fraco; abatido

trasla(da)ción. *f.* trasladação, translação, traslação; (gram.) translação, metáfora; transferência; tradução; versão; (astr.) traslação.

trasladable. *adj.* transportável, que pode trasladar-se ou transportar-se.

trasladador, ra. *adj. e s.* trasladador, que serve para transportar ou trasladar; copista; tradutor.

trasladar. *v. tr.* trasladar, levar, mudar dum lugar para outro; deslocar; demover; transferir uma pessoa dum posto para outro; endosar. — *v. r.* trasladar, traduzir uma obra; copiar um escrito.

traslado. *m.* traslado, cópia, tradução; duplicado; duplicata; deslocadura; apógrafo; demovimento, traslado; (for.) traslado, cópia.

traslapar. *v. tr.* imbricar, cobrir uma coisa com outra; tapar a união de duas tábuas.

traslapo. *m.* parte duma coisa coberta por outra.

traslaticio, cia. *adj.* translato, translatício; metafórico; figurado.

traslativo, va. *adj.* transferidor, que transfere.

traslato, ta. *adj.* V. **traslaticio.**

traslinear. *v. intr.* transitar. V. **translinear.**

traslúcido, da. *adj.* V. **translúcido;** diáfano, translúcido.

traslucimiento. *m.* transluzimento, translucidez; qualidade do que transluz.

traslucirse. *v. r.* transluzir-se; ser translúcido um corpo; desenhar-se; conjecturar--se; inferir-se; ser diáfano; transparecer;. reflectir-se; deduzir-se; revelar--se; manifestar-se.

trasluchar. *v. intr.* (mar.) mudar de um lado para outro as escotas das velas latinas, o vento, etc.

traslumbramiento. *m.* deslumbramento.

traslumbrar. *v. tr.* deslumbrar, translumbrar. — *v. r.* desaparecer repentinamente uma coisa. — *v. r.* ofuscar-se; desvanecer--se; eclipsar-se; desaparecer repentinamente.

trasluz. *m.* luz que passa a través dum corpo translúcido; luz reflectida de través pela superfície dum corpo: *al trasluz*, contra a luz.

trasmallo. *m.* tresmalho, rede de pescar.

trasmano. *s.* segundo na ordem de certos jogos: *a trasmano,* fora de mão, fora do alcance da mão; fora dos caminhos habituais e frequentados.

trasmañana. *adv.* depois de amanhã: *pasado mañana,* depois de amanhã.

trasmañanar. *v. tr.* protelar, diferir uma coisa dum dia para outro, adiar.

trasmarino, na. *adj.* transmarino, ultramarino.

trasmigración. *f.* etc. V. transmigración.

trasminar. *v. tr.* abrir caminho debaixo de terra; penetrar ou passar a través dalguma coisa (cheiro, líquido, etc.); ressumar, transudar.

trasnochado, da. *p. p.* de trasnochar e *adj.* amanhecido; estragado (diz-se dos alimentos); que não dormiu uma ou mais noites; macilento; abatido; falto de novidade e de oportunidade.

trasnochador, ra. *adj.* e *s.* no(c)tívago, tresnoitado, que tresnouta.

trasnochar. *v. intr.* tresnoitar, passar a noite ou a maior parte da noite sem dormir; pernoitar. — *v. tr.* deixar passar a noite sobre qualquer assunto.

trasnoche, trasnocho. *m.* (fam.) acção de tresnoitar ou velar.

trasnombrar. *v. tr.* transtrocar os nomes.

trasnominación. *f.* (ret.) metonímia.

trasoír. *v. tr.* ouvir mal o que se diz. — *conj. irr.* como oír.

trasojado, da. *adj.* abatido, macilento, com olheiras, enfermiço.

trasoñar. *v. intr.* compreender erradamente uma coisa, como se fosse verdadeira; . — *conj. irr.* como soñar.

trasovada. *adj.* (bot.) diz-se da folha mais larga na ponta que na base.

traspal(e)ar. *v. tr.* padejar, mover com a pá; (fig.) mover uma coisa dum lugar para outro.

traspaleo. *m.* padejo.

traspapelarse. *v. r.* confundir-se, perder-se um papel entre outros.

trasparencia. *f.* etc. V. transparencia, etc.

traspasable. *adj.* traspassável; passável, vadeável, transferível.

traspasación. *f.* traspassação, acção de traspassar ou transmitir um direito ou domínio.

traspasador, ra. *adj.* e *s.* transgressor. V. transgresor.

traspasamiento. *m.* traspasso, trespasse; transgressão; infracção, violação da lei.

traspasar. *v. tr.* traspassar, trespassar; transpassar; passar uma coisa ou levá-la dum sítio a outro; trespassar, passar a outra parte, atravessar de parte a parte com arma ou instrumento; voltar a passar avante; (fig.) traspassar, causar dor profunda; traspassar, transgredir, infringir, violar uma lei ou um preceito; traspassar; exceder; ultrapassar os limites; traspassar, transferir, ceder a outrem o direito de uma coisa; (fig.) pungir, magoar, dilacerar; violar; traspassar, ceder ou vender a outro. — *v. intr.* traspassar,

passar de um lugar para outro. — *v. r.* penetrar-se de: *traspasar a alguien un encargo,* endossar; *traspasar los límites* ou *la medida,* exorbitar; *traspasar un negocio,* traspassar um negócio.

traspaso. *m.* traspasso; conjunto de géneros trespassados; trespasse, preço do trespasse; (fig.) aflição, angústia; subarrendamento.

traspellar. *v. tr.* fechar portas, janelas, asas, pernas, etc.

traspié. *m.* traspés, escorregadela; rasteira, cambapé; (pop.) entropeço: *dar un traspiés,* entropeçar. V. zancadilla.

traspilastra. *f.* (arq.) contrapilastra.

traspillar. *v. tr.* fechar. V. traspellar. — *v. r.* desfalecer.

traspintar. *v. tr.* enganar no jogo quando se mostra uma carta que não vai ser jogada; transparecer; (fig.) malograr-se, sair uma coisa ao contrário do que se desejava.

traspintarse. *v. r.* transparecer pelo avesso o que está pintado ou escrito do direito.

traspirable, etc. V. transpirable.

traspirenaico, ca. *adj.* V. transpirenaico.

trasplantar. *v. tr.* transplantar, mudar um vegetal do sítio onde está plantado para outro. — *v. r.* (fig.) mudar de país.

trasplante. *m.* transplantação, transplante, acto ou efeito de transplantar; transmigração.

trasponer. *v. tr.* transpor, traspor, pôr em lugar diferente daquele em que estava. — *conj. irreg.* como poner.

trasportación. *f.* transportação; V. transportación.

trasportamiento. *m.* V. transportamiento.

trasportar. etc. V. transportar, etc.

trasposición. etc. V. transposición. etc.

trasɔuesta. *f.* transposição. V. transposición; elevação de terreno que impede ver o que há do outro lado; fuga ou ocultação duma pessoa; fundos duma casa; corral, oficinas que ficam pela parte traseira da casa.

traspuesta, to. *p. p. irreg.* de trasponer e *adj.* transposto, trasposto.

traspunte. *m.* contra-regra, aquele que, nos teatros, marca a entrada dos actores em cena.

trasquilador. *m.* tosquiador, o que tosquia.

trasquiladura. *f.* tosquia, tosa, tosquiadela, tosadura.

trasquilar. *v. tr.* tosquiar, tosar, esquilar; (fig.) tosquiar, diminuir, defraudar, esbulhar.

trasquilimocho, cha. *adj.* (fam.) tosquiado, rapado, cortado muito rente.

trasquilón. *m.* (fam.) tosquia, V. trasquiladura; (fig. e fam.) parte do dinheiro, obtido industriosamente de alguém, sangria: *a trasquilón,* (fam.) em escadas (diz-se do cabelo mal cortado); (fig.) desordenadamente, sem método.

trastabillar. *v. intr.* esbarrar, tropeçar. V. trastrabillar.

trastabillón. m. tropeção, esbarrão, escorregão, cambapé.

trastada. f. (fam.) tratada, tratantada, patifaria, velhacada, fraude; diabrura.

tratazo. m. (fam.) cacetada. V. **porrazo.**

traste. m. traste, trasto; (mús.) trasto, ponto que indica a separação dos tons no braço duma guitarra ou de outro instrumento; corda de rabecão.

trasteado, da. p. p. de trastear e m. conjunto dos trastes dum instrumento musical. — adj. entesado; endurecido.

trastear. v. tr. pôr os trastos a uma guitarra ou violão; pontear, dedilhar um instrumento de corda.

trastear. v. intr. desarrumar, mexer ou mudar os móveis duma casa; (fig.) discorrer brejeiramente sobre alguma coisa. — v. tr. trastear o touro; (fig. e fam.) dedilhar, manejar com habilidade.

trastejador, ra. adj. e s. que conserta telhados.

trastejadura. f. conserto dum telhado. V. **trastejo.**

trastejar. v. tr. retelhar, correr um telhado; (fig.) examinar qualquer coisa para a consertar.

trastejo. m. conserto ou exame dum telhado; (fig.) azáfama; lufa-lufa, movimento sem ordem.

trasteo. m. trasteio, arte de trastear o touro ou uma pessoa.

trastería. f. conjunto de trastes velhos; (fig. e fam.) tratantada, burla, velhacada; (fig.) destempero, despropósito; acção ridícula.

trasterminar. v. tr. transgredir. V. **transterminar.**

trastesón. m. abundância de leite na úbere duma rês; úbere cheio.

trastiberino, na. adj. V. **transtiberino.**

trastienda. f. quarto por trás da loja ou casa de comércio; loja, casa interior da loja principal; (fig. e fam.) astúcia, cautela, reserva; prudência.

trasto. m. traste, móvel; tareco, móvel velho; bastidores que formam as decorações de teatro; (fig. e fam.) pessoa inútil, mequetrefe, melcatrefe; pessoa que serve de estorvo; traste; tratante, velhaco; pessoa enfadonha. — pl. espada, adaga, qualquer arma de uso; aprestos, pertences; aparelhos, utensílios, ferramentas duma arte: tirarse los trastos a la cabeza, altercarem violentamente duas ou mais pessoas; cantidad de trastos viejos, futricada.

trastocar. v. tr. transtornar, desordenar, desarranjar; alterar; revolver.—v. r. transtornar-se; perturbar-se a razão; alterar a ordem; turvar a inteligência.

trastornable. adj. transtornável, que se transtorna fàcilmente.

trastornado, da. p. p. de trastornar e adj. agitado, transtornado; (fig.) embriagado; desordenado; desmiolado: estar un poco trastornado, ter os seus dias de lua.

trastornador, ra. adj. e s. transtornador, que transtorna.

trastornadura, trastornamiento. f. e m. transtorno; alteração; (fig.) desarranjo, contrariedade; prejuízo.

trastornar. v. tr. transtornar, pôr em desordem; empecer; destruir; consternar; furar; desconcertar; desarranjar; desorientar; desorganizar; desordenar; desdesordenar; (fig.) transtornar, inquietar, transtornar, perturbar, inverter a ordem; causar distúrbios; transtornar, (fig.) turvar a inteligência; perturbar a razão; desencaminhar. — v. r. desarranjar-se; entornar-se; torvar o juízo; turvar-se; desorganizar-se; dementar-se; demudar-se.

trastorno. m. transto(ô)rno, contrariedade; alteração; acção e efeito de transtornar; desordem; desorganização; desarranjo; desarranjamento, desarranjo; estropício; deturbação; desconce(ê)rto; desmancho; endoidecimento; decepção; prejuízo; contratempo; desarranjo mental.

trastrabarse. v. r. entaramelar-se, entorpecer-se, diz-se da língua.

trastrabillar. v. intr. V. **tropezar;** tropeçar, esbarrar, escorregar; vacilar, cambalear; gaguejar, tartamudear.

trastrocamiento. m. transtorno, alteração; inversão.

trastrocar. v. tr. transtrocar, inverter a ordem; subverter; confundir; mudar o estado; confundir. — v. r. confundir-se. — conj. irr. como contar.

trastrueco, trastrueque. m. V. **trastrocamiento.**

trastulo. m. passatempo, brinquedo, divertimento.

trastumbar. v. tr. deixar cair, fazer rolar uma coisa; fazer girar uma coisa.

trasudación. f. acção e efeito de transudar ou transpirar.

trasudar. v. tr. transudar, transpirar, suar ligeiramente; (fig.) suar, trabalhar com ardor.

trasudor. m. suor ligeiro.

trasuntar. v. tr. copiar um escrito, transcrever; compendiar; epilogar; abreviar; resumir; condensar; trasladar.

trasunto. m. trasunto, traslado, cópia; reflexo; imagem, modelo; exemplo; retrato.

trasvasar. v. tr. V. **transvasar.**

trasvenarse. v. r. extravar-se; sair o sangue das veias; (fig.) derramar-se, espargir-se; desperdiçar-se uma coisa.

trasver. v. tr. ver através de; entrever, vislumbrar, ver mal, equivocadamente. — conj. irr. como ver.

trasverberación. f. transfixação. V. **transverberación.**

trasverter. v. intr. transbordar, extravasar, derramar-se um líquido. — conj. irr. como verter.

trasvolar. v. tr. voar, ir voando duma parte a outra. — conj. irr. como volar.

trata. f. tráfico de escravos; tráfico de escravatura: trata de blancas, tráfico de mulheres para os centros de prostituição.

tratable. *adj.* tratável, que se pode tratar; lhano, afável; cortês, acesível; conversável; fácil; (Amér.) V. **transitable.**

tratadista. *m.* tratadista, pessoa que escreve tratados sobre uma matéria em que é versada.

tratado. *m.* tratado; ajuste; pacto; estipulação; estudo; convé(ê)nio, convenção; estudo desenvolvido sobre uma matéria determinada; tratado, discurso, dissertação.

tratador, ra. *adj.* e *s.* tratador, que trata (um negócio, assunto, etc.); contratador.

tratamiento. *m.* trato, tratamento; excelência; título que se dá por cortesia; tratamento, sistema que se emprega para curar enfermidades; processo empregado numa experiência; tratamento, modo de tratar.

tratar. *v. tr.* tratar, fazer uso de; pactar, pactuar; tratar, estipular; assistir; detalhar; tratar, ocupar-se de; combinar, tratar, comunicar, relacionar-se com uma ou mais pessoas; ter relações amorosas; proceder (bem ou mal); cuidar de; fazer fundamento; detalhar; tratar, discorrer, escrever sobre uma assunto; tratar, conferenciar, falar sobre uma matéria, assunto ou negócio; tratar, comerciar, negociar; tratar, ter trato ilícito com uma mulher; (fig.) tratar, fazer diligência; tratar, ocupar-se de; travar relações com; aplicar um certo tratamento a uma pessoa doente; tratar, executar, representar. — *v. r.* tratar-se de; discorrer sobre; versar; ocupar-se; portar-se; conduzir-se: *tratar con celo excesivo,* apaniçar; *tratar con desprecio,* arrastar; *tratar con intimidad,* (pop.) conversar; *tratar con delicadeza,* amimar; *tratar de,* falar, arranjar; *tratar de una cosa punto por punto,* individualizar; *tratar de un problema,* falar sobre uma questão; *no tratarse con alguien,* andar de mal com alguém; *tratar bien o mal,* tratar bem ou mal; *se trata de evitar un desastre,* trata-se de evitar um desastre; *tratarse muy bien,* tratar-se muito bem; *tratarse de,* tratar-se de; ¿*de qué se trata?,* de que se trata?; *tratar de potencia a potencia,* tratar de potência a potência.

trato. *m.* trato; frequ(ü)entação; trato, ajuste; pacto, convénio; acção e efeito de tratar; trato, comércio, assunto; tratamento, passadio; comércio, relações; tratamento, título de cortesia; (fam.) trato (contrato de gado); (fig.) mau procedimento com alguém; trato, maneiras sociais; modo de ser, de proceder. — *pl.* tratos, tormentos, torturas; trato, comunicação ilícita com uma mulher; (fig.) trato, modo de tratar, de haver-se com uma pessoa; pacto aleivoso, traição; perfídia; tratamento de cortesia: *trato social,* trato social, relações sociais; *ser objeto de malos tratos,* ser bom convidado; *sufrir malos tratos,* dar ancas; *huir del trato social,* desconversar; *tener buen trato,* ter bom trato, fino trato; *trato sexual,* trato sexual.

traumático, ca. *adj.* (cir.) traumático, pertencente ou relativo ao traumatismo.

traumatismo. *m.* (cir.) traumatismo.

traversa. *f.* (mar.) patarrás; estai; madeiro que atravessa uma carruagem para dar-lhe firmeza.

través. *m.* través, obliquidade, soslaio; esguelha; flanco, inclinação, torção; través, situação atravessada; (mar.) costado; (fig.) revés, fatalidade; desgraça; (fort.) através, flanco; muro; parapeito: *de través,* por entre, atravessadamente, de través, transversalmente: *a través de,* de barra a barra; *al través,* atravessadamente, ao través, através; *de través,* de través, em través; *por el través,* (mar.) no costado.

travesaño. *m.* trave, travesseiro, travessão, travessa; travesseiro, almofada sobre a cabeceira da cama; travessa, peça de madeira que reúne entre si os prumos de uma construção, etc.

travesar. *v. tr.* V. **atravesar.**

travesear. *v. intr.* esturdiar; travessar, traquinar; (fig.) discorrer com vivacidade; viver desonestamente, desenfrear-se; estar inquieto; fazer travesuras; viver desenvoltamente.

travesero, ra. *adj.* travesso; atravessado, posto de través. — *m.* travesseiro.

travesia. *f.* caminho, transversal; travessa, rua estreita; que passa entre ruas principais; parte duma estrada que atravessa uma povoação; través, esguelha, obliquidade, modo de estar duma coisa; distância entre dois pontos da superfície do globo terráqueo; (mar.) travessia, vento travessão; travessia, viagem por mar; quantia perdida ou ganha no jogo; distância entre dois pontos da terra ou do mar.

travesura. *f.* travessura, traquinice; (vulg.) barrilada; (pop.) estrangeirice; travessura, estouvamento, estouvadice; travessura, diabrura; (fig.) vivacidade; subtileza; do engenho; velhacada, acção culpável; acção repreensível; travessura; malícia; maldade infantil; maldade de crianças: *hacer travesuras,* esturdiar, daninhar.

traviesa. *f.* barrote, travessa, travessia; distância entre dois lugares; aposta feita a favor dum jogador; travessa duma linha férrea, chulipa; (arq.) trave, barrote; (min.) galeria transversal: *traviesa de andamio,* pau de andaimo; *traviesa de ferrocarril,* chulipa; *traviesa de cubierta de un barco,* (mar.) entremecha.

travieso, sa. *adj.* trave(ê)sso, atravessado; transversal, posto de través; (fig.) subtil, sagaz, fino, esperto; traquinas, buliçoso, inquieto; travesso, turbulento; viciado, vicioso, devasso; dissoluto, libertino; licencioso, relaxado; estúrdio; estouvado; estoirinhado; mexelhão; agarotado; endiabrado; endemoninhado; desinquieto; diabólico; (fig.) atravessado; (Bras.) pá-virada, peralta: *persona traviesa,* (fig.) demonete; *espíritu travieso,* duende; *ojos* *traviesos*, olhos atravessados; *muchacho travieso*, gaiato; *niño travieso*, diabrete, diabril, (fig.) fulecra; (prov.) corrupia; *ser muy travieso*, ser um demónio.

trayecto. *m.* traje(c)to, espaço que se percorre dum ponto a outro; acto de percorrer este espaço.

trayectoria. *f.* traje(c)tória, linha descrita por um ponto que se move no espaço; trajectória, via, órbita, meio, caminho; trajecto; (fig.) percurso.

traza. *f.* traça, traçado, planta, desenho duma obra; traça exterior, aspecto; facha; (fig.) ar; traça, plano, invenção, ardil, artifício; alvitre, modos, aparência duma pessoa ou coisa; (geom.) traço (de um plano, recta, etc.); projecto, plano: *tener buena o mala traza*, ter bom ou mau aspecto; *darse una traza*, dar-se manha para fazer uma coisa; maquinar, traçar, engenhosamente.

trazable. *adj.* que se pode traçar.

trazado, da. *p. p.* de *trazar* e *adj.* traçado; com os advérbios *bien* ou *mal*, diz-se da pessoa de boa ou má díspição ou aparência. — *m.* percurso, dire(c)ção dum caminho, canal, etc.; planta, desenho, traçado, traçamento, plano dum edifício, etc.; demarcação; delineação.

trazador, ra. *adj. e s.* traçador, que traça ou idealiza uma obra; idealizador; que desenha um plano, uma obra, etc.

trazar. *v. tr.* traçar, desenhar um plano; descrever, delinear; desenhar, descrever por meio de traços; riscar; projectar; traçar, formar; alinhavar; exarar; desenhar; descrever; construir; delinear; (fig.) discorrer, dispor; planear; descrever, expor; compor; riscar; traçar linhas; traçar, projectar, maquinar, formar um plano: *trazar una elipse*, descrever uma elipse; *trazar la vía* (f. c.), traçar a linha do caminho de ferro.

trazo. *m.* traço, linha traçada; estria, desenho; debuxo, desígnio; risco; traçado, delineação com que se forma um plano, um desenho duma obra, dum projecto; (fig.) rasto, vestígio; carácter; traço; linha do rosto; feição; impressão, sinal. — *pl.* (pint.) pregas, dobras das roupas: *dar los primeros trazos*, embrionar.

trébede. *f.* habitação que se aquece com palha; trempe; triângulo de ferro de três pés que se assenta a panela ao lume.

trebejar. *v. intr.* V. *travesar*, trebelhar, travessear, traquinar, brincar.

trebejo. *m.* instrumento, utensílio, ferramenta. — *pl.* trebelho, trabelho, brinquedo; trabelho, cada uma das peças do jogo do xadrez; trebelho, joguete de crianças.

trebeliánica. *adj.* trebeliana, quarta parte da herança.

trébol. *m.* (bot.) trevo, género de plantas leguminosas: *trébol acuático*, trevo aquático; *trébol encarnado*, trevo vermelho; *trébol acedo*, trevo-azedo; *trébol de los prados*, trevo dos prados, trevo encarnado.

trece. *adj.* treze, dez mais três; décimo terceiro. — *m.* treze, algarismo que representa o número treze; cada um dos treze regedores das antigas cidades; os treze cavaleiros da Ordem de Santiago nomeados para constituir capítulo: *mantenerse en sus trece*, teimar, porfiar, manter-se na sua opinião.

trecemesino, na. *adj.* que tem treze meses.

trecenario. *m.* trezena, espaço de treze dias, trezeno.

trecenato, trecenazgo. *m.* ofício ou dignidade de *trece* na Ordem de Santiago.

treceno, na. *adj.* décimo terceiro, trezeno.

trecésimo, ma. *adj.* trigésimo.

trecientos, tas. *adj.* V. **trescientos.**

trecha. *f.* treta.

trecheador. *m.* (min.) aquele que *trechea.*

trechear. *v. tr.* (min.) transportar uma carga de trecho em trecho à mão, por trabalhadores dispostos em fileira.

trecheo. *m.* (min.) acção de *trechear;* condução de minério e terra em cestos que os mineiros passam de mão em mão.

trecho. *m.* trecho, espaço de lugar ou tempo; distância; intervalo; excerto: *de trecho en trecho*, a trechos, de distância em distância.

trechor. *m.* (herald.) cinta, orla do escudo.

tredécimo, ma. *adj.* ordin. décimo terceiro.

tredentudo. da. *adj.* tridentado; que tem três dentes.

trefe. *adj.* frouxo, ligeiro, falso, que não é de lei; frouxo, brando, flexível, ligeiro, fácil de dobrar ou de amarrotar-se.

tregua. *f.* trégua, cessação de hostilidades por determinado tempo; armistício; (fig.) descanso, suspensão de trabalho, pena ou incomodo; ina(c)ção: *sin tregua*, sem descanso.

treinta. *adj.* trinta, três vezes dez. — *m.* certo jogo de naipes: *treinta y una*, certo jogo de naipes ou de bilhar; trinta-e-um.

treintaidosavo, va. *adj.* diz-se de cada uma das trinta e duas partes iguais em que se divide um todo.

treintaidoseno, na. *adj.* trigésimo segundo.

treintanario. *m.* série de trinta dias, trintena; trintário; grupo de trinta missas.

treintañal. *adj.* trintão, diz-se do homem que fez trinta anos.

treintavo, va. *adj. e s.* trigésimo.

treintena. *f.* trintena, conjunto de trinta unidades; trigésima parte.

treinteno, na. *adj.* trigésimo. V. **trigésimo.**

treitorio. *m.* caminho preparado na escarpa dos montes, para arrastamento.

treja. *f.* certo lance de jogo.

trema. *f.* (gram.) ápices, trema.

tremadal. *m.* V. **tremedal.**

tremebundo, da. *adj.* tremebundo, que faz tremer; espantoso, horrível; formidável.

tremedal. *m.* tremedal, pântano, lodaçal, brejo, lameiro; terreno alagadiço.

tremendo, da. *adj.* tremendo, que causa temor; formidável, terrível, digno de ser temido; extraordinário, digno de respeito e reverência; horrível; respeitável;

venerável, tremendo; ingente; medonho: *echar por la tremenda*, levar um negócio a termos violentos.

trementina. *f.* terebintina, trementina, líquido resinoso extraído do pinheiro.

tremer. *v. intr.* tremer. V. **temblar.**

tremés, tremesino, na. *adj.* tremês, tremesinho, de três meses; que nasce e amadurece em três meses.

tremolar. *v. tr.* tremular, mover com tremor; erguer os pendões, bandeiras ou estandartes, agitando-os. — *v. intr.* tremular, tremolar.

tremolina. *f.* movimento ruidoso do ar; (fig. e fam.) bulha, confusão de vozes, algazarra, borborinho, ruído confuso de pessoas que falam e se divertem: *armar una tremolina*, fazer bulha ou algazarra.

trémolo. *m.* (mús.) trémulo, efeito de notas repetidas ràpidamente.

tremor. *m.* tremor. V. **temblor;** começo de tremura; tremor, estado convulsivo.

tremulante, tremulento, ta; trémulo, la. *adj.* tremulante, tré(ê)mulo, que treme ou tremula, que tem tremor; tremido, trémulo, diz-se das linhas dum desenho; convulso.

tren. *m.* trem, conjunto de objectos que constituem a bagagem dum viajante; trem, apresto, aparelho, equipagem; trem, conjunto de utensílios para alguns serviços; trem, aparato, pompa, ostentação; aviamento; trem, comboio, série de carruagens puxadas sobre carris por uma locomotiva; (mil.) bagagem, trem de artilharia: *tren de aterrizaje*, (aviaç.) trem de aterragem; *tren hospital*, trem-hospital; *tren eléctrico*, trem eléctrico; *tren correo*, comboio correio; *tren mixto*, comboio misto; *tren de mercancías*, comboio de mercadorias; *tren de artillería*, comboio ou trem de artilharia; *tren expreso*, comboio expresso.

trenado, da. *adj.* entrançado, gradeado, em forma de trança ou rede; enredado.

trenca. *f.* cada um dos espeques que atravessam a colmeia para sustentar os favos; raíz principal duma cepa: *meterse hasta las trencas*, (pop.) atolar-se, até ao pescoço, meter-se em camisa de onze varas.

trencellín. *m.* galão pequeno. V. **trencillo.**

trencilla. *f.* trancelim, galão de seda, algodão ou lã.

trencillar. *v. tr.* guarnecer com trancelim.

trencha. *f.* cunha de ferro para rachar madeira.

treno. *m.* canto fúnebre, lamentação; (germ.) preso.

trenque. *m.* represa dum rio, açude.

trenza. *f.* trança, trançado de fios ou cabelos; cole(ê)ta; estriga; *trenza de esparto o junco*, empreita.

trenzadera. *f.* laço feito de corda ou fita entrançada; trançadeira.

trenzado, da. *p. p.* de *trenzar* e *adj.* entrançado. — *m.* trança. V. **trenza;** salto ligeiro cruzando os pés.

trenzadura. *f.* entrançado, trança.

trenzar. *v. tr.* trançar, entrançar, fazer tranças; enastrar; entretecer; encambar: *trenzar el cabello*, entrançar o cabelo.

treo. *m.* (mar.) vela latina de popa ou ré, tréu.

trepa. *f.* acção e efeito de tradear ou verrumar; adorno, guarnição de vestido disposta em voltas; trepa; (fam.) cambalhota; ondulações dalgumas madeiras, cheia de nós e de veios; astúcia, engano, malícia; tunda, sova de pancadas, trepa, surra.

trepado, da. *p. p.* de *trepar* e *adj.* trepado; refeito, fornido de carnes, robusto, corpulento (diz-se dos animais). — *m.* trepa, folho, guarnição na borda dos vestidos.

trepador, ra. *adj.* trepador, que trepa. — *f.* (bot.) trepadeira. — *m.* trepadoiro, sítio por onde se pode trepar; (pop.) homem de fortuna.

trepanación. *f.* (cir.) trepanação, anatresia.

trepanar. *v. tr.* trepanar, fazer a operação do trépano; alegrar.

trépano. *m.* (cir.) trépano, instrumento para furar o crânio; trepanação, operação feita com o trépano; trado de mineiro.

trepar. *v. intr.* trepar, subir, elevar-se; trepar as plantas trepadeiras.—*v. tr.* tradear, verrumar, esburacar, furar; guarnecer com enfeite em voltas, galgar: *trepar a lo alto*, encarapitar-se.

treparse. *v. r.* recostar-se. V. **retreparse.**

trepe. *m.* (fam.) repreensão, reprimenda.

trepe. *m.* (pop.) repreensão, reprimenda: *echar un trepe*, dar uma repreensão.

trepidación. *f.* trepidação; vibração; tremor, estremecimento; (astr.) trepidação; (med.) trepidação, convulsão nervosa.

trepidar. *v. intr.* trepidar, tremer, estremecer; vibrar.

trépido, da. *adj.* (p. us.) tré(ê)mulo, trepidante. V. **trémulo.**

tres. *adj.* três, dois e mais um; terceiro. — *m.* signo que representa o número três: *como tres y dos son cinco*, para pôr em evidência uma verdade, como três e dois são cinco; *de tres al cuarto*, de pouco mais ou menos; *¡y tres más!*, expresão usada para dar maior força a uma afirmação.

tresalbo, ba. *adj.* diz-se da cavalgadura que tem três pés brancos e o quarto doutra cor.

tresañal, tresañejo, ja. *adj.* diz-se do que tem três anos, trienal.

trescientos, tas. *adj.* trezentos, três vezes cem. — *m.* trezentos, conjunto de signos que representa o número trezentos.

tresdoblar. *v. tr.* tresdobrar, triplicar, dobrar três vezes; tresdobrar, dar a uma coisa três pregas, uma sobre outras.

tresdoble. *adj.* e *s.* triplicado, tresdo(ô)bro, triplo.

tresillo. *m.* voltarete, jogo de cartas; arrenegada; terno, conjunto de três peças de mobília; (mús.) tresquiáltera, quiáltera formada de três notas equivalentes a duas.

tresmesino, na. *adj.* tremês, tremesinho, **de** três meses.

trestanto. *adv.* três vezes outro tanto. — *m.* triplo quantidade triplicada.

treta. *f.* treta, manha, estratagema; (esgr.) treta, finta no jogo da espada; (fig.) treta, engano, ardil; astúcia. — *pl.* tretas, palavreado; palanfrório, lérias; treta, estocada; delusão; estratagema; alicantina; engano, treta; arriosca; artimanha; ciganice: *jugar una treta*, pôr um bigode; *gastar tretas o bromas*, fazer das suas.

trezavo, va. *adj.* treze avos, diz-se cada uma das 'treze partes em que se divide um todo.

tri. *pref.* tri, primeiro elemento de composição das palavras para expressar a ideia de três; prefixo que significa três.

triaca. *f.* teriaga, teriaca, triaga; electuário de composição muito complicada da qual o principal ingrediente é o ópio; (fig.) remédio dum mal; antídoto preservativo; antídoto dum veneno.

triacal. *adj.* teriacal, pertencente ou relativo a teriaca; que tem algumas propriedades da teriaca.

triadelfo, fa. *adj.* (bot.) triadelfo.

triandia. *f.* (bot.) triandria.

triandro, dra. *adj.* (bot.) triandro, triândrico.

triangulación. *f.* triangulação, operação de triangular; triangulação, conjunto de dados obtidos por esta operação.

triangulado, da. *p. p.* de *triangular* e *adj.* triangular, que tem a forma de triângulo; triangulado.

triangular. *adj.* triangular, que tem a forma de triângulo.

triangular. *v. tr.* triangular, dividir em triângulos; dispor em triângulos.

triángulo, la. *adj.* triangular. — *m.* triângulo; (geom.) triângulo, objecto triangular; (mús.) triângulo, ferrinhos, instrumento.

triar. *v. tr.* escolher, separar, apartar. — *v. intr.* entrar, sair com frequência. — *v. r.* branquear-se um tecido pelo uso.

trías. *m.* (geol.) terreno triásico.

triásico, ca. *adj.* (geol.) triásico, relativo ao trias.

tribadismo. *m.* inversão sexual da mulher.

tribal. *adj.* V. **tribual.**

triboluminiscencia. *f.* (fís.) triboluminiscência.

tribón. *m.* (mús.) salteiro triangular.

tribraquio. *m.* (poét.) tribraco, pé da poesia latina.

tribu. *f.* tribo, cada uma das divisões dum povo, nalgumas nações antigas; tribo, conjunto de famílias nómadas; cada um dos doze patriarcas entre os Judeus; tribo, clã; (biol.) tribo, família.

tribual. *adj.* pertencente ou relativo à tribo.

tribulación. *f.* desolação; atormentamento; atribulação; consumição; aflição; tribulação; pena; aflição; amargura; adversidade; tormento; perseguição; trabalhos.

tribuna. *f.* tribuna, lugar elevado onde falam os oradores; tribuna, lugar, galeria destinados aos espectadores nas assembleias ou espectáculos públicos; arte de falar em público; tribuna, eloquência; (fig.) tribuna, conjunto de oradores duma época, dum país, dum povo, etc.; a eloquência; tribuna, janela interior duma igreja donde assistem aos ofícios pessoas de relevo ou distinguidas; coreto, tribuna para música na igreja ou noutro lugar: *tribuna de prensa*, a tribuna da imprensa; *tribuna sagrada*, púlpito, a tribuna sagrada.

tribunado. *m.* tribunado, tribunato, cargo e funções do tribuno; tempo que durava este cargo.

tribunal. *m.* tribunal, lugar destinado aos juízes para administrar justícia; os juízes e magistrados que compõem o tribunal; magistrado que julga e profere sentença; tribunal, conjunto de juízes que julgam conjuntamente; (fig.) tribunal, alçada; tribunal (estrado): *tribunal de la penitencia*, o confessionário; *tribunal en Lisboa para decidir casos de conciencia*, mesa de consciência; *Tribunal Supremo de Justicia en Portugal*, Beca de desembargador; *Tribunal Supremo*, Tribunal Supremo; *llevar a los tribunales*, levar uma pessoa ao juízo, aos tribunais; *Tribunal de Justicia*, Tribunal de Justiça; *Tribunal Militar*, Tribunal Militar.

tribunicio, cia. *adj.* tribunício; (fig.) pertencente ou relativo ao tribuno; ao orador político.

tribuno. *m.* tribuno, magistrado romano para velar pelos interesses do povo; tribuno, orador político, muito eloquente.

tribunocracia. *f.* tribunocracia, despotismo dos tribunos.

tributable. *adj.* tributável, que pode ser tributado; colectável.

tributación. *f.* tributação, acção de tributar; tributo; estipêndio.

tributar. *v. tr.* tributar, devotar; cole(c)tar; dedicar; tributar, contribuir, pagar tributo; (fig.) tributar, prestar, dedicar, oferecer, obsequiar; tributar culto e honra a Deus, deificar.

tributario, ria. *adj.* tributário, sujeito a tributo; estipendiário; contribuinte; (fig.) tributário, afluente; diz-se do curso de água com relação ao rio ou mar onde vai desaguar; rio, ribeiro, etc., que se lança em outro curso d'água.

tributo. *m.* tributo, impo(ô)sto; gabela; estipêndio; alcavala; contribuição; derrama; (por ext.) décima; cisa (antigo imposto sobre compras e vendas); tributo, cargo, o(ô)nus, obrigação, condição onerosa; (fig.) aquilo que se presta ou se vende por obrigação; trabalho, pena.

tricefalia. *f.* (terat.) qualidade de tricéfalo.

tricéfalo, la. *adj.* tricéfalo.

tricelular. *adj.* tricelular.

tricenal. *adj.* tricenal, que dura trinta anos; que se executa de trinta em trinta anos.

tricentenario. *m.* tricentenário, comemoração dum facto ocorrido há trezentos anos. — *adj.* tricentenário.

tricentésimo, ma. *adj.* tricentésimo, trecentésimo.

tríceps. *m.* (anat.) tricípite.

tricésimo, ma. *adj.* trigésimo. — *s.* trigésimo.

triciclo. *m.* triciclo, velocípede de três rodas.

tricípite. *adj.* diz-se do músculo que tem três cabeças; tricípite.

tricliniario. *m.* tricliniário, escravo que servia a mesa, nos triclínios.

triclinio. *m.* triclínio, cada um dos leitos que usavam os antigos romanos para comer; sala de jantar.

tricofitia. *f.* (med.) tricofitia.

tricófito. *m.* tricófito.

tricoglosia. *f.* (med.) tricoglossia.

tricoideo, a. *adj.* tricóide.

tricologia. *f.* tricologia.

tricológico, ca. *adj.* tricológico.

tricolor. *adj.* tricolor, de três cores.

tricoma. *m.* tricoma, empastamento dos cabelos pela acumulação do pó, etc.

tricorne. *adj.* (poét.) tricorne, que tem três chifres.

tricornio. *adj.* tricorne. — *m.* tricórnio, chapéu de três bicos.

tricosis. *f.* (med.) tricose.

tricotomia. *f.* (hist. nat.) tricotomia, divisão em três ramos ou partes.

tricotómico, ca. *adj.* tricotómico.

tricótomo, ma. *adj.* tricótomo.

tricromía. *f.* tricromia, impressão tipográfica feita com três tintas diferentes.

tricuspidado, da. *adj.* (bot.) tricúspide.

tricúspide. *adj. y f.* tricúspide.

trichina. *f.* V. **triquina.**

tridacio. *m.* (farm.) tridácio, medicamente extraído do suco do alface.

tridáctilo, la. *adj.* tridá(c)tilo.

tridentado, da. *adj.* (bot.) tridentado.

tridente. *adj.* tridente, que tem três dentes.— *m.* tridente, ceptro de Neptuno; forquilha que tem três dentes; (fig. poét.) o domínio dos mares; tridente, espécie de arpão para pescar.

tridentífero, ra. *adj.* tridentífero, tridentígero.

tridimensional. *adj.* que tem três dimensões.

triduo. *m.* (rel.) tríduo, orações ou actos religiosas que duram três dias.

triedro. *adj.* (geom.) triedro. — *m.* triedro.

trienal. *adj.* trienal, que se repete ou que dura três anos.

trienio. *m.* trié(ê)nio, espaço de três anos; trienado.

trifacial. *adj.* trifacial, nervo chamado também trigémeo.

trifásico, ca. *adj.* (electr.) trifásico, diz-se dum sistema de correntes eléctricas.

trifauce. *adj.* (poét.) trifauce que tem três fauces.

trífido, da. *adj.* (poét.) trífido; (bot.) trífido, que está fendido por três partes.

trifinio. *m.* ponto onde confluem três divisões territoriais.

trifloro, ra. *adj.* trifloro, que tem três flores.

trifoliáceo, a. *adj.* trifoliáceo. — *f. pl.* trifoliáceas.

trifoliado, da. *adj.* que tem folhas compostas ou folíolos; trifoliado.

triforio. *m.* (arq.) trifório, galeria estreita no interior de uma igreja por cima das arquivoltas das naves laterais.

triforme. *adj.* triforme.

trifulca. *f.* aparelho com três alavancas para accionar os foles dos fornos metalúrgicos; (fig. e fam.) desordem, briga; rixa entre várias pessoas.

trifurcado, da. *adj.* trifurcado, de três ramos, braços ou pontas.

trigal. *m.* trigal, seara, campo semeado de trigo.

trigamia. *f.* trigamia, casamento com três mulheres estando todas vivas.

trígamo, ma. *adj. e s.* trígamo.

trigaza. *adj.* diz-se da palha do trigo, triga.

trigésimo, ma. *adj. e s.* trigésimo, o que ocupa o último lugar numa série de trinta; trigésima, diz-se de cada uma das partes em que se divide um todo.

triginia. *f.* (bot.) trigínia.

trigino, na. *adj.* (bot.) trigínio, trígino.

triglifo. *m.* (arq.) tríglifo.

trigo. *m.* (bot.) trigo, género de plantas gramíneas; trigo, grão desta planta; trigo, trigal, campo semeado de trigo. — *pl.* (fig.) dinheiro, riqueza, fortuna: *trigo negro, rubión o sarraceno,* trigo-sarraceno; *trigo candeal, común, blanquillo, hembrilla, de marzo, marzal, trechel, tremés, tremesino, piche, teja,* etc.; farro; *trigo cocido,* frangolho; *trigo moruno,* trigo anafre; *no ser trigo limpio,* coisa ou pessoa suspeita.

trígono. *m.* (astr.) conjunto de três signos do Zodíaco equidistantes entre si; (geom.) triângulo.

trigonometría. *f.* trigonometria.

trigonométrico, ca. *adj.* trigonométrico.

trigueño, ña. *adj.* trigueiro, triguenho; entre moreno e louro.

triguero, ra. *adj.* triguenho, referente ao trigo; que se cria entre o trigo; diz-se do terreno em que se dá bem o trigo. — *m.* crivo ou peneira para o trigo; comerciante de trigo.

trilátero, ra. *adj.* trilateral, trilátero, de três lados.

trilingüe. *adj.* triglota, que fala, escreve ou está escrito em três línguas.

trilita. *f.* (quím.) explosivo de grande poder destrutivo.

trilítero, ra. *adj.* triliteral, trilítero.

trilito. *m.* trílito.

trilobulado, da. *adj.* trilobado.

trilocular. *adj.* trilocular, triloculado.

trilogía. *f.* trilogia.

trilla. *f.* trilho, utensílio para debulhar cereais; trilha, acção ou efeito de trilhar; caminho, vereda, senda; trilho; debulha; tempo da debulha.

trilladera. *f.* trilho. V. **trillo.**

trillado, da. *p. p.* de *trillar* e *adj.* trilhado, diz-se do caminho muito frequentado; (fig.) comum, sabido, notório; experimentado; experiente, prático.

trillador, ra. *adj.* e *s.* trilhador, que trilha; debulhador; debulhadeira.

trilladora. *f.* debulhadora, debulhadeira, máquina trilhadora.

trilladura. *f.* trilhadura, trilha, acção e efeito de trilhar.

trillar. *v. tr.* trilhar, debulhar; (fig. e fam.) trilhar, seguir, percorrer; trilhar, contundir; pisar; magoar; mortificar; maltratar.

trillique. *s.* pessoa que guia a trilhoada.

trillo. *m.* trilho, instrumento para debulhar cereais; debulho; (Amér.) trilho, vereda, senda.

trillón. *m.* quatrilião, um milhão de biliões.

trimembre. *adj.* trimembre, de três membros.

trimensual. *adj.* trimensal, que se repete três vezes por mês.

trimestral. *adj.* trimestral, que se repete cada três meses; que dura um trimestre.

trimestre. *adj.* trimestral. — *m.* trimestre, espaço de três meses; trimestre, conjunto dos números dum jornal ou revista publicados durante três meses.

trímetro. *adj.* e *s.* trímetro, diz-se dos versos de três pés.

trimurti. *f.* Trimúrti, espécie de trindade bramânica.

trinado, da. *p. p.* de *trinar* e *adj.* trinado. — trino musical, trilo, gorjeio das aves, trinado.

trinar. *v. tr.* (mús.) trinar, soltar trinos; (fig.) impacientar-se, enraivecer-se; raivar.

trinca. *f.* trinca, terno, trio de examinadores num concurso; trindade; (Amér.) jogo de rapazes; (mar.) trinca, corrente ou cabo que segura a bordo qualquer coisa.

trincadura. *f.* (mar.) trincadura, lancha de dois mastros.

trincafía. *f.* trincafio; amarradura feita em espiral, com voltas muito juntas, e dando meio nó à corda em cada uma das mesmas.

trincafiar. *v. tr.* (mar.) trincafiar, amarrar com trincafios.

trincar. *v. tr.* partir, despedaçar,; amarrar, prender, atar alguém; (mar.) trincafiar, amarrar com trincafios; — *v. intr.* beber vinho, ou licor. — (mar.) V. **pairar.**

trincha. *f.* presilha de peça de vestuário.

trinchador, ra. *adj.* e *s.* trinchador, que trincha.

trinchante. *p. a.* de *trinchar* e *adj.* trinchante, que trincha. — *m.* trinchador, aquele que trincha, garfo para segurar o que se trincha.

trinchar. *v. tr.* trinchar, cortar em pedaços (a carne); (fig. e fam.) decidir, resolver, dispor duma coisa;.

trinche. *m.* trinchante, garfo com que se trincha; lugar ou sítio onde se trincha.

trinchera. *f.* trincheira, escavação para que a terra escavada sirva de parapeito; trincheira, desmonte com terraplenos a ambos os lados; anteparo; bastião; barreira; (mar.) trincheira, borda; sobretudo de fazenda impermeável, espécie de gabardina.

trinchero. *adj.* trinchante, diz-se da travessa em que se trincha. — *m.* aparador sobre que se trincha; trinchante, garfo e faca para trinchar.

trinchete. *m.* trinchete, faca de sapateiro.

trineo. *m.* trenó, espécie de carro sem rodas para andar sobre o gelo.

trinervado, da. *adj.* (bot.) trinervado.

trinidad. *f.* (teol.) Trindade; Trindade, ordem religiosa; (fig.) união de três pessoas para um negócio.

trinitario, ria. *adj.* e *s.* (geog.) trinitário, natural da Trindade (Cuba).; trinitário, religioso da ordem da Trindade.

trinitrolueno. *m.* (quim.) trinitrolueno.

trino, na. *adj.* trino, que contém em si três coisas; ternário; (mús.) trinado, trino, gorjeio.

trinomio. *m.* (mat.) trinó(ô)mio.

trinquete. *m.* (mar.) traquete, vela grande do mastro da proa; lingueta que escorrega sobre os dentes duma roda para impedir que recue; trinco de porta: *a cada trinquete*, a cada passo.

trinquete. *m.* lugar coberto onde se joga à pelota.

trinquetilla. *f.* (mar.) espécie de bujarrona pequena e muito reforçada.

trio. *m.* (mús.) trio, terceto; entrada e saída das abelhas nas colmeias.

triodo. *f.* (rad.) triodo.

trional. *m.* trional; sulfonal.

triones. *m. pl.* (astr.) triões, as sete estrelas principais da Ursa Maior.

trióxido. *m.* (quim.) trióxido.

tripa. *f.* tripa, intestino; tripa, ventre, barriga; abdome; bojo de vasilha; recheio do charuto;. — *pl.* partes internas de certas frutas; laminazinhas do interior das penas dalgumas aves; (fig.) âmago, interior de alguma coisa;: *tripa del cagalar*, intestino recto; *hacer de tripas corazón*, (fam.) resistir mais que o possível; fazer das tripas coração; *abrir la tripa*, estripar; *quitar la tripa*, desbarrigar; *tener malas tripas*, ser muito cruel; *sin tripas ni cuajar*, (fig. e fam.) pau de virar tripas, diz-se da pessoa muito magra.

tripanosoma. *m.* (bact.) tripanossoma.

tripanosomiasis. *f.* (med.) tripanossomíase.

trípara. *f.* tríparear, fêmea que já pariu três vezes.

tripartición. *f.* tripartição, acção e efeito de tripartir.

tripartido, da. *adj.* tripartido.

tripartir. *v. tr.* tripartir, dividir em três partes.

tripartito, ta *adj.* tripartido, dividido em três partes.

tripería. *f.* triparia, lugar onde se vendem tripas; tripagem, porção de tripas, tripalhada, fressura.

tripero, ra. *s.* tripeiro, mondongueiro, vendedor de tripas, fressureiro. — *m.* pano de baeta para abrigar o ventre.

triplano. *m.* (aviaç.) triplano.

triple. *adj.* e *s.* triplo, triple, tríplice, que contém três vezes uma coisa, tresdobrado.

triplica. *f.* (for.) tréplica, resposta à réplica.

triplicación. *f.* triplicação.

triplicidad. *f.* triplicidade.

triplinervio, a. *adj.* (bot.) triplinérveo.

triplo, pla. *adj.* triplo. V. **triple.**

trípode. *m.* ou *f.* trípoda, tripode, mesa, banco de três pés; tripeça em que a pitonisa proferia os oráculos. — *m.* tripé.

trípol. *m.* trípoli, terra siliciosa empregada para polir.

trípoli. *m.* trípoli, terra siliciosa empregada para polir.

tripolino, na *adj.* tripolitano. V. **tripolitano.**

tripón, na. *adj.* e *s.* (fam.) barrigudo, pançudo, barrigudo; abdominoso; bojante; bojudo.

tripote. *m.* espécie de morcela.

tripsina. *f.* (bioquim.) tripsina.

tripsinógeno. *m.* (bioquim.) tripsinogênio.

tríptico. *m.* tríptico, quadro formado por três corpos; tríptico, livro que consta de três partes; tríptico, pintura, gravado ou relevo distribuído em três folhas unidas.

triptongar. *v. tr.* pronunciar três vogais formando tritongo.

triptongo. *m.* (gram.) tritongo.

tripudiar. *v. intr.* tripudiar, saltar, dançar, batendo com os pés.

tripudio. *m.* tripúdio, dança, baile;.

tripudo, da. *adj.* e *s.* barrigudo, pançudo; bojudo.

tripulación. *f.* (mar.) tripulação, marinheiros que trabalham num navio ou (aviaç.) tripulação, pessoas de bordo dum avião; acção de tripular.

tripulante. *m.* tripulante, pessoa que faz parte duma tripulação.

tripular. *v. tr.* tripular, dotar de tripulação; ir a tripulação no navio ou avião; tripular, dirigir ou governar uma tripulação ou avião; amarinhar; amarujar.; equipar.

triquina. *f.* (fig.) triquina,.

triquinosis. *f.* (med.) triquinose.

triquinoso, sa. *adj.* triquinoso, triquinado.

triquismo. *m.* (med.) triquismo.

triquiñuela. *f.* (fam.) rodeio, subterfúgio, evasiva; bilhostros: *usar de triquiñuelas*, chicanar.

trirrectángulo, la. *adj.* (geom.) trirre(c)tángulo, formado por três ângulos rectos.

trisagio. *m.* (rel.) triságio, hino em louvor da Santíssima Trindade.

trisar. *v. intr.* trissar, trinfar; cantar, chilrear (a andorinha e outros pássaros).

trisarquía. *f.* trisarquia, governo de três chefes.

trisca. *f.* ruído, que se faz com os pés ao querer alguma coisa; algazarra, bulha.

triscador, ra. *adj.* e *s.* travador, que trava; buliçoso, turbulento, desassossegado. — *m.* travadoira, travadoura, instrumento de ferro para travar os dentes da serra.

triscar. *v. intr.* fazer ruído, com os pés, patear; travar, inclinar alternadamente para um lado e outro os dentes da serra; (fig.) retouçar, travessear; provocar desordens, enredar;. — *v. tr.* misturar, triscar.

trisecar. *v. tr.* (com.) dividir em três partes iguais; (geom.) trissecar, cortar ou dividir em três partes iguais.

trisección. *f.* (geom.) trisse(c)ção, accção e efeito de trissecar.

trisemanal. *adj.* trissemanal, que se repete três vezes por semana.

trisílabo, ba. *adj.* (gram.) trissílabo que tem três sílabas.

trismo. *m.* (med.) trismo, rigidez espasmódica, dos músculos da mandíbula inferior.

trispasto. *m.* aparelho composto de três polés.

triste. *adj.* triste, diz-se da pessoa infeliz, desconsolada; triste, descontente; meditabundo; triste, luctuoso, lu(c)tífero, melancólico; lutuoso; desassosegado; consternado; encaramonado; amargo; lúgubre; anojado; apesarado; funesto; triste, acabrunhado, inconsolado; merencório; amargado; fúnebre; macambúzio; macilento; costado; afligido; elegíaco; contrito; triste, e(ê)rmo; enevoado; desalegre; desolado; (fig.) angustiado; mesto; (fig.) anuviado; (fig.) amargoso; amarroado; sepulcral; (fig.) desgrenhado; desgostoso; triste, penoso, amargurado; deplorável; triste, doloroso, difícil de suportar; (Bras.) capiongo. — *m.* canção popular sul-americana: *semblante triste*, semblante anuviado; *estar triste*, andar triste; *estar muy triste*, estar muito sentido; *ponerse triste*, entristecer-se; encaramar-se; *muy triste*, inconsolável.

tristeza. *f.* tristeza, qualidade do que é triste; tristeza, afliçao melancolia; mágoa, pena; angústia; anojo; anojamento; lugubridade; funestação; inconsolabilidade; macilência; entristecimento; contristação; consternação; luto; melancolia; descontentamento, desconsolação; alergia; desanimação; enturvação; (fig.) angustura; cipreste; tristeza, melancolia habitual; abatimento; (Bras.) mangorra.

trisulco, ca. *adj.* trissulco, que tem três furos ou pontas, trífido;. — *m.* de três sulcos canais ou fendas.

tritíceo. a. *adj.* tritíceo, relativo ao trigo ou que tem as suas qualidades.

tritón. *m.* (mit.) Tritão, divindade marinha, meio homem meio peixe.

tritoniano, na. *adj.* (geol.) terreno que contém restos de animais marinhos.

tritono. *m.* (mús.) trítono, intervalo de três tons consecutivos.

tritóxido. *m.* (quim.) V. **trióxido**

triturable. *adj.* triturável, que se pode triturar.

trituración. *f.* trituração, tritura.

triturar. *v. tr.* triturar, machucar, maçar; reduzir a pequenos fragmentos; esmagar, moer; esmiuçar; (fig.) maltratar; (fig.) afligir; magoar, torturar; mastigar.

triunfador, ra. *s.* e *adj.* triunfador, que triunfa; debelador; derrotador; (fig.) acertador; triunfador que alçou a victória; vitorioso.

triunfal. *adj.* triunfal, pertencente ou relativo ao triunfo.

triunfar. *v. intr.* triunfar, derrotar; debelar (fig.) deslombar; vencer; ficar vitorioso; triunfar (no jogo); (fig.) esbanjar, vencer o inimigo; sair victorioso duma contenda ou batalha; triunfar, desvanecer-se, encher-se de vaidade; triunfar, receber as honras do triunfo.; exaltar; resistir; ter vantagem sobre alguém; gloriar-se; (fig.) sair-se bem; (fig.) vencer a resistência; vencer na guerra; jactar-se.

triunfo. *m.* triunfo, (fig.) louro; triunfo, vitória; trunfo (naipe); (fig.) triunfo, êxito feliz; vitória sobre os inimigos na guerra (fig.) triunfo, ovação estrondosa; prazer, júbilo: *obtener el triunfo*, obter o triunfo.

triunviral. *adj.* triunviral, pertencente ou relativo aos triúnviros.

triunvirato. *m.* triunvirato, magistratura romana em que intervém três pessoas; triunvirado, junta de três pessoas.

triunviro. *m.* triúnviro, cada uma das três pessoas que formam o triunvirato.

trivalencia. *f.* (quim.) trivalência, qualidade de trivalente.

trivalente. *adj.* (quim.) trivalente.

trivial. *adj.* trivial, vulgar. mediano inane; mediocre; corriqueiro; (fig.) coimbrão; trilhado; frequentado; (diz-se dum caminho); trivial, banal, comum, ordinário.

trivialidad. *f.* trivialidade, mediocridade; corriqueirice; (fig.) barro; qualidade do que é trivial; dito trivial, banalidade; pensamento ou expressão trivial.

triza. *f.* pedacinho, migalha; (mar.) adriça; V. **driza:** *hacer trizas,* estilhaçar; fazer em estilhas; destruir, despedaçar; ferir ou machucar violentamente.

trocado, da. *p. p.* de *trocar* e *adj.* trocado, diz-se do dinheiro; trocado em miúdos; moeda miúda.

trocador, ra. *adj.* e *s.* trocador, que troca, que permuta.

trocaico, ca. *adj.* trocaico, pertencente ou relativo ao troqueu;.— *m.* verso latino ou grego de sete pés.

trocamiento. *m.* troco, troca; pequenas moedas que se dão por outra maior; dinheiro miúdo; demasia. V. **trueque.**

trocánter. *m.* (anat.) trocânter.

trocar. *v. tr.* trocar, cambiar, permutar; vomitar; confundir; equivocar; alborcar; tomar ou dizer uma coisa por outra, trocar; enganar-se; inverter, substituir; preferir. alterar; interpretar mal; transtornar.— *v. r.* transformar-se, converter--se; mudar-se; mudar de génio ou costumes; trocar um emprego com outrem; converter-se; degenerar. — *conj. irr.* como *contar.*

trocar. *m.* (cir.) trocarte, cânula pontuda;.

trocear. *v. tr.* atroçoar, trociscar, reduzir a troços, dividir em fragmentos; reduzir a trociscos.

troceo. *m.* (mar.) troça, cabo grosso forrado de couro que atraca a verga redonda para o mastaréu ou mastro.

trociscar. *v. tr.* trociscar, troçar, reduzir a trociscos; fragmentar.

trocisco. *m.* (farm.) trocisco, cada um dos bocados de massa de que se fazem as pílulas de substâncias medicinais.

trocla. *f.* V. **polea;** polé, roldana.

tróclea. *f.* (anat.) tróclea.

troclear. *adj.* troclear, que diz respeito à tróclea.

trocoide. *f.* (geom.) ciclóide. V. **cicloide.**

trócola. *f.* V. **trocla.**

trocha. *f.* atalho, vereda, caminho estreito; trocha; azinhaga; caminho aberto no mato.

trochemoche (a), ou **troche y moche;** *adv.* (fam.) a troixe-moixe, atabalhoadamente; à toa; disparatadamente, confusamente.

trofeo. *m.* troféu, ornamento, insígnia ou sinal duma vitória; despojo de guerra; troféu, conjunto de armas e insígnias agrupadas numa panóplia; (fig.) vitória, triunfo, troféu; qualquer símbolo duma vitória; glória; honra.

trófico, ca. *adj.* trófico, pertencente ou relativo á nutrição dos tecidos.

trofología. *f.* trofologia.

trofoneurosis. *f.* (pat.) trofoneurose.

trofospermo. *m.* (bot.) trofosperma, trofospérmio. V. **placenta.**

troglodita. *adj.* e *s.* troglodita, que habita em cavernas; (fig.) troglodita, diz-se do homem bárbaro e cruel; comilão. — *m.* (zool.) género de pássaros dentirrostros.

troglodítico, ca. *adj.* troglodítico; pertencente ou relativo aos troglodytas.

troj. *f.* tulha, celeiro; granel; depósito de azeitona ou cereais.

trojero. *m.* celeireiro, guarda de celeiro.

trola. *f.* (fam.) engano, falsidade, mentira; palão; fábula; mexerico; embuste; blague; falácia; arara;: *decir bolas,* (pop.) enganar, engazupar; embustear.

trole. *m.* rolador, peça de maquinismo da tracção eléctrica; trólei.

tromba. *f.* (meteor.) tromba, massa de água que se eleva em forma de coluna; coluna de água que o vento levanta.

trombina. *f.* (bioquim.) trombina.

trombón. *m.* (mús.) trombão, trombone, instrumento músico de sopro; trombonista, músico que toca o trombão.

trombosis. *f.* (med.) trombose:*trombosis coronaria,* trombose da coronária.

trompa. *f.* (mús.) trompa, instrumento de sopro semelhante à trombeta; pião que tem dentro outros piões; tromba, órgão de olfacto e aparelho de apreensão dalguns animais. — *m.* trompista, tocador de trompa; (pop.) berzunda, berzundela; (arq.) berço; (mús.) corne, cornitromba;: *trompa de Falopio,* trompa de Falópio, oviducto; *trompa de Eustaquio,* (anat.) trompa de Eustáquio; *trompa de caza,* trompa de caça; *a trompa y talega,* (fig. e fam.) sem ordem, sem reflexão.

trompada. *f.* (fam.) trombada, encontrão de duas pessoas cara a cara; murro; punhada; soco; (mar.) abalroamento.

trompar. *v. intr.* jogar o pião; (ant.) enganar, fraudar.

trompazo. *m.* pancada com o pião; trombada; (fig. e fam.) pancada com tromba; (fig.) qualquer trombada, encontrão ou murro, apanhado com força; trompaço; trompázio.

trompear. *v. intr.* jogar o pião;. — *v. tr.* (Amér.) socar, esmurrar.

trompero. *m.* fabricante de piões, torneiro que faz piões.

trompeta. *f.* (mús.) trombeta, instrumento músico de sopro; espécie de corneta sem voltas; charamela; corneta; instrumento de guerra; clarim, instrumento de sopro de tons agudos. — *m.* corneta, corneteiro, clarim, o que toca a corneta, o clarim; (fig.) trompeta, homem desprezível; trompeta de amor; (bot.) V. **girasol.**

trompetada. *f.* (fam.) V. **clarinada.**

trompetazo. *m.* som excessivamente forte; da trompeta ou de qualquer instrumento semelhante; pancada com trombeta; (fam.) saída de tom.

trompetear. *v. intr.* (fam.) trombetear tocar trombeta.

trompeteo. *m.* acção e efeito de trombetear.

trompetería. *f.* conjunto de várias trombetas; conjunto de todos os registos do órgão, formados com trombetas de metal.

trompetero. *m.* trombeteiro, fabricante ou tocador de trombetas.

trompicar. *v. tr.* fazer tropicar; promover alguém indevidamente ao cargo que corresponde a outrem. — *v. intr.* tropeçar, tropicar violentamente.

trompicón. *m.* **trompilladura.** *f.* tropição violento, tropeção.

trompillar. *v. tr.* e *intr.* fazer tropicar, tropeçar.

trompillón. *m.* (arq.) aduela que serve de chave numa abóbada circular; chave de arco.

trona. *f.* carbonato de sosa que forma incrustações nas margens dos rios e nalguns lagos.

tronada. *f.* trovoada, tempestade com trovões; série de trovões; (fig.) grande estrondo; grande algazarra; discusão violenta e clamorosa; repreensão forte.

tronado, da. *p. p.* de *tronar* e *adj.* deteriorado por efeito do uso, gasto, coçado.

tronador, ra. *adj.* tronante, que troa; troante; trovejante, estrondoso. — *m.* espécie de foguete.

tronar. *v. impers.* troar, trovejar;. — *v. intr.* estrondear; detonar; estourar; (fig. e fam.) arruinar-se, perder a fortuna; falar, escrever violentamente contra alguma coisa; trovejar; romper relações; perder todo o dinheiro ao jogo;. — *conj. irr.* como **contar.**

tronca. *f.* truncamento. V. **truncamiento.**

troncal. *adj.* pertencente ou relativo ao tronco; procedente do tronco.

troncar. *v. tr.* truncar. V. **truncar.**

tronco. *m.* tronco, corpo truncado; troncho; tronco, caule, haste, talo de árvores e arbusto; troncho; tronco, de geração, estirpe; pessoa de quem procede a árvore genealógica; tronco, ascendência comum;

(fig.) tronco, pessoa insensível e inútil: tronco, parelha de bestas que puxam uma carruagem: *tronco de árbol,* de cepa (fig.) estípite; (Bras.) atora; *cortar en troncos,* atorar; *dormir como un tronco,* dormir em cheio; *tronco de la familia ou linaje,* estirpe; *tronco para quemar,* arraigote; *separado del tronco,* destroncado.

tronchar. *v. tr.* tronchar, truncar, quebrar com violência; cortar rente; desrabar; cortar pelo tronco.

tronchazo. *m.* pancada com um tronco ou talo grosso e rijo; golpe ou pancada de couve ou hortaliça.

troncho. *m.* troncho, talo de hortaliça.

troncho, cha. *adj.* truncado, mutilado, privado de algum membro.

tronchudo, da. *adj.* tronchudo, diz-se das hortaliças que têm o talo muito grosso e comprido.; taludo.

tronera. *f.* troneira, bombardeira; lumieira; ameia; brinquedo de rapazes que produz um forte estalo ao abrir-se; fresta, janelinha, janela pequena e estreita; ventanilha na mesa do bilhar; (fig.) ventoinha, pessoa estouvada, ligeira de cabeça: *hacer troneras,* (mil.) aportilhar: *tronera en las mesas de billar, tronera de red,* azar.

tronear. *v. tr.* abrir seteiras. V. **atronar.**

tronga. *f.* amásia, amiga; tronga.

tronido. *m.* trovão, ribombo, estampido.

tronitoso, sa. *adj.* (fam.) trovejante; troante, estrondoso; fragoroso; retumbante, atroante, que faz ruído semelhante ao atroador; troante, que troa.

trono. *m.* trono, sólio real; tabernáculo; (fig.) trono, dignidade de rei ou de soberano; trono, lugar onde se expõe o S. S. Sacramento; (fig.) trono autoridade régia. — *pl.* tronos, espíritos angélicos do terceiro coro; trono, assento de cerimónia dos reis; assento para o bispo nas cerimónias religiosas; (fig.) poder soberano; *sin trono,* destronado; *echar del trono,* destronar; *poner sobre el trono a alguien,* encadeirar; *sentarse en el trono,* entronizar-se.

tronquista. *m.* cocheiro que governa a parelha do tronco.

tronzador. *m.* traçador, espécie de serrote grande, serrão.

tronzar. *v. tr.* dividir, quebrar, fazer em troços; destroçar, despedaçar; franzir, fazer pregas em vestidos; (fig.) fatigar muito derrear, cansar; fra(c)turar.

tropa. *f.* tropa, turba, multidão de gente; (depre.) plebe, gentalha, gente desprezável; tropa, lote; tropa milícia; mesnada; alcavala; tropa, certo toque militar; qualquer conjunto de soldados; tropa, tropel de gente; turba; caterva; mult:dão; (Amér.) tropa, conjunto de animais que vão juntos no caminho; (mil.) toque de reunir: *tropa armada con fusiles,* fuzilaria; *tropa que se reclutaba antiguamente,* colectícia; *tropa mercenaria,* mesnada; *en tropa,* em tropa; *tropa de marina,* tropa de marinha; *tropa ligera*, tropa ligeira.; *tropas de asalto*, (mil.) tropas de assalto.

tropel. *m.* tropel, tumulto, balbúrdia; estropeada; fula; barulho,; pressa desordenada; tropel, conjunto de coisas mal ordenadas; tropel, ruído que faz muita gente ao andar; (fig.) barulho, confusão, grande número; acerfo; *en tropel*, de envolta, estropeadamente; *entrar en tropel*, embarafustar; *en tropel*, tumultuàriamente.

tropelia. *f.* desmanda, tropelia; aceleração confusa e desordenada; acto violento e contrário às leis; atropelamento; (pop.) travessura, diabrura, traquinice; tumulto que faz gente em tropel; bulício, balbúrdia.

tropelista. *m.* prestidigitador, o que exerce a tropelia como arte mágica;.

tropeoleo, a. *adj.* (bot.) tropeóleo.— *f.* *pl.* tropeoláceas, tropeóleas.

tropezador, ra. *adj.* e *s.* tropeçudo, embricadeiro, embricador (diz-se dos cavalos); que tropeça muitas vezes.

tropezadura. *f.* tropeçamento, **tropeção**, acção de tropeçar; tropeçada com os pés;.

tropezar. *v. intr.* tropeçar, entropeçar,; embarrar; empeçar; esbarrar; encontrar; embricar (diz-se do cavalo); tropeçar, encontrar dificuldades; tropeçar, discordar; opor-se; (fig. e fam.) topar, encontrar casualmente.— *v. r.* tocar-se, alcançar-se; ferir-se à besta com os cascos nas mãos; (fig.) enganar-se, cair em erro.— *conj. irr.* como acertar.; *tropezar siempre en la misma dificultad*, embarrancar sempre na mesma dificuldade.

tropezón, na. *adj.* tropeçudo, trope(ê)ço. — *m.* encontrão; esbarrada; tropeçamento; tropeço; tropeção: *a tropezones*, aos tropeções, com muitos obstáculos; *dar un tropezón*, encontroar.

tropezoso, sa. *adj.* (fam.) tropeçudo, atrapalhado; hesitante, indeciso, vacilante; duvidoso.

tropical. *adj.* tropical, pertencente ou relativo aos trópicos; que vive ou se acha nos trópicos.

trópico, ca. *adj.* pertencente ou relativo ao tropo; figurado. — *m.* (astr.) trópico, cada um dos círculos menores da esfera celeste.

tropieza. etc. V. **tropezar.**

tropiezo. *m.* esbarrada; encontrão; encontro; entropeço; entorpecimento; trope(ê)ço, estorvo, coisa com que se tropeça; impedimento; (fig.) tropeço, falta, culpa, erro, deslize; obstáculo; estorvo; passo errado; tropeço, tropeção, topada, pancada com o pé; tropeço, dificuldade; embaraço; causa da falta cometida; pessoa com que se comete essa falta; dificuldade, rixa; dissenção; (fig.) empecilho; estorvo; *darse tropiezos*, encontroar-se.

tropismo. *m.* tropismo, movimento des organismos determinados por agentes físicos ou químicos.; taxia.

tropo. *m.* (ret.) tropo, emprego das palavras em diferente sentido a que elas têm; metáfora, emprego de palavras em sentido figurado.

tropología. *f.* tropologia.

tropológico, ca. *adj.* tropológico.

tropómetro. *m.* instrumento para medir a rotação do globo ocular.

troposfera. *f.* troposfera.

troque. *m.* espécie de botão que se faz antes de tingir os panos, para conhecer, depois de tingidos a primitiva cor.

troquel. *m.* troquel, forma para cunhar moedas e madalhas.

troquelar. *v. tr.* cunhar, bater moeda, amoedar.

troqueo. *m.* (poét.) troqueu, pé de verso grego e latino.

troquilo. *m.* (arq.) troquilo, meia-cana, moldura côncava.

troquillón. *m.* pequena meada.

trotador, ra. *s.* e *adj.* trotador, que trota muito e bem; troteiro; que anda ao trote, trotão; troteiro, andejo; corredor; homem que anda depressa.

trotar. *v. intr.* trotar, andar o cavalo a trote; cavalgar, a trote; (fig. e fam.) trotar, andar muito e depressa.

trote. *m.* trote, andamento natural das cavalgaduras; chouto do cavalo e de outros quadrúpedes entre o passo e galope; (fig.) faina apressada e fatigante: *andar a trote gorrinero*, choutar; *andar el correr al trote*, (pop.) estrotejar; *trote gorrinero o muy menudo*, chouto; *trote largo del caballo*, (Bras.) chasqueiro; *para todo trote*, para uso diário e continuado.

trotear. *v. intr.* V. **trotar.**

trotón, na. *adj.* trotão, diz-se do cavalo cujo passo ordinário é o trote; troteiro. — *m.* cavalo, corcel.

trotona. *f.* dama de companhia.

trotonería. *f.* trote contínuo, acção de trotar contìnuamente.

trousseau. (palavra francesa) *m.* bragal, enxoval.

trova. *f.* V. **verso**; verso composição métrica formada à imitação doutra; verso escrito especialmente para canto; canção amorosa composta ou cantada pelos trovadores; (Amér.) mentira, engano.

trovador, ra. *adj.* e *m.* trovador, que trova; trovador, poeta provençal da Idade Média; poeta lírico, poetisa; trovador, bardo, menestrel; troveiro.

trovadoresco, ca. *adj.* trovadoresco, pertencente ou relativo aos trovadores.

trovar. *v. intr.* trovar, fazer versos. — *v. tr.* exprimir em cantigas. — *v. tr.* imprimir diverso sentido ao que se diz; cantar em verso, trovar.

trovera, trovero. *m.* troveiro, poeta da língua de *oil*, na literatura francesa.

Troya. (geog.) Tróia: *allí, ahí fue Troya*, (fam.) frase com que se indica um acontecimento desgraçado; *¡arda Troya!*, arda Tróia!, avante, suceda o que suceder.

troza. (mar.) ligação de dois cabos grossos forrados de couro.

trozar. *v. tr.* despedaçar, quebrar, torar, dividir em toros o tronco duma árvore; fazer troços.

trozo. *m.* tro(ô)ço, fra(c)ção; faneco; bocado, fragmento; trecho; (mar.) troço, turma de marinheiros: *trozo de un libro,* lugar; *trozo pequeño,* fanico, fanique, mica; *un trozo de papel,* um bocado de papel.

truán. *m.* truão. V. **truhán.**

trucar. *v. intr.* trucar, fazer a primeira parada no truque; fazer truques nos jogos de bilhar ou de cartas.

truco. *m.* truque nos jogos; truque, ardil, treta, tramóia; (prov.) chocalho grande; (Amér.) punhada, murro; truque, espécie de bilhar comprido.

truculencia. *f.* truculência, qualidade do que é truculento; ferocidade; crueldade.

truculento, ta. *adj.* truculento, cruel; feroz; ferino.

trucha. *f.* (ictiol.) truta, peixe salmónide; (mec.) cábrea; (fig.) pessoa astuta: *trucha asalmonada,* truta salmoneja; *de color de trucha,* atrutado; *no se pescan truchas a bragas enjutas,* não se pescam trutas a bragas enxutas.

truchero. *m.* pescador ou vendedor de trutas.

truchimán, na. *s.* (fam.) pessoa astuta, pouco escrupulosa; espertalhão; turgimão, intérprete, pessoa de negócios; (fam.) faraute, agente de negócios.

truchuela. *f.* bacalhau seco mais delgado que o comum; badejo pequeno.

trueco. *m.* troca, troco, câmbio: *en, o a trueco,* a troco, em troco.

trueno. *m.* trovão, ribombo produzido por descarga eléctrica na atmosfera; estampido de arma de fogo; ruído estrondoso que acompanha a descarga eléctrica; (fig.) estroina, estouvado.

trueque. *m.* troca, permutação, câmbio; mudança; conversão; escambo; troca, transformação; substituição, (pop.) alborque; contracâmbio: *trueque de cosas de poco valor,* (fam.) barganha; *en trueque,* em câmbio, em lugar de, em vez de.

trufa. *f.* (bot.) trufa, túbera, cogumelo subterrâneo; (fig.) mentira, fábula, patranha, peta; conto; blague.

trufar. *v. tr.* e *intr.* inventar mentiras, patranhas; mentir, enganar; trufar, rechear ou guarnecer com trufas.

truhán, na. *adj.* e *s.* trapaceiro, truão, impostor; que vive de enganos e trapaças; bobo; palhaço; embusteiro; chocarreiro.

truhanada. *f.* V. **truhanería;** truanice.

truhanear. *v. intr.* enganar, lograr, trapacear, mentir; gracejar; chocarrar; truanear; fazer de truão; levar vida de truão; truanear, fazer truanices.

truhanería. *f.* truania, truanice; acção ou dito de truão; conjunto de truões; calote; fraude; trapaça; chocarrice; impostura, momice; palhaçada; embuste.

truhanesco, ca. *adj.* truanesco, próprio de truão; próprio de trapaceiro, de impostor, de caloteiro; chocarreiro.

trujamanear. *v. intr.* interpretar, servir de turgimão; trocar, permutar uns géneros por outros; intervir como corretor em compras e vendas.

trujamanía. *f.* corretagem; ofício de intérprete ou turgimão.

trulla. *f.* bulha, barulho, algazarra; tropel, vozearia; turba, multidão de gente; trolha, colher de pedreiro.

truncado, da. *p. p.* de *truncar* e *adj.* truncado; mutilado; privado duma parte essencial; incompleto; destroncado; decepado.

truncamiento. *m.* truncamento; mutilação; decapitação; decepamento.

truncar. *v. tr.* truncar, decepar, cortar; mutilar; decapitar; (fig.) truncar, omitir palavras em frases ou escritos; truncar, interromper uma obra, deixando-a incompleta; (fig.) destroncar.

trunco, ca. *adj.* (Amér.) truncado, mutilado; incompleto.

trust. *m.* (angl.) trust, monopólio.

tsetsé. *f.* (entom.) tsé-tsé.

tú. *pron. pers.* tu, nominativo e vocativo do pronome pessoal da segunda pessoa no singular: *tratar de tú,* tratar por tu; *tú por tú,* tu, por tu; *de tú por tú,* com grande intimidade.

tu, tus. *pron. pos.* apócope de *tuyo, tuya, tuyos, tuyas;* teus, teu, tua; só se empregam antepostos ao substantivo ou adjectivo.

tubario, ria. *adj.* (med.) tubário.

tuberáceo, a. *adj.* (bot.) tuberáceo. — *f. pl.* tuberáceas.

tuberculado, da. *adj.* (bot.) tuberculado.

tuberculífero, ra. *adj.* tuberculífero.

tuberculiforme. *adj.* (bot.) tuberculiforme.

tuberculina. *f.* (bioquím.) tuberculina.

tuberculinización. *f.* (med.) tuberculinização.

tuberculinizar. *v. tr.* (med.) tuberculinizar.

tuberculización. *f.* (med.) tuberculização, tuberculose.

tuberculizar. *v. tr.* e *r.* tuberculizar, tornar-se tuberculoso.

tubérculo. *m.* (bot. e med.) tubérculo.

tuberculosidad. *f.* tuberculosidade.

tuberculosis. *f.* (med.) tuberculose; tísica; (Bras.) delicada: *tuberculosis incipiente,* tuberculose incipente; *tuberculosis avanzada o galopante,* tuberculose adiantada; *tuberculosis pulmonar,* tuberculose pulmonar; *tuberculosis ósea,* tuberculose óssea.

tuberculoso, sa. *adj.* e *s.* tuberculoso, tísico.

tubería. *f.* tubagem, conjunto de tubos; fábrica, oficina ou comércio de tubos.

tuberífero, ra. *adj.* (bot.) tuberífero, que tem tubérculo.

tuberiforme. *adj.* tuberiforme.

tuberosa. *f.* (bot.) nardo. V. **nardo.**

tuberosidad. *f.* tuberosidade; tumor; inchação.

tuberoso, sa. *adj.* tuberoso, que tem tuberosidade.

tubífero, ra. *adj.* (biol.) tubífero.

tubiforme. *adj.* tubiforme.

tubo. *m.* tubo, canal cilíndrico por onde passam fluidos; tubo, cano, peça oca de vidro que se coloca nos candeeiros para activar a chama: *tubo de pasta dentífrica, medicamentos, etc.,* bisnaga; *tubo de vidrio,* empola; *tubo digestivo,* tubo digestivo; *tubo lanzatorpedos,* (mar.) tubo lança-torpedos; *tubo de drenaje,* (med.) tubo de drenagem.

tubulado, da. *adj.* V. **tubular.**

tubuladura. *f.* (mec.) abertura ou orifício que têm certas vasilhas por onde se mete um tubo.

tubular. *adj.* tubular, tubiforme, pertencente ao tubo; que tem forma de tubo ou é formado de tubos.

tuciorismo. *m.* doutrina de teologia moral, que segue a opinião mais favorável á lei.

tuciorista. *s.* pessoa que segue a opinião mais segura nos pontos discutidos da moral.

tudel. *m.* tubo de metal que se coloca no cimo dalguns instrumentos músicos de sopro.

tudesco, ca. *adj.* e *s.* (geog.) tudesco; (por ext.) alemão. — *m.* capote alemão.

tueca. *f.* toco de árvore. V. **tueco.**

tueco. *m.* toco, parte do tronco que fica ligado à terra, depois de cortada a árvore; cavidade produzida pela carcoma nas madeiras.

tuerca. *f.* porca de parafuso.

tuerce. *m.* torcedura, torção; acção de torcer. V. **torcedura;** (Amér.) desdita, infelicidade.

tuérdano. *m.* (prog.) caniços colocados na cozinha que não tem chaminé, para recolher a fuligem.

tuero. *m.* trasfogueiro, acha; lenha para o lume; (Amér.) jogo das escondidas.

tuerto, ta. *p. p. irreg.* de *torcer* e *adj.* torto; vesgo, torto, zarolho; (Bras.) caolho, pecém. — *m.* injustiça, agravo, injúria.—*pl.* cólicas que sobrevêm após o parto: *a tuerto,* injustamente; *a tuertas,* às avessas, de esguelha.

tueste. *m.* tostadura. V. **tostadura.**

tuétano. *m.* medula, tutano: *hasta los tuétanos,* até à medula, até o mais íntimo.

tufarada. *f.* baforada, cheiro forte que se percebe de repente.

tufillas. *s.* (fam.) assomadiço, pessoa que se zanga fàcilmente; arrebatado.

tufo. *m.* vapor, exalação, emanação das fermentações e combustões; (fig.) cheiro activo e desagradável; (fam.) soberba, orgulho, vaidade; cheiro, suspeita; tufo calcário; tufo de cabelos.

tugurio. *m.* tugúrio, choça de pastores, choupana; (fig.) tugúrio, habitação mesquinha.

tuición. *f.* (for.) tuição, defesa, acção e efeito de guardar.

tuina. *f.* espécie de jaquetão comprido e folgado.

tuitivo, va. *adj.* (for.) tuitivo, que guarda e defende.

tul. *m.* tule, tecido leve que toma a forma de malha.

tule. *m.* (Amér.) V. **espadaña.**

tulio. *m.* (quím.) tulio.

tulipa. *f.* (bot.) túlipa pequena; túlipa, pantalha, quebra-luz em forma de túlipa.

tulipán. *m.* (bot.) túlipa, planta e a sua flor.

tullecer. *v. tr.* tolher, paralisar. V. **tullir.** — *v. intr.* ficar tolhido.

tullidez. *f.* V. **tullimiento.**

tullido, da. *p. p.* de *tullir* e *adj.* e *s.* aleijado; entrevado; encarangado; tolhido, paralítico; entrevado: *ser tullido a golpes,* apanhar pancadas; *tullido por causa del frío,* encarangado.

tullidura. *f.* (cetr.) excremento das aves de rapina.

tullimiento. *m.* entrevação; tolhimento; acção e efeito de tolher; paralisia.

tullir. *v. tr.* e *r.* entrevar-se, encarangar; tolher, paralisar; ficar paralítico; tolher-se, entrevar-se. — *v. intr.* (cetr.) expelir o excremento (as aves de rapina). — *conj. irreg.* como *mullir.*

tumba. *f.* tumba, túmulo, ataúde; sepulcro; essa, catafalco; tejadilho arqueado de certas carruagens; cambalhota no ar; tombo; baile que esteve em voga na Andaluzia.

tumbadillo. *m.* (mar.) tombadilho de pequena embarcação.

tumbado, da. *p. p.* de *tumbar* e *adj.* abaulado, convexo (em forma de túmulo); deitado.

tumbar. *v. tr.* tombar, deitar abaixo; deitar; fazer tombo em; derrubar; inclinar; (fig.) matar; (fig. e fam.) perturbar, entontecer. — *v. intr.* cair, rolar por terra. — *v. r.* deitar-se, deitar-se a dormir; (fig.) desistir dum trabalho; afrouxar; voltar-se; virar-se; estender-se; estirar-se pelo chão; (mar.) dar de quilha o navio.

tumbilla. *f.* armação de madeira onde se coloca um braseiro para aquecer a cama.

tumbo. *m.* vaivém, balanço violento; solavanco; tombo, queda, ondulação das ondas do mar ou de terreno; ribombo, estrondo; queda; trambolhão: *tumbo de dado,* perigo iminente; *dar tumbos,* andar aos tombos, andar de cá para lá.

tumbo. *m.* tombo, livro grande de pergaminho de igreja ou convento que servia para registo dos privilégios.

tumbón, na. *adj.* (fig.) madraço, madraceiro, madraceador, madraceirão; (fam.) V. **socarrón;** astuto; preguiçoso, ocioso.

tumefacción. *f.* (med.) tumefa(c)ção, efeito de inchar; inchaço; bojadura; intumescente, intumescência: acção e efeito de tumefazer: *tumefacción de la piel,* (med.) edema.

tumefacer. *v. tr.* e *r.* causar tumefacção, inchar, intumescer.

tumefacto, ta. *adj.* tumefa(c)to, inchado, túmido; encarniçado; tumefazer.

tumescencia. *f.* (med.) intumescência, inchação; qualidade de tumente.

tumescente. *adj.* inchado, que se incha.

túmido, da. *adj.* túmido, inchado; (arq.) diz-se do arco ou abóbada que é mais largo na metade da sua altura, que na base.

tumor. *m.* (med.) tumor, inchaço anormal nalguma parte do corpo; tumor, inchaço, inchação; dureza; bojadura; abscesso; ajuaga: *tumor acuoso*, alifafe; *tumor blanco*, (med.) edema; *tumor cirroso o canceroso*, cirrosidade; *tumor duro*, lupia; *tumor frío*, alporca; *tumor en la ingle*, (pat.) íngua; *tumor pequeño*, (pat.) microcele; *tumor de la piel*, dermatoma; *tumor debajo de la lengua*, farfalho; *resolución de un tumor*, (med.) detumescência.

tumoroso, sa. *adj.* tumoroso, que tem vários tumores.

tumulario, ria. *adj.* tumular, relativo ou pertencente ao túmulo.

túmulo. *m.* túmulo, monumento funerário em memória dalguém; sepulcro, essa; tumba.

tumulto. *m.* baralhada; banzé; assuada; alvoroçamento; alvoro(ô)ço; inferneira; estrépito; bandoria; barulho; barulhada; desordem; arruído; chinfrim; charivari; azáfama; barafunda; alteração; alvoro(ô)to; (pop.) choldraboldra; tumulto, motim, alvoroto; alvoroto produzido por uma multidão; confusão agitada; desordem ruidosa, tumulto; bulício, grande movimento; sedição, revolta; motim; (fig.) desassossego, agitação.

tumultuar. *v. tr.* e *r.* tumultuar, levantar tumulto ou desordem.

tumultario, ria. *adj.* tumultuário, que causa ou levanta tumultos; tumultuoso; fa(c)cioso; ruidoso; desordenado; amotinado; confuso; turbulento; amotinador.

tumultuoso, sa. *adj.* estrepitoso, estrepitante; barulhento, barulhoso; achinfrinado; atropelado; alevantadiço; estrondoso; tumultuoso, tumultuário.

tuna. *f.* tuna, vadiagem; estudantina. V. **estudiantina:** *correr la tuna.* V. **tunar.**

tunanta. *adj.* e *s.* (fam.) vadia, tunante, taimada, pícara; vagabunda.

tunantada. *f.* tratantada, patifaria; acção própria do tunante; velhacaria; maganeira; barganteria; gaiatada; gaiatice.

tunante. *p. a.* de *tunar* e *m.* tunante, que anda à tuna; frança; meliante; maganão; bargante; galderio; patife; tunante, brejeiro, velhaco; vadio, vagabundo; alfamista; (pop.) bêbado.

tunantear. *v. intr.* vadiar, gaiatar.

tunantería. *f.* estocada; maganeira, maganice; tunantaria, tunantagem; qualidade, acção ou vida de tunante; conjunto de tunantes; picardia; tratada.

tunar. *v. intr.* tunantear, tunar, vadiar, andar à tuna.

tunda. *f.* (fam.) coçadura, coça; desanda; (Bras.) fubeca; (fig.) chegadela; tosadura, acção de tundir (de pano ou tecido); (fam.) tunda sova.

tundear. *v. tr.* tundar, dar tunda em alguém, sovar, espancar.

tundidor. *m.* tosador (de panos ou tecidos).

tundidora. *f.* mulher que tosa panos ou tecidos. — *adj.* diz-se da máquina para tosar panos ou tecidos.

tundidura. *f.* tosadura (do pano ou tecido).

tundir. *v. tr.* tosar (panos ou tecidos); (fig. e fam.) sovar, surrar, espancar; contundir; apalear; magonear.

tundizno. *m.* felpa, resíduos que ficam da tosadura dos panos, borra.

tunear. *v. intr.* V. **tunar**, vadiar.

tunecí, tunecino, na. *adj.* e *s.* tunesino.

tunecino, na. *adj.* e *s.* (geog.) natural de ou pertencente a Tunes; tunesino; diz-se de certo ponto que se faz com agulha de gancho.

túnel. *m.* túnel, caminho subterrâneo aberto artificialmente para estabelecer uma comunicação; galeria subterrânea para dar passagem a uma via de comunicação.

tunera. *f.* nopal.

tunería. *f.* tunantaria, qualidade de tunante, tunantagem.

tungro, gra. *adj.* e *s.* diz-se dos primitivos germanos antes da era cristã.

tungsteno. *m.* tungsténio, metal muito duro.

túngstico, ca. *adj.* (quím.) tungsténico.

túnica. *f.* túnica, vestuário antigo sem mangas; dalmática, vestimenta eclesiástica; túnica, película ou membrana dalguns frutos; (zool.) nome de diversas membranas que envolvem os órgãos dos animais: *Túnica de Cristo*, planta parecida com o estramónio; *túnica blanca del Papa*, fulda; *túnica mora*, alízaba; *la Sagrada Túnica*, vestidura de Jesus Cristo.

tunicado, da. *adj.* (hist. nat.) tunicário, tunicado, envolto por uma túnica.

tunicela. *f.* tunicela, antiga vestidura, episcopal semelhante à dalmática.

túnico. *m.* vestidura larga e comprida usada no teatro; (Amér.) túnica que usam as mulheres; túnica dos religiosos no Chile.

tuno, na. *adj.* e *s.* tunante, velhaco, truão; birbante; magano, maganão; desvairado; frança; (pop.) estoira-vergas, vadio; vagabundo; indivíduo que faz parte de uma tuna.

tuntún (al buen). *loc. adv.* (fam.) sem reflexão nem previsão; sem certeza, por mero palpite; sem conhecimento do assunto: *al buen tuntún*, alto e malo; *actuar al buen tuntún*, desatentar; *disparar al tuntún*, disparar uma arma de fogo sem saber a qual ponto.

tupa. *f.* entupimento, (fig. e fam.) fartote. V. **hartazgo;** (bot.) planta lobeliácea chilena de flores grandes.

tupé. *m.* topete; (fig. e fam.) atrevimento; descaramento; desfaçatez; (pop.) frescura; topete, cabelo da frente da cabeça.

tupido, da. *adj.* e *p. p.* de *tupir*; espesso, muito denso; maciço; apertado; (fig.) obtuso, falto de inteligência, torpe.

tupir. *v. tr.* tupir, apertar muito uma coisa; tupir, atulhar; entulhar; tornar denso. — *v. r.* fartar-se; ofuscar-se a inteligência por fadiga; (fig.) saciar-se, fartar-se; encher a barriga.

tupitaina. *f.* fartote, fartadela.

turba. *f.* turba, combustível formado por substâncias vegetais; esterco misturado com carvão mineral; turba, multidão confusa e desordenada; (burl.) sequ(ü)ela; turba, multidão de povo.

turbación. *f.* turbação, confusão, desordem; alienação; enturvação; empacho; emoção; conturbação; demudança; desvanecimento; deturbação; turbação; perturbação; desassossego; agitação.

turbado, da. *p. p.* de *turbar* e *adj.* turbado, conturbado; demudado; (fig.) alcançadiço; alienado.

turbador, ra. *adj.* e *s.* turbador, que causa turbação; conturbador; conturbativo; fremente; consternador; perturbador, amotinador; agitador.

turbal. *m.* turfeira.

turbamiento. *m.* V. **turbación**; enturvação.

turbamulta. *f.* (fam.) turbamulta, multidão confusa e desordenada; tropel de gente.

turbante. *m.* turbante, cobertura de cabeça usada pelos turcos e outros povos orientais.

turbar. *v. tr.* e *r.* estremecer, enturbar, enturvar; emocionar; desorganizar; desorientar; conturbar; agitar; fremir; deturbar; desconcertar; apavorar; alucinar; (fig.) deslumbrar; (fig.) aguar; turvar, toldar, perturbar; comover; alterar; turvar. — *v. r.* enturvar-se, enturvecer, enturvar; empachar-se; embaçar; estremecer-se; demudar-se; cortar-se.

turbativo, va. *adj.* turbativo, que turva, que inquieta; que causa perturbação.

turbera. *f.* turfeira, jazigo de turfa.

turbia. *f.* turvação da água pela terra: *agua turbia*, água envolta.

túrbido, da. *adj.* túrbido, turvo, escuro.

turbiedad o **turbieza.** *f.* turvação, qualidade de turvo; opacidade, turbação; turbação; ofuscamento.

turbina. *f.* turbina, máquina que é accionada por água ou por vapor; turbina, roda hidráulica horizontal.

turbinado, da. *adj.* (bot.) que tem figura de pião; turbinado.

turbino. *m.* raíz de turbito em pó.

turbio, bia. *adj.* turvo, túrbido, opaco; toldado, escuro; embaciado; (fig.) turvo, duvidoso, perturbado, agitado, confuso, ambíguo; fo(ô)sco; envolto; calamitoso; obscuro, confuso; intrincado, pouco perceptível.

turbión. *m.* aguaceiro, pancada de água com vento forte; (fig.) chuveiro de coisas que caem de repente; com ímpeto; chuveiro, chuva forte, chuva torrencial.

turbonada. *f.* forte aguaceiro com vento e trovões; chuva súbita e violenta.

turboso, sa. *adj.* que tem qualidade da turfa; referente ou relativo à turfa.

turbulencia. *f.* desinquietação, desordem; alteração; alvoroto; tumulto, turbulência; confusão; motim; agitação; desassossego; turbação, estado turvo; alteração da transparência; opacidade.

turbulento, ta. *adj.* turvo; (fig.) endemoninhado; boliço; desordeiro; arruaceiro; barulhento; barulheiro; barulhoso; agitado; demo; demónio; convulsivo; (pop.) desinquieto; desaurido; turbulento, revoltoso, sedicioso; buliçoso, animado.

turca. *f.* (fam.) bebedeira, borracheira; berzunda, berzundela, turca: *coger una turca*, emborrachar-se.

turco, ca. *adj.* e *s.* (geog.) turco, natural da ou pertencente a Turquia: *el gran turco*, grão-turco.

turcomano, na. *adj.* e *s.* diz-se dos indivíduos que pertencem ao povo uralo-altaico, espalhado no Turquestão e nas vizinhanças do Cáucaso; pertencente ou relativo aos turcomanos.

turcople. *adj.* e *s.* diz-se da pessoa filha de pai turco e mãe grega.

túrdiga. *f.* correia, tira de couro ou de pele de qualquer animal.

turdión. *f.* espécie de dança.

turgencia. *f.* (med.) turgência, turgidez, qualidade de turgente; inchação.

turgente. *adj.* (poét.) turgente, túrgido, túmido.

túrgido, da. *adj.* túrgido, dilatado; empolado; inchado.

turibular. *v. tr.* turibular, incensar com turíbulo; (fig.) lisonjear, adular.

turibulario. *m.* turiferário, turibulário; (fig.) adulador.

turíbulo. *m.* incensário; turíbulo, incensório.

turiferario. *m.* V. **turibulario**; turiferário; aquele que leva o turíbulo.

turífero, ra. *adj.* turífero, que produz ou leva incenso.

turificación. *f.* turificação; incensação; (fig.) adulação.

turificar. *v. tr.* turificar, turibular, incensar; (fig.) adular, lisonjear.

turismo. *m.* turismo, gosto pelas viagens; viagens de recreio, turismo; turismo, organização de viagens ou dos meios para fazê-los; viagens de instrução.

turista. *s.* turista, pessoa que viaja para se recrear; pessoa que viaja por diversão; (Bras.) lubâmbulo.

turma. *f.* testículo: *turma de tierra*, túbera, espécie de trufa. V. **criadilla.**

turmalina. *f.* (min.) turmalina, pedra dura que aquecida em certo sentido ou comprida, adquere propriedades eléctricas.

turnar. *v. intr.* alternar, revezar, servir por seu turno (não se usa como v. r.).

turnio, nia. *adj.* e *s.* vesgo, zarolho, diz-se dos olhos vesgos; torto dos olhos; (fig.) severo, carrancudo.

turno. *m.* turno, cada um dos grupos de pessoas que se revezam em certos actos; turma; ordem; vez; alternativa; magote: *esperar su turno*, estar à bica; *por su turno*, por sua vez, alternadamente, por seu turno.

turolense. *adj.* e *s.* (geog.) natural de ou pertencente a Teruel.

turquesa. *f.* molde em geral; baleira, molde para fundição de balas; (min.) turquesa, pedra preciosa, de cor azul, não transparente.

turquesado, da. *adj.* turqui; turquesado, que tem cor de turquesa.

turquesco, ca. *adj.* turquesco, pertencente ou relativo à Turquia: *a la turquesca*, ao uso de Turquia.

turquí, turquino, na. *adj.* turqui, diz-se do azul carregado e sem brilho.

turrar. *v. tr.* torrar, tostar nas brasas; torrificar; assar nas brasas.

turrón. *m.* nogado, doce de nozes, de amêndoas, de pinhões misturados com mel; (fig. e fam.) emprego ou benefício que se obtém do Estado; turrão.

turronería. *f.* loja onde se vende nogado.

turronero, ra. *s.* pessoa que vende ou fabrica nogado.

turulato, ta. *adj.* (fam.) estupefa(c)to estonteado.

turuleque. *m.* (fig.) homem vulgar.

tusa. *f.* (fam.) cadela. — *interj.* usa-se para chamar ou espantar as cadelas.

tusco, ca. *adj.* e *s.* toscano, etrusco.

tusón. *m.* tosão, velo de carneiro ou ovelha; (prov.) poldro que não tem dois anos, puiro.

tusona. *f.* (fam.) rameira; (prov.) poldra que não tem dois anos.

tuteador, ra. *adj.* que tuteia; atuador.

tuteamiento. *m.* V. **tuteo**, tuteamento, tratamento por tu.

tutear. *v. tr.* tutear, falar a alguém por tu; tratar ou tratar-se por tu; atuar.

tutela. *f.* tutela, autoridade concedida para curadoria de menores; tutela, cargo de tutor; (fig.) direcção, amparo, protecção; clientela; (for.) tutela; (fig.) defesa, amparo, sujeição.

tutelar. *adj.* tutelar, pertencente a tutela; que guia, ampara ou defende.

tuteo. *m.* acção e efeito de tutear; tuteamento, tratamento de tu.

tutía. *f.* tutia, óxido de zinco. V. **atutia**.

tutilimundi. *m.* cosmorama.

tutiplén (a). *adv.* (fam.) em abundância; com excesso.

tutor. *m.* tutor, pessoa que tem a seu cargo a tutela de menores ou interditos; estaca com que se ampara um arbusto; tanchão; (fig.) defensor; protector; aio; tutor; defensor; patrono. V. **rodrigón**.

tutora. *f.* tutriz, tutora.

tutoría. *f.* tutela, tutoria; cargo ou autoridade de tutor; (fig.) protecção, amparo; instituição destinada à guarda e amparo dos menores abandonados, delinquentes, etc. V. **tutela**.

tutriz. *f.* (p. us.) tutora. V. **tutora**.

tutti quanti. (expres. italiana) todo o mundo, todos, e sem excepção.

tuyo, ya. *pron. pos. sing.* **tuyos, tuyas**; *pron. pos. pl.* teu, tua, teus, tuas; com a terminação do masculino e no singular.

U

U, u. *f.* vigésima quarta letra do alfabeto espanhol e última das suas vogais; é letra muda nas sílabas *que, qui* e também nas sílabas *gue, gui*; quando nestas tenha som deve levar trema: *antigüedad, lingüística.*

u. *conj. disj.* ou, emprega-se em vez de *o* para evitar cacofonia: *ver u observar*, ver ou observar.

ubérrimo, ma. *adj.* exuberante, bem-acondiçoado; ubérrimo, fertilíssimo, muito abundante.

ubicación. *f.* ubiquação, situação determinada.

ubicar. *v. intr.* situar-se; estar em determinado espaço, sítio ou lugar; aferir.—*v. tr.* e *r.* situar, colocar, situar num sítio determinado; ubicar-se; (Amér.) situar em determinado lugar ou espaço.

ubicuidad. *f.* ubiquidade; o facto de estar presente em toda a parte ao mesmo tempo; ubiquação; qualidade de ubíquo; omnipresença.

ubicuo, cua. *adj.* ubíquo, que está ao mesmo tempo em toda a parte; o(m)nipresente; diz-se sòmente de Deus; (fig.) diz-se da pessoa irrequieta e que tudo quer ver; ubíquo, que tem o dom da ubiquidade.

ubiquidad. *f.* V. **ubicuidad.**

ubiquitario, ria. *adj.* e *s.* diz-se do indivíduo duma seita protestante que nega a transubstanciação.

ubre. *f.* úbere, teta das fêmeas dos animais; conjunto das mesmas.

ubrera. *f.* (med.) dartros; afta na boca das crianças de peito.

Ucrania. (geog.) Ucrânia.

ucranio, nia. *adj.* e *s.* (geog.) ucraniano, natural da ou pertencente a Ucrânia (Rússia).

udómetro. *m.* (fís.) udó(ò)metro, pluviómetro, instrumento para determinar a quantidade de água que cai em determinado lugar.

uesnorueste. *m.* oés-noroeste.

uessudueste. *m.* oés-sudoeste.

ueste. *m.* oeste, rumo, ponto cardeal.

¡uf! *interj.* ufa!, denota cansaço, sufocação, fastio ou repugnância.

ufanarse. *v. r.* ufanar-se, vangloriar-se; envaidar-se; (fig.) arrear-se; ja(c)tar-se desvanecer-se; sentir ufania: *ufanarse ante el espejo*, desvanecer-se diante do espelho.

ufanía. *f.* desvanecimento; ufania; jactância; vanglória; vaidade; (fig.) satisfação, alegria; ostentação; soberba; motivo de honra, de orgulho, de satisfação.

ufano, na. *adj.* ufano, vaidoso; arrogante; emproado; jactancioso; (fig.) ufano; alegre; satisfeito; contente, que procede com desembaraço; orgulhoso, vaidoso, bizarro.

ufo, (a). *adv.* sem ser convidado.

ujier. *m.* porteiro ou criado num edifício público; contínuo dum paço ou tribunal; meirinho, oficial de diligências.

ulano. *m.* (mil.) ulano, soldado da cavalaria ligeira no exército austríaco ou alemão.

úlcera. *f.* (med.) úlcera, chaga, pústula; (vet.) ajuaga; ferida na parte lenhosa das plantas que segregam a seiva: *úlcera corrosiva*, (pat.) lupo, lupus.

ulcerable. *adj.* susceptível, de ulcerar-se.

ulceración. *f.* ulceração; formação de úlcera; a própria úlcera: *ulceración de la mucosa*, (med.) ozena.

ulcerado, da. *p. p.* de *ulcerar* e *adj.* enfistulado; ulcerado; (fig.) profundamente magoado; que conserva muito ressentimento.

ulcerar. *v. tr.* ulcerar, enfistular; causar úlcera em; chagar; (fig.) ulcerar, afligir profundamente; atormentar, mortificar corromper. — *v. r.* converter-se em úlcera.

ulcerativo, va. *adj.* (med.) ulcerativo, que causa ou pode causar úlcera.

ulceroso, sa. *adj.* ulceroso, que tem úlceras; da natureza da úlcera.

Ulema. *m.* Ulema, doutor da lei maometana entre os turcos.

ulfilano, na. *adj.* ulfilano, diz-se dum carácter de letra gótica cuja invenção se diz foi o bispo Ulfilas.

uliginoso, sa. *adj.* uliginoso, uliginário, pantanoso; aplica-se aos terrenos húmidos e às plantas que crescem neste terreno.

ulitis. *f.* (med.) ulite.

ulmáceo, a. *adj.* (bot.) ulmáceo, semelhante ao olmo. — *f. pl.* (bot.) ulmáceas.

ulmaria. *f.* (bot.) erva ulmeira, rainha-dos--prados.

ulmina. *f.* (quím.) resíduo que se obtém do ácido úlmico.

ulorragia. *f.* (pat.) ulorragia.

ulpo. *m.* (Amér.) bebida feita de farinha torrada, água e açúcar.

ulterior. *adj.* ulterior, situado além, que está para além dum lugar ou território; ulterior, que se faz ou executa depois doutra coisa; futuro; ínfimo; ulterior, posterior; que vem ou sucede depois.

ultílogo. *m.* posfácio, o que se escreve num livro depois de acabada a obra.

ultimación. *f.* ultimação, acabamento; conclusão; fim; remate; aperfeiçoamento.

ultimado, da. *p. p.* de *ultimar* e *adj.* ultimado, acabado; concluído; fechado (negócio) definitivo.

ultimador, ra. *adj.* e *s.* ultimador, que ultima.

ultimar. *v. tr.* ultimar, formalizar; desempatar; concluir; acabar; finalizar; terminar; fechar.

ultimátum. *m.* ultimato, condições irrevogáveis; (fam.) resolução definitiva.

ultimidad. *f.* extremidade, qualidade de último ou extremo.

último, ma. *adj.* último, que está depois de todos ou de outros; derradeiro; final; o mais recente; ínfimo; extremo; de fresco; mais novo; mais vil, pior; que está em vigor; actual; irrevogável; decisivo; gravíssimo: *de última fecha*, de data fresca; *ir a la última*, andar na berra; *estar en las últimas*, estar a despedir; almejar; *últimas horas de la noche*, alto a noite; *el último piso*, os altos duma casa; *llegar a lo último*, declinar; *por último*, por despedida, derradeiramente, alfim; enfim.

ultra. *adv.* ultra; além de; demais.

ultracatólico, ca. *adj.* ultracatólico.

ultrajado, da. *p. p.* de *ultrajar* e *adj.* ultrajado; atropelado; desonrado; ofendido; ultrajado, que recebeu ultraje.

ultrajador, ra. *adj.* e *s.* ultrajador, que ultraja; insultador; atropelador; blasfemador; afrontador; difamador.

ultrajar. *v. tr.* ultrajar, denigrar; desonrar; desfeitar; improperar; insultar; difamar; afrontar; injuriar; desprezar; (fig.) enxovalhar; atropelar; ultrajar, fazer ultraje a; insultar; ofender a dignidade; ofender os preceitos de; blasfemar.

ultraje. *m.* ultraje, desconsideração; desonra; convício; desafo(ô)ro; enxovalhamento; enxovalho; afronta; atropelação; impropério; denigração; (fig.) atropelamento; enxovalho; ultraje, afronta, injúria; insulto; desprezo; ofensa; vexame; desacato; (fig.) violação: *reparar un ultraje*, desultrajar; *vengar un ultraje*, desagravar.

ultraliberal. *adj.* e *s.* ultraliberal, pertencente ou relativo ao ultraliberalismo; que segue as doutrinas do ultraliberalismo.

ultraliberalismo. *m.* ultraliberalismo.

ultramar. *m.* ultramar, ultramarino, que está doutro lado do mar; terras, país de além do mar; (pint.) cor azul ultramarino; tinta azul extraída do lápis-lazúli.

ultramarino, na. *adj.* ultramarino, que está doutro lado do mar; do ultramar, colonial; diz-se dos artigos trazidos da outra parte do mar; relativo ao ultramar; situado no ultramar; (pint.) azul ultramarino. — *pl.: tienda de ultramarinos*, loja de comestíveis.

ultramaro. *m.* diz-se do azul ultramarino.

ultramicroscopia. *f.* ultramicroscopia.

ultramicroscópico, ca. *adj.* ultramicroscópico.

ultramicroscopio. *m.* ultramicroscópio.

ultramontanismo. *m.* ultramontanismo.

ultramontano, na. *adj.* e *s.* ultramontano, que está da outra parte dos montes; transmontano.

ultramundano, na. *adj.* supramundano, que excede ao mundano.

ultranza (a). *adv.* de morte; até à morte; resolutamente; a todo o transe.

ultrapasar. *v. tr.* ultrapassar, exceder, transpor, passar além de.

ultrarrápido, da. *adj.* ultra-rápido.

ultrarrealismo. *m.* ultra-realismo.

ultrarrealista. *adj.* e *s.* ultra-realista.

ultrarrojo, ja. *adj.* (fís.) ultravermelho.

ultraterreno, na. *adj.* ultra-terreno.

ultratumba. *adv.* além da morte; além-túmulo.

ultrasonido. *m.* ultra-som.

ultraviolado, da. *adj.* (fís.) ultravioleta.

ultravioleta. *adj.* (fís.) ultravioleta.

ultrazodiacal. *adj.* ultrazodiacal.

ululación. *f.* ululação, uivo, bramido.

ulular. *v. intr.* ulular, soltar gritos lamentosos, uivar, ganir; bramar; gritar com alaridos.

ululato. *m.* uivo; clamor; lamento; grito lamentoso; alarido.

ulváceas. *f. pl.* (bot.) ulváceas.

umbelado, da. *adj.* (bot.) umbelado; umbelífero.

umbelífero, ra. *adj.* (bot.) umbelífero. — *f. pl.* (bot.) umbelíferas.

umbilicado, da. *adj.* umbilicado, semelhante ao umbigo.

umbilical. *adj.* umbilical, pertencente ao umbigo: *cordón umbilical*, cordão umbilical.

umbráculo. *m.* (bot.) umbráculo, cobertiço para abrigar as plantas do sol.

umbral. *m.* umbral, ombreira de porta, limiar, soleira; pedra debaixo do portal; contrafrechal; (fig.) porta, entrada, estreia, primeiro passo, princípio de qualquer coisa; (arq.) viga para sustentar uma parede que está por cima: *estar en el umbral de la muerte*, ter os dias contados.

umbralar. *v. tr.* (arq.) colocar o contrafrechal sobre uma porta ou janela.

umbrático, ca. *adj.* umbrático, umbroso, pertencente a sombra; que faz sombra.

umbrátil. *adj.* umbroso; que tem sombra ou aparências de uma coisa; alegórico, figurado.

umbria. *f.* umbria, lugar sombrio; parte sombria do terreno, voltada para o Norte.

umbrío, a. *adj.* umbroso, sombrio, que está na sombra.

umbroso, sa. *adj.* umbroso, sombrio, que tem ou produz sombra; copado; escuro; frondoso.

un, una. *art. determ.* e *s.* um, uma. — *adj.* um: *a una,* à uma, unânimemente; *ni uno,* nem um; *uno a uno,* um a um.

unalbo, ba. *adj.* diz-se da cavalgadura que tem uma pata calçada.

unánime. *adj.* unânime; geral; de comum acordo ou parecer; absolutamente, concorde; sem excepção; constante. — *pl.* todos da mesma opinião.

unanimidad. *f.* unanimidade, conformidade geral de opiniões, votos, etc.; concordância: *por unanimidad,* por unanimidade, por aclamação.

uncidor, ra. *adj.* e *s.* que junge ou serve para jungir.

unciforme. *adj.* (anat.) unciforme, em forma de gancho ou de unha.

uncinado, da. *adj.* uncinado, unciforme; recurvo como as garras duma ave.

unción. *f.* junção, acto de jungir; unção; untura; sentimento piedoso; extrema--unção; aplicação dos Santos Óleos; devoção e recolhimento; (mar.) vela pequena. — *pl.* (med.) pomada mercurial.

uncionario, ria. *adj.* que toma ou põe pomadas mercuriais. — *m.* aposento ou quarto destinado à aplicação destas pomadas.

uncir. *v. tr.* jungir, cangar, atar ao jugo os animais; encangar.

undante. *adj.* undante; ondulante; undoso.

undecágono, na. *adj.* e *m.* (geom.) undecágono, hendecágono.

undécimo, ma. *adj.* e *s.* undécimo, décimo primeiro.

undécuplo, pla. *adj.* e *s.* undécuplo.

undísono, na. *adj.* (poét.) undíssono, que soa como as ondas.

undívago, ga. *adj.* (poét.) undívago, que ondula ou se move como as ondas.

undoso, sa. *adj.* undoso, undante; onduloso, que forma ondas.

undulación. *f.* ondulação; (fís.) onda; undulação.

undular. *v. intr.* ondular, ondear; serpear.

undulatorio, ria. *adj.* (fís.) ondulatório, diz--se do movimento de ondulação.

ungido, da. *p. p.* de *ungir* e *adj.* ungido, que recebeu unção; untado; que recebeu a Extrema-Unção. — *m.* ungido, aquele que recebeu os Santos Óleos.

ungimiento. *m.* unção; untura, untadura, untadela.

ungir. *v. tr.* ungir; untar, olear; ungir, aplicar os Santos Óleos a; sagrar.

ungüentario, ria. *adj.* ungu(ü)entário, ungu(ü)entáceo.

ungüento. *m.* ungu(ü)ento, o que serve para ungir ou untar; unguento, medicamento para uso externo; unguento, droga com que se perfumava o corpo; untura; (fig.) qualquer coisa que amolece o ânimo ou a vontade.

unguiculado, da. *adj.* e *s.* (zool.) ungu(ü)iculado.

unguis. *m.* (anat.) úngu(ü)is, ossinho da parte anterior e interna da órbita.

ungulado, da. *adj.* e *s.* (zool.) ungulado, que tem casco ou unhas.

ungular. *adj.* ungueal, relativo às unhas.

unialado, da. *adj.* (zool.) unialado.

uniangular. *adj.* uniangular.

uniarticulado, da. *adj.* (zool.) uniarticulado.

uniaxial. *adj.* uniaxial.

uniaxil. *adj.* uniaxial, provido só de um eixo.

unible. *adj.* unível, que pode ser unido.

unicapsular. *adj.* (bot.) unicapsular.

unicaule. *adj.* (bot.) unicaule.

unicelular. *adj.* unicelular, que só tem uma célula.

unicidad. *f.* unicidade, qualidade de único.

único, ca. *adj.* único, que é só no seu género ou espécie; (fig.) único, singular, excepcional; extraordinário, extravagante; sem precedentes; exclusivo; sem-par; inigualável; incomparável; incrível; inconfundível.

unicolor. *adj.* unicolor, duma só cor.

unicornio. *m.* (zool.) unicórnio, rinoceronte; unicórnio, animal fabuloso; marfim fóssil do mastodonte; (astr.) constelação boreal.

unidad. *f.* unidade; unidade, singularidade; união, conformidade; unidade, objecto único; unidade, a base da numeração, o número um; (mil.) unidade, corpo de exército; (fig.) uniformidade; conformidade de sentimentos, opiniões, etc.; unidade, harmonia de conjunto.

unido, da. *p. p.* de *unir* e *adj.* unido, junto, ligado; íntimo; pegado. — *pl.* confederados; estreitamente afeiçoados.

unidor, ra. *adj.* que une ou junta.

unificación. *f.* unificação; união; federação; centralização.

unificar. *v. tr.* unificar, reunir num todo; tornar uno; unificar, fazer convergir para um só fim. — *v. r.* reunir-se em um todo.

unifoliado, da. *adj.* (bot.) unifoliado, unifólio.

uniformador, ra. *adj.* uniformizador, que uniforma.

uniformar. *v. tr.* uniformar, uniformizar, tornar uniforme; distribuir uniformes; fardar. — *v. r.* fardar-se.

uniforme. *adj.* uniforme, igual, semelhante, que não muda; que é sempre igual; idêntico; unânime; monótono. — *m.* uniforme, peça de vestuário; uniforme, vestuário militar, farda, fardamento.

uniformidad. *f.* uniformidade, qualidade de uniforme, semelhança; monotonia; coerência; constância.

uniformizar. *v. tr.* uniformizar, uniformar. V. **uniformar.**

unigamia. *f.* unigamia, monogamia.

unigamo, ma. *adj.* e *s.* unígamo, monógamo.

unigénito, ta. adj. unigé(ê)nito, diz-se do filho único. — m. unigénito, filho único; (por anton.) Filho de Deus.

unilabiado, da. adj. (bot. e zool.) unilabiado.

unilateral. adj. unilateral, diz-se do que se refere a uma parte ou a um aspecto dalguma coisa; (bot.) unilateral: *contrato unilateral*, contrato unilateral.

unilobulado, da. adj. unilobulado, unilobado.

unilocular. adj. (bot.) unilocular.

uniocular. adj. unioculado, unóculo.

unión. f. união; correspondência e conformidade duma coisa com outra; união, ajuntamento, contacto; ligação; associação; adesão; harmonia; inteligência; acordo, pacto; casamento; aliança; confederação; união, coito de animais; conformidade e concordia dos ânimos ou vontades; companhia; proximidade; (Amér.) encaixe (renda); consolidação: *la unión hace la fuerza*, a união faz a força.

unionismo. m. unionismo, doutrina dos unionistas.

unionista. s. e adj. unionista, diz-se da pessoa, partido, etc., que mantém qualquer ideia de união.

uniovulado, da. adj. (bot.) uniovulado.

uníparo, ra. adj. uníparo.

unipede. adj. unipedal, que tem um só pé.

unipersonal. adj. unipessoal.

unipétalo, la. adj. (bot.) unipétalo.

unipolar. adj. unipolar.

unipolaridad. f. (fís.) unipolaridade.

unir. v. tr. unir, formar um; unificar; reunir; congregar; unir, estabelecer comunicação; misturar; atar; achegar, acercar; unir, casar, dispor e autorizar o matrimónio; (fig.) ligar por amizade; conciliar; (fig.) concordarem as vontades, ânimos ou pareceres; aderir; ajustar; (cir.) unir, fechar a ferida. — v. r. unir-se, juntar-se; casar-se; aliar-se; combinar-se; associar-se.

unirrefringerante. adj. (fís.) unirrefringente.

unisexual. adj. unissexual.

unisexualidad. f. unissexualidade.

unisón. adj. uníssono. — m. trecho de música cujos tons ou sons são iguais.

unisonancia. f. unissonância; monotonia.

unisonar. v. intr. soar em uníssono ou no mesmo tom duas vozes ou instrumentos.

unísono, na. adj. uníssono, que tem o mesmo tom; constante; concorde; que não há discrepância: *al unísono*, em uníssono.

unitario, ria. adj. e s. unitário, sectário, que não reconhece em Deus mais que uma só Pessoa; unitário, partidário da unidade em matéria política; unitário, que tende para a unidade ou a conserva.

unitarismo. m. (rel.) unitarismo.

unitivo, va. adj. unitivo, próprio para unir ou unir-se.

univalente. adj. (quím.) univalente.

univalvo, va. adj. univalve, diz-se da concha duma só peça; univalve, diz-se dos moluscos que tem só uma valva. — m. univalve, diz-se dos frutos capsulares.

universal. adj. universal, que se refere a toda uma espécie; diz-se das pessoas versadas em muitas ciências; universal, de todo o mundo; geral; que se estende a todo o mundo, a todos os países, a todos os tempos. — m. o que é universal; (filos.) universal; ecumé(ê)nico.

universalidad. f. universalidade, qualidade de universal; totalidade; generalidade; universalidade, compreensão de muitas coisas; universalidade; ecumenicidade; generalidade de notícias; (rel.) universalidade da Igreja; universalidade, que abrange todos os conhecimentos.

universalismo. m. universalismo.

universalista. adj. e s. universalista, que é partidário do universalismo.

universalización. f. universalização; generalização.

universalizar. v. tr. universalizar, tornar universal; generalizar.

universidad. f. universidade, instituto público de ensino onde se concedem os graus de distintas faculdades; universidade, edifício destinado a estes ensinos; conjunto de pessoas que formam uma corporação; universalidade, conjunto de escolas chamadas faculdades ou colégios.

universitario, ria. adj. pertencente ou relativo à universidade; universitário. — m. catedrático de universidade; estudante de universidade.

universo, sa. adj. universo, universal. — m. universo, mundo, conjunto de todas as coisas existentes; a terra, os seus habitantes.

univocación. f. univocação, acção e efeito de ser unívoco.

univocarse. v. r. ser unívoco; convir na mesma razão duas ou mais coisas.

unívoco, ca. adj. unívoco, que designa muitos objectos distintos, mas do mesmo género. — s. unívoco, homónimo; semelhante.

uno, na. adj. uno, singular, único no seu género; na sua espécie; idêntico; um, pessoa indeterminada; mesmo. — m. unidade, quantidade que se toma como termo de comparação; signo com que se expressa a unidade; indivíduo de qualquer espécie; um, algarismo aritmético. — pl. uns, alguns: *de uno*, dum; *uno después de otro*, arrevessadamente; *el uno y el otro*, ambos; *uno a uno*, um a um; *tengo aqui unos cuarenta escudos*, tenho aqui uns quarenta escudos; *uno a otro*, um a outro.

untado, da. p. p. de *untar* e adj. untado; contrafeito; besuntado.

untador, ra. adj. e s. untador, que unta.

untadura. f. untadura, untura, untadela.

untar. v. tr. untar, friccionar, esfregar com unto ou qualquer substância oleosa; besuntar; engordurar; lubrificar; (fig.) untar as mãos, corromper com dinheiro; peitar, subornar; apropriar-se, ficar com alguma coisa do que se maneja (especialmente dinheiro). — v. r. manchar-se casualmente.

untaza. *f.* enxúndia, banha, gordura de animal.

unto. *m.* enxúndia; unto, untura, banha; gordura; untura, unguento, unto: *unto de rana o de Méjico*, dinheiro com que se suborna.

untuosidad. *f.* untuosidade, qualidade do que é untuoso.

untuoso, sa. *adj.* untuoso, untado; escorregadio; pingue; engordurado; pegajoso; (fig.) que tem unção.

untura. *f.* untadura, untadela; besuntadela; untura, substância com que se unta.

uña. *f.* unha, lâmina córnea que reveste a extremidade dorsal dos dedos; unha, garra de certos animais; unha, casco dos paquidermes e ruminantes; pisadura produzida nas cavalgaduras pelos arreios; unha, extremidade dalguns instrumentos; entalhe que se faz no interior dalgumas peças de madeira; (fig. e fam.) unhas, propensão para roubar; (mar.) ponta triangular em que se rematam os braços da âncora: *herir con las uñas*, agafanhar; *uñas de gato*, (bot.) arroz-dos-telhados ou dos ratos; *ponerse de uñas*, pôr-se nos bicos dos pés; *quitar o arrancar las uñas*, desunhar; *de uñas córneas en los pies*, cornípede: *son como uña y carne*, eles são duas almas num corpo.

uñada. *f.* unhada, traço, arranhadura, ferimento feito com as unhas; arranhadela. V. uñarada.

uñarada. *f.* unhada, arranhão, rasgão com a unha.

uñate. *m.* (fam.) unhamento, acção e efeito de apertar com a unha; certo jogo de rapazes. V. uñeta.

uñero. *m.* (med.) unheiro, inflamação na raíz da unha; ferida que produz o crescimento defeituoso da unha.

uñidura. *f.* acção e efeito de *uñir*; união.

uñoso, sa. *adj.* que tem unhas compridas.

¡upa! *interj.* upa!, voz que serve para incitar alguém, levantar algum peso ou a levantar-se.

upupa. *f.* V. abubilla, pássaro.

uralita. *f.* uralita, material de construção.

uraloaltaico, ca. *adj.* uralo-altaico.

uranio. *m.* (quím.) urânio, metal branco como a prata muito duro fundível a elevadíssima temperatura.

uranio, nia. *adj.* pertencente ou relativo aos astros e ao espaço celeste.

uránico, ca. *adj.* (quím.) urânico, relativo ao urânio.

uranita. *f.* (quím.) uranite.

Urano. *m.* Úrano, planeta muito maior que a Terra.

uranografía. *f.* uranografia.

uranográfico, ca. *adj.* uranográfico.

uranógrafo. *m.* uranógrafo.

uranología. *f.* uranologia.

uranológico, ca. *adj.* uranológico.

uranometría. *f.* uranometria.

uranométrico, ca. *adj.* uranométrico.

uranómetro. *m.* uranó(ô)metro.

uranoplastia. *f.* (cir.) uranoplastia.

urari. *m.* veneno usado para empeçonhar as frechas.

urato. *m.* (quim.) urato, sal de ácido úrico.

urbanidad. *f.* urbanidade, afabilidade, civilidade; delicadeza, cortesia; cortesania; educação; apacibilidade; galantaria; : *falta de urbanidad*, desatenção; *urbanidad fingida*, cortesanice.

urbanización. *f.* urbanização; embelezamento e arranjo das cidades e lugares de turismo; acto de urbanizar.

urbanizar. *v. tr.* urbanizar, edificar; tornar urbano, civilizar; urbanizar, converter em povoado um terreno, rasgando ruas, calcetando, iluminando, etc.

urbano, na. *adj.* urbano, próprio de cidade; que diz respeito a cidade; (fig.) urbano, cortês, afável; cortesão; civil; atencioso; urbano, conveniente; educado; galante; polido (Bras.) agente da polícia.

urbe. *f.* urbe, cidade especialmente muito grande e populosa.

urca. *f.* (mar.) charrua; urca, embarcação grande de transporte; (zool.) orca, cetáceo.

urcealar, urceolado, da. *adj.* (got.) diz-se dos órgãos em forma de orça.

urdidera. *f.* urdideira, teceola, tecedeira; urdideira, aparelho para urdir a teia.

urdido, da. *p. p.* de *urdir* e *adj.* urdido (fig.) urdido, promovido: *está bien urdido*, está bem achado.

urdidor, ra. *adj.* e *s.* urdidor, que urde; tecelão, tecedeira; urdideira, aparelho para urdir; (fig.) urdidor, que trama ou promove; promotor; intriguista.

urdidura. *f.* urdidura, conjunto de fios por entre os quais passa a trama; (fig.) enredo; intriga; trama, entrecho dum romance ou peça de teatro.

urdi(e)mbre. *f.* urdume, urdimento, urdidura; os fios da teia; (fig.) trama, entrecho; intriga; maquinação; urdidura, acção de tramar alguma coisa; enredo.

urdir. *v. tr.* urdir, entretecer; pôr por ordem os fios duma teia para se fazer o tecido; (fig.) urdir, intrigar, tramar, maquinar, dispor cautelosamente alguma coisa; intrigar, enredar; maquinar; preparar ardilosamente.: *urdir un complot*, conspirar; *urdir intrigas*, entretecer intrigas; mexer a treta, urdir uma intriga.

urea. *f.* (quim.) ure(é)ia, substância azotada que se encontra na urina.

uredospora. *f.* (bot.) uredospore.

uremia. *f.* (med.) uremia, intoxicação produzida por mau funcionamento dos rins.

urémico, ca. *adj.* uré(ê)mico.

urente. *adj.* urente, que queima, ardente, abrasador.

ureómetro. *m.* ureó(ô)metro.

uréter. *m.* (anat.) uréter.

urétera. *f.* (anat.) uretra.

ureteralgia. *f.* (pat.) ureteralgia.

ureterálgico, ca. *adj.* ureterálgico.

uretérico, ca. *adj.* ureterérico.

ureteritis. *f.* (pat.) ureterite.

urético, ca. adj. (anat.) urétrico, pertencente ou relativo à uretra.
uretra. f. (anat.) uretra.
uretral. adj. (anat.) uretral.
uretralgia. f. (pat.) uretralgia.
uretrálgico, ca. adj. uretrálgico.
uretritis. f. (med.) uretrite.
uretrorragia. f. (pat.) uretrorragia.
uretroscopia. f. (cir.) uretroscopia.
uretroscópico, ca. adj. uretroscópico.
uretroscopio. m. (cir.) uretroscópio.
uretrostenia. f. (pat.) uretrostenia, uretrostenose.
uretrotomía. f. (cir.) uretrotomia.
uretrotómico, ca. adj. (cir.) pertencente ou relativo à uretrotomia.
uretrótomo. m. (cir.) uretrótomo.
urgencia. f. urgência, qualidade do que é urgente; necesidade urgente; exigência; urgente; pressa; falta do preciso; urgência, obrigação de cumprir sem demora; necessidade imediata.
urgente. p. a. de urgir e adj. urgente, que urge; que não admite delongas; apressador; exigente; apertado; indispensável, inadiável; que se não pode adiar;.
urgir. v. tr. urgir, não permitir demora; obrigar actualmente a lei ou o preceito; abalançar; exigir; apertar; azafamar (Bras,) atabilar; urgir, obrigar a cumprir, ser urgente; estar iminente.
uricemia. f. (pat.) uricemia.
úrico, ca. adj. úrico, pertencente ou relativo ao ácido úrico.
urinal. adj. urinário; (pop.) mijadouro, mijadeiro, mijadoiro;.
urinario, ria. adj. urinário, pertencente ou relativo à urina. — m. mictório, lugar ou vaso próprio para urinar, urinol, urinário.
urna. f. urna, vaso ou caixa, que servia para guardar o dinheiro, os restos ou as cinzas dos cadáveres humanos; urna vaso ou recipiente onde se recolhem os votos nas eleições ou os números dum sorteio; espécie de cápsula aberta por um opérculo; cofre, caixa, arqueta; manga de vidro; escaparate.
urobilina. f. (quim.) urobilina, pigmento biliárico, substância corante da urina.
urocele. m. (pat.) urocele.
urocistitis. f. (med.) urocistite.
urocrisia. f. (med.) urocrisia.
urocromo. m. matéria corante da urina, urocromo, urocroma.
urodiálisis. f. (med.) urodiálise.
urodinia. f. (pat.) urodinia.
urólito. m. urólito.
urología. f. urologia.
urológico, ca. adj. urológico.
urólogo. m. urologista, urólogo.
uromancia. f. uromância, adivinhação supersticiosa pelo aspecto da urina.
uropigio. m. (zool.) bispo; uropígio.
uroscopia. f. uroscopia.
urosis. f. (med.) urose.
Ursa. f. (astr.) ursa. V. **osa.**
urticáceo, a. adj. urticáceo. — f. pl. urticáceas.

urticaria. f. (med.) urticária doença eruptiva da pele, com forte prurido; cnidose.
Uruguay. (geog.) Uruguai.
uruguayo, ya. adj. e s. (geog.) uruguaio.
usable. adj. usual V. **usual.**
usado, da. p. p. de usar e adj. usado, gasto pelo uso, deteriorado, velho; habituado, costumado; exercitado, prático nalguma coisa; coçado; cotiado; empregado em: al usado, de costume.
usador, ra. adj. que usa, utente; useiro, que costuma fazer alguma coisa.
usagre. m. (med.) usagre, erupção infantil, pusturosa, na época da dentição; (vet.) usagre, sarna dos animais domésticos; alforra.
usanza. f. usança, uso, costume; moda, costumeira; hábito antigo;.
usar. v. tr. usar, utilizar, empregar; praticar; usar, vestir, trajar; servir-se de; empregar em; fazer ou trazer habitualmente; deteriorar pelo uso; desfrutar; gozar; exercer um emprego;. — v. intr. usar, ter o hábito de; acostumar; ter costume; servir-se; (fig.) estilar; praticar. — v. r. usar-se, estar em uso; praticar-se; deteriorar-se, gastar-se com o uso;: usar por vez primera, estrear; usar impropiamente (fig.) desapropriar.
usarcé. s. apócope de usarced.
usarced. s. contracção de vuesarced, vuestra merced, vossa mercê.
usencia. s. contracção de vuesa reverencia, vossa reverência.
useñoría. s. contracção de vueseñoría, vossa senhoria.
usgo. m. asco. V. **asco.**
usía. f. contrac. de usuría, vossa senhoria.
usier. m. porteiro, contínuo, meirinho. V. **ujier.**
uso. m. uso, exercicio, prática geral duma coisa; uso, moda; modo determinado de obrar, jeito; costume; acção de se servir, emprego; uso, direito de serventia sobre uma coisa pertencente a outrem; uso, exercício; continuação; aplicação; prática habitual; utilidade; frequência; moda; usufruto; uso, vigor; (for.) uso, usufruto; direito de usar coisa alheia por tempo limitado; estilo;: dar uso a alguna cosa, pôr a servir alguma coisa; falta de uso, desuso; hacer uso de, empregar; exercer; hacer mal uso, empregar mal, abusar;.
ustaga. f. (mar.) V. **ostaga.**
¡uste! interj. V. **¡oste!**
usted. s. contracção de vuestra merced, você senhor.
ustible. adj. que se pode queimar fàcilmente, combustível.
ustión. f. ustão, combustão.
ustório. adj. ustório, que queima ou inflama.
ustulación. f. ustulação; calcinação.
usual. adj. usual, que se usa ou pratica frequentemente; usual, ordinário, habitual; diz-se da pessoa sociável e de bom gosto; costumado; frequente; consuetudinário.

usuario, ria. *adj.* usuário, aquele que possui alguma coisa por direito proveniente do uso, utente.

usucapión. *f.* (for.) usucapião.

usucapir. *v. tr.* (for.) usucapir, adquirir por usucapião.

usufructo. *m.* usufruto, direito de usar de coisa alheia; fruição; lucro, proveito;.

usufructuar. *v. tr.* usufruir, usufrutuar, desfrutar, ter ou gozar o usufruto duma coisa; gozar de; possuir. — *v. intr.* frutificar; produzir utilidade ou lucro.

usufructuario, ria. *adj.* e *s.* usufrutuário, diz-se da pessoa que possui e desfruta uma coisa; (for.) usufrutuário; diz-se do que possui ou goza do usufruto; desfrutador.

usura. *f.* usura, juro pelo dinheiro emprestado; agiotagem; ágio; contrato de empréstimo com pagamento de juros; (fig.) usura, lucro excessivo.

usurar. *v. intr.* V. **usurear.**

usurario, ria. *adj.* usurário, diz-se dos contratos de usura.

usurear. *v. intr.* usurar, emprestar com usura ou juro excessivo; (fig.) ganhar com excesso.

usurero, ra. *s.* usurário, usureiro, agiota, pessoa que empresta com usura; avarento; (fig.) abutre; argentário.

usurpación. *f.* usurpação; posse da coisa usurpada; defraudação; apoderamento; extorsão; arrogação.

usurpador, ra. *adj.* e *s.* usurpador, que usurpa; intruso.

usurpar. *v. tr.* usurpar, apoderar-se violentamente do alheio; usurpar, arrogar-se a dignidade, emprego, ou ocupação doutrem, sem direito a tal; defraudar; apoderar-se, apropriar-se de;.

utensilio. *m.* utensílio, qualquer instrumento de trabalho, ferramenta; utensílio, o que serve para uso manual e frequente; (mil.) auxílio que recebe o aboletado; lenha, azeite, camas, etc, que fornece aos quartéis a administração militar, utensílios; aparelhos;.

uteralgia. *f.* (pat.) uteralgia.

uteremia. *f.* (pat.) uteremia.

uterino, na. *adj.* (anat.) uterino.

útero. *m.* (anat.) útero; madre; matriz.

uteromania. *f.* uteromania; ninfomia, furor uterino.

uteromaníaca. *adj.* e *f.* uteromaníaca, ninfomaníaca.

uteropatía. *f.* (pat.) uteropatia.

uterorragia. *f.* (pat.) uterorragia.

uterorrea. *f.* (pat.) uterorreia.

uterosclerosis. *f.* (pat.) uterosclerose.

uteroscopia. *f.* (med.) uteroscopia.

uteroscopio. *m.* (medy.) uteroscópio.

uterotomía. *f.* (cir.) uterotomia, histerotomia.

uterotómico, ca. *adj.* uterotómico, histerotómico.

uterótomo. *m.* (cir.) uterótomo, histerótomo.

útil. *adj.* útil, proveitoso, vantajoso, que tem utilidade de ou préstimo; prestável; vá-

lido; útil, diz-se dos dias que não são feriados; conveniente; eficaz; efe(c)tivo; eficiente; frutuoso; beneficioso; lucrativo; apropriado; aprovado; útil, rendoso; frutífero;. — *m.* utilidade; utensílio, V. **utilidad.** — *pl.* utensílios, ferramentas, aperos, aparelhos; instrumentos; : *ser útil,* convir, frutificar; aproveitar.

utilidad. *f.* utilidade, qualidade do que é útil; serventia; préstimo; utilidade, proveito que se tira duma coisa; vantagem; lucro; préstimo; avanço; conveniência; furto; aproveitamento, aproveitação; bem;: *cosa sin utilidad,* choldra; *tener alguna utilidad,* não ser desaveso.

utilitario, ria. *adj.* utilitário, que antepõe a tudo a utilidade; utilitarista.

utilitarismo. *m.* (filos.) utilitarismo.

utilizable. *adj.* utilizável, que se pode utilizar; aproveitável.

utilización. *f.* utilização; aproveitamento; uso; emprego.

utilizar. *v. tr.* utilizar, aproveitar, empregar com vantagem; tornar útil; servir-se de; tirar partido de; aproveitar. — *v. intr.* ser útil; ganhar; lucrar; desfrutar; empregar. — *v. r.* utilizar-se, servir-se; auferir proveito; aproveitar-se;.

utopía ou **utopia.** *f.* utopia, quimera; fantasmagoria; fantasia; sistema ou plano irrealizável.

utópico, ca. *adj.* utópico, quimérico, fantasioso, imaginário.

utopista. *adj.* e *s.* utópico, que planeia utopias ou é dado a elas; utopista, pessoa que concebe ou defende utopias.

utraquismo. *m.* (rel.) utraquismo.

utraquista. *s.* utraquista.

utrero, ra. *s.* novilho, garraio de dois ou três anos.

utricular. *adj.* (hist.nat.) utricular.

utricularia. *f.* (bot.) utriculária.

utriculariáceas. *f. pl.* (bot.) utriculariáceas.

utriculitis. *f.* (pat.) utriculite.

utrículo. *m.* (anat. e bot.) utrículo.

utriculoso, sa. *adj.* (hist. nat.) utriculoso, utricular.

utriforme. *adj.* utriforme, que tem forma de odre.

uva. *f.* (bot.) uva, fruta de videira, bago; pequeno tumor na úvula; espécie de verrugas que se formam nas pálpebras; uva, conjunto dos bagos, constituindo um cacho: *hecho una uva,* (fig. e fam.) bêbado; *entrar por uvas,* arriscar-se ou intervir num negócio; *meter uno en agraces,* (fam.) confundir umas coisas com outras; *conocer uno las uvas de su majuelo,* (fam.) conhecer muito bem os próprios negócios: *uva espín, espina* ou *crespa,* uva-espim; *uva de perro,* uva-de-cão; *uva de gato* ou *canella,* uva-de-cão; *uvas de gato* (bot.) arroz-dos-telhados ou dos-ratos.

uvada. *f.* abundância de uvas.

uvaduz. *f.* uva-de-urso.

uvaguemaestre. *m.* V. **vaguemaestre.**

uval. *adj.* uval, semelhante à uva.

uvate. *m.* uvada, conserva de uvas.

úvea. *f.* (anat.) úvea, diz-se da parte posterior pigmentada da iris.

uvero, ra. *s.* e *adj.* uval, pertencente ou relativo às uvas; pessoa que vende uvas;. — *m.* árvore silvestre poligonácea.

úvula. *f.* (anat.) úvula, apêndice carnudo, móvel e contráctil, chamada vulgarmente campainha.

uvularia. *f.* (bot.) uvulária, género de plantas melantáceas.

uvulitis. *f.* (pat.) uvulite.

uxoricida. *f.* uxoricida, diz-se do que assassinou a própria mulher.

uxoridicio. *m.* uxoridício, assassínio da mulher pelo próprio marido.

V

V

V, v. *f.* vigésima quinta letra do alfabeto espanhol e vigésima das suas consoantes; tem o valor de cinco na numeração romana.

vaca. *f.* (zool.) vaca, fêmea do touro; vaca (carne do gado vacum;) vaca, dinheiro que duas ou mais pessoa jogam em comum; vaca, couro de vaca curtido; vaca, caixa de couro colocado em cima das carruagens para transportar roupas ou outros objectos: *vaca marina,* boi marino: *vaca de San Antón,* insecto coleóptero, joaninha; *vaca pequeña,* (Bras.) aratauha.

vacación. *f.* vacação, férias, descanso, tempo de folga;. — *pl.* vaga, vacatura; emprego que está vago: *día de vacaciones,* dia de feso, dia de folga.

vacada. *f.* vacada, manada de gado bovino, vacum.

vacancia. *f.* vacância, vacatura, cargo que está vago; estado de um lugar que não está ocupado; vagatura.

vacante. *adj.* e *p. a.* de *vacar;* vacante, vago, aplica-se ao cargo ou emprego por prover, devoluto, desocupado. — *f.* vacante, vacação, férias, tempo de férias: *sede vacante,* sede vacante.

vacar. *v. intr.* vacar, estar vago, vagar, cessar; dedicar-se; dar atenção; carecer; entregar-se a um negócio, etc; vagar, estar em férias; vagar, estar vago um emprego ou dignidade; estar ocioso. V. **carecer.**

vacarí. *adj.* feito ou forrado de couro de vaca.

vacatura. *f.* vacatura, vagatura, vacância; tempo que está vago um carga ou dignidade.

vaciadero. *m.* vertedouro, esgoto, cano por onde se esvazia ou se despeja alguma coisa; vazadouro; despejadouro, lugar onde se despeja qualquer líquido.

vaciadizo, za. *adj.* vazado, fundido em molde aplica-se ao falador tagarela.

vaciado. *p. p.* de *vaciar* e *m.* vazado, fundido em molde; moldagem; (arq.) escavação (escult.) figura ou adorno formado em molde; moldado, moldura, ornato de gesso ou estuque.

vaciador. *m.* o que molda, moldador, fundidor; vazador, instrumento para moldar; vazador.

vaciamiento. *m.* moldagem; vazamento, vazadura; despojo; vazamento, vazadura de metal do forno para as formas.

vaciante. *p. a.* de *vaciar* e *adj.* que esvazia. — *f.* maré baixa, vazante, vazão, refluxo, baixa-mar.

vaciar. *v. tr.* vazar, esvaziar, deixar vazio; despejar; verter; evacuar; vazar, lançar barbas; transcrever, copiar, trasladar; vazar, cavar, abrir um vão; esgotar uma matéria; afiar, amolar as navalhas de barbas; transcrever, copiar, trasladar; vazar, desaguar, (diz-se dos rios); vazar, deixar filtrar; verter; derramar; tornar oco; furar; vazar, desatacar; descarregar; desaguar; desbocar; desencher; desocupar; desabitar; exinanir; evacuar; fundir; esvaziar; despejar; (med.) exonerar;. — *v. r.* (fig.) dizer alguém o que devia calar; esgotar-se, escoar-se; derramar-se: *vaciar un baúl,* desatacar o baú; *vaciar una botella,* enxugar uma garrafa; *vaciar hasta la última gota,* emborcar; *vaciar el mar con un cesto,* recolher água em cesto; assar no bico do dedo.

vaciedad. *f.* (fig.) vacuidade, necedade, tolice, sandice; inanidade; (fig.) vaidade.

vaciero. *m.* pastor do gado sem crias.

vacilación. *f.* vacilação; (fig.) perplexidade; irresolução; hesitação; dubiedade; desatino; abanação; embaraço; incerteza; indistinção; indecisão; embasbacação; empate;: *andar en vacilaciones,* andar as apalpadelas; *con vacilación,* desengonçadamente; *causar vacilación,* engadanhar.

vacilar. *v. intr.* vacilar, oscilar, cambalear; desconfiar; dessegurar; desatinar; claudicar; duviar; gaguejar; indeterminar-se; fraquear; embasbacar; abanar-se; entralhar; boiar; hesitar, duvidar; (Bras.) testavilhar: *vacilar al hablar,* embrulhar-se falando; *hacer vacilar,* empatar.

vacío, a. *adj.* vazio, oco; não prenhe, desfrequentado; vazio, chocho, sem fruto; vazio, ocioso, sem ocupação; descarregado; desocupado; desabitado; inane; deserto; devoluto; vazio, presumido; vão, fútil; frívolo; vadio, ocioso; vazio, sem concorrência. — *m.* vazio, vácuo; concavidade; ilharga; lado; vaga, falta de vagatura; vazio, sem concorrência; devoluto; (fís.) vácuo. — *pl.* flancos; *hacer el vacío a alguien*, negar a convivência com os demais; *dar golpes en el vacío*, fazer um tiro no ar; *habitación vacía*, quarto vazio; *estómago vacío*, estômago vazio; *cabeza vacía*, cabeça sem ideias, pessoa frívola; cabeça vazia; *espacio vacío*, espaço vácuo; *de vacío*, de vazio; sem ocupação ou emprego.

vaco. *m.* (fam.) boi.

vaco, ca. *adj.* vacante, vago, que está sem, prover.

vacuidad. *f.* inanidade; mentira; vacuidade; (fig.) vaidade.

vacuna. *f.* vacina, linfa extraída dos úberes da vitela e que inoculada no homem o imuniza contra a variola.

vacunación. *f.* vacinação, vacina.

vacunador, ra. *s.* vacinador, que vacina.

vacunal. *adj.* vacinal, vacínico.

vacunar. *v. tr.* vacinar, enxertar um virus; gafeirar (do gado) inocular a vacina em.

vacuno, na. *adj.* vacum, bovino, de couro de vaca.

vacuo, cua. *adj.* vácuo, vazio, vago; vagante, (diz-se do emprego). — *m.* vazio, vácuo.

vacuola. *f.* (biol.) vacúolo.

vacuolar, vacuolado, da. *adj.* relativo ao vacúolo.

vade. *m.* pasta ou carteira para livros. V. **vademécum.**

vadeable. *adj.* vadeável, diz-se do rio que se pode vadear; (fig.) superável, vencível.

vadeador. *m.* indivíduo que serve de guia nos vaus dos rios.

vadear. *v. tr.* vadear, passar a vau; (fig.) superar, vencer uma dificuldade; sondar alguém; compreender; tentear, experimentar. — *v. r.* portar-se, conduzir-se.

vademécum. *m.* vade-mécum, livro de pouco volume para uso frequente; espécie de pasta para levar livros ou papéis.

vadera. *f.* vau, especialmente o largo por onde pode passar o gado ou carruagens.

¡vade retro! *adv.* (lat.) vade-retro! arreda-te!; sume-te!

vado. *m.* vau, lugar pouco fundo de rio pelo qual se pode passar a pé; (Bras.) bolapé; (fig.) remédio, alívio; expediente; tregua; recurso: *tentar el vado*, sondear; *al vado o a la puente*, (fig. e fam.) expressão para indicar que se deve optar por uma ou outra resolução.

vadoso, sa. *adj.* vadeoso, que tem vaus ou bancos de areia.

vagabundear. *v. intr.* (fam.) bargantear; errar; (fig.) bandurrear; vadiar; vagamundear.

vagabundeo. *m.* vadiice, vida de vadio; galhofaria, vadiagem; vagabundagem.

vagabundo, da. *adj.* e *s.* bargante, vagabundo, vadio; desvairado; birbante; andante; galhofeiro, galhoupito; meliante; ambula-

tivo; andador; alvorário; errabundo; errante; erradio; desnorteado; boémio; (pop.) faiante; (fig.) bilhardão; (pop.) estoira-vergas; capa em colo; (Bras.) aldagrante, pé-leve, troca-pernas.

vagamundear. *v. intr.* V. **vagabundear.**

vagamundo, da. *adj.* e *s.* V. **vagabundo.**

vagancia. *f.* vacância, vagância; acção de estar sem ofício nem ocupação; desocupação; desaplicação; madraçaria; vagatura; vacatura.; vadice; vida de vagabundo.

vagar. *v. intr.* vagar, estar vago; vagar, estar ocioso; deambular; desorientar-se; madracear; andejar; boiar sem direcção; vagar, vaguear, andar errante; andar ao acaso; vagar; flutuar; andar em sítio despovoado sem achar caminho; vagar, estar livre uma coisa; vagar, ficar vago; estar ocioso; estar livre, desocupado; vagar não ter emprego nem ocupação; errar, correr através de;.

vagar. *m.* vagar, ócio, descanso; sossego; espaço; lentidão; pausa.

vágaras. *f. pl.* V. **vagra.**

vagaroso, sa. *adj.* que vagueia; que se move fàcilmente duma parte para outra; vagaroso, vagueante. — *m.* usa-se em poesia.

vagido. *m.* vagido, gemido; choro, lamento de recém-nascido.: *dar el primer vagido*, galrar.

vagina. *f.* (anat.) vagina.

vaginado, da. *adj.* vaginal, referente à vagina.

vaginal. *adj.* vaginal, pertencente ou relativo à vagina.

vaginiforme. *adj.* vaginiforme.

vaginitis. *f.* (med.) vaginite.

vaginoscopia. *f.* (med.) vaginoscopia.

vaginoscópico, ca. *adj.* pertencente ou relativo à vaginoscopia.

vaginoscopio. *m.* (med.) vaginoscópio.

vaginotomía. *f.* (cir.) vaginotomia.

vagínula. *f.* (hist.nat.) vagínula.

vaginulado, da. *adj.* vaginulado.

vago, ga. *adj.* vago, indeterminado, incerto; indeciso; vago, volúvel, inconstante; vaporoso, indefinido; vago, errante, vagabundo, vagamundo; que não está ocupado; que não tem ofício nem emprego, que não trabalha; vacante — *m.* (prov.) terra inculta; lugar agreste. — *adj.* arruador; empaleador; apachorrado; impreciso; indeciso; madraço; informe; madraceador; madraceiro; mendicante; desleixo, inerte; desocupado; descuidado; descurioso; avulso; desaplicado; descansado; desapressado; deixado; devoluto; dúbio; galfarro; (fig.) boleima; (fam.) afidalgado; (Bras.) encapetado: *en vago*, em vano, sem firmeza nem consistência; *ser vago*, apachorrar-se; *volver vago a uno*, empreguiçar-se, entorpecer; *nervio vago*, nervo pneumogástrico.

vagón. *m.* vagão, carruagem empregado em comboios de caminho de ferro; carro grande de mudanças; carruagem de passageiros ou de mercadorias que roda em caminhos de ferro; vagão: *vagón restaurante*, vagão-restaurante; *vagón cisterna*, vagão-cisterna ou reservatório; *vagón-cama*, vagão-leito ou cama.

vagoneta. *f.* vagoneta, vagão pequeno e descoberto para transporte; pequena carruagem descoberta; (pop.) froixo.

vagra. *f.* (mar.) fita de madeira flexível, cravada da popa à proa para sujeitar os vaus.

vaguada. *f.* linha que marca a parte mais funda dum vale; fundo dum vale; caminho por onde passa ou pode passar a água.

vagueación. *f.* vagueação, devaneio da imaginação; vadiagem, acção de vaguear; vagueação, inquietação, inconstância de imaginação; movimento contínuo, vagueação, peregrinação; (fig.) divagação.

vaguear. *v. intr.* vaguear, andar errante, devanear; andar vagando por; errar, flutuar.

vaguedad. *f.* vacuidade, qualidade de vago; vacuidade, expressão, frase vaga; indeterminação.

vaguemaestre. *m.* antigo oficial do exército.

váguido. *m.* (Amér.) V. **vaguido.**

vaguido, da. *adj.* vertiginoso, que sofre de vertigens. — *m.* V. **vahído,** vertigem.

vahaje. *m.* bafagem, aragem, vento suave.

vahar. *v. intr.* vaporar, exalar vapor.

vaharada. *f.* baforada, expiração do hálito.

vaharera. *f.* (med.) boqueira, doença nos lábios; melão verde que faz mal à boca.

vaharina. *f.* (fam.) vapor; neblina, nevoeiro.

vahear. *v. intr.* bafejar, vaporar, exalar vapor, lançar vapores.

vahído. *m.* vertigem, tontura de cabeça; turbação dos sentidos, desvanecimento, esvaecimento; (pop.) fanico; desmaio, vágado.

vaída. *f.* (arq.) abóbada semi-circular.

vaina. *f.* bainha, estojo em que se mete a folha de arma branca; (bot.) vagem, cápsula que contém as sementes das plantas leguminosas; bainha; contrariedade; (fig. e fam.) pessoa desprezível; bainha nas roupas; (mar.) dobra nas velas e nas bandeiras. — *m.* pessoa desprezível, volúvel, pouco formal ou escrupulosa: *en forma de vaina,* envaginante, invaginante.

vainazas. *m.* (fam.) pessoa mole, frouxa ou negligente.

vainero. *m.* bainheiro, fabricante de bainhas para armas.

vainica. *f.* ponto aberto, bainha aberta nas roupas.

vainilla. *f.* (bot.) baunilha, planta americana da família das orquidáceas; baunilha, fruto desta planta; bainhasinha; dobra na ourela dum tecido.

vainiquera. *f.* operária que faz ponto aberto.

vaivén. *m.* vaivém, balanço; (fig.) vaivém, instabilidade, inconstância das coisas; flutuação; revés, capricho da sorte; alternativa; vaivém, movimento oscilatório.

vajilla. *f.* frascagem, frasca; baixela, conjunto de utensílios para serviço da cozinha ou da mesa; imposto sobre jóias: *vajilla de plata,* baixela de prata; *vajilla de oro,* baixela d'ouro.

val. *m.* apócope de *valle;* vala, cloaca, cano de limpeza.

valar. *adj.* valar, relativo à vala, muro ou cerca, ou valado.

vale. *m.* (com.) vale, documento representativo de dinheiro, passado a favor dalguém; prémio escolar; vale, obrigação escrita de pagar uma quantia.

vale. *m.* (lat.) palavra para despedir-se familiarmente, vale; despedida; adeus.

valécula. *f.* (biol.) valécula.

valedero, ra. *adj.* valedoiro, valedor, valioso, valedio, válido; valioso, firme.

valedor, ra. *s.* valedor, protector; apadrinhador; defensor.

valedura. *f.* (Amér.) valimento; privança.

valencia. *f.* (quím.) valência, capacidade de saturação; valia, valor.

valencianismo. *m.* vocábulo próprio da fala de Valência.

valenciano, na. *adj. e s.* (geog.) valenciano, natural de ou pertencente a Valência. — *m.* valenciano, dialecto falado em Valência.

valentia. *f.* valentia, valor; ardor; galhardia; façanha; bizarria; desassombro; vigor; ardor; esforço; alento; arrojo; valentia, arrojo, acto heroico; espécie de feira da ladra em certas cidades de Castela; valentia, fanfarronada; arrogância; fantasia de imaginação; valentia, vivacidade, viveza de engenho; valentia, qualidade de valente; robustez; resistência; intrepidez; coragem; denodo; proeza; (Bras.) goga.

valentón, na. *adj. e s.* valentão, fanfarrão; dunga; fanfa; farfantão; farfante; farfalhador; façanheiro; chibante; (Bras.) desmancha-samba.

valentona (da). *f.* fanfarronada, jactância.

valer. *v. tr.* valer, proteger, amparar; influir; merecer; valer, custar, importar; valer, ter valor, render; ter certo mérito, certa utilidade; ser digno de. — *v. intr.* equivaler, ter poder ou força; correr, passar (moedas); servir; aproveitar; ser válido, ter validade; ser preferível; valer, servir, prestar ser útil; prevalecer. — *v. r.* valer-se; recorrer à ajuda de outro; servir-se duma coisa; utilizar-se: *hacerse valer,* fazer-se valer; *valer la pena,* valer a pena; *no valer,* desvaler; *no valer para,* não ser para; *no vale un pepino,* (pop.) isto não vale uma ataca; *no vale para nada,* não serve a Deus nem ao diabo; *valerse de,* aproveitar-se; *valerse de una disculpa,* apegar-se a uma desculpa; *valer más, valer mais; más vale tarde que nunca,* mais vale tarde que nunca; *¡válgame Dios!,* valha-se Deus!; *más vale,* mais vale; *más vale un toma que dos te daré,* mais vale um toma, que dois te darei; *más vale solo que mal acompañado,* mais vale só que mal acompanhado; *no valer nada,* não valer nada; *valerse de alguien,* valer-se de alguém. — *pres. ind. irreg.* **valgo, vales,** etc.; *fut.* **valdré, -ás,**

etcétera; *pot.* **valdría**, etc.; *subj.* **valga**, etc.; *ger.* **valiendo**; *p. p.* **valido.**

valer. *m.* valor, valia.

valerianáceo, a. *adj.* (bot.) valerianáceo. — *f. pl.* valerianáceas.

valerianato. *m.* (quím.) valerianato, sal de ácido valeriânico.

valerianela. *f.* (bot.) valerianela.

valerosidad. *f.* valorosidade, qualidade de valeroso ou valoroso; valor, valentia, esforço ; vigor.

valeroso, sa. *adj.* valoroso, paladínico; afoitado; galhardo; estré(ê)nuo; determinado; desmedroso; valeroso, valoroso, valente; esforçado; eficaz; valioso; valioso, que tem valia, valor; animoso; corajoso; forte; activo.

valetudinario, ria. *adj.* valetudinário, enfermiço, achacoso; adoentado. — *s.* valetudinário; achacado, achacoso; achacadiço; de compleição fraca; combalido.

valhala. *f.* mansão ou morada dos mortos.

valí. *m.* váli governador árabe.

valia. *f.* valia, valor, preço; valimento; poderio; prestígio; facção; parcialidade: *sin valía*, desvalioso; *hombre sin valía*, figura apagada.

valiato. *m.* governo dum váli; território governado por um váli.

validación. *f.* validação; legitimidade; segurança; validade; validação, acção ou efeito de validar.

validar. *v. tr.* validar, legalizar, legitimar; autorizar; dar validade; tornar válido.

validez. *f.* validez, qualidade de válido; validade, firmeza legal; legitimidade.

válido, da. *adj.* válido; eficaz; firme; robusto; forte, esforçado; legítimo; valioso; seguro; vigoroso; são; prestante; proveitoso; que tem validade legal: *ser o hacerse válido*, envalecer.

valido, da. *p. p.* de *valer* e *adj.* válido. — *m.* valido, que tem valimento ou privança; favorito privado; querido; estimado; primeiro ministro.

valiente. *adj.* e *s.* valente, forte, robusto; denodado; corajoso; determinado; coraçudo; ardoroso; ardido; desacobardado; audaz; animoso; estré(ê)nuo; galhardo; alentado; extremado; altivo; arrogante; bizarro; ere(c)to; abalançado; desmedroso; afoitado; destemido; (fig.) Achiles; (fig.) desforçado; arrojado; (Bras.) desabotinado, bamba, peitudo, sarado, tabijara, tôco, tupina, tureba; animoso; valeroso, valoroso; eficaz; activo; excelente; primoroso; grande; excessivo; valentão, fanfarrão; valente: *hombre valiente*, homem de macana; *valiente por el diente*, valente por dente.

valija. *f.* mala de mão, maleta; bolsa de couro dos correios; correio, pessoa que leva correspondência; bausinho de couro: *colocar en la valija*, emalar.

valijero. *m.* correio rural.

valimiento. *m.* valimento, valia, préstimo; utilidade; galarim; influência; valimen-

to; favor, privança; amparo; intercessão; protecção; defesa; importância.

valioso, sa. *adj.* valioso, estimado; inestimável; magnífico; poderoso; valioso, rico, endinheirado; de grande valor ou estima; de grande estimação; opulento; válido, legal, valioso; importante, influente; de alto merecimento; válido.

valón, na. *adj.* e *s.* valão, natural do território compreendido entre o Escalda e o Lys. — *m.* valão, idioma falado pelos valões.

valona. *f.* balona, espécie de colarinho.

valor. *m.* valor, o que vale uma pessoa ou coisa; valor, valia, estimação; valor, preço duma coisa; valor, destemor; destemidez; deno(ô)do; coragem; desacorbaðamento; decisão; audácia; animosidade; força; valentia; ânimo; galhardia; fortaleza; (fig.) ardimento; mérito; valor, fruto, renda; utilidade; préstimo; valor, equivalência duma coisa a outra; serventia; (fig), decocção; aço; valor, entidade, afoiteza; alcance; determinação; avaliação; ardideza; circunstância; equivalência; valor, valimento; (mús.) valor, duração duma nota musical; importância; merecimento; (mat.) valor, determinação duma quantidade; (Bras.) adage, brabeza. — *pl.* quaisquer títulos, accões, obrigações, letras de câmbio, etc., que representam uma quantidade em dinheiro, coisas, cofre: *alterar el valor de la moneda*, demonetizar; *dar valor*, desacobardar; *demostrar valor*, fazer corpo e gesto; *hombre de poco valor*, bedelho; *infundir valor*, desassombrar, animar, encorajar; *valor mercantil*, efeito; *valor moral e intelectual*, mérito; *cosas sin valor*, nicles de bitocles; *persona sin valor*, (fig.) sendeiro; *valor intrínseco o real*, valor intrínseco, real; ¿*cómo va ese valor?*, como vai essa saúde?; *que quita el valor*, descoroçoante; *ser de poco valor*, não vale um cornado; *sin valor*, desvalioso, chinfrim, chilro; *no dar el justo valor a una cosa*, dar desconto; *no tener valor*, desvalor; *valor nominal*, valor nominal; *valor neto*, valor líquido; *cosa sin valor*, (Bras.) bajesto; *persona sin valor*, (Bras.) fubica.

valoración. *f.* avaliação. V. **valuación.**

valorador. *m.* avaliador, lotador; estimador.

valorar. *v. tr.* avaliar, pôr preço, dar valor; valorizar, aumentar o valor de; considerar; estimar; louvar; lotar, lotear; medir; apreçar; contar; contrastar; (fig.) almotaçar: *valorar por debajo de precio*, pôr a barato.

valoria. *f.* valia, valor, estimação.

valorización. *f.* valorização, acto ou efeito de valorizar.

valorizar. *v. tr.* V. **valorar**, avaliar, dar valor, pôr preço; valorizar, aumentar o valor de.

valquiria. *f.* valquíria, certa divindade escandinava.

vals. *m.* valsa, dança de orígem alemã; valsa, música desta dança.

valsador, ra. *s.* valsador, aquele que valsa muito e bem; valsista.

valsar. *v. intr.* valsar, dançar a valsa.

valuación. *f.* avaliação, acto de avaliar; lotação; estima; estimação; medição; conta; apreçamento; apreço.

valuado, da. *p. p.* de *valuar* e *adj.* avaliado; (ant.) apodado.

valuador, ra. *adj.* e *s.* lotador, apreçador; estimador; avaliador; arbitrador.

valuar. *v. tr.* contar, lotar; apreciar; apreçar; medir; lotear; apodar; avaliar; arbitrar; contrastar; aquilatar; avaliar, pôr preço, determinar o valor de; estimar o valor de.

valva. *f.* (zool.) valva, cada uma das peças que formam a concha dos moluscos; (bot.) valva.

valvar. *adj.* (bot.) pertencente ou relativo às valvas.

valvasor. *m.* fidalgo, infanção (em Italia).

válvula. *f.* válvula, dispositivo que serve para interromper a comunicação entre dois órgãos ou entre estes e o exterior de máquinas ou instrumentos, etc.; (anat.) válvula, espécie de tampa, que nos vasos sanguíneos obsta ao refluxo do sangue: *válvula de seguridad*, válvula de segurança; *badana de una válvula*, chapeleta.

valvular. *adj.* valvular, pertencente ou relativo à válvula.

valvulitis. *f.* (med.) valvulite.

valla. *f.* valo, muro, parapeito defensivo; vala, fosso, estacada; valado com tapume; (fig.) obstáculo, impedimento; estorvo; empeço.

valladar. *m.* valado; (fig.) obstáculo para impedir a invasão duma coisa; esto(ô)rvo; empe(ê)ço.

valladear. *v. tr.* valar, cercar com valos. V. **vallar.**

vallar. *v. tr.* valar, tapar, fechar ou cercar com valos. — *adj.* valar, pertencente a vala ou cerca. — *m.* valado.

valle. *m.* vale, depressão ou planície entre montes; várzea à beira de um rio; concelho, vale, conjunto de aldeias, lugares ou casas situadas num vale: *valle de lágrimas*, o mundo, a terra.

vallisoletano, na. *adj.* e *s.* (geog.) natural de ou pertencente a Valladolid.

vampírico, ca. *adj.* vampírico, relativo a vampiro.

vampirismo. *m.* vampirismo, crença nos vampiros; acto próprio de vampiro; (fig.) avidez descomedida.

vampiro. *m.* vampiro, entidade imaginária que suga o sangue dos vivos; (fig.) vampiro, harpia, usurário, avarento, insaciável; morcego americano.

vanadato. *m.* (quím.) vanadiato.

vanádico, ca. *adj.* (quím.) vanádico.

vanadio. *m.* (quím.) vanádio.

vanagloria. *f.* vanglória, vaidade, presunção, bazófia, ja(c)tância; desvanecimento; bizarria; envaidecimento.

vanagloriarse. *v. r.* vangloriar-se, ja(c)tar-se, gabar-se; orgulhar-se; desvanecer-se; bizarrear, blasonar; envaidar-se; (fig.) emplumar-se.

vanaglorioso, sa. *adj.* vanglorioso, jactancioso, ufano; vaidoso, presunçoso.

va-dálico, ca. vandálico, referente aos Vândalos ou ao vandalismo.

vandalismo. *m.* vandalismo; (fig.) vandalismo, espírito de destruição.

vándalo, la. *adj.* e *s.* vândalo; (fig.) vândalo, bárbaro, selvagem.

vanear. *v. intr.* falar em vão, dizer coisas vãs.

vanguardia. *f.* (mil.) vanguarda, dianteira, frente, primeira linha dum exército. — *pl.* lugares nas margens dos rios donde partem as obras de construção de pontes.

vanidad. *f.* vaidade, qualidade do que é vão; vaidade, ostentação, pompa vã; orgulho, ja(c)tância, presunção; futilidade; envaidecimento; embofia; entonação; esvaecimento; inflação; fantasia; falacia; fanfarraria; afe(c)tação; (fig.) fumos; empanturramento; empinadela; fumaça; inchação.

vanidoso, sa. *adj.* vaidoso, presunçoso; empoeirado, empáfio; cheirento; enfatuado; fantasioso; inflado; apelintrado; farfanhudo; bazófito; delambido; assoprado; (fig.) empantufado, enfunado, empavesado; empertigado; apavonado, fumoso, inchado; estoiradinho; estirado; emproado.

vanilocuencia. *f.* vaniloquência, verbosidade inútil.

vanilocuente. *adj.* vaniloquente, vaníloquo, que fala à toa, que diz coisas vãs.

vanílocuo, cua. *adj.* vaníloquo, vaniloquente.

vaniloquio. *m.* vanilóquio, palavras ocas; arrazoado, inútil.

vanistorio. *m.* (fam.) vaidade ridícula e afectada; pessoa vaidosa.

vano, na. *adj.* vão, fantástico, inexistente; vão, vazio, o(ô)co; vão, inútil, insubsistente, pouco durável; desaproveitado; fantástico; apelintrado; arrogante; presunçoso; frívolo, fútil, falso; chocho (diz-se dos frutos); estéril.—*m.* ciranda, joeira, crivo de couro; parte da parede em que não há apoio para o tecto ou para a abóbada: *en vano*, em vão, em falso; debalde; *gastar las palabras en vano*, desperdiçar as palavras.

vánova. *f.* (prov.) colcha ou coberta de cama.

vapor. *m.* vapor, fluído produzido pela acção do calor; vapor, gás dos arrotos; vapor, navio a vapor. — *pl.* espécie de vertigem; ataques histéricos: *a vapor*, (fam.) a vapor, com grande celeridade; *a todo vapor*, (fam.) a todo o vapor; *máquina de vapor*, máquina a vapor; *vapores del vino*, vapores do vinho.

vapora. *f.* (fam.) lancha a vapor.

vaporable. *adj.* vaporável, evaporável.

vaporación. *f.* vaporação, evaporação.

vaporar. *v. tr.* evaporar, vaporar, converter em vapor.

vaporario. *m.* vaporário, aparelho para produzir vapor nos banhos.

vaporización. *f.* vaporização; uso medicinal de vapores.

vaporear. *v. tr.* evaporar, vaporizar. V. **vaporar.**

vaporizador. *m.* vaporizador.

vaporizar. *v. tr.* vaporizar, converter em vapor.

vaporosidad. *f.* vaporosidade, qualidade de vaporoso.

vaporoso, sa. *adj.* vaporoso, em que há vapor; (fig.) vaporoso, subtil; leve; diáfano, ténue, delicado; transparente; obscuro.

vapulación. *f.* açoitamento, tunda, sova.

vapulamiento. *m.* V. **vapulación.**

vapular. *v. tr.* açoitar, espancar, azorragar. V. **azotar.**

vapuleador, ra. *adj.* açoitador, flagelador.

vapulear. *v. tr.* açoitar, espancar, azorragar. V. **azotar.**

vapuleo. *m.* açoitamento. V. **vapulación.**

vápulo. *m.* açoitamento. V. **vapulación.**

vaquear. *v. tr.* copular, cobrir o touro a vaca.

vaquería. *f.* vacaria, vacada; vacaria, lugar onde há vacas ou se vende o seu leite, leitaria.

vaqueriza. *f.* arribana, vacaria, curral do gado vacum.

vaquerizo, za. *adj.* vacaril, vacarino, vacum.

vaquero, ra. *adj.* vaqueiro, vacum. — *s.* vaqueiro, vaqueira, pastor de gado vacum.

vaqueta. *f.* vaqueta, couro de vitela curtido.

vaquilla. *f.* vitela.

vara. *f.* vara, ramo sem folhas; varapau, pau comprido e delgado; vastão, insígnia de autoridade; vara, medida de comprimento; vara de porcos; varal de carruagem; garrocha, aguilhão; (fig.) autoridade, poder; vara, circunscrição judicial: *tener vara alta*, ter influência ou valimento; *camisa de once varas*, camisa de onze varas.

varada. *f.* (mar.) varação dum barco; turma de jornaleiros que trabalham no campo sob a direcção de um capataz; tempo que duram estes trabalhos.

varadera. *f.* (mar.) defensa de madeira.

varadero. *m.* (mar.) varadouro, varadoiro, lugar onde se viram de carena os navios para concertar o fundo.

varadura. *f.* (mar.) varação dum barco.

varal. *m.* varal, vara comprida e grossa; varal, cada um dos varais do carro; (fig. e fam.) vara, poste, pessoa muito alta.

varapalo. *m.* varapau, pau comprido; bordão; paulada, pancada de varapau; (fig. e fam.) desgosto grande; dano, prejuízo.

varar. *v. tr.* (mar.) varar, encalhar a embarcação; sair uma embarcação do mar; (fig.) estar parado um negócio. — *v. tr.* encalhar, pôr em seco uma embarcação.

varaseto. *m.* caniçada, grade de canas ou varas com que se cercam os jardins.

varazo. *m.* varada, golpe com vara, paulada.

varea. *f.* vareja, acção de varejar os frutos dalgumas árvores; varejamento; varejadura.

vareador. *m.* varejador, o que vareja.

vareaje. *m.* vareagem, acção e efeito de varear, medir ou vender por varas.

varear. *v. tr.* varejar, sacudir com varas; varejar, açoitar, castigar com vara; varear, medir com a vara; vender por varas: picar os touros com vara larga. — *v. r.* emagrecer; definhar-se; enfraquecer-se.

varejón. *m.* varejão, vara grande.

varejonazo. *m.* paulada, pancada com varejão.

varenga. *f.* (mar.) caverna de barco; beque, roda da proa.

varengaje. *m.* (mar.) cavername.

vareo. *m.* varejo das árvores; medição às varas.

vareta. *f.* varinha, vareta; vara enviscada para apanhar pàssaros; risca de cor nos tecidos; (fig.) dito picante, remoque; (fam.) indirecta; picunha: *irse de vareta*, (fam.) ter diarreia.

varetazo. *m.* varada, cornada do touro, dada de lado.

varetear. *v. tr.* listrar, entretecer com riscas de cores.

varetón. *m.* veado novo e que tem uma só ponta.

varga. *f.* parte mais íngreme duma encosta; espécie de congro.

varganal. *m.* paliçada feita com os paus chamados *várganos*.

várgano. *m.* cada um dos paus duma paliçada.

vargueño. *m.* V. **bargueño.**

variabilidad. *f.* variabilidade; instabilidade; inconstância; volubilidade.

variable. *adj.* variável, que varia ou pode variar; inconstante, volúvel, mudável; instável; inconstante. — *f.* (mat.) variável.

variación. *f.* variação; mudança; modificação; (mús.) variação, variante, floreio sobre um tema musical; (mar.) declinação da agulha de marear; alteração.

variadísimo, ma. *adj. superl.* milímodo.

variado, da. *p. p.* de *variar* e *adj.* variado, variegado; mesclado; matizado; diversificado; vário; diverso; que tem várias cores; mudado.

variante. *p. a.* de *variar* e *adj.* variante, mudável; que varia. — *f.* variante; diferença, variação.

variar. *v. tr.* e *intr.* variar, tornar vário ou diverso; variar, mudar; variar, ser diferente, sofrer mudança; mudar de forma; (mar.) desviar-se a agulha magnética; apresentar aspectos diversos; tornar-se diferente; mudar de opinião; ser de opinião diferente; mudar de direcção. — *v. r.* variar-se, alterar-se; transformar-se; alternar-se: *variar la naturaleza de algo*, desnaturalizar; *variar la terminación*, (gram.) inflectir.

várice o **varice.** *f.* (med.) variz, dilatação duma veia.

varicela. *f.* (med.) varicela; (Bras.) catapora.

varicocele. *m.* (med.) varicocele; cirsocele.

varicosidad. *f.* estado de varicoso; variz.

varicosis. *f.* (pat.) varicose.

varicoso, sa. *adj.* (med.) varicoso, que tem varizes ou a elas diz respeito. — *s.* varicoso.

variedad. *f.* variedade, desigualdade; variedade, qualidade do que é vário; variedade, diversidade, variação; inconstância; mudança; alteração; diferença; variedade; conjunto de coisas diferentes; variedade; multiplicidade; subdivisão de espécies (em História Natural); instabilidade; variedade, diversidade, carácter das coisas que não assemelham.

varilarguero, ra. *adj.* V. **picador.**

varilla. *f.* dim. de *vara:* vareta, varinha; vareta de leque, guarda-sol, etc.; vareta para suspender cortinas; (fam.) cada um dos ossos maxilares: *varilla mágica,* varinha de condão.

varillaje. *m.* armação, conjunto das varetas dum objecto: *varillaje de paraguas,* armação do chapéu de chuva.

vario, ria. *adj.* vário, diverso, diferente, inconstante; mudável; indeterminado, indiferente; vário, enciclopédico; desvairado; diferente; indiferente; vário, composto de várias coisas; vário, variegado; matizado; de várias cores; caprichoso, desvairado; vário, que tem variedade. — *pl.* vários, muitos, certo número, variados, numerosos.

variolado, da. *adj.* varioloso, bexigoso.

variolar. *adj.* variolar.

variólico, ca. *adj.* variólico.

varioliforme. *adj.* varioliforme, semelhante à varíola.

variolita. *f.* (geol.) variolita.

variolización. *f.* variolização.

varioloide. *f.* (med.) variolóide.

varioloso, sa. *adj.* varioloso, bexiguento.

variómetro. *m.* variómetro.

varita. *f.* dim. de *vara;* varinha, pequena vara: *varita mágica,* vara, varinha de condão; *varita de San José,* (Amér.) V. **malva real.**

varitero. *m.* porqueiro que vareja as bolotas para alimento dos porcos.

variz. *m.* (med.) V. **várice.**

varón. *m.* varão, homem na idade viril; homem adulto e respeitável; (mar.) cada um dos cabos ou correntes para governar o leme avariado; criatura do sexo masculino; homem esforçado ou ilustre: *buen varón,* homem judicioso e experiente; *santo varón,* homem simples; *varón del timón,* cabo para governar o leme.

varona. *f.* mulher, fêmea racional, mulher varonil.

varonesa. *f.* mulher.

varonía. *f.* varonia, qualidade de descendente em linha masculina.

varonil. *adj.* varonil, pertencente ou referente ao varão; macho, varonil, forte, esforçado; valoroso.

Varsovia. (geog.) Varsóvia.

varsoviano, na. *adj.* e *s.* (geog.) varsoviano, natural de ou pertencente a Varsóvia.

vasallaje. *m.* vassalagem, submissão; tributo; sujeição; dependência do súbdito ao senhor; obediência, dependência; estado ou condição de vassalo; os vassalos; *tributo de vasallaje,* (ant.) serviço.

vasallo, lla. *adj.* e *s.* vassalo, subordinado; sujeito; pendente; tributário; súbdito, vassalo; pessoa dependente dum senhor; que paga tributo, feudatário: *hacerse vasallo de alguien,* avassalhar-se.

vasar. *m.* prateleira, para pôr os vasos, pratos, etc.; cantareira, poial.

vasco, ca. *adj.* e *s.* (geog.) vasco, vascongado. V. **vascongado;** natural de ou pertencente às províncias vascongadas (Navarra, Biscaia e Guipúscoa).

vascófilo, la. *adj.* e *s.* vascófilo, afeiçoado à língua vasca.

vascongado, da. *adj.* e *s.* vascongado, vascão, vasco; vasconço, língua dos vascos; vasco, vascongado, biscaio; euscalduno; euscaro; biscainho; basco, vascongado.

vascónico, ca. *adj.* vascão, vasco.

vascuence. *m.* vasconço, diz-se do idioma vernáculo das Vascongadas.

vascular. *adj.* (anat.) vascular; (bot.) vascular; pertencente ou relativo aos vasos.

vascularidad. *f.* vascularidade.

vascularización. *f.* vascularização.

vasculoso, sa. *adj.* (anat.) vascular; (bot.) vascular.

vaselina. *f.* vaselina, substância gordurosa que se tira da parafina.

vasera. *f.* prateleiro de banca de cozinha; copeiro; aparador para copos; caixa para guardar copos; bandeja com asa para levar copos.

vasija. *f.* vasilha, vaso para líquidos; vasilhame, conjunto de tonéis, pipas, barris, etc.; alcadafe: *vasija con asas,* asada; *meter en vasijas,* envasar envasilhar, *pequeña vasija de cristal,* empelota; *vasija para sublimar,* aludel.

vaso. *m.* vaso, peça côncava para conter líquidos; copo, vaso para beber, copa, copo; copada, o conteúdo dum copo; vaso, capacidade de um objecto; vaso, navio, capacidade dum navio; vaso, casco das cavalgaduras; (astr.) vaso, copo, constelação; (anat.) vaso, veia, artéria: *vaso de noche,* bacio, bispote; *vaso para aceite,* almotolia; *vaso muy grande para beber,* copázio; *hacer una tempestad en un vaso de agua,* de um argueiro fazer um cavaleiro.

vasomotor. *m.* (anat.) vasomotor.

vástago. *m.* vergôntea, rebentão, renovo de planta; alavanca, braço de êmbolo; (fig.) pessoa descendente doutra, rebento; (agr.) ramo adoptivo; (bot.) galho.

vastedad. *f.* infinidade, extensão; anchura; vastidão; vasteza; amplidão; grandeza; dilatação; (fig) importância; alcance; vastidão, grande extensão.

vasto, ta. *adj.* vasto, extenso, estendido; aberto; desabalado; amplo; extenso; alto;

(fig.) desardado; dilatado; largo; muito extenso; considerável; variado; profundo; vasto.

vate. *m.* vate, poeta, adivinho; vate, profeta; pessoa que faz vaticínios; bardo.

vaticano, na. *adj.* vaticano, papal. — *m.* (fig.) Vaticano, corte pontifícia.

vaticinador, ra. *adj.* vaticinador, que vaticina, adivinho; profeta. — *s.* vaticinador, profeta.

vaticinar. *v. tr.* vaticinar, profetizar; agoirar; denunciar; adivinhar; proferir vaticínios; prognosticar.

vaticinio. *m.* vaticínio, profecia; auspício; prognóstico; predição; adivinhação; predição feita por um vate; oráculo.

vatídico, ca. *adj.* (poét.) vatídico, vaticinador. — *s.* vaticinador.

vatímetro. *m.* (electr.) aparelho para medir os vátios.

vatio. *m.* (electr.) vátio, quantidade de trabalho eléctrico; vátio, unidade de potência.

vaya. *f.* vaia, mofa, zombaria; chasco; chufa; apo(ô)do; derriça; debique; despeito; vaia, apupada. — *interj.* denota enfado, ou aprovação; (Bras.) aicuna!: *dar vaya,* dar troça.

ve. *f.* vê, nome da letra V.

vecera, vecería. *f.* vara de porco ou doutros animais pertencentes aos habitantes duma povoação.

vecero, ra. *adj.* e *s.* diz-se de quem exerce por sua vez ou por turno algum cargo concelhio; aneira, diz-se da árvore ou que dá muito fruto num ano e pouco noutro; pessoa que guarda a vez ou o turno; freguês, cliente.

vecinal. *adj.* vicinal, relativo à vizinhança ou aos vizinhos; municipal, concelhio.

vecindad. *f.* vizinhança, qualidade de vizinho; contiguidade; adjacência; achegamento; proximidade; vizinhança, moradores, vizinhos (na mesma casa); população, conjunto de habitantes duma localidade; vizinhana, domicílio; vizinhança, cercanias, arredores; arrabales: *vivir en buena vecindad,* avizinhar bem com alguém.

vecindario. *m.* vizindário, vizinhança, pessoas vizinhas; censo duma localidade; população; rol dos habitantes duma povoação, vizindário.

vecino, na. *adj.* e *s.* vizinho, que vive perto doutra pessoa; chegado; avizinhado; adjacente, achegado; apegado; acaroado; circum-adjacente; contíguo; vizinho, diz--se do morador ou habitante duma localidade; diz-se de quem tem domicílio numa cidade; (fig.) análogo, próximo, imediato; vizinho, m o r a d o r ou habitante duma mesma casa; vizinho, limítrofe, semelhante; vizinho, próximo a suceder; afim; chegado (diz-se do parentesco). — *m.* pessoa que vive próximo: *casas vecinas,* casas chegadas; *dejar de ser vecino,* desvizinhar; *ser vecino,* contiguar; *ser vecino de cama,* ajuntar as camas.

vectación. *f.* vectação, acção de caminhar num veículo.

vector. *adj.* (geom. e astr.) ve(c)tor, raio tirado do sol a um planeta; raio duma elipse.

veda. *f.* veda, vedação; acto ou efeito de vedar; defendimento; defesa; proibição; defeso, época em que é proibido caçar ou pescar: *tiempo de veda,* tempo coimeiro.

vedado, da. *p. p.* de *vedar* e *adj.* vedado. — *m.* vedado, coutada, terra defesa; defeso; coitamento, coitelho, coito; vedado, proibido, murado.

vedamiento. *m.* veda, proibição, defeso.

vedar. *v. tr.* vedar, defender; coitar; empancar; vedar, proibir por lei; impedir, estorvar, embaraçar; tolher; (prov.) desmamar; vedar, cercar com muro ou valado; tapar; guarnecer com vedação.

védico, ca. *adj.* védico, relativo aos vedas.

vedija. *f.* tufo; madeixa; negalho; porção de lã emaranhada; pêlo enredado em qualquer parte; carapinha, cabelo emaranhado; maranha de cabelo. V. **verija.**

vedijero, ra. *s.* o que nas tosquias apanha os negalhos de lã; o que apanha a lã churra ou mais grosseira.

vedijoso, sa ou **vedijudo, da.** *adj.* gadelhudo.

vedismo. *m.* vedismo, religião da índia contida nos livros chamados Vedas.

veduño. *m.* V. **viduño.**

veedor, ra. *s.* e *adj.* curioso, indiscreto; vedor ou inspector; intendente; administrador, mordomo; o que assiste como despenseiro à compra das provisões: *veedor de vianda,* despenseiro mor.

veeduría. *f.* vedoria, cargo ou ofício de vedor; vedoria, repartição de vedor.

vega. *f.* veiga, várzea; (Amér.) terreno semeado de tabaco; (Amér.) terreno muito húmido; campo, planície fértil, cultivada; terra de cultura de centeio ou milho seródio.

vegetabilidad. *f.* vegetabilidade, qualidade de vegetal ou vegetável; possibilidade de vegetar.

vegetable. *adj.* vegetal.

vegetación. *f.* vegetação; flora, conjunto dos vegetais próprios dum país ou região; vegetação; força vegetativa: *cubrirse de vegetación,* frondejar, frondescer; *sin vegetación,* descalvado (diz-se das montanhas); (fig.) encalvecido.

vegetal. *adj.* e *m.* vegetal, que vegeta; vegetal, que se refere às plantas; vegetal, planta.

vegetalidad. *f.* vegetalidade, natureza ou qualidade do que é vegetal; conjunto de vegetais.

vegetalismo. *m.* vegetalismo, sistema alimentar dos vegetaristas; vegetarismo.

vegetalista. *adj.* V. **vegetariano.**

vegetar. *v. intr.* vegetar, germinar, viver, desenvolver-se as plantas; crescer, nutrir-se; (fig.) vegetar, viver materialmente, viver precàriamente; viver na inércia; pulular, viver sem interesse nem emoção.

vegetari(ani)smo. *m.* vegetarismo, vegetalismo, sistema alimentar dos vegetaristas.

vegetariano, na. *adj.* e *s.* vegetariano, que se alimenta de vegetais; que segue o vegetarismo.

vegetativo, va. *adj.* vegetativo, que vegeta; (anat.) vegetativo, que se refere à geração, nutrição e crescimento.

veguer. *m.* juíz, alcaide, corregedor, antigo magistrado de Aragão, Catalunha e Maiorca.

veguería. *f.* ou **veguerío.** *m.* território da jurisdição do *veguer.*

veguero, ra. *adj.* relativo a veiga. — *m.* lavrador que cultiva uma veiga; cultivador de tabaco, charuto feito duma só folha de tabaco.

vehemencia. *f.* veemência, vigor; violência; paixão; ansiedade; anseio; acendimento; anelo; derretimento; acrimó(ô)nia; demência; efa(c)ção; desenfreamento; embeiçamento; entusiasmo; fúria; (fig.) encendimento, incêndio, ardor; (fig.) sequidão; veemência, ardor, impetuosidade, energia; veemência, força, viveza duma paixão; eloquência arrebatadora; (fig.) instância grande; empenho; grande interesse; eficácia das razões ou da persuasão: *hablar con vehemencia,* despropositar.

vehemente. *adj.* veemente, enérgico, impetuoso, impulsivo; ansioso; afervorado; ávido; desencabrestado; embeiçado; entusiasta; acalorado; acre; ancioso; acceso; veemente, que move ou se move com violência ou ímpeto; violento; eficaz; (fig.) ardente, encendido; ébrio; incendido; veemente, fervoroso, ardente; enérgico; persuasivo, violento.

vehículo. *m.* veículo, carro, carruagem; (fig.) veículo, condutor, transmissor, que serve para conduzir ou transmitir ràpidamente uma coisa; veículo, qualquer viatura ou meio de transporte.

veintavo, va. *adj.* vintavo, vigésimo, vigésima parte.

veinte. *adj.* e *s.* vinte, duas vezes dez; vigésimo; vinte, conjunto de sinais com que se representa o número vinte: *a las veinte,* a desoras.

veintén. *m.* antiga moeda de ouro de vinte reais.

veintena. *f.* vintena, série ou grupo de vinte unidades.

veintenar. *m.* V. **veintena.**

veintenario, ria. *adj.* vintenário, vintaneiro, que tem vinte anos.

veintenero. *m.* chantre. V. **sochantre.**

veinteñal. *adj.* vincenal, que dura vinte anos.

veinteocheno, na. *adj.* vigésimo oitavo.

veinteseiseno, na. *adj.* vigésimo sexto.

veintésimo, ma. *adj.* e *s.* vigésimo.

veinticinco. *adj.* e *m.* vinte e cinco; vigésimo quinto.

veinticuatrén. *adj.* e *s.* diz-se da madeira de vinte e quatro palmos de comprimento.

veinticuatreno, na. *adj.* e *s.* relativo ao número vinte e quatro; vigésimo quarto.

veinticuatría. *f.* vintequatria; cargo ou ofício de *veinticuatro.*

veinticuatro. *adj.* vinte e quatro; vigésimo quarto. — *m.* regedor ou presidente da câmara municipal, nalgumas cidades da Andaluzia.

veintidós. *adj.* e *s.* vinte e dois; vigésimo segundo.

veintidoseno, na. *adj.* e *s.* vigésimo segundo. — *m.* vinte dozeno, pano de 2,200 fios de urdidura.

veintinueve. *adj.* e *m.* vinte e nove; vigésimo nono.

veintiocheno, na. *adj.* vigésimo oitavo. — *m.* vinteocheno, pano de 2.800 fios de urdidura.

veintiocho. *adj.* e *s.* vinte e oito; vigésimo oitavo.

veintiséis. *adj.* e *s.* vinte e seis; vigésimo sexto.

veintiseiseno, na. *adj.* pertencente ao número vinte e seis; vigésimo sexto. — *m.* pano de 2.600 fios de urdidura.

veintisiete. *adj.* e *s.* vinte e sete; vigésimo sétimo.

veintitrés. *adj.* e *s.* vinte e três; vigésimo terceiro.

veintiún. *adj.* apócope de *veintiuno;* vinte e um.

veintiuna. *f.* vinte-e-um, espécie de jogo em que ganha quem primeiro faz vinte e um pontos.

veintiuno, na. *adj.* e *s.* vinte e um; vigésimo primeiro.

vejación. *f.* vexação; humilhação; vexame, afronta; aflição; ape(ê)rto; aperreamento; mau tratamento, perseguição.

vejador, ra. *adj.* e *s.* vexador, que vexa.

vejamen. *m.* vexame, vexação, afronta; zombaria; chacota, troça; discurso jocoso, epigrama; desaire; afeamento; avania; vaia, chasco, chufa.

vejaminista. *m.* epigramatista, orador que fazia o discurso jocoso em controvérsias literárias.

vejancón, na. *adj.* e *s.* (fam.) velhão, velharrão.

vejar. *v. tr.* vexar, atormentar, maltratar, molestar; perseguir; criticar, humilhar, envergonhar, zombar, vaiar; arrastar, desemproar; arrefeçar; albardar; apertar; aperrear; ludibriar; acamar; acalcanhar; (fig.) encurvar; acravar; encouchar; aspar; chofrar.

vejatorio, ria. *adj.* vexatório; vexante; afrontoso; humilhante; desairoso; ludibrioso.

vejestorio. *m.* (pop.) velhote, velhão, pessoa muito velha, antigalha, antigualha, coisa velha, sediça, de pouco valor.

vejez. *f.* velhice, qualidade de velho; anciania; (fig.) velharia, impertinência própria de velho; velharia, coisa velha, sediça, muito sabida ou de pouco valor; velhice, rabugem; impertinência própria de velhos; velhice; antiguidade das coisas; envelhecimento; ancianidade; anosidade; decrepidez.

vejiga. *f.* (anat.) bexiga; vesícula, bo(ô)lha, empola serosa na pele. — *pl.* bexigas, variola: *vejiga de aire*, de ar; *vejiga natatoria*, bexiga natatória; *vejiga de perro*, (bot.) alquequenje.

vejigatorio, ria. *adj.* (med.) bexicatório, bexicante. — *m.* bexicatório.

vejigazo. *m.* bexigada, pancada com uma bexiga cheia de ar.

vejigoso, sa. *adj.* bexigoso, cheio de bexigas.

vela. *f.* vela, veladura, acto de velar; vela, rolo de cera, sebo, etc., para alumiar; vela de moinho de vento; tempo em que se vela; serão; trabalho de noite; romaria nocturna; vela, vigia, sentinela, assistência devota por turno na presença do S. S. Sacramento; (taur.) corno, chifre, haste do touro; (mar.) vela; (fig.) vigilância; vela, navio, embarcação; luz, luminária. — *pl.* (fig. e fam.) moncos do nariz; (prov.) orelha levantada do cavalo e outros animais como indício de esperteza e génio fogoso: *estar en vela*, estar de vela; *navegar a vela*, navegar à vela; *vela redonda ou cuadra*, vela redonda; *tender las velas*, (fig.) aproveitar uma oportunidade; *estar a dos velas*, não ter dinheiro; *vela María*, vela María; *¿qué vela tiene usted en este entierro?* (pop.) que se vos dá a vós disso?, *a la vela*, de vigia, à espreita.

velación. *f.* vela, veladura; velatura, cerimónia nupcial. — *pl.* preces públicas.

velacho. *m.* (mar.) velacho, vela do traquete.

velada. *f.* veladura, vela, acção de velar; concorrência nocturna a uma praça ou passeio iluminado por ocasião de festividade; serão; sarau musical;.

velador, ra. *adj.* velador, que vela. — *s.* velador, vigilante; mesa com um só pé; velador, castiçal de madeira; velador, desvelado, solícito; cuidadoso.

veladura. *f.* (pint.) esbatimento.

velaje. *m.* (mar.) V. **velamen.**

velamen. *m.* (mar.) velame, conjunto das velas duma embarcação.

velar. *v. intr.* velar, passar a noite sem dormir; velar, fazer serão; velar, fazer por turno a adoraçao ao S.S. Sacramento; velar, vigiar, observar atentamente; (fig.) velar, vigiar, desvelar-se, cuidar solicitamente duma coisa; velar, vigiar, observar atentamente; velar, fazer sentinela de noite; velar, assistir de noite a um doente ou defunto;.— *v. tr.* continuar a trabalhar depois das horas ordinárias; abençoar, dar as bênçons matrimoniais; velar, tapar com véu, cobrir, ocultar; (mar.) persistir o vento durante a noite.

velar. *v. tr.* celebrar a cerimónia nupcial das velações; (fig.) atenuar; (fot.) estragar-se uma imagem pela acção da luz (pint.) esbater.

velar. *adj.* que vela ou escurece; palatal, relativo ao véu palatino; velar (diz-se dos fonemas articulados junto do véu palatino).

velatorio. *m.* vela, acto de velar um defunto; (Bras.) velório.

veleidad. *f.* veleidade, fantasia, capricho, desejo vão; leviandade; ligeireza, inconstância;.

veleidoso, sa. *adj.* versátil, inconstante, vário, volúvel, ligeiro, vão, caprichoso.

velejar. *v. intr.* (mar.) velejar, navegar à vela.

velería. *f.* fábrica ou loja de venda de velas para iluminação; (mar.) arte de cortar as velas; oficina onde se fazem.

velero, ra. *adj.* (mar.) veleiro, que anda à vela;.— *s.* cerieiro, fabricante ou vendedor de velas.— *m.* veleiro, navio, de vela.

veleta. *f.* veleta, cata-vento, grimpa;.— *s.* (fig.) cata-vento, pessoa inconstante, volúvel, arlequim: *ser un veleta* (pop.) ser como a folha do álamo.

velete. *m.* véu muito fino.

velicación. *f.* (med.) velicação, acto ou efeito de velicar.

velicar. *v. tr.* (med.) velicar, beliscar; lancetar.

velicomen. *m.* copo de grande tamanho.

velillo. *m.* velilho, tecido muito fino; espécie de gaze.

velo. *m.* véu,; mantilha de freira; véu, estofo transparente para cobrir o rostro; manto; pálio; véu de ombros; festa que se faz para a profissão duma freira; (fig.) tudo o que encobre, cortina,; pretexto; confusão do entendimente;: *velo del paladar* (anat.) véu palatino; *velo de una fotografía*, estragamento duma imagem pela acção da luz; *tomar el velo*, fazer-se freira.

velocidad. *f.* velocidade, ligeireza, rapidez; celeridade; velocidade, relação entre o espaço percorrido e o tempo gasto em o percorrer; (pop.) mecha: *a toda velocidad*, a desfilada; *la velocidad más alta* (auto), velocidade máxima.

velocímano. *m.* velocímano.

velocímetro. *m.* velocímetro, conta-quilómetros.

velocipedia. *f.* velocipedia, velocipedismo.

velocipédico, ca. *adj.* velocipédico, relativo ao velocípede.

velocipedismo. *m.* (depor.) ciclismo, velocipedismo.

velocipedista. *s.* velocipedista, ciclista.

velocípedo. *m.* velocípede, veículo geralmente de duas rodas, bicicleta. — *adj.* que corre muito, que tem pés velozes.

velódromo. *m.* velódromo, lugar destinado a corridas de bicicleta.

velógrafo. *m.* aparelho para fazer cópias de escritos etc.

velón. *m.* candeeiro de azeite.

velonera. *f.* velador, castiçal; braço, estante em que se coloca o candeeiro.

velonero. *m.* o que faz ou vende candeeiros.

veloz. *adj.* veloz, veloce; rápido, ágil alígero (fig.) elé(c)trico; ligeiro; acelerado, rápido nos movimentos; célebre; *veloz de ala*, aliveloz.

vellera. *f.* mulher que barbeia ou tira às mulheres os cabelos que tem no rosto.

vellido, da. *adj.* veloso, que tem velo.

vello. *m.* pêlo, penugem do corpo e das faces; penugem, lanugem dos frutos; velo.

vellocino. *m.* velocino, velo, lã de carneiro ou de ovelha.

vellón. *m.* tosão, velo; velocino, pele de carneiro ou ovelha com lã; liga de prata e cobre para fabricar moeda; bilhão, antiga moeda espanhola.

vellonero. *m.* pessoa que apanha a lã tosquiada.

vellora. *m.* godilhão, nó formado de fios empastados, no avesso de certos tecidos.

vellorí (n). *m.* pano de lã entrefino cinzento ou por frizar.

vellorio, ria. *adj.* pardusco, pardacento.

vellosidad. *f.* vilosidade, abundância de pêlo, qualidade do que é viloso; lanugem dos vegetais.

velloso, sa. *adj.* veloso, que tem velo, veludo; felpudo; penugento, cabeludo; lanoso.

velludillo. *m.* veludilho, veludo de algodão.

velludo, da. *adj.* veludo, veloso, peludo, cabeludo; que tem muito velo. — *m.* veludo, tecido de seda com muito pêlo macio, curto e acetinado por um lado: *de hojas velludas* (bot.) eriófilo.

velvetón. *m.* belbute.

vena. *f.* (anat.) veia, vaso sanguíneo; (min.) veia, veta, filão; (bot.) ceia, nervuras secundárias das folhas; veio, faixa de terra que se distingue da que a circunda; veia, veio, corrente de água subterrânea; veio (nas pedras e mármores); (fig.) ceia, inspiração poética; arremesso de poeta: *estar en vena*, estar em veia; ; *vena poética*, arremesso de poeta; *no tener sangre en las venas*, não ter sangue nas veias; *dar en la vena*, achar a maneira de fazer uma coisa com facilidade.

venable. *adj.* vendável, que se deixa peitar; venal.

venablo. *m.* venábulo, zaguncho, dardo, lança curta; (fig.) palavrada, blasfé(ê)mia; dardo: *echar venablos*, dizer palavradas, blasfemar, proferir blasfémias.

venado. *m.* (zool.) veado, cervo, gamo, *cornamenta del venado*, armação de veado.

venaje. *m.* as nascentes dum rio.

venal. *adj.* venal, venoso, relativo às veias; venal, que se vende; corru(p)tível; mercável; exposto à venda; (fig.) venal, que se deixa peitar; subornável; que se deixa corromper.

venalidad. *f.* venalidade, qualidade do que é venal.

venático, ca. *adj.* (fam.) lunático, que tem veia de doido ou ideias extravagantes; que tem veneta.

venatorio, ria. *adj.* venatório, pertencente ou relativo à caça, à montaria.

vencedor, ra. *adj.* e *s.* vencedor, que vence; victorioso; derrotador; debelador; (fig.) airoso.: *salir vencedor en una discusión*, estender, vencer.

vencejo. *m.* vencelho, vencilho, atilho de palha ou junco para atar as paveias; (zool.) gaivão, andorinha, ferreiro; *vencejo negro*, airão; *atar con vencejo*, envencilhar.

vencer. *v. tr.* vencer, sujeitar, dominar, fazer render o inimigo; vencer, avantajar-se, superar; vencer, derrotar, conquistar; desbancar; desbaratar; (fig.) achatar; deslombar; amolgar; arrombar; eclipsar; vencer, enterrar; debelar; vencer, decepar; vencer, dominar, avantajar-se; superar; vencer, conter-se dominar as próprias paixões; superar as dificuldades; prevalecer uma coisa sobre outra; subir, superar; ladear uma coisa; sofrer, suportar, levar com paciência; vencer, convencer. — *v. intr.* vencer-se, acabar o prazo; vencer, reprimir as paixões, refrear; vencer, sair bem de uma empresa, ganhar um pleito. — *v. r.* vencer-se, refrear-se: *dejarse vencer*, deixar-se vencer; *vencer en una causa o pleito*, vencer a causa ou o pleito; *vencer el plazo*, vencer o prazo; *vencer a alguien humillantemente*, vencer alguém num chinelo; *vencer a alguien en una disputa*, desbancar alguém na disputa; *vencer distancias*, galgar; *vencer las dificultades*, (fig.) franquear o campo, saltar as barreiras; .

vencetósigo. *m.* (bot.) planta asclepiadácea de cheiro parecido com o da cânfora.

vencible. *adj.* vencível, que se pode vencer; que se vence.

vencida. *f.* V. **vencimiento.:** *de vencida*, de vencida; *llevar la vencida*, levar a vencida; *a la tercera va la vencida*, diz-se que depois de três vezes de intentar uma coisa se obtém o fim desejado.

vencido, da. *p. p.* de *vencer* e *adj.* vencido, batido; derrotado; conquistado; arrolhado; decurso; arriado; achatado; (fig.) decepado; : *darse por vencido*, (fig.) dar-se por vencido, agachar-se; *declararse vencido*, arriar; *quedar vencido*, ficar debaixo; *no vencido*, indómito; .

vencimiento. *m.* vencimento, prazo, expiração; (fig.) inclinação ou desvio dalguma coisa material; vencimento, cumprimento dum prazo; ordenado, salário, emolumento; derrota.

venda. *f.* venda, faixa, ligadura, tira, atadura; (fig.) cegueira, estado de ignorância: *quitar la venda*, desvendar; *con una venda en los ojos*, às cegas.

vendaje. *m.* (cir.) venda, ligadura, vendagem; .

vendar. *v. tr.* (cir.) vendar, ligar, atar; entrapar; atar ou cobrir com venda; (fig.) vendar, cegar, escurecer, ofuscar a razão; turvar o espírito.

vendaval. *m.* vendaval, vento forte do sul; temporal.

vendedor, ra. *adj.* e *s.* vendedor, que vende; alheador; alienador; cigano; despachante: *vendedor al por menor* ou *al detall* mercador de retalhos; *vendedor al por mayor*, mercador atacado; *vendedor de* *libros viejos*, alfarrabista; *vendedor de periódicos*, entregador de jornais; *vendedor de vino (al por menor)*, aquartilhador; *vendedora de hortalizas*, berceira; *vendedora de frutas y verduras* (Lisboa) colareja; *vendedor ambulante*, (Bras.) teque-teque.

vender. *v. tr.* vender, alienar por certo preço; expor à venda; vender, fazer alguma coisa por interesse; sacrificar ao interesse as coisas que não têm valor material; (fig.) vender, faltar à palavra dada, trair; atraiçoar. — *v. r.* vender-se, deixar-se peitar; sacrificar-se por alguém; : *este artículo se vende muy bien*, este género tem muita extracção; *vender al barato*, vender em conta; *vender caro*, (fig.) abrir muito a boca; *vender al fiado*, vender fiado a alguém; *vender al contado*, vender a dinheiro de contado; *vender al por mayor*, vender por grosso; ou por junto; *vender al por menor*, vender por miúdo; *vender salud*, (fig.) vender saúde, ter excelente saúde; *vender cara la vida*, vender caro a vida; .

vendible. *adj.* vendível, vendável, que se pode vender ou está à venda.

vendimia. *f.* vindima, colheita de uvas; vindima, tempo em que se faz esta colheita; (fig.) bom resultado, proveito, colheita que se tira de qualquer coisa, ganho, proveito considerável.

vendimiar. *v. tr.* vindimar, colher as uvas; (fig.) aproveitar, desfrutar, usufruir uma coisa (principalmente com violência); crestar, dar cresta; (fig. e fam.) matar, tirar a vida.

vendimiario. *m.* vindimário, primeiro mês do calendário republicano francês.

vendo. *m.* ourela do pano.

Venecia. (geog.) Veneza.

veneciano, na. *adj.* e *s.* (geog.) veneziano.

venencia. *f.* vasilha pequena para provar mostos.

venenífero, ra. *adj.* venenífero, venenoso, que produz veneno; peçonhento.

venenífico, ca. *adj.* venenífero, venenoso.

veneno. *m.* veneno, tóxico; vírus, peçonha; (fig.) tudo o que corrompe moralmente; malignidade; pessoa má, intratável; desejo de vingança, rancor.

venenosidad. *f*.venenosidade, qualidade do que é venenoso.

venenoso, sa. *adj.* venenoso, que contém veneno; peçonhento; (fig.) nocivo; maligno; que corrompe moralmente; caluniador; deletério.

venera. *f.* venera, vieira ou concha de romeiro; venera, insígnia de ordem militar, medalha.

venera. *f.* (zool.) vieira, concha bivalve; manancial de água, fonte.

venerable. *adj.* venerável, respeitável, venerando, digno de veneração; venerável, de virtude conhecida; venerável, tratamento dalguns prelados ou dignatários eclesiásticos.

veneración. *f.* veneração, acção de venerar; veneração, respeito, culto, reverência; preito; acatamento; estima; simpatia; devoção; (fig.) adoração, altar.

venerado, da. *adj.* e *p. p.* venerado, reverenciado; respeitado; querido.

venerador, ra. *adj.* e *s.* venerador, que venera.

venerando, da. *adj.* venerado, venerável, digno de veneração.

venerar. *v. tr.* venerar, reverenciar, respeitar; tratar com grande respeito; acatar; venerar, render culto a Deus, aos Santos ou às coisas sagradas; adorar.

venéreo, a. *adj.* (med.) venéreo, relativo a apetites sensuais; venéreo, diz-se de certas doenças contagiosas; erótico sensual. — *m.* venéreo, doença venérea; (pop.) gálico; sífilis.

venero. *m.* manancial de água, fonte; linha horária dos relógios de sol; (fig.) orígem, princípio dalguma coisa; mina.

venezonalismo. *m.* dito próprio de Venezuela.

venezolano, na. *adj.* e *s.* (geog.) venezuelano.

Venezuela. (geog.) Venezuela.

vengable. *adj.* que pode ou deve ser vingado.

vengador, ra. *adj.* e *s.* vingador, que vinga.

venganza. *f.* vingança, vidicta; desfo(ô)rço; desforra; represália; desagravo; castigo, pena; desafronta; .

vengar. *v. tr.* vingar, tomar satisfação dum agravo ou ofensa; desforrar, desagravar, desafrontar. — *v. r.* vingar-se, desagravar-se; pagar-se, tirar a desforra, desforrar-se, despicar-se.

vengativo,va. *adj.* vingativo, que se vinga; inclinado a tomar vingança : *hombre vengativo* (fam.) homem de maus bofes.

venia. *f.* vénia, desculpa, perdão; remissão, licença; reverência; cortesia; vénia; mesura; inclinação de cabeça; (for.) licença concedida a um menor para administrar os seus bens; assentimento, anuência; .

venial. *adj.* venial, diz-se duma falta ou pecado leve.

venialidad. *f.* venialidade, qualidade do que é venial; erro venial, falta leve.

venida. *f.* vinda, chegada, acção de vir; regresso, vinda; enxurrada, enchente; advento; enchente fluvial, enchente de rio. V. **avenida**; (esgr.) venida; (fig.) venida, ímpeto, ataque imprevisto, acção inconsiderada.

venidero, ra. *adj.* vindouro, vindoiro, futuro, que está por vir ou suceder. — *m. pl.* vindouros, sucessores; a posteridade.

venir. *v. intr.* vir, chegar, regressar, voltar; comparecer em juízo; transportar-se dum lugar para outro; ajustar-se, acomodar-se uma coisa com outra; concordar, convencionar; acompanhar; convir; acudir; aproximar; vir, agredir, acometer; vir, inferir-se, deduzir-se; vir, nascer, proceder, trazer orígem; . — *v. r.* vir-se; fermentar como pão ou vinho : *ven acá*, vinde cá; *hacer venir*, fazer vir; *venir a* *las manos*, vir às mãos; *ir y venir*, ir e vir; *le vino a la cabeza*, veiu-lhe isto ao pensamento; *venir al caso*, vir ao facto, à questão; *venir al mundo*, vir ao mundo; *venga lo que venga*, venha o que vier; *venir de*, descender de; *ir y venir*, circular; *venir oportunamente*, apropositar-se; *venirse abajo*, derrocar-se; fazer assento; *venir a un acuerdo*, vir a um acordo; *venir a tiempo*, vir a tempo. — *pres. ind. irr.* **vengo, vienes, viene, venimos, venís, vienen;** *indef.* **vine, viniste, vino, vinimos, vinisteis, vinieron;** *fut.* **vendré,** etc; *pot.* **vendría,** etc. *pres. sub.* **venga,** etc. *impe.* **viniera, -as,** etc. ou **viniese, -es,** etc; *imperat.* **ven,** etc.; *geru.* **viniendo.**

venoso, sa. *adj.* venoso, que tem veias; pertencente ou relativo às veias.

venta. *f.* venda, contrato de venda; venda, estalagem, loja de venda nas estradas; (fig.) sítio exposto às injúrias do tempo; venda, extracção; albergaria; mercado, lugar de venda ao público; venda de mercadorias, consumo; *primera venta*, estreia; *de venta* ou *en venta*, em venda.

ventada. *f.* lufada, rajada de vento.

ventaja. *f.* vantagem, superioridade duma pessoa ou coisa respeito doutra; vantagem, melhoria, partido (jogo); vantagem, lucro; fruto; benefício; meneio; conveniência; : *conseguir una ventaja*, ganhar o barlavento; *llevar ventaja*, desbancar; *obtener una ventaja*, tirar fruto; *sacar ventaja a alguien*, dar sota e ás a alguém; *tener ventaja*, ficar de cima; *tener ventaja sobre*, avantajar.

ventajoso, sa. *adj.* vantajoso, diz-se do que traz ou tem vantagem; útil; proveitoso; que produz vantagem; lucrativo; belo; aproveitável; conveniente; (fig.) frutífero; : *obtener algo en condiciones ventajosas*, abichar; *un negocio ventajoso*, um belo negócio; *resultado ventajoso*, aproveitamento.

ventalla. *f.* válvula duma máquina; (bot.) vagem, invólucro das sementes ou grãos das leguminosas.

ventana. *f.* janela, ventana; venta, narina; janela, porta que fecha uma janela; (anat.) venta, abertura do nariz: *ventana estrecha y alta*, fresta; *ventana ojival*, janela ogival; *tirar el dinero por la ventana*, deitar o dinheiro pela janela fora.

ventanaje. *m.* (arq.) conjunto de janelas dum edifício.

ventanal. *m.* janela grande.

ventanazo. *m.* batedura de janela.

ventanear. *v. tr.* (fam.) janelar, assomar à janela com frequência.

ventaneo. *m.* (fam.) acção e efeito de *ventanear*.

ventanero, ra. *adj.* diz-se do homem que olha com pouco recato para as janelas onde há mulheres; janeleira, mulher que gosta muito de estar à janela. — *m.* o que faz janelas.

ventanico. *m.* V. **ventanillo.**

ventano. *m.* janelinha, janela pequena.

ventar. *v. tr.* e *intr.* V. **ventear.**

ventarrón. *m.* ventania, ventaneira, vento forte; vento agudo.

venteadura. *f.* efeito de ventar.

ventear. *v. imp.* ventar, soprar o vento. *v. tr.* farejar, diz-se dos animais; expor ao vento; (para enxugar ou limpar); aventar, ter faro; indagar; aventar-se, introduzir-se o ar ; estragar-se, deteriorar-se com a acção do ar; dar ventos, peidar; rachar-se uma coisa, fechar-se uma coisa; empolar.

venteril. *adj.* próprio de hospedaria ou de hospedeiro.

ventero, ra. *adj.* que tem faro (diz-se dos cães).

ventero, ra. *s.* hospedeiro, estalajadeiro; albergueiro.

ventilación. *f.* ventilação; abertura que serve para ventilar um aposento; aeração, arejo; abanadura; (fig.) ventilação, discussão, debate: *sin ventilación*, abafado, abafadiço, afogado; *falta de ventilación*, abafado.

ventilado, da. *p. p.* de *ventilar* e *adj.* abafado, debatido; altercado; arejado; : *habitación mal ventilada*, quarto abafado.

ventilador. *m.* (autom.) ventilador; ventilador, aparelho para ventilar; *ventilador que pende del techo*, abano.

ventilar. *v. tr.* ventilar; abanar; aventar; arejar; (ant.) avençoejar, arear; ventilar, fazer penetrar o ar nalgum sítio, arejar; . — *v. r.* ventilar, expor alguma coisa ao ar, ao vento; ventilar, discutir, debater: *ventilar un asunto*, despachar.

ventisca. *f.* nevada, neve acompanhada de vento; borrasca de vento ou neve.

ventiscar. *v. imp.* nevar com vento forte; levantar-se a neve pela violência do vento.

ventisco. *m.* V. **ventisca.**

ventiscoso, sa. *adj.* diz-se do tempo e lugar em que há borrascas de neve.

ventisquear. *v. im p.* nevar com vento forte. V. **ventiscar.**

ventisquero. *m.* nevada; lugar nas montanhas onde se junta a neve amontoada pelo vento; massa de neve ou gelo reunidas nesse lugar.

ventola. *f.* (mar.) esforço do vento contra um obstáculo; resistência de uma obra morta contra o vento.

ventolera. *f.* lufada, rajada de vento; (fig. e fam.) vaidade, soberba; veneta, capricho pensamento ou determinação inesperada e extravagante; (fig.) vaidade; soberba, jactância.

ventolina. *f.* (mar.) viração, vento brando e fresco.

ventor, ra. *s.* e *adj.* diz-se do animal que guiado pelo faro busca um rasto ou foge do caçador; ventor, cão de bom faro.

ventorrero. *m.* lugar alto e desabrigado batido pelos ventos, ventoso.

ventorrilo, ventorro. *m.* taberna, tasco nos subúrbios duma povoação; albergaria; estalagem, bodega no campo.

ventosa *f.* respiradouro, respiradoiro, abertura que se faz nalgumas coisas para dar passagem no vento; tubo que serve para ventilação; ventosa, órgão de certos animais, que lhes permite agarrar-se, andar ou fazer presa; (cir.) ventosa, vaso em que se rarefaz o ar que se aplica sobre a pele para produzir um afluxo de sangue.

ventosear. *v. intr.* e *r.* soltar ventosidades, ventar, dar ventos, peidar.

ventosidad. *f.* qualidade de ventoso ou flatulento; ventosidade, gases intestinais; flatulência.

ventoso, sa. *adj.* ventoso, cheio de vento ou de ar; airoso; ventoso, diz-se do tempo quando há vento forte; diz-se do lugar batido pelos ventos; ventoso, flatulento; ventor, que tem bom faro; (fig.) ventoso, fútil, vão, arrogante.— *m.* ventoso, sexto mês do calendário republicano francês.

ventral. *adj.* ventral, pertencente ou relativo ao ventre; situado no ventre.

ventrecha. *f.* ventrecha, ventre dos peixes, ventrisca.

ventregada. *f.* ninhada, conjunto de animais nascidos dum ventre; (fig.) abundância de coisas que vêm juntas duma só vez; barrigada, ninhada.

ventrera. *f.* cinta para apertar o ventre; parte da armadura que cobria o ventre.

ventricular. *adj.* (anat.) ventricular, pertencente ou relativo ao ventre.

ventrículo. *m.* (anat.) ventrículo, cada uma das cavidades do coração, do encéfalo e da laringe.

ventrílocuo. *m.* ventríloquo diz-se da pessoa que tem a arte de falar como se a voz viesse do interior do corpo ou do estômago e tem a faculdade de imitar a voz de outras pessoas ou animais.

ventriloquia. *f.* ventriloquia, arte de ventríloquo.

ventura. *f.* ventura, felicidade; fortuna; aventurança; bem-andança; ventura, acaso, contingência; casualidade; ventura, risco, perigo; acaso; destino; : *a la ventura,* ao Deus dará, à ventura; *por ventura,* acaso; *a la buena ventura,* a Deus e à ventura; *vivir a la ventura,* andar arrastado; *por ventura,* por ventura, por acaso, tal vez.

venturado, da. venturoso, V. **venturoso.**

venturanza. *f.* ventura, felicidade, boa sorte.

venturero, ra. *adj.* e *s.* casual, fortuito; aventureiro; casual, contingente, arriscado.

venturina. *f.* (min.) aventurina, quartzo com veios cintilantes e palhetas coloridas.

venturo, ra. *adj.* venturo, que há-de vir, porvindouro, vindouro.

venturoso, sa. *adj.* venturoso, que tem ventura; arriscado, aventuroso; afortunado; futuro; fortunoso; ditoso; afortunado.

Venus. *m.* (astr.) Vénus, estrela d'alba; Vénus, Lucifer; (fig.) vénus, mulher formosa; deleite sensual.

venustez, venustidad. *f.* venustidade, qualidade do que é venusto; formosura; perfeição.

venusto, ta. *adj.* venusto, muito formoso, perfeito.

ver. *v. tr.* ver, conhecer ou perceber pelo sentido da vista; ver, observar, considerar, examinar com cuidado; ver, descobrir; avistar; ver, experimentar; examinar; ver, visitar; atender; indagar; encontrar, considerar; reflexionar; conceber; imaginar; conhecer; julgar; examinar; ver, achar, encontrar; advertir; ver; antever; entrever; ver, conceber, imaginar; ver, contemplar, presenciar; olhar para; notar; divisar; advertir; reparar; tomar cuidado; atender; ver, visitar, percorrer; escolher; ver, frequentar, receber; ver, imaginar, fantasiar; possuir o sentido da vista; deixar ver, patentear. — *v. r.* ver-se, representar-se, avistar-se; ir ter com alguém; encontrar-se, mirar-se; achar-se: *según mi modo de ver,* a meu ver, segundo minha opinião; *alcanzar a ver,* descobrir; *ver de lejos,* descortinar; devassar; *ver confusamente,* entrever; *ver de lejos,* bispar; *dejar de ver,* desavistar; *hacer ver,* demonstrar, desencandear; *hasta más ver,* até sempre; *ver con dificultad,* enxergar; *manera de ver,* paladar; *no dejar ver,* encobrir; *no ver bien,* ter arestas nos olhos; *ver la paja en el ojo ajeno y no ver la viga en el propio,* achar arestas nos olhos dos outros; *hacer ver,* fazer ver; *ir a ver a un amigo,* ir ver um amigo; *verse y desearse,* ver-se e desejar-se; *es cosa digna de ver,* é coisa digna de ver, coisa de se ver; *tener que ver,* ter que ver, dizer respeito; *estar por ver,* estar por ver; *ir a ver a alguien,* ir ver alguém; *nunca se vio cosa semejante,* nunca se viu coisa semelhante; *ya se ve,* já se vê; *hasta más ver,* até mais ver. — *pres. ind. irr.* **veo, ves, ve, vemos, véis, ven;** *imperf.* **veía, veías,** etc.; *pret. ind.* **vi, viste,** etc.: *subj.* **vea.**

ver. *m.* sentido da vista, ver, vista, aparência das coisas.

vera. *f.* borda, beira.

veracidad. *f.* veracidade, qualidade daquilo que é conforme à verdade; verdadeiro, verídico; apego à verdade; fidelidade; exa(c)tidão; veracidade.

veraneante. *p. a.* de *veranear;* *adj.* e *s.* veraneante, que veraneia.

veranear. *v. intr.* veranear, passar o verão nalguma parte.

veraneo. *m.* veraneio, acção de veranear.

veranero. *m.* lugar ou sítio onde o gado pasta durante o verão.

veraniego, ga. *adj.* estival, pertencente ou relativo ao verão, estivo; (fig.) que adoece ou emagrece no verão; (fig.) ligeiro, de pouca importância.

verano. *m.* verão, estação do ano; estio; quadra do ano em que está mais calor.

veras. *f. pl.* veras, realidade, verdade das coisas; verdade do que se diz; coisas verdadeiras: *de veras,* com todas as forças de; de **verdade;** de veras.

verascopio, veráscopo. *m.* verascópio, instrumento de óptica.

veratrina. *f.* (med.) veratrina.

veraz. *adj.* veraz, que diz a verdade; verídico, verdadeiro; que fala verdade.

verba. *f.* lábia, loquacidade; facilidade e graça no falar; verbosidade.

verbal. *adj.* verbal, diz-se do que se refere à linguagem oral; verbal, de viva voz; (gram.) verbal; verbal, que se deriva dum verbo; que se diz respeito a palavras; que se faz ou estipula só de palavra e não por escrito. — *m.* verbal.

verbalismo. *m.* verbalismo; verbalismo, processo de ensino pela memória; verbalismo, excesso de rigor verbal, em que se dá mais importância às palavras que às ideias.

verbalista. *adj.* e *s.* verbalista, pertencente ou relativo ao verbalismo.

verbena. *f.* (bot.) planta herbácea anual; arraial nocturno nas vésperas de festas populares.

verbenáceo, a. *adj.* (bot.) verbenáceo, diz-se das plantas dicotiledóneas de tipo da verbenáceas, família destas plantas.

verbenear. *v.* *intr.* (fig.) formigar, ferver, agitar, bulir; formigar, abundar, multiplicar-se num sítio, pessoas ou coisas; formigar.

verberación. *f.* verberação; percusão; movimento de ar ou de água batendo nalguma parte; vibração do ar que produz o som; verberação, acção de verberar.

verberar. *v.* *tr.* verberar, açoitar, açoutar, fustigar; castigar; flagelar; açoitar, bater o vento ou a água em alguma parte.

verbo. *m.* Verbo, Segunda Pessoa da Santíssima Trindade; verbo, palavra, representação oral duma ideia; voto, juramento; (gram.) verbo, parte da oração que exprime, estado, acção ou qualidade do sujeito: *emplear como verbo*, averbar; *El Verbo Divino*, O Verbo Divino, o Verbo; Jesus Cristo; *verbo auxiliar*, verbo auxiliar; *verbo reflexivo o reflejo*, verbo reflexivo ou pronominal; *al buey por el cuerno y al hombre por el verbo*, pelo dedo se conhece ao gigante.

verborrea, verborragia. *f.* (fam.) verborreia, excessiva abundância de palavras, verbosidade, loquacidade; palavreado; facúndia.

verbosidad. *f.* palavreado, facúndia; verbosidade; loquacidade; abundância de palavras.

verboso, sa. *adj.* verboso, loquaz, palavroso; facundo; que fala muito; abundante em palavras; prolixo; eloquente.

verdad. *f.* verdade, conformidade do que se diz com a sua realidade; qualidade do que é verdadeiro ou certo; coisa verdadeira, princípio certo; verdade, veracidade; verdade, exactidão; realidade; verdade, axioma; máxima; verdade, expressão clara: *verdades como puños*, verdades evidentes; *conocer la verdad de las cosas*, abrir os olhos à luz; *¿de verdad?*, de veras?; *no decir la verdad*, alterar a verdade; *en verdad*, em verdade, na verdade, com efeito, bofá, em consciência; afé; *¿es verdad?*, é assim?; *hacer creer lo que no es verdad*, dar a beber o que não é; *la pura verdad*, verdade verdade, realmente, efectivamente.

verdadero, ra. *adj.* verdadeiro, exa(c)to; autêntico; efe(c)tivo; verdadeiro, que fala a verdade; em que há verdade; verdadeiro, verídico, real; verdadeiro, sincero, ingénuo; fiel à promessa; seguro, sincero; leal, que não é fingido; certo, verdadeiro: *reconocer como verdadero*, autenticar; *ser verdadero*, existir. — *m.* a verdade, a realidade; o dever; o mais conveniente.

verdal. *adj.* verdeal, diz-se de certos frutos que têm cor verde mesmo depois de maduros; diz-se das árvores que produzem esses frutos; verdeal.

verdasca. *f.* verdasca, pequena vara flexível para chibatar, vergasta; chibata.

verdascazo. *m.* vergastada, verdascada, pancada com uma verdasca ou vergasta.

verde. *adj.* e *m.* verde, de cor semelhante à da erva fresca, à da esmeralda, etc.; verde, fresco, vigoroso; juvenil; verde, em princípio; verde, (fig.) incontinente, livre, obsceno; verde, diz-se do vinho feito com uma uva mal sazonada; (fig.) verde, aprendiz; verde, dessazonado; que não está completamente desenvolvido; débil; delicado; verde, loução; verde, diz-se do sabor das coisas que não estão maduras: *dar el color verde*, esverdear; *están verdes*, estão verdes; *darse un verde*, divertir-se pouco tempo; *verde amarillento*, verde amarelado; *verde mar*, verde-mar; *verde negruzco*, verde-negro; *los verdes años*, os verdes anos, a juventude; *fruta verde*, fruto dessazonado; *medio verde*, entremaduro; *perder el color verde*, desverdecer; *que tira a verde*, esverdeado, esverdinhado; *tomar el color verde de la vegetación*, arrelvar-se; *viejo verde*, velho-verde.

verdea. *f.* vinho de cor verde.

verdear. *v.* *intr.* verdejar, apresentar uma coisa a cor verde; esverdear, verdecer. — *v.* *tr.* apanhar a uva e a azeitona para a vender. — *v.* *intr.* esverdinhar, esverdecer.

verdecer. *v.* *intr.* verdecer, reverdecer, verdejar. — *conj.* *irr.* como *crecer*.

verdegal. *m.* lugar onde verdeja o campo.

verdegay. *adj.* e *m.* verde-claro, verde-gaio.

verdegris. *m.* verdete, acetato de cobre.

verdeguear. *v.* *intr.* verdejar, esverdear.

verdejo, ja. *adj.* verdeal. V. **verdal.**

verdemar. *adj.* e *m.* verde-mar.

verdemontaña. *m.* verde-montanha, verde-escuro.

verdete. *m.* verdete; cardenilho.

verdevejiga. *m.* verde-bexiga, tinta verde-escura feita com fel de vaca e sulfato de ferro.

verdín. *m.* primeiro verdor das plantas novas; as mesmas plantas; cor verde; limo das algas; cardenilho.

verdina. *f.* cor verde. V. **verdín.**

verdinal. *m.* V. **fresquedad.**

verdinegro, gra. *adj.* verde-negro, verde--escuro.

verdino, na. *adj.* verdoengo, esverdeado.

verdiñal. *adj.* diz-se da pêra verdeal.

verdiseco, ca. *adj.* meio seco, verdisseco.

verdor. *m.* verdor, cor verde das plantas; verdor, propriedade do que é verde; (fig.) verdor, vigor, frescor, louçania, força; mocidade; juventude.

verdoso, sa. *adj.* verdoso, verdoengo, esverdeado, esverdinhado; averdengado.

verdoyo. *m.* limo que a água cria nas pedras.

verdugada. *f.* (arq.) fileira de tijolos. V. **verdugo.**

verdugal. *m.* sarçal, espinhal que torna a rebentar depois de queimado.

verdugazo. *m.* vergastada, chibatada.

verdugo. *m.* vergôntea, renovo de árvores; verdugo, estoque muito fino; vergão, marca que deixa o azorrague, sinal; azorrague; verdugo, algoz, carrasco; (fig.) verdugo, pessoa cruel; tudo o que magoa ou causa incómodo; (arq.) enfiada de ladrilhos posta horizontalmente no edifício.

verdugón. *m.* renovo grande; grande vergão.

verdulera. *f.* hortaliceira, vendedeira de hortaliças; (fig.) mulher desavergonhada.

verdulería. *f.* loja de hortaliças.

verdulero. *m.* hortaliceiro, vendedor de hortaliças.

verdura. *f.* verdura, verdor; verdura, hortaliça; paisagem (árvores, ervas que se pintam nas tapeçarias, quadros, etc.); verdura, verdor, vício, frescura, louçania, vigor; obscenidade, qualidade de obsceno ou livre.

verdusco, ça. *adj.* verdusco, esverdinhado, tirante a verde-escuro.

verecundia. *f.* verecundia, vergonha.

verecundo, da. *adj.* verecundo, vergonhoso, que se envergonha.

vereda. *f.* vereda, senda, caminho estreito; vereda, caminho pastoril para os gados transumantes; atalho; senda; ordem, aviso extensivo a certo número de lugares circunvizinhos: *hacer entrar en vereda,* fazer entrar em razão alguém.

veredicto. *m.* veredicto, decisão dum júri em causa cível ou criminal; ditame, parecer; desembargo.

verga. *f.* (anat.) verga, membro viril dos mamíferos; verga, vara, arco de aço da besta; tira de chumbo para segurar os vidros nos caixilhos; (mar.) cada uma das peças de madeira ou ferro onde amarra o gurutil da vela, antena: *penoles de las vergas,* (mar.) pontas das antenas; *verga mayor,* verga grande; *verga de gavia,* verga da gávea; *verga de trinquete,* verga do traquete.

vergajo. *m.* vergalho, verga do touro que se usa como azorrague.

vergé. *adj.* diz-se duma espécie de papel.

vergel. *m.* vergel, jardim; pomar.

vergeta. *f.* chibatinha. V. **vegueta.**

vergonzante. *adj.* vergonhoso, envergonhado, que tem vergonha; tímido; envergonhado, que pede esmola com recato e vergonha.

vergonzoso, sa. *adj.* vergonhoso, que causa vergonha; indecoroso; desonesto; obsceno; desonroso; tímido; acanhado. — *m.* V. **armadillo;** denigrativo; deslustroso; desluzidor; indecoroso; inconfessável; infamante; desairoso; apudorado; acanhado; (fam.) estranhão.

verguear. *v. tr.* varar, bater, sacudir com chibata ou vara; varejar; chibatar, vergalhar, azorragar.

vergüenza. *f.* vergonha; pejo; desonra; opróbrio; rubor nas faces; timidez; acanhamento; acto indecoroso; coisa mal feita ou mal acabada; pundonor; envergonhadela; desdoiro; afronta; estranheza; desaire; (fig.) corrimento; desluzimento; (pop.) encanho. — *pl.* vergonhas, as partes pudentas: *esto es una vergüenza,* isto é uma afronta; *tener vergüenza,* ter vergonha; *caérsele a uno la cara de vergüenza,* corar de vergonha; *perder la vergüenza,* desavergonhar, descarar-se; *sentir vergüenza,* acanhar-se; *sentir vergüenza de la gente,* estranhar a gente.

verguío, a. *adj.* flexível, diz-se das madeiras.

vericueto. *m.* despenhadeiro, anfractuosidade, caminho alto e fragoso; quebrada.

verídico, ca. *adj.* verídico, veraz, verdadeiro; autêntico, que não é falso.

verificación. *f.* verificação; exame; averiguação; conferência; realização; confirmação; prova; afilamento; apuramento; control.

verificador, ra. *adj. e s.* verificador, que ou aquele que verifica ou controla; afilador.

verificar. *v. tr.* verificar, provar a verdade; examinar; certificar-se de; corroborar; demonstrar; comprovar; controlar; verificar, realizar, efe(c)tuar; constatar; apurar; averiguar; achar; executar; afilar; contestar; (fig.) apalpar. — *v. r.* verificar-se; realizar-se; consumar-se; aclarar-se; averiguar-se; cumprir-se; confirmar-se; corroborar-se; resultar certo o que se prognosticou.

verificativo, va. *adj.* verificativo, próprio para verificar.

verija. *f.* região das partes pudendas; virilha.

veril. *m.* (mar.) extremidade duma costa, baixio, ou parcel.

verilear. *v. intr.* (mar.) navegar nas imediações de uma costa, baixio ou parcel.

verismo. *m.* realismo, sistema estético em que predomina a representação directa da realidade.

verja. *f.* grade, gradil, cancela de porta ou janela.

vermes. *m. pl.* (med.) vermes, lombrigas intestinais.

vermicida. *adj. e m.* (med.) vermicida, vermífugo.

vermicular. adj. verminado, verminoso, que tem vermes; vermicular, relativo a vermes.

vermiforme. adj. vermiforme, que tem forma de verme.

vermífugo, ga. adj. e m. vermífugo, vermicida, lombricida, ascaricida, antiverminoso.

verminación. f. verminação, criação e propagação dos vermes intestinais.

verminosis. f. (med.) verminose.

verminoso, sa. adj. verminoso, que cria vermes, verminado.

vermívoro, ra. adj. vermívoro.

vermut. m. vermute, vinho branco com absinto, que se toma como aperitivo.

vernación. f. (bot.) vernação; folheatura.

vernáculo, la. adj. vernáculo, pátrio, nacional, nativo; (fig.) genuíno; puro; correcto.

vernal. adj. vernal, pertencente à primavera, verno.

vernier. m. (geom.) V. **nonio.**

vero. m. marta zibelina (a pele). — pl. (heráld.) esmaltes que cobrem o escudo representando figuras de sinos.

veronal. m. (farm.) veronal.

verónica. f. (bot.) verónica, planta escrofulariácea, medicinal; (taurom.) verónica, uma das sortes de capinha.

verosímil. adj. verosímil, aparente, semelhante à verdade, crível, provável.

verosimilitud. f. verosimilitude; aparência; verosimilhança, qualidade de verosímil.

verraco. m. varrasco, varrão, porco não castrado.

verraquear. v. intr. (fig. e fam.) resmungar, grunhir, mostrar enfado; chorar frenética e continuadamente (diz-se das crianças); rosnar.

verraquera. f. (fam.) choro frenético; choro prolongado das crianças.

verriondez. f. cio (dos varrões ou varrascos e outros animais).

verriondo, da. adj. aluado, com cio (diz-se do porco e doutros animais); murcho, pouco viçoso, diz-se das ervas ou coisas semelhantes, quando estão murchas ou mal cozidas; murcho, estiolado.

verruciforme. adj. (bot.) que tem forma de verruga.

verruga. f. verruga, excrescência cutânea, geralmente redonda; bolbilho redondo, de tecido compacto, que existe na superfície de certas plantas; (fig. e fam.) pessoa incomodativa; defeito.

verrugoso, sa. adj. verrugoso, verruguento, que tem muitas verrugas; versado, instruído, exercitado, prático.

versado, da. p. p. de versar e adj. versado, prático; corrente, experto; (fig.) enfronhado; emérito; experimentado; perito versado, exercitado; prático; instruído: versado en, versado na.

versal. adj. e s. imp. versal, diz-se da letra maiúscula.

versalilla, lita. adj. e f. versalete, diz-se da letra maiúscula de igual tamanho que a minúscula.

versar. v. intr. versar, volver, dar voltas ao redor; versar, girar; versar, estudar, ponderar; exercitar, manejar; versar, compulsar; tratar; versar, tratar. — v. r. ocupar-se; tornar-se versado; adestrar-se.

versátil. adj. versátil, inconstante; antojadiço; que se vira ou muda fàcilmente; volúvel; (fig.) andejo; propenso a mudar; sujeito a mudar; oscilante.

versatilidad. f. versatilidade, qualidade do que é versátil; inconstância; volubilidade.

versear. v. intr. (fam.) fazer versos, versificar, versejar; pôr em verso; poetar, versar.

versería. f. conjunto de colubrinas chamadas berços que eram de pequeno calibre.

versícula. f. estante dos livros de coro.

versiculario. m. (rel.) aquele que canta os versículos; o que tem a seu cuidado os livros do coro.

versículo. m. (rel.) parte do responsório que se diz nas horas canónicas; versículo, divisão de parágrafos ou artigos; versículo, verseto.

versificación. f. versificação; metrificação; arte de fazer versos.

versificador, ra. adj. e s. versificador, que faz versos; que versifica; diz-se do poeta fácil mas sem verdadeira inspiração; versificador; poeta; metrificador.

versificar. v. tr. e intr. versificar, fazer versos; pôr em verso; metrificar; versejar; compor versos.

versión. f. versão, tradução; variante, modo que cada um tem de contar ou referir uma coisa ou sucesso; versão, interpretação; explicação; variante; versão, tradução duma língua para outra; (cir.) operação para fazer mudar ou variar a posição do feto para outra de parto mais fácil; desvio de certos órgãos da sua posição natural: versión contraria, contraversão.

versista. s. (fam.) versista, pessoa que verseja sem ter estro poético. — adj. versista.

verso. m. verso, estrofe, versículo; poesia; metro; verso, reunião de palavras ritmadas, sujeitas à certa medida; berço, espécie de colubrina antiga de pequeno calibre; verso, composição poética: verso blanco, suelto ou libre, verso branco, solto ou livre; verso de arte menor, qualquer verso que não passa de oito sílabas; verso de arte mayor, qualquer verso composto de dez ou mais sílabas.

verso. adj. verso, diz-se do reverso das folhas das escrituras; (mat.) verso, voltado.

vértebra. f. (anat.) vértebra, cada um dos ossos que formam a coluna vertebral, dos homens e dos animais.

vertebrado, da. adj. (zool.) vertebrado, que tem vértebras; diz-se dos animais que têm esqueleto com coluna vertebral; vertebrado.

vertebral. *adj.* vertebral, pertencente ou relativo às vértebras.

vertedera. *f.* aiveca, cada uma das peças que ladeiam a relha e servem para afastar a terra levantada pelo arado.

vertedero. *m.* desaguadoiro, tubo de despejo, desaguadoiro, desaguadouro, lugar onde se despeja alguma coisa; vazadoiro; lugar por onde um líquido verte; agueiro: *canal de vertedero*, canal de esgoto.

vertedor, ra. *s.* e *adj.* vertedor, que verte; tubo de despejo, canal de esgoto; vertedor, que derrama; derramador.

verter. *v. tr.* e *intr.* e *r.* verter, derramar; verter, despejar, esvaziar; verter, deitar; verter, infundir; extraverter; chimpar; verter, desengarrafar; verter, chover; entornar; verter, derramar, divulgar; verter, escorregar um líquido; ressuar; entornar; espalhar; (fig.) verter, espalhar, divulgar; dizer máximas, conceitos, etc.; verter, fazer trasbordar; verter, (fig.) difundir; verter-se, traduzir de uma língua para outra; verter, manar, brotar, correr, escorrer (líquidos): *verter agua, deitar água; verter lágrimas*, deitar lágrimas; *verter un líquido*, emborcar, efundir. — *conj. irr.* como *entender*.

vertibilidad. *f.* conversibilidade, qualidade do que é conversível.

vertible. *adj.* conversível, que se pode converter ou mudar; que fàcilmente se pode mudar, versátil.

vertical. *adj.* (geom.) vertical, aprumado; ere(c)to; que está a prumo; vertical, perpendicular ao horizonte. — *s.* (astr.) vertical, qualquer dos semicírculos máximos que se consideram na esfera celeste perpendiculares ao horizonte: *desviarse de la vertical*, desaprumar-se; *poner vertical*, endereçar.

verticalidad. *f.* aprumo, verticalidade ou posição de vertical.

vértice. *m.* (geom.) vértice, ponto onde se reúnem os dois lados dum ângulo; (fig.) vértice, parte mais elevada da abóbada craniana; vértice, assomada; bifurcação; (anat.) cocoruto, cocuruto.

verticidad. *f.* verticidade, faculdade de mover-se para muitos pontos ou circularmente; qualidade do que termina em vértice.

verticilado, da. *adj.* (bot.) verticilado, em forma de verticilo; constituído por verticilos.

verticilo. *m.* (bot.) verticilo, reunião de folhas, de flores, de ramos em volta do mesmo ponto duma haste.

vertiente. *p. a.* de *verter* e *adj.* vertente, que verte. — *s.* vertente, ladeira; encosta; vertente, cada um dos lados dum telhado; vertente, declive de montanha; encosta; arrampadoiro; telhado de quatro águas; qualquer dos lados de uma elevação por onde correm as águas; (Amér.) manancial, fonte.

vertiginoso, sa. *adj.* vertiginoso, que tem ou causa vertigens; (fig.) vertiginoso, extre-

mamente rápido, violento, veloz; impetuoso, que gira ràpidamente; elé(c)trico.

vértigo. *m.* desmaio; vertigem, tontura, delíquio, turbação repentina e passageira do entendimento; (fig.) acto impetuoso, irreflectido, vertigem; arvoamento; atordoamento; vertigem, angústia; estonteamento; acrofobia; desvanecimento; (fig.) tentação súbita; desvairo; desejo irresistível; loucura momentânea: *sentir vértigo*, arvoar.

vertimiento. *m.* efusão; entorna(dura); vertedura; derramamento.

vesana. *f.* sulco que faz o arado; terra compreendida entre dois sulcos paralelos.

vesania. *f.* (med.) vesânia, demência, loucura, fúria, insânia, delírio; frenesí.

vesánico, ca. *adj.* louco, frenético; vesânico, que se refere a vesânia, que sofre de vesânia.

vesical. *adj.* (anat.) vesical, relativo à bexiga.

vesicante. *adj.* e *m.* vesicante, diz-se da substância que produz vesículas na pele; epispático; substância vesicante.

vesicatorio, ria. *adj.* vesicatório.

vesicorrectal. *adj.* vesico-rectal.

vesicouterino, na. *adj.* vesico-uterino.

vesicovaginal. *adj.* vesico-vaginal, vesicovaginal.

vesícula. *f.* (med.) vesícula, bexiga pequena na epiderme; bolha; ampola: *vesícula biliar* (anat.) coleciste, vesícula biliar.

vesiculación. *f.* presença ou formação de vesículas .

vesicular. *adj.* vesicular, em forma de vesícula; que tem vesículas; ampoláceo.

vesiculoso, sa. *adj.* vesiculoso, vesicular, que tem a forma duma vesícula; que apresenta vesículas; vesiculoso, cheio de vesículas.

vesperal. *m.* (rel.) vesperal, livro de rezas que contém as vésperas.

Véspero. *m.* (astr.) Véspero, o planeta Vénus quando se avista de tarde.

vespertina. *f.* vespérias, acto literário celebrado pela tarde; sermão pregado à tarde.

vespertino, na. *adj.* vespertino, pertencente ou relativo à tarde. - · *m.* sermão pregado à tarde.

vestal. *f.* e *adj.* vestal, pertencente ou relativo ao planeta Vesta; vestal, diz-se das donzelas romanas consagradas à deusa Vesta.

veste. *f.* (poét.) veste, vestuário, vestimenta, véstia, vestido.

vestibular. *adj.* vestibular, que diz respeito ao vestíbulo, especialmente do ouvido.

vestíbulo. *m.* vestíbulo, átrio; a entrada dum edifício; pátio de entrada; porta; (anat.) vestíbulo, uma das cavidades do ouvido interno ou labirinto.

vestido. *p. p.* de *vestir* e *m.* vestido, objecto de vestuário; vestuário, conjunto de peças para vestir; indumentária, fato, vestuário, vestimenta completa de senhora; (fig.) encadernação. — *adj.* vestido, encadernado, coberto: *persona bien vestida*, chicante, (pop.) desencascado; (fam.) encolarinhado; (fig.) encasacado: *bien vestido*, bizarro; alinhado; aparamentoso; *ir bien vestido*, empapelar-se; *bien vestido*, (pop.) apilandrado; *vestido de gala*, gala, louçainha; *vestido de harapos*, enfarrapado; *mal vestido*, frangalheiro; *quitarse el vestido*, denudar-se; *vestido de mujer*, vestimenta; *bien vestido*, (Bras.) aperado; *mal vestido*, (Bras.) tribufu.

vestidura. *f.* vestido, vestuário, vestidura, vestimenta; roupa; fato; traje. V. **vestido**; cerimónia em que se toma o hábito religioso; (mil.) loudel, laudel, antiga vestidura militar: *vestidura eclesiástica*, batina; *quitarse las vestiduras sacerdotales*, desrevestir-se.

vestigio. *m.* vestígio; pegada; indicação; esteira; indício; memória, notícia das acções dos antigos; resto, sinal, indício; rasto; (cetr.) abalada; (fig.) vestígios, restos visíveis: *vestigio o huella de una paliza*, maçadura; *vestigios de caza viva*, frago.

vestimenta. *f.* vestimenta, vestido, vestuário; vestimenta, vestes dos sacerdotes. — *pl.* vestes, hábito.

vestir. *v. tr.* e *intr.* vestir, cobrir; arranjar, enfiar; vestir, cobrir com veste; adornar; (pop.) envergar; vestir, aperaltar; (fig.) encadernar; vestir, ornar um discurso; disfarçar com adornos a realidade; vestir, cobrir a erva os campos; cobrir o pêlo e as penas; a pele dos animais; vestir, ajudar a alguém a vestir-se; usar como traje; forrar; calçar; vestir, proteger, resguardar; vestir, fazer fato para alguém; vestir, trajar, pôr vestes. — *v. r.* levantar-se depois duma enfermidade; envaidecer-se; sobrepor-se uma coisa a outra, encobrindo-a; amanhar-se, aparelhar-se; (arq.) vestir, revestir de cal ou areia ou estuque. — *v. tr.* vestir-se; cobrir-se, andar vestido: *vestir a lo pollo pera*, aperaltar; *vestir a alguien con ropas nuevas*, (fig.) encadernar; *vestir con afectación*, empapoilar, arrebicar; *vestir con elegancia*, galanear, (Bras.) faceirar; *vestirse de punta en blanco*, (fig.) engravatar-se; *vestirse elegantemente*, assear-se, alinhar-se; *vestir la tropa*, (mil.) fardar; *vestirse bien*, apilandrar-se. — *conj. irr.* como *pedir*.

vestuario. *m.* vestuário, conjunto de peças de roupa que se vestem; vestuário, traje, vestido, vestimenta; vestes; vestuário, fato completo; vestiário, vestiaria, subsídio, gratificação para vestuário; (mil.) uniforme; vestuário, camarim de teatro; vestuário, indumento; fardamento; (pop.) fato, farpela: *encargado del vestuario*, (teatr.) vestiário; *conjunto de trajes de un vestuario*, andaina de fato; *historia del vestuario*, (art.) indumentária.

vesubianita. *f.* (min.) vesubianite.

veta. *f.* beta, lista de cor diferente, em diversas coisas; beta, veia, pequeno filão mineral; veia, lista de cor diferente nas pedras preciosas, panos, madeiras, etc.; veia nas minas dos metais ou nas pedreiras.

vetado, da. *adj.* betado, listrado. V. **veteado.**

vetar. *v. tr.* (Amér.) negar, dar o veto.

veteado, da. *p. p.* de *vetear* e *adj.* beteado, que tem betas; betado. — *f.* (Amér.) surra, sova, tunda. — *m.* jáspeo, betado, beteado.

vetear. *v. tr.* betar, listrar de cores diversas.

veteranía. *f.* antiguidade; veteranice, qualidade de veterano.

veterano, na. *adj.* (mil.) veterano, envelhecido no serviço militar. — *s.* veterano, antigo e experimentado, em qualquer profissão; prático.

veterinaria. *f.* veterinária, arte de tratar as doenças dos animais; alveitaria, medicina veterinária.

veterinario. *m.* veterinário, o que professa a veterinária; alveitar.

veto. *m.* veto, proibição; estorvamento, estor(ô)rvo; recusa; direito de impedir uma coisa; veto, direito de negar a sanção de qualquer lei.

vetustez. *f.* vetustade, vetustez, anciania, antiguidade, qualidade de vetusto; senectude; (p. us.) anosidade.

vetusto, ta. *adj.* vetusto, senecto; antigo; envelhecido; anoso; velho, respeitável pela sua antiguidade; antigo, muito velho; idoso.

vez. *f.* vez (turno, época, ocasião, tempo); vez, assentada; (fig.) bolada; vez, relação das coisas consigo mesmo e com a unidade; manada de porcos, pertencentes aos vizinhos dum lugar. V. **vecera**; vez, turno, ensejo; alternativa; reciprocidade; época indeterminada. — *pl.* vezes, funções, autoridade, jurisdição comunicada a outrem; jurisdição interina: *estar a la vez*, estar à vez, esperar que lhe chegue a ocasião; *a la vez*, a coro; *de una vez*, senão quando; d'uma assentada; *en vez de*, em lugar de, em vez de; *esperar la vez*, estar à bica, estar à vez; *¡otra vez!*, bis!; *tal vez*, acaso; *de una vez*, de uma vez, de vez, definitivamente; *por esta vez*, desta vez, nesta ocasião; *en vez de*, em vez de; *una vez...*, uma vez, em certa ocasião; em certa época; *cada vez más*, cada vez mais; *por esta vez*, por esta vez; *de vez en cuando*, de vez em quando; *por primera vez*, por primeira vez; *dar la vez*, dar a vez; *muchas veces*, muitas vezes; *hacer las veces de alguien*, fazer as vezes de alguém; *pocas veces*, raras vezes; *alguna que otra vez*, alguma vez; *la primera vez*, a primeira vez; *tres veces tres*, hacen nueve, três vezes três, fazem nove; *rara vez*, rara vez.

vezar. *v. tr.* e *r.* V. **avezar.**

vía. *f.* via, caminho; rumo, direcção, rota, via; carril, barra de ferro, via; itinerário; linha; canal; conduto; via, tubo intestinal; (fig.) via, meio, maneira de executar uma coisa; método, sistema; desígnio. — *pl.* mandatos ou leis de Deus: *vía de agua*, (mar.) água aberta; *vía férrea*, estrada de ferrocarril; *Vía Láctea*, Estrada de São Tiago; *via crucis* ou *vía sacra*, Via-Sacra; *en vías de hecho*, a vias de facto; *vía estrecha*, (f. c.) via reduzida; *vía terrestre*, via terrestre; *vía marítima*, via marítima.

viabilidad. *f.* viabilidade, possibilidade, qualidade do que é viável; exequibilidade.

viable. *adj.* viável, que pode viver; (fig.) exequível, possível; que pode ser percorrido; que não oferece obstáculo, viável; transitável; vivedoiro; praticável; efeituável; efe(c)tível; executável.

via crucis. *m.* via-sacra; (fig.) trabalhos, aflição continuada que sofre uma pessoa.

viada. *f.* (mar.) V. **arrancada.**

viador. *m.* viandante, criatura racional que está nesta vida e aspira e caminha para a eternidade.

viaducto. *m.* viaduto, pontão, ponte lançada entre duas vertentes; passagem construída sobre uma via ou estrada para trânsito de comboios.

viajador, ra. *adj.* e *s.* que viaja. V. **viajero.**

viajante. *p. a.* de *viajar*; *m.* e *adj.* viajante, viageiro, que viaja; viajante comercial.

viajar. *v. intr.* viajar, percorrer em viagem; viajar, circular; visitar, andar em viagem; (fig.) divagar; mudar de lugar, de sítio: *viajar mucho*, correr Ceca e Meca; *viajar sin grandes preparativos*, ir de alforge; *viajar por mar*, navegar, viajar por mar; *viajar a pie*, caminhar, viajar a pé. seus.

viaje. *m.* viagem, andada; excursão; (fig.) derrota; viagem, caminhada dum lugar a outro; caminho por onde se faz uma viagem; viagem, carga que se transporta duma vez; de um lugar a outro; viagem, diário, livro onde se relata o que viu ou observou um viajante; água conduzida por encanamentos ou aquedutos; (fig.) facada, golpe produzido por arma branca; viagem, jornada; navegação; caminho por onde se viaja; porção de água que vem do depósito geral para ser distribuída: *viaje redondo*, viagem de ida e volta: ¡buen viaje!, adeus!; *disponerse a emprender un viaje*, emalar; *hacer el viaje al otro mundo*, morrer; *preparativos de viaje*, (Bras.) afaveco.

viajero, ra. *adj.* e *s.* viageiro, viajador, viajante; pessoa que faz uma viagem.

vial. *adj.* viatório, referente a caminho ou via. — *m.* alameda, avenida, rua formada por duas fileiras paralelas de árvores.

vialidad. *f.* viação, conjunto dos serviços relativos às vias públicas.

vianda. *f.* vianda, sustento, comida, alimento; comida que se serve à mesa; prato.

viandante. *s.* viandante, caminhante; viageiro, pessoa que viaja ou caminha; vagabundo.

viaticar. *v. tr.* viaticar, administrar o Viático aos doentes.

viático. *m.* viático, provisão do necessário para uma jornada; ajuda de custo (rel.)

Viático, Sacramento da Eucaristia, ministrado aos enfermos.

víbora. *f.* (zool.) víbora, cobra venenosa; (fig.) pessoa má, de mau génio ou maldizente, víbora.

viborezno, na. *adj.* vipéreo, viperino, relativo à víbora. — *m.* víbora pequena.

vibración. *f.* vibração, movimento vibratório; vibração, movimento de oscilação de um corpo; oscilação; tremor; balanço.

vibrador, ra. *adj.* vibrátil, vibrador, que vibra. — *m.* aparelho para transmitir vibrações eléctricas.

vibrar. *v. tr.* vibrar, fazer vibrações; fazer soar; agitar; brandir; tanger; fazer tremular a voz; arremessar, arrojar com ímpeto. — *v. intr.* vibrar, entrar em vibração; soar, ecoar; estremecer; comover-se; (fig.) excitar; fremir; dardejar; dedilhar (instrumentos de corda).

vibrátil. *adj.* vibrátil, que vibra.

vibratilidad. *f.* vibratilidade.

vibratorio, ria. *adj.* vibratório, vibrante, que vibra ou pode vibrar.

vibrión. *m.* vibrião, espécie de bactéria.

vicaria. *f.* vigária, religiosa imediata à superiora.

vicaría. *f.* vigararia, vigairaria, cargo ou dignidade de vigária; vicariato, residência ou jurisdição do vigário.

vicariato. *m.* vicariato, vigararia; tempo que dura o cargo de vigário.

vicario, ria. *adj.* e *s.* vicário, vigário, que faz as vezes doutro. — *m.* juiz eclesiástico, vigário.

vice. *prefij.* vice.

vicealmiranta. *f.* vice-almiranta, primeira galera depois da do almirante.

vicealmirantazgo. *m.* vice-almirantado.

vicealmirante. *m.* vice-almirante.

vicecanciller. *m.* vice-chanceler.

vicecancillería. *f.* vice-chancelaria.

viceconsiliario. *m.* vice-conselheiro.

vicecónsul. *m.* vice-cônsul.

viceconsulado. *m.* vice-consulado.

vicecristo. *m.* título honorífico do Papa.

vicediós. *m.* título honorífico do Papa.

vicegerencia. *f.* vice-gerência.

vicegerente. *m.* vice-gerente.

vicegobernador. *m.* vice-governador.

vicenal. *adj.* vicenal, que se repete cada vinte anos ou que dura vinte anos.

vicepresidencia. *f.* vice-presidência.

vicepresidente, ta. *s.* vice-presidente.

viceprovincia. *f.* vice-província, agregado de conventos ou casas conventuais que ainda não constitui uma província.

viceprovincial. *adj.* vice-provincial. — *m.* vice-provincial, governador duma vice--província.

vicerrector, ra. *s.* vice-reitor.

vicerrectorado. *m.* vice-reitoral, vice-reitoria.

vicerrey. *m.* vice-rei.

vicesecretaría. *f.* vice-secretaria.

vicesecretario, ria. *s.* vice-secretário.

vicésima. *f.* imposto romano da vigésima parte sobre certos bens.

vicesimario, ria. *adj.* relativo à *vicésima.*
vicésimo, ma. *adj.* e *s.* vigésimo. V. **vigésimo.**
vicetesorero, ra. *s.* vice-tesoureiro.
viceversa. *adv.* vice-versa, reciprocamente, às avessas. — *m.* coisa, dito ou acção ao inverso do que devia ser.
viciado, da. *p. p.* de *viciar* e *adj.* viciado, desmoralizado; viciado, bastardo; contaminado; estragado; corrompido, corru(p)to; (fig.) emprestado; depravado.
viciamiento. *m.* viciamento, viciação.
viciar. *v. tr.* viciar; deteriorar; viciar, desmoralizar; apestar; infionar; infe(c)cionar; corromper; desencaminhar; viciar, desedificar; decompor; deturpar; debochar; viciar, adulterar; abastardar; apodrecer; depravar ; (fig.) apostemar, corroer, contaminar; bastardear; viciar, deformar; deteriorar os géneros; viciar, falsificar um escrito; anular, viciar, corromper os bons costumes; falsificar, adulterar. — *v. r.* deformar-se; apodrecer-se; derrancar; corromper-se; empestar; esbandalhar-se; estragar-se; estrumar as terras de lavoura.
vicio. *m.* vício, defeito, imperfeição; deformação, deformidade; deturpação; depravação; deboche; defeito; contaminação, contaminação; vício, mau hábito; vício, falsidade, erro ou engano no que se escreve; desvio; vigor, viço nas plantas; manha, mau costume das bestas; carinho excessivo, mimo; adubo, estrume; vício, desvio da linha recta; vício, alifafe, achaque; estragamento; aleijão; (fig.) imundícia; (fig.) degeneração, enfermidade: *darse al vicio*, devassar-se; despenhar-se; *entregarse a los vicios*, largar o freio; *lleno de vicio*, (fig.) apostemado; *quejarse de vicio*, queixar-se de vício; *hablar de vicio*, falar muito.
vicioso, sa. *adj.* vicioso, que tem vício, erro, defeito; vicioso, deprevado; degenerado; mimoso; desembestado; (fig.) devasso; debochado; vícios, que tem vício; viçoso; forte, vigoroso; abundante, próvido; vicioso, imperfeito; corrupto; desmoralizado; oposto a certas regras; incorrecto: *círculo vicioso*, círculo vicioso.
vicisitud. *f.* vicissitude, alternativa; eventualidade; variação, revés; (fig.) altibaixo: *vicitudes en um asunto*, (fig.) entradas e saídas.
vicisitudinario, ria. *adj.* vicissitudinário, em que há vicissitudes.
víctima. *f.* vítima, pessoa ou animal destinado ao sacrifício; (fig.) sacrificado, pessoa que se arrisca a um perigo em lugar doutra; vítima; padecente; (fig.) pagante.
victimar. *v. tr.* vitimar, sacrificar, matar, assassinar.
victo. *m.* sustento diário.
¡víctor! *interj.* V. **¡vítor!**
victorear. *v. tr.* V. **vitorear.**
victoria. *f.* vitória, triunfo; vitória, espécie de carruagem; debelação; (fig.) coroa:

cantar victoria, cantar vitória; *obtener la victoria*, triunfar, ficar vitorioso.
victorioso, sa. *adj.* vitorioso, que conseguiu uma vitória.
vid. *f.* (bot.) vide, videira, planta ampelídea vivaz e trepadora, cujo fruto é a uva.
vida. *f.* vida, estado de actividade dos seres organizados; vida, união da alma e do corpo; vida, tempo decorrido entre o nascimento e a morte; vida, duração das coisas; vida, modo de viver; alimento necessário para viver; vida, ser, essência; vida, biografia; vida, exercício das funções orgânicas; vida, acção de viver; vida, ofício, emprego, energia; ocupação; força; vida, carreira, profissão; actividade; vida, actividade; energia, animação, vitalidade; a melhor afeição de alguém; vida, animação. movimento: *la vida eterna*, a vida eterna, a bem-aventurança; *vida de crápula, airada*, vida airada; *la vida ajena*, a vida alheia; *la vida*, a existência; *la vida futura*, a eternidade; *llevar una vida miserable*, andar arrastado; *voy sorteando la vida como puedo*, vou governando a barca como posso; *ojos sin vida*, olhos desvidrados; *prolongar la vida*, acrescentar a vida; *vida airada*, vagabundagem; *para toda la vida*, para toda a vida; *en vida*, em vida; *¡vida mía!*, vida minha!, ou minha vida!, meu amor!, meu bem!; *en la vida*, nunca, jamais; *buena vida*, (Bras.) vidão.
videncia. *f.* vidência, qualidade de vidente; vidência, clarividência; perspicácia.
vidente. *p. a.* de *ver; adj.* e *m.* vidente, que vê; profeta, vate; (fig.) sagaz, perspicaz.
vidriado, da. *p. p.* de *vidriar* e *adj.* vidrado; vidroso; vidrento, quebradiço. — *m.* louça vidrada; vidrado, substância vitrificável aplicada na louça: *ojos vidriados*, olhos vidrados, embaciados, sem brilho.
vidriar. *v. tr.* vidrar, cobrir com substância vitrificável. — *v. r.* (fig.) vidrar-se, vitrificar-se; (fig.) embaciar, fazer perder o brilho, embaciar-se.
vidriera. *f.* vidraça; vitral; mostrador de casa comercial; escaparate; vidraça, caixilho com vidros; lâmina de vidro; vidraça, conjunto de vidros encaixilhados que formam uma peça de uma janela, porta, etc.; janela envidraçada.
vidriería. *f.* vidraçaria, loja onde se vende vidraça ou vidros; vidraria, fábrica ou estabelecimento de vidros; vidraçaria, conjunto das vidraças dum edifício.
vidriero. *m.* vidreiro, o que trabalha em vidros; vidraceiro, o que os vende.
vidrio. *m.* vidro, corpo sólido transparente e frágil; vidro, frasco, garrafa; qualquer objecto feito com vidro; vidro, coisa muito frágil; vidro, pessoa muito susceptível; pedaço de vidraça que se coloca em caixilho; assento nas carruagens, de costas voltadas para o tiro; (fig.) vidro, coisa delicada, frágil, muito quebradiça: *vidrio de aumento*, lente de aumento; *vidrio de ventana*, vidro de janela; *vidrio coloreado*

ou *de color*, vidrio pintado de cores; *ladrillo de vidrio*, ladrilho de vidro; *estallar como el vidrio*, estalar como vidro; *vidrios sobre un muro ou pared*, estrepe; *vidrio irrompible* ou *inastillable*, vidro não estilhaçável; *vidrio laminado*, vidro em lâminas; *vidrio esmerilado*, vidro fosco; *pagar los vidrios rotos*, sofrer os castigos alheios.

vidriosidad. *f.* (fig.) qualidade de vidrento, propensão a exaltar-se.

vidrioso, sa. *adj.* vidroso, vidrento; quebradiço; (fig.) resvaladiço, escorregadio (diz-se falando-se do solo); vidrento, frágil como o vidro; perigoso, vidroso, melindroso, susceptível, quebradiço, vidrento; semelhante ao vidro; vidrento, embaciado (diz-se dos olhos); (fig.) frágil.

vidual. *adj.* vidual, pertencente ou relativo a viuvez; referente a viúvo ou à viúva.

viejarrón, na. *adj.* e *s.* (fam.) velharão, velhorro; velhação.

viejo, ja. *adj.* e *s.* velho, idoso, que tem muita idade; velho, antigo, muito usado; velho, estragado; velho, antigo, do tempo passado; velho, de idade avançada; velho, que tem aparência de velhice; usado, velho, que já não está em uso; — *m.* homem idoso, de idade avançada; velho, anil, anoso; entrado em anos; velho, antiquado; batido; antigo; ancião; ancestral; acabado; avelhantado; (fig.) encanecido; sene, senecto.

viento. *m.* vento, corrente de ar na atmosfera; vento, aura; vento, o ar, os ares, a atmosfera; osso que os cães tem entre as orelhas; vento, cheiro que deixa a caça por onde passa; faro, olfacto; (fig.) vaidade, presunção, jactancia; corda para sustentar uma coisa no alto ou movê-la para um lado; (fam.) ventosidade; (mar.) rumo; vento, ar agitado de qualquer modo; vento, bolha de ar; faro dos animais; falha ou defeito duma obra fundida, vento; (fig.) coisa rápida, vã; influência favorável ou perniciosa; vento; causa; impulso; : *el viento viene directamente por la calle*, esfuma-se o vento pela rua; *viento ábrego*, áfrico; *beber los vientos por alguien*, arder por alguma pessoa, desejá-la; *viento contrario*, contravento; contraste; *ceñir al viento* (mar.) aguçar-de-lô; *dirigir el navío contra viento*, barlaventar; *entre viento y agua*, ao lume da água; *viento frío y cortante*, chiasco; *viento fuerte de la misma dirección*, corda do vento; *viento impetuoso*, desgarrão; *vientos ligeros y variables*, ventos froixos; *música de instrumentos de viento*, música de assopro; *navegar con todos los vientos*, navegar com todos os ventos; *instrumentos de viento*, instrumentos de vento; *golpe de viento*, golpe de vento; *viento fresco y blando*, viração.

vientre. *m.* (anat.) ventre, abdómen barriga; entranha; abdome; as vísceras contidas no ventre; intestinos; prenhez; feto; coisa; (for.) mãe: *abrir el vientre*, es-

bandulhar, estripar; *dolores de vientre*, dôr de barriga; *echar vientre*, fazer barriga; *flujo de vientre*, barriga destemperada; *hacer de vientre*, descarregar o ventre; dar de corpo; desistir do corpo.

viernes. *m.* sexta-feira; sexto dia da semana; *Viernes Santo*, Sexta-feira santa ou de paixão; *haber aprendido ou oido una cosa en viernes*, (fig. e fam.) repetir muitas vezes uma coisa.

viga. *f.* viga, trave; prensa para espremer a azeitona; : *viga de refuerzo de los tejados*, cinabre; *viga de sostén*, (carp.) frechal; *ver la paja en el ojo ajeno y no ver la viga en el propio*, (pop.) ver o algueiro nos olhos alheios e não ver a tranca nos seus.

vigencia. *f.* vigência, qualidade de vigente; tempo durante o qual uma coisa vigora.

vigente. *adj.* vigente, que está em vigor.

vigesimal. *adj.* vigesimal, diz-se do sistema de contar de vinte em vinte.

vigésimo, ma. *adj.* vigésimo. — *s.* vigésimo; vigésima parte do bilhete de lotaria.

vigía. *f.* vigia, atalaia, sentinela; acção e efeito de vigiar; (mar.) baixio que sobresai; cachopo, escolho: *torre de vigía*, assomada.

vigiar. *v. tr.* vigiar, velar, cuidar, espreitar, observar com desvelo, guardar; cuidar, tomar cuidado. — *v. intr.* vigiar, estar acordado, velar; cuidar; observar.

vigilancia. *f.* vigilância, atenção desvelada; cuidado; prevenção; guarda; precaução; alerta; aviso; desve(ê)lo.

vigilante. *p. a.* de *vigilar adj* e *m.* vigilante, que vigia, atento, cauteloso; cuidadoso:.

vigilar. *v. intr.* vigilar, vigiar, cuidar, tomar cuidado; precaver-se; observar; guardar; espiar; observar com desvelo; estar acordado, velar; estar de sentinela.

vigilia. *f.* vigília, vela; serão; vigília, véspera de festa; vigília, ofício de defuntos; vigília, vigia, insó(ô)nia; vigília, vigia, quarto da noite; comida com abstinência de carne; lucubração; desvelo; (anat.) ofício de defuntos.

vigor. *m.* vigor, força muscular; robustez; energia; valentia; (fig.) actividade; valor, vigência das leis; (Bras.) sustância: *estar en vigor*, estar em vigor; *poner en vigor*, pôr em vigor; *dar vigor*, envigorar; *perder el vigor*, enervar-se; embotar-se, empobrecer; *vigor mental*, vigor do engenho.

vigorizador, ra. *adj.* vigorante, que vigora; que dá vigor.

vigorizar. *v. tr.* vigorizar, dar vigor a, fortalecer, vigorar; (fig.) animar, esforçar; desenfezar; fortalecer, fortificar, tornar mais enérgico.

vigorosidad. *f.* vigor, robustez, qualidade de vigoroso.

vigoroso, sa. *adj.* vigoroso, robusto, forte, que tem vigor; (fig.) enérgico; acentuado; expressivo.

vigota. *f.* (mar.) bigota, moitão; barrote.

viguería. *f.* vigamento, travejamento; conjunto das vigas dum edifício.

vihuela. *f.* (mús.) viola, banza; viola, guitarra.

vihuelista. *s.* guitarrista, violeiro.

vil. *adj.* vil, de pouco valor; insignificante; mesquinho; humilde; mísero; desprezível; abjecto; infame; torpe; reles; baixo; indigno; aviltante; desleal; contemptível ínfimo; desgraçado.

vileza. *f.* vileza, acção vil; desonra, baixeza; ignomínia; expressão; infame aviltamento; sendeirada; indignidade; infamação; biltraria; deslealdade; apoucamento.

vílico. *m.* vílico, feitor agrícola entre os romanos.

vilipendiador, ra. *adj.* e *s.* vilipendiador; desgabador; infamador; que vilipendia.

vilipendiar. *v.* *tr.* vilipendiar, desprezar, aviltar; menosprezar, infamar; empanar; desgabar; desonrar, desacreditar; enxovalhar; amesquinhar; degradar.

vilipendio. *m.* vilipêndio, desprezo; menoscabo; degradação; vileza.

vilipendioso, sa. *adj.* vilipendioso, degradante, que encerra vilipêndio.

vilo (en). *adv.* no ar, suspenso; (fig.) no ar, com pouca firmeza; com indecisão.

vilorta. *f.* arco feito de uma vara flexível; argola feita de ramo de árvore; anel, atadura; peça do arado; espécie de jogo de pala.

viltrotear. *v.* *intr.* (fam.) andar pelas ruas sem necessidade, arruar.

viltrotera. *adj.* diz-se da mulher que anda pelas ruas sem necessidade.

villa. *f.* vila, casa de campo; municipalidade; autoridade que governa a vila, conselho municipal; vila, povoação com alguns privilégios; (fig.) corral.

villaje. *m.* vila pequena, aldeola, povoação, vilório.

villanada. *f.* vilania, descortesia, acção própria de vilão.

villanaje. *m.* vilanagem, qualidade de plebeu ou vilão; vilanagem, plebe, povo.

villancico. *m.* vilancico, vilancete, pequena composição poética, cântico, cantilena repetida.

villanciquero. *m.* que compõe vilancetes ou canta vilancicos.

villanchón, na. *adj.* vilão, tosco, grosseiro, rústico.

villanería. *f.* vilania, vilanagem. V. **villanía** e **villanaje.**

villanesca. *f.* vilancete, antiga canção e dança rústica.

villanesco, ca. *adj.* vilanesco, pertencente a vilão; rústico.

villanía. *f.* vilania, qualidade de vilão; (fig.) vilania, acção ruim; expressão indecente; barganteria; baixeza de nascimento ou condição; vileza; ignomía; avareza sórdida; ruindade.

villano, na. *adj.* e *s.* vilão, plebeu; (fig.) vilão, descortês, rústico; vilão, ruim, indigno; bargante; biltre; grosseiro, baixo, abjecto; vil; pessoa vil, desprezível; (Bras.) zafimeiro. — *m.* música e certa dança espanhola dos séculos XVI e XVII.

villazgo. *m.* qualidade ou privilégio de vila; tributo imposto às vilas.

villoría. *f.* casa de campo, vila.

villorio. *m.* vilório, vilória, aldeola, povoação muito pequena.

vinagre. *m.* vinagre; (fig. e fam.) pessoa rabugenta: *cara de vinagre*, (pop.) diz-se da pessoa áspera e desabrida.

vinagrera. *f.* vinagreira, vasilha para conter vinagre. — *pl.* galheteiro, galhetas.

vinagrero, ra. *s.* vinagreiro, fabricante ou vendedor de vinagre.

vinagroso, sa. *adj.* vinagrento, que tem o sabor do vinagre; (fig. e fam.) irascível, áspero, rabugento, irritável, azedo, desabrido; de má condição.

vinajera. *f.* galheta para a missa. — *pl.* galhetas.

vinar. *adj.* vinário, vinhateiro.

vinariego. *m.* viticultor, vinhateiro.

vinario, ria. *adj.* vinário, relativo ao vinho.

vinatera. *f.* (mar.) adriça.

vinatería. *f.* comércio de vinhos, vinhataria; taberna, venda, loja onde se vende vinho.

vinatero, ra. *adj.* vinhateiro, relativo ao vinho. — *m.* negociante de vinho.

vinaza. *f.* vinhaça, vinho fraco.

vinazo. *m.* vinhão, vinho forte e espesso.

vinco. *m.* arganel para os porcos. — *pl.* argolas, brincos.

vinculable. *adj.* vinculável, que se pode vincular.

vinculación. *f.* vinculação, acção ou efeito de vincular.

vincular. *v.* *tr.* vincular, converter em prazo inalienável ou em morgado; (fig.) vincular, ligar, perpetuar; consagrar; prender moralmente; vincular, ligar, formar, apoiar sobre; segurar. — *v.* *r.* ligar-se, arraigar-se, perpetuar-se.

vincular. *adj.* vincular, pertencente ou relativo ao vínculo.

vínculo. *m.* vínculo, união; atilho; liame; vincilho; cópula; vínculo, laço, atadura; vínculo, morgadio; vínculo, gravame, obrigação perpétua imposta sobre uma fundação ou instituição.

vindicación. *f.* vindicação, vingança; reivindicação; reclamação; defesa.

vindicador, ra. *adj.* e *s.* vindicador, que vindica.

vindicar. *v.* *tr.* vindicar, vingar, defender, justificar; recuperar; (for.) reivindicar, exigir em nome da lei.

vindicativo, va. *adj.* vindicativo, vingativo; defensivo; apologético.

vindicatorio, ria. *adj.* vindicativo, que serve para vindicar, vindicador.

vindicta. *f.* vindi(c)ta, vingança; castigo; represália; perseguição.

vínico, ca. *adj.* vínico, vinário, pertencente ou relativo ao vinho.

vinícola. *adj.* vinícola, relativo à fabricação do vinho. — *m.* vinhateiro.

vinicultor, ra. *s.* vinicultor, o que se dedica à vinicultura.

vinicultura. *f.* vinicultura, laboração dos vinhos.

viniebla. *f.* (bot.) cinoglossa.

vinóforo, ra. *adj.* vinífero, que produz vinho.

vinificación. *f.* vinificação, fermentação do mosto da uva; transformação do sumo da uva em vinho.

vino. *m.* vinho, líquido alcoólico proveniente da fermentação do sumo das uvas ou ainda doutros frutos; (fig.) embriaguez bebedeira: *vino fermentado,* vinho abafado; *vino ligero,* aguapé; *mezclar el vino* adulterar o vinho; *vino de mucho cuerpo,* vinho bastão: *vino blanco,* vinho branco; *vino tinto,* vinho tinto; *tener mal vino,* ter mau vinho; *tomar un trago de vino,* enfilar uma vez de vinho; *vino de baja graduación,* vino adamado; *muy dado al vino,* ebrioso; *vino de Oporto,* vinho do Porto.

vinolencia. *f.* vinolência, destemperança em beber vinho; embriaguez.

vinolento, ta. *adj.* vinolento, ébrio; ebrioso; dado a beber vinho.

vinosidad. *f.* vinosidade, qualidade do que é vinoso.

vinoso, sa. *adj.* vinoso, que tem a força, qualidade ou aparência do vinho; vinolento; que tem as propriedades do vinho; vinoso, que produz vinho; diz-se do vinho; rico em álcool; próprio para conter vinho; vinoso, dado ao vinho; vinoso, avinhado, amarelo tirante a roxo.

viña. *f.* vinha, terreno plantado de videiras: *la viña del Señor,* (fig.) conjunto de fiéis, a vinha do Senhor.

viñadero. *m.* vinhadeiro, vinheiro, guarda dos vinhedos.

viñador. *m.* vinhateiro, o que cultiva os vinhedos; vinheiro, guarda dos vinhedos.

viñedo. *m.* vinhedo, terreno plantado de videiras; vinhar; lugar plantado de vinhas.

viñero, ra. *s.* vinhateiro, pessoa que tem vinhedos; proprietário de vinhas.

viñeta. *f.* vinheta, estampa; desenho para adorno de livros.

viñetero. *m.* (impr.) caixa das vinhetas.

viola. *f.* (mús.) espécie de violino, viola.

viola. *f.* (bot.) viola, violeta. V. **alhelí.**

violáceo, a. *adj.* violáceo, da cor da violeta; avioládo; (bot.) violáceo, diz-se das plantas dicotiledóneas como a violeta.—*f. pl.* violáceas. família destas plantas.

violación. *f.* violação, estupro; profanação; transgressão; atentado; infra(c)çao; contravenção; forçamento; desonra; desfloramento; desfloração; (fig.) atropelamento; delito, atropelação; desobediência.

violado, da. *p. p.* de *violar* e *adj.* violado; desonrado; desflorado; (fig.) atropelado; arroxeado, da cor da violeta, violáceo.

violador, ra. *adj.* e *s.* violador, que viola; infra(c)tor; deflorador; forçante; forçador; desonrador; desflorador; abusador; (fig.) atropelador; estuprador; profanador; transgressor.

violar. *v. tr.* violar, infringir uma lei ou preceito; violar, quebrantar, profanar; franger; forçar; contravir; contaminar; desobedecer; estirar; devassar; deflorar;

(fig.) atropelar; (pop.) desonrar; abusar; estuprar; violar, violentar; forçar uma mulher; (fig.) estragar uma coisa; ofender; poluir; atentar contra o pudor de: violar un juramento, faltar ao juramento; *violar a una muchacha,* abusar duma donzela; *violar la ley,* delinquir; *violar un secreto,* violar um segredo, divulgar um segredo.

violencia. *f.* violência, qualidade de violento; acção e efeito de violentar; força; coa(c)ção; açodamento; frenesí; fúria; excesso; forçamento; violência, paixão; afronta; cólera; fortidão; efra(c)ção; constrangimento; (fig.) ardência; gafa; intensidade; irascibilidade; acção violenta; tirania; (fig.) violação, acção de violar uma mulher; : *con violencia,* aos empurrões; *llevado con violencia,* arrastado; *violencia de una pasión* (fig.) encendimento; *robar con violencia,* agadanhar.

violentado, da. *p. p.* de *violentar* e *adj.* forçado, coa(c)to; constrangido.

violentar. *v. tr.* violentar, forçar, constranger; violar; forçar, arrombar; coa(c)tar; estirar; contrafazer; .— *v. r.* forçar-se, vencer-se.

violento, ta. *adj.* violento, que procede com ímpeto; impetuoso; irascível; arrebatado; ardente; desatentado; convulsivo; denodado; destemperado; furibundo; furioso; excessivo; desabrido; duro; desembestado; arrebatado; agudo; exaltado; extorsionário, acéimo; incendiário; forçoso; frenético; açodado; a(c)tivo; violento; acelerado; contrafeito; *de genio violento,* atrabilioso; *impulso violento,* arrancão; arrebato; *sentirse violento,* sentir-se contrafeito; *muerte violenta,* morte arrebatada; *ganas violentas de hacer algo,* desejo ardente de fazer alguma coisa; *tempestad violenta,* tempestade desfeita; *manifestación repentina y violenta,* (fig.) explosão.

violero. *m.* guitarrista; tocador ou tocadora de viola ou violino.

violeta. *f.* (bot.) violeta, planta e a sua flor.—*m.* violeta, cor roxa semelhante à da violeta.: *violeta silvestre* (bot.) benefe.

violetera. *f.* vendedora de violetas.

violetero. *m.* floreria para violetas.

violín. *m.* (mús.) violino, instrumento músico; violinista, pessoa que toca violino: rabeca, taco auxiliar (no bilhar); parte do arreio dos cavalos que faz de jugo.: *arqueada de violín.* arcada de rabeca.

violina. *f.* (quim.) substância activa contida nas raízes da violeta.

violinista. *m.* (mú.) violinista, pessoa que toca violino.

violón. *m.* (mús.) contrabaixo, rabecão grande; violão, contrabaixo, pessoa que toca este instrumento; tocador de violão ou rabeca; *tocar el violón,* (fig. e fam.) falar ou agir fora de propósito ou confundindo-se.

violoncelista. *s.* violoncelista, pessoa que toca violoncele.

violoncelo, violonchelo. *m.* (mús.) violoncelo, instrumento músico de corda.

vipéreo ou **viperino, na.** *adj.* viperino, que se refere à víbora; (fig.) viperino, que tem as propiedades da víbora, (fig.) viperino, mordaz, venenoso, perverso: *lengua viperina*, língua viperina.

vira. *f.* vira, seta aguda; vira do calçado; franja dos vestidos.

virada. f. (mar.) acção de virar de bordo; viradela.

virador. *m.* (mar.) virador, calabre do cabrestante; cabo para içar os mastaréus; virador, líquido empregado na fotografia.

virago. *f.* virago, mulher varonil; fanchona; machoa, macha.

viraje. *m.* viragem, volta (dum automóvel, duma fotografia. etc). viragem, mudança de direcção dos automóveis; aeroplanos etc. (fot.) viragem, primeiro banho que se dá às provas.

virar. *v. tr.* virar, voltar, dar voltas; (mar.) virar, mudar de rumo; dar voltas ao cabrestante para levantar ferro; virar, pôr uma coisa em sentido oposto; pôr do avesso; voltar para trás; dobrar, voltear; *virar de bordo.* (mar.) virar de bordo; *virar por avante*, virar por avante;.

viratón. *m.* virotão, virote ou frecha grande.

virazón. *f.* viração, vento suave do litoral; salto brusco do vento.

virgen. *adj.* virgem, donzela, rapariga; diz-se da terra ainda não cultivada; virgem, madona; por, anton. Maria Santíssima, Mãe de Deus; Virgem, imagem de Nossa Senhora; a Senhora.: *mujer virgen*, mulher virgem; *cera virgen*, cera virgem, que não foi derretida; *un viva la Virgen* (fam.) pessoa pouco formal, que não atende às suas ocupaçoes e trabalhos; *mujer virgen*, (Bras.) parruda.

virginal, virgíneo, a. *adj.* virginal, que se refere à Virgem; (fig.) virgem, puro, inocente, imaculado, casto, puro, intacto; virginal, incorru(p)to, incorru(p)tível.

virginia. *f.* tabaco virginiano.

virginidad. *f.* virginidade, estado da pessoa virgem; (p. ext.) pureza; candura; estado do que está intacto.

virginio. *m.* (quim.) elemento químico ou corpo simples.

virgo. *m.* virginidade; (astr.) Virgo, constelação zodiacal; sexto signo do Zodíaco.

vírgula. *f.* vara pequena, vareta; linha delgada, vírgula; (med.) bacilo da cólera-morbo.

virgulilla. *f.* qualquer sinal ortográfico em forma de vírgula; tracinho etc.; hífen, apóstrofo, cedilha, til; qualquer risco ou traço curto e muito fino.

viril. *m.* viril, vidro para preservar qualquer coisa; redoma pequena que se mete dentro duma grande; (rel.) viril, vidro da custódia onde está a Hóstia Sagrada.

viril. *adj.* viril, varonil; relativo ao homem; próprio do homem; viril, fachonaço.

virilidad. *f.* virilidade, idade viril, idade adulta; virilidade, masculinidade; virili-

dade, força, actividade; potência das coisas; (fig.) energia, valor; aparência masculina.: *destruir la virilidad*, desvirilizar.

viripotente. *adj.* viripotente, vigoroso, potente; núbil, diz-se da mulher casadoira; (fig.) forte, varonil.

virol. *m.* perfil da boca da buzina e doutros instrumentos.

virola. *f.* (mar.) arruela; virola, rodela de metal para reforçar ou apertar um objecto; anilha de ferro que serve de ornato, na vara dos vaqueiros.

virolento, ta. *adj.* bexiguento, bexigoso; picado de bexigas; varioloso; marcado de bexigas.

virotazo. *m.* virotada, golpe com virote ou virotão.

virote. *m.* virote, seta curta; (fig. e fam.) moço solteiro, ocioso e tido por elegante; virote, homem empertigado e grave; (fam.) espadachim, fanfarrão; (prov.) cepa de três anos.

virotillo. *m.* (arq.) barrote vertical; madeiro curto.

virotismo. *m.* vaidade, presunção; altiveza, orgulho.

vi.reina. *f.* vice-rainha, mulher do vice-rei; vice-rainha, mulher que exerce as funções de vice-rei; mulher que governa como vice-rei.

virreinato. *m.* vice-reinado, cargo de vice--rei e tempo que este dura; território governado por um vice-rei.

virrey. *m.* vice-rei, o que governa em nome do rei.

virtual. *adj.* virtual, susceptivel de se exercer ou realizar; virtual, implícito, tácito, possivel; (fís.) virtual, que tem existência aparente e não real.

virtualidad. *f.* virtualidade, qualidade do que é virtual.

virtud. *f.* virtude, eficácia; virtude, mérito; energia; merecimento; bem; eficiência; virtude, valor, faculdade; devoção, virtude,força, valor, faculdade, poder para fazer uma coisa ou faculdade para obrar; virtude, rectidão, acção virtuosa; virtude, hábito e disposição para o bem e fugir do mal; virtude, integridade de ânimo; integridade de vida; (rel.) quinto coro dos espíritos celestes;: *en virtud de*, em virtude de; *por virtud de*, em consequência; *las virtudes teologales* (rel.) as virtudes teologais; *inducir a la virtud*, edificar; *abundancia de virtudes* (fig.) colheita; *mujer de virtud*, mulher de virtude, adivinha.

virtuosidad. *f.* virtuosidade, virtuosismo, qualidade do indivíduo que é cultor exímio nas belas-artes especialmente na música.

virtuoso, sa. *adj. e m.* virtuoso, que tem virtudes; recto, eficaz, honesto; virtuoso, angélico, caritativo; virtuoso, aquele que tem grandes qualidades para a música, de grande talento musical: *calidad de virtuoso*, virtuosismo, virtuosidade.

viruela. *f.* (med.) variola, enfermidade aguda e febril; bexigas, sinais produzidas por esta enfermidade: *viruelas locas*, bexigas doudas; *lleno de viruelas*, bexigoso.

virulencia. *f.* virulência, qualidade de virulento; (fig.) carácter de violência.

virulento, ta. *adj.* virulento, venenoso, purulento, que tem virus ou veneno; virulento, incisivo; (fig.) virulento, mordaz; virulento, diz-se da linguagem rancorosa; acrimonioso.

virus. *m.* (med.) virus, gérmen de várias enfermidades, especialmente das contagiosas; virus, pus, matéria purulenta das chagas, úlceras, etc.; (fig.) princípio de contágio moral.

viruta. *f.* apara, fita, acepilhadura, tira delgada de madeira ou de metal, feita com a plaina.

vis. *m.* força, vigor; usa-se na expressão: *vis cómica*, vis cómica.

visado. *m.* visado, declaração legal por ter sido visto ou apresentado.

visaje. *m.* visagem, careta, esgar, gesto; trejeito fisionómico; visagem, cara, rosto; visagem, contorsão.

visajero, ra. *adj.* gesticulador.

visar. *v. tr.* visar, pôr o visto; visar, mirar, apontar arma de fogo contra; visar, examinar um documento.

víscera. *f.* víscera, entranhas.

visceral. *adj.* visceral, pertencente ou relativo às vísceras.

visco. *m.* (bot.) visgo, visco, suco glutinoso para apanhar pássaros; visco, planta.

viscosidad. *f.* viscosidade, qualidade de viscoso; viscosidade, matéria viscosa; (fig.) propriedade dos fluídos.

viscoso, sa. *adj.* viscoso, pegajoso, glutinoso; semifluído; aglutinativo; apegadiço.

visera. *f.* viseira, parte anterior do capacete que resguardava o rosto; pala de boné; chapéu, etc., para defender a vista; peça de couro das cabeçadas: *visera del casco*, viseira do capacete.

visibilidad. *f.* visibilidade, qualidade do que é visível.

visible. *adj.* visível, visíbil; que se pode ver; visível, certo, evidente; aperceptível; aspectável; aparente; (fig.) apreciável; visível, que não oferece dúvida; notável, diz-se da pessoa que chama a atenção por alguma coisa; visível, claro, manifesto, palpável; manifesto; patente, indubitável: *hacerse visible*, aparecer; *de modo visible*, derrisòriamente; *poner en sitio visible*, pôr em luz.

visigodo, da. *adj.* e *s.* visigodo, diz-se do godo do ocidente.

visigótico, ca. *adj.* visigótico, relativo aos visigodos.

visillo. *m.* cortina pequena; cortina para janelas.

visión. *f.* visão, faculdade de ver; visão, espe(c)tro, fantasma; imagem que provoca espanto; visão, aparição; visão, potência visiva; visão, pessoa feia e ridícula; visão, quimera, ideia ridícula e fantástica:

visión ilusoria, fantasma; *visión normal*, emetropia; *ver visiones*, deixar-se levar da imaginação e ver coisas que não existem; *estar hecho una visión*, ter aspecto muito ridículo; *quedarse como quien ve visiones*, ficar atónito, pasmado.

visionario, ria. *adj.* visionário, utopista, sonhador; que diz respeito a visões ou fantasmas; visionário, devaneador.

visir. *m.* vizir, ministro dum soberano muçulmano.

visirato. *m.* dignidade e cargo de vizir; tempo que dura este cargo.

visita. *f.* visita, acção de visitar; visita, pessoa que faz uma visita; visita, visitação dum templo por devoção; visita, entrevista; visita, ida dum médico a casa dum doente; visita, reconhecimento duma autoridade; visita, inspecção feita por empregados da alfândega às embarcações que entram nos portos. — *pl.* visitas, idas frequentes a um lugar com intento determinado: *hacer una visita*, acudir; *visita pastoral*, visita pastoral; *visita de médico*, visita de médico a um doente; (fam.) visita breve; *tarjeta de visita*, bilhete de visita; *visitas que se hacen a las iglesias los Jueves Santos*, endoenças.

visitación. *f.* visitação, visita, acção de visitar. V. **visita**; (rel.) Visitação, visita que Nossa Senhora fez a Santa Isabel e que a Igreja celebra a 2 de Julho.

visitado, da. *p. p.* de *visitar* e *adj.* visitado; assistido; frequentado.

visitador, ra. *adj.* e *s.* visitador, que visita frequentemente; juiz, ministro ou empregado que tem a seu cargo fazer reconhecimentos, visitas e inspecção, visitante.

visitar. *v. tr.* visitar, ir ver alguém; ir o médico a casa do doente; visitar, inspeccionar, registar; visitar, fazer visita de cortesia; visitar, examinar, percorrer examinando; visitar as igrejas, ir ao templo por devoção na Semana Santa; visitar, frequentar, reconhecer; visitar, registar; visitar, ir a algum lugar ou a alguma casa por cortesia, por caridade, por recreio: *visitar sin ceremonias*, visitar sem cerimónias; *visitar un enfermo*, visitar um doente.

visivo, va. *adj.* visual, visivo, que serve para ver.

vislumbrar. *v. tr.* vislumbrar; ver indistintamente, divisar confusamente; entrever; lobrigar; (fig.) conjecturar; conhecer imperfeitamente. — *v. r.* mostrar-se indistintamente; apontar, começar a aparecer, começar a surgir.

vislumbre. *m.* vislumbre, reflexo; resplendor ténue; luz falsa, incerta; claridade ténue, pouca luz; (fig.) conjectura, indício, suspeita; parecença; semelhança leve; longes, mostras, indícios; sinal, vestígio.

viso. *m.* viso, outeiro, cabeço, altura; eminência; lugar alto; viso, reflexo, lampejo, revérbero, ondulação da luz; viso, (fig.) ar; viso, saia de cor que se põe debaixo dum vestido transparente; sombra, forro;

(fig.) viso, ares, semelhança, aparência; vislumbre; aparição; sinal; indício; leve tintura: *persona de viso*, diz-se das pessoas conspícuas; *al viso*, de soslaio, de esguelha: *hacer visos*, irisar-se, formar furta-cores; *a dos visos*, com duas intenções; *tener visos de verdad*, ter visos de verdade; *con visos de verdad*, com visos de verdade.

visogodo, da. *adj.* e *s.* V. **visigodo.**

visón. *m.* (zool. Amér.) mamífero semelhante à marta.

visor. *m.* (fot.) dispositivo que se adapta aos aparelhos fotográficos para focar convenientemente, visor: *visor de avión bombardero*, (aviaç.) visor de bombardeiro Norden.

visorio, ria. *adj.* visório, visual, relativo à vista; que serve como instrumento para ver. — *m.* visita, exame ou inspecção de peritos.

víspera. *f.* véspera, dia que antecede outro; (fig.) núncio, precursor; coisa que antecede outra. — *pl.* vésperas, uma das horas em que os romanos dividiam o dia; (rel.) vésperas, hora canónica que se reza depois de nona.

vista. *f.* vista, sentido da visão; vista, visão, acção de ver; vista, aspecto, aparência, disposição das coisas para serem vistas; vista, panorama, paisagem; ponto, sítio extenso; vista, os olhos; vista, (fig.) painel; vista, intenção, propósito; vista, visão; aparição; vista, quadro, estampa; vista, conhecimento claro das coisas; intento, propósito; (for.) vista, fórmula empregada nos autos, pelo tribunal; entrevista, reunião; presentes de noivado; vista, janela, porta, clarabóia; qualquer abertura por onde entra a luz; galeria, varanda; vista, golpe de vista, olhadura de relance; vista, o que se vê ou descobre de uma altura: *vista de aduanas*, apalpador, visitador de alfândega; *buen golpe de vista*, agudeza de vista; *cortedad de vista*, miopia; *en vista de*, atento que; *exponerse a la vista*, descobrir; *corto de vista*, de vista curta, miope; *juzgar a primera vista*, julgar à primeira vista; *vista de pasaporte*, vista de passaporte.

vistazo. *m.* vista de olhos, olhar rápido; olhadura ligeira e rápida: *dar un vistazo*, reconhecer superficialmente.

visto, ta. *p. p. irreg.* de *ver* e *adj.* visto, encarado; visto, conhecido, notório; sabido; acolhido; versado; sabedor; considerado, ponderado. — *m.* visto, fórmula de aprovação dalguns documentos: *a ojos vistos*, à vista de todos, evidentemente, a olhos vistos; *bien visto*, bem-visto; *dar el visto bueno*, dar por bem; *visto imperfectamente*, entrevisto; *visto que*, desde que; *visto súbitamente*, aparecido; visto que; *visto que*, porquanto.

vistosidad. *f.* qualidade de vistoso.

vistoso, sa. *adj.* vistoso, aparatoso, agradável; luzido; gaio; faceiro; farfalhudo; farfalhoso; garboso; vistoso, agradável, aprazível à vista; (Bras.) badejo.

visual. *adj.* visual, que se refere à vista; referente à visão. — *f.* visual, linha visual.

visualidad. *f.* visualidade, efeito agradável dum conjunto de coisas vistosas.

visura. *f.* vistoria, exame, reconhecimento pela vista; vistoria, exame de peritos.

vital. *adj.* vital, pertencente ou relativo à vida; (fig.) vital, de grande importância; vital, que dá força, fortificante; (fig.) essencial, fundamental; muito importante; necessário.

vitalicio, cia. *adj.* vitalício, que dura até ao fim da vida; que se usufrui toda a vida. — *m.* apólice de seguro sobre a vida; pensão vitalícia.

vitalicista. *s.* pessoa que desfruta de renda vitalícia.

vitalidad. *f.* vitalidade, qualidade de ter vida; vitalidade, actividade, eficácia das faculdades vitais; vitalidade, animalismo; vitalidade; aptidão para a vida; energia, força vital; actividade, força vital.

vitalismo. *m.* (fisiol.) vitalismo, doutrina sobre os fenómenos que se verificam no organismo, pela acção das forças vitais próprias dos seres vivos.

vitalista. *adj.* e *s.* vitalista, partidário do vitalismo.

vitalizar. *v. tr.* vitalizar, tornar vital; revigorar, fortificar.

vitamina. *f.* vitamina, nome de certas substâncias indispensáveis à nutrição.

vitaminoterapia. *f.* (terap.) vitaminoterapia.

vitando, da. *adj.* vitando, que se deve evitar; execrável, abominável; odioso.

vitar. *v. tr.* V. **evitar.**

vitela. *f.* vitela, pele de vaca ou de vitela muito polida.

vitelina. *adj.* (zool.) vitelino, diz-se da membrana que encerra o ovo.

vitelo. *m.* vitelo, novilho que tem menos de um ano; bezerro.

vitícola. *adj.* vitícola, que se refere à viticultura. — *m.* viticultor.

viticultor, ra. *s.* viticultor, pessoa versada em viticultura.

viticultura. *f.* viticultura, cultivo das videiras; arte de cultivar as videiras.

vitis. *f.* (bot.) viburno.

vitola. *f.* bitola, medida reguladora, padrão; (fig.) bitola, o todo duma pessoa; gabari; bitola, (mil.) instrumento para calibrar as balas; medida, marca; (Amér.) aparência.

¡vítor! *interj.* exclamação de alegria. — *m.* cartaz público louvando uma pessoa.

vitorear. *v. tr.* vitoriar, aplaudir, aclamar; proclamar vitorioso; aclamar triunfalmente.

Vitória. (geog.) Vitória.

vitoriano, na. *adj.* e *s.* (geog.) natural de ou pertencente à Vitória.

vítreo, a. vítreo, feito de vidro; que tem as propriedades do vidro; semelhante ao vidro, relativo ao vidro.

vitrificable. *adj.* vitrificável, que se pode vitrificar; vitrescível.

vitrificación. *f.* vitrificação; envidraçamento; acção e efeito de converter em vidro.

vitrificado, da. *p. p.* de *vitrificar* e *adj.* vitrificado; envidraçado.

vitrificar. *v. tr.* vitrificar, converter em vidro; fazer que uma coisa tenha as propriedades do vidro; vitrificar; tomar o aspecto do vidro.

vitrina. *f.* vitrina, escaparate, armário com vidros; vitrina, mostrador envidraçado onde se expõem ou guardam objectos.

vitriolado, da. *adj.* vitriolado, misturado, composto ou que tem vitríolo.

vitriólico, ca. *adj.* (quím.) vitriólico, pertencente ou relativo ao vitríolo ou tem as suas propriedades.

vitriolo. *m.* (quím.) vitríolo, ácido sulfúrico comercial: *vitriolo azul*, vitríolo azul; sulfato de cobre; *vitriolo verde*, vitríolo verde; sulfato de ferro; *vitriolo blanco*, vitríolo branco; sulfato de zinco; *agresión con vitriolo*, vitriolação.

vituallar. *v. tr.* V. **avituallar.**

vituallas. *f. pl.* vitualhas, mantimentos; provisões; (fam.) abundância de comida; provisões de boca; víveres; comestíveis.

vituperable. *adj.* vituperável, infame, ignominioso; ultrajante; desprezível; abjecto; acusável.

vituperación. *f.* exprobração; deslouvor; denigração; vitupério, vituperação; ultraje; infâmia; ignomínia.

vituperador, ra. *adj.* e *s.* vituperador, que vitupera, ultrajador; exprobrador.

vituperar. *v. tr.* vituperar, execrar; estranhar; exprobrar; deslouvar; corrigir; desgabar; increpar; improperar; detrair; ultrajar; injuriar; afrontar; denigrar; correger; (fig.) afear; censurar àsperamente; menoscabar; considerar ignominioso; dirigir vitupérios; menosprezar; desaprovar; lançar em rosto.

vituperio. *m.* vitupério, injúria, ignomínia; impropério; desgabo; afeamento; afronta; ultraje; desonra; infâmia; vileza; insulto; acção vergonhosa; opróbrio.

vituper(i)oso, sa. *adj.* vituperino, vituperoso; vergonhoso, que inclui vitupério; vituperioso; ignominioso; vergonhoso.

viudal. *adj.* viuval, relativo ao viúvo ou à viúva.

viudedad. *f.* pensão de viuvez; usufructo que goza o cônjuge sobrevivente; alimentos, pensão que se dá à viúva.

viudez. *f.* viuvez, estado de viúvo ou viúva.

viudo, da. *adj.* e *s.* viúvo, diz-se da pessoa a quem morreu o cônjuge e não voltou a casar: *quedarse viudo*, enviuvar.

¡viva! *interj.* designativa de alegria, aplauso, aclamação. — *m.* grito de vitória, de aplauso.

vivac. *m.* (mil.) V. **vivaque.**

vivacidad. *f.* a(c)tividade; animação; lume; desembaraço; ardor; ardência; (fig.) agilidade; vivacidade; viveza, esperteza; perspicácia; pessoa vivaz; prontidão em obrar; mover-se ou falar; compreensão rápida; finura; viveza; penetração rápi-

da; *vivacidad de los ojos*, ardor, viveza dos olhos; *perder la vivacidad*, (fig.) entorpecer-se; *sin vivacidad*, desvidrado, delambido; *vivacidad de los niños*, vivacidade das crianças.

vivandero, ra. *s.* (mil.) vivandeiro, pessoa que vende víveres aos militares em campanha.

vivaque. *m.* (mil.) bivaque, bivac, acampamento de tropas.

vivaquear. *v. intr.* (mil.) bivacar, passar a tropa a noite ao ar livre.

vivaracho, cha. *adj.* (fam.) vivo, traquina, animado; buliçoso; alegre, travesso; estoirinhado; muito vivo.

vivaz. *adj.* vivaz, duradoiro; eficaz; vigoroso; agudo; perspicaz; vivedoiro; que tem vida longa; (fig.) resistente; ardente; difícil de destruir; (bot.) vivaz, diz-se das plantas que duram mais de dois anos.

vivera. *f.* V. **vivar.**

viveral. *m.* (bot.) viveiro de árvores.

víveres. *m. pl.* víveres, provisões, vitualhas; comestíveis necessários para alimentação; mantimentos; provisões de boca; géneros de boca, de alimentação.

vivero. *m.* (bot.) viveiro de plantas, recinto próprio para a criação de plantas; viveiro, lugar destinado a criação e reprodução de animais; alfobre; aquário; seminário; (fig.) lugar onde se conserva alguma coisa e se propaga; grande quantidade; reunião; enxame, alverca.

viveza. *f.* viveza, animação espontânea, natural; vivacidade; esperteza; actividade; brilho; frescura; despejo; ardor; (fig.) encendimento; acendimento; louçania; viveza; dito agudo; semelhança perfeita com o vivo; viveza, graça particular dos olhos ao mover-se; palavra irreflectida; actuosidade, viveza no obrar; viveza, energia, ardimento nas palavras; viveza, brilho, colorido; viveza, vivacidade; penetração rápida.

vividero, ra. *adj.* habitável, diz-se do lugar onde se pode habitar.

vivido, da. *p. p.* de *vivir* e *adj.* experimentado.

vívido, da. *adj.* vívido, agudo, perspicaz, brilhante, refulgente.

vividor, ra. *adj.* e *s.* vivedor, vivedouro; que vive; vivaz, que vive muito; fura-vidas; arranjista. — *m.* indivíduo que vive de expedientes.

vivienda. *f.* vivenda, habitação; morada; modo de vida; vivenda, lugar onde se vive; residência; aposento; passadio; casa: *vivienda muy pequeña*, cochicholo; *vivienda suntuosa*, palácio.

viviente. *adj.* e *p. a.* de *vivir*; vivente, que vive; pessoa que vive; criatura viva; o homem; vivente, animante: *todo bicho viviente*, todo o mundo, todas as pessoas.

vivificación. *f.* avivamento, vivificação; acção e efeito de vivificar, reanimar.

vivificador, ra. *adj.* e *s.* vivificador, que vivifica; almo; vivificador, que alenta, que anima; que avigora.

vivificar. *v. tr.* vivificar, animar, aviventar, dar vida; confortar; dar alento; alentar; corroborar; dar vigor; reanimar; inocular vitalidade; dar vida a; fecundar; dar movimento; dar actividade.

vivificativo, va. *adj.* vivificativo, vivificante, capaz de vivificar.

vivífico, ca. *adj.* vivífico, vivificante, que inclui vida ou nasce dela.

viviparidad. *f.* viviparidade, modo de reprodução dos animais vivíparos.

vivíparo, ra. *adj.* (zool.) vivíparo, diz-se dos animais que parem vivos os filhos.

vivir. *v. intr.* viver, ter vida; viver, existir, durar, estar em vida; existir; viver, passar, manter; viver, morar, habitar, residir, habitar; viver, alimentar-se, ter o necessário para viver; viver, tratar da vida; viver, manter-se na memória depois de morto; conservar-se, durar na fama e na memória; viver, estar presente na memória; viver, comportar-se; conservar-se; gozar a vida; tirar vantagem.— *m.* viver, conjunto dos meios de vida e subsistência; vida, comportamento: *vivir a costa de alguien*, desfrutar alguém; *seguir viviendo*, não ter ainda os seus dias cheios; *como se vive, se muere*, como te curas, duras; *vivir a medias*, semiviver; *vivir de limosna*, viver de esmola; *haber vivido mucho*, ter vivido muito; *vivir del aire*, viver de nada; *vivir una vida miserable*, viver vida miserável; *ir viviendo*, ir vivendo; *¿quién vive?*, (mil.) quem vem lá?

vivir. *m.* viver, conjunto dos meios de vida e subsistência; vida; comportamento.

vivisección. *f.* vivissecção; dissecção dos animais vivos.

viviseccionista. *adj. e s.* vivisseccionista, vivissector.

vivismo. *m.* sistema filosófico do espanhol Luis Vives.

vivo. *adj.* vivo, que tem vida; vivo, intenso, forte; vivo, brilhante, ardente; subtil; engenhoso; fogoso; desinquieto; desperto; despejado; vivo, acalorado; (fig.) ágil, vivo; que dura na memória; diligente; expressivo; vivo, (med.) agudo; cheio de vivacidade; vivo, vivaz, duradoiro; vivo, esperto, activo, diligente; enérgico; arrebatado; ligeiro; apressado; avalorado; enérgico; vivo, alegre; risonho, alacre; ardente, fervente; (Bras.) escolado, sarado. — *m.* orla, extremo da roupa que costuma ser de diferente tecido ou de distinta cor; aresta ou ângulo muito agudo; vivo; (vet.) enfermidade dalguns animais; vívula: *lo vivo*, o âmago; *guarnecer de vivos*, avivar; *medio vivo*, semivivo; *niño muy vivo*, chincharravelho; *fuego vivo*, (mil.) tiroteio renhido, fogo vivo; *es el vivo retrato*, é o retrato vivo; *en carne viva*, em carne viva; *a viva fuerza*, à viva força.

vizcainada. *f.* acção ou dito próprio de biscainho.

vizcaíno, na. *adj. e s.* (geog.) biscainho, biscaio, natural da ou pertencente a Biscaia; biscainho, dialecto falado na província de Biscaia.

vizcaitarra. *adj. e s.* partidário da independência da Biscaia como nação; nacionalista vasco.

Vizcaya. (geog.) Biscaia.

vizcondado. *m.* viscondado, título ou dignidade de visconde; território da sua autoridade.

vizconde. *m.* visconde, substituto do conde; visconde, título honorífico.

vizcondesa. *f.* viscondessa, mulher do visconde; viscondessa, a que por si, goza de este título.

vocablo. *m.* vocábulo, te(ê)rmo, palavra, expressão; voz di(c)ção: *juego de vocablos*, equívoco.

vocabulario. *m.* vocabulário, dicionário; vocabulário, conjunto das palavras dum idioma ou dialecto; lista de palavras postas por ordem alfabético, vocabulário.

vocabulista. *s.* vocabulista, vocabularista, autor dum vocabulário; pessoa dedicada ao estudo dos vocábulos.

vocación. *f.* vocação, predestinação; talento; inclinação; índole; (fig.) tendência; convocação; chamada; advocação; vocação, inclinação para seguir uma carreira ou profissão; tendência; talento; jeito.

vocal. *adj.* vogal, vocal, pertencente à voz. — *s.* vogal, membro com voz num tribunal ou junta; (gram.) vogal, diz-se das letras que se pronunciam duma só emisão de voz.

vocálico, ca. *adj.* vocálico, pertencente ou relativo a vogal.

vocalismo. *m.* vocalismo, sistema vocálico; conjunto de vogais.

vocalización. *f.* vocalização, (mús.) vocalização, vocalizo, exercício de canto para ensinar a vocalizar.

vocalizador, ra. *adj. e s.* vocalizador, que vocaliza.

vocalizar. *v. intr.* vocalizar, cantar sem pronunciar as palavras; solfejar modulando a voz sobre uma vogal; vocalizar, executar exercícios de solfejo; vocalizar, transformar em vogais.

vocativo. *m.* (gram.) vocativo, caso da declinação que se emprega para chamar ou invocar.

voceador, ra. *adj. e s.* vozeador, que vozeia; que dá muitas vozes; que grita muito, gritador.

vocear. *v. intr. e tr.* vozear, dar vozes, dar gritos, gritar; manifestar com vozes uma coisa; avozear; (Bras.) bodejar; vozear, bradar; dizer gritando; manifestar com vozes uma coisa; chamar; clamar; (em voz alta); aplaudir; aclamar; chamar alguém em voz alta; (fig. e fam.) jactar-se.

vocejón. *m.* voz rouca e áspera, vozeirão.

vocería. *f.* ou **vocerío.** *m.* algazarra, alarma; falácia; vozearia, gritaria; (pop.) destampatório; (fig.) chiada.

vocero. *m.* aquele que fala em nombre doutrem; representante; delegado; pregoeiro; procurador; advogado.

vociferación. *f.* vociferação; assuada; clamor; berreiro; descompostura; impropérios, imprecações.

vociferar. *v. tr.* e *intr.* vociferar, estoirar, clamar; desadorar; exclamar; vozear; dizer com jactância e pùblicamente uma coisa; (fig.) estrondear, explodir; falar alto e com cólera; berrar; bradar; pronunciar gritando.

vocinglear. *v. tr.* clamar com frequência gritos.

vocinglería. *f.* vozearia, alarido; loquacidade; açougada; parolagem; vozearia de muitas vozes, barulho.

vodka. *m.* espécie de aguardente russa.

volada. *f.* voo a pequena distância; (fig. Amér.) lance, ocasião favorável.

voladera. *f.* pá de roda hidráulica, palheta.

voladero, ra. *adj.* que pode voar; voador, volante; flutuante; que se levanta com facilidade; (fig.) transitório, passageiro; efémero. — *m.* precipício, despenhadoiro.

voladizo, za. *adj.* e *m.* saliente (duma parede).

volador, ra. *adj.* voador, que voa; voante; flutuante, voante; movediço; suspenso no ar; (à mercê do vento); voador, veloz, rápido. — *m.* foguete que sobe muito alto; (zool.) peixe-voador, voador.

voladura. *f.* explosão, voo pelo ar dalguma coisa arremessada com violência; voadura, voo.

volandas (en). *adv.* (fam.) no ar; acima do chão, como que voando; aos tombos, aos baldões; em bolandas; (fig. e fam.) num momento, ràpidamente, com muita pressa.

volandera. *f.* anilha metálica que evita o atrito entre duas peças duma máquina; mó do lagar d'azeite; galga; arruela suplementar nos extremos do eixo dum carro; (fam.) mentira, peta.

volandero, ra. *adj.* volante, suspenso, no ar; que está em bolandas; (fig.) casual, imprevisto, que não se fixa nem detém em lugar algum; eventual; volante, não fixo; pássaro que começa a voar. V. **volantón**.

volandillas (en). *adv.* V. **volandas (en)**.

volanta. *f.* volante (veículo); carrinho leve.

volante. *p. a.* de *volar* e *adj.* voante, que voa; voador; volante, que vai ou se leva duma parte para outra; errante; móvel; errante; vagante, vago; (fig.) pulsação da artéria; flutuante; que se levanta com facilidade; armado à ligeira; mudável, que não tem domicílio fixo; movediço; diz-se da folha escrita que não está ligada a outra. — *m.* enfeite, adorno; espécie de enfeite de cabeça; tecido leve próprio para véus de senhoras; volante, peça de relógio, peças de máquinas que regula o movimento; máquina para cunhar; tira de papel comprida e escrita para servir de sinal ou lembrete; volante, bofes da camisa; volante, correia contínua nas

rodas das máquinas; carrinho muito usado na América.

volapié. *m.* certa sorte na lide de touros: *a volapié*, parte voando e parte andando.

volar. *v. intr.* voar, mover-se no ar com as asas; suster-se no ar; ser impelido no ar pelo vento; voar, mover-se no ar dum lado para o outro; voar, viajar em avião; (fig.) voar, correr velozmente; desaparecer sùbitamente; caminhar com muita pressa; sobressair da parede dum edifício; voar, ir pelo ar uma coisa arrojada violentamente; voar, propagar-se; espalhar-se; propalar-se; cortar os ares; sumir-se; ir pelos ares; explodir; voar, ter conceptos sublimes; voar, decorrer ràpidamente. — *v. tr.* fazer voar, fazer ir pelos ares; irritar, enfadar, picar: *más vale pájaro en mano que ciento volando*, mais vale um pássaro na mão que dois a voar; *la noticia voló de boca en boca*, a notícia voou de boca em boca; *volar a ras de tierra*, esvoaçar; *intentar volar los pájaros*, debater-se; *volar en formación*, voar em formação; *echar a volar*, deitar a voar. — *conj. irreg.* como *contar*.

volatería. *f.* volataria, altanaria, arte de caçar com aves amestradas; conjunto de diversas aves; (fig.) modo de adquirir uma coisa contingentemente; ideias vagas e confusas; aves caçadas com falcões ou com aves adestradas.

volatero. *m.* caçador de aves.

volátil. *adj.* volátil, que voa, que pode voar; (quím.) diz-se da substância que tem a propriedade de se volatilizar; (fig.) volátil, mudável, inconstante; volúvel.

volatilidad. *f.* (quím.) volatilidade, qualidade do que é volátil ou pode volatilizar-se.

volatilizable. *adj.* volatilizável, que se pode volatilizar, susceptível de volatilizar.

volatilización. *f.* volatilização.

volatilizar. *v. tr.* volatilizar, transformar um corpo sólido ou líquido em vapor ou gás; evaporar. — *v. r.* reduzir-se a gás ou vapor, tornar-se volátil; evaporar-se; dissipar-se em vapor; evolar-se.

volatín. *m.* volatim, volantim, cada um dos exercícios dos equilibristas; funâmbulo, andarilho.

volatinero, ra. *s.* acróbata; funâmbulo; volantim; voador; equilibrista; volteador em maroma; saltimbanco.

volatizar. *v. tr.* volatilizar, evaporar.

volavérunt. (fam. lat.) voz empregada jocosamente para expressar que uma coisa se perdeu ou desapareceu.

volcán. *m.* vulcão, abertura numa montanha por onde saem turbilhões de fogo e lava; (fig.) vulcão, fogo ardente; paixão ardente; calor excessivo; (fig.) imaginação ardente; grande incêndio, abrasamento; pessoa ou coisa de natureza impulsiva: *volcán de lodo*, vulcão de lama.

volcanicidad. *f.* vulcanicidade.

volcánico, ca. *adj.* vulcânico, que se refere a vulcão; formado por um vulcão; constituído por lavas; (fig.) vulcânico, impetuoso, impulsivo; ardente; exaltado.

volcanismo. *m.* conjunto das manifestações vulcânicas; teoria que exprime as causas das manifestações vulcânicas.

volcar. *v. tr.* voltar, tombar; virar uma coisa de modo a verter-se o conteúdo; voltar, entornar; perturbar a cabeça, estontear; (fig.) dissuadir; irritar; molestar; aturdir; (fig.) fazer mudar de parecer; voltar, dar volta; fazer mudar de opinião. — *conj. irreg.* como *contar.*

volea. *f.* balancim de lança de carruagem; pancada; rebatida, golpe dado no ar a alguma coisa.

volear. *v. tr.* bater, ferir no ar alguma coisa (para impedir quando se joga); semear, atirando a semente aos punhados; lançar ao ar alguma coisa.

voleo. *m.* pancada dada no ar a alguma coisa antes que caia; volteio, certo movimento de dança espanhola; bofetão; repreensão; boleu: *sembrar al voleo,* semear, atirando a semente aos punhados; *de un voleo, del primer voleo,* (fig.) num sopro, num instante.

volframio. *m.* (quím.) volfrâmio, metal de cor parda muito duro; tungsténio.

volición. *f.* (filos.) volição, acto da vontade; primeiro movimento voluntário.

volido. *m.* V. **vuelo.**

volitar. *v. intr.* V. **revolotear.**

volitivo, va. *adj.* (filos.) volitivo, diz-se dos actos da vontade; relativo à volição.

volquearse. *v. r.* espojar-se.

volquete. *m.* espécie de vagoneta; carro cuja caixa gira sobre um eixo.

volquetero. *m.* condutor de *volquete.*

volt. *m.* (fís.) volt, vóltio, unidade de medida eléctrica.

voltaico, ca. *adj.* (eléctr.) voltaico, diz-se do arco eléctrico, que salta entre dois condutores a potenciais diferentes.

voltaísmo. *m.* (eléctr.) voltaísmo.

voltaje. *m.* (eléctr.) voltagem, força electromotriz, medida em volts.

voltámetro. *m.* (fís.) voltâmetro.

voltariedad. *f.* volubilidade, **versatilidade;** mutabilidade de génio ou de opinião.

voltario, ria. *adj.* voltário, volúvel, mudável, versátil, de carácter inconstante; (Amér.) voluntarioso, caprichoso, obstinado.

volteador, ra. *s.* e *adj.* volteador, que volteia, que dá voltas; pessoa que volteia com habilidade.

voltear. *v. tr.* voltear, fazer dar voltas; virar, voltar; voltar, pôr ao contrário do que estava; mudar, transtrocar; inverter a ordem; andar à volta de; dar voltas a; fazer girar; (arq.) construir (arcos ou abóbadas); derrubar; deitar por terra. — *v. intr.* girar, dar voltas, voltear, voltar-se; mover-se; agitar-se em roda; dar voltas por si; voltar-se; rodopiar.

voltejear. *v. tr.* voltear, virar, voltar, volver; (mar.) bolinar, bordejar; navegar de bolina.

voltejeo. *m.* (mar.) acção de bolinar ou bordejar.

volteo. *m.* volteio, volteadura, acção de voltear; exercício de funâmbulo.

voltereta. *f.* boléu; cambalhota, volta ligeira dada no ar; volte, de carta que deve servir de trunfo: *dar volteretas,* estrinchar.

volterianismo. *m.* voltairianismo, espírito de incredulidade, de impiedade.

volteriano, na. *adj.* e *s.* voltairiano, da natureza das obras de Voltaire.

volteta. *f.* V. **voltereta.**

voltímetro. *m.* (eléctr.) voltímetro, aparelho para medir força electromotriz duma corrente.

voltio. *m.* (eléctr.) volt, vóltio, unidade de força electromotriz.

voltizo, za. *adj.* anelado, torcido, enredado, emaranhado; (fig.) instável, volúvel, versátil; inconstante; vário.

volubilidad. *f.* volubilidade, inconsequência; inconstância; infixidez; inconsideração; versatilidade; instabilidade; mutabilidade; qualidade de volúvel; tendência para mudar; facilidade de movimento.

voluble. *adj.* volúvel; elástico; fácil; inconsequente; inconstante; incerto; antojadiço; bandoleiro; arlequim; volúvel, que gira, que se volve; instável; variável; inconstante; vário; versátil; (bot.) volúvel, diz-se do caule que cresce enredando-se.

volumen. *m.* volume, corpulência; magnitude; corporatura; volume, tomo, livro impresso; (geom.) volume, espaço que ocupa um corpo.

volumétrico, ca. *adj.* volumétrico, que se refere à medida de volume.

voluminoso, sa. *adj.* avultoso, avultado; corpulento; (fig.) elefantóide; volumoso, voluminoso, avultado, que tem grande volume; volumoso, que ocupa muito espaço; forte; intenso.

voluntad. *f.* vontade, faculdade de querer; mercê, eleição; ânimo; agrado; desejo; coração; (fig.) entranha; vontade, alvedrio; vontade, decreto ou disposição de Deus; vontade, livre arbítrio, livre determinação; escolha; intenção; consentimento; carinho; amor; afeição; assentimento; aquiescência; desejo; ordem; decreto.

voluntariado. *m.* voluntariado, alistamento voluntário para o serviço militar.

voluntariedad. *f.* voluntariedade, que nasce da vontade; vontade caprichosa, arbítrio, capricho.

voluntario, ria. *adj.* voluntário, facultativo; arbitrário; voluntário, que nasce da vontade; voluntário, espontâneo; voluntarioso. — *m.* voluntário, soldado de fortuna, soldado que se alista voluntàriamente.

voluntarioso, sa. *adj.* voluntarioso, infatigável; que quer fazer sempre a sua vontade; caprichoso; teimoso.

voluptuosidad. *f.* volu(p)tuosidade; sensualidade; deleite nos prazeres sensuais; delícia; (fig.) epicurismo; sensualidade.

voluptuoso, sa. *adj.* volu(p)tuoso, dado à voluptuosidade; delicioso; efeminado; (fig.) sensual; lúbrico; lascivo.

voluta. *f.* (arq.) voluta, ornato em forma de espiral, especialmente no capitel jónico; (zool.) voluta, género de moluscos.

volva. *f.* (bot.) volva, membrana em forma de bolsa que envolve alguns cogumelos.

volvedera. *f.* (agr.) espécie de ancinho.

volvedor, ra. *adj.* (Amér.) querençoso, diz-se do cavalo que volta ao sítio onde foi criado.

volver. *v. tr.* volver, voltar, girar; volver, dar voltas; pagar, corresponder, retribuir; dirigir, encaminhar; inclinar de um lado para outro; verter, traduzir para outra língua; devolver, restituir; repor; dissuadir; fazer mudar de opinião; voltar; restituir; devolver; tornar a pôr; converter uma coisa em outra; voltar, virar; revolver novamente a terra; reiterar, tornar a fazer o mesmo. — *v. intr.* voltar, torcer, afastar-se da linha recta; regressar; reviver, diz-se das plantas. — *v. r.* voltar-se; virar-se; azedar-se; inclinar-se; desviar, desatar. — *conj. irr.* como *mover: volver a un asunto*, arribar sobre uma matéria; *volver de dentro afuera*, desvirar; *volver en dirección contraria*, contraverter; *volver hacia*, apresentar; *volver hacia atrás*, arretar, desandar; *volver los párpados hacia afuera*, arremalgar; *volver la pelota desde el saque*, contra-restar; *volver la espalda*, voltar as costas, ir-se embora; *volverse hacia la derecha*, voltar-se para a direita; *¡vuelta a la derecha!*, direita, volver!; *volver los ojos hacia*, volver os olhos para; *volver a casa*, voltar a casa.

volvible. *adj.* fácil de voltar; fácil de volver.

volvo, vólvulo. *m.* (med.) V. **íleo.**

vómer. *m.* (anat.) vómer, osso das fossas nasais; (zool.) vómer, peixe.

vómica. *f.* (med.) vó(ô)mica, abcesso no interior do peito.

vómico, ca. *adj.* vómico, que causa vómitos, que produz vómitos.

vomipurgante, vomipurgativo, va. *adj.* (med.) vomitivo, que produz vómitos.

vomitado, da. *p. p.* de *vomitar* e *adj.* vomitado; (fam.) magro, desmedrado; enfezado; (fig.) abatido; vomitado, sujo pelo vómito; cuspido; arrojado; expelido. — *m.* as matérias expelidas pelo vómito, vómito.

vomitador, ra. *adj.* e *s.* vomitador, que vomita; que expele ou arroja à maneira de vómito.

vomitar. *v. tr.* vomitar, expelir pela boca; vomitar, arrojar pela boca substâncias que estavam no estômago; (fig.) escarrar, proferir injúrias; arrevessar; deitar; desengolir; bolsar; lançar as entranhas; (fam.) contar, dizer um segredo; restituir o que se tem indevidamente; vomitar, jorrar; lançar violentamente de si; sujar, manchar com vómito; (pop.) desembuchar; (Bras.) devolver.

vomitivo, va. *adj.* e *s.* (med.) vomitivo, que produz vómito; ametizante; emético.

vómito. *m.* vómito, vomição, acção de vomitar; eje(c)ção; arrevessado; vómito, o que se vomita, o vomitado; arcada; as matérias vomitadas: *vómito negro*, vómito-negro, febre-amarela; *vómito de sangre*, V. **hemoptisis;** *provocar el vómito*, (med.) emetizar.

vomitón, na. *adj.* (fam.) diz-se das crianças de peito que vomitam muito.

vomitorio, ria. *adj.* e *m.* vomitório, vomitivo; (med.) emético; porta dos antigos circos para a entrada do público.

voquible. *m.* (fam.) V. **vocablo.**

vorace. *adj.* (poét.) V. **voraz.**

voracidad. *f.* voracidade, qualidade de voraz; apetite devorador; sofreguidão; avidez; adefagia; edacidade; (fig.) ímpeto destruidor, avidez, avareza.

vorágine. *f.* voragem, redemoinho de água; abismo; movimento circulatório da água; sorvedouro; (fig.) tudo o que é susceptível de consumir, subverter ou é causa dalguma desgraça ou ruína.

voraginoso, sa. *adj.* voraginoso, diz-se do lugar em que há redemoinhos d'água; onde há voragem; que sorve como uma voragem.

voraz. *adj.* voraz, que devora; que come muito e com avidez; ingluvioso; famélico; adefago; ávido; desgorgomilado; desabastado; edaz, edace; (fig.) destruidor, ávido; sôfrego, desenfreado; licencioso; que consume ràpidamente; (fig.) que arruína, que aniquila.

vórtice. *m.* vórtice, turbilhão, remoinho, voragem; vórtice, centro dum ciclone; vórtice, tufão.

vortiginoso, sa. *adj.* vorticoso, em turbilhão, redemoinhamente.

vos. *pron. poss.* segunda pessoa do pronome; pessoa do género masculino e feminino, singular ou plural; usa-se como tratamento de respeito ou para superiores; vós.

vosear. *v. tr.* vosear, dar a alguém o tratamento de vós.

vosotros, tras. *pron. poss. plur.* vós.

votación. *f.* votação, acção e efeito de votar; sufrágio, conjunto de votos; escrutínio.

votado, da. *p. p.* de *votar* e *adj.* votado, aprovado pela maioria de votos; em que recaíram votos.

votador, ra. *adj.* e *s.* votante, que vota; eleitor; que faz voto ou promessa; pessoa que tem o vício de jurar.

votar. *v. tr.* e *intr.* votar, emitir voto; fazer voto ou promessa a Deus ou aos santos; prometer; jurar; votar, consagrar, prometer solenemente; decidir; votar, blasfemar; conferir; votar, aprovar, eleger por votação; outorgar; *votar en contra*, votar em contra.

votivo, va. *adj.* votivo, oferecido por voto; relativo ao voto; anatemático.

voto. m. voto, promessa feita a Deus ou a seus santos; sufrágio, voto, arbítrio; blasfémia; voto, consagração, voto solene; parecer; ditame; voto, rogo, súplica a Deus; voto, blasfémia; voto, expressão dum desejo; decisão; sufrágio; votação; lista eleitoral; pessoa que vota.

voz. f. voz, som produzido pelos órgãos da fonação; voz, timbre, som, metal de voz; grito; queixa; voz, fonema, palavra, vocábulo; (fig.) cantor, músico que canta; autoridade, poder voto; opinião; voz, fama; motivo, parecer; sugestão; voz, som de certos instrumentos; voz, palavra, fala; (pop.) galra, palra; (poét.) acento; voz, crédito, autoridade; força que dá às coisas a opinião comum; voz, poder, direito de fazer alguma coisa em nome doutro; (fig.) voz, boato; fama; rumor; voz, voto nas juntas ou eleições; voz, ordem, mandato superior; (gram.) voz, conjunto de inflexões de um verbo; (fig.) conselho, opinião; profecia; inspiração; sugestão íntima: *a media voz*, a meia voz; *aproximarse al alcance de la voz*, vir à fala; *dar voces*, dar vozes, gritar; *a voz en cuello*, a gritos, andar às vozes; *confusión de voces*, (Bras.) bambaré.

vozarrón. m. vozeirão; voz forte, vozeiro.

vuece(le)ncia. m. ou f. vocelência, vocência.

vuela. f.: *a vuela pluma*, ao correr da pena.

vuelapié (a). V. **volapié (a).**

vuelco. m. tombo, movimento com que uma coisa se volta, cai ou se transtorna; sobressalto repentino; volta; tombo.

vuelillo. m. bofes de renda nas mangas.

vuelo. m. vo(ô)o, voadura; voo, espaço percorrido duma só vez voando; conjunto das penas duma ave que servem para voar; (por ext.) asa, roda (aba dum vestido); maquinismo que se usa no teatro em que alguma coisa ou pessoa vai voando pelo ar; arvoredo dum monte; (arq.) sacada de janela, beira de telhado; folho, enfeite de manga; aba de vestido; voo, movimento rápido dum objecto pelo ar; (fig.) rapto do pensamento; arrojo; aspiração; fantasia; êxtase; arroubamento; (cetr.) ave de caça, já adestrada.

vuelta. f. volta, desvio, circuito; decurso; giro; curvatura; curva de rua ou estrada; volta, regresso; volta, devolução; volta, recompensa; repetição; demasia; troco; volta, vez, turno; volta, invés, avesso; verso duma página; volta, rodeio; volta, circunferência, redondez; desvio da linha recta; volta, passeio, viagem pequena; volta, inclinação para um lado; volta, sova, tunda; canhão de manga; roda de chave ou fechadura; volta, regresso; mudança; volta, sinuosidade; meandro, acção de volver; espécie de gola usada pelos estudantes, padres, etc; volta, mudança de estado das coisas; mudança de parecer, de opinião; volta; amanho de terra; volta, cada uma das curvas duma espiral; volta, vicissitude; rosca.

vuelto, ta. p. p. irreg. de *volver* e adj. voltado; descaido; de cima para baixo. — m. (Amér.) troco de dinheiro, demasia.

vueludo, da. adj. muito rodado, amplo, diz-se dos vestidos com roda.

vuesa. adj. contrac. de *vuestra*.

vuesarced. m. ou f. síncope de *vuestra merced*, vossa mercê.

vueseñoría. f. ou m. síncope de *vuestra señoría*; vossa senhoria.

vuestro, tra. vuestros, tras. pron. posses. da segunda pessoa; vosso, vossa; vossos, vossas: *en vuestra compañía*, convosco.

vulcanicidad. f. (geol.) vulcanicidade.

vulcanio, nia. adj. vulcâneo, pertencente ou relativo a Vulcano; pertencente ao fogo; vulcânico.

vulcanismo. m. (geol.) vulcanismo, plutonismo; erupção calamitosa.

vulcanista. adj. e s. (geol.) vulcanista, partidário do vulcanismo.

vulcanita. f. vulcanite, substância em que entra borracha vulcanizada, enxofre e sílica; ebonite.

vulcanizable. adj. que se pode vulcanizar.

vulcanización. f. vulcanização, acto ou efeito de vulcanizar.

vulcanizar. v. tr. vulcanizar, calcina, proceder à vulcanização; vulcanizar, misturar a gola elástica ou borracha com enxofre; (fig.) inflamar, exaltar; arrebatar.

vulcanología. f. vulcanologia; ciência que trata dos vulcões.

vulcanológico, ca. adj. pertencente ou relativo à vulcanologia.

vulcanólogo, ga. s. vulcanologista.

vulgacho. m. (depre.) vulgo, vulgacho, plebe, populacho; ralé; gentalha; arraia miúda; a camada inferior da sociedade.

vulgar. adj. vulgar, pertencente ou relativo ao vulgo; vulgar, comum ou geral, por contraposição a especial ou técnico; vulgar, corriqueiro, despoético, despoetizado; medíocre; paladim; frequente; exotérico; aboleimado; desinteressante; corrente; aprosado; mediano; meião, batido; correntio; (fig.) chato; (pop.) fúfio; vulgar, geralmente admitido, adoptado; comum; trivial; ordinário; humilde; vulgar, de baixa condição; vulgar, diz-se das línguas de uso comum ou actual.

vulgaridad. f. vulgaridade, banalidade; coisa vulgar; corriqueirice; mediocridade; mediania; (fig.) chateza; chatice; vulgaridade, frase banal, vulgar; coisa, dito ou expressão trivial. — pl. vulgaridades: *decir vulgaridades*, dizer vulgaridades, banalidades.

vulgarismo. m. vulgarismo, dito ou frase usada especialmente pelo vulgo; vulgarismo, modo de falar ou de pensar do vulgo; vulgarismo, vulgaridade.

vulgarización. f. vulgarização, propagação; publicidade.

vulgarizar. v. tr. vulgarizar, familiarizar; tornar vulgar; pôr ao alcance de todos; propagar, divulgar; popularizar; tornar, traduzir duma outra língua para a língua vulgar ou comum. — derramar. — *v. r.* baratar-se; dar-se ao trato com gente do vulgo; abandalhar-se; tornar-se vulgar.: *vulgarizar la instrucción,* derramar a instrução.

Vulgata. *f.* (rel.) Vulgata, versão latina da Sagrada Escritura.

vulgo. *m.* vulgo, povo, o comum da gente popular; vulgo, plebe; a classe do povo; (vulg.) padaria; vulgo, conjunto de pessoas que em cada matéria só conhecem a parte superficial. — *adv.* V. **vulgarmente.**

vulnerabilidad. *f.* vulnerabilidade, qualidade de vulnerável.

vulnerable. *adj.* vulnerável, que pode ser ferido ou receber lesão física ou moral; (fig.) diz-se do ponto fraco de uma pessoa, coisa ou questão.

vulneración. *f.* vulneração; ferida; ferimento; desobediência; contravenção.

vulnerado, da. *p. p.* de *vulnerar* e *adj.* vulnerado; (med.) ferido.

vulnerador, ra. *adj.* e *s.* vulnerador, contraventor.

vulnerar. *v. tr.* (fig.) vulnerar, ferir, perjudicar; contravir; defraudar; desobedecer; ofender a opinião ou a estima de alguém; ofender; causar prejuízo.

vulnerario, ria. *adj.* (for.) diz-se do sacerdote que feriu ou matou outra pessoa; (med.) vulnerário diz-se do remédio que cura as feridas ou chagas. — *m.*medicamento que cura as feridas.

vulpécula, ou **vulpeja.** *f.* (zool.) raposa.

vulpina. *f.* (bot.) cauda, rabo de raposa, planta.

vulpinita. *f.* (min.) vulpinite, espécie de mármore cinzento.

vulpino, na. *adj.* vulpino, referente ou relativo à raposa; (fig.) vulpino, manhoso, astuto; matreiro; traiçoeiro.

vultuoso, sa. *adj.* (med.) vultuoso, vermelho, inchado (diz-se do rosto).

vulturno. *m.* V. **bochorno;** vento quente, vento de sudeste; bochorno.

vulva. *f.* (anat.) vulva, parte exterior dos órgãos genitais da mulher; (Bras.) tabaca.

vulvar. *adj.* vulvar, vulvário, pertencente ou referente a vulva.

W

W, w. *f.* letra chamada **v doble**, que não pertence pròpriamente à escrita espanhola, pois nela é substituída pela letra **v** simples. Usa-se em nomes célebres da historia de Espanha: *Wamba, Witiza*, que também se escreven con *v.* — (quím.) símbolo do tungsténio. — (náut.) oeste.

wagneriano. *adj.* e *s.* wagneriano.

Washington. (geog.) Washington.

wat. *m.* (fís.) wat, vátio, nome desta unidade de potência na nomeclatura internacional.

water-polo. *m.* (dep.) water-polo.

wellingtonia. *f.* (bot.) wellingtónia, grande árvore conífera de Califórnia.

whisky. *m.* whisky, espécie de aguardente de cereais.

X

X, x. *f.* vigésima sexta letra do alfabeto espanhol e vigésima-primeira das suas consoantes; chama-se *equis;* antigamente representava dois sons, um duplo composto de *ks* ou **gs** e outro simples como o **ch** em português; este último só se emprega nalguns dialectos como o *bable* (falado em Astúrias); (mat.) x, letra algébrica que representa a incógnita; x, sinal para substituir o nome duma pessoa; X, representa o número dez na numeração romana.

xana. *f.* (prov.) (anat.) ninfa das fontes e dos montes na mitologia popular asturiana; pronuncia-se dando ao *x* valor do *ch* português.

xanteína. *f.* xanteína, substância corante extraída dalgumas flores amarelas.

xantico, ca. *adj.* xântico, relativo à cor amarela; designativo dum ácido.

xantina. *f.* (quim.) xantina.

xantocromía. *f.* xantocromia.

xantofila. *f.* (bot.) xantofila, clorofila amarela.

xantogénico, ca. *adj.* xantogé(ê)nico, que torna amarela, diz-se do micróbio da febre-amarela.

xantopsia. *f.* (med.) xantopsia.

xantosis. *f.* (pat.) xantose.

xantospermo, ma. *adj.* (bot.) xantospermo, que tem sementes amarelas.

xantoxíleas. *f. pl.* (bot.) xantoxiláceas.

xara. *f.* lei dos mouros e maometanos derivada do Alcorão.

xareo. *m.* (zool.) xaréu, peixe marinho.

xenofilia. *f.* xenofilia, simpatia pelos estrangeiros.

xenófilo, la. *adj.* xenófilo, amigo dos estrangeiros.

xenofobia. *f.* xenofóbia, ódio, aversão, repugnância, hostilidade para com os estrangeiros.

xenófobo, ba. *adj.* xenófobo, que sente xenofóbia, que tem aversão aos estrangeiros.

xenografía. *f.* xenografia.

xenográfico, ca. *adj.* pertencente ou relativo à xenografia.

xenógrafo, fa. *s.* xenógrafo, políglota; indivíduo versado em línguas estrangeiras.

xenomanía. *f.* xenomania, mania de gostar só o que é estrangeiro.

xenomaniaco, ca. *adj.* e *s.* xenomaníaco.

xenómano, na. *adj.* e *s.* xenómano.

xenón. *m.* (quim.) xénon, xé(ê)nio, um dos gases da atmosfera.

xerasia. *f.* (med.) xerasia, doença que impede o crescimiento dos cabelos.

xerodermia. *f.* xerodermia, doença cutânea; ictiose.

xerofagía. *f.* xerofagia, alimentação com produtos secos, não cozinhados.

xerofágico, ca. *adj.* pertencente ou relativo à xerofagia.

xerófago, ga. *s.* xerófago, que observa a xerofagia.

xerófilo, la. *adj.* (bot.) xerófilo, diz-se da vegetação que se dá bem nos terreno secos.

xeroftalmía. *f.* (med.) xeroftalmia.

xeroftálmico, ca. *adj.* xeroftálmico.

xerografía. *f.* (fot.) xerografia.

xerográfico, ca. *adj.* xerográfico.

xerosis. *f.* (med.) xerose.

xifoideo, a. *adj.* xifóideo, xifoidiano.

xifoides. *adj.* (zool.) xifóide.

xilobálsamo. *m.* (farm.) xilobálsamo.

xilocarpo. *m.* xilocarpo.

xilófago, ga. *adj.* xilógrafo, que rói a madeira. — *m. pl.* género de insectos.

xilófono. *m.* (mús.) xilofone, espécie de marimba.

xilógeno. *m.* (quim.) xilogé(ê)nio, substância que se encontra nas células das plantas.

xiloglifia. *f.* xiloglifia, arte de esculpir em madeira.

xiloglífico, ca. *adj.* pertencente ou relativo à xiloglifia.

xilóglifo, fa. *s.* aquele que exerce a xiloglifia; escultor em madeira.

xilografía. *f.* xilografia, arte de gravar em madeira.

xilográfico, ca. *adj.* xilográfico.

xilógrafo, fa. *s.* xilógrafo, gravador em madeira.

xiloide. *adj.* xilóide proveniente de corpo lenhoso.

xilomancia, xilomancía. *f.* xilomancia.

xilometría. *f.* xilometria.

xilopia. *f.* (bot.) xilópia, género de plantas anonáceas.

xister. *m.* (cir.) lima, raspador,

Y

Y, y. *f.* vigésima sétima letra do alfabeto espanhol e vigésima-segunda das suas consoantes; pronuncia-se como **i.**

y. *conj. copul.* e.

ya. *adv.* já, denota tempo passado ou tempo presente ou futuro; já, logo, imediatamente; já, finalmente, ùltimamente;. — *interj.* já, denota que nos recordamos do que nos tinhamos esquecido.: *ya que*, já que, visto que; *ya me lo pensé yo*, eu bem me imaginei; *ya que*, desde que, em que.

yacedor. *m.* moço encarregado de levar as cavalgaduras a pastar de noite.

yacente. *p. a.* de *yacer*, *adj.* jacente, que jaz;. — *m.* (min.) lado inferior dum filão.

yacer. *v. intr.* jazer, estar deitado; estar morto; estar sepultado; estar, existir; ter relações carnais com uma pessoa; pastar de noite (as cavalgaduras); estar uma pessoa ou coisa num lugar. — *conj. irr. pres. ind.* **yazco, yazgo, yago, yaces** etc. *subj. pres.* **yazca, yazga, yaga,** etc.; *imperf.* **yaciera** ou **yaciese**: *fut. imp.* **yaciere**; *part.* **yacido,** (jazido); *ger.* **yacendo** (jazendo).

yaciente. *p. a.* de *yacer* e *adj.* jacente, que jaz; diz-se da colmeia que está estendida ao longo.

yacija. *f.* leito, cama; jazida, lugar em que se está deitado; jazida, sepultura; jazigo; lugar em que alguém jaz;: *ser uno de mala yacija*, (fig.) ser de mau dormir; ser inquieto; ser homem baixo, vadio e de maus costumes.

yacimiento. *m.* (geol.) jazigo, lugar onde abundam minerais, metais, etc.

yámbico, ca. *adj.* (poét.) jâmbico, pertencente ou relativo ao jambo. — *m.* jâmbico, verso formado de pés jâmbicos; formado de jambos.

yambo. *m.* (poét.) jambo, pé de verso latino e grego; por ext. pé da poesia espanhola.

yanacona. *adj.* e *s.* diz-se do ameríndio que estava ao serviço pessoal dos espanhóis nalguns países da América;. — *m.* ameríndio, parceiro ou sócio com outro no cultivo duma terra.

yanqui. *adj.* s *s.* ianque, aplica-se às pessoas norte-americanas.

yantar. *v. tr.* (ant.) comer, especialmente ao meio-dia, almoçar.

yantar. *m.* jantar, vianda, comida, manjar, iguaria; antigo tributo ou foragem que se pagava quando o rei visitava os povos com aplicação à comida que se lhe dispunha; prestação enfitêutica.

yarda. *f.* jarda, medida linear inglesa equivalente a noventa e um centímetros.

yaro. *m.* (bot.) jarro, planta.

yatagán. *m.* atagã, espécie de punhal grande usado pelos Turcos e pelos Árabes.

yate. *m.* (mar.) iate, navio de recreio ou de gala.

yaya. *f.* (prov.) V. **abuela.**

yayo. *m.* (prov.) V. **abuelo.**

ye. ípsilon, nome da letra grega **y.**

yeco, ca. *adj.* V. **lleco**; terra inculta, virgem. — *m.* espécie de corvo marinho.

yedra. *f.* (bot.) hera, planta trepadeira. V. **hiedra.**

yegua. *f.* (zool.) égua, fêmea do cavalo; (Amér.) (fam.) muito grande, enorme.: *yegua caponera*, que serve de guía, madrinha.

yeguada. *f.* eguada, manada de gado cavalar; manada de éguas.

yegar. *adj.* eguariço, pertencente ou relativo às éguas.

yegüería. *f.* V. **yeguada.**

yegüerizo, yegüero. *m.* eguariço; o que trata das éguas.

yeísmo. *m.* defeito da pronunciação da letra *ll,* trocando-a por *y*; por exemplo, *gayina* por *gallina, poyo* por *pollo,* etc.

yelmo. *m.* elmo, parte da armadura antiga que protegia a cabeça e o rosto; gálea; almete; almofar; almafre; elmo, elmete; elmo, espécie de capacete com viseira e crista.

yema. *f.* (bot.) gema renovo, olho, botão; gema substância amarela do ovo de galinha; (fig.) gema, centro, meio dalguma coisa; polpa, ponta do dedo do lado oposto à unha.

yente. *p. a. irreg.* de *ir* e *adj.* ido, que vai; usa-se sòmente na locução: *yentes y vinientes,* idos e vindos, que vão e vêm.

yeral. *m.* terreno semeado de chícharos.

yerba. *f.* V. **hierba.**

yerbajo. *m.* deprec. de *yerba;* erva inútil e má que se arranca; erva daninha.

yermar. *v. tr.* ermar, tornar ermo; despovoar, deixar ermo um lugar; um campo, etc.

yermo, ma. *adj.* e(ê)rmo, desabitado; despovoado; ermo, inculto, sem cultura; baldio; ermo, terreno desabitado; lugar solitário, deserto; infrutífero, infrutuoso; infértil; infecundo; incultivável; improdutivo; improdutível; improlífico; desfrequentado; desaproveitado; desufruitado; ermo, desamparado; desolado; estéril; (fig.) eremitário; desangrado; ermo, delgado:*tierra yerma,* chavasqueira, exido; *lugar yermo* (fig.) desterro; *volver yermo,* devastar.

yerno. *m.* genro, o marido da filha em relação aos pais dela.

yerro. *m.* e(ê)rro, falta, delito cometido contra os preceitos duma arte ou contra as leis divinas e humanas; erro, equívoco por descuido ou inadvertência; desace(ê)rto; deslumbramento; tiro avesso; equivocação; engano; inexactidão; culpa; pecado; doutrina falsa.: *yerro de cuentas,* erro de cálculo; *yerro de imprenta,* erro d'impressão.

yerto, ta. *adj.* hirto, teso, rígido; áspero, frio, inteiriçado, hirto; teso; entanguido; diz-se também do cadáver e doutra coisa em que se produziu o mesmo efeito; frio.

yesal ou yesar. *m.* gessal, gesseira, terreno abundante em gesso, mina de gesso.

yesca. *f.* isca combustível que recebe as faíscas do fuzil para comunicar fogo; (fig.) o que está sumamente seco e é fàcilmente inflamável; incentivo duma paixão ou afecto; isca, incentivo para beber;.— *pl.* isca, conjunto de isca, pederneira e fuzil

yesera. *f.* fabricante ou vendedora de gesso.

yesería. *f.* fábrica de gesso; lugar onde se vende gesso; gesso, obra feita de gesso.

yesero, ra. *adj* e *m.* gesseiro, o que fabrica ou vende gesso; gipseo, pertencente ou relativo ao gesso; engessador.

yeso. *m.* ge(ê)sso, sulfato de cal hidratada; gesso, obra de escultura moldada em gesso; albizo: *yeso mate,* gesso mate; *yeso de estucar,* gesso para esculpir; *yeso blanco,* gesso muito fino para encaliçar as paredes.

yesón. *m.* entulho; caliça, fragmento de argamassa, cal, etc.

yesoso, sa. *adj.* gípseo, de gesso ou semelhante a ele: gipsífero, diz-se do terreno muito abundante em gesso.

yesquero. *adj.* (bot.) diz-se duma variedade de cardo e duma outra de cogumelo. — *m.* fabricante ou vendedor de isca (para fazer fogo); bolsa de couro para trazer à cinta; isqueiro, caixa para guardar a isca.

yeyuno. *m.* (anat.) jejuno, segunda parte do intestino delgado.

yezgo. *m.* (bot.) ébulo, engos, planta herbácea foliácea, semelhante ao sabugueiro.

yo. *pron. pes.* eu, nominativo do pronome pessoal da primeira pessoa no singular. — *m.* (filos.) com o artigo *el* significa a consciência da personalidade humana: *yo mismo, eu* mesmo; *yo pienso,* eu penso; *el yo,* eu.

yodado, da. *adj.* (quim.) iodado, que contém iodo.

yodato. *m.* (quim.) iodato, sal de ácido iódico.

yodhídrico, ca. *adj.* (quim.) iodídrico.

yodismo. *m.* iodismo.

yodo. *m.* (quim.) io(ô)do, corpo simples de cor cinzento, de brilho metálico, volátil a temperatura pouco elevada.

yodoformo. *m.* (quim.) iodofórmio.

yodurar. *v. tr.* (quim.) converter em iodeto; preparar com iodeto.

yoduro. *m.* (quim.) iodeto, composto de iodo e outro corpo simples ou composto.

yola. *f.* (mar.) iole, embarcação estreita, leve e rápida que desloca pouca água.

ypsilon. *m.* ípsilon, vigésima letra do alfabeto grego.

yuca. *f.* (bot.) juca, planta liliácea de cuja raíz se extrai uma farinha alimentícia; nome duma variedade de mandioca.

yucal. *m.* (bot.) plantação de jucas.

Yucatán. (geog.) Iucatão.

yugada. *f.* (agr.) jugada, jeira, porção de terra que uma junta de animais pode lavrar num dia.

yugo. *m.* jugo, canga; jugo, lança colocada horizontalmente sobre duas outras cravadas no solo e que, por baixo da qual, os antigos romanos faziam passar os vencidos; armação de madeira da qual está suspenso o sino; (fig.) matrimónio; jugo, dominação; opressão; despotismo; encargo; (fig.) lei, domínio que obriga a obedecer; jugo, onus, encargo; (fig.) governo tirânico.: *sacudir el yugo,* livrar-se dum trabalho, opressão, ou domínio molesto; *someterse al yugo de otro,* submeter-se ao domínio dalguma pessoa ou a sua influência; *yugo de hierro,* governo tirânico jugo de ferro; *sacudirse el yugo,* tomar o freio com os dentes.

Yugoeslavia, Yugoslavia. (geog.) Jugoslávia.

yugoeslavo, va. *adj.* e *s.* (geog.) jugoslavo, natural da ou pertencente a Jugoslávia.

yuguero. *m.* jugadeiro, jugueiro, moço que lavra a terra com uma junta ou parelha de animais.

yugular. *adj.* e *f.* (anat.) jugular, diz-se das veias da garganta. — *v. tr.* cortar a jugular; (fig.) jugular, debelar; extinguir; decapitar; assassinar.

yumbo, ba. *adj.* e *s.* índio salvagem do Equador.

yungla. *f.* (neol.) terreno pantanoso ou alagadiço nas planícies da Índia.

yunque. *m.* safra, bigorna, incude; (fig.) pessoa imperturbável nos reveses da fortuna; pessoa assídua no trabalho; (anat.) bigorna, pequeno osso do ouvido; bigorna, forja.

yunta. *f.* junta, parelha, jugo de bois, mulas ou doutros animais empregados na lavoura; cingel; nalgumas partes, jugada, terra que pode ser lavrada num dia.

yuntería. *f.* conjunto de juntas; sítio onde se recolhem.

yuntero. *m.* cingeleiro. V. **yuguero.**

yunto, ta. *adj.* e *p. p. irreg.* de *yunta,* junto; *ir yuntos los surcos,* lavrar de forma que os regos fiquem juntos.

yusera. *f.* pouso, pedra circular que, no lagar, serve de solo, mó de baixo.

yusión. *f.* (for.) mandado; preceito; ordem; acção de mandar.

yuso. *adv.* V. **ayuso.**

yuta. *f.* (Amér.) V. **babosa.**

yute. *m.* jute, matéria filamentosa extraída duma planta parecida com a tília; tecido feito com esta fibra.

yuxtalineal. *adj.* justalinear, diz-se da tradução feita linha a linha.

yuxtaponer. *v. tr.* justapor, pôr uma coisa junto a outra ou imediatamente a ela; apor.

yuxtaposición. *f.* justaposição; (hist. nat.) modo de aumentarem ou crescerem os minerais.

yuyuba. *f.* açofeifa.

Z

Z, z. *f.* vigésima oitava letra do alfabeto espanhol e vigésima terceira das suas consoantes; o seu nome é *zeda* ou *zeta*.

¡za! *interj.* emprega-se para afugentar os cães e outros animais.

zabarcera. *f.* mulher que revende frutas e outros comestíveis; vendeira, vendedeira.

zábida ou **zábila.** *f.* (bot.) V. **áloe.**

zaborda. *f.* **zabordamiento.** — *m.* (mar.) varação, encalhação, encalhamento, encalhe em terra.

zabordar. *v. tr.* varar, encalhar o navio em terra.

zabordo. *m.* (mar.) varação.

zabucar. *v. tr.* agitar, vascolejar. V. **bazucar.**

zabullida, etc. V. **zambullida.**

zabuqueo. *m.* V. **bazuqueo.**

zaca. *f.* (min.) odre grande que se emprega nos esgotamentos de poços de minas.

zacapela, lla. *f.* rixa, briga, contenda com barulho e bulha.

zacatín. *m.* praça ou rua onde se vendem roupas.

zacear. *v. tr.* espantar; enxotar e afugentar os cães ou outros animais com a voz za! — *v. intr.* cecear.

zafada. *f.* acção de desembaraçar, de safar, de tirar os estorvos duma coisa, de se libertar.

zafado, da. *p. p.* de *zafar* e *adj.* safado; (Amér. e prov.) descarado, safado, atrevido. — *s.* atrevido, descarado.

zafadura. *f.* (Amér.) deslocação, luxação. V. **luxación.**

zafar. *v. tr.* adornar, guarnecer, aformosear, enfeitar, cobrir, embelecer, embelezar.

zafar. *v. tr.* safar; (mar.) safar, desembaraçar, tirar os estorvos duma coisa, libertar; desengajar; desencapelar; tirar para fora, extrair. — *v. r.* safar-se, escapar-se, evitar algum encontro ou risco; evadir-se; (pop.) ciscar-se; escapar-se, escapulir-se; evitar um encontro; (fig.) esquivar-se, excusar-se; livrar-se duma moléstia; safar-se de algum incómodo; (Amér.) deslocar-se: *zafarse de los bajos*, (mar.) evitar os baixios.

zafarí. *adj.* safaria, diz-se da romã que tem os bagos quadrados e grandes.

zafarrancho. *m.* (mar.) acção de desembaraçar uma parte dum navio para determinada tarefa; desempacho; acção de desempachar um navio deixando livres as baterías; safa-safa, arrumação para pôr a artilharia em estado de combate; (fig. e fam.) estrago, destroço; rixa, briga: *armar un zafarrancho*, brigar fàcilmente sob qualquer pretexto.

zaferia. *f.* (ant.) aldeia, lugarejo.

zafiedad. *f.* rusticidade, grossaria, incultura, rudeza no trato, na linguagem.

zafio, fia. *adj.* sáfio, inculto, grosseiro; indelicado; desafável; inculto, sáfaro, agreste; ignorante; rude; tosco.

zafio. *m.* (zool. prov.) safio.

zafir. *m.* safira. V. **zafiro.**

zafirina. *f.* calcedónia com a cor de safira.

zafíreo, a ou **zafirino, na.** *adj.* safirino, que apresenta a cor da safira.

zafiro. *m.* safira, pedra preciosa de cor azul.

zafo, fa. *adj.* (mar.) safo, livre, desembaraçado; (fig.) livre, sem dano ou perigo.

zafones. *m. pl.* V. **zahones.**

zafra. *f.* vasilha de metal larga e pouco profunda onde se põem a escorrer as medidas de óleo; vasilha para guardar óleo.

zafra. *f.* safra, colheita de cana de açúcar; fabricação de açúcar, tempo que dura a fabricação; (por ext.) fabricação de açúcar de beterraba.

zafra. *f.* (min.) entulho, terra caliça. V. **escombro.**

zafre. *f.* (min.) safra, safre, óxido azul de cobalto que se emprega para dar cor azul à louça e ao vidro; safra, pó de bismuto.

zafrero. *m.* (min.) operário que trabalha no desentulho das minas.

zaga. *f.* saga, parte posterior ou traseira; retaguarda; carga que se põe na parte posterior duma carruagem. — *m.* pé, o último a jogar; (mil.) retaguarda: *no quedarse en zaga*, não ser inferior a outrem, naquilo de que se trata.

zagal. *m.* mancebo, rapaz que chegou à adolescência; adolescente, jovem; moço forte e galhardo e animoso; zagal, moço de maioral (pastor); ajudante de cocheiro, moço; moço de mulas.

zagal. *m.* zagalejo.

zagala. *f.* moça solteira, rapariga; jovem; zagala; fêmea de zagal; pastora jovem.

zagaleja. *f.* dim. de *zagala;* mocinha solteira, rapariguinha.

zagalejo. *m.* dim. de *zagal;* zagalejo, zagaleto, zagal pequeno e novo; mocinho; espécie de saia curta usada pelas aldeãs.

zagalón, na. *s.* adolescente muito crescido; rapaz, rapariga forte muito crescidos; raparigão; raparigaça.

zaguán. *m.* saguão, vestíbulo coberto à entrada duma casa; átrio; saguão, pátio exterior e descoberto no interior dum edifício; espécie de alpendre na entrada dos conventos.

zaguaneţe. *m.* dim. de *zaguán;* saguãozinho; pequeno vestíbulo; escolta que acompanhava a pé às pessoas reais; aposento onde está a guarda do príncipe, no paço.

zaguero, ra. *adj.* postremo, que vai em último lugar; atrasado; retardado; que fica para trás; diz-se do veículo que leva excesso de carga na parte traseira; (deport.) zagueiro.

zaguia. *f.* espécie de ermida em Marrocos.

zahareño, ña. *adj.* (cetr.) diz-se do pássaro esquivo e bravo difícil de domesticar; sáfaro; (fig.) esquivo, intratável, desconfiado; desdenhoso.

zaharí. *adj.* V. **zafarí.**

zaharrón. *m.* saltimbanco, pelotiqueiro. V. **mamarracho.**

zahén. *adj.* antiga moeda de ouro muito fino usada pelos mouros espanhóis.

zahena. *f.* dobra, moeda de oiro antiga, usada pelos mouros.

zaheridor, ra. *adj.* e *s.* exprobrador, censurador; repreendedor; motejador; mortificador, mortificante.

zaherimiento. *m.* exprobração; repreensão; censura; ludíbrio; detra(c)ção; motejo; remoque; censura; mortificação.

zaherir. *v. tr.* exprobrar, lançar culpas em rosto a alguém; censurar; motejar; repreender; ludibriar; detrair; mortificar a alguém pela crítica; repreensão acerba.

zahón. *m.* safões, meias calças de couro usadas pelos pastores.

zahonado, da. *adj.* diz-se dos pés e das mãos dos animais que tem cor diferente pela frente.

zahones. *m. pl.* safões, meias calças de couro usados pelos pastores; calças curtas abertas dum lado que usam os pastores e os caçadores.

zahondar. *v. tr.* escavar, afundar a terra, cavar. — *v. intr.* enterrar os pés em terra mole.

zahorí. *m.* vidente, adivinho; pessoa que vê o que está oculto; (fig.) pessoa perspicaz, sagaz.

zahorra. *f.* (mar.) lastro, o que se põe no porão duma embarcação para lhe dar estabilidade.

zahurda. *f.* chiqueiro, pocilga; chafurda; (fig.) casa imunda e miserável.

zaino, na. *adj.* zaino, traidor, falso; traiçoeiro; (fig.) velhaco; sonso; manhoso (diz-se do cavalo quando dá indícios de ser falso); zaino, cavalo castanho-escuro sem mescla; diz-se da rês que tem o pêlo todo preto (no gado bovino): *mirar de ou a lo zaino,* mirar de soslaio, disfarçadamente.

zalá. *f.* oração dos mouros: *hacer la zalá,* cortejar alguém para conseguir alguma coisa.

za_agarda. *f.* emboscada, cilada; escaramuça, luta entre ginetes; (fig.) laço para apanhar animais; armadilha para caçar animais; (fig. e fam.) astúcia para enganar alguém, manha; pendência, bulha com pauladas e facadas, tumulto.

zalama, zalamelé ou **zalamería.** *f.* zumbaia, salamaleque; lisonja, bajulação; ciganagem, ciganice; louvaminha; mimança; mino; mimalhice; apaparicamento; (fig.) engraxadela; engo(ô)do; adulação; embele(ê)ço; ciganaria; macaquice.

zalamero, ra. *adj.* e *s.* zumbaieiro, aquele que faz zumbaias; lisonjeador, bajulador; louvaminheiro; mimalho; mimoso; alardeador; empalagoso; engodador; adulador.— *f.* alardeadeira.

zalea. *f.* velo de carneiro ou de ovelha curtido com a lã, tosão.

zalear. *v. tr.* arrastar com facilidade, sacudir alguma coisa dum para outro lado.

zalear. *v. tr.* V. **zacear.**

zalema. *f.* (fam.) reverência; (ant.) salema; cumprimentos; cortesia humilde, reverência em prova de submissão. V. **zalamería.**

zaleo. *m.* pele de carneiro ou de ovelha meio comida pelo lobo; arrastadura.

zallar. *v. tr.* (mar.) arrastar uma coisa para fora da borda.

zamacuco. *m.* (fam.) zote, estúpido, bruto, pateta; homem dissimulado; idiota; (fig. e fam.) borracheira, embriaguez.

zamanca. *f.* (fam.) apaleamento. V. **somanta.**

zamarra. *f.* samarra, vestuário rústico, espécie de casaco feito de pele de carneiro; pele de carneiro.

zamarrada. *f.* grossaria, acção própria de pessoa mal educada; (prov.) doença de cuidado e de larga duração.

zamarrear. *v. tr.* sacudir para um e outro lado um animal a presa que tem entre os dentes; (fig. e fam.) maltratar alguém, surrar, bater; sacudir alguém com safanões ou empurrões; dar pancadas a alguém com violência; apertar alguém numa disputa deixando-o mal colocado, sem resposta, sem defesa.

zamarreo. *m.* acção de *zamarrear.*

zamarrico. *m.* surrão, alforge feito de pele de carneiro.

zamarrilla. *f.* (bot.) poejo, planta dicotiledónea, herbácea, aromática, usada como condimento.

zamarro. *m.* samarra, pele de carneiro; (fig. e fam.) homem grosseiro; (Amér.) homem astuto; (Amér.) espécie de safões usados para montar a cavalo; aum. de *zamarra*; samarrão, samarra grande.

zambaigo, ga. *adj.* e *s.* zambo, filho de índio e preta ou vice-versa; (Amér.) diz-se do descendente de chinês e índia e vice-versa.

zambarco. *m.* sambarca, correia larga que se põe sobre o peito das mulas que puxam um carro, peitoral.

zámbigo, ga. *adj.* e *s.* zambro, torto das pernas, cambaio.

zambo, ba. *adj.* e *s.* zambro, cambaio, torto das pernas, cambado das pernas; (Amér.) zambro, diz-se do filho de índia e preto ou vive-versa. — *m.* zambo, macaco americano disforme e feroz.

zambomba. *f.* cuíca, ronca, instrumento musical rústico, que produz um som monótono e ronco; (prov.) bexiga de porco cheia de ar. — *interj.:* ¡*zambomba!*, (vulg.) manifesta surpresa, azabumba!; *tocar la zambomba*, azabumbar.

zambombazo. *m.* pancada, cacetada. V. **porrazo.**

zambombo. *m.* (fam.) homem grosseiro e rude de engenho, rústico; homem achavascado.

zamborondón, na ou **zambor(r)otudo, da.** *adj.* (fam.) tosco, rude, grosso, mal feito; sarrafaçal; alambazado; (fig.) diz-se da pessoa que faz as coisas toscamente, achavascado.

zambra. *f.* zambra, espécie de dança e música mourisca que se conserva na Espanha; (fig. e fam.) barulho, algazarra, bulha de muitas pessoas.

zambra. *f.* (mar.) espécie de embarcação usada pelos mouriscos.

zambucar. *v. tr.* (fam.) esconder, ocultar ràpidamente uma coisa entre outras para que não seja vista; misturar, confundir.

zambuco. *m.* (fam.) ocultação; embuste; trapaça no jogo escondendo alguma carta.

zambullida. *f.* mergulho; espécie de treta de esgrima.

zambullido, da. *p. p.* de *zambullir.*—*m.* certo bote de esgrima.

zambullidor, ra. *adj.* e *s.* mergulhador, que mergulha; pescador de pérolas.

zambullidura. *f.* ou **zambullimiento.** *m.* mergulho.

zambullir. *v. tr.* mergulhar com ímpeto; imergir num líquido; (Bras.) tibungar. — *v. r.* (fig.) meter-se; apegar-se; ocultar-se: cobrir-se com alguma coisa; esconder-se; meter-se debaixo da água; (fig.) engolfar-se, entranhar-se; desaparecer: *zambullirse en un lodazal*, enchafurdar.

zamorano, na. *adj.* e *s.* (geog.) zamorano, natural de Zamora ou pertencente a esta cidade.

zampa. *f.* estaca de edifício.

zampacuartillos. *m.* (fam.) beberrão.

zampar. *v. tr.* zampar, comer depressa, comer com sofreguidão; comer descompostamente; devorar; (Amér.) surrar. —

v. r. meter-se, enfiar-se depressa para alguma parte; escapar-se.

zampeado. *m.* (arq.) estacaria que se faz para edificar sobre terrenos falsos ou húmidos.

zampear. *v. tr.* (arq.) firmar o terreno falso ou húmido com estacas, cravar estacas.

zampón, na. *adj.* e *s.* (fam.) comilão, glutão.

zampuzo. *m.* mergulho, acto de mergulhar.

zampuzar. *v. tr.* mergulhar. V. **zambullir;** (fig. e fam.) esconder, ocultar. V. **zampar.**

zanahoria. *f.* (bot.) cenoura, planta umbelífera de raíz comestível.

zanahoriate. *m.* cenoura cristalizada. V. **azanahoriate.**

zanca. *f.* sanco, perna de ave; (fam.) perna delgada e comprida, canela; (arq.) trave inclinada que serve de apoio aos degraus duma escada; (prov.) alfinete grande: *por zancas o por barrancas*, por vários e extraordinários meios, de todo o jeito; *zancas de araña*, usar de rodeios para fugir dalguma dificuldade; *Dios da bragas a quien no tiene zancas*, dá Deus nozes a quem não tem dentes.

zancada. *f.* pernada, passada larga, passo largo e irregular: *en dos zancadas*, com grande rapidez; *dar zancadas*, caminhar com passo largo.

zancadilla. *f.* rasteira, sancadilha; cambapé; gambito; alçaperna; (fig. e fam.) ardil; engano, fraude; sub-repção: *armar una zancadilla*, preparar uma armadilha.

zancajear. *v. intr.* zangarilhar, andar aceleradamente duma parte para outra; enlamear-se; palmilhar a lama nas ruas.

zancajiento, ta. *adj.* cambaio, zambro.

zancajo. *m.* calcanhar; (fam.) zambro; V. **zancarón,** osso grande; (fig.) talão de calção ou meia; (fig.) pessoa de má figura, tacão: *no llegar al o a los zancajos*, haver muita diferença entre uma pessoa e outra de quem se fala; *roer los zancajos a uno*, murmurar, falar mal dalguma pessoa ausente.

zancajoso, sa. *adj.* cambaio, que tem os pés torcidos para fora, zambro; que tem grandes calcanhares; que tem meias sujas e rasgadas no calcanhar; cavalo que junta demasiadamente os curvilhões; (fig.) mal jeitoso; desastrado.

zancarrón. *m.* (fam.) osso do pé nu e descarnado, especialmente das extremidades; homem velho, feio, sujo e magro; (fig.) desajorcado, estrambótico; sujo; velho; aquele que ensina matérias que não entende.

zanco. *m.* andas, pernas de pau; dansador de andas: *en zancos*, em posição muito elevada e vantajosa.

zancón, na. zancudo, da. *adj.* que tem os sancos compridos; pernalto; pernegudo, sancudo; de pernas grandes. — *s.* ave pernalta. — *m.* mosquito de pernas grandes.

zandunga. *f.* graça, garbo.

zanfonía. *f.* (mús.) sanfona, instrumento músico de corda.

zanganada. f. dito ordinário; acção impertinente, dito estúpido.

zanganear. v. intr. (fam.) andar vagueando duma parte para outra; vadiar; vagar.

zanganería. f. V. **holgazanería.**

zángano. m. (zool.) zângão, zângano, macho da abelha-mestra; (fam.) zângano, homem que vive do trabalho alheio, parásito, folgação; que vive à custa alheia; explorador; encostador, encostadiço; madraço; (fig.) abelhão.

zangarrear. v. intr. (fam.) zangarrear, tocar a guitarra desafinadamente; dedilhar na guitarra sem arte.

zangarriana. f. (vet.) doença do gado lanígero, espécie de hidropisia; (fig. e fam.) tristeza, melancolia, doença leve que se repete com frequência; calaçaria; displicência; cansaço febril. V. **galbana.**

zangolotear. v. tr. mover continuamente uma coisa com violência, abanar. — v. intr. zangarilhar, vadiar, andar duma parte para outra sem propósito; abanar, chocalhar, mover-se uma coisa por estar frouxa ou mal encaixada.

zangoloteo. m. (fam.) acção de zangolotear; sacudida, sacudidela; abalo, movimento contínuo e violento; chocalhada, movimento do que está lasso, mal seguro ou encaixado.

zanguanga. f. (fam.) doença fingida para não trabalhar: hacer la zanguanga, fingir-se doente.

zanguango, ga. adj. e s. (fam.) indolente, preguiçoso, madraço; embrutecido pela preguiça; calaceiro, inimigo de trabalhar.

zanguayo. m. (fam.) homem alto e desajeitado, trangalhadanças, zangaralhão, gangalho, zangalhão, que anda ocioso e se faz tonto; homem folgação.

zanja. f. escavação, cabouco para alicerces duma construção; fundação, base; rego, acéquia, regueira; canal; sanja, abertura para escoamento de água, sarjeta; sanja, dreno, draino para escoar as águas; vala, escavação para defender as sementeiras; (mil.) fosso: abrir las zanjas, abrir os alicerces, começar uma construção, um edifício; (fig.) dar princípio a uma coisa; rodear de zanjas, envalar; zanja de desagüe, sarjeta para escoamento de águas.

zanjar. v. tr. abrir sanjas ou valas para edificar ou para outro fim; (fig.) conciliar; fundar; estabelecer; (fig.) transigir; conciliar-se, terminar-se um negócio amigavelmente; pôr termo às dificuldades que possam impedir o bom fim dalgum assunto.

zanjón. m. sanja, sarjeta, vala grande e profunda por onde corre as águas. V. **despeñadero.**

zanqueador, ra. s. escanchado de pernas, que torce as pernas ao andar; que anda muito, andejo, andarilho.

zanqueamiento. m. escancho; saracote; acção e efeito de zanquear.

zanquear. v. intr. torcer as pernas ao andar, escanchar; saracotear; andar muito a pé e depressa, não parar.

zanquilargo, ga. adj. (fam.) pernalto, que tem pernas compridas, pernegudo; pernilongo; pernas de alvéloa.

zanquivano, na. adj. (fam.) que tem pernas compridas e muito delgadas.

zapa. f. sapa, pá para levantar a terra que usam os sapadores; obra, trabalho de sapador; (fort.) obra de sapa; escavação de galeria subterrânea; escavação de vala descoberta.

zapa. f. pele de peixe; pele trabalhada que imita a lixa; trabalho em metal que imita as granulações da lixa.

zapador. m. (mil.) sapador, soldado que trabalha em obras de sapa.

zapapico. m. alvião; picareta, instrumento de ferro para escavar terra, arrancar pedras, etc.

zapar. v. intr. (fort.) sapar, trabalhar com a sapa.

zaparrada. f. pancada com a garra; sapatada de felino.

zaparrastrar. v. intr. (fam.) rojar, arrastar, levarem de rastos os vestidos; levar de rojo os vestidos.

zapata. f. espécie de botim que chega a meio da perna, calça de couro; (mar.) sapata; tábua grande que se prega na parte inferior da quilha; (arq.) sapata; madeiro que sustem o friso dum edifício; sapata, rodela de camurça fixa; as chaves de certos instrumentos músicos.

zapatazo. m. sapatada, pancada dada com um sapato; (fig.) ruído da sapatada; encontrão, golpe de encontro com alguma coisa, embate forte; (mar.) sapatada, sacudidura de vela: tratar a zapatazos, (fig. e fam.) tratar com dureza a alguém, sem consideração.

zapateado. m. sapateado, espécie de dança espanhola, sapateada; música desta dança.

zapateador, ra. adj. e s. que sapateia.

zapatear. v. tr. sapatear, bater com sapato; bater no chão com os tacões; sapatear, dançar o sapateado, bater com os pés ao compasso da música acompanhado das mãos; alcançarem-se as cavalgaduras quando vão correndo; (fig. e fam.) maltratar, agravar, molestar com palavras ou acções; (esgr.) tocar várias vezes ao adversário; (equit.) mover-se o cavalo aceleradamente, sem mudar de lugar; (mar.) dar sapatadas, as velas dos navios. — v. r. ficar firme, sustentar-se firmemente contra alguém (discutindo ou brigando).

zapateo. m. acção e efeito de zapatear; sapateada; sapateado; sapatada.

zapatera. f. sapateira, mulher do sapateiro; sapateira, mulher que faz ou vende sapatos; (fam.) mulher que fica sem fazer nenhum tento nem ponto (no jogo).

zapatería. f. sapataria, oficina onde se faz calçado ou loja onde este se vende; ofício de sapateiro; sapataria, rua ou sítio de sapateiros; sapataria, mercado de calçado velho: *zapatería de viejo*, sapataria onde se conserta calçado.

zapatero, ra. *adj.* encruado (diz-se do feijão, e doutros legumes); diz-se das iguarias que ficam amolecidas por estarem guisadas com bastante antecipação. — *m.* sapateiro, o que faz sapatos ou os vende; (zool.) peixe marinho acantopterígio da América; o que fica sem fazer nenhum ponto no jogo: *zapatero de viejo*, sapateiro que conserta calçado.

zapateta. *f.* pancada ou palmada que se dá no pé ou sapato saltando alegremente. — *interj.* de admiração, safa!, olá!, essa!

zapatilla. *f.* sapatilha, sapato muito leve de sola muito fina; (ant.) servilha; chinela, calçado sem tacão; calçado para trazer por casa; (esgr.) botão da ponta do florete; (mús.) sapatilha, sapata de instrumento músico; sola do taco do bilhar; casco que cobre a unha dos animais de pata rachada; peça de ferro com que os fulistas recalcam os chapéus para dar consistência e unidade ao pêlo.

zapato. *m.* sapato, peça de calçado que cobre o pé: *dar forma de zapato*, assapatar; *encontrar la horma de su zapato*, encontrar o que se deseja ou o que acomoda; *saber donde le aprieta a uno el zapato*, saber o seu conto; saber do achaque da vinha; *zapato viejo*, chinelo; *trozo de material para hacer un zapato*, empenha.

zapatudo, da. *adj.* sapatudo, que tem ou que usa sapatos muito grandes; que usa sapatos de couro muito fortes; cascudo, animal que tem os cascos e as unhas muito grandes; calçado, seguro com um calce.

¡zape! *interj.* sape!, emprega-se para afugentar gatos; nalguns jogos usa-se para negar a carta que pede o parceiro; voz empregada para mostrar estranheza ou aversão; zape!

zapear. *v. tr.* afugentar o gado com a voz sape!; dar *zape* em certos jogos de cartas; espantar, afugentar alguém.

zapita. *f.* escudela de madeira. — *m.* (prov.) V. **colodra.**

zapotal. *m.* terreno abundante em sapotas.

zaquear. *v. tr.* trasfegar líquidos duns odres para outros, trasvasar, transvasar; transportar líquidos em odres.

zaquizamí. *m.* desvão, sótão; (fig.) quarto pequeno e sujo, cubículo.

zar. *m.* czar, título do antigo imperador da Rússia e do antigo soberano de Bulgária.

zara. *f.* (bot.) milho. V. **maíz.**

zarabanda. *f.* sarabanda, dança popular um tanto desenvolta; antiga dança nobre; música desta dança; sarabanda, saracoteada um tanto licenciosa.

zarabandista. *adj.* e *s.* que dança, que toca ou dança a sarabanda; que compõe letra para música da sarabanda; (fig.) diz-se da pessoa alegre, animada e buliçosa.

zarabando, da. *adj.* e *s.* V. **zarabandista.**

zarabutear. *v. tr.* (fam.) V. **zaragutear.**

zarabutero, ra. *adj.* e *s.* V. **zaragutero.**

zaracear. *v. intr.* (prov.) condensar-se o vapor de água da atmosfera e cair cristalizado em forma de agulhas de gelo.

zaragalla. *f.* carvão vegetal miúdo; cisco de carvão; (prov.) bando de rapazes para brincadeiras.

zaragata. *f.* zaragata; desordem; barulho; confusão; algazarra; bulha; tumulto; chinfrim; ruído.

zaragatero, ra. *adj.* e *s.* (fam.) zaragateiro, o que é dado a zaragatas; desordeiro; arruaceiro.

Zaragoza. (geog.) Saragoça.

zaragozano, na. *adj.* e *s.* (geog.) saragoçano, natural de ou pertencente a Saragoça.

zaragüelles. *m. pl.* espécie de calções usados antigamente; (bot.) planta gramínea; (fig.) calças mal feitas largas e compridas; calções curtos ou largos com pregas.

zaragutear. *v. tr.* (fam.) atrapalhar, atabalhoar; tentar fazer o que não se sabe; atamancar; embaraçar.

zaragutero, ra. *s.* e *adj.* (fam.) trapalhão; intrometido; que quer fazer o que não sabe; que faz tudo atabalhoadamente.

zarambeque. *m.* música e dança alegre e desenvolta dos pretos; sarambeque.

zaranda. *f.* ciranda, criva, peneira; crivo; joeira; coador de geleia (passador de metal).

zarandador, ra. *s.* pessoa que trabalha com a ciranda ou peneira, que limpa o grão; joeireiro; cirandador.

zarandajas. *f. pl.* (fam.) ninharias, bagatelas; farandulagem; coisas sem valor; coisas miúdas; (prov.) fressuras, desperdícios das reses: *y otras zarandajas*, e outras coisas sem importância.

zarand(e)ar. *v. tr.* cirandar; debrear; estrebuchar. — *v. r.* (fig.) azafamar-se, esfalfar-se; (prov. e Amér.) bambolear-se, saracotear-se; agitar-se desenvoltamente; fazer meneios graciosos.

zarandeo. *m.* cirandagem, acção e efeito de *zarand(e)ar*, (fig.) esfalfamento.

zarandillo. *m.* cirandinha, crivo pequeno; (fig. e fam.) pessoa muito viva e esperta; zangarilho, que anda de cá para lá.

zaratán. *m.* (med.) sarcoma, cancro nos peitos da mulher.

zaraza. *f.* saraça, tecido de algodão muito fino estampado com flores ou listas de vários cores.

zarcear. *v. tr.* limpar um cano ou canudo com sarças. — *v. intr.* entrar os cães nos sarçais ou silvados para procurar a caça; (fig.) andar diligentemente duma parte para outra.

zarceño, ña. *adj.* pertencente ou relativo à sarça.

zarcillo. *m.* argolas, brincos de orelhas; arrecadas; pingentes; (prov.) sachola; arco de pipa; (Amér.) sinal com que se marca o gado; (bot.) gavinho, elo com que algumas plantas se agarram a alguma coisa; abraço ou apêndice de certas plantas com que se prendem a estacas. V. **cercillo.**

zarco, ca. *adj.* zarco, garço, de cor azul-claro; que tem os olhos azul-claro; diz-se do cavalo que tem uma malha branca em volta de um ou de ambos os olhos.

zarevitz. *m.* filho do czar; príncipe primogénito do czar reinante.

zariano, na. *adj.* czariano, pertencente ou relativo ao czar.

zarina. *f.* czarina, esposa do czar; czarina, imperatriz da Rússia.

zarismo. *m.* czarismo, forma de governo própria dos czares.

zarpa. *f.* acção de sarpar um navio; garra, mão com dedos e unhas como o leão, tigre, etc.: *echar uno la zarpa*, agarrar com as mãos e as unhas; arrefanhar; apoderar-se pela violência dalguma coisa; *zarpas de las aves de rapiña*, gadanhos.

zarpa. *f.* (arq.) sapata, parte dos alicerces, saliente que fica junto à base.

zarpada. *f.* pancada com a garra; sapatada de felino; golpe dado com a *zarza*.

zarpanel. *adj.* V. **zarpanel;** (arq.) abatido, diz-se do arco sarapanel.

zarpar. *v. tr.* (mar.) sarpar, zarpar, levantar ferro; desamarrar; levantar; navegar.

zarpazo. *m.* pancada com a garra; sapatada de felino; estrondo, fracasso; golpe com muito ruído que faz alguma coisa caindo em terra; ruído muito forte.

zarposo, sa. *adj.* sujo de lama, enlameado, choquento (diz-se do vestido); diz-se dos animais que tem unhas e garras.

zarracateria. *f.* meiguice fingida; agrado hipócrita; afago enganoso.

zarracatín. *m.* (fam.) regatão, pessoa que compra barato para vender caro; revendão; alborcador. V. **regatón.**

zarramplín. *m.* (fam.) desajeitado, inepto, maljeitoso, homem de pouca habilidade; desastrado; pobre diabo, bronco.

zarramplinada. *f.* (fam.) inépcia, pouca habilidade; ineptidão; desastramento; desacerto, falta de aptidão.

zarrapastroso, sa. *adj.* (fam.) maltrapilho, esfarrapado; desasseado, desalinhado; andrajoso, roto.

zarria. *f.* tira de coiro que serve de atador das abarcas; correia de abarca.

zarriento, ta. *adj.* enlameado, enlodado; sujo de lodo ou lama.

zarza. *f.* (bot.) sarça, silva, planta espinhosa: *zarza de Moisés*, sarça-de-Moisés, espinheiro-ardente.

zarzagán. *m.* aquilão, vento norte, fresco, embora não muito forte; vento fresco e rijo.

zarzal. *m.* sarçal, lugar onde há muitas sarças.

zarzamora. *f.* (bot.) amora, fruto da silva e da moreira.

zarzaparrilla. *f.* (bot.) salsaparrilha, planta de raís sudorífera medicinal; salsaparrilha, bebida refrescante; japecanga.

zarzaparrillar. *m.* terreno semeado de salsaparrilha; salsaparrilhar.

zarzo. *m.* caniçada, grade feita de varas, canas ou juncos.

zarzoso, sa. *adj.* silvoso, cheio de silvas ou sarças; sarçoso, espinhoso.

zarzuela. *f.* dim. de *zarza;* zarzuela, obra musical e dramática, parte cantada e parte dialogada; peça teatral espanhola; opereta cómica; letra e música destas obras.

zarzuelero, ra. *adj.* pertencente ou relativo à zarzuela.

zarzuelista. *s.* zarzuelista, poeta que escreve zarzuelas; autor ou autora de música para zarzuela.

¡zas! *interj.* zás!, chaz!; expressa o som de pancada ou a pancada mesma.

zascandil. *m.* (fam.) patarata; enredador, homem desprezível, intrometido, homem leviano, que se dá importância sem a ter.

zascandilear. *v. intr.* comportar-se como uma pessoa grosseira e desprezível; mexericar, andar como um *zascandil.*

zático, llo. *m.* aquele que no paço era encarregado de cuidar do pão e de levantar as mesas; (ant.) pedaço de pão.

zato. *m.* pedaço de pão, bocado, mendrugo de pão.

zazo, za; zazoso, sa. *adj.* ceceoso, que ceceja; balbuciente, balbuciante.

zeda. *f.* nome da letra *z.*

zedilla. *f.* letra *c* cedilhada (ç); cedilha, sinal gráfico que se sotopõe à letra *c.*

Zelanda. (geog.) Zelândia.

zelandés, sa. *adj. e s.* (geog.) zelandês, natural de Zelândia, pertencente ou relativo a esta província de Holanda.

Zendavesta. *m.* Zendavesta, colecção de livros sagrados dos persas.

zendo, da. *adj. e m.* zende, diz-se da língua em que está escrito o Avesta, usada antigamente nalgumas províncias da Pérsia.

zenit. *m.* V. **cenit.**

zepelín. *m.* zepelim, globo dirigível para o transporte de pessoas ou coisas.

zeta. *d.* V. **zeda.**

zeugma ou zeuma. *f.* (gram.) zeugma, elipse, figura pela qual se subentende numa oração uma palavra ou palavras já expressas noutra, relacionada com aquela.

zigofíleo, a. *adj.* (bot.) zigofilo.

zigoma. *m.* (anat.) zigoma.

zigomicetos. *m. pl.* (bot.) zigomicetes.

zigomorfo, fa. *adj.* (bot.) zigomorfo.

zigospora. *f.* (bot.) zigósporo.

zigoto. *m.* (biol.) zigoto.

zigzag. *m.* ziguezague, linha quebrada formando alternadamente ângulos salientes e reentrantes; torciolo: *andar en zigzag,* cobrejar, culebrejar, serpear; andar en ziguezagues, andar como os ébrios.

zigzaguear. *v. intr.* ziguezaguear, serpentear, andar fazendo ziguezagues; andar aos bordos; descrever ziguezagues.

zimasa. *f.* (quím.) zímase.

zimogénico, ca. *adj.* (quím.) zimogé(ê)nico, que produz fermentação.

zimógeno, na. *adj.* (quím.) zimogé(ê)nico.

zimología. *f.* zimologia, parte da química que trata das fermentações.

zimológico, ca. *adj.* zimológico.

zimoscopio. *m.* (fís.) zimoscópio, zimosímetro.

zimosimétrico, ca. adj. pertencente ou relativo ao zimosímetro.

zimosímetro. m. (fís.) zimosímetro, zimoscópio.

zimosis. f. zimose.

zimotecnia. f. zimotecnia, arte de fomentar e dirigir a fermentação.

zimotécnico, ca. adj. zimotécnico.

zimótico, ca. adj. zimótico, relativo aos fermentos solúveis.

zinc. m. (quím. e min.) zinco. V. **cinc.**

zipizape. m. (fam.) contenda ruidosa, briga com pancadas; alvoroço, alvoroto; vozearia, tumulto.

¡zis, zas! voz empregada para expressar a repetição de muitas pancadas ou as mesmas pancadas.

ziszás. m. ziguezague.

zoantropía. f. zoantropia, doença mental em que uma pessoa se julga transformada em animal.

zoantrópico, ca. adj. pertencente ou relativo à zoantropia.

zoántropo. m. zoantropo, doente de zoantropia.

zoca. f. praça, lugar espaçoso. V. **plaza.**

zócalo. m. (arq.) soco, base aparente ou corpo inferior dum edifício; soco, base dum pedestal; peanha, supedâneo.

zocatearse. v. r. pôr-se amarelo um fruto sem estar maduro.

zoclo. m. soco, tamanco; calçado ordinário.

zoco, ca. adj. (fam.) canhoto. V. **zocato** e **zurdo:** *mano zoca,* mão canhota.

zoco. m. mercado ou lugar em que este se realiza, em Marrocos.

zoco. m. tamanco. V. **zueco;** (arq.) V. **zócalo,** base; plinto.

zodiacal. adj. zodiacal, pertencente ou relativo ao zodíaco.

zodíaco. m. (astr.) zodíaco; representação material do zodíaco.

zofra. f. espécie de tapete mourisco.

zoilo. m. (fig.) zoilo, mau crítico; censurador perverso, crítico detractor das obras alheias.

zolocho, cha adj. (fam.) pateta, néscio, simples, simplório.

zollipar. v. intr. (fam.) soluçar, dar soluços com suspiros.

zompo, pa. adj. diz-se da pessoa que tem os pés e as mãos contraídos.

zona. f. zona, banda, faixa, cinta; cinto; cada uma das cinco grandes divisões do globo terrestre; qualquer superfície compreendida entre duas paralelas; qualquer parte da superfície terrestre; extensão considerável de terreno; (geom.) parte da superfície duma esfera compreendida entre dois círculos paralelos; (med.) zona, afecção dolorosa da pele; zona, circunscrição; cada uma das divisões naturais dum país; qualquer parte característica do corpo humano; porção de terreno caracterizada por circunstâncias especiais.

zonal. adj. (hist. nat.) que apresenta zonas ou faixas coloridas; (med.) relativo às zonas ou erupções.

zonado, da. adj. zonado, marcado com listras ou vergões coloridos ou concêntricos.

zoncería. f. sensaboria, insipidez, falta de graça; falta de gosto.

zonote. m. V. **cenote.** depósito de água no centro duma caverna.

zonzo, za. adj. e s. insulso, sensabor, insípido; (fig.) sem graça.

zonzorrión, na. adj. e s. (fam.) sensaborão, muito sensabor; completamente insípida.

zoo. m. (fam.) casa dos bichos, jardim zoológico.

zoobiología. f. zoobiologia.

zoobiológico, ca. adj. pertencente ou relativo à zoobiologia.

zoocarpo. m. zoocarpo.

zoófago, ga. adj. (zool.) zoófago, que se alimenta de carne de animais.

zoófilo, la. adj. e s. zoófilo.

zoofítico, ca. adj. zoofítico.

zoófito. m. zoófito, animal com aspecto de planta.

zoofitólito. m. (paleont.) zoofitólito.

zoofitología. f. zoofitologia.

zoofitológico, ca. adj. relativo à zoofitologia.

zoofobia. f. zoofobia.

zoófobo, ba. adj. e s. zoófoba, que padece de zoofobia.

zoofórico, ca adj. (arq.) relativo ao zoóforo; que serve de sustentação a uma figura de animal.

zoóforo. m. (arq.) zoóforo, espaço entre a arquitrave e a cornija ornado antigamente de cabeças de animais.

zoogénesis. f. zoogenia.

zoogenia. f. zoogenia, parte da zoologia que trata da geração e desenvolvimento dos animais.

zoogénico, ca. adj. zoogé(ê)nico.

zoógeno, na. adj. que procede de animais.

zoogeografía. f. zoogeografia.

zoogeográfico, ca. adj. pertencente ou relativo à zoogeografia.

zooglea. f. (hist. nat.) zoogleia.

zoografía. f. zoografia; arte de pintar ou desenhar animais; descrição de animais.

zoográfico, ca. adj. zoográfico.

zoógrafo, fa. s. zoógrafo, pessoa versada em zoografia; pintor de animais.

zooideo, a. adj. zoóide, semelhante a um animal.

zoólatral. s. zoólatra, pessoa que presta culto aos animais.

zoolatría. f. zoolatria, culto prestado aos animais.

zoolátrico, ca. adj. zoolátrico, respeitante à zoolatria.

zoolítico, ca. adj. zoolítico.

zoólito. m. zoólito, parte de animal fóssil.

zoología. f. zoologia, parte da Historia Natural que trata dos animais.

zoológico, ca. adj. zoológico.

zoólogo, ga. s. zoologista, pessoa versada em zoologia.

zoomanía. f. zoomania, afeição exagerada aos animais.

zoomaníaco, ca. adj. e s. que padece zoomania.

zoomorfia. *f.* zoomorfia, parte da zoologia que trata da partes externa dos animais.

zoomórfico, ca. *adj.* pertencente ou relativo à zoomorfia.

zoomorfismo. *m.* zoomorfismo, culto religioso aos animais; crença na metamorfose dos homens em animais.

zoomorfosis. *f.* zoomorfose, metamorfose.

zoonomia. *f.* zoonomia.

zoonómico, ca. *adj.* zoonómico.

zoonosis. *f.* (med.) zoonose.

zooparásito. *m.* zooparasita, parasita dos animais.

zoopatología. *f.* zoopatologia.

zoopatológico, ca. *adj.* relativo ou pertencente à zoopatologia.

zoopatólogo, ga. *s.* e pessoa versada em zoopatologia; veterinário.

zooplasma. *f.* zooplasma, plasma animal.

zooquímica. *f.* zooquímica.

zooscopia. *f.* zooscopia.

zooscópico, ca. *adj.* zooscópico.

zoospermo. *m.* zoosperma.

zoospora. *f.* (bot.) zoósporo.

zootaxia. *f.* zootaxia.

zootecnia. *f.* zootecnia, arte de criar e desenvolver os animais domésticos.

zootécnico, ca. *adj.* zootécnico.

zooterapéutica. *f.* zooterapêutica, zooterapia.

zooterapia. *f.* zooterapia, zooterapêutica.

zooterápico, ca. *adj.* zooterápico.

zootomia. *f.* zootomia, disecção dos animais.

zotómico, ca. *adj.* zootó(ô)mico.

zootomista. *s.* zootomista, pessoa que se dedica à zootomia.

zootropo. *m.* (fís.) zootrópio, aparelho que mostra as diferentes fases dos movimentos dos seres animados.

zopas. *m.* ou *f.* (fam.) ceceoso, pessoa que ceceia muito; bleso.

zopetero. *m.* V. **ribazo.**

zopisa. *f.* V. **breu;** resina do pinheiro; zopisa; alcatrão raspado dos navios velhos; resina misturada com cera.

zopitas. *f.* (fam.) V. **zopas.**

zopo, pa. *adj.* diz-se do pé ou da mão tortos ou aleijados; estropeado de pés ou mãos; contraído de pés ou mãos. (fig.) desastrado.

zoqueta. *f.* espécie de luva de madeira com que o ceifador resguarda, dos cortes da foice, os dedos da mão esquerda.

zoquete. *m.* tope, sobejo; toco, pedaço de madeira curto que sobra ao serrar-se um madeiro; (fig.) pedaço de pão curto e irregular; resto de pão; (fig.) homem de mau aspecto, feio e mal encarado, gordo e rude: pesoa tarda em compreender ou perceber alguma coisa; abrutado, estúpido; apanascado; estólido; (pɔp.) bernardo; animal.

zoquetudo, da. *adj.* tosco, mal feito, em bruto; sem polir; mal acabado, sem perfeição.

zoroástrico, ca. *adj.* zoroástrico, pertencente ou relativo ao zoroastrismo, zoroastriano.

zoroastrismo. *m.* zoroastrismo, mazdeísmo.

zorollo. *adj.* diz-se do trigo ceifado que não chegou a amadurecer por completo.

zorongo. *m.* lenço dobrado que os aragoneses e alguns navarros usam em torno à cabeça; zorongo, dança popular da Andaluzia; música e letra desta dança.

zorra. *f.* (zool.) rapo(ô)sa, mamífero carnívoro; fêmea desta espécie; zorra; (fig.) animal ou pessoa muito vagarosa; (fam.) pessoa astuta e cautelosa; (fam.) meretriz, prostituta; messalina; rameira; marafona; zabaneira; (fig.) homem arteiro; carraspana, bebedeira, borracheira, embriaguez.

zorra. *f.* carro baixo muito forte para transportar pesos grandes.

zorrastrón, na. *adj.* e *s.* (fam.) astucioso, manhoso, matreiro, raposeiro, malicioso; aquele que tem manha ou ronha.

zorrera. *f.* raposeira, toca de raposa; (fig.) lar, chaminé, cozinha onde há muito fumo; raposeira; moleza, peso de cabeça, sono.

zorrería. *f.* astúcia; (fig.) ardil; estocada; astúcia para fazer o que convém a alguma pessoa; manha.

zorrero, ra. *adj.* (fig.) astuto, capcioso, manhoso; (mar.) zorreiro, ronceiro, diz-se do navio que anda pouco; zorreiro diz-se do chumbo de caça; cão de caça, mastim grande que entra na toca das raposas e doutros animais. — *m.* pessoa que nas matas reais, tem por ofício matar as raposas, aves de rapina e outros animais nocivos.

zorro, rra. *adj.* zorro, raposo, macho da raposa; raposa, a pele que conserva o pêlo depois de curtida; (fig. e fam.) indivíduo que finge tolo ou apalermado para não trabalhar; astuto; matreiro; velhaco; finório; homem muito malicioso e astuto; — *pl.* espanador (feito de tiras de pele); : *saber más que un zorro,* saber mais que as cobras; *ser un zorro,* ser pássaro de bico amarelo; *estar uno hecho un zorro,* estar cheio de sono e sem poder despertar; estar calado e pesado; *hacerse uno el zorro,* aparentar ignorância ou distracção.

zorrocloco. *m.* (fam.) homem ronceiro nos seus actos que aparenta apalermado mas que é finório e vivo; (prov.) torta, empada.

zorrón. *m. aum.* de *zorra,* mulher ordinária e de maus costumes; zorrão, matreiro; pessoa muito perspicaz.

zorruno, na. *adj.* pertencente ou relativo à raposa ou zorra.

zorzal. *m.* (zool.) zorzal, zorral, estorninho, pássaro conirrostro; (fig.) homem astuto, sagaz; (Amér.) homem ingénuo, simplório: *zorzal marino,* peixe acantopterígio.

zoster. *f.* (med.) zona, erupção.

zote. *adj.* e *m.* zote, ignorante, tardo em compreender; pateta, idiota estúpido; papalvo; parvo.

zozobra. *f.* soço(ô)bro; oposição e contraste dos ventos que põem os navios em risco de se submergir; (fig.) angústia; inquietação; aflição; má sorte nos dados. (jogo).

zozobrar. *v. intr.* soçobrar, estar em perigo um navio de se submergir pela acção e força des ventos contrários; afundar-se, perder-se um navio, ir a pique; submergir-se; (fig.) estar em perigo, afligir-se; perturbar; aniquilar-se; desanimar; fazer soçobrar, afundar; naufragar.

zozobroso, sa. *adj.* angustiado, perturbado; inquieto; aflito.

zuavo. *f.* (mil.) zuavo, antigo soldado argelino de infantaria ao serviço de França; antigo soldado francês com uniforme de zuavo.

zubia. *f.* lugar por onde corre muita água; lugar onde se junta muita água.

zucarino, na. *adj.* sacarino. V. **sacarino.**

zueco. *m.* so(ô)co; tamanco, calçado de madeira duma só peça; almadrenha; sapato de couro com sola de cortiça ou madeira; (fig.) soco, calçado dos antigos actores de comédia.

zulacar. *v. tr.* betumar, untar ou cobrir com betume artificial; betumar com galagala.

zulaque. *m.* galagala, betume artificial empregado para tapar as juntas dos tubos ou encanamentos de água.

Zululandia. (geog.) Zululândia.

zulla. *f.* (bot.) sanfeno, planta herbácea leguminosa empregada para forragem; (fam.) excremento humano.

zullarse. *v. r.* (fam.) fazer alguém as suas necessidades; evacuar; peidar-se.

zullenco, ca. *adj.* (fam.) flatuoso, sujeito à flatulência; cagão, peidorreiro.

zullón, na. *adj.* (fam.) V. **zullenco.** — *m.* (fam.) flatulência, flatuosidade, ventosidade expelida involuntàriamente ou sem ruído, bufa.

zullonear. *v. intr.* V. **ventosear.**

zuma. *f.* vimeiro arborescente.

zumacal. *m.* sumagral, terra onde se cria o sumagre.

zumacar. *m.* V. **zumacal.**

zumacar. *v. tr.* sumagrar, curtir as peles com sumagre.

zumba. *f.* guizo grande, chocalho; (fig.) vaia, chasco, sarcasmo; (Amér.) tunda, surra; apupada; derriça; debique; chufa; despeito; corriola; (fam.) desfrute: *dar zumba*, chasquear.

zumbador, ra. *adj.* zumbidor, que zumbe.

zumbar. *v. intr.* zumbir, zumbar, fazer zumbido; zunir, susurrar; (fam.) rastrear, rastejar, seguir de perto, estar uma coisa próxima, quase a ser atingida; andar próximo; (fig.) zombar, motejar, troçar de alguém. — *v. tr.* (fam.) zumbar, dar pancada em, sovar; (fig.) insistir muito; meter alguém à bulha.

zumbel. *m.* (fam.) sobrecenho carregado; sobranceria no gesto; expressão carrancuda. V. **ceño;** cordel com que os rapazes enrolam o pião, faniqueira.

zumbido. *m.* zumbido; (fam.) pancada, golpe, caçetada que se dá em alguém; zunido; sussurro.

zumbón, na. *adj.* diz-se do chocalho grande chocarreiro, zombador, gracioso; derisor,

brincalhão, desfrutador, zombeteiro. — *m.* pombo torcaz.

zumiento, ta. *adj.* suculento, sumarento, cheio de sumo.

zumillo. *m.* (bot.) dragonteia.

zumo. *m.* sumo, suco; (fig.) utilidade; lucro, proveito que se tira das coisas.

zumoso, sa. *adj.* sumarento, sucoso, suculento, que tem sumo ou suco.

zuna. *f.* lei tradicional dos Maometanos; (prov.) manha de cavalgadura; (fig.) perfídia, má intenção d'alguém; (prov.) V. **resabio.**

zunchar. *v. tr.* colocar braçadeiras para reforçar alguma coisa.

zuncho. *m.* braçadeira, argola para reforçar, arco.

zuño. *m.* sobrecenho, aspecto severo V. **ceño.**

zupia. *f.* zurrapa, vinho de má qualidade; fezes ou borras do vinho; líquido de mau aspecto e sabor; (fig.) coisa de má aparência; o mais inútil de qualquer coisa; rebotalho, refugo.

zurcido. *m.* cerzidura, costura de coisas cerzidas. — *p. p.* de *zurcir.*

zurcidor, ra. *adj.* cerzidor, que se emprega em cerzir, que sabe cerzir.: *zurcidor de voluntades*, (pop.) alcoviteiro.

zurcidora. *f.* cerzidura.

zurcir. *v. tr.* cerzir, coser de maneira que não se notem as costuras; (fig.) cerzir, ligar bem umas mentiras a outras para terem aparência de verdade; cerzir, unir e juntar subtilmente uma coisa com outra: deitar remendos.: *zurcir voluntades* (pop.) ser alcoviteiro.

zurdería. *f.* qualidade de canhoto.

zurdo, da. *adj.* canho, canhoto, esquerdo; pertencente à mão esquerda: *no ser zurdo*, ser muito hábil; *mano zurda*, mão canhota; *a zurdas*, às surdas.

zurear. *v. intr.* arrulhar (diz-se dos pombos).

zureo. *m.* arrulho (diz-se dos pombos).

zurito, ta. *adj.* bravo, do mato. V. **zuro.**

zuriza. *f.* (fig.) rixa, briga, pendência. V. **zuiza.**

zurra. *f.* surra, acção de surrar as peles; (fam.) surra, sova, tunda, castigo de açoites; apaleamento; data; mela; fubeca; (fig.) aquecedela; desanda; continuação do trabalho em qualquer assunto; rixa forte, contenda; repreensão.

zurrado, da. *p. p.* de *zurrar* e *m.* (fam.) luva, surrado, nome que se dava à luva por ser de couro surrado. — *adj.* traquejado, versado; curtido em algum negócio; desancado.

zurrador, ra. *adj.* e *s.* surrador, que surra; surrador, o que tem o ofício de surrar as peles.

zurrapa. *f.* borra, pé de um líquido. fezes; borra, rebotalho, coisa vil e desprezível, fezes; (fig. e fam.) rapaz enfezado e muito feio: *con zurrapas*, com pouca limpeza.

zurrapiento, ta, poso, sa. *adj.* que tem borras ou fezes; que tem depósito não sedimentado, turvo.

zurrar. *v. tr.* surrar, curtir as peles quitando-lhes o pêlo; preparar as peles; (fig. e fam.) surrar, castigar a alguém, verberar, castigar com açoites ou pancadas; censurar a alguém com dureza, especialmente em público; zurzir; apalear; (fam.) afinfar; : *zurrar la badana*, desancar, chegar a roupa ao pêlo; apalpar as costelas a alguém.

zurrarse. *v. r.* sujar-se, defecar involuntàriamente; borrar-se; (fig. e fam.) ter grande medo.

zurriagar. *v. tr.* azorragar. açoutar, açoitar com azorrague; bater, castigar com azorragues.

zurriagazo. *m.* azorragada, pancada com azorrague; chicotada; (fig.) desgraça inesperada.

zurriago. *m.* azorrague, látego; chicote; correia para fazer girar o pião; açoute.

zurriar. *v. intr.* zunir, sussurrar, soar confusamente; murmurar, falar por entre dentes; falar desentoado, falar com pronunciação confusa.

zurribanda. *f.* (fam.) surra, sova, tunda; castigo com muitas pancadas; contenda, rixa, pendência, briga ruidosa; mela; *zurribanda de palos*, asas de pau.

zurriburri. *m.* (fam.) homem vil de baixa esfera, desprezível; conjunto de pessoas de mais ínfima plebe, ralé, canalha; bordezão; desordem; confusão.

zurrido. *m.* zoada, som rouco e confuso; (fam.) pancada, paulada; sussurro.

zurrir. *v. intr.* zoar, zunir, soar rouca, áspera e confusamente, alguma coisa.

zurrón. *m.* surrão, bolsa de couro usada geralmente pelos pastores; fardel; qualquer bolsa de couro; primeira casca, a mais fina de alguns frutos; (anat.) placenta, membrana que envolve o feto.

zurrona. *f.* (fam.) cossaria, michela; mulher de maus costumes, vigarista, mulher perdida.

zurronada. *f.* o que cabe num surrão.

zurronero. *m.* o que faz ou vende surrões.

zurullo. *m.* (fam.) rolo, pedaço de qualquer substância mole; canudo comprido de qualquer coisa; (fam.) V. **mojón**; excremento.

zutano, na. *s.* (fam.) beltrano, nome usado para designar uma terceira pessoa incerta; não se usa sòzinho, mas em coordenação com fulano e mengano, *fulano y zutano*, fulano e sicrano.

¡zuzo! *interj.* V. **¡chucho!**

zuzón. *m.* (bot.) V. **hierba cana.**

NOMES GEOGRÁFICOS

A

Abisinia, Abissínia.
Afganistán, Afganistão.
Alaska, Alasca.
Albania, Albânia.
Alejandria, Alexandria.
Alemania, Alemanha.
Amberes, Antuerpia.
América, América.
Amsterdam, Amsterdão.
Andalucía, Andaluzia.
Antillas, Antilhas.
Arabia, Arábia.
Aragón, Aragão.
Argentina, Argentina.
Armenia, Arménia.
Asia, Ásia.
Asiria, Assíria.
Asunción, Assunção.
Atenas, Atenas.
Australasia, Australásia.
Australia, Austrália.
Austria, Áustria.
Aviñón, Avinhão.
Ayacucho, Aiacucho.
Azores, Açores.
Azerbaidján, Azerdaijão.

B

Babilonia, Babilónia.
Bagdad, Bagdade.
Bahamas (Archipiélago), Baama (Arquipélago).
Bakú, Bacu.
Baleares (Islas), Baleares (Ilhas).
Báltico, Báltico.
Bangkok, Banquecoque.
Barcelona, Barcelona.
Basilea, Basileia.
Batavia, Batávia.
Bayona, Baiona.
Bayreuth, Baireute.
Beirut, Beirute.
Belén, Belém.
Bélgica, Bélgica.
Belgrado, Belgrado.
Berlin, Berlím.
Berna, Berna.
Bilbao, Bilbau.
Birmania, Birmânia.
Birmingham, Birmingam.
Bogotá, Bogotá.
Bohemia, Boémia.
Bolivia, Bolívia.
Bolonia, Bolonha.
Bombay, Bombaim.
Bonn, Bona.
Borgoña, Borgonha.
Borneo, Borneu.
Bósforo, Bósforo.
Bosnia, Bósnia.
Braganza, Bragança.
Brasil, Brasil.
Brasilia, Brasília.
Bratislava o Breslau, Vratislávia.
Brema o Bremen, Brema.

Brest, Breste.
Bretaña (Gran), Bretanha (Grã).
Brujas, Bruges.
Brunswick, Brunsvique.
Bruselas, Bruxelas.
Bucarest, Bucareste.
Budapest, Budapeste.
Buenos Aires, Buenos Aires.
Bulgaria, Bulgária.
Burdeos, Bordéus.

C

Cabo de Buena Esperanza, Cabo de Boa Esperança.
Cádiz, Cádis.
Cairo, Cairo.
Calcuta, Calcutá.
Caldea, Caldeia.
Caledonia, Caledónia.
California, Califórnia.
Cambodge, Camboja.
Canadá, Canadá.
Canarias, Canárias.
Canterbury, Cantuária.
Cantón, Cantão.
Caracas, Caracas.
Cardiff, Cardife.
Castilla, Castela.
Cataluña, Catalunha.
Catania, Catânia.
Catay, Catai.
Caucasia, Caucásia.
Cáucaso, Cáucaso.
Cayena, Caiena.
Ceilán, Ceilão.
Cerdaña, Cerdanha.
Cerdeña, Sardenha.
Ceuta, Ceuta.
Cintra, Sintra.
Ciudad de El Cabo, Capetown.
Ciudad Real, Cidade Real.
Ciudad Trujillo, Cidade Truxilho.
Coblenza, Coblença.
Cochinchina, Cochinchina.
Colombia, Colômbia.
Colonia, Colónia.
Constantinopla, Constantinopla.
Copenhague, Copenhaga.
Córcega, Córsega.
Córdoba, Córdova.
Corea, Coreia.
Coruña, Corunha.
Costa Rica, Costa-Rica.
Coventry, Covêntria.
Cracovia, Cracóvia o Carcóvia.
Creta, Cândia, Candia.
Crimea, Crimeia.
Cristiania u Oslo, Cristiânia.
Croacia, Croácia.
Cuba, Cuba.
Cuenca, Conca.
Cuzco, Cusco.

CH

Checoslovaquia, Checoslováquia.
Chile, Chile.

China, China.
Chipre, Chipre.

D

Dahomey, Dahom.
Dakar, Dacar.
Dalmacia, Dalmácia.
Damasco, Damasco.
Dantzig, Danzique.
Danubio, Danúbio.
Dardanelos, Dardanelos.
Dieppe, Diepa.
Dinamarca, Dinamarca.
Dnieper, Dniepre.
Dom, Dom.
Dresde, Dresda.
Dublin, Dublim.
Dusseldorf, Dusséldorfia.

E

Ecuador, Equador.
Edimburgo, Edimburgo.
Egipto, Egipto.
Eire o Irlanda, Eire.
Elisabethville, Elisabetevila.
Eritrea, Eritreia.
Escandinavia, Escandinávia.
Escocia, Escóssia.
Eslovaquia, Eslováquia.
Eslovenia, Eslovénia.
Esmirna, Esmirna.
España, Espanha.
Estados Unidos de América, Estados Unidos da América.
Estambul, Istambul.
Estocolmo, Estocolmo.
Estonia, Estónia.
Estrasburgo, Estrasburgo.
Estrella (Sierra de la), Estrela (Serra da).
Etiopía, Etiópia.
Europa, Europa.
Everest, Evereste.
Extremadura, Estremadura.

F

Faisanes (Isla de los), Faisões (Ilha dos).
Fenicia, Fenícia.
Fernando Poo, Fernando Pó.
Ferrol del Caudillo, Ferrol del Caudilho.
Fez, Fez.
Filadelfia, Filadélfia.
Filipinas (Islas), Filipinas (Ilhas).
Finlandia, Finlândia.
Flandes, Flandres.
Florencia, Florença.
Formosa, Formosa.
Francfort, Francoforte.
Francia, França.
Friburgo, Freiberga
Fuego (Tierra del), Fogo (Terra do).

G

Galicia, Galiza.
Galilea, Galileia.
Galitzia, Galícia.
Gascuña (Golfo), Gasconha (Golfo).
Génova, Génova.
Georgia, Geórgia.
Germania, Cermânia.
Gibraltar, Gibraltar.
Ginebra, Genebra.
Gloucester, Glócester.
Goa, Goa.
Gotinga, Gotinga.
Gran Bretaña, Grã Bretanha.
Grecia, Grécia.
Grenoble, Grenobla.
Groenlandia, Gronelândia.
Guadalajara, Guadalaxara.
Guatemala, Guatemala.
Guayana, Guiana.
Guayaquil, Guaiaquil.
Guinea, Guiné.
Guipúzcoa, Guipúscoa.

H

Habana, Havana.
Haití, Haiti.
Hamburgo, Hamburgo.
Hannover, Hanôver.
Hanoi, Hanói.
Hawai (Islas), Havai (Ilhas).
Haya (El), Haia.
Heidelberg, Heidelberga.
Helsinki, Helsinquia.
Himalaya, Himalaia.
Holanda, Holanda o Neerlândia.
Honduras, Honduras.
Hong-Kong, Hong-Kong.
Honolulú, Honolulú.
Hungria, Hungria.

I

India, India.
Indochina, Indochina.
Indonesia, Indonésia.
Indostán, Indostão.
Inglaterra, Inglaterra.
Irán, Irão.
Iraq o Irak, Iraque.
Irlanda, Irlanda.
Islandia, Islândia.
Israel, Israel.
Italia, Itálica.

J

Jaén, Xaém.
Jaffa, Jafa.
Jalisco, Xalisco.
Japón, Japão.
Java, Java.
Jerez, Xerez.
Jericó, Jericó.
Jerusalén, Jerusalém.
Jordán (río), Jordão (río).
Jordania, Jordânia o Transjordânia.
Judá o Judea, Judeia.
Jutlandia, Jutlândia.

K

Kabul, Cabul.
Karachi, Carachi.
Katanga, Catanga.
Kazán, Cazã.
Kenia, Quénia.
Kiev, Quieve.
Könisberg, Conisberga.
Kuirguisistán, Quirguízia.

L

Lahore, Laore.
Laos, Laus o Laos.
Laponia, Lapónia.
Lausana, Lausana.
Leipzig, Lipsia.
Leningrado, Leninegrado.
León, Leão.
Leopoldville, Leopoldville.
Letonia, Letónia.
Líbano, Líbano.
Liberia, Libéria.
Libia, Líbia.
Liechtenstein, Listenstania.
Lima, Lima.
Lión, Lião.
Lisboa, Lisboa.
Lituania, Lituânia.
Liverpool, Liverpul.
Logroño, Logronho.
Londres, Londres.
Lorenzo Marqués, Lourenço Marques.
Lourdes, Lurdes.
Luganda, Luganda.
Lusitania, Lusitânia.
Luxemburgo, Luxemburgo.
Luzón, Lução.

M

Macao, Macau.
Macedonia, Macedónia.
Madagascar, Madagascar.
Madera (Isla), Madeira (Ilha).
Madrás, Madrasta.
Madrid, Madrid.
Magallanes (Estrecho de), Magalhães (Estreito de).
Maguncia, Mainz.
Malasia, Malásia.
Mallorca, Maiorca.
Managua, Manágua.
Manchuria, Manchúria.
Manila, Manila.
Mantua, Mântua.
Marsella, Marselha.
Marrakesh, Marráquexe.
Marruecos, Marrocos.
Matanzas, Matanças.
Mauritania, Mauritânia.
Mediterráneo (Mar), Mediterrâneo (mar).
Melilla, Melilha.
Menorca, Minorca.
Mesopotamia, Mesopotâmia.
Metz, Métis.
México, México.
Michigan, Michigão.
Milán, Milão.
Miño (río), Minho (río).
Moldavia, Moldávia.
Mónaco, Mónaco.
Mongolia, Mongólia.
Montenegro, Montenegro.
Monterrey, Monte Rei.
Montevideo, Montevideu.
Montreal, Montreal.
Moravia, Morávia.
Moscú, Moscovo.
Mozambique, Moçambique.
Muerto (Mar), Morto (mar).
Munich, Munique.

N

Nagasaki, Nagasáqui.
Nagoya, Nagóia.
Nankin o Chungkuo, Nanquin, Nanking.
Nápoles, Nápoles.
Natal, Natal.
Nazaret, Nazaré.
Nepal, Nepal.

Neustadt, Neustádio.
Nicosia, Nicósia.
Nigeria, Nigéria.
Nilo, Nilo.
Nipón, Nipão.
Niza, Nice.
Northumberland, Nortúmbia.
Noruega, Noruega.
Nueva Jersey, Nova Jersia.
Nueva Orleáns, Nova Orleães.
Nueva York, Nova Iorque.
Nueva Zelanda, Nova Zelândia.
Nueva Zembra, Nova Zembla.
Nuremberg, Nuremberga.

O

Oceania, Oceânia.
Oder, Eider.
Oporto, Porto.
Orán, Orão.
Oregón, Oregão.
Orinoco, Orenoco.
Orleans, Orleães.
Oslo, Oslo.
Ostende, Ostenda.
Otawa, Otava.
Oxford, Oxónia.

P

Pacifico (Océano), Pacífico (Oceano).
Países Bajos, Países Baixos.
Palencia, Palença.
Palestina, Palestina.
Panamá, Panamá.
Paquistán o Pakistán, Paquistão.
Paraguay, Paraguai.
París, Paris.
Paz (La), La Paz.
Pearl-Harbour, Porto das Pérolas.
Pekin o Pequin, Pequim.
Perpiñán, Perpinhão.
Persia, Pérsia.
Perú, Peru.
Pireo, Pireau.
Pirineos, Pirineus.
Plymouth, Plimude.
Polinesia, Polinésia.
Polonia, Polónia.
Portugal, Portugal.
Praga, Praga.
Puerto Rico, Porto Rico.

Q

Quebec, Quebeque.
Quito, Quito.

R

Rangún, Rangum.
Ratibor, Raciborze.
República Sudafricana, União Sul-Africana.
Reval, Reval o Talin.
Riga, Riga.
Rio de Janeiro, Rio de Janeiro.
Río de Oro, Rio de Ouro.
Rio Muni, Rio Muni.
Rocosas (montañas), Rochosas (montanhas).
Rodesia, Rodésia.
Rojo (Mar), Vermelho (Mar).
Roma, Roma.
Rotterdam, Roterdão.
Ruán, Ruão.
Ruhr, Rur.
Rumania, Roménia.
Rusia, Rússia.
Rusia Blanca, Rússia Branca.

S

Sahara, Sara.
Saigón, Saigão.
Sajonia, Saxónia.
Salomón (Islas), Salomão (Ilhas).
Salvador (El), Salvador.
Salzburgo, Salisburgo.
San Francisco, São Francisco.
San Juan de Puerto Rico, São João de Porto Rico.
San Marino, São Marinho.
San Sebastián, São Sebastião.
Sarajevo, Saraievo.
Sarre (El), Sarburgo o Saar.
Senegal, Senegal.
Seul, Seul.
Sevilla, Sevilha.
Shanghay, Xangai.
Siam, Sião.
Siberia, Sibéria.
Sicilia, Sicília.
Sidón, Sidónia.
Sierra Leona, Serra Leoa.
Singapur, Singapura.
Siria, Síria.
Sofia, Sófia.
Stalingrado, Estalinegrado.
Stuttgart, Estugarda.
Sudán, Sudão.
Suecia, Suécia.
Suiza, Suiça.

T

Tailandia, Tailândia.
Taipeh, Taipé o Taihoku.

Támesis, Tamisa.
Tanganica, Tanganhica.
Teguoigalpa, Tegucigalpa.
Teherán, Teerão.
Tel-Aviv, Telavive.
Terranova, Terra Nova.
Tetuán, Tetuão.
Tiber, Tibre.
Tibet, Tibete.
Tierra de Fuego, Terra do Fogo.
Tigris, Tigre.
Tirana, Tirana.
Tokio, Tóquio.
Tolón, Tulono.
Tonkin, Tonquim.
Tours, Turones.
Trinidad (Isla), Trinidade (Ilha).
Tucumán, Tucumã.
Túnez, Tunes.
Tunicia, Tunísia.
Turin, Turim.
Turquestán, Turquestão.
Turquia, Turquia.

U

Ucrania, Ucrânia.
Uganda, Uganda.
U.R.S.S., U.R.S.S.
Uruguay, Uruguai.
Utrecht, Utreque.

V

Valencia, Valença.
Valladolid, Valhadolid.

Varsovia, Varsóvia.
Vaticano, Vaticano.
Venecia, Veneza.
Venezuela, Venezuela.
Verdum, Veroduno.
Versalles, Versalhes.
Viena, Viena.
Viet-Minh, Viet-Minh.
Vietnam, Vietname.
Vilna, Vilno.
Vizcaya, Biscaia.

W

Washington, Washington.

Y

Yacarta, Jacarta.
Yalta, Ialta.
Yokohama, Iocoama.
Yucatán, Iucatão.
Yugoslavia, Jugoslávia.

Z

Zamora, Samora.
Zaragoza, Saragoça.
Zelanda, Zelândia.

NOMES PRÓPIOS DE PESSOAS

A

Abderramán, Abderramão.
Abel, Abel.
Abelardo, Abelardo.
Abraham, Abraão.
Absalón, Absalão.
Adalberto, Adalberto.
Adán, Adão.
Adelaida, Adelaide.
Adelina, Adelina.
Adolfo, Adolfo.
Adrián, Adriano.
Agustin, Agostinho.
Alberto, Alberto.
Alejandra, Alexandra.
Alejandro, Alexandre.
Alejo, Aleixo.
Alfonso, Alfonso.
Alfredo, Alfredo
Amadeo, Amadeu.
Ambrosio, Ambrósio.
Amelia, Amélia.
Amparo, Amparo.
Ana, Ana.
Anastasia, Anastácia.
Anastasio, Anastácio.
Andrés, André.
Ángel, Ángelo.
Aníbal, Aníbal.
Anselmo, Anselmo.
Antonia, Antónia.
Antonio, António.
Arsenio, Arsénio.
Arturo, Artur.
Asunción, Assunção.
Atanasio, Atanásio.
Augusto, Augusto.
Aureliano, Aureliano.
Aurelio, Aurélio.
Aurora, Aurora.

B

Balduino, Balduino.
Baltasar, Baltasar.
Bárbara, Bárbara.
Bartolomé, Bartolomeu.
Basilio, Basilio.
Bautista, Baptista.
Beatriz, Beatriz.
Beltrán, Beltrão.
Benedicto, Benedito.
Benjamin, Benjamin.
Bernabé, Barnabé.
Bernardo, Bernardo.
Berta, Berta.
Blas, Bras.
Boris, Boris.
Brigida, Brigida.
Bruno, Bruno.
Buenaventura, Boaventura.

C

Calixto, Calisto.
Camila, Camila.
Camilo, Camilo.
Carlos, Carlos.

Carlota, Carlota.
Carmen, Cármen.
Casimiro, Casimiro.
Catalina, Catarina.
Cayetano, Caetano.
Cecilia, Cecilia.
César, César.
Cicerón, Cicero.
Cirilo, Cirilo.
Clara, Clara.
Claudio, Cláudio.
Clemente, Clemente.
Cleofás, Cleofas.
Cleopatra, Cleopatra.
Conrado, Conrado.
Constantino, Constantino.
Crispin, Crispim.
Cristián, Cristiano.
Cristina, Cristina.
Cristóbal, Cristovão.

D

Dagoberto, Dagoberto.
Dámaso, Damaso.
Damián, Damião.
Daniel, Daniel.
David, David.
Dionisio, Dionísio.
Domingo, Domingo.
Dorotea, Dorotea.

E

Edmundo, Edmundo.
Eduardo, Eduardo.
Efrén, Efrém.
Elena, Helena.
Eleuterio, Eleutério.
Elías, Elias.
Eliseo, Eliseu.
Eloy, Elói.
Emilia, Emília.
Emiliano, Emiliano.
Emilio, Emílio.
Encarnación, Encarnacão.
Enrique, Henrique.
Enriqueta, Henriqueta.
Epifano, Epifânio.
Ernesto, Ernesto.
Esaú, Esaú.
Estanislao, Estanislau.
Esteban, Estevão.
Ester, Ester.
Eufrasia, Eufrásia o Eufrosina.
Eugenio, Eugénio.
Eusebio, Eusébio.
Eustaquio, Eustáquio.
Evangelina, Evangelina.
Evaristo, Evaristo.

F

Fabiano, Fabiano.
Fabio, Fábio.
Fabiola, Fabiola.
Faustina, Faustina.
Fausto, Fausto.
Federica, Frederica.

Federico, Frederico.
Feliciano, Feliciano.
Felicidad, Felicidade.
Felipe, Felipe o Filipe.
Félix, Félix.
Filomena, Filomena.
Flora, Flora.
Florencio, Florêncio.
Florentino, Florentino.
Francisca, Francisca.
Francisco, Francisco.
Fulgencio, Fulgêncio.

G

Gabriel, Gabriel.
Gaspar, Gaspar.
Genoveva, Genoveva.
Georgina, Georgina.
Gertrudis, Gertrudes.
Gervasio, Gervásio.
Gloria, Glória.
Godofredo, Godofredo.
Gonzalo, Gonçalo.
Gregorio, Gregório.
Guillermina, Guilhermina.
Guillermo, Guilherme.

H

Hilario, Hilário.
Hipólito, Hipólito.
Honorio, Honório.
Horacio, Horácio.
Hortensia, Hortência.
Hugo, Hugo.
Humberto, Humberto.

I

Idelfonso, Idelfonso.
Ignacio, Inácio.
Inés, Inês.
Inocencio, Inocêncio.
Irene, Irene.
Isaac, Isaac.
Isabel, Isabel o Elisabeth.
Isidoro, Isidoro.
Isidro, Isidro.
Ismael, Ismael.

J

Jacinto, Jacinto.
Jacob, Jacob.
Javier, Xavier.
Jeremias, Jeremias.
Jerónimo, Jerónimo.
Jesús, Jesus.
Jimena, Ximena.
Joaquin, Joaquim.
Job, Job.
Jorge, Jorge.
José, José.
Josefina, Josefina.
Juan, João.
Juana, Joana.
Julia, Júlia.

Julián, Julião.
Juliana, Juliana.
Juliano, Juliano.
Justino, Justino.
Justo, Justo.

L

Ladislao, Ladislau.
Lázaro, Lázaro.
Leandro, Leandro.
León, Leão.
Leonardo, Leonardo.
Leonor, Leonor.
Leopoldo, Leopoldo.
Lorenzo, Lourenço.
Lourdes, Lurdes.
Lucas, Lucas.
Lucía, Lúcia.
Luciano, Luciano.
Lucio, Lúcio.
Lucrecia, Lucrécia.
Luis, Luis.
Luisa, Luisa.

M

Magdalena, Madalena.
Majencio, Maxêncio.
Manuel, Manuel.
Marcelino, Marcelino.
Marcelo, Marcelo.
Marcos, Marcos.
Margarita, Margarida.
Maria, Maria.
Mariana, Mariana.
Mario, Mário.
Marta, Marta.
Martin, Martinho.
Mateo, Mateus.
Matias, Matias.
Matilde, Matilde.
Mauricio, Maurício.
Maximiliano, Maximiliano.
Máximo, Máximo.
Miguel, Miguel.

N

Narciso, Narciso.
Nicolás, Nicolau.

Noberto, Noberto.
Noé, Noé.
Noemi, Noémia.

O

Octavio, Octávio.
Ofelia, Ofélia.
Otilia, Odília.
Oto, Otão.

P

Pablo, Paulo.
Pascual, Pascoal.
Patricio, Patrício.
Paulina, Paulina.
Pedro, Pedro.
Pilar, Pilar.
Pio, Pio.
Plácido, Plácido.

R

Rafael, Rafael.
Raimundo, Raimundo.
Ramiro, Ramiro.
Raquel, Raquel.
Raúl, Raul.
Reinaldo, Reinaldo.
Ricardo, Ricardo.
Roberto, Roberto.
Rodolfo, Rodolfo.
Rodrigo, Rodrigo o Roderico.
Rogelio, Rogério.
Roldán, Roldão, Rolando o Orlando.
Román, Romão.
Romualdo, Romualdo.
Roque, Roque.

S

Salomón, Salomão.
Salvador, Salvador.
Samuel, Samuel.
Sansón, Sansão.
Sebastián, Sebastião.
Segismundo, Segismundo o Sigismundo.
Severino, Severino.

Severo, Severo.
Sigfredo, Siguefredo.
Silvestre, Silvestre.
Simeón, Simeão.
Simón, Simão.
Sixto, Siste.
Sofia, Sófia.
Susana, Susana.

T

Tancredo, Tancredo.
Telesforo, Telesforo.
Teobaldo, Teobaldo.
Teodorico, Teodorico.
Teodoro, Teodoro.
Teodosia, Teodósia.
Teodosio, Teodósio.
Teófilo, Teófilo.
Teresa, Teresa.
Timoteo, Timóteo.
Tomás, Tomás.

U

Urbano, Urbano.
Úrsula, Úrsula.

V

Valentin, Valentim.
Valerio, Valério.
Verónica, Verónica.
Vicente, Vicente.
Victor, Victor.
Victoria, Vitória.
Victoriano, Vitoriano.
Virgilio, Virgílio.
Virginia, Virginia.

W

Wenceslao, Venceslau.

Z

Zacarías, Zacarias.
Zósimo, Zósimo.